TRATADO DE
ANESTESIOLOGIA
SAESP

TRATADO DE ANESTESIOLOGIA

 SAESP **VOLUME 2**

 10ª

edição comemorativa

Publicação da Sociedade de
Anestesiologia do Estado de São Paulo

Maria José Carvalho Carmona

Luiz Marciano Cangiani

Luis Henrique Cangiani

Mariana Fontes Lima Neville

Vanessa Henriques Carvalho

Guilherme Antonio Moreira de Barros

Leonardo Teixeira Domingues Duarte

Márcio Matsumoto

Vinícius Caldeira Quintão

Luís Vicente Garcia

Claudia Marquez Simões

editora dos
Editores

saesp

TRATADO DE ANESTESIOLOGIA – SAESP - VOLUME 2

Maria José Carvalho Carmona, Luiz Marciano Cangiani, Luis Henrique Cangiani, Mariana Fontes Lima Neville, Vanessa Henriques Carvalho, Guilherme Antonio Moreira de Barros, Leonardo Teixeira Domingues Duarte, Márcio Matsumoto, Vinícius Caldeira Quintão, Luís Vicente Garcia, Claudia Marquez Simões

Produção editorial: Proton Editorial Ltda

Copydesk/Revisão: Proton Editorial Ltda

Diagramação e Capa: Equipe Proton Editorial Ltda

Ilustrações: Margarete Baldissara

Impresso no Brasil
Printed in Brazil
1ª impressão – 2025

ISBN: 978-65-6103-055-7

Editora dos Editores

São Paulo: Rua Marquês de Itu, 408 - sala 104 – Centro.
                (11) 2538-3117

Rio de Janeiro: Rua Visconde de Pirajá, 547 - sala 1121 – Ipanema.
                www.editoradoseditores.com.br

Atendiment
Ee
Interativ
(11) 98308-0227

Este livro foi criteriosamente selecionado e aprovado por um Editor científico da área em que se inclui. A Editora dos Editores assume o compromisso de delegar a decisão da publicação de seus livros a professores e formadores de opinião com notório saber em suas respectivas áreas de atuação profissional e acadêmica, sem a interferência de seus controladores e gestores, cujo objetivo é lhe entregar o melhor conteúdo para sua formação e atualização profissional.

Desejamos-lhe uma boa leitura!

Dados Internacionais de Catalogação na Publicação (CIP)
(BENITEZ Catalogação Ass. Editorial, MS, Brasil)

T698 1.ed.	Tratado de anestesiologia SAESP : volume 2. – 1.ed. – São Paulo : Editora dos Editores ; Sociedade de Anestesiologia do Estado de São Paulo - SAESP, 2025. 1826 p.; 21 x 28 cm. Vários autores. Bibliografia. ISBN 978-65-6103-055-7 1. Anestesia. 2. Anestesiologia 3. Sociedade de Anestesiologia do Estado de São Paulo (SAESP). 4. Tratados médicos.

CDD 617.96
NLM-WO 200

10-2024/189

Índice para catálogo sistemático:

1. Anestesiologia : Ciências médicas 617.96

Aline Graziele Benitez – Bibliotecária - CRB-1/3129

Sobre os Membros do Corpo Editorial

Maria José Carvalho Carmona

Professora livre-docente Associada da Disciplina de Anestesiologia da Faculdade de Medicina da Universidade de São Paulo (FMUSP). Coordenadora do curso de Mestrado Profissional do Programa de Pós-graduação em Inovação Tecnológica e de Processos Assistenciais Perioperatórios da FMUSP.

Luiz Marciano Cangiani

Corresponsável pelo **Centro de Ensino e Treinamento em Anestesiologia (CET)** do **Centro Médico Campinas**. Anestesiologista da Clínica Campinense de Anestesiologia (Qmentum internacional).

Luis Henrique Cangiani

Responsável **pelo Centro de Ensino e Treinamento em Anestesiologia (CET)** do **Centro Médico Campinas**. Anestesiologista da Clínica Campinense em Anestesiologia. Doutor pelo Departamento de Anestesiologia da Faculdade de Medicina de Botucatu da Universidade Estadual Paulista (FMB-UNESP).

Mariana Fontes Lima Neville

Anestesiologista do Hospital São Paulo da Universidade Federal de São Paulo (UNIFESP). Anestesiologista do Sabará Hospital Infantil.

Vanessa Henriques Carvalho

Professora Assistente do Departamento de Anestesiologia da Faculdade de Ciências Médicas da Universidade Estadual de Campinas (UNICAMP). Responsável pela Residência Médica do Centro de Ensino e Treinamento da Sociedade Brasileira de Anestesiologia (CET–SBA), do Departamento de Anestesiologia da Faculdade de Ciências Médicas da UNICAMP.

Guilherme Antonio Moreira de Barros
Prof. Associado do Departamento de Especialidades Cirúrgicas e Anestesiologia da Faculdade de Medicina de Botucatu, Universidade Estadual Paulista (UNESP)

Leonardo Teixeira Domingues Duarte

Médico Anestesiologista do Serviços Médicos de Anestesia (SMA). Instrutor corresponsável do Centro de Ensino e Treinamento da Sociedade Brasileira de Anestesiologia, Serviços Médicos de Anestesia (CET/SBA SMA) do Hospital Sírio Libanês.

Márcio Matsumoto
Diretor de práticas médicas do Serviço Médico em Anestesiologia (SMA). Corresponsável do Centro de Ensino e Treinamento da Sociedade Brasileira de Anestesiologia Serviço Médico em Anestesiologia (CET/SBA SMA) do Hospital Sírio-libanês (HSL).

Vinícius Caldeira Quintão
Anestesiologista do Instituto da Criança e do Adolescente do Hospital das Clínicas da Faculdade de Medicina da Universidade de São Paulo (HCFMUSP).

Luís Vicente Garcia
Professor Titular da Disciplina de Anestesiologia da Faculdade de Medicina de Ribeirão Preto da Universidade de São Paulo (FMRP-USP).

Claudia Marquez Simões
Supervisora do Serviço de Anestesiologia do Instituto do Câncer do Estado de São Paulo, do Hospital das Clínicas da Faculdade de Medicina da Universidade de São Paulo (ICESP-HCFMUSP). Diretora de Educação Médica de Serviços Médicos de Anestesia (SMA).

Sobre os Autores e Co-autores

Adilson Hamaji - TSA-SBA

Doutor em Ciências pela Faculdade de Medicina da Universidade de São Paulo (FMUSP). Supervisor do Serviço de Anestesia do Instituto de Ortopedia e Traumatologia do Hospital das Clínicas da FMUSP (IOT HCFMUSP).

Adriana Erica Yamamoto Rabelo

Anestesiologista do Serviço de Anestesiologia da Fundação Faculdade Regional de Medicina (FUNFARME), de São José do Rio Preto/SP. Corresponsável pela Unidade de Anestesia em Transplante de Fígado no Hospital de Base de São José do Rio Preto/SP.

Adriel Franco de Mattos

Instrutor do Centro de Ensino e Treinamento em Anestesiologia do Centro Médico Campinas. Pós-graduação em Gestão da Qualidade e Segurança do Paciente em Saúde pelo Hospital Israelita Albert Einstein (HIAE).

Adriene Stahlschmidt

Médica Anestesiologista do Serviço de Anestesia e Medicina Perioperatória (SAMPE) do Hospital de Clínicas de Porto Alegre (HCPA). Doutora em Ciências Médicas pelo Programa de Pós-graduação em Ciência Médicas da Universidade Federal do Rio Grande do Sul (UFRGS).

Airton Bagatini - TSA-SBA

MD MBA MsC/Responsável pelo Centro de Ensino e Treinamento da Sociedade de Anestesiologia (CET-SANE). Mestre em Saúde e Comportamento.

Alberto Vasconcelos

Doutor pela na Faculdade de Medicina da Universidade de São Paulo – FMUSP. MBA em Gestão em Saúde. Médico Anestesista do Hospital e Maternidade Pro Matre Paulista, São Paulo-SP.

Alex Madeira Vieira

Anestesiologista e Terapia Intensiva Pediátrica. Coordenador do Transplante Hepático do Hospital de Transplantes Euryclides de Jesus Zerbini – Hospital Infantil Darcy Vargas Instituto Estadual Infectologia Emílio Ribas (IIERibas).

Alexandra Rezende Assad - TSA-SBA

Professora Associada da Faculdade de Medicina da Universidade Federal Fluminense (UFF). Médica Anestesiologista da Universidade Federal do Rio de Janeiro (UFRJ).

Alexandre Bottrel Motta

Anestesiologista pela Universidade de São Paulo (USP). MBA em Gestão Empresarial pela Faculdade Getúlio Vargas (FGV).

Alexandre Peroni Borges

Chefe do Serviço de Radiologia da Próton Diagnósticos da Fundação Centro Médico Campinas. Membro do Colégio Brasileiro de Radiologia (CBR).

Alexandre Slullitel - TSA-SBA

Mestrado pela Faculdade de Medicina de Ribeirão Preto, Universidade de São Paulo (FMRP-USP). Doutorado pela Faculdade e Medicina da Universidade de São Paulo (FMUSP).

Amanda Ayako Minemura Ordinola

Fellowship em Terapia Intensiva Cirúrgica e Anestesiologia (duração de um ano) – Instituto do Coração (InCor). Especialista em Medicina Intensiva pela Associação de Medicina Intensiva Brasileira (AMIB).

Ana Beatriz Furtado de Souza - TSA-SBA

Médica Anestesiologista da Cooperativa dos Anestesiologistas de Ribeirão Preto (COOPANEST-RP). Certificado de Área de Atuação em Dor pela Sociedade Brasileira de Anestesiologia (SBA).

Ana Beatriz Monasterio Paulovski

Anestesiologista residente em Dor no Hospital das Clínicas da Faculdade de Medicina da Universidade de São Paulo (HC--FMUSP).

Ana Carla Giosa Fujita - TSA-SBA

Médica Anestesiologista pelo Centro de Ensino e Treinamento do Hospital das Clínicas da Faculdade de Medicina da Universidade de São Paulo (CET-HCFMUSP). Médica coordenadora do Serviço de Anestesiologia Pediátrica (SAPE).

Ana Claudia Aragão Delage

Professora Assistente da Universidade de Taubaté (UNITAU). Supervisora da Residência Médica de Anestesiologia da UNITAU.

Ana Cristina Aliman Arashiro

Anestesista. Título Superior de Intensivista pela Associação de Medicina Intensiva Brasileira (AMIB).

Ana Luft

MSc. Anestesiologista. Área de Atuação em Dor.

Ana Maria Malik

Doutora em medicina preventiva, professora titular da EAESP da Fundação Getúlio Vargas e membro do Comitê de Saúde do Instituto Brasileiro de Governança Corporativa (IBGC).

Ana Rubia de Oliveira Comodo - TSA-SBA

Residência Médica pelo Ministério da Educação/Sociedade Brasileira de Anestesiologia (MEC/SBA) no Hospital Municipal José Carvalho Florence. Corresponsável pelo Centro de Ensino e Treinamento em Anestesiologia do Hospital Municipal de São José dos Campos/SP.

André de Moraes Porto - TSA-SBA

Médico Anestesiologista do Hospital Santa Sofia e do Centro Médico de Campinas. Instrutor do Centro de Ensino e Treinamento (CET) do Centro Médico de Campinas.

André Luis Ottoboni - TSA-SBA

SMA - Serviços Médicos de Anestesia.

André Luiz Nunes Gobatto

Medicina Intensiva e Doutor pela Universidade de São Paulo (USP). Supervisor da Residência de Clínica Médica do Hospital Geral Ernesto Simões Filho (HGESF-BA) e da Residência de Medicina Intensiva do Hospital da Cidade (BA).

André Prato Schmidt - TSA-SBA

Médico Anestesiologista do Serviço de Anestesia e Medicina Perioperatória do Hospital de Clínicas de Porto Alegre (HCPA). Pós-Doutorado em Anestesiologia pela Universidade de São Paulo (USP).

André Roberto Bussmann

Mestre e Doutor em Anestesiologia pela Universidade Estadual Paulista (UNESP).

Angela Maria Sousa - TSA-SBA

Médica Anestesiologista. Pós-Doutorado pela Faculdade de Medicina da Universidade de São Paulo (FMUSP). Professora colaboradora do departamento de Cirurgia da FMUSP, disciplina Anestesiologia.

Angélica de Fátima de Assunção Braga - TSA-SBA

Profa. Titular do Departamento de Anestesiologia, Oncologia e Radiologia da Faculdade de Ciências Médicas da Universidade Estadual de Campinas (UNICAMP). Responsável pela Seção de Anestesiologia do Centro de Atenção Integral à Saúde da Mulher (CAISM – UNICAMP).

Anita Perpétua Carvalho Rocha de Castro

Médica Anestesiologista com certificado de atuação na área de Dor. Mestrado e Doutorado em Anestesiologia pela Universidade Estadual Paulista (UNESP-Botucatu).

Anne Twardowsky Di Donato

Médica Anestesiologista do Hospital das Clínicas da Faculdade de Medicina, Universidade de São Paulo (HC-FMUSP).

Antonio Carlos Aguiar Brandão - TSA-SBA

Mestre e Doutor pela Faculdade de Medicina de Botucatu - Universidade Estadual Paulista (UNESP). Diretor Vice-Presidente da Sociedade Brasileira de Anestesiologia (SBA) - Gestão 2024.

Antônio Jarbas Ferreira Júnior - TSA-SBA

Instrutor Residência Médica Anestesiologia Centro de Ensino e Treinamento da Sociedade Brasileira de Anestesiologia (CET-SBA), Hospital de Base da Fundação Faculdade Regional de Medicina (H.B. FUNFARME) – São José do Rio Preto.

Antonio Jorge Barretto Pereira

Anestesiologista do Hospital São Rafael – Salvador/Ba. Especialista em Medicina Intensiva pela Associação de Medicina Intensiva Brasileira (AMIB).

Antônio Márcio de Sanfim Arantes Pereira - TSA-SBA

Corresponsável pelo Centro de Ensino e Treinamento em Anestesiologia no Centro Médico Campinas. Anestesiologista do Departamento de Anestesiologia e Terapia da Dor do Hospital da Fundação Centro Médico Campinas e Hospital Santa Sofia, Campinas - SP.

Antonio Roberto Carraretto - TSA-SBA (*in memoriam*)

MSc, PhD. Mestre e Doutor em Anestesiologia pela Universidade Estadual Paulista (UNESP). Professor de Anestesiologia na Universidade Federal do Espírito Santo (UFES). Responsável pelo Centro de Ensino e Treinamento do Hospital Universitário Cassiano Antonio Moraes, Universidade Federal do Espírito Santo (CET HUCAM-UFES).

Antonio Vanderlei Ortenzi - TSA-SBA

Professor Doutor aposentado. Atualmente Professor Colaborador - Departamento de Anestesiologia da Faculdade de Ciências Médicas, Universidade Estadual de Campinas (UNICAMP). Membro Honorário da Sociedade Brasileira de Anestesiologia (SBA), da Sociedade de Anestesiologia do Estado de São Paulo (SAESP) e da Sociedade de Anestesiologia do Estado de Sergipe (SAFSF).

Áquila Lopes Gouvea

Doutora em Ciências pela Faculdade de Medicina da Universidade de São Paulo (FMUSP). Graduação em Enfermagem e Obstetrícia pela Universidade Federal do Espírito Santo (UFES).

Arthur Vitor Rosenti Segurado - TSA-SBA

Médico Anestesista, SMA Coordenador Médico

Artur Souza Rosa

Médico Anestesiologista da Santa Casa de Misericórdia de Santos.

Atsuko Nakagami Cetl - TSA-SBA

Título em Dor pela Associação Médica Brasileira (AMB).

Ayrton Bentes Teixeira - TSA-SBA

Responsável pelo Centro de Ensino e Treinamento da Clínica Anestesiológica Campinas (CET CAC Campinas).

Bruna Bastiani dos Santos

Anestesiologista com Título de Especialista em Anestesiologia pela Sociedade Brasileira de Anestesiologia (TEA - SBA). Neuro-Anestesiologista pela Faculdade de Medicina da Universidade de São Paulo e pela Society for Neuroscience in Anesthesiology and Critical Care (FMUSP/SNACC).

Bruna Moraes Cabreira

Médica anestesista A. C. Camargo Cancer Center.

Bruno Adler Maccagnan Pinheiro Besen

Residência Médica em Clínica Médica e Medicina Intensiva pelo Hospital das Clínicas da Faculdade de Medicina da Universidade de São Paulo (HCFMUSP). Doutorado em Ciências Médicas pela FMUSP.

Bruno Emanuel Oliva Gatto - TSA-SBA

MBA em Gestão Empresarial pela Fundação Getúlio Vargas (FGV). Instrutor corresponsável na Faculdade de Medicina do ABC (FMABC).

Bruno Erick Sinedino de Araújo - TSA-SBA

Anestesiologista pelo Hospital das Clínicas da Faculdade de Medicina da Universidade de São Paulo (HCFMUSP).

Bruno Francisco de Freitas Tonelotto

Doutor em Anestesiologia. Membro do Comittee Abstract and Review da Society of Cardiovascular Anesthesiologists (SCA).

Bruno Melo Nóbrega de Lucena

Coordenador do Curso Preparatório para Terapia Intensiva da WavesMEd.

Bruno Serra Guida - TSA-SBA

Instrutor do Centro de Ensino e Treinamento (CET) Prof. Fabiano Gouvea do Hospital Federal dos Servidores do Estado.

Caio Funck Colucci

Instrutor do Centro de Ensino e Treinamento em Anestesiologia Centro Médico Campinas. Anestesiologista da Clínica Campinense de Anestesiologia (*Qmentum International*).

Calim Neder Neto - TSA-SBA

TEA. Mestre pela Universidade Federal de São Paulo (UNIFESP).

Camille Sayuri Saraiva Nobayashi

Residente (R3) do Serviço de Anestesiologia do Instituto Prevent Senior, pela Sociedade Brasileira de Anestesiologia (SBA).

Carlos André Cagnolati - TSA-SBA

Corresponsável pelo Centro de Ensino e Treinamento em Anestesiologia da Clínica de Anestesia Ribeirão Preto CET/CARP. Anestesiologista e Diretor Financeiro da CARP.

Carlos Eduardo Esqueapatti Sandrin - TSA-SBA

Corresponsável pelo Centro de Ensino e Treinamento (CET) em Anestesiologia do Centro Médico de Campinas. Anestesiologista do Departamento de Anestesiologia e Terapia da Dor do Hospital da Fundação Centro Médico Campinas e da Clínica Campinense de Anestesiologia (*Qmentum International*)

Carlos Othon Bastos - TSA-SBA

Coordenador do Departamento do Anestesiologia da Maternidade de Campinas. Corresponsável pelo Centro de Ensino e Treinamento (CET) Integrado de Campinas.

Carlos Rogério Degrandi Oliveira - TSA-SBA

Título Superior em Anestesiologia.

Carolina Baeta Neves Duarte Ferreira - TSA-SBA

Corresponsável pelo Centro de Ensino e Treinamento (CET) do Hospital Moriah. Mestrado em Ciências Médicas pela Universidade Federal de São Paulo (UNIFESP).

Carolina Cáfaro

Médica intensivista – Centro de Terapia Intensiva Adulto – Departamento de Pacientes Graves – Hospital Israelita Albert Einstein (HIAE). Médico titulado pela Associação de Medicina Intensiva Brasileira (AMIB).

Carolina de Oliveira Sant'Anna

Especialização em Anestesiologia pelo Centro de Ensino e Treinamento do Hospital de Base, da Fundação Faculdade Regional de Medicina (CET/HB/FUNFARME). Título de Especialista em Anestesiologia pela Sociedade Brasileira de Anestesiologia (TEA - SBA).

Catia Sousa Govêia - TSA-SBA

Professora da Universidade de Brasília (UnB). Diretora do Departamento Administrativo da Sociedade de Anestesiologia do Estado de São Paulo (SBA), Gestões 2021 – 2024.

Cecília Daniele de Azevedo Nobre

Medicina da Dor Clínica e Intervencionista. Certificado de Área de Atuação em Dor, *Fellow* of Interventional Pain Practice, Certified Interventional Pain Sonologist (CAAD/FIPP/CIPS). Diploma da Academia Americana Medicina Regenerativa.

Célio Gomes de Amorim

Professor de Medicina Integrada na Universidade Federal de Uberlândia (UFU). Doutor em Ciências pela Faculdade de Medicina da Universidade de São Paulo (FMUSP).

Celso Luiz Módolo - TSA-SBA

Médico Intensivista, Professor Substituto do Departamento de Especialidades Cirúrgicas e Anestesiologia da Faculdade de Medicina de Botucatu, Universidade Estadual Paulista (UNESP).

Celso Schmalfuss Nogueira - TSA-SBA

Professor da Disciplina de Anestesiologia da Faculdade de Medicina da Universidade Metropolitana de Santos (UNIMES). Corresponsável pelo Centro de Ensino e Treinamento (CET) em Anestesiologia da Santa Casa de Santos.

César de Araujo Miranda - TSA-SBA

Professor Adjunto da Disciplina de Anestesiologia da Faculdade de Medicina de Jundiaí (FMJ). corresponsável pela Residência de Anestesiologia da FMJ.

Charles Amaral de Oliveira

Título de Especialista em Anestesiologia pela Sociedade Brasileira de Anestesiologia (TEA - SBA), com Área de Atuação em Dor pela Associação Médica Brasileira (AMB). Médico da Singular - Centro de Controle da Dor. *Fellow of Interventional Pain Practice e Certified Interventional Pain Sonologist - World Institute of Pain.*

Chiara Scaglioni Tessmer - TSA-SBA

FASE/Doutora em Ciências Médicas pela Faculdade de Medicina da Universidade de São Paulo (FMUSP).

Chin An Lin

Fellow of the American College of Physicians. Coordenador dos Ambulatórios da Clínica Geral do Hospital das Clínicas da Faculdade de Medicina da Universidade de São Paulo (HCFMUSP).

Christiane Pellegrino Rosa

Anestesiologista e membro da Equipe de Tratamento de Dor da São Paulo Serviços Médicos (SMA) do Hospital Sírio Libanês. Docente do Curso de Especialização em Dor do Hospital Sírio Libanês.

Christiano dos Santos e Santos

Associate Professor of Anesthesiology, University of Texas, *MD Anderson Cancer Center. Clinical Neuroanesthesiology Fellowship Program Director*, University of Texas, *MD Anderson Cancer Center.*

Cinthia Passos Damasceno

Título de Especialista em Anestesiologia - TEA, SBA. Area de Atuação em Dor - AMB. *Fellowship* em Anestesia Regional - UNIFESP

Cirilo Haddad Silveira

Coordenador da Residência Médica do Centro de Ensino e Treinamento, Sociedade Brasileira de Anestesiologia (CET/SBA) – Grupo de Anestesiologistas Associados Paulista, Centro Universitário São Camilo, Hospital São Camilo (GAAP-CUSC-HSC). Coordenador do Núcleo de Apoio ao Ensino da Sociedade de Anestesiologia do Estado de São Paulo (SAESP).

Claudia Carneiro de Araújo Palmeira

Doutora em Ciências pela Faculdade de Medicina da Universidade de São Paulo (FMUSP). Médica da Equipe de Controle da Dor do Instituto Central do Hospital das Clínicas da FMUSP.

Claudia Cristiane Feracini - TSA-SBA

Médica anestesista no Hospital das Clínicas da Faculdade de Medicina de Ribeirão Preto, Universidade de São Paulo (HCFMRP--USP). Mestre e Doutora em Ciências Médica pela FMRP-USP.

Cláudia Lütke - TSA-SBA

Mestre em Cirurgia Vascular, Cardíaca, Torácica e Anestesiologia pela Escola Paulista de Medicina, Universidade Federal de São Paulo (EPM/UNIFESP).

Cláudia Maia Memória

Doutora e Mestre em Ciências pela Universidade de São Paulo (USP). Especialista em Neuropsicologia pelo Conselho Regional de Psicologia (CRP).

Claudia Marquez Simões - TSA-SBA

Supervisora do Serviço de Anestesiologia do Instituto do Câncer do Estado de São Paulo, do Hospital das Clínicas da Faculdade de Medicina da Universidade de São Paulo (ICESP-HCFMUSP). Diretora de Educação Médica de Serviços Médicos de Anestesia (SMA).

Claudia Regina Fernandes - TSA-SBA

Professora do curso de Medicina da Universidade Federal do Ceará (UFC). Coordenadora do módulo Emergências Médicas.

Clóvis Tadeu Bueno da Costa - TSA-SBA

Anestesiologista corresponsável pelo Centro de Ensino e Treinamento da Sociedade Brasileira de Anestesiologia (CET/SBA).

Cristiane Tavares - TSA-SBA

Médica supervisora do Serviço de Anestesiologia do Instituto de Psiquiatria do Hospital das Clínicas da Faculdade de Medicina da Universidade de São Paulo (HCFMUSP). Diretora do programa de *Fellowship* do Neuranestesia do HCFMUSP, acreditado pela SNACC (*Society for Neuroscience in Anesthesiology and Critical Care*).

Cristiano Faria Pisani

MD, PhD, TEC. Médico Eletrofisiologista Assistente da Unidade de Arritmia do Instituto do Coração, Hospital das Clínicas, Faculdade de Medicina da Universidade de São Paulo (InCor/HC/FMUSP). Doutor em Ciências pela FMUSP.

Daniel Carlos Cagnolati - TSA-SBA

Corresponsável do Centro de Ensino e Treinamento da Sociedade Brasileira de Anestesiologia (CET/SBA) da Clínica de Anestesiologia de Ribeirão Preto.

Daniel Ibanhes Nunes

Médico Anestesiologista do Hospital das Clínicas, Faculdade de Medicina da Universidade de São Paulo (HCFMUSP).

Daniel Javaroni Machado Fonseca - TSA-SBA

Especialista em Anestesiologia pela Faculdade de Medicina da Universidade de São Paulo (FMUSP). Diploma europeu de Anestesiologia - *European Diploma in Anaesthesiology and Intensive Care* (EDAIC).

Daniel Vieira de Queiroz- TSA-SBA

Chefe do Serviço de Anestesiologia do Hospital Federal dos Servidores do Estado (HFSE – RJ). Responsável pelo Centro de Ensino e Treinamento Prof. Fabiano Gouvea (CET - HFSE - RJ).

Daniela Oliveira de Melo

Docente adjunto na Universidade Federal do Estado de São Paulo (UNIFESP). Coordenadora do Nats UNIFESP Diadema.

David Ferez - TSA-SBA

Professor adjunto do Departamento de Anestesiologia, Dor e Medicina Intensiva. Supervisor da Residência Médica – Ministério da Educação/Sociedade Brasileira de Anestesiologia (MEC/SBA) do Hospital da Beneficência Portuguesa de São Paulo.

Débora de Oliveira Cumino - TSA-SBA

Doutora em Pesquisa em Cirurgia - Faculdade de Ciências Médicas da Santa Casa de São Paulo. Diretora do Serviço de Anestesia Pediátrica – SAPE - Sabará Hospital Infantil e Hospital Municipal Infantil Menino Jesus.

Derli Conceição Munhoz

Mestre e Doutora em Ciências Médicas pela Faculdade de Ciências Médicas da Universidade Estadual de Campinas – UNICAMP.

Diogo Barros Florenzano de Sousa - TSA-SBA

Diretor de Educação do grupo Unità Anestesia. *Fellow of Pain Practice* - FIPP-WIP.

Diogo Bruggemann da Conceição- TSA-SBA

Anestesiologista do Hospital Governador Celso Ramos, Florianópolis. *POCUS Clinical Fellow*. Toronto Western Hospital, Toronto, Canadá.

Douglas Vendramin

Residência Médica em Anestesiologia pela Irmandade da Santa Casa de Misericórdia de Curitiba. Mestre e Doutor em Clínica Cirúrgica pela Universidade Federal do Paraná (UFPR) em Dor Pós-operatória na área Anestesia Cardiovascular

Durval Campos Kraychete - TSA-SBA

Professor Associado do Departamento de Anestesiologista e Cirurgia da Universidade Federal da Bahia (UFBA). Coordenador do Serviço de Dor.

Ed Carlos Rey Moura

Pós-Doutor pela Universidade Federal de São Paulo (UNIFESP). Professor de Medicina na Universidade Federal do Maranhão (UFMA).

Edela Puricelli

Profa. Emérita pela Universidade Federal do Rio Grande do Sul (UFGRS). Profa. Titular do Departamento de Cirurgia e Ortopedia da Faculdade de Odontologia da UFGRS.

Edison Iglesias de Oliveira Vidal

Prof. Associado do Departamento de Clínica Médica da Faculdade de Medicina de Botucatu, Universidade Estadual Paulista – UNESP.

Eduarda Schütz Martinelli

Clinical Fellowship em Anestesia para Transplante de Órgãos Abdominais (Toronto General Hospital). Doutorando no Programa de Anestesiologia, Ciências Cirúrgicas e Medicina Perioperatória pela Universidade de São Paulo (USP).

Eduardo Helfenstein - TSA-SBA

CARP – Clínica Anestesia Ribeirão Preto.

Eduardo Henrique Giroud Joaquim - TSA-SBA

Professor na Disciplina de Anestesiologia na Universidade Federal de São Paulo (UNIFESP). Primeiro-Secretário da Sociedade de Anestesiologia do Estado de São Paulo (SAESP) - Biênio abril 24/abril 26.

Eduardo Motoyama de Almeida - TSA-SBA

Médico Anestesiologista pelo Hospital das Clínicas da Faculdade de Medicina da Universidade de São Paulo (HC-FMUSP).

Eduardo Silva Reis Barreto - solicitado

Graduando em Medicina pela Universidade Federal da Bahia (UFBA).

Eduardo Tadeu Moraes Santos - TSA-SBA

Corresponsável pelo Centro de Ensino e Treinamento em Anestesiologia-Sociedade Brasileira de Anestesiologia (SBA), Centro Médico Campinas. Anestesiologista do Departamento de Anestesiologia e Terapia da Dor do Hospital da Fundação Centro Médico Campinas e da Clínica Campinense de Anestesiologia (*Qmentum International*).

Elaine Aparecida Felix - TSA-SBA

Professora Aposentada do Departamento de Cirurgia da Universidade Federal do Rio Grande do Sul (UFRGS). Doutora em Medicina: Ciências Pneumológicas pela UFRGS.

Elaine Gomes Martins

Anestesiologista Unitá. Aperfeiçoamento em Anestesia Regional - Hospital Sírio Libanês. Certified Interventional Pain Sonologist - World Institute of Pain.

Elene Paltrinieri Nardi

Coordenadora Geral de Evidências Clínicas e Economia da Saúde (CGECES) - NUD (NATS Unifesp-Diadema).

Eliane Cristina de Souza Soares

Anestesiologista do Grupo SAM – Rede Mater Dei de Saúde – Belo Horizonte/MG . *Fellowship* em Anestesia Obstétrica – Mount Sinai Hospital – Universidade de Toronto, Canadá.

Emica Shimozono

Médica Anestesiologista Assistente do Hospital das Clínicas da Universidade Estadual de Campinas (UNICAMP). Coordenadora do Serviço de Dor Crônica do Hospital Municipal de Paulínia.

Enis Donizetti Silva - TSA-SBA

MD PHD. Presidente da Fundação do de Segurança do Paciente.

Eric Aragão Corrêa

Nefrologista Especialista titulado pela Sociedade Brasileira de Nefrologia (SBN). Mestrando pela Faculdade de Ciências Médicas pela Universidade Estadual de Campinas (FCM – UNICAMP).

Eric Benedet Lineburger - TSA-SBA

FASE/Doutor em Anestesiologia pela Universidade Estadual Paulista (UNESP).

Érica Baptista Vieira de Meneses

Especialista em Direito Médico pela Universidade Católica do Salvador – UCSAL. Mestre em Direito pela Universidade Federal da Bahia (UFBA).

Estela Regina Ramos Figueira

Professora Livre-Docente em Cirurgia do Aparelho Digestivo Pela Faculdade de Medicina da Universidade de São Paulo (FMUSP). Supervisora do Serviço de Cirurgia de Vias Biliares e Pâncreas.

Evelinda Trindade

ATS no Instituto do Coração do Hospital das Clínicas da Faculdade de Medicina da Universidade de São Paulo (InCor – HCFMUSP).

Fabiana Mara Scarpelli de Lima Alvarenga Caldeira - TSA-SBA

Mestre em Bioengenharia. Corresponsável pelo Centro de Ensino e Treinamento em Anestesiologia no Hospital de São José dos Campos/SP.

Fabio Escalhão

Instrutor do Centro de Ensino e Treinamento em Anestesiologia Centro Médico Campinas. Anestesiologista da Clínica Campinense de Anestesiologia (*Qmentum International*).

Fábio Luis Ferrari Regatieri - TSA-SBA

Intensivista pela Associação de Medicina Intensiva Brasileira (AMIB).

Fábio Vieira de Toledo- TSA-SBA

Instrutor da Residência de Anestesiologia da Faculdade de Medicina de Jundiaí (FMJ).

Fabíola Prior Caltabeloti

Residência Médica em Anestesiologia pelo Hospital das Clínicas da Faculdade de Medicina da Universidade de São Paulo (HCFMUSP). Doutorado em Ciências pelo Programa de Pós-graduação em Anestesiologia da Faculdade de Medicina da Universidade de São Paulo (FMUSP) com período sanduíche no Hôpital Pitié Salpêtrière, Paris - França.

Fabrício Dias Assis

Anestesiologista com Título de Especialista em Anestesiologia pela Sociedade Brasileira de Anestesiologia (TEA - SBA) com Área de Atuação em Dor pela Associação Médica Brasileira (AMB). Médico da Singular - Centro de Controle da Dor.

Felipe Bello Torres

Graduação na Faculdade de Ciências Médicas da Universidade Estadual de Campinas (UNICAMP) e Residência Médica no Centro de Ensino e Treinamento (CET) São Paulo Serviços Médicos de Anestesia.

Felipe Chiodini Machado

Médico Anestesiologista com área de atuação em Dor. Doutorado em Ciência pela Universidade de São Paulo (USP) com linha de pesquisa em Dor Aguda.

Felipe Pinn de Castro

Anestesiologista SMA (Serviços Médicos de Anestesia). Hospital Sírio Libanês. Hospital do Coração. Coordenador do Núcleo de Transfusão e Coagulação da Sociedade de Anestesiologia do Estado de São Paulo (SAESP).

Felipe Souza Thyrso de Lara - TSA-SBA

Responsável pelo Centro de Ensino e Treinamento (CET) da Santa Casa de Santos. Presidente da Sociedade de Anestesiologia do Estado de São Paulo (SAESP), Biênio abril/24, abril/26.

Fernanda Bono Fukushima

Profa. Associada do Departamento de Clínica Médica da Faculdade de Medicina de Botucatu, Universidade Estadual Paulista (UNESP).

Fernanda Cristina Paes

Anestesiologista do Hospital e Maternidade Santa Joana - São Paulo/SP. Instrutora do Centro de Simulação Realística Grupo Santa Joana - São Paulo/SP.

Fernanda Leite

Profa. Dra. da Faculdade de Medicina de Bauru da Universidade de São Paulo (USP). MBA em Gestão em Saúde (USP-Ribeirão Preto).

Fernanda Salomão Turazzi - TSA-SBA

Anestesiologista do Hospital Infantil Sabará.

Fernando Antônio de Freitas Cantinho - TSA-SBA

Instrutor Responsável pelo Centro de Ensino e Treinamento (CET) Dr. Rodrigo Gomes Ferreira – Hospital Federal do Andaraí – Rio de Janeiro. Título de Especialista em Medicina Intensiva pela Associação de Medicina Intensiva Brasileira (AMIB). Membro da Sociedade Brasileira de Queimaduras (SBQ).

Fernando Antonio Nogueira da Cruz Martins - TSA-SBA

Doutor em Ciências pela Universidade de São Paulo (USP).

Fernando Augusto Tavares Canhisares

Médico pela Faculdade de Medicina da Universidade de São Paulo (FMUSP). Anestesiologia pelo Hospital das Clínicas (HC) da FMUSP.

Fernando Cássio do Prado Silva - TSA-SBA

Doutor em Anestesiologia pela Faculdade de Medicina da Universidade de São Paulo (FMUSP). Título de Especialista em Anestesiologia (TEA).

Fernando Souza Nani

Supervisor do Serviço de Anestesia Obstétrica no Hospital das Clínicas da Faculdade de Medicina da Universidade de São Paulo (HCFMUSP). Coordenador do Núcleo de Anestesia Obstétrica da Sociedade de Anestesiologia do Estado de São Paulo (SAESP).

Filomena Regina Barbosa Gomes Galas

Professora Associada da Disciplina de Anestesiologia da Faculdade de Medicina da Universidade de São Paulo (FMUSP).

Flavio Takaoka- TSA-SBA

MD PhD.

Florentino Fernandes Mendes - TSA-SBA

PhD. Mestre em Farmacologia pela Fundação Faculdade Federal de Ciências Médicas de Porto Alegre (FFFCMPA). Doutor em Medicina pela Faculdade de Ciências Medicas da Santa Casa de São Paulo (FCMSCSP). Prof. Associado de Anestesiologia da Universidade Federal de Ciências da Saúde de Porto Alegre (UFCSPA).

Francisco Ricardo Marques Lobo - TSA-SBA

Professor Adjunto da Disciplina de Anestesiologia da Faculdade Regional de Medicina de São José do Rio Preto/SP (FAMERP). Responsável pela Unidade de Anestesia em Transplante de Fígado no Hospital de Base de São José do Rio Preto/SP.

Franz Schubert Cavalcanti

Médico Anestesiologista da Maternidade de Campinas. Doutor em Medicina pela Universidade Estadual de Campinas (UNICAMP).

Gabriel Alann Gayo Souto - TSA-SBA

Médico Anestesiologista do Instituto de Ginecologia da Universidade Federal do Rio de Janeiro (UFRJ). Instrutor do Centro de Ensino e Treinamento (CET) Prof. Fabiano Gouvea - Hospital Federal dos Servidores do Estado (HFSE – RJ).

Gabriel José Redondano de Oliveira - TSA-SBA

Post-MBA em Gestão em Saúde.

Gabriel Magalhães Nunes Guimarães - TSA-SBA

Professor da Clínica Cirúrgica da Universidade de Brasília (UnB).

Gabriel Soares de Sousa

Anestesiologista dos Serviços Médicos de Anestesia (SMA)/ Hospital Sírio-Libanês. Anestesiologista do Instituto da Criança e do Adolescente do Hospital das Clínicas da Faculdade de Medicina da Universidade de São Paulo (HCFMUSP).

Gabriela Tognini Saba

Anestesiologista do Hospital das Clínicas da Faculdade de Medicina da Universidade de São Paulo (HCFMUSP), Pro Matre Paulista e Grupo Fleury. Doutoranda do Programa Pós-graduação em Anestesiologia, Ciências Cirúrgicas e Medicina Perioperatória da FMUSP.

Gastão Fernandes Duval Neto - TSA-SBA - *in memoriam*

Professor-Doutor do Departamento de Cirurgia Geral da Faculdade de Medicina da Universidade Federal de Pelotas – UFPEL. Responsável pelo Centro de Ensino e Treinamento em Anestesiologia da UFPEL.

Getúlio Rodrigues de Oliveira Filho - TSA-SBA

Professor Associado de Anestesiologia do Departamento de Cirurgia da Universidade Federal de Santa Catarina (UFSC).

Giane Nakamura

Doutora em Anestesiologia pela Universidade Estadual Paulista (UNESP). Médica Titular do Departamento de Anestesiologia do AC Camargo Cancer Center.

Gibran Elias Harcha Munoz

Anestesiologista residente em Dor no Hospital das Clínicas da Faculdade de Medicina da Universidade de São Paulo (HCF-MUSP).

Giovanne Santana de Oliveira

Doutor em Anestesiologia pela Universidade de São Paulo (USP). Coordenador da Residência Médica em Anestesiologia do Hospital Universitário da Universidade Federal do Maranhão (HU-UFMA).

Glênio Bitencourt Mizubuti

Anestesiologista e Professor Associado. *Queen's University*, Kingston Health Sciences Centre, Kingston, Canadá.

Glória Maria Braga Potério - TSA-SBA

Professora livre docente do Departamento de Anestesiologia da Universidade Estadual de Campinas (UNICAMP).

Guilherme Antonio Moreira de Barros

Prof. Associado do Departamento de Especialidades Cirúrgicas e Anestesiologia da Faculdade de Medicina de Botucatu, Universidade Estadual Paulista (UNESP)

Guilherme de Oliveira Firmo - TSA-SBA

Professor Assistente I da Universidade de Taubaté (UNITAU). Corresponsável pelo Centro de Ensino e Treinamento (CET) em Anestesiologia do Hospital Municipal de São José dos Campos /SP.

Guilherme Henryque da Silva Moura

MBA Diretor de Qualidade e Segurança do SMA. *Heathcare Leader* pela Stanford University.

Guilherme Haelvoet Correa

Anestesista e Instrutor de Simulação Realística no Hospital e Maternidade Santa Joana. Mestre em Ciências da Saúde pela Faculdade de Ciências Médicas da Santa Casa de São Paulo.

Guilherme Oliveira Campos - TSA-SBA

Doutor em Anestesiologia pela Faculdade de Medicina de Botucatu da Universidade Estadual de São Paulo (FMB-UNESP). Responsável pelo Centro de Ensino e Treinamento em Anestesiologia do Hospital São Rafael, Salvador-BA.

Guinther Giroldo Badessa

Coordenador do Programa de Residência Médica em Anestesiologia da Faculdade de Medicina São Camilo – SP. Diretor de Defesa Profissional da Sociedade de Anestesiologia do Estado de São Paulo (SAESP) 2024/2026,

Gustavo Felloni Tsuha - TSA-SBA

European Diploma in Anaesthesiology and Intensive Care/Sociedade Europeia de Anestesia (EDAIC/ESA).

Gustavo Guimarães Torres - TSA-SBA

Anestesiologista do Transplante Renal-Hepático Rede D›or São Luiz – RJ. Anestesiologista Hospital Universitário Pedro Ernesto – RJ.

Hazem Adel Ashmawi - TSA-SBA

Supervisor da Equipe de Controle de Dor da Divisão de Anestesia do Hospital das Clínicas da Faculdade de Medicina da Universidade de São Paulo (HCFMUSP). Professor Associado do Departamento de Anestesiologia da Faculdade de Ciências Médicas da Universidade Estadual de Campinas (FCM-UNICAMP).

Heleno de Paiva Oliveira

Médico Anestesiologista do Hospital das Clínicas da Faculdade de Medicina da Universidade de São Paulo (HCFMUSP). Doutorado pela Universidade de São Paulo (USP).

Helga Cristina Almeida da Silva - TSA-SBA

Professora Adjunta e Médica Neurologista do Departamento de Anestesiologia, Dor e Medicina Intensiva da Universidade Federal de São Paulo (UNIFESP). Coordenadora do Centro de Estudo, Diagnóstico e Investigação de Hipertermia Maligna (CEDHIMA) da UNIFESP.

Helga Bezerra Gomes da Silva - TSA-SBA

Médica Anestesiologista do Hospital de Base de Brasília.

Hellen Moreira de Lima

Médica Anestesiologista. *Fellow* em Anestesiologia Pediátrica e Neonatal - Instituto da Criança e do Adolescente do Hospital das Clínicas da Faculdade de Medicina da Universidade de São Paulo (HCFMUSP).

Henriette Baena Cardeal

Psicóloga especialista em Neuropsicologia pelo Hospital das Clínicas da Faculdade de Medicina da Universidade de São Paulo (HCFMUSP). e em Saúde do Idoso pela Universidade Federal de São Paulo (UNIFESP). Neuropsicóloga colaboradora da Disciplina de Anestesiologia da Faculdade de Medicina da Universidade de São Paulo (FMUSP).

Hugo Ítalo Melo Barros

Especialização em Anestesia Pediátrica no Hospital Pequeno Príncipe, Curitiba - PR. Membro do Serviço de Anestesiologia Pediátrica (SAPE) do Sabará Hospital Infantil e Hospital Infantil Menino Jesus, São Paulo - SP.

Hugo Muscelli Alecrim- TSA-SBA

Graduado pelo *European Diploma in Anaesthesiology and Intensive Care* (EDAIC).

Igor Jacomossi Riberto

Graduando pelo Instituto Federal de Educação, Ciência e Tecnologia do Estado de São Paulo (IFSP).

Igor Lopes da Silva - TSA-SBA

Portador do Título de Especialista em Anestesiologia (TEA). Instrutor do Centro de Ensino e Treinamento (CET) - Hospital Escola Padre Albino (SP).

Isabela da Costa Vallarelli - TSA-SBA

Médica assistente do Instituto de Ortopedia e Traumatologia do Hospital das Clínicas da Faculdade de Medicina da Universidade de São Paulo (IOT-HCFMUSP). Instrutora do Centro de Ensino e Treinamento (CET) da Pontifícia Universidade Católica (PUC-Campinas).

Ítalo Pires Gomes

Instrutor da Residência de Anestesiologia da Faculdade de Medicina de Jundiaí (FMJ).

Jackson Davy da Costa Lemos

Anestesiologista. Título de Especialista em Anestesiologia pela Sociedade Brasileira de Anestesiologia (TEA-SBA). Preceptor da disciplina de Dor e Anestesia Regional do Centro de Ensino e Treinamento (CET) do Instituto Dr. José Frota (CE).

Joana Lily Dwan

Anestesiologista pelo Hospital das Clínicas da Faculdade de Medicina da Universidade de São Paulo (HCFMUSP). NeuroAnestesiologista pela FMUSP.

João Abrão - TSA-SBA

Professor Associado da Disciplina de Anestesiologia da Faculdade de Medicina de Ribeirão Preto da Universidade de São Paulo (FMRP-USP).

João Alexandre Rezende Assad

Anestesista formado no Centro Universitário Serra dos Órgão (UNIFESO). Professor da Faculdade de Medicina Afya Unigranrio Barra – RJ.

João Batista Santos Garcia - TSA-SBA

Professor Titular da Disciplina de Anestesiologia, Dor e Cuidados Paliativos da Universidade Federal do Maranhão (UFMA). Responsável pelo Serviço de Dor e Cuidados Paliativos do Hospital do Câncer.

João Manoel Silva Junior - TSA-SBA

Professor Livre Docente e Doutor pela Faculdade de Medicina da Universidade de São Paulo (FMUSP). Chefe da Unidade de Terapia Intensiva (UTI) do Instituto do Câncer do Estado de São Paulo (ICESP) e FMUSP.

João Paulo Jordão Pontes - TSA-SBA

Doutorado em Anestesiologia pela Faculdade de Medicina de Botucatu, Universidade Estadual Paulista (FMB/UNESP).

João Rodrigo Oliveira – TEA-SBA

Especialista em Anestesiologia. Residência Médica – Ministério da Educação (MEC), no Hospital Sírio Libanês.

João Soares de Almeida Júnior - TSA-SBA

Anestesiologista do Hospital da Beneficência Portuguesa de São Paulo. Coordenador do Grupo de Anestesia AMD.

João Valverde Filho - TSA-SBA

Médico especialista em Dor pela Associação Médica Brasileira e Sociedade Brasileira de Anestesiologia (AMB/SBA). Coordenador da Pós-graduação em Dor do Hospital Sírio Libanês em São Paulo.

João Victor Galvão Barelli

Médico assistente do Hospital Beneficência Portuguesa de São Paulo.

Joaquim Edson Vieira - TSA-SBA

Professor associado, Disciplina de Anestesiologia, Departamento de Cirurgia, Faculdade de Medicina da Universidade de São Paulo (FMUSP). Médico Anestesiologista, Instituto Central do Hospital das Clínicas (HCFMUSP).

Joel Avancini Rocha Filho - TSA-SBA

Médico supervisor da Anestesia para Transplante de Órgãos Abdominais do Hospital das Clínicas da Faculdade de Medicina da Universidade de São Paulo (HCFMUSP). Doutorado e Pós-Doutorado em Ciências Médicas pela FMUSP.

Joel Gianelli Paschoal Filho - TSA-SBA

Instrutor do Centro de Ensino e Treinamento da Sociedade Brasileira de Anestesiologia (CET – SBA) da Santa Casa de Santos.

José Abelardo Garcia de Meneses

Professor de cursos de Pós-graduação em Direito Médico, Bioética e Biodireito e Direito à Saúde. Coautor do livro "Noções de Responsabilidade Médica na Anestesiologia - Guia Prático da SAESP".

José Eduardo Bagnara Orosz - TSA-SBA

Doutor em Anestesiologia pela Faculdade de Medicina de Botucatu, Universidade Estadual Paulista (UNESP). Responsável pelo Centro de Ensino e Treinamento da Sociedade Brasileira de Anestesiologia (CET – SBA) da Pontifícia Universidade Católica (PUC) de Campinas - SP

José Leonardo Izquierdo Saurith

Médico Anestesiologista. *Fellowship* em Anestesia Cardiovascular e Ecocardiografia Intraoperatória pelo Instituto Dante Pazzanese de Cardiologia.

José Luiz Gomes do Amaral - TSA-SBA

Professor Titular Livre Docente da Disciplina de Anestesiologia, Dor e Medicina Intensiva da Escola Paulista de Medicina, Universidade Federal de São Paulo (EPM/UNIFESP).

José Maria Leal Gomes - TSA-SBA

Área de atuação em Dor e Acupunturiatra

José Osvaldo Barbosa Neto

Professor de Habilidades Médicas e membro do Núcleo de Simulação Realística do Centro Universitário do Maranhão (CEUMA). Área de atuação em Dor pela Associação Médica Brasileira (AMB).

José Reinaldo Cerqueira Braz - TSA-SBA

Professor Aposentado Emérito da Faculdade de Medicina de Botucatu, Universidade Federal de São Paulo (FMB/UNESP). Doutor pela FMB/UNESP.

Josyanne Balarotti Pedrazzi - TEA-SBA

Especialista em Anestesiologia. Aluna da Pós-graduação (Doutorado) em Anestesiologia da Faculdade de Medicina da Universidade de São Paulo (FMUSP).

Jucelina Verónica Bisi

Especialista em Anestesiologia pelo Programa de Capacitação para Médicos Estrangeiros da Faculdade de Medicina da Universidade de São Paulo (USP). Especialista em Dor pela Faculdade de Medicina da USP (FMUSP).

Juliano Antonio Aragão Bozza

Médico Anestesiologista.

Juliano Pinheiro de Almeida

Especialista em Anestesiologia pela Sociedade Brasileira de Anestesiologia (SBA). Especialista em Terapia Intensiva pela Associação de Medicina Intensiva Brasileira (AMIB).

Julio Cesar Mercador de Freitas - TSA-SBA

Anestesiologista do Serviço de Neurorradiologia do Hospital São José da SCMPA, Porto Alegre, RS. Ex-professor Auxiliar de Anestesiologia do Departamento de Cirurgia da Faculdade de Medicina da Universidade Federal do Rio de Janeiro (UFRJ).

Jyrson Guilherme Klamt - TSA-SBA

Professor Titular da Disciplina de Anestesiologia da Faculdade de Medicina de Ribeirão Preto, da Universidade de São Paulo (FMRP-USP).

Lais Helena Navarro e Lima - TSA-SBA

Assistant Professor - Department of Anesthesiology, Perioperative, and Pain Medicine - Winnipeg, MB, Canadá.

Leandro Criscuolo Miksche - TSA-SBA

Corresponsável Centro de Ensino e Treinamento (CET) em Anestesiologia da Clínica de Anestesia Ribeirão Preto (CARP).

Leandro Fellet Miranda Chaves - TSA-SBA

Professor de Anestesiologia da Faculdade de Medicina da Universidade Federal de Juiz de Fora – MG (UFJF). Anestesiologista do Hospital Albert Sabin e do Hospital Hugo Borges em Juiz de Fora - MG

Leandro Gobbo Braz

Professor associado, Departamento de Especialidades Cirúrgicas e Anestesiologia, Faculdade de Medicina de Botucatu (FMB), Universidade Estadual Paulista (UNESP).

Leonardo Ayres Canga

Medico pelo Centro Universitário São Camilo (CUSC). Mestrando pelo Departamento de Anestesiologia, Dor e Terapia Intensiva - Escola Paulista de Medicina (EPM).

Leonardo de Andrade Reis

Presidente do Capítulo Brasil da *Latim American Society of Regional Anesthesia*. Instrutor do Suporte Avançado de Vida em Anestesia, Sociedade Brasileira de Anestesiologia (SAVA/SBA). Instrutor do Suporte Avançado em Anestesia do Trauma, Sociedade de Anestesiologia do Estado de São Paulo (SuAAT/SAESP).

Leonardo Figueiredo Camargo

Especialista em Nefrologia pela Sociedade Brasileira de Nefrologia (SBN). Mestrando de Nefrologia pela Faculdade de Ciências Médicas da Universidade Estadual de Campinas (UNICAMP).

Leonardo Teixeira Domingues Duarte - TSA-SBA

Médico Anestesiologista do Serviços Médicos de Anestesia (SMA). Instrutor corresponsável do Centro de Ensino e Treinamento da Sociedade Brasileira de Anestesiologia, Serviços Médicos de Anestesia (CET/SBA SMA) do Hospital Sírio Libanês.

Leopoldo Muniz da Silva

Médico Anestesiologista, Doutor em Anestesiologia pela Faculdade de Medicina de Botucatu, Universidade Estadual Paulista (FMB-UNESP).

Letícia Lopes Vieira TSA-SBA

Corresponsável do Centro de Ensino e Treinamento da Pontifícia Universidade Católica (CET-PUC Campinas).

Ligia Andrade da Silva Telles Mathias - TSA-SBA

Diretora da Faculdade Santa Joana. Coordenadora do Setor de Anestesia da Maternidade Pro Matre.

Lívia Pereira Miranda Prado - TSA-SBA

Diretora de Apoio ao Ensino da Sociedade de Anestesiologia do Estado de São Paulo (SAESP). Mestre em Ciências da Saúde pela Faculdade de Medicina de Ribeirão Preto (FAMERP).

Lucas Rodrigues de Farias - TSA-SBA

Médico Anestesiologista da São Paulo Serviços Médicos de Anestesia (SMA).

Luciana Paula Cadore Stefani - TSA-SBA

Professora adjunta do Departamento de Cirurgia da Universidade Federal do Rio Grande do Sul (UFRGS). Diretora de Ensino do Hospital de Clínicas de Porto Alegre (HCPA).

Luciana Cavalcanti Lima

Anestesiologista do Instituto de Medicina Integral Professor Fernando Figueira (IMIP), Recife- PE. Doutorado em Anestesiologia pela Universidade Estadual Paulista (UNESP), Botucatu-SP.

Luciana Chaves de Morais

Médica Anestesiologista do Hospital Universitário Walter Cantídio (HUWC), da Universidade Federal do Ceará (UFC). Preceptora da Residência Médica de Anestesiologia do HUWC-UFC.

Luciano Cesar Pontes Azevedo

Especialista em medicina intensiva titulado pela Associação de Medicina Intensiva Brasileira (AMIB). Professor Livre-docente de emergências clínicas pela Universidade de São Paulo (USP).

Luciano de Andrade Silva

Instrutor do Centro de Ensino e Treinamento em Anestesiologia Centro Médico Campinas. Anestesiologista do Departamento de Anestesiologia e Terapia da Dor do Hospital da Fundação Centro Médico Campinas e da Clínica Campinense de Anestesiologia (Qmentum International).

Lucila Muniz Barreto Volasco

Título de Especialista em Anestesiologia, Dor e Acupuntura. Anestesiologista dos Serviços Médicos de Anestesia (SMA))/ Hospital Sírio-Libanês.

Ludhmila Abrahão Hajjar

Profa. Titular Emergências da Universidade de São Paulo (USP). Coordenadora Pós-graduação em Cardiologia (USP).

Luis Alberto Rodríguez Linares

TEA/PhD. Doutor em Ciências e Anestesiologia, Universidade de São Paulo (USP). *Fellow* em Anestesia Regional, Cardiovascular e Dor.

Luis Antonio dos Santos Diego - TSA-SBA

Presidente da Sociedade Brasileira de Anestesiologia (SBA) - 2024. Professor Associado da Faculdade de Medicina da Universidade Federal Fluminense (FM-UFF).

Luis Fernando Affini Borsoi

Médico especialista pela Universidade Estadual de Campinas (UNICAMP).

Luis Fernando Lima Castro - TSA-SBA

Corresponsável pelo Centro de Ensino e Treinamento da Sociedade Brasileira de Anestesiologia (CET-SBA), integrado da Maternidade de Campinas. Anestesiologista do Hospital das Clínicas da Faculdade de Medicina da Universidade de São Paulo (HCFMUSP).

Luis Filipi Souza de Britto Costa

Médico Anestesiologista. Médico Colaborador da Anestesia para Transplantes do Hospital das Clínicas da Faculdade de Medicina da Universidade de São Paulo (HCFMUSP).

Luis Henrique Cangiani - TSA-SBA

Responsável pelo Centro de Ensino e Treinamento (CET) do Centro Médico de Campinas. Anestesiologista da Clínica Campinense em Anestesiologia. Doutor pelo Departamento de Anestesiologia da Faculdade de Medicina de Botucatu da Universidade Estadual Paulista (FMB-UNESP).

Luís Otávio Esteves - TSA-SBA

Corresponsável pelo Centro de Ensino e Treinamento em Anestesiologia (CET) do Centro Médico Campinas. Anestesiologista do Departamento de Anestesiologia e Terapia da Dor da Fundação Centro Médico Campinas e do Hospital Santa Sofia, Campinas-SP.

Luís Vicente Garcia - TSA-SBA

Professor Titular da Disciplina de Anestesiologia da Faculdade de Medicina de Ribeirão Preto da Universidade de São Paulo (FMRP-USP).

Luiz Alberto Vicente Teixeira - TSA-SBA

MBA em Gestão em Saúde pela Fundação Getúlio Vargas (FGV). Corresponsável pelo Centro de Ensino e Treinamento em Anestesiologia do Hospital São Rafael, Salvador-BA.

Luiz Antonio Mondadori

Mestre em Oncologia pela Fundação Antonio Prudente. Médico Titular do Departamento de Anestesiologia do AC Camargo Cancer Center.

Luiz Antonio Vane - TSA-SBA

Professor Titular aposentado e Emérito do Departamento de Anestesiologia da Faculdade de Medicina da Universidade Estadual Paulista (UNESP) e Diretor Geral da Faculdade de Ciências Médicas de São José dos Campos - Humanitas.

Luiz Bomfim Pereira da Cunha - TSA-SBA

Ex-membro do Centro Diagnóstico de Hipertermia Maligna da Universidade Federal do Rio de Janeiro (UFRJ).

Luiz Daniel Marques Neves Cetl

Neurocirurgião pela Universidade Federal de São Paulo (UNIFESP). Cirurgia de Epilepsia (UNIFESP).

Luiz Eduardo de Paula Gomes Miziara - TSA-SBA

Pós-graduação em Gestão em Saúde pelo Centro Israelita de Ensino e Pesquisa Albert Einstein.

Luiz Fernando Alencar Vanetti - TSA-SBA

Corresponsável pelo Centro de Ensino e Treinamento em Anestesiologia Centro Médico de Campinas. Anestesiologista do Departamento de Anestesiologia e Terapia da Dor da Fundação Centro Médico de Campinas e do Hospital Santa Sofia, Campinas - SP.

Luiz Fernando dos Reis Falcão - TSA-SBA

Professor e Chefe da Disciplina de Anestesiologia e Dor da Escola Paulista de Medicina, Universidade Federal de São Paulo (EPM/UNIFESP). Diretor de Práticas Médicas da Anextesia.

Luiz Guilherme Villares da Costa - TSA-SBA

Doutor em Ciências pela Faculdade de Medicina da Universidade de São Paulo (FMUSP). Especialista em Medicina Intensiva.

Luiz Marcelo Sá Malbouisson - TSA-SBA

Médico coordenador da UTI Cirúrgica e da UTI do Departamento de Gastroenterologia do Hospital das Clínicas da Faculdade de Medicina da Universidade de São Paulo (HCFMUSP). Doutor em Ciências e Livre-Docente pela FMUSP.

Luiz Marciano Cangiani - TSA-SBA

Corresponsável pelo Centro de Ensino e Treinamento em Anestesiologia Centro Médico Campinas. Anestesiologista da Clínica Campinense de Anestesiologia (Qmentum internacional).

Luiza Helena Degani Costa Falcão

Professora da Faculdade Israelita de Ciências da Saúde Albert Einstein. Médica Pneumologista pela Escola Paulista de Medicina, Universidade Federal de São Paulo (EPM/UNIFESP).

Macius Pontes Cerqueira - TSA-SBA

Corresponsável pelo Centro de Ensino e Treinamento do Hospital São Rafael – Salvador/Ba. Anestesiologista do Hospital Cardiopulmonar.

Magnum Ricardo Bomfim Dourado Rosa - TEA-SBA

Anestesiologista.

Marcella Marino Malavazzi Clemente

Médica Anestesista Pediátrica no Hospital Sírio Libanês. *Fellowship* em Anestesia Pediátrica - *Hospital for Sick Children,* de Toronto, Canadá.

Marcello Fonseca Salgado Filho - TSA-SBA

Post-Doc pela Universidade de São Paulo (USP).

Marcelo Frizzera Borges

Anestesiologista do Hospital Unimed, Vitória-ES.

Marcelo Luis Abramides Torres - TSA-SBA

Professor MS3 da Faculdade de Medicina da Universidade de São Paulo (FMUSP). Responsável pelo Centro de Ensino e Treinamento do Hospital das Clínicas da Faculdade de Medicina da Universidade de São Paulo (CET/HCFMUSP).

Marcelo Negrão Lutti - TSA-SBA

Corresponsável pelo Centro de Ensino e Treinamento em Anestesiologia Centro Médico Campinas. Chefe do Departamento de Anestesiologia e Terapia da Dor do Hospital da Fundação Centro Médico Campinas.

Marcelo Sperandio Ramos - TSA-SBA

Médico Anestesiologista.

Marcelo Vaz Perez - TSA-SBA

Doutorado em Clínica Cirúrgica pela Universidade de São Paulo (USP). Professor da Pós-graduação da Santa Casa de Misericórdia de São Paulo.

Marcelo Wajchenberg

Professor orientador do Programa de Ciências da Saúde, aplicada ao esporte e atividade física, da Disciplina de Medicina Esportiva do Departamento de Ortopedia e Traumatologia da Universidade Federal de São Paulo (UNIFESP). Médico do Hospital Israelita Albert Einstein.

Marcelo Waldir Mian Hamaji - TSA-SBA

Diretor LASRA. Coordenador Serviço de Anestesia Hospital Sepaco.

Márcio de Pinho Martins - TSA-SBA

Membro da Comissão Permanente, Coordenador e Instrutor do curso: *Entrenamiento en Vía Aérea CLASA – EVA*.. Coordenador e Instrutor do Curso Controle da Via Aérea da Sociedade Brasileira de Anestesiologia (CVA/SBA).

Márcio Matsumoto - TSA-SBA

Diretor de práticas médicas do Serviços Médicos de Anestesia (SMA). Corresponsável pelo Centro de Ensino e Treinamento da Sociedade Brasileira de Anestesiologia, Serviços Médicos de Anestesia (CET/SBA/SMA), Hospital Sírio-Libanês.

Marcos Antonio Costa de Albuquerque - TSA-SBA

Mestre e Doutor em Ciências da Saúde.

Marcos de Simone Melo

Professor Doutor do Departamento de Anestesiologia, Radiologia e Oncologia (DAOR), da Universidade Estadual de Campinas (UNICAMP). Supervisor do Programa de Residência Médica de Anestesiologia da UNICAMP.

Marcos Ferreira Minicucci

Professor Associado, Departamento de Clínica Médica, Faculdade de Medicina de Botucatu, Universidade Estadual Paulista (FMB/UNESP).

Marcos Francisco Vidal Melo

Chief of the Division of Cardiothoracic Anesthesia at Columbia University, New York, USA.

Marcos Rodrigues Pinotti - TSA-SBA

Médico Anestesiologista pela Universidade de São Paulo - Ribeirão Preto (1987). Médico Responsável pelo Centro de Ensino e Treinamento da Sociedade Brasileira de Anestesiologia (CET-SBA) - Catanduva SP.

Margarita Hoppe Rocha Gama

Título de Especialista em Anestesiologia pela Sociedade Brasileira de Anestesiologia (SBA). Médica Assistente do Hospital das Clínicas da Faculdade de Medicina da Universidade de São Paulo (FMUSP).

Maria Angela Tardelli - TSA-SBA

Professora Associada da Disciplina de Anestesiologia, Dor e Medicina Intensiva pela Universidade Federal de São Paulo – Escola Paulista de Medicina (UNIFESP-EPM). Diretora Presidente da Sociedade Brasileira de Anestesiologia (SBA) (GESTÃO 2023).

Maria Cecília Landim Nassif

Médica Anestesiologista do Hospital das Clínicas da Faculdade de Medicina da Universidade de São Paulo (HCFMUSP).

Maria Denisia de Souza Saraiva Nobayashi

Mestre em Psicologia/Psicossomática pela Universidade Ibirapuera - SP. Fundadora da Residência Médica em Anestesiologia pelo Ministério da Cultura e Sociedade Brasileira de Anestesiologia (MEC/SBA) no Instituto Prevent Senior (IPS).

Maria Fernanda Branco de Almeida

Professora Associada da Disciplina de Pediatria Neonatal do Departamento de Pediatria da Escola Paulista de Medicina da Universidade Federal de São Paulo (EPM/UNIFESP). Coordenadora do Programa de Reanimação Neonatal da Sociedade Brasileira de Pediatria (SBP).

Maria José Carvalho Carmona - TSA-SBA

Professora livre-docente Associada da Disciplina de Anestesiologia da Faculdade de Medicina da Universidade de São Paulo (FMUSP). Coordenadora do curso de Mestrado Profissional do Programa de Pós-graduação em Inovação Tecnológica e de Processos Assistenciais Perioperatórios da FMUSP.

Maria Paula Martin Ferro

Médica Assistente do Serviço de Anestesia do Instituto do Coração da Faculdade de Medicina da Universidade de São Paulo (Incor/FMUSP). Médica Intensivista do Instituto do Coração, Associação de Medicina Intensiva Brasileira (Incor/FMUSP/AMIB).

Mariana Fontes Lima Neville - TSA-SBA

Anestesiologista do Hospital São Paulo da Universidade Federal de São Paulo (UNIFESP). Anestesiologista do Sabará Hospital Infantil.

Mariana Gobbo Braz

Pesquisadora do Departamento de Anestesiologia da Faculdade de Medicina de Botucatu da Universidade Estadual de São Paulo (FMB-UNESP).

Marilde de Albuquerque Piccioni - TSA-SBA

Médica assistente do Serviço de Anestesiologia do Instituto do Coração do Hospital das Clínicas da Faculdade de Medicina da Universidade de São Paulo (HCFMUSP).

Marina Cestari de Rizzo

Coordenadora dos Serviços de Anestesia do Hospital e Maternidade Santa Joana e Santa Maria. Diretora Científica de Anestesia Obstétrica da *Latin American Society of Regional Anesthesia*-LASRA.

Martin Affonso Ferreira - TSA-SBA

Instrutor do Centro de Ensino e Treinamento em Anestesiologia Centro Médico Campinas. Anestesiologista do Departamento de Anestesiologia e Terapia da Dor do Hospital da Fundação Centro Médico Campinas e da Clínica Campinense de Anestesiologia (Qmentum International).

Masashi Munechika - TSA-SBA

Professor Adjunto do Departamento de Anestesiologia, Dor e Medicina Intensiva da Escola Paulista de Medicina, da Universidade Federal de São Paulo (EPM/UNIFESP).

Matheus Fachini Vane - TSA-SBA

Médico Anestesiologista, Divisão de Anestesiologia Hospital das Clínicas da Faculdade de Medicina da Universidade de São Paulo (HCFMUSP).

Matheus Fecchio Pinotti - TSA-SBA

Doutorado pela Faculdade de Medicina de Botucatu, Universidade Estadual Paulista (FMB/UNESP).

Matheus Fernando Manzolli Ballestro

Professor Adjunto do Departamento de Medicina da Universidade Federal de São Carlos (UFSCar). Mestrado, Doutorado e Pós-Doutorado pela Faculdade de Medicina de Ribeirão Preto, Universidade de São Paulo (FMRP/USP).

Matheus Rodrigues Vieira

Instrutor associado do Centro de Ensino e Treinamento (CET) do Centro Médico Campinas. Anestesiologista da Clínica Campinense de Anestesiologia.

Maurício Daher - TSA-SBA

PhD, FASE. Anestesiologista e Diretor Científico do Serviço de Anestesiologia Integrada - SANI. Membro do Comitê de Anestesiologia Cardiovascular e Torácica (2024 - 2026).

Mauricio Luiz Malito

Mestre em Medicina pela Faculdade de Ciências Médicas da Santa Casa de São Paulo (FCMSCSP). Diretor do Centro de Treinamento em Vias Aéreas (CTVA).

Michael Jenwei Chen

Graduado em Medicina pela Universidade de São Paulo (USP) (1999), com especialização em Radioterapia no Hospital A.C. Camargo (2004). Radio-Oncologista do Grupo de Apoio ao Adolescente e Criança com Câncer e do A.C. Camargo Cancer Center.

Milton Gotardo

Médico Anestesiologista no Hospital das Clínicas da Faculdade de Medicina da Universidade de São Paulo (HCFMUSP).

Miriam Cristina Belini Gazi

Mestre em Ciências pela Universidade Federal de São Paulo (UNIFESP). Anestesiologista, Especialista em Dor e Acupuntura pela UNIFESP.

Mirian Gomes Barcelos - TSA-SBA

Instrutora do Centro de Ensino e Treinamento do Instituto de Assistência Médica ao Servidor Público Estadual de São Paulo. Diretora Secretária do Serviço de Anestesiologia, Medicina Perioperatória, Dor e Terapia Intensiva (SAMMEDI).

Mônica Braga da Cunha Gobbo - TSA-SBA

Corresponsável do Centro de Ensino e Treinamento do Hospital e Maternidade Celso Pierro (CET-HMCP) da Pontifícia Universidade Católica de Campinas (PUC-Campinas). Médica Anestesiologista do Hospital PUC- Campinas.

Monica Maria Siaulys - TSA-SBA

Diretora Médica do Grupo Santa Joana.

Múcio Paranhos de Abreu - TSA-SBA

Corresponsável pelo Centro de Ensino e Treinamento em Anestesiologia do Centro Médico Campinas. Anestesiologista da Fundação Centro Médico de Campinas e do Hospital Santa Sofia, Campinas-SP.

Murillo Santucci Cesar de Assunção

Médico Intensivista do Centro Terapia Intensiva Adulto Hospital Israelita Albert Einstein.

Natalia Yume Hissayasu Menezes

Anestesiologista do Hospital das Clínicas da Faculdade de Medicina da Universidade de São Paulo (HC-FMUSP).

Natanael Pietroski dos Santos - TSA-SBA

Corresponsável pelo Centro de Ensino e Treinamento Integrado da Faculdade de Medicina do ABC (FMABC).

Nelson Mizumoto - TSA-SBA

Médico Supervisor do Hospital das Clínicas da Faculdade de Medicina da Universidade de São Paulo (HCFMUSP)

Neymar Elias de Oliveira

Médico Intensivista do Ministério da Educação e Associação de Medicina Intensiva Brasileira (MEC/AMIB). Chefe da Unidade de Terapia Intensiva - Hospital de Base - São José do Rio Preto - SP.

Norma Sueli Pinhelro Módolo - TSA-SBA

Médica, PhD. Professora Titular do Departamento de Especialidades Cirúrgicas e Anestesiologia da Faculdade de Medicina de Botucatu, Universidade Estadual Paulista (FMB/UNESP).

Olympio de Hollanda Chacon Neto - TSA-SBA

TSA, FIPP, CIPS, DABRM. Coordenador do Núcleo de Dor da Sociedade de Anestesiologia do Estado de São Paulo (SAESP) (2022-2026). Médico da Equipe de Controle de Dor - Instituto do Câncer do Estado de São Paulo (ICESP), Hospital das Clínicas da Faculdade de Medicina da Universidade de São Paulo (HCFMUSP).

Oscar César Pires - TSA-SBA

Doutor e Mestre em Ciências. Professor Adjunto III da Universidade de Taubaté. Responsável pelo Centro de Ensino e Treinamento em Anestesiologia do Hospital Municipal de São José dos Campos/SP.

Patrícia Gonçalves Caparroz Busca

Anestesiologista na Universidade Estadual de Campinas (UNICAMP).

Paula Gurgel Barreto

Anestesiologista do Hospital das Clínicas da Faculdade de Medicina da Universidade de São Paulo (HCFMUSP).

Paula Nocera - TSA-SBA

Anestesiologista, MD, MBA, Diploma Europeu de Anestesia e Medicina Intensiva.

Paula Tavares Silveira

Anestesiologista do Serviço de Anestesiologia da Fundação Faculdade Regional de Medicina (FUNFARME) de São José do Rio Preto/SP. Anestesiologista da Unidade de Anestesia em Transplante de Fígado do Hospital de Base de São José do Rio Preto/SP.

Paulo Alípio Germano Filho - TSA-SBA

Professor de Anestesiologia da Universidade Federal Fluminense (UFF). Membro do Comitê Editorial da *Brazilian Journal of Anesthesiology* (BJAN).

Paulo Armando Ribas Júnior - TSA-SBA

Anestesiologia Hospital São Marcelino Champagnat.

Paulo de Oliveira Vasconcelos Filho

Professor Adjunto do Departamento de Medicina da Universidade Federal de São Carlos. Responsável Técnico pela Unidade de Terapia Intensiva do Hospital Universitário de São Carlos.

Paulo do Nascimento Junior - TSA-SBA

Professor Titular, Departamento de Especialidades Cirúrgicas e Anestesiologia da Faculdade de Medicina de Botucatu, Universidade Estadual Paulista (FMB/UNESP). Coordenador do Programa de Pós-graduação em Anestesiologia da FMB/UNESP.

Paulo Roberto Silva Garcez dos Santos

MD.

Paulo Sergio Mateus Marcelino Serzedo - TSA-SBA

Responsável pelo Centro de Ensino e Treinamento em Anestesiologia da Clínica de Anestesia Ribeirão Preto (CARP).

Pedro Henrique França Gois

Especialista em Nefrologia pela Sociedade Brasileira de Nefrologia (SBN). Doutor em Nefrologia pela Faculdade de Medicina da Universidade de São Paulo (FMUSP).

Pedro Hilton de Andrade Filho - TSA-SBA

Anestesiologista no Hospital do Servidor Público Estadual – Instituto de Assistência Médica ao Servidor Público Estadual de S. Paulo (HSPE/IAMSPE). Médico da Dor, Doutor e Pós-Doutorando pela Faculdade de Medicina da Universidade de São Paulo (FMUSP). *Fellowship* em Medicina Intervencionista da Dor – Singular.

Pedro Ivo Buainain - TSA-SBA

Médico do Serviço de Anestesiologia do Hospital Municipal Miguel Couto/RJ.

Pedro Ivo Rodrigues do Carmo Rezende

Título de Especialista em Anestesiologia pela Sociedade Brasileira de Anestesiologia (TEA-SBA). Staff do Serviço de Anestesiologia do Hospital Municipal Miguel Couto/RJ. Médico Anestesiologista da Rede D'or.

Pedro Paulo Tanaka

Clinical Professor no *Department of Anesthesia, Stanford University Medical School*.

Plinio da Cunha Leal - TSA-SBA

PhD, Vice-diretor do Departamento Científico da Sociedade Brasileira de Anestesiologia (SBA).

Priscila de Arrida Trindade

Professora Associada da Universidade Federal de Santa Maria (UFSM).

Rafael José Nalio Grossi - TSA-SBA

Preceptor dos Programas de Residência Médica em Anestesiologia do Hospital Sírio-Libanês e Serviços Médicos de Anestesia (SMA). Anestesiologista na Santa Casa de Tatuí e no Hospital UNIMED de Tatuí (SP).

Rafael Ribeiro Alves

Residência Médica em Anestesiologia pelo Hospital das Clínicas da Faculdade de Medicina da USP (HCFMUSP). Médico Assistente do Instituto do Coração (Incor-FMUSP).

Rafael Valério Gonçalves

Médico especialista na Hospital Maternidade de Campinas.

Raphael Klênio Confessor de Sousa

Médico Anestesiologista do Hospital Universitário Onofre Lopes da Universidade Federal do Rio Grande do Norte (UFRN).

Raquel Augusta Monteiro de Castro

Título de Especialista em Anestesiologia pela Sociedade Brasileira de Anestesiologia (TEA-SBA). Anestesiologista do Serviço de Anestesiologia Integrada – SANI.

Raquel Pei Chen Chan - TSA-SBA

Doutora em Ciências e corresponsável do Centro de Ensino e Treinamento do Hospital das Clínicas da Faculdade de Medicina da Universidade de São Paulo (CET/HCFMUSP).

Regiane Xavier Dias

Anestesista e Diretora de Qualidade e Segurança do Serviços Médicos de Anestesia (SMA). Coordenadora do Núcleo de Qualidade e Segurança da Sociedade de Anestesiologia do Estado de São Paulo (SAESP).

Renata Pinheiro Módolo

Anestesiologista do Hospital São Luíz Rede D'Or - CMA Anestesia, São Paulo, SP.

Renato Carneiro de Freitas Chaves

Departamento de Pacientes Graves do Hospital Israelita Albert Einstein. *Massachusetts Institute of Technology*.

Renato Mestriner Stocche - TSA-SBA

Doutor em Medicina pela Faculdade de Medicina de Ribeirão Preto, Universidade de São Paulo (FMRP-USP).

Renato Sena Fusari

Instrutor do Centro de Ensino e Treinamento em Anestesiologia Centro Médico Campinas. Anestesiologista da Clínica Campinense de Anestesiologia (*Qmentum International*).

Ricardo Antonio Guimarães Barbosa - TSA-SBA

Professor Doutor da Faculdade de Ciências Médicas de Santos (UNILUS). Anestesiologista supervisor do Instituto de Radiologia do Hospital das Clinicas da Faculdade de Medicina da Universidade de São Paulo (HCFMUSP).

Ricardo Caio Gracco de Bernardis - TSA-SBA

Mestrado e Doutorado em Medicina (Cirurgia) pela Faculdade de Ciências Médicas da Santa Casa de São Paulo (FCMSCSP).

Ricardo Carvalhaes Machado - TSA-SBA

Anestesiologista da Prevent Senior.

Ricardo Costa Nuevo

Anestesiologista do Serviço de Anestesiologia da Fundação Faculdade Regional de Medicina (FUNFARME), de São José do Rio Preto/SP . Anestesiologista da Unidade de Anestesia em Transplante de Fígado.

Ricardo Esper Treml

Residência Médica em Anestesiologia e Medicina Intensiva pela Universidade Fridriech-Schiller-Universität Jena, Alemanha. Doutor em Anestesiologia pela Universidade Fridriech-Schiller-Universität Jena, Alemanha. *European Diplom of Anesthesiology and Intensive Care*.

Ricardo Francisco Simoni - TSA-SBA

Gerente de Qualidade e Segurança do Paciente da Clínica Campinense de Anestesiologia (Qmentum Internacional). Mestrado em Anestesiologia pela Universidade Estadual Paulista (UNESP).

Ricardo Vieira Carlos - TSA-SBA

Supervisor da equipe de anestesia Pediátrica do Instituto da Criança, Hospital das Clínicas da Faculdade de Medicina da Universidade de São Paulo (HC/FMUSP). Médico do Corpo Clinico da Maternidade Pro Matre Paulista.

Rioko Kimiko Sakata - TSA-SBA

Profa. Associada da Disciplina de Anestesiologia e Dor e chefe do Setor de Dor da Universidade Federal de São Paulo (UNIFESP).

Rita de Cássia Calil Campos Rossini - TSA-SBA

Médica assistente da Divisão de Anestesia da Faculdade de Medicina da Universidade de São Paulo (FMUSP).

Rita de Cássia Rodrigues - TSA-SBA

Professora adjunta da disciplina de Anestesiologia, Dor e Medicina Intensiva da Universidade Federal de São Paulo (UNIFESP). Chefe do Serviço de Anestesia e do Ambulatório de Avaliação Pré-anestésica do Hospital São Paulo – Hospital Universitário (HU/UNIFESP).

Roberta Figueiredo Vieira

Coordenadora da anestesia para transplante renal do Hospital das Clínicas da Faculdade de Medicina da Universidade de São Paulo (HC/FMUSP). Doutora em medicina pela FMUSP.

Roberto Ballaben Carloni

Clínica de Anestesia Ribeirão Preto (CARP). Especialista em Dor.

Roberto Rabello Filho

Título de especialista em Medicina Intensiva pela Associação de Medicina Intensiva Brasileira (AMIB) (2016). Doutor em Ciências da Saúde pela Faculdade Israelita de Ciências da Saúde Albert Einstein (2021).

Rodrigo Brandão Pinheiro - TSA-SBA

Anestesiologista pela Universidade de São Paulo (USP). Diploma Europeu em Anestesiologia e Medicina Intensiva - European Diploma in Anaesthesiology and Intensive Care (EDAIC).

Rodrigo Leal Alves - TSA-SBA

Professor assistente de Anestesiologia da Universidade Federal da Bahia (UFB) e da pós-graduação em Anestesiologia da Universidade Estadual Paulista (UNESP). Corresponsável pela Residência de Anestesiologia do Hospital São Rafael.

Rodrigo Moreira e Lima

Assistant Professor Department of Anesthesiology, perioperative and pain Medicine University of Manitoba – Winnipeg – Manitoba. *Clinical Fellow in Anesthesia* - Queen's University - Kingston - Ontário.

Rodrigo Tavares Correa

Residência Médica. Centro de Ensino e Treinamento (CET) do Hospital São Francisco, Instituto Santa Lydia e Mater de Ribeirão Preto (2003). Pós-graduação Lato Sensu - Anestesia Regional pelo Instituto Sírio Libanês de Ensino e Pesquisa (2011)..

Rogean Rodrigues Nunes - TSA-SBA

Médico. PhD. Presidente da Sociedade Brasileira de Anestesiologia (SBA) - Gestão 2020.

Rogério da Hora Passos

Médico intensivista do Centro de Terapia Intensiva Adulto do Hospital Israelita Albert Einstein (HIAE). Título de Especialista pela Associação de Medicina Intensiva Brasileira (AMIB).

Rogério Luiz da Rocha Videira - TSA-SBA

Corresponsável pelo Centro de Ensino e Treinamento da Sociedade Brasileira de Anestesiologia (CET-SBA), Prof. Silvio R Lins da Universidade Federal Fluminense (UFF). Professor associado do Departamento de Cirurgia da Faculdade de Medicina da UFF.

Ronaldo Antonio da Silva - TSA-SBA

Doutor em Anestesiologia pela Faculdade de Medicina de Botucatu. Universidade de São Paulo (FMB/USP).

Roseny dos Reis Rodrigues - TSA-SBA

Médica Anestesiologista e intensivista.

Rui Carlos Detsch Junior

Médico Assistente da Equipe de Transplantes da Divisão de Anestesia do Hospital das Clínicas da Faculdade de Medicina da Universidade de São Paulo (HCFMUSP).

Ruth Guinsburg

Professora Titular da Disciplina de Pediatria Neonatal do Departamento de Pediatria da Escola Paulista de Medicina da Universidade Federal de São Paulo (EPM/UNIFESP). Coordenadora do Programa de Reanimação Neonatal da Sociedade Brasileira de Pediatria (SBP).

Salomón Soriano Ordinola Rojas

Título de especialista em Cirurgia Cardíaca pela Sociedade Brasileira Cirurgia Cardiovascular (SBCC). Coordenador da UTI Neurológica do Hospital São Joaquim e da UTI do Hospital São José Beneficência Portuguesa.

Sâmia Yasin Wayhs

Neurointensivista do Hospital das Clínicas da Faculdade de Medicina da Universidade de São Paulo (HCFMUSP). Mestrado Ciências Cirúrgicas Universidade Federal do Rio Grande do Sul (UFRGS).

Samir Câmara Magalhães

Neurologista, neurofisiologista clínico e médico do sono. Doutor em Ciências da Saúde pela Sociedade Beneficente Israelita Brasileira Albert Einstein.

Samir Lisak

Oficial Médico PM (Anestesiologista). Membro da Câmara Técnica de Anestesiologia do Conselho Regional de Medicina do Estado de São Paulo (CREMESP).

Saullo Queiroz Silveira - TSA-SBA

Doutorando no Programa ACCEPT pela Faculdade de Medicina da Universidade de São Paulo (FMUSP). Preceptor do Programa de Residência Médica em Anestesiologia pelo Instituto D'Or de Pesquisa e Ensino – IDOR.

Sávio Cavalcante Passos

Médico Anestesiologista do Serviço de Anestesia e Medicina Perioperatória (SAMPE) do Hospital de Clínicas de Porto Alegre (HCPA). Doutorando em Ciências Médicas pelo Programa de Pós-graduação em Ciência Médicas pela Universidade Federal do Rio Grande do Sul (UFRGS).

Sérgio Bernardo Tenório - TSA-SBA

Professor adjunto da Disciplina de Anestesiologia da Faculdade de Medicina da Universidade Federal do Paraná (UFPR). Mestrado pela UFPR. Doutorado pela Universidade Federal de São Paulo (UNIFESP).

Silvia Corrêa Soares

Anestesiologista da Urologia do Hospital das Clínicas da Faculdade de Medicina da Universidade de São Paulo (HCFMUSP). Coordenadora do Laboratório de Habilidades da Anestesia da FMUSP).

Silvia Minhye Kim

Doutora em Ciências pela Faculdade de Medicina da Universidade de São Paulo (FMUSP). Anestesiologista do Instituto do Câncer do Estado de São Paulo (ICESP) e do grupo Fleury.

Simone Maria D'Angelo Vanni - TSA-SBA

Doutora em Anestesiologia pela Faculdade de Medicina de Botucatu, Universidade Estadual Paulista (FMB/UNESP). Anestesiologista do Prado Day Hospital, Jaú, SP.

Stefano Malaguti Ferreira - TSA-SBA

Anestesiologista na CHMED Anestesia, Ribeirão Preto/SP. Instrutor corresponsável pelo Centro de Ensino e Treinamento do Hospital das Clínicas da Faculdade de Medicina de Ribeirão Preto, Universidade de São Paulo (CET do HCFMRP-USP).

Suzana Barbosa de Miranda Teruya - TSA-SBA

Médica corresponsável pelo Instituto da Criança do Hospital das Clínicas da Faculdade de Medicina da Universidade de São Paulo (HC-FMUSP). Coordenadora do Serviço de Anestesiologia do GRAACC - Instituto de Oncologia Pediátrica.

Suzana Margareth Lobo

Professora Livre Docente de Medicina Intensiva, Faculdade de Medicina de São José do Rio Preto (FAMERP). Chefe do Serviço de Terapia Intensiva, Hospital de Base - São José do Rio Preto – SP.

Tailur Alberto Grando - TSA-SBA

Médico Preceptor da Sociedade de Anestesiologia (SANE).

Tais Martinez Quadros

Médica Anestesiologista pela Sociedade Brasileira de Anestesiologia (SBA). Especialista em Dor Intervencionista pelo Hospital das Clínicas da Faculdade de Medicina de Ribeirão Preto (HCFMRP/USP. *Fellowship* Neuroanestesia pela Faculdade de Medicina da Universidade de São Paulo (HCFMUSP).

Taís Tavares Barlera

Residência Médica em Oncologia Pediátrica - pela Universidade Federal de São Paulo (UNIFESP) - 2019. Título de Especialista em Pediatria pela Associação Médica Brasileira - Sociedade Brasileira de Pediatria (AMB/SBP).

Talison Silas Pereira - TSA-SBA

Coordenador do Programa de Residência Médica em Anestesiologia do Hospital do Servidor Público Estadual de São Paulo (IAMSPE) (Centro de Ensino Treinamento – CET/SP/IAMSPE).

Tassio Mattos Pereira Franco

Instrutor associado do CET Centro Médico Campinas. Anestesiologista da Clínica Campinense de Anestesiologia.

Thaína Alessandra Brandão - TSA-SBA

Especialização em Pós-graduação *lato sensu* - Especialização em Cuidados ao Paciente com Dor.

Thaís Khouri Vanetti

Anestesiologista e Especialista em Dor pela Associação Médica Brasileira (AMB) e *Fellow in Interventional Pain Practice* pelo *World Institute of Pain* (WIP).

Thiago Braido Dias - TSA-SBA

Doutorado pelo Departamento de Farmacologia da Faculdade de Medicina de Ribeirão Preto, Universidade de São Paulo (FMRP-USP).

Tiago Caneu Rossi - TSA-SBA

Membro do Núcleo de Anestesia Pediátrica da Sociedade de Anestesiologia do Estado de São Paulo (SAESP). Coordenador da Residência em Anestesiologia da Santa Casa de São José dos Campos – SP.

Thiago de Freitas Gomes - TSA-SBA

Corresponsável pelo Centro de Ensino e Treinamento na Clínica de Anestesiologia de Ribeirão Preto (CET/CARP). Membro do núcleo de anestesia da Sociedade de Anestesiologia do Estado de São Paulo (SAESP).

Thiago Romanelli Ribeiro - TSA-SBA

Corresponsável pelo Centro de Ensino e Treinamento (CET) do Hospital Vera Cruz, Campinas – SP.

Thiana Yamaguti - TSA-SBA

Médica Assistente do Serviço de Anestesiologia e Terapia Intensiva do Instituto do Coração (INCOR) do Hospital das Clínicas da Faculdade de Medicina da Universidade de São Paulo (HCFMUSP). Doutora em Ciências pela FMUSP.

Thyago Araújo Fernandes

Mestrado e Doutorado em Ciências Médico-cirúrgicas pela Universidade Federal do Ceará (UFC). Residência em Anestesia pelo Hospital Geral de Fortaleza.

Tiago Coutas de Souza

Certificado em Ecografia Vascular: Prática Intensiva. Título de especialista em Cirurgia Vascular e Endovascular pela Sociedade Brasileira de Angiologia e de Cirurgia Vascular (SBACV).

Tulio Antonio Martarello Gonçalves - TSA-SBA

Corresponsável pelo Centro de Ensino e Treinamento em Anestesiologia Centro Médico Campinas.

Vanessa Henriques Carvalhos - TSA-SBA

Professora Assistente do Departamento de Anestesiologia da Faculdade de Ciências Médicas da Universidade Estadual de Campinas (UNICAMP). Responsável pela Residência Médica do Centro de Ensino e Treinamento da Sociedade Brasileira de Anestesiologia (CET–SBA), do Departamento de Anestesiologia da Faculdade de Ciências Médicas da UNICAMP.

Vinícius Barros Duarte de Morais - TSA-SBA

Mestre em Ciências Cirúrgicas pela Universidade Federal de São Paulo (UNIFESP)

Vinícius Caldeira Quintão - TSA-SBA

Anestesiologista do Instituto da Criança e do Adolescente do Hospital das Clínicas da Faculdade de Medicina da Universidade de São Paulo (HCFMUSP).

Vitor Zeponi Dal'Acqua

Coordenador da Residência Médica do Grupo Unità Anestesia - Programa de Residência em Anestesiologia da Universidade de Santo Amaro. Docente/instrutor do Curso de Aperfeiçoamento em Anestesia Regional da Faculdade Sírio Libanês.

Viviane França Martins - TSA-SBA

Responsável pelo Centro de Ensino e Treinamento (CET) do Hospital São Francisco de Ribeirão Preto - SP de 2018 a 2023 . Membro da Comissão de Ensino e Treinamento da Sociedade Brasileira de Anestesiologia (SBA) de 2021-2023.

Waldir Cunha Junior

Médico Assistente do Instituto de Ortopedia e Traumatologia do Hospital das Clínicas da Faculdade de Medicina da Universidade de São Paulo (IOT-HCFMUSP). Membro do Núcleo de Bloqueios Regionais da Sociedade de Anestesiologia do Estado de São Paulo (SAESP).

Wallace Andrino Silva - TSA-SBA

Professor adjunto da Universidade Federal do Rio Grande do Norte (UFRN).

Waynice Neiva de Paula Garcia - TSA-SBA

Graduação, Residência Médica e Doutorado pela Universidade de São Paulo (USP), Ribeirão Preto. Pós-Doutorado pela USP/Harvard.

Wilson Gonçalves Sombra - TSA-SBA

Coordenador do Centro de Ensino e Treinamento (CET) da Maternidade de Campinas. *European Diploma in Anaesthesiology and Intensive Care* (EDAIC). Membro do Núcleo de Obstetrícia da Sociedade de Anestesiologia do Estado de São Paulo (SAESP).

Dedicatória

Obtive o título de especialista em Anestesiologia pouco antes do lançamento da primeira edição do *Tratado de Anestesiologia - SAESP*, em 1990. Não há dúvidas de que essa obra teria sido uma ferramenta inestimável em minha formação. Esse sentimento só reforça minha decisão de dedicar parte do meu tempo à coordenação deste material tão crucial para a formação e atualização dos anestesiologistas.

Nesta 10ª edição, gostaria de expressar minha profunda gratidão às sucessivas direções da Sociedade de Anestesiologia do Estado de São Paulo (SAESP), por sua constante dedicação em manter esta obra como referência na Anestesiologia brasileira, sempre atualizada e em sintonia com os avanços científicos e tecnológicos. O pioneirismo da Dra. Judymara Lauzi Gauzani, que coordenou a primeira e segunda edições, foi seguido pelos editores Dr. José Otávio Costa Auler Júnior, Dr. Antônio Vanderlei Ortenzi, Dr. Américo Massafuni Yamashita e depois pelo trabalho incansável do Dr. Luiz Marciano Cangiani, que coordenou da sexta à nona edição do Tratado. É uma grande honra dar continuidade a esse legado, ciente de que esta obra servirá como uma referência indispensável tanto para novos anestesiologistas quanto para aqueles que já atuam na área.

Este tratado é o resultado do trabalho colaborativo de centenas de pessoas, entre autores, coautores, editores, revisores, designers, ilustradores, diagramadores e impressores, sem esquecer o apoio administrativo essencial do staff da SAESP. Gostaria de fazer um agradecimento especial a todos os autores e coautores que, voluntariamente, compartilharam seus conhecimentos e expertise, contribuindo de forma decisiva para o sucesso deste projeto. Sem a colaboração de cada um, esta obra não teria atingido a relevância e impacto que tem na medicina contemporânea. Muito obrigada pelo esforço e dedicação!

Aos meus colegas que, além de contribuírem com seus capítulos, assumiram a responsabilidade pela edição dos conteúdos, expresso minha mais sincera gratidão. O trabalho meticuloso de cada um foi fundamental para garantir a qualidade e o rigor científico desta publicação. A todos vocês, meu muito obrigada!

Por fim, gostaria de destacar o imenso privilégio de poder contribuir com algo que considero parte fundamental do meu propósito: disseminar o conhecimento científico e técnico da Anestesiologia para o maior número possível de médicos. Seja como professora da Faculdade de Medicina da Universidade de São Paulo, seja por meio de projetos como este, promovidos pela SAESP, é extremamente gratificante compartilhar e, ao mesmo tempo, aprender novos saberes.

Esta 10ª edição do *Tratado de Anestesiologia* vai além da prática clínica e seu impacto social é inegável. Ao formar e atualizar profissionais de saúde, esta obra contribui diretamente para a melhoria dos cuidados médicos prestados à população, elevando a segurança dos pacientes e a qualidade dos serviços oferecidos. Com isso, reforçamos nosso compromisso com o desenvolvimento de um sistema de saúde mais eficaz, equitativo e humanizado. Esta edição é dedicada a todos os que aprenderão com ela, aos pacientes que se beneficiarão desse conhecimento aplicado, e ao sistema de saúde brasileiro, que se fortalece com anestesiologistas comprometidos com a excelência assistencial.

PROFA. DRA. MARIA JOSÉ CARVALHO CARMONA
Coordenadora da 10º edição do Tratado de Anestesiologia da SAESP

Apresentação

Com o compromisso de promover educação continuada e desenvolvimento profissional dos anestesiologistas, a Sociedade de Anestesiologia do Estado de São Paulo (SAESP) lança a 10ª edição do *Tratado de Anestesiologia - SAESP*. Esta obra é mais que um recurso de formação inicial; trata-se de uma referência essencial para o aprimoramento técnico ao longo de toda a carreira. Desde sua primeira publicação em 1990, o livro passou por sucessivas revisões e ampliações, refletindo os avanços tecnológicos e científicos na área, sempre focado nas melhores evidências e práticas clínicas.

O médico anestesiologista tem papel essencial na condução segura de cirurgias e procedimentos diagnósticos e terapêuticos que requerem anestesia ou sedação, com impacto positivo no desfecho especialmente de casos de alto risco e em intervenções complexas. A atuação deste especialista vai muito além dos centros cirúrgicos, estendendo-se a pronto-socorros, hospitais-dia, centros diagnósticos, unidades de terapia intensiva, equipes de controle da dor e equipes de transporte de pacientes críticos. De forma detalhada, o Tratado de Anestesiologia SAESP contribui para o melhor cuidado aos pacientes.

Mais do que um compêndio acadêmico, esta obra é uma ferramenta crucial de educação continuada. Num campo em constante transformação, o anestesiologista precisa de atualização contínua para enfrentar os desafios clínicos e incorporar novas tecnologias e técnicas anestésicas que melhoram a qualidade, a segurança e o desfecho dos pacientes, especialmente os de alto risco.

Agora em sua 10ª edição, o *Tratado de Anestesiologia - SAESP* se consolidou como um clássico na anestesiologia brasileira, oferecendo 33 seções que somam 230 capítulos que abrangem desde a história e legislação relacionada à especialidade até tópicos avançados como gestão de risco e segurança do paciente. O livro explora em profundidade a anatomia, fisiologia e farmacologia dos sistemas corporais, essenciais para uma prática anestésica segura e eficaz. A nova diagramação desta edição, bem como a utilização de mais figuras ilustrativas, objetivam melhor entendimento dos temas apresentados e contribuição para o aprendizado.

Ao contribuir para a formação e desenvolvimento profissional dos anestesiologistas, o *Tratado de Anestesiologia - SAESP* reafirma o compromisso da SAESP com a excelência da especialidade. Que todos os anestesiologistas e especializandos que recebem este Tratado possam aplicar seus ensinamentos na prática clínica, assegurando que cada procedimento seja conduzido com qualidade e segurança, para que os pacientes possam receber um cuidado humanizado e viver com menos dor e mais qualidade de vida.

Excelente leitura a todos,

PROFA. DRA. MARIA JOSÉ CARVALHO CARMONA
Coordenadora da 10a edição do Tratado de Anestesiologia SAESP

CONHEÇA AS EDIÇÕES ANTERIORES DO TRATADO DE ANESTESIOLOGIA DA SAESP

1ª edição

2ª edição

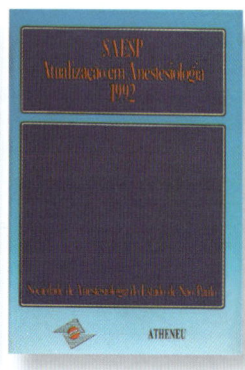

3ª edição

4ª edição

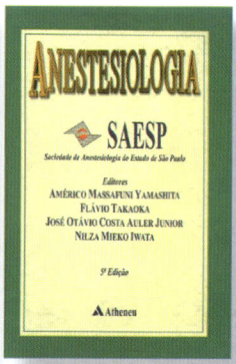

5ª edição

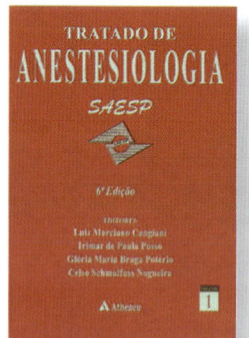

6ª edição

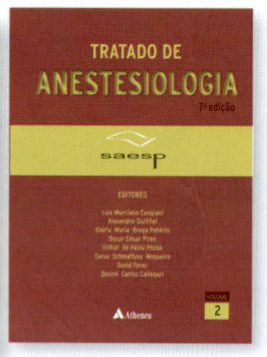

7ª edição

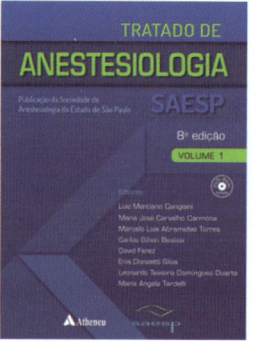

8ª edição

9ª edição

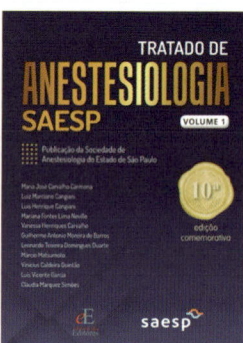

10ª edição

Prefácio

Você tem em mãos a 10ª edição do *Tratado de Anestesiologia* da Sociedade de Anestesiologia do Estado de São Paulo (SAESP), uma obra que representa o que há de mais atual e relevante nas práticas de anestesiologia, tratamento da dor e medicina perioperatória. Totalmente revisada e reescrita, esta edição reflete o compromisso de oferecer ao médico anestesiologista um conteúdo atualizado, abrangente e em sintonia com os avanços científicos, técnicos e tecnológicos da especialidade.

Para garantir a qualidade e a excelência desta obra, seguimos um rigoroso processo de desenvolvimento e revisão. Após a redação inicial pelos autores e coautores, os editores analisaram cuidadosamente cada texto, sugerindo aprimoramentos e correções. Com a aprovação final dos conteúdos, iniciamos o processo de editoração, onde gráficos, tabelas e figuras foram elaborados para facilitar a compreensão dos temas. Ao final, os textos diagramados passaram pela revisão final de autores e editores, assegurando que a versão final chegasse até você com o mais alto padrão de rigor científico e clareza didática.

Este trabalho é o resultado de um esforço conjunto de um grande número de autores e coautores, que voluntariamente dedicaram tempo e expertise para produzir um material científico de referência. Gostaria de expressar minha sincera gratidão a todos os envolvidos na elaboração deste Tratado, em especial meus colegas editores Dra. Claudia Marquez Simões, Dr. Guilherme Antônio de Moreira Barros, Dr. Leonardo Teixeira Domingues Duarte, Dr. Luis Henrique Cangiani, Dr. Luís Vicente Garcia, Dr. Luiz Marciano Cangiani, Dr. Márcio Matsumoto, Dra. Mariana Fontes Lima Neville, Dra. Vanessa Henriques Carvalhos e Dr. Vinícius Caldeira Quintão. Cada um desempenhou um papel essencial na concretização desta obra, uma valiosa contribuição para a ciência e a prática da nossa especialidade.

Atualmente, o Brasil conta com mais de 25.000 anestesiologistas, representando cerca de 6% dos médicos em atividade no país. A anestesiologia ocupa a quinta posição entre as especialidades mais procuradas por médicos recém-formados, o que evidencia a crescente demanda por uma formação sólida, focada na qualidade do cuidado, segurança do paciente e constante atualização. Dada a evolução contínua das técnicas e tecnologias anestésicas, é imperativo que os profissionais se mantenham em constante aprendizado, de maneira crítica e proativa.

A 10ª edição do *Tratado de Anestesiologia* reforça o papel de liderança da SAESP na anestesiologia brasileira. Este livro é um testemunho do compromisso de nossa Sociedade com a excelência assistencial, a geração de novos conhecimentos, a incorporação e a inovação tecnológicas, sempre com foco no humanismo do cuidado e na otimização do sistema de saúde. Estamos confiantes de que esta obra continuará a desempenhar um papel crucial na formação e no desenvolvimento dos anestesiologistas, contribuindo para elevar ainda mais os padrões da prática anestesiológica no Brasil.

PROFA. DRA. MARIA JOSÉ CARVALHO CARMONA
Coordenadora da 10a edição do Tratado de Anestesiologia SAESP

Sumário

VOLUME 1

PARTE 1   A ESPECIALIDADE ANESTESIOLOGIA   1

1. A História da Anestesiologia... 3
Carlos Rogério Degrandi Oliveira

2. As Associações de Anestesiologistas no Brasil e no Mundo.................................. 17
Catia Sousa Govêia ■ Luiz Fernando dos Reis Falcão

3. Legislação Aplicada à Prática da Anestesiologia... 27
José Abelardo Garcia de Meneses ■ Érica Baptista Vieira de Meneses

4. Anestesia e Bioética.. 43
Joaquim Edson Vieira ■ Chin An Lin

5. Risco Profissional do Anestesiologista e Transtorno de Uso de Susbstâncias 49
Reinaldo Cerqueira Braz ■ Mariana Gobbo Braz ■ Luiz Antonio Vane ■ Claudia Marquez Simões

6. Fundamentos de Organização e Gestão para Serviços de Anestesia 59
Airton Bagatini

7. Ensino e Avaliação em Anestesiologia 71
Getúlio Rodrigues de Oliveira Filho ■ Claudia Marquez Simões

8. Pesquisa em Anestesiologia... 87
Maria José Carvalho Carmona ■ Vinícius Caldeira Quintão ■ Marcos Francisco Vidal Melo

PARTE 2   SEGURANÇA E QUALIDADE   93

9. Gestão do Risco e Desfechos em Anestesiologia 95
Guilherme Henrique da Silva Moura ■ Regiane Xavier Dias ■ Claudia Marquez Simões ■ André Luis Ottoboni

10. Segurança do Paciente na Anestesia 107
Luciana Paula Cadore Stefani ■ Adriene Stahlschmidt ■ Sávio Cavalcante Passos ■ Elaine Aparecida Felix

11. O Papel da Anestesia na Acreditação Hospitalar 123
Luis Antonio dos Santos Diego ■ Alexandra Rezende Assad

12. Qualidade Aplicada à Prática da Anestesia 131
Flavio Takaoka ■ Renato Carneiro de Freitas Chaves ■ Alexandre Bottrel Motta ■ Paulo Roberto Silva Garcez dos Santos ■ Igor Jacomossi Riberto

13. Anestesia e Infecção: da Profilaxia ao Tratamento 137
Florentino Fernandes Mendes ■ Ana Luft

14. Farmacoeconomia Aplicada à Anestesiologia 163
Daniela Oliveira de Melo ■ Priscila de Arruda Trindade ■ Elene Paltrinieri Nardi ■ Evelinda Trindade

PARTE 3 – ANATOMIA E FISIOLOGIA 181

15. Anatomia do Sistema Nervoso Central 183

Eduardo Tadeu Moraes Santos

16. Bioeletrogênese da Transmissão Sináptica 197

Ana Rubia de Oliveira Comodo ▪ Ana Claudia Aragão Delage ▪ Fabiana Mara Scarpelli de Lima Alvarenga
Caldeira ▪ Guilherme de Oliveira Firmo ▪ José Maria Leal Gomes ▪ Oscar César Pires

17. Sistema Nervoso Central: Funções Cognitivas 207

Fabio Escalhão ▪ Renato Sena Fusari ▪ Adriel Franco de Mattos ▪ Caio Funck Colucci

18. Anestesia e Fisiologia do Sono e Vigília... 215

Rogean Rodrigues Nunes ▪ Samir Câmara Magalhães

19. Atividades Sensoriais e Vias de Condução 225

Luis Henrique Cangiani

20. Atividade Motora e Vias de Condução.. 245

Caio Funck Colucci ▪ Fabio Escalhão ▪ Renato Sena Fusari

21. Anatomia e Fisiologia do Sistema Nervoso Autônomo 259

Gustavo Felloni Tsuha ▪ Matheus Fernando Manzolli Ballestero

22. Fisiologia da Função Neuromuscular 275

Vanessa Henriques Carvalho ▪ Angélica de Fátima de Assunção Braga
Glória Maria Braga Potério ▪ Maria Angela Tardelli ▪ Paulo Alípio Germano Filho

23. Anatomia do Sistema Respiratório.. 295

Mônica Braga da Cunha Gobbo ▪ Letícia Lopes Vieira

24. Mecânica Respiratória e Controle da Respiração... 307

Fabíola Prior Caltabeloti ▪ Bruno Melo Nóbrega de Lucena ▪ João Victor Barelli

25. Difusão e Transporte de Gases.. 319

Talison Silas Pereira ▪ João Manoel Silva Junior

26. Fisiologia da Circulação Pulmonar 329

André Prato Schmidt

27. Fisiologia Respiratória em Situações Especiais 341

Luiz Guilherme Villares da Costa

28. Anatomia e Fisiologia do Sistema Cardiovascular 349

Bruno Francisco de Freitas Tonelotto

29. Controle da Função Cardiovascular e Reflexos... 365

Chiara Scaglioni Tessmer ▪ Eric Benedet Lineburger ▪ Bruno Emanuel Oliva Gatto

30. Anatomia e Fisiologia da Circulação Coronariana 373

Marcello Fonseca Salgado Filho ▪ Carolina Baeta Neves Duarte Ferreira

31. Fisiologia da Microcirculação.. 381

Murillo Santucci Cesar de Assunção ▪ Rogério da Hora Passos ▪ Roberto Rabello Filho

32. Hemorreologia e Fisiologia da Coagulação 391

Francisco Ricardo Marques Lobo ▪ Adriana Erica Yamamoto Rabelo ▪ Ricardo Costa Nuevo ▪ Paula Tavares Silveira

33. Anatomia e Fisiologia Renal e Vias Urinárias 409

Renata Pinheiro Módolo ▪ Norma Sueli Pinheiro Módolo ▪ Celso Luiz Módolo

34. Anatomia e Fisiologia Gastrointestinal. Náuseas e Vômitos 419

Múcio Paranhos de Abreu ▪ Adriel Franco de Mattos

35. Anatomia e Fisiologia Hepática 425

Daniel Carlos Cagnolati ▪ Thiago de Freitas Gomes ▪ Gustavo Felloni Tsuha ▪ Carlos André Cagnolati

36. Fisiologia Hormonal e Implicações Perioperatórias 439

Arthur Vitor Rosenti Segurado

37. Resposta Neuroendócrina, Imunológica e Metabólica ao Trauma Cirúrgico 451

Renato Mestriner Stocche ▪ Luís Vicente Garcia ▪ Thiago Braido Dias ▪ Stefano Malaguti Ferreira

PARTE 4 – FARMACOLOGIA   459

38. Conceitos Farmacocinéticos e Farmacodinâmicos 461

Fabiana Mara Scarpelli de Lima Alvarenga Caldeira ▪ Guilherme de Oliveira Firmo
Ana Rubia de Oliveira Comodo ▪ José Maria Leal Gomes ▪ Oscar César Pires

39. Farmacogenética e Anestesia 473

Luiz Marciano Cangiani ▪ Eduardo Tadeu Moraes Santos

40. Anestésicos Inalatórios 483

Eduardo Helfenstein ▪ Paulo Sérgio Mateus Marcelino Serzedo ▪ Clóvis Tadeu Bueno da Costa
▪ Thiago de Freitas Gomes

41. Farmacocinética dos Anestésicos Inalatórios 505

Maria Angela Tardelli

42. Anestésicos Locais 515

Gastão Fernandes Duval Neto ▪ Vanessa Henriques Carvalho

43. Benzodiazepínicos e Barbitúricos 531

Eduardo Tadeu Moraes Santos

44. Hipnóticos: Propofol, Etomidato, Cetamina e Alfa 2 Agonistas 545

Marcos Antonio Costa de Albuquerque ▪ Thiana Yamaguti ▪ Airton Bagatini ▪ Carlos Rogério Degrandi Oliveira

45. Antidepressivos e Anticonvulsivantes 567

Rioko Kimiko Sakata ▪ Miriam Cristina Belini Gazi ▪ Plinio da Cunha Leal

46. Agonistas e Antagonistas Opioides 575

Angela Maria Sousa ▪ Alexandre Slullitel ▪ Hazem Adel Ashmawi

47. Analgésicos Não Opioides 599

Claudia Carneiro de Araújo Palmeira ▪ Ana Beatriz Monasterio Paulovski ▪ Gibran Elias Harcha Munoz

48. Farmacologia Cardiovascular: Vasopressores e Inotrópicos 605

Alexandre Slullitel ▪ Claudia Cristiane Feracini Righeti ▪ Fernando Antonio Nogueira da Cruz Martins
▪ Paulo Armando Ribas Júnior ▪ Pedro Ivo Buainain

49. Antagonistas Adrenérgicos 625

João Abrão ▪ Jyrson Guilherme Klamt ▪ Luís Vicente Garcia

50. Anti-hipertensivos e Vasodilatadores 637

Célio Gomes de Amorim ▪ Maria José Carvalho Carmona

51. Arritmias Cardíacas e Tratamento Farmacológico 667

David Ferez

52. Agonistas e Antagonistas Colinérgicos 713

Carlos Rogério Degrandi Oliveira

53. Bloqueadores Neuromusculares e Antagonistas 721

Vanessa Henriques Carvalho ▪ Angélica de Fátima de Assunção Braga ▪ Glória Maria Braga Potério

54. Farmacologia Respiratória 749

Talison Silas Pereira ▪ João Manoel Silva Junior

55. Farmacologia Renal: Diuréticos 765

Raphael Klênio Confessor de Sousa ▪ Wallace Andrino da Silva

56. Antieméticos, Pró-cinéticos e Protetores da Mucosa Gastrointestinal 777

Múcio Paranhos de Abreu

57. Anticoagulantes e Antiagregantes Plaquetários 791

Matheus Fecchio Pinotti ▪ Roseny dos Reis Rodrigues ▪ Heleno de Paiva Oliveira

58. Serotonina, Antagonistas e Histamina 803

Felipe Souza Thyrso de Lara ▪ Artur Souza Rosa ▪ Celso Schmalfuss Nogueira

PARTE 5 – EQUIPAMENTOS   815

59. Princípios Físico-químicos Aplicados à Anestesiologia 817

Marcelo Luis Abramides Torres ▪ Felipe Bello Torres

60. Componenetes dos Aparelhos de Anestesia 825

Marcelo Luis Abramides Torres ▪ Rafael José Nalio Grossi ▪ Ricardo Vieira Carlos

61. Vaporizadores e Fluxômetros 837

Masashi Munechika

62. Sistemas de Infusão de Fármacos 861

Luís Otávio Esteves ▪ Luiz Eduardo de Paula Gomes Miziara ▪ Ricardo Francisco Simoni

63. Fundamentos da Ultrassonografia 871

Luis Alberto Rodríguez Linares

64. Equipamentos Eletromédicos na Sala de Cirurgia 881

Marcelo Luis Abramides Torres ▪ Rafael José Nalio Grossi ▪ Ricardo Vieira Carlos

65. Inovação, Avaliação e Incorporação Tecnológica 901

Fernando Augusto Tavares Canhisares ▪ Ana Maria Malik ▪ Matheus Fachini Vane ▪ Maria José Carvalho Carmona

PARTE 6 – ACESSO A VIA AÉREA E ASSISTÊNCIA VENTILATÓRIA   911

66. Avaliação da Via Aérea 913

Antonio Vanderlei Ortenzi

67. Controle da Via Aérea 931

Cláudia Lütke ▪ Gustavo Felloni Tsuha ▪ Marcelo Sperandio Ramos

68. Via Aérea Difícil 955

Mauricio Luiz Malito ▪ Gustavo Felloni Tsuha

69. Ventilação Não Invasiva 971

Talison Silas Pereira ▪ João Manoel Silva Junior

70. Ventilação Mecânica Intraoperatória 989

Masashi Munechika

71. Estratégias Protetoras de Ventilação Intraoperatória 1009

Natalia Yume Hissayasu Menezes ▪ Roberta Figueiredo Vieira ▪ Luiz Marcelo Sá Malbouisson

PARTE 7 – AVALIAÇÃO E PREPARO PRÉ-OPERATÓRIO   **1015**

72. Avaliação e Condutas Pré-anestésicas 1017

Ligia Andrade da Silva Telles Mathias ▪ Ricardo Caio Gracco de Bernardis ▪ Ricardo Vieira Carlos
▪ Alberto VAsconcelos

73. Avaliação Neurológica e Cognitiva 1033

Atsuko Nakagami Cetl ▪ Luiz Daniel Marques Neves Cetl

74. Avaliação do Sistema Respiratório 1039

Luiz Fernando dos Reis Falcão ▪ Luiza Helena Degani Costa Falcão

75. Avaliação do Sistema Cardiovascular 1057

Célio Gomes de Amorim

76. Avaliação do Sistema Renal 1079

Leonardo Figueiredo Camargo ▪ Eric Aragão Corrêa ▪ Pedro Henrique França Gois

77. Avaliação do Sistema Digestório 1089

Anne Twardowsky Di Donato

78. Avaliação do Sistema Endócrino 1095

Silvia Corrêa Soares ▪ Nelson Mizumoto ▪ Rita de Cássia Calil Campos Rossini

79. Avaliação do Sistema Hematológico 1111

César de Araujo Miranda ▪ Fábio Vieira de Toledo ▪ Ítalo Pires Gomes

80. Avaliação das Doenças do Tecido Conjuntivo e Musculoesqueléticas 1119

Helga Cristina Almeida da Silva ▪ Marcelo Wajchenberg

81. Avaliação e Particularidades na Anestesia no Paciente com Câncer 1129

Marcelo Sperandio Ramos ▪ Eduardo Henrique Giroud Joaquim ▪ Bruna Moraes Cabreira
▪ Claudia Marquez Simões

82. Jejum Pré-anestésico e Avaliação do Conteúdo Gástrico 1135

Autoras: Paula Nocera ▪ Suzana Barbosa de Miranda Teruya
Coautoras: ▪ Anne Twardowsky Di Donato ▪ Fernanda Salomão Turazzi

83. Profilaxia de Náuseas e Vômitos. Grupos de Risco 1147

Gabriel Magalhães Nunes Guimarães ▪ Helga Bezerra Gomes da Silva ▪ Hugo Muscelli Alecrim

84. Prevenção do Tromboembolismo Venoso 1157

Milton Gotardo ▪ Daniel Ibanhes Nunes

PARTE 8 – MONITORIZAÇÃO 1179

85. Princípios da Monitorização e Instrumentação Intraoperatória 1181
Antonio Roberto Carraretto (*in memoriam*) ▪ Marcelo Frizzera Borges ▪ Matheus Fachini Vane

86. Monitorização do Sistema Nervoso 1219
Felipe Souza Thyrso de Lara ▪ Celso Schmalfuss Nogueira ▪ Marcelo Vaz Perez

87. Monitorização do Sistema Respiratório 1237
Pedro Ivo Buainain ▪ Alexandre Slullitel

88. Monitorização do Sistema Cardiovascular 1249
Matheus Fachini Vane ▪ Gabriela Tognini Saba ▪ Maria José Carvalho Carmona

89. Ecocardiografia Intraoperatória 1265
Carolina Baeta Neves Duarte Ferreira ▪ Marcello Fonseca Salgado Filho

90. Monitorização do Sistema Renal 1299
Norma Sueli Pinheiro Módolo ▪ André Roberto Bussmann ▪ Renata Pinheiro Módolo

91. Monitorização do Sistema Endócrino 1307
Raquel Pei Chen Chan

92. Monitorização do Sistema Hematológico 1335
Joel Avancini Rocha Filho ▪ Rafael Ribeiro Alves ▪ Estela Regina Ramos Figueira

93. Monitorização Neuromuscular 1345
Rita de Cássia Rodrigues ▪ Maria Angela Tardelli

94. Regulação e Monitorização da Temperatura 1361
Simone Maria D'Angelo Vanni ▪ José Reinaldo Cerqueira Braz ▪ Leandro Gobbo Braz

95. Equilíbrio Ácido-base e Hidroeletrolítico 1371
Antonio Carlos Aguiar Brandão ▪ Thaína Alessandra Brandão ▪ Viviane França Martins

PARTE 9 – REPOSIÇÃO VOLÊMICA E TRANSFUSÃO SANGUÍNEA 1395

96. Princípios da Reposição Volêmica 1397
Paulo do Nascimento Junior ▪ Luiz Antonio Vane ▪ Matheus Fachini Vane

97. Sangue e Soluções Carreadoras de Oxigênio 1411
Matheus Fachini Vane ▪ Leandro Gobbo Braz ▪ Luiz Antonio Vane ▪ Glória Maria Braga Potério

98. Terapia de Fluidos Perioperatória 1429
David Ferez ▪ João Soares de Almeida Junior

99. *Patient Blood* Management e Terapia Transfusional 1441
Juliano Pinheiro de Almeida ▪ Filomena Regina Barbosa Gomes Galas ▪ Ludhmila Abrahão Hajjar

PARTE 10 – TÉCNICAS DE ANESTESIA GERAL E SEDAÇÃO 1447

100. Sedação 1449
Gabriel José Redondano Oliveira ▪ Juliano Antonio Aragão Bozza ▪ Thiago Romanelli Ribeiro

101. Anestesia Venosa Total 1457
Luiz Eduardo de Paula Gomes Miziara ▪ Ricardo Francisco Simoni ▪ José Eduardo Bagnara Orosz

102. Anestesia Inalatória..1489

Gastão Fernandes Duval Neto (*In Memoriam*) ▪ Débora de Oliveira Cumino ▪ Luciana Cavalcanti Lima ▪ Sérgio Bernardo Tenório

PARTE 11 – ANESTESIA REGIONAL   1509

103. Elementos de Anatomia: Ressonância Nuclear Magnética e Tomografia Computadorizada 1511

Luciano de Andrade Silva ▪ Carlos Eduardo Esqueapatti Sandrin ▪ Alexandre Peroni Borges

104. Bloqueios Regionais Guiados pela Ultrassonografia 1523

Stefano Malaguti Ferreira ▪ Renato Mestriner Stocche

105. Anestesia Subaracnóidea 1537

Luiz Marciano Cangiani ▪ Luis Henrique Cangiani ▪ Marcelo Negrão Lutti ▪ Luís Otávio Esteves

106. Anestesia Peridural 1567

Bruno Erick Sinedino de Araújo

107. Bloqueios Periféricos do Crânio e da Face 1585

Tulio Antonio Martarello Gonçalves

108. Bloqueio do Plexo Cervical e dos Nervos Intercostais 1619

Luiz Marciano Cangiani ▪ Adriel Franco de Mattos

109. Bloqueios Paravertebrais 1641

Cinthia Passos Damasceno

110. Bloqueios Periféricos do Abdômen e da Genitália 1657

Olympio de Hollanda Chacon Neto ▪ Jackson Davy da Costa Lemos ▪ Cecília Daniele de Azevedo Nobre

111. Bloqueios Periféricos dos Membros Superiores 1673

Diogo Bruggemann da Conceição ▪ Glênio Bitencourt Mizubuti

112. Bloqueios Periféricos dos Membros Inferiores 1691

Adilson Hamaji ▪ Waldir Cunha Junior ▪ Isabela da Costa Vallarelli ▪ Marcelo Waldir Mian Hamaji

113. Anestesia Regional Intravenosa 1727

Leonardo de Andrade Reis ▪ Luis Fernando Affini Borsoi ▪ Ayrton Bentes Teixeira

114. Complicações dos Bloqueios Regionais..1733

Rodrigo Moreira e Lima ▪ Ronaldo Antonio da Silva

VOLUME 2

PARTE 12 – DOR   1747

115. Noções Elementares de Fisiopatologia da Dor..1749

João Batista Santos Garcia ▪ José Osvaldo Barbosa Neto

116. Avaliação e Tratamento da Dor Aguda 1759

Durval Campos Kraychete ▪ Anita Perpétua Carvalho Rocha de Castro ▪ Eduardo Sílva Reis Barreto

117. Analgesia Controlada pelo Paciente...1769

João Valverde Filho ▪ Márcio Matsumoto ▪ Christiane Pellegrino Rosa ▪ Lucila Muniz Barretto Volasco

118. Tratamento das Dores Crônicas Não Oncológicas Mais Prevalentes.............................1779

Rioko Kimiko Sakata ▪ Ed Carlos Rey Moura ▪ Plinio da Cunha Leal

119. Tratamento da Dor Relacionada ao Câncer 1789

Angela Maria Sousa ■ Alexandre Slullitel ■ Áquila Lopes Gouvea ■ Hazem Adel Ashmawi

120. Principais Procedimentos Intervencionistas Empregados na Dor Crônica 1807

Fabrício Dias Assis ■ Charles Amaral de Oliveira ■ Pedro Hilton de Andrade Filho

121. Intervenções Complementares para o Tratamento da Dor 1829

Felipe Chiodini Machado

122. O Anestesiologista e a Medicina Paliativa 1835

Guilherme Antonio Moreira de Barros ■ Fernanda Bono Fukushima ■ Edison Iglesias de Oliveira Vidal

PARTE 13 – RECUPERAÇÃO PÓS-ANESTÉSICA — 1845

123. Organização e Cuidados na Recuperação Pós-anestésica 1847

Luiz Fernando dos Reis Falcão ■ José Luiz Gomes do Amaral

124. Estágios da Recuperação da Anestesia: Aspectos Clínicos e Critérios de Alta 1857

André de Moraes Porto

125. Eventos Adversos na Recuperação Pós-Anestésica 1865

Thyago Araújo Fernandes ■ Luciana Chaves de Morais ■ Claudia Regina Fernandes

PARTE 14 – ANESTESIA EM OBSTETRÍCIA E GINECOLOGIA — 1879

126. Alterações Fisiológicas da Gravidez 1881

Franz Schubert Cavalcanti

127. Passagem Transplacentária de Fármacos 1913

Daniel Vieira de Queiroz ■ Bruno Serra Guida ■ Gabriel Alann Gayo Souto

128. Analgesia para o Trabalho de Parto 1929

Eliane Cristina de Souza Soares ■ Marcelo Luis Abramides Torres ■ Rodrigo Brandão Pinheiro

129. Anestesia para Cesariana 1941

Carlos Othon Bastos ■ Luis Fernando Lima Castro

130. Anestesia para Gestante com Pré-eclâmpsia e Eclâmpsia 1967

Monica Maria Siaulys ■ Guilherme Haelvoet Correa ■ Marina Cestari de Rizzo

131. Anestesia nas Síndromes Hemorrágicas da Gestação 1975

Fernanda Cristina Paes ■ Eliane Cristina de Souza Soares

132. Anestesia na Gestante Cardiopata 1985

Fernando Souza Nani

133. Anestesia para a Gestante Obesa 2003

Thiago de Freitas Gomes ■ Magnum Ricardo Bomfim Dourado Rosa ■ Ana Beatriz Furtado de Souza

134. Monitorizão Fetal e Parto Prematuro 2011

Gabriela Tognini Saba

135. Anestesia para Cirurgia Não Obstétrica Durante a Gravidez 2023

Luis Fernando Lima Castro

136. Anestesia para Cirurgia Fetal 2037

Fernando Souza Nani

137. Anestesia para Procedimentos Ginecológicos 2051

Gabriela Tognini Saba

138. Anestesia e Aleitamento Materno 2059

Wilson Gonçalves Sombra ▪ Carlos Othon Bastos ▪ Rafael Valério Gonçalves

PARTE 15 – ANESTESIA EM PEDIATRIA   2067

139. Características Morfofisiológicas do Recém-nascido e da Criança 2069

Ana Carla Giosa Fujita

140. Avaliação Pré-operatória do Recém-nascido e da Criança 2087

Vinícius Caldeira Quintão ▪ Tiago Caneu Rossi ▪ Gabriel Soares de Sousa

141. Acesso a Via Aérea e Assistência Ventilatória em Anestesia Pediátrica 2099

Vinícius Caldeira Quintão ▪ Ricardo Vieira Carlos ▪ Hellen Moreira de Lima

142. Anestesia Geral em Pediatria 2119

Marcella Marino Malavazzi Clemente ▪ Hugo Ítalo Melo Barros ▪ Vinícius Caldeira Quintão

143. Anestesia Regional em Pediatria 2133

Débora de Oliveira Cumino ▪ Luciana Cavalcanti Lima

144. Anestesia no Recém-nascido 2159

Norma Sueli Pinheiro Módolo ▪ Lais Helena Navarro e Lima ▪ Rodrigo Moreira e Lima

145. Reposição Volêmica e Hemotransfusão em Anestesia Pediátrica 2177

Mariana Fontes Lima Neville ▪ Carolina de Oliveira Sant'Anna

PARTE 16 – ANESTESIA E O PACIENTE IDOSO   2187

146. Alterações Morfofisiológicas no Paciente Idoso 2189

Leopoldo Muniz da Silva ▪ Saullo Queiroz Silveira ▪ Fernanda Leite

147. Anestesia no Paciente Idoso 2201

Luiz Antonio Mondadori ▪ Giane Nakamura

148. Transtornos Neurocognitivos no Perioperatório 2213

Maria José Carvalho Carmona ▪ Jucelina Verónica Bisi ▪ Henriette Baena Cardeal ▪ Cláudia Maia Memória

PARTE 17 – ANESTESIA PARA CIRURGIA E PROCEDIMENTOS TORÁCICOS   2227

149. Ventilação Monopulmonar 2229

David Ferez

150. Anestesia para Procedimentos Torácicos Diagnósticos e Minimamente Invasivos 2241

Vanessa Henriques Carvalho ▪ Emica Shimozono ▪ Patrícia Gonçalves Caparroz Busca ▪ Derli Conceição Munhoz

151. Anestesia para Ressecção Pulmonar e Traqueal 2247

David Ferez

152. Anestesia para Cirurgia de Tumores do Mediastino 2263

Vanessa Henriques Carvalho ▪ Angélica de Fátima de Assunção Braga ▪ Emica Shimozono ▪ Marcos de Simone Melo

PARTE 18 – ANESTESIA PARA CIRURGIA CARDÍACA E VASCULAR — 2271

153. Circulação Extracorpórea e Assistência Circulatória Mecânica 2273
Raquel Pei Chen Chan

154. Anestesia para Revascularização Miocárdica 2323
Thiana Yamaguti

155. Anestesia para Cirurgia Valvar 2341
Chiara Scaglioni Tessmer ▪ Eric Benedet Lineburger ▪ Filomena Regina Barbosa Gomes Galas
Maria Paula Martin Ferro ▪ Marilde de Albuquerque Piccioni

156. Anestesia para Cirurgias da Aorta Torácica 2375
Mauricio Daher Andrade Gomes ▪ João Paulo Jordão Pontes ▪ Raquel Augusta Monteiro de Castro

157. Anestesia para Cirurgias da Aorta Abdominal 2391
Bruno Francisco de Freitas Tonelotto ▪ José Leonardo Izquierdo Saurith ▪ Vinícius Barros Duarte de Morais

158. Anestesia para Correção de Cardiopatias Congênitas 2405
Fábio Luis Ferrari Regatieri ▪ Ana Cristina Aliman Arashiro

159. Anestesia para Cirurgia Vascular Periférica 2433
Alexandra Rezende Assad ▪ Luis Antonio dos Santos Diego ▪ Pedro Ivo Rodrigues do Carmo Rezende
João Alexandre Rezende Assad ▪ Tiago Coutas de Souza

PARTE 19 – ANESTESIA PARA CIRURGIAS ABDOMINAIS — 2449

160. Anestesia em Abdômen Agudo 2451
Guilherme Henryque da Silva Moura ▪ Enis Donizete Silva

161. Anestesia para Cirurgia Hepática 2467
Joel Avancini Rocha Filho ▪ Rui Carlos Detsch Junior ▪ Estela Regina Ramos Figueira

162. Anestesias para Cirurgias Gastrintestinais 2477
Felipe Pinn de Castro ▪ Gustavo Guimarães Torres

163. Anestesia para Cirurgia Videolaparoscópica e Robótica 2495
Luis Henrique Cangiani ▪ Matheus Rodrigues Vieira ▪ Tassio Mattos Pereira Franco

164. Anestesia para Adrenalectomia 2521
Silvia Corrêa Soares ▪ Matheus Fachini Vane

PARTE 20 – ANESTESIA E O PACIENTE OBESO — 2529

165. Obesidade: Aspectos Fisiológicos, Fisiopatológicos e Farmacológicos 2531
Luiz Eduardo de Paula Gomes Miziara ▪ Ricardo Francisco Simoni

166. Anestesia para Cirurgia Bariátrica 2541
Maria Denisia de Souza Saraiva Nobayashi ▪ Ricardo Carvalhaes Machado ▪ João Rodrigo Oliveira
▪ Camille Sayuri Saraiva Nobayashi

PARTE 21 – ANESTESIA PARA PROCEDIMETOS UROLÓGICOS — 2559

167. Anestesia para Litotripsia Extracorpórea por Ondas de Choque 2561
Tulio Antonio Martarello Gonçalves

168. Anestesia para Urologia 2567

Silvia Minhye Kim

PARTE 22 – ANESTESIA PARA CIRURGIAS ORTOPÉDICAS — 2579

169. Anestesia para Cirurgias Ortopédicas dos Membros Superiores 2581

Vitor Zeponi Dal'Acqua ▪ Diogo Barros Florenzano de Sousa ▪ Elaine Gomes Martins

170. Anestesia para Cirurgias Ortopédicas dos Membros Inferiores 2613

Leonardo Teixeira Domingues Duarte ▪ Joel Gianelli Paschoal Filho ▪ Lucas Rodrigues de Farias

171. Anestesia para Cirurgias da Coluna 2659

Leonardo Teixeira Domingues Duarte ▪ Joel Gianelli Paschoal Filho

PARTE 23 – ANESTESIA PARA NEUROCIRURGIA — 2701

172. Fatores Determinantes das Pressões Intracranianas e de Perfusão Encefálica 2703

Salomón Soriano Ordinola Rojas ▪ Amanda Ayako Minemura Ordinola

173. Anestesia para Cirurgia de Tumores Cerebrais 2711

Christiano dos Santos e Santos

174. Anestesia para Neurocirurgia Vascular 2735

Bruna Bastiani dos Santos

175. Anestesia para Neurocirurgia na Criança 2745

Joana Lily Dwan ▪ Margarita Hoppe Rocha Gama

176. Anestesia no Trauma Cranioencefálico 2765

Cristiane Tavares ▪ Tais Martinez Quadros

177. Proteção Cerebral em Neuroanestesia 2777

Cristiane Tavares

PARTE 24 – ANESTESIA PARA CIRURGIA BUCOMAXILOFACIAL E CIRURGIA PLÁSTICA — 2785

178. Anestesia para Cirurgia Bucomaxilofacial 2787

Tailur Alberto Grando ▪ Edela Puricelli

179. Anestesia para Cirurgia Plástica Estética e Lipoaspiração 2809

Paulo Sergio Mateus Marcelino Serzedo ▪ Carlos André Cagnolati ▪ Leandro Criscuolo Miksche
▪ Roberto Ballaben Carloni

180 Anestesia para Cirurgia Plástica Reparadora 2831

Waynice Neiva de Paula Garcia

PARTE 25 – ANESTESIA PARA OFTALMOLOGIA — 2843

181. Anestesia em Oftalmologia: Fisiologia Ocular e Técnicas Anestésicas 2845

Luiz Fernando Alencar Vanetti

182. Bloqueios Oculares: Técnicas, Indicações e Eventos Adversos 2855

Luiz Fernando Alencar Vanetti ▪ Thaís Khouri Vanetti

PARTE 26 – ANESTESIA PARA OTORRINOLARINGOLOGIA — 2873

183. Anestesia para Cirurgias Orais, Nasais, Seios da Face e Ouvidos 2875
Carlos Eduardo Esqueapatti Sandrin ▪ Martin Affonso Ferreira

184. Anestesia para Microcirurgia da Laringe 2889
Luis Henrique Cangiani

PARTE 27 – ANESTESIA AMBULATORIAL E ANESTESIAS FORA DO CENTRO CIRÚRGICO — 2905

185. Anestesia Ambulatorial 2907
Luiz Marciano Cangiani ▪ Luis Henrique Cangiani

186. Anestesia para Radiodiagnóstico 2933
Antônio Márcio de Sanfim Arantes Pereira

187. Anestesia para Radiologia Intervencionista 2953
Ricardo Antonio Guimarães Barbosa

188. Anestesia para Endoscopia Digestiva 2971
Fernando Cássio do Prado Silva

189. Anestesia para Radioterapia 2981
Josyanne Balarotti Pedrazzi ▪ Taís Tavares Barlera ▪ Michael Jenwei Chen ▪ Ricardo Antonio Guimarães Barbosa

190. Anestesia para Eletroconvulsoterapia 2993
Julio Cesar Mercador de Freitas

191. Procedimentos Diagnósticos e Terapêuticos Cardiológicos 3005
Paulo de Oliveira Vasconcelos Filho ▪ Giovanne Santana de Oliveira ▪ Cristiano Faria Pisani

PARTE 28 – ANESTESIA PARA TRANSPLANTES DE ÓRGÃOS — 3021

192. Diagnóstico de Morte Encefálica e Cuidados Perioperatório no Doador de Órgãos 3023
Autora: Sâmia Yasin Wayhs

193. Cuidados Perioperatórios com o Doador de Órgãos 3035
Autor: Alex Madeira Vieira
Coautora: Mirian Gomes Barcelos

194. Anestesia para Transplante Renal 3057
Roberta Figueiredo Vieira

195. Anestesia para Transplante Hepático 3067
Joel Avancini Rocha Filho ▪ Lívia Pereira Miranda Prado ▪ Rui Carlos Detsch Junior

196. Anestesia Para Transplante Cardíaco 3083
Douglas Vendramin ▪ Daniel Javaroni Machado Fonseca ▪ Maria José Carvalho Carmona

197. Anestesia no Paciente Transplantado Cardíaco 3099
Douglas Vendramin ▪ Maria José Carvalho Carmona

198. Anestesia para Transplante Pulmonar 3105
André Prato Schmidt

199. Anestesia para Transplante de Pâncreas 3121

Calim Neder Neto ▪ Eduardo Motoyama de Almeida

200. Anestesia para Transplante de Intestino e Multivisceral 3131

Joel Avancini Rocha Filho ▪ Rui Carlos Detsch Junior ▪ Luis Filipi Souza de Britto Costa

PARTE 29 – REANIMAÇÃO CARDIORRESPIRATÓRIA E CEREBRAL   3139

201. Reanimação Cardiorrespiratória no Adulto 3141

Guinther Giroldo Badessa ▪ Cirilo Haddad Silveira ▪ Leonardo Ayres Canga

202. Reanimação Cardiorrespiratória no Recém-nascido 3155

Ruth Guinsburg ▪ Maria Fernanda Branco de Almeida

203. Reanimação Cardiorrespiratória na Gestante 3163

Márcio de Pinho Martins ▪ David Ferez

204. Cuidados Pós-reanimação Cardiopulmonar 3181

Antonio Carlos Aguiar Brandão ▪ Leandro Fellet Miranda Chaves ▪ Thaína Alessandra Brandão

PARTE 30 – TERAPIA INTENSIVA   3189

205. Transporte Intra-hospitalar do Paciente Crítico 3191

Macius Pontes Cerqueira ▪ Guilherme Oliveira Campos ▪ Luiz Alberto Vicente Teixeira

206. Suporte Intensivo Pós-operatório 3197

Suzana Margareth Lobo ▪ Neymar Elias de Oliveira ▪ Francisco Ricardo Marques Lobo

207. Proteção Orgânica Perioperatória 3211

Paula Gurgel Barreto ▪ Roberta Figueiredo Vieira ▪ Luiz Marcelo Sá Malbouisson

208. Insuficiência Respiratória Aguda 3219

Ricardo Esper Treml ▪ Pedro Paulo Tanaka ▪ Talison Silas Pereira ▪ João Manoel da Silva Junior

209. Fisiopatologia do Estado de Choque 3229

Murillo Santucci Cesar de Assunção ▪ Carolina Cáfaro

210. Tratamento do Choque Circulatório 3251

Bruno Adler Maccagnan Pinheiro Besen ▪ André Luiz Nunes Gobatto ▪ Luciano Cesar Pontes Azevedo

211. Fisiopatologia da Doença Crítica 3267

Rodrigo Leal Alves ▪ Macius Pontes Cerqueira ▪ Antonio Jorge Barretto Pereira

212. Cuidados Perioperatórios no Choque Séptico 3283

Bruno Francisco de Freitas Tonelotto

213. Reposição Volêmica e de Hemoderivados no Paciente Crítico 3297

Felipe Pinn de Castro

214. Sedação, Analgesia e Bloqueio Neuromuscular em Terapia Intensiva 3317

David Ferez ▪ João Soares de Almeida Junior

PARTE 31 – ANESTESIA NA URGÊNCIA   3325

215. Avaliação e Abordagem do Paciente Politraumatizado 3327

Samir Lisak

216. Anestesia no Paciente em Choque...3347

Eduarda Schütz Martinelli

217. Anestesia no Paciente com Trauma da Face e do Pescoço...3361

Natanael Pietroski dos Santos ▪ Roseny dos Reis Rodrigues

218. Anestesia no Paciente com Trauma Torácico 3371

David Ferez

219. Anestesia no Paciente Queimado 3381

Fernando Antônio de Freitas Cantinho ▪ Rogério Luiz da Rocha Videira

PARTE 32 – EVENTOS ADVERSOS   3395

220. Reações Anafiláticas e Anafilactoides em Anestesia..3397

Ligia Andrade da Silva Telles Mathias ▪ Ricardo Caio Gracco de Bernardis ▪ Alberto Vasconcelos

221. Hipertermia Maligna..3409

Claudia Marquez Simões ▪ Luiz Bomfim Pereira da Cunha ▪ Daniel Carlos Cagnolati

222. Complicações Respiratórias 3421

Guilherme de Oliveira Firmo ▪ Fabiana Mara Scarpelli de Lima Alvarenga Caldeira
José Maria Leal Gomes ▪ Ana Rúbia de Oliveira Comodo ▪ Oscar César Pires

223. Complicações Cardiocirculatórias 3439

Célio Gomes de Amorim ▪ Maria José Carvalho Carmona

224. Complicações Renais...3481

Maria Cecília Landim Nassif ▪ Roberta Figueiredo Vieira

225. Posicionamento do Paciente na Mesa no Intraoperatório..3489

Antônio Jarbas Ferreira Júnior ▪ Igor Lopes da Silva ▪ Rodrigo Tavares Correa ▪ Marcos Rodrigues Pinotti

PARTE 33 – PESQUISA CIENTÍFICA E ESTATÍSTICA   3503

226. Filosofia do Método Científico..3505

Luiz Marciano Cangiani

227. Tipos de Estudo e Planejamento de Pesquisa...3525

Leandro Gobbo Braz ▪ Marcos Ferreira Minicucci ▪ José Reinaldo Cerqueira Braz

228. Estatística Básica Aplicada...3535

Gabriel Magalhães Nunes Guimarães ▪ Helga Bezerra Gomes da Silva

229. Estatística Básica 3551

Rodrigo Leal Alves

230. Revisões de Literatura: Tipos e Objetivos 3569

Luiz Marciano Cangiani

Índice Remissivo I-1

Parte 12

Dor

Noções Elementares de Fisiopatologia da Dor

João Batista Santos Garcia ▪ José Osvaldo Barbosa Neto

INTRODUÇÃO

A dor se apresenta como um dos mecanismos mais básicos de adaptação do reino animal. Permite que estímulos nocivos sejam percebidos, e, a partir deles, seja iniciada uma cascata de eventos que geram respostas comportamentais de autopreservação. Estas são ações que podem ser reflexas ou conscientes, sendo a primeira determinada por uma estrutura organizada de arco reflexo, e comandada na medula, sem que haja participação de centros superiores do sistema nervoso central (SNC). Já as respostas conscientes dependem de o estímulo doloroso chegar ao córtex sensitivo, para que sofra processamento. Após a integração entre os demais sistemas cerebrais, o estímulo passará a ser percebido de forma consciente, e permitirá que o indivíduo produza uma resposta coordenada e deliberada para interromper o estímulo doloroso. No entanto, a integração desses centros, para permitir a percepção consciente da dor, abre caminho para associação dessa resposta fisiológica com diferentes sentimentos complexos, como o medo, a tristeza, a angústia e a raiva, de tal maneira que cada indivíduo sentirá (não mais apenas perceberá) a dor de uma maneira muito pessoal e única. Ou seja, duas pessoas, frente a uma mesma lesão e com mesma intensidade de estimulação, sentirão de forma diferente e terão respostas orgânicas diferentes.[1]

Dado a complexidade que é este sintoma, a *International Association for the Study of Pain* (IASP) definiu a dor como "uma experiência sensorial e emocional desagradável associada a, ou assemelhando-se àquela associada a, dano real ou potencial nos tecidos". Essa definição é expandida pela adição de notas-chave para reforçar a importância do contexto em que está inserida:[2,3]

1. A dor é sempre uma experiência pessoal que é influenciada em graus variados por fatores biológicos, psicológicos e sociais.

2. Dor e nocicepção são fenômenos diferentes.

3. A dor não pode ser inferida apenas a partir da atividade em neurônios sensoriais. Através de suas experiências de vida, os indivíduos aprendem o conceito de dor.

4. O relato de uma pessoa sobre uma experiência como dor deve ser respeitado. Embora a dor geralmente desempenhe um papel adaptativo, ela pode ter efeitos adversos na função e no bem-estar social e psicológico.

5. A descrição verbal é apenas um dos vários comportamentos para expressar a dor; a incapacidade de comunicar não nega a possibilidade de que um ser humano ou um animal não humano experimente a dor.

O ato de sentir dor é subjetivo, e cada indivíduo aprende a utilizar esse termo através de suas próprias experiências.[2,3] O contexto biopsicossocial em que um indivíduo esteja inserido terá um papel preponderante sobre a expressão da dor. Fatores como estado emocional, ansiedade, depressão, atenção e distração, experiências anteriores e memórias podem aumentar ou diminuir a sensação dolorosa.[4]

▪ TERMOS, DEFINIÇÕES E CLASSIFICAÇÃO DA DOR

A dor pode ser classificada quanto ao seu tempo de evolução e quanto ao mecanismo neurofisiológico subjacente. Em relação ao tempo, pode ser aguda e crônica. Em geral, a dor aguda aparece após uma lesão tecidual e desaparece com a resolução do processo causal. Já a dor crônica é uma dor que persiste ou recorre por mais de 3 meses.[5]

Dor aguda é aquela que tem função de alerta, como discutido anteriormente; a fisiopatologia é bem-compreendida, o diagnóstico etiológico é frequentemente óbvio e o controle pode ser obtido com facilidade. A dor crônica é um sintoma que persiste além do tempo normal de recuperação tecidual, não tem função de alerta, gera estresse físico, emocional, econômico e social, e tanto o diagnóstico como o tratamento são mais difíceis. Deve ser entendida como um estado de má adaptação, uma evolução não prevista para um estado de doença.[5] À medida que o tempo avança, a via dolorosa se torna sensível (facilitada), hiperresponsiva e capaz de gerar dor intensa, disseminada e persistente. Não se mostra autolimitada, e exige conhecimento especializado por parte dos profissionais de saúde, muitas vezes requerendo uma abordagem interdisciplinar. Seu tratamento tem um enfoque na reversão do estado de hiperexcitabilidade neuronal, com base em nossa compreensão da neurociência da dor, perspectiva biopsicológica e neuroplasticidade.[6]

Do ponto de vista do mecanismo neurofisiológico, a dor é classificada em nociceptiva, neuropática e nociplástica. Quando há sobreposição de mecanismos, pode ser descrita como mista (Figura 115.1).[4]

Dor nociceptiva decorre da ativação de nociceptores, em tecidos superficiais e profundos, resultante de estímulos nocivos ou potencialmente nocivos.[4] A dor nociceptiva pode ser ainda subdividida em somática ou visceral, em que a lesão pode ter ocorrido tanto na periferia (ossos, partes moles, articulações e músculos) quanto nas vísceras.[6] A Tabela 115.1 apresenta algumas características peculiares da dor nociceptiva visceral.

Tabela 115.1 Características importantes da dor visceral.

As vísceras não são sensíveis à dor.

A dor não está sempre ligada a lesões viscerais (cortar o intestino não causa dor, mas o estiramento da bexiga causa dor).

É difusa e mal localizada.

É referida para outras localizações.

É acompanhada por reflexos motores e autonômicos, como náusea e vômito.

Fonte: de Treede e col., 2019.[6]

Dor neuropática é definida como aquela decorrente de lesão ou doença que acomete o sistema nervoso somatossensorial.[4] Ela não deve ser entendida como um diagnóstico por si, mas a representação de uma constelação de características atribuídas à dor que está presente em um grande grupo de doenças diferentes. Está associada à ocorrência de impacto negativo sobre a qualidade de vida e a produtividade, e transtornos de humor, como depressão e ansiedade, são extremamente frequentes entre os pacientes acometidos.[7]

O termo dor nociplástica foi introduzido posteriormente para incluir doenças que não estavam representadas pelas definições anteriores, por não serem claramente nociceptivas ou neuropáticas.[8] Esse tipo de dor foi definido como "dor que surge de nocicepção alterada, mesmo na ausência de evidências claras de dano real ou ameaçado aos tecidos, que causariam a ativação de nociceptores periféricos ou evidências de doença ou lesão no sistema somatossensorial causando a dor", e inclui doenças como a fibromialgia e síndrome dolorosa regional complexa, cefaleia primária, dores orofacial e miofacial primárias.[3]

A dor crônica pode ser classificada ainda como primária ou secundária, como previsto na atualização da Codificação Internacional de Doenças para sua versão 11 (CID-11), oficializada pela Organização Mundial de Saúde (OMS) em fevereiro de 2022.[9] A dor crônica primária foi definida como "dor em uma ou mais regiões anatômicas que persiste ou recorre por mais de 3 meses e está associada a um significativo sofrimento emocional ou incapacidade funcional (interferência nas atividades da vida diária e participação em papéis sociais), e que não pode ser melhor explicada por outra condição de dor crônica". Esse tipo de dor abrange síndromes dolorosas que são consideradas doenças por si só, e inclui cinco grupos distintos: dor crônica generalizada (p. ex., fibromialgia), síndromes de dor crônica regionais complexas, cefaleias crônicas e dor orofacial primária (p. ex., migrânea crônica ou distúrbio temporomandibular), dor visceral primária crônica (p. ex., síndrome do intestino irritável) e dor musculoesquelética primária crônica (p. ex., dor lombar não específica). Já as dores crônicas secundárias estão ligadas a outras entidades clínicas, nas quais a dor figura entre os sintomas, porém ganha relevância por seu impacto no quadro geral.[5]

A Via Nociceptiva: da Periferia ao Processamento Central

O estímulo doloroso, para ser percebido, precisa realizar uma longa jornada, desde a periferia até o córtex sensitivo no SNC. Ele se inicia com o surgimento de um potencial de ação secundário a uma lesão e ao longo do caminho provoca inúmeras interações neuroquímicas e imunológicas que têm

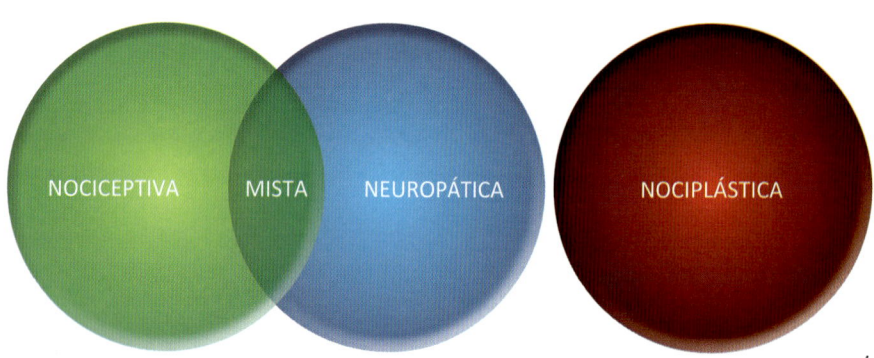

◄ **Figura 115.1** Tipos de dor.

o poder de amplificar ou atenuar o potencial, até que possa ser percebido e interpretado. As relações entre os diferentes sistemas que participam da via dolorosa são complexas, especialmente quando se dá o processo de cronificação da dor. Até o momento, a compreensão de como essas inter-relações se traduzem clinicamente ainda é limitada, apesar de grandes avanços terem sido obtidos nos últimos anos. A Figura 115.2 ilustra o caminho percorrido pelo estímulo doloroso.

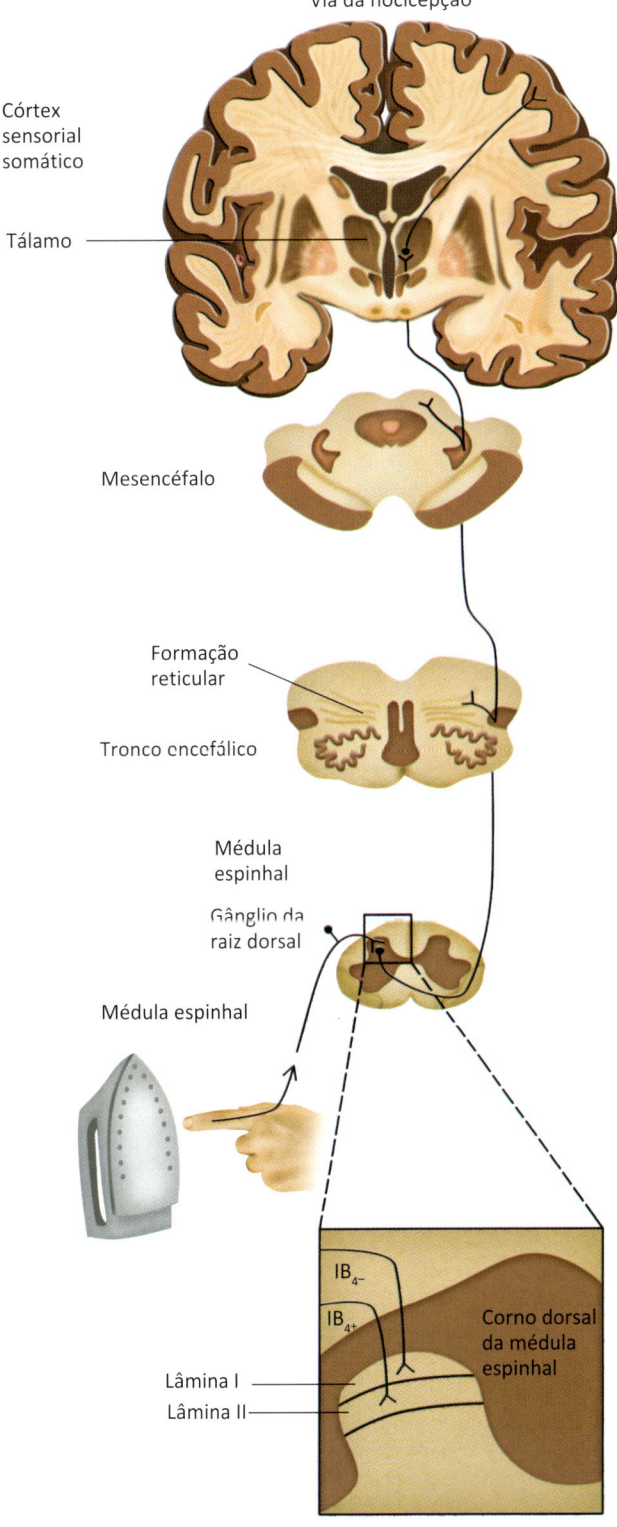

Via da nocicepção

Córtex sensorial somático

Tálamo

Mesencéfalo

Formação reticular

Tronco encefálico

Médula espinhal

Gânglio da raiz dorsal

Médula espinhal

IB₄⁻

IB₄⁺

Corno dorsal da médula espinhal

Lâmina I

Lâmina II

O Nociceptor e a Sensibilização Periférica

Os nociceptores são células pseudounipolares com corpos celulares no gânglios da raiz dorsal, núcleos trigeminais e gânglia nodosa. As terminações periféricas dessas células se dirigem para os tecidos periféricos como terminações lívres, onde cumprem sua função fisiológica de detectar possíveis agressões.[10] As terminações nervosas livres das fibras sensoriais A delta (Aδ), finamente mielinizadas, e das fibras C, amielínicas, estão presentes em estruturas superficiais do tegumento, parede das vísceras e dos vasos sanguíneos e no sistema musculoesquelético, podendo sofrer estimulações mecânicas, térmicas ou químicas. As fibras C, responsáveis por aproximadamente 70 a 80% das aferências sensitivas, constituem o grupo mais importante no que se refere à nocicepção, sendo mais numerosas que as demais nos nervos periféricos. Nas raízes dorsais, a proporção entre fibras C e A é de cerca de 2,5:1,23, e nos nervos articulares, 2,3:1,0. Como característica, elas possuem alto limiar para despolarização e exibem, em sua membrana, receptores polimodais que respondem a estímulos térmicos, mecânicos e químicos. As fibras Aδ possuem diferentes tipos de receptores: multimodais, com propriedades muito semelhantes às das fibras C, diferindo apenas na velocidade de condução; mecanorreceptores, presentes somente na pele; e termorreceptores (Tabela 115.2).[11]

Tabela 115.2 Aferentes primários.

Tipo de fibra	Velocidade	Estímulo efetivo
Aβ (mielinizada) (diam: 12-20 μ)	Grupo II (> 40-50 m/s)	Mecanorreceptores de baixo limiar Terminações nervosas especializadas (corpúsculo de Pacini)
Aδ (mielinizada) (diam: 1-4 μ)	Grupo III (10-40 m/s)	Baixos limiares mecânicos e térmicos Alto limiar mecânico e térmico Terminações nervosas especializadas
C (não mielinizada) (diam: 0,5-1,5 μ)	Grupo IV (< 2 m/s)	Alto limiar para estímulos térmicos, mecânicos e químicos Terminações nervosas livres

Para que o nociceptor consiga informar um dano tecidual de maneira eficiente para o SNC, alguns eventos devem estar presentes. Primeiramente, a sinalização química precisa ser convertida em estímulo elétrico, fenômeno designado **transdução**. Em seguida, esse sinal de transdução deve gerar um potencial de ação, evento chamado de **transformação**. Esse potencial de ação deverá ser **transmitido** até sua conexão no SNC, e, por fim, deve ser capaz de gerar influxo de cálcio suficiente para atingir limiar de despolari-

◀ **Figura 115.2** A via nociceptiva.
Fonte: Adaptada de Stucky e col., 2001.

zação e propagação do potencial de ação dentro do SNC, no neurônio de segunda ordem.[11]

A ativação das terminações nervosas ocorre por três fatores conhecidos: estímulo por substâncias inflamatórias, liberadas por tecidos lesados e pelas células inflamatórias (mastócitos, macrófagos e linfócitos) recrutadas em situações de trauma, isquemia ou inflamação; liberação retrógrada de neurotransmissores pelas fibras nervosas; e influência noradrenérgica, procedentes de eferências simpáticas.[12,13] Importante ressaltar, no entanto, que é possível haver geração de estímulo doloroso, mesmo quando não há lesão tecidual. Isso se deve ao fato de que a intensidade de estímulo necessária para produzir dor varia conforme o tecido. A ativação do nociceptor depende de dois tipos de potenciais transmembrana: o potencial de repouso e o limiar de despolarização dos neurônios. Em nociceptores com baixo limiar de despolarização, como os encontrados na pele, nas articulações e na maioria das vísceras, a geração do potencial de ação ocorrerá mesmo antes de haver dano para o tecido.[10,11] Existem nociceptores com alto limiar (chamados nociceptores silentes) que, em condições normais, são insensíveis a estímulos mecânicos, podem ser sensibilizados mediante a exposição a mediadores inflamatórios, e a partir daí se comportarem como de baixo limiar, inclusive com atividade espontânea.[11]

A presença desses mediadores inflamatórios, como bradicinina, acetilcolina, prostaglandinas, histamina, serotonina, leucotrienos, substância P, tromboxano, fator de ativação plaquetária, radicais ácidos, íons potássio, citocinas inflamatórias (IL-1, IL-6, IL-8 e fator de necrose tumoral [TNF]-a), entre outros, em contato com o nociceptor, reduz seus limiares para despolarização, tornando-os mais susceptíveis a geração de potencial de ação (Figura 115.3).[13] Calcitonina, neurocininas A e B e substância P são neurotransmissores liberados pelas terminações nervosas nociceptivas, frente a insultos lesivos, e contribuem para sua sensibilização. Os nociceptores exibem em sua superfície receptores que são capazes de contribuir com a ativação

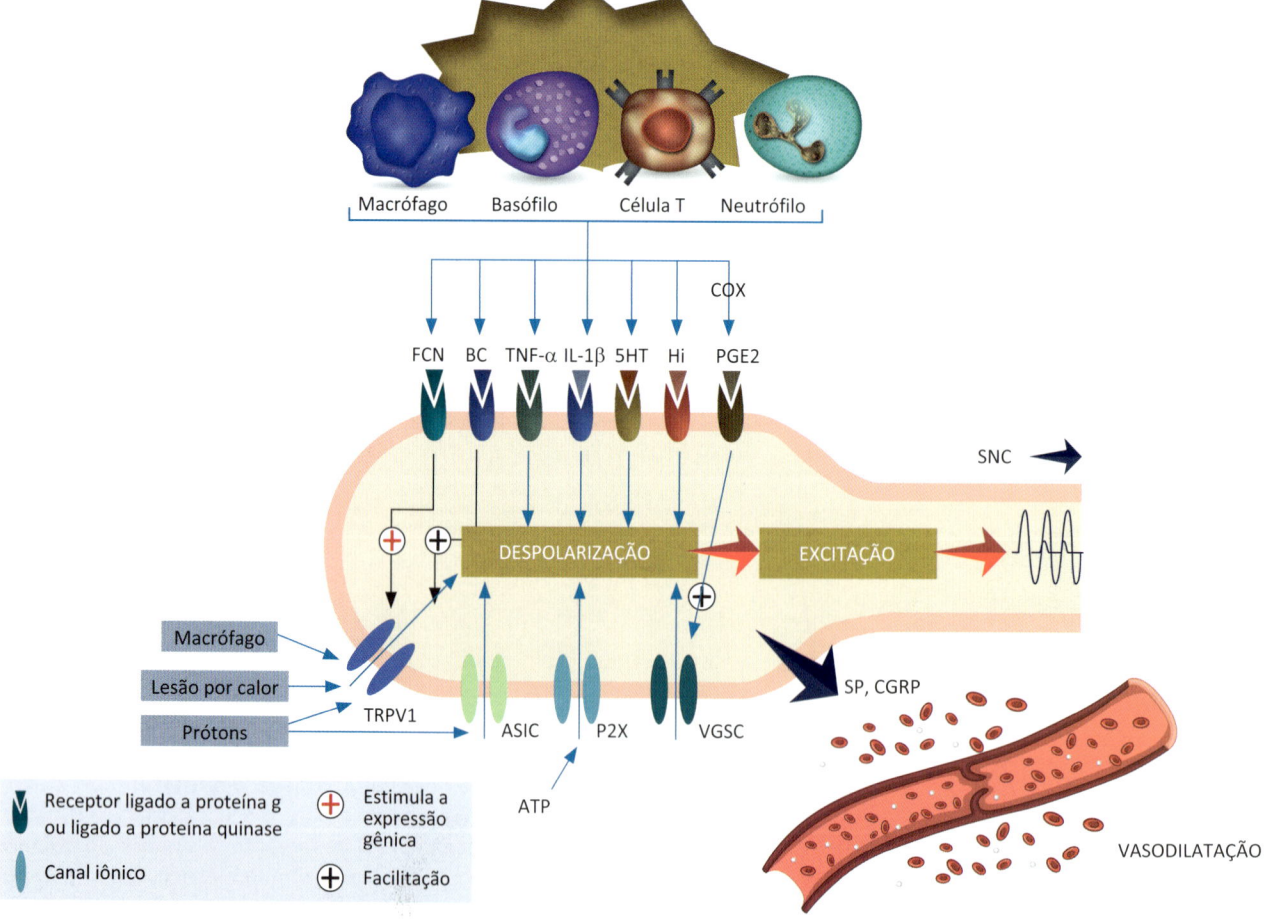

▲ **Figura 115.3** Sensibilização periférica. A lesão tecidual provoca o recrutamento de células inflamatórias com produção de mediadores inflamatórios que levam a abertura de canais iônicos e consequente desencadeamento de potencial de ação excitatório para o sistema nervoso central (SNC). Simultaneamente ocorre a estimulação de expressão gênica, maior produção de novos canais iônicos, promovendo facilitação de novas despolarizações do mesmo nociceptor. A presença de substância P leva também a vasodilatação local.

FCN: fator de crescimento neural; BC: bradicinina; TNF-α: fator de necrose tumoral; IL1β: interleucina 1β; 5HT: serotonina; Hi: histamina; PGE2: prostaglandina E2; TRPV1: receptor de potencial transitório vaniloide tipo 1; ASIC1: canal iônico sensível a ácido; P2X: receptor purinérgico X2; VGSC: canal de sódio voltagem dependente; SP: substância P; CGRP: peptídeo relacionado ao gene da calcitonina.

Fonte: Adaptada de Brodin e col., 2016.[13]

das terminações livres, e que respondem a diferentes estímulos. Os receptores de potencial transitório (TRPA1 e TRPV1), que respondem aos estímulos térmicos, os receptores sensíveis aos ácidos, que respondem à presença de meio ácido, o receptor de tropomiosina cinase A (TrkA) e os receptores purinérgicos P2X, que respondem à presença de ATP, agem indiretamente sobre os receptores das membranas, que estão usualmente, mas não exclusivamente, acoplados aos segundos mensageiros, ativando cinases específicas e fosforilando canais iônicos. São capazes de agir diretamente nos canais iônicos das membranas, alterando a permeabilidade e a excitabilidade celular.[14] O potencial de ação é gerado e transmitido através do nervo periférico e, para tal, se faz necessária a atuação do canal de sódio voltagem dependente (VGSC) ou NaV. As isoformas mais frequentemente relacionadas com a transmissão de estímulos dolorosos são o Nav 1.6, NaV 1.7 e NaV 1.8. Os canais de cálcio voltagem dependente, além de contribuírem com a geração do potencial de ação, também agem na perpetuação deste, pois causam uma despolarização sustentada e energia suficiente para gerar despolarização no segundo neurônio. Nesse contexto, destaca-se o canal de cálcio tipo N, que está associado à liberação de neurotransmissores na fenda sináptica, participando diretamente da sinalização para o segundo neurônio.[12,15]

Estimulações nociceptivas repetidas levam à redução do limiar de ativação dos nociceptores, tanto por reduzir o potencial de repouso transmembrana, facilitando o processo de despolarização, quanto por gerar sinalização intracelular para que haja aumento da expressão gênica, o que leva a um incremento no quantitativo de canais iônicos de superfície e na produção de neurotransmissores excitatórios. Ocorre, portanto, um processo de facilitação para que o estímulo doloroso seja transmitido para o segundo neurônio e para que haja o aumento da resposta a estímulos determinados, caracterizando-se assim a sensibilização periférica. A sensibilização periférica se dá através do surgimento de sinais característicos: a hiperalgesia primária no sítio da lesão tecidual, que é caracterizada por limiar reduzido de dor, sensibilidade aumentada a estímulos supralimiares e dor espontânea; e a hiperalgesia secundária, por sua vez, é o desenvolvimento de uma área ampliada de hiperalgesia (receptores silentes recrutados) e alodinia circundando o local da lesão.[13,12]

Alguns mecanismos de sensibilização periférica vêm ganhando maior atenção, como o receptor ionotrópico GABA A. Usualmente está envolvido em sinalização inibitória, pois os neurônios que exibem esse receptor possuem níveis intracelulares de potássio elevados, tornando-os hiperpolarizados. No entanto, em presença de inflamação persistente, há um desequilíbrio na atividade de tirosino-quinase para tirosino-fosfatase, com subsequente aumento de fosforilação. A consequência disto é um aumento no quantitativo de receptores GABA A funcionantes por redução do processo de internalização, que os inativaria. O resultado é um aumento de corrente gerada por GABA, bem como um aumento da geração de despolarização. Esse processo, portanto, é potencializado pela redução da densidade de correntes de potássio de baixo limiar, fazendo com que a sinalização GABA passe de inibitória para excitatória.[16,17]

Vias da Nocicepção, Segundo Neurônio e Sensibilização Central

Os nervos periféricos são compostos pelos axônios sensitivos e motores, formando um fluxo aferente (que chega) e eferente (que vai) de estímulos. As fibras aferentes sensoriais primárias têm seus corpos celulares nos gânglios da raiz dorsal (GRDs), ou de gânglios dos nervos cranianos, localizados fora da medula espinhal ou tronco encefálico. A informação sensorial proveniente das estruturas periféricas tegumentares e viscerais é transmitida pelas fibras aferentes primárias, que, próximo da chegada à medula espinhal, prioritariamente se separam dos axônios motores e se dirigem à raiz dorsal da medula espinhal, embora existam fibras sensitivas amielínicas que alcançam a medula pelas raízes anteriores. Essas fibras subdividem-se, posteriormente, em ramos ascendentes e descendentes, que percorrem o trato de Lissauer, até que se projetem na substância cinzenta da medula espinhal, especialmente nas lâminas I, II e V de Rexed. O corno posterior da medula espinhal corresponde às lâminas I-VI de Rexed na substância cinzenta. Essa estrutura desempenha papel fundamental na transmissão dos estímulos dolorosos, pois contém um complexo circuito com numerosos neurônios e sinapses, e uma variedade de neurotransmissores, responsáveis pela abstração local, integração, seleção e dispersão apropriada dos impulsos sensoriais. Tal circuito é ativado por fenômenos de convergência e somação centrais, sofrendo influências excitatórias e inibitórias vindas da periferia, de interneurônios locais e do sistema suprassegmentar. É aí que os aferentes nociceptivos entram em contato com os neurônios de segunda ordem, liberando neurotransmissores, que desempenharão papéis transmissores ou moduladores das mensagens nociceptivas vindas da periferia. A lâmina II, ou substância gelatinosa, contém interneurônios que modulam os neurônios de projeção, que podem sintetizar neurotransmissores inibitórios ou excitatórios, como o glutamato e o GABA, respectivamente. Nesta lâmina, são encontrados complexos sinápticos glomerulares que se interconectam com múltiplos dendritos de outros neurônios presentes no corno dorsal.[18]

Estímulos dolorosos (mecânicos, térmicos e químicas) são transmitidos para o SNC através da sinapse com o segundo neurônio da via da nocicepção, localizado no corno dorsal da medula espinhal, e em seguida para seu destino no tronco cerebral (incluindo o núcleo posterolateral ventral (VPL) do tálamo.[18,19] A aferência autonômica, que corresponde a estruturas viscerais e da vasculatura, trafega junto com os nervos eferentes simpáticos, passa diretamente através do tronco simpático e se junta às outras fibras aferentes que entram no corno dorsal da medula espinhal.[18,19]

Se um estímulo periférico é intenso o suficiente e mantido por tempo prolongado quando ocorre sensibilização periférica, o segundo neurônio pode também se tornar sensibilizado, alterando a percepção dos estímulos na região afetada. Essas manifestações podem ser explicadas pela propriedade da convergência, já que os neurônios de segunda ordem recebem aferência não apenas de fibras Aδ e C, mas também de fibras A que carregam estímulos não dolorosos. Quando sensibilizadas, os estímulos que normalmente não são dolorosos resultam em dor (alodinia), os estímulos dolorosos passam a ser mais intensos (hiperalgesia) e podem persistir mesmo após a resolução da lesão tecidual,[13] caracterizando a sensibilização central, representada por uma resposta mal adaptada do SNC, que amplifica o estímulo doloroso gerado no aferente primário.

Do ponto de vista fisiopatológico, a sensibilização central gera o surgimento de mudanças estruturais e funcionais no SNC, denominadas neuroplasticidade, expressas através da presença de atividade espontânea aumentada, redução de limiar ou aumento na responsividade a impulsos aferentes, descargas prolongadas após estímulos repetidos e expansão dos campos receptivos periféricos de neurônios do corno dorsal. Além do componente medular, há evidências de que lesões periféricas também possam induzir plasticidade em estruturas supraespinhais, afetando a resposta à dor (Figura 115.4).[20]

Dentre os inúmeros neurotransmissores liberados pelos terminais dos aferentes primários, os aminoácidos excitatórios glutamato e aspartato são considerados os mais impor-

tantes, sendo encontrados em grandes células do gânglio dorsal. Em células menores do gânglio dorsal, encontram-se, também, peptídeos com importantes funções excitatórias e modulatórias, tais como substância P, substância K, peptídeo geneticamente relacionado com a calcitonina, peptídeo vasoativo intestinal, dinorfina, encefalina, fator de liberação de corticotrofina, arginina-vasopressina, ocitocina, peptídeo liberador de gastrina, bombesina, angiotensina II, galanina, entre outros. A existência de múltiplos neurotransmissores pode estar relacionada com a codificação do estímulo nociceptivo periférico, não sendo rara a presença de mais de um neurotransmissor nos terminais nervosos dos aferentes primários.[21]

A liberação de neurotransmissores pelos aferentes primários na medula espinhal está ligada à geração de potenciais pós-sinápticos excitatórios que podem ser lentos (produzidos pelas fibras C, podendo durar até 20 segundos) ou rápidos (produzidos pelas fibras A, com baixo limiar de excitabilidade, durante milissegundos), com

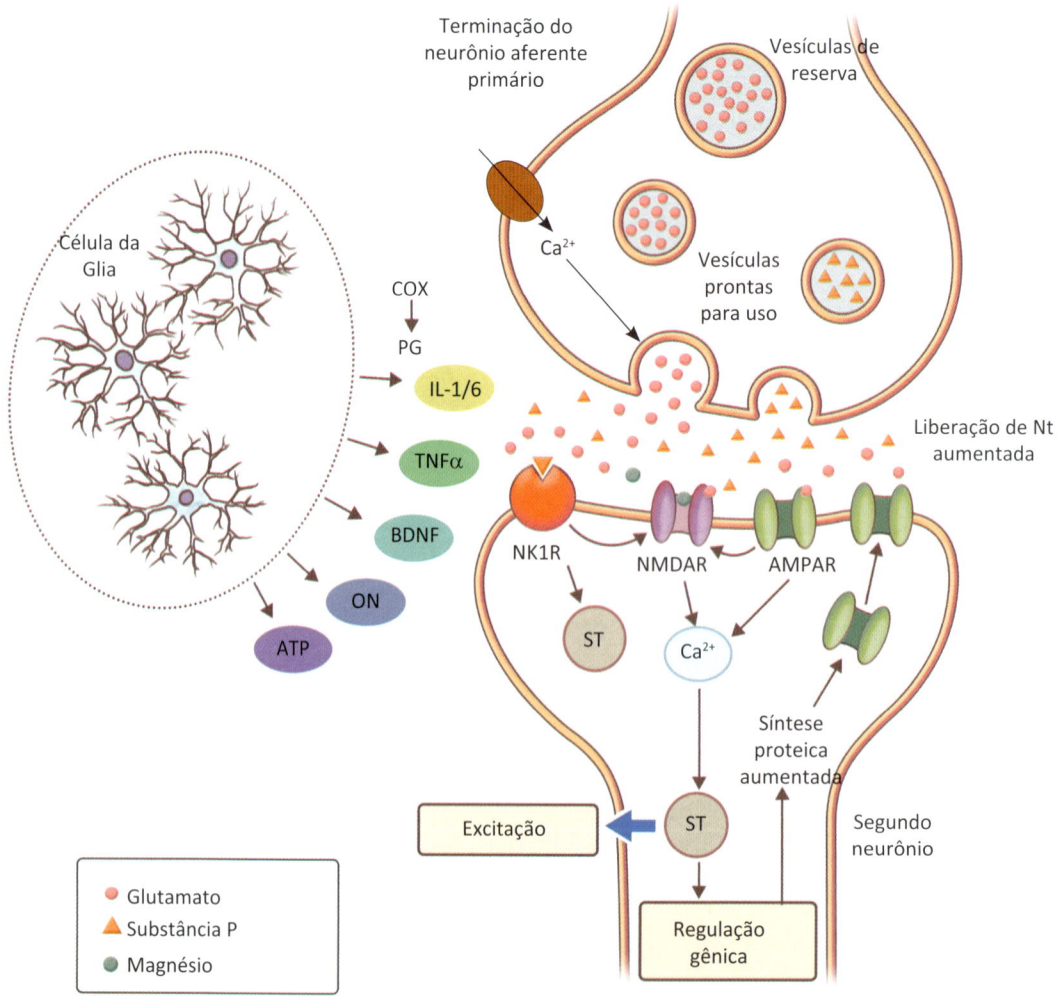

▲ **Figura 115.4** Mecanismos de sensibilização central. A ilustração mostra a sinapse entre o primeiro e segundo neurônio, bem como sua interação com as células de glia.

Cox = enzima cicloxigenase; PG= prostaglandina; IL = interleucina; TNF = fator de necrose tumoral; BDNF = fator de crescimento derivado do cérebro; ON = óxido nítrico; ATP = adeninatrifosfato; NMDAR = receptor N-metil-D-Aspartato; AMPAR = receptor amino-3-hidroxi-5-metil-4 isoxazolproprionato; NK1R = receptor de neurocinina 1; ST = transdução de sinal.

Fonte: Adaptada de Brodin e col., 2016.[13]

ativação de receptores específicos, destacando-se, entre eles, os envolvidos no mecanismo de ação dos aminoácidos e das taquicininas.[21]

Os receptores AMPA (ácido alfa-amino-3-hidroxi-5-metil-4-isoxazol-propiônico), ligados a canais iônicos, os receptores ligados à proteína G e a fosfolipase da membrana, são acionados imediatamente após a liberação de aminoácidos excitatórios e estão envolvidos no mecanismo de localização temporal, espacial e na quantificação da dor. São conhecidos como receptores não NMDA.[21]

Os receptores NMDA (N-metil-d-aspartato) são ativados pelo glutamato e modulados pela substância P, atuando centenas de milissegundos após a chegada do estímulo; os receptores de neurocininas são ativados segundos após a liberação de taquicininas. Há três tipos de receptores para as taquicininas: neurocinina-1 (NK_1), neurocinina-2 (NK_2) e neurocinina-3 (NK_3), todos pós-sinápticos, acoplados à proteína G e localizados no corno posterior da medula. A substância P age via NK_1 e a neurocinina A, via NK_2. Tanto os receptores NMDA como os de neurocininas estão relacionados com o mecanismo de sensibilização dos neurônios do corno posterior da medula espinhal.[21]

A liberação inicial de glutamato pelos aferentes primários é seguida da rápida ativação dos receptores AMPA. Em casos de estimulações frequentes e intensas, ocorrerá uma liberação contínua de glutamato pelos aferentes nociceptivos primários, hiperexcitados, ativando, por sua vez, também os receptores NMDA. A despolarização prolongada e repetitiva da membrana (efeito voltagem-dependente) desloca o íon magnésio, que habitualmente bloqueia esses receptores, e permite a entrada do cálcio para o interior da célula, prolongando ainda mais a despolarização, o que pode ser explicado pela duração prolongada dos potenciais lentos durante estímulos repetitivos, levando à somação temporal, fenômeno conhecido como *wind-up*. A substância P e o fator neurotrófico liberados pelos aferentes primários modulam e modificam esses eventos.[21,22]

A ativação dos receptores NMDA é acompanhada de um aumento do cálcio intracelular e da ativação de segundos mensageiros, importantes na transdução da cascata intracelular e consequente fosforilação da proteína, alterando as propriedades funcionais dos neurônios nociceptivos. O cálcio intracelular aumentado também é responsável pela ativação da enzima óxido nítrico-sintase (ONS) e pela alteração na expressão de genes no corno dorsal da medula (proto-oncogenes). A óxido nítrico-sintase produz óxido nítrico, que, agindo como segundo mensageiro, via GMPc, ativa proteinocinases, responsáveis pela fosforilação e ativação dos canais iônicos, além de difundir-se, retrogradamente, para o terminal pré-sináptico e estimular a liberação de glutamato. Os produtos proteicos da transcrição dos proto-oncogenes c-fos e c-jun (Fos), ativado pela estimulação de fibras Ad e C, é encontrado nas lâminas I, II e V da medula espinhal e tem ação sobre a expressão de outros genes. Acredita-se que, uma vez ativados, interajam com sistemas opioides, por meio da expressão sobre os genes pré-prodinorfina e pré-proencefalina, gerando tanto a síntese de dinorfinas, com efeitos antinociceptivos, minimizando a neuroplasticidade, como a de encefalinas, produzindo excitação direta neuro-

nal e antinocicepção, por mecanismo de *feedback* negativo. São responsáveis, também, pela transcrição de RNA-mensageiros controladores da síntese de proteínas fundamentais ao funcionamento dos neurônios, causando alterações da expressão fenotípica, muitas vezes duradouras e eventualmente permanentes, tornando esses neurônios hipersensíveis por muitos anos.[21,22]

A função dos receptores NMDA é regulada pelo balanço entre a atividade de proteinocinases e fosfoproteinofosfatases que agem nos resíduos serina/treonina ou tirosina. A fosforilação de tirosina dos NMDA parece ser crítica como um gatilho e como fator mantenedor da hipersensibilidade induzida por inflamação e/ou lesão nervosa periférica, com uma importante participação dos não receptores tirosino-quinase Src e a fosfatase enriquecida estriatal (STEP).[23]

A ativação dos receptores NMDA é, em última análise, o mecanismo principal da sensibilização do corno posterior da medula espinhal, caracterizada por atividade espontânea, redução do limiar ou aumento da resposta a impulsos aferentes, descargas prolongadas após estímulos repetidos e expansão dos campos receptivos de neurônios do corno dorsal.

Vale ressaltar que nos últimos anos uma atenção especial foi dada à participação das células gliais na plasticidade neuronal induzida, com destaque para a micróglia. A injúria tecidual, além de promover o recrutamento de células inflamatórias na periferia, também promove a quimiotaxia de macrófagos para os gânglios espinhais, dorsais e trigeminais, que, por sua vez, ativam as células da glia (micróglia e astrócitos). Com isso, vias de sinalização intracelulares ERK/MAPK são ativadas, modulando a atividade e expressão gênicas. Os neurotransmissores (glutamato e substância P) liberados pelo neurônio pré-sináptico também têm parte na ativação nas células gliais satélites. Como parte da neuroplastia que ocorre durante o processo de sensibilização central, junções comunicantes são formadas entre as células satélites da glia e os neurônios, facilitando o trânsito do estímulo doloroso e amplificando a excitabilidade neuronal. Por sua vez, a micróglia e astrócito ativados liberam citocinas inflamatórias que agem sobre o segundo neurônio, aumentando a permeabilidade ao cálcio ao aumentar a ativade dos receptores AMPA e NMDA.[13,24,25] Na lesão de nervos periféricos, tanto a sensibilização de fibras C quanto Aδ provocam fortemente a ativação da micróglia presente no corno dorsal da medula espinhal. Essa ativação se dá através da liberação de importantes moléculas sinalizadoras, como o fator estimulador de colônia 1 (CSF1), CCL2, CXCL1, CCL2, todos liberados pelo GRD e agindo através da ativação de seus respectivos receptores no corno dorsal da medula. As proteases (metaloproteinase-9, caspase 6), neuregulina-1, ATP (via purinérgica – receptor P2X) que tem sua expressão aumentada nas lesões de tecido neural, também participam da ativação da micróglia. Ocorre ainda ativação das células da glia a partir da ativação do receptor *Toll-like* 4 (TLR4) expressos em sua superfície, via reconhecidamente envolvida no desenvolvimento da dor neuropática.

Um aspecto bastante importante da participação da micróglia na sensibilização central é o desenvolvimento de microgliose, ou seja, proliferação e alteração morfológica dessas células, e não apenas a sua ativação. A ocorrência de microgliose se correlaciona com o desenvolvimento de hipersensibilidade a dor, que se inicia 2 a 3 dias após a lesão do nervo periférico, atingindo pico aos 7 a 10 dias, e com retorno ao basal em algumas semanas. Apesar de a evidência na dor neuropática ser mais robusta, as dores inflamatórias, agudas e crônicas, também têm participação de ativação da micróglia e microgliose.[25]

Processamento Central da Dor: Vias Ascendentes e Mecanismos de Modulação

A integração entre periferia e as regiões de processamento superiores se dá através da projeção de fibras axonais dos neurônios de segunda órdem, presentes na medula espinhal, que chegam aos núcleos da coluna dorsal, à formação reticular medular dorsal e ventral, à região pontina dorsolateral, ao *locus coeruleus*/parabraquial, à substância cinzenta periaquedutal na ponte do mesencéfalo, ao tálamo medial e lateral, ao núcleo pretectal anterior, ao hipotálamo e à amígdala. Esse trânsito ocorre através de agrupamentos de substância branca, chamados de tratos. As fibras que saem da medula espinhal pelos tratos anteriores cruzam e chegam ao tronco encefálico como os tratos espinorreticular, espinoparabraquial, espinoamigdaliano e espinotalâmico. O trato espinotalâmico, que ascende pela porção lateral da medula espinhal, é responsável pela transmissão de informações discriminativas, incluindo localização, qualidade e intensidade de estímulos nocivos. Essas informações são encaminhadas inicialmente para o tálamo lateral e, subsequentemente, para o córtex somatossensorial. A via dolorosa medial compreende os tratos espinoamigdaliano, espino-hipotalâmico, espinotalâmico medial e espinorreticular, além de conexões com giro do cíngulo anterior, córtex insular e pré-frontal. Todos os tratos nervosos ascendentes fazem parte de um dos dois maiores sistemas: lateral ou lemniscal e medial ou não lemniscal.[18]

O trato espinotalâmico faz uma conexão direta entre a medula espinhal e o tálamo, e isso ocorre de tal forma que estímulos táteis e temperatura em áreas corporais afins convergem para mesma região talâmica, o que confere uma representação somatotópica na projeção corporal do córtex sensitivo. A tradução dessa característica neuroanatômica é que se proporciona a capacidade de localização precisa do local de origem da lesão. As fibras deste trato cruzam para o lado contralateral através da comissura branca anterior e ascendem pelo funículo venrtal e ventrolateral, finalmente chegando ao tálamo.[18]

Os tratos do sistema medial (paleoespinotalâmico, espinorreticular, espinomesencefálico, ascendente multissináptico, neotrigeminotalâmico, paleotrigeminotalâmico e trigeminorretículo-mesencefálico), constituídos de fibras finas, multissinápticas e com pouca organização somatotópica, conduzem os estímulos muito lentamente, projetam-se na formação reticular antes de atingir o tálamo e parecem relacionar-se com componentes da dor afetivo-motivacionais, neurovegetativos e neuroendócrinos.[17]

Tanto as fibras nervosas do sistema lateral, que ascendem diretamente, como as fibras do sistema medial, cujas colaterais fazem conexões na formação reticular, projetam-se nos núcleos talâmicos, onde unidades celulares respondem a estimulações nociceptivas e não nociceptivas. Vias discriminativas projetam-se no complexo ventrobasal, no grupamento nuclear posterior, nos núcleos intralaminares e no núcleo submédio do tálamo, emergindo, dali, fibras para o córtex cerebral sensitivo e córtex orbitário. As vias não discriminativas projetam-se nos núcleos centromediano, centrolateral e parafascicular do tálamo e porção magnocelular do corpo geniculado medial, projetando-se no estriado, córtex pré-motor, córtex fronto-orbitário, amígdala e áreas de associação do córtex frontal, occipital e temporal.[18]

Numerosas conexões recíprocas, com atividades excitatórias e inibitórias, são estabelecidas entre as áreas sensitivas e motoras do córtex cerebral, sistema límbico, núcleos dos nervos cranianos, núcleos grácil e cuneiforme, lâminas profundas do corno posterior da medula espinhal e núcleos do tálamo e da base, determinando uma complexa interação de processos sensoriais, motivacionais e cognitivos, que caracterizam a dor, culminando com uma resposta motora, como mecanismo de defesa.[18]

A dor frequentemente é acompanhada de respostas afetivas (sofrimento, ansiedade, aumento da vigilância e excitação) que ocorrem concomitantemente às respostas fisiológicas orgânicas (elevação da frequência cardíaca, da pressão sanguínea, alterações nas respostas endócrinas e autonômicas). As estruturas neurais responsáveis por transmitir essas mudanças provavelmente se alinham com aquelas encarregadas de fornecer informações sobre a localização da origem do estímulo nocivo no mapa corporal. Uma possibilidade aventada é a de que a via ascendente de dor medial levaria às sensações afetivas, enquanto que a lateral transmitiria a dor discriminativa. Outra via envolvida no processamento afetivo é a espinoamigdaliana.[18]

Melzack e Wall, em 1965, referiram-se a sistemas moduladores supraespinhais dos estímulos dolorosos vindos da periferia, utilizando a "Teoria da Comporta". Embora reconheça-se, hoje, que essa teoria se alicerçou apenas no bloqueio das informações sensitivas para a medula espinhal, por ativação de fibras nervosas de grosso calibre, e que por essa simplicidade e falta de embasamento anatomofisiológico esteja muito distante do que se entende, atualmente, por modulação da dor, ela teve o mérito de introduzir o conceito de interação sensorial e dar partida a novos e importantes conhecimentos na área de dor.[26,27]

Os sistemas inibitórios descendentes estão localizados em quatro regiões do SNC: sistema cortical e diencefálico; sistema mesencefálico (substância cinzenta periaquedutal e periventricular); núcleos adjacentes e da rafe mediana; e corno posterior da medula espinhal; todos comunicando-se entre si, de modo que o núcleo da rafe mediana recebe impulsos excitatórios da substância cinzenta periaquedutal e envia fibras adrenérgicas e serotoninérgicas para o corno posterior da medula espinhal. Peptídeos opioides, monoaminas, neurotensina e aminoácidos excitatórios têm sido os principais neurotransmissores implicados na modulação da dor.[26,27]

- **Peptídeos opioides:** encefalina, dinorfina e β-endorfina estão presentes na substância cinzenta periaquedutal, sendo que a estimulação elétrica ou a injeção de opioides, nessa região, resulta em intensa analgesia; encefalinas estão presentes, também, no núcleo da rafe mediana e núcleos adjacentes. No corno posterior da medula, são encontrados neurônios encefalinérgicos, dinorfinérgicos e uma densa representação de receptores opioides.

- **Serotonina:** a maioria dos corpos celulares serotoninérgicos estão presentes nos núcleos da rafe e bulbopontinos, projetando seus axônios para diversas estruturas corticais, diencefálicas e para a medula espinhal, especialmente lâminas I, II, V, VI e VII. A influência serotoninérgica é basicamente inibitória.

- **Norepinefrina:** os corpos celulares dos neurônios noradrenérgicos encontram-se nos núcleos pontobulbares, *locus ceruleus* e núcleos subcerúleos, projetando-se na medula espinhal, nas lâminas I, II, IV, VI e X. Suas ações espinhais são mediadas, preferentemente, por receptores $\alpha2$, e as supraespinhais, pelos receptores $\alpha1$ e $\alpha2$.

- **Aminoácidos excitatórios:** uma parte dos neurônios da substância cinzenta periaquedutal que se projetam no bulbo rostral ventromedial contêm aminoácidos excitatórios, porém as respostas mediadas por esses aminoácidos estão relacionadas à antinocicepção.

- **Neurotensina:** está presente nos neurônios que se projetam da substância cinzenta periaquedutal até o bulbo rostral ventromedial, e também ligada à antinocicepção.

- **Ácido gama-aminobutírico (GABA):** terminações gabaérgicas estão abun-dantemente representadas no bulbo rostral ventromedial, com atividade supressora na substância cinzenta periaquedutal mesencefálica, núcleo magno da rafe e núcleo reticular gigantocelular. Após lesão neural, a sinalização nociceptiva na medula espinhal é aumentada pelo enfraquecimento da inibição mediada pelos receptores de GABA e glicina. Essa desinibição ocorre por um aumento da concentração intracelular de cloretos, através da regulação descendente do principal co-transportador de potássio-cloro (KCC2). O aumento da concentração de cloro intracelular é suficiente para suprimir a inibição na maioria dos neurônios.[23]

Inúmeros outros neurotransmissores exercendo atividades tanto inibitórias como excitatórias sobre neurônios do corno posterior da medula espinhal têm sido citados, tais como glicina e análogos, somatostatina, vasopressina, dopamina, calcitonina, substância P, colecistocinina, etc.

A ativação da substância cinzenta periaquedutal (PAG) e de áreas bulbares específicas, tanto por aminoácidos excitatórios quanto por peptídeos opioides e outros peptídeos, desencadeia a ativação de um fluxo inibitório descendente bulboespinhal. Os mediadores imediatos desse processo incluem serotonina e norepinefrina, que são liberadas pelas terminações espinhais. A PAG foi identificada como a primeira região cerebral relacionada especificamente com a antinocicepção, em resposta a estímulos elétricos ou microinjeção de opioides. A estimulação da PAG ainda é empregada atualmente em indivíduos selecionados com dor pós-amputações, plexopatias, anestesias dolorosas e dor pós-acidente vascular cerebral. A PAG é rica em endorfinas, encefalinas e receptores opioides. Estudos de microdiálise revelam que os opioides endógenos atuam na PAG por meio da desinibição, bloqueando o tônus inibitório GABAérgico. Embora algumas pesquisas sugiram evidências de que as projeções ascendentes da PAG podem modular aspectos motivacionais e emocionais do fenômeno doloroso, sua ação fundamental ocorre por meio da modulação descendente da medula rostroventromedial e, em menor extensão, do locus cerúleos e do núcleo noradrenérgico adjacente.[26]

CONTRIBUIÇÕES GENÉTICAS PARA DOR

A complexidade das bases fisiopatológicas envolvidas na dor, e particularmente na dor crônica, fica evidente quando nos debruçamos sobre a quantidade de neurotransmissores, canais iônicos, receptores ligados a canais iônicos, receptores ligados a proteínas transmembrana, agentes do sistema imunológico com seus fatores inflamatórios e da interconectividade entre os diversos tipos de neurônios que expressam seus arsenais exclusivos de proteínas de superfície plasmática. No entanto, existe um regente para essa sinfonia de mecanismos, que é a codificação genética aliada à epigenética. Cada indivíduo traz consigo uma programação para expressão das proteínas envolvidas nos processos de transdução, transmissão, modulação e percepção, e a variabilidade genética exerce um papel preponderante em dar uma assinatura individual de como serão expressos os elementos que compõem essa orquestra.

Diversos estudos genéticos têm demonstrado de maneira robusta a contribuição genética para o surgimento de dor crônica. Estudos com gêmeos e estudos de associação genômico e pesquisa de polimorfismos permitem compreender a diversidade de apresentação nas dores crônicas, assim como a variabilidade na resposta terapêutica. Polimorfismos de genes como da catecol-O-metiltransferase (COMT) e do receptor opioide OPRM1 têm implicação sobre a via descendente inibitória, por exemplo. Dependendo do fenótipo produzido, pode tanto potencializar quanto limitar os seus efeitos. O polimorfismo em diversos genes que codificam neurotransmissores ou canais estão também envolvidos no desenvolvimento de síndromes dolorosas. As dores nociplásticas sofrem importante influência do determinismo genético, dentre elas a fibromialgia e migrânea. Indivíduos com mutação genética que os impede de expressar canal de sódio NaV1.7, por exemplo, são incapazes de sentir dor, uma vez que uma parte elementar da via dolorosa, onde ocorre a geração e transmissão de potencial de ação, está incapacitada. A liberação de neurotransmissores também é limitada, o que prejudica ainda mais a sinalização para o SNC.[28]

Dessa forma, é possível perceber que o maior aprofundamento no conhecimento da genética na dor crônica permitirá não só aperfeiçoar as ferramentas diagnósticas, como capitaneará a criação de terapias mais eficientes, buscando a individualização do tratamento baseado no conhecimento genotípico de cada paciente.

CONCLUSÃO

O processamento da dor é um fenômeno complexo, que envolve componentes periféricos, como receptores e fibras específicas, mudanças na condução de estímulos, sensibilização por mediadores inflamatórios e componentes centrais, expressos por vias que conduzem até o processamento central da dor, ativação de mais receptores, neuroinflamação, neuroplasticidade, de tal forma que há uma interação entre mecanismos variados que geram a sensação final de dor pelo indivíduo. O reconhecimento e a identificação desses mecanismos facilitam o tratamento dos mais diversos tipos de dor, seja nociceptiva, neuropática, nociplástica ou mista.

REFERÊNCIAS

1. Sneddon LU. Comparative Physiology of Nociception and Pain. Physiology (Bethesda). 2018;33(1):63-73.
2. IASP Task Force on Taxonomy. Part III: Pain Terms, A Current List with Definitions and Notes on Usage. 2021. [Last accessed: 6/2/2022].
3. Raja SN, Carr DB, Cohen M, et al. The Revised IASP definition of pain: concepts, challenges, and compromises. Pain. 2020;161(9):1976-1982.
4. Merskey H, Bogduk N. IASP Taxonomy. 2012. Available from: https://www.iasp-pain.org/Taxonomy [Last accessed: 3/20/2018].
5. Treede R-D, Rief W, Barke A, et al. Chronic pain as a symptom or a disease. the IASP Classification of Chronic Pain for the International Classification of Diseases (ICD-11). Pain. 2019;160(1):19-27.
6. Anwar K. Pathophysiology of pain. Dis Mon. 2016;62(9):324-9.
7. Murnion BP. Neuropathic pain: current definition and review of drug treatment. Aust Prescr 2018;41(3):60-3.
8. Fitzcharles MA, Cohen SP, Clauw DJ, et al. Nociplastic pain: towards an understanding of prevalent pain conditions. Lancet. 2021;397(10289):2098-2110.
9. World Health Organization. International Classification of Diseases 11th Revision (ICD-11). 2020. Available from: https://icd.who.int/browse11. Licensed under Creative Commons Attribution-NoDerivatives 3.0 IGO licence (CC BY-ND 3.0 IGO). [Last accessed: 10/12/2022].
10. Stucky CL, Gold MS, Zhang X. Mechanisms of pain. Proc Natl Acad Sci U S A. 2001;98(21):11845-6.
11. Gold MS. Peripheral Pain Mechanisms and Nociceptor Sensitization. In: Ballantyne JC, Fishman SM, Rathmell JP, eds. Bonica's Management of Pain, 5th edition. Philadelphia: Lippincott, Williams & Wilkins (LWW); 2018; p. 263-304.
12. Yam MF, Loh YC, Tan CS, et al. General Pathways of Pain Sensation and the Major Neurotransmitters Involved in Pain Regulation. Int J Mol Sci. 2018;19(8):2164.
13. Brodin E, Ernberg M, Olgart L. Neurobiology: General considerations - from acute to chronic pain. Nor Tannlegeforen Tid. 2016;126(1):28-33.
14. Souza Monteiro de Araujo D, Nassini R, Geppetti P, et al. TRPA1 as a therapeutic target for nociceptive pain. Expert Opin Ther Targets. 2020;24(10):997-1008.
15. Basbaum AI, Bautista DM, Scherrer G, et al. Cellular and Molecular Mechanisms of Pain. Cell. 2009;139(2):267-84.
16. Jang IJ, Davies AJ, Akimoto N, et al. Acute inflammation reveals GABAA receptor-mediated nociception in mouse dorsal root ganglion neurons via PGE2 receptor 4 signaling. Physiol Rep. 2017;5(8):e13178.
17. Zhu Y, Dua S, Gold MS. Inflammation-induced shift in spinal GABA(A) signaling is associated with a tyrosine kinase-dependent increase in GABA(A) current density in nociceptive afferents. J Neurophysiol. 2012;108(9):2581-93.
18. Westlund KN. Pain Pathways: Peripheral, Spinal, Ascending, and Descending Pathways. In: Practical Management of Pain. (Benzon HT, Rathmell JP, Wu CL, et al. eds) Elsevier B.V.; 2014; pp. 87–98.
19. Deberry JJ, Randich A, Ness TN. Substrates of Spinal Cord Nociceptive Processing. In: Ballantyne JC, Fishman SM, Rathmell JP. Eds. Bonica's Management of Pain. Philadelphia: Lippincott Williams & Wilkins (LWW); 2018; pp. 305-304.
20. Woolf CJ, Salter MW. Neuronal plasticity: Increasing the gain in pain. Science (1979) 2000;288(5472):1765-8.
21. Liu XJ, Salter MW. Glutamate receptor phosphorylation and trafficking in pain plasticity in spinal cord dorsal horn. Eur J Neurosci. 2010;32(2):278-89.
22. Woolf CJ, Thompson SWN. The induction and maintenance of central sensitization is dependent on N-methyl-D-aspartic acid receptor activation; implications for the treatment of post-injury pain hypersensitivity states. Pain. 1991;44(3):293-9.
23. Prescott SA, Ma Q, De Koninck Y. Normal and abnormal coding of somatosensory stimuli causing pain. Nat Neurosci. 2014;17(2):183-91.
24. Inoue K, Tsuda M. Microglia in neuropathic pain: cellular and molecular mechanisms and therapeutic potential. Nat Rev Neurosci. 2018;19(3):138-52.
25. Chen G, Zhang YQ, Qadri YJ, et al. Microglia in Pain: Detrimental and protective roles in pathogenesis and resolution of pain. Neuron. 2018;100(6):1292-1311.
26. Millan MJ. Descending control of pain. Prog Neurobiol. 2002;66(6):355-474.
27. Fenton BW, Shih E, Zolton J. The neurobiology of pain perception in normal and persistent pain. Pain Manag. 2015;5(4):297-317.
28. Sexton JE, Cox JJ, Zhao J, et al. The Genetics of Pain: Implications for Therapeutics. Annu Rev Pharmacol Toxicol 2018;58:123-42.

116

Avaliação e Tratamento da Dor Aguda

Durval Campos Kraychete ▪ Anita Perpétua Carvalho Rocha de Castro ▪ Eduardo Silva Reis Barreto

INTRODUÇÃO

A dor aguda é motivo de consulta em mais de 70% dos atendimentos médicos.[1] Anualmente, cerca de 230 milhões de pessoas são submetidas a cirurgia no mundo, somente nos EUA quase 100 milhões de cirurgias são realizadas por ano e mais de 80% desses pacientes reportam dor pós-operatória. Desse modo, o tratamento eficaz da dor tem como propósito diminuir o desconforto e facilitar a reabilitação física e funcional do sujeito que sofre. Isso não apenas reduz custos e o tempo de internação hospitalar, mas também aprimora o nível de contentamento do paciente.[2]

O tratamento inadequado da dor aguda influencia diretamente no funcionamento do organismo. Há aumento da morbidade e consequências físicas, psíquicas e sociais que se associam ao aparecimento de dor crônica persistente.[3,4] O trauma tecidual causa aumento da resposta neuroendócrina e neurovegetativa simpática, ocorrendo:

- Taquicardia, hipertensão arterial e aumento da volemia, com maior risco de infarto do miocárdio, de insuficiência cardíaca e de acidente vascular cerebral;
- Taquipneia, distúrbios da relação ventilação e perfusão pulmonar, com possibilidade de ocorrer atelectasia, hipóxia e infecção;
- Aumento da glicemia, do estado hipercatabólico e redução do peristaltismo intestinal. Há, então, retardo da ingesta por via oral, facilitando a colonização bacteriana no trato gastrintestinal.

Todos os fatores supracitados dificultam a deambulação precoce, aumentam a ocorrência de tromboembolismo e do tempo de permanência hospitalar.[5]

A falta de conhecimento e o treinamento insuficiente do corpo clínico, a ausência de cooperação no trabalho em equipe,[6] as atitudes inadequadas dos pacientes, a avaliação e mensuração insuficientes da dor, o medo dos efeitos adversos dos fármacos[7] e a falta de protocolos estabelecidos para a abordagem correta da dor contribuem para a elevada incidência de dor aguda.[8]

O tratamento efetivo da dor aguda deve visar a mobilização precoce do paciente, a redução de complicações perioperatórias e do tempo de internação em unidades de terapia intensiva e a longa permanência hospitalar. Manter a funcionalidade do indivíduo e melhorar a satisfação do paciente com a equipe e o hospital são aspectos essenciais. Para isso, é recomendável o uso de abordagens analgésicas seguras, de fácil aplicação e com poucos efeitos adversos. Essas medidas também contribuem para diminuir os custos com readmissões pós-operatórias.[9] Nesse sentido, é recomendado a implementação de um serviço de dor aguda hospitalar (*acute pain service*, – APS), necessária para alcançar resultados satisfatórios no tratamento da dor.[10,11]

É essencial que o serviço forneça ao paciente informações claras sobre as opções terapêuticas disponíveis, bem como os potenciais riscos associados aos métodos propostos. Isso auxiliará o paciente na tomada de decisões sobre sua participação no programa recomendado. O tratamento da dor aguda precisa ser proativo, uma vez que os efeitos negativos de uma analgesia insuficiente são mais prejudiciais do que os possíveis riscos de efeitos colaterais de medicamentos. A avaliação e reavaliação adequadas da dor são cruciais, tratando-a como um quinto sinal vital. Também é necessário encorajar os pacientes a comunicar a queixa de dor usando ferramentas apropriadas e validadas na literatura, e cada hospital deve ter um plano para gerenciar a dor, incluindo a responsabilidade de desenvolver serviços especializados.[12,13]

▪ AVALIAÇÃO DA DOR AGUDA

De acordo com a descrição da Associação Internacional para o Estudo da Dor (IASP), revisada em 2020, a sensação dolorosa é uma experiência sensitiva e emocional desagradável associada, ou semelhante àquela associada, a uma lesão tecidual real ou potencial. A definição é complementada por seis notas explicativas que representam uma lista de pontos que incluem a etimologia:

1. A dor é sempre uma experiência pessoal que é influenciada, em graus variáveis, por fatores biológicos, psíquicos e sociais.

2. Dor e nocicepção são fenômenos diferentes. A dor não pode ser determinada exclusivamente pela atividade dos neurônios sensitivos.

3. As pessoas aprendem o conceito de dor através das suas experiências de vida.

4. O relato de uma pessoa sobre uma experiência de dor deve ser respeitado.

5. A dor geralmente cumpre um papel adaptativo, no entanto, pode levar as consequências na funcionalidade e no bem-estar social e psicológico do paciente.

6. A descrição verbal é apenas um dos vários comportamentos para expressar a dor; a incapacidade de comunicação não invalida a possibilidade de um ser humano ou um animal sentir dor.

A experiência de dor pode ser classificada conforme diferentes aspectos. Considerando o aspecto temporal, a dor pode ser aguda ou crônica. A dor aguda apresenta duração inferior a três meses e a dor crônica se estende além desse período. De acordo com o aspecto fisiopatológico, a dor pode ser nociceptiva, neuropática ou nociplástica. A dor nociceptiva é causada por dano real ou potencial a tecido não neuronal e pode ser dividida em somática e visceral. A dor neuropática advém de lesão ou doença do sistema somatossensivo.[15,16] A dor nociplástica é uma categoria distinta de dor, diferentemente da dor nociceptiva causada por danos aos tecidos e da dor neuropática causada por dano nervoso. Seus mecanismos ainda não são completamente entendidos, mas é sugerido que envolva aumento da sensibilidade do sistema nervoso central, processamento sensorial alterado e modulação da dor. Segundo a IASP, para um indivíduo ser um possível portador de dor nociplástica, deve atender a alguns critérios:

▪ Dor com duração de, pelo menos, três meses;
▪ Distribuição da dor em território regional;
▪ Dor que não pode ser inteiramente explicada por mecanismos nociceptivos ou neuropáticos;
▪ Mostrar sinais clínicos de hipersensibilidade à dor (alodinia mecânica estática ou dinâmica, hiperalgesia ao calor ou ao frio ou sensações dolorosas após qualquer uma das avaliações de hipersensibilidade à dor evocada.[17]

É importante ressaltar que o paciente pode apresentar dor mista e que a presença de um tipo de dor não exclui a possibilidade de coexistência com as outras modalidades existentes.

Os anestesiologistas e outros profissionais da área de saúde devem utilizar ferramentas de avaliação e medição da dor, examinar os resultados do tratamento e supervisionar os efeitos indesejados decorrentes das técnicas de analgesia. Além disso, é necessário identificar a natureza da dor (se somática, visceral, neuropática ou nociplásticaconsiderar diferenças culturais e linguísticas, avaliar eventuais comprometimentos cognitivos e abordar concepções incorretas sobre a analgesia. Embora a escala numérica da dor (0 = ausência de dor; 10 = dor máxima possível) não seja capaz de refletir completamente a complexidade do sintoma, é amplamente utilizada para avaliar a intensidade da dor, em razão de sua simplicidade e facilidade de aplicação.[18] Por outro lado, para indivíduos com comprometimento cognitivo, demência ou dificuldades de aprendizado, as respostas fisiológicas à dor, como frequência cardíaca, saturação de oxigênio e pressão arterial são as mais eficazes na avaliação da dor aguda de curta duração, sendo essencial distingui-las de situações que representam risco à vida, como hipóxia, acúmulo de CO_2 ou hipoglicemia. Além disso, escalas mais simples, como as de faces, podem ser aplicadas nesses casos.[19]

Uma anamnese, ou questionário específico elaborado pelo serviço de dor aguda deve avaliar:

▪ Onde a dor está localizada ou onde é referida;
▪ Características da dor;
▪ Frequência e intensidade da dor;
▪ Fatores desencadeantes, de melhora ou piora do sintoma;
▪ Medicações em uso;
▪ Tratamentos prévios;
▪ Efeitos nas funções física, psíquica e no sono.[20]

▪ DOR PÓS-OPERATÓRIA

A dor pós-operatória (DPO) é uma categoria de dor aguda que ocorre como resultado de procedimentos cirúrgicos e está associada ao dano tecidual temporário e à inflamação no local da incisão. A DPO é uma resposta natural do corpo à lesão e tem o objetivo de alertar o organismo sobre possíveis danos. A dor pós-operatória é geralmente transitória e pode variar em intensidade, dependendo do tipo de cirurgia e das características individuais do paciente. É fundamental seu controle de maneira eficaz para garantir o conforto do paciente, facilitar a recuperação e prevenir complicações decorrentes da dor não tratada.[21,22]

É essencial que a gestão eficaz da dor pós-operatória seja assegurada para viabilizar uma alta hospitalar precoce, já que até 60% dos pacientes relatam níveis moderados a intensos de dor 24 horas após a cirurgia.[23] Isso é compreensível considerando que essa dor pode afetar negativamente as atividades diárias e a qualidade do sono, persistindo por vários dias após a operação. A dor é um fator significativo que pode atrasar a alta hospitalar e até mesmo levar a readmissões após cirurgias ambulatoriais. Em cerca de 5,7% das readmissões, a dor foi o motivo principal em 38% dos casos.[9] A qualidade do atendimento também está intrinsecamente ligada à gestão da dor, e é notável que pacientes ambulatoriais frequentemente recebam analgésicos menos potentes no momento da alta em comparação com aqueles que permanecem hospitalizados.[24]

Registrar a sensação dolorosa em momentos de repouso e durante atividades a cada intervalo de 3 horas, bem como documentar o nível de sedação (Tabela 116.1), representa uma medida crucial para a otimização da técnica de analgesia e a reabilitação do paciente. É importante recordar que a dor durante a realização de atividades é a mais desafiadora de tratar, requerendo abordagens adicionais e prejudicando o retorno à funcionalidade normal. A capacitação da equipe de enfermagem para manejar técnicas especializadas, como bloqueios regionais e periféricos, além do uso de bombas de infusão controlada pelo paciente, assume papel fundamental.[25]

Tabela 116.1 Nível de sedação do paciente.

Grau 0	Acordado
Grau 1	Sonolento
Grau 2	Dormindo
Grau 3	Não responsivo

■ PLANEJAMENTO

Diversos elementos têm o potencial de moldar o desenho das estratégias de analgesia no pós-operatório. Esses elementos abrangem a natureza da cirurgia, a provável intensidade da dor após o procedimento, as condições médicas subjacentes, a tolerância ou alergias a medicamentos, o estado cognitivo do paciente, a análise da relação custo-benefício das técnicas analgésicas viáveis, as preferências individuais do paciente e as experiências anteriores com dor e os métodos de alívio. Nesse contexto, é vital identificar possíveis distúrbios de coagulação, deformidades na coluna, quadros psiquiátricos como ansiedade, depressão e tendências ao catastrofismo, bem como histórico de dependência física, tolerância a opioides e abuso de substâncias psicoativas. Essa preparação deve ser incorporada à avaliação pré-anestésica, podendo requerer cooperação com outros profissionais, incluindo enfermeiros, cirurgiões e farmacêuticos. O ideal é que esse processo esteja integrado a um plano institucional de atendimento aos pacientes. As operações do serviço de dor aguda devem seguir as seguintes instruções:

- Eleição prévia e aceitação do método de analgesia pelo cirurgião e pelo paciente;
- Entrevista pré-anestésica, identificando fatores para inclusão ou exclusão de determinada técnica ou fármaco;
- Orientação ao paciente, para evitar ansiedade ou expectativas não reais sobre a dor pós-operatória;
- Discussão com o anestesiologista sobre a técnica de analgesia e as adequações necessárias ao intraoperatório;
- Acompanhamento nas enfermarias ou em unidades de tratamento intensivo pelo médico especializado e pelo enfermeiro, até alívio completo da dor.

Há vários modelos possíveis. Uma sugestão é que a abordagem da dor aguda deve ser por equipe multiprofissional. Em um modelo composto por uma secretária administrativa e por um médico coordenador, a secretaria administrativa do serviço será responsável por conectar todas as fases operacionais, enquanto a coordenação médica assumirá a supervisão desse processo. Cada plano terapêutico deve, portanto, incorporar avaliações regulares da eficácia da abordagem do sintoma, bem como ajustes possíveis, considerando a reação singular do paciente.[26-28]

■ DISPONIBILIDADE DA EQUIPE

É fundamental que o serviço funcione 24 horas por dia, uma vez que as condições no período pós-operatório frequentemente são variáveis e as necessidades de alívio da dor podem evoluir a qualquer instante. A maioria das abordagens analgésicas apresenta determinados riscos de efeitos secundários, que demandam avaliação e monitoramento médico apropriado. Os anestesiologistas encarregados do gerenciamento da analgesia pós-operatória devem estar prontos para atender os pacientes com eventuais complicações relacionadas com o tratamento da dor após a cirurgia.

■ ANALGESIA EM CIRURGIA AMBULATORIAL

A analgesia em cirurgia ambulatorial refere-se ao conjunto de abordagens terapêuticas utilizadas para controlar e aliviar a dor em pacientes submetidos a procedimentos cirúrgicos realizados em regime ambulatorial, com admissão e alta hospitalar no mesmo dia. Essas estratégias têm como objetivo principal proporcionar um alívio adequado da dor pós-operatória, permitindo que os pacientes retornem às suas atividades diárias de forma confortável e rápida.[21] Para que a analgesia pós-operatória seja feita de forma correta é importante que haja um planejamento adequado, conhecimento dos fatores de risco e grau de manipulação cirúrgica, avaliação da intensidade da dor e sedação pós-operatória, conhecimento da farmacologia e indicações dos agentes analgésicos e controle dos efeitos adversos detectados durante o tratamento.[29]

A analgesia pós-operatória no contexto ambulatorial é um desafio, pois muitos pacientes continuam a apresentar dor após a alta hospitalar. Esse dado é preocupante pois a analgesia deficiente é inaceitável e angustiante para a equipe de saúde e principalmente para o paciente. Muitos necessitam ser reinternados, apresentam dificuldade para dormir e até mesmo para desenvolver atividades simples de vida diária. Até 50% dos adultos desenvolvem dor crônica após cirurgia e trauma, sendo a intensidade da dor aguda um fator preditivo desta complicação. É importante lembrar que o anestesiologista desempenha um papel fundamental na implementação de estratégias de analgesia eficazes em cirurgias ambulatoriais, através da seleção de técnicas anestésicas apropriadas que visem controlar a dor pós-operatória e permitir que os pacientes se recuperem de forma mais confortável e rápida. Além disso, o anestesiologista contribui para a educação dos pacientes sobre o manejo da dor pós-operatória, orientando-os quanto ao uso adequado de medicamentos e possíveis efeitos colaterais durante o internamento e após a alta hospitalar.[30]

Abordagens multimodais, como o uso de analgésicos simples, anti-inflamatórios e bloqueios regionais, têm sido cada vez mais adotadas para reduzir a dependência de opioides e melhorar a gestão da dor aguda pós-cirúrgica em pacientes ambulatoriais. Além disso, a educação pré-operatória e o desenvolvimento de planos individualizados de analgesia são essenciais para garantir uma recuperação tranquila e livre de dor.[31]

■ TRATAMENTO MULTIMODAL

A eficácia de diferentes analgésicos vai variar de acordo com o mecanismo fisiopatológico da dor pós-operatória, e as recomendações de tratamento devem ser baseadas no tipo de procedimento realizado.[32] A analgesia multimodal pode ser uma opção no tratamento da dor aguda pós-operatória, de modo a diminuir o consumo de opioides, reduzir os efeitos adversos e ocasionar maior grau de satisfação dos pacientes.[33]

A literatura oferece evidências que sugerem que a utilização combinada de dois ou mais medicamentos para controlar a dor no pós-operatório pode resultar em efeito aditivo ou sinérgico. A combinação de fármacos com diferentes mecanismos de ação é, portanto, vantajosa para reduzir a dose necessária de um dos agentes e, consequentemente, os potenciais efeitos colaterais. Atualmente, há uma tendência crescente em empregar a menor dose viável de opioides, visando evitar complicações como prolongamento do íleo, náuseas, vômitos ou depressão respiratória.[34]

Os anti-inflamatórios não seletivos (AINEs) e os inibidores da cicloxigenase-2 (ICOX-2) apresentam eficácia semelhante no tratamento da dor pós-operatória.[35] Devem ser utilizados por tempo curto, contudo não devem ser empregados em pacientes idosos ou com história de úlcera gástrica, sangramento, instabilidade hemodinâmica, disfunção renal ou coronariana e distúrbio de coagulação.[36] Os inibidores da COX-2, apesar de reduzirem os efeitos adversos gastrintestinais e de não inibirem a agregação plaquetaria, provocam efeitos semelhantes aos AINEs na função renal, aumentam a pressão arterial e levam a edema periférico. Na escolha do anti-inflamatório, é, portanto, importante considerar o de menor risco para morbidade cardiovascular, neurológica e gastrintestinal, com base na literatura.[35]

A associação de paracetamol ou dipirona a anti-inflamatórios por via oral ou venosa no tratamento da dor pós-operatória pode melhorar a analgesia, e reduzir o consumo de opioides em torno de 30% a 40%.[33] O paracetamol é um dos derivados paraminofenóis mais empregado no tratamento de dores de intensidade leve a moderada em muitos países. Em doses elevadas, está associado à possibilidade de causar danos ao fígado e levar a uma insuficiência hepática grave. Essa toxicidade está relacionada com o aumento da formação do metabólito N-acetil-p-benzoquinonamina (NAPQI), que é responsável por induzir necrose das células hepáticas. Geralmente, é pouco provável que ocorra toxicidade em doses inferiores a 15 mg/kg. O uso do paracetamol é desaconselhado em crianças com deficiência hereditária de glicose-6-fosfato-desidrogenase (G6PD), em indivíduos alcoólatras, em pacientes com baixos níveis de glutationa (GSH) e naqueles que consomem medicamentos que induzem o sistema enzimático P450.[37]

Ainda que seja pouco frequente, a ocorrência de lesão tubular aguda associada à insuficiência renal pode se manifestar com o uso de doses elevadas de paracetamol. Isto ocorre devido à reação direta do NAPQI com a GSH. Consequentemente, quando há uma sobredosagem de paracetamol e um esgotamento da GSH, a ligação direta entre essa substância e as proteínas celulares ocorre, levando à peroxidação lipídica e à lesão renal.[38] O paracetamol não causa desgaste ou hemorragia no estômago e, também, não tem impacto substancial nos sistemas cardiovascular e respiratório. Há evidências que indicam que o paracetamol tem uma notável capacidade de inibição da enzima COX-2 e da liberação de prostaglandina E2. Entretanto, sua ação anti-inflamatória depende da presença de níveis reduzidos de agentes oxidantes, algo que normalmente não ocorre em tecidos inflamados, explicando, dessa forma, sua limitada atividade anti-inflamatória.[39] O fármaco também parece agir sobre o sistema canabinoide e serotoninérgico, modulando a transmissão dolorosa.[40] A dose terapêutica convencional varia de 325 a 1.000 mg em adultos, não ultrapassando 4.000 mg/dia. No Brasil, já existe a apresentação venosa em bolsas de 100 ou 50 mL e na concentração de 10 mg/mL. A via venosa é uma alternativa quando o paciente não pode deglutir, permitindo picos plasmáticos e início de ação mais rápidos. O paracetamol venoso deve ser administrado em 15 minutos.

No Brasil, a dipirona é amplamente empregada, embora seja proibida em várias nações, inclusive nos EUA.[41] A toxicidade da dipirona surge em doses superiores a 7,5 g, podendo resultar em perturbações no trato gastrintestinal, tonturas, sonolência, batimentos cardíacos acelerados, colapso, perda de consciência e crises convulsivas. A capacidade da dipirona para influenciar o sistema nociceptivo está relacionada com sua atuação seletiva em receptores metabotrópicos para glutamato (mGluR). Curiosamente, mesmo em dosagens elevadas, não interfere na transmissão da dor decorrente da ativação de receptores ionotrópicos (como os receptores AMPA, NMDA e cainato). Essa ação, que ocorre tanto antes como após a sinapse, atua tanto no nível periférico quanto no central. Adicionalmente, a dipirona pode estimular a via da arginina-óxido nítrico-monofosfato cíclico de guanosina (GMPc), agindo sobre os canais de potássio sensíveis ao trifosfato de adenosina (ATP) no nível periférico. A abertura desses canais induz a hiperpolarização da membrana do nociceptor, levando a uma redução na transmissão da sensação dolorosa.[42] A dipirona tem revelado sua eficácia como analgésico em diversos estudos clínicos. Em dosagens equivalentes, demonstra um efeito analgésico comparável a certos opioides, a exemplo do tramadol. Além disso, exerce influência antiespasmódica na musculatura lisa do esfíncter de Oddi, do sistema urinário e da bexiga, sem os inconvenientes associados aos efeitos anticolinérgicos típicos dos antiespasmódicos. Por conseguinte, pode ser aplicada no pós-operatório de intervenções cirúrgicas de pequena, média e grande porte.[43]

Foram reportados efeitos adversos, incluindo agranulocitose, trombocitopenia, anemia aplástica, púrpura, anemia hemolítica, erupções cutâneas, inchaço, tremores, enjoos, vômitos, hemorragia no trato gastrintestinal, redução da produção de urina e respostas alérgicas. No Brasil, contudo, fármacos como a dipirona são empregados com eficácia comprovada e registros de baixa toxicidade. Efeitos cardiovasculares e respiratórios adversos são raros, exceto em casos de sobredosagem ou uso prolongado. A brusca queda na pressão arterial pode ser atribuída à expansão dos vasos sanguíneos resultante da ativação da via óxido nítrico-GMPc. Por isso, é aconselhável administrar a dipirona por injeção intravenosa lenta e diluída para evitar esse efeito.[44]

Ademais, se houver contraindicação para o emprego de inibidores não seletivos ou de COX- 2, considera-se o uso de dexametasona na dose de 4 a 8 mg, pois além de apresentar ação anti-inflamatória, reduz a ocorrência de náusea e vômitos.[45-47]

Opioides

Os opioides são considerados a pedra angular do tratamento da dor de moderada e de forte intensidade, representando a base da terapia da dor pós-operatória em diferentes ambientes. Exercem seu efeito através da ligação aos receptores *mu*, *delta* e *kappa* situados tanto no sistema nervoso central quanto no periférico.[48,49] Tais receptores estão associados a proteínas G inibitórias que, uma vez ativadas por agentes agonistas naturais ou externos, se separam e iniciam um processo de ativação celular que, geralmente, resulta na supressão das funções neuronais.[50] No contexto da analgesia, os opioides têm a capacidade de atuar por meio de variados mecanismos, como a diminuição da liberação de substância P, ativação de vias inibitórias, bloqueio de canais de cálcio, indução de hiperpolarização de membrana e impacto central no sistema somatossensitivo.[51,52] Apesar da extensa variedade de agentes e métodos de analgesia, os opioides permanecem como a abordagem de referência no tratamento da dor aguda. No entanto, os profissionais de saúde frequentemente lidam com a preocupação de desencadear dependência ou de enfrentar efeitos colaterais graves, como a depressão respiratória.

Os opioides podem ser categorizados em opioides fracos e fortes. Pertencem ao grupo de opioides fracos a codeína e o tramadol. A dosagem máxima diária recomendada para a codeína é de 360 mg, enquanto para o tramadol é de 400 mg. Estes são mais indicados para procedimentos ambulatoriais e para o período pós-operatório de cirurgias de pequeno e médio porte, administrados por via oral caso o paciente possa engolir normalmente.

São considerados opioides fortes: morfina, buprenorfina, oxicodona, fentanil, sufentanil e metadona, os quais podem ser administrados por diferentes vias. Sempre que possível deve-se priorizar a via oral para a administração de analgésicos opioides, entretanto, esta via muitas vezes se encontra indisponível no período do pós-operatório imediato, sendo necessária a utilização de analgésicos por via neuroaxial ou parenteral. A via transdérmica não é recomendada neste contexto. Sabe-se que a via transdérmica promove latência, pico de ação e eliminação mais longos quando comparados as outras vias de administração de opioides disponíveis, o que compromete a qualidade e a segurança da analgesia proposta. Além disso, após a retirada do adesivo,

com o paciente já sem monitoração, pode ocorrer novo pico plasmático, possibilitando depressão respiratória e morte. A dor pós-operatória tem uma trajetória própria, sendo mais intensa imediatamente após a cirurgia e diminuindo em um padrão relativamente previsível, com base no tipo de cirurgia, ao longo dos dias subsequentesHá dois fármacos opióides disponíveis no Brasil para serem utilizados por via transdérmica: a buprenorfina e o fentanil. A buprenorfina transdérmica, de troca a cada quatro ou sete dias dependendo da concentração, tem o seu efeito analgésico máximo somente após 72 horas e o do fentanil após 18 horas da sua aplicação.[51]

A morfina é a escolha padrão dentre os opioides fortes e é amplamente utilizada. A morfina, quando administrada por via parenteral tem um pico de efeito ocorrendo em 6 a 10 minutos e duração de ação de quatro horas.[52] O fentanil e o sufentanil também são bastante utilizados na prática clínica, uma vez que têm um início de ação mais rápido e meia-vida mais curta que a morfina, apresentando um excelente perfil farmacológico quando a escolha é a analgesia controlada pelo paciente (*patient-controlled analgesia* – PCA). A dose de cada opioide citado está descrita na **Tabela 116.2**.[53] É importante ressaltar que não há uma dose máxima recomendada para os opioides fortes, sendo o controle efetivo da dor e os demais efeitos adversos atrelados que definem a dose ideal para cada paciente. Sabe-se que os efeitos colaterais dos opioides são dose dependentes e que quanto maior a dose do opioide maior a chance de o paciente apresentar efeitos indesejáveis como desorientação, sedação, depressão respiratória, prurido, retenção urinária, náusea e vômito. O único efeito colateral dos opioides que não é dose-dependente é a constipação.

Tabela 116.2 Fármacos opioides, doses por diversas vias.		
Fármaco opioide	**Dose recomendada**	**Via de administração**
Morfina	0,5 a 1,0 mg/kg a cada 3 a 4 h	VO
	0,15 mg/kg a cada 3 a 4 h	SC
	0,15 mg/kg a cada 3 a 4 h	EV (*bolus*)
	0,03 a 0,1 mg/kg/h	EV (infusão contínua)
	0,1 mg a 1 mg dose única	Intratecal
	30 a 50 µg/kg a cada 8 a 24 h	Espinhal (dose única)
	0,4 a 0,6 mg/h	Peridural (infusão contínua)
	1 a 10 mg	Intra-articular
Fentanil	Dose inicial 0,8 a 1,6 µg/kg	EV (infusão continua)
	0,3 µg a 1,6 µg/kg/h	Peridural (infusão contínua)
	50 a 200 µg a cada 2 a 6 h	Peridural (*bolus*)
	5 a 20 µg	Intratecal
	75 a 150 µg a cada 48 a 72 h	Transdérmico
Sufentanil	2 a 8 mg	Intratecal
	15 a 50 µg a cada 4 a 6 h	Peridural (*bolus*)
	0,15 a 0,3 µg/kg/h	Peridural (infusão contínua)

Via oral (VO); subcutâneo (SC); endovenoso (EV).

■ REGRAS GERAIS E ALGUMAS RECOMENDAÇÕES PARA ADMINISTRAÇÃO DE OPIOIDES

1. Individualizar o tratamento e utilizar, se possível, a técnica de PCA, com doses baixas de opioides (1 mg/mL de morfina, 10 µg/mL de fentanil, a cada 10 minutos) por via venosa se o paciente não puder deglutir.

2. Não há vantagem em infusão contínua de base para analgesia autocontrolada.

3. Prescrever dose de escape para dor espontânea ou desencadeada por algum esforço físico ou estresse emocional na ausência de analgesia autocontrolada.

4. Iniciar o tratamento de acordo com a intensidade da dor e monitorar os efeitos colaterais. Aumentar a dose em 25%, conforme a necessidade do paciente. Atenção à tolerância aguda (aumento da dose para obter o mesmo efeito) ou à hiperalgesia induzida por opioide.

5. Tratar os efeitos colaterais como constipação e vômitos. Antagonistas periféricos de opioides podem ser uma indicação no tratamento de distensão ou redução do trânsito intestinal. Pacientes com história de vômitos devem utilizar tratamento preventivo. Distúrbios de comportamento e sonolência limitam o uso do fármaco. Devem-se afastar distúrbios metabólicos ou alterações do sistema nervoso central (SNC) que mimetizem os efeitos colaterais dos opioides.

6. Monitorar os pacientes de risco para depressão respiratória de maneira efetiva, principalmente os com história de doença pulmonar obstrutiva, apneia do sono e os que utilizam fármacos depressores do SNC. É necessário suporte respiratório e uso de antagonistas. O papel da oximetria e da capnografia na monitoração ainda não foi estabelecido, e a monitoração da frequência respiratória e do estado mental ainda é o padrão-ouro.

7. Nunca utilizar meperidina em dose intermitente, pois pode levar à formação de metabólitos tóxicos (normeperidina) que se acumulam no organismo e provocam irritabilidade do SNC.

8. A associação de cetamina por via endovenosa pode ser uma alternativa para reduzir o consumo de opioide, prolongar a analgesia, melhorar a dor e reduzir a área de hiperalgesia ao redor da ferida cirúrgica. A associação com clonidina por via espinal, apesar de controversa, pode reduzir o consumo de opioide e melhorar a analgesia. Podem ocorrer bradicardia, hipotensão arterial e sedação excessiva. Uma alternativa seria a infusão de dexmedetomidina por via venosa para reduzir o uso de analgésicos e sedar o paciente.

9. Essencial o treinamento da equipe para diagnóstico e tratamento de efeitos colaterais resultantes do emprego de opioides por diversas vias, assim como para manuseio de cateteres e bombas de infusão.

10. Considerar oxicodona, morfina ou oxicodona de liberação lenta em pacientes que evoluem com dor intensa e podem alimentar-se.

11. Não ultrapassar dose diária de 90 mg de morfina ou equivalente em pacientes que nunca utilizaram opioide anteriormente.

12. Manter analgésicos adjuvantes.[54-59]

Rotação de Opioides

Quando ocorre uma redução na capacidade do medicamento analgésico em proporcionar alívio ou quando surgem efeitos colaterais que afetam a adesão ao tratamento, é aconselhável substituir o opioide prescrito.[60] Além disso, é observado que certos pacientes experimentam um alívio mais eficaz da dor com determinadas substâncias em comparação com outras, tornando necessário realizar a transição entre opioides. Isso pode ser visualizado de maneira detalhada na Tabela 116.3.[61]

Ao realizar uma transição segura entre diferentes medicamentos, a avaliação considera a biodisponibilidade da morfina. Ao modificar a via de administração, como da oral ou transdérmica para a parenteral, isso impulsiona uma adaptação mais ágil do efeito analgésico. Consequentemente, há uma redução de até três vezes na dose necessária para a via venosa e aproximadamente duas vezes para a subcutânea. No entanto, é crucial adotar precauções ao combinar diferentes fármacos, mesmo em situações de dor aguda, a fim de evitar potencialização de efeitos adversos. É relevante também destacar que a administração intratecal pode ocasionar uma drástica diminuição na dose de morfina, chegando a até 300 vezes. Além disso, a utilização de bombas de infusão implantáveis surge como um meio facilitador para alcançar um nível satisfatório de alívio da dor.[61] No cenário mais amplo, a rotação de opioides, que envolve a troca de um opioide por outro, é outra abordagem adotada para gerenciar a eficácia da analgesia e reduzir a possibilidade de efeitos adversos decorrentes do uso contínuo de um mesmo medicamento.

Tabela 116.3 Rotação de opioides.

Fármacos	Relação
Morfina VO : oxicodona VO	1,5:1
Morfina VO : metadona VO	5:1 a 15:1
Morfina VO : morfina EV	3:1
Tramadol VO : tramadol EV	1:1
Morfina EV : nalbufina EV	1:1
Morfina VO : fentanil TD ou buprenorfina TD	100:1

Via oral (VO); endovenoso (EV); transdérmico (TD).

Anestésicos Locais

A administração contínua de anestésicos locais por diversas vias (espinal, regional e na área da incisão), em conjunto com adjuvantes, pode resultar em redução do uso de opioides, bem como na diminuição das ocorrências de náuseas e vômitos pós-operatórios. Além disso, essa abordagem tem o potencial de aprimorar a qualidade da analgesia e a satisfação do paciente.

A utilização de técnicas como a via peridural ou paravertebral é indicada em cirurgias de grande porte, como as torácicas, abdominais superiores, vasculares ou ortopédicas. O bloqueio do plexo braquial é apropriado para procedimentos envolvendo os membros superiores e ombro, enquanto os bloqueios dos nervos femoral, obturador, poplíteo ou ciático são recomendados para intervenções nos membros inferiores. Nas cirurgias do ombro ou joelho, a infiltração local pode ser empregada para bloquear as fibras nervosas que inervam a área afetada. Da mesma forma, a infiltração da parede abdominal pode ser benéfica após laparotomia, cesariana e correção cirúrgica de hemorroidas.

A inclusão da clonidina em conjunto com o anestésico local durante o bloqueio de nervo periférico tem sido associada a um prolongamento do tempo de alívio da dor em cerca de 2 horas. Outras substâncias como corticosteroides, magnésio, buprenorfina e tramadol também têm sido apontadas como potenciais prolongadoras da analgesia, no entanto, a evidência clínica atual não é robusta o bastante para respaldar a adoção desses agentes.[62]

Na abordagem contínua por via peridural, é essencial que o cateter seja posicionado próximo à área onde a sensação de dor é mais intensa. Os anestésicos locais têm o efeito de estimular o peristaltismo e aprimorar o fluxo sanguíneo na mucosa intestinal. Além disso, eles contribuem para reduzir a formação de placas aderentes, melhorar a circulação microvascular e diminuir a probabilidade de ocorrência de trombose venosa profunda. A opção pela via peridural pode, em pacientes de risco, diminuir a incidência de complicações como tromboembolismo, infarto agudo do miocárdio, pneumonia, depressão respiratória e íleo prolongado.

Já na via subaracnóidea, é possível administrar uma dose única de anestésico associada a um opioide em cirurgias de médio porte, proporcionando cerca de 24 horas de alívio da dor. Contudo, a infusão contínua por essa via não é aconselhada devido à tecnologia ainda pouco avançada dos microcateteres, que apresentam risco de causar danos aos nervos. Um outro uso da lidocaína, em dose de 2 mg.kg^{-1}.h^{-1} por via venosa, pode ser considerado em cirurgias abdominais abertas ou laparoscópicas, pois essa abordagem contribui para a redução da necessidade de opioides no pós-operatório.[63-67]

Gabapentina e Pregabalina

A gabapentina e a pregabalina pertencem ao grupo de moduladores de canal de cálcio alfa-2-delta. Atuam de maneira similar ao promover a modulação da subunidade $\alpha_2$1-™ do canal de cálcio dependente de voltagem no corno dorsal da medula espinal. Esses compostos têm sido empregados na dose de 1.200 mg/dia a 3.600 mg/dia e de 300 mg/dia a 600 mg/dia de 1 a 2 horas antes da cirurgia, com o propósito de atenuar a sensação de dor, reduzir a necessidade de opioides e prevenir a manifestação de dor crônica persistente no período pós-operatório. Os resultados da literatura, no entanto, não são animadores. Cabe mencionar que é possível que ocorram efeitos colaterais, como tontura e sonolência. A dose apropriada e a duração da terapia, assim como o momento ideal para iniciar a administração de opioides, ainda não são temas que possuem consenso na literatura especializada.[68,69]

Outras Técnicas e Recomendações Finais

O tratamento da dor pós-operatório deve ser efetivo e colocar cada vez menos o paciente em risco de complicação ou aumentar o tempo de permanência hospitalar. Recomendamos, baseado também no protocolo ERAS (sigla de *Enhanced Recovery After Surgery*):[70]

1. Para cirurgias de pequeno porte, utilizar associação de analgésicos simples e anti-inflamatório não hormonal. Caso se opte por um inibidor de COX-1, associar a bloqueador de bomba de próton durante o tratamento.

2. Lembrar que a via intramuscular está proscrita. É dolorosa, a absorção é inadequada e está associada a efeitos adversos relacionados a trauma tissular (fascite, abscesso, necrose no músculo, além de não oferecer vantagem com relação à administração por vias oral, venosa, retal ou tópica).

3. Na escolha de AINEs, excluir os pacientes sob risco de morbidade, e não existe razão para evitar o uso em cirurgias ortopédicas ou colorretais. O cetorolaco está associado a maior prevalência de complicação gastrintestinal; o meloxicam e a indometacina, a complicações cardiovasculares.

4. As complicações gastrintestinais são maiores em pacientes do sexo masculino, com idade acima de 60 anos, história de úlcera péptica no passado, que utilizam doses elevadas de AINEs e fazem uso concomitante de corticosteroide.

5. O emprego de 200 a 400 mg de celecoxibe por via oral 1 hora antes da cirurgia pode reduzir o consumo de opioides e a intensidade da dor de pós-operatório.

6. Em cirurgias de médio porte, acrescentar opioide à prescrição. A via venosa está indicada se o paciente não puder deglutir ou se houver risco de aspiração ou íleo. A bomba de PCA está sempre indicada caso haja necessidade de analgesia por várias horas em pacientes com boa função cognitiva e que compreendam o dispositivo e as limitações de segurança. Utilizar via de *bolus*; a via de infusão basal pode aumentar a incidência de náusea e vômito ou depressão respiratória. Pode ser utilizada infusão de base em pacientes que já fazem uso de opioides. Monitorar sedação, depressão respiratória e outros efeitos adversos. Atenção aos pacientes com doença pulmonar obstrutiva crônica (DPOC) e apneia do sono ou em uso de medicações sedativas.

7. O emprego de 600 a 1.200 mg de gabapentina ou 150 a 300 mg de pregabalina 1 hora antes da cirurgia pode reduzir a intensidade da dor, o consumo de opioides e a incidência de náuseas e vômitos.

8. A cetamina na dose de *bolus* de 0,5 mg.kg^{-1} seguida de 10 µg/kg/min pode reduzir a intensidade da dor, o consumo de analgésicos ou ambos. Pode ser mantida no pós-operatório pelo tempo necessário.

9. Os agonistas á$_2$ usados como adjuvantes ao anestésico local apresentam risco de síncope, sedação e hipotensão, devendo ser evitados em cirurgias ambulatoriais.

10. A lidocaína por via venosa em cirurgias abdominais pode reduzir o tempo de íleo e melhorar a qualidade de analgesia. A dose de *bolus* de 1,5 a 2 mg.kg^{-1} seguida da infusão de 2 mg.kg^{-1}.h^{-1} está recomendada.

11. A infiltração local ou tópica pode ser efetiva na prótese total de joelho, em cirurgias artroscópicas de joelho, cesáreas e laparotomias.

12. Não deve ser utilizado anestésico local intrapleural pelo risco de toxicidade sistêmica.

13. Os bloqueios periféricos devem ser incluídos como parte da analgesia multimodal. Deve-se contemplar a

analgesia do local da cirurgia. É recomendado o uso de aparelhos de ultrassonografia ou de neuroestimulador para realizar a técnica de maneira adequada. Cuidado com bombas elastoméricas, pois podem ocorrer esvaziamento e oferta rápida de anestésico local. O emprego de cateter é recomendável quando a duração da dor de pós-operatório é prolongada.

14. Em cirurgias de grande porte, utilizar a via peridural contínua em bomba de PCA. Maior é o grau de satisfação do paciente, e há início precoce da ingesta oral sem náusea, bem como redução do tempo de íleo (punção peridural acima de T_{12}).

15. Ao utilizar cateter peridural, monitorar e tratar o aparecimento de hipotensão arterial, bradicardia, migração vascular e subaracnóidea, níveis elevados de bloqueio sensitivo e infecção local.

16. A via subaracnóidea está associada a cefaleia pós-punção dural e maiores efeitos adversos (depressão respiratória tardia, neurotoxicidade da medula espinal e tempo de analgesia limitado). Dessa forma, a monitoração de risco e a prescrição de outros agentes por via oral ou venosa são necessárias para a manutenção da analgesia.

17. Embora com poucos estudos, a duloxetina, 60 mg, 1 hora antes da cirurgia, pode reduzir a dor e o consumo de opioides no pós-operatório de cirurgias na coluna.

A aplicação de estimulação elétrica transcutânea (*transcutaneous electrical nerve stimulation* – TENS), acupuntura, eletroacupuntura, massagem, terapia crioterápica, psicoterapia e métodos de relaxamento, embora considerada segura, apresenta resultados variáveis na literatura, carecendo assim de respaldo clínico confiável. Em pacientes que consomem opioides de maneira prolongada, é recomendável ponderar a utilização de gabapentinoides, cetamina, terapia cognitivo-comportamental, TENS e abordagens de analgesia regional com anestésico local. A administração de opioides por meio de bomba de PCA com infusão basal pode ser uma opção se as outras abordagens se mostrarem ineficazes.

■ CONCLUSÃO

A abordagem da dor após procedimentos cirúrgicos permanece como um significativo obstáculo. É essencial promover uma educação em andamento acerca desse assunto, focalizando nos mecanismos subjacentes à dor aguda, na avaliação precisa e quantificação da dor, bem como nas terapias tanto farmacológicas quanto não farmacológicas. A incorporação do APS desempenha um papel crucial na transformação da mentalidade dos profissionais de saúde e na facilitação da administração de tratamentos adequados e eficazes.

REFERÊNCIAS

1. Rocha APC, Kraychete DC, Lemonica L, et al. Dor: aspectos atuais da sensibilização periférica e central. Rev Bras Anestesiol. 2007;57(1):94-105. doi:10.1590/S0034-70942007000100011
2. Pogatzki-Zahn EM, Segelcke D, Schug SA. Postoperative pain—from mechanisms to treatment. PAIN Reports. 2017;2(2):e588. doi:10.1097/PR9.0000000000000588
3. Velly AM, Mohit S. Epidemiology of pain and relation to psychiatric disorders. Prog Neuro-Psychopharmacology Biol Psychiatry. 2018;87:159-67. doi:10.1016/j.pnpbp.2017.05.012
4. Carroll CP, Brandow AM. Chronic Pain. Hematol Oncol Clin North Am. 2022;36(6):1151-65. doi:10.1016/j.hoc.2022.06.009
5. Myles PS, Power I. Clinical update: postoperative analgesia. Lancet. 2007;369(9564):810-2. doi:10.1016/S0140-6736(07)60388-2
6. Tan TK, Brown I, Seow CS, Lang I, Patrick JA. Pre-registration house officers: What do they know about pain management? Acute Pain. 1999;2(3):115-24. doi:10.1016/S1366-0071(99)80003-5
7. Rupp T, Delaney KA. Inadequate analgesia in emergency medicine. Ann Emerg Med. 2004;43(4):494-503. doi:10.1016/j.annemergmed.2003.11.019
8. Klopfenstein CE, Herrmann FR, Mamie C, Van Gessel E, Forster A. Pain intensity and pain relief after surgery. Acta Anaesthesiol Scand. 2000;44(1):58-62. doi:10.1034/j.1399-6576.2000.440111.x
9. Coley KC, Williams BA, DaPos S V, Chen C, Smith RB. Retrospective evaluation of unanticipated admissions and readmissions after same day surgery and associated costs. J Clin Anesth. 2002;14(5):349-353. doi:10.1016/S0952-8180(02)00371-9
10. Taylor A, Stanbury L. A review of postoperative pain management and the challenges. Curr Anaesth Crit Care. 2009;20(4):188-94. doi:10.1016/j.cacc.2009.02.003
11. American Society of Anesthesiologists Task Force on Acute Pain Management. Practice Guidelines for Acute Pain Management in the Perioperative Setting. Anesthesiology. 2012;116(2):248-73. doi:10.1097/ALN.0b013e31823c1030
12. Agency for Health Care Policy and Research. Acute Pain Management: Operative or Medical Procedures and Trauma, 1992. www.ncbi.nlm.nih.gov/books/NBK52153/
13. Safe use of opioids in hospitals. Sentin event alert. 2012;(49):1-5. http://www.ncbi.nlm.nih.gov/pubmed/22888503
14. DeSantana JM, Perissinotti DM, Oliveira Junior JO, Correia LM, Oliveira CM e Fonseca PR. Definição de dor revisada após quatro décadas. BrJP. 2020;3(3):197-8.
15. Armstrong SA, Herr MJ. Physiology, Nociception, 2023. http://www.ncbi.nlm.nih.gov/pubmed/27322240
16. Scholz J, Finnerup NB, Attal N, et al. The IASP classification of chronic pain for ICD-11: chronic neuropathic pain. Pain. 2019;160(1):53-9. doi:10.1097/j.pain.0000000000001365
17. Fitzcharles MA, Cohen SP, Clauw DJ, Littlejohn G, Usui C, Häuser W. Nociplastic pain: towards an understanding of prevalent pain conditions. Lancet. 2021;397(10289):2098-110. doi:10.1016/S0140-6736(21)00392-5
18. Hartrick CT, Kovan JP, Shapiro S. The Numeric Rating Scale for Clinical Pain Measurement: A Ratio Measure? Pain Pract. 2003;3(4):310-6. doi:10.1111/j.1530-7085.2003.03034.x
19. Manz BD, Mosier R, Nusser-Gerlach MA, Bergstrom N, Agrawal S. Pain assessment in the cognitively impaired and unimpaired elderly. Pain Manag Nurs. 2000;1(4):106-15. doi:10.1053/jpmn.2000.19332
20. Zanza C, Romenskaya T, Zuliani M, et al. Acute Traumatic Pain in the Emergency Department. Diseases. 2023;11(1):45. doi:10.3390/diseases11010045
21. Apfelbaum JL, Chen C, Mehta SS, Gan TJ. Postoperative Pain Experience: Results from a National Survey Suggest Postoperative Pain Continues to Be Undermanaged. Anesth Analg. 2003;97(2):534-40. doi:10.1213/01.ANE.0000068822.10113.9E
22. Kehlet H, Jensen TS, Woolf CJ. Persistent postsurgical pain: risk factors and prevention. Lancet. 2006;367(9522):1618-25. doi:10.1016/S0140-6736(06)68700-X
23. Pavlin DJ, Chen C, Penaloza DA, Buckley FP. A survey of pain and other symptoms that affect the recovery process after discharge from an ambulatory surgery unit. J Clin Anesth. 2004;16(3):200-6. doi:10.1016/j.jclinane.2003.08.004
24. Herrera FJ, Wong J, Chung F. A Systematic Review of Postoperative Recovery Outcomes Measurements After Ambulatory Surgery. Anesth Analg. 2007;105(1):63-9. doi:10.1213/01.ane.0000265534.73169.95
25. Hofer S, Högström H. 3 The role of the nurse in post-operative pain therapy. Baillieres Clin Anaesthesiol. 1995;9(3):461-7. doi:10.1016/S0950-3501(95)80016-6
26. Warfield CA, Kahn CH. Acute Pain Management. Anesthesiology. 1995;83(5):1090-4. doi:10.1097/00000542-199511000-00023
27. Devine EC. Effects of psychoeducational care for adult surgical patients: A meta-analysis of 191 studies. Patient Educ Couns. 1992;19(2):129-42. doi:10.1016/0738-3991(92)90193-M
28. Kehlet H, Wilkinson RC, Fischer HBJ, Camu F. PROSPECT: evidence-based, procedure-specific postoperative pain management. Best Pract Res Clin Anaesthesiol. 2007;21(1):149-59. doi:10.1016/j.bpa.2006.12.001
29. Pereira RJ, Munechika M, Sakata RK. Pain management after outpatient surgical procedure. Rev Dor. 2013;14(1):61-7.
30. Schug SA, Chandrasena C. Postoperative pain management following ambulatory anesthesia: challenges and Solutions. Ambulatory Anesthesia. 2015; 2:11-20.

31. Joshi GP, Schug SA, Kehlet H. Procedure-specific pain management and outcome strategies. Best Pract Res Clin Anaesthesiol. 2014;28(2):191-201. doi:10.1016/j.bpa.2014.03.005

32. Usichenko TI, Röttenbacher I, Kohlmann T, et al. Implementation of the quality management system improves postoperative pain treatment: a prospectivepre-/post-interventional questionnaire study. Br J Anaesth. 2013;110(1):87-95. doi:10.1093/bja/aes352

33. Freo U. Paracetamol for multimodal analgesia. Pain Manag. 2022;12(6):737-50. doi:10.2217/pmt-2021-0116

34. Kehlet H, Dahl JB. The Value of Multimodal or Balanced Analgesia in Postoperative Pain Treatment. Anesth Analg. 1993;77(5):1048-56. doi:10.1213/00000539-199311000-00030

35. Crofford LJ. Rational Use of Analgesic and Antiinflammatory Drugs. N Engl J Med. 2001;345(25):1844-6. doi:10.1056/NEJM200112203452512

36. Mosleh W, Farkouh ME. Balancing cardiovascular and gastrointestinal risks in patients with osteoarthritis receiving nonsteroidal anti-inflammatory drugs. A summary of guidelines from an international expert group. Polish Arch Intern Med. 2016;126(1-2):68-75. doi:10.20452/pamw.3271

37. Lopes J, Matheus ME. Risco de hepatotoxicidade do paracetamol (acetaminofeno). Rev Bras Farm. 2012;93(4):411-4.

38. Ghosh J, Das J, Manna P, Sil PC. Acetaminophen induced renal injury via oxidative stress and TNF-α production: Therapeutic potential of arjunolic acid. Toxicology. 2010;268(1-2):8-18. doi:10.1016/j.tox.2009.11.011

39. Lee YS, Kim H, Brahim JS, Rowan J, Lee G, Dionne RA. Acetaminophen selectively suppresses peripheral prostaglandin E2 release and increases COX-2 gene expression in a clinical model of acute inflammation. Pain. 2007;129(3):279-86. doi:10.1016/j.pain.2006.10.020

40. Dani M, Guindon J, Lambert C, Beaulieu P. The local antinociceptive effects of paracetamol in neuropathic pain are mediated by cannabinoid receptors. Eur J Pharmacol. 2007;573(1-3):214-5. doi:10.1016/j.ejphar.2007.07.012

41. Stangler MIS, Lubianca JPN, Lubianca JN, Lubianca Neto JF. Dipyrone as pre-emptive measure in postoperative analgesia after tonsillectomy in children: a systematic review. Braz J Otorhinolaryngol. 2021;87(2):227-36. doi:10.1016/j.bjorl.2020.12.005

42. Hinz B, Cheremina O, Bachmakov J, et al. Dipyrone elicits substantial inhibition of peripheral cyclooxygenases in humans: new insights into the pharmacology of an old analgesic. FASEB J. 2007;21(10):2343-51. doi:10.1096/fj.06-8061com

43. Fendrich Z. [Metamizol--a new effective analgesic with a long history. Overview of its pharmacology and clinical use]. Cas Lek Cesk. 2000;139(14):440-4. http://www.ncbi.nlm.nih.gov/pubmed/11048407

44. Vargas Correa JB, Canto Solís A, Arcila Herrera H, Morales Adrián J, Vidal León J, Valle Acevedo LJ. Metamizol: evaluación del riesgo para agranulocitos y anemia aplástica / Metamizol: assessment for agranulocitos and aplastic anemia risk. Three-year experience at Hospital Regional de Mérida, ISSSTE. Med interna Méx. 1999;15(1):6-10.

45. Macario A, Royal MA. A Literature Review of Randomized Clinical Trials of Intravenous Acetaminophen (Paracetamol) for Acute Postoperative Pain. Pain Pract. 2011;11(3):290-6. doi:10.1111/j.1533-2500.2010.00426.x

46. McDaid C, Maund E, Rice S, Wright K, Jenkins B, Woolacorr N. Paracetamol and selective and non-selective non-steroidal anti-inflammatory drugs (NSAIDs) for the reduction of morphine-related side effects after major surgery: a systematic review. Heal Technol Assess. 2010;14(17).

47. Elia N, Lysakowski C, Tramèr MR. Does Multimodal Analgesia with Acetaminophen, Nonsteroidal Antiinflammatory Drugs, or Selective Cyclooxygenase-2 Inhibitors and Patient-controlled Analgesia Morphine Offer Advantages over Morphine Alone? Anesthesiology. 2005;103(6):1296-304. doi:10.1097/00000542-200512000-00025

48. Pathan H, Williams J. Basic opioid pharmacology: an update. Br J Pain. 2012;6(1):11-16. doi:10.1177/2049463712438493

49. Azzam AAH, McDonald J, Lambert DG. Hot topics in opioid pharmacology: mixed and biased opioids. Br J Anaesth. 2019;122(6):e136-45. doi:10.1016/j.bja.2019.03.006

50. Polter AM, Barcomb K, Chen RW, et al. Constitutive activation of kappa opioid receptors at ventral tegmental area inhibitory synapses following acute stress. Elife. 2017;6. doi:10.7554/eLife.23785

51. Pergolizzi JV, Magnusson P, LeQuang JA, Breve F, Mitchell K, Chopra M, Varrassi G. Transdermal Buprenorphine for acute pain in the clínica Setting: a narrativa review. J Pain Rei. 2021;14: 871-9.

52. Garimella V, Cellini C. Psotoperative pain control. Clinomanias Colón Rectal Surf. 2013. 26(3):191-6.

53. Bassanezi BSB, Oliveira Filho AG. Analgesia pós-operatória. Rev Col Brasil Cor. 2006;33(2).

54. Corder G, Castro DC, Bruchas MR, Scherrer G. Endogenous and Exogenous Opioids in Pain. Annu Rev Neurosci. 2018;41(1):453-73. doi:10.1146/annurev-neuro-080317-061522

55. Ballantyne JC. Opioids for the Treatment of Chronic Pain: Mistakes Made, Lessons Learned, and Future Directions. Anesth Analg. 2017;125(5):1769-78. doi:10.1213/ANE.0000000000002500

56. Hegmann KT, Weiss MS, Bowden K, et al. ACOEM Practice Guidelines. J Occup Environ Med. 2014;56(12):e143-e159. doi:10.1097/JOM.0000000000000352

57. Bell RF, Dahl JB, Moore RA, Kalso EA. Perioperative ketamine for acute postoperative pain. In: Bell RF, ed. Cochrane Database of Systematic Reviews. John Wiley & Sons, Ltd; 2006. doi:10.1002/14651858.CD004603.pub2

58. Joshi GP, Beck DE, Emerson RH, et al. Defining new directions for more effective management of surgical pain in the United States: highlights of the inaugural Surgical Pain CongressTM. Am Surg. 2014;80(3):219-28. http://www.ncbi.nlm.nih.gov/pubmed/24666860

59. Kraychete DC, Siqueira JTT de, Garcia JBS. Recomendações para uso de opioides no Brasil: parte I. Rev Dor. 2013;14(4):295-300. doi:10.1590/S1806-00132013000400012

60. Wiermann EG, Diz M del PE, Caponero R, et al. Consenso Brasileiro sobre Manejo da Dor Relacionada ao Câncer. Rev Bras Oncol Clínica. 2015;10:132-43.

61. Fine PG, Portenoy RK; Ad Hoc Expert Panel on Evidence Review and Guidelines for Opioid Rotation. Establishing "best practices" for opioid rotation: conclusions of an expert panel. J Pain Symptom Manage. 2009 S;38(3):418-25. doi: 10.1016/j.jpainsymman.2009.06.002.

62. Bailard NS, Ortiz J, Flores RA. Additives to local anesthetics for peripheral nerve blocks: Evidence, limitations, and recommendations. Am J Heal Pharm. 2014;71(5):373-85. doi:10.2146/ajhp130336

63. Basse L, Hjort Jakobsen D, Billesbølle P, Werner M, Kehlet H. A Clinical Pathway to Accelerate Recovery After Colonic Resection. Ann Surg. 2000;232(1):51-7. doi:10.1097/00000658-200007000-00008

64. Richman JM, Liu SS, Courpas G, et al. Does Continuous Peripheral Nerve Block Provide Superior Pain Control to Opioids? A Meta-Analysis. Anesth Analg. 2006;102(1):248-57. doi:10.1213/01.ANE.0000181289.09675.7D

65. Block BM, Liu SS, Rowlingson AJ, Cowan AR, Cowan, Jr JA, Wu CL. Efficacy of Postoperative Peridural Analgesia. JAMA. 2003;290(18):2455. doi:10.1001/jama.290.18.2455

66. Werawatganon T, Charuluxananan S. Patient controlled intravenous opioid analgesia versus continuous Peridural analgesia for pain after intra-abdominal surgery. In: Werawatganon T, ed. The Cochrane Database of Systematic Reviews. John Wiley & Sons, Ltd; 2005. doi:10.1002/14651858.CD004088.pub2

67. Liu SS, Richman JM, Thirlby RC, Wu CL. Efficacy of Continuous Wound Catheters Delivering Local Anesthetic for Postoperative Analgesia: A Quantitative and Qualitative Systematic Review of Randomized Controlled Trials. J Am Coll Surg. 2006;203(6):914-32. doi:10.1016/j.jamcollsurg.2006.08.007

68. Rowbotham DJ. Editorial II: Gabapentin: a new drug for postoperative pain? Br J Anaesth. 2006;96(2):152-5. doi:10.1093/bja/aei318

69. Dahl JB, Mathiesen O, Moiniche S. "Protective premedication": an option with gabapentin and related drugs?. A review of gabapentin and pregabalin in the treatment of post-operative pain. Acta Anaesthesiol Scand. 2004;48(9):1130-6. doi:10.1111/j.1399-6576.2004.00484.x

70. Simpson JC, Bao X, Agarwala A. Pain Management in Enhanced Recovery after Surgery (ERAS) Protocols. Clin Colon Rectal Surg. 2019;32(2):121-8. doi: 10.1055/s-0038-1676477.

117

Analgesia Controlada pelo Paciente

João Valverde Filho ▪ Márcio Matsumoto ▪ Christiane Pellegrino Rosa ▪ Lucila Muniz Barretto Volasco

INTRODUÇÃO

A Analgesia Controlada pelo Paciente (ACP) descreve um método conceitual de administração de fármacos analgésicos sob demanda e controle do paciente. O conceito é amplo e não se restringe a uma única via ou modo de administração, e prevê a autotitulação das doses de fármacos administrados de acordo com as necessidades individuais dos pacientes em decorrência da dor e da funcionalidade.

A analgesia proporcionada é melhor quando comparada a outros métodos de administração intermitente de opioides. A intensidade da dor pós-operatória raramente é constante ao longo do tempo, e a ACP permite flexibilizar a administração dos analgésicos com consequente titulação do alívio da dor necessário, mantendo-se dentro de uma faixa terapêutica ("concentração plasmática mínima eficaz ou corredor analgésico")[1] (Figura 117.1).

Os fármacos mais utilizados para ACP são os opioides, anestésicos locais ou a combinação de ambos, e as vias mais comumente utilizadas são a venosa, a espinal e a regional.

O conceito de ACP foi descrito por Sechzer, em 1968,[2] que demonstrou que pequenas doses de opioides administrados pela via venosa promoviam melhor alívio da dor do que as formas tradicionais de administração, com doses fixas e em horários regulares.[3] Ele observou que frente ao estímulo doloroso (procedimento cirúrgico), cada paciente respondia de forma diferente, com um limiar pessoal de excitação da dor, o que influenciava a frequência na demanda dos analgésicos e as doses cumulativas administradas. Na formulação de um dispositivo para infusão dos fármacos com esta finalidade, Sechzer propôs que os seguintes critérios fossem contemplados: administração de soluções analgésicas estéreis e de concentração conhecida, administração de doses fixas e precisas, e aparelhos de fácil padronização e calibração.

O protótipo *"Cardiff Palliater"* (Grabesy Medical LTD, UK) foi o primeiro dispositivo comercializado para ACP. Foi utilizado inicialmente no tratamento das dores crônicas e em ensaios clínicos para a avaliação de doses equianalgésicas de opioides. A utilização em larga escala, e a sua utilização no ambiente pós-operatório só surgiu posteriormente com a introdução e desenvolvimento de equipamentos modernos, mais seguros e projetados para a redução de erros de programação.

Estão disponíveis no mercado, além dos dispositivos eletrônicos, sistemas descartáveis, equipamentos conhecidos como bombas elastoméricas.

▪ EQUIPAMENTOS PARA ACP

Bombas de ACP Programáveis

Inicialmente todos os dispositivos conhecidos foram construídos com sistema de funcionamento eletrônico. Os princípios básicos não se modificaram muito ao longo dos anos, mas com o avanço dos microprocessadores, os dispositivos disponíveis atualmente são menores, mais precisos e com grande flexibilidade de programação da prescrição. Em comum, todos necessitam de insumos próprios descartáveis, como seringas e equipos, sendo que estes se diferenciam dos demais por conter válvulas antirrefluxo para prevenir o deslocamento acidental do fármaco pela linha de administração do agente analgésico.

Nos dispositivos descartáveis não eletrônicos para ACP, o volume do fluxo pressurizado administrado é determina-

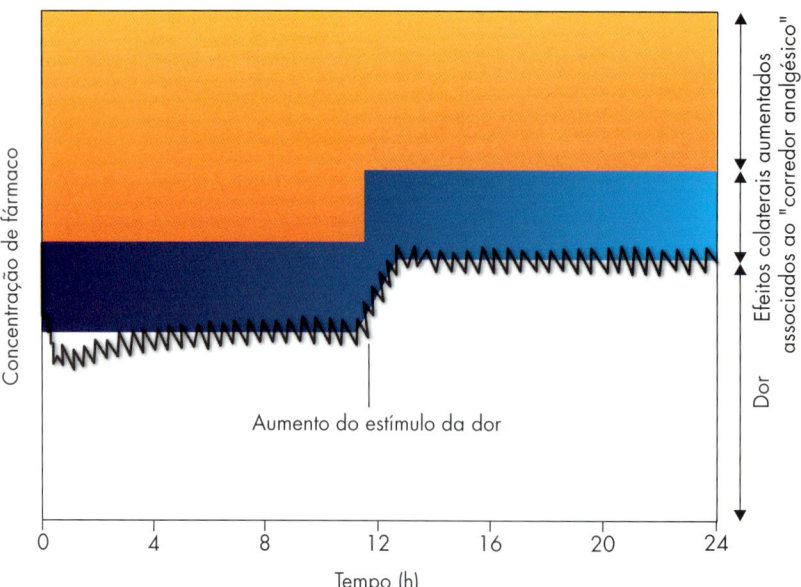

▲**Figura 117.1** ACP tem maior probabilidade de manter concentrações dos opioides no denominado "corredor analgésico" e permite rápida titulação quando ocorrer aumento da excitação da dor, necessitando maior concentração plasmática do opioide desejado para manter a mesma analgesia.

Fonte: Macintyre, 2001.

do pela restrição mecânica ao fluxo, e a velocidade de enchimento do reservatório de bolos determina o intervalo de tempo em minutos para bloqueio da infusão ("*lockout*").[4]

Dentre as vantagens dos dispositivos descartáveis estão a simplicidade de manuseio e facilidade à mobilização do paciente. Sua programação limitada, geralmente com débito e intervalos de bloqueios fixos, pode restringir a sua utilização. A segurança, em teoria, é menor, pois o reservatório contendo a medicação fica mais acessível ao paciente.

Dispositivos para ACP transmucoso (nasal e sublingual) e transdérmico por iontoforese são descritos, mas não estão disponíveis no Brasil.

■ PARÂMETROS AJUSTÁVEIS DA ACP

Dentre as vantagens dos dispositivos eletrônicos estão a flexibilidade de programação e a possibilidade de ajuste das variáveis de utilização ao longo do período de infusão. Os parâmetros de ajuste da programação da ACP devem ser registrados em prescrição própria, otimizando a eficácia e a segurança. Com a finalidade de orientar a escolha dos fármacos e doses administradas pela ACP, descreveremos a seguir o papel dos parâmetros ajustáveis e o racional para as escolhas dos determinados ajustes.

Bolos

A dose dos bolos é a quantidade de analgésico administrada pelo paciente após o acionamento do disparador. As doses dos bolos influenciam a eficácia da ACP, uma vez que, se a dose prescrita pelo médico for insuficiente, não ocorrerá o adequado e esperado alívio da dor; e se a dose for excessiva, poderão ocorrer efeitos adversos, reduzindo a

segurança do método, além de desencorajar a utilização do dispositivo pelo paciente.

A dose ótima dos bolos é aquela que promove analgesia consistente e satisfatória, sem produzir efeitos adversos excessivos ou comprometer a segurança do paciente. Na prática clínica, as doses dos opioides comumente prescritas para pacientes que não utilizam cronicamente opioides são: 1 a 2 mg de morfina; 10 a 20 µg de fentanil, 10 mg de tramadol; e em países onde a hidromorfona está disponível, 0,2 mg. Se a dose ótima não for alcançada, o paciente obtém alívio da dor modificando a frequência da demanda dos bolos.[5]

Em determinados pacientes, a dose total do bolo poderá ser ajustada para mais ou para menos, dependendo da avaliação da dor (escala numérica visual [EVN] e nível do conforto para atividades funcionais) nas horas subsequentes à sua instalação, ou se surgirem efeitos adversos. Etches[6] resume a terapia de ACP em dois termos, quando diz que em ACP "um tamanho não serve em todos" ("*one size fits all*") ou "*set and forget*". Na terapia da dor com ACP, as doses dos bolos devem ser tituladas de acordo com as necessidades individuais de cada paciente. Deve-se ainda levar em consideração para a escolha da dose em bolos inicial, a idade do paciente e a administração prévia de opioides. Pacientes tolerantes aos opioides geralmente necessitam maiores doses dos bolos.

Intervalo de Bloqueio ("*Lockout Interval*")

Intervalo de bloqueio é o tempo que decorre após o término dos bolos até que seja possível a administração de uma nova dose, período no qual o dispositivo não libera novas doses, a despeito da quantidade de vezes que o disparador foi acionado. O intervalo do bloqueio deve permitir que o paciente experimente o efeito máximo da dose de bolo antes que uma próxima dose possa ser administrada, minimizando a ocorrência de efeitos adversos e aumentando a segurança do método. O intervalo de bloqueio varia com o opioide escolhido pelo médico; na utilização de morfina na ACP venosa, comumente são administrados em intervalos de bloqueio de 10 minutos (podendo variar de 6 a 15 minutos); para o fentanil, utiliza-se geralmente intervalo do bloqueio de 5 a 8 minutos. A via de administração utilizada influencia a taxa de receptação do fármaco, portanto, se outras vias que não a venosa forem utilizadas, os intervalos de bloqueio deverão ser mais longos.[7]

Os pacientes sempre devem ser orientados de que o intervalo de bloqueio corresponde àquele onde uma nova dose de analgésico pode ser administrada, se necessário. Na prática clínica, demandas muito frequentes sem efeitos adversos significam analgesia inadequada, e devem ser reavaliadas e novas doses devem ser prescritas acrescentando 25% da dose atual.

Dose de Carga (*Loading Dose*)

A dose de carga é a dose inicial necessária para obtenção de analgesia, e pode ser descrita pela MEAC ou concentração analgésica eficaz mínima "*Minimum Effective Analgesic Concentration*". Embora seja permitida a programação de dose de carga no dispositivo de ACP, dificilmente se obtém analgesia eficaz rapidamente com uma dose fixa determinada. Portanto, para iniciar a infusão pelo ACP, recomenda-se a administração de opioides pelo médico em doses adequadas, titulando de forma individual a analgesia até obter alívio da dor.[8]

Infusão Basal (*Background Infusion*)

A instalação rotineira de uma infusão venosa contínua basal de opioides na ACP não é recomendada, uma vez que esta prática resulta em maior consumo de opioides, maior risco de ocorrência de efeitos adversos graves, como depressão respiratória, além de não melhorar a eficácia da analgesia.[5,9]

A utilização de infusão contínua durante o período noturno não melhora o padrão do sono, nem faz com que o paciente acorde sem dor.[10] A associação de infusão basal contínua quando se utiliza ACP venosa em bolos, deve ser reservada aos pacientes tolerantes, em substituição à sua terapia basal durante o período de internação ou quando se conhece o requerimento de opioides em pacientes que já estão em regime de infusão de fármacos opioides.

Limites das Quantidades das Doses em 1 ou 4 horas

Os dispositivos eletrônicos possibilitam a programação do número de doses permitidas em períodos de 1 hora ou 4 horas, com o objetivo de aumentar a segurança decorrente dos efeitos da administração dos diferentes opioides. Entretanto, não existe método capaz de determinar a concentração plasmática que poderá resultar na ocorrência de efeitos indesejáveis. Espera-se, contudo, grande variação do consumo de opioides pelos pacientes.[1]

■ PREPARAÇÃO PARA INSTALAÇÃO DA ACP

Educação do Paciente e Equipe

A educação e o treinamento de toda a equipe envolvida na utilização da ACP são fundamentais para a segurança e eficácia do método. A presença de um serviço de tratamento da dor aguda pós-operatória cursa com 50% de redução na intensidade relatada de dor moderada a intensa com a adoção da ACP, e os pacientes referem mais satisfação e poucos efeitos adversos.[11]

Para se obter os máximos benefícios do método de ACP, os pacientes devem receber instruções sobre a técnica, preferencialmente antes da cirurgia. Uma orientação ineficaz e/ou a falta de orientação podem gerar riscos desnecessários a cerca da utilização de opioides e desencorajar a utilização do método. Estudo realizado por Chumbley e colaboradores demonstrou que 22% dos pacientes tinham medo de adição relacionada à utilização da ACP, 30% relataram preocupação quanto à overdose e 43% não haviam recebido orientação alguma no período pré-operatório.[13,14]

Prescrições e Procedimentos de Enfermagem e Protocolos Institucionais

A seleção das técnicas de controle da dor são apropriadas para cada caso individualmente de acordo com a patologia da dor, da doença do paciente e comorbidades encontradas. A cooperação com outros serviços envolvidos no atendimento, como enfermeiros, farmacêuticos, fisioterapeutas, psicólogos, nutricionistas e colaboradores da tecnologia de informação, promove relações técnicas e assistenciais para o aceleramento dos resultados dos tratamentos.[11,15,16]

Monitorização

Tradicionalmente, monitora-se a frequência respiratória dos pacientes durante a terapia com opioides, e utiliza-se este parâmetro como indicador de depressão respiratória. Uma frequência respiratória normal pode coexistir, entretanto, com acidemia, sendo que o decréscimo na frequência respiratória ocorre como sinal tardio e não confiável de depressão respiratória.[17,18,19] Em estudo realizado em 2005, descreveram que dentre 29 pacientes, apenas 3 apresentaram queda na frequência respiratória antes da instalação depressão respiratória, enquanto 27 destes apresentaram sonolência e sedação progressiva, tornando-se indicadores precoces mais fidedignos de depressão respiratória e que podem ser monitorados através de simples escalas de sedação.

A monitorização regular da saturação de oxigênio é recomendável, entretanto, a leitura de uma oximetria normal em pacientes recebendo suplementação de oxigênio não é um parâmetro fidedigno de função respiratória normal, não devendo ser utilizada como parâmetro único de avaliação.[17]

■ FATORES PSICOLÓGICOS ASSOCIADOS À UTILIZAÇÃO DA ACP

A analgesia controlada pelo paciente permite a autoadministração de medicações para o alívio da dor, dando a eles um controle de um aspecto importante do seu cuidado durante um período em que há muito pouco controle sobre outros aspectos de suas vidas. Egan e Ready[20] demonstraram que os pacientes em período pós-operatório apresentavam alto índice de satisfação com a utilização da ACP. Dentre os descritores relatados relacionados à satisfação com o método estão: controle pessoal sobre o alívio da dor, rápido funcionamento, preparo antecipado das soluções analgésicas e administradas rapidamente pelos enfermeiros.[12,20-22] Ainda, a sensação de controle correlacionou-se com menores escores de dor.[12,23] Em contraste, alguns autores demonstraram que uma parcela dos pacientes permanecem desconfortáveis em ter a responsabilidade do seu próprio controle de dor.[24]

A ansiedade também afeta a utilização da ACP, correlacionando-se a maior solicitação de analgésicos e maior intensidade de dor relatada nas escalas de avaliação.[25-28]

EFICÁCIA DA ACP PELA VIA VENOSA

Os estudos recentes sustentam achados da eficácia da ACP por via venosa quando comparada à administração de morfina por via intramuscular.[29,30]

A administração de morfina produz resultados satisfatórios quando a população dos enfermeiros é adequada para atender a demanda das doses intermitentes prescritas pela equipe médica; nestes casos, a ACP não produz vantagens.[31-36] Entretanto, a via venosa, demonstrada em metanálise recente, pode ser vantajosa após 48h no período pós-operatório após procedimetno cirúrgico cardíaco. A analgesia controlada pelo paciente por via venosa é menos eficaz quando comparada à analgesia peridural contínua.[37-39]

O consumo de opioides pode ser menor entre os diferentes modelos de prescrição da ACP,[29] porém há estudos que não relacionam efeitos adversos e nem consumo menor de opioide.[40,41]

DIFERENTES OPIOIDES UTILIZADOS EM ACP POR VIA VENOSA

A morfina é o opioide mais utilizado na ACP por via venosa e, via de regra, os opioides de ação curta (remifentanil, alfentanil) não são recomendados no controle da dor pós-operatória. A utilização de meperidina para ACP não é recomendada, pelo risco de efeitos adversos decorrentes do acúmulo de metabólitos (normeperidina) e síndrome serotoninérgica.[42-44]

Os opioides mais utilizados no Brasil, quando a ACP venosa é o método de escolha, são a morfina, o fentanil e o tramadol. A eficácia da utilização dos opioides tem sido demonstrada através de estudos controlados,[45-59] sendo que há pouca diferença na eficacia entre os diferentes opioides.[45-59]

A resposta ao alívio das dores aos opioides é individual para cada paciente, entre os diferentes opioides.

O polimorfismo genético do receptor opioide μ pode influenciar a eficácia da ACP. O polimorfismo do nucleotídeo de posição 118 do receptor opioide μ tem sido associado a maior consumo de morfina no período pós-operatório.[60,61] Polimorfismo em outros genes, responsáveis pela codificação do metabolismo da morfina e transporte através da barreira hematoencefálica, também tem sido descrito, e influencia a eficácia da morfina.[62] Pacientes com ausência da atividade da enzima CYP2D6 apresentam analgesia insatisfatória ao tramadol comparados àqueles com atividade enzimática normal.[63]

OUTRAS VIAS DE ADMINISTRAÇÃO PARA ACP

Outras vias como subcutânea, oral, intranasal e transdérmica são descritas para a utilização da ACP.[64-71] A via subcutânea cursa com maior utilização de opioides,[64,65,72] além de maior incidência de náuseas e vômitos.[72]

A ACP administrada por via transdérmica iontoforética utiliza-se de da administração de fentanil. A tecnologia iontoforética permite a administração do fentanil na forma ionizada, e se utiliza de uma corrente elétrica, guiada por um dispositivo em contato com a pele, sendo que ao retirar o dispositivo da pele, não há resíduo de fármaco por ausência de reservatório, diferente do adesivo de fentanil por via transdérmica, utilizado no tratamento das dores crônicas. A dose de 40 mcg de fentanil promove analgesia semelhante à de 1 mg de morfina endovenosa.[73,74]

A ACP intranasal oferece a vantagem da administração livre de agulhas. O fentanil é o opioide de escolha para este método, pois possui alta lipossolubilidade e biodisponibilidade, baixo peso molecular, além de ser um opioide potente.[68,75]

EFICÁCIA DA ADIÇÃO DE OUTROS FÁRMACOS NA ACP

A associação de fármacos não opioides na ACP visa reduzir os efeitos adversos dos opioides e/ou melhorar a qualidade da analgesia.

A adição de cetamina à ACP, utilizando-se uma via de infusão separada, ou em adição à ACP, reduz o consumo de morfina nas primeiras 24h do período pós-operatório, bem como a incidência de náuseas e vômitos, segundo revisão da Cochrane de Bell e de colaboradores.[76] As doses descritas na utilização variaram de 0,5 a 2 mg para cada dose administrada em bolos.

A associação de microdoses de naloxona à ACP (0,6 mcg de naloxona para 1 mg de morfina) cursa com menor incidência de náuseas e prurido, sem alterar o consumo de morfina.[77]

A associação de magnésio na ACP cursa com efeito poupador de opioides ("opioid sparing"), mas o efeito de melhor alívio da dor parece ocorrer somente nas duas primeiras horas.[78,79]

A associação de lidocaína não apresenta vantagens em relação à analgesia e cursa com maior intensidade de sedação.[80]

Analgesia *Step Down*

Recomenda-se que as doses de opioide prescritas por via oral, após a suspensão da ACP, são parametrizadas em relação ao consumo de opioides nas últimas 24 horas antes da retirada da ACP.[17] Pacientes utilizando altas doses de opioide na ACP cursam com maior necessidade de reinstalação da ACP por controle inadequado da dor.[81]

ACP em Grupos Específicos

A ACP é um método flexível de analgesia, permitindo ampla variação nas doses dos opioides utilizados. Entretanto, grupos específicos, como o pediátrico, idosos, pacientes tolerantes a opioides, incluindo pacientes com história de abuso de álcool e drogas, e pacientes portadores de apneia obstrutiva do sono merecem atenção especial e dirigida.[82]

A prevalência de apneia obstrutiva do sono é alta e pode chegar a 20% nos adultos, sendo muitos casos não diagnosticados. Nos pacientes com apneia obstrutiva do sono, e nos obesos, recomenda-se evitar a infusão basal contínua de opioides, além de evitar a prescrição concomitante de sedativos.[83,84] A monitorização destes pacientes é essencial, e se necessário deve-se reduzir a dose total dos opioides.

A utilização de ACP em obesidade mórbida, que frequentemente cursa com apneia obstrutiva do sono, parece ser segura e eficaz, quando se utiliza ACP apenas por ou bolos (modo *"only"*).[85,86]

■ EVENTOS ADVERSOS DA UTILIZAÇÃO DA ACP

Em geral, as complicações associadas à utilização de ACP são decorrentes de erros do programador, da utilização pelo paciente ou decorrentes de problemas no equipamento.[8]

Dados americanos que avaliaram 5.377 erros reportados com a utilização da ACP, observaram que os erros mais comuns foram relacionados com doses inadequadas, prescrição da concentração da solução, técnica de administração, preparo da solução e troca da via de administração.[87]

Estudo prospectivo que relacionou 4.000 pacientes no período pós-operatório encontrou nove casos com depressão respiratória. Todos foram associados às interações medicamentosas, a associação de infusão basal, a analgesia controlada pela enfermagem, e a utilização inapropriada da ACP pelos pacientes.[88]

Os erros de programação são responsáveis por cerca de 30% dos eventos adversos associados à utilização da ACP. Segundo Vicente e colaboradores, a mortalidade decorrente dos erros de programaçãol com base nos dados do FDA (*Food and Drug Administration*),[89] que avaliou 22 milhões de casos, foi baixa; cerca de 1 para 338 mil casos.[90] Dos eventos fatais, utilizou-se a frequência respiratória como variável de monitorização da depressão respiratória, ou encontrou-se erros de programação da concentração do fármaco, que resultou em administração inadvertida de altas doses de opioides. Tais fatos atentam para a importância da normatização das concentrações de fármacos em prescrições-padrão, evitando a ocorrência de tais erros.[89]

Algumas empresas dos dispositivos de ACP desenvolveram sistemas que visam a redução dos erros, através de *softwares* internos que alertam o programador para doses inapropriadas, através de limites predefinidos.[89]

Seleção dos Pacientes e Uso Inapropriado de Outras Medicações

A adequada seleção dos pacientes visa não só a compreensão do método acerca da técnica e habilidade cognitiva. Deve-se atentar para a idade, a presença de doenças de base que possam interferir na farmacodinâmica dos fármacos utilizados, como a presença de insuficiência renal.[91]

A administração de opioides suplementares por outras vias, além de agentes depressores do SNC (como benzodia-

zepínicos e anti-histamínicos), podem comprometer a segurança do método, por elevar os riscos de eventos adversos, como depressão respiratória.[82,92-95]

■ EVENTOS ADVERSOS RELACIONADOS AOS PACIENTES E FAMILIARES

A maioria dos pacientes é capaz de compreender o manejo da ACP após as instruções iniciais; entretanto, uma parcela deles merecem maior atenção. É possível ocorrer confusão entre o disparador da ACP e o dispositivo de chamada do enfermeiro;[93,96] assim como os idosos e pacientes portadores de incapacidade física podem apresentar dificuldade para acionar o dispositivo.

A utilização do disparador pela família, acompanhante ou equipe de enfermagem aumenta o risco de depressão respiratória.[92-102]

■ PROBLEMAS RELACIONADOS AO EQUIPAMENTO

Em geral, os dispositivos modernos são cada vez mais seguros e confiáveis, entretanto, erros relacionados à falha do equipamento são descritos. Erros na programação do *software*, com alteração na programação, e consequente administração inadequada dos fármacos, já foram descritos nos dispositivos mais antigos.[94]

Um dos problemas descritos inicialmente com a utilização da ACP foi a ocorrência de fluxo retrógrado de opioide através da linha intravenosa, com consequências graves. Em 1979, uma válvula antirrefluxo foi desenvolvida[103] e, posteriormente, foram incorporadas válvulas antissifão, evitando que grandes quantidades de opioides fossem administradas pela linha endovenosa inadvertidamente.[104,105]

■ PROBLEMAS RELACIONADOS À UTILIZAÇÃO DE OPIOIDES NA ACP

A incidência dos efeitos adversos com a utilização dos opioides pela ACP é similar à dos opioides administrados convencionalmente.[30,40]

A incidência de depressão respiratória associada à utilização da ACP é variável devido a uma ausência de definição precisa, sendo utilizado para sua detecção indicadores como hipercarbia, frequência respiratória, baixa saturação de oxigênio e utilização de naloxona. Casman e Dolin descrevem incidência estimada de depressão respiratória variando de 1,2 a 11,5%;[106] Shapiro e colaboradores observaram incidência de 1,86% de depressão respiratória.[18]

Dentre os fatores de risco para depressão respiratória estão: uso de infusão contínua na ACP, administração de sedativos ou opioides em conjunto com a ACP, pacientes idosos e distúrbio hemodinâmico.[6,99,92,97]

A associação de anti-inflamatórios não hormonais (AINH), quando possível, reduz o consumo de opioides na ACP e a incidência de náuseas, vômitos e sedação.[107]

Duas metanálises não observaram diferenças na incidência de náuseas e vômitos quando compararam ACP com outros métodos de administração de opioides.[30,40] A incidência de náuseas e vômitos é dose- dependente,[107,108] e seu risco pode ser reduzido através da associação de antieméticos. Por via espinhal pode ocorrer náuseas e vômitos em decorrência da propagação rostral do medicamento no líquido cefalorraquidiano em direção ao tronco cerebral, ou por absorção vascular, estimulando o centro do vômito e a zona de gatilho.[33]

Tramer e Walder observaram que a adição de droperidol (0,625 a 1,25 mg) à ACP cursa com menor consumo de opioides, menor incidência de náuseas e vômitos. Entretanto, há presença de efeitos adversos.[109] Além do droperidol, outros fármacos associados à ACP foram descritos, como difenidramina, ondansetrona, prometazina e naloxona; entretanto, a prática de adição de antieméticos à ACP é controversa, e pode aumentar o risco de efeitos adversos, e não são recomendadas de rotina, devendo-se avaliar o custo-benefício.

A incidência de prurido é significativamente maior nos pacientes utilizando ACP quando comparada às outras vias de administração.[30,110]

O mecanismo do prurido relacionado à utilização dos opioides não está completamente esclarecido. A administração de naloxona, um antagonista do receptor opioide mu (μ), reverte o prurido relacionado à utilização de opioides, indicando um possível mecanismo mediado por tal receptor.[111] A ocorrência de prurido é maior quando se utiliza morfina quando comparada à utilização de fentanil ou hidromorfona.

Uma revisão sistemática realizada por Kjellberg e Tramer demonstrou que a associação de naloxona, naltrexona, nalbufina e droperidol foi eficaz na prevenção de prurido induzido pela utilização de opioides. Tal efeito não foi observado com a utilização de propofol, ondansetrona, clonidina peridural ou hidroxizina. Outro estudo não observou benefício da associação de naloxona à PCA visando a redução na incidência de prurido.[112] Quando ocorre, o prurido deve ser tratado de acordo com a sua intensidade, utilizando-se difenidramina (12,5 a 25 mg). A utilização de naloxona (0,04 a 0,08 mg) deve ser reservada nos casos de difícil controle do sintoma, podendo ser administrada por infusão contínua de aproximadamente 100 µg.h^{-1}.[113]

Não há diferença da incidência de retenção urinária quando a ACP é comparada aos outros métodos de administração sistêmica de opioides.[30,110] A frequência de retenção urinária é mais comum no período pós-operatório de cirurgias gerais e ortopédicas.[45]

ACP POR VIA PERIDURAL

A ACP via peridural proporciona um rápido alívio da dor e reduz a exposição sistêmica aos opioides. A utilização da ACP peridural está associada à redução do risco de mortalidade pós-operatória, tromboembolismo venoso, infarto do miocárdio, pneumonia, depressão respiratória, e menor duração do íleo quando comparada à administração sistêmica de opioides,[114] além de maior satisfação do paciente, por reabilitação e alta hospitalar precoces.[115,116]

Portanto, a analgesia por via peridural, como alternativa ao manejo da dor pós-operatória, deve ser considerada, especialmente nos pacientes submetidos a procedimentos torácicos e abdominais de grande porte, e particularmente pacientes com risco para complicações cardiológicas e/ou pulmonares, ou íleo prolongado.[114] Pacientes que experimentaram dor de forte intensidade em procedimentos cirúrgicos anteriores também se beneficiam da utilização da ACP peridural.

Opioides associados aos anestésicos locais são agentes utilizados frequentemente para analgesia por via peridural; entretanto, quando há relatos de intolerância aos opioides, os anestésicos locais administrados isoladamente produzem boa qualidade do alívio das dores. A utilização de anestésicos locais na ACP peridural (combinados ou não aos opioides) estão associados a menor intensidade de dor. Os opioides administrados por via peridural conferem maior potência analgésica em relação às equivalentes doses administradas por via parenteral.[117] A utilização de anestésico local por via peridural está associada à ocorrência de hipotensão, bloqueio motor e retenção urinária.[117]

Vários estudos demonstram a segurança e eficácia da utlização da ACP peridural no período pós-operatório.[118,119]

Fármacos adjuvantes como alfa-2 agonistas (clonidina), podem ser utilizados por via peridural em associação aos opioides e anestésicos locais. A utilização de adjuvantes reduz o consumo de opioides, e consequentemente a ocorrência de efeitos adversos relacionados à sua utilização, com objetivo de melhorar a qualidade da analgesia pós-operatória.[120-125]

Os efeitos adversos mais frequentemente observados com a utilização de ACP peridural são: hipotensão arterial sistêmica, bloqueio motor, prurido, náuseas, vômitos. Os fatores de risco para depressão respiratória são comuns aos fatores já mencionados anteriormente com a utilização de opioides pela via endovenosa, como idade avançada, obesidade, presença de apneia do sono e uso concomitante de sedativos e/ou opioides por outras vias de administração. A depressão respiratória que ocorre com a utilização de opioides pela via peridural se deve à propagação rostral para o centro respiratório, e pode ocorrer desde as primeiras horas após a infusão e continuar tardiamente após a administração do fármaco, como a morfina.

A utilização de ACP peridural requer monitorização e vigilância. Além da avaliação quanto à eficácia da analgesia e dos efeitos adversos, nos pacientes com cateter peridural deve-se ficar atento aos sinais sugestivos de infecção local e/ou sinais neurológicos sugestivos de hematoma peridural.

Prescrição de ACP Peridural

As prescrições e soluções utilizadas para ACP peridural variam de acordo com cada instituição. Preferencialmente, a ACP peridural deve ser iniciada/instalada antes do término do procedimento cirúrgico. São fatores que influenciam a prescrição analgésica na peridural: tipo de cirurgia, extensão e área do procedimento cirúrgico, e experiências passadas com a administração de opioides.[117,118,126-131]

As Tabelas 117.1 e 117.2 mostram, respectivamente, o tipo de solução analgésica e regime de infusão para ACP peridural.

ACP REGIONAL

A ACP regional engloba uma variedade de técnicas que propiciam alívio da dor no período pós-operatório com infusão de anestésico local com ou sem adjuvantes, evitando a exposição sistêmica aos opioides.

A utilização de analgesia por via regional vem ganhando popularidade com o advento da punção guiada por ultrassonografia, sendo especialmente vantajosa por facilitar a recuperação e permitir alta precoce.[132] Pequenas doses de anestésico local, comumente ropivacaína, levobupivacaína ou bupivacaína, são administradas com ou sem a presença de cateteres.[133]

Para a finalidade de ACP através de analgesia regional, podem ser utilizadas bombas elastoméricas ou dispositivos eletrônicos, semelhantes aos utilizados na ACP por outras vias de administração (venosa ou peridural, por exemplo).[133]

O cateter para analgesia pode ser locado diretamente na incisão cirúrgica, intra-articular, perineural ou interfascial.

Dentre as vantagens deste tipo de analgesia estão a ação local e a possibilidade de eliminar ou minimizar a utilização de opioide pela via sistêmica, reduzindo assim os efeitos adversos. Tais benefícios são importantes nas populações de risco, como idosos, pacientes que não toleram a utilização sistêmica de opioides, ou quando a utilização deles está contraindicada. [134,135]

São bloqueios perineurais frequentemente utilizados no período pós-operatório: bloqueio do plexo braquial, do nervo isquiático, do nervo femoral, do nervo safeno no nível do canal do adutor, interfacial, eretores da espinha dorsal ou lombar, plexo lombar, entre outros. Para a analgesia perineural, utilizam-se comumente anestésicos locais por infusão contínua associada aos bolos (dose de demanda).[132] A ropivacaína, na concentração de 0,2%, é amplamente utilizada para analgesia regional; na prescrição de ACP geralmente se utilizam volumes de 5 a 10 mL/hora, doses dos bolos de 2 a 5 mL, e intervalos de bloqueio de 20 a 60 minutos.[136-141]

ACP INTRANASAL

É administrado sob a forma de pó seco, solução de água salina, *spray* nasal, conta gotas ou inalador.[142]

Além da administração livre de agulha, não tem a primeira passagem pelo fígado. Devido à excelente vascularização da mucosa nasal, a absorção é rápida, promovendo adequado nível plasmático do fármaco.[143] O fentanil é o fármaco mais administrado por apresentar alta solubilidade lipídica, baixo peso molecular e alta potência; características que favorecem seu uso.[144,145] Para uso no período pós-operátorio, o fármaco é entregue com o uso de uma bomba, com adaptação para uso intranasal. A dose utilizada é 2 mcg.kg^{-1} a cada 6 minutos. Não está disponível no Brasil.[67,146,147]

Tabela 117.1 Tipo de solução para ACP.

Solução analgésica peridural fentanil – 4 µg.mL^{-1} levobupivacaína com vaso – 0,5 mg.mL^{-1}	
levobupivacaina 0,5% (com vasoconstritor)	25 mL
fentanil (50 µg.mL^{-1})	20 mL
SF 0,9%	205 mL
Volume Total	200 mL

Tabela 117.2 Um regime de infusão de ACP peridural.

Tórax	Abdome superior	Abdome inferior	Quadril
Punção T$_5$-T$_8$	Punção T$_5$-T$_9$	Punção T$_{11}$-L$_2$	Punção L$_2$ a L$_4$
Contínuo 3 a 4 mL.h^{-1}	Contínuo 3 a 5 mL.h^{-1}	Contínuo 3 a 4 mL.h^{-1}	Contínuo 3 a 4 mL.h^{-1}
Bolos – 3 ML	Bolos – 3 a 4 mL	Bolos – 3 a 4 mL	Bolos – 2 a 3 mL
Intervalo 12 a 15 min	Intervalo 12 a 15 min	Intervalo 12 min	Intervalo 12 a 15 min

REFERÊNCIAS

1. Macintyre PE. Safety and efficacy of patient-controlled analgesia. Br J Anaesth. 2001;87(1):36-46.
2. Sechzer PH. Objective measurement of pain. Anesthesiology. 1968;29:209-10.
3. Roe BB. Are postoperative narcotics necessary? Arch Surg. 1963;87:912-5.
4. Skryabina EA, Dunn TS. Disposable infusion pumps. Am J Health Syst Pharm. 2006;63(13):1260-8.
5. Owen H, Plummer JL, Armstrong I, Mather LE, Cousins MJ. Variables of patient-controlled analgesia. Bolus size. Anaesthesia. 1989; 44(1):7-10.
6. Etches RC. Patient-controlled analgesia. Surg Clin North Am. 1999;79(2):297-312.
7. Ginsberg B, Gil KM, Muir M, Sullivan F, Williams DA, Glass PS. The influence of lockout intervals and drug selection on patient-controlled analgesia following gynecological surgery. Pain. 1995;62(1):95-100.
8. Mcintyre PE, Schug SA. Acute pain management: a practical guide. Fourth ed. CRC Press; 2014. 287, p. cap 8: Patient- controlled analgesia. p. 115-134.
9. Dal D, Kanbak M, Caglar M, Aypar U. A background infusion of morphine does not enhance postoperative analgesia after cardiac surgery. Can J Anaesth. 2003;50(5):476-9.
10. Parker RK, Holtmann B, White PF. Effects of a nighttime opioid infusion with PCA therapy on patient comfort and analgesic requirements after abdominal hysterectomy. Anesthesiology. 1992;76(3):362-7.
11. Coleman SA, Booker-Milburn J. Audit of postoperative pain control. Influence of a dedicated acute pain nurse. Anaesthesia. 1996;51:1093-6.
12. Chumbley GM, Hall GM, Salmon P. Patient-controlled analgesia: an assessment by 200 patients. Anaesthesia. 1998;53:216-21.
13. Chumbley GM, Hall GM, Salmon P. Patient-controlled analgesia: what information does the patient wnat? Journal of Advanced Nursing. 2002;39:459-71.
14. Chumbley GM, Ward L, Hall GM, Salmon P. Pre-operative information and patient-controlled analgesia: much ado about nothing. Anaesthesia. 2004;59:354-8.
15. Stacey BR, Rudy TE, Nelhaus D. Management of patient-controlled analgesia: a comparison of primary surgeons and a dedicated pain service. Anesth Analg. 1997;85(1):130-4.
16. Momeni M, Crucitti M, De Kock M. Patient-controlled analgesia in the management of postoperative pain. Drugs. 2006;66(18):2321-37.

17. Macintyre PE, Schug SA. Acute pain management: a practical guide. 3rd edn. London: Elsevier; 2007.

18. Shapiro A, Zohar E, Zaslansky R, Hoppenstein D, Shabat S, Fredman B. The frequency and timing of respiratory depression in 1524 postoperative patients treated with systemic or neuraxial morphine. J Clin Anesth. 2005 Nov;17(7):537-42.

19. Vila Jr H, Smith RA, Auguaryniak MJ, Nagi PA, Soto RG, Ross TW, et al. The efficacy and safety of pain management before and after implementation of hospital-wide pain management standards: is patient safety compromised by treatment based solely on numerical pain ratings? Anesth Analg. 2005;101(2):474-80.

20. Egan KJ, Ready LB. Patient satisfaction with intravenous PCA or epidural morphine. Canadian Journal of Anaesthesia. 1994;41:6-11.

21. Salmon P, Hall GM. PCA: patient-controlled analgesia or politically correct analgesia? British Journal of Anaesthesia. 2001;87:815-18.

22. Kluger MT, Owen H. Patients1 expectations of patient-controlled analgesia. Anaesthesia. 1990;45:1072-4.

23. Pellino TA, Ward SE. Perceived control mediates the relationship between painseverity and patient satisfaction. Journal of Pain and Symptom Management. 1998;15:110-16.

24. Taylor NM, Hall GM, Salmon P. Patients' experiences of patient-controlled analgesia. Anaesthesia. 1996;51:525-8.

25. Thomas V, Heath M, Rose D, Flory P. Psychological characteristics and the effectiveness of patient- controlled analgesia. British Journal of Anaesthesia. 1995;74:271-6.

26. Gil KM, Ginsberg B, Muir M, et al. Patient-controlled analgesia in postoperative pain: the relation of psychological factors to pain and analgesic use. Clinical Journal of Pain. 1990;6:137-42.

27. Perry F, Parker RK, White PF, Clifford PA. Role of psychological factors in postoperative pain control and recovery with patient-controlled analgesia. Clinical Journal of Pain. 1994;10:57-63; discussion 82-5.

28. Ozalp G, Sarioglu R, Tuncel G, et al. Preoperative emotional states in patients with breast cancer and postoperative pain. Acta Anaesthesiologica Scandinavica. 2003;47:26-9.

29. Ballantyne JC, Carr DB, Chalmers TC, Dear KB, Angelillo IF, Mosteller F. Postoperative patient- controlled analgesia: meta-analyses of initial randomized control trials. J Clin Anesth. 1993;5(3):182-93.

30. Hudcova J, McNicol E, Quah C, et al. Patient controlled intravenous opioid analgesia versus conventional opioid analgesia for postoperative pain control; a quantitative systematic review. Acute Pain. 2005;7:115-32.

31. Evans E, Turley N, Robinson N, Clancy M. Randomised controlled trial of patient controlled analgesia compared with nurse delivered analgesia in an emergency department. Emergency Medicine Journal. 2005;22:25-9.

32. Choiniere M, Rittenhouse BE, Perreault S, et al. Efficacy and costs of patient-controlled analgesia versus regularly administered intramuscular opioid therapy. Anesthesiology. 1998;89:1377-88.

33. Munro AJ, Long GT, Sleigh JW. Nurse-administered subcutaneous morphine is a satisfactory alternative to intravenous patient-controlled analgesia morphine after cardiac surgery. Anesthesia and Analgesia. 1998;87:11-15.

34. Tsang J, Brush B. Patient-controlled analgesia in postoperative cardiac surgery. Anaesthesia and Intensive Care. 1999;28:464-70.

35. Myles PS, Buckland MR, Cannon GB, et al. Comparison of patient-controlled analgesia and nurse- controlled infusion analgesia after cardiac surgery. Anaesthesia and Intensive Care. 1994;22:672-8.

36. Lehmann KA. Recent developments in patient-controlled analgesia. Journal of Pain and Symptom Management. 2005;29:S72-89.

37. Werawatganon T, Charuluxanun S. Patient controlled intravenous opioid analgesia versus continuous epidural analgesia for pain after intra-abdominal surgery. Cochrane Database Syst Rev. 2005 Jan 25; (1):CD004088.

38. Wu CL, Cohen SR, Richman JM, Rowlingson AJ, Courpas GE, Cheung K, et al. Efficacy of postoperative patient-controlled and continuous infusion epidural analgesia versus intravenous patient- controlled analgesia with opioids: a meta-analysis. Anesthesiology. 2005;103(5):1079-88; quiz 1109-10.

39. Lebovits AH, Zenetos P, O'Neill DK, et al. Satisfaction with epidural and intravenous patient-controlled analgesia.Pain Medicine. 2001;2:280-6.

40. Walder B, Schafer M, Henzi I, Tramèr MR. Efficacy and safety of patient-controlled opioid analgesia for acute postoperative pain, A quantitative systematic review. Acta Anaesthesiol Scand. 2001;45(7):795-804.

41. Bainbridge D, Martin JE, Cheng DC. Patient-controlled versus nurse-controlled analgesia after cardiac surgery - a meta-analysis. Can J Anaesth. 2006;53(5):492-9.

42. Latta KS, Ginsberg B, Barkin RL. Meperidine: a critical review. Am J Ther. 2002;9(1):53-68.

43. Simopoulos TT, Smith HS, Peeters-Asdourian C, Stevens DS. Use of meperidine in patient-controlled analgesia and the development of a noormeperidine toxic reaction. Archives of Surgery. 2002;137:84-8.

44. Stone PA, Macintyre PE, Jarvis DA. Norpethidine toxicity and patient controlled analgesia. British Journal of Anaesthesia. 1993;71:738-40.

45. Rapp SE, Egan KJ, Ross BK, Wild LM, Terman GW, Ching JM. A multidimensional comparison of morphine and hydromorphone patient-controlled analgesia. Anesth Analg. 1996;82(5):1043-8.

46. Pang WW, Mok MS, Lin CH, et al. Comparison of patient-controlled analgesia (PCA) with tramadol or morphine. Canadian Journal of Anaesthesia. 1999;46:1030-5.

47. Plummer JL, Owen H, Ilsley AH, Inglis S. Morphine patient-controlled analgesia is superior to meperidine patient-controlled analgesia for postoperative pain. Anesthesia and Analgesia. 1997;84:794-9.

48. Sinatra R, Chung KS, Silverman DG, et al. An evaluation of morphine and oxymorphone administered via patient-controlled analgesia (PCA) or PCA plus basal infusion in postcesarean-delivery patients. Anesthesiology. 1989;71:502-7.

49. Stanley G, Appadu B, Mead M, Rowbotham DJ. Dose requirements, efficacy and side effects of morphine and pethidine delivered by patient-controlled analgesia after gynaecological surgery. British Journal of Anaesthesia. 1996;76:484-6.

50. Woodhouve A, Hobbes AF, Mather LE, Gibson M. A comparison of morphine, pethidine and fentanyl in the postsurgical patient-controlled analgesia environment. Pain. 1996;64:115-21.

51. Woodhouse A, Ward ME, Mather LE. Intra-subject variability in post-operative patient-controlled analgesia (PCA): is the patient equally satisfied with morphine, pethidine and fentanyl? Pain. 1999;80:545-53.

52. Howell PR, Gambling DR, Pavy T, et al. Patient-controlled analgesia following caesarean section under general anaesthesia: a comparison of fentanyl with morphine. Canadian Journal of Anaesthesia. 1995;42:41-5.

53. Kucukemre F, Kunt N, Kaygusuz K, et al. Remifentanil compared with morphine for postoperative patient-controlled analgesia after major abdominal surgery: a randomized controlled trial. European Journal of Anaesthesiology. 2005;22:378-85.

54. Gurbet A, Goren S, Sahin S, et al. Comparison of analgesic effects of morphine, fentanyl, and remifentanyl with intravenous patient-controlled analgesia after cardiac surgery. Journal of Cardiothoracic and Vascular Anesthesia. 2004;18:755-8.

55. Bahar M, Rosen M, Vickers MD. Self-administered nalbuphine, morphine and pethidine. Comparison, by intravenous route, following cholecystectomy. Anaesthesia. 1985;40:529-32.

56. Sinatra RS, Lodge K, Sibert K, et al. A comparison of morphine, meperidine, and oxymorphone as utilized in patient-controlled analgesia following cesarean delivery. Anesthesiology. 1989;70:585-90.

57. Dopfmer UR, Schenk MR, Kuscic D, et al. A randomized controlled double-blind trial comparing piritramide and morphine for analgesia after hysterectomy. European Journal of Anaesthesiology. 2001;18:389-93.

58. Erolcay H, Yuceyar L. Intravenous patient-controlled analgesia after thoracotomy: a comparison of morphine wirh tramadol. European Journal of Anaesthesiology. 2003;20:141-6.

59. Silvasti M, Tarkkila P, Tuominen M, et al. Efficacy and side effects of tramadol versus oxycodone for patient-controlled analgesia after maxillofacial surgery. European Journal of Anaesthesiology. 1999;16:834-9.

60. Chou WY, Yang LC, Lu HF, et al. Association of mu-opioid receptor gene polymorphism (A118G) with variations in morphine consumption for analgesia after total knee arthroplasty. Acta Anaesthesiologica Scandinavica. 2006;50:787-92.

61. Chou WY, Wang CH, Liu PH, et al. Human opioid receptor A118G polymorphism affects intravenous patient-controlled analgesia morphine consumption after total abdominal hysterectomy. Anesthesiology. 2006;105:334-7.

62. Klepstad P, Dale O, Skorpen F, et al., Genetic variability and clinical efficacy of morphine. Acta Anaesthesiologica Scandinavica. 2005;49:902-8.

63. Stamer UM, Lehnen K, Hothker F, et al. Impact of CYP2D6 genotype on postoperative tramadol analgesia. Pain. 2003;105:231-8.

64. Dawson L, Brockbank K, Carr EC, Barrett RFR. Improving patients' postoperative sleep: a randomized control study comparing subcutaneous with intravenous patient-controlled analgesia. Journal of Advanced Nursing. 1999;30:875-81.

65. Urquhart ML, Klapp K, White PF. Patient-controlled analgesia: a comparison of intravenous versus subcutaneous hydromorphone. Anesthesiology. 1988;69-428-32.

66. Striebel HW, Scheitza W, Philippi W, et al. Quantifying oral analgesic consumption using a novel method and comparison with patient-controlled intravenous analgesic consumption. Anesthesia and Analgesia. 1998;86:1051-3.

67. Dale O, Hjortkjaer R, Kharasch ED. Nasal administration of opioids for pain management in adults. Acta Anaesthesiol Scand. 2002;46(7):759-70.

68. Toussaint S, Maidl J, Schwagmeier R, Striebel HW. Patient-controlled intranasal analgesia: effective alternativa to intravenous PCA for postoperative pain relief. Canadian Journal of Anaesthesia. 2000;47:299-302.

69. Hallett A, O'Higgins F, Francis V, Cook TM. Patient-controlled intranasal diamorphine for postoperative pain: an acceptability study. Anaesthesia. 2000;55:532-9.
70. Ward M, Minto G, Alexander-Williams JM. A comparison of patient-controlled analgesia administered by the intravenous or intranasal route during the early postoperative period. Anaesthesia. 2002;57:48-52.
71. Chelly JE, Grass J, Houseman TW, et al. The safety and efficacy of a fentanyl patient-controlled transdermal system for actue postoperative analgesia: a multicenter, placebo-controlled trial. Anesthesia and Analgesia. 2004;98:427-33.
72. White PF. Subcutaneous-PCA: an alternative to IV-PCA for postoperative pain management. Clinical Journal of Pain. 1990;6:297-300.
73. Viscusi ER, Reynolds L, Chung F, et al. Patient-controlled transdermal fentanyl sydrochloride vs intravenous morphine pump for postoperative pain: a randomized controlled trial. Journal of the American Medical Association. 2004;291:1333-41.
74. Fanelli A, Sorella MC, Chelly JE. Iontophoretic transdermal fentanyl for the management of acute periooperative pain in hospitalized patients. Expert Opin Pharmacother. 2016;17(4):571-7.
75. Colwell Jr CW, Morris BA. Patient-controlled analgesia compared with intramuscular injection of analgesics for the management of pain after an orthopaedic procedure. Journal of Bone and Joint Surgery. 1995;77:726-33.
76. Bell RF, Dahl JB, Moore RA, Kalso E. Perioperative ketamine for acute postoperative pain. Cochrane Database Syst Rev. 2006 Jan 25;(1):CD004603.
77. Cepeda MS, Alvarez H, Morales O, Carr DB. Addition of ultralow dose naloxone to postoperative morphine PCA: unchanged analgesia and opioid requiement but decreased incidence of opioid side effects. Pain. 2004;107;41-6.
78. Unlugenc H, Ozalevli M, Guler T, Isik G. Postoperative pain management with intravenous patient- controlled morphine: comparison of the effect of adding magnesium or ketamine. European Journal of Anaesthesiology. 2003;20:416-21.
79. Unlugenc H, Gunduz M, Ozalevli M, Akman H. A comparative study on the analgesic effect of tramadol, tramadol plus magnesium, and tramadol plus ketamine for postoperative pain management after major abdominal surgery. Acta Anaesthesiologica Scandinavica. 2002;46:1025-30.
80. Cepeda MS, Delgado M, Ponce M, et al. Equivalent outcomes durimg postoperative patient-controlled intravenous analgesia with lidocaine plus morphine versus morphine alone. Anesthesia and Analgesia. 1996;83:102-6.
81. Ginsberg B, Sinatra RS, Adler LI, et al. Conversion to oral controlled-release oxycodone from intravenous opioid analgesic in the postoperative setting. Pain Medicine. 2003;4:31-8.
82. Etches RC. Respiratory depression associated with patient-controlled analgesia: a review of eight cases. Can J Anaesth. 1994;41(2):125-32.
83. Benumof JL. Obesity, sleep apnea, the airway and anesthesia. Curr Opin Anaesthesiol. 2004;17(1):21-30.
84. Loadsman JA, Hillman DR. Anaesthesia and sleep apnoea. Br J Anaesth. 2001;86(2):254-66.
85. Charghi R, Backman S, Christou N, Rouah F, Schricker T. Patient controlled i.v. analgesia is an acceptable pain management strategy in morbidly obese patients undergoing gastric bypass surgery. A retrospective comparison with epidural analgesia. Can J Anaesth. 2003;50(7):672-8.
86. Choi YK, Brolin RE, Wagner BK, Chou S, Etesham S, Pollak P. Efficacy and safety of patient-controlled analgesia for morbidly obese patients following gastric bypass surgery. Obes Surg. 2000;10(2):154-9.
87. USP. Patient-controlled analgesia pumps USP quality review: cited November 2006. Disponível em: www.usp.org/patientSafety/newsletter/qualityReview/qr812004-09-01.htmL.
88. Looi-Lyons LC, Chung FF, Chan VW, McQuestion M. Respiratory depression: an adverse outcome during patient controlled analgesia therapy. Journal of Clinical Anesthesia. 1996;8:151-6.
89. ECRI. Patient-controlled analgesic infusion pumps. Health Devices. 2006;35:5-35.
90. Vicente KJ, Kada-Bekhaled K, Hillel G, Cassano A, Orser BA. Programming errors contribute to death from patient-controlled analgesia: case report and estimate of probability. Can J Anaesth. 2003;50(4):328-32.
91. Richtsmeier Jr AJ, Barnes SD, Barkin RL. Ventilatory arrest with morphine patient-controlled analgesia in a child with renal failure. American Journal of Therapeutics. 1997;4:255-7.
92. Ashburn MA, Love G, Pace NL. Respiratory-related critical events with intravenous patient-controlled analgesia. Clinical Journal of Pain. 1994;10:52-6.
93. Tsui SL, Irwin MG, Wong CM, et al. An audit of the safety of an acute pain service. Anaesthesia. 1997;52:1042-7.
94. Notcutt WG, Morgan RJ. Introducing patient-controlled analgesia for postoperative pain control into a district general hospital. Anaesthesia. 1990;45:401-6.
95. Lotsch J, Skarke C, Tegeder I, Geisslinger G. Drug interactions with patient-controlled analgesia. Clinical Pharmacokinetics. 2002;41:31-57.
96. Farmer M, Harper NJ. Unexpected problems with patient controlled analgesia. British Medical Journal. 1992;304:574.
97. Fleming BM, Coombs DW. A survey of complications documented in a quality-control analysis of patient-controlled analgesia in the postoperative patient. Journal of Pain and Symptom Management. 1992;7:463-9.
98. Wheatley RG, Madej TH, Jackson IJ, Hunter D. The first year's experience of an acute pain service. British Journal of Anaesthesia. 1991;67:353-9.
99. Sidebothan D, Dijkhuizen MR, Schug SA. The safety and utilization of patient-controlled analgesia. Journal of Pain and Symptom Management. 1997;14:202-9.
100. Chisakuta AM. Nurse-call button on a patient-controlled analgesia pump? Anaesthesia. 1993;48:90.
101. Lam FY. Patient-controlled analgesia by proxy. British Journal of Anaesthesia. 1993;70:113.
102. Wakerlin G, Larson Jr CP. Spouse-controlled analgesia. Anesthesia and Analgesia. 1990;70:119.
103. Rosen M, Williams B. The Valved-Y-Cardiff Connector (V.Y.C. Con). Anaesthesia. 1979;34(9):882-4.
104. White PF. Mishaps with patient-controlled analgesia. Anesthesiology. 1987;66:81-3.
105. Kluger MT, Owen H. Antireflux valves in patient-controlled analgesia. Anaesthesia. 1990 Dec;45(12):1057-61.
106. Cashman JN, Dolin SJ. Respiratory and haemodynamic effects of acute postoperative pain management: evidence from published data. Br J Anaesth. 2004;93(2):212-23.
107. Marret E, Kurdi O, Zufferey P, Bonnet F. Effects of nonsteroidal anti-inflammatory drugs on patient- controlled analgesia morphine side effects: meta-analysis of randomized controlled trials. Anesthesiology. 2005;102(6):1249-60.
108. Roberts GW, Bekker TB, Carlsen HH, et al. Postoperative nausea and vomiting are strongly influencecd by postoperative opioid use in a dose-related manner. Anesthesia and Analgesia. 2005;101;1343-8.
109. Tramer MR, Walder B. Efficacy and adverse effects of prophylactic antiemetics during patient-controlled analgesia therapy: a quantitative systematic review. Anesth Analg. 1999;88(6):1354-61.
110. Dolin SJ, Cashman JN. Tolerability of acute postoperative pain management: nausea, vomiting, sedation, pruritus, and urinary retention. Evidence from published data. Br J Anaesth. 2005;95(5):584-91.
111. Kjellberg F, Tramèr MR. Pharmacological control of opiod-induced pruritus: a quantitative systematic review of randomized trials. Eur J Anaesthesiol. 2001;18(6):346-57.
112. Sartain JB, Barry JJ, Richardson CA, Branagan HC. Effect of combining naloxone and morphine for intravenous patient-controlled analgesia. Anesthesiology. 2003;99:148-51.
113. Dolin SJ, Cashman JN, Bland JM. Effectiveness of acute postoperative pain management: I. Evidence from published data. Br J Anaesth. 2002;89(3):409-23.
114. Chou R, Gordon DB, de Leon-Casasola OA, Rosenberg JM, Bickler S, Brennan T, et al. Management of Postoperative Pain: A Clinical Practice Guideline From the American Pain Society, the American Society of Regional Anesthesia and Pain Medicine, and the American Society of Anesthesiologists' Committee on Regional Anesthesia, Executive Committee, and Administrative Council. J Pain. 2016 Feb;17(2):131-57. doi: 10.1016/j.jpain.2015.12.008. Erratum in: J Pain.
115. Carr DB, Goudas LC. Acute pain. Lancet. 1999;353:2053-2058.
116. Breivik H. Postoperative pain management: why is difficult to show that it improves outcome? Eur J Anesthesiol. 1998;15(6):748-51.
117. Sinatra RS, Torres J, Bustos AM. Pain management after major orthopaedic surgery: current strategies and new concepts. J Am Acad Orthop Surg. 2002;10(2):117-29.
118. Liu SS, Allen HW, Olsson GL. Patient-controlled epidural analgesia with bupivacaine and fentanyl on hospital wards: prospective experience with 1,030 surgical patients. Anesthesiology.1998;88(3):688-95.
119. de Leon-Casasola OA, Parker B, Lema MJ, Harrison P, Massey J. Postoperative epidural bupivacaine-morphine therapy. Experience with 4,227 surgical cancer patients. Anesthesiology. 1994;81(2):368-75.
120. Chia YY, Chang TH, Liu K, Chang HC, Ko NH, Wang YM. The efficacy of thoracic epidural neostigmine infusion after thoracotomy. Anesth Analg. 2006;102(1):201-8.
121. Lauretti GR, de Oliveira R, Reis MP, Julião MC, Pereira NL. Study of three different doses of epidural neostigmine coadministered with lidocaine for postoperative analgesia. Anesthesiology. 1999;90(6):1534-8.
122. Wilson JA, Nimmo AF, Fleetwood-Walker SM, Colvin LA. A randomized double blind trial of the effect of pre-emptive epidural ketamine on persistent pain after lower limb amputation. Pain. 2008;135(1-2):108-18.
123. Subramaniam K, Subramaniam B, Steinbrook RA. Ketamine as adjuvant analgesic to opioids: a quantitative and qualitative systematic review. Anesth Analg. 2004;99(2):482-95.
124. Farmery AD, Wilson-MacDonald J. The analgesic effect of epidural clonidine after spinal surgery: a randomized placebo-controlled trial. Anesth Analg. 2009;108(2):631-4.

125. De Kock M, Wiederkher P, Laghmiche A, Scholtes JL. Epidural clonidine used as the sole analgesic agent during and after abdominal surgery. A dose-response study. Anesthesiology. 1997;86(2):285-92.
126. Liu SS, Moore JM, Luo AM, Trautman WJ, Carpenter RL. Comparison of three solutions of ropivacaine/ fentanyl for postoperative patient-controlled epidural analgesia. Anesthesiology. 1999;90:727-55.
127. Hodgson PS, Liu SS. A comparison of ropivacaine with fentanyl to bupivacaine with fentanyl for postoperative patient-controlled epidural analgesia. Anesth Analg. 2001;92:1024-8.
128. Liu SS, Wu CL. The effect of analgesic technique on postoperative patient-reported outcomes including asnalgesia: a systematic review. Pain Medicine. 2007;105(3):789-808.
129. Liu SS, Wu CL. Effect of postoperative analgesia on major postoperative complications: a systematic update of the evidence. Pain Medicine. 2007;104(3):689-702.
130. Liu SS, Bieltz M, Wukovits B, John RS. Prospective survey of patient-controleed epidural analgesia with bupivacaine and hydromorphone in 3736 postoperative orthopedic patients. Regional Anesthesia & Pain Medicine. 2010;35(4):351-354.
131. Rathmell JP, Wu CL, Sinatra RS et al. Acute post-surgical pain management: a critical appraisal of current practice. Regional Anesthesia & Pain Medicine. 2006;31(Suppl. 1):1-42.
132. Mcintyre PE, Schug SA. Acute pain management: a practical guide. Fourth ed. CRC Press; 2014. 287, p. cap 10: Other regional and local analgesia, p. 169-185.
133. Ganapathy S, Amendola A,Lichfield R, Fowler PJ, Ling E.Elastomeric pumps for ambulatory patient controlled regional analgesia. Can J Anaesth. 2000;47:897-902.
134. Fredman B, Shapiro A, Zohar E, Feldman B, Shorer S, Rawal N, et al. The analgesic efficacy of patient-controlled ropivacaine instillation after Cesarean delivery. Anesth Analg. 2000;93:482-7.
135. Axelsson K, Nordenson U, Johanzon E, Rawal N, Ekback G, Lidegran G, et al. Patient-controlled regional analgesia (PCRA) whith ropivacaine after arthroscopic subacromial descompression. Acta Anaesthesiol Scand. 2003;47:993-1000.
136. Chin KJ, Singh M, Velayutham V, Chee V. Infraclavicular brachial plexus block for regional anaesthesia of the lower arm. Anesth Analg. 2010;111(4):1072.
137. Fredrickson MJ, Krishnan S, Chen CY. Postoperative analgesia for shoulder surgery: a critical appraisal and review of current techniques. Anaesthesia. 2010;65(6):608-24.
138. Wegener JT, van Ooij B, van Dijk CN, Hollmann MW, Preckel B, Stevens MF. Value of single-injection or continuous sciatic nerve block in addition to a continuous femoral nerve block in patients undergoing total knee arthroplasty: a prospective, randomized, controlled trial. Reg Anesth Pain Med. 2011;36(5):481-8.
139. Ilfeld BM, Mariano ER, Girard PJ, Loland VJ, Meyer RS, Donovan JF, et al. A multicenter, randomized, triple-masked, placebo-controlled trial of the effect of ambulatory continuous femoral nerve blocks on discharge-readiness following total knee arthroplasty in patients on general orthopaedic wards. Pain. 2010;150(3):477-84.
140. Paul JE, Arya A, Hurlburt L, Cheng J, Thabane L, Tidy A, et al. Femoral nerve block improves analgesia outcomes after total knee arthroplasty: a meta-analysis of randomized controlled trials. Anesthesiology. 2010;113(5):1144-62.
141. Fowler SJ, Symons J, Sabato S, Myles PS. Epidural analgesia compared with peripheral nerve blockade after major knee surgery: a systematic review and meta-analysis of randomized trials. Br J Anaesth. 2008;100(2):154-64.
142. Alexander-Williams JM, Rowbotham DJ. Novel routes of opioid administration. Br J Anesth. 1998;81:3-7.
143. Striebel HW, Toussaint S, Raab C, Klöcker N. Non-invasive methods for PCA in pain management. Acute Pain. 1999;2:36-40.
144. Peng PW, Sandler AN. A review of the use of fentanyl analgesia in the management of acute pain in adults. Anesthesiology. 1999;90:576-599.
145. Striebel HW, Olmann T, Spiers C, Brummer G. Patient-controlled intranasal analgesia (PCINA) for the management of postoperative pain: A pilot study. J Clin Anesth. 1996;8:4-8.
146. Paeth MJ, Lim CB, Banks SL, Rucklidge MW, Doherty DA. A new formulation of nasal fentanyl spray for postoperative analgesia: a pilot study. Anaesthesia. 2003;58:740-744.
147. Worsley MH, MacLeod AD, Brodie MJ, Asbury AJ, Clark C. Inhaled fentanyl as a method of analgesia. Anaesthesia. 1990;45:449-51.

118

Tratamento das Dores Crônicas Não Oncológicas Mais Prevalentes

Rioko Kimiko Sakata ▪ Ed Carlos Rey Moura ▪ Plinio da Cunha Leal

INTRODUÇÃO

A dor crônica atinge grande parcela da população, sendo a manifestação que, com maior frequência, faz o paciente procurar um médico.[1]

Dor crônica é a que apresenta duração maior que três meses ou que é mantida após a resolução da causa inicial, sendo considerada uma doença. Persiste apesar do tratamento, e não tem nenhuma função biológica, sendo prejudicial para o paciente. Causa insônia, fadiga, raiva, medo, ansiedade e depressão. Compromete a qualidade de vida dos pacientes e provoca sofrimento e incapacidade, sendo frequentemente motivo de afastamento do trabalho. Muitas vezes, a dor é intensa e de difícil controle, necessitando de associação de medicamentos e procedimentos variados, além do auxílio de diversos profissionais para tratamento multidisciplinar.

São inúmeras as síndromes dolorosas de modo que neste capítulo serão abordadas algumas delas.

▪ SÍNDROME MIOFASCIAL

A síndrome miofascial (SMF) dolorosa é a dor crônica mais frequente.[2-7] Ocorre em 30% a 93% das pessoas com dor musculoesquelética.[8] Pode ser isolada ou associada a outras síndromes dolorosas.[9] A prevalência é maior no sexo feminino. É subdiagnosticada e tratada de maneira inadequada.[8]

A SMF é caracterizada por dor, contração, espasmo e fadiga muscular, restrição do movimento, pontos-gatilho (TPs, sigla de *trigger points*) e banda muscular tensa.[2] TPs são nódulos dolorosos no músculo.[2] A SMF pode ser localizada em qualquer parte do corpo, mas as regiões mais comuns são cervical, dorsal alta, interescapular, lombar e nádegas.[4] A dor é profunda, moderada ou intensa e ocorre no local ou na área referida. É encontrado um ou vários TPs, e a compressão desses pontos causa dor referida, característica

daquele músculo, com distribuição idêntica nos indivíduos. Dependendo da localização, a SMF pode acompanhar de: cefaleia, zumbido, tontura, diminuição da audição, visão borrada, lacrimejamento, náusea, vômito, diarreia, constipação, aumento da sudorese e parestesia.

A SMF origina de trauma e esforço durante atividades (trabalho, esporte), mas pode surgir sem fator precipitante. A dor pode iniciar de maneira súbita ou gradual.

São fatores que podem contribuir para o surgimento de SMF: esforço físico, postura inadequada, alteração anatômica, hábito não funcional, imobilização, desuso, estresse, distúrbio do sono e nutricional. A dor pode ser precipitada por problemas emocionais, tensão e atividade física. Alterações metabólicas como hipotiroidismo podem contribuir para desenvolvimento e manutenção da SMF.[7] O diagnóstico é feito pela história e pelo exame físico.[6]

Os sinais clínicos mais importantes são os TPs, muito sensíveis localizados dentro das fibras contraídas da faixa tensa do músculo. A pressão no local causa o sinal do salto, reação à dor com uma exclamação ou movimento. A pressão digital ou com agulha em um ponto sensível dentro da faixa palpável pode provocar dor local ou distal semelhante à queixa habitual do paciente ou pode agravar a dor existente, que é a reprodução da dor. Quando o TP é estimulado por vigorosa palpação ou por agulha, ocorre resposta de contração local. A estimulação mecânica do TP provoca dor referida, com distribuição característica de cada músculo. O músculo com TP apresenta frequentemente redução da força.[8]

Os critérios para a definição de SMF são:[10]

▪ TPs em uma faixa tensa do músculo esquelético;
▪ Reconhecimento de dor do paciente;
▪ Padrão de referência de dor previsto;
▪ Resposta de contração local.

Vários tratamentos são empregados para a SMF, tais como: terapia manual, eletroterapia, exercícios e agulhamento.[6,11,12] O objetivo é restaurar o comprimento do músculo normal, a postura e a amplitude dos movimentos articulares por tratamento de TP e exercícios.[13] A infiltração de TP é muito empregada.[14,15] O tratamento adequado deve ser direcionado para os TPs, para restaurar o músculo normal, seguida de alongamento e fortalecimento do músculo afetado.[16]

Os anti-inflamatórios são utilizados isolados ou associados a outras condutas durante curto período. Os relaxantes musculares geralmente são empregados associados a outros medicamentos. Os antidepressivos são indicados quando a SMF é de longa duração e recorrente. Os opioides podem ser usados para SMF, quando não houver melhora da dor com anti-inflamatórios e outras medidas, mas devem ser administrados durante períodos curtos.

A infiltração é indicada para pacientes com TPs ativos e que produzem resposta de contração e um padrão de dor referida.[17] Pode ser feita com anestésico local ou toxina botulínica.[17,18] É injetado anestésico local (0,5 a 1 mL) em cada TP para inativá-lo, reduzindo a dor e facilitando a cinesioterapia.[9,19] Os exercícios devem ser considerados individualmente e geralmente os exercícios de alongamento são indicados para SMF.[20] A injeção de toxina botulínica tipo A pode ser utilizada na dose de 100 U diluídas em 1 mL, com injeção de 0,2 mL em cada TP.[21] Podem ser usados: anticonvulsivante, *biofeedback*, relaxamento, massagem, reeducação postural global, exercícios de pilates, bloqueio de nervo, estimulação elétrica transcutânea, acupuntura. Também pode ser usada onda de choque.[22]

■ LOMBALGIA

Lombalgia é a dor localizada entre a 12ª costela e a prega glútea, com ou sem dor em membro inferior.[23] A lombalgia é um dos principais motivos de falta ao trabalho, especialmente em indivíduos com idade inferior a 45 anos.

A prevalência de dor lombar aumenta em todo o mundo, como resultado do crescimento e envelhecimento da população. A prevalência da lombalgia é de 60% a 85% em algum período da vida.[23,25] São fatores que relacionam com a sua prevalência: tabagismo, obesidade, ocupações sedentárias, sobrecarga excessiva e baixo nível socioeconômico.[24,26,27]

São fontes de dor lombar: disco intervertebral, articulação facetária e sacroilíaca, músculos, fáscias, osso, nervos e meninges.

A avaliação do paciente com dor lombar é feita pela história, exame físico e exames complementares. No exame físico, são observados: expressão facial; postura; movimentos e desvios da coluna; contratura e atrofia muscular; pelve; reflexos; rotação da coxa; movimentos do joelho, tornozelo e dedos; força muscular; percussão da coluna; pulsos arteriais; abdome; teste de Lasègue; TPs; sensibilidade; e testes para avaliar articulações.[25]

Na lombociatalgia, dependendo da raiz envolvida, a dor é localizada nos locais apresentados na Tabela 118.1.

A força muscular é pesquisada acordo com o que mostra a Tabela 118.2.

Tabela 118.1 Localização da dor nas lombociatalgias.

Raiz envolvida	Localização da dor
L1	Crista ilíaca e quadril
L2	Região inguinal
L3	Região anterior da coxa
L4	Região anterior da coxa e medial da panturrilha
L5	Nádega e lateral do tornozelo
S1	Nádega e posterior da coxa

Tabela 118.2 Pesquisa da força muscular.

Raiz envolvida	Força muscular
Divisão anterior de L2, L3 e L4 (nervo obturador)	M. adutor da coxa
Divisão posterior de L2, L3 e L4 (nervo femoral)	M. quadríceps
L4	M. quadríceps e adutor da coxa
L5	M. extensor do hálux

Legenda: Músculo (M.).

Os sinais de alerta em pacientes com lombalgia são:

- Idade acima de 55 ou abaixo de 20 anos;
- História de câncer;
- Alteração sistêmica ou diminuição do peso;
- Dor constante progressiva;
- Dor em decúbito dorsal;
- Sintomas neurológicos extensos;
- Infecção recente;
- Trauma.

A maioria das lombalgias é inespecífica, e em cerca de 10% há uma causa específica. Os sinais de alerta (*red flags*) estão associados a lombalgia específica. Os *yellow flags* são fatores associados a prognósticos desfavoráveis.[23] As causas de dor lombar são: SMF, hérnia de disco, osteoartrite, estenose de canal espinal, fibromialgia, osteomielite, abscesso peridural, doença de Pott, herpes-zóster, síndrome piriforme, discite, sacroileíte, artrite reumatoide, espondilite anquilosante, tumor e aracnoidite, entre outras.

Na hérnia de disco, a dor lombar irradia para o membro inferior e piora com tosse ou flexão da coluna vertebral. Pode estar acompanhada de contratura e atrofia muscular; e alteração da força, do reflexo tendíneo e da sensibilidade.

São manifestações da hérnia:

- **Em L3 a L4:** dor em região lombar, quadril, posterolateral da coxa e anterior da perna; parestesia da região anteromedial da coxa e joelho; diminuição da força e atrofia do músculo quadríceps e diminuição do reflexo patelar;
- **Em L4 a L5:** dor sobre a articulação sacroilíaca, quadril, lateral da coxa e perna; parestesia na região lateral da perna e nos primeiros três dedos; diminuição da força para flexão dorsal do hálux e pé e dificuldade para caminhar sobre o calcanhar;
- **Em L5 a S1:** dor sobre a articulação sacroilíaca, quadril, região posterior e lateral da coxa e perna; parestesia na pan-

turrilha, região lateral do calcanhar, pé e dedos; diminuição da força para flexão plantar do pé e hálux; dificuldade para andar sobre a ponta do pé; atrofia dos músculos gastrocnêmio e soleus, e diminuição do reflexo aquileu.

Na síndrome piriforme, a dor está localizada em região lombar, sacral, inguinal, perineal, glútea, quadril, posterior da coxa e perna, e no pé. Pode estar acompanhada de parestesia, hiperestesia, hipoestesia, atrofia muscular e diminuição da força muscular.

Na osteoartrite, a dor geralmente é na região inguinal e medial da coxa, mas pode ocorrer na nádega, lateral da coxa e joelho. Após operações de coluna, o paciente pode continuar com dor decorrente de: seleção inadequada do paciente, infecção, operação inadequada, fibrose, aracnoidite e instabilidade da coluna vertebral.

A estenose vertebral pode ocorrer como estreitamento de canal espinal ou com maior frequência, de forâmen intervertebral. Os sintomas neurológicos podem estar associados à compressão e estiramento da raiz nervosa, com isquemia. Durante a deambulação, há modificação do forâmen de conjugação e do grau de estiramento da raiz nervosa. A dor piora com deambulação, e alivia após interromper a caminhada e flexionando a coluna. A estenose companha de parestesia e diminuição da força muscular dos membros inferiores.

Na espondilolistese, há deslizamento de um corpo vertebral sobre outro, geralmente por lise de elementos posteriores pela idade ou trauma. A dor é irradiada para região sacroilíaca, coxa e perna, sendo frequentemente acompanhada de parestesia e diminuição da amplitude de flexão da coluna. A dor da articulação sacroilíaca pode ser decorrente de processo degenerativo, espondilite anquilosante, e trauma. A dor pode ser reproduzida com pressão sobre a coxa com quadril em rotação externa e tornozelo sobre o joelho contralateral.

A osteomielite pode ocorrer após infecção de trato urinário e de pele e a dor aumenta após dias ou semanas e pode acompanhar de hiperemia no local. A discite causa dor intensa com hiperemia no local, espasmo muscular e limitação dos movimentos da coluna.

Em paciente com osteoporose intensa, ocorrem microfraturas, com dor intensa durante 2 a 3 meses.

O tumor pode causar dor intensa, que não melhora com repouso e piora com movimento. A coluna é o local mais frequente de metástases.

No tratamento da lombalgia, deve ser evitado o repouso.[22] Em 90% dos casos, observa-se recuperação adequada com tratamento conservador. Os medicamentos que podem ser usados são: anti-inflamatórios, paracetamol, dipirona, antidepressivos, anticonvulsivantes, opioides, relaxantes musculares. Podem ser empregados: terapias físicas (termoterapia, estimulação elétrica transcutânea, massagem, alongamento, correção da postura, fortalecimento dos músculos abdominais), acupuntura, *laser*, corticosteroide peridural, bloqueio facetário e procedimentos cirúrgicos.[23,28-32]

A atividade física de rotina é preconizada para a dor lombar crônica, para melhorar a função e prevenir o agravamento da incapacidade. Não há provas de superioridade de um tipo de exercício.[24]

Os relaxantes musculares auxiliam no alívio da lombalgia, diminuindo a contração muscular, que é causa frequente de dor.

Na SMF, pode ser feita a injeção de TPs.

A injeção de corticosteroide peridural é indicada para lombalgia e lombociatalgia por hérnia ou protrusão de disco, estenose de canal vertebral, osteoartrite de vértebra e fibrose pós-laminectomia.[32-34] Não deve exceder três injeções em 6 meses.[33]

O bloqueio de articulação facetária é indicado para lombalgia provocada por alteração da articulação, com anestésico local, que pode ser associado a corticosteroide.

Outros procedimentos usados são: eletroestimulação medular [35], opioide espinal, bloqueio de ramo médio e vertebroplastia. O uso de tração espinal está contraindicada.[36]

■ CERVICOBRAQUIALGIA

A dor cervical é a quarta principal causa de incapacidade; a prevalência anual é superior a 30% e as recorrências de dor são frequentes. Os pacientes com *red flags* devem ser avaliados para doenças graves, como mielopatia, subluxação atlantoaxial e metástases.[37]

As cervicalgias podem ser decorrentes de: desordens da coluna cervical (hérnia de disco, espondilodiscartrose), SMF, doenças reumatológicas (artrite reumatoide), infecção (neurite herpética), tumor (metástases), neuropatia (neuralgia pós-herpética) e dor referida (infarto do miocárdio, doença de vias biliares e esôfago).[38]

São manifestações de raízes:[38]

- **C1:** dor da região posterior do couro cabeludo, retro-orbitária e frontal; e alteração de flexão, extensão e rotação da cabeça;
- **C2:** dor lateral e posterior do couro cabeludo, mandíbula e orelha; alteração da flexão, extensão e rotação da cabeça e rotação da escápula;
- **C3 (C2 a C3):** dor e alteração da sensibilidade no pescoço e no processo mastoide;
- **C4 (C3 a C4):** dor; alteração da sensibilidade no pescoço, anterior do tórax, e no músculo elevador da escápula;
- **C5 (C4 a C5):** dor no pescoço, ombro e anterior do braço; alteração da sensibilidade no deltoide; redução da força muscular no deltoide e bíceps e alteração do reflexo bicipital;
- **C6 (C5 a C6):** dor no pescoço, ombro, borda medial da escápula, lateral do braço e dorsal do antebraço; alteração da sensibilidade do 1º e do 2º dedos; e redução da força muscular do deltoide e alteração do reflexo bicipital;
- **C7 (C6 a C7):** dor no pescoço, ombro, medial da escápula, lateral do braço e dorsal do antebraço; alteração da sensibilidade do 2º e do 3º dedos; e diminuição da força muscular do tríceps e alteração do reflexo tricipital;
- **C8 (C7 a T1):** dor o pescoço, medial da escápula, medial do braço e do antebraço; alteração da sensibilidade do 4º e do 5º dedos; e diminuição da força dos músculos intrínsecos da mão.

Deve ser lembrado que muitas vezes são observadas alterações na ressonância magnética em indivíduos assintomáticos, mas esse exame deve ser considerado para pacientes com sintomas neurológicos focais, dor refratária a tratamento convencional.

O tratamento pode ser com exercícios, relaxantes musculares, desnervação facetária com radiofrequência.[39]

■ OSTEOARTRITE

A osteoartrite é uma das doenças musculoesqueléticas mais frequente e causa alteração funcional e perda de qualidade de vida. Clinicamente, a condição é caracterizada por dor nas articulações, sensibilidade, crepitação, rigidez e limitação de movimento com derrame articular ocasional e graus variáveis de inflamação.[40]

A dor na osteoartrite é frequentemente relacionada com a atividade, resultante de mudança estrutural, mecanismos periféricos e centrais de processamento da dor.[41]

A osteoartrite pode ser localizada ou generalizada, primária ou secundária.

Os fatores associados ao desenvolvimento de osteoartrite são: idade, obesidade, sexo feminino, trauma, anomalia anatômica, sobrecarga, hereditariedade, hormonal, infecção e lesão neurológica.

A osteoartrite não é simétrica, e pode ocorrer em qualquer articulação. As localizações mais comuns das manifestações da osteoartrite são: joelho, quadril, coluna vertebral, tornozelo, pé e mão.

Outras manifestações são: espasmo muscular, edema, deformidade, nódulo de Heberden e de Bouchard.[42] Inicialmente a dor surge aos movimentos, sendo constante na fase avançada. Na coluna vertebral, pode causar compressão de raiz nervosa ou medula espinal com radiculopatia, claudicação e alteração da sensibilidade e da força muscular.

São locais de origem da dor: sinóvia, cápsula, osso, músculos, ligamentos, osteófitos e nervos. Ocorrem: sinovite; fragmentação, úlcera e perda da cartilagem; esclerose óssea; distensão do periósteo; isquemia; pressão do osso subcondral; espasmo muscular; e lesão de ligamento, fáscia e tendão.

O diagnóstico de osteoartrite é feito de acordo com os sintomas (dor, rigidez e limitação funcional) e sinais (crepitação, movimento restrito e aumento ósseo/deformação); além da radiografia simples articular (avaliação morfológica de alterações osteoarticulares). Ocasionalmente, outras investigações podem ser necessárias para situações atípicas ou excluir outras possíveis condições.[43]

O tratamento da dor é feito com medicamentos sistêmicos (paracetamol, dipirona, anti-inflamatório, codeína, tramadol), bloqueio de nervo (obturador, supraescapular, geniculares, pericapsular), intra-articular (corticosteroide, ácido hialurônico), *laser*, estimulação elétrica transcutânea, exercícios, acupuntura, e operação.[42-46]

■ FIBROMIALGIA

Fibromialgia é uma síndrome complexa caracterizada por dor difusa crônica, e sintomas funcionais. Vários medicamentos e medidas não farmacológicas são disponíveis para o seu tratamento.[47]

A incidência é de 2% a 6% da população geral, e a idade média de início da síndrome é de 29 a 37 anos, com incidência maior no sexo feminino (sete vezes maior que no masculino).

As manifestações são: dor difusa, fadiga, distúrbios do humor, do sono, e da memória rigidez matinal, dificuldade de concentração, parestesia, cãibra, edema subjetivo, cãibra, intolerância ao calor e frio, e disfunção neurovegetativa.[48-52] Também pode haver queixas como palpitação, dor torácica e congestão nasal.[53] Há diminuição da capacidade funcional, diminuição do alongamento do músculo e da capacidade aeróbica.

Pelos critérios do American College of Rheumathology (1990), para diagnóstico de fibromialgia, os pacientes devem apresentar dor difusa e presença de 11 dos 18 pontos típicos de dor.[50] Nos critérios de 2010, não são avaliados os pontos dolorosos:

1. Dor difusa no lado E e D do corpo, acima e abaixo da cintura, e algum segmento da coluna vertebral.
2. Dor em 11 dos 18 pontos dolorosos a palpação digital.

A sensibilidade do critério é de 88,81%, e sua especificidade de 85%. Segundo esse critério, há necessidade de 11 ou mais pontos dolorosos, mas o paciente com fibromialgia pode não ter 11 pontos, mas ter outras características da síndrome.

As localizações dos pontos dolorosos são:

- Occipício bilateral, na inserção do músculo suboccipital;
- Cervical baixa bilateral, anterior do espaço intertransverso C5 a C7;
- Trapézio bilateral, no ponto médio da borda superior;
- Supraespinoso bilateral, na origem sobre a espinha da escápula, próximo da borda medial;
- Segunda costela bilateral, na junção costocondral, imediatamente lateral a articulação na superfície superior;
- Epicôndilo lateral bilateral, 2 cm distalmente aos epicôndilos;
- Glúteo bilateral, quadrante superior externo, na região anterior do músculo;
- Trocanter maior do fêmur bilateral, posterior a proeminência do trocanter;
- Joelho bilateral, na parte medial próximo a linha articular.

São fatores associados a fibromialgia: genéticos, síndromes dolorosas, alteração do sono, fadiga, ambiente, depressão, ansiedade, estresse mental, falta de condicionamento físico, postura anormal. Os fatores precipitantes ou agravantes são: trauma, estresse físico ou emocional, ansiedade, depressão, infecção, alteração de temperatura, umidade, barulho, atividade física excessiva, inatividade, postura inadequada, e permanência por período prolongado em uma posição. São fatores que melhoram: ambiente seco, banho quente, atividade moderada e alongamento.

Os possíveis mecanismos fisiopatológicos são: sensibilização periférica e central, disfunção autonômica, e disfunção do eixo hipotálamo-hipófise-adrenal. Há distúrbio neuroendócrino, disfunção neurovegetativa, aumento da nocicepção, e inflamação;[54] alteração de neurotransmissores;[55] aumento do tônus simpático;[25] e disfunção do sistema nervoso central (SNC).[54] Alterações musculares e anomalias histológicas são encontradas. As alterações podem resultar de isquemia e hipóxia do músculo, alteração no corno dorsal ou em vias inibitórias descendentes, anomalia imunológica. Há diminuição de serotonina e de triptofano, diminuição de endorfinas, aumento de substância P medular, e alteração da secreção de interleucinas. Uma revisão sistemática revelou associação entre o risco de fibromialgia e aumento de glutamato encefálico.[56] Considera-se que o mecanismo nociplástico esteja relacionado com manifestações da fibromialgia.

Os tratamentos para a dor da fibromialgia são: antidepressivos (amitriptilina, fluoxetina, duloxetina, venlafaxina, milnaciprano), relaxante muscular (ciclobenzaprina), anticonvulsivantes (pregabalina, gabapentina), lidocaína venosa, exercícios, hidroterapia e acupuntura.

Os antidepressivos são considerados fármacos eficazes, melhorando o sono e a qualidade de vida.[57,58] A conduta multidisciplinar, associando diferentes técnicas analgésicas, e mudança de estilo de vida, proporciona melhor resultado, e previne a recorrência. Devem ser evitados os movimentos repetitivos prolongados, a imobilização e os fatores predisponentes, mantendo bom condicionamento físico, e corrigido distúrbio endocrinológico.[7] Deve-se recuperar a atividade funcional, melhorar a saúde mental, o distúrbio do sono e as alterações de humor e a fadiga.[59] Exercícios devem ser realizados de forma individualizada. A infusão de anestésico local por via venosa é indicada para fibromialgia.[60] Canabinoides já foram usados.[61]

■ CÂNCER

Aproximadamente 80% dos pacientes com câncer em estágios avançados apresentam dor moderada ou intensa, decorrente de múltiplas causas.

O alívio da dor é essencial tanto antes do tratamento antitumoral quanto em condições de lesão irreversível.

Os pacientes podem ter dor nociceptiva e neuropática.

As síndromes dolorosas no câncer são:[62]

- Causadas pelo tumor em osso, sistema nervoso, víscera, vaso, músculo e mucosa;
- Decorrentes do tratamento (operação, quimioterapia, radioterapia). Após operações com ressecções de áreas extensas, pode haver lesão de nervo, fibrose com compressão de estruturas, resultando em dor neuropática, edema linfático, desaferentação. A quimioterapia pode associar a mucosite, infecção e neuropatia periférica. A radioterapia pode causar fibrose e mielopatia;
- Associadas aos procedimentos realizados para diagnóstico;
- Síndromes paraneoplásicas: tromboembolismo, polimiosite e osteoartropatia;
- Não relacionadas com o tumor.

Para o tratamento da dor do câncer, deve ser seguida estratégia baseada no uso simultâneo ou sucessivo de métodos que devem adaptar às necessidades de cada paciente. As medidas menos invasivas são os métodos de escolha. Iniciar com fármaco apropriado na menor dose necessária para analgesia. É importante saber a farmacologia da medicação em uso. A dose deve ser titulada para que o resultado seja bom e a via deve ser adequada para cada paciente. Devem ser considerados: a facilidade para aplicação, as características da dor, o tratamento prévio, a evolução da doença e a repercussão da dor sobre o sono. A chave para o tratamento adequado da dor é a avaliação constante e modificações conforme a necessidade.[62]

Existem algumas causas para que o tratamento eficaz:[63]

- Uso de dose insuficiente;
- Controle inadequado dos efeitos colaterais;
- Uso impróprio das modalidades terapêuticas;
- Falta de disponibilidade de medicamentos.

A maioria dos pacientes com câncer obtém alívio da dor com analgésico sistêmico. Para isso, devem ser seguidos alguns princípios:

- Seguir a "escada" analgésica, iniciando com analgésicos da classe dos anti-inflamatórios, associados ou não a adjuvantes. Não havendo alívio da dor, administrar opioides fracos e a seguir os potentes, também associados a adjuvantes;
- Prescrever medicação por via oral, sempre que for possível;
- Não esperar o retorno da dor, administrando analgésico de maneira profilática, para evitar períodos de dor e sofrimento e necessidade de doses maiores de fármacos;
- Evitar injeções;
- Usar medicações em intervalos regulares;
- Individualizar a dose, porque as necessidades variam para cada paciente;
- Empregar a morfina de liberação imediata para titular a dose e a controlada, para manutenção.
- Tratar os efeitos adversos.

A dipirona e o paracetamol são os analgésicos mais utilizados quando o paciente começa a apresentar dor. Também são mantidos em pacientes que estão recebendo opioide. Os anti-inflamatórios também podem ser utilizados.

Os medicamentos mais importantes para o alívio da dor oncológica são os opioides. A morfina é o medicamento de escolha, e mais frequentemente usado para alívio da dor moderada a intensa.[62,64] A dose é variável e deve ser titulada até o controle adequado da dor.[63,64] A codeína é usada na dose de 30 a 60 mg (0,5 a 1 mg.kg^{-1})/4 a 6 horas por via oral. O tramadol é usado na dose de 50 a 100 mg (1-2 mg.kg^{-1})/4 a 6 horas por via oral, subcutânea ou venosa. A morfina deve ser empregada na dose necessária para controle adequado da dor. A dose de morfina é variável entre 15 e 60 mg (0,3 mg.kg^{-1}) a cada 4 a 8 horas para a de liberação imediata e de 30 a 60 mg a cada 8 a 12 horas para a de liberação controlada. A oxicodona é uma alternativa para a morfina, e a dose é de 30 a 50 mg cada 12 horas. A metadona tem duração de 4 a 12 horas; inicialmente administrar a cada 8 a 12 horas, mas após a estabilização, pode ser usada na dose de 10 a 30 mg (0,05 a 0,2 mg.kg^{-1}) a cada 8 horas. Outro opioide utilizado é a buprenorfina. Os principais efeitos adversos dos opioides são constipação, náusea, vômito e sedação.

Os opioides têm sido associados ao possível efeito sobre o crescimento de tumores, mas os resultados são conflitantes. Por um lado, os opioides podem levar a imunossupressão e a um potencial pró-angiogênico; por outro lado, seus efeitos analgésicos neutralizam as consequências pró-tumorais de dor.[67]

Os adjuvantes são usados em todos os degraus da escada. São eles: antidepressivos, anticonvulsivantes, relaxantes musculares, benzodiazepínicos, corticosteroides, capsaicina, lidocaína tópica, clonidina, calcitonina, cetamina.

Quando o paciente não pode usar a medicação por via oral, podem ser usadas as vias subcutânea, venosa, sublingual, transdérmica ou espinal.[62]

O bloqueio de plexo celíaco é indicado para pacientes com de câncer de pâncreas, estômago, fígado, vias biliares, intestino delgado e tumores retro-peritoniais.[62] O bloqueio de gânglio estrelado é realizado quando o paciente apresenta dor dependente do sistema simpático em membro superior, face ou região cervical.[68] Procedimentos cirúrgicos (rizotomia, vertebroplastia) podem ser usados.[62]

■ DOR CENTRAL

Dor central é a decorrente de lesão em SNC (medular e encefálica). As lesões do SNC podem causar dor intensa que geralmente surge após semanas ou meses, podendo ocorrer após anos ou manifestar-se imediatamente a seguir à lesão.[69]

Os mecanismos incluem qualquer causa de lesão tecidual ou inflamação (dor nociceptiva) ou transmissão anormal de sinais de dor atribuíveis à lesão, disfunção ou excitabilidade alterada no sistema nervoso periférico ou SNC (dor neuropática).[69]

As causas de dor central são: lesão vascular de encéfalo e medula espinal (consequente a infarto, hemorragia e malformação vascular), esclerose múltipla, trauma medular, siringomielia, tumor, abscesso, processo inflamatório (vírus, sífilis), doença de Parkinson. As mais frequentes são lesão vascular, esclerose múltipla e trauma.

Geralmente, há alteração sensitiva associada.[70] A dor pode ser espontânea ou provocada, difusa ou restrita.

O tratamento da dor central pode ser feito com: antidepressivos, anticonvulsivantes, neurolépticos, opioides, benzodiazepínico, baclofeno, bloqueio simpático, lidocaína venosa, bloqueio de nervo periférico, estimulação elétrica periférica ou central, e acupuntura.

■ NEUROPATIA DIABÉTICA DOLOROSA

O diabetes melito é a causa mais comum de neuropatia periférica que, na maioria das vezes desenvolve após muitos anos de controle inadequado da doença.[14] Pode provocar vários tipos de neuropatias: polineuropatia simétrica distal predominantemente sensitiva, motora ou mista; neuropatia autonômica e mononeuropatia focal ou multifocal, predominantemente sensorial ou motora1.[70,71] A polineuropatia sensitiva pode acometer fibras finas, grossas ou ambas. A forma mais comum é a polineuropatia simétrica distal. A neuropatia ocorre tanto nas formas insulina-dependente como em insulina-independente.

As alterações são consequência de isquemia ou susceptibilidade à compressão. A causa da lesão provavelmente é multifatorial. Observa-se desmielinização e degeneração axonal, podendo haver lesão direta dos axônios ou das células de Schwann devido a alterações metabólicas. Também podem ocorrer alterações da microcirculação do nervo.[70]

Os mecanismos responsáveis pela lesão incluem: acúmulo de sorbitol, formação de certos metabólitos, anomalia de ácidos graxos essenciais, formação de radicais livres e ausência de fator de crescimento neural.

A dor pode desaparecer espontaneamente em decorrência da regeneração de nervo ou degeneração maior. Frequentemente a dor piora à noite, prejudicando o sono. São sintomas que acompanham: sensação de edema de pés, alodinia e parestesia.

A neuropatia toracoabdominal ocorre entre a 5ª e a 6ª décadas da vida em pacientes portadores de diabetes tipo II. Tem localização na região torácica superior ou inferior ou abdominal superior.

Para diminuir a incidência da neuropatia, é fundamental o controle apropriado da glicemia. A hiperglicemia aumenta a intensidade da dor e a glicose modula a percepção da dor provavelmente através de interação com peptídeos opioides endógenos.

Na neuropatia diabética crônica, os sintomas geralmente progridem gradualmente, iniciando com adormecimento dos pés, que estende em direção proximal, seguida de dor. Observa-se pequena melhora da neuropatia com controle adequado da glicemia, porém a progressão da doença diminui.

Os tratamentos propostos para dor da neuropatia são: imipramina, amitriptilina, nortriptilina, venlafaxina, duloxetina, gabapentina, pregabalina, carbamazepina, clorpromazina, lidocaína tópica, bloqueio de nervo periférico e lidocaína venosa.[70,72] São considerados de segunda linha os opioides.[70,73] Os opioides são medicamentos de primeira linha para dor neuropática: aguda, decorrente de câncer, exacerbações episódicas de dor neuropática intensa e quando há necessidade de alívio imediato da dor durante a titulação de um dos medicamentos de primeira linha.

Em meta-análise observa-se eficácia de duloxetina, gabapentina e pregabalina. O tapentadol e a clonidina também promoveram bons resultados, embora o uso do primeiro seja limitado. A fisioterapia não promoveu benefício para pacientes diabéticos com dor neuropática.[73]

■ NEURALGIA DO TRIGÊMEO

A neuralgia primária pode atingir qualquer um dos ramos do trigêmeo (oftálmico, maxilar e mandibular), mas a prevalência em ordem decrescente é a seguinte: V2 (35%), V3 (29%), V2 + V3 (19%), V1 (4%) e todos os ramos (1%). Geralmente é unilateral e ocorre na faixa entre 50 e 70 anos.[70]

A neuralgia de trigêmeo é caracterizada por dor paroxística em choque, intensa, de início súbito e término abrupto, com duração de segundos, podendo ocorrer uma sequência de múltiplos choques. Pode haver remissão espontânea durante meses ou anos.

Não são observadas anomalias neurológicas, como alteração sensitiva ou motora entre as crises de dor. Existem zonas-gatilho, principalmente na região perioral ou nasal que, ao serem ativadas, precipitam as crises. As crises ocorrem com estímulos como falar, comer, escovar os dentes ou mesmo vento atingindo a face.

Os tratamentos utilizados são: carbamazepina, oxcarbazepina, gabapentina, pregabalina, difenilhidantoina, baclofeno, bloqueio de nervo, *laser*, compressão do gânglio de Gasser com cateter de Fogarty, termocoagulação do gânglio e craniectomia para descompressão do nervo (raramente).[70] Os procedimentos cirúrgicos são indicados quando não há controle com medicamentos ou o paciente apresenta efeito colateral intenso com os medicamentos.

■ NEURITE HERPÉTICA E NEURALGIA PÓS-HERPÉTICA

O herpes-zóster é a reativação de infecção por varicela que ocorreu previamente. O vírus responsável é *Herpesvirus varicellae*. Com a resolução da varicela, o vírus permanece latente no SNC. Quando há diminuição da imunidade do paciente, a infecção volta a aparecer, mas de forma localizada, na distribuição de alguns nervos.

A incidência do herpes-zóster é maior nos idosos por diminuição de anticorpo e geralmente ocorre em pacientes acima de 50 anos. Raramente ocorre recorrência e não há diferença entre os sexos, étnica ou racial na incidência.

Os locais atingidos são por ordem de frequência: nervos torácicos (50%), primeiro ramo do nervo trigêmeo, raízes cervicais (10% a 20%), lombares (10% a 20%) e sacrais. Geralmente, é unilateral, seguindo o dermátomo (menos de 1% é bilateral).

A dor e a disestesia podem surgir até três meses antes da erupção, mas geralmente não ocorrem antes de dois dias do aparecimento das vesículas. Geralmente, em uma semana, há formação de crostas e resolução em um mês.

Quando há envolvimento de raízes sacrais, o paciente pode apresentar retenção urinária. As complicações mais sérias ocorrem quando o vírus atinge o nervo trigêmeo, podendo evoluir inclusive para cegueira.

Geralmente não ocorre dor sem surgimento de vesículas posteriormente. Herpes-zóster generalizado é raro e pode ocorrer em paciente com imunossupressão. Raramente ocorre encefalomielite ou disseminação para vísceras. Algumas outras complicações podem ocorrer: neuralgia pós-herpética, meningite, mielite transversa, mielopatia necrotizante, síndrome de Guillian-Barré, paralisia facial temporária, e complicações oftalmológicas.

Para o herpes agudo devem ser utilizados: antivirais, bloqueio simpático e analgesia adequada. No herpes oftálmico, os cuidados devem ser maiores, e com avaliação do oftalmologista.

Neuralgia pós-herpética é a que persiste após resolução da lesão herpética que normalmente cicatriza em um mês. Considera-se como tempo para cura do herpes-zóster, quatro a oito semanas. É considerada neuralgia pós-herpética após período de quatro a cinco meses.

A neuralgia pós-herpética é a complicação mais frequente e ocorre em aproximadamente 10% dos pacientes com herpes-zóster. É mais frequente após herpes do ramo oftálmico. A incidência de neuralgia pós-herpética é maior no idoso e na diminuição da imunidade.

Geralmente a dor melhora com o tempo na maioria dos pacientes, mas alguns mantêm o sintoma durante vários anos. Existe tendência para a cura espontânea, mas se não houve alívio após seis meses, essa possibilidade diminui.

A prevenção do herpes-zóster pode ser feita através da vacinação.

Além da dor de diversas características, o paciente apresenta hipoestesia do dermátomo, alodinia e alteração motora da região.

Diversas condutas são empregadas para o alívio da dor: amitriptilina, nortriptilina, duloxetina, venlafaxina, gabapentina, pregabalina, carbamazepina, baclofeno, tramadol, codeína, metadona, capsaicina, lidocaína tópica/transdérmica/venosa, estimulação elétrica transcutânea, infiltração local e perineural, e eletroestimulação medular. São considerados medicamentos de primeira linha para dor neuropática.[70,73-77]

■ SÍNDROME COMPLEXA DE DOR REGIONAL

A síndrome complexa de dor regional (SCDR) ocorre após um trauma, tem localização regional predominantemente distal e as manifestações são desproporcionais em intensidade e duração à evolução clínica do evento inicial. Muitas denominações foram descritas no passado.[70]

A causa da SDRC é o trauma (fratura, contusão, operação, laceração, queimadura, esmagamento e gesso). Traumas mínimos podem provocar SCDR.

A SCDR é classificada em tipo I (sem lesão de nervo) e tipo II (com lesão de nervo).

A SDRC é muito frequente, com prevalência maior no adulto, no sexo feminino e nas extremidades distais como mãos e pés, mas pode ser observada em qualquer localização.

A síndrome é caracterizada por dor, instabilidade vasomotora e alterações distróficas. Observa-se inflamação, alterações autonômicas, cutâneas, motoras e distróficas. O quadro clínico é variável dependendo do local e do estágio. Na SCDR tipo I, normalmente o quadro clínico é mais leve que no tipo II. As manifestações são: dor; edema; alodinia; hiperestesia; alteração da cor, da temperatura, e da sudorese; diminuição da movimentação e da força; tremor, distonia; unha quebradiça; fibrose palmar; pele fina, hiperqueratose; alteração do crescimento de pelos; atrofia muscular; contratura de tendão; rigidez articular; alteração da mobilidade cutânea; e úlcera.

Também pode ser classificada em fases: aguda, distrófica e atrófica. No estágio agudo, a dor é constante, intensa, localizada e acompanhada de hiperestesia, edema, alodinia, limitação dos movimentos e distúrbios vasomotores. Pode haver aumento do fluxo sanguíneo com pele quente, vermelha e seca, aumento do crescimento de pelos e unhas ou vasoconstrição com pele fria, úmida e cianótica. Observa-se aumento do tônus muscular e pode ocorrer osteoporose. No estágio distrófico, a dor é extensa e a pele é pálida ou cianótica e fria, brilhante e esticada, com perda de pelos e as unhas são quebradiças com estrias. Acompanha-se de hiperidrose e a movimentação é extremamente restrita. Os pacientes têm preocupação em proteger a região afetada. O estágio atrófico é caracterizado por evolução irreversível das alterações tróficas (atrofia da pele, músculos e fibrose). A pele é pálida, lisa e brilhante e esticada com aspecto de esclerodermia. A dor atinge áreas mais extensas e ocorre fibrose pericapsular, contratura de tendões e restrição ao movimento. Observa-se osteoporose intensa. Nem sempre são observadas todas as fases durante a evolução.

As alterações ocorrem rapidamente após a lesão, geralmente em extremidade ~~distal~~. A dor de diferentes tipos e com extensão variável é acompanhada de edema, alterações autonômicas, motoras e tróficas. Observam-se alterações tróficas de tecidos, da mobilidade e de temperatura.

O diagnóstico é feito por história e exame físico. O critério recomendado para diagnóstico é o de Budapeste. Os critérios de Budapeste para SCDR consistem em:

1. Dor contínua desproporcional a qualquer evento causador.
2. O paciente deve relatar um sintoma em três das quatro categorias a seguir.
   - Sensitiva: alodinia ou hiperalgesia;
   - Vasomotora: assimetria de temperatura, alterações na cor da pele;
   - Sudomotora/edema: edema, alterações na sudorese;
   - Motora/trófica: diminuição da amplitude de movimento, disfunção motora (fraqueza, tremor, distonia), alterações tróficas (pelo, unhas, pele).
3. Deve exibir um sinal no momento da avaliação em pelo menos duas das seguintes categorias:
   - Sensitiva: evidência de hiperalgesia e alodinia;
   - Vasomotora: evidência de assimetria de temperatura ou alterações na cor da pele;
   - Sudomotora: evidência de edema, alteração da sudorese;
   - Motora: fraqueza/diminuição da amplitude dos movimentos, disfunção motora (fraqueza, tremor, distonia).
4. Não há outro diagnóstico que explique os sinais ou sintomas do paciente.

Para uso clínico: três ou mais sintomas de cada categoria e dois ou mais sinais de cada categoria. Também pode ser usado o critério de Budapeste

O tratamento deve visar alívio da dor e recuperação funcional. A reabilitação é fundamental para o paciente com SCDR. O alívio da dor deve ser realizado utilizando fármacos e intervenções tais como bloqueio simpático ou somático. Deve ser feito controle do edema com elevação da região afetada, massagem, bloqueio simpático e bomba de compressão.[78]

Os tratamentos propostos são: antidepressivos tricíclicos e duais, gabapentina, pregabalina, bloqueio simpático, lidocaína por via venosa, lidocaína tópica, anti-inflamató-rios, corticosteroides, capsaicina, bloqueio de plexo, carbamazepina, cetamina, toxina botulínica, estimulação elétrica medular, terapia ocupacional, e acupuntura.[68,78,81]

■ DOR FANTASMA

Após amputação, pode ocorrer dor fantasma, fenômeno fantasma e dor de coto. Fenômeno fantasma é a sensação da existência da região amputada, sem que o paciente sinta dor. Ocorre com maior frequência que a dor fantasma.

Dor fantasma é a que ocorre em área do corpo que foi amputada, embora seja mais comum após amputação de membro. Ocorre em 60% a 85% dos pacientes que sofreram amputação de membro, podendo surgir também em outras partes do corpo.[70,82,83] É rara após amputação em crianças pequenas.

Os fatores associados são: dor pré-operatória, dor pós-operatória, idade avançada, extremidades. A incidência de dor fantasma é maior nas amputações proximais de membro dominante. Geralmente, surge logo após a amputação, diminuindo com o tempo, mas pode aparecer após algum tempo. Alguns autores sugerem que existe maior incidência de membro fantasma em lesão de membro superior e em amputações súbitas. A dor de coto em decorrência de neuroma, infecção ou trauma pode ser um fator para aumentar a incidência de dor fantasma.

Parece que a administração de anestésico local e opioide por via peridural antes da amputação, diminui a incidência de dor fantasma. Qualquer método de analgesia adequada é importante para que não ocorra sensibilização central. Terapia para reabilitação por meio da colocação precoce de prótese também pode ter efeito benéfico.

As características da dor são variáveis e a intensidade difere entre os pacientes. Pode ser contínua ou intermitente; em queimação, pontada, choque, aperto; piora com frio e alteração emocional. Mecanismos periféricos, espinais, encefálicos e psicológicos estão envolvidos.

Os tratamentos para dor fantasma são: amitriptilina, nortriptilina, duloxetina, milnaciprano, gabapentina, pregabalina, carbamazepina, tramadol, morfina, metadona, buprenorfina, cetamina, clorpromazina, anestésico local tópico, infiltração de neuroma, toxina botulínica, e bloqueios.[68,80,82] Outros tratamentos são: *feedback* visual do espelho, dessensibilização e reprocessamento dos movimentos oculares, imagens, hipnose e realidade virtual.[87,88]

■ NEURITE TRAUMÁTICA

O trauma frequentemente causa lesões no sistema nervoso, com surgimento de dor. Pode haver lesão direta ou indireta de nervo por secção, isquemia ou compressão por fibrose. Essas lesões ocorrem em diversos procedimentos como: laminectomia, toracotomia, hernioplastia, mastectomia, laparotomia, histerectomia e dermolipectomia.[70]

O tratamento adequado da dor durante a operação e no período pós-operatório pode reduzir a incidência de síndromes dolorosas crônicas.

Síndrome pós-toracotomia consiste em dor que persiste ao longo da cicatriz da toracotomia, na distribuição de um ou mais nervos intercostais. Em uma parcela pequena de pacientes, a dor continua ou reaparece após semanas ou meses da operação. Em operações de região cervical, especialmente com ressecção ampla para tumores, frequentemente ocorre lesão de nervo, com dor. A dor pós-mastectomia pode ocorrer por compressão do nervo intercostobraquial. Pode ocorrer em procedimentos menores, mas é mais comum após mastecotomia radical ou quando é feita dissecação de gânglios da região axilar. A incidência é de 4% a 6% em mulheres que são submetidas a operações de mama. Há formação de neuroma no nervo intercostobraquial que é ramo de T_2. A dor exacerba com movimento do membro, fazendo com que a paciente fique com o membro imóvel. Ocorre alodinia, hiperestesia e disestesia. Diversas outras operações realizadas em diferentes locais do corpo podem provocar lesão de nervo, tendo como consequência uma neurite traumática.

Os tratamentos indicados são: amitriptilina, nortriptilina, venlafaxina, duloxetina, carbamazepina, oxcarbazepina, gabapentina, pregabalina, tramadol, clorpromazina, infiltração, lidocaína tópica, capsaicina.[70,73]

▪ DOR CRÔNICA PÓS-OPERATÓRIA

A dor crônica pós-operatória (DCPO) ocorre em 5% a 80% dos pacientes submetidos a procedimentos cirúrgicos.

É mais prevalente após procedimentos que provocam lesão de nervo. Mesmo os pacientes submetidos a procedimentos menores podem ter dor crônica.[87-96] A incidência após amputação de membro é de 30% a 81%; após toracotomia e hérnia inguinal, de 11,5% a 47%; após colecistectomia, de 3% a 56%;[83] após operação de mama, de 10% a 50%.[90]

Vários fatores contribuem para a DCPO:[92-95]

- ▪ Pré-operatórios (dor com duração maior que um mês, psicológico, genético, e diabetes melito);
- ▪ Intraoperatórios (lesão de nervo, local e tipo de incisão, duração, operação repetida e complicações);
- ▪ Pós-operatórios (intensidade da dor, duração da dor, imobilização e inatividade).

A prevenção pode ser realizada através de: operação com menos trauma, evitar lesão de nervo, controle do diabetes melito, analgesia pré, intra e pós-operatória, mobilização precoce, melhora do retorno venoso e evitar compressão de tecidos. O alívio adequado da dor é importante para reduzir a incidência de dor crônica. Deve ser feito de maneira preventiva e com duração suficiente para evitar sensibilização central pela dor prévia, pelo trauma cirúrgico, e pela inflamação pós-operatória. Diversos medicamentos e técnicas têm sido avaliados para evitar cronificação da dor pós-operatória.[95,96]

REFERÊNCIAS

1. Joksimovic SL, Covey DF, Jevtovic-Todorovic V, Todorovic. Neurosteroids in Pain Management: A New Perspective on an Old Player. Front Pharmacol. 2018 Oct 2;9:1127.
2. Thomas K, Shankar H. Targeting myofascial taut bands by ultrasound. Curr Pain Headache Rep. 2013 Jul;17(7):349. doi: 10.1007/s11916-013-0349-4
3. Borg-Stein J, Simons DG. Focused review: myofascial pain. Arch Phys Med Rehabil. 2002;83:S40-7.
4. Alvarez DJ, Rockwell PG. Trigger points: diagnosis and treatment. Am Fam Phys. 2002;65:653-60.
5. Walsh NE, Brooks P, Hazes JM, et al. Standards of care for acute and chronic musculoskeletal pain: the Bone and Joint Decade (2000-2010). Arch Phys Med Rehabil. 2008 Sep;89(9):1830-45.
6. Sakata RK, Issy AM. Síndrome Miofascial In: Sakata RK, Issy AM. Dor Guia de Medicina Ambulatoria e Hospitalar. 2ª ed. Barueri: Manole, 2008. p.33-41
7. Rachlin ES, Rachilin IS. Myofascial pain and fibromyalgia. 2nd ed. St Louis: Mosby, 2002.
8. Saxena A, Chansoria M, Tomar G, Kumar A. Myofascial pain syndrome: an overview. J Pain Palliat Care Pharmacother. 2015 Mar;29(1):16-21.
9. Offenbacher M, Stucki G. Physical therapy in the treatment of fibromyalgia. Scand J Rheumatol Suppl. 2000;113:78-85.
10. Tough EA, White AR, Richards S, Campbell J. Variability of criteria used to diagnosis myofascial trigger point pain syndrome—evidence from a review of the literature. Clin J Pain. 2007;23:278-86.
11. Srbely JZ. New trends in the treatment and management of myofascial pain syndrome. Curr Pain Headache Rep. 2010 Oct;14(5):346-52. doi: 10.1007/s11916-010-0128-4
12. Rainey CE. The use of trigger point dry needling and intramuscular electrical stimulation for a subject with chronic low back pain: a case report. Int J Sports Phys Ther. 2013,8(2).145-61.
13. Fricton JR. Myofascial pain. Ballière's Clin Rheumatol. 1994;8(4):857-80.
14. Han SC, Harrison P. Myofascial pain syndrome and trigger-point management. Reg Anesth. 1997;22(1):89-101.
15. Scott NA, Guo B, Barton PM, et al. Trigger point injections for chronic non-malignant musculoskeletal pain: A systematic review. Pain Med. 2009;10:54-69.
16. Wheeler AH. Myofascial pain disorders. Drugs. 2004;64(1):45-62.
17. Alvarez DJ, Rockwell PG. Trigger Points: diagnosis and management. Am Fam Phys. 2002;65(4):653-60.
18. Graboski CL, Gray S, Burnham RS. Botulinum toxin A versus bupivacaine trigger point injection for treatment of myofascial pain syndrome: a randomized double blind crossover study. Pain. 2005;118:170-5.
19. Sakata RK. Infiltração de pontos-gatilho In: Sakata RK, Issy AM. Bloqueio para tratamento da dor. 1ª ed. Barueri: Manole, 2010. p. 61-88.
20. Esenyel M, Caglar N, Aldemir T. Treatment of myofascial pain. Am J Phys Med Rehabil. 2000;79:48-52.
21. Freund BJ, Schwartz M. Treatment of chronic cervical associated headache with botulinum toxin A: a pilot study. Headache. 2000;40:231-6.
22. Yoo JI, Oh MK, Chun SW, Lee SU, Lee CH. The effect of focused extracorporeal shock wave therapy on myofascial pain syndrome of trapezius: A systematic review and meta-analysis. Medicine (Baltimore). 2020 Feb;99(7):e19085.
23. Krismer M, van Tulder M. Strategies for prevention and management of musculoskeletal conditions. Low back pain (non-specific). Best Pract Res Clin Rheumatol. 2007 Feb;21(1):77-91.
24. Shipton EA. Physical Therapy Approaches in the Treatment of Low Back Pain. Pain Ther. 2018 Sep 18. doi: 10.1007/s40122-018-0105-x
25. Sakata RK, Issy AM. Lombalgia e Lombociatalgia. In: Sakata RK, Issy AM. Dor - Guia de Medicina Ambulatorial e Hospitalar. 2ª ed. Barueri: Manole, 2008. p.51-61.
26. Luoma K, Riihimaki H, Luukkonen R, et al. Low back pain in relation to lumbar disc degeneration. Spine. 2000;25(4):487-92.
27. Thorbjornsson CB, Alfredsson L, Fredriksson K, et al. Physical and psychosocial factors related to low back pain during a 24-year period. A nested case-control analysis. Spine. 2000;25(3):369-74.
28. Furlan AD, Yazdi F, Tsertsvadze A, et al. Complementary and alternative therapies for back pain II. Evid Rep Technol Assess (Full Rep). 2010 Oct;(194):1-764.
29. van Middelkoop M, Rubinstein SM, Kuijpers T, et al. A systematic review on the effectiveness of physical and rehabilitation interventions for chronic non-specific low back pain. Eur Spine J. Jan 2011;20(1):19-39.
30. van Tulder MW, Koes B, Seitsalo S, et al. Outcome of invasive treatment modalities on back pain and sciatica: an evidence-based review. Eur Spine J. 2006;15(Suppl 1):S82-S92.
31. Sakata RK. Injeção intra-articular facetária. In: Sakata RK, Issy AM. Bloqueio para tratamento da dor. 1ª ed. Barueri: Manole, 2010. p.105-10.
32. Sakata RK. Injeção de corticosteróide por via espinal. In: Sakata RK, Issy AM. Bloqueio para tratamento da dor. 1ª ed. Barueri: Manole, 2010. p.29-40.
33. Benoist M, Philippe Boulu P, Hayem G. Epidural steroid injections in the management of low-back pain with radiculopathy: an update of their efficacy and safety. Eur Spine J. Feb 2012; 21(2): 204-13.

34. Nasir A. Quraishi.Transforaminal injection of corticosteroids for lumbar radiculopathy: systematic review and meta-analysis. Eur Spine J. Feb 2012;21(2):214-9.
35. Urits et al, 2019 Urits I, Burshtein A, Sharma M, Testa L, Gold PA, Orhurhu V, Viswanath O, et al. Low Back Pain, a Comprehensive Review: Pathophysiology, Diagnosis, and Treatment. Curr Pain Headache Rep. 2019 Mar 11;23(3):23.
36. O'Connell NE, Cook CE, Wand BM, Ward SP. Clinical guidelines for low back pain: A critical review of consensus and inconsistencies across three major guidelines. Best Pract Res Clin Rheumatol. 2016 Dec;30(6):968-80.
37. Cohen SP. Epidemiology, diagnosis, and treatment of neck pain. Mayo Clin Proc. 2015 Feb;90(2):284-99.
38. Sakata RK, Issy AM, Vlainich R. Cervicalgia e Cervicobraquialgia In: Sakata RK, Issy AM. Dor- Guia de Medicina Ambulatorial e Hospitalar. 2ª ed. Barueri: Manole, 2008. p.63-73.
39. Cohen SP, Hooten WM. Advances in the diagnosis and management of neck pain. BMJ. 2017 Aug 14;358:j3221.
40. Pereira D, Ramos E, Branco J. Osteoarthritis. Acta Med Port. 2015 Jan-Feb;28(1):99-106.
41. Chan KK, Wu RW. Symptoms, signs and quality of life (QoL) in osteoarthritis (OA). In: Rothschild DB, editor. Principles of osteoarthritis - its definition, character, derivation and modality-related recognition. 2012.
42. Sakata RK, Issy AM, Vlainich R. Osteoartrite In: Sakata RK, Issy AM. Guias de Medicina Ambulatorial e Hospitalar. 1ª ed. Barueri: Manole, 2004. p.83-96.
43. Zhang W, Doherty M, Peat G, Bierma-Zeinstra MA, Arden NK, Bresnihan B, et al. EULAR evidence-based recommendations for the diagnosis of knee osteoarthritis. Ann Rheum Dis. 2010;69:483-9.
44. Gazi MCB, Sakata RK. Injeção intra-articular de joelho. In: Sakata RK, Issy AM. Bloqueio para tratamento da dor. 1ª ed. Barueri: Manole, 2010. p.89-100.
45. Sakata RK. Injeção intra-articular coxofemoral. In: Sakata RK, Issy AM. Bloqueio para tratamento da dor. 1ª ed. Barueri: Manole, 2010. p.115-7.
46. Issy AM, Sakata RK. Bloqueio de nervo obturador. Bloqueio para tratamento de dor. Barueri: Manole 2010. p.129-34.
47. Talotta R, Bazzichi L, Di Franco M, Casale R, Batticciotto A, Gerardi MC, et al. One year in review 2017: fibromyalgia. Clin Exp Rheumatol. 2017 May-Jun;35 Suppl 105(3):6-12.
48. Berglund B, Harju E-L, Kosek E, et al. Quantitative and qualitative perceptual analysis of cold dysesthesia and hyperalgesia in fibromyalgia. Pain. 2002;96:177-87.
49. Bennett RM. Clinical manifestations and diagnosis of fibromyalgia. Rheum Dis Clin North Am. 2009;35(2):215-32.
50. Clauw DJ. Fibromyalgia: an overview. Am J Med. 2009;122:S3-S13.
51. Häuser W, Petzke F, Sommer C. Comparative efficacy and harms of duloxetine, milnacipran, and pregabalin in fibromyalgia syndrome. J Pain. 2010;11(6):505-21.
52. FM consensus group. J Rheumatol. 1996;23:534-9.
53. Arnold LM. Biology and therapy of fibromyalgia. New therapies in fibromyalgia. Arthritis Res Ther. 2006;8(4):212(1-20).
54. Buskila D, Press J. Neuroendocrine mechanisms in fibromyalgia-chronic fatigue. Best Pract Res Clin Rheumatol. 2001;15:747-58.
55. Legangneux EJJ, Mora Spreux-Varoquaux O, Thorin I M, et al. Cerebrospinal fluid biogenic amine metabolites plasma-rich platelet serotonin and [3H]imipramine reuptake in the primary fibromyalgia syndrome. Rheumatology. 2001;40:290-6.
56. Pyke T, Osmotherly PG, Baines S: Measuring glutamate levels in the brains of fibromyalgia patients and a potential role for glutamate in the pathophysiology of fibromyalgia symptoms: a systematic review. Clin J Pain 2016 Dec 28.
57. Kalso E. Pharmacological management of pain: anticonvulsants, antidepressants and adjuvants analgesics. Pain 2005 - An Updated Review: Refresher Course Syllabus. Seatle: IASP Press, 2005. p.19-29.
58. Lawson K. Tricyclic antidepressants and fibromyalgia: what is the mechanism of action? Expert Opin Investig Drugs. 2002;11(10):1437-45.
59. Barkhuizen A. Pharmacologic treatment of fibromyalgia. Curr Pain Headache Rep. 2001;5:351-8.
60. Sakata RK. Lidocaína por via venosa. In: Sakata RK, Issy AM. Bloqueio para tratamento da dor. 1ª ed. Barueri: Manole, 2010. p.55-60.
61. Sumpton JE, Moulin DE. Fibromyalgia. Handb Clin Neurol. 2014;119:513-27.
62. Sakata RK. Dor no câncer. In: Sakata RK, Issy AM. Dor - Guia de Medicina Ambulatorial e Hospitalar. 2ª ed. Barueri: Manole, 2008. p.127-35.
63. Bonica JJ. Management of cancer pain. Recent Res Cancer Res. 1984;89:13-27.
64. Mercadante S, Porzio G, Ferrera P, et al. Low morphine doses in opioid-naive cancer patients with pain. J Pain Symptom Manage. 2006;31(3):242-7.
65. Marinangeli F, Ciccozzi A, Leonardis M, et al. Use of strong opioids in advanced cancer pain: A randomized trial. J Pain Symptom Manage. 2004;27(5):409-16.
66. Klepstad P, Kaasa S, Borchgrevink PC. Starting Step III opioids for moderate to severe pain in cancer patients: Dose titration: A systematic review. Palliative Med. 2011;25(5):424-30.
67. Brinkman D, Wang JH, Redmond HP. Morphine as a treatment of cancer-induced pain-is it safe? A review of in vivo studies and mechanisms. Naunyn Schmiedebergs Arch Pharmacol. 2018 Nov;391(11):1169-78.
68. Sakata RK. Bloqueio de gânglio estrelado. In: Sakata RK, Issy AM. Bloqueio para tratamento da dor. 1ª ed. Barueri: Manole, 2010. p.233-40.
69. Hauer J, Houtrow AJ. Pain Assessment and Treatment in Children With Significant Impairment of the Central Nervous System. Pediatrics. 2017 Jun;139(6). pii: e20171002.
70. Sakata RK. Principais síndromes dolorosas neuropáticas. In: Sakata RK, Issy AM. Dor- Guia de Medicina Ambulatrial e Hospitalar. 2ª ed. Barueri: Manole, 2008. p.95-105.
71. Freeman R. Diabetic autonomic neuropathy. Handb Clin Neurol. 2014;126:63-79.
72. Bril V, England J, Franklin GM, et al. Evidence-based guideline: Treatment of painful diabetic neuropathy. Neurology. 2011 May 17;76(20):1758-65. Published online 2011 April 11. doi: 10.1212/WNL.0b013e3182166ebe
73. Dworkin RH, O'Connor AB, Audette J, et al. Recommendations for the pharmacological management of neuropathic pain: an overview and literature update. Mayo Clin Proc. 2010;85(3):S3-S14.
74. Vilar S, Castillo JM, Munuera Martínez PV, Reina M, Pabón M. Therapeutic alternatives in painful diabetic neuropathy: a meta-analysis of randomized controlled trials. Korean J Pain. 2018 Oct;31(4):253-60.
75. Kalso E. Pharmacological Management of Pain: Anticonvulsants, Antidepressants, and Adjuvants Analgesics. An Updated Review: Refresher Course Syllabus, IASP Press, Sea-tle, 2005. p.19-29.
76. Maizels M, Mccarber B. Atidepressants and antiepileptic drugs for chronic non-cancer pain. Am Fam Physician. 2005;71:483-90.
77. Haanpää ML, Gourlay GK, Kent JL, et al. Treatment considerations for patients with neuropathic pain and other medical comorbities. Mayo Clin Proc. 2010;85(3)(suppl):S15-S25.
78. van Eijs F, Stanton-Hicks M, Van Zundert J, et al. Evidence-based interventional pain medicine according to clinical diagnoses. Complex regional pain syndrome. Pain Pract. 2011 Jan-Feb;11(1):70-87. doi: 10.1111/j.1533-2500.2010.00388.x. Epub 2010 Aug 27
79. Baron R, Binder A, Ludwig J, et al. Diagnostic Tools and Evidence-Based Treatment of Complex Regional Pain Syndrome. An Update Review: Refresher Course Syllabus. IASP, 2005. p.293-306.
80. Stanton-Hicks M. Complex regional pain syndrome. Anesthesiol Clin North Am. 2003;21(4):733-44.
81. Perez RS, Zollinger PE, Dijkstra PU, et al. Evidence based guidelines for complex regional pain syndrome type 1. BMC Neurol. 2010;10:20. Published online 2010 March 31. doi: 10.1186/1471-2377-10-20
82. Hsu E, Cohen. Postamputation pain: epidemiology, mechanisms, and treatment. J Pain Res. 2013;6:121-36. Published online Feb 13, 2013. doi: 10.2147/JPR.S32299
83. Fang JF, Lian Y, Xie K, et al. Pharmacological interventions for phantom limb pain. Chinese Med J. 2013;126(3):542-9.
84. McCormick Z, Chang-Chien G, Marshall B, et al. Phantom limb pain: a systematic neuroanatomical-based review of pharmacologic treatment. Pain Med. 2014 Feb;15(2):292-305. doi: 10.1111/pme.12283. Epub 2013 Nov 13
85. Cárdenas K, Aranda M. Psychotherapies for the Treatment of Phantom Limb Pain. Rev Colomb Psiquiatr. 2017;46(3):178-86.
86. Dunn J, Yeo E, Moghaddampour P, Chau B, Humbert S. Virtual and augmented reality in the treatment of phantom limb pain: A literature review. NeuroRehabilitation. 2017;40(4):595-601.
87. Yung PS-H, Hung L-K, Tong CW-C, et al. Carpal tunnel release with a limited palmar incision: clinical results and pillar pain at 18 months follow-up. Hand Surg. 2005;10(1):29-35.
88. Thruston A, Lam N. Results of open carpal tunnel release: a comprehensive, retrospective study of 188 hands. Aust N Z Surg, 1997;67:283-8.
89. Kluge W, Simpson RG, Nicol AC. Late complications after carpal tunnel decompression. J Hand Surg. 1996;21(2):205-7.
90. Fecho K, Miller NR, Merritt SA, et al. Acute and persistent postoperative pain after breast surgery. Pain Med. 2009 May-Jun;10(4):708-15. Epub 2009 Apr 22
91. Wildgaard K, Ravn J, Kehlet H. Chronic post-thoracotomy pain: a critical review of pathogenic mechanisms and strategies for prevention. Eur J Cardiothorac Surg. 2009;36(1):170-80.
92. Brandsborg B, Dueholm M, Nikolajsen L, et al. A prospective study of risk factors for pain persisting 4 months after hysterectomy. Clin J Pain. 2009 May;25(4):263-8.
93. Akkaya T, Ozkan D. Chronic post-surgical pain. Agri. 2009 Jan;21(1):1-9.
94. Hompes R, Vansteenkiste F, Pottel H, et al. Chronic pain after Kugel inguinal hernia repair. Hernia. 2008;12(2):127-32.
95. Wong K, Phelan R, Kalso E, Galvin I, Goldstein D. Raja S, Gilron I. Antidepressant Drugs for Prevention of Acute and Chronic Postsurgical Pain. Anesthesiology. 2014;121:591-608.
96. Clarke H, Bonin RP, Orser BA, Englesakis M, Wijeysundera DN, Katz J. The prevention of chronic postsurgical pain using gabapentin and pregabalin: a combined systematic review and meta-analysis. Anesth Analg. 2012;115:428-42.

119

Tratamento da Dor Relacionada ao Câncer

Angela Maria Sousa ▪ Alexandre Slullitel ▪ Áquila Lopes Gouvea ▪ Hazem Adel Ashmawi

INTRODUÇÃO

A dor pode ser a primeira manifestação do câncer ou de sua recorrência e apresenta alta prevalência (64% de pacientes com doença metastática, 59% de pacientes com tratamento antitumoral, 33% de pacientes após tratamento curativo). É uma experiência sensitiva e subjetiva, influenciada pela cultura, genética, história pessoal, humor e expectativas com relação ao tratamento.[1]

Muitos pacientes com câncer sofrem tratamento inadequado (56% a 82,3% dos casos). Alguns tipos de tumores, como o de pâncreas e os da cabeça e do pescoço, induzem dor em fases bem precoces do diagnóstico (70%). Outros cânceres que cursam com alta prevalência de dor são os gastrintestinais (59%), de pulmão (55%), de mama (54%), urogenital (52%) e ginecológico (60%). Linfoma ou leucemia, ao contrário dos relatos mais antigos da literatura, induzem dor não apenas na fase final da vida, mas também no momento do diagnóstico e durante a fase ativa do tratamento.[2,3] São as seguintes as causas de dor no câncer:[4,5]

1. **Relacionada com o câncer (60% a 90%):** compressão ou infiltração de vísceras ocas, tecidos moles, ossos ou nervos
   - **Dor nociceptiva (somática e visceral):** ativação de fibras Aσ e C;
   - **Dor inflamatória:** inflamação periférica aguda;
   - **Dor neuropática:** lesão ou doença que afeta o sistema nervoso somatossensitivo;
   - Dor mista.
2. **Associada ao câncer (5% a 20%):** indiretamente ligada ao câncer (p. ex.: herpes zóster, dor lombar causada por confinamento ao leito, dor torácica causada por tosse

3. **Relacionada com o tratamento (10% a 25%):** cirurgia, quimioterapia, investigações diagnósticas
4. **Não relacionada com o câncer:** dor miofascial pode ser encontrada em quase 50% de pacientes com câncer de mama.[6]

São causas de dor crônica em pacientes que sobrevivem ao câncer: neuropatia periférica induzida por quimioterapia, plexopatia braquial induzida por radiação e dor pélvica crônica secundária a radioterapia ou cirurgia.

▪ FISIOLOGIA DA DOR ONCOLÓGICA

O crescimento desordenado de células neoplásicas pode resultar em elementos nociceptivos, neuropáticos, inflamatórios e isquêmicos que induzem dor.[7] Os mecanismos periféricos e a interação com o microambiente do tumor são, em sua maioria, dependentes do tipo de célula neoplásica. O crescimento tumoral e concomitante liberação de mediadores inflamatórios (endotelinas, bradicinina, citocinas, como fator de necrose tumoral e fator de crescimento neural), prótons e proteases, tais como a tripsina (Figura 119.1), estimulam e sensibilizam os neurônios aferentes primários resultando em dor.[7]

Além dos fenômenos periféricos, existem mecanismos centrais (espinais e supraespinais) que podem afetar a sensação dolorosa. O aumento da concentração de dinorfina no sistema nervoso central (SNC) ativa receptores NMDA e induz pronocicepção.[8] A ativação da facilitação descendente da parte rostroventral do tronco cerebral promove resposta nociceptiva desencadeada por estímulos inócuos;[7] mecanismo mediado por serotonina. Em paralelo, ocorre aumento da expressão de neurônios de ampla faixa dinâmica (WDR) e proteínas ácidas fibrilares da glia (GFAP); proteína esta associada à ativação de astrócitos. A ativação

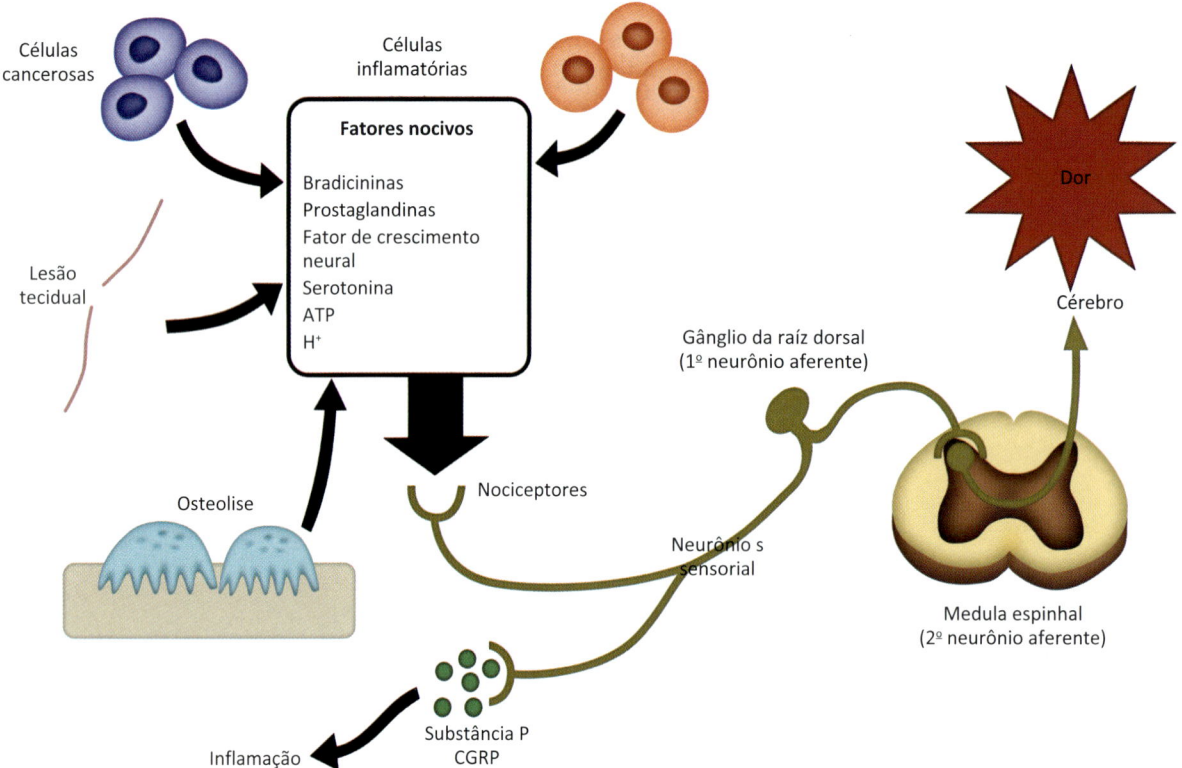

▲**Figura 119.1** Mecanismos de dor relacionada com o câncer.

da glia pode perpetuar a dor devido à secreção de citocinas inflamatórias, tais como interleucinas (IL-1 e IL-6), TNFα e prostaglandinas, promovendo um estado de retroalimentação positiva[7] e, em consequência, dor de difícil controle. Inibidores da glia, como os fármacos anti-TNF, cetamina, minociclina e amitriptilina, são potenciais analgésicos.

Mecanismos que Originam a Dor Óssea

Estudos recentes demonstram que o osso é inervado por uma subpopulação de neurônios sensitivos que expressam receptor vaniloide-1 de potencial transitório (TRPV-1) e canais iônicos-3 sensíveis a ácido (ASIC-3). Tais canais iônicos são de grande interesse, visto que ambos respondem à acidose produzida pelas células cancerosas. Estas apresentam pH menor (6,8) que as células normais (7,4).[9]

Com a finalidade de compreender os mecanismos da dor óssea, são realizados estudos em animais com câncer, nos quais células de adenocarcinoma ou osteosarcoma são injetadas na tíbia; os ratos desenvolvem a doença.[9] Após alguns dias da injeção, as células tumorais substituem as células hematopoiéticas na medula óssea e o osso normal é destruído pelo tumor. Substâncias inflamatórias (canabinoides, citocinas, fator de crescimento neuronal (NGF), endotelinas) liberadas pelas células tumorais e células do estroma ativam e sensibilizam os neurônios aferentes primários,[9] causando dor.

A remodelação óssea, decorrente da proliferação e hipertrofia dos osteoclastos na interface tumor/osso, promove significativa destruição do tecido ósseo normal e gera mudança na arquitetura óssea.[9,10] A reabsorção óssea excessiva pode

conduzir à redução da estabilidade mecânica e facilitar a ocorrência de fraturas no local do tumor, causando dor à movimentação.[9] Além disso, os osteoclastos reabsorvem o osso enquanto acidificam o meio, na interface osteoclasto/osso (pH entre 2 e 4), fato que promove a ativação dos neurônios sensitivos estimulados por ácido (Figura 119.2).[9]

À medida que o tumor cresce, os pacientes expressam dor intensa.[9] O estado funcional e a qualidade de vida dos doentes são muito comprometidos, pois a dor piora muito com a movimentação e os pacientes restringem suas atividades diárias.

Outro importante mecanismo de dor induzida por metástases ósseas envolve o fator de crescimento neural (NGF), essencial para desenvolvimento e sobrevivência de fibras sensitivas e simpáticas. O NGF desempenha papel importante na sensibilização de neurônios sensitivos tirosina-cinase positivo (TrkA+), por induzir rápida fosforilação e sensibilização de TRPV-1. Além disso, o binômio NGF/TrkA é transportado de modo retrógrado do terminal periférico para o corpo celular dos nociceptores, onde induz a síntese de substância P e peptídeo relacionado com o gene da calcitonina (CGRP). Isso leva ao aumento da expressão de receptores de bradicinina e canais iônicos (P2X3, TRPV1, ASIC3 e canais de sódio) no terminal aferente primário e no corno dorsal da medula espinhal. Terapias que bloqueiam o NGF e seu receptor TrkA são usadas para tratamento de dor decorrente de câncer de mama e próstata.[10]

As intensas modificações estruturais no arcabouço ósseo desencadeadas pelo remodelamento ósseo permitem considerar a dor óssea como um tipo de dor neuropática. As células tumorais que invadem o osso normal destroem

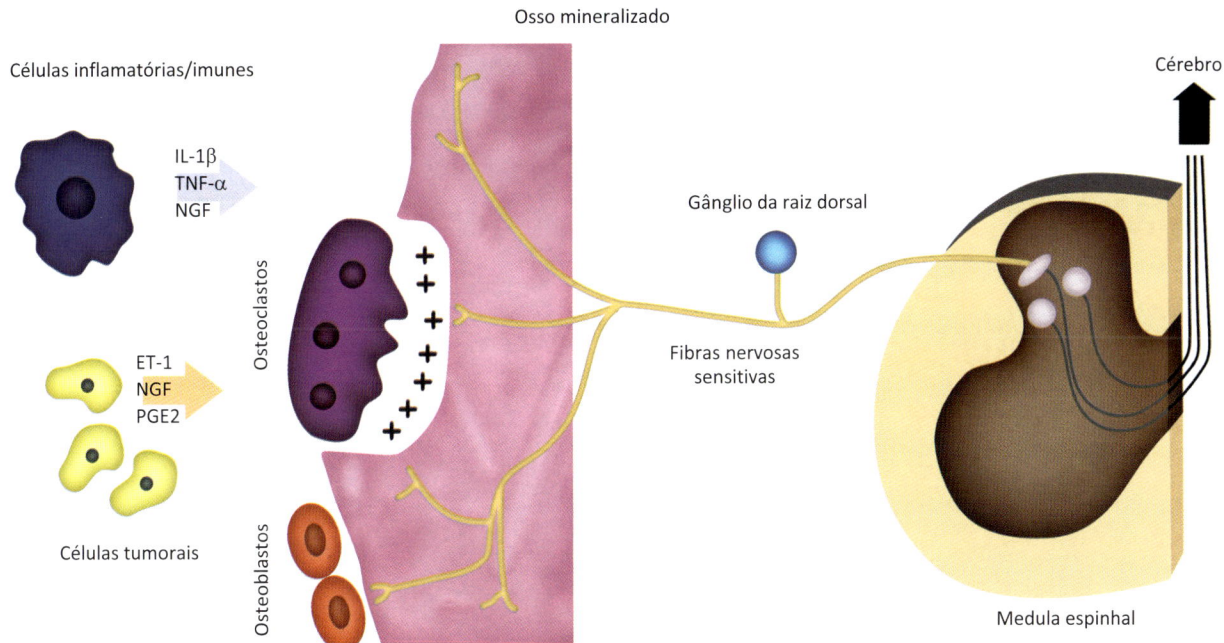

▲**Figura 119.2** Fatores liberados por células tumorais e do estroma que originam dor óssea.
Legendas: Interleucina-1 β (IL-1β); fator de necrose tumoral (TNF-α); fator de crescimento neural (NGF); endotelina-1 (ET-1); prostaglandina E2 (PGE2).
Fonte: Adaptada de Jimenez-Andrade *et al*., 2010.[9]

os elementos distais das fibras sensitivas, e, com o progredir da doença, tais fibras começam a apresentar aparência descontinuada e fragmentada. Ocorre inicialmente ativação do crescimento de fibras sensitivas, que sofrem posteriormente destruição e necrose. Esse processo gera dor contínua e dor relacionada com o movimento. Outro mecanismo adicional é a reorganização patológica (nascimento de fibras) e a formação de neuromas pelas fibras nervosas sensitivas e simpáticas. Esse fenômeno promove mudança de fenótipo das fibras e aumento da expressão de canais de sódio nas extremidades distais dos neurônios lesados, gerando descargas ectópicas que se refletem em dor de difícil controle.[10]

■ AVALIAÇÃO DO PACIENTE COM DOR

A avaliação se inicia pela obtenção de história e exame físico, pois é essencial realizar o diagnóstico sindrômico, topográfico e etiológico da dor. Além disso, é preciso afastar causas emergenciais e indicar o tratamento adequado.

Descrever a história da dor, localização e intensidade, tempo e circunstâncias do início, padrão temporal, fatores de melhora e piora, qualidade, irradiação e história de medicamentos usados. Registrar tratamentos prévios e eventuais efeitos adversos. Questionar sobre os medicamentos em uso no momento da consulta e o alívio obtido com esses tratamentos. Perguntar sobre dor incidental, local, intensidade e duração da dor. Observar o paciente e o acompanhante, sobretudo sobre sinais indiretos de dor ou alterações de comportamento. Avaliar os fatores psicossociais, a capacidade de enfrentamento, a presença ou não de ansiedade e depressão. Solicitar exames complementares se houver necessidade.

Avaliação da Intensidade de Dor

Em pacientes adultos, lúcidos e orientados, a melhor forma de avaliação da dor é o autorrelato. Para finalidade de registro, podem ser utilizados instrumentos para quantificar a intensidade de dor (Figura 119.3).

A Tabela 119.1 resume as recomendações de manuseio adequado do paciente com dor.

As escalas mais utilizadas para quantificar a dor em adultos lúcidos são a escala verbal numérica, a escala analógica visual e a escala descritiva verbal (Figura 119.3).

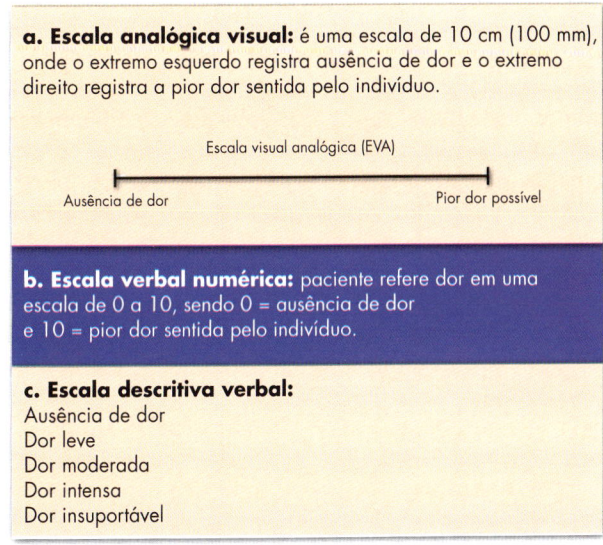

▲**Figura 119.3** Escalas de avaliação de dor em pacientes lúcidos e orientados.

Tabela 119.1 Recomendações de manuseio adequado do paciente com dor.

Avaliar e reavaliar a dor:

- Causas, início, local, tipo e características, irradiação, fatores de piora e melhora, duração, intensidade, padrão temporal, presença e características de dor tipo *breakthrough*, síndromes dolorosas, possível fisiopatologia, dor em repouso ou movimentação
- Uso de analgésicos, eficácia e tolerabilidade

Avaliar e reavaliar o paciente:

- Situação clínica por meio de exame clínico completo
- Investigações radiológicas ou bioquímicas
- Interferência da dor nas atividades diárias, trabalho, vida social, sono, humor, atividade sexual, relacionamento com outras pessoas
- Impacto da dor e doença nas atividades físicas, psicossociais e sociais
- Presença de cuidador, estado psicossocial, conhecimento da doença, ansiedade, depressão e ideação suicida, qualidade de vida, meio social, necessidades espirituais, distúrbios de personalidade
- Presença e intensidade dos sinais, sintomas físicos e emocionais associados às síndromes de dor oncológica
- Presença de comorbidades
- Estado funcional
- Presença de opiofobia ou erros de conceito acerca do tratamento da dor
- Abuso de álcool ou substâncias

Avaliar e reavaliar a sua capacidade de informar e se comunicar com o paciente e os familiares:

- Reserve tempo para conversar com o paciente e com a família, para entender suas necessidades

Fonte: Adaptada de Ripamonti *et al.*, 2012 .[4]

Tabela 119.2 Síndromes dolorosas agudas mais comuns em pacientes com câncer.

Dor aguda associada a intervenções diagnósticas	<ul><li>Cefaleia pós-punção lombar</li><li>Biópsia transtorácica</li><li>Biópsia de próstata</li></ul>
Dor aguda associada a intervenções terapêuticas	<ul><li>Dor pós-operatória</li><li>Radiofrequência para ablação de tumores</li><li>Embolização de tumores</li><li>Pleurodese</li></ul>
Dor aguda associada a toxicidade por quimioterapia	<ul><li>Mucosite (QT e RxT. Mais comum com doxorrubicina, citarabina, 5FU e metotrexate)</li><li>Desconforto perineal induzido por corticoide (sensação de queimação perineal transitória)</li><li>Pseudorreumatismo por retirada de corticoide (mialgia, artralgia, pontos dolorosos musculares)</li><li>Neuropatia periférica dolorosa (alcaloides da vinca, principalmente vincristina)</li><li>Cefaleia (metrotexate intratecal)</li><li>Mialgias e artralgias induzidas por Taxol (10% a 20% dos pacientes)</li><li>Síndrome mão-pé → queimação nas palmas e plantas (5FU, Paclitaxel, sorafenibe e sunitinibe)</li><li>Ginecomastia dolorosa pós-QT (câncer de testículo é a doença de base mais comum)</li><li>Isquemia digital induzida por quimioterapia (síndrome de Raynaud é comum pós-cisplatina, vimblastina e bleomicina)</li></ul>
Dor aguda associada a bisfosfonados	<ul><li>Dor óssea após 24 horas a 3 dias da infusão</li></ul>
Dor aguda associada a radioterapia	<ul><li>Mucositeorofaríngea</li><li>Enterite e retocolite</li><li>Plexopatia braquial</li><li>Mielopatia subaguda</li><li>Dor induzida por radiofármacos</li></ul>
Dor aguda associada a infecção	<ul><li>Herpes-zoster</li></ul>

Estabelecer diagnóstico etiológico e sindrômico. Segundo a literatura, a maioria dos pacientes apresenta dor mista, havendo um componente neuropático em, pelo menos, 60% dos casos.[11] As Tabelas 119.2 e 119.3 relatam algumas síndromes dolorosas mais comuns em pacientes com câncer.

No caso de pacientes com idade avançada, sedados ou com necessidades especiais, o autorrelato fica prejudicado e, portanto, devem ser utilizados instrumentos específicos para essa população. Certamente o tratamento da dor oncológica no idoso deve contemplar as mudanças nas alterações fisiológicas que ocorrem com o envelhecimento. Mas o maior desafio ocorre quando a dor oncológica se associa à demência avançada. O déficit cognitivo acentuado corrobora para erros de interpretação, tanto no diagnóstico do câncer quanto no controle dos sintomas e dos efeitos adversos frequentemente associados.[14] Quando o distúrbio cognitivo é intenso, a observação de comportamentos sugestivos de dor e desconforto é alternativa para diagnosticar a dor. A escala PAINAD pode ser usada para pacientes com demência avançada, a escala comportamental (BPS) e a ferramenta para avaliação de dor em cuidados intensivos (CPOT) podem ser utilizadas em e pacientes sedados [15,16,17] (Tabelas 119.4 a 119.6).

Escala CPOT (ferramenta de observação da dor em cuidados intensivos). Tanto a CPOT quanto a BPS foram desenvolvidas para avaliar a dor em pacientes de unidade de terapia intensiva (UTI) incapazes de autorrelatar. A CPOT consiste em quatro itens comportamentais: (1) expressões faciais; (2) movimentos corporais; (3) conformidade com o ventilador (pacientes intubados) ou vocalização (pacientes não intubados); e (4) tensão muscular. Cada item comportamental é pontuado em uma escala de 0 a 2. O BPS é composto por três itens comportamentais: (1) expressão facial; (2) movimentos dos membros superiores; e (3) conformidade com o ventilador. Cada item comportamental é pontuado em uma escala de 1 a 4.

Tabela 119.3 Síndromes dolorosas crônicas mais comuns em pacientes com câncer.

Dor óssea	▪ Síndromes vertebrais
	  ▪ Destruição atlantoaxial e fratura de odontoide (dor occipital ou na nuca)
	  ▪ Síndrome C7/T1 (dor referida na região interescapular)
	  ▪ Síndrome T12/L1 (junção toracolombar: dor na crista ilíaca ou sacrilíaca)
	  ▪ Síndrome sacral (dor irradia para a região glútea, períneo, face posterior da coxa; piora ao se sentar ou se deitar)
	▪ Dor lombar e compressão peridural
	▪ Síndrome dos ossos da pelve e quadril
	  ▪ Síndrome da articulação do quadril (tumor envolve acetábulo e cabeça do fêmur, dor localizada no quadril)

Cefaleia e dor facial	▪ Metástases leptomeníngeas
	▪ Metástases na base do crânio
	  ▪ Síndrome orbital
	  ▪ Síndrome paracelar
	  ▪ Síndrome do forâmen da jugular
	  ▪ Síndrome do clivo
	  ▪ Síndrome do seio esfenoidal
	▪ Neuralgias cranianas dolorosas
	  ▪ Glossofaríngeo
	  ▪ Trigêmeo
	▪ Síndromes ouvido e olho
	  ▪ Otalgia (dor referida, dor por metástase óssea ou neuroma)
	  ▪ Dor ocular e visão borrada são sintomas de metástase em coroide)

Dor neuropática	▪ Radiculopatia (compressão, distorção, inflamação) ▪ Neuralgia pós-herpética ▪ Plexopatia cervical ou braquial (infiltração tumoral, radioterapia ou cirurgia na região) ▪ Plexopatialombossacral (geralmente, infiltração neoplásica; pode ser causada também por radioterapia, quimioterapia, embolização)
Dor neuropática	▪ Mononeuropatias (relacionadas com o tumor, pós-cirurgia, pós-radioterapia) ▪ Neuropatias paraneoplásicas
Síndromes viscerais	▪ Distensão hepática ▪ Síndrome retroperitoneal (mais comum tumor de pâncreas) ▪ Obstrução intestinal ▪ Carcinomatose peritoneal ▪ Dor perineal ▪ Dor adrenal ▪ Obstrução ureteral ▪ Dor por tumores de pulmão (causam dor, mesmo na ausência de invasão de parede torácica) – geralmente referida para o esterno ou escápula.
Dor do tipo *breakthrough* (BTP).	▪ Episódios de dor ocasionais em pacientes cuja dor basal está controlada. Pode ser classificada de acordo com a relação que apresenta com outros eventos diários: 1) dor espontânea, também chamada de dor idiopática, ocorre de modo inesperado e não mostra relação com nenhuma atividade ou fator desencadeante; 2) dor incidental, também conhecida como dor precipitada ou, quando apropriado, dor relacionada com o movimento. Esta pode ser subclassificada como dor relacionada com atos voluntários (andar, sentar-se, levantar-se), dor relacionada com atos involuntários (tosse, espirro) e dor relacionada com procedimentos.[13]

Tabela 119.4 Escala PAINAD, usada em pacientes com déficit de cognição.

Comportamento	0	1	2	Soma
Respiração independente de vocalização	Normal	Dificuldade ocasional de respirar Curto período de hiperventilação	Respiração ruidosa e com dificuldades Longo período de hiperventilação Respiração Cheyne Stokes	
Vocalização negativa	Nenhuma	Resmungos ou gemidos ocasionais Fala baixa ou com baixo tom, de conteúdo desaprovador ou negativo	Chamados perturbadores repetitivos Resmungos ou gemidos altos choro	
Expressão facial	Sorrindo ou inexpressiva	Triste, assustada, franzida	Careta	
Linguagem corporal	Relaxada	Tensa Andar angustiado/aflito de um lado para o outro Inquietação	Rígida Punhos cerrados Joelhos encolhidos Puxar ou empurrar para longe Comportamento agressivo	
Consolabilidade	Sem necessidade de consolo	Distraído ou tranquilizado por voz ou toque	Incapaz de ser consolado, distraído ou tranquilizado	

Pontuação 0-10. 1-3 = dor leve; 4 a 6 = dor moderada; 7-10 = dor intensa

Tabela 119.5 Escala comportamental de dor, usada em pacientes sedados e em ventilação mecânica.

Expressão facial
- Relaxada – 1
- Parcialmente tensa – 2
- Totalmente tensa – 3
- Fazendo careta – 4

Movimentos dos membros superiores
- Relaxado – 1
- Parcialmente flexionado – 2
- Totalmente flexionado – 3
- Totalmente contraído – 4

Ventilação mecânica
- Tolerando movimentos – 1
- Tossindo, mas tolera o ventilador na maior parte do tempo – 2
- Lutando contra o ventilador – 3
- Impossibilidade de controle do ventilador – 4

Pontuação > 6, o paciente pode estar com dor.

Tabela 119.6 Escala de observação da dor em pacientes em cuidados intensivos (CPOT).[17]

Indicador	Pontuação	
Expressão facial	Relaxada	0
	Tensa	1
	Esgar/careta	2
Movimentos corporais	Ausência de movimentos	0
	Movimentos de proteção	1
	Inquietação	2
Tensão muscular	Relaxada	0
	Tensa ou rígida	1
	Muito tensa ou muito rígida	2
Adaptação ao ventilador (pacientes IOT)/vocalização (pacientes extubados)	Tolera o ventilador ou movimento/fala em um tom normal ou sem som	0
	Tosse, mas tolerando o ventilador/suspiros ou gemidos	1
	Luta contra o ventilador/choro	2

■ PRINCÍPIOS DO TRATAMENTO DA DOR

Ao iniciar o tratamento da dor, é importante estabelecer diálogo com o paciente e com seus familiares, e definir as expectativas do tratamento. A equipe de saúde, os pacientes e familiares devem ter objetivos comuns. Como proposta de tratamento, é possível dialogar com o paciente e estabelecer "onde estamos e aonde queremos chegar". Podem ser definidos estes quatro níveis desejáveis para alívio da dor:

1. Controle da dor durante a noite, para permitir o descanso e o sono.
2. Controle da dor em repouso durante o dia.
3. Controle da dor com mobilidade reduzida.
4. Controle da dor com mobilidade completa.

Tratamento Farmacológico

O uso de medicações para tratar a dor oncológica é bem estabelecido. Diretrizes internacionais orientam a introdução seriada de fármacos com potência progressivamente maior em aliviar a dor, à medida que ocorre piora da dor, independentemente do estágio da doença, conforme descrito pela Organização Mundial da Saúde (OMS).[18] A escada da OMS define cinco princípios, descritos na Tabela 119.7.

Escada Analgésica da OMS

A OMS elaborou em 1986[18] um documento que propõe diretrizes para o tratamento da dor oncológica usando medicações de fácil acesso, de baixo custo e que se adaptem à intensidade de dor do doente. A escada original usa um escalonamento em três degraus, que inicia com analgésico não opioide para dor fraca, seguido de opioide fraco para dor moderada e opioide forte para dor intensa. Tal escada foi revalidada após 20 anos de publicação[19] e se mostrou útil em 70% a 80% dos casos de dor, quando utilizada de forma adequada. Nos dias atuais, a escada analgésica permanece em uso, é adaptada a cada realidade, mas os princípios de tratamento originalmente descritos permanecem.[20] Novos opioides, como tramadol, oxicodona, hidromorfona e buprenorfina, bem como novos meios de administrar os medicamentos, como a via transdérmica, foram incorporados à prática clínica.

Apesar do debate e atualizações da escada analgésica de 1986, seu valor educacional e os benefícios resultantes de sua divulgação são incontestáveis. No entanto, alguns autores acreditam que usar a escada passo a passo seja insuficiente

Tabela 119.7 Princípios de tratamento da dor segundo a Organização Mundial da Saúde (OMS).

1. A via oral é preferencial e deve ser privilegiada sempre que possível.

2. Os analgésicos devem ser administrados a intervalos regulares. Para aliviar a dor adequadamente, é preciso respeitar a duração da medicação e os intervalos de doses devem ser adaptados à farmacologia do medicamento. As doses devem ser adequadas ao alívio da dor.

3. Os analgésicos devem ser prescritos de acordo com a intensidade da dor. Este ponto é importante, pois a prescrição deve ser realizada após avaliação adequada e exame físico do paciente. A prescrição do analgésico deve levar em conta o relato do doente.

4. As doses das medicações devem ser adaptadas a cada indivíduo. As doses de opioide forte devem ser tituladas para cada indivíduo, e este deve ser monitorado quanto à analgesia e efeitos adversos.

5. Os analgésicos devem ser prescritos com observação aos detalhes. A regularidade da administração de analgésicos é crucial para o adequado alívio da dor. Devem ser observadas as comorbidades, e a prescrição de fármacos deve ser adaptada. Os adjuvantes devem ser adicionados sempre que possível e um programa de tratamento deve ser discutido com o paciente.

e ineficiente em pacientes com dor intensa. Propõem, portanto, um esquema de tratamento mais agressivo, acelerado, que começa diretamente no terceiro degrau da escada.[20]

A Figura 119.4 ilustra a escada analgésica, com quatro degraus, que considera procedimentos neurocirúrgicos e estimulação transcraniana em pacientes com câncer.[20] O uso de medicamentos analgésicos, medidas de apoio psicoterápicas e fisioterápicas, bloqueios nervosos anestésicos e neurolíticos e estimulação das vias supressoras da nocicepção são complementares à terapêutica antineoplásica.[20]

Medicações do Primeiro Degrau da Escada

Paracetamol

- **Farmacodinâmica:** é um medicamento que possui efeitos "*in vivo*" similares aos inibidores de ciclooxigenase-2 (COX-2). Ativa vias inibitórias descendentes, mas o sítio primário de ação é a inibição de produção de prostaglandinas no SNC.[21]
- **Farmacocinética:** apresenta entre 60% e 90% de biodisponibilidade oral. Início de ação em 15 a 30 minutos, pico plasmático após 40 a 60 minutos e meia-vida de 2 a 4 horas. É extensamente metabolizado pelo fígado e cerca de 10% é convertido em metabólitos tóxicos inativados por glutationa. Em situações de estoque reduzido de glutationa, ocorre hepatotoxicidade por paracetamol. Dado o risco de toxicidade, o paracetamol tem efeito teto.
- **Orientações para prescrição:** doses de 500 a 1.000 mg via oral cada 4 a 6 horas, não excedendo 4 g diários. Se houver doença hepática ou consumo excessivo de três ou mais doses diárias de bebida alcoólica, essa dose deve ser reduzida.
- **Efeitos adversos:** à exceção da hepatotoxicidade, o paracetamol é bem tolerado, mas pode ocorrer lesão renal com o uso prolongado.

Dipirona

- **Farmacodinâmica:** promove bloqueio da hipernocicepção por estimular a via arginina/óxido nítrico/GMPc e ativar a abertura de canais de potássio[22] nos neurônios sensitivos. É mais potente analgésico que anti-inflamatório e tem poucos estudos sobre eficácia[23] e segurança.[24] Uso anedótico de doses que variam de 15 a 30 mg.kg^{-1} por dose, a intervalos de 6 horas, mostra-se bastante eficaz em dor aguda e crônica.
- **Farmacocinética:** após administração oral, a dipirona é rapidamente hidrolisada no suco gástrico em seu principal metabólito, 4-metil-aminopiridina e é absorvida nessa forma. Tal metabólito é convertido em uma série de metabólitos, incluindo 4-amino-piridina e 4-formil-amino-antipirina. Após ingesta oral de 500 ou 1.000 mg, a concentração plasmática dos metabólitos ativos ocorre após 1,7 e 1,2 hora respectivamente. A meia-vida aparente de eliminação dos metabólitos ativos é de 5,2 a 6,3 horas, dependendo do metabólito.[21]
- **Orientações para prescrição:** a analgesia da dipirona é dependente da dose e deve ser prescrita a cada 6 horas. A orientação do fabricante é que sejam usados 500 a 1.000 mg por dose.
- **Efeitos adversos:** há relatos de alterações urinárias com altas doses de dipirona. Agranulocitose é o efeito adverso mais temido relacionado com o uso da medicação, embora revisão recente não tenha confirmado esse risco.[24]

Anti-inflamatórios não esteroidais (AINEs)

- **Farmacodinâmica:** o mecanismo de ação dos AINEs ocorre por inibição da enzima ciclo-oxigenase (COX), que converte ácido araquidônico em prostaglandinas e tromboxano. Os AINEs produzem analgesia por reduzir a produção de prostaglandinas.[25]
- **Farmacocinética:** são, em geral, bem absorvidos por via oral, e o tempo para obtenção de pico plasmático após ingesta

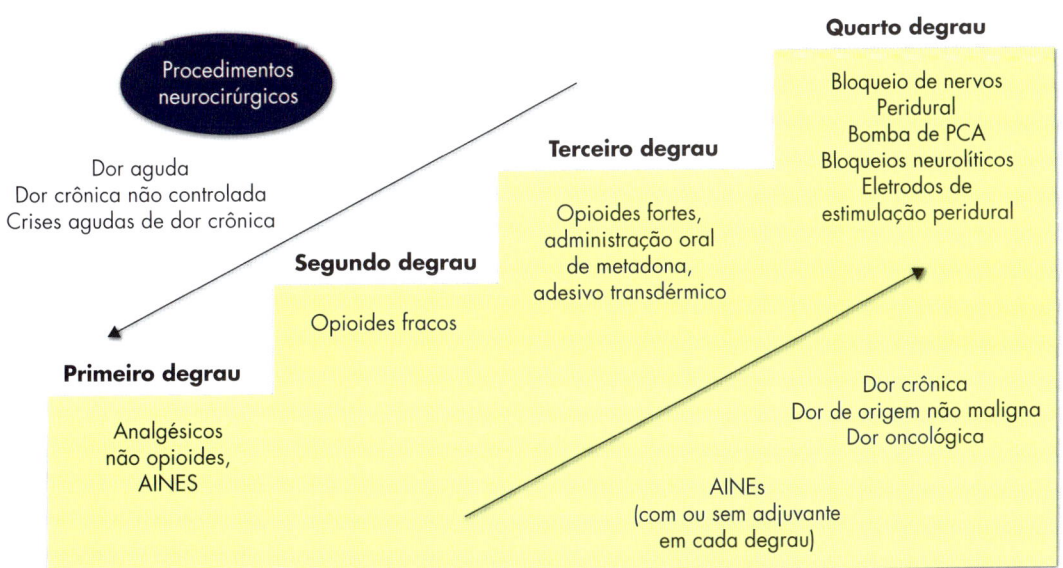

▲**Figura 119.4** Escada analgésica.
Fonte: Adaptada de Vargas-Schaffer, 2010.[20]

oral varia de 1 a 3 horas. São metabolizados pelo fígado, a meia-vida é variável e apresentam efeito teto para analgesia, mas os efeitos adversos são relacionados à dose.[26]

- **Orientações para prescrição:** pequenas doses devem ser prescritas inicialmente e tituladas até o máximo recomendado após o tempo de equilíbrio plasmático, que ocorre após 3 a 5 doses. Independente da classe terapêutica, apresentam eficácia analgésica semelhante, embora possam ocorrer respostas individuais diferentes.

Efeitos adversos:

- **Efeitos gastrintestinais:** inibidores de COX-1 estão envolvidos na proteção gástrica, portanto a incidência de úlcera péptica e sangramento digestivo é mais elevada com o uso dessa classe de medicamentos em relação aos inibidores seletivos de COX-2. Existem evidências, no entanto, de que a associação de inibidores de bomba de prótons aos inibidores de COX-1 pode ser benéfica para a proteção gástrica;[26,27]
- **Efeitos hematológicos:** COX-1 é responsável pela geração de tromboxano A2, envolvido na agregação plaquetária e os AINEs não seletivos aumentam risco de sangramento;
- **Efeitos renais e hemodinâmicos:** em condições normais, a perfusão renal não é dependente de prostaglandinas. Contudo, em condições de insuficiência renal e pré-renal, tais como depleção de volume, insuficiência hepática e insuficiência cardíaca congestiva, a perfusão glomerular é dependente da vasodilatação produzida pelas prostaglandinas. Os AINEs podem reduzir a filtração glomerular e piorar a função renal nessas condições clínicas. A inibição da vasodilatação pode ainda aumentar o tônus vascular, elevar a pressão arterial e piorar condições de insuficiência cardíaca preexistentes.[26] Esses efeitos podem ocorrer com todos os AINEs.

Medicamentos do Segundo Degrau da Escada (Opioides Fracos)

Codeína

- **Farmacodinâmica:** atua em receptores μ opioides localizados nos sistemas nervosos central e periférico.
- **Farmacocinética:** é um pró-fármaco que ao ser metabolizado pelo sistema de citocromos (CYP2D6) origina morfina.[28] De 5% a 10% dos caucasianos são deficientes dessa enzima e portanto não apresentam analgesia com o medicamento. Apresenta disponibilidade oral de 40% e alcança pico plasmático após 1 hora da ingesta, meia-vida de 2,5 a 3 horas.[28]
- **Orientações para a prescrição:** a dose usual de codeína isoladamente é de 30 a 60 mg a cada 4 horas, sendo a dose máxima recomendada de 360 mg por dia.
- **Tramadol:** opioide atípico.
- **Farmacodinâmica:** além da ação agonista em receptores μ opioides, inibe a recaptação de noradrenalina e serotonina na fenda sináptica de modo semelhante aos antidepressivos tricíclicos. Possui ação inibitória de correntes de sódio de modo semelhante aos anestésicos locais.[28]
- **Farmacocinética:** é um pró-fármaco que, ao ser metabolizado pelo sistema de citocromos (CYP2D6), origina des-

metil-tramadol, que tem atividade agonista opioide 10 vezes menos potente que a morfina. Necessita de passagem hepática para induzir analgesia quando administrado por via sistêmica. Apresenta disponibilidade oral de 80%, que, após múltiplas doses, pode chegar a 100%.[29,30] O tempo para alcançar concentração plasmática é de cerca de 2 horas e tem meia-vida de 6 horas.[28]

- **Orientações para a prescrição:** a dose usual de tramadol é de 50 a 100 mg a cada 4 a 6 horas, sendo a dose máxima diária recomendada de 400 mg. A dose de tramadol administrada por via oral é semelhante à dose endovenosa, e o tempo de analgesia é de 30 a 45 minutos.

Medicamentos do Terceiro Degrau (Opioides Fortes)

- **Farmacodinâmica:** opioides são agonistas de receptores μ, localizados em áreas relacionadas com a transmissão nociceptiva, como substância cinzenta periaquedutal, núcleo da rafe e corno dorsal da medula espinhal.[27,31] A metadona, além do agonismo de receptores μ opioides, bloqueia receptores de glutamato do tipo N-metil-D-aspartato (NMDA) e a recaptação pré-sináptica de serotonina.[29,31]
- Em doses iniciais, a metadona é equivalente à morfina, mas, quanto maior a dose de morfina utilizada pelo paciente, maior a relação de potência da metadona e morfina[32] (ver o capítulo de opioides do mesmo livro).
- **Farmacocinética:** podem ser distribuídos em dois tipos: hidrofílicos e lipofílicos.
- **Opioides hidrofílicos:** morfina, oxicodona, hidrocodona, hidromorfona.

Compartilham perfis farmacocinéticos semelhantes. Apresentam biodisponibilidade que varia de 35% a 70%, extenso efeito de primeira passagem hepática, necessitando de conversão de dose oral para parenteral da ordem de três vezes. A morfina tem metabólito ativo (morfina-6-glicuronídeo, M6G), o qual é mais potente que a morfina e pode se acumular em pacientes com redução da função renal.[26,28]

A concentração plasmática máxima após ingesta oral ocorre após 60 minutos. Após administração subcutânea, esse tempo é 30 minutos e por via venosa é de aproximadamente 6 minutos. A meia-vida dos opioides hidrofílicos é de 4 horas, e os níveis plasmáticos alcançam o equilíbrio após 4 a 5 meias-vidas (16 a 20 horas).[26]

Dada a meia-vida curta dos opioides hidrofílicos, induzem efeito *bolus*: a concentração plasmática aumenta rapidamente e, quando atinge o pico máximo, podem surgir efeitos colaterais. Após alguns minutos, há recorrência de dor (analgesia em picos e vales). Nessa situação, a infusão contínua por via EV ou formulações de longa duração por via oral se fazem necessárias, facilitando a aderência do paciente ao tratamento.[26]

Opioides lipofílicos

Os exemplos dessa classe de medicamentos são metadona e fentanil. Têm alta biodisponibilidade e atravessam rapidamente a barreira hematoencefálica. São metabolizados pelo fígado em metabólitos inativos.[28] Fentanil transdérmico e formulações de fentanil para uso transmucoso podem ser utilizados em pacientes ambulatoriais.[28]

Via transdérmica: fentanil estabelece equilíbrio com o tecido subcutâneo e libera continuamente no organismo uma dosagem horária definida, de acordo com a apresentação do adesivo transdérmico (12,5, 25, 50, 75 e 100 $\mu g.h^{-1}$ de fentanil). Após instalação do adesivo, são necessárias 12 a 16 horas para se atingir níveis significativos da substância. Devem ser substituídos por novos adesivos a cada 72 horas.[28]

O fentanil, quando em contato com a mucosa bucal, inicia analgesia após 5 a 10 minutos. Deve ser titulado individualmente para cada paciente. Aproximadamente metade da dose é absorvida pela mucosa oral e possui cinética de ação similar ao fentanil por via venosa. A outra metade é deglutida e tem cinética de ação por via oral. O pico sérico ocorre após 20 a 40 minutos, e o término do efeito após 1 a 3 horas, sendo ótima escolha em dores incidentais e BTP.[12]

A metadona tem meia-vida longa e variável que pode alcançar 8 a 72 horas. O estado de equilíbrio, portanto, é variável de 1 a 15 dias. A titulação cuidadosa é necessária para evitar sobredose em longo prazo.[28]

Orientações para prescrição: o modo mais seguro de iniciar terapêutica com opioides é a titulação do fármaco. A prescrição dever ser realizada a intervalos adequados e de acordo a meia-vida (p. ex.: 4 horas para morfina via oral). Os pacientes devem ser orientados a fazer uso de medicação de resgate, se necessário.

O intervalo para se administrar o opioide de resgate é o tempo para se alcançar sua concentração plasmática máxima. Exemplo: após administração de morfina via oral, a concentração plasmática máxima é atingida em 60 minutos, enquanto por via venosa esse tempo é de 6 a 10 minutos.[33]

Devem ser observados alguns parâmetros para a titulação de morfina: controle da dor (EVN ≤ 3), FR ≤ 10, sedação moderada (RASS = −1) ou náuseas ou vômitos.[34]

Uma vez que a dor esteja controlada, mantém-se a prescrição horária do opioide, e a reavaliação se faz após o estado de equilíbrio do medicamento (2 a 3 meias-vidas). Se o paciente permanece com dor leve a moderada, pode-se aumentar a dose diária em 25% a 50%; se persiste com dor intensa, esse aumento pode ser de 50 % a 100%.

Observação.: Se a função renal está prejudicada, o opioide pode ser modificado para metadona ou fentanil.

Quando a via oral não está mais disponível no paciente crônico, algumas alternativas não invasivas são o fentanil transdérmico e a morfina por via retal. Observar equivalência de doses e biodisponibilidade do fármaco.

Efeitos colaterais dos opioides

- **Constipação intestinal**: causada por relaxamento da musculatura lisa intestinal, é o efeito colateral mais prevalente em pacientes usuários crônicos dessa medicação.[31,32] A prescrição de opioides deve ser acompanhada de prescrição concomitante de laxativos.

- **Náuseas e vômitos**: ocorrem em 30% a 50% dos pacientes que iniciam o uso de opioides. O mecanismo é a estimulação de áreas do SNC desencadeantes do reflexo do vômito e de mecanismos periféricos relacionados com o relaxamento da musculatura lisa intestinal. O uso continuado leva à tolerância do efeito colateral, mas a prescrição de antieméticos profiláticos é necessária no início do tratamento.[32]

- **Xerostomia**: pode ocorrer com morfina, sobretudo se anticolinérgicos e antidepressivos estão sendo prescritos simultaneamente.[31]

- **Sonolência**: é autolimitada, pois a tolerância ocorre rapidamente. Em casos refratários, pode ser necessária a troca do opioide.[31]

- **Alteração da cognição**: confusão, alucinações e sonhos vívidos podem ocorrer.[28]

- **Mioclonia**: ocorre em pacientes usando doses altas de opioides. Usualmente vem acompanhada de sedação e alteração cognitiva. Melhora com a redução da dose.[28]

- **Depressão respiratória**: está relacionada com a dose e usualmente é precedida de sonolência. A monitorização da frequência respiratória e dos graus de sedação previnem esta complicação.[28]

- **Dependência e tolerância**: tolerância é diagnosticada pela necessidade de aumento da dose do opioide para obtenção do mesmo efeito analgésico. No entanto, pacientes em uso crônico de opioide que passam a necessitar de doses progressivamente mais elevadas do fármaco devem ser investigados em relação a outros fatores relacionados à piora da dor.[30] Em pacientes com câncer é muito frequente que a piora esteja relacionada com a progressão da doença (acometimento neural, fraturas patológicas), complicações do tratamento (quimio ou radioterapia), fatores psicológicos (ansiedade, depressão, dor total), além de fatores relacionados com o abuso de fármacos.

Dependência física é a adaptação fisiológica a um medicamento que pode resultar em síndrome de abstinência quando a substância é interrompida bruscamente, reduzida a dose ou antagonizada. É diagnosticada pelo surgimento de síndrome de abstinência (Tabela 119.8).

Tabela 119.8 Sintomas e sinais de síndrome de abstinência.

Sinais e sintomas de abstinência ao opioide	
Anorexia	Diarreia
Inquietação	Cólica intestinal
Disforia	Fadiga
Irritabilidade	Lacrimejamento
Dor muscular	Midríase
Náusea/vômito	Sudorese
Piloereção	Insônia
Inquietação	Rinorreia
Bocejos	Taquicardia
Ansiedade	Hipertensão arterial
Febre	Tremores

- **Vício**: desordem crônica caracterizada por uso compulsivo de substâncias que resultam em dano físico, psicológico ou social ao usuário. É um mecanismo complexo, relacionado com comportamento de busca. Estudos mostram que as adaptações do centro de recompensa no cérebro (sistema mesocórtico límbico) e núcleo central noradrenérgico resultam em estado de dependência em que os desagradáveis sintomas físicos e psicológicos levam à necessidade crescente de obtenção do opioide[35] (Tabela 119.9). Os opioides causam alteração do humor e efeitos ansiolíticos que podem induzir euforia, especialmente quando os níveis da medicação no plasma aumentam rapidamente.

Tabela 119.9 Abuso de substâncias.
Comportamento padrão dos pacientes que abusam de opioide
Usam sem controle
Sabem da alteração que o opioide produz na sua qualidade de vida
Não se preocupam com os efeitos colaterais
Não seguem plano de tratamento
Sempre estão sem medicação, "perdem" as prescrições, têm sempre uma desculpa

É de suma importância diferenciar vício de pseudovício. Esse diagnóstico é bastante frequente em pacientes oncológicos e está relacionado com o controle inadequado da dor. É uma síndrome composta por comportamento anormal, iatrogênica, desenvolvida como consequência direta ou indireta do manejo inadequado da dor. A história natural do pseudovício inclui progressão por estas três fases características:[36]

1. Prescrição inadequada de analgésicos para a intensidade da dor primária.
2. Frequentes solicitações de analgésicos pelo paciente, associadas a alterações comportamentais para convencer cuidadores e equipe médica e paramédica da intensidade da dor.

3. Crise de desconfiança entre paciente e a equipe de saúde, gerando sofrimento ao paciente e desconforto para a equipe.

O vício é um fator que faz com que o comportamento de busca se estabeleça. Na verdade, viciados em opioide buscam a medicação não pelo prazer que é proporcionado, e sim para evitar o desconforto causado pela sua abstinência.[37] Essa transformação da busca do opioide visando ao alívio do estado de abstinência para o estado de procura compulsiva é o que define a dependência. Esse processo ainda não é totalmente compreendido, mas sua irreversibilidade é uma característica. Acredita-se ser decorrente do processo secundário da formação da memória (de obtenção ou aquisição de fármacos) em estruturas como amígdala, hipocampo e córtex cerebral.[37] Há necessidade de estudos adicionais para compreendermos os fatores de risco da progressão de abuso de opioide e transtornos devido ao seu uso. Diversos instrumentos podem ser utilizados para avaliar risco de vício. O *Opioid Risk Tool* (ORT) é um instrumento fácil de ser aplicado, preditivo descrito na Tabela 119.10.

Adjuvantes

Antidepressivos

- **Farmacodinâmica**: os antidepressivos tricíclicos foram os primeiros antidepressivos descritos como eficazes na dor neuropática. A amitriptilina bloqueia a recaptação de serotonina e noradrenalina e pode também atuar em receptores NMDA.
- **Farmacocinética**: analgesia ocorre após uma semana. Os tricíclicos e a duloxetina possuem meia-vida longa e podem ser ingeridos uma vez ao dia. A venlafaxina deve ser administrada duas a três vezes ao dia, mas após a instalação da analgesia a duração do efeito é prolongada e pode ser tomada uma vez ao dia.

Tabela 119.10 *Opioid Risk Tool* **(ORT).**		Masculino	Feminino	Pontos
História familiar de abuso de substâncias	Álcool	3	1	
	Drogas Ilícitas	3	2	
	Fármacos prescritos	4	4	
História pessoal de abuso de substâncias	Álcool	3	3	
	Drogas Ilícitas	4	4	
	Fármacos prescritos	5	5	
Idade (16 -> 45 anos)		1	1	
História de abuso sexual na pré-adolescência		0	3	
Doenças psicológicas/psiquiátricas	Déficit de atenção, TOC	2	2	
	Esquizofrenia	2	2	
	Bipolaridade	2	2	
	Depressão	1	1	

Risco baixo: 0 a 3 pontos
Risco moderado: 4 a 7 pontos
Risco alto: ≥ 8

- **Orientações para a prescrição:** iniciar a utilização com baixas doses (amitriptlina e nortriptilina em doses de 10 a 25 mg ao dia).[39]
- **Efeitos colaterais:** xerostomia, constipação intestinal, sedação e retenção urinária (ADT). Pacientes geriátricos e com problemas cardiovasculares: hipotensão ortostática, anormalidade da condução cardíaca e confusão mental. São contraindicados em portadores de glaucoma de ângulo estreito.[39]

Anticonvulsivantes

- **Farmacodinâmica:** são analgésicos efetivos em dor neuropática, possivelmente pelo efeito sobre a estabilização de condução neural. Gabapentina e pregabalina atuam em canais de cálcio voltagem-dependente importantes na manutenção de dor neuropática. Carbamazepina e oxcarbazepina inibem canais de sódio.
- **Farmacocinética:** gabapentina tem absorção variada que diminui à medida que se aumentam as doses do fármaco. Por exemplo, 300 mg via oral têm 60% de biodisponibilidade, enquanto 1.200 mg têm apenas 33%. É eliminada pela urina em sua forma não metabolizada e deve ter sua dosagem reduzida em insuficiência renal.[39,40]
- **Orientações para prescrição:** boa tolerância, sem necessidade der monitorar a concentração plasmática e com poucas interações medicamentosas. Deve ser iniciada em pequenas doses, sendo a dose mínima efetiva de 900 mg ao dia.

  Pregabalina tem características semelhantes à gabapentina, é mais potente e tem melhor biodisponibilidade. O tempo de titulação do efeito é de uma semana, enquanto o da gabapentina é de até quatro semanas. A dose inicial é de 75 mg via oral, pode ser titulada até 200 mg, 3 vezes ao dia.[40]
- **Efeitos colaterais:** cefaleia, ataxia, náuseas, tontura e sonolência, sendo esses dois últimos sintomas os mais comuns. Tais efeitos podem ser controlados com a titulação cuidadosa da dose.[39,40]

  Carbamazepina pode causar secreção inapropriada do hormônio antidiurético (SIHAD), hepatite e supressão da medula óssea. Monitorização laboratorial deve ser realizada com frequência. Oxcarbazepina é mais bem tolerada, mas pode causar hiponatremia.[40]

Bloqueadores de canais de sódio

- **Farmacodinâmica:** lidocaína é o protótipo desse grupo. É efetivo em síndromes com dor neuropática, como neuropatia diabética e pós-herpética. Canais de sódio são identificados em nervos danificados e gânglio da raiz dorsal após lesão.[41] Lidocaína sistêmica pode suprimir descargas ectópicas e disparo neural espontâneo, que pode explicar, parcialmente, a utilidade dos bloqueadores de canais de sódio na dor neuropática.
- **Farmacocinética:** administrada por via parenteral ou tópica. Adesivos de lidocaína 5% não apresentam absorção sistêmica significativa em aplicações usuais. É metabolizada pelo fígado e apresenta meia-vida de 100 minutos.
- **Orientações para prescrição:** lidocaína parenteral deve ser administrada sob vigilância cuidadosa pelos riscos de convulsões. Pode produzir alívio rápido em dores neuro-

páticas refratárias em doses de 1 a 2 mg.kg[-1], administradas durante 30 minutos. Lidocaína 5% tópica, na forma de adesivo, pode ser usada para dor neuropática localizada.
- **Efeitos colaterais:** lidocaína em doses terapêuticas é bem tolerada (2 a 5 mg.kg[-1]), mas pode haver tontura e sonolência. No entanto, a janela terapêutica é muito estreita. Níveis plasmáticos > 8 mg.L[-1] podem induzir mioclonia; níveis > 10 mg.L[-1] podem induzir crise convulsiva; níveis > 25 mg.L[-1] podem induzir colapso cardiovascular. Lidocaína tópica é bem tolerada.

Antagonistas de receptores NMDA

- **Farmacodinâmica:** os receptores de glutamato estão envolvidos no fenômeno de sensibilização central. Cetamina, metadona, memantina, amantadina e dextrometorfano são inibidores NMDA e podem ser úteis para analgesia. Cetamina está disponível apenas para uso hospitalar.[42]
- **Farmacocinética:** metadona tem meia-vida longa e necessita de titulação. Cetamina é disponível por via parenteral, mas também pode ser usada por via oral. Tem efeito de primeira passagem hepática quando usada por via oral e é metabolizada pelo fígado em norcetamina, equipotente à cetamina em termos de analgesia. O início de ação após ingesta oral é de 30 minutos.
- **Orientações para prescrição:** a cetamina pode ser usada por via parenteral em pacientes com dores crônicas cujo componente neuropático predomina, em doses iniciais de 0,1 a 0,2 mg.kg[-1], em bolus, e mantida infusão contínua durante período prolongado. O aumento da dose pode levar ao aparecimento de efeitos psicomiméticos que podem ser prevenidos por benzodiazepínicos.
- **Efeitos colaterais:** metadona tem efeitos semelhantes aos dos outros opioides. Cetamina pode causar disforia, alucinações, sonolência e tontura.

Alfa2-agonistas[43]

- **Farmacodinâmica:** clonidina e dexmedetomidina são efetivas para dor neuropática e nociceptiva, com efeitos nos sistemas nervoso central e periférico. Alteram condutância ao cálcio e potássio, diminuem a liberação pré-sináptica de neurotransmissores e promovem a hiperpolarização pós-sináptica. Possuem efeito simpatolítico.
- **Farmacocinética:** clonidina é disponível por via oral e parenteral. Por via oral a biodisponibilidade é de 75% a 100%. Por via transdérmica a disponibilidade é de 60%.
- **Orientações para prescrição:** Clonidina é iniciada a 0,1 mg.dia[-1] por via oral e titulada pela eficácia e efeitos adversos. Pode ser usada por via espinhal associada a soluções de analgesia controlada pelo paciente em doses de 0,1 a 0,3 mg diluídas em 300 mL de solução.
- **Efeitos colaterais:** hipotensão e bradicardia são os efeitos mais comuns. Sonolência e xerostomia são efeitos relatados.

Corticosteroides

- **Farmacodinâmica:** são anti-inflamatórios potentes. Incluem nesta classe a hidrocortisona, dexametasona, prednisona, metilprednisolona e triamcinolona. Sua ação é via regulação transcricional no núcleo celular, reduzindo a liberação de citocinas inflamatórias e por esse mecanismo reduzem a dor. Reduzem edema, aliviam compressão tumoral e diminuem disparo neuronal espontâneo por alterar fluxo de sódio em canais iônicos presentes em neuromas.[44]

Diferem quanto ao efeito mineralocorticoide que afeta a retenção hídrica. A dexametasona tem o menor efeito mineralocorticoide.

- **Farmacocinética**: alta biodisponibilidade por via oral e podem ser administrados por via parenteral. Meia-vida plasmática é curta e duração de ação longa, permitindo utilização de uma dose diária.

- **Orientações para prescrição**: em pacientes terminais, dexametasona é o corticoide de escolha em razão do menor efeito mineralocorticoide. Como adjuvante de analgesia, doses de 4 a 20 mg.dia[-1] são utilizadas. Dexametasona pode ser administrada por via oral, retal, endovenosa e subcutânea. Após 1 a 2 dias sem efeito benéfico, pode-se descontinuar o corticoide. Em caso de eficácia, a dose pode ser reduzida.

- **Efeitos colaterais**: doses equivalentes a 20 mg.dia[-1] de prednisona por mais de três semanas apresentam supressão do eixo hipotálamo-hipofisário. Hiperglicemia e psicose induzida por corticoide podem ocorrer precocemente. Efeitos de longa duração incluem osteoporose, síndrome de Cushing, catarata, úlcera péptica e miopatia.

Outras Opções de Tratamento Farmacológico

Novas apresentações de fentanil: preparações bucal, nasal e sublingual são utilizadas para tratamento de dor tipo *breakthrough* (BTP). O início da analgesia é rápido, ocorre após 10 a 15 minutos na mucosa oral e é eficaz em 75% dos pacientes com BTP.

- **Tapentadol**: analgésico de ação central, agonista do receptor opioide μ e inibidor de recaptação de noradrenalina. É efetivo na dor oncológica.[7]

- **Capsaicina:** ativa o receptor vaniloide de potencial transitório-1 (TRPV1), expresso nos neurônios sensitivos, e modifica a atividade dos nociceptores. Capsaicina tópica em altas concentrações (8%) pode ser eficaz em dor neuropática.[7]

- **Lidocaína tópica**: disponível como emplastro contendo lidocaína 5%, é usada para tratamento de dor pós-herpética. Pode ser usada ainda para tratamento de dor neuropática localizada.[7]

- **Inibidores de RANK/RANKL (receptor ativador do fator nuclear kappa B/ligante do receptor do fator nuclear kappa)**: Denosumabe e tanezumabe são anticorpos monoclonais que interagem com RANK, que é expresso nos pré-osteoclastos e induz sua maturação em osteoclastos.[45] Denosumabe melhora o desfecho de pacientes com câncer de pulmão metastático, por reduzir os eventos esqueléticos e melhora a dor. É melhor que ácido zoledrônico com relação ao aumento da sobrevida dos doentes.[46]

- **Bisfosfonatos (BPs)**: medicamentos análogos do pirofosfato, que se ligam rapidamente à hidroxiapatita da superfície do osso mineralizado, é, em seguida, internalizado

pelos osteoclastos levando à sua apoptose. BPs podem ser usados em concomitância com radioterapia, com a finalidade de reduzir dor e eventos adversos esqueléticos (fratura, compressão medular). O número necessário para tratar (NNT) dos BPs após 4 semanas é 11 e, após 12 semanas, esse número é reduzido para 7. Os tipos de BP mais utilizados são: alendronato, risendronato, ibandronato, pamidronato e ácido zoledrônico.

ANALGESIA EM IDOSOS COM CÂNCER

O envelhecimento da população favorece o diagnóstico e o tratamento de câncer em pacientes idosos; não raro pacientes acima de 80 anos de idade. Inúmeras alterações na composição corporal (orgânica e tecidual) são esperadas. Ocorrerá modificação da farmacocinética, isto é, a habilidade de os tecidos manipularem os medicamentos, bem como da farmacodinâmica, que expressa o modo como os fármacos alterarão o organismo.

Além da diminuição da perfusão tecidual e fluxo sanguíneo, haverá redução da frequência cardíaca e fração de ejeção, com subsequente redução do débito cardíaco. Assim, é possível encontrar comprometimento da circulação que modificará a recaptação e o tempo de concentração dos medicamentos no órgão-alvo.[14]

A redução da massa e o aumento da gordura corpórea elevam o volume de distribuição dos fármacos lipossolúveis, prolongando sua meia-vida de eliminação, sobretudo com fentanil e diamorfina.

A redução da massa e do fluxo sanguíneo hepáticos acarreta redução da velocidade de eliminação de fármacos com elevada taxa de clareamento, como a lidocaína. Há redução de 30% a 40% no metabolismo do sistema de citocromos P450[14] (p. ex.: morfina, ibuprofeno e naproxeno).

A polifarmácia, comum em pacientes idosos, facilita a interação de medicamentos que requerem metabolismos múltiplos (p. ex.: amitriptilina, tramadol, metadona).

Com relação à farmacocinética, o envelhecimento promove alterações no número e na atividade de receptores, aumento na circulação das catecolaminas e do tônus parassimpático, redução da função dos receptores adrenérgicos periféricos e da resposta vasomotora. Decorre dessas alterações a diminuição da função dos reflexos dos barorreceptores que pode ser exacerbada pelos fármacos que causam vasodilatação, como dipirona e morfina, podendo resultar em hipotensão postural, especialmente quando em associação a diuréticos e bloqueadores adrenérgicos. Ocorre ainda perda de neurônios e da capacidade de produção e liberação de neurotransmissores.

A redução da massa e do fluxo sanguíneo cortical renal resulta em redução da taxa de filtração glomerular. Depuração da creatinina inferior a 30 L .min[-1] aumenta o risco de toxicidade dos fármacos cujos metabólitos são ativos.

PROCEDIMENTOS INTERVENCIONISTAS PARA TRATAMENTO DA DOR

Após a introdução de novos fármacos e apresentações de opioides para uso clínico, bem como a utilização de inúmeros quimioterápicos eficazes para o tratamento do câncer, a indicação de procedimentos intervencionistas para tratamento da dor foi reduzida de modo significativo. No entanto, é possível que esses procedimentos retomem seu lugar de destaque no tratamento da dor, em virtude do acúmulo de evidências sobre a participação dos opioides na regulação da função imune e recorrência tumoral,[47] dentre outras complicações.

Procedimentos Intervencionistas Direcionados para o Diagnóstico Clínico e Síndromes Dolorosas[48]

Intervenções para dor da região da cabeça e pescoço: dor causada pelo próprio tumor ou pelo tratamento do câncer. O tipo de dor varia desde disfagia até dor intensa na região cervical, orelha, cavidade oral, face, hemicrânio e região do ombro. Em 10% a 20% dos casos, o tratamento farmacológico é ineficaz ou existem efeitos colaterais significativos com a terapêutica. Esse subgrupo de pacientes pode se beneficiar de procedimentos invasivos, como os bloqueios de nervos, neuroablação química ou por radiofrequência (RF), ou infusão de fármacos intratecal.

Os bloqueios de nervo mais comumente realizados na região da cabeça e pescoço são plexo simpático cervical (gânglio estrelado), nervo trigêmeo, nervo glossofaríngeo, nervos occipitais, nervo vago, gânglio esfenopalatino e plexo cervical. É aconselhável realizar bloqueio diagnóstico e avaliar o prognóstico antes da realização de bloqueio terapêutico. A RF percutânea de trigêmeo, glossofaríngeo e esfenopalatino é segura e eficaz. Bloqueios de nervos mandibular e maxilar são eficazes para dor facial no território de inervação desses nervos. Se a opção for RF, é aconselhável que seja realizada RF pulsada, pois são nervos somáticos.

Neuroablação cirúrgica do glossofaríngeo ou neurólise com álcool foram realizadas no passado para dor na base da língua, faringe e amígdalas. Atualmente é aconselhável RF pulsada.

■ **Intervenções para dor torácica:** dor torácica é o sintoma mais comum em pacientes com invasão óssea de parede torácica. Bloqueio diagnóstico de nervos intercostais (IC)

com anestésico local pode prever o prognóstico do procedimento de ablação dos nervos intercostais.[49] Neurólise IC com fenol 5% a 10% pode ser empregada em dores somáticas de difícil controle. O alívio é imediato em quase todos os pacientes, porém a duração do efeito é curta e quase 30% desenvolvem dor neuropática por deaferentação.[50] Pacientes com câncer terminal, no entanto, podem se beneficiar desses procedimentos.

Dor torácica originada de pleura ou cavidade pleural pode ser aliviada com bloqueio de plexo simpático torácico.[50]

Em algumas situações de dor somática torácica unilateral, cordotomia pode ser indicada para alívio da dor.[51]

■ **Intervenções para dor visceral no abdome superior:** o diagnóstico de dor visceral é dinâmico e se modifica com a progressão da doença. Procedimentos neurolíticos são eficazes como adjuvantes do tratamento da dor e reduzem o consumo de opioides. A dor pancreática é mediada pelo plexo celíaco e pode ser tratada por bloqueio dos nervos esplâncnicos ou plexo celíaco.

■ **Bloqueio dos nervos esplâncnicos** (Figura 119.5): os nervos esplâncnicos são fibras aferentes simpáticas pré-ganglionares que se originam da cadeia torácica. Estão localizados no aspecto anterolateral da 12ª vértebra torácica como nervo esplâncnico maior (T5 a T10), menor (T10 a T11) e ínfimo (T12). Esses nervos coalescem para formar o plexo celíaco anteriormente à aorta, ao redor da origem do tronco celíaco.[48]

■ **Bloqueio do plexo celíaco:** este é composto por uma rede de fibras nervosas difusas, localizada na superfície anterolateral da aorta, na altura dos corpos vertebrais de T12 a L1. Neurólise do plexo celíaco é fortemente recomendado para dor oncológica de origem pancreática (Figura 119.6).[52] Embora haja diversos relatos da literatura descrevendo novos métodos de bloqueio do plexo celíaco (radioscopia, tomografia computadorizada, ultrassonografia), nenhum método se mostrou mais eficaz que outro.[50] O alívio da dor ocorre em cerca de 75% (70% a 100%) dos pacientes, e a duração do bloqueio varia de 3 a 6 meses.[53]

■ **Complicações:** diarreia (10% a 25%) e hipotensão ortostática (20% a 42%) são os efeitos colaterais mais frequentes. Hematúria, pneumotórax e dor no ombro (1%), parestesia (1%), gastroduodenite hemorrágica, injeção intravascular

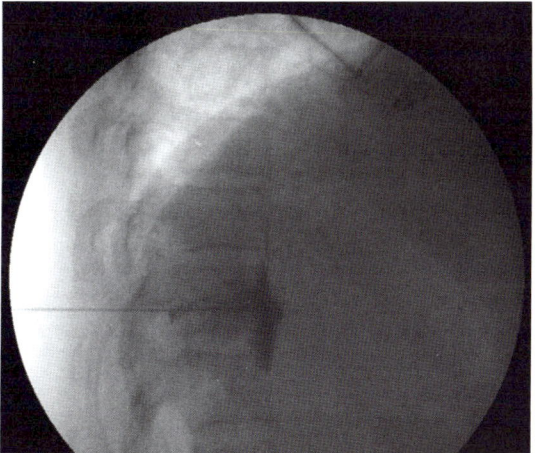
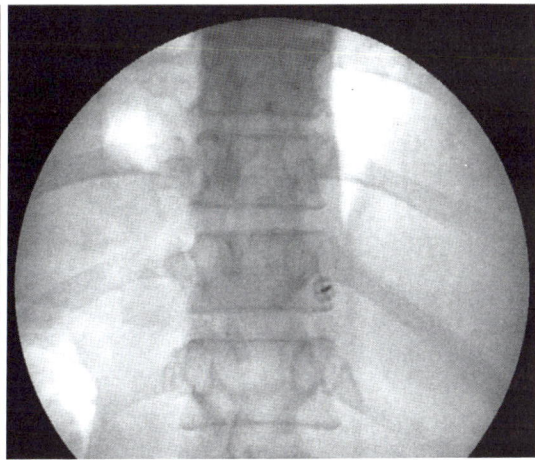

▲ **Figura 119.5** Bloqueio de nervos esplâncnicos.

e convulsões são descritas na literatura. Paraplegia é a complicação mais temida e ocorre por espasmo ou necrose da artéria espinhal anterior (artéria de Adamkiewicks). Essa ocorrência é rara, e a incidência não é determinada.[50]

- **Intervenções para dor no andar inferior do abdome, pelve e períneo:** câncer pélvico pode causar dor intensa, pouco responsiva a opioides. Pode ser decorrente de invasão tumoral das vísceras da pelve (dor visceral), musculatura pélvica e abdominal (dor somática), infiltração ou compressão de estruturas neurais (dor neuropática). Como a dor visceral no andar inferior do abdome é o principal componente de dor desses pacientes, o bloqueio de plexo hipogástrico superior pode ser empregado com bastante frequência.[48,50]

- **Bloqueio do plexo hipogástrico superior:** as fibras aferentes que inervam as vísceras pélvicas (bexiga, útero, vagina, próstata, testículo, uretra, cólon descendente e reto) percorrem o mesmo trajeto das fibras simpáticas e plexo hipogástrico superior (Figura 119.7), sendo passíveis de serem acessadas com bloqueio do plexo. O alívio da dor ocorre em 70% dos pacientes.[54]

- **Bloqueio do gânglio de Walter (gânglio ímpar):** é uma estrutura única, localizada ao fim da cadeia simpática lombossacral, e supre as fibras nociceptivas e simpáticas do períneo, reto distal, da região perianal, uretra distal, vulva/escroto e do terço distal da vagina. É uma estrutura retroperitoneal localizada logo abaixo da junção sacrococcígea. Pode ser indicado o bloqueio do gânglio ímpar (Figura 119.8) para tratamento de dor pós-retite actínica, coccidínia e tenesmo retal. Dores em queimação perineal, urinária e retal são sinais de disfunção do gânglio ímpar.[48,50]

- **Complicações:** dor retal, lesão neural e neurite.

- **Neurólise das raízes sacrais (fenolização intratecal):** pode ser considerada em pacientes com dor somática na região perineal causada por câncer pélvico. É geralmente realizada em pacientes com diagnóstico de câncer terminal que apresentem disfunção esfincteriana prévia, cuja expectativa de vida é menor que seis meses. A técnica envolve a injeção intratecal de fenol glicerinado 5%, em pequenos volumes (0,5 a 1 mL) via agulha Quincke 22G introduzida no interespaço L_5/S_1, com paciente sentado, inclinado 45 graus para trás,

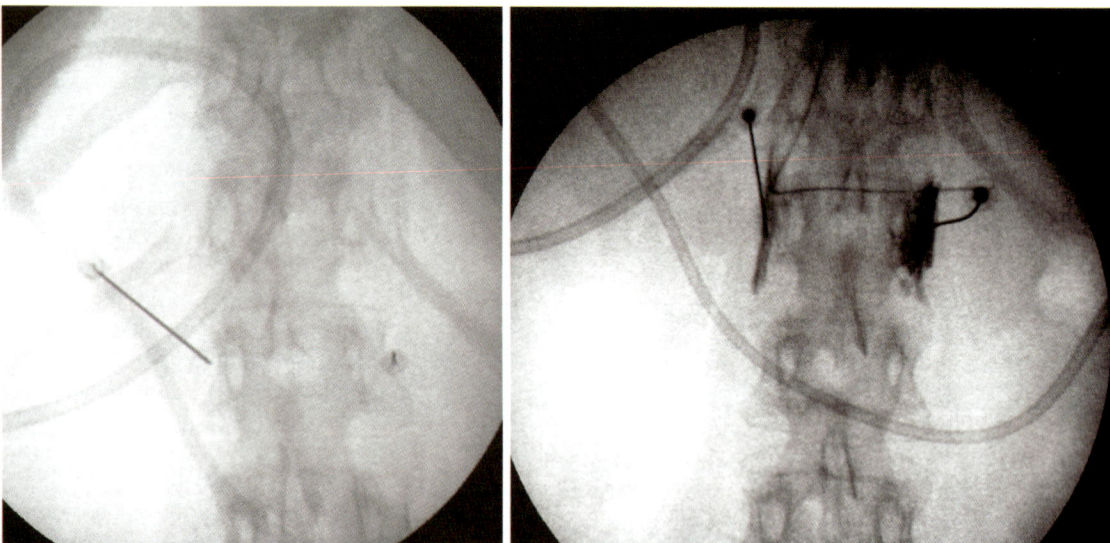

▲ **Figura 119.6** Bloqueio do plexo celíaco.

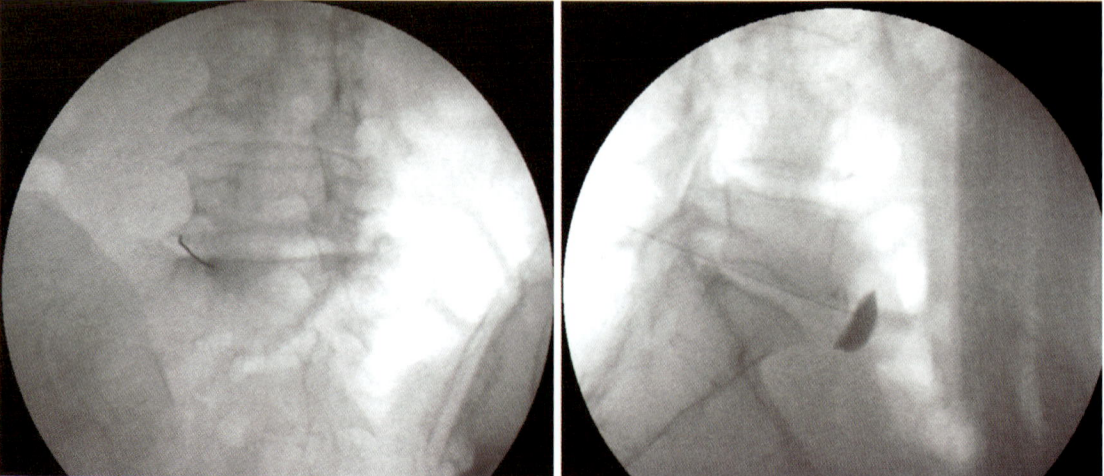

▲ **Figura 119.7** Bloqueio do plexo hipogástrico superior.

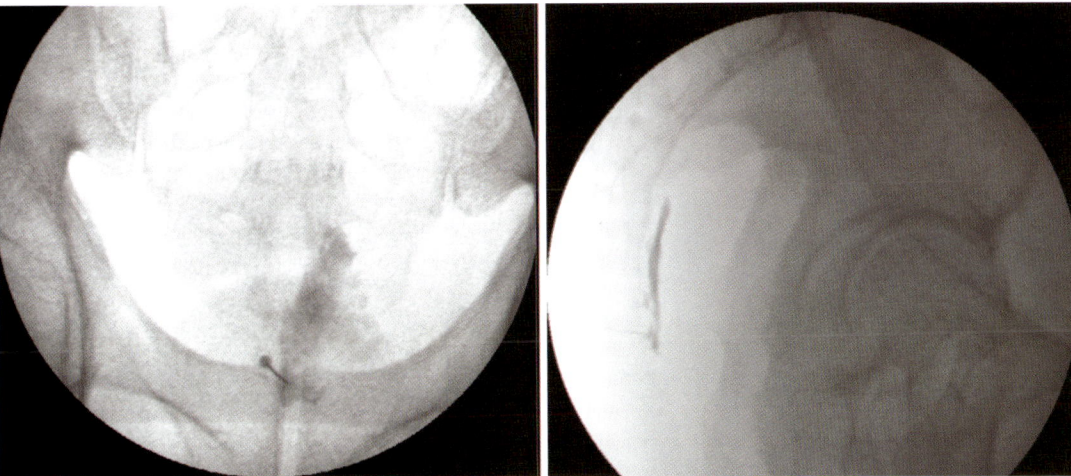

▲ **Figura 119.8** Bloqueio do gânglio ímpar.

para maximizar o fluxo para as raízes dorsais, sensitivas. O paciente deve permanecer sentado por 6 horas após a punção, para evitar lesão de fibras motoras lombares.[48]

Técnicas de intervenção intraespinhal

São técnicas que visam à administração de fármacos na proximidade de fibras aferentes nociceptivas e tratos ascendentes. Podem ser classificadas como peridural ou subaracnóidea, dependendo do sítio anatômico da medicação administrada. O sistema de fornecimento de fármacos pode ser externo, parcialmente internalizado ou totalmente implantável.[48]

A escolha do método depende da expectativa de vida do doente: sistemas totalmente implantáveis são preferencialmente indicados para pacientes com expectativa de vida maior que três meses, devido ao maior custo dos dispositivos.[48]

A via peridural é utilizada para analgesia focal e expectativa de vida curta, enquanto a via subaracnóidea é preferível para pacientes com expectativa de vida mais longa (algumas semanas) que tenham dor mais difusa (Tabela 119.11).

Tabela 119.11 Indicações para técnicas de analgesia no neuroeixo.

- Dor intensa intratável, apesar do manuseio convencional da dor com opioides oral/intravenoso/transdérmico
- Efeitos colaterais intoleráveis, como náusea, vômitos, constipação, disfunção cognitiva, prurido com a terapêutica convencional
- Dor não tratável com outras técnicas intervencionistas, como bloqueios neurolíticos
- Dor intratável em áreas localizadas e bem definidas
- Dor envolvendo plexo nervoso, mais comumente plexo sacral
- Metástases ósseas difusas

- **Medicamentos administrados por via peridural**: podem prover analgesia satisfatória em 76% a 100% dos pacientes. Cateteres podem ser tunelizados no subcutâneo, conectados a sistemas de infusão e mantidos por longos períodos. Se a expectativa de vida é maior que três meses, a opção por cateter intratecal é preferível.[48] A taxa de complicação varia de 43% a 69% e inclui deslocamento do cateter, infecção, náusea, vômitos e fibrose peridural.[48]

- **Medicamentos administrados via intratecal**: infusão intratecal de fármacos pode ser realizada via cateter externalizado ou sistema de infusão totalmente implantável.[48]

    As medicações mais usadas nesses sistemas são morfina, fentanil, anestésicos locais e clonidina.

- **Sistema de infusão de fármacos intratecal (SIFI)**: bombas implantáveis programáveis por telemetria e operadas por baterias foram introduzidas no mercado em 1991. O SIFI consiste em um cateter intratecal tunelizado no subcutâneo, conectado a uma pequena bomba eletrônica implantada na parede abdominal, controlada por telemetria, a qual é alimentada por uma bateria de vida longa (até sete anos). O fármaco de escolha para analgesia é a morfina, e a taxa de infusão pode ser controlada externamente sempre que houver necessidade. A taxa de sucesso com morfina intratecal é maior que a via sistêmica (85% e 71%, respectivamente).[47] Potenciais complicações são infecção (2%), efeitos colaterais de fármacos, mau funcionamento do sistema eletrônico, falha da bateria e problemas relacionados com o cateter, como a fibrose em 5% dos casos. O fármaco aprovado para uso em SIFI é a morfina.

Procedimentos Cirúrgicos

A Figura 119.9 mostra alguns procedimentos cirúrgicos para o tratamento de dor no câncer.

- **Cordotomia percutânea**: consiste na inserção de uma agulha no espaço cervical C1 a C2 com auxílio de intensificador de imagem, e promoção de lesão térmica no quadrante anterolateral da medula espinhal por radiofrequência.[55] A melhor indicação é dor unilateral, localizada em segmentos abaixo do ombro. O alívio da dor pela cordotomia pode fazer surgir dor em espelho, contralateral à lesão. Embora a lesão seja permanente, a plasticidade do SNC é tal que o alívio da dor não é maior que 6 a 18 meses. Deve, portanto, ser indicada em pacientes com sobrevida menor que 18 meses que apresentem dor intratável por outros métodos.[48]

- **Mielotomia da linha média**: indicada para dor perineal e coccígea na linha média ou dor em ambos os membros inferiores.[56]

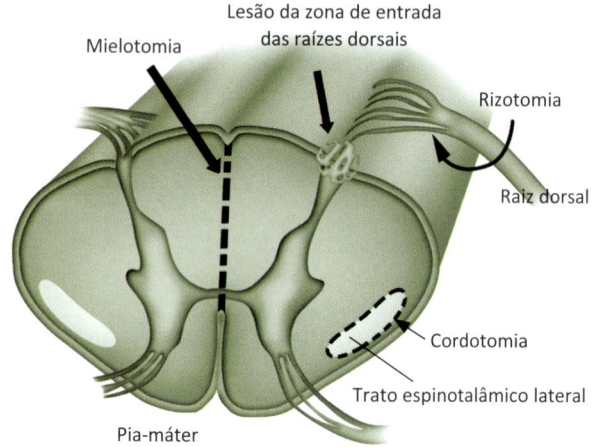

▲ **Figura 119.9** Alguns procedimentos neurocirúrgicos para tratamento de dor no câncer.

- **Hipofisectomia**: indicada para dores difusas causadas por câncer de mama e próstata.[56]
- **Vertebroplastia e cifoplastia**: são intervenções recomendadas para pacientes com dor espinhal decorrente de colapso vertebral secundário a metástases ósseas, as quais não envolvem o canal espinhal e seu conteúdo. Vertebroplastia envolve a estabilização de fraturas patológicas por injeção de cimento polimetilmetacrilado intraósseo. Cifoplastia consiste em implante de balão intravertebral via percutânea, que posteriormente é insuflado para restaurar a altura da vértebra e reduzir a angulação cifótica antes da injeção de cimento.[48,57]
- **Neuromodulação**: é a técnica de alteração da atividade do sistema nervoso por aplicação de corrente elétrica.[55] O mais comum é a técnica de estimulação da medula espinhal com eletrodos adjacentes ao corno dorsal. Existem novas modalidades com estímulo periférico, do córtex motor e estimulação cerebral profunda. Esta é eficaz em dor neuropática e vascular.[7]

■ TRATAMENTO NÃO FARMACOLÓGICO

Outras técnicas alternativas e complementares são amplamente usadas no tratamento da dor oncológica. Acupuntura, hipnose, terapias com imagens e relaxamento melhoram o controle da dor. As evidências para outras técnicas, no entanto, são relativamente ruins.[7] É importante frisar que tais técnicas devem ser preferencialmente complementares.

■ OUTRAS MODALIDADES DE TRATAMENTO

- **Radioterapia e quimioterapia paliativas**: são modalidades terapêuticas, frequentemente usadas em vários tipos de câncer primário, com intenção de curar o câncer, ou de modo paliativo, para tratamento de sintomas.[58] Radioterapia paliativa é usada para tratar dor de

tumor cerebral e metástases ósseas. Resposta completa ocorre em 25% dos pacientes após um mês de tratamento, e outros 40% dos pacientes apresentam 50% de alívio na intensidade da dor.[58]

Quimioterapia paliativa é mais eficaz em linfomas, tumores de pequenas células de pulmão e carcinoma de mama.

- **Radiofármacos**: são elementos radioativos usados para tratar dor por metástases de câncer de próstata.[7] Os fármacos mais usados no Brasil são iodo-131 e samário-153. Outros fármacos utilizados são estrôncio-89, rênio 186 e rádio-223.
- **Hormonioterapia** melhora a dor em câncer de mama e próstata. Os fármacos mais utilizados são andrógenos, inibidores de andrógenos (bicalutamida), inibidores da aromatase (anastrozol), corticoides, estrógenos, antagonistas dos estrógenos (tamoxifeno), agonista do hormônio liberador de LH, supressor do hormônio liberador de polipeptídeo (octreotide), progestinas e hormônios tireoidenos.[7]

■ CONSIDERAÇÕES FINAIS

O conceito de dor total foi formulado por Cicely Saunder[59] e inclui elementos físicos, psicológicos, sociais, emocionais e espirituais na sua definição. Pacientes em estágio terminal de uma doença frequentemente apresentam dor intratável com medicamentos e devem ser avaliados quanto às diversas dimensões do fenômeno doloroso (Figura 119.10).

A dor oncológica é complexa e multifatorial, o que torna o seu alívio difícil em 25% dos pacientes. A avaliação cuidadosa dos tipos e origem da dor deve ser realizada de modo holístico. Avanços na terapêutica farmacológica não são suficientes para aliviar a dor de todos os pacientes, sobretudo os pacientes com dor metastática. As especialidades de oncologia, cuidados paliativos e medicina da dor devem trabalhar em harmonia para adquirir o melhor tratamento possível para o paciente.

A dor física pode ser tratada com medicamentos, mas a dor da perda, jamais.

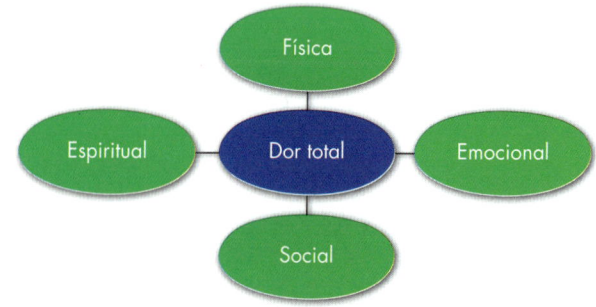

▲ **Figura 119.10** Todas as dimensões da dor oncológica.

REFERÊNCIAS

1. Ripamonti CI, Bossi P, Santini D, Fallon M. Pain related to cancer treatments and diagnostic procedures: a no man's land? Ann Oncol. 2014;25(6):1097-106.
2. Santini D, Lanzetta G, Dell'Aquila E, Vincenzi B, Venditti O, Russano M, et al. 'Old' and 'new' drugs for the treatment of cancer pain. Expert Opin Pharmacother. 2013;14(4):425-33.
3. van den Beuken-van Everdingen MH, de Rijke JM, Kessels AG, Schouten HC, van Kleef M, Patijn J. Prevalence of pain in patients with cancer: a systematic review of the past 40 years. Ann Oncol. 2007;18(9):1437-49.
4. Ripamonti CI, Santini D, Maranzano E, Berti M, Roila F, Group EGW. Management of cancer pain: ESMO Clinical Practice Guidelines. Ann Oncol. 2012;23 Suppl 7:vii139-54.
5. Chapman CR, Casey KL, Dubner R, Foley KM, Gracely RH, Reading AE. Pain measurement: an overview. Pain. 1985;22(1):1-31.
6. Torres Lacomba M, Mayoral del Moral O, Coperias Zazo JL, Gerwin RD, Goni AZ. Incidence of myofascial pain syndrome in breast cancer surgery: a prospective study. Clin J Pain. 2010;26(4):320-5.
7. Wilson J, Stack C, Hester J. Recent advances in cancer pain management. F1000Prime Rep. 2014;6:10.
8. Muller-Schwefe G, Ahlbeck K, Aldington D, Alon E, Coaccioli S, Coluzzi F, et al. Pain in the cancer patient: different pain characteristics CHANGE pharmacological treatment requirements. Curr Med Res Opin. 2014;30(9):1895-908.
9. Jimenez-Andrade JM, Mantyh WG, Bloom AP, Ferng AS, Geffre CP, Mantyh PW. Bone cancer pain. Ann N Y Acad Sci. 2010;1198:173-81.
10. Montiel-Ruiz RM, Acosta-Gonzalez RI, Jimenez Andrade JM. [Bone cancer pain: from preclinical pharmacology to clinical trials]. Gac Med Mex. 2013;149(2):204-11.
11. Sousa AM, de Santana Neto J, Guimaraes GM, Cascudo GM, Neto JO, Ashmawi HA. Safety profile of intravenous patient-controlled analgesia for breakthrough pain in cancer patients: a case series study. Support Care Cancer. 2014;22(3):795-801.
12. Davies AN. Breakthrough cancer pain. Curr Pain Headache Rep. 2014;18(6):420.
13. Cherny N. Cancer Pain assessment and syndromes. In: McMahon S KM, Tracey I, Turk DC, editor. Wall & Melzack's Textbook of Pain. Sixth ed: Elsevier; 2013. p. 1184.
14. Kaye AD, Baluch A, Scott JT. Pain management in the elderly population: a review. Ochsner J. 2010;10(3):179-87.
15. van der Steen JT, Sampson EL, Van den Block L, Lord K, Vankova H, Pautex S, et al. Tools to Assess Pain or Lack of Comfort in Dementia: A Content Analysis. J Pain Symptom Manage. 2015.
16. Ovayolu O, Ovayolu N, Aytac S, Serce S, Sevinc A. Pain in cancer patients: pain assessment by patients and family caregivers and problems experienced by caregivers. Support Care Cancer. 2015;23(7):1857-64.
17. Klein C, Caumo W, Gélinas C, Patines V, Pilger T, Lopes A, Backes FN, Villas-Boas DF, Vieira SRR. Validation of Two Pain Assessment Tools Using a Standardized Nociceptive Stimulation in Critically Ill Adults. J Pain Symptom Manage.2018;56:594-601.
18. Organization WH. Cancer Pain Relief. World Health Organization. 1986.
19. Azevedo Sao Leao Ferreira K, Kimura M, Jacobsen Teixeira M. The WHO analgesic ladder for cancer pain control, twenty years of use. How much pain relief does one get from using it? Support Care Cancer. 2006;14(11):1086-93.
20. Vargas-Schaffer G. Is the WHO analgesic ladder still valid? Twenty-four years of experience. Can Fam Physician. 2010;56(6):514-7, e202-5.
21. Graham GG, Scott KF. Mechanism of action of paracetamol. Am J Ther. 2005;12(1):46-55.
22. Sachs D, Cunha FQ, Ferreira SH. Peripheral analgesic blockade of hypernociception: activation of arginine/NO/cGMP/protein kinase G/ATP-sensitive K+ channel pathway. Proc Natl Acad Sci U S A. 2004;101(10):3680-5.
23. Edwards J, Meseguer F, Faura C, Moore RA, McQuay HJ, Derry S. Single dose dipyrone for acute postoperative pain. Cochrane Database Syst Rev. 2010(9):CD003227.
24. Kotter T, da Costa BR, Fassler M, Blozik E, Linde K, Juni P, et al. Metamizole-associated adverse events: a systematic review and meta-analysis. PLoS One. 2015;10(4):e0122918.
25. Pogatzki-Zahn E, Chandrasena C, Schug SA. Nonopioid analgesics for postoperative pain management. Curr Opin Anaesthesiol. 2014;27(5):513-9.
26. Paice JA. Current Diagnosis and treatment of pain. In: Von Roenn JH PJ, Preodor ME. United States of America: McGraw-Hill Companies, 2006. p.348.
27. Mathiesen O, Wetterslev J, Kontinen VK, Pommergaard HC, Nikolajsen L, Rosenberg J, et al. Adverse effects of perioperative paracetamol, NSAIDs, glucocorticoids, gabapentinoids and their combinations: a topical review. Acta Anaesthesiol Scand. 2014;58(10):1182-98.
28. Trescot AM, Datta S, Lee M, Hansen H. Opioid pharmacology. Pain Physician. 2008;11(2 Suppl):S133-53.
29. Reeves RR, Burke RS. Tramadol: basic pharmacology and emerging concepts. Drugs Today (Barc). 2008;44(11):827-36.
30. Dayer P, Desmeules J, Collart L. [Pharmacology of tramadol]. Drugs. 1997;53 Suppl 2:18-24.
31. Jamison RN, Mao J. Opioid Analgesics. Mayo Clin Proc. 2015;90(7):957-68.
32. Bruera E, Paice JA. Cancer pain management: safe and effective use of opioids. Am Soc Clin Oncol Educ Book. 2015;35:e593-9.
33. De Gregori S, Minella CE, De Gregori M, Tinelli C, Ranzani GN, Govoni S, et al. Clinical pharmacokinetics of morphine and its metabolites during morphine dose titration for chronic cancer pain. Ther Drug Monit. 2014;36(3):335-44.
34. Saumier N, Gentili M, Dupont H, Aubrun F. [Postoperative intravenous morphine titration in PACU after bariatric laparoscopic surgery]. Ann Fr Anesth Reanim. 2013;32(12):850-5.
35. Le Merrer J, Befort K, Gardon O, Filliol D, Darcq E, Dembele D, et al. Protracted abstinence from distinct drugs of abuse shows regulation of a common gene network. Addict Biol. 2012;17(1):1-12.
36. Weissman DE, Haddox JD. Opioid pseudoaddiction-an iatrogenic syndrome. Pain. 1989;36(3):363-6.
37. Volkow ND, Wang GJ, Fowler JS, Tomasi D, Telang F. Addiction: beyond dopamine reward circuitry. Proc Natl Acad Sci U S A. 2011;108(37):15037-42.
38. Hyman SE, Malenka RC. Addiction and the brain: the neurobiology of compulsion and its persistence. Nat Rev Neurosci. 2001;2(10):695-703.
39. Finnerup NB, Attal N, Haroutounian S, McNicol E, Baron R, Dworkin RH, et al. Pharmacotherapy for neuropathic pain in adults: a systematic review and meta-analysis. Lancet Neurol. 2015;14(2):162-73.
40. Moulin D, Boulanger A, Clark AJ, Clarke H, Dao T, Finley GA, et al. Pharmacological management of chronic neuropathic pain: revised consensus statement from the Canadian Pain Society. Pain Res Manag. 2014;19(6):328-35.
41. Habib AM, Wood JN, Cox JJ. Sodium channels and pain. Handb Exp Pharmacol. 2015;227:39-56.
42. Kurdi MS, Theerth KA, Deva RS. Ketamine: Current applications in anesthesia, pain, and critical care. Anesth Essays Res. 2014;8(3):283-90.
43. Giovannitti JA, Jr., Thoms SM, Crawford JJ. Alpha-2 adrenergic receptor agonists: a review of current clinical applications. Anesth Prog. 2015;62(1):31-9.
44. Haywood A, Good P, Khan S, Leupp A, Jenkins-Marsh S, Rickett K, et al. Corticosteroids for the management of cancer-related pain in adults. Cochrane Database Syst Rev. 2015;4:CD010756.
45. Muralidharan A, Smith MT. Pathobiology and management of prostate cancer-induced bone pain: recent insights and future treatments. Inflammopharmacology. 2013;21(5):339-63.
46. Silva SC, Wilson C, Woll PJ. Bone-targeted agents in the treatment of lung cancer. Ther Adv Med Oncol. 2015;7(4):219-28.
47. Gach K, Wyrebska A, Fichna J, Janecka A. The role of morphine in regulation of cancer cell growth. Naunyn Schmiedebergs Arch Pharmacol. 2011;384(3):221-30.
48. Bhatnagar S, Gupta M. Evidence-based Clinical Practice Guidelines for Interventional Pain Management in Cancer Pain. Indian J Palliat Care. 2015;21(2):137-47.
49. Gulati A, Shah R, Puttanniah V, Hung JC, Malhotra V. A retrospective review and treatment paradigm of interventional therapies for patients suffering from intractable thoracic chest wall pain in the oncologic population. Pain Med. 2015;16(4):802-10.
50. Rathmel J. Atlas of Image-Guided Intervention in Regional Anesthesia and Pain Medicine. Philadelphia: Baltimore. New York: Lippincott Williams and Wilkins, 2006. p.186.
51. Bellini M, Barbieri M. Percutaneous cervical cordotomy in cancer pain. Anaesthesiol Intensive Ther. 2014 Dec 19.
52. Mercadante S, Klepstad P, Kurita GP, Sjogren P, Giarratano A, European Palliative Care Research C. Sympathetic blocks for visceral cancer pain management: A systematic review and EAPC recommendations. Crit Rev Oncol Hematol. 2015 Aug 1.
53. Mercadante S, Nicosia F. Celiac plexus block: a reappraisal. Reg Anesth Pain Med. 1998;23(1):37-48.
54. de Leon-Casasola OA, Kent E, Lema MJ. Neurolytic superior hypogastric plexus block for chronic pelvic pain associated with cancer. Pain. 1993;54(2):145-51.
55. Meyerson BA. Neurosurgical approaches to pain treatment. Acta Anaesthesiol Scand. 2001;45(9):1108-13.
56. Sundaresan N, DiGiacinto GV, Hughes JE. Neurosurgery in the treatment of cancer pain. Cancer. 1989;63(11 Suppl):2365-77.
57. Ruiz Santiago F, Santiago Chinchilla A, Guzman Alvarez L, Perez Abela AL, Castellano Garcia Mdel M, Pajares Lopez M. Comparative review of vertebroplasty and kyphoplasty. World J Radiol. 2014;6(6):329-43.
58. Van der Linden YM. Mechanisms of radiotherapy-induced pain relief. In: Paice JA. Seattle: International Association for the study of pain, 2010. p.354.
59. Saunders C. The treatment of intractable pain in terminal cancer. Proc R Soc Med. 1963;56:195-7.

120

Principais Procedimentos Intervencionistas Empregados na Dor Crônica

Fabrício Dias Assis ■ Charles Amaral de Oliveira ■ Pedro Hilton de Andrade Filho

INTRODUÇÃO

O tratamento intervencionista da dor baseia-se no conceito de que, para determinado tipo de dor, existe uma base estrutural anatômica responsável pelo *input* nociceptivo no sistema nervoso central (SNC) e sua consequente neuroplasticidade desencadeada. Os procedimentos intervencionistas da dor têm como foco atenuar ou interromper a aferência nociceptiva e/ou restaurar funcionalidade, e podem ser utilizados como ferramentas diagnósticas ou terapêuticas para o controle de dores subagudas e crônicas, de maneira isolada ou combinada com outras modalidades de tratamento.

Apesar de a medicina intervencionista da dor já ser uma especialidade bem consolidada no cenário mundial, representada por sociedades como o World Institute of Pain (WIP), fundado em 1993, a formação de médicos especialistas no Brasil ainda é heterogênea, mas crescente ao longo das últimas décadas, com iniciativas que trabalham focadas na disseminação do conhecimento acerca do manejo intervencionista dos mais diversos tipos de dores. A Sociedade Brasileira para o Estudo da Dor (SBED) criou em 2006 o comitê de técnicas minimamente invasivas da dor, em 2012 foi criada a Sociedade Brasileira de Medicina Intervencionista da Dor (Sobramid) e em 2022 foi criada a Latin American Pain Society (LAPS), tendo ambas as últimas iniciativas o Dr. Fabrício Dias Assis como seu primeiro presidente eleito.

Dados avanços nos métodos de imagem, estudos anatômicos e descobertas de novos mecanismos de nocicepção, as diversas opções de tratamento intervencionistas da dor têm sido continuamente aprimoradas ao longo dos últimos anos, com o surgimento de procedimentos mais precisos e com menores riscos. O uso de procedimentos intervencionistas tem se tornado uma opção de tratamento com recomendação cada vez mais precoce na terapia multimodal de quadros dolorosos, tendo em vista a redução dos diversos efeitos adversos do uso de medicações sistêmica e a possibilidade de abordar de maneira mais seletiva possíveis origens de estímulo nociceptivo, seja com uso de medicação, seja de terapias não medicamentosas, como radiofrequência ou crioablação.

A história da aplicação de técnicas intervencionistas no controle da dor data de 1901, quando injeções peridurais para tratamento de compressão de raízes lombares foram relatadas.[1-3] Desde então, além dos avanços nas abordagens peridurais, uma variedade de outras técnicas percutâneas foram descritas tanto para o diagnóstico quanto para o tratamento da dor.[4,5] Atualmente, para reduzir os riscos e aumentar a precisão dos procedimentos, estes são realizados guiados por métodos de imagem, dentre os quais os mais utilizados são a fluoroscopia, a ultrassonografia e a tomografia. Os riscos anestésicos associados também são minimizados com acompanhamento por anestesista não envolvido no procedimento e habituado com titulação do nível de profundidade anestésica da sedação a depender da necessidade de resposta sensitiva do paciente durante o procedimento. O uso de anestesia geral pode ser necessário em casos excepcionais, mas, quando escolhido, deve-se levar em consideração a perda das respostas sensitivas e motoras à estimulação como parâmetro de localização de alvos, em razão da profundidade do plano anestésico e do uso de bloqueadores neuromusculares, bem como do maior risco de pneumotórax, caso ocorra dano pleural em procedimentos paravertebrais torácicos, tais como bloqueio de nervos esplâncnicos e simpático torácico.

▪ TIPOS DE PROCEDIMENTOS

Com relação a sua finalidade, os procedimentos intervencionistas podem ser divididos em terapêuticos e/ou diagnósticos. O bloqueio terapêutico tem como objetivo principal prover o maior e mais duradouro alívio da dor possível. O termo bloqueio diagnóstico, por sua vez, é utilizado para intervenções mais precisas e em alvos anatômicos pontuais, que tem como objetivo principal avaliar a hipótese de que a estrutura-alvo é um componente importante na aferência nociceptiva da fonte de dor do paciente. A primeira descrição de um bloqueio diagnóstico data de 1924, quando Von Gaza fez um bloqueio com procaína para ajudar a determinar a fonte da dor de um paciente.[6]

Para bloqueios diagnósticos, considera-se um bloqueio diagnóstico positivo aquele capaz de prover alívio significativo da dor durante o tempo de ação do anestésico local injetado. Apesar da dificuldade na avaliação da melhora da dor com bloqueio diagnóstico, é amplamente aceito na literatura o conceito de bloqueio diagnóstico positivo se o paciente apresentar melhora maior ou igual que 50% da sua dor basal. Bloqueios seriados também podem ser utilizados a fim de aumentar a acurácia do diagnóstico e reduzir o risco de bloqueios falso-positivos e falso-negativos. Em um cenário no qual o bloqueio diagnóstico não fornece alívio significativo da dor, este é considerado negativo e afasta a hipótese de que a estrutura-alvo é o principal mecanismo da dor; uma informação que também deve ser valorizada no processo diagnóstico, que pode ser bastante desafiador.

▪ TERAPIAS INTERVENCIONISTAS

Além da definição dos alvos anatômicos, para a realização de um tratamento intervencionista da dor, também se faz necessário definir a terapia a ser utilizada, dentre as quais destacam-se: medicações, radiofrequência (RF), neurólises químicas, crioablação, implante de dispositivos de infusão de fármacos, cimentoplastias, neuroestimulação, neuroplastias e descompressões discais percutâneas e terapias regenerativas.

Em bloqueios diagnósticos, as medicações mais utilizadas são os anestésicos locais, para bloqueio da condução nervosa, associados ou não a corticoides, com o objetivo de reduzir a inflamação neurogênica e, consequentemente, a frequência de despolarizações ectópicas ou atenuar processos inflamatórios locais, tais como sinovites ou artrites.

Em bloqueios com fins exclusivamente terapêuticos podem ser associadas diversas modalidades terapêuticas, levando em consideração a maior redução possível da dor, bem como a recuperação de funcionalidade do doente. Para tal, diversos fatores anatômicos, fisiopatológicos, biopsicossociais e do sistema de saúde devem ser considerados.

Dentre as técnicas descritas, as neurólises são que buscam a interrupção anatômica das vias de dor e podem ser de dois tipos: química ou térmica. A neurólise química pode ser realizada com emprego de álcool absoluto ou fenol em concentrações maiores que 5% (Figura 120.1). As neurólises térmicas, por sua vez, podem ser realizadas com uso de crioablação, uma lesão axonal por congelamento que preserva o citoesqueleto neuronal, ou por radiofrequência convencional (RFC), uma lesão por calor que causa destruição da arquitetura celular com degeneração walleriana celular.

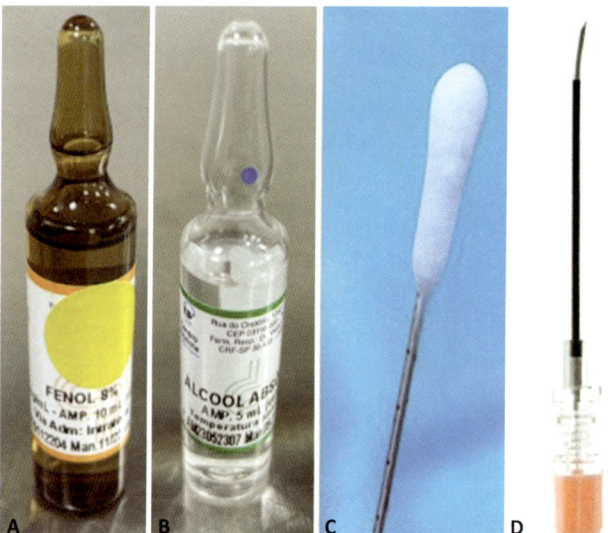

▲ **Figura 120.1** Métodos de neurólise: **(A)** Fenol a 8%; **(B)** Álcool absoluto; **(C)** Lesão térmica por congelamento (Crioablação); **(D)** Lesão térmica por calor (radiofrequência convencional).

Em estruturas que não podem ser lesadas, tais como nervos com função motora, ainda existe a opção do uso da radiofrequência pulsada (RFP); uma modalidade de radiofrequência de caráter neuromodulador, com alterações teciduais temporárias e reversíveis.[7] A neuromodulação é a interrupção dinâmica e funcional das vias da dor, sem lesão do tecido neural, e tem como suas principais técnicas a RFP e as técnicas de neuroestimulação medular, cerebral, de gânglios da raiz dorsal ou de nervos periféricos.

Ambas as modalidades de radiofrequência têm inúmeras aplicações na prática clínica (Tabela 120.1). A definição criteriosa de parâmetros, tais como duração, frequência e amplitude do estímulo, além de temperatura e tempo total de lesão, é essencial para o sucesso da técnica, e motivo de amplas discussões na literatura. Além do mais, outras técnicas de radiofrequência também podem aumentar a área da lesão; por exemplo, a radiofrequência resfriada, na qual o controle de temperatura permite a aplicação de lesões até oito vezes maiores, e radiofrequência bipolar, na qual o emprego de dois eletrodos dispostos paralelamente até 1 cm de distância um do outro permite que a corrente emitida por um eletrodo percorra o tecido em direção ao segundo eletrodo, aumentando o volume da lesão. Técnicas de aumento da área de lesão devem ser utilizadas para a ablação de estruturas com inervação variada, como é o caso das facetas torácicas e da articulação sacroilíaca.[8]

Tabela 120.1 Exemplos de aplicações para cada modalidade de radiofrequência.

Radiofrequência convencional	Radiofrequência pulsátil
Gânglio de Gasser (Trigêmeo)	Gânglio da raiz dorsal
Ramos mediais para dor facetaria cervical, torácica ou lombar	Nervos com função motora significativa (ex.: n. mediano)
Simpalectomias torácica ou lombar, esplâncnicos	Procedimentos intradiscais

Existe uma preferência cada vez maior para a realização de procedimentos menos destrutivos, na tentativa de diminuir as chances de complicações, como a dor por desaferentação, a lesão de estruturas não desejadas ou a formação de neuromas. Por esse motivo, técnicas como a crioablação, que preserva a bainha de mielina, e a neuroestimulação têm se tornado cada vez mais utilizadas mundialmente.

■ ABORDAGEM INTERVENCIONISTA DAS PRINCIPAIS SÍNDROMES DOLOROSAS CRÔNICAS

Dor Espinal

A síndrome da dor espinal consiste em toda condição dolorosa originada na estrutura da coluna vertebral e é um problema de saúde pública nas sociedades industrializadas ocidentais. A taxa de prevalência varia de 12% a 35%, sendo que em torno de 10% desses pacientes tornam-se cronicamente incapazes, o que gera custos financeiros e sociais incomensuráveis.

As estruturas responsáveis pela dor espinal podem ser a própria vértebra, os discos intervertebrais, a medula espinal, as raízes nervosas, as facetas articulares, os músculos e os ligamentos e até mesmo a própria membrana peridural. Dentre essas causas, a mais comum é a degeneração dos discos intervertebrais, resultando em dor discogênica lombar, associada ou não a ruptura discal, que chega a afetar 41% dos pacientes com dor espinal. No entanto, se faz necessário destacar que o diagnóstico etiológico da dor deve ser embasado na soma de dados clínicos com testes físicos e exames complementares apropriados, tendo em vista que alterações estruturais assintomáticas são comuns em exames radiológicos de rotina.[9,10] Acredita-se que somente após bloqueio diagnóstico de validade reconhecida, é possível determinar a exata fonte da dor do paciente.[11] Dentre os principais mecanismos de dor espinal destacam-se:

Dor discogênica

O conceito de dor discogênica foi introduzido na década de 1940, com o advento dos estudos de discografia.[12] Os discos intervertebrais preenchem os espaços entre os corpos vertebrais adjacentes de C_2 até o sacro e são formados pelo *núcleo pulposo* semilíquido, central, o qual é circundado pelo *anel fibroso*, e aderido ao corpo vertebral através da *placa terminal*, uma estrutura fibrocartilaginosa. A inervação do disco intervertebral apresenta fibras somáticas e autonômicas simpáticas. Em discos normais, encontram-se principalmente no terço externo do anel fibroso, tendo sido demonstrado um crescimento de tecido de granulação e de fibras finas não mielinizadas para as camadas mais internas em discos degenerados (Figura 120.2).

Para entender melhor os mecanismos que levam à dor discogênica, é necessário compreender as mudanças bioquímicas que ocorrem no disco intervertebral. O núcleo é praticamente desprovido de vasos sanguíneos, de modo que sua nutrição é feita pela difusão dos nutrientes através de células do anel fibroso e da placa terminal. Uma das primeiras causas da degeneração discal é a diminuição do suprimento de nutrientes para as células do núcleo que gera decréscimo tanto da tensão de O_2 como do pH intracelular pela produção de ácido lático. Isso afeta a capacidade das células do disco em sintetizar e manter a matriz extracelular, resultando em sua degeneração. Com o enfraquecimento da matriz, começam a aparecer fissuras no anel fibroso. Essas fissuras permitirão que o núcleo ácido entre em contato com os nociceptores localizados na parte externa do anel (Figura 120.2), resultando na dor denominada discogênica.[13]

A dor discogênica lombar apresenta-se como queixa de dor axial pobremente localizada, podendo irradiar-se para os MMII. O paciente pode apresentar dor à deflexão da coluna lombar e à palpação dos processos espinosos nos níveis correspondentes. A dor é agravada aos movimentos, podendo ser difícil até tossir ou espirrar. A ressonância magnética (RM) mostra o disco de coloração preta em T2,

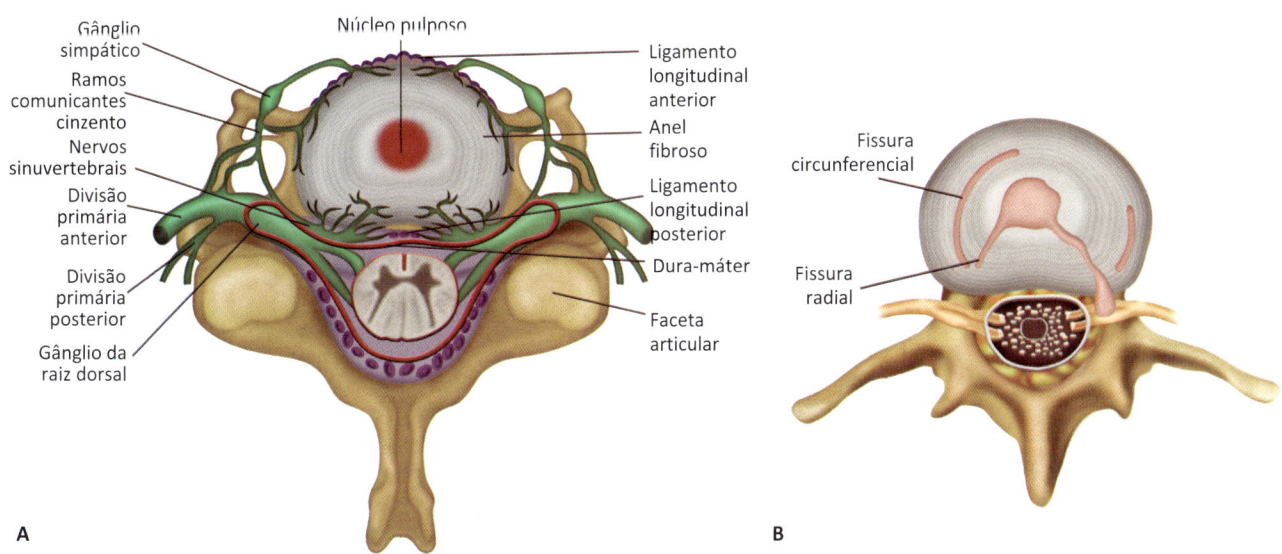

A　　　　　　　　　　　　　　　　　　　　　　　　　B

▲ **Figura 120.2　(A)** Inervação das estruturas na coluna vertebral normal; **(B)** Degeneração do disco intervertebral.

o que significa perda hídrica. A presença de zona de alta intensidade (ZAI) em T2 está fortemente relacionada com a dor discogênica. O método padrão-ouro para diagnóstico de dor discogênica é a discografia provocativa, técnica que tem como objetivo identificar o disco doloroso e envolve a introdução de uma agulha dentro do disco intervertebral-alvo e posterior injeção de contraste, na tentativa de reproduzir a dor sentida pelo paciente.[14] A discografia deve envolver o nível desejado e dois discos adjacentes como controle. Poderá ainda ser suplementada por uma tomografia pós-discografia a qual pode revelar as fissuras características da doença da ruptura discal (Figura 120.3). De acordo com a International Association for the Study of Pain (IASP), há dor discogênica quando a discografia reproduz a dor do paciente mas a provocação de discos adjacentes não reproduz dor ou reproduz dor não familiar ao paciente.[15]

Dentre as modalidades de tratamento de dor discogênica, os procedimentos intradiscais percutâneos são as principais técnicas da medicina intervencionista da dor. Os procedimentos intradiscais percutâneos podem ser divididos em dois grupos: os bloqueios intradiscais e as radiofrequências.

Os bloqueios intradiscais podem ser realizados tanto com medicações, quanto com ortobiológicos, devendo a escolha ser individualizada de acordo com o planejamento terapêutico proposto. As técnicas de radiofrequência para tratamento da dor discogênica, por sua vez, podem ser realizadas através da RFP intradiscal ou RFP do gânglio da raiz dorsal (GRD) de L2 para dores discogênicas lombares, ou até mesmo por anuloplastias, técnicas que objetivam a denervação da parede posterior do anel fibroso através da aplicação de corrente de RF, a fim de diminuir a aferência nociceptiva proveniente do disco.[16-21] Cada uma das técnicas apresentadas contém indicações e contraindicações específicas, cabendo ao médico intervencionista amplo domínio de todas para prover ao paciente o melhor tratamento de forma individualizada.

Dor facetária

As articulações facetárias são responsáveis por dor espinal em 15% a 45% dos pacientes com lombalgias e 54% a 60% dos pacientes com cervicalgias crônicas.[22-24] São as únicas articulações verdadeiras da coluna vertebral, pois são as únicas a permitir movimento entre duas superfícies articulares cartilaginosas intimamente relacionadas no esqueleto axial. As facetas apresentam-se em pares, são bilaterais. São compostas pelo processo articular superior da vértebra de baixo e pelo processo articular inferior da vértebra de cima. Uma cápsula e sua membrana sinovial envolvem cada articulação, e o aspecto ventromedial desta cápsula é contíguo com o ligamento amarelo.

Na região lombar, as facetas formam o aspecto posterior do forame intervertebral. O tecido adiposo adjacente ao ligamento amarelo, na parte superior da faceta articular está intimamente relacionado com a raiz espinal. Essa relação explica por que a raiz pode estar comprometida em alguns casos de artrose ou deformidade articular que ocorrem com o avançar da idade.

As facetas articulares são inervadas pelo ramo médio, um pequeno nervo originado do ramo posterior da raiz espinal. O ramo posterior passa dorsal e inferiormente através de um forame no ligamento intertransversal e divide-se, cerca de 5 mm após sua origem, em ramos médio e lateral. O ramo médio inerva o polo inferior da articulação facetária do seu próprio nível e o polo superior da articulação abaixo. Estudos anatômicos demonstram que uma percentagem pequena de indivíduos tem um terceiro ramo ascendente que inerva cada articulação (p. ex.: a articulação facetária de L3 e L4 é inervada pelos ramos médios de L2, L3 e L4). Cada ramo médio também inerva os músculos multifidus, interespinoso, intertransversal espinal, além dos ligamentos do arco posterior (Figura 120.4).[25,26]

O paciente com dor facetária usualmente queixa-se de dor axial crônica principalmente pela manhã, por vezes associada à dor irradiada para os membros. No exame físico, o que mais chama a atenção é a dor axial e a dificuldade nos movimentos de extensão e lateralização da coluna, além do mais, a tensão da musculatura paravertebral adjacente também está presente em muitos casos. A dor facetária é comumente causada pela degeneração primária das facetas articulares, como ocorre nas espondiloartroses. No entanto, pacientes com dor crônica lombar ou cervical e exames de imagem normais podem ter dor facetária causada por microinstabilidades da coluna. Por isso, mesmo na presença de exame radiológico normal, é possível considerar a realização de um bloqueio facetário diagnóstico.[27] A síndrome facetária cervical tem relação íntima com os traumas em chicote (*whiplash injury*), sendo esta uma causa importante de dor cervical crônica.[28,29] A síndrome facetária torácica é infrequente na prática clínica, por se tratar de um segmento hipomóvel da coluna e, quando se manifesta, frequentemente associa-se às deformidades anatômicas. Um

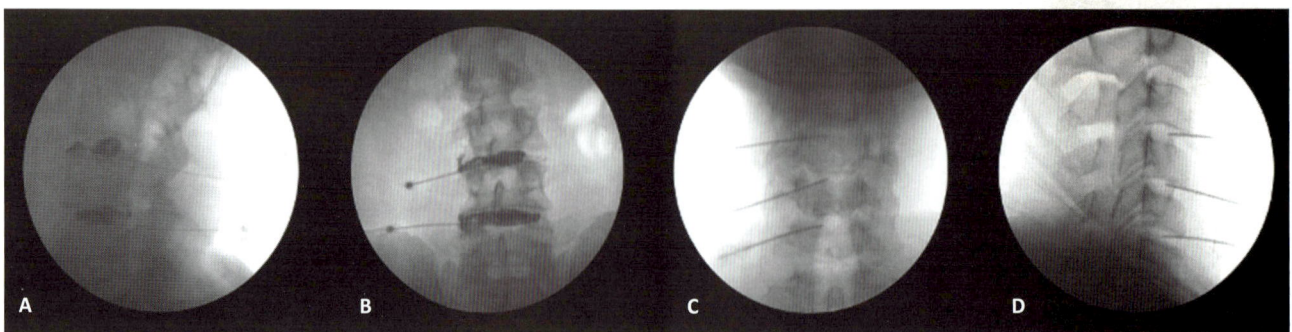

▲**Figura 120.3** **(A)** Rx em Perfil de discografia lombar; **(B)** Rx em AP de discografia lombar; **(C)** Rx em AP de discografia cervical; **(D)** Rx em Perfil de discografia cervical.

bloqueio diagnóstico para dor facetária pode ser realizado com injeções intra-articulares ou com bloqueios dos ramos médios responsáveis pela inervação das facetas articulares (Figuras 120.5 e 120.6). O bloqueio diagnóstico positivo certifica o diagnóstico.[27] O bloqueio intra-articular é mais rápido e pode ser efetivo por um tempo maior que o bloqueio do ramo médio. Este último, porém, deve ser preferido quando o objetivo é uma posterior neurotomia do ramo médio por radiofrequência, uma opção terapêutica com bons níveis de evidência.[30]

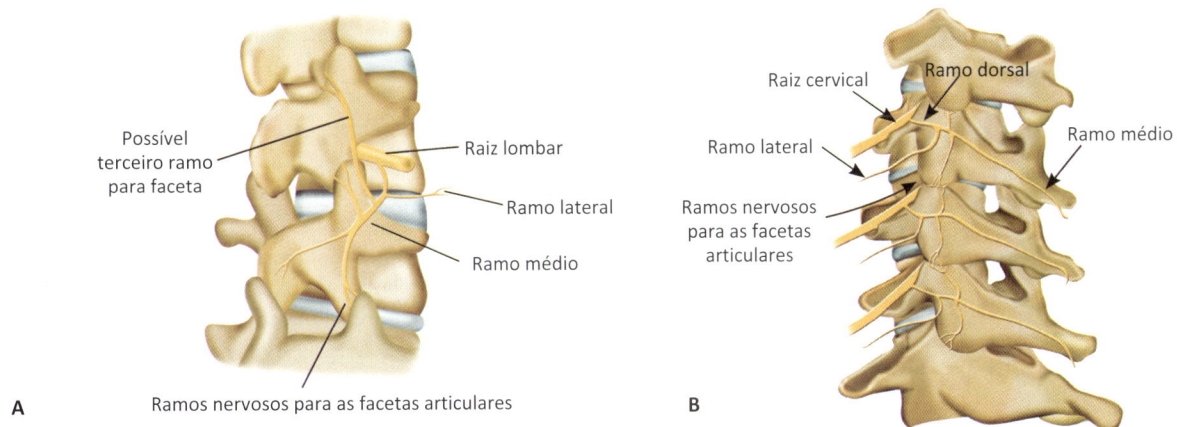

▲ **Figura 120.4** Anatomia do ramo medial lombar **(A)** e cervical **(B)**.

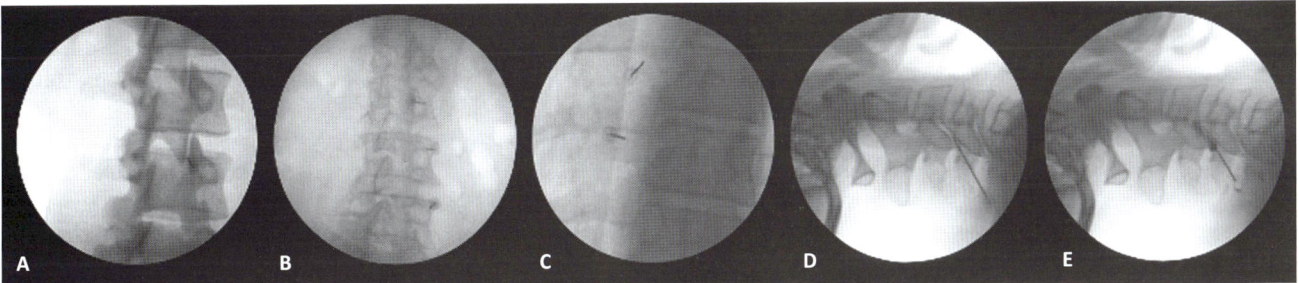

▲ **Figura 120.5 (A)** Bloqueio intra-articular L3-L4 direito com Rx em oblíquo e agulha em tunnel vision; **(B)** Bloqueio de ramos médios de L2, L3 e L4 direitos com Rx em oblíquo; **(C)** Bloqueio do ramo médio torácico com Rx em AP e agulhas tocando a face posterosuperior do processo transverso. **(D)** e **(E)** Bloqueio intra-articular C3-C4 com RX em perfil antes **(D)** e depois **(E)** da injeção do contraste.

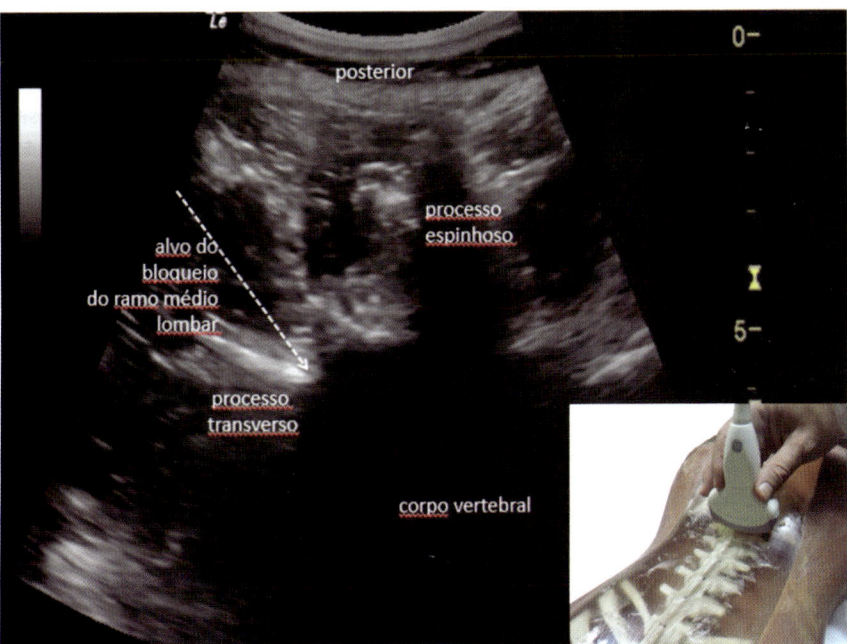

◄**Figura 120.6** Anatomia sonográfica da coluna lombar e alvo para bloqueio do ramo médio (seta).

Dor sacroilíaca

A articulação sacroilíaca (SI) é maior articulação do corpo humano, tem caráter sinovial e pouca mobilidade, sendo responsável por acolher todo o estresse mecânico imposto na transição entre a coluna e a bacia. Essa articulação é ricamente inervada por contribuições do ramo médio de L5 e dos ramos laterais de S1, S2 e S3, que apresentam grande variabilidade anatômica entre os indivíduos.[31,32]

Estima-se que cerca de 19% a 30% das lombalgias têm a articulação SI como causa principal de aferência dolorosa, sendo a terceira causa mais prevalente de dor lombar crônica, com incidência aumentada em pacientes submetidos à artrodese lombar decorrente de sobrecarga mecânica pós-operatória.[33]

A dor com origem na articulação SI pode se apresentar de diversas maneiras, sendo comum ser localizada na região glútea, podendo irradiar-se para região inguinal ou descer pela perna, simulando uma radiculopatia. O exame físico revela dor na palpação dos tecidos adjacentes à articulação, além de dor durante manobras provocativas. Várias manobras e testes podem ser utilizados, porém com baixa

sensibilidade e especificidade, motivo pelo qual devem ser usados em combinações (*clusters*) para maior acurácia diagnóstica.[34] A infiltração intra-articular com anestésico local guiada por radioscopia ou ultrassonografia é aceita como o padrão para o seu diagnóstico (Figura 120.7).[35]

Após um diagnóstico adequado, caso o paciente não apresente bom controle álgico com tratamento conservador, podem ser realizadas abordagens intervencionistas para o tratamento da dor. Injeções intra-articulares de corticoides podem ser aventadas quando existe um intenso mecanismo inflamatório envolvido. Além do mais, em dores refratárias, a denervação química ou térmica pode ser realizada (Figura 120.8). Na articulação SI, lesões térmicas são preferidas em relação a lesões químicas devido a possibilidade de lesões com área maior, mas ao mesmo tempo mais controladas, minimizando os riscos inerentes à proximidade da área de lesão com os forames sacrais.[36,37]

Dor radicular

A fisiopatologia da dor radicular causada por uma hérnia discal é bem conhecida. Além de um mecanismo compres-

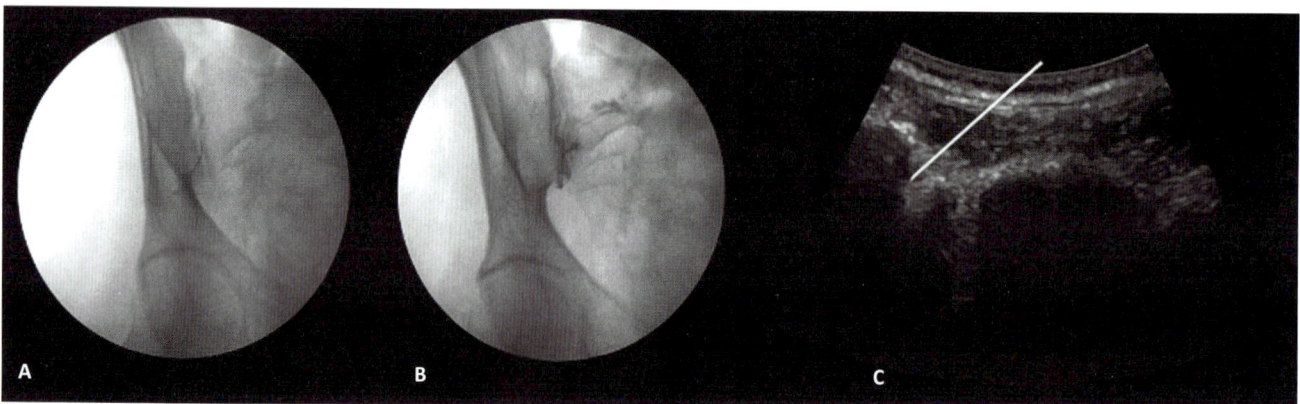

▲ **Figura 120.7** **(A)** Infiltração intra-articular SI. **(A)** e **(B)** Rx em oblíquo mostra abertura do espaço articular posterior com agulha posicionada dentro da articulação **(A)** e injeção de contraste que desenha a articulação **(B)**; **(C)** Infiltração sacroilíaca guiada por USG (atentar para forame de S2 medial a articulação SI).

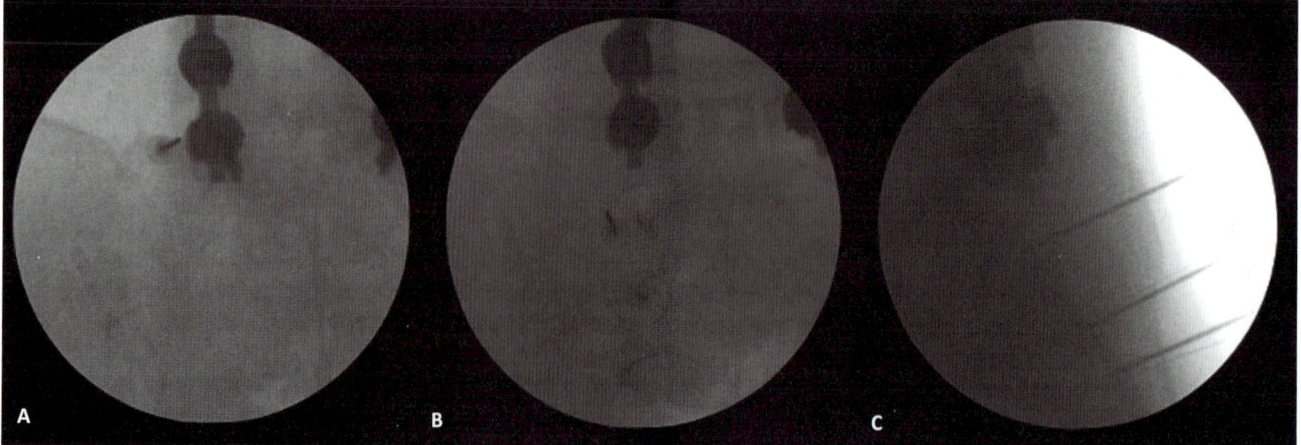

▲ **Figura 120.8** Radiofrequência resfriada em SI esquerda. **(A)** Eletrodo no ramo dorsal de L_5. **(B)** Rx com 3 agulhas guia localizadas nos forames de S_1, S_2 e S_3, com o eletrodo posicionado no ramo lateral de S_1 e régua Épsilon localizada em S_2. **(C)** Rx em perfil mostrando todos eletrodos posicionados posteriores aos forames posteriores sacrais correspondentes.

sivo isquêmico sobre a raiz emergente, obviamente justifi-cável, há um componente inflamatório muito importante em sua origem. Dado o contato do núcleo pulposo, ácido, com o GRD ou a raiz acometidos, há uma série de substân-cias pró-inflamatórias liberadas no local da hérnia.[38] As do-res radiculares geralmente têm um dermátomo muito bem definido, de acordo com a raiz acometida. No entanto, em casos de dores decorrentes de fibroses no espaço peridural, a manifestação clínica pode ser com dor axial e padrão de irradiação inespecífico.

As opções terapêuticas em dores radiculares envolvem desde bloqueios peridurais a descompressões percutâneas via espaço peridural ou até mesmo a RFP do DRG correspon-dente. O tratamento cirúrgico, por sua vez, tem indicação em pacientes nos quais a dor associa-se a déficit motor pro-gressivo, síndromes da cauda equina ou, eventualmente, naqueles pacientes com dor refratária às opções terapêuti-cas menos invasivas.

O uso de bloqueios peridurais baseia-se na premissa de que o volume de anestésico local e corticosteroide injeta-do, além da lise hidráulica de aderências peridurais, é capaz de interromper temporariamente a aferência nociceptiva e atuar reduzindo a inflamação neurogênica no nível acometi-do. A dispersão da solução no sítio alvo depende de muitas variáveis, sendo a via de administração a principal delas. Os corticosteroides injetados pela via posterior interlaminar podem ser impedidos de alcançar a emergência da raiz, que fica no espaço peridural anterior e lateral, devido à presença de tecido fibrocicatricial peridural; por esse motivo, deve-se dar preferência às abordagens peridurais transforaminais ou caudal. Na coluna lombar, existe forte evidência para a eficácia das injeções caudal e transforaminal, porém, para a interlaminar, os estudos mostram evidência limitada no tra-tamento de hérnias e prolapsos dos discos intervertebrais.[39] Em níveis acima de L2, o uso de corticosteroides particula-dos deve ser evitado, em razão de risco de embolização de artéria de Adamkiewicz e, consequentemente, síndrome da artéria espinal anterior. Em níveis cervicais, recomenda-se abordagem interlaminar para injeções, reservando as abor-dagens transforaminais apenas para radiofrequência, dadas as complicações relacionadas com os corticosteroides trans-foraminais na região cervical.[40,41] Apesar de os bloqueios pe-ridurais serem amplamente utilizados na prática anestésica guiados por referenciais anatômicos, na prática da medicina intervencionista da dor recomenda-se que todas as aborda-gens peridurais sejam guiadas por método de imagem e uso de contraste não iônico habilitado para uso subaracnóideo antes da injeção de qualquer medicação (Figura 120.9). A in-jeção de contraste também pode ser utilizada para a realiza-ção de epidurograma, uma ferramenta diagnóstica capaz de diagnosticar a presença de fibroses no espaço peridural não detectáveis por outros exames de imagem. Além da radios-copia, a ultrassonografia também pode ser utilizada como método de imagem para guiar a realização de abordagens radiculares ou peridurais, tanto de forma isolada quanto como método combinado de imagem para redução da ex-posição à radiação da radioscopia (Figuras 120.10 e 120.11).

Outras opções de tratamento são as descompressões percutâneas com cateteres inseridos através do espaço epidural que podem ser utilizadas para liberação de raízes por meio de efeitos hidráulicos, mecânicos e químicos. Os cateteres disponíveis no Brasil podem ser divididos em na-vegáveis (p. ex.: variações do cateter de St. Reed) ou não navegáveis (p. ex.: cateter de Racz). Tendo em vista o calibre

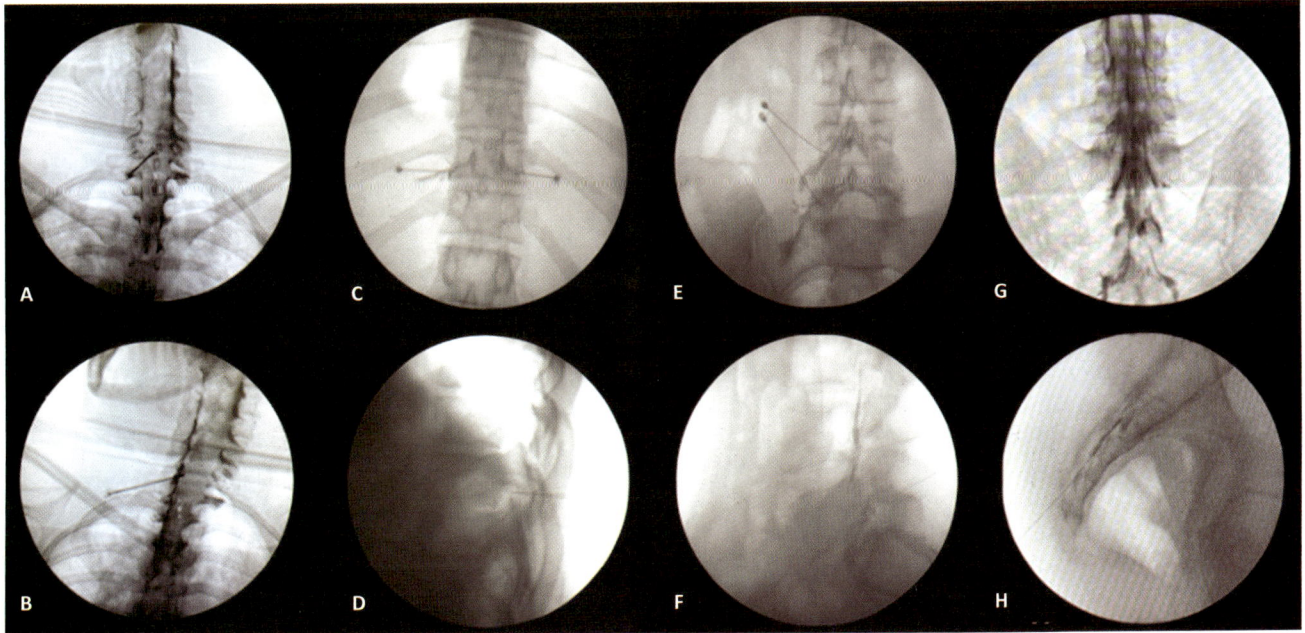

▲ **Figura 120.9** Abordagens peridurais: **(A** e **B)** Peridural interlaminar C_7-T_1 guiada por radioscopia com imagem em visão antero-posterior **(A)** e em obliquo 50º contralateral **(B)**. **(C** e **D)** Peridural transforaminal T_9-T_{10} guiada por radioscopia com imagem em visão anteroposterior **(C)** e perfil **(D)**. **(E** e **F)** Peridural transforaminal L_4-L_5 e L_5-S_1 guiada por radioscopia com imagem em visão ante-roposterior **(E)** e perfil **(F)**. **(G** e **H)** Peridural caudal guiada por radioscopia com imagem em visão anteroposterior **(G)** e perfil **(H)**.

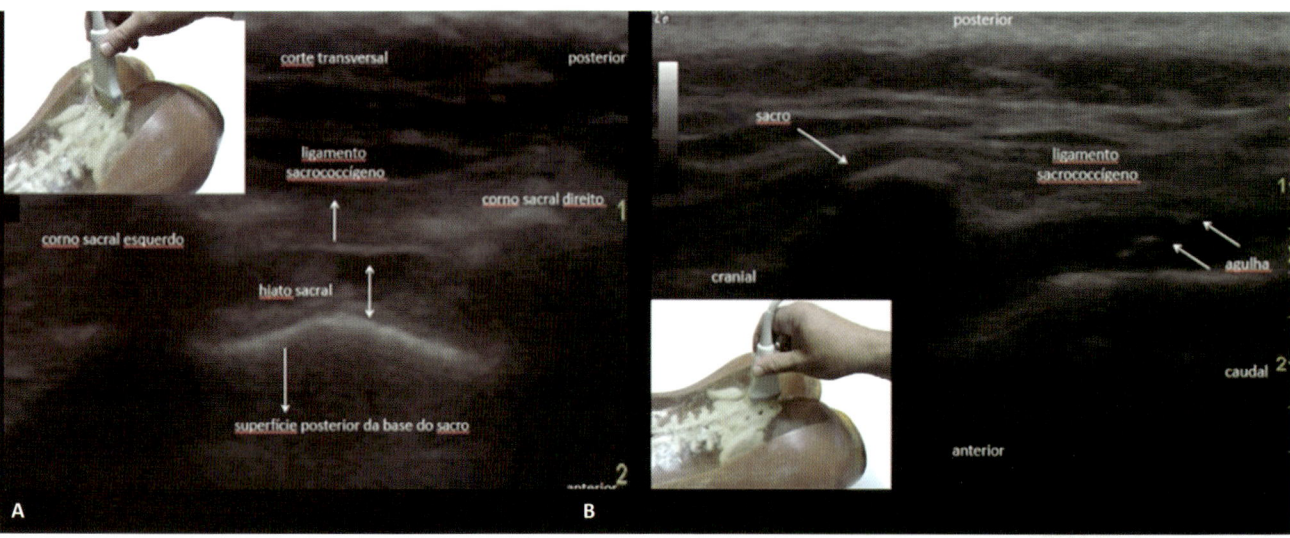

▲ **Figura 120.10** Sonoanatomia do hiato sacral em escaneamento transversal **(A)** e longitudinal **(B)**.

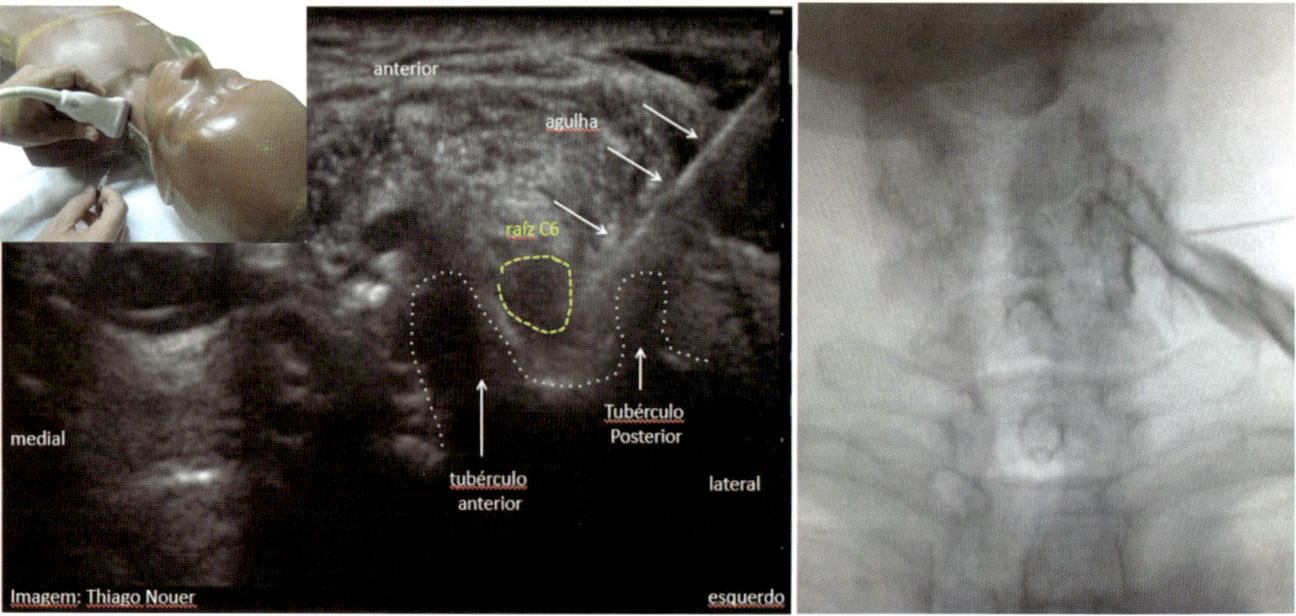

▲ **Figura 120.11** Bloqueio seletivo da raiz de C6 ecoguiado. À direita a visualização fluoroscópica comparativa.

da agulha de acesso, o uso de cateter navegáveis fica restrito a acesso caudal e liberação de raízes lombares, enquanto os cateteres não navegáveis podem ser utilizados desde acesso caudais a cervicais. Os procedimentos de descompressão percutânea do disco intervertebral também podem ser utilizados para o tratamento de radiculopatias causadas por hérnias discais contidas, para tal podem ser utilizados a Nucleoplastia®, o Dekompressor® ou o Spinejet®.[42-45]

A RFP do GRD também é uma opção terapêutica em pacientes com dores radiculares persistentes ou naqueles com dores somáticas cujos GRDs envolvidos estão bem definidos, tendo em vista que o GRD contém os corpos celulares dos neurônios aferentes primários; que transmitem a informação sensorial da periferia ao sistema nervoso central e desempenham papel-chave na fisiopatologia das síndromes dolorosas crônicas (Figura 120.12).[46] Atualmente, muitos estudos demonstraram a eficiência da RFP no GRD em diversos níveis espinais, de forma individualizada, tal como em C2 para cefaleia cervicogênica, em GRD torácico para tratamento de neuralgia pós-herpética e dor pós-toracotomia, em GRD lombar para tratamento de radiculopatias causadas por estenoses foraminais e síndrome pós-laminectomia e a aplicação no GRD de L2 para tratamento da dor discogênica lombar.[47-56]

Dor crônica após cirurgia de coluna

A síndrome de dor persistente após cirurgia de coluna é descrita na literatura com várias nomenclaturas – síndrome pós-laminectomia, síndrome da cirurgia da coluna falida e dor crônica após cirurgia da coluna – e ocorre em cerca de 20% a 30% dos pacientes submetidos a cirurgias na coluna vertebral com persistência ou até mesmo piora da dor um ano após o procedimento.[57-60]

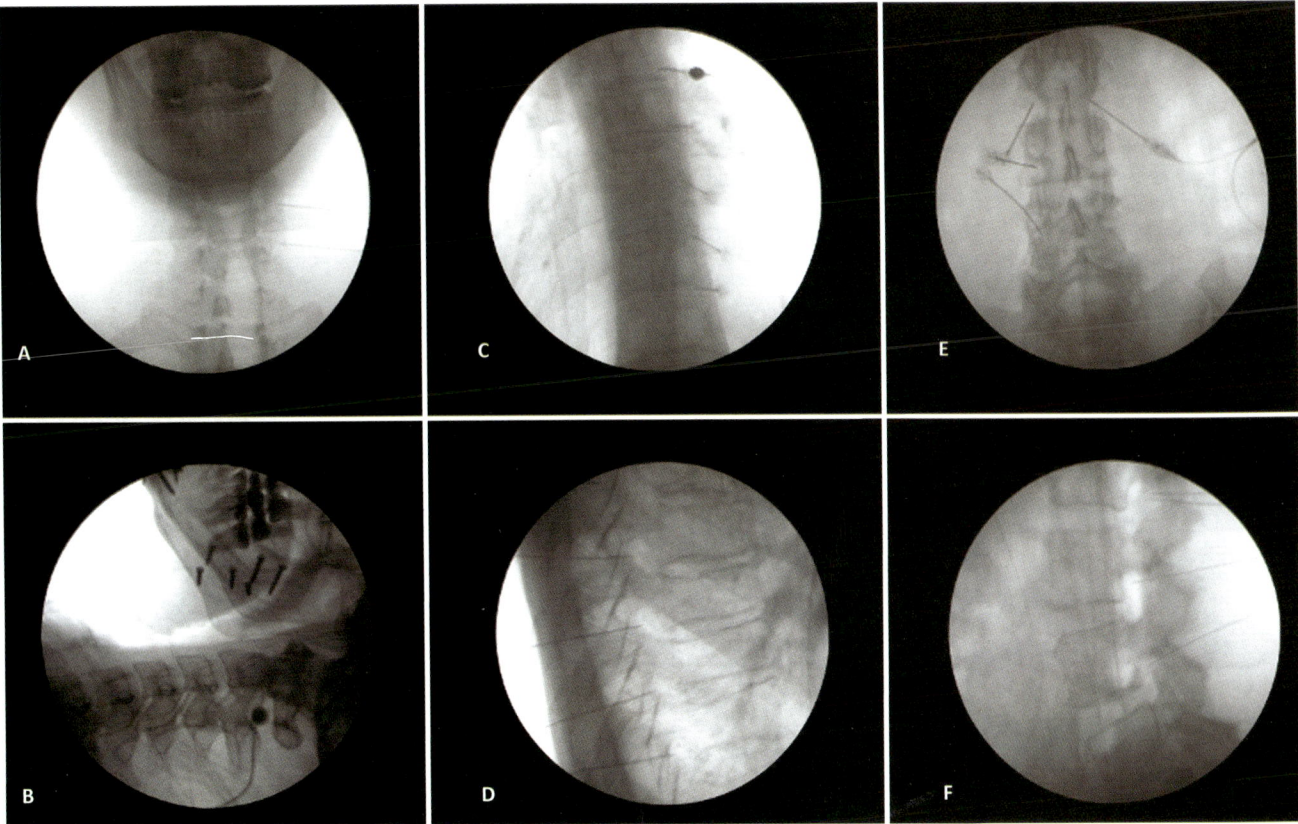

▲ **Figura 120.12** Aplicações de RFP nos GRD: **(A)** RX em AP mostrando agulhas nos forames dos GRD de C_5 e C_6 esquerdos. **(B)** RX em perfil mostrando agulhas com eletrodo no forame do GRD de C_2; **(C e D)** RFP dos GRD de T_7-T_9 esquerdos com Rx em AP **(C)** e perfil **(D)**; **(E e F)** RFP do GRD L_2 bilateral + L_3 e L_4 direitos com Rx em AP **(E)** e perfil **(F)**.

As causas de dor após cirurgias de coluna podem ser as mais diversas, desde instabilidades mecânicas a compressões neurais ou fibroses peridurais. Após a exclusão de causas cirúrgicas reversíveis, é possível tratar síndromes dolorosas secundárias à cirurgia, tais como dor sacroilíaca, dor facetária nos níveis adjacentes, dores miofasciais etc. Em pacientes com dor refratária, deve-se cogitar o tratamento com neuroestimulação.[61]

A neuroestimulação medular utiliza a estimulação elétrica da medula espinal para o controle da dor. Vários mecanismos estão envolvidos nesse método, que, quando bem indicado, pode trazer um alívio expressivo do quadro doloroso. Pode ser utilizada em várias patologias, porém suas melhores indicações são as síndromes pós-laminectomia e as síndromes dolorosas complexas regionais tipos I e II.[62-64] Os eletrodos medulares podem ser do tipo em placa ou percutâneos, sendo os percutâneos rotineiramente utilizados na prática dos médicos da dor com formação base em anestesiologia. Atualmente, novos estudos avaliam a eficácia dos diferentes tipos de neuroestimulação medular e novos alvos para tratamento da dor lombar, tais como os GRD de T12 ou L2, e as estimulações em alta frequência, alta densidade, *burst* ou *Differential Target Multiplexed*™ (*DTM*) (Figuras 120.13 e 120.14).[65-74]

Síndromes Dolorosas Miofasciais

A síndrome dolorosa miofascial (SDM) foi conceituada por Janet Travell na década de 1950, tendo seu diagnóstico inicialmente descrito pela presença de pontos-gatilho (PGs) miofasciais, pequenos nódulos hipersensíveis contidos em áreas de bandas tensas, fibras musculares esqueléticas mais endurecidas e sensíveis a digitopressão.[68] Os PGs podem ser classificados como ativos ou latentes, sendo os ativos aqueles que causam dor espontaneamente, e latentes os que provocam dor apenas à palpação. A palpação de PGs pode causar dor local, irradiada ou referida, sendo esta última descrita como uma sensação profunda e de localização difícil de definir. Além do mais, a dor miofascial pode apresentar ampla variabilidade de intensidade e, em alguns casos, chega a ser severa e incapacitante.[69-71]

Travell e Simons foram os primeiros a sugerir a infiltração dos PGs para o tratamento da SDM.[70-71] Os músculos mais frequentemente afetados são iliopsoas, piriforme, quadrado lombar, glúteos, trapézio, escalenos, entre outros. As infiltrações podem ser feitas com anestésico local, com toxina botulínica do tipo A ou até mesmo apenas agulhamento a seco, que apresenta forte evidência terapêutica.[69,72-74] Os corticosteroides devem ser evitados nas injeções musculares, em decorrência dos efeitos deletérios no tecido muscular relacionado com estas drogas. A utilização de métodos de imagem para guiar as intervenções traz maior acurácia, tanto para agulhamentos quanto para procedimentos não invasivos, como terapia por onda de choque (Figura 120.15).

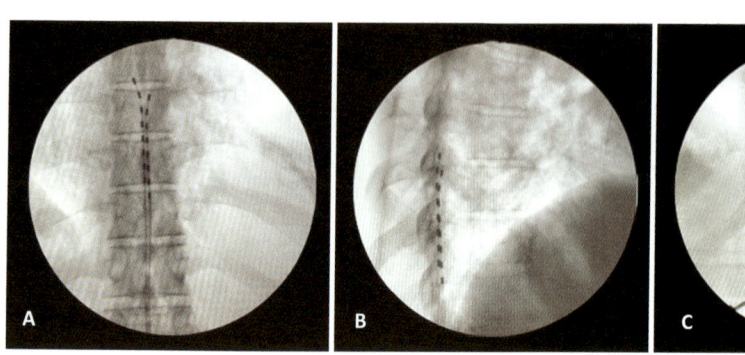
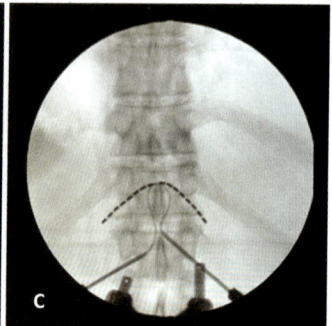

◄ **Figura 120.13** **(A** e **B)** Eletrodos octapolares localizados na linha média, ao nível de T$_8$ a T$_{10}$. Rx em AP **(A)** e perfil **(B)**, evidenciando eletrodos no espaço peridural posterior; **(C)** Posicionamento de eletrodos em GRDs de T12 bilateralmente.

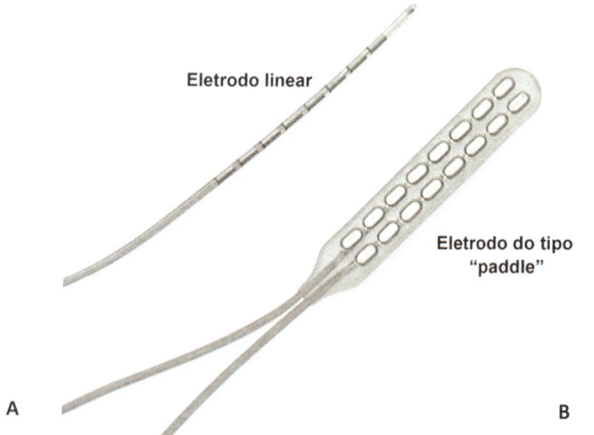

Eletrodo linear

Eletrodo do tipo "paddle"

A

B

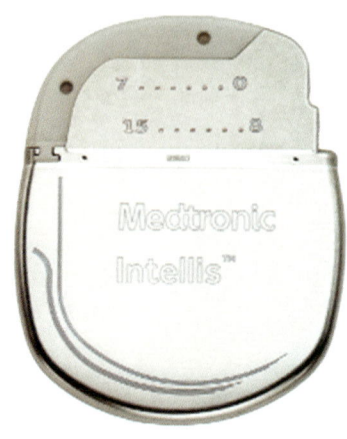

◄ **Figura 120.14 (A)** Eletrodo linear, impantado por punção, e eletrodo em placa ("paddle"), implantado por laminectomia; **(B)** Exemplo de gerador implantável.

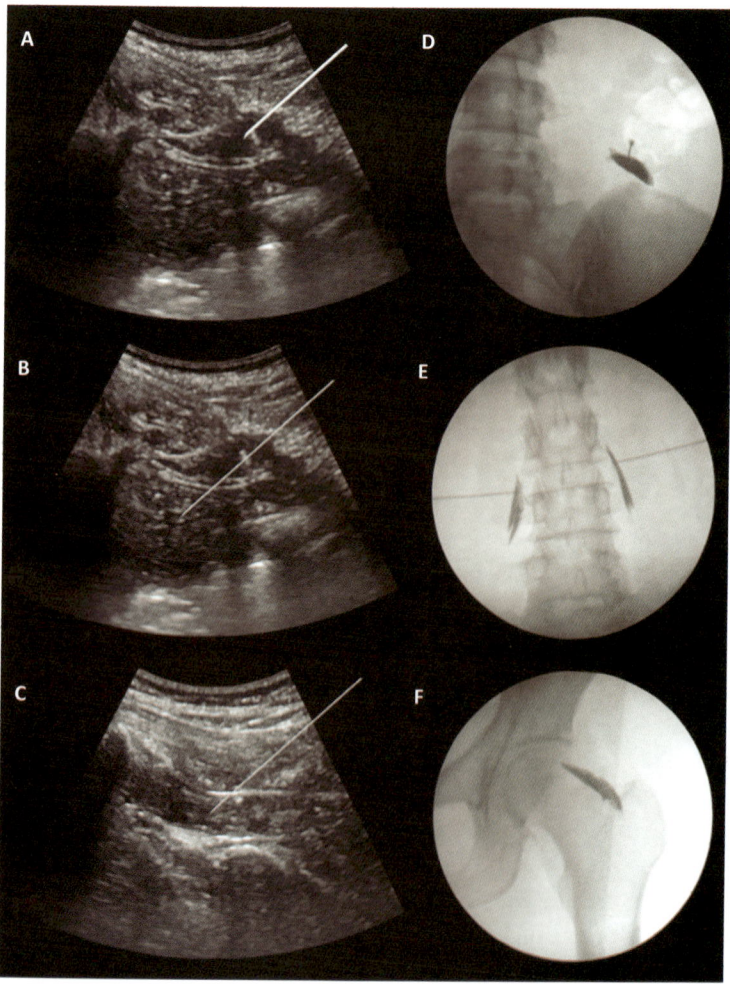

◄ **Figura 120.15** Infiltrações miofasciais: **(A** e **B)** Infiltração do quadrado lombar guiada por USG **(A)** ou radioscopia **(B)**. **(C** e **D)** Infiltração de psoas a direita guiada por USG **(C)** e bilateral guiada por radioscopia **(D)**. **(E** e **F)** Infiltração de piriforme guiada por USG **(E)** e radioscopia **(F)**.

Na SDM, com frequência o componente fascial da dor é esquecido durante o planejamento terapêutico, apesar de já haver estudos de inervação das fáscias desde 1957.[75] Além de apresentar rica inervação de fibras finas, as fáscias também são passíveis de sensibilização química e mecânica.[76-80] Terapias manuais, terapia por onda de choque e bloqueios interfasciais são opções terapêuticas, mas que ainda demandam evidências robustas para a elaboração de *guidelines* terapêuticos.

Dores Articulares

As dores articulares devem ser entendidas em sua complexidade, tendo em vista que a dor pode vir de estruturas intra-articulares (p. ex.: osteoartrose) ou extra-articulares de estruturas que circundam a articulação (p. ex.: tendinopatias e lesões ligamentares). Dentro do arsenal de tratamento da dor, cabe ao médico conhecer as evidências científicas e os *guidelines* de cada terapia, tendo em vista as diversas opções terapêuticas disponíveis (p. ex.: corticoide, ácido hialurônico, proloterapia, ortobiológicos e técnicas de denervação). Para todas as técnicas descritas, recomenda-se a realização guiada por métodos de imagem, tais como ultrassonografia ou radioscopia (Figura 120.16).

O uso de injeções regionais de corticoides para tratamento de dores musculoesqueléticas tem ampla evidência de eficácia, principalmente em quadros agudos. A duração do efeito clínico é geralmente limitada a cerca de três a seis meses, podendo estar associada a alterações degenerativas, como acelerada deterioração da superfície articular ou aumento do risco de ruptura de tendões se injetado intratendíneo.[81-86]

O ácido hialurônico (AH) é um mucopolissacarídio e, por sua vez, pode ser utilizado como alternativa ao uso de corticoide em muitas condições, tendo em vista seus efeitos anti-inflamatórios, viscoelásticos e promotores de melhor nutrição das cartilagens e tendões. Dentre os tipos de AH disponíveis, é sabido que os de médio peso molecular têm maior efeito viscoelástico e anti-inflamatório, enquanto os de alto peso molecular apresentam maior efeito analgésico nas osteoartroses.[87-89] Apesar dos diversos estudos que comprovam a eficácia clínica do AH nas condições musculoesqueléticas, *guidelines* internacionais ainda não apresentam recomendações favoráveis a seu uso em razão do risco considerável de viés na maioria dos ensaios clínicos disponíveis.[90,91]

A proloterapia é uma opção de tratamento com enfoque regenerativo, tendo como princípio a injeção de dextrose em concentrações que variam de 10% a 50%, a fim de desencadear uma resposta inflamatória regional que será gatilho para uma cascata de diversas vias de sinalização celular que resultarão em redução da aferência dolorosa local, proliferação de fibroblastos e deposição de colágeno, fortalecendo a articulação ou tendão-alvo.[92,93]

As terapias biológicas, como aplicação de plasma rico em plaquetas (PRP) ou aspirado de medula óssea (BMA, sigla de *bone marrow aspirate*), também apresentam uma ampla gama de aplicações no tratamento da dor de origem musculoesquelética e até mesmo nas degenerações dos discos intervertebrais, com fins anti-inflamatórios e regenerativos. Apesar de serem terapias amplamente estudadas e utilizadas mundialmente com boas evidências, as terapias que utilizam células mesenquimais em procedimentos não hemoterápicos são consideradas experimentais pelo Conselho Federal de Medicina (CFM), não tendo seu uso na prática clínica regulamentado pela Agência Nacional de Vigilância Sanitária (Anvisa).[94-96]

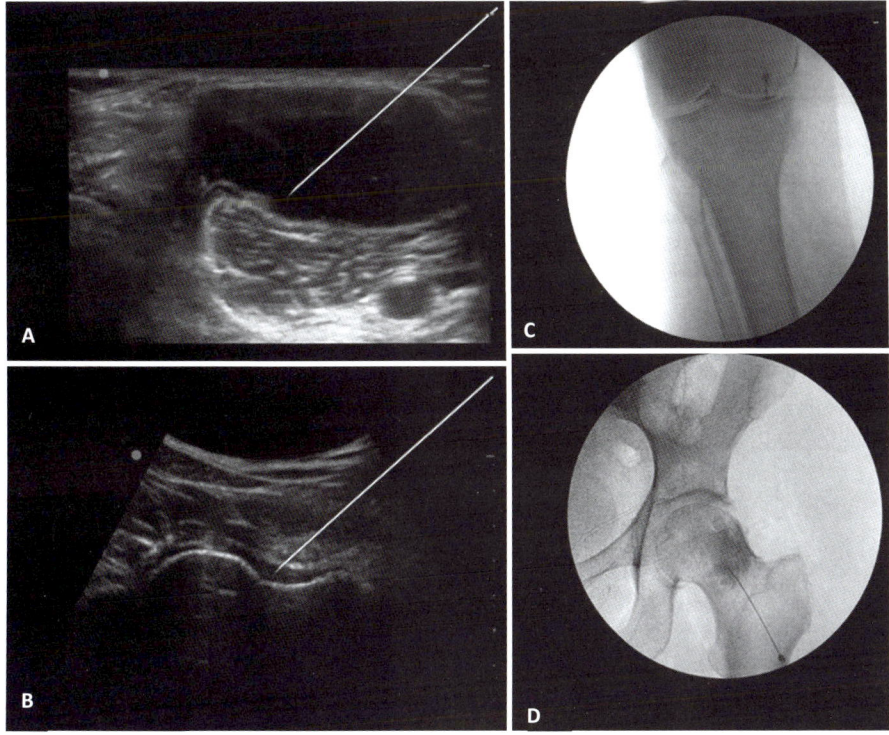

◄ **Figura 120.16 (A)** Abordagem ultrassonográfica de cisto de Baker no joelho. **(B)** Infiltração intra-articular do joelho guiada por radioscopia. **(C)** Abordagem ultrassonográfica da articulação do quadril; **(D)** Infiltração intra-articular do quadril guiada por radioscopia.

Por fim, as técnicas de denervação de ramos sensitivos articulares também se consolidaram como uma excelente opção terapêutica para redução da aferência dolorosa de grandes articulações.[97,98] Ao longo das últimas décadas, os estudos cadavéricos de inervação resultaram no desenvolvimento e aprimoramento de técnicas de neurólise de ramos articulares de grandes articulações, que podem ser realizadas tanto guiadas por ultrassonografia quanto por radioscopia.[99-101] Cada grande articulação conta com técnicas próprias de denervação, que vão além do escopo deste capítulo.

Dor Mediada pelo Sistema Nervoso Simpático

Galeno, em 1528, foi quem primeiro descreveu o sistema nervoso simpático (SNS), como um tronco nervoso que corria junto às cabeças costais e que se comunicava com a medula espinal. Foi somente no começo do século XX, especialmente após a Segunda Guerra Mundial, que os bloqueios do SNS começaram a ser aperfeiçoados na Europa e nos EUA.

O SNS, além de regular as respostas autonômicas cardiovasculares, tal como o tônus vasoconstrictor nos vasos sanguíneos, também é responsável por grande parte da aferência nociceptiva visceral, além de contribuir de forma significativa para aferências dolorosas em alguns casos de dores regionais, tal como a síndrome de dor complexa regional (SDCR), motivo pelo qual é alvo de diversos procedimentos intervencionistas para controle da dor.

Existem inúmeros alvos da cadeia simpática que são alvos de intervenção em dor, no entanto, todas essas técnicas de bloqueio regional simpático têm em comum um efeito fundamentalmente vasodilatador e de interrupção da informação nociceptiva visceral. Dentre as principais técnicas, destacam-se os bloqueios de:

- Gânglio esfenopalatino;
- Gânglio estrelado;
- Simpático torácico;
- Esplâncnico e plexo celíaco;
- Simpático lombar;
- Plexo hipogástrico superior;
- Gânglio ímpar.

Gânglio esfenopalatino

Consiste no maior grupo de neurônios fora da fossa craniana, localizando-se na fossa pterigopalatina. A fossa pterigopalatina está limitada anteriormente pela parede posterior do seio maxilar, posteriormente pelo processo pterigoide do palato medial, medialmente pela placa perpendicular do osso palatino, superiormente pelo osso esfenoide e lateralmente se comunica com a fossa infratemporal.

O gânglio esfenopalatino apresenta um centro neural complexo, dotado de múltiplas conexões, com componentes sensoriais, motores e autonômicos. As fibras sensoriais se distribuem para as membranas nasais, o palato mole e partes da faringe. Alguns poucos nervos motores correm junto com os troncos sensoriais. A inervação autonômica é bastante complexa, não sendo o objetivo deste capítulo uma abordagem detalhada. Os componentes simpático e parassimpático alcançam as glândulas lacrimais e as mucosas nasal e palatina (Figura 120.17).

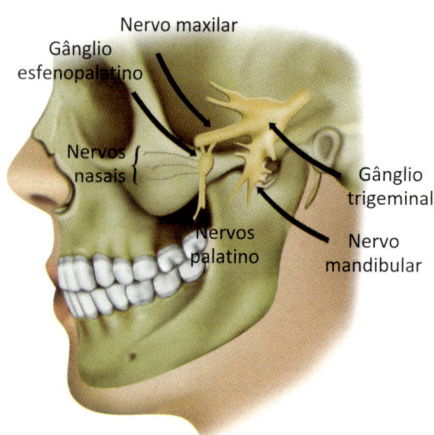

▲ **Figura 120.17** Gânglios Esfenopalatino e trigeminal e suas interconexões.

Atualmente, sabe-se que o gânglio esfenopalatino está relacionado com uma série de estados dolorosos orofaciais, motivo pelo qual bloqueio diagnóstico e eventual radiofrequência de gânglio esfenopalatino devem ser considerados em quadro de dor facial atípica, neuralgia de esfenopalatino, neuralgias de trigêmeo, migrâneas, cefaleias trigêmino-autonômicas (p. ex.: *cluster*, hemicranias paroxísticas e Short-lasting unilateral neuralgiform headache with conjunctival injection and tearing [SUNCT]) e até mesmo em quadros de cefaleia pós-punção dural.[102-104]

O bloqueio pode ser realizado por via transnasal, colocando-se um cotonete ou gaze embebida em lidocaína gel no nível da borda superior do corneto médio, ou por via percutânea lateral, com agulhamento através da incisura coronoide guiado por radioscopia. A via transnasal é utilizada somente para o bloqueio anestésico. O acesso lateral permite a realização tanto do bloqueio anestésico como da neurólise por RFP. Nesta técnica, é fundamental um detalhado conhecimento da anatomia regional. O procedimento é realizado utilizando-se o intensificador de imagens, com o paciente em decúbito dorsal e leve extensão da coluna cervical. O RX é posicionado em lateral, objetivando-se a visualização da fossa pterigopalatina, uma imagem de aspecto triangular localizada na porção posterior do seio maxilar. A agulha é inserida abaixo do zigoma, na incisura coronoide, em direção à fossa pterigopalatina. Após o correto direcionamento da agulha, o RX é colocado em AP, onde é observada sua ponta na parede lateral do nariz, no ângulo medial superior do seio maxilar. Uma vez em posição, injetam-se 1 a 2 mL de anestésico ou realiza-se a exposição à RFP (Figura 120.18).

Dentre as principais complicações dessa técnica, deve-se destacar a ocorrência de bradicardia reflexa após agulhamento, epistaxe e hipoestesia do palato, além do mais, o risco de hematoma e infecção deve sempre ser considerado.

Gânglio estrelado e simpático torácico

Os corpos celulares dos gânglios simpáticos que suprem os membros superiores (MMSS) têm sua origem no corno intermediolateral da medula espinal no nível de T2 a T8. As fibras pré-ganglionares alcançam a cadeia simpática via *rami comunicantes* brancos, que são fibras mielínicas. A

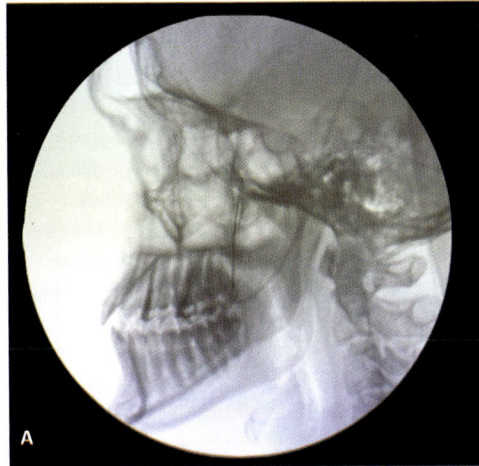 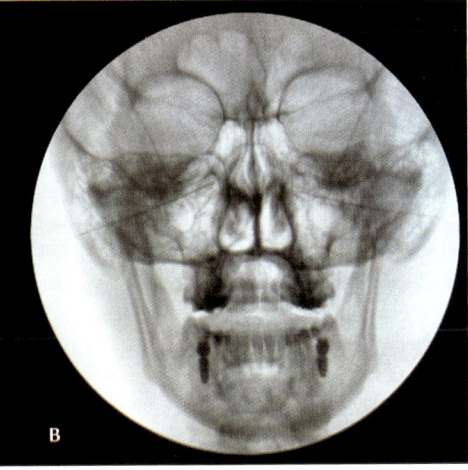

◀ **Figura 120.18** Abordagem percutânea do bloqueio do gânglio esfenopalatino guiada por radioscopia: **(A)** Agulhamento inicial em perfil; **(B)** Confirmação de posicionamento em AP.

partir deste ponto, tomam direção rostral fazendo sinapse com as fibras pós-ganglionares, primeiramente em T2, posterior e sucessivamente em T3, no gânglio estrelado e no gânglio cervical médio. Isso faz de T2 e T3 as principais estações sinápticas para os MMSS, e, uma vez bloqueados estes gânglios, toda inervação simpática dos MMSS será interrompida. Segundo estudos de neuroanatomia, em aproximadamente 30% dos pacientes há fibras simpáticas que alcançam os MMSS sem passar pelo gânglio estrelado.[135]proximal to the point where the latter gave a large branch to the brachial plexus, has become known as the 'nerve of Kuntz' (Kuntz, 1927 Desse modo, o bloqueio do gânglio simpático torácico é mais específico que o do gânglio estrelado para patologias dos MMSS. Por sua vez, as fibras simpáticas que suprem as regiões cervical e craniofacial têm sua origem em T1 e T2. As fibras pré-ganglionares saem junto com os ramos ventrais de T1 e T2 para alcançar a cadeia simpática, onde se direcionam cefalicamente para fazer sinapses nos gânglios cervicais inferior, médio e superior.

Na maioria das pessoas, o gânglio cervical inferior se junta ao primeiro torácico para formar o gânglio estrelado. Este gânglio localiza-se anteriormente ao processo transverso de C7 e se estende ao interespaço C7 a T1 (Figura 120.19).

A cadeia simpática torácica localiza-se imediatamente ventral às costelas e aos nervos segmentares, em uma posição mais posterior que a cadeia lombar (Figura 120.20). Yarzebski e Wilkinson[105] perceberam uma variação quanto à localização do gânglio simpático de T2 em 24 cadáveres frescos, sendo a sua localização média de 19 mm, com variação de 12 mm a 31 mm, dorsalmente à parte ventral do corpo vertebral. Em abordagens percutâneas nesse nível e em níveis inferiores, deve-se estar atentos à possibilidade de pneumotórax pela proximidade com a pleura.

Os bloqueios e/ou neurólise do gânglio estrelado ou simpático torácico estão indicados em casos cuja dor tem forte contribuição do SNS, tais como SDCR de tronco ou MMSS, dores isquêmicas por doenças vasculares e neuralgia pós-herpética de tronco e MMSS. O bloqueio do gânglio estrelado está indicado nas mesmas situações que o simpático torácico, porém, é mais específico para as regiões cervical e craniofacial.

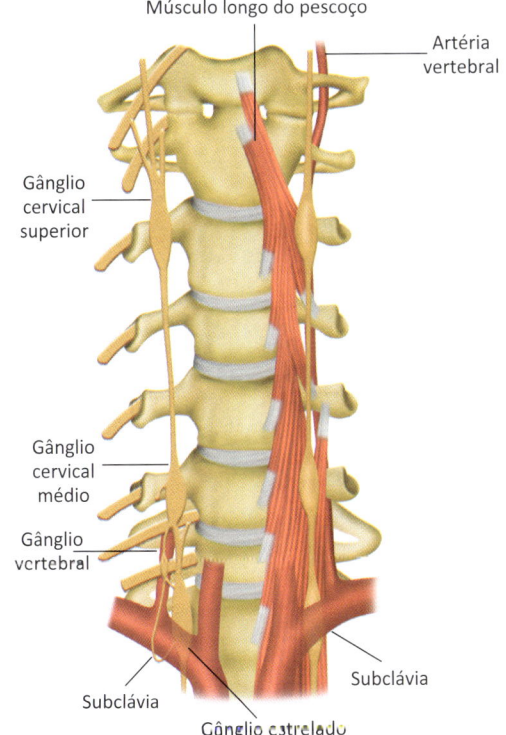

▲ **Figura 120.19** Anatomia do Gânglio estrelado.

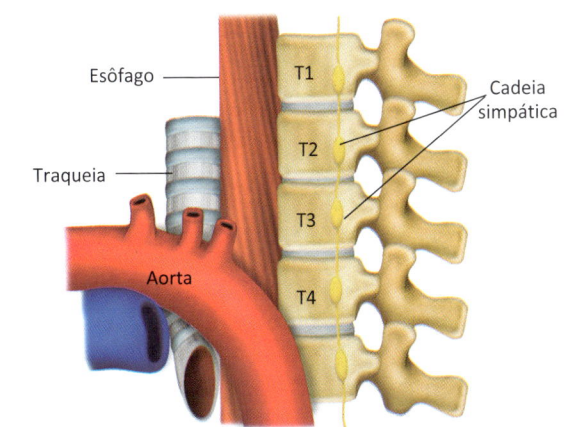

▲ **Figura 120.20** Anatomia da Cadeia Simpática Torácica.

Técnica do bloqueio do gânglio estrelado

Esse bloqueio pode ser realizado guiado por ultrassonografia ou radioscopia. Na técnica por radioscopia, o paciente é colocado em decúbito dorsal horizontal com um pequeno coxim sob os ombros para facilitar a extensão do pescoço e acentuar as referências anatômicas. Uma vez em posição, abrir levemente a boca, a fim de relaxar a musculatura cervical anterior. Através da radioscopia, a agulha é direcionada para a junção entre o corpo vertebral e o processo transverso de C7 até obter contato ósseo. Após um leve recuo da agulha, a injeção do anestésico local pode ser realizada (Figura 120.21).

A técnica guiada por ultrassonografia, por sua vez, foi descrita em 1995 por Kapral e col.[106] e consiste na injeção do anestésico local no plano interfascial acima do músculo *longus collis* no nível da cervical baixo entre C6 e C7 (Figura 120.22). Apesar de a localização do gânglio estrelado ser no nível de C7, usualmente recomenda-se fazer um agulha-mento no nível de C6 para evitar punções de artéria vertebral. No entanto, o advento da ultrassonografia permite a visualização de estruturas circunvizinhas; por isso, em mãos experientes e com identificação clara da artéria vertebral, é possível realizar a abordagem no nível de C7. A grande vantagem da ultrassonografia em relação à radioscopia para esse procedimento consiste na visualização das diversas estruturas do pescoço em tempo real durante o agulhamento (p. ex.: artérias carótida e vertebral).

As complicações específicas desse procedimento incluem pneumotórax, alterações do ritmo cardíaco, broncoespasmo, sudorese compensatória e rouquidão por bloqueio indesejado do nervo laríngeo recorrente, um ramo do nervo vago que emerge da bainha carotídea.

Técnica do bloqueio simpático torácico

Esse é um procedimento guiado por radioscopia, no qual o paciente deve ser posicionado em decúbito ventral, com

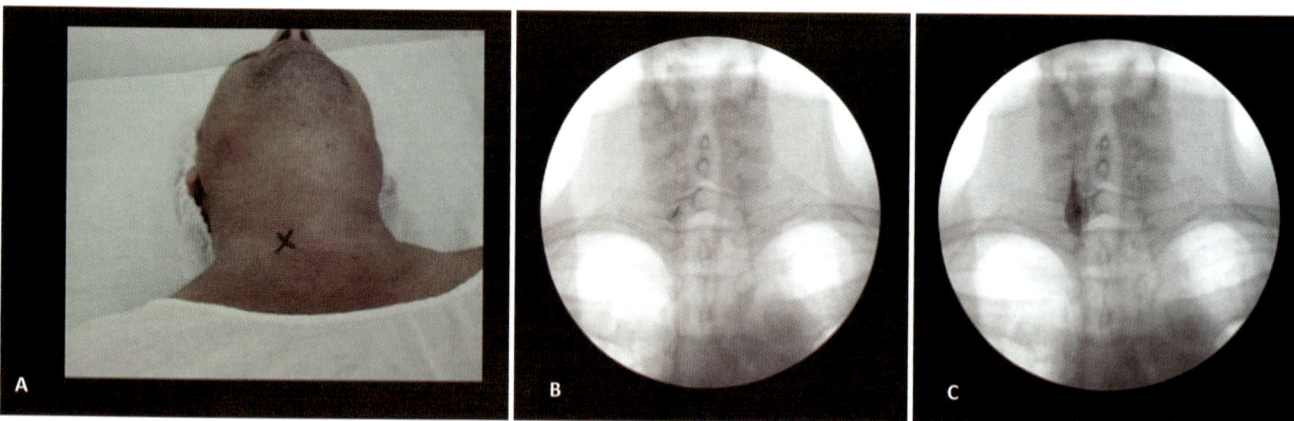

▲ **Figura 120.21** Bloqueio do Gânglio estrelado guiado por radioscopia: **(A)** Posicionamento e ponto de entrada; **(B)** Agulhamento com Rx em AP; **(C)** Rx em AP com contraste.

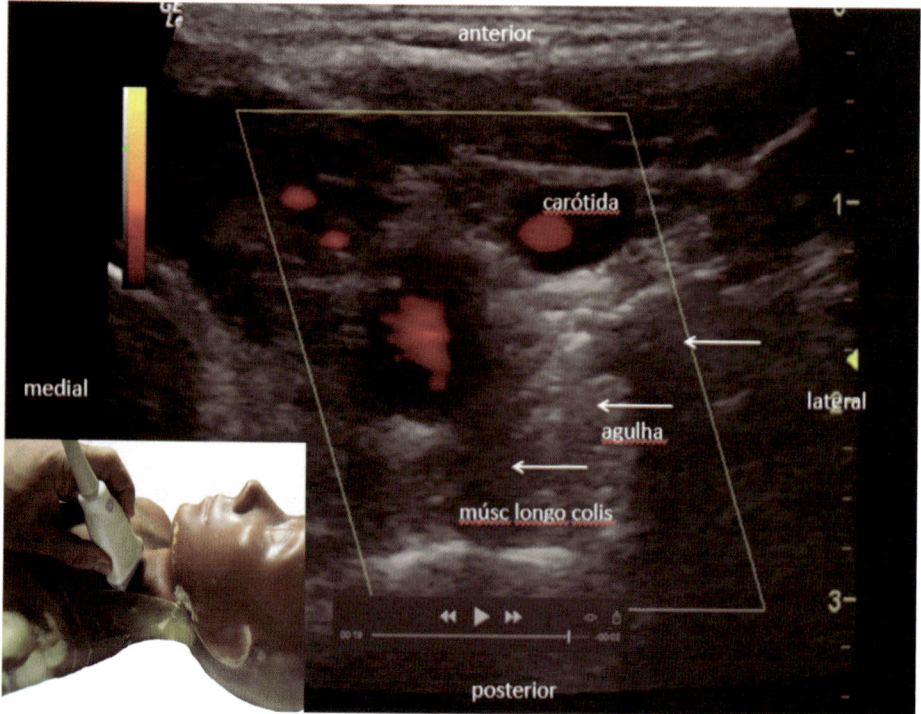

◀ **Figura 120.22** Bloqueio do gânglio estrelado guiado por ultrassonografia.

um travesseiro sob o tórax, e com os braços para a frente, a fim de evitar que os ombros dificultem a visualização do alvo, com o RX em posição lateral. A procura do alvo deve ser iniciada com o intensificador em AP, identificando-se a segunda vértebra torácica. Uma vez identificada, um oblíquo cefálico de ± 20 graus é realizado até o alinhamento dos platôs vertebrais, a seguir um oblíquo ipsilateral também de ± 20 graus é efetuado com o RX, visando à formação de um ângulo reto entre a costela e o corpo vertebral. O ponto de entrada da agulha está na junção da borda inferior da costela superior com o corpo vertebral desejado. Para a realização de um bloqueio anestésico, uma punção única em T2 é suficiente, visto que, com a utilização de volumes de 6 a 8 mL de solução, consegue-se um bloqueio de múltiplos níveis. Quando se realiza a neurólise química ou térmica, deve-se fazer uma punção dupla, em T2 e T3, dada a necessidade de precisão do alvo quando essas técnicas são utilizadas. Identificado o ponto de entrada, utiliza-se a técnica de *tunnel vision,* que consiste em direcionar a agulha na mesma direção do RX, formando a imagem de um ponto. Após conseguir o *tunnel vision,* coloca-se o intensificador em AP para certificar o correto direcionamento da agulha. Por fim, o RX é colocado em lateral e o ponto final da agulha localizado entre os dois terços anteriores e o terço posterior do corpo vertebral. Após o correto posicionamento, 0,5 mL do contraste separado é infundido para se confirmar tal posição. O contraste deve espalhar-se na direção cefalocaudal da coluna torácica e de forma unilateral (Figura 120.23). Se a agulha estiver em posição lateral à pleura parietal, deve-se redirecioná-la medialmente.

Além dos riscos gerais de punção vascular, hematoma e infecção, esse procedimento apresenta como principais complicações os riscos inerentes ao bloqueio autonômico, tais como vasodilatação e hipotensão. Além do mais, os pacientes devem ser alertados quanto à possibilidade de pneumotórax tardio; RX de tórax deve ser realizado quando há mínima suspeita de pneumotórax.

Nervos esplâncnicos e plexo celíaco

Os nervos esplâncnicos transmitem a maior parte da informação dolorosa visceral abdominal. São formados por fibras pré-ganglionares que se originam na coluna interme-

diolateral de T5 a T9, às vezes T4 e T10, e que, ao nível de T9 a T10, unem-se para formar os esplâncnicos maiores. Esses nervos estão contidos em um compartimento estreito, composto pelo corpo vertebral medialmente, a pleura lateralmente, o mediastino posterior ventralmente e a inserção pleural na vértebra posteriormente. Boas,[107] em estudo com cadáveres, determinou que o volume deste compartimento é de aproximadamente 10 mL de cada lado.

O plexo celíaco localiza-se no epigástrio e corre anteriormente à aorta e à inserção do diafragma no corpo vertebral. Estende-se por vários centímetros em frente e lateralmente à aorta (Figura 120.24). Formam o plexo celíaco:

- Fibras simpáticas pré-ganglionares dos nervos esplâncnicos;
- Fibras parassimpáticas pré-ganglionares do nervo vago;
- Fibras sensoriais dos nervos frênico e vago;
- Fibras simpáticas pós-ganglionares.

Essas fibras se juntam para formar uma densa rede de nervos autonômicos. Três pares de gânglios existem dentro do plexo: o gânglio celíaco, o gânglio mesentérico superior e o gânglio aórtico-renal. As fibras pós-ganglionares destes gânglios inervam todas as vísceras abdominais, com exceção de parte de cólon transverso, cólon esquerdo e vísceras pélvicas.

O bloqueio dos nervos esplâncnicos ou do plexo celíaco devem ser considerados em caso de dores viscerais abdominais (p. ex.: câncer de pâncreas ou doença de Chron) ou até mesmo em dores de parede com alguma contribuição do SNS (p. ex.: herpes-zóster ou SDCR). Na prática clínica, o bloqueio do plexo celíaco fica reservado aos casos em que não se obtém o alívio da dor com o bloqueio dos nervos esplâncnico, uma técnica de menor risco de morbimortalidade e que permite a possibilidade de se realizar a neurólise térmica por radiofrequência, sendo esta a técnica abordada neste capítulo.

Técnica de bloqueio do esplâncnico

O paciente é posicionado em decúbito ventral com um travesseiro sob a parte inferior do tórax e superior do abdome. O aparelho de RX é colocado em AP, e o corpo vertebral

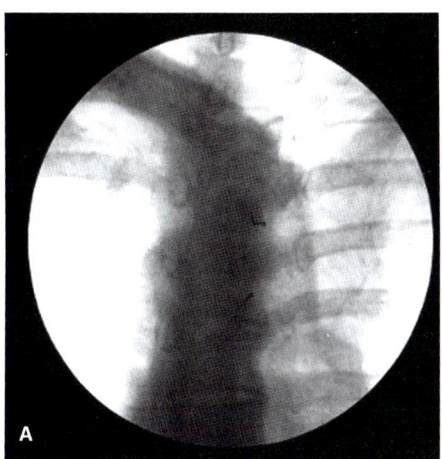
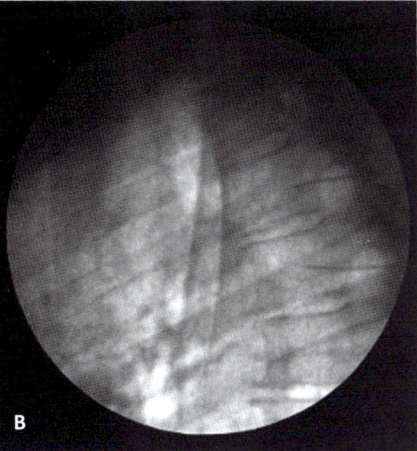
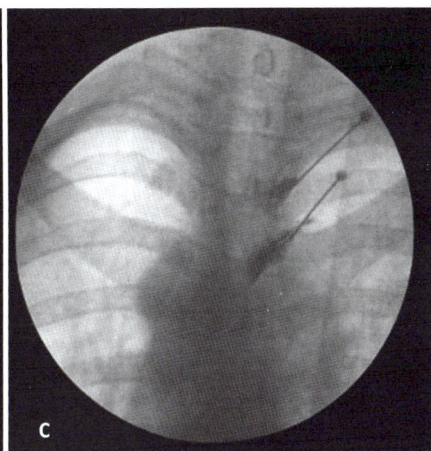

▲ **Figura 120.23** Bloqueio do Simpático em T_2 e T_3 a direita: **(A)** Agulhamento inicial com Rx em oblíquo; **(B)** Rx em perfil confirmando agulhas no terço posterior do corpo vertebral; **(C)** Rx em AP confirmando dispersão adequada do contraste.

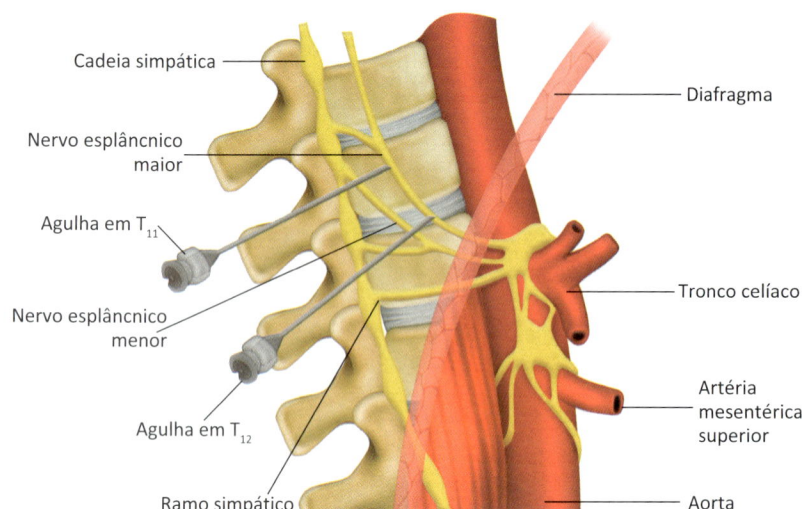

Cadeia simpática

Nervo esplâncnico maior

Agulha em T₁₁

Nervo esplâncnico menor

Agulha em T₁₂

Ramo simpático

Diafragma

Tronco celíaco

Artéria mesentérica superior

Aorta

◀ **Figura 120.24** Anatomia e relações dos nervos esplâncnicos e plexo celíaco.

de T11 ou de T12 é identificado e marcado. Faz-se um oblíquo ipsilateral de ± 15 graus. O ponto de entrada para os dois níveis é a junção da costela com a vértebra. Neste ponto introduz-se um Angiocathä pela técnica de *tunnel vision* e, após obté*m-se* a direção correta, o RX é posicionado em lateral e uma agulha de 15 cm de ponta romba e curva *é* introduzida pelo Angiocathä. O alvo final está entre os dois terços posteriores e o terço anterior do corpo vertebral. Após injeção de contraste não iônico, 10 a 15 mL de anestésico local são injetados para a técnica de punção única, e 5 a 7 mL de cada lado para punção bilateral (Figura 120.25). Para as neurólises químicas, prefere-se o fenol ao álcool, e iguais volumes podem ser colocados. Para a RFP, utiliza-se uma voltagem de 45 V por 3 minutos de cada lado.

A técnica descrita trata-se da via paravertebral clássica; outra opção de abordagem é a via transdiscal, realizada através do disco T11 a T12, que tem como vantagem o menor risco de pneumotórax e de punção diafragmática.[108]

O bloqueio de nervos esplâncnicos tem como principais complicações: hipotensão, parestesia de nervos somáticos, diarreia, lesão do trato urinário, pneumotórax, discite, hematoma retroperitoneal, alterações funcionais do trato urinário e distúrbios de ejaculação.

Simpático lombar

Originando-se entre T10 e L3, a cadeia simpática lombar entra no espaço retroperitoneal através do diafragma em ambos os lados, e corre entre o aspecto anterolateral do corpo vertebral e a origem do músculo psoas até a altura de L5 a S1.

Os gânglios simpáticos são variáveis em tamanho e em número, sendo na maioria das vezes, quatro de cada lado. Os mais importantes para o bloqueio são L2, L3 e L4. Em L2 e L4, o gânglio simpático se localiza entre os dois terços superiores e o terço inferior do corpo vertebral e em L3, mais superiormente, entre os dois terços inferiores e o terço superior (Figura 120.26). Para técnicas de intervenção, deve-se destacar que a raiz de L3, que, em seu trajeto descendente está próxima ao gânglio de L4, torna-se, assim, uma preocupação em caso de realização de neurólise.

O bloqueio da cadeia simpática lombar está indicado em casos de dores mediadas pelo simpático em membros inferiores ou no compartimento retroperitoneal, por exemplo: SDCR dos membros inferiores (MMII); dores isquêmicas dos MMII; dor urogenital intratável, incluindo cólica renal; dores pós-amputação de MMII (p. ex.: dor fantasma ou dor do coto); lombalgias, hiperidrose etc.

Para realização do bloqueio, posiciona-se o paciente em decúbito ventral, com um travesseiro sob as cristas ilíacas, para retificar a lordose lombar. Inicia-se com o RX em AP, tentando-se visualizar na mesma tela L2, L3 e L4. Identifica-se o processo transverso e lentamente realiza-se um oblíquo ipsilateral até que a sua borda lateral se esconda no corpo vertebral. O ponto de entrada da agulha é a borda lateral do corpo vertebral, obedecendo, segundo os níveis, às posições

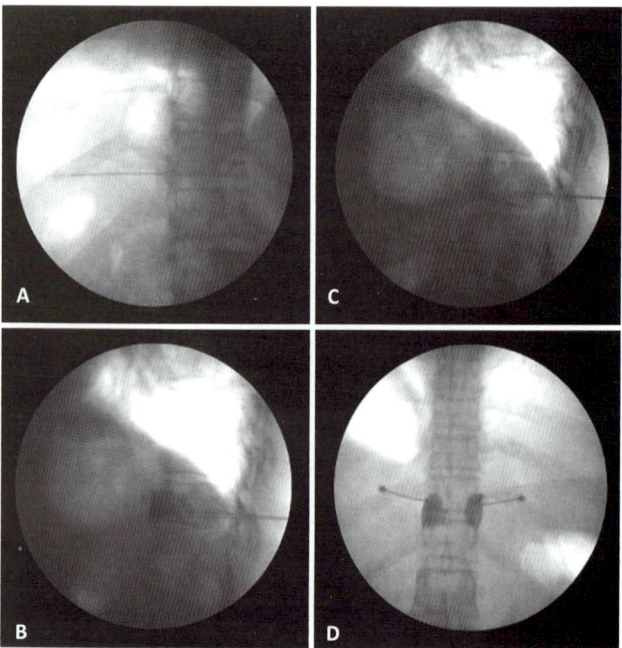

▲ **Figura 120.25** Bloqueio dos esplâncnicos bilateral: **(A)** Agulhamento inicial com RX em oblíquo ipsilateral; **(B)** Rx em perfil com agulhas no terço anterior do corpo vertebral de T₁₁; **(C)** Rx em perfil com contraste; **(D)** Rx em AP com contraste.

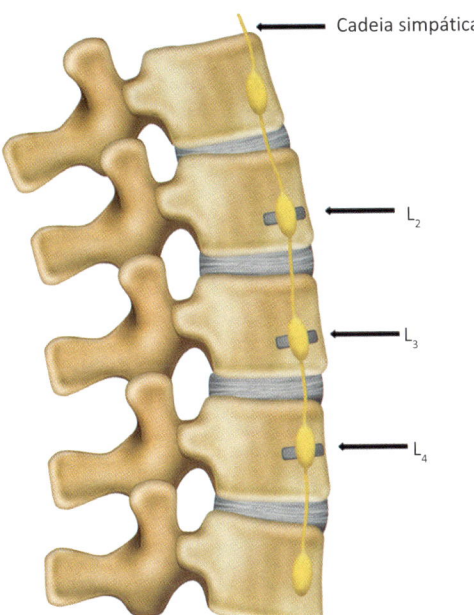

▲ **Figura 120.26** Anatomia da Cadeia Simpática Lombar.

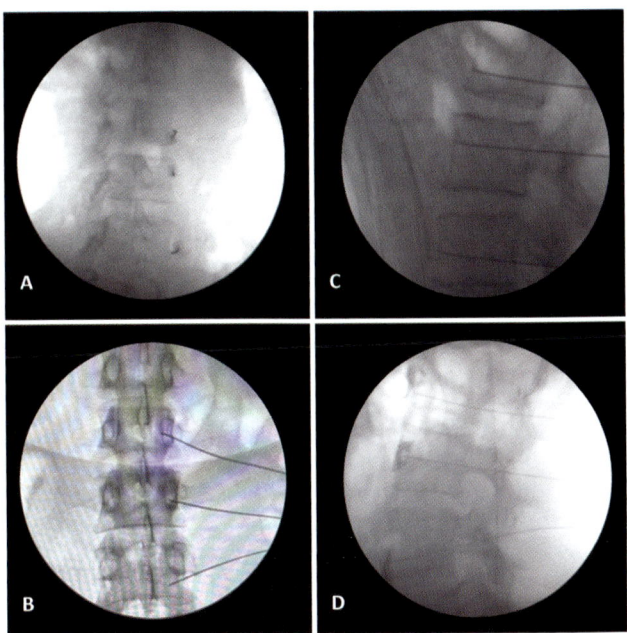

▲ **Figura 120.27** Bloqueio simpático lombar em L₂, L₃ e L₄ direitos: **(A)** Agulhamento inicial com Rx em oblíquo e agulhas em *tunnel vision*; **(B)** Rx em perfil com agulhas na borda anterior do corpo vertebral; **(C)** Rx em AP; agulhas na borda anterior e medial do corpo vertebral; **(D)** Rx em perfil com contraste.

mais inferiores para L2 e L4 e a posição mais superior para L3. Deve-se buscar o *tunnel vision*, e uma vez atingido, o RX é colocado em lateral. Deve-se introduzir cada agulha até que a ponta esteja na borda anterior do corpo vertebral, sendo esta sua posição final. Injeta-se 1 mL de contraste *não iônico em cada nível e observa-se uma dispersão formando uma* linha pela margem anterolateral dos corpos vertebrais. Por fim, injeta-se 1 mL de anestésico local ou fenol em cada nível. Para a simpatectomia por radiofrequência, após estimulação sensitiva e motora, é realizada lesão térmica a 80°C por 60 segundos em cada nível (Figura 120.27).

Dentre as complicações dessa técnica, além daquelas gerais como hematomas, infecção e sangramento, há riscos de trauma ou bloqueio de raízes lombares que transfixam o *músculo* psoas, o nervo genitofemoral ou o ureter com posicionamentos mais anteriores e laterais da agulha.

Plexo hipogástrico superior

Também conhecido pela sigla PHS, é fundamental na aferência nociceptiva da maior parte das vísceras localizadas na pelve, uma região cuja inervação é complexa e com muitas interconexões. O PHS é formado pela confluência da cadeia simpática lombar e por ramos do plexo aórtico, que contém fibras do plexo celíaco e mesentérico inferior. Recebe, também, fibras parassimpáticas que se originam das raízes anteriores de S2 a S4, e que correm através do plexo hipogástrico inferior para o PHS.

O PHS é uma estrutura retroperitoneal, localizada bilateralmente no nível do terço inferior do corpo vertebral de L5, do disco intervertebral de L5 a S1 e do terço superior do corpo de S1, em sua porção anterolateral, próximo à bifurcação dos vasos ilíacos comuns. Divide-se nos nervos hipogástricos direito e esquerdo, os quais descem lateralmente, seguindo a veia e artéria ilíaca internas, para constituir os plexos hipogástricos inferiores. Os nervos hipogástricos carregam apenas fibras simpáticas. Como a aorta está situada

mais à esquerda, o PHS e os nervos hipogástricos também estão desviados um pouco mais para esse lado.

O bloqueio do PHS está indicado para diversas condições dolorosas oncológicas e não oncológicas. Dentre as dores oncológicas, as principais indicações são as neoplasias que acometem cólon descendente, reto, útero, colo uterino, vagina, ovários, bexiga, próstata e testículos. Dentre as indicações não oncológicas, esse bloqueio está indicado para o tratamento de dores pélvicas em geral, sendo dor por endometriose uma indicação frequente na prática clínica, mas dispareunia, prostatodinia ou cistite intersticial **são outras possíveis indicações**, por exemplo.

Inúmeras técnicas já foram descritas para o bloqueio do PHS desde a descrição original por Plancarte em 1990.[109] No entanto, destacam-se aqui duas opções mais comumente usadas: a paravertebral e a transdiscal, ambas guiadas por radioscopia.[110-114] Em ambas as técnicas o paciente é posicionado em decúbito ventral, com um travesseiro sob as cristas ilíacas, para retificar a coluna lombossacral, e o RX colocado em AP. A seguir, identifica-se o interespaço L5 a S1.

Na abordagem paravertebral, realiza-se RX oblíquo caudal até que o platô vertebral inferior de L5 esteja alinhado. A seguir, realiza-se oblíquo ipsilateral até que o processo espinhoso de L5 se sobreponha à borda contralateral do corpo vertebral ou no limite de sobreposição da asa do ilíaco. Sob esta visão, o ponto de entrada da agulha é imediatamente lateral à porção inferior do corpo vertebral de L5, acima da crista do ilíaco. Após anestesiar a pele e o tecido subcutâneo, uma agulha 22G de 15 cm é introduzida em tunnel vision e avançada com confirmação de profundidade com RX em perfil, que deve mostrar como posição final a ponta da agulha no limite anterior do corpo vertebral de L5. A dispersão da solução deve ser confirmada com 4 a 5 mL de contraste, que deve se espalhar pela borda lateral do corpo vertebral, anteriormente ao músculo psoas e acima das raízes sacrais.

Para uma abordagem intradiscal, realiza-se inicialmente um obliquo caudal na radioscopia até 15 graus ou mais para se obter a melhor imagem do disco L5 a S1. Em seguida, é realizado um obliquo ipsilateral até que a asa do sacro se localize no limite medial do terço lateral do corpo vertebral. O ponto de estrada localiza-se no centro do espaço discal e imediatamente lateral à asa do sacro. Após infiltração da pele e do tecido subcutâneo, uma agulha 22G de 15 cm é introduzida sob *tunnel vision*. Introduz-se a agulha através do disco, controlando a sua posição em AP e lateral. Em visão lateral, introduz-se a agulha conectada a uma seringa de 5 mL sob pressão, até que haja perda de resistência. Quando a agulha estiver novamente fora do disco, 2 mL de contraste são injetados para verificar a posição final, sendo o mesmo procedimento realizado do outro lado (Figura 120.28).

Além das complicações gerais como hematoma, sangramento e infecção, complicações específicas do bloqueio do PHS são raras, mas podem incluir ejaculação retrógrada, discite, no caso da técnica transdiscal, e lesões de ureter, radiculares ou de nervos somáticos anteriormente ou no interior do músculo psoas.

Gânglio ímpar

Também conhecido como gânglio de Whalter, é o gânglio mais caudal da cadeia, simpático, único e localizado na linha média, marca a fusão das duas cadeias simpáticas (Figura 120.29). O bloqueio desse gânglio produz analgesia eficaz para dores viscerais ou de manutenção simpática originadas da região perineal, do reto, da uretra distal, do escroto, da vulva, da vaginal, da próstata e do cóccix. Pacientes com dores media-

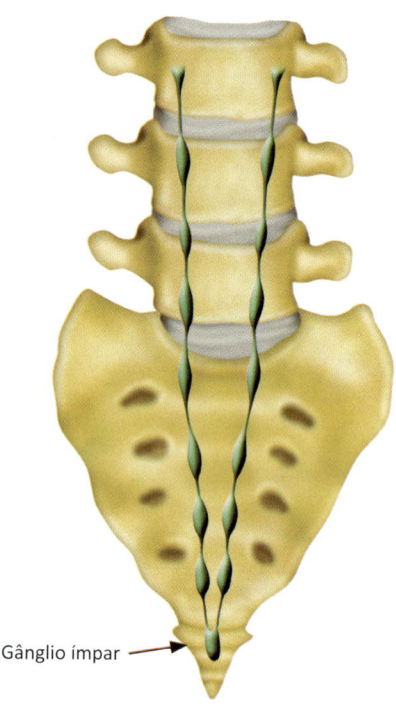

Gânglio ímpar

▲ **Figura 120.29** Anatomia do Gânglio ímpar.

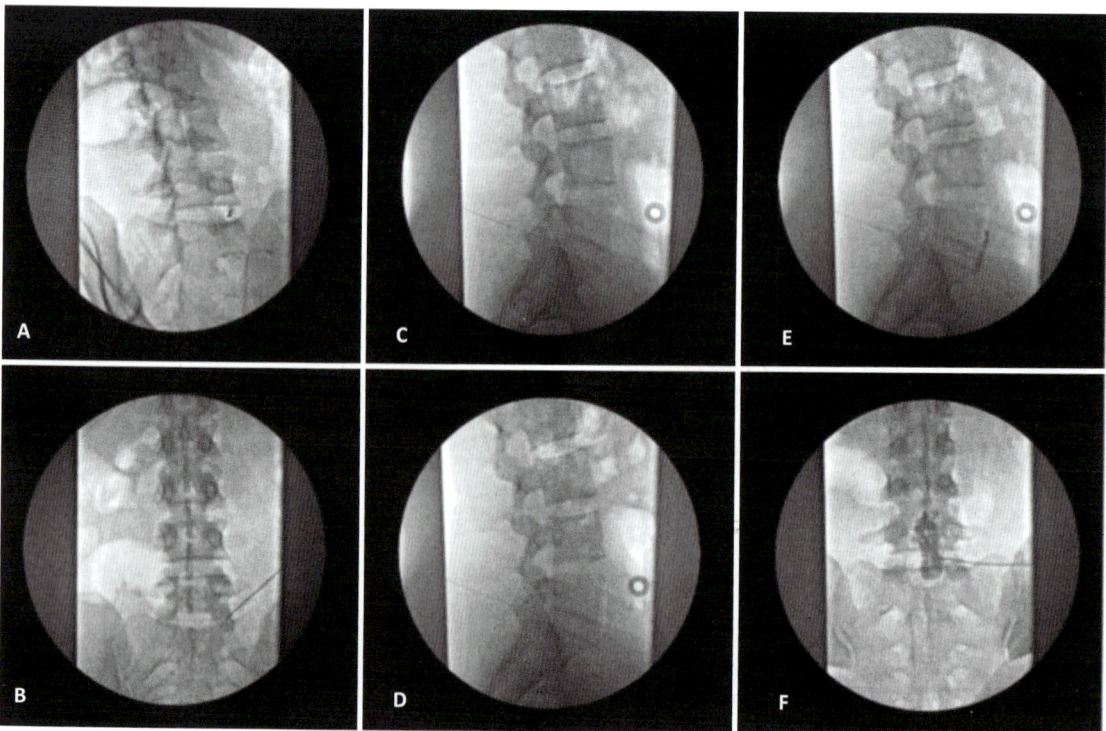

▲ **Figura 120.28** Bloqueio hipogástrico superior transdiscal: **(A)** Agulhamento inicial com RX em obliquo ipsilateral; **(B)** RX em AP imediatamente após estrada no disco; **(C)** RX em perfil para guiar progressão da agulha; **(D)** Rx mostrando contraste negativo com ar imediatamente após saída da agulha de dentro do disco L_5-S_1; **(E)** Rx mostrando injeção de contraste imediatamente anterior ao disco L_5-S_1; **(F)** Rx em AP confirmando dispersão adequada do contraste.

das pelo simpático originadas do trato urinário com frequência apresentam alterações miccionais como urgência miccional associadas e podem se beneficiar com esse bloqueio.

A técnica mais comum de abordagem do gânglio ímpar é a transsacrococcígea (transligamentar), na qual o paciente é posicionado em pronação com um travesseiro sob as cristas ilíacas. O RX é colocado em AP e identifica-se o ligamento sacrococcígeo. Uma agulha 22G é introduzida através do ligamento, e o RX é colocado em lateral. Assim que a agulha ultrapassar a borda anterior do cóccix, injetam-se 1 a 2 mL de contraste não iônico, que deve formar uma linha cefalocaudal ao longo do sacro e do cóccix (Figura 120.30). Uma vez confirmada a posição, 3 a 5 mL de anestésico local ou fenol são injetados. Na radiofrequência, após estimulação motora e sensitiva, é realizada a lesão térmica.[107,115]

As principais complicações específicas do bloqueio do gânglio ímpar são a punção do reto, caso agulha seja avançada além do plano alvo, ou a dispersão da solução para raízes somáticas sacrais por dispersão errática de solução anestésica ou neurolítica.

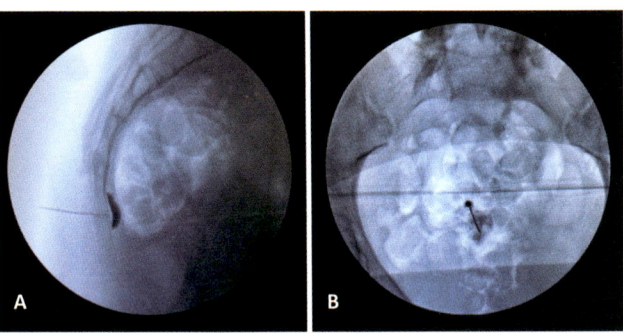

▲**Figura 120.30** Bloqueio do gânglio ímpar. **(A)** Rx em perfil mostrando agulha que ultrapassa a borda anterior da junção sacrococcígea e contraste se dispersa adequadamente. **(B)** Rx em AP confirmando posição da agulha e dispersão do contraste.

Dores Trigeminais

O nervo trigêmeo é o nervo craniano mais calibroso e tem origem na superfície anterolateral da ponte, sendo composto por raízes sensoriais e motoras, que terminarão seu trajeto entrando na cavidade de Meckel através de uma abertura na dura-máter. Na cavidade de Meckel, o gânglio trigêmeo, ou de Gasser, divide-se em nervos oftálmico (V1), maxilar (V2) e mandibular (V3). Estes nervos promovem a inervação sensitiva da face, da maior parte do couro cabeludo, dos dentes, das cavidades oral, nasal e orbitária, e o ramo V3 é também responsável pela inervação motora dos músculos da mastigação.

Dentre as diversas alternativas de tratamentos direcionados ao trigêmeo, cabe ao anestesiologista especialista em dor o domínio das técnicas percutâneas, tais como a radiofrequência ou compressão por balão, que podem ser utilizadas para casos de neuralgia trigeminal. Em geral, utiliza-se a radiofrequência para os ramos V2 e V3, e o balão para o ramo de V1. Os resultados positivos, por qualquer método, estão acima dos 90%.[116-118] Deve-se evitar a radiofrequência em V1, dada a maior probabilidade da perda do reflexo corneano. Sabidamente os resultados obtidos com a radiofrequência convencional são superiores aos com a RFP.[119]

Para realização de procedimentos percutâneos no gânglio de Gasser, o acesso é realizado pelo forame oval, local de saída do ramo V3. Logo, o nervo mandibular usualmente está localizado na porção lateral do forame oval, enquanto os ramos maxilar e oftálmico ficam mais mediais. Para o procedimento, o paciente é colocado na posição supina com a coluna cervical estendida sobre um coxim, e o RX é inicialmente posicionado em AP. A seguir, realiza-se um obliquo cranial até que seja obtida uma visão submentoniana, seguido de um oblíquo ipsilateral até que o forame oval seja identificado entre a borda lateral do seio maxilar e o ramo da mandíbula. Quando a agulha entra no forame oval, o RX é posicionado lateralmente, e a imagem gerada deverá revelar que a mesma está direcionada ao ângulo produzido pelo clivus e a borda petrosa do osso temporal. A visão lateral dá uma noção da profundidade da agulha dentro da cavidade de Meckel, não devendo esta ultrapassar o limite do clivus (Figura 120.31).

Dentre as principais complicações específicas desse procedimento, destacam-se aquelas inerentes à lesão do nervo trigêmeo ou de nervos próximos ao trajeto da agulha, como: anestesia dolorosa, fraqueza de musculatura mastigatória, punção inadvertida de jugular, hematoma retrobulbar, diplopia por lesão de abducente etc. No entanto, deve-se destacar que algumas podem ser evitadas com o simples uso de estímulos sensitivos e motores antes da lesão por radiofrequência.

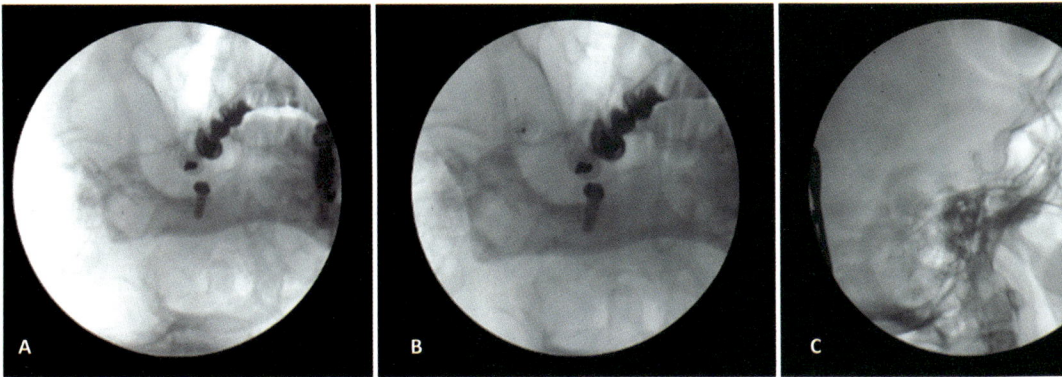

▲**Figura 120.31** RF trigeminal: **(A)** Rx em oblíquo mostra abertura do forame oval; **(B)** Agulhamento inicial; **(C)** Confirmação de agulha dentro da cavidade de Meckel com Rx em perfil.

■ CONCLUSÃO

Este capítulo abordou algumas das principais técnicas intervencionistas que devem ser dominadas pelo médico da dor com formação base em anestesiologia. Além dessas, inúmeras outras técnicas devem fazer parte do arsenal terapêutico do médico que se propõe ao manejo e tratamento de quadros de dor crônica. O domínio de tecnologias como ultrassonografia e radioscopia se faz essencial para a prática clínica, motivo pelo qual o WIP desenvolveu certificações apropriadas para cada tecnologia: *Fellow of Interventional Pain Practice* (FIPP) e *Certified Interventional Pain Sonologist* (CIPS).

Além do domínio das técnicas, faz-se necessário amplo conhecimento fisiopatológico e anatômico dos principais mecanismos de dor. A fim de otimizar o manejo intervencionistas dos quadros de dor crônica mais frequentes, inúmeros *guidelines* e consensos são publicados anualmente e devem ser de conhecimento do anestesiologista especialista em dor.[26,120-122]

REFERÊNCIAS

1. Erdine MD F, Serdar, Staats MD M, Peter S. History of Interventional Pain Procedures. Complications of Pain-Relieving Procedures, 2022. p. 8-17.
2. Cathelin F. Mode d'action de cocaine injete daus l'escapte epidural par le procede du canal sacre. Comptes Rendies des Senaces de la Societe de Biologic et de ses Filliales. 1901;43:487.
3. Sicard MA. Les injections medicamenteuse extraduraqles per voie saracoccygiene. Comptes Rendies des Senaces de la Societe de Biologic et de ses Filliales. 1901;53:396.
4. Bonica JJ. The management of Pain. Philadelphia2953 2953.
5. Caussade G, Queste P. Traitement de al neuralgie sciatique parla mèthode de Sicard. Résultats favorables même dans les cars chroniues par la cocaine à doses élevées et répétées à intervalles raproches. Bull Coc Med Hosp Paris. 1909;28:865.
6. von Gaza W. Die Resektion der paravertebralen Nerven unden die isolierte Durchschneidung des Ramus communicans. Arch Klin Chir. 1924;133(133):479.
7. Sluijter M, Cosman ER, Rittman IIWB, van Kleef M. The effects of pulsed radiofrequency field applied to the dorsal root ganglion – a preliminary report. Pain Clinic. 1998;11:109-17.
8. Kapural L, Nageeb F, Kapural M, Cata JP, Narouze S, Mekhail N. Cooled radiofrequency system for the treatment of chronic pain from sacroiliitis: the first case-series. Pain Pract. 2008;8(5):348-54.
9. Alyas F, Turner M, Connell D. MRI findings in the lumbar spines of asymptomatic, adolescent, elite tennis players. Br J Sports Med. 2007;41(11):836-41; discussion 41.
10. Boden SD, Davis DO, Dina TS, Patronas NJ, Wiesel SW, Joint JB, et al. Abnormal magnetic-resonance scans of the lumbar spine in asymptomatic subjects. A prospective investigation Abnormal Lumbar Magnetic-Resonance Spine Scans of the in Asymptomatic. J Bone Joint Surg Am. 2006;72:403-8.
11. Bogduk N, Endres SM. Clinical anatomy of the lumbar spine and sacrum. New York: Elsevier/Churchill Livingstone New York; 2005.
12. Bogduk N, Aprill C, Derby R. Lumbar Discogenic Pain: State-of-the-Art Review. Pain Medicine. 2013;14(6):813-36.
13. Raj PP. Intervertebral disc: anatomy-physiology-pathophysiology-treatment. Pain Pract. 2008;8(1):18-44.
14. Lindblom K. Technique and results of diagnostic disc puncture and injection (discography) in the lumbar region. Acta Orthop Scand. 1951;20(4):315-26.
15. Bogduk N, Merskey H. Descriptions of Chronic Pain Syndromes and Definition of Pain Terms. Classification of Chronic Pain. Seattle, WA.1994. p. 180-1.
16. Kapural L, Vrooman B, Sarwar S, Krizanac-Bengez L, Rauck R, Gilmore C, et al. A randomized, placebo-controlled trial of transdiscal radiofrequency, biacuplasty for treatment of discogenic lower back pain. Pain Med. 2013;14(3):362-73.
17. Pauza KJ, Howell S, Dreyfuss P, Peloza JH, Dawson K, Bogduk N. A randomized, placebo-controlled trial of intradiscal electrothermal therapy for the treatment of discogenic low back pain. Spine J. 2004;4(1):27-35.
18. Fukui S, Nitta K, Iwashita N, Tomie H, Nosaka S, Rohof O. Results of intradiscal pulsed radiofrequency for lumbar discogenic pain: comparison with intradiscal electrothermal therapy. Korean J Pain. 2012;25(3):155-60.
19. Fukui S, Nitta K, Iwashita N, Tomie H, Nosaka S, Rohof O. Intradiscal pulsed radiofrequency for chronic lumbar discogenic low back pain: a one year prospective outcome study using discoblock for diagnosis. Pain Physician. 2013;16(4):E435-E42.
20. Jung YJ, Lee DG, Cho YW, Ahn SH. Effect of intradiscal monopolar pulsed radiofrequency on chronic discogenic back pain diagnosed by pressure-controlled provocative discography: a one year prospective study. Ann Rehabil Med. 2012;36(5):648-56.
21. Teixeira A, Sluijter ME. Intradiscal high-voltage, long-duration pulsed radiofrequency for discogenic pain: a preliminary report. Pain Med. 2006;7(5):424-8.
22. Barnsley L, Lord SM, Wallis BJ, Bogduk N. The prevalence of chronic cervical zygapophysial joint pain after whiplash. Spine (Phila Pa 1976). 1995;20(1):20-5; discussion 6.
23. DePalma MJ, Ketchum JM, Saullo T. What is the source of chronic low back pain and does age play a role? Pain Med. 2011;12(2):224-33.
24. Kepes ER, Duncalf D. Treatment of backache with spinal injections of local anesthetics, spinal and systemic steroids. A review. Pain. 1985;22(1):33-47.
25. Bogduk N. International Spinal Injection Society guidelines for the performance of spinal injection procedures . Part 1: Zygapophyseal join blocks. Clin J Pain. 1997;13:285-302.
26. Steven PC, Arun B, Anuj B, Asokumar B, Tim D, Shuchita G, et al. Consensus practice guidelines on interventions for lumbar facet joint pain from a multispecialty, international working group. Regional Anesthesia & Pain Medicine. 2020;45(6):424.
27. Manchikanti L, Pampati V, Fellows B, Baha AG. The inability of the clinical picture to characterize pain from facet joints. Pain Physician. 2000;3(2):158-66.
28. Pearson AM, Ivancic PC, Ito S, Panjabi MM. Facet Joint Kinematics and Injury Mechanisms During Simulated Whiplash. Spine. 2004;29(4):390-7.
29. Donghwi P. The Pathophysiology and Mechanism of Acute and Chronic Whiplash Injury: A Narrative Review. International Journal of Pain. 2022;13(1):20-4.
30. Falco FJ, Manchikanti L, Datta S, Sehgal N, Geffert S, Onyewu O, et al. An update of the effectiveness of therapeutic lumbar facet joint interventions. Pain Physician. 2012;15(6):E909-53.
31. Poilliot AJ, Zwirner J, Doyle T, Hammer N. A Systematic Review of the Normal Sacroiliac Joint Anatomy and Adjacent Tissues for Pain Physicians. Pain Physician. 2019;22(4): E247-e74.
32. Shannon LR, Robert SB, Kajeandra R, Anne MA, Eldon YL. Cadaveric Study of Sacroiliac Joint Innervation: Implications for Diagnostic Blocks and Radiofrequency Ablation. Regional Anesthesia & Pain Medicine. 2014;39(6):456.
33. Calvillo O, Skaribas I, Turnipseed J. Anatomy and pathophysiology of the sacroiliac joint. Curr Rev Pain. 2000;4(5):356-61.
34. Slipman CW, Sterenfeld EB, Chou LH, Herzog R, Vresilovic E. The predictive value of provocative sacroiliac joint stress maneuvers in the diagnosis of sacroiliac joint syndrome. Arch Phys Med Rehabil. 1998;79(3):288-92.
35. Maigne JY, Aivaliklis A, Pfefer F. Results of sacroiliac joint double block and value of sacroiliac pain provocation tests in 54 patients with low back pain. 1996 1996/08/15.
36. Yang AJ, Wagner G, Burnham T, McCormick ZL, Schneider BJ. Radiofrequency Ablation for Chronic Posterior Sacroiliac Joint Complex Pain: A Comprehensive Review. Pain Medicine. 2021;22(Supplement_1):S9-S13.
37. Dorwarth U, Fiek M, Remp T, Reithmann C, Dugas M, Steinbeck G, et al. Radiofrequency catheter ablation: different cooled and noncooled electrode systems induce specific lesion geometries and adverse effects profiles. Pacing Clin Electrophysiol. 2003;26(7 Pt 1):1438-45.
38. Takebayashi T, Cavanaugh JM, Cuneyt Ozaktay A, Kallakuri S, Chen C. Effect of nucleus pulposus on the neural activity of dorsal root ganglion. Spine (Phila Pa 1976). 2001;26(8):940-5.
39. Ploumis A, Christodoulou P, Wood KB, Varvarousis D, Sarni JL, Beris A. Caudal vs transforaminal epidural steroid injections as short-term (6 months) pain relief in lumbar spinal stenosis patients with sciatica. Pain Med. 2014;15(3):379-85.
40. Fitzgibbon DR, Posner KL, Domino KB, Caplan RA, Lee LA, Cheney FW, et al. Chronic pain management: American Society of Anesthesiologists Closed Claims Project. Anesthesiology. 2004;100(1):98-105.
41. Wallace MA, Fukui MB, Williams RL, Ku A, Baghai P. Complications of cervical selective nerve root blocks performed with fluoroscopic guidance. AJR Am J Roentgenol. 2007;188(5):1218-21.
42. Knight K, Woods DM, McHaourab A. Nucleoplasty for disc protrusion: A novel percutaneous decompression technique. Techniques in Regional Anesthesia and Pain Management. 2009;13(2):93-101.
43. Sharps LS, Isaac Z. Percutaneous disc decompression using nucleoplasty. Pain Physician. 2002;5(2):121-6.
44. Singh V, Piryani C, Liao K. Role of percutaneous disc decompression using coblation in managing chronic discogenic low back pain: a prospective, observational study. Pain Physician. 2004;7(4):419-25.

45. Gerges FJ, Lipsitz SR, Nedeljkovic SS. A systematic review on the effectiveness of the Nucleoplasty procedure for discogenic pain. Pain Physician. 2010;13(2):117-32.
46. Standring S. Macroscopy anatomy of the spinal cord and spinal nerves. Gray's Anatomy: The Anatomical Basis of Clinical Practice. London2005. p. 775-88.
47. Van Zundert J, Patijn J, Kessels A, Lame I, van Suijlekom H, van Kleef M. Pulsed radiofrequency adjacent to the cervical dorsal root ganglion in chronic cervical radicular pain: a double blind sham controlled randomized clinical trial. Pain. 2007;127(1-2):173-82.
48. Assis FD, Amaral C, Tucci C, Costa SMBd. Uso terapêutico da radiofrequência pulsátil no gânglio dorsal da raiz de L2 na lombalgia discogênica. Coluna/Columna. 2009;8(2):139-42.
49. Koh W, Choi SS, Karm MH, Suh JH, Leem JG, Lee JD, et al. Treatment of chronic lumbosacral radicular pain using adjuvant pulsed radiofrequency: a randomized controlled study. Pain Med. 2015;16(3):432-41.
50. Nakamura SI, Takahashi K, Takahashi Y, Yamagata M, Moriya H. The afferent pathways of discogenic low-back pain. Evaluation of L2 spinal nerve infiltration. J Bone Joint Surg Br. 1996;78(4):606-12.
51. Huang X, Ma Y, Wang W, Guo Y, Xu B, Ma K. Efficacy and safety of pulsed radiofrequency modulation of thoracic dorsal root ganglion or intercostal nerve on postherpetic neuralgia in aged patients: a retrospective study. BMC Neurology. 2021;21(1):233.
52. Lee HJ, Cho HH, Nahm FS, Lee PB, Choi E. Pulsed Radiofrequency Ablation of the C2 Dorsal Root Ganglion Using a Posterior Approach for Treating Cervicogenic Headache: A Retrospective Chart Review. Headache. 2020;60(10):2463-72.
53. Li SJ, Feng D. Pulsed radiofrequency of the C2 dorsal root ganglion and epidural steroid injections for cervicogenic headache. Neurol Sci. 2019;40(6):1173-81.
54. Marliana A, Yudianta S, Subagya DW, Setyopranoto I, Setyaningsih I, Tursina Srie C, et al. The efficacy of pulsed radiofrequency intervention of the lumbar dorsal root ganglion in patients with chronic lumbar radicular pain. Med J Malaysia. 2020;75(2):124-9.
55. Sun CL, Li XL, Li CW, He N, Zhang J, Xue FS. High-voltage, Long-duration Pulsed Radiofrequency to the Dorsal Root Ganglion Provides Improved Pain Relief for Herpes Zoster Neuralgia in the Subacute Stage. Pain Physician. 2023;26(3):E155-e62.
56. Vuka I, Marciuš T, Došenović S, Ferhatović Hamzić L, Vučić K, Sapunar D, et al. Efficacy and Safety of Pulsed Radiofrequency as a Method of Dorsal Root Ganglia Stimulation in Patients with Neuropathic Pain: A Systematic Review. Pain Medicine. 2020;21(12):3320-43.
57. Biondi J, Greenberg BJ. Redecompression and fusion in failed back syndrome patients. J Spinal Disord. 1990;3(4):362-9.
58. McCarron RF, Wimpee MW, Hudkins PG, Laros GS. The inflammatory effect of nucleus pulposus. A possible element in the pathogenesis of low-back pain. Spine (Phila Pa 1976). 1987;12(8):760-4.
59. Parke WW, Watanabe R. Adhesions of the ventral lumbar dura. An adjunct source of discogenic pain? Spine (Phila Pa 1976). 1990;15(4):300-3.
60. Christelis N, Simpson B, Russo M, Stanton-Hicks M, Barolat G, Thomson S, et al. Persistent Spinal Pain Syndrome: A Proposal for Failed Back Surgery Syndrome and ICD-11. Pain Medicine. 2021;22(4):807-18.
61. Knotkova H, Hamani C, Sivanesan E, Le Beuffe MFE, Moon JY, Cohen SP, et al. Neuromodulation for chronic pain. Lancet. 2021;397(10289):2111-24.
62. Sdrulla AD, Guan Y, Raja SN. Spinal Cord Stimulation: Clinical Efficacy and Potential Mechanisms. Pain Practice. 2018;18(8):1048-67.
63. Cameron T. Safety and efficacy of spinal cord stimulation for the treatment of chronic pain: a 20-year literature review. Journal of Neurosurgery: Spine. 2004;100(3):254-67.
64. Rock AK, Truong H, Park YL, Pilitsis JG. Spinal Cord Stimulation. Neurosurg Clin N Am. 2019;30(2):169-94.
65. Deer TR, Grider JS, Lamer TJ, Pope JE, Falowski S, Hunter CW, et al. A Systematic Literature Review of Spine Neurostimulation Therapies for the Treatment of Pain. Pain Medicine. 2020;21(7):1421-32.
66. Fishman M, Cordner H, Justiz R, Provenzano D, Merrell C, Shah B, et al. Twelve-Month results from multicenter, open-label, randomized controlled clinical trial comparing differential target multiplexed spinal cord stimulation and traditional spinal cord stimulation in subjects with chronic intractable back pain and leg pain. Pain Practice. 2021;21(8):912-23.
67. Goudman L, De Smedt A, Eldabe S, Rigoard P, Linderoth B, De Jaeger M, et al. High-dose spinal cord stimulation for patients with failed back surgery syndrome: a multicenter effectiveness and prediction study. PAIN. 2021;162(2):582-90.
68. Travell J, Rinzler SH. The myofascial genesis of pain. Postgrad Med. 1952;11(5):425-34.
69. Barbero M, Schneebeli A, Koetsier E, Maino P. Myofascial pain syndrome and trigger points: evaluation and treatment in patients with musculoskeletal pain. Current Opinion in Supportive and Palliative Care. 2019;13(3):270-6.
70. Simons DG, Travell JG. Myofascial origins of low back pain. 1. Principles of diagnosis and treatment. Postgrad Med. 1983;73(2):66, 8-70, 3 passim.
71. Travell JG, Simons DG. Myofascial Pain and Dysfunction: The Trigger Point Manual, Vol 2. Baltimore1992 1992.
72. Galasso A, Urits I, An D, Nguyen D, Borchart M, Yazdi C, et al. A Comprehensive Review of the Treatment and Management of Myofascial Pain Syndrome. Current Pain and Headache Reports. 2020;24(8):43.
73. Foster L, Clapp L, Erickson M, Jabbari B. Botulinum toxin A and chronic low back pain: a randomized, double-blind study. Neurology. 2001;56(10):1290-3.
74. Porta M. A comparative trial of botulinum toxin type A and methylprednisolone for the treatment of myofascial pain syndrome and pain from chronic muscle spasm. Pain. 2000;85(1-2):101-5.
75. Stilwell DL, Jr. Regional variations in the innervation of deep fasciae and aponeuroses. Anat Rec. 1957;127(4):635-53.
76. Willard FH, Vleeming A, Schuenke MD, Danneels L, Schleip R. The thoracolumbar fascia: anatomy, function and clinical considerations. Journal of Anatomy. 2012;221(6):507-36.
77. Suarez-Rodriguez V, Fede C, Pirri C, Petrelli L, Loro-Ferrer JF, Rodriguez-Ruiz D, et al. Fascial Innervation: A Systematic Review of the Literature. Int J Mol Sci. 2022;23(10).
78. Deising S, Weinkauf B, Blunk J, Obreja O, Schmelz M, Rukwied R. NGF-evoked sensitization of muscle fascia nociceptors in humans. Pain. 2012;153(8):1673-9.
79. Hoheisel U, Reuter R, de Freitas MF, Treede RD, Mense S. Injection of nerve growth factor into a low back muscle induces long-lasting latent hypersensitivity in rat dorsal horn neurons. Pain. 2013;154(10):1953-60.
80. Hoheisel U, Mense S. Inflammation of the thoracolumbar fascia excites and sensitizes rat dorsal horn neurons. Eur J Pain. 2015;19(3):419-28.
81. Jüni P, Hari R, Rutjes AW, Fischer R, Silletta MG, Reichenbach S, et al. Intra-articular corticosteroid for knee osteoarthritis. Cochrane Database of Systematic Reviews. 1996;2015(11).
82. Kompel AJ, Roemer FW, Murakami AM, Diaz LE, Crema MD, Guermazi A. Intra-articular corticosteroid injections in the hip and knee: perhaps not as safe as we thought? Radiology. 2019;293(3):656-63.
83. Wernecke C, Braun HJ, Dragoo JL. The effect of intra-articular corticosteroids on articular cartilage: a systematic review. Orthopaedic journal of sports medicine. 2015;3(5):2325967115581163.
84. Guermazi A, Hunter DJ, Kloppenburg M. Debate: Intra-articular steroid injections for osteoarthritis – harmful or helpful? Osteoarthritis Imaging. 2023;3(3):100163.
85. Sanguino RA, Sood V, Santiago KA, Cheng J, Casey E, Mintz D, et al. Prevalence of rapidly progressive osteoarthritis of the hip following intra-articular steroid injections. PM&R. 2023;15(3):259-64.
86. Inomori Y, Shimura H, Wakabayashi Y, Fujita K, Nimura A. Tendon rupture after local steroid injection for stenosing tenosynovitis of hand: A report of three cases and literature review. JOS Case Reports. 2023;2(2):19-22.
87. Shewale AR, Barnes CL, Fischbach LA, Ounpraseuth ST, Painter JT, Martin BC. Comparison of Low-, Moderate-, and High-Molecular-Weight Hyaluronic Acid Injections in Delaying Time to Knee Surgery. J Arthroplasty. 2017;32(10):2952-7.e21.
88. Bahrami MH, Raeissadat SA, Cheraghi M, Rahimi-Dehgolan S, Ebrahimpour A. Efficacy of single high-molecular-weight versus triple low-molecular-weight hyaluronic acid intra-articular injection among knee osteoarthritis patients. BMC Musculoskelet Disord. 2020;21(1):550.
89. Wu YZ, Huang HT, Ho CJ, Shih CL, Chen CH, Cheng TL, et al. Molecular Weight of Hyaluronic Acid Has Major Influence on Its Efficacy and Safety for Viscosupplementation in Hip Osteoarthritis: A Systematic Review and Meta-Analysis. Cartilage. 2021;13(1_suppl):169s-84s.
90. Gibbs AJ, Gray B, Wallis JA, Taylor NF, Kemp JL, Hunter DJ, et al. Recommendations for the management of hip and knee osteoarthritis: A systematic review of clinical practice guidelines. Osteoarthritis and Cartilage. 2023.
91. Kolasinski SL, Neogi T, Hochberg MC, Oatis C, Guyatt G, Block J, et al. 2019 American College of Rheumatology/Arthritis Foundation Guideline for the Management of Osteoarthritis of the Hand, Hip, and Knee. Arthritis Care Res (Hoboken). 2020;72(2):149-62.
92. Zhao AT, Caballero CJ, Nguyen LT, Vienne HC, Lee C, Kaye AD. A Comprehensive Update of Prolotherapy in the Management of Osteoarthritis of the Knee. Orthop Rev (Pavia). 2022;14(4):33921.
93. Han D-S, Lee C-H, Shieh Y-D, Chang C-T, Li M-H, Chu Y-C, et al. A role for substance P and acid-sensing ion channel 1a in prolotherapy with dextrose-mediated analgesia in a mouse model of chronic muscle pain. PAIN. 2022;163(5):e622-e33.
94. Belk JW, Kraeutler MJ, Houck DA, Goodrich JA, Dragoo JL, McCarty EC. Platelet-Rich Plasma Versus Hyaluronic Acid for Knee Osteoarthritis: A Systematic Review and Meta-analysis of Randomized Controlled Trials. The American Journal of Sports Medicine. 2021;49(1):249-60.
95. dos Santos RG, Santos GS, Alkass N, Chiesa TL, Azzini GO, da Fonseca LF, et al. The regenerative mechanisms of platelet-rich plasma: A review. Cytokine. 2021;144:155560.
96. Cole BJ, Gilat R, DiFiori J, Rodeo SA, Bedi A. The 2020 NBA Orthobiologics Consensus Statement. Orthopaedic Journal of Sports Medicine. 2021;9(5):23259671211002296.

97. Rocha Romero A, Carvajal Valdy G, Lemus AJ. Ultrasound-guided pericapsular nerve group (PENG) hip joint phenol neurolysis for palliative pain. Canadian Journal of Anesthesia/Journal canadien d'anesthésie. 2019;66(10):1270-1.

98. Tan YL, Neo EJR, Wee TC. Ultrasound-guided Genicular Nerve Blockade With Pharmacological Agents for Chronic Knee Osteoarthritis: A Systematic Review. Pain Physician. 2022;25(4):E489-e502.

99. John T, Philip P, Anne A, Nimish M. Diagnostic block and radiofrequency ablation of the acromial branches of the lateral pectoral and suprascapular nerves for shoulder pain: a 3D cadaveric study. Regional Anesthesia & Pain Medicine. 2021;46(4):305.

100. Agnes Reka S, Philip P. Cryoanalgesia for shoulder pain: a motor-sparing approach to rotator cuff disease. Regional Anesthesia & Pain Medicine. 2022;47(9):576.

101. Zachary LM, Steven PC, David RW, Lynn K. Technical considerations for genicular nerve radiofrequency ablation: optimizing outcomes. Regional Anesthesia & Pain Medicine. 2021;46(6):518.

102. Piagkou M, Demesticha T, Troupis T, Vlasis K, Skandalakis P, Makri A, et al. The Pterygopalatine Ganglion and its Role in Various Pain Syndromes: From Anatomy to Clinical Practice. Pain Practice. 2012;12(5):399-412.

103. Mojica J, Mo B, Ng A. Sphenopalatine Ganglion Block in the Management of Chronic Headaches. Current Pain and Headache Reports. 2017;21(6):27.

104. Ho KWD, Przkora R, Kumar S. Sphenopalatine ganglion: block, radiofrequency ablation and neurostimulation – a systematic review. The Journal of Headache and Pain. 2017;18(1):118.

105. Yarzebski JL, Wilkinson HA. T2 and T3 sympathetic ganglia in the adult human: a cadaver and clinical-radiographic study and its clinical application. Neurosurgery. 1987;21(3):339-42.

106. Kapral S, Krafft P, Gosch M, Fleischmann D, Weinstabl C. Ultrasound imaging for stellate ganglion block: direct visualization of puncture site and local anesthetic spread. A pilot study. Reg Anesth. 1995;20(4):323-8.

107. Boas RA. Sympathetic blocks in clinical practice. Int Anesthesiol Clin. 1978;16(4):149-82.

108. Plancarte R, Guajardo-Rosas J, Reyes-Chiquete D, Chejne-Gomez F, Plancarte A, Gonzalez-Buendia NI, et al. Management of chronic upper abdominal pain in cancer: transdiscal blockade of the splanchnic nerves. Reg Anesth Pain Med. 2010;35(6):500-6.

109. Plancarte R, Amescua C, Patt RB, Aldrete JA. Superior hypogastric plexus block for pelvic cancer pain. Anesthesiology. 1990;73(2):236-9.

110. Erdine S, editor Transdiscal approach to the superior hypogastric plexus. Grand Rouds; 2000 2000; Lubbock. Lubbock2000.

111. Turker G, Basagan-Mogol E, Gurbet A, Ozturk C, Uckunkaya N, Sahin S. A new technique for superior hypogastric plexus block: the posteromedian transdiscal approach. Tohoku J Exp Med. 2005;206(3):277-81.

112. Kanazi GE, Perkins FM, Thakur R, Dotson E. New technique for superior hypogastric plexus block. Regional Anesthesia and Pain Medicine. 1999;24(5):473-6.

113. Bosscher H. Blockade of the Superior Hypogastric Plexus Block for Visceral Pelvic Pain. Pain Practice. 2001;1(2):162-70.

114. Urits I, Schwartz R, Herman J, Berger AA, Lee D, Lee C, et al. A Comprehensive Update of the Superior Hypogastric Block for the Management of Chronic Pelvic Pain. Current Pain and Headache Reports. 2021;25(3):13.

115. Adas C, Ozdemir U, Toman H, Luleci N, Luleci E, Adas H. Transsacrococcygeal approach to ganglion impar: radiofrequency application for the treatment of chronic intractable coccydynia. Journal of Pain Research. 2016;9:1173-7.

116. Asplund P, Linderoth B, Bergenheim AT. The predictive power of balloon shape and change of sensory functions on outcome of percutaneous balloon compression for trigeminal neuralgia. J Neurosurg. 2010;113(3):498-507.

117. Brown JA, McDaniel MD, Weaver MT. Percutaneous trigeminal nerve compression for treatment of trigeminal neuralgia: results in 50 patients. Neurosurgery. 1993;32(4):570-3.

118. Kanpolat Y, Savas A, Bekar A, Berk C. Percutaneous controlled radiofrequency trigeminal rhizotomy for the treatment of idiopathic trigeminal neuralgia: 25-year experience with 1,600 patients. Neurosurgery. 2001;48(3):524-32; discussion 32-4.

119. Kim JH, Yu HY, Park SY, Lee SC, Kim YC. Pulsed and conventional radiofrequency treatment: which is effective for dental procedure-related symptomatic trigeminal neuralgia? Pain Med. 2013;14(3):430-5.

120. Navani A, Manchikanti L, Albers SL, Latchaw RE, Sanapati J, Kaye AD, et al. Responsible, Safe, and Effective Use of Biologics in the Management of Low Back Pain: American Society of Interventional Pain Physicians (ASIPP) Guidelines. Pain Physician. 2019;22(1s):S1-S74.

121. Van Boxem K, Rijsdijk M, Hans G, de Jong J, Kallewaard JW, Vissers K, et al. Safe Use of Epidural Corticosteroid Injections: Recommendations of the WIP Benelux Work Group. Pain Practice. 2019;19(1):61-92.

122. Manchikanti L, Knezevic NN, Navani A, Christo PJ, Limerick G, Calodney AK, et al. Epidural Interventions in the Management of Chronic Spinal Pain: American Society of Interventional Pain Physicians (ASIPP) Comprehensive Evidence-Based Guidelines. Pain Physician. 2021;24(S1):S27-S208.

121

Intervenções Complementares para o Tratamento da Dor

Felipe Chiodini Machado

INTRODUÇÃO

Em todas as sociedades de que se tem conhecimento, sempre esteve presente a arte de curar. De início legada a sacerdotes, sábios e místicos, sempre teve profunda influência cultural, filosófica e social. As técnicas de cura, desde as mais antigas, são derivadas de valores e crenças de uma sociedade, bem como se estabelecem em função das doenças mais prevalentes naquela população. O que é chamado de "tratamento convencional" para uma doença, varia muito com o momento cultural vivido por aquele grupo de pessoas. O que era considerado impensável em algumas culturas é hoje tratamento mandatório para algumas doenças. Do mesmo modo, outros tratamentos considerados clássicos pela medicina antiga hoje são proscritos.

O que se viu no século XX, tanto no Ocidente como no Oriente, foi a organização da Medicina em torno de ideias científicas, consensos de especialistas e experimentação. Esse conjunto define a Medicina Baseada em Evidências, atualmente praticada pela maioria dos médicos no mundo. A Medicina, então, evolui de uma miríade de práticas e soluções pessoais para técnicas baseadas em evidências. O próprio ensino médico passou aos poucos da esfera individual, caracterizada pelo "mestre professor", para a institucional, representada pelas escolas médicas. Essa tendência relativamente recente levou a uma separação das técnicas terapêuticas no que se chama de medicina convencional e medicina alternativa. Portanto, a resultante cultural da chamada medicina tradicional imediatamente criou a medicina alternativa.

No entanto, mesmo nas poucas décadas da Medicina Baseada em Evidências, ainda é comum que um tratamento antes apresentado como empírico, não convencional ou alternativo torne-se convencional, ou mesmo mandatório, à medida que se aprofundam experiências e estudos sobre seu uso. Do mesmo modo, tratamentos usados em grande escala são por vezes abandonados ante novos estudos.

■ TRATAMENTOS ALTERNATIVOS E COMPLEMENTARES

Não há consenso formal sobre os conceitos de tratamentos ou medicina alternativa e complementar. "Medicina alternativa" em geral expressa a ideia de técnicas usadas em substituição à terapia convencional, enquanto "medicina complementar" remete a técnicas associadas ao tratamento convencional, na tentativa de melhorar seus resultados, e não de substituí-lo. Para efeito deste capítulo, usaremos essa terminologia ao nos referirmos a métodos alternativos ou complementares (MACs), no entanto, outras definições ou conceitos podem ser aplicados a ambos os termos.

Há algumas diferenças estruturais entre a medicina considerada alternativa e a considerada convencional. A primeira em geral é mais individualizada ao paciente; engloba uma filosofia própria que frequentemente estimula potenciais de cura inatos ao organismo da pessoa e ainda reconhece outros graus de existência de organismos vivos, dificilmente abordados ou mensuráveis pelos métodos científicos atuais.

Entende-se que a Medicina Baseada em Evidências é um marco histórico na qualidade do tratamento dos pacientes em qualquer lugar do mundo. Substituir um método cientificamente aceito por outro só é julgado ético quando houver suficiente evidência sobre o novo método para considerá-lo igual ou superior ao anterior em algum aspecto. Nesse entendimento, é possível encontrar artigos que propõem uma nova divisão das terapias. Não mais em convencionais e alternativas, mas em tratamentos que foram testados ou não. Em outras palavras, tratamentos dos quais se sabe do resultado e tratamentos dos quais ainda não se sabe o resultado, e podem ou não ser eficazes.

Uma vez que um tratamento é rigorosamente testado e aprovado com base em ensaios clínicos, há menor importância no fato de ele ser considerado alternativo ou não.[1] Se os mesmos princípios e exigências de evidência de tratamento se aplicarem a qualquer técnica, há uma quebra da barreira entre a medicina convencional e a alternativa ou complementar. Por isso, é justamente a tendência de prática da Medicina Baseada em Evidências que, ironicamente, tem ajudado a reconciliar técnicas complementares à prática médica tradicional. Nas últimas décadas, houve proliferação de estudos sobre MACs, vários deles com resultados práticos promissores, embora nem sempre com base fisiopatológica completamente compreendida.

As dificuldades de pesquisa com MACs englobam falta de consenso nas terapias e populações variadas. Ainda, o tratamento em geral mais individualizado dessas técnicas gera grande variabilidade de métodos, o que dificulta a análise estatística. Mesmo assim, seu uso vem se difundindo em vários grupos populacionais, o que inclui o de pacientes com dor.[2] Em 2023, uma pesquisa do termo "terapias alternativas" ou "terapias complementares" na base de dados MEDLINE resultou em mais de 200 mil estudos sobre MACs, com crescimento expressivo nos últimos anos. Tais técnicas estão recebendo cada vez mais atenção nas escolas médicas, e várias delas criaram centros de estudos para o tema também nos últimos anos.

Parte dos pacientes ainda tem vergonha em admitir ao seu médico o uso de terapias complementares ou seu interesse por procurar também tais abordagens. Por isso é importante o estabelecimento de uma relação médico-paciente baseada não em julgamento, mas em orientação. A importância de o médico tradicional conhecer os MACs está em fornecer orientações objetivas sobre as terapias e orientar o paciente sobre seus efeitos colaterais e suas interações com tratamentos tradicionais, uma vez que é crescente a proporção de pacientes que se apresentam em consulta médica em uso de tais métodos.[1,2] A maioria dos MACs é de baixa tecnologia e com apelo natural, sendo percebida como inócua pelos pacientes. No entanto, há relatos crescentes de efeitos colaterais e interações medicamentosas, em especial entre ervas medicinais e alopatia.

Qualquer esforço para se construir um tratamento baseado nas melhores evidências sistemáticas tem pouca chance de sucesso se não incluir os valores do paciente, inclusive incorporando-os em nossas pesquisas. Há um significado subjetivo na dor e na limitação para cada paciente, e que se pode abordar por MACs, estando esse significado muito ligado às suas crenças individuais.[3]

DIFERENTES TERAPIAS COMPLEMENTARES

Alguns MACs são baseados em fundamentos fisiopatológicos reconhecíveis e estudados pelos profissionais de saúde convencionais, embora não aceitos como consenso. Outros se baseiam, em maior ou menor grau, em conceitos filosóficos, relações bioenergéticas e princípio invisíveis. No entanto, algumas terapias de cunho filosófico-energético vêm sendo pesquisadas com rigor científico e hoje já têm ao menos parte de seu efeito explicado por mecanismos fisiopatológicos tradicionais, como é o caso da acupuntura. Neste capítulo serão abordados os principais temas de terapias complementares, com foco nas evidências científicas disponíveis.

ACUPUNTURA E MEDICINA TRADICIONAL CHINESA

Dentro da medicina oriental, a mais conhecida é a Medicina Tradicional Chinesa (MTC), que engloba acupuntura, herboterapia, massagem e Qi Gong. É um MAC putativo, ou seja, originalmente se baseia no conceito de que o ser humano possui energias sutis, ainda não mensuráveis. Várias culturas usaram esse conceito, chamando essa energia de *ki* (*kampo* japonês), *doshas* (medicina aiurvédica), prana, energia etérica, *fohat*, entre outros. Na MTC ela é chamada de Qi. Segundo a visão tradicional, no corpo há um equilíbrio bipolar entre dois princípios, chamados Yin e Yang. Yin representa o princípio passivo, frio, lento, interior. Yang representa o princípio ativo, quente, rápido, exterior. Dentro da MTC, saúde é atingida mantendo-se o equilíbrio dessas forças duais que compõem o corpo. Por sua vez, doença seria causada por desequilíbrio de Yin e/ou de Yang, gerando bloqueios, excessos ou deficiências no fluxo de Qi e sangue ao longo dos meridianos. A MTC então usa de ervas, acupuntura ou massagem para desbloquear o fluxo energético, na tentativa de retornar o corpo à harmonia.

Dentre elas, a acupuntura destaca-se por seu uso disseminado e grande evidência na literatura. Desafios metodológicos ainda persistem, mas são encontradas várias metanálises mostrando eficácia da acupuntura no tratamento da dor. Também é crescente o número de evidências explicando os efeitos analgésicos da acupuntura por mecanismos convencionais.

O principal foco da pesquisa em acupuntura tem sido o tratamento da dor, tanto com pesquisa clínica quanto com pesquisa básica e de neuroimagem funcional, mostrando efeitos melhores com essa técnica que com o placebo.[4,5] A maior dificuldade desses estudos é a elaboração de grupos de controle adequados.

Hoje em dia, há evidência de mecanismos de ação periféricos, espinhais e supraespinhais da acupuntura, obtidos por experimentação em animais, os quais aproximam essa técnica do conhecimento da medicina ocidental. Um estímulo de acupuntura ou eletroacupuntura tem seu efeito principal sobre fibras Aδ e C.[4]

1. **Efeito local:** acupuntura e eletroacupuntura têm efeito local de analgesia por liberação de opioides em sítios inflamatórios. Após o estímulo, há ativação simpática, que aumenta a migração de células liberadoras de opioides para o local. Além disso, reduz-se a expressão da enzima conversora de angiotensina (COX-2), levando a uma diminuição do metabolismo canabinoide e ao aumento da expressão opioidérgica. Também há redução dos níveis de prostaglandinas pró-inflamatórias (PGE_2). O aumento de opioides periféricos leva a uma dessensibilização do aferente primário e ao bloqueio de

liberação de citocinas pró-inflamatórias (fator de necrose tumoral alfa, interleucinas 1b e 6). Outra evidência de sua ação opioidérgica é que seus efeitos são bloqueados, ao menos em parte, por naloxona.[4,5]

2. Ef**eitos espinhais segmentares:** as células pedunculares liberam neurotransmissores (NTs) opioides, que inibirão as células da substância gelatinosa, levando à analgesia. O estímulo doloroso é traduzido no nociceptor polimodal (fibras C), que estimula células da substância gelatinosa, as quais darão a sensação de dor principalmente pela ativação das células de ampla variação dinâmica e do trato espinorreticular. O estímulo de mecanorreceptores de alto limiar (fibras Aδ) pela acupuntura também estimula células marginais e pedunculares. As células marginais estão ligadas ao trato espinotalâmico e à transmissão supraespinhal da dor. As células pedunculares liberam NTs opioides, que inibirão as células da substância gelatinosa, levando à analgesia por interromper o trajeto de dor das fibras C. Os principais NTs envolvidos são encefalina, dinorfina, serotonina e noradrenalina.[4,5]

3. Ef**eitos suprassegmentares:** em determinados pontos a acupuntura pode gerar analgesia em outras regiões, com inervação diferente. Isso é explicado pelo estímulo de fibras Aδ gerado pela acupuntura, que é conduzido ao córtex cerebral e libera β-endorfina para os diversos níveis da medula em seu trajeto através de colaterais e interneurônios. Além disso, ao chegar ao córtex, o estímulo da acupuntura ativa vias inibitórias descendentes serotoninérgicas (substância cinzenta periaquedutal, núcleo magno da rafe e células pedunculadas) e noradrenérgicas (projeções do núcleo reticular dorsal, núcleo paragigantocelular e *locus coeruleus*), com papel no tratamento não só da dor, mas também de transtornos psiquiátricos associados.[4,5] Evidências sugerem que essa ativação possa dar-se por regulação da expressão de proteínas em áreas suprassegmentares.[6]

Há evidência de que uma única sessão de eletroacupuntura pode aumentar significativamente o limiar de dor inflamatória, suprimir a ativação de cinases pró-inflamatórias ERK 1 e 2, diminuir a expressão de COX-2 e a expressão proteica de receptores de neurocinina 1 em cobaias.[7] Também há estudos para receptores envolvidos em dores crônicas, como de Cheng e cols. (2013); os autores mostraram que a eletroacupuntura diminui a resposta de nociceptores P2X3 a seus agonistas.[8]

Nas estimulações elétricas transcutâneas, acredita-se que seu principal mecanismo de ação se dá através de receptores táteis, as fibras Aβ, que, por meio de interneurônios gabaérgicos, também inibem a condução na substância gelatinosa, contribuindo para a analgesia.[5]

Moxibustão é uma técnica da MTC para tratamento por meio do calor. A princípio com queima da erva artemísia e mais modernamente com produção elétrica de calor. Para essa técnica, há poucos estudos sobre mecanismos de ação. Existe um estudo de Zhu e cols. (2014), de neuroimagem funcional, demonstrando que algumas áreas ligadas à dor (córtex pré-frontal, córtex cingulado anterior) ficam menos ativas em pacientes que receberam moxibustão e se desativam mais rapidamente após cessado o estímulo doloroso.[9]

Quanto às indicações de tratamento, a acupuntura é colocada como nível B de evidência para tratamento de várias condições de dor crônica. Na maioria dos estudos, tanto a acupuntura verdadeira quanto a acupuntura *sham* tiveram resultados positivos, embora os da acupuntura verdadeira tenham sido melhores, o que mostra que seus resultados diferem de efeito placebo.[10]

As principais patologias com indicação de acupuntura foram reunidas na metanálise de Vickers e cols. (2012) com quase 18 mil pacientes, que incluiu dor cervical, dor lombar, ombralgia, cefaleia e osteoartrite.[11] Ensaios clínicos controlados randomizados mais recentes, de boa qualidade, confirmam esses resultados e ainda mostram evidência de melhora da dor miofascial em pontos-gatilho,[12] da artrite reumatoide[13] e da dor da crise de gota.[14] Há indicação também para tratamento de crises e profilaxia de enxaqueca, por vezes com resultado superior ao do tratamento convencional.[15] Em mulheres, uma revisão da Cochrane de 2011 mostrou evidência da acupuntura para tratamento de dispareunia associada à vulvodinia, à endometriose e dismenorreia.[16] Em homens, há evidência de melhora da dor pélvica crônica e da prostatite.[17] O uso de acupuntura e ervas da MTC também está associado a uma melhora da dor subaguda e crônica de neuralgia pós-herpética.[18]

Também há evidência para outras técnicas relacionadas à MTC. O uso de acupressura e auriculoterapia na dor foi abordado pela revisão de 2014 de Chen e cols. Tais técnicas se mostraram eficazes no tratamento de lombalgia, dismenorreia, cefaleia crônica, dor do trabalho de parto e outras dores traumáticas.[19] O uso de calor por meio de moxaterapia por períodos de 30 a 60 minutos é eficaz no tratamento de dor lombar baixa.[19]

A acupuntura é uma forma eficaz de tratamento em várias síndromes dolorosas agudas e crônicas. Seu baixo custo e a pouca demanda tecnológica, aliados a resultados equivalentes ou superiores aos de tratamentos convencionais, fazem da acupuntura uma importante técnica do arsenal terapêutico da dor. Seu perfil de segurança é considerado excelente, embora alguns efeitos adversos relatados mais comuns sejam irritação e hematoma no local de punção. Há raros relatos de infecção de pele, pneumotórax e migração espontânea da agulha.[8-10]

■ TRATAMENTOS NATURAIS

Esses tratamentos incluem suplementos nutricionais e ervas. São usados por "médicos naturalistas", mas também por praticantes de MTC e quiropraxia.

Por exemplo, glucosamina e condroitina são frequentemente usados para o tratamento de fibromialgia, depressão, osteoartrite e artrite reumatoide. Também há evidência de que o uso de glucosamina leva a uma deterioração cartilaginosa mais lenta e ao alívio da dor de osteoartrite. Em lombalgia baixa, há evidência de que *Harpagophytum procumbens*, *Salix alba* e *Capsicum frutescens* melhoram a dor, com efeito superior ao do placebo. Várias outras ervas têm evidência de menor qualidade.[76] Há inclusive evidência de que algumas alterações dietéticas possam reduzir a dor em casos de um componente inflamatório mais intenso, como na artrite reumatoide. Uma dieta mais rica em verduras e legumes pode ter potencial de reduzir o ácido araquidônico exógeno e, finalmente, reduzir a liberação de citocinas pró-inflamatórias, com alguma evidência para quadros reumáticos.[20]

IOGA

Ioga é uma prática meditativa originada na Índia, com influências filosóficas budistas e hinduístas. Existem várias linhas de ioga diferentes, com práticas de posturas, respirações, relaxamento, meditação, canto e "práticas de limpeza". Um estudo de Bower e col. (2014) mostrou que praticar ioga por 12 semanas leva à redução de fator nuclear *kappa* B, envolvido na produção de citocinas, no aumento da atividade anti-inflamatória do receptor de glicocorticoide e na redução da atividade de fatores de transcrição para proteína de ligação ao elemento de resposta do AMPc em relação aos controles.[21]

Há evidência de prática da ioga para o tratamento de cefaleia tensional,[22] dor lombar baixa,[23] dor crônica cervical,[14] artrite reumatoide[24] e outras limitações relacionadas à dor.[25] Nesses estudos, várias foram as vertentes de ioga com resultado positivo, e as mais usadas para obtenção das evidências foram Iyengar, Viniyoga, Hathayoga e Rajyoga.[14,25]

As diretrizes da *American College of Physicians* e da *American Pain Society* recomendam ioga, entre outros métodos não farmacológicos, para o tratamento multidisciplinar de dor lombar.[26]

MASSAGEM

São várias as técnicas de massagem, em geral usadas com intenção de promover relaxamento muscular, melhor circulação sanguínea e linfática, além de efeitos neuroendócrinos. Um estudo conduzido por Wu (2014) mostrou que técnicas de massagem podem aumentar o fator neurotrófico derivado do cérebro (*Brain Derived Neurotrophic Factor*, BDNF) e gerar mudanças na eletroencefalografia dos pacientes (ondas alfa mais predominantes e teta menos predominantes), além de reduzir o cortisol salivar.[27]

Sobre o uso da massagem em dor, há evidências, em revisões sistemáticas, para tratamento de pacientes com dor lombar baixa subaguda e crônica, especialmente se combinada com exercícios e reeducação postural.[28] Também há evidência modesta para cefaleia, ombralgia, fibromialgia e síndrome do túnel do carpo. Evidências mais recentes sugerem que algumas técnicas de massagem podem ter benefício para dor de artrite reumatoide.[13,28]

MEDITAÇÃO E MENTALIZAÇÃO

Existem inúmeras técnicas de meditação envolvendo posturas, respirações, relaxamento e exercícios mentais. A mentalização em geral envolve visualizar resultados positivos para melhorar a reação do paciente a situações estressantes ou dolorosas, por vezes reduzindo longitudinalmente a dimensão afetivo-emocional das respostas cerebrais à dor.[20,29,30]

Parte de seu efeito pode ser explicada por mudanças de eletroencefalografia, com predomínio de ondas alfa cerebrais. No entanto, ainda há carência de estudos de qualidade sobre os mecanismos de ação cerebrais da meditação. Quanto às indicações para dor, há evidência de uso de meditação e mentalização com resultado positivo em dor pós-operatória, dor abdominal e outras dores musculoesqueléticas, além de dor em membro fantasma. Técnicas de relaxamento por uso de imagens podem ser eficazes como adjuvantes no tratamento da fibromialgia.[29,30]

HIPNOSE

Metanálise de Tefikow e cols. (2013) analisou 34 ensaios clínicos com mais de 2.500 pacientes e mostrou benefício da hipnose para diminuir o consumo de medicação analgésica em adultos no perioperatório ou em período próximo a procedimentos médicos. Há evidência de que a hipnose tem efeito analgésico na dor moderada e forte de várias etiologias e de que a sugestão hipnótica é igualmente eficaz na redução da dor em modelos clínicos e experimentais.[31]

CONCLUSÃO

A busca de MACs é cada vez mais comum e válida, se feita em associação com a terapia convencional. Muitas dessas terapias estão sendo submetidas às mesmas investigações científicas que as terapias convencionais, e várias vêm demonstrando resultados positivos com rigor científico, assim como visto em diversos tratamentos convencionais. As crescentes evidências de sua eficácia clínica, de sua segurança e da boa relação custo-benefício, quando essas terapias são apropriadamente indicadas, aumentam sua recomendação.[32,33]

Terapias com MACs incorporam aspectos de poder da intenção, de autoconsciência e de interação humana, o que pode ser a chave para se obter um tratamento mais individualizado e humanizado direcionado a uma população de pacientes desafiadora: aquela com dor crônica.

REFERÊNCIAS

1. Inglis B. Fringe Medicine. London: Faber and Faber; 1964.
2. Simpson CA. Complementary medicine in chronic pain treatment. Phys Med Rehabil Clin N Am. 2015;26(2):321-47.
3. Cicerone KD. Evidence-based practice and the limits of rational rehabilitation. Arch Phys Med Rehabil. 2005;86(6):1073-4.
4. Zhang R, Lao L, Ren K, Berman B. Mechanisms of acupuncture–electroacupuncture on persistent pain. Anesthesiology. 2014;120(2):482-503.
5. Filshie J, White A. Acupuntura médica: um enfoque científico do ponto de vista ocidental. Rio de Janeiro: Roca; 2010. 568 p.
6. Gao Y, Chen S, Xu Q, Yu K, Wang J, Qiao L, et al. Proteomic analysis of differential proteins related to anti-nociceptive effect of electroacupuncture in the hypothalamus following neuropathic pain in rats. Neurochem Res. 2013;38(7):1467-78.
7. Fang JQ, Fang JF, Liang Y, Du JY. Electroacupuncture mediates extracellular signal-regulated kinase 1/2 pathways in the spinal cord of rats with inflammatory pain. BMC Complement Altern Med. 2014;14:285.
8. Cheng RD, Tu WZ, Wang WS, Zou EM, Cao F, Cheng B, et al. Effect of electroacupuncture on the pathomorphology of the sciatic nerve and the sensitization of P2X3 receptors in the dorsal root ganglion in rats with chronic constrictive injury. Chin J Integr Med. 2013;19(5):374-9.

9. Zhu Y, Wu Z, Ma X, Liu H, Bao C, Yang L, et al. Brain regions involved in moxibustion-induced analgesia in irritable bowel syndrome with diarrhea: a functional magnetic resonance imaging study. BMC Complement Altern Med. 2014;14:500.
10. Zoorob R, Chakrabarty S, O'Hara H, Kihlberg C. Which CAM modalities are worth considering? J Fam Pract. 2014;63(10):585-90.
11. Vickers AJ, Cronin AM, Maschino AC, Lewith G, MacPherson H, Foster NE, et al. Acupuncture for chronic pain: individual patient data meta-analysis. Arch Intern Med. 2012;172(19):1444-53.
12. Wilke J, Vogt L, Niederer D, Hübscher M, Rothmayr J, Ivkovic D, et al. Short-term effects of acupuncture and stretching on myofascial trigger point pain of the neck: a blinded, placebo-controlled RCT. Complement Ther Med. 2014;22(5):835-41.
13. Shengelia R, Parker SJ, Ballin M, George T, Reid MC. Complementary therapies for osteoarthritis: are they effective? Pain Manag Nurs. 2013;14(4):e274-88.
14. Gamus D. Advances in research of complementary and integrative medicine: a review of recent publications in some of the leading medical journals. Harefuah. 2015;154(1):9-15,70.
15. Vijayalakshmi I, Shankar N, Saxena A, Bhatia MS. Comparison of effectiveness of acupuncture therapy and conventional drug therapy on psychological profile of migraine patients. Indian J Physiol Pharmacol. 2014;58(1):69-76.
16. Schlaeger JM, Xu N, Mejta CL, Park CG, Wilkie DJ. Acupuncture for the treatment of vulvodynia: a randomized wait-list controlled pilot study. J Sex Med. 2015 Apr;12(4):1019-27.
17. Küçük EV, Suçeken FY, Bindayı A, Boylu U, Onol FF, Gümüş E. Effectiveness of acupuncture on chronic prostatitis-chronic pelvic pain syndrome category IIIB patients: a prospective, randomized, nonblinded, clinical trial. Urology. 2015 Mar;85(3):636-40.
18. Hui F, Boyle E, Vayda E, Glazier RH. A randomized controlled trial of a multifaceted integrated complementary-alternative therapy for chronic herpes zoster-related pain. Altern Med Rev. 2012 Mar;17(1):57-68.
19. Chen YW, Wang HH. The effectiveness of acupressure on relieving pain: a systematic review. Pain Manag Nurs. 2014;15(2):539-50.
20. Holdcraft LC, Assefi N, Buchwald D. Complementary and alternative medicine in fibromyalgia and related syndromes. Best Pract Res Clin Rheumatol. 2003;17:667-83.
21. Bower JE, Greendale G, Crosswell AD, Garet D, Sternlieb B, Ganz PA, et al. Yoga reduces inflammatory signaling in fatigued breast cancer survivors: a randomized controlled trial. Psychoneuroendocrinology. 2014;43:20-9.
22. Kiran, Girgla KK, Chalana H, Singh H. Effect of rajyoga meditation on chronic tension headache. Indian J Physiol Pharmacol. 2014;58(2):157-61.
23. Patil NJ, Nagarathna R, Tekur P, Patil DN, Nagendra HR, Subramanya P. Designing, validation, and feasibility of integrated yoga therapy module for chronic low back pain. Int J Yoga. 2015 Jul-Dec;8(2):103-8.
24. Sharpe PA, Wilcox S, Schoffman DE, Hutto B, Ortaglia A. Association of complementary and alternative medicine use with symptoms and physical functional performance among adults with arthritis. Disabil Health J. 2016 Jan;9(1):37-45.
25. Ward L, Stebbings S, Cherkin D, Baxter GD. Components and reporting of yoga interventions for musculoskeletal conditions: a systematic review of randomised controlled trials. Complement Ther Med. 2014;22(5):909-19.
26. Chen L, Michalsen A. Management of chronic pain using complementary and integrative medicine. BMJ. 2017;357:j1284.
27. Wu D, Guo X. Is the sham acupuncture group a real sham control group? Comments on "Vas J et al. Acupuncture in patients with acute low back pain: a multicentre randomised controlled clinical trial". Pain. 2013;154(11):2575-6.
28. Tsao J. Effectiveness of massage therapy for chronic, non-malignant pain: a review. Evid Based Complement Alternat Med. 2007;4(2):165-79.
29. Brunelli S, Morone G, Iosa M, Ciotti C, De Giorgi R, Foti C, et al. Efficacy of progressive muscle relaxation, mental imagery, and phantom exercise training on phantom limb: a randomized controlled trial. Arch Phys Med Rehabil. 2015;96(2):181-7.
30. Onieva-Zafra MD, García LH, Del Valle MG. Effectiveness of guided imagery relaxation on levels of pain and depression in patients diagnosed with fibromyalgia. Holist Nurs Pract. 2015;29(1):13-21.
31. Montgomery GH, DuHamel KN, Redd WH. A meta-analysis of hypnotically induced analgesia: how effective is hypnosis? Int J Clin Exp Hypn. 2000;48(2):138-53.
32. Bauer BA, Tilburt JC, Sood A, Li GX, Wang SH. Complementary and alternative medicine therapies for chronic pain. Chin J Integr Med. 2016;22(6):403-11.
33. Hamlin AS, Robertson TM. Pain and complementary therapies. Crit Care Nurs Clin North Am. 2017;29(4):449-60.

O Anestesiologista e a Medicina Paliativa

Guilherme Antonio Moreira de Barros ▪ Fernanda Bono Fukushima ▪ Edison Iglesias de Oliveira Vidal

BREVE HISTÓRICO DOS CUIDADOS PALIATIVOS DENTRO DA DOR E ANESTESIOLOGIA NO BRASIL

O movimento paliativista tem crescido no mundo desde o início de século, enquanto no Brasil esse é um fenômeno observado mais recentemente. Anteriormente à evolução da medicina para o que hoje consideramos seu formato mais moderno, o local em que a morte preferencialmente acontecia era no lar dos indivíduos, o que foi modificado pela evolução da medicina como ciência e, consequentemente, a institucionalização da morte foi observada.[1] Entretanto, o progresso da medicina não significou, obrigatoriamente, melhor qualidade e menor sofrimento do paciente moribundo no momento de sua morte.

O cuidado profissional com objetivo de oferecer morte digna e menos sofrida foi inicialmente proposto nas décadas de 1950 e 1960 pela médica inglesa Cicely Saunders. Posteriormente, este conceito de cuidado médico se estendeu aos Estados Unidos e para outros países da Europa. Curiosamente, o movimento em prol dos cuidados paliativos, como conhecido hoje, nasceu no meio médico como resposta às críticas sociais ao crescente poder médico. Esse movimento passou a ter legitimidade social a partir da construção de um campo específico de saber e com a aquisição de novos conhecimentos e competências.[2] Dentro dessa abordagem de cuidado, propõe-se um modelo de cuidados integrais e mais humanizados, especificamente para pessoas com doenças avançadas, progressivas e crônicas, sem possibilidade de tratamento modificador da doença.[1,2]

Mas foi somente em 1974 que o termo **cuidados paliativos** passou a ser adotado pela Organização Mundial da Saúde (OMS) e, em 1985, em face à expansão dos movimentos de protesto contra o abandono de pacientes sem possibilidades terapêuticas curativas no Reino Unido, foi fundada a Associação de Medicina Paliativa da Grã-Bretanha e Irlanda. A Inglaterra foi o primeiro país a reconhecer a medicina paliativa como especialidade médica.[2] Desde então, gradativamente os cuidados paliativos têm conquistado espaço e reconhecimento no sistema de saúde.

No Brasil, em 1944 teve início a primeira iniciativa desse tipo de cuidados com a criação do Asilo para Cancerosos no Rio de Janeiro em resposta à deficiência dos recursos e dos serviços disponíveis à época no Centro de Cancerologia. Esse serviço tinha como objetivo melhorar a qualidade de vida dos pacientes portadores de formas avançadas de câncer e que não apresentavam resposta farmacológica aos tratamentos curativos ofertados. Entretanto, os primeiros serviços denominados de cuidados paliativos tiveram início somente na década de 1970 nos estados do Rio Grande do Sul, de Santa Catarina e de São Paulo.[1]

Diferente do que ocorreu na maioria dos países, a anestesiologia e os incipientes serviços de dor crônica aqui estabelecidos à época, desempenham papel fundamental no desenvolvimento dos cuidados paliativos. Algumas fontes evidenciam que os primeiros serviços foram registrados em 1979 no Hospital das Clínicas de Porto Alegre pela Profª. Dra. Miriam Martelete, que fundou o Serviço de Dor e, em 1983, o Serviço de Cuidados Paliativos.[1] Em 1990, no Hospital das Clínicas da Unesp, Botucatu, o Prof. Dr. Lino Lemônica, recém retornado da Itália, criava o Serviço de Terapia Antálgica e Cuidados Paliativos.[3] Ambos renomados no cenário nacional, foram precursores e formadores de número expressivo de serviços e especialistas no país. No ano de 1986, dois importantes hospitais brasileiros, o do Instituto Nacional do Câncer e a Santa Casa de São Paulo, iniciaram atendimentos especializados em cuidados paliativos, desta vez, iniciativas de outras especialidades médicas.[1] Vale a pena destacar, entretanto, que o último nasceu de um serviço de dor crônica, ao exemplo dos demais.

Assim, os primeiros serviços de dor crônica estabelecidos no Brasil desempenharam papel importante na oferta dos primeiros cuidados paliativos. Para exemplificar a importância dos especialistas em dor no Brasil para a criação dos serviços de cuidados paliativos em nossa realidade, na data de criação da área de atuação médica em dor, os anestesiologistas representavam mais da metade dos médicos certificados a atuarem na especialidade no país.

Somente em 2019 foi criada a Comissão Nacional de Medicina Paliativa (CNMP), pela Associação Médica Brasileira (AMB), constituída por representantes de especialidades médicas que mostraram interesse e entendiam ser a medicina paliativa uma possível nova área de atuação das respectivas especialidades. Estavam presentes a seguintes especialidades: anestesiologia, cancerologia, clínica médica, geriatria, medicina de família e comunidade e pediatria, além da própria Academia Nacional de Cuidados Paliativos. Em 2012, houve a publicação do primeiro edital para seleção dos candidatos à titulação, tendo sido titulados 45 médicos, dos quais 20 eram anestesiologistas – o que expressa a importância da anestesiologia no desenvolvimento da Medicina Paliativa no Brasil.[4]

CONCEITOS PRINCIPAIS

O que é cuidado paliativo?

A *International Association for Hospice & Palliative Care* (IAHPC) define os cuidados paliativos como cuidados holísticos voltados para pessoas com importante sofrimento relacionado à saúde devido a doenças graves, especialmente aqueles próximos ao fim da vida.[5] Tem por objetivo a melhora na qualidade de vida e redução do sofrimento não apenas de pacientes, mas também de seus familiares e cuidadores.

Pode-se entender que os cuidados paliativos surgiram como resposta ao fracasso histórico da medicina tradicional no alívio do sofrimento de pacientes portadores de doenças graves e próximos ao final da vida.[6] Para muito além da atenção à saúde de pessoas próximas da morte, o desenvolvimento dos cuidados paliativos contribuiu enormemente para o aprimoramento de diversas áreas dentro da medicina, envolvendo desde o manejo de uma variedade de sintomas e a comunicação na saúde de forma geral, até a abordagem da espiritualidade enquanto dimensão dos indivíduos. Os cuidados paliativos:

- "Promovem o alívio da dor e de outros sintomas desagradáveis;
- Afirmam a vida e compreendem a morte como um processo natural;
- Não pretendem apressar ou adiar a morte;
- Integram os aspectos psicológicos e espirituais do cuidado ao paciente;
- Oferecem um sistema de apoio para ajudar os pacientes a viver da forma mais ativa possível até a morte;

- Oferecem um sistema de apoio para ajudar a família a lidar com o sofrimento durante a doença do paciente e durante seu próprio luto;
- Usam uma abordagem em equipe para responder às necessidades dos pacientes e de suas famílias, incluindo aconselhamento durante o luto, se indicado;
- Aumentam a qualidade de vida e podem influenciar positivamente o curso da doença;
- São aplicáveis de modo precoce durante o curso da doença, em conjunto com outras terapias que são direcionadas a prolongar a vida, como quimioterapia ou radioterapia, e incluem investigações necessárias para melhor compreensão e tratamento de complicações clínicas angustiantes."[7]

Nessa nova abordagem proposta de atuação multiprofissional, apoia-se a horizontalização das relações de poder entre os entes participantes, ocorrendo reciprocidade e enriquecimento mútuo. Permite-se a troca de conhecimentos, inclui-se a família e os cuidadores não profissionais, utiliza-se de recursos e saberes disponíveis na comunidade.[8]

Esses cuidados também podem contribuir para melhorar a efetividade das terapias modificadoras da doença, como a quimioterapia, uma vez que, quando o indivíduo tem um adequado controle de seus sintomas, há uma chance maior de que ele consiga tolerar melhor e por mais tempo tais tratamentos.

Estudo publicado no *New England Journal of Medicine* (NEJM), em que foram avaliados pacientes com diagnóstico recente de carcinoma pulmonar do tipo não pequenas células, observou que a introdução de cuidados paliativos precoces, já no momento do diagnóstico da doença, associados ao tratamento habitual para essa enfermidade, relacionou-se com melhores indicadores de qualidade de vida (escala FACT-L: $98,0 \times 91,5$; $p = 0,03$), menor ocorrência de sintomas depressivos ($16\% \times 38\%$; $p = 0,01$) e maior tempo de sobrevida ($11,6$ meses $\times$ $8,9$ meses; $p = 0,02$), em comparação com o tratamento habitual isolado. Em outras palavras, esse estudo demonstrou que além de melhorar a qualidade de vida, os cuidados paliativos podem aumentar a quantidade de vida.[9] Desse modo, apesar de, a princípio, o prolongamento não ser um objetivo dos cuidados paliativos, esses podem contribuir para uma maior expectativa de vida.

Dentro do contexto da anestesiologia, com o avanço das técnicas anestésico/cirúrgicas, observa-se que cada vez mais pacientes em cuidados paliativos ou candidatos a cuidados paliativos adentram as salas de cirurgia. Mais que isso, a incorporação de princípios dos cuidados paliativos à prática diária do anestesiologista pode contribuir desde uma melhor comunicação com o paciente e equipe cirúrgica até uma ampliação da sua prática, a fim de oferecer cuidados perioperatórios mais adequados às necessidades dos pacientes.

Princípios dos Cuidados Paliativos Aplicados à Medicina Perioperatória

Os cuidados paliativos têm muito a agregar para a prática da anestesiologia. Em especial, o desenvolvimento de competência em alguns dos princípios primordiais dos cuidados paliativos pode aumentar a qualidade dos cuidados perioperatórios. A seguir, abordaremos três desses princípios: o cuidado centrado na pessoa, o enfoque sobre o alívio do sofrimento e as habilidades de comunicação.

O cuidado centrado na pessoa

O planejamento de cuidados centrados na pessoa possui como contraponto o planejamento de cuidados centrados na doença. Ter clareza quanto à distinção existente entre esses modelos pode ser bastante útil e possui importantes implicações práticas. O modelo de cuidados centrados na doença tem como foco a eliminação desta por meio de um ou mais procedimentos. Sumariamente, a pessoa é vista como uma máquina e a doença equivale a uma peça mal funcionante que precisa ser substituída. Já o modelo de cuidados centrados na pessoa reconhece a pessoa como foco principal da atenção e pressupõe que o manejo da doença deve levar em consideração a pessoa doente, sua história, seus valores, seus medos e preferências.

É importante reconhecer que o modelo centrado na doença, com todas as suas limitações intrínsecas, pode permitir o manejo bem-sucedido de situações relativamente simples em que a doença em si é curável, o tratamento possui baixo risco e implicações relativamente pequenas para a qualidade de vida dos pacientes. Um cenário corriqueiro de aplicação deste modelo envolve o tratamento de uma pessoa jovem e em pleno estado de funcionalidade com apendicite. Por outro lado, esse modelo possui um elevado risco de falhar quando diante de situações mais complexas, como a de pacientes com doenças graves associadas a maiores incertezas relacionadas ao desfecho do tratamento e implicações relevantes dos procedimentos sobre a qualidade de vida das pessoas. A título de exemplo, podemos citar uma pessoa idosa com baixo nível funcional e um tumor de reto com invasão do sacro. A decisão quanto a operar ou não, bem como quanto ao tipo de procedimento a ser adotado (p. ex.: radioterapia, amputação retal, sacrectomia, ou apenas colostomia para alívio de sintomas) necessariamente requer levar em consideração as perspectivas do paciente, seus valores e prioridades. Para alguns pacientes, os riscos e consequências de procedimentos mais invasivos farão sentido e, para outros, não. A competência em cuidados paliativos fornece uma base sólida para navegar cenários complexos, como este último, e delinear planos de cuidados de forma compartilhada, centrados na pessoa. Isso implica avaliar os riscos e as implicações positivas e negativas dos procedimentos possíveis em relação à qualidade de vida do paciente, por meio da compreensão da perspectiva do paciente quanto ao sofrimento e a aplicação da comunicação empática e humildade cultural.

Dentro do atual modelo de medicina perioperatória, o atendimento se inicia no momento da indicação do procedimento cirúrgico e se estende até aproximadamente 30 a 90 dias após a realização. O anestesiologista é, muitas vezes, o profissional que facilitará esse processo, pelo seu papel de liderança na equipe cirúrgica, dialogando com toda a equipe e especialidades envolvidas no cuidado do paciente (cirurgião, intensivista, clínico e equipe multiprofissional).

A medicina perioperatória incorpora a filosofia do cuidado paliativo ao planejar e executar a cirurgia considerando as necessidades individuais do paciente, minimizando riscos e maximizando a recuperação. A sinergia entre essas duas abordagens promove um tratamento mais humano e personalizado, onde o paciente é um parceiro ativo na jornada médica, recebendo não apenas cuidados médicos, mas também dignidade, respeito e suporte integral.

Foco no alívio do sofrimento

Assim como os cuidados paliativos buscam atenuar o sofrimento em doenças avançadas, a medicina perioperatória visa minimizar o sofrimento associado a procedimentos cirúrgicos. Ambos os enfoques compartilham a preocupação primordial com o bem-estar do paciente, considerando tanto os aspectos físicos quanto os emocionais.

Para tanto, torna-se fundamental o entendimento do conceito de sofrimento. O que é sofrimento? Eric Cassell, médico e escritor, observou que o desconhecimento dos profissionais de saúde acerca da resposta para essa pergunta faz com que muitas vezes lancemos mão de intervenções que, a despeito de nossas melhores intenções, terminam por causar mais sofrimento do que alívio. Em seu trabalho, tal autor afirma que o corpo não sofre, pessoas sofrem. Tomando esta constatação como ponto de partida, ele propõe a seguinte definição geral acerca do sofrimento: "um estado de desconforto intenso associado a eventos que ameaçam a integridade da pessoa".[10] Nessa definição, o termo integridade se remete à ideia de inteireza, de estar intacto, e abrange a totalidade das dimensões que constituem um ser humano (física, social, psíquica e espiritual). O primeiro corolário desta definição é que, se desejamos contribuir para o alívio do sofrimento de uma pessoa, nosso ponto de partida deve envolver buscar entender seu ponto de vista, ou seja, sua percepção sobre as ameaças à sua integridade.

De forma complementar a Cassel, Howard Brody, estudioso da medicina narrativa, afirma que o conceito de pessoa envolve a existência de um passado, de um presente e de um futuro. Para ele, a vida nada mais é do que uma sucessão de histórias e seu final é a própria morte. Dessa forma, o adoecer seria uma ruptura dessas histórias. Frequentemente, quando o paciente vai ao médico, pode-se ouvir implicitamente na queixa física apresentada: "Doutor, minha história está quebrada. Você pode consertá-la?". Para esses pacientes, o futuro torna-se diferente do esperado e planejado, e o presente está repleto de novos sintomas e preocupações.

Ira Byock, médico norte-americano, ressalta que a palavra "paciente", etimologicamente, significa "aquele que sofre" e acrescenta que, ao se observar o indivíduo sob a perspectiva da vida, toda a miríade de questões médicas envolvidas na fase final da existência é pequena quando comparada à grandeza e à profundidade do processo de transição final representado pela morte. Para este autor, o sofrimento é, ainda, um desafio de ressignificar a vida e a própria doença sob a luz crepuscular da morte. Morrer é uma experiência pessoal, e, para compreender a natureza do sofrimento, é necessário compreender o indivíduo que sofre. As pessoas possuem crenças (que transitam de questões políticas até metafísicas), valores morais e seu conceito de significado. O significado está ligado àquilo com o que a pessoa se identifica, o que lhe agrega valor e atribui alegria à sua existência. Ao adoecer, o paciente muitas vezes é tolhido daquilo que dá significado à sua vida, o que gera o sofrimento.

Cicely Saunders, fundadora do movimento dos cuidados paliativos modernos, ao refletir sobre os desafios do manejo da dor em pacientes com doenças graves ameaçadoras da vida, cunhou o termo "dor total" para traduzir a compreensão de que a experiência dolorosa é permeada por elementos físicos, psicológicos (emocionais), sociais e espirituais. Todos esses elementos convergem para a construção da percepção de dor de nossos pacientes.

Com base nas ideias desses autores, a avaliação do paciente deve contemplar as múltiplas causas de sofrimento (Figura 122.1).

Assim, integrar a abordagem do alívio do sofrimento na medicina perioperatória envolve não apenas a gestão eficaz da dor, mas também a atenção à ansiedade, medos e preocupações do paciente em relação à cirurgia. Essa convergência reflete uma mudança de paradigma em direção a uma abordagem mais humanizada da prática médica, em que a busca pelo alívio do sofrimento não é restrita a estágios avançados de doenças, mas é intrínseca a todas as fases do cuidado médico, incluindo o contexto perioperatório.

Habilidades de comunicação

O paciente, candidato ou não a cuidados paliativos, almeja ser visto como ser humano e que seu sofrimento seja compreendido. Trata-se de uma habilidade importante dentro do ambiente médico por várias razões, pois atua em diferentes esferas do cuidado e reduz o sofrimento não somente do paciente e de sua família como também de toda equipe envolvida nos cuidados. Estudos apontam que a comunicação clara, efetiva e empática da equipe de saúde resulta em maior satisfação dos pacientes quanto aos cuidados recebidos, maior aderência ao plano de tratamento, além da redução do sofrimento e sintomas de ansiedade tanto em pacientes quanto familiares/cuidadores. A equipe de saúde também apresenta maior satisfação quanto aos cuidados prestados e redução do risco de *burnout*.[11] Dessa

forma, a comunicação efetiva, empática e compassiva é um pilar na prática dos cuidados paliativos.

A comunicação é uma habilidade que pode ser desenvolvida a partir do treinamento do profissional. São princípios básicos desse processo a autenticidade, a escuta compassiva/empática e a humildade cultural.

- **Autenticidade:** uma citação de Theodore Roosevelt resume bem essa questão quando diz que "ninguém se importa com o quanto você sabe até que saibam o quanto você se importa". Esse é um ponto fundamental na interação entre profissionais de saúde e pacientes/familiares. A estrutura do discurso, gestual e comportamento relaciona-se à sensação de segurança com o tratamento oferecido e à percepção de que a equipe está verdadeiramente interessada. Tudo isso é o ponto de partida na construção de uma relação de confiança entre profissionais de saúde e pacientes/familiares. A literatura sobre comunicação em cuidados paliativos oferece várias orientações sobre técnicas para transmitir a sensação de estar ouvindo atentamente o paciente.[12] Isso inclui usar o silêncio, manter contato visual, fazer gestos de aprovação, adotar uma postura receptiva, usar interjeições como "humhum" e incentivar o paciente a falar mais. No entanto, essas técnicas, por si só, não são suficientes se não houver uma genuína preocupação com o paciente. Se não partirmos do princípio de que nos importamos de verdade com a pessoa à nossa frente, essas abordagens parecerão mecânicas e insinceras. Portanto, o primeiro passo para uma comunicação eficaz é adotar internamente uma atitude compassiva, reconhecendo o valor intrínseco do paciente e de sua família como seres humanos e tendo a intenção genuína de aliviar seu sofrimento. Infelizmente, isso não é algo óbvio, e há evidências consistentes de que os médicos podem perder empatia ao longo de sua formação;[13]
- **Escuta compassiva:** a comunicação se inicia com o processo de escuta. Apesar de algo extremamente corriqueiro no cotidiano do ser humano, o processo de escuta pode ocorrer em diferentes níveis de profundidade, o que influenciará como a comunicação se desdobrará entre as partes envolvidas e na qualidade da conexão que ocorrerá entre elas. Otto Scharmer descreve que a escuta pode acontecer em quatro diferentes níveis de profundidade, compiladas na Figura 122.2. A profundidade da escuta relaciona-se com a conexão que se constrói entre as partes e a possibilidade da construção de uma relação de respeito mútuo e colaboração. Para uma comunicação efetiva dentro do contexto dos cuidados paliativos, com ênfase na escuta do sofrimento do paciente para encaminhamento/tratamento das necessidades que emergem, espera-se que o profissional de saúde consiga atingir o terceiro ou quarto nível de escuta, atentando para o tom da voz, pausas e mensagens implícitas.[14] Essa escuta envolve estar totalmente presente para o sofrimento dos outros e ela começa com a atitude interna mencionada anteriormente. O segundo aspecto da escuta compassiva é buscar compreender os sentimentos e necessidades do interlocutor a partir da observação.[15] Não é necessário acertar precisamente os sentimentos e necessidades, mas fazer um esforço para compreendê-los. Esse empe-

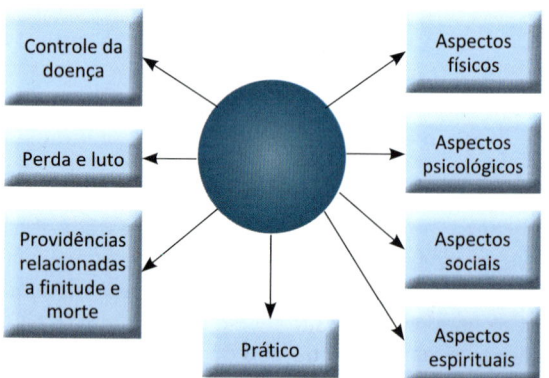

▲ **Figura 122.1** Múltiplas causas de sofrimento durante a experiência de uma enfermidade crônica e ameaçadora da vida.

nho cria uma conexão terapêutica com os pacientes/familiares, transmitindo-lhes a sensação de apoio em seu sofrimento e reconhecimento de seu valor como indivíduos. Para tanto, a escuta compassiva requer que sejam evitadas três práticas comuns: julgar, tentar minimizar a situação e oferecer conselhos ou soluções imediatamente.[15] Embora conselhos e soluções possam ser úteis, é importante primeiro estabelecer a conexão pela escuta compassiva. Depois, discute-se outras estratégias para lidar com os problemas de forma mais eficaz. Para praticar a escuta compassiva, deve-se buscar compreender o que está por trás das palavras e gestos do paciente/familiares. Por exemplo, quando um paciente recusa um tratamento ou pede uma intervenção que parece inadequada, pode-se inicialmente tentar entender os motivos e sentimentos que estão por trás dessa decisão. Isso muitas vezes revelará medos, crenças e sofrimentos subjacentes, o que permitirá respostas mais apropriadas por parte da equipe.[15] A preocupação excessiva com o conteúdo a ser discutido também pode prejudicar a comunicação efetiva. A fala possui potencial para auxiliar, mas também para distanciar as relações, especialmente quando ligada a jargões e clichês. As palavras usadas devem ser acessíveis ao paciente, breves e concisas. O objetivo principal é entender a perspectiva do paciente e conectar-se a seus sentimentos e necessidades por meio do entendimento de suas crenças, experiências e seus valores significativos, e não dar sermões extensos;[16]

- **Humildade cultural:** o princípio da humildade cultural, originalmente proposto na educação médica,[17] busca adotar uma atitude respeitosa e aberta à perspectiva dos pacientes e seus familiares. Para tanto busca-se evitar julgamentos e refletir criticamente sobre como aspectos culturais pessoais e profissionais da equipe de saúde po-

dem influenciar a oferta dos cuidados. A falta de humildade cultural pode levar a postura paternalista e imposição velada de valores.[18] Possui como princípio básico o reconhecimento de que pessoas diferentes possuem visões de vida e mundo diversas, e uma mesma situação clínica pode ser considerada ao mesmo tempo aceitável para algumas pessoas, e pior do que a morte para outras. Essa investigação de valores possui como base preferencialmente o autorrelato do paciente, entretanto, na impossibilidade, o responsável legal/familiar próximo deve ser envolvido no processo. Após o compartilhamento inicial dessas informações, cabe ao profissional de saúde verificar a compreensão do que lhe foi relatado. (p. ex.: "Se eu entendi corretamente o que você me contou, é provável que se seu pai soubesse que estaria numa situação como esta, que a prioridade dele seria..."). Após confirmar a informação, cabe ao profissional de saúde discutir opções específicas de tratamento e sugerir abordagens consistentes com esses valores (p. ex.: "Com base nesse entendimento, eu recomendo que façamos... porque... Isso faz sentido para você?"). Cabe destacar que se trata de um processo de decisão compartilhada, no qual ambas as partes contribuem com informações relevantes para que em conjunto seja delineado um caminho coerente, digno e seguro a ser seguido.[19]

Todas essas habilidades de comunicação devem estar ligadas, sempre, à prática da presença do profissional de saúde. A presença é vivenciada por meio da sensação de "estar com" alguém, e tem como seu oposto as sensações de solidão, isolamento e desconexão. Um aspecto central para a prática da presença é colocar-se vulnerável. A vulnerabilidade permite ao profissional reconhecer sua própria humanidade, falibilidade e mortalidade. Em grande medida, apenas conseguimos nos conectar autenticamente com outras pessoas quando nos reconhecemos e aceitamos em nossa própria vulnerabilidade, que está intimamente ligada à vergonha e ao medo, mas também ao amor, ao pertencimento e ao sentido não somente para o paciente, mas também para o profissional envolvido no cuidado.[19]

Essas habilidades, quando utilizadas na prática clínica, exercem grande impacto tanto na qualidade da assistência oferecida como na qualidade de vida do paciente e dos próprios profissionais de saúde.

Comunicação na Sala de Cirurgia

Dentro do contexto cirúrgico, geralmente a comunicação acontece de forma bastante direta, no entanto, em situações que envolvem a terminalidade ou pacientes em cuidado paliativo, agrega-se uma maior complexidade a este processo por questões técnicas, clínicas, emocionais e/ou filosóficas. Nessas situações, os objetivos, valores e compreensão situacional do paciente e da família devem ser considerados e ponderados à luz da experiência, valores e tolerância ao risco de todos os membros da equipe prestadora dos cuidados. Nessas situações, a comunicação efetiva pode ser considerada como parte importante do procedimento anestésico-cirúrgico.[20]

Dentro da sala de cirurgia, destaca-se a comunicação de notícias difíceis e em situações de conflito como as mais

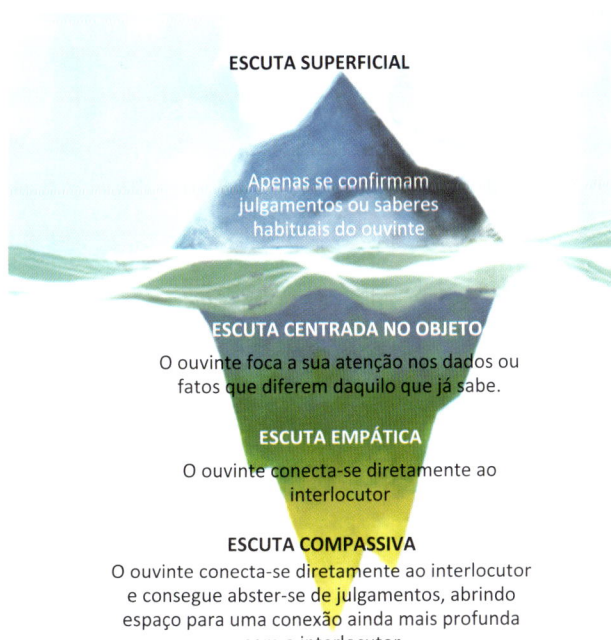

Figura 122.2 Diferentes níveis de escuta propostos por Otto Scharmer.
Fonte: Scharmer CO, 2018.[14]

desafiadoras para toda a equipe cirúrgica. A comunicação de notícias difíceis pode ser comparada a um procedimento invasivo que requer a mesma atenção e dedicação/treinamento que despendemos para realizar o procedimento cirúrgico de forma segura e responsável. Dar uma má notícia e realizar uma cirurgia/anestesia exigem treinamento apropriado, avaliação contínua do impacto da intervenção no destinatário e no pós-operatório. Existe uma tendência atual na introdução de *checklists* para melhora na qualidade e segurança do procedimento cirúrgico. O uso desse tipo de ferramenta também pode ajudar no processo de comunicação.[21] A Figura 122.3 traz o protocolo de comunicação PACIENTE, adaptação para a língua portuguesa do protocolo SPIKES de comunicação de más notícias, um dos mais utilizados mundialmente para o treinamento de habilidades de comunicação de más notícias em saúde.

Diretiva Antecipada de Vontade Dentro do Centro Cirúrgico, Tendo a Reanimação Cardiopulmonar como Exemplo

As diretivas antecipadas de vontade são um documento que permite que o paciente expresse suas preferências e decisões quanto aos cuidados médicos que deseja receber, ou não, no caso de se tornar incapaz de tomar decisões por si mesmo. Esse documento permite antecipar cenários médicos futuros e estabelecer escolhas em relação a trata-

mentos, procedimentos médicos, intervenções ou ressuscitação de acordo com valores e prioridades do paciente. A recomendação é que toda diretiva antecipada de vontade seja reavaliada quando há mudanças no estado do paciente, um novo diagnóstico ou a necessidade de cuidados, incluindo a realização de uma cirurgia. Esse documento oferece um meio importante para que os pacientes mantenham o controle sobre suas decisões de saúde, promovendo a autonomia e a dignidade no processo de cuidados médicos. Respeitar essa autonomia significa reconhecer o direito do paciente de rejeitar intervenções indesejadas e fornecer orientação alinhada aos objetivos de cuidado do paciente.

Nessa perspectiva, é frequente que se priorize o tempo para explicação de detalhes técnicos dos procedimentos médicos em detrimento da discussão dos possíveis resultados relacionados a esses procedimentos. No contexto dos cuidados paliativos, entretanto, tendo em vista que o sofrimento humano é o valor central a ser cuidado, informações sobre os procedimentos em si agregam pouca clareza a esse processo, especialmente dentro do contexto de uma unidade de terapia intensiva ou centro cirúrgico, onde o paciente está continuamente assistido e monitorizado.

Deve-se, portanto, buscar discutir com o paciente os resultados clínicos prováveis das intervenções médicas (p. ex.: «*Como ficarei após a cirurgia?*») e o quanto esses resultados são compatíveis com os valores e prioridades naquele momento. Essas informações são essenciais para

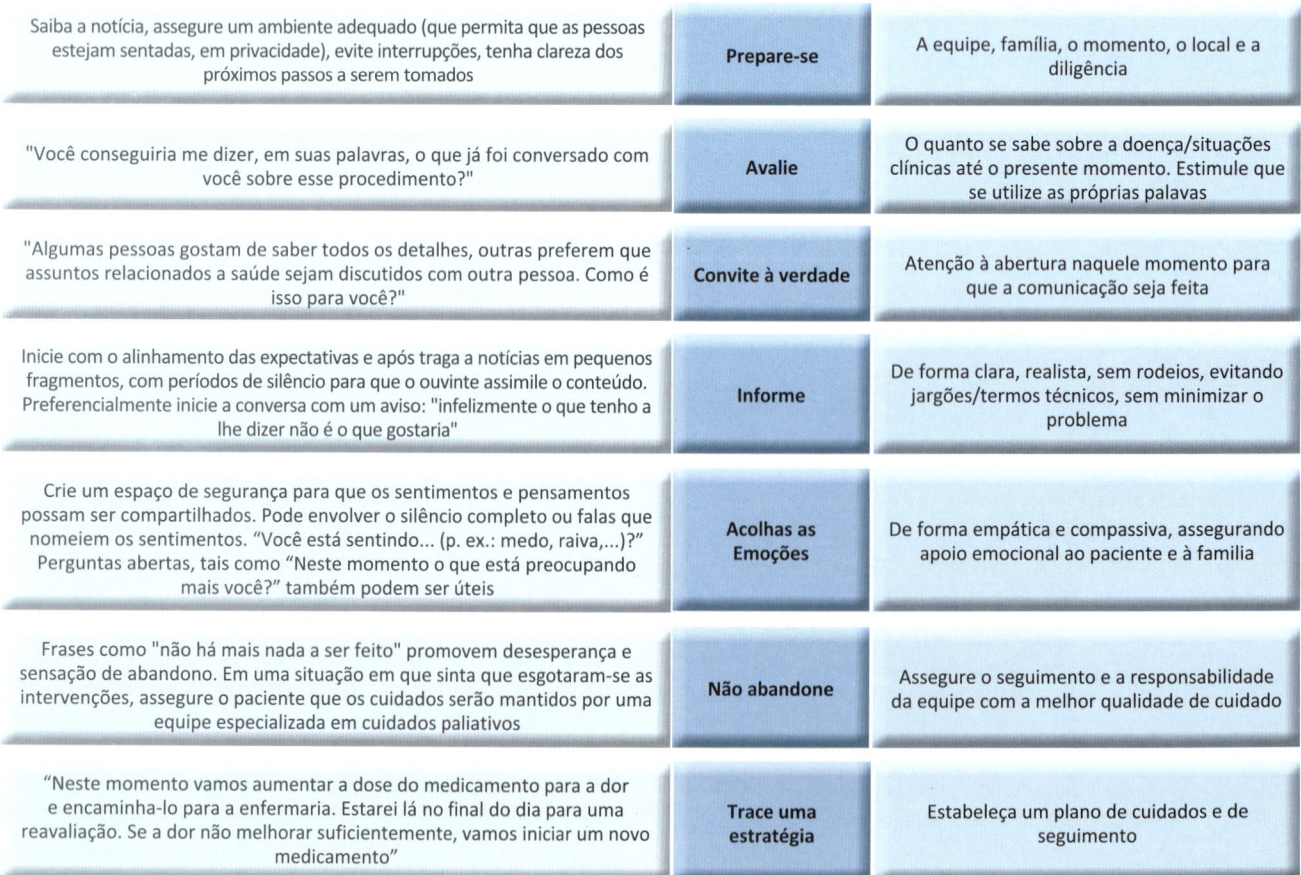

▲ **Figura 122.3** Protocolo PACIENTE de comunicação de más notícias.
Fonte: Pereira CR, e col., 2017.[21]

que o paciente e familiares possam avaliar adequadamente a relação entre os riscos e benefícios do procedimento.[22] Muitos conflitos e discordâncias, entre paciente/familiares e equipe de saúde e mesmo entre paciente e familiares relacionam-se muito mais a discordâncias nas **estratégias** propostas para atingir o que se entende por uma vida digna e ter as necessidades atendidas.[15] Uma vez que alcançamos clareza dos valores e necessidades que estão envolvidos no conflito, tem-se a oportunidade de buscar outras estratégias para atendê-las. Por exemplo, em um conflito entre dois filhos sobre como cuidar do pai com demência que evoluiu com uma obstrução intestinal aguda. Um profissional de saúde habilidoso pode ajudá-los a perceber que ambos possuem a mesma necessidade: proteger o pai do sofrimento. A discordância está apenas na estratégia para atender a essa necessidade. Reconhecer esse objetivo comum pode facilitar a busca de um consenso sobre a melhor abordagem, levando em consideração as vantagens e desvantagens de cada estratégia.

Especialmente em pacientes em cuidados paliativos, é frequente constar em prontuário uma sinalização para não reanimação entre as preferências para os cuidados no fim da vida. Essa escolha está relacionada ao entendimento de que esta apenas prolonga o processo de morte, sem contribuir para qualidade de vida. Dentro do contexto dos cuidados ambulatoriais, ou mesmo dentro de uma internação em enfermaria de cuidados paliativos, os limites da eficácia desse tipo de procedimento e a relação entre ônus e possíveis benefícios, apesar de complexo, é mais linear do que dentro do ambiente de uma sala de cirurgia ou unidade de terapia intensiva. Para que pacientes e famílias tomem essas decisões, é vital ter uma visão realista do processo da doença, do provável resultado da RCP, das chances de recuperação da circulação espontânea e sobrevivência até a alta hospitalar, bem como das possíveis complicações das tentativas de RCP, incluindo lesões cerebrais por falta de oxigênio e traumas físicos. Ao considerar o desejo pela não realização de RCP no contexto perioperatório, é crucial avaliar se a parada cardíaca e a reanimação no centro cirúrgico, sala de radiologia intervencionista ou laboratório de cateterismo cardíaco, diferem daquelas em outros locais do hospital.

Cabe destacar que tanto as compressões torácicas quanto a desfibrilação foram originalmente desenvolvidas para situações cirúrgicas e depois estendidas a outros ambientes. A parada cardíaca no centro cirúrgico pode estar relacionada à doença subjacente do paciente ou a complicações anestésicas ou cirúrgicas. Nesse ambiente, o paciente é continuamente monitorado, e assistido por um profissional de saúde e, por esse motivo, tais manobras geralmente têm melhores resultados quando realizadas no centro cirúrgico do que em outros lugares do hospital. Quando a parada cardíaca é devido à anestesia, a taxa de recuperação pode ser ainda maior.[23] Além disso, muitas manobras de reanimação clássicas (intubação, ventilação, suporte inotrópico) fazem parte do cuidado anestésico. As únicas adições à RCP são compressões torácicas e desfibrilação.

Como a RCP tem maior probabilidade de sucesso dentro do contexto de uma sala de cirurgia, o pêndulo de valores entre riscos e benefícios muda, e o paciente pode tomar de-

cisões diferentes sobre o valor de tais manobras no período perioperatório. Assim, a manifestação do desejo de não reanimação, no âmbito de uma diretiva antecipada de vontade, não significa que o paciente tenha desejo de morrer. O paciente pode acreditar que o ônus da tentativa de RCP, ou de sobreviver após a RCP com baixa qualidade de vida, não se alinham com suas preferências para o fim da vida. Dessa forma, a reversão rápida de uma parada cardíaca no centro cirúrgico, com um curto período de hipóxia, pode ser uma conduta adequada às preferências desse paciente.[23]

A documentação de um pedido de não reanimação também traz questionamentos quanto a necessidade do procedimento cirúrgico. Trata-se de uma discussão extremamente relevante (a ser feita com o paciente e familiares) que precisa estar atrelada à investigação dos valores envolvidos nessa decisão. Essa discussão deve levar em conta também que, dentro do contexto de uma anestesia geral, a não RCP envolve apenas não desfibrilação e não realização das manobras de compressão torácica. O ponto mais importante, que deve ficar claro para todas as partes envolvidas, é que esse tipo de pedido não implica no não tratamento do paciente. Existem muitos procedimentos paliativos associados a diferentes níveis de risco e que podem contribuir para o alívio da dor e/ou melhora da qualidade de vida, apesar da doença subjacente. Tais procedimentos podem incluir traqueostomia, gastrostomia, colocação de *stents*, fixação de fraturas patológicas ou abordagem cirúrgica de uma obstrução intestinal maligna. Como em qualquer outra cirurgia, a consideração cuidadosa e a discussão dos riscos e benefícios potenciais são essenciais.

Dessa forma, dentro do contexto cirúrgico, a discussão dos desejos do paciente quanto a suporte básico/avançado de vida baseado na realização ou não de procedimentos (como RCP) pode trazer uma visão simplista e pouco efetiva no ambiente da sala de cirurgia. Para esse cenário, uma abordagem centrada nos valores do paciente permite determinar quais desfechos implicaram em grande sofrimento para ele, e, a partir dessa informação, o anestesiologista pode decidir quanto ao benefício ou não de determinada intervenção quando se fizer necessária. Por exemplo, um paciente pode expressar que teme um déficit cognitivo grave e, diante disso, a equipe cirúrgica entende que o paciente aceitaria manobras de reanimação desde que não evolua para uma lesão cerebral anóxica. Tal direcionamento aproxima-se mais dos valores do paciente do que uma recomendação para não reanimação ou lista de procedimentos que o paciente considera cabíveis naquele momento.

■ O ANESTESIOLOGISTA E O CUIDADO PALIATIVO, UMA RELAÇÃO ALÉM DO PALIATIVISMO

Para alcançar os objetivos dos cuidados paliativos, todas as suas quatro dimensões devem ser abordadas: somática, espiritual, social e psicológica, o que somente se torna possível graças a uma estreita colaboração dos profissionais com distintas formações. Para os pacientes que são cuidados em suas casas, o médico generalista, apoiado pela equipe de enfermagem, geralmente é o principal cuidador e o responsável pelo paciente. Caso seja necessário, a equipe especializada em cuidados paliativos deve estar disponibilizada a qualquer momento para orientação da equipe. Idealmente, é composta por médicos, enfermeiros, psicólogo, fisioterapeuta, capelão e assistente social. O anestesiologista é um desses profissionais médicos que pode contribuir para que os objetivos dos cuidados do paciente sejam alcançados.[24]

Anestesiologistas desempenham papel importante nos cuidados paliativos, pois possuem conhecimentos avançados no tratamento de situações complexas de pacientes com múltiplas morbidades e em condições instáveis. Isso facilita a compreensão das necessidades de controle de sintomas em situações refratárias de pacientes em uma trajetória paliativa.[24]

Além disso, dado que a dor é um sintoma muito prevalente no final da vida, em particular no Brasil, onde muitos centros de dor multidisciplinares são organizados por anestesiologistas, há uma alta conectividade entre estes especialistas e os grupos de tratamento de pacientes paliativos. Além da dor, anestesiologistas têm vasta experiência com técnicas de sedação contínua e intermitente que serão úteis em pacientes com sintomas refratários (p. ex.: sedação paliativa).[24]

Reconhecidamente, anestesiologistas estão cada vez mais treinados nos princípios básicos, mas também nos avançados, dos cuidados paliativos, tornando-se consultores e especialistas médicos em medicina paliativa em equipes especializadas de cuidados paliativos. Anestesiologistas frequentemente também participam de forma ativa da realização de cirurgias que têm como objetivo a melhorar da qualidade de vida de pacientes no final de suas vidas. Essas intervenções cirúrgicas não estão isentas de riscos, motivo pelo qual os anestesiologistas são importantes na avaliação pré-operatória e preparação do paciente, além do gerenciamento perioperatório dos cuidados. A experiência do anestesiologista é crucial para considerar questões como a necessidade da intervenção e a chance de alívio dos sintomas, o impacto da intervenção e das complicações e a condição física do paciente.[24]

■ DEVER ÉTICO DO MÉDICO ANESTESIOLOGISTA

Graças às suas habilidades profissionais que incluem conhecimento em farmacologia analgésica e sedativa; habilidades refinadas na titulação de medicamentos; e experiência no tratamento de pacientes graves e de seus familiares altamente ansiosos em circunstâncias estressantes, os anestesiologistas são qualificados para lidar com portadores de enfermidades terminais.[25] Por esse motivo, quando anestesiologistas são envolvidos no tratamento de pacientes terminais, o nível de cuidado é considerado qualitativamente melhor do que teriam recebido de outra forma.[26]

Entretanto, são poucos os estudos que avaliaram o papel do anestesiologista especialista em dor no tratamento do problema de saúde pública associado ao controle insuficiente da dor em pessoas com doenças avançadas.[25] Uma pesquisa na Escócia sugere que entre 8% a 20% dos pacientes com câncer têm indicações para serem avaliados por especialistas em dor, mas poucos são de fato encaminhados para uma consulta especializada. Vários são os motivos aventados para o pouco envolvimento de especialistas em dor no tratamentos desses pacientes, entre eles a falta de acordos formais entre os serviços e a ausência de experiência adequada e as atitudes dos especialistas em medicina paliativa.[27] Esses fatos demonstram a importância do envolvimento de anestesiologistas no tratamento desses pacientes.

Mas não apenas o especialista em dor pode desempenhar papel no tratamento de pacientes em cuidados paliativos. Estes indivíduos frequentemente recebem indicação de procedimentos que necessitam de sedação ou anestesia, momento em que anestesiologistas com formação generalista acabam sendo envolvidos. Em trabalho realizado com amostra representativa dos anestesiologistas brasileiros, em sua grande maioria, esses profissionais aceitam a morte como evento integrante da vida e optam pela proteção do direito à dignidade da pessoa humana em detrimento do prolongamento da existência. Entretanto, não é raro esse especialista se defrontar com situações em que não concorda com a realização de procedimentos que demandam sua atuação por não oferecerem proteção à dignidade do paciente. Neste caso, muitos anestesiologistas praticam a distanásia em coautoria, ainda que a contragosto, o que lhes gera frustração, indignação, entre outros sentimentos negativos.[28]

Assim, o anestesiologista ciente de seu deve médico, tem por obrigação conhecer os princípios elementares que norteiam a atuação do médico frente ao adoecimento avançado de um paciente. Isso permite que sua atuação profissional seja a mais ética e tecnicamente aceitável, evitando situações que desfavoreçam o bem-estar do paciente, mas também do profissional zeloso pelo seu paciente e familiares deste.

Há duas situações clínicas em particular que a atuação dos médicos anestesiologistas é importante para a melhor qualidade de vida dos pacientes: na analgesia da dor intratável e na sedação de pacientes com outros sintomas também refratários. Anestesiologistas possuem o treinamento e conhecimento farmacológico para o melhor desempenho dessas atividades. Além disso, executam intervenções terapêuticas que permitem o alívio da dor em situações nos quais os tratamentos medicamentosos não resultaram em benefício satisfatório ao paciente.[25]

A sedação paliativa pode se tornar a única opção terapêutica quando o sofrimento intratável, exaustão existencial, fadiga, desespero terminal e síndrome de desmoralização ocorrem. É o processo de eliminar a consciência em pacientes angustiados ou exaustos, com doenças em estágio avançado, que não se espera que vivam por muito tempo.

O pedido de sedação profunda pelo paciente ou por seu procurador pode ou não vir acompanhado do desejo de «encerrar tudo». Entretanto, por razões éticas e legais, é importante esclarecer e definir quais são os objetivos desta técnica: aliviar o sofrimento causado pela consciência, o que é distinto do propósito de causar ou apressar a morte. Essa distinção ética e legal é crucial para que se estabeleça a base para comunicações claras.[25]

■ CONCLUSÕES

O anestesiologista generalista tem dever de conhecer as interfaces de sua prática clínica com o cuidado do paciente no final da vida. Para tal, deve entender os conceitos norteadores da medicina paliativa, do trabalho em equipe e da adequada comunicação. Já o anestesiologista com especialização no tratamento da dor e em medicina paliativa possui habilidades que superam às do generalista e, assim, contribui de forma definitiva na obtenção de melhor qualidade de vida para os pacientes portadores de doenças avançadas. Todos, entretanto, têm dever ético de atuarem junto com os demais profissionais de saúde para que as condutas tenham como prioridade o tratamento ético dos que estão no final de suas vidas.

REFERÊNCIAS

1. Paiva CF, Santos TCF, Costa L de MC, Almeida Filho AJ de. Trajetória dos cuidados paliativos no mundo e no Brasil. In: Potencial interdisciplinar da enfermagem: histórias para refletir sobre o tempo presente [Internet]. Editora Aben; 2022. p. 41–9. Available from: https://publicacoes.abennacional.org.br/ebooks/e9-historia-cap4.
2. Menezes RA. Em busca da boa morte: antropologia dos cuidados paliativos [Internet]. Editora FIOCRUZ; 2004. Disponível em: http://books.scielo.org/id/sgprn. 978-65-5708-112-9.
3. Lemonica L, Barros GAM. Botucatu, Brazil: A Regional Community Palliative Care Model. J Pain Symptom Manage [Internet]. 2007 May;33(5):651–4. Disponível em: https://linkinghub.elsevier.com/retrieve/pii/S088539240700125X.
4. Tavares de Carvalho R. Medicina Paliativa no Brasil: 10 anos de atuação [Internet]. Escola de Educação Permanente da USP. 2023. Disponível em: https://eephcfmusp.org.br/portal/online/cuidados-paliativos-brasil/.
5. IAHPC Palliative Care Definition [Internet]. International Association for Hospice & Palliative Care (IAHPC). 2019. Disponível em: https://hospicecare.com/what-we-do/projects/consensus-based-definition-of-palliative-care/definition/#:~:text=Palliative care%3A,interventions must be evidence based.
6. Vidal E, Fukushima F. Cuidados Paliativos e Comunicação. In: Geriatria: prática clínica, 2a ed. São Paulo: Manole, 2023: 559–71. São Paulo: Manole; 2023.
7. Palliative care [Internet]. World Health Organization. 2020. Disponível em: https://www.who.int/news-room/fact-sheets/detail/palliative-care.
8. Oliveira RA de. Cuidado Paliativo do CREMESP. São Paulo: CREMESP; 2008. p. 689.
9. Temel JS, Greer JA, Muzikansky A, Gallagher ER, Admane S, Jackson VA, et al. Early Palliative Care for Patients with Metastatic Non–Small-Cell Lung Cancer. N Engl J Med [Internet]. 2010 Aug 19;363(8):733–42. Disponível em: http://www.nejm.org/doi/abs/10.1056/NEJMoa1000678.
10. Cassel EJ. The Nature of Suffering and the Goals of Medicine. N Engl J Med [Internet]. 1982 Mar 18;306(11):639–45. Disponível em: http://www.nejm.org/doi/abs/10.1056/NEJM198203183061104.
11. Lambert LA. Communication in surgery: the therapy of hope. Ann Palliat Med [Internet]. 2022 Feb;11(2):958–68. Disponível em: https://apm.amegroups.com/article/view/87504/html.
12. Emanuel L, Librach S. Palliative care: Core skills and clinical competencies, expert consult online and print [Internet]. 2a ed. Elsevier, editor. Elsevier; 2011. 724 p. Disponível em: https://linkinghub.elsevier.com/retrieve/pii/C20090420506.
13. Neumann M, Edelhäuser F, Tauschel D, Fischer MR, Wirtz M, Woopen C, et al. Empathy Decline and Its Reasons: A Systematic Review of Studies With Medical Students and Residents. Acad Med [Internet]. 2011 Aug;86(8):996–1009. Disponível em: http://journals.lww.com/00001888-201108000-00024.
14. Scharmer C. The essentials of Theory U: core principles and applications. 1st ed. Oakland, CA: Berrett-Koehler Publishers; 2018. p. 168.
15. Lee CA, Kessler CM, Varon D, Martinowitz U, Heim M, ROSENBERG M, et al. Nonviolent (empathic) communication for health care providers. Haemophilia [Internet]. 1998 Jul 6;4(4):335–40. Disponível em: https://onlinelibrary.wiley.com/doi/10.1046/j.1365-2516.1998.440335.
16. Street RL, Makoul G, Arora NK, Epstein RM. How does communication heal? Pathways linking clinician–patient communication to health outcomes. Patient Educ Couns [Internet]. 2009 Mar;74(3):295–301. Disponível em: https://linkinghub.elsevier.com/retrieve/pii/S0738399108006319.
17. Tervalon M, Murray-García J. Cultural Humility Versus Cultural Competence: A Critical Distinction in Defining Physician Training Outcomes in Multicultural Education. J Health Care Poor Underserved [Internet]. 1998;9(2):117–25. Disponível em: http://muse.jhu.edu/content/crossref/journals/journal_of_health_care_for_the_poor_and_underserved/v009/9.2.tervalon.html.
18. Vidal EI de O, Kovacs MJ, Silva JJ da, Silva LM da, Sacardo DP, Bersani AL de F, et al. Posicionamento da ANCP e SBGG sobre tomada de decisão compartilhada em cuidados paliativos. Cad Saude Publica [Internet]. 2022;38(9). Disponível em: http://www.scielo.br/scielo.php?script=sci_arttext&pid=S0102-311X2022000900501&tlng=pt.
19. Brown B. A Arte da Imperfeição. 1a ed. Editora Novo Conceito; 2012.
20. Thomay AA, Jaques DP, Miner TJ. Surgical Palliation: Getting Back to Our Roots. Surg Clin North Am [Internet]. 2009 Feb;89(1):27–41. Disponível em: https://linkinghub.elsevier.com/retrieve/pii/S0039610908001746.
21. Pereira CR, Calônego MAM, Lemonica L, Barros GAM de. The P-A-C-I-E-N-T-E Protocol: An instrument for breaking bad news adapted to the Brazilian medical reality. Rev Assoc Med Bras [Internet]. 2017 Jan;63(1):43–9. Disponível em: http://www.scielo.br/scielo.php?script=sci_arttext&pid=S0104-42302017000100043&lng=en&tlng=en.
22. Pfeifer MP, Sidorov JE, Smith AC, Boero JF, Evans AT, Settle MB. The discussion of end-of-life medical care by primary care patients and physicians. J Gen Intern Med [Internet]. 1994 Feb;9(2):82–8. Disponível em: http://link.springer.com/10.1007/BF02600206.
23. Braghiroli KS, Braz JRC, Rocha B, El Dib R, Corrente JE, Braz MG, et al. Perioperative and anesthesia-related cardiac arrests in geriatric patients: a systematic review using meta-regression analysis. Sci Rep [Internet]. 2017 Jun 1;7(1):2622. Disponível em: https://www.nature.com/articles/s41598-017-02745-6.
24. Vissers KCP, van den Brand MWM, Jacobs J, Groot M, Veldhoven C, Verhagen C, et al. Palliative Medicine Update: A Multidisciplinary Approach. Pain Pract [Internet]. 2013 Sep 14;13(7):576–88. Disponível em: https://onlinelibrary.wiley.com/doi/10.1111/papr.12025.
25. Fine PG. The Evolving and Important Role of Anesthesiology in Palliative Care. Anesth Analg [Internet]. 2005 Jan;100(1):183–8. Disponível em: http://journals.lww.com/00000539-200501000-00034.
26. Mercadante S, Villari P, Ferrera P. A model of acute symptom control unit: Pain Relief and Palliative Care Unit of La Maddalena Cancer Center. Support Care Cancer [Internet]. 2003 Feb;11(2):114–9. Disponível em: http://link.springer.com/10.1007/s00520-002-0403-y.
27. Linklater GT, Leng ME, Tiernan EJ, Lee MA, Chambers WA. Pain management services in palliative care: a national survey. Palliat Med [Internet]. 2002 Jul 1;16(5):435–9. Disponível em: http://journals.sagepub.com/doi/10.1191/0269216302pm535oa.
28. Cavalcante RS, Barros GAM de, Ganem EM. O anestesiologista frente à terminalidade. Brazilian J Anesthesiol [Internet]. 2020 May;70(3):225–32. Disponível em: https://linkinghub.elsevier.com/retrieve/pii/S0034709420303238.

Recuperação
Pós-anestésica

Organização e Cuidados na Recuperação Pós-anestésica

Luiz Fernando dos Reis Falcão ▪ José Luiz Gomes do Amaral

INTRODUÇÃO

A recuperação pós-anestésica é definida como o período compreendido entre a interrupção da administração de anestésicos e o retorno das condições basais do paciente. As atividades de monitorização e os tratamentos utilizados após um procedimento anestésico-cirúrgico são estabelecidos nesse período.

Os primeiros relatos sobre a existência de um local, criado por Florence Nightingal,[1] onde os pacientes eram cuidadosamente observados no período pós-anestésico-cirúrgico imediato são de meados do século XIX, de um hospital na Inglaterra. Relatos posteriores da Sala de Recuperação Pós-Anestésica (SRPA) só surgiram nas décadas de 1920 e 1930 do século XX, e apenas nos Estados Unidos. Entretanto, foram se multiplicando progressivamente, principalmente durante e após a Segunda Grande Guerra Mundial. Em 1988, a *American Society of Anesthesiologists* (ASA) estabeleceu os padrões dos cuidados pós-operatórios, apresentando a última atualização em 2019.

No Brasil, a existência obrigatória da SRPA em hospitais foi determinada pela Portaria 400 do Ministério da Saúde, em 1977. A resolução do CFM nº 1363/93, que trata da segurança em anestesia, estabeleceu, no artigo IV, que "todo o paciente após a cirurgia deverá ser removido para a sala de recuperação pós-anestésica" e no artigo VIII, que "os critérios de alta do paciente no período de recuperação pós-anestésica são de responsabilidade intransferível do anestesista". Em 2017, foi criada a Resolução CFM nº 2174/17, que revoga a Resolução CFM nº 1802/06, que determina em relação à SRPA:

Art. 6º Após a anestesia, o paciente deve ser removido para a sala de recuperação pós-anestésica (SRPA) ou para o/a centro (unidade) de terapia intensiva (CTI), conforme o caso, sendo necessário um médico responsável para cada um dos setores (a presença de médico anestesista na SRPA).

Art. 7º Nos casos em que o paciente for encaminhado para a SRPA, o médico anestesista responsável pelo procedimento anestésico deverá acompanhar o transporte.

§ 1º Existindo médico plantonista responsável pelo atendimento dos pacientes em recuperação na SRPA, o médico anestesista responsável pelo procedimento anestésico transferirá ao plantonista a responsabilidade pelo atendimento e continuidade dos cuidados até a plena recuperação anestésica do paciente.

§ 2º Não existindo médico plantonista na SRPA, caberá ao médico anestesista responsável pelo procedimento anestésico o pronto atendimento ao paciente.

§ 3º Enquanto aguarda a remoção, o paciente deverá permanecer no local onde foi realizado o procedimento anestésico, sob a atenção do médico anestesista responsável pelo procedimento.

§ 4º É incumbência do médico anestesista responsável pelo procedimento anestésico registrar na ficha anestésica todas as informações relevantes para a continuidade do atendimento do paciente na SRPA pela equipe de cuidados, composta por enfermagem e médico plantonista alocados em número adequado.

§ 5º A alta da SRPA é de responsabilidade exclusiva de um médico anestesista ou do plantonista da SRPA.

§ 6º Na SRPA, desde a admissão até o momento da alta, os pacientes permanecerão monitorizados e avaliados clinicamente, quanto:

a) à circulação, incluindo aferição da pressão arterial e dos batimentos cardíacos e determinação contínua do ritmo cardíaco por meio da cardioscopia;

b) à respiração, incluindo determinação contínua da saturação periférica da hemoglobina;

c) ao estado de consciência;

d) à intensidade da dor;

e) ao movimento de membros inferiores e superiores pós-anestesia regional;

f) ao controle da temperatura corporal e dos meios para assegurar a normotermia; e

g) ao controle de náuseas e vômitos.

Art. 8º Nos casos em que o paciente for removido para o Centro de Terapia Intensiva (CTI), o médico anestesista responsável pelo procedimento anestésico deverá acompanhar o transporte do paciente até o CTI, transferindo-o aos cuidados do médico plantonista.

§ 1º É responsabilidade do médico anestesistas responsável pelo procedimento anestésico registrar na ficha anestésica todas as informações relevantes para a continuidade do atendimento do paciente pelo médico plantonista do CTI.

§ 2º Enquanto aguarda a remoção, o paciente deverá permanecer no local onde foi realizado o procedimento anestésico, sob a atenção do médico anestesista responsável.

Atualmente, a existência das SRPA nos centros cirúrgicos (CC) é obrigatória e determinada por lei, com maior ou menor facilidade de equipamento e de pessoal especializado.

ORGANIZAÇÃO DA UNIDADE DE RECUPERAÇÃO PÓS-ANESTÉSICA

As características das SRPA são singulares e devem obedecer a uma padronização.

- **Localização:** dentro do CC, com portas amplas que permitam a passagem de equipamentos de maior porte.
- **Número de leitos:** depende do número de salas cirúrgicas e dos procedimentos que são realizados. A relação de um leito de recuperação para cada duas ou três salas cirúrgicas cumpre as necessidades da maioria dos CC. Nas horas de maior fluxo de pacientes, é necessário que os sistemas de transporte do CC para os leitos de origem sejam eficazes para que pacientes com alta não ocupem leitos desnecessariamente, dificultando, assim, o funcionamento da unidade. Quando o número de procedimentos cirúrgicos em regime ambulatorial é grande, são necessários dois a três leitos para cada sala cirúrgica, invertendo-se a relação acima.
- **Espaço por leito:** para as situações rotineiras, 9,5 m² são suficientes. Pacientes em situações especiais podem ter essa área dobrada. Os leitos móveis, com rodas que se movimentam sem ruído, devem ter dois tipos de inclinações, céfalo-declive e céfalo-aclive, associados a grades laterais dobráveis.
- **Iluminação, cor das paredes, piso:** se possível, área com amplas janelas para o exterior (com aproveitamento da luz do dia) e complementação com iluminação artificial e focos luminosos em todos os leitos. Dispositivos de regulação da intensidade luminosa permitem que os pacientes com permanência mais demorada não fiquem incomodados com o excesso de luz. A cor das paredes deve ser a mais neutra possível para evitar distorções na avaliação da coloração do paciente. O piso deve ser não escorregadio, de fácil limpeza, sem ruídos com a movimentação de macas e equipamentos.
- **Medicamentos:** devem estar disponíveis sobretudo analgésicos, antieméticos, antitérmicos, anti-inflamatórios, antagonistas (de opioides, benzodiazepínicos, bloqueadores neuromusculares), fármacos estimulantes ou depressores do Sistema Nervoso Autônomo, antiarrítmicos, antibióticos, anticonvulsivantes, heparina e antagonistas, antialérgicos, broncodilatadores, corticoides, além de soluções de infusão como cristaloides e coloides. Verificar prazos de validade.
- **Monitores básicos:** uma unidade de medidor de pressão arterial não invasiva, cardioscópio, termômetro e oxímetro de pulso por leito.
- **Equipamentos:** disponibilidade de nebulizadores, capnógrafos, aparelhos de ventilação artificial, eletrocardiógrafo, bombas de infusão, material para manutenção das vias aéreas (cânulas de Guedel, sondas traqueais, laringoscópio, máscara laríngea etc.), cateteres para pressão arterial invasiva, pressão venosa central e pressão da artéria pulmonar. Equipamento de emergência de reanimação cardiorrespiratória, marca-passo, transdutores e drenos. Cada leito deve ter suprimento de oxigênio, ar comprimido, vácuo e vários pontos de energia elétrica. Diversos tipos de agulhas, cateteres, bandeja para curativos e coletores de amostras para análise laboratorial devem estar continuamente disponíveis.
- **Pessoal responsável:** a maioria da SRPA é operada por enfermeiros bem treinados. Após a publicação da Resolução do CFM 2.174/2017, em seu parágrafo 5º, item C, é recomendado que "os hospitais mantenham um médico anestesista nas salas de recuperação pós-anestésica para cuidado e supervisão dos pacientes".

REGRESSÃO DA ANESTESIA: PARÂMETROS DE AVALIAÇÃO E MONITORIZAÇÃO DOS SINAIS VITAIS

A recuperação pós-anestésica é um processo dinâmico, com tempo variável, que depende da ação residual dos agentes anestésicos empregados. Processa-se em três fases:[2]

- **Imediata (minutos):** o paciente recobra a consciência, apresenta reflexos das vias aéreas superiores e movimentação.
- **Intermediária (minutos, horas):** restabelecimento da coordenação motora e atividade sensorial.
- **Tardia (horas):** normalidade motora e sensorial.

A fase imediata é alcançada quando o paciente é capaz de responder a estímulos verbais simples, como abrir os olhos, levantar a cabeça ou falar o próprio nome. Uma vez atingido esse ponto, ele pode ser transferido para a SRPA. O transporte do paciente deve ser supervisionado pelo anestesiologista que acompanhou o caso. Se por qualquer motivo ocorrer demora no despertar do paciente, ele pode ser transferido para a SRPA devendo ficar sob os cuidados do médico anestesista. Nesse momento, o paciente deve apresentar funções respiratórias e hemodinâmicas estáveis, sendo capaz de manter as vias aéreas desobstruídas e a saturação periférica de oxigênio (SpO$_2$) normal, com ou sem administração de oxigênio. Durante o transporte para a SRPA, a administração de oxigênio suplementar, principalmente para os pacientes de risco, é efetiva na prevenção e no tratamento da hipoxemia.[3]

Na fase intermediária, o paciente deve estar acordado e alerta, apresentando funções vitais semelhantes às do período pré-operatório, vias aéreas pérvias e presença dos reflexos de tosse e deglutição, SpO$_2$ acima de 92% em ar ambiente, além de apresentar mínimos efeitos colaterais (sonolência, tontura, dor, náuseas etc.). Os pacientes submetidos à anestesia ambulatorial atingem a fase intermediária da recuperação pós-anestésica quando são capazes de andar sozinhos. Efeitos colaterais como náuseas, vômitos, tontura, hipotensão ortostática e dor devem estar ausentes ou bem toleráveis. O paciente deve apresentar diurese espontânea e a realimentação já instituída com sucesso. Nesse ponto, o paciente está em condições de receber alta hospitalar, sempre acompanhado por um adulto responsável.

Normalmente, a fase intermediária para os procedimentos ambulatoriais é alcançada entre 60 e 180 minutos após o término da cirurgia. Atenção especial deve ser dada para evitar a permanência do paciente no ambulatório por período desnecessário, da mesma forma que cuidados devem ser tomados para não ocorrer a alta precoce. Os pacientes submetidos à anestesia regional devem apresentar o bloqueio sensitivo inferior a T$_{12}$, presença de função motora nos membros inferiores ou teste ortostático positivo, que prevê manutenção dos níveis de pressão arterial (ao redor de 90% do basal), após ficar sentado por cinco minutos. Nos pacientes ambulatoriais, o bloqueio regional deve estar totalmente ausente, e a deambulação deve ocorrer sem tontura ou auxílio. Pacientes submetidos a bloqueios axilares podem apresentar instabilidade de postura e consequente dificuldade de deambulação.

Atualmente, com a implantação de protocolos de otimização perioperatória, a SRPA tem sido local frequente de ação da equipe de nutrição e fisioterapia. O encurtamento do jejum no pós-operatório pode ocorrer já na SRPA com a oferta de água, suco e refeição leve, desde que o paciente esteja consciente, apresentando proteção de vias aéreas, sem náusea ou vômitos. Já a fisioterapia apresenta papel fundamental para o pós-operatório de pacientes com alto risco de complicação pulmonar. O Hospital São Camilo Santana, de São Paulo, após implantação do ERAS (*Enhanced Recovery After Surgery*) e PSH (*Perioperative Surgical Home*), iniciou atuação da nutrição e fisioterapia na SRPA com encurtamento de jejum e fisioterapia precoce (Figuras 123.1 e 123.2).

A fase tardia da regressão da anestesia geral deve julgar o desempenho do paciente 24 a 48 horas após a anestesia. A recuperação completa ocorrerá na enfermaria, ou em casa nos casos de pacientes ambulatoriais. Nessa fase, os resíduos anestésicos são metabolizados e a atividade do Sistema Nervoso Central e autonômico se recuperam.

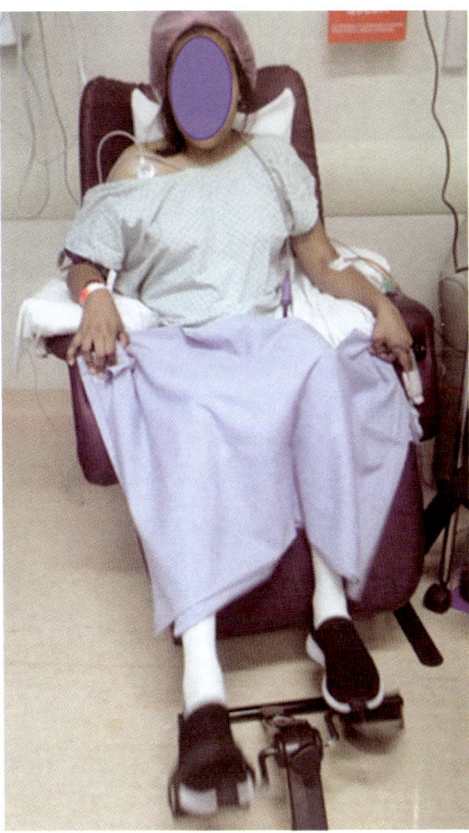

▲ **Figura 123.1** Paciente na sala de recuperação anestésica realizando exercício com ciclo ergômetro no pós-operatório imediato de cirurgia torácica.

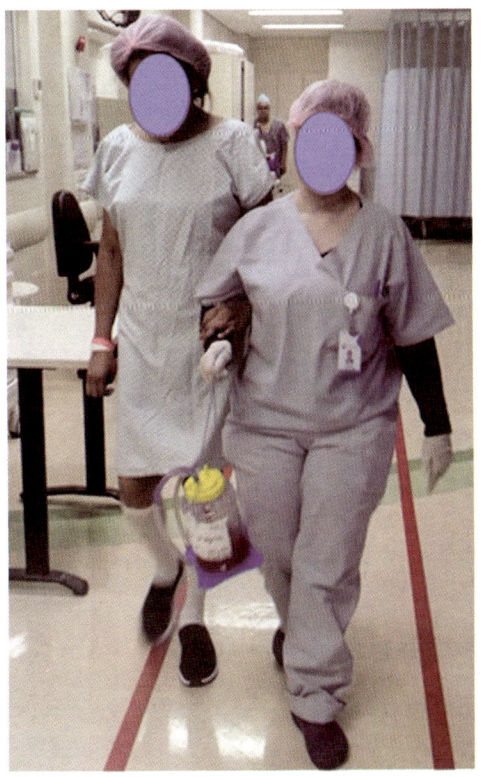

▲ **Figura 123.2** Paciente realizando caminhada com fisioterapeuta respiratória na sala de recuperação anestésica no pós-operatório imediato de cirurgia torácica.

CONDIÇÕES E CRITÉRIOS PARA A REMOÇÃO DO PACIENTE DA SALA DE CIRURGIA PARA A SRPA

Uma vez alcançada a fase imediata, o paciente pode ser transferido para a SRPA. A patência das vias aéreas superiores e o esforço respiratório efetivo precisam ser monitorizados quando o paciente é transportado da sala cirúrgica para a SRPA. A ventilação adequada pode ser confirmada observando-se a excursão torácica satisfatória durante a inspiração, ouvindo os ruídos aéreos da respiração, ou simplesmente sentindo com a mão o ar expirado pelo nariz e pela boca do paciente.

Com raras exceções, pacientes que foram submetidos à anestesia geral devem receber oxigênio suplementar durante o transporte para SRPA. Em um estudo observacional de 502 pacientes admitidos na SRPA, a respiração do ar ambiente durante o transporte foi o fator individual mais importante correlacionado à hipoxemia (SatO$_2$ < 90%) durante a admissão na SRPA. Outros fatores importantes incluem IMC elevado, sedação e frequência respiratória.[3]

Embora a maioria dos pacientes saudáveis submetidos a cirurgias ambulatoriais possa ser transportada seguramente respirando ar ambiente, a decisão do uso de oxigênio suplementar deve ser definida caso a caso. No cenário ambulatorial, idade avançada (> 60 anos) e peso (> 100 kg) identificam adultos com risco aumentado de dessaturação quando transportados para SRPA em ar ambiente.[4] Hipoventilação isolada pode causar hipoxemia em pacientes saudáveis, mesmo em procedimentos menores.

Ao chegar à SRPA, o paciente deve ser admitido pelo enfermeiro e médico anestesista treinados para identificar prontamente qualquer sinal de complicação no pós-operatório. Na chegada, o médico anestesista que realizou a anestesia deve fornecer os detalhes pertinentes do histórico do paciente, das condições médicas, da anestesia e da cirurgia. Atenção especial deve ser direcionada para a monitorização da oxigenação (oximetria de pulso), ventilação (frequência respiratória, patência das vias aéreas e capnografia) e circulação (pressão arterial, frequência cardíaca e eletrocardiograma). Os sinais vitais devem ser avaliados e registrados a cada 5 minutos nos primeiros 15 minutos e, a seguir, a cada 15 minutos.

EVENTOS ADVERSOS NO PERÍODO PÓS-ANESTÉSICO IMEDIATO

Na maioria das vezes, a recuperação da anestesia ocorre de maneira tranquila, mas, eventualmente, pode cursar com complicações. As condições clínicas pré-operatórias, a extensão e o tipo de cirurgia, a técnica e a duração da anestesia, as intercorrências cirúrgicas e/ou anestésicas, em geral, estão relacionadas com a frequência de complicações no período pós-operatório imediato.[5] Em um estudo com mais de 18.000 pacientes, realizado em hospital universitário, foi observado que cerca de 23% dos pacientes admitidos na SRPA apresentam complicações graves, que necessitam de intervenções médicas, com predominância de náusea e vômito (9,8%), suporte para patência de via aérea superior (6,9%) e hipotensão arterial (2,7%).[6]

Durante a permanência na SRPA, deve ser observada constantemente a integridade das funções respiratória, cardiovascular, neuromuscular, nível de consciência, temperatura, presença de sangramentos, dor, náuseas, vômitos e o débito urinário.[7] Os dados devem ser anotados em uma ficha de evolução específica a cada 5 minutos nos primeiros 15 minutos e, a seguir, a cada 15 minutos. A temperatura deve ser medida pelo menos na admissão e na alta, ou a cada 30 minutos quando alguma medida terapêutica para restabelecer níveis normais for adotada. A relação temporal com o tipo de complicação alerta para os cuidados especiais dos pacientes com maior risco (Tabela 123.1).[6]

Tabela 123.1 Relação temporal com as complicações pós-operatórias.

Complicações	Tempo/Intervalo de maior risco
Hipotensão arterial Infarto agudo do miocárdio Depressão respiratória	1º dia
Insuficiência cardíaca congestiva Embolismo pulmonar Insuficiência respiratória	1º a 3º dia
Pneumonia	4º a 7º dia
Acidente vascular cerebral Sepse	8º a 30º dia
Insuficiência renal	1º a 3º, 8º a 30º dia

Resultado de 1.021 pacientes submetidos à cirurgia abdominal.[6]

Eventos Adversos de Vias Aéreas

Obstrução de vias aéreas superiores

A obstrução das vias aéreas superiores pode se originar na faringe (queda da língua), na laringe (edema laríngeo, laringoespasmo, paralisia de corda vocal) ou pela compressão extrínseca das vias aéreas. Agentes anestésicos e o efeito residual dos bloqueadores neuromusculares podem contribuir para a obstrução da via aérea.[8] Os principais sinais são a retração intercostal e supraesternal e a respiração paroxística.

Entre as medidas temporárias para a melhora da obstrução faríngea destacam-se a elevação da mandíbula, extensão do pescoço e posição em decúbito lateral, aliadas às cânulas orofaríngeas ou nasofaríngeas. O edema laríngeo, ou edema subglótico, pode criar obstrução crítica das vias aéreas, principalmente em crianças. O tratamento da obstrução laríngea parcial consiste na elevação da cabeça, que aumenta a drenagem venosa, com redução do edema e administração de nebulização com adrenalina. A obstrução grave pode necessitar de acesso emergencial da via aérea através da reintubação ou de cricotireoidostomia.

O laringoespasmo é um reflexo resultante do fechamento glótico prolongado por contração do músculo laríngeo. O espasmo da laringe é uma complicação potencialmente grave cuja etiologia é multifatorial; contudo, na maioria dos casos decorre da manipulação de vias aéreas, podendo ser desencadeado por anestesia superficial e presença de substâncias irritantes à via aérea (secreção, sangue), intubação traqueal, aspiração ou estimulação da úvula.[9]

Como o laringoespasmo tem complicações graves (hipoxemia, edema agudo de pulmão por vácuo e óbito) e existe necessidade de pronto tratamento quando diagnosticado, muitos pesquisadores têm concentrado seus esforços na prevenção desse reflexo.[10] A lidocaína a 2% por via tópica ou venosa (1 mg. kg-1), administrada no momento da desintubação traqueal, reduz a incidência dessa complicação.[11]

O momento da desintubação é crítico na prevenção do laringoespasmo e as recomendações da literatura incluem: 1) não estimular o paciente durante a desintubação (técnica *no touch*); 2) retirar a cânula com o paciente completamente consciente, evitando fazê-lo entre o estado anesthesiado e acordado; 3) evitar retirar a cânula no momento da tosse ou de apneia reflexa; 4) desinsuflar o balonete apenas no momento da desintubação; e 5) desintubação em plano profundo (não recomendado em crianças).[12]

No pós-operatório, o laringoespasmo é a causa mais comum de obstrução das vias aéreas após desintubação traqueal. Portanto, deve-se realizar a retirada da cânula com segurança e no momento apropriado. Rassam e col.[13] sugeriram que antes da desintubação sempre deve ser utilizado oxigênio a 100%, estimulador de nervo periférico, bolsa reservatório com válvula limitante de pressão fechada, além de transferir o paciente para a SRPA respirando ar enriquecido com O_2.[13]

Se ocorrer laringoespasmo, pressão positiva de aproximadamente 10 cmH_2O deve ser imediatamente aplicada na via aérea, associada à elevação da mandíbula, o que normalmente é suficiente. Há uma técnica descrita que preconiza a realização de pressão firme em um local denominado ponto do laringoespasmo. A manobra consiste em localizar o ponto atrás do lóbulo da orelha, entre o ramo da mandíbula e o processo mastoide (Figura 123.3), e realizar pressão firme, se possível deslocando a mandíbula anteriormente. Assim, o laringoespasmo será aliviado, evoluindo para estridor e a seguir para ventilação normal.[14] A utilização de succinilcolina deve ser reservada para casos em que não é possível aliviar o laringoespasmo com as manobras descritas. A administração por via venosa é preferencial, e dose de 0,1 mg. kg-1 pode bastar para tratar a complicação.[15]

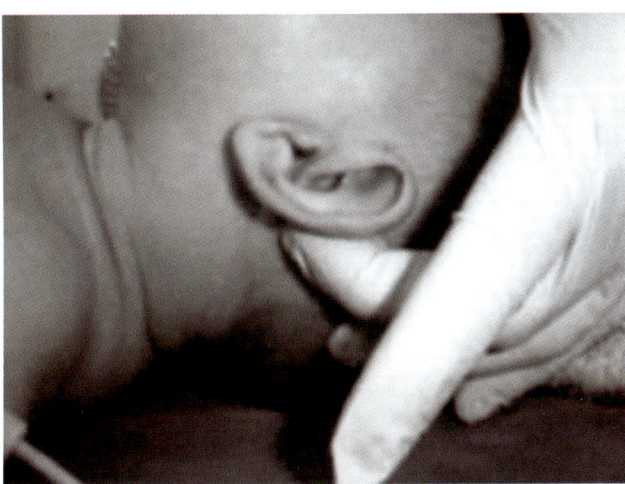

▲ **Figura 123.3** Ponto do laringoespasmo.[14]

Complicações respiratórias

Durante o período de recuperação pós-anestésica, as complicações pulmonares são descritas como o principal problema a ser enfrentado pelo anestesiologista. Um estudo que avaliou as principais razões que incitaram processos jurídicos contra anestesiologistas revelou que, dos 1.175 incidentes ocorridos que resultaram em ação judicial, 7,1% ocorreram na sala de recuperação anestésica. Destes, mais da metade foram devidos a complicações respiratórias, com predominância de ventilação inadequada. Esse estudo ainda reconheceu a importância da oximetria de pulso na prevenção dessas complicações na SRPA. Desta forma, seguindo as diretrizes de cuidado do paciente na SRPA publicadas pela ASA em 2013, o uso da oximetria de pulso é fortemente recomendado durante o despertar e na recuperação do paciente.[17]

A disfunção pulmonar pode ser causada por problemas relacionados à oxigenação, ventilação e aspiração.

Hipóxia

A hipoxemia é comum em pós-operatório de pacientes que não recebem oxigênio suplementar. Em um estudo de pacientes transferidos da sala de cirurgia para a SRPA, com respiração em ar ambiente, foi demonstrado que 30% desses pacientes apresentavam saturação menor que 90%.[16] As causas mais comuns de hipoxemia no período pós-operatório imediato incluem hipoventilação e atelectasias.

Após anestesia geral ou sedação, pacientes selecionados devem receber suplementação de oxigênio durante a transferência da sala de operação e durante o estágio inicial na SRPA. Monitorização contínua da saturação de oxigênio com oximetria de pulso é essencial para a detecção precoce da hipoxemia.

Atelectasia

A atelectasia é a principal causa de oxigenação inadequada no período de recuperação pós-anestésica. A hipoxemia tem como origem a ocorrência do *shunt* intrapulmonar.

Em 1990, foram descritas as duas fases do desenvolvimento desse processo. A primeira fase ocorre durante a cirurgia e resulta da diminuição da capacidade residual funcional, do enfraquecimento do tônus broncomotor, com prejuízo na movimentação da musculatura da parede torácica decorrente da posição do paciente, do uso de medicações anestésicas e relaxantes musculares. A segunda fase começaria na SRPA, sendo o resultado de episódios de apneia obstrutiva.[17]

Indivíduos portadores de determinadas condições, tais como tabagismo, obesidade, apneia do sono, asma e doença pulmonar obstrutiva crônica (DPOC), apresentam risco aumentado de desenvolver insuficiência pulmonar pós-operatória.[18] O tabagismo provoca aumento nos níveis de carboxi-hemoglobina,[19] diminui o transporte de muco através dos brônquios[20] e provoca hiperreatividade brônquica.[21] A DPOC provoca fechamento intenso das vias aéreas, aumentando o risco de *shunt* pós-operatório. A obesidade, fator que reconhecidamente contribui para a ocorrência de complicações respiratórias na SRPA,[22] limita a expansão diafragmática e diminui o volume pulmonar, contribuindo para o *shunt*.

Hipoventilação

A hipoventilação se caracteriza pelo volume inapropriado resultando em hipercapnia e acidose respiratória. A hipoventilação grave resulta em hipoxemia, narcose por CO_2 e apneia. As principais causas de hipoventilação na SRPA incluem redução do *drive* respiratório, redução da força da musculatura respiratória, aumento da produção de CO_2 e doença pulmonar aguda ou crônica.

A combinação de anestésicos inalatórios, opioides e benzodiazepínicos podem deprimir o centro respiratório. A hipoventilação induzida por opioide pode ser revertida com baixa dose de naloxona (0,04-0,08 mg), preservando um pouco a analgesia. É preciso ficar atento à meia-vida da naloxona, que é mais curta que a meia-vida da maioria dos opioides, necessitando de doses repetidas. O flumazenil pode reverter o efeito sedativo dos benzodiazepínicos, mas não reverte a depressão do *drive* respiratório à hipóxia.

A redução da força da musculatura respiratória pode ser causada pela reversão incompleta do bloqueio neuromuscular, resultando em obstrução das vias aéreas e hipoventilação. O bloqueio neuromuscular residual é mais comum em pacientes que receberam bloqueador neuromuscular de longa duração, como o pancurônio, e não foram tratados com agentes reversores.[23,24]

Broncoaspiração

Pacientes submetidos à anestesia geral estão mais predispostos a aspirar o conteúdo gástrico em decorrência da depressão dos reflexos protetores da via aérea. Este evento no período perioperatório é raro (1:2000-3000 anestesias gerais), mas pode resultar em consequências graves ou fatais.[25] Os sinais da broncoaspiração grave incluem broncoespasmo, hipoxemia, atelectasia, taquipneia, taquicardia e hipotensão. O tratamento inicial consiste na aspiração orofaríngea, administração de broncodilatadores e aporte de oxigênio.

Edema pulmonar

O edema pulmonar cardiogênico é resultante do aumento da pressão capilar pulmonar secundária ao aumento da pressão do átrio esquerdo. Seu aparecimento pode ocorrer por processo isquêmico cardíaco ou por doença valvar aguda. O edema pulmonar não cardiogênico geralmente se manifesta pelo aumento da permeabilidade capilar. O tratamento consiste na suplementação de oxigênio, administração de diuréticos, pressão positiva contínua nas vias aéreas (CPAP), vasodilatadores e ventilação mecânica com pressão expiratória final positiva (PEEP) para os casos mais graves.

Outra causa do edema pulmonar que pode ocorrer na SRPA é secundária à obstrução das vias aéreas superiores (edema pulmonar por pressão negativa). Durante o processo de obstrução das vias aéreas, a força realizada pelo movimento inspiratório resulta em pressão negativa intratorácica, com aumento da pré e da pós-carga do ventrículo esquerdo (VE). A disfunção diastólica do VE resulta em edema pulmonar.[26,27]

Complicações cardiovasculares

Hipotensão arterial

A hipotensão arterial é uma complicação pós-operatória comum, definida como queda acima de 20% da pressão arterial basal ou presença de sinais de hipoperfusão. As principais causas são a hipovolemia, a redução da resistência vascular sistêmica e/ou redução do débito cardíaco.

A hipovolemia na SRPA é decorrente da reposição volêmica inadequada, processo hemorrágico ou sequestro de líquido para o terceiro espaço. Além da hipotensão, outros sinais de hipovolemia são: taquicardia, diminuição do turgor da pele, oligúria e ressecamento das mucosas.

O bloqueio do neuroeixo, agentes inalatórios residuais, administração de vasodilatadores, reações transfusionais, resposta inflamatória sistêmica e sepse podem causar hipotensão pela queda da resistência vascular sistêmica. Nesses casos, a reposição volêmica pode não corrigir a hipotensão, sendo necessário o tratamento farmacológico com administração de vasoconstritor.

Hipertensão arterial

A hipertensão é uma ocorrência comum no pós-operatório, com aparecimento precoce, frequentemente menos de duas horas após a cirurgia. Sua maior incidência está relacionada com cirurgia vascular, de cabeça e pescoço, e neurocirurgia.[28] Os pacientes com doença hipertensiva prévia são os mais acometidos por essa complicação na SRPA. As consequências da hipertensão arterial grave no pós-operatório incluem infarto agudo do miocárdio, arritmias, insuficiência cardíaca congestiva, acidente vascular cerebral e aumento do sangramento em sítio cirúrgico.

O tratamento da hipertensão deve ser parcimonioso. A pressão sistólica ou diastólica acima de 20% do basal, associada a sinais ou sintomas de complicações, apresenta indicação de tratamento. As causas reversíveis de hipertensão (ansiedade, dor) devem ser tratadas antes da terapia anti-hipertensiva. Para os pacientes hipertensos crônicos, o início da terapia medicamentosa prévia é uma boa opção.

Infarto agudo do miocárdio

Uma variedade de fatores no período perioperatório pode alterar o equilíbrio entre a oferta e o consumo de oxigênio pelo miocárdio. O aumento das catecolaminas circulantes é resposta fisiológica ao trauma cirúrgico, resultando na elevação do cronotropismo, inotropismo e resistência vascular sistêmica, com consequente aumento do consumo miocárdico. Pacientes com doença coronariana ou fatores de risco para coronariopatia têm um risco significantemente maior de sofrer infarto agudo do miocárdio (IAM) e morte súbita.[29] Foi demonstrado que o pico de incidência de IAM ocorre nas primeiras 24 horas após a cirurgia.[30] Os pacientes que apresentam alto risco de desenvolvimento de isquemia miocárdica pós-operatória devem realizar um ECG no pré e no pós-operatório.[31]

Arritmias cardíacas

As arritmias são recorrentes no período perioperatório, observadas em 62% a 84% dos pacientes.[32] O significado clínico das arritmias depende da função cardíaca basal do paciente. A bradicardia pode ocasionar a redução significativa do débito cardíaco em pacientes que apresentam valvopatia aórtica, ao passo que a taquicardia pode reduzir o débito cardíaco por redução do tempo de enchimento diastólico e aumento do consumo de oxigênio miocárdico, resultando em isquemia miocárdica.

As taquiarritmias são classificadas anatomicamente com base na origem do estímulo elétrico em supraventriculares (taquicardia sinusal, fibrilação atrial, *flutter*, taquicardia atrial ectópica, taquicardia atrial multifocal, taquicardia juncional e taquicardia de reentrada nodal atrioventricular) e ventriculares (taquicardia ventricular e fibrilação ventricular).

No período pós-operatório imediato, a taquicardia sinusal é a que se manifesta com mais regularidade, causada pelo aumento da descarga simpática resultante de dor, ansiedade, hipovolemia, anemia, hipóxia e hipercarbia. O uso de betabloqueadores é efetivo na redução da frequência cardíaca em pacientes com risco de isquemia miocárdica.

As bradiarritmias normalmente são associadas com disfunção do nó sinusal ou atrioventricular. Nos casos em que a bradicardia está associada ao comprometimento hemodinâmico (hipotensão, baixo débito cardíaco), o tratamento com agentes anticolinérgicos (atropina) ou beta-agonistas (efedrina) pode ser efetivo.

Náusea e vômitos pós-operatório

A náusea e os vômitos pós-operatório (NVPO) acometem cerca de 20% a 30% dos pacientes,[33] constituindo a segunda causa mais comum de complicação no pós-operatório imediato, ultrapassados apenas pela dor.[34] Embora a manifestação de NVPO geralmente seja autolimitada, o vômito pode ocasionar sérias complicações, como aspiração do conteúdo gástrico, deiscência da sutura, ruptura esofágica, enfisema subcutâneo ou pneumotórax, além do desconforto do paciente.[35] A NVPO também pode ocasionar o retardo da alta da RPA e pode ser a principal causa de readmissão hospitalar inesperada após anestesia ambulatorial.

O reconhecimento dos fatores de risco tem um papel importante no diagnóstico e tratamento da NVPO. A identificação dos pacientes de alto risco permite a intervenção profilática, aumentando a qualidade da assistência e satisfação do paciente na RPA. Os fatores de risco podem ser atribuídos ao paciente, à anestesia ou ao procedimento cirúrgico. Pacientes mulheres, obesas, de estômago cheio e história de NVPO apresentam risco mais elevado. O uso de anestésicos inalatórios, óxido nitroso e tempo prolongado de anestesia podem contribuir para NVPO, assim como cirurgias videolaparoscópicas, correção de estrabismo e cirurgia de orelha média. Em 1999, Apfel e col.[36] descreveram um escore simples para risco de NVPO constituído de quatro fatores: sexo feminino, não fumante, história de NVPO e uso de opioide pós-operatório. A presença dos quatro fatores de risco pode estar associada a até 79% de NVPO. Na presença de 3, 2, 1 ou 0 fatores de risco, as incidências de NVPO são 61%, 39%, 21% e 10%, respectivamente.

As estratégias utilizadas para redução do fator de risco basal de cada paciente são:[37]

- Preferir anestesia regional à anestesia geral.
- Utilizar propofol na indução e manutenção da anestesia.
- Evitar óxido nitroso.
- Evitar anestésicos inalatórios.
- Minimizar o uso de opioides no intra e no pós-operatório.
- Realizar hidratação adequada.

A profilaxia e o tratamento da NVPO devem ser multimodais, com a utilização do antagonista dos receptores NK-1, antagonistas dos receptores 5-HT$_3$, corticosteroides, butirofenonas, anti-histamínicos, anticolinérgicos e fenotiazinas. Seus principais representantes são:

a) Aprepitanto, 40 mg VO, 1 a 3h pré-operatório.

b) Ondansetrona, 4 mg IV, na indução.

c) Palonosetrona, 0,075 mg IV, na indução.

d) Dexametasona, 4 mg IV, na indução.

e) Droperidol, 0,625 mg IV, na indução.

f) Difenidramina, 12,5 mg, intraoperatório.

g) Escopolamina, 1,5 mg transdérmico, 1h pré-operatório.

h) Metoclopramida, 10 mg IV, intraoperatório.

Hipotermia

A hipotermia acompanhada de calafrios no pós-operatório é ocorrência comum após anestesia geral ou peridural. A incidência de calafrios pós-operatórios pode variar de 5% a 65% após anestesia geral e chegar a 33% após a peridural. Os principais fatores de risco incluem sexo masculino e o uso de propofol como agente indutor.

A monitorização da temperatura corporal central deve ser realizada pela membrana timpânica, visto que temperaturas axilares, nasofaríngea ou retal são menos acuradas. O tratamento ativo da hipotermia deve ser feito com uso de ar quente forçado, ao passo que o tratamento do calafrio pode ser realizado com opioide, ondansetrona[38] ou clonidina.[39] A infusão de baixa dose de cetamina (0,5 mg. kg^{-1} IV) antes da anestesia geral[40] ou regional[41] tem se demonstrado eficaz na profilaxia de calafrios.

Além do desconforto ao paciente, o calafrio pós-operatório aumenta o consumo de oxigênio, a produção de CO_2 e o tônus simpático. Também se associa ao aumento do débito cardíaco, da frequência cardíaca, da pressão arterial sistêmica e da pressão intraocular. Pacientes que são admitidos hipotérmicos na SRPA devem ser aquecidos ativamente para evitar essas complicações. A hipotermia de leve a moderada (33°C a 35°C) inibe a função plaquetária, a atividade dos fatores de coagulação e o metabolismo das medicações. A hipotermia e o calafrio também podem prolongar o tempo de internação na SRPA, além de desencadear efeitos deletérios em longo prazo como isquemia e infarto do miocárdio, demora na cicatrização e aumento da mortalidade perioperatória.

■ CRITÉRIOS DE ALTA DA SALA DE RECUPERAÇÃO

A Resolução do CFM nº 1886/08, que revoga a Resolução nº 1409/94, dispõe sobre as normas mínimas para o funcionamento de consultórios médicos e dos complexos cirúrgicos para procedimentos com internação de curta permanência. Prevê as seguintes condições para alta do paciente ambulatorial: orientação no tempo e espaço, estabilidade dos sinais vitais por, pelo menos, 60 minutos, ausência de náuseas ou vômitos, ausência de dificuldade respiratória, capacidade de ingerir líquido, capacidade de locomoção semelhante à da pré-operatória, sangramento operatório mínimo ou ausente, ausência de dor importante e de sinais de retenção urinária. Prevê também que, ao paciente e a seu acompanhante maior e responsável, sejam fornecidas, verbalmente e por escrito, instruções relativas aos cuidados pós-anestésicos e pós-operatórios, bem como a determinação da unidade para atendimento das eventuais intercorrências.

Do ponto de vista clínico, como critério de alta da SRPA, pode ser empregado o índice de Aldrete e Kroulik,[42] modificado em 1995[43] (Tabela 123.2), e analisa cinco itens cujas respostas são graduadas de zero a dois. Um total acima ou igual a oito pontos é condizente com condições de alta quando realizada anestesia geral, ou 10 pontos para as anestesias regionais.

Para os critérios clínicos de alta da SRPA para os pacientes pediátricos, pode-se utilizar o Índice de Steward. O Índice de Steward é uma escala inspirada pelo Escala de Apgar e tem como objetivo avaliar a situação de um paciente após o fim de uma anestesia, tanto as que envolvem sedação quanto as que envolvem bloqueio regional, sendo utilizada também na população pediátrica. O objetivo é determinar se o paciente pode ser transferido para a unidade de destino ou se necessita de mais tempo sob observação. A avaliação deve ser feita imediatamente na chegada à sala de recuperação anestésica e periodicamente até que o paciente tenha condições pela própria escala de ser transferido para a unidade de internação (enfermaria, UTI etc.). Conta com

Tabela 123.2 Índice de Aldrete e Kroulik (modificado).

Item	Especificação	Nota
Atividade	Move 4 membros	2
	Move 2 membros	1
	Move 0 membros	0
Respiração	Profunda, tosse	2
	Limitada, dispneia	1
	Apneia	0
Consciência	Completamente acordado	2
	Desperta ao chamado	1
	Não responde ao chamado	0
Circulação (PA)	± 20% do nível pré-anestésico	2
	± 20% a 49% do nível pré-anestésico	1
	± 50% do nível pré-anestésico	0
SpO_2	Mantém SpO_2 > 92% em ar ambiente	2
	Mantém SpO_2 > 90% com O_2	1
	Mantém SpO_2 < 90% com O_2	0

apenas três itens e o escore varia de 0 a 6. Os itens avaliados são o padrão respiratório, nível de consciência e movimentação voluntária. As avaliações são mais frequentes no início da recuperação e mais espaçados ao final, visto que o maior risco está no período inicial.

As diretrizes de cuidado do paciente na SRPA publicados pela ASA, em 2013,[7] orientam que não é necessário aguardar o débito urinário, ou a necessidade de se beber líquido, para receber alta da SRPA. Todos os pacientes devem ser mantidos em observação até que não corram mais o risco de depressão cardiorrespiratória, mas não é mandatório um período mínimo de observação.

REFERÊNCIAS

1. Nightingale F. Notes on Hospital. 3.ed. Londo: R.a.G. Logman, 1963.
2. Steward DJ, Volgyesi G. Stabilometry: a new tool for the measurement of recovery following general anaesthesia for out-patients. Can Anaesth Soc J. 1978;25(1):4-6.
3. Siddiqui N, Arzola C, Fox G. Hypoxemia on arrival to PACU: An observational audit. Can J Anesth. 2006. 53(Suppl 1).
4. Mathes DD, Conaway MR, Ross WT. Ambulatory surgery: room air versus nasal cannula oxygen during transport after general anesthesia. Anesth Analg. 2001;93(4):917-21.
5. Miller RD. Anesthesia. 6.ed. Churchill Livingstone: Elsevier, 2005.
6. Thompson JS, Baster BT, Allison JG, et al. Temporal patterns of postoperative complications. Arch Surg. 2003;138(6):596-602; discussion 602-3.
7. Apfelbaum JL, Silverstein JH, Chung FF, et al. Practice guidelines for postanesthetic care: an updated report by the American Society of Anesthesiologists Task Force on Postanesthetic Care. Anesthesiology. 2013;118(2):291-307.
8. Eikermann M, Blobner M, Groeben H, et al. Postoperative upper airway obstruction after recovery of the train of four ratio of the adductor pollicis muscle from neuromuscular blockade. Anesth Analg. 2006;102(3):937-42.
9. Mevorach DL. The management and treatment of recurrent postoperative laryngospasm. Anesth Analg. 1996;83(5):1110-1.
10. Ludlow CL. Central nervous system control of the laryngeal muscles in humans. Respir Physiol Neurobiol. 2005;147(2-3):205-22.
11. Zeidan A, Halabi D, Baraka A. Aerosolized lidocaine for relief of extubation laryngospasm. Anesth Analg. 2005;101(5):1563.
12. Visvanathan T, Kluger MT, Webb RK, et al. Crisis management during anaesthesia: laryngospasm. Qual Saf Health Care. 2005;14(3):e3.
13. Rassam S, Sandbythomas M, Vaughan RS, et al. Airway management before, during and after extubation: a survey of practice in the United Kingdom and Ireland. Anaesthesia. 2005;60(10):995-1001.
14. Soares RR, Heyden EG. Tratamento do laringoespasmo em anestesia pediátrica por digitopressão retroauricular: relato de casos. Rev Bras Anestesiol. 2008;58(6):631-6.
15. Warner DO. Intramuscular succinylcholine and laryngospasm. Anesthesiology. 2001;95(4):1039-40.
16. Tyler IL, Tantisira B, Winter PM, et al. Continuous monitoring of arterial oxygen saturation with pulse oximetry during transfer to the recovery room. Anesth Analg. 1985;64(11):1108-12.
17. Jones JG, Sapsford DJ, Wheatley RG. Postoperative hypoxaemia: mechanisms and time course. Anaesthesia. 1990;45(7):566-73.
18. Schwilk B, Bothner U, Schraag S, et al. Perioperative respiratory events in smokers and nonsmokers undergoing general anaesthesia. Acta Anaesthesiol Scand. 1997;41(3):348-55.
19. Kambam JR, Chen LH, Hyman SA. Effect of short-term smoking halt on carboxyhemoglobin levels and P50 values. Anesth Analg. 1986;65(11):1186-8.
20. Konrad FX, Schreiber T, Brecht-Kraus D, et al. Bronchial mucus transport in chronic smokers and nonsmokers during general anesthesia. J Clin Anesth. 1993;5(5):375-80.
21. Gerrard JW, Cockcroft DW, Mink JT, et al. Increased nonspecific bronchial reactivity in cigarette smokers with normal lung function. Am Rev Respir Dis. 1980;122(4):577-81.
22. Rose DK, Cohen MM, Wigglesworth DF, et al. Critical respiratory events in the post anesthesia care unit. Patient, surgical, and anesthetic factors. Anesthesiology. 1994;81(2):410-8.
23. Berg H, Roed J, Viby-Mogensen J, Mortensen CR, et al. Residual neuromuscular block is a risk factor for postoperative pulmonary complications. A prospective, randomised, and blinded study of postoperative pulmonary complications after atracurium, vecuronium and pancuronium. Acta Anaesthesiol Scand. 1997;41(9):1095-103.

24. Debaene B, Plaud B, Dilly MP, et al. Residual paralysis in the PACU after a single intubating dose of nondepolarizing muscle relaxant with an intermediate duration of action. Anesthesiology. 2003;98(5):1042-8.
25. Warner MA. Is pulmonary aspiration still an important problem in anesthesia? Curr Opin Anaesthesiol. 2000;13(2):215-8.
26. Broccard AF, Liaudet L, Aubert JD, et al. Negative pressure post-tracheal extubation alveolar hemorrhage. Anesth Analg. 2001;92(1):273-5.
27. McConkey PP. Post obstructive pulmonary oedema--a case series and review. Anaesth Intensive Care. 2000;28(1):72-6.
28. Haas CE, LeBlanc JM. Acute postoperative hypertension: a review of therapeutic options. Am J Health Syst Pharm. 2004;61(16):1661-73; quiz 1674-5.
29. Adesanya AO, de Lemos JA, Greilich NB, et al. Management of perioperative myocardial infarction in noncardiac surgical patients. Chest. 2006;130(2):584-96.
30. Badner NH, Knill RL, Brown JE, et al. Myocardial infarction after noncardiac surgery. Anesthesiology. 1998;88(3):572-8.
31. Grossmann E, Ninke T, Probst S, et al. [Perioperative evaluation and treatment of cardiovascular risk patients for noncardiac surgery: Guidelines of the European Society of Cardiology/European Society of Anaesthesiology 2014]. Anaesthesist. 2015;64(4):324-8.
32. Sloan SB, Weitz HH. Postoperative arrhythmias and conduction disorders. Med Clin North Am. 2001;85(5):1171-89.
33. Dolin SJ, Cashman JN, Bland JM. Effectiveness of acute postoperative pain management: I. Evidence from published data. Br J Anaesth. 2002;89(3):409-23.
34. Stadler M, Bardiau F, Sidel L, et al. Difference in risk factors for postoperative nausea and vomiting. Anesthesiology. 2003;98(1):46-52.
35. Schumann R, Polaner DM. Massive subcutaneous emphysema and sudden airway compromise after postoperative vomiting. Anesth Analg. 1999;89(3):796-7.
36. Apfel CC, Kranke P, Roewer N. Patient selection and presentation of antiemetic outcome variables. Anesthesiology. 1999;90(6):1789-90.
37. Gan TJ, Diemunsch P, Habib AS, et al. Consensus guidelines for the management of postoperative nausea and vomiting. Anesth Analg. 2014;118(1):85-113.
38. Kelsaka E, Baris S, Karakaya D, et al. Comparison of ondansetron and meperidine for prevention of shivering in patients undergoing spinal anesthesia. Reg Anesth Pain Med. 2006;31(1):40-5.
39. Horn EP, Werner C, Sessler DI, et al. Late intraoperative clonidine administration prevents postanesthetic shivering after total intravenous or volatile anesthesia. Anesth Analg. 1997;84(3):613-7.
40. Dal D, Kose A, Honca M, et al. Efficacy of prophylactic ketamine in preventing postoperative shivering. Br J Anaesth. 2005;95(2):189-92.
41. Sagir O, Gulhas N, Toprak H, et al. Control of shivering during regional anaesthesia: prophylactic ketamine and granisetron. Acta Anaesthesiol Scand. 2007;51(1):44-9.
42. Aldrete JA, Kroulik D. A postanesthetic recovery score. Anesth Analg. 1970;49(6):924-34.
43. Aldrete JA. The post-anesthesia recovery score revisited. J Clin Anesth. 1995;7(1):89-91.

Estágios da Recuperação da Anestesia: Aspectos Clínicos e Critérios de Alta

André de Moraes Porto

INTRODUÇÃO

No âmbito hospitalar, o paciente que se submete a um procedimento cirúrgico ou exame diagnóstico tem três destinos:

1. Alta hospitalar no mesmo dia (pacientes ambulatoriais);
2. Permanência na enfermaria (unidades de internação);
3. Encaminhamento para a Unidade de Terapia Intensiva (UTI).

No caso dos pacientes ambulatoriais, a seleção de pacientes, de fármacos, de técnicas, dos procedimentos e os critérios de alta são parâmetros que devem ser obedecidos cuidadosamente, pois os pacientes não mais terão assistência hospitalar após a alta.

Os pacientes que ficam internados em enfermarias, quartos ou apartamentos, embora estejam próximos das equipes de médico e de enfermagem, não ficam sob vigilância contínua e nem sempre contam com acompanhantes despertos que possam alertar para algum problema mais sério. Assim sendo, é necessário que os critérios clínicos de alta da sala de recuperação pós-anestésica (SRPA) sejam rigorosos, da mesma forma como se faz com os pacientes ambulatoriais.

Os pacientes que são encaminhados para a UTI geralmente são pacientes graves e/ou submetidos à cirurgia de grande porte e que muitas vezes permanecem sob intubação traqueal. Alguns deles, mesmo não intubados, são encaminhados à UTI sob efeito residual de anestesia ou sedação. Nesses casos, não se aplicam os critérios de alta das duas situações já expostas. No entanto, são necessários cuidados no transporte desses pacientes para a UTI, lembrando que eles, muitas vezes, não exibiram a recuperação dos estágios da anestesia.

O objetivo deste capítulo é discorrer sobre os estágios da recuperação da anestesia e sobre os critérios de alta da SRPA em pacientes ambulatoriais e internados.

■ CONCEITO

Pode-se definir recuperação pós-anestésica como o tempo que o paciente leva para atingir as mesmas condições que ele apresentava antes da administração da anestesia. Logicamente, esta recuperação é um processo dinâmico que pode ser rápido ou levar até vários dias, na dependência da ação residual dos agentes anestésicos empregados.

Quatro estágios são descritos para a recuperação completa após anestesia (Tabela 124.1),[1] sendo de fundamental importância que o anestesiologista saiba como conduzir os pacientes nessas diferentes fases, proporcionando conforto, agilidade e segurança durante a permanência do paciente no hospital.

Durante os procedimentos cirúrgicos habituais a atenção do anestesiologista está voltada para que o paciente se recupere prontamente da anestesia. Na cirurgia ambulatorial é necessário que isso ocorra rápida e suavemente, permitindo aos pacientes condições de alta hospitalar.

O número cada vez maior de cirurgias realizadas em regime ambulatorial fez com que os anestesiologistas que trabalham com esse tipo de procedimento estabelecessem duas metas principais para a anestesia:

1. segurança e conforto para o paciente;
2. rápida recuperação permitindo alta hospitalar o mais precoce possível.

Para que isso possa acontecer, pequenos efeitos colaterais, como dor moderada, náuseas, vômitos de pequena intensidade, tontura, confusão, dor muscular ou cefaleia, devem ser prevenidos ou prontamente tratados, pois embora bem tolerados para pacientes internados, estes não são aceitos no paciente ambulatorial.[2] Nos pacientes internados, o tratamento pode, algumas vezes, continuar na enfermaria.

Tabela 124.1 Estágios da recuperação da anestesia.	
Estágios da recuperação	**Estado clínico**
Estágio I	
Despertar da anestesia	▪ Responde a comandos verbais ▪ Mantém vias aéreas pérvias ▪ SpO_2 > 94% com ou sem suplemento de O_2 ▪ Mínimas ou sem complicações anestésicas ou cirúrgicas
Estágio II	
Recuperação precoce	▪ Sinais vitais estáveis (PA, FR, FC) ▪ SpO_2 normal em ar ambiente ▪ Retorno dos reflexos de proteção (tosse e deglutição) ▪ Acordado e alerta ▪ Sem complicações cirúrgicas (sangramento) ▪ Índice de Aldrete com pontuação maior que 9
Estágio III	
Recuperação intermediária Alta anestésica	▪ Preenche os critérios de alta estabelecidos (anest. ambulatorial) ▪ Levanta e anda sem auxílio (anestesia ambulatorial) ▪ Ausência de complicações ou efeitos colaterais
Estágio IV	
Recuperação tardia	▪ Funções psicomotoras voltam ao estado pré-operatório ▪ Retorno da memória e das funções cognitivas ▪ Retorno da concentração, discriminação e razão ▪ Volta às atividades normais diárias

▪ ESTÁGIOS DA RECUPERAÇÃO APÓS ANESTESIA GERAL

Quatro estágios de recuperação devem ser considerados após a realização de anestesia geral para pacientes em regime ambulatorial.[1] O início da recuperação coincide com o término da cirurgia e começa ainda na sala cirúrgica quando se atinge o estágio I. O local onde se processa o final de cada estágio está apresentado na Figura 124.1.

Estágio I – Despertar da Anestesia

Clinicamente, este estágio da recuperação é alcançado quando o paciente é capaz de responder a estímulos verbais simples, como abrir os olhos, levantar a cabeça, colocar a língua para fora, ou falar o próprio nome. Uma vez atingido esse ponto, o paciente pode ser transferido para a sala de recuperação pós-anestésica (SRPA-1), onde continuará sua recuperação, agora sob os cuidados da enfermagem.

O transporte do paciente até a SRPA deve sempre ser supervisionado pelo anestesiologista que acompanhou o caso, e informações a respeito da cirurgia realizada, tipo de anestesia, intercorrências no perioperatório, analgésicos e antibióticos administrados, devem ser passadas para

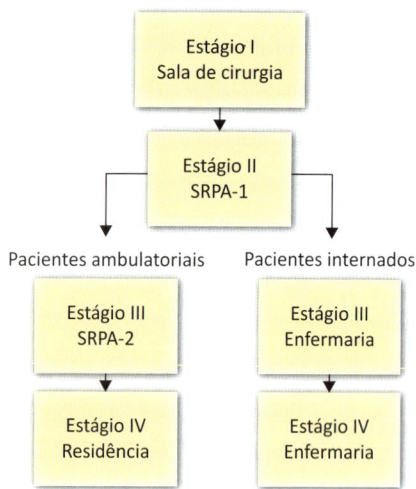

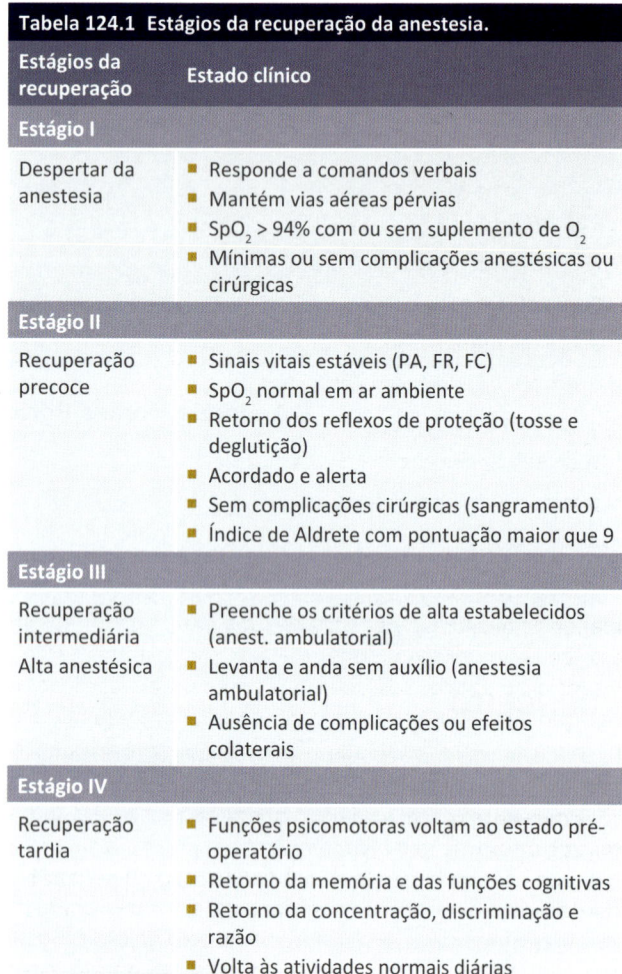

▲ **Figura 124.1** Estágios da recuperação da anestesia.

a enfermagem ou para o anestesiologista responsável pela SRPA. Se por qualquer motivo ocorrer demora no despertar do paciente, este pode ser transferido para a SRPA, desde que permaneça sob os cuidados de um anestesiologista até que possa ficar com segurança sob os cuidados do pessoal da enfermagem.

Neste momento o paciente deve apresentar as funções respiratórias e hemodinâmicas estáveis, sendo capaz de manter as vias aéreas desobstruídas e a saturação da hemoglobina pelo oxigênio (SpO_2) normal, com ou sem administração de oxigênio.

Uma SRPA ideal deve: 1) ter dois leitos para cada sala cirúrgica; 2) estar vinculada ao centro cirúrgico; 3) possuir pessoal de enfermagem treinado e em número suficiente; 4) estar aparelhada com monitorização mínima que consiste em oxímetro de pulso, cardioscópio, aparelhos de pressão arterial não invasiva e termômetros para aferição da temperatura corporal.

O uso rotineiro do oxímetro de pulso em todos os pacientes na SRPA é recomendado, pois permite, devido à sua fácil visualização, monitorização eficiente da oxigenação e da frequência cardíaca, além de possibilitar significativa economia, pois ele pode servir como guia para determinar quando e quanto oxigênio suplementar é necessário, já que em inúmeras situações a suplementação pode ser dispensada.[3]

Estágio II – Recuperação Precoce ou Imediata

O paciente atinge o estágio II da recuperação quando está acordado e alerta, suas funções vitais estão próximas às do período pré-operatório, as vias aéreas estão pérvias e os reflexos de tosse e deglutição estão presentes, a SpO_2 está acima de 92% em ar ambiente, além de apresentar mínimos efeitos colaterais (sonolência, tontura, dor, náuseas, vômitos e sangramento).

Até atingir este estágio o paciente permanece na SRPA, quando então ele não necessitará mais de cuidados intensivos, podendo então ser transportado para a SRPA-2 na unidade ambulatorial, quando se tratar de pacientes ambulatoriais, ou para a enfermaria, quando se tratar de pacientes internados.

A tabela de Aldrete-Kroulik[4] tem sido muito utilizada em sua forma original como critério de alta da SRPA. Nesse sistema, pontos de 0 a 2 são atribuídos para atividade, respiração, circulação, consciência e coloração, dando um total de, no máximo, 10 pontos. O paciente teria condições de ser transferido para a SRPA-2 da unidade ambulatorial ao atingir 9 pontos. Com o advento do oxímetro de pulso, Aldrete[5] modificou sua tabela, substituindo a coloração pela SpO$_2$ (Tabelas 124.2 e 124.3).

Com uma pontuação maior ou igual a 9 o paciente está apto para ter alta da SRPA-1.

Tabela 124.2 Tabela de Aldrete-Kroulik.

Item		Nota
Atividade	Move quatro membros	2
	Move dois membros	1
	Move nenhum membro	0
Respiração	Profunda	2
	Limitada, dispneia	1
	Apneia	0
Consciência	Completamente acordado	2
	Despertado ao chamado	1
	Não responde ao chamado	0
Circulação (PA)	20% do nível pré-anestésico	2
	20% a 49% do nível pré-anestésico	1
	50% do nível pré-anestésico	0
Coloração	Róseo	2
	Pálido	1
	Cianótico	0

PA = pressão arterial.

Tabela 124.3 Tabela de Aldrete-Kroulik modificada.

Item		Nota
Atividade	Move quatro membros	2
	Move dois membros	1
	Move nenhum membro	0
Respiração	Profunda	2
	Limitada, dispneia	1
	Apneia 0	0
Consciência	Completamente acordado	2
	Desperta ao chamado	1
	Não responde ao chamado	0
Circulação (PA)	20% do nível pré-anestésico	2
	20% a 49% do nível pré-anestésico	1
	50% do nível pré-anestésico	0
SpO$_2$	Mantém SpO$_2$ > 92% em ar ambiente	2
	Mantém SpO$_2$ > 90% em O$_2$	1
	Mantém SpO$_2$ < 90% em O$_2$	0

Além do índice de Aldrete, outros critérios clínicos também têm sido sugeridos para que o paciente ambulatorial possa ser transferido da SRPA para a unidade ambulatorial (Tabela 124.4).[1]

Tabela 124.4 Critérios clínicos que determinam o final do estágio II da recuperação podendo ser transferidos da SRPA-1 para a SRPA-2, ou para a enfermaria.

Acordado e alerta

Dor bem controlada

Frequência respiratória normal

Índice de Aldrete-Kroulik entre 9 e 10

Mínima náusea ou vômito

Mínima tontura ou sonolência

Pressão arterial e frequência cardíaca estáveis

Sem complicações cirúrgicas

SpO$_2$ > 92% em ar ambiente

Tosse e deglutição preservadas

Vias aéreas livres

A necessidade de um tempo mínimo obrigatório de permanência na SRPA-1, por volta de uma hora, que muitas vezes tem sido utilizado, pode provocar congestionamento e insatisfação para os pacientes que apresentam rápida recuperação. Assim, pode-se dizer que o tempo ideal para que o paciente seja transferido da SRPA é aquele que ele leva para satisfazer os critérios de alta.

Hoje existe consenso de que nos pequenos procedimentos sob anestesia geral, cirurgias com anestesia local monitorizada com ou sem sedação e alguns tipos de bloqueios periféricos associados à sedação leve, uma vez atingidos os critérios clínicos para alta da SRPA ao final da cirurgia, o paciente pode ser transferido diretamente da sala cirúrgica para a SRPA-2 na unidade ambulatorial. Esse tipo de recuperação agiliza o fluxograma na tentativa de provocar diminuição de custo e de tempo desnecessário do paciente na SRPA-1. Os programas de agilização são conhecidos nos Estados Unidos como *fast tracking*.

O uso de novos agentes anestésicos e adjuvantes de curta duração, como propofol, sevoflurano, desflurano, alfentanil, remifentanil e mivacúrio, proporciona rápida recuperação. Acrescentando a isso o uso de anestesia regional e antieméticos como droperidol ou o ondansetron, obtém-se diminuição na ocorrência de efeitos colaterais e o tempo de recuperação fica bastante reduzido,[6] de tal forma que os pacientes atingem o estágio de recuperação imediata ainda na sala de cirurgia. Estudo comparativo em laqueaduras por via laparoscópica mostrou que com sevoflurano e desflurano o tempo para atingir 10 pontos na tabela de Aldrete foi menor quando comparado com o propofol, além do que 90% dos pacientes que usaram desflurano atingiam os critérios de alta quando chegavam à SRPA.[7] Outro estudo demonstrou que, após anestesia geral, 13,9% a 42,1% dos pacientes teriam condições de serem transferidos diretamente para a SRPA-2 da unidade ambulatorial.[8] Embora a recuperação seja bastante rápida com esses fármacos, os critérios para a passagem do paciente da sala de cirurgia direto para a

SRPA-2 da unidade ambulatorial, após anestesia geral, devem ser mais bem estudados e definidos.

Não é desejável transportar os pacientes internados diretamente da sala de cirurgia para a enfermaria. É necessário lembrar que os pacientes ambulatoriais passam ainda pela SRPA-2 e os pacientes internados, não.

Uma vez transferido para a SRPA-2 ou para a enfermaria, o paciente continua sua recuperação, agora com mais conforto e, se possível, com a companhia de parentes ou amigos, até atingir o estágio III.

Estágio III – Recuperação Intermediária (Alta Anestésica)

O paciente atinge este estágio da recuperação quando ele está apto a andar sozinho. Efeitos colaterais como náuseas, vômitos, tontura, hipotensão ortostática e dor devem estar ausentes ou bem toleráveis. O paciente deve apresentar diurese espontânea e a realimentação já instituída com sucesso. Nesse ponto o paciente está em condições de receber alta hospitalar, em regime ambulatorial, sempre acompanhado por um adulto responsável. No entanto, baseando-se em estudos que mostram maior incidência de vômitos em crianças que foram obrigadas a ingerir líquidos, assim como em evidências de que os pacientes sem alto risco de retenção urinária podem ter alta sem a possibilidade de complicações, Abdullah e Chung publicaram outra tabela eliminando esses dois fatores (Tabela 124.5).[9] Na realidade, a tabela é originária de publicação de Chung em 1997.[10]

Tabela 124.5 Sistema de pontuação para alta pós-anestésica modificada.[10]	
	Pontos
Sinais vitais	
Até 20% dos valores pré-operatórios	2
20% a 40% dos valores pré-operatórios	1
Mais de 40% dos valores pré-operatórios	0
Deambulação e condição mental	
Bem orientado e com andar firme	2
Bem orientado ou com andar firme	1
Nenhum	0
Náuseas e vômitos	
Mínimos	2
Moderados	1
Intensos	0
Dor	
Mínima	2
Moderada	1
Intensa	0
Sangramento cirúrgico	
Mínimo	2
Moderado	1
Grave	0

Normalmente, o tempo que o paciente ambulatorial leva para obter condições de alta hospitalar varia entre 60 e 180 minutos depois de terminada a cirurgia; entretanto, várias vezes esse tempo pode aumentar para 4 a 6 horas. Deve-se tomar cuidado para que o paciente não permaneça na Unidade Ambulatorial por tempo maior do que o necessário. No entanto, a alta precoce também deve ser evitada, impedindo assim que ocorram efeitos colaterais desagradáveis fora do ambiente hospitalar ou até mesmo provoque uma reinternação.

A responsabilidade pela alta da unidade ambulatorial é muito grande, por isso é um passo que não deve ser tomado casualmente. A decisão deve ser sempre tomada baseada em critérios preestabelecidos pela equipe médica da unidade ambulatorial. Esses critérios são variados e baseiam-se em costumes locais, tipo de cirurgia realizada, tipo de anestesia e condição socioeconômica, visando ao máximo de segurança para que o paciente possa ser transportado e continuar a recuperação em casa.

Os pacientes internados para cuidados, como controle da dor pós-operatória, medicações venosas, repouso, cateterismo vesical, controle de perfusão periférica, entre outros, acabam se recuperando dos efeitos da anestesia, atingindo os estágios III e IV ainda durante o período de internação.

Estágio IV – Recuperação Completa

Nos pacientes ambulatoriais, a recuperação completa vai ocorrer gradativamente já com o paciente em sua casa. Durante essa fase, os resíduos anestésicos são metabolizados e as atividades dos sistemas nervoso central e autonômico se recuperam. Progressivamente, as funções psicomotoras e cognitivas se normalizam até que os pacientes possam voltar às suas atividades habituais.

O tempo total para que o paciente atinja a recuperação completa é muito difícil de ser estimado. Portanto, perguntas como quando vou poder dirigir ou consumir bebidas alcoólicas não podem ser respondidas, em função da grande variabilidade individual.[11,12] Devido à grande variação no tempo para recuperação completa, a maioria dos anestesiologistas prefere tomar uma posição conservadora, recomendando que os pacientes se abstenham desse tipo de atividades (beber, dirigir, operar máquinas sofisticadas, cozinhar, tomar decisões importantes) por, pelo menos, 24 horas.[13] Uma revisão mostra claramente a preocupação específica com a questão da aptidão para dirigir automóveis, mostrando que a associação de fármacos torna imprevisível a liberação para essa atividade, porém aponta que a injeção isolada de propofol, em endoscopias, permite liberar o paciente para tal atividade em uma hora.[13]

Sedação e Recuperação

A sedação consiste na administração de medicamentos com o intuito de diminuir a ansiedade, por promover amnésia, sono, alívio da dor e imobilidade. Ela pode variar de um grau bem superficial (paciente acordado e colaborativo) até um plano profundo (inconsciência). A sedação controla a ansiedade e a dor durante a realização dos bloqueios e da infiltração com anestésicos locais que podem ser bastante desagradáveis, proporciona tranquilidade e conforto durante os procedimentos e promove imobilidade principalmente em crianças ou pacientes pouco colaborativos.

Os principais fármacos usados para a sedação são benzodiazepínicos, hipnóticos, opioides e anestésicos inalatórios.

Eles devem possuir efeitos rápidos, previsíveis e quando utilizados de forma titulada pode-se obter a resposta desejada, permitindo rápida recuperação.

Nos pacientes ambulatoriais, quando a sedação é utilizada isoladamente ou em associação com anestesia local, os pacientes muitas vezes têm condições de dispensar a passagem pela SRPA-1 e seguir diretamente para a SRPA-2 (Tabela 124.4). Nos pacientes internados, é necessário, na dependência da técnica empregada, um tempo de observação na SRPA, para que se possa encaminhá-lo para o quarto.

■ REVERSÃO DOS BLOQUEIOS ESPINHAIS

O uso de bloqueios espinhais é muito comum na prática anestésica, por sua segurança, pela qualidade da anestesia, pelo controle da dor e baixo custo. A recuperação do paciente relaciona-se com a solução anestésica utilizada.

Tanto a peridural quanto a anestesia subaracnóidea têm sido utilizadas há muito tempo em cirurgias infraumbilicais realizadas em regime ambulatorial. Alguns anos atrás a preferência pela peridural se devia ao alto índice de cefaleia pós-punção da dura-máter observada com a anestesia subaracnóidea. Essa incidência de até 37,2% em pacientes jovens[14] praticamente contraindicava a anestesia subaracnóidea como escolha para o paciente ambulatorial. No entanto, com o advento de agulhas descartáveis de pequeno calibre 25 G e 27 G e com índices de cefaleia bem menores, entre 1% e 2%,[15-19] a anestesia subaracnóidea voltou a ser usada amplamente, apesar de estudo contradizer estatísticas anteriores mostrando que mesmo com o uso de agulha 27 G o índice de cefaleia no paciente jovem (abaixo de 45 anos) foi de 9,3%, com incidência maior na mulher (20,4%), quando comparada com o homem (5,5%).[20] Mesmo assim, a técnica continua sendo indicada como a de escolha em muitos serviços em função da simplicidade, rápida instalação, eficiência e baixo custo. Na realidade, alguns estudos foram enfáticos em mostrar incidência de cefaleia de 1% a 2% em sua maioria leve ou moderada.[20] Mostraram também que a incidência é maior com as agulhas calibre 25 G do que com as agulhas 27 G ou 29 G, não existindo diferença significativa entre a incidência com as agulhas 27 G e 29 G, elegendo a agulha calibre 27 G como melhor escolha para a prática da anestesia subaracnóidea em regime ambulatorial nos pacientes jovens. As agulhas calibre 25 G ficam reservadas para os pacientes acima de 60 anos, onde de cefaleia é menor. Embora alguns autores defendam o uso da agulha de Quincke, outros preconizam o uso da agulha Whitacre, que possui bisel em ponta de lápis pela menor incidência de cefaleia. Assim sendo, a agulha 27 G com ponta de Whitacre (ponta de lápis) tem sido preferida para as anestesias subaracnóideas em regime ambulatorial, podendo a incidência de cefaleia cair para o nível de 0,4%.

A peridural teria as vantagens de produzir menores alterações hemodinâmicas, flexibilidade maior no uso de diferentes concentrações de anestésico local e menor incidência de cefaleia. As desvantagens são que o tempo de instalação e reversão do bloqueio são maiores e menos previsíveis. No entanto, estudos comparativos entre as duas técnicas têm demonstrado que ambas podem ser usadas para o paciente ambulatorial.[21]

A grande dúvida quanto aos bloqueios espinhais fica em relação ao tempo de recuperação e quando o paciente poderá ter alta com segurança.

O anestésico ideal para a realização da anestesia subaracnóidea em regime ambulatorial deve possibilitar tempo necessário para a realização da cirurgia, e também a reversão rápida dos bloqueios motor e sensitivo. Três diferentes fatores têm sido considerados para atingir esse objetivo:

1. a escolha do anestésico local;
2. técnicas contínuas;
3. uso de adjuvantes.[22]

A lidocaína é o fármaco mais usado, porque apresenta recuperação rápida e previsível. Estudo em artroscopias do joelho com baixas doses (40, 60 e 80 mg) demonstrou que 40 mg seriam suficientes para o procedimento com tempo de alta de 178 ± 34 minutos.[23] No entanto, existe grande número de relatos sobre neurotoxicidade provocando irritação radicular.[24,25] mesmo em concentração a 2%, não existindo diferença significativa para a ocorrência de sintomas neurológicos transitórios com concentrações de 5% e 2%.[26] Assim sendo, o uso da lidocaína tem sido questionado, e na ausência de outros fármacos de curta duração como opção, o uso da bupivacaína em baixas doses tem sido recomendado como substituto.

Alguns autores relacionaram a dose e a resposta, utilizando doses altas sem preocupação com a recuperação.[27] Um estudo em voluntários sadios[28] verificou a relação dose/resposta para baixas doses (3,75 a 11,25) de bupivacaína hiperbárica, cujos resultados podem servir de parâmetro para a dose necessária nos diferentes tipos de cirurgia. Esse estudo sugere que para uma cirurgia no joelho com 60 minutos de duração, a dose aproximada de bupivacaína seria de 7 mg. Outro estudo, em que se utilizou de dose titulada de bupivacaína, demonstrou que a dose necessária para cirurgias no joelho seria de 7,5 mg.[29] Outros autores mostraram que com baixas doses de bupivacaína a 0,5%, com volumes de 1 e 2 mL, tanto a regressão do bloqueio quanto a capacidade para deambular foram significativamente menores no grupo que recebeu 1 mL da solução de anestésico (161 contra 231 minutos). Entretanto, as diferenças entre os tempos para diurese espontânea não foi significativo.[30]

Devido as controvérsias do emprego da lidocaína, a bupivacaína passou a ser utilizada na anestesia subaracnóidea tanto para pacientes internados quanto àqueles em regime ambulatorial. Embora eficaz, o tempo de permanência hospitalar aumenta. A partir desta verificação alguns autores sugeriram o uso de doses menores, variando de 7,5 mg a 12 mg de bupivacaína a 0,5% com ou sem glicose, na dependência do tempo previsto do procedimento e a necessidade real bloqueio motor.[30] Deve-se considerar que doses menores aumentam a incidência de falhas, um problema que pode ser minimizado com a associação de fentanil (10 a 20 mg).[31] Na realidade o uso de baixas doses ganhou rápido crescimento, vários trabalhos foram publicados, o que permitiu uma metanálise, que evidenciou a possibilidade de reduzir consideravelmente a dose de bupivacína hiperbárica (5 mg) para o bloqueio subaracnóideo obtendo-se anestesia unilateral para artroscopia de joelho, desde que o paciente seja mantido em decúbito lateral tempo suficiente para que a anestesia se instale. Nessas condições técnicas, doses de 5 a 7,5 mg de bupivacaína hiperbárica se mostraram eficazes salientando que a dose 7,5mg aumentou em 40minutos o tempo de alta. Nesta mesma metanálise foi observado que a adição de 10 a 25µg de fentanil melhora a qualidade do bloqueio sem influência siganificativa no tempo de alta. A incidência de retenção urinária fica abaixo de 1%, porém a incidência de prurido variou de 48 a 75%.[32] Adição de morfina fica proscrita nos pacientes ambulatoriais , porém é muito útil para os pacientes internados em vários tipos de procedimentos.[32]

O uso da raquianestesia contínua caiu em desuso devido ao relato de casos de deficit neurológico definitivos e prolongados após o uso de lidocaína a 5% com glicose pelos cateteres espinhais.[33] Com o surgimento de microcateteres e o uso de anestésicos sem glicose,a raquianestesia contínua volta a ser considerada.

O uso de técnicas combinadas raquiperidural[23] mostrou ótimos resultados, com uma dose inicial de 40 mg de lidocaína por via subaracnóidea e complementações com lidocaína a 2% pelo cateter peridural quando preciso. Outros estudos serão necessários para poder afirmar as vantagens e desvantagens de técnicas combinadas e seu emprego em anestesia ambulatorial.

Adjuvantes também têm sido utilizados na tentativa de melhorar os resultados dos anestésicos locais para a anestesia subaracnóidea em regime ambulatorial. A epinefrina prolonga os efeitos dos anestésicos de tal forma que sua utilização tem sido contraindicada.[34] O fentanil, por ser um analgésico potente de alta solubilidade com pequeno risco para provocar depressão respiratória, tem sido usado com sucesso tanto na melhora da qualidade do bloqueio como também na analgesia pós-operatória, sem, entretanto, provocar retardo de altas.[35]

Nos pacientes internados, fármacos como a clonidina e morfina são empregados como adjuvantes nos bloqueios peridurais e subaracnóideos com o propósito de melhorar a qualidade do bloqueio e para prover analgesia no pós--operatório. Técnicas de analgesia controlada pelo paciente por via peridural são muito utilizadas. Assim sendo, no momento da alta da SRPA, os protocolos de analgesia do pós--operatório já devem estar sendo cumpridos.

Na anestesia peridural, a possibilidade do uso de cateteres e de administrações repetidas com pouco risco de neurotoxicidade faz da lidocaína o fármaco de escolha para procedimentos ambulatoriais. Embora a bupivacaína tenha efeito mais prolongado, também poderá ser usada caso o procedimento cirúrgico seja longo, porém pouco traumático. O tempo, embora importante, não é fator limitante para realização de cirurgias ambulatoriais, e sim as condições e o tempo em que o paciente leva para atingir os critérios de alta, uma vez terminada a cirurgia.[2] Independentemente do fármaco ou da técnica escolhida, a recuperação dos pacientes submetidos a bloqueios espinhais deve ser feita de maneira semelhante.

Saindo da sala de cirurgia, os pacientes devem ser conduzidos para a SRPA-1 sob os cuidados do anestesiologista responsável. Na SRPA-1 devem permanecer até que atinjam todos os critérios para a alta, semelhantes aos que foram submetidos à anestesia geral, com especial atenção para a movimentação dos membros inferiores. Antes da alta hospitalar no caso de cirurgia ambulatorial, além dos critérios de alta habituais devem ser observadas, com especial atenção, as condições de o paciente deambular sem ajuda, reversão total da parestesia na região perineal e diurese espontânea. Ainda no caso da anestesia subaracnóidea, o paciente deve estar ciente da possibilidade de cefaleia e, caso isso ocorra, deve entrar em contato com o serviço de anestesia o mais rápido possível, para que a terapêutica apropriada seja instituída. Já no caso da anestesia peridural, o risco de cefaleia só existe, embora em uma porcentagem muita alta, quando ocorre perfuração acidental da dura-máter. Nesses casos é conveniente que o paciente permaneça internado para observação e devidamente hidratado, já que o uso de tampão sanguíneo profilático é controverso.[2]

Quando comparadas com a anestesia geral, as grandes vantagens dos bloqueios espinhais são menor incidência de náuseas e vômitos, melhor controle da dor no pós-operatório imediato e baixo custo.

Em relação à qualidade e ao tempo de recuperação, os estudos têm sido bastante controversos e parecem estar diretamente relacionados com o tipo de cirurgia realizada. Portanto, na escolha da técnica anestésica, não se deve simplesmente pensar em rápida reversão dos seus efeitos, mas também em analgesia adequada e mínimos efeitos colaterais, fatores que estão relacionados com o tipo de procedimento.[36]

Bloqueios de Nervos Periféricos e a Recuperação Pós-anestésica

Cresceu mundialmente o número de bloqueios de nervos periféricos (BNP) como técnica principal ou como adjuvantes da anestesia geral, com o propósito de prover analgesia intra e pós-operatória. Os benefícios dos BNP incluem: redução da dor pós-operatória, redução da necessidade de opioides, redução da incidência de náuseas e vômitos e diminuição do tempo de recuperação.[37] Em anestesia pediátrica o número de BNP aumentou e o número de anestesias no neuroeixo diminuiu. Os BNP além de proporcionarem significativa diminuição do uso de fármacos no intra-operatório, diminuem consideravelmente a necessidade de analgésicos no pós-operatório.[37]

Para o idoso a anestesia regional também é boa indicação, devendo-se salientar que o bloqueio motor pode significar um problema para o idoso no pó-operatório.[38]

Quando se deseja duração mais prolongada a bupivacaína ou a ropivacaína podem ser utilizadas. O paciente deve ser informado quanto a duração da analgesia e principalmente do bloqueio motor para não gerar angústia no pós--operatório. Deve ser ressaltado, que se não for possível aliviar a dor, ou se o procedimento necessitar de observação constante, a internação deve ser providenciada.

A anestesia intravenosa regional também é muito utilizada em procedimentos ambulatoriais. Ela apresenta baixo índice de complicações. Tem como desvantagem a ausência de analgesia pós-operatória, fato que pode ser contornado se ao final da cirurgia a ferida operatória for infiltrada, ou bloqueios de nervos periféricos específicos da região operada.

Nas anestesias do neuroeixo os BNP também estão indicados como adjuvantes para analgesia pós-operatória.

O crescimento da realização de bloqueios de nervos periféricos em regime ambulatorial deve-se ao grau de satisfação do paciente no pós-operatório. Uma prova disso observa-se em uma série de 13.897 casos que incluiram cirurgias dos ombros, clavícula, escápula, cotovelo , mão joelho, pé, cabeça, tórax e abdomem,, cuja maioria das vezes foram realizados bloqueios de nervos periféricos (80%), com índice de sucesso de 97% da amostra global, o grau de satisfação foi: excelente (75,6%), muito bom (19,6%) e bom(3,7%). A incidência de náuseas foi de 12% e de vômitos 3,2%.[39]

■ CONCLUSÃO

Estágios da recuperação da anestesia devem ser verificados e todas as etapas devem ser monitoradas. O destino do paciente será determinado pela programação feita para cada tipo de procedimento e pelo cumprimento das etapas até uma dessas três condições: alta hospitalar; alta para a ala de internação; encaminhamento para unidade de terapia intensiva.

Para cada tipo de regime uma forma de analgesia pós-operatória deve ser programada, que sem dúvida será fator primordial para um despertar tranquilo com alto índice de satisfação.

REFERÊNCIAS

1. Pandit SK, Pandit UA. Phases of the Recovery Period. In: White PF. Ambulatory Anesthesia and Surgery. 1.ed. Philadelphia: WB Saunders, 1997. p.457-64.
2. Cangiani LM, Porto AM. Anestesia ambulatorial. Rev Bras Anestesiol. 2000;50:68-85.
3. Moller JT, Johannesseen NW, Espersen K, et al. Randomized evaluation of pulse oximetry in 20802 patients. Perioperative events and postoperative complications. Anesthesiology. 1993;78:445-53.
4. Aldrete JA, Kroulik D. A postanesthetic recovery score. Anesth Analg. 1990;49:924-34.
5. Aldrete JA. The post-anesthesia recovery escore revisited. J Clin Anesthesia. 1995;7:89-91.
6. White PF. Recovery and fast Tracking in Ambulatory Surgery Anesthesia. Atualização em Anestesiologia. Publicação da Sociedade de Anestesiologia do Estado de São Paulo, 1999. p.156-64.
7. Song D, Joshi GP, White PF. Fast track eligibility after ambulatory anesthesia: a comparison of desflurane, sevoflurane and propofol. Anesth Analg. 1998;86:267-73.
8. Apfelbaum JL, Grasela TH, Walawander CA, et al. Study team. Bypassing the PACU: a new paradigm in ambulatory surgery. Anesthesiology. 1997;87:A32.
9. Abdullah HR, Chung F. Postoperative issues. Discharge criteria. Anesthesiology Clin. 2014;32;487-93.
10. Chung FF. Discharge requirements. In: White PF. Ambulatory anesthesia and surgery. 1.ed. Philadelphia: WB Saunders, 1997. p.518-25.
11. Chung F. Are discharge criterias changing? J Clin Anesthesiol. 1993;5:64.
12. Lichtor JL, Sah J, Apfelbuaum J, et al. Some patients may drink or drive after ambulatory surgery. Anesthesiology. 1990;73:1083.
13. Horiuchi A, Graham DY. Special topics in procedural sedation: clinical challenges and psychomotor recovery. Am Soc Gastroint Endoscopy. 2014;80(3):404-9.
14. Flaaten R, Raeder J. Spinal anaesthesia for outpatient surgery. Anaesthesia. 1985;40:1108-11.
15. Pittoni G, Toffoleto F, Calcarella G, et al. Spinal anesthesia in outpatient knee surgery: 22-gauge versus 25 gauge Sprotte needle. Anesth Analg. 1995;81:73-9.
16. Halpern S, Preston R. Postdural puncture headache and spinal needle design. Metaanalyses. Anesthesiology. 1994;81:1376-83.
17. Brattebo G, Wisborg T, Rodt AS, et al. Intrathecal anesthesia in patients under 45 years: incidence of postdural puncture symptomsafter spinal anesthesia with 27G needles. Acta Anaesthesiol Scand. 1993;37:545-8.
18. Imbelloni LE, Sobral MGC, Carneiro ANG. Influência do calibre da agulha, da via de inserção agulha e do número de tentativas de punção na cefaléia pós-raquianestesia. Estudo prospectivo. Rev Bras Anestesiol. 1995;45:377-82.
19. Kang SB, Goodnough DE, Lee YK, et al. Comparison of 26- and 27-G needles for ambulatory surgery patients. Anesthesiology. 1992;76:734-8.
20. Despond O, Meuret P, Hemmings G. Postdural punction headache after spinal anesthesia in young orthopaedic outpatients using 27-g needles. Can J Anesth. 1998;45:1106-9.
21. Faura A, Izquierdo E, Pelegryi ND. Anestesia epidural fente a anestesia intradural en cirurgyia ambulatoria. Rev Esp Anestesiol Rean. 1999;46:256-63.
22. Liu SS. Optimizing spinal anesthesia for ambulatory surgery. Reg Anesth. 1997;22:500-10.
23. Urmey WF, Staton J, Peterson M, et al. Combined spinal epidural anesthesia for outpatient surgery. Dose response characteristics of intrathecal isobaric lidocaine using a 27-gauge Whitcre spinal needle. Anesthesiology. 1995;83:528-34.
24. Tarkklla P, Huhtala J, Tuominem M, et al. Transient radicular irritation after bupivacaine spinal anesthesia. Reg Anesth. 1996;21:26-9.
25. Pinczower GR, Chadwick HS, Woodland R, et al. Bilateral leg pain following lidocaine spinal anesthesia. Can J Anesth. 1995;42:217-20.
26. Hampl KF, Scneider MC, Pargger H, et al. A similar incidence of transient neurologic symptoms after spinal anesthesia with 2% and 5% lidocaine. Anesth Analg. 1995;81:1125-8.
27. Axelsson KH, Edstrom HH, Sundberg AEA, et al. Spinal anesthesia with hiperbaric 0,5% bupivacaine: effects of volume. Acta Anaesthesiol Scand. 1982;26:439-45.
28. Liu SS, Ware PD, Allen HW, et al. Dose response characteristics of spinal anesthesia in volunteers. Anesthesiology. 1996;85:729-36.
29. Bem-David B, Levin H, Soloman E, et al. Spinal bupivacaine in ambulatory surgery: the effect of saline dilution. Anesth Analg. 1996;83:716-20.
30. Tarkikila P, Huhtala J, Tuominen M. Home readiness after spinal anesthesia whith small doses of hiperbaric 0,5% bupivacaine. Anaesthesia. 1997;52:1157-60.
31. Ben-David B, Solomon E, Levin H, et al. Intrathecal fentanyl with small-dose dilute bupivacaine: better anesthesia without prolonging recovery. Anesth Analg. 1997;85(3):560 5.
32. Nalr GS, Abrishami A, Lermite J, et al. Systematic review of spinal anaesthesia using bupivacaine for ambulatory knee arthroscopy. Br J Anaesth. 2009;102(3):307-15.
33. Rigler ML, Drasner K, Krejcie TC, et al. Cauda equina syndrome after continuous spinal anesthesia. Anesth Analg. 1991;72:275-81.
34. Moore JM, Liu SS, Pollock JE, et al. The effect of epinephrine on small-dose hyperbaric bupivacaine spinal anesthesia: clinical implications for ambulatory surgery. Anest Analg. 1998;85:973-7.
35. Bem David B, Solomon E, Levin H, et al. Intratecal fentanyl whith small dose dilute bupivacaine: better anesthesia without prolonging recovery. Anesth Analg, 1997;85:560-565.Neuroaxial anesthesia for outpatients. Anesthesiology. 2014;32:357-69.
36. Jacobsson J, Ljungqvist O, Ljungvist O, et al. A review of scope and measurement of Postoperative quality of recovery. Anesthesia. 2014;69:1266-79.
37. Deer JD, Sawardekat A, Suresh S. Day surgery regional anestesia in children: safety and improving outcomes, do they make a difference? Cur Opin Anesthesiol, 2016;29:691-695.
38. Cao X, Elvir-Lazo OL, White PF et al. Na update pain management for elderly patients undergoing ambulatory surgery. Crr OPin Anesthesiol,2016,29:674-682.
39. Malchow RJ, Gupta RK, Shi Y et al. Comprehensive analysis of 13,897 consecutive regional anesthetics at an ambulatory surgery center. Pain Medicine, 2017;0:1-17.

125

Eventos Adversos na Recuperação Pós-Anestésica

Thyago Araújo Fernandes ▪ **Luciana Chaves de Morais** ▪ **Claudia Regina Fernandes**

INTRODUÇÃO

A sala de recuperação pós-anestésica (SRPA) constitui o ambiente onde o paciente submetido a procedimento anestésico-cirúrgico deve permanecer, sob observação e cuidados da equipe multiprofissional, até que se restabeleçam nível de consciência e sinais vitais, ao mesmo tempo que se monitoram e previnem intercorrências.[1] Exemplificam as principais situações adversas em SRPA eventos como dor, sangramento, náuseas, vômitos, complicações respiratórias, hemodinâmicas e alteração da temperatura corporal.[2,3]

Os fatores determinantes podem estar associados à condição do paciente (idade, índice de massa corporal [IMC], escore da *American Society of Anesthesiologists* [ASA]), à experiência do anestesiologista na assistência perioperatória e à natureza do procedimento cirúrgico (regime eletivo *versus* urgência, duração, complexidade, complicações inerentes).[2]

Grupos populacionais especiais tendem a apresentar tipos específicos de eventos adversos em SRPA. Idosos caracteristicamente podem manifestar hipotermia, hipoxemia, *delirium* e alteração da consciência.[4] Crianças cursam com agitação psicomotora e complicações respiratórias. Obesos mórbidos possuem tendência a alterações na fisiologia cardiopulmonar, diminuição da capacidade residual funcional (CRF), aumento do consumo de oxigênio e débito cardíaco, paralelamente a mais alta incidência de comorbidades, como diabetes *mellitus*, apneia obstrutiva do sono (AOS) e hipertensão.[5]

A seguir, serão detalhadas as complicações mais comumente observadas na SRPA e as condutas recomendadas em cada situação.

▪ COMPLICAÇÕES RESPIRATÓRIAS

Por vezes complexas e imprevisíveis, as complicações respiratórias consistem nas maiores causas de morbimortalidade na SRPA. Incidem na ordem de 0,8% a 6,9%. Resultam em hipoxemia ($SaO_2 < 90\%$), hipoventilação (frequência respiratória < 8 irpm), hipercapnia ($PaCO_2 > 50$ mmHg) ou obstrução de vias aéreas, resultando em queda de língua, laringospasmo, estridor ou hiperreatividade brônquica. Requerem intervenção imediata, tais como suplementação de oxigênio, inserção de cânula oro ou nasofaríngea, assistência ventilatória, intubação traqueal, antagonismo farmacológico (opioides ou benzodiazepínicos) ou mesmo reversão de bloqueio neuromuscular (anticolinesterásicos ou ciclodextrinas).

Variáveis relacionadas com o paciente compreendem doença pulmonar obstrutiva crônica (DPOC), tabagismo, obesidade e fatores de risco não modificáveis (idade avançada e anomalias anatômicas torácicas) ou modificáveis (infecção pulmonar ativa e desnutrição). Outros desencadeantes podem ser cirurgia de emergência, cirurgias de longa duração (> 3 horas) e tipo de cirurgia (cabeça e pescoço, vascular). Causas relacionadas com anestesia incluem uso de opioides, uso de fármacos bloqueadores neuromusculares e anestesia geral. A Tabela 125.1 explicita a força de evidência para a associação de fatores de risco de complicações respiratórias pós-operatórias.

O efeito da idade torna-se particularmente notável a partir de 60 anos. Importante notar que tabagismo e DPOC foram considerados fatores de risco menores.[7] Quanto às estratégias de avaliação e redução de complicações,[6-8] sinaliza-se que o sítio cirúrgico representa, de todos os fatores relacionáveis ao ato anestésico-cirúrgico ou ao paciente, o mais importante gerador de risco, sendo esse magnificado quanto mais próximas ao diafragma são incisão e manipulação cirúrgicas.[7] Por isso, relacionam-se principalmente os procedimentos torácicos, abdominais e as cirurgias de aorta com complicações respiratórias, bem como se sobres-

Tabela 125.1 Fator de risco e força de evidência para complicações respiratórias na SRPA.			
	Fator de risco		
Nível de evidência	Relacionado com o paciente	Relacionado com o procedimento	Testes laboratoriais
A (bom)	ASA = ou > 2 Falência cardíaca Idade avançada Dependência funcional DPOC	Cirurgia torácica Cirurgia abdominal Cirurgia de abdômen superior Cirurgia de aorta Neurocirurgia Cirurgia prolongada Cirurgia de emergência Cirurgia vascular Cirurgia de cabeça e pescoço Anestesia geral	Albumina sérica < 3,5 g.dL^{-1}
B (razoável)	Alteração do sensório Tabagismo Alcoolismo Perda de peso Achados anormais no exame torácico	Transfusão perioperatória	Radiografia de tórax Ureia sérica > 21 mg.dL^{-1}

saem as cirurgias do andar superior do abdômen quando comparadas a outras intervenções abdominais.[7]

A dosagem de albumina sérica menor que 3,5 g.dL^{-1} corresponde ao mais significativo preditor entre os testes de avaliação complementar, superando inclusive a importância da radiografia torácica, provavelmente por denotar condições como *status* nutricional comprometido, sarcopenia e imunodeficiência, os quais consequentemente conduziriam a prejuízo de força muscular respiratória, dificuldade de extubação e propensão a infecções. A hipoalbuminemia prevê, logo, risco a um grau análogo a importantes preditores relacionados ao paciente (nível de evidência A).[7]

■ DIAGNÓSTICO DIFERENCIAL DA HIPOXEMIA ARTERIAL NA SRPA

São vários os fatores e mecanismos que contribuem para hipoxemia no período pós-operatório imediato. Discutem-se a seguir alguns dos principais.

Efeitos Farmacológicos

Durante anestesia geral e ventilação mecânica, opioides, hipnóticos e bloqueadores neuromusculares fazem-se necessários; em contrapartida, o seu efeito residual, quando excessivo, pode dificultar a retomada da ventilação espontânea nos períodos imediato e precoce de recuperação.

O efeito dos agentes anestésicos, por essa razão, deve ser adequadamente revertido ou dissipado ao final do procedimento cirúrgico. Do contrário, afeta-se de forma complexa o controle da ventilação, mediante alterações em mecanismos quimiorreflexos (hipercápnico e hipóxico), não quimiorreflexos ou *drive* de vigília (*wakefulness drive to breathe*) e tônus da via aérea superior.

Pelas constantes mediações *feedback e feedforward* do controle fisiológico normal da respiração, os efeitos clínicos de resíduos de fármacos podem variar largamente, dependendo do estado fisiológico do paciente, ou seja, idosos ou desnutridos tendem a apresentar maior suscetibilidade a prejuízo do processo regulatório do que jovens eutróficos.

Opioides e Sedativos

Opioides são comumente usados para analgesia na SRPA, como pilar no tratamento da dor aguda grave. Deprimem a respiração por meio de receptores μ_2 e δ, gerando bradipneia e dessensibilização bulbar diante de hipoxemia e hipercapnia. Sua administração neuroaxial, tanto peridural quanto subaracnóidea, exibe efeito semelhante, mesmo que não se observem significativas concentrações plasmáticas dos fármacos.[9]

Os efeitos do midazolam no tônus da via aérea superior podem ser mais importantes do que na diminuição do esforço respiratório, por redução dos quimiorreflexos de regulação de PaO_2 e $PaCO_2$. Podem ser prontamente revertidos com flumazenil, muito embora ainda persista o risco de rebote quando a duração clínica do resíduo do hipnótico supera a do antagonista.

Bloqueadores Neuromusculares

Os agentes bloqueadores neuromusculares são frequentemente usados em anestesia geral, sendo algum grau de curarização residual frequentemente observado na SRPA. Estima-se que 33% a 64% dos pacientes apresentam recuperação inadequada do bloqueio neuromuscular no momento da admissão ao setor,[10] a despeito da moderna preferência por agentes curarizantes de mais limitada duração de ação ou mesmo, ainda em sala cirúrgica, do emprego de estratégias de reversão farmacológica. Efeitos residuais de opioides e hipnóticos contribuem para dificultar o preciso diagnóstico dessa condição, favorecendo sua subnotificação.

A curarização indesejada pode promover hipoxemia por diferentes mecanismos, que incluem perda da manutenção da perviedade da via aérea superior, paresia diafragmática e secundariamente da musculatura acessória. Vias aéreas superiores exibem importante obstrução com relação *train-of--four* (TOF) de 0,50. Musculatura da faringe pode ter função comprometida mesmo com valores superiores, sendo sugerido que apenas valores TOF > 0,90 seriam tranquilizadores para prevenção de obstrução de vias aéreas na SRPA.[11,12]

Muito embora consista no efeito sobre receptores nicotínicos da placa motora, o principal mecanismo de ação dos bloqueadores neuromusculares, estudos em humanos e modelos animais demonstram que aminoesteroides (vecurônio), mesmo em baixas doses, comprometem *drive* ventilatório hipóxico por meio da repercussão na quimiossensibilidade dos corpos carotídeos.[13]

Medicações Cardiovasculares

Medicações usadas para suporte ao sistema cardiovascular podem também ter significantes efeitos respiratórios, no entanto, a maioria não causa problemas clínicos maiores na SRPA. Entre essas, a dopamina tem os efeitos mais pronunciados, já que mesmo baixas doses bloqueiam significativamente a resposta ventilatória à hipóxia. Ocorre piora da depressão quando administradas na vigência de hipóxia ou em situações com oferta comprometida de oxigênio aos tecidos, como durante exacerbação de insuficiência cardíaca congestiva. Bloqueadores de canais de cálcio e vasodilatadores (nitroprussiato de sódio ou nitroglicerina) podem influenciar o mecanismo de vasoconstrição pulmonar hipóxica, piorando *shunt*.[14]

■ PREVENÇÃO E TRATAMENTO DE ATELECTASIAS

Atelectasia constitui importante causa de hipoxemia na SRPA e no pós-operatório. Alguns procedimentos em sala cirúrgica podem preveni-la, com manutenção da abertura de áreas alveolares.

Em adultos saudáveis sob anestesia geral, manobras de recrutamento reduzem a ocorrência de atelectasia e *shunt* pulmonares, e, apesar de aumento concomitante da ventilação para unidades pulmonares menos perfundidas, essas manobras globalmente melhoram a eficiência ventilatória.[15] Uma única ventilação de recrutamento, mediante oferta de volume corrente maior, pode resultar em liberação de surfactante, contribuindo para a estabilidade alveolar.

Deve-se ter especial atenção a pacientes com DPOC, pois neles o prejuízo na oxigenação é primariamente secundário à inadequada relação ventilação/perfusão (V/Q).[16] Assim, insuflações adicionais pulmonares podem ou ter valor limitado no combate a atelectasias ou ser danosas por possível hiperdistensão alveolar regional. Por esse motivo, deve-se pesar cuidadosamente os benefícios e riscos de manobras de recrutamento nessa população.[17]

O uso da *pressão positiva ao final da expiração (positive end-expiratory pressure,* PEEP*)* consiste em outra abordagem de abertura de regiões pulmonares colapsadas. Reduz microatelectasias se usada em pacientes com pulmões normais, mas pode ter um efeito variado no *shunt* pulmonar ou até mesmo aumentar o espaço morto. Seu uso, associado a manobras de recrutamento alveolar, reduz significativamente a taxa de reincidência de colapso alveolar.[18]

■ TRATAMENTO DAS CAUSAS DE HIPOXEMIA ARTERIAL NA SRPA

De acordo com a curva de dissociação de oxigênio – que define, em sangue arterial, a relação entre pressão parcial do oxigênio no sangue (PaO_2) e saturação de oxigênio (SaO_2) –, PaO_2 de 60 mmHg resulta em SaO_2 de aproximadamente 90%, sendo geralmente essa a meta a se superar com a terapia suplementar de oxigênio na SRPA. Pacientes idosos podem apresentar alvos de adequação mais baixos. A faixa de PaO_2 a se atingir pode ser estimada de acordo com a fórmula apresentada a seguir:

$$PaO_{2\,ideal} = 109 - (0,43 \times idade)$$

Conforme se observa na Figura 125.1, enquanto variações em PaO_2 entre 60 e 80 mmHg pouco influenciam a SaO_2 (90% a 97%), decréscimos adicionais na PaO_2 (abaixo de 60 mmHg) podem resultar em marcantes quedas na SaO_2. Convém, ainda, ressaltar que fatores como temperatura, pH e concentração de 2,3 DPG podem influenciar o estado de equilíbrio das formas livres das moléculas de oxigênio e das formas ligadas à hemoglobina, promovendo desvios da curva e possivelmente alterando sua liberação aos tecidos.

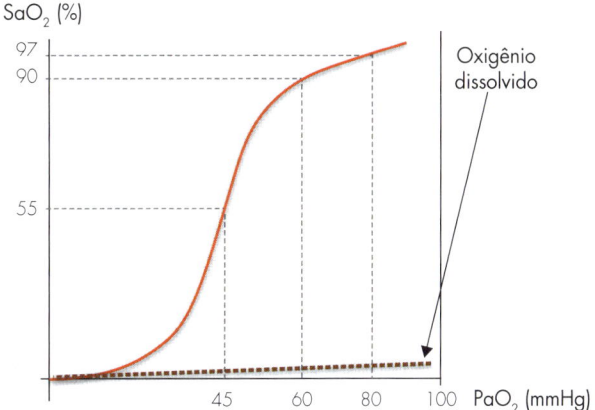

▲ **Figura 125.1** Curva normal de dissociação oxigênio-hemoglobina.

A seguir, serão discutidos os objetivos da oxigenoterapia com base nas causas de hipoxemia arterial na SRPA.

■ HIPOVENTILAÇÃO ALVEOLAR

A hipoxemia na hipoventilação alveolar não é usualmente grave, sendo facilmente revertida mediante uso de oxigênio suplementar. Os principais objetivos no manejo correspondem ao reconhecimento e ao tratamento das causas subjacentes. A DPOC representa sua principal causa, em decorrência da alteração na relação V/Q.

A administração de oxigênio suplementar deve ser cuidadosamente titulada nessa população, pois alta fração inspirada de oxigênio (FiO_2) pode deprimir o *drive* ventilatório hipóxico ou reduzir/abolir o fenômeno de vasoconstrição pulmonar hipóxica, levando à hipercapnia e parada respiratória.[19] Como essa população tem demanda por oxigênio bastante variável, faz-se importante basear a conduta mediante observação do registro de sinais vitais em boletim anestésico previamente à indução anestésica ou ao emprego de pré-medicações. Dessa forma, oportuniza-se a individualização da oxigenoterapia suplementar, almejando o retorno do paciente à sua condição basal. Do contrário, a manutenção da saturação periférica entre 88% e 92% parece satisfatória no geral.[20]

Discrepância na Relação Ventilação/Perfusão (V/Q)

O uso de oxigênio suplementar aumenta a PaO_2 em situações de alterações da relação V/Q em pacientes com DPOC. A resposta pode, entretanto, ser imprevisível e levar vários minutos até se estabelecer. O tratamento com oxigênio a 100% pode conduzir a PaO_2 a valores excessivamente elevados, gerando desnitrogenação da mistura aérea alveolar e causando, subsequentemente, seu colapso, que pode tornar áreas de baixa relação V/Q em verdadeiros *shunts*.

Para além do uso de terapia com oxigênio na SRPA, o tratamento deve ter o foco em atenuar anormalidades na relação V/Q, incluindo o uso de broncodilatadores para pacientes com DPOC e asma, além de PEEP para aqueles com lesão pulmonar aguda ou edema sob suporte ventilatório mecânico.

Shunt Pulmonar

Embora a hipóxia causada por *shunt* pulmonar seja menos responsiva a oxigênio suplementar, elevações significativas na PaO_2 podem ocorrer com administração de altas taxas de FiO_2. Frações de *shunt* $\geq$ 50%, no entanto, possibilitam limitado benefício, mesmo com altas concentrações de oxigênio.

Problemas na Difusão dos Gases

O uso de oxigênio suplementar na SRPA facilmente reverte a hipoxemia associada ao fenômeno de difusão em virtude do aumento no gradiente de concentração entre os capilares e os alvéolos, determinando o movimento do oxigênio através da membrana alveolocapilar. Importante salientar que, em adultos que apresentam falência respiratória aguda hipoxêmica (tipo 1), altos fluxos de oxigênio através de cateter nasal não oferecem nenhum benefício quando comparados à ventilação mecânica.

■ AUMENTO NA TAXA DE EXTRAÇÃO DE OXIGÊNIO

O benefício do oxigênio suplementar durante estados de baixo débito cardíaco (aumento da taxa de extração de oxigênio) se deve ao fato de que maior FiO_2 promove incremento na concentração de O_2 dissolvida no sangue arterial, contribuindo para melhor oferta tecidual. Compensa-se, desse modo, pelo menos parcialmente, a incapacidade do coração em captar oxigênio na circulação pulmonar e adequadamente distribuí-lo pelo corpo.

Diminuição da oferta de oxigênio tissular por conta de insuficiente débito cardíaco ou baixo conteúdo arterial de oxigênio pode ser retratada com queda na saturação venosa mista. Avaliar e tratar a causa subjacente da diminuição da perfusão tecidual com ressuscitação volêmica, hemotransfusões, vasopressores, inotrópicos e antibióticos constituem intervenção crítica cujo início pode vir a revelar-se necessário na SRPA.

■ USO DE OXIGENOTERAPIA EM INSUFICIÊNCIA CARDÍACA E ISQUEMIA MIOCÁRDICA

Oxigênio suplementar tem sido utilizado no tratamento de pacientes com doença cardíaca e investigado durante mais de um século. A justificativa para a terapia nesses pacientes seria o incremento da oxigenação do miocárdio doente. Embora favorável em teoria, demonstra-se hoje discutível benefício da estratégia em pacientes com falência cardíaca, suscitando-se, na verdade, potenciais prejuízos com a estratégia.[21] Questiona-se, em pacientes com insuficiência cardíaca, a associação de hiperóxia com piora do relaxamento miocárdico; aumento da pressão de enchimento ventricular esquerdo e resistência vascular sistêmica; além de redução de débito cardíaco, volume sistólico e fluxo sanguíneo coronariano. Ainda se demonstrou que o fluxo de oxigênio 5 $L.min^{-1}$, FiO_2 40%, reduziu o débito cardíaco e a frequência cardíaca, levando à tendência em aumentar a resistência vascular sistêmica sem alterar o volume sistólico quando em comparação com ar ambiente (FiO_2 21%).[22,23]

Pesquisas envolvendo indivíduos com síndrome coronariana aguda têm igualmente apontado para potenciais efeitos deletérios com a administração excessiva de O_2. Foi demonstrado que a hiperóxia pode desencadear marcante redução no fluxo sanguíneo coronariano, da ordem de 8% a 29%, mediante aumento na resistência microvascular coronariana. Foram avaliados o tamanho da área infartada e os eventos clínicos em dois grupos de pacientes com infarto agudo do miocárdio com supradesnivelamento de segmento ST: um em uso suplementar de O_2 (8 $L.min^{-1}$ sob máscara facial) e outro sem uso. Observou-se que, no grupo que usou O_2 suplementar, a área de lesão miocárdica aumentou mais do que 55% em 6 meses.[24]

■ O PAPEL DA VENTILAÇÃO COM PRESSÃO POSITIVA CONTÍNUA NAS VIAS AÉREAS E DA VENTILAÇÃO NÃO INVASIVA NA SRPA

O uso de pressão positiva contínua nas vias aéreas (*continuous positive airway pressure*, CPAP) na SRPA, potencialmente diminui a hipoxemia causada por atelectasias, mediante o recrutamento alveolar. O subsequente aumento da CRF diminui o trabalho respiratório e melhora a complacência pulmonar. A aplicação de CPAP (7,5 cmH_2O) em pacientes na SRPA que desenvolvem hipoxemia aguda após cirurgia eletiva abdominal de grande porte, em associação com oxigênio, reduz a incidência de intubação endotraqueal e outras complicações, tais como pneumonia, infecção e sepse.[25]

Parte dos pacientes requer suporte ventilatório adicional, mesmo após emprego de CPAP. Registra-se limitada aplicação de ventilação não invasiva (VNI) na SRPA, a despeito de ser uma efetiva alternativa para intubação traqueal no tratamento de quadros de falência respiratória aguda em pacientes críticos. No passado, a VNI foi evitada no período pós-operatório imediato em razão de potencial deiscência de ferida operatória, distensão gástrica e macroaspiração pulmonar de conteúdo gástrico, que podem ocorrer em pacientes submetidos a cirurgias de estômago ou esôfago. Atualmente, considera-se o uso dessa modalidade ventilatória em uma variedade de causas de falência respiratória rapidamente reversíveis no pós-operatório.

Em situações específicas, como em pacientes obesos mórbidos com AOS, submetidos à cirurgia bariátrica laparoscópica, a VNI aplicada imediatamente após a extubação melhora significativamente a função pulmonar, conforme mostrado por avaliação espirométrica em 1 hora e 24 horas de pós-operatório, quando comparada à aplicação de CPAP iniciando-se na SRPA.[26]

Importante considerar as contraindicações relativas ao uso de VNI, que incluem estado mental alterado, alto risco de aspiração, hipoxemia refratária, arritmias com instabilidade hemodinâmica e dificuldade de acoplamento da máscara facial, como no pós-operatório de cirurgias de cabeça e pescoço.[27]

■ SITUAÇÕES ESPECÍFICAS

Cirurgia Laparoscópica *versus* Cirurgia Laparotômica

A cirurgia laparoscópica tem múltiplos benefícios, como recuperação mais rápida e menor tempo de permanência hospitalar. Procedimentos laparoscópicos reduzem o risco de complicações pulmonares no pós-operatório quando comparados a procedimentos sob laparotomia, pois estão associados a menos dor, contribuindo para a plena manutenção da amplitude respiratória e para a redução de atelectasias/outras complicações.

A despeito disso, alguns problemas podem advir secundariamente ao pneumoperitônio, como cefalização do diafragma, redução da CRF e diminuição da complacência pulmonar (da ordem de 50%). Obesidade e posicionamento do paciente durante o procedimento, sobretudo em cefalodeclive, intensificam esses efeitos. Também se incluem no leque de possíveis repercussões o aumento na diferença de tensão alveoloarterial de CO_2 em pacientes com doença pulmonar subjacente como resultado da absorção de CO_2, a alteração na relação V/Q e o aumento do *shunt* pulmonar.

Outras relevantes complicações respiratórias podem ocorrer durante cirurgia laparoscópica secundariamente à instalação do pneumoperitônio com CO_2, como embolia gasosa, enfisema, pneumotórax, pneumomediastino e pneumopericárdio.[27] Todos esses aspectos merecem ser considerados na SRPA.

Apneia Obstrutiva do Sono

Pacientes com AOS devem ser cuidadosamente monitorizados na SRPA por sua especial propensão a episódios de apneia/hipopneia, acompanhados por hipoxemia/hipercapnia. Possuem particular sensibilidade a opioides, que relaxam a musculatura da via aérea superior e induzem seu colapso. Hipnóticos, como os benzodiazepínicos, podem ter

efeito mais significativo no tônus muscular faríngeo quando comparados aos opioides. Ambos agem sinergicamente na atenuação do *drive* respiratório central.

Nessa população, a analgesia neuroaxial deve ser considerada, reduzindo ou eliminando a necessidade de opioide intravenoso. Seu planejamento deve ponderar riscos na decisão sobre associação de opioides, os quais também podem gerar depressão respiratória em decorrência de dispersão rostral. Se analgesia controlada pelo paciente (ACP) for opção, devem ser evitadas infusões contínuas ou, então, devem ser usadas com extrema cautela. Anti-inflamatórios não esteroidais (AINEs) e outros recursos (gelo ou estimulação transcutânea elétrica de nervo) devem ser considerados, se apropriados.

O oxigênio deve ser geralmente suplementado até restabelecimento da saturação basal de oxigênio em ar ambiente. A terapia de pressão positiva nas vias aéreas deve ser iniciada conforme prescrito no pré-operatório, e, caso não seja conhecida, é razoável iniciar com nível empírico de 8 a 10 cmH_2O e assim titular o nível pressórico até que a ocorrência de apneia, hipoxemia e ronco seja eliminada. A aceitação do aparelho com CPAP ou VNI pode ser melhorada se os pacientes trouxerem seu próprio aparelho para o hospital.

Se possível, deve-se evitar a posição supina (decúbito dorsal horizontal) durante o processo de recuperação. Pacientes hospitalizados que apresentam risco aumentado de comprometimento respiratório em razão de AOS, devem ser monitorizados continuamente por oximetria de pulso, inclusive após a alta da SRPA, sob observação contínua por telemetria e por equipe profissional treinada. Não deve ser prescrita alta da SRPA para ambientes sem monitorização, isto é, casa ou leito hospitalar sem monitor, até que não haja mais risco de depressão respiratória. Para estabelecer os pacientes que são capazes de manter adequada saturação de O_2 em ar ambiente, a função respiratória deve ser determinada observando-os em ambiente sem estímulo, de preferência durante o sono.[28]

■ COMPLICAÇÕES RESPIRATÓRIAS EM PACIENTES PEDIÁTRICOS NA SRPA

Eventos adversos respiratórios no perioperatório (EARPs) na SRPA incluem apneia, hipopneia, broncospasmo, laringospasmo, tosse persistente e intensa, hipoxemia, hipercapnia e estridor pós-extubação.[29]

A população pediátrica requer atenção diferenciada na SRPA. EARPs são algumas das maiores causas de morbimortalidade. Cerca de 20% das paradas cardíacas nessa faixa etária ocorrem durante o despertar da anestesia ou na SRPA.[29] É importante predizer, antes da indução da anestesia, quais crianças têm risco elevado de EARP no perioperatório, para que o manejo anestésico seja individualizado, a fim de minimizar sua ocorrência e severidade. Muitas dessas complicações, desde que pronta e eficazmente tratadas, não trazem consequências deletérias em longo prazo.

Potenciais complicações de EARPs na SRPA são edema pulmonar por pressão negativa, necessidade prolongada de oxigênio, retardo de alta hospitalar, distúrbios comportamentais, necessidade de reintubação, admissão em unidade de terapia intensiva (UTI) pediátrica/neonatal, parada cardíaca, dano cerebral permanente e óbito. A maioria das reintubações e quase a metade das admissões não planejadas na UTI, no pós-operatório, estão relacionadas com EARPs.

Geralmente, os EARPs que resultam em dano cerebral são causados por inadequada ventilação. Metade das paradas cardíacas na SRPA decorre de EARPs. Crianças assistidas por anestesiologistas experientes em Pediatria ou em hospitais pediátricos têm melhores resultados após EARP e parada cardíaca, quando comparadas com aquelas assistidas por profissionais ou instituições não especializados no atendimento a essa população.

Complicações respiratórias são comumente observadas em crianças saudáveis e naquelas com comorbidades menores, tais como asma ou eczema. Para estabelecimento do risco, deve-se observar fatores relacionados ao paciente, ao procedimento cirúrgico e ao manejo anestésico. A Tabela 125.2 descreve os fatores de risco para complicações respiratórias na SRPA em pacientes pediátricos, enquanto a Tabela 125.3 trata de estratégias para sua prevenção.

Tabela 125.2 Fatores de risco para complicações respiratórias na SRPA em pacientes pediátricos.

Fatores relacionados ao paciente

- Idade, particularmente ex-prematuros e crianças pequenas
- Atual ou recente infecção de vias aéreas superiores
- Tabagismo ativo ou passivo
- Sibilos recorrentes
- Asma
- Tosse seca noturna
- Sibilos durante exercício
- Rinite alérgica
- Eczema
- História familiar de asma, eczema ou rinite alérgica
- Apneia obstrutiva do sono
- Obesidade
- Jejum incompleto
- Displasia broncopulmonar
- Fibrose cística
- Outras doenças respiratórias

Fatores relacionados ao procedimento cirúrgico

- Sangue ou secreção em vias aéreas superiores
- Manipulação cirúrgica de vias aéreas (ouvido, nariz, garganta, cirurgias dentárias etc.)
- Procedimentos em caráter de urgência/emergência

Fatores relacionados ao manejo da anestesia/recuperação

- Manejo invasivo das vias aéreas
- Repetidas tentativas de intubação
- Anestesia balanceada com uso de desflurano para manutenção da hipnose
- Pouca experiência do anestesiologista
- Pouca experiência de profissionais na SRPA
- Número excessivo de pacientes na SRPA
- Uso de opioides
- Uso de bloqueadores neuromusculares
- Momento da remoção do dispositivo de via aérea
- Lidocaína tópica
- Uso do midazolam como medicação pré-anestésica

Tabela 125.3 Estratégias de prevenção de complicações respiratórias na SRPA para pacientes pediátricos.

Estratégias relacionadas ao paciente

- Otimização pré-operatória de crianças com hiperreatividade brônquica
- Jejum apropriado (conforme idade e tipo de alimentação)

Estratégias relacionadas à anestesia

- Pré-medicação com salbutamol em crianças com hiper-reatividade brônquica
- Evitar medicação pré-anestésica com midazolam; se necessário, usar clonidina
- Preferência por manejo não invasivo das vias aéreas (máscara facial ou dispositivos supraglóticos)
- Preferência por tubo endotraqueal com balonete
- Hipnose com propofol
- Uso de anestesia regional
- Evitar desflurano
- Evitar doses excessivas de opioides
- Estabelecimento de lavagem cuidadosa das linhas venosas
- Monitorização da função neuromuscular após uso de agentes bloqueadores neuromusculares
- Anestesiologista com experiência em Pediatria
- Hospital com rotinas no atendimento de pacientes pediátricos

Estratégias relacionadas à SRPA

- Administração de oxigênio durante o transporte dos pacientes
- Relação criança/enfermagem na SRPA de 1:1
- Monitorização contínua da saturação de O_2
- Monitorização de CO_2, se possível
- Lavagem cuidadosa das linhas venosas

As principais causas de hipoxemia pós-operatória em crianças são atelectasias, diminuição de tônus muscular faríngeo e depressão do *drive* respiratório em decorrência do uso de opioides, hipnóticos ou bloqueadores neuromusculares. A CRF é mais baixa em crianças pequenas quando em comparação com crianças maiores ou adultos. Quase todos os agentes anestésicos induzem relaxamento da musculatura respiratória de forma dependente de dose, o que também reduz a atividade muscular das vias aéreas. Esse fenômeno interfere no balanço entre a complacência da parede torácica, o recolhimento elástico dos pulmões e a tensão do diafragma, levando à diminuição dos volumes pulmonares e à distribuição desigual da ventilação.

Em crianças pequenas, o relaxamento muscular induzido pela anestesia, em associação com outros fatores que levam à diminuição da CRF, acarreta maior tendência ao colapso das pequenas vias aéreas, mesmo durante respiração aparentemente normal. A administração de PEEP no período pós-operatório imediato pode prevenir o colapso alveolar por aumento da CRF e da complacência dinâmica pulmonar, bem como diminuir a resistência total das vias aéreas.[29]

■ HIPOTERMIA NA SRPA

A temperatura central constitui um dos parâmetros mais estritamente controlados pelos mecanismos de autorregulação corporal. Normalmente se mantém em 37°C (± 0,2 a 0,4°C). A precisão do controle térmico equivale em homens e mulheres.

Classifica-se a hipotermia em leve (34°C a 36°C), moderada (30°C a 34°C) e grave (< 30°C). Hipotermia não intencional está presente em 53% a 85% dos adultos que chegam à SRPA. Idosos, desnutridos, politraumatizados ou grandes queimados usualmente apresentam maior vulnerabilidade. No perioperatório, certas situações desregulam o termostato hipotalâmico, favorecendo sua ocorrência. A perda de calor é causada por vários fatores, sendo favorecida e acelerada por baixas temperaturas da sala cirúrgica, infusão de líquidos frios e ventilação artificial com gases não aquecidos durante a anestesia. Exposições prolongadas de cavidades corporais e maior duração do procedimento cirúrgico também contribuem para a incidência.

Em condições fisiológicas, o hipotálamo é o principal responsável pela regulação da temperatura, integrando informações provenientes da superfície cutânea e dos tecidos profundos no intuito de assegurar o equilíbrio entre a perda e a produção de calor, deflagrando respostas autonômicas que buscam mantê-la em faixa adequada. A maior parte do calor produzido no organismo origina-se de fígado, encéfalo e coração. Ele se transfere dos tecidos mais profundos para a pele, onde se dissipa para o ambiente. A perda de calor é determinada pela sua taxa de transferência desde o local de produção até a pele e pela velocidade de dissipação da pele ao ambiente. Em virtude desses mecanismos, obesos têm menor incidência de hipotermia, pois possuem menor diferença da temperatura central para a periférica em razão da maior quantidade de tecido adiposo e da maior produção de calor.

Caso deflagrada, a hipotermia induz vasoconstrição cutânea (redução da perda de calor em 25%), tremores musculares, excitação simpática e secreção de tiroxina (hormônio responsável pela termogênese). A hiperatividade muscular estriada esquelética (termogênese por tremor) envolve alto custo metabólico, aumentando o consumo de oxigênio em até 700%, podendo resultar em hipoxemia e instabilidade cardiovascular em SRPA.

O desenvolvimento de hipotermia durante a anestesia pode ser dividido em três fases:

- **1ª fase:** ocorre redução rápida da temperatura central por redistribuição após indução anestésica;
- **2ª fase:** há redução linear da temperatura (0,5°C a 1°C/hora) enquanto persistir diferença entre a taxa de produção metabólica e a dissipação de calor para o ambiente;
- **3ª fase:** ocorrem vasoconstrição periférica e atenuação da transferência de calor entre os compartimentos, proporcionando menor redistribuição interna e mais lenta perda para o ambiente. A manutenção da produção metabólica de calor, apesar da perda contínua, gera um platô na temperatura que é capaz de restabelecer o gradiente normal entre os compartimentos. Esse momento se caracteriza por novo estado de equilíbrio térmico.

Advêm da hipotermia inadvertida complicações cardiovasculares (isquemia do miocárdio, arritmias, hipertensão arterial sistêmica, taquicardia, trombose venosa profunda), coagulopatia (disfunção da ativação plaquetária, alteração no funcionamento das enzimas da cascata de coagulação), alterações imunológicas (aumento da incidência de in-

fecção no local cirúrgico) e hidreletrolíticas (hipocalemia, hipomagnesemia, hipofosfatemia), além de alterações endocrinometabólicas (diminuição de corticoides, diminuição de insulina, aumento da resistência periférica à insulina, aumento do hormônio tireoestimulante), queda da taxa de filtração glomerular, entre outras. Pode haver importante piora da morbimortalidade.

Também se modificam propriedades farmacocinéticas e farmacodinâmicas das medicações. Ocorrem aumento da duração dos bloqueadores neuromusculares, elevação da concentração plasmática de propofol, potencialização da cardiotoxicidade da bupivacaína e diminuição da concentração alveolar mínima (CAM) em 5% a cada grau de queda na temperatura. A monitoração pela oximetria de pulso também é dificultada e, em consequência, o tempo de permanência na SRPA pode prolongar-se.[30] Após o término da anestesia, o organismo progressivamente (2 a 5 horas) restabelece as condições basais de controle térmico.

A adequada monitorização da temperatura favorece a tomada de medidas no controle térmico e auxilia na prevenção de complicações. Está indicada de rotina em cirurgias de grande porte ou procedimentos que demandem mais de 30 minutos de anestesia geral. A temperatura central pode ser mensurada em artéria pulmonar, membrana timpânica, esôfago distal ou nasofaringe. Já a temperatura periférica é medida de forma confiável com termômetro oral, axilar, vesical ou retal, a não ser que o paciente esteja em condições térmicas extremas. Há discrepância da temperatura aferida, de acordo com o sítio utilizado para tal fim. Prevenir e tratar precocemente a hipotermia diminui as suas consequências deletérias e o desconforto pós-operatório.[31]

Observa-se que não existe associação entre a temperatura corporal e o índice de Aldrete e Kroulik em pacientes na recuperação pós-anestésica,[32] devendo o profissional anestesiologista estar atento a esse aspecto na ocasião da alta do paciente da SRPA.

O emprego de lençóis, cobertores ou mantas como estratégia de aquecimento passivo reduz em 30% a perda de calor. O aquecimento ativo inclui colchões térmicos com circulação de água e infusão de soluções aquecidas quando há necessidade de volume superior a 2 litros em 1 hora, já que cada litro de cristaloide em temperatura ambiente diminui em 0,25°C a temperatura central. Aquecimento e umidificação de gases exercem mínimo impacto. O método mais efetivo de manutenção da normotermia é a prevenção por meio de aquecimento prévio; o aquecimento da superfície cutânea com circulação de ar a 43°C durante 1 hora antes da intervenção cirúrgica transfere calor suficiente para diminuir os efeitos da redistribuição, o processo mais comum de perda intraoperatória. Circulação de ar aquecido (manta térmica) é o método de aquecimento não invasivo mais efetivo disponível atualmente para o tratamento da hipotermia já instalada, aumentando a temperatura em média em 0,75°C/hora. Embora o aquecimento pré-operatório seja mais efetivo no controle da hipotermia, observa-se que o uso de manta térmica no intraoperatório de pacientes submetidos à cirurgia de grande porte se associa a uma diminuição significativa do tempo de permanência na SRPA.[33]

◾ NÁUSEAS E VÔMITOS NA SRPA

Náuseas e vômitos pós-operatórios (NVPOs) fazem referência a eventos que ocorrem nas primeiras 24 horas após a intervenção cirúrgica. São ditos precoces quando acontecem nas primeiras 2 horas, e tardios quando ocorrem após 2 horas.

Os mecanismos que levam à náusea advêm provavelmente do rompimento do padrão de contração e relaxamento gástricos, em resposta a estímulos em centros corticais superiores. O reflexo de vômito, por sua vez, parece originar-se no centro de vômito (CV) ou centro emético, localizado no bulbo.

Em pacientes com múltiplos fatores de risco, a incidência pode atingir 80%. NVPOs têm um significante efeito negativo na satisfação do paciente em relação à anestesia e constituem uma das causas mais comuns de admissão hospitalar não planejada em cirurgia ambulatorial. Embora raras, graves complicações podem decorrer de NVPOs, tais como síndrome de Boerhaave, comprometimento de vias aéreas, enfisema, deiscência de suturas, pneumonite aspirativa, distúrbios eletrolíticos, desidratação, bem como elevação de pressão intracraniana e intraocular.

Fatores de Risco para Náuseas e Vômitos Pós-operatórios

O escore de Apfel tem sido amplamente utilizado e oferece uma base racional para implantação de estratégias profiláticas institucionais, seja por modificação da técnica anestésica, seja por associação de medicamentos antieméticos profiláticos, principalmente em indivíduos nos quais tenham sido detectados fatores de risco.

Apfel e cols.[38] consideram quatro parâmetros: sexo feminino, não tabagismo, NVPOs ou cinetose prévios e utilização de opioides no pós-operatório, pontuando a presença de cada um deles em 1 ponto. Escores de 4, 3, 2, 1 e 0 estimam risco de NVPOs de 79%, 61%, 39%, 21% ou 10%, respectivamente. Utilização de anestésicos inalatórios e óxido nitroso, cirurgias laparoscópicas, colecistectomias e histerectomias, idade do paciente inferior a 50 anos e anestesia prolongada também são apontados como fatores que elevam o risco de NVPO em adultos.[38, 39, 40]

Profilaxia de Náuseas e Vômitos Pós-operatórios

A profilaxia deve envolver diferentes categorias de antieméticos, especialmente em pacientes de alto risco, naqueles submetidos à anestesia geral com uso de anestésicos voláteis ou uso de óxido nitroso. O uso de dois ou mais antieméticos de diferentes grupos diminui o risco de NVPOs, considerando-se o efeito aditivo antiemético quando a prevenção multimodal de NVPOs é realizada. Recomenda-se administrar dois agentes antieméticos de diferentes classes para adultos portadores de um ou dois fatores de risco. Para portadores de 3 ou mais fatores de risco, recomenda-se 3 ou mais estratégias antieméticas, que podem ser farmacológicas (fármacos antieméticos) ou não (acupuntura PC6).[40,41,42]

São antieméticos os fármacos pertencentes às classes de antagonistas de receptores de acetilcolina muscarínicos tipo 1, de antagonistas de receptores de histamina tipo 1, de antagonistas de receptores de dopamina tipo 2, de antagonistas de receptores de serotonina tipo 3, de antagonistas de receptores de neurocinina tipo 1 e de corticosteroides.[40,41,42]

Constituem também medidas antieméticas profiláticas fazer a substituição da anestesia geral inalatória pela anestesia venosa com propofol, bem como optar por técnicas regionais para promover anestesia ou analgesia.

A Figura 125.2 mostra uma sequência para profilaxia de NVPOs.

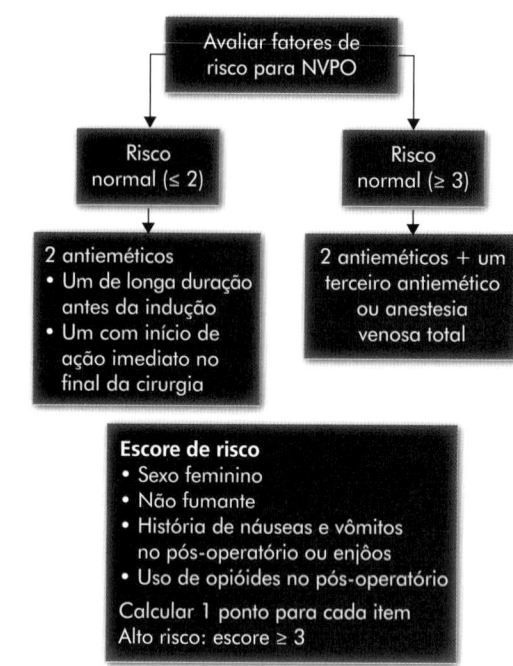

▲ **Figura 125.2** Profilaxia para NVPOs.

Fonte: Jokinen J, Smith AF, Roewer N, Eberhart LHJ, Kranke P. Management of postoperative nausea and vomiting: how to deal with refractory PONV. Anesthesiol Clin. 2012;30(3):481-93.[35]

Tratamento de Náuseas e Vômitos Pós-operatórios Estabelecidos

Para eventos de NVPOs já estabelecidos, recomenda-se a terapia antiemética com classe de fármaco de ação rápida e diferente da utilizada previamente. O droperidol, antagonista dos receptores de dopamina tipo 2, demonstrou-se efetivo, tanto para profilaxia de NVPOs nas primeiras 24 horas quanto para tratamento de resgate desses eventos. Apesar de o droperidol ter sofrido restrição temporária como antiemético em alguns países, em virtude da possibilidade de complicação cardiovascular (prolongamento do intervalo QT), foi demonstrada baixa probabilidade de desfechos graves na faixa de doses de 0,625 a 1,25 mg, comprovadamente efetivas para controle de NVPOs.[40]

Antagonistas dos receptores 5-HT3

Antagonistas dos receptores 5-HT3 (serotonina) são os agentes antieméticos mais investigados para profilaxia e tratamento de NVPOs. São altamente efetivos na prevenção e no tratamento das NVPOs. Em virtude do tipo de ligação que exercem sob o receptor 5-HT3, foram classificados como antagonistas serotoninérgicos de primeira geração (ondansetrona, granisetrona, dolasetrona, tropisetrona e ramosetrona) e de segunda geração (palonosetrona). O protótipo dessa classe de fármaco, tanto para profilaxia quanto para resgate de NVPOs, é a ondansetrona em dose recomendada de 4 a 8 mg.[40]

Glicocorticoides

A dexametasona é fármaco efetivo na prevenção de NVPOs. É agente de longa duração, com retardado início de ação, devendo ser administrado na indução anestésica a fim de se obter o máximo de profilaxia. Por ser um fármaco com início de ação antiemética lento (2 horas) e duração prolongada (mais de 24 horas), não é uma opção adequada para alívio imediato de NVPOs já deflagrados (resgate). Esse fármaco, adicionado a outros antieméticos com imediato início de ação, tais como antagonista do receptor da serotonina (5-HT3) ou antagonista da dopamina (haloperidol), diminui significativamente a recorrência de NVPOs. As doses de dexametasona utilizadas em associação a outros fármacos para prevenção de NVPOs variam de 4 a 10 mg.[43]

Anti-histamínicos

Anti-histamínicos, tais como o dimenidrinato (Dramin® B6) e a ciclizina, são comumente usados na prática clínica. No entanto, são insuficientes os dados que investigam a efetividade desses fármacos em situações de NVPOs estabelecidos.

Antagonistas do receptor da neurocinina 1

Os antagonistas do receptor da neurocinina 1 constituem a mais nova classe de antieméticos. Estudos sobre profilaxia de NVPOs mostraram que esses fármacos são tão efetivos quanto os antagonistas do receptor 5-HT3 e mais potentes na prevenção de vômitos, com ação de até 120 horas.

Antagonistas colinérgicos

Um antiemético com prevenção de longa duração contra NVPOs é a escopolamina transdérmica. Quando administrada antes da cirurgia, previne NVPOs significativamente durante 24 a 28 horas no pós-operatório. Como antagonista colinérgico, seu efeito colateral inclui boca seca e distúrbios visuais. Outros possíveis efeitos colaterais causados pela inibição dos receptores colinérgicos são menos comuns quando esses fármacos são usados para profilaxia de NVPOs. Como seu início de ação é lento, a escopolamina transdérmica administrada para o tratamento de NVPOs deve ser combinada com um antiemético de ação imediata.

Butirofenona

Antagonistas da dopamina, como o droperidol, reduzem NVPOs. Embora tenha sido observada sua efetividade na profilaxia de NVPOs, deve-se ficar alerta, pois há relatos de arritmias cardíacas e prolongamento de QT em doses acima de 1,25 mg.

Há evidência de que o droperidol em doses recomendadas é mais potente que doses recomendadas de metoclopramida. Vale ressaltar que baixas doses de droperidol se mostram efetivas.

Metoclopramida

Não há evidência de que a metoclopramida seja efetiva em prevenir náuseas e vômitos em doses de 10 mg. Doses de 25 ou 50 mg são necessárias para ocasionar efeito antiemético, no entanto, são pronunciados os efeitos colaterais nessas doses efetivas. Doses de 10 mg, comumente usadas na prática clínica, são menos efetivas do que 4 mg de ondansetrona, 4 mg de dexametasona ou 1 mg de droperidol.[44]

Propofol

Os achados de efeitos antieméticos do propofol são inconsistentes e parecem estar relacionados com dose. Há alguma evidência de que a infusão de propofol previne náuseas e vômitos durante sua administração e que pode ser útil em situações de NVPOs refratários. No entanto, propofol administrado em doses efetivas pode causar sedação, sendo uma opção quando o paciente pode ser monitorizado adequadamente. Outra opção é o midazolam em baixas doses.

■ COMO USAR ANTIEMÉTICOS NA PRÁTICA

Basicamente, todas as técnicas antieméticas usadas para prevenir NVPOs (Figura 125.3) podem ser usadas para trata-

▲ **Figura 125.3** Tratamento de NVPOs estabelecidos e algoritmo para seu manejo.

Fonte: Jokinen J, Smith AF, Roewer N, Eberhart LHJ, Kranke P. Management of postoperative nausea and vomiting: how to deal with refractory PONV. Anesthesiol Clin. 2012;30(3):481-93.[35]

mento, exceto anestesia venosa total. Devido ao seu lento início de ação, a dexametasona não deve ser considerada como tratamento de primeira linha para náuseas e vômitos, mas deve ser indicada como prevenção secundária em casos de NVPOs, principalmente em associação a outros antieméticos, como antagonistas de receptores de serotonina.

A escolha dos antieméticos para tratamento deve depender do protocolo hospitalar, da história médica do paciente (levar em conta potenciais contraindicações) e dos agentes usados em profilaxias prévias. Nesse contexto, há boas evidências de que, repetindo o mesmo tipo de antiemético na SRPA usado para profilaxia, não há benefícios para o paciente. Concomitantemente à administração de agentes antieméticos, possíveis causas de náuseas e vômitos devem ser consideradas e excluídas, como dor, hipotensão, outras medicações, hipóxia, anormalidades do trato digestório (íleo), sonda nasogástrica desnecessária, mobilização e aumento da pressão ocular (glaucoma agudo). Entretanto, deve-se considerar que a principal causa de NVPOs são gatilhos relacionados com agentes anestésicos, principalmente anestésicos voláteis e opioides.

■ DOR NA SRPA

Dor que ocorre na SRPA é comum e angustiante, tanto para pacientes como para a equipe multiprofissional. A presença de dor na SRPA pode ser considerada uma falha no planejamento analgésico como parte do plano anestésico.

Para o paciente, o despertar da anestesia geral na SRPA sofrendo de intensa dor é extremamente angustiante. A titulação de opioides como resgate muitas vezes leva a efeitos colaterais comuns, que incluem náuseas, vômitos e sedação. A satisfação do paciente está diretamente relacionada com o manejo da dor e dos efeitos colaterais do tratamento. Nos Estados Unidos, a satisfação do paciente é uma importante ferramenta para a disputa de mercado, e o pagamento do profissional é realizado com base no seu desempenho.[45] No Brasil, ainda não chegamos a esse patamar.

O tempo na SRPA é oneroso, perdendo apenas para o despendido na sala de cirurgia. A presença de dor na SRPA ou os efeitos colaterais do uso de opioides são causas de prolongada permanência do paciente na SRPA. Prevenção é claramente a melhor prática médica quando se trata de dor na SRPA.

Mesmo com planejamento adequado da anestesia, a ocorrência de dor na SRPA é comum. A aplicação de analgesia multimodal padrão produz os melhores resultados. Prioritariamente, os analgésicos não opioides devem ser considerados (AINEs, cetorolaco ou ibuprofeno). Técnicas anestésicas regionais de resgate são particularmente efetivas quando se trata de procedimentos ortopédicos.[3]

Avaliação da Dor na SRPA

A dor não controlada pode dificultar a reabilitação, prolongar a permanência hospitalar e aumentar a taxa de readmissão, além de aumentar o risco de morbidade pós-operatória. Como se trata de um fator de risco para o desenvolvimento de dor crônica, é imperativa a avaliação apropriada da dor no pós-operatório, bem como o seu tratamento eficaz. Em 1999, o *Veterans Health Administration*, maior sistema de saúde integrado dos Estados Unidos, desenvolveu o "quinto sinal vital" para garantir que a avaliação apropriada da dor fosse feita de forma consistente.[46]

Quando se avalia a dor no pós-operatório, informações qualitativas (como: "É uma dor fina, queimando, como se estivesse esfaqueando, dando choque, como espasmos"), bem como localização, início, exacerbação e fatores de alívio, devem ser delineadas e associadas à avaliação quantitativa da dor. Embora nenhuma ferramenta de avaliação da dor tenha sido considerada a mais eficaz, há uma variedade de tipos, como a Escala de Avaliação Numérica, a Escala de Avaliação Verbal, a Escala Analógica Visual e a Escala de Fácies de Dor. Essas escalas são unidimensionais e devem ser usadas em associação com uma mais detalhada descrição qualitativa da dor de cada paciente. A despeito da ferramenta usada para avaliação, a intensidade e a característica da dor pós-operatória devem ser endereçadas para o desenvolvimento de um efetivo plano terapêutico.

Opioides na SRPA

Os opioides representam um importante componente da analgesia para o paciente cirúrgico na SRPA. A despeito dos efeitos indesejados, opioides venosos podem prover rápida e efetiva analgesia para pacientes com moderada a intensa dor no período pós-operatório. Os mais comumente usados são morfina e fentanil.

Morfina é o protótipo do agonista opioide e o padrão ao qual todos os opioides são comparados. É o opioide mais largamente usado mundialmente para o manejo da dor aguda.[3] Esse fármaco tem moderada potência analgésica por apresentar relativa hidrossolubilidade, início de ação lento e duração de ação intermediária. Embora sua meia-vida seja de 2 horas, sua duração de ação é próxima de 4 a 5 horas. Morfina causa liberação de histamina dependente de dose, com diminuição da resistência vascular sistêmica. Ela é metabolizada primariamente no fígado em morfina-3-glicuronídeo e morfina-6-glicuronídeo, esse último com significante atividade analgésica. Como esses metabólitos são excretados pelos rins, seus efeitos sedativos e analgésicos podem ser potencialmente perigosos e prolongados em pacientes com falência renal.

Fentanil é um opioide sintético 50 a 80 vezes mais potente que a morfina. Tem rápido início de ação (cerca de 10 segundos após a injeção) por possuir alta lipossolubilidade. A duração de ação após dose única (100 µg) é de cerca de 1 a 1,5 hora. Devido a seu metabolismo hepático em compostos inativos, o fentanil é uma boa escolha para pacientes com falência renal. Pode ser muito efetivo na SRPA quando rápida analgesia se faz necessária; no entanto, como é curta sua duração de ação, doses adicionais comumente são requeridas.

A escolha do opioide depende da situação clínica. Embora extensivamente estudada, a morfina tem inconvenientes na SRPA em virtude de seu início de ação relativamente lento e da liberação de histamina. O fentanil pode ser uma boa escolha quando o rápido controle da dor é desejado, especialmente quando a política institucional é minimizar a permanência na SRPA.

A despeito da escolha do opioide, o método mais indicado para alívio da dor é a analgesia controlada pelo paciente (ACP). A ACP melhora a satisfação do paciente e leva à analgesia superior, sendo uma alternativa eficaz para a analgesia sistêmica e para o controle da dor pós-operatória.[47] Deve-se administrar uma dose de ataque do opioide antes de se inicializar o modo ACP, para maximizar sua eficácia e estabelecer o nível basal de analgesia. Uma recomendação é administrar dose de ataque de um opioide na SRPA até se atingir pelo menos 4 no escore de dor (do total de 10) ou uma frequência respiratória menor que 12 incursões por minuto, o que limitaria o tratamento adicional. O uso do mesmo opioide tanto na dose de ataque quanto na infusão basal da ACP é lógico, permitindo observar a resposta do paciente, como também o comportamento quanto aos efeitos colaterais, entre esses, a depressão respiratória.[3]

Agonistas opioides produzem efeitos adversos (dependentes de dose), que podem ocorrer na SRPA, incluindo prurido, náuseas e vômitos, retenção urinária e até mesmo situações com risco de morte, como depressão respiratória. A origem do prurido é incerta, mas ele pode ser revertido com administração de naloxona, sugerindo ser uma via mediada pelo receptor opioide. Anti-histamínicos, como difenidramina, são tipicamente administrados para tratar prurido induzido por opioide, mas sua aparente eficácia pode ser mais bem relacionada com as suas propriedades sedativas. Muitas outras classes de fármacos estudadas, incluindo gabapentinoides e glicocorticoides, têm mostrado resultados desapontadores, embora o droperidol tenha alguma eficácia. Antagonistas opioides, como a naloxona, aliviam o prurido,[48] entretanto existe a possibilidade de diminuição da analgesia. Assim, há poucas opções efetivas para tratar essa situação na SRPA.

Náuseas e vômitos induzidos por opioides são mediados via receptor opioide no tronco cerebral. Ocorrem em cerca de 25% dos pacientes que recebem opioides. Pelo fato de a ocorrência de NVPOs contribuir para o retardo da alta da SRPA, sua prevenção e seu tratamento são primordiais. Os agentes mais efetivos parecem ser a dexametasona e os inibidores da serotonina (5-HT3). Esses agentes parecem exercer grande efeito em combinação, tanto um com o outro quanto com droperidol.[49]

Retenção urinária pode ou não estar presente na SRPA. Opioides reduzem a contração do músculo detrusor, levando à retenção urinária, que pode ser revertida com um antagonista opioide puro (naloxona 0,01 mg.kg^{-1} por via venosa) ou com um antagonista opioide periférico (metilnaltrexona 0,3 mg.kg^{-1} por via venosa).

A complicação mais temida da terapia com opioides é a depressão respiratória, que se apresenta como diminuição da frequência respiratória mediada por receptores μ_2 e δ no tronco cerebral. A incidência de depressão respiratória induzida por opioides varia de 0,09% a 0,5%.[50] Certas populações, tais como idosos, neonatos e aqueles com AOS, estão em maior risco, devendo os opioides ser administrados com cautela. O único tratamento efetivo para depressão respiratória induzida por opioide é um antagonista, como a naloxona ou a naltrexona. Sabe-se que a duração de ação desses agentes é mais curta do que a dos agonistas opioides, podendo, portanto, ocorrer renarcotização.

Fármacos Não Opioides na SRPA

Analgésicos não opioides constituem importantes recursos, que podem ser empregados em sinergismo às medicações à base de opioides para tratar a dor na SRPA. No Brasil, a pedra angular da analgesia não opioide é a dipirona (metamizol), que se apresenta de três formas: oral (comprimidos ou gotas), retal e venosa.

A dipirona é usada em muitos países para tratamento da dor, porém banida de outros em razão de sua associação com desordens hematológicas. Revisão sistemática atualizada em 2016 concluiu que, mediante limitadas informações, uma dose única de dipirona 500 mg possibilita bom alívio da dor em 70% dos pacientes tratados. Para cada cinco pacientes tratados com 500 mg de dipirona, dois irão experimentar alívio da dor em 4 a 6 horas.[51] Estudos demonstram que a dose em crianças para tratamento da dor aguda se mostra efetiva em 10 a 20 mg.kg^{-1}.[52] Em adultos, foi demonstrado melhor efeito dose-resposta com 40 mg.kg^{-1} em vez de 15 mg.kg^{-1} de dipirona por via venosa, com base no melhor controle da dor induzida por movimento, no menor consumo de morfina e em menos efeitos colaterais relacionados com os opioides.[53]

Os agentes AINEs, como o cetoprofeno (Profenid®), têm grande importância no manejo da dor pós-operatória, em especial nas dores agudas de origem ortopédica e reumatológica, considerando que também exercem função anti-inflamatória. Os efeitos colaterais gastrintestinais podem ser reduzidos mediante cuidadosa atenção à dose e à duração da terapêutica. O cetoprofeno tem propriedade antipirética, além de analgésica e anti-inflamatória. O uso desse fármaco no pós-operatório reduz a utilização ou a dose de opioides, evitando efeitos colaterais, além de proporcionar maior duração da analgesia e significativa eficácia quando comparado com o diclofenaco, sendo, portanto, uma opção válida para o alívio da dor na SRPA.[54] Revisão sistemática da literatura e metanálise concluíram que a eficácia do cetoprofeno administrado por via oral em aliviar dor moderada a intensa e melhorar o estado funcional e a condição geral dos pacientes foi significativamente melhor do que a do ibuprofeno e/ou do diclofenaco.[55]

Parecoxibe (Bextra®) foi o primeiro inibidor da ciclooxigenase tipo 2 (COX-2) disponível no mercado para uso de forma injetável. Revisão sistemática demonstrou que uma única dose de parecoxibe 20 ou 40 mg proporciona analgesia efetiva em 50% a 60% dos pacientes tratados, quando se compara a 15% com uso de placebo. A duração da analgesia foi mais prolongada, e significativamente menos pacientes solicitaram medicação de resgate durante 24 horas, com a dose mais alta.[56]

Não se deve esquecer que os AINEs podem causar reações alérgicas, aumentar o tempo de sangramento e promover disfunção renal. A análise e o julgamento de cada caso são fundamentais para a escolha da terapêutica analgésica.

α_2 agonistas na SRPA

Os fármacos agonistas alfa-2 (α2) usados no Brasil são a clonidina e a dexmedetomidina. A clonidina tem afinidade α2:α1 de 200:1 e uma meia-vida de eliminação de 8 horas. A dexmedetomidina é significativamente α2 mais especíca que a clonidina, com afinidade α2:α1 de 1620:1, tendo também duração de ação mais curta, ideal para ser usada em infusão contínua; tem rápida fase de distribuição, com 1/2 alfa de 6 minutos, e meia-vida de eliminação 1/2 beta de aproximadamente 2 horas.

Agonistas α2 estão se tornando cada vez mais populares como terapias adjuvantes no período perioperatório por sua capacidade de bloquear a resposta simpática ao estresse, por suas propriedades poupadoras de anestésicos e analgésicos, pela ausência de depressão respiratória e pelo baixo e previsível perfil de efeitos colaterais. Esses fármacos podem ter um papel importante na prevenção de náuseas e vômitos, calafrios e *delirium*, esse último merecendo investigação adicional.[57]

REFERÊNCIAS

1. Nunes FCM, Matos SS, De Mattia AL. Análise das complicações em pacientes no período de recuperação anestésica. Rev SOBECC. 2014;19(3):129-35.
2. Faraj JH, Vegesna AR, Mudali IN, Khairay MA, Nissar S, Alfarhan M, et al. Survey and management of anaesthesia related complications in PACU. Qatar Med J. 2013;2012(2):64-70.
3. Gandhi K, Baratta JL, Heitz JW, Schwenk ES, Vaghari B, Viscusi ER. Acute pain management in the postanesthesia care unit. Anesthesiol Clin. 2012;30(3):e1-15.
4. Nunes FCM, Matos SS, De Mattia AL. Análise das complicações em pacientes no período de recuperação anestésica. Rev SOBECC. 2014;19(3):129-35.
5. Liu FL, Cherng YG, Chen SY, Su YH, Huang SY, Lo PH, et al. Postoperative recovery after anesthesia in morbidly obese patients: a systematic review and meta-analysis of randomized controlled trials. Can J Anaesth. 2015;62(8):907-17.
6. Qaseem A, Snow V, Fitterman N, Hornbake ER, Lawrence VA, Smetana GW, et al. Risk assessment for and strategies to reduce perioperative pulmonary complications for patients undergoing noncardiothoracic surgery: a guideline from the American College of Physicians. Ann Intern Med. 2006;144(8):575-80.
7. Smetana GW, Lawrence VA, Cornell JE. Preoperative pulmonary risk stratification for noncardiothoracic surgery: systematic review for the American College of Physicians. Ann Intern Med. 2006;144(8):581-95.
8. Lawrence VA, Cornell JE, Smetana GW. Strategies to reduce postoperative pulmonary complications after noncardiothoracic surgery: systematic review for the American College of Physicians. Ann Intern Med. 2006;144(8):596-608.
9. Bailey PL, Lu JK, Pace NL, Orr JA, White JL, Hamber EA, et al. Effects of intrathecal morphine on the ventilatory response to hypoxia. N Engl J Med. 2000;343(17):1228-34.
10. Cammu G, De Witte J, De Veylder J, Byttebier G, Vandeput D, Foubert L, et al. Postoperative residual paralysis in outpatients versus inpatients. Anesth Analg. 2006;102(2):426-9.
11. Eikermann M, Groeben H, Husing J, Peters J. Accelerometry of adductor pollicis muscle predicts recovery of respiratory function from neuromuscular blockade. Anesthesiology. 2003;98(6):1333-7.
12. Sundman E, Witt H, Olsson R, Ekberg O, Kuylenstierna R, Eriksson LI. The incidence and mechanisms of pharyngeal and upper esophageal dysfunction in partially paralyzed humans: pharyngeal videoradiography and simultaneous manometry after atracurium. Anesthesiology. 2000;92(4):977-84.
13. Eriksson LI, Sato M, Severinghaus JW. Effect of a vecuronium-induced partial neuromuscular block on hypoxic ventilatory response. Anesthesiology. 1993;78(4):693-9.
14. van de Borne P, Oren R, Somers VK. Dopamine depresses minute ventilation in patients with heart failure. Circulation. 1998;98(2):126-31.
15. Tusman G, Bohm SH, Suarez-Sipmann F, Turchetto E. Alveolar recruitment improves ventilatory efficiency of the lungs during anesthesia. Can J Anaesth. 2004;51(7):723-7.
16. Gunnarsson L, Tokics L, Lundquist H, Brismar B, Strandberg A, Berg B, et al. Chronic obstructive pulmonary disease and anaesthesia: formation of atelectasis and gas exchange impairment. Eur Respir J. 1991;4(9):1106-16.
17. Oczenski W, Schwarz S, Fitzgerald RD. Vital capacity manoeuvre in general anaesthesia: useful or useless? Eur J Anaesthiol. 2004;21(4):253-9.
18. Neumann P, Rothen HU, Berglund JE, Valtysson J, Magnusson A, Hedenstierna G. Positive end-expiratory pressure prevents atelectasis during general anaesthesia even in the presence of a high inspired oxygen concentration. Acta Anaesthesiol Scand. 1999;43(3):295-301.
19. Hanson CW 3rd, Marshall BE, Frasch HF, Marshall C. Causes of hypercarbia with oxygen therapy in patients with chronic obstructive pulmonary disease. Crit Care Med. 1996;24(1):23-8.
20. Cousins JL, Wark PA, McDonald VM. Acute oxygen therapy: a review of prescribing and delivery practices. Int J Chron Obstruct Pulmon Dis. 2016;11:1067-75.
21. Sepehrvand N, Ezekowitz JA. Oxygen therapy in patients with acute heart failure: friend or foe? JACC Heart Fail. 2016;4(10):783-90.
22. Mak S, Azevedo ER, Liu PP, Newton GE. Effect of hyperoxia on left ventricular function and filling pressures in patients with and without congestive heart failure. Chest. 2001;120(2):467-73.
23. Park JH, Balmain S, Berry C, Morton JJ, McMurray JV. Potentially detrimental cardiovascular effects of oxygen in patients with chronic left ventricular systolic dysfunction. Heart. 2010;96(7):533-8.
24. Stub D, Smith K, Bernard S, Nehme Z, Stepherson M, Bray JE, et al. Air versus oxygen in ST-segment-elevation myocardial infarction. Circulation. 2015;131(24):2143-50.
25. Squadrone V, Coha M, Cerutti E, Schellino MM, Biolino P, Occella P, et al. Continuous positive airway pressure for treatment of postoperative hypoxemia: a randomized controlled trial. JAMA. 2005;293(5):589-95.
26. Neligan PJ, Malhotra G, Fraser M, Williams N, Greenblatt EP, Cereda M, et al. Noninvasive ventilation immediately after extubation improves lung function in morbidly obese patients with obstructive sleep apnea undergoing laparoscopic bariatric surgery. Anesth Analg. 2010;110(5):1360-5.
27. Karcz M, Papadakos PJ. Respiratory complications in the postanesthesia care unit: a review of pathophysiological mechanisms. Can J Respir Ther. 2013;49(4):21-9.
28. American Society of Anesthesiologists Task Force on Perioperative Management of patients with obstructive sleep apnea. Practice guidelines for the perioperative management of patients with obstructive sleep apnea: an updated report by the American Society of Anesthesiologists Task Force on Perioperative Management of patients with obstructive sleep apnea. Anesthesiology. 2014;120(2):268-86.
29. von Ungern-Sternberg BS. Respiratory complications in the pediatric postanesthesia care unit. Anesthesiol Clin. 2014;32(1):45-61.
30. Biazzotto CB, Brudniewski M, Schmidt AP, Auler Júnior JOC. Hipotermia no período perioperatório. Rev Bras Anestesiol. 2006;56(1):89-106.
31. Zappelini CEMS, Sakae TM, Bianchini N, Brum SPB. Avaliação de hipotermia na sala de recuperação pós-anestésica em pacientes submetidos a cirurgias abdominais com duração maior de duas horas. ACM Arq Catarin Med. 2008;37(2):25-31.
32. Castro FSFD, Peniche ADCG, Mendoza IYQ, Couto AT. Temperatura corporal, índice Aldrete e Kroulik e alta do paciente da unidade de recuperação pós-anestésica. Rev Esc Enferm USP. 2012;46(4):872-6.
33. Panossian C, Simões CM, Milani WRO, Baranauskas MB, Margarido CB. O uso de manta térmica no intraoperatório de pacientes submetidos à prostatectomia radical está relacionado com a diminuição do tempo de recuperação pós-anestésica. Rev Bras Anestesiol. 2008;58(3):220-6.
34. Cruthirds D, Sims PJ, Louis PJ. Review and recommendations for the prevention, management, and treatment of postoperative and postdischarge nausea and vomiting. Oral Surg Oral Med Oral Pathol Oral Radiol. 2013;115(5):601-11.
35. Jokinen J, Smith AF, Roewer N, Eberhart LHJ, Kranke P. Management of postoperative nausea and vomiting: how to deal with refractory PONV. Anesthesiol Clin. 2012;30(3):481-93.
36. Lages N, Fonseca C, Neves A, Landeiro N, Abelha FJ. Náuseas e vômitos no pós-operatório: uma revisão do "pequeno-grande" problema. Rev Bras Anestesiol. 2005;55(5):575-85.
37. Naylor RJ, Inall FC. The physiology and pharmacology of postoperative nausea and vomiting. Anaesthesia. 1994;49 Suppl:2-5.
38. Apfel CC, Laara E, Koivuranta M, Greim CA, Roewer N. A simplified risk score for predicting postoperative nausea and vomiting: conclusions from cross-validations between two centers. Anesthesiology. 1999;91(3):693-700.
39. Apfel CC, Kranke P, Eberhart LHJ, Roos A, Roewer N. Comparison of predictive models for postoperative nausea and vomiting. Br J Anaesth. 2002;88(2):234-40.
40. Gan TJ, Belani KG, Bergese S, Chung F, Diemunsch P, Habib AS, et al. Fourth consensus guidelines for the management of postoperative nausea and vomiting. Anesth Analg. 2020; 131(2):326-334.
41. Milnes V, Gonzalez A, Amos V. Aprepitant: a new modality for the prevention of postoperative nausea and vomiting: an evidence-based review. J Perianesth Nurs. 2015;30(5):406-17.
42. Singh PM, Borle A, Rewari V, Makkar JK, Trikha A, Sinha AC, et al. Aprepitant for postoperative nausea and vomiting: a systematic review and meta-analysis. Postgrad Med J. 2016;92(1084):87-98.

43. Ormel G, Romundstad L, Lambert-Jensen P, Stubhaug A. Dexamethasone has additive effect when combined with ondansetron and droperidol for treatment of established PONV. Acta Anaesthesiol Scand. 2011;55(10):1196-205.
44. Wallenborn J, Gelbrich G, Bulst D, Behrends K, Wallenborn H, Rohrbach A, et al. Prevention of postoperative nausea and vomiting by metoclopramide combined with dexamethasone: randomised double blind multicentre trial. BMJ. 2006;333(7563):324.
45. American Hospital Association. Hospital-based purchasing program: the final rule. Illinois; 2011.
46. Booss J, Kerns RD, Drake A, Ryan B, Wasse L. Pain as the 5th vital sign toolkit. Washington: American Pain Society; 2000. 53 p.
47. McNicol ED, Ferguson MC, Hudcova J. Patient controlled opioid analgesia versus non-patient controlled opioid analgesia for postoperative pain. Cochrane Database Syst Rev. 2015;2015(6):CD003348.
48. Kjellberg F, Tramer MR. Pharmacological control of opioid-induced pruritus: a quantitative systematic review of randomized trials. Eur J Anaesthesiol. 2001;18(6):346-57.
49. Leslie JB, Gan TJ. Meta-analysis of the safety of 5-HT3 antagonists with dexamethasone or droperidol for prevention of PONV. Ann Pharmacother. 2006;40(5):856-72.
50. Dahan A, Aarts L, Smith TW. Incidence, reversal, and prevention of opioid-induced respiratory depression. Anesthesiology. 2010;112(1):226-38.
51. Hearn L, Derry S, Moore RA. Single dose dipyrone (metamizole) for acute postoperative pain in adults. Cochrane Database Syst Rev. 2016;4(4):CD011421.
52. Fieler M, Eich C, Becke K, Badelt G, Leimkühler K, Messroghli L, et al. Metamizole for postoperative pain therapy in 1177 children: A prospective, multicentre, observational, postauthorisation safety study. Eur J Anaesthesiol. 2015;32(12):839-43.
53. Chaparro LE, Lezcano W, Alvarez HD, Joaqui W. Analgesic effectiveness of dipyrone (metamizol) for postoperative pain after herniorrhaphy: a randomized, double-blind, dose--response study. Pain Pract. 2012;12(2):142-7.
54. Sarzi-Puttini P, Atzeni F, Lanata L, Bagnasco M, Colombo M, Fischer F, et al. Pain and ketoprofen: what is its role in clinical practice? Reumatismo. 2010;62(3):172-88.
55. Sarzi-Puttini P, Atzeni F, Lanata L, Bagnasco M. Efficacy of ketoprofen vs. ibuprofen and diclofenac: a systematic review of the literature and meta-analysis. Clin Exp Rheumatol. 2013;31(5):731-8.
56. Lloyd R, Derry S, Moore RA, McQuay HJ. Intravenous or intramuscular parecoxib for acute postoperative pain in adults. Cochrane Database Syst Rev. 2009;2009(2):CD004771.
57. Pandharipande P, Ely EW, Maze M. Alpha-2 agonists: can they modify the outcomes in the panesthesia care unit? Curr Drug Targets. 2005;6(7):749-54.

Parte **14**

Anestesia em Obstetrícia e Ginecologia

126

Alterações Fisiológicas da Gravidez

Franz Schubert Cavalcanti

INTRODUÇÃO

Tão logo ocorra a concepção, profundas alterações anatômicas, bioquímicas e fisiológicas ocorrem na gestante a fim de adequar o organismo da mulher às necessidades do complexo materno-fetal. No início da gravidez, estas alterações são mediadas hormonalmente. No segundo e terceiro trimestre, o sistema vascular uteroplacentário e os fatores mecânicos associados com o aumento do tamanho do útero, agora combinados com as alterações hormonais, são os responsáveis pelas alterações nos vários sistemas do organismo materno. Estas alterações agora se tornam mais evidentes com a exacerbação da aparência física. Estas modificações, que perduram até o puerpério, são locais e sistêmicas, e não devem comprometer a saúde materna.

Compreender as alterações anatômicas e, consequentemente, as fisiológicas da gestação, permite o gerenciamento eficaz na resolução das complicações da gravidez que podem ser fatais tanto para a mãe, como para o feto ou para o complexo materno-fetal.

As alterações na fisiologia materna têm potencial para modificar a absorção, distribuição e eliminação dos fármacos utilizados durante a gravidez, exigindo do anestesiologista um profundo conhecimento do tema, não apenas nas anestesias obstétricas, mas também em cirurgias nas gestantes para procedimentos não obstétricos.[1]

Com a evolução da gestação e, consequentemente, devido às alterações anatômicas e fisiológicas, podem surgir mudanças emocionais e, por vezes, manifestações negativas de ordem psicológica, que podem interferir no procedimento anestésico ou, até mesmo, este procedimento interferir no estado psíquico da parturiente.

Por isto, a administração de uma anestesia segura para qualquer gestante necessita de uma clara compreensão destas alterações fisiológicas associadas à gravidez.

Este capítulo tem como objetivo relacionar as alterações fisiológicas com a conduta anestésica que permitam alcançar a segurança materna, a do complexo materno-fetal, e a do recém-nascido, bem como a todos que profissionalmente prestam o atendimento obstétrico.

▪ O GANHO DE PESO CORPORAL E A OBESIDADE

Com a evolução da gestação, é natural o ganho ponderal. A média de ganho de peso é de 17%, aproximadamente 11 kg, sendo a maior parte (80%) atribuída à expansão do compartimento extracelular,[2] o que acarreta importantes implicações no volume de distribuição dos fármacos.

São elementos responsáveis pela elevação do peso corporal: o útero e todo o seu conteúdo (útero: 1 kg; líquido amniótico: 1 kg; feto e placenta: 4 kg), o volume sanguíneo (2 kg), o líquido intersticial e a gordura (3 kg). No primeiro trimestre, o ganho fica em torno de 1 a 2 kg, e nos dois últimos trimestres, de 5 a 6 kg, em cada um deles[3] (Tabela 126.1).

Tabela 126.1 Ganho de peso (kg) durante a gestação.[16]	
Útero	1 kg
Líquido amniótico	1 kg
Feto e placenta	4 kg
Sangue materno	2 kg
Massa tecidual materna	3 kg
Ganho de peso total	11 kg

O volume da cavidade uterina aumenta de 10 mL para cerca de 5000 mL ao termo, e o fluxo sanguíneo através da circulação uteroplacentária alcança cifras de 450 a 650 mL.min⁻¹.[4]

O ganho ponderal da gestante pode, muitas vezes, levar ao excesso de peso, que é mais bem definido com base no Índice de Massa Corporal (IMC). Se o IMC for maior do que 25 kg/m² considera-se acima do peso e um IMC maior do que 30 kg/m² é considerada obesa.[5,6] Atualmente, já se encontra bem estabelecido que a morbidade e a mortalidade se elevam concomitantemente com o IMC, iniciando-se com aquelas pacientes que se encontram na situação de sobrepeso[7,8] (Tabela 126.2).

Atualmente, ganha a obesidade grande destaque na atenção à saúde em especial na obstetrícia e na anestesiologia; à abordagem multidisciplinar na condução do pré-natal da gestante obesa e da obesa mórbida, bem como na condução da anestesia nestas especificidades. Passou a ser um problema de saúde pública em muitos países desenvolvidos, principalmente quando se trata de mulheres em sua fase reprodutiva.[9,10]

A obesidade tem alcançado grande parte da população, afetando mais que um bilhão de pessoas em todo o mundo.[5,11-14] A Organização Mundial de Saúde caracteriza a obesidade como uma pandemia, com uma maior prevalência para as mulheres do que para os homens. Está relacionada com significante número de doenças que potencialmente ameaçam a saúde e a vida, tais como: hipertensão arterial, doenças coronarianas, diabetes tipo II, asma, osteoartrites, hemorragia cerebral, apneia do sono, refluxo gastroesofágico, doenças das vias biliares, tromboembolismo venoso e embolia pulmonar; dislipidemia, certos tipos de câncer, desordens psicológicas e baixas da autoestima, infecção pós-operatória, complicações respiratórias pós-operatória, maior admissão pós-operatória em unidades de terapia intensiva e morte.[15-18] Além destas desordens, à gestante obesa também se vincula maior incidência de pielonefrite.[19]

Além disso, os excessos no ganho ponderal e na retenção hídrica precisam ser evitados, porque predispõem à insuficiência cardíaca congestiva, mesmo que a paciente pertença à classe funcional I da *New York Heart Association*, predispondo à parada cardiovascular e ao insucesso da ressuscitação cardiorrespiratória.[20]

Quando o ganho de peso durante a gestação resultar em obesidade, passa este aumento a ter concordância com a elevação do peso na população em geral. A predominância da obesidade durante a gestação varia de 6 a 28%, mas depende este percentual da forma como se define a obesidade, e as características da população estudada. O número de gestantes obesas tem alcançado cifras acima do dobro nos últimos 10 anos.[21]

Tanto as mulheres que antes de engravidarem já eram obesas, como aquelas que se tornaram obesas durante a gestação, estão associadas com uma gestação complicada. Podem desenvolver durante a gestação: hipertensão e pré-eclâmpsia, diabetes gestacional, gravidez pós-termo, infecções do trato urinário, macrossomias e distócias de ombros, trabalho de parto prolongado, trabalho de parto irregular, nascimentos emergenciais, aumento da incidência de cesarianas, hemorragias pós-parto, miocardiopatia pós-parto; trauma neonatal e, consequentemente, maior frequência na admissão em terapia intensiva neonatal; maior permanência hospitalar e, em sua decorrência, maior custo.[14,21-23]

Vale ressaltar que, durante uma gravidez normal, a parturiente pode ganhar peso de 11 a 16 kg,[2,3] enquanto nas gestantes obesas tenta-se no pré-natal permitir que o ganho de peso fique entre 7 e 11 kg, deste modo, para possibilitar o nascimento de uma criança saudável com um peso entre 3 e 4 kg.[22]

■ IMPLICAÇÕES ANESTÉSICAS

Especial atenção deve ser dada quando da abordagem das vias aéreas durante a laringoscopia. Podem ocorrer sangramentos provenientes das mucosas gengivais edemaciadas e das vias aéreas superiores. As mamas aumentadas de peso e volume, bem como a adiposidade localizada sobre as vias aéreas na parturiente obesa mórbida predispõem a maior dificuldade durante a laringoscopia. Contribuem para esta limitação a abertura da boca; e a adiposidade na nuca, que resulta em pouca extensão do pescoço, aumentando também a sua circunferência. Na população obstétrica podem ocorrer falhas nas tentativas de intubação de 1:280 a 1:750,[24] comparada com 1:2230 na população geral.[25-27] Na gravidez, de uma maneira geral, e muito mais na obesa mórbida, há elevação do escore de Mallampati o que traduz risco de insucesso oito vezes maior do que durante a intubação em pacientes não obstétricas, programadas para cirurgia eletiva.[28,29] Por isso, toda parturiente obesa mórbida deve ser considerada como portadora de vias aéreas difíceis.

Algumas regras devem ser observadas durante a tentativa de intubação da traqueia nas parturientes obesas e obesas mórbidas a fim de assegurar maior possibilidade de sucesso: uma adequada pré-oxigenação; obtenção de melhor posicionamento da cabeça e do pescoço, locando-se coxins ou lençóis dobrados sob os ombros com o objetivo de se alinhar a faringe, a laringe e o eixo da traqueia; uso de laringoscópio de cabo curto; ter a disposição outros métodos alternativos de ventilação das vias aéreas tal como máscara laríngea, combitubo, *trueview, glidescope*, máscara facial; e ter profissional experiente nestas situações de exceção.[30,31] Recomenda-se também a administração prévia, via venosa, de procinéticos (metoclopramida), de bloqueadores histamina-2; e de antiácidos orais não particulados, executando-se manobra de Sellick.[32-34]

As alterações respiratórias são em sua maioria ocasionadas pelo deslocamento do diafragma em direção cefálica resultante do aumento do tamanho do útero.

Tabela 126.2 Classificação do peso com base no IMC.		
Classificação	**IMC (kg/m²)**	**Riscos à saúde**
Abaixo do peso	< 18,5	Baixo
Normal	18,5 – 24,9	Médio
Acima do peso	25,0 ou acima	
Pré-obesa	25,0 – 29,9	Aumentado
Obesa classe I	30,0 – 34,9	Moderadamente aumentado
Obesa classe II	35,0 – 39,9	Intensamente aumentado
Obesa classe III	40,0 ou acima	Elevadíssimo

A gestante obesa tem um elevado consumo de oxigênio, mas um volume pulmonar diminuído, ocasionado pelo excesso de peso que altera a mecânica ventilatória. A capacidade vital também está diminuída. A redução na complacência da parede torácica pela obesidade, associada à determinadas posições, tipo litotomia ou de cefalodeclive pode gerar áreas pulmonares mal ventiladas, resultando em hipoxemia arterial e a uma rápida dessaturação da hemoglobina pelo oxigênio.[25,35-37] Além do mais, a tentativa de se ventilar estas pacientes sob máscara facial tende sempre a ser bem mais difícil por causa da baixa complacência da parede torácica e da elevada pressão intra-abdominal.[25] Apesar disso, ela consegue manter ventilação adequada mesmo durante níveis altos de bloqueio anestésico regional.[19]

Dentre as consequências cardiovasculares que ocorrem na gestante obesa e na obesa mórbida se incluem os maiores aumentos do volume sanguíneo circulante e do volume de ejeção sistólico. Fator importante que contribui para elevação da morbidade e mortalidade materna, fetal, ou materno-neonatal é o desenvolvimento da síndrome da hipotensão supina postural. Caso ocorra, pode comprometer o fluxo sanguíneo útero-placentário e, persistindo, aumenta o risco de hipotensão arterial e colapso cardiovascular.

A grande predisposição que tem a gestante obesa às complicações no pré e pós-operatório, com consequente maior tempo de internação e menor mobilização, em conjunto com o estado natural de hipercoagulabilidade, tem como resultado maior risco do desenvolvimento de tromboembolismo.

O fato de a gordura não conter tanta água, quanto os outros tecidos orgânicos, pode dificultar a avaliação na reposição hídrica.

Dentre algumas alterações gastrintestinais podemos citar: o relaxamento do tônus do esfíncter no terço inferior do esôfago, o aumento da pressão intragástrica, a diminuição da motilidade intestinal; o aumento da acidez e do volume gástrico, estes podendo contribuir para a ocorrência da pneumonite aspirativa quando da realização da anestesia geral. A pneumonia aspirativa permanece ainda como a principal causa de morte em anestesia obstétrica, e está frequentemente associada com a dificuldade ou a falha na intubação orotraqueal.[25] Por estes motivos, as parturientes no primeiro trimestre da gestação já são consideradas pacientes de estômago cheio e quando da realização da anestesia geral está indicada a indução de sequência rápida. Todas estas alterações são muito mais marcantes na gestante obesa e na obesa mórbida; em especial, durante o terceiro trimestre da gestação.[26]

Nas obesas, da associação do útero gravídico com a maior adiposidade dos intestinos e da parede abdominal resulta maior elevação da pressão abdominal, predispondo à compressão da veia cava inferior e à hipotensão arterial. Em mais de 60% dos casos de obesidade, ocorrem complicações obstétricas e, em aproximadamente 30%, torna-se necessário intervenção cirúrgica obstétrica.[19]

A diminuição do limiar, em aproximadamente 30%, quanto à toxicidade aos anestésicos locais, é uma característica decorrente das alterações no sistema nervoso central e periférico. A concentração alveolar mínima está também diminuída devido à alteração na sensibilidade neuronal tornando a gestante mais susceptível aos agentes intravenosos e inalatórios. A presença de gordura e a maior distensão do plexo venoso no espaço epidural, resultante da compressão aortocava, diminuem o espaço epidural, predispondo a gestante obesa e a obesa mórbida a uma maior dispersão do anestésico em sentido cefálico, ocasionando grave hipotensão arterial e desconforto respiratório devido aos altos níveis de bloqueio neuroaxial alcançados.[10,36,38-40]

Estão alteradas a farmacodinâmica e a farmacocinética principalmente para um aumentado volume de distribuição, baixo limiar de toxicidade aos fármacos, maior latência, e diminuição da duração da analgesia. Na indução da anestesia geral há a necessidade de doses maiores de substâncias lipofílicas; por exemplo, o propofol deve ser dosado tomando-se como parâmetro o peso corporal total; e, quando do uso de relaxantes musculares adespolarizantes e do fentanil, devem ser administrados com base no peso corporal ideal para que desta forma se evite tempo de duração muito longo.[39]

As punções venosas nas gestantes obesas, bem como nas obesas mórbidas, são na maioria das vezes mais difíceis.

Em muitas ocasiões, quando do atendimento das obesas e obesas mórbidas, há a necessidade de se ter que recorrer a agulhas mais longas e mais calibrosas na realização dos bloqueios raquídeos, bem como agulhas maiores nos bloqueios peridurais. A identificação do espaço vertebral lombar é mais difícil devido a baixa mobilidade que tem a obesa em flexionar a coluna, bem como pela adiposidade concentrada nas cinturas pélvica e abdominal. São fatores que tornam a execução dos bloqueios regionais raque e peridural mais difíceis. Estas dificuldades acarretam maiores incidências de falhas dos bloqueios regionais, de punção inadvertida da dura-máter e da localização imprecisa do cateter no espaço peridural. A incidência de falhas na anestesia peridural entre a gestante obesa e a não obesa atinge percentuais de 42% e de 6%, respectivamente.[24]

A questão de se decidir sobre a punção do bloqueio neuroaxial, se a posição sentada ou em decúbito lateral é preferida ainda resta muito debate a ser considerado. Alguns autores preferem a posição de decúbito lateral com ligeiro cefalodeclive por causa da baixa incidência da cateterização intravascular devido a redução da congestão venosa no plexo venoso epidural.[36,41] Contrariamente, outros preferem posição sentada na realização dos bloqueios peridurais contínuos, devido ser nesta posição melhor localizado o espaço vertebral e a visualização da linha média da coluna vertebral. Entretanto, nas obesas, na posição lateral, há maior facilidade para que o excesso de gordura pendente promova a migração do cateter para fora do espaço peridural, e se houver necessidade de se ajustar doses anestésicas subsequentes a injeção far-se-á fora do espaço.[36,42,43]

Considerando-se que a evolução do trabalho de parto das gestantes obesas e nas obesas mórbidas tem a possibilidade de ser mais difícil, mais complicado, do que na gestante com peso normal; a alta incidência de falhas, pelos fatores anteriormente citados, associados ao aumento da incidência de cesarianas e de parto instrumental, faz com que seja importante que a fixação do cateter de peridural seja feita com adesivo transparente para que se possa, antes das injeções, se certificar de que o cateter se encontra na posição original.[27,42,44]

Muito importante sempre se determinar o IMC das gestantes obesas mórbidas pela possível correlação entre o IMC e a profundidade do espaço peridural.[27] Isto se justifica por ter que se recorrer às vezes a anestesia regional combinada, raqui e peridural e, consequentemente, da necessidade em se utilizar um conjunto de agulhas, um *kit*, para que se alcance o êxito nos bloqueios.[45,46]

Acredita-se que a incidência de cefaleia pós-punção da dura-máter seja menor na paciente obesa mórbida do que na paciente não obesa porque o ingurgitamento do plexo venoso e o aumento da gordura peridural, contribuem para diminuir o gradiente de pressão entre o espaço subaracnóideo e o epidural. Além disso, as pacientes obesas têm mais gordura epidural que possa tapar o orifício de punção, e o grande panículo adiposo abdominal na obesa funciona como o equivalente a uma faixa abdominal, elevando a pressão intra-abdominal e retardando o grau de perda de líquor pelo orifício de punção.[47,48]

Em linhas gerais, o bloqueio neuroaxial deve sempre ser o método preferido para anestesia e analgesia nas pacientes obesas e obesas mórbidas. A anestesia geral deve sempre, se puder, ser evitada. Entretanto, se isto não for possível, o anestesiologista deve ter consciência dos riscos que esta proporciona. Aspiração de conteúdo gástrico via pulmonar, falhas na intubação traqueal e a rápida dessaturação tem que ser discutida previamente. Portanto, uma boa aspiração oral profilática, associada ao uso de antiácidos não particulados, tal como citrato de sódio a 0,3 mol.L^{-1}, um antagonista H_2 e a metoclopramida devem ser padronizados para estas pacientes. Uma boa pré-oxigenação deve sempre ser realizada, bem como um anestesiologista auxiliar deve assessorar nas manobras de intubação. Para facilitação da laringoscopia, deve-se ter em mãos laringoscópio de cabo curto e se socorrer de coxins colocados embaixo da cabeça e tórax da paciente. Não se deve se descuidar do deslocamento do útero para esquerda.

■ ALTERAÇÕES NO SISTEMA RESPIRATÓRIO

Desde o início da gestação, as regiões da nasofaringe, das cordas vocais, da laringe, da traqueia e dos brônquios ficam edemaciadas, advindo fragilidade das membranas mucosas, o que, nas pacientes pré-eclâmpticas, simula manifestação histológica de inflamação.[19] Isto dificulta a respiração nasal, altera a voz, e episódios espontâneos de epistaxes podem ocorrer.[49] Embora estas alterações fisiológicas do sistema respiratório durante a gravidez sejam bem conhecidas, o mesmo não acontece quando se trata das mudanças no calibre das vias aéreas superiores. Isto pode ser devido à limitação de investigações não invasivas usadas na gestante. O uso dos Raios-X, cujos resultados são imprecisos, e a tomografia computadorizada envolve exposição à radiação, e a ressonância magnética, além do alto custo, é desconfortável para a gestante. Além disso, a ultrassonografia não explora as vias aéreas intratorácicas, e a endoscopia é método invasivo e as suas imagens podem ser distorcidas pelo uso do endoscópio. Entretanto, ocorre dilatação das vias aéreas logo abaixo da laringe o que facilita a condutância ao ar.[50] Atribui-se isto aos efeitos diretos da cortisona, da relaxina e, possivelmente, à aumentada atividade beta-adrenérgica induzida pelo progesterona.[51]

Caixa Torácica e a Imagem Radiológica

O aumento do tamanho do útero e o deslocamento cefálico da massa abdominal ao final da gestação elevam a pressão da cavidade abdominal ocasionando elevação da cúpula diafragmática, o que resulta em diminuição do diâmetro vertical do tórax em até 4 cm[50] (Figura 126.1). Por outro lado, ao final do primeiro trimestre, por ação das alterações hormonais, ocorre relaxamento dos ligamentos osteocondrais e o gradil costal tende a se horizontalizar, fazendo com que o ângulo subesternal (ângulo de Charpy), que no início da gravidez é agudo, em torno de 68,5º, passe a obtuso ao término da gravidez, em torno de 103,5º.[50] O resultado disto é o aumento de 2 a 3 cm do diâmetro anteroposterior e transverso do tórax aumentando a circunferência da caixa torácica de 5 a 7 cm[49,50] (Figura 126.2).

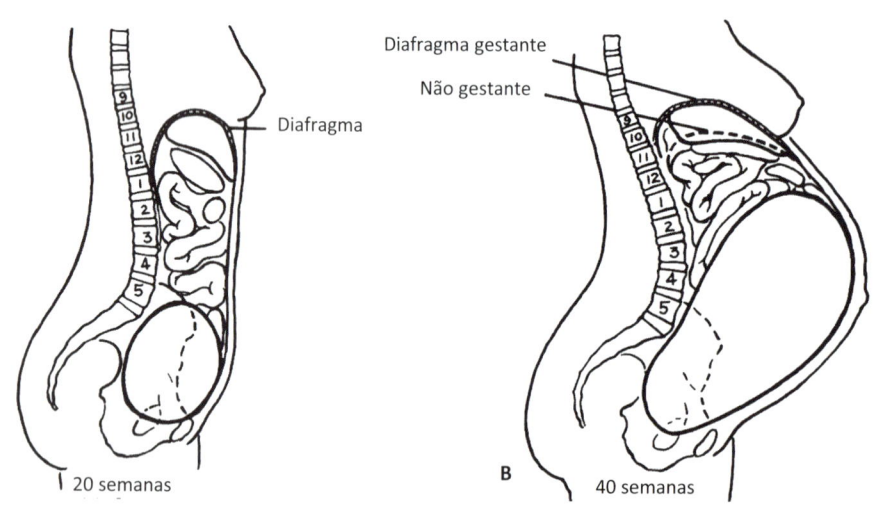

◄ **Figura 126.1 (A-B)** Visão lateral da 20ª a 40ª semana de gestação. Alterações na forma e no tamanho do útero, deslocamento cefálico da massa abdominal e elevação da cúpula diafragmática.[19]

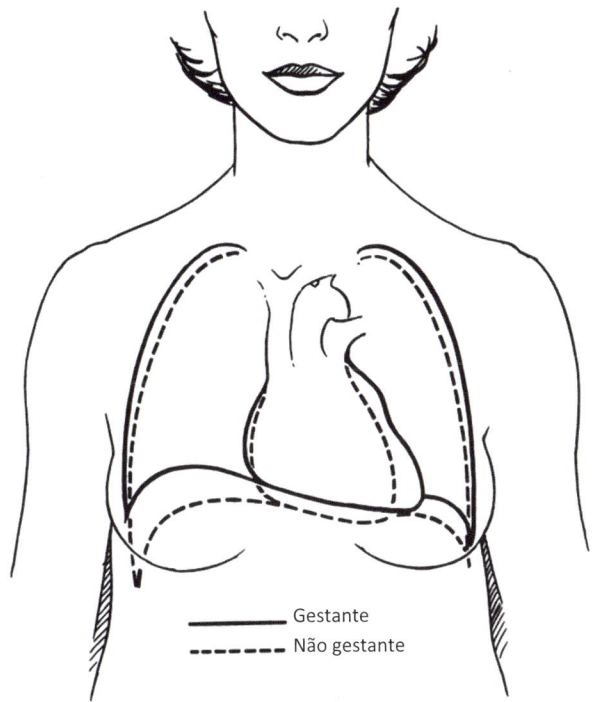

▲ **Figura 126.2** Alterações no coração, nos pulmões e na caixa torácica que ocorrem durante a gravidez. O aumento do tamanho do útero desloca o diafragma em direção cefálica, diminuindo o diâmetro vertical do tórax em até 4 cm e deslocando o coração lateral e anteriormente. O resultado disso é o aumento de 2 a 3 cm no diâmetro anteroposterior e transverso do tórax, aumentando a sua circunferência de 5 a 7 cm.[19]

Quanto à radiografia simples de tórax, existem controvérsias. Alguns autores relatam aumento da área pulmonar, o que sugere pequeno edema pulmonar, devido ao aumento do volume sanguíneo e da vasculatura.[19,50] Por outro lado, relata-se também a inexistência de alterações tanto do parênquima como da vasculatura pulmonar.[52] Esta discordância de resultados entre autores é atribuída à provável posição assumida pela gestante no momento da execução da radiografia ou à diversidade dos instrumentos utilizados durante o exame.[19]

Se comparados a radiografia do início com o do final da gravidez, poderá ser evidenciado a elevação do diafragma em 4 cm em direção cefálica e a concomitante diminuição do diâmetro do tórax, no sentido vertical, e o aumento, no diâmetro anteroposterior e transverso.[50]

Mecânica Respiratória

Na mulher não gestante a fase inspiratória ocorre normalmente com a expansão da caixa torácica, predominando a ação da musculatura intercostal externa e contração da cúpula diafragmática, o que lhe confere respiração torácica sobre a abdominal.

Na gestante a termo, há limitação dos movimentos torácicos devido à horizontalização das costelas, ficando a fase inspiratória quase totalmente atribuída à excursão diafragmática, o que lhe confere predominância da respiração ab-

dominal sobre a torácica porque, devido à ação hormonal, a sua musculatura abdominal encontra-se mais relaxada. Mesmo assim, isto permite à gestante manter bons níveis de oxigenação, durante bloqueios regionais mais elevados, sem que altere em muito os valores da P_aO_2 e da $PaCO_2$.[19]

Volumes e Capacidades Pulmonares

Iniciada a gravidez, os volumes pulmonares começam a se alterar. No entanto, somente entre o quinto e sexto mês, que as alterações são mais significativas, sobretudo a diminuição do volume de reserva expiratório, em 25%,[50,53,54] e do volume residual, em 15%,[54] quando ao termo chegam a diminuir até 20%, comparados a não gestante.[19,50,51,54-56] Consequentemente, a capacidade residual funcional, resultante da soma dos citados volumes, também diminuirá em mais de 25%.[19,55] O volume corrente e o de reserva inspiratório se elevam, em aproximadamente, 45% e 5%, respectivamente. Consequentemente, a capacidade inspiratória, resultado da soma destes volumes, também se eleva em torno de 10% a 15%.[50,54,57,58] A capacidade pulmonar total está reduzida em 4% a 6%[50,53,54] (Figura 126.3; Tabela 126.3).

Ventilação Pulmonar Durante a Gravidez

O relaxamento da musculatura lisa bronquiolar, induzido pelo progesterona, diminui a resistência das vias aéreas; enquanto a complacência pulmonar permanece inalterada.[59] Isto prepara o caminho para o aumento da ventilação minuto necessário para enfrentar a crescente demanda de oxigênio durante o parto.

A ventilação pulmonar está associada ao aumento na ventilação minuto, a qual se eleva em até 45 a 50% ao termo.[19,54,58] Esta alteração é afetada pela elevação no volume corrente e de aumento de 8% a 15% na frequência respiratória.[19] Têm-se sugerido que o espaço morto permanece inalterado, enquanto a ventilação alveolar se eleva 65% a 70% acima dos níveis não gestantes (Figura 126.4). Porém, outros estudos[19] revelaram que o espaço morto alveolar se eleva em torno de 45%, o que é atribuído ao maior relaxamento nas vias aéreas[3,19] (Tabela 126.3).

A hiperventilação que ocorre durante a gravidez é atribuída à produção de CO_2, à progesterona,[19] que podem atuar como um estimulante primário do centro respiratório,[60] e ao estrogênio, que parece ter efeito aditivo para a progesterona.[61]

Após o nascimento, à medida que os níveis sanguíneos de progesterona diminuem, a ventilação volta à normalidade em 1 a 3 semanas.[62]

Cerca de 60% a 70% das gestantes com evolução normal relatam dispneia suave durante o último trimestre, e isto parece não estar relacionado à mecânica da respiração ou aos exercícios. Tem-se postulado que o alto custo da respiração contribua para a impressão de respiração curta, ou que a dispneia é uma sensação diretamente relacionada a um baixo nível P_aCO_2 durante exercícios e respiração normal. Também se têm relacionado a sensação de dispneia ao aumento na ventilação minuto.[19] Assim, poderíamos até indagar: não seria esta dispneia um pequeno preço pago pelas gestantes, que necessitam hiperventilar, para em troca obter a oxigenação e a eliminação do CO_2 fetal?

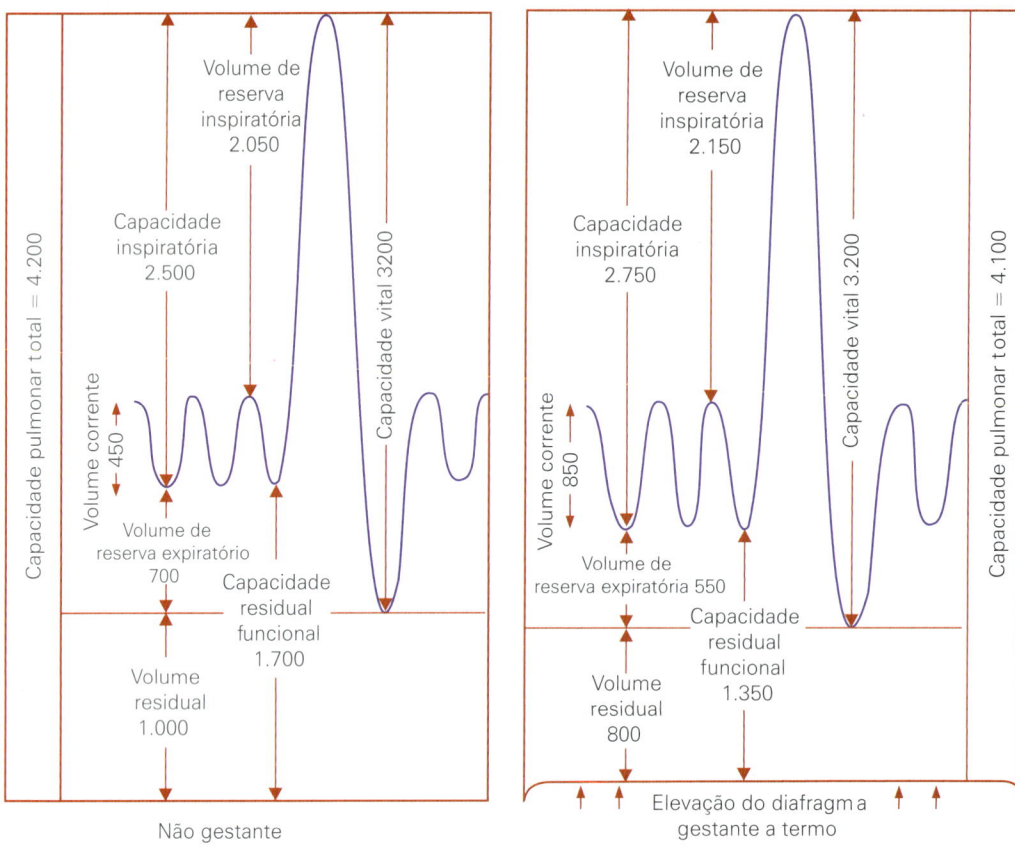

▲ **Figura 126.3** Volumes e capacidades pulmonares na não gestante e na gestante a termo.[19]

Tabela 126.3 Alterações na fisiologia respiratória da gestante a termo.[4,7]	
Parâmetros	**Alterações**
Volumes pulmonares	
▪ Volume de reserva expiratório	– 25%
▪ Volume residual	– 15%
▪ Volume corrente	+ 45%
▪ Volume inspiratório	+ 05%
Capacidades pulmonares	
▪ Capacidade residual funcional	– 25%
▪ Capacidade inspiratória	+ 15%
▪ Capacidade pulmonar total	– 06%
▪ Capacidade vital	00%
Espaço morto	+ 45%
Frequência respiratória	+ 8 a 15%
Ventilação	
▪ Ventilação minuto	+45%
▪ Ventilação alveolar	+45%

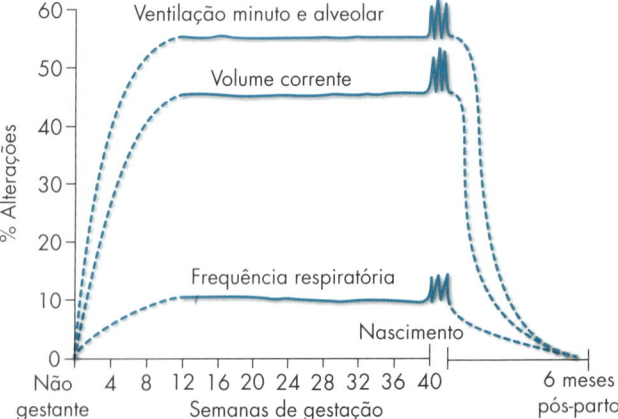

▲ **Figura 126.4** Alterações nos parâmetros ventilatórios durante a gravidez. Nota-se que a hiperventilação máxima já ocorre no início da gestação. Ocorre elevação dos volumes corrente, minuto e alveolar.[19]

Além disso, não é incomum a apneia obstrutiva do sono em gestantes obesas logo no início da gravidez. Entretanto, a gestante desenvolve efeitos protetores sobre a apneia do sono, apesar da hiperemia das fossas nasais. Logo no início da gravidez, a aumentada sensibilidade do centro respiratório diminui os episódios de apneia do sono e, no final do terceiro trimestre da gestação as mulheres tendem a se posicionar durante o sono adotando a posição lateral, o que, desse modo, diminui a probabilidade de obstrução das vias aéreas. Desta forma evita a hipoxia, a hipercarbia e a hipertensão pulmonar, diminuindo a morbidade e a mortalidade materna.[27]

Ventilação Pulmonar Durante o Trabalho de Parto

A dor do trabalho de parto, a ansiedade, a apreensão, ou se as gestantes são treinadas para o exercício respiratório durante o parto, como no parto psicoprofilático, são fatores responsáveis pela elevação da ventilação durante a parturição.[19] Se as gestantes não recebem anestesia ou analgesia, a ventilação-minuto, comparada à antecedente ao parto, se eleva durante as contrações em pelo menos 75% a 150% no primeiro estágio do trabalho de parto e em pelo menos 150% a 350% durante o segundo estágio do trabalho de parto.[19,63-65]

A magnitude da hiperventilação varia muito e, dependendo das circunstâncias, principalmente nas gestantes sem analgesia, a frequência respiratória pode atingir cifras que variam de 60 a 174, durante as contrações uterinas[19], resultando em significante hipocapnia. A literatura tem mostrado que ao receberem analgesia à base de opioides, os valores encontrados para a P_aCO_2, durante as contrações, foram de 21 a 28 mmHg, na fase ativa do primeiro estágio do trabalho de parto, e de 16 a 24 mmHg, durante o segundo estágio do trabalho de parto e no momento do nascimento.[65-69] Considerando-se a gestante sem analgesia, o volume-minuto aumentou em 150% na primeira fase do trabalho de parto e de 300% na segunda fase[63] e os níveis de P_aCO_2 abaixaram em 10 a 15 mmHg.[70]

Durante o trabalho de parto e parto vaginal, o consumo de oxigênio se eleva em 60% a 75% acima dos valores iniciais, devido à dor, à atividade uterina e aos esforços maternos durante a fase expulsiva.[19]

Por outro lado, sendo a analgesia peridural realizada na primeira fase do trabalho de parto, o volume minuto, o consumo de oxigênio, a concentração de lactato e a P_aCO_2 permanecem nos níveis iniciais do trabalho de parto.[63,69,71]

Durante o período expulsivo, há aumento do volume minuto, do consumo de oxigênio, da concentração de lactato e diminuição da P_aCO_2 mesmo com a analgesia peridural.[63,69,71]

É importante que seja enfatizado que a dor durante as contrações uterinas é um dos fatores responsáveis pela hiperventilação e pela consequente hipocapnia. Aplicação de eletrodos transcutâneos de oxigênio mostrou que, nas gestantes em trabalho de parto que respiravam ar atmosférico, durante as contrações, a hiperventilação induzida pela dor e a consequente hiperoxia são seguidas, entre as contrações, por períodos passageiros de hipoventilação e de diminuição da P_aO_2, que variou de 5 a 50%, com uma média de 20%[19,72] e que podem ser a causa das desacelerações fetais.

Os Gases Sanguíneos e o Estado Ácido-base

As alterações nos volumes pulmonares e o aumento na ventilação alveolar reduzem a P_aCO_2 de 40 mmHg da não gestante, para 28 mmHg ao término do primeiro trimestre e, para 30 mmHg ao termo.[19] Na não gestante a média do valor da P_aO_2 é de 95 mmHg, enquanto na grávida a termo é de 103 mmHg,[19] caracterizando uma alcalose respiratória.

A alcalose respiratória da gestante é compensada por um significante aumento na excreção renal de bicarbonato, a qual é refletida por um decréscimo no bicarbonato sérico de 24 a 26 mEq.L⁻¹ para 18-21 mEq.L⁻¹, nas bases tampão plasmática de 47 para 42 mEq.L⁻¹, e no excesso de bases de 0 para 2 a 3 mEq.L⁻¹ negativos. O pH permanece praticamente inalterado (7,40 para 7,44)[66] (Tabela 126.4).

Tabela 126.4 Alterações do estado ácido-base durante a gravidez.[4]

Variáveis	Não gestante	Gestante
P_aO_2	95 mmHg	103 mmHg
P_aCO_2	40 mmHg	30 mmHg
HCO_3	24 a 26 mEq.L⁻¹	18 a 21 mEq.L⁻¹
Bases tampão	47 mEq.L⁻¹	42 mEq.L⁻¹
Excesso de bases	0 mEq.L⁻¹	−2 a −3 mEq.L⁻¹
pH	7,40	7,44

A capacidade residual funcional e a ventilação proporcionam maior eficiência da transferência gasosa entre o sangue e o ar alveolar materno, diminuindo a tensão do CO_2 e aumentando a do O_2. Estas alterações, por sua vez, aumentam a transferência destes gases entre a mãe e o feto.[19]

Implicações na Anestesia

Em muitas gestantes a diminuição na capacidade residual funcional não causa problemas, porém naquelas com alterações preexistentes do volume de oclusão resultante do tabagismo, obesidade e escoliose pode ocorrer fechamento prematuro da via aérea levando à hipoxemia a medida que a gravidez evolui. Nas que adotam a posição supina, de litotomia ou de cefalodeclive, em 50% delas ocorre intensificação na relação do volume de oclusão e da capacidade residual funcional.[53,54,73] Após o parto o volume residual e a capacidade residual funcional tendem rapidamente à normalidade.

O anestesiologista precisa estar atento aos períodos de hiperventilação durante as contrações e da hipoventilação entre as contrações e, para prevenir o evento, deve orientar a gestante para que normoventile durante a fase de relaxamento uterino e, quando achar necessário, administrar oxigênio a até 100%, 2L.min⁻¹, via cateter nasal. Assim, dentro de poucos minutos elevar-se-á a P_aO_2 tanto materna como a fetal.[19,74,75] A anestesia condutiva proporcionada pelos bloqueios regionais regulariza esta alternância da hiperventilação/hipoventilação durante o trabalho de parto.

A ocorrência de hipoventilação e obstrução respiratória por sangramentos, se persistentes, produzirão hipoxia, hipercarbia e acidose respiratória muito mais facilmente, e precocemente, do que na não gestante. Em contrapartida, se imposta hiperventilação de moderada a severa, induzida pelo anestesiologista, através de pressão positiva intermitente durante anestesia geral, pode rapidamente levar a alcalose respiratória, com consequente diminuição do fluxo sanguíneo cerebral materno, desvio da curva de dissociação da oxiemoglobina para a esquerda, o que dificulta a liberação do O_2 da hemoglobina para os tecidos maternos, e diminuição do fluxo sanguíneo uterino, vindo a comprometer a viabilidade do feto.[19] Isto poderá ainda progredir para acidose metabólica que intensificará a depressão fetal e a neonatal.

As alterações respiratórias que ocorrem durante a gravidez, bem como no trabalho de parto, influenciam nos tempos de indução e de recuperação dos agentes inalatórios, que são mais curtos, fenômeno este ocasionado pela ventilação alveolar aumentada, que acelera o aumento da elevação na concentração alveolar, e pela diminuição da capacidade residual funcional.[75,76]

Quando da necessidade de ventilação sob intubação, deve-se recorrer à classificação de Mallampati[77] para que se tenha uma ideia da dificuldade que poderá ser encontrada durante a intubação, especialmente por causa da retenção de sal e água que levam ao edema das estruturas periglóticas.[78] Além disso, a escolha do tubo traqueal deve recair sempre nos de menor calibre, tanto via nasotraqueal como orotraqueal, quando comparados com aqueles que deveriam ser usados na não gestante, a fim de minimizar o risco de lesão da laringe. A via nasotraqueal deve ser evitada pela dificuldade de acesso e possibilidade de abrasão da mucosa membranosa com possível sangramento.[49] Quando necessário, o tubo traqueal deve estar bem lubrificado, e ser manipulado cuidadosamente pelo anestesiologista, a fim de se evitar abrasão da membrana mucosa e outros traumatismos que possam ocasionar sangramentos em proporções consideráveis. Além disso, este sangramento poderá resultar em piora da respiração,[19] elevando o risco de aspiração de sangue para o interior da árvore respiratória, particularmente se a gestante é colocada por períodos prolongados em posição de cefalodeclive, ou se estiver fazendo uso de agentes tocolíticos.

Muitas vezes, devido ao edema das gengivas e da língua, das cordas vocais e da mucosa traqueal, ao aumento da massa gordurosa cervical, às mamas volumosas, ao pescoço curto e à alteração na conformidade do tórax a laringoscopia pode ser mais difícil, havendo a necessidade da utilização de laringoscópio de cabo curto, ou dispositivos especiais.[79] A intubação traqueal deve sempre ser realizada para assegurar vias aéreas permeáveis durante as anestesias gerais para procedimentos obstétricos, por pessoal extremamente capacitado em proporcionar indução anestésica do tipo sequência rápida, administrando-se um agente indutor intravenoso associado a um relaxante muscular de ação curta, tipo succinilcolina, e realizar manobra de Sellick.[32-34] Antes da administração da succinilcolina é aconselhado usar pequenas doses de relaxante muscular não despolarizante, a fim de que se evite a elevação da pressão intragástrica causada pelas miofasciculações.[80] Embora este recurso seja válido, lembramos que o uso prévio de relaxantes musculares não despolarizantes tem início de ação demorado, o que, na indução anestésica, é um grande risco. Além do mais este recurso pode não só encurtar a intensidade bem como a duração da succinilcolina,[81,82] e a possível perda de tempo ou dificuldade na intubação podem ter consequências desastrosas. Há relatos[79] de que a incidência de falha nas intubações traqueais em gestantes é de 1: 280, enquanto na não gestante é de 1: 2230.

O acesso a via aérea, com o objetivo principalmente para a intubação estará mais difícil se a gestante se encontrar na posição de decúbito lateral. Se numa emergência há a necessidade de realização de uma traqueostomia, a posição lateral dificultará a execução desta técnica.[33]

O uso da máscara laríngea como recurso definitivo na ventilação materna deve ser evitado pelo elevado risco de regurgitação e aspiração.

A mudança da posição ortostática para a de decúbito supino resulta em diminuição da P_aO_2 na gestante, por causa da elevação do *shunt* fisiológico.[33] Assim, durante a indução da anestesia geral deve ser feita previamente uma desnitrogenação, ofertando-se oxigênio a 100%,[33,83,84] por pelo menos 5 minutos.[33,34] Este recurso aumenta a reserva materna e a fetal protegendo-os da dessaturação no caso de intubações demoradas. Esta dessaturação será maior nas gestantes que nas não gestantes, porque aquelas apresentam uma reduzida capacidade residual funcional e aumentada diferença alvéolo-arterial. Tempos menores que 5 minutos poderão ser o suficiente para promover a desnitrogenação a nível alveolar, mas não a nível tecidual materno,[85] que são maiores nas gestantes. Além disso, a gestante desenvolve hipoxia durante os períodos de apneia muito mais rapidamente que a não gestante. Durante a anestesia geral, a ventilação materna deve permitir se ajustar a P_aCO_2 para algo em torno de 30 mmHg. Caso os níveis de P_aCO_2 alcancem valores superiores a 40 mmHg poderá resultar em acidose respiratória aguda.

Naquelas gestantes que porventura foram submetidas a procedimentos videolaparoscópicos, muito em voga na atualidade, deve-se atentar para a análise dos gases sanguíneos que tem revelado diminuição no pH arterial e aumento na P_aCO_2 durante a insuflação peritoneal com tendência a retornar aos níveis normais imediatamente após a desinsuflação. Entretanto, tem-se observado que estes parâmetros avaliados na sala de recuperação retornam os valores anormais, permanecendo as gestantes no estado acidótico, o que confere grande risco aos fetos, embora com os valores normais para o bicarbonato[86] (Figura 126.5). Estas gestantes devem ficar rigorosamente monitoradas na sala de recuperação.

■ ALTERAÇÕES NO SISTEMA CARDIOVASCULAR

Doenças Vasculares e Cardíacas Desenvolvidas Durante a Gravidez

A microcirculação, os pequenos vasos que estão incorporados nos órgãos, é a responsável pela distribuição do sangue dentro dos tecidos. A microcirculação do endotélio proporciona uma superfície adequada para o fluxo sanguíneo e regula o movimento de água e materiais dissolvidos no plasma entre o sangue e os tecidos. Alguns autores suspeitam que as alterações fisiológicas durante a gestação (elevação do débito cardíaco e volume plasmático) podem comprometer a microcirculação. Assim, intervenções terapêuticas para melhorar as alterações fisiológicas devem sempre ter como meta melhorar a microcirculação, visto que o fluxo microvascular de gestantes é maior do que aquele comparado com a não gestante. Estudos recentes[10,87] têm demonstrado que as doenças cardíacas são, no momento, uma das causas mais comuns de morte materna. Devido a isto, tem-se dado grande importância na produção científica com a finalidade de se melhorar a saúde da gestante por todo o mundo.

Doenças isquêmicas cardíacas têm sido responsáveis por aproximadamente 30% destas mortes, inclusive gestantes,[88,89] nos Estados Unidos da América, 6,2: 100.000 partos; e, no Canadá, 1,1: 100.000 partos; no período com-

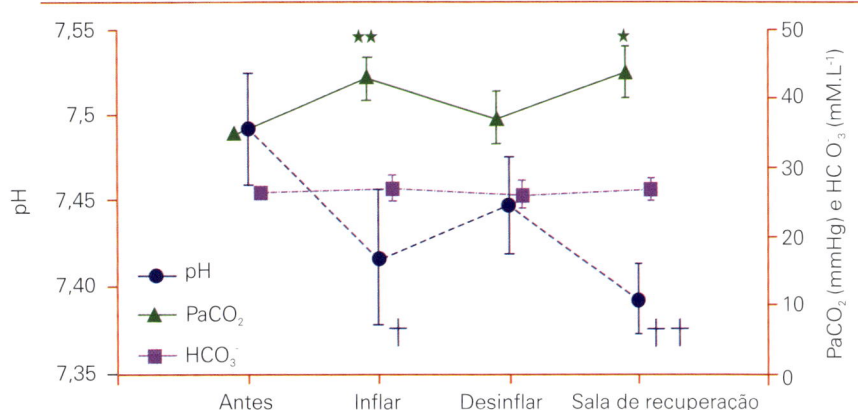

▲ **Figura 126.5** Alterações do pH, P_aCO_2 (pressão parcial do dióxido de carbono), HCO_3^- (concentração de bicarbonato) no sangue arterial, durante colecistectomias laparoscópicas. Antes da indução da anestesia, respirando ar atmosférico; inflar (1 hora depois de estabelecido o pneumoperitôneo); desinflar (justamente após a desinsuflação do pneumoperitôneo); sala de recuperação (30 minutos após a extubação traqueal).[86]

preendido entre 1991 e 2002. Estes mesmos estudos relataram casos de fatalidades maternas na proporção de 6,2% e 1,8%, respectivamente, para os países anteriormente citados. Interessante se ressaltar que a associação das mortes maternas e os eventos arteriais, incluindo doença isquêmica cardíaca e dissecção aórtica, quase excedem as mortes maternas consequentes ao tromboembolismo venoso. Há relatos também do desenvolvimento de cardiomiopatia dentro dos últimos meses da gestação ou nos primeiros 6 meses do puerpério.[10,90]

O Coração e Sua Dinâmica Durante a Gravidez

O aumento do tamanho do útero durante a gravidez empurra as alças intestinais, aumenta a pressão na cavidade abdominal e eleva a cúpula diafragmática em direção cefálica. Dessa associação resulta uma significante alteração na posição do coração, deslocando-o para a esquerda e rodando-o transversalmente[19] (Figura 126.2). Como resultado, o *ictus cordis*, é deslocado cefalicamente para o quarto espaço intercostal e lateralmente para, no mínimo, a linha medioclavicular.

Na ausculta cardíaca, a primeira bulha se acentua podendo se desdobrar no início da 12ª semana. Por volta da 20ª semana, pode-se notar a existência de uma terceira bulha, presente em 84% das gestações normais. O estado hiperdinâmico predispõe a presença de sopros funcionais sistólicos tipo ejeção, decorrente da anemia dilucional, e são de dois tipos: o pulmonar, mesosistólico, e o supraclavicular, originado pelo fluxo nos troncos braquicefálicos.[20,50] Estas alterações no sistema cardiovascular materno e a ocorrência de arritmias são bem toleradas pela gestante saudável,[91,92] mas pode não ser nas portadoras de doença cardiovascular preexistente.

No ECG pode ser detectado alargamento da onda Q na derivação III; inversão de T, nas derivações III, V1 e V2 e ocasionalmente em V3, e seu infradesnivelamento em V4. Além disso, em Vf a onda Q pode ser pequena e a onda T estar invertida. Em algumas gestantes, até o

sexto mês de gestação, existe uma progressiva tendência no desvio do eixo cardíaco para a esquerda, mas ocorre reversão para a direita no nono mês de gestação.[19] Depressão do segmento S-T e isoeletricidade da onda T também têm sido relatados.[19,50] Estas alterações não são permanentes e tendem a voltar à normalidade após o período gestacional.

A ecocardiografia revela hipertrofia ventricular esquerda por volta da 12ª semana de gestação, alcançando 50% das gestantes a termo, e aumento do diâmetro anular das valvas mitral, tricúspide e pulmonar.[93,94] Por isso, 94% das gestantes apresentam regurgitação nas valvas tricúspide e pulmonar e 24% na mitral.[95]

Alterações Hemodinâmicas Durante a Gravidez

As medidas da frequência cardíaca, volume de ejeção sistólico, débito cardíaco e pressões sanguíneas são variáveis, considerando-se o repouso e as posições que minimizam a compressão da aorta e da veia cava inferior pelo útero gravídico (Tabela 126.5).

A frequência cardíaca se eleva logo no início da 4ª semana de gestação[96] e alcança valores de até 15% ao final do primeiro trimestre, acima daqueles registrados para a não

Tabela 126.5 Alterações no sistema cardiovascular durante a gestação.[*,3,4,66]		
Variável	**Direção da alteração**	**Alteração média**
Frequência cardíaca	⇑	15%
Volume sistólico	pouco se altera	
Débito cardíaco	⇑	40% a 50%
Resistência vascular sistêmica	⇓	21%
Pressões sanguíneas		
Sistólica	⇓	10 mmHg
Diastólica	⇓	15 mmHg

* Valores variáveis de acordo com a posição da gestante.

gestante.[93,97] Não sofre praticamente alterações nos últimos dois trimestres da gestação.[93,98,99]

No início da gravidez, o **volume de ejeção sistólico** pouco se altera[3], embora existam relatos de que neste período a elevação do volume sistólico é maior do que o da frequência cardíaca.[96] Esta elevação é atribuída a um aumento no volume diastólico final no ventrículo esquerdo que ocorre sem qualquer alteração no volume sistólico final.[3]

O **débito cardíaco** é, sem dúvida, a maior modificação funcional do sistema cardiocirculatório logo nas primeiras semanas de gestação.[100] Estudos de termodiluição,[56] ecocardiografia[3,96] e cateterização cardíaca, usando o método de Fick[3], demonstraram o aumento substancial que ocorria, concluindo que: aumento de cerca de 20 a 30% da 4ª a 12ª semana de gestação,[91,101] 30 a 40% entre a 28ª e 36ª semana,[19,100,102,103] podendo chegar a 50% acima dos níveis pré-gestacionais, no final do segundo trimestre,[91,94,100] tendendo a cair no terceiro trimestre para valores próximos aos da não gestante.[104] Esta elevação ocorre inicialmente devido ao aumento na frequência cardíaca e, posteriormente, a partir do segundo trimestre, ao aumento do volume sanguíneo circulante,[100,105] elevando a pressão diastólica final no ventrículo esquerdo, sem, no entanto, aumentar a pressão de oclusão na artéria pulmonar,[56] resultando no aumento do volume sistólico e da fração de ejeção.[106] Nesta situação, a vigilância deve ser redobrada nas gestantes cardiopatas, podendo ocorrer falência cardíaca e descompensação no final da gestação. Como esperado, o débito cardíaco é maior durante a gravidez múltipla do que na única.[107]

Entretanto, alguns estudos mostraram que a diminuição do débito cardíaco no terceiro trimestre estaria relacionada à posição supina adotada por muitas gestantes, gerando obstrução da veia cava inferior.[19,108] A posição supina induz à hipotensão arterial em aproximadamente 15% das gestantes, a qual se manifesta clinicamente com palidez, taquicardia, náuseas, sudorese e vômitos caracterizando a síndrome de hipotensão supina.[19]

Na posição de decúbito lateral esquerdo, há aumento do débito cardíaco de 14% a 20% e em 27% o volume sistólico, com concomitante decréscimo de 6% na frequência cardíaca, refletindo o aumento do retorno venoso, comparado aos valores medidos em decúbito dorsal (Figura 126.6). Se em decúbito dorsal e em Cefalodeclive, o débito cardíaco diminui em 18%.[19]

Durante a gravidez ocorre diminuição da **resistência vascular sistêmica** em 21%, mantida até o termo.[109] A etiologia desta diminuição no tono dos vasos é tanto anatômica, devido à obstrução mecânica da veia cava inferior, como hormonal,[110] devido à ação das prostaciclinas, que estão elevadas,[3] causando vasodilatação generalizada e diminuindo a resistência vascular;[100] do estrogênio, e da progesterona, que também contribuem na elevação do fluxo sanguíneo uterino e na vasodilatação periférica.[3,108]

A obstrução da veia cava inferior, devido ao aumento do tamanho do útero, pode ocasionar em algumas gestantes estase e insuficiência venosa do plexo retal externo com consequente desenvolvimento de trombose hemorroidária. As hemorroidas e fissuras são comuns durante o último trimestre de gravidez e imediatamente após o parto, com pri-

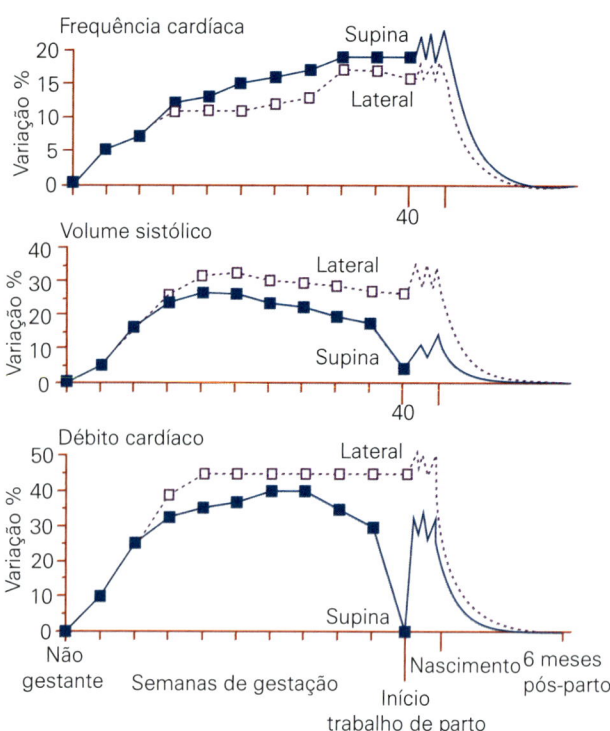

▲**Figura 126.6** Alterações na frequência cardíaca, volume sistólico e débito cardíaco materno durante a gravidez, com a gestante em decúbito dorsal (supino) e em decúbito lateral (lateral).[19]

são de ventre, história pessoal de hemorróidas ou fissuras, peso ao nascer de recém-nascido acima de 3.800 g, com a parturiente esforçando-se durante o parto por mais de 20 minutos, estando os fatores de risco associados de forma independente. Os sintomas de dor, coceira, inchaço, desconforto e sangramento anal estão associados com a trombose hemorroidária. Isto altera o humor, a alimentação, a deambulação, a postura e a higiene. A prevalência de trombose hemorroidária no final da gestação é alta, ocorrendo em 40% das mulheres. Eles geralmente podem ser tratados de forma conservadora durante a gravidez, com qualquer tratamento adiada até depois do parto. A trombose hemorroidária aguda pode ser tratada de forma conservadora ou operatória. Entretanto, se possível, a maioria das pacientes devem ser tratadas de forma conservadora, e o tratamento cirúrgico postergado para data posterior ao estado gestacional.

No terceiro trimestre, pode ocorrer aumento da resistência vascular sistêmica atribuindo-se esta responsabilidade à compressão da aorta pelo útero gravídico. Após a dequitação, os valores da resistência vascular tendem à normalidade.

No que se refere às **pressões sanguíneas**, deve-se levar em consideração a idade, a posição corporal e a paridade da gestante. Com o avançar da idade materna, as pressões sanguíneas também tendem a se elevar. São maiores nas nulíparas com idade avançada do que nas mulheres que já pariram.[50]

As pressões arteriais sistólica e diastólica estão pouco alteradas durante a gestação normal. Entretanto, estas medidas variam também de acordo com a posição da gestante.

Quando em decúbito lateral as pressões sistólica e diastólica estão 10 mmHg e 15 mmHg, respectivamente, mais baixas do que quando sentadas.[56,100,111] A mudança da posição lateral para a supina está associada com uma significante alteração da pressão sanguínea nos membros superiores causada por um aumento na resistência vascular sistêmica consequente à aumentada resposta do sistema nervoso simpático.

A pressão sanguínea sistólica é determinada primariamente pelo volume sistólico e pela distensibilidade das artérias mais calibrosas. Por causa da elevação do volume sistólico durante a gravidez o declínio na pressão sanguínea sistólica é explicada pelo calibre aumentado da aorta e pela sua complacência.[50]

A pressão arterial diastólica cai mais do que a sistólica. A queda na diastólica é uniforme com as diminuições da resistência vascular sistêmica.[50]

Alterações Circulatórias Durante o Trabalho de Parto

Durante o trabalho de parto, devido às contrações uterinas, o débito cardíaco se eleva em 15% na fase latente, em 30%, na fase ativa, do 1º estágio, e em 45%, no período expulsivo, do 2º estágio, comparando-os aos valores antecedentes ao trabalho de parto.[108,112] Esta elevação se deve também ao aumento da frequência cardíaca e ao volume sistólico.[56,106,108] Cada contração uterina eleva o débito cardíaco em aproximadamente 10% a 25%[108] e, logo após o nascimento, alcança cifras de até 80% acima dos valores iniciais do trabalho de parto.[3,108] Este aumento do débito cardíaco, que se caracteriza como uma autotransfusão, está relacionado à involução uterina[110] e ao aumento do retorno venoso, devido à desobstrução da veia cava inferior.[94]

O débito cardíaco retorna gradualmente aos valores pré-gestacionais na 2ª semana pós-parto.[108]

Durante as contrações uterinas, a pressão arterial sistólica aumenta mais que a diastólica.[113] A magnitude destas mudanças também está na dependência da intensidade das contrações, da posição da gestante e da associação de dor, ansiedade e apreensão.

Compressão Aortocava

Durante a segunda metade da gravidez, o útero aumenta muito de tamanho, recebe cerca de 20% do débito cardíaco e ocupa toda a pelve. Se a gestante adota a posição de decúbito supino, o útero pode ser comprimido contra a coluna vertebral e exercer pressão sobre a veia e artéria ilíacas, veia cava inferior e aorta abdominal obstruindo-as, ocasionando redução no débito cardíaco materno e na pressão de perfusão[19,113,114] (Figura 126.7).

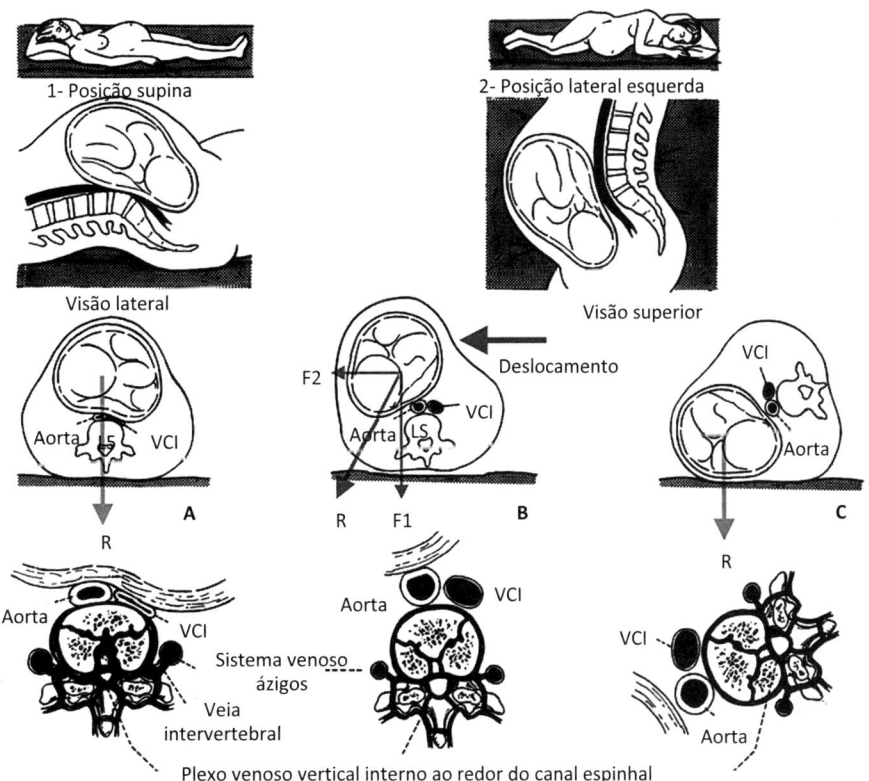

▲ **Figura 126.7** Os efeitos do útero grávido sobre a veia cava inferior (VCI) e a aorta na posição supina (1) e na posição lateral (2). A acentuada compressão aortocava na posição supina faz com que o sangue venoso seja desviado para e através do plexo venoso vertebral, tornando-o ingurgitado, reduzindo desse modo o tamanho dos espaços peridural e subaracnóideo. Em "A", nota-se que o útero e todo o seu conteúdo formam uma única resultante (R) sobre a aorta e VCI, comprimindo-as. Em "B", com o deslocamento, a resultante é dividida em duas forças (F_1 e F_2) de menores intensidades, fazendo com que alivie a compressão aortocava. Em "C", com a gestante totalmente lateralizada, a resultante (R) é totalmente deslocada garantindo livre fluxo sanguíneo tanto na aorta como na VCI. Assim, se recomenda a posição em "B" e em "C" durante os procedimentos obstétricos.[19,131]

Ao final da gestação, terceiro trimestre, a veia cava inferior pode ser obstruída pelo útero gravídico quando as parturientes estão em decúbito dorsal. Este fenômeno, reconhecido como uma possível causa da síndrome hipotensora ocasionada pela posição supina postural, foi estabelecido desde os relatórios de Howard e colaboradores em 1953, que demonstraram através de angiografias e ressonância magnética que a compressão da veia cava inferior era quase completamente obstruída pelo útero gravídico quando a gestante adotava o decúbito dorsal, mas que esta compressão sobre a veia cava inferior era reduzida na posição lateral esquerda. A pressão da **veia cava inferior**, abaixo da obstrução, e também a da veia femoral, eleva-se em 75% acima dos níveis não gestantes.[50] Pensa-se que isto possa ser a causa de maior estase venosa nos membros inferiores, a tendência para as flebites e o desenvolvimento de varicosidades, inclusive trombos hemorroidários.

Em resposta a esta obstrução o organismo procura alternativas de compensação a fim de manter estável o retorno venoso através da circulação colateral, mantendo uma determinada pressão de enchimento ventricular.[56]

O retorno venoso ao coração passa a ser feito através de um complexo sistema de curtos circuitos de anastomoses tributárias da veia cava inferior com o sistema de veias vertebrais completamente ingurgitados, compreendendo o plexo venoso vertebral avalvular interno e externo (veias vertebrais intraósseas, veias paravertebrais) que podem fluir em qualquer direção, fazendo com que a elevação das pressões tanto torácica como abdominal, obrigue o sangue dos plexos vertebrais a se afastar do coração, tanto para cima quanto para baixo, tal como acontece durante a tosse e esforços respiratórios; pelo plexo venoso peridural; por uma série de anastomoses na pelve e abdome, que permitem ao sangue chegar as veias epigástricas superficiais e inferiores e ao tórax alcançando a veia cava superior; e pelo sistema ázigos.[50,115] As veias ovarianas, que normalmente drenam o leito vascular uteroplacentário, também são uma via utilizada neste tipo de drenagem. Assim, se a veia cava inferior for obstruída, o sangue poderá fluir para cima pelas veias da parede do abdome e tórax e pelos plexos vertebrais e ázigos, atingindo a veia cava superior e retornando ao coração. Embora existam diversas vias alternativas na tentativa de compensação pela circulação colateral durante a obstrução cava, a pressão no átrio direito diminui,[50] o que indica que o retorno venoso diminui e não é preservado na posição supina. Quando nesta posição, tão logo se inicia a 13ª a 16ª semana de gestação, pode começar a ocorrer a compressão da veia cava inferior, e a concomitante elevação de 50% na pressão da veia femoral.[3] Ao termo, na posição supina, a pressão venosa femoral e a da parte inferior da veia cava inferior[50] é 2,5 vezes superior aos valores da mulher não gestante.[3] Estudos angiográficos[113] demonstraram que mesmo retornando à posição lateral a compressão da veia cava pelo útero grávido pode não ser totalmente aliviada. Entretanto, quando adotada a lateralização da paciente em 15° para a esquerda, melhora muito o débito cardíaco[116] e benefício maior ocorre se a cabeça fetal já está encaixada na pelve.[3]

A posição supina e, consequentemente, a obstrução ao retorno venoso, podem desencadear sinais de choque hipovolêmico, incluindo taquicardia materna, hipotensão arterial, náuseas, vômitos, palidez e alterações no nível da consciência, resultando no que se conhece como **síndrome da hipotensão supina**,[108] que ocorre em aproximadamente em 10% a 15% das gestantes. Nos casos subclínicos desta síndrome a velocidade do fluxo da artéria carótida interna está reduzida em 37%, enquanto nas gestantes com sintomatologia a redução chega a 70%.[117]

Aproximadamente 8% das gestantes a termo desenvolvem bradicardia que associada à diminuição de 10 a 20% do volume sistólico resulta na queda do débito cardíaco[50,118-120] e, consequentemente, diminuição na pressão arterial.[121] Pode levar vários minutos para que se desenvolva bradicardia e hipotensão arterial, sendo a bradicardia usualmente precedida por um período de taquicardia. Esta hipotensão supina postural resulta de uma profunda queda no retorno venoso para o qual o sistema cardiovascular não pode compensar. Os efeitos adversos na hemodinâmica estão reduzidos depois que a cabeça fetal está encaixada.[50,122,123]

A oclusão completa da veia cava inferior pode atingir cifras de 15% a 20% das gestantes a termo na posição supina resultando em diminuição no volume de ejeção sistólico em mais de 70%.[19,94,108]

O retorno da gestante da posição supina para a lateral pode aliviar a compressão da cava inferior.

Data desde 1935 o primeiro relato da **compressão da aorta** abdominal e seus ramos pelo útero gravídico. Posteriormente, outros estudos confirmaram com maiores detalhes a influência deste efeito sobre a dinâmica cardiocirculatória.[19] Desde então, a compressão da aorta abdominal pelo útero grávido tem sido amplamente aceito entre anestesiologista e obstetras, e quando junto da obstrução da veia cava inferior, passou a ser denominada de **compressão aortocava.**

Quando a gestante adota a posição de decúbito lateral a compressão da aorta pode ocorrer, mas em pequena intensidade.[124] Isto se confirmou ao se medir as pressões na artéria femoral, que foram mais elevadas, e na braquial, que foram menores.[122] Entretanto, 40% das gestantes a termo, mesmo quando se encontram na posição lateral experimentam queda na pressão da artéria femoral, em resposta à compressão da aorta.[19,122,123]

Na posição supina, a compressão aortoilíaca ocorre a partir da 19ª semana gestacional. Se a termo, nesta posição, a queda da pressão na artéria femoral é muito mais acentuada do que na posição lateral,[19,123,125] o que proporciona queda de 20% ao fluxo sanguíneo uterino[19,118] e de 50% nas extremidades inferiores,[19,124,126] queda esta inversamente proporcional à pressão na artéria braquial que praticamente está inalterada.[19,125]

A compressão da aorta implica também na diminuição do fluxo sanguíneo para os rins, resultando diminuição na função renal e no débito urinário materno quando comparada com a posição lateral.[19]

A compressão aortocava também causa redução de 15% a 20% no fluxo sanguíneo uterino com diminuição do fluxo sanguíneo placentário e na perfusão do complexo feto e placenta. A pressão de perfusão uterina é resultado da pressão arterial uterina menos a pressão venosa uterina. Desta forma, na posição supina, mesmo sem hipotensão arterial, há diminuição na pressão de perfusão como resultado do aumento da pressão venosa uterina. Aqui podemos nos deparar com dois fatores: a) a obstrução da veia cava, diminuindo o retorno venoso ao coração materno e a consequente elevação da pressão venosa uterina; b) a obstrução da aorta, diminuindo o fluxo sanguíneo uteroplacentário, por diminuição da pressão arterial uterina. Este duplo efeito pode colocar em risco o feto, bem como predispor o aparecimento de arritmias fetais logo após a mãe assumir a posição supina, indicando insuficiência do fluxo sanguíneo placentário, o que pode ser rapidamente resolvido com a mudança para a posição lateral que, inclusive, proporciona melhora na oxigenação fetal.[19]

Vimos que, quando ocorre a compressão cava, o organismo lança mão de recursos compensatórios a fim de melhorar o retorno venoso. Ao contrário, quando da ocorrência da compressão da aorta, não existem mecanismos compensatórios.

No trabalho de parto, o fenômeno compressivo na posição supina é intensificado pelas contrações uterinas.[19] Durante as contrações, o útero se inclina mais ainda contra as vértebras da região lombossacra intensificando a compressão aórtica. Acima desta compressão existe maior dinâmica circulatória e abaixo dela o contrário. Consequentemente, como já citado anteriormente, ocorre elevação do débito cardíaco e da pressão arterial acima da obstrução, mas uma queda logo abaixo dela. A significante diminuição do fluxo sanguíneo uterino durante a contração, na posição supina, resultando em diminuição do fluxo sanguíneo uteroplacentário é conhecida como **efeito Poseiro**.

De acordo com a lei de Poiseuille (DP = Q.8Lh/pr⁴), na posição supina, o fluxo sanguíneo varia de acordo com a quarta potência do raio do vaso comprometido, diminuindo marcadamente o débito cardíaco se houver redução na luz do vaso de até 75% na área em corte transversal.[127] Consequentemente, fluxo turbilhonar será gerado ocasionando perfusão inadequada; além do que hipotensão arterial poderá desenvolver-se devido à redução de pelo menos 30% do volume sanguíneo circulante.[19,112,128]

Implicações Anestésicas

A queda do débito cardíaco e a hipotensão arterial materna resultante da obstrução aortocava podem causar depressão respiratória de origem central por isquemia bulbar. Frequentemente, essa complicação é interpretada indevidamente como decorrente da paralisia dos músculos respiratórios devido a bloqueios regionais extensos.

Durante a obstrução cava, a via alternativa buscada pelo organismo como recurso de manutenção do retorno venoso ao coração, resulta em ingurgitamento do plexo venoso vertebral interno, diminuição na circulação capilar das meninges e, consequentemente, elevação das pressões no espaço peridural e canal subaracnóideo.[19] No espaço peridural, o ingurgitamento não somente aumenta a área de absorção do anestésico local, bem como facilita a punção acidental de um vaso, ou, até mesmo, a sua cateterização quando

na execução da anestesia peridural contínua, seguida de injeção inadvertida intravascular o que, indiscutivelmente, aumenta o risco de intoxicação pelo anestésico local, seguida de convulsão e parada cardiorrespiratória. A redução do espaço peridural pelo ingurgitamento pode ocasionar também maior dispersão do anestésico em direção cefálica e, concomitantemente, níveis mais altos de bloqueio simpático.[19,20,129] Devido a isso, o volume e a dose do anestésico local devem ser reduzidos a dois terços dos utilizados na não gestante, administrados de forma fracionada e lentamente, em momento fora das contrações uterinas. No canal raquídeo, o aumento da pressão liquórica favorece à maior dispersão do anestésico local e tendências a bloqueios mais extensos, devendo a dose do anestésico local também ser reduzida e a injeção ser feita lentamente em momento fora das contrações uterinas. Além disso, a lenta circulação capilar das meninges também retarda a absorção dos fármacos para o sangue, o que também contribui em elevar a sua concentração nas raízes nervosas, diminuindo a latência e aumentando a duração da analgesia.

A compressão aortocava deve ser minimizada em todas as gestantes, com o objetivo de se deslocar o útero de cima da veia cava, ou da aorta, ou de ambas, tão logo se aproxime da 20ª semana de gestação. Isto pode ser alcançado elevando-se o quadril direito, ou inclinando-se a mesa para a esquerda, em pelo menos 15 graus.[19,130] Quando possível, o útero também pode ser deslocado por pressão externa sobre a parede abdominal através de dispositivos mecânicos ou, se houver pessoal disponível, manualmente para a esquerda[131] (Figura 126.7). Em 10% das gestantes, excepcionalmente, o deslocamento do útero para a direita é mais efetivo do que para a esquerda.[108] Entretanto, deve ser ressaltado que devido à topografia anatômica da aorta abdominal, situada à frente dos corpos vertebrais, e a da veia cava inferior, à direita da aorta, o útero ao ser deslocado para a direita pode tender a obstruir ainda mais a veia cava inferior (Figura 126.8).

Existem algumas situações clínicas em que o deslocamento lateral esquerdo é impraticável, mas uma solução deve ser buscada a todo custo. Tem-se como modelo a obediência de um ângulo de inclinação de 15° à esquerda após bloqueio espinhal para cesarianas.

Em sua maioria, a literatura mostra ser importante o deslocamento do útero para a esquerda para se evitar os distúrbios hemodinâmicos e a consequente hipoperfusão uteroplacentária quando a gestante tende a adotar a posição supina. Entretanto, deve ser lembrado que todos os métodos corretivos, tais como inclinação de 15° de lateral da mesa ou da pélvis, uso da cunha de Crawford ou qualquer outro dispositivo mecânico embora tenham melhorado significativamente o estado ácido-básico fetal, essa posição não facilita o acesso cirúrgico.

A posição de cefalodeclive, sem o deslocamento uterino para a esquerda, é um recurso impróprio como medida profilática porque pode deslocar o útero ainda mais sobre a veia cava e a aorta. Assim, durante o procedimento anestésico deve se avaliar previamente qual a melhor posição do decúbito a ser adotada na indução da analgesia regional porque, uma vez instalado o bloqueio anestésico, além de diminuírem

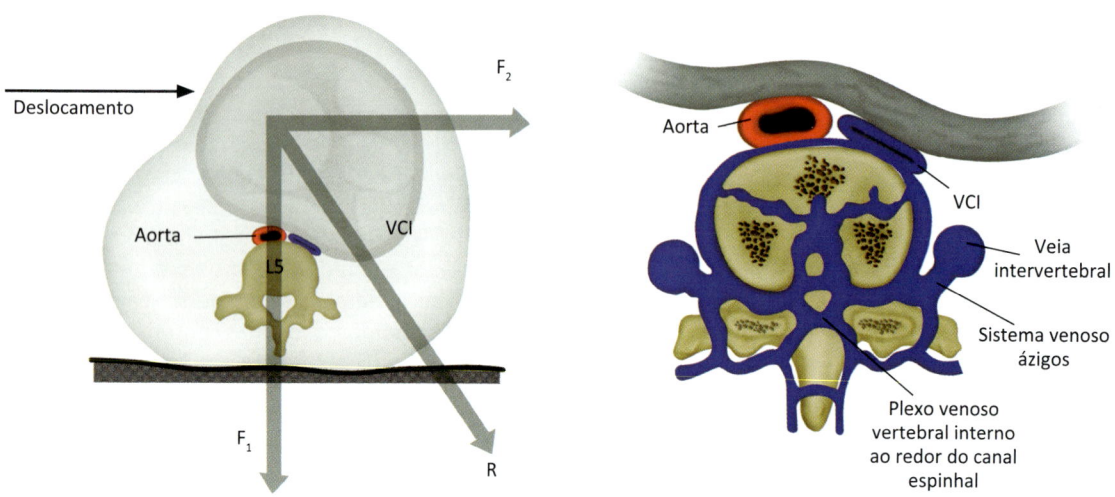

▲ **Figura 126.8** Deslocamento do útero grávido para a direita e os seus efeitos sobre a aorta e veia cava inferior (VCI) na posição supina. Esse deslocamento somente é eficaz em 10% das gestantes, podendo nas demais piorar o quadro da descompressão. Nesta situação, devido à anatomia topográfica da aorta e da veia cava inferior, existe a possibilidade de estarmos retirando o útero de cima da aorta e deslocando-o para cima da veia cava inferior. Embora a força incidente sobre a aorta e veia cava seja de menor intensidade, ainda pode ser suficiente para exigir que o retorno sanguíneo se faça pelo plexo venoso intervertebral e sistema venoso ázigos tornando-os ingurgitados. Por isso, deve-se preferir que o deslocamento seja feito sempre para a esquerda como medida profilática da compressão aortocava na maioria dos casos.[131]

o retorno venoso, bloqueiam as respostas simpáticas, resultando em maior prejuízo à circulação uteroplacentária.[108]

A avaliação da melhor posição pode ser feita medindo-se as pressões arteriais nos membros superiores e inferiores, comparando-as, antes e após a indução do bloqueio regional ou anestesia geral, porque a pressão do membro superior traduz o estado circulatório materno e a do membro inferior reflete as condições de perfusão placentária.[131]

As medições das pressões arteriais devem ser feitas periodicamente, de minuto em minuto, até a instalação do bloqueio, e, de 5 em 5 minutos, durante o procedimento cirúrgico.

O transporte da gestante e a sua posição na mesa de cirurgia devem ser realizados sempre se evitando a posição de decúbito supino.

A gestante que será submetida à cesariana ou parto vaginal quando mal posicionada, por exemplo, posição supina, não só compromete o bem-estar materno, mas também o fetal. Isto pode ser comprovado quando da análise gasométrica do sangue fetal e da frequência cardíaca fetal.[72,132-134] Os efeitos adversos sobre a mãe e o feto podem ser explicados pela compressão aortocava que resulta em piora do fluxo sanguíneo uteroplacentário quando adotada a posição supina.[50]

Muitas vezes, as medidas profiláticas e terapêuticas na hipotensão arterial materna, tais como: expansão volêmica antes do bloqueio anestésico; deslocamento uterino para a esquerda, desde o início da anestesia até a retirada do concepto; redução da dose de anestésico local e administração de oxigênio não são totalmente efetivas havendo a necessidade do uso de fármacos vasopressores.

A gravidez induz respostas a alguns fármacos diferentes daquelas obtidas das não gestantes. A circulação uterina encontra-se sob um intenso controle receptor alfa-adrenérgico, que estimulado aumenta o tono uterino, e um leve contro-

le beta-adrenérgico, que estimulado o reduz. Assim, ao se associar epinefrina aos anestésicos locais pode ocasionar redução do tono uterino por estimulação da atividade beta-adrenérgica em resposta as baixas doses. Entretanto, se por algum motivo forem necessárias doses maiores, ou injeção intravascular no momento da administração do anestésico local, poderá ocorrer aumento do tono uterino resultante da alfa estimulação. Por outro lado, a esperada elevação da frequência cardíaca materna nem sempre ocorre, porque a gravidez reduz a resposta à epinefrina e ao isoproterenol, possivelmente como resultado da alteração do limiar do receptor beta-adrenérgico.[135] Por isso, o anestesiologista deve estar atento à ação destes fármacos porque são menos efetivos em detectar injeção intravascular acidental do anestésico local durante a administração de anestesia regional para procedimentos obstétricos não podendo ser isoladamente considerado métodos seguros para este diagnóstico.

Outros fármacos pressores também são utilizados no tratamento da hipotensão causada pelos bloqueios espinhais. Os alfa estimulantes, metaraminol, metoxamina e norepinefrina, ocasionam aumento do tono uterino e, se prolongado este efeito, poderá resultar em hipoxia e acidose fetal. Aos predominantemente beta estimulantes, dá-se preferência à efedrina no tratamento das hipotensões arteriais, porque não aumenta o tono uterino e causa mínimos efeitos sobre o fluxo útero placentário.

O fenômeno da autotransfusão a cada contração uterina, que representa cerca de 300 mL de sangue que retornam à circulação materna, deve sempre ser lembrado durante o parto, porque se somará ao volume hídrico administrado durante as anestesias. Esta reposição deve ser feita com moderação, principalmente nas gestantes cardiopatas com baixa reserva cardíaca, pois pode representar uma grande sobrecarga hemodinâmica e resultar em edema agudo de pulmão.

Uma das mais comuns associações com o edema pulmonar durante a gravidez é a hipertensão arterial. O edema pulmonar pode ser cardiogênico (devido sobrecarga de líquidos administrada ou à falência ventricular esquerda) ou não cardiogênica (devido à diminuição da pressão oncótica). Outra possível causa do edema pulmonar durante a gestação se deve à terapia tocolítica, pelo uso intravenoso de agentes beta-miméticos. O sulfato de magnésio e os corticosteróides podem também precipitar esta condição. A incidência desta patologia se eleva nos casos de gravidez múltipla, infecções, embolia por líquido amniótico, aspiração gástrica e pela necessidade de transfusões sanguíneas maciças após hemorragias.[136] Nestas ocasiões os bloqueios espinhais são de grande ajuda na terapia desta temida patologia.

No período pós-parto imediato, em situações de pré-eclâmpsia grave ou nas que exigem medicação beta agonista, corre-se o risco do edema pulmonar agudo, devido à diminuição da pressão coloidosmótica associada ao alto débito cardíaco.

Ainda persiste a dúvida se as alterações fisiológicas que ocorrem durante a gestação alteram a energia requerida na desfibrilação. As opiniões ainda são divergentes.

Alguns autores[137-140] acreditam que na gravidez pode ocorrer alteração da impedância transtorácica e, portanto, afetar a corrente transtorácica durante a desfibrilação. Alegam que isto se deve ao aumento do fluido intra e extracelular, ao aumento do volume sanguíneo, as alterações estruturais no coração, as mudanças na capacidade residual funcional dos pulmões e o aumentado volume torácico, que, juntos, alteram tanto a impedância transtorácica como a via da corrente elétrica com resultados imprevisíveis.

Contrariamente, outros autores[141] não acharam nenhuma alteração significante na impedância transtorácica durante a gravidez concluindo que as mesmas orientações, quanto à corrente elétrica, requeridas para os adultos são apropriadas para serem usadas durante a gravidez.

■ ALTERAÇÕES HEMATOLÓGICAS

Com início entre a 6ª e 8ª semana da gestação, ocorre um aumento progressivo nos volumes das hemácias, do plasma e do sangue total, alcançando o máximo entre a 28ª e 32ª semana, quando a partir de então permanece constante até o parto (Tabela 126.6 e Figura 126.9).[19] Quantitativamente, isto pode ser representado por um aumento da volemia de aproximadamente 1.500 mL de sangue, o que significaria uma elevação de 35% a 40% dos valores iniciais,[19,94] permitindo à gestante perder quantidade significativa de sangue

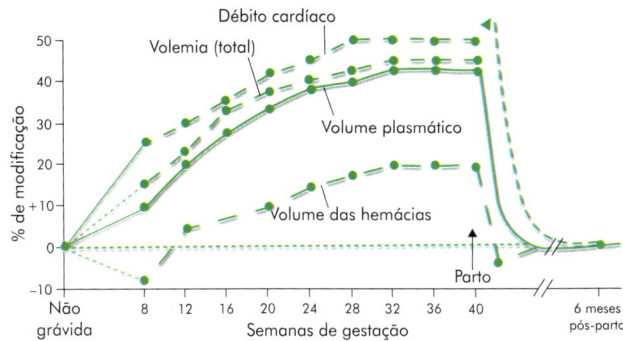

▲**Figura 126.9** Alterações no volume sanguíneo, volume plasmático e volume das hemácias durante a gestação e o puerpério.[19]

sem mostrar sinais de hipovolemia ou choque. Em cada contração 300 a 500 mL de sangue, são desviados do útero para a circulação sistêmica materna.[19]

Depois do desenvolvimento do feto e do útero, o aumento do **volume sanguíneo** é a maior alteração fisiológica que ocorre durante a gravidez. Embora este aumento seja necessário para facilitar as trocas gasosas e proteger a gestante das perdas sanguíneas, ele impõe ao coração um aumento do volume de sangue por minuto, o que é um importante fator a ser considerado nas gestantes cardiopatas.[19]

A relação no crescimento entre o volume das hemácias e o do volume plasmático não é fixa e nem guarda proporcionalidade. O **volume das hemácias** na gestante a termo se eleva 20% a 30% acima dos valores pré-gestacionais.[19,96] Este aumento, no entanto, é mais lento do que o alcançado pelo **volume plasmático** que, nas últimas semanas de gestação, atinge cifras superiores a 55%, daqueles alcançados pela mulher não grávida.[19] A desproporção neste crescimento, maior volume plasmático/menor volume das hemácias, produz diminuição no hematócrito e alterações no metabolismo do ferro. Embora a secreção de eritropoitina produzida pelos rins[96] aumente a eritropoiese, na gestação normal, há queda progressiva da concentração da hemoglobina para 11,6 g%, do hematócrito para 35,5 vol.% e, em consequência, diminuição da viscosidade de hemoglobina.[100] Estabelece-se, portanto, verdadeira hemodiluição materna denominada anemia fisiológica da gravidez.[19]

O aumento da eritropoiese e a demanda de ferro exigida pelo feto e pela placenta fazem com que se aumente em 1grama/dia a necessidade de ferro, e na segunda metade da gestação cerca de 6 a 7 mg por dia.[100] O próprio organismo materno tenta solucionar essa demanda de ferro, absorvendo maior quantidade desse elemento da dieta e mobilizando os estoques maternos de ferro. O hormônio lactógeno placentário também aumenta a ação da eritropoitina. A somatotrofina coriônica, a prolactina e o progesterona também estimulam a eritropoiese.[96]

Embora a anemia dilucional diminua a capacidade de carregar oxigênio, de 19,5 para 16 vol%, o transporte de oxigênio está aumentado. Na gestante a termo, a P_{50} na curva de dissociação da oxi-hemoglobina está desviada para a direita, de 26,7 para 30,2 mmHg, o que proporciona aumento na liberação de oxigênio a nível tecidual.[142]

Tabela 126.6 Alterações hematológicas na gestante a termo.[3,4,66,101]	
Variáveis	**Alterações**
Volume sanguíneo	+ 40%
Volume das hemácias	+ 30%
Volume plasmático	+ 55%
Hemoglobina	11 g%
Hematócrito	35,5 vol%
Plaquetas	-20%*

O aumento do volume plasmático está associado com níveis bem mais elevados dos fatores de coagulação, dando-nos a ideia de que a gravidez induz a um quadro de hipercoagulabilidade. O fibrinogênio aumenta significativamente, de 300 mg% para 450 mg% no terceiro trimestre, comparado-o aos valores pré-gestacionais, além do aumento dos fatores VII, VIII, IX e X.[19] Usualmente, os níveis do fator II (protrombina) aumentam pouco e os fatores XI e XIII estão diminuídos na gravidez.[100] Por outro lado, os níveis de fibrinogênio e os fatores de coagulação I, VII, X, e XII estão aumentados e tornam a gravidez um "estado hipercoagulável", como uma proteção para a gestante contra os sangramentos no momento do nascimento, mas também determinam maior risco de eventos tromboembólicos.[58,66,75]

Alguns investigadores descreveram diminuição moderada no número de plaquetas por unidade de volume. Entretanto, parece haver aumento da trombocitopoiese, em consequência da diluição e do estímulo para o consumo próprio da gravidez normal.[100] A pequena diminuição que ocorre com as plaquetas (20%) não influencia o tempo de sangramento.[143]

As perdas sanguíneas em um parto vaginal normal não chegam a ser excessivas, 400 a 600 mL, o que se explica pela rápida contração do miométrio, logo após a dequitação, e ao estado de hipercoagulação materna. Nos partos vaginais gemelares ou nas cesarianas estas perdas podem girar em torno de 1.000 mL.[108]

As gestantes portadoras de distúrbios alimentares como a bulimia e anorexia nervosas podem ser portadoras de anemia que, quando ocorre, tende a ser devida à hipoplasia da medula óssea secundária à fome.[144]

Outros Componentes do Sangue

A série branca do sangue sofre pequena elevação ficando entre 8.000 e 9.000 células/mL. Entretanto, não é incomum que esta cifra alcance valores entre 10.000 e 14.000 células/mL[145,146] no final da gestação e, durante o trabalho de parto, pode alcançar valores entre 20.000 e 30.000 células/mL.[145,146] Atribui-se a isto o aumento significativo nos neutrófilos e monócitos.[19,143] Leucocitose maior que 15.000 células/mL deve ser considerada como indicativo de infecção.

Há uma queda da relação albumina/globulina, passando de 1,4, valores pré-gestacionais, para 0,9, durante a gravidez. A concentração plasmática de albumina diminui de 4,5 para 3,3 g% ao termo. As globulinas aumentam em torno de 10% ao termo, quando comparada aos valores pré-gestacionais.[50] A pressão coloidosmótica diminui cerca de 14% (Tabela 126.7).[56]

Iniciada a gravidez, a atividade da colinesterase plasmática sofre discreta supressão ao se completar as 10 semanas

de gestação, persiste durante toda a gravidez e atinge a supressão máxima no terceiro dia pós-parto.[20] A concentração plasmática da colinesterase diminui 25% aproximadamente durante o primeiro trimestre,[50] e 30% no meio da gestação, permanecendo assim até o parto[147,148] (Figura 126.10). Embora a succinilcolina já tenha causado apneia prolongada em algumas grávidas, a maioria responde normalmente.[20]

Cerca de 25% a 50% das pacientes anoréxicas apresentam leucopenia e trombocitopenia.[149]

Implicações Anestésicas

As perdas sanguíneas durante o parto vaginal raramente são expressivas, o que se justifica pela rápida contração do miométrio após a dequitação, e ao estado de hipercoagulação materna. No momento do nascimento, o volume sanguíneo normalmente perdido junto com a placenta não resulta em hipovolemia, porque junto a esta perda acompanha certa quantidade de tecido vascularizado que compreende o espaço interviloso. Ao se calcular esta perda sanguínea para fins de reposição, estima-se que seja em torno de 500 mL, durante um parto vaginal, em média 400 a 600 mL, e nos partos gemelares ou cesarianas, em média 1.000 mL.[108]

No período pós-parto, as exigências do organismo materno diminuem fazendo com que a volemia passe de 85 mL.kg⁻¹ para 65 a 70 mL.kg⁻¹ no estado não gestacional. Mesmo assim, a perda aguda de sangue durante o parto é equilibrada pela reduzida capacitação vascular materna, em torno de 500 a 600 mL durante as primeiras 24 horas, e uma posterior redução de 500 a 1.000 mL na semana subsequente. Esta drástica redução no leito vascular se deve muito não por perda de hemácias, mas de plasma, passando agora a gestante, antes hemodiluída, para uma significante hemoconcentração no pós-parto.[3] Nesta situação se busca a estabilidade hemodinâmica administrando-se cristaloides ou, se for o caso, soluções coloidais no pós-parto imediato.

Os indicadores clínicos usuais do choque, como a "pele viscosa e fria", são retardados, porque a gravidez induz à vasodilatação periférica. Assim, deve-se estar atento a uma possível "hipovolemia oculta" que predispõe ao colapso cardiovascular.

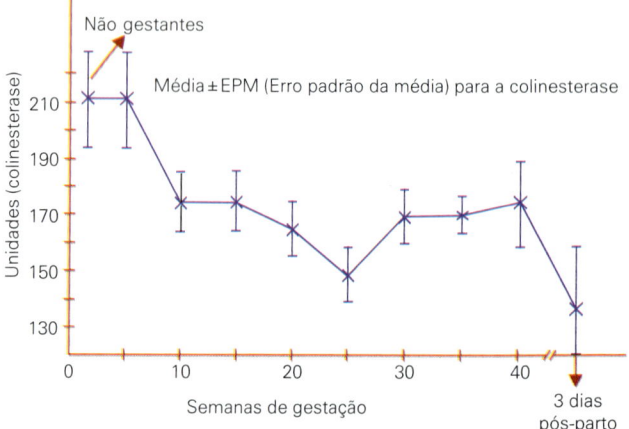

▲**Figura 126.10** A colinesterase sérica em não gestantes e gestantes.[20]

Tabela 126.7 Proteínas plasmáticas e pressão coloidosmótica.[16]		
	Não gestante	**Gestante a termo**
Albumina	4,4 g%	3,4 g%
Globulina	2,9 g%	3,1 g%
Albumina/globulina	1,5	1,1
Proteínas totais	7,3 g%	6,5 g%
Pressão coloidosmótica	26 mmHg	22 mmHg

Ao nos depararmos no exame clínico laboratorial com níveis normais ou elevados do hematócrito, ou quando os valores da hemoglobina forem maiores que 14 g% pode sugerir hipovolemia, como na pré-eclâmpsia; hipertensão ou uso inadequado de diuréticos.

A supressão relatada quanto à colinesterase não confere ao anestesiologista certeza na diminuição da dose de succinilcolina quando se opta pela indução de sequência rápida para a realização da intubação traqueal. Esta redução na posologia pode ser enganosa e proporcionar condições insatisfatórias para intubação traqueal elevando assim o risco de broncoaspiração.

Devido à hipoalbuminemia dilucional fisiológica, declinando a relação albumina/globulina, torna-se clinicamente importante lembrar que isto resultará em aumento da fração livre dos fármacos que se ligam à albumina,[62,150] sendo esta fração livre do fármaco responsável em causar depressão fetal e neonatal.

O aumento do volume sanguíneo associado à diminuição da pressão oncótica também exige severo controle da administração de líquidos, pois poderá ocasionar maior sobrecarga volêmica.

■ ALTERAÇÕES NO SISTEMA DIGESTIVO (ALIMENTAR)

Desde o início da gestação aumentam o apetite e a sede. Isto pode estar ligado à diminuição dos níveis de glicose e aminoácidos, ou porque o aumento das gorduras cause alteração do balanço energético, ou devido às modificações endócrinas.[100]

Cavidade Oral

Devido às náuseas, aumenta a salivação e, se o pH da cavidade oral diminui, cáries podem aparecer.

As gengivas podem estar hipertrofiadas, hiperêmicas e friáveis devido ao aumento do estrogênio sistêmico. A deficiência de vitamina C também pode causar fragilidade e sangramentos gengivais. As gengivas retornam ao normal no início do puerpério.

Trato Gastrintestinal

Com a evolução da gestação, o útero em crescimento desloca progressivamente o estômago e os intestinos em direção cefálica resultando em elevação da pressão intragástrica, de forma que o piloro é deslocado para cima e posteriormente. Isto se acentua com as posições de litotomia e de Trendelenburg e quando da existência de hérnia hiatal.[151,152] Além disso, o estômago pode ser dividido pelo útero grávido em bolsas antral e fúndica, o que pode impedir tanto a admissão dos antiácidos no seu interior[20] como a mistura destes com o suco gástrico. Esta mistura pode ser facilitada pela mudança da posição de decúbito da paciente em 360°.

Na gestação a termo, os níveis elevados de progesterona diminuem a motilidade gástrica, a absorção dos alimentos e a tensão do esfíncter esofagiano inferior.[20] Por ser o trato digestivo constituído de fibras musculares lisas, sob a ação das prostaciclinas, encontra-se hipotônico e hipoa-

tivo, levando à lentidão da evolução do bolo alimentar em toda a sua extensão.[150] O tempo de esvaziamento gástrico é maior, o que permite aumentar o contato dos alimentos com o suco gástrico, facilitando a sua degradação. As gestantes com motilidade gástrica diminuída podem também se queixar de azia.[20] Embora ocorra menor secreção do Hcl, a incidência de azia aumenta com a idade gestacional, sendo de 22% no primeiro trimestre, 39% no segundo e de 72% ao termo.[153] e está diretamente correlacionada com a paridade. Os resultados são conflitantes no que se refere ao gradiente de pressão entre o esfíncter esofagiano inferior e o estômago. Contudo, pouca dúvida existe nas gestantes que se queixam de azia.[20] A secreção placentária de gastrina ocasiona elevação da acidez e do volume gástrico.

No intestino delgado, o bolo alimentar flui de forma lenta. No intestino grosso, a lentidão, também presente, proporciona maior reabsorção de água resultando obstipação.[145]

Na 15ª semana de gestação, via de regra, cerca de 2/3 das grávidas têm pH gástrico de 2,5 ou menos, e 50% têm volume de 25 mL ou mais, o que predispõe ao risco da síndrome de broncoaspiração. Por ser na gestante a forma mais comum de aspiração pulmonar do conteúdo ácido gástrico, resulta em pneumonite química, que se manifesta clinicamente por broncoespasmo, desenvolvimento de alto gradiente para o oxigênio a nível alvéolo-arterial, e um exsudato muito semelhante ao edema pulmonar, que ao ser descrita recebeu a denominação de síndrome de Mendelson. O início dos sintomas da aspiração ácida pode ser um súbito broncoespasmo ou este pode surgir após várias horas. Embora o quadro pulmonar possa ser sugestivo de edema agudo de pulmão, não há vestígios de falência ventricular esquerda. Na gasometria, com a paciente respirando ar atmosférico, poderá ocorrer hipoxemia, com uma P_aO_2 menor que 50 mmHg. A administração de O_2 a 100% melhora muito o gradiente alvéolo-arterial. A incidência pode ser maior nas obesas, gestações múltiplas e poliidrâmnio. A aspiração de grandes volumes de material gástrico, com pH superior a 2,5, tem sido também relacionada à síndrome de Mendelson. Consta na literatura que a mortalidade relacionada à síndrome é de 70%, para um pH de 2,5 e de 100%, para um pH menor de 1,75.[108]

Logo no início do puerpério, ainda permanece alterado o tempo de esvaziamento gástrico,[154] mas ao redor da 18ª hora de pós-parto, o tempo de esvaziamento, o pH e o volume gástrico conferem à puérpera igualdade com a mulher não gestante.[50]

Embora as cirurgias de apendicite não sejam muito comuns durante a gravidez, 1:2000 gestações,[155-157] cuidados devem ser tomados quanto à localização do apêndice vermiforme. O apêndice sofre deslocamento progressivo cefalicamente devido ao crescimento uterino, o que pode resultar em dificuldade no diagnóstico ao se avaliar os sinais de peritonite baseando-se na localização padrão do ponto de McBurney.

Implicações Anestésicas

A elevação no tempo de esvaziamento gástrico e a diminuição da motilidade intestinal, ocasionados pelo progesterona, são clinicamente importantes porque interferem no tempo de ação do fármaco quando administrado via oral. As alterações no pH e no volume do conteúdo gástrico afetam a ionização das substâncias ácidas e básicas interferindo na absorção.

As náuseas e os vômitos que ocorrem frequentemente durante o primeiro trimestre podem também interferir na absorção gastrintestinal levando à baixa concentração plasmática do fármaco. Nesse período gestacional a medicação deve ser administrada no momento em que as náuseas e os vômitos são mínimos, ficando o procedimento a ser realizado preferencialmente pela manhã.

Existem evidências de que a acidez e o volume gástrico das gestantes, e mesmo das que estão em trabalho de parto, não apresentam risco maior para a pneumonite aspirativa do que as mulheres não gestantes. No entanto, devemos sempre considerar a diminuição do tonos do esfíncter esofágico inferior e o aumento da pressão intra-abdominal como sempre presentes na grávida.[3] Se pensarmos o contrário, ficamos com a impressão de que a administração de antiácidos (citrato de sódio), com a finalidade de elevar o pH gástrico; os antagonistas de receptores H2 (cimetidina ou ranitidina), para reduzir as secreções ácido-gástricas; ou fármacos, como a metoclopramida, para acelerar o esvaziamento gástrico e elevar o tonos do esfíncter esofágico inferior, poderia trazer controvérsias. Entretanto, sabemos que 50% a 80% das pacientes com azia[3] apresentam predisposição à aspiração pulmonar do conteúdo gástrico, por já portarem sintomas sugestivos da reduzida pressão protetora do esfíncter esofágico inferior o que justificaria o uso dos recursos químicos ou farmacológicos a fim de que se tente a redução do volume e da acidez gástrica.[3,20]

Todas as gestantes devem ser consideradas de alto risco durante a anestesia geral por causa da possibilidade de aspiração pulmonar de conteúdo ácido gástrico, causando a síndrome de Mendelson,[108] ou aspiração pulmonar de conteúdo estomacal sólido, ocasionando atelectasia, ou abscesso pulmonar ou obstrução mecânica.

Nas gestantes idosas, obesas e com elevada pressão intra-abdominal (poliidrâmnios, gestações múltiplas) é maior a incidência de hérnia hiatal e consequentemente aspiração pulmonar.

Durante o trabalho de parto, nas gestantes com ansiedade, dor e em uso de sedativos e analgésicos sistêmicos (tipo opioides), aumenta ainda mais o tempo de esvaziamento e do volume gástrico, elevando-se mais o risco de aspiração brônquica. Os opioides administrados via intramuscular também diminuem o gradiente de pressão entre o esôfago e o estômago.[50] A analgesia peridural com anestésico local pode reverter os efeitos da dor e não prolonga o tempo de esvaziamento gástrico,[50] mas ao se adicionar opioide há retardo no esvaziamento gástrico.[158,159]

Apesar da obediência ao jejum, de 6 a 8h, as gestantes são sempre consideradas como se estivessem com o estômago cheio, e outros cuidados devem ser tomados, principalmente naquelas submetidas à anestesia geral sob intubação e em uso de relaxantes musculares, momento em que ocorre enfraquecimento dos reflexos protetores; fasciculações induzidas pela succinilcolina, elevando a pressão intra-abdominal; e relaxamento do esfíncter cricofaríngeo. No preparo para a intubação, que deve ser realizada por pessoal altamente qualificado para isso, dá-se preferência para a indução tipo sequência rápida, administrando-se previamente, via venosa, procinéticos (metoclopramida), bloqueadores histamina-2, e antiácidos orais não particulados, executando-se manobra de Sellick.[34-36] A metoclopramida aumenta a motilidade gástrica e o tonos do esfíncter esofágico inferior, e tem efeitos centrais antieméticos. Os agentes bloqueadores histamina-2 (cimetidina, ranitidina), embora sejam usados com sucesso, exibem tempos imprevisíveis e demais longos para serem efetivos em alterar a acidez gástrica. Antiácidos líquidos claros orais, tipo citrato de sódio 0,3 M, 30 mL, são suficientes para tamponar de forma imediata a acidez gástrica. Isto pode melhorar a irritação pulmonar causada por possível aspiração de ácido gástrico.

Nas cirurgias em que há a necessidade de se realizar pneumoperitônio, mesmo estando a gestante de estômago vazio, uma sondagem orogástrica deve ser feita, sempre após a indução da anestesia e antes da execução do pneumoperitônio, porque nas manobras de ventilação manual sob máscara facial, para efeito de desnitrogenação, resulta em distensão gasosa do estômago e no momento em que o cirurgião fizer a punção abdominal com agulha de Veres, que é às cegas, pode lesar o órgão, além do que, servirá de profilaxia da regurgitação e ou aspiração pulmonar no momento da extubação.

Quando da utilização dos cateteres oro ou nasogástricos, principalmente quando do uso do estetoscópio esofágico que, por não ter luz de drenagem, pode servir de guia e permitir a passagem de fluidos rente a sua parede externa ocasionando inundação da cavidade oral com possibilidade de aspiração via traqueal.

■ FÍGADO E VIAS BILIARES

Os níveis séricos das bilirrubinas, da TGO e TGP, e da desidrogenase láctica estão aumentados. O aumento de duas a quatro vezes na atividade da fosfatase alcalina se deve principalmente à maior produção placentária com pequena participação hepática.[50] A atividade da colinesterase plasmática está diminuída desde a décima semana de gestação em até 25%, e em 30% no segundo trimestre, permanecendo assim até seis semanas do pós-parto.[160,161] Esta diminuição não está provavelmente associada com efeitos bloqueadores neuromusculares promovidos pela succinilcolina, embora ocasionalmente tenham sido observados.[158,160,162,163]

Esteatose hepática aguda durante a gravidez é uma doença rara, mas é uma desordem potencialmente fatal, podendo se manifestar quando a gestação alcança a 35ª semana.[160,164]

A vesícula biliar, por ser constituída de fibras musculares lisas, fica mais hipotônica e hipoativa, permitindo assim tempo mais prolongado de bile em seu interior. Disto resulta um maior volume da vesícula biliar e, retardo no esvaziamento, concentra a bile, tornando-a mais espessa, o que associado ao aumento do conteúdo do colesterol plasmático contribuem para a colelitíase.[50]

Implicações Anestésicas

Embora a atividade da colinesterase plasmática esteja diminuída, a metabolização da succinilcolina, bem como da procaína, não estão comprometidas, sendo metabolizadas com facilidade.[160,162]

Os bloqueios regionais devem ser preferidos nas gestantes com comprometimento hepático.[161,165]

■ ALTERAÇÕES NO SISTEMA URINÁRIO

O rim aumenta cerca de um centímetro durante a gravidez, devido ao aumento da vascularização e do espaço intersticial, e retorna ao seu tamanho original somente no 6º mês do puerpério.[100] No final do primeiro trimestre, a pelve renal e os ureteres começam progressivamente a se dilatarem.[19,108] Estas alterações ocorrem devido ao aumento do progesterona e, com a gestação em progresso, ao efeito obstrutivo do útero em crescimento. Hipotonicidade e hipomotilidade dos bacinetes e ureteres também podem ser ocasionados pela ação da prostaciclina sobre a musculatura lisa destas estruturas, que estão alongadas e dilatadas, resultando em diminuição do peristaltismo, facilitando a estase urinária e, consequentemente, às infecções urinárias (cistites e pielonefrites).

O fluxo plasmático renal aumenta em torno de 75% a 85%, embora quando próximo do termo este valor caia um pouco,[166] em torno de 60%.[167] Associado ao aumento da taxa de filtração glomerular, significa maior quantidade de solutos do plasma atravessando o glomérulo por unidade de tempo, resultando em aumento no volume urinário[108] que, muitas vezes, contém glicose e aminoácidos, ocorrência comum na gestação normal.

Os níveis da aldosterona estão elevados, o que resulta em aumento das taxas de sódio e água no organismo.

Glicosúria é comum, devido ao baixo limiar renal para esta substância e porque a reabsorção tubular não compensa adequadamente o aumento da taxa de filtração glomerular. Os seus valores ficam entre 1 e 10 g/dia e ocorre em 90% das gestantes normais.[168]

A proteinúria ortostática está presente em 20% das grávidas saudáveis, particularmente naquelas com lordose acentuada, e é o resultado da aumentada pressão venosa renal. Valores de 300 mg/dia são comuns.[169]

O aumento da taxa de filtração glomerular ocasiona diminuição no nível plasmático da ureia e da creatinina, reduzidos em 40%; e do nitrogênio.[167]

A bexiga, que progressivamente é elevada pelo útero, sofre alterações no trígono vesical e no ângulo uretrovesical posterior, permitindo ou piorando a incontinência urinária de esforços. Há piora da drenagem sanguínea e linfática da base da bexiga, tornando esta área mais edematosa, friável e mais propensa às infecções.

Há relatos[10,170] que dentre as complicações puerperais que ocorrem nas mulheres nos países em desenvolvimento estão o surgimento das fístulas vesicovaginais. Faz-se um prognóstico de que mais de 130.000 novos casos ocorrerão nos países em desenvolvimento. Justifica-se que essa elevada incidência tem como causa principal a falta da relação entre o tamanho do feto em crescimento e a bacia materna, ainda não inteiramente desenvolvida em crianças e adolescentes; bem como a falta de acesso aos serviços emergenciais. Esta falta de correlação é o que determina, nesta situação, a des-

proporção cefalopélvica ou fetopélvica. A falta de acesso aos serviços emergenciais é apenas um dos muitos fatores que contribuem para este problema. Em muitos destes países em desenvolvimento, a baixa situação socioeconômica estimula o casamento entre adolescentes, muito antes do completo desenvolvimento da pelve. Com a elevação da incidência da desproporção cefalopélvica durante a gravidez em mulheres muito jovens isto resulta em ciclo vicioso de morte fetal, incontinência urinária e fecal, fístulas vesicourinárias e, até mesmo, morte prematura materna.

Implicações Anestésicas

Assim, como pode ocorrer glicosúria, mesmo que a glicemia esteja dentro dos padrões normais, deve-se ter muita cautela ao utilizá-la como parâmetro para insulinoterapia nessas pacientes.

Se a gestante apresenta suspeita de distúrbios da função renal devem se evitar fármacos nefrotóxicos. Isto implicará na recuperação mais demorada devido à menor eliminação dos fármacos utilizados.

O efeito da analgesia epidural sobre a função vesical durante e após o nascimento permanecem ainda sobre grande investigação. Os bloqueios epidurais com grande intensidade simpática podem resultar em atonia vesical e, consequentemente, risco associado da retenção urinária intraparto e lesão da bexiga pela hiperdistensão, caso não seja em tempo reconhecida. Por isso, deve ser dada atenção especial quando da realização de analgesia epidural, pela utilização de baixas concentrações de anestésicos locais, por ter sido identificada como um fator de risco independente na retenção urinária pós-parto.[171,172]

Considerando-se a analgesia epidural contínua ainda como sendo o método mais efetivo no alívio da dor durante o nascimento, excetuando-se os efeitos deletérios do bloqueio motor intenso, quando do uso de grandes concentrações de anestésicos locais,[171-175] tem-se procurado demonstrar, embora permaneça ainda não totalmente esclarecido, que a utilização de baixas doses de anestésico local, que possam permitir a mobilização da paciente logo após a realização da analgesia epidural, reduz os riscos de cateterização urinária durante o trabalho de parto. Entretanto, baixas doses e baixas concentrações de anestésico local na analgesia peridural tem beneficiado não só em redução do parto instrumental, mas também resulta grandemente na possibilidade da manutenção da fisiologia da bexiga urinária durante o parto.[171]

■ ALTERAÇÕES NO SISTEMA NERVOSO

No que se refere à composição e densidade do líquor, os valores encontrados na literatura eram somente aqueles pertinentes à população não gestante.[176-178] Assim, vários autores[176,179-181] têm procurado demonstrar a correlação da composição e o valor da densidade do líquor da gestante comparado com o da não gestante. Como os resultados não têm sido concordantes, alguns[176,182-184] ainda o consideram, pela inexatidão existente, como desconhecido. O certo é que a densidade do líquor é significativamente mais baixa no período pré-parto. A base bioquímica para este fenômeno precisa ainda ser elucidada. Pode-se, no entanto, ainda firmar que a densidade é significativamente mais baixa na gestante a termo e imediatamente após a gestação, se comparada com a densidade do líquor dos homens ou com a da mulher não grávida[176] (Figura 126.11). Também foi observado que a concentração da progesterona no líquor da gestante a termo, e no pós-parto imediato, é de oito e de três vezes maior que a da não gestante, respectivamente.[185]

Atribui-se à gestante maior tolerância ao desconforto e à dor no final da gravidez e durante o trabalho de parto.[186] Isto se deve a ação de neuropeptídeos endógenos, tipo beta-endorfinas e encefalinas, analgésicos naturais produzidos pela placenta, que atuam como uma forma de preparar o organismo materno para as dores do parto. Atribui-se também à progesterona como sendo elemento mediador no aumento da sensibilidade dos nervos periféricos aos anestésicos locais.[129,185,187,188] Isto permitiu concluir que estes neuropeptídeos atribuíam características à gravidez induzindo analgesia que se daria por: a) elevação da concentração plasmática e liquórica na gestante; b) elevação destes componentes no cérebro de animais de experimentação durante a gestação; e a administração de antagonistas opioides em camundongos proporciona progressiva tolerância à dor, durante a gestação, sugerindo que a gravidez induziria a liberação de beta-endorfinas que seriam as responsáveis pela diminuída necessidade analgésica.[50]

A dependência do sistema nervoso simpático para manter a estabilidade hemodinâmica aumenta progressivamente durante a gestação e alcança o pico a termo. Este efeito ocorre principalmente no sistema venoso de capacitância das extremidades inferiores, o qual neutraliza os efeitos adversos da compressão da veia cava inferior sobre o retorno venoso. Então, a simpatectomia química na gestante a termo resulta em marcada diminuição da pressão sanguínea, uma vez que a não gestante experimenta pequena diminuição. A dependência sobre o sistema nervoso simpático retorna ao estado não gestante em torno de 36 a 48h pós-parto.[50]

Implicações Anestésicas

A diferença de densidade entre a solução anestésica local intratecal e o líquido cerebroespinhal é a maior determinante para a extensão do bloqueio espinhal.[176,182,189-194]

Vários são os fatores que podem interferir na extensão do bloqueio anestésico durante a gravidez, dentre eles a obstrução da veia cava inferior e as alterações nas curvaturas da coluna vertebral. Entretanto, estas mudanças não são acentuadas no início da gravidez e, portanto, não justifica a maior dispersão do anestésico na ráqui. Porém, isto pode ser explicado pela notável alteração hormonal que ocorre durante toda a gestação, atribuída ao progesterona.[180]

Devido à maior tolerância à dor proporcionada pelo progesterona, as gestantes passam a requerer menos anestésicos locais nos bloqueios regionais, por segmento bloqueado, do que as não gestantes. A CAM dos agentes inalatórios está diminuída em até 40% durante a gravidez.[20] Há relatos de que até 72h pós-parto ocorra diminuição da CAM dos agentes anestésicos inalatórios.[76] A CAM do isofluorano, halotano e enflurano estão diminuídas em 25%, 27% e 30%, respectivamente.[195,196]

◼ ALTERAÇÕES ENDÓCRINAS E METABÓLICAS

O crescimento das mamas, cansaço, ausência de menstruação, náuseas, alteração da consistência do útero, elevação da temperatura corporal basal são alguns dos sinais e sintomas com atribuição à produção de hormônios pelo corpo lúteo e pela placenta. Além disso, durante a gravidez, algumas doenças de natureza endócrina podem ocorrer, embora pouco comuns, porque a infertilidade está associada com muitas dessas condições.

Durante a gravidez, o cérebro materno impulsiona uma série de mecanismos adaptativos que são fundamentais para permitir o crescimento e desenvolvimento fetal, protegendo o complexo materno-fetal de efeitos adversos

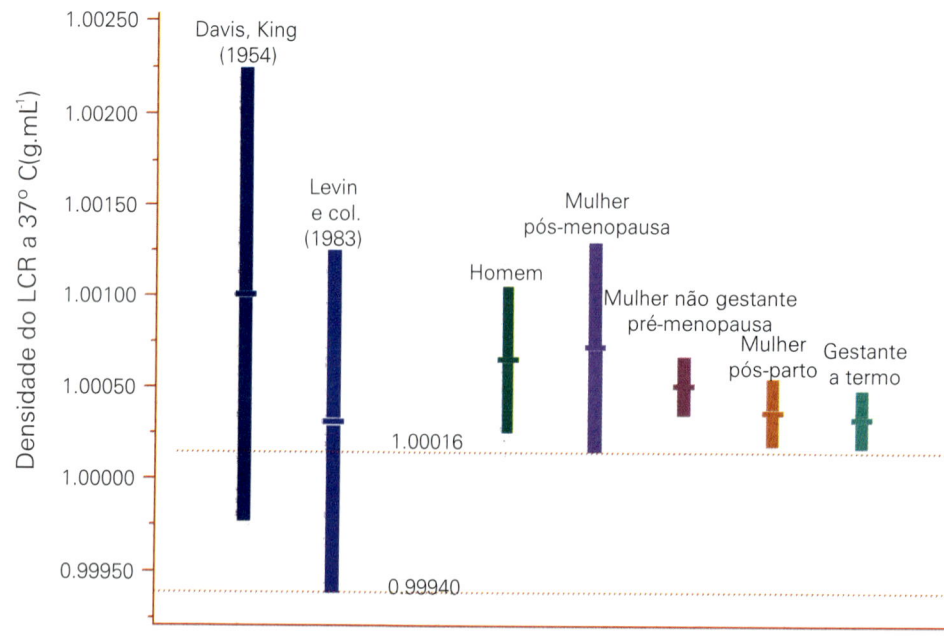

◀ **Figura 126.11** Comparação das densidades do líquor (LCR) humano comparando diversas variáveis.[176,179]

até o termo. Este conceito neuroendócrino é ainda mais complexo ao se considerar o cérebro fetal e a placenta de participarem como reguladores da fisiologia materno-fetal e placentária. Esta característica da placenta sendo vista atualmente como um órgão neuroendócrino, atua como fonte de vários fatores neuroativos que podem exercer seus efeitos biológicos, quer localmente ou diretamente na circulação materna e fetal, agindo assim de forma autócrina (quando é capaz de agir sobre as próprias células que o produz), parácrina (quando age sobre células vizinhas às que o produzem, sem que para isso tenha que atingir a corrente sanguínea) e endócrina (quando o hormônio age em células distantes ao seu local de produção, chegando lá pela corrente sanguínea). Variedades neuro-hormonais hipotalâmicas (GnRH, GHRH, a somatostatina, CRH, oxitocina) são manifestos pela placenta. Ocorrendo estresse durante a gravidez, a mãe, o feto e a placenta são ativados pelo eixo hipotálamo-hipófise-adrenal para estimular uma série de respostas que contribuem para manter as condições fisiológicas e, ao mesmo tempo, evitar os efeitos adversos do estresse. No entanto, quando o estresse é excessivo, podem ocorrer uma série de complicações obstétricas, como parto prematuro, pré-eclâmpsia e restrição de crescimento intrauterino, relacionado a um comprometimento da resposta adaptativa placentária. A ação hormonal tem também influência direta sobre o início do trabalho de parto estando associada ao remodelamento cervical e sobre as contrações uterinas. Grande evidência existe das ações dos hormônios esteroides podendo conduzir mudanças no microambiente uterino a termo. Embora seja bem conhecido o relevante papel desempenhado pela progesterona e estrogênio no momento do parto, a farmacocinética dos androgênios durante a gravidez não tem sido tão lembrada. Durante a gravidez alguns androgênios, aumentam a concentração na circulação materna. As evidências têm mostrado que esta elevação pode ter papel regulador tanto durante a gestação como no trabalho de parto. Por este motivo, estudos têm sido realizados para: a) tratar das concentrações de andrógenos durante a gravidez, com atenção sobre a sua biossíntese e eliminação, nos compartimentos materno e fetal durante a gestação; b) a associação da concentração dos andrógenos com os resultados de uma gravidez complicada, com efeitos adversos, tal como parto prematuro; c) o papel dos andrógenos na fisiologia de remodelação, no amadurecimento do colo do útero, e; d) o papel dos andrógenos na fisiologia do miométrio, principalmente sobre a contratilidade uterina.

HIPÓFISE: O lobo anterior, ou adenoipófise, aumenta de volume, pela elevação do número de lactotrofos, em média 36%, durante a gravidez, e secreta maior quantidade de hormônio de crescimento (GH), de prolactina (PRL), de hormônio adrenocorticotrófico (ACTH), das gonadotrofinas e do hormônio estimulante da tireoide (TSH), e constituem, respectivamente, cerca de 50%, 15%, 15% a 20%, 10% e 5% das células da adenoipófise; e beta-endorfinas.[20,197,198] O lobo posterior, ou neuroipófise, diminui de tamanho durante a gravidez.[197]

A hipófise sofre mudanças na sua estrutura e função consequentes às alterações hormonais ou fisiológicas, como a idade e a gestação. A elevação do seu peso, cerca de 30%,

se dá em resposta às substâncias produzidas pela placenta ou pelo próprio feto, principalmente estrógenos.[198]

A hiperplasia da hipófise durante processo gestacional pode gerar um suprimento sanguíneo insuficiente por não haver uma elevada correspondência no crescimento vascular. Em adição, o aumento do volume glandular pode comprimir os vasos sanguíneos contra a parede da sela túrcica. Em consequência disto pode ocorrer necrose do parênquima hipofisário no pós-parto, constituindo uma causa de hipopituitarismo denominada síndrome de Sheehan.[198]

O aumento progressivo da PRL durante a gravidez pode alcançar cifras de até 10 vezes o seu valor basal. Esta elevação, na gravidez a termo, prepara a glândula mamária para a lactação. Somente aos seis meses após o parto, as concentrações basais de PRL retornam aos valores basais da não gestante, e a sua resposta a cada episódio de aleitamento diminui.[198]

Tireoide: Durante a gravidez a glândula tireoide materna necessita aumentar a sua produção de tiroxina devido a redução transitória de tiroxina livre. Portanto, é necessário que a glândula se adapte a um novo equilíbrio durante a gravidez, o que geralmente acontece em áreas geográficas onde o aporte de iodo é adequado na dieta. No entanto, tal equilíbrio nem sempre acontece em consequência de limitada produção hormonal, como se observa em áreas com moderada ou grave deficiência de iodo, ou, ainda, quando já existe previamente uma doença tireoidiana, como, por exemplo, a tireoidite de Hashimoto.[4]

Dentre as patologias endócrinas, a doença da tireoide é uma das mais comuns. O diagnóstico é difícil, porque os sintomas da gravidez normal podem mimetizar tanto o hipotireoidismo como o hipertireoidismo. A taxa metabólica basal e os níveis da proteína ligada ao iodo se elevam, e o aumento da glândula tireoide é comum devido à hiperplasia folicular e a aumentada vascularidade, mas o bócio que se desenvolve nem sempre é facilmente palpável no exame físico, principalmente nas gestantes obesas.[199] Este crescimento pode adquirir dimensões palpáveis durante o primeiro trimestre e pode haver um sopro detectável. No entanto, a gestante permanece eutireoideana, com níveis inalterados de tiroxina e triiodotironina.

O hipertireoidismo verdadeiro complica de 1:1000 a 2:1000 de cada gestações. A forma mais grave de hipertireoidismo na gravidez é a doença de Graves, podendo também estar presente a tireotoxicose gestacional transitória.[4] O hipertireoidismo está associado ao risco de partos prematuros (11% a 25%) bem como aumentar ligeiramente o risco de abortamento.[200]

A presença de hiperêmese gravídica com perda de peso acima de 5% do peso teórico, desidratação e cetose, na ausência de autoimunidade, sugerem o diagnóstico de tireotoxicose gestacional transitória.[4]

Por sua vez, o hipertireoidismo durante a gravidez se não for tratado existem riscos quanto ao surgimento de outras patologias associadas como a hipertensão arterial, eclâmpsia, insuficiência cardíaca, crise tireotóxica, abortamento, prematuridade e descolamento placentário.[4]

A crise tireotóxica constitui uma emergência médica e seu surgimento durante a gravidez implica mortalidade de até 20% a 30% para a mãe e, ou, para o feto.[4]

Paratireoide: O desenvolvimento esquelético do feto exige uma demanda global de cálcio, cerca de 30 g, na gestação a termo. Devido ao aumento do cálcio e do metabolismo ocorre hiperplasia da glândula. Os níveis plasmáticos maternos do hormônio da paratireoide estão ligeiramente diminuídos entre a 28ª e a 32ª semanas, provavelmente por diminuição da concentração sérica de albumina.[19]

Pâncreas: Do ponto de vista metabólico, podemos dividir a gestação em duas fases: a primeira, limitada até a 27ª semana, tem por característica o anabolismo materno e fetal. A segunda, que se completa com o termo, é catabólica materna e anabólica fetal.[100]

Na fase anabólica, a mãe estoca a gordura e lança mão da glicose ingerida para provir o seu consumo energético. Desta forma, há estocagem de 3,5 a 4 Kg de gordura, com acúmulo de mais de 30.000 Kcal.

Na segunda fase metabólica, período de crescimento fetal máximo, há aumento da passagem de glicose do meio materno para o fetal, fazendo com que agora a mãe utilize os seus depósitos de gordura como sua fonte energética por excelência.[100] Embora ocorra a utilização da glicose pelo feto, este ainda continua em anabolismo, às custas da ação placentária. Assim, o feto utiliza a glicose materna e a mãe envia glicose para o feto. Portanto, para o lado fetal é anabólico e para o materno é catabólico.

Na primeira fase metabólica, devido ao aumento dos hormônios sexuais, há estimulação à hiperplasia das células pancreáticas, mas ao contrário do que se esperaria, há hipoglicemia e hipoinsulinemia. Já na segunda fase, o metabolismo materno sofre estimulação pelos hormônios somatotróficos, proteicos e esteroides, produzidos pela placenta, o que resulta em resistência à ação da insulina. Estas alterações ocasionam uma exigência de quantidades cada vez maiores de insulina pelo pâncreas materno, resultando em hipoglicemia e hiperinsulinemia.[100]

Estas duas fases são importantes porque nos facilitam a compreensão de parte do ganho de peso materno. Até a 27ª semana, pequena parte deste ganho de peso deve-se ao crescimento do feto, e a maior parte, da estocagem materna de gordura. Após a 27ª semana, o ganho de peso materno só depende do feto, já que ocorre estabilização ou perda de tecido adiposo materno.[100]

Mesmo assim, a taxa metabólica basal está ligeiramente diminuída durante as primeiras 16 semanas, quando então, na 36ª semana diminui 20% e, ao termo declina para 15% acima dos valores normais de uma não gestante. São causas deste aumento na demanda: o complexo materno-fetal, os tecidos maternos hipertrofiados, o aumento da frequência e do débito cardíacos maternos e o trabalho respiratório.[19] Têm-se relatado que o consumo de oxigênio se eleva de 20 a 40% durante a gravidez, embora se acredite até que sejam valores subestimados.[2]

A gravidez se caracteriza pela reduzida sensibilidade tecidual à insulina. Esta característica diabetogênica é atribuída ao efeito dos hormônios secretados pela placenta, principalmente o lactógeno placentário e o cortisol, que aumentam a tendência à hiperglicemia e cetose, durante o período de dequitação, o que pode exacerbar ou simular diabetes *mellitus* preexistente.[50] O hormônio lactógeno placentário, que sob o ponto de vista biológico e imunológico é idêntico ao hormônio de crescimento, estimula a lipólise, inibe a gliconeogênese e impede a captação materna da glicose (ação anti-insulínica). Com a capacidade diminuída em manusear a sobrecarga glicídica, a passagem transplacentária de glicose pode estimular a secreção de insulina fetal, que por seu turno pode desencadear hipoglicemia neonatal no pós-parto imediato.[62,201]

Assim, os níveis de glicose sanguínea, após uma farta refeição de carboidratos, são mais elevados do que os observados na não gestante, apesar da resposta hiperinsulinêmica da gestante. Estas alterações retornam à normalidade 24 horas após o nascimento.

A glicemia de jejum na gestante a termo é menor do que a encontrada na não gestante.[50] Isto pode ser explicado pela maior necessidade da utilização da glicose pela unidade fetoplacentária.

Em suma, na gravidez normal o resultado é pela busca na redução dos níveis de glicose, mas tendo como finalidade a reserva deste carboidrato para atender as necessidades do feto, vez que, as necessidades maternas podem ser atendidas cada vez mais pelo metabolismo periférico dos ácidos graxos. Busca o organismo materno com estas alterações no metabolismo energético predispor a uma homeostasia materno-fetal, que são inócuas as gestantes e benéficas aos fetos, desde que uma dieta adequada seja administrada às mães.

Implicações Anestésicas

Atenção especial deve ser dada ao jejum prolongado, visto que, já se sabe, mesmo o jejum moderado pode causar na gestante o aparecimento de corpos cetônicos e hipoglicemia, que são potencialmente deletérios, principalmente para o feto. A cetose e a hipoglicemia que se instalam devem ser imediatamente corrigidas pela administração de solução cristaloide contendo glicose, administrada gota-a-gota, na dose de 5 g.h⁻¹, com medidas periódicas da glicemia.[201]

A síndrome de Sheehan é precedida de uma hemorragia obstétrica podendo causar consequência circulatória grave. Durante as anestesias devem ser evitadas as hipotensões profundas, pois isto, pelo menos teoricamente, pode predispor a hipófise hipertrofiada à isquemia.

Quanto ao hipertireoidismo, o seu tratamento é complicado durante a gravidez. Embora o tratamento com iodo possa causar bócio fetal volumoso, quando realizado por um breve período é importante para se evitar crise tireotóxica antes da cirurgia de tireoide. Uma outra opção de tratamento, em especial, na doença de Graves, como forma de se recorrer a uma preparação para a cirurgia, se refere ao uso do propranolol, 40 a 80 mg ao dia, ou do atenolol, 25 a 50 mg ao dia, com o intuito de se controlar os sinais e sintomas cardiovasculares maternos, tais como as taquicardias e taquiarritmias, mas deve ser lembrado que podem causar complicações neonatais como bradicardia, hipoglicemia e hiperbilirrubinemia, depressão respiratória neonatal.[4,200]

Labetalol pode ser uma alternativa ao uso dos citados beta-bloqueadores, já que não tem efeito sobre a contratilidade da fibra muscular uterina ou sobre o fluxo sanguíneo uteroplacentário. Esmolol, devido à sua meia-vida curta, pode ser uma boa alternativa, em situações de urgência, quando não se obtiver resposta satisfatória ao propranolol.[4]

A tireoidectomia parcial ou total, principalmente se for realizada no 2º trimestre, é um procedimento relativamente seguro, exceto pelo risco de desencadear trabalho de parto prematuro.[200]

Quando se trata de tireotoxicose gestacional transitória busca-se controlar os sintomas pelo uso prévio de beta-bloqueadores por pelo menos 2 meses antecedentes à cirurgia programada. As pacientes com hiperêmese gravídica que porventura evoluam para hospitalização devem ser submetidas a uma reposição hidreletrolítica bem como compensação do seu estado ácido-base.[4]

Pela possibilidade de aumento da glândula tireoide, consequente à hiperplasia, bem como a proliferação da sua vasculatura e, também pelo fato de que o bócio que se desenvolve não ser evidenciado no exame físico, principalmente nas gestantes obesas, associados à manobra de Valsalva e a paciente em cefalodeclive, isto pode contribuir para um aumento agudo na congestão venosa da cabeça e do pescoço. Uma pressão venosa muito elevada, transmitida passivamente para o sistema venoso da glândula tireoide, com o seu bócio, poderá resultar em expansão da cápsula glandular e contribuir para comprimir as estruturas vizinhas, especialmente a traqueia.[199]

◾ ALTERAÇÕES POSTURAIS E MUSCULOESQUELÉTICAS

A gestante, no transcorrer da gestação, passa progressivamente a adotar posição ortostática diferente da não gestante, modificando a sua estética postural. Com a sua postura de nobreza, dando-nos a impressão que queira transmitir o "orgulho da gestação", por outro lado, acaba desenvolvendo deambular tipo "marcha anserina". O aumento do tamanho do útero, que adota novas posições; das mamas, do maior relaxamento dos ligamentos e articulações, e do ganho ponderal contribuem para alterar o centro de gravidade fazendo-a pender para frente. Na tentativa de reposicionar o seu centro de gravidade adotando nova postura passa à inclinar-se para trás, posição que confere à coluna uma curvatura diferente, caracterizada pela lordose lombar e uma discreta cifose torácica, retropropulsionando o dorso, a fim de compensar o aumento do peso na porção anterior do corpo (Figura 126.12). Para que esta nova postura seja mantida exige da musculatura maior esforço o que resulta em dores lombares de intensidade variável, queixa constante do dia a dia. Quando esta lordose lombar é exagerada pode ocasionar extensão do nervo cutâneo femoral lateral resultando em discreta diminuição da sensibilidade na face anterolateral da coxa, meralgia parestésica em casos severos. A flexão anterior do pescoço e a queda dos ombros, geralmente acompanham o aumento da lordose; e isto pode resultar em neuropatia do plexo braquial, enrijecimento e fraqueza das extremidades superiores, devido à tração do plexo braquial.[50]

A mobilidade das articulações sacrococcígea, sacroilíaca e púbica estão aumentadas durante a gravidez, e é tida como um recurso utilizado pelo organismo materno na preparação para o parto para facilitar a passagem fetal. A distensão natural da sínfise púbica torna-se mais evidente na 36ª semana de gestação.

Atribui-se a todas estas alterações ao hormônio relaxina e a distensão biomecânica da gravidez sobre os ligamentos e os ossos, e são as principais causas da dor nas costas e descon-

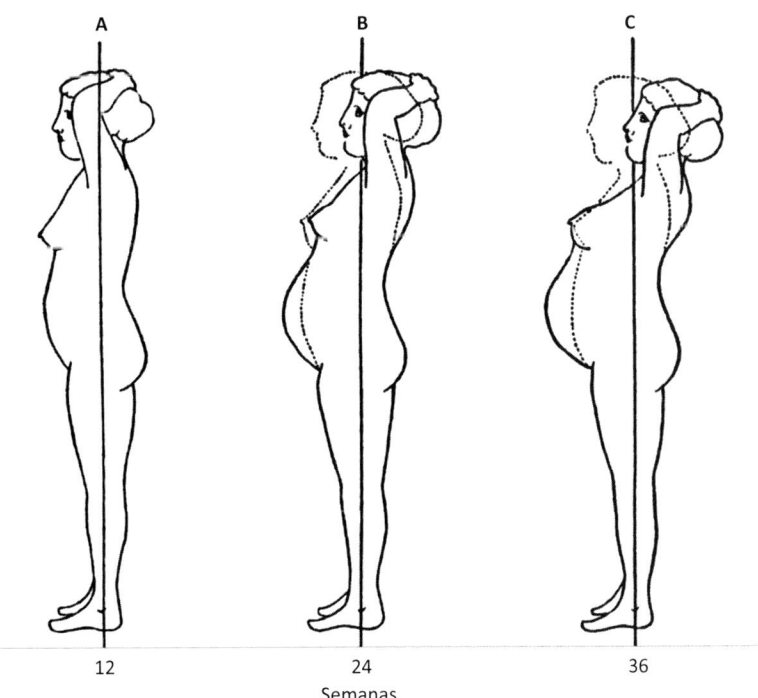

▲**Figura 126.12** Alterações na postura durante a gravidez. Em "A" (12 semanas), a gestante ainda consegue manter seu centro de gravidade. Com a evolução da gestação, "B" (24 semanas), devido ao crescimento do útero, a gestante começa a se inclinar para trás e, em "C", a fim de manter o centro de gravidade, inclina-se para trás resultando com isto na acentuação da lordose.[50]

forto pélvico, que ocorrem em aproximadamente 50% das gestantes. A relaxina também pode contribuir para maior incidência da síndrome do túnel do carpo durante a gravidez.[50]

Ocasionalmente, os músculos retos abdominais não resistem a tensão a que são submetidos separando-se na linha média, criando uma diastase de distensão variável. Se severa, uma parte considerável da parede anterior do útero é coberta apenas por uma camada de pele, aponeurose enfraquecida e peritônio.

Considerando ser o espaço peridural uma estrutura rígida, contém em seu interior dois tipos de tubos distensíveis com fluidos diferentes. Um deles, o canal dural, com líquor, e o outro, os vasos sanguíneos, com sangue. Assim, quando o volume aumenta no interior de uma destas estruturas distensíveis, na outra ocorre uma diminuição compensatória do volume. Durante a gravidez, a compressão da veia cava inferior pelo útero gravídico aumenta a pressão venosa logo abaixo da obstrução e desvia o sangue venoso através do plexo vertebral dentro do espaço peridural. Este desvio resulta em diminuição da complacência, tanto do espaço peridural como subaracnóideo, porque distende as veias peridurais (veias avalvulares de Bateson) e reduz o volume do líquido cerebroespinhal.[50]

Durante a gravidez a termo a pressão no espaço peridural normalmente é cerca de +1 cmH$_2$O, mas na posição lateral é mais elevada. Pode chegar a 10 cmH$_2$O, durante o trabalho de parto, enquanto na maioria das mulheres não grávidas (90%) ela é negativa.[50] Pode se elevar mais ainda se a gestante adota o decúbito supino.[20] A elevação da pressão peridural lombar ocasiona aumento do desvio do sangue venoso através do plexo vertebral que se agrava nos momentos de esforço no nascimento ou durante os períodos de dor. A pressão peridural tende à normalidade 6 a 12h pós-parto.[50]

A dor, durante as contrações uterinas, e o esforço feito pela gestante no momento em que utiliza a musculatura abdominal auxiliando o nascimento, aumentam a pressão do líquido cerebroespinhal, chegando a alcançar 3 cmH$_2$O acima dos valores iniciais, aumento este também secundário à elevação da distensão dos vasos no espaço peridural.[20,50]

As alterações posturais podem trazer consequências mais desastrosas quando se tratar de gestante obesa ou obesa mórbida. Estas são pacientes com maiores dificuldades para deambular, para alcançar patamares mais elevados, para desempenhar atividades simples no cotidiano e, principalmente, quando se exige controle mais apurado do seu equilíbrio corporal. Adiciona-se a estas dificuldades, quando além da obesidade, também já portam alguma deformidade musculoesquelética, muitas vezes acentuada pela própria má distribuição da massa adiposa.

Algumas patologias, com ocorrência maior durante o último trimestre da gestação, podem perdurar durante todo este trimestre, bem como no puerpério, como é o caso das tromboses hemorroidárias. Principalmente pela dor anal persistente passa a gestante a adotar posições e deambulação defensivas.

Implicações Anestésicas

O aumento da lordose lombar durante a gravidez ocasiona redução do espaço intervertebral podendo dificultar a punção espinhal.

São muitos os fatores técnicos que podem influenciar na execução da punção espinhal, esteja a paciente na posição lateral ou sentada. Embora nos deixe transparecer ser a posição sentada a melhor para localização do espaço intervertebral e realização da punção espinhal, por outro lado, quando a gestante se encontra em decúbito lateral esquerdo, praticamente nos garante a ausência da obstrução aortocava, embora existam controvérsias.[50]

Qualquer fator que eleve a pressão abdominal, inclusive a gestação, é imediatamente transmitido ao espaço peridural,[202] e, consequentemente ao raquídeo, causando maior dispersão do anestésico local.

Se a gestante se encontra em decúbito lateral, a elevação da região lombossacra em relação à torácica favorece a maior dispersão de soluções hiperbáricas na ráqui em direção cefálica (Figura 126.13).

Quando da execução das anestesias peridural e raquidiana, devido ao ingurgitamento dos vasos no espaço peridural, e à maior pressão do líquido cefalorraquidiano, as doses de anestésico local também devem ser reduzidas, quando comparadas àquelas administradas às não gestantes.[108,129,203] Se o objetivo é a abordagem do espaço peridural deve ser feita cuidadosamente no período compreendido entre as contrações uterinas, de sorte a se evitar a punção venosa ou raquídea, momento este que pode ser também aproveitado para, quando necessário, a passagem do cateter de peridural, evitando-se a migração deste para o interior de uma veia ingurgitada, principalmente durante o trabalho de parto, o que eleva o risco de convulsão pelo anestésico local, muitas vezes fatal. Assim, a aspiração negativa para sangue e líquor, administração de dose teste e injeção fracionada do anestésico local, são alguns cuidados considerados. A venodilatação também é um importante fator no que se refere à quantificação do volume de anestésico local a ser administrado no espaço peridural e raquídeo. A raquianestesia realizada durante as contrações uterinas resulta em bloqueios mais altos. Isto estaria diretamente relacionado à dor devido muito mais à contração da musculatura abdominal do que propriamente a contração da musculatura uterina.[100]

Nos casos da ocorrência de diastase da musculatura dos retos abdominais, situação em que ocorre enfraquecimento da musculatura abdominal, resulta em menor poder da prensa abdominal, o que poderá se agravar durante o parto quando da execução dos bloqueios anestésicos regionais, utilizando-se anestésicos locais de concentração elevada que promovam bloqueios extensos e prejudiquem a fisiológica prensa abdominal. Cuidados também devem ser tomados quando durante o parto vaginal ou cesariana se imprimir força externa sobre a parede abdominal com a intenção de se ajudar a expulsão fetal.

Merece especial atenção quando da realização dos bloqueios subaracnóideo ou peridural, ou associados, para analgesia obstétrica nas obesas ou nas obesas mórbidas.[204] Os mesmos critérios adotados para a gestante considerada dentro do peso normal para a execução da analgesia de parto, com respeito à baixa concentração do anestésico local, também são válidos quando se tratar de gestante obesa ou obesa mórbida. Entretanto, nestas, a baricidade

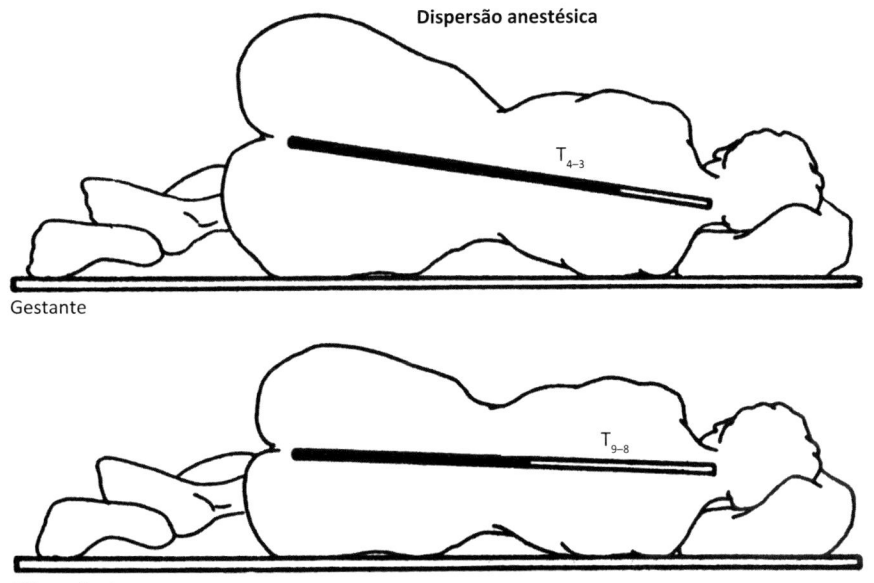

Dispersão anestésica

Gestante

Não gestante

◀ **Figura 126.13** Ilustração mostrando maior desproporção entre o quadril e o tórax da gestante, comparado à não gestante. Nesta posição, decúbito lateral, quando realizada anestesia subaracnóidea utilizando-se soluções anestésicas hiperbáricas, há a possibilidade de maior dispersão na gestante.
Fonte: modificada de Conklin KA; e col., 1999.[50]

deve ser considerada e a massa diminuída, a fim de se evitar bloqueios regionais extensos, danosos para o complexo materno-fetal.

Por isso, popularmente, são praticadas técnicas de analgesia de parto com a introdução de baixas doses de anestésico local na peridural, suplementada com opioides para proporcionar bloqueio motor mínimo.[205-211] Há alguns anos estas técnicas têm sido refinadas recorrendo-se à combinação da analgesia espinhal com a peridural,[205,211,212] que tem como algumas vantagens o benefício do imediato alívio da dor, um bloqueio inicial confiável e a habilidade para a paciente deambular durante o trabalho de parto.[210,213] Além do mais, esta combinação técnica está associada com baixa taxa de parto instrumental.[205,210,213-215]

Embora estas vantagens sejam relatadas, deve-se levar em conta que desvantagens também ocorrem. Dentre estas, comenta-se que mesmo com a utilização de baixas concentrações de anestésicos locais na peridural pode ainda persistir clinicamente alguma deficiência sensorial na coluna dorsal.[205,216,217] Por isto, sem uma prévia rigorosa avaliação, é imprudente que se permita que determinadas gestantes, principalmente as obesas ou as obesas mórbidas, deambulem durante a analgesia peridural. Existem relatos de acidentes com quedas ao chão de gestantes submetidas à analgesia peridural quando se encontravam em trabalho de parto.[205,209]

Assim, quando da realização dos bloqueios para analgesia obstétrica, seja pela execução das técnicas da peridural ou da combinada raquídea-peridural, mesmo com a utilização de baixas concentrações e doses de anestésicos locais associadas à opioides, cuja finalidade seja permitir a deambulação da paciente durante o primeiro estágio do trabalho de parto não complicado, deve a gestante obesa, a obesa mórbida e, mesmo aquela considerada dentro do peso normal, antes da execução da técnica anestésica, receber uma criteriosa avaliação sobre as possíveis desordens do equilíbrio, da visão, vestibulares e dos impulsos somatossensoriais.[218-220]

As parturientes que estão no primeiro estágio do trabalho de parto que, quanto ao seu peso, sejam consideradas normais ou não, quando eleitas para deambularem após a realização da analgesia, é conveniente que só iniciem o deambular 30 a 40 minutos após a realização do bloqueio anestésico, mas antes se submetendo a uma investigação sobre o seu equilíbrio, a propriocepção e a intensidade do bloqueio motor. Para esta avaliação importante se socorrer da escala de Bromage modificada, do teste de Romberg e da habilidade para dobrar o joelho num ângulo de 90°.[211] Além do mais, cuidados com o tipo do piso e o calçado, camisolas inadequadas, falta de corrimões ou pessoal disponível para amparo da parturiente, não devem ser esquecidos.

Existem estudos que defendem a possível abstenção da lidocaína com epinefrina utilizada como dose teste do anestésico local precedente à realização da analgesia peridural em parturientes, mostrando haver intensidade do bloqueio motor, o que pode ser prejudicial na deambulação durante o trabalho de parto.[218] Esta abstenção tem sido adotada como rotina por muitos anestesiologistas, já que consideram a primeira dose de bupivacaína com concentração máxima de 0,125%, e baixa dose, com valor tao relevante como a tradicional dose teste com a lidocaína.[221-223]

Embora existam serviços[213] que já adotam de rotina a prática da deambulação após instalação da analgesia de parto, as parturientes com história prévia de desordens do equilíbrio, problemas neurológicos periféricos ou ortopédicos, diabéticas, ou que estejam recebendo medicação anti-histamínica, benzodiazepínicos ou opioides, provavelmente por afetarem o equilíbrio; bem como aquelas com diagnóstico de pré-eclâmpsia, placenta prévia, gestação múltipla, devem ser excluídas da programação de deambulação durante o trabalho de parto. Atenção maior quando aos fatores citados se adicionam a obesidade ou a obesidade mórbida.

Importante se lembrar da comum ocorrência da trombose hemorroidária durante a gestação. Esta patologia é extremamente dolorosa e por defesa a gestante modifica a sua postura, seja ao deambular, bem como para se sentar. Assim, a execução dos bloqueios regionais, tanto para parto vaginal, como para cesariana, podem ser mais difíceis. Muitas vezes, acrescenta-se à dor anal, a dor já preexistente do trabalho de parto, agravando ainda mais a execução da punção, exigindo do anestesiologista maior destreza.

■ SISTEMA IMUNOLÓGICO

Considera-se a gravidez como um estado de relativa imunossupressão. Têm-se relatado diminuição da imunidade celular. Os linfócitos maternos durante o segundo e terceiro trimestre exibem resposta proliferativa reduzida tanto para os antígenos solúveis como para os linfócitos alogênicos. A redução dos linfócitos T *helper* durante o início da gravidez resulta numa mais baixa razão entre T *helper*/T supressor causando diminuição na produção de anticorpos. Os leucócitos polimorfonucleares têm uma resposta quimiotáxica diminuída. O plasma materno não somente retarda a resposta proliferativa para os aloantígenos mas também impede a liberação do fator inibidor de macrófago em resposta às células alogênicas. As alterações hormonais, tais como as do progesterona, beta gonadrotofina coriônica, alfa fetoproteína e o cortisol contribuem também para a imunossupressão. Os linfócitos fetais podem também suprimir a proliferação de linfócitos T maternos e então inibir a resposta imune materna.[224]

■ EFEITOS PSICOLÓGICOS CONSEQUENTES DAS ALTERAÇÕES FISIOLÓGICAS DA GESTAÇÃO

A gestação é um período de bem-estar emocional para a gestante e sua família. Varia desde a angústia até a fantasia. Todos vivem momentos de alegria na espera do novo rebento. Entretanto, durante a gestação, e no momento da maternidade, pelas alterações fisiológicas e anatômicas que ocorrem no organismo da mulher, por vezes, está aumentada a vulnerabilidade para as desordens de natureza psíquica, contribuindo para isto, as ansiedades, as desilusões, as alucinações, as depressões, as alimentares e as psicoses preexistentes. Estas condições são por diversas vezes subdiagnosticadas e acabam os sintomas se misturando com alguns próprios da gestação normal e, com isso, confundindo no diagnóstico comportamental.

Durante a gestação, bem como no parto, a apreensão, o medo, a ansiedade e outras manifestações das reações da afetividade contribuem em exacerbações simpáticas, aumentando a frequência cardíaca, o débito cardíaco e, consequentemente, a pressão arterial, podendo até produzir outros efeitos psicossomáticos.

A inexperiência da maternidade, o medo de uma possível morte, o sofrimento e as mutilações que podem advir; a preocupação com a família e consigo mesma, com o feto e o recém-nascido, contribuem negativamente para o bem--estar da gestante.

As alterações psicológicas tendem a ser mais acentuadas quando a gestante já porta doenças, como a oligofrenia, a bulimia e a anorexia nervosas; ou é portadora de patologias decorrentes do processo gestacional, tais como, diabetes, poliidrâmnio, macrossomias, gestação múltipla, toxemia, obesidade mórbida, dentre outras.

Por vezes, algumas patologias de natureza psicológica como a síndrome do pânico, a desordem obsessiva compulsiva; as desordens alimentares, a anorexia e a bulimia nervosas; a disforia pós-parto (*baby blues* ou tristeza puerperal); a depressão pós-parto e a psicose puerperal se manifestam durante a evolução da gestação, ou após, devido também às alterações que ocorrem no organismo da mulher.

A síndrome do pânico se destaca pelo medo inexplicável, repentino e resistente, relacionado a alguma situação específica. A incidência na população geral é de 2%, mas durante a gravidez esta prevalência é desconhecida. Alguns estudiosos acreditam que é um distúrbio preexistente e que se manifesta durante a gestação.[225,226]

A desordem obsessiva compulsiva (DOC) se caracteriza por pensamentos persistentes, não desejados, com dificuldades para a gestante controlar. Podem as gestantes sob este estado desenvolver comportamentos ou rituais particulares com a finalidade de aliviar pensamentos obsessivos. As gestantes durante o parto, bem como no puerpério, parecem ter o risco aumentado para essa desordem.[227-230] Durante a gravidez e no puerpério, a doença torna-se um desafio no tratamento medicamentoso, necessitando-se de várias associações farmacológicas para se conseguir a remissão. Quando não tratada, esta patologia tende a se agravar durante o puerpério.

Das desordens alimentares, destacam-se dois tipos mais comuns: a anorexia e a bulimia nervosas. São distúrbios que estão muito mais ligados à imagem, ao ganho do peso. São caracterizadas pela severa perda de peso e uma extrema aversão aos alimentos. A anorexia e a bulimia nervosas frequentemente não chamam a atenção médica durante a gravidez, vez que, muitas vezes, passam desapercebidas desde a adolescência até a fase inicial de adulta. A anorexia nervosa pode ser suspeitada devido ao baixo peso corporal apresentado pela gestante, podendo resultar em perda de peso de até 15% a 60% de seu peso corporal. Já na bulimia nervosa, ao contrário, pode a gestante apresentar-se dentro de sua média ponderal normal ou até mesmo acima do peso, sendo uma síndrome distinta que se caracteriza pela ingestão de líquidos, seguido de episódios de vômitos autoinduzidos, jejum, uso de diuréticos associados ou não aos laxantes.[231-234]

Muitas vezes, quando se recorre ao psiquiatra é para se avaliar a hiperêmese gravídica ou a depressão. Na gravidez, a prevalência se situa em torno de 1%.[235]

Dentre os fatores que podem influenciar no aparecimento ou agravamento da doença ativa, inclui-se uma história prévia da existência da patologia, pacientes muito jovens, gestação, desempregadas, de baixo nível educacional e baixa estrutura social.[232-236]

Muitas mulheres com anorexia ou bulimia nervosas recorrem a determinados artifícios a fim de tentar compensações, tais como o uso abusivo de laxantes, alimentação rápida, uso de diuréticos, exercícios excessivos, vômitos e mal nutrição, o que pode resultar em extrema disfunção orgânica global.[231-234]

Os recursos muitas vezes utilizados pelas gestantes para compensar as consequências da alimentação desordenada, tais como vômitos, a má nutrição materna, podem colocar em risco tanto a mãe como o feto.[237-242]

Disforia pós-parto ("*baby blues*" ou tristeza puerperal) é uma síndrome afetiva relativamente leve e circunscrita, observada na puérpera que se encontra em estado depressivo benigno, tendo como principais sintomas a tristeza, a insônia, a fadiga, o choro, a ansiedade e a labilidade do humor. Sua incidência acomete 30% a 80% das puérperas. É, portanto, dentre as depressões, uma das complicações médicas mais frequentemente encontradas na gravidez, com o risco muito aumentado no puerpério.[243]

Depressão pós-parto é um quadro clínico severo intermediário. Situa-se entre a disforia pós-parto e a psicose puerperal. É caracterizada por desânimo, apatia, alteração no sono e na alimentação,[244] diminuição do desejo sexual, ansiedade, choro fácil, pensamentos pessimistas obsessivos e sentimentos ambivalentes em relação ao bebê. Sua incidência varia de 10% a 20%,[245-250] podendo surgir da 4ª semana de gestação a 1 ano após o parto, tendo duração de 1 a 2 anos. O curso da depressão varia muito durante a gravidez. Na maioria, a exacerbação dos sintomas ocorre no primeiro trimestre da gestação, melhoram no segundo trimestre e voltam a piorar durante o terceiro trimestre. Dentre alguns fatores etiológicos são cogitados as alterações hormonais, as mudanças neuroendócrinas e os ajustes psicossociais. Os fatores de risco que podem contribuir positivamente na depressão durante a gravidez são: história de depressão prévia à gestação; depressão pré e pós-parto; história de depressão na família, especialmente durante a gravidez ou no puerpério.[237,240,242,248]

Há alguns fatores psicológicos e sociais que podem ser considerados precedentes da depressão pós-parto. Os mais frequentes são: problemas psiquiátricos pessoais e/familiares, falta de suporte social, ambivalência durante o período da gestação, acontecimentos que causam estresse, relação parental insatisfatória, baixa autoestima, gravidez não desejada, história familiar de depressão, tensão pré-menstrual e variações hormonais.[245,247,251,252]

A depressão pós-parto ocorre em mães poucos meses após o nascimento de seus filhos, a qual se distingue do *blues*, muito comum em torno do terceiro dia após o parto, mas que não é depressão e não persiste.[253]

O tratamento utilizado é o medicamentoso (psiquiátrico) e a psicoterapia. Quando há necessidade do tratamento psicofarmacológico, faz-se uso de antidepressivos, em especial os seletivos da serotonina, e, em casos que a paciente apresente sintomas psicóticos, são ministradas baixas doses de antipsicóticos.

A psicose puerperal é um quadro mais complexo, surgindo nas primeiras duas semanas após o parto (a partir do 15º dia). Pode ser caracterizada por episódios transitórios de delírios paranoides, alucinações (geralmente auditivas), distúrbios de humor, insônia, pensamentos intrusivos, ideias homicidas (principalmente dirigidas ao recém-nascido), ímpetos suicidas (embora chegue a ser muito baixa a incidência: de 1/20 a 1/3 da taxa prevista),[254,255] comportamentos incomuns, irritabilidade. A sua incidência é de 1 a 2:1000 puérperas. Sua duração varia de dias a meses. Dentre os fatores de risco da psicose puerperal podem-se citar os fatores hereditários, história de transtornos psiquiátricos (afetivos), mães solteiras, história de incesto, primíparas, cesariana ou morte perinatal.

A alta hospitalar pós-parto não deve ser retardada, salvo exceções. A evolução das puérperas, de uma maneira geral, tanto provenientes de parto via vaginal como cesáreo, tem se mostrado ser mais vantajosa quando da alta hospitalar mais precoce por diminuir a incidência de infecção hospitalar, favorecer ao aleitamento materno e estabelecer maior contato entre mãe e recém-nascido.

Assim, pode-se ter uma descrição das alterações anatômicas, fisiológicas e psicológicas que ocorrem com o organismo materno durante a gestação, sendo que algumas desaparecem logo após o parto, enquanto outras só com o decorrer do tempo. Ressalta-se a condição dolorosa durante todo o fenômeno da parturição.

Todas essas alterações que ocorrem nas fases evolutiva, resolutiva e involutiva são mais acentuadas quando a gestação passa a ser gemelar, trigemelar, quadrigemelar ou mais, exigindo da gestante sacrifício maior do seu organismo. Consequentemente, a possibilidade de insucessos, que abarcariam tanto a vida da gestante como dos fetos, seriam também bem maior.

Implicações Anestésicas

Estas pacientes com alterações psicológicas decorrentes das alterações fisiológicas por que passa o organismo materno devem receber por parte principalmente do anestesiologista maior atenção, visto que o próprio ato anestésico, por si só, pode exacerbar mais ainda a sintomatologia.

Gestantes com quadro de distúrbios alimentares, tal como a bulimia ou anorexia nervosas, portam às vezes descompensação por acidose hipoclorêmica e hipocalêmica junto com hipovolemia, hiponatremia isotônica, resultantes dos vômitos excessivos. Uma terapia aguda ajuda na normalização do estado hidroeletrolítico, oxigenação, perfusão uteroplacentária. Além disso, as medidas básicas de lateralização esquerda com a gestante, administração de oxigênio via nasal, e de soluções eletrolíticas isotônicas, e, quando necessário, a nutrição parenteral, devem ser lembradas. Esta terapia tende a melhorar as condições materno-fetal e, após isto, é possível que a intervenção obstétrica seja realizada sob bloqueio regional.

Além da significante perda de peso encontrada nas gestantes com distúrbios alimentares, importante se lembrar que são pacientes que normalmente fazem uso crônico de benzodiazepínicos. Além disso, hipotermia, bradipneia, como uma compensação respiratória da alcalose, e a diminuição da taxa metabólica levando à bradicardia são sinais a serem considerados.

As doses medicamentosas devem ser criteriosamente analisadas; pois, estão correlacionadas, principalmente, à mal nutrição, ao baixo peso, jejum prolongado e às anormalidades hidroeletrolíticas.

As gestantes com distúrbios alimentares podem apresentar alterações hematológicas, tal como a anemia, o que pode contribuir em agravar a já existente anemia dilucional da gestação.

▪ CONCLUSÕES

As alterações fisiológicas que ocorrem durante a gravidez e as suas implicações anestésicas exigem do anestesiologista profundo conhecimento científico e segurança da técnica anestésica escolhida, porque qualquer erro pode gerar complicações gravíssimas para a mãe, para o concepto, ou ambos.

A escolha da técnica anestésica deve recair, preferencialmente, naquela que permita participação materna e familiar durante todo o procedimento obstétrico, retorno de suas funções orgânicas, especialmente amamentação, e, sem dores, deambular o mais precoce possível.

REFERÊNCIAS

1. Van Hook JW – Trauma in pregnancy. Clin Obstet Gynecol, 2002; 45: (2): 414-424.
2. Spätling L, Fallenstein F, Huch A, "et al." – The variability of cardiopulmonary adaptation to pregnancy at rest and during exercice. Br J Obstet Gynaecol, 1992; 99 (Suppl 8): 1-40.
3. Conklin KA – Maternal Physiologic Considerations During Pregnancy and Delivery, em: Van Zundert A, Ostheimer GW – Pain Relief and Anesthesia in Obstetrics. New York, Churchill Livinstone, 1996, 61-88.
4. Vilar L – Endocrinologia Clínica. 3ª Ed., RJ, Guanabara Koogan, 2006, 312-320.
5. Seidell JC – Epidemiology of obesity. Semin Vasc Med, 2005; (1): 3-14.
6. 2003-2004 National Health and Nutrition Examination Survey (NHANES III). Atlanta: Centers for Disease Contrl and Prevention; 2005.
7. McTique K, Larson JC, Valoski A, "et al." – Mortality and cardiac and vascular outcomes in extremely obese women. JAMA, 1006; 296: 79-86.
8. Nasraway SA Jr, Albert M, Donnelly AM, "et al." – Morbid obesity is an independent determinant of death among surgical critically ill patients. Crit Care Med, 2006; 34: 964-970.
9. Ogden CL, Carroll MD, Curtin LR, "et al." – Prevalence of overweight and obesity in the United States, 1999-2004; JAMA, 2006; 295: 1549-1555.
10. Macarthur AJ. Gerard W. Ostheimer – "What's New in Obstetric Anesthesia" Lecture. Anesthesiology, 2008; 108: 777-785.
11. Friedman N, Fanning EL – Overweight and obesity: an overview of prevalence clinical impact, and economic impact. Dis Manag, 2004; 7 (Suppl 1): S1-S6.
12. Malecka-Tendera E, Mazur A – Childhood obesity: a pandemic of the twenty-first century. Int J Obes, 2006; 30 (Suppl 2): S1-S3.
13. Deitel M – Some consequences of the global obesity epidemic. Obes Surg, 2005; 15: 1-2.
14. Helms E, Coulson CC, Galvin SL – Trends in weight gain during pregnancy. A population study across 16 years in North Carolina. Am J Obstet Gynecol, 2006; 194: 32-34.
15. Cevik B, Ilham C, Orskiran A, "et al." – Morbid obesity: a risk factor for maternal mortality. Int J Obstet Anesth, 2006; 15: 263-264.
16. Cheah MH, Kam PC – Obesity: basic science and medical aspects relevant to anaesthetists. Anaesthesia, 2005; 60: 1009-1021.
17. Yaegashi M, Jean R, Zuriqat M, "et al." – Outcome of morbid obesity in the intensive care unit. J Intensive Care Med, 2005; 20: 147-154.
18. Edwards JE – Pregnancy after bariatric surgery. AWONN Lifelines, 2005; 9: 388-393.
19. Bonica JJ – Maternal Anatomic and Physiologic Alterations During Pregnancy and Parturition, em: Bonica JJ, McDonald JS – Principles and Pratice of Obstetric Analgesia and Anesthesia, 2ª Ed, Malvern, Williams & Wilkins, 1995; 45-82.
20. Sivam R – Anestesia Obstétrica, Rio de Janeiro, Revinter, 1995, 7-21.
21. Usha Kiran TS, Hemmadi S, Bethel J, "et al." – Outcome of pregnancy in a woman with an increase body mass index. BJOG, 2005; 112: 768-772.
22. Burt J – Worth the weight pregnancy after gastric bypass surgery. Adv Nurse Pract, 2005; 13: 45-47.
23. Galtier-Dereure G, Montpeyroux F, Boulot P, "et al." – Weight excess before pregnancy: complications and cost. Int J Obes Relat Metab Disord, 1995; 19: 443-448.
24. Hood DD, Dewan DM – Anesthetic and obstetric outcome in morbidly obese parturients. Anesthesiology, 1993; 79: 1210-1218.
25. Munnur U, de Boisblanc B, Suresh MS – Airway problems in pregnancy. Crit Care Med, 2005; 33 (Suppl): S259-S268.
26. Schneider MC – Anaesthetic management of high-risk obstetric patients. Acta Anaesthesiol Scand, 1997; 41 (1 Suppl 111): 163-165.
27. Saravanakumar K, Rao S, Cooper GM – Obesity and obstetric anaesthesia. Anaesthesia, 2006; 61: 36-48.
28. Pilkington S, Carli F, Dakin MJ, "et al." – Increase in Mallampati score during pregnancy. Br J Anaesth, 1995; 74: 638-642.
29. Hawkins JL – Maternal mortality: anesthetic implications. Int Anesthesiol Clin, 2002; 40: 1-11.
30. Siddiqui AK, El-Saleh AR, Zahran FB, "et al." – Anesthetic management of a morbidly obese patient using laryngeal mask airway. Saudi Med J, 2006; 27: 280-282.
31. Combes X, Sauvat S, Leroux B, "et al." – Intubating laryngeal mask airway in morbidly obese and lean patients: a comparative study. Anesthesiology, 2005; 102: 1106-1109.
32. Sellick BA – Cricoid pressure to control regurgitation of stomach contents during induction of anesthesia. Lancet, 1961; 2: 404-406.
33. Dennehy KC, Pian-Smith MCM – Airway management of the parturient. Int Anesthesiol Clin, 2000; 38: 147-159.
34. Norris MC, Dewan DM – Preoxygenation for cesarean section: a comparison of two techniques. Anesthesiology, 1985; 62: 827-829.
35. Fox GS – Anaesthesia for intestinal short circuiting in the morbidly obese with reference to the pathophysiology of gross obesity. Can Anaesth Soc J, 1975; 22: 307-315.
36. Roofthooft E – Anesthesia for the morbidly obese parturient. Curr Opin Anaesthesiol, 2009; 22: 341-346.
37. Gautam PL, Kathuria S, Kaul TK – Infiltration block for caesarean section in a morbidly obese parturient. Acta Anaesthesiol Scan, 1999; 43: 580-581.
38. Mhyre JM – Anesthetic management for the morbidly obese pregnant woman. International Anesthesiology Clinics, 2007; 45(1): 51-70.
39. Passannante AN, Rock P – Anesthetic management of patients with obesity and sleep apnea. Anesthesiol Clin N Am, 2005; 23: 479-491.
40. Panni MK, Columb MO – Obese parturients have lower epidural local anaesthetic requirements for analgesia in labour. Br J Anaesth, 2006; 96: 106-110.
41. Bahar M, Chanimov M, Cohen ML, "et al." – The lateral recumbent head-down position decreases the incidence of epidural venous puncture during catheter insertion in obese parturients. Can J Anaesth, 2004; 51: 577-580.
42. Faheem M, Sarwar N – Sliding of the skin over subcutaneous tissue is another important factor in epidural catheter migration. Can J Anaesth, 2002; 49: 634.
43. Hamza J, Smida H, Benhamou D, "et al." – Parturient's posture during epidural puncture affects the distance from skin to epidural space. J Clin Anaesth, 1995; 7: 1-4.
44. Robinson HE, O'Connell CM, Joseph KS, "et al." – Maternal outcomes in pregnancies complicated by obesity. Obstet Gynecol, 2005; 106: 1357-1364.
45. Kuczkowski KM – Labor analgesia for the morbidly obese parturient: an old problem-new solution. Arch Gynecol Obstet, 2005; 271: 302-303.
46. Kuczkowski KM, Benumof JL – Repeat cesarean section in a morbidly obese parturient: a new anesthetic option. Acta Anaesthesiol Scand, 2002; 46: 753-754.
47. Coker LL – Continuous spinal anesthesia for cesarean for a morbidly obese parturient patient: a case report. AANA J, 2002; 70: 189-192.
48. Faure E, Moreno R, Thisted R – Incidence of postdural puncture headache in morbidly obese parturients. Reg Anesth, 1994; 19: 361-363.
49. Leontic EA – Respiratory disease in pregnancy. Med Clin North Am, 1977; 61: 111-128.
50. Conklin KA, Backus AM – Physiologic Changes of Pregnancy, em: Chestnut DH – Obstetric Anesthesia, 2ª Ed, Missouri, 1999; 17-42.
51. Milne JA, Mills RJ, Howie AD, "et al." – Large airways function during normal pregnancy. Br J Obstet Gynaecol, 1977; 84: 448-451.
52. Turner AF – The chest radiograph in pregnancy. Clin Obstet Gynecol, 1975; 18: 65-67.
53. Baldwin GR, Moorthi DS, Whelton JA, "et al." – New lung functions and pregnancy. Am J Obstet Gynecol, 1977; 127: 235-239.
54. Alaily AB, Carrol KB – Pulmonary ventilation in pregnancy. Br J Obstet Gynaecol, 1978; 85: 518-524.
55. Russell IF, Chambers WA – Closing volume in normal pregnancy. Br J Anaesth, 1981; 53:1043-1047.
56. Clark SL, Cotton DB, Lee W, "et al." – Central hemodynamic assessment of normal term pregnancy. Am J Obstet Gynecol, 1989; 161:1439-1442.
57. Knuttgen HG, Emerson Jr K – Physiological response to pregnancy at rest and during exercise. J Appl Physiol, 1974; 36: 549-553.
58. Gazioglu K, Kaltreider NL, Rosen M, "et al." – Pulmonary function during pregnancy in normal women and in patients with cardiopulmonary disease. Thorax, 1970; 25: 445-450.
59. Gee JBL, Packer BS, Millen JE, "et al." – Pulmonary mechanics during pregnancy. J Clin Invest, 1967; 46: 945-952.
60. Lyons H A, Antonio R – The sensitivity of the respiratory center in pregnancy and after the administration of progesterone. Trans Assoc Am Physicians 1959; 72:173-180.
61. Novy MJ, Edwards MJ – Respiratory problems in pregnancy. Am J Obstet Gynecol, 1967; 99:1024-1045.
62. Pedersen H, Santos AC, Finster M – Anestesia Obstétrica, em: Barash PG, Cullen BF, Stoelting RK – Tratado de Anestesiologia Clínica, 1ª Ed, São Paulo, Manole, 1993; 1473-1519.
63. Hägerdal M, Morgan CW, Sumner AE et al – Minute ventilation and oxygen consumption during labor with epidural analgesia. Anesthesiology, 1983; 59: 425-427.
64. Sangoul F, Fox GS, Houle GL – Effect of regional analgesia on maternal oxygen consumption during the first stage of labor. Am J Obstet Gynecol, 1975; 121: 1080-1083.
65. Fisher A, Prys-Roberts C – Maternal pulmonary gas exchange. A study during normal labour and extradural blockade. Anaesthesia, 1968; 23: 350-356.
66. Anderson GJ, Walker J – The effect of labour on the maternal blood-gas and acid-base status. J Obstet Gynaecol Br Cwlth, 1970, 77: 289-293.

67. Pearson JF, Davies P – The effect of continuous lumbar epidural analgesia upon fetal acid-base status during the first stage of labour. J Obstet Gynecol Br Cwlth, 1974; 81: 971-974.
68. Pearson JF, Davies P – The effect of continuous lumbar epidural analgesia on the acid-base status of maternal arterial blood during the first stage of labour. J Obstet Gynaecol Br Cwlth, 1973; 80: 218-224.
69. Jouppila R, Hollmén A – The effect of segmental epidural analgesia on maternal and foetal acid-base balance, lactate, serum potassium and creatine phosphokinase during labour. Acta Anaesth Scand, 1976; 20: 259-268.
70. Bonica JJ – Obstetric analgesia and anesthesia. Recent trends and advances. NY State J Med, 1970; 70: 2079-2084.
71. Thalme B, Raabe N, Belfrage P – Lumbar epidural analgesia in labor. II. Effects on glucose, lactate, sodium, chloride, total protein, haematocrit and haemoglobin in maternal, fetal and neonatal blood. Act Obstet Gynecol Scand, 1974; 53:113-9.
72. Huch A, Huch R, Schneider H, "et al." – Continuous transcutaneous monitoring of fetal oxygen tension during labor. Br J Obstet Gynecol, 1977; S(1): 1-39.
73. Weinberger SE, Weiss ST, Cohen WR, "et al." – Pregnancy and the lung. Am Rev Respir Dis, 1980; 121: 559-581.
74. Cavalcanti FS – Suplementação de oxigênio à parturiente. Repercussão sobre o estado ácido-básico da mãe e do recém-nascido. Rev Bras Anestesiol, 1992; 42: 341-347.
75. Rosen MA – Management of anesthesia for the pregnant surgical patient. Anesthesiology, 1999; 91: 1159-1163.
76. Gin T, Chan MTV – Decrease minimum alveolar concentration of isoflurane in pregnant humans. Anesthesiology, 1994; 81: 829-832.
77. Mallampati Sr, Gatt SP, Gugino LD et al – A clinical sign to predict difficult tracheal intubation: A prospective study. Can Anaesth Soc J, 1985; 32: 429-434.
78. Janssens M, Hartstein G – Management of difficult intubation. Eur J Anaesthesiol, 2001; 18: 3-12.
79. Samsoon GLT, Young JRB – Difficult tracheal intubation: a retrospctive study. Anaesthesia, 1987; 42 487-490.
80. Muravchick S, Burkett L, Gold MI – Succinylcholine-induced fasciculations and intragastric pressure during induction of anesthesia. Anesthesiology, 1981; 55: 180-183.
81. Freund FG, Rubin AP – The need for additional succinylcholine after d-tubocurarine. Anesthesiology, 1972; 36: 185-187.
82. Walts LF, Dillon JB – Clinical studies of the interaction between d-tubocurarine and succinylcholine. Anesthesiology, 1969; 31: 39-44.
83. Ang CK, Tan TH, Walters WAW – Postural influence on maternal capillary oxygen and carbon dioxide tension. Br Med J, 1969; 4: 201-203.
84. Norris MC, Kirkland R, Torjman MC, "et al." – Denitrogenation in pregnancy. Can J Anaesth, 1989; 36: 523-525.
85. Barton F, Nunn JF – Totally closed circuit nitrous oxide/oxygen anaesthesia. Br J Anaesth, 1975; 47: 350-364.
86. Iwasaka H, Miyakawa H, Yamamoto H et al – Respiratory mechanics and arterial blood gases during and after laparoscopic cholecystectomy. Can J Anaesth, 1996; 43: 129-133.
87. Cardiac disease, Why Mothers Die 2000-2002: The Sixth Report of the Confidential Enquiries into Maternal Deaths in the United Kingdom. Edited by Lewis G. London, RCOG, 2004, pp 137-150.
88. James AH, Jamison MG, Biswas MS, "et al." – Acute myocardial infarction in pregnancy: A United States population-based study. Circulation, 2006; 113: 1564-1571.
89. Macarthur A, Cook L, Polland JK, "et al." – Peripartum myocardial ischemia: a review of Canadian deliveries from 1970 to 1998. Am J Obstet Gynecol, 2006; 194: 1027-1033.
90. Fett JD, Christie LG, Murphy JG – Brief communication: Outcomes of subsequent pregnancy after peripartum cardiomyopathy: A case series from Haiti. Ann Intern Med, 2006; 145; 30-34.
91. Ayoub CM, Jalbout MI, Baraka AS – The pregnant cardiac woman. Curr Opin Anaesthesiol, 2002; 15: 285-291.
92. Berlinerblau R, Yessian A, Lichstein E, "et al." – Maternal arrhythmias of normal labor and delivery. Gynecol Obstet Invest, 2001; 52: 128-131.
93. Robson SC, Hunter S, Boys RJ, "et al" – Serial study of factor influencing changes in cardiac output during human pregnancy. Am J Physiol, 1989; 256: H1060-H1065.
94. Weiss BM, Hess OM – Pulmonary vascular disease and pregnancy current controversies, management strategies, and perspectives. Eur Heart J, 2000; 21: 104-115.
95. Campos O, Andrade JL, Bocanegra J, "et al." – Physiologic multivalvular regurgitation during pregnancy: A longitudinal doppler echocardiographic study. Int J Cardiol, 1993; 40: 265-272.
96. Mokriski BL – Physiologic Adaptation to Pregnancy: The Healthy Parturient. em: Norris MC – Obstetric Anesthesia, Philadelphia, J.B. Lippincott Company, 1993; 3-33.
97. Walters WAW, MacGregor WG, Hills M – Cardiac output as rest during pregnancy and the puerperium. Clin Sci, 1966; 30: 1-11.
98. Katz R, Karliner JS, Resnik R – Effects of a natural volume overload state (pregnancy) on left ventricular performance in normal human subjects. Circulation, 1978; 58: 434-441.
99. Robson SC, Hunter S, Moore M, et al – Haemodynamic changes during the puerperium: a Doppler and M-mode echocardiographic study. Br J Obstet Gynaecol, 1987; 94:1028-1039.
100. Rudge MVC, Borges VTM, Calderon IMP – Adaptação do Organismo Materno à Gravidez, em: Neme B – Obstetrícia Básica, 2ª Ed, São Paulo, Sarvier, 2000; 42-51.
101. Spaanderman MEA, Meertens M, Van Bussel M et al – Cardiac output increases independently of basal metabolic rate in early human pregnancy. Am J Physiol Heart Circ Physiol, 2000; 278: H1585-H1588.
102. Adams JQ – Cardiovascular pbysiology in normal pregnancy: studies with dye dilution technique. Am J Obstel Gynecol, 1954; 67: 741-759.
103. Rose DJ, Bader ME, Bader RA, "et al." Catheterization studies to cardiac hemodynamics in normal pregnant women with reference to left ventricular work. Am J Obstet Gynecol, 1956; 72: 233-246.
104. Del Bene R, Barletta G, Mello G, "et al." – Cardiovascular function in pregnancy: effects of posture. Br J Obstet Gynaecol, 2001; 108: 344-352.
105. Gershon AS, Faughnan ME, Chon KS et al – Transcatheter embolotherapy of maternal pulmonary arterovenous malformations during pregnancy. Chest, 2001; 119: 470-477.
106. Ueland K, Hansen JM – Maternal cardiovascular dynamics: II. Posture and uterine contractions. Am J Obstet Gynecol, 1969; 103: 1-7.
107. Veille JC, Morton MJ, Burry KJ – Maternal cardiovascular adaptations to twin pregnancy. Am J Obstet Gynecol, 1985, 153: 261-263.
108. Cheek TG, Gutsche BB – Maternal Physiologic Alterations During Pregnancy, em: Shneider SM, Levinson G – Anesthesia for Obstetrics, 3ª Ed, Baltimore, Williams & Wilkins, 1993; 3-17.
109. Mathias RS, Carvalho JCA – Anestesia em Obstetrícia. Curso de atualização. SAESP, 1990.
110. Siu S – Congenital heart disease – heart disease and pregnancy. Heart, 2001; 85: 710-715.
111. Ueland K, Novy MI, Peterson EN, "et al." – Maternal cardiovascular dynamics. IV. The influence of gestacional age on the maternal cardiovascular response to posture and exercise. Am J Obstet Gynecol, 1969; 104: 856-864.
112. Ueland K, Hansen JM – Maternal cardiovascular dynamics: III. Labor and delivery under local and caudal analgesia. Am J Obstet Gynecol, 1969; 103: 8-18.
113. Kerr MG, Scott DB, Samuel E – Studies of the interior vena cava in late pregnancy. Br Med J, 1964; 1: 532-533.
114. Hirabayashi Y, Shimizu R, Fukuda H, "et al." – Soft tissue anatomy within the vertebral canal in pregnant women. Br J Anaesth, 1996; 77: 153-156.
115. Gardner E – O Abdome, em: Gardner E, Gray DJ, O'Rahilly R – Anatomia, 2ª Ed, Rio de Janeiro, Guanabara Koogan, 1967; 405-502.
116. Newman B, Derrington C, Dose C – Cardiac output and the recumbent position in late pregnancy. Anaesthesia, 1983; 38: 332-335.
117. Ideda T, Ohbuchi H, Ikenoue T, "et al." – Physiology of pregnancy: maternal cerebral hemodynamics in the supine hypotensive syndrome. Obstet Gynecol, 1992; 179: 27-31.
118. Rubler S, Damani PM, Pinto ER – Cardiac size and performance during pregnancy estimated with echocardiography. Am J Cardiol, 1977; 40: 534-540.
119. Milsom I, Forssman L – Factors influencing aortocaval compression in late pregnancy. Am J Obstet Gynecol, 1984; 148: 764-771.
120. Clark SL, Cotton DB, Pivarnik JM, "et al." – Position change and central hemodynamic profile during normal third-trimester pregnancy and post partum. Am J Obstet Gynecol, 1991; 164: 883-887.
121. Kinsella SM, Lohmann G – Supine hypotensive syndrome. Obstet Gynecol, 1994; 83: 774-788.
122. Eckstein KL, Marx GF – Aortocaval compression and uterine displacement. Anesthesiology, 1974; 40: 92-96.
123. Kinsella SM, Whitwam JG, Spencer JAD – Aortic compression by the uterus: Identification with the Finapres digital arterial pressure instrument. Br J Obstet Gynaecol, 1990; 97: 700-705.
124. Abitbol MM – Aortic compression and uterine blood flow during pregnant. Obstet Gynecol, 1977; 50: 562-570.
125. Drummond GB, Scott SEM, Lees MM, "et al." – Effects of posture on limb blood flow in late pregnancy. Br Med J, 1974; 2: 587-588.
126. Marx GF, Husain FJ, Shiau HF – Brachial and femoral blood pressure during the prenatal period. Am J Obstet Gynecol, 1980; 136; 11-13.
127. Whitley D, Whitley M, Neville R F – Considerações Hemodinâmicas na Cirurgia Vascular, em: Hannallah M S – Anestesia para Cirurgia Vascular. Clin Anest Am N, Rio de Janeiro, Interlivros, 1995; 1: 235 p.
128. Lee RV, Mezzadri F C – Cardiopulmonary resuscitation of pregnant women, in: Elkayam U, Gleicher N – Cardiac Problems in Pregnancy. 2a Ed, New York, Editora Alan R Liss Inc., 1990, 307-319.
129. Fagraeus L, Urban B, Bromage P – Spread of epidural analgesia in early pregnancy. Anesthesiology, 1983; 58: 184-187.
130. Newman B, Derrington C, Dore C – Cardiac output and the recumbent position in late pregnancy. Anaesthesia, 1983; 38: 332-335.
131. Cavalcanti FS, Castro LFL, Oliveira AS – Cunha de Crawford ou deslocamento manual do útero? Rev Bras Anestesiol, 1990; 40: 243-246.
132. Abitbol MM – Supine position in labor and associated fetal heart rate changes. Obstet Gynecol, 1985; 65: 481-486.
133. Crawford JS, Burton M, Davies P – Time and lateral tilt at caesarean section. Br J Anaesth, 1972; 44: 477-484.
134. Lievaart M, de Jong PA – Acid-base equilibrium in umbilical cord blood and time of cord clamping. Obstet Gynecol, 1984; 44-47.
135. Camp CE, Tessem J, Adenwala J, Joyce TH – III – Vecuronium and prolonged neuromuscular blockade in postpartum patients. Anesthesiology, 1987; 67: 1006-1008.

136. Graves CR – Acute pulmonary complications during pregnancy. Clin Obstet Gynecol, 2002; 45: 369-376.
137. Davidson JM – Edema in pregnancy. Kidney Int., 1997; 51: S90-96.
138. Hytten F – Blood volume changes in normal pregnancy. Clin Haematol, 1985; 14: 601-612.
139. Hunter S, Robson S – Adaptation of the maternal heart in pregnancy. Br Heart J, 1992; 68: 540-543.
140. Thornberg KL, Jacobson SL, Giraud GD, "et al." – Hemodynamic changes in pregnancy. Semin. Perinatol, 2000; 24: 11-14.
141. Nanson J, Elcock D, Williams M, "et al." – Do physiological changes in pregnancy change defibrillation energy requirements? Br J Anaesth, 2001; 87: 237-239.
142. Kambam JR, Handte RE, Brown WU Jr, "et al." – Effect of normal and preeclamptic pregnancies on the oxyhemoglobin dissociation curve. Anesthesiology, 1986; 65: 426-427.
143. Talbert LM, Landgella RD – Normal values of certain factors in the blood clotting mechanism in pregnancy. Am J Obstet Gynecol, 1964; 90: 44-50.
144. Seller CA & Ravalia A – Anaesthesia implications of anorexia nervosa. Anaesthesia, 2003; 58: 437-443.
145. Stone K – Acute abdominal emergencies associated with pregnancy. Clin Obstet Gynecol, 2002; 45: 553-561.
146. Martin C, Varner MW – Physiologic changes in pregnancy: Surgical implications. Clin Obstet Gynecol, 1994; 37: 241-255.
147. Shnider SM – Serum cholinesterase activity during pregnancy, labor and the puerperium. Anesthesiology, 1965; 26: 335-339.
148. Leighton BL, Check TG, Gross JB et al – Succinylcholine pharmacokinetics in peripartum patients. Anesthesiology, 1986; 64: 202-205.
149. Palla B, Litt I – Medical complications of eating disorders in adolescents. Paediatrics, 1988; 81: 615-623.
150. Loebstein R, Koren G – Clinical relevance of therapeutic drug monitoring during pregnancy. Ther Drug Monit, 2002; 24: 15-22.
151. Lind JF, Smith AM, Melver DK, "et al." – Heart-burn in pregnancy - a manometric study. Can Med Assoc J, 1968; 98: 571-574.
152. Hey VMF, Cowley DJ, Ganguli PC, "et al." – Gastroesophageal reflux in late pregnancy. Anesthesia, 1977; 32: 372-377.
153. Marrero JM, Goggin PM, de Caestecker JS, "et al." – Determinants of pregnancy heart-burn. Br J Obstet Gynaecol, 1992; 99: 731-734.
154. Bowen M, Jayaram A, Carp H – Ultrasound examination of the stomach contents of post partum patients (abstract). Anesthesiology, 1995; 83: A956.
155. Kammerer WS – Nonobstetric surgery during pregnancy. Med Clin North Am, 1979; 63: 1157-1164.
156. Kort B, Katz VL, Watson WJ – The effect on nonobstetric operation during pregnancy. Surg Obstet Gynecol, 1993; 177: 371-376.
157. Condon RE, Telford GE – Appendicitis, in Sabiston DC Jr. Textbook of Surgery. WB Saunders Co., Philadelphia, PA, 1991, pp. 884-898.
158. Wright PM, Allen RW, Moore J, "et al." – Gastric emptying during extradural analgesia in labor: Effect of fentanyl supplementation. Br J Anaesth, 1992; 68: 248-251.
159. Geddes SM, Thorburn J, Logan RW – Gastric empty following caesarean section and the effect of epidural fentanyl. Anesthesia, 1991; 46:1016-1018.
160. Stoelting RK & Dierdorf SF – Anesthesia and Co-Existing Disease, 3rd ed., USA, Churchill Livingstone, 1993; 539-578.
161. Whittaker M – Plasma cholinesterase variants and the anaesthetist. Anaesthesia, 1980; 35: 174-197.
162. Blitt CD, Petty WC, Alberternst EE, "et al." – Correlation of plasma cholinesterase and duration of action of succinylcholine during pregnancy. Anesth Analg. 1977; 56: 78-81.
163. Wiessman DB, Ehrenwerth J – Prolonged neuromuscular blockade in a parturient associated with succinylcholine. Anesth Analg, 1983; 62: 44-46.
164. Kaplan MM – Acute fatty liver of pregnancy. N Engl J Med, 1985; 313: 367-370.
165. Anatognini JF, Andrews S – Anaesthesia for caesarean section in patient with acute fatty liver of pregnancy. Can J Anaesth, 1991; 38: 904-907.
166. Dunlop W – Serial changes in renal haemodinamics during normal human pregnancy. Br J Obstet Gynaecol, 1981; 88: 1-9.
167. Cohen SE – Physiologic alterations of pregnancy: Anesthetic implications. ASA, 1993; 21: 51-63.
168. Davison JM, Hytten FE – The effect of pregnancy on the renal handling of glucose. Br J Obstet Gynaecol, 1975; 82: 374-381.
169. Toback FG, Hall PW, Lindheimer MD – Effect of posture on urinary protein patterns in nonpregnant, pregnant and toxemic women. Obstet Gynecol, 1970; 35: 765-768.
170. Wall LL – Obstetric vesicovaginal fistula as an international public-health problem. Lancet, 2006; 368: 1201-1209.
171. Olofsson CH, Ekbolm AO, Ekman-Ordeberg GE, "et al." – Post-partum urinary retention: a comparison between two methods of epidural analgesia. Eur J Obstet Gynecol Reprod Biol, 1997; 71.1: 31-34.
172. Wilson MJA, MacArthur C, Shennan – On behalf of the COMET Study Group (UK). Urinary catheterization in labour with high-dose vs mobile epidural analgesia: a randomized controlled trial. Br J Anaesth, 2009; 102: 97-103.
173. Howell CJ – Epidural versus non-epidural analgesia for pain relief in labour. Cochrane Database Syst Rev, 2000; 2: CD000331.
174. Khor L, Jeskins G, Cooper G, Paterson-Brown S – National obstetric anesthetic practice in the UK 1997/1998. Anaesthesia, 2000; 55: 1-6.
175. Burnstein R, Buckland R, Pickett J – A survey of epidural analgesia for labour in the United Kingdom. Anaesthesia, 1999; 54: 634-640.
176. Richardson MG, Wissler RN – Density of lumbar cerebrospinal fluid in pregnant and nonpregnant humans. Anesthesiology, 1996; 85: 326-330.
177. Russel IF – Spinal anesthesia for cesarean delivery with dilute solutions of plain bupivacaine: The relationship between infused volume and spread. Reg anesth, 1991; 16: 130-136.
178. Abouleish A, Abouleish E, Camann W – Combined spinal-epidural analgesia in advanced labour. Can J Anaesth, 1994; 41: 575-578.
179. Levin E, Muravchick S, Gold MI – Density of normal human cerebrospinal fluid and tetracaine solutions. Anesth Analg, 1981; 60: 814-817.
180. Hirabayashi Y, Shimizu R, Saitoh K, "et al." – Cerebrospinal fluid progesterone in pregnant women. Br J Anaesth, 1995; 75: 683-687.
181. Flanagan HL, Datta S, Lambert DH, "et al." – effect of pregnancy on bupivacaine-induced conduction blockade in the isolated rabbit vagus nerve. Anesth Analg, 1987; 66: 123-126.
182. Schiffer E, Van Gessel E, Fournier R, "et al." – Cerebrospinal fluid density influences extent of plain bupivacaine spinal anesthesia. Anesthesiology, 2002; 96: 1325-1330.
183. Lui AC, Polis TZ, Cicutti NJ – Densities of cerebrospinal fluid and spinal anaesthetic solutions in surgical patients at body temperature. Can J Anaesth, 1998; 45: 297-303.
184. Schiffer E, Van Gessel E, Gamulin Z – Influence of sex on cerebrospinal fluid density in adults. Br J Anaesth, 1999; 83: 943-944.
185. Datta S, Hurley RJ, Naulty JS, "et al." – Plasma and cerebrospinal fluid progesterone concentrations in pregnant and nonpregnant women. Anesth Analg, 1986; 65: 950-954.
186. Cogan R, Spinnato JA – Pain and discomfort thresholds in late pregnancy. Pain, 1986; 27: 63-68.
187. Datta S, Lambert DH, Gregus J, "et al." – Diferential sensitivities of mammalian nerve fibers during pregnancy. Anesth Analg, 1983; 62: 1070-1072.
188. Flanagan HL, Datta S, Lambert DH, "et al." – Effect of pregnancy on bupivacaine-induced conduction blockade in the isolated rabbit vagus nerve. Anesth Analg, 1987; 66: 123-126.
189. Greene NM – Distribution of anesthetic solutions within the subarachnoid space. Anesth Analg, 1985; 64: 715-730.
190. Cohen SE, Cherry CM, Holbrook RH jr, "et al." – Intratecal sufentanil for labor analgesia – sensory changes, side effects, and fetal heart changes. Anesth Analg, 1993; 77: 1155-1160.
191. Blomqvist H, Nilsson A – Is glucose-free bupivacaine isobaric or hypobaric? Reg Anesth, 1989; 14: 195-198.
192. Kooger Infante N, Van Gessel E, Gamulin Z – Extent of hyperbaric spinal anesthesia influences the duration of spinal block. Anesthesiology, 2000; 92: 1319-1323.
193. Logan MR, McClure JH, Wildsmith JA – Plain bupivacaine: An unpredictable spinal anaesthetic agent. Br J Anaesth, 1986; 58: 292-296.
194. Wildsmith JA, McClure JH, Brown DT, "et al" – Effects of posture on the spread of isobaric and hyperbaric amethocaine. Br J Anaesth, 1981; 53: 273-278.
195. Gin T, Chan MTV – Postpartum changes in the minimum alveolar concentration of isoflurane. Anesthesiology, 1995; 82: 1360-1363.
196. Chan MTV, Mainland P – Minimal alveolar concentration of halothane and enflurane are decreased in early pregnancy. Anesthesiology, 1996; 85: 782-791.
197. Braunstein GD – Endocrine changes in pregnancy, em: Kronenberg HM, Melmed S, Polonsky KS, Larsen PR – Williams Textbook of Endocrinology, Ed 11ª, Canada, Saunders Elsevier, 2008; 741-754.
198. Saad MJA, Maciel RMB, Mendonça BB – Endocrinologia. Atheneu, São Paulo, 2007; 3-14.
199. Wittels B, Attia TA, Al-Qamari A, "et al." – Repeated episodes of respiratory distress in an obese parturient after cesarean delivery. Anesth Analg, 2009; 108: 1246-1248.
200. Greenspan FS & Gardner DG – Endocrinologia Básica e Clínica. 7ª ed, Rio de Janeiro, 2006; 523-540.
201. Cavalcanti FS, Castro LFL, Oliveira AS, "et al." – Administração de glicose a parturientes: Influência sobre a presença de corpos cetônicos na urina materna e sobre as glicemias materna e neonatal. Rev Bras Anestesiol, 1990, 40: 175-179.
202. Shah JL – Influence of cerebrospinal fluid on epidural pressure. Anaesthesia, 1981; 36: 627-631.
203. Pihlajamäki K, Kanto J, Lindberg R, "et al." – Extradural administration of bupivacaine: pharmacokinetics and metabolism in pregnant and non-pregnant women. Br J Anaesth, 1990; 64: 556-562.
204. Ellinas EH, Eastwood DC, Patel SN, "et al." – The effect of obesity on neuroaxial technique difficult in pregnant patients: a prospective, observational study. Anesth Analg, 2009; 109: 1225-1231.
205. Pickering AE, Parry MG, Ousta B, "et al." – Effect of combined spinal-epidural ambulatory labor analgesia on balance. Anesthesiology, 1999; 91: 436-441.
206. Chestnut DH, Owen CL, Bates JN, "et al." – Continuous infusion epidural analgesia during labor: A randomized, double-blind comparison of 0,0625% bupivacaine/0,0002% fentanil versus 0,125% bupivacaine. Anesthesiology, 1988; 68: 754-759.
207. Reynolds F – Epidural opióides in labour. Br J Anaesth, 1989; 63: 251-253.
208. Murphy JD, Hutchinson K, Bowden MI, "et al." – Bupivacaine versus bupivacaine plus fentanyl for epidural analgesia: Effect on maternal satisfaction. BMJ, 1991; 302: 564-567.
209. Breen TW, Shapiro T, Glass B, "et al." – Epidural anesthesia for labor in an ambulatory patient. Anesth Analg, 1993; 77: 919-924.

210. COMET Study Group UK – Randomized controlled trial comparing traditional with two "mobile" epidural techniques. Anesthesiology, 2002; 97: 1567-1575.
211. Vallejo MC, Firestone LL, Mandell GL, "et al." – Effect of epidural analgesia with ambulation on labor duration. Anesthesiology, 2001; 95: 857-861.
212. Collis RE, Baxandall ML, Srikantharajah ID, "et al" – Combined spinal epidural analgesia with the ability to walk throughout labour. Lancet, 1993; 341: 767-768.
213. Wilson MJA, MacArthur C, Cooper GM, Shennan on behalf of the COMET study group UK – Ambulation in labour and delivery mode: a randomized controlled trial of high-dose vs mobile epidural analgesia. Anaesthesia, 2009; 64: 266-272.
214. Morgan BM, Kadim MY – Mobile regional in labour. Br J Obstet Gynaecol, 1994; 101: 839-841.
215. Nageotte MP, Larson D, Rumney PJ, "et al." – Epidural analgesia compared with combined spinal-epidural analgesia during labor in nulliparous women. N Engl J Med, 1997; 337: 1715-1719.
216. Buggy D, Hughes N, Gardiner J – Posterior column sensory impairment during ambulatory extradural analgesia in labour. Br J Anaesth, 1994; 73: 540-542.
217. Parry MG, Fernando R, Bawa GPS, "et al." – Dorsal column function after epidural and spinal blockade: Implications for the safety of walking following low dose regional analgesia for labour. Anaesthesia, 1998; 53: 382-403.
218. Cyr DG, Moore GF, Moller CG – Clinical application of CDP. Ear Nose Throat J Suppl, 1988; 9: 36-47.
219. Nashner LM – Computerized dynamic posturography. Handbook of Balance Function Testing. Edited by Jacobson GP, Newman CW, Kartush JM. Chicago, Mosby Year Book, 1993, 280-334.
220. Davies J, Fernando R, McLeod A, "et al." – Postural stability following ambulatory regional analgesia for labor. Anesthesiology, 2002; 97: 1576-1581.
221. Cohen SE, Yeh JY, Riley ET, "et al." – Walking with labor epidural analgesia. The impact of bupivacaine concentration and a lidocaína-epinephrine test dose. Anesthesiology, 2000; 92: 387-392.
222. Norris MC, Fogel ST, Dalman H, "et al." – Labor epidural analgesia without an intravascular "test dose". Anesthesiology, 1998; 88: 1495-1501.
223. Henkel G – "Walking" epidural anesthesia: are test doses necessary? Anesthesiology, 2000; 9 (2): 5A.
224. Ie S, Rubio ER, Alper B, "et al." – Respiratory complications of pregnancy. A review. Obstet Gynecol Survey, 2001; 57: 39-46.
225. George DT, Ladenheim JA, Nutt DJ – Effect of pregnancy on panic attacks. American Journal of Psychiatry, 1987; 144(8): 1078-1079.
226. Cowley DS, Roy-Burne PP – Panic disorder during pregnancy. Journal Psychosomat Obstet Gynecol, 1989; 10: 193-210.
227. Buttolph ML, Holland A – Obsessive-compulsive disorders in pregnancy and childbirth, em: Jenike M, Baer L, Minichiello – Obsessive Compulsive Disorders, Theory and Management, 2nd Edition, Chicago, Yearbook Medical Publishers, 1990.
228. Neziroglu F, Anemone R, Yaryura-Tobias JA – Onset of obsessive-compulsive disorder in pregnancy. American Journal of Psychiatry, 1992; 149(7): 947-950.
229. Sichel DA, Cohen LS, Dimmock JA, "et al." – Postpartum obsessive compulsive disorder: a case series. Journal of Clinical Psychiatry, 1993; 54(4): 156-159.
230. Abramowitz JS, Schwartz SA, Moore KM, "et al." – Obsessive-compulsive symptoms in pregnancy and the puerperium: a review of the literature. [Review] Journal of Anxiety Disorders, 2003; 17(4): 461-478.
231. Blais MA, Becker AE, Burwell RA, "et al." – Pregnancy: outcome and impact on symptomatology in a cohort of eating-disordered women. International Journal of Eating Disorders, 2000; 27(2): 140-149.
232. Mitchell-Gieleghem A, Mittelstaedt ME, Bulik CM – Eating disorders and childbearing: concealment and consequences. Birth, 2002; 29(3):182-191.
233. Plotz J, Heidegger H, Krone HA – Bulimia, induced vomiting, hypochloremic-hypokalemic alkalosis and fetal distress in the 33rd week of pregnancy. Obstetric and anesthesiologic management. Anaesthesist, 1991; 40(3): 184-188.
234. Seller CA & Ravalia A – Anaesthesia implications of anorexia nervosa. Anaesthesia, 2003; 58: 437-443.
235. King M – Eating disorders in a general practice population. Prevalence, characteristics and follow-up at 12 to 18 months. Psychological Medicine - Monograph Supplement, 1989; 14: 1-34.
236. Turton P, Hughes P, Bolton H, "et al." – Incidence and demographic correlates of eating disorder symptoms in a pregnant population. International Journal Eating Disorders, 1999; 26(4): 448-452.
237. Abraham S – Sexuality and reproduction in bulimia nervosa patients over 10 years. Journal of Psychosomatic Research, 1998; 44(3-4): 491-502.
238. Conti J, Abraham S, Taylor A – Eating behavior and pregnancy outcome. Journal of Psychosomatic Research, 1998; 44(3-4): 465-477.
239. Morgan JF, Lacey JH, Sedgwick PM – Impact of pregnancy on bulimia nervosa. British Journal of Psychiatry, 1999; 174: 135-140.
240. Bulik CM, Sullivan PF, Fear JL, "et al." – Fertility and reproduction in women with anorexia nervosa: a controlled study. Journal of Clinical Psychiatry, 1999; 60(2): 130-135.
241. Franko DL, Spurrell EB – Detection and management of eating disorders during pregnancy. Obstet Gynecol, 2000; 95: 942-946.
242. Franko DL, Blais MA, Becker AE, "et al." – Pregnancy complications and neonatal outcomes in women with eating disorders. American Journal of Psychiatry, 2001; 158(9): 1461-1466.
243. Hendrick V, Altshuler L – Management of major depression during pregnancy. American Journal of Psychiatry, 2002; 159(10): 1667-1673.
244. Altshuler LL, Hendrick V, Cohen LS – Course of mood and anxiety disorders during pregnancy and the postpartum period. [Review]. Journal of Clinical Psychiatry, 1998; 59 (Suppl 2): 29-33.
245. Kumar R, Robson KM – A prospective study of emotional disorders in childbearing women. British Journal of Psychiatry, 1984; 144: 35-47.
246. Watson JP, Elliott SA, Rugg AJ, "et al." – Psychiatric disorder in pregnancy and the first postnatal year. British Journal of Psychiatry, 1984; 144: 453-462.
247. O'hara MW – Social support, life events, and depression during pregnancy and the puerperium. Archives of General Psychiatry, 1986; 43(6): 569-573.
248. Llewellyn AM, Stowe ZN, Nemeroff CB – Depression during pregnancy and the puerperium. Journal of Clinical Psychiatry, 1997; 58 (Suppl 15): 26-32.
249. Evans J, Heron J, Francomb H, "et al." – Cohort study of depressed mood during pregnancy and after childbirth. BMJ, 2001 ; 323: 257-260.
250. Marcus SM, Flynn HA, Blow FC, "et al." – Depressive symptoms among pregnant women screened in obstetrics settings. Journal of Women's Health, 2003; 12(4): 373-380.
251. Beck CT – A meta-analysis of predictors of postpartum depression. Nursing Research, 1996; 45(5): 297-303.
252. O'hara MW, Swain AM – Rates and risk of postpartum depression a meta-analysis. International Review of Psychiatry, 1996; 8: 37-54.
253. Neme B – Obstetrícia Básica. 2ª Ed, SP, Editora Sarvier, 2000; 841-842.
254. Appleby L – Suicide during pregnancy and in the first postnatal year. BMJ, 1991; 302: 137-140.
255. MARZUK PM, TARDIFF K, LEON AC, et al – Lower risk of suicide during pregnancy. American Journal of Psychiatry, 1997; 154(1): 122-123.

127

Passagem Transplacentária de Fármacos

Daniel Vieira de Queiroz ▪ Bruno Serra Guida ▪ Gabriel Alann Gayo Souto

INTRODUÇÃO

A placenta, um órgão transitório e de duração limitada ao período gestacional, é considerada por alguns autores como o órgão mais importante do corpo humano.[1] Paradoxalmente, talvez seja também uma das estruturas humanas menos compreendidas, apesar da evolução do entendimento das suas funções, especialmente ao longo das últimas décadas. É um tema que é motivo de controvérsia entre pesquisadores de diversas áreas do conhecimento científico. A complexidade do estudo de tal estrutura (que é na realidade um órgão com múltiplas funções para o binômio materno-fetal) é tamanha, que ela também é envolvida em debates antropológicos, culturais, ritualísticos e até mesmo jurídicos, desde os tempos ancestrais, e em diferentes civilizações ao longo da história.[2,3]

A placenta é um dos órgãos humanos mais repleto de simbolismos e significados que extrapolam uma mera função biológica. Por exemplo, alguns povos amazônicos e australianos transformam a placenta em cordão ou bracelete para ter uma função de amuleto protetor da criança ao longo da sua vida. Para os Yorubás, um grupo étnico da costa oeste da África, a placenta é considerada um elo com a ancestralidade daquele recém-nascido. Assim, há um rito (chamado de *Ipori*), que consiste em enterrar o cordão umbilical e a placenta do recém-nascido aos pés de uma grande árvore antiga existente na comunidade onde vive sua família, a fim de que seja, então, mantido o elo de ancestralidade que liga os seres ancestrais que habitam o *òrun* (região invisível onde habitam os Orixás e os ancestrais) com os a seres que habitam o *áiyé* (região visível onde habitam os seres vivos Terra).[4] Na América Central, há descrições de utilização da placenta em práticas para tentar reanimar um recém-nato morto (ateando fogo nela ainda ligada ao bebê na tentativa deste reviver).

Há outras tradições ancestrais que fazem uso medicinal da placenta.[2] Em suma, não faltam descrições que evidenciam a importância antropológica que diversas culturas ao longo do planeta dão à placenta.

Por outro lado, a civilização ocidental moderna tradicionalmente não vê este órgão com o mesmo significado cultural e místico de outros povos. Na maioria das vezes, ele é descartado após o nascimento, ou enviado para estudo anatomopatológico de forma meramente protocolar. Porém, é curioso observar que, com o ressurgimento contemporâneo de práticas que buscam um parto menos medicalizado (e até mesmo fora do ambiente hospitalar), há a inclusão de rituais que em muito assemelham-se às práticas de culturas ancestrais, incluindo até mesmo a placentofagia, que é o hábito da puérpera engolir a placenta após a dequitação.[5]

Ao analisarmos sob outra ótica, não é exagerado afirmar que a gestação é um processo comparável a um transplante de órgão alogênico. Há a implantação de um embrião geneticamente diferente da gestante, com intensa troca de substâncias. Entretanto, é um processo muito mais bem-sucedido do que os transplantes de órgãos cirúrgicos, pois não há comparação em relação a rejeição de tecidos, inexistente no caso da gestação. Decididamente, a placenta é o grande motivo para este sucesso (apesar de não ser o único), e por motivos ainda não totalmente esclarecidos. Este fato mostra o quanto ainda é necessário evoluir na compreensão da placenta enquanto órgão.

Neste capítulo, descreveremos especialmente o processo de formação embriológico da placenta, sua morfologia e suas funções, e os mecanismos de transferência de fármacos, pormenorizando diversas classes farmacológicas que tenham especial relevância para o anestesiologista.

ANATOMIA FUNCIONAL DA PLACENTA

O conhecimento da anatomia macroscópica da placenta e de sua estrutura funcional básica (vilosidades coriônicas) é de fundamental importância para o anestesiologista. A placenta humana é um órgão hemocorial visto que, apesar de permitir trocas de substâncias entre a circulação materna e fetal, não existem anastomoses entre tais vasos, sendo o sangue fetal e o materno separados por camadas. Esta maneira de se classificar as placentas será melhor pormenorizada e detalhada no item sobre anatomia comparativa das espécies animais.

A Formação da Placenta e das Vilosidades Coriônicas

A formação desta se inicia com o processo de nidação, quando a camada celular externa (chamada "trofoblasto do blastocisto"), ao entrar em contato com o endométrio, diferencia-se em duas camadas: uma unicelular interna (denominada "citotrofoblasto") que funciona como uma camada mitótica produtora de células que migram e perdem suas membranas celulares, passando, então, a fazer parte de uma camada externa de células multinucleares (chamada de "sinciciotrofoblasto") que, por meio da produção de enzimas proteolíticas, erode e penetra na decídua através de projeções digitiformes. Este processo todo ocorre em torno de 6-12 dias após a concepção. Durante tal período, há a formação de espaços císticos no interior do sinciciotrofoblasto que coalescem, gerando espaços maiores (denominados "lacunas"), passando a ser preenchidos por sangue materno proveniente de capilares e vênulas que foram erodidos pela ação invasiva do sinciciotrofoblasto dando origem a uma circulação uteroplacentária primitiva.[6]

A partir do décimo segundo dia após a concepção, projeções de células do citotrofoblastos originadas da placa coriônica penetram nas projeções digitiformes do sinciciotrofoblasto até a região materna da placenta (chamada de "decídua basal") e invadem o estroma endometrial. A presença de projeções digitiformes com uma camada externa de sinciciotrofoblasto e uma camada interna de citotrofoblasto é denominada de "vilosidades primárias", e as lacunas adjacentes são denominadas "espaços intervilosos". Posteriormente ocorre a migração de mesoderma extraembrionário para o interior das vilosidades primárias que agora passam a ser denominadas "vilosidades secundárias". A partir do momento que este mesoderma extraembrionário diferencia-se em células sanguíneas e vasos sanguíneos (processo iniciado a partir da terceira semana após a concepção), as vilosidades passam a ser chamadas de "vilosidades terciárias". A partir daí, entre quatro e oito semanas após a concepção, as vilosidades terciárias se ramificam com projeções digitiformes laterais semelhantes a ramos de árvores aumentando a área de superfície de troca. A partir da vigésima semana, a camada de citotrofoblasto se deteriora, fazendo com que as vilosidades coriônicas passem a apresentar apenas três camadas (endotélio, cório e sinciciotrofoblasto) que as separam dos espaços intervilosos e, logo, do sangue materno, reduzindo, assim, a espessura das membranas e tornando as trocas também mais eficientes.[7]

Ainda neste período ocorrem projeções da decídua basal em direção à placa coriônica, separando as unidades vilosas em blocos denominados "cotilédones" (Tabela 127.1).

Tabela 127.1 Marcos importantes da formação inicial da placenta.

Período após a concepção	Marcos importantes
6 a 12 dias	Formação do sinciciotrofoblasto Surgimento de uma circulação uteroplacentária primitiva
13 a 20 dias	Formação das vilosidades primárias e secundárias
21 a 28 dias	Formação das vilosidades terciárias
4 semanas	Ramificação das vilosidades terciárias aumentando a superfície de trocas
20 semanas	Deterioração do citotrofoblasto reduzindo a espessura das membranas Formação de cotilédones

As vilosidades coriônicas e os espaços intervilosos representam a unidade funcional placentária[8] (Figura 127.1).

Circulação Uteroplacentária – Componente Materno

As artérias uterinas e ovarianas são responsáveis pela perfusão do componente materno placentário (decídua basal). Ao anastomosarem-se, formam as artérias arqueadas, que por sua vez darão origem as artérias radiais. Estas penetram perpendicularmente na porção média do miométrio e, ao atingir o terço médio do mesmo, originam as artérias basais e espiraladas que nutrem o miométrio, decídua e espaços intervilosos. A pressão arterial é em torno de 80-100 mmHg nas artérias uterinas, 70 mmHg nas artérias espiraladas e cerca de 10 mmHg nos espaços intervilosos. Ao fim da gestação, existem cerca de 200 artérias espiraladas, que são capazes de fornecer cerca de 600 mL de sangue/minuto à circulação uteroplacentária (sendo 80% deste fluxo destinado à placenta).[8]

No período entre a sexta e a décima semana de gestação, inicia-se um fenômeno chamado "invasão citotrofoblástica": células do citotrofoblasto atravessam a decídua basal e invadem a parede das artérias espiraladas, substituindo o componente muscular e elástico de suas paredes por células de citotrofoblasto e por um material semelhante à fibrina, aumentando o diâmetro destes em até dez vezes. Ocorrem duas ondas de tal invasão citotrofoblástica: A primeira onda acontece até a décima semana e acomete as artérias espiraladas desde sua extremidade distal até a união da decídua basal com o miométrio; já a segunda onda de inicia-se em torno da décima quarta e da décima sexta semana e acomete os segmentos miometriais das artérias espiraladas e artérias radiais. O resultado final é uma ausência de autorregulação de fluxo sanguíneo na circulação uteroplacentária, com o fluxo sendo diretamente proporcional à pressão de perfusão uterina média e inversamente proporcional ao aumento da resistência vascular uterina.[9]

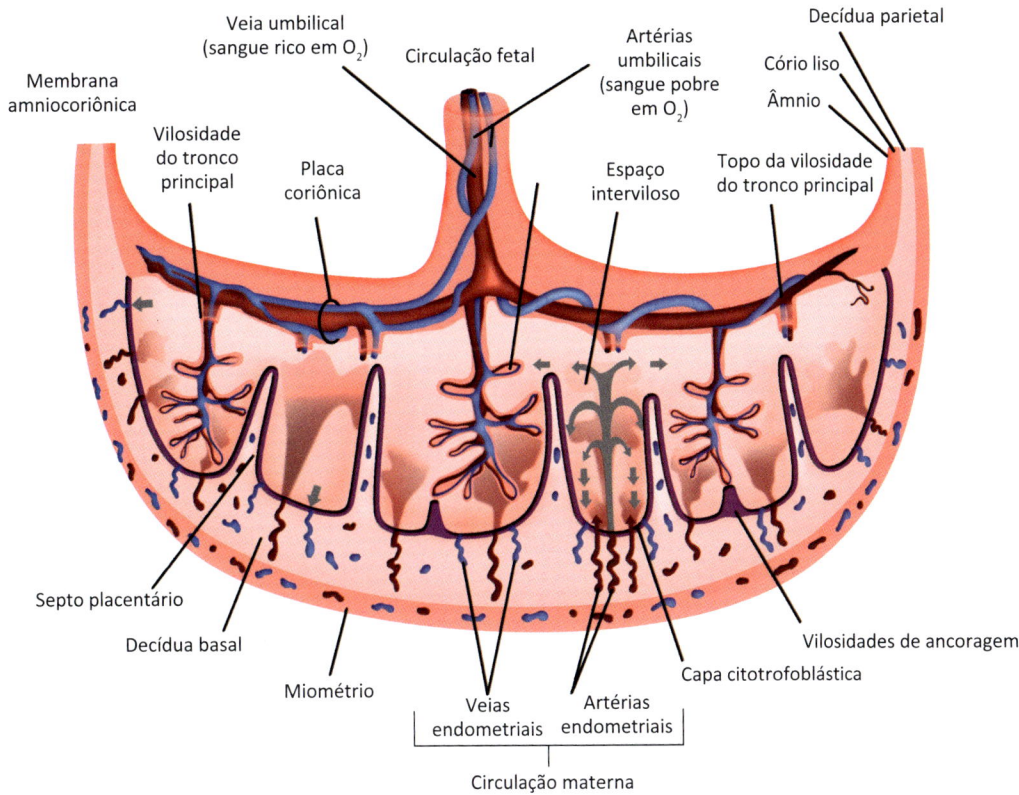

▲ **Figura 127.1** Desenho esquemático de corte transversal de uma placenta a termo.
Fonte: Adaptada de Moore KL, Persaud TVN. The placenta and fetal membranes. In: Moore KL, Persaud TVN, Torchia MG. The developing human: clinically oriented embryology. Philadelphia: Saunders Elsevier Inc.; 2008. p. 110-44.[8]

Este é um fato fundamental para o anestesiologista compreender, pois, por conta desta ausência de autorregulação, quatro fatores podem reduzir a perfusão placentária: hipotensão materna (que pode ser gerado pela compressão aortocava, por hipovolemia, por simpatectomia associada a bloqueios neuroaxiais e por vasodilatação sistêmica com depressão miocárdica associadas a anestesia geral); vasoconstricção uterina (por liberação de catecolaminas induzida por estresse; contrações uterinas (que aumentam a pressão venosa uterina e comprimem vasos arteriais, pois estes atravessam o miométrio); e, por fim, a hipocapnia extrema (especialmente quando a PaCo2 cai abaixo de 20 mmHg).

Em determinadas patologias placentárias, pode não acontecer tais alterações nas artérias espiraladas, o que pode causar má perfusão placentária, crescimento intrauterino retardado e doença hipertensiva específica da gestação.[10,11]

Circulação Uteroplacentária – Componente Fetal

O componente fetal da placenta é conhecido como "córion frondoso". É a região onde encontram-se as vilosidades coriônicas (que estão em contato com a decídua basal). Já as vilosidades associadas à decídua capsular são comprimidas com o crescimento do saco coriônico, degenerando-se, então, e dando origem ao "cório liso avascular". O cordão umbilical apresenta duas artérias umbilicais que transportam sangue desoxigenado em direção à placenta.

Estas artérias dividem-se em 80 a 100 artérias coriônicas que ramificam-se livremente na placa coriônica antes de penetrar em cerca de 50 vilosidades coriônicas, onde ramificarão-se em quatro a oito divisões. Posteriormente ocorrem mais ramificações até gerar arteríolas terminais que gerarão de dois a quatro alças capilares. As extremidades capilares venosas vão desembocar em vênulas que se unem até formar veias maiores chamada de "veias coriônicas". Estas, por fim, confluem em uma única veia umbilical, que transporta sangue oxigenado e rico em nutrientes ao feto através do cordão umbilical.[12]

Ou seja, ao contrário da circulação adulta, na circulação placentária é uma veia que carreia sangue oxigenado, enquanto a duas artérias carreiam sangue desoxigenado. Esse fato faz sentido funcionalmente, pois a troca gasosa não ocorre no pulmão, como nos adultos, mas sim na placenta.

A Placenta ao Longo da Gestação

A placenta ao longo da gestação cresce e desenvolve-se em paralelo ao crescimento do feto. A termo apresenta formato discoide, com diâmetro médio de 15 a 20 cm, espessura de 2 a 3 cm, área de superfície em torno de 15 m quadrados e peso em torno de 500-600 g.[13] Nos humanos, ela excede a necessidade fetal, inclusive. Durante o seu crescimento, observa-se obliteração da cavidade coriônica, uma vez que a cavidade amniótica cresce mais rapidamente. Assim, o crescimento do feto e da cavidade amniótica faz com que a decídua capsular aproxime-se da decídua parietal unindo-se a esta, obliterando, assim, a cavidade uterina. Posteriormente ocorre desaparecimento da decídua capsular e fusão da membrana amniocoriônica com a decídua parietal (Figura 127.2).[14]

■ FUNÇÕES PLACENTÁRIAS

O entendimento das funções placentárias ainda é um processo em construção. No passado, acreditava-se que tal órgão era simplesmente um tecido de barreira que impedia a passagem da esmagadora maioria das substâncias do organismo materno para o fetal, sendo praticamente uma via de passagem de nutrientes para feto e de produtos do metabolismo fetal para o organismo materno. Depois, viu-se que não era bem uma barreira intransponível para xenobióticos, especialmente com o surgimento de casos de teratogenicidade relacionados à ingestão de fármacos pela mãe. São emblemáticos os casos relacionados à talidomida.[15] Na realidade, a função da placenta é múltipla: transporte de substâncias entre o binômio materno-fetal; produção de hormônios atuantes em ambos os organismos; e proteção do feto (tanto para a influência de micro-organismos infecciosos que acometam a mãe quanto para impedir ou minimizar a exposição fetal ao uso de xenobióticos[16]). Por analogia, a placenta atua para o feto como um rim, pulmão, fígado, intestino e órgão endócrinos. Suas funções e a maneira de exercê-las mudam ao longo da gestação, e ela também possui diferenças interespécies, que são relevantes para interpretar estudos científicos feitos com modelos animais. As funções placentárias são de tamanha complexidade, que atualmente sabe-se que, por meio de mecanismos ainda algo obscuros, determinadas exposições fetais ao longo da gestação geram alterações que acompanharão o indivíduo ao longo da vida futura. Por exemplo, uma dieta da gestante rica em lipídios aumenta o risco de desenvolvimento de diabetes futuramente na criança, assim como

fetos em que a mãe foi submetida a períodos de restrição calórica possuem maior risco de aterosclerose e de intolerância à glicose quando adultos.[19] Da mesma forma, há vários estudos que mostram que uma placenta disfuncional afeta a saúde materna para o resto de sua vida. Mulheres que desenvolvem desordens hipertensivas relacionadas à gestação são mais propensas a complicações cardiovasculares mesmo após anos ou décadas da gestação.[20,21] Abordaremos, agora, uma a uma, estas funções.

Transporte de Nutrientes

Sabe-se que os mecanismos de transferência placentária não são uniformes ao longo do tempo, sendo a placenta mais permeável nas primeiras semanas de gestação.[17] São transportados gases, nutrientes, xenobióticos e subprodutos do metabolismo fetal. Há controvérsias a respeito da velocidade e difusibilidade dos gases respiratórios. Enquanto o fator limitante para tal transferência parece ser meramente o fluxo sanguíneo,[16] os valores de PO2 da veia umbilical fetal são baixos, mesmo quando a FiO2 materna é de 1,0, o que seria uma evidência de que a difusibilidade não é tão alta assim.[18] A despeito desse fato, o mais relevante na prática é compreender que a hemoglobina fetal tem uma maior afinidade pelo oxigênio e menor pelo gás carbônico do que a hemoglobina materna. Esse fato, aliado a alterações fisiológicas da gestante (principalmente o aumento de valores de 2,3 DPG), faz com que a transferência de gases seja facilitada para a oxigenação e para a eliminação de CO2 fetais. Em relação aos nutrientes, há passagem placentária de carboidratos, aminoácidos, lipídeos, vitaminas e sais minerais. Cabe ressaltar que o feto possui uma grande limitação na capacidade de realizar gliconeogênese. Logo, por ser uma fonte energética primária para o feto, este é completamente dependente da transferência materna de glicose.[15]

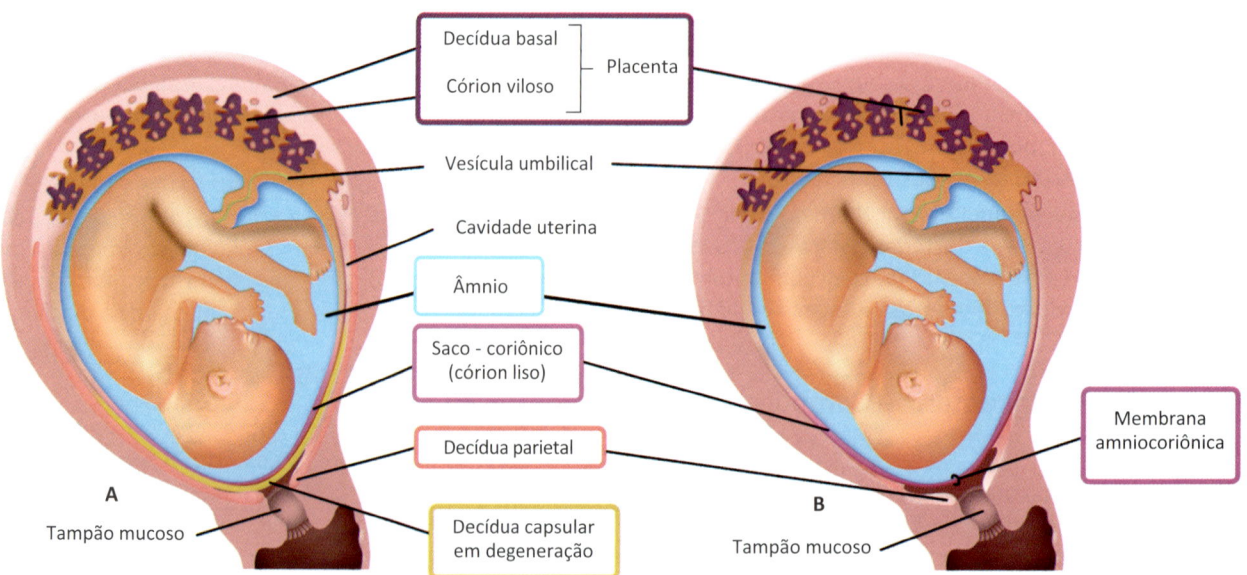

▲ **Figura 127.2** Cortes sagitais de um útero gravídico mostrando o desenvolvimento das membranas placentária e fetal. **(A)** Notar a fusão do âmnio com o córion liso e a degeneração da decídua capsular. **(B)** Fusão da membrana amniocoriônica com a decídua capsular, obliterando a cavidade uterina, e formação da placenta.

Fonte: Adaptada de Moore KL, Persaud TVN, Torchia MG. Embriologia clínica. Rio de Janeiro: Elsevier; 2012.

Em relação ao transporte de xenobióticos, por ser um item de especial relevância para a prática anestésica, será melhor pormenorizado mais a frente.

Produção Hormonal

Uma das funções placentárias mais relevantes é a endócrina. Há a produção e secreção de mais de 100 peptídeos e/ou hormônios que são capazes de modular e afetar a fisiologia materna desde o início da gestação. Como exemplo, o hormônio lactogênico placentário tem sua produção iniciada ainda no primeiro mês de gestação, e possui ações anti-insulínicas, lipolíticas, e estimulantes do pâncreas materno. Em outro caso, a secreção de hormônio de crescimento pela placenta é tamanha que, no decorrer da gestação, a produção pituitária materna de tal hormônio chega a ser suprimida.[21] Evolutivamente, esta função endócrina placentária serve para modular ações no organismo materno que sejam benéficas ao feto, mesmo que em detrimento da gestante. Pode-se dizer que a placenta age como um "segundo centro de controle neuroendócrino" para a gestante, atuando como um produtor de fatores alócrinos (ou seja, gerados por um organismo para agir em outro) usualmente contrabalanceando a atuação de hormônios adultos (produzidos pela mãe).[22] Foge do escopo deste capítulo uma descrição mais detalhada da função endócrina placentária, que pode ser encontrada em outras fontes bibliográficas.[23]

Proteção Fetal

Como já observado neste capítulo, a placenta possui uma função de barreira. Além de permitir ou limitar a passagem de nutrientes e xenobióticos, a placenta também atenua a transferência de micro-organismos invasores entre mãe e feto. No entanto, apesar deste órgão permitir que o feto se desenvolva em um ambiente em grande parte independente, ele é uma barreira parcial e imperfeita. Ao mesmo que permite a difusão passiva e livre de inúmeras substâncias, consegue impedir e até mesmo metabolizar outras. Há uma série de isoenzimas do complexo do citocromo P450 presentes na placenta, tanto constitutivas quanto induzidas. Tais enzimas são capazes de participar do metabolismo de fase 1 e de fase 2 de determinados xenobióticos, e, assim, limitar a exposição fetal aos mesmos,[24] agindo como uma espécie de "fígado funcional fetal". Da mesma forma, hormônios maternos conseguem ser inativados sem alcançar a circulação fetal. Por exemplo, em situações de estresse, em que há a liberação de cortisol materno, o mesmo é metabolizado na placenta pela enzima 11-beta-hidroxi-esteroide-desidrogenase-2 em um metabólito inativo, impedindo ações deletérias que hormônios de estresse maternos podem potencialmente levar ao feto, especialmente no crescimento e proliferação celular,[25] especialmente no sistema nervoso central. Em relações às proteínas, apesar da imensa maioria não conseguir passar do organismo materno para o fetal, é relevante pontuar que algumas conseguem uma passagem via pinocitose, como imunoglobulinas maternas que são importantes para a imunidade passiva do recém-nato.[26] Este mecanismo de transferência placentária será melhor explicado ao longo deste capítulo.

Uma outra prova de que tal função de barreira é apenas parcial é a constatação de que há a presença de célula fetais na circulação materna desde período bem precoces da gestação, e igualmente a presença de material genético materno na circulação fetal.[27] É curioso observar que esta presença do DNA fetal possui um impacto na saúde do próprio organismo materno mesmo por décadas após o término da gestação, em um fenômeno intitulado "microquimerismo fetal". Trata-se de um fenômeno que não é exclusivo de humanos, e que consiste na troca bidirecional de células entre estes dois organismos geneticamente diferentes. Postula-se, inclusive, a possibilidade de se encontrar material genético de um filho mais velho no organismo de um filho mais novo.[28] Estas células fetais, pluripotentes, além de terem uma ação moduladora ou desencadeante de doenças autoimunes maternas (como lúpus eritematoso sistêmico, tireoidite e asma), também são encontradas em tecidos cicatriciais maternos, podendo, assim, desempenhar uma função auxiliar na regeneração de feridas.[29] Há também a utilização de testes diagnósticos não invasivos do material genético fetal por meio da coleta do sangue materno, para análise do DNA fetal livre encontrado no plasma da gestante. Por exemplo, é nessa análise que são baseados exames de sexagem fetal e de detecção de aneuploidias cromossômicas fetais.[30]

A placenta também atua como uma barreira para a transmissão de patógenos para o feto. De fato, a imensa maioria das infecções maternas não produzem efeitos deletérios no feto por essa ação placentária. Porém, outros micro-organismos são capazes de alcançar o feto e levar a infecção fetal, como o citomegalovírus, a rubéola, a toxoplasmose, dentre outros.[16]

◾ ANATOMIA COMPARATIVA

Apesar da placenta de mamíferos ter vários aspectos em comum, especialmente no que diz respeito às suas funções, há importantes variações estruturais interespécies, o que é uma amostra de como diferentes sistemas orgânicos podem atingir propósitos semelhantes. Para o anestesiologista, entender a existência dessas diferenças é fundamental ao analisar estudos placentários realizados em espécies não humanas. Obviamente, há uma facilidade bem maior de realizar estudos científicos de qualquer tipo utilizando modelos animais. Contudo, os resultados encontrados podem confundir o entendimento do processo placentário humano. Estudos sobre a transferência de fármacos têm que ser encarados com restrições. Um exemplo clássico é o estudo de Ralston e col. sobre os efeitos fetais dos diferentes vasopressores utilizados para o tratamento da hipotensão materna.[31] Este estudo foi realizado com um modelo caprino, e apontava a efedrina como um vasopressor melhor do que os alfa-agonistas puros para a perfusão placentária. Anos após este estudo, novas evidências em seres humanos mostraram que, pelo contrário, os alfa-agonistas levam a um perfil metabólico fetal mais favorável do que a efedrina. Um dos motivos apontados para esta divergência de resultados é justamente pelas diferenças comparativas entre a placenta humana e a de ruminantes. Estudos sobre hipotensão materna são fundamentais, pois, como já apresentado neste capítulo, a circulação uteroplacentária é desprovida de um sistema de autorregulação. Logo, é fundamental que o anestesiologista trate imediatamente episódios de hipotensão, que, por vários motivos que não cabem ser detalhados neste capítulo, ocorrem em até 90% das parturientes submetidas à raquianestesia para cesárea.

A placenta, enquanto órgão presente em espécies animais tão diferentes entre si, pode ser classificada sob vários aspectos.[32] Um do sistemas de classificação placentária é baseado nas características morfológicas da área de contato entre a superfície materna e fetal: a placenta é tida como "difusa" quando os tecidos maternos e fetais possuem uma ampla e total superfície de contato (presente em porcos e cavalos); como "cotiledonária", quando a superfície de contato é restrita a múltiplos focos chamados de placentomas, e só neles há a troca (presente em ruminantes); "zonária", quando a área de aposição é em formato de anel ou cinta ao redor da área mediana do saco coriônico (presente em carnívoros) e, finalmente, "discal", quando o contato é feito num ponto específico da placenta em formato de disco (presente em primatas e roedores) (Figura 127.3).

Outra maneira de classificar a placenta é pela natureza dos tecidos extraembrionários que dão origem às zonas de aposição materno-fetais. Desta forma, existiriam as placentas do tipo "coriovitelinas" (presentes em cavalos e carnívoros) e "corioalantoico" (presentes em animais domésticos).

Outro sistema de classificação é pela maneira de separação do componente materno do componente fetal da placenta no momento do parto. Assim, há as placentas "adeciduais", quando o endométrio materno se mantém intacto sem áreas de descarte durante o parto (presente em cavalos, porcos e ovelhas), como se as vilosidades fetais simplesmente desencaixassem das vilosidades maternas (sem, portanto, hemorragia), e as placentas "deciduais", em que a mucosa uterina é parcialmente rompida no momento do parto, pois há uma fusão do trofoblasto com o endométrio, havendo, assim, hemorragia no parto (é o modelo presente nos primatas, roedores e carnívoros).

Finalmente, a forma de classificação mais utilizada é pela quantidade de tecidos histológicos que separam a zona de aposição materna da fetal. Tal sistema, conhecido como classificação de "Grossner modificada", divide os modelos placentários em seis, devido às possíveis seis camadas de separação: três camadas fetais (o endotélio dos vasos alantoides, o tecido conectivo mesodermal e o epitélio coriônico trofoblástico) e outras três camadas maternas (o endotélio vascular, o tecido conectivo uterino e o epitélio de superfície endometrial). Placentas do tipo "epiteliocorial" são as barreiras anatômicas mais completas, com todas as seis camadas teciduais separando a circulação materno-fetal. Na realidade, ela é uma consequência de uma implantação placentária superficial, sem invasão endometrial. Está presente em marsupiais, no porco e no cavalo, por exemplo. As placentas "sinepiteliocoriais" apresentam como diferença para a anterior a diminuição de uma camada, com a fusão de algumas células trofoblásticas com células do epitélio endometrial, e estão presentes em ruminantes. O terceiro modelo placentário, em ordem decrescente de espessura das camadas, é o "endoteliocorial", em que o trofoblasto está em íntimo contato com o endotélio vascular materno. Há um grau de destruição dos tecidos maternos, com uma maior e mais profunda invasão pelos tecidos fetais, sem o epitélio endometrial espessamente separando ambos. Está presente em gatos, cachorros e morcego, por exemplo.

Em seguida, há modelos placentários em que, além dessa destruição de tecidos maternos, há também destruição de tecidos da vasculatura fetal, resultando em placentas "hemocoriais", em que o sangue materno está em direto contato com o tecido coriônico (sem as camadas epiteliais, endoteliais e mesodérmica se interpondo). Estas placentas ainda são subdivididas em três, de acordo com a quantidade de camadas trofoblásticas (hemomonocorial, hemodicorial e hemotricorial). É o modelo placentário presente em roedores e em humanos[33] (Figura 127.4).

Percebe-se, então, que são vários os sistemas de classificação. No entanto, todos acabam sendo muito mais morfológicos do que funcionais. Não há, por exemplo, como qualificar uma placenta difusa como "primitiva", ou uma placenta epiteliocorial como menos eficiente para as trocas materno-fetais. Diversos outros fatores influenciam essas análises, e, na realidade, uma placenta é eficiente ao cumprir as funções biológicas que o feto necessita. Essas classifi-

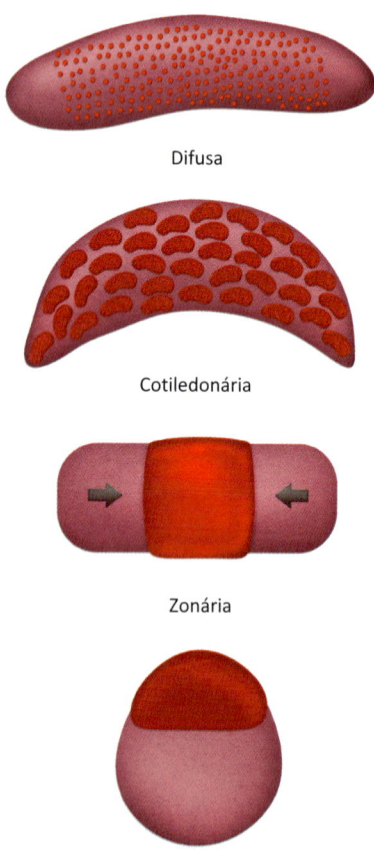

Difusa

Cotiledonária

Zonária

Distal

▲ **Figura 127.3** Representação esquemática da área de aposição materna e fetal da placenta. As setas na placenta zonária indicam os hematomas marginais em carnívoros.

Fonte: Redesenhada de Noden D, De Lahunta A. The embryology of domestic animals developmental mechanism and malformation. Baltimore: Williams & Wilkins; 1985.

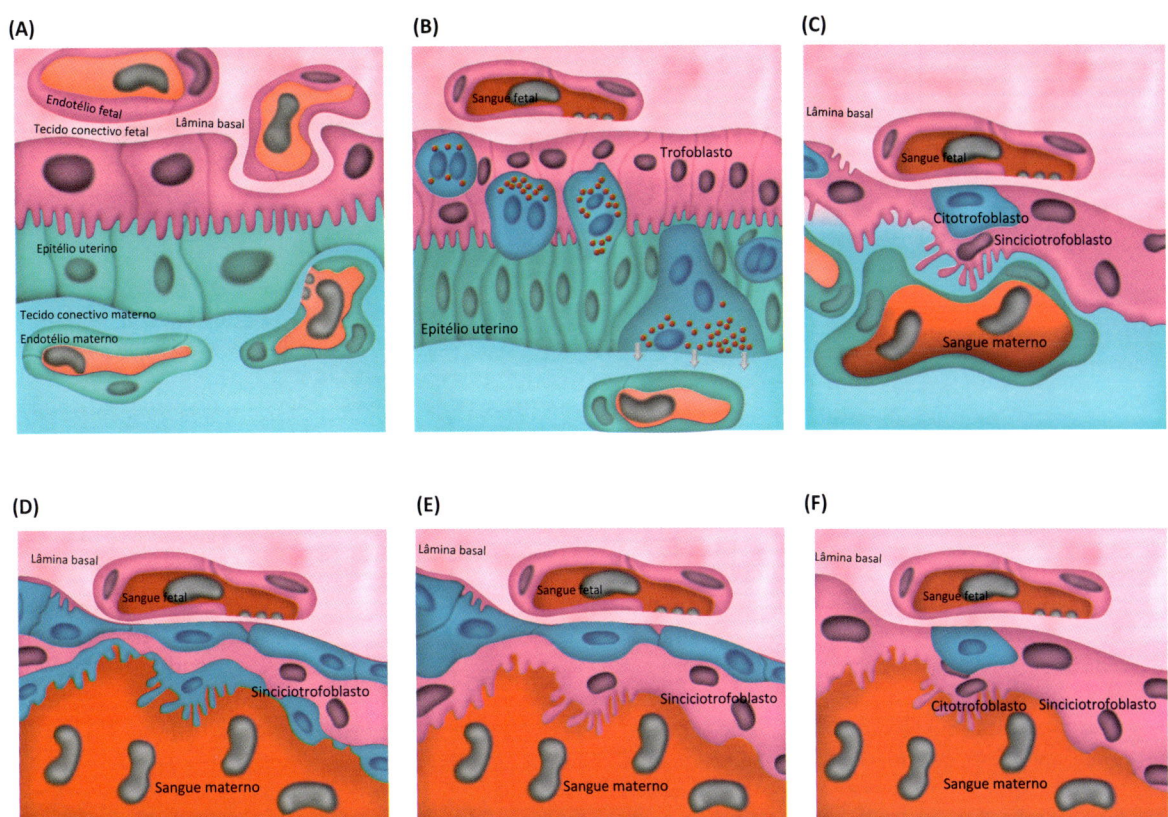

▲ **Figura 127.4** Classificação de Grosser dos tecidos da barreira materno-fetal. Os componentes fetais da barreira placentária são abrangidos sob o nome córion: **(A)** epiteliocorial; **(B)** sinepiteliocorial; **(C)** endoteliocorial; **(D)** hemotricorial; **(E)** hemodicorial; **(F)** hemomonocorial. Os componentes maternos (M) são reduzidos gradualmente até que o córion fetal **(F)** entre em contato direto com o sangue materno.

cações não seguem também o que seria esperado pela ótica taxonômica. Diferentes primatas e mamíferos possuem modelos tão individuais e diferentes entre si, que pode-se supor que a evolução da placentação de cada espécie foi fruto do acaso de forma bem mais aleatória do que a evolução de outros órgãos (que possuem uma maior semelhança morfológica de acordo com a classificação taxonômica das espécies). Apesar de não existir uma explicação definitiva para esta peculiaridade da placenta, supõe-se que o fato da sua função por um período de tempo tão restrito da vida possa justificar estas discrepâncias. Vários modelos placentários possuem uma capacidade maior do que a necessária para suprir o feto. Em seres humanos, por exemplo, o peso placentário em muito excede o que seria necessário para o feto. Mesmo com a destruição de mais da metade do parênquima placentário, o feto ainda pode manter-se vivo. Esse fato não ocorre em outros animais, como em porquinhos da Índia, por exemplo. A Tabela 127.2 resume as diferenças entre a placenta de diferentes animais.

A relevância de entender que existem estes modelos de classificação é para a interpretação de estudos. A placenta humana, após o nascimento, está disponível para uma análise a fundo. Porém, para entender os mecanismos de passagem placentária, esta análise é pouco útil, e há óbvias limitações para o seu estudo com ela *in situ*. Desta forma, muitas vezes recorre-se a placentas de modelos animais para uma compreensão detalhada *in situ*. Para o anestesiologista, é especialmente relevante para entender os mecanismos de transferência placentária de fármaco. No entanto, as diferenças entre os modelos placentários constituem uma limitação evidente para a interpretação de tais estudos. Estes são os principais motivos para o limitado entendimento dos mecanismos específicos de transferência dos fármacos e seus efeitos nos humanos. As únicas placentas que seriam comparáveis as dos humanos seriam as dos grandes primatas (gorilas, orangotangos, bonobos e chimpanzés), que não são factíveis de serem utilizadas rotineiramente em estudos por diversas razões (como o alto custo, a necessidade de preservação de espécies raras e questões éticas).

Tabela 127.2 Diferenças interespécies segundo vários modelos de classificação placentária.				
	Cavalo	**Cabra**	**Humano**	**Leão**
Área de contato	Difusa	Cotiledonária	Discal	Zonária
Separação durante a parturição	Adecidual	Parcialmente adecidual	Decidual	Decidual
Modelo de Grossner	Epiteliocorial	Sinepteliocorial	Hemomonocorial	Endoteliocorial

■ MECANISMOS DE TRANSFERÊNCIA DE XENOBIÓTICO

Qualquer substância para ter acesso à circulação fetal necessita chegar inicialmente aos espaços intervilosos e, por fim, cruzar a barreira imposta pelas vilosidades terciárias. Quatro mecanismos explicam como tais transferências podem ocorrer (Figura 127.5).[9]

a) Difusão simples;

b) Difusão facilitada;

c) Transporte ativo;

d) Pinocitose.

Difusão Simples

Este é o principal mecanismo de transferência de substâncias, podendo ocorrer por via transcelular (por meio da camada do sinciciotrofoblasto) ou paracelular (por meio de canais de água transmembrana). Este processo não depende de energia e não é saturável. Porém, depende de gradiente eletroquímico e de concentração para que seja realizado. A difusão simples é governada pela "Lei de *Fick*", que estabelece que a taxa de difusão por unidade de tempo é diretamente proporcional à área de superfície da membrana e ao gradiente de concentração, e inversamente proporcional à espessura da membrana em que:

$$Q/T = \frac{(K.AS.(C1 - C2)}{d}$$

Q/T = taxa de difusão

K = constante

AS = área de superfície da membrana placentária

C1 = concentração materna da substância

C2 = concentação fetal da substância

D = espessura da membrana

Como já citado anteriormente, ao longo da gestação, observa-se aumento do fluxo sanguíneo placentário e aumento do número de vilosidades terciárias, aumentando, assim, a área de superfície placentária. Também há redução importante da soma total de espessura das membranas de separação, uma vez que a camada de citotrofoblasto desaparece após a vigésima semana de gestação.

A constante K se relaciona a propriedades físico-químicas das substâncias, tais como peso molecular, grau de lipossolubilidade, grau de ligação proteica e grau de ionização. Substâncias com peso inferior a 1000 Da cruzam a placenta por difusão, sendo que a maioria dos fármacos utilizados em anestesia tem peso inferior a isso.[34] Quanto mais lipossolúvel o fármaco, maior a passagem através da placenta. Em relação à ligação proteica, apenas a fração livre dos fármacos é capaz de atravessar a placenta. Na doença hipertensiva específica da gestação, por exemplo, tal fração livre tende a aumentar, uma vez que existe menor concentração sérica de proteínas. Finalmente, apenas a fração não ionizada do fármaco atravessa a placenta, e este grau de ionização depende do pH do meio e do pKa do próprio fármaco. Grande parte dos fármacos anestésicos encontram-se na forma não ionizada.

Difusão Facilitada

É um tipo de transporte que também ocorre a favor do gradiente de concentração, mas que necessita de uma proteína carregadora para ser realizado. Logo, é saturável, pode sofrer inibição competitiva ou não competitiva, e é favorecido pelo aumento de temperatura. Igualmente ao mecanismo anterior, não gera gasto energético. Determinadas substâncias endógenas (como a glicose) utilizam este mecanismo de transporte, e alguns fármacos também, por serem análogos a substâncias endógenas. Outra situação fisiológica é o cotransporte, em que um xenobiótico ou substância endógena é transportado contra o próprio gradiente de concentração porque está ligado a outra substância que é transportada a favor de seu gradiente de concentração. Nesta situação, o transporte do xenobiótico ou substância pode ocorrer sem gasto energético. Ambas as substâncias precisam se ligar a uma proteína carreadora (muitas vezes o íon sódio é responsável por esse cotransporte).[35]

Transporte Ativo

É um tipo de transporte que necessita de energia obtida a partir da hidrólise de ATP visto que ocorre contra um gradiente de concentração, eletroquímico ou de pressão. Também necessita de proteína carreadora e, assim, é saturável e pode ser inibido de maneira competitiva ou não competitiva. Tais proteínas carreadoras existem tanto no lado fetal quanto no materno das membranas placentárias. A placenta é capaz de produzir creatina, auxiliando na regeneração de ATP.[36] São exemplos de tais carreadores as glicoproteínas-P (que realizam o transporte de vários fármacos lipofílicos e antibióticos e removem componentes citotóxicos) existentes na porção materna da placenta.[37]

Pinocitose

É um processo em que também há gasto energético e ocorre quando a membrana placentária invagina uma macromolécula, seja um fármaco ou outra substância. Este,

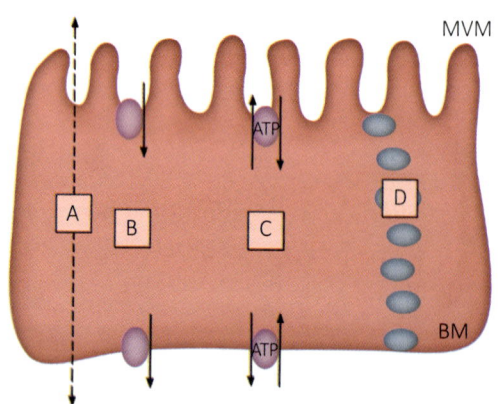

▲ **Figura 127.5** Mecanismos de passagem de fármacos. **(A)** Difusão simples; **(B)** Difusão facilitada; **(C)** Transporte ativo; **(D)** Pinocitose.

então, é transportado então sob a forma de vesículas pino-cíticas através do citoplasma até o outro lado da membrana. Como descrito anteriormente, parece ser o mecanismo de transferências de imunoglobulinas IgG da circulação materna à fetal.[38]

Transferência de Fármacos

Agora será individualizado o processo de transferências de inúmeros fármacos comumente utilizados na prática anestésica. Como já descrito anteriormente, são fatores intrínsecos que aumentam a transferência: menor peso molecular, menor grau de ionização, menor ligação tecidual placentária e proteica, e maior solubilidade lipídica[38,39] (Tabela 127.3).

Além do mais, ainda podemos separar as substâncias em dois grupos, as que dependem mais da perfusão para o processo de transferência (fluxo-limitada) e as que são impedidas em maior grau pelas características moleculares (membrana-limitada).[41] Ensejando a curiosidade do leitor, começamos com a premissa de que todos os fármacos têm potencial de transferência placentária, e a maioria dos agentes empregados na nossa prática anestésica atravessam livremente a barreira (Tabela 127.4).[42,43]

Por razões descritas no tópico de anatomia comparativa, temos poucos estudos sobre transferência de fármacos em placentas humanas *in situ*. Muitos dos dados apresentados sobre o transporte transplacentário consistem em extrapolações baseadas nos valores de aferição de determinado xenobiótico no sangue materno e fetal logo após o nascimento. Esse parâmetro é utilizado para o cálculo da razão feto-materna (F/M).[40,41] Cabe ressaltar que, biologicamente, outros parâmetros atuam nessa complexa farmacocinética, como o metabolismo materno, placentário e fetal, além de alterações

fisiológicas que ocorrem durante a gravidez e o parto. Ainda neste escopo, cabe mencionar possíveis implicações de diversas alterações patológicas (p. ex.: diabetes), idade gestacional (ie. pré-termo), infecções virais e bacterianas e estados inflamatórios diversos, que em vias finais alteram expressão de transportadores, proteínas de membrana e migração das células trofoblásticas, influenciando os mecanismos de transporte, deixando as membranas mais permeáveis e gerando possíveis alterações fetais do desenvolvimento.[41]

Como alternativa, diversos modelos biológicos de placenta humana *in vitro* colaboram para a analise do transporte propriamente dito, gerando dados suficientes para estabelecimento de diferenças de concentrações entre os lados placentários e variáveis de equilíbrio.

Ressalvas devem ser feitas na análise isolada da razão F/M, pois se tomarmos como exemplo drogas de elevada ligação proteica, teremos limitação da passagem placentária. No entanto, como o feto naturalmente possui níveis plasmáticos proteicos menores (principalmente alfa1-glicoproteína ácida), a fração livre de determinado fármaco pode estar significativamente aumentada na circulação fetal, apresentando consequências descorrelacionadas, a despeito da reduzida razão F/M. Ainda que drogas lipossolúveis também atravessem com mais facilidade a membrana, elas estão sujeitas a maior sequestro placentário, com posterior redução do metabolismo.[42]

Em relação aos anestésicos utilizados em anestesia geral, independente do agente empregado, os três pilares fundamentais para a utilização dos mesmos são: preservar a pressão arterial, o débito cardíaco e o fluxo sanguíneo uterino; minimizar a exposição fetal utilizando a menor dose eficaz e o menor tempo de administração possível; e garantir a hipnose e a amnésia materna.[44,45]

Tabela 127.3 Fatores que influenciam a transferência materno-fetal de fármacos.

	Aumentam a transferência	Diminuem a transferência
Peso molecular (Daltons)	< 1000	1000
Carga molecular	Não carregada	Carregada
Lipossolubilidade	Alta	Baixa
pKa x pH	Molécula não ionizada	Molécula ionizada
Proteínas de efluxo placentário (feto-materna)	Ausente	Presente
Ligação proteica	Albumina (baixa afinidade)	Alfa1-glicoproteína (alta afinidade)
Fração livre	Alta	Baixa

Tabela 127.4 Agentes anestésicos e seus comportamentos na membrana placentária.

Classes/Fármacos que atravessam livremente	Classes/Fármacos que atravessam com dificuldade
Atropina e escopolamina	Glicopirrolato
Benzodiazepínicos	Bloqueadores neuro-musculares
Anestésicos gerais venosos	Sugamadex
Anestésicos gerais inalatórios	Fenilefrina
Anestésicos locais	
Opioides	
Efedrina	

A boa prática obstétrica idealiza tempos mínimos após a indução de uma anestesia geral, na tentativa de minimizar a exposição fetal aos agentes empregados. Idealmente o tempo indução-clampeamento deve ser no máximo de dez minutos (controlando possíveis efeitos indesejáveis dos halogenados), e o tempo de histerotomia-nascimento no máximo de três minutos (atenuando a influência da vasoconstricção dos vasos placentários).[40,46]

Anestésicos halogenados

Os anestésicos halogenados são frequentemente indicados para a manutenção da anestesia geral na gestante. Podem ser utilizados também devido a suas propriedades de inibição da atividade uterina em situações específicas, como parto da cabeça derradeira na apresentação pélvica, procedimentos de versão interna no secundo gêmeo, contrações tetânicas uterinas e procedimentos de cerclagem.

São, desta forma, grandes responsáveis por efeitos diretos e indiretos, por meio da geração de hipotensão e/ou hipóxia na mãe, reduzindo a perfusão placentária, e depressão do sistema cardiovascular e sistema nervoso central no feto.[45]

A solubilidade lipídica e o baixo peso molecular facilitam a rápida passagem dos halogenados através da placenta.[41] Enquanto os inalatórios mais lipossolúveis geram concentrações detectáveis no cordão umbilical em torno de um minuto após o início do seu uso, concentrações baixas (~1CAM) e tempo total de exposição menor do que dez minutos propiciam mínima alteração no bem-estar materno-fetal.[44,45]

O halotano atravessa facilmente a barreira placentária, com razão F/M de 0,71-0,87[41] próxima do isoflurano, também aferida em 0,71.[41] O sevoflurano possui razão F/M de 0,38 e, juntamente com o desflurano, cruza a placenta com as maiores eficiências dentre os inalatórios, devido ao baixo coeficiente de partição sangue-gás, possuindo rápido início de ação e curta latência. Isso teoricamente geraria maior depressão do neonato, porém estudos subsequentes falharam em demonstrar essa hipótese. Ainda devido a suas propriedades famacocinéticas, a ventilação precoce do recém-nascido favorece a eliminação mais rápida desta classe de fármacos, abreviando a sua recuperação. Não há diferença entre os halogenados na avaliação pela escala de Apgar, pH, lactato ou escala de avaliação neurocomportamental (NACS), em neonatos de mães anestesiadas, quando o tempo indução-clampeamento é menor do que dez minutos.[46]

Cuidados adicionais devem ser tomados durante a aspiração de bebês que tiveram suas mães anestesiadas com desflurano devido à possibilidade de laringoespasmo.[40,42,46]

Oxido Nitroso

O óxido nitroso é um gás sem cor ou odor, que produz anestesia geral pelo contato com as membranas celulares do sistema nervoso central. É utilizado em associação com os halogenados para manutenção da anestesia, ou durante analgesia de parto em dispositivo de administração própria.[40,44]

Este gás atravessa facilmente a barreira hemato-placentária, com razão F/M de 0,83 dentro de três minutos, com possibilidade real de causar efeitos indesejáveis.[41] Reduz a resistência vascular no feto e tem a possibilidade de causar hipóxia fetal e neonatal quando utilizado em altas concentrações. Sua rápida difusibilidade ocasiona uma redução da fração alveolar de oxigênio no recém-nato. Desta forma, é recomendável a utilização de outro agente inalatório concomitante para possibilitar a redução da sua fração inspirada, além de oxigenoterapia suplementar no RN.[41,46] Na analgesia de parto, devido à sua farmacocinética previsível, pode ser administrado de acordo com as demandas da gestante, sem alteração evidenciada em estudos tanto na escala de Apgar quanto nos reflexos de sucção.[40]

Proporciona oxidação da cobalamina com inibição da metionina sintase, com prejuízo na formação de metionina e tetrahidrofolato, culminando com prejuízo na replicação celular, formação de DNA, mielinização, processos dependentes do folato e metilações diversas. Mais a frente será abordado o tópico de exposição ocupacional e também a teratogenicidade, mas cabe aqui adiantar que é prudente evitar o seu uso no primeiro trimestre, e, ao ser utilizado posteriormente, a gestante deve ser suplementada com ácido fólico.[44]

Propofol

O propofol é um agente lipofílico com baixo peso molecular e que, portanto, atravessa facilmente a placenta. Proporciona uma indução rápida e suave, com redução dose-dependente da pressão arterial e do débito cardíaco.[45] Uma dose em *bolos* de propofol de 2 mg/kg gera uma razão F/M entre 0,65-0,85.[41]

Os níveis plasmáticos de propofol no feto dependem da dose total e do tempo entre a administração da droga e o parto. O aumento do fluxo sanguíneo materno e a redução da ligação proteica (p.ex.: por hipoalbuminemia) são fatores que aumentam a captação e transferência placentária.[41] Apresenta uma baixa meia-vida de eliminação e uma alta depuração corporal total, possibilitando rápida recuperação, tanto da mãe quanto do feto.[46] Como curiosidade adicional, também proporciona vasodilatação mediada por canais de cálcio dos vasos placentários em modelos humanos *in vitro*.[41]

Quanto a sua utilização na anestesia venosa total (p.ex.: indicado portadoras de hipertermia maligna), modelos farmacocinéticos atuais não são capazes de predizer as concentrações plasmáticas na gestante. Porém, sabe-se que exposições crescentes de agentes lipofílicos são capazes de gerar concentrações fetais progressivamente maiores, com efeito não previstos após longos períodos de infusão.[47]

O propofol cada vez mais é tido como uma escolha segura para indução em sequência rápida da gestante, com mínimos efeitos no escore de *Apgar* ou NACS quando em doses convencionais.[42]

Barbitúricos

Os barbitúricos mais utilizados em anestesia são o tiopental, o tiamilal e o metoexital. Dentre eles, o tiopental é o mais largamente empregado para a sequência rápida na gestante.[44] Apresenta curta latência e é livremente difusível com relação F/M de 0,4 – 1.1.[41] Possui alta variação de transferência de acordo com a concentração proteica. Pode ser detectável no sangue venoso umbilical após 30 segundos da administração, com pico plasmático de um minuto no feto.[44,45]

Raramente provoca depressão neonatal quando em doses convencionais (4 mg/kg) e quando o tempo de clampeamento umbilical é menor do que dez minutos.[43] Alguns estudos indicam que o tiopental em doses equipotentes gera melhores escores de Apgar do que o propofol. No entanto, dificuldades em encontrar este fármaco em inúmeros hospitais, maior perda de tempo pela necessidade de diluição do mesmo e uma meia-vida contexto-dependente mais favorável ao propofol tornam este último cada vez mais utilizado.

Cetamina

A cetamina é habitualmente empregada em situações nas quais é desejável a manutenção do tônus simpático e consequente estabilidade hemodinâmica. Adicionalmente pode ser utilizada em paciente com crise de asma e hipovolemia.[44]

Representa um derivado da fenilciclidina que rapidamente cruza a placenta. Possui razão F/M de 1,26 em 97 segundos após sua administração.[41] Seu pico ocorre entre um e dois minutos. Doses maternas menores que 1,5 mg/kg não geram depressão neonatal, e menores que 1,0 mg/kg não aumentam o tônus uterino. Deve ser evitada em casos de hipertensão.[44,46]

Etomidato

O etomidato é um derivado imidazólico usado como agente de indução de anestesia. Muito utilizado em casos de hemorragia e hipovolemia, devido a sua boa estabilidade hemodinâmica.

Uma dose de 0,3 mg/kg resulta em uma razão F/M de 0,5.[41,46] Apresenta um rápido início de ação, com posterior hidrólise e período de recuperação curto. Mesmo em estudos com utilização de doses não habituais de etomidato, não foi observada diferença na condição de neonatos comparados com o controle.

Este fármaco pode causar alteração da síntese de cortisol pela inibição da 11-beta-hidroxilase na mãe e no feto, com possibilidade de posterior hipoglicemia em neonatos sob estresse (redução basal).[42,46]

Dexmedetomidina

A dexmedetomidina é um alfa2 agonista de ação central usado como adjuvante em anestesia geral, reduzindo consumo de outros anestésicos gerais. Apresenta uma alta lipossolubilidade com consequente ligação tecidual placentária, gerando uma razão F/M de 0,12.[41]

Benzodiazepínicos

Os benzodiazepínicos usados em anestesia são o diazepam, o midazolam e o lorazepam. São utilizados principalmente para sedação, amnésia e como adjuvantes na anestesia geral, e até mesmo em associação como agente de indução.[44]

O diazepam, devido a sua alta lipossolubilidade, apresenta uma razão F/M de 1 após um minuto de sua administração, além de metabólitos ativos que podem justificar uma ação mais prolongada. Doses venosas menores do que 10 mg ocasionam mínimo comprometimento fetal. Porém, doses acima de 30 mg podem gerar hipotonia, hipotermia, dificuldade de aleitamento e aumento da probabilidade de icterícia neonatal.[46] Por sua vez, o midazolam, por ser mais hidrossolúvel, demora quase 20 minutos para atingir a razão de 0,76, com posterior queda progressiva, gerando menos efeitos adversos.[41]

Os dois fármacos podem ser utilizados em doses menores, principalmente como pré-medicação ou quando uma sedação leve se faz necessária, com mínimas repercussões fetais. É questionável a necessidade de evitar o uso de benzodiazepínicos no primeiro trimestre devido ao risco de formação de fenda lábio-palatina. Este efeito é especialmente relevante quando há uso crônico por parte da gestante, e talvez seja pouco relevante quando utilizado em um único momento.[44]

Opioides

Os opioides são potentes analgésicos usados de forma suplementar na indução e manutenção da anestesia. Constituem um dos pilares no manejo intraoperatório da gestante cardiopata, devido a sua mínima alteração hemodinâmica e consequente perfusão placentária.[46] (Todavia, pode ser responsável pela perda da variabilidade da frequência cardíaca fetal e depressão respiratória no recém-nascido,[44-46] gerando um problema maior quando uma cesariana não planejada ocorre no mesmo momento de uma intervenção não obstétrica na gestação.[44]

Os opioides utilizados na indução de uma anestesia geral possuem, no geral, rápida passagem placentária. Isso ocorre devido ao seu alto pKa, alta lipossolubilidade e reduzido peso molecular.[42] Também estão sujeitos ao aprisionamento fetal durante estados de acidose, pelo maior grau de ionização da molécula e menor difusão no sentido materno, acentuando a depressão ventilatória. O efeito do aprisionamento iônico será discutido mais adiante na sessão de anestésicos locais. Ainda possuem algumas diferenças na sua potência, na famacocinética e nos efeitos adversos, gerando algumas singularidades abordadas adiante.

A meperidina, muito utilizada no passado para analgesia de parto, cruza rapidamente a placenta após 90 segundos de sua administração, com rápido equilíbrio feto-materno e uma razão F/M maior que 1 após duas a três horas.[41] Dentro deste primeiro período, seu metabólito ativo nor-meperidina é um dos responsáveis pelos efeitos depressores no neonato, gerando baixos escores na escala de Apgar, redução do *drive* ventilatório e acidose respiratória. O mesmo metabólito é suscetível à acumulação em doses repetidas, e sua meia vida pode durar de 20 a 60 horas no recém-nato.[40-46] A placenta é livremente permeável à meperidina em suas duas faces, com mínima ligação ou metabolismo. Após as primeiras três horas, sua concentração reduz na mãe devido ao metabolismo hepático, com posterior queda plasmática, estimulando a transferência feto-materna, gerando menores efeitos adversos (F/M>1). Mudando a via de administração, depois de uma aplicação intramuscular, o nascimento em até uma hora da aplicação resulta em efeitos fetais menores.[46]

A morfina também atravessa a barreira materno-fetal, porém, por ser uma molécula mais polar, apresenta alguma limitação na sua passagem, sem acúmulo no tecido placentário. Possui razão F/M de 0,61 no uso intravenoso e 0,92 no intratecal,[41] com menores concentrações no feto por limitação da dose total subaracnoidea. Sua administração venosa pode estar associada à maior depressão ventilatória que a meperidina.[46]

O fentanil e o sufentanil possuem alta lipossolubilidade e ligação proteica. Essas variáveis proporcionam rápida difusão placentária, nos dois sentidos, com depósito moderado na própria placenta. Além disso, a albuminemia e o pH também modificam a fração livre destes fármacos. O fentanil apresenta razão F/M entre 0,37 – 0,57, e o sufentanil de 0,81, com o uso epidural.[41] A intensa captação pelo sistema nervoso central materno do fentanil por essa via gera menores concentrações na veia umbilical e menor risco de depressão ventilatória.[46]

O uso intravenoso, principalmente em analgesia controlada pelo paciente, durante a analgesia de parto, está associado a 44% de incidência de depressão ventilatória e escore na escala de Apgar menor do que 6 no primeiro minuto. A placenta também capta sufentanil com alta intensidade, funcionando como depósito.[41] Pelas menores concentrações plasmáticas fetais, sufentanil parece ser o opioide mais adequado para o uso peridural.[42]

O alfentanil é um opioide de rápida ação com uma meia-vida de distribuição de 1,06 minutos. Possui alto grau de afinidade pela alfa-1-glicoproteína ácida, justificando seu aumento da fração livre nos pacientes prematuros. Possui a menor razão F/M - 0,3, porém pode estar associado à redução do escore da escala de Apgar no primeiro minuto, mesmo com uso de baixas doses para analgesia de parto (10 mcg/kg).[46] Uma das explicações para esse efeito seria a imaturidade e consequente maior permeabilidade da barreira hemato-encefálica fetal. Apresenta transferência placentária bidirecional, todavia com baixa captação e rápida depuração tecidual. Apesar dos efeitos depressores relatados, evidências confirmam que o uso deste fármaco está associado à maior tensão de O2 e redução de aminas endógenas no sangue da artéria umbilical.[46]

O remifentanil sofre rápida passagem em quantidade considerável, mas seu rápido metabolismo por esterases não específicas na mãe e sua posterior redistribuição fetal ocasiona mínima exposição ao recém-nascido.[40] (Sua meia-vida contexto-dependente é de apenas três minutos. Possui razão F/M de 0,88 em baixa infusão contínua (0,1 mcg/kg/min) e 0,73 com seu uso em bolos (1 mcg/kg). Razões similares foram observadas tanto na analgesia de parto em infusão contínua quanto na analgesia controlada pelo paciente.[41] Atualmente, é o opioide ideal para utilização em obstetrícia, sendo uma importante alternativa na analgesia de parto em gestantes com impossibilidade de acesso ao neuro-eixo.[46]

Ainda na analgesia de parto, a nalbufina cruza prontamente a placenta, gerando razões F/M de 0,74-0,97, porém causa redução da variabilidade cardíaca fetal em 54% dos casos.[41]

A naloxona pode ser usada eventualmente para reverter os efeitos indesejáveis dos opioides no feto. Devido à sua pequena meia-vida, torna-se imprescindível internação em unidade fechada e administração de doses suplementares caso necessário.

Bloqueadores Neuromusculares

Os bloqueadores neuromusculares compartilham uma estrutura similar de amônio quaternário, o que facilita a sua ionização com carga positiva e limita sobremaneira sua difusão para o feto. No entanto, mesmo a administração em dose única gera concentrações fetais detectáveis, mas sem efeitos clínicos evidentes no seu uso convencional.

A succinilcolina, único bloqueador despolarizante em uso, é usualmente indicada na intubação em sequência rápida na gestante. Seu uso em doses repetidas e altas concentrações (300 mg) pode gerar quantias fetais detectáveis, ou ainda bloqueio residual fetal quando a parturiente é homozigota para deficiência de pseudocolinesterase atípica.[41,42,46]

Os bloqueadores neuromusculares adespolarizantes são indicados após o término do efeito da succinilcolina para manutenção do relaxamento muscular, ou ainda para a sequência rápida em gestantes com alguma contraindicação ao seu uso, como história de hipertermia maligna, patologias neurológicas diversas, distrofinomiopatias ou pseudocolinesterase atípica.[42]

As razões F/M são 0,19 – 0,26 para o pancurônio, 0,06 – 0,11 para o vecurônio, 0,16 para o rocurônio e 0,07 para o atracúrio.[41]) O metabólito dos benzilisoquinolínicos, laudanosina, possui razão de 0,14, com baixa probabilidade de gerar efeitos neurológicos. Independente do bloqueador empregado, concentrações fetais crescentes são obtidas quanto maior o tempo para o parto, sendo ainda assim difícil o comprometimento clínico fetal.

Em cirurgias fetais extrauterinas, as altas doses de bloqueadores empregados podem gerar necessidade de assistência ventilatória neonatal e posterior antagonismo farmacológico.[40,48]

Anticolinesterásicos e Anticolinérgicos

Os anticolinesterásicos são usados para reverter os efeitos dos relaxantes musculares por meio do antagonismo competitivo pelo aumento da concentração de acetilcolina. Os agentes anticolinérgicos são utilizados principalmente em conjunto com agentes anticolinesterásicos para minimização de seus efeitos muscarínicos durante a reversão do bloqueio neuromuscular, ambos ao fim do procedimento cirúrgico. Logo, constituem assunto de relevância apenas os seus empregos durante cirurgias não obstétricas na gestação.

Neostigmina, piridostigmina e edrofônio, assim como os bloqueadores neuromusculares, são compostos amônio quaternário sintéticos e, consequentemente, moléculas ionizadas, com permeabilidade limitada na membrana placentária. Já a fisostigmina é um composto amônio terciário de ocorrência natural, com maior permeabilidade lipídica e, portanto, difunde-se mais facilmente pela membrana placenta.

A atropina e a escopolamina, ésteres alcaloides de aminas terciárias, atravessam rapidamente a membrana dentro dos primeiros minutos de suas administrações, com possibilidade de causar taquicardia fetal. Em contraste, o glicopirrolato, amina sintética quaternária, possui menor transferência pela placenta, sem resultar em resposta hemodinâmica.

Apesar da maioria dos anticolinesterásicos citados serem aminas quaternárias e, portanto, terem menor possibilidade de efeitos colaterais fetais (bradicardia), a neostigmina atravessa mais facilmente a membrana do que o glicopirrolato, sendo recomendada associação do primeiro preferencialmente com atropina.[41]

Sugamadex

O sugamadex pode ser utilizado em qualquer procedimento obstétrico em que ocorreu uso de bloqueador neuromuscular adespolarizante esteroidal. Tem baixa taxa de transferência placentária devido às suas características químicas e ao alto peso molecular.[41]

O bloqueio adespolarizante não figura como alternativa tão popular na anestesia geral para cesárea, já que a succinilcolina possui rápido efeito e recuperação após sua aplicação em dose única na intubação em sequência rápida. No entanto, o bloqueador adespolarizante pode ser útil quando há contraindicações desta última como em: hipertermia maligna, miopatias, hipercalemia, doenças neuromusculares, imobilização prolongada ou queimaduras.[42]

Assim, o sugamadex, tecnicamente, pode ser utilizado em qualquer procedimento obstétrico no qual ocorreu uso de bloqueador neuromuscular adespolarizante esteroidal, como alternativa à neostigmina. Atualmente, tem sido escolha na reversão em pacientes não parturientes em grande parte dos serviços devido ao seu perfil de segurança com efeitos adversos desprezíveis, potencial reversão do bloqueio neuromuscular profundo, e menor incidência de bloqueio residual.[43] De maneira similar, em pacientes gestantes, foi capaz de reverter 100% dos bloqueios, com a dose de 4 mg/kg, mesmo em pacientes com contagem pós-tetânica de 1. Também não há relato de doses suplementares, a despeito do volume de distribuição aumentado dessas pacientes.[42]

No entanto, há duas situações importantes para a discussão específica deste capítulo: o uso do sugamadex em altas doses em cirurgias não obstétricas durante a gestação e intubação em sequência rápida seguida com o cenário "não ventilo não intubo", pelo potencial teórico de transferência e acometimento fetal. Teoricamente, por ser uma molécula extremamente grande e polar, sua absorção placentária seria muito limitada.[41] Contudo, ainda não existem estudos que atestam a segurança fetal.[43]

Sugamadex isoladamente (sem oposição) foi capaz de causar apoptose neuronal *in vitro*, relacionado ao aumento do estresse oxidativo por redução dos níveis de colesterol. Mas, por suas características físico-químicas, não foi capaz de atravessar de forma eficaz a membrana hemato-encefálica saudável.[43]

Outra questão preocupante seria a capacidade do fármaco de antagonizar os efeitos da progesterona, hormônio necessário para a manutenção da gravidez. Porém, doses tão altas quanto 30 mg/kg foram incapazes de reduzir os níveis hormonais. A Sociedade de Anestesia obstétrica e perinatologia (SOAP) recomenda evitar o uso em cirurgias não obstétricas no início da gestação.[43]

A neostigmina, mesmo com a possibilidade de transferência e bradicardia fetal, acaba sendo recomendada por especialistas, pela sua vasta quantidade de estudos, seu tempo de uso e familiaridade, e ausência de efeitos negativos graves relatados. O uso do sugamadex deve ser personalizado, com uma análise criteriosa de risco-benefício.[42]

A aprovação de uma nova droga é onerosa. Existe uma dificuldade intrínseca ao método para a realização de ensaios clínicos nessa população especial. O processo de autorização pelos órgãos sanitários também demanda tempo. Assim, provavelmente, vamos carecer de uma resposta definitiva que ateste a segurança dessa droga por algum tempo.

Anestésicos Locais

Os anestésicos locais são bases fracas e, consequentemente, possuem alta lipossolubilidade no pH fisiológico, facilitando a sua passagem placentária. No entanto, sua redistribuição pelo organismo materno e elevada ligação proteica limita significativamente esse transporte, gerando uma razão F/M baixa. Ainda assim, o uso de altas doses do anestésico por via epidural ou infiltração paracervical pode culminar com alguma passagem destas drogas.[39]

A bupivacaína e a ropivacaína ligam-se preferencialmente à alfa-1-glicoproteína ácida e, por esta razão, possuem aumento de sua fração livre na parturiente e no feto, em virtude dos menores níveis fisiológicos dessa proteína. No entanto, as amidas de uma forma geral apresentam maior grau de ligação proteica, dificultando a passagem placentária, com uma razão F/M de 0,2.[39] A lidocaína, apesar de ser menos lipossolúvel, cruza mais facilmente a placenta devido à menor ligação, com uma razão F/M de 0,5 – 0,7.[45]

Diante de estados de sofrimento fetal, a acidose favorece a ligação iônica H+ no anestésico local, culminando com a formação de um composto mais hidrossolúvel, incapaz de cruzar novamente a placenta no sentido oposto. Esse fenômeno é conhecido como aprisionamento iônico. Mesmo assim, esta classe de fármacos proporciona mínima alteração do NACS (de forma clinicamente insignificante) e nenhuma alteração no pH e nos escores da escala de Apgar, independente do anestésico escolhido ou do regime de administração (intermitente ou contínuo).[49]

Para entendimento dos efeitos fetais dos anestésicos locais, é necessário a compreensão também de sua fisiologia, já que os níveis plasmáticos sofrem influência de sua ligação proteica, lipossolubilidade, grau de ionização e alterações hemodinâmicas também no organismo fetal. As menores concentrações plasmáticas de proteínas geram frações livres maiores, porém estas são mais rapidamente metabolizadas, tendo sua depuração e posterior meia-vida comparáveis aos dos adultos. Os estudos que tentam justificar um menor limiar de toxicidade são inconsistentes, independentemente da idade gestacional, e alterações da frequência cardíaca fetal não puderam ser associadas à ação do anestésico local propriamente dito.[39]

A bradicardia gerada após o bloqueio paracervical, alternativa na analgesia no primeiro estágio, ainda não é um fenômeno completamente entendido, mas parece estar relacionada à vasoconstricção da artéria uterina, e não à passagem fetal do anestésico local propriamente dito. Também não está relacionada à acidose fetal ou às alterações de Apgar.[40]

Vasopressores

Os vasopressores são largamente utilizados para o tratamento da hipotensão materna e otimização da perfusão uteroplacentária durante o parto.

A efedrina, devido a sua alta lipossolubilidade, cruza rapidamente a placenta com uma razão F/M de 0,7-1,1. Devido ao seu efeito beta-adrenérgico, gera acidose fetal, aumento do paCO2, lactato, glicose e de aminas endógenas, provavelmente por aumento da demanda metabólica. Por ter sua passagem livre, pode ser responsável por taquicardia fetal e moderado efeito de estimulação cerebral nas primeiras duas horas de vida, sem alteração de Apgar ou NACS.[41,44,49] Também não gera efeitos significativos na circulação uterina.[40]

A fenilefrina é dez vezes menos lipossolúvel que a efedrina, com razão F/M de 0,17.[41] Não está associada a efeitos adversos fetais, mesmo em doses capazes de causar hipertensão materna. Sendo um alfa agonista direto, consegue prevenir a hipotensão, sem diminuir o pH fetal.[44] Pode reduzir o débito e a frequência cardíaca materna, principalmente com seu uso em *bolos*, porém sem efeito importante na gestação de baixo risco.

Mais recentemente, a noradrenalina foi introduzida como um vasopressor durante a anestesia obstétrica, sem ocasionar acidose no feto e com menor bradicardia reflexa materna, já com uma quantidade de resultados que evidenciam não haver comprometimento do bem-estar fetal.[50-55] Independente do vasopressor utilizado, o mais importante e recomendado é o combate vigoroso a hiportensão.[40]

■ TERATOGENICIDADE E EXPOSIÇÃO OCUPACIONAL

O grande foco ao abordar a transferência placentária de xenobióticos é sobre o uso deliberado de fármacos, seja de forma terapêutica com indicação médica (p.ex.: durante uma cirurgia em uma gestante) ou de forma recreacional (com uso de entorpecentes). No entanto, cabe um adendo sobre a exposição não intencional de xenobióticos em gestantes devido à exposição ocupacional. Uma profissional que trabalha num centro cirúrgico é potencialmente exposta a concentrações de anestésicos inalatórios que, apesar de ser em concentrações ínfimas, ocorre por período prolongado de tempo, com grande acúmulo de horas ao término da gestação.

O quanto deste anestésico inalatório efetivamente chega à placenta e ao recém-nascido, e qual o efeito que esta transferência pode ter, é uma questão debatida em literatura há décadas. Inicialmente houve o surgimento de estudos, principalmente retrospectivos, que associavam a exposição profissional de médicas anestesiologistas gestantes a um maior número de abortos espontâneos e à malformação congênita fetal.[56-58] Entretanto, posteriormente, vários autores criticaram especialmente a metodologia de tais estudos, que poderiam conter vieses potencialmente capazes de levar a conclusões errôneas. Como exemplo, cita-se a falta de grupo controle e de poder estatístico de afastar outras variáveis de confundimento, como idade, nutrição, hábitos nocivos, dentre outros. Em face a tal dúvida, em 1999, a Sociedade Americana de Anestesiologistas realizou uma força-tarefa que abordou especificamente a questão de profissionais gestantes, concluindo que não havia evidências de uma associação entre a exposição ocupacional a resíduos de gases anestésicos no ambiente e efeitos adversos na saúde. Além do mais, o único estudo prospectivo na época sobre o caso, que avaliou 11.500 médicas gestantes no Reino Unido não mostrou nenhuma diferença nas taxas de infertilidade, aborto espontâneo e anormalidades cromossômicas nos recém-natos de tais médicas.[59-61]

O estudo da transferência ocupacional de fármacos possui um objetivo específico, que são as consequências deletérias evidentes no recém-nascido. Como já apontado anteriormente neste capítulo, obviamente há as mesmas dificuldades em avaliar a passagem de xenobiótico através de uma placenta humana *in situ*. Não há estudos que avaliam com exatidão as concentrações de inalatórios que chegam ao feto durante a gestação, mas, por analogia, supõe-se que estes anestésicos chegam ao feto da mesma forma que chegam em uma exposição decorrente de um ato anestésico em si, mantendo a proporção da concentração. Então, se por um lado não há evidências científicas de consequências graves maiores para a gestação e para o feto pela exposição ocupacional, também não há evidências sobre consequências mais leves ou sutis, a curto ou longo prazo, causada pela exposição crônica a tais concentrações subanestésicas.

Os estudos realizados com animais de laboratório possuem as mesmas limitações de todos os estudos com transferência placentária de fármacos, pela diferença já explicitada dos modelos placentários em diferentes espécies animais. Mas é digno de nota que todos os estudos já conduzidos nestas condições falharam em demonstrar riscos de qualquer natureza pela exposição a concentrações subanestésicas.[60]

O óxido nitroso foi o único anestésico que demonstrou ser teratogênico em experimentos com ratas grávidas, porém apenas em concentrações e tempo de exposição improváveis de serem reproduzidos em humanos (como uma exposição a 70% durante 24 horas por dia durante o período de organogênese). Em humanos, o mesmo potencial não foi bem estabelecido.[62,63]

■ CONCLUSÕES

O nascimento do concepto saudável depende de uma sequência de eventos biológicos, passando pelo processo de implantação do embrião e por desencadear o parto num momento em que o feto já esteja maduro o suficiente para sobreviver à vida extrauterina. Ao redor de todas as alterações fisiológicas do organismo materno para se adaptar e permitir toda a cadeia de eventos biológicos que culminará com o nascimento do bebê, está um dos órgãos mais complexos do organismo animal: a placenta. Embora tenha uma existência temporária e bem curta (sua permanência no organismo materno corresponde aproximadamente 1% do tempo de vida médio de uma mulher), produz alterações que podem gerar impacto pelo resto da vida. É interessante, também, a percepção de que, apesar de ser um órgão vital para a existência da humanidade, ainda é um dos menos compreendidos. Ao longo deste capítulo, descrevemos as suas múltiplas funções. A placenta atua, para o feto, como uma espécie de pulmão, fígado, intestino, órgão endócrino e rim. Muito mais do que simplesmente permitir a troca de substância entre o binômio materno-fetal, atua como um centro regulador de função endócrina na mãe e tem um papel imunológico relevante, que permite a manutenção de um tecido alógrafo inserido no organismo materno sem rejeição como há em transplantes de órgão cirúrgicos.

Também abordamos o processo de formação anatômica da placenta e estabelecemos comparações entre este órgão nos seres humanos e em diferentes animais. É um fato relevante a compreensão desta anatomia evolutiva, pois muitos estudos com transferência de fármacos são feitos em animais de laboratório, e, desta forma, apresentam seríssimas limitações para transpor suas conclusões para o organismo humano.

Finalmente, também descrevemos os processos de transferência de xenobióticos, tão importante para a prática anestesiológica. Por isso, pormenorizamos as diferentes classes de fármacos utilizados na clínica anestésica e os dados atuais sobre seus efeitos no feto.

Concluindo, a anestesia obstétrica é o único ramo da anestesiologia em que o médico atua em dois organismos simultaneamente com os mesmos fármacos, e a compreensão da placenta é de suma importância para a prática clínica e para a produção científica.

REFERÊNCIAS

1. Burton GJ, Fowden AL. The placenta: a multifaceted, transient organ. Philos Trans R Soc Lond B Biol Sci. 2015; 28;370:1-8.
2. Schmid V. Venire al mondo e dare alla luce. Percorsi di vita attraverso la nascita. Milano: Urra; 2005. 195-196 p.
3. Junior RF. O direito sobre a placenta. Revista Jus Navigandi. 2009;2169
4. Sòwúnmí BA. Scribd [Internet]. Ìpòri - Oculto À Placenta | PDF | Imortalidade | Alma; [citado 8 abr 2024]. Disponível em: https://pt.scribd.com/doc/199024824/IPORI-OCULTO-A-PLACENTA#:~:text=PRI%20O%20CULTO%20PLACENTA,ao%20nosso%20destino%20(od).
5. Souza JLS, Afonso MSM. Placentofagia: uma revisão da literatura. Revista eletrônica de trabalhos acadêmicos - Universo/Goiânia. 2006;1(3):237-246.
6. Aplin JD. The cell biological basis of human implantation. Baillieres Best Pract Res Clin Obstet Gynaecol. 2000;14:757–64
7. Sadler TW. Langman's Medical Embryology. 13th ed. Philadelphia: Wolters Kluwer; 2015:105–125.
8. Power I, Kam P. Maternal and neonatal physiology. In: Principles of Physiology for the Anaesthetist. London: Arnold, 2011; 345–64
9. Pijnenborg R, Dixon G, Robertson WR, Brosens F. Trophoblastic invasion of human decidua from 8- 18 weeks of pregnancy. Placenta 1980;1:3–19.
10. Ramsey EM, Donner MW. Placental Vasculature and Circulation: Anatomy, Physiology, Radiology, Clinical Aspects. Philadelphia: WB Saunders; 1980.
11. Roth CJ, Haeussner E, Ruebelmann T, et al. Dynamic modeling of uteroplacental blood flow in IUGR indicates vortices and elevated pressure in the intervillous space - a pilot study. Sci Rep. 2017;7:40771.
12. Kaufmann P. Basic morphology of the fetal and maternal circuits in the human placenta. Contrib Gynecol Obstet. 1985;13:5–17.
13. Moore KL, Persaud TVN. The placenta and fetal membranes. The Developing Human: Clinically Oriented Embryology. Philadelphia: Saunders Elsevier Inc., 2008; 110 – 44
14. Van der Aa EM, Peereboom-Stegeman JHJ, Noordhoek J, Gribnau FWJ, Russel FGM. Mechanisms of drug transfer across the placenta. Pharm World Sci 1998; 20: 139–48
15. Grafmuller S, Manser P, Krug HF et al. Determination of the transport rate of xenobiotics and nanomaterials across the placenta using the ex vivo human placental perfusion model. J. Vis. Exp. 2013;18:1-7.
16. Gude NM, Roberts CT, Kalionis B, et al. Growth and funcion of the normal human placenta. Thrombosi Research. 2004;114:397-407.
17. Faber JJ, Thornburg KL. Placental Phyiology: structure and function of fetomaternal exchange. Nova Iorque: Raven Press; 1983
18. Ramanathan Sm Gandhi S, Arismendy J et al. Oxygen transfer from mother to fetus during cesarean section under epidural anesthesia. Anesth Analg. 1982;61:576-581.
19. Roseboom TJ, Watson ED. The next generation of disease risk: are the effects of prenatal nutrition transmitted across generations? Evidence from animal and human studies. Placenta 2012; 33(Suppl 2):e40-4.
20. Ray JG, Vermuelen MJ, Schull MJ et al. Cardiovascular health after maternal placental syndromes (CHAMPS): population-based retrospective cohort study. Lancet 2005;366:1797-803
21. Burton GI, Jauniaux E. What is the placenta? AJOG 2015; 10(Suppl 6):s6-8.
22. Costa MA. The endocrine function of human placenta: an overview. Reprod Biomed Online 106;32:41-43
23. Strauss JF, Barbieri RL. Yen & Jaffe's Reproductive Endocrinology. 6th ed. Philadelphia: Saunders Elsevier; 2009. Endocrinology of human pregnancy and fetal-placental neuroendocrine development; p. 256-84.
24. Pasanem M. The expression. And regulation of drug metabolism in human placenta. Adv Drug Deliv Rev. 1999;38:81-97
25. Dy J, Guan H, Sampath-Kumar R, Richardson BS, Yang K.Placental 11beta-hydrohysteroid dehydrogenase type 2 is reduced in pregnancies complicated with idiopathic intrauterine growth restriction: evidence that this I associated with an attenuated ratio of cortisone to cortisol in the umbilical artery. Placenta. 2008;29:193-200
26. Moffett A, Loke YW. The immunological paradox of pregnancy: a reappraisal. Placenta 2004;25:1-8.
27. Dawe GS, Tan XW, Xiao ZC. Cell migration from baby to mother. Cell Adh Migr 2007; 1:19-27.
28. Mahmood U, O'Donoghue K. Microchimeric fetal cells play a role in maternal wound healing after pregnancy. Chmerism 2014;5:2,40-52
29. O'Donoghue K. Fetal Microchimerism and maternal health during and after pregnancy. Obstetric Medicine 2008;1:56-64
30. Chiu RW, Lo YM. Clinical applications of maternal plasma fetal DNA analysis: translating the fruits of 15 years of research. Clin Chem Lab Med 2013; 51:197-204.
31. Ralston DH, Shnider SM, DeLorimier AA. Effects of equipotent ephedrine, metaraminol, mephentermine, and methoxamine on uterine blood flow in the pregnant ewe. Anesthesiology 1974;40:354–70
32. Hafez S. Comparative Placental Anatomy: Divergent Structures Serving a Common Purpose in Progress in Molecular Biology and Translational Science.Elsevier;2007:145:1-28
33. Leiser R, Kaufmann P. Placental structure: in a comparative aspect. Exp Clin Endocrinol 1994;102:122-134
34. Pollex EK, Feig DS, Koren G. Oral hypoglycemic therapy: understanding the mechanisms of transplacental transfer. J Matern Fetal Neonatal Med. 2010;23:224–228.
35. Hall JE. Transport of Substances Through a Cell Membrane. Guyton and Hall Textbook of Medical Physiology. 13th ed. Philadelphia: Elsevier; 2015:47–59.
36. Ellery SJ, Della Gatta PA, Bruce CR, et al. Creatine biosynthesis and transport by the term human placenta. Placenta. 2017;52:86–93.
37. Wang JS, Newport DJ, Stowe ZN, et al. The emerging importance of transporter proteins in the psychopharmacological treatment of the pregnant patient. Drug Metab Rev. 2007;39:723–746.
38. Kohli S, Isermann B. Placental hemostasis and sterile inflammation: new insights into gestational vascular disease. Thromb Res. 2017;151(suppl 1):S30–s33.
39. Bucklin BA, Santos AC. Local Anesthetics and Opioids, em: Chestnut DH, Wong CA, Tsen LC et al, ChestNut´s Obstetric Anesthesia: Principles and Practice, 6ª ed, Philadelphia, 2020; 271-311.
40. Littleford J. Effects on the fetus and newborn of maternal analgesia and anesthesia: a review. Can J Anesth. 2004;51(6):586–609.

41. Zakowski MI, Geller A. The Placenta: Anatomy, Physiology, and Transfer of Drugs, em: Chestnut DH, Wong CA, Tsen LC et al, ChestNut´s Obstetric Anesthesia: Principles and Practice, 6ª ed, Philadelphia, 2020; 56-76.

42. D´Alessio JG, Ramanathan J. Effects of Maternal Anesthesia in the Neonate. Semin Perinatol. 1998; 22(5):350-362.

43. Richardson MG, Raymond BL. Sugammadex Administration in Pregnant Women and in Women of Reproductive Potential: A Narrative Review. Anesth Analg. 2020 Jun;130(6):1628-1637.

44. Gaston IN, Lange EMS, Farrer JR, Toledo P. Sugammadex Use for Reversal in Nonobstetric Surgery During Pregnancy: A Reexamination of the Evidence. Anesth Analg. 2023 Jun 1;136(6):1217-1219.

45. Willett AW BA, Togioka B, Bensadigh B, Hofer J, Zakowski Z. Society for Obstetric Anesthesia and Perinatology statement on sugammadex during pregnancy and lactation. April 22, 2019. Accessed March 25, 2022. Disponível em: soap.org/wp-content/uploads/2019/06/SOAP_Statement_Sugammadex_During_Pregnancy_Lactation_APPRO-VED.pdf.

46. Pacifici GM, Nottoli R. Placental Transfer of Drugs Administered to the Mother. Clin. Pharmacokinet. 1995;28(3):235-269.

47. Kuczkowski KM. The safety of anaesthetics in pregnant women. Expert Opin. Drug Saf. 2006; 5(2):251-264.

48. Kuczkowski KM. Advances in obstetric anesthesia: anesthesia for fetal intrapartum operations on placental support. J Anesth. 2007; 21:243-251.

49. Mattingly JE, D´Alessio J, Ramanathan J. Effects of Obstetric Analgesics and Anesthetics on the Neonate: A review. Pediatr Drugs. 2003;5(9): 615-627.

50. Gin T. Pharmacology and Nonanesthetic Drugs during Pregnancy and Lactation, em: Chestnut DH, Wong CA, Tsen LC et al, ChestNut´s Obstetric Anesthesia: Principles and Practice, 6ª ed, Philadelphia, 2020; 313-335.

51. Wang X, Mao M, Zhang S-S, Wang Z-H, Xu S-Q, Shen X-F. Bolus norepinephrine and phenylephrine for maternal hypotension during elective cesarean section with spinal anesthesia: a randomized, double-blinded study. Chin Med J. 2020;133:509–516.

52. Minzter BH, Johnson RF, Paschall RL, Ramasubramanian R, Ayers GD, Downing JW. The diverse effects of vasopressors on the fetoplacental circulation of the dual perfused human placenta. Anesth Analg. 2010;110:857–862. https://doi.org/10.1213/ane.0b013e3181c91ebc.

53. Kee WDN, Lee SWY, Ng FF, Lee A. Norepinephrine or phenylephrine during spinal anaesthesia for caesarean delivery: a randomised double-blind pragmatic non-inferiority study of neonatal outcome. Br J Anaesth. 2020;125:588–595.

54. de Queiroz DV, Velarde LGC, Alves RL, Verçosa N, Cavalcanti IL. Incidence of bradycardia during noradrenaline or phenylephrine bolus treatment of postspinal hypotension in cesarean delivery: A randomized double-blinded controlled trial. Acta Anaesthesiol Scand. 2023;67(6):797-803.

55. Singh PM, Singh NP, Reschke M et al. Vasopressor drugs for the prevention and treatment of hypotension during neuraxial anaesthesia for Caesarean delivery: a Bayesian network meta-analysis of fetal and maternal outcomes. British Journal of Anaesthesia. 2020;124(3):e95-e107.

56. Vaisman A. Working conditions in the operating room and their effect on the health of anesthetists. EkspKhirAnesteziol 12:44, 1967.

57. Buring JE, Hennekens CH, Mayrent SL, et al. Health Experiences of Operating Room Personnel. Anesthesiology 62: 325-330, 1985.

58. Burm AG: Occupational hazards of inhalational anaesthetics. Best Pratice&Clinical Research Anaeshtesiology 17:147-161, 2003.

59. Waste anesthetic gases: Information for management in anesthetizing areas and the postanesthetics care unit (PACU). Task Force on Trace Anesthetic Gases, American Society of Anesthesiologists, 2004.

60. Quansah R, Jaakkola JJ. Occupational exposures and adverse pregnancy out comes among nurses: a systematic review and meta-analysis. J Womens's Health. 2010;19:1851-1862.

61. Burm AGL. Occupational hazards of inhalational anaesthetics. Best Pract Res ClinAnaesthesiol. 2003;17:147-161.

62. Ebi KL, Rice AS. Reproductive and developmental toxicity of anesthetics in humans. In Rice SA, Fish KJ (eds): Anesthetic Toxicity. New York: Raven Press, 1994.

63. Fujinaga M. Teratogenicity of nitrous oxide. Best Pract Res Clin Anaesthesiol. 2001; 15:363-375.

128

Analgesia Para o Trabalho de Parto

Eliane Cristina de Souza Soares ■ Marcelo Luis Abramides Torres ■ Rodrigo Brandão Pinheiro

INTRODUÇÃO

Um importante avanço na assistência ao parto ocorreu no dia 19 de janeiro de 1847, quando o obstetra escocês James Young Simpson usou éter dietílico para anestesiar uma gestante com deformidade pélvica durante o trabalho de parto. Esse relato da primeira aplicação de um anestésico para o parto ocorreu apenas três meses após a histórica demonstração das propriedades anestésicas do mesmo gás por Thomas Green Morton, no *Massachusetts General Hospital* em Boston. Os problemas maternos e fetais relacionados ao uso do éter e, posteriormente, do clorofórmio, associados aos questionamentos religiosos e culturais da época, fizeram com que anos fossem necessários para o desenvolvimento de técnicas adequadas e seguras para o alívio da dor durante o trabalho de parto. Atualmente, a anestesia obstétrica é uma subespecialidade reconhecida da anestesiologia, e proporciona grande satisfação pessoal aos que se dedicam ao seu estudo e prática.

Este capítulo apresenta os principais conceitos e definições relacionados à dor do trabalho de parto e as particularidades das técnicas analgésicas descritas para proporcionar analgesia de forma segura e eficaz.

■ PARTICULARIDADES DA DOR DURANTE O TRABALHO DE PARTO

A dor em gestantes tem uma importante função biológica, indicando o início e a progressão das contrações uterinas. A percepção de sua intensidade durante o trabalho de parto é variável entre pacientes, por mecanismos que ainda não são completamente conhecidos, e parecem estar relacionados a fatores físicos, bioquímicos, psicológicos e sociais. A melhor compreensão dos efeitos provocados pela dor e sua repercussão negativa sobre a gestante e o feto, aliada à síntese de novos fármacos e ao aprimoramento de materiais e técnicas anestésicas, proporcionou um grande impulso à analgesia em obstetrícia. Evidências clínicas consistentes mostram que a indicação e realização de uma analgesia adequada colaboram para uma redução do risco materno-fetal.[1]

No primeiro estágio do trabalho de parto, as dores são causadas pela contração uterina e dilatação do colo do útero, tendo predominantemente um caráter visceral, sendo transmitida por fibras do tipo C. A distensão do corpo uterino não parece produzir dor e, durante a gravidez, as fibras aferentes provenientes desta região parecem sofrer regressão, caracterizando uma denervação do miométrio. No primeiro estágio do trabalho de parto, os estímulos aferentes são resultantes de isquemia e reação inflamatória produzidas pelas contrações uterinas. Esses estímulos são transmitidos através da região paracervical ao nervo e plexo hipogástrico, à cadeia simpática lombar, chegando aos gânglios da raiz dorsal nos segmentos T_{10} a L_1, e, em seguida, ao corno posterior da medula espinhal. Os neurônios transmissores de dor do corno dorsal medular projetam axônios a partir do trato espinotalâmico para várias áreas do cérebro responsáveis por respostas reflexas cardiovasculares, respiratórias, gastrointestinais e emocionais.[2]

Durante o segundo estágio do trabalho de parto, à medida que a apresentação fetal distende as estruturas pélvicas e o períneo, ocorre ativação de fibras somáticas do tipo A delta, oriundas dos segmentos sacrais S_2 a S_4, correspondentes ao nervo pudendo. Ao mesmo tempo, dor visceral é gerada pela tração e compressão de estruturas vizinhas, como ovários, tubas uterinas, peritônio parietal, bexiga, uretra e reto. Nesse estágio, portanto, um componente doloroso somático é associado ao componente visceral presente no primeiro estágio. Em razão das projeções cerebrais, o componente emocional pode exercer forte influência sobre o limiar de tolerância e respostas da parturiente à dor.

A intensidade da dor parece ser dependente do grau de dilatação do colo uterino. Em geral, a dor tem leve intensidade, do tipo cólica, na fase inicial do trabalho de parto, quando a dilatação do colo é inferior a 3cm. A estimulação visceral é referida como dor difusa na localização dos dermátomos T_{10} a T_{12}, correspondendo à área entre o umbigo e a sínfise púbica. Em alguns casos, associada a essa dor, a compressão das raízes do plexo lombossacro pode desencadear uma dor intensa na região lombar durante a contração uterina. Com a progressão do trabalho de parto, os segmentos espinhais adjacentes são estimulados e a dor torna-se mais intensa, atingindo os dermátomos L_1 e L_2. Na fase final do primeiro estágio e no período expulsivo ocorre estimulação dos segmentos S_2 a S_4, no território correspondente ao nervo pudendo, e a dor localiza-se na região do baixo ventre, períneo e reto. Melzack, em um trabalho realizado em 1975, observou que a dor desencadeada pelas contrações no trabalho de parto era equivalente à dor provocada pela amputação de um dedo, e que são complexos os fatores que a influenciam, não sendo a psicoprofilaxia e os métodos não farmacológicos isolados suficientes para o seu adequado tratamento na maior parte dos casos.[3]

Dor intensa e persistente pode acarretar efeitos indesejáveis para mãe e para o feto. A dor e o estresse do trabalho de parto podem intensificar respostas segmentares e suprassegmentares reflexas. Os principais efeitos deletérios sobre os sistemas respiratório, cardiovascular e gastrointestinal são mostrados na Tabela 128.1.

A analgesia de parto bloqueia, parcial ou completamente, os efeitos da dor sobre os sistemas cardiovascular e respiratório, e promove conforto à parturiente no durante o período das contrações. A redução do estímulo álgico após a analgesia leva à diminuição dos níveis de catecolaminas circulantes, usualmente melhorando da qualidade e frequência das contrações uterinas.

A indicação e o início da analgesia devem ser baseados na intensidade da dor. O início da analgesia deve ser individualizado e ocorrer quando a parturiente determinar que a dor tenha se tornado um elemento de grande desconforto. No passado, a indicação do início da analgesia era relacionada ao grau de dilatação do colo uterino. Atualmente, os estudos que analisam os efeitos deletérios da dor sobre a mãe e o feto mostram que, ao aguardar uma dilatação mínima fixa do colo uterino, a parturiente desenvolve muitas das respostas negativas mostradas na Tabela 128.1. Desse modo, a analgesia deve ser iniciada quando a dor se torna incômoda para a parturiente, desde que haja diagnóstico de fase ativa do trabalho de parto (contrações rítmicas na frequência de 3 a 5 minutos em um intervalo de 10 minutos, resultando em dilatação do colo uterino).

Os métodos utilizados para proporcionar alívio da dor durante o trabalho de parto são classificados em não-farmacológicos e farmacológicos, sendo mostrados na Tabela 128.2 os que apresentam evidências científicas favoráveis.

Em todos os casos, as técnicas de analgesia não-farmacológica com eficácia comprovada podem ser estimuladas antes do uso de técnicas farmacológicas. A analgesia farmacológica deve ser oferecida a todas as pacientes em fase ativa do trabalho de parto admitidas na maternidade. De acordo com a literatura, e de modo paradoxal, o conhecimento precoce da existência de alívio farmacológico da dor

---

Tabela 128.1 Efeitos negativos da dor sobre a gestante e o feto.

Sistema respiratório

1. Hiperventilação durante as contrações

    a) Aumento no consumo materno de oxigênio

    b) Alcalose respiratória e desvio da curva de dissociação da hemoglobina para esquerda, com menor liberação tecidual (fetal) de oxigênio

    c) Vasoconstrição reflexa

    d) Redução do fluxo sanguíneo cerebral materno

    e) Redução no fluxo sanguíneo umbilical

2. Hipoventilação no intervalo das contrações

    a) Redução da pressão arterial de oxigênio materna

Sistema cardiovascular

1. Aumento dos níveis de catecolaminas plasmáticas maternas

2. Redução da circulação uteroplacentária

3. Desequilíbrio na produção de adrenalina e noradrenalina, com interferência na dinâmica uterina

4. Aumento do débito cardíaco entre 10% e 25%, com sobrecarga hemodinâmica

5. Aumento da pressão arterial entre 5% e 20%

Sistema gastrointestinal

1. Diminuição da motilidade gástrica

2. Retardo no esvaziamento gástrico, com aumento da incidência de náuseas e vômitos

3. Aumento da secreção de gastrina, com consequente aumento da acidez do conteúdo gástrico

4. Aumento do risco de regurgitação e aspiração pulmonar

em geral retarda o momento de solicitação da analgesia, além de reduzir a ansiedade e aumentar o grau de satisfação materna.[4]

Tabela 128.2 Métodos para alívio da dor durante o trabalho de parto.
Métodos não farmacológicos
■ Psicoprofilaxia
■ Hidroterapia com imersão ou banho em água morna
■ Bola de Bobath
■ Massagem lombar
■ Doula
Métodos farmacológicos
■ Analgesia neuroaxial
■ Peridural
■ Combinada
■ Peridural com punção dural
■ Todas com cateter peridural
■ Manutenção intermitente ou contínua
■ Analgesia subaracnóidea em dose única
■ Analgesia sistêmica
■ Venosa: fentanil/remifentanil
■ Inalatória: óxido nitroso
■ Bloqueios regionais
■ Bloqueio do nervo pudendo bilateral

■ ANALGESIA NEUROAXIAL PARA O TRABALHO DE PARTO

Considerações Gerais

A analgesia neuroaxial foi introduzida em substituição às técnicas inalatórias com éter e clorofórmio e, a partir da década de 1970, houve um aumento progressivo e acentuado na sua utilização para o controle da dor durante o trabalho de parto. Inicialmente, a técnica peridural era a principal escolha, sendo realizada com grandes volumes e concentrações de anestésicos locais. Essa técnica resultava em interferência significativa na evolução do trabalho de parto, pois, na maior parte das vezes, ocorria bloqueio motor, resultando em anestesia intensa dos músculos reto-abdominais. Isso comprometia a força de expulsão, causava relaxamento precoce do períneo e interferia na rotação interna do feto. Além disso, a hipotensão materna provocava hipoperfusão uterina, levando ao sofrimento fetal. Como consequência, houve aumento do número de partos instrumentados e de conversões da via de parto para cesariana.[5]

A utilização de doses menores de anestésicos locais em soluções ultradiluídas e a associação destes com opioides lipofílicos permitiram o desenvolvimento de técnicas analgésicas extremamente eficientes, e com mínima interferência na evolução do trabalho de parto. Entre as técnicas de bloqueio neuroaxial para indução destacam-se a analgesia peridural, a analgesia combinada, a peridural com punção dural e a raquianalgesia em dose única. A manutenção tem como alternativas as formas peridurais contínuas, intermitentes ou a associação das duas. Tais técnicas apresentam qualidade de analgesia superior a todas as outras técnicas sistêmicas e regionais, além de permitir a percepção mater-

na da contração uterina, a deambulação e preservação do tônus da musculatura abdominal e pélvica.[1]

Idealmente, as gestantes devem receber orientações sobre as técnicas analgésicas não-farmacológicas e farmacológicas em uma consulta pré-anestésica ambulatorial. Caso não seja possível, essas informações devem ser fornecidas imediatamente após a admissão no Centro Obstétrico. A orientação deve incluir informações sobre a técnica, seus riscos, possibilidade de falhas e implicações para o trabalho de parto. É sugerido que seja aplicado um termo de consentimento livre e esclarecido, preferencialmente assinado em conjunto com o(a) acompanhante após a leitura do texto (que pode ser feita fora do consultório ou no domicílio, desde que a paciente tenha a oportunidade em algum momento de esclarecer as dúvidas sobre o documento). A aplicação do termo de consentimento em analgesias de parto após o início das dores relacionadas à contração é considerada inadequada.

Qualquer profissional da equipe pode ser responsável por informar o anestesiologista sobre o desejo da paciente em iniciar a analgesia. No entanto, o obstetra assistente deve estar sempre ciente da indicação e do início da analgesia, e esse consenso deve ser registrado no prontuário da paciente.

De acordo com dados da literatura, a inserção precoce do cateter peridural (sem a administração de medicamentos) em algumas gestantes reduz a incidência de complicações graves e fatais, por diminuir a necessidade do uso de anestesia geral diante da indicação de conversão emergencial da via de parto em cesariana.[1] Dessa forma, todas as condições maternas que possam complicar a realização de anestesia geral ou dificultar a realização rápida de uma raquianestesia, tais como exame da via aérea que mostre grande probabilidade de dificuldade de intubação e/ou ventilação, obesidade mórbida, hipertermia maligna e deformidades importantes da coluna vertebral, podem ser beneficiadas por esta conduta. Além disso, gestantes portadoras de doenças sistêmicas que possam apresentar piora pela presença de dor (como insuficiência cardíaca congestiva e doenças pulmonares restritivas/obstrutivas) podem se beneficiar se o cateter já estiver implantado quando as contrações se tornarem incômodas, promovendo analgesia precoce e menor ativação simpática.

A restrição da ingesta oral durante o trabalho de parto foi uma rotina durante muitos anos e pretendia diminuir o risco de aspiração gástrica em caso de intervenção cirúrgica sob anestesia geral. Atualmente, no entanto, considerando o uso de bloqueios neuroaxiais na maior parte dos casos de conversão da via de parto, o conhecimento de que o jejum não garante o esvaziamento gástrico completo e de que a ingesta de líquidos sem resíduos parece não aumentar a chance de aspiração trouxeram uma mudança na recomendação de jejum. Os ganhos em satisfação e bem-estar maternos e a possibilidade do desenvolvimento de cetose pelo jejum prolongado durante o parto foram também responsáveis pela mudança, sendo hoje permitida a livre ingestão de líquidos sem resíduos, com restrição apenas em pacientes obesas mórbidas, diabéticas, com critérios de dificuldade para intubação ou alto risco de conversão em cesariana. Para esses casos, nos quais houver restrição de ingesta de líquidos, alguns estudos apontam como benéfica a reposição endovenosa de dextrose 5% associada à solução salina ou soluções balanceadas, pela melhora da função miometrial e redução da primeira fase do trabalho de parto.[6] São considerados líquidos sem resíduos a gelatina, água, chás, café, bebidas isotônicas, água de coco e sucos sem polpa.[7]

Um acesso venoso periférico em membro superior deve ser obtido nas gestantes a serem submetidas à analgesia, sendo recomendável a utilização de um cateter calibre 20G ou maior. Após a venóclise, não há necessidade de realização de pré ou co-hidratação, como ocorre em anestesias para cesarianas.

A analgesia de parto pode ser realizada em um ambiente de sala cirúrgica, em uma sala de anestesia ou no quarto, desde que sejam mantidas as condições recomendadas de segurança e antissepsia. Caso a analgesia seja realizada em ambiente não-cirúrgico, uma sala de cirurgia e condições de transporte devem estar prontamente disponíveis caso seja necessária a realização de cesariana de emergência. É também fundamental que o quarto seja equipado com uma fonte de oxigênio montada, aspirador e um monitor multiparamétrico. Todos os profissionais e acompanhantes presentes durante a realização do bloqueio devem estar vestindo roupas privativas, gorro e máscara, a partir do momento em que for iniciada a antissepsia e abertura da bandeja estéril. A paciente deve estar vestindo avental próprio da maternidade e gorro, e a equipe deve zelar por manter as partes íntimas da paciente cobertas durante o procedimento. O anestesiologista deve retirar os ornamentos das mãos e punhos (anéis, relógios e pulseiras) e realizar a antissepsia das mãos, conforme protocolo institucional. A secagem das mãos, quando indicada, deve ser feita com compressa estéril, e as luvas devem ser calçadas utilizando técnica asséptica. Em caso de uso do quarto, as janelas e as portas devem estar fechadas. Durante a antissepsia, todas as sujidades visíveis deverão ser retiradas com o uso de fricção de compressa estéril e degermante ou sabão comum. A degermação sugerida é a solução de clorexidina degermante, não se recomendando mais o uso de soluções à base de iodo para esse procedimento. Esse processo deve ser seguido pela retirada da solução da pele e antissepsia química com solução de clorexidina alcoólica, sendo necessário aguardar 3 minutos ou o tempo necessário para que solução seque sobre a pele para iniciar a punção.

Durante a indução da analgesia neuraxial, a saturação de oxigênio da parturiente deve ser medida continuamente, assim como está indicada a aferição da pressão arterial em intervalos de 3 a 5 minutos por 30 minutos após a administração do anestésico neuraxial, ou até que a mãe esteja hemodinamicamente estável. A frequência cardíaca fetal deve ser monitorada antes e após o início da analgesia neuraxial. Durante a manutenção da analgesia neuraxial, a pressão arterial materna deve medida a cada 15 a 30 minutos, ou com maior frequência se ocorrer hipotensão. O nível sensitivo da analgesia e a intensidade do bloqueio motor também devem ser avaliados em intervalos regulares.

A deambulação após a analgesia neuraxial é permitida e pode ser estimulada. No entanto, é necessário que sejam observados os critérios apresentados na Tabela 128.3.

Técnicas Anestésicas

As técnicas peridural e combinada parecem ser as mais adequadas, e a escolha entre elas deve ser feita consideran-

Tabela 128.3 Critérios para deambulação da gestante após analgesia neuroaxial.
1. Ausência de contraindicação obstétrica
2. Tempo mínimo de 30 minutos após o bloqueio neuroaxial ou nova dose pelo cateter peridural
3. Liberação pelo anestesiologista responsável
4. Ausência de bloqueio motor
5. Presença de acompanhante capaz de fornecer sustentação à paciente durante a deambulação
6. Dados vitais estáveis e ausência de sintomas na posição sentada
7. Mudança de posição (sentada para em pé) lenta e cuidadosa
8. Em área restrita ao Bloco Obstétrico

do as habilidades do anestesiologista, condições clínicas da paciente e material disponível. A Tabela 128.4 mostra situações específicas nas quais uma das técnicas pode apresentar superioridade na indicação.

Tabela 128.4 Escolha da técnica para analgesia de parto – indicações específicas.
Analgesia peridural com cateter
■ Pode ser utilizada em todas as situações nas quais não haja contraindicação ao bloqueio neuroaxial
■ Permite a identificação precoce do correto posicionamento do cateter peridural
Analgesia combinada com cateter
■ Analgesia imediata na região perineal (pacientes em fase avançada do trabalho de parto)
■ Indicação da analgesia em fase precoce do trabalho de parto, pela possibilidade do uso de opioides lipofílicos isolados
■ Necessidade de início mais rápido do alívio da dor
Raquianalgesia em dose única
■ Indicação da analgesia no final do primeiro estágio em multíparas ou no período expulsivo
■ Impossibilidade de inserção do cateter peridural
Peridural com punção dural
■ Necessidade de nova punção por falha parcial

A associação de um opioide lipofílico permitiu a redução da dose do anestésico local, resultando em técnicas conhecidas como *"walking analgesia,"* que produzem alívio adequado da dor e baixa incidência de efeitos colaterais, em especial ausência do bloqueio motor, permitindo a deambulação. Bupivacaína, levobupivacaína e ropivacaína são os anestésicos locais mais utilizados e, em concentrações equipotentes, são igualmente eficazes, sendo a escolha dependente da preferência do anestesiologista ou rotina do serviço.[8] A satisfação materna, o início da analgesia, a incidência de parto instrumental e a duração do segundo estágio do trabalho de parto também são comparáveis quando são utilizadas soluções clinicamente semelhantes e de baixa dose de bupivacaína ou ropivacaína. A Tabela 128.5 apresenta os medicamentos e faixas de dose que permitem a execução desse tipo de analgesia.

Tabela 128.5 Doses para *bolus* inicial em analgesia neuroaxial para o trabalho de parto.		
Anestésicos locais	**Peridural**	**Intratecal**
Bupivacaína	0,0625 – 0,125%	1 – 2,5 mg (Hiperbárica/Isobárica)
Levobupivacaína	0,0625 – 0,125%	-
Ropivacaína	0,08 – 0,2%	-
Opioides		
Fentanil	1 – 3 ug/mL	15 – 25 ug
Sufentanil	0,2 – 0,5 ug/mL	2,5 – 5 µg

A manutenção da analgesia neuroaxial pelo cateter pode ser realizada por *bolus* intermitentes (programados ou sob demanda), e em infusão contínua. As soluções devem conter anestésicos locais em concentração nas faixas indicadas anteriormente, idealmente associadas a opioides. As técnicas que utilizam *bolus* intermitentes apresentam os melhores resultados, com menor incidência de bloqueio motor, menor consumo de anestésico e menor interferência nos desfechos obstétricos.

A analgesia peridural controlada pela paciente consiste em uma técnica onde a própria decide o momento de uma nova dose, podendo estar ou não associada a uma infusão contínua basal. Em uma metanálise de nove ensaios clínicos randomizados, houve uma menor incidência de bloqueio motor e menor volume de anestésico utilizado quando comparado à infusão contínua peridural isolada.[9] A utilização de uma infusão basal aumenta a chance de bloqueio motor e bloqueios altos, parecendo ser mais adequado o uso apenas de *bolus* isolados. Os regimes de variam de *bolus* de 6 a 8 mL, com intervalo mínimo de 10 a 15 minutos.

A manutenção por meio de *bolus* epidurais intermitentes programados (*programmed intermittent epidural bolus* ou PIEB), administrados por bombas de infusão específicas, parece apresentar os melhores resultados em satisfação materna e eficácia analgésica, com baixa incidência de bloqueio motor. A pressão durante a injeção da solução parece resultar em uma melhor dispersão da solução anestésica em relação à infusão contínua. Essas técnicas, por concentrarem a solução em uma área menor, parecem ser relacionadas à maior incidência de bloqueio motor. A programação utilizada na técnica intermitente programada consiste em *bolus* de 5 a 10 mL de soluções com a menor concentração descrita, e com intervalo de 30 a 60 minutos entre as infusões. A opção pelo uso da bomba de infusão apresenta o inconveniente de dificultar a locomoção durante o trabalho de parto.

A analgesia peridural com punção dural consiste em uma técnica semelhante à técnica combinada, porém sem injeção de medicamentos no espaço intratecal. Estudos são inconclusivos ao comparar a sua eficácia com outras técnicas de neuroeixo, e ainda não há consenso sobre o melhor calibre de agulha espinhal para realizar o procedimento, se 25G ou 27G. Alguns estudos evidenciaram analgesia mais simétrica, expansão caudal mais extensa e início mais rápido da analgesia quando comparada à peridural contínua, com

o uso de agulha espinhal 25 ou 26G.[10] O mecanismo sugerido é a passagem de fármacos do espaço peridural para o espaço subaracnóideo.

A raquianalgesia em dose única, por sua duração limitada, deve ser reservada a gestantes que são admitidas com dor intensa às contrações uterinas e estão prestes a entrar no período expulsivo, ou nos casos em que a realização das demais técnicas neuroaxiais não foi possível.

No caso de necessidade de parto vaginal instrumentado, é necessária anestesia da região perineal, sendo indicado o uso de 5 a 10 mL de lidocaína 2% com adrenalina pelo cateter peridural.

Considerações Técnicas

A localização do interespaço desejado pode ser realizada por palpação ou por ultrassonografia. O uso da ultrassonografia lombar permite a identificação precisa do espaço escolhido, a determinação do ponto e ângulo de punção e a mensuração da distância entre a pele e o espaço peridural. A linha de Tuffier não é um marco anatômico confiável na paciente grávida, em razão das alterações que ocorrem na pelve e coluna lombar. Estudos mostram que mesmo anestesiologistas experientes identificam erroneamente os interespaços lombares por palpação, não sendo incomum um erro de pelo menos um ou dois espaços.[11] Uma revisão sistemática, incluindo 31 ensaios clínicos e uma metanálise sobre o ultrassom neuraxial pré-procedimental, relatou que essa ferramenta facilitou a identificação do espaço intervertebral lombar correto com mais precisão do que a palpação de referência, previu com precisão a profundidade do espaço epidural ou intratecal e resultou em maior sucesso e facilidade de desempenho, sendo, assim, de grande utilidade em pacientes obesas ou grandes deformidades na coluna.[12] Contudo, o ultrassom pode ser menos útil para profissionais experientes e para pacientes com pontos de referência facilmente palpáveis, porém seu uso rotineiro pode gerar proficiência técnica.

Após realização de técnica asséptica padrão, a pele e o subcutâneo do local da punção devem ser infiltrados (agulha hipodérmica 13x4 mm e agulha hipodérmica 25x7 mm), e a solução de lidocaína 2% com adrenalina parece ser uma boa escolha para reduzir o sangramento durante o procedimento. É importante ter cuidado para não injetar solução anestésica em áreas com resistência, uma vez que a injeção sob pressão nos ligamentos da coluna pode ser causa de dor lombar subsequente.

Se optado por técnica combinada, o ideal é o uso de material específico, que permite realização com apenas uma punção. Caso a instituição não possua esse material, está indicada a realização da punção peridural, com inserção do cateter no espaço L2-L3, seguida da punção subaracnoide em espaço inferior.

Em ambas as técnicas, o cateter deve ser introduzido somente 3 a 5 cm no espaço peridural, para reduzir a chance de posicionamento lateralizado, ocasionando bloqueio unilateral. No caso de analgesia peridural, a dose em *bolus* pode ser injetada diretamente pela agulha ou pelo cateter. A injeção de um pequeno volume da solução em *bolus* pela agulha antes da inserção do cateter parece reduzir a incidência de posicionamento intravascular do cateter. A injeção da maior parte da solução via cateter é interessante para verificação do posicionamento do mesmo logo após a inserção.

Idealmente, o cateter peridural deve ser fixado de forma estéril, com curativo transparente no local de inserção e fita tipo esparadrapo, Micropore[R] ou Transpore[R] na extensão do cateter. A ponta do cateter (para injeção) deve ser firmemente tampada e protegida de contaminação por secreções (com a embalagem do próprio cateter, esparadrapo, seringa, gaze ou compressa).

Uma dose teste pode ser administrada através do cateter peridural, para avaliar a colocação não intencional do cateter em posição intravascular ou subaracnóidea. A solução comumente usada consiste em 3 mL de lidocaína a 2% (para testar a injeção subaracnóidea) com 5 ug/mL de adrenalina (para testar a injeção intravascular). O bloqueio motor em 3 a 5 minutos é sugestivo de colocação de cateter subaracnóideo, enquanto um aumento na frequência cardíaca materna de 20% ou mais, ou um aumento de 10 a 25 bpm em um minuto, é sugestivo de um cateter intravascular. O valor da dose teste, no entanto, é questionável em anestesia obstétrica.[13]

Efeitos Colaterais

As práticas atuais, baseadas no uso de soluções diluídas, têm reduzido consideravelmente os efeitos deletérios da analgesia sobre o progresso do trabalho de parto e o seu desfecho.

O tempo de duração da analgesia demonstrou não ter efeito na taxa de cesarianas ou outros resultados obstétricos, comparando-se a realização precoce ou tardia do bloqueio. Uma metanálise de 2014, que incluiu nove estudos com mais de 15.752 pacientes, comparou o início precoce neuroaxial (dilatação cervical <4 cm) com o início posterior. O estudo não relatou diferença na taxa de parto cesáreo (risco relativo [RR] 1,02, IC 95% 0,96-1,08), parto instrumental, duração do segundo estágio do trabalho de parto ou resultados fetais (Apgar e pH arterial umbilical).[14] Com isso, reforça-se o fato de que o momento da realização da analgesia deve ser definido de acordo com a vontade materna.

A taxa de conversão para cesariana também não parece ser maior entre as pacientes que recebem analgesia neuroaxial, e tal fato é consenso entre os estudos randomizados. Uma metanálise de 2018, que incluiu 40 estudos randomizados com mais de 11 mil pacientes, comparou a analgesia neuroaxial com analgesia não neuroaxial ou sem analgesia. O estudo relatou que a analgesia peridural não aumentou significativamente o risco de parto cesáreo (risco relativo [RR] 1,07, IC 95% 0,96-1,08).[15] Tal resultado foi obtido pela análise de estudos recentes, após 2005, com o advento da técnica de anestésicos locais em baixa concentração.

Em relação aos índices de parto instrumental, nas metanálises atuais, é consenso que não há aumento do risco com o uso de analgesia. Uma metanálise de 10 estudos de 2017, com 1809 pacientes qe receberam apenas anestesia peridural diluída, não encontrou diferença na taxa de uso de fórceps entre parturientes que tiveram analgesia peridural e aqueles que não tiveram.[16]

A analgesia neuraxial pode diminuir a duração do primeiro estágio do trabalho de parto e prolongar o segundo estágio em um grau variável. O encurtamento da primeira fase ocorre devido à redução dos níveis de catecolaminas que são tocolíticas após a realização do bloqueio, resultando em contração uterina mais efetiva. Um estudo com 750 mulheres nulíparas randomizadas para receber fentanil intratecal ou hidromorfona sistêmica encontrou que o tempo médio desde o início da analgesia até a dilatação cervical completa foi significativamente menor após a analgesia neuraxial (295 minutos *versus* 385 minutos).[17] O achado de prolongamento da segunda fase do trabalho de parto ainda aparece como controverso nos estudos, embora trabalhos mais recentes tenham apontado um pequeno aumento (entre 6 e 15 minutos) da duração. A metanálise de 2018 supracitada relatou um aumento médio de 13,6 minutos no segundo estágio do trabalho de parto com o uso de analgesia neuraxial.[15]

Os principais efeitos colaterais, complicações e implicações à evolução do trabalho de parto são mostrados na Tabela 128.6.

Tabela 128.6 Efeitos indesejáveis da analgesia neuroaxial durante o trabalho de parto.

1. Prurido

- Em geral leve, sendo desnecessárias intervenções para o tratamento

2. Hipotensão arterial

- Rara, em geral leve e de fácil correção com o uso de vasopressores em *bolus*. A possibilidade deste efeito requer, no entanto, uso de monitorização intermitente da pressão arterial, em especial nos primeiros 30 minutos após a administração da analgesia

3. Aumento do tempo de duração do segundo estágio do trabalho de parto

- Pouco significado clínico e sem impacto no desfecho materno e fetal com o anestésicos locais em baixa concentração associado a opioides lipofílicos
- Mecanismo ainda não esclarecido
- Não associado a pior Apgar ou pH de cordão umbilical do recém-nascido

4. Hipertermia materna

- Etiologia ainda desconhecida, sem aparente prejuízo materno e fetal

5. Bradicardia fetal transitória

- Maior incidência com o uso de opioides intratecais, em especial sufentanil, em doses superiores a 15 µg. Explicada pela hipersistolia ocasionada pela queda abrupta na concentração de adrenalina circulante após o alívio da dor. Refere-se a uma bradicardia com frequência mínima de 80 bpm, flutuante, e que ocorre dentro dos 30 primeiros minutos após a analgesia. Não requer, na maior parte dos casos, nenhuma intervenção específica além da observação rigorosa

Um obstáculo importante às técnicas neuroaxiais é o fato de não serem isentas de riscos, além dos efeitos colaterais já descritos. Complicações importantes como dor lombar, cefaleia pós-punção de dura-máter, abcesso peridural e lesões neurológicas podem surgir em função da execução da técnica, dos medicamentos e dos materiais utilizados. Complicações imediatas, decorrentes da injeção inadvertida de soluções anestésicas no espaço subaracnóideo, subdural e intravascular, também podem ocorrer com incidências baixas, mas não desprezíveis (1:2.900, 1:4.200 e 1:5.000, respectivamente). Tais complicações, por sua baixa incidência, não representam uma limitação ao emprego das técnicas neuroaxiais, mas, em algumas situações, geram na paciente receio ou mesmo recusa em aceitar o procedimento, criando, portanto, uma contraindicação absoluta.

▪ ANALGESIA SISTÊMICA PARA O TRABALHO DE PARTO

Nos casos em que técnicas não-farmacológicas não são efetivas, e nos quais a analgesia neuroaxial é contraindicada, as opções farmacológicas disponíveis para o alívio da dor durante o trabalho de parto são sistêmicas, venosas ou inalatórias. Essas técnicas oferecem resultados menos favoráveis em relação à eficácia analgésica e efeitos colaterais maternos e fetais, sendo indicadas como técnicas alternativas.

As contraindicações absolutas e relativas à execução da analgesia neuroaxial são apresentadas na Tabela 128.7.

Tabela 128.7 Contraindicações absolutas e relativas à analgesia neuroaxial para o trabalho de parto.

1. Recusa materna, na ausência de fatores preditores de uma via aérea difícil

2. Situações impeditivas à colaboração da paciente durante a execução da técnica, aumentando o risco de lesões em estruturas neurais e outras complicações:
   a. Doença psiquiátrica grave não compensada
   b. Déficit de desenvolvimento neuropsicomotor grave
   c. Imaturidade emocional importante
   d. Paciente de língua estrangeira, sem disponibilidade de profissionais com fluência ou tradução adequadas

3. Hipertensão intracraniana secundária à lesão expansiva

4. Instabilidade hemodinâmica

5. Distúrbios de coagulação
   ▪ RNI > 1,3
   ▪ PTTA >1,5 x o controle
   ▪ Plaquetopenia (< 75.000/mm³)
   ▪ Uso de medicamentos anticoagulantes

6. Sepse

7. Infecção no local da punção

8. Alergia documentada a soluções de anestésicos locais

9. Cardiopatias maternas descompensadas ou primariamente incompatíveis com as técnicas neuroaxiais

10. Doença neurológica preexistente (esclerose múltipla, esclerose lateral amiotrófica, neuromielite óptica e neuropatias periféricas de membros inferiores)

11. Inexperiência do anestesiologista na realização de analgesia de parto

Remifentanil

O remifentanil foi lançado no início da década de 1990, e em 1998 foi publicado o primeiro estudo que avaliou o seu uso em gestantes. No trabalho, os autores avaliaram parâmetros farmacocinéticos e efeitos maternos e fetais ao usar uma infusão venosa contínua de 0,1 $\mu g.kg^{-1}.min^{-1}$ em cesarianas não-emergenciais de gestantes a termo sob anestesia peridural.[18] Os dados mostraram que o remifentanil atravessa livremente a placenta, sendo rapidamente redistribuído e metabolizado no feto. A sedação materna foi frequente, assim como uma tendência à hipoventilação, não ocorrendo, no entanto, nenhum episódio de apneia materna ou necessidade de ventilação assistida. Os resultados de Apgar em 1, 5, 10 e 20 minutos foram adequados, assim como os escores neurocomportamentais neonatais em 30 e 60 minutos. Remifentanil sofre rápida hidrólise por esterases plasmáticas e teciduais inespecíficas e seus metabólitos são inativos. O *clearance* do remifentanil (93,1 $L.min^{-1}.h^{-1}$) foi cerca de duas vezes maior em grávidas, sendo essa diferença provavelmente secundária ao aumento do volume sanguíneo, débito cardíaco, perfusão renal e atividade das esterases, e à redução na concentração de proteínas plasmáticas, característica da gestação.

Os principais efeitos adversos descritos em gestantes são náuseas, vômitos, prurido, sedação e depressão respiratória.[19] A incidência de náuseas e vômitos foi variável entre os estudos, alcançando até 48% em um dos trabalhos. No entanto, como ambos ocorrem com frequência durante o trabalho de parto, nenhum deles mostrou diferença estatisticamente significativa em relação a pacientes sob analgesia neuroaxial. Alguns estudos mostraram a ocorrência de prurido, normalmente leve a moderado e sem relato de necessidade de tratamento.[19,20]

Sedação foi descrita em vários casos, mas sempre leve e raramente associada à apneia, mas existem relatos de sedação excessiva, com necessidade de ventilação assistida. Praticamente todos os estudos publicados mostram episódios de alteração do padrão respiratório e dessaturação (sem apneia e com valores de SpO_2 maiores que 90%). Esses efeitos, contudo, foram transitórios e facilmente corrigidos com o uso de oxigênio nasal suplementar e/ou redução da dose utilizada. Em virtude de tais relatos, no entanto, remifentanil deve ser usado em pacientes com acompanhamento constante, incluindo monitorização contínua da saturação de oxigênio. Além disso, o profissional deve ter à disposição uma fonte de oxigênio suplementar para uso em cateter nasal ou máscara facial, bem como equipamento adequado para ventilação assistida e ressuscitação cardiopulmonar. Não há nenhuma evidência de instabilidade hemodinâmica com o uso de remifentanil em gestantes.

Alguns autores estudaram os efeitos dos diferentes opioides e anestésicos locais no músculo uterino isolado de ratas grávidas. Os resultados mostraram que esses dois grupos de medicamentos reduzem a contratilidade da fibra muscular uterina. Tais medicamentos, quando utilizados por via espinhal, não atingem concentrações plasmáticas suficientes para induzir os efeitos descritos anteriormente, mas, quando utilizados por via venosa, podem alcançar as concentrações empregadas nos experimentos. Ainda não existem, no entanto, estudos clínicos que mostrem resultados *in vivo* semelhantes aos apresentados *in vitro*.

Não houve nenhuma associação entre a infusão de remifentanil e qualquer deterioração no traçado da cardiotocografia que indicasse intervenção ou investigação, assim como alterações nas amostras de sangue fetal em gestações a termo e pré-termo.[21] Uma variabilidade transitória no traçado foi notada, mas foram efeitos muito menos frequentes do que os observados com a administração sistêmica de outros opioides. Os índices de Apgar e pH de sangue do cordão umbilical não apresentaram desvios da normalidade. Nenhum estudo em analgesia de parto demonstrou necessidade do uso neonatal de naloxona ou índice de Apgar inesperadamente baixo (sem outras razões envolvidas), o que leva a concluir que a dose utilizada para analgesia é rapidamente metabolizada também pelo neonato. Nos relatos em que a naloxona foi necessária para reanimação neonatal, o remifentanil foi utilizado para suplementar anestesia geral em infusões maiores que 0,1 µg.kg^{-1}.min^{-1} e associado a outros medicamentos.[22]

Em neonatos, o remifentanil apresenta um aumento tanto do volume de distribuição quanto do *clearance*, de modo que a meia-vida de eliminação não se altera. Dessa forma, o perfil farmacocinético do remifentanil em neonatos parece ser semelhante ao das demais crianças e adultos, e esse medicamento é utilizado nas unidades de terapia intensiva neonatal em pacientes sob ventilação mecânica e em uso de surfactante.[22] O remifentanil não se liga a receptores N-metil-D-aspartato e ácido gama-aminobutírico e parece, portanto, não estar associado à neurodegeneração apoptótica nem a déficits persistentes de memória e aprendizagem no recém-nascido, quando utilizado em gestantes.

A infusão de opioides potentes, por curto período de tempo, pode exacerbar a dor pós-operatória ou produzir hiperalgesia após a interrupção do uso. Esse efeito, denominado hiperalgesia de retirada, pode ter longa duração e ser associado ao aumento da dor pós-operatória e da necessidade do uso de analgésicos após a interrupção do opioide. O efeito foi relatado na literatura com resultados contraditórios em relação ao remifentanil, e não há descrição desse fenômeno em anestesia obstétrica.

Os primeiros relatos de uso do remifentanil em analgesia de parto envolveram casos de gestantes que apresentavam alguma contraindicação absoluta à analgesia neuroaxial e concordaram em receber uma técnica analgésica alternativa. O perfil farmacocinético do remifentanil sugeria a possibilidade de utilização em *bolus*, permitindo coincidir o pico de ação com o pico de dor produzido pelas contrações uterinas. Nesse primeiro estudo, o medicamento foi administrado em quatro parturientes em *bolus* manuais no início das contrações percebidas pela dinâmica uterina. Os resultados mostraram que havia um atraso do início de ação em relação às contrações, e que o pico do efeito analgésico ocorria no intervalo entre elas. A conclusão final foi de que o remifentanil não foi efetivo como técnica analgésica para o trabalho de parto. No entanto, simulações computadorizadas da concentração em sítio efetor já tinham previsto uma meia-vida de equilíbrio (sangue-sítio efetor) de 1,3 a 1,6 minutos. Um estudo que analisou o efeito no padrão ventilatório em voluntários sadios com *bolus* de 0,5 µg.kg^{-1} mostrou que o início do efeito ocorria em 30 segundos, com pico em 2,5 minutos. Esses dados sugeriram que, com a infusão do *bolus* no início da dinâmica uterina, seria difícil coincidir o pico de efeito com o pico de dor.[22] Nos anos seguintes, alguns estudos foram conduzidos utilizando o remifentanil em *bolus*, com doses variadas, em técnica controlada pela paciente, associada ou não à infusão contínua, e em comparação com técnicas analgésicas sistêmicas já estabelecidas. No Brasil, as restrições na disponibilidade de bombas que permitam a infusão intermitente em doses fixas ou controladas pela paciente limitam o uso dessa modalidade de administração. Isso motiva o uso de um regime de infusão alternativo realizado com bombas de infusão convencionais.

No contexto atual, diversas formas de infusão e doses foram estudadas. Os estudos sugerem que protocolos de Analgesia Controlada pela Paciente (PCA) em doses fixas são menos eficazes do que regimes tituláveis. Como esperado, doses baixas usualmente resultam em analgesia inadequada e insatisfação materna, e doses altas levam a maior incidência de efeitos adversos. As evidências são conflitantes quanto ao uso de uma infusão contínua conferir benefícios adicionais, especialmente considerando o maior risco de sedação materna e depressão respiratória. Os regimes descritos foram PCA em doses fixas entre 20 e 40 mcg (intervalo de 2 a 3 minutos), PCA em doses por peso, variando de 0,25 a 0,55 mcg.kg-1 (intervalo de 2 minutos), PCA em doses escalonadas de 5 mcg, iniciando em 20 mcg até o máximo de 70 mcg, com intervalo de 3 minutos.

No Brasil, as restrições na disponibilidade de bombas que permitam a infusão intermitente em doses fixas ou controladas pela paciente limitam o uso desta modalidade de administração, e motivam o uso de um regime de infusão alternativo, realizado com bombas de infusão convencionais. Um regime de infusão contínua com resposta aceitável pode ser obtido com um regime de infusão contínua, com doses iniciais de 0,025 µg.kg^{-1}.min^{-1}, com aumento adicional de 0,025 µg.kg^{-1}.min^{-1} a cada 3 a 5 minutos, até dose máxima de 0,10 µg.kg^{-1}.min^{-1}.[23]

O aparato exigido para a administração do remifentanil é simples, sendo necessária a obtenção de um acesso venoso periférico (preferencialmente exclusivo, para evitar acidentes de superdosagem pela infusão concomitante de ocitocina), bem como a disponibilidade de uma bomba de infusão contínua ou programável. Em decorrência da farmacocinética descrita, a infusão alvo-controlada não é necessária. O uso de remifentanil por via peridural ou intratecal é contraindicado devido à presença de glicina na sua formulação.

O alívio da dor obtido com o remifentanil é menor em relação à analgesia neuroaxial, mas alguns trabalhos mostram bons resultados em relação à satisfação materna. Um aspecto importante a ser comentado é que a analgesia representa apenas um dos componentes da satisfação na experiência do parto, e que uma analgesia completa não está entre os aspectos mais importantes quando a paciente opina sobre satisfação. A ambiência acolhedora, presença de um acompanhante, boa da relação com a equipe e possibilidade de participação ativa nas decisões a respeito do seu cuidado parecem ser elementos importantes. A insatisfação, quando relacionada com a dor, está ligada à indisponibilidade de analgesia ou ao atraso no momento de sua introdução, seja ela neuroaxial ou alternativa. Dessa maneira, mesmo que o remifentanil não seja capaz de eliminar todo o desconforto álgico associado às contrações, ele pode representar uma boa alternativa à analgesia peridural, desde que a instituição seja capaz de oferecer os elementos-chave descritos na condução do trabalho de parto e que a paciente seja instruída sobre o efeito analgésico limitado. Da mesma forma, sem o suporte e ambiente corretos, nenhuma técnica analgésica, mesmo oferecendo alívio completo da dor, irá resultar em satisfação materna adequada.

Ainda que, com os dados disponíveis, o remifentanil não substitua em eficácia analgésica as técnicas neuroaxiais, ele é provavelmente uma das melhores alternativas atualmente disponíveis para as pacientes que, por algum motivo, não desejam ou não possam recebê-las. Aspectos jurídicos e precauções devem, no entanto, ser observados para o uso desse medicamento, uma vez que, assim como todos os demais opioides e vários outros fármacos, ele não tem liberação dos órgãos reguladores para uso em gestantes. Assim, é imprescindível a orientação da paciente, bem como o uso de um termo de consentimento livre e esclarecido, a monitorização materna e fetal contínua durante todo o período de ajuste de dose (com manutenção intermitente para o feto e contínuo para a mãe após dose estabelecida) e o acompanhamento individual. Estudos adicionais serão necessários para estabelecer a forma mais adequada, eficiente e segura do emprego do remifentanil, considerando os aspectos ligados à segurança materna e fetal.

Fentanil

O fentanil é um opioide sintético com alto grau de ligação proteica e potência analgésica 100 vezes maior que a morfina e 800 vezes maior que a meperidina. Seu rápido início de ação (efeito máximo em 3 a 4 minutos), curta duração de ação e ausência de metabólitos ativos o tornam uma opção atraente para analgesia de parto. O fentanil em altas doses, no entanto, pode acumular-se, e a meia-vida contexto-dependente aumenta com o tempo de duração da infusão. Ele atravessa livremente a placenta, embora a proporção entre concentração na veia umbilical e artéria uterina se mantenha baixa.

Nos primeiros relatos em analgesia de parto, o fentanil era associado ao droperidol por via venosa em uma modalidade conhecida como neuroleptoanalgesia para o trabalho de parto. Em 1989, um estudo avaliou o uso de fentanil em dose venosa inicial de 50 a 100 mg e repique a cada 1 hora (de acordo com a solicitação materna).[24] Todas as pacientes experimentaram analgesia transitória (45 minutos) e sedação. Foi observada redução frequente na variabilidade da frequência cardíaca fetal, mas não houve diferença nos escores de Apgar, depressão respiratória e escores neurológicos precoces (2 a 4 horas) ou tardios (24 horas) em relação a neonatos cujas mães não receberam o opioide. O mesmo autor publicou, alguns meses depois, um estudo comparativo não encoberto entre fentanil (50 a 100 µg de 1/1 hora) e meperidina (25 a 50 mg a cada 2 a 3 horas) por via venosa.[24] A incidência de sedação, vômitos e uso neonatal de naloxona foi menor com o fentanil, não havendo diferença nos escores neurocomportamentais entre os grupos. Os dois grupos tiveram escores de dor igualmente elevados, sugerindo que ambos os fármacos apresentavam baixa eficácia analgésica.

Em 1991, um estudo comparou diferentes formas de administração venosa do fentanil. Foram avaliados um grupo de administração intermitente (50 a 100 µg de 1/1 hora) e um grupo de analgesia controlada pela paciente (10 µg em *bolus* com intervalo de 12 minutos).[25] Os níveis de analgesia e sedação foram semelhantes nos dois grupos e ambos apresentaram analgesia incompleta, em especial no final do primeiro e segundo estágios do trabalho de parto. Não houve diferença em Apgar de nascimento, uso de naloxona e escores neurocomportamentais. Estudos subsequentes mostraram que a incidência de depressão respiratória neonatal é importante, alcançando 44%, sendo diretamente relacionada à dose total utilizada.

Por apresentar rápido início de ação, alta potência e ausência de metabólitos ativos, o fentanil é atualmente uma das principais escolhas para analgesia sistêmica durante o trabalho de parto, especialmente em técnica controlada pela paciente. As doses sugeridas neste contexto são de 10 a 25 mcg em *bolus*, com intervalo de 5 a 12 minutos.

Meperidina

A meperidina é o opioide mais estudado em analgesia sistêmica para o trabalho de parto. O seu uso em obstetrícia foi introduzido na década de 1940 e existem diversas evidências apontando sua eficácia limitada, um efeito muito mais sedativo do que analgésico e graves efeitos colaterais no neonato. O uso frequente pode ser explicado pela familiaridade histórica de obstetras com o medicamento, baixo custo, facilidade na administração e ausência de evidências claras do benefício dos demais analgésicos sistêmicos antes da introdução do remifentanil.

A eficácia da meperidina é questionada em vários estudos, principalmente quando comparada a outras técnicas com efeito analgésico reconhecido ou pela similaridade de efeito com analgésicos reconhecidamente pouco potentes e ineficientes. O primeiro estudo randomizado, controlado e duplamente encoberto com o uso da meperidina por via intramuscular (100 mg) para analgesia de parto mostrou benefício do opioide sobre placebo e foi, por esta razão, precocemente interrompido. O efeito analgésico, no entanto, foi modesto, com uma variação média na pontuação de dor, após 30 minutos, de 11 mm (IC 95% = 2 a 26 mm, em uma escala visual analógica de 0 a 100 mm). Na maioria dos estudos, menos de 20% das parturientes indicam que a analgesia obtida com a meperidina é satisfatória.[4]

A eficácia foi avaliada em 1993 e comparou diferentes regimes de administração: *bolus* intramusculares intermitentes (50 a 100 mg de 2/2 horas) *versus* analgesia venosa controlada pela paciente (*bolus* inicial de 25 mg seguido de *bolus* intermitentes da mesma dose, quando necessário) associada à infusão contínua (60 mg.h⁻¹). A redução nos escores de dor foi modesta nos dois grupos e menor no grupo que recebeu analgesia venosa, não havendo diferenças nos efeitos colaterais maternos, batimentos cardiofetais e Apgar de nascimento.

Os estudos comparando a meperidina e o remifentanil mostram uma superioridade do remifentanil no alívio da dor e uma maior incidência de efeitos colaterais importantes com a meperidina. Os dados atuais sugerem uma clara vantagem do remifentanil em relação à meperidina para o uso em analgesia de parto.

Os efeitos colaterais maternos, fetais e neonatais são preocupantes e com grande frequência presentes com o uso da meperidina. Náuseas, vômitos e sedação materna são comuns, embora não representem um grande obstáculo à sua utilização. Os efeitos fetais, no entanto, podem ser graves e têm frequência elevada pelas características farmacocinéticas da meperidina. Ela atravessa rapidamente a placenta por difusão passiva e entra em equilíbrio com a concentração fetal em cerca de 6 minutos. A redução na variabilidade da frequência cardíaca fetal ocorre em 25 a 40 minutos após a administração, com resolução em cerca de 1 hora. A meia-vida materna é de cerca de 3 horas, mas a meia-vida fetal é prolongada, podendo atingir 18 a 23 horas. A meperidina é metabolizada no fígado, tanto materno quanto fetal, e produz um metabólito ativo denominado normeperidina, que também atravessa livremente a placenta e possui um efeito depressor potente do sistema respiratório, além de uma meia-vida de 60 horas no recém-nascido. A normeperidina sofre acúmulo após doses repetidas e pode associar-se a alterações neurocomportamentais importantes.

O efeito da meperidina sobre a evolução do trabalho de parto é controverso.[4] Ao contrário do que era anteriormente um conceito comum entre os obstetras, trabalhos avaliando o efeito da meperidina em partos distócicos concluíram que a meperidina não beneficia mulheres nesta condição. Portanto, não deve ser utilizada para esta indicação pelo maior risco neonatal em comparação com o placebo.

Uma rotina comum há alguns anos em instituições no Brasil era a utilização da meperidina em fases iniciais do trabalho de parto, ou próxima ao período expulsivo, com o objetivo de evitar que o parto ocorresse durante o pico de ação do medicamento. Os dados farmacocinéticos mostrados anteriormente deixam claro que este tipo de utilização não reduz a chance de efeitos colaterais neonatais graves e, recentemente, os estudos utilizando a meperidina concluem que o seu uso deve ser desencorajado como técnica analgésica para o trabalho de parto, principalmente em pacientes com feto vivo.

Óxido Nitroso

Embora muitos agentes anestésicos inalatórios tenham sido estudados para o alívio da dor durante o trabalho de parto, apenas o óxido nitroso permanece em uso regular. O primeiro uso descrito para esta finalidade foi publicado por um autor russo em 1881 utilizando concentrações de 80% do gás com 20% de oxigênio. Atualmente, o óxido nitroso é usado com grande frequência no Canadá e Reino Unido, estando disponível em quase 100% dos centros obstétricos nestes países. No Brasil, assim como nos Estados Unidos, este agente inalatório não ganhou popularidade, sendo o seu uso pouco difundido e praticamente inexistente nas maternidades.

O óxido nitroso é o único anestésico não halogenado que atualmente permanece em uso clínico de rotina. Ele é um gás incolor, praticamente inodoro, não inflamável, de baixa potência e relativamente insolúvel no sangue. Sua utilização mais comum é como sedativo em consultórios odontológicos, ou como adjuvante anestésico em combinação com opioides ou anestésicos voláteis durante a realização da anestesia geral.[26]

No contexto da analgesia obstétrica, o uso de óxido nitroso se refere a uma mistura gasosa com concentração de 50% do gás e 50% de oxigênio (1:1). A mistura é apresentada em um cilindro e recebe o nome comercial de Nitronox® nos Estados Unidos, Entonox® no Reino Unido e Livopan® no Brasil. O Livopan® é disponibilizado em cilindros de 10L com circuitos e válvulas de controle de fluxo acompanhados de máscaras faciais.

A técnica de analgesia durante o trabalho de parto consiste na inalação intermitente da mistura, sob máscara facial, liberada a partir do dispositivo descrito, que permite a limitação da concentração dos gases às porcentagens indicadas. O efeito máximo é obtido quando a contração uterina ocorre na presença de uma concentração analgésica adequada no sangue materno, usualmente obtida 50 segundos após a primeira inalação. Para que essa simultaneidade seja obtida, a participação e cooperação da parturiente são cruciais. A paciente é estimulada a respirar a mistura quando perceber os primeiros sinais do início da contração e continuar a inalação até o seu final. No intervalo entre as contrações, o fornecimento da mistura gasosa é interrompido e a paciente mantém respiração espontânea em ar ambiente. O mecanismo de ação não é conhecido, embora seja considerado que está relacionado à liberação de endorfinas endógenas, e, possivelmente, de corticotropinas e dopamina. Esses mecanismos explicariam o efeito eufórico observado e a menor percepção do estímulo doloroso.

As principais controvérsias relacionadas ao seu uso são a possibilidade do aumento na incidência de náuseas e vômitos, de depressão respiratória, o seu potencial efeito tóxico sobre a função das células pela inativação da vitamina B12, o seu efeito no desenvolvimento embrionário, a baixa eficácia no alívio da dor e os seus efeitos adversos relacionados à expansão em estruturas anatômicas preenchidas com ar e bolhas (este último sem problemas aparentes durante o trabalho de parto).

A incidência de náuseas e vômitos varia nos estudos entre 5% a 36%, e esse efeito colateral pode representar um incômodo importante. A vertigem pode ocorrer em até 39% das gestantes, podendo também representar um desconforto importante.

Alguns estudos têm expressado preocupação sobre a possibilidade de hipóxia por difusão após a administração de óxido nitroso durante o trabalho de parto. Embora a dessaturação associada ao uso da mistura 1:1 seja um efeito colateral possível, este é um evento incomum em pacientes saudáveis. Em um trabalho randomizado e duplamente encoberto comparando parturientes usando óxido nitroso/oxigênio 1:1 com um grupo similar respirando ar comprimido, as medições maternas de saturação arterial de oxigênio entre as contrações eram ligeiramente mais elevadas no grupo óxido nitroso/oxigênio.[27] No entanto, é descrita maior ocorrência de episódios significativos da dessaturação arterial em parturientes nas quais o óxido nitroso é combinado com opioides.

As razões pelas quais a hipoxemia pode ser mais grave em gestantes foram discutidas em um relato de caso publicado em 2000.[28] De acordo com a discussão apresentada por estes autores, o uso de da mistura 1:1 pode reduzir a resposta fisiológica habitual à hipoxemia e hipercarbia por depressão do *drive* respiratório. Os ciclos de hiperventilação/hipoventilação que ocorrem durante o trabalho de parto e as alterações pulmonares secundárias à gestação parecem acentuar estes efeitos. O uso de máscaras presas de forma contínua ao rosto da paciente parece aumentar a chance de dessaturação e sedação, sendo recomendado que a máscara seja manuseada livremente pela paciente ou acompanhante, sem fixação. É importante, portanto, a monitorização contínua da oximetria de pulso durante o uso desta modalidade de analgesia, a disponibilidade de uma fonte de oxigênio e material para ventilação e ressuscitação cardiopulmonar. Pelas mesmas razões, o uso está contraindicado em pacientes que apresentem doenças pulmonares ou cardiovasculares que predisponham à hipoxemia. Não há indicação na literatura da necessidade da presença de um acesso venoso periférico ou outras formas de monitorização além da oximetria de pulso. Como o uso combinado de óxido nitroso e opioides parece aumentar esse risco, os profissionais assistentes devem estar cientes dos efeitos aditivos destes agentes. A inalação intermitente de óxido nitroso leva a um acúmulo materno e fetal insignificantes, e o recém-nascido elimina a maior parte do gás dentro de minutos após o nascimento, principalmente através dos pulmões. Usado desta forma, o óxido nitroso não deprime a respiração neonatal e nem afeta os escores neurocomportamentais. Caso ocorra depressão respiratória neonatal, a ventilação por pressão positiva com oxigênio a 100% elimina rapidamente o óxido nitroso.

A administração prolongada de óxido nitroso é associada à inibição da enzima metionina sintase, levando a um risco teórico para o feto. Seu uso, no entanto, parece inofensivo para o recém-nascido, já que a exposição durante o trabalho de parto é intermitente e ele é excretado pelos pulmões logo após o nascimento.

A inalação intermitente de óxido nitroso produz certo grau de analgesia, mas não elimina completamente a dor das contrações uterinas. Estudos mostram que 30% a 40% das pacientes que o utilizam não observam nenhum tipo de benefício, e a sua eficácia analgésica é inferior à analgesia neuroaxial, meperidina e remifentanil venoso.[26] No estudo randomizado e duplamente encoberto comparando óxido nitroso e ar comprimido, não houve nenhuma diferença entre os dois grupos em relação aos escores médios de dor.[27] A adição de anestésicos inalatórios à mistura de óxido nitroso foi estudada como uma forma de reforçar o seu efeito.[29] Ainda nesse estudo, a mistura mostrou ser um pouco mais efetiva do ponto de vista analgésico, mas pareceu aumentar mais a sedação do que a analgesia.

A poluição ambiental do óxido nitroso é problema frequentemente citado, mas que na prática não tem significância. O uso da inalação por máscara pode produzir níveis signicativos do gás no ambiente, e ainda não está claro se a exposição ocupacional a concentrações subanestésicas regular traz riscos significativos à saúde dos profissionais assistentes, embora os dados epidemiológicos não sugiram a presença de riscos em trabalhadores de saúde expostos ao óxido nitroso no ambiente de trabalho. O óxido nitroso não interfere na atividade uterina, não aumenta o consumo de ocitocina, nem a incidência de partos instrumentados ou conversões à cesariana.

■ CONVERSÃO DE ANALGESIA NEUROAXIAL EM ANESTESIA PARA CESARIANA

Uma boa comunicação entre as equipes é essencial para o acompanhamento seguro da gestante sob analgesia que será submetida a uma cesariana não-planejada. A equipe obstétrica deve sinalizar situações emergenciais ou não tranquilizadoras com maior rapidez possível, para permitir ação precoce e rápida na assistência e conversão. Além de iniciar a monitorização e decidir sobre a técnica anestésica de conversão, o anestesiologista deve participar ativamente da ressuscitação intrauterina do feto em sofrimento, alívio da compressão aortocava, parada da infusão de ocitocina, tratamento da hipotensão arterial materna, infusão de cristaloides e inibição da contração uterina com o uso de tocolíticos quando indicado.

A técnica anestésica de escolha para a conversão depende de alguns fatores, sendo importantes o tempo disponível para que a conversão seja realizada e a avaliação da via aérea materna. Se a equipe obstétrica sinaliza que a situação é extremamente grave, indicando o início imediato da cirurgia, e se a avaliação da via aérea da gestante não mostrar preditores de dificuldade de intubação orotraqueal, uma anestesia geral pode ser a estratégia mais rápida.

No entanto, se a equipe obstétrica informa que é possível aguardar alguns minutos para que o ato cirúrgico seja iniciado, e se o cateter peridural resultou em analgesia adequada durante o acompanhamento, a conversão via cateter parece ser a melhor opção.

O momento e local oportunos para o início da conversão via cateter peridural (na área/quarto pré-parto ou dentro da sala cirúrgica) ainda são controversos. A conversão no pré-parto pode poupar tempo, mas a monitorização materna neste ambiente usualmente não é ideal, e é nesse momento da conversão que o risco de um bloqueio alto ou toxicidade sistêmica pelo anestésico local é maior, uma vez que o cateter peridural pode ter migrado da posição correta para um vaso sanguíneo ou para o espaço subaracnóideo. A espera até a chegada à sala cirúrgica antes de iniciar a conversão pode promover ansiedade na equipe obstétrica e, em algumas situações, piora das condições fetais. Usualmente, um tempo mínimo de 15 a 20 minutos é necessário para que uma anestesia peridural esteja minimamente instalada, sendo necessário um teste do nível do bloqueio antes do início do procedimento, uma vez que a latência pode ser variável. Uma possibilidade é a administração de uma dose teste (5 - 10mL de lidocaína 2% com adrenalina) para a verificação do correto posicionamento do cateter, logo que a cesariana for indicada. Havendo efeito adequado (intensificação do bloqueio sensitivo e/ou paresia em membros inferiores), o restante da dose pode ser administrada após a chegada na sala cirúrgica.[30] A injeção da dose total planejada de anestésico em *bolus* peridural único pode resultar em situação catastróficas se o cateter estiver em posição intravascular ou subaracnóidea.

A dosagem e o tipo de anestésico local utilizados irão variar com grau de emergência para a realização da cesariana. Atualmente, a conduta mais indicada é o uso de lidocaína 2% com adrenalina, titulada em *bolus* de 5 a 10 mL a cada 3 a 5 minutos, até que o bloqueio alcance o nível adequado em T4. A adição de um opioide lipofílico (fentanil ou sufentanil) à solução parece reduzir a sua latência, e algumas outras estratégias já foram propostas com este objetivo. O aquecimento da solução anestésica (a 38°C), a adição da adrenalina à lidocaína apenas no momento do preparo da solução (no lugar do uso de soluções prontas) e a adição de bicarbonato ao anestésico (1 mL de bicarbonato de sódio 8,4% para 9 mL de lidocaína) já foram descritos. Nos casos de conversão com a lidocaína, pode ser necessária a complementação da anestesia no final do procedimento (pela curta duração do anestésico), e é importante lembrar uma dose peridural de morfina (2 a 3 mg) é recomendada, para auxiliar na analgesia pós-operatória.

Uma alternativa possível e utilizada por alguns serviços é a retirada do cateter peridural com realização de raquianestesia. A não ser que esteja contraindicada, a raquianestesia em dose única pode ser empregada mesmo em pacientes que receberam analgesia neuroaxial para o trabalho de parto. Não há dados na literatura que comparem a realização de uma nova punção com a conversão via cateter, mas, na prática, alguns profissionais preferem a raquianestesia neste contexto pela rapidez da instalação do bloqueio. No entanto, atenção precisa ser dada à modificação da dinâmica da pressão nos espaços peridural e subaracnóideo após a injeção de doses prévias via cateter. A injeção prévia de solução anestésica no espaço peridural modifica a dispersão da solução injetada no espaço subaracnóideo, podendo resultar em bloqueios subaracnóideos altos, com hipotensão arterial importante e alteração do nível de consciência. Os riscos parecem ser maiores nos primeiros 30 minutos após a administração da solução anestésica peridural. Até o momento, no entanto, não está definido qual o ajuste ideal da dose de anestésico na raquianestesia para reduzir a incidência de complicações e raquianestesia alta. Desta forma, se a decisão for por esta técnica, o profissional deve estar ciente dos riscos envolvidos.

A conversão de uma analgesia de parto pelo cateter peridural é uma importante estratégia para limitar o uso de anestesia geral. A falha na conversão pode resultar em riscos imprevisíveis associados ao manejo da via aérea na gestante, à realização de raquianestesia na presença de bloqueio peridural parcial ou à titulação de medicações analgésicas e sedativas. Os riscos para essa falha de conversão incluem um grande número de doses durante o trabalho de parto, o grau de urgência para a realização do parto cesáreo e a assistência anestésica realizada por um anestesiologista não--obstétrico. De qualquer forma, a estatística atual é de que mais de 85% das cesarianas de emergência são realizadas sob anestesia regional, e que menos de 3% dos bloqueios regionais necessitam de conversão para anestesia geral.

REFERÊNCIAS

1. Wong C. Epidural and spinal analgesia/anesthesia for labor and vaginal delivery. In: Saunders E, editor. Chestnut's Obstetric Anesthesia: Principles and Practice. 5a edição ed. China: Elsevier Inc. 2014. p. 457 - 517.
2. Pan P, Eisenach J. The pain of childbirth and its effect on the mother and the fetus. In: Mosby E, editor. Chestnut's Obstetric Anesthesia - Principles and Practice. 4 ed. Philadelphia: Elsevier. 2009. p. 389-97.
3. Melzack R. The myth of painless childbirth (the John J. Bonica lecture). Pain. 1984;19(4):321-37.
4. Jones L, Othman M, Dowswell T, Alfirevic Z, Gates S, Newburn M, et al. Pain management for women in labour: an overview of systematic reviews. Cochrane Database Syst Rev. 2012;3:CD009234.
5. Practice guidelines for obstetric anesthesia: an updated report by the American Society of Anesthesiologists Task Force on Obstetric Anesthesia. Anesthesiology. 2007;106(4):843-63.
6. Paré J, Pasquier JC, Lewin A, Fraser W, Bureau YA. Reduction of total labor length through the addition of parenteral dextrose solution in induction of labor in nulliparous: results of Dextrons prospective randomized controlled trial. Am J Obstet Gynecol. 2017;216(5):508.e1-.e7.
7. Practice Guidelines for Preoperative Fasting and the Use of Pharmacologic Agents to Reduce the Risk of Pulmonary Aspiration: Application to Healthy Patients Undergoing Elective Procedures: An Updated Report by the American Society of Anesthesiologists Task Force on Preoperative Fasting and the Use of Pharmacologic Agents to Reduce the Risk of Pulmonary Aspiration. Anesthesiology. 2017;126(3):376-93.
8. Beilin Y, Halpern S. Focused review: ropivacaine versus bupivacaine for epidural labor analgesia. Anesth Analg. 2010;111(2):482-7.
9. Van der Vyver M, Halpern S, Joseph G. Patient-controlled epidural analgesia versus continuous infusion for labour analgesia: a meta-analysis. Br J Anaesth. 2002;89(3):459-65.
10. Cappiello E, O'Rourke N, Segal S, Tsen LC. A randomized trial of dural puncture epidural technique compared with the standard epidural technique for labor analgesia. Anesth Analg. 2008;107(5):1646-51.
11. Carvalho JC. Ultrasound-facilitated epidurals and spinals in obstetrics. Anesthesiol Clin. 2008;26(1):145-58, vii-viii.
12. Mhyre JM, Greenfield ML, Tsen LC, Polley LS. A systematic review of randomized controlled trials that evaluate strategies to avoid epidural vein cannulation during obstetric epidural catheter placement. Anesth Analg. 2009;108(4):1232-42.
13. Mhyre JM. Why do pharmacologic test doses fail to identify the unintended intrathecal catheter in obstetrics? Anesth Analg. 2013;116(1):4-5.
14. Sng BL, Leong WL, Zeng Y, Siddiqui FJ, Assam PN, Lim Y, et al. Early versus late initiation of epidural analgesia for labour. Cochrane Database Syst Rev. 2014;2014(10):CD007238.
15. Anim-Somuah M, Smyth RM, Cyna AM, Cuthbert A. Epidural versus non-epidural or no analgesia for pain management in labour. Cochrane Database Syst Rev. 2018;5(5):CD000331.
16. Wang TT, Sun S, Huang SQ. Effects of Epidural Labor Analgesia With Low Concentrations of Local Anesthetics on Obstetric Outcomes: A Systematic Review and Meta-analysis of Randomized Controlled Trials. Anesth Analg. 2017;124(5):1571-80.
17. Wong CA, Scavone BM, Peaceman AM, McCarthy RJ, Sullivan JT, Diaz NT, et al. The risk of cesarean delivery with neuraxial analgesia given early versus late in labor. N Engl J Med. 2005;352(7):655-65.
18. Kan RE, Hughes SC, Rosen MA, Kessin C, Preston PG, Lobo EP. Intravenous remifentanil: placental transfer, maternal and neonatal effects. Anesthesiology. 1998;88(6):1467-74.
19. Balki M, Kasodekar S, Dhumne S, Bernstein P, Carvalho JC. Remifentanil patient-controlled analgesia for labour: optimizing drug delivery regimens. Can J Anaesth. 2007;54(8):626-33.
20. Volikas I, Butwick A, Wilkinson C, Pleming A, Nicholson G. Maternal and neonatal side-effects of remifentanil patient-controlled analgesia in labour. Br J Anaesth. 2005;95(4):504-9.
21. Maroni A, Aubelle MS, Chollat C. Fetal, Preterm, and Term Neonate Exposure to Remifentanil: A Systematic Review of Efficacy and Safety. Paediatr Drugs. 2023;25(5):537-55.
22. Hill D. The use of remifentanil in obstetrics. Anesthesiol Clin. 2008;26(1):169-82, viii.
23. Soares EC, Lucena MR, Ribeiro RC, Rocha LL, Vilas Boas WW. Remifentanil as analgesia for labor. Rev Bras Anestesiol. 2010;60(3):334-46.
24. Rayburn WF, Smith CV, Parriott JE, Woods RE. Randomized comparison of meperidine and fentanyl during labor. Obstet Gynecol. 1989;74(4):604-6.
25. Rayburn WF, Smith CV, Leuschen MP, Hoffman KA, Flores CS. Comparison of patient-controlled and nurse-administered analgesia using intravenous fentanyl during labor. Anesthesiol Rev. 1991;18(1):31-6.
26. Stewart LS, Collins M. Nitrous oxide as labor analgesia: clinical implications for nurses. Nurs Womens Health. 2012;16(5):398-408; quiz 9.
27. Carstoniu J, Levytam S, Norman P, Daley D, Katz J, Sandler AN. Nitrous oxide in early labor. Safety and analgesic efficacy assessed by a double-blind, placebo-controlled study. Anesthesiology. 1994;80(1):30-5.
28. Lucas DN, Siemaszko O, Yentis SM. Maternal hypoxaemia associated with the use of Entonox in labour. Int J Obstet Anesth. 2000;9(4):270-2.
29. Reynolds F. Labour analgesia and the baby: good news is no news. Int J Obstet Anesth. 2011;20(1):38-50.
30. Findley I, Chamberlain G. ABC of labour care. Relief of pain. BMJ. 1999;318(7188):927-30.

129

Anestesia para Cesariana

Carlos Othon Bastos ■ Luis Fernando Lima Castro

INTRODUÇÃO

O termo "parto por cesárea" ou "operação cesariana" se origina de uma lei do Código Civil Romano, do século VII a.C., que dizia que uma criança deveria ser "cortada" do ventre materno caso a mãe morresse antes de dar à luz. A palavra "cesariana" teria sua origem no verbo latim *caedere*, que significa "cortar". A outra hipótese seria em referência ao nascimento do imperador Júlio César, o qual se teria dado dessa maneira; porém é muito pouco provável, uma vez que sua mãe sobreviveu ao parto e deu à luz outros filhos.[1]

No passado, a morbimortalidade materna era muito elevada. Até o século XX, existem poucos relatos de mães que tenham sobrevivido a uma cesariana. Complicações hemorrágicas e infecciosas eram as grandes responsáveis. Desde então, a evolução de técnicas cirúrgicas e anestésicas, associada a conceitos de assepsia e emprego racional de antibióticos, melhorou a segurança do binômio mãe-feto.[2]

■ INDICAÇÕES

Entre as indicações mais frequentes de cesariana, destacam-se o sofrimento fetal, as hemorragias antes ou durante o parto (descolamento prematuro da placenta, placenta prévia, ruptura uterina, entre outras), as falhas de indução do trabalho de parto, a idade gestacional avançada com critérios de indução pouco favoráveis, as distocias de evolução do trabalho de parto, as gestações múltiplas, as apresentações anômalas, a macrossomia fetal, o prolapso do cordão umbilical, os quadros infecciosos (corioamniotite, herpes genital etc.), as cirurgias uterinas prévias (miomectomias), as cesarianas anteriores e a idade materna avançada (Tabela 129.1).[3] Tem sido cada vez mais frequente e aceita, no nosso meio e no exterior, a cesariana eletiva por solicitação da gestante. Existe uma ampla discussão na literatura médica a respeito das vantagens e desvantagens dessa opção, entretanto a opinião materna na escolha da via de parto precisa ser respeitada.[4-7]

Tabela 129.1 Principais indicações de cesariana.[3-7]

Sofrimento fetal
Hemorragias obstétricas periparto
Falha na indução do trabalho de parto
Idade gestacional avançada
Distocias de evolução do trabalho de parto
Gestações múltiplas
Apresentações fetais anômalas
Macrossomia fetal
Prolapso do cordão umbilical
Quadros infecciosos
Cirurgias uterinas anteriores
Cesarianas prévias
Gestante com idade avançada
Demanda da gestante

■ INCIDÊNCIA

A incidência de operação cesariana varia amplamente de acordo com o país, a população estudada e as diferenças no acesso a adequado atendimento perinatal. Dessa forma, é difícil estabelecer limites ideais ou mesmo aceitáveis, apesar de muitos terem sido propostos pela Organização Mundial da Saúde (OMS).[8]

Segundo essa mesma entidade, o Brasil é um dos países com maiores índices de cesariana no mundo. Dados publicados por órgãos ligados ao Ministério da Saúde mostraram que o índice de cesarianas alcançou 56,7% dos nascimentos no país em 2012 (85% nos serviços privados, 40% nos serviços públicos).[9] Diante do alto índice de cesarianas e dos seus prejuízos para a saúde da mãe e do recém-nascido, surgiram diversas iniciativas na tentativa de incentivar a realização de partos normais.[10] Infelizmente, até o momento, essas iniciativas ainda não demonstraram todos os resultados esperados. Segundo dados da Agência Nacional de Saúde Suplementar (ANS), a situação é ainda mais dramática no âmbito da medicina privada: 85% dos partos são cesarianas.[9] O ideal para o Brasil seria uma taxa entre 25% e 30%, segundo recomendações internacionais.[8]

■ MORBIDADE E MORTALIDADE

As principais complicações da cesariana incluem quadros hemorrágicos (atonia uterina, lacerações, hematoma do ligamento largo, entre outros), infecciosos (endometrite, infecção da ferida operatória etc.), dor abdominal crônica, complicações anestésicas, tromboembolismo venoso, íleo paralítico prolongado, lesões em vísceras abdominais, atelectasia e até mesmo pneumonia aspirativa (Tabela 129.2).[11,12] Além disso, aumenta a incidência de riscos para uma futura gravidez, como placenta prévia, acretismo placentário, ruptura uterina, histerectomia puerperal e síndromes aderenciais.[11]

Tabela 129.2 Principais causas de morbidade ligadas à cesariana.[11,12]
Quadros hemorrágicos
Quadros infecciosos
Dor crônica
Complicações anestésicas
Fenômenos tromboembólicos
Lesões em vísceras abdominais
Íleo paralítico prolongado pós-operatório
Atelectasias pulmonares
Aspiração traqueal de conteúdo gástrico

A mortalidade materna vem diminuindo nas últimas décadas graças à maior disponibilidade de acompanhamento pré-natal e ao acesso a serviços estruturados de atendimento à saúde materno-infantil. O aperfeiçoamento de fármacos e técnicas anestésicas também tem contribuído para essa redução;[13] entretanto, por dependerem, em parte, de serviços de atendimento adequadamente funcionantes, a morbidade e mortalidade maternas variam muito entre diferentes países e regiões.[8]

No início do século XXI, em um estudo retrospectivo sobre mortalidade materna envolvendo mais de 1,5 milhão de partos nos EUA,[14] foi demonstrado que a cesariana havia sido responsável direta por quatro casos de óbito materno. Os autores também concluíram que o risco de óbito é 10 vezes maior após a cesariana do que depois do parto vaginal.[14] Mais recentemente, uma revisão sistemática da literatura buscou avaliar a associação entre as causas e a incidência de óbito materno e a realização

de cesarianas na América Latina.[15] Os autores concluíram que, a despeito de a maior parte dos estudos demonstrar que possivelmente há risco aumentado de morte materna na cesariana com relação ao parto normal, não é possível confirmar essa associação em decorrência do número reduzido de estudos sobre o tema e por problemas metodológicos em grande parte dos existentes.[15] Por outro lado, a situação pode ser bem diferente em locais com sistemas de saúde adequadamente organizados e capacitados na atenção à saúde de pacientes obstétricas. Em 2018, um estudo holandês retrospectivo envolvendo mais de 2,5 milhões de partos concluiu que, em comparação com o parto vaginal, a mortalidade materna após cesarianas foi três vezes maior mesmo sendo excluídas as mortes sem relações com a cirurgia.[16]

A taxa de morbidade neonatal, especialmente ligada ao sistema respiratório, também é maior em cesarianas eletivas do que no parto vaginal. Em um estudo de revisão sobre esse tema, Hansen e col.[17] observaram um risco aumentado de complicação respiratória neonatal em todos os estudos analisados. A magnitude desse risco relativo parece depender da idade gestacional, mesmo em nascimentos após a 37ª semana de gestação.[17]

■ REDUÇÃO DA INCIDÊNCIA DE CESARIANAS

Sabe-se que o número excessivo de cesarianas no Brasil apresenta questões diversas e multifatoriais que necessitam de abordagens igualmente amplas, passando pela disponibilidade e estrutura de serviços e profissionais da saúde em cada localidade, pela forma de remuneração destes, e chegando até mesmo à necessidade de modificação de alguns aspectos culturais, o que só possível por meio do esclarecimento e da educação populacional. Dessa forma, uma abordagem pré-natal individualizada e centrada na gestante e na sua família, esclarecendo abertamente os mitos, vantagens e desvantagens de cada uma das vias de parto, tem sido preconizada como uma das estratégias para a redução desses incômodos índices de cesarianas.[7]

Diversas outras medidas também têm sido sugeridas para a redução da incidência de cesarianas, incluindo:

1. Estímulo à realização eletiva de versão cefálica com técnica anestésica adequada;[18,19]
2. Universalização da analgesia para o trabalho de parto, inclusive em gestantes com história pregressa de cesariana ou parto instrumental;
3. Utilização de técnicas de reanimação fetal intrauterina, incluindo o relaxamento uterino farmacológico nos casos de taquissistolia (Tabela 129.3).[20,21]

Tabela 129.3 Medidas úteis para reduzir a incidência de cesarianas.[7,18-21]
Abordagem e aconselhamento pré-natais adequados
Estímulo à realização de versão cefálica externa
Universalização da analgesia do trabalho de parto
Estímulo às técnicas de reanimação fetal intrauterina

A incidência de apresentações pélvicas gira em torno de 3% a 4% das gestações a termo.[3] A maior parte das diretrizes de atendimento obstétrico desaconselha o parto vaginal nessas condições, propiciando um aumento nas indicações de cesarianas eletivas. A versão cefálica externa é uma manobra que consiste na aplicação de pressão manual sobre o abdome materno com a finalidade de tentar modificar a apresentação fetal. Normalmente é realizada entre 36 e 39 semanas de gestação, tendo um bom percentual de êxito. O uso de analgesia neuroaxial melhora consideravelmente a taxa de sucesso dessa manobra e não parece comprometer a segurança do binômio mãe-feto.[18,19]

A disponibilidade de analgesia para o trabalho de parto, principalmente as técnicas neuroaxiais, tem crescido nos últimos anos. Esse é um fator decisivo para minimizar as indicações de cesarianas decorrentes da falta de controle adequado da dor do trabalho de parto. Além disso, uma analgesia regional eficaz facilita a realização das intervenções obstétricas necessárias ao parto e a obtenção de anestesia cirúrgica necessária para cesarianas emergenciais quando se utilizam técnicas espinhais contínuas.

Por sua vez, a reanimação fetal intrauterina está indicada às situações em que há evidências de comprometimento da vitalidade do concepto durante a evolução do trabalho de parto. Os principais pontos que envolvem essa conduta são:

1. Otimizar a posição materna para minimizar a compressão aortocava e do cordão umbilical;
2. Administrar oxigênio suplementar à parturiente;
3. Restabelecer a pressão arterial materna com líquidos venosos e vasopressores na vigência de hipotensão arterial;
4. Suspender uma eventual administração de ocitocina;
5. Combater o aumento excessivo do tônus uterino por meio da administração de tocolíticos;
6. Infundir soluções cristaloides aquecidas intra-amnióticas, quando indicado.[20,21]

■ PREPARO PRÉ-ANESTÉSICO

Avaliação Pré-anestésica

A avaliação pré-anestésica em caráter ambulatorial tem sido incentivada como forma de otimizar as condições clínicas pré-operatórias, facilitando o planejamento anestésico-cirúrgico. As pacientes obstétricas não fogem a essa regra. Acredita-se que todas devam ser submetidas a avaliações pré-anestésicas antes do início do trabalho de parto, especialmente aquelas cuja gestação é de alto risco. Essa conduta possibilita fornecer informações relevantes às pacientes, solicitar interconsultas, otimizar as condições clínicas e discutir o planejamento e o preparo para o parto.[22,23]

Algumas gestantes entram em trabalho de parto sem que tivessem tido a oportunidade de ser previamente avaliadas. Nessa situação, a abordagem do anestesiologista deve ser a mais precoce possível. É necessário combater a conduta de passivamente aguardar a indicação de uma cesariana. É preciso atuar de forma proativa, avaliando a gestante antes de qualquer indicação de procedimento obstétrico. Muitas vezes se veem parturientes que necessitam de cuidados especiais, os quais demandam tempo e recursos pré-anestésicos, e as situações emergenciais comprometem a sua realização. Mesmo assim, informações mínimas a respeito das condições clínicas da paciente e do seu pré-natal devem ser obtidas. Em todas essas situações, uma comunicação efetiva com a equipe obstétrica é fundamental no planejamento do procedimento anestésico.[22]

Jejum e Alimentação Pré-operatória

As alterações anatomofisiológicas inerentes à gestação fazem que esse grupo de pacientes seja especialmente propenso à ocorrência de síndrome de aspiração traqueal de conteúdo gástrico. A descrição inicial dessa síndrome, feita por Mendelson, envolvia parturientes.[24] Dessa forma, devem-se implementar medidas visando à prevenção dessa complicação – e elas serão mais bem detalhadas na seção *Anestesia Geral*, mais adiante neste capítulo.

Em cesarianas eletivas, pode-se permitir às gestantes a ingestão de pequenas quantidades de líquidos sem resíduos (água, chá, sucos sem polpa etc.) até 2 horas antes do início da anestesia. As características desse líquido parecem ser mais importantes do que o seu volume. Por sua vez, restrições de ingesta oral mais severas devem ser impostas àquelas gestantes que apresentam fatores de risco adicionais para broncoaspiração (obesas, diabéticas, com características associadas a uma via aérea de acesso difícil etc.) ou que estejam em trabalho de parto com evolução desfavorável. Nessas pacientes, o jejum pré-anestésico ideal antes da cesariana deve ser de 6 a 8 horas, de acordo com o teor de gordura do alimento.[22]

A profilaxia farmacológica da aspiração traqueal está principalmente indicada aos casos a serem conduzidos sob anestesia geral e será mais bem discutida posteriormente neste capítulo (seção *Anestesia Geral*). O uso de antiácidos não particulados, antagonistas H_2, inibidores de bomba de prótons e procinéticos gástricos é raro durante a anestesia regional, mesmo na ausência de jejum prévio adequado.[25]

■ MONITORIZAÇÃO

A realização de uma anestesia segura requer disponibilidade e funcionamento adequado de equipamentos e monitores. No Brasil, a Resolução nº 2.174/2017, do Conselho Federal de Medicina (CFM), regulamenta a monitorização mínima e a disponibilidade de recursos de reanimação e suporte à vida nos locais de realização de anestesias.[26] Essa norma obviamente também se aplica às gestantes. Todas as pacientes que serão submetidas a cesariana devem ser monitorizadas com eletrocardiografia contínua, oximetria de pulso e pressão arterial média não invasiva.[26] A avaliação da frequência cardíaca fetal é recomendável antes e depois da administração da anestesia.[3] O uso de analisadores de gases, em especial com capnografia, é essencial nos casos de assistência ventilatória.[26]

Um cateter vesical é usado em quase todas as cesarianas com a finalidade de evitar a hiperdistensão da bexiga durante e após a cirurgia. Viabiliza também a medição do débito urinário nos casos associados a hipovolemia, oligúria e/ou perda sanguínea significativa.[27]

A indicação de monitorização invasiva deve ser individualizada, estando restrita às gestantes com cardiopatias graves, hipertensão ou hipotensão sistêmicas refratárias, hipertensão pulmonar significativa, edema agudo de pulmão, perdas volêmicas excessivas ou oligúria inexplicável. O uso do monitor da junção neuromuscular também deve ser estimulado nas gestantes submetidas à anestesia geral, especialmente naquelas que estão utilizando sulfato de magnésio. Deve-se lembrar da potencialização do efeito dos bloqueadores neuromusculares adespolarizantes por esse agente.[3,27]

■ ACESSO VENOSO, HIDRATAÇÃO E USO DE VASOPRESSORES

O estabelecimento de um adequado acesso venoso, tanto no calibre quanto na funcionalidade, é fundamental para o sucesso da anestesia na cesariana. Na maior parte das vezes, é suficiente um acesso periférico com cateter 18 ou 16 G, entretanto, nos casos em que se prevê possibilidade de grande perda volêmica, uso de hemoderivados ou administração de fármacos vasoativos, pode ser necessária a utilização de um acesso venoso central ou de outros periféricos. Muitas vezes é necessário obter outros acessos venosos durante o procedimento cirúrgico, o que ocorre principalmente nos casos de complicações cirúrgicas hemorrágicas e constitui um desafio a mais para o anestesiologista.[3,28]

A estimativa real de perda sanguínea em uma cesariana nem sempre é tarefa fácil, o que dificulta o cálculo da adequada reposição volêmica e da hidratação.[29,30] Em regra, sangramentos superiores a 1.000 mL na cesariana são considerados hemorragia obstétrica.[31] Deve-se lembrar, ainda, de que a involução uterina após o nascimento desloca para a circulação central cerca de 500 mL de sangue que estavam desviados para o útero. Esse é um fator adicional para dificultar a quantificação da perda e da necessidade de reposição volêmica, as quais habitualmente são superestimadas.[32] Diferentes mecanismos têm sido propostos a fim de facilitar a avaliação do sangramento após cesarianas, mas nenhum deles parece ser completamente eficiente,[32,33] portanto frequentemente se utilizam parâmetros clínicos (diurese, hidratação de mucosas, turgor da pele, parâmetros hemodinâmicos, entre outros) para verificar a adequação da reposição calculada.[3,27]

A reposição volêmica de soluções cristaloides e/ou coloides é prática corriqueira na prevenção da hipotensão arterial após anestesia regional para cesariana. Essa conduta se baseia na premissa de que a hipotensão decorrente do bloqueio espinal deriva das quedas de retorno venoso e do débito cardíaco maternos. Estudos hemodinâmicos não invasivos mais recentes sugerem, entretanto, que outro fator está envolvido nessa fisiopatologia: a redução marcante da resistência vascular sistêmica.[34,35] Nesse contexto, reposição volêmica intensa parece não ser a melhor opção, embora, a despeito disso, ainda seja frequentemente utilizada.

Não existe consenso a respeito da melhor solução para reposição volêmica em bloqueios regionais na cesariana.[33,36]

As soluções coloidais em geral mostram resultados discretamente melhores do que as cristaloides quanto à prevenção da hipotensão arterial materna, entretanto esse possível efeito benéfico é superado pelo risco da ocorrência de efeitos colaterais ligados ao uso desses expansores plasmáticos (distúrbios da coagulação, alterações da função renal, reações alérgicas etc.).[37,38] Dessa forma, a reposição volêmica com coloides na cesariana não é rotineiramente realizada na maioria dos serviços.

Também não existe consenso sobre a quantidade de cristaloides a ser infundida. Volumes elevados devem ser evitados, pois podem levar à hemodiluição com consequente redução da oferta de oxigênio ao feto, além de sobrecarga do sistema cardiovascular, liberação de peptídio natriurético atrial e inibição do sistema renina-angiotensina materno.[39] Alguns autores recomendam, para gestantes saudáveis, a administração de cerca de 1 L de solução cristaloide desde o início da anestesia até o nascimento do concepto. Depois disso, essa administração deve ser reduzida por conta da involução e contração uterinas, que levam a aumentos substanciais no volume sanguíneo circulante.[34]

O momento mais adequado para início da administração do cristaloide parece ser durante a realização do bloqueio regional (a chamada técnica de *coload*). A conduta de expansão volêmica antes da realização da anestesia (*preload*) apresenta eficiência mínima na prevenção da hipotensão arterial, portanto seu uso está desaconselhado e sua prática deve ser abandonada.[34,40]

Em decorrência da baixa eficácia da reposição volêmica na prevenção de hipotensão arterial,[34,35,40] associada a estudos recentes já relatados sobre a hemodinâmica materna após esses bloqueios,[31,32] o uso dos vasopressores ganhou destaque.[33,36,38] Nos ensaios mais antigos, observam-se discordâncias nos critérios utilizados para a definição de hipotensão arterial materna (queda de 20% na pressão arterial sistólica [PAS], PAS < 100 mmHg, entre outros). Deve-se lembrar, contudo, de que não há autorregulação do fluxo sanguíneo uteroplacentário. Assim, quedas do débito cardíaco materno levam a diminuições proporcionais no fluxo placentário. Assim, desenvolveu-se recentemente o conceito de "tolerância zero" para a hipotensão arterial em obstetrícia, segundo o qual não se deve aceitar qualquer redução na pressão arterial materna após o início da anestesia regional.[34,35]

Em 1974, Ralston e col.[41] publicaram um estudo que avaliou as alterações hemodinâmicas maternas e o fluxo uteroplacentário sob a utilização de diferentes agentes vasopressores. Os autores demonstraram que todos os agentes que apresentavam efeito agonista alfa-adrenérgico levaram a redução marcante do aporte de sangue ao útero e, consequentemente, à placenta. Dessa forma, concluíram que o vasopressor ideal para obstetrícia deveria ser desprovido de atuação sobre esses receptores. A efedrina, não apresentando efeitos alfa-adrenérgicos significativos, foi o único fármaco cuja administração não levou à diminuição do fluxo uteroplacentário. Os resultados desse estudo influenciaram decisivamente a escolha do agente vasopressor para o tratamento da hipotensão arterial em anestesia obstétrica, em todo o mundo, por mais de três décadas. Parece que ninguém nesse período se preocupou em analisar criticamente os resultados e a metodologia desse ensaio. Os dados foram obtidos de ovelhas prenhes submetidas a um quadro de hipotensão arterial secundário a um choque hemorrágico. Em seguida, a hipotensão era corrigida com diferentes vasopressores. As conclusões foram extrapoladas para gestantes humanas submetidas a anestesia neuroaxial.

Evidências consistentes de que os agonistas alfa-adrenérgicos não eram tão deletérios quanto se imaginava só começaram a surgir no início deste século. Em 2001, o grupo do Prof. Ngan Kee publicou um ensaio[40] no qual comparou infusões contínuas de efedrina e metaraminol para o tratamento da hipotensão arterial secundária ao bloqueio regional em cesarianas. Esses autores concluíram que o metaraminol foi o agente que promoveu o controle mais preciso da pressão arterial. Além disso, os neonatos do grupo tratado com agonistas alfa-adrenérgicos apresentaram, ao contrário do que se poderia supor, melhores resultados no que tange ao equilíbrio acidobásico em comparação com o grupo que recebeu a efedrina.

Nos anos subsequentes, outras pesquisas se seguiram reproduzindo total ou parcialmente esses resultados.[41-43] Com os dados disponíveis até o momento, tudo leva a crer que não há dúvida de que os agonistas alfa-adrenérgicos são os agentes de escolha para o tratamento da hipotensão arterial secundária à anestesia regional para cesariana.[44]

Não existe consenso a respeito da escolha do agente alfa-agonista nem do melhor regime para sua administração.[38,43,45] Seguindo o conceito de "tolerância zero" para a redução da pressão arterial após o bloqueio na gestante, os métodos profiláticos ou de administração contínua ganham cada vez mais popularidade.[46-49] Sistemas de infusão automatizados e microprocessados, integrados à monitorização da parturiente, têm sido propostos e testados.[50] O objetivo básico consiste em tentar responder de forma imediata às possíveis reduções da pressão arterial materna. A administração do vasopressor após a detecção da hipotensão arterial não parece ser a conduta mais adequada, pois, nesse momento, já está ocorrendo uma redução proporcional no fluxo placentário e na oferta de oxigênio ao concepto.

Praticamente todos os vasopressores alfa-agonistas têm sido propostos para a correção da hipotensão em cesarianas sob anestesia regional.[35,42,43,45-55] Na literatura estrangeira, especialmente norte-americana, encontra-se uma clara preferência pelo uso da fenilefrina,[35,46] agente que apresenta meia-vida de ação bastante curta e, portanto, deve ser preferencialmente administrado em infusão contínua. A necessidade de um aparato de infusão é fator limitante, em algumas situações, para a sua utilização, no entanto, mesmo a opção em *bolus* da fenilefrina tem sido administrada com resultados clínicos satisfatórios.[54] No nosso meio, utiliza-se frequentemente o metaraminol,[53] fármaco que exibe atividade alfa-adrenérgica predominante e duração de ação superior à da fenilefrina, o que facilita o seu uso em *bolus*. Como o metaraminol não se encontra disponível em muitos países, os estudos envolvendo a sua utilização em anestesia obstétrica não são abundantes.

Um dos grandes inconvenientes do uso de agonistas alfa-adrenérgicos para a correção da hipotensão arterial em obstetrícia consiste na alta incidência de bradicardia reflexa associada ao seu efeito farmacológico.[35,53,56,57] A despeito de ser habitualmente bem tolerada e transitória, algumas vezes a bradicardia pode tornar-se bastante intensa e sintomática (sinais de baixo débito cardíaco, como náuseas, tontura, sensação de desmaio, palidez cutânea, entre outros).[36,56,57] Na maior parte das vezes, a conduta é expectante, visto tratar-se de um fenômeno autolimitado. É preciso ter cautela na tentativa de correção com o uso de anticolinérgicos. Essa conduta tem sido associada ao surgimento de taquicardia sinusal, arritmias cardíacas graves e picos hipertensivos prolongados e de difícil controle. Nos casos em que a avaliação do anestesiologista é de que a intensidade e/ou a duração dessa bradicardia podem colocar em risco a integridade da paciente, sugerimos a administração de agentes alfa-adrenérgicos (p. ex., efedrina) associados ou não a doses bem reduzidas de anticolinérgicos.

Por conta da possibilidade de redução marcante do débito cardíaco materno que ocorre nessa bradicardia reflexa, tem sido proposta a associação de agonistas alfa- e beta-adrenérgicos.[45,58] A ideia consiste na manutenção de um estímulo beta como forma de reduzir a intensidade da resposta reflexa alfa-adrenérgica. No Brasil, está à disposição para uso a etilefrina, vasopressor com atividade nos dois principais receptores adrenérgicos. Assim, quando utilizado no tratamento da hipotensão arterial em cesarianas, não está associado a chance tão elevada de desencadeamento de bradicardia reflexa.[59]

Com base no princípio da necessidade de estímulo em receptores beta-adrenérgicos para compensar os efeitos colaterais indesejáveis do uso de agonistas alfa puros, a utilização da noradrenalina para tratamento da hipotensão arterial em bloqueios regionais na cesariana vem sendo preconizada nos últimos anos.[55,53,60-65] Tanto a infusão contínua quanto o uso em *bolus* têm sido sugeridos, apresentando uma potência estimada em gestantes aproximadamente 12 vezes maior que a da fenilefrina (um *bolus* de 100 µg de fenilefrina equivale a um *bolus* de 8 µg de noradrenalina).[60-62] Em comparação com outros vasopressores habitualmente utilizados, os resultados hemodinâmicos da noradrenalina são semelhantes ou até, em muitos casos, superiores.[52,63-65] Encorajados por esses resultados iniciais, seguiram-se estudos promissores também para a profilaxia da hipotensão arterial em gestantes. Nesse contexto, tem sido sugerida uma infusão contínua de noradrenalina que varia em torno de 0,050 a 0,075 µg.kg^{-1}.min^{-1}.[66-68]

Em alguns estudos, a noradrenalina tem sido comparada com outros vasopressores no tratamento da hipotensão em anestesia regional obstétrica.[63-65] Quando analisadas as variáveis hemodinâmicas maternas, esse agente apresenta resultados similares ou até mesmo superiores em decorrência de uma incidência reduzida de bradicardia reflexa.[63,64] Os efeitos colaterais materno-fetais também têm se mostrado reduzidos com essa prática.[65] Vale ressaltar que esses estudos foram concebidos e executados em gestantes de baixo risco, sendo, portanto, necessário validar essa conduta em situações de baixa reserva uteroplacentária e em condições patológicas materno-fetais. Dessa maneira, têm surgido estudos avaliando o uso da noradrenalina em gestantes com pré-eclâmpsia. Wang e col.[69] compararam os efeitos de *bolus* de noradrenalina, efedrina e fenilefrina para o tratamento da hipotensão materna após a raquianestesia em gestantes com pré-eclâmpsia. Esses autores demonstraram que as pacientes nas quais se utilizou a noradrenalina apresentaram perfil hemodinâmico adequado com controle mais preciso da pressão arterial e adequada manutenção da frequência cardíaca. Além disso, a incidência de efeitos colaterais maternos e os parâmetros avaliados de evolução neonatal não variaram estatisticamente quando se compararam os diferentes agentes vasoativos.

Uma metanálise publicada no início de 2019[70] avaliou o uso da noradrenalina no contexto do tratamento da hipotensão em gestantes. O estudo evidenciou que essa catecolamina obteve resultados similares aos da fenilefrina no que diz respeito à avaliação fetal/neonatal, porém com incidência significativamente menor de bradicardia materna. Além disso, as parturientes apresentaram controle hemodinâmico mais preciso e com menores flutuações com o uso da noradrenalina em comparação com a fenilefrina. Esses dados foram corroborados por outra revisão sistemática publicada em 2020, na qual os autores concluíram que a noradrenalina é capaz de manter a estabilidade hemodinâmica com mais eficácia do que a fenilefrina no tratamento da hipotensão em cesarianas com bloqueio espinal. Esses mesmos pesquisadores, entretanto, chamam a atenção para o fato de que o uso da noradrenalina pode ocasionar ou facilitar o desenvolvimento de acidemia fetal por conta da atuação desse fármaco em receptores beta-adrenérgicos.[71]

No tocante à prevenção da hipotensão materna em cesarianas, a noradrenalina também tem sido avaliada. Liu e col.,[72] em revisão metanalítica recente, compararam a eficácia e a segurança da noradrenalina e da fenilefrina nesse contexto. Os autores evidenciaram que a incidência de bradicardia e de resposta hipertensiva foi significativamente menor nas pacientes nas quais se utilizou noradrenalina. Além disso, concluíram que o uso profilático da noradrenalina é eficaz e seguro, sem efeitos adversos significativos na mãe ou no feto.[72]

Indubitavelmente, o controle hemodinâmico materno em cesarianas é complexo e desafiador, transcendendo a mera escolha de um vasopressor ou de um líquido para infusão venosa. A hipotensão materna secundária à simpatectomia extensa envolve fenômenos fisiopatológicos multifacetados com ajustes e respostas autonômicas, som[73] compararam diferentes métodos para a prevenção da hipotensão arterial em raquianestesia para cesarianas. O uso de vasopressores mostrou resultado claramente favorável na prevenção da hipotensão em comparação com a expansão volêmica (com coloides ou cristaloides) e com as técnicas não farmacológicas (enfaixamento de membros inferiores, deslocamento uterino, entre outros).[73]

Assim, os vasopressores, a despeito de tipo, forma de administração e doses preconizadas, constituem o método mais eficaz de controle da hipotensão arterial materna em raquianestesia para cesarianas na atualidade. Mesmo que a profilaxia e o tratamento dessa complicação necessitem de abordagens diferenciadas (reposição volêmica adequada, métodos não farmacológicos), esses agentes ocupam uma posição fundamental nesse contexto.

■ POSICIONAMENTO

O adequado posicionamento da gestante nas diversas etapas do procedimento anestésico-cirúrgico é essencial para favorecer a segurança desse processo. Os efeitos da compressão aortocava pelo útero gravídico tornam-se mais evidentes a partir de 20 semanas de gestação. Essa compressão compromete o retorno venoso materno, reduzindo a pré-carga, o débito cardíaco e a perfusão uteroplacentária. Quando a gestante assume o decúbito dorsal e apresenta sinais de baixo débito e hipotensão arterial, esse quadro chama-se habitualmente síndrome de hipotensão supina, que, se mantida, acarretará inevitavelmente hipoxemia e acidose fetais.[74] Dessa forma, todas as gestantes devem assumir decúbitos e posturas que minimizem esse risco, como deitar-se em decúbito lateral esquerdo. Como essa postura dificulta naturalmente os procedimentos cirúrgicos abdominais, é necessário dispor de estratégias que promovam o deslocamento uterino mesmo no decúbito dorsal. Para tanto, já foram descritos os mais diferentes métodos e mecanismos (manuais e mecânicos). Na prática clínica, os métodos mais utilizados são o deslocamento uterino manual (com a utilização de uma ou duas mãos),[3,75,76] o desvio lateral (cerca de 15°) da mesa cirúrgica[75] e a utilização de coxins ou cunhas posicionadas sob o quadril e a região lombar direitos da paciente.[75] Dessa forma, ela assume praticamente um decúbito semilateral, ficando o útero deslocado para a esquerda (Figuras 129.1 a 129.4).

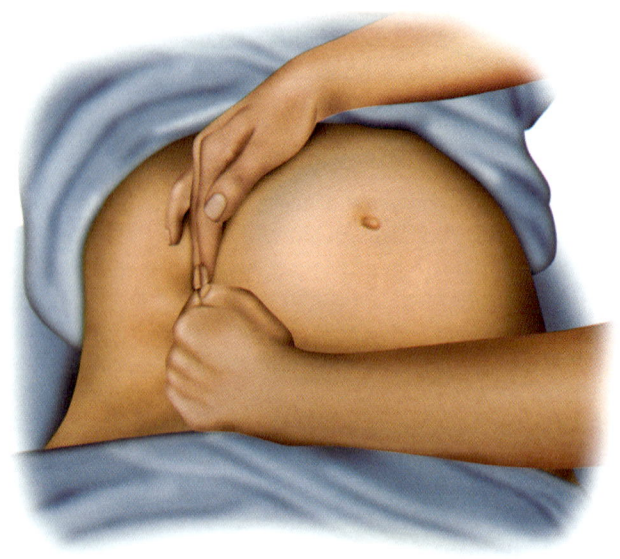

▲ **Figura 129.1** Deslocamento uterino para a esquerda com a utilização de duas mãos.
Fonte: adaptada de Vanden Hoek TL, e col., 2010.[76]

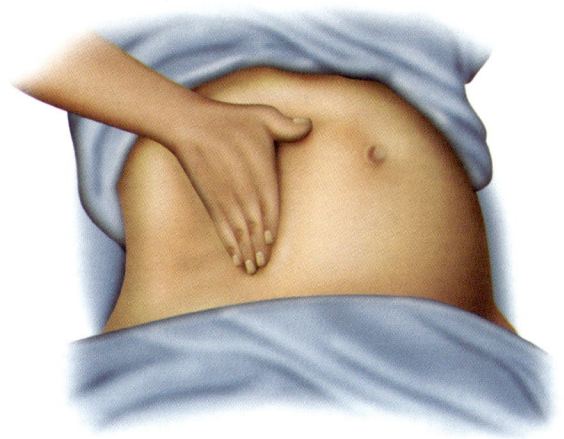

▲ **Figura 129.2** Deslocamento uterino para a esquerda utilizando-se uma única mão.
Fonte: adaptada de Vanden Hoek TL, e col., 2010.[76]

Outra preocupação do anestesiologista é com o posicionamento da gestante para acesso à via respiratória. Deve-se lembrar de que essas pacientes apresentam características anatomofisiológicas próprias que as predispõem a uma abordagem difícil. Em muitas ocasiões, esse acesso é programado, como nos casos realizados sob anestesia geral, entretanto, às vezes é preciso prestar assistência ventilatória nas complicações cirúrgicas da cesariana, mesmo nos casos de necessidade de conversão do bloqueio espinal (falha parcial, total ou seu término). De maneira ideal, a gestante só deveria ter a sua via respiratória acessada como forma de aumentar a chance de sucesso, na posição chamada de "olfativa" (*sniffing position*), que pode ser obtida por meio da utilização de coxins sob as regiões escapular e occipital (Figura 129.5) ou de um único coxim especificamente desenvolvido para esse propósito (Figura 129.6).

A posição ideal para a realização da anestesia neuroaxial vai depender das circunstâncias clínicas e da habilidade e

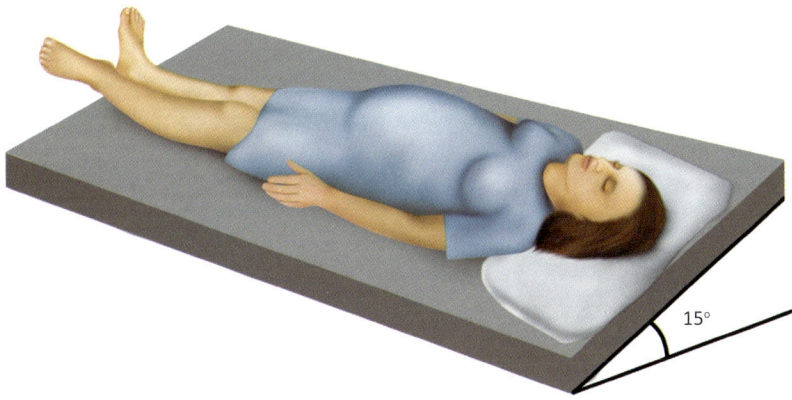

◄ **Figura 129.3** Deslocamento uterino para a esquerda por meio do desvio lateral da mesa cirúrgica (15°).
Fonte: adaptada de e-SAFE. Obstetric anaesthesia [Internet]. [accessed 2017 Jan]. Available from: http://www.e-safe-anaesthesia.org/sessions/08_04/d/ELFH_Session/7/tab_2389.html#.

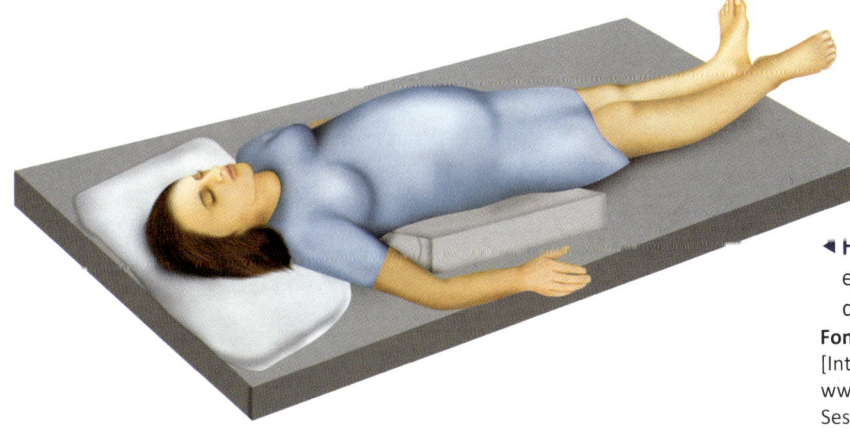

◄ **Figura 129.4** Deslocamento uterino para a esquerda por meio de cunha posicionada sob o quadril e a região lombar direitos da paciente.
Fonte: adaptada de e-SAFE. Obstetric anaesthesia [Internet]. [accessed 2017 Jan]. Available from: http://www.e-safe-anaesthesia.org/sessions/08_04/d/ELFH_Session/7/tab_2389.html#.

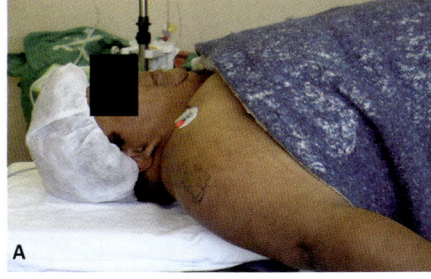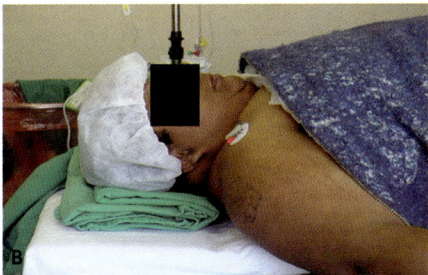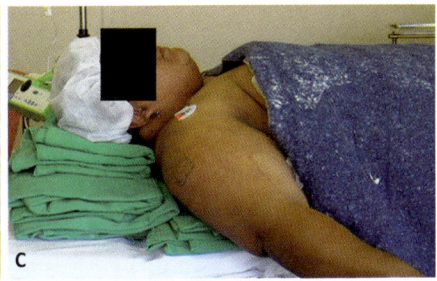

▲ **Figura 129.5** Posicionamento para acesso à via aérea na gestante. **(A)** Gestante sem a colocação de coxins. **(B)** Coxim inadequadamente posicionado. **(C)** Posição otimizada para laringoscopia e acesso à via aérea.

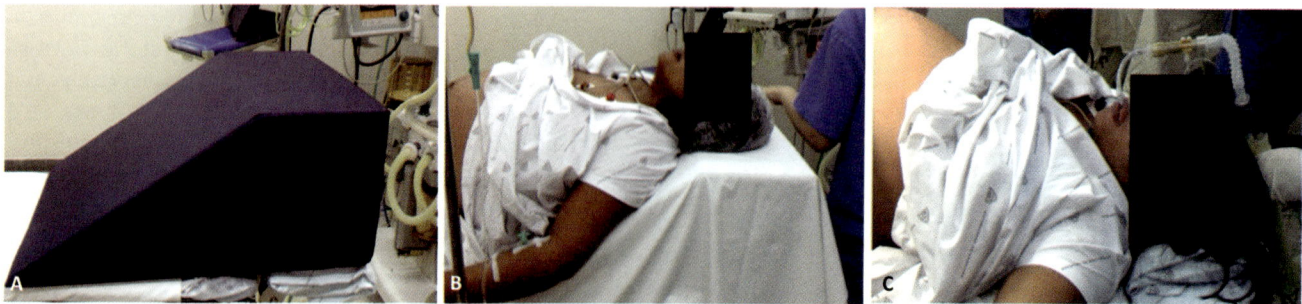

▲ **Figura 129.6** Posicionamento para acesso à via aérea na gestante com a utilização de coxim específico. **(A)** Coxim. **(B)** Paciente posicionada. **(C)** Retirada do coxim após intubação traqueal.

preferência do anestesiologista.[3,77] Não existe consenso sobre a melhor postura a ser adotada. Gestantes com menos peso e menor índice de massa corpórea parecem preferir o decúbito lateral,[59] posição que minimiza o risco de reflexos vagais, evitando o surgimento de tontura, sudorese, palidez, bradicardia e hipotensão arterial e que, teoricamente, propicia melhor manutenção do fluxo sanguíneo uteroplacentário, por diminuir a compressão aortocava,[3] e realização de anestesia regional em casos de prolapso do cordão umbilical e outras posições fetais anômalas.[78] Existem, no entanto, evidências de que o decúbito lateral com flexão forçada é capaz de reduzir o débito cardíaco materno de forma significativa.[79] Por sua vez, a posição sentada oferece a vantagem de facilitar a identificação das referências anatômicas para a realização do bloqueio, o que pode ser especialmente importante em gestantes obesas ou nos casos em que há dificuldade para a punção espinal.[3,77]

USO DE UTEROTÔNICOS

A ocitocina é o uterotônico de primeira linha que deve ser utilizada na maioria dos partos como forma de reduzir a perda sanguínea e prevenir o surgimento da hipotonia uterina pós-parto.[80] Sua utilização tem sido, durante muito tempo, orientada de modo empírico e pouco uniformizado.[81] Doses elevadas desse hormônio estão relacionadas com graves efeitos colaterais maternos, como instabilidade hemodinâmica, alterações no segmento S-T do eletrocardiograma, angina de Prinzmetal, náuseas e vômitos – e até mesmo reações alérgicas têm sido relatadas.[82] Dessa forma, têm sido propostos diversos protocolos envolvendo redução da dose (com manutenção do efeito terapêutico) para a utilização segura desse agente. Um desses esquemas terapêuticos mais populares foi desenvolvido pelos Profs. Balki e Tsen,[83] estando descrito e adaptado na Figura 129.7.

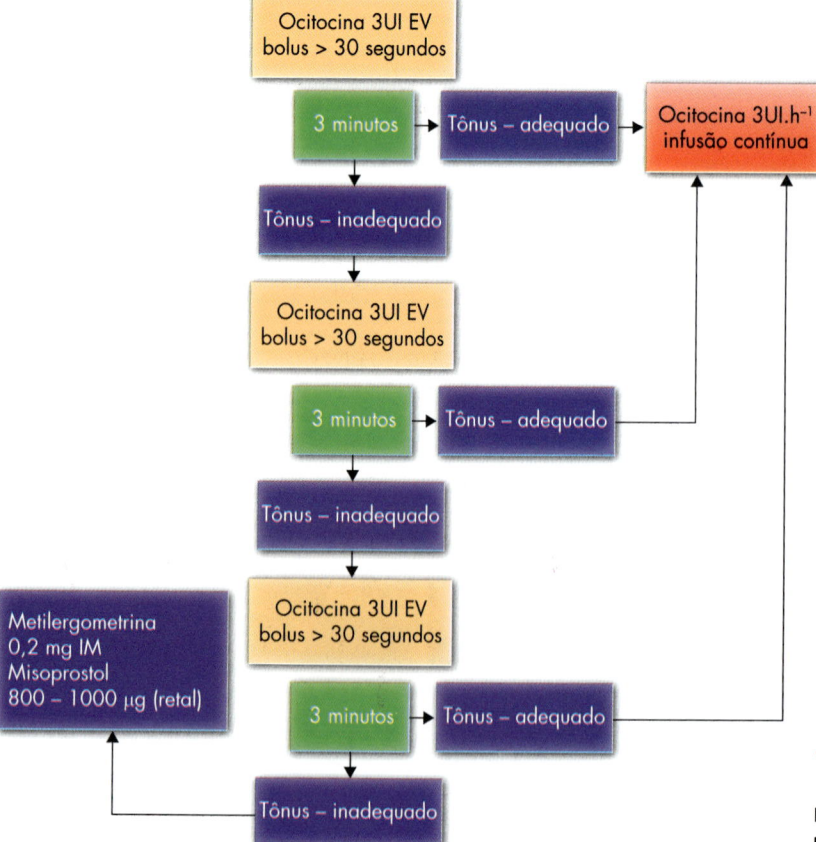

◄ **Figura 129.7** Proposta de algoritmo para o uso de ocitocina em cesarianas.
EV: endovenosa; IM: intramuscular.
Fonte: adaptada de Balki M, Tsen L, 2014.[83]

Nos últimos anos, tem sido proposta a utilização da carbetocina, um análogo da ocitocina, como uterotônico primário na prevenção e no tratamento da hipotonia uterina puerperal. Esse agente apresenta meia-vida plasmática de aproximadamente 120 minutos, dispensando, dessa maneira, a necessidade de infusão contínua.[84] Em revisões sistemáticas, a carbetocina reduziu a necessidade do emprego de outros uterotônicos em comparação com a ocitocina.[85,86] Khan e col. estimaram 100 µg em *bolus* por via venosa como a dose mínima efetiva de carbetocina para a obtenção de contração uterina satisfatória.[87] Em um estudo multicêntrico envolvendo 10 países e mais de 29.000 pacientes que evoluíram para parto normal, compararam-se os efeitos de 100 mcg de carbetocina com 10 UI de ocitocina, ambas por via intramuscular, na profilaxia da hemorragia pós-parto. Os dois fármacos mostraram-se efetivos, não havendo diferença significativa entre eles.[88] No que diz respeito aos efeitos colaterais, a carbetocina tem sido associada a menor incidência de náuseas e vômitos.[89] Vale ressaltar que a maioria desses estudos foi realizada em mulheres com gestação dentro da normalidade e sem risco elevado de hemorragia pós-parto. O perfil de utilização e o comportamento da carbetocina em outras situações clínicas ainda precisam ser mais bem estabelecidos.[86,90]

Os derivados do *ergot* e de prostaglandinas E e F, considerados, respectivamente, uterotônicos de segunda e terceira linhas, não devem ser utilizados rotineiramente em cesarianas.[62] O seu uso deve ser reservado a situações em que há perda sanguínea aumentada no pós-parto.[62,65] Para detalhes do uso desses agentes e da conduta farmacológica na hipotonia uterina pós-parto, verificar o capítulo *Anestesia nas Síndromes Hemorrágicas da Gestação*, nesta obra.

■ ESCOLHA DA TÉCNICA ANESTÉSICA

A escolha da melhor técnica anestésica para cesariana precisa ser individualizada, levando-se em conta a avaliação de fatores maternos, obstétricos e fetais. Dessa forma, com frequência há casos de difícil decisão, e, para piorar o cenário, essa decisão precisa ser, muitas vezes, tomada em poucos instantes.

As técnicas neuroaxiais são aquelas preferencialmente indicadas às pacientes obstétricas para a realização da cesariana.[22] Ficam reservados para a anestesia geral os casos de parturientes que apresentam contraindicações à realização da anestesia regional: recusa da paciente, incapacidade de colaboração por parte da gestante, instabilidade hemodinâmica, distúrbios congênitos ou adquiridos da coagulação, atividade farmacológica de anticoagulantes, alterações do nível de consciência, hipertensão intracraniana, infecção cutânea no local da punção, entre outras.[27,28] Além disso, casos de impossibilidade técnica da realização do bloqueio e falha na sua adequada instalação são outras indicações frequentes de utilização da anestesia geral para cesarianas.[27]

As cesarianas emergenciais constituem um desafio a mais para o anestesiologista. Em poucos instantes, é necessário inteirar-se da indicação obstétrica e da situação clínica materno-fetal (atual e pregressa), juntar todas essas informações e quase de imediato decidir pela melhor opção de abordagem. Soma-se a isso tudo o impacto que a decisão

pode ter sobre, no mínimo, a integridade física e a vida de dois seres.

Há alguns anos, a anestesia geral para cesariana era extensamente usada em países da América do Norte e da Europa.[13] A despeito de existirem variações marcantes entre países, regiões e mesmo entre serviços de diferentes estruturas hospitalares, observou-se, nas últimas décadas, uma clara tendência de redução do uso da anestesia geral nesses países (Figuras 129.8 e 129.9).[13,91-93] No Brasil, faltam dados abrangentes que envolvam diferentes regiões no que diz respeito à escolha da técnica para cesariana, entretanto o país se caracteriza por preferencialmente utilizar a anestesia regional, mesmo em períodos nos quais essa técnica não era a preferida em países norte-americanos e europeus (Figura 129.10).

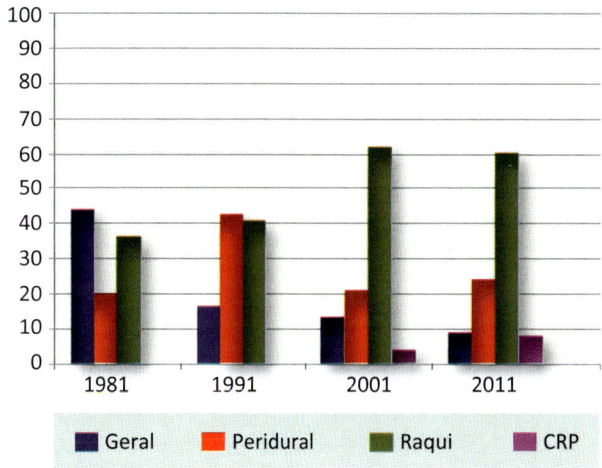

▲ **Figura 129.8** Percentual de cesarianas realizadas sob anestesias geral, peridural, raquianestesia e combinada raquiperidural nos anos de 1981, 1992, 2001 e 2011 nos EUA.
Fonte: adaptada de Bucklin BA, e col., 2005;[13] e Traynor AJ e col., 2016.[92]

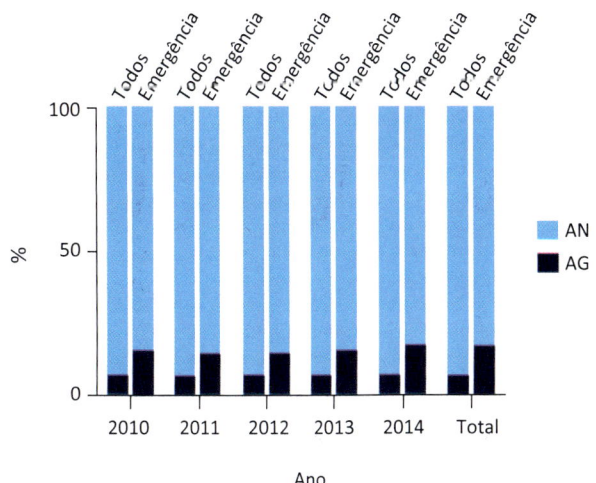

▲ **Figura 129.9** Porcentagem de todas as cesarianas e das cesarianas emergenciais realizadas sob anestesia geral *versus* anestesia neuroaxial de 2010 a 2014 nos EUA.
AN: anestesia neuroaxial; AG: anestesia geral.
Fonte: adaptada de Juang J, e col., 2017.[93]

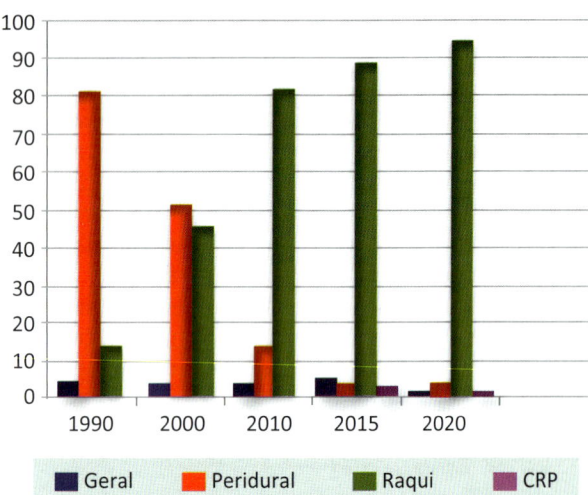

▲ **Figura 129.10** Percentual de cesarianas realizadas sob anestesia geral, peridural, raquianestesia e combinada raquiperidural nos anos de 1990, 2000, 2010, 2015 e 2020 na Maternidade de Campinas, SP.

CRP: técnica combinada raquiperidural.

Fonte: dados obtidos do registro hospitalar e do Departamento de Anestesiologia da instituição.

Essa mudança de conduta em países do hemisfério norte verificada nas últimas décadas ocorreu por conta dos dados relativos à morbimortalidade materno-fetal de causa anestésica.[94] Os resultados de uma pesquisa realizada por uma força-tarefa da American Society of Anesthesiologists (ASA), visando a avaliar as causas de morte materna nos EUA, constatou que a anestesia foi a sexta causa mais frequente de óbito materno. Entre as técnicas anestésicas, a anestesia geral foi a grande responsável pelo risco de morte materna – cerca de 17 vezes maior do que com a anestesia regional.[94]

Identificar e aceitar que a gestante é uma paciente com características próprias e que precisa de uma técnica anestésica particularizada é ponto essencial. Treinamentos específicos dos profissionais envolvidos no atendimento obstétrico e a ampla difusão dessas informações fizeram que, nos últimos anos, fosse obtidos dados que mostram marcante redução da mortalidade materna com anestesia geral em cesarianas.[13,95] Alguns autores chegam a sugerir que, com os dados atuais, não há motivos para evitar essa técnica quando estiver adequadamente indicada.[13] Analisando-se esses dados, o que parece evidente é que a anestesia geral não representa necessariamente um risco elevado para todas as gestantes, mas, se conduzida sem levar em conta as características anatomofisiológicas próprias da gestação, apresenta risco bastante elevado em qualquer que seja a gestante. As principais vantagens e desvantagens da anestesia geral para cesariana estão listadas na Tabela 129.4.

Não existe consenso quanto à melhor técnica de anestesia neuroaxial a ser empregada na cesariana. Os estudos falham em demonstrar uma clara vantagem de qualquer delas quando se comparam a anestesia peridural, a raquianestesia e até mesmo a técnica combinada raquiperidural.[22,96] Pequenas diferenças podem ser demonstradas, como maior

incidência de hipotensão arterial na raquianestesia, prurido na técnica combinada e toxicidade sistêmica de fármacos na peridural. Isoladamente, entretanto, essas e/ou outras complicações, mais prevalentes nesta ou naquela técnica, parecem incapazes de definir claramente a melhor anestesia regional para cesariana.[22,96] Nesse contexto, no qual faltam dados que apontem consistentemente melhores resultados com qualquer dos métodos, a preferência individual da equipe e da gestante, a experiência do serviço e as condições do local de atendimento devem ser levadas em consideração. As principais vantagens e desvantagens das anestesias neuroaxiais para cesariana estão listadas na Tabela 129.5.

Tabela 129.4 Vantagens e desvantagens da anestesia geral para cesariana.

Vantagens da anestesia geral para cesariana[3,27]	Desvantagens da anestesia geral para cesariana[3,27]
Ausência de falhas	Necessidade de manipulação da via respiratória
Tempo curto para instalação	Risco aumentado de aspiração traqueal
Controle hemodinâmico mais estreito	Transferência fetal de fármacos elevada
Monitorização invasiva facilitada, quando indicada	Analgesia pós-operatória mais limitada
Sem limite de tempo para término do efeito	Risco de despertar intraoperatório

Tabela 129.5 Principais vantagens e desvantagens das anestesias neuroaxiais para cesariana.

Vantagens da anestesia neuroaxial para cesariana[3,27]	Desvantagens da anestesia neuroaxial para cesariana[3,27]
Menos passagem placentária de fármacos	Possibilidade de toxicidade sistêmica aos anestésicos locais
Risco minimizado da necessidade de acesso à via respiratória	Possibilidade de déficits neurológicos após a punção espinhal
Risco minimizado de aspiração traqueal de conteúdo gástrico	Maior incidência de hipotensão arterial materna
Possibilidade de participação materna no momento do nascimento	Tempo limitado ao efeito farmacológico dos agentes utilizados nas técnicas não contínuas
Estabelecimento facilitado de adequada analgesia pós-operatória	Latência para instalação do bloqueio
Menor custo de realização	Possibilidade de falhas parciais ou totais

■ ANESTESIA LOCORREGIONAL

Anestesia Infiltrativa

A anestesia local infiltrativa tem sido raramente utilizada em cesarianas, entretanto, em situações de complementação na falha de anestesia regional, ou na falta de profissionais ou materiais adequados, essa técnica pode ser útil.[3,97,98]

Treinamento prévio da equipe obstétrica é requerido para a sua realização e em função das limitações impostas à manipulação cirúrgica (não utilização de afastadores, sem exteriorização uterina, incisão abdominal mediana, entre outras). As principais desvantagens da técnica residem no risco de toxicidade sistêmica ao anestésico local (grandes volumes são necessários), no risco de desconforto intraoperatório e no tempo necessário para o estabelecimento de anestesia adequada.[97]

Existem várias técnicas sugeridas para a realização da anestesia local na cesariana, todas envolvendo a administração do anestésico local de forma sequencial, nos diferentes planos cirúrgicos, desde a pele até as vísceras abdominais. Na Figura 129.11, está descrita uma técnica de bloqueio de campo para uma incisão mediana na parede abdominal proposta por Ranney e Stanage.[97]

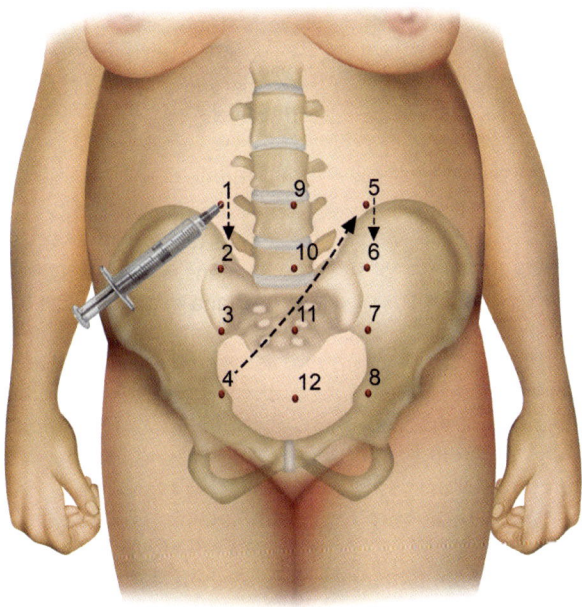

▲ **Figura 129.11** Técnica de administração do anestésico local para bloqueio de campo da parede abdominal proposta por Ranney e Stanage. A injeção do agente deve ser realizada subsequentemente em todos os pontos numerados.
Fonte: adaptada de Nandagopal M, 2001.[97]

Bloqueios Neuroaxiais

Raquianestesia (bloqueio subaracnóideo)

Na atualidade, a raquianestesia é a técnica anestésica mais utilizada para cesarianas em todo o mundo.[3] A evolução do material empregado na punção espinal, o melhor controle sobre a qualidade dos anestésicos utilizados, bem como o conhecimento e a universalização do uso de adjuvantes (em especial, os opioides), fizeram que essa técnica galgasse um lugar outrora ocupado pelas anestesias peridural e geral (Figuras 129.8, 129.9 e 129.10).[13,92,93]

A raquianestesia apresenta uma série de características que se traduzem em vantagens na paciente obstétrica: relativa

facilidade técnica, instalação rápida, índice reduzido de falhas totais e/ou parciais, pequena quantidade necessária de anestésico local e adjuvantes, além de menor passagem placentária de fármacos. Em geral, a raquianestesia promove bloqueios neurais mais intensos do que a peridural, o que justifica sua menor incidência de falhas parciais (Tabela 129.6).[3,27,96]

Tabela 129.6 Principais vantagens da raquianestesia para cesariana.[3,27,96]
Relativa facilidade técnica
Instalação rápida
Índice reduzido de falhas totais e/ou parciais
Pequena quantidade necessária de anestésico local e adjuvantes
Menor passagem placentária de fármacos
Bloqueio neural intenso

Por outro lado, a raquianestesia também apresenta uma série de desvantagens em relação a outras técnicas anestésicas, entre as quais destacam-se: elevada incidência de hipotensão arterial materna, maior risco de déficits neurológicos no pós-operatório, possibilidade de desenvolvimento de cefaleia pós-punção dural e limitações ao uso de técnicas contínuas.

Hipotensão arterial materna é a complicação mais prevalente após a raquianestesia para cesariana.[3,27] Além de sintomas maternos desagradáveis (náuseas, vômitos, sensação de desmaio etc.), essa complicação está potencialmente relacionada com graves efeitos materno-fetais (hipoxemia e acidose fetais, parada cardíaca materna, entre outros), portanto a hipotensão arterial precisa ser prevenida e rapidamente tratada. Detalhes sobre profilaxia e tratamento farmacológico dessa complicação estão discutidos na seção *Acesso Venoso, Hidratação e Uso de Vasopressores*, neste capítulo.

Outra complicação mais frequente com a raquianestesia do que com a peridural é o surgimento de déficits neurológicos pós-punção. Estima-se que lesões persistentes ocorram em até 0,7% das raquianestesias.[98-100] Além disso, a raquianestesia também está associada a déficits transitórios em uma incidência relativamente elevada: irritação radicular transitória em até 33% dos pacientes de acordo com o anestésico utilizado.[101]

A cefaleia pós-punção dural (CPPD) é uma das complicações mais marcantes e impactantes para a puérpera.[102] Além de ser limitante e incapacitar a gestante para as atividades habituais, existem evidências de que a sua ocorrência esteja ligada a maior incidência de cefaleia crônica no futuro.[103] Deve-se lembrar de que as gestantes integram um grupo de pacientes particularmente suscetíveis ao surgimento de CPPD, portanto o anestesiologista obstétrico e os serviços precisam ter protocolos e condutas que objetivem evitar a ocorrência dessa complicação. A principal medida profilática consiste na escolha da agulha para a punção espinal.[22,102] Existem evidências de redução significativa da incidência de CPPD em gestantes com a utilização de agulhas de ponta cônica (Whitacre™, entre outras) em comparação com as agulhas de ponta cortante (p. ex., Quincke).[22,103,104] O calibre dessas agulhas também desempenha um papel importante.[102,104] Devem-se preferir as de menor calibre, mesmo levando em consideração o fato de que elas estão associadas a maior incidência de falha.[104] Estima-se que a incidência de CPPD em cesarianas gire em torno de apenas 0,4% com a utilização de agulha Whitacre™ 27 G.[105] O tratamento dessa complicação nas pacientes obstétricas não difere, em linhas gerais, do de outros pacientes cirúrgicos e está mais bem detalhado no capítulo *Bloqueio Subaracnóideo* nesta obra.

Outra desvantagem ligada à raquianestesia consiste na limitação do uso de técnicas contínuas. Necessidade de bloqueios prolongados é mais comum durante a analgesia do trabalho de parto, todavia diversas vezes surge a necessidade de converter um bloqueio que está terminando por conta do prolongamento do tempo cirúrgico. Isso traz consequências potencialmente graves, em especial na paciente obstétrica. Os detalhes da anestesia geral para cesariana estão discutidos em seção específica deste capítulo.

A ocorrência de punção inadvertida da dura-máter, quando da tentativa de punção peridural, é uma das indicações atualmente reconhecidas para a raquianestesia contínua.[106,107] Essa técnica visa a diminuir a incidência de CPPD (quando o cateter é mantido *in loco* por 24 horas no pós-operatório) e aproveita o fato de a ponta da agulha já se encontrar no espaço subaracnóideo para a passagem de um cateter 19 ou 20 G e posterior realização do bloqueio anestésico.[106,108] Evita-se, assim, uma abordagem adicional que carrega o risco inerente de nova punção inadvertida de dura-máter. A redução da necessidade de tampão sanguíneo peridural nessa população de pacientes também tem sido evidenciada por esses estudos.[107,108]

Por outro lado, a realização intencional de uma raquianestesia contínua em parturientes é bastante controversa.[109,110] A maioria dos autores concorda que os riscos potenciais (cefaleia, déficits neurológicos e contaminação do neuroeixo) sobrepujam as vantagens da técnica.[3,111] Mesmo com a utilização de cateteres especificamente desenhados para a raquianestesia contínua,[109] a incidência relatada de complicações praticamente os aboliu da anestesia em gestantes. Deve-se lembrar ainda dos inúmeros casos de déficits neurológicos definitivos (síndrome da cauda equina) com a utilização de microcateteres em raquianestesia contínua na década de 1980.[111,112]

Diversos anestésicos locais têm sido propostos para a raquianestesia em cesarianas. A maior parte dos autores e serviços prefere, entretanto, a bupivacaína.[3] No Brasil, dispõe-se de um número limitado de formulações farmacêuticas de anestésicos locais para uso subaracnóideo. A lidocaína está relacionada com incidência muito elevada de déficits neurológicos pós-punção,[101] no entanto, felizmente, a bupivacaína está comercialmente disponível.

Existe larga variabilidade da dose proposta de bupivacaína.[3] A extensão do bloqueio resultante parece estar mais ligada à massa total do anestésico local do que à concentração ou ao volume administrados.[113] Quantidades diferentes como 4,5 a 15 mg de bupivacaína têm sido propostas.[3] Pode-se observar, contudo, uma tendência atual de redução da dose total como forma de diminuir a incidência de hipoten-

são arterial materna e suas consequências.[88,89] A despeito de minimizar a ocorrência de efeitos colaterais, essa prática está associada a maior incidência de falhas de bloqueio de forma inversamente proporcional à dose utilizada.[114,115]

Até recentemente não existiam estudos confiáveis a respeito da dose mínima efetiva dos anestésicos locais na raquianestesia para cesariana, e atualmente, ainda não se dispõem de muitos dados. Estima-se que as doses mínimas efetivas de bupivacaína e ropivacaína hiperbáricas sejam próximas de, respectivamente, 7,5 e 9,5 mg.[116] Carvalho e col., avaliando a bupivacaína isobárica, estimaram a sua DE_{50} em 7,25 mg e a DE_{95} em 13 mg.[117] Sabe-se que a adição de adjuvantes pode alterar significativamente as doses necessárias. Em uma revisão sistemática, Tubog e col.[118] estimaram a DE_{50} da bupivacaína hiperbárica na raquianestesia em cesarianas, com e sem a adição de opioides, em 4,7 e 9,8 mg, respectivamente (sendo a DE_{95} estimada entre 8,8 e 15 mg, de acordo com a adição ou não desses adjuvantes). Acredita-se que as doses excessivas, tanto para mais quanto para menos, devam ser evitadas. O risco elevado de falha de bloqueio só justifica o uso de doses muito reduzidas quando se utilizam técnicas contínuas (ver seção *Anestesia combinada raquiperidural*, neste capítulo). Quantidades elevadas de anestésico local se mostram desnecessárias e aumentam a morbimortalidade materna.[119]

Diferentes baricidades da solução de anestésico local também têm sido estudadas.[120,121] Em revisão sistemática sobre o tema, Sng e col.[120] não conseguiram identificar diferenças da bupivacaína hiperbárica com relação à isobárica no que diz respeito aos efeitos adversos estudados, identificando apenas uma latência discretamente menor com a solução de maior baricidade. Existem, contudo, evidências de um bloqueio motor mais intenso e/ou prolongado em puérperas com o uso da bupivacaína isobárica.[121] Em raras situações pós-operatórias, um bloqueio motor prolongado pode ser desejado; o pós-operatório de uma cesariana não é decisivamente uma delas. Dessa forma, a maior parte dos autores opta pela utilização da solução hiperbárica de bupivacaína.[121]

A adição de adjuvantes ao anestésico local modificou, nas últimas décadas, a segurança, a qualidade e o conforto da raquianestesia na cesariana.[3,27] Existe uma série de efeitos benéficos dessa associação: redução das doses de anestésico local, diminuição da latência de instalação do bloqueio, redução do número de falhas, melhorando a qualidade da anestesia, e extensão da analgesia pós-operatória, além do tempo de ação dos anestésicos locais. Ao se associarem esses agentes, está-se, entretanto, necessariamente somando o risco da ocorrência de outros efeitos colaterais: sedação, depressão respiratória, náuseas, vômitos, prurido, retenção urinária, bloqueio motor prolongado, entre outros. Assim, aumenta a necessidade de vigilância e de monitorização no período pós-operatório.

Na atualidade, os adjuvantes mais utilizados na raquianestesia para cesariana são os opioides. Em pacientes obstétricas, o primeiro relato do uso desses agentes por via subaracnóidea foi realizado em 1980.[122] Desde então, o seu uso se disseminou, estando eles presentes na maioria das raquianestesias para cesariana em todo o mundo.[123]

A adição tanto de opioides lipossolúveis (fentanil, sufentanil, entre outros) quanto hidrossolúveis (morfina etc.) tem sido preconizada. Os primeiros apresentam rápido início de ação, servindo para melhorar a qualidade e a intensidade do bloqueio no intraoperatório. Já os hidrossolúveis apresentam latência bem mais prolongada, mas tempo de ação muito maior, o que possibilita a extensão do efeito analgésico no pós-operatório.[3,27] Em muitos serviços, os dois tipos de opioides são adicionados ao anestésico local de forma rotineira na raquianestesia para cesariana (p. ex., 20 µg de fentanil e 100 µg de morfina). Outros adjuvantes (clonidina, adrenalina, neostigmina etc.) devem ser evitados pela incidência elevada de efeitos colaterais indesejáveis.[124] Além disso, não apresentam vantagens que justifiquem o risco. Especificamente em relação à clonidina, há evidências de maior instabilidade hemodinâmica intraoperatória, bloqueio motor mais prolongado e sedação persistente por várias horas de pós-operatório.[125]

A situação de falha parcial ou total da raquianestesia para cesariana se apresenta como um grande desafio na escolha da conduta a ser adotada. Sabe-se que concentrações elevadas de anestésico local podem ser neurotóxicas.[101,111,112] Alterações e variações anatômicas, possivelmente mais comuns do que se estima, desempenham importante função na etiologia dessas falhas.[126] Também há claras evidências de que a má distribuição do anestésico local é uma das causas mais frequentes de falha na raquianestesia.[127,128] Assim, outra administração subaracnóidea poderá levar a nova má distribuição, com aumento excessivo da concentração do anestésico local em algumas fibras neurais, portanto nova raquianestesia deve ser feita apenas de forma bastante cautelosa: com redução significativa da dose do anestésico local e, preferencialmente, sem nova adição de adjuvantes.[129,130] Outra possibilidade consiste em utilizar um anestésico com outra baricidade a fim de promover uma dispersão completamente diferente dos agentes no espaço subaracnóideo. De qualquer forma, parece mais prudente e eficaz a mudança da técnica quando da falha de uma delas, como, por exemplo, mudança para peridural com a falha da raquianestesia e vice-versa.

Anestesia peridural

O uso da via peridural como técnica anestésica isolada tem se tornado cada vez menos frequente para cesarianas. Desenvolvimentos tecnológicos recentes propiciaram melhora acentuada das agulhas e do material de punção espinal. Somando-se a isso, o conhecimento e a universalização do uso de adjuvantes vêm fazendo que a raquianestesia assuma uma posição que há algumas décadas era da peridural. A técnica, entretanto, conta com uma série de características bastante úteis na cesariana e na prática da anestesia obstétrica de modo geral. Na maior parte dos serviços em países com sistemas de saúde adequadamente estruturados, a maioria das cesarianas sob anestesia peridural decorre de analgesias de trabalho de parto que não evoluíram satisfatoriamente.[3]

Vale a pena ressaltar a importância da peridural para a história da anestesia em obstetrícia. Sua utilização para a analgesia do trabalho de parto e para a cesariana iniciou-se em meados do século passado. Ao longo dos anos e das décadas seguintes, consolidou-se como técnica versátil e relativamente segura. A peridural foi fundamental para a popularização do uso de técnicas neuroaxiais na anestesia obstétrica em todo o mundo.[28]

A peridural apresenta uma série de características que se traduzem em virtudes na anestesia obstétrica:[3,28]

1. Proporciona adequada estabilidade hemodinâmica: a instalação mais lenta do bloqueio facilita a atuação dos mecanismos compensatórios, fazendo que a hipotensão arterial materna seja menos prevalente e intensa em comparação com a raquianestesia;

2. Permite a instalação lenta e progressiva da anestesia: utilizando-se uma técnica contínua, é possível realizar o bloqueio com doses sequenciais de anestésico local, minimizando as alterações hemodinâmicas (isso pode ser especialmente importante em pacientes obesas e naquelas com cardiopatias que não suportam bem o bloqueio simpático rápido e intenso);

3. Versatilidade para alteração da intensidade do bloqueio: as técnicas peridurais contínuas durante a analgesia de parto possibilitam a instalação de um bloqueio mais profundo para a realização de uma cesariana em situações emergenciais;

4. Baixo risco de déficit neurológico pós-operatório, transitório ou definitivo, em comparação com as outras técnicas neuroaxiais;[99,100]

5. Técnicas contínuas de fácil realização: a peridural é o bloqueio regional mais utilizado de forma contínua em todo o mundo – a maioria dos serviços de atendimento obstétrico tem larga experiência na punção e passagem de cateteres peridurais;

6. Possibilidade de manutenção no pós-operatório: os cateteres peridurais locados na anestesia para cesariana podem ser mantidos no pós-operatório para a administração de soluções analgésicas (Tabela 129.7).

Tabela 129.7 Principais vantagens da anestesia peridural para cesariana.[3,28]
Adequada estabilidade hemodinâmica materna
Possibilidade de instalação lenta e progressiva da anestesia
Versatilidade para alteração da intensidade do bloqueio
Risco baixo de déficit neurológico pós-anestésico75,76
Técnicas contínuas de fácil realização
Possibilidade de manutenção no pós-operatório

Fica claro que a maioria das vantagens, senão todas, ainda presentes para uso da peridural, baseia-se na possibilidade de realização de técnicas contínuas. Não se encontra mais espaço, na atualidade, para a realização de anestesia peridural com punção única para cesariana. Além do risco elevado de toxicidade sistêmica com a administração de altas doses de anestésico local pela própria agulha,[131] sem a locação de um cateter no espaço peridural, perde-se completamente a versatilidade da técnica.

Grande parte da perda de popularidade da peridural na cesariana se deve à incidência aumentada de falha quando comparada com a raquianestesia,[132-134] além do risco potencial de toxicidade aos anestésicos locais.[3,28,131] Como se não bastasse, as punções peridurais são potencialmente mais traumáticas do que as subaracnóideas; sempre que se passa um cateter, está-se agregando os riscos inerentes a ele (contaminação, rompimento, acotovelamento, dano à estrutura neural, entre outros). As concentrações fetais de agentes anestésicos são maiores (massas de anestésico local necessárias na peridural cerca de 10 a 15 vezes maiores do que na raquianestesia) e sempre existirá o risco de perfuração acidental da dura-máter.[135,136]

A melhor conduta na falha de uma anestesia peridural para cesariana nem sempre é uma decisão fácil. Vários fatores precisam ser prontamente avaliados: indicação da cesariana, tipo da falha e momento em que foi identificada (antes ou depois do início do procedimento cirúrgico), entre outros.[3,28] É possível optar-se por uma leve complementação sistêmica até a necessidade imperiosa de conversão em anestesia geral. A realização de outra punção peridural, com nova administração de solução anestésica, pode ser tentada, entretanto respeitar estritamente as doses tóxicas de anestésicos locais é fundamental. Deve-se lembrar de que a gestante apresenta, por conta de suas características fisiológicas, risco aumentado de toxicidade sistêmica a esses agentes.[137] Desde que a cesariana ainda não tenha começado, parece mais prudente optar por uma raquianestesia para complementação do bloqueio peridural. Vale ressaltar que essa complementação deve ser feita de forma criteriosa e com redução significativa da quantidade de anestésico local. A raquianestesia, como resgate de uma falha da peridural em obstetrícia, tem sido reconhecida como uma das causas mais frequentes de morte materna por causa anestésica.[138-140] Nessa situação, existe o elevado risco do desenvolvimento de hipotensão arterial grave e de difícil controle, chegando até a colapso cardiovascular materno.

Em decorrência do risco elevado de toxicidade sistêmica aos anestésicos locais em pacientes obstétricas,[3,28,131] é necessário desenvolver condutas visando à prevenção dessa grave e potencialmente letal complicação.[131,141] A simples aspiração cuidadosa da agulha ou do cateter não exclui a possibilidade de locação intravascular ou de punção inadvertida da dura-máter.[142] A solução anestésica deve sempre ser administrada lenta e progressivamente (incrementos da dose total calculada a cada 3 a 5 minutos pelo cateter, com monitorização cuidadosa da gestante). Isso pode estender bastante a instalação de uma peridural para cesariana, sendo outro fator que contribuiu para a diminuição recente da sua popularidade. Finalmente, a realização da dose de teste, antes da administração de grandes massas de anestésico local no espaço peridural é essencial.[142,143]

A intenção da dose de teste peridural consiste em identificar a locação, intravascular ou subaracnóidea, da agulha ou do cateter.[142,143] Dessa forma, serve como profilaxia da ocorrência de níveis demasiadamente elevados de bloqueio. A injeção subaracnóidea inadvertida e a administração subdural estão entre as causas mais frequentes dessa complicação. O tratamento consiste em suporte hemodinâmico e ventilató-

rio até a regressão espontânea do bloqueio. Várias substâncias e até mesmo a utilização de ar têm sido propostas para a realização da dose de teste.[142-145] Na maioria das vezes, é realizada com 3 mL de anestésico local com adrenalina na concentração de 1:200.000 (5 mcg.mL^{-1}). O anestésico local visa a verificar a ocorrência de anestesia subaracnóidea inadvertida, enquanto o vasopressor busca identificar a locação intravascular. Esses testes têm demonstrado baixas especificidade e sensibilidade em gestantes, o que tem suscitado questionamentos a respeito da sua utilidade.[118] Além disso, a avaliação de alterações da frequência cardíaca durante o trabalho de parto em uma gestante ansiosa e com dor fica naturalmente comprometida.[144-146]

Diversos anestésicos locais têm sido utilizados na anestesia peridural para cesariana. Entre eles, os mais frequentes são a bupivacaína (0,5%), a lidocaína (2%), a ropivacaína (0,5% e 0,75%), a levobupivacaína (0,5%) e a 2-cloroprocaína (3%).[3,28] A gestante apresenta, por questões anatomofisiológicas inerentes à sua condição, diminuição da dose total necessária de anestésico local peridural quando comparada com pacientes não obstétricas.[3,28] Bromage estimou, em estudo clássico, uma necessidade 30% menor de anestésico local em parturientes para se atingir o mesmo nível de bloqueio peridural.[147] Dessa forma, a gestante necessitaria de aproximadamente 1 mL de anestésico peridural por segmento a ser bloqueado.[120] Como é necessário o bloqueio de cerca de 18 segmentos espinhais (S5 a T4) para a realização confortável de uma cesariana, estima-se o volume da solução anestésica empregada em torno de 20 a 25 mL, mas esse volume tem sido questionado.[148-150] Mathias e col., em diferentes estudos, não encontraram proporcionalidade direta entre o volume e o número de segmentos bloqueados. Identificaram limitada influência dos dados antropométricos das parturientes nessa dispersão e concluíram, ainda, que a massa total do anestésico utilizado é um importante fator a reger a dispersão peridural em gestantes.[148-150]

A lidocaína foi largamente utilizada no passado até o advento do uso clínico da bupivacaína, que apresenta perfil mais favorável à anestesia obstétrica (maior ligação proteica e, consequentemente, menor transferência do fármaco através da barreira placentária).[27] Infelizmente, a bupivacaína é dotada de um potencial elevado de cardiotoxicidade, o que levou à busca de outros agentes de perfil semelhante e menor risco na utilização.[3] Nesse contexto, surgiu a ropivacaína na anestesia obstétrica, entretanto a sua menor toxicidade vem sendo contestada em modelos animais.[151] Além do mais, como ela é cerca de 30% menos potente do que a bupivacaína, precisa ser administrada em quantidades ou concentrações mais elevadas. Dessa forma, a neurocardiotoxicidade se torna mais próxima entre os dois agentes.[152,153] Uma vantagem da ropivacaína com relação à bupivacaína para a obstetrícia consiste na menor intensidade de bloqueio motor promovida pela primeira.

Seguindo essa tendência, a levobupivacaína – enantiômero levógiro (S-) puro da bupivacaína – tem se mostrado eficaz na anestesia peridural em obstetrícia.[154] Especula-se o que os efeitos tóxicos estão predominantemente relacionados com o isômero dextrógiro, porém, assim como a ropivacaína, apresenta menor grau de bloqueio motor, tornando-a inconveniente para cirurgias intracavitárias. Isso resultou no desenvolvimento de uma mistura de isômeros da bupivacaína com excesso enantiomérico da fração levógira (S75-R25). A ideia consiste em se obter uma qualidade satisfatória de bloqueio, minimizando-se o potencial de toxicidade do agente.[28]

Assim como na raquianestesia, a adição de adjuvantes ao anestésico local modificou, nas últimas décadas, a segurança, a qualidade e o conforto da peridural na cesariana.[3,28] Tanto os efeitos benéficos quanto os colaterais são semelhantes aos que ocorrem na raquianestesia, estando eles discutidos na seção referente a essa técnica neste capítulo. Na atualidade, os adjuvantes mais utilizados na peridural para cesariana são a adrenalina e os opioides. Outros agentes são raramente indicados em razão da elevada incidência de efeitos colaterais e da falta de claras vantagens identificáveis com o seu uso.[124,125]

Aa associação da adrenalina (5 µg.mL⁻¹) apresenta vantagens na peridural para cesarianas: diminui a absorção sistêmica dos anestésicos locais, melhora a qualidade da anestesia, intensifica o bloqueio motor e o relaxamento muscular e prolonga a duração da anestesia.[155,156] O efeito sobre receptores alfa-2-agonista pré-sinápticos está relacionado com a capacidade do vasoconstritor em intensificar o bloqueio regional. Quando opta-se pela utilização da ropivacaína, esse agonismo fica prejudicado, uma vez que esse anestésico local tem efeito vasoconstritor intrínseco e, por conseguinte, uma discutível associação à adrenalina (possibilidade de efeitos isquêmicos intensos).[157] Também desempenha papel fundamental para a realização da dose de teste.[142,143] Devido às estimulações alfa- e beta-adrenérgicas da adrenalina, alguns autores sugerem evitar o seu uso pela possibilidade de redução do fluxo sanguíneo uterino em decorrência do surgimento de hipotensão arterial e queda do débito cardíaco materno.[156,158] Em gestantes saudáveis, vários estudos evidenciaram a manutenção do fluxo interviloso placentário com o uso da adrenalina associada ao anestésico local,[159,160] porém, em situações como na pré-eclâmpsia, em que ocorrem aumento na resistência das veias umbilicais e sofrimento fetal crônico, a adrenalina pode piorar a resistência da circulação uteroplacentária, levando à descompensação da condição clínica fetal.[159,161] Nessas situações, acredita-se que o uso da adrenalina deve ser evitado.

Da mesma forma que na raquianestesia, a adição tanto de opioides lipossolúveis (fentanil, sufentanil, entre outros) quanto hidrossolúveis (morfina etc.) tem sido preconizada na peridural para cesariana. Os efeitos benéficos e também os colaterais dessa associação são comuns a ambas as técnicas e estão mais bem discutidos na seção relativa à raquianestesia para cesariana.[3,28]

Anestesia combinada raquiperidural

Nos últimos anos, a técnica combinada raquiperidural (CRP) tem ocupado um espaço significativo na analgesia do trabalho de parto, entretanto a maioria das cesarianas realizadas sob essa técnica advêm da necessidade de resgate de um trabalho de parto que não evoluiu satisfatoriamente. A CRP dificilmente é escolhida como técnica inicial em uma cesariana eletiva. Essa cirurgia, em geral, é de curta duração e habitualmente não são necessárias técnicas anestésicas contínuas. A associação de morfina e outros adjuvantes na raquianestesia torna a presença do cateter dispensável para a analgesia pós-operatória.

Mesmo assim, quando utilizada para cesariana, a CRP apresenta algumas vantagens particulares: instalação rápida da anestesia, incidência reduzida de falhas, possibilidade de prolongamento do bloqueio cirúrgico e oportunidade de manutenção do cateter com finalidade terapêutica no pós-operatório. Além disso, permite a utilização segura de baixas doses de anestésico local no espaço subaracnóideo, minimizando a ocorrência de hipotensão arterial. Caso ocorra falha do bloqueio, há a possibilidade de complementação pelo cateter como resgate da anestesia.[3,27]

Por outro lado, podem ser elencadas algumas desvantagens do uso dessa técnica em comparação com as outras técnicas neuroaxiais para cesariana: dificuldade em testar a funcionalidade do cateter peridural, incidência elevada de prurido, risco aumentado de cefaleia pós-punção dural e seu custo mais elevado.[3,27]

Uma interessante revisão sistemática foi publicada em 2019 pela *Cochrane* comparando a raquianestesia com a CRP em cesarianas.[162] Infelizmente, os resultados se tornaram menos relevantes, visto que foi identificado um número limitado de estudos e participantes na maioria das análises. Ademais, várias publicações tiveram que ser excluídas por apresentarem problemas na metodologia científica. Dessa forma, os autores não conseguiram encontrar evidências consistentes e suficientes que demonstrassem vantagens definitivas de uma técnica sobre a outra, sendo capazes apenas de demonstrar uma possível tendência para maior ocorrência de alguns efeitos colaterais com uma ou outra técnica (p. ex.: uma incidência maior de hipotensão com a raquianestesia e de náuseas e vômitos com a CRP).[162]

Dessa forma, a CRP tem sido indicada especialmente para a cesariana de gestantes com comorbidades.[135] As pacientes que não suportam alterações súbitas do tônus vascular (p. ex.: que tenham cardiopatias) ou aquelas nas quais é difícil a quantificação da dose a ser utilizada (obesidade, deformidades osteoarticulares, diabetes materno, gestações multigemelares) podem se beneficiar do uso dessa técnica.[27,163]

■ ANESTESIA GERAL

Como citado anteriormente, a abordagem anestésica da gestante precisa estar orientada nas alterações anatomofisiológicas inerentes ao período gestacional, e, nesse caso, não poderia ser diferente. Conduzir a anestesia geral nessa população de pacientes, como qualquer outra cirurgia intra-abdominal em pacientes não obstétricas, é um grande equívoco. Essa prática pode custar sérias complicações para o binômio mãe-feto.

Em um artigo de revisão sobre esse tema, Lesage[164] enumera os principais cuidados individualizados de que a gestante necessita na anestesia geral para cesariana: prevenção da aspiração traqueal de conteúdo gástrico; antecipação da possibilidade de acesso difícil à via respiratória;

manutenção de oxigenação materna otimizada; preservação do fluxo uteroplacentário; promoção de adequada profundidade do plano anestésico (possibilidade de despertar intraoperatório *versus* risco de efeitos fetais significativos) (Tabela 129.8).

Tabela 129.8 Cuidados individualizados que a gestante necessita na anestesia geral para cesariana.
Prevenção da aspiração traqueal de conteúdo gástrico
Antecipação da possibilidade de acesso difícil à via respiratória
Manutenção de oxigenação materna otimizada
Preservação do fluxo uteroplacentário
Promoção de adequada profundidade do plano anestésico

Prevenção da Aspiração Traqueal de Conteúdo Gástrico

Conforme discutido na seção *Jejum e Alimentação Pré-operatória*, neste capítulo, as gestantes estão especialmente propensas à ocorrência de síndrome de aspiração traqueal de conteúdo gástrico. Deve-se lembrar de que essas pacientes têm um tempo de esvaziamento gástrico fisiologicamente aumentado e que boa parte delas está submetida à dor e ao estresse do trabalho de parto. Além disso, têm um risco elevado de regurgitação passiva de conteúdo gástrico em decorrência de uma pressão intra-abdominal elevada (hérnia hiatal e refluxo gastroesofágico em quase 80% das gestantes a termo). Se eventualmente ocorrer aspiração traqueal, deve-se esperar um quadro clínico intenso por conta das características do volume gástrico residual (pH abaixo de 2,5 na maioria das gestantes).[27,58]

Uma das medidas importantes a serem consideradas para a prevenção dessa complicação é a profilaxia farmacológica da aspiração traqueal. Diferentes fármacos e regimes de administração têm sido propostos.[25] O uso de um antiácido não particulado (citrato de sódio) como forma de elevar o pH do volume gástrico residual é controverso.[165,166] A sua administração tem sido relacionada com o aumento na incidência de náuseas e vômitos,[138] e geralmente a ingesta não é bem tolerada pelas pacientes.[166] De qualquer forma, alguns protocolos ainda preveem a administração de citrato de sódio a 0,3 M (30 mL por via oral) um pouco antes do início do procedimento anestésico.

Tanto os antagonistas de receptores H_2 quanto os inibidores de bomba de prótons também têm sido recomendados para redução do volume gástrico e elevação do pH do volume residual.[25] Para um efeito satisfatório, precisam ser administrados cerca de 30 a 40 minutos antes da anestesia. Uma metanálise avaliando a utilização dessas duas categorias de agentes concluiu que o uso dos antagonistas histaminérgicos foi mais eficiente do que o de inibidores da bomba de H^+ na redução do volume gástrico residual.[167] Entre os vários esquemas propostos, aquele que se tem mostrado mais eficiente em parturientes é a associação de antagonistas H_2 com antiácidos não particulados.[25] Por sua vez, a metoclopramida tem-se mostrado eficaz na redução da incidência de náuseas e vômitos durante cesarianas.[168] O seu uso também tem sido sugerido antes do início da anestesia geral. Entre os seus efeitos farmacológicos, esse agente aumenta o tônus do esfíncter esofagiano inferior e facilita o esvaziamento gástrico.[140] Ambas as condições são desejáveis durante a preparação e a indução da anestesia geral.

A indução em sequência rápida com compressão cricoide (manobra de Sellick), precedida por um período de pré-oxigenação, também é recomendada na anestesia obstétrica.[169,170] A pré-oxigenação visa a aumentar o tempo para o desenvolvimento de hipoxemia durante períodos de apneia.[171,172]

A técnica mais utilizada envolve a ventilação espontânea com oxigênio a 100% por 3 minutos. Em situações emergenciais, é possível reduzir esse tempo solicitando-se à paciente a realização de quatro ventilações de volume forçado (capacidade vital) com uma FiO_2 de 1.[143] Estudos usando simulação computacional têm demonstrado a eficácia dessa técnica em gestantes.[173,174]

A indução em sequência rápida com tiopental e succinilcolina em cesarianas foi proposta há mais de 50 anos e ainda continua a ser utilizada.[175] A efetividade dessa técnica em pacientes cirúrgicos[176] e em gestantes[169,170,177] vem sendo questionada, e mudanças nessa abordagem tão conservadora têm sido propostas.[169,170,177] A utilização de rocurônio (em doses de até quatro vezes a DE_{95}, ou seja, cerca de 1,2 mg.kg^{-1}) e sua reversão com sugamadex surgiu como opção ao uso da succinilcolina.[178,179]

A compressão cricoide é um dos componentes da técnica de indução em sequência rápida. Sua eficácia também tem sido reavaliada.[170,177,180] Há relatos de que raramente é aplicada de modo adequado e de que sua utilização pode dificultar a laringoscopia, especialmente em mulheres.[181] Dessa forma, caso ocorra dificuldade na intubação traqueal na gestante, tem sido aconselhada a remoção da pressão sobre a cartilagem cricoide antes da segunda tentativa de laringoscopia.[182]

Antecipação da Possibilidade de Acesso Difícil à Via Respiratória

As gestantes integram um grupo de pacientes especialmente suscetível à ocorrência de acesso difícil à via respiratória.[183,184] Como discutido anteriormente, as alterações anatomofisiológicas desse período são as responsáveis por esses achados. Para dificultar, a gestante a termo desenvolve hipoxemia precocemente em períodos de apneia, pois apresenta capacidade residual funcional reduzida e consumo de oxigênio aumentado (alterações ainda mais intensas na presença de trabalho de parto).[58] Dessa forma, não é de estranhar que a morbimortalidade materna por causa anestésica esteja intimamente ligada a dificuldades no acesso à via respiratória e na manutenção de adequada de oxigenação materna.[67] Estima-se que uma via aérea difícil se observa oito vezes mais frequentemente em gestantes do que na população cirúrgica geral.[67,183]

O planejamento do acesso à via aérea da gestante deve começar por uma adequada avaliação pré-anestésica. A identificação de características anatômicas que dificultem a intubação traqueal pode ser decisiva na escolha da técnica ou da abordagem. Uma comunicação contínua e detalhada com a equipe de obstetrícia e com outros profissionais envolvidos no atendimento materno-infantil é fundamental nesse planejamento.[182] A avaliação da via respiratória deve ser repetida em diferentes fases da gestação e mesmo do trabalho de parto. O edema e o ingurgitamento capilar da mucosa podem apresentar um rápido agravamento com o progredir da gestação ou do parto. Há relatos de piora da classificação de Mallampati nas gestantes em diferentes fases da gestação, do trabalho de parto e até mesmo no período puerperal.[184,185] O adequado posicionamento da gestante, visando a facilitar o acesso à via respiratória, deve sempre fazer parte da preparação da anestesia; ele está mais bem detalhado em parte específica deste capítulo.

Existem diversos protocolos e diretrizes para o acesso à via respiratória, regularmente atualizados, das principais sociedades de anestesiologia do mundo,[186,187] entretanto somente na última década foi publicada uma diretriz especificamente destinada à gestante, sob a chancela da Obstetric Anaesthetists' Association (OAA) e da Difficult Airway Society (DAS).[182] Até então, existiam à disposição apenas orientações e protocolos de sociedades regionais e de diferentes serviços. Com a publicação dessa diretriz, preencheu-se uma lacuna que durante muito tempo esteve aberta no atendimento anestésico da gestante. Espera-se que essa iniciativa estimule outros pesquisadores, sociedades e associações a seguir o mesmo caminho.

Mesmo com o risco elevado de regurgitação e aspiração traqueal, as diretrizes atuais admitem a possibilidade de ventilação com pressão positiva sob máscara facial nas situações em que a oxigenação materno-fetal se torna uma prioridade (p. ex., após tentativas falhas de intubação traqueal). Deve-se respeitar o limite de 20 cmH$_2$O de pressão inspiratória máxima. Dessa forma, reduz-se o risco de aumento excessivo do volume e da pressão intragástrica. Em outras circunstâncias, especialmente em gestantes obesas, há a necessidade de dois operadores para a realização da ventilação efetiva com máscara facial (ventilação a quatro mãos), o que enfatiza a necessidade de trabalho em equipe e cooperação para o sucesso da abordagem anestésica na parturiente.[182]

Os locais destinados à realização de anestesia em obstetrícia precisam ter, facilmente disponível, um material completo de acesso à via respiratória (cânulas traqueais de diversos tipos e calibres, diferentes laringoscópios e lâminas, guias iluminados, *bougies*, adjuvantes supraglóticos, cânulas faríngeas, material para acesso cirúrgico à via respiratória, entre outros).[182] Os profissionais envolvidos no atendimento, especialmente os da anestesiologia, precisam estar capacitados para o uso desse material em casos emergenciais. Como essas situações não surgem todos os dias, o uso de manequins e simuladores auxilia bastante no treinamento para atendimento emergencial e ganha cada vez mais espaço e importância.[188,189] Com o aumento, nos últimos anos, da complexidade de muitos casos obstétricos, o anestesiologista está sendo compelido a assumir o papel de médico do período periparto, precisando estar apto para o atendimento a inúmeras situações críticas e emergenciais. As competências necessárias para tal repousam, entretanto, não apenas no conhecimento técnico-científico: treinar e capacitar o anestesiologista obstétrico em fundamentos de trabalho em equipe e em outras competências não técnicas é um ponto fundamental na busca por maior segurança materno-fetal.[190]

A intubação traqueal com balonete é o método ideal para garantir uma via respiratória segura na gestante. Os videolaringoscópios foram recentemente adicionados ao arsenal de materiais necessários para a anestesia obstétrica.[191,192] Em algumas séries, o sucesso na intubação traqueal com o uso desses aparelhos chega a 100% em gestantes.[191] Embora seja indubitavelmente útil em situações emergenciais, o uso de videolaringoscópios em gestantes ainda precisa ser adequadamente validado por meio de estudos com maiores casuísticas nessa população de pacientes. Avaliando essa questão, foi publicada, em 2021, uma revisão comparando a intubação traqueal em pacientes obstétricas por método de laringoscopia convencional ou mediante videolaringoscopia.[193] Os autores concluíram que as evidências favoráveis ao uso dos videolaringoscópios continuam a surgir e apoiam sua crescente adoção na anestesia obstétrica como dispositivo de primeira linha para acesso à via respiratória.[193]

Os dispositivos supraglóticos têm sido preconizados para situações nas quais não se tenha obtido sucesso na intubação traqueal.[182,194-197] A manutenção da ventilação e a oxigenação materno-fetal se tornam prioridade. Nesse contexto, elas têm sido fundamentais na redução do número de complicações anestésicas em cesarianas e estão incorporadas a todas as diretrizes de acesso à via respiratória.[182] A preferência na escolha do dispositivo recai principalmente sobre aqueles que contam com via adicional para esvaziamento gástrico.[194-196,198] Para algumas situações, cesarianas eletivas e gestantes com jejum adequado, o uso dos dispositivos supraglóticos tem sido indicado como a primeira escolha para a abordagem da via respiratória.[198] Em revisão sistemática sobre o tema, os autores concluíram que, a despeito do perfil aparentemente seguro do uso de dispositivos supraglóticos em cesarianas, uma recomendação definitiva ainda não poderia ser estabelecida, pois os poucos estudos selecionados não dispunham de número suficiente de parturientes avaliadas.[197] Vale ressaltar que, na condição de cesariana não emergencial com identificação prévia de fatores de risco adicionais para intubação difícil, a conduta padrão ainda é o uso da broncoscopia flexível.[182]

Preservação do Fluxo Uteroplacentário

Parte importante da anestesia para cesariana consiste na tentativa de manutenção da integridade do fluxo uteroplacentário. O controle estrito das alterações hemodinâmicas e da hipotensão arterial materna após o bloqueio regional é fundamental nesse contexto. O posicionamento adequado da parturiente, como forma de minimizar a compressão aortocava, deve sempre ser lembrado.

Na cesariana sob anestesia geral, deve-se ofertar uma fração inspirada de oxigênio que previna a ocorrência de hipoxemia, mas que, por sua vez, também evite os riscos inerentes à hiperóxia no binômio mãe-feto (habitualmente isso se obtém mantendo-se a FiO$_2$ em torno de 0,4 a 0,6). Deve ser lembrada a recomendação de que a administração de oxigênio suplementar à parturiente não seja rotineiramente realizada em cesarianas eletivas sob anestesia regional.[199,200] A geração de radicais livres de oxigênio, secundária à peroxidação lipídica na mãe e no feto, está entre os principais temores. Por outro lado, há estudos mostrando a eficácia dessa suplementação sobre a oxigenação materno-fetal em situações emergenciais. Por sua vez, os autores não foram capazes de demonstrar evidências de aumento da peroxidação lipídica na parturiente e/ou no neonato nessas condições.[200]

O controle ventilatório também deve ser cuidadosamente realizado. Tanto a hiperventilação quanto a hipoventilação maternas podem ser prejudiciais ao concepto. A pressão parcial de CO_2 no sangue arterial da gestante tem relação direta com a $PaCO_2$ fetal. Dessa forma, a hiperventilação materna induz uma hipocapnia fetal que prejudica o seu fluxo sanguíneo cerebral. Além disso, desvia a curva de dissociação da oxiemoglobina materna para a esquerda, dificultando a transferência placentária do oxigênio.[201,202] A hipoventilação materna induz a retenção de CO_2 e o consequente desenvolvimento de acidose fetal, com todas as suas indesejáveis e deletérias consequências fisiológicas.

Promoção de Adequada Profundidade do Plano Anestésico

Outro desafio enfrentado na realização da anestesia geral para cesariana consiste em adequar o plano anestésico às necessidades do procedimento. Devem-se evitar planos inadequadamente profundos pelos indesejáveis efeitos sobre o neonato, e, por outro lado, é preciso minimizar o risco de consciência intraoperatória materna.[136,173] A despeito da sensibilidade aumentada aos anestésicos e sedativos, o risco de consciência intraoperatória é aproximadamente duas vezes maior em gestantes do que na população cirúrgica geral.[203]

O modo tradicional de indução da anestesia geral para cesarianas omite o uso de opioides, preconizando apenas a administração de hipnóticos (tiopental ou, mais recentemente, propofol) e bloqueadores neuromusculares (tradicionalmente a succinilcolina e, como opção aceita atualmente, o rocurônio e a sua reversão com sugamadex).[3,164,177] Após a intubação traqueal, a anestesia é mantida por via inalatória com o uso de halogenados e/ou óxido nitroso até o nascimento do concepto. A adição de óxido nitroso, por conta da sua baixa solubilidade, ajuda na obtenção de um plano mais rápido, sendo reconhecido como um dos fatores que diminuem a incidência de consciência transoperatória.[203] Após a dequitação, diminui-se a fração inspirada dos halogenados, como forma de preservar a resposta uterina aos uterotônicos, e administram-se opioides por via venosa para manutenção do plano anestésico. Dessa forma, com a indução anestésica apenas com hipnóticos e bloqueadores neuromusculares, e com a necessidade de início rápido da cirurgia (sem, muitas vezes, tempo adequado para que o anestésico inalatório alcance concentrações cerebrais adequadas), não é de se estranhar a incidência tão elevada de despertar e consciência intraoperatória. Assim, essa técnica clássica de indução da anestesia geral em cesarianas tem sido questionada.[177]

Deve-se ter em mente que a maioria das anestesias gerais para cesariana, na atualidade, ocorre em virtude da presença de comorbidades maternas que contraindicam a realização de anestesia regional. Algumas dessas pacientes apresentam cardiopatias, pré-eclâmpsia e outras patologias que podem rapidamente descompensar o seu quadro clínico quando expostas ao estímulo adrenérgico da intubação traqueal e da cirurgia. A adequada proteção da resposta autonômica aos estímulos anestésico-cirúrgicos parece essencial em todas as parturientes, e não apenas nessas.

O remifentanil, opioide recentemente adicionado ao arsenal terapêutico do anestesiologista, vem sendo cada vez mais utilizado em cesarianas.[164,177,204] Esse agente apresenta uma característica farmacológica bastante vantajosa para a paciente obstétrica: meia-vida rápida de distribuição e de eliminação. Dessa forma, é possível atingir o plano anestésico de maneira mais eficiente e com efeitos residuais mínimos sobre o neonato.[205-207] O uso desse agente tem sido relatado principalmente nas situações em que não se podem tolerar intensas alterações hemodinâmicas na gestante, como ocorre, por exemplo, na pré-eclâmpsia grave.[1] Em uma metanálise que buscou identificar os efeitos materno-fetais do uso do remifentanil na anestesia geral para cesariana, Zhang e col.[204] concluíram que esse agente apresenta efeitos bastante favoráveis na hemodinâmica materna, reduzindo a resposta adrenérgica ao estímulo da intubação traqueal e da cirurgia. Os autores salientam, entretanto, que ainda permanece controverso se o uso do remifentanil é benéfico aos neonatos. Estudos com amostras mais amplas ainda são necessários para avaliar os seus possíveis efeitos colaterais.[204]

A utilização de monitores da consciência intraoperatória também tem sido avaliada na anestesia geral para cesariana. Justifica-se o seu uso rotineiro pelo risco elevado de ocorrência dessa complicação, no entanto os valores do índice biespectral (BIS) ainda necessitam de adequada validação em gestantes.[208] Existem evidências de que a presença do trabalho de parto, e até mesmo a existência de um trabalho de parto prévio, reduz a necessidade de anestésicos quando essa foi avaliada pelos parâmetros do BIS.[209,210] De qualquer maneira, o uso desses monitores deve ser estimulado e tornado rotina na anestesia geral para cesariana. Aguardam-se novos dados, em um futuro breve, para que se possa validar e consolidar a sua utilização em gestantes.

Finalmente, a anestesia venosa total tem sido apenas ocasionalmente empregada para cesarianas. A maioria dos dados se restringe a relatos e séries de casos.[211,212] Existem evidências limitadas (pelo pequeno número de casos e estudos envolvidos) de que a anestesia intravenosa total apresenta vantagens na cesariana, entre as quais menor incidência de hemorragia pós-parto.[213] Os entraves técnicos e o tempo necessário para a sua realização, associados à necessidade de proteção da gestante contra aspiração traqueal, limitam, entretanto, o uso em cesarianas, especialmente as de caráter emergencial.[213] A necessidade da anestesia venosa com a obtenção de uma concentração plasmática efetiva do agente anestésico, de forma lenta e progressiva, não combina muito com as prioridades da anestesia geral para cesariana, previamente discutidas.

Estabelecimento de Adequada Analgesia Pós-operatória

O provimento de uma boa analgesia pós-operatória deve fazer parte do planejamento anestésico. Quando se utiliza anestesia regional, a administração de opioides hidrossolúveis e outros adjuvantes permite um período de analgesia muito superior ao tempo de ação dos anestésicos locais; contudo é necessária outra estratégia quando a opção recai sobre a anestesia geral.

A analgesia pós-operatória após anestesia geral para cesariana deve levar em conta o fato de a parturiente estar amamentando. É preciso atuar de forma a diminuir a necessidade de analgésicos e outros fármacos no pós-operatório. As contraindicações para a realização da anestesia neuroaxial nem sempre serão válidas e impeditivas para a execução de bloqueios periféricos. Os bloqueios regionais, em especial os da parede abdominal, têm ganhado destaque nesse contexto.[214-216] Eles necessitam obrigatoriamente de abordagem ultrassonográfica para elevar a taxa de sucesso e a segurança, o que reforça a necessidade de amplo treinamento e capacitação do anestesista obstétrico com essa ferramenta.

O bloqueio do plano transverso abdominal, mais comumente chamado de *TAP block*, é um dos mais utilizados, na atualidade, na analgesia pós-operatória de cesarianas, possibilitando, na maioria dos casos, significativa redução da necessidade de analgésicos sistêmicos.[214,215,217,218] Em uma metanálise sobre o assunto, Champaneria e col.[215] confirmaram os resultados de revisões anteriores identificando que o *TAP block* promove analgesia efetiva no pós-operatório de cesarianas, mas que as suas vantagens sobre a administração intratecal de morfina não podem ser demonstradas. Por sua vez, em outra revisão sistemática mais recente, Wang e col.,[219] depois de analisarem maior número de dados coletados, concluíram que o *TAP block* guiado por ultrassonografia é capaz proporcionar analgesia eficaz para o pós-operatório de cesarianas na ausência e/ou impossibilidade de administração de opioides intratecais.[219]

Como o *TAP block* não promove analgesia visceral e é muito dependente de uma dispersão adequada da solução anestésica, variantes e técnicas alternativas têm sido propostas. Nesse contexto, o bloqueio do quadrado lombar (BQL) vem se consolidando como uma alternativa.[216,220,221] Os autores identificaram e analisaram 12 estudos com mais de 900 pacientes e evidenciaram que o BQL foi capaz de reduzir o consumo de opioides nas primeiras 48 horas e os escores de dor em repouso e à movimentação nas primeiras 12 horas de pós-operatório, mas não no período subsequente. Não existem, entretanto, tal qual acontece com o *TAP block*, dados suficientes na literatura para evidenciar as vantagens desse método de analgesia em comparação com a morfina administrada por via espinal.[216] Em outra revisão sistemática publicada nos últimos anos, Tan e col.[222] também avaliaram a eficácia e os efeitos colaterais do BQL no pós-operatório de cesarianas. Os autores concluíram que esse bloqueio melhora a qualidade da analgesia pós-operatória em cesarianas nas quais não se utilizaram opioides neuraxiais, mas que a sua realização em pacientes que receberam morfina espinal não apresenta vantagens adicionais.[222] Por conta da curta duração efetiva da analgesia obtida com o BQL, estratégias têm sido propostas e testadas, como a realização de técnicas contínuas mediante a locação de cateteres.[223] Ainda faltam dados suficientes para uma análise criteriosa das vantagens e de possíveis complicações e riscos dessa abordagem.

O *TAP block* e o BQL têm sido comparados no que diz respeito à sua eficiência no controle da dor pós-operatória em cesarianas.[224] Os dados disponíveis, em números de estudos e pacientes envolvidos, ainda não possibilitam conclusões definitivas, entretanto algumas fortes evidências podem ser identificadas:

- Tanto o *TAP block* quanto o BQL são capazes de promover diminuições significativas e comparáveis na intensidade da dor pós-operatória em cesarianas na ausência de morfina espinal
- A realização desses bloqueios, por outro lado, não apresenta vantagens identificáveis naquelas pacientes às quais foi administrada a morfina no neuroeixo.[224]

Outras técnicas regionais também têm sido eventualmente sugeridas para a analgesia pós-operatória em cesarianas. O bloqueio dos nervos ilioinguinais e ilio-hipogástricos[225,226] e o bloqueio do plano eretor da espinha[227] raramente são a primeira opção, mas podem ser considerados técnicas de resgate ou complementação de analgesias inadequadas.[226] Em uma metanálise de 2021, Yetneberk e col.[228] compararam a analgesia pós-operatória em cesarianas promovida pelo bloqueio ilioinguinal bilateral em comparação com o *TAP block*. Os autores não conseguiram demonstrar diferenças significativas na eficácia de ambas as técnicas, sugerindo que as duas abordagens são opções válidas e comparáveis.[228] Vale ressaltar que a baixa casuística e o reduzido número de estudos envolvidos não permitem chegar a conclusões sobre a real eficácia e a segurança desses bloqueios, em especial quando comparados com outras técnicas alternativas de analgesia.

Os bloqueios da parede abdominal não estão isentos de complicações. Toxicidade sistêmica aos anestésicos locais e perfuração/lesão de vísceras abdominais estão entre as mais prevalentes.[229] Além disso, não parece haver dúvidas, com as evidências atuais, de que o melhor regime de analgesia pós-operatória em cesarianas consiste na morfina neuroaxial associada à analgesia sistêmica multimodal. os bloqueios de parede abdominal se mostram, entretanto, úteis naquelas gestantes nas quais não foi possível realizar um bloqueio espinal e também como resgate de analgesias que não estão evoluindo satisfatoriamente.

A infiltração de anestésicos locais e outros fármacos na ferida cirúrgica, de forma única ou por meio de cateteres e aparatos de infusão contínua, também tem sido sugerida e avaliada.[230,231] Quando comparada com a morfina intratecal, a infusão contínua subfascial de ropivacaína na ferida cirúrgica tem mostrado resultados satisfatórios no que se refere à qualidade da analgesia e à incidência de efeitos colaterais.[230] Por sua vez, Klasen e col.[231] compararam a eficácia da infiltração contínua de anestésicos locais na ferida cirúrgica com a do *TAP block* para a analgesia pós-operatória de cesarianas. Esses autores concluíram que, na condição de integrantes de um regime multimodal de analgesia, o *TAP block* e a infiltração tecidual de anestésicos locais apresentaram resultados similares. Em 2016, foi publicada uma revisão metanalítica para avaliar a eficácia da infiltração de anestésicos locais na ferida cirúrgica, por meio de administração única ou contínua, na analgesia pós-operatória em cesarianas.[232] Esse estudo concluiu que a infiltração de anestésicos locais diminuiu o consumo pós-operatório de morfina, mas não foi capaz de reduzir os efeitos colaterais associados ao uso dos opioides. Riemma e col.[233] realizaram uma revisão sistemática visando a comparar a qualidade da analgesia pós-operatória em cesarianas com o *TAP block* ante a infiltração de anestésicos locais na cicatriz cirúrgica. Esses autores não identificaram vantagens do bloqueio do plano transverso abdominal em comparação com a infiltração tecidual de anestésicos locais nesse cenário.[233]

Somando-se a esses bloqueios e a essas técnicas, usualmente são utilizados agentes sistêmicos de forma multimodal (opioides, anti-inflamatórios, entre outros) para complementação e otimização da analgesia pós-operatória.

■ RECUPERAÇÃO PÓS-ANESTÉSICA

A recuperação da parturiente após a cesariana não difere, na maioria dos seus aspectos, daquela de qualquer outro paciente submetido a uma anestesia. Cuidados semelhantes de monitorização e suporte devem ser ofertados,[234] entretanto existem particularidades próprias da recuperação desse grupo de pacientes, destacando-se entre elas a necessidade de observação do sangramento vaginal, do tônus uterino e do início do processo de amamentação durante as primeiras horas do nascimento.[235]

A implementação de protocolos de recuperação precoce após a cesariana, como o Protocolo ERAS para gestantes (*Early Recovery After Surgery*) ou o Protocolo ERAC (*Early Recovery After Cesarean*), tem sido preconizada.[236,237] Para tanto, é necessária a realização de ações e condutas que envolvam todo o período perioperatório (pré, intra e pós-operatório). Nas gestantes, nem todas as medidas têm alto grau de evidência de recomendação,[237] entretanto nenhuma delas parece ser potencialmente deletéria para o binômio materno-fetal.[236] Entre as condutas que parecem mais efetivas (alto grau de recomendação), podem-se destacar: prevenir a ocorrência de hipotensão arterial após bloqueio espinal, administração racional de uterotônicos, antibioticoterapia profilática antes da incisão da pele, analgesia multimodal, clampeamento tardio do cordão umbilical, profilaxia de fenômenos tromboembólicos, abordagem precoce da anemia periparto, suporte à amamentação e controle glicêmico materno adequado.[237]

Hemorragia uterina pós-parto é uma das principais causas de morte materna em todo o mundo.[30] A ocorrência é mais frequente nas primeiras horas de puerpério, o que, por si só, justifica o acompanhamento pós-operatório cuidadoso. Como forma de profilaxia, a infusão de ocitocina deve ser mantida nas primeiras horas de puerpério.[83] Evidências de perda sanguínea aumentada justificam a administração de outros uterotônicos e a adesão aos protocolos de hemorragia pós-parto (Capítulo 136).

A necessidade de acompanhamento pós-operatório em unidade de terapia intensiva não é comum entre as pacientes obstétricas. De qualquer modo, ocorre mais frequentemente na cesariana do que no parto vaginal.[238] Além disso, gestantes com comorbidades e aquelas que se submeteram a procedimentos emergenciais são mais propensas a necessitar de tratamento intensivo. Dessa forma, os serviços precisam estar estruturados para prestar esse suporte crítico a pacientes habitualmente jovens e, na sua maioria, previamente saudáveis.

REFERÊNCIAS

1. Martins CR. Anestesia para operação cesariana. In: Cangiani LM, Slullitel A, Potério GMB, Pires OC, Posso IP, Nogueira CS, et al. Tratado de anestesiologia SAESP. 7. ed. São Paulo: Atheneu; 2011. 2305-24.
2. Kochanek KD, Kirmeyer SE, Martin JA, Strobino DM, Guyer B. Annual summary of vital statistics: 2009. Pediatrics. 2012;129(2):338-48.
3. Tsen LC, Bateman BT. Anesthesia for cesarean delivery. In: Chestnut DH, Wong CA, Tsen LC, Ngan Kee WD, Beilin Y, Mhyre J, et al. Chestnut's obstetric anesthesia: principles and practice. 6. ed. Philadelphia: Elsevier; 2019. 568-626.
4. American College of Obstetricians and Gynecologists. ACOG Committee opinion no. 761, anuary 2019. Cesarean delivery on maternal request. Obstet Gynecol. 2019;133:e73-7.
5. Torloni MR, Betrán AP, Montilla P, Scolaro E, Seuc A, Mazzoni A, et al. Do italian women prefer cesarean section? Results from a survey on mode of delivery preferences. BMC Pregnancy Childbirth. 2013;13:78.
6. Fuglenes D, Aas E, Botten G, Øian P, Kristiansen IS. Maternal preference for cesarean delivery: do women get what they want? Obstet Gynecol. 2012;120(2 Pt 1):252-60.
7. Ramasaus D, Nassar A, Ubom AE, Nicholson W; FIGO Childbirth and Postpartum Hemorrhage Committee. FIGO good practice recommendations for cesarean delivery on maternal request: Challenges for medical staff and families. Int J Gynaecol Obstet. 2023;163(Suppl 2):10-20.
8. World Health Organization. WHO statement on caesarean section rates: executive summary [Internet]. WHO; 2015. [accessed 2023 Dec]. Available from: https://iris.who.int/bitstream/handle/10665/161442/WHO_RHR_15.02_eng.pdf?sequence=1.
9. Brasil. Ministério da Saúde. Comissão Nacional de Incorporação de Tecnologias no SUS. Protocolo n. 179, março de 2016. Diretrizes de atenção à gestante: a operação cesariana [Internet]. Brasília, DF: CONITEC; 2016. [acesso em Dez 2023]. Disponível em: https://www.gov.br/conitec/pt-br/midias/relatorios/2016/relatorio_diretrizes-cesariana-final.pdf.
10. Brasil. Ministério da Saúde. Agência Nacional de Saúde Suplementar. Resolução Normativa n. 398, de 5 de fevereiro de 2016. Dispõe sobre a obrigatoriedade de credenciamento de enfermeiros obstétricos e obstetrizes por operadoras de planos privados de assistência à saúde e hospitais que constituem suas redes e sobre a obrigatoriedade de os médicos entregarem a nota de orientação à gestante [Internet]. ANS; 2016. [acesso em jan 2017]. Disponível em: http://www.ans.gov.br/component/legislacao/?view=legislacao&task=TextoLei&format=raw&id=MzE5Mw==.
11. Belizán JM, Althabe F, Cafferata ML. Health consequences of the increasing caesarean section rates. Epidemiology. 2007;18:485-6.
12. Liu S, Liston RM, Joseph KS, Heaman M, Sauve R, Kramer MS, et al. Maternal mortality and severe morbidity associated with low-risk planned cesarean delivery versus planned vaginal delivery at term. CMAJ. 2007;176(4):455-60.
13. Bucklin BA, Hawkins JL, Anderson JR, Ullrich FA. Obstetric anesthesia workforce survey: twenty-year update. Anesthesiology. 2005;103(3):645-53.
14. Clark SL, Belfort MA, Dildy GA, Herbst MA, Meyers JA, Hankins GD. Maternal death in the 21st century: causes, prevention, and relationship to cesarean delivery. Am J Obstet Gynecol. 2008;199(1):36.e1-5.
15. Fahmy W, Crispim C, Cliffe S. Association between maternal death and cesarean section in Latin America: A systematic literature review. Midwifery. 2018;59:88-93.

16. Kallianidis A, Schutte J, Roosmalen JV, van den Akker T; Maternal Mortality and Severe Morbidity Audit Committee of the Netherlands Society of Obstetrics and Gynecology. Maternal mortality after cesarean section in the Netherlands. Eur J Obstet Gynecol Reprod Biol. 2018;229:148-52.
17. Hansen AK, Wisborg K, Uldbjerg N, Henriksen TB. Elective caesarean section and respiratory morbidity in the term and near-term neonate. Acta Obstet Gynecol Scand. 2007;86(4):389-94.
18. Weiniger CF, Spencer PS, Weiss Y, Ginsberg G, Ezra Y. Reducing the cesarean delivery rates for breech presentations: administration of spinal anesthesia facilitates manipulation to cephalic presentation, but is it cost saving? Isr J Health Policy Res. 2014;3(1):5.
19. Khaw KS, Lee SW, Ngan Kee WD, Law LW, Lau TK, Ng FF, et al. Randomized trial of anaesthetic interventions in external cephalic version for breech presentation. Br J Anaesth. 2015;114(6):944-50.
20. Kither H, Monaghan S. Intrauterine fetal resuscitation. Anesth Int Care Med. 2016;17:337-40.
21. Thurlow JA, Kinsella SM. Intrauterine resuscitation: active management of fetal distress. Int J Obstet Anesth. 2002;11:105-16.
22. American Society of Anesthesiologists Task Force on Obstetric Anesthesia. Practice guidelines for obstetric anesthesia. Anesthesiology. 2016;124(2):270-300.
23. American Society of Anesthesiologists Task Force on Preanesthesia Evaluation. Practice advisory for preanesthesia evaluation. Anesthesiology. 2012;116(3):522-38.
24. Mendelson CL. The aspiration of stomach contents into the lungs during obstetric anesthesia. Am J Obstet Gynecol. 1946;52:191-205.
25. Paranjothy S, Griffiths JD, Broughton HK, Gyte GML, Brown HC, Thomas J. Interventions at caesarean section for reducing the risk of aspiration pneumonitis. Cochrane Database Syst Rev. 2014;(2):CD004943.
26. Brasil. Conselho Federal de Medicina. Resolução n. 2.174/2017, de 14 de dezembro de 2017. Dispõe sobre a prática do ato anestésico. Revoga a Resolução CFM 1.802/2006 [Internet]. Brasília, DF: Diário Oficial da União; 27 fev 2018. [acesso em jan 2020]. Disponível em: https://sistemas.cfm.org.br/normas/visualizar/resolucoes/BR/2017/2174.
27. Bastos CO, Soares ECS, Ivo RA. Anestesia em obstetrícia. In: Bagatini A, Cangiani LM, Carneiro AF, Nunes RR. Bases do ensino da anestesiologia. Rio de Janeiro: Sociedade Brasileira de Anestesiologia; 2016. 665-707.
28. Bastos CO. Peridural em obstetrícia. In: SAESP. Atualização em anestesiologia: anestesia em obstetrícia. São Caetano do Sul: Yendis; 2007. 103-48. XII.
29. Toledo P, McCarthy RJ, Burke CA, Goetz K, Wong CA, Grobman WA. The effect of live and web-based education on the accuracy of blood-loss estimation in simulated obstetric scenarios. Am J Obstet Gynecol. 2010;202(4):400.e1-5.
30. Larsson C, Saltvedt S, Wiklund I, Pahlen S, Andolf E. Estimation of blood loss after cesarean section and vaginal delivery has low validity with a tendency to exaggeration. Acta Obstet Gynecol Scand. 2006;85(12):1448-52.
31. Wise A, Clark V. Challenges of major obstetric haemorrhage. Best Pract Res Clin Obstet Gynaecol. 2010;24:353-65.
32. Withanathantrige M, Goonewardene M, Dandeniya R, Gunatilake P, Gamage S. Comparison of four methods of blood loss estimation after cesarean delivery. Int J Gynaecol Obstet. 2016;135(1):51-5.
33. Saoud F, Stone A, Nutter A, Hankins GD, Saade GR, Saad AF. Validation of a new method to assess estimated blood loss in the obstetric population undergoing cesarean delivery. Am J Obstet Gynecol. 2019;221(3):267.e1-e6.
36. Langesaeter E, Rosseland LA, Stubhaug A. Continuous invasive blood pressure and cardiac output monitoring during cesarean delivery: a randomized, double blind comparison of low-dose versus high-dose spinal anesthesia with intravenous phenylephrine or placebo infusion. Anesthesiology. 2008;109:856-63.
34. Mercier FJ. Cesarean delivery fluid management. Curr Opin Anaesthesiol. 2012;25:286-91.
35. Loubert C. Fluid and vasopressor management for Cesarean delivery under spinal anesthesia: continuing professional development. Can J Anaesth. 2012;59:604-19.
37. Tamilselvan P, Fernando R, Bray J, Sodhi M, Columb M. The effects of crystalloid and colloid preload on cardiac output in the parturient undergoing planned cesarean delivery under spinal anesthesia: a randomized trial. Anesth Analg. 2009;109(6):1916-21.
38. McDonald S, Fernando R, Ashpole K, Columb M. Maternal cardiac output changes after crystalloid or colloid coload following spinal anesthesia for elective cesarean delivery: a randomized controlled trial. Anesth Analg. 2011;113(4):803-10.
39. Siaulys MM, Yamaguchi ET. Anestesia para cesariana. In: Siaulys MM. Condutas em anestesia obstétrica. Rio de Janeiro: Elsevier; 2012. 41-74.
40. Ngan Kee WD. Prevention of maternal hypotension after regional anaesthesia for caesarean section. Curr Opin Anaesthesiol. 2010;23:304-9.
41. Ralston DH, Shnider SM, DeLorimier AA. Effects of equipotent ephedrine, metaraminol, mephentermine, and methoxamine on uterine blood flow in the pregnant ewe. Anesthesiology. 1974;40:354-70.
42. Ngan Kee WD, Lau TK, Khaw KS, Lee BB. Comparison of metaraminol and ephedrine infusions for maintaining arterial pressure during spinal anesthesia for elective cesarean section. Anesthesiology. 2001;95(2):307-13.
43. Cooper DW, Carpenter M, Mowbray P, Desira WR, Ryall DM, Kokri MS. Fetal and maternal effects of phenylephrine and ephedrine during spinal anesthesia for cesarean delivery. Anesthesiology. 2002;97(6):1582-90.
44. Kinsella S, Carvalho B, Dyer R, Fernando R, McDonnell N, Mercier FJ, et al. International consensus statement on the management of hypotension with vasopressors during caesarean section under spinal anaesthesia. Anaesthesia. 2018;73(1):71-92.
45. Ngan Kee WD, Lee A, Khaw KS, Ng FF, Karmakar MK, Gin T. A randomized double-blinded comparison of phenylephrine and ephedrine infusion combinations to maintain blood pressure during spinal anesthesia for cesarean delivery: the effects on fetal acid-base status and hemodynamic control. Anesth Analg. 2008;107(4):1295-302.
46. Veeser M, Hofmann T, Roth R, Klöhr S, Rossaint R, Heesen M. Vasopressors for the management of hypotension after spinal anesthesia for elective caesarean section: systematic review and cumulative meta-analysis. Acta Anaesthesiol Scand. 2012;56(7):810-6.
47. Ngan Kee WD, Khaw KS. Vasopressors in obstetrics: what should we be using? Curr Opin Anaesthesiol. 2006;19:238-43.
48. Ngan Kee WD, Khaw KS, Ng FF, Lee BB. Prophylactic phenylephrine infusion for preventing hypotension during spinal anesthesia for cesarean delivery. Anesth Analg. 2004;98(3):815-21.
49. Kansal A, Mohta M, Sethi AK, Tyagi A, Kumar P. Randomised trial of intravenous infusion of ephedrine or mephentermine for management of hypotension during spinal anaesthesia for Caesarean section. Anaesthesia. 2005;60(1):28-34.
50. Carvalho JCA, Cardoso MS, Lorenz E, Amaro AR, Rosa MCR. Efedrina profilática durante raquianestesia para cesariana: bolus seguido de infusão contínua em dose fixa e infusão contínua de doses decrescentes. Rev Bras Anestesiol. 2000;50(6):425-30.
51. Ngan Kee WD, Khaw KS, Ng FF. Comparison of phenylephrine infusion regimens for maintaining maternal blood pressure during spinal anaesthesia for Caesarean section. Br J Anaesth. 2004;92:469-74.
52. Ngan Kee WD, Khaw KS, Tam YH, Ng FF, Lee SW. Performance of a closed-loop feedback computer-controlled infusion system for maintaining blood pressure during spinal anaesthesia for caesarean section: a randomized controlled comparison of norepinephrine versus phenylephrine. J Clin Monit Comput. 2017;31(3):617-23.
53. Ngan Kee WD, Lee SW, Ng FF, Tan PE, Khaw KS. Randomized double-blinded comparison of norepinephrine and phenylephrine for maintenance of blood pressure during spinal anesthesia for cesarean delivery. Anesthesiology. 2015;122(4):736-45.
54. Tanaka M, Balki M, Parkes RK, Carvalho JC. ED95 of phenylephrine to prevent spinal-induced hypotension and/or nausea at elective cesarean delivery. Int J Obstet Anesth. 2009;18(2):125-30.
55. Aragão FF, Aragão PW, Martins CA, Salgado Filho N, Barroqueiro ES. Avaliação comparativa entre metaraminol, fenilefrina e efedrina na profilaxia e no tratamento da hipotensão em cesarianas sob raquianestesia. Rev Bras Anestesiol. 2014;64(5):299-306.
58. Mercier FJ, Riley ET, Frederickson WL, Roger-Christoph S, Benhamou D, Cohen SE. Phenylephrine added to prophylactic ephedrine infusion during spinal anesthesia for elective cesarean section. Anesthesiology. 2001;95(3):668-74.
56. Thiele RH, Nemergut EC, Lynch C 3rd. The physiologic implications of isolated alpha(1) adrenergic stimulation. Anesth Analg. 2011;113(2):284-96.
57. Thiele RH, Nemergut EC, Lynch C 3rd. The clinical implications of isolated alpha(1) adrenergic stimulation. Anesth Analg. 2011;113(2):297-304.
59. Belzarena SD. Estudo comparativo entre efedrina e etilefrina como vasopressor para correção da hipotensão arterial materna em cesarianas eletivas com raquianestesia. Rev Bras Anestesiol. 2006;56:223-9.
60. Onwochei DN, Ngan Kee WD, Fung L, Downey K, Ye XY, Carvalho JCA. Norepinephrine intermittent intravenous boluses to prevent hypotension during spinal anesthesia for cesarean delivery: a sequential allocation dose-finding study. Anesth Analg. 2017;125(1):212-8.
61. Ngan Kee WD. A random-allocation graded dose-response study of norepinephrine and phenylephrine for treating hypotension during spinal anesthesia for cesarean delivery. Anesthesiology. 2017;127:934-41.
62. Mohta M, Dubey M, Malhotra RK, Tyagi A. Comparison of the potency of phenylephrine and norepinephrine bolus doses used to treat post-spinal hypotension during elective caesarean section. Int J Obstet Anesth. 2019;38:25-31.
63. Vallejo MC, Attaallah AF, Elzamzamy OM, Cifarelli DT, Phelps AL, Hobbs GR, et al. An open-label randomized controlled clinical trial for comparison of continuous phenylephrine versus norepinephrine infusion in prevention of spinal hypotension during cesarean delivery. Int J Obstet Anesth. 2017;29:18-25.
64. Sharkey AM, Siddiqui N, Downey K, Ye XY, Guevara J, Carvalho JCA. Comparison of intermittent intravenous boluses of phenylephrine and norepinephrine to prevent and treat spinal-induced hypotension in cesarean deliveries: randomized controlled trial. Anesth Analg. 2019;129(5):1312-8.

65. Ali Elnabtity AM, Selim MF. Norepinephrine versus ephedrine to maintain arterial blood pressure during spinal anesthesia for cesarean delivery: a prospective double-blinded trial. Anesth Essays Res. 2018;12:92-7.

66. Ngan Kee WD, Lee SWY, Ng FF, Khaw KS. Prophylactic norepinephrine infusion for preventing hypotension during spinal anesthesia for cesarean delivery. Anesth Analg. 2018;126(6):1989-94.

67. Hasanin AM, Amin SM, Agiza NA, Elsayed MK, Refaat S, Hussein HA, et al. Norepinephrine infusion for preventing postspinal anesthesia hypotension during cesarean delivery: a randomized dose-finding trial. Anesthesiology. 2019;130(1):55-62.

68. Chen D, Qi X, Huang X, Xu Y, Qiu F, Yan Y, et al. Efficacy and safety of different norepinephrine regimens for prevention of spinal hypotension in cesarean section: a randomized trial. Biomed Res Int. 2018;2018:2708175.

69. Wang X, Mao M, Liu S, Xu S, Yang J. A comparative study of bolus norepinephrine, phenylephrine, and ephedrine for the treatment of maternal hypotension in parturients with preeclampsia during cesarean delivery under spinal anesthesia. Med Sci Monit. 2019;25:1093-101.

70. Xu S, Shen X, Liu S, Yang J, Wang X. Efficacy and safety of norepinephrine versus phenylephrine for the management of maternal hypotension during cesarean delivery with spinal anesthesia: a systematic review and meta-analysis. Medicine (Baltimore). 2019;98(5):e14331.

71. Heesen M, Hilber N, Rijs K, et al. A systematic review of phenylephrine vs. noradrenaline for the management of hypotension associated with neuraxial anaesthesia in women undergoing caesarean section. Anaesthesia. 2020;75(6):800-8.

72. Liu P, He H, Zhang S, et al. Comparative efficacy and safety of prophylactic norepinephrine and phenylephrine in spinal anesthesia for cesarean section: A systematic review and meta-analysis with trial sequential analysis. Front Pharmacol. 2022;28:13:1015325.

73. Fitzgerald J, Fedoruk K, Jadin S, et al. Prevention of hypotension after spinal anaesthesia for caesarean section: a systematic review and network meta-analysis of randomised controlled trials. Anaesthesia. 2020;75:109-21.

74. Cavalcanti FS. Alterações fisiológicas da gravidez. In: Cangiani LM, Carmona MJC, Torres MLA, Bastos CO, Ferez D, Silva ED, et al. Tratado de anestesiologia SAESP. 8. ed. Rio de Janeiro: Atheneu; 2017. 2223-60.

75. Cluver C, Novikova N, Hofmeyr GJ, Hall DR. Maternal position during caesarean section for preventing maternal and neonatal complications. Cochrane Database Syst Rev. 2013;(3):CD007623.

76. Vanden Hoek TL, Morrison LJ, Shuster M, Donnino M, Sinz E, Lavonas EJ, et al. Part 12: cardiac arrest in special situations: 2010 American Heart Association guidelines for cardiopulmonary resuscitation and emergency cardiovascular care. Circulation. 2010;122(18 Suppl 3):S829-61.

77. Vincent RD, Chestnut DH. Which position is more comfortable for the parturient during identification of the epidural space? Int J Obstet Anesth. 1991;1:9-11.

78. Tsen LC. Neuraxial techniques for labor analgesia should be placed in the lateral position. Int J Obstet Anesth. 2008;17(2):146-9.

79. Andrews PJ, Ackerman WE 3rd, Juneja MM. Aortocaval compression in the sitting and lateral decubitus positions during extradural catheter placement in the parturient. Can J Anaesth. 1993;40(4):320-4.

80. World Health Organization. WHO recommendations for the prevention and treatment of postpartum haemorrhage [Internet]. WHO; 2012. [accessed 2017 Jan]. Available from: http://apps.who.int/iris/bitstream/10665/75411/1/9789241548502_eng.pdf.

81. Tsen LC, Balki M. Oxytocin protocols during cesarean delivery: time to acknowledge the risk/benefit ratio? Int J Obstet Anesth. 2010;19(3):243-5.

82. Dyer RA, Butwick AJ, Carvalho B. Oxytocin for labour and caesarean delivery: implications for the anaesthesiologist. Curr Opin Anaesthesiol. 2011;24(3):255-61.

83. Balki M, Tsen L. Oxytocin protocols for cesarean delivery. Int Anesthesiol Clin. 2014;52:48-66.

84. Reyes OA, Gonzalez GM. Carbetocin versus oxytocin for prevention of postpartum hemorrhage in patients with severe preeclampsia: a double-blind randomized controlled trial. J Obstet Gynaecol Can. 2011;33:1099-104.

85. Su LL, Chong YS, Samuel M. Carbetocin for preventing postpartum haemorrhage. Cochrane Database Syst Rev. 2012;(4):CD005457.

86. Kalafat E, Gokce A, O'Brien, Benlioglu C, Koc A, Karaaslan O, et al. Efficacy of carbetocin in the prevention of postpartum hemorrhage: a systematic review and Bayesian meta--analysis of randomized trials. J Matern Fetal Neonatal Med. 2019;19:1-14.

87. Khan M, Balki M, Ahmed I, Farine D, Seaward G, Carvalho JCA. Carbetocin at elective cesarean delivery: a sequential allocation trial to determine the minimum effective dose. Can J Anaesth. 2014;61(3):242-8.

88. Widmer M, Piaggio G, Nguyen TMH, Osoti A, Owa OO, Misra S, et al. Heat-stable carbetocin versus oxytocin to prevent hemorrhage after vaginal birth. N Engl J Med. 2018;379(8):743-52.

89. Mannaerts D, Van der Veeken L, Coppejans H, Jacquemyn Y. Adverse effects of carbetocin versus oxytocin in the prevention of postpartum haemorrhage after cesarean section: a randomized controlled trial. J Pregnancy. 2018;2018:1374150.

90. Drew T, Balki M, Farine D, Ye XY, Downey K, Carvalho JCA. Carbetocin at elective cesarean section: a sequential allocation trial to determine the minimum effective dose in obese women. Anaesthesia. 2020;75(3):331-7.

91. Hawkins JL. Excess in moderation: general anesthesia for cesarean delivery. Anesth Analg. 2015;120:1175-7.

92. Traynor AJ, Aragon M, Ghosh D, Choi RS, Dingmann C, Tran ZV. Obstetric anesthesia workforce survey: a 30-year update. Anesth Analg. 2016;122(6):1939-46.

93. Juang J, Gabriel R, Dutton R, et al. Choice of Anesthesia for Cesarean Delivery: An Analysis of the National Anesthesia Clinical Outcomes Registry. Anesth Analg. 2017;124(6):1914-7.

94. Hawkins JL, Koonin LM, Palmer SK, Gibbs CP. Anesthesia-related deaths during obstetric delivery in the United States, 1979-1990. Anesthesiology. 1997;86(2):277-84.

95. Hawkins JL, Chang J, Palmer SK, Gibbs CP, Callaghan WM. Anesthesia-related maternal mortality in the United States: 1979-2002. Obstet Gynecol. 2011;117(1):69-74.

96. Ng K, Parsons J, Cyna AM, Middleton P. Spinal versus epidural anaesthesia for caesarean section. Cochrane Database Syst Rev. 2004;(2):CD003765.

97. Nandagopal M. Local anesthesia for cesarean section. Tech Reg Anesth Pain Manag. 2001;5:30-5.

98. Gautam PL, Kathuria S, Kaul TK. Infiltration block for caesarean section in a morbidly obese parturient. Acta Anaesthesiol Scand. 1999;43:580-1.

99. Horlocker TT, McGregor DG, Matsushige DK, Schroeder DR, Besse JA. A retrospective review of 4767 consecutive spinal anesthetics: central nervous system complications. Perioperative Outcomes Group. Anesth Analg. 1997;84(3):578-84.

100. Auroy Y, Narchi P, Messiah A, Litt L, Rouvier B, Samii K. Serious complications related to regional anesthesia: results of a prospective survey in France. Anesthesiology. 1997;87(3):479-86.

101. Zaric D, Pace NL. Transient neurologic symptoms (TNS) following spinal anaesthesia with lidocaine versus other local anaesthetics. Cochrane Database Syst Rev. 2009;(2):CD003006.

102. Choi PT, Galinski SE, Takeuchi L, Lucas S, Tamayou C, Jadad AR. PDPH is a common complication of neuraxial blockade in parturients: a meta-analysis of obstetrical studies. Can J Anaesth. 2003;50(5):460-9.

103. Webb CA, Weyker PD, Zhang L, Stanley S, Coyle DT, Tang T, et al. Unintentional dural puncture with a Tuohy needle increases risk of chronic headache. Anesth Analg. 2012;115(1):124-32.

104. Hoskin MF. Spinal anaesthesia: the current trend towards narrow gauge atraumatic (pencil point) needles. Case reports and review. Anaesth Intensive Care. 1998;26(1):96-106.

105. Villar GCP, Rosa C, Cappelli EL, Rosa MCR. Incidência de cefaleia pós-raquianestesia em pacientes obstétricas com o uso de agulha de Whitacre calibre 27G: experiência com 4570 casos. Rev Bras Anestesiol. 1999;49(2):110-2.

106. Heesen M, Klöhr S, Rossaint R, Walters M, Straube S, van de Velde M. Insertion of an intrathecal catheter following accidental dural puncture: a meta-analysis. Int J Obstet Anesth. 2013;22(1):26-30.

107. Deng J, Wang L, Zhang Y, Chang X, Ma X. Insertion of an intrathecal catheter in parturients reduces the risk of post-dural puncture headache: a retrospective study and meta--analysis. PLoS One. 2017;12(7):e0180504.

108. Rana K, Jenkins S, Rana M. Insertion of an intrathecal catheter following a recognised accidental dural puncture reduces the need for an epidural blood patch in parturients: an Australian retrospective study. Int J Obstet Anesth. 2018;36:11-6.

109. Alonso E, Gilsanz F, Gredilla E, Martínez B, Canser E, Alsina E. Observational study of continuous spinal anesthesia with the catheter-over-needle technique for cesarean delivery. Int J Obstet Anesth. 2009;18(2):137-41.

110. Arkoosh VA, Palmer CM, Yun EM, Sharma SK, Bater JN, Wissler RN, et al. A randomized, double-masked, multicenter comparison of the safety of continuous intrathecal labor analgesia using a 28-gauge catheter versus continuous epidural labor analgesia. Anesthesiology. 2008;108(2):286-98.

111. Rigler ML, Drasner K, Krejcie TC, Yelich SJ, Scholnick FT, DeFontes J, et al. Cauda equina syndrome after continuous spinal anesthesia. Anesth Analg. 1991;72(3):275-81.

112. Lambert DH, Hurley RJ. Cauda equina syndrome and continuous spinal anesthesia. Anesth Analg. 1991;72:817-9.

113. Stienstra R, Greene NM. Factors affecting the subarachnoid spread of local anesthetic solutions. Reg Anesth. 1991;16:1-6.

114. Arzola C, Wieczorek PM. Efficacy of low-dose bupivacaine in spinal anaesthesia for caesarean delivery: systematic review and meta-analysis. Br J Anaesth. 2011;107(3):308-18.

115. Rucklidge MW, Paech MJ. Limiting the dose of local anaesthetic for caesarean section under spinal anaesthesia: has the limbo bar been set too low? Anaesthesia. 2012;67:347-51.

116. Geng ZY, Wang DX, Wu XM. Minimum effective local anesthetic dose of intrathecal hyperbaric ropivacaine and bupivacaine for cesarean section. Chin Med J (Engl). 2011;124:509-13.
117. Carvalho B, Durbin M, Drover DR, Cohen SE, Ginosar Y, Riley ET. The ED50 and ED95 of intrathecal isobaric bupivacaine with opioids for cesarean delivery. Anesthesiology. 2005;103(3):606-12.
118. Tubog TD, Ramsey VL, Filler L, Bramble RS. Minimum effective dose (ED50 and ED95) of intrathecal hyperbaric bupivacaine for cesarean delivery: a systematic review. AANA J. 2018;86(5):348-60.
119. Onishi E, Murakami M, Hashimoto K, et al. Optimal intrathecal hyperbaric bupivacaine dose with opioids for cesarean delivery: a prospective double-blinded randomized trial. Int J Obstet Anesth. 2017;31:68-73.
120. Sng BL, Siddiqui FJ, Leong WL, Assam PN, Chan ES, Tan KH, et al. Hyperbaric versus isobaric bupivacaine for spinal anaesthesia for caesarean section. Cochrane Database Syst Rev. 2016;9(9):CD005143.
121. Neves JFNP, Monteiro GA, Almeida JR, Brun A, Cazarin N, Sant'Anna RS, et al. Raquianestesia para cesariana: estudo comparativo entre bupivacaína isobárica e hiperbárica associadas à morfina. Rev Bras Anestesiol. 2003;53(5):573-8.
122. Scott PV, Bowen FE, Cartwright P, Rao BC, Deeley D, Wotherspoon HG, et al. Intrathecal morphine as sole analgesic during labour. Br Med J. 1980;281(6236):351-3.
123. Dahl JB, Jeppesen IS, Jørgensen H, Wetterslev J, Møiniche S. Intraoperative and postoperative analgesic efficacy and adverse effects of intrathecal opioids in patients undergoing cesarean section with spinal anesthesia: a qualitative and quantitative systematic review of randomized controlled trials. Anesthesiology. 1999;91(6):1919-27.
124. Roelants F. The use of neuraxial adjuvant drugs (neostigmine, clonidine) in obstetrics. Curr Opin Anaesthesiol. 2006;19:233-7.
125. Sia AT. Optimal dose of intrathecal clonidine added to sufentanil plus bupivacaine for labour analgesia. Can J Anaesth. 2000;47:875-80.
126. Popham P. Anatomical causes of failed spinal anaesthesia may be commoner than thought. Br J Anaesth. 2009;103(3):459.
127. Fettes PD, Jansson JR, Wildsmith JA. Failed spinal anaesthesia: mechanisms, management, and prevention. Br J Anaesth. 2009;102(6):739-48.
128. Beardsley D, Holman S, Gantt R, Robinson RA, Lindsey J, Bazaral M, et al. Transient neurologic deficit after spinal anesthesia: local anesthetic maldistribution with pencil point needles? Anesth Analg. 1995;81(2):314-20.
129. Drasner K, Rigler ML. Repeat injection after a "failed spinal": at times, a potentially unsafe practice. Anesthesiology. 1991;75:713-4.
130. Hirabayashi Y, Konishi R, Shimizu R. Neurologic symptom associated with a repeated injection after failed spinal anesthesia. Anesthesiology. 1998;89:1294-5.
131. Chadwick HS. An analysis of obstetric anesthesia cases from the American society of anesthesiologists closed claims project database. Int J Obstet Anesth. 1996;5:258-63.
132. Pan PH, Bogard TD, Owen MD. Incidence and characteristics of failures in obstetric neuraxial analgesia and anesthesia: a retrospective analysis of 19,259 deliveries. Int J Obstet Anesth. 2004;13:227-33.
133. Bauer ME, Kountanis JA, Tsen LC, Greenfield ML, Mhyre JM. Risk factors for failed conversion of labor epidural analgesia to cesarean delivery anesthesia: a systematic review and meta-analysis of observational trials. Int J Obstet Anesth. 2012;21(4):294-309.
134. Kinsella SM. A prospective audit of regional anaesthesia failure in 5080 caesarean sections. Anaesthesia. 2008;63:822-32.
135. Stride PC, Cooper GM. Dural taps revisited: a 20-year survey from Birmingham Maternity Hospital. Anaesthesia. 1993;48:247-55.
136. Berger CW, Crosby ET, Grodecki W. North American survey of the management of dural puncture occurring during labour epidural analgesia. Can J Anaesth. 1998;45:110-4.
137. Moller RA, Covino BG. Effect of progesterone on the cardiac electrophysiologic alterations produced by ropivacaine and bupivacaine. Anesthesiology. 1992;77:735-41.
138. Furst SR, Reisner LS. Risk of high spinal anesthesia following failed epidural block for cesarean delivery. J Clin Anesth. 1995;7:71-4.
139. Stone PA, Thorburn J, Lamb KS. Complications of spinal anaesthesia following extradural block for caesarean section. Br J Anaesth. 1989;62:335-7.
140. Hawkins JL. Maternal mortality: anesthetic implications. Int Anesthesiol Clin. 2002;40:1-11.
141. Mhyre JM, Greenfield ML, Tsen LC. A systematic review of randomized controlled trials that evaluate strategies to avoid epidural vein cannulation during obstetric epidural catheter placement. Anesth Analg. 2009;108:1232-42.
142. Colonna-Romano P, Nagaraj L. Tests to evaluate intravenous placement of epidural catheters in laboring women: a prospective clinical study. Anesth Analg. 1998;86:985-8.
143. Colonna-Romano P, Lingaraju N, Godfrey SD, Braitman LE. Epidural test dose and intravascular injection in obstetrics: sensitivity, specificity, and lowest effective dose. Anesth Analg. 1992;75(3):372-6.
144. Leighton BL, Norris MC, Sosis M, Epstein R, Chayen B, Larijani GE. Limitations of epinephrine as a marker of intravascular injection in laboring women. Anesthesiology. 1987;66(5):688-91.
145. Chestnut DH, Owen CL, Brown CK, Vandewalker GE, Weiner CP. Does labor affect the variability of maternal heart rate during induction of epidural anesthesia? Anesthesiology. 1988;68(4):622-5.
146. Norris MC, Fogel ST, Dalman H, Borrenpohl S, Hoppe W, Riley A. Labor epidural analgesia without an intravascular "test dose". Anesthesiology. 1998;88(6):1495-501.
147. Bromage PR. Spread of analgesic solutions in the epidural space and their site of action: a statistical study. Br J Anaesth. 1962;34:161-78.
148. Mathias RS, Carvalho JCA, Senra WG, Amaral RVG. Dispersão de diferentes volumes de bupivacaína a 0,5% com epinefrina 1:200.000 no espaço peridural de gestantes de termo. Rev Bras Anestesiol. 1988;38(3):173-6.
149. Mathias RS, Carvalho JCA, Senra WG, Torres MLA, Amaral RVG. Dispersão peridural de bupivacaína em gestantes de termo: I - Influência das variáveis antropométricas. Rev Bras Anestesiol. 1992;42(2):113-8.
150. Mathias RS, Carvalho JCA, Senra WG, Torres MLA, Amaral RVG. Dispersão peridural de bupivacaína em gestantes de termo: II - Influência do volume, da concentração e da epinefrina. Rev Bras Anestesiol. 1992;42(3):185-9.
151. Uldesmann A, Lorena SERS, Girioli SU, Silva WA, Moraes AC. Efeitos hemodinâmicos da intoxicação aguda com bupivacaína, levobupivacaína e mistura com excesso enantiomérico de 50%: estudo experimental em suínos. Rev Bras Anestesiol. 2007;57(1):63-7.
152. Polley LS, Columb MO, Naughton NN, Wagner DS, van de Ven CJ. Relative analgesic potencies of ropivacaine and bupivacaine for epidural analgesia in labor: implications for therapeutic indexes. Anesthesiology. 1999;90(4):944-50.
153. Capogna G, Celleno D, Fusco P, Lyons G, Columb M. Relative potencies of bupivacaine and ropivacaine for analgesia in labour. Br J Anaesth. 1999;82(3):371-3.
154. Polley LS, Columb MO, Naughton NN, Wagner DS, van de Ven JM, Goralski KH. Relative analgesic potencies of levobupivacaine and ropivacaine for epidural analgesia in labor. Anesthesiology. 2003;99(6):1354-8.
155. Eugênio AGB, Cavalcanti FS. Analgesia de parto condutiva: anestésicos e outras drogas. Rev Bras Anestesiol. 1993;43:57-63.
156. Eisenach JC, Grice SC, Dewan DM. Epinephrine enhances analgesia produced by epidural bupivacaine during labor. Anesth Analg. 1987;66:447-51.
157. Ngan Kee W, Khaw K, Lee B, at al. The limitations of ropivacaine with epinephrine as an epidural test dose in parturients. Anesth Analg. 2001;92(6):1529-31.
158. Marx GF, Elstein ID, Schuss M, Anyaegbunam A, Fleischer A. Effects of epidural block with lignocaine and lignocaine-adrenaline on umbilical artery velocity wave ratios. Br J Obstet Gynaecol. 1990;97(6):517-20.
159. Alahuhta S, Räsänen J, Jouppila R, Hollmén AI. Effects of extradural bupivacaine with adrenaline for caesarean section on uteroplacental and fetal circulation. Br J Anaesth. 1991;67(6):678-82.
160. Alahuhta S, Räsänen J, Jouppila P, Jouppila R, Hollmén AI. Uteroplacental and fetal circulation during extradural bupivacaine-adrenaline and bupivacaine for caesarean section in hypertensive pregnancies with chronic fetal asphyxia. Br J Anaesth. 1993;71(3):348-53.
161. Alahuhta S, Räsänen J, Jouppila P, Jouppila R, Hollmén AI. Uteroplacental and fetal circulation during extradural bupivacaine-adrenaline and bupivacaine for caesarean section in hypertensive pregnancies with chronic fetal asphyxia. Br J Anaesth. 1993;71(3):348-53.
162. Simmons S, Dennis A, Cyna A, et al. Combined spinal-epidural versus spinal anaesthesia for caesarean section. Cochrane Database Syst Rev. 2019;10(10):CD008100.
163. Ross VH, Dean LS, Thomas JA, Harris LC, Pan PH. A randomized controlled comparison between combined spinal-epidural and single-shot spinal techniques in morbidly obese parturients undergoing cesarean delivery: time for initiation of anesthesia. Anesth Analg. 2014;118(1):168-72.
164. Lesage S. Cesarean delivery under general anesthesia: continuing professional development. Can J Anaesth. 2014;61:489-503.
165. Hauptfleisch JJ, Payne KA. An oral sodium citrate-citric acid non-particulate buffer in humans. Br J Anaesth. 1996;77:642-4.
166. Kjaer K, Comerford M, Kondilis L, DiMaria L, Abramovitz S, Kiselev M, et al. Oral sodium citrate increases nausea amongst elective cesarean delivery patients. Can J Anaesth. 2006;53(8):776-80.
167. Clark K, Lam LT, Gibson S, Currow D. The effect of ranitidine versus proton pump inhibitors on gastric secretions: a meta-analysis of randomised control trials. Anaesthesia. 2009;64(6):652-7.
168. Mishriky BM, Habib AS. Metoclopramide for nausea and vomiting prophylaxis during and after caesarean delivery: a systematic review and meta-analysis. Br J Anaesth. 2012;108:374-83.
169. Sharp LM, Levy DM. Rapid sequence induction in obstetrics revisited. Curr Opin Anaesthesiol. 2009;22:357-61.
170. Oh TT, Sng BL. Rethinking the rapid sequence induction in obstetrics. Trends Anaesth Crit Care. 2014;4:42-6.
171. Gambee AM, Hertzka RE, Fisher DM. Preoxygenation techniques: comparison of three minutes and four breaths. Anesth Analg. 1987;66:468-70.
172. Domingo MS, Nácher FJB, Aguilar GA, Comes RF, García-Raimundo M, Pons VM. Preoxigenación en anestesia. Rev Esp Anest Reanim. 2004;51(6):322-7.

173. McClelland SH, Bogod DG, Hardman JG. Pre-oxygenation in pregnancy: an investigation using physiological modelling. Anaesthesia. 2008;63:259-63.

174. McClelland SH, Bogod DG, Hardman JG. Pre-oxygenation and apnoea in pregnancy: changes during labour and with obstetric morbidity in a computational simulation. Anaesthesia. 2009;64:371-7.

175. Hodges RJ, Bennett JR, Tunstall ME. General anaesthesia for operative obstetrics: with special reference to the use of thiopentone and suxamethonium. Br J Anaesth. 1959;31:152-63.

176. Neilipovitz DT, Crosby ET. No evidence for decreased incidence of aspiration after rapid sequence induction. Can J Anaesth. 2007;54:748-64.

177. Sumikura H, Niwa H, Sato M, Nakamoto T, Asai T, Hagihira S. Rethinking general anesthesia for cesarean section. J Anesth. 2016;30(2):268-73.

178. Pühringer FK, Kristen P, Rex C. Sugammadex reversal of rocuronium-induced neuromuscular block in caesarean section patients: a series of seven cases. Br J Anaesth. 2010;105:657-60.

179. Williamson RM, Mallaiah S, Barclay P. Rocuronium and sugammadex for rapid sequence induction of obstetric general anaesthesia. Acta Anaesthesiol Scand. 2011;55:694-9.

180. Paech MJ. "Pregnant women having caesarean delivery under general anaesthesia should have a rapid sequence induction with cricoid pressure and be intubated". Can this 'holy cow' be sent packing? Anaesth Intensive Care. 2010;38(6):989-91.

181. Haslam N, Parker L, Duggan JE. Effect of cricoid pressure on the view at laryngoscopy. Anaesthesia. 2005;60:41-7.

182. Mushambi MC, Kinsella SM, Popat M, Swales H, Ramaswamy KK, Winton AL, et al. Obstetric Anaesthetists' Association and Difficult Airway Society guidelines for the management of difficult and failed tracheal intubation in obstetrics. Anaesthesia. 2015;70(11):1286-306.

183. Kinsella SM, Winton AL, Mushambi MC, Ramaswamy K, Swales H, Quinn AC, et al. Failed tracheal intubation during obstetric general anaesthesia: a literature review. Int J Obstet Anesth. 2015;24(4):356-74.

184. Boutonnet M, Faitot V, Katz A, Salomon L, Keita H. Mallampati class changes during pregnancy, labour, and after delivery: can these be predicted? Br J Anaesth. 2010;104(1):67-70.

185. Kodali BS, Chandrasekhar S, Bulich LN, Topulos GP, Datta S. Airway changes during labor and delivery. Anesthesiology. 2008;108(3):357-62.

186. Apfelbaum JL, Hagberg CA, Caplan RA, Blitt CD, Connis RT, Nickinovich DG, et al. Practice guidelines for management of the difficult airway: an updated report by the American Society of Anesthesiologists Task Force on Management of the Difficult Airway. Anesthesiology. 2013;118(2):251-70.

187. Frerk C, Mitchell VS, McNarry AF, Mendonca C, Bhagrath R, Patel A, et al. Difficult Airway Society 2015 guidelines for management of unanticipated difficult intubation in adults. Br J Anaesth. 2015;115(6):827-48.

188. Balki M, Cooke ME, Dunington S, Salman A, Goldszmidt E. Unanticipated difficult airway in obstetric patients: development of a new algorithm for formative assessment in high-fidelity simulation. Anesthesiology. 2012;117(4):883-97.

189. Pratt SD. Recent trends in simulation for obstetric anesthesia. Curr Opin Anaesthesiol. 2012;25:271-6.

190. Ramírez M. Training future anesthesiologists in obstetric care. Curr Opin Anaesthesiol. 2017;30(3):313-8.

191. Scott-Brown S, Russell R. Video laryngoscopes and the obstetric airway. Int J Obstet Anesth. 2015;24:137-46.

192. Aziz MF, Kim D, Mako J, Hand K, Brambrink AM. A retrospective study of the performance of video laryngoscopy in an obstetric unit. Anesth Analg. 2012;115(4):904-6.

193. Howle R, Onwochei D, Siew-Ling H, Desai Neel. Comparison of videolaryngoscopy and direct laryngoscopy for tracheal intubation in obstetrics: a mixed-methods systematic review and meta-analysis. Can J Anaesth. 2021;68(4):546-65.

194. Quinn AC, Milne D, Columb M, Gorton H, Knight M. Failed tracheal intubation in obstetric anaesthesia: 2 yr national case-control study in the UK. Br J Anaesth. 2013;110(1):74-80.

195. Han TH, Brimacombe J, Lee EJ, Yang HS. The laryngeal mask airway is effective (and probably safe) in selected healthy parturients for elective cesarean section: a prospective study of 1067 cases. Can J Anaesth. 2001;48(11):1117-21.

196. Yao WY, Li SY, Sng BL, Lim Y, Sia ATH. The LMA Supreme™ in 700 parturients undergoing cesarean delivery: an observational study. Can J Anaesth. 2012;59(7):648-54.

197. White LD, Thang C, Hodsdon A, Melhuish TM, Barron FA, Godsall MG, et al. Comparison of supraglottic airway devices with endotracheal intubation in low-risk patients for cesarean delivery: systematic review and meta-analysis. Anesth Analg. 2020;131(4):1092-101.

198. Yao W, Li S, Yuan Y, Tan HS, Han N-L R, Sultana R, et al. Comparison of Supreme laryngeal mask airway versus endotracheal intubation for airway management during general anesthesia for cesarean section: a randomized controlled trial. BMC Anesthesiol. 2019;19(1):123.

199. Khaw KS, Ngan Kee WD. Fetal effects of maternal supplementary oxygen during caesarean section. Curr Opin Anaesthesiol. 2004;17:309-13.

200. Khaw KS, Wang CC, Ngan Kee WD, Tam WH, Ng FF, Critchley LAH, et al. Supplementary oxygen for emergency caesarean section under regional anaesthesia. Br J Anaesth. 2009;102(1):90-6.

201. Tomimatsu T, Kakigano A, Mimura K, Kanayama T, Koyama S, Fujita S, et al. Maternal hyperventilation during labor revisited: its effects on fetal oxygenation. Reprod Sci. 2012;19(11):1169-74.

202. Tomimatsu T, Kakigano A, Mimura K, Kanayama T, Koyama S, Fujita S, et al. Maternal carbon dioxide level during labor and its possible effect on fetal cerebral oxygenation: mini review. J Obstet Gynaecol Res. 2013;39(1):1-6.

203. Robins K, Lyons G. Intraoperative awareness during general anesthesia for cesarean delivery. Anesth Analg. 2009;109:886-90.

204. Zhang Y, Lu H, Fu Z, Zhang H, Li Y, Li W, et al. Effect of remifentanil for general anesthesia on parturients and newborns undergoing cesarean section: a meta-analysis. Minerva Anestesiol. 2017;83(8):858-66.

205. Heesen M, Klöhr S, Hofmann T, Rossaint R, Devroe S, Straube S, et al. Maternal and foetal effects of remifentanil for general anaesthesia in parturients undergoing caesarean section: a systematic review and meta-analysis. Acta Anaesthesiol Scand. 2013;57(1):29-36.

206. Yoo KY, Kang DH, Jeong H, Choi YY, Lee J. A dose-response study of remifentanil for attenuation of the hypertensive response to laryngoscopy and tracheal intubation in severely preeclamptic women undergoing caesarean delivery under general anaesthesia. Int J Obstet Anesth. 2013;22(1):10-8.

207. Park BY, Jeong CW, Jang EA, Kim SJ, Jeong ST, Shin MH, et al. Dose-related attenuation of cardiovascular responses to tracheal intubation by intravenous remifentanil bolus in severe pre-eclamptic patients undergoing Caesarean delivery. Br J Anaesth. 2011;106(1):82-7.

208. Zand F, Hadavi SM, Chohedri A, Sabetian P. Survey on the adequacy of depth of anaesthesia with bispectral index and isolated forearm technique in elective caesarean section under general anaesthesia with sevoflurane. Br J Anaesth. 2014;112(5):871-8.

209. Erden V, Erkalp K, Yangin Z, Delatioglu H, Kiroglu S, Ortaküz S, et al. The effect of labor on sevoflurane requirements during cesarean delivery. Int J Obstet Anesth. 2011;20(1):17-21.

210. Yoo KY, Jeong CW, Kang MW, Kim SJ, Chung ST, Shin MH, et al. Bispectral index values during sevoflurane-nitrous oxide general anesthesia in women undergoing cesarean delivery: a comparison between women with and without prior labor. Anesth Analg. 2008;106(6):1827-32.

211. Van de Velde M, Teunkens A, Kuypers M, Dewinter T, Vandermeersch E. General anaesthesia with target controlled infusion of propofol for planned caesarean section: maternal and neonatal effects of a remifentanil-based technique. Int J Obstet Anesth. 2004;13(3):153-8.

212. Mertens E, Saldien V, Coppejans H, Bettens K, Vercauteren M. Target controlled infusion of remifentanil and propofol for cesarean section in a patient with multivalvular disease and severe pulmonary hypertension. Acta Anaesthesiol Belg. 2001;52(2):207-9.

213. Metodiev Y, Lucas D. The role of total intravenous anaesthesia for caesarean delivery. Int J Obstet Anesth. 2022;51:103548.

214. Abdallah FW, Halpern SH, Margarido CB. Transversus abdominis plane block for postoperative analgesia after caesarean delivery performed under spinal anaesthesia? A systematic review and meta-analysis. Br J Anaesth. 2012;109:679-87.

215. Champaneria R, Shah L, Wilson MJ, Daniels JP. Clinical effectiveness of transversus abdominis plane (TAP) blocks for pain relief after caesarean section: a meta-analysis. Int J Obstet Anesth. 2016;28:45-60.

216. Xu M, Tang T, Wang J, Yang J. Quadratus lumborum block for postoperative analgesia after cesarean delivery: a systematic review and meta-analysis. Int J Obstet Anesth. 2020;42:87-98.

217. Sharkey A, Finnerty O, McDonnell JG. Role of transversus abdominis plane block after caesarean delivery. Curr Opin Anaesthesiol. 2013;26:268-72.

218. Tan TT, Teoh WH, Woo DC, Ocampo CE, Shah MK, Sia ATH. A randomised trial of the analgesic efficacy of ultrasound-guided transversus abdominis plane block after caesarean delivery under general anaesthesia. Eur J Anaesthesiol. 2012;29(2):88-94.

219. Wang P, Chen X, Wang Y, et al. Analgesic efficacy of ultrasound-guided transversus abdominis plane block after cesarean delivery: A systematic review and meta-analysis. J Obstet Gynaecol Res. 2021;47(9):2954-68.

220. Blanco R, Ansari T, Girgis E. Quadratus lumborum block for postoperative pain after caesarean section: a randomised controlled trial. Eur J Anaesthesiol. 2015;32:812-8.

221. Blanco R, Ansari T, Riad W, Shetty N. Quadratus lumborum block versus transversus abdominis plane block for postoperative pain after cesarean delivery: a randomized controlled trial. Reg Anesth Pain Med. 2016;41(6):757-62.

222. Tan H, Taylor C, Weikel D, Barton K, Habib AS. Quadratus lumborum block for postoperative analgesia after cesarean delivery: A systematic review with meta-analysis and trial-sequential analysis. J Clin Anesth. 2020;67:110003.

223. Hernandez N, Ghebremichael SJ, Sen S, Haan JB. Opioid-free cesarean section with bilateral quadratus lumborum catheters. Local Reg Anesth. 2020;13:17-20.

224. El-Boghdadly K, Desai N, Halpern S, Blake L, Odor PM, Bampoe S, et al. Quadratus lumborum block vs. transversus abdominis plane block for caesarean delivery: a systematic review and network meta-analysis. Anaesthesia. 2021;76(3):393-403.

225. Vallejo MC, Steen TL, Cobb BT, Phelps AL, Pomerantz JM, Orebaugh SL, et al. Efficacy of the bilateral ilioinguinal-iliohypogastric block with intrathecal morphine for postoperative cesarean delivery analgesia. ScientificWorldJournal. 2012;2012:107316.

226. Coffman JC, Fiorini K, Small RH. Ilioinguinal-iliohypogastric block used to rescue ineffective transversus abdominis plane block after cesarean delivery. Int J Obstet Anesth. 2015;24:394-5.

227. Rincón C, Moreno DA, Moore A. Erector spinae plane block for post-cesarean delivery analgesia. Int J Obstet Anesth. 2020;41:120-2.

228. Yetneberk T, Chekol B, Teshome D. The efficacy of TAP block versus ilioinguinal block for post-cesarean section pain management: A systematic review and meta-analysis. Heliyon. 2021;7(8):e07774.

229. Ng SC, Habib AS, Sodha S, Carvalho B, Sultan P. High-dose versus low-dose local anaesthetic for transversus abdominis plane block post-caesarean delivery analgesia: a meta--analysis. Br J Anaesth. 2018;120(2):252-63.

230. Lalmand M, Wilwerth M, Fils JF, Van der Linden P. Continuous ropivacaine subfascial wound infusion compared with intrathecal morphine for postcesarean analgesia: a prospective, randomized controlled, double-blind study. Anesth Analg. 2017;125(3):907-12.

231. Klasen F, Bourgoin A, Antonini F, Dazeas E, Bretelle F, Martin C, et al. Postoperative analgesia after caesarean section with transversus abdominis plane block or continuous infiltration wound catheter: a randomized clinical trial. TAP vs. infiltration after caesarean section. Anaesth Crit Care Pain Med. 2016;35(6):401-6.

232. Adesope O, Ituk U, Habib AS. Local anaesthetic wound infiltration for postcaesarean section analgesia: a systematic review and meta-analysis. Eur J Anaesthesiol. 2016;33:731-42.

233. Riemma G, Schiattarella A, Cianci S, La Verde M, Morlando M, Sisti G, et al. Transversus abdominis plane block versus wound infiltration for post-cesarean section analgesia: A systematic review and meta-analysis of randomized controlled trials. Int J Gynaecol Obstet. 2021;153(3):383-92.

234. Association of Anaesthetists of Great Britain & Ireland, Obstetric Anaesthetists' Association. OAA/AAGBI guidelines for obstetric anaesthetic services 2013 [Internet]. AAGBI, OAA; 2013. [accessed 2017 Jan]. Available from: https://www.aagbi.org/sites/default/files/obstetric_anaesthetic_services_2013.pdf.

235. Singh S, McGlennan A, England A, Simons R. A validation study of the CEMACH recommended modified early obstetric warning system (MEOWS). Anaesthesia. 2012;67:12-8.

236. Sorabella L, Bauchat J. Enhanced Recovery after Surgery: Cesarean Delivery. Anesthesiol Clin. 2021;39(4):743-760.

237. Bollag L, Lim G, Sultan P, Habib AS, Landau R, Zakowski M, et al. Society for Obstetric Anesthesia and Perinatology: Consensus Statement and Recommendations for Enhanced Recovery After Cesarean. Anesth Analg. 2021 May 1;132(5):1362-1377.

238. Thomas J, Callwood A, Paranjothy S. National Sentinel Caesarean Section Audit: update. Pract Midwife. 2000;3(11):20.

130

Anestesia para Gestante com Pré-eclâmpsia e Eclâmpsia

Monica Maria Siaulys ▪ Guilherme Haelvoet Correa ▪ Marina Cestari de Rizzo

INTRODUÇÃO

As gestantes de alto risco representam um grande desafio para o anestesiologista. O sucesso do ato anestésico depende de uma avaliação criteriosa da condição clínica dessas pacientes, de seu preparo adequado e do conhecimento de como medicamentos e técnicas anestésicas vão interagir com o organismo materno em situações clínicas específicas.

Em pacientes obstétricas, é importante ressaltar que o profissional será solicitado a realizar anestesia para procedimentos obstétricos bastante específicos: analgesia para o parto vaginal ou anestesia para cesariana, que exigem extensão e qualidade de bloqueio sensitivo e simpático distintos. Por conseguinte, as repercussões hemodinâmicas desencadeadas pelo ato anestésico, em cada uma dessas duas situações, são completamente diferentes.

A analgesia de parto, que necessita de bloqueio sensitivo pouco extenso (fibras nervosas aferentes de T_{10} a L_1 e de S_2 a S_4), raramente está associada a grandes repercussões hemodinâmicas. No entanto, a anestesia para cesariana, independentemente da técnica de anestesia regional utilizada (peridural, subaracnóidea ou combinada raquiperidural), impõe que o bloqueio sensitivo atinja, no mínimo, o nível de T_6. Consequentemente, com a instalação da anestesia, ocorre redução importante da pré-carga, tendência à diminuição da frequência cardíaca (a via eferente do reflexo que determinaria a taquicardia está bloqueada, ou seja, as fibras cardioaceleradoras que vão de T_1 a T_4), redução da pós-carga e manutenção do débito cardíaco. Uma diferenciação importante entre os bloqueios do neuroeixo está na velocidade com que cada anestesia e suas repercussões ocorrem, oferecendo maior ou menor tempo para o organismo materno ativar mecanismos compensatórios.

Esse fenômeno explica o motivo pelo qual, nas gestantes de alto risco, muitas vezes a anestesia regional é permitida para o parto vaginal, mas não para a cesariana, situação na qual haverá a necessidade de realização da anestesia geral.

Logo, a anestesia para a gestante de alto risco deve basear-se em protocolos bem definidos de avaliação, preparo e conduta, para que o melhor resultado materno-fetal seja obtido. Como descrito a seguir, esse passo a passo é extremamente importante na paciente com diagnóstico de pré-eclâmpsia e eclâmpsia, visto que a hipertensão materna ainda hoje representa uma das principais causas de mortalidade materna no Brasil.

■ PRÉ-ECLÂMPSIA E ECLÂMPSIA

É a primeira causa de mortalidade materna no Brasil, com variação de sua importância a depender da região e localidade estudada, sendo responsável por cerca de 25% de todas as causas obstétricas diretas de óbito nas capitais brasileiras no primeiro semestre de 2002,[1] e 30% das mortes maternas, em gestantes com condições potencialmente ameaçadoras à vida, entre julho de 2009 e junho de 2010 em 27 centros de referência brasileiros.[2]

Em 2000, o *National High Blood Pressure Education Program Working Group on High Blood Pressure in Pregnancy* publicou uma classificação, baseada em critérios clínicos e laboratoriais, para uniformizar as definições da hipertensão na gestação, tentando diminuir os problemas para a interpretação de dados dos estudos.[3] Essa classificação foi atualizada em 2013 pelo *American College of Obstetricians and Gynecologists (ACOG) Taskforce on Hypertension in Pregnancy*.[4]

Dessa forma, o que mais se observa na prática clínica é a hipertensão gestacional,[4,5] caracterizada pelo aumento da pressão arterial após a 20ª semana de gestação, em pacientes sem história prévia de hipertensão arterial ou outros sinais e sintomas de pré-eclâmpsia. A maior parte dos casos de hipertensão gestacional inicia-se ao final da gestação (após a 37ª semana), apresenta evolução similar à de uma gestação normal[6,7] e costuma se resolver espontaneamente até a 12ª semana após o parto.[5,8] Entretanto, é considerada hoje um sinal de hipertensão crônica futura, e na sua ocorrência, recomendam-se acompanhamento e *check-ups* futuros.[9] Seu diagnóstico é feito retrospectivamente após o parto, e cerca de 25% dos pacientes com hipertensão gestacional desenvolverão pré-eclâmpsia durante a gestação.[10]

A pré-eclâmpsia é uma doença sistêmica de causa desconhecida, caracterizada por uma resposta vascular anormal à implantação placentária, associada ao aumento da resistência vascular sistêmica, aumento da agregação plaquetária, ativação do sistema de coagulação e disfunção da célula endotelial.[11] Uma das hipóteses para sua fisiopatologia é que proteínas derivadas da placenta promoveriam lesão no epitélio vascular. Como resultado, ocorreria um desequilíbrio entre os fatores de crescimento pró e antiangiogênicos, levando a um vasoespasmo persistente.[12,13]

Em nulíparas saudáveis, a frequência da pré-eclâmpsia varia de 2% a 7%, e, geralmente, a doença se manifesta de maneira leve ao final da gestação ou mesmo no intraparto (75% dos casos).[5,14-16] Por outro lado, a gravidade da doença aumenta em casos de gestação múltipla, hipertensão arterial crônica, pré-eclâmpsia prévia, obesidade, diabetes e trombofilias pré-gestacionais.[17,18]

Critérios Diagnósticos

O diagnóstico de pré-eclâmpsia é feito com base em critérios clínicos e laboratoriais,[3,4,14,19] e sua classificação é de extrema importância, uma vez que se alteram o planejamento e a conduta. Não se recomenda mais hoje a utilização dos termos "leve", "moderada" e "grave" como forma de classificação da doença. A *ACOG*, e outras sociedades, recomendam a utilização dos termos pré-eclâmpsia **COM** ou **SEM sinais de gravidade**, chamando atenção para o aspecto dinâmico de evolução da doença, de tal forma que em uma mesma internação hospitalar a mesma paciente pode mudar de *status*.[4]

São critérios diagnósticos:

- **Hipertensão arterial:** É a condição essencial para o diagnóstico de pré-eclâmpsia. Consiste em aumento de **PA sistólica (≥ 140 mmHg) ou PA diastólica (≥ 90 mmHg)** em pelo menos duas medidas, com 4 horas de intervalo, após a 20ª semana de gestação em paciente previamente normotensa.
- **Proteinúria:** A excreção de ≥ 300 mg de proteínas em exame de urina de 24 horas, ou relação proteína/creatinina ≥ 300 mg.L[-1] em exame simples de urina, associadas à hipertensão materna, fazem o diagnóstico de pré-eclâmpsia.
- **Na ausência de proteinúria**, o diagnóstico de pré-eclâmpsia deve ser considerado quando a hipertensão está associada a: sintomas neurológicos/visuais, dor em região epigástrica ou em quadrante superior direito do abdome, restrição de crescimento intrauterino, plaquetopenia

(<100.000/mm³), desenvolvimento de insuficiência renal (elevação da creatinina sérica > 1,1mg.dL[-1]) ou alteração de enzimas hepáticas (em duas vezes o valor de base).[4,10]

A pré-eclâmpsia pode também ser classificada nas formas precoce e tardia, considerando-se o período gestacional em que a doença se instalou.[10] A forma precoce, que ocorre antes das 34 semanas, tem sua fisiopatologia associada à placentação anormal, com importante componente genético, presença de restrição de crescimento fetal e ocorrência menos frequente. Já a forma tardia, que ocorre após 34 semanas, costuma acometer mulheres com predisposição metabólica, decorrente de condições como hipertensão, obesidade, diabetes. É responsável por 80% dos casos, e tem repercussões, inclusive, no puerpério.[10,20] As duas formas acima mencionadas também parecem estar associadas a padrões de comportamento hemodinâmico materno distintos, embora estudos recentes tenham demonstrado que o perfil hemodinâmico se relaciona mais à presença ou ausência de restrição de crescimento fetal do que à idade gestacional de início dos sintomas.[21]

Pré-eclâmpsia com sinais de gravidade

- **PA sistólica ≥ 160 mmHg e ou PA diastólica ≥ 110 mmHg**, em duas medidas separadas por 4h com paciente em repouso.
- São também sinais de gravidade a presença de sinais e sintomas que revelam o comprometimento de outros órgãos como: edema pulmonar, plaquetopenia (contagem plaquetária < 100.000/mm³), alteração de enzimas hepáticas (2 vezes o valor de referência), dor epigástrica/quadrante superior direito persistente, sintomas neurológicos (cefaleia, confusão mental, alterações visuais), insuficiência renal progressiva (elevação da creatinina sérica > 1,1mg.dL[-1] ou aumento de 2 vezes na creatinina sérica basal).[4,14,19]

Biomarcadores

Hoje existem biomarcadores associados à pré-eclâmpsia que não só ajudaram a entender melhor a doença, como também a predizer sua possível ocorrência. Proteínas antiangiogênicas como as endoglinas e a sFlt-1 (*soluble fms-like Tyrosine Kinase-1*), e proangiogênicas como PlGF (Fator de crescimento placentário) e VEGF (Fator de crescimento endotelial) têm sido muito estudadas.[12,13,22,23] A sFlt-1, uma das principais, se altera cerca de 4 semanas antes da instalação dos sintomas de pré-eclâmpsia. Entretanto, tem pouca utilidade isoladamente, de modo que a associação com a PlGF, que decresce de 9-11 semanas antes do aparecimento de hipertensão, se torna uma estratégia mais favorável. Nesse sentido, algoritmos e associações de biomarcadores têm sido testados em busca de melhores predições da instalação da doença, de modo que a razão sFlt-1/PlGF é uma das mais utilizadas hoje.[22-25] Esses biomarcadores são especialmente interessantes para a pré-eclâmpsia precoce, e sua combinação com o exame de Doppler fetal se torna ferramenta muito útil.[26]

A avaliação pré-operatória e o preparo perioperatório, com o intuito de se diagnosticar e corrigir os desbalanços impostos pela doença, nos diversos órgãos e sistemas, são fundamentais para reduzir a morbimortalidade e garantir o sucesso de atendimento dessas pacientes. Fazem parte do preparo pré-operatório o controle da pressão arterial, profilaxia e controle do quadro convulsivo, ajustes na volemia e avaliação da coagulação.

Controle da Pressão Arterial

A saúde materna é o objetivo primordial do tratamento da pré-eclâmpsia, especialmente nas situações de emergência obstétrica. Por isso, o controle pressórico materno é obrigatório antes da realização de qualquer tipo de anestesia, pois as complicações cardiovasculares e cerebrais que podem decorrer de situações de crise hipertensiva aguda são as principais causas de mortalidade materna associadas à pré-eclâmpsia.[27]

A hidralazina é o agente hipotensor mais frequentemente utilizado para o controle pressórico na pré-eclâmpsia.[3,4,19,28] Apresenta ação vasodilatadora direta, reduzindo a pós-carga. Utiliza-se *bolus* de 5 mg, por via venosa, devendo-se aguardar cerca de 15 minutos, antes que um novo *bolus* seja administrado, pois seu início de ação é lento. O objetivo inicial é reduzir a pressão arterial média em no máximo 20% da pressão arterial média de entrada da paciente. Grandes reduções de pressão devem ser evitadas, pois podem levar à redução da perfusão uteroplacentária, já que o fluxo sanguíneo uterino e placentário não é autorregulado.[29]

Embora a hidralazina seja o agente hipotensor mais utilizado em nosso meio para o controle pressórico na gestante hipertensa, e considerada o medicamento de primeira escolha para muitos outros grupos, o labetalol e a nifedipina também figuram como medicamentos ideais para o tratamento de crises hipertensivas.[30,31] Magee e cols.,[32] em metanálise de 21 ensaios clínicos envolvendo 893 pacientes, demonstraram que a hidralazina foi associada a mais efeitos colaterais maternos e fetais, quando comparada ao labetalol e à nifedipina. A nifedipina, em particular, é extremamente valiosa em pacientes que não possuem acesso venoso e necessitam de redução pressórica urgente, de modo que sua velocidade de ação, ainda que por administração via oral, é equiparada e até mesmo superior à da hidralazina intravenosa, para diminuição da pressão arterial.[33]

Nos casos de emergência hipertensiva associada a edema agudo de pulmão, o medicamento de escolha é o nitroprussiato de sódio, iniciando-se com a dose de 0,25 µg.kg.⁻¹min⁻¹ até o máximo de 5 µg.kg.⁻¹min⁻¹. A grande vantagem do nitroprussiato de sódio nessa situação é que a sua atuação é extremamente rápida e é uma medicação que atua tanto em território venoso quanto arteriolar, corrigindo tanto a venoconstrição quanto a arterioconstrição. As limitações do nitroprussiato de sódio incluem taquifilaxia e intoxicação por cianeto (materna e fetal), que podem ocorrer em exposições prolongadas (> 48 horas) ou altas doses.

A nitroglicerina é outra opção de anti-hipertensivo que pode ser usado na dose de 5 a 100 µg.min⁻¹. Trata-se de um venodilatador que reduz as pressões de enchimento cardíacas ao atuar nos vasos de capacitância. Está indicada nos casos de emergência hipertensiva associada à suspeita de isquemia coronariana, não havendo risco de intoxicação pelo cianeto.

Controle do Quadro Convulsivo

A ocorrência de convulsão associada à pré-eclâmpsia é definida como eclâmpsia. O medicamento de escolha na profilaxia ou no tratamento da crise convulsiva é o sulfato de magnésio. Estudos comparando sulfato de magnésio com outros agentes anticonvulsivantes (diazepam ou fenitoína) demonstraram que o sulfato de magnésio está associado a uma diminuição significativa de crises convulsivas recorrentes, da mortalidade materna e perinatal, além de evitar a progressão da pré-eclâmpsia.[34,35]

O magnésio diminui os níveis circulantes de enzima conversora de angiotensina (ECA), com menor ativação endotelial; funciona como substrato e ativador enzimático; melhora a adesão de membranas e fluxo de eletrólitos; em nível de DNA, tem ações na síntese, estabilidade e reparo. Além de função tocolítica, de analgésico adjuvante e potencializador do relaxamento neuromuscular, o sulfato de magnésio tem propriedades muito importantes para neuroproteção fetal.[36,37]

Hoje já é consenso que a utilização do sulfato de magnésio reduz a incidência de paralisia cerebral e disfunção motora moderada e grave em recém-nascidos prematuros, com nível de evidência A para sua aplicação em prematuros menores de 30-34 semanas, reduzindo o dano cerebral perinatal, independentemente de a condição materna possuir, ou não, pré-eclâmpsia.[36,37]

A sulfatação específica para a pré-eclâmpsia está indicada para todas as que possuam sinais de gravidade, situação em que, certamente, mãe e bebê vão piorar. Entretanto, isso não significa resolução imediata. É possível realizar a sulfatação da mãe e, eventualmente, permanecer com o acompanhamento materno-fetal até uma melhor data de resolução do parto.

Fisiologicamente, o sulfato de magnésio é um antagonista do cálcio, agindo em diversos órgãos e sistemas do organismo. Promove vasodilatação arteriolar, principalmente em vasos de pequeno calibre, por ação direta nestes. Além disso, interfere na ação de substâncias vasoconstritoras, atenuando os seus efeitos e reduzindo a resistência vascular periférica (por bloqueio do sistema simpático e inibição da liberação de catecolaminas).[38] Dessa forma, o sulfato de magnésio atenua o vasoespasmo generalizado, característico da pré-eclâmpsia, melhorando o hipofluxo sanguíneo de órgãos acometidos, assim como o fluxo sanguíneo uteroplacentário. Acredita-se que sua ação anticonvulsivante seja decorrente da ação vasodilatadora cerebral pela antagonização do cálcio,[39] melhorando o fluxo sanguíneo cerebral em áreas que previamente estariam sujeitas à hipóxia.

O uso dos benzodiazepínicos na profilaxia e tratamento da crise convulsiva na eclâmpsia deve ser evitado, pois devido à sua ação hipnótica residual pode, potencialmente, prejudicar a avaliação neurológica no período pós-convulsivo imediato. Em contrapartida, o magnésio atravessa com dificuldade a barreira hematoencefálica, não exercendo nenhum efeito anestésico ou sedativo quando administrado por via parenteral.

Os esquemas de sulfatação mais frequentemente utilizados são:

a) Esquema IV/IM (Pritchard):
   - **Dose de ataque:** Sulfato de magnésio 4 g IV lento (10-20 minutos): 8 mL de $MgSO_4$ a 50% diluídos em 20mL com H_2O, ou Sulfato de magnésio 5 g, por via muscular profunda em cada glúteo: 10 mL de $MgSO_4$ a 50% em cada glúteo.
   - **Dose de manutenção:** Sulfato de magnésio 5 g IM profundo (alternar glúteos) de 4/4 horas por 24 horas.

b) Esquema IV (Zuspan):
   - **Dose de ataque:** Sulfato de magnésio 4g IV lento (10-20 minutos): 8 mL de $MgSO_4$ a 50% diluídos em 20 mL com H_2O.
   - **Dose de manutenção:** Sulfato de magnésio 1g, por via venosa, por hora: 24 mL de $MgSO_4$ a 50% diluídos em 100 mL de SG5% (volume total 124 mL). Infundir solução a 10mL.h^{-1} por 24 horas, com reposição da solução em 12h de terapia.

O objetivo da sulfatação é manter a magnesemia entre 4 e 7 mEq.L^{-1} (atenção às diferentes unidades em que a concentração do sulfato de magnésio pode ser expressa – ver Tabela 130.1).

Tabela 130.1 Concentrações de sulfato de magnésio expressas em diferentes unidades.			
	Mg.dL^{-1}	**mEq.L^{-1}**	**mMol.L^{-1}**
Valor normal	1,8-2,4	1,5-2,0	0,75-1,0
Faixa terapêutica	4,8-8,4	4,0-7,0	2,0-3,5
Nível tóxico	> 12	> 10	> 5

Em casos de nova convulsão, em que a paciente já esteja recebendo o sulfato de magnésio, novo ataque com metade da dose (2g) deverá ser realizado.

A preferência ao esquema por via venosa exige bombas de infusão, e a sulfatação pode ser realizada no Centro Obstétrico ou Unidade de Cuidados Intensivos. Embora ambos os esquemas de sulfatação sejam igualmente eficazes, aqueles que preferem o esquema intramuscular alegam que esta forma seria mais segura. No entanto, vale ressaltar que a maioria dos acidentes com o uso de sulfato de magnésio, por via venosa, ocorre pela administração da dose de manutenção realizada sem a bomba de infusão preparada para as próximas 12 ou 24 horas. Quando se utiliza o esquema intravenoso, deve-se ter atenção especial nos momentos de transporte da paciente, já que é prática comum fechar todas as vias de infusão da paciente e desconectá-la da bomba para o transporte. Além disso, o esquema endovenoso é mais confortável para as pacientes e deve, obrigatoriamente, ser utilizado naquelas pacientes que apresentam distúrbio de coagulação. Uma conduta desejável para as primeiras 24 horas de pós-operatório de pacientes sulfatadas é mantê-las invariavelmente na Unidade de Cuidados Intensivos.

O débito urinário deve ser rigorosamente monitorado, pois em casos de falência renal (débito urinário inferior a 0,5 mL.$kg^{-1}h^{-1}$), existe o risco de intoxicação pelo magnésio, já que sua eliminação é exclusivamente renal. Nestes casos, recomendam-se dosagens sanguíneas seriadas para ajuste da dose do sulfato de magnésio a ser administrado. Em caso de suspeita de toxicidade pelo magnésio (perda de reflexo patelar, depressão respiratória, assistolia), deve-se interromper o seu uso e administrar gluconato de cálcio (1 g) em 10 minutos, além de medidas de suporte eventualmente necessárias (intubação, ventilação etc.).

É importante lembrar que o sulfato de magnésio interage com os bloqueadores neuromusculares não despolarizantes, potencializando a sua ação. Portanto, a monitoração da função neuromuscular é mandatória nos casos de anestesia geral.

Ademais, a sulfatação deve ser mantida, como descrito anteriormente, por pelo menos 24 horas para mitigar o risco de ocorrência de convulsão, o que implica monitoração (hemodinâmica, débito urinário, nível de consciência, padrão respiratório) da paciente.

Em caso de sulfatação para neuroproteção, não há necessidade de dose de manutenção e acompanhamento longitudinal da gestante em UTI, após a administração da medicação. Realiza-se apenas a dose de ataque, preferencialmente endovenosa no esquema de Zuspan, recordando-se que a pré-eclâmpsia não é condição necessária para indicação da terapia para neuroproteção.

Adequação Volêmica

O vasoespasmo generalizado é a característica principal da pré-eclâmpsia.[40] Essas gestantes apresentam-se hemoconcentradas e com diminuição da pressão oncótica (devido às perdas proteicas pela urina). Dessa forma, a expansão volêmica, sobretudo quando realizada com grandes volumes de cristaloide ou na ausência de medicamento vasodilatador, poderá resultar em sobrecarga hídrica com edema pulmonar ou cerebral. Recomenda-se, portanto, que a adequação volêmica seja realizada de maneira bastante criteriosa, infundindo-se cristaloides em frações não superiores a 500 mL, com monitoração rigorosa do débito urinário e da saturação periférica de oxigênio.

A pré-eclâmpsia não é indicação de monitoração hemodinâmica invasiva, pois, na maioria dos casos, o comprometimento é da circulação periférica, e não do compartimento central. A monitoração invasiva (cateter venoso central, Swan-Ganz) está praticamente em desuso, e na atualidade, vem sendo substituída pela possibilidade de avaliação hemodinâmica com ultrassonografia *point-of-care*. Estudos recentes têm buscado correlacionar a presença de ascite na pré-eclâmpsia grave com desfechos maternos e neonatais.[41]

Avaliação da Coagulação

Além da avaliação laboratorial, com a coleta de exames gerais que auxiliem no diagnóstico e tratamento dessas gestantes (hemograma, sódio, potássio, cálcio, magnésio, ureia, creatinina, ácido úrico, bilirrubinas, proteínas totais e frações, TGO, TGP, DHL), é fundamental que se avalie especificamente a coagulação, tomando especial atenção à contagem plaquetária.

A pré-eclâmpsia é fundamentalmente uma doença que acomete a contagem e a função plaquetária. Dessa forma, o anestesiologista, antes da realização de qualquer bloqueio do neuroeixo, obrigatoriamente deve verificar se a paciente apresenta alteração na contagem de plaquetas ou evidências clínicas de sua disfunção.

É consenso que a anestesia regional não deve ser praticada em pacientes que apresentem deficiência ou distúrbios de coagulação. Por outro lado, a anestesia geral também não está isenta de riscos. Além da maior possibilidade de ocorrência de sangramento no sistema nervoso central, é fundamental que se pense nos riscos de uma possível dificuldade de manipulação das vias aéreas.[42]

Não existe um valor preciso de contagem plaquetária acima ou abaixo do qual o bloqueio do neuroeixo estaria indicado ou contraindicado. A pré-eclâmpsia é uma doença dinâmica, podendo a contagem plaquetária diminuir rapidamente; por isso, recomenda-se que a coleta de exames seja realizada de maneira seriada (6 a 8 horas). Douglas,[43] em revisão sistemática, propôs uma contagem plaquetária de até 80.000 como adequada para a realização de bloqueio do neuroeixo em gestantes que não apresentassem outros fatores de risco para sangramento. Da mesma forma, parece existir consenso entre os anestesiologias que, se o número de plaquetas for inferior a 50.000, a anestesia regional estaria contraindicada.

Em casos de contagem plaquetária entre 50.000 e 80.000, a indicação ou não da anestesia regional deve ser individualizada, pesando-se riscos e benefícios da anestesia geral *versus* anestesia regional, documentando-se todos os dados disponíveis sobre a conduta assumida no prontuário da paciente. Nessa situação, a indicação da técnica anestésica deverá levar em consideração a evolução clínica da paciente e o exame físico acurado, pesquisando-se, principalmente, sinais clínicos diretos ou indiretos de sangramento, como petéquias, sangramento da orofaringe ou nos locais de punção venosa. Deve-se lembrar que, embora raro (1:100.000 casos), o hematoma espinhal, quando presente, leva à sequela neurológica permanente na grande maioria dos casos. Além disso, o mesmo critério utilizado para a realização do bloqueio do neuroeixo nessas pacientes deve ser considerado para a retirada de eventual cateter peridural. Vandermeulen e cols.,[44] em extensa revisão da incidência de hematoma peridural, verificaram que essa complicação pode ocorrer tanto durante a colocação quanto na retirada do cateter.

Além do numero absoluto de plaquetas, discute-se também qual seria o tempo máximo entre a coleta e realização do bloqueio. Nesse contexto, Beilin e Katz[45] estudaram 984 gestantes com pré-eclâmpsia, entre 2012 e 2015, que foram submetidas a analgesia de parto, e que tiveram dentro das 72h antecedentes ao parto coletas subsequentes de plaquetas, com mediana de 12h entre os exames. A maioria das pacientes não apresentava plaquetopenia, de modo que somente 6,5% das pacientes apresentavam valores de plaquetas menores que 100.000/mm³, e 2,1% menores que 70.000/mm³ na primeira coleta. Dentre as 920 pacientes que possuiam valores de plaquetas iniciais maiores que 100.000/mm³, somente 11 apresentaram queda para valores menores que este mesmo corte de 100.000/mm³, e destas 11, somente duas (com síndrome HELLP) tiveram suas plaquetas reduzidas para menos que 70.000/mm³. Isso demonstra que, além da incidência de plaquetopenia ser baixa entre as gestantes com pré-eclâmpsia, a queda para valores menores que 70.000/mm³ é muito rara quando um resultado anterior já demonstrasse contagem maior que 100.000/mm³.

Quanto à avaliação da coagulação utilizando-se outros exames como a tromboelastografia, sabe-se que, da mesma forma que a contagem plaquetária, este exame não é capaz de prever a ocorrência de hematoma espinhal em gestantes após bloqueio do neuroeixo.[46] Como fator agravante, tem-se o fato de que, embora o tromboelastograma avalie qualitativamente a coagulação, não existe até o presente momento uma padronização de valores considerados normais para a grávida, embora iniciativas pontuais para determinação destes valores em populações específicas estejam ocorrendo, como na determinação dos intervalos de referência para gestantes de origem chinesa.[47] Vale ressaltar que a gestação produz um estado pró-coagulante. Logo, a utilização dos valores padronizados como normais para não grávidas, pode não ser aplicável para gestantes.

ESCOLHA DA TÉCNICA ANESTÉSICA

Desde que não haja contraindicação, as técnicas de anestesia regional são sempre preferíveis em relação à anestesia geral na gestante hipertensa.

Quando se planeja a anestesia para o parto normal, deve-se lembrar que sua instalação deve ser precoce. A analgesia, quando bem executada, melhora o fluxo sanguíneo uteroplacentário, e consequentemente, o bem-estar fetal. Se instaladas precocemente, ambas as técnicas (analgesia combinada raquiperidural ou peridural contínua) podem ser utilizadas indistintamente. Caso haja mudança de conduta no decorrer do trabalho de parto, indicando-se a cesariana, estende-se o nível da anestesia, injetando-se doses fracionadas de anestésico local pelo cateter peridural até que se obtenha o nível desejado.

Nos casos em que já existe a indicação da operação cesariana, embora a raquianestesia possa ser praticada com segurança, tem-se como ótima opção a anestesia combinada raquiperidural utilizando-se a técnica sequencial. Nessa técnica, administra-se uma dose intencionalmente baixa de anestésico local associado ao opioide no espaço subaracnóideo e, após a fixação, inicia-se a complementação peridural com doses fracionadas de anestésico local até que se obtenha o nível desejado. Essa técnica permite a instalação gradual do bloqueio simpático com menores repercussões hemodinâmicas do que o bloqueio subaracnóideo simples.

A anestesia geral estaria indicada somente nos distúrbios da hemostasia e nas complicações neurológicas, pois a principal causa de mortalidade nesse grupo de pacientes é devida à hemorragia cerebral por pico hipertensivo durante laringoscopia.[42] Neste caso, a indução anestésica é realizada com fentanil em altas doses (15 µg.kg⁻¹), etomidato (0,3 mg.kg⁻¹) e succinilcolina (1 mg.kg⁻¹), adotando-se os cuidados recomendados para anestesia geral em gestantes.

▪ CONDUTAS SUGERIDAS

Anestesia na Paciente com Pré-eclâmpsia

Preparo da paciente

1. Anamnese, monitoração (ECG, PA não invasiva, oxímetro de pulso).
2. Venóclise com cateter 16G em antebraço, evitando dobras.
3. Coleta de exames (hemograma completo, sódio, potássio, ureia, creatinina, ácido úrico, proteínas totais e frações, bilirrubinas, TGO, TGP, DHL, coagulograma completo, fibrinogênio, urina tipo I).
4. Controle pressórico: Se hipertensão, hidralazina 5 mg IV, diminuir PAM em torno de 20% em relação à pressão de entrada, ou manter PAD em torno de 100 mmHg.
5. Sulfatação quando indicado: pré-eclâmpsia com sinais de gravidade, eclâmpsia, hipertensão lábil de difícil controle (Ver esquemas de sulfatação no início deste capítulo).
6. Sondagem vesical.
7. Infusão de titulada de RL para manter diurese > 0,5 mL/kg/h.
8. Manter a paciente em DLE.

Analgesia de parto

1. Se a contagem de plaquetas permitir, optar preferencialmente pela anestesia combinada raquiperidural. Pode ser praticada sempre da mesma forma, independentemente da fase e evolução do trabalho de parto.
2. Se a contagem de plaquetas permitir e a analgesia for instalada precocemente, tem-se também como segunda opção a possibilidade de se realizar a anestesia peridural.
3. Se houver distúrbio de coagulação, resta apenas a possibilidade de realização da analgesia sistêmica, utilizando-se preferencialmente o remifentanil.

Anestesia para cesariana

1. Se a contagem de plaquetas permitir pode-se realizar tanto a raquianestesia simples como a anestesia combinada raquiperidural.
2. Nas gestantes com hipertensão e obesidade mórbida associada, é preferível a realização de raquiperidural, injetando-se a dose total do anestésico local de maneira fracionada pelo cateter peridural.
3. Se houver distúrbio de coagulação, realizar anestesia geral como descrita a seguir.

Anestesia geral

1. *Checklist* de cirurgia segura.
2. Antibioticoprofilaxia com 2 g de cefazolina (3 g caso a paciente tenha mais que 120 kg de peso) antes do início do procedimento cirúrgico.
3. Preparo e monitoração da paciente (ECG, PANI, oximetria de pulso, monitorização cerebral e capnografia). Ter sempre à mão: máscara laríngea, *fast-track* ou outros dispositivos para via aérea difícil que estejam disponíveis. Nos casos de diagnóstico de via aérea difícil, optar sempre pela realização da anestesia tópica e intubação acordada. A intubação com a paciente acordada não necessariamente precisa ser traumática para ela. Deve-se atentar para a realização de uma boa anestesia tópica das estruturas da orofaringe.
4. Pré-oxigenação com O_2 a 100% por cinco minutos, com monitorização da fração expirada de O_2 como garantia da pré-oxigenação adequada
5. Indução com fentanil (10-15 µg.kg⁻¹) + etomidato (0,3 mg.kg⁻¹) ou propofol (2,5 mg.kg⁻¹) + succinilcolina 1 mg.kg⁻¹, associada à manobra de Sellick.
6. Laringoscopia, se possível, com videolaringoscópio, e intubação preferencialmente com tubos endotraqueais de menor diâmetro que o habitual (6,5 – 7mm).
7. Antes do nascimento, manutenção da anestesia com ar comprimido/O_2 e halogenado (sevoflurano ou isoflurano). Após o nascimento, manter com ar comprimido/O_2 associado a propofol.
8. Após o pinçamento do cordão umbilical, administrar 1UI de ocitocina em *bolus* IV, com repique de 3UI de ocitocina a cada três minutos (respeitando-se o intervalo de 30 segundos para cada 1UI), se necessário. Administrar, concomitantemente, em bomba de infusão, 20 UI de ocitocina em 500 mL de solução de Ringer lactato a 250mL.h⁻¹.
9. Após o término do procedimento, encaminhar a paciente para Sala de Recuperação Pós-anestésica.
10. Considerar técnicas alternativas de analgesia pós-operatória.
11. Seguir rotina de Sala de Recuperação Pós-anestésica.

Nos casos de pré-eclâmpsia com sinais de gravidade ou eclâmpsia considerar realizar o pós-operatório em leitos de semi-intensiva ou mesmo em unidade de terapia intensiva.

Seguimento Pós-alta

Parece haver pouca dúvida de que a resolução da gestação é a intervenção mais importante no tratamento da pré-eclâmpsia e eclâmpsia. No entanto, deve-se lembrar que em muitos casos a doença sistêmica ainda persiste por dias ou semanas pós-nascimento. Habitualmente, o período mais vulnerável são os primeiros 15 dias, mas existem casos de complicações descritas até seis semanas pós-parto. Em pacientes nas quais foi necessária a utilização de medicação anti-hipertensiva durante a internação é necessário reagendar consulta de seguimento entre 3 e 7 dias pós-parto, e nas pacientes que não fizeram uso de medicação anti-hipertensiva, entre 7 e 10 dias.[48]

▪ FALHAS COMUNS NO ATENDIMENTO DE PACIENTES COM PRÉ-ECLÂMPSIA E ECLÂMPSIA

1. Os profissionais da saúde geralmente tendem a minimizar os sinais e sintomas de pré-eclâmpsia e, portanto, perdem a oportunidade de mudar os resultados e prognóstico;

2. Falta de conhecimento das pacientes sobre a doença, muitas vezes retardando a procura por serviços médicos. Nesse sentido programas de educação das pacientes poderiam melhorar o alerta para a doença;

3. Dificuldade de acesso aos Serviços Médicos;

4. Falta de fluxogramas de atendimento e *checklists*, bem como treinamentos entre os profissionais das diferentes especialidades especialmente nas situações de maior complexidade.

Assim, serviços com bons resultados têm investido bastante nas quatro áreas descritas acima, realizando programas de educação de pacientes e profissionais, de tal forma que o reconhecimento da doença seja feito precocemente, bem como o tratamento com sulfato de magnésio seja instituído, sobretudo nas pacientes que apresentam sinais de gravidade, em intervalo curto de tempo. Esses programas educativos incluem o estabelecimento de fluxogramas que determinam acesso prioritário para as pacientes que chegam via pronto-socorro, programas de treinamento envolvendo a simulação, onde as equipes multidisciplinares podem vivenciar o atendimento de casos graves em ambiente simulado; desenvolvimento de *banners* educativos para pacientes e profissionais alertando para os sinais de gravidade da doença; criação de kits de atendimento que concentram em uma única caixa todos os materiais e medicamentos necessários para o primeiro atendimento das pacientes que apresentam a forma grave da doença, entre outras medidas.

REFERÊNCIAS

1. Laurenti R, Mello Jorge MHP, Gotlieb SLD. A mortalidade materna nas capitais brasileiras: algumas características e estimativa de um fator de ajuste. Rev Bras Epidemiol. 2004;7:449-60.
2. Cecatti JG, Costa ML, Haddad SM, et al. Network for Surveillance of Severe Maternal Morbidity: a powerful national collaboration generating data on maternal health outcomes and care. BJOG. 2016;123(6):946-953.
3. Report of the National High Blood Pressure Education Program. Working group report on high blood pressure in pregnancy. Am J Obstet Gynecol. 2000;183:S1-22.
4. American College of Obstetricians and Gynecologists Taskforce on Hypertension in Pregnancy. Hypertension in Pregnancy. Washington:American College of Obstetricians and Gynecolgists,2013.
5. Hauth JC, Ewell MG, Levine RL, et al. Pregnancy outcomes in healthy nulliparous women who subsequently developed hypertension. Obstet Gynecol. 2000;95:24-8.
6. Sibai BM, Caritis SN, Thom E, et al. Prevention of preeclampsia with low-dose aspirin in healthy, nulliparous women. The National Institute of Child Health and Human Development Network of Maternal-Fetal Medicine Units. N Engl J Med. 1993;329:1213-8.
7. Knuist M, Bonsel GJ, Zondervan HA, et al. Intensification of fetal and maternal surveillance in pregnant women with hypertensive disorders. Int J Gynaecol Obstet. 1998;61:127-33.
8. Barton JR, O'Brien JM, Bergauer NK, et al. Mild gestacional hypertension remote from term: progression and outcome. Am J Obstet Gynecol. 2001;184:979-83.
9. Williams D. Long-term complications of preeclampsia. Semin Nephrol. 2011;31:111-22.
10. Dyer RA, Swanevelder JL, Bateman BT. Hypertensive disorders. In: Chestnut DH, Wong CA, Tsen LC, Ngan Kee WD, Beilin Y, Mhyre JM, Bateman BT, editors. Chestnut's obstetric anesthesia principles and practice. 6th ed. St Louis: Elsevier, 2019. p. 840-78.
11. Sibai B, Dekker G, Kupfermine M. Pre-eclampsia. Lancet. 2005;365:785-99.
12. Romero R, Nien JK, Espinoza J et al. A longitudinal study of angiogenic (placental growth factor) and anti-angiogenic (soluble endoglin and soluble vascular endothelial growth factor receptor-I) factors in normal pregnancy and patients destined to develop preeclampsia and deliver a small for gestational age neonate. J Matern Fetal Neonatal Med. 2008;21:9-23.
13. Chaiworapongsa T, Espinoza J, Gotsch F, et al. The maternal plasma soluble vascular endotelial growth factor receptor-I concentration is elevated in SGA and the magnitude of the increase relates to Doppler abnormalities in the maternal and fetal circulation. J Matern Fetal Neonatal Med. 2008;21:25-40.
14. Sibai BM. Diagnosis and management of gestational hypertension and preeclampsia. Obstet Gynecol. 2003;102:181-92.
15. Vatten LJ, Skjaerven R. Is pre-eclampsia more than one disease? BJOG. 2004;111:298-302.
16. Ewell MG, Levine RL, Esterlitz JR, et al. Pregnancy outcomes in healthy nulliparous women who subsequently developed hypertension. Obstet Gynecol. 2000;95:24-8.
17. Carltis S, Sibai B, Hauth J, et al. Low-dose aspirin to prevent preeclampsia in women at high risk. N Engl J Med. 1998;338:701-5.
18. Kupferminc MJ. Thrombophilia and pregnancy. Reprod Biol Endocrinol. 2003;1:111-66.
19. Brown MA, Hague WM, Higgins J, et al. The detection, investigation and management of hypertension in pregnancy: executive summary. Aust N Z J Obstet Gynecol. 2000;40:133-8.
20. Oudejans CB, van Dijk M, Oosterkamp M, et al. Genetics of preeclampsia: paradigm shifts. Hum Genet. 2007;120:607–612
21. Tay J, Foo L, Masini G et al. Early and late preeclampsia are characterized by high cardiac output, but in the presence of fetal growth restriction, cardiac output is low: insights from a prospective study. Am J Obstet Gynecol. 2018;218(5):517.
22. Powe CE, Levine RJ, Karumanchi SA. Preeclampsia, a disease of the maternal endothelium: the role of antiangiogenic factors and implications for later cardiovascular disease. Circulation. 2011;123:2856–2869.
23. Rana S, Powe CE, Salahuddin S, et al. Angiogenic factors and the risk of adverse outcomes in women with suspected preeclampsia. Circulation. 2012;125:911–919.
24. Verlohren S, Herraiz I, Lapaire O, et al. The sFlt-1/PlGF ratio in different types of hypertensive pregnancy disorders and its prognostic potential in preeclamptic patients. Am J Obstet Gynecol. 2012;206:58.e1–58.e8
25. Chappell LC, Duckworth S, Seed PT, et al. Diagnostic accuracy of placental growth factor in women with suspected preeclampsia: a prospective multicenter study. Circulation. 2013;128:2121–2131
26. Giguere Y, Charland M, Bujold E, et al. Combining biochemical and ultrasonographic markers in predicting preeclampsia: a systematic review. Clin Chem. 2010;56:361-75.
27. Zhang J, Meikle S, Trumble A. Severe maternal morbidity associated with hypertensive disorders in pregnancy in the United States. Hypertens Pregnancy. 2003;22:203-12.
28. Rey E, LeLorier J, Burgess E, et al. Report of the Canadian Hypertension Society Consensus Conference: 3. Pharmacologic treatment of hypertensive disorders in pregnancy. CMAJ. 1997;157:1245-54.
29. Ramanathan J, Coleman P, Sibai B. Anesthetic modifications of hemodynamic and neuroendocrine stress responses to cesarean delivery in women with preeclampsia. Anesth Analg. 1991;73:772-9.
30. Duley L, Meher S, Jones L. Drugs for treatment of very high blood pressure during pregnancy. Cochrane Database Syst Rev. 2013;2013(7):CD001449.
31. ACOG Committee Opinion No. 767: Emergent Therapy for Acute-Onset, Severe Hypertension During Pregnancy and the Postpartum Period. Obstet Gynecol. 2019;133(2).
32. Magee LA, Cham C, Waterman EJ, et al. Hydralazine for treatment of severe hypertension in pregnancy: meta-analysis. BMJ. 2003;327:1-10.
33. Rezaei Z, Sharbaf FR, Pourmojieb M, et al. Comparison of the efficacy of nifedipine and hydralazine in hypertensive crisis in pregnancy. Acta Med Iran 2011;49:701-6.
34. Sibai BM. Magnesium sulfate prophylaxis in preeclampsia. Lessons learned from recent trials. Am J Obstet Gynecol. 2004;190:1520-6.
35. The Magpie Trial Collaborative Group. Do women with pre-eclampsia, and their babies, benefit from magnesium sulphate? The Magpie Trial: a randomized, placebo-controlled trial. Lancet. 2002;359:1877-90.
36. Dean C, Douglas J. Magnesium and the obstetric anaesthetist. Int J Obstet Anesth. 2013;22:52-63.
37. Oddie S, Tuffnell DJ, McGuire W. Antenatal magnesium sulfate: neuro-protection for preterm infants. Arch Dis Child Fetal Neonatal Ed. 2015;100:F553-F557
38. James MF. Magnesium in obstetric anesthesia. Int J Obstet Anesth. 1998;7:115-23.
39. Ram Z, Sadeh M, Shacked I, et al. Magnesium sulfate reverses experimental delayed cerebral vasospasm after subarachnoid hemorrhage in rats. Stroke. 1991;22:922-7.
40. Kobayashi T, Tokunaga N, Isoda H, et al. Vasospasms are characteristic in cases with eclampsia/preeclampsia and HELLP syndrome: proposal of an angiospastic syndrome of pregnancy. Semin Thromb Hemost. 2001;27:131-5.
41. Mbonyizina C, Ntirushwa D, Bazzett-Matabele L, et al. Point of care ultrasound: does the presence of ascites in severe pre-eclampsia correlate with poor maternal and neonatal outcome?. Trop Med Int Health. 2019;24(8):1018-1022.

42. Lewis G. The Confidential Enquiry into Maternal and Child Health (CEMACH). Saving Mother's Lives: Reviewing Maternal Deaths to Make Motherhood Safer - 2003-2005. London: CEMACH, 2007.

43. Douglas M. The use of neuraxial anesthesia in parturients with thrombocytopenia: what is an adequate platelet count? In: Halpern S, Douglas M. Evidence-Based Obstetric Anaesthesia. Oxford: Blackwell Publishing, 2005. p.165-77.

44. Vandermeulen EP, Van Aken H, Vermylen J. Anticoagulants and spinal-epidural anesthesia. Anesth Analg. 1994;79:1165-77.

45. Beilin Y, Katz DJ. Analgesia use among 984 women with preeclampsia: A retrospective observational single-center study. J Clin Anesth. 2020;62:109741.

46. Beilin Y, Arnold I, Hossain S. Evaluation of the platelet function analyzer (PFA-100â) versus the thromboelatogram (TEG) in the parturient. Int J Obstet Anesth. 2005;15:7-12.

47. Xie X, Wang M, Lu Y, et al. Thromboelastography (TEG) in normal pregnancy and its diagnostic efficacy in patients with gestational hypertension, gestational diabetes mellitus, or preeclampsia [published online ahead of print, 2020 Oct 17]. J Clin Lab Anal. 2020;e23623.

48. Druzin ML, Shields LE, Peterson NL, et al. Improving Health Care Response to Preeclampsia: A California Quality Improvement Toolkit. CMQCC Preeclampsia toolkit. CDPHMCAH Approved 12/20/2013. [Internet] [Acesso em 13 jan 2017]. Disponível em: http://www.pqcnc.org/documents/cmop/cmopresources/CMQCC_Preeclampsia_Toolkit_1.17.14.pdf

131

Anestesia nas Síndromes Hemorrágicas da Gestação

Fernanda Cristina Paes ▪ Eliane Cristina de Souza Soares

INTRODUÇÃO

As síndromes hemorrágicas da gestação englobam as principais causas preveníveis de mortalidade e morbidade maternas no mundo de acordo com a Organização Mundial da Saúde (OMS).[1] A incidência é elevada em países subdesenvolvidos e vem aumentando nos últimos anos em muitos países desenvolvidos. As razões não são totalmente compreendidas, mas o aumento do uso de ocitocina para a indução, o trabalho de parto prolongado, a idade materna avançada e a elevação das taxas de parto cesáreo podem ser algumas das explicações para esse evento.

Uma prioridade para a melhora da saúde materna é a forma como os prestadores de saúde previnem e controlam a hemorragia relacionada com a gestação. O anestesiologista tem papel fundamental nesse processo ao fazer uma avaliação clínica e laboratorial, iniciar o tratamento da causa específica, além de desempenhar uma função crítica na tomada de decisão nos processos transfusionais e no controle da coagulopatia, quando instalada.

Dependendo do local e das instalações, os programas de redução de mortalidade materna enfrentam desafios. Ausência de protocolos locais bem definidos, de equipes disponíveis e treinadas e de terapia transfusional (banco de sangue de rápido acesso) são alguns dos fatores que impactam diretamente a morbimortalidade dessas pacientes.[2]

A implementação de protocolos gerenciados é um processo contínuo e adaptativo e requer a parceria de instituições, governos e pacientes. Todos os profissionais e instituições que atendem a pacientes gestantes devem se preparar e se aprimorar diariamente com a intenção de reduzir a mortalidade e a morbidade maternas por hemorragia. Os quatro pilares para melhorar esses índices estão descritos no Quadro 131.1.[3]

Quadro 131.1 Pilares para o controle da hemorragia pós-parto.	
Preparo	Protocolo institucional de hemorragia, disponibilidade de recursos, avaliação de fatores de risco e planejamento do parto
Reconhecimento	Quantificação do sangramento, diagnóstico precoce e controle ativo da terceira fase do parto
Resposta	Tratamento da causa, ressuscitação volêmica e protocolo de transfusão
Relatórios	Coleta de dados, discussões e revisão de casos

▪ DEFINIÇÃO

Há dois tipos de hemorragia obstétrica: anteparto e pós-parto. A hemorragia anteparto está presente em 2% a 5% das gestações, sendo definida como sangramento superior a 500 mL proveniente do trato genital em qualquer momento antes do parto. É classificada como precoce, quando ocorre até a 24ª semana de gestação, sendo usualmente relacionada com abortamento ou gravidez ectópica, e como tardia, quando ocorre após 24 semanas, frequentemente causada por placenta prévia, descolamento prematuro de placenta, ruptura uterina e *vasa* prévia. Não existem definições claras na literatura para a classificação da gravidade do sangramento anteparto, mas perdas sanguíneas superiores a 1.000 mL e/ou presença de sinais clínicos de choque usualmente caracterizam hemorragia grave ou maciça.[4]

A hemorragia pós-parto (HPP) atualmente é definida como uma perda de sangue cumulativa maior ou igual a 1.000 mL ou perda de sangue acompanhada por sinais ou sintomas de hipovolemia dentro de 24 horas após o parto (incluindo perda intraparto), independente da via de parto.

Tradicionalmente, a quantificação da perda sanguínea era diferenciada pela via de parto, sendo considerada aumentada se maior que 500 mL em parto vaginal e superior a 1.000 mL em cesarianas. Evidências recentes mostram, no entanto, que a via de parto não é relevante no diagnóstico.[5,6]

A agilidade no reconhecimento e no tratamento da causa da hemorragia é o fator que mais interfere na melhora do prognóstico dessas pacientes, pois permite que as ações sejam deflagradas para o controle do quadro antes mesmo que as alterações hemodinâmicas aconteçam, reduzindo tanto a morbidade como a mortalidade.[7] No cenário obstétrico, apesar de a maioria dos casos apresentar sangramento rápido e aparente, também pode haver sangramento intermitente e difícil de quantificar ou mesmo oculto (retroperitônio), tornando o diagnóstico desafiador para as equipes de atendimento.

■ ALTERAÇÕES FISIÓLOGICAS DA GESTAÇÃO

As alterações fisiológicas que ocorrem ao longo dos três trimestres da gestação modificam o organismo materno para favorecer o desenvolvimento e crescimento do feto e possibilitar o trabalho de parto e o parto. Essas alterações conferem uma tolerância considerável à perda sanguínea, sem comprometimento da estabilidade hemodinâmica, atrasando o aparecimento dos primeiros sinais de instabilidade diante de um quadro de hipovolemia. Diante disso, é fundamental que se conheça e compreenda a fisiologia materna para um bom atendimento durante um quadro de hemorragia.

Alterações Hematológicas

Durante o primeiro trimestre, há um aumento no volume sanguíneo, que continua a se expandir rapidamente durante o segundo trimestre (30% a 50%) antes de atingir um nível estável nos últimos três meses, podendo chegar a 100 mL/kg no final do terceiro trimestre. O volume plasmático aumenta em 40% a 50%, e o volume eritrocitário, em 20% a 30%, causando anemia fisiológica da gravidez. A diminuição da viscosidade sanguínea propicia melhor fluxo para a placenta e a formação do feto. Devido a esse estado hipervolêmico, as mulheres podem apresentar poucos sinais cardiovasculares até que 30% a 50% do volume sanguíneo sejam perdidos.[8]

A produção de todos os fatores de coagulação aumenta, exceto os fatores XI e XIII, levando a um estado pró-trombótico. Os níveis de fibrinogênio aumentam significativamente e, em geral, são superiores a 400 mg/dL no terceiro trimestre. A contagem de plaquetas pode diminuir pela diluição, bem como por aumento do consumo uteroplacentário. A trombocitopenia gestacional é comum, ocorrendo em 8% das gestações, no entanto a produção e a função plaquetárias não se alteram nessa condição, que, portanto, não está associada a desfechos maternos adversos.[9]

Alterações Cardiovasculares

O débito cardíaco aumenta gradativamente até 50% no final do primeiro trimestre em decorrência do aumento do volume sanguíneo, do volume sistólico e da frequência cardíaca. Após o parto, o útero se contrai e o débito cardíaco permanece 15% a 25% acima do normal, diminuindo lentamente, então, nas próximas 3 a 4 semanas até atingir os valores pré-gestacionais por volta da sexta semana pós-parto. A resistência vascular sistêmica diminui, às vezes causando leve diminuição da pressão arterial. As pacientes gestantes respondem menos aos vasopressores e são mais sensíveis à redução da pré-carga. Após 20 semanas de gestação, as pacientes gestantes podem apresentar síndrome de hipotensão supina quando deitadas, porque o útero gravídico comprime a veia cava inferior e diminui o retorno venoso, portanto o decúbito lateral esquerdo é a posição preferencial para essas pacientes a partir da 20ª semana de gestação.[9]

Circulação Uteroplacentária

O útero recebe 15% a 20% do débito cardíaco no final do terceiro trimestre, chegando a um fluxo sanguíneo uterino normal de 700 a 900 mL/min derivado das artérias uterinas e colaterais das artérias ovarianas e cervicais. O fluxo sanguíneo uterino (e, portanto, placentário e fetal) é diretamente proporcional à pressão de perfusão uterina (definida como a diferença entre a pressão arterial uterina e a pressão venosa uterina) e inversamente proporcional ao tônus vascular da artéria uterina. A vasculatura uterina é maximamente vasodilatada durante a gestação. A ausência de autorregulação uterina torna o fluxo sanguíneo proporcional à pressão de perfusão. A vasculatura uterina mantém a responsividade aos vasoconstritores. O aumento do tônus da musculatura lisa uterina contrai os vasos uterinos, diminuindo o fluxo.[9]

■ FATORES DE RISCO

Apesar de a maioria dos casos de hemorragia pós-parto ocorrer em pacientes que não apresentam fatores de risco médio ou alto, para o melhor planejamento e a mobilização de recursos, as pacientes devem ser classificadas quanto ao risco de complicações hemorrágicas obstétricas e preparadas proporcionalmente ao risco de sangramento. Essa triagem deve começar ainda no pré-natal, quando podem ser identificados fatores passíveis de intervenção durante o curso da gestação, como, por exemplo, o tratamento da anemia. Já os fatores não modificáveis, como uso de medicamentos anticoagulantes, distúrbios de coagulação hereditários ou adquiridos (p. ex., hemofilia, doença de von Willebrand), espectro do acretismo placentário ou placenta prévia, exigem atenção em centros terciários preparados para o atendimento de gestação de alto risco, para onde a paciente deverá ser encaminhada no momento do parto.[10]

Durante a admissão para parto eletivo ou em trabalho de parto, toda gestante precisa ser classificada quanto ao risco de sangramento e seu preparo, nesse momento, deve ser proporcional ao risco de sangramento[10] (Quadro 131.2).

As ferramentas para classificação do risco são muito úteis tanto para agilizar o atendimento quanto para sinalizar as equipes sobre a necessidade de atenção especial. Uma vez classificada como médio ou alto risco para sangramento, a paciente deverá seguir um fluxo especial de atendimento,

Quadro 131.2 Classificação de risco – Hemorragia obstétrica.		
Risco habitual	**Médio risco**	**Alto risco**
Gestação única	Cesárea anterior ou cicatriz uterina	Placenta prévia
Ausência de cicatriz uterina	Pré-eclâmpsia sem sinais de gravidade	Pré-eclâmpsia com sinais de gravidade
< 4 partos vaginais	Mioma uterino	Síndrome HELLP
Ausência de história prévia de sangramento pós-parto	Distensão uterina (polidrâmnio, macrossomia fetal)	Acretismo placentário (suspeitado ou confirmado)
Ausência de distúrbios de coagulação	Gestação múltipla (gemelar, trigemelar)	Sangramento ativo na admissão
	Corioamnionite	História de HPP prévia
	Multíparas	Óbito fetal
	Plaquetas 50.000-100.000	Plaquetas < 50.000
	Hb < 10; Ht < 30%	Hb < 8; Ht < 24%
	Trabalho de parto prolongado (> 24h)	Dois ou mais fatores de médio risco
	Idade gestacional < 37semanas ou > 41semanas	

Hb: hemoglobina; Ht: hematócrito; HPP: hemorragia pós-parto.
Fonte: adaptado de Lagrew D, 2022.[10]

com preparo proporcional ao seu risco. A vigilância para o sangramento deve ocorrer, no entanto, para todas as pacientes, visto que 40% a 60% das pacientes que apresentam HPP foram inicialmente classificadas como risco habitual.[11]

■ PREPARO

O preparo e a definição do cuidado envolvem necessariamente uma equipe multidisciplinar no atendimento da paciente obstétrica. Inicialmente, toda paciente classificada como médio ou alto risco para sangramento deve ter uma etiqueta identificadora no pulso e no prontuário para que a transmissão da informação entre setores e profissionais seja feita de forma mais eficaz. Além disso, deve existir um fluxo de comunicação e prioridade alinhados com o laboratório e o banco de sangue para que todo caso identificado de médio ou alto risco tenha seus exames e testes de prova cruzada priorizados. Durante o momento do parto (seja trabalho de parto espontâneo ou cesariana eletiva), o ideal é que a paciente seja puncionada com uma linha venosa calibrosa (16 ou 14 G). Essa necessidade é justificada pelo alto fluxo sanguíneo uterino no final do terceiro trimestre, levando rapidamente a um choque hipovolêmico nos casos de sangramento inesperado. Estar preparado com um acesso venoso calibroso permite uma ressuscitação volêmica mais dinâmica.

Exames laboratoriais pré-parto devem ser solicitados conforme a história clínica e as comorbidades associadas.

A solicitação antecipada de exames que avaliem o perfil hematológico da paciente pode ser extremamente útil para comparação após um evento de sangramento, sendo capaz de definir a tomada de decisão no caso de indicação transfusional. O preparo das pacientes em relação à classificação de risco está descrito no Quadro 131.3.

■ PREPARO DO ESPECTRO DO ACRETISMO PLACENTÁRIO

A placenta anormalmente invasiva, ou o espectro do acretismo placentário, descreve a situação clínica em que uma placenta não se separa espontaneamente no momento do parto e não pode ser removida sem causar alterações anormais e sangramento potencialmente fatal. Apesar de ser ainda rara (0,79-3,11 por 1.000 nascimentos após cesariana prévia), sua incidência vem aumentando nos últimos anos, sendo os principais fatores de risco o número de cirurgias uterinas anteriores, a idade materna avançada, o tabagismo e a fertilização *in vitro*.

A gravidade desses casos está diretamente relacionada com a localização da placenta, a área de extensão do acretismo, o grau de invasão (acreta, increta, percreta) e o momento do diagnóstico (antenatal, intraparto ou pós-parto). Para esses casos, são necessárias estratégias diferenciadas de atendimento, iniciando-se com o encaminhamento para um centro especializado para a realização de um diagnósti-

Quadro 131.3 Preparo de gestantes de acordo com o risco de sangramento.		
Baixo risco	**Médio risco**	**Alto risco**
Acesso venoso calibroso (Jelco 16 G)	Acesso venoso calibroso (Jelco 16 G) Exames (Hb, Ht, plaq, fibrinogênio, TP, TTPA) Tipagem sanguínea	Dois acessos venosos calibrosos (Jelco 14 G) Exames (Hb, Ht, plaq, fibrinogênio, TP, TTPA) Tipagem sanguínea Reserva de 2 unidades CH

Hb: hemoglobina; Ht: hematócrito; plaq]; plaquetas; TP: tempo de protrombina; TTPA: tempo de tromboplastina parcial ativada; CH: concentrado de hemácias.

co específico com ultrassonografia e ressonância magnética, e a presença de uma equipe multidisciplinar que fará o planejamento e a condução no momento do parto.[12]

Devido à grande perda sanguínea que pode ocorrer nessas situações, o anestesista desempenha um papel de extrema importância na reposição volêmica e hemostática. Estar preparado com dois acessos calibrosos, monitorização invasiva, materiais para aquecimento de fluidos e da paciente, *cell-saver*, além da presença de dois ou mais anestesiologistas disponíveis para o caso são fatores que fortemente influenciam o prognóstico da morbimortalidade desses casos.

■ DIAGNÓSTICO DA HEMORRAGIA PÓS-PARTO E QUANTIFICAÇÃO DA PERDA SANGUÍNEA

As alterações fisiológicas que ocorrem durante a gestação protegem a hemodinâmica materna durante a perda sanguínea que ocorre no momento do parto, levando a um atraso na instabilidade hemodinâmica. Os sinais clássicos de choque hipovolêmico (taquicardia e hipotensão) podem aparecer somente após perda de grande volemia (> 40%), tornando o diagnóstico mais desafiador na prática clínica.

Para que o diagnóstico seja feito no momento oportuno, produzindo ações e tratamentos com a intenção de minimizar a morbidade materna, devem-se utilizar múltiplas variáveis durante o atendimento no momento do parto[13] (Figura 131.1).

Quantificação da Perda Sanguínea

A quantificação exata da perda sanguínea ainda é um grande desafio na prática diária e vários métodos têm sido sugeridos na tentativa de se chegar a um número mais próximo da realidade.

A estimativa visual, embora seja uma metodologia simples, rápida e capaz de mobilizar a equipe para um nível de alerta nos casos de sangramento, é subjetiva, imprecisa e não melhora com base no nível de experiência ou especialidade dos provedores.[14] A Tabela 131.1 mostra a estimativa de sangramento em materiais e cenários usualmente presentes no centro obstétrico.

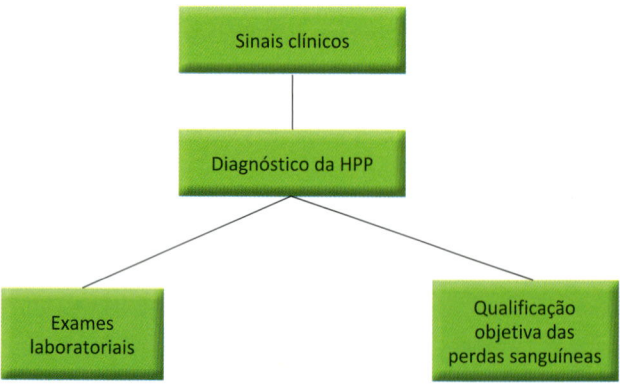

▲**Figura 131.1** Variáveis para diagnóstico da hemorragia pós-parto.
HPP: hemorragia pós-parto.

A quantificação objetiva é uma técnica que reflete com maior precisão a perda sanguínea e está associada a diagnóstico mais precoce da HPP. O método gravimétrico consiste em pesar coágulos, compressas, campos e todos os materiais encharcados de sangue e descontar o peso seco de cada item. A definição da perda volêmica por meio da pesagem é baseada no conceito de que a densidade do sangue é muito próxima à da água, então, do ponto de vista prático, pode-se dizer que cada 1 g de peso equivale a aproximadamente 1 mL de sangue. Já o método volumétrico consiste em utilizar coletores de sucção graduados (material aspirado durante a cesárea) ou plásticos coletores com graduação (utilizados durante o parto vaginal). Embora o método volumétrico seja mais preciso do que o gravimétrico, imprecisões podem ocorrer se houver mistura com outros fluidos (líquido amniótico, urina). A maior parte do sangramento ocorre após a dequitação placentária, portanto deve-se manter atenção para excluir o volume de líquido amniótico dos coletores antes de quantificar o sangramento.

A técnica que parece mais precisa na quantificação objetiva do sangramento é a combinação dos métodos gravimétrico e volumétrico realizados desde o atendimento inicial da paciente até 24 horas após o parto, fazendo uma somatória de todo o volume de sangue perdido nesse período. Cuidado especial deve ser tomado durante os registros médicos para que esse sangramento seja notificado como "acumulativo".

Tabela 131.1 Estimativa visual de perda sanguínea em gestantes.	
Gaze cirúrgica encharcada de sangue	~ 50-60 mL
Compressa encharcada de sangue	~ 100-150 mL
Poça de sangue na mesa cirúrgica (entre as laterais e entre as pernas da paciente)	~ 1.000 mL
Poça de sangue escorrendo pelas laterais da mesa cirúrgica até o chão	~ 2.000 mL

Sinais Clínicos

O monitoramento dos sinais vitais é fundamental para a avaliação hemodinâmica, no entanto as alterações fisiológicas da gestação e o bloqueio do neuroeixo com necessidade frequente da administração de vasopressores podem mascarar a real condição hemodinâmica da paciente no momento do choque hipovolêmico.

O índice de choque (IC), obtido pela razão entre a frequência cardíaca e a pressão arterial sistólica, é proposto como um marcador mais precoce do comprometimento hemodinâmico quando comparado com os sinais vitais convencionais. Quando a frequência cardíaca materna for maior que a pressão arterial sistólica, o IC estará alterado, sugerindo uma perda sanguínea importante com provável necessidade de transfusão sanguínea.[15]

Exames Laboratoriais

Os parâmetros laboratoriais também devem ser seriados durante o atendimento para guiar a reposição volêmica e de hemocomponentes ou hemoderivados. Devido ao fato de a hemorragia obstétrica ser um quadro muito dinâmico, eles devem repetidos a cada 30 minutos durante a condução do caso, visto a demora inerente ao método para a liberação de resultados. Hemoglobina, hematócrito, contagem de plaquetas, tempo de tromboplastina parcial ativada, tempo de protrombina, fibrinogênio, cálcio ionizado e gasometria com dosagem do ácido lático são as principais variáveis a serem analisadas. A avalição da coagulação com testes viscoelásticos realizados à beira leito apresenta uma visão global e mais precisa da coagulação, guiando a terapêutica de forma mais criteriosa e em tempo real. Infelizmente, esses testes ainda não estão disponíveis em todos os serviços, no entanto, diante da sua superioridade em relação aos testes convencionais, as instituições devem gradativamente substituí-los.[16]

O *base excess* é um marcador avaliado na gasometria que se altera precocemente nos casos de choque e, juntamente com o lactato, é preditor de gravidade nos quadros hemorrágicos.[17] A combinação da concentração inicial de lactato com o índice de choque melhora o desempenho preditivo para requisitos de transfusão maciça e pode contribuir para uma rápida estratificação de risco de pacientes com hemorragia pós-parto primária com necessidade de transfusão e maior foco em intervenções para controlar o sangramento.[18]

A Tabela 131.2 resume os sinais clínicos e laboratoriais em relação ao grau de choque hipovolêmico.

■ ETIOLOGIA DO SANGRAMENTO

Durante o atendimento de uma gestante com hemorragia é fundamental diagnosticar e tratar especificamente a causa do sangramento. Entre os diagnósticos diferenciais existem as causas anteparto e as pós-parto (logo após o descolamento da placenta).

■ HEMORRAGIA ANTEPARTO

A hemorragia anteparto é classificada como precoce quando ocorre antes da 20ª semana de gestação e como tardia quando ocorre a partir dessa idade gestacional.[1] A maior parte dos casos de hemorragia precoce ocorre no primeiro trimestre, e esse tipo de sangramento usualmente apresenta maior ameaça à vida do feto do que à da mãe. Os quadros de hemorragia precoce são normalmente de-

correntes de abortamento incompleto ou gravidez ectópica rota, e os quadros tardios são usualmente relacionados com anormalidades de implantação da placenta, descolamento prematuro de placenta e ruptura uterina.

Placenta Prévia

Ocorre quando a implantação da placenta está à frente da passagem da apresentação fetal, no segmento inferior do útero. É classificada, de acordo com a extensão e o local de implantação, em: total (quando cobre completamente o orifício interno do útero), parcial (quando cobre parte do orifício interno do útero) e marginal (quando está inserida próximo ao colo do útero e avança até 2 cm no orifício interno).

Clinicamente apresenta-se com sangramento vaginal não acompanhado de dor no final do segundo ou terceiro trimestre. A ausência de dor e de aumento do tônus uterino é o principal fator para o diagnóstico diferencial de hemorragia causada por descolamento prematuro da placenta. Deve-se ter especial atenção com a possibilidade de anemia nessas pacientes (visto que elas apresentam vários sangramentos intermitentes até o momento do parto) e a possibilidade de acretismo placentário (cerca de 10% dos casos de placenta prévia são associados a acretismo placentário).[19]

Descolamento Prematuro de Placenta

É quando ocorre a separação prematura da placenta após a 20ª semana de gestação e antes da extração fetal, levando a sangramento uterino e redução do aporte de oxigênio e nutrientes ao feto. Clinicamente se apresenta com aumento significativo do tônus uterino acompanhado de forte dor abdominal, sangramento vaginal e alteração da frequência cardíaca fetal. A gravidade está proporcionalmente relacionada com a área de placenta descolada, que pode ser completa ou parcial, e a hemorragia resultante pode ser exteriorizada ou oculta. A hemorragia oculta ocorre quando o descolamento atinge áreas sem comunicação direta com o orifício interno do útero, levando à formação de um hematoma retroplacentário.[20]

Os grandes desafios nesses casos são a instabilidade hemodinâmica e a coagulopatia que podem ocorrer devido ao consumo de plaquetas e a fatores de coagulação nos casos de grande volume de sangramento. Casos de óbito fetal, em

Tabela 131.2 Hemorragia obstétrica – respostas hemodinâmica e laboratorial.				
	Classe 1	**Classe 2**	**Classe 3**	**Classe 4**
Perda sanguínea (%)	< 15	Até 30	Até 40	> 40
Frequência cardíaca (bpm)	< 100	> 100	> 120	> 140
Pressão sanguínea	Normal	Normal	Diminuída	Diminuída
Frequência respiratória (irpm)	14-20	20-30	30-40	> 35
Estado mental	Pouco ansiosa	Pouco ansiosa	Ansiosa ou confusa	Confusa ou letárgica
Índice de choque (FC/PAS)	< 0,6	≥ 0,6 e < 1	≥ 1 e < 1,4	≥ 1,4
Base excess (mmol/l)	< -2	-2 a -6	-6 a -10	< -10

FC: frequência cardíaca; PAS: pressão arterial sistólica.

que a área descolada é muito grande, são os que necessitam de maior atenção para a presença de coagulopatia.

Ruptura Uterina

É a ocorrência da abertura da parede miometrial, com rompimento das membranas fetais, comunicando a cavidade uterina com a cavidade peritoneal, associada a sangramento e sofrimento fetal agudo. Pode ocorrer na presença de uma cicatriz uterina prévia (cesariana ou histerotomia para cirurgia fetal intraútero) ou em um útero sem qualquer cicatriz (hiperestimulação uterina espontânea ou com ocitocina/prostaglandinas).[19]

O quadro clínico e a morbimortalidade são dependentes da extensão da ruptura, que pode variar de completa a uma leve deiscência de cicatriz uterina. Apresenta-se com sofrimento fetal, sangramento vaginal, hipotensão, hematúria e atonia uterina. A dor abdominal pode ou não estar presente nesses quadros.[21]

■ HEMORRAGIA PÓS-PARTO

As causas de HPP podem ser divididas em quatro grupos principais: tônus, trauma, tecido e trombina. A regra mnemônica dos 4Ts (Tabela 131.3) pode ajudar na identificação da causa, embora mais de uma causa possa coexistir na mesma paciente.

Atonia Uterina

Principal causa de HPP, a atonia uterina é responsável por até 80% dos casos. Apresenta-se como a incapacidade da contração uterina após o nascimento, levando a sangramento vaginal excessivo e útero amolecido à palpação abdominal, apresentando-se acima da cicatriz umbilical. A ausência de exteriorização de sangramento vaginal não exclui o seu diagnóstico, uma vez que sangramentos volumosos podem estar retidos dentro da cavidade uterina.[4]

Trauma

As lacerações no canal de parto são atribuídas principalmente a lesões perineais ou cervicais, hematomas de vulva, episiotomias ou ruptura uterina. Ocorrem com maior frequência no cenário de partos vaginais desassistidos ou partos vaginais operatórios (utilização de fórceps).

Deve-se ter especial atenção para os casos de dissecção do sangramento para retroperitônio, que geralmente está associado a instabilidade lenta e progressiva, acompanhada de útero contraído e sangramento vaginal fisiológico.[22]

Retenção Placentária

A expulsão da placenta usualmente acontece nos primeiros minutos após o nascimento fetal. Nos casos em que ocorre entre 10 e 30 minutos após o parto, é classificada como retardada, e, se a expulsão não ocorre após 30 minutos, está caracterizado um quadro de retenção placentária.

A retenção placentária pode ser total (acretismo) ou parcial (restos placentários) segundo a forma como ocorre sua implantação. Após o parto, é necessária uma revisão cuidadosa da cavidade uterina e a retirada dos possíveis restos retidos. Em situações de acretismo, em que a placenta não pode ser descolada do útero, a tomada de decisão quanto a uma histerectomia puerperal deve ser imediata.

Coagulopatia

Responsável por menos de 5% dos casos de HPP, é dividida em dois grupos: pacientes com história prévia de doenças hematológicas (p. ex.: doença de Von Willebrand, hemofilia, trombocitopenia hereditária ou gestacional) e as que apresentam uma coagulopatia desenvolvida durante o controle do sangramento: por consumo de fatores de coagulação em decorrência de sangramento maciço ou coagulopatia dilucional como resultado de uma ressuscitação volêmica agressiva.

■ MANEJO DO PUERPÉRIO IMEDIATO

A prevenção é um elemento essencial na ocorrência de atonia uterina, e a orientação atual é o manejo ativo do terceiro estágio do trabalho de parto com massagem uterina e medicamentos uterotônicos acompanhados de reavaliações periódicas, em curto intervalo, para avaliar se essas medidas foram suficientes e o útero mantém-se contraído. As instituições devem ser encorajadas a desenvolver protocolos de administração de uterotônicos de acordo com seus recursos.

Massagem Uterina

No parto vaginal, a massagem uterina periódica deve ser iniciada imediatamente após a dequitação placentária e pode ser repetida a cada 15 minutos nas primeiras 2 horas em todas as puérperas. Deve-se massagear o fundo uterino pelo abdome até que o útero esteja contraído, e é preciso assegurar que o útero não se torne relaxado após o término da massagem. A massagem uterina (direta) é também indicada quando se observa atonia ou hipotonia uterina durante a cesariana.[23]

4Ts	Causa específica	Frequência
Tabela 131.3 Hemorragia pós-parto primária: regra dos 4Ts.		
Tônus	Atonia uterina	70-80%
Trauma	Lacerações, hematomas, inversão e ruptura uterina	10-20%
Tecido	Retenção de tecido placentário, coágulos, acretismo placentário	10-20%
Trombina	Coagulopatias congênitas ou adquiridas, uso de anticoagulantes	1-5%

Medidas Farmacológicas

A administração imediata de um agente uterotônico, como a ocitocina, reduz o risco de hemorragia pós-parto em aproximadamente 66%.[24] Diversos efeitos colaterais são relatados com o uso da ocitocina e são proporcionais a dose, velocidade de infusão e via de administração. Dose intravenosa de 5 a 10 unidades em bólus está relacionada com hipotensão grave, isquemia miocárdica, edema agudo pulmonar e até óbito materno.[25,26]

Existem, na literatura, diversos protocolos de administração de ocitocina comparando variáveis como: uso intramuscular *versus* intravenoso, dose de bólus *versus* bólus mais dose contínua, com a intenção de se obter o melhor resultado da sua administração (contração uterina efetiva), minimizando seus efeitos adversos. Há evidências suficientes para sugerir, em cesarianas eletivas de gestantes com baixo risco para hemorragia pós-parto, um bólus intravenoso lento de 0,3 a 1 UI de ocitocina em 1 minuto seguido da infusão de 5 a 10 UI/h por 4 horas. Há evidências limitadas para sugerir, a gestantes submetidas à cesariana intraparto (após um período de trabalho de parto), um bólus lento de 3 UI de ocitocina seguido da infusão de 5 a 10 UI/h por 4 horas.[19] É recomendado que a dose de manutenção (infusão contínua) seja administrada em bomba de infusão contínua. Na manutenção do sangramento uterino por atonia, é recomendado que se dobre a dose de manutenção de ocitocina, porém respeitando-se o limite de 40 unidades em 24 horas.

A carbetocina é um análogo sintético da ocitocina que pode ser administrado por via intramuscular ou endovenosa e tem meia-vida mais longa que a ocitocina (40 *versus* 1- 6 minutos), além de ser mais estável ao calor do que a ocitocina. Seu grande benefício é a disponibilidade onde a cadeia fria de distribuição da ocitocina não é possível. Por ser uma molécula muito semelhante à ocitocina, seus efeitos colaterais também são parecidos e dependentes da dose.[27]

Quando houver uma resposta inadequada do tônus uterino após as medicações de primeira linha (ocitocina ou carbetocina), é necessária a associação de outras categorias de agentes uterotônicos. Os uterotônicos de segunda e terceira linhas são, respectivamente, os alcaloides do *ergot* e os derivados das prostaglandinas.

O derivado do *ergot* mais utilizado em nosso meio é a metilergometrina, que atua como agonista dos receptores serotoninérgicos no músculo liso. Seu início de ação ocorre em 2 a 5 minutos após administração intramuscular e a duração do efeito é superior a 3 horas. A metilergometrina é disponibilizada em ampola de 0,2 mg/mL, e a posologia varia de acordo com a gravidade da hemorragia. Usualmente são indicadas duas a cinco doses em 24 horas, não excedendo 1 mg/dia. Um intervalo mínimo de 20 minutos deve ser observado entre as duas primeiras doses – e as doses subsequentes só devem ser administradas em caso de hemorragia grave e com intervalos de 4 horas. As pacientes não responsivas à primeira dose tendem a não responder às doses subsequentes. Os efeitos colaterais são aumentados em comparação com a ocitocina e incluem náuseas, vômitos, cefaleia e vasoconstrição, portanto deve ser evitada entre mulheres com hipertensão ou doença cardíaca.[19,28]

Misoprostol é um análogo sintético da prostaglandina E1. As principais vias de administração durante a terceira fase do trabalho de parto incluem oral, sublingual e retal. O tempo para atingir o pico de concentração é menor quando o misoprostol é administrado por via sublingual ou via oral em vez de via retal, no entanto a duração da ação é maior quando administrado sublingual ou retal do que com administração oral. Os efeitos colaterais mais comuns estão relacionados com a dose e incluem náuseas, vômitos, diarreia, dor de cabeça, tremores e hipertermia. A dose preconizada é de 800 µg por via retal no tratamento da hemorragia por atonia uterina.

Medidas Cirúrgicas

Quando as medidas farmacológicas não forem suficientes para o controle da hemorragia, a equipe não deve postergar a realização de medidas mecânicas.

O tamponamento uterino, que consiste na inserção de um balão intrauterino para controle temporário da hemorragia, pode ser utilizado após o parto vaginal ou cesariana, respeitando-se os volumes indicados no seu preenchimento para não romper a histerorrafia no caso de cesariana. Pode ser mantido por 12-24 horas e sua retirada é feita em etapas. O monitoramento da sua eficácia é feito pelo orifício de drenagem e considera-se falha do método a drenagem acima 100 mL/hora na primeira hora ou superior a 50 mL/hora nas três avaliações subsequentes realizadas a cada hora.[29,30]

Outra técnica conservadora que pode ser utilizada é a sutura de B-Lycnh, que consiste em controlar o sangramento mediante a compressão da parede anterior contra a parede posterior do útero com o uso de um fio reabsorvível. Um teste prévio que avalia a possibilidade de sucesso consiste na compressão bimanual do útero; caso a manobra resulte na redução significativa do sangramento, a aplicação da sutura tem altas taxas de efetividade.[31,32]

Quando todas as técnicas preventivas e terapêuticas falharem, a histerectomia deve ser realizada como o último passo no controle cirúrgico da hemorragia pós-parto. O procedimento, no entanto, não deve ser adiado, uma vez que o prognóstico materno piora quando a histerectomia é realizada após o desenvolvimento de instabilidade hemodinâmica e distúrbios de coagulação. A tomada de decisão deve ser em conjunto entre as equipes de obstetrícia e anestesia e a falha terapêutica, muito bem documentada em prontuário.

▪ ASPECTOS GERAIS DA HEMORRAGIA OBSTÉTRICA

Uma vez que a paciente apresente sangramento cumulativo superior a 1.000 mL, ou sinais clínicos de instabilidade hemodinâmica, deve-se fazer o diagnóstico de hemorragia pós-parto e iniciar imediatamente o tratamento e controle desse sangramento, que se baseia em quartos pilares (Quadro 131.4). O retardo do diagnóstico e do tratamento pode ser impactante no prognóstico da paciente. As instituições que atendem a gestantes devem ter protocolos de atendimento à puérpera com HPP e equipes treinadas e disponíveis, incluindo boa comunicação com o laboratório e banco de sangue, recursos essenciais nesses casos. O objetivo da abordagem rápida é evitar a disfunção orgânica e o desenvolvimento da tríade letal do choque hipovolêmico (hipotermia, acidose metabólica e distúrbio de coagulação) que pode ocorrer nos casos de sangramento maciço.

Quadro 131.4 Pilares do controle do sangramento.
1. Boa comunicação e mobilização da equipe
2. Monitorização, ressuscitação volêmica
3. Investigação da causa
4. Interrupção do sangramento

Assim que diagnosticada a HPP, as medidas a seguir devem ser realizadas, com o objetivo de cessar o sangramento dentro de 1 hora –a chamada "hora de ouro".

1. Providenciar um segundo acesso venoso calibroso e coletar exames (hemoglobina, hematócrito, plaquetas, fibrinogênio, tempo de protrombina (TP), tempo de tromboplastina parcial ativada (TTPa), cálcio iônico e gasometria com lactato, ou testes viscoelásticos caso disponíveis), que deverão ser repetidos a cada 30 minutos até que o sangramento esteja controlado;

2. Iniciar reposição volêmica com cristaloides, dando preferência para soluções com características mais próximas do plasma (pH, osmolaridade);

3. Administrar 1 g de ácido tranexâmico por via endovenosa, se o sangramento se iniciou nas últimas 3 horas (administrado durante 10 minutos), com uma segunda dose de 1 g por via endovenosa se o sangramento continuar após 30 min ou se o sangramento recomeçar dentro de 24 horas após completar a primeira dose;[33]

4. Administrar uterotônicos de segunda linha (metilergometrina, misoprostol);

5. Realizar massagem uterina ou compressão uterina bimanual nos casos de atonia até que demais medidas possam ser realizadas;

6. Manter a quantificação objetiva da perda sanguínea cumulativa durante todo o atendimento;

7. Corrigir o fibrinogênio se nível sérico inferior a 200 mg/dL (pelo método de Claus) ou A5 FIBTEM < 12mm (tromboelastometria rotacional);[34]

8. Fazer diagnóstico diferencial e tratar a causa do sangramento: 4Ts (tônus, tecido, trajeto, trombina);

9. Considerar medidas de preservação uterina, como sutura hemostática (técnica de B Lynch[31]) ou uso do balão intrauterino (balão de Bakri[30]) nos casos de persistência de sangramento por atonia uterina antes da realização da histerectomia;

10. Manter a paciente aquecida (medidas ativas como manta térmica e equipamentos para aquecimento de fluidos e hemocomponentes);

11. Corrigir o déficit de cálcio, íon importante para que a contratilidade uterina ocorra e que atua como cofator no processo da coagulação;[35]

12. Considerar iniciar a transfusão empírica (transfusão maciça) de hemocomponentes nos casos de grandes sangramentos com instabilidade hemodinâmica em que não é possível esperar o resultado dos exames laboratoriais.[36]

■ REPOSIÇÃO SANGUÍNEA E HEMODERIVADOS NA HEMORRAGIA PÓS-PARTO

No cenário obstétrico, em função da possibilidade de alto volume de sangramento, não é infrequente a necessidade de hemotransfusão. As estratégias para o controle da HPP devem levar em consideração as alterações fisiológicas da gestação (estado pró-trombótico) e diferenciar entre as causas de hemorragia obstétrica.

Ao final do terceiro trimestre da gestação, a paciente apresenta aumento dos fatores de coagulação, sendo o fibrinogênio o principal deles, podendo chegar até 100% dos valores iniciais do primeiro trimestre. Essas alterações são refletidas em TP e TTPa mais curtos e aumento da firmeza máxima do coágulo em testes viscoelásticos. O tipo, a gravidade e a rapidez do início da coagulopatia também parecem variar com a etiologia da HPP. A atonia uterina e o trauma cirúrgico ou do trato genital, quando prontamente atendidos e revertidos, não são frequentemente associados a coagulopatia significativa, enquanto em sangramentos prolongados, ou nos casos de descolamento prematuro da placenta, ocorre um proeminente consumo de fatores de coagulação e plaquetas, levando a coagulopatia importante. Deve-se ter especial atenção quanto à coagulopatia dilucional, que se desenvolve secundária à ressuscitação volêmica, quando os hemocomponentes são substituídos exclusivamente por soluções cristaloides. A diluição resultante de todos os fatores de coagulação afeta a produção de trombina e leva a uma queda no fibrinogênio, afetando a força do coágulo.

Preferencialmente, deve-se guiar a terapêutica por exames laboratoriais convencionais ou, se disponíveis, testes *point-of-care* e testes viscoelásticos (em que o resultado é obtido mais rápido e a avaliação da coagulação é mais precisa), no entanto, quando a magnitude do sangramento é maior do que o tempo necessário para o preparo dos hemocomponentes (tipagem e prova cruzada), além do tempo necessário para a realização e o resultado dos exames laboratoriais para guiar a terapêutica, a transfusão empírica deve ser iniciada.[36] A literatura é bastante divergente quanto aos pacotes de transfusão empírica, portanto, durante a tomada de decisões, é preciso levar em consideração a possível etiologia do sangramento. No cenário obstétrico, o principal componente sanguíneo a ser reposto é o concentrado de hemácias seguido da reposição de fibrinogênio. A necessidade de outros fatores de coagulação presentes no plasma fresco congelado é rara.[37]

Concentrado de Hemácias

A maioria dos protocolos sugere uma estratégia restritiva para manter a hemoglobina em níveis entre 7 e 8 g/dL (hematócrito 21% a 24%) em pacientes estáveis e com o sangramento controlado. Deve-se ter especial atenção quanto a resultados laboratoriais no início da HPP, em que a paciente que ainda não foi ressuscitada volemicamente pode estar consideravelmente hemoconcentrada, o que leva algumas diretrizes a recomentar o uso desse parâmetro com cautela. Nesse contexto, o uso de lactato e do *base excess* como marcadores de ressuscitação pode ser uma estratégia adequada. Em uma paciente de 70 kg, é esperado que uma única bolsa de concentrado de hemácias eleve a hemoglobina em 1 g/dL e o hematócrito, em aproximadamente 3% a 4%.[7]

Fibrinogênio

É o principal fator de coagulação (80% dos fatores de coagulação), e baixos níveis estão relacionados com maior risco de hemorragia obstétrica. Existem duas formas de reposição de fibrinogênio: mediante a administração do concentrado de fibrinogênio ou a aplicação do crioprecipitado. As grandes vantagens do concentrado de fibrinogênio são ser este um produto prontamente disponível e elevar os níveis de fibrinogênio sérico de forma mais rápida e eficaz do que o crioprecipitado, além de ser considerado um hemoderivado com maior segurança biológica. Deve-se repor fibrinogênio para atingir a meta de 200 mg/dL ou A5 FIBTEM > 12 mm (tromboelastometria rotacional) na população obstétrica.[34]

Plasma

Uma grande controvérsia atual no controle da hemorragia obstétrica é a transfusão de plasma. Pacotes de transfusão maciça colocam esse componente sanguíneo como essencial, no entanto a maioria das pacientes que recebem o plasma nesse momento inicial do sangramento não apresenta alteração da coagulação. A administração de plasma sem o conhecimento prévio dos níveis de fibrinogênio, TP e TTPa leva à diluição dos fatores de coagulação como fibrinogênio circulante, FVIII e von Willebrand. A transfusão precoce de plasma (durante os primeiros 60 minutos de HPP persistente) não foi associada a resultados maternos adversos em comparação com nenhuma ou posterior transfusão de plasma, independentemente da gravidade da HPP.[38]

Quando houver alteração da coagulação significativa na qual TP e TTPa estiverem prolongados, devem-se primeiramente corrigir os níveis de fibrinogênio antes de se considerar a transfusão de plasma. Em caso de reposição empírica durante a transfusão maciça, alguns autores sugerem o uso do plasma somente após a administração de 4 a 6 unidades de concentrado de hemácias.

Plaquetas

É recomendado manter o nível das plaquetas acima de 50 mil/mm³ durante uma hemorragia pós-parto. A maior parte das pacientes não necessitará de transfusão de plaquetas, no entanto essa necessidade é provável em mulheres com diagnóstico de trombocitopenia antes da HPP ou naquelas que experimentaram situações de consumo como coagulopatia por embolia de líquido amniótico ou descolamento prematuro da placenta.

Uma unidade de aférese de plaquetas é o equivalente padrão de 5-6 unidades de plaquetas combinadas derivadas de sangue total e pode aumentar a contagem de plaquetas em uma paciente de 70 kg em aproximadamente 40-50.000/uL. As metas terapêuticas transfusionais estão resumidas na Figura 131.2.

Embora transfusões precoces salvem vidas e, em teoria, ajudem a atingir a hemostasia mais rapidamente, a aplicação de múltiplas unidades de hemoderivados pode estar associada a maior incidência de complicações relacionadas com a transfusão, que incluem hipercalemia, toxicidade pelo citrato, imunomodulação relacionada com a transfusão, sobrecarga circulatória relacionada com transfusão (TACO), lesão renal, lesão pulmonar aguda relacionada a transfusão (TRALI), reações não hemolíticas febris e reação transfusional hemolítica aguda. Por esse motivo, sempre que possível, a terapia transfusional deve ser guiada por metas.[39]

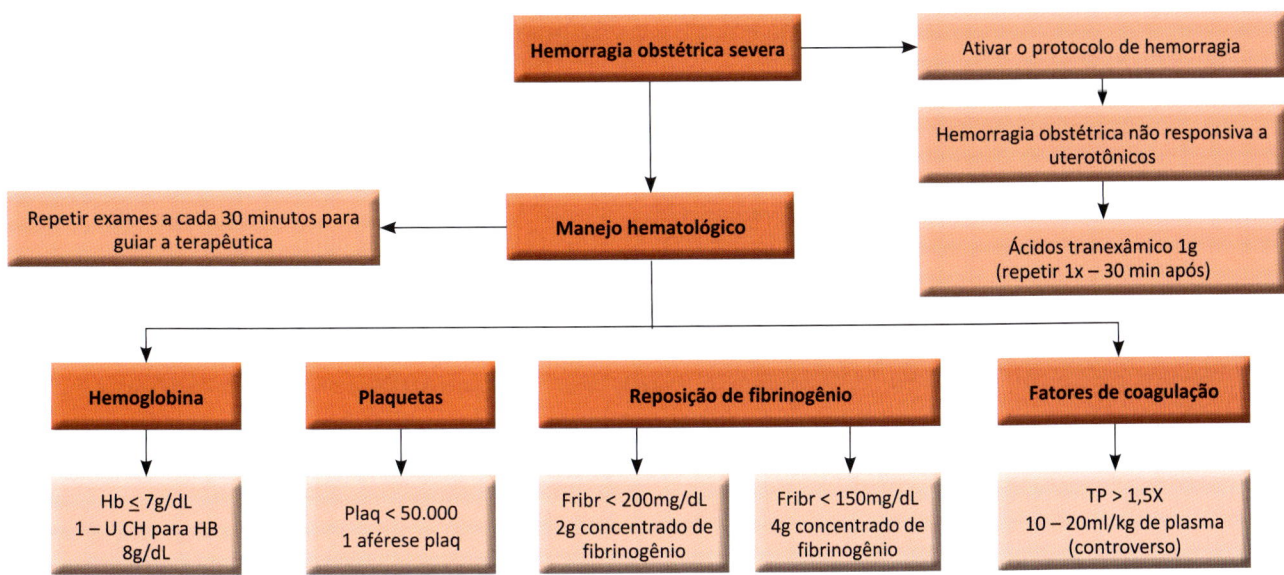

▲**Figura 131.2** Metas terapêuticas transfusionais.
Hb: hemoglobina; CH: concentrado de hemácias; Plaq: plaquetas; Fibr: fibrinogênio; TP: tempo de protrombina.
Fonte: Adaptada do Duke Medicine obstetric massive transfusion protocol.

REFERÊNCIAS BIBLIOGRÁFICAS

1. WHO, UNICEF, UNFPA, World Bank Group and UNDESA/Population Division. Trends in maternal mortality: 2000 – 2020: estimates by WHO, UNICEF, UNFPA, World Bank Group and UNDESA/Population Division.
2. Say L, Chou D, Gemmill A, Tunçalp Ö, Moller AB, Daniels J, et al. Global causes of maternal death: a WHO systematic analysis. Lancet Glob Health. 2015 Jun;2(6):e323-33.
3. Main EK, Goffman D, Scavone BM, Low LK, Bingham D, Fontaine PL, et al. National Partnership for Maternal Safety: consensus bundle on obstetric hemorrhage. Anesth Analg. 2015 Jul;121(1):142-148.
4. Scavone B. Antepartum and postpartum hemorrhage. In: Chestnut D, Wong C, Tsen L, Ngan Kee WD, Beilin Y, Mhyre J. Chestnut's obstetric anesthesia: principles and practice. 5. ed. Philadelphia: Elsevier; 2014. 881-913.
5. Committee on Practice Bulletins-Obstetrics. ACOG Practice Bulletin No. 183. Postpartum hemorrhage. Obstet Gynecol 2017;130:e168e86.
6. Hamm RF, Wang EY, Bastek JA, Srinivas SK. Assessing reVITALize: should the de!nition of postpartum hemorrhage differ by mode of delivery? Am J Perinatol 2017;34:503e7.
7. Committee on Practice Bulletins-Obstetrics. Practice Bulletin No. 183: Post-partum hemorrhage. Obste Gynecol. 2017;130(4):e168-e186.
8. Katz D, Beilin Y. Disorders of coagulation in pregnancy. Br J Anaesth. 2015 Dec;115 Suppl 2:ii75-88.
9. Barash PG, Cahalan MK, Cullen BF, Stock MC, Stoelting RK, Ortega R, et al. Clinical Anesthesia. 8. ed. Philadelphia: Wolters Kluwer; 2017.
10. Lagrew D, McNulty J, Sakowski C, Cape V, McCormick E, Morton CH. Improving Health Care Response to Obstetric Hemorrhage, a California Maternal Quality Care Collaborative Toolkit, 2022.
11. Kramer MS, Berg C, Abenhain H, Dahhou M, Rouleau J, Mehrabadi A, et al. Incidence, risk factors and temporal trends in severe postpartum hemorrhage. Am J Obstet Gynecol 2013;209:449.e1-7.
12. Collins SL, Alemdar B, van Beekhuizen HJ, Bertholdt C, Braun T, Calda P, et al. Evidence-based guidelines for the management of abnormally invasive placenta: recommendations from the International Society for Abnormally Invasive Placenta. Am J Obstet Gynecol 2019;220:511-26.
13. Kumaraswami S, Butwick A. Latest advances in postpartum hemorrhage management. Best Pract Res Clin Anaesthesiol. 2022 May;36(1):123-134.
14. Natrella M, Di Naro E, Loverro M, Benshalom-Tirosh N, Trojano G, Tirosh D, et al. The more you lose the more you miss: accuracy of postpartum blood loss visual estimation. A systematic review of the literature. J Matern Fetal Neonatal Med 2018;31:106e15.
15. Lee SY, Kim HY, Cho GJ, Hong SC, Oh MJ, Kim HJ. Use of the shock index to predict maternal outcomes in women referred for postpartum hemorrhage. Int J Gynaecol Obstet. 2019 Feb;144(2):221-224.
16. Görlinger K, Pérez-Ferrer A, Dirkmann D, Saner F, Maegele M, Calatayud AAP, et al. The role of evidence-based algorithms for rotational thromboelastometry-guided bleeding management. Korean J Anesthesiol. 2019 Aug;72(4):297-322.
17. Berend K. Diagnostic Use of Base Excess in Acid-Base Disorders. N Engl J Med. 2018 Apr 12;378(15):1419-1428.
18. Sohn CH, Kim YJ, Seo DW, Won HS, Shim JY, Lim KS, et al. Blood lactate concentration and shock index associated with massive transfusion in emergency department patients with primary postpartum haemorrhage. Br J Anaesth. 2018 Aug;121(2):378-383.
19. Soares ECS, Osanan GC, Bastos CO. Anestesia nas síndromes hemorrágicas da gestação. In: Cangiani LM, Carmona MJC, Ferez D, Bastos CO, Duarte LTD, CangianinLH, et al. Tratado de anestesiologia SAESP. 9. ed. São Paulo: Editora dos Editores; 2021.
20. Ajeje R. Descolamento prematuro da placenta. In: Manual SOGIMIG de emergências obstétricas. Rio de Janeiro: MEC Ltda.; 2015. 327-33
21. Lydon-Rochelle M, Holt VL, Easterling TR, Martin DP. Risk of uterine rupture during labor among women with a prior cesarean delivery. N Engl J Med. 2001;345(1):3-8.
22. Rafi J, Khalil H. Maternal morbidity and mortality associated with retroperitoneal haematomas in pregnancy. JRSM Open. 2018;9. 2054270417746059.
23. Butwick AJ, Coleman L, Cohen SE, Riley ET, Carvalho B. Minimum effective bolus dose of oxytocin during elective Cae-sarean delivery. Br J Anaesth. 2010;104(3):338-43.
24. Begley CM, Gyte GM, Devane D, McGuire W, Weeks A. Active versus expectant management for women in the third stage of labour. Cochrane Database Syst Rev. 2011;(11):CD007412.
25. Jonsson M, Hanson U, Lidell C, Norden-Lindeberg S. ST depression at caesarean section and the relation to oxytocin dose. A randomized controlled trial. BJOG. 2010;117(1):76-83.
26. Lewis G, Drife J. Why Mothers Die 1977-1999. The confidential inquiries into maternal deaths in the United Kingdom. London, England: RCOG Press; 2001.
27. Hersh AR. Carroli G, Hofmeyr GJ, Garg B, Gülmezoglu M, Lumbiganon, et al. Third stage of labor: evidence-based practice for prevention of adverse maternal and neonatal outcomes. Am J Obstet Gynecol. 2024 Mar;230(3S):S1046-S1060.e1.
28. Vallera C, Choi LO, Cha CM, Hong RW. Uterotonic medications: oxytocin, methylergonovine, carboprost, misoprostol. Anesthesiol Clin. 2017;35:207-19.
29. Bakri YN, Amri A, Abdul Jabbar F. Tamponade-balloon for obstetrical bleeding. Int J Gynaecol Obstet. 2001;74(2):139-42.
30. Brown HL, Okeyo S, Mabeya H, Wilkinson J, Schmitt J. The Bakri tamponade balloon as an adjunct treatment for refractory postpartum hemorrhage, Int J Gyneco Obstet 2016 Dec;135(3):276-280.
31. B-Lynch C, Coker A, Lawal AH, Abu J, Cowen MJ. The B-Lynch surgical technique for the control of massive postpartum haemorrhage: an alternative to hysterectomy? Five cases reported. Br J Obstet Gynaecol. 1997;104(3):372-5.
32. Nagahama G, Vieira LC, Jover PB, Leite GKC, Watanabe EK, Almeida SM, et al. O controle da hemorragia pós-parto com a técnica de sutura de B-Lynch: série de casos. Rev Bras Ginecol Obstet. 2007;29:120-5.
33. WOMAN Trial Collaborators. Effect of early tranexamic acid administration on mortality, hysterectomy, and other morbidities in women with post-partum haemorrhage (WOMAN): an international, randomised, double-blind, placebo-controlled trial. Lancet. 2017 May 27;389(10084):2105-2116.
34. Vermeulen T, Van de Velde M. The role of fibrinogen in postpartum hemorrhage. Best Pract Res Clin Anaesthesiol. 2022 Dec;36(3-4):399-410.
35. Epstein D, Solomon N, Korytny A, Marcusohn E, Freund Y, et al. Association between ionised calcium and severity of postpartum haemorrhage: a retrospective cohort study. Br J Anaesth. 2021 May;126(5):1022-1028.
36. Green L, Knight M, Seeney F, Hopkinson C, Collins PW, ColliS RE, et al. The haematological features and transfusion management of women who required massive transfusion for major obstetric haemorrhage in the UK: a population based study. Br J Haematol 2016;172: 616e24.
37. Waters JH, Bonnet MP. When and how should I transfuse during obstetric hemorrhage? Int J Obstet Anesth. 2021 May;46:102973.
38. Henriquez DDCA, Caram-Deelder C, le Cessie S, Zwart JJ, van Roosmalen JJM, et al; TeMpOH-1 Research Group. Association of Timing of Plasma Transfusion With Adverse Maternal Outcomes in Women With Persistent Postpartum Hemorrhage. JAMA Netw Open. 2019 Nov 1;2(11):e1915628.
39. Vasudev R, Sawhney V, Dogra M, Raina TR. Transfusion-related adverse reactions: from institutional hemovigilance effort to National Hemovigilance program. Asian J Transfus Sci. 2016;10:31-36.

132

Anestesia na Gestante Cardiopata

Fernando Souza Nani

INTRODUÇÃO

O número de gestantes com cardiopatia está constantemente aumentando no mundo, correspondendo a cerca de 4% das gestações, muito pelo aumento da sobrevida das pacientes com cardiopatia congênita que atingem a idade fértil em condições de planejar a formação familiar. Contudo, outra via também é responsável por parte importante do aumento da incidência de cardiopatia na gestação, composta pelo aumento de fatores de risco para doenças cardiovasculares em pacientes cada vez mais jovens, que muitas vezes chegam na fase reprodutiva com deterioração cardiovascular estabelecida.[1]

Nos países não desenvolvidos, associam-se ainda as cardiopatias adquiridas tradicionalmente conhecidas; como as lesões valvares infecciosas, e que infelizmente mantêm índices elevados pela precária estrutura de atenção básica à saúde.

Atualmente, em nosso país, apesar de o foco ainda estar direcionado para a mortalidade materna por hemorragia e pré-eclâmpsia, devemos cada vez mais colocar luz sobre as causas cardiovasculares de mortalidade materna pela sua tendência de crescimento; em todas as classes étnicas e sociais, mas principalmente na população socioeconomicamente frágil. No Brasil, os dados são incertos e essa estatística é atrasada; contudo, em 2022 estima-se que cerca de 7,3% das mortes maternas tenham decorrido de causas cardiovasculares.[2] Nos países desenvolvidos a mortalidade de gestantes por causas cardiovasculares apresenta-se abaixo de 10 por 100.000 gestações, com exceção dos Estados Unidos que apresenta taxa superior a 17 por 100.000 gestações.[3]

A complexidade da fisiologia da gestação associada as alterações presentes nas cardiopatias demandam, quase que obrigatoriamente, uma abordagem multidisciplinar para essas pacientes com o objetivo de coordenar condutas e diminuir complicações durante todo o período gestacional e puerpério (Tabela 132.1). Nesse sentido, o tema será abordado com o foco multiprofissional e situando o anestesiologista em todas as fases dessa abordagem, tendo em vista que reconhecidamente a nossa especialidade apresenta papel fundamental na diminuição de complicações e na mortalidade materna.[4]

Tabela 132.1 Morte materna por causas cardiovasculares em números absolutos (Brasil).

2019	2020	2021	2022	2023
130	111	119	100	94

Fonte: acesso em: 14 abril 2024. Disponível em: https://svs.aids.gov.br/daent/centrais-de-conteudos/paineis-de-monitoramento/mortalidade/materna/

ALTERAÇÕES FISIOLÓGICAS DA GESTAÇÃO E IMPLICAÇÕES NA GESTANTE CARDIOPATA

As alterações fisiológicas da gestação, principalmente a sobrecarga volêmica e cardiovascular, têm o potencial de precipitar a descompensação de cardiopatias pré-estabelecidas nas gestantes e ao mesmo tempo podem apresentar os sinais clínicos diagnósticos para mulheres que previamente não sabiam do diagnóstico de cardiopatia. Além disso, algumas cardiopatias podem ainda sofrer grande impacto das restrições ao sistema respiratório e das alterações no sistema de coagulação com aumento de riscos e complicações.

Na Tabela 132.2 apresentam-se as principais alterações fisiológicas nas gestantes, das quais grande parte pode ser desencadeadora de sintomas, piora da capacidade funcional e complicações.

Tabela 132.2 Alterações fisiológicas da gestação.	
Volume plasmático	Aumento de até 40%
Frequência cardíaca	Aumento de cerca de 15 bpm
Débito cardíaco	Aumento de 30 a 50%
Resistência vascular sistêmica	Redução de 20 a 30%
Resistência vascular pulmonar	Redução de 30%
Pressão venosa central	Inalterada
Pressão venosa de membros inferiores	Aumento de 15%
Consumo de oxigênio	Aumento de 50%
Capacidade residual funcional	Redução de 25%
pH	7,40 – 7,47
pCO$_2$	30 – 32 mmHg
HCO3	18 – 21 mEq/L
Base excess	3 a 4 mEq/L

O grande aspecto a ser observado com tais alterações fisiológicas, é o fato de que muitos dos sinais e sintomas apresentados podem ser confundidos com os sintomas usuais de qualquer gestação. Por isso um olhar cuidadoso das equipes de atendimento no pré-natal pode ser valoroso no diagnóstico de alterações clínicas, bem como no seguimento das gestantes com o direcionamento preciso para centros de referência.

Sintomas como diminuição da capacidade física ao exercício, dispneia, cansaço, palpitações, tontura, ortopneia, edema de membros inferiores, hiperventilação, distensão jugular, estertores pulmonares basais e *ictus cordis* mais à esquerda podem ser comuns na avaliação clínica da gestante sem comorbidades e esse fato pode gerar imensa confusão na condução de tais gestantes[5] se não observados por uma equipe experiente; logo, em qualquer dúvida diagnóstica, é importante o direcionamento para grupos especializados.

A rotina propedêutica para as gestantes com suspeita de insuficiência cardíaca deve incluir exames subsidiários laboratoriais básicos, muitas vezes já solicitados em um pré-natal usual; como hemograma, eletrólitos, função renal, função tireoidiana e função hepática; ECG de 12 derivações para identificação de arritmias e distúrbios de condução; radiografia de tórax para avaliação da área cardíaca e congestão pulmonar; e como exame mais importante o ecodopplercardiograma transtorácico bidimensional (ECO), por apresentar baixo risco e maior disponibilidade que outros métodos mais complexos, e pouco indicados na gestação (ecotransesofágico, ressonância magnética cardíaca, cintilografia de perfusão miocárdica, PETscan, angiotomografia de coronárias e teste ergométrico). O ECO avalia disfunções estruturais, incluindo anormalidade do miocárdio, das valvas e do pericárdio, além de avaliar aspectos hemodinâmicos.

A validade do BNP como marcador de insuficiência cardíaca na gestação também é bem estabelecida, e os valores acima de 100 pg/mL contribuem para dar poder no diagnóstico de insuficiência cardíaca e facilitar a diferenciação diagnóstica contra outras suspeitas, incluindo as alterações fisiológicas gestacionais. A incorporação de níveis de BNP seriados, na prática clínica pode ser útil, especificamente nas gestantes de maior risco.[1,6]

■ AVALIAÇÃO ANESTÉSICA E *PREGNANCY HEART TEAM*

A solicitação da avaliação anestésica pode ser indicada desde o planejamento familiar de uma mulher cardiopata que deseje gestar, durante todo o período gestacional e até como suporte no manejo puerperal; seja ambulatoriamente ou para pacientes que ainda estejam internadas no período gestacional e puerpério. O planejamento anestésico e de todas as outras condutas, incluindo via de parto, monitorização, fármacos mais indicados, fluxo para resolução de prováveis complicações e necessidade de terapia intensiva no pós parto; deve ser determinado formalmente entre 32 e 34 semanas de gestação.[7] O objetivo é que a paciente seja admitida para o parto com essas orientações consolidadas, afim de reduzir o estresse das equipes nas situações de urgência e obter tempo hábil para a disponibilização de estrutura adequada para o atendimento da gestante de maneira segura.

Nesse contexto, o anestesiologista insere-se no conceito de *Pregnancy Heart Team*, que nada mais é do que a formação de times de especialistas que coordenam de forma individualizada o aconselhamento pré-conceptual, estratificação de risco, planejamento e formação de um núcleo multidisciplinar visando o atendimento do parto e possíveis complicações no período gestacional. Normalmente essa equipe conta com os seguintes profissionais:

- Obstetra
- Cardiologista
- Anestesiologista
- Intensivista
- Enfermeiras (obstetriz e intensivista)
- Especialistas em áreas específicas para situações especiais

Especificamente relacionado com a assistência anestésica é interessante a associação de anestesistas obstétricos e cardiotorácicos na composição de condutas em situações desafiadoras como as apresentadas na Tabela 132.3. A associação de especialistas que tenham boa visão obstétrica e cardiovascular confluem para um cenário em que seja possível a diminuição de partos com anestesia geral, condutas customizadas para cada paciente e fluxos sólidos de atendimento para possíveis complicações.

Tabela 132.3 Lesões com maior complexidade para o manejo anestésico.
Insuficiência cardíaca esquerda ou direita graves
- Ventrículo direito sistêmico com disfunção ventricular moderada ou grave
- Fontan com complicações
- Insuficiência cardíaca sintomática, ainda mais se piorada por pré-eclâmpsia
- Estenoses aórtica ou mitral graves
- Presença de dispositivos de suporte cardiovascular avançado (p. ex., ECMO)
- PSAP > 50 mmHg, HP com disfunção de VD ou HP com cianose
- Gestante cardiopata com instabilidade hemodinâmica

ECMO: *extracorporeal membrane oxygenation*; PSAP: pressão sistólica de artéria pulmonar; HP: hipertensão pulmonar; VD: ventrículo direito.
Fonte: modificada de Meng *et al.* Anesthetic Care of the Pregnant Patient with Cardiovascular Disease.

Toda a complexidade na coordenação do suporte e seguimento de tais pacientes, não faz sentido sem o entendimento da conexão entre alterações fisiológicas da gestação, lesões anatomofuncionais das cardiopatias e momentos específicos gestacionais com maior risco. A seguir é mostrado um organograma básico com as complicações mais frequentes no periparto para as pacientes em geral (Figura 132.1).

■ ESTRATIFICAÇÃO DE RISCO

Sem uma avaliação de risco prévia, toda a coordenação e planejamento ficam prejudicados. Existem alguns modelos de estratificação de risco com diferenças específicas entre eles, contudo o modelo da Organização Mundial de Saúde modificado (WHOm) parece ser o melhor para *screening* global de complicações maternas, com base no conhecimento cumulativo do risco de lesões específicas. Os outros modelos (CARPREG I, CARPREG II, ZAHARA, HARRIS e KHAYRI) findam por identificar o risco individual da gestante com base na soma de fatores de risco, contudo com limitações específicas de cada um deles.[9]

As grandes dificuldades desses modelos é a individualização da estimativa de risco por basear-se em modelos populacionais, a dificuldade em determinar a magnitude da doença cardiovascular e sua baixa acurácia em diferenciar eventos moderados e graves que necessitem de manejo específico.

Para se entender as limitações e características de alguns desses escores, podemos exemplificar a utilização de grande percentual de pacientes com cardiopatia congênita em países com alto nível social nos escores de ZAHARA e CARPREG II,[10] dificultando sua generalização. Os mesmos escores podem superestimar riscos em pacientes de risco intermediário e alto risco, em contrapartida o escore da WHOm pode subestimar risco em países de renda intermediária ou baixa renda, além de apresentar um olhar generalista para a cardiopatia de base.[11]

A seguir serão apresentados os escores de CARPREG II (Tabela 132.4) e WHOm (Tabela 132.5).

A análise de risco com base nos escores apresentados anteriormente, apesar de ser potencialmente falha, provê um ponto de início fundamental para o delineamento de condutas relacionados com o planejamento familiar, direcionamento do seguimento em centros de referência, frequência de consultas necessárias no pré-natal, decisão quanto ao encaminhamento para unidades de tratamento intensivo no puerpério imediato e fluxo para seguimento pós-natal. Importante salientar que a avaliação da classe funcional das pacientes, independente da alteração anatômica ou funcional especificamente documentada, é um dos pontos importantes de tais avaliações.

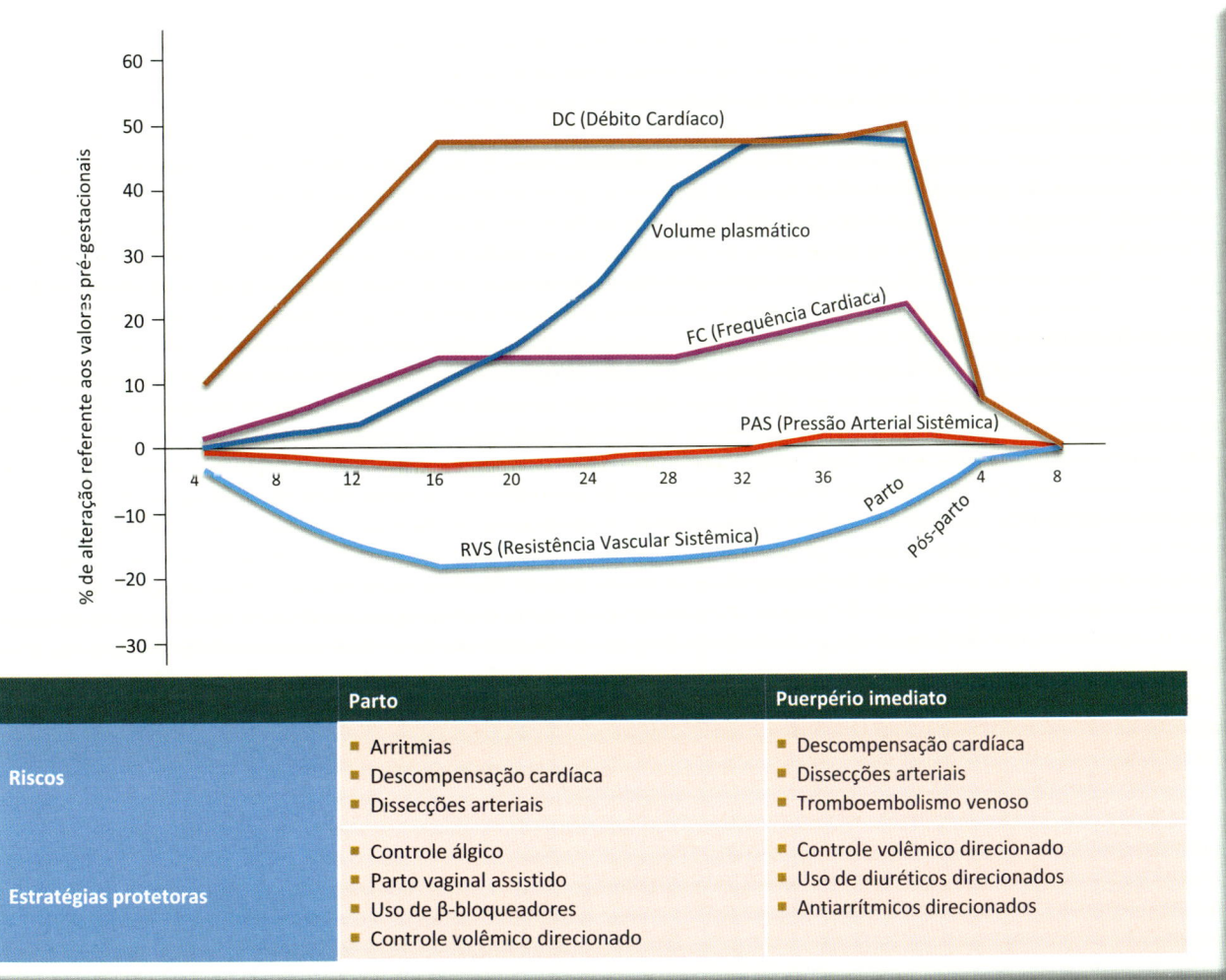

▲ **Figura 132.1** Alterações hemodinâmicas na gestação e possíveis complicações periparto.[8]

Tabela 132.4 Escore CARPREG II.[10]

Preditor	Pontos
Evento cardíaco anterior ou arritmias	3
Classe funcional (NYHA) 3-4 ou cianose	3
Valva mecânica	3
Disfunção ventricular sistêmica	2
Lesão valvar de alto risco / Obstrução da via de saída ventricular esquerda	2
Aortopatia de alto risco	2
Hipertensão pulmonar	2
Doença arterial coronariana	2
Sem intervenções cardíacas prévias	1
Acesso tardio ao pré-natal	1

Risco predito com base nos pontos avaliados:
- Escore 1 ponto – 5%
- Escore 2 pontos – 10%
- Escore 3 pontos – 15%
- Escore 4 pontos – 22%
- Escore > 4 pontos – 41%

Tabela 132.5 Classificação de Risco Modificada da Organização Mundial de Saúde (WHOm).[12]

Classificação de risco	Lesão cardiovascular
I Baixo potencial de aumento de risco	Estenose pulmonar moderada não complicada Defeito do septo ventricular Ducto arterioso patente Prolapso de valva mitral sem repercussões Lesões simples reparadas com sucesso Defeitos do septo atrial ou ventricular Ducto arterioso patente Drenagem venosa pulmonar anômala Extrassístoles ventriculares isoladas e batimentos atriais ectópicos
II Aumento de risco baixo ou moderado	Defeito do septo atrial ou venoso não corrigido Tetralogia de Fallot reparado Maioria das arritmias
II – III Risco dependente do paciente	Cardiomiopatia hipertrófica Valvopatias nativas, exceto se em WHOm I ou IV Coarctação reparada Síndrome de Marfan sem dilatação de aorta Valva aórtica bicúspide com aorta < 45 mm Disfunção ventricular moderada Transplante cardíaco
III Aumento de risco significativo de morbimortalidade, requer atendimento especializado em todo período gestacional e periparto	Valva mecânica Ventrículo direito sistêmico Circulação de Fontan Lesões cardíacas cianóticas não reparadas Outras cardiopatias congênitas complexas Síndrome de Marfan com aorta 40-45 mm Valva aórtica bicúspide com aorta 45-50 mm
IV Gestação contraindicada pelo risco extremo de mortalidade	Hipertensão pulmonar Síndrome de Eisenmenger Fração de ejeção (FE) sistêmica < 30% Disfunção ventricular com NYHA III ou IV Estenose mitral grave Estenose aórtica grave sintomática Síndrome de Marfan com aorta > 45 mm Valva aórtica bicúspide com aorta > 50 mm Coarctação de aorta nativa Cardiomiopatia periparto prévia com qualquer disfunção ventricular residual

NYHA: classe funcional pela New York Heart Association.

As pacientes com WHOm I realizam pré-natal usual e não necessitam de encaminhamento para centros avançados. A partir da classe II, as pacientes passam a necessitar, pelo menos, da opinião de especialistas; contudo sem a obrigatoriedade de encaminhamento para centros especializados para a resolução do parto, desde que compensadas e tolerando bem as alterações gestacionais. Já as classes III e IV devem, não apenas, ter um direcionamento para o acompanhamento com equipe de especialistas, mas também a necessidade de coordenação para a realização do parto em centros especializados com suporte para radiologia intervencionista, ECMO (*extracorporeal membrane oxygenator*) e unidade de terapia intensiva especializadas no manejo de gestantes cardiopatas.[13]

■ ESCOLHA DA VIA DE PARTO

Apesar de todas as classificações de risco vigentes e entendimento das graves consequências da gestação em algumas cardiopatias devemos respeitar as escolhas individuais de cada gestante em prosseguir ou não com a gestação nas cardiopatias graves, ofertando suporte técnico, clínico e psicológico adequados; e respeitando suas crenças e valores que fundamentam estas decisões individuais. Diante do exposto é fundamental entendermos a importância da indicação obstétrica da via de parto que deve basear-se num tripé fundamentado nos riscos obstétricos, cardiovasculares e neonatais; para assim, decidirmos conjuntamente com a equipe multiprofissional as melhores opções anestésicas para cada caso e nos posicionarmos de forma racional como um agente de ampla visão sobre todos os processos desse parto tão complexo.

Na maioria das vezes, o fator de maior peso para a decisão da via de parto é a indicação obstétrica. As pacientes que chegam ao termo, ou muito próximo a ele, beneficiam-se com o parto vaginal pelo menor risco de complicações obstétricas, como a hemorragia, e, principalmente, por permitir mudanças hemodinâmicas mais graduais e controladas no momento do parto; e, para isso, a analgesia de parto torna-se fator preponderante para o sucesso. Muitas das condutas obstétricas usualmente utilizadas para indução de parto e condução do mesmo, podem ser utilizadas nas gestantes cardiopatas sem observar aumento de desfechos negativos, como a utilização de misoprostol para indução de parto vaginal, assim como os métodos de Krause, amniotomia e ocitocina.[1,14,15]

A grande preocupação no parto vaginal é a Valsalva, decorrente dos puxos, para o nascimento do neonato e, em muitas doenças cardiovasculares, essa manobra pode ser deletéria; como nas pacientes com hipertensão pulmonar, disfunções ventriculares e circulação de Fontan, e, por isso, em todos os partos das gestantes cardiopatas deve-se discutir a viabilidade dessas manobras de forma prolongadas ou forçadas. A Valsalva pode diminuir significativamente a pré-carga com efeito extremamente deletério para as alterações valvares estenóticas aórtica e mitral, assim como na cardiomiopatia hipertrófica, principalmente com perfil obstrutivo. Outra consequência dessa manobra é a tensão imputada na raiz aórtica que pode ter grande efeito deletério nas aortopatias, com a precipitação de eventos súbitos.[1,3,16]

A assistência para o segundo estágio do trabalho de parto deve ser obrigatória quando houver risco para a gestante, e pode incluir manobras e condutas obstétricas para encurtar e facilitar o período expulsivo; como a tração controlada do cordão pós-nascimento e o uso de uterotônicos para prevenção primária de hemorragia que será apresentado mais a frente.[1,14,17]

A indicação de cesariana é guiada pelas clássicas recomendações obstétricas, alto risco de descompensação cardiológica no momento do parto, nas aortopatias de alto risco como indicado na Tabela 132.6; e, em alguns casos excepcionais, para uma melhor coordenação no manejo da paciente. Potencialmente, pode haver maior indicação de cesariana nas gestantes cardiopatas em uso de anticoagulantes na gestação e no momento do parto, pois além de apresentar um risco de sangramento obstétrico grave independentemente da via de parto, risco de hematoma espinal, há um risco neonatal ainda mais grave de hemorragia cerebral nos partos vaginais de pacientes em uso de anticoagulantes orais, associado à compressão cefálica.[18,19]

Ponto a ser observado, e de fundamental importância, é que não há evidência alguma que suporte a decisão de indicar rotineiramente cesarianas eletivas como meio de diminuição das complicações materno-fetais; inclusive demonstrando aumento dos riscos neonatais.[20] O seguimento contínuo do trabalho de parto, com suporte adequado e respeitando os limites psicológico, clínico e individuais materno e fetal, deve ser constantemente observado com o intuito de não objetivar o parto vaginal a qualquer custo, tendo em vista que a indicação de cesariana com base em premissas corretas e no momento adequado pode trazer bons desfechos às pacientes, em algumas situações. Demonstra-se aumento de risco nas cesarianas indicadas depois de 24 horas de trabalho de parto nas cardiopatias congênitas em estudo realizado por McCoy *et al.* (2023), e é possível que esse efeito possa ser extrapolado para as outras gestantes cardiopatas.[21]

A melhor idade gestacional para o nascimento também é algo controverso, tendo em vista a complexidade de cada caso; logo, a individualização deve ser regra. Idealmente, assim como nas pacientes sem comorbidades, deveria-se esperar ao

Tabela 132.6 Aortopatias e indicações de via de parto.[17]	
Possibilidade de parto vaginal	■ Aorta < 4 cm ■ Dilatação da aorta 4-4,5 cm
Provável benefício cesariana	■ Dilatação da aorta 4-4,5 cm (síndromes de Marfan, Ehler-Danlos, Loeys-Dietz) ■ Dilatação da aorta ≥ 4,5 cm
Recomendação de cesariana	■ Dissecção da aorta crônica ■ Dissecção tipo B (terapia medicamento + tratamento endovascular se indicado) ■ Dissecção aguda de aorta tipo A (T3) (cesariana emergência + cirurgia da aorta)
Cirurgia de aorta	■ Dilatação progressiva da aorta (eletiva) ■ Dissecção aguda de aorta tipo A (T1-T2) (emergência)
Individualizar conduta	■ Dissecção da aorta tipo A + IG 24-28 sem

menos 39 semanas para o nascimento, sem que houvesse piora dos desfechos para as pacientes.[20,22] É claro que esse tipo de afirmação nos orienta assertivamente para buscarmos a maior idade gestacional possível para um bom desfecho neonatal, desde de que bem avaliados os riscos para a gestante e para o feto individualmente, e não a busca de uma idade gestacional arbitrária como único parâmetro definidor.

Muitos fatores apresentam-se como base importante para a avaliação do momento ideal para a realização do parto, dentre os quais a complexidade das lesões cardiovasculares maternas, a presença de anticoagulação na gestação, a classe funcional, os episódios de descompensação durante a gestação e a necessidade de intervenção cirúrgica cardiovascular materna. Quando necessário intervenção cirúrgica materna, é favorável ao feto a espera da viabilidade fetal e maior idade gestacional possível para a resolução do parto, tendo em vista que cirurgias cardíacas realizadas durante a gestação apresentam alto potencial de abortamento ou óbito fetal, principalmente na primeira metade da gestação.[23]

CARDIOPATIAS E SUAS PARTICULARIDADES

Cardiopatias Congênitas

Em nosso país há uma tendência no crescimento de gestantes portadoras de cardiopatia congênita, pela maior sobrevida obtida com os tratamentos atuais; contudo, isso pode se refletir no impacto das cardiopatias na mortalidade materna, por causas indiretas, podendo corresponder a quase um quinto delas.

Os planejamentos familiar e gestacional envolvem fatores estruturais da cardiopatia, as correções possivelmente realizadas, quadro clínico atual e a definição, por meio de exames diagnósticos, das alterações atuais ou residuais. A complexidade da história clínica e cirurgias prévias pode ser um fator de confusão na avaliação, o que torna fundamental procurarmos fatores de maior risco para complicações materno e fetais. A classificação da WHOm, válida para qualquer gestante cardiopata, nos guia e nos ajuda a definir as condutas mais adequadas (Tabela 132.7).

Tabela 132.7 Preditores de eventos cardiovasculares maternos.
Evento Cardiovascular Prévio (IC, AIT, AVC ou arritmia)
■ NYHA III ou IV
■ Obstrução de via de saída esquerda
■ Fração de ejeção < 40%
■ Redução da função ventricular subpulmonar (TAPSE < 16 mm)
■ Regurgitação de valva pulmonar
■ Hipertensão pulmonar
■ Fármacos para doença cardíaca pré-gestacional
■ Níveis de peptídeo natriurético
■ Tabagismo
■ Prótese valvar mecânica
■ Cardiopatia cianótica reparada ou não

IC: insuficiência cardíaca, AIT: ataque isquêmico transitório, AVC: acidente vascular cerebral, NYHA: New York Heart Association, TAPSE: *tricuspid anular plane systolic excursion*.

Fonte: Adaptada de Regitz-Zagrosek (2018) *et al.*

A síndrome de Eisenmenger é uma das mais graves comorbidades e tem mortalidade elevada, considerada de elevado risco para morte materna, com magnitude estimada em alguns centros de cerca de 50% durante a gravidez e o puerpério; contudo, com os avanços no manejo e *expertise* a mortalidade, pode cair abaixo do 40%.[24,25]

Do ponto de vista fisiopatológico, é um conjunto de alterações que cursa com *shunt* bidirecional, hipertensão pulmonar e cianose; a alteração vascular limita a adaptação cardiovascular às variações do débito cardíaco e queda da resistência vascular periférica durante a gravidez, parto e o puerpério; incluindo a anestesia. Insuficiência cardíaca aguda, crises de hipóxia e arritmias são os principais fatores de mortalidade, e a atenção deve ser mantida por todo o puerpério imediato e, possivelmente, por períodos tão longos quanto 90 dias, pelo risco de eventos tromboembólicos.[26] Associa-se ainda, risco adicional de trombocitopenia, deficiência dos fatores de coagulação dependentes de vitamina K, sangramento e alto risco fetal, principalmente relacionado com o grau de cianose.

A anestesia é desafiadora e com grande benefício para a realização de anestesia regional, bloqueio sequencial ou analgesia de parto precoce para as pacientes eleitas, pois permite titulação lenta e gradual da resistência vascular sistêmica. A anestesia geral reserva-se para situações de exceção, pois a vasodilatação sistêmica e depressão cardiovascular causada pelos anestésicos pioram o *shunt* direita-esquerda, além de se associar ao aumento da pressão intratorácica causado pela ventilação mecânica, e consequente diminuição da pré-carga.

Cerca de um terço das cardiopatias cianogênicas apresentarão complicações na gestação e no puerpério, e deve-se valorizar fortemente a saturação de oxigênio arterial como fator prognóstico. Baixos valores correlacionam-se com baixa sobrevida materna, fetal e neonatal, é possível que valores abaixo de < 85% apresentem taxas de nascidos vivos abaixo de 15%.[27,28]

Cardiopatias Congênitas Associada à Hipertensão Pulmonar

A interrupção no primeiro trimestre da gestação é recomendada para mulheres com hipertensão pulmonar (HP), incluindo a síndrome de Eisenmenger; entretanto, a decisão em manter a gravidez é totalmente da paciente. Internações programadas podem ser necessárias e alguns protocolos recomendam internação programada na 28ª semana de gestação, para checagem e ajuste de anticoagulação; oxigenioterapia, se saturação de oxigênio abaixo de 92%; controle de hipotensão; otimização farmacológica e programação das equipes para o parto futuro.[29]

Os inibidores de fosfodiesterase, como o sildenafil, são talvez o grupo de fármacos mais utilizados para tratamento da HP, apesar do potencial de causar hipotensão; outros fármacos são as prostaglandinas e os antagonistas do receptor de endotelina. Os antagonistas dos receptores da endotelina devem ser suspensos durante a gravidez.[1,7,30]

Cardiopatia com Comunicação Intracardíaca

A comunicação interatrial (CIA) é bem tolerada durante a gravidez, contudo arritmias supraventriculares ocorrem nas pacientes não operadas ou com correção tardia, e podem ser controladas com digoxina, betabloqueadores (propranolol ou metoprolol) ou antagonista dos canais de cálcio (verapamil), em doses baixas e tituladas. Quando a paciente apresentar fluxo do coração esquerdo para o direito deve-se avaliar correção percutânea, bem como para todas as pacientes deve-se avaliar a introdução de anticoagulação. Assim como a CIA, a comunicação interventricular (CIV) pequena ou corrigida pode ter bom desfecho no período gestacional, e sua evolução dependerá da magnitude do defeito, se há refluxo valvar e intensidade. Se esses fatores estiverem presentes, pode haver congestão pulmonar, arritmias e disfunção ventricular.

Tetralogia de Fallot

A cardiopatia cianogênica mais frequente é bem tolerada, pelas pacientes operadas durante o período gestacional. Os fatores de risco são a disfunção ventricular direita e a insuficiência pulmonar; adicionalmente, as arritmias cardíacas que eventualmente surgem no pós-operatório tardio são benignas.[31]

Anomalia de Ebstein

A cianose e a insuficiência cardíaca são os maiores marcadores de gravidade, bem como outros sinais indiretos como a insuficiência tricúspide e a disfunção ventricular direita. Mesmo em pacientes com correção cirúrgica prévia, pode haver arritmia deletéria no periparto. Essas pacientes são muito dependentes de pré-carga, e alterações súbitas podem desencadear hipotensão grave.[32] Nesse contexto, a analgesia precoce ou bloqueio sequencial podem ser benéficos.

Transposição das Grandes Artérias (TGA)

As gestantes que realizaram inversão atrial, pelas cirurgias de Senning ou Mustard, ou que realizaram a cirurgia de Jatene, apresentam boa tolerância para a gestação; quando se refere à dextro-TGA. Potencial riscos ocorrem na disfunção ventricular direita ou insuficiência tricúspide grave. Na levo-TGA, ou inversão ventricular, a gestação pode ser de maior risco, se houver disfunção ventricular sistêmica ou arritmias.[1,33]

■ CARDIOMIOPATIAS

São alterações miocárdicas anatomofuncionais com alto potencial de mortalidade, na ausência de causas bem definidas que justifiquem tais alterações. Elas são classificadas em hipertrófica, dilatada, restritiva, arritmogênica do ventrículo direito e não compactada; contudo resumiremos as principais.[34,35] A classificação de risco III e IV da WHOm reflete alguns espectros das cardiomiopatias como risco elevado.

No periparto, recomenda-se:

- uso criterioso de uterotônicos; contudo, com atenção à hemorragia puerperal;
- controle volêmico restrito às perdas no intraparto;
- analgesia adequada em todo o periparto;
- suporte em UTI nas primeiras 24 a 48 horas do puerpério imediato.

Cardiomiopatia Hipertrófica

A prevalência é baixa dessa alteração; contudo, com alta gravidade e grande potencial de aumento de risco com a gestação sobreposta. Por apresentar fenótipos diferentes, também apresenta grande variabilidade de taxa de complicações em diferentes estudos.[36,37] Quando a paciente apresenta-se com insuficiência cardíaca, arritmias ventriculares e histórico de morte súbita familiar o prognóstico é pior.

As complicações durante a gravidez são decorrentes de obstrução da via de saída do ventrículo esquerdo, disfunção diastólica e isquemia miocárdica. Dentre as arritmias mais frequentes, destacam-se extrassístoles atriais, taquiarritmias supraventriculares sustentadas e fibrilação atrial (FA), que favorecem a instabilidade hemodinâmica materna.[36,38] O risco de hereditariedade genética para o feto é real, por tratar-se de alteração com traço autossômico dominante, contudo não se consegue identificar anormalidade imediatamente no feto; e os sinais clínicos acabam aparecendo na adolescência.

Em pacientes sintomáticas, a conduta farmacológica inicial é o uso de betabloqueadores associados, ou não, aos antagonistas de cálcio, contudo na associação destes é importante observar a tolerância da paciente.

No parto vaginal, o uso de prostaglandinas para a indução do parto apresenta risco pelos seus efeitos vasodilatadores. A analgesia de parto precoce é mais uma vez um ponto favorável a ser reforçado, e nos casos em que a cesariana foi indicada; o bloqueio sequencial é a melhor escolha. A raquianestesia, como técnica única, não deve ser indicada pelo risco de alterações hemodinâmicas graves com consequência para a mãe e feto. A anestesia peridural ou raquidiana, em dose única e de maneira não gradual, deve ser contraindicada nas formas obstrutivas graves. Algumas pacientes podem desenvolver arritmias complexas com necessidade de avaliação por especialistas, inclusive com necessidade de cardiodesfibrilador interno (CDI).

Cardiomiopatia Periparto

É uma forma idiopática de cardiomiopatia que se manifesta com insuficiência cardíaca secundária à disfunção sistólica do ventrículo esquerdo, com FEVE (< 45%), em geral, no pós-parto ou abortamento, sem que haja outra causa definida. Novos conceitos sobre a etiopatogenia têm sido apresentados, envolvendo o estresse oxidativo, o desequilíbrio angiogênico e a prolactina na gênese da cardiomiopatia periparto (CMPP).[39,40] Como fatores de risco estão os espectros hipertensivos gestacionais, hipertensão arterial crônica, gestação múltipla, obesidade, tabagismo, diabetes, idade avançada, adolescência e uso prolongado de beta-agonistas.[41,42] As causas de morte materna são IC, arritmia ventricular e tromboembolismo, que ocorrem nos primeiros seis meses da doença ou mais tardiamente, o que pode causar a subnotificação da doença. Os sintomas clínicos abrangem dispneia, edema agudo dos pulmões, choque cardiogênico, arritmia grave e pode haver evento tromboembólico grave; além de parada cardíaca. O diagnóstico da doença é de exclusão e deve ser diferenciado de outras causas de descompensação puerperal; a desvalorização dos sintomas retarda o diagnóstico e prognóstico.

O peptídeo natriurético tipo B (BNP) e N-terminal-pro--BNP (BNP – pro) são marcadores que quando elevados, respectivamente acima de 100 pg/mL e 300 pg/mL, reforçam o diagnóstico; já que se normais; excluem o diagnóstico. Na ecocardiografia transtorácica (ETT) as imagens demonstram hipocinesia do ventrículo esquerdo, com fração de ejeção do ventrículo esquerdo (FEVE) abaixo de 45%, refluxos atrioventriculares e pode haver derrame pericárdico; sinais de pior gravidade associam-se a FEVE < 30% e diâmetro diastólico final do VE > 60 mm.

Além do suporte farmacológico com β-bloqueadores, diuréticos, digoxina e anticoagulantes; individualmente indicados, o uso de bromocriptina, ou cabergolina em sua ausência, mostrou benefício imediato e auxílio na recuperação tardia da disfunção ventricular. Eventos tromboembólicos podem acontecer durante o uso de bromocriptina, logo seu uso deve ser associado à anticoagulação.[43-45]

Utiliza-se o seguinte esquema de bromocriptina ou cabergolina:[45]

- **Bromocriptina:** 2,5 mg, 2 vezes ao dia, por 2 semanas, seguidas de 2,5 mg, 1 vez ao dia, durante 6 semanas;
- **Carbegolina:** 1 mg em dose única.

Em relação ao tratamento não farmacológico da CMPP, CDI, ressincronização cardíaca, dispositivos de assistência ventricular e transplante cardíaco são considerados. O transplante cardíaco é indicado em cerca de 10% dos casos de CMPP nas pacientes que não apresentam recuperação após 12 meses com suporte circulatório mecânico (SCM).[1,45]

As recomendações para o manejo agudo da cardiomiopatia periparto estão descritas na Tabela 132.8.

Doenças Valvares

A doença reumática é a causa mais frequente de cardiopatia durante a gravidez, correspondendo a cerca de metade dos casos, se comparada a outras cardiopatias. A adaptação cardiocirculatória das doenças valvares ao aumento do débito cardíaco influencia diretamente o fluxo através das valvas cardíacas, com piora funcional nas lesões estenóticas. Por outro lado, a queda da resistência vascular periférica reduz o volume de regurgitação nas valvas insuficientes. Por essas razões, a evolução das lesões estenóticas geralmente é pior e correlaciona-se ao grau anatômico da lesão valvar; enquanto as lesões regurgitantes pioram diretamente relacionadas com a função ventricular; e isso é diretamente refletido nas classificações de risco (Figuras 132.2 e 132.3).

Muitas situações de alto risco relacionadas com as valvopatias não fundamentam a indicação de interrupção gestacional terapêutica, por ser uma causa potencialmente tratável com alguma intervenção invasiva; contudo, recomenda-se aguardar o segundo trimestre gestacional para tal e evitar complicações fetais mais graves. Alguns fatores estão relacionados com piores desfechos gestacionais, dentre os quais enquadram-se a fibrilação atrial; hipertensão pulmonar; disfunção ventricular; aortopatias associadas; antecedente de insuficiência cardíaca; tromboembolismo e endocardite infecciosa.

As portadoras de estenose mitral podem fazer uso de propranolol ou metoprolol, em doses limitadas para evitar efeitos fetais, para controle e prevenção de edema pulmonar. A fibrilação atrial aguda deve ser revertida por cardioversão elétrica nas portadoras de valvopatia mitral, pois fármacos como a amiodarona apresentam toxicidade fetal e a cardioversão é inócua para o feto; já na fibrilação atrial crônica os β-bloqueadores, anticoagulantes e bloqueadores de canal de cálcio devem ser utilizados. Quando há refratariedade ao tratamento clínico é preferível a realização das técnicas endovasculares, por evitar os riscos associados da circulação extracorpórea (CEC).[1,47]

Tabela 132.8 Condutas na insuficiência cardíaca aguda na cardiomiopatia periparto.

1. Monitorização da saturação de O_2

2. Manter saturação de O_2 acima de 90% e PaO_2 acima de 60 mmHg

3. Intubação traqueal se,
   - insuficiência respiratória aguda com hipoxemia (PaO_2 < 60 mmHg)
   - hipercapnia com pressão arterial de gás carbônico ($PaCO_2$ > 50 mmHg)
   - acidose com pH < 7,35

4. Diuréticos, se sinais de congestão

5. Nitroglicerina, se PAS > 110 mmHg

6. Agentes inotrópicos nas pacientes hipotensas (PAS < 90 mmHg) e/ou baixo débito
   - Levosimendan – 0,1 µg/kg/h por 24 h; sem *bolus* inicial; ou dobutamina
   - Evitar o uso de adrenalina

7. Vasopressores no choque cardiogênico

8. Anticoagulação com HBPM em dose plena, se indicado

9. Suporte mecânico circulatório, com possibilidade de transplante cardíaco

Fonte: Adaptada de Avila *et al.*, 2020.

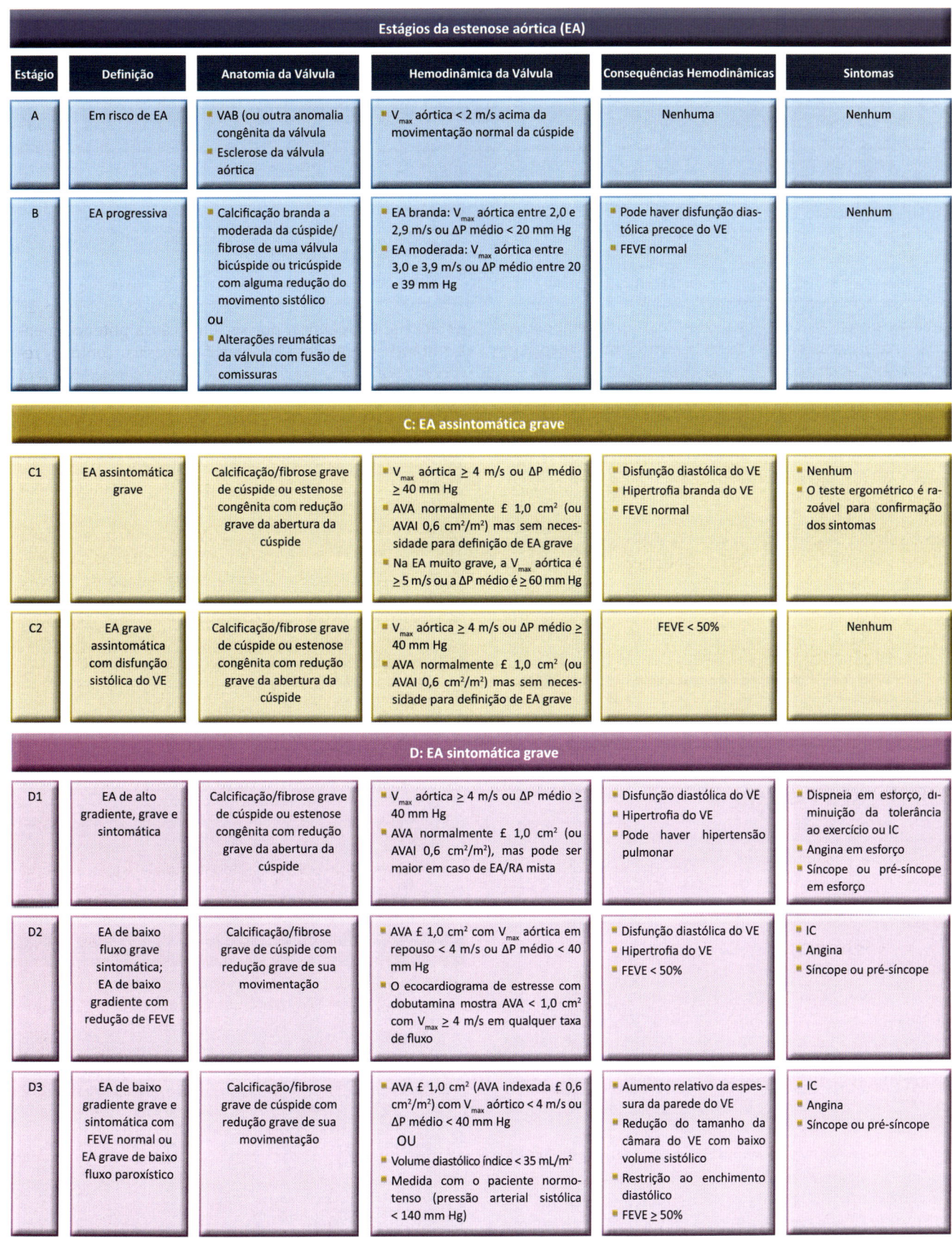

▲ **Figura 132.2** Estágios da estenose aórtica.

RA: indica regurgitação aórtica; EA: estenose aórtica; AVA: área da válvula aórtica; AVAI: AVA indexada à superfície corporal; VAB: válvula aórtica bicúspide; ΔP: gradiente de pressão entre o VE e a aorta; IC: insuficiência cardíaca; VE: ventrículo esquerdo, FEVE: fração de ejeção do ventrículo esquerdo; V_{max}, velocidade máxima.

Fonte: Adaptada de Otto *et al.*, 2021.[46]

Estágios da estenose mitral (EM)					
Estágio	Definição	Anatomia da Válvula	Hemodinâmica da Válvula	Consequências Hemodinâmicas	Sintomas
A	Em risco de EM	▪ Prolapso brando da válvula durante a diástole	▪ Velocidade de fluxo transmitral normal	Nenhuma	Nenhum
B	EM progressiva	▪ Alterações valvulares reumáticas com fusão de comissuras e prolapso diastólico das cúspides da válvula mitral ▪ Área planimetrada da válvula mitral > 1,5 cm²	▪ Aumento das velocidades de fluxo transmitral ▪ Área da válvula mitral > 1,5 cm² ▪ Pressão diastólica em meio tempo < 150 ms	▪ Aumento brando a moderado do AE ▪ Pressão pulmonar normal em repouso	Nenhum
C	EM grave assintomática	▪ Alterações valvulares reumáticas com fusão de comissuras e prolapso diastólico das cúspides da válvula mitral ▪ Área planimetrada da válvula mitral < 1,5 cm²	▪ Área da válvula mitral £ 1,5 cm² ▪ Pressão diastólica em meio tempo ³ 150 ms	▪ Aumento grave do AE ▪ PSAP elevada > 50 mm Hg	Nenhum
D	EM grave sintomática	▪ Alterações valvulares reumáticas com fusão de comissuras e prolapso diastólico das cúspides da válvula mitral ▪ Área planimetrada da válvula mitral < 1,5 cm²	▪ Área da válvula mitral £ 1,5 cm² ▪ Pressão diastólica em meio tempo ³ 150 ms	▪ Aumento grave do AE ▪ PSAP elevada > 50 mm Hg	▪ Diminuição da tolerância ao exercício ▪ Dispneia em esforço

▲ **Figura 132.3** Estágios da estenose mitral.

O gradiente de pressão transmitral deve ser obtido para maior determinação do efeito hemodinâmico da EM e geralmente é > 55 mm Hg ou 10 mm Hg na EM grave; no entanto, devido à variabilidade do gradiente médio de pressão com a frequência cardíaca e o fluxo anterógrado, não foi incluído nos critérios de gravidade.

AE indica átrio direito; EM, estenose mitral; PSAP, pressão sistólica da artéria pulmonar.

Fonte: Adaptada de Otto *et al.*, 2021.

▪ PRÓTESES VALVARES

Como em nosso país há a associação de um grande número de pacientes com doenças valvares adquiridas e um crescente número de pacientes com cardiopatias congênitas em idade reprodutiva, o potencial de nos depararmos com pacientes obstétricas portadoras de prótese valvares é grande. Se há um ponto que pode ser favorável, por se tratar de pacientes jovens, é a maior possibilidade dessas pacientes apresentarem boa função ventricular e próteses bem funcionantes, aumentando a chance de boa evolução clínica gestacional. É sabido que as valvas metálicas apresentam maior risco materno-fetal, muitas vezes relacionadas com os eventos hemorrágicos, ou tromboembólicos, pela necessidade de anticoagulação.[47]

O ponto negativo principal das próteses biológicas é a durabilidade limitada, com possibilidade de reoperação no curto prazo, em grande parte oriunda de disfunção valvar causada por calcificação, com elevado risco de edema pulmonar e insuficiência cardíaca aguda; logo, sinais de calcificação indicam intervenção invasiva pelo alto risco de complicações.[48] A prótese metálica (PM) é considerada risco III pela classificação de WHOm, com risco muito alto materno-fetal por eventos tromboembólicos, abortamento, embriopatia pela warfarina e hemorragia. Pacientes portadoras de PM apresentam um risco estimado de 5% de trombose valvar durante a gestação, e a mortalidade materna varia entre 9 e 20%, associada a complicações tromboembólicas (Tabela 132.9).

Tabela 132.9 Pontos de alerta nas gestantes com prótese valvar.

▪ A prótese biológica apenas requer anticoagulação, se fibrilação atrial ou acidente tromboembólico prévio

▪ A gravidez não influencia na degeneração estrutural da prótese biológica

▪ Prótese biológica calcificada e estenótica tem indicação cirúrgica

▪ A prótese metálica requer anticoagulação com monitorização frequente

▪ A trombose de prótese metálica demanda uso imediato de trombolítico ou cirurgia de emergência

▪ Portadoras de prótese metálica devem seguir em serviços terciários de referência

▪ Apesar do controle adequado da anticoagulação, o risco de insucesso e complicações na gestação de pacientes com prótese metálica é alto

▪ DISPOSITIVOS ELETRÔNICOS CARDÍACOS IMPLANTÁVEIS

Esses dispositivos são os cardiodesfibriladores internos (CDI) e os marca-passos permanentes (MP). A maior preocupação dos anestesiologistas com esses dispositivos, é o risco de interferência eletromagnética resultando em aumento da sensibilidade e inibição do tratamento adequado do dispositivo, falsa detecção de arritmias com terapia para tratamento de taquicardia desnecessária ou estimulação inadequada do ritmo cardíaco.[49,50] O risco de interferência é maior para os CDI em comparação aos MP, contudo esse risco existe quando o uso do bisturi monopolar está a menos de 15 cm dos dispositivos implantáveis, ou seja, o risco de interferência em um parto vaginal ou cesariana com incisão usual é insignificante. Usualmente, não é necessário reprogramar ou desativar o dispositivo em cirurgias abaixo da região umbilical. Nas situações em que se julgar necessário, um imã pode desativar os choques nos CDI e a reprogramação para o modo assíncrono pode ser suficiente nos marca-passos. Nos casos de reprogramação, é necessário que a paciente fique monitorada até que o dispositivo seja novamente programado para as especificações desejadas.[51]

▪ MONITORIZAÇÃO INTRAPARTO

Esse é um dos pontos mais controversos relacionados com o tema, tendo em vista que há limitações na validação dos métodos, ausência de validação nos diferentes cenários possíveis (curetagem, cesariana, parto vaginal e outras cirurgias na gestação) e ausência de validação em diferentes cardiopatias. A influência da escolha do método de monitorização não deve se sobrepor aos processos relacionados com o parto; ou seja, o método de monitorização deve ser um auxiliar e guia, seus riscos e dinâmica de uso não podem interferir negativamente nos fluxos mais adequados.

A monitorização básica contínua deve ser realizada em todas as pacientes com cardiopatia e sugere-se a utilização de monitorização arterial invasiva para todas as pacientes com a classificação de WHOm III e IV. Métodos mais avançados e invasivos de monitorização cardíaca ficam reservados para as pacientes mais graves, devido ao potencial de complicações principalmente relacionados com o cateter de artéria pulmonar que pode chegar a cerca de 3,6%; claro que diretamente relacionado com a introdução e o manejo por não especialistas.[52-55] Logo, a inserção dos cateteres venoso central e/ou de Swan-Ganz ficam reservados, mas não obrigatoriamente indicados, aos seguintes casos:

- Descompensação cardiopulmonar;
- Falência ventricular direita com necessidade de vasopressores e/ou vasodilatadores pulmonares;
- Alto risco de descompensação em cenários com grande variação volêmica.

A ecocardiografia transtorácica focada (POCUS) e a ecocardiografia transesofágica (ETT) podem ter papel importante no manejo de tais pacientes; contudo, há limitações desses métodos principalmente as relacionadas com a dificuldade para obtenção de imagens. Devido às alterações anatomofisiológicas da gestante, espaço físico restrito na sala cirúrgica e imprevisibilidade inerente ao ambiente obstétrico, com partos de urgência e emergência; sua utilização ainda é pouco frequente. Obviamente, a ETT só pode ser utilizada depois da indução anestésica em cesarianas com anestesia geral, fato que limita sua participação em dois momentos cruciais para possível instabilidade hemodinâmica da gestante cardiopata; que são a indução da anestesia com a intubação orotraqueal e o nascimento do recém-nascido. Todavia, sua utilização pode ser fundamental na avaliação de possíveis causas de descompensação, bem como na otimização das pacientes depois desses momentos iniciais.

O POCUS pode reduzir o tempo entre diagnóstico e tratamento em algumas situações, bem como permitir a resolução de dúvidas diagnósticas. A janela paraesternal tende a ser de mais fácil visualização pela posição mais cefálica e lateral do coração, contudo a janela subcostal pode apresentar maior dificuldade para obtenção das imagens.[56] Esse exame à beira leito, inclusive intraoperatório, pode auxiliar nas seguintes avaliações:

- Avaliação volêmica e orientação da reposição volêmica;
- Avaliação de disfunções e anormalidades regionais nas paredes ventriculares;
- Alterações valvares;
- Alterações na aorta proximal;
- Presença de derrame pericárdio.

▪ SUPORTE MECÂNICO CIRCULATÓRIO

O tratamento farmacológico é resolutivo na maioria das situações em que as pacientes obstétricas com cardiopatia apresentam alguma instabilidade, ou necessidade de suporte para melhora da sua função cardiovascular; seja com vasopressores, inotrópicos ou vasodilatadores pulmonares. O choque cardiogênico é raro e quase dois terços dos casos acontece no período puerperal, contudo o segundo maior momento de ocorrência é no intraparto. A mortalidade na ocorrência desse evento pode ser de quase 20%. A causa mais comum é a miocardiopatia periparto, mas também pode ser originada por tromboembolismo pulmonar maciço, infarto agudo do miocárdio, dissecção coronariana aguda, miocardites, miocardiopatia estresse induzida e piora aguda de disfunção prévia desencadeada pelos diversos fatores estressores da gestação, parto e puerpério.[57,58] Na Tabela 132.10 está a frequência de utilização de ECMO em diferentes momentos, apresentada por Naoum *et al.* (2020).[59]

Tabela 132.10. Indicações de utilização de ECMO nas gestantes e puérperas.			
ARDS	**65%**		**39,7%**
Insuficiência cardíaca	10%	23,2%	19%
Hipertensão pulmonar	8,6%	17%	
Parada cardiorrespiratória	8,6%	56,6%	
Embolia por líquido amniótico		13 – 22%	
Cardiomiopatia periparto			25,4%

Fonte: Adaptada de Naoum *et al.*, 2020.

A oxigenação extracorpórea por membrana (ECMO) é um dispositivo formado por uma membrana que permite trocas gasosas e um sistema de cânulas, que retira o sangue da paciente por uma veia periférica calibrosa e o devolve pelas veias jugular ou femoral no modo venovenoso, ou pela artéria femoral no modo venoarterial. De forma simplificada, nas causas respiratórias (Covid-19, influenza ou H1N1) utiliza-se a ECMO venovenosa e nas descompensações cardiológicas (hipertensão pulmonar ou disfunção aguda ventricular grave) refratárias ao tratamento clínico indica-se a ECMO venoarterial. É um meio eficiente de ofertar suporte respiratório e biventricular para situações graves e de manejo desafiador.

Pode haver uma coordenação adequada com os times especializados para a disponibilidade e acesso rápido nos casos indicados, muitas vezes com os acessos vasculares obtidos previamente ao parto, com o objetivo de assegurar suporte rápido em casos extremos. Nos casos de parada cardiorrespiratória o uso de ECMO pode ser extremamente significante na maior sobrevida das pacientes, e cada vez mais há *expertise* em serviços especializados quanto ao seu uso e coordenação adequada dos times de resposta rápida.[59,60] O maior risco envolvido em seu uso são os eventos tromboembólicos e hemorrágicos, principalmente no período do puerpério imediato. Essas pacientes requerem anticoagulação e monitorização invasiva para o seguimento e ajuste das condutas indicadas para suporte e tratamento.[59,61,62]

Não apenas a ECMO pode ser utilizada no evento de falência cardiovascular aguda, o balão intra-aórtico contrapulsátil e as bombas microaxiais percutâneas (Impella®) também são dispositivos com potencial para contribuir no suporte hemodinâmico; contudo, até o momento, apresentam potencial mais modesto se comparados a ECMO.[63-65]

A programação da cesariana em regime urgencial está indicada nas pacientes instáveis com falência cardíaca, logo esse fluxo deve estar bem estabelecido institucionalmente, podendo ocorrer em cenários de exceção na UTI.

■ MANEJO ANESTÉSICO

O manejo anestésico envolve grande complexidade pois deve abranger ampla visão de todos os processos e depende essencialmente da gravidade da cardiopatia da gestante, escolha da via de parto, doenças associadas, risco de complicações, urgência do parto e encaminhamento da paciente no pós-parto.

No parto vaginal, a analgesia de parto tem como finalidade impedir o estresse causado pela dor durante as contrações e adicionalmente trazer maior conforto no momento do nascimento, sobretudo para as pacientes que necessitam de alguma assistência ativa nesse momento. Importante salientar que a analgesia inalatória e venosa fornece pouca aplicabilidade nas pacientes cardiopatas, pelo pior perfil de controle álgico; fato que pode expor essas pacientes a maior risco de complicações desencadeadas pelo estresse simpático e suas consequências sobre o sistema cardiovascular; como taquicardia e hipertensão, que podem ser deletérios na maioria das cardiopatias. Para esse perfil de pacientes, a analgesia de parto também tem como padrão ideal as técnicas neuroaxiais, não apenas pelo seu benefício imediato no controle da dor, mas também pela possibilidade de permitir uma transição mais segura para os casos em que há conversão para cesariana, além do melhor controle álgico pós-parto. Outras vantagens da realização do parto vaginal com analgesia no neuroeixo são: diminuição dos riscos infeccioso, tromboembólico e hemorrágico.

As técnicas que podem ser empregadas na analgesia de parto são as mesmas utilizadas nas gestantes sem comorbidades, ou seja, a peridural, o duplo bloqueio clássico ou a punção dural epidural (DPE). Por apresentar menor potencial de instabilidade hemodinâmica, muitos especialistas preferem a utilização da técnica peridural ou da DPE, levando-se sempre em conta o maior risco de falha regional na peridural isolada. As técnicas combinadas também permitem melhor cobertura das fibras sacrais e podem fornecer grande vantagem para a dinâmica dos partos vaginais que exijam a utilização de técnicas auxiliares, como vácuo extrator ou fórceps, para auxiliar no período expulsivo de tais gestantes.[66]

Nas pacientes com *shunt* intracardíaco é indicado, na técnica peridural, a realização da técnica de perda da resistência com a utilização de solução salina, com o intuito de impedir o risco de embolia aérea paradoxal.[67] Para os anestesiologistas que realizam a dose teste em anestesia obstétrica, as doses usualmente empregadas podem ter grande efeito deletério principalmente nas gestantes com alterações graves de aorta, estenoses valvares, arritmias e coronariopatias, logo pode-se utilizar como alternativa a administração peridural de 50 a 100 mcg de fentanil e observar ativamente a possibilidade de efeitos sistêmicos e centrais da medicação; todavia, não exclui os riscos associados ao uso dos opioides em pacientes graves.[68] Uma boa e razoável conduta na dúvida sobre o mau posicionamento do cateter, seja intratecal ou intravascular, é a administração de alíquotas de 5 mL, a cada 10 ou 15 minutos, da solução usual de bupivacaína a 0,0625% com 2 mcg/mL de fentanil e avaliar sinais clássicos de administração intravenosa ou intratecal desses fármacos, e, em caso de alta suspeita, recomenda-se realizar nova punção.[69]

Com o intuito de evitar instabilidade hemodinâmica, deve-se ser mais criterioso quanto às doses de anestésicos empregados no neuroeixo para a analgesia de parto, assim como coordenar com a equipe obstétrica o momento ideal para a sua realização. Mais do que em qualquer paciente, nas gestantes cardiopatas a analgesia precoce é fortemente recomendada e indicada quando a paciente inicia o trabalho de parto, com baixa intensidade de dor ou cólicas leves. Nas gestantes de mais alto risco, a analgesia pode ser indicada ainda na fase latente, e mesmo com a paciente ainda sem dor pode-se inserir o cateter peridural para mais rápido suporte na eventualidade do início da fase ativa do trabalho de parto abruptamente. Pode-se iniciar a analgesia de parto apenas com a administração de opioides intratecais em baixas doses,[70] como 20 a 25 mcg de fentanil ou 2,5 a 3 mcg de sufentanil, com o objetivo de aliviar a dor; porém, evitando a simpatectomia intensa dos anestésicos locais, e, quando houver a necessidade de administração desses fármacos, recomenda-se utilizar a menor dose intratecal possível.

Nenhuma das técnicas de condução e manutenção da analgesia de parto estão contraindicadas nas pacientes cardiopatas. As técnicas contínuas, peridural controlada pela paciente (PCEA) e *bolus* intermitente programado (PIEB) são aceitas e podem ser utilizadas. Os efeitos indesejados de cada uma devem ser avaliados para realizar a melhor escolha, como a maior necessidade de resgates na técnica contínua, a possibilidade de episódios de dor intensa na PCEA e a possibilidade de bloqueio alto no PIEB. Aqui enfatiza-se a necessidade da avaliação clínica e monitorização contínua das pacientes, afim de realizar o pronto diagnóstico de analgesia inadequada e sinais de potencial instabilidade hemodinâmica.

A anestesia para cesariana é de mais difícil decisão; contudo, o bloqueio do neuroeixo é a melhor opção e deve ser considerado inclusive nas pacientes com a classificação da WHOm III e IV. O uso da raquinestesia como técnica única deve ser criteriosamente avaliado e limitado a algumas pacientes com classificação de WHOm I e II,[71] mas sempre que houver dúvida sobre a real segurança a técnica deve ser abandonada em detrimento de técnicas mais seguras, com base nas técnicas sequenciais. Uma excelente opção é buscar técnicas que permitam uma simpatólise mais gradual, seja pelo bloqueio peridural sequencial ou a técnica combinada raquiperidural sequencial; contudo, a técnica combinada tem o potencial de permitir maior simetria e qualidade do bloqueio em relação ao bloqueio peridural. Na técnica combinada, a melhor forma de adicionar segurança ao bloqueio é utilizar baixas doses de anestésicos intratecais, administrando-se no máximo 2,5 a 5 mg de bupivacaína associado a opioides,[72] e a partir daí utilizar doses adicionais de anestésico local (lidocaína 2%, bupivacaína 0,5%, levo-bupivacaína 0,5% ou ropivacaína 0,75%) em alíquotas de 3 a 5 mL desses anestésicos. Essas técnicas chamadas de "sequenciais", permitem que a instalação e a progressão cefálica do bloqueio simpático sejam realizadas gradualmente, prevenindo a instalação súbita e repercussão cardiovascular aguda. Pequenas doses de anestésico local associado a opioides são utilizadas inicialmente, e complementações adicionais são realizadas pelo cateter peridural. O objetivo é atingir o nível sensitivo de T6.[72]

As cesarianas sob anestesia geral são desafiadoras pois também serão realizadas nas pacientes com maior gravidade; por estarem descompensadas, em uso de anticoagulação e também nas gestantes cardiopatas que não toleram decúbito. Importante salientar que alguns riscos associam-se à anestesia geral como a vasodilatação e cardiodepressão induzida pelos anestésicos venosos, e a laringoscopia que pode causar resposta simpática exacerbada com aumento da frequência cardíaca, picos hipertensivos e arritmias.

Fármacos de ação rápida e com meia-vida curta podem ser utilizados para atenuar as respostas simpáticas à laringoscopia, evitando grandes variações pressóricas e o aumento da frequência cardíaca. Os opioides como alfentanil ou remifentanil podem ser úteis nesse manejo, bem como a utilização de outras classes de fármacos, como betabloqueadores de ação curta e anestésicos locais em doses adequadas, como o esmolol e a lidocaína, respectivamente. Além disso, o uso de indutores como cetamina e etomidato,

em algumas circunstâncias, pode ser uma opção melhor em detrimento ao propofol, que apresenta maior potencial cardiodepressor quando utilizado em *bolus* ou em doses não ajustadas. Na manutenção da anestesia geral, deve-se atentar para o potencial inotropismo negativo dos anestésicos inalatórios e a diminuição da resistência vascular sistêmica, fato que também ocorre com os anestésicos venosos. Pode haver também hipotonia uterina dose-dependente, com maior potencial de sangramento, relacionada com o uso de anestésicos inalatórios.[73,74]

A monitorização da profundidade da anestesia por monitores de consciência intraoperatória é fundamental, tendo em vista a grande complexidade de tais pacientes e o risco aumentado de despertar inadvertido nesse tipo de parto, pela congruência de características desafiadoras constituídas pelo perfil de paciente, condição clínica apresentada, necessidade de rápida intubação orotraqueal e ambiente estressor. Nos casos em que a anestesia geral foi empregada, um bom plano para analgesia pós-operatória deve ser realizado com o objetivo de reduzir as catecolaminas circulantes. Nesses casos, existem algumas opções, incluindo opioides espinhais, realização de bloqueios de parede abdominal ou utilização de analgesia sistêmica.

■ ANTICOAGULAÇÃO E BLOQUEIO DO NEUROEIXO

A anticoagulação e sua interface com os bloqueios de neuroeixo em anestesia obstétrica têm-se tornado um ponto crítico para a tomada de decisão em qualquer paciente que esteja recebendo anticoagulantes. O balanço entre potenciais eventos trombóticos e os riscos de hematoma espinhal, ou hemorragia, estarão presentes a todo o momento; principalmente nas pacientes mais graves, com maior risco de parto prematuro e que estejam recebendo anticoagulação em doses terapêuticas. O tempo para interrupção do anticoagulante, ou troca por fármacos de meia-vida mais curta, deve ser discutido semanas antes da previsão do parto com o objetivo de minimizar os riscos citados anteriormente.

O maior desafio fica para as pacientes em uso de anticoagulação plena motivada pela presença de próteses valvares metálicas, muitas em uso de anticoagulantes orais, principalmente para os antagonistas de vitamina K (AVK), pela necessidade de uma transição para fármacos mais favoráveis à dinâmica do parto. Na Tabela 132.11 são apresentados os alvos ideais de anticoagulação plena monitorado por exames para essas pacientes.

Tabela 132.11 Alvos de anticoagulação terapêutica para as pacientes com alto risco trombótico.

Antagonistas vitamina K	INR de 2,5 a 3,5
Heparina não fracionada	TTPA de 2 vezes o valor de referência
Heparina de baixo peso molecular	Anti-Xa de 0,6 a 1,2 U/mL

INR: *international normalized ratio*; TTPA: tempo de atividade da protrombina.

Um planejamento preciso, incluindo a internação dessas pacientes com 36 semanas de gestação, se faz necessário para a realização de transição dos AVKs para heparina não fracionada (HNF) ou heparina de baixo peso molecular (HBPM). Com essa transição estabelecida, pode-se nas 36 horas anteriores ao parto iniciar HNF em bomba de infusão contínua, com suspensão das doses subcutâneas de HNF ou HBPM. A suspensão da infusão endovenosa 4 a 6 horas antes da realização da analgesia no neuroeixo ou previsão do nascimento, se faz necessária e é recomendada a checagem da normalização do TTPA ou observar o fator anti-Xa indetectável.[1,7,46,75,76] A seguir, de forma resumida, seguem as condições adequadas para realização do bloqueio neuroaxial em pacientes que estavam em uso de heparina.[77]

■ ÁCIDO ACETIL SALICÍLICO

Não há recomendação formal para suspensão; contudo, deve-se avaliar a dose e a associação a outros fármacos e avaliar o risco individualmente.

■ ANTAGONISTAS DA VITAMINA K (WARFARINA)

Deve-se aguardar cinco dias após a suspensão do fármaco para a realização do bloqueio espinhal. O INR deve ser checado e estar dentro dos valores de referência. Pode-se reintroduzir o medicamento logo após a punção neuroaxial ou remoção do cateter peridural, desde que não tenham ocorrido complicações na punção; contudo, o mais usual é reiniciar o fármaco depois de 48 horas.

■ HEPARINA NÃO FRACIONADA (SUBCUTÂNEA)

Dose baixa (5.000 UI, 2 a 3 vezes/dia): aguardar 4 a 6 horas, com TTPA normal ou fator anti-Xa indetectável. Dose intermediária (7.500 a 10.000 UI, 2 vezes/dia; 20.000 ou menos UI/dia): aguardar 12 horas ou mais, com TTPA normal ou fator anti-Xa indetectável. Dose alta (mais de 10.000 UI por dose; mais de 20.000 UI/dia): aguardar 24 horas ou mais, com TTPA normal ou anti-Xa indetectável. Para esse tipo de heparina, a reintrodução do fármaco pode ser imediata depois da retirada do cateter peridural.

■ HEPARINA DE BAIXO PESO MOLECULAR (SUBCUTÂNEA)

Dose profilática (enoxaparina 40 mg ou deltaparina 5.000 UI 1 vez/dia): aguardar 12 horas ou mais; o cateter deve ser retirado pelo menos 4 horas antes da próxima dose; reintroduz-se o fármaco pelo menos 12 horas após a punção neuroaxial. Dose terapêutica (enoxaparina 1 mg/kg, 2 vezes/dia, ou deltaparina 120 UI/kg, 2 vezes/dia ou 200 UI/kg, dose única): aguardar 24 horas; o cateter deve ser retirado pelo menos 4 horas antes da próxima dose; reintroduz-se o fármaco 24 horas depois da punção ou 48 a 72 horas, se cirurgia com grande sangramento.

Qualquer regime de anticoagulação que seja diferente dos mencionados acima devem ser avaliados e individualizados pela equipe, levando-se em consideração não apenas o risco de hematoma espinhal, mas também os riscos tromboembólicos, o tempo de jejum, as condições materno-fetais e a avaliação dos preditores de via aérea difícil para anestesia geral. A determinação dos tempos para reiniciar a anticoagulação deve obrigatoriamente ter a participação do anestesiologista, nos casos em que houver abordagem do neuroeixo.

A reintrodução da anticoagulação deve ser individualizada porque existem condições técnicas na realização da anestesia raquidiana ou peridural, que interferem nas condutas de reintrodução dos anticoagulantes; ou seja, a reintrodução não é apenas uma questão farmacológica, mas sobretudo técnica. Usualmente, o retorno da anticoagulação acontece em períodos de 6 a 24 horas do parto, com base no tipo de fármaco que será utilizado e se houve algum trauma maior na realização do bloqueio neuroaxial. No caso da necessidade de reintrodução dos AVKs, este só apresenta efeito clínico após cerca de 48 horas da reintrodução, logo deve haver uma ponte com heparina a ser realizada previamente à sua introdução.

■ USO DE UTEROTÔNICOS E PREVENÇÃO PRIMÁRIA DA HEMORRAGIA

O risco de hemorragia é aumentado na gestante cardiopata, muito devido ao uso de anticoagulantes, que é mais frequente do que em comparação com as gestantes sem comorbidades, e esse fato motiva uma atenção ativa do anestesiologista no momento do nascimento com estratégias bem coordenadas para o manejo de complicações, como atonia uterina e possível hemorragia.

Os uterotônicos, apesar de fundamentais para a prevenção primária da hemorragia, apresentam efeitos potencialmente deletérios às pacientes cardiopatas. A ocitocina tem potencial de causar diminuição da resistência vascular sistêmica e arritmias, assim deve haver uma titulação do seu uso com o objetivo de diminuir os efeitos indesejados; uma boa estratégia é utilizá-la em bombas de infusão contínua. A literatura é conflitante quanto aos regimes de infusão adequados para essas pacientes, mas as doses usuais de 2,5 a 10 UI/h não parecem ter efeito deletério no pós-parto imediato, e é importante ressaltar que baixas doses de ocitocina em infusão rápida podem ter efeito benéfico com poucos efeitos colaterais, tendo em vista que doses tão baixas quanto 0,35 UI podem ser efetivas em grande parte das cesarianas eletivas.[78,79] Um dos poucos trabalhos que avaliam doses iniciais em forma de infusão rápida de ocitocina na gestante, recomenda a infusão de 2 UI de ocitocina em 10 minutos sem efeitos deletérios; contudo, em cenários de hemorragia causados por atonia uterina, doses maiores podem ser necessárias; e como consequência alguns riscos serão agregados.

Relacionado com os uterotônicos de segunda linha, a metilergonovina precipita a contração da musculatura lisa e aumenta a resistência vascular sistêmica, e também pode causar efeitos indesejados como hipertensão e vasospasmo coronariano; seu uso deve ser evitado em pacientes mais graves e com alterações na aorta. O misoprostol apresenta um perfil teoricamente mais benéfico por apresentar poucos efeitos cardiovasculares ou pulmonares diretos, contudo aumenta a incidência de tremores e febre que pode exacerbar a demanda metabólica e ser causador de complicações em pacientes de risco, por exemplo, as pacientes coronariopatas.[80]

■ SEGUIMENTO PÓS-PARTO

O envolvimento de nossa especialidade é crucial para o seguimento pós-parto das pacientes com cardiopatia. Temos uma visão global de todos os processos, incluindo o risco de complicações imediatas e no médio prazo, por isso devemos opinar nos fluxos puerperais de cada paciente.

O seguimento visa avaliar complicações como arritmias, sobrecarga volêmica, sangramento, disfunção em órgãos alvo e falência ventricular aguda. As pacientes com hipertensão pulmonar e disfunção ventricular grave beneficiam-se muitas vezes do uso de inotrópicos e diuréticos para a adaptação volêmica no puerpério imediato.

As pacientes com classe WHOm III e IV devem realizar o puerpério imediato em unidade de terapia intensiva (UTI) pelo alto risco de complicações imediatas, contudo é importante que o anestesiologista viabilize estabilidade hemodinâmica da paciente antes de encaminhá-la a UTI. Pode ser necessária e produtiva uma discussão com outras especialidades antes de encaminhá-la para a unidade. As demais pacientes devem ser avaliadas individualmente para essa tomada de decisão. Ela deve ser baseada nos diversos aspectos já discutidos previamente e nos eventos ocorridos no parto.

■ CONCLUSÃO

A crescente presença de gestantes cardiopatas nas maternidades não é um evento que ocorre apenas no Brasil. Esse fenômeno mundial tem bases relacionados com eventos antagônicos, como a possibilidade de maior e melhor sobrevida das pacientes com cardiopatias congênitas; porém, também permeia a falta de assistência básica adequada que permite a exposição a fatores de risco para o desenvolvimento de cardiopatia cada vez mais precoce nas mulheres.

Atualmente, temos a possibilidade de ofertar uma excepcional variedade de tratamentos, fármacos, anestésicos, monitorização e técnicas que não eram disponíveis no passado. Muitas pacientes que anteriormente estavam impelidas a desfechos negativos, hoje já podem experimentar opções de tratamento que minimizam esses riscos e apresentam desfechos cada vez mais satisfatórios.

A incorporação de tecnologias, *expertise* e inovação na anestesia obstétrica, nos permite hoje a possibilidade de realização de partos vaginais em pacientes com classificação de WHOm III e IV; fato que era impensado há cerca de duas décadas. A *expertise* na realização das técnicas combinadas, o maior envolvimento e o refinamento do anestesiologista obstétrico, que passa a ser notável líder do atendimento multiprofissional em todo esse percurso, e a busca incansável pela segurança das pacientes são os guias fundamentais para a diminuição de eventos negativos maternos, fetais e obstétricos (Figura 132.4).

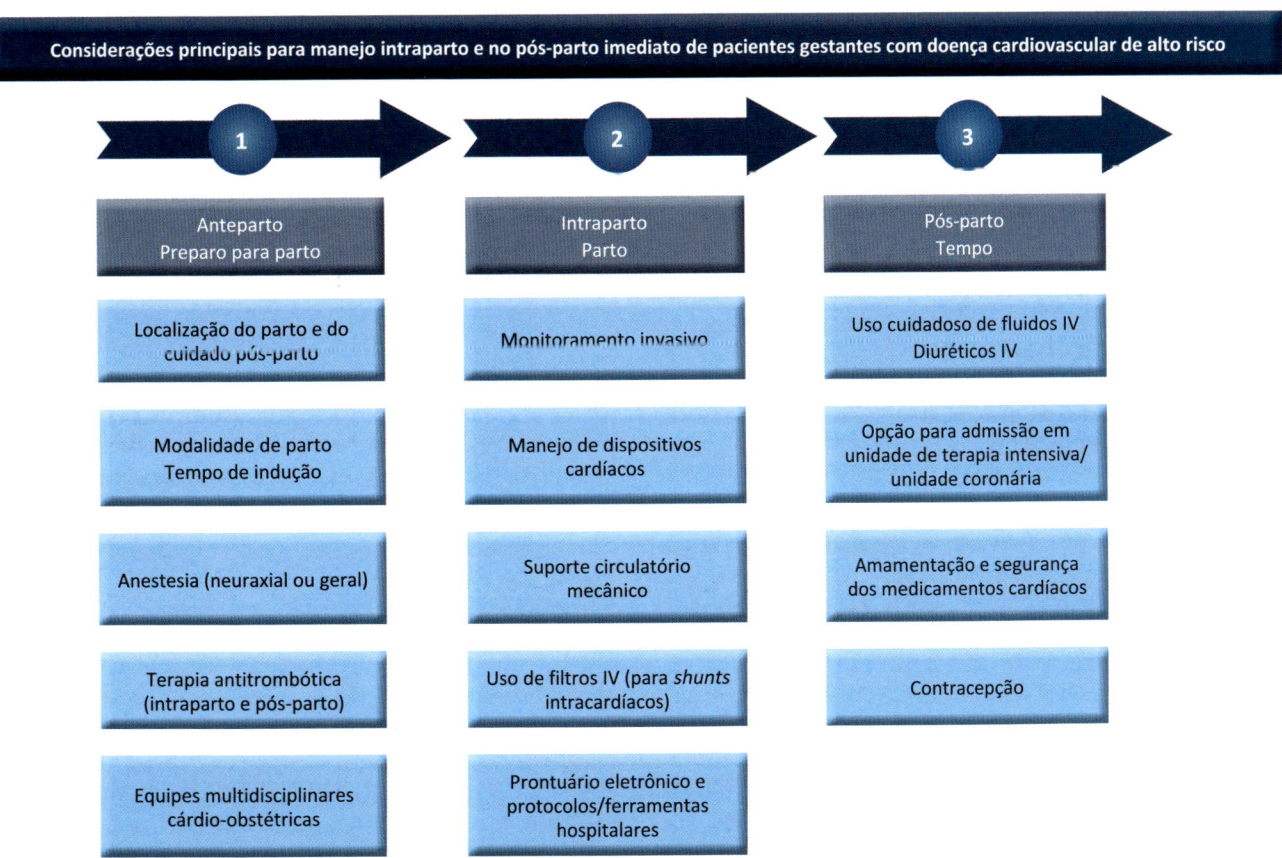

▲ **Figura 132.4** Planejamento decisório para parto e puerpério na gestante cardiopata.
Fonte: Adaptada de Lau *et al.*, 2024.

REFERÊNCIAS

1. Avila WS, Alexandre ERG, Castro MLD, Lucena AJGD, Marques-Santos C, Freire CMV, et al. Posicionamento da Sociedade Brasileira de Cardiologia para Gravidez e Planejamento Familiar na Mulher Portadora de Cardiopatia – 2020. Arq Bras Cardiol. 2020 Maio 22;114(5):849-942.
2. Arendt KW, Lindley KJ. Obstetric anesthesia management of the patient with cardiac disease. Int J Obstet Anesth. 2019 Feb;37:73-85.
3. Meng ML, Arendt KW, Banayan JM, Bradley EA, Vaught AJ, Hameed AB, et al. Anesthetic care of the pregnant patient with cardiovascular disease: a scientific statement from the American Heart Association. Circulation [Internet]. 2023 Mar [citado 14 de abril de 2024];147(11). Disponível em: https://www.ahajournals.org/doi/10.1161/CIR.0000000000001121
4. Lim G, Facco F, Nathan N, Waters JH, Wong CA, Eltzschig HK. A Review of the impact of obstetric anesthesia on maternal and neonatal outcomes. Rev Impact Obstet Anesth Matern Neonatal Outcomes. 2018(129):192-215.
5. Davies GAL, Herbert WNP. Assessment and management of cardiac disease in pregnancy. J Obstet Gynaecol Can. 2007 Apr 1;29(4):331-6.
6. Tanous D, Siu SC, Mason J, Greutmann M, Wald RM, Parker JD, et al. B-type natriuretic peptide in pregnant women with heart disease. J Am Coll Cardiol. 2010 Oct;56(15):1247-53.
7. Regitz-Zagrosek V, Roos-Hesselink JW, Bauersachs J, Blomström-Lundqvist C, Cífková R, De Bonis M, et al. 2018 ESC Guidelines for the management of cardiovascular diseases during pregnancy: The Task Force for the Management of Cardiovascular Diseases during Pregnancy of the European Society of Cardiology (ESC). Eur Heart J. 2018 Sept 7;39(34):3165-241.
8. Bhatt AB, DeFaria Yeh D. Pregnancy and adult congenital heart disease. Cardiol Clin. 2015 Nov;33(4):611-23.
9. Arendt KW, Lindley KJ. Obstetric anesthesia management of the patient with cardiac disease. Int J Obstet Anesth. 2019 Feb;37:73-85.
10. Silversides CK, Grewal J, Mason J, Sermer M, Kiess M, Rychel V, et al. Pregnancy outcomes in women with heart disease. J Am Coll Cardiol. 2018 May;71(21):2419-30.
11. Misra A, Porras MP, Rajendran A, Contreras J, Scott NS. Cardio-Obstetrics: a focused review. Curr Cardiol Rep. 2023 Sept;25(9):1065-73.
12. Thorne S. Risks of contraception and pregnancy in heart disease. Heart. 2006 May 15;92(10):1520-5.
13. Kilpatrick SJ, Menard MK, Zahn CM, Callaghan WM. Obstetric care consensus #9: levels of maternal care. Am J Obstet Gynecol. 2019 Dec;221(6):B19-30.
14. Cauldwell M, Steer PJ, Swan L, Uebing A, Gatzoulis MA, Johnson MR. The management of the third stage of labour in women with heart disease. Heart. 2017;103(12):945-51.
15. Ramsey PS, Hogg BB, Savage KG, Winkler DD, Owen J. Cardiovascular effects of intravaginal misoprostol in the mid trimester of pregnancy. Am J Obstet Gynecol. 2000 Nov;183(5):1100-2.
16. Elkayam U, Goland S, Pieper PG, Silversides CK. High-risk cardiac disease in pregnancy. J Am Coll Cardiol. 2016 Jul;68(4):396-410.
17. Lau ES, Aggarwal NR, Briller JE, Crousillat DR, Economy KE, Harrington CM, et al. Recommendations for the management of high-risk cardiac delivery. JACC Adv. 2024 Apr;3(4):100901.
18. Van Hagen IM, Roos-Hesselink JW, Ruys TPE, Merz WM, Goland S, Gabriel H, et al. Pregnancy in women with a mechanical heart valve: data of the European Society of Cardiology Registry of Pregnancy and Cardiac Disease (ROPAC). Circulation. 2015 Jul 14;132(2):132-42.
19. Sillesen M, Hjortdal V, Vejlstrup N, Sørensen K. Pregnancy with prosthetic heart valves – 30 years' nationwide experience in Denmark. Eur J Cardiothorac Surg. 2011 Jan 28;S1010794010010936.
20. Ruys TPE, Roos-Hesselink JW, Pijuan-Domènech A, Vasario E, Gaisin IR, Iung B, et al. Is a planned caesarean section in women with cardiac disease beneficial? Heart. 2015;101(7):530-6.
21. McCoy JA, Kim YY, Nyman A, Levine LD. Prolonged labor and adverse cardiac outcomes in pregnant patients with congenital heart disease. Am J Obstet Gynecol. 2023;228(6):728.e1-728.e8.
22. Oron G, Hirsch R, Ben-Haroush A, Hod M, Gilboa Y, Davidi O, et al. Pregnancy outcome in women with heart disease undergoing induction of labour. BJOG Int J Obstet Gynaecol. 2004;111(7):669-75.
23. Van Steenbergen GJ, Tsang QHY, Van Der Heijden OWH, Vart P, Rodwell L, Roos-Hesselink JW, et al. Timing of cardiac surgery during pregnancy: a patient-level meta-analysis. Eur Heart J. 2022 Aug 1;43(29):2801-11.
24. Sliwa K, Van Hagen IM, Budts W, Swan L, Sinagra G, Caruana M, et al. Pulmonary hypertension and pregnancy outcomes: data from the Registry Of Pregnancy and Cardiac Disease (ROPAC) of the European Society of Cardiology. Eur J Heart Fail. 2016 Sept;18(9):1119-28.
25. Zhang Q, Zhu F, Shi G, Hu C, Zhang W, Huang P, et al. Maternal outcomes among pregnant women with congenital heart disease–associated pulmonary hypertension. Circulation. 2023 Feb;147(7):549-61.
26. Low T, Guron N, Ducas R, Yamamura K, Charla P, Granton J, et al. Pulmonary arterial hypertension in pregnancy – a systematic review of outcomes in the modern era. Pulm Circ. 2021 Apr;11(2):1-9.
27. Ladouceur M, Benoit L, Basquin A, Radojevic J, Hauet Q, Hascoet S, et al. How pregnancy impacts adult cyanotic congenital heart disease: a multicenter observational study. Circulation. 2017 June;135(24):2444-7.
28. Koziol KJ, Isath A, Aronow WS, Frishman W, Ranjan P. Cyanotic congenital heart disease in pregnancy: a review of pathophysiology and management. Cardiol Rev [Internet]. 2024;32(4). Disponível em: https://journals.lww.com/cardiologyinreview/fulltext/2024/07000/cyanotic_congenital_heart_disease_in_pregnancy__a.9.aspx
29. Jaïs X, Olsson KM, Barbera JA, Blanco I, Torbicki A, Peacock A, et al. Pregnancy outcomes in pulmonary arterial hypertension in the modern management era. Eur Respir J. 2012 Oct;40(4):881-5.
30. Cha KS, Cho KI, Seo JS, Choi JH, Park YH, Yang DH, et al. Effects of inhaled iloprost on exercise capacity, quality of life, and cardiac function in patients with pulmonary arterial hypertension secondary to congenital heart disease (the Eisenmenger Syndrome) (from the EIGER Study). Am J Cardiol. 2013 Dec;112(11):1834-9.
31. Balci A, Drenthen W, Mulder BJM, Roos-Hesselink JW, Voors AA, Vliegen HW, et al. Pregnancy in women with corrected tetralogy of Fallot: occurrence and predictors of adverse events. Am Heart J. 2011 Feb;161(2):307-13.
32. Lima FV, Koutrolou-Sotiropoulou P, Yen TYM, Stergiopoulos K. Clinical characteristics and outcomes in pregnant women with Ebstein anomaly at the time of delivery in the USA: 2003-2012. Arch Cardiovasc Dis. 2016 June;109(6-7):390-8.
33. Hornung TS, Bernard EJ, Celermajer DS, Jaeggi E, Howman-Giles RB, Chard RB, et al. Right ventricular dysfunction in congenitally corrected transposition of the great arteries. Am J Cardiol. 1999;84(9):1116-9.
34. Billebeau G, Etienne M, Cheikh-Khelifa R, Vauthier-Brouzes D, Gandjbakhch E, Isnard R, et al. Pregnancy in women with a cardiomyopathy: Outcomes and predictors from a retrospective cohort. Arch Cardiovasc Dis. 2018 Mar;111(3):199-209.
35. Siu SC, Sermer M, Colman JM, Alvarez AN, Mercier LA, Morton BC, et al. Prospective multicenter study of pregnancy outcomes in women with heart disease.
36. Goland S, Van Hagen IM, Elbaz-Greener G, Elkayam U, Shotan A, Merz WM, et al. Pregnancy in women with hypertrophic cardiomyopathy: data from the European Society of Cardiology initiated Registry of Pregnancy and Cardiac disease (ROPAC). Eur Heart J. 2017 Sept 14;38(35):2683-90.
37. Avila WS, Rossi EG, Ramires JAF, Grinberg M, Bortolotto MRL, Zugaib M, et al. Pregnancy in patients with heart disease: experience with 1,000 cases. Clin Cardiol. 2003 Mar;26(3):135-42.
38. Tanaka H, Kamiya C, Katsuragi S, Tanaka K, Miyoshi T, Tsuritani M, et al. Cardiovascular events in pregnancy with hypertrophic cardiomyopathy. Circ J. 2014;78(10):2501-6.
39. Sliwa K, Hilfiker-Kleiner D, Petrie MC, Mebazaa A, Pieske B, Buchmann E, et al. Current state of knowledge on aetiology, diagnosis, management, and therapy of peripartum cardiomyopathy: a position statement from the Heart Failure Association of the European Society of Cardiology Working Group on peripartum cardiomyopathy. Eur J Heart Fail. 2010 Aug;12(8):767-78.
40. Bello NA, Arany Z. Molecular mechanisms of peripartum cardiomyopathy: a vascular/hormonal hypothesis. Trends Cardiovasc Med. 2015 Aug;25(6):499-504.
41. McNamara DM, Elkayam U, Alharethi R, Damp J, Hsich E, Ewald G, et al. Clinical outcomes for peripartum cardiomyopathy in North America. J Am Coll Cardiol. 2015 Aug;66(8):905-14.
42. Bello N, Rendon ISH, Arany Z. The relationship between pre-eclampsia and peripartum cardiomyopathy. J Am Coll Cardiol. 2013 Oct;62(18):1715-23.
43. Hilfiker-Kleiner D, Haghikia A, Berliner D, Vogel-Claussen J, Schwab J, Franke A, et al. Bromocriptine for the treatment of peripartum cardiomyopathy: a multicentre randomized study. Eur Heart J. 2017 Sept 14;38(35):2671-9.
44. De Jong JSSG, Rietveld K, Van Lochem LT, Bouma BJ. Rapid left ventricular recovery after cabergoline treatment in a patient with peripartum cardiomyopathy. Eur J Heart Fail. 2009 Feb;11(2):220-2.
45. Bauersachs J, König T, Van Der Meer P, Petrie MC, Hilfiker-Kleiner D, Mbakwem A, et al. Pathophysiology, diagnosis and management of peripartum cardiomyopathy: a position statement from the Heart Failure Association of the European Society of Cardiology Study Group on peripartum cardiomyopathy. Eur J Heart Fail. 2019 July;21(7):827-43.
46. Otto CM, Nishimura RA, Bonow RO, Carabello BA, Erwin JP, Gentile F, et al. 2020 ACC/AHA guideline for the management of patients with valvular heart disease. J Am Coll Cardiol. 2021 Feb;77(4):e25-197.
47. Vahanian A, Beyersdorf F, Praz F, Milojevic M, Baldus S, Bauersachs J, et al. 2021 ESC/EACTS guidelines for the management of valvular heart disease: developed by the Task Force for the management of valvular heart disease of the European Society of Cardiology (ESC) and the European Association for Cardio-Thoracic Surgery (EACTS). Rev Esp Cardiol Engl Ed. 2022 June;75(6):524.

48. Avila WS, Rossi EG, Grinberg M, Ramires JAF. Influence of pregnancy after bioprosthetic valve replacement in young women: a prospective five-year study. J Heart Valve Dis. 2003 Jan 13;11:864-9.

49. Crossley GH, Poole JE, Rozner MA, Asirvatham SJ, Cheng A, Chung MK, et al. The Heart Rhythm Society (HRS)/American Society of Anesthesiologists (ASA) Expert Consensus Statement on the Perioperative Management of Patients with Implantable Defibrillators, Pacemakers and Arrhythmia Monitors: facilities and patient management: this document was developed as a joint project with the American Society of Anesthesiologists (ASA), and in collaboration with the American Heart Association (AHA), and the Society of Thoracic Surgeons (STS). Heart Rhythm. 2011;8(7):1114-54.

50. Schulman PM, Treggiari MM, Yanez ND, Henrikson CA, Jessel PM, Dewland TA, et al. Electromagnetic interference with protocolized electrosurgery dispersive electrode positioning in patients with implantable cardioverter defibrillators. Anesthesiology. abril de 2019;130(4):530-40.

51. Özkartal T, Demarchi A, Caputo ML, Baldi E, Conte G, Auricchio A. Perioperative management of patients with cardiac implantable electronic devices and utility of magnet application. J Clin Med. 2022 Jan 28;11(3):691.

52. Devitt JH, Noble WH, Byrick RJ. A Swan-Ganz catheter related complication in a patient with Eisenmenger's syndrome. Anesthesiology. 1982 Oct;57(4):335-7.

53. Lv C, Huang Y, Liao G, Wu L, Chen D, Gao Y. Pregnancy outcomes in women with pulmonary hypertension: a retrospective study in China. BMC Pregnancy Childbirth. 2023 Jan;23(1):16.

54. Shah MR, Hasselblad V, Stevenson LW, Binanay C, O'Connor CM, Sopko G, et al. Impact of the pulmonary artery catheter in critically Ill patients meta-analysis of randomized clinical trials. JAMA. 2005 Oct;294(13):1664-70.

55. Gilbert WM, Towner DR, Field NT, Anthony J. The safety and utility of pulmonary artery catheterization in severe preeclampsia and eclampsia. Am J Obstet Gynecol. 2000 Jun;182(6):1397-403.

56. Zieleskiewicz L, Bouvet L, Einav S, Duclos G, Leone M. Diagnostic point-of-care ultrasound: applications in obstetric anaesthetic management. Anaesthesia. 2018 Oct;73(10):1265-79.

57. Banayan SMB, Rana S, Mueller A, Tung A, Ramadan H, Arany Z, et al. Cardiogenic shock in pregnancy: analysis from the National Inpatient Sample. Hypertens Pregnancy. 2017;36(2):117-23.

58. Ruys TPE, Roos-Hesselink JW, Hall R, Subirana-Domènech MT, Grando-Ting J, Estensen M, et al. Heart failure in pregnant women with cardiac disease: data from the ROPAC. Heart. 2014 Feb 1;100(3):231-8.

59. Naoum EE, Chalupka A, Haft J, MacEachern M, Vandeven CJM, Easter SR, et al. Extracorporeal life support in pregnancy: a systematic review. J Am Heart Assoc. 2020 July 7;9(13):e016072.

60. Mhyre JM, Leffert LR. Cardiac arrest during hospitalization for delivery in the United States. Perioper Med. 1998;201.

61. Zhang JJY, Ong JAH, Syn NL, Lorusso R, Tan CS, MacLaren G, et al. Extracorporeal membrane oxygenation in pregnant and postpartum women: a systematic review and meta-regression analysis. J Intensive Care Med. 2021;36(2):220-8.

62. Moore SA, Dietl CA, Coleman DM. Extracorporeal life support during pregnancy. J Thorac Cardiovasc Surg. 2016 Apr;151(4):1154-60.

63. Gevaert S, Van Belleghem Y, Bouchez S, Herck I, De Somer F, De Block Y, et al. Acute and critically ill peripartum cardiomyopathy and "bridge to" therapeutic options: a single center experience with intra-aortic balloon pump, extra corporeal membrane oxygenation and continuous-flow left ventricular assist devices. Crit Care. 2011;15(2):R93.

64. Sieweke JT, Pfeffer TJ, Berliner D, König T, Hallbaum M, Napp LC, et al. Cardiogenic shock complicating peripartum cardiomyopathy: Importance of early left ventricular unloading and bromocriptine therapy. Eur Heart J Acute Cardiovasc Care. 2020 Mar;9(2):173-82.

65. Elkayam U, Schäfer A, Chieffo A, Lansky A, Hall S, Arany Z, et al. Use of Impella heart pump for management of women with peripartum cardiogenic shock. Clin Cardiol. 2019 Oct;42(10):974-81.

66. Chau A, Bibbo C, Huang CC, Elterman KG, Cappiello EC, Robinson JN, et al. Dural puncture epidural technique improves labor analgesia quality with fewer side effects compared with epidural and combined spinal epidural techniques: a randomized clinical trial. Anesth Analg. 2017 Feb;124(2):560-9.

67. Saberski L, Kondamuri S, Osinubi O. Identification of the epidural space: is loss of resistance to air a safe technique? A review of the complications related to the use of air. Reg Anesth Pain Med. 1997 Jan;22(1):3-15.

68. Guay J. The epidural test dose: a review. Anesth Analg. 2006 Mar;102(3):921-9.

69. Norris MC, Fogel ST, Dalman H, Borrenpohl S, Hoppe W, Riley A. Labor epidural analgesia without an intravascular "test dose". Anesthesiology. 1998 June;88(6):1495-501.

70. Meng ML, Arendt KW. Obstetric anesthesia and heart disease: practical clinical considerations. Anesthesiology. 2021 May;10.1097/ALN.0000000000003833.

71. Katherine W Arendt JDM, Tsen LC. Cardiovascular alterations in the parturient undergoing cesarean delivery with neuraxial anesthesia. Expert Rev Obstet Gynecol. 2012;7(1):59-75.

72. Hamlyn EL, Douglass CA, Plaat F, Crowhurst JA, Stocks GM. Low-dose sequential combined spinal-epidural: an anaesthetic technique for caesarean section in patients with significant cardiac disease. Int J Obstet Anesth. 2005 Oct;14(4):355-61.

73. Cohen KM, Minehart RD, Leffert LR. Anesthetic treatment of cardiac disease during pregnancy. Curr Treat Options Cardiovasc Med. agosto de 2018;20(8):66.

74. Langesæter E, Gibbs M, Dyer RA. The role of cardiac output monitoring in obstetric anesthesia. Curr Opin Anaesthesiol. junho de 2015;28(3):247-53.

75. Soma-Pillay P, Nene Z, Mathivha TM, Macdonald AP. The effect of warfarin dosage on maternal and fetal outcomes in pregnant women with prosthetic heart valves. Obstet Med. 2011;4(1):24-7.

76. Walfisch A, Koren G. The "warfarin window" in pregnancy: the importance of half-life. J Obstet Gynaecol Can. 2010;32(10):988-9.

77. Leffert L, Butwick A, Carvalho B, Arendt K, Bates SM, Friedman A, et al. The Society for Obstetric Anesthesia and Perinatology Consensus Statement on the Anesthetic Management of Pregnant and Postpartum Women Receiving Thromboprophylaxis or Higher Dose Anticoagulants. Anesth Analg. 2018 Mar;126(3):928-44.

78. George RB, McKeen D, Chaplin AC, McLeod L. Up-down determination of the ED90 of oxytocin infusions for the prevention of postpartum uterine atony in parturients undergoing Cesarean delivery. Can J Anesth Can Anesth. 2010 June;57(6):578-82.

79. Lavoie A, McCarthy RJ, Wong CA. The ED90 of prophylactic oxytocin infusion after delivery of the placenta during cesarean delivery in laboring compared with nonlaboring women: an up-down sequential allocation dose-response study. Obstet Anesth Dig. 2016 June;36(2):90-90.

80. Heesen M, Carvalho B, Carvalho JCA, Duvekot JJ, Dyer RA, Lucas DN, et al. International consensus statement on the use of uterotonic agents during caesarean section. Anaesthesia. 2019 Oct;74(10):1305-19.

133

Anestesia Para a Gestante Obesa

Thiago de Freitas Gomes ▪ Magnum Ricardo Bomfim Dourado Rosa ▪ Ana Beatriz Furtado de Souza

INTRODUÇÃO

O ato anestésico na gestante obesa configura grande desafio ao anestesiologista e aos profissionais de saúde envolvidos no processo.[1] A prevalência e o impacto socioeconômico da obesidade são maiores em mulheres quando comparado aos homens e vem aumentando ao longo dos anos.[2] Fatores biológicos e sociais, tais como a adaptação da homeostase energética, as demandas crescentes da gravidez e lactação e o acesso deficiente a alimentos saudáveis, contribuem para o aumento da prevalência de obesidade em mulheres.[3]

▪ OBESIDADE

A obesidade é uma doença crônica e representa um problema de saúde global. Segundo a Organização Mundial de Saúde (OMS), a obesidade é o excesso de gordura corporal, em quantidade que gera prejuízo à saúde. Sua classificação é feita conforme o valor do índice de massa corpórea (IMC). No Quadro 133.1, os dados do Ministério da Saúde apontam aumento de 72% na incidência de obesidade no período entre 2006 e 2019, sendo que o maior percentual está entre as mulheres (20,7%).[4]

Quadro 133.1 Dados do Ministério da Saúde.	
IMC	**Classificação**
Abaixo de 18,5	Abaixo do peso
Entre 18,6 e 24,9	Peso ideal
Entre 25,0 e 29,9	Levemente acima do peso
Entre 30,0 e 34,9	Obesidade grau I
Entre 35,0 e 39,9	Obesidade grau II (grave)
Acima de 40	Obesidade grau III (mórbida)

Fonte: Brasil.[4]

A obesidade na gravidez aumenta consideravelmente o risco de complicações anestésicas e obstétricas, podendo afetar os desfechos tanto maternos como fetais.[5] O elevado peso materno tem sido associado a um risco aumentado de cesariana e ainda tem sido implicado como um fator de risco significativo nas mortes maternas relacionadas à anestesia. Estima-se que um terço das mulheres em idade reprodutiva são obesas e 8% dessas mulheres são extremamente obesas.[6]

▪ ALTERAÇÕES FISIOLÓGICAS NA GESTANTE OBESA

Na gestante obesa, as alterações fisiológicas próprias da gestação geralmente estão associadas a comorbidades devido à obesidade, como por exemplo, alterações nos sistemas respiratório, cardiovascular, endócrino e gastrintestinal, que são de suma importância para o manejo perioperatório[3] (Tabela 133.1).

A obesidade na gestação está associada a maior incidência de apneia obstrutiva do sono,[7] sendo esse um fator de morbidade independente aumentando o risco dessas pacientes desenvolverem pré-eclâmpsia, cardiomiopatia, embolia pulmonar e morte mesmo após o controle da obesidade.[8]

A evolução do trabalho de parto é mais lenta em parturientes obesas tanto pela macrossomia fetal, cuja incidência está aumentada nessas pacientes, como pela diminuição da responsividade à ocitocina.[9] Somando-se a isso temos um risco aumentado de hemorragia pós-parto pelo comprometimento da contração miometrial induzido por adipocinas.[10]

Via de regra, a obesidade na gestação está associada ao trabalho de parto prolongado, necessidade de doses maiores de ocitocina e aumento das taxas de cesariana,[11] ao passo que a macrossomia fetal leva a maior risco de distócia de ombro, lesões para o recém-nascido e lacerações perineais.[3]

Tabela 133.1 Alterações fisiológicas na gestação da pacinte obesa.		
Sistema	**Alterações fisiológicas**	**Comorbidades**
Respiratório	O excesso de peso reduz a complacência torácica e a capacidade residual funcional, levando à: ■ rápida dessaturação quando em apneia ■ complacência pulmonar reduzida e aumento do trabalho respiratório ■ disfunção da ventilação perfusão por fechamento das pequenas vias aéreas O consumo de oxigênio e a produção de dióxido de carbono aumentam proporcionalmente à massa de tecido adiposo, compensado pelo aumento da ventilação minuto	**Distúrbios respiratórios do sono** ■ apneia obstrutiva do sono está presente em 40-90% dos indivíduos obesos ■ 8-20% têm síndrome da hipoventilaçao por obesidade (obesidade, distúrbios respiratórios do sono e hipocapnia durante o dia acordado) Esses distúrbios respiratórios do sono aumentam a sensibilidade aos efeitos depressores dos opioides; aumentam em quatro vezes o risco de hipoxemia; dificultam o manejo da via aérea; aumentam o risco cardiovascular; aumentam o risco de *delirium* pós-operatório **Hipertensão pulmonar** ■ risco aumentado com a obesidade devido à apneia obstrutiva do sono, disfunção cardíaca e tromboembolismo ■ aumenta a morbidade e mortalidade perioperatória em 23%
Cardiovascular	Secreção de adipocinas e citocinas pró-inflamatórias pelo tecido adiposo resultam em: ■ alterações do sistema nervoso simpático, do sistema renina-angiotensina-aldosterona e funções do pâncreas ■ cardiomiopatia em aproximadamente 30% dos obesos ■ elevação do débito cardíaco para atender ao aumento das necessidades metabólicas do tecido adiposo leva à hipertrofia ventricular compensatória e disfunção sistólica, exacerbada pela remodelação estrutural da esteatose e ativação neuro-humoral	■ prevalência de hipertensão arterial de 60% em indivíduos obesos ■ doença arterial coronariana em cerca de 7% dos obesos ■ aumento do risco de arritmias devido alterações estruturais cardíacas e ativação do sistema nervoso simpático ■ aumento do risco de tromboembolismo como consequência do prejuízo do sistema fibrinolítico, aumento da agregação plaquetária, compressão da veia ileofemoral e disfunção endotelial
Endócrino		■ a obesidade aumenta a resistência insulínica e a incidência de diabetes *mellitus* ■ mau controle glicêmico peroperatório leva ao aumento do risco de infecções de feridas operatórias, disfunção renal aguda e deiscência de anastomoses
Gastrintestinal	■ Aumento do risco de aspiração pulmonar por elevação da pressão intra-abdominal e do retardo do esvaziamento gástrico por neuropatia autonômica ■ Aumento da incidência de doença do refluxo grastresofágico (DRGE) e hérnia de hiato – não estando apenas relacionada à obesidade, visto que o pH e a pressão da junção gastresofágica não são diferentes em indivíduos obesos e não obesos	

■ MANEJO ANESTÉSICO NA GESTANTE OBESA

Considerações Pré-anestésicas na Gestante Obesa

As alterações anatômicas e fisiológicas da gravidez, juntamente com as da obesidade, tornam essa parturiente uma população particularmente de alto risco. Como tal, o Royal College of Obstetricians and Gynecologist (RCOG) e o American College of Obstetricians and Gynecologist (ACOG) recomendam que as mulheres com IMC > 40 Kg/m^2 devem ter sua consulta realizada com um anestesiologista no terceiro trimestre de gravidez.[12]

A consulta preferencialmente deve ser realizada por um anestesiologista experiente no início do terceiro trimestre, dando mais tempo para investigações e otimizações pré-operatórias se houver necessidade. A Tabela 133.2 mostra as principais considerações pré-operatórias para a anestesia da gestante obesa.[12]

A consulta deve incluir um histórico padrão com atenção específica para triagem de possíveis comorbidades associadas à obesidade, como apneia obstrutiva do sono (SAOS), hipertensão, doença cardíaca, refluxo gastroesofágico e diabetes. Um exame detalhado das vias aéreas, sistema respiratório e cardiovascular também deve ser realizado. Algumas características clínicas da doença cardiorrespiratória, como dispneia e edema dos membros inferiores, podem ser difíceis de distinguir das alterações associadas à gravidez, nesse caso, um ECG e um ecocardiograma transtorácico sempre devem ser solicitados. A coluna vertebral também deve ser examinada para identificar pacientes nos quais o bloqueio do neuroeixo pode ser um desafio e pode ser necessário a utilização da ultrassonografia antes de qualquer procedimento do neuroeixo.[13]

Tabela 133.2 Considerações pré-operatórias para anestesia da gestante obesa.

Sistema	Considerações Específicas
Via Aérea ▪ Aumento do risco de intubação difícil na parturiente com obesidade	▪ Exame detalhado, incluindo classificação de Mallampati, distância tireomentoniana, abertura da boca e protusão da mandíbula
▪ Respiratório ▪ Aumento do risco de SAOS	▪ História detalhada explorando características da SAOS ▪ Encaminhamento para avaliação do pneumologista e dos estudos do sono
Cardiovascular ▪ Aumento do risco de doença cardiovascular ▪ (hipertensão, doença coronariana e cardiomiopatias)	▪ Exame cardiológico: avaliação de dor torácica, palpitações, tolerância reduzida ao exercício, ortopneia e dispneia paroxística noturna ▪ Observar ao exame físico: edema de membros inferiores, crepitações em bases pulmonares e observação de turgescência jugular ▪ Se observado achados positivos solicitar ECG, Ecocardiograma e encaminhamento para cardiologista para otimização
Gastrintestinal ▪ Aumento do risco de aspiração associado à hérnia de hiato e refluxo gastresofágico	▪ Estar atento ao tempo de jejum adequado para realização de parto cirúrgico
Metabólico ▪ Aumento do risco de resistência preexistente à insulina e diabetes gestacional	▪ História de complicações microvasculares e macrovasculares da resistência à insulina ▪ Encaminhamento ao endocrinologista para otimização.

Fonte: Patel SD, Habib AS. 2021.[12]

A avaliação pré-anestésica permite também uma discussão aprofundada sobre analgesia e a anestesia para uma provável cesariana sem os desafios impostos pela tentativa de tal discussão ser realizada durante o trabalho de parto já desencadeado. As gestantes obesas muitas vezes se sentem estigmatizadas e estereotipadas, sendo muito importante que a consulta pré-anestésica seja conduzida de maneira sensível, sem julgamento e que promova a tomada de decisão compartilhada entre a paciente, o anestesiologista e a equipe obstétrica. Conforme destacado acima tais discussões não devem ser usadas para pressionar a mulher a tomar decisões que são contrárias aos seus valores, mas sim representar uma oportunidade de fornecer informações, aconselhamentos e apoio a paciente.[12]

As pacientes obesas devem ser informadas sobre o risco de trabalho de parto disfuncional e maior taxa de cesariana. Consequentemente, devem ser aconselhadas a instalação de um cateter peridural no início de trabalho de parto por dois motivos principais. Em primeiro lugar, a instalação de um cateter peridural será provavelmente desafiadora, exigindo várias tentativas, e pode ser mais bem-sucedida quando a paciente estiver calma e confortável com um posicionamento adequado antes do início das fortes contrações do trabalho de parto. Em segundo lugar, pacientes com obesidade apresentam maior risco de falha do cateter peridural em comparação a mulheres com IMC dentro da normalidade.

A instalação precoce do cateter peridural permite tempo para garantir que o cateter esteja funcionando adequadamente caso seja necessário um parto cirúrgico, portanto, reduzindo o risco da necessidade de anestesia geral em uma parturiente com via aérea potencialmente difícil. As pacientes devem ser instruídas sobre a necessidade da utilização da ultrassonografia para auxiliar a colocação do cateter venoso, peridural e possível necessidade de instalação de uma linha arterial para monitoramento da pressão arterial invasiva.

A consulta pré-anestésica não deve apenas destacar para a paciente que ela é de alto risco, mas também garantir que as modificações em seus cuidados anestésicos estão sendo realizadas para maximizar sua segurança e de seu bebê.

A Tabela 133.3 mostra a probabilidade de complicações obstétricas relacionadas à obesidade, em comparação a parturientes não obesas.[14]

Tabela 133.3 Probabilidade de complicações anestésicas relacionadas á obesidade, em comparação a parturientes não obesas.

Complicações Obstétricas	Odds ratio (IC 95%)
Macrossomia fetal	3,4 (2,8-4,2)
Distócia de ombro	2,9 (1,4-5,8)
Mortalidade Neonatal	2,6 (1,2-5,8)
Parto Cesáreo	2,4 (2,0-2,9)
Hemorragia pós-parto	2,3 (2,1-2,6)
Infecção no sítio cirúrgico	2,2 (1,9-2,6)
Cesariana de emergência	2,2 (1,8-2,6)
Morte Fetal	2,1 (1,5-2,7)
Indução do Parto	1,8 (1,5-2,2)
Prematuridade Fetal	1,2 (1,1-1,4)

Fonte: Tan HS, Habib AS. 2021.[14]

Planejamento Logístico

As mulheres obesas devem ter seu parto realizado em locais adequados para atender às suas necessidades de cuidados que são particularmente complexos. Essas maternidades devem avaliar regularmente suas capacidades para lidar com mulheres com IMC > 30 Kg/m^2, incluindo equipe multidisciplinar capacitada, equipamento e acessibilidade.[15]

Equipamentos compatíveis com as pacientes devem estar prontamente disponíveis, como equipamento de via aérea difícil, agulhas espinhais e epidurais longas e manguitos de pressão arterial não invasiva (PANI) do tamanho adequado. O ajuste inadequado dos manguitos de PANI em mulheres obesas ocorre devido ao problema de tamanho e formato cônico do braço das gestantes obesas, o que pode causar problemas de superestimação da pressão arterial e desconforto durante as aferições da paciente. Um manguito de PANI no antebraço pode ser usado se não for possível usar um manguito de pressão arterial de tamanho apropriado na parte superior do braço. Este método de aferição da PANI fornecerá pressões sanguíneas consistentes que estão correlacionadas às pressões medidas no braço.[16]

O acesso venoso pode ser de difícil instalação, muitas vezes necessitando serem guiados por ultrassom. O acesso venoso central também pode ser necessário caso não se consiga acesso venoso periférico satisfatório ou na presença de comorbidades.

As instituições que atendem pacientes obesas necessitam também de leitos adequados, cadeiras de rodas que suportem maior capacidade de peso e mesas cirúrgicas adequadas. Mesmo com equipamentos adequados, pacientes com IMC > 50 kg/m² podem apresentar dificuldade de manejo principalmente em casos de procedimentos de emergência. Neste caso é de extrema importância a comunicação da equipe de obstetrícia com os diversos setores envolvidos no atendimento da gestante.[12]

◾ MANEJO ANESTÉSICO PERIPARTO

Analgesia de Parto

Analgesia neuroaxial

Os bloqueios do neuroeixo são as melhores opções para analgesia de parto em gestantes obesas. Eles fornecem analgesia mais eficaz, com menos efeitos adversos para a mãe e o bebê. Além disso, com técnicas neuroaxiais, a analgesia de parto pode ser prontamente convertida em anestesia cirúrgica caso haja necessidade, evitando assim a anestesia geral com seus riscos associados a gestante obesa.[12]

Cateteres para analgesia de parto podem ser colocados utilizando uma técnica peridural, espinhal peridural combinada (EPC), peridural com punção dural (PPD) ou espinhal contínua.[17]

A colocação de cateteres peridurais pode ser notoriamente desafiadora nesses pacientes devido ao aumento da quantidade de tecido subcutâneo que dificulta a palpação dos marcos anatômicos. A posição sentada e flexionada é a preferida, pois permite uma melhor visualização da linha média e reduz a distância ao espaço peridural em comparação a posição lateral. O uso do USG antes do procedimento também pode ajudar a localizar a linha média e fornecer estimativas de profundidade do espaço peridural e a melhor angulação para a entrada da agulha. Além disso, também demonstrou reduzir o número de tentativas e o número de redirecionamento de agulha e colocação bem-sucedida do cateter peridural. Portanto, é necessário que os anestesiologistas que trabalhem em maternidades sejam adequadamente treinados e qualificados para utilizarem o ultrassom para colocação de cateteres peridurais durante o trabalho de parto.[18]

Em circunstâncias extremas, uma agulha peridural de comprimento padrão pode não ser suficiente e uma agulha mais longa será necessário para identificar o espaço peridural. No entanto, é aconselhável utilizar uma agulha peridural de comprimento padrão para a primeira tentativa, pois agulhas mais longas podem ser mais difíceis de controlar com potencial de causar complicações.[18]

A comunicação contínua com a paciente durante a colocação do cateter peridural é vital. Ela educa a paciente sobre o posicionamento ideal e alivia a sua ansiedade. Além disso, o *feedback* da paciente pode ajudar o anestesiologista a redirecionar a agulha para a linha média se encontrar dificuldades. Uma vez que o cateter peridural tenha sido colocado, é importante que ele seja fixado adequadamente para reduzir a migração e o deslocamento. O paciente deve ser solicitado a passar da posição flexionada para a posição sentada ereta antes de fixar o cateter a fim de evitar deslocamento. O cateter peridural deve ser inserido 3 a 5 cm dentro do espaço peridural para evitar deslocamentos durante a movimentação da gestante durante o trabalho de parto.[19]

A dificuldade técnica da colocação do cateter peridural em pacientes com obesidade está associada ao risco aumentado de punção dural acidental, em comparação a pacientes com IMC normal (4% x 1%).[20] No entanto, o impacto do IMC no desenvolvimento da cefaleia pós punção dural é conflitante. Embora alguns estudos tenham mostrado que o risco de desenvolver cefaleia é reduzido em pacientes com IMC elevado, outros estudos não confirmam esse achado. Em geral, as evidências sugerem que o IMC elevado pode oferecer alguma proteção, sendo o efeito, provavelmente, mais perceptível com IMC > 50 Kg/m². O risco de desenvolver cefaleia pós punção em pacientes obesas é de 40% a 45%.[21]

Não há estudos comparando especificamente a peridural tradicional com a técnica espinhal peridural combinada (EPC) para analgesia de parto em pacientes obesas. A técnica espinhal peridural combinada fornece analgesia rápida e confiável. Além disso, quando os cateteres são colocados como parte da técnica combinada, eles apresentam taxas de falha mais baixas em comparação com as técnicas peridurais tradicionais. Isso foi atribuído à confirmação do retorno do liquor liquórico ao usar uma técnica de agulha através de outra agulha que fornece a garantia de que o espaço peridural foi localizado e que o cateter peridural provavelmente está na linha média. Da mesma forma, a técnica peridural com punção dural (PPD) pode ser usada. Nessa técnica, identifica-se o espaço peridural, perfurando a dura-máter com agulha para bloqueio subaracnoideo sem administrar medicações intratecal e instala-se um cateter peridural de maneira rotineira. Quando comparada com a técnica peridural tradicional para analgesia de parto, a técnica PPD pode estar associada há uma melhor dispersão sacral e uma menor quantidade de bloqueios unilaterais ou irregulares. Presume-se que o orifício dural atue como um conduto, permitindo a administração de pequenas quantidades de anestésico local na via intratecal através do espaço peridural. Além disso, semelhante a técnica PEC, o retorno do liquor com punção dural ajuda a confirmar o posicionamento da linha média, aumentando assim as chances de sucesso do bloqueio. Embora a técnica PPD não tenha sido especificamente investigada em pacientes obesas, parece lógico que os benefícios da técnica possam ser vantajosos.[22,23]

Uma vez que o cateter epidural tenha sido colocado, administração de misturas de anestésicos locais com o opioides através do cateter peridural pode ser obtida com a infusão peridural contínua, analgesia peridural controlada pelo paciente ou bolus peridural intermitente programado. Essas estratégias de manutenção não foram comparadas em parturientes com obesidade, e a administração de anestésico local deve ser iniciada de acordo com os protocolos assistenciais locais.

Um cateter intratecal (CIT) também pode ser colocado para fornecer analgesia em trabalho de parto de forma contínua. Embora à colocação de um cateter intratecal geralmente seja considerada apenas após punção inadvertida da dura-máter, a colocação eletiva em mulheres com IMC > 50 Kg/m^2 pode ser uma opção para analgesia neuroaxial, especialmente naquelas pacientes com características clínicas que sugerem um possível manejo difícil das vias aéreas. Os cateteres intratecais permitem a entrega segura e confiável de analgesia de parto e podem ser cuidadosamente estendidos para fornecer anestesia cirúrgica caso seja necessário parto cesariana, reduzindo assim os riscos específicos da anestesia geral em pacientes com obesidade em trabalho de parto. No entanto, o gerenciamento de cateteres intratecais requer treinamento específico, e a comunicação com todos os membros da equipe de trabalho de parto é vital para evitar possíveis erros de medicação. As instituições devem ter protocolos para gerenciar com segurança um cateter intratecal. Além disso, é importante observar que existe um risco de pelo menos 40% a 50% de cefaleia pós punção dural associado ao seu uso.

Independentemente da técnica neuroaxial escolhida, os pacientes devem ser reavaliados rotineiramente para permitir a detecção precoce de cateteres com mau funcionamento e substituição oportuna, se necessário. O cateter neuroaxial com bom funcionamento para analgesia de parto diminui o risco de anestesia geral caso seja necessário um cesariana e melhor a satisfação da paciente.[12]

Alternativas Farmacológicas

Caso a analgesia neuroaxial seja contraindicada ou não seja possível, opções não neuroaxiais para analgesia de parto devem ser oferecidas. As misturas inalatórias de óxido nitroso e oxigênio estão disponíveis rotineiramente no Reino Unido e podem fornecer alguma analgesia, embora inferior às opões neuroaxiais, sem efeitos adversos na mãe e no bebê.[1]

O remifentanil é um opioide potente de curta ação cuja farmacocinética pode torná-lo particularmente adequado para analgesia de parto. Ele fornece controle da dor com melhor satisfação em relação ao óxido nitroso e meperidina, embora o controle da dor com remifentanil seja inferior ao fornecido pela analgesia neuroaxial. Analgesia controlada pelo paciente com remifentanil para analgesia de parto está se tornando mais popular e foi especificamente estudada com o objetivo de diminuir o uso da analgesia de parto neuroaxial.

A utilização do remifentanil para analgesia de parto é bastante preocupante em mulheres com obesidade mórbida. Embora eventos adversos graves na população em geral com os protocolos de monitoramento apropriado sejam raros, a depressão respiratória foi relatada e está associada a uma taxa de 20% a 30% de dessaturação materna.

Além disso, a rede remiPCA SAFE na Suíça e Alemanha, uma das maiores fontes de dados sobre o uso do remifentanil PCA no trabalho de parto, considera especificamente IMC maior a 40 uma contraindicação. O uso do remifentanil em pacientes com obesidade mórbida ou suspeita de SAOS deve ser utilizado com cautela e com monitoramento intensivo para depressão respiratória se for o caso.[2]

Terapias alternativas, como acupuntura e estimulação elétrica transcutânea, também podem ser consideradas, embora a eficácia dessas terapias não seja comprovada em geral e não tenha sido investigada especificamente no tratamento de pacientes obesos.[17]

Anestesia para cesariana

A mortalidade materna relacionada à anestesia diminuiu constantemente nas últimas quatro décadas. O declínio nas taxas de anestesia geral para cesariana desempenhou um papel fundamental nesse declínio, já que a maioria dos casos relacionados à anestesia ocorreram sob anestesia geral. A anestesia neuroaxial para a cesariana é o método mais seguro na gestante obesa e a anestesia geral deve ser reservada para emergências quando a anestesia neuroaxial é contraindicada.[24,25]

Anestesia neuroaxial

A anestesia subaracnoidea em dose única produz uma anestesia densa e confiável com rápido início de ação. Sua principal limitação é a duração do tempo cirúrgico que normalmente está aumentado na gestante obesa.[3] Se o bloqueio subaracnoideo começar a regredir antes do término da cirurgia, pode ser necessária a anestesia geral com todos os seus riscos inerentes.[26,27]

Uma dose reduzida de anestésico local intratecal pode ser necessária em mulheres grávidas devido ao ingurgitamento venoso peridural e às alterações na permeabilidade do tecido neural devido às alterações hormonais na gravidez. Porém, não se observou risco potencial de bloqueio subaracnoideo mais alto que pacientes grávidas não obesas a não ser que seu IMC ultrapasse 50 Kg/m^2. Nesses casos, a redução da dosagem deve ser cuidadosamente avaliada, visto que os procedimentos nessas gestantes podem apresentar tempos cirúrgicos mais prolongados.[17]

Também é possível que o alto número de bloqueios neuroaxiais realizados inadvertidamente acima do espaço L1/L2 em pacientes com IMC > 50 Kg/m^2 possa aumentar o risco de bloqueios espinhais mais altos.[28] Dado a incerteza associada à dosagem ideal de anestésico local para cesariana em mulheres obesas, recomenda-se a utilização do duplo bloqueio espinhal.[29]

A anestesia espinhal peridural combinada é a técnica preferida para cesariana em parturientes obesas. Ela combina o denso bloqueio da anestesia subaracnoidea com a capacidade de estender a duração do bloqueio utilizando o cateter peridural. Além disso, é uma técnica útil em pacientes, em que uma dose reduzida de anestésico espinhal pode ser desejável, como aquelas com patologias cardiovasculares a fim de minimizar a instabilidade hemodinâmica.

A anestesia subaracnoidea contínua é outra opção para cesarianas em parturientes obesas em situação de exceção visto que as pacientes submetidas a essa técnica apresentam um alto risco de cefaleia pós punção dural conforme discutido anteriormente. Alguns autores defendem a técnica contínua em pacientes com obesidade mórbida, pois fornece um bloqueio cirúrgico denso e confiável que pode ser titulado para o nível anestésico desejado em minutos. Seu uso pode ser útil em emergências em que uma técnica subaracnoidea ou duplo bloqueio não puder ser realizada devido a obesidade.[19]

Anestesia Geral

Existem riscos significativos associados à anestesia geral para as parturientes obesas. A importância do posicionamento da paciente, pré-oxigenação, presença de pessoal adequado e equipamento de via aérea difícil são fundamentais para o sucesso do procedimento.

O posicionamento ideal da paciente não está focado apenas em uma possível via aérea difícil, mas sim deve ter como objetivo melhorar a mecânica respiratória para a pré-oxigenação. A redução da capacidade residual funcional associada à gravidez é agravada pela obesidade e quando associada ao aumento do consumo de oxigênio pode levar à rápida dessaturação da paciente. Portanto, é vital que seja realizada uma pré-oxigenação adequada.

As pacientes obesas devem ficar em posição de rampa, pois melhorará a CRF e aumentará o tempo de apneia da paciente, além de melhorar a laringoscopia. Esse posicionamento também reduz o refluxo gastresofágico e facilita a utilização de laringoscópios em pacientes com mamas grandes.[30]

A ventilação com CPAP ou ventilação com pressão de suporte demostrou aumentar a pré-oxigenação em pacientes não grávidas com obesidade e também prevenir a dessaturação durante a indução sequencial rápida. A oxigenação apneica é uma técnica bem estabelecida em pacientes não obstétricas que prolonga o tempo de apneia durante a laringoscopia e pode ser facilmente alcançada utilizando cateteres de oxigênio com fluxo de 5 a 15 L/min. A utilização de cateteres de alto fluxo que fornece oxigênio umidificado até 70 L/min também parece ser promissor para melhorar as técnicas de pré-oxigenação em pacientes obesas não obstétricas. Apesar de não existir estudos robustos sobre a utilização dessas técnicas em gestantes obesas sua utilização é bastante promissora.[31]

A administração de anestesia geral a uma parturiente com obesidade apresenta vários desafios para as vias aéreas, incluindo dificuldades de ventilação e risco também aumentado de falha na intubação. Consequentemente, sempre que possível, contar com a presença de dois anestesiologistas. Todos devem ter a disposição todos os dispositivos de via aérea difícil e estar familiarizados com as diretrizes a serem utilizadas no manejo da via aérea difícil. O uso da videolaringoscopia como técnica de primeira linha para intubação deve ser fortemente considerado juntamente com a utilização de tubos orotraqueais mais finos.

Deve haver muita atenção à dosagem dos medicamentos utilizados na indução da anestesia geral em gestantes obesas visto que a maior parte dos incidentes relacionados a anestesia geral em gestantes obesas estão correlacionadas a indução da anestesia geral[14] (Tabela 133.4).

A extubação após anestesia geral requer um estado de bastante atenção da equipe anestésica visto ser um momento particularmente vulnerável para as parturientes obesas. Portanto, é necessária uma vigilância, especialmente durante a extubação sendo preciso a adoção de estratégias como otimização do posicionamento da paciente com elevação da cabeceira a 30°, prevenção da obstrução das vias aéreas superiores após extubação. Além disso, as pacientes devem estar totalmente acordadas, seguindo comandos com uma reversão completa do bloqueio neuromuscular antes da extubação.[19]

A dosagem ideal de reversão do bloqueio neuromuscular com sugamadex, uma ciclodextrina, deve ser guiada pelo monitoramento neuromuscular e baseada no peso corporal total devido ao aumento da colinesterase plasmática circulante.[19]

Tabela 133.4 Escala de peso sugerida para utilização das principais drogas utilizadas na anestesia geral.				
	Medicamento	**Peso Corporal Magro**	**Peso Corporal Ideal**	**Peso Corporal Total**
Sedativos e Hipnóticos	Propofol (Bolus)	X		
	Propofol (Manutenção)			X
	Propofol (TCI)	X		
	Tiopental	X		
	Benzodiazepínico (Bolus)			X
Opioides	Fentanil	X		
	Remifentanil	X		
	Morfina		X	
Bloqueadores Neuromusculares	Succinilcolina			X
	Drogas adespolarizantes		X	

Fonte: Tan HS, Habib AS.[14]

■ CONSIDERAÇÕES PÓS-PARTO

A obesidade aumenta os riscos de complicações pós--parto, incluindo infecções, tromboembolismo venoso, depressão respiratória e complicações cardiovasculares.

O manejo pós-parto deve, portanto, se concentrar em minimizar o risco de desenvolver essas complicações. O local para onde a parturiente com obesidade deve ser transferida após o parto cirúrgico deve ser individualizado. Deve-se levar em consideração a presença de outras comorbidades, complicações periparto e necessidade de monitoramento invasivo ou suporte respiratório. Parturientes com obesidade que são saudáveis com o parto sem complicações podem ser manejadas com segurança em uma enfermaria pós-parto. Pacientes identificadas como necessitando de um nível mais alto de monitoramento e tratamento pós-operatório podem requerer internação em unidade de terapia materna ou UTI.

A analgesia pós-parto é fundamental nas parturientes obesas, pois melhora a mecânica respiratória e a mobilização, reduzindo o risco de tromboembolismo venoso.

A melhor estratégia para o controle da dor pós-operatória é o uso de analgesia multimodal, incluindo opioide de longa duração no neuroeixo de longa duração, que é considerado o padrão ouro. A morfina é o opioide mais utilizado, sendo a depressão respiratória, seu efeito adverso mais temido. No entanto, as evidências atuais sugerem que a incidência de depressão respiratória após o uso de morfina no neuroeixo é baixa, mesmo na presença de obesidade mórbida.

A *American Society of Obstetric Anesthesia and Perinatology* publicou recentemente em seu consenso orientações para o monitoramento respiratório após o uso de morfina neuroaxial com base na estratificação de fatores de risco. Obesidade mórbida e SAOS são fatores de risco para o desen-volvimento de depressão respiratória e, consequentemente, níveis mais altos de monitoramento respiratório por 24 horas após a administração são recomendados[32] (Figura 133.1).

Quando os opioides no neuroeixo não puderem ser utilizados o manejo da dor pós-operatório em cirurgias cesarianas pode ser um desafio. Nesses casos, a analgesia controlada pelo paciente com opioides venosos pode ser usada com cautela no ambiente de monitorização para depressão respiratória. Além disso, o uso de técnicas com bloqueios regionais como o bloqueio transverso do abdome (TAP), bloqueio quadrado lombar e a infiltração da ferida operatória devem ser considerados rotineiramente em pacientes que não receberam opioides de ação prolongada no neuroeixo.

A obesidade materna aumenta o risco de desenvolvimento de tromboembolismo venoso no pré e pós-parto. Dispositivos de compressão pneumática de tamanho adequado e meias elásticas devem ser utilizadas durante todo o período periparto. Os pacientes devem ser encorajados a se mobilizar precocemente e a profilaxia farmacológica para trombose venosa deve ser iniciada.

■ CONCLUSÃO

A obesidade materna está crescendo em ritmo alarmante em todo o mundo e está associada a resultados adversos tanto para a mãe quanto para a saúde do bebê. O envolvimento da equipe multidisciplinar é vital para o manejo bem-sucedido e, como tal, os anestesiologistas que trabalham em salas de parto devem estar familiarizados com as complexidades do manejo dessas pacientes durante o período periparto. Além dos desafios clínicos associados ao manejo desses pacientes, existem desafios logísticos significativos. O planejamento cuidadoso dessas pacientes aumenta a segurança materna e neonatal.[12]

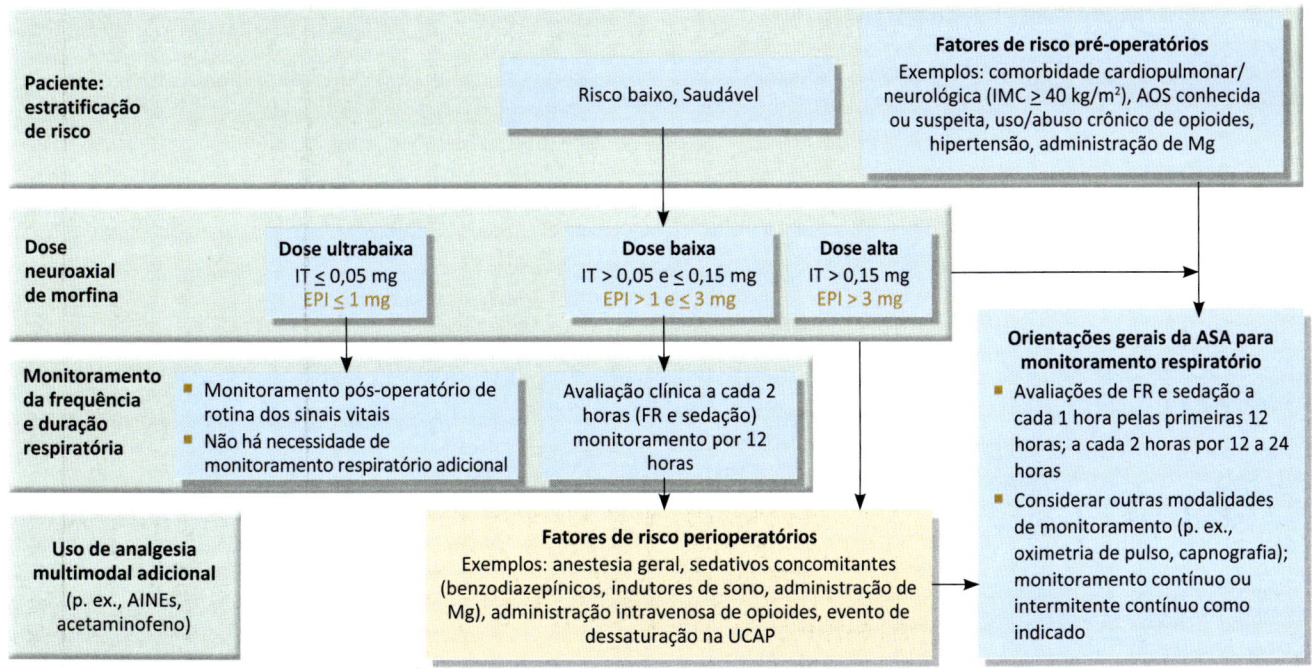

▲ **Figura 133.1** Algoritmo para monitoramento respiratório após a administração neuroaxial de morfina para anestesia pós-parto cesáreo.

IMC: índice de massa corporal; EPI: epidural; IT: intratecal; Mg: magnésio; AINEs: anti-inflamatórios não esteroidais; AOS: apneia obstrutiva do sono; UCAP: unidade de cuidado anestésico pós-operatório; FR: frequência respiratória; ASA: *American Society of Anesthesiologists*.

REFERÊNCIAS

1. Gaiser R. Anesthetic considerations in the obese parturient. Clinical Obstetrics and Gynecology. 2016;59(1):193–203.
2. NHS digital. Pesquisa de Saúde do Serviço Nacional de Saúde (NHS) para a Inglaterra 2017. Sobrepeso e obesidade em adultos e crianças. 2018. [cited 2023 jul]. Avalable from: https://files.digital.nhs.uk/EF/AB0F0C/HSE17-Adult-Child-BMIrep-v2.pdf.
3. Tan HS, Habib AS. Obesity in women: anaesthetic implications for peri-operative and peripartum management. Anaesthesia. 2021;76(S4):108–117.
4. Brasil. Ministério da Saúde. Vigilância de fatores de risco e proteção para doenças crônicas por inquérito telefônico estimativas sobre frequência e distribuição sociodemográfica de fatores de risco e proteção para doenças crônicas nas capitais dos 26 estados brasileiros e no distrito federal em 2019. Brasília, DF: Ministério da Saúde; 2019. Available from: https://bvsms.saude.gov.br/bvs/publicacoes/vigitel_brasil_2019_vigilancia_fatores_risco.pdf.
5. Väänänen AJ, et al. Does obesity complicate regional anesthesia and result in longer decision to delivery time for emergency cesarean section? Acta Anaesthesiologica Scandinavica. 2017;61(6):609–618.
6. O'Dwyer V, Layte R, O'Connor C, et al. Variação internacional nas taxas de cesariana e obesidade materna.J Obstet Gynecol. 2013;33:466–470.
7. Ortiz VE, Kwo J. Obesidade: alterações fisiológicas e implicações para o manejo pré-operatório. BMC Anestesiologia. 2015;15:97.
8. Louis JM, Mogos MF, Salemi JL, Redline S, Salihu HM. Apneia obstrutiva do sono e morbidade/mortalidade materno-infantil grave nos Estados Unidos, 1998-2009. Dormir. 2014;37:843–9.
9. Kominiarek MA, Zhang J, Vanveldhuisen P, Troendle J, Beaver J, Hibbard JU. Padrões contemporâneos de trabalho: o impacto do índice de massa corporal materna. Jornal Americano de Obstetrícia e Ginecologia. 2011;205:244.e1–244.e8.
10. Hehir MP, Morrison JJ. A adipocina apelina e a contratilidade uterina humana. Jornal Americano de Obstetrícia e Ginecologia. 2012;206:359.e1–359.e5.
11. Pevzner L, Powers BL, Rayburn WF, Rumney P, Wing DA. Efeitos da obesidade materna na duração e resultados do amadurecimento cervical de prostaglandina e indução do parto. Obstetrícia e Ginecologia. 2009;114:1315–21.
12. Patel SD, Habib AS. Anaesthesia for the parturient with obesity. BJA Educ. 2021 May;21(5):180-186. doi: 10.1016/j.bjae.2020.12.007. Epub 2021 Feb 17. PMID: 33927890; PMCID: PMC8071724.
13. Uyl N, de Jonge E, Uyl-de Groot C, van der Marel C, Duvekot J. Difficult epidural placement in obese and non-obese pregnant women: a systematic review and meta-analysis. Int J Obstet Anesth. 2019;40:52e61.
14. Tan HS, Habib AS. Obesity in women: anaesthetic implications for peri-operative and peripartum management. Anaesthesia. 2021 Apr;76(Suppl 4):108-117. doi: 10.1111/anae.15403. PMID: 33682095.
15. Denison FC, Aedla NR, Keag O, et al. Care of women with obesity in pregnancy: green-top guideline no. 72. BJOG. 2019;126:62e106.
16. Eley VA, Christensen R, Kumar S, Callaway LK. A review of blood pressure measurement in obese pregnant women. Int J Obstet Anesth. 2018;35:64e74.
17. Arnolds DE, Scavone BM. Obesity in pregnancy. Int Anesthesiol Clin. 2021 Jul 1;59(3):8-14. doi: 10.1097/AIA.0000000000000322. PMID: 33883427.
18. D'Alonzo RC, White WD, Schultz JR, Jaklitsch PM, Habib AS. Ethnicity and the distance to the epidural space in parturients. Reg Anesth Pain Med. 2008; 33:24e9.
19. Yurashevich M, Taylor CR, Dominguez JE, Habib AS. Anesthesia and analgesia for the obese parturient. Adv Anesth. 2022 Dec;40(1):185-200. doi: 10.1016/j.aan.2022.07.004. PMID: 36333047.
20. Peralta F, Higgins N, Lange E, Wong CA, McCarthy RJ. The relationship of body mass index with the incidence of postdural puncture headache in parturients. Anesth Analg. 2015;121:451e6.
21. Lamon AM, Einhorn LM, Cooter M, Habib AS. The impact of body mass index on the risk of high spinal block in parturients undergoing cesarean delivery: a retrospective cohort study. J Anesth. 2017;31:552e8.
22. Lee S, Lew E, Lim Y, Sia AT. Failure of augmentation of labor epidural analgesia for intrapartum cesarean delivery: a retrospective review. Anesth Analg 2009;108:252e4.
23. Pan PH, Bogard TD, Owen MD. Incidence and characteristics of failures in obstetric neuraxial analgesia and anesthesia: a retrospective analysis of 19,259 deliveries. Int J Obstet Anesth. 2004;13:227e33.
24. Hawkins JL, Koonin LM, Palmer SK, et al. Anesthesia-related deaths during obstetric deliver y in the United States, 1979-1990. Anesthesiology. 1997;86(2):277–84.
25. Hawkins JL, Chang J, Palmer SK, et al. Anesthesia-related maternal mortality in the United States: 1979-2002. Obstet Gynecol. 2011;117(1):69–74.
26. Riley ET, Cohen SE, Macario A, et al. Spinal versus epidural anesthesia for cesarean section: a comparison of time efficiency, costs, charges, and complications. Anesth Analg. 1995;80(4):709–12.
27. Butwick A, Carvalho B, Danial C, et al. Retrospective analysis of anesthetic interventions for obese patients undergoing elective cesarean deliver y. J Clin Anesth. 2010;22(7):519–26.
28. Arnolds D, Hofer J, Scavone B. Inadvertent neuraxial block placement at or above the L1-L2 interspace in the super-obese parturient: a retro- spective study. Int J Obstet Anesth. 2020;42:20–25.
29. Girsen AI, Osmundson SS, Naqvi M, et al. Body mass index and operative times at Cesarean delivery. Obstet Gynecol. 2014;124:684–689.
30. Mushambi MC, Kinsella SM, Popat M et al. Obstetric anaesthetists' association and difficult airway society guidelines for the management of difficult and failed tracheal intubation in obstetrics. Anaesthesia. 2015;70:1286e306.
31. Shah U, Wong J, Wong DT, Chung F. Preoxygenation and intraoperative ventilation strategies in obese patients: a comprehensive review. Curr Opin Anaesthesiol. 2016;29: 109e18.
32. Bauchat JR, Weiniger CF, Sultan P, Habib AS, Ando K, Kowalczyk JJ, Kato R, George RB, Palmer CM, Carvalho B. Society for obstetric anesthesia and perinatology consensus statement: monitoring recommendations for prevention and detection of respiratory depression associated with administration of neuraxial morphine for cesarean delivery analgesia. Anesth Analg. 2019 Aug;129(2):458-474. doi: 10.1213/ANE.0000000000004195. PMID: 31082964.

134

Monitorização Fetal e Parto Prematuro

Gabriela Tognini Saba

INTRODUÇÃO

A anestesia obstétrica desempenha um papel crucial no manejo do parto prematuro e das situações onde há sofrimento fetal, uma vez que essas situações demandam uma abordagem diferenciada e cuidados específicos para garantir a segurança da mãe e do recém-nascido. O parto prematuro, definido como o nascimento antes das 37 semanas de gestação, apresenta desafios únicos devido à imaturidade dos órgãos e sistemas do feto, aumentando a necessidade de uma atenção multidisciplinar. A anestesia obstétrica desempenha um papel crucial na gestão do parto prematuro, proporcionando alívio da dor durante o trabalho de parto e permitindo intervenções cirúrgicas, como cesarianas, quando indicadas. A escolha da técnica anestésica deve levar em consideração não apenas o estado clínico da gestante, mas também a maturidade fetal, a presença de possíveis complicações e a necessidade de monitorização fetal contínua.

■ MONITORIZAÇÃO FETAL

Por que o Anestesiologista Precisa Saber de Monitorização Fetal?

De acordo com a Sociedade Americana de Anestesiologia, em 2009[1] foi realizada uma apuração dos processos envolvidos com anestesia obstétrica e, em sua maioria, estavam relacionados com morte neonatal e dano cerebral, muitas vezes em cesarianas de emergência onde houve demora para o nascimento. Sendo assim, é de suma importância que o anestesiologista saiba avaliar a monitorização fetal e esteja em contato com a equipe de obstetrícia. Isso permite antecipar situações de emergência e preparar-se melhor para eles. Uma pesquisa realizada em 2011,[2] no Reino Unido, mostrou que, dos 61% dos anestesiologistas que se declararam capazes de avaliar a monitorização fetal, apenas 20% sabiam o intervalo correto esperado para frequência cardíaca fetal.[3]

■ MONITORIZAÇÃO ANTEPARTO

Quando Monitorizar?

Em geral, está indicada a monitorização fetal anteparto de pacientes que apresentem alguma patologia crônica prévia à gestação (como síndrome do anticorpo antifosfolípide, hipertireoidismo, hemoglobinopatias, cardiopatias cianóticas, lúpus eritematoso sistêmico, diabetes melito tipo um e doenças hipertensivas) ou então que tenham desenvolvido doenças relacionadas à gestação (como distúrbios hipertensivos, oligoamnio, polidramnio, redução da movimentação fetal, crescimento uterino restrito, gestação pós-termo, isoimunização, mau passado obstétrico e gestação múltipla).

Cardiotocografia Anteparto

A cardiotocografia anteparto é o exame que estuda a frequência cardíaca fetal para avaliar possível hipóxia fetal e acidose.[4] É realizado por pelo menos 20 minutos, a partir do final do segundo trimestre, com um transdutor doppler capturando a Frequência Cardíaca Fetal (FCF), e outro transdutor tocodinamômetro externo capturando contrações uterinas. As definições quanto ao traçado encontram-se na Tabela 134.1. Entre 32 a 34 semanas de gestação, as vias autônomicas fetais para regulação da FCF amadurecem e, então, movimentações fetais levam a oscilações da FCF basal (variabilidade) e ao aumento da FCF (acelerações). A ausência de variabilidade e de acelerações estão correlacionadas à presença de acidose fetal, sono fetal, imaturidade (< 32 semanas), anormalidades cardiológicas ou neurológicas ou uso de sedativos sistêmicos. Sendo assim, a cardiotocografia anteparto pode ser classificada como reativa (quando

Tabela 134.1 Definições da cardiotocografia.[5]	
Linha de base (FCF média observada em um período de 10 min)	■ Normal 110-160 bpm ■ Bradicardia < 110 bpm ■ Taquicardia > 160 bpm
Variabilidade da linha de base (mede a amplitude do maior valor e menor valor de FCF em 10 min)	■ Ausente (sem amplitude) ■ Mínimo (> 5bpm) ■ Moderado (6-25 bpm) ■ Acentuado (>25 bpm)
Acelerações (aumentos em relação à linha de base de 15 ou mais bpm, com pico em menos de 30 seg e duração maior ou igual a 15 seg e inferior a 2 min)	Número absoluto
Desacelerações (alteração de 15 ou mais bpm)	■ Precoce (desaceleração gradual que coincide com a contração uterina, sem nadir em mais de 30 seg do início da desaceleração) ■ Variável (desaceleração abrupta que pode ou não coincidir com contração uterina, com nadir em menos de 30 seg do início da desaceleração e dura de 15 seg a 2 min) ■ Tardia (desaceleração gradual com nadir após 30 seg do início da desaceleração, se inicia na contração, nadir no pico da contração e recuperação após a contração) ■ Prolongadas, se duram de 2 a 10 min ■ Intermitentes, se ocorrem em menos de 50% das contrações uterinas registradas em 20 min ■ Recorrentes, e ocorrem em mais de 50% das contrações uterinas registradas em 20 min

apresenta duas acelerações em 20 minutos) ou não-reativa (quando apresenta zero a uma aceleração em 20 minutos). Na presença de anormalidades, como ausência de variabilidade, desacelerações recorrentes, taquicardia, bradicardia ou arritmias, deve-se suspeitar de acidose, hipóxia fetal ou insuficiência uteroplacentária. Na Tabela 134.1, encontram-se os valores de referência utilizados, e as Figuras 134.1 a 134.7 são exemplos de cardiotocografias.

Teste de Estresse de Contração

Pouquíssimo utilizado, também pode ser chamado de teste de estresse à ocitocina. Se baseia na observação do padrão de frequência cardíaca fetal durante as contrações uterinas, porém apresenta grandes taxas de falsos positivos, e, portanto, tem pouca aplicabilidade clínica na atualidade.

Volume de Líquido Amniótico

O volume de líquido amniótico está relacionado à permeabilidade cutânea fetal, secreções da árvore traqueobrônquico, deglutição e sistema gastrintestinal fetal, movimentação de fluidos transplacentários e diurese fetal. Próximo do termo, o principal componente envolvido é a diurese fetal, uma vez que os demais fatores encontram-se etabilizados.

Na presença do estado hipoxêmico (sofrimento fetal), há priorização do aporte sanguíneo fetal para órgãos nobres, como cérebro e coração, fazendo com que haja diminuição da taxa de filtração de renal e, portanto, diminuição da produção de urina.[6] Consequentemente, há queda do volume de líquido amniótico observado à ultrassonografia obstétrica.

Existem duas formas de medir o volume de líquido amniótico ao ultrassom: a medida do maior bolsão encontrado e a medida do índice de líquido amniótico, onde são somados as medidas dos maiores bolsões de líquidos amnióticos encontrados em cada um dos quatro quadrantes uterinos. O índice de líquido amniótico normal encontrado é de 8 a 18 cm, enquanto que no oligoâmnio, encontram-se valores menores que 5 cm e, no polidrâmnio, valores superiores a 24 cm.

Perfil Biofísico Fetal

O perfil biofísico fetal é um exame ultrassonográfico que avalia a movimentação fetal (movimentos respiratórios, movimentação fetal e tônus fetal) e o volume de líquido amniótico para inferir a existência de hipóxia fetal aguda ou crônica. A diminuição dos movimentos respiratórios e fetais é sugestiva de hipóxia fetal aguda, enquanto a alteração de tônus uterino e diminuição do volume de líquido amniótico geralmente são encontrados em quadros de hipóxia fetal crônica. O exame é composto então pela avaliação de cinco itens, que são pontuados com 0 (se anormais) ou 2 (se normais), conforme Tabela 134.2.

O Perfil biofísico fetal está diretamente correlacionado ao diagnóstico de acidemia fetal e escores de Apgar neonatais[7]. Escores de 8 ou mais são considerados normais, enquanto escores de 6 geralmente indicam repetição do exame dentro das próximas 24 horas ou até mesmo antecipação do parto. Escores de 0 a 4 são graves e precisam de avaliação obstétrica imediata.

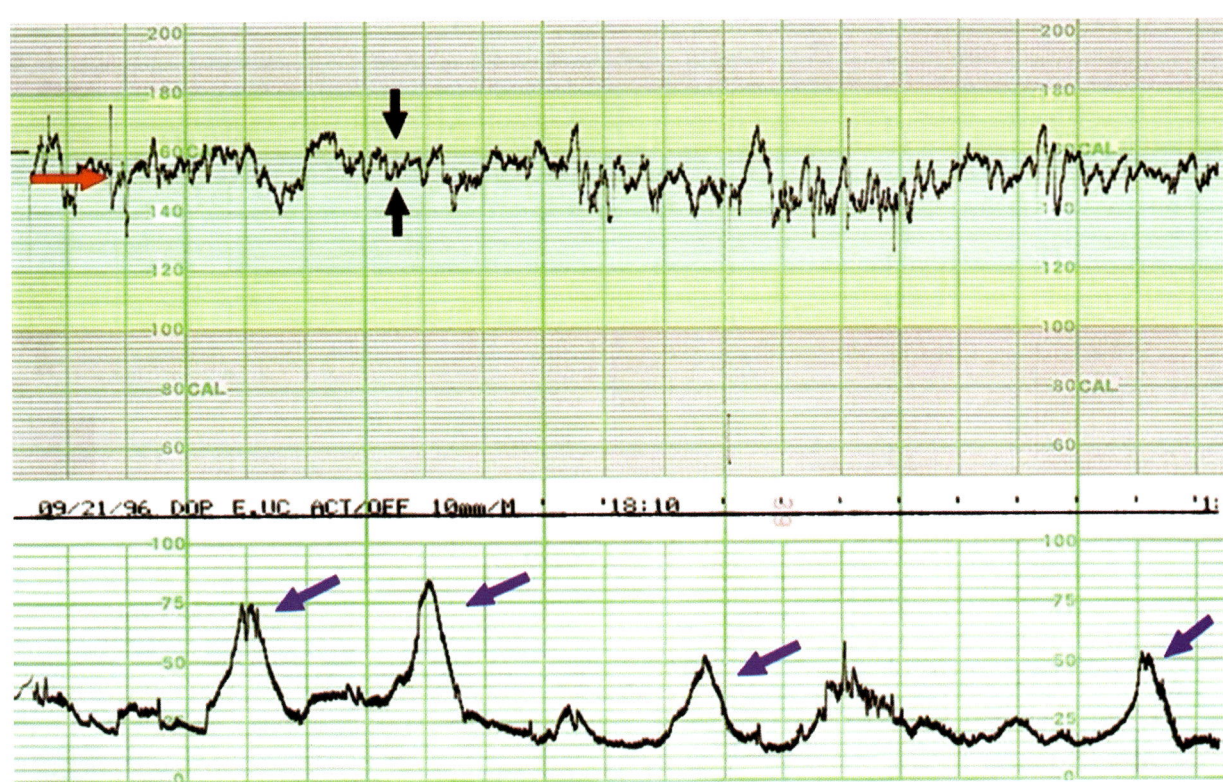

▲ **Figura 134.1** Traçado cardiotocográfico normal. Observa-se uma frequência cardíaca basal em tono de 145 bpm (seta vermelha), adequada variabilidade (setas pretas) e algumas contrações intensas (setas azuis).

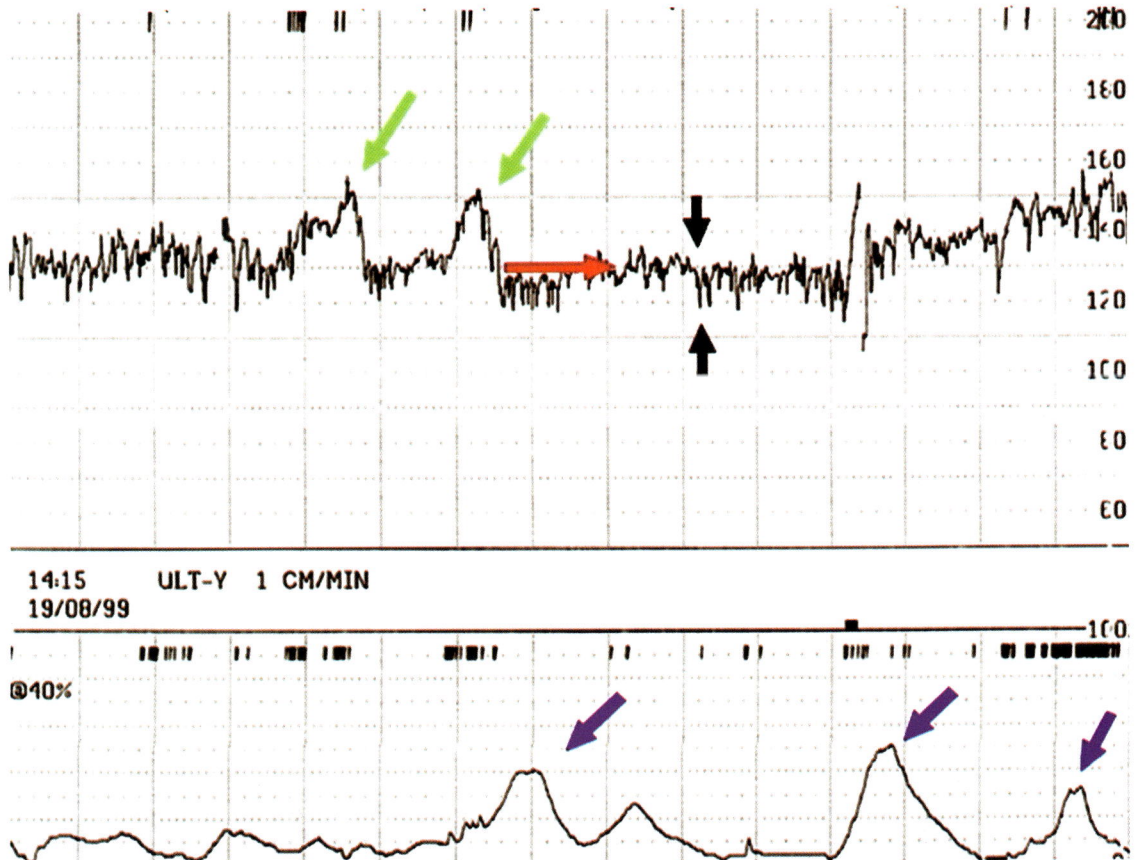

▲ **Figura 134.2** Traçado cardiotocográfico normal. Observa-se uma frequência cardíaca basal em torno de 130 bpm (seta vermelha), adequada variabilidade (setas pretas), algumas contrações uterinas intensas (setas azuis) e dois episódios de aceleração transitória fisiológica (setas verdes).

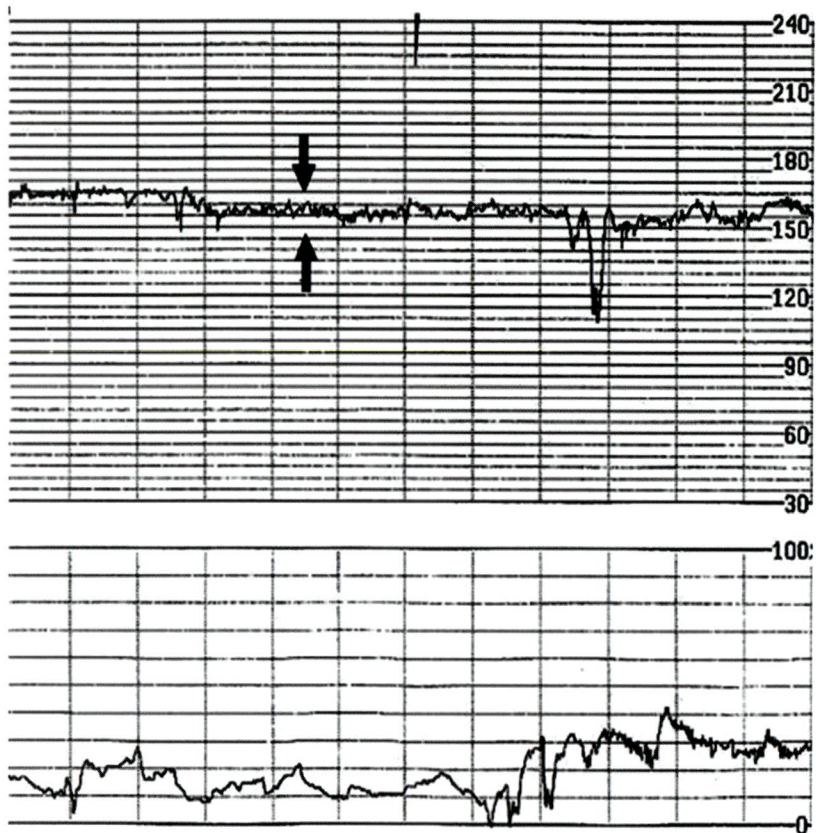

▲ **Figura 134.3** Traçado cardiotocográfico apresentando variabilidade inadequada do ritmo cardíaco (setas pretas). Observa-se durante todo o exame essa redução marcante da variabilidade.

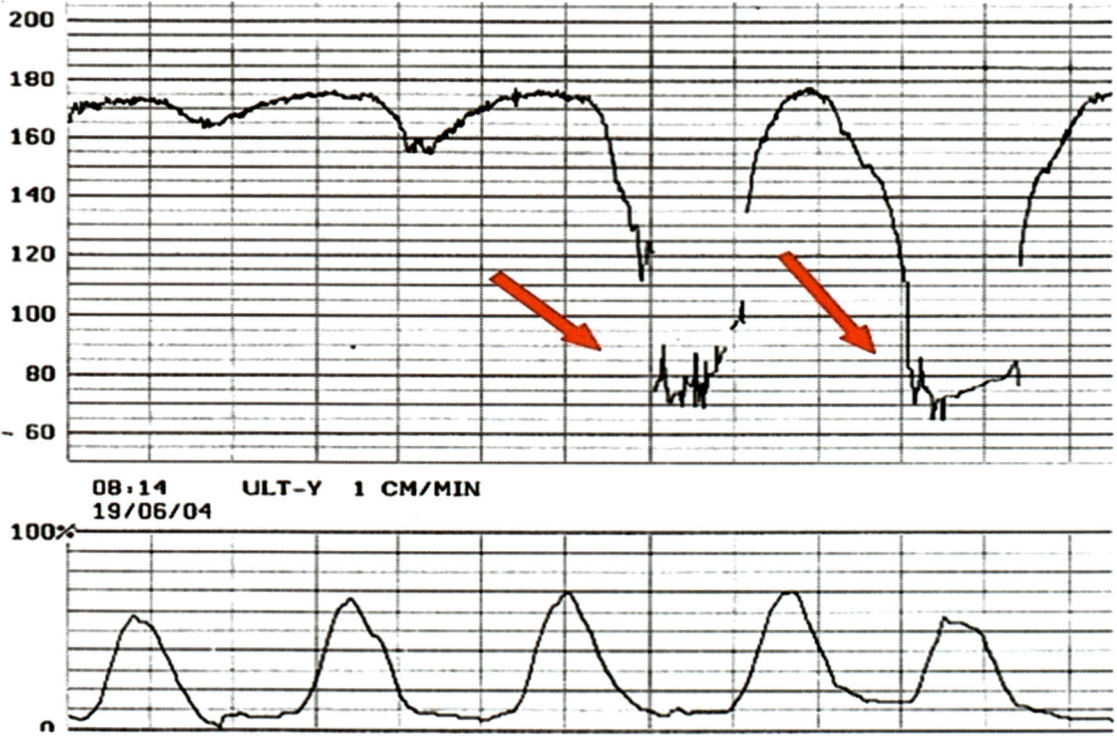

▲ **Figura 134.4** Padrão de traçado cardiotocográfico compatível com hipoxemia e acidose fetal intensas durante o trabalho de parto (evidenciado pela presença de contrações regulares). Nota-se ausência de variabilidade do ritmo cardíaco, taquicardia fetal e dois episódios de bradicardia intensa e sustentada (setas vermelhas).

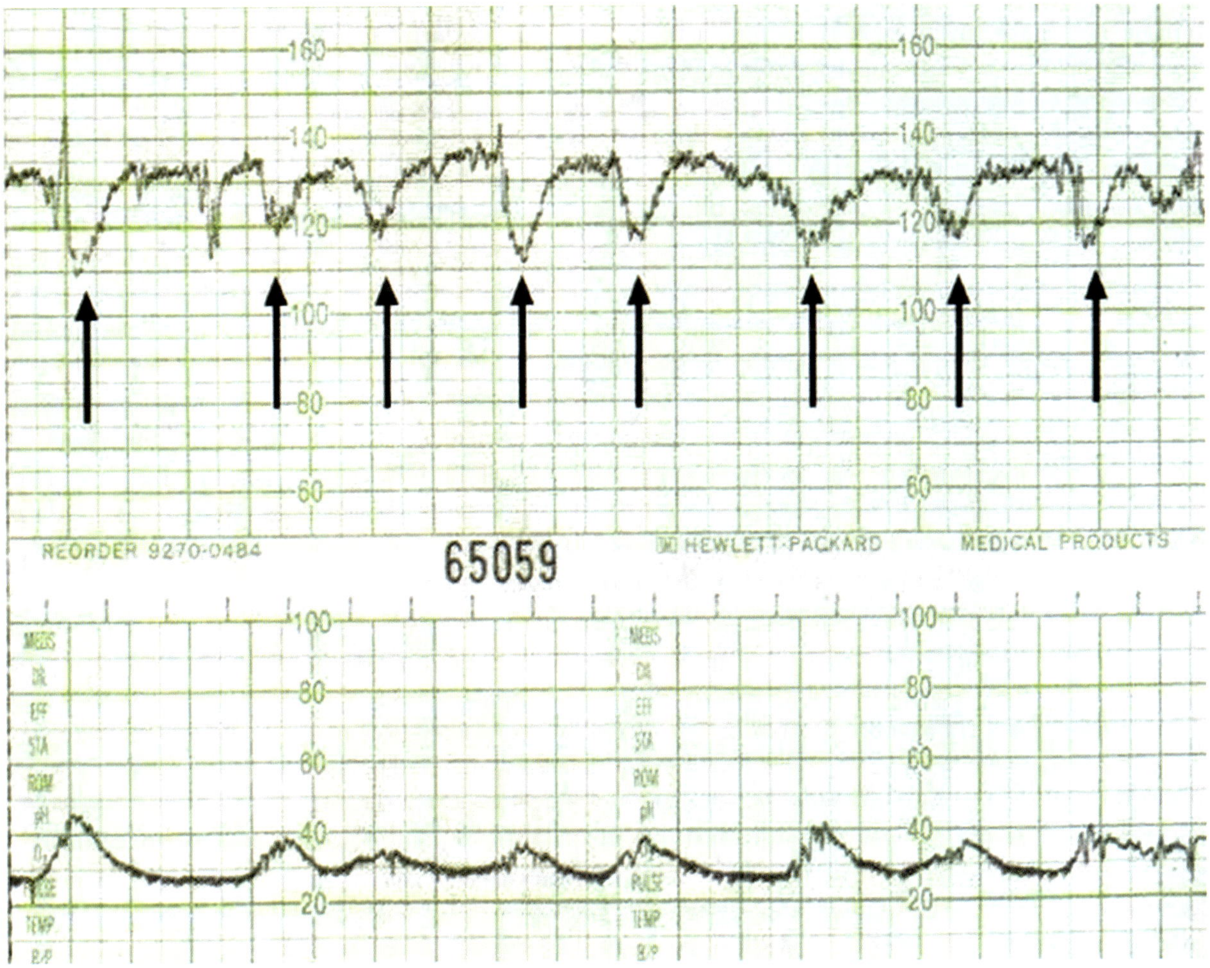

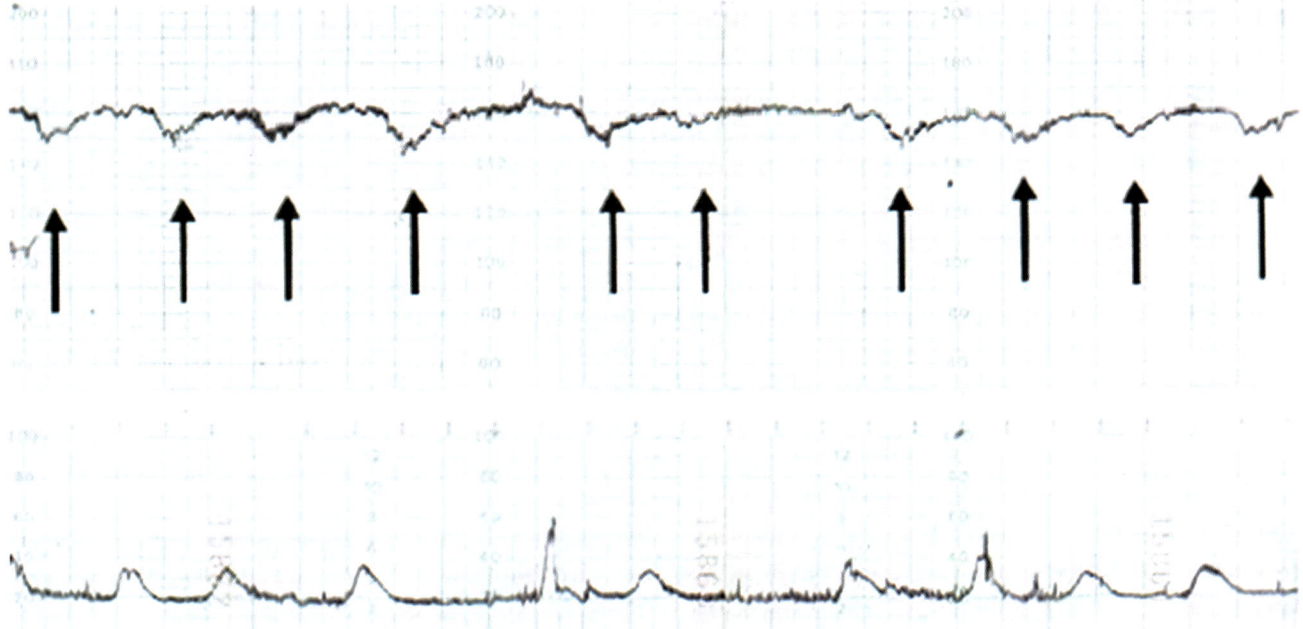

▲ **Figura 134.5** Traçado cardiotocográfico apresentando desacelerações precoces (DIP I) (setas pretas). Nota-se seu surgimento coincidindo com o início das contrações e apresentando uma imagem em espelho com elas.

▲ **Figura 134.6** Traçado cardiotocográfico apresentando desacelerações tardias (DIP II) (setas pretas). Nota-se o seu surgimento após o início das contrações, retornando para a linha de base após o término destas.

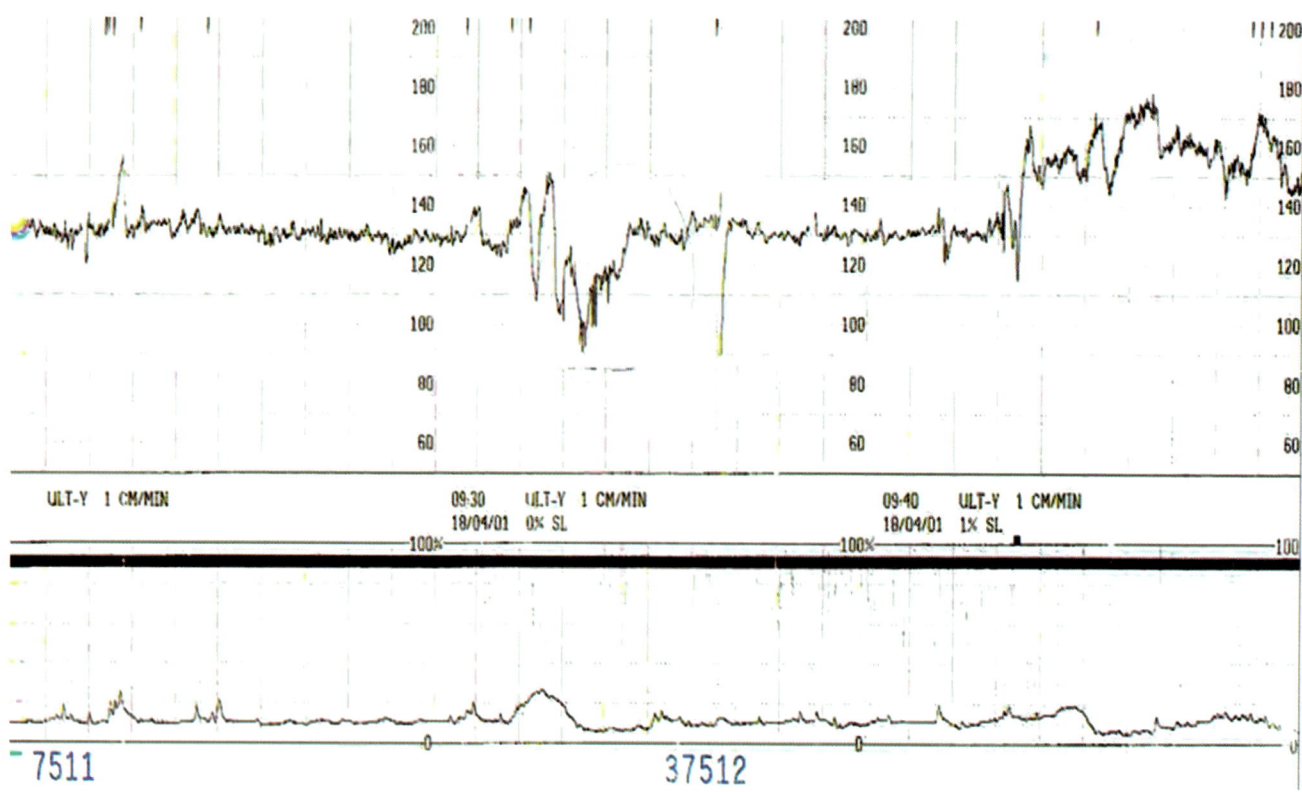

▲**Figura 134.7** Traçado cardiotocográfico apresentando desacelerações variáveis (DIP III). Nota-se o seu surgimento aleatório e sem relação temporal direta com as contrações.

Velocimetria Doppler de Artéria Umbilical

O exame de velocimetria doppler de artéria umbilical é o principal exame antepasto para avaliação de fetos com restrição de crescimento intrauterino, uma vez que resultados anormais correlacionam-se com maior mortalidade perinatal.[8] O exame é baseado na impedância das artérias uterinas ao fluxo sanguíneo. Devido à extensa angiogênese placentária, há um grande leito vascular, causando diminuição da impedância. Sendo assim, o fluxo sanguíneo diabólico das artérias uterinas é alto. Em situações patológicas, como pré-eclâmpsia, há aumento da impedância, causando diminuição, ausência ou até mesmo fluxo sanguíneo reverso diastólico na artéria umbilical. Tais alterações estão relacionadas às alterações da frequência cardíaca fetal (desacelerações tardias, ausência de variabilidade e desacelerações variáveis graves) e acidemia fetal.

▪ MONITORIZAÇÃO INTRAPARTO

Monitorização Eletrônica da Frequência Cardíaca Fetal e das Contrações Uterinas (Cardiotocografia Intraparto)

Esses monitores externos são compostos de dois aparelhos diferentes, o transdutor de ultrassom doppler que capta a frequência cardíaca fetal, e o tocodinamômetro que detecta as contrações uterinas. Existem modalidades internas, que captam a frequência cardíaca fetal por meio de eletrodo

no escalpo fetal e catéteres de pressão intrauterina, porém menos utilizados na prática clínica pelo maior risco de complicações e menor disponibilidade, reservando-se aos casos em que a monitorização externa não foi efetiva ou a título de pesquisa. A sensibilidade da cardiotocografia intraparto para acidemia fetal é de 26,4% e o valor preditor positivo é de 28,3%, enquanto para Apgar de quinto minuto inferior a 7, a sensibilidade é de 27,3% e o valor preditor positivo de 3,3%.

Durante as contrações uterinas, há aumento progressivo da pressão intrauterina e diminuição do fluxo sanguíneo uterino. Isso pode resultar em hipóxia fetal, liberação de catecolaminas, hipertensão arterial fetal, e reflexos de bradicardia e depressão miocárdica. Essa situuação se manifesta por meio de desacelerações na frequência cardíaca fetal. As desacelerações precoces são características da compressão do polo cefálico fetal na pelve com a progressão do trabalho de parto, Já as desacelerações variáveis são causadas pela compressão do cordão umbilical, enquanto as desacelerações tardias estão relacionadas à insuficiência uteroplacentária.

Quando realizado em ambiente anteparto, o exame é classificado apenas como reativo ou não reativo, pelas definições da cardiotocografia na Tabela 134.1. Quando realizado no intraparto, é interpretado como categoria I, II ou III, a depender dos critérios na Tabela 134.3. Em geral, categorias II exigem vigilância constante, enquanto que categorias III indicam necessidade de ressuscitação intrauterina ou resolução. A ressuscitação intrauterina varia desde manejo conservador (mudança de posição, oxigênio suplementar, correção de hipotensão, tocólise, amnioinfusão), até alinha-

Tabela 134.2 Pontuação do perfil biofísico fetal.		
Variável	**Normal (nota 2)**	**Anormal (nota 0)**
Movimentos respiratórios	1 ou mais movimentos respiratórios fetais em 30 min e com duração de 20 seg ou mais	Ausência de movimentos respiratórios fetais ou inferiores a 20 seg de duração
Movimentos fetais	2 ou mais movimentos de corpo ou membros em 30 min	Menos de 2 movimentos fetais
Tônus (Flexão e extensão)	1 ou mais extensão ativa e retorno à flexão de membro ou tronco	Apenas extensão ou extensão lenificada com retorno parcial à flexão ou ausência de movimento
Volume de líquido amniótico	Presença de 1 bolsão ou mais de líquido amniótico com mais de 2 cm de dimensão vertical	Ausência de líquido amniótico ou um bolsão menor que 2 cm
Reatividade de frequência cardíaca fetal	2 ou mais episódios de aceleração da frequência cardíaca fetal superior a 15 batimentos e com pelo menos 15 seg de duração	Menos de 2 acelerações ou aumento inferior a 15 batimentos em 30 min

mento da equipe obstetra-anestesiologista-neonatologista quanto ao provável parto.

Eletrocardiograma fetal

Devido à grande porcentagem de falsos positivos encontrados na cardiotocografia intraparto, alguns outros métodos podem auxiliar no diagnóstico da acidemia fetal, como é o caso de scalp de pH fetal, estimulação vibroacústica e estimulações do escalpo, utilizados no passado. Mais recentemente, utiliza-se do eletrocardiograma fetal e da oximetria de pulso fetal.

Esse exame envolve a colocação de um eletrodo no escalpo fetal e avaliação utilizando um software específico, no segmento ST e onda T fetais, porém o uso dessa tecnológica em comparação com a cardiotocografia intraparto não diminui a incidência de acidose metabólica neonatal, Apgar de quinto minuto inferior a 7, encefalopatia neonatal ou taxa de cesariana.[9]

Oximetria de pulso fetal

O probe de oximetria de pulso é posicionado na bochecha, têmpora, dorso ou nádegas do feto, e funciona sob o princípio de refletância (em oposição ao princípio de transmitância em oxímetros de pulso para adultos), portanto, o diodo emissor de luz e o fotodetector são adjacentes um ao outro (não opostos). A saturação de oxigênio fetal normal é de 30% a 60%. Quando a saturação fetal permanece < 30% por mais de 10 minutos nos últimos 60 minutos antes do parto, se correlaciona com pH da artéria umbilical < 7,15. Por outro lado, saturação periférica de oxigênio > 30% se correlaciona com um pH da artéria umbilical >7,15.[10] Porém, ainda não há estudos que mostrem a redução de taxa de cesarianas com uso da tecnologia.

Espectroscopia de luz próxima ao infravermelho

Consiste em uma técnica óptica e não invasiva que visa medir a oximetria fetal cerebral diretamente, por meio da absorção diferente entre a molécula de hemoglobina reduzida e a oxigenada da luz infravermelha.

Durante o trabalho de parto, coloca-se um dispositivo de fibra óptica através da cervical uterina, ao lado da cabeça fetal. Assim mede-se a hemoglobina oxigenada, a desoxigenada e a total. Por meio de cálculos, é possível estimar a saturação de oxigênio. Atualmente, esta é a única técnica capaz de observar as mudanças no fluxo sanguíneo cerebral de forma contínua durante o trabalho de parto, indicando, assim, intervenção cirúrgica quando necessário.

Espectroscopia por ressonância magnética de Prótons

As diferentes imagens de espectroscopia demonstradas por gráficos permitem a avaliação da radiofrequência e da intensidade desta. A espectroscopia pode ser obtida de diversos átomos, como hidrogênio, fósforo, carbono, sódio e flúor. Utilizando a análise de hidrogênio, consegue-se detectar tecidos anormais. São também detectados alguns metabólitos sugestivos de lesão tecidual, metabolismo anaeróbio e hipoxemia, como N-acetil-aspartato, colina, creatina total, mioinositol, glutamato, lactato e lipídeos. Não se consegue mensurar em valores absolutos esses metabólitos, mas já se sabe que a concentração deles varia de acordo com a localização no encéfalo e com a idade do paciente. Deste modo, pode-se obter informações metabólicas cerebrais de humanos e animais, além de mensurar a oxigenação cerebral fetal. Esta técnica tem sido útil na análise de encefalopatia isquêmica-hipóxica em desordens metabólicas em pacientes pediátricos; porém, para a avaliação fetal, ainda precisa ser aprimorada.

Manejo Anestésico da Paciente com Insuficiência Uteroplacentária

Diante do diagnóstico de insuficiência uteroplacentária, o anestesiologista deve estar apto a realizar algumas medi-

Tabela 134.3 Interpretação da cardiotocografia intraparto.

Categoria	Frequência cardíaca fetal basal	Variabilidade	Acelerações	Desaceleraçãos precoces	Desacelerações variáveis ou tardias
I	110-160 bpm	Moderada	Presentes ou ausentes	Presentes ou ausentes	Ausentes
II	Bradicardia (porém com variabilidade preservada) ou taquicardia	Mínima ou ausente (não acompanhada de desacelerações recorrentes)	Ausência de acelerações mesmo após estimulação fetal		Desacelerações variáveis recorrentes (com variabilidade basal mínima ou moderada); desacelerações variáveis com outras características, como retorno lento à linha de base ou desacelerações tardias recorrentes (com variabilidade basal moderada); desaceleração prolongada ≥ 2 min, mas < 10 min
III	Bradicardia ou padrão sinusoidal	Variabilidade ausente acompanhada de desacelerações tardias recorrentes, desacelerações variáveis recorrentes, bradicardia ou padrão sinusoidal			Desacelerações tardias recorrentes ou desacelerações variáveis recorrentes

Fonte: Moaveni DM, e col., 2013.[3]

das que visam reduzir o sofrimento fetal e aprimorar a hemodinâmica materna (Tabela 134.4).

Monitorização fetal durante cirurgias não obstétricas

Especial atenção deve ser dispensada às cirurgias realizadas na cavidade abdominal e/ou durante o terceiro trimestre gestacional, pela maior chance de desencadear o parto prematuro, além da maior sobrecarga hemodinâmica durante este período, que aumenta o risco de morbimortalidade materna.[11] A monitorização é fundamental para avaliar o bem-estar fetal durante o procedimento cirúrgico-anestésico. Com 18 semanas de gestação, já é possível a monitorização da frequência cardíaca fetal com um Doppler transabdominal ou transvaginal. A partir da 25ª semana de gestação, pode-se realizar cardiotocografia. A escolha de monitorização depende do tipo, da localização e da invasividade da intervenção, que já foram discutidas anteriormente: avaliação da frequência cardíaca fetal, cardiotocografia, oximetria fetal e dopplerfluxometria.

▪ PARTO PREMATURO

Mais de 15 milhões de bebês nascem anualmente prematuros, isto é, com idade gestacional inferior a 37 semanas completas, o que corresponde a aproximadamente 1 em cada 10 nascimentos.[12] A prematuridade é a principal causa de morte de recém-nascidos, e os sobreviventes podem enfrentar incapacidades permanentes. O nascimento prematuro pode resultar do início prematuro de trabalho de parto espontâneo ou de intervenção obstétrica por indicações maternas ou fetais.

A escolha da via de parto ideal para fetos prematuros, especialmente os muito prematuros, é uma questão controversa. Há poucas evidências de que o modo de anestesia tenha impacto nos resultados para bebês a termo, porém há uma tendência em dar preferência para a anestesia neuroaxial, uma vez que os fetos prematuros podem apresentar maior sensibilidade aos anestésicos sistêmicos devido a fatores como menor proteína sérica para ligação aos fármacos, maiores concentrações de bilirrubina (que compete pela ligação proteica), barreira hematoencefálica imatura, menor capacidade de metabolização e excreção dos medicamentos, e maior incidência de acidemia durante o parto. Além disso, os efeitos dos anestésicos locais no sistema nervoso central ainda não são completamente compreendidos, e podem apresentar efeitos a longo prazo, como os estudados com agonistas do receptor do ácido γ-aminobutírico e antagonistas do receptor N-metil-D-aspartato, em que há aumento de radicais livres de oxigênio e interferência na sinaptogênse.[13] Entretanto, os estudos sobre a segurança dos fármacos utilizados em bloqueios do neuroeixo falham em demonstrar um efeito protetor em relação à anestesia geral, quando observada taxa de mortalidade neonatal, Apgar de 1 e 5 minutos e pH fetal. A prática geral no mundo ocidental é induzir anestesia neuraxial para a maioria das mulheres submetidas ao parto cesáreo, a menos que seja contraindicado por doença materna ou devido à natureza emergencial do procedimento.

Em relação aos anéstesicos locais, sabe-se que a bupivacaína, devido à sua alta ligação a proteínas plasmáticas ma-

Tabela 134.4 Medidas anestésicas na vigência de insuficiência uteroplacentária.	
Medida	**Objetivo**
Avaliação anestésica precoce	Conhecimento do quadro da gestante, avaliação do neuroeixo e via aérea, e alinhamento com equipe multidisciplinar
Colocação precoce do catéter epidural	Reduções progressivas no fluxo uteroplacentário com a progressão do trabalho de parto podem piorar a insuficiência uteroplacentária. Caso haja necessidade de cesariana de emergência, o acesso garantido ao neuroeixo diminui as taxas de complicações associadas à anestesia
Atenção aos efeitos fetais do uso de opioides	Opioides neuraxiais podem causar aumento do tônus uterino e bradicardia fetal a depender da dose utilizada (estudos recentes mostram que doses de fentanil até 25 mcg e sufentanil até 10 mcg são seguras)
Monitorização contínua do feto durante a instalação do bloqueio do neuroeixo	Idealmente, a frequência cardíaca fetal deve ser avaliada antes e depois da instalação do bloqueio. E, se o bloqueio for demorado, deve-se avaliar o feto a cada 5 min, para que o diagnóstico de deterioração clínica seja precoce
Monitorização contínua da frequência cardiaca fetal no intraparto	A comunicação direta com a equipe de obstetrícia e os planos quanto ao planejamento do parto permite antecipação das condutas anestésicas, como preparo do ambiente, avaliação do catéter epidural, pregação para casos de via aérea difícil, necessidade de segunda anestesista ou dispositivos especiais
Evitar hipotensão materna	Os bloqueios de neuroeixo, assim como anestesia geral, causam hipotensão e, portanto, piora da acidemia fetal. A duração da acidemia fetal está relacionada à ocorrência de encefalopatia neonatal. Portanto, evitar hipotensão, seja com uso de vasopressores em baixas doses ou volume, além da monitorização contínua do feto são essenciais
Reavaliação durante o trabalho de parto	Reavaliação constante do funcionamento do catéter epidural e da via aérea da paciente permite melhor preparo do anestesiologista, principalmente diante de cenários de emergência
Trabalho em equipe	Comunicação efetiva e prevenção de erros é essencial no trabalho em equipe. Além disso, existência de protocolos institucionais rígidos e que exijam comunicação frequente com anestesiologista permite o preparo diante de possíveis emergências e menor taxa de erros ou complicações

Fonte: Moaveni DM, e col., 2013.[3]

ternas, apresenta uma menor concentração plasmática fetal em comparação à lidocaína. Portanto, seu potencial para toxicidade é menor. Em trabalhos experimentais com ovelhas, a bupivacaína aboliu o aumento compensatório de fluxo sanguíneo em órgãos vitais dos fetos prematuros, mas não afetou a frequência cardíaca fetal, a pressão sanguínea ou as medidas ácido-bases. Já a ropivacaína tem menor ligação proteica que a bupivacaína e é menos lipossolúvel, porém são encontradas maiores concentrações plasmáticas maternas e fetais com ropivacaína que com bupivacaína. A 2-cloroprocaína também é uma boa escolha de anestésico local em pacientes pré-termos devido à sua rápida metabolização, tanto no plasma materno como no fetal. Além disso, sua transferência placentária não é aumentada pela acidose.

Butwick e col.[14] identificaram fatores de risco para anestesia geral no parto cesáreo prematuro: idade materna, índice de massa corporal antes do parto, raça ou etnia, idade gestacional, gestação única ou múltipla, parto cesáreo primário ou repetido, apresentação fetal e presença de distúrbios hipertensivos da gravidez, ruptura prematura de membranas e indicação de emergência para parto.

Dentre as principais medidas anestésicas a serem tomadas durante o parto prematuro estão: monitorização fetal contínua e reconhecimento precoce de situação de de emergência, manutenção da estabilidade hemodinâmica para evitar a hipotensão arterial e hidratação com objetivo de manter euvolemia. Além disso, é importante manter estabilidade hemodinâmica e reservar a suplementação de

oxigênio para casos de hipóxia, devido ao risco de lesão do sistema nervoso central fetal pelos radicais livres de oxigênio na hiperóxia.

Outro ponto de atenção é que as pacientes em trabalho de parto prematuro ou após procedimentos fetais podem ter sido expostas a fármacos tocolíticos recentemente e, esses, podem interferir no manejo anestésico. A tocólise esta indicada no período de latência do trabalho de parto, ou seja, dilatação cervical inferior a 3 cm, e idade gestacional de 22 a 34 semanas. As contraindicações são: morte fetal, sofrimento fetal, malformações fetais graves, restrição de crescimento, rotura prematura de membranas, corioamnionite, síndromes hemorrágicas, síndromes hipertensivas, diabete insulino-dependente instável e outras doenças maternas em que há insuficiência placentária. A tocólise tem benefício clínico por curto período de tempo, ou seja, consegue adiar o parto por apenas 48 a 72 horas, o que é importante para o uso do corticosteroides para maturação pulmonar fetal.[15]

■ PARTO VAGINAL

A analgesia neuroaxial do parto diminui as concentrações maternas de catecolaminas, melhora os ciclos de hipoventilação e hiperventilação materna e melhora a perfusão uteroplacentária, desde que a hipotensão seja evitada. Uma vantagem do início precoce da analgesia neuroaxial é a capacidade de converter rapidamente a analgesia do parto em anestesia cirúrgica, caso seja necessária uma cesariana de emergência. Em parturientes que apresentam contraindicações absolutas à anestesia regional, vale ressaltar que o uso do remifentanil como opioide tem uma rápida metabolização e redistribuição fetais, além de uma meia-vida sensível ao contexto de 3 a 5 minutos. Entretanto, existe risco de depressão respiratória materna e hipoxemia materno-fetal.

■ PARTO CESARIANA

Sabe-se que bebês prematuros expostos à anestesia peridural para parto cesáreo apresentaram escores de Apgar de 1 e 5 minutos mais elevados do que bebês similares expostos à anestesia geral.[19] Entretanto, o resultado anestésico é amplamente influenciado por outros fatores como hipotensão intraoperatória, escolha de vasopressor, manejo de fluidos, além das condições clínicas materno-fetais. A incidência de falha do bloqueio neuroaxial correlacionou-se inversamente com a idade gestacional, diminuindo de 10,8% para mulheres com menos de 28 semanas de gestação, para 7,7% para aquelas entre 28 e 32 semanas, e 5,3% ou menos para aqueles com mais de 32 semanas.[20] Atualmente, há evidências mínimas para apoiar a alteração da técnica anestésica para parto cesáreo apenas porque o bebê é prematuro. Mais estudos são necessários para determinar se uma técnica ou medicamento apresenta riscos ou benefícios específicos em relação ao bebê prematuro.

Interações entre os Principais Tocolíticos e Anestesia

- **Bloqueadores do canal de cálcio (nifedipina):** pode causar hipotensão, cefaleia, rubor, tontura, náuseas, edema pulmonar e infarto agudo do miocárdio. Durante a anestesia, há maior incidência de hipotensão, vasodilatação, depressão miocárdica e distúrbios de condução elétrica no coração, principalmente quando associados a fármacos halogenados;[16]
- **Inibidores da cicloxigenase (indometacina):** pode causar náusea e dispepsia maternas. Já no feto, sua administração pode causar o fechamento prematuro do *ductus arteriosus* intraútero, reversível com a suspensão da medicação, e pode causar oligoâmnio fetal por diminuição da sua função renal e débito urinário.[17] Não há consenso quanto ao aumento de

incidência de hemorragia interventricular ou enterocolite necrosante nesses bebês. A orientação atual para o uso de, como agente tocolítico na inibição do trabalho de parto prematuro (TPP), é de não ultrapassar um período de 72 horas. E a terapia não contraindica anestesia no neuroeixo;

- **Agonistas beta-adrenérgicos (ritodrina e terbutalina):** podem causar hipotensão, taquicardia, com ou sem arritmias cardíacas ou isquemia, edema pulmonar, hiperglicemia e hipocalemia. Além de elevação de transaminases, íleo paralítico, vasoespasmo cerebral (em pacientes com história prévia de enxaqueca) e insuficiência ventilatória por fraqueza muscular em pacientes com miastenia gravis. Deve-se evitar hidratação intensa durante a realização da anestesia pelo risco de causar edema agudo de pulmão. Se for necessária a realização de anestesia geral, deve-se evitar agentes anestésicos taquicardizantes e hiperventilação, pois esta pode exacerbar a hipocalemia e potencializar a hiperpolarização da membrana celular. Além disso, é crucial monitorizar o bloqueio muscular nessas pacientes quando estiverem sob anestesia geral;
- **Sulfato de magnésio:** utilizado para estabilização materna em eclâmpsia e neuroproteção fetal. Os efeitos colaterais, dor torácica, palpitações, náusea, hipotensão transitória, turvação visual, sedação e edema pulmonar já foram reportados. A hipermagnesemia pode atenuar a resposta compensatória à hemorragia tanto materna quanto fetal. O magnésio tem eliminação predominantemente renal, portanto deve ser monitorado cuidadosamente em pacientes com função renal comprometida. Este agente pode levar à leve hipotensão durante a anestesia do neuroeixo em pacientes normotensas. Ele potencializa a ação de agentes bloqueadores neuromusculares competitivos e despolarizantes. Além disso, o magnésio atravessa a barreira placentária, podendo causar redução na variabilidade dos batimentos cárdicos fetais e depressão neonatal com hiporreflexia e depressão respiratória ao nascer;[18]
- **Antagonistas do receptor de ocitocina (Atosibana):** competem pela ocitocina no receptor da célula miometrial, reduzindo os efeitos da ocitocina endógena. Possui efeitos tocolíticos comparáveis aos beta-agonistas, porém com diminuição significativa dos efeitos colaterais. Pode causar dispneia e edema pulmonar, cefaleia, vômitos, tremores e febre.

REFERÊNCIAS

1. Davies JM, Posner KL, Lee LA, Cheney FW, Domino KB. Liability associated with obstetric anesthesia: a closed claims analysis. Anesthesiology 2009;110:131–9.
2. Moaveni DM, Birnbach DJ, Ranasinghe JS, Yasin SY. Fetal assessment for anesthesiologists: are you evaluating the other patient? Anesth Analg. 2013 Jun;116(6):1278-92. doi: 10.1213/ANE.0b013e31828d33c5. Epub 2013 Apr 4. PMID: 23558831. (ref 3)
3. Moaveni DM, Birnbach DJ, Ranasinghe JS, Yasin SY. Fetal assessment for anesthesiologists: are you evaluating the other patient? Anesth Analg. 2013 Jun;116(6):1278-92.
4. Parer JT, King T, Flanders S, Fox M, Kilpatrick SJ. Fetal acidemia and electronic fetal heart rate patterns: is there evidence of an association? J Matern Fetal Neonatal Med. 2006;19:289–94
5. Macones GA, Hankins GD, Spong CY, Hauth J, Moore T. The 2008 National Institute of Child Health and Human Development workshop report on electronic fetal monitoring: update on definitions, interpretation, and research guidelines. Obstet Gynecol. 2008;112:661–6.
6. Devoe LD. Antenatal fetal assessment: contraction stress test, nonstress test, vibroacoustic stimulation, amniotic fluid vol- ume, biophysical profile, and modified biophysical profile–an overview. Semin Perinatol. 2008;32:247–52.
7. Manning FA, Snijders R, Harman CR, Nicolaides K, Menticoglou S, Morrison I. Fetal biophysical profile score. VI. Correlation with antepartum umbilical venous fetal pH. Am J Obstet Gynecol. 1993;169:755–63.
8. Alfirevic Z, Stampalija T, Gyte GM. Fetal and umbilical Doppler ultrasound in high-risk pregnancies. Cochrane Database Syst Rev. 2010;1:CD007529.
9. Neilson JP. Fetal electrocardiogram (ECG) for fetal monitoring during labour. Cochrane Database Syst Rev. 2012;4:CD000116.
10. Nonnenmacher A, Hopp H, Dudenhausen J. Predictive value of pulse oximetry for the development of fetal acidosis. J Perinat Med. 2010;38:83–6.
11. Cohen-Kerem R, Railton C, Oren D, et al. Pregnancy outcome following non-obstetric surgical intervention. Am J Surg. 2005;190:467-73.

12. March of Dimes, PMNCH, Save the Children, WHO. Born Too Soon: The Global Action Report on Preterm Birth. In: Howson CP, Kinney MV, Lawn JE, ed. Geneva: World Health Organization [internet]. 2012. Disponível em: https://www.who.int/publications/i/item/9789241503433. Acesso em: 01/09/2023.

13. Rappaport BA, Suresh S, Hertz S, Evers AS, Orser BA. Anes- thetic neurotoxicity — clinical implications of animal models. N Engl J Med. 2015; 372: 796–7.

14. Butwick AJ, El-Sayed YY, Blumenfeld YJ, Osmundson SS, Weiniger CF. Mode of anaesthesia for preterm Caesarean de- livery: secondary analysis from the Maternal-Fetal Me- dicine Units Network Caesarean Registry. Br J Anaesth. 2015; 115: 267–74.

15. Bittar RE, Carvalho MHB, Zugaib M. Condutas para o trabalho de parto prematuro. Rev. Bras. Ginecol. Obstet. 2005; 27(9).

16. Bal L, Thierry S, Brocas E, et al. Pulmonary edema induced by calcium-channel blockade for tocolysis. Anesth Analg. 2004;99:910-1.

17. Anderson RJ, Berl T, McDonald KM, et al. Prostaglandins: effects on blood pressure, renal blood flow, sodium and water excretion. Kidney Int. 1976;10:205-15.

18. Pauli JM, Repke JT. Preeclampsia: short-term and Long-term Implications. Obstet Gynecol Clin North Am. 2015;42:299-313.

19. Rolbin SH, Cohen MM, Levinton CM, et al. The premature infant: anesthesia for cesarean delivery. Anesth Analg. 1994;78:912–917.

20. Adesope OA, Einhorn LM, Olufolabi AJ, et al. The impact of gestational age and fetal weight on the risk of failure of spinal anesthesia for cesarean delivery. Int J Obstet Anesth. 2016;26:8–14.

135

Anestesia para Cirurgia Não Obstétrica Durante a Gravidez

Luis Fernando Lima Castro

INTRODUÇÃO

A estimativa dos casos de gestantes submetidas a procedimentos cirúrgicos não obstétricos gira em torno de 0,75% a 2% a cada ano,[1,2] portanto até 93.000 e 110.000 gestantes nos EUA e na União Europeia, respectivamente, eventualmente precisarão ser submetidas a procedimentos cirúrgicos anualmente. Esses números são, provavelmente, subestimados e podem ser até maiores, uma vez que, em muitos casos, a gestação não é diagnosticada no momento da cirurgia.[3] A força-tarefa sobre avaliação pré-anestésica da Sociedade Americana de Anestesiologistas afirma que "...a literatura é insuficiente para informar à paciente ou aos médicos se a anestesia tem efeitos nocivos sobre a gestação".[4] No Reino Unido, o Instituto Nacional de Excelência em Saúde recomenda a realização de teste de gravidez de rotina para aquelas pacientes que estejam em idade fértil e que serão submetidas a cirurgias eletivas.[5,6]

A cirurgia pode ser necessária em qualquer período da gestação, e as indicações mais comuns são: traumas, abdome agudo inflamatório por apendicite, cistos ovarianos, tumores de mama e incompetência istmocervical. Cirurgias mais complexas, entretanto, como craniotomias com hipotensão induzida,[7] cirurgias cardíacas com circulação extracorpórea[8] e transplantes hepáticos podem ser realizados com sucesso durante a gestação (Tabela 135.1).[9] Mazze *et al.,* estudando 5.405 mulheres que foram submetidas a cirurgias durante a gestação, encontraram uma incidência de 42% dos casos durante o primeiro trimestre, 35% durante o segundo trimestre e 23% durante o terceiro trimestre.[1] Os mesmos autores observaram também que a laparoscopia foi o procedimento mais frequente durante o primeiro trimestre de gestação (34% de 2.252 cirurgias). Os inquéritos confidenciais sobre saúde materno-fetal no Reino Unido relatam que, mesmo na fase inicial da gravidez, as gestantes morrem por hemorragia, sepse, tromboembolismo e anestesia e que o atendimento precário é frequente.[10,11]

Tabela 135.1 Principais causas de cirurgias durante a gestação.
Traumas
Apendicite aguda
Colecistite
Incompetência istmocervical
Cistos ovarianos
Tumores de mama
Cirurgia cardíaca
Neurocirurgias
Transplantes de órgãos

■ OBJETIVOS

O anestesiologista, ao abordar uma gestante que será submetida a um procedimento cirúrgico, deve priorizar sempre a proteção do binômio materno-fetal e ter em mente quatro objetivos fundamentais para a realização de uma anestesia segura: 1) segurança materna, mediante o conhecimento das alterações anatômicas e fisiológicas que ocorrem durante a gestação; 2) evitar o uso de agentes teratogênicos; 3) evitar hipóxia fetal intrauterina; 4) prevenir o trabalho de parto prematuro.[2]

■ SEGURANÇA MATERNA

Durante a gravidez, para que a gestante se adapte à sua nova condição de vida e consiga alcançar o termo, o seu organismo sofre importantes alterações anatômicas e fisiológicas que podem ser perigosas por diminuírem a segurança materna e fetal quando do ato anestésico.[12]

Para a realização de uma anestesia segura, é necessário, ao anestesiologista, não só estar familiarizado com essas alterações, mas também saber em que momento elas surgem e como reagem à administração da anestesia.[13]

Sistema Respiratório

Em razão dos elevados níveis de progesterona durante o primeiro trimestre de gestação, o volume-minuto respiratório está aumentado em quase 50% e assim permanece até o termo. A ventilação alveolar, ao termo, aumenta em até 70% em virtude de o espaço morto anatômico não sofrer alterações significativas. Esse aumento da ventilação alveolar resulta em alcalose respiratória crônica, com uma pressão parcial de gás carbônico ($PaCO_2$) em torno de 28 a 32 mmHg, pH levemente alcalino (cerca de 7,4) e queda dos níveis de bicarbonato e soluções-tampão. Depois do quinto mês de gestação, ocorre diminuição de aproximadamente 20% da capacidade residual funcional, do volume de reserva expiratório e do volume residual em decorrência do deslocamento cefálico do diafragma provocado pelo útero gravídico, resultando em redução da reserva de oxigênio e potencial colapso das vias respiratórias. Quando a capacidade residual funcional se encontrar ainda mais reduzida, como nos casos de obesidade mórbida, distensão intra-abdominal perioperatória, decúbito dorsal, posição em cefalodeclive ou de litotomia, ou mesmo durante a indução da anestesia geral, o fechamento das vias respiratórias pode ser suficiente para provocar hipoxemia. A capacidade vital não sofre alteração.[14]

A gestante apresenta mais facilidade de captação dos anestésicos inalatórios devido ao aumento da ventilação alveolar e à diminuição da capacidade residual funcional, que, juntamente com aumento do rendimento cardíaco, da taxa metabólica e do consumo de oxigênio, faz que a gestante se torne mais suscetível à hipóxia durante períodos de apneia.[15]

O ganho de peso durante a gestação e o ingurgitamento capilar da mucosa do trato respiratório, o aumento do volume da língua e as modificações na classificação de Mallampati, que ocorrem com o evoluir da gestação, fazem que a paciente obstétrica seja sempre considerada uma portadora de via respiratória difícil, comprometendo tanto a ventilação sob máscara quanto a intubação traqueal durante a anestesia geral.[16]

Vale ressaltar que a anestesia corresponde à sexta causa de óbito materno, e a anestesia geral representa um risco 17 vezes maior quando comparada com as anestesias regionais, sendo a falha na intubação traqueal sua principal causa.[11]

Sistema Cardiovascular

O débito cardíaco aumenta em torno de 30% a 40% durante a gravidez em razão da elevação da frequência cardíaca e do volume sistólico, causando, como mecanismo compensatório, diminuição da resistência vascular sistêmica e pulmonar.[17] A partir da 20ª semana de gestação, 10% a 15% das gestantes apresentam síndrome hipotensivo-postural quando em posição supina devido à compressão

da veia cava inferior pelo útero gravídico, dificultando, dessa forma, o retorno venoso. Isso é facilmente corrigido por meio do deslocamento uterino para a esquerda.[18] A gestante apresenta anemia dilucional em decorrência do aumento desproporcional do volume plasmático com relação ao de eritrócitos do sangue (45% e 20%, respectivamente).[14] Ocorre aumento do fibrinogênio, dos fatores de coagulação VII, VIII, X e XII e dos produtos de degradação da fibrina, como um mecanismo de proteção à gestante contra hemorragias que porventura possam vir a ocorrer durante a gravidez, conferindo-lhe um estado de hipercoagulabilidade. No período pós-operatório, portanto, existe grande risco de complicações tromboembólicas.[2]

O aumento do débito cardíaco acelera a velocidade de indução da anestesia geral por via venosa. A compressão da veia cava inferior pelo útero gravídico provoca dilatação do sistema ázigos e das veias peridurais, na tentativa de "melhorar" o retorno venoso. O ingurgitamento venoso peridural diminui o tamanho dos espaços peridural e subaracnóideo, justificando, dessa forma, a necessidade de se empregarem menores doses de soluções anestésicas para a obtenção de anestesia neuroaxial satisfatória.[13]

Sistema Gastrintestinal

A gestante apresenta diminuição da motilidade do trato gastrintestinal no final do primeiro trimestre de gestação. O estômago é deslocado em direção cefálica, em razão do aumento do tamanho do útero, podendo até assumir posição horizontal, dificultando o seu esvaziamento e fazendo que a gestante seja considerada uma "paciente de estômago cheio". Essa distorção anatômica, associada à incompetência do esfíncter esofágico inferior, pode acarretar aumento do risco de refluxo gastroesofágico. A produção de gastrina, hormônio sintetizado pela placenta, provoca aumento do volume e acidez gástrica, o que justifica as frequentes queixas de azia. Em vista de todas essas alterações, a grávida tem grande risco de broncoaspiração do conteúdo gástrico a partir do primeiro trimestre de gestação.[19]

Reações à Anestesia

Além da diminuição da concentração alveolar mínima (CAM) para os agentes inalatórios, há também menos necessidade de agentes venosos a partir do início da gestação, como no caso do tiopental.[20] Os efeitos da gestação sobre as doses necessárias de propofol são conflitantes. Alguns autores relataram que a dose média de propofol para se obter perda da consciência não se alterou durante a gestação,[21] enquanto outros pesquisadores constataram que foram necessárias doses menores para a obtenção da perda da consciência no início da gestação em comparação com o estado não gravídico. Esse efeito pareceu estar relacionado ao aumento dos níveis de progesterona e endorfinas.[22] Níveis de bloqueios de nervos espinais mais extensos são obtidos com anestesia peridural e raquianestesia em gestantes quando comparados com não gestantes. A gravidez também aumenta a resposta ao bloqueio de nervos periféricos.[23,24] Os níveis plasmáticos de colinesterase diminuem para aproximadamente 25% desde o início da gravidez até o sétimo dia de pós-parto, porém não se verifica bloqueio neuromuscular prolongado com a succinilcolina devido ao grande volume de distribuição.[25] A dose de succinilcolina precisa ser controlada na gestante e deve-se monitorar o bloqueio neuromuscular por intermédio de um estimulador de nervos periféricos para garantir a completa reversão antes da extubação.

A diminuição dos níveis plasmáticos de proteínas associada à baixa concentração de albumina e alfa-glicoproteína durante a gestação pode resultar em grande fração livre de fármacos no plasma, aumentando o risco de toxicidade.[26] Ocasionalmente, as gestantes submetidas a cirurgias precisam de fármacos que não são de uso rotineiro durante a gestação, por esse motivo há a necessidade de conhecimento da ação desses fármacos sobre o organismo materno. Recomenda-se o uso criterioso desses agentes, pois seus perfis farmacocinético e farmacodinâmico podem ser diferentes daqueles das não gestantes.[27]

■ TERATOGENICIDADE

Quando se estuda a etiologia das malformações, além dos fatores genéticos, devem-se também incluir fatores ambientais como infecções, doenças maternas, irradiações, fármacos e outros agentes químicos considerados importantes na gênese das dismorfoses (Tabela 135.2).[28]

Agente teratogênico é toda e qualquer substância que, quando administrada à gestante, é capaz de promover malformações em seu feto em um estágio crítico do seu desenvolvimento[2] conhecido como organogênese, que compreende o período do 15º ao 60º dia da gestação (Figura 135.1).[28]

Quanto à relação entre gestação e fármacos, devem-se considerar três compartimentos: o organismo materno, mediante suas alterações anatômicas e fisiológicas; a placenta, como o mecanismo de transferência de fármacos para

Tabela 135.2 Etiologia das Anormalidades do Desenvolvimento Humano.
Causas
Transmissão genética 20%
Aberração cromossômica 3% a 5%
Causas ambientais
▪ Radiação 1%
▪ Infecção 2% a 3%
▪ Desequilíbrio metabólico materno 1% a 2%
▪ Fármacos e substâncias químicas 2% a 3%
Desconhecidas 65% a 70%
TOTAL 100

Fonte: modificada de Wilson JG. Enviromental and Birth Defects, New York, Academic Press, 1973:49.

o feto, e o organismo fetal, principalmente no período de organogênese, no qual o feto fica mais suscetível à ação desses fármacos (Figura 135.2).[2]

Três métodos têm sido utilizados para estudar os efeitos dos agentes anestésicos sobre o feto e/ou da anestesia administrada à gestante: experiências com animais de laboratório, estudos realizados entre o pessoal que trabalha em salas de cirurgia e que fica cronicamente exposto a vestígios de agentes inalatórios e estudos realizados em mulheres que foram submetidas a cirurgias durante a gravidez.[30] Vários estudos epidemiológicos foram realizados com o pessoal que trabalha em centros cirúrgicos (médicas, enfermeiras, funcionárias da limpeza etc.) no que se refere a malformações congênitas, abortos espontâneos ou óbito fetal intrauterino. Nenhum deles correlacionou o surgimento de malformações congênitas, porém houve aumento do risco de aborto espontâneo, trabalho de parto prematuro e retardo de crescimento intrauterino.[30,31]

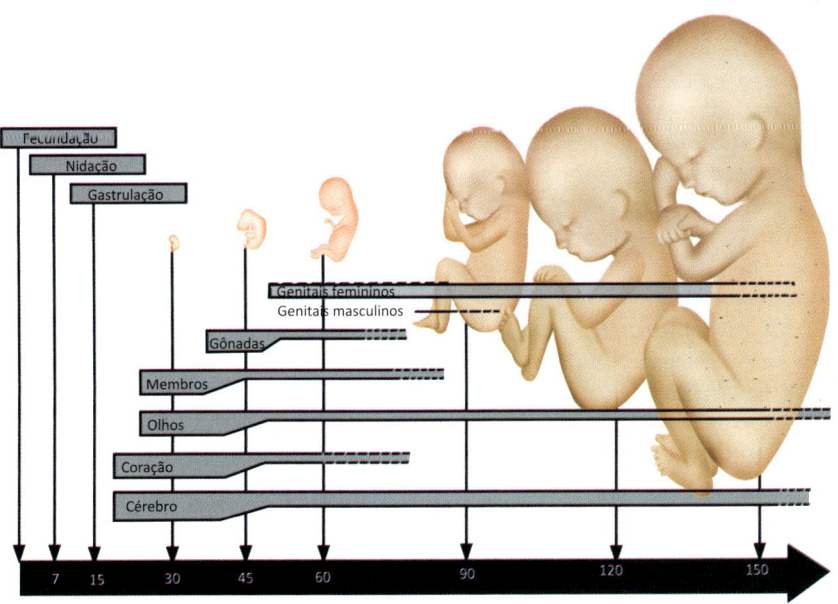

▲**Figura 135.1** Representação esquemática do estágio da morfogênese de vários órgãos, correspondendo aos períodos críticos de suscetibilidade teratogênica.
Fonte: reimpresso com permissão de Tuchmann Duplessis H, 1970.[29]

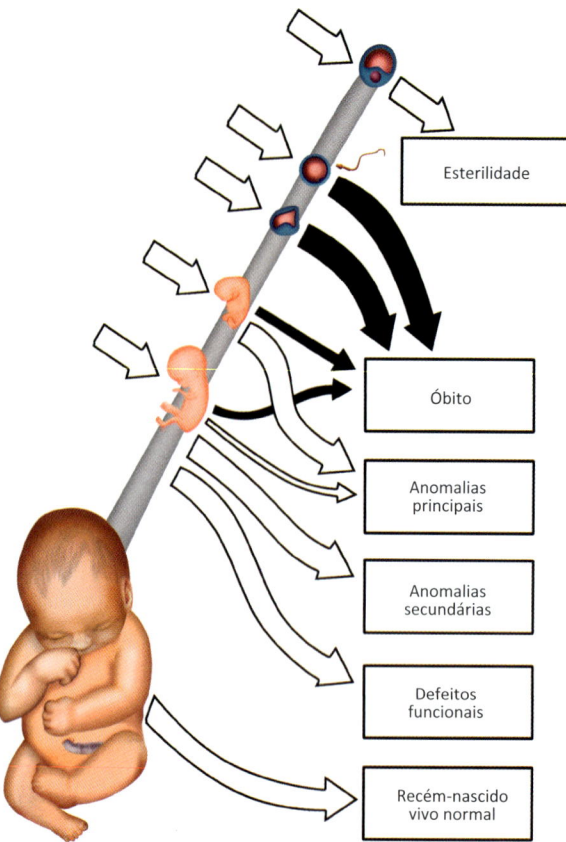

▲**Figura 135.2** Representação esquemática da influência dos fatores teratogênicos na gametogênese e várias fases do desenvolvimento embrionário e fetal. Durante o período pré-implantação, os agentes teratogênicos fortes matam o embrião. Durante a embriogênese, do 13º ao 60º dia, os agentes teratogênicos são embriotóxicos ou produzem grandes anomalias congênitas. Durante o período fetal seguinte, podem-se produzir menores anomalias funcionais e morfológicas.
Fonte: reimpresso com permissão de Tuchmann Duplessis H, 1970.[29]

O ato anestésico-cirúrgico pode provocar alterações na fisiologia materna, resultando em hipóxia, hipercarbia, estresse e anormalidades na temperatura corpórea e no metabolismo dos carboidratos. Essas alterações podem ser teratogênicas ou facilitar a ação teratogênica de outros agentes.[32] A hipoglicemia grave, a hipóxia prolongada e a hipercarbia podem provocar malformações congênitas em animais de laboratório, porém faltam evidências em relação à espécie humana.[32] A hipoxemia crônica, em decorrência do ar rarefeito das grandes altitudes, faz que as mães que vivem nessas regiões deem à luz crianças com baixo peso para a idade gestacional, mas sem defeitos congênitos.[32] A ansiedade e o estresse maternos são teratogênicos em animais.[33] A hipertermia tem ação teratogênica tanto em animais quanto em humanos, especialmente envolvendo o sistema nervoso central durante a primeira metade da gestação.[32]

Efeitos dos Agentes Anestésicos

Alguns agentes têm sua ação teratogênica reconhecida, como carbamazepina, cumarínicos, quimioterápicos, talidomida, inibidores da enzima conversora da angiotensina, determinados antibióticos, como as tetraciclinas, insetos, lítio, cocaína, entre outros (Tabela 135.3),[34] porém os agentes anestésicos e outros fármacos que são também empregados na anestesia não estão incluídos nesse grupo.[35] Esse fato faz que os anestesiologistas voltem mais a sua atenção para a segurança do binômio materno-fetal do que para os efeitos teratogênicos dos anestésicos empregados.[36] Ensaios clínicos recentes com animais de laboratório, nos quais foram utilizados fármacos facilitadores de receptor do ácido gama-

Tabela 135.3 Principais agentes teratogênicos em seres humanos.
Radiação:
■ Armas atômicas, radioiodo, usos terapêuticos
Infecções:
■ Citomegalovírus, vírus da rubéola, sífilis, toxoplasmose, vírus da encefalite equina venezuelana, parvovírus B19, *Herpesvirus hominis*
Desequilíbrio metabólico materno:
■ Alcoolismo, cretinismo, diabetes, déficit de ácido fólico, hipertermia, fenilcetonúria, doença reumática, tumores virilizantes
Fármacos e substâncias químicas:
■ Hormônios androgênicos, captopril, enalapril, anticoagulantes de varfarina, fenitoína, ácido retinoico, ácido caproico, tetraciclinas, iodetos (bócio), lítio, mercúrio (orgânico), metimazol, penicilamina, talidomida, cocaína, aminopterina e metilaminopterina

Fonte: modificada de Shepard TH, *et al*, 2010.[41]

-aminobutírico (GABA), como os agentes de indução venosa, os anestésicos voláteis e os benzodiazepínicos, e, ainda, os inibidores de receptor n-metil-D-aspartato (NMDA), como óxido nitroso e cetamina, revelaram neurodegeneração apoptótica difusa e redução de aprendizado e de memória nos recém-nascidos desses animais.[37,38] Ainda não existem, entretanto, dados suficientes que confirmem essas alterações na espécie humana.[39] Vale ressaltar que, devido às alterações fisiológicas que ocorrem durante a gravidez, o comportamento dos fármacos está alterado nas gestantes.[17] No final da década de 1970, a Food and Drug Administration (FDA) elaborou uma classificação de fármacos para seu uso seguro na paciente obstétrica. O sistema norte-americano classifica os fármacos em: A (estudos controlados, adequados, em gestantes e que não demonstram risco para o feto), B (estudos em animais não demonstraram risco fetal, porém não há estudos controlados em humanos), C (não há estudos adequados com mulheres, em experiências animais ocorreram alguns efeitos colaterais no feto, mas o benefício do produto pode justificar o risco potencial durante a gestação), D (há evidências de risco em fetos humanos, usando-se apenas se o benefício justificar o risco potencial) e X (estudos revelaram anormalidades no feto ou evidências de riso para o feto, os riscos durante a gravidez são superiores aos potenciais benefícios) (Tabela 135.4).[40]

Tabela 135.4 Sistema de classificação de fármacos da *Food and Drug Administration*.

Categoria A:
- Estudos não mostram risco de teratogenicidade

Categoria B:
- Não há evidências de risco fetal humano

Categoria C:
- O risco não pode ser descartado

Categoria D:
- Há evidência positiva de risco fetal humano

Categoria X:
- Contraindicado na gravidez

Fonte: modificada de Friedman JM, 1993.[40]

Opioides

Os opioides, como morfina, meperidina, fentanil, sufentanil, alfentanil e remifentanil, não causam efeitos teratogênicos em seres humanos, podendo ser administrados com segurança a gestantes,[42] porém doses muito elevadas desses fármacos durante uma anestesia são capazes de provocar depressão fetal por reduzirem a variabilidade da frequência cardíaca.[43] O uso crônico de opioides durante a gestação provoca dependência materna e fetal, e crianças filhas de mães que são usuárias dessas substâncias podem apresentar síndrome de abstinência após o nascimento.[42]

Benzodiazepínicos

O efeito teratogênico dos benzodiazepínicos em humanos tem sido questionado. Alguns autores observaram associação entre o uso de diazepam nas primeiras seis semanas de gestação e o aparecimento de fenda palatina e lábio leporino no recém-nascido.[44,45] Em contrapartida, estudo demonstrou não haver correlação entre o emprego do diazepam e o surgimento dessas malformações.[46] Benzodiazepínicos como midazolam e lorazepam podem ser empregados como medicação pré-anestésica, na vigência de ansiedade por parte da paciente, sem haver riscos de efeitos teratogênicos.[42]

Anestésicos locais

Os anestésicos locais também não apresentam ações teratogênicas em humanos. Devido à sua cardiotoxicidade, deve-se estar atento aos seus efeitos depressores maternos, como hipóxia e acidose fetal. A injeção venosa acidental de anestésico local causa diminuição do fluxo sanguíneo uterino em decorrência da vasoconstrição intensa, provocando aumento do tônus uterino e, eventualmente, desencadeando desde trabalho de parto prematuro até óbito fetal intrauterino.[2]

Fármacos de indução anestésica

Os barbitúricos empregados em dose única não estão relacionados com anomalias congênitas. O tiopental sódico, na dose de 5 mg.kg^{-1}, pode provocar diminuição do fluxo sanguíneo uterino na ordem de 35% durante a indução da anestesia.[42] Não existem dados concretos sobre a ação teratogênica do propofol em humanos. Em cesarianas realizadas sob anestesia geral, o fármaco atravessa rapidamente a placenta e a exposição fetal prolongada imediatamente antes do nascimento pode levar à diminuição dos escores de avaliação da capacidade neuroadaptativa do recém-nascido.[47] O propofol tem sido muito empregado em anestesia durante a gestação por prevenir o aparecimento de náuseas e vômitos no pós-operatório e promover despertar precoce.[2]

O etomidato atravessa rapidamente a placenta e pode reduzir os níveis de cortisol plasmático nos recém-nascidos de cesariana sob anestesia geral. Não há evidências de efeitos teratogênicos em humanos e constitui um agente seguro durante a indução da anestesia por promover estabilidade hemodinâmica.[48]

A cetamina em doses superiores a 1,1 mg.kg^{-1} tem o potencial de provocar aumento do tônus uterino devido à liberação de catecolaminas, porém esse efeito é fugaz durante o terceiro trimestre de gestação em decorrência da redução das terminações nervosas adrenérgicas.[2,49] Quando administrada para anestesia em cesarianas, pode ocasionar depressão do recém-nascido, com baixos índices de Apgar.[49]

Anestésicos inalatórios

Halotano, enflurano, isoflurano, sevoflurano e óxido nitroso não estão associados ao surgimento de malformações congênitas em humanos.[50] A circulação do útero é preservada durante a inalação de 1 a 1,5 CAM dos agentes halogenados devido a um mecanismo compensatório mediante uma pequena diminuição na perfusão arterial materna. Concentrações mais elevadas (2 CAM), administradas por tempo prolongado, provocam hipotensão arterial materna grave e diminuição do fluxo sanguíneo uteroplacentário, resultando em hipóxia fetal acompanhada de bradicardia e acidose.[50]

O óxido nitroso tem seu efeito teratogênico conhecido em animais, como roedores, por levar à oxidação da vitamina B_{12}, inibindo a enzima metionina sintetase, necessária na formação da timidina, uma subunidade do DNA.[50] Vale salientar que nem sempre se devem extrapolar os resultados obtidos por meio de estudos em animais de laboratório para a espécie humana. Esses animais sofrem exposição a altas concentrações do agente a ser estudado por um período bastante prolongado.

Uma revisão sistemática realizada em 2017 avaliou a exposição de profissionais da área da saúde (anestesiologistas, cirurgiãs, equipe de enfermagem) aos agentes inalatórios. Concluiu-se que não houve risco de malformações entre essas profissionais, mesmo em locais onde havia grande concentração ambiental e as regras de ventilação e renovação do ar não eram obedecidas. Não foi possível concluir, no entanto, sobre a influência dos agentes inalatórios na morte fetal e em alterações na fertilidade.[51] A maioria das anestesias inalatórias é realizada usando-se circuito com reabsorção em salas com sistemas de ventilação e exaustão de ar, onde o risco é reduzido, porém sempre presente. O local menos ventilado e onde os pacientes se encontram em maior número em ventilação espontânea é a sala de recuperação pós-anestésica, com mais probabilidade de apresentar concentrações mais elevadas de anestésicos inalatórios, devendo ser evitado por gestantes.[52]

Bloqueadores neuromusculares

Os bloqueadores neuromusculares, apesar de serem substâncias polares, atravessam a barreira placentária, contudo não existem evidências de efeitos teratogênicos em seres humanos.[53] Mesmo com os níveis de colinesterase plasmática diminuídos durante a gestação, a succinilcolina não tem seus efeitos prolongados devido ao aumento do volume de distribuição.[54] A duração de ação dos bloqueadores neuromusculares adespolarizantes também está inalterada durante o período gestacional.[55,56] Pode haver a necessidade de suporte ventilatório aos recém-nascidos de mães que receberam bloqueadores neuromusculares durante a anestesia geral para cesariana.[57]

O despertar da anestesia, a extubação traqueal e o pós-anestésico imediato são períodos vulneráveis tanto para pacientes gestantes quanto para não gestantes. A reversão incompleta do bloqueio neuromuscular é um conhecido fator de risco para depressão respiratória pós-operatória e necessidade de reintubação traqueal.[58] Em relação à reversão do bloqueio neuromuscular com neostigmina, a incidência de bloqueio residual foi relatada em 60% dos casos.[59] O sugamadex surgiu como uma nova alternativa, com efeito reversor rápido e efetivo, independente da profundidade do bloqueio neuromuscular e do tempo de reversão.[60] Um modelo farmacocinético/farmacodinâmico baseado em simulação e publicado na monografia de 2008 pela Merck Pharmaceutical descreve uma interação entre 4 mg/kg de sugamadex e progesterona, podendo levar à redução dos níveis desse hormônio em até 34%, sendo responsável pelo desencadeamento do trabalho de parto prematuro. A Sociedade de Anestesia Obstétrica e Perinatologia (SOAP), em 2019, por intermédio de uma força-tarefa, publicou uma re-comendação com base em estudos *in vitro* em que o sugamadex se liga e encapsula as moléculas de progesterona.[61] Em recente publicação na qual os autores fazem uma reavaliação das evidências sobre o uso do sugamadex durante a gestação, sugere-se que seja evitado durante o primeiro trimestre da gestação.[62]

Vasopressores

Ao contrário do que se recomendava no passado, os vasopressores, tanto os beta quanto os alfa-adrenérgicos, são considerados seguros e eficazes para a manutenção dos níveis pressóricos maternos durante a gestação sem causar prejuízos para o feto.[63] Durante muitos anos, a efedrina, devido ao predomínio de sua ação beta-adrenérgica, foi o vasopressor de escolha para corrigir a hipotensão arterial materna por preservar o fluxo sanguíneo uteroplacentário, a despeito dos alfa-agonistas puros.[64] Estudos recentes têm demonstrado que os alfa-agonistas fenilefrina e metaraminol, esse último muito usado em nosso meio, mostraram-se seguros e mais eficazes do que a efedrina, tanto no controle da hipotensão arterial da gestante quanto na manutenção do estado acidobásico fetal, evitando valores baixos de pH e acidose neonatal.[65-68]

PREVENÇÃO DA ASFIXIA FETAL INTRAUTERINA

A recomendação para se prevenir a asfixia fetal intrauterina consiste na preservação da PaO_2 e da $PaCO_2$ maternas e na manutenção do fluxo sanguíneo uterino adequado.[13] Breves períodos de hipoxemia materna moderada podem ser bem tolerados,[69] porém essa hipoxemia por tempo prolongado provoca vasoconstrição da circulação uteroplacentária com queda na sua perfusão, acarretando hipóxia e acidose fetal graves.[70] A anestesia geral constitui um fator de risco para a gestante em razão da maior dificuldade no manuseio das vias respiratórias (laringoespasmo, obstrução das vias respiratórias, mau posicionamento da paciente no momento da intubação traqueal e ventilação inadequada) e da dessaturação da hemoglobina pelo oxigênio decorrente da diminuição da capacidade residual funcional e do aumento do consumo de oxigênio.[11] Durante as anestesias regionais, as causas mais comuns de hipóxia são nível segmentar elevado do bloqueio, causando hipotensão arterial, e toxicidade pelo anestésico local.[71]

Tanto a hipercapnia quanto a hipocapnia podem ser deletérias para o feto. A hipocapnia provocada pela ventilação com pressão positiva excessiva aumenta a pressão intratorácica, diminuindo, dessa forma, o retorno venoso e, consequentemente, a queda no fluxo sanguíneo uterino. Em contrapartida, a alcalose materna produzida pela hiperventilação também diminui o fluxo sanguíneo uterino por vasoconstrição direta e provoca o desvio para a esquerda da curva de dissociação da hemoglobina materna, aumentando a sua afinidade pelo oxigênio, o que leva à hipóxia. A hipercapnia está associada à acidose fetal por depressão miocárdica.[13]

O fluxo sanguíneo uterino pode sofrer alterações devido à ação de fármacos e procedimentos anestésicos. Ele é diretamente proporcional à pressão de perfusão, por meio dos espaços intervilosos, e inversamente proporcional à resistência vascular. A pressão de perfusão pode estar diminuída em virtude da hipotensão arterial associada à anestesia regional em função do bloqueio simpático muito extenso, anestesia geral por ação de agentes depressores, compressão aortocava na posição supina pelo útero gravídico e hemorragias.[2] O útero, a partir da 20ª semana de gestação, deve estar desviado para a esquerda durante um procedimento cirúrgico, assim como deve haver controle rigoroso dos parâmetros hemodinâmicos para a manutenção da homeostase do binômio materno-fetal.[2]

▪ PREVENÇÃO DO TRABALHO DE PARTO PREMATURO

O risco do desencadeamento de trabalho de parto prematuro é iminente e deve-se sempre discutir com o obstetra o emprego de substâncias tocolíticas.

Diversos estudos sugerem que a anestesia e a cirurgia, durante a gravidez, podem desencadear o trabalho de parto prematuro, principalmente se a estrutura a ser abordada encontra-se próxima ao útero gravídico. Nesses relatos, as pacientes submetidas a cirurgias intra-abdominais, em que houve a necessidade da manipulação ou do afastamento do útero, apresentaram contrações uterinas; entretanto, naquelas gestantes cujos procedimentos foram neurocirúrgicos, ortopédicos, torácicos e nas cirurgias plásticas, esse fato não ocorreu (Figura 135.3).[72]

Um agente inalatório potente pode ser empregado na tentativa de diminuir esse efeito e inibir as contrações uterinas. Durante muito tempo, a indometacina, um anti-inflamatório não esteroide e inibidor de prostaglandina,

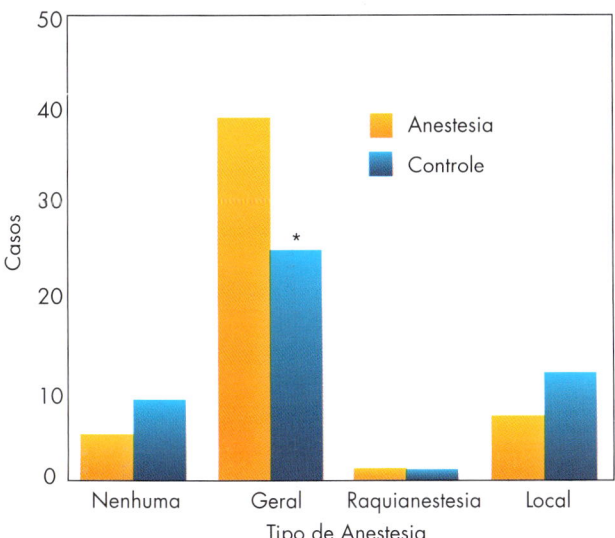

▲ **Figura 135.3** Tipo de anestesia e abortamento. O risco de abortamento foi significativamente maior no grupo de gestantes que recebeu anestesia geral quando comparado com o grupo de controle. O mesmo efeito não foi observado em gestantes que não receberam anestesia ou que receberam anestesia regional e local.
Fonte: Adaptada de Duncan *et al.*, 1986.

teve papel de destaque na prevenção do trabalho de parto prematuro. Atualmente, dá-se preferência ao sulfato de magnésio, à nitroglicerina e, mais recentemente, à atosibana, um antagonista da ocitocina.[73] Não há relato em que um agente ou técnica anestésica em particular esteja associado a alta ou baixa incidência de trabalho de parto prematuro.[2]

▪ RECOMENDAÇÕES PARA A CONDUTA ANESTÉSICA

Os procedimentos cirúrgicos eletivos devem, na medida do possível, ser adiados para o período após o parto, momento em que as alterações fisiológicas da gravidez retornam à normalidade. Em situações de urgência, no entanto, ou seja, quando a cirurgia é indispensável, mas pode ser adiada sem aumentar o risco de morte da gestante, deve-se dar preferência à sua realização no segundo ou terceiro trimestre, evitando-se, dessa forma, a exposição fetal aos fármacos durante o período da organogênese. Em situações mais críticas, nas emergências, em que há comprometimento da vitalidade materna, esses procedimentos podem ocorrer em qualquer período gestacional.[71]

A medicação pré-anestésica à base de um benzodiazepínico ou associada a um analgésico deve ser administrada, principalmente na vigência de ansiedade ou dor, com o intuito de deixar a paciente mais calma e cooperativa, como também baixar os níveis séricos de catecolaminas plasmáticas, prevenindo-se, assim, a diminuição do fluxo sanguíneo uterino.[72]

A profilaxia contra a broncoaspiração do conteúdo gástrico deve ser iniciada nas gestantes a partir da 12ª semana gestacional. O emprego de um antiácido não particulado (citrato de sódio 0,3 M) por via oral e um inibidor de receptores H_2 de histamina (ranitidina 50 mg) em associação a um gastrocinético (metoclopramida 10 mg) por via venosa 60 minutos antes do início da cirurgia tem o propósito de diminuir a acidez, bem como a produção de suco gástrico, aumentar o tônus do esfíncter esofágico inferior e acelerar o esvaziamento do estômago.[73,74]

Deve ser discutida com o obstetra a real necessidade de se usarem agentes tocolíticos. Vale a pena lembrar que o magnésio, por ser antagonista do cálcio, pode potencializar a ação dos relaxantes musculares e também dificultar o tratamento da hipotensão arterial durante perda sanguínea.[72]

A gestante, a partir da 20ª semana de gestação, deve ser transportada para a sala de cirurgia com o útero deslocado para a esquerda e assim permanecer durante todo o procedimento cirúrgico, evitando, dessa forma, a compressão aortocava e a síndrome de hipotensão supina.[72]

A monitorização deve incluir pressão arterial média não invasiva, cardioscopia, de preferência na derivação DII, oximetria de pulso, capnografia e temperatura corpórea. Recomenda-se dosagem de glicemia em procedimentos mais longos. Para situações emergenciais, indica-se a monitorização invasiva.[2] A monitorização dos batimentos cardiofetais e do tônus uterino deve ser realizada assim que possível. Empregando-se um Doppler, é possível monitorar a frequência cardíaca fetal a partir da 16ª semana de gestação. Um tocodinamômetro pode ser usado quando o útero se encontra no nível da cicatriz umbilical ou acima dela. Algumas vezes, esses monitores são tecnicamente difíceis ou impossíveis de serem utilizados durante cirurgias intra-abdominais ou em pacientes obesas. Faz-se necessária a presença de um obstetra para interpretar a monitorização uterina/fetal e, em uma eventualidade, realizar uma cesariana de urgência.[2]

A escolha da técnica anestésica baseia-se nas condições clínicas e físicas maternas, no local da abordagem cirúrgica, na natureza da cirurgia, na habilidade do cirurgião e na experiência do anestesiologista. Desde que não haja contraindicação, a anestesia local ou regional deve ser preferível à anestesia geral a fim de evitar o risco de broncoaspiração do conteúdo gástrico e diminuir a exposição fetal aos fármacos.[71] Durante a anestesia regional, previne-se hipotensão arterial mediante deslocamento uterino e adequada reposição hídrica. Ocorrendo episódios de hipotensão, deve-se também iniciar imediatamente o tratamento com a administração de vasopressores.[63] A anestesia regional promove excelente analgesia pós-operatória, mantendo a homeostase do binômio materno-fetal. A anestesia geral deve ser precedida de criteriosa avaliação de vias respiratórias, uma vez que estas se encontram mais edemaciadas e vascularizadas e sua visualização pode ser difícil durante a laringoscopia. Recomenda-se uma pré-oxigenação para elevar a PaO_2 do volume residual, permitindo que o anestesiologista tenha mais tempo para realizar a intubação traqueal sem que ocorra dessaturação da hemoglobina. A indução da anestesia deve ser feita em sequência rápida, com compressão da cartilagem cricoide (manobra de Sellick) e a intubação traqueal com sondas mais finas.[2] Concentrações elevadas de oxigênio podem ser administradas (pelo menos 50%) para manter a $PaCO_2$ dentro dos limites da normalidade (30 a 35 mmHg) na gestante (Figura 135.4).[75]

A monitorização dos batimentos cardiofetais e da atividade uterina deve continuar no período pós-operatório. O uso de opioides no neuroeixo é uma excelente técnica para analgesia pós-operatória por causar pouca sedação e necessitar de baixas doses quando em comparação com a administração intramuscular ou endovenosa.[2] Anti-inflamatórios não hormonais devem ser evitados pelo risco de fechamento prematuro do canal arterial.[77] A manutenção da oxigenação materna na sala de recuperação anestésica e o deslocamento uterino são condutas obrigatórias, bem como notificar o neonatologista quando o feto apresenta idade gestacional viável, caso ocorra trabalho de parto prematuro.[78]

■ RECOMENDAÇÕES EM SITUAÇÕES ESPECIAIS

Apendicectomia

A apendicite aguda é a doença que mais frequentemente ocorre durante a gestação, podendo estar presente em qualquer idade gestacional, e necessita de tratamento cirúrgico. O seu diagnóstico pode ser dificultado pelo fato de os exames laboratoriais específicos sofrerem alterações durante a gestação e pela impossibilidade de realização de exames radiológicos de rotina.[79] A demora em se diagnosticar um quadro de apendicite aguda na gestante pode levar a tratamento cirúrgico tardio e aumentar o risco de complicações, como a perfuração do apêndice, culminando com um quadro de peritonite e aumentando, dessa forma, a morbimortalidade do binômio materno-fetal.[80] Sendo assim, tanto o diagnóstico quanto o tratamento cirúrgico precoces são fundamentais para evitar complicações. Em estudo realiza-

Tempo	9:58	10:05	10:32	10:55	13:45
	Pré-indução	Pós-indução	Pós-incisão	Pós-correção	Sala de recuperação
pH			7.25	7.30	7.37
$PaCO_2$ (TORR)			31	28	29
PaO_2 (TORR)			56	382	121
SaO_2			87%	100%	98%
% O_2			50	100	40

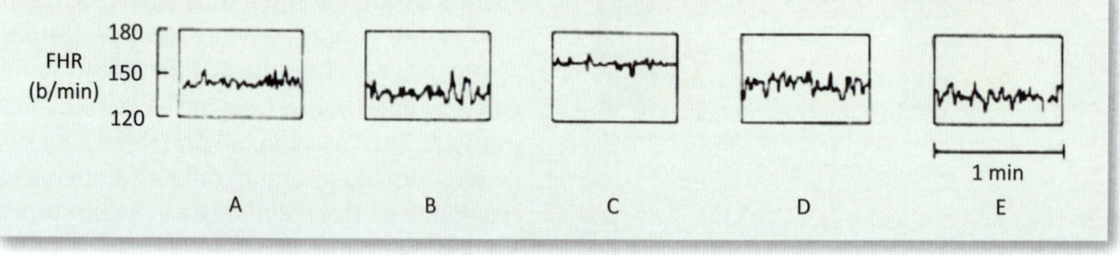

▲**Figura 135.4** Amostras seriadas do ritmo cardiofetal em uma paciente submetida a cirurgia ocular. (**A** e **B**) Ritmo cardiofetal basal em 140 batimentos por minuto com variabilidade normal de batimento a batimento. (**C**) Taquicardia fetal e estabilização do intervalo batimento a batimento durante hipoxemia materna inadvertida (PaO_2 materna = 52 torr). (**D**) Após correção da ventilação materna, observa-se um retorno do batimento cardiofetal basal e da variabilidade. (**E**) Linha basal normal pós-operatória.
Fonte: reimpresso com permissão de Katz JD, et al., 1976.[76]

do com gestantes submetidas à apendicectomia, 18% apresentaram edema pulmonar agudo no pós-operatório, e os fatores de risco para o seu surgimento foram idade gestacional superior a 20 semanas, taquipneia (frequência respiratória pré-operatória acima de 24 incursões por minuto), hipertermia (38°C), sobrecarga hídrica superior a 4 litros nas primeiras 48 horas e uso concomitante de tocolíticos.[81] O anestesiologista deve empregar, nessas pacientes, reposição hídrica cautelosa e estar preparado para iniciar monitorização central (PVC) caso ocorra sobrecarga hídrica.[39] A opção pela técnica anestésica vai depender do estado clínico em que a paciente se encontra. Os procedimentos por videolaparoscopia têm tido bastante popularidade para a abordagem dessas pacientes.

Trauma

O trauma na gestante tem sido uma ocorrência cada vez mais frequente nos dias atuais e as principais causas são acidentes automobilísticos (traumas contusos), lesões por armas brancas e de fogo (traumas penetrantes),[72]violência doméstica, muitas vezes provocada pelo próprio parceiro, na qual estão envolvidos abuso de substâncias ilícitas, baixos níveis educacional e socioeconômico e gestação indesejada.[82-86] As gestantes apresentam incidência mais elevada de trauma abdominal quando em comparação com o trauma de tórax ou crânio.[87] As prioridades no atendimento à gestante traumatizada são as mesmas da paciente não grávida (Figura 135.5).[88] A sua abordagem é multidisciplinar e envolve anestesiologistas, obstetras, cirurgiões, neonatologistas, intensivistas e corpo de enfermagem especializado.[89] O atendimento à gestante traumatizada feito pelo anestesiologista é fundamental, pois esse profissional realiza, ao mesmo tempo, a anestesia e os cuidados intensivos à

paciente que, por sua vez, pode ser portadora de alguma doença associada até então desconhecida pela equipe médica.[90,91] A avaliação do nível de consciência dessas pacientes, bem como das vias respiratórias é primordial, visto que, em caso de inconsciência, a manutenção da vias respiratórias é a primeira medida a ser tomada, proporcionando uma oxigenação satisfatória, uma vez que o consumo de oxigênio durante a gestação está aumentado, e também prevenindo a broncoaspiração do conteúdo gástrico.[87] Pode ocorrer choque hemorrágico e, caso se observe sangramento importante, a reposição volêmica deve ser iniciada de forma agressiva.[92] A síndrome de hipotensão supina tem início a partir do segundo trimestre de gestação e as pacientes devem ter seu útero desviado para a esquerda durante o atendimento para não comprometer ainda mais seu estado hemodinâmico.[17]

O estado gestacional não deve ser empecilho para a realização de uma laparotomia exploradora, e a demora em se tomar tal decisão pode agravar ainda mais a situação clínica materna e as condições fetais.[93] O risco de óbito fetal é mais elevado nos traumas abdominais, com 7,76% dos casos, seguidos de 5,58% nos traumas de extremidades, 4,46% nos traumatismos torácicos, 4,25% nos de crânio e, por fim, 3,92% nos traumas raquimedulaes.[94] Recomenda-se a monitorização fetal por meio da cardiotocografia, pois a hipoperfusão placentária e a hipoxemia provocam arritmias, desacelerações tardias e pioram os padrões cardiotocográficos, devendo, então, ser levada em consideração a possibilidade de uma cesariana de urgência em caso de feto viável (Figura 135.6).[95]

A perda do feto, nessas situações, deve-se a diversos fatores, entre eles fratura pélvica materna, alto nível de gravidade do trauma, sangramento vaginal, descolamento

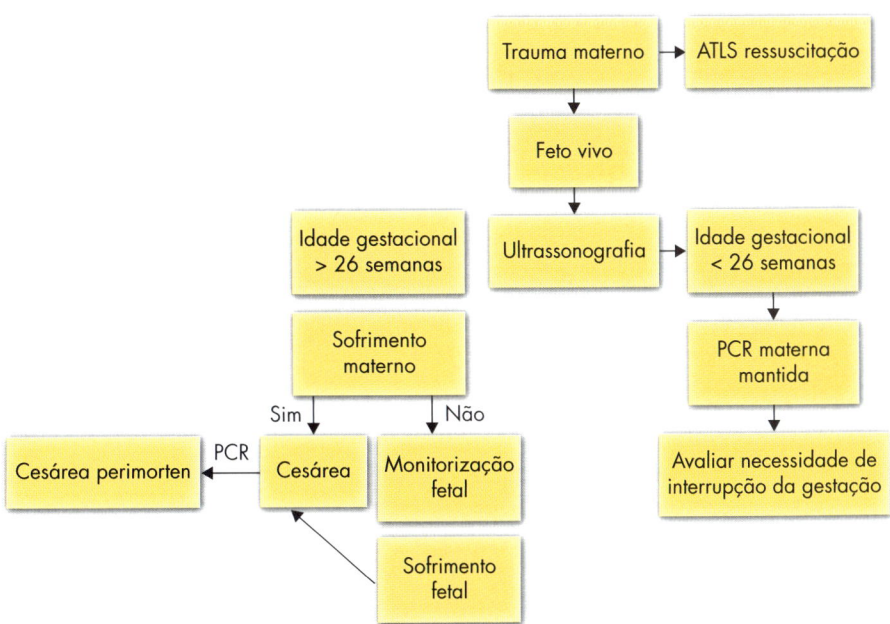

Nota: considerar a administração de imunoglobulina anti-Rh em mãe Rh negativa

▲**Figura 135.5** Algoritmo do trauma na gestante.
PCR: parada cardiorrespiratória; ATLS: advanced trauma life support.
Fonte: modificada de Martins SH, *et al.*, 2005.

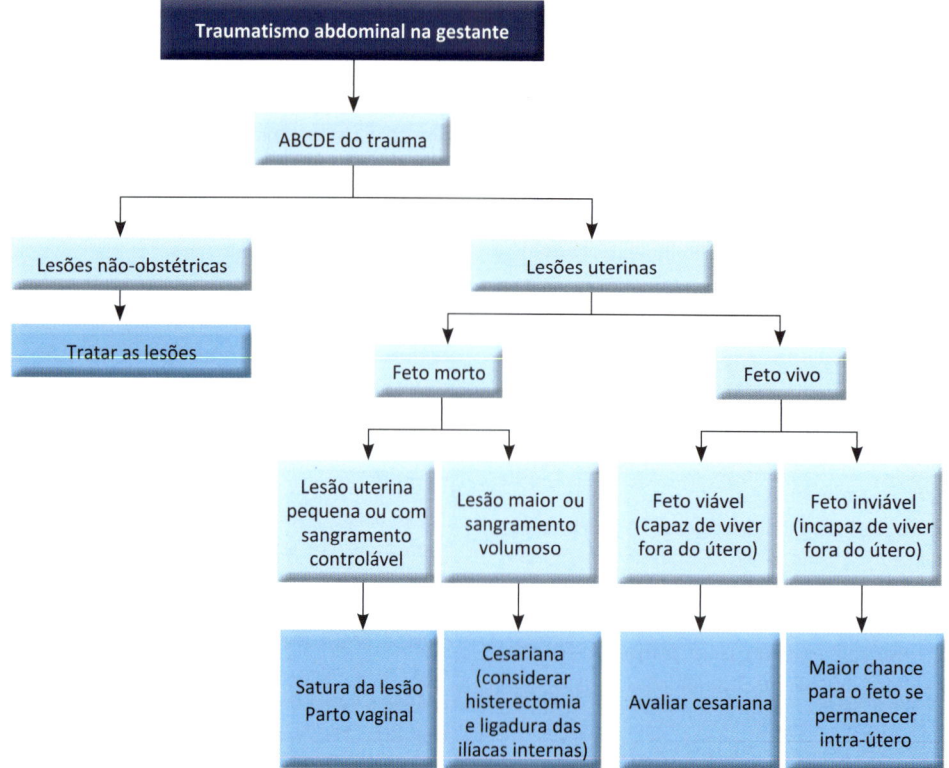

▲**Figura 135.6** Algoritmo do trauma abdominal na gestante.
Fonte: Am J Perinatol, 1997;46:331-3.[99]

da placenta, ruptura uterina e morte materna.[96,97] A ultras-sonografia realizada na sala de emergência pode determinar a viabilidade fetal. Existem poucas indicações para se realizar uma cesariana de urgência: mãe estável com feto viável em sofrimento; ruptura uterina traumática; útero grávido dificultando a cirurgia intra-abdominal na gestante e gestantes sem condições de salvamento com feto viável. Se o feto não for viável ou estiver morto, devem-se priorizar as condições maternas.[72]

Alguns autores chamam a atenção para a criação de um índice de gravidade da lesão específico para gestantes ante o número crescente de traumas em nosso meio.[98]

Procedimentos Neurocirúrgicos

A decisão de submeter uma gestante a uma neurocirurgia não depende de sua idade gestacional, e sim de suas condições clínicas. As causas cirúrgicas mais frequentes são hemorragias intracranianas (principal causa), tumores e malformações vasculares.[100] Não existe correlação entre gestação e risco aumentado de hemorragias decorrentes das alterações próprias do estado gravídico, como aumento do débito cardíaco e do volume plasmático e a maior elasticidade do tecido conectivo vascular decorrente das alterações hormonais. Esse risco está aumentado em situações de hipertensão arterial durante gravidez período gestacional, como na pré-eclâmpsia.[101]

A anestesia para neurocirurgia tem como principais objetivos diminuir o sangramento no intraoperatório e evitar o aumento da pressão intracraniana, o que implica realizar hiperventilação, induzir hipotensão e hipotermia e empregar diuréticos durante a cirurgia.

A hipotensão arterial, com a finalidade de diminuir o sangramento, pode ser induzida por meio de anestésicos voláteis, nitroprussiato de sódio e nitroglicerina. A redução da pressão arterial média para valores inferiores a 70 mmHg diminui o fluxo sanguíneo uteroplacentário. A monitorização dos batimentos cardiofetais é obrigatória mediante a cardiotocografia, e, havendo bradicardia, é preciso abreviar ao máximo o período de hipotensão arterial materna.[91] Deve-se lembrar de que esses fármacos atravessam rapidamente a barreira placentária e de que um dos principais metabólitos do nitroprussiato de sódio é o cianeto, cujo acúmulo pode provocar óbito fetal. A nitroglicerina, da qual o nitrito é o metabólito, pode causar metemoglobinemia.[102]

A hipotermia tem como finalidade diminuir o metabolismo basal do cérebro, o fluxo sanguíneo cerebral e, consequentemente, o seu consumo de oxigênio, estabelecendo efeito protetor sobre esse órgão; porém valores de temperatura corporal abaixo de 30°C causam bradicardia fetal.[103]

A hiperventilação, por sua vez, tem como objetivo reduzir a $PaCO_2$ e pressão intracraniana através de vasoconstrição cerebral. Esses efeitos também provocam diminuição do fluxo sanguíneo uteroplacentário, resultando em acidose fetal. A gestantes com fetos saudáveis, a recomendação é reduzir o CO_2 para, no máximo, 25 mmHg.[104]

Quanto ao uso de diuréticos, os osmóticos e os diuréticos de ação em alça estão indicados para "murchar" o cérebro tanto durante a cirurgia como no pós-operatório. Esses fármacos devem ser utilizados com muito critério, pois são capazes de provocar o deslocamento de líquidos negativos para o feto, causando desidratação e elevação da concentração plasmática de sódio.[105]

Cirurgia Cardíaca

A incidência de doenças cardiovasculares na gestante varia de acordo com a situação social e econômica de diferentes países, bem como com a assistência médica disponível.[106] Nos países em desenvolvimento, as cardiopatias reumáticas são as principais causas de mortalidade materno-fetal.[107] As principais indicações de cirurgia cardíaca nesse período são as valvulopatias, que, no transcorrer da gestação, podem levar à descompensação materna, uma vez que o aumento do volume sanguíneo e, consequentemente, do débito cardíaco é máximo por volta da 28ª a 30ª semana de gestação.[17] As cirurgias devem ser realizadas, quando possível, a partir do segundo trimestre de gestação, quando não há mais o risco de teratogenicidade e a possibilidade de desencadear trabalho de parto prematuro é menor.[80]

Novas técnicas de intervenção por via percutânea foram desenvolvidas para a correção dessas valvuloplastias mediante o emprego de balões, minimizando, de modo significativo, a morbimortalidade fetal e neonatal.[108]

A cirurgia cardíaca com circulação extracorpórea (CEC) durante a gestação passa a ser um procedimento bem complexo devido ao somatório dos seus efeitos associados aos da anestesia e da cirurgia, que acabam refletindo diretamente na mortalidade fetal.[109] A CEC compreende um conjunto de técnicas capazes de comprometer a homeostase do binômio materno-fetal, como hemodiluição, hipotermia, anticoagulação e perfusão com fluxo contínuo ou linear. Essas pacientes têm seu estado fisiológico bastante lábil em relação a pressão arterial, hemostasia e equilíbrio acidobásico. A hemólise e a destruição plaquetária podem levar à liberação de substâncias vasoativas ou tóxicas para o organismo fetal.[110] O melhor período para a realização de cirurgias com CEC parece ser a partir do segundo trimestre de gestação, evitando-se, dessa forma, o risco de malformações fetais, já que, nesse período, além de o feto já se encontrar completamente formado, a excitabilidade uterina parece ser menor, o que minimiza também a incidência de trabalho de parto prematuro ou abortamento.[111]

A CEC pode levar ao surgimento de contrações uterinas decorrentes da hipotermia, tornando-se um fator importante na morbimortalidade fetal. Essa hipotermia propicia também distúrbios do equilíbrio acidobásico, alterações da coagulação sanguínea e arritmias diversas.[112] A presença dessas contrações indica que, sempre que possível, a perfusão normotérmica deve ser a mais recomendada para esse tipo de paciente. O aparecimento dessas contrações torna-se mais frequente com o avançar da gestação, especialmente no terceiro trimestre.[110] Quando se usa o fluxo linear durante a CEC, pode ocorrer, em decorrência das contrações uterinas, diminuição da circulação placentária, acarretando hipóxia fetal. Durante a hipotermia, a placenta torna-se deficiente quanto às trocas gasosas e ao fluxo sanguíneo transplacentário e para os órgãos fetais.[110] Alguns autores recomendam o uso de fármacos na tentativa de estabilizar o útero durante a CEC, como agentes beta-agonistas (ritodrina ou isoxsuprina) e até mesmo progesterona.[112,113]

A função placentária durante a CEC não depende só das alterações maternas causadas pela perfusão, mas também de algumas respostas do feto. A liberação de catecolaminas, durante a CEC produz vasoconstrição da circulação uteroplacentária, causando hipóxia e acidose metabólica no feto.[109]

A resposta fetal mais comum à CEC é a bradicardia, que ocorre logo nos primeiros minutos de perfusão.[109] Essa bradicardia parece estar associada a alterações da oxigenação e do estado acidobásico. A hipotermia também é outra causa de bradicardia fetal, mas há relatos dessa ocorrência mesmo durante a perfusão normotérmica.[111] Alguns autores recomendam a perfusão normotérmica com fluxo arterial elevado para abolir a bradicardia relacionada com a entrada em *bypass*.[112] A sua causa mais provável reside nas alterações hemodinâmicas, com consequente redução na oxigenação do sangue no nível da placenta.[109] A hipotermia, além de reduzir a circulação placentária, aumenta a afinidade da hemoglobina fetal pelo oxigênio, dificultando, dessa forma, a sua liberação para os tecidos. O excesso de catecolaminas circulantes aumenta a resistência vascular do feto e é mal tolerado pelo miocárdio ainda imaturo,[111] e a resposta fetal ao estresse da CEC também contribui para o aumento de catecolaminas no seu organismo.[114]

Os efeitos da CEC sobre o feto e a placenta são tão marcantes, que podem contribuir para a interrupção da gestação, o sofrimento ou até o óbito fetal.[109] Por esses motivos, é primordial a monitorização uterina e fetal para detectar, de forma precoce, qualquer alteração na contratilidade uterina e na frequência cardíaca fetal. Essa monitorização permite mudanças na condução da CEC ou o emprego de fármacos capazes de inibir ou minimizar os seus efeitos indesejáveis. Recomendam-se o uso da cardiotocografia, que permite monitorar, de forma simultânea, os batimentos cardíacos fetais e as contrações uterinas, e a dopplerfluxometria, que detecta o fluxo e a velocidade do sangue no cordão umbilical do feto.[110,112,115]

A perfusão nas gestantes requer um bom conhecimento das alterações fisiológicas que ocorrem durante a gestação e, principalmente, dos mecanismos de trocas gasosas no nível da placenta.[108] Com o surgimento de técnicas menos invasivas, como a valvuloplastia percutânea por balão, os casos de estenose mitral em gestantes deixarão de receber tratamento cirúrgico.[108]

Cirurgias Videolaparoscópicas

A cirurgia por videolaparoscopia vem ganhando cada vez mais popularidade quando comparada com a cirurgia convencional, principalmente por suas vantagens, como: menores incisões do ponto de vista estético, deambulação e alta hospitalar mais precoces, menor incidência de fenômenos tromboembólicos e íleo paralítico e analgesia pós-operatória satisfatória.[116,117] Recentemente, essa técnica cirúrgica tem sido realizada com grande êxito durante a gestação, podendo, inclusive, em decorrência do menor trauma cirúrgico, diminuir o risco de irritabilidade uterina, aborto espontâneo ou trabalho de parto prematuro.[118]

Para a melhor abordagem das estruturas a serem operadas por essa técnica, é necessária a insuflação intraperitoneal de um gás, o CO_2, que irá promover a sua distensão e, consequentemente, a separação dos órgãos entre si.[119] O anestesiologista deve estar atento no momento da realização do pneumoperitônio, pois esse aumento na pressão intra-abdominal (PIA) provoca repercussões marcantes, principalmente dos pontos de vista cardiovascular e respiratório,[119] as quais podem ser vistas com mais detalhes no capítulo *Anestesia para Cirurgia Videolaparoscópica*, publicado nesta obra. A extensão dessas alterações hemodinâmicas durante a cirurgia videolaparoscópica decorre da interação entre fatores ligados à cirurgia e ao paciente. Os pertinentes à cirurgia são: PIA, posicionamento do paciente, absorção de CO_2, estratégias de ventilação, técnica cirúrgica, natureza e duração do procedimento. Os ligados ao paciente incluem: condições cardiopulmonares, profundidade da anestesia, agentes anestésicos empregados e o uso de medicações capazes de influenciar a resposta cardiovascular antes da instalação do pneumoperitônio[120] (Figura 135.7).

O feto é muito sensível à instabilidade cardiopulmonar materna e, como causa primária de óbito fetal, tem-se hipotensão arterial e/ou hipóxia.[122] Qualquer alteração do trabalho cardíaco materno pode causar sofrimento fetal. O aumento da PIA pode diminuir o fluxo sanguíneo uterino ou aumentar a pressão intrauterina, ambos levando à hipóxia fetal.[116] Durante o procedimento cirúrgico, a gestante deve permanecer com o útero deslocado para a esquerda, melhorando, dessa forma, o retorno venoso.[17] A pressão na cavidade abdominal deve ser mantida a mais baixa possível, o suficiente para uma visualização visceral satisfatória, não devendo ultrapassar 12 mmHg. Deve-se lembrar de que essa insuflação peritoneal precisa ser realizada de forma lenta e gradual.[123]

Embora a cirurgia por videolaparoscopia possa ser realizada sob anestesia regional, a anestesia geral é a técnica mais indicada por promover melhores estabilidades cardiovascular e respiratória, além de eliminar o desconforto provocado pelas mudanças de posição da paciente na mesa de cirurgia.[117] Durante a realização da anestesia geral, é necessário sempre lembrar da profilaxia da broncoaspiração do conteúdo gástrico e do posicionamento adequado da paciente para a intubação traqueal, condutas cujos detalhes já foram abordados no Capítulo 134. A ventilação deve ser controlada e o volume corrente, não exceder 7 mL.kg^{-1}, evitando-se volumes pulmonares elevados devido às repercussões hemodinâmicas desfavoráveis, e com frequência respiratória de 10 incursões por minuto. A pressão de insuflação pulmonar ou pressão intratraqueal (PIT) não deve exceder 35 mmHg, mantendo-se a pressão positiva no final da expiração (PEEP) em 5 cmH$_2$O. O uso de uma sonda orogástrica (Fauchier) se faz necessário antes da instalação do pneumoperitônio a fim de promover o esvaziamento gástrico e prevenir náuseas e vômitos no pós-operatório.[117] A perfuração do útero gravídico pode ocorrer em virtude da introdução da agulha de Veress,[123] todavia a técnica de Hasson para a colocação de trocarte a céu aberto parece ser a mais segura.[123]

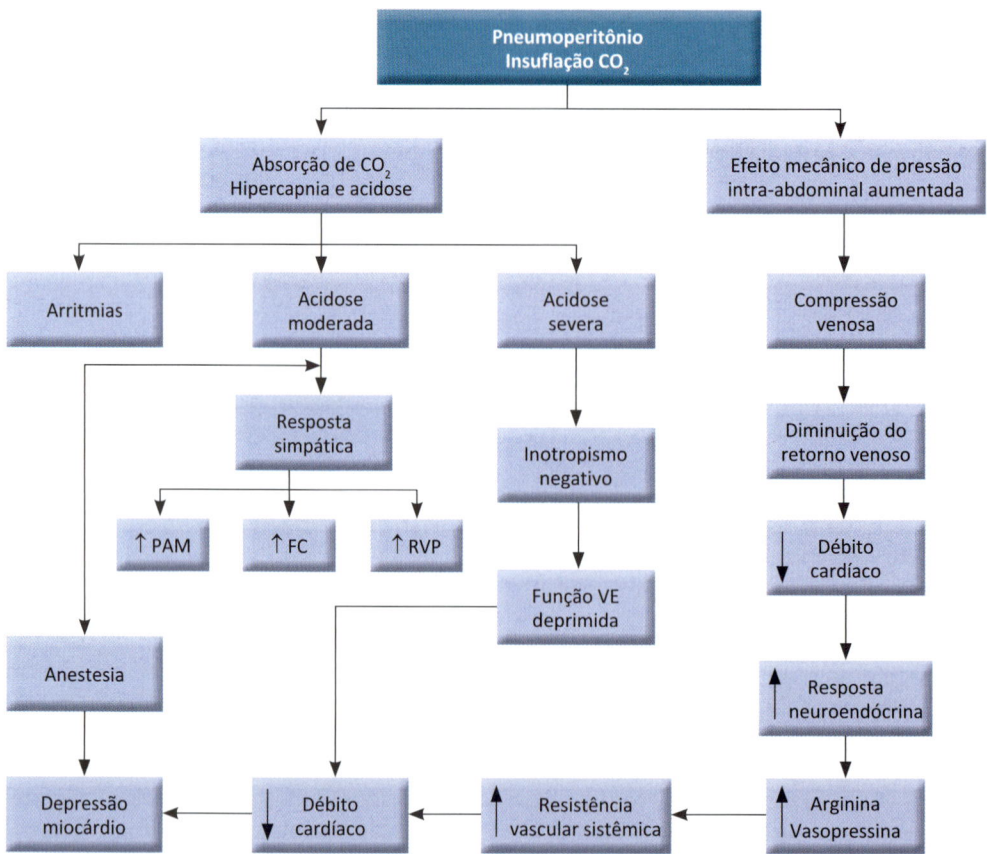

▲ **Figura 135.7** Efeitos do pneumoperitônio pelo CO_2.
Fonte: modificada de Koivusalo AM, *et al.*, 2000.[121]

A monitorização da gestante não difere daquela da não gestante, lembrando que, devido ao estado de hipercoagulabilidade que ocorre durante a gravidez, essas pacientes devem ter seus membros inferiores enfaixados para prevenir fenômenos tromboembólicos. A monitorização fetal deve consistir em cardiotocografia durante todo o procedimento cirúrgico e permanência na sala de recuperação pós-anestésica.[124]

■ CONSIDERAÇÕES FINAIS

As gestantes submetidas a cirurgias não obstétricas durante a gravidez devem ser abordadas com cuidado e respeito, mas não com receio. Os agentes anestésicos são seguros e não apresentam risco de teratogenicidade.

O êxito da cirurgia durante a gestação está na prática segura da administração da anestesia.

REFERÊNCIAS

1. Goodman S. Anesthesia for nonobstetric surgery in pregnant patient. Semin Perinatol. 2002;26:136-45.
2. Van de Velde M. Nonobstetric surgery during pregnancy. In: Chestnut DH, Wong CA, Tsen LC, Ngan Kee WD), Beilin Y, Mhyre J, et al. Chestnut's Obstetric Anesthesia: Principles and Practice. 5. ed. Philadelphia: Elsevier, 2014. 358-79.
3. Manley S, de Keltic G, Joseph NJ, Salem MR, Heyman HJ. Preoperative pregnancy testing in ambulatory surgery: incidence and impact of positive results. Anesthesiology. 1995;83:690-3.
4. American Society of Anesthesiologists Task Force on Preanesthesia Evaluation. Practice advisory for pre anesthesia evaluation. Anesthesiology 2012;116:522-38.
5. National Institute for Health and Clinical Excellence. Preoperative sets: the use of routine preoperative tests for elective surgery. Available at www.nice.org.uk/nicemedia/pdf/preop_Fullguidiline.2000.
6. Kahn RL, Stanton MA, Tong-Ngork S, Liguori GA, Edmonds CR, Levine DS. One-year experience with day-of-surgery pregnancy testing before elective orthopedic procedures. Anesth Analg. 2008;106:1127-31.
7. Donchin Y, Amirav B, Sarar A, S Yarkoni. Sodium nitroprusside for aneurysm surgery in pregnancy, report of a case. Br J Anaesth. 1978;50:349-51.
8. Strickland RA, Oliver WC Jr, Chantigian RC, Ney JA, Danielson GK. Anesthesia cardiopulmonary by pass and pregnant patient. Mayo Clin Proc. 1991;66:411-29.
9. Merritt WT, Dickstein R, Beattie C, Burdick J, Klein A. Liver transplantation during pregnancy: Anesthesia for two procedures in the same patient with successful outcome of pregnancy. Transplant Proc. 1991;23:1996-7.
10. Erekson EA, Brousseau EC, Dick-Biascoechea MA, Ciarleglio MM, Lockwood CJ, Pettker CM. Maternal postoperative complications after non obstetric antenatal surgery. J Matern Fetal Neonatal Med. 2012;25:2639-44
11. Cantwell R, Clutton-Brock T, Cooper G, Dawson A, Drife J, Garrod D, et al. Saving mothers' lives: reviewing maternal deaths to make motherhood safer: 2006-2008. The eighth report of the Confidential Enquires into Maternal Deaths in the United Kingdom. BJOG,2011;118(Suppl1):1-103
12. Yamashita AM. Anestesia para cirurgia durante a gravidez. In: Yamashita AM, Gozzni JL (eds.). Anestesia em Obstetrícia. São Paulo: Atheneu; 1997. 171-9.
13. Beilin Y. Anesthesia for nonobstetric surgery during pregnancy. The Mount Sinai J Med. 1998;65(4):265-70.
14. Bonica JJ. Maternal anatomic and physiologic alterations during pregnancy and parturition. In: Bonica JJ, McDonald JS (eds). Principles and practice of obstetric analgesia and anestesia. 2. ed. Malvern: Williams & Wilkins 1995. 45-82.
15. Chan MTV, Mainland P, Gin T. Minimum alveolar concentrations of halothane and enflurane are decreased in early pregnancy. Anesthesiology. 1996;85:782-86.
16. Boutonner M, Faitot V, Katz L, et al. Mallampati class changes during pregnancy, labour and after delivery: can these be predicted? B Jr Anaesth. 2010;104:67-70.
17. Cavalcanti FS. Considerações fisiológicas sobre a gestante e implicações na anestesia. In: Cangiani LM, Sullitel A, Potério GMB, et al. Tratado de Anestesiologia SAESP. 7. ed. São Paulo: Ateneu, 2011. 2249-82.
18. Steinbrook RA. Anesthesia, minimally invasive surgery and pregnancy. Best Practice Research Clin Anaesth. 2002;16:131-43.
19. Wong CA, Loffrei M. Gastric emptying of water in term pregnancy. Anesthesiology. 2001;93:1570-1.
20. Gin T, Mainland P, Chan MT, et al. Decreased thiopental requirements in early pregnancy. Anesthesiology. 1997;86:73-8.
21. Higuchi H, Adachi Y, Arrimara S, et al. Early pregnancy does not reduce the C(50) of propofol for loss of consciousness. Anesth Analg. 2001;93:1565-9.
22. Mongardon N, Serving F, Perrin M, et al. Predicted propofol effect-site concentration for induction and emergence of anesthesia during early pregnancy. Anesth Analog. 2009;109:90-5.
23. Hogan QH, Prost R, Kulier A, et al. Magnetic resonance imaging of cerebrospinal fluid volume and the influence of body habits and abdominal pressure. Anesthesiology 1996;84:1341-9.
24. Richardson MG, Wissler RN. Density of lumbar cerebrospinal fluid in pregnant and non-pregnant women. Anesthesiology. 1996;85:326-30.
25. Leighton BL, Cheek TG, Gross JB, et al. Succinylcholine pharmacodynamics in permpartum patients. Anesthesiology. 1986;64:202-5.
26. Tsen LC, Trashes J, Denson DD, et al. Measurements of maternal protein binding of bupivacaine throughout pregnancy. Anesth Analg. 1999;89:965-8.
27. FeghaliMN, Mattisson DR. Clinical therapeutics in pregnancy. J Biomed Biotechnol. 2011;2011:783528.
28. Malinow AM. Anesthestic management of the pregnant surgical patient. In: Bonica JJ, Macdonald JS (eds.). Principles and Practice of Obstetric Analgesia. 2.ed. Baltimore: Williams & Wilkins; 1995. 783-6.
29. Tuchmann Duplessis H. The effects of teratogenic drugs. In: Phillip E, Barnes J, Newton M (eds.).Scientific Foundations of Obstetrics and Gynaecology. Philadephia: F. A. Davis; 1970.
30. Cohen EN, Gift HC, Brow BW, et al. Ocupational disease in dentistry and cronic expensure to trace anesthetic gases. J AM Dent Assoc. 1980;101:21-31.
31. American Society of Anesthesiologists. Ad Hoc Committee: Ocupational disease among operating room personnel. A national study. Anesthesiology. 1974;41:321-40.
32. Shepard TH. Catalog of Teratogenic Agents. 7. ed, Baltimore: The John Hopkins University Press, 1992.
33. Geber WF. Developmental effects of chronic maternal and audiovisual stress on the rat fetus. J Embryol Exp Morphol. 1996;16:1-16.
34. Hawkins JL. Anesthesia for the pregnant patient undergoing nonobstetri surgery. ASA Refresher Course in Anesthesiology. 2005;33:137-45.
35. Crawford JS, Lewis M. Nitrous oxide in early human pregnancy. Anesthesia. 1986;41:900-5.
36. Van der Velde M, De Buck F. Anesthesia for non-obstetric surgery in the pregnant patient (review). Minerva Anesthesia. 2007;73:235-40.
37. Jevtovic-Todorovic V, Hartmann RE, Izumi Y et al. Early exposure to common anesthetic agents causes widespread neurodegenerative in the developing rat brain and persistent learning deficits. J Neurosci. 2003;23:836-82.
38. Yon JH, Daniel-Johnson J, Carter LB, et al. Anesthesia induces neuronal cell death in the developing rat brain via the intrinsic and extrinsic apoptotic pathways. Neuroscience. 2005;135:815-27.
39. Li Y, Liang G, Wang S, et al. Effects of fetal exposure to isoflurane on postnatal memory and learning in rats. Neuropharmacology. 2007;53:942-50.
40. Friedman JM. Report of the Teratology Society Public Affairs Committee symposium on FDA classification of drugs.Teratology. 1993;48:5-6.
41. Shepard TH, Lemire RF. Catalog of teratogenic agents. 13. ed. Baltimore: John Hopkins University Press; 2010.
42. Honet JB. Anesthesia for surgery during pregnancy. In: Norris MC. Obstetric Anesthesia. Philadelphia: JB Lippincott Company; 1993. 179-87.
43. Kuczkowski KM. Nonobstetric surgery during pregnancy: what are the risks of anesthesia (review)?. Obstetrícias Gynecol Sure. 2004;59:52-6.
44. Safra MJ, Oakley GP Jr. Association between cleft lip with or without cleft palate and prenatal exposure to diazepan. Lancet. 1975;2:478-80.
45. Shiono PH, Mills JL. Oral clefts and diazepan use during pregnancy. N Engl J Med. 1984;311:919-20.
46. Rosemberg L, Mitchell AA, Parsells JL, et al. Lack of correlation of oral effects to diazepam use during pregnancy. N Engl J Med. 1983;309:1282-5.
47. Dailland P, Jacquinot P, Lerzen JD, et al. Neonatal effects of propofol administred to the mother in anesthesia in caesarean section. Cah Anesthesiol. 1989;37:429-35.
48. Reddy BK, Pizer B, Bull PT. Neonatal serum cortisol suppression by etomidate compared with thiopentone for elective caesarean section. Eur J Anesthesiol. 1988;5:171-6.
49. Downing JW, Mahomedy MC, Jeal DE, et al. Anesthesia for caesarean section with ketamine. Anesthesia. 1976;31:883-7.
50. Koblin DD, Watson JE, Deady JE, et al. Inactivation of methionine synthetase by nitrous oxide in mice. Anesthesiology, 1981;54:318-24.
51. Warembourg C, Corider S, Garlantezec R. An update systematic review of fetal death, congenital anomalies, and fertility disorders among health care workers. Am J Ind Med. 2017;60:578-590.
52. Yasny JS, White J. Environmental Implications of Anesthetic Gases. Anesth Prog. 2012;59:925-9.

53. Pedersen H, Finster M. Anesthetic risk in the pregnant surgical patient. Anesthesiology, 1979;51:439-51.
54. Leighton BL, Cheek TG, Gross JB. Succinylcoline pharmacodynamics in permpartum patients. Anesthesiology. 1986;64:202-5.
55. Puhringer FK, Sparr HJ, Mitterschiffthaler G. Extended duration of action of rocuronium in postpartum patients. Anesth Analg. 1997;84:353-4.
56. Pan P, Mooore C. Comparison of cisatracurium-induced neuromuscular blockade between immediate postpartum and pregnant patients. J Clin Anesth. 2001;13:112-7.
57. Blass NH. Nonobstetric surgery in the pregnant patient, in: ASA Annual Refresher Course Lecture, Philadelphia. 1984;12:25-32.
58. Cammu G. Residual neuromuscular blockade and post-operative pulmonary complications: what does the recent evidence demonstrate? Curr Anesthesiol Rep. 2020;10:131-136.
59. Fortier LP, McKeen D, Turner K, et al. The RECITE study: a Canadian prospective, multicenter study of the incidence and severity of residual neuromuscular blockade. Anesth Analg. 2015;121:366-372.
60. C. Srivastava A, Hunter JM. Reversal of neuromuscular block. Br J Anaesth. 2009;103:115-129.
61. European Medicines Agency (EMA). Annual Report of the European Medicines Agency. 2008. https://www.ema.europa.eu/en
62. Willett AW, Togioka B, Bensadigh B, et al. Society for Obsteric Anesthesia and Perinatology statement on sugammadex during pregnancy and lactation. [Internet] April 22, 2019. https://www.soap.org/wp-content/uploads/2019/06/SOAP
63. Ngan Kee WD, Khaw KS. Vasopressors in obstetrics: what should we be using? Curr Opin Anaesthesiol. 2006; 19:238-43.
64. Ralston HD, Shnider SM, de Lorinier AA. Effects of equipotent ephedrine,metaraminol, mephentermine and methoxamine on uterine blood flow in the pregnant ewe. Anesthesiology. 1974;40:354-70.
65. LaPorta RF, Arthur GR, Datta S. Phenylephrine in treating maternal hypotension due to spinal anesthesia for cesarean delivery: effects on neonatal catecholamine concentrations, acid base status and Apgar scores. Acta Anaesthesiol Scand. 1995;39:901-5.
66. Mercier FJ, Riley ET, Frederickson WL, et al.Phenylephrine added to prophylactic ephedrine infusion during spinal anesthesia for elective cesarean section. Anesthesiology. 2001;95:668-74.
67. Ngan Kee WD, Khaw KS, Tan PE, et al. Placental transfer and fetal metabolic effects of phenylephrine and ephedrine during spinal anesthesia for cesarean delivery. Anesthesiology. 2009;111:506-12.
68. Ngan Kee WD, Lee A, Khaw KS, et al. A randomized double-blinded comparison of phenylephrine and ephedrine infusion combinations to maintain blood pressure during spinal anesthesia for cesarean delivery: the effects on fetal acid-base status and hemodynamic control. Anesth Analg. 2008;107:1295-302.
69. Itskovitz J, LaGamma EF, Rudolph AM. The effect of reducing umbilical blood flow on fetal oxygenation. Am J Obstet Gynecol. 1983;145:813-8.
70. Dilts PV Jr, Brinkman CR, Kirschbaum TH, et al. Uterine and systemic hemodynamic interrelationships and their response to hypoxia. Am J Obstet Gynecol. 1969;103:138-57.
71. Shnider SM, Levinson G. Anesthesia for surgery during pregnancy. In: Shinder SM, Levinson G (eds.). Anesthesia for Obstetrics. 3. ed. Baltimore: Williams & Wilkins; 1993. 259-76.
72. Howkins JL. Anesthesia for the pregnant patient undergoing nonobstetric surgery. Annual Meeting of the American Society of Anesthesiologists. October, 2002. 12-16.
73. Rout CC, Rocke DA, Gows E. Intravenous ranitidine reduces the risck of acid aspiration of gastric contents at emergency cesarean section. Anesth Analg. 1993;76:156-61.
74. Wyner J, Cohen SE. Gastric volume in early pregnancy: Effect of metoclopramide. Anesthesiology. 1982;57:209-12.
75. Shankar KB, Moseley H, Kumar Y, et al. Arterial to end tidal carbon dioxide tension difference during caesarean section anesthesia. Anesthesia. 1986;41:698-702.
76. Katz JD, Hook R, Barash PG. Fetal heart rate monitoring in pregnant patients undergoing sugery. Am J Obstet Gynecol. 1976;125:267.
77. Heymann MA, Rudolph AM. Effects of acetylsalicylic acid on the ductus arteriosus and circulation in fetal lambs in utero. Circ Res. 1976;38:418-22.
78. Rosen MA. Management of anesthesia for the pregnant surgical patient. Anesthesiology. 1999;91:1159-63.
79. Fistemberg MS, Malangoni MA. Gastrointestinal surgery during pregnancy. Gastro Clin N Am. 1998;27:73-89
80. Al-Mulhim AA. Acute apendicitis in pregnancy. A review of 52 cases. Int Surgery. 1996;81:295-97.
81. Mazze RI, Kallen B. Appendectomy during pregnancy: a Swedish registry study of 778 cases. Obstet Gynecol. 1991;77:835-40.
82. Umeora OU, Dimejesi BI, Ejikeme BN, Egwuatu VE. Pattern and determinants of domestic violence among prenatal clinic attendees in a referral center, south-east Nigeria. J Obstet Gynaecol. 2008;28:769-74.
83. Martin SL, English KT, Clark KA, Cilenti D, Kupper LL. Violence and substance use among North Carolina pregnant women. Am J Public Health. 1996;86:991-8.
84. Quinlivan JA, Evans SF. A prospective cohort study of the impact of domestic violence on young teenage pregnancy outcomes. J Pediatr Adolesc Gynecol. 2001;14:17-23.
85. Castro R, Peek-Asa C, Ruiz A. Violence against women in Mexico: a study of abuse be- fore and during pregnancy. Am J Public Health. 2003;93:1110-6.
86. Meuleners LB, Lee AH, Janssen PA, Fraser ML. Maternal and fetal outcomes among preg- nant women hospitalized due to interpersonal violence: a population-based study in western Australia, 2002-2008. BMC Pregnancy Childbirth. 2011;11:70.
87. Grossman NB. Blunt trauma in pregnancy. Am Fam Physician. 2004;70:1303-10.
88. Advanced Trauma Life Support. Instructor Manual. Committee on Trauma. American College of Surgeons. Chicago, 2015. 286-98.
89. Mattox KL, Goetzl L. Trauma in pregnancy. Crit Care Med. 2005;33;S385-S389.
90. Kuczkowski KM. Trauma during pregnancy: a situation pregnant with danger. Acta Anaesth Belg. 2005;56:13-8.
91. Magalhães E, Gouveia CS, Ladeira LC. Trauma na grávida e anestesia – Trauma torácico. In: Cavalcanti IL, Cantinho FAF, Assad A. Medicina Perioperatória. Rio de Janeiro: SAERJ; 2006. 745-55.
92. Fraga GP, Mantovani M, Mesquita AC, et al. Trauma abdominal em grávidas . Rev Bras Ginecol Obstet, 2005;27(9):541-547.
93. ACOG educational bulletin. Obstetric aspects of trauma management. Int J Gynaecol Obstetric. 1999;64:87-94.
84. Ikossi DG, Lazar AA, MorabitoD, et al. Profile of mothers at risk: an analysis of injury and pregnancy loss in 1195 trauma patients. J Am Coll Surgery. 2005;200:49-56.
95. Connolly AM, Katz VL, Bash KL et al. Trauma and pregnancy. Am J Perinatol. 1997; 46:331-336.
96. Aboutanos SZ, Aboutanos MD, Dompkowski D, et al. Predictors of fetal outcome in pregnant trauma patients: a five year institutional review. Am Surg. 2007;73:824-7.
97. Brown HL. Trauma in pregnancy. Obstet Gynecol. 2009;114:147-60.
98. Martins-Costa SH, Ramos JGL, Serrano YLG. Trauma na gestação. Rev Bras Ginecol Obstet. 2005;27.
99. Am J Perinatol, 1997;46:331-3.
100. Bateman BT, Schumacher HC, Bushnell CD, et al. Intracerebral hemorrhage in pregnancy: frequency, risk, factors and outcome. Neurology. 2006;67:424-9.
101. Reitman E, Flood P. Anaesthetic considerations for on-obstetric surgery during pregnancy. Br J Anaesth. 2011;107:72-8.
102. Fernandes FC. Anestesia na grávida para cirurgia não obstétrica. In: Cavalcanti IL, Cantinho FAF, Assad A. Medicina Perioperatória. Rio de Janeiro: SAERJ; 2006. 752-770.
103. About E, NelesK. The effect of maternal hypotermia on the fetal heart rate. Int J Gynaecol Obstetric. 1999;66:163-4.
104. Newell DW, Weber JP, Watson R, et al. Effect of transient moderate hyperventilation on dynamic cerebral auto regulation after severe head injury. Neuosurgery. 1996;39:35-44.
105. Bharti N, Kashyap L, Mohan VK, et al. Anesthetic management of a parturient with cerebellopontine-angle meningioma. Int J Obstetric Anesthesia. 2002;11:219-21.
106. Weiss BM, von Seresser LK,Alon E, et al. Outcome of cardiovascular surgery and pregnancy: A systematic review of the period 1984-1996. Am J Obstet Gynecol. 1998;179:1643-53.
107. Souza MHL, Elias DO. Circulação extracorpórea em pacientes gestantes. Rev Latino Amer Tecnol Extracorp. 1999;VI:12-22.
108. de Souza JAM, Martinez EE Jr, Ambrose JÁ, et al. Percutaneous balloon mitral valvuloplasty in comparison with open mitral valve commissurotomy for mitral stenosis during pregnancy. J Am Coll Cardiol. 2001;37:900-3.
109. Souza MHL, Elias DO. Perfusão para pacientes gestantes. In: Fundamentos da circulação extracorpórea. 2. ed. Rio de Janeiro: Editora Alfa Rio; 2006. 624-40.
110. Pomini F, Domenico M, Cavalletti C, et al. Cardiopulmonary bypass in pregnancy. Ann Thorac Surgery. 1996;61:259-68.
111. Parry AJ. Cardiopulmonary bypass during pregnancy. Ann Thorac Surgery. 1996;61:1865-9.
112. Buffalo E, Palma JH, Gomes WJ, et al. Successful use of deep hypothermic circulatory arrest in pregnancy. Ann ThorSur. 1994;58:1532-4.
113 Korsten HMN, van Zubdert AAJ, Mooji PNM, et al. Emergency aorta valve replacement in the 24th week of pregnancy. Acta Anaesth Belg. 1989;40:201-5.
114. Fenton KM, Heinermann MK, Hikley PR, et al. The stress response during fetal surgery is blocked by total spinal anesthesia. Sur Forum. 1992;43:631-4.
115. Lamb MP, Ross K, Johnstone AM, et al. Fetal monitoring during open-heart surgery. Two case reports. Br J Obstet Gynaecol .1981;88:668-74.
116. Caprini LBD. La circulación extracorporea en la embarazada. Rev Latinoamer Technol Extracorp. 2003.
117. Oliveira CRD. Anestesia para cirurgia videolaparoscópica. Rev Bras Videocir. 2005;3:32-42.
118. Curet MJ, Vogt DA, Schob O, et al. Effects of CO2 pneumoperitoneum in pregnant ewes. J Sur Res. 1996;63:339-344.
119. Hunter JG. Carbon dioxide pneumoperitoneum induces fetal acidosis in a pregnant ewe model. Surg Endosc. 1995;9:272-9.
120. Joris JL. Anesthesia for laparoscopic surgery. In: Miller RD, editor. Miller's Anesthesia. 7. ed Philadelphia: Churchill Livingstone Elsevier; 2010. 2.185-202.
121. Koivusalo AM, Lindgren L. Effects of carbon dioxide pneumoperitoneum for laparoscopic cholecystectomy. Acta Anesthesiol Scand. 2000; 44:834-41.
122. Breill JS. Anesthetic considerations for laparoscopic procedures. ASA Refresher Course. 1995;23:15-28.
123. Cavalcanti FS, Côrtes CAF, Oliveira AS. Anestesia para videolaparoscopia durante a gravidez. Rev Bras Anestesiol. 2000;50:61-7.
124. Reedy MB, Galan HL, Richards WE, et al. Laparoscopy during pregnancy. A survey of laparoendoscopic surgeons. J Reprod Med. 1997 Jan;42(1):33-8.

136

Anestesia para Cirurgia Fetal

Fernando Souza Nani

INTRODUÇÃO

A cirurgia fetal, ou procedimentos intrauterinos, apresentou crescimento exponencial, inclusive em sua variedade de possibilidades cirúrgicas. Fundamentalmente, a evolução diagnóstica em medicina fetal, a adaptação de materiais à anatomia fetal, a ampliação do entendimento fisiológico materno-fetal, o desenvolvimento de novos fármacos e a *expertise* dos anestesiologistas para tais procedimentos possibilitaram a grande evolução de dessa subespecialidade.[1]

O avanço da ultrassonografia, com a aquisição de novas tecnologias, facilita não só o diagnóstico precoce das alterações fetais, mas a realização dos procedimentos intrauterinos, por viabilizar a monitorização do posicionamento e do bem-estar fetal de maneira não invasiva. Os testes diagnósticos moleculares e genéticos também são um valioso incremento nas possibilidades de tratamento, pois oferecem o rastreio de alterações em fases gestacionais iniciais, proporcionando, assim, intervenções com mais previsibilidade. O desenvolvimento de microcateteres para abordagem fetal e a compreensão do perfil de segurança dos fármacos ao feto adicionaram-se aos aspectos anteriores e suscitaram o desenvolvimento de novos procedimentos que potencializam a sobrevida fetal e podem diminuir complicações em longo prazo.[2]

Os aspectos ético-legais devem, contudo, fundamentar as decisões que norteiam esses procedimentos, nos quais devem-se avaliar os riscos maternos, as habilidades da equipe multiprofissional e a viabilidade fetal adequada à instituição, visto que, em muitas situações, a cirurgia fetal pode colocar a gestante em risco ou a abordagem cirúrgica levar ao óbito fetal. Os benefícios devem, portanto, ser evidentes e o consentimento familiar é fundamental.

ASPECTOS ÉTICO-LEGAIS

Os procedimentos fetais, no momento atual, possibilitam uma perspectiva de melhora da sobrevida e da qualidade de vida dos recém-nascidos em detrimento de uma visão passada em que eram ofertados apenas como alternativas de tratamento para fetos com grande potencial de óbito ao nascimento. A despeito disso, os aspectos relacionados com os riscos materno e fetais permanecem, tendo-se em vista que os benefícios diretos à mãe são inexistentes e os potenciais benefícios fetais, em algumas situações, aumentam sobremaneira os riscos de complicações maternas.[3,4] Ante a esse conflito, devem-se formalizar aspectos éticos capazes de nortear as decisões a serem tomadas em cada tratamento.

Esses riscos maternos, em geral, associam-se proporcionalmente à complexidade do procedimento fetal a ser realizado, principalmente nas cirurgias abertas ou quando a gestante apresenta alguma morbidade. Os riscos englobam reações alérgicas, sangramento, transfusão sanguínea, trombose venosa, edema agudo pulmonar, complicações relacionadas com anestesia geral ou bloqueios neuroaxial e periféricos, dor, infecção urinária, rotura uterina, entre outros. Adicionalmente, os riscos fetais podem envolver trabalho de parto prematuro, rotura prematura das membranas ovulares, exposição dos fetos à anestesia geral e oligoâmnio.[5] Além dos riscos cirúrgicos apresentados, discutem-se atualmente, como fatores que podem influir de forma negativa no período gestacional e no puerpério da paciente, os efeitos psicossociais, como a incerteza quanto ao tratamento efetivo, o deslocamento da paciente para ficar longos períodos fora de casa e estar próxima aos centros de referência e, muitas vezes, o alto custo do tratamento associado.[6]

Desse modo, atualmente descrevem-se três modelos como aceitáveis para buscar o melhor benefício à paciente com base em seus direitos (Quadro 136.1).

Quadro 136.1 Modelos éticos para a tomada de decisão com base em benefícios e direitos.	
Modelo de paciente único	O feto é considerado parte e dependente, da mãe
Modelo de dois pacientes	A mãe e o feto são considerados pacientes distintos, portanto com direitos iguais
Modelo diádico	Ocorre interdependência entre a gestante e o feto. Atua como um modelo de dois pacientes, contudo com uma visão complexa de interdependência

O modelo diádico é o mais complexo, pois busca de forma qualitativa entender a visão da gestante e de sua família quanto ao estado fetal no que se refere aos seus aspectos socioculturais. Em sua maioria, as pacientes acreditam que é moralmente aceitável submeterem-se a uma cirurgia pelo bem-estar fetal, ou seja, elas consideram um benefício individual a busca pelo conforto do feto. Esse modelo, apesar de mais complexo, parece ser aceitável em detrimento dos modelos de paciente único ou dois pacientes, que parecem ser simplistas para guiar situação tão complexa.

No modelo de paciente único, as decisões baseiam-se totalmente nos desejos maternos que visem a seus benefícios individuais, contudo não há uma regulação legal das situações com base no feto. Nesse modelo, os benefícios fetais, por exemplo, nunca poderiam se sobrepor aos riscos fetais. Dessa forma, as equipes médicas ficam restritas a realizar cirurgias em que os riscos maternos sejam baixos.

No modelo de dois pacientes, o feto recebe valor independente, fato que provoca grande conflito nos procedimentos em que há claro benefício fetal, mas a gestante não deseja submeter-se ao procedimento. Nesse mesmo modelo, pode imperar o princípio da não maleficência ao feto ou à mãe, o que aumenta em demasiado as divergências entre pacientes, equipes assistenciais e instituições. De maneira conclusiva, podem-se dizer assertivamente que o melhor caminho é oferecer boas informações para a gestante, clara comunicação entre ela e instituição certamente, suportes psicológico e jurídico para profissionais e pacientes, nos casos necessários, como forma de alinhar as melhores soluções para cada caso.[5-7]

Diante do apresentado, o termo de consentimento é crucial para documentar as decisões em conjunto tomadas pela paciente com suporte da equipe médica e dos familiares. Esse documento deve abarcar os aspectos pré-natais e pós-natais, assim como a discussão com todas as especialidades envolvidas no processo: especialistas em medicina materno-fetal, anestesiologistas, neonatologistas, neuropediatras e neurocirurgiões. Em muitos aspectos, será necessário o suporte de profissionais envolvidos em saúde mental e do comitê de ética local.[3,4,8]

Diante dos grandes e rápidos avanços em cirurgia fetal, o foco de intervenções na sobrevida fetal foi alterado para uma perspectiva sustentada na elevação de qualidade de vida dos neonatos mediante a melhora e a correção de disfunções orgânicas. Isso levou a um aumento dos conflitos éticos e legais em função da grande complexidade dos

modelos de fundamentação das relações materno, fetal, familiar e institucional. A segurança concedida por termo de consentimento bem estruturado e suportes ético, psicológico e jurídico para pacientes e profissionais deve fazer parte de todo serviço que ofereça procedimentos materno-fetais, a fim de mitigar conflitos.[9]

■ FISIOLOGIA FETAL

O entendimento da fisiologia fetal é fundamental para o planejamento e a condução intraoperatória, bem como suas consequências para o período pós-operatório. O conhecimento adquirido dessa fisiologia possibilita entender e atuar em partes integrantes da cirurgia intrauterina, como a monitorização fetal, a passagem de fármacos ao feto e a ressuscitação intrauterina.

Em relação à fisiologia cardiovascular, dos pontos de vista volêmico e hemodinâmico, o volume sanguíneo fetal é de cerca de 100 a 160 mL/kg desde o início do segundo trimestre, período no qual a maioria das cirurgias fetais é realizada. O débito cardíaco é dependente da frequência cardíaca do feto, que apresenta um miocárdio pouco complacente, ou seja, com baixa responsividade a alterações positivas na pré-carga.[10] O débito cardíaco fetal é de cerca de 400 a 550 mL/kg/min e apresentado como global, tendo em vista que os débitos ventriculares direito e esquerdo não são equivalentes.[2]

Resumidamente, o sangue originário da artéria uterina materna transfere o oxigênio para a placenta, por meio do gradiente de concentração, até a veia umbilical, na qual a saturação de oxigênio atinge valores de 70% a 80% e é a maior que pode ser encontrada na circulação fetal.[11] Já na circulação fetal, a veia umbilical se divide ao nível hepático, profundindo parte da circulação do fígado, enquanto o remanescente adentra o ducto venoso. A direção do fluxo da circulação fetal favorece as perfusões miocárdica e cerebral. Uma pequena porção do débito cardíaco direito encaminha-se aos pulmões e o fluxo restante é misturado no ducto arterioso para a aorta descendente, com uma saturação de aproximadamente 60%. Esse sangue perfunde-se nos órgãos abdominais e retorna à circulação placentária.

O sangue mais bem oxigenado do ducto venoso é direcionado ao átrio esquerdo pelo forame oval, e esse *shunt* corresponde a cerca de 25% do débito cardíaco total, que posteriormente será misturado com uma pequena quantidade de sangue oriundo das veias pulmonares antes de atingir a aorta ascendente, findando por suprir as carótidas e coronárias. Por esse motivo, as perfusões cerebral e miocárdica recebem um sangue levemente mais bem oxigenado, cuja saturação é de cerca de 65%, em comparação com os territórios perfundidos pelo sangue pós-ductal, que apresentam saturação de oxigênio de 60% (Figura 136.1).[12]

O desenvolvimento pulmonar ocorre em duas fases didaticamente denominadas crescimento e maturação, mas que se entrelaçam a todo momento. O broto pulmonar se divide a partir do trato digestório primitivo no primeiro trimestre, seguido por divisões lobares e formação de seguimentos broncopulmonares. A porção anatômica de trocas gasosas pulmonares é formada no segundo trimestre, com a formação dos ductos alveolares com 24 semanas e das septações dos sacos alveolares com 36 semanas de gestação. A hiperexpansão pulmonar induzida pelo líquido amniótico transforma o leito pulmonar em área de alta resistência vascular.[14,15]

A imaturidade hepática fetal não impede que o feto apresente um sistema de coagulação funcionante e adequado para os procedimentos e metabolize a maioria dos fármacos. Importante salientar que, em comparação com os adultos, essas funções são desempenhadas com menos qualidade pelo feto, sendo esse o motivo para a realização dos controles anestésico e cirúrgico criteriosos, a fim de evitar complicações, visto que os fatores coagulantes não atravessam a placenta.

Da quinta semana de gestação até o sexto mês gestacional, o fígado é o sítio primário de eritropoiese, superado posteriormente pela medula óssea. Um ambiente relativamente hipóxico estimula, mediante fatores específicos, a produção de eritropoietina pelos rins e, consequentemente, a de hemácias, bem como sua capacidade transportadora de oxigênio. A hemoglobina é outro componente fundamental para um ambiente fetal hipoxêmico, pois sua alta afinidade cria um desvio da curva de hemoglobina para a esquerda em um leito placentário com baixa concentração de oxigênio. Essa afinidade, contudo, é minimizada em ambientes acidóticos, o que propicia a liberação de oxigênio aos tecidos.[13]

Um aspecto que não pode ser considerado secundário na terapêutica durante os procedimentos fetais é o controle de temperatura. A perda de calor pode ser muito fácil, principalmente nas cirurgias abertas, com maior exposição fetal, devido ao sistema simpático imaturo, ao tecido cutâneo delgado e bem vascularizado e à baixa concentração de tecido marrom. Além disso, salas cirúrgicas com temperatura inadequadamente baixa, campo cirúrgico molhado na maior parte do tempo e controle térmico materno inadequado também favorecem a perda de calor. Em decorrência dos aspectos apresentados anteriormente, essa perda é extremamente facilitada no feto por todos os mecanismos: evaporação, condução, convecção e radiação.[13,16]

■ TRANSFERÊNCIA DE FÁRMACOS

A transferência farmacológica para o feto é determinada por diversos fatores, sendo fundamental a avaliação dos riscos e benefícios da utilização de fármacos no contexto operatório. Apesar de alguns apresentarem passagem transplacentária restrita, não há garantia de que essa passagem seja nula, pois a literatura é escassa quanto à sua avaliação em contextos de doenças maternas, fetais e alterações placentárias associadas. Diante da necessidade medicamentosa, é preciso ter sempre em conta que a obtenção do bem-estar da gestante é o fator preponderante para a proteção fetal e que, na vigência de intercorrências, alguns fármacos com livre passagem transplacentária podem, e devem, ser utilizados, a fim de proteger mãe e feto de complicações mais graves.[2]

Os seguintes fatores são determinantes para a transferência placentária de fármacos:

- Peso molecular < 1.000 dA
- Gradiente transplacentário

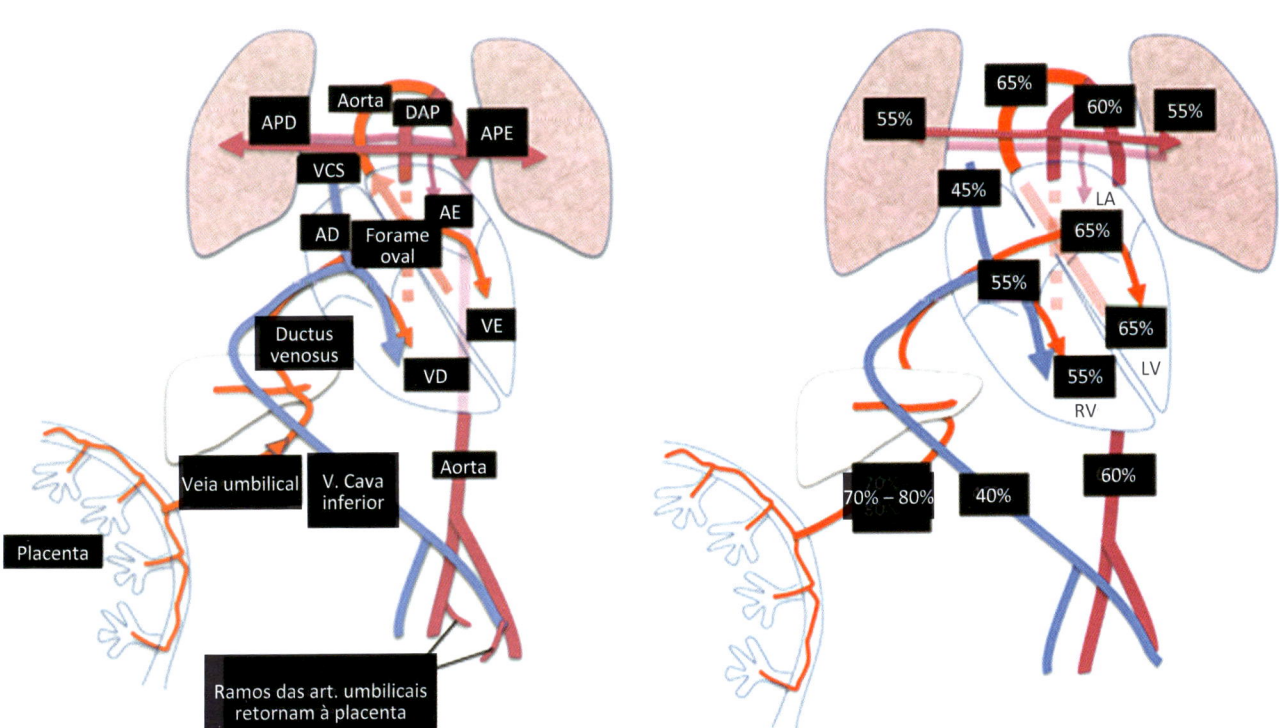

▲**Figura 136.1** Circulação fetal e suas respectivas saturações arteriais.
AE: átrio esquerdo; VCS: veia cava superior; VD: ventrículo direito; PDA: persistência do canal arterial; VE: ventrículo esquerdo; AD: átrio direito; AE: átrio esquerdo; APE: artéria pulmonar esquerda; APD: artéria pulmonar direita.
Fonte: Adaptada de Morton e Brodsky, 2016.[13]

- Ligação proteica
- Ionização
- Solubilidade lipídica

O Quadro 136.2 descreve alguns exemplos de fármacos e seus respectivos perfis de transferência placentária.

Quadro 136.2 Fármacos e sua relação com a transferência placentária.	
Tranferência placentária restrita	**Transferência placentária facilitada**
Bloqueadores neuromusculares	Atropina
Glicopirrolato	Benzodiazepínicos
Heparina não fracionada	Opioides
Heparina de baixo peso molecular	Anestésicos voláteis

DOR E ANALGESIA FETAL

A resposta álgica de qualquer indivíduo envolve mecanismos nociceptivos, reflexivos e afetivos, de grande complexidade devido à interposição dos mecanismos apresentados anteriormente. As evidências atuais mostram que, a partir de 19 semanas, o componente nociceptivo já pode ser bloqueado com o uso de opioides, e os componentes reflexivos, com 24 semanas, sendo que estes apresentam grande interação e conexão com o sistema nervoso central. Em relação aos componentes afetivos, há um provável desenvolvimento desde as 30 semanas gestacionais. Importa observar que esses mecanismos até agora apresentados envolvem-se diretamente com o período de maior incidência para a realização dos procedimentos fetais, ou seja, após o segundo trimestre gestacional.[17] Fisk et al. demonstraram que a administração direta de 10 g/kg de fentanil por via endovenosa ao feto atenua a reação de estresse fetal ao estímulo intrauterino, assim como reduz pela metade a resposta reflexa ao aumento de b-endorfina e ameniza a resposta ao Doppler cerebral.[18,19]

Apesar de haver incertezas quanto ao período de formação dos mecanismos da dor no feto e suas respectivas consequências, é racional e sensível abordá-lo como um indivíduo que possivelmente sofre dores e seus possíveis reflexos indesejados durante os procedimentos fetais. Com base nas evidências atuais, os fetos iniciam o desenvolvimento rudimentar das vias de dor por volta de 8 a 12 semanas de gestação, e em torno da 20ª semana estão em pleno desenvolvimento os reflexos medulares, os neurônios nociceptivos no gânglio dorsal da medula e as vias talâmicas aferentes. Com cerca de 30 semanas gestacionais distinguem-se conexões talamocorticais que suportam as teorias de percepção de consciência dolorosa, tendo em vista que as funções corticais tornam-se mais bem desenvolvidas, como documentado pelos potenciais evocados somatossensoriais e pela documentação dos padrões de sono e vigília (Quadro 136.3).[20-23]

A necessidade de analgesia fetal faz parte de uma avaliação multidisciplinar e envolve principalmente a complexidade do procedimento, a exigência de imobilidade fetal, alterações anatomofuncionais do feto, a via de administração dos fármacos ao feto e os riscos envolvidos nas decisões a serem tomadas. Salienta-se que os procedimentos realizados no leito placentário e no cordão umbilical apresentam baixo potencial álgico para mãe ou feto, como ocorre na transfusão intrauterina e na ablação de vasos placentários a *laser*.

A administração de fármacos ao feto para controle álgico pode realizada por via intramuscular fetal direta, por via sistêmica materna ou pela veia umbilical. A avaliação dos riscos e benefícios para a escolha da via de administração deve ser discutida para que se evitem diversas abordagens fetais em um mesmo procedimento, como, por exemplo, muitas administrações intramusculares ou várias punções na veia umbilical, que podem desencadear complicações fetais ou maternas. A administração inadvertida de bloqueador neuromuscular na artéria umbilical, por exemplo, leva a gestante a apneia súbita com necessidade de abordagem da via respiratória em caráter emergencial.

ANESTESIA E NEUROTOXICIDADE DOS FETOS

Nos últimos anos, houve um aumento da preocupação acerca do potencial neurotóxico dos anestésicos gerais em crianças pequenas e fetos durante o terceiro trimestre de gestação, principalmente após o final de 2016, quando a agência regulatória americana, Food and Drug Administration (FDA), lançou nota alertando sobre os riscos de desenvolvimento neuronal de crianças com menos de 3 anos ou gestantes no terceiro trimestre gestacional expostas a anestesia geral.

Em revisão sistemática com metanálise recente, Reighard et al.[24] avaliaram que essa exposição poderia resultar na indução de alterações temporárias ou definitivas na cognição dos indivíduos expostos. Estudos experimentais foram realizados em casos de suspeita de variações anatomoestruturais, como aumento da apoptose celular, supressão do crescimento neuronal e desestruturação sináptica, muitas delas relacionadas com modificações mitocondriais.[25-28] Um

Quadro 136.3 Desenvolvimento anatomofuncional das vias de nocicepção e percepção álgica.		
Característica anatomofuncional	**Descrição**	**Idade gestacional**
Receptores sensitivos cutâneos periféricos	Receptores sensitivos periorais, palmares e abdominais	7,5 a 15 semanas
Medula espinhal	Arco reflexo nociceptivo	8 a 19 semanas
Aferência talâmica	Conexão entre tálamo e córtex	20 a 24 semanas
Córtex	Potenciais evocados somatossensoriais e atividade de sono e vigília	30 semanas

Fonte: Adaptada de Lee et al., 2005.[17]

dos pontos de maior conflito no que se refere aos possíveis efeitos deletérios dos anestésicos sobre o cérebro em desenvolvimento é que a maioria dos estudos é feita em ambiente experimental, com roedores, e sua conformidade clínica é problemática, uma vez que há incompatibilidade na reprodução de cenários cirúrgicos em ambiente experimental e a avaliação neurocognitiva dos animais é complexa.[29,30]

Na Europa, a European Society of Anaesthesiology and Intensive Care (ESAIC) lançou uma iniciativa chamada EUROpean Safe Tots Anesthesia Research (EUROSTAR) para promover a pesquisa translacional sobre neurotoxicidade da anestesia e resultados em longo prazo após anestesia e cirurgia pediátricas. Nos EUA, merece ênfase o projeto Strategies for Mitigating Anesthesia-Related Neurotoxicity in Tots (SmartTots), resultante da parceria entre a e a International Anesthesia Research Society (IARS) para estímulo à pesquisa sobre a possível toxicidade de anestésicos para o cérebro em desenvolvimento. Como resultado dos estudos realizados, em 2017 a FDA publicou uma *drug safety communication* com a aprovação de alterações de rótulo a fim de alertar sobre os possíveis riscos do uso de anestesia geral e sedação em crianças com idade inferior a três anos e gestantes no terceiro trimestre.

O principal estudo clínico, o General Anesthesia Spinal (GAS), incluiu mais de 700 crianças submetidas a cirurgias de parede abdominal ainda recém-nascidas, randomizadas para anestesia geral com sevoflurano ou anestesia de neuroeixo acordada. Os resultados do estudo não demonstraram associação entre 1 hora de anestesia com sevoflurano no início da vida e os escores cognitivos compostos aos 2 anos de idade ou quociente de inteligência aos 5 anos em comparação com anestesia de neuroeixo.[31] Esse ensaio clínico é consistente com os resultados de dois outros estudos recentes em humanos, o Pediatric Anesthesia Neurodevelopment Assessment (PANDA)[32] e o Mayo Anesthesia Safety in Kids (MASK).[33] e fornece fortes evidências de que uma curta exposição de crianças à anestesia geral não resulta em alterações detectáveis no desenvolvimento neurológico. À luz das evidências atuais pode-se inferir, portanto, pelos estudos clínicos, que, do ponto de vista cognitivo e comportamental, não existe, de forma concreta, um grande efeito deletério dos anestésicos sobre os fetos.

Seguindo as informações apresentadas anteriormente, algumas estratégias são sugeridas para a redução de possíveis efeitos patogênicos da exposição dos fetos aos anestésicos, ainda que não confirmados, tendo como objetivo aumentar a segurança fetal (Quadro 136.4):[34,35]

■ TOCÓLISE

A tocólise objetiva inibir a atividade uterina desencadeada pelos estímulos cirúrgicos, o que é desejável em diversos procedimentos invasivos nas primeiras 24 horas. De forma multidisciplinar, faz-se esse planejamento, já que fármacos serão utilizados no intraoperatório de forma intensiva, havendo continuidade no ambiente de recuperação pós-anestésica e nos setores de destino, seja em leitos avançados, como a unidade de terapia intensiva, ou não. Institucionalmente, deve haver um protocolo bem definido para a utilização dos uterolíticos com o intuito de garantir sua administração criteriosa, não apenas com a finalidade de ofertar tocólise adequada e evitar trabalho de parto prematuro ou abortamento, mas também para aumentar a segurança materno-fetal em virtude dos potenciais efeitos colaterais desses medicamentos. Não há um consenso atual sobre qual seria o melhor regime tocolítico nem quanto ao equilíbrio entre a potência dos efeitos uterolíticos adequados e os efeitos colaterais.[16,36,37]

O relaxamento uterino profundo é imperativo nas cirurgias mais complexas, principalmente quando há histerotomia associada, pois o tônus uterino aumentado pode precipitar a perda aguda de líquido amniótico com compressão do cordão umbilical, levando ao sofrimento fetal, ou em situações mais graves, ao descolamento prematuro da placenta. Objetivamente, existem cinco grupos de fármacos capazes de atuar mais intensamente no miométrio, com benefícios no contexto de medicina fetal:[37]

■ **Fármacos doadores de óxido nítrico (NO):** o mais conhecido é a nitroglicerina, que age liberando NO do endotélio vascular, aumentando consequentemente os níveis de monofosfato de guanosina cíclico (GMPc), impedindo a entrada do cálcio na célula e induzindo o relaxamento uterino. Seus efeitos vasodilatador e hemodinâmico são as principais desvantagens, contudo sua rápida ação e curta duração propiciam correções rápidas em situações de tônus uterino aumentado. Sua biodisponibilidade é muito variável, visto ser rapidamente metabolizado em fígado, pulmão e placenta[38]

■ **Agonistas β-adrenérgicos:** esses uterotônicos estimulam os receptores de mesmo nome, elevando o monofosfato de adenosina cíclico (AMPc), que ativa a proteína quinase tipo G (PKG), diminuindo o tônus uterino. Há três subtipos desses receptores no miométrio que aumentam na gestação. Esses fármacos tendem a apresentar maior potência que a nitroglicerina, contudo exibem ligação mais prolongada e efeitos colaterais mais notáveis, incluindo edema pulmonar[37]

Quadro 136.4 Modificações sugeridas ante a exposição anestésica em procedimentos fetais.	
Tipo de anestesia/anestésico em cirurfia fetal	**Modificação sugerida**
Anestésicos locais	Sem alteração, respeitar dose tóxica
Anestesia neuroaxial	Sem alterações, controlar hipotensão
Propofol	< 3 h, >3 h, discutir risco × benefício
Benzodiazepínicos	Substituir por opioides ou alfa-agonistas
Agentes inalatórios	< 3 h, > 3 h, discutir risco × benefício
Agentes inalatórios para tocólise	Suplementar com outros uterolíticos

Fonte: Adaptada de Bellieni, 2021.[34]

- **Antagonistas do cálcio:** aqui incluem-se os bloqueadores de canal de cálcio, como a nifedipina, que age na membrana celular, e o sulfato de magnésio, que diminui o cálcio intracelular, provavelmente impedindo sua liberação pelo retículo sarcoplasmático. Sua potência é muito discutida na literatura, e alguns centros os consideram uterolíticos de menor potência, além de apresentarem interação com alguns anestésicos, em especial os bloqueadores neuromusculares.[37] Por ser parte do arsenal comum no tratamento de algumas condições gestacionais e apresentar potencial sinérgico para a analgesia pós-operatória das pacientes, os profissionais experimentam grande facilidade e segurança no seu uso

- **Antagonistas dos receptores de ocitocina:** a atosibana é o fármaco que representa esse grupo, atuando como antagonista competitivo nos receptores de ocitocina e vasopressina. Apresenta boa potência e poucos efeitos colaterais, no entanto ainda há discussão quanto à sua efetividade antes de 26 semanas gestacionais em função da menor disponibilidade dos receptores de ocitocina[37]

- **Halogenados:** a ação uterina dos halogenados é possivelmente é multifatorial, e, nas últimas duas décadas, houve uma mudança da perspectiva direcionada apenas para uma ação baseada na alta lipofilibilidade do fármaco, voltando-se a atenção para essa teoria mais complexa. O principal mecanismo avaliado atualmente é o bloqueio dos canais de sódio dependentes de voltagem, responsável pela rápida despolarização do potencial de ação em células eletricamente excitáveis, incluindo o miométrio. Entre os halogenados, aquele com maior potencial uterolítico é o desflurano, seguido pelo sevoflurano.[39-41] O rápido início de ação dos halogenados é extremamente benéfico, especialmente do desflurano, que também é altamente estável em decorrência de sua baixa metabolização. O ponto a ser observado é a necessidade de concentrações mais altas, 2 a 3 concentrações alveolares mínimas (CAMs), o que pode induzir efeitos hemodinâmicos materno-fetais; todavia a associação a outros fármacos pode ter efeito sinérgico, havendo, então, a premência de menores concentrações.[37]

Deve-se ter em mente que o mau controle anestésico pode ser fator preponderante para o desencadeamento de atividade uterina indesejável, portanto todos os fundamentos de uma anestesia de boa qualidade precisam ser observados e aplicados de forma rigorosa para o tratamento perioperatório, e, quando esse objetivo é alcançado adequadamente, exerce importante influência na diminuição da necessidade de tocólise adicional intraoperatória.

Em geral, sugerem-se tripla tocólise intraoperatória para os procedimentos fetais invasivos e dupla tocólise pós-operatória nas primeiras 24 horas, principalmente.

Para os procedimentos de baixa complexidade e minimamente invasivos, a tocólise intraoperatória eventualmente influencia negativamente a técnica cirúrgica, logo deve-se discutir previamente com a equipe cirúrgica a necessidade de utilização e as opções para resgate em caso de tônus uterino aumentado. Em alguns casos, apesar de ser uma estratégia controversa, a tocólise única é iniciada no pós-operatório imediato, e por curto período, a fim de prevenir possíveis contrações quando a paciente não estiver mais monitorizada em ambiente cirúrgico.[16,37]

A Tabela 136.1 descreve alguns regimes de uterolíticos utilizados em cirurgia fetal para o controle do tônus uterino durante os procedimentos.

Tabela 136.1 Uterolíticos e doses sugeridas em cirurgia fetal.

Uterolítico	Doses sugeridas	Vantagens	Desvantagens
Sulfato de magnésio	2 a 4 g de ataque 1 a 2 g/h de manutenção	Disponibilidade Baixo custo *Expertise* no uso Analgesia pós-operatória	Hipotensão Potencializa BNM Risco de intoxicação Efeito prolongado
Nifedipina	20 a 40 mg 2x/dia	Possibilidade por via oral Tocólise perioperatória	Hipotensão Efeito prolongado
Terbutalina	150 mcg/h	Baixa latência Boa potência tocolítica	Ligação duradoura com receptores Efeitos cardiovasculares Efeitos hidroeletrolíticos Edema agudo de pulmão
Nitroglicerina	Bólus de 50 a 200 mcg Até 10 mcg/kg/min em BIC	Baixa latência Curta duração (2 min) Titulável em bólus e em BIC	Hipotensão Necessidade de ajustes constantes
Atosiban	6,75 mg em bólus 300 mcg/min por 3 h 100 mcg/min por até 45 h	Poucos efeitos colaterais Potência compatível com beta-agonistas	Alto custo Ação nos receptores de vasopressina Hipotensão Taquicardia Hipoglicemia Pior efetividade antes de 26 semanas
Halogenados	2 a 3 CAM da gestante	Potente tocolítico dependente da dose Efeitos anestésicos associados	Efeitos materno-fetais indiretos Uso intraoperatório

Fonte: Adaptada de Devoto *et al.*, 2017.

■ MONITORIZAÇÃO FETAL

O monitoramento adequado auxilia na detecção precoce de possíveis complicações, possibilitando que a equipe médica tome decisões informadas no melhor interesse dos pacientes. O monitoramento fetal durante procedimentos anestésicos é essencial para avaliar a tolerância do feto à anestesia e identificar e tratar precocemente as complicações.[42]

Existem várias técnicas disponíveis para monitorar o feto durante procedimentos anestésicos, e a escolha do método mais adequado dependerá de fatores como o estágio da gestação, as condições do feto e a natureza do procedimento cirúrgico:[43]

- Cardiotocografia (CTG)
  - Monitoramento externo
  - Monitoramento interno
- Doppler fetal
- Oximetria de pulso fetal
- Ultrassom
- Gasometria de cordão

A cirurgia fetal oferece alguns benefícios em comparação com as cirurgias não obstétricas durante a gestação, visto que proporcionam acesso direto ao feto. Esse acesso será proporcional à invasibilidade do procedimento, ou seja, nas cirurgias fetais a céu aberto, ou *ex utero intrapartum treatment* (EXIT), o acesso ao feto é maior, assim como a necessidade de monitoramento fetal em função do elevados riscos envolvidos. Outros métodos possíveis são o monitoramento da frequência cardíaca fetal (FCF), a oximetria de pulso, a ultrassonografia e a gasometria fetal.

Entre todos esses métodos, o mais completo é a ultrassonografia, por admitir a associação da ecocardiografia com o Doppler do cordão umbilical. Pode-se avaliar a FCF pela visualização cardíaca direta ou podem ser obtidos Doppler do fluxo do cordão umbilical, contratilidade e estado volêmico cardíaco. Sinais de deterioração são indicativos da necessidade de ressuscitação fetal com condutas que podem incluir desde a otimização hemodinâmica materna até a infusão fetal de cristaloides, hemocomponentes e vasopressores.[42,43]

Nos procedimentos EXIT, a associação de oximetria e pletismografia é factível e pode ser de grande valor na avaliação do bem-estar fetal, porém é preciso ter em mente que a bradicardia fetal é um marcador tardio de deterioração, mas ainda anterior à dessaturação, durante cirurgia fetal.

■ PROCEDIMENTOS FETAIS

Devido ao grande aumento do número e da diversidade de procedimentos fetais complexos, a presença do anestesiologista tornou-se cada vez mais necessária e fundamental.

A evolução desses procedimentos tem íntima ligação com a cirurgia experimental, já que necessitou de amplo desenvolvimento de técnicas que viabilizassem o acesso à cavidade uterina com segurança para a mãe e o feto, e, nesse contexto, a anestesiologia tornou-se um grande pilar para esse progresso. Ainda há, contudo, dificuldades para o controle de situações obstétricas pós-operatórias, como a ruptura prematura das membranas ovulares e o trabalho de parto prematuro.[36]

Experimentos em animais surgiram entre as duas Grandes Guerras, inicialmente com o objetivo de compreender a fisiologia fetal, e progressivamente evoluíram para pesquisas em busca do entendimento de patologias fetais e, posteriormente, da sua solução.[44] Neste sentido, diversos modelos animais foram utilizados, como cães, ovelhas, coelhos e macacos, mas só em 1993 obteve-se o primeiro experimento com sucesso, demonstrando os benefícios da cirurgia endoscópica.[45,46]

Atualmente, há uma extensa lista de operações possíveis, e, com o desenvolvimento exponencial de novas tecnologias e materiais, os procedimentos fetais estão cada vez mais popularizados e acessíveis à população. Embora muitos ainda apresentem alto custo e demandem mais possibilidades de acesso por pessoas com baixo poder socioeconômico, tem-se observado alguma melhora nesse aspecto, mesmo que lentamente.[9]

A escolha da técnica anestésica se baseará na idade gestacional, no tempo de procedimento, na complexidade do procedimento, no potencial de complicações agudas, na necessidade de tocólise intensa e de anestesia fetal, na *expertise* da equipe cirúrgica, nas morbidades maternas e na preferência da gestante. Vale enfatizar que, em nenhuma hipótese, a segurança materna deve ser posta em segundo plano.

Quanto aos procedimentos possíveis, podem-se dividi-los em três grandes grupos fundamentados em momento de realização, complexidade e via de acesso.

Procedimentos Minimamente Invasivos

São os mais realizados e envolvem as técnicas guiadas por ultrassonografia ou fetoscopia, com a introdução de trocartes intrauterinos, para a abordagem da cavidade amniótica; , em geral, são realizados na transição do segundo para o terceiro trimestre (Tabela 136.2).[47]

Esses procedimentos têm baixo potencial álgico e a maioria deles é de curta duração. Muitos são realizados com anestesia local, principalmente aqueles auxiliados apenas por ultrassonografia, visto que habitualmente utilizam agulhas de fino calibre, como nas punções uterinas diagnósticas realizadas no cordão umbilical e amniorredução.

Nos procedimentos por fetoscopia, comumente é necessário algum tipo de anestesia, e optando-se, em grande parcela, pelos bloqueios neuroaxiais em virtude do menor risco associado. A decisão por raquianestesia, duplo bloqueio ou anestesia peridural fica a cargo da equipe , que avaliará e respeitará os pontos observados na introdução deste tópico. É preciso, entretanto, abrir-se a possibilidade de anestesia geral em situações de exceção, a depender de aspectos como número e tamanho dos trocartes utilizados, posição da paciente, tolerância à posição supina, ansiedade e risco de broncoaspiração. Por esse motivo, em avaliação anestésica prévia, é preciso que haja um planejamento pela equipe cirúrgica envolvida. [2]

Recomenda-se sedação leve a moderada para as pacientes, não apenas com o propósito de promover segurança, mas principalmente para permitir a colaboração da paciente no posicionamento adequado em momentos específicos, assim como a respiração mais superficial em alguns momentos. Como citado anteriormente, os procedimentos em leito placentário e cordão umbilical não demandam analgesia adicional, entretanto bloqueios neuroaxiais podem ser necessários para facilitar imobilidade da paciente e propiciar-lhe conforto, tendo em vista que algumas delas se queixam de incômodo na aplicação do *laser* ou na punção uterina. Em algumas situações, em decorrência da transfusão intrauterina, pode ser oportuna a imobilidade fetal a fim de evitar o deslocamento da agulha durante a transfusão.[2,29,47]

Nos procedimentos com estímulo álgico mais intenso, como na introdução do balão traqueal ou valvoplastia percutânea por balão, é recomendada a analgesia fetal por via intramuscular ou endovenosa. Atualmente, é incomum observarem-se intercorrências relacionadas com ampla absorção de líquidos na irrigação quando se utilizam técnicas por fetoscopia, contudo deve-se sempre atentar para essa possibilidade e o risco do desenvolvimento de edema pulmonar.[48,49]

Assim como nos partos, é imperativo evitar quedas pressóricas agudas nas gestantes visando ao bem-estar materno-fetal, uma vez que podem desencadear episódios de náuseas e vômitos na gestante, impedindo a imobilidade e interferindo completamente na realização do procedimento. Sendo assim, sugere-se seguir o mesmo rigor de controle pressórico empregado nas cesarianas (Quadro 136.5).[2]

Quadro 136.5 Procedimentos minimamente invasivos realizados em cirurgia fetal.	
Procedimentos por ultrassonografia	**Procedimentos por fetoscopia**
Testes genéticos obtidos por sangue umbilical	Ablação de vasos placentários a *laser*
Transfusão intrauterina	Oclusão traqueal por balão
Valvoplastia por balonamento	Ablação de válvula de uretra posterior
Ablação por radiofrequência	Lise de banda amniótica

Cirurgias a Céu Aberto

São procedimentos em que é necessária uma abordagem abdominal aberta, por meio de laparotomia, nos quais, com o auxílio de ultrassom intraoperatório, consegue-se observar o leito placentário e avaliar o bem-estar fetal. Esse tipo de acesso, após observação criteriosa, possibilita a realização de histerotomia e aproximação direta do feto, com exteriorização da área a ser operada. Após a correção cirúrgica, o útero é rafiado e a paciente segue a gestação sob a observação da equipe obstétrica.[50] São comumente empregadas no final do segundo trimestre para correção de mielomeningoceles, obstrução da uretra posterior, teratomas sacrococcígeos e ressecção de lesões pulmonares ou das vias respiratórias superiores, que podem provocar efeitos de massa.

Na maioria das vezes, essas cirurgias são realizadas sob anestesia geral devido a tocólise rigorosa, exigência de anestesia fetal e possibilidade de complicações.[2,50,51] Para melhor

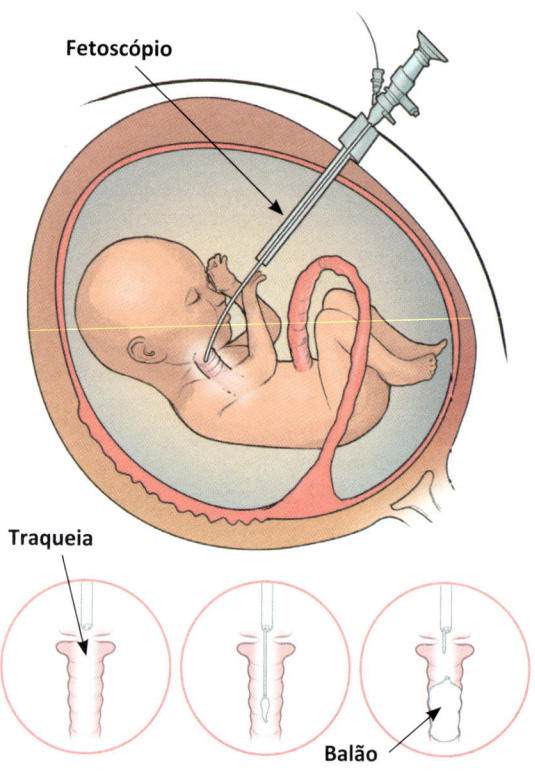

▲ **Figura 136.2** Oclusão traqueal para tratamento de hérnia diafragmática por via endoscópica.

controle álgico pós-operatório, é indicada a realização de bloqueio neuroaxial, seja para a administração de morfina em dose única ou para a instalação de analgesia peridural controlada pelo paciente (PCEA), visto que o conforto da paciente é preponderante para boa evolução cirúrgica e bons resultados. Turner *et al.*[52] demonstraram que as contrações uterinas podem ser abolidas com CAM de sevoflurano acima de 3,5, no entanto, como explicitado anteriormente, concentrações tão altas podem induzir efeitos hemodinâmicos indesejados. Além disso, não se pode deixar de citar a necessidade de monitorização cerebral a fim de se evitarem plano anestésico desproporcional e surtos de supressão.[37,53]

Alternativamente, opta-se por empregar técnica envolvendo anestésicos voláteis em concentração de aproximadamente o dobro do necessário para anestesia materna, com ênfase no fato de que a CAM da gestante é cerca de 60% quando comparada com a de não gestantes, associados a infusão endovenosa de anestésicos venosos com efeito analgésico e curta duração.[19,53,54] Em ambos os casos, se o relaxamento uterino adequado não for alcançado usando-se essas técnicas associadas a um uterotônico adicional, bólus ou infusões de nitroglicerina devem ser utilizados como resgate.

A anestesia fetal direta pode ser obtida com uma injeção intramuscular de opiáceo juntamente com um agente bloqueador neuromuscular. Caso o relaxamento uterino não seja necessário ou esteja adequado ao tempo cirúrgico, as concentrações anestésicas são tipicamente reduzidas durante o fechamento abdominal (Quadro 136.6).[2,55]

Quadro 136.6 Procedimentos de cirurgia fetal a céu aberto.

Procedimentos de cirurgia fetal a céu aberto
Correção intrauterina de meningomielocele
Ressecção de lobo pulmonar por malformações pulmonares
Ressecção de massa mediastinal
Ressecção ou citorredução de tumor sacrococcígeo

A complexidade desses procedimentos demanda muito mais atenção aos cuidados materno-fetais, devendo-se, na avaliação pré-anestésica da gestante, programar todos os passos a serem seguidos para o procedimento. As discussões devem englobar:

- Técnica anestésica
- Monitorização intraoperatória materna e fetal
- Fármacos anestésicos e tocólise
- Idade gestacional, viabilidade fetal e ressuscitação neonatal
- Peso fetal, fármacos, doses e vias de administração em caso de necessidade
- Necessidade de reserva de sangue para a gestante e o feto
- Unidade para encaminhamento pós-operatório
- Analgesia, adjuvantes, tocólise e necessidade de anticoagulação pós-operatória

Alguns passos são sugeridos para facilitar a conduta perioperatória, como descrito adiante.

Avaliação pré-anestésica

Além da avaliação usual da gestante, também sevem ser verificadas, de forma criteriosa, as vias respiratórias, como Mallampatti, abertura bucal, flexão e extensão cervical, teste da mordida do lábio superior, distância tireomentoniana e mento-hióidea, retro/prognatismo e tamanho dos incisivos superiores, observando sua relação com os inferiores.

A avaliação deve conter dados capazes de interferir nas condutas intraoperatórias, como idade gestacional, peso fetal e características anatômicas da lesão.

O tempo de jejum é de 2 a 4 horas para líquidos sem resíduos e 6 a 8 horas para alimentos sólidos, respeitando-se as características clínicas das pacientes que porventura afetem o esvaziamento gástrico e os aspectos intrínsecos ao alimento que possam dificultar a digestão, como, por exemplo, o conteúdo de gordura.

Devem-se prescrever, na manhã do procedimento, 30 minutos antes do horário previsto para o início da anestesia, pró-cinéticos e inibidores da bomba protônica:

- Metoclopramida 10 mg EV em 20 minutos
- Omeprazol 40 mg EV

Checar a reserva de dois concentrados de hemácias nos casos de cirurgia a céu aberto.

Preparo da sala cirúrgica

- Mesa operatória deslocada para a direita nos casos em que houver uso de microscópio, o qual ficará à esquerda

- Teste do aparelho de anestesia
- Materiais de vias respiratórias disponíveis e checados:
  - Lâminas Macintosh 3 e 4
  - Tubos traqueais 7,0 a 6,0 com *cuff*
  - Cânulas de Guedel 3 a 5
  - Máscaras laríngeas, com possibilidade de drenagem do conteúdo gástrico nos 3 e 4
  - Videolaringoscópio disponível
  - Sonda de aspiração conectada a vácuo e funcionante
  - Coxim occipital para alinhamento do meato acústico e manúbrio do esterno; o travesseiro pode dar essa falsa impressão
- Materiais para prevenção de hipotermia (alvo de 36°C):
  - Termômetro esofágico
  - Manta térmica superior
  - Soluções cristaloides aquecidas ou uso de aquecedores de fluidos
- Bombas e soluções para infusão

Conduta anestésica

- Obter acesso venoso calibre 18 G ou 16 G
- Monitorização: monitor de profundidade da anestesia, eletrocardiograma (ECG), monitorização da pressão arterial não invasiva (PANI), oximetria e monitor da profundidade do bloqueio neuromuscular (BNM)
- Medicamentos pré-indução (idealmente nos 30 minutos prévios à indução anestésica):
  - Cefazolina 2 g + 100 mL de SF a 0,9%. Administrar a mesma dose intraoperatória a cada 4 horas ou conforme protocolo institucional
- Preparo para bloqueio de neuroeixo:
  - Sedação leve, com objetivo de ansiólise e paciente colaborativa:
    - Opção 1: raquianestesia: morfina 100 mcg
    - Opção 2: peridural: morfina 1 mg
    - Opção 3: passagem de cateter peridural apenas
- Preparo para a indução anestésica
  - Pré-oxigenação por máscara facial bem acoplada com O_2, 6 L/min por aproximadamente 10 minutos ou até a obtenção de concentração final de oxigênio fracionado (ETO_2) de 90% na capnometria
  - Indução em sequência rápida, com manobra de Selick. Desfazer a manobra se houver dificuldade para visualização glótica
  - Indução, na seguinte sequência:
    - Propofol: 1 a 2 mg/kg
    - Rocurônio: 1 mg/kg ou succinilcolina 1 mg/kg
    - Remifentanil: 1 a 1,5mcg/kg, em bólus
    - Na ausência de remifentanil, utilizar alfentanil 30 mcg/kg a 50 mcg/kg ou baixas doses de fentanil (3 mcg/kg a 5 mcg/kg) a fim de evitar períodos prolongados de hipotensão
    - Confirmar intubação orotraqueal (IOT) por capnografia e ausculta pulmonar, fixar o tubo traqueal. Ajustar ventilação para CO_2 liberado no final da expiração ($ETCO_2$) entre 28 mmHg e 32 mmHg

- ◆ O momento posterior à IOT é crítico, podendo ocorrer hipotensão grave da paciente porque não haverá estímulo cirúrgico por cerca de 20-30 minutos devido à preocupação da equipe cirúrgica em posicionar o feto adequadamente. Não tolerar pressão arterial sistólica (PAS) < 90% dos valores basais
- ▪ Preparo após indução:
  - ◆ Aplicar lubrificante nos olhos da paciente e cobri-los com fita adesiva
  - ◆ Obter acesso venoso calibre 16 G ou 14 G no braço contralateral (opcional)
  - ◆ Obter acesso arterial com *kit* de punção arterial radial, material estéril e técnica asséptica. Colher gasometria arterial com lactato (opcional)
  - ◆ Aguardar sondagem vesical pela enfermagem
- ▪ Conduta intraoperatória
  - ◆ Iniciar da tocólise intraoperatória
  - ◆ Seguir com inalatório para manter hipnose adequada até a exposição uterina para fora da cavidade abdominal. Depois disso, colocar o vaporizador em 2 a 3 CAM do inalatório escolhido até a obtenção desses mesmos valores de fração expirada no analisador de gases
  - ◆ Sevoflurano – mais disponível (CAM gestante: 1,2% a 1,5%).
  - ◆ Manter relaxamento muscular profundo desde a exposição uterina até o retorno do útero para a cavidade abdominal. Neste tempo cirúrgico é necessário tocólise com dois a três fármacos, já incluso o agente inalatório
  - ◆ Durante todo o intraoperatório, não tolerar hipotensão, não permitir pressão arterial média (PAM) < 60 mmHg ou a PAS < 90 mmHg. Sempre que houver qualquer sinal de sofrimento fetal, avaliar criteriosamente os parâmetros hemodinâmicos. Se houver necessidade, iniciar infusão de contínua de vasopressores
  - ◆ Durante o intraoperatório, é comum não se recomendar a infusão de mais de 2.000 mL de cristaloides, contudo algumas pacientes necessitam de adequação volêmica com quantidades maiores. A tocólise pode facilitar edema agudo pulmonar se o monitoramento não for adequado, observando-se diurese não inferior a 0,5 mL/kg/h; portanto esse equilíbrio deve ser criterioso e sempre individualizado
  - ◆ No fechamento da cavidade, diminuir a concentração dos anestésicos inalatórios para 1 CAM
  - ◆ Neste momento, iniciar a tocólise pós-operatória planejada
  - ◆ Atentar para sangramento e quantificação do inalatório e agir conforme as diretrizes.
  - ◆ Antes da extubação, administrar adjuvantes analgésicos e antieméticos possíveis para a gestante
  - ◆ Proceder à reversão do bloqueio neuromuscular guiada pelo monitor de profundidade do BNM
  - ◆ Ao final do procedimento, coletar nova gasometria arterial (opcional) (Figura 136.3 e 136.4)

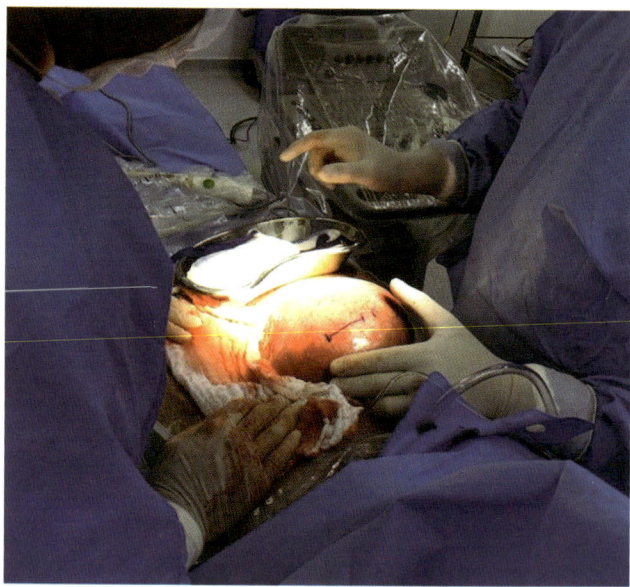

▲ **Figura 136.3** Exposição uterina durante cirurgia fetal a céu aberto.
Fonte: acervo do autor.

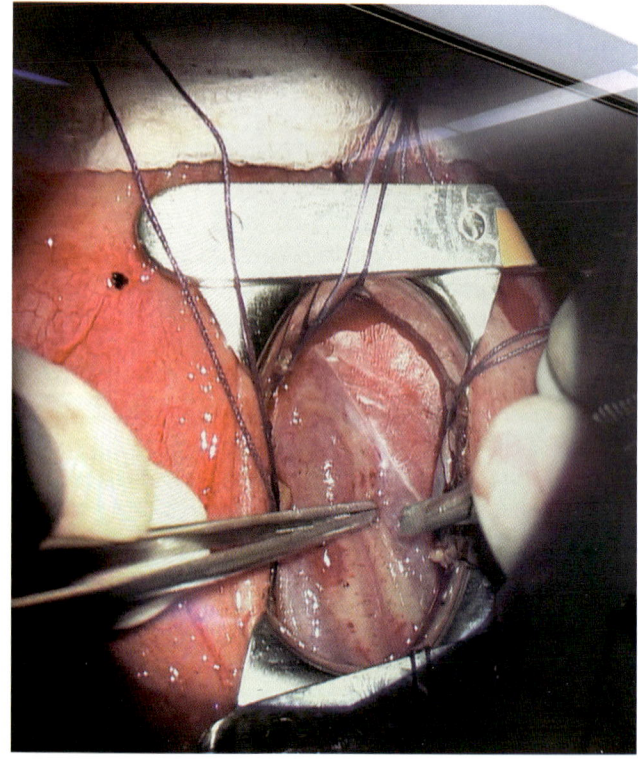

▲ **Figura 136.4** Correção de meningomielocele a céu aberto.
Fonte: acervo do autor.

Cuidados pós-operatórios

- ▪ Encaminhar a paciente monitorizada para a recuperação pós-anestésica (RPA) ou unidade intensiva, a depender do fluxo institucional, com cateter nasal de O_2 (2 L/min)
- ▪ Dar suporte às equipes envolvidas
- ▪ Nas pacientes com cateter peridural (opcional), avaliar a necessidade de PCEA

- Há conflito na literatura quanto à necessidade de se preservar a PCEA, contudo, na prática da maioria dos centros brasileiros, não se mantém essa modalidade
- Como sugestão aos serviços que iniciam cirurgias fetais, indica-se deixar o cateter peridural e avaliar a necessidade pós-operatória
- Avaliação pós-anestésica no dia seguinte

Ex Utero Intrapartum Treatment

Trata-se de cesarianas modificadas para possibilitar a abordagem em fetos com, em geral, obstrução ou compressão do trato respiratório. Os mecanismos podem se dever a massas em via respiratória superior ou compressão cervical, mediastinal ou pulmonar que coloquem em risco o nascimento do feto. Há também os casos de hérnia diafragmática tratada durante o período gestacional em o clipe ou o balão ainda permanecem no feto no momento do nascimento, obstruindo-lhe a via respiratória.[56] No EXIT, as questões primordiais que o diferenciam da cirurgia a céu aberto são a necessidade da rápida reversão da tocólise após o clampeamento do cordão umbilical e a exigência de boas condições de vitalidade do feto para o nascimento, tendo em vista que o procedimento acontece visando ao nascimento imediato após o tratamento. Na maioria dos casos, porém, os fetos recebem opioides e bloqueadores neuromusculares.

A reversão da tocólise imediata tem como finalidade evitar quadros de hemorragia após o nascimento por hipotonia uterina, o que pode ser alcançado com a utilização de uterolíticos de ação curta, como a nitroglicerina, e a troca de agentes inalatórios, quando indicados, por agentes anestésicos venosos sempre que possível.

Dois planos anestésicos são difundidos mundialmente. Um é baseado em altas concentrações de anestésicos sistêmicos associadas à utilização de anestésicos de meia-vida curta, como o remifentanil, que possibilita que os fetos nasçam em melhores condições ou ao menos que o residual anestésico permaneça por pouco tempo, proporcionando melhor recuperação fetal.[57] Outra alternativa que tem ganhado popularidade é fundamentada na associação de técnicas neuroaxiais associadas à suplementação com nitroglicerina para garantir o adequado relaxamento uterino e, em consequência, menos exposição fetal aos anestésicos,[2,29,53] embora necessitando de maior atenção quanto a possível conversão para anestesia geral.

Marwan et al.[58] sugeriram os seguintes princípios para guiar os procedimentos de EXIT:

- Alcançar relaxamento uterino adequado para manter boa perfusão uteroplacentária
- Manter o fluxo uteroplacentário e a estabilidade hemodinâmica materna
- Manter volume uterino pelo nascimento parcial do feto e amnioinfusão
- Minimizar a disfunção cardíaca fetal
- Reverter o relaxamento uterino após clampeamento do cordão umbilical

■ REANIMAÇÃO INTRAUTERINA FETAL

Toda a equipe multidisciplinar deve estar envolvida nas medidas de ressuscitação intrauterina, caso o feto apresente sinais de sofrimento. O sinal mais claro dessa condição é a bradicardia fetal, contudo deve-se estar ciente de que, em geral, esse é um sinal tardio e a estabilidade materna é o ponto central de toda anestesia para procedimentos fetais por oferecer proteção ao feto para a maioria das condições adversas.[2,47,59] Para isso é imperativo que se conheçam as principais causas dessas manifestações:

- Compressão mecânica ou dobra do cordão umbilical
- Contração uterina
- Descolamento placentário
- Hipotensão materna
- Vasoespasmo de artéria umbilical
- Anemia materna ou fetal
- Hipovolemia materna ou fetal
- Hipotermia materna ou fetal

O diagnóstico é fundamental e deve envolver toda a equipe para que as condutas adequadas sejam tomadas, entre elas aumento da fração inspirada de O_2 materno, administração de fluidos para os casos de hipovolemia, fármacos vasoativos para correção de hipotensão, mesmo que periféricos, em bólus ou infusão contínua, ajuste de tocolíticos em caso de tônus uterino aumentado, avaliação e redução da compressão aortocava, reposicionamento fetal pelo cirurgião ou, ainda, aumento do volume intrauterino por amnioinfusão.

■ CUIDADOS PÓS-OPERATÓRIOS

O pós-operatório envolve o tratamento de cirurgias convencionais na gestante, entretanto com um enfoque adequado para monitorização fetal e tocólise. Atenção especial deve ser dada para os procedimentos abertos pelo risco de complicações obstétricas, dificuldades de controle álgico e necessidade de amplo monitoramento fetal.

Após a cirurgia aberta, pelo menos um agente tocolítico deve ser mantido por 24 horas, conquanto haja certa variabilidade entre os centros de medicina fetal. A monitorização fetal deve ocorrer por pelo menos 48 horas.

O risco de edema pulmonar é maior na utilização de terbutalina e deve ser acompanhado de perto pela equipe assistencial,[60] mas outras complicações pós-operatórias podem ocorrer, como infecção, sangramento, distúrbios cardiovasculares, trombose e óbito fetal. Além disso, também podem acontecer as intercorrências obstétricas, geralmente associadas a trabalho de parto prematuro, ruptura prematura das membranas, infecção e ruptura uterina.[51,61]

A analgesia é fundamental e deve respeitar a segurança materno-fetal, sempre de forma multimodal, a fim de diminuir efeitos colaterais e ofertar uma boa qualidade no cuidado à paciente. O controle álgico inadequado pode precipitar trabalho de parto prematuro.[19]

Os preceitos do Enhanced Recovery After Surgery (ERAS) estão sendo sugeridos também para os procedimentos fetais, com o objetivo de mitigar os potenciais erros no cuidado, evitar complicações e garantir fundamentação para as condutas. Deve-se, contudo, salientar que as evidências para a utilização do ERAS em cirurgia fetal são incipientes e devem ser observadas com cuidado, principalmente nos aspectos relacionados com a tocólise (Quadro 136.7).[53,62,63]

Quadro 136.7 Recomendações ERAS para cirurgia fetal.
Recomendações pré-operatórias
1. Aconselhamento ▪ Diagnóstico e evolução natural da espinha bífida ▪ Prós e contras da cirurgia fetal ▪ Aspectos práticos e complicações da cirurgia fetal ▪ Recuperação esperada ▪ Implicação da cirurgia para a gestação atual e futuras
2. Jejum pré-operatório e consumo de carboidratos ▪ Evitar ingesta noturna de alimentos ▪ Permitir dieta leve 6 a 8 horas antes do procedimento ▪ Permitir ingesta de líquidos sem resíduos 2 horas antes do procedimento ▪ Implementar ingesta perioperatória de carboidratos
3. Preparo intestinal ▪ Não é recomendado
4. Pré-medicação ▪ Profilaxia contra broncoaspiração ▪ Métodos não farmacológicos para prevenção de ansiedade são preferíveis
Recomendações intraoperatórias
5. Prevenção infecciosa ▪ Cefalosporinas de primeira geração 60 minutos antes do procedimento ▪ Desinfecção com clorexidina como primeira escolha
6. Prevenção de náusea e vômitos ▪ Combinar, pelo menos, dois antieméticos ▪ Restringir o uso de opioides
7. Controle volêmico ▪ Objetivar equilíbrio hídrico neutro ▪ Recomendar pré-hidratação ▪ Administração restritiva de fluidos no intraoperatório
8. Prevenção de hipotermia ▪ Uso de manta térmica, fluidos aquecidos e temperatura da sala cirúrgica controlada
9. Incisão cirúrgica ▪ Incisão cirúrgica transversal suprapúbica
Recomendação pós-operatórias
10. Analgesia ▪ Uso restrito de opioides ▪ Analgésicos simples como primeira linha ▪ Analgesia peridural como primeira escolha; bloqueio de parede como alternativa (TAP block ou quadrado lombar)
11. Realimentação precoce e prevenção de íleo ▪ Iniciar ingesta oral de líquidos e sólidos nas primeiras horas pós-cirurgia ▪ Podem-se usar gama de mascar, café e bisacodil
12. Sonda vesical ▪ Remover antes de 24 h
13. Profilaxia de trombose venosa ▪ Recomendam-se meias compressivas e compressão pneumática intermitente ▪ Tromboprofilaxia farmacológica deve ser recomendada a pacientes com risco trombótico adicional
14. Mobilização precoce ▪ Mobilizar precocemente, inclusive com o cateter peridural ▪ Deambular tão logo seja possível ▪ Evitar restrição ao leito no hospital ou após alta
Tocólise
15. Tocólise perioperatória ▪ Atosiban ou $MgSO_4$ são preferíveis durante a cirurgia fetal ▪ $MgSO_4$ deve ser utilizado com cuidado
16. Manutenção da tocólise ▪ Não é recomendada

Fonte: Adaptado de Nulens et al., 2024.[53]

■ CONCLUSÃO

Os procedimentos fetais demonstraram grande desenvolvimento nas últimas duas décadas mundialmente, e o Brasil apresenta-se como um dos grandes centros mundiais dessas cirurgias. Infelizmente, em parte, o grande volume de cirurgias é resultado do acesso precário ao pré-natal em muitas regiões do Brasil.

O entendimento da fisiologia materno-fetal, associado a técnicas anestésicas multimodais, e os avanços na otimização dos métodos cirúrgicos propiciam, atualmente, melhores desfechos dos procedimentos fetais, com excelentes possibilidades de sucesso e cumprimento dos objetivos almejados em cada caso, além de potencial melhora da qualidade de vida dos indivíduos que apresentavam alterações anatomofuncionais durante a vida intrauterina.

Apesar dos surpreendentes avanços colhidos nos últimos tempos relacionados com a medicina fetal, ainda há diversos aspectos a serem melhorados nessa área, como o desenvolvimento nas áreas ético-legais relacionadas com o tema, o surgimento de novos fármacos uterolíticos com perfil mais adequado aos procedimentos fetais e a elucidação das reais consequências dos anestésicos nos cérebros em desenvolvimento.

Os anestesiologistas, em todo esse contexto, são fundamentais para a evolução dos procedimentos fetais por oferecerem, com base nos seus complexos conhecimentos fisiológicos e farmacológicos materno-fetais, assim como suas interações, segurança e bem-estar ao binômio mãe-feto.

REFERÊNCIAS

1. Moon-Grady AJ, Baschat A, Cass D, Choolani M, Copel JA, Crombleholme TM, et al. Fetal Treatment 2017: The Evolution of Fetal Therapy Centers – A Joint Opinion from the International Fetal Medicine and Surgical Society (IFMSS) and the North American Fetal Therapy Network (NAFTNet). Fetal Diagn Ther. 2017;42(4):241-8.
2. Chatterjee D, Arendt KW, Moldenhauer JS, Olutoye OA, Parikh JM, Tran KM, et al. Anesthesia for Maternal–Fetal Interventions: A Consensus Statement From the American Society of Anesthesiologists Committees on Obstetric and Pediatric Anesthesiology and the North American Fetal Therapy Network. Anesth Analg. 2021;132(4):1164-73.
3. Flake AW. Prenatal Intervention: Ethical Considerations for Life-Threatening and Non-Life-Threatening Anomalies. Semin Pediatr Surg. 2001;10(4):212-21.
4. Austin MT, Cole TR, McCullough LB, Chervenak FA. Ethical challenges in invasive maternal-fetal intervention. Semin Pediatr Surg. 2019;28(4):150819.
5. Radic JAE, Illes J, McDonald PJ. Fetal Repair of Open Neural Tube Defects: Ethical, Legal, and Social Issues. Camb Q Healthc Ethics. 2019;28(3):476-87.
6. Bartlett VL, Bliton MJ. Retrieving the Moral in the Ethics of Maternal-Fetal Surgery: A Response to "Fetal Repair of Open Neural Tube Defects: Ethical, Legal, and Social Issues by Julia Radic, Judy Illes, Patrick McDonald" (CQ28(3)). Camb Q Healthc Ethics. 2020;29(3):480-93.
7. Begović D. Maternal-Fetal Surgery: Does Recognising Fetal Patienthood Pose a Threat to Pregnant Women's Autonomy? Health Care Anal. 2021;29(4):301-18.
8. Fry J, Antiel RM, Michelson K, Rowell E. Ethics in prenatal consultation for surgically correctable anomalies and fetal intervention. Semin Pediatr Surg. 2021;30(5):151102.
9. Seifert SM, Matthews L, Tsen LC, Lim G. Maternal-Fetal Conflicts in Anesthesia Practice. Anesthesiol Clin. 2024;42(3):491-502.
10. Rychik J. Fetal Cardiovascular Physiology. Pediatr Cardiol [Internet]. 2004 [citado 5 de setembro de 2024];25(3). Disponível em: http://link.springer.com/10.1007/s00246-003-0586-0.
11. Finnemore A, Groves A. Physiology of the fetal and transitional circulation. Semin Fetal Neonatal Med. 2015;20(4):210-6.
12. Kiserud T. Physiology of the fetal circulation. Perinat Cardiol. 2005;10(6):493-503.
13. Morton SU, Brodsky D. Fetal Physiology and the Transition to Extrauterine Life. Clin Perinatol. 2016;43(3):395-407.
14. Swanson JR, Sinkin RA. Transition from Fetus to Newborn. Pediatr Clin North Am. 2015;62(2):329-43.
15. Elias N, O'Brodovich H. Clearance of Fluid From Airspaces of Newborns and Infants. NeoReviews. 2006;7(2):e88-94.
16. Lin EE, Tran KM. Anesthesia for fetal surgery. Semin Pediatr Surg. 2013;22(1):50-5.
17. Lee SJ, Ralston HJP, Drey EA, Partridge JC, Rosen MA. Fetal PainA Systematic Multidisciplinary Review of the Evidence. JAMA. 2005;294(8):947–54.
18. Fisk NM, Gitau R, Teixeira JM, Giannakoulopoulos X, Cameron AD, Glover VA. Effect of Direct Fetal Opioid Analgesia on Fetal Hormonal and Hemodynamic Stress Response to Intrauterine Needling. Anesthesiology. 2001;95(4):828-35.
19. Van De Velde M, De Buck F. Fetal and Maternal Analgesia/Anesthesia for Fetal Procedures. Fetal Diagn Ther. 2012;31(4):201-9.
20. Hevner RF. Development of Connections in the Human Visual System During Fetal Mid-Gestation: A DiI-Tracing Study. J Neuropathol Exp Neurol. 2000;59(5):385-92.
21. Klimach VJ, Cooke RWI. Maturation of the neonatal somatosensory evoked response preterm infants. Dev Med Child Neurol. 1988;30(2):208-14.
22. Torres F, Anderson C. The Normal EEG of the Human Newborn. J Clin Neurophysiol [Internet]. 1985;2(2). Disponível em: https://journals.lww.com/clinicalneurophys/fulltext/1985/04000/the_normal_eeg_of_the_human_newborn.1.aspx.
23. Humphrey T. Some Correlations between the Appearance of Human Fetal Reflexes and the Development of the Nervous System. In: Walsh V. Progress in Brain Research. Philadelphia: Elsevier; 1964.
24. Reighard C, Junaid S, Jackson WM, Arif A, Waddington H, Whitehouse AJO, et al. Anesthetic Exposure During Childhood and Neurodevelopmental Outcomes: A Systematic Review and Meta-analysis. JAMA Netw Open. 2022;5(6):e2217427.
25. Rangaraju V, Lewis TL, Hirabayashi Y, Bergami M, Motori E, Cartoni R, et al. Pleiotropic Mitochondria: The Influence of Mitochondria on Neuronal Development and Disease. J Neurosci. 16 de outubro de 2019;39(42):8200-8.
26. Flippo KH, Strack S. Mitochondrial dynamics in neuronal injury, development and plasticity. J Cell Sci. 15 de 2017;130(4):671-81.
27. Piao M, Wang Y, Liu N, Wang X, Chen R, Qin J, et al. Sevoflurane Exposure Induces Neuronal Cell Parthanatos Initiated by DNA Damage in the Developing Brain via an Increase of Intracellular Reactive Oxygen Species. Front Cell Neurosci. 2020;14:583782.
28. Zhao S, Fan Z, Hu J, Zhu Y, Lin C, Shen T, et al. The differential effects of isoflurane and sevoflurane on neonatal mice. Sci Rep. 2020;10(1):19345.
29. Cinquegrana D, Boppana SH, Berman D, Nguyen TAT, Baschat AA, Murphy J, et al. Anesthetic neurotoxicity in the developing brain: an update on the insights and implications for fetal surgery. Anesth Pain Med (Seoul). 2024 Jul 4.
30. Ing C, Vutskits L. Unanswered questions of anesthesia neurotoxicity in the developing brain. Curr Opin Anaesthesiol. 2023;36(5):510-5.
31. McCann ME, De Graaff JC, Dorris L, Disma N, Withington D, Bell G, et al. Neurodevelopmental outcome at 5 years of age after general anaesthesia or awake-regional anaesthesia in infancy (GAS): an international, multicentre, randomised, controlled equivalence trial. The Lancet. 2019;393(10172):664-77.
32. Sun LS, Li G, Miller TLK, Salorio C, Byrne MW, Bellinger DC, et al. Association Between a Single General Anesthesia Exposure Before Age 36 Months and Neurocognitive Outcomes in Later Childhood. JAMA. 2016;315(21):2312.
33. Warner DO, Zaccariello MJ, Katusic SK, Schroeder DR, Hanson AC, Schulte PJ, et al. Neuropsychological and Behavioral Outcomes after Exposure of Young Children to Procedures Requiring General Anesthesia. Anesthesiology. 1 2018;129(1):89-105.
34. Bellieni CV. Analgesia for fetal pain during prenatal surgery: 10 years of progress. Pediatr Res. 2021;89(7):1612-8.
35. Olutoye OA, Baker BW, Belfort MA, Olutoye OO. Food and Drug Administration warning on anesthesia and brain development: implications for obstetric and fetal surgery. Am J Obstet Gynecol. 2018;218(1):98-102.
36. Deprest JA, Flake AW, Gratacos E, Ville Y, Hecher K, Nicolaides K, et al. The making of fetal surgery. Prenat Diagn. 2010;30(7):653-67.
37. Devoto JC, Alcalde JL, Otayza F, Sepulveda W. Anesthesia for myelomeningocele surgery in fetus. Childs Nerv Syst. 2017;33(7):1169-75.
38. Noonan PK, Benet LZ. Incomplete and delayed bioavailability of sublingual nitroglycerin. Am J Cardiol. 1985;55(1):184-7.
39. Ouyang W, Herold KF, Hemmings HC. Comparative Effects of Halogenated Inhaled Anesthetics on Voltage-gated Na+Channel Function. Anesthesiology. 2009;110(3):582-90.
40. Torri G. Inhalation anesthetics: a review. Minerva Anestesiol. 2010;76(3).
41. Hemmings HC Jr. Sodium channels and the synaptic mechanisms of inhaled anaesthetics. Br J Anaesth. 2009;103(1):619.
42. Po' G, Olivieri C, Rose CH, Saccone G, McCurdy R, Berghella V. Intraoperative fetal heart monitoring for non-obstetric surgery: A systematic review. Eur J Obstet Gynecol Reprod Biol. 2019;238:12-9.
43. Al Wattar BH, Honess E, Bunnewell S, Welton NJ, Quenby S, Khan KS, et al. Effectiveness of intrapartum fetal surveillance to improve maternal and neonatal outcomes: a systematic review and network meta-analysis. Can Med Assoc J. de 2021;193(14):E468.

44. Jancelewicz T, Harrison MR. A History of Fetal Surgery. Fetal Surg. 2009;36(2):227-36.

45. Luks FI, Deprest JA. Endoscopic fetal surgery: a new alternative? Eur J Obstet Gynecol Reprod Biol. 1993;52(1):1-3.

46. Luks FI, Peers KHE, Deprest JA, Lerut TE, Vandenberghe K. The effect of open and endoscopic fetal surgery on uteroplacental oxygen delivery in the sheep. J Pediatr Surg. 1996;31(2):310-4.

47. Hoagland MA, Chatterjee D. Anesthesia for fetal surgery. Pediatr Anesth. 2017;27(4):346-57.

48. Robinson MB, Crombleholme TM, Kurth CD. Maternal Pulmonary Edema During Fetoscopic Surgery. Anesth Analg. 2008;107(6).

49. Hering R, Hoeft A, Putensen C, Tchatcheva K, Stressig R, Gembruch U, et al. Maternal haemodynamics and lung water content during percutaneous fetoscopic interventions under general anaesthesia. Br J Anaesth. 2009;102(4):523-7.

50. Kitagawa H, Pringle KC. Fetal surgery: a critical review. Pediatr Surg Int. 2017;33(4):421-33.

51. da Rocha LSN, Bunduki V, de Amorim Filho AG, Cardeal DD, Matushita H, Fernandes HS, et al. Open fetal myelomeningocele repair at a university hospital: surgery and pregnancy outcomes. Arch Gynecol Obstet. 2021;304(6):1443-54.

52. Turner RJ, Lambros M, Holmes C, Katz SG, Downs CS, Collins DW, et al. The Effects of Sevoflurane on Isolated Gravid Human Myometrium. Anaesth Intensive Care. 2002;30(5):591-6.

53. Nulens K, Kunpalin Y, Nijs K, Carvalho JCA, Pollard L, Abbasi N, et al. Enhanced recovery after fetal spina bifida surgery: what is our global practice? Ultrasound Obstet Gynecol. 2024 May 19..

54. Boat AC, Mahmoud MA, Michelfelder EC, Lin E, Ngamprasertwong P, Schnell BM, et al. Supplementing desflurane with intravenous anesthesia reduces fetal cardiac dysfunction during open fetal surgery. Pediatr Anesth. 2010;20.

55. Baschat AA, Blackwell SB, Chatterjee D, Cummings JJ, Emery SP, Hirose S, et al. Care Levels for Fetal Therapy Centers. Obstet Gynecol. 2022;139(6).

56. Sviggum HP, Kodali BS. Maternal Anesthesia for Fetal Surgery. Pain Manag Peripartum Period. de 2013;40(3):413-27.

57. George RB, Melnick AH, Rose EC, Habib AS. Case series: Combined spinal epidural anesthesia for Cesarean delivery andex utero intrapartum treatment procedure. Can J Anesth. 2007;54(3):218-22.

58. Marwan A, Crombleholme TM. The EXIT procedure: principles, pitfalls, and progress. Head Neck Surg. 2006;15(2):107-15.

59. Mann DG, Nassr AA, Whitehead WE, Espinoza J, Belfort MA, Shamshirsaz AA. Fetal bradycardia associated with maternal hypothermia after fetoscopic repair of neural tube defect. Ultrasound Obstet Gynecol. 2018;51(3):411-2.

60. Santos SA, Nani FS, Moura EI, Lima Carvalho D, Miguel GJM, Haddad C MF, et al. Comparison of terbutaline and atosiban as tocolytic agents in intrauterine repair of myelomeningocele: a retrospective cohort study. Braz J Anesthesiol. 2024;74(3):844495.

61. Sacco A, Van der Veeken L, Bagshaw E, Ferguson C, Van Mieghem T, David AL, et al. Maternal complications following open and fetoscopic fetal surgery: A systematic review and meta-analysis. Prenat Diagn. 2019;39(4):251-68.

62. Ochsenbein-Kölble N, Krähenmann F, Hüsler M, Meuli M, Moehrlen U, Mazzone L, et al. Tocolysis for in utero Surgery: Atosiban Performs Distinctly Better than Magnesium Sulfate. Fetal Diagn Ther. 2017;44(1):59-64.

63. Novoa y Novoa V, Shazly S, Araujo Júnior E, Tonni G, Ruano R. Tocolysis for open prenatal repair of myelomeningocele: systematic review. J Matern Fetal Neonatal Med. 2020;33(10):1786-91.

137

Anestesia para Procedimentos Ginecológicos

Gabriela Tognini Saba

INTRODUÇÃO

O adequado manejo anestésico dessas pacientes exige profundo conhecimento das particularidades relacionadas ao sexo feminino, tais como maior sensibilidade à dor e à ação dos anestésicos.[1] Além disso, é necessário compreender as diferentes abordagens e técnicas cirúrgicas disponíveis tanto a nível ambulatorial como hospitalar, incluindo cirurgias de grande porte e alto risco. O útero e os demais órgãos do sistema reprodutor são altamente vascularizados, e, portanto, podem resultar em grandes perdas sanguíneas, alto risco de embolismo aéreo e amniótico, além de alta absorção das soluções em que estão em contato, como é o caso das histeroscopias. Portanto, a anestesia para procedimentos ginecológicos busca atingir diferentes objetivos:

- **Assegurar o conforto do paciente:** as cirurgias podem ser tanto invasivas quanto desconfortáveis no intraoperatório e ainda resultar em um pós-operatório doloroso e incapacitante, como em histerectomias, laparoscopias com grande manipulação e ablações endometriais. Para isso, o anestesista deve ser capaz de desenvolver um plano multimodal para controle álgico, reduzindo a necessidade de opioides e promovendo uma recuperação mais rápida e mobilização precoce;
- **Facilitar a técnica cirúrgica:** criar um ambiente propício onde a paciente esteja calma, sem dor, com o campo cirúrgico adequado, além de permitir técnicas minimamente invasivas como laparoscopia e procedimentos assistidos por robô;
- **Reduzir o estresse cirúrgico:** controlar essas respostas ao estresse, mantendo sinais vitais estáveis e minimizando possíveis complicações durante o procedimento. Adotar protocolo ERAS sempre que possível e minimizar a incidência de náuseas e vômitos pós-operatórios;

- **Aprimorar a segurança do paciente:** avaliar minuciosamente o histórico médico de cada paciente e suas necessidades individuais com identificação de riscos potenciais e contraindicações.

Os principais procedimentos ginecológicos realizados são listados na Tabela 137.1:

Tabela 137.1 Principais procedimentos ginecológicos realizados.

Cirurgias	Principais diagnósticos
Histeroscopia	- Histeroscopia diagnóstica - Biópsia de endométrio - Ablação de endométrio - Exérese de miomas submucosos - Exérese de pólipos endometriais - Liberação de sinéquias
Videolaparoscopia ginecológica ou cirurgias robóticas	- Histerectomias - Liberação de sinéquias de órgãos pélvicos Ligações tubárias - Exérese de cisto de ovário - Avaliação de disfunção de ovário Ooforectomias e ooforoplastias - Miomectomias - Endometriose - Gestação ectópica e salpingectomia
Cirurgia de mama	- Biópsias - Exérese de nódulo de mama - Exérese de cistos de mama - Drenagem de abscesso - Mastectomia parcial ou radical
Curetagem uterina	- Curetagem de prova - Curetagem após abortamento
Cirurgia de vulva, vagina e colo uterino	- Miorrafia do músculo elevador do ânus Exérese de cisto de Bartholin - Ninfoplastia - Cauterização de condilomatose - Exérese de septo vaginal - Conização de colo uterino - Cerclagem - Recontrução vaginal - Correção de incontinência urinária e prolapso vaginal

▪ AVALIAÇÃO PRÉ-OPERATÓRIA

As pacientes submetidas à cirurgia ginecológica devem, preferencialmente, ser avaliadas previamente à cirurgia, com objetivo de fornecer informações atuais quanto ao *status* clínico da paciente e assim consiga realizar possíveis exames e tratamentos que possam melhorar sua condição pré-operatória, além de descartar possibilidade de gestação atual. Importante lembrar que o sangramento uterino anormal ou prolongado pode estar relacionado com alterações da tireoide, hiperprolactinemia, coagulopatia e alteração da insulina. Já lesões solidas e expansivas podem causar alterações anatômicas e fisiológicas, como compressão aortocaval, alteração renal e hepática, aderências, além da paciente muitas vezes entrar em estado de hipercoagulabilidade. Quimioterapia e radioterapia neoadjuvantes também podem interferir na hematopoiese, infecções, náuseas e vômitos, função hepática, renal e miocárdica, conforme a Tabela 137.2.

Os testes gestacionais, com dosagem sérica ou urinária de beta HCG, pré-operatórios devem ser considerados nas pacientes em idade fértil, que não façam uso regular de método contraceptivo ou que apresentem ciclo menstrual desconhecido ou irregular. Os testes de beta HCG séricos utilizam da técnica radioimunoensaio para detectar níveis desde 1 a 3 mIU.L^{-1}, que podem corresponder a 24 a 72 horas pós-concepção. Já os testes de beta HCG urinários utilizam do método de aglutinação de anticorpos e conseguem apenas detectar níveis superiores a 25 mIU.L^{-1}, o que corresponde a 10 a 12 dias após a concepção.[3]

Outro importante aspecto a ser avaliado é a condição psicológica dessas pacientes, pois muitas vezes estão lutando contra neoplasias, contra infertilidade, contra dor pélvica crônica, ou sofreram aborto ou estão com incontinência urinária. Portanto, podem desenvolver medo, ansiedade, constrangimento entre outros sentimentos nas inúmeras consultas, exames, procedimentos a que são submetidas. Quando necessário, referenciar essas pacientes para tratamento conjunto com grupo de controle da dor, psiquiatras, psicólogos e assistentes sociais.

▪ MANEJO INTRAOPERATÓRIO

Mulheres apresentam maior risco de desenvolver dor, apresentar dor forte e maior duração do quadro álgico. Isso se deve à relação entre as concentrações séricas de estrogênios serem inversamente proporcionais às concentrações séricas de betaendorfinas e à quantidade de receptores de estrogênio nas áreas cerebrais e espinhais responsáveis pelo processamento do estímulo álgico,[4] além da maior complexidade da inervação das estruturas pélvicas. Não obstante, o sexo feminino apresenta maior porcentagem de gordura e menor de água corporal, o que resulta em alterações farmacocinéticas e farmacodinâmicas dos anestésicos. Em geral, drogas lipofílicas tem maior distribuição, enquanto as hidrofílicas, menor distribuição. Além disso, há aumento da atividade do citocromo P450 3A4, o que pode alterar o metabolismo de algumas drogas, como fentanil, alfentanil, sufentanil, metadona, buprenorfina, lidocaína, ropivacaína, bupivacaína, midazolam, diazepam, verapamil e glicocorticoides.

Associado a esses aspectos, aplicam-se cuidados generalizados:

- ▪ **Pré-operatório:** consulta para esclarecimento de dúvidas, otimização clínica de comorbidades (ajuste de dose de insulina, avaliação cardiológica adequada, suspensão de medicamentos), além do entendimento do planejamento cirúrgico, posicionamento necessário e particularidades anestésicas;
- ▪ **Intraoperatório:** administração profilática de antibióticos, preferência por anestesia regional quando possível, escolha por cirurgia minimamente invasiva, otimização da administração de fluidos, profilaxia de náuseas e vômitos e otimização da oferta de oxigênio. Monitorização constante com eletrocardiografia contínua, pressão arterial não invasiva e oximetria de pulso, capnografia, termômetro, estimulador de nervo e sonda vesical devem ser parte da monitorização quando apropriado. E reservar pressão arterial invasiva, catéter venoso central, catéter de artéria pulmonar e ecocardiograma transesofágico para os casos de maior risco.

Sedação endovenosa, podendo ser acompanhada de anestesia local, costuma ser técnica de escolha para dilatação de colo uterino, himenotomia e biópsia mamária. Os bloqueios paracervicais e de pudendo devem ser monitorados quanto a possível intoxicação devido à alta vascularização dessas regiões onde são realizados. Já os bloqueios do neuroeixo são muito benéficos quando há grande potencial álgico ou tempo estimado de procedimento prolongado.[5,6]

Anestesia geral geralmente é necessária quando necessária grande ressecção abdominal, trendelemburgo acentuado, insuflação de gás carbônico extensa para laparoscopia ou pelviscopia;

Tabela 137.2 Toxicidade relacionada aos principais agentes quimioterápicos utilizados em ginecologia.

Agente	Malignidade ginecológica	Dose usual	Sistema afetado	Manifestação tóxica	Diagnóstico
Adriamicina	Carcinoma endometrial e carcinoma ovariano	500 mg/m²	Coração	Fibrose miocárdica, insuficiência cardíaca congestiva	Ecocardiograma, fração de ejeção
Bleomicina	Carcinoma cervical, tumores de células germinativas do ovário	400 U	Pulmão	Fibrose pulmonar	Espirometria, capacidade de difusão
Cis-platina	Carcinoma endometrial, carcinoma cervical	50-75 mg/m²	Rim	Disfunção tubular renal	Clearance de creatinina (dose-dependente)

Fonte: Longnecker, e col., 2017.[2]

- **Pós-operatório:** descanso e sono adequados, prevenção do íleo paralítico (alimentação precoce, mobilização precoce e evitar sondas nasogástricas), manejo multimodal da dor e poupador de opioides, alta precoce, profilaxia tromboembólica.

■ TIPOS DE ANESTESIA REGIONAL MAIS UTILIZADAS EM CIRURGIAS GINECOLÓGICAS (FIGURA 137.1)

- **Bloqueio do nervo pudendo:** utilizado para cirurgias menores do períneo, tratamento da neuralgia do pudendo e durante a segunda fase do trabalho de parto. O nervo pudendo é originado das raízes sacrais S2 a S4 e fornece inervação somática da vulva, períneo posterior e região inferior da vagina. Portanto, não engloba parte superior da vagina, colo uterino e região anterior do períneo. A infiltração do anestésico local (em geral lidocaína 2% sem adição de epinefrina) é realizada ao redor do tronco do nervo pudendo a frente da espinha isquiática anterior, tanto transvaginal como transperineal. É realizado sob técnica asséptica e preferencialmente com auxílio de ultrassonografia. Tipicamente é realizado bilateralmente. Existe risco potencial de punção da artéria pudenda, por

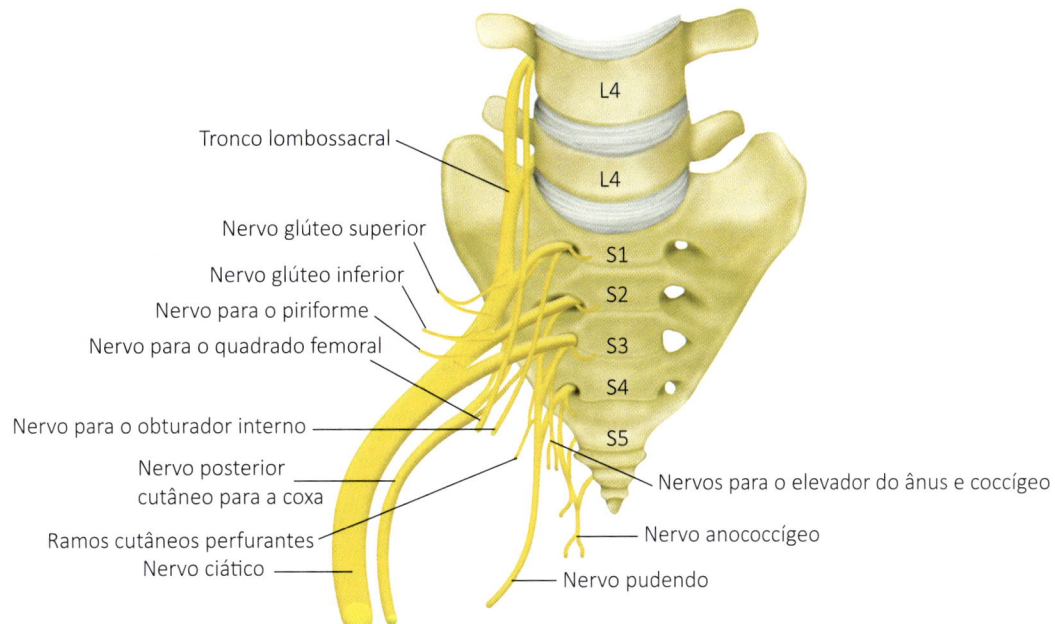

▲ **Figura 137.1** Representação dos nervos envolvidos na inervação somática pélvica.

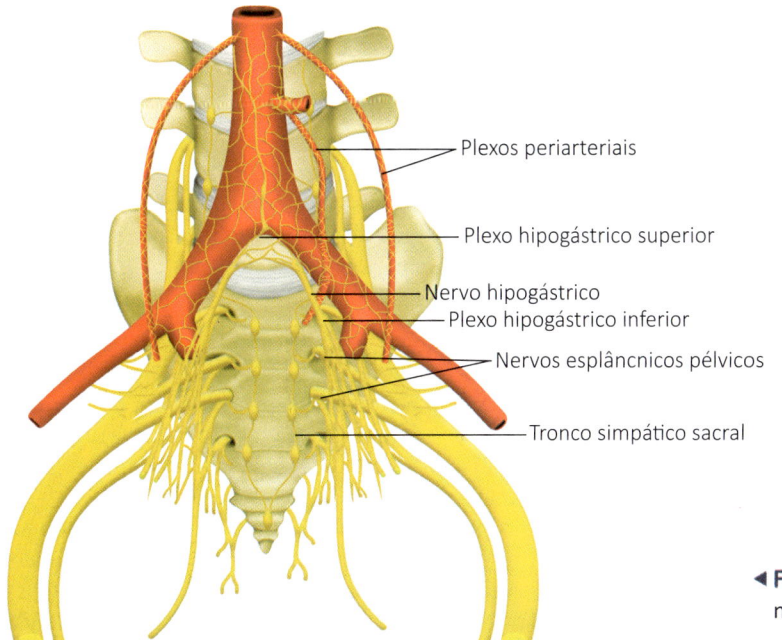

◄ **Figura 137.2** Representação dos nervos envolvidos na inserção autonômica pélvica.

isso sempre respeitar dose tóxica do anestésico local e conferir aspiração negativa antes da injeção da solução anestésica;[7]

- **Bloqueio paracervical:** a região superior da vagina, colo uterino e região inferior do útero são inervadas pelo plexo uterovaginal, que contém fibras do plexo hipogástrico inferior (T10-L1) e fibras sacrais (S1-S4). Sendo assim, o bloqueio paracervical não tem repercussão motora e pode promover analgesia dessas regiões. Em geral, são utilizados anestésicos locais de curta-duração visto a natureza rápida desses procedimentos (como lidocaína 1% com epinefrina 5 mcg/mL ou ropivacaína). O bloqueio é realizado de forma asséptica e a solução é administrada em dois pontos das junção cervicovaginal (às 4 horas e às 8 horas). As complicações são raras e envolvem: sangramento, infecção e intoxicação pelo anestésico local;[8]

- **Bloqueios do neuroeixo**: pode ser realizada a raquianestesia, peridural ou anestesia combinada raqui-peridural, uma vez que catéteres peridurais podem ser muito benéficiais para o controle álgico no intra e pós-operatório. Em geral, nível T4 a T6 é necessário para cirurgias intra-abdominais. E o uso da anestesia regional permite atenuar a resposta inflamatória causada pela cirurgia e diminuir o consumo de opioides, que por sua vez estão correlacionados com imunossupressão, hiperalgesia pós-operatória, náuseas e vômitos pós-operatórios, íleo paralítico e atraso na mobilização da paciente por causa da sedação residual que podem causar. [9]

ESPECIFICIDADES DE ACORDO COM CADA TIPO DE CIRURGIA (PERINEAL OU UROLÓGICA, TRANSVAGINAL, INTRA-ABDOMINAL OU TRANSABDOMINAL)

Cirurgia Perineal ou Urológica

Anatomia

A vulva é composta por algumas estruturas: monte pubiano, grandes lábios, pequenos lábios, clitóris e vestíbulo, onde se encontra o introito vaginal e o meato uretral. O períneo é o tecido localizado entre o introito vaginal e o ânus.

- **Suprimento sanguíneo:** a irrigação da vulva é realizada pelas artérias pudendas interna e externa, ramos da artéria ilíaca interna.

- **Inervação:** é feita pelo nervo pudendo, ramo das fibras sacrais anteriores S2, S3 e S4. O nervo pudendo e os vasos pudendos deixam a cavidade pélvica pelo forâmen isquiático maior, contornam a espinha isquiática e entram no períneo através do forâme isquiático menor.

- **Drenagem linfática:** da vulva é feita principalmente pelos linfonodos inguinais superficiais aos linfonodos inguinal profundos e, então, ao linfonodos pélvicos.

Procedimentos comuns

Biópsias, himenectomias, drenagem das glândulas de Bartholin e *laser*/conização de neoplasias intraepiteliais são alguns representantes. As cirurgias para tratar incontinência urinária suspendem a uretra, seja via retropúbica ou transvaginal. Idealmente, durante a sutura parauretral, a paciente deve permanecer imóvel, sem fazer força ou tossir, portanto, em geral, se associa anestesia neuraxial, associada a ampla profilaxia antiemética (metoclopramida, ondansetron ou dexametasona). Já as cirurgias vulvares maiores, por trauma ou neoplasias, costumam ser invasivas e causam sangramento importante.[10] Portanto, essas pacientes devem ser preparadas para o procedimentos com acesso venoso de grosso calibre, fluidos e hemoderivados disponíveis para potencial expansão volêmica, além da monitorização invasiva. Em geral, associa-se anestesia geral, pelo seu controle hemodinâmico estável, ao uso de catéter epidurais, para minimizar uso de anestésicos no intraoperatório e também fornecer analgesia pós-operatória.

Especificidades

Uso de *lasers* no intraoperatório representam riscos à equipe de lesão térmica e da retina pela luz, risco de incêndio dos campos cirúrgicos e risco de inoculação viral pela aspiração das partículas liberadas. Uso de óculos de proteção, máscaras oclusivas e exaustores eficientes são medidas importantes.[11]

Cirurgia Transvaginal

Anatomia

A vagina é um canal músculo membranoso que se extende da genitália externa até o colo uterino. Mede, em média, 8 a 10 cm. Anteriormente se relaciona com a uretra e a bexiga, e, posteriormente, com o reto, períneo e fundo de saco de Douglas.

- **Suprimento sanguíneo:** o suprimento sanguíneo da vagina se dá por ramos das artérias uterina e pudenda. E do colo uterino, pela artéria uterina.

- **Drenagem linfática:** a drenagem linfática do terço superior da vagina se dá para o paramétrio e linfonodos pélvicos, enquanto dos dois terço inferiores se dão aos linfonodos inguinais superficiais. Já do colo uterino, se dá para as nódulos paracervicais.

- **Inervação:** a sensibilidade da vagina é conferida pelo nervo pudendo, ramo das fibras sacrais S2, S3 e S4. Já a inervação autônômica é feita pelos ramos do plexo hipogástrico (L1 a L3) – simpático, e nervos sacrais – parassimpático. Já a inervação do colo uterino é ramo do plexo hipogástrico, sendo que a endocérvice é a região com maios sensibilidade nervosa.

Procedimentos comuns

- **Curetagem uterina:** é realizada pela dilatação do colo uterina seguida pela curetagem ou sucção (aspiração manual intrauterina) com objetivo de remover o material de abortamento retido ou então fornecer amostra de tecido endometrial para análise, como nos casos de suspeita de endometrite ou de sangramento uterino anormal. O maior risco desse procedimento é a perfuração uterina seguida de hemorragia, condições que podem precisar desde tratamento conservador até laparotomia exploratória. Ainda há risco de embolia amniótica, coagulação intravascular disseminada e atonia uterina, nos casos em que tiver manipulação de estruturas fetais e/ou mola hidatiforme.[12] Esses procedimentos transvaginais podem ser realizados com bloqueio paracervical ou, mais comumente, com raquianestesia ou anestesia geral. Existem casos ambulatoriais que a técnica anestésica de escolha é a anestesia geral com anestésicos de curta-duração como propofol e remifentanil.

- As **lesões cervicais** também podem necessitar de intervenção cirúrgica para diagnóstico ou tratamento, por exemplo, por meio de conização. Devido à extensa vascularização do colo uterino, sangramento pode ocorrer e soluções diluídas com vasoconstritor podem ser utilizadas (p. ex.: epinefrina 1:200.000), porém há risco de absorção sistêmica, resultando em hipertensão prolongada e necessidade de vasodilatadores diretos (hidralazina). Geralmente são realizados com anestesia geral ou raquianestesia.

- **Histeroscopias** são procedimentos para avaliar e tratar endocérvice e cavidade endometrial. Precisam da insuflação de gás carbônico ou líquidos como glicina 1,5%, dextrose 5%, sorbitol, manitol e soro fisiológico a 0,9% para tornar a cavidade uterina adequada à visualização.[13] Quando utilizado CO_2, é importante manter o fluxo entre 100 a 120 mmHg[14] para prevenir embolia, atentar para sinais de hipercarbia, acidose, arritmias e hipertensão arterial, alem de não realizar o procedimento quando há vasos sanguíneos expostos. Quando utilizados líquidos, é importante o controle do volume introduzido e coletado, pelo risco de intoxicação hídrica e hiponatremia. Riscos adicionais relacionados a cada solução são: dextrose - hiperglicemia, dextran 70 - anafilaxia, edema pulmonar e coagulopatia, glicina - intoxicação por amônia, manitol - insuficiência renal aguda e sorbitol - acidose láctica, coma e hiperglicemia, principalmente em hepatopatas.[15-18] Geralmente as histeroscopias são realizadas sob anestesia neuraxial ou sedação ou geral, principalmente quando envolvem ablação e ressecção de lesões.

- **Histerectomias vaginais** são indicadas em condições benignas ou malignas de diagnóstico precoce, em especial em pacientes com prolapso vaginal (mesmo na presença de retocele e cistocele). São contraindicações a essa via: volume uterino aumentado, cirurgia abdominal prévia e suspeita de malignidade pélvica. A ooforectomia pode ser realizada concomitantemente. E geralmente são realizados sob anestesia neuraxial com anestésico local hiperbárico, com objetivo de atingir níveis de T6-T8, e pode-se associar anestesia geral com intubação orotraqueal, principalmente se a cirurgia for realizada em posição de Trendelemburg acentuada ou assistida por laparoscopia.

Especificidades

A maioria dos procedimentos vaginais são realizados em posição de litotomia, portanto há risco do excesso de flexão, abdução ou rotação externa do quadril, assim como estiramento dos nervos obturador e cutâneo lateral femoral. Rotação extensa do quadril ou extensão das pernas sem flexão

do joelho também podem levar a lesão dos nervo ciático e fibular. Compressão da cabeça da fíbula pode causar lesão do nervo fibular, levando ao pé caído e parestesia das parede lateral da perna. Uso de coxins e evitar compressão externa por superfícies rígidas são importantes durante o posicionamento dessas pacientes.

Além disso, a posição de Trendelemburg está associada ao risco potencial de embolia venosa, alteração da circulação e da respiração, além da lesão de nervos periféricos nas extremidades superiores. Se associado a laparoscopia, as alterações hemodinâmicas são ainda mais importantes.[19]

Por fim, uso de meios para distensão da cavidade uterina pode causar hipervolemia, hiponatremia e queda da osmolaridade sanguínea. Clinicamente, a paciente pode apresentar hipertensão arterial, bradicardia, alteração do estado mental, náusea, vômito, cefaleia, agitação e letargia, o que pode ser mascarado nos casos de anestesia geral. O tratamento envolve finalização precoce do procedimento cirúrgico, exames laboratoriais, administração de solução salina e furosemida. Nos casos de hiponatremia grave (Na <120 mEq/L), deve-se administrar solução salina hipertonia 3%, com uma taxa de infusão de 1 a 2 mEq/L/h, visando atingir um nível de sódio de 125 a 130 mEq/L. Reposições rápidas devem ser evitas pelo risco de mielinólise pontina.

Cirurgias Intra-abdominais

Anatomia

As cirurgias abdominais podem estar associada à sepse e/ou invasão tumoral, bem como fístulas vesicais e retais.

- **Suprimento sanguíneo** da pelve se dá pela artéria ilíaca interna, que origina as artérias uterinas, as artérias vesicais superiores, médias e inferiores, as artérias hemorroidárias médias e inferiores e as artérias vaginais. Existe uma extensa circulação colateral entre os órgãos pélvicos, o que aumenta o risco hemorrágico durante a manipulação cirúrgica da região.

- **Invervação:** a pelve é inervada pelas fibras simpáticas de L1 a L4 (plexo hipogástrico e plexo sacral). Já as fibras parassimpáticas pre ganglionares são originadas de S2 a S4. Por fim, a interação sensitiva das vísceras pélvicas é fornecida de T10 a L4.

- **Drenagem linfática:** predominantemente para os linfonodos pélvicos e periaórticos localizados no retroperitoneal, e, em menor proporção, para os linfonodos inguinais superficiais e profundos.

Procedimentos comuns

- **Cirurgias ovarianas:** as mais comum são remoção de cistos, lesões endometriais e tumores. Os tumores ovarianos são altamente letais pelo crescimento silencioso e disseminação generalizada, podendo ser diagnosticados em fases tardias pela repercussão da ascite na mobilidade diafragmática, redução do retorno venoso e diminuição do esvaziamento gástrico. Existem procedimentos de citorredução tumoral para aumentar resposta a quimioterapia. Já as **cirurgias das trompas uterinas**, como salpingectomias, raramente se correlacionam com tumores e são realizadas em situações de prenhez ectópica e endometriose. Quando há ruptura da tubas na prenhez ectópica, existe alto potencial hemorrágico, portanto devemos estar preparados para abordagem cirurgia de emergência, necessidade de intubação orotraqueal e ressuscitação polêmica vigorosa com reposição de hemoconcentrados. **Abscessos tubo-ovarianos** tem abordagem cirúrgica quando maiores de 8 cm não responsivos à antibioticoterapia e estão relacionados ao risco de choque séptico, peritonite e coagulopatias. **Histerectomias e miomectomias** são realizadas em uma série de cenários benignos ou malignos, podendo estar relacionadas a extensas adesões e sangramento.

Especificidades

Em geral, o acesso se dá pela incisão de Pfannestiel, porém, por vezes, é necessário acesso vertical ou transverso do abdome. O sangramento sanguíneo excessivo, na maioria das vezes, pode ser previsto e a paciente preparada com eritropetina, doação análoga ou hemodiluição normovolêmica. O uso de autotransfusão intraoperatória em casos de malignidade ainda é controversa. E o posicionamento de balões nas principais artérias, guiados por radiologia intervencionista, podem ser úteis no controle do sangramento. Quando a cirurgia está relaciona a malignidade, importante discutir previamente com cirurgião qual a extensão da abordagem para decidir quanto a colocação de cateteres de monitorização invasivos, uso de opioides e bloqueadores neuromusculares adequados, além de escolha da técnica anestésica adequada. Caso haja grande perda volêmica esperada, dá-se preferência para agentes voláteis de baixo fluxo ou circuito fechado, uso de umidificadores passivos, cobertores de aquecimento e aquecedores de fluidos. As técnicas combinadas de anestesia peridural e geral são ideais para intra e pós-operatórios. Existem técnicas de **laparoscopia assistida por vídeo ou robô**, o que resulta em incisões menores, menor tempo de recuperação, menor dor e menos infecção, porém há maior risco de lesão e riscos relacionados ao uso do gás carbônico, como acidose, embolia gasosa, depressão ventilatória e hemodinâmica, náuseas e vômitos pós-operatórios e trombose. Em relação a anestesia, geralmente é associada à anestesia geral para controle de via aérea, controle das alterações respiratórias e hemodinâmicas esperadas com pneumoperiôneo e ao posicionamento em Trendelemburg, podendo ser associada aos bloqueios do neuroeixo ou periférico.[20-23]

Cirurgias de Mama

Anatomia

As mamas estão localizadas na região anterior do tórax, anteriormente aos músculos peitoral maior e menor e são compostas pela pele, mamilos e argola externamente, e por alvéolos, lóbulos, lobos, ductos, ampola e ligamento de cooper internamente.

- **Suprimento sanguíneo:** artéria mamária interna (medial), artéria torácica lateral (lateral) e ramos anterior e lateral dos vasos intercostais.

- **Drenagem linfática:** axilar e canais torácicos internos.
- **Inervação:** a inervação do peito é fornecida principalmente pelos ramos anteriores de T4 a T6. O ápice da axila é suprido pelo nervo intercostobraquia (ramo cutâneo de T2). Os músculos peitoral maior e menor são inervados pelo nervo peitoral lateral (C5 - 7) e pelo nervo peitoral médio (C8 - T1). O nervo torácico longo (C5 - 7) inerva o músculo serrátil anterior. O nervo toracodorsal (C6 - 8) inerva o músculo grande dorsal.

Procedimentos comuns

As cirurgias de mama englobam desde procedimentos menores como biópsias, que podem ser realizadas com anestesia local, até cirurgias extensas por tumores e com necessidade de rotação de grandes retalhos.As técnicas anestésicas variam desde sedação até anestesia geral combinada a regional, seja ela peridural torácica, paravertebral, bloqueios dos nervos peitorais (PEC 1 e PEC 2), bloqueio do plano do serrátil anterior e bloqueio intercostal.[24,25]

Especificidades

O bloqueio PEC 1 é uma única injeção de anestésico local entre os músculos peitoral maior e peitoral menor, ao nível da terceira costela, para anestesiar os nervos peitoral lateral e medial. Já no bloqueio PEC 2 o anestésico local é depositado entre os peitorais maior e menor, como para um bloqueio PEC 1 e, em seguida, entre os músculos peitoral menor e serrátil anterior. Isso resulta em anestesia local dispersa sob o ligamento de Gerdy, que irá anestesiar os ramos cutâneos anteriores dos nervos intercostais, intercostobraquial e os nervos torácicos longos.[26,27]

O bloqueio do plano do serrátil anterior é particularmente útil em procedimentos como mastectomia e tumorectomias com dissecção axilar. É feita injeção de anestésico local superficial ou profunda no músculo serrátil anterior na linha média axilar ao nível da quinta costela, sob orientação de ultrassom· As possíveis complicações incluem pneumotórax devida à proximidade da agulha às costelas, punção vascular, resultando em hematoma, dano nervoso e bloqueio inadequado.

■ APLICAÇÃO DO PROTOCOLO ERAS (RECUPERAÇÃO APRIMORADA APÓS CIRURGIA)

O protocolo ERAS visa reduzir as complicações pós-operatórias, encurtar permanência hospitalar, promover uma recuperação mais rápida e facilitar o retorno às atividades normais, reduzir a necessidade de opioides e efeitos colaterais associados, além de melhorar a satisfação do paciente e experiência geral. Os componentes chaves do protocolo ERAS (Tabela 137.3) para cirurgia ginecológica são:[28]

- **Educação do paciente pré-operat**ória: educar os pacientes sobre o processo cirúrgico, a anestesia e os cuidados pós-operatórios é essencial. Pacientes informados tendem a seguir as instruções pré-operatórias e têm expectativas realistas em relação à sua recuperação, diminuindo níveis de ansiedade e aumentando a satisfação do paciente;

- **Avaliação e otimização pré-operat**ória: avaliações pré-operatórias abrangentes são realizadas para identificar e tratar quaisquer condições médicas pré-existentes ou fatores de risco que possam afetar o resultado cirúrgico. Isso pode incluir otimização de condições médicas crônicas, programas de cessação do tabagismo e aconselhamento nutricional;
- **Preparação pré-operatória do intestino:** não deve ser utilizada rotineiramente em cirurgias minimamente invasivas e em laparotomias abertas, pois não reduz morbidade pós-operatória. Caso o cirurgião julgue necessário, o preparo deve ser realizado com antibióticos orais combinado com a preparação mecânica do intestino, principalmente quando há ressecção e anastomose de alças intestinais;
- **Jejum pré-operatório e tratamento com carboidratos orais**: tendo em vista que o abreviamento do jejum reduz a resistência insulínica e melhora o bem-estar, os pacientes devem ser encorajados a ingerir refeição leve até 6 horas antes da cirurgia e consumir líquidos claros e carboidratos orais até 2 horas antes do início da anestesia. Pacientes com atraso do esvaziamento gástrico, como diabéticos, obesos, portadores de insuficiência renal, entre outros, devem respeitar 8 horas de jejum;
- **Profilaxia do tromboembolismo venoso**: pacientes com risco aumentado de tromboembolismo venoso (TEV) devem receber profilaxia mecânica dupla e quimioprofilaxia com heparina de baixo peso molecular ou heparina não fracionada. A profilaxia deve ser iniciada no pré-operatório e continuar no pós-operatório. A quimioprofilaxia prolongada (28 dias pós-operatório) deve ser prescrita a pacientes que atendem aos critérios de alto risco da *American College of Chest Physicians* (ACCP), incluindo pacientes com câncer ovariano avançado;[29]
- **Pacotes para redução de infecção do local cirúrgico:** incluem profilaxia antimicrobiana (de acordo com o sítio cirúrgico e perda sanguínea envolvida), preparação da pele (banho com sabão à base de cloro-hexidina antes do procedimento e antissepsia da pele com cloro-hexidina alcoólica imediatamente antes da incisão cirúrgica), evitar hipotermia, evitar drenos cirúrgicos e reduzir a hiperglicemia perioperatória (evitar níveis superiores a 200 mg/dL);
- **Protocolo anestésico padrão**: O ERAS incorpora técnicas de anestesia que promovem uma recuperação rápida e minimizam os efeitos colaterais pós-operatórios. Isso inclui o uso de agentes anestésicos de ação curta, anestesia regional e analgesia que evite o uso de opioides, monitoramento da profundidade de bloqueio neuromuscular e sua reversão completa, além de estratégias de ventilação com volumes correntes de 6 a 8 ml/kg e pressão expiatória final positiva de 6 a 8 cmH$_2$O;
- **Cirurgia minimamente invasiva:** sempre que possível, os procedimentos ginecológicos são realizados utilizando técnicas minimamente invasivas, como cirurgias vaginais ou laparoscopias ou cirurgia assistida por robô. Essas abordagens resultam em incisões menores, redução do trauma tecidual e recuperação mais rápida em comparação com a cirurgia aberta tradicional;
- **Gerenciamento perioperatório de fluidos:** uso da fluidoterapia dirigia por objetivos no perioperatório reduz o tempo de internação e as complicações em pacientes de alto risco submetidos à cirurgia abdominal, uma vez que o excesso de líquidos está associado ao atraso no retorno da função intestinal, íleo paralítico e náuseas pós-operatórias;
- **Controle da dor pós-operatória:** os protocolos ERAS enfatizam o uso de técnicas de controle da dor multimodal para minimizar a necessidade de opioides. Isso pode envolver a combinação de anestésicos locais, medicamentos orais não opioides e bloqueios de nervos para fornecer alívio eficaz da dor, reduzindo os efeitos colaterais relacionados aos opioides. Uma abordagem que vem ganhando espaço nesse contexto é a avaliação farmacogenômica dos pacientes e prescrição consciente de opioides, o que visa reduzir risco de dependência dos mesmos;
- **Prevenção do íleo paralítico**: consumo de café, associado a outros elementos do protocolo ERAS, incluindo normovolemia, analgesia poupadora de opioides e alimentação precoce, são seguros, baratos e parecem eficazes na redução do tempo de retorno da função intestinal. O Alvimopan é aprovado nos Estados Unidos para reduzir o tempo de retorno da função intestinal e morbidade pós-operatória associada ao íleo em pacientes submetidos à ressecção intestinal planejada;
- **Mobilização precoce:** os pacientes são encorajados a começar a se movimentar e a caminhar o mais cedo possível após a cirurgia. A mobilização precoce ajuda a prevenir complicações como trombose venosa profunda, melhora a circulação e auxilia na recuperação da função intestinal;
- **Suporte nutricional:** uma nutrição adequada é crucial para a cicatrização e recuperação. Os protocolos ERAS frequentemente incluem a reintrodução precoce de alimentos por via oral e incentivam a retomada das refeições regulares assim que possível após a cirurgia.
- **Caminhos pós-operat**órios: os programas ERAS utilizam protocolos de assitência padronizados que detalham a

Tabela 137.3 Conceitos gerais do protocolo ERAS.
Aspectos comuns para todo o protocolo ERAS

Cuidados pré-operatórios
- Otimizar cuidados pré-operatórios para doenças específicas;
- Aconselhamento pré-operatório.

Cuidados intraoperatórios
- Administração profilática de antibióticos;
- Uso de anestesia regional intraoperatória;
- Cirurgia minimamente invasiva, quando possível;
- Manutenção da normotermia intraoperatória;
- Otimização de fluidos intraoperatórios;
- Profilaxia de náuseas e vômitos;
- Otimização de oferta de oxigênio.

Cuidados pós-operatórios
- Prevenção de íleo paralítico;
- Evitar drenos e sondas de demora;
- Tratamento multimodal da dor sem uso de opioides;
- Profilaxia de trombose venosa profunda/tromboembolismo pulmonar;
- Medicação contínua no domicílio;
- Otimização do sono.

sequência ideal de cuidados e critérios de alta hospitalar. Esses caminhos ajudam a garantir que os pacientes recebam atenção consistente e baseada em evidências durante sua estadia hospitalar;

- **Melhoria contínua da qualidade:** o ERAS é uma abordagem em constante evolução, e a melhoria contínua da qualidade é essencial para o seu sucesso. As equipes cirúrgicas revisam regularmente os resultados, *feedback* dos pacientes e pesquisas recentes para aprimorar e aperfeiçoar seus protocolos ERAS.

■ CONCLUSÕES

As pacientes submetidas a cirurgias ginecológicas apresentam importantes particularidades fisiológicas, farmacológicas e anatômicas. As cirurgias minimamente invasivas e a aplicação do protocolo ERAS visam reduzir morbimortalidade, garantir a recuperação precoce e melhora da qualidade de vida. Sendo assim, os anestesiologistas inseridos nesse contexto devem sempre levar em consideração essas importantes diferenças e realizarem uma abordagem individualizada com objetivo de garantir o melhor cuidado para a paciente.

REFERÊNCIAS

1. Pleym H, Spigset O, Kharasch ED, Dale O. Gender differences in drug effects: implications for anesthesiologists. Acta Anaesthesiol Scand. 2003 Mar;47(3):241-59. doi: 10.1034/j.1399-6576.2003.00036.x. PMID: 12648189.
2. Longnecker DE, Mackey SC, Newman MF, Sandberg WS, Zapol WM. eds. Anesthesiology, 3e. McGraw Hill; 2017. Página 1077
3. Naryshkin S, Aw TC, Filstein M, Murphy JG, Strauss JF 3rd, Kiechle FL, Jacobson S. Comparison of the performance of serum and urine hCG immunoassays in the evaluation of gynecologic patients. Ann Emerg Med. 1985 Nov;14(11):1074-6. doi: 10.1016/s0196-0644(85)80924-0. PMID: 4051272.
4. Palmeira CCA, Ashmawi HA, Posso IP. Sexo e percepção da dor e analgesia. Rev Bras Anestesiol.61 (6) 814-828 (2011)
5. Fletcher D, Martinez V. Opioid-induced hyperalgesia in patients after surgery: a systematic review and a meta-analysis. Br J Anaesth 2014;112:991–1004.
6. Kumar L, Barker C, Emmanuel A. Opioid-induced constipation: pathophysiology, clinical consequences, and management. Gastroenterol Res Pract 2014;2014:141737.
7. Anderson D. Pudendal nerve block for vaginal birth. J Midwifery Womens Health. 2014 Nov-Dec;59(6):651-659. doi: 10.1111/jmwh.12222. Epub 2014 Oct 7. PMID: 25294258.
8. Chanrachakul B, Likittanasombut P, O-Prasertsawat P, Herabutya Y. Lidocaine versus plain saline for pain relief in fractional curettage: a randomized controlled trial. Obstet Gynecol. 2001 Oct;98(4):592-5. doi: 10.1016/s0029-7844(01)01529-0. PMID: 11576573.
9. Anastasia Jones, Jessica Quach, Marianne Tanios, Daniel Nahrwold, Cindy Yeoh, and Sindhuja Nimma. Acute Pain Management for Gynecologic Surgery and a Succinct Guide to Regional Anesthesia, Including Nerve Blocks. Journal of Gynecologic Surgery.Dec 2023.271-277.http://doi.org/10.1089/gyn.2023.0053
10. Purwar B, Ismail KM, Turner N, Farrell A, Verzune M, Annappa M, Smith I, El-Gizawy Z, Cooper JC. General or Spinal Anaesthetic for Vaginal Surgery in Pelvic Floor Disorders (GOSSIP): a feasibility randomised controlled trial. Int Urogynecol J. 2015 Aug;26(8):1171-8. doi: 10.1007/s00192-015-2670-4. Epub 2015 Mar 20. PMID: 25792351.
11. Preti M, Vieira-Baptista P, Digesu GA, Bretschneider CE, Damaser M, Demirkesen O, Heller DS, Mangir N, Marchitelli C, Mourad S, Moyal-Barracco M, Peremateu S, Tailor V, Tarcan T, De EJB, Stockdale CK. The Clinical Role of LASER for Vulvar and Vaginal Treatments in Gynecology and Female Urology: An ICS/ISSVD Best Practice Consensus Document. J Low Genit Tract Dis. 2019 Apr;23(2):151-160. doi: 10.1097/LGT.0000000000000462. PMID: 30789385; PMCID: PMC6462818.
12. Calvache JA, Delgado-Noguera MF, Lesaffre E, Stolker RJ. Anaesthesia for evacuation of incomplete miscarriage. Cochrane Database of Systematic Reviews 2012, Issue 4. Art. No.: CD008681. DOI: 10.1002/14651858.CD008681.pub2.
13. Kiw AH, Keltz MD, Arici A, et al. Dilution hyponatremia during hysteroscopic myomectomy with sorbitol-mannitol distention medium. J Am Assoc Gynecol Laparosc 1995;2:237-42.
14. Siegler AM, Kemmann E, Guetile GP. Hysteroscopy procedures in 257 patients. Fertil Steril 1976;27:1267-73.
15. Bergström J, Hultman E, Roch-Norlund AE. Lactic acid accumulation in connection with fructose infusion. Acta Med Scand 1968;184:359-64.
16. Horgan KJ, Ottaviano YL, Watson AJ. Acute renal failure due to mannitol intoxication. Am J Nephrol 1989;9:106-9.
17. Hoekstra PT, Kahnoski R, McCamish MA, et al. Transurethral prostatic resection syndrome--a new perspective: encephalopathy with associated hyperammonemia. J Urol 1983;130:704-7.
18. Mizutani AR, Parker J, Katz J, et al. Visual disturbances, serum glycine levels and transurethral resection of the prostate. J Urol 1990;144:697-9.
19. Safran DB, Orlando R 3rd. Physiologic effects of pneumoperitoneum. Am J Surg 1994;167:281-6.
20. Rauh R, Hemmerling TM, Rist M, et al. Influence of pneumoperitoneum and patient positioning on respiratory system compliance. J Clin Anesth 2001;13:361-5.
21. Safran DB, Orlando R 3rd. Physiologic effects of pneumoperitoneum. Am J Surg 1994;167:281-6.
22. Rademaker BM, Bannenberg JJ, Kalkman CJ, et al. Effects of pneumoperitoneum with helium on hemodynamics and oxygen transport: a comparison with carbon dioxide. J Laparoendosc Surg 1995;5:15-20.
23. Neudecker J, Sauerland S, Neugebauer E, et al. The European Association for Endoscopy Surgery clinical practice guideline on the pneumoperitoneum for laparoscopic surgery. Surg Endosc 2002;16:1121-43.
24. Talbot H, Hutchinson SP, Edbrooke DL, et al. Evaluation of a local anaesthesia regimen following mastectomy. Anaesthesia 2004;59:664-7.
25. Ono K, Danura T, Koyama Y, et al. Combined use of paravertebral block and general anesthesia from breast cancer surgery. Masui 2005;54:1273-6.
26. Blanco R. The 'pecs block': a novel technique for providing analgesia after breast surgery. Anaesthesia 2011; 66 (9): 847-848.
27. Blanco R, Fajardo M, Parras T. Ultrasound description of Pecs II (modified Pecs I). A novel approach to breast surgery. Rev Esp Anestesiol Reanim 2012; 59 (9): 470-475. http://www.csen.com/pecs.pdf.
28. Nelson G, Bakkum-Gamez J, Kalogera E, et al. Guidelines for perioperative care in gynecologic/oncology: enhanced recovery after Surgery (ERAS) Society recommendations -- 2019 update. Int J Gynecol Cancer 2019; 29:1-18
29. Schünemann HJ, Cushman M, Burnett AE, et al. American Society of Hematology 2018 guidelines for management of venous thromboembolism: prophylaxis for hospitalized and nonhospitalized medical patients. Blood Adv 2018; 2: 3198-225.

138

Anestesia e Aleitamento Materno

Wilson Gonçalves Sombra ▪ Carlos Othon Bastos ▪ Rafael Valério Gonçalves

INTRODUÇÃO

A amamentação exclusiva desempenha um papel fundamental na promoção da saúde tanto das mães quanto dos bebês. O leite materno é considerado o padrão ouro quando comparado a qualquer outra forma de alimentação, devido à sua composição única que fornece as quantidades adequadas de água, gorduras, carboidratos e proteínas, além de conter fatores imunológicos que contribuem para o crescimento saudável, desenvolvimento e proteção imunológica de recém-nascidos, tanto em curto quanto em longo prazo.[1] Além disso, a amamentação exclusiva está associada a uma redução na incidência de doenças infecciosas neonatais e, consequentemente, à diminuição da mortalidade infantil após o período neonatal.[2] Alguns estudos também indicam menor probabilidade de ocorrência de doenças respiratórias, distúrbios endócrinos e metabólicos, câncer infantil e síndrome da morte súbita do lactente durante o primeiro ano de vida, especialmente em bebês alimentados exclusivamente com leite materno.[3]

Além dos benefícios no neonato, há também benefícios para a mãe. Entre eles, destacam-se a diminuição do sangramento pós-parto e involução uterina mais rápida, atribuídos ao aumento da ocitocina circulante; a prevenção de doenças em longo prazo, como depressão pós-parto, câncer de mama, câncer de ovário, diabetes tipo 2 e doenças cardiovasculares; o vínculo emocional; a economia e conveniência, além de ser uma forma de contracepção natural.[4-6] A Organização Mundial da Saúde (OMS) recomenda a amamentação exclusiva até os 6 meses de idade, e sua manutenção até os 2 anos ou mais.[7]

Apesar das vantagens mencionadas, muitas mulheres evitam amamentar ou suspender medicamentos devido a preocupações sobre possíveis efeitos nos bebês. Essas decisões frequentemente carecem de evidências científicas sólidas, pois os dados sobre a excreção de medicamentos no leite humano são limitados, e muitas vezes baseados em estudos animais não universalmente aplicáveis. Nem todos os medicamentos são excretados em quantidades relevantes no leite materno, e a presença de um medicamento pode não necessariamente representar risco para o bebê. Portanto, aconselhamento personalizado é essencial para evitar interrupções desnecessárias da amamentação ou tratamentos médicos.[8] Este capítulo avalia medicamentos frequentemente usados durante o período perioperatório, seja em procedimentos anestésicos ou na gestão da dor pós-operatória.

▪ ANALGESIA DO TRABALHO DE PARTO E O PROCESSO DE ALEITAMENTO

Uma revisão sistemática recente que investigou a associação entre a analgesia peridural e a amamentação foi publicada no periódico BMJ Open em 2022. A revisão incluiu 22 estudos observacionais que avaliaram a associação entre a analgesia peridural e a amamentação, incluindo a duração da amamentação, a frequência de amamentação, a produção de leite materno e o peso do bebê ao nascer.[9]

Os resultados da revisão mostraram que a analgesia peridural não teve impacto negativo na amamentação. As mulheres que receberam analgesia peridural tiveram a mesma probabilidade de amamentar seus bebês por pelo menos seis meses do que as mulheres que não receberam analgesia peridural. Além disso, as mulheres que receberam analgesia peridural não tiveram diferenças significativas na frequência de amamentação, na produção de leite materno ou no peso do bebê ao nascer. Os autores da revisão concluíram que a analgesia peridural é segura para mães que amamentam e não deve ser uma barreira para a amamentação.[9]

Outra revisão sistemática, publicada no periódico PLOS One em 2023, também não encontrou evidências de que a analgesia peridural afete negativamente a amamentação. A revisão incluiu 17 estudos observacionais e concluiu que a analgesia peridural não teve impacto na duração da amamentação, na frequência de amamentação, na produção de leite materno ou no peso do bebê ao nascer.[10]

Os resultados dessas duas revisões sistemáticas sugerem que a analgesia peridural é segura para mães que amamentam e não deve ser uma barreira para a amamentação, independentemente da administração de fentanil.[11]

■ TRANSFERÊNCIA DE FÁRMACOS PARA O LEITE MATERNO

Nos primeiros dias de pós-parto, as células alveolares mamárias são pequenas e apresentam espaçamento aumentado, permitindo a passagem de moléculas maiores como imunoglobulinas maternas. Após a primeira semana, as junções intracelulares gradualmente se fecham, e apenas moléculas menores que 200 daltons ultrapassam a membrana.[12]

Mecanismo de Passagem dos Fármacos

A passagem de fármacos do sangue para o leite materno ocorre por vários mecanismos, como difusão transcelular (moléculas pequenas não ionizadas e hidrossolúveis atravessam os poros das membranas celulares), difusão passiva (passagem de pequenas moléculas e proteínas menores por canalículos de água), difusão intercelular (grandes moléculas podem aparecer no leite, como imunoglobulinas e interferon) e ligação com proteínas carreadoras (substâncias polares entram na membrana celular através de proteínas carreadoras). A difusão passiva constitui a principal forma de transferência.[13]

Os principais fatores determinantes da passagem de um agente para o leite materno estão diretamente relacionados às características dos fármacos, à nutriz, ao leite e ao lactente.

Fatores Relacionados aos Fármacos

Os determinantes farmacocinéticos para a passagem de um medicamento para o leite humano são o baixo peso molecular, maior fração não ionizada, baixo volume de distribuição, menor ligação proteica e alta solubilidade lipídica. Quanto menor o peso molecular (PM), maior será a concentração do fármaco excretado no leite (medicamentos com PM maior que 200 daltons são considerados seguros).[14] Por sua vez, fármacos com maior lipossolubilidade atravessam mais facilmente as membranas celulares e se difundem livremente para o leite.[15]

Os medicamentos com alta ligação proteica apresentam uma transferência limitada para o leite, permanecendo na circulação materna. Para aqueles com pelo menos 85% de ligação às proteínas, não foram observadas concentrações mensuráveis quando não houve exposição imediatamente antes ou durante o parto. O conhecimento das propriedades de ligação proteica de um medicamento pode fornecer uma ferramenta rápida e fácil para estimar a exposição de um bebê a medicamentos a partir da sua amamentação.[16]

Fatores Relacionados à Nutriz

Os fatores relacionados ao estado de saúde da mãe e que influenciam na passagem de um fármaco para o leite materno incluem:

■ **Doenças hepáticas e renais:** podem afetar a capacidade do corpo de metabolizar e excretar medicamentos, o que pode levar a níveis mais elevados de medicamentos no sangue, aumentando o risco de passagem de agentes farmacológicos para o leite materno;

■ **Doenças da mama:** como mastite, podem aumentar a passagem de agentes farmacológicos para o leite materno, em virtude da ruptura das junções celulares alveolares, permitindo a passagem de moléculas maiores;

■ **Doenças crônicas:** como doença celíaca, diabetes e hipertensão, podem aumentar o risco de exposição do bebê a medicamentos;

■ **Desnutrição materna:** uma das causas de hipoproteinemia materna, o que aumenta a fração livre de fármacos e ocasiona maior transferência para o leite. Lembrando que a hipoproteinemia materna pode estar presente, fisiologicamente, até 7 semanas pós-parto.[12,13]

Fatores Relacionados ao Lactente

Embora a maioria dos fármacos apresente um perfil de segurança para o aleitamento, deve-se individualizar a população pediátrica. Muitas crianças apresentam imaturidade hepática, renal ou outras patologias subjacentes, o que agrega riscos adicionais para a administração de fármacos e/ou substâncias à nutriz. Recém-nascidos prematuros, lactentes em sepse e com função hepática e/ou renal alteradas são considerados de alto risco para acúmulo de medicamentos, com possibilidade de efeitos colaterais significativos.[17]

Fatores Relacionados ao Leite

Os fatores relacionados ao leite que influenciam na passagem de um fármaco para o leite materno incluem:

■ **Concentração de proteínas e lipídios:** os medicamentos altamente ligados a proteínas são menos propensos a passar para o leite materno. Já os fármacos altamente lipossolúveis são mais propensos a passar para o leite. A concentração de proteínas e lipídios pode ser influenciada pelo período puerperal, frequência de amamentação, estado nutricional materno e doenças que interfiram na absorção ou digestão de nutrientes;

■ **pH do leite:** o pH do leite materno afeta a quantidade de medicamento que é ionizado e, portanto, pode passar para o leite materno. Os medicamentos altamente ionizados no sangue são menos propensos a passar para o leite materno.[12,13,18]

■ CONDUTAS E PREPARO PRÉ-ANESTÉSICO

As evidências atuais sugerem que a amamentação não deva ser interrompida após uma anestesia convencional. Recomendam-se medidas gerais para minimizar o impacto da cirurgia e da anestesia nos padrões de lactação e alimentação. Essas condutas incluem: amamentação próxima do período pré-anestésico; armazenamento do leite materno para uso posterior, quando a mãe estiver em cirurgia e recuperação anestésica; e hidratação adequada (hidratação intravenosa durante o período de jejum e fornecimento de 500 a 1.000 mL adicionais para a perda de fluidos associada à amamentação)[19] (Tabela 138.1).

Tabela 138.1 Condutas pré-anestésicas sugeridas na paciente amamentando.[19]

Amamentação próxima do início do procedimento anestésico-cirúrgico

Armazenamento pré-operatório de leite enquanto a mãe estiver impossibilitada de amamentar

Hidratação materna adequada durante o jejum pré-anestésico

■ FÁRMACOS MAIS FREQUENTEMENTE UTILIZADOS

Benzodiazepínicos

Midazolam

Um estudo recente que avaliou a concentração do midazolam no leite materno foi publicado em 2023 no periódico *Breastfeeding Medicine* e incluiu 20 mães que amamentavam que receberam uma dose única de 10 mg de midazolam.[20,21] Os resultados do estudo mostraram que os níveis de midazolam no leite materno variaram de 0,02 a 0,18 mcg/mL, sendo que a concentração média de midazolam no leite materno foi de 0,08 mcg/mL.[21] Os níveis de midazolam no leite materno foram maiores nas primeiras 6 horas após a administração do medicamento e diminuíram gradualmente ao longo do tempo e não foram detectáveis 24 horas após a administração do medicamento.[21] O estudo concluiu que os níveis de midazolam no leite materno são geralmente baixos e que o risco de efeitos adversos no lactente é baixo.[20,21]

Outro estudo recente que avaliou a concentração do midazolam no leite materno foi publicado em 2022 no periódico *Journal of Clinical Pharmacology and Therapeutics* e incluiu 10 mães que amamentavam que receberam uma dose única de 15 mg de midazolam.[22] Os resultados do estudo mostraram que os níveis de midazolam no leite materno variaram de 0,03 a 0,12 mcg/mL, sendo que a concentração média de midazolam no leite materno foi de 0,07 mcg/mL.[22] Os níveis de midazolam no leite materno foram maiores nas primeiras 4 horas após a administração do medicamento e diminuíram gradualmente ao longo do tempo e não foram detectáveis 24 horas após a administração do medicamento.[22] O estudo também concluiu que os níveis de midazolam no leite materno são geralmente baixos e que o risco de efeitos adversos no lactente é baixo.[20,22]

Diazepam

O diazepam e seus metabólitos ativos, como o nordiazepam, apresentam longa meia-vida plasmática, sendo identificados no leite materno e acumulando-se nos lactentes, especialmente quando administrados de forma repetida. Após uma dose única, para sedação ou medicação pré-

-anestésica, geralmente não há necessidade de espera para retomar a amamentação. Entretanto, uma abordagem mais cautelosa consiste em esperar um período de 6 a 8 horas antes de reiniciar a amamentação para minimizar a absorção, pela criança, do benzodiazepínico ou de seus metabólitos. Esta conduta pode ser especialmente importante diante de um neonato prematuro.[23]

Os estudos avaliando a interferência do diazepam na amamentação são controversos. Em um relato clássico, Erkkola e Kanto[24] avaliaram três bebês amamentados desde o nascimento, enquanto suas mães estavam recebendo diazepam 10 mg a cada 8 horas. Estes autores não notaram alterações nos lactentes durante o período de observação de 6 dias.[24] Por sua vez, um estudo publicado em 2022, na Espanha, incluiu 20 lactantes que receberam uma dose única de 10 mg de diazepam. Os resultados mostraram que os lactentes de mães que tomaram diazepam apresentaram níveis mais baixos de alerta e sucção e mais altos de sonolência do que os lactentes de mães que não tomaram diazepam.[25]

Devido a essas características, outros benzodiazepínicos são preferidos, e o diazepam deve ser evitado durante a amamentação de lactentes recém-nascidos e/ou prematuros.

Opioides

Fentanil

Fentanil administrado por via espinhal durante ou logo após o parto é geralmente seguro para o bebê.[26] Um ensaio clínico com 345 mulheres mostrou que a dose de fentanil administrada por via espinhal não afeta o sucesso da amamentação após 6 semanas, sendo que as concentrações de fentanil e bupivacaína no sangue da mãe e no cordão umbilical foram semelhantes entre as mulheres que interromperam a amamentação (de 3% a 6%) e aquelas que continuaram a amamentar.[26] No entanto, há estudos com resultados conflitantes, o que pode ser explicado, em muitos casos, por problemas metodológicos, como falta de padronização na técnica anestésica ou nas doses utilizadas, além da heterogeneidade das populações estudadas, como resultado de desenhos deficientes de muitos dos estudos.[26]

Atualmente, não há necessidade de esperar ou descartar o leite antes de retomar a amamentação após o uso de fentanil para procedimentos curtos, como endoscopia. Após a anestesia geral, a amamentação pode ser retomada assim que a mãe estiver suficientemente recuperada para amamentar.[27]

Alfentanil

Por sua característica farmacocinética de alta ligação proteica (90%), estima-se que a quantidade de alfentanil que passa para o leite seja menor que a dos outros opioides, sugerindo a possibilidade da sua utilização em dose única ou por um curto período de tempo. Entretanto, não há estudos avaliando quando este fármaco é administrado em doses repetidas.[28]

Sufentanil

Um estudo publicado em 2022 avaliou a concentração de sufentanil no leite materno de 10 mulheres que receberam o opioide por via peridural durante o parto.[29] Os resultados mostraram que a concentração média de sufentanil no leite materno foi de 0,02 mcg/mL.[29] Dessa forma, quando utilizado em baixas doses e/ou por curtos períodos de tempo, é improvável que a utilização de sufentanil cause danos ao lactente. Entretanto, doses maiores como as utilizadas em infusão contínua devem ser evitadas devido ao seu perfil farmacocinético favorável ao acúmulo e consequente aumento de sua concentração no leite materno.[29]

Recém-nascidos de mães que amamentaram e receberam sufentanil peridural antes e após a cesariana não foram afetados clinicamente e não apresentaram diferenças de comportamento ou sinais clínicos durante três dias após o parto, em comparação com os recém-nascidos de mães que receberam sufentanil peridural apenas antes do parto.[29,30]

Remifentanil

A estrutura química do remifentanil o torna suscetível ao metabolismo por esterases plasmáticas e teciduais, o que caracteriza sua meia-vida ultracurta. Dessa forma, é improvável sua passagem para o leite, sendo considerada sua administração na nutriz segura para os lactentes.[31]

Morfina

A morfina em doses convencionais é considerada medicação segura durante a amamentação, pois apresenta reduzida transferência para o leite (dose detectável de 1% a 2% da dose materna), com improvável atividade farmacológica.[32] A administração contínua e/ou em doses repetidas, como aquelas utilizadas em analgesias controladas pela paciente, devem ser evitadas pelo risco de acúmulo no lactente em decorrência da imaturidade do seu metabolismo, porém não há evidências de que a morfina cause efeitos adversos no bebê.[32] Dessa forma, a administração de morfina peridural e intratecal são consideradas seguras durante a amamentação, com concentrações baixíssimas detectáveis no colostro e no leite maduro.[33]

Meperidina

Apesar de baixa transferência para o leite materno, a meperidina e seu metabólito normeperidina estão associados à depressão e à sedação neonatal intensas por até 36 horas, mesmo quando administrada em dose única. Assim, recém-nascidos que foram expostos a doses repetidas devem ser monitorizados devido ao risco de depressão respiratória, bradicardia e convulsões.[34]

Codeína

Em 2006, uma publicação chamou a atenção para o uso da codeína em pacientes amamentando.[35] Neste artigo, há o relato da morte de um lactente cuja nutriz estava utilizando codeína no período puerperal.[35] Foi identificado que essa paciente, devido a uma variabilidade genética da enzima CYP2D6, apresentava metabolização ultrarrápida do fármaco, o que resultou em níveis elevados de morfina no leite materno, causando a depressão neonatal.[35] Além disso, 4 casos prováveis de apneia associados à ingestão materna

de codeína de 60 mg a cada 4 a 6 horas foram relatados em lactentes de 4 a 6 dias de idade a termo e amamentados em curto prazo, porém a apneia regrediu 24 a 48 horas após a suspensão do aleitamento materno e a suspensão da codeína materna.[36,37] Em um estudo caso-controle de 12 recém-nascidos a termo amamentados com episódios inexplicados de apneia, bradicardia ou cianose durante a primeira semana de vida, o uso materno de codeína oral foi determinado como a causa provável.[36,37] Portanto, este medicamento não deve ser utilizado em pacientes que estão amamentando.[36,37]

Hipnóticos e Adjuvantes

A utilização de propofol e etomidato é considerada segura na lactação, com passagens insignificantes para o leite materno. Não há necessidade de descarte do alimento, e a amamentação pode ser realizada após a recuperação anestésica.[37,38] Não foram encontradas diferenças na perda de peso ou na necessidade de fototerapia dos lactentes cujas mães receberam cetamina em dose baixa (<1 mg/kg) e alta dose (≥1 mg/kg).[57,58] Um pequeno estudo preliminar, sobre o uso de cetamina para a prevenção da depressão pós-parto após cesariana, ofereceu às mães placebo e cetamina 0,5 mg/kg por injeção subcutânea ou intravenosa.[57,58] Não houve diferença estatística nas taxas de aleitamento materno. Por sua vez, há poucos estudos disponíveis sobre a transferência da cetamina para o leite materno.[57,58] Aconselha-se que se evite este hipnótico durante a amamentação, especialmente pelo seu risco potencial de neurotoxicidade neonatal.[12]

Com relação aos alfa$_2$-agonistas, a dexmedetomidina apresenta transferência mínima para o leite materno, podendo ser utilizada com segurança.[39] Por outro lado, a clonidina apresenta um perfil farmacocinético que favorece o acúmulo tecidual. Assim, é possível a ocorrência de efeitos colaterais significativos nos neonatos, especialmente quando administrada via intravenosa ou oral. Entretanto, seu uso é aceito em dose única como adjuvante na anestesia neuraxial.[40]

Anestésicos Locais

Os anestésicos locais são fármacos que apresentam moléculas grandes (>200 daltons) e polarizadas, características farmacocinéticas que lhes conferem baixa transferência para o leite materno. Sua administração em doses clínicas convencionais é considerada segura durante a amamentação.[12]

Bloqueadores Neuromusculares

Os bloqueadores neuromusculares apresentam um perfil farmacocinético (baixa lipossolubilidade e elevada fração ionizada) que favorece sua permanência no plasma, dificulta sua difusão tecidual e, consequentemente, a passagem para o leite materno. A succinilcolina é rapidamente metabolizada pela pseudocolinesterase e por outras esterases plasmáticas. Da mesma forma que toda substância com metabolismo predominantemente no plasma, apresenta transferência muito limitada para o leite.[41]

Agentes de Reversão do Bloqueio Neuromuscular

Neostigmina

Os dados disponíveis são limitados em relação à transferência da neostigmina para o leite materno e suas possíveis consequências no lactente. Um estudo em pacientes portadoras de *miastenia gravis*, tratadas com anticolinesterásicos, avaliou a amamentação em 6 lactentes. Os autores identificaram, nesta baixa casuística, uma adequada adesão ao processo de amamentação, e apenas 1 lactente apresentou cólica abdominal.[42] Com os dados atualmente disponíveis, aliados à sua meia-vida curta e à utilização em dose única durante a reversão do bloqueio neuromuscular, é improvável que esse fármaco cause algum dano ao recém-nascido, sendo considerado compatível com a amamentação.[43]

Sugamadex

O sugamadex é um agente relativamente novo e carecem estudos sobre seu uso clínico na amamentação. Porém, ao avaliar as características farmacocinéticas desse medicamento (alto peso molecular, elevado grau de ionização, baixa biodisponibilidade via oral), a transferência desse agente do plasma para o leite é provavelmente muito reduzida. Dessa forma, pode-se concluir que seu uso é aceitável na lactação.[44]

Analgésicos e Anti-inflamatórios

Os medicamentos anti-inflamatórios são caracterizados por uma alta ligação às proteínas e uma baixa solubilidade lipídica, considerando-os geralmente seguros durante a amamentação. No entanto, é aconselhável evitar o uso desses medicamentos em mães cujos bebês tenham problemas de disfunção plaquetária ou anormalidades cardíacas dependentes do canal arterial patente. Entre os anti-inflamatórios, o ibuprofeno, o naproxeno e os coxibes são os mais estudados e considerados seguros, com o ibuprofeno sendo a escolha preferencial da maioria dos especialistas.[45]

O ácido acetilsalicílico apresenta alta fração ionizada, com pouca transferência para o leite materno. Porém, se utilizado em doses repetidas ou elevadas (> 3 g por dia), pode causar disfunção plaquetária no lactente. Se necessário, seu uso terapêutico deve ser limitado às doses mais baixas.[46]

O paracetamol é outro analgésico comumente utilizado durante a amamentação. Identificamos apenas um relato de uma criança de 2 meses de idade que supostamente apresentou uma erupção cutânea após exposição ao paracetamol através do leite materno.[47] Por ser encontrado em baixos níveis no leite materno e como outros efeitos adversos nos lactentes não têm sido descritos com este agente, com base em sua larga experiência clínica, o paracetamol tem sido considerado seguro durante a amamentação.[48] Além disso, quando necessário, é administrado a lactentes em doses mais elevadas do que receberiam do leite materno, o que reforça seu perfil de segurança para utilização durante a lactação.[48] Em diversos locais, é considerado o analgésico padrão recomendado para as nutrizes.[12]

A dipirona não está disponível comercialmente na América do Norte e em alguns países europeus devido ao risco potencial de efeitos adversos graves, sendo a agranulocitose o mais significativo deles. Muitos outros países, incluindo o Brasil, possuem uma vasta experiência no uso desse medicamento, com relatos de efeitos colaterais consideravelmente reduzidos. Não há registros na literatura que estabeleçam uma ligação definitiva entre o uso da dipirona por gestantes e mães lactantes e qualquer efeito adverso em recém-nascidos. No entanto, a literatura médica dos Estados Unidos não recomenda seu uso nesse período devido à falta de dados conclusivos e à limitação das informações disponíveis.[49] Há apenas um relato de caso envolvendo um lactente de 42 dias que apresentou dois episódios de cianose após a mãe ter ingerido três doses de dipirona de 500 mg (18, 7 e 2 horas antes do primeiro episódio). Os autores atribuíram esse evento à administração do medicamento, uma vez que sua presença foi identificada no leite materno, no soro e na urina do bebê.[50]

Diante da ausência de outros relatos e de estudos mais abrangentes, consideramos que o uso em curto prazo da dipirona não é uma contraindicação para a amamentação. No entanto, pode-se considerar o uso de alternativas potencialmente mais seguras.[51]

Antieméticos

A maioria dos antieméticos é seguro durante a amamentação. Deve ser dada preferência para aqueles que causam menos efeitos sedativos. Os antagonistas dos receptores serotoninérgicos ($5HT_3$), como a ondansetrona, podem ser utilizados na profilaxia ou no tratamento para náuseas e vômitos no pós-operatório (NVPO). Um estudo aleatorizado, duplamente encoberto, comparou o placebo ao ondansetrona 4 mg intravenoso, administrado após a cesariana, na profilaxia para NVPO. Os autores não identificaram diferença significativa no tempo da primeira amamentação entre os dois grupos estudados.[52]

Antibióticos

A maioria dos antibióticos é compatível com a amamentação. Diversos grupos como as penicilinas, as cefalosporinas, o ácido clavulânico, os macrolídeos e o metronidazol podem ser utilizados com mínima transferência para o leite materno.[12] Entretanto, há relatos da associação das quinolonas à etiologia de uma possível artropatia em modelos animais, por isso não devem ser terapia de primeira linha em mulheres que amamentam.[53,54]

As condutas envolvendo alguns dos principais agentes utilizados na anestesia e as respectivas recomendações para uso durante a amamentação estão sumarizadas na Tabela 138.2.

■ CONCLUSÃO

O anestesiologista precisa ter um conhecimento amplo dos fármacos que administra ao seu paciente durante todo o período perioperatório, tentando evitar interrupções desnecessárias da amamentação e utilização de tratamentos farmacológicos desnecessários à puérpera. A comunicação

Tabela 138.2 Alguns dos principais agentes utilizados na anestesia e as respectivas recomendações para uso durante a amamentação.	
Fármacos	**Recomendações durante a amamentação**
Midazolam	Intervalo de quatro horas para reinício da amamentação após dose única.[22]
Diazepam	Deve ser evitado durante a amamentação de lactentes recém-nascidos e/ou prematuros.[25]
Morfina	Apresenta transferência limitada para o leite. A administração de doses repetidas deve ser evitada pelo risco de acúmulo em decorrência de possível imaturidade metabólica do lactente. A administração espinhal é considerada segura durante a amamentação.[32,33]
Fentanil	Sem necessidade de descarte de leite ou intervalos na amamentação em procedimentos curtos como sedações. Após a anestesia geral, pode ser retomada assim que a mãe se recuperar suficientemente para amamentar.[22,27]
Alfentanil	Dados na literatura insuficientes para definir critérios de segurança em administrações repetidas ou em infusão contínua. Perfil farmacocinético favorável sugere possibilidade de uso em bolus isolado.[28]
Sufentanil	Provavelmente seguro quando utilizado em baixas doses e/ou por curto período de tempo. Doses maiores ou infusões contínuas devem ser evitadas devido ao perfil farmacocinético favorável ao acúmulo.[29,30]
Remifentanil	Metabolismo plasmático torna improvável uma passagem significativa para o leite. A administração na nutriz é considerada segura para os lactentes.[31]
Codeína	Não deve ser utilizada em pacientes que estão amamentando pela possibilidade do desencadeamento de depressão respiratória neonatal.[36]
Meperidina	Associada à depressão e à sedação neonatal intensas por até 36 horas, mesmo quando administrada em dose única. Uso desaconselhado durante a amamentação.[34]
Propofol	Utilização considerada segura na lactação, com passagem insignificante para o leite materno. Não há necessidade de descarte do alimento e a amamentação pode ser realizada após a recuperação anestésica.[37,38]
Etomidato	Utilização considerada segura na lactação, com passagem insignificante para o leite materno. Não há necessidade de descarte do alimento e a amamentação pode ser realizada após a recuperação anestésica.[37,38]
Cetamina	Administração desaconselhada durante a amamentação pelo risco potencial de neurotoxicidade neonatal.[12]
Dexmedetomidina	Transferência mínima para o leite materno, podendo ser utilizada com segurança.[39]
Clonidina	Perfil farmacocinético que favorece o acúmulo tecidual. Uso aceito em dose única como adjuvante na anestesia neuraxial.[40]
Anestésicos locais	Características farmacocinéticas conferem baixa transferência para o leite materno. A administração em doses clínicas convencionais é considerada segura durante a amamentação.[12]
Succinilcolina	Rápido metabolismo plasmático e alto grau de ionização limitam marcadamente a transferência para o leite. Administração isolada é considerada segura.[41]
Bloqueadores neuromusculares adespolarizantes	Passagem limitada para o leite pelas características físico-químicas, permitindo o uso na anestesia durante a amamentação.[43]
Neostigmina	Poucos dados disponíveis. É improvável que a utilização em dose única cause danos ao recém-nascido, sendo considerada compatível com a amamentação.[43]
Sugamadex	Poucos dados disponíveis. Características farmacocinéticas dificultam a transferência para o leite. Uso é atualmente aceito durante a lactação.[44]

deve ser ampla e multidisciplinar, e os riscos e benefícios devem ser esclarecidos à paciente, empregando-se sempre um monitoramento cuidadoso da puérpera durante o uso de agentes anestésicos.

Existem excelentes referências e banco de dados disponíveis quando há dúvidas em relação a quais medicamentos podem ser utilizados e os intervalos recomendados de suspensão da amamentação. Informações atualizadas podem ser acessadas *on-line* no banco de dados sobre drogas e lactação (*Drugs and Lactation Database* – LactMed)[24] do *National Center for Biotechnology Information (NCBI)* e no *Centers for Disease Control and Prevention (CDC).*[55]

As evidências atuais sugerem que uma exposição padrão e única a anestésicos gerais e/ou regionais não deve ser vista como um impedimento à amamentação. Estando a nutriz recuperada no pós-operatório, a amamentação pode ser realizada sem nenhuma recomendação especial para a imensa maioria das pacientes.[56]

REFERÊNCIAS

1. Bier JB, Oliver T, Ferguson A, et al. Human milk reduces outpatient upper respiratory symptoms in premature infants during their first year of life. J Perinatol. 2002;22:354-9.
2. Chen A, Rogan WJ. Breastfeeding and the risk of postneonatal death in the United States. Pediatrics. 2004;113:435-9.
3. Chulada PC, Arbes SJ, Dunson D, et al. Breast-feeding and the prevalence of asthma and wheeze in children: analyses from the Third National Health and Nutrition Examination Survey. J Allergy Clin Immunol. 2003;111:328-36.

4. Chua S, Arulkumaran S, Lim I, et al. Influence of breastfeeding and nipple stimulation on postpartum uterine activity. Br J Obstet Gynaecol. 1994;101:804-5.
5. Kennedy KI, Labbok MH, Van Look PF. Lactational amenorrhea method for family planning. Int J Gynaecol Obstet. 1996;54:55-7.
6. Lee SY, Kim MT, Kim SW, et al. Effect of lifetime lactation on breast cancer risk: a Korean women's cohort study. Int J Cancer. 2003;105:390-3.
7. Ministério da Saúde do Brasil - Cadernos de Atenção Básica - Saúde da criança: aleitamento materno e alimentação complementar. 2a ed. Brasília, 2015. p. 81.
8. Wang J, Johnson T, Sahin L, et al. Evaluation of the safety of drugs and biological products used during lactation: workshop summary. Clin Pharmacol Ther. 2017;101: 736-44.
9. Alves DC, de Oliveira SV, de Almeida MP, de Carvalho AL, de Oliveira MA, de Carvalho RS. Effect of epidural analgesia on breastfeeding: A systematic review and meta-analysis. BMJ Open. 2022;12(10):e058663.
10. Ding X, Zhang J, Zhao L, Zhao X. Effects of epidural analgesia on breastfeeding: A systematic review and meta-analysis. PLOS One. 2023;18(6):e0260499.
11. Lee AI, McCarthy RJ, Toledo P, et al. Epidural labor analgesia-fentanyl dose and breastfeeding success: a randomized clinical trial. Anesthesiology. 2017;127:614-24.
12. American Academy of Pediatrics, Committee on Drugs. The transfer of drugs and other chemicals into human milk. Pediatrics. 2022;149(2):e20213236.
13. Breastfeeding Medicine. Medications and breastfeeding. Breastfeeding Medicine. 2022;17(6):383-400.
14. Lobkova N, Wolf EW. Performing elective surgery on the breastfeeding patient: a review of the literature. Foot Ankle Specialist. 2014;7:225-30.
15. Anderson GD. Using pharmacokinetics to predict the effects of pregnancy and maternal–infant transfer of drugs during lactation. Exp Opin Drug Metabol Toxicol. 2006;2:947-60.
16. Begg EJ, Duffull SB, Hackett LP. Studying drugs in human milk: time to unify the approach. J Hum Lact. 2018;18:323-32.
17. Chaves RG, Lamounier JA, César CC. Medicamentos e amamentação: atualização e revisão aplicadas à clínica materno-infantil. Rev Paul Pediatr. 2007;25:276-88.
18. Auerbach KG. Breastfeeding and maternal medication use. J Obstet Gynecol Neonatal Nurs. 1999;28:554-63.
19. Chu TC, McCallum J, Yii MF. Breastfeeding after anaesthesia: a review of the pharmacological impact on children. Anaesth Intesive Care. 2013;41:35-40.
20. Nitsun M , Szokol JW, Saleh HJ, et al. Pharmacokinetics of midazolam, propofol, and fentanyl transfer to human breast milk. Clin Pharmacol Ther. 2006;79:549-57.
21. Demirci M, Ozcan F, Torun Y, Ozcelik B. Midazolam concentrations in breast milk after a single dose of intravenous administration. Breastfeeding Medicine. 2023;18(2):105-10.
22. Barton RJ, Lee J. Midazolam pharmacokinetics in breast milk following a single intravenous dose of 15 mg. Journal of Clinical Pharmacology and Therapeutics. 2022;57(2):239-244.
23. US National Library of Medicine - National Institutes of Health. Drugs and Lactation Database (LactMed). Disponível em: https://toxnet.nlm.nih.gov/ newtoxnet/lactmed. htm. (Acessado em: apr. 2020)
24. Erkkola R, Kanto J. Diazepam and breast-feeding. Lancet. 1972;299:1235-6.
25. Diaz A, Garcia L, Garcia J. The effects of diazepam on newborn infants following breastfeeding. Journal of Pediatrics. 2022;223:109-14.
26. Lee AI, McCarthy RJ, Toledo P, Jones MJ, White N, Wong CA. Epidural Labor Analgesia—Fentanyl Dose and Breastfeeding Success: A Randomized Clinical Trial. Anesthesiology. 2017;127:614–24.
27. Vargo JJ, DeLegge MH, Feld AD, et al. Multisociety sedation curriculum for gastrointestinal endoscopy. Gastrointest Endosc. 2012;76:1-25.
28. Lind JN, Perrine CG, Li R. Relationship between use of labor pain medications and delayed onset of lactation. J Hum Lact .2014;30:167-73.
29. Y.A. El-Sheikh, M.A. El-Hawary, M.A. El-Khodary, et al. Sufentanil Concentration in Human Milk After Epidural Administration for Labor Analgesia. Journal of Clinical Pharmacology and Therapeutics. 62, Epub 2022.
30. Cuypers L, Wiebalck A, Vertommen JD, et al. Epidural sufentanil for postcesarean pain: breast milk levels and effects on the baby. Acta Aneasthiol Belg. 1995;46:104-5.
31. Stuttmann R, Schafer C, Hilbert P, et al - The breast feeding mother and xenon anaesthesia: four case reports. Breast feeding and xenon anaesthesia. BMC Anesthesiol. 2010;10:1.
32. Reece-Stremtan S, Campos M, Kokajko L, et al. ABM Clinical Protocol #15: Analgesia and anesthesia for the breastfeeding mother (revised 2017). Breastfeed Med. 2017;12:500-6.
33. Mahomed K, Wild K, Brown C, et al. Does fentanyl epidural analgesia affect breastfeeding: a prospective cohort study. Aust N Z J Obstet Gynaecol. 2019;59:819-24.
34. Wittels C, Scott DT, Sinatra RS. Exogenous opioids in human breast milk and acute neonatal neurobehavior: a preliminary study. Anesthesiology. 1990;73:864-9.
35. Koren G, Cairns J, Chitayat D, et al. Pharmacogenetics of morphine poisoning in a breastfed neonate of a codeine-prescribed mother. Lancet. 2006;368:704.
36. Davis JM, Bhutani VK. Neonatal apnea and maternal codeine use. Pediatr Res. 1985;19(4 Pt 2):170A. [Abstract]. doi: 10.1203/00006450-198504000-00389.
37. Naumburg EG, Meny RG. Breast milk opioids and neonatal apnea. Am J Dis Child. 1988;142:11–2.
38. Karasu D, Yilmaz C, Ozgunay SE, et al. A comparison of the effects of general anaesthesia and spinal anaesthesia on breastfeeding. C R Acad Bulg Sci. 2018;71:993-1000.
39. Nakanishi R, Yoshimura M, Suno M, et al. Detection of dexmedetomidine in human breast milk using liquid chromatography-tandem mass spectrometry: application to a study of drug safety in breastfeeding after cesarean section. J Chromatogr B Analyt Technol Biomed Life Sci. 2017;1040:208-13.
40. Sevrez C, Lavocat MP, Mounier G, et al. Transplacental or breast milk intoxication to clonidine: a case of neonatal hypotonia and drowsiness. Arch Pediatr. 2014;21:198-200.
41. Dalal PG, Bosak J, Berlin C. Safety of the breastfeeding infant after maternal anesthesia. Pediatr Anesth. 2014;24:359-71.
42. Fraser D, Turner JW. Myasthenia gravis and pregnancy. Proc R Soc Med. 1963;56:379-81.
43. Oliveira MRE, Santos MG, Aude DA, et al. Anestesia materna deve atrasar a amamentação? Revisão sistemática da literatura. Rev Bras Anestesiol. 2019;69:184-96.
44. Schaller SJ, Fink H. Sugammadex as a reversal agent for neuromuscular block: an evidence-based review. Core Evid. 2013;8:57-67.
45. Bloor M, Paech M. Nonsteroidal anti-inflammatory drugs during pregnancy and the initiation of lactation. Anesth Analg. 2013;116:1063-75.
46. Sachs HC. The transfer of drugs and therapeutics into human breast milk: an update on selected topics. Pediatrics. 2013;132:e796–e809.
47. Matheson I, Lunde PK, Notarianni L. Infant rash caused by paracetamol in breast milk? Pediatrics. 1985;76:651-2.
48. Spigset O, Hägg S. Analgesics and breast-feeding: safety considerations. Paediatr Drugs. 2000;2:223-8.
49. Sabo A, Stanulovic M, Jakovljevic V, et al. Collaborative study on drug use in pregnancy: the results of the follow-up 10 years after. Pharmacoepidemiol Drug Saf. 2001;10:229-35.
50. Rizzoni G, Furlanut M. Cyanotic crises in breast-fed infant from mother taking dipyrone. Hum Toxicol 1984;3:505-7.
51. Bar-Oz B, Bulkowstein M, Benyamini L, et al. Use of antibiotic and analgesic drugs during lactation. Drug-Safety. 2003;26:925-35.
52. Uerpairojkit K, Chesoh A, Budcharoentong D. Ondansetron for prophylaxis of spinal morphine induced nausea during early rooming in breastfeeding: a randomized placebo controlled trial. J Med Assoc Thai. 2017;100:1283-9.
53. Burkhardt JE, Hill MA, Carton WW. Morphologic and biochemical changes in articular cartilages of immature beagle dogs dosed with difloxacin. Toxicol Pathol. 1992;20:246-52.
54. Hale TW, Rowe HE. Medications and mothers' milk. 17th ed. New York: Springer; 2017.
55. CDC Centers for Disease Control and Prevention. Breast feeding and special circumstancies. Disponível em: https://www.cdc.gov/breastfeeding/breastfeeding-special-circumstances/index.html. (Acessado em: Apr. 2020)
56. Lang C, Geldner G, Wulf H. Anesthesia in the breast feeding period. Excretion of anesthetic agents and adjuvants into breast milk and potential pharmacological side-effects on the suckling infant. Anaesthesist. 2003;52:934-46.
57. Gilder ME, Tun NW, Carter A, et al. Outcomes for 298 breastfed neonates whose mothers received ketamine and diazepam for postpartum tubal ligation in a resource-limited setting. BMC Pregnancy Childbirth. 2021;21:121.
58. Monks DT, Palanisamy A, Jaffer D, et al. A randomized feasibility pilot-study of intravenous and subcutaneous administration of ketamine to prevent postpartum depression after planned cesarean delivery under neuraxial anesthesia. BMC Pregnancy Childbirth. 2022;22:786.

Parte 15

Anestesia em Pediatria

Características Morfofisiológicas do Recém-nascido e da Criança

Ana Carla Giosa Fujita

INTRODUÇÃO

O processo de crescimento é uma evolução que ocorre ao longo de anos e compreende o aumento de tamanho e de peso e o desenvolvimento da função dos diferentes sistemas. O estudo desses processos é extremamente abrangente, uma vez que inclui indivíduos de menos de 1 kg até aqueles de mais de 50 kg. Além dessa variação esperada, há o fato de que os processos ocorrem de maneira mais ou menos previsível dentro da espécie, com uma grande possibilidade de variações que são normais tanto na forma como no tempo em que ocorrem. No campo dos pacientes pediátricos, a variabilidade entre os indivíduos é uma realidade com a qual o profissional nunca deixará de se surpreender. A compreensão do desenvolvimento é importante para que se possa antecipar a resposta do paciente a diferentes situações, assim como para a detecção da anormalidade.

Chama-se recém-nascido o indivíduo desde o momento de seu nascimento até o 28º dia de vida. O feto a termo é aquele com idade gestacional entre 37 e 42 semanas completas. O pré-termo é aquele nascido antes de 37 semanas completas. Na literatura, as denominações "pós-termo" e "pós-data" têm sido abandonadas em favor de "gestação prolongada", ainda que exista confusão entre diferentes classificações nesse tema. Essa tendência reflete a imprecisão com a qual os termos eram utilizados em literatura e ao fato de que existe debate sobre qual a idade gestacional que pode ser considerada limite para a segurança materna e fetal. Mesmo dentro da faixa considerada "termo", sabe-se que, na análise de dados populacionais, a situação de menor morbidade neonatal é aquela em que o nascimento ocorre entre 39 e 40 semanas 6/7, e o risco de desconforto respiratório neonatal, necessidade de suporte ventilatório e admissão em unidade de terapia intensiva é maior naqueles que nascem entre 37 semanas e 38 semanas 6/7 ou após 41 semanas. Para aqueles nascidos entre 37 e 38 semanas 6/7, a mortalidade perinatal precoce é maior do que entre os nascidos mais velhos. Atualmente, a nomenclatura mais aceita define como "gestação prolongada" aquela que se estende além de 42 semanas. Em cada idade gestacional, a criança pode ser considerada pequena, adequada ou grande para a idade gestacional (PIG, AIG ou GIG). Para cada um desses estágios, há cuidados específicos buscando-se cobrir riscos particulares para aquele indivíduo.[1,2]

Inicialmente, será feito um detalhamento da fisiologia neonatal e, então, o estudo evolutivo por sistemas.

■ SISTEMA CARDIOVASCULAR E CIRCULAÇÃO DE TRANSIÇÃO

Seria desnecessário dizer que o nascimento é uma situação de profundas mudanças fisiológicas, e o indivíduo que acaba de nascer é instável e sensível a pequenas alterações do meio. O conhecimento da fisiologia intrauterina é fundamental para prever e entender os acontecimentos normais e patológicos que se espera encontrar em cada situação.

A circulação fetal intrauterina se caracteriza por três aspectos: alta resistência vascular pulmonar; baixa resistência vascular sistêmica, em função do território placentário; e a presença de três *shunts*, que são o canal arterial, o forâmen oval e o ducto venoso. A circulação fetal normalmente se dá como mostrado na Figura 139.1.

O sangue que é oxigenado na placenta chega ao feto pela veia umbilical em direção ao ramo esquerdo da veia porta. Antes que ocorra a união desses dois vasos, fica a emergência do ducto venoso (DV), que leva o sangue rico em oxigênio à veia cava inferior (VCI) sem passagem hepática. Pelo fato de o ducto venoso ser uma estrutura fina e comprida, que segue em direção a um território de baixa pressão, ocorre aceleração do fluxo nesse trajeto. Assim, o sangue que chega ao átrio direito (AD) proveniente do DV com alta energia cinética é preferencialmente desviado em direção ao átrio esquerdo (AE) pelo forâmen oval e por uma estrutura anatômica denominada *crista dividens*.[3] A fração do sangue vindo da cava inferior, pouco oxigenada e com baixa velocidade, assim como aquele que provém do segmento cefálico, enche o átrio direito, de onde é ejetado em direção ao ventrículo direito (VD). A partir do AE, o sangue mais bem oxigenado (saturação 65% a 70%) vai para o ventrículo esquerdo (VE) e para a aorta.

Então, irriga as coronárias, o sistema nervoso central (SNC) e os membros superiores. O sangue que não passou pelo forâmen oval (FO) é, portanto, ejetado pelo ventrículo direito em direção às artérias pulmonares e encontra no pulmão um território de alta resistência vascular. Por conta dessa alta resistência vascular pulmonar, grande parte desse fluxo é desviada pelo canal arterial em direção à aorta descendente e se junta a ela depois das emergências do tronco braquiocefálico, da carótida esquerda e da subclávia esquerda. Assim, essa mistura de sangue proveniente das artérias pulmonares e da aorta segue para o segmento inferior do feto e para a placenta, onde será oxigenado e terá suas excretas removidas.[4]

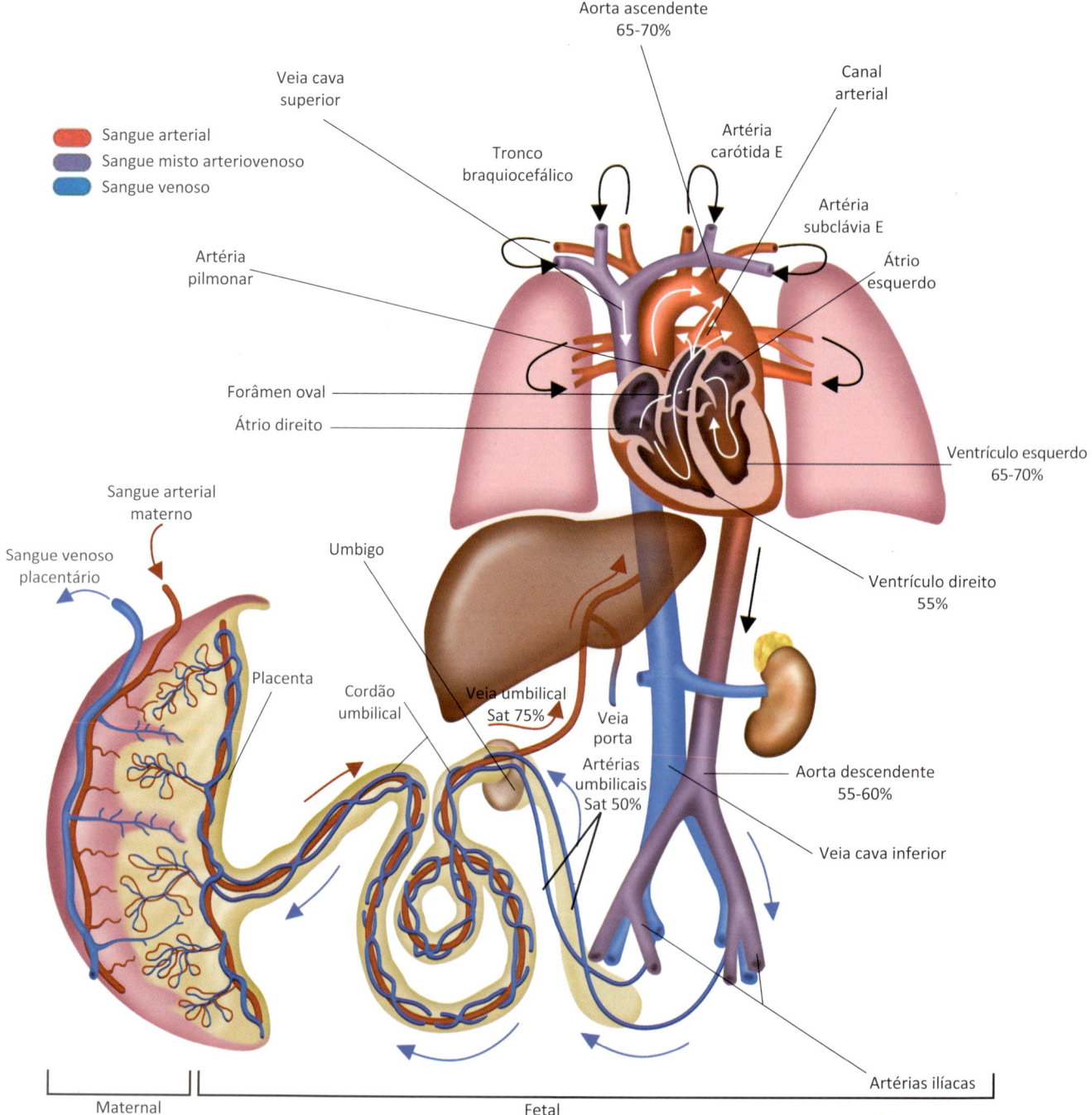

▲ **Figura 139.1** Circulação fetal.
Fonte: Hartman ME, *et al*, 2011.[5]

Na vida intrauterina, existem mecanismos de controle do fluxo que passa pelo ducto venoso e pelo canal arterial, de maneira que possibilite a adaptação em situações de hipóxia ou desconforto intrauterino. No ducto venoso, assim como na vasculatura portal, vigora o tônus simpático. Estudos em animais indicaram que o *shunt* pelo ducto venoso é de cerca de 50% a 70% do fluxo total da veia umbilical, e, nos fetos humanos, essa fração pode ser mais baixa, entre 20% e 30%. No trimestre final da gestação, existe a tendência de diminuição do fluxo pelo DV, e cerca de 80% do sangue passam pelo fígado humano, evidenciando o desenvolvimento hepático dessa fase gestacional. Nas situações de hipóxia ou hipotensão, no entanto, existe aumento do fluxo pelo DV, priorizando a distribuição de oxigênio para o miocárdio e o SNC. Mesmo o sangue que passa pelos capilares hepáticos tem uma extração de oxigênio de 10% a 15% e chega ao átrio direito relativamente bem oxigenado.[6]

O canal arterial é um vaso de grande componente muscular e que responde de maneira marcante a substâncias endógenas, como prostaglandinas, e às situações de desconforto fetal. O fluxo pelo CA é um pouco menor do que aquele indicado anteriormente em estudos de animais, e, na gestação normal de terceiro trimestre, corresponde a cerca de 20% a 25% do débito do VE. Grande parte desse controle de fluxo pelo CA se dá de forma passiva, pela oscilação da relação entre a resistência pulmonar e do canal arterial.

A circulação fetal ocorre em paralelo, sendo classicamente dividida entre via destra (AD-VD-AP) e via sinistra (FO-AE-VE-AO). No coração fetal, os dois ventrículos trabalham em paralelo, com débitos diferentes. Cerca de 60% do débito cardíaco são produzidos pelo VD, e se estima que o DC normal seja entre 400 mL e 435 mL.kg^{-1}min^{-1}.[7] A adaptação à vida extrauterina exige que o VE se torne dominante e responsável pela circulação sistêmica. Ao nascimento, há expansão alveolar pulmonar e aumento da pressão arterial de oxigênio (PaO$_2$), com consequente redução da resistência vascular pulmonar por ativação de receptores de distensão pulmonar e pela ação direta do aumento do oxigênio. O aumento do retorno venoso para o AE a partir das veias pulmonares e a diminuição da pressão no AD pela redução do retorno venoso a partir da placenta fazem que o FO passe por um fechamento funcional quando as pressões de AD e AE se aproximam. O coração esquerdo passa por aumento da pré e da pós-carga, uma vez que a perda do território placentário implica a remoção de uma grande área de baixa resistência vascular. Com base nesses acontecimentos, o VE se tornará o ventrículo dominante da vida adulta. Nas primeiras horas, a queda da resistência vascular pulmonar (RVP) faz que haja fluxo reverso pelo CA, até que ocorra o seu fechamento.

O fator primordial para que ocorra a redução da RVP parece ser a oxigenação. Após o aumento da oxigenação, ocorre o aumento da bradicinina, que age elevando a entrada de cálcio na célula endotelial. O cálcio é a molécula-chave na produção de óxido nítrico (NO) celular, que se difundirá passivamente para a célula muscular e provocará relaxamento. Após o nascimento, ocorre o aumento da atividade da NO sintetase, evidenciando esse mecanismo ativo. Além disso, acontece a inibição da ciclo-oxigenase 2 (COX-2), acarretando redução dos níveis do vasoconstritor tromboxano. No termo também ocorre predominância de prostaglandinas vasodilatadoras, como prostaciclina e prostaglandina E2 (PGE2). Após o fechamento funcional, ocorrem a migração e a proliferação celular, que acarretarão o fechamento anatômico em semanas ou meses.

O fechamento funcional do canal arterial se dá nas primeiras 10-15 horas de vida. O CA estará fechado em 98% dos recém-nascidos a termo (RNT) com 4 dias de vida. O fechamento anatômico é esperado no segundo mês de vida. O FO tem fechamento funcional nas primeiras horas e anatômico entre 3 e 12 meses de vida, podendo permanecer anatomicamente aberto em uma parcela significativa da população: 50% das crianças até 5 anos de vida e 25% a 30% dos adultos. Já o ducto venoso se fecha com 1-2 semanas, e após o 3º mês de vida há apenas um resquício fibroso da sua existência.

A Tabela 139.1 mostra valores de frequência cardíaca (FC) e pressão arterial (PA) normais *versus* idade.

Considerando o consumo de oxigênio alto nessa população – cerca de 6 mL.kg^{-1}min^{-1} –, o alto débito cardíaco faz parte de uma estratégia para garantir a oxigenação necessária em um regime de hipoxemia relativa. Outros mecanismos adaptativos são a alta concentração de hemoglobina (que aumenta a capacidade de carreamento de oxigênio) e a afinidade entre a hemoglobina fetal (HbF) e o oxigênio, permitindo que o oxigênio deixe a Hb materna para se ligar à HbF. Mesmo com o desenvolvimento dessas estratégias, o fornecimento de oxigênio e o funcionamento dos processos adaptativos ocorrem muito perto do limite de reserva funcional, mesmo na situação de normalidade.

O débito cardíaco é maior no recém-nascido do que no adulto, quando os valores são corrigidos de acordo com o peso, que corresponde a 220 mL a 350 mL.kg^{-1}min^{-1} (cerca de 2 a 3 vezes o volume no adulto), e permanece elevado (204 ±45) até o final do primeiro ano de vida. Isso é condizente com o conhecimento de que, nessa faixa etária, a taxa metabólica é elevada.

Tabela 139.1 Valores de frequência cardíaca e pressão arterial normais.

Idade	Faixa de FC média (bpm)	PA sistólica (mmHg)	PA diastólica (mmHg)
RN prematuro	120-170	55-75	35-45
0-3 meses	100-150	65-85	45-55
3-6 meses	90-120	70-90	50-65
6-12 meses	80-120	80-100	55-65
1-3 anos	70-1110	90-105	55-70
3-6 anos	65-110	95-110	60-75
6-12 anos	60-95	100-120	60-75
> 12 anos	55-85	110-135	65-85

Fonte: Hartman ME, *et al*, 2011.[5]

O coração do neonato tem características teciduais e intracelulares com repercussão direta em sua resposta à anestesia. Do ponto de vista estrutural, há menor quantidade de fibras musculares e maior quantidade de tecido conectivo e água. Além disso, as miofibrilas responsáveis pela contração miocárdica estão dispostas de maneira menos ordenada, fazendo que a contração seja menos eficiente. No interior da célula, existem dois fatores de relevância. Um é a dependência de cálcio extracelular; o que ocorre porque o retículo sarcoplasmático e os túbulos T, que armazenam e regulam a quantidade intracelular de cálcio, não estão completamente desenvolvidos. Consequentemente, o coração é sensível a fatores que alteram o cálcio plasmático, como derivados do sangue, albumina e anestésicos inalatórios. Os outros fatores relevantes são a diminuição da quantidade de mitocôndrias e o uso de glicose e lactato como fontes de energia. Diferentemente do coração dos adultos, o neonatal não é capaz de metabolizar ácidos graxos para a produção de adenosina trifosfato (ATP), porém reserva mais glicogênio e consegue manter o metabolismo anaeróbio, com maior tolerância à isquemia.

Na vida intrauterina, o sistema nervoso autônomo cardíaco tem seu funcionamento dominado pela atividade do sistema nervoso parassimpático (PSpt). Embora tanto o simpático (Spt) como o PSpt estejam presentes ao nascimento e haja receptores nos sítios efetores, o PSpt está bastante desenvolvido, enquanto o Spt terá a inervação no mesmo grau de maturidade na infância. Clinicamente, isso se traduz como um predomínio do PSpt e uma aparente facilidade em responder com bradicardia a diferentes estímulos. Pela mesma razão, os simpaticomiméticos de ação indireta têm ação reduzida, devendo ser a preferência a escolha das aminas de ação direta, como adrenalina.

Estudos em animais mostram que o coração da população nessa faixa etária tem resposta limitada a mudanças na pré e pós-carga. Em miocárdio de ovelhas, o ventrículo esquerdo responde ao aumento da pressão diastólica final com elevação da contratilidade até que a primeira se aproxime de 10 mmHg. Após esse valor de pressão, a fração e a velocidade de encurtamento da fibra não melhoram. Demonstrou-se que, nessa população, a relação de Frank-Starling existe, mas em limites mais estreitos e ainda que não plenamente funcionante.[8,9] Logo após o nascimento, ambos os ventrículos têm a mesma massa muscular e sobrecarga de volume ou falência de qualquer dos lados acarretará compressão do outro ventrículo por conta do deslocamento do septo interventricular, com redução do diâmetro diastólico final e do débito contralateral. Clinicamente, isso se manifesta como falência biventricular nas mais variadas situações. Embora tradicionalmente se tenha acreditado que o débito cardíaco é exclusivamente dependente da frequência cardíaca, sabe-se hoje que, na realidade, os mecanismos adaptativos de inotropismo e cronotropismo são funcionais e igualmente suscetíveis à falência diante de pequenos estímulos.

No período de adaptação à vida extrauterina e até que ocorra o fechamento anatômico dos *shunts* fisiológicos, os insultos da vida neonatal que causem aumento da resistência vascular pulmonar podem levar à reabertura do FO e do CA. Inicialmente, o aumento da RVP causa elevação da pressão em câmaras direitas e *shunt* pelo FO. Se a injúria for suficiente para fazer a RVP se tornar maior do que a resistência vascular sistêmica (RVS), haverá fluxo de sangue pelo CA e o pulmão será parcialmente excluído da circulação. A manutenção da hipoxemia age, então, como um fator de manutenção dessa situação desfavorável, em que ocorre o padrão fetal de circulação. O retorno para o padrão fetal pode ser causado por doença estrutural cardiopulmonar, como cardiopatia congênita, doença pulmonar ou prematuridade. Agressões agudas, como hipoxemia, acidose, hipercapnia, dor, ativação simpática e hipotermia, podem induzir às mesmas alterações. Clinicamente, isso se manifesta como hipoxemia grave e com diferença significativa da saturação medida nos membros superiores (que recebem sangue exclusivamente da aorta pré-ductal) e nos membros inferiores (que recebem sangue misto pós-ductal).

O restabelecimento do padrão normal depende da normalização da RVP. Isso pode ser conseguido por manipulação de parâmetros ventilatórios com melhora da PaO$_2$, da alcalose metabólica e respiratória, do plano anestésico e do controle da dor, diminuição das pressões de ventilação, recrutamento alveolar, melhora da ventilação e manutenção da normotermia. A ação farmacológica também é opção com o uso de vasodilatadores pulmonares, como sildenafila e óxido nítrico.

■ SISTEMA RESPIRATÓRIO

O sistema respiratório é diferente do sistema cardiovascular, uma vez que o desenvolvimento estrutural e anatômico se inicia na fase fetal e continua ao longo de anos durante a infância. A maturação anatômica e fisiológica ocorre de maneira muito evidente após o nascimento e depende de fatores variados do ambiente, como o cuidado neonatal adequado, da introdução de alimentos e do desenvolvimento da mastigação.

Ao nascimento, a criança é um respirador nasal exclusivo. A cavidade oral é totalmente ocupada pela língua, que repousa naturalmente encostada no palato, obstruindo totalmente a passagem de ar. O recém-nascido não tem coordenação das musculaturas oral e respiratória suficiente para respirar pela boca no caso de obstrução nasal até os 3-5 meses de vida, idade em que o crescimento craniano é suficiente para que haja espaço na cavidade oral e ocorra o desenvolvimento da motricidade para a abertura de vias respiratórias.

O reconhecimento da aparência facial normal de uma criança ao longo de seu crescimento é importante para que se possam traçar as melhores estratégias na abordagem daquele paciente, antever as possíveis dificuldades e também detectar anomalias que sugiram um diagnóstico sindrômico ou condições associadas. Ao nascimento, a face tem a mandíbula pequena e o rosto se mantém relativamente sem alterações até os 2 anos de idade. Nesses primeiros meses, ocorre grande parte do crescimento craniano total, e com 2 anos a criança tem o segmento cefálico com cerca de 75% do tamanho final. O desenvolvimento das estruturas da face, no entanto, é mais lento e depende da introdução gradual dos alimentos sólidos fibrosos, exigindo que a cavidade oral comporte a dentição e que a mandíbula se desenvolva tanto no sentido sagital como anteroposterior para a mastigação. A dentição decídua estará completa com 24-30 meses de vida, mas as raízes só estarão maduras após os 3 anos de idade, fazendo que seja mais fácil avulsionar um dente com manobras pouco delicadas. A partir dos 6 anos se inicia a troca dos dentes provisórios pelos permanentes, e a dentição em geral leva mais 6-8 anos para estar completa, com exceção do segundo molar, que pode nascer até os 21 anos de idade.[10] A partir dessa idade, em que passa a haver a troca de dentes, a presença de dentes moles deve ser ativamente pesquisada em função de o risco da manipulação desavisada da via respiratória poder provocar a queda do dente, um sangramento de gengiva e a liberação de um corpo estranho na cavidade oral de um paciente inconsciente.

Ao mesmo tempo em que essa frouxidão de tecidos torna o paciente dessa faixa etária mais propenso a complicações e lesão dentárias, o deslocamento da mandíbula da criança no sentido anteroposterior ocorre de maneira mais livre, com grande resultado na desobstrução de vias respiratórias superiores. A mandíbula tem o ramo e o corpo praticamente em linha reta, e a manobra de anteriorização, quando realizada, produz aumento dos espaços oral e laríngeo para o fluxo de ar. Assim como a cavidade oral, a cavidade nasal acompanha o desenvolvimento facial e passa por aumento significativo de suas dimensões no primeiro ano de vida, ganhando 67% de volume nesse período.[11]

Na região da laringe, encontram-se também particularidades anatômicas com impacto direto na anestesia. A epiglote tem formato de ômega, é alargada e tem ângulo agudo em relação à fenda glótica. Isso contrasta com a epiglote do adulto, que é plana, mais estreita e paralela em relação à glote. Quando realizada a laringoscopia direta, a epiglote da criança se assemelha a uma cortina que esconde atrás de si a fenda glótica. A laringe tem posição mais cefálica na criança (entre C_3-C_4) do que no adulto (C_4-C_5). As relações entre as estruturas vão se alterando ao longo da infância e atingem a formação final entre 10 e 12 anos de idade. Clinicamente, isso se traduz como maior incidência de complicações respiratórias em crianças, especialmente nas menores.[12,13]

Os primeiros estudos anatômicos realizados a respeito da anatomia da laringe infantil descreveram a cartilagem cricoide como o ponto mais estreito da via respiratória. A partir dessa descrição realizada por estudo em cadáveres, a laringe passou a ser descrita na infância como uma estrutura em formato de funil, com ampla abertura glótica e diminuição do calibre até a cricoide, que seria a sua porção mais estreita. Estudos posteriores, realizados com métodos de imagem em crianças anestesiadas em ventilação espontânea, apontam a possibilidade de que esse achado anterior não descreve de maneira real a anatomia funcional.[14] O ponto de maior estreitamento pode ser a fenda glótica por ação muscular, porém é no tecido não distensível da cartilagem cricoide anelar, ao redor da traqueia, que se pode encontrar a maior limitação funcional. Clinicamente, esse conhecimento implica a necessidade de cuidados minuciosos na pressão exercida pela cânula traqueal na mucosa, uma vez que é possível progredir uma cânula sem dificuldade pela laringe, porém com compressão da região glótica quando há atividade muscular adutora da laringe. Esse achado anatômico é compatível com a observação de que grande parte das lesões relacionadas com intubação prolongada ocorre em pregas vocais e na região imediatamente abaixo delas, a subglote.

Os reflexos protetores de vias respiratórias também passam por modificação e desenvolvimento. Na vida intrauterina, os pulmões são preenchidos com líquido secretado pelo epitélio pulmonar, e a aspiração de líquido amniótico é indesejável e prevenida por proteção laríngea ativa. Sabe-se que o volume pulmonar em repouso é maior quando ocupado por líquido dentro do útero do que a capacidade residual funcional após o nascimento. Apesar disso, a tosse não existe na vida fetal, e, após o nascimento, leva ainda alguns meses para adquirir a sua característica de grande defesa da via respiratória. Estudos feitos em animais e humanos demonstram que a estimulação da laringe, especialmente a epiglote, as pregas ariepiglóticas e o espaço interaritenóideo, com pequenos volumes líquidos leva ao reflexo de deglutição, fechamento da glote, apneia central e tosse. Esse reflexo de proteção laríngea em humanos é mais evidente após instilação de água ou conteúdo ácido, mas pode ser deflagrado, ainda que com menor intensidade, com volumes bem menores, como 0,1 mL de soro fisiológico.[15,16] O que foi observado é que as respostas mudam ao longo do desenvolvimento: no recém-nascido pré-termo (RNPT), a principal manifestação é a apneia, podendo ser prolongada e associada à bradicardia; no RNT, a apneia passa a ser menos frequente e mais curta, e, na criança mais velha, a tosse passa a existir. Os receptores laríngeos responsáveis pela deflagração do processo são de adaptação lenta e, portanto, as respostas se mantêm até que o estímulo seja retirado. Nessa situação, a apneia deixa de ser um mecanismo de defesa para ser uma ocorrência potencialmente fatal. São potencializadores da inibição respiratória no período neonatal: prematuridade, hipertermia, sedação, exposição ao cigarro, anemia, laringite secundária a refluxo gastroesofágico, hipóxia, hipercarbia e infecção pelo vírus sincicial respiratório.[17,18]

A árvore brônquica desenvolve-se até a 16ª semana de gestação. A partir daí, inicia-se a formação dos alvéolos, que continuam aumentando em número após o nascimento. Há evidências de que a formação de alvéolos, assim como seu crescimento em tamanho, ocorra até o final da adolescência.[18]

Nos primeiros anos de vida, os poros de Kohn e os ductos de Lambert, que são respectivamente comunicações entre os alvéolos e entre os alvéolos e bronquíolos estão em desenvolvimento. Esse fato faz que os alvéolos funcionem como estruturas isoladas, e não como uma rede em que a pressão pode ser equilibrada e distribuída entre as diferentes unidades, como nas crianças mais velhas. Essa particularidade anatômica adiciona mais um fato de risco para a formação de atelectasias.[19]

Nos alvéolos, a interface entre líquido e gás é possível graças à presença do surfactante, que previne a atelectasia. O surfactante começa a ser produzido com 23-24 semanas, mas só é suficiente perto da 35ª semana. A criança que nasce com quantidade inadequada de surfactante tem pulmões com distúrbio V-Q por atelectasias e baixa complacência. A administração de corticoide antenatal, nas situações em que se prevê parto prematuro, o uso de surfactante por cânula endotraqueal e o uso de pressão expiratória positiva final (PEEP) foram grandes avanços que permitiram que essas crianças sobrevivessem à insuficiência respiratória da prematuridade e certamente alguns dos fatores mais importantes no aumento do sucesso dos cuidados de prematuros.

Ainda que as vias condutivas estejam formadas desde o nascimento, a própria dimensão dessas estruturas anatômicas adiciona dificuldade no processo de respiração normal. O diâmetro reduzido de todas as vias condutivas produz aumento da resistência à passagem do ar (Figura 139.2). Caso se considere que a resistência ao fluxo laminar é inversamente proporcional à quarta potência do raio, e, no fluxo turbilhonar, à quinta potência, resultará que qualquer mínima reação de edema na via respiratória da criança será expressa como aumento da resistência, o que é muito mais significativo nessa população do que no adulto. Além disso, a traqueia tem a estrutura cartilaginosa flexível e pode sofrer colapso dinâmico durante a inspiração forçada, quando a pressão negativa produzida pela musculatura respiratória é maior do que aquela que a sustentação cartilaginosa é capaz de suportar. A resistência ao fluxo de ar sofre, de fato, uma grande redução ao longo do desenvolvimento. As grandes vias, condutivas, têm alteração menos significativa do que as periféricas. A resistência ao nascimento é de 28 $cmH_2O/L/s$ e passa para 2 $cmH_2O/L/s$ na idade adulta, com grande queda perto dos 5 anos de idade.

O desenvolvimento da vasculatura pulmonar acontece durante os primeiros 2 anos de vida. Ao nascimento, há escassez relativa de artérias no pulmão. Nesses primeiros dois anos, ocorrem proliferação arteriolar, afilamento da camada muscular arterial proximal e extensão no sentido distal. Com a melhora das condições de circulação pulmonar e de trocas sanguíneas, espera-se que, aos 6 meses de vida, a criança saudável tenha RVP comparável com a do adulto. Mesmo bem desenvolvida aos 6 meses, a vascularização pulmonar, especialmente a arterial, só estará completa ao final da adolescência. A vasculatura pulmonar pediátrica é altamente reativa a estímulos e essa característica pode ser explorada pelo clínico, uma vez que a resistência vascular pode ser manipulada de diferentes maneiras. A elevação da RVP acima da RVS pode causar circulação fetal persistente, situação grave e potencialmente fatal de hipoxemia refratária, falência de VD, *shunt* D-E e ameaça à vida.

Algumas das características com maior impacto na mecânica pulmonar são a conformação e a complacência da caixa torácica. O volume pulmonar em repouso é determinado pelo equilíbrio entre a força de recolhimento elástico do parênquima pulmonar, que tende ao colapso, e a força de expansão do arcabouço ósseo. No parênquima, são determinantes tanto a composição do tecido pulmonar como a interface ar-líquido no interior dos alvéolos e o equilíbrio de pressão entre as diferentes unidades. Na criança recém-nascida, a complacência do sistema respiratório é o resultado do equilíbrio dessas duas forças opostas. Nos primeiros meses de vida, a complacência do sistema é praticamente igual à complacência pulmonar isolada, o que se explica pela alta complacência do tórax. As implicações são marcantes. Em primeiro lugar, as vias respiratórias distais, especialmente nas áreas dependentes, podem sofrer compressão e atelectasias. Em segundo, a pressão transpulmonar é baixa: a pressão negativa produzida pela musculatura pode provocar deformação da caixa torácica em vez de fluxo de ar. Quanto mais unidades alveolares sofrerem colapso, menor será a complacência pulmonar e maiores a resistência e a deformação da caixa torácica causada pelo esforço, formando um círculo vicioso em que o trabalho muscular é excessivo e não se traduz em melhor oxigenação.[20]

A caixa torácica durante a infância tem as costelas posicionadas horizontalmente a partir da coluna. Na inspiração, há pouca movimentação desse arcabouço ósseo e o fluxo de ar depende, quase exclusivamente, da contração diafragmática e da movimentação do conteúdo torácico em direção ao abdome. Na vida adulta, a inspiração causa um aumento do diâmetro anteroposterior, uma vez que as costelas não estão paralelamente dispostas na horizontal. A arquitetura do tórax na criança pequena, os fatores mecânicos discutidos anteriormente, assim como o diâmetro reduzido das vias respiratórias fazem que o trabalho respiratório do RN seja três vezes maior do que do adulto.

Diante dessa anatomia com diferentes aspectos que favorecem o colabamento de vias respiratórias terminais e do grande consumo de oxigênio, o neonato tem alguns mecanismos para minimizar as atelectasias e melhorar a eficiência respiratória. A capacidade residual funcional situa-se bem acima do volume residual – aquele

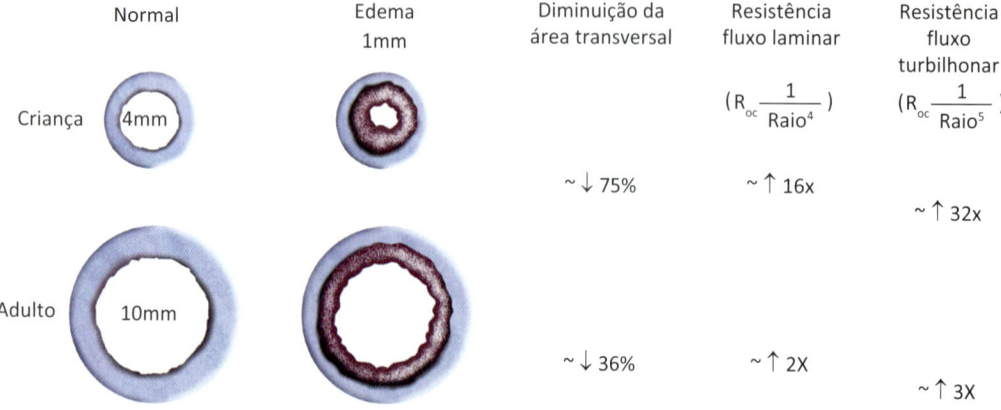

▲ **Figura 139.2** Impacto da redução do diâmetro da via respiratória na criança.
Fonte: Adaptada de Litman RS, *et al.*, 2013.[14]

que representa o equilíbrio entre pulmão e caixa torácica. Em primeiro lugar, a inspiração inicia-se antes que a expiração tenha esvaziado os pulmões. Em segundo, há atividade da musculatura intercostal durante a expiração, funcionando como um suporte para manter o volume torácico. E, em terceiro lugar, a glote se mantém parcialmente fechada durante a expiração, prolongando o tempo expiratório e mantendo uma pressão intratorácica positiva. Há evidências de que o nervo vago tem papel fundamental nessa manutenção ativa da capacidade residual funcional (CRF), como se evidenciou em comparações entre ovelhas que passaram por vagotomia e aquelas que passaram por uma cirurgia sem vagotomia (Tabela 139.2).[21] Todos esses mecanismos de defesa são abolidos durante o processo de anestesia, ao passo que o consumo de oxigênio se mantém elevado. Dessa forma, o paciente encontra-se em situação de risco, podendo desenvolver complicações respiratórias.

O diafragma do RN, principal músculo respiratório, tem poucas fibras musculares do tipo I, que são lentas e resistentes à fadiga, e uma proporção maior de fibras tipo II, que são menos resistentes ao trabalho repetitivo. As situações que requerem aumento do trabalho respiratório, como a diminuição da complacência pulmonar ou do diâmetro das vias respiratórias por secreção, edema ou uso de cânulas de pequeno calibre, causarão fadiga precocemente nas crianças até 2 anos de idade. Essa fragilidade também deve ser antecipada naquelas situações em que o agente causador do esforço respiratório não será removido rapidamente.

As características anatômicas e fisiológicas da infância manifestam-se de maneira clara e bastante objetiva no estudo de volumes e capacidades pulmonares (Figura 139.3).

Tabela 139.2 Fisiologia respiratória.

	RN a termo	12 meses	Adulto
Frequência respiratória (irpm)	50	24	12
Volume tidal (mL.kg^{-1})	6-8	6-8	6-7
VO$_2$ (mL.kg^{-1}.min^{-1})	6-8		3-4
CRF (mL.kg^{-1})	30	30	30
Ventilação-minuto (mL.kg^{-1}.min^{-1})	200-260		90
CPT (mL.kg^{-1})	63		82
pH	7,30-7,40	7,35-7,45	7,35-7,45
PaO$_2$	60-90	80-100	80-100
PaCO$_2$	30-35	30-40	37-42

VO$_2$: consumo de oxigênio; CRF: capacidade residual funcional; VM: ventilação-minuto; CPT: capacidade pulmonar total; PaO$_2$: pressão parcial de oxigênio arterial; PaCO$_2$: pressão parcial de CO$_2$ arterial.
Fonte: Marciniak, B. Growth and development. Em Cote,C.; Lerman, J; Anderson B. A Practice of Anesthesia for Infants and Children. 6 ed. Philadelphia: Alsevier, 2019.

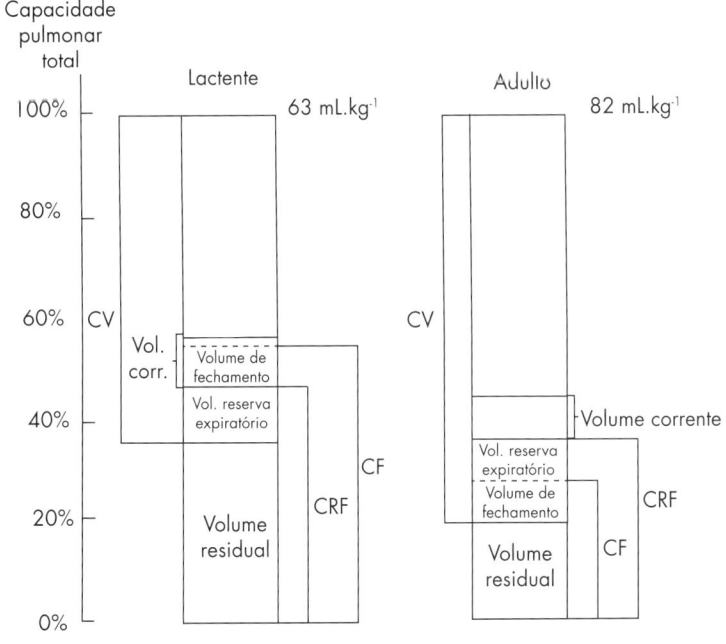

◀ **Figura 139.3** Capacidades e volumes pulmonares. Observa-se que a criança tem menor capacidade pulmonar total. O volume de fechamento está em interseção com o volume corrente. A capacidade de fechamento é maior do que a capacidade residual funcional, ou seja, no estado de repouso, há fechamento de pequenas vias respiratórias.
CRF: capacidade residual funcional; CF: capacidade de fechamento; CV: capacidade vital.
Fonte: Smith CA, et al., 1976.[22]

Há evidências de que quanto menor a criança, maior a variabilidade entre indivíduos nos parâmetros analisados, mas as bases fisiológicas para o atendimento adequado dessa população são bem conhecidas. Conforme ocorrem o crescimento e o desenvolvimento, os parâmetros migram em direção àquilo que se apresenta no adulto.[23]

A capacidade pulmonar total do adulto é maior do que a da criança quando ambas são ajustadas para o peso (82 mL.kg^{-1}), no entanto a capacidade residual funcional corrigida é bastante estável ao longo do desenvolvimento. Proporcionalmente, a CRF da criança ocupa uma fração maior da capacidade pulmonar total (CPT). Ao nascimento, a CRF é bem pequena, contudo, após 2 dias de vida atinge os 30 mL.kg^{-1} que serão mantidos ao longo da vida.[24]

O volume corrente (VC) é semelhante ao longo dos estágios do desenvolvimento, e a ventilação alveolar é maior para suprir a demanda aumentada de oxigênio das fases iniciais da vida. Uma vez que a ventilação alveolar é o produto entre o volume corrente e a FR, aumentar a VA mantendo o VC constante significa uma FR maior. Ainda que a FR seja um dos parâmetros com maior variabilidade ao longo do desenvolvimento, seu conhecimento é imprescindível para a detecção dos estados de taquipneia e/ou dispneia. Considerando que a ventilação-minuto é aumentada e a CRF se mantém (sempre se tratando de números proporcionais ao peso), o que se tem é que, na criança, a relação CRF/VA é menor do que no adulto. A primeira implicação dessa característica é que o neonato depende de ventilação alveolar constante para manter os níveis de oxigenação adequados, já que o ar contido nos pulmões ao término da expiração não funciona como reservatório de oxigênio de grande valia nas situações de apneia ou hipopneia. Essa baixa reserva funcional associada ao consumo elevado de oxigênio faz que a criança sofra uma rápida queda da saturação arterial de oxigênio nas situações em que a ventilação não é mantida. A segunda implicação dessa característica é que a concentração alveolar de anestésico inalatório se eleva mais rapidamente, já que, com poucas inspirações, o volume total de gás contido no pulmão terá sido trocado. Uma vez que o débito cardíaco é alto e centralizado nessa faixa etária, rapidamente também será maior a concentração de anestésico arterial e no sítio efetor, o que leva a uma rápida indução inalatória que não pode ser realizada nos adultos.

Outra relação pulmonar alterada é aquela entre a capacidade de fechamento e o volume corrente. Enquanto no adulto a respiração normalmente ocorre sem que haja fechamento de vias respiratórias distais, na criança com menos de 10 anos, a capacidade de fechamento e o volume corrente dividem algumas fases do ciclo respiratório, ou seja, durante a respiração normal, pequenas vias respiratórias distais se fecham e há aprisionamento de gás de maneira não patológica. Isso é a expressão funcional da alta complacência da caixa torácica.

Durante a anestesia, o delicado equilíbrio entre CRF e a capacidade de fechamento é alterado tanto pelos agentes anestésicos como pelos procedimentos cirúrgicos. Frequentemente, o anestesiologista se vê inclinado a usar grandes volumes correntes ou alta fração inspirada de oxigênio na tentativa de manter a saturação de oxigênio adequada. Essas estratégias, além de ineficazes em parte dos casos, tendem a produzir efeitos deletérios na fisiologia pulmonar, como volutrauma, barotrauma ou aumento de atelectasias.

Os mecanismos de controle da respiração do RN são os mesmos encontrados em crianças mais velhas e adultos –pH, pO$_2$ e pCO$_2$ –, no entanto, na vida intrauterina, a queda da PaO$_2$ provoca inibição do diafragma, enquanto nos adultos causa aumento da ventilação. Nas crianças, até o segundo ou terceiro mês de vida, a responsividade dos receptores dos corpos carotídeos tem o limiar reduzido, ou seja, é menor. Ao mesmo tempo, durante os primeiros meses, esses receptores são responsáveis por até 40% do *drive* respiratório.[25] Os movimentos respiratórios na vida intrauterina iniciam-se entre 10 e 12 semanas de gestação e são necessários para o desenvolvimento normal do pulmão, ainda que não tenham participação na troca de gases. Quando há falha na atividade diafragmática na expansão pulmonar – preenchida por líquido – na fase fetal, ocorre hipoplasia pulmonar. Nos seres humanos, a produção rítmica dos estímulos centrais para a atividade muscular é tanto inspiratória quanto expiratória e sofre influências de múltiplos fatores externos, como temperatura, fármacos, nível de estimulação, doenças infecciosas. Esses mecanismos de controle da respiração não são completamente compreendidos e estão ainda em desenvolvimento nos seres humanos nos primeiros meses de vida. Uma das manifestações do desenvolvimento incompleto é a respiração periódica e irregular do recém-nascido, que não é, por si, uma ameaça à vida. Outra manifestação, essa potencialmente grave no contexto anestesiológico, é a resposta bifásica do recém-nascido à hipóxia. A queda da PaO$_2$ provoca uma resposta inicial de aumento da frequência respiratória e da ventilação-minuto, que, após cerca de 1 minuto, é seguida de depressão respiratória, com a ventilação diminuindo para níveis menores do que aqueles encontrados antes da agressão hipóxica. Os agentes anestésicos têm a capacidade de limitar ainda mais a habilidade desses pacientes de responder adequadamente a essas situações.

Uma situação clínica que deve ser diferenciada da respiração periódica normal é a apneia, a qual se define como ausência de fluxo respiratório durante 20 segundos ou mais, podendo ser associada a queda de saturação, bradicardia, hipotonia e ameaça à vida. Esses eventos são mais comuns nos prematuros, quanto menores as idades gestacional (IG) ao nascimento e pós-conceptual (IPC). Ainda que a fisiopatologia da apneia não seja bem estabelecida, sabe-se que essas crianças que desenvolvem episódios apneicos têm menor ventilação-minuto e menos resposta ao aumento da PaCO$_2$ quando comparadas com crianças nas mesmas condições (peso, IG e IPC).[26] Os episódios apneicos podem ser classificados de acordo com sua origem: se for central, observa-se ausência de esforço respiratório. Nas apneias obstrutivas, ocorre obstrução mais frequentemente no nível faríngeo, e, embora exista esforço respiratório, não há fluxo de ar. Apesar da classificação, a maior parte das apneias que se observam nessa população é de origem mista: central e obstrutiva, o que sugere uma situação em que diversos fatores concorrem para culminar na situação clínica de ameaça à vida. Além dos fatores de imaturidade de controles central e periférico da respiração, os RNs também têm reflexos exacerbados como resposta inibitória da ventilação causada pela hiperinsuflação pulmonar (reflexo de insuflação de Hering-Bauer) e manipulação da laringe.

O transporte de oxigênio é otimizado nessa condição de hipóxia relativa. Há um aumento da quantidade de hemoglobina, além de uma proporção de cerca de 50% de HbF nessa população. Ao longo dos primeiros meses de desenvolvimento, é normal que essa HbF seja substituída pela HbA, e a curva de dissociação da hemoglobina desloca-se para a direita (em direção à posição que se encontra no adulto).

■ FLUIDOS E ELETRÓLITOS

A questão de o quanto um paciente está adequadamente hidratado é uma das primeiras que se aprende a fazer na Medicina, e ainda é uma das mais difíceis de ser respondida. Apesar dos grandes avanços que foram alcançados na monitorização, a relação entre fluido corporal, perfusão tecidual e funcionamento dos órgãos em um dado paciente pode ser apenas parcialmente compreendida, uma vez que as variáveis que influenciam esse equilíbrio são inúmeras. Na população pediátrica, esse desafio pode se tornar ainda maior: os mecanismos homeostáticos são variados em cada faixa etária, assim como as respostas aos estados patológicos. Além disso, parâmetros frequentemente utilizados nessa avaliação, como frequência cardíaca, pressão arterial, diurese e amplitude de pulso, não podem ser interpretados da mesma maneira que nos adultos. Será apresentado aqui o que se considera normalidade ao longo do desenvolvimento.

O recém-nascido a termo é considerado normal se tem o peso entre 2.500 g e 3.999 g. Espera-se que o peso de nascimento aumente 50% nas primeiras 6 semanas de vida e em 100% no primeiro semestre.

A distribuição de água e a composição corporal mudam significativamente nos primeiros dois anos de desenvolvimento (Figura 139.4). Em um RNPT, a água corporal total (ACT) representa cerca 80% do seu peso; em RNTs, 70% ; 65% ao final do primeiro ano de vida e com diminuição proporcional gradual até chegar aos valores do adulto aos 10 anos de idade (cerca de 60% do peso).[27]

Além da diferença na quantidade de água, durante o processo de crescimento ocorre uma mudança na sua distribuição. O componente de água extracelular, que, no adulto, representa cerca 20% do peso, nos RNTs é de 45%, nos RNPTs, 50%, e, nas crianças de 12 meses, cerca de 25%. O que ocorre pode ser descrito como uma inversão da proporção de cada componente: a maior parte da água corporal, inicialmente extracelular, passa a ser intracelular . Isso pode ser entendido ao se tomar como exemplo a musculatura: ao nascimento, apenas 29% da ACT se encontra nos músculos, sendo um terço extracelular. Com o desenvolvimento da musculatura (desenvolvimento celular), ocorre a perda no compartimento extracelular e o aumento no intracelular. Assim, no adulto, 51% da ACT se encontram nos músculos, e um quinto dela é extracelular.[28]

A primeira etapa dessa transformação inicia-se ao nascimento. Nas primeiras 24 a 48 horas de vida, ocorre perda fisiológica de peso, entre 5% e 10% do peso de nascimento nos RNTs. Esse peso será restaurado entre o 7º e o 10º dia de vida. Os RNPTs apresentam perda ponderal mais acentuada, de 15% nos primeiros 7-10 dias de vida, peso que demora mais para ser restaurado. Essa queda inicial se deve quase exclusivamente à perda de água a partir do compartimento extracelular.

Nos primeiros dias de vida, a regulação volêmica passa por grandes flutuações e a diurese pode demorar para se estabelecer. Ao nascimento, há grande quantidade de vaso-

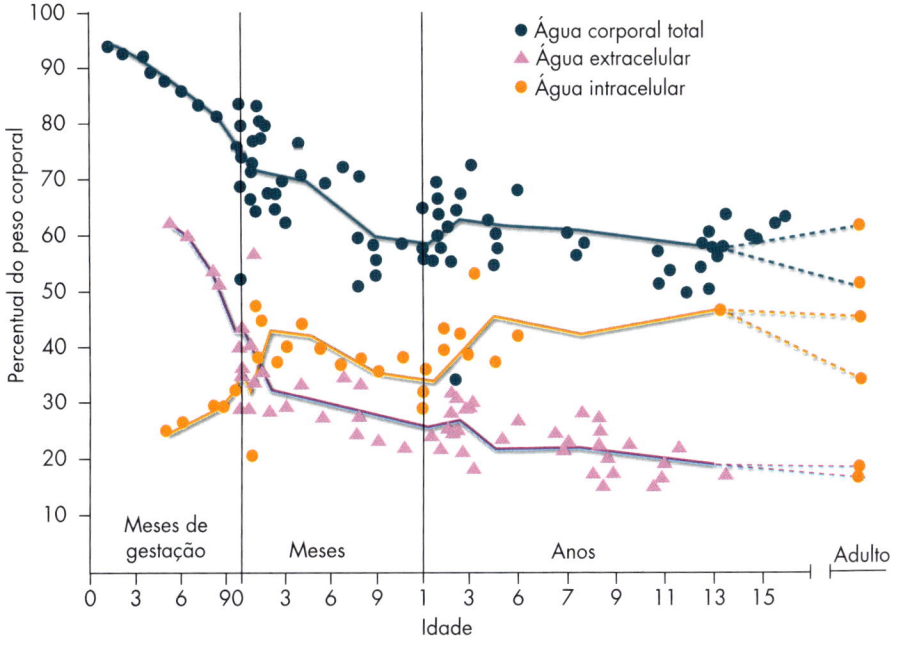

▲ **Figura 139.4** Mudanças na distribuição corporal de água.
Fonte: adaptada de Friis-Hansen B, 1961.[28]

pressina circulante, além de aldosterona, fazendo que o débito seja baixo. Com o passar das horas, ocorrem aumento do retorno venoso para o pulmão e liberação do peptídeo natriurético atrial, causando diurese abundante. A renina, que tem grande atividade na vida intrauterina, sofre redução imediatamente após o nascimento e volta a aumentar em resposta à perda volêmica dos primeiros dias. A aldosterona, por sua vez, se mantém elevada nos 3 primeiros dias de vida, com retenção relativa do sódio. Visto que a aldosterona estimula a reabsorção renal de potássio, o nível sérico desse eletrólito no recém-nascido tem valores normais superiores aos do adulto (RNPT 4,6-6,7 mEq/L; no RNT, 4,6-7,6 mEq/L). Assim, nos primeiros 10 dias de vida, há uma fase inicial de baixa diurese e retenção de líquidos em que predominam a vasopressina e a aldosterona. Em seguida, ocorrem diurese abundante e perda de peso – com nadir no 5º dia de vida – por ação do peptídeo natriurético atrial e pela queda dos hormônios que predominavam na fase anterior. Segue-se, então, a fase de ajuste, em que o peso é recuperado e o ritmo de produção de urina deixa de flutuar tão abruptamente.[29]

■ SISTEMA RENAL

O desenvolvimento renal e a produção de urina não têm função homeostática até o nascimento. O desenvolvimento do néfron inicia-se na quinta semana gestacional e estará completo apenas no final do 1º ano de vida, apesar de a nefrogênese estar completa na 36ª semana de gestação. A urina produzida pelo feto tem sua função na manutenção do volume de líquido amniótico. Após o nascimento, a maior parte dos recém-nascidos terá apresentado diurese nas primeiras 24 horas, alguns levando até 48 horas. Não apresentar diurese após 48 horas de nascimento é patológico.

A função renal pode ser entendida, de forma simplificada, como duas atividades interligadas: a função glomerular, que é avaliada pelo ritmo de filtração glomerular e atividades do aparelho justaglomerular; e a função tubular, que é avaliada pela capacidade renal de manipular a carga de água e íons, que chegam a partir do ultrafiltrado glomerular, e pela capacidade de responder aos mecanismos regulatórios. A avaliação da função renal pelos níveis plasmáticos de creatinina não é confiável nos primeiros dias de vida: em parte, porque está atrelada à creatinina materna, e também porque parece haver reabsorção passiva da creatinina após a filtragem, o que não acontece no rim que atingiu a maturidade.

A maturação da função glomerular se dá, em grande parte, até o final do primeiro mês de vida. No RN, o fluxo sanguíneo renal (FSR) representa entre 3% e 7% do débito cardíaco (DC) . O ritmo de filtração glomerular (RFG) do RNT é de 15% a a30% do valor corrigido dos adultos (40 mL/min/1,73 m^2); com 2 semanas de vida, é cerca de 50% (66 mL/min/1,73 m^2). O ritmo final de 100-125 mL/min/1,73 m^2 será atingido perto dos 2 anos de vida. Há relatos de literatura de que os prematuros levam até oito anos para completar esse desenvolvimento. Essa baixa filtração glomerular se reflete na dificuldade de o paciente, nessa faixa etária, eliminar volume e lidar com uma possível sobrecarga hídrica. Além disso, o RFG se reduz ainda mais em respos-

ta a hipóxia, hipotermia, insuficiência cardíaca e ventilação mecânica.

A função tubular ao nascimento é deficitária: a função da bomba de Na/K e o número de transportadores estão reduzidos, fazendo que todos os processos que dependem de cotransporte com Na estejam prejudicados (Figura 139.5). Além disso, as estruturas onde ocorre a absorção de água e solutos são curtas e a tonicidade do interstício que proporciona o sistema de contracorrente é baixa. O resultado disso é que o néfron em desenvolvimento tem baixa capacidade de absorção de sódio e água. A osmolaridade urinária máxima é reduzida, com dificuldade de excretar solutos sem que haja perda de água – a fração excretada de sódio é alta. A urina normal do RN tem osmolaridade de 300 mOsm.kg^{-1} e volume de 2 a 3 mL.kg^{-1}h^{-1}. O recém-nascido é um perdedor compulsório de água e sódio. Colaboram para esse acontecimento os níveis diminuídos de hormônio antidiurético (ADH) circulantes após os primeiros dias e a menor capacidade de resposta renal ao hormônio. Com cerca de um ano, a osmolaridade urinária já pode ser ajustada entre 50 e 1.400 mOsmoL.kg^{-1}, como em um adulto.

Além disso, o limiar para perda de glicose e bicarbonato é baixo. Sendo assim, por conta de bicarbonatúria, a normalidade é o pH > 7,30 – a chamada acidemia fisiológica do RN. Apesar dos níveis mais baixos de bicarbonato, deve-se evitar a correção de uma condição fisiológica, uma

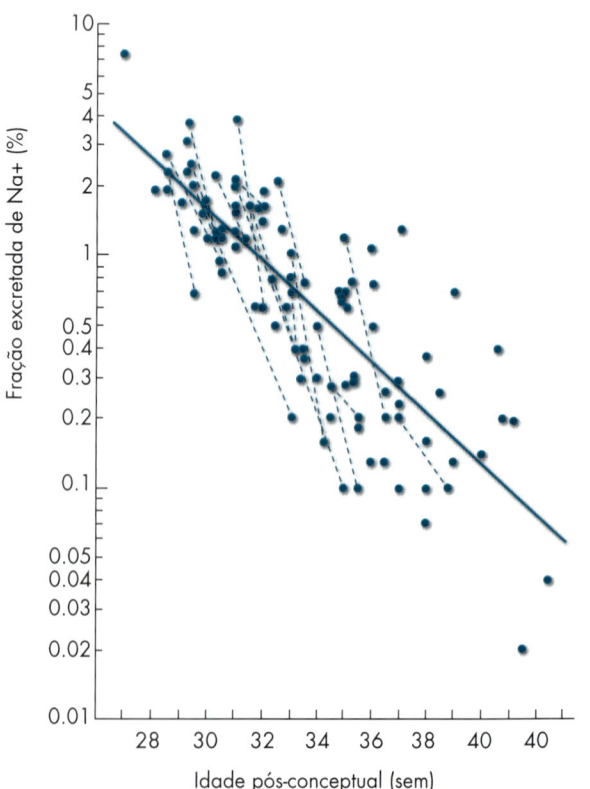

▲ **Figura 139.5** Fração de excreção de sódio. Os círculos conectados por uma linha pontilhada são dados coletados da mesma criança em dias diferentes. Observa-se a diminuição consistente da fração excretada de Na+ conforme a idade pós-conceptual aumenta.

Fonte: Al-Dahhan J, *et al.*, 1983.[30]

vez que a correção desnecessária do bicarbonato, além de oferecer pouco benefício, pode levar a sobrecarga hídrica e de sódio, edema pulmonar, piora da acidose intracelular e descompensação cardíaca. Quando indicada, deve ser feita lentamente. Durante toda a infância, a produção intrínseca de ácidos é maior do que no adulto (acredita-se que, em grande parte, por conta da deposição de cálcio nos ossos). Uma vez que o bicarbonato absorvido a partir da dieta é um importante tampão sanguíneo, qualquer criança com diarreia pode ser considerada em risco para desenvolver acidose metabólica.

Outra possível iatrogenia decorrente da falta de conhecimento das peculiaridades fisiológicas é a hiperglicemia. Níveis elevados de glicose plasmática, ainda que moderados, podem desencadear diurese osmótica e desidratação.[31]

Tem-se no equilíbrio hidroeletrolítico um dos pontos mais delicados dos nossos pacientes ao nascer. Quando submetidos à sobrecarga hídrica, existe uma filtração lenta e a perda de água é sempre acompanhada da perda de sódio, e, quando expostos à sobrecarga de sódio, facilmente podem desenvolver edema periférico e pulmonar, além de ganho de peso. Quando ocorre a eliminação do sódio, é sempre acompanhado da água. Não se deve esquecer também da limitação miocárdica e pulmonar de se manipular a hipervolemia. Em outro extremo, pode-se encontrar a criança com déficit de sódio ou de água, que continuará tendo diurese com baixa osmolaridade, mesmo que hipovolêmica ou hiponatrêmica. As respostas adaptativas desenvolvem-se com relativa rapidez, e, próximo dos 2 anos de idade, pode-se considerar que a criança já está mais bem preparada para lidar com flutuações do aporte de água e eletrólitos.[32]

◼ SISTEMAS DIGESTÓRIO E ENDÓCRINO

Como explicitado anteriormente, o ducto venoso leva grande fração do sangue placentário oxigenado da veia umbilical para a cava inferior. A outra porção segue pela veia porta, pelo fígado e, então, para a cava. Quando ocorre o fechamento do ducto venoso, inicia-se um rápido desenvolvimento por mecanismos não bem compreendidos das funções hepáticas de síntese proteica e da atividade das enzimas de conjugação, transaminação e transporte. O desenvolvimento completo ocorre perto dos 2 anos de idade.

A secreção de bile inicia-se na 12ª semana de gestação, assim como a síntese proteica. A albumina tem valores ascendentes e chega aos do adulto com cinco meses. As proteínas da coagulação têm os níveis reduzidos ao nascimento, mas se normalizam nos primeiros dias de vida.

Ainda no útero, o fígado inicia a produção de glicogênio, e o acúmulo hepático ocorre nas fases tardias da gestação. Esse estoque de glicogênio será utilizado, quase na sua totalidade, nas primeiras 12 horas de vida. Então, a manutenção de níveis normais de glicose passa a depender, de maneira quase exclusiva, da alimentação regular. Como alternativa à glicose, o sistema nervoso central nessa faixa etária pode também utilizar corpos cetônicos mobilizados a partir de ácidos graxos como fonte de energia.[33]

A bilirrubina é um subproduto do catabolismo da heme que é produzida a partir da retirada da circulação de hemácias senescentes; e a sua conjugação com UDP-glicuronato pela enzima uridina difosfato glicose glicuronil transferase (UDPGT) permite sua excreção como composto hidrossolúvel. Após a conjugação, o composto formado é ativamente transportado para os canalículos biliares, tendo como destino o duodeno. Ao nascimento, a expressão da enzima que promove a conjugação é cerca de 1% da do adulto, mas, fisiologicamente, tem a atividade normal dentro de 14 dias. A icterícia que se desenvolve nas primeiras duas semanas de vida é considerada fisiológica por ser autolimitada e refletir a produção aumentada de heme, a morosidade do processo de conjugação e o possível aumento da reabsorção no íleo por motilidade intestinal irregular. Outras situações, como hipóxia, hemólise, trauma de parto e sepse, também podem causar aumento da bilirrubina não conjugada. A hiperbilirrubinemia conjugada nunca pode ser considerada fisiológica, devendo chamar a atenção para a possibilidade de doenças congênitas ou mesmo adquiridas.

A regurgitação é presente em cerca de 50% das crianças com menos de 3 meses de idade, e, em mais de dois terços, entre 4 e 6 meses de idade. Embora se saiba que a maior parte das crianças tenha regurgitação sem prejuízos, 20% dos pneumopatas crônicos têm doença do refluxo gastresofágico, sugerindo uma associação. A maioria dos indivíduos deixa de regurgitar entre 9 e 24 meses de idade, ao mesmo tempo em que aumenta a consistência dos alimentos ingeridos e o tempo gasto com o tronco na posição vertical. Existe uma relação inversamente proporcional entre a pressão do esfíncter esofágico inferior e a idade pós-conceptual, no entanto o mecanismo envolvido no refluxo parece ser o relaxamento episódico do esfíncter não associado à deglutição, e não à ausência de tônus.[34] A pressão do esfíncter esofágico inferior atinge os níveis do adulto com cerca de 3 a 6 semanas de vida.

Até o nascimento, a glicose chega ao RN por intermédio da placenta, ainda que o feto produza insulina e glucagon. Até 24 horas de vida, a glicemia acima de 40 mg.dL^{-1} define normalidade, e acima de 45 mg.dL^{-1} após o primeiro dia de vida. Os sintomas da hipoglicemia podem estar ausentes ou ser inespecíficos, como letargia, tremores, crises convulsivas, e a suspeita depende do profissional, especialmente nas situações de risco como hiperinsulinismo (filho de mãe diabética, GIG) ou estoque insuficiente (PIG, jejum prolongado). Em uma situação oposta, a hiperglicemia também pode ocorrer como resposta ao estresse do processo anestésico-cirúrgico ou à infusão inapropriada de glicose. A hiperglicemia está associada não apenas à diurese osmótica, mas também ao risco aumentado de hemorragia intraventricular e sequela neurológica. A monitorização da glicose é essencial nesses pacientes, uma vez que ambos os distúrbios podem ocorrer e provocar danos em longo prazo.

Nas crianças hígidas, passadas as primeiras 48 horas de vida, a ocorrência de hipoglicemia é rara. Ao contrário do conceito que já foi dominante, o jejum pré-operatório em crianças saudáveis ativa mecanismos de proteção e evita que ocorra queda da glicemia. Deve-se, no entanto, manter a atenção nas populações com fatores de risco: desnutrição, uso de nutrição parenteral ou reposição de glicose contínua, endocrinopatias, hepatopatias, uso de betabloqueadores ou pré-operatório de cirurgia cardíaca. Quando nenhuma dessas condições ocorre, devem-se considerar sob risco apenas as crianças em jejum por tempo superior a 10 horas.[35]

O hipotireoidismo é uma das principais causas de deficiência intelectual no mundo.[36] Antes do nascimento, os níveis de T_3 e T_4 são baixos e o feto depende da transferência placentária do hormônio materno. Nas primeiras 24 horas após o nascimento, ocorre um pico de hormônio estimulante da tireoide (TSH), que, nos próximos dias, é seguido por aumento de T_3 e T_4 e da metabolização periférica desses hormônios. Nos prematuros e PIGs, a incidência de anomalia tireoidiana é alta, podendo chegar a 50%. Nesses pacientes, há baixos níveis de T_4 ao nascimento, com queda nos primeiros dias de vida sem que haja aumento compensatório do TSH. Essa situação expressa o eixo tireoidiano disfuncional e está associada a mau prognóstico. A manifestação clínica é inespecífica e pode passar despercebida mesmo com níveis moderadamente baixos de hormônio tireoidiano: letargia, hipotermia, ganho de peso inadequado, pouco apetite, pele seca, obstipação, hérnia umbilical, edema periorbitário e macroglossia. Outra condição frequentemente encontrada nas unidades de terapia intensiva neonatal é o hipotireoidismo causado por doença grave não tireoidiana. Nesse contexto, o diagnóstico diferencial entre hipotireoidismo primário e secundário é difícil e será realizado apenas com o passar dos primeiros meses de vida.

▪ SISTEMA HEMATOPOIÉTICO

A hematopoiese começa com 20 dias de vida intrauterina na aorta ventral e, depois, a produção se alastra para outros sítios, como fígado, baço, medula óssea. Ao nascimento, o principal centro de produção de células sanguíneas é a medula óssea. Nos primeiros dias de vida, a perda de água livre leva à hemoconcentração, e a hemoglobina normal está entre 14 e 20 g.dL^{-1}. O aumento da PaO_2 diminui a produção de eritropoietina, e a contagem de reticulócitos se reduz de 5% ao nascimento para 1%-2% a partir da 12ª semana.[37] Nos primeiros meses de vida, ocorre, no sistema hematopoiético, a adaptação ao ambiente extrauterino. Como explicitado previamente, dá-se a substituição da hemoglobina fetal (com grande afinidade pela molécula de oxigênio) pela hemoglobina A (HbA), que será a predominante durante toda a vida. A HbA tem p50 de 28 mmHg, ou seja, está 50% saturada de oxigênio. Na mesma condição, a HbF está 80% saturada. Além disso, ocorre aumento dos níveis de 2,3 DPG. Essa enzima reduz a afinidade entre a HbA e oxigênio, facilitando a oxigenação dos tecidos. Além de aumentar em quantidade, a 2,3 DPG tem melhor interação com a HbA. A anemia, após as primeiras semanas de vida, é considerada fisiológica e, aos 4-6 meses, a curva de dissociação da hemoglobina é similar à do adulto saudável (Tabela 139.3).[38] Nos RNPTs e naqueles com patologias, essa anemia pode ser mais precoce e mais grave.

O volume de sangue da criança tem a mesma tendência que de água corporal total e líquido extracelular: reduzir-se com o desenvolvimento (Tabela 139.4). Apesar do grande volume proporcional, o volume sanguíneo total é bastante reduzido, o que faz que perdas de pequena monta resultem em anemia grave ou mesmo choque hemorrágico.

Tabela 139.3 Características da anemia fisiológica do RN.	
Idade	**2-3 meses**
Hemoglobina mínima	10-11 (g.dL^{-1})
Hematócrito mínimo	30%-33%
Nível de 2,3 DPG	Aumentado
Nível de eritropoietina	Reduzido
Curva de dissociação entre o oxigênio e a Hb	Deslocamento à D
Hemoglobina após resolução	11,5-12 (g.dL^{-1})
Idade de resolução	3-6 meses

Fonte: Stoelting K, et al., 2006.[39]

Tabela 139.4 Volume de sangue vs. idade.*	
Idade	**Volume sanguíneo estimado (mL.kg^{-1})**
RN pré-termo	100
RN a termo	90
Lactente	80
Escolar	75
Adulto	70

*Da mesma forma que o conteúdo de água corporal, o volume de sangue estimado de acordo com o peso varia com a idade.
Fonte: Mcclain CD, et al., 2013.[40]

A produção de plaquetas inicia-se na 5ª semana de gestação, com contagem próxima do valor adulto quando é atingido o termo. Essas plaquetas, no entanto, são diferentes das do adulto e, até a 4ª semana de vida, são menos responsivas a agonistas, têm menor secreção de grânulos, menor depósito de glicogênio, menos sítios de ligação com fibrinogênio e promovem a formação de um coágulo mais forte pela avaliação de tromboelastografia (TEG) e tromboelastometria rotacional (ROTEM).

Os fatores de coagulação no neonato estão muito diferentes daquilo que se encontra no adulto e, assim como nos pacientes já crescidos, a interpretação dos resultados de exames de níveis séricos de fatores de coagulação e de regulação e a previsão de qual será o funcionamento do sistema são um desafio, especialmente em situações patológicas. Os fatores dependentes de vitamina K (II, VII, IX e X), além do fator XII, encontram-se diminuídos. Há outras características que favorecem o sangramento, ao mesmo tempo em que há redução dos mecanismos antitrombogênicos, como se vê na Tabela 139.5. Aparentemente, paradoxal é o prolongamento do tempo de protrombina (TP) e o tempo parcial de tromboplastina ativada (TTPa), com diminuição do tempo de sangramento. Na maior parte dos RNs, o sistema não apresenta falhas e a coagulação é adequada e suficiente, no entanto não se sabe ao certo quais seriam as interações possíveis entre os hemocomponentes transfundidos (com fatores e células de adultos) e a coagulação infantil.

O sangramento causado pela deficiência dos fatores dependentes de vitamina K é raro atualmente, uma vez que as crianças são sempre suplementadas ao nascimento. São fatores de risco conhecidos: prematuridade, uso de cumarínicos, rifampicina, isoniazida, anticonvulsivantes na gestação, aleitamento materno exclusivo prolongado. Houve, no entanto, relatos de casos de sangramento excessivo em pacientes sem fator de risco conhecido, por isso o uso de vitamina K está indicado.

As características observadas nos fatores de coagulação de neonatos e crianças não tem ainda uma explicação simples e funcionamento previsível na clínica. Valores de normalidade existem tanto para testes puramente laboratoriais, como para os rotacionais.[41]

Tabela 139.5 Diferenças na hemostasia infantil.

	RN a termo (*vs.* adulto)	Idade máxima de equivalência
Contagem de plaquetas	Igual	–
Função plaquetária	Diminuída	2-4 semanas
vWF sérico	Aumentado	3 meses
Fatores II, VI, IX, X, XII	Diminuídos	16 anos
Fator VIII	Igual ou diminuído	1 mês
Fator XI	Diminuído	1 ano
Fibrinogênio	Igual	–
Atividade do fibrinogênio	Diminuída	5 anos
Antitrombina	Diminuída	3 meses
Proteína C	Diminuída	16 anos
Plasminogênio	Diminuído	6 meses
tPA	Aumentado	5 dias
Alfa-2 antiplasmina	Diminuída	5 dias
Resultados de testes		
TTPa, TP e INR	Aumentados	16 anos
Tempo de sangramento	Diminuído	1 mês
Tempo de formação de coágulo (ROTEM/TEG)	Diminuído	3 meses
Força do coágulo (ROTEM/TEG)	Aumentada	3 meses

RN: recém-nascido; vWF: fator de von Willebrand; tPA: ativador do plasminogênio; tecidual; TP: tempo de protrombina; INR: razão normalizada internacional; ROTEM: tromboelastometria rotacional; TEG: tromboelastografia; TTPa: tempo de tromboplastina parcial ativada.
Fonte: Adaptada de Revel-Vilk S, *et al.*, 2012.[42]

▪ SISTEMA NERVOSO CENTRAL

O desenvolvimento do sistema nervoso central (SNC) na criança, assim como de outros sistemas, continua após o nascimento e ainda leva anos para que possa ser considerado completo. Na avaliação pré-anestésica, alguns marcos de desenvolvimento ajudam na detecção de anormalidades (Tabela 139.6). Identificar o paciente com alteração neurológica ajuda no planejamento anestésico, visto que a medicação pré-anestésica, a indução, o planejamento analgésico e a emergência da anestesia podem necessitar de adaptações. Além disso, crianças de diferentes faixas etárias podem compreender as explicações sobre o processo anestésico cirúrgico desde que essas sejam oferecidas na linguagem apropriada para o seu nível de desenvolvimento cognitivo. Os marcos de desenvolvimento sofrem varia-

bilidade individual, e apresentar alteração em um aspecto não necessariamente denota déficit. Aqueles que têm um distúrbio neurológico geralmente mostram divergências da normalidade em mais de um critério.

O SNC tem dois picos de multiplicação celular: a proliferação neuronal, que ocorre entre 15 e 20 semanas de gestação, e a glial, que se inicia na 25ª semana gestacional e se encerra no 2º ano de vida. A mielinização se completa ao redor do 7º ano de vida. Os primeiros dois anos de desenvolvimento envolvem também uma perda maciça de neurônios e sinapses, em uma escultura da rede neuronal madura. O desenvolvimento neurológico da criança depende, então, do substrato anatômico que permanece em desenvolvimento intenso após o nascimento, da nutrição adequada e do estímulo ambiental. Nessas fases precoces do desenvolvimento, o SNC é vulnerável a situações de sofrimento, e as consequências dos insultos podem ser duradouras ou permanentes.

Tabela 139.6 Marcos do desenvolvimento neurológico normal.

Comportamento	Idade de aparecimento
Sustentar a cabeça	3 meses
Sorriso social	2-3 meses
Sentar sem apoio	6 meses
Passar objeto entre as mãos	6 meses
Ficar em pé sem apoio	12 meses
Pinça manual	12 meses
Ficar em um pé	3 anos

Fonte: Marciniak B, 2013.[43]

Essa janela de suscetibilidade interessa aos anestesiologistas de diversas formas. Uma delas é a necessidade de prover analgesia adequada diante de estímulos. Evidências acumuladas ao longo dos anos demonstram alteração desfavorável do neurodesenvolvimento, assim como mudança no processamento do estímulo doloroso e das respostas a estímulos futuros. Sabe-se que, agudamente, os RNs que são submetidos a estímulos repetidos apresentam limiar menor para a retirada do membro e maior reatividade a pequenas intervenções. Estudos realizados anos depois mostram que crianças que foram internadas em UTI neonatal apresentam aumento da reatividade dependendo de como tenha sido o estímulo doloroso (crianças submetidas a cirurgia têm maior reatividade do que as que não o foram) e da maneira como foram manipuladas. Assim, o comportamento e a saúde psíquica desses indivíduos podem ser negativamente prejudicados. O uso de analgesia e sedação adequadas – com medicações de diferentes classes – oferece proteção contra essas alterações e é fundamental nos cuidados oferecidos à população pediátrica.[44]

Outro motivo de atenção é o debate que se instalou nas últimas duas décadas acerca da possibilidade de alteração no desenvolvimento cognitivo de crianças submetidas a anestesia geral em tenra idade. Dezenas de estudos têm sido conduzidos com resultados diversos e pouco consistentes. Até onde se sabe, a exposição a anestésico não está associada a pior desenvolvimento intelectual, mas pode estar associada a alterações de neurodesenvolvimento. Atualmente, é possível afirmar-se que não há déficit marcante que possa ser associado à anestesia geral em crianças. Estudos de larga escala comparativos e prospectivos, com o controle dos fatores de confusão (como patologia de base, comorbidades, instabilidade clínica perioperatória), possivelmente nunca poderão ser realizados. Nos primeiros meses de vida, as condições que obrigam a criança a ser submetida a processo cirúrgico muitas vezes não é simples e pode envolver exposições múltiplas, uso de diversos fármacos, períodos de instabilidade cardiovascular e outras situações que uma criança sem patologias não terá enfrentado. Isolar os fatores nesse contexto pode ser um objetivo inatingível.[45]

Uma abordagem mais prática é procurar manter as condições fisiológicas perfeitas e a necessidade de manutenção da pressão de perfusão cerebral (PPC). A PPC depende da diferença entre a pressão arterial média (PAM) e a pressão intracraniana (PIC) e sofre algum grau de autorregulação mesmo em crianças pequenas. A PIC é dependente da idade, sendo 0-6 mmHg, 6-11 mmHg e 13-15 mmHg o normal para lactentes, crianças e adolescentes, respectivamente. A PIC pode ser negativa em RNPTs e RNTs por conta da mobilidade dos ossos cranianos, e a complacência do sistema é maior até que ocorra o fechamento das fontanelas. A dura-máter, no entanto, não se expande rapidamente, e uma criança pode desenvolver hipertensão intracraniana (HIC) severa, mesmo que tenha as fontanelas abertas. As fontanelas abauladas ou tensas alertam para a possibilidade de HIC. A fontanela anterior se fecha normalmente entre 9 e 18 meses, enquanto a posterior se fecha entre 2 e 4 meses.

O fluxo sanguíneo cerebral (FSC) nos RNs é extremamente variável e já foram relatados valores baixos como 10 mL/100 g/min sem prejuízo neurológico dos pacientes estudados. O FSC aumenta, entre os 6 meses e 3 anos de idade, para 70-110 mL/100 g/min e, depois, diminui gradualmente até os níveis do adulto (50 mL/100 g/min).[46] Na fase de pico de perfusão, perto de 1 ano, o FSC pode representar até 50% do DC da criança em uma situação de risco para essa faixa etária. Mesmo existindo algum grau de autorregulação do FSC em face da mudanças da PAM, sabe-se que a hipotensão prolongada (acima de 1 hora) em RN está associada a hemorragia intracraniana, mau prognóstico neurológico e, até mesmo, morte precoce. Para o prestador de cuidados, a variabilidade de resultados e a falta de conhecimento sobre qual a PAM adequada nas crianças menores fazem que seja impossível estabelecer um objetivo preciso baseado em evidências. Há resultados diversos em literatura quanto à capacidade de autorregulação do FSC em neonatos e em quais níveis pressóricos as respostas adaptativas podem ser consideradas funcionantes. Atualmente, considera-se adequado evitar as flutuações de PAM acima de 20% da PAM basal, a fim de evitar a queda de saturação regional de oxigênio cerebral nas crianças com menos de 3 meses de idade.[47] A resposta vascular a alterações de PCO_2 e PO_2 existe desde o primeiro dia de vida na maior parte dos indivíduos, ainda que atenuada. A partir do segundo dia, há melhora da resposta a CO_2 e O_2, mas, em alguns, podem estar totalmente ausentes. Assim como os outros parâmetros estudados na neurofisiologia, esse comportamento apresenta variabilidade imensa entre os indivíduos, dificultando o desenvolvimento de um padrão de cuidado.[48]

■ TERMORREGULAÇÃO

O RN, por múltiplos fatores, tem mais facilidade para desenvolver hipotermia. A perda é aumentada porque a superfície corporal é maior, e a perda por irradiação acompanha esse aumento. Há também menor quantidade de tecido adiposo, o que diminui a capacidade de retenção de calor. Além desses fatores, o RN apresenta menor capacidade termogênica. Na composição dos fatores, a temperatura crítica (a menor temperatura na qual o indivíduo sem roupa é capaz de manter a temperatura corporal) é 23°C para o RNT e 28°C para o RNPT. No adulto, essa temperatura é de 1°C.

Todos os métodos disponíveis para evitar a hipotermia devem ser utilizados, incluindo manter a sala operatória com temperatura mais elevada, utilizar soluções intravenosas aquecidas, proteger as extremidades e a cabeça, usar produtos tópicos aquecidos, se possível não alcoólicos, e mantas térmicas. A monitorização da temperatura (esofágica ou retal) é mandatória, uma vez que o aquecimento excessivo pode levar à hipertermia.

■ FARMACOCINÉTICA E FARMACODINÂMICA

O estudo farmacológico na população pediátrica tem como características específicas a adaptação de diversos dados provenientes da farmacologia dos adultos para o universo infantil e, novamente, a variabilidade interpessoal exacerbada e o desenvolvimento não coordenado das múltiplas funções.

Farmacocinética

Os parâmetros farmacocinéticos habitualmente avaliados (absorção, distribuição, clearance e eliminação), na tentativa de prever a concentração de um dado composto em um dado organismo, não são confiáveis, da maneira como se entende, em Pediatria. As variáveis que determinam esses processos na infância são: o tamanho (avaliado pelo peso), o processo de maturação (dado pela idade) e a capacidade funcional (estimada pela função). Nas crianças, os parâmetros de interesse não se relacionam de maneira linear com o peso. Das abordagens não lineares propostas (como o uso da superfície corporal ou da massa magra), a que melhor descreve essa relação é a alométrica, na qual se utiliza o peso do paciente elevado a três quartos. A alometria parece descrever de maneira consistente a relação entre peso e gasto metabólico basal em diversas espécies de mamíferos e pode ser usada de forma eficaz nesse contexto. A idade é uma forma de descrever o estado de maturação que se espera encontrar e, em geral, é utilizada na expressão de idade pós-conceptual. A função é a forma matemática de expressar diferenças anormais da capacidade dos sistemas, como a redução de função hepática ocasionada pela ventilação mecânica ou pela interação de medicamentos. A contribuição de cada uma dessas variáveis oscila ao longo do tempo. Exemplificando: no final do 1º ano de vida, a variabilidade de peso é menor do que aos 13 anos, quando é máxima. Com 1 ano, o peso entre os percentis 3 e 97 varia de +25% a -20% de 10 kg, enquanto aos 13 anos varia de +45% a -26% de 40 kg. Nos mais novos, a variação de peso é menos determinante do *clearance* dos fármacos do que a idade, uma vez que a diferença interpessoal de peso é menor.[49] Essas considerações teóricas podem ser pouco úteis no cálculo específico de uma dose de medicação, mas essa compreensão ajuda a entender situações que podem parecer inexplicáveis e são, na realidade, fruto da limitação dos modelos existentes em expressar a complexidade dos processos de crescimento e desenvolvimento.

A absorção, que é o processo de transporte do fármaco do local de exposição até o sangue, tem menor influência na anestesia, uma vez que muitos dos compostos utilizados são de uso endovenoso. Alguns casos, no entanto, merecem atenção. A absorção de produtos utilizados pelas vias inalatória e muscular é acelerada, em grande parte por conta do alto débito cardíaco. Aqueles fármacos que dependem do trato digestório, por sua vez, têm absorção retardada até cerca de 8 meses de idade, já que o esvaziamento gástrico é mais lento até essa idade. Os fármacos de aplicação tópica cutânea também são exceção: a absorção é maior e mais rápida. Isso ocorre porque, proporcionalmente, a superfície cutânea é maior e mais bem perfundida, além de ser menos queratinizada. A absorção aumentada a partir da pele pode levar à ocorrência de hipotireoidismo transitório após a aplicação de antissépticos iodados ou à toxicidade sistêmica depois do uso de anestésicos locais em creme.[50]

A distribuição é afetada de diferentes maneiras, e o volume de distribuição, a ligação proteica e a barreira hematoencefálica (BHE) são marcadamente diferentes.

O volume de distribuição (Vd) é maior para fármacos hidrofílicos, dado que o percentual de água extracelular será maior quanto menor for a criança, como já foi visto. Isso faz que a dose inicial por quilograma para atingir uma determinada concentração plasmática seja maior. Além disso, o débito cardíaco aumentado e centralizado faz que a distribuição seja mais rápida e a concentração no sítio efetor atingida mais prontamente.

Para aqueles fármacos que se distribuem segundo o modelo farmacocinético de um compartimento, o aumento do Vd é mudança suficiente. Para aqueles que se enquadram melhor no modelo bi ou multicompartimental, o fato de a gordura e a musculatura terem menor representação na massa corporal faz que a redistribuição para esses tecidos seja menor. Ou seja: a dose de um componente hidrossolúvel deve ser aumentada para compensar o maior Vd, mas também diminuída por conta da menor redistribuição para o compartimento muscular. A dose adequada final depende da composição desses fatores e de outros que se seguirão. A Figura 139.6 mostra a composição corporal

Não menos importante no campo da distribuição é o perfil proteico. A fração de fármaco plasmático não ligado a proteínas é, em geral, aquela que está disponível para exercer a ação terapêutica ou efeitos colaterais. Deve-se lembrar de que os fármacos ácidos tendem a se ligar a sítios básicos, como os presentes na albumina, e os fármacos básicos, aos sítios ácidos, como nas globulinas, glicoproteínas e lipoproteínas, entre elas a alfa1-glicoproteína. Os níveis de albumina ao nascimento são menores que no adulto e com menor taxa de ligação a fármacos. Especificamente no caso da albumina, ainda há a competição de outros ligantes, como a bilirrubina não conjugada e os ácidos graxos. Assim, a presença de qualquer desses produtos em maior quantidade pode deslocar os outros, predispondo à toxicidade. Essa é a base fisiológica do *kernicterus*: lesão cerebral tóxica causada pelo excesso de bilirrubina não conjugada. Fatores que diminuem a ligação entre a albumina e a bilirrubina podem predispor a essa condição quando a bilirrubinemia é elevada. Quanto maior for a ligação proteica do fármaco utilizado, maior será o impacto.

Nas crianças recém-nascidas, ainda colabora para as variações vistas a tendência à acidemia, com mudança no grau de ionização das moléculas e, consequentemente, da afinidade entre elas. As ligações proteicas dependentes de albumina atingem o padrão adulto ao redor de 1 ano de idade. São exemplos de medicações encontradas nessa prática clínica: as ácidas fenitoína, ceftriaxona e cafeína e os básicos anestésicos locais.

Na distribuição de fármacos cujo sítio efetor é o SNC, além da influência do DC, há outro fator que deve ser lembrado: o desenvolvimento incompleto da BHE. Pequenas moléculas atravessam mais livremente o endotélio quando as junções celulares estão ainda em desenvolvimento, e fármacos não lipofílicos têm, na mielinização incompleta, um território favorável para a difusão. Assim, tem-se que tanto

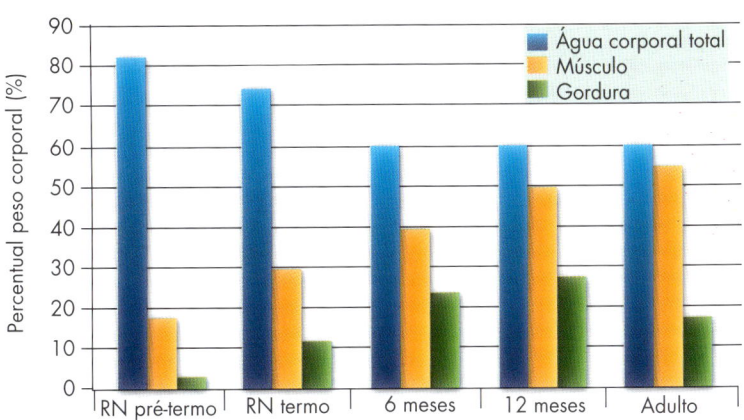

▲ **Figura 139.6** Composição corporal. A mudança de composição se altera nos primeiros meses. A maior proporção de água corporal aumenta do Vd para os fármacos hidrofílicas.
Fonte: Coté, C, 2015.[51]

fármacos hidrofílicos como lipofílicos apresentam facilidade de penetração no SNC quando essa passagem é comparada com o SNC íntegro do adulto e de crianças mais velhas.

No campo da metabolização, o entendimento da ontogenia é crucial: o desenvolvimento de cada enzima e sistema é único. A metabolização dos fármacos pode ser dividida em duas categorias: as reações de fase I são aquelas que promovem alteração de excretas, como oxidação, redução e hidrólise – um grande grupo de enzimas efetoras da fase I é do citocromo p450; as reações de fase II são aquelas que viabilizam a conjugação com outras moléculas para favorecer a solubilidade e possibilitar a excreção. Algumas das enzimas têm atividade aumentada no período neonatal e depois diminuem; outras têm o sentido inverso. Nenhuma generalização sobre o metabolismo hepático é possível, exceto que muitas reações se encontram diminuídas não por motivo enzimático, mas pelo fato de o fluxo sanguíneo hepático ser proporcionalmente menor nos primeiros meses de vida. O propofol, por exemplo, no adulto, tem a maior parte da metabolização e da eliminação por via hepática mediante glicuronidação (77%). No neonato, o fluxo hepático limita essa via e a maior eliminação ocorre por via renal, após hidroxilação (65%) e, em menor grau, glicuronidação (34%). A glicuronidação é também a reação responsável pela conjugação da bile para secreção no duodeno e pelo metabolismo da morfina, mas cada isoforma tem seu ritmo de desenvolvimento, e a sua maturidade funcional ocorre em tempos diferentes no período entre 6 e 18

meses. Outro exemplo é a cafeína, cuja eliminação é renal no neonato e por metabolização hepática nos adultos. De maneira grosseira, considera-se que, a partir de 1 ano de idade, as enzimas do citocromo p450 apresentam funcionamento normal e previsível.

A eliminação, em geral por via renal, é reduzida ao nascimento. Para aqueles fármacos com eliminação passiva, pode-se considerar que, com 2 semanas de vida, o processo passa a ser eficaz, mesmo que o RFG não tenha atingido a plenitude. Os compostos que dependem de transporte ativo renal terão a eliminação eficaz apenas depois dos 7 meses. Todas as fases do estudo farmacocinético podem ser alteradas por condições específicas, como doença aguda, hipóxia, acidose, utilização de múltiplos medicamentos, uso materno de fármaco durante a gestação, aumento da pressão intra-abdominal, patência do canal arterial, sempre aumentando a complexidade do cuidado prestado.

Farmacodinâmica

O estudo da farmacodinâmica só é possível depois de a farmacocinética estar compreendida, para que uma diferença de concentração em sítio efetor não seja confundida com diferença da interação do fármaco com o organismo (Tabela 139.7). Um exemplo é a depressão respiratória causada pela morfina. Antes considerada uma fragilidade neonatal decorrente de características farmacodinâmicas, atualmente

Tabela 139.7 Farmacocinética em fármacos comumente utilizados em anestesia.

Produtos iodados tópicos	▪ Pele mais fina ▪ Superfície corporal maior	▪ Absorção de iodo pode levar a hipotireoidismo transitório
Agentes inalatórios	▪ Aumento da VM/CRF ▪ Aumento do DC	▪ Indução mais rápida
Cefazolina	▪ Diminuição da ligação proteica acarreta maior distribuição nos tecidos ▪ Diminuição do RFG	▪ Pico plasmático menor ▪ Menor clearance, efeito prolongado
Bupivacaína	▪ Diminuição da ligação poteica ▪ *Clearance* diminuído	▪ Maior risco de efeitos colaterais ▪ Maior acúmulo de fármacos com doses repetidas ou infusão contínua
Propofol	▪ Diminuição do Vd (lipofílico) ▪ Glucuronidação hepática reduzida ▪ Sistema nervoso autônomo imaturo	▪ Diminuição da concentração de pico ▪ Diminuição da redistribuição ▪ Acúmulo em doses repetidas ou infusão contínua ▪ Maior possibilidade de hipotensão
Paracetamol	▪ Hidrofílico, alto Vd ▪ Glucuronidação hepática reduzida	▪ Menor pico plasmático, menos efetivo nas mesmas doses ▪ Acúmulo em doses repetidas
Midazolam	▪ Diminuição da biotransformação ▪ Diminuição do *clearance*	▪ Aumento do tempo de sedação
EMLA*	▪ Pele mais fina ▪ Superfície corporal maior	▪ Possibilidade de toxicidade pela absorção de anestésico local
Codeína	▪ Transformação para o metabólito (morfina) reduzida ▪ *Clearance* aumentado para o composto original e o metabólito	▪ Menor efeito terapêutico ▪ Possibilidade de acúmulo dos dois compostos
Bloqueadores da JNM	▪ Aumento do Vd ▪ Diminuição do *clearance*	▪ Diminuição da concentração muscular compensada pela diminuição da ACh ▪ Efeito prolongado

VM: ventilação-minuto; CRF: capacidade residual funcional; DC: débito cardíaco; RFG: ritmo de filtração glomerular; Vd: volume de distribuição; JNM: junção neuromuscular; Ach: acetilcolina.

Fonte: adaptada de Allergaert K, *et al,* 2014.[50]

sabe-se que a correspondência entre depressão respiratória e concentração de morfina é a mesma entre 2 e 570 dias de vida, e a concentração plasmática alvo é a mesma para crianças de diferentes idades.[52] O que muda para fragilizar os mais novos é o *clearance* diminuído pela redução tanto da metabolização hepática quanto da excreção renal.

Dados relevantes nesse âmbito são a curva de concentração alveolar mínima (CAM) dos anestésicos inalatórios em relação à idade, a sensibilidade da transmissão neuromuscular da criança aos agentes bloqueadores neuromusculares – possivelmente pela diminuição da liberação de acetilcolina na junção neuromuscular. O que mostra a literatura, no entanto, é que cada fármaco deve ser estudado separadamente e as doses tituladas pacientemente em cada indivíduo, uma vez que a amplitude de efeitos é muito maior do que se poderia esperar.

REFERÊNCIAS

1. Spong CY. Definig "term" Pregnancy. Recommendations from the defining "term" pregnancy workgroup. JAMA. 2013;309(23):2445-6.
2. Chabra S. Postterm, postdates and prolonged pregnancy: need for simplification of terminology. Obstet Gynecol. 2015;125(4):980-1.
3. Ellis H. Anatomy of fetal circulation. Anesth Intensive Care Med. 2005;6(3):73.
4. Kiserud T. Physiology of fetal circulation. Semin Fetal Neonatal Med. 2005;10:493-503.
5. Hartman ME, Cheifetz IM. Pediatric emergencies and ressuscitation. In: Kliegman RM, Stanton ST, Geme III JW, Behrman RE. Nelson Textbook of Pediatrics. 19. ed, Philadelphia: Elsevier; 2011. 280.
6. Kiserud T, Rasmussen S, Skulstad S. Blood flow and the degree of shunting through the ductus venosus in the human fetus. Am J Obstet Gynecol. 2000;182(1):147-53.
7. Kenny JF, Plappert T, Doubilet P, Saltzman DH, Cartier M, Zollars L, et al. Changes in intracardiac blood flow velocities and righ and left ventricular stroke volumes with gestational ages in the normal human fetus. Circulation. 1986;75(6):1208-16.
8. Kikrpatrick SE, Pitlick PT, Naliboff J, Friedman WF. Frank-Starling relationship as an important determinant of fetal cardiac output. Am J Physiol. 1976;23:495-500.
9. Romero E, Friedman W. Limited ventricular response to volume overload in the neonatal period: a comparative study with the adult animal. Ped Res. 1979;13:910-5.
10. Smartt JM, Low DW, Bartlett SP. The pediatric mandible: I. A primer on growth and development. Plast Reconstr Surg. 2005;16(1):14e-23e.
11. Djupesland PG, Lyholm B. Changes in nasal airway dimensions in infancy. Acta Otolaryngol. 1998;118(6):858-8.
12. Von Ubgern-Sternberg BS, Habre W. Pediatric anesthesia - potential risks and their assessment: part I. Ped Anesth. 2007;17:206-15.
13. Habre W, Disma N, Virag K, Becke K, Hansen TG, Jöhr M, Leva B, Morton NS, Vermeulen PM, Zielinska M, Boda K, Veyckemans F; APRICOT Group of the European Society of Anaesthesiology Clinical Trial Network. Incidence of severe critical events in paediatric anaesthesia (APRICOT): a prospective multicentre observational study in 261 hospitals in Europe. Lancet Respir Med. 2017 May;5(5):412-425. doi: 10.1016/S2213-2600(17)30116-9. Epub 2017 Mar 28. Erratum in: Lancet Respir Med. 2017 May;5(5):e19. doi: 10.1016/S2213-2600(17)30137-6. Erratum in: Lancet Respir Med. 2017 Jun;5(6):e22. doi: 10.1016/S2213-2600(17)30164-9. PMID: 28363725.
14. Litman RS, Weissend EE, Shibata D, Westesson P-L. Developmental changes of laryngeal dimensios in unparalyzed, sedated children. Anesthesiology. 2003;98(1):41-5.
15. Thach BT. Maturation of cough and other reflexes that protect the fetal and neonatal airway. Pulm Pharmacol Ther. 2007;24(4):365-70.
16. Trach BT. Maturation and transformation of reflexes that protect the laryngeal airway from liquid aspiration from fetal to adult life. Am J Med. 2001;111(8A):69-77S.
17. Praud JP. Upper airway reflexes in responde to gastric reflux. Pediatr Respir Rev. 2010;11:208-12.
18. Narayanan M, Owers-Bradley J, Beardsmore CS, Mada M, Ball I, Garipov R, et al. Alveolarization continues during childhood and adolescence. Am J Respir Crit Care Med. 2012;185(2):186-91.
19. Neumann RP, von Ungern-Sternberg. The neonatal lung – physiology and ventilation. Ped Anesth. 2014;24:10-21.
20. Frappell PB, McFarlane PM. Development of mechanics and pulmonary reflexes. Respir Physiol Neurobiol. 2005;149(1-3):143-54.
21. Lalani S, Remmers JE, MacKinnon Y, Ford GT, Hasan SU. Hypoxemia and low CRS in vagally denervated lambs result from reduced lung volume and not pulmonar edema. J Appl Physiol. 2002;83:601-10.
22. Smith CA, Nelson MN. Physiology of the newborn infant. 4. ed. Illinois: Springfield; 1976.
23. Hanrahan JP, Tager IB, Castile RG, Weiss ST, Speizer FE. Pulmonary function measures in healthy infants. Am Rev Respir Dis. 1990;140(5):1127-35.
24. Givan DC. Physiology of breathing and related patological processes in infants. Semin Pediatric Neurol. 2003;10(4):270-80.
25. Carrol JL, Agarwal A. Development of ventilatory control in infants. Paediatr Respir Rev. 2010;11(4):199-207.
26. Gerhardt T, Bancalari E. Apnea of prematurity: I. Lung function and regulation of breathing. Pediatrics. 1984;74(1):58-62.
27. Lermand J, Cote C, Steward DJ. Manual of pediatric anesthesia. 5. ed. Philadelphia: Elsevier, 2010.
28. Friis-Hansen B. Body water compartments in children: changes during growth and related changes in body composition. Pediatrics. 1961;28(2):168.
29. O'Brien F, Walker IA. Fluid homeostasis in the neonate. Pediatric Anesth. 2014;24:49-59.
30. Al-Dahhan J, Haycock GB, Chantler C, Stimmler L. Sodium homeostasis inter and preter neonates. I. Renal Aspects. Arch Dis Child. 1983;58:335-342.
31. Sulemanji M, Vakili K. Neonatal renal phisiology. Semin Pediatr Surg. 2013;22:195-8.
32. Friedman A. Fluid and electrolyte therapy: a primer. Pediatr Nephrol. 2010;25:843-6.
33. Grijalva J, Vakili K. Neonatal liver phisiology. Semin Pediatr Surg. 2013;22:185-89.
34. Jadcherla S, Shaker R. Esophageal and upper esophageal sphincter motor funcion in babies. Am J Med. 2011;111:64S-68S.
35. Paul O, Lacroix F. Recent developments in the perioperative fluid management for the paediatric patient. Curr Opin Anaesthesiol. 2006;19(3):268-77.
36. Wassner AJ, Modi BP. Endocrine physiology in the newborn. Semin Pediatr Surg. 2013;22:205-10.
37. Diaz-Miron J, Miller J, Vogel AM. Neonatal hematology. Semin Pediatr Surg. 2013;22:199-204.
38. Delivoria-Papadopolus M, Roncevic NP, Oski FA. Postnatal changes in oxygen transport of term, premature and sick infants: the role of red cell, 2,3-diphosphoglycerate and adult hemoglobin. Pediatr Res. 1971;5:235-45.
39. Stoelting K, Hillier S. Pulmonary gas Exchange and blood transport of gases. In: Pharmacology and physiology in anesthetic practice. 2006. 4. ed. Philadelphia: Lippincott Williams & Wilkins; 2006.
40. Mcclain CD, Mcmanus ML. Fluid management. Coté C, Lerman J, Anderson BJ. A Practice of Anesthesia for Infants and Children. 5. ed, Philadelphia: Elsevier; 2013.
41. Sokou R, Parastatidou S, Konstantinidi A, Tsantes AG, Iacovidou N, Piovani D, Bonovas S, Tsantes AE. Contemporary tools for evaluation of hemostasis in neonates. Where are we and where are we headed? Blood Rev. 2024 Mar;64:101157. doi: 10.1016/j.blre.2023.101157. Epub 2023 Nov 25. PMID: 38016836.
42. Revel-Vilk S. The conundrum of neonatal coagulopathy. Hematology Am Soc Hematol Educ Program. 2012;2012:450-4.
43. Marciniak B. Growth and development. In: Coté C, Lerman J, Anderson BJ. Coté and Lerman's. A Practice of Anesthesia for Infants and Children, 5. ed. Philadelphia: Elsevier Saunders, 2013.
44. Walker SM, Beggs S, Baccei ML. Persistent changes in peripheral and spinal nociceptive processing after early tissue injury. Exp Neurol. 2016;275(2):253-60.
45. Ing C, Warner DO, Sun LS, Flick RP, Davidson AJ, Vutskits L, et al. Anesthesia and Developing Brains: Unanswered Questions and Proposed Paths Forward. Anesthesiology. 2022 Mar 1;136(3):500-512.
46. Vutskits L. Cerebral blood flow in the neonate. Ped Anesth. 2014;24:22-9.
47. Michelet D, Arslan O, Hilly J, Mangalsuren N, Brasher C, Grace R, et al. Intraoperative changes in blood pressure associated with cerebral desaturation in infants. Ped Anesth. 2015;25:681-8.
48. Szabó EZ, Luginbuehl I, Bissonnette B. Impact os anesthesic agentes on cerebrovascular physiology in children. Pediatr Anesth. 2009,19:108-18.
49. Anderson BJ. My child is unique; the pharmacokinets are universal. Pediatr Anesth. 2012;22(6):530-8.
50. Allergaert K, van de Velde M, van den Anker J. Neonatal clinical pharmacology. Pediatr Anesth. 2014;24:30-8.
51. Coté, C. Pediatric anesthesia. Em Miller, RD. Miller's anesthesia. 8. ed. Philadelphia: Saunders; 2015.
52. Meakin GH. Developmental pharmacology. In: Holzman RS, Mancuso TJ, Polaner DM. A Practical Aproach to Pediatric Anesthesia. Philadelphia: Lippincott Williams & Wilkins; 2008.

140

Avaliação Pré-operatória do Recém-nascido e da Criança

Vinícius Caldeira Quintão ■ Tiago Caneu Rossi ■ Gabriel Soares de Sousa

INTRODUÇÃO

A avaliação pré-operatória é um componente essencial no planejamento anestésico e cirúrgico, tendo como objetivo avaliar a condição clínica, as necessidades cirúrgicas e o contexto psicológico/familiar envolvidos. Ela é composta da coleta da história clínica e exame físico, assim como a coleta de exames adicionais conforme a cirurgia a ser realizada e as comorbidades existentes.

A história clínica deve focar nos seguintes aspectos:

■ Uma revisão de todos os sistemas orgânicos com ênfase especial naquele envolvido na cirurgia e nas doenças ativas neste momento;
■ História pregressa gestacional, como complicações na gestação, dados sobre a via de parto (cesáreo ou vaginal), idade gestacional, APGAR ao nascimento, necessidade de internação e necessidades de intervenção na sala de parto;
■ Uma revisão do histórico de tabagismo do paciente e dos pais (tabagismo passivo);
■ Medicamentos (de venda livre e prescritos) utilizados neste momento e antes da doença atual, incluindo ervas e vitaminas, e quando a última dose foi utilizada;
■ Alergias a medicamentos com detalhes específicos sobre a natureza da alergia e se o teste imunológico foi realizado;
■ Experiências cirúrgicas e hospitalares prévias, incluindo aquelas relacionadas ao problema atual;
■ Histórico de familiares com problemas relacionados à anestesia, principalmente relacionados à suscetibilidade à hipertermia maligna, doenças neuromusculares ou presença de deficiência de pseudocolinesterase;
■ Horário da última ingesta oral, última micção (fralda molhada), vômito e diarreia nesse período.

As questões relacionadas anteriormente são importantes, pois podem afetar a saúde do recém-nascido e da criança ao nascimento, assim como ao longo do seu desenvolvimento, podendo acarretar implicações anestésico e cirúrgicas.

■ HISTÓRIA GESTACIONAL, NASCIMENTO E DESENVOLVIMENTO

A história gestacional é importante, pois problemas maternos desenvolvidos durante o período gestacional e nascimento podem ser relevantes no contexto neonatal ou posteriormente (Tabela 140.1). A história materna e farmacológica, tanto terapêutica quanto de abuso de drogas (Tabela 140.2), pode também fornecer informações valiosas para o manejo de um neonato que necessita de cirurgia.[1]

O desenvolvimento intrauterino se inicia na concepção e se estende até o nascimento. Este período pré-natal é caracterizado por grande vulnerabilidade a uma variedade de fatores genéticos e ambientais que podem induzir a disfunção orgânica permanente e de gravidade variável.

O desenvolvimento pré-natal é normalmente dividido em três estágios: (1) o germinativo; (2) o embrionário; e (3) o estágio fetal. O estágio germinativo se inicia com a concepção e termina aproximadamente duas semanas após, com a implantação do embrião na parede uterina. A principal característica deste período é a formação da placenta. Fatores genéticos ou ambientais, que interferem com o processo de implantação, levam ao término da gravidez. A fase embrionária compreende o período entre a terceira e a oitava semanas de gravidez e é caracterizado por intensa proliferação celular, migração e diferenciação, levando ao estabelecimento de todos os principais órgãos. A maior vulnerabilidade a uma variedade de teratógenos durante este período pode induzir a defeitos de desenvolvimento, que são incompatíveis com a vida. A fase fetal se estende da nona semana de gestação até o nascimento e é caracterizada pelo crescimento e diferenciação funcional de órgãos. Vários fatores exógenos, como toxinas ambientais, radiação ionizante e infecções maternas podem interferir na fisiologia de desenvolvimento de órgãos em todo o feto.[1] A gravidez é considerada a termo entre a 37ª e 42ª semanas de gestação, porém os fetos atingem uma idade viável, compatível com vida, entre a 22ª e a 26ª semana após a concepção. Os dados de peso, estatura e perímetro cefálico são avaliados por curvas do Escore Z, definidas pela idade e pelo sexo, conforme orientações da OMS.

O desenvolvimento da criança ao longo dos primeiros anos de vida (0 a 6 anos) pode ser avaliado pela escala de Denver II, um instrumento de triagem em desenvolvimento infantil que consiste em 125 itens divididos em área pessoal-social, motora fino-adaptativa, linguagem e motora ampla.[2] Esses itens são registrados pelo próprio avaliador por meio de informações decorrentes dos responsáveis pela criança ou durante a sua avaliação. Quando os dados não se correlacionam, sendo identificado um atraso no desenvolvimento neuropsicomotor da criança, esta deve ser encaminhada para um neuropediatra, a fim de uma investigação mais detalhada sobre o caso.

Tabela 140.1 Condições médicas maternas e implicações no neonato.

História materna	Problemas comuns esperados no neonato
Incompatibilidade ABO-Rh	Anemia hemolítica, hiperbilirrubinemia, *kernicterus* (icterícea nuclear)
Intoxicações exógenas	PIG e problemas associados, interação com bloqueadores neuromusculares e magnésio
Hipertensão	Neutropenia, trombocitopenia, PIG e problemas associados
Uso de drogas ilícitas	Polidrâmnio, PIG
Infecções maternas	Sepse neonatal, trombocitopenia, infecção viral
Hemorragias gestacionais	Anemia, choque hemorrágico
Diabetes	Hipoglicemia neonatal, trauma no parto, aumento da incidência de anomalias congênitas, policitemia, cardiomiopatia, hipocalcemia, hipomagnesemia, GIG ou PIG e problemas associados
Polidrâmnio	Fístula traqueoesofágica, anencefalia, múltiplas anormalidades
Oligoâmnio	Hipoplasia renal, hipoplasia pulmonar e PIG
Desproporção cefalopélvica	Trauma no parto, fraturas e hiperbilirrubinemia
Alcoolismo	Hipoglicemia, malformações congênitas, síndrome alcoólica fetal, PIG e problemas associados
Baixos níveis de alfafetoproteína	Trissomia do 21
Rotura prematura das membranas	Infecção neonatal e sepse
Miastenia gravis	Miastenia neonatal
Hipertireoidismo (doença de Graves)	Hipotireoidismo ou hipertireoidismo

PIG: Pequeno para Idade Gestacional; **GIG:** Grande para Idade Gestacional.

Tabela 140.2 Medicamentos maternos que podem afetar o neonato.

AAS e outros AINEs	Hemorragia, hipertensão da artéria pulmonar
Opioides	Depressão respiratória neonatal e abstinência
Cefalosporinas	Hiperbilirrubinemia
Sulfonamidas	Hiperbilirrubinemia
Anticonvulsivantes	Anomalias congênitas
Warfarina (cumarínicos)	Anomalias congênitas, retardo no desenvolvimento e convulsões
Medicamentos para hipertireoidismo	Hipotireoidismo
Beta-bloqueadores	Bradicardia neonatal, hipoglicemia
Cocaína	Anomalias congênitas e descolamento prematuro de placenta
Magnésio	Depressão respiratória, hipotonia, aumento a sensibilidade dos bloqueadores neuromusculares
Terbutalina	Hipoglicemia
Álcool	Síndrome alcoólica fetal, fácies dismórficas, PIG, retardo no desenvolvimento
Tabagismo	Prematuridade, PIG, descolamento prematuro de placenta e placenta prévia
Lítio	Anomalias cardíacas
Isotretinoína	Micrognatia, anomalias cardíacas e do sistema nervoso
IECA	Hipotensão e oligúria

AAS: Ácido Acetilsalicílico; **AINEs:** Anti-inflamatórios Não-esteroidais; **PIG:** Pequeno para Idade Gestacional; **IECA:** Inibidores da Enzima Conversora de Angiotensina.

ALEGRIAS E MEDICAMENTOS EM USO

Uma história de alergia a um medicamento é comum em crianças que se apresentam para cirurgia. Devido a sazonalidade de doenças infectocontagiosas tropicais, a maioria das crianças já recebeu alguma dose de antibiótico ao longo da vida. Muitas delas relatam desenvolvimento de erupção cutânea após administração de antibióticos com penicilina, cefalosporina ou a base sulfa, mas não foram submetidos a testes de diagnóstico para determinar a causa da erupção.[3] O verdadeiro estado alérgico, exceto pelo histórico ou relatório dos pais no momento da avaliação, não pode ser determinado pelo anestesista. Em muitos casos, quando se questiona mais detalhadamente os pais sobre a reação, observa-se que ela não foi de natureza alérgica, e sim alguma reação adversa esperada com o uso da medicação.[4]

Além das alergias medicamentosas pregressas, deve-se orientar sobre o manejo das medicações de uso atual do paciente. Não existe diferença entre o manejo de suspensão de medicamentos entre a população adulta e pediátrica. Devemos ter atenção especial aos medicamentos fitoterápicos, pois estão associados à instabilidade cardiovascular, aos distúrbios de coagulação, à potencialização da sedação e à imunossupressão. A Sociedade Americana de Anestesiologia recomenda a suspensão dos medicamentos fitoterápicos por um período de duas semanas, antes da cirurgia, porém sem evidência robusta na literatura.

TABAGISMO

Fumar aumenta as concentrações de carboxihemoglobina no sangue, diminui a função ciliar das vias aéreas, diminui a Capacidade Vital Funcional (CVF), o Fluxo Expiratório Forçado (FEF) na fase intermediária, 25% a 75%, e aumenta a produção de escarro. Há extensa evidência de que fumantes submetidos a cirurgia têm maior probabilidade de desenvolver infecções da ferida e complicações respiratórias pós-operatórias.[5] Embora parar de fumar por um período de dois dias diminua os níveis de carboxihemoglobina e desloque a curva de dissociação da oxiemoglobina para à direita, é necessário que a interrupção ocorra por pelo menos seis a oito semanas para reduzir a taxa de complicações pulmonares pós-operatórias.

A fumaça ambiental de tabaco ou tabagismo passivo é um problema importante que atinge grande número de crianças e adolescentes. Estudos demonstraram que as crianças expostas ao tabagismo passivo são mais propensas a desenvolverem asma, otite média, eczema atópico e cárie dentária.[6] Há também uma taxa aumentada de doenças respiratórias inferiores e doença do trato gastrintestinal. Vários autores demonstraram que o tabagismo passivo resulta em aumento das complicações perioperatórias das vias aéreas em crianças. Os eventos adversos respiratórios incluem laringoespasmo, broncoespasmo, obstrução das vias aéreas, dessaturação de oxigênio (< 95%), tosse intensa ou sustentada e estridor no pós-operatório.

Durante a consulta pré-operatória com adolescentes, o anestesiologista deve perguntar sobre o tabagismo e enfatizar a necessidade de parar o hábito. Em caso de tabagismo passivo, deve-se verificar a exposição da criança ao tabaco por meio de questionamento aos pais ou responsáveis sobre o fumo dentro de casa. Este é um momento oportuno para educar os pais e responsáveis sobre os perigos do tabagismo passivo para os seus filhos e oferecer medidas de suporte para interromper o hábito e para melhorar a abstinência.[7]

VACINAS

Os recém-nascidos e crianças podem se apresentar para a realização da cirurgia depois de terem sido recentemente imunizadas. Assim, a equipe de anestesiologista e cirúrgica devem considerar dois pontos:

- Os efeitos imunomoduladores da anestesia e cirurgia podem afetar a eficácia e segurança da vacina;
- A resposta inflamatória causada pela vacina poderá alterar o curso perioperatório.

Há uma influência breve e reversível da vacinação na doença linfoproliferativa, respostas que geralmente retornam aos valores pré-operatórios dentro de dois dias.[8] Eventos adversos causados pela vacina (p. ex.: febre, dor, irritabilidade) podem ocorrer, mas não devem ser confundidos com alterações normais do período perioperatório. Os eventos adversos às vacinas inativadas, como Difteri, Tétano e Coqueluche (DPT) se tornam aparentes a partir de dois dias, e vacinas de vírus vivos atenuados, como MMR (sarampo, caxumba e rubéola), dos 7 aos 21 dias após a imunização. Portanto, intervalos entre a imunização e anestesia são recomendados, dependendo do tipo de vacina, para evitarmos má interpretação de eventos adversos associados à vacina como complicações perioperatórias. É recomendado na prática geral adiar a cirurgia eletiva por uma semana após a vacinação com uma vacina inativada, e três semanas após uma vacina viva atenuada, embora artigos mais recentes recomendem adiar apenas 48 horas após a vacinação com uma vacina inativada.[9] Após a realização de cirurgias, é recomendável adiar a vacinação até que a criança esteja totalmente recuperada do procedimento cirúrgico realizado.

PIERCINGS E OUTROS MATERIAIS SINTÉTICOS E/OU METÁLICOS

Os *piercings* e materiais sintéticos (cabelos, unhas e cílios) são uma prática comum em adolescentes e adultos jovens. Para minimizar a possibilidade e o risco de complicações do metal ou dos materiais sintéticos com bisturis elétricos e possíveis lesões por pressão, eles devem ser removidos antes da cirurgia. As complicações, caso não sejam removidos, estão relacionados principalmente a lesões por pressão, necrose, aspiração pulmonar, laringoespasmo e queimaduras devido ao contato do material metálico com a corrente elétrica do bisturi (no caso dos *piercings*). A fim de evitar problemas, deve-se retirar o material e, quando não for possível, usar o cautério bipolar ou bisturi harmônico e a base de aterramento do cautério longe do *piercing*. Isso se aplica aos materiais sintéticos, que podem causar queimaduras e combustão.

HISTÓRIA FAMILIAR

A história familiar é de extrema importância, especialmente em uma série de condições, incluindo hipertermia maligna, distrofia muscular, bloqueio neuromuscular prolongado associado à anestesia (deficiência de pseudocolinesterase), anemia falciforme, tendência a sangramento (e hematomas) e em relação à dependência de drogas ilícitas (abstinência, infecções concomitantes). A história deve ser adequadamente documentada. Na suspeita de doenças hereditárias ainda não investigadas, a família deve ser encaminhada para aconselhamento com profissional apropriado, e o plano anestésico específico para cada condição deve ser realizado na consulta pré-anestésica e devidamente esclarecido para o paciente.[10]

■ PREMATURIDADE

A prematuridade é estratificada em pré-termo tardio (34 a 37 semanas), pré-termo moderado (32 a 33 semanas), muito pré-termo (28 a 31 semanas) e pré-termo extremo (< 28 semanas). Nesses períodos há aumento da morbimortalidade neonatal, inversamente proporcional ao grau de prematuridade. O peso normal ao nascer a termo é de 2.500 g a 4.000 g. Bebês pesando abaixo desses valores podem ser classificados como baixo peso ao nascer (< 2.500 g), muito baixo peso ao nascer (< 1.500 g) e extremo baixo peso ao nascer (< 1000 g).

Ao se correlacionar o peso em relação à idade gestacional em curvas de desvio padrão, é possível classificar adicionalmente o recém-nascido em três categorias: pequeno para idade gestacional, apropriado para a idade gestacional ou grande para a idade gestacional. Bebês pequenos ou grandes para a idade gestacional muitas vezes têm problemas ou dificuldades de desenvolvimento associada a doenças maternas que podem afetar diretamente os cuidados perioperatórios, conforme Tabela 140.3.[11]

Tabela 140.3 Complicações relacionadas à prematuridade.

Pré-termo (< 37 semanas)	■ Síndrome da angústia respiratória do recém-nascido ■ Apneia ■ Depressão perinatal ■ Hipoglicemia ■ Policitemia ■ Hipocalcemia ■ Hipomagnesemia ■ Hiperbilirrubinemia ■ Infecção viral ■ Trombocitopenia ■ Anomalias congênitas ■ Adicção de drogas maternas ■ Síndrome alcoólica fetal
Termo (37- 42 semanas)	■ Anomalias congênitas ■ Infecção viral ■ Trombocitopenia ■ Síndrome alcoólica fetal ■ Depressão perinatal ■ Hipoglicemia ■ Trauma no parto ■ Hiperbilirrubinemia
Pós Termo (> 42 semanas)	■ Síndrome da aspiração meconial ■ Anomalias congênitas ■ Infecção viral ■ Trombocitopenia ■ Adicção de drogas maternas ■ Depressão perinatal ■ Pneumonia aspirativa ■ Hipoglicemia ■ Trauma no parto ■ Hiperbilirrubinemia

■ APNEIA DA PREMATURIDADE

A apneia é uma das principais preocupações quando se realiza anestesia pediátrica em lactentes. Pode estar relacionada a muitas causas como: prematuridade, distúrbios metabólicos, efeitos farmacológicos ou imaturidade do Sistema Nervoso Central (SNC).[12] A maioria dos bebês que desenvolve apneia pós-anestésica são ex-prematuros (idade gestacional < 37 semanas) e menores de 44 semanas de idade pós-conceptual. Entretanto, a apneia pode ocorrer até 60 semanas de idade pós-conceptual, sendo que o risco de apneia precoce é menor com anestesia regional em vigília. No entanto, o risco de apneia tardia não se correlaciona com o tipo de anestesia, sendo o risco semelhante aos demais.[13]

Em uma revisão do Cochrane, encontraram-se evidências de que medidas profiláticas como metilxantina (cafeína) reduz o risco de apneia pós-operatória. No entanto, há cautela quanto às recomendações para seu uso rotineiro, já que a cafeína reduz o risco de apneia tardia.[12] Além disso, a presença de anemia é fator importante associado ao risco de apneia.[14]

Existem várias recomendações para o manejo de bebês ex-prematuros. Sabe-se que o risco de apneia diminui com o avanço da idade. Apesar de controverso, é recomendável que bebês ex-prematuros, com idades pós-conceptual entre 45 e 60 semanas, devam ser internados após procedimento anestésico, para monitoramento de apneia por um período de 12 a 24 horas. O risco de apneia nos bebês a termo ainda é mal definido.[12]

■ DISPLASIA BRONCOPULMONAR

A displasia broncopulmonar é uma situação na qual bebês prematuros requerem oxigênio a longo prazo devido a uma doença pulmonar crônica. A doença se desenvolve porque os pulmões prematuros não estão maduros o suficiente para funcionar adequadamente, e são expostos à volutrauma, à barotrauma e às altas concentrações inspiradas de oxigênio na ausência de surfactante. Apresenta-se como fator de risco bebês com baixo peso ao nascer e que permaneceram em ventilação mecânica prolongada para o tratamento da síndrome do desconforto respiratório.[15]

Na avaliação pré-operatória desses bebês, deve-se ter atenção para os níveis de saturação e a necessidade de oxigênio suplementar. Bebês com história de displasia broncopulmonar podem ter aumento da reatividade brônquica e do broncoespasmo intraoperatório. A presença de hipertensão pulmonar e disfunção ventricular direita devem ser avaliadas por ecocardiograma. Em quadros de hiperatividade brônquica, o uso de Beta-2-agonistas inalados de 1 a 2 horas antes do procedimento cirúrgico pode auxiliar na prevenção do broncoespasmo. Em casos graves, pode ser necessário o uso de corticoides por via oral até que ocorra estabilização ou melhora do quadro pulmonar.[16]

Os medicamentos ansiolíticos como benzodiazepínicos podem reduzir o estresse e consequentemente as crises de broncoespasmo no período perioperatório, porém seu uso deve ser realizado com cautela em pacientes com sinais de instabilidade respiratória. As medicações utilizadas para o tratamento do quadro devem ser mantidas no dia do procedimento.[17] É recomendado que o pós-operatório desses bebês seja realizado em unidade de terapia intensiva devido ao risco de comprometimento pulmonar.

ESTENOSE SUBGLÓTICA

A estenose subglótica surge como uma das possíveis complicações da intubação prolongada das vias aéreas. O desenvolvimento de granulação glótica e subglótica, ulceração da cricoide, estenose glótica posterior, fixação da articulação cricoaritenoidea e estenose traqueal são possíveis complicações. Pacientes com trissomia 21 também apresentam maior incidência de estenose subglótica. A estenose pode inicialmente ser imatura (reversível) ou evoluir para formação de tecido cicatricial e estenose fixa (irreversível). Os sinais e sintomas do comprometimento das vias aéreas podem ser evidentes, ou não, a depender do grau de estenose. O sinal mais evidente é o estridor, tipicamente inspiratório ou bifásico. O estridor bifásico é observado com estenose fixa, enquanto o estridor inspiratório é mais visto com um colapso dinâmico (p. ex: laringomalácia, paralisia das pregas vocais e granulação glótica). O estridor é o sinal que mais chama a atenção, porém as retrações, sejam supraesternais, intercostais e subcostais, são indicadores da gravidade da obstrução. Em uma criança com estridor, mas sem retrações, é improvável que a via aérea esteja significativamente comprometida. Outros sintomas podem incluir rouquidão, apneia e cianose. Os sintomas tipicamente pioram quando os indivíduos estão agitados ou durante o esforço (como no choro).[18]

No período pré-operatório, é importante reconhecer os sinais de gravidade e realizar o planejamento de abordagem da via aérea dessa criança. Se houver preocupação com estenose, um tubo endotraqueal (TET) menor deve estar disponível, e um exame das vias aéreas com um broncoscópio pode ser necessário, se houver dificuldade de passagem de TETs menores. Outro momento crítico é a extubação, sendo que, se o estridor pós-extubação permanecer por um período maior que 72 horas, o risco de desenvolvimento de estenose subglótica é alto.[19]

SISTEMA CARDIOVASCULAR

A avaliação do sistema cardiovascular deve identificar doenças congênitas subjacentes, ou patologias cardíacas adquiridas. Pacientes com capacidade funcional preservada, raramente apresentam anomalias congênitas significativas. Se um bebê consegue amamentar, sem apresentar dispneia ou sudorese, ele apresenta boa capacidade funcional. No entanto, em pacientes mais velhos, com história de síncope ou vertigem, uma avaliação mais detalhada deve ser realizada, pois sugere a existência de arritmias (p. ex: QT prolongado) ou reflexos vasovagais. Classificar a cardiopatia congênita segundo a Tabela 140.4.

A avaliação do sistema cardiovascular se inicia com a coleta do histórico clínico do paciente quanto a internações prévias, presença de sopros, síncope, cansaço e desenvolvimento adequado. A história é útil para determinar se o sopro é benigno (inocente ou funcional) ou patológico. A evidência de capacidade funcional adequada e a ausência de cianose sugerem sopro cardíaco benigno. Bebês com intolerância à alimentação, crescimento inadequado ou cianose apresentam sinais e sintomas de um sopro patológico. As crianças mais velhas podem apresentar sintomas diferentes como: dor no peito, síncope, ou incapacidade de acompanhar os amigos em atividades físicas. A história familiar de morte súbita também deve levantar preocupação para possíveis doenças cardíacas. Algumas condições pediátricas apresentam alta incidência de doenças cardíacas, mesmo que não haja sopro presente. Pacientes com história de síndrome de Williams, Noonan, trissomia 21, Turner ou Marfan devem realizar uma avaliação cardiológica antes da realização da cirurgia.[10]

O exame físico com a aferição dos sinais vitais, como frequência cardíaca, pressão arterial, palpação dos pulsos e ausculta cardiovascular, deve ser realizado de forma rotineira. Em muitos locais no Brasil, as crianças não realizam o acompanhamento de puericultura de forma adequada, tornando o momento da consulta pré-anestésica uma das poucas oportunidades de contato com o sistema de saúde. Se durante o exame físico for detectado um sopro cardíaco, os pais devem ser questionados sobre se o sopro foi previamente detectado, ou se houve alguma avaliação cardíaca prévia. Se o sopro não foi detectado anteriormente, o anestesiologista deve decidir se solicitará, ou não, avaliação de um especialista. A abordagem sistemática pode ser orientada conforme a Figura 140.1.

Um ecocardiograma ajudará a definir qual é o sopro, se o exame for não for claro. Os ecocardiogramas identificam corretamente a anatomia subjacente e a patologia envolvida na produção do sopro cardíaco.[20] Quase todos os sopros diagnosticados em crianças saudáveis são classificados como sopros de fluxo normal. Em geral, sopros não patológicos ocorrem durante a sístole, são macios, não irradiam e apresentam a palpação de pulsos periféricos normais. No entanto, se o sopro for áspero e de difícil localização, se houver pulsos intensos ou se for acompanhado por outros achados extracardíacos, a avaliação de um especialista é recomendada.

Tabela 140.4 Classificação ACS-NSQIP da cardiopatia congênita baseada na lesão residual e no *status* funcional.	
Doença Cardíaca Congênita	**Definição e Critérios**
Menor	■ Condição cardíaca com ou sem medicação e estável (p. ex.: comunicação interatrial ou defeito septal ventricular pequeno a moderado e sem sintomas) ■ Reparo de cardiopatia congênita com a função cardiovascular normal e sem medicação
Maior	■ Reparo de cardiopatia congênita com anormalidade hemodinâmica residual com ou sem medicamentos (p. ex: tetralogia de Fallot com regurgitação pulmonar livre ou síndrome cardíaca da hipoplasia do ventrículo esquerdo, incluindo paliação de estágio¹
Grave	■ Cardiopatia congênita cianótica grave não corrigida ■ Pacientes com hipertensão pulmonar documentada ■ Pacientes com disfunção ventricular que necessitam de medicação ■ Listado para transplante de coração

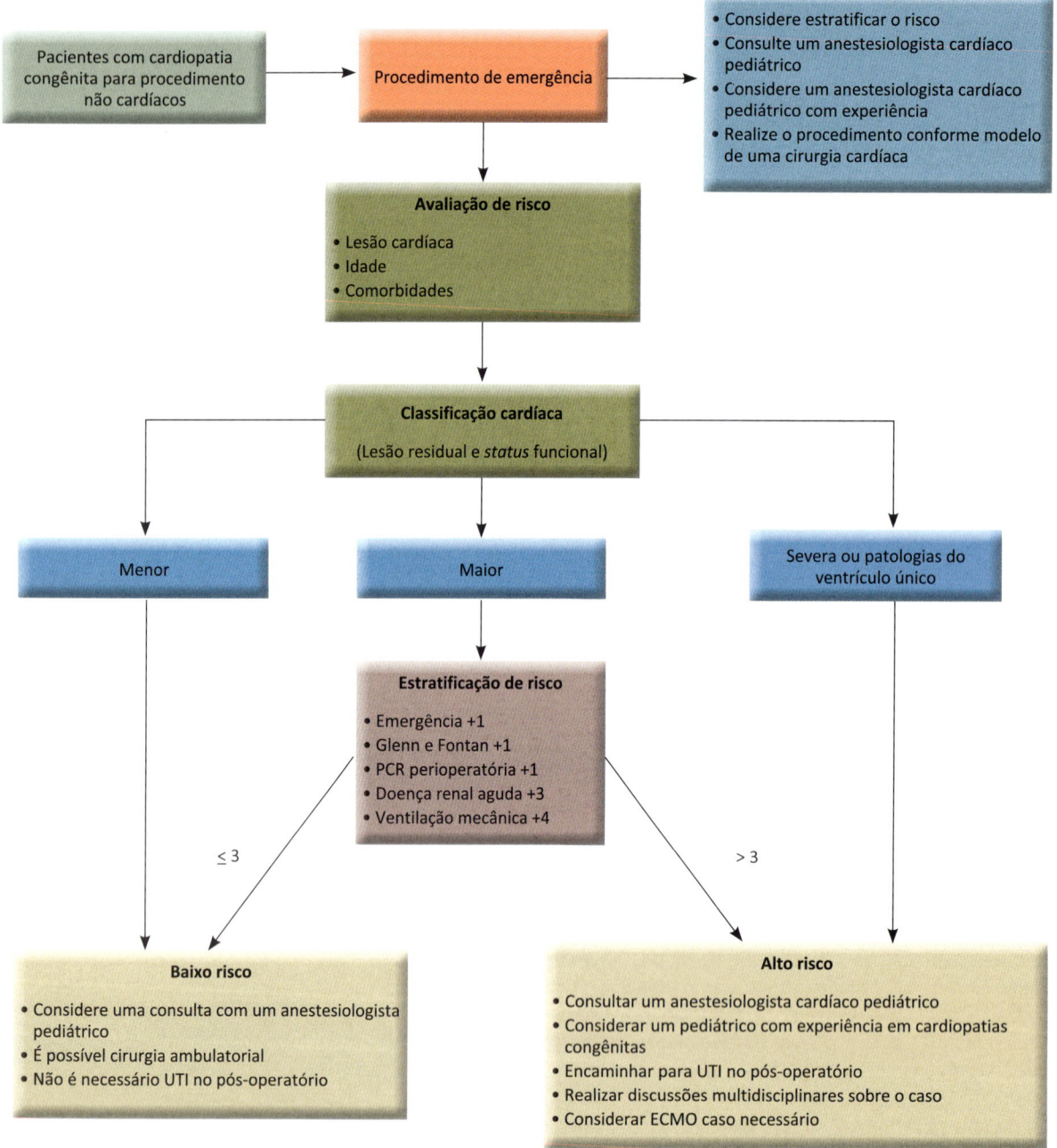

▲ **Figura 140.1** Abordagem sistemática de pacientes com cardiopatia congênita que se apresentam para procedimentos não cardíacos.

Fonte: Adaptada de Nasr VG, e col., 2023.[20]

*PCR: Parada Cardiorrespiratória; **UTI:** Unidade de Terapia Intensiva; **ECMO:** Oxigenação por Membrana Extracorpórea.

■ ANSIEDADE PRÉ-OPERATÓRIA: PRESENÇA PARENTAL DURANTE A INDUÇÃO

O período perioperatório é um momento de ansiedade e estresse tanto para a criança, quanto para a família, sendo responsabilidade do anestesiologista o manejo deste cenário. Todo processo se inicia no momento da avaliação pré-anestésica, quando se estabelece uma conversa ativa com os pais e contato direto com a criança. Neste momento, muitas vezes, os pais estão mais preocupados com o ato anestésico do que com a própria cirurgia.

Diversos fatores influenciam a capacidade da criança e da família lidar com o estresse. Fatores como a dinâmica familiar, o desenvolvimento da criança e *status* comportamental, preconceitos culturais, e nossa capacidade para explicar percepções equivocadas e desinformação.[2] É irrelevante se a criança é muito pequena para compreender tudo adequadamente. Deve-se explicar de maneira simples como a anestesista e o procedimento irão transcorrer, perguntando à criança sobre seus interesses e realizando gestos, a fim de se estabelecer confiança e minimizar a ansiedade.[21]

O desenvolvimento do sofrimento no período pré-operatório em crianças pode gerar distúrbios comportamentais pós-operatórios como: distúrbios do sono (pesadelo), dificuldades de alimentação, apatia, retraimento, aumento do nível de ansiedade de separação, agressividade, medo de procedimentos médicos com visitas hospitalares subsequentes e comportamentos regressivos, como noctúria. Apesar desses distúrbios estarem presentes, principalmente nas duas primeiras semanas de pós-operatório, em algumas crianças, pode ocorrer prolongamento do quadro.

Existem diversas modalidades que podem ser utilizadas na tentativa de diminuir o medo e a ansiedade nos pacientes e suas famílias. Materiais informativos pré-operatórios, além da discussão pré-operatória com passeios pela instituição, material lúdico impresso com histórias, jogos, vídeos e até histórias em quadrinhos podem ser utilizados nessa dinâmica. No dia do procedimento, pode-se utilizar técnicas de distração para aliviar a ansiedade durante a indução da anestesia ou utilizar pré-medicações com ação ansiolítica como os benzodiazepínicos, agonistas-alfa-2 ou cetamina.[22] Permitir a entrada dos pais na sala de cirurgia no momento da indução da anestesia é outra técnica que pode diminuir os níveis de estresse da criança. Os benefícios desta prática são óbvios, pois a criança pode ficar menos ansiosa se os pais estão juntos em um local desconhecido e cercado por estranhos.

No entanto, estudos demonstraram claramente que a presença dos pais não altera o sofrimento comportamental da criança, nem altera resultados pós-operatórios comportamentais negativos. A presença dos pais não é superior ao uso pré-operatório de sedativos como Midazolam para ansiedade pré-operatória. Se for tomada uma decisão para permitir que um dos pais entre na sala de cirurgia durante a indução, o anestesiologista deve explicar os eventos que ocorrerão durante a indução para que não ocorram momentos de estresse e ansiedade familiar.[23]

Após tomada a decisão do acompanhamento da criança durante a indução, deverá haver uma explicação sobre a natureza do procedimento e os possíveis efeitos na criança (agitação, flacidez, movimentos anormais do tórax, aumento da frequência respiratória etc.). Os pais devem concordar em sair imediatamente a qualquer momento quando solicitado por um membro da equipe da sala cirúrgica ou assim que a criança perder a consciência. Um membro da equipe cirúrgica ficará encarregado de acompanhar os pais da sala de cirurgia até a sala de espera.

■ MEDICAÇÃO PRÉ-ANESTÉSICA

A utilização da medicação pré-anestésica, conforme Tabela 140.5, tem o objetivo de reduzir a ansiedade e o estresse psicológico gerado pelo período perioperatória nas crianças e, indiretamente, nos pais. Além disso, a ansiedade da separação é reduzida quando medicamentos pré-anestésicos são utilizados, principalmente nas crianças maiores de 1 ano.

Quando se utiliza medicação pré-anestésica os efeitos adversos devem ser levados em consideração, como: o tempo de meia vida da medicação que pode prolongar o período de despertar e recuperação, a dose necessária para produzir efeito satisfatório a depender do peso e peculiaridades do paciente as interações medicamentosas, o aumento da incidência de náuseas e vômitos pós-operatórios e a possibilidade de depressão respiratória.

Via Oral

A via oral deve ser optada sempre que possível. Além de melhor aceitação, causa menor desconforto ao paciente.

Midazolam

O midazolam por via oral é atualmente a medicação pré-anestésica mais utilizada para os pacientes pediátricos. A dose recomendada pode variar de 0,5 mg.kg^{-1} a 0,8mg.kg^{-1} com limite máximo entre 15 a 20 mg de dose total. Essas doses resultam em um nível aceitável de redução da ansiedade, cooperação das crianças durante a indução anestésica e razoável segurança. O tempo médio para início de ação após a ingestão do midazolam e o efeito desejado fica em torno dos 20 minutos. Apesar da sedação ainda ter sido observada em muitos pacientes 2 horas após a administração do midazolam, muitos autores, entretanto, relataram que o midazolam reduziu a ansiedade pré-operatória nas crianças. Além disso, os efeitos da separação dos pais foram mínimos, com pouca interferência nos tempos de recuperação, embora houvesse alguma divergência em relação ao tempo necessário para a alta.[23]

O midazolam tem gosto amargo, o que faz com que as apresentações comerciais para uso oral sejam na forma de xaropes. Desta forma, algumas crianças podem se recusar a ingerir o xarope ou cuspir a dose administrada. Outras crianças podem apresentar resultados insatisfatórios quanto ao controle da sedação e diminuição da ansiedade, sendo o problema mais frequente nas crianças menores, que apresentam alto grau de ansiedade no pré-operatório ou que exibem baixa sociabilidade. Outros efeitos adversos no pós-operatório foram relatados com o midazolam, sobretudo com doses superiores a 0,5 mg.kg^{-1}, tais como: visão borrada, dificuldade de sustentação da cabeça e reações de disforia.

Cetamina

A cetamina por via oral é uma alternativa ao midazolam como medicação pré-anestésica. Quando administrada por via oral sofre elevado efeito de primeira passagem pelo fígado. Desta forma, a dose recomendada (6 a 8 mg.kg^{-1}) é maior quando comparada a dose endovenosa, porém é bem tolerada e produz o efeito desejado dentro de 20 a 30 minutos.[1] A cetamina por via oral, e nas doses anteriores, apresenta poucos efeitos adversos como taquicardia, depressão respiratória ou agitação pós-operatória. A separação dos pais é tranquila e a indução ocorre sem problemas. Entretanto, episódios de laringoespasmo e alucinações foram mais relatadas quando comparados ao midazolam.[29]

Alfa-2-agonistas

A utilização de αlfa-2-agonistas como medicação pré-anestésica para crianças mostrou-se eficiente em reduzir os níveis de ansiedade com resultados bastante semelhantes ao midazolam. A clonidina parece ser superior ao midazolam, apresentando menor estimulação simpática perioperatória e menor incidência de dor no pós-operatório. Todavia, os relatos quanto ao efeito da clonidina no alívio da dor pós-operatória são insuficientes para uma posição definitiva.

A dose recomendada de clonidina por via oral é de 4 µg.kg⁻¹. Nestas doses são observados efeitos sedativos após 30 minutos da administração que se intensificam após 60 minutos. A dexmedetomidina na dose de 2 µg.kg⁻¹ foi eficaz como medicação pré-anestésica em crianças, pois reduziu a ansiedade, facilitou a separação dos pais e diminuiu a agitação do despertar. Assim como a clonidina, a dexmedetomidina foi mais eficiente que o midazolam na redução da dor pós-operatória.

Melatonina

Alguns estudos têm introduzido a melatonina como fármaco promissor para medicação pré-anestésica em crianças. Os resultados ainda são insuficientes para conclusões definitivas sobre o assunto. Entretanto, têm demonstrado que por via oral na dose de 0,5mg.kg⁻¹ a melatonina mostrou-se eficaz para diminuir a ansiedade pré-operatória, sem diferenças significativas quando comparada com o midazolam.

Via Nasal

Midazolam, cetamina, alfa-2-agonistas e outros fármacos podem ser administrados por via nasal. A administração por via nasal pode ser seguida de certo desconforto, o que poderá agravar a ansiedade da criança, sobretudo aquelas maiores de 3 anos de idade. Os efeitos adversos, como a depressão respiratória, podem ser mais pronunciados, assim devemos optar por esta via em ambientes monitorados e com acesso a maiores cuidados. O midazolam administrado na mucosa nasal, na dose de 0,2 a 0,3 mg.kg⁻¹ é bem absorvido e atinge o efeito desejado em poucos minutos, tendo sido testado como medicação pré-anestésica e para sedação durante a realização de pequenos procedimentos cirúrgicos em crianças. A dexmedetomidina na dose de 2 µg.kg⁻¹ por via nasal também parece produzir bom efeito sedativo em crianças de 1 a 8 anos de idade, sem efeitos adversos relatados. O tempo médio para os efeitos sedativos da dex-

medetomidina foi de 25 a 30 minutos, com a duração de efeito em torno de 85 minutos. A clonidina também pode ser administrada por via nasal, doses recomendadas de 4 µg.kg⁻¹ com resultados satisfatórios.[23] O tempo de latência para o início do efeito desejado é significativamente maior quando comparado com a administração via oral. Apesar de não ser propriamente a via nasal, existem relatos de nebulizações com a associação de cetamina e dexmedetomidina para sedação pré-operatória. A nebulização de cetamina associada à dexmedetomidina em crianças de 2 a 6 anos produziu efeito sedativo de melhor qualidade quando comparada à nebulização da dexmedetomidina ou da cetamina isoladas.[30]

■ CRIANÇA ONCOLÓGICA

Os pacientes pediátricos oncológicos necessitam de uma atenção especial em sua avaliação pré-anestésica. Os pacientes são expostos a diversos procedimentos, muitos dos quais desconfortáveis, que geram grande grau de apreensão, sofrimento e ansiedade durante todo o tratamento. Deve-se considerar o manejo cuidadoso, com abordagem focada no paciente e em sua vivência pregressa de procedimentos, com o objetivo de tornar a experiência atual a menos traumática possível. O segundo ponto a ser observado é a exposição prévia à quimioterapia, à radioterapia e às lesões que ocupam cavidades fechadas (cerebrais com aumento da pressão intracraniana, lesões intra-abdominais com atraso do esvaziamento gástrico, massas mediastinais anteriores com alterações respiratórias ou cardiovasculares). Deve-se avaliar cada patologia com suas peculiaridades para se escolher pela melhor abordagem anestésica, optando-se, sempre que possível, pelo uso de medicamentos pré-anestésicos, visando a redução da ansiedade e dificuldade de separação com os pais.

A realização de quimioterapia prévia, tipo de quimioterápico utilizado, o número de sessões realizadas, a data da última sessão e complicações que se desenvolveram ao longo do tratamento são importantes pelos efeitos colaterais em órgãos vitais. Os principais sistemas afetados pela quimioterapia incluem gastrintestinal, cardíaco, pulmonar e hematológico. As consequências dos agentes mais comuns e as preocupações anestésicas são descritas na Tabela 140.6.

Tabela 140.5 Doses das medicações pré-anestésicas.			
Fármaco	**Via de administração**	**Dose**	**Latência em minutos**
Midazolam	Oral	0,3 a 0,8 mg.kg⁻¹	15 a 30
	Nasal	0,1 a 0,2 mg.kg⁻¹	05 a 10
	Retal	0,5 a 1,0 mg.kg⁻¹	15 a 30
Clonidina	Oral	2 a 4 ug.kg⁻¹	25 a 30
	Nasal	2 a 4 ug.kg⁻¹	
	Retal	3 a 5 ug.kg⁻¹	
Dexmedetomidina	Oral	1 a 4 ug.kg⁻¹	25 a 30
	Nasal	1 a 4 ug.kg⁻¹	
Cetamina	Oral	3 a 8 mg.kg⁻¹	10 a 15
	Nasal	3 a 5 mg.kg⁻¹	02 a 05
	Retal	0,5 mg.kg⁻¹	02 a 05

Tabela 140.6 Quimioterápicos e implicações anestésicas.		
Agente Quimioterápico	**Consequências Patológicas**	**Considerações perioperatórias**
Antraciclinas (*doxorrubicina, adriamicina, daunorrubicina*)	Cardiomiopatia, mielossupressão	Ecocardiograma e Eletrocardiograma (ECG) pré-operatórios, hemograma pré-operatório para procedimentos invasivos
Bleomicina (*Blenoxane)*	Pneumonite, fibrose pulmonar	Saturação de oxigênio pré-operatória (possível radiografia de tórax, testes de função pulmonar)
Metotrexato	Mielossupressão, hepatite, renal e toxicidade do sistema nervoso central com altas doses	Hemograma pré-operatório para procedimentos invasivos, considerar função sintética hepática pré-operatória (bilirrubina total, albumina, tempo de protrombina)
Vincristina (*Oncovin)*	Neuropatia periférica	Exame neurológico pré-operatório e posicionamento intraoperatório adequado
Ciclofosfamida (*Cytoxan)*	Mielossupressão, cardiomiopatia, fibrose pulmonar, Secreção Inapropriada de Hormônio Antidiurético (SIHAD)	Hemograma pré-operatório para procedimentos invasivos, ecocardiograma pré-operatório e ECG, pré-operatório, saturação de oxigênio, sódio sérico pré-operatório de SIHAD
Prednisona	Supressão adrenal	Pode exigir esteroides em dose de estresse

Fonte: Adaptada de Smith`s Anesthesia for Infants and Children, 10th Edition.

■ SISTEMA RESPIRATÓRIO

A avaliação pré-operatória do sistema respiratório da criança deve ser feita de forma direcionada e ativa. Grandes estudos observacionais em crianças e em neonatos têm mostrado que complicações respiratórias são uma das principais causas de morbimortalidade perioperatória. As perguntas para investigação do sistema respiratório devem ser claras o suficiente para o correto entendimento dos responsáveis e da criança. Os responsáveis devem ser orientados dos possíveis riscos anestésicos, principalmente quando há fatores para tal. O exame físico também deve ser objetivo e guiado, baseando-se na história, nos sintomas e no planejamento anestésico e cirúrgico. Por isso, na avaliação pré-anestésica pediátrica, é rotineira a inclusão de dados do exame físico, como a frequência e padrão respiratórios, além da ausculta pulmonar.

■ A CRIANÇA ASMÁTICA

Asma é a doença crônica mais comum na infância. Mesmo que o paciente ainda não tenha um diagnóstico estabelecido, sinais e sintomas tais como sibilância, dispneia, tosse e aperto no peito são sinais de alerta para um caso de asma ainda não elucidado. Crianças com asma apresentam risco perioperatório aumentando, quando comparado a crianças sem o diagnóstico. Isso inclui risco aumentado de broncoespasmo e laringoespasmo, por exemplo. A meta da avaliação pré-operatória nesses casos é reconhecer o grau de controle de sintomas da asma e planejar medidas que minimizem sua exacerbação, assim como a ocorrência de outros eventos adversos correlatos. O diagnóstico de asma em crianças abaixo de 5 anos é difícil, uma vez que infecções do trato respiratório superior nessa faixa etária podem confundir a investigação dos diagnósticos diferenciais, além da dificuldade técnica em se realizar espirometria nessa faixa etária. Contudo, sinais e sintomas clínicos podem direcionar para uma alta suspeita clínica de asma. Nesses casos, deve-se avaliar sinais e sintomas, tais como: história de sibilo recorrente, tosse, falta de ar que limita atividade, presença

destes sinais e sintomas durante a noite, história familiar de atopia e asma, história pessoal de dermatite atópica e alergia alimentar, além de melhora sintomatológica com tratamento farmacológico. Importante elucidar aos pais o que é sibilância (som agudo, de origem pulmonar, principalmente durante a expiração). Muitos responsáveis denominam isso como "chiado" e, caso tenham gravado algum episódio, é importante averiguar o material.[24]

A sibilância, por ser muito característico da asma, deve ser melhor investigada, em caso de suspeita clínica. Deve-se perguntar sobre periodicidade (como noturno, diurno ou ambos), frequência semanal e fatores que a deflagram, tais como hiperventilação (nas risadas ou choros), exercício físico, ao brincar com animais, ou quando exposto a cheiros fortes, incluindo os de cigarros. Deve-se ter atenção aos casos em que a criança limita suas atividades diárias e físicas, na busca por evitar o quadro de sibilância, mas que é interpretado como melhora do controle dos sintomas. Dessa forma, quando os responsáveis relatarem melhora, em condições que não tenham justificativa para tal (p. ex.: baixa adesão ao tratamento), deve-se questionar se a criança continua mantendo suas atividades diárias regulares.

O controle da asma também deve ser investigado. Infelizmente, critérios objetivos para avaliação são escassos na população pediátrica abaixo de 4 anos. Dessa forma, preconiza-se usar os critérios de investigação recomendados pelo *Global Initiative for Asthma* (*GINA*), que dividem em três grupos, baseado nos controles de sintomas nas últimas quatro semanas: asma bem controlada, parcialmente controlada e não controlada.[14]

É recomendável que as medicações para asma de uso contínuo não sejam suspensas no pré-operatório, incluindo os esteroides inalatório e oral, além dos beta-2 de uso regular. Com o intuito de minimizar eventos respiratórios nessas crianças, é recomendado o uso de beta-2-agonista inalatório, de 20 a 30 minutos antes da indução anestésica.

Uma dúvida recorrente é sobre o uso de medicação pré-anestésica nessa população. De fato, devemos levar em conta o bem-estar e grau de ansiedade do paciente pediátrico ao longo de sua jornada cirúrgica. Contudo, o uso de benzodiazepínicos como medicação pré-anestésica é associado ao aumento de obstrução de via aérea superior, sem reduzir a incidência de laringoespasmo e broncoespasmo.

Recentemente, o uso de alfa-2-agonistas tem sido preconizado como medicação pré-anestésica em crianças com risco aumentado de obstrução de vias aéreas superiores (como em alguns casos de cirurgias otorrinolaringológicas). Por fim, como estratégica de prevenção de eventos respiratórios na criança asmática, deve-se considerar o uso do dispositivo de via aérea menos invasivo possível, dado a possibilidade anestésica-cirúrgica.

■ A CRIANÇA COM INFECÇÃO DAS VIAS AÉREAS SUPERIORES

A criança com infecção das vias aéreas e que se apresenta para cirurgia é um dos maiores desafios do anestesiologista, uma vez que têm risco aumentado para eventos adversos perioperatórios. O aumento dos eventos adversos ocorre tanto na vigência de infecção atual, quanto em histórico recente, principalmente se ocorrido dentro de duas semanas. Esse aumento pode chegar a 30% quando comparado a crianças sem história de infecção. A maioria dos estudos considera como Infecção das Vias Aéreas Superiores (IVAS) a apresentação de pelo menos dois dos seguintes sinais e sintomas: rinorreia, odinofagia, espirros, congestão nasal, tosse, febre e mal-estar. O desafio maior está em achar uma janela de tempo adequada para a realização da cirurgia, uma vez que crianças em idade pré-escolar podem ter de quatro a oito episódios de IVAS por ano.[17] Novamen-

te, a anamnese e exame físico devem ser realizados de forma ativa, com perguntas claras sobre sintomas de IVAS recente. Em caso positivo, questionamento sobre uso de antibiótico e internação hospitalar são pertinentes. Histórico de tabagismo passivo também deve ser investigado, uma vez que é relacionado com aumento de eventos respiratórios adversos. Mesmo que o responsável relate que o ato de fumar não seja feita na presença da criança, caso haja convívio próximo, deve-se considerar como tabagismo passivo.

Os casos de IVAS leve, caracterizado como rinorreia hialina, por exemplo, podem proceder com o ato cirúrgico. Contudo, preocupações como anestesista mais experiente, uso de dispositivos de via aérea menos invasivo (como máscara facial, ou máscara laríngea) e indução venosa devem ser considerados.[24] Casos mais graves com secreção purulenta, letargia e febre devem ser postergadas se possível. Caso não seja possível (como em cirurgias de urgência ou emergência), os cuidados mencionados anteriormente devem ser buscados ao máximo. O grande debate atual é como proceder nos casos moderados, que se encaixam entre esses dois extremos. Cada caso deve ser avaliado individualmente, levando em conta aspectos do paciente, da cirurgia e do hospital (Figura 140.2). Atualmente, há indicação para uso de pré-medicação com beta-2-agonista nos casos de IVAS, mesmo leve, com intuito de reduzir eventos adversos respiratórios.[25]

■ A CRIANÇA COM APNEIA OBSTRUTIVA DO SONO

A apneia obstrutiva do sono é caracterizada pela interrupção periódica do fluxo de ar, durante o sono. Apesar de

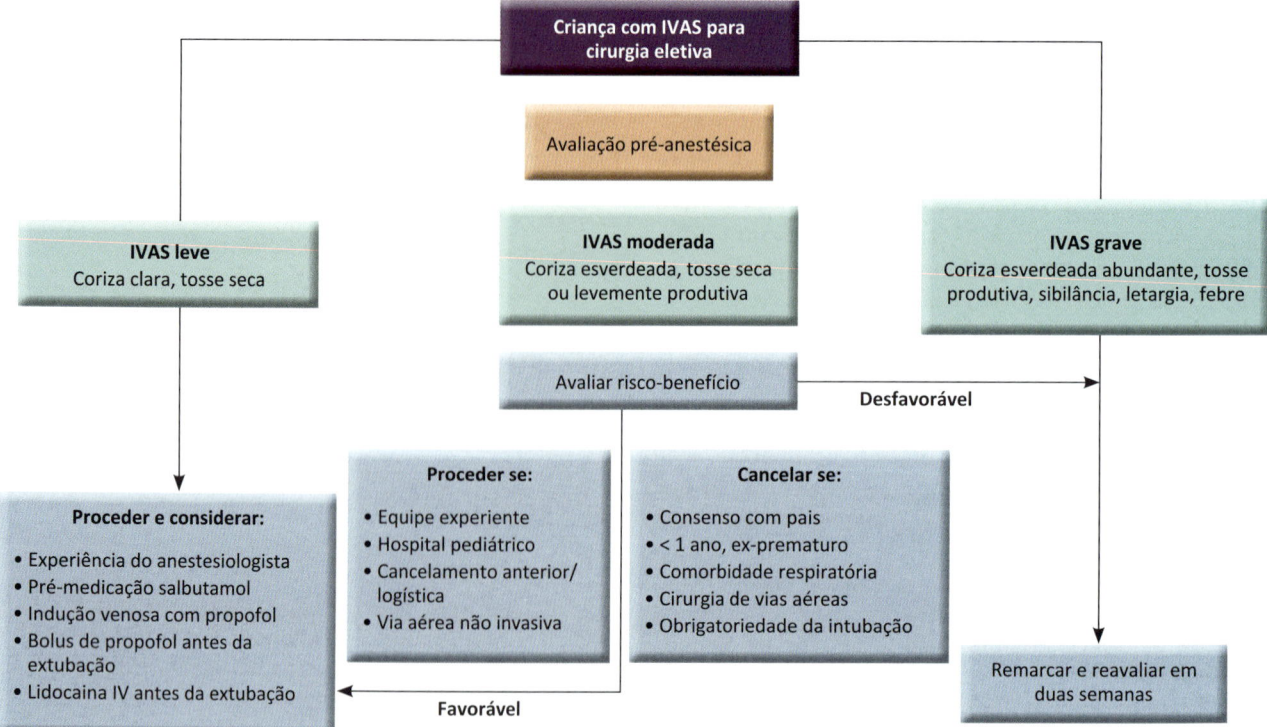

▲ **Figura 140.2** Fluxograma de atendimento anestésico a crianças com infecção de vias aéreas superiores.
Fonte: Adaptada de Regli A, e col., 2022.[24]

ser multifatorial, aumento de tonsilas e adenoides é um dos principais fatores causais. A incidência de Apneia Obstrutiva do Sono (AOS) coincide com o pico etário de aumento de adenoides e tonsilas: de 2 a 8 anos de idade. A hipoxemia crônica noturna desses pacientes leva a um *upregulation* de genes responsáveis por produção de receptores a opioides, resultando em um aumento da sensibilidade a essa classe farmacológica em todo o período perioperatório. Além disso, os pacientes com AOS têm maior risco de obstrução de vias aéreas superiores. O padrão ouro para o diagnóstico de AOS é a polissonografia, mas, infelizmente, sua utilização para tal é limitada.[14] Apesar do desenvolvimento de outros métodos diagnósticos, tais como a oximetria de pulso noturna, estes ainda não são realizados de forma rotineira em crianças com suspeita de AOS. Além disso, não há um consenso sobre quais crianças deveriam ser submetidas a uma avaliação mais criteriosa, ficando a critério do cirurgião.

Considerando a realidade médica heterogênea brasileira, questionários podem ser úteis, apesar de suas limitações. Os dois principais são o STBUR (*Snoring, Trouble Breathing, Um-refreshed* – ronco, dificuldade de respirar e cansaço) e o PSQ (*Pediatric Sleep Questionnaire*).[12] O PSQ apresenta 22 perguntas que investigam questões relacionadas ao comportamento, sonolência diurna e problemas para respirar. Por apresentar respostas objetivas (sim, não, não sei), ele é rápido e fácil de responder. Apresenta uma sensibilidade de 78% e um especificidade de 72%, tendo sido traduzido e validado para o Brasil. Já o STBUR é composto de cinco perguntas: se ronca mais da metade do tempo, se ronca alto, se tem dificuldade em respirar, se períodos de apneia já foram testemunhados e se o sono foi reparador.[25] Apesar da sua rápida difusão, dados recentes mostraram limitações do STBUR para previsão de eventos respiratórios adversos nessa população no período pós-operatório precoce.

■ JEJUM

A principal meta do jejum pré-operatório é a tentativa de redução do volume gástrico e, consequentemente, do risco de regurgitação e broncoaspiração. A tradicional recomendação de jejum a partir da meia-noite tem um fator histórico importante, datado da década de 1970. As recomendações da população adulta foram extrapoladas e importadas para a população pediátrica, sendo questionadas somente nos últimos anos. Apesar da morbimortalidade relacionada à broncoaspiração em adultos (principalmente por conteúdos sólidos) ser elevada, há poucos relatos de óbitos, ou sequelas graves, secundários à broncoaspiração na população pediátrica. Com o avanço da medicina centrada no paciente, começou-se a investigar os tempos reais de jejum na pediatria, após queixas de familiares preocupados com os tempos excessivos de jejum. Em diversos lugares do mundo, mesmo em hospitais especializados, começou-se a constatar tempos de jejum muito maiores que os recomendados. Isso impulsionou pesquisadores e sociedades internacionais a buscarem tempos reduzidos de jejum pré-operatório, enquanto mantinha-se a segurança do ato anestésico.

Tradicionalmente, o termo abreviação de jejum começou a ser usado quando sociedades internacionais iniciaram a indicação de 2 horas para líquidos sem resíduos. Contudo, com o avanço do conhecimento sobre tempo de esvaziamento gástrico na população pediátrica e sobre os riscos de broncoaspiração nessa população, algumas sociedades internacionais começaram a preconizar uma nova abreviação de jejum para líquidos sem resíduo, agora com 1 hora antes do ato anestésico.[26]

É importante ressaltar o uso correto do termo líquidos sem resíduos, ao invés de líquidos claros, uma espécie de falso cognato da tradução inglesa. Mesmo entre os falantes da língua inglesa, essa terminologia já gerou confusão e foi motivo de debate, pois o termo líquido claro (*clear fluids*) pode dificultar o entendimento dos responsáveis.[27] Um exemplo comumente dado é o leite, que pode ser erroneamente interpretado como líquido claro, ao passo que chá preto (um líquido sem resíduo), não. Por isso, é de suma importância a utilização do termo correto: líquidos sem resíduos.

A definição do que é considerado líquido sem resíduo pode ser extensa, dada a vasta gama de produtos disponíveis no mercado atualmente. Por isso, recomendamos os exemplos dados pela Sociedade de Anestesiologia da Austrália e Nova Zelândia,[26] que incluiu como líquidos sem resíduos a água, sucos de fruta sem polpa, chá, café e bebidas carbonatadas. Apesar de ser considerado um líquido sem resíduo, bebidas carbonatadas devem ser desaconselhadas na infância como um todo, pois quase sempre representam o consumo de refrigerante.

Atualmente, ainda há divergência sobre o tempo de jejum para líquidos claros. Recentemente, as orientações atualizadas pela Sociedade Americana de Anestesiologia (*American Society of Anesthesiology* – ASA) mantiveram o tempo de jejum de líquidos claros em 2 horas, como era feito tradicionalmente. Importante reforçar que, somente em 2023, a *ASA* incluiu crianças em suas recomendações de jejum. Mesmo assim, importantes instituições estadunidenses pediátricas de grande volume de casos, como o Hospital das Crianças da Filadélfia e o Hospital das Crianças de Boston adotam a abreviação de 1 hora para líquidos claros.[28] Além disso, a Sociedade de Anestesiologia da Austrália e Nova Zelândia, a Associação de Anestesistas Pediátricos da Grã-Bretanha e da Irlanda, a Sociedade Europeia de Anestesiologia e Terapia Intensiva, a Sociedade de Anestesiologistas Pediátricos da França e a Sociedade Canadense de Anestesiologia já recomendam a abreviação de jejum para líquidos claros para 1 hora. Como algumas dessas recomendações societárias já datam de 2017, estudos de qualidade e segurança e alguns estudos observacionais têm mostrado a segurança da redução do tempo de jejum, sem impactos significativos na agenda cirúrgica. O volume e tempo preconizados são de 3 mL/Kg de líquido claro por hora.[27]

As diferentes sociedades internacionais apresentam diferentes tempos para outros alimentos. O importante é estabelecer um protocolo institucional seguro e confortável ao paciente e seus familiares. Toda a equipe multidisciplinar envolvida nos cuidados perioperatórios deve ser capacitada e treinada. A implementação de novos protocolos exige tempo, treinamento e medição de indicadores para se acompanhar sua adesão e eficácia. Por fim, os responsáveis pelo paciente devem ser claramente orientados, de forma simples e objetiva, tendo-se em mente o papel central que o paciente e seus familiares têm em sua respectiva segurança.

REFERÊNCIAS

1. Committee on Standards and Practice Parameters, Apfelbaum JL, Connis RT, Nickinovich DG, American Society of Anesthesiologists Task Force on Preanesthesia Evaluation, Pasternak LR, et al. Practice advisory for preanesthesia evaluation: an updated report by the American Society of Anesthesiologists Task Force on Preanesthesia Evaluation. Anesthesiology. março de 2012;116(3):522–38.

2. Payne KA, Coetzee AR, Mattheyse FJ, Heydenrych JJ. Behavioural changes in children following minor surgery--is premedication beneficial? Acta Anaesthesiol Belg. 1992;43(3):173–9.

3. Brehler R, Theissen U, Mohr C, Luger T. "Latex-fruit syndrome": frequency of cross-reacting IgE antibodies. Allergy. abril de 1997;52(4):404–10.

4. Spindola MAC, Solé D, Aun MV, Azi LMTDA, Bernd LAG, Garcia DB, et al. Atualização sobre reações de hipersensibilidade perioperatória: documento conjunto da Sociedade de Brasileira de Anestesiologia (SBA) e Associação Brasileira de Alergia e Imunologia (ASBAI) – Parte I: tratamento e orientação pós-crise. Braz J Anesthesiol. setembro de 2020;70(5):534–48.

5. Myles PS, Iacono GA, Hunt JO, Fletcher H, Morris J, McIlroy D, et al. Risk of respiratory complications and wound infection in patients undergoing ambulatory surgery: smokers versus nonsmokers. Anesthesiology. outubro de 2002;97(4):842–7.

6. Skolnick ET, Vomvolakis MA, Buck KA, Mannino SF, Sun LS. Exposure to environmental tobacco smoke and the risk of adverse respiratory events in children receiving general anesthesia. Anesthesiology. maio de 1998;88(5):1144–53.

7. Grana R, Benowitz N, Glantz SA. E-cigarettes: a scientific review. Circulation. 13 de maio de 2014;129(19):1972–86.

8. Lin C, Vazquez-Colon C, Geng-Ramos G, Challa C. Implications of anesthesia and vaccination. Thomas M, organizador. Pediatr Anesth. maio de 2021;31(5):531–8.

9. Short JA, van der Walt JH, Zoanetti DC. Immunization and anesthesia - an international survey. Paediatr Anaesth. maio de 2006;16(5):514–22.

10. Serafini G, Ingelmo PM, Astuto M, Baroncini S, Borrometi F, Bortone L, et al. Preoperative evaluation in infants and children: recommendations of the Italian Society of Pediatric and Neonatal Anesthesia and Intensive Care (SARNePI). MINERVA Anestesiol. 2014;80(4).

11. Glass HC, Costarino AT, Stayer SA, Brett C, Cladis F, Davis PJ. Outcomes for Extremely Premature Infants. Anesth Analg. junho de 2015;120(6):1337–51.

12. Kurth CD, Spitzer AR, Broennle AM, Downes JJ. Postoperative apnea in preterm infants. Anesthesiology. abril de 1987;66(4):483–8.

13. Coté CJ, Zaslavsky A, Downes JJ, Kurth CD, Welborn LG, Warner LO, et al. Postoperative apnea in former preterm infants after inguinal herniorrhaphy. A combined analysis. Anesthesiology. abril de 1995;82(4):809–22.

14. Von Ungern-Sternberg BS, Boda K, Chambers NA, Rebmann C, Johnson C, Sly PD, et al. Risk assessment for respiratory complications in paediatric anaesthesia: a prospective cohort study. Lancet Lond Engl. 4 de setembro de 2010;376(9743):773–83.

15. Isayama T, Lee SK, Yang J, Lee D, Daspal S, Dunn M, et al. Revisiting the Definition of Bronchopulmonary Dysplasia: Effect of Changing Panoply of Respiratory Support for Preterm Neonates. JAMA Pediatr. 1º de março de 2017;171(3):271–9.

16. Sahni M, Mowes AK. Bronchopulmonary Dysplasia. Em: StatPearls [Internet]. Treasure Island (FL): StatPearls Publishing; 2024 [citado 23 de janeiro de 2024]. Disponível em: http://www.ncbi.nlm.nih.gov/books/NBK539879/

17. Tait AR, Voepel-Lewis T, Burke C, Kostrzewa A, Lewis I. Incidence and Risk Factors for Perioperative Adverse Respiratory Events in Children Who Are Obese. Anesthesiology. 1º de março de 2008;108(3):375–80.

18. Rutter M, Kuo IC. Predicting and managing the development of subglottic stenosis following intubation in children. J Pediatr (Rio J). janeiro de 2020;96(1):1–3.

19. Schweiger C, Marostica PJC, Smith MM, Manica D, Carvalho PRA, Kuhl G. Incidence of post-intubation subglottic stenosis in children: prospective study. J Laryngol Otol. abril de 2013;127(4):399–403.

20. Nasr VG, Markham LW, Clay M, DiNardo JA, Faraoni D, Gottlieb-Sen D, et al. Perioperative Considerations for Pediatric Patients With Congenital Heart Disease Presenting for Noncardiac Procedures: A Scientific Statement From the American Heart Association. Circ Cardiovasc Qual Outcomes [Internet]. janeiro de 2023 [citado 25 de janeiro de 2024];16(1). Disponível em: https://www.ahajournals.org/doi/10.1161/HCQ.0000000000000113.

21. Kain ZN, Caldwell-Andrews AA, Maranets I, Nelson W, Mayes LC. Predicting which child-parent pair will benefit from parental presence during induction of anesthesia: a decision-making approach. Anesth Analg. 1º de janeiro de 2006;102(1):81–4.

22. Marechal C, Berthiller J, Tosetti S, Cogniat B, Desombres H, Bouvet L, et al. Children and parental anxiolysis in paediatric ambulatory surgery: a randomized controlled study comparing 0.3 mg kg-1 midazolam to tablet computer based interactive distraction. Br J Anaesth. fevereiro de 2017;118(2):247–53.

23. Abdel-Ghaffar HS, Kamal SM, El Sherif FA, Mohamed SA. Comparison of nebulised dexmedetomidine, ketamine, or midazolam for premedication in preschool children undergoing bone marrow biopsy. Br J Anaesth. agosto de 2018;121(2):445–52.

24. Regli A, Sommerfield A, Von Ungern-Sternberg BS. Anesthetic considerations in children with asthma. Engelhardt T, organizador. Pediatr Anesth. fevereiro de 2022;32(2):148–55.

25. Schwengel DA, Sterni LM, Tunkel DE, Heitmiller ES. Perioperative management of children with obstructive sleep apnea. Anesth Analg. julho de 2009;109(1):60–75.

26. Joshi GP, Abdelmalak BB, Weigel WA, Harbell MW, Kuo CI, Soriano SG, et al. 2023 American Society of Anesthesiologists Practice Guidelines for Preoperative Fasting: Carbohydrate-containing Clear Liquids with or without Protein, Chewing Gum, and Pediatric Fasting Duration—A Modular Update of the 2017 American Society of Anesthesiologists Practice Guidelines for Preoperative Fasting. Anesthesiology. 1º de fevereiro de 2023;138(2):132–51.

27. Frykholm P, Disma N, Andersson H, Beck C, Bouvet L, Cercueil E, et al. Pre-operative fasting in children: A guideline from the European Society of Anaesthesiology and Intensive Care. Eur J Anaesthesiol. janeiro de 2022;39(1):4–25.

28. Kelly CJ, Walker RWM. Perioperative pulmonary aspiration is infrequent and low risk in pediatric anesthetic practice. Morton N, organizador. Pediatr Anesth. janeiro de 2015;25(1):36–43.

29. Lin C, Durieux M Ketamine and kids:an update.Paediatric Anaesth,2005;15:91-97.

30. Zanaty OM, El Metainy SA A Comparative Evaluation of Nebulized Dexmedetomidine, Nebulized Ketamine, and Their Combination as Premedication for Outpatient Pediatric Dental Surgery. Anesth Analg.2015;21:167-171.

141

Acesso a Via aérea e Assistência Ventilatória em Anestesia Pediátrica

Vinícius Caldeira Quintão ▪ Ricardo Vieira Carlos ▪ Hellen Moreira de Lima

INTRODUÇÃO

Crianças são vulneráveis a eventos adversos respiratórios perioperatórios graves, que podem levar a hipoxemia, bradicardia e parada cardiorrespiratória. Estima-se que a incidência desses eventos é de 3,1% em pacientes de 0 a 15 anos submetidos a anestesia na Europa.[1] O manejo inadequado da via aérea pode precipitar ou agravar essas complicações.

O acesso adequado a via aérea e a assistência ventilatória segura são essenciais para prevenir e para tratar complicações respiratórias relacionadas a anestesia, a cirurgia, ou a deterioração clínica da criança. O sucesso nessas estratégias depende do conhecimento da anatomia e da fisiologia respiratórias pediátricas, de uma avaliação pré-anestésica detalhada com a identificação de situações de risco, da disponibilidade de materiais adequados, do emprego de algoritmos específicos e de anestesistas e outros profissionais treinados. As diferenças anátomo-fisiológicas da criança já foram abordadas em capítulo anterior.

▪ ACESSO A VIA AÉREA

Avaliação Pré-Anestésica da Via Aérea

A taxa de intubação difícil é de 2 a 5 para cada 1.000 anestesias pediátricas e a incidência de complicações graves, como parada cardiorrespiratória, é maior quando a intubação difícil não é prevista. Felizmente, a avaliação pré-anestésica é capaz de identificar até 80% das intubações difíceis em crianças.[2] Além disso, o anestesista pediátrico lida com pacientes em várias fases do desenvolvimento, desde neonatos pré-termos pequenos para a idade gestacional até adolescentes de tamanho semelhante ao de adultos. Todas essas situações têm particularidades e demandam recursos material e humano específicos. Dessa forma, todas as crianças que serão submetidas a anestesia devem passar por uma avaliação pré-anestésica cuidadosa das vias aéreas para um melhor desfecho perioperatório.

Na maioria dos casos, a avaliação clínica é suficiente para identificar fatores de risco para dificuldades no manejo da via aérea. Em situações especiais e eletivas, exames complementares podem ser utilizados, como tomografia, ultrassonografia e fibroscopia.

Embora existam diversos métodos de avaliação da via aérea do adulto, eles não são aplicáveis a crianças. Características que podem indicar laringoscopia e intubação difíceis incluem crianças menores que 1 ano ou 10 kg,[2] o diagnóstico de alguma síndrome específica associada a intubação difícil (Figura 141.1),[3,4] a impossibilidade de abertura da boca (anquilose temporomandibular, micrognatia, sequência de

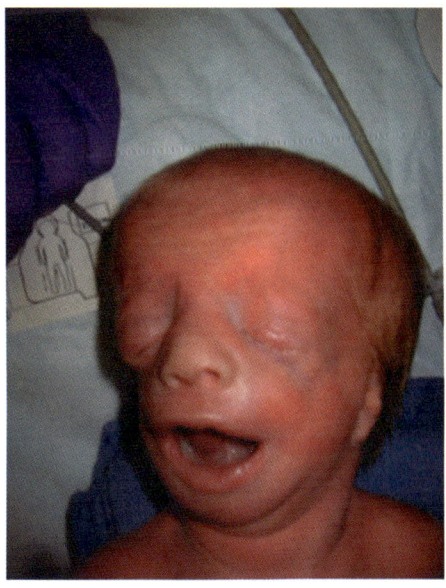

▲ **Figura 141.1** Síndrome de Treacher Collins.
Fonte: Fiadjoe JE, *et al.*, 2016.[3]

Pierre Robin), glossoptose (síndrome de *Beckwith-Wiede-mann*), fusão da coluna cervical (síndrome de *Klippel-Feil*) e lesões que ocupam a orofaringe (tumores, higroma cístico). Em algumas síndromes, a via aérea melhora com a idade (sequência de *Pierre Robin*) já em outras (*Treacher Collins*), a via aérea fica progressivamente mais difícil com a idade (Tabela 141.1).

O exame clínico deve investigar os seguintes sinais e sintomas:[4]

- **Infecção de via aérea superior:** pode indicar predisposição a tosse, laringoespasmo, broncoespasmo, dessaturação durante a anestesia e edema subglótico pós-intubação;
- **Ronco, respiração ruidosa, obesidade:** pode estar relacionado a hipertrofia adenoide, infecção de via aérea superior, apneia obstrutiva do sono, hipertensão pulmonar;

- **Presença e natureza da tosse:** tosse crupe pode indicar estenose subglótica ou reparo de fístula traqueoesofágica; e tosse produtiva pode indicar bronquite ou pneumonia; cronicidade afeta o diagnóstico diferencial (início súbito de uma tosse persistente pode indicar aspiração de corpo estranho; e tosse noturna pode indicar compressão traqueal por massa mediastinal);
- **Episódios prévios de crupe:** crupe pós-intubação, estenose subglótica;
- **Estridor inspiratório:** estenose subglótica, laringomalácia, macroglossia, membrana laríngea, corpo estranho extratorácico;
- **Voz rouca:** laringite, paralisia de corda vocal, papilomatose, granuloma;
- **Asma e terapia broncodilatadora:** broncoespasmo;
- **Pneumonia de repetição:** aspiração crônica, refluxo gastresofágico, fibrose cística, bronquiectasia, fístula tra-

Tabela 141.1 Síndromes e doenças associadas a via aérea difícil (VAD).	
Síndrome	**Característica associada a VAD**
Acondroplasia	Hipoplasia do terço médio da face e cavidades oral e nasal pequenos
Síndrome de Apert	Hipoplasia maxilar, fissura labiopalatina
Artrogripose múltipla congênita	Hipoplasia de mandíbula, fissura labiopalatina, torcicolo e Síndrome de Klippel-Feil
Síndrome de Beckwith-Wiedemann	Macroglossia que pode requerer glossectomia parcial. Melhora com a idade
Querubismo (displasia fibrosa da mandíbula)	Edema bilateral indolor da mandíbula e maxila que pode evoluir para obstrução da via aérea
Hipotiroidismo congênito	Macroglossia
Síndrome Cornelia de Lange	Palato arqueado, micrognatia, macroglossia, pescoço curto e fissura labiopalatina
Síndrome de Crouzon	Hipoplasia maxilar, alteração de palato, macroglossia
Epidermólise bolhosa	Lesões por pressão na bica e na via aérea
Síndrome de Freeman-Sheldon	Micrognatia, palato arqueado
Síndrome de Goldenhar	Hipoplasia do arco zigomático e mandibular, macrostomia, glossosquise, fissura labiopalatina e fístula traqueoesofágica
Síndrome de Hallermann-Streiff	Hipoplasia malar, micrognatia, hipoplasia do ramo e deslocamento anterior da articulação temporomandibular, palato arqueado
Síndrome de Marfan	Fácies alongada com platô alongado
Mucopolissacaridose	Fácies grosseira, macroglossia, pescoço curto, hipertrofia de amigdalas, árvore traqueobrônquica e laringe finas, macrocefalia, micrognatia, prognatia
Síndrome de Nager	Micrognatia e fissura labiopalatina
Papilomagose	Laringoscopia difícil
Sequência de Pierre Robin	Hipoplasia de mandíbula, macroglossia e fissura labiopalatina
Doença de Pompe	Macroglossia
Artrite Reumatoide	Mobilidade restrita da articulação temporomandibular, mandíbula hipoplásica, artrite cricoaritenóidea
Síndrome Rubinstein-Taybi	Hipoplasia maxilar, palato pequeno
Esclerodermia	Muito tecido de cicatrização (retração) na boca e face
Síndrome de Smith-Lemi-Opitz	Micrognatia, fissura labiopalatina e pneumonia recorrente
Síndrome de Stevens-Johnson	Bolhas laríngeas, traqueais e brônquicas, pneumotórax e derrame pleural
Talassemia maior	Hipoplasia malar com relativa hipoplasia mandibular
Síndrome de Treacher Collins	Hipoplasia malar e mandibular, fissura labial, atresia de coana, macrostomia ou microstomia
Síndrome de Down	Boca pequena, mandíbula hipoplásica, macroglossia
Síndrome de Turner	Hipoplasia de mandíbula e maxila, pescoço curto

Fonte: adaptada de Jagannathan N, *et al.*, 2020.[4]

queoesofágica de repetição, sequestro pulmonar, imunossupressão, doença cardíaca congênita;

- **História de aspiração de corpo estranho:** reatividade de via aérea, obstrução de via aérea, função neurológica comprometida;
- **Intercorrências anestésicas prévias:** dificuldade de intubação, obstrução de via aérea, ventilação difícil, intercorrências na extubação;
- **Atopia e alergias:** hiperreatividade de via aérea;
- **Tabagismo passivo:** aumento da resistência de via aérea;
- **Cardiopatia congênita:** algumas são associadas a VAD;
- **Prematuridade:** estenose subglótica, displasia broncopulmonar, apneia, dessaturação.

Já o exame físico deve incluir a observação de:[4]

- Expressão facial;
- Presença ou ausência de batimento de asa nasal;
- Presença ou ausência de respiração oral;
- Cor das mucosas;
- Presença ou ausência de retrações (supraesternal, subcostal, intercostal);
- Frequência respiratória;
- Presença ou ausência de alteração de voz;
- Abertura bucal;
- Tamanho da boca;
- Tamanho da língua e sua relação com outras estruturas faríngeas (*Mallampati*);
- Dentes;
- Tamanho e configuração do palato;
- Tamanho e configuração da mandíbula;
- Localização da laringe em relação a mandíbula;
- Presença de estridor;
  - **Estridor predominantemente inspiratório:** sugere lesão de via aérea superior (epiglotite, crupe, corpo estranho extratorácico);
  - **Estridor inspiratório e expiratório:** sugere lesão intratorácica (aspiração de corpo estranho, anel vascular, corpo estranho esofágico);
  - **Fase expiratória prolongada ou estridor predominantemente expiratório:** sugere doença de via aérea inferior.
- Saturação basal de oxigênio;

- **Microtia:** pode representar uma forma leve de microssomia hemifacial e ser associada a hipoplasia de mandíbula e laringoscopia difícil;
- **Aparência global:** as anomalias congênitas podem ser encaixadas em alguma síndrome? Se houver alguma síndrome diagnosticada, podem existir implicações anestésicas específicas.

■ VENTILAÇÃO SOB MÁSCARA FACIAL

Máscaras faciais estão disponíveis em diversos tamanhos e formatos. Deve-se preferir máscaras faciais descartáveis, transparentes, para a visualização de secreções e cor dos lábios, e com coxim inflável, que se molda a face sem traumatizá-la. A máscara facial de tamanho adequado se estende da ponte nasal até a mandíbula, poupando os olhos.[4]

O posicionamento das mãos do anestesiologista ao acoplar a máscara facial pode ser realizado pela técnica C-E com a mão não dominante, de forma que o polegar e o segundo dedo segurem a máscara e os demais dedos fiquem posicionados na mandíbula. Deve-se evitar a compressão do triângulo submentoniano pelos dedos posicionados abaixo da borda da mandíbula e deslocamento de tecidos moles em direção ao palato devido a possibilidade de obstrução da via aérea. Ainda, a boca da criança deve ser mantida aberta. Caso ela fique fechada, o quinto dedo pode ser posicionado no côndilo da mandíbula, a fim de tracionar a mandíbula para frente, restabelecendo a patência da via aérea. Essa manobra subluxa a articulação temporomandibular, abrindo a boca e tirando a língua e outros tecidos moles da parede posterior da faringe (Figura 141.2). A outra mão pode ser posicionada no balão reservatório para monitorizar a efetividade da ventilação, realizar pressão positiva contínua na via aérea (CPAP) ou para realizar ventilação controlada. Um método alternativo para fornecer CPAP é fechar parcialmente a válvula limitadora de pressão para inflar o balão reservatório.[4]

Caso haja alguma dificuldade na técnica, pode-se utilizar as duas mãos para acoplar e posicionar a máscara facial à face da criança. Os mesmos cuidados para não deslocar tecidos moles e causar obstrução da via aérea devem ser observados. Um auxiliar pode comprimir a bolsa reservatório para ventilar ou pode-se programar o ventilador do equipamento de anestesia.

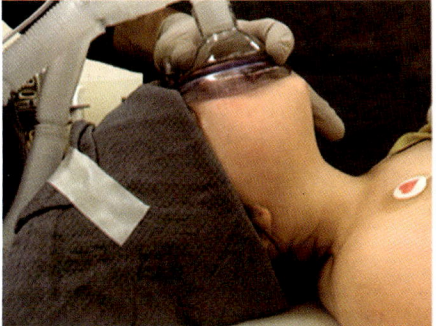 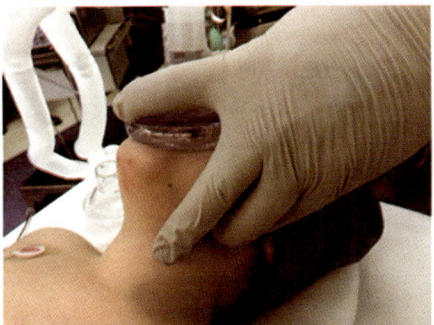 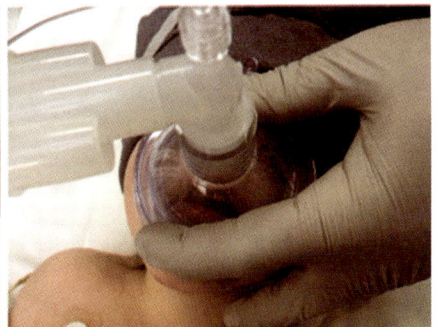

▲ **Figura 141.2** Técnica adequada para ventilação sob máscara facial. Máscara transparente e com coxim e de tamanho adequado. Máscara posicionada de forma a manter a boca aberta e a língua descolada do céu da boca e sem compressão de tecidos moles submentonianos pela mão do operador.

Fonte: Adaptada de Coté CJ, *et al.,* 2019.[5]

Durante a ventilação sob máscara facial, posições extremas da cabeça devem ser evitadas. A extensão da cabeça pode estender a traqueia e reduzir seu lúmen, principalmente em crianças menores de um ano, que tem a traqueia mais complacente. Ainda, esta manobra pode causar obstrução supraglótica da via aérea.[4]

A inserção de cânula oro ou nasofaríngea de tamanho adequado pode também aliviar uma obstrução de via aérea superior. Se estas manobras não forem suficientes para uma ventilação adequada, deve-se considerar outras causas como laringoespasmo[4] e instituir tratamento adequado.

CÂNULAS OROFARÍNGEAS

O tamanho apropriado da cânula orofaríngea pode ser estimado pela distância entre a rima labial e o ângulo da mandíbula. Cânulas um tamanho menor e um tamanho maior devem estar prontamente disponíveis. Um abaixador de língua pode ser inserido sobre a língua para facilitar a inserção e prevenir deslocamento inferior da língua, que pode reduzir o retorno venoso e linfático e causar edema da língua e obstrução da via aérea. Um dispositivo de tamanho inadequado pode piorar a obstrução da via aérea. Uma cânula maior que o adequado pode empurrar a epiglote para a abertura glótica ou traumatizar tanto a epiglote quando a úvula. Por outro lado, se o dispositivo for pequeno, pode empurrar a base da língua forçando-a posteriormente contra o palato mole (Figura 141.3). As cânulas orofaríngeas também podem ser utilizadas para proteger o tubo orotraqueal de mordidas e para facilitar aspiração de orofaringe.[4] Para evitar reflexos de via aérea superior, é importante que o paciente esteja em plano anestésico adequado durante a inserção da cânula orofaríngea.

CÂNULA NASOFARÍNGEA

O tamanho apropriado pode ser estimado pela distância entre a ponta do nariz ao ângulo da mandíbula. Os dispositivos estão disponíveis comercialmente nos tamanhos 12F a 36F. Alguns dispositivos possuem um flange ajustável ao comprimento adequado. A cânula nasofaríngea é mais bem tolerada em anestesia superficial que a cânula orofaríngea. Há risco de trauma e sangramento de adenoides hipertrofiadas.

INTUBAÇÃO OROTRAQUEAL

Seleção da Lâmina de Laringoscópio

A lâmina reta foi utilizada para intubação orotraqueal em crianças pequenas por décadas porque se acreditava que ela elevava a base da língua para exposição da abertura glótica melhor que a lâmina curva. Entretanto, desde que a lâmina curva (Macintosh) seja utilizada para levantar a língua e a lâmina reta (Miller) para elevar a epiglote, a visualização laríngea em crianças menores que dois anos é ótima. O tamanho da lâmina depende da idade e do tamanho da criança e da preferência do anestesiologista.[4]

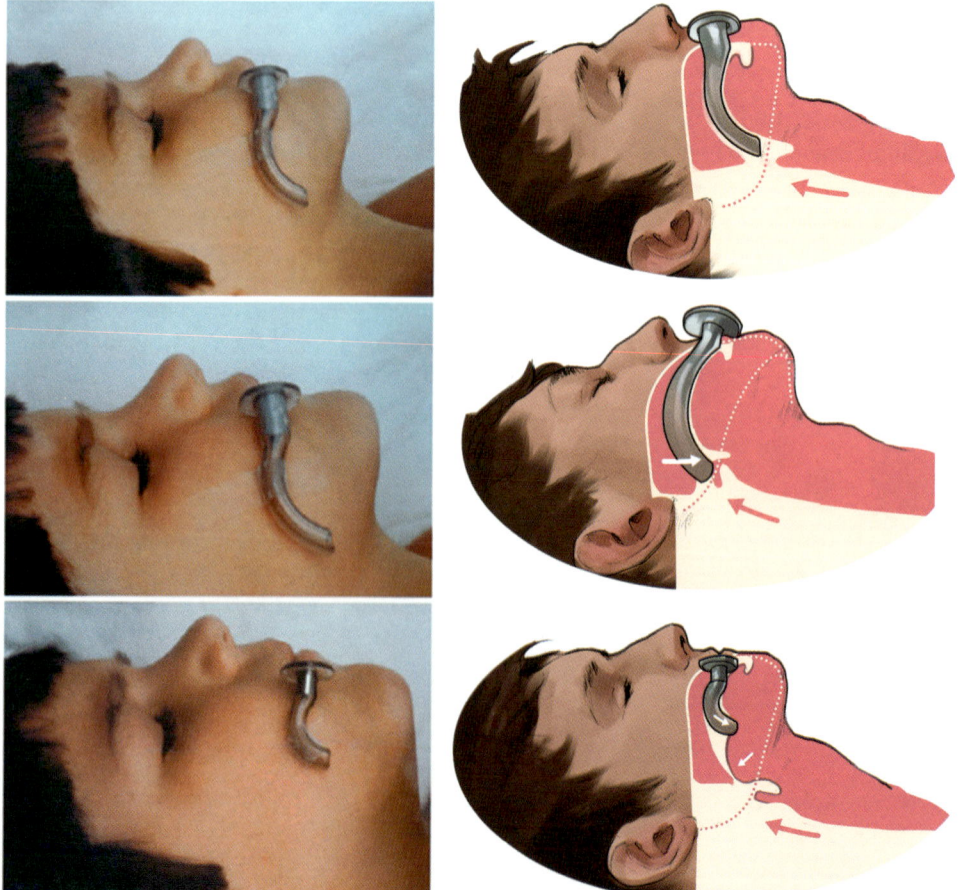

◀ **Figura 141.3** Tamanho adequado da cânula orofaríngea.
Fonte: Adaptada de Jagannathan N, *et al.*, 2020.[4]

Tubos Endotraqueais

A seleção do tamanho adequado do tubo orotraqueal depende da criança. O diâmetro interno (DI) do tubo orotraqueal é padronizado, enquanto o diâmetro externo (DE) varia de acordo com o fabricante. A diversidade de diâmetros externos requer a verificação do tamanho adequado do tubo e do vazamento ao redor do tubo. Um tubo orotraqueal sem balonete de tamanho adequado pode ser estimado de acordo com a idade e peso da criança (Tabela 141.2). Tubos orotraqueais 0,5 mm menor e 0,5 mm maior do que o tamanho estimado devem estar prontamente disponíveis devido a variabilidade no tamanho da via aérea. Crianças com síndrome de Down geralmente demandam um tubo orotraqueal de diâmetro menor que aquele estimado para a sua idade. Já crianças cardiopatas, requerem tubos orotraqueais com balonete maiores que aqueles estimados para a sua idade.[4]

Há várias formas de verificar se o tubo está no tamanho adequado. Se o tubo passar a região subglótica sem resistência, o tubo não está grande. Se não houver vazamento audível ou auscultável a uma pressão inspiratória de 20 a 25 cmH$_2$O, o tubo está grande e deve ser trocado por um 0,5 mm menor. Acredita-se que esta pressão se aproxima da pressão capilar da mucosa traqueal de um adulto. Ao se aplicar uma pressão maior, é possível que ocorra lesão isquêmica da mucosa subglótica. Note, entretanto, que se a intubação orotraqueal tiver sido feita sem bloqueador neuromuscular, pode ocorrer laringoespasmo em volta do tubo e impedir qualquer vazamento, imitando um tubo orotraqueal grande. Mudanças na posição da cabeça podem aumentar ou reduzir o vazamento. Essas manobras são importantes para fazer o diagnóstico de estenose subglótica.[4]

Tradicionalmente, havia a recomendação de tubo orotraqueal sem balonete com vazamento devido a menor risco de edema pós-extubação (crupe). Ainda, um tubo orotraqueal sem balonete permitiria a inserção de um tubo orotraqueal de diâmetro interno maior, resultando em menor resistência na via aérea, o que é relevante somente para a criança em ventilação espontânea. Entretanto, recentemente, houve uma mudança na recomendação. Não há diferença na incidência de complicações pós-extubação após uso de tubos com balonete e tubos sem balonete quando utilizados para anestesia, exceto em neonatos, em que os tubos com microbalonete parecem se associar a maiores complicações.[4]

As vantagens dos tubos orotraqueais com balonete são: menor número de laringoscopias e intubações para determinar o tamanho correto do tubo orotraqueal, menor pressão subglótica, menor poluição da sala cirúrgica e menores custos de gases anestésicos, menor risco de broncoaspiração, melhor controle do CO$_2$ expirado, melhor monitorização de parâmetros respiratórios nos ventiladores mais modernos e habilidade de ventilar pulmões com doença restritiva com maiores pressões.[4] Tubos traqueais com balonete devem ser utilizados com cufômetro e pressão de no máximo 25 cmH$_2$O.

A desvantagem de tubos orotraqueais com balonete é a grande variabilidade no diâmetro externo comparado com tubos sem balonete devido a diferenças em formato, tamanho e características de insuflação dos balonetes. Em geral, se um tubo sem balonete for utilizado, um tubo com menor diâmetro interno deve ser utilizado para compensar o balonete.[4] Para superar a desvantagem dos tubos orotraqueais com balonete, foi desenvolvido o microbalonete com grande volume e baixa pressão, elíptico, e posicionado mais distalmente para se adaptar melhor a anatomia pediátrica. O balonete de poliuretano ultrafino (10 micrômetros) permite uma vedação traqueal com baixas pressões e uma superfície de contato uniforme com formação mínima de dobras. A uma pressão de insuflação de 20 cmH$_2$O, os balonetes têm uma área de secção transversal de 150% da área de secção transversal interna da traqueia. Sem insuflação, o balonete adiciona pouco ao diâmetro externo do tubo orotraqueal. Balonetes mais curtos e sem o olho de Murphy permitem um posicionamento mais distal do balonete, reduzindo o risco de aplicação da pressão ao anel cricoide e mucosa adjacente. Esse posicionamento do balonete permite seu posicionamento abaixo da subglote, com a vantagem de menor risco de intubação endobrônquica e posicionamento do balonete na laringe.[4]

Posicionamento

O posicionamento adequado para a laringoscopia depende da idade. A traqueia de crianças maiores que 6 anos é facilmente exposta com um coxim suboccipital com 5 a 10 cm de elevação, deslocando a coluna cervical anteriormente. Extensão da cabeça na articulação atlanto-occipital produz a clássica posição do cheirador. Esse posicionamento alinha os três eixos: oral, faríngeo e traqueal, e permite a visualização das estruturas laríngeas. Ele também melhora a patência da hipofaringe. Em crianças menores, não é necessário elevar a região occipital porque o occipito é grande em relação ao tronco. Nesse caso, extensão da cabeça é suficiente para alinhar os eixos.[4] Em neonatos pode ser necessário a colocação de um coxim subescapular devido a desproporção da cabeça em relação ao restante do corpo (Figura 141.4).

Tabela 141.2 Tamanhos de tubos orotraqueais em crianças.		
Idade	**Diâmetro interno sem balonete**	**Diâmetro interno com balonete**
Pré-termo até 1.000 g	2,5	
Pré-termo 1.000-2.500 g	3,0	
Neonato – 6 meses	3,0-3,5	3,0-3,5
6 meses – 1 ano	3,5-4,0	3,0-4,0
1 – 2 anos	4,0-5,0	3,5-4,5
Maior que 2 anos	(idade em anos + 16)/4	(idade em anos/4) + 3

Fonte: Adaptada de Jagannathan N, *et al.*, 2020.[4]

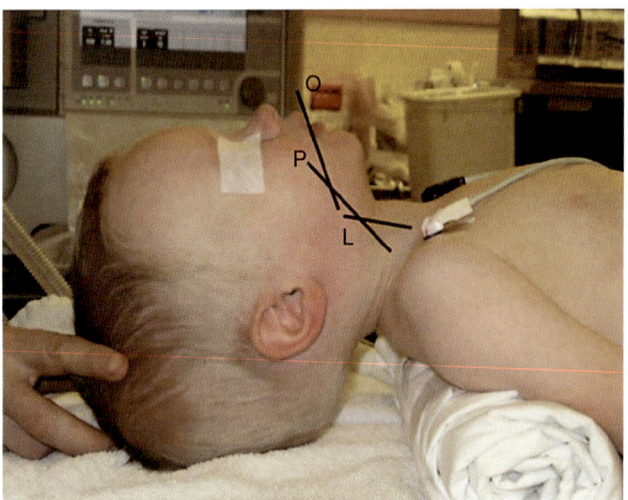

▲**Figura 141.4** Posicionamento adequado da via aérea com os eixos alinhados.

Fonte: Adaptada de Coté CJ, *et al.*, 2019.[5]

Técnica

Com menores estruturas de vias aéreas, as crianças têm maior risco de obstrução decorrente de trauma. Avançar a lâmina do laringoscópio até o esôfago e recuá-la até visualizar a laringe deve ser evitado, pois pode resultar em trauma laríngeo.[4]

As lâminas curvas como a Macintosh devem ser inseridas na cavidade oral pelo lado direito deslocando a língua para a esquerda. Em um ângulo de força de 45°, a lâmina deve ser, então, posicionada na linha média e avançada pela base da língua até a valécula, onde ela, indiretamente, levanta a epiglote e possibilita a visão da glote.[3]

Há várias abordagens para exposição da glote em crianças com uma lâmina de laringoscópio reta como a Miller. Uma delas é inserir a lâmina discretamente a direita da linha média, deslocando a língua para a esquerda, e direcioná-la para a epiglote pela base da língua. A ponta distal da lâmina deve diretamente elevar a epiglote para a exposição da glote. Outra opção, é inserir a ponta distal da lâmina na valécula e elevar a epiglote de forma indireta por pressão do ligamento glossoepiglótico.[3] Esta técnica evita trauma das cartilagens aritenoides.[4] Outra técnica é inserir a lâmina Miller® na boca utilizando a comissura labial direita sobre os incisivos laterais e primeiros pré-molares, como originalmente foi descrito por Miller (abordagem paraglossal/ retromolar). A lâmina é avançada pela parte lateral direita da boca, com a ponta da lâmina apontada para a linha média, desviando a língua para a esquerda. A epiglote é levantada com a ponta, expondo a abertura glótica. Desta forma, dano aos incisivos centrais é evitado (Figura 141.5 e 141.6).[4]

As manobras descritas abaixo podem contribuir para uma laringoscopia bem-sucedida.[4]

▪ **Manipulação laríngea externa ótima:** pressão pode ser aplicada externamente a laringe durante a intubação para maximizar a visualização da laringe. É particularmente útil para crianças com pescoço pequeno ou imóvel e para bebês. Um assistente ou o próprio laringoscopista podem realizar a manobra.[4]

▪ **Guias de intubação:** os guias de intubação incluem o fio-guia, guia metálico firme revestido por plástico, e o *bougie*, feito de plástico e maleável. Eles podem ser utilizados para a passagem às cegas do tubo endotraqueal pela epiglote. Um guia flexível é posicionado dentro do tubo endotraqueal, moldando-o de forma a otimizar a intubação. O formato em taco de *hockey* ou em J é útil, principalmente se somente a epiglote ou se a maior parte da parte posterior da epiglote não puder ser visualizada. O *bougie* tem uma ponta angulada. Ele é inserido pela glote sozinho e, após, o tubo endotraqueal é deslizado por ele. Quando o *bougie* é posicionado com sucesso, é possível sentir os anéis traqueais.[4]

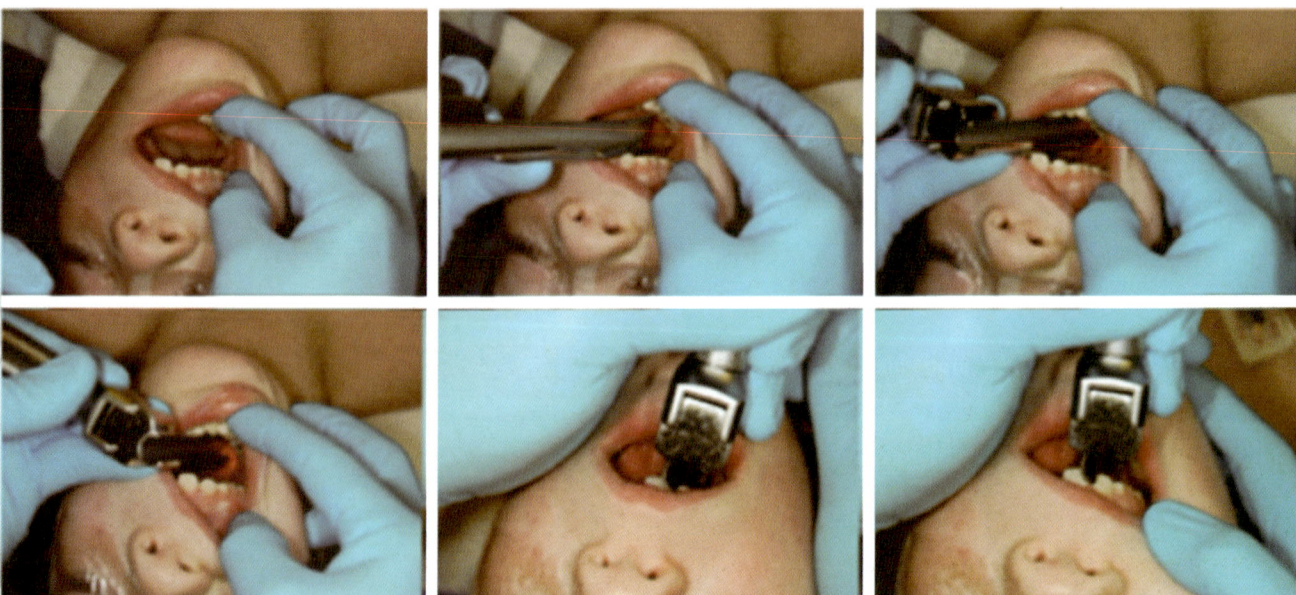

▲**Figura 141.5** Técnica paraglossal.

Fonte: Adaptada de Peter J, *et al.*, 2022.[6]

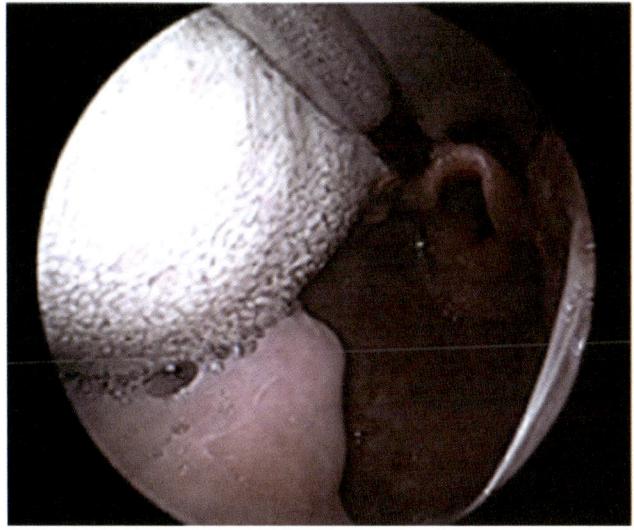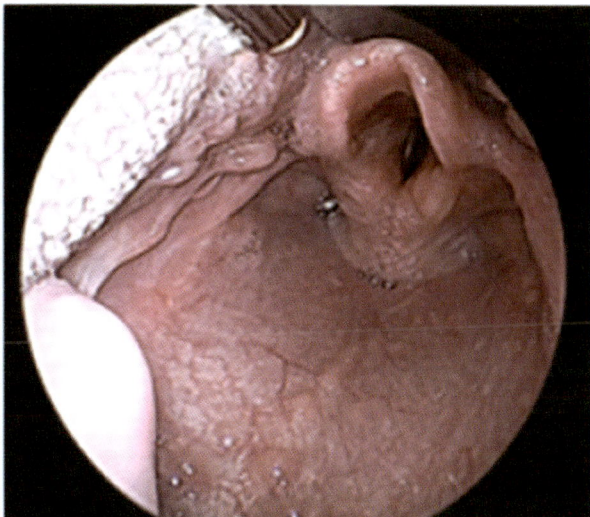

▲ **Figura 141.6** Técnica paraglossal.
Fonte: Adaptada de Peter J, *et al.*, 2022.[6]

Distância de Inserção do Tubo Endotraqueal

O comprimento da traqueia (cordas vocais até a carina) em neonatos e crianças menores que 1 ano varia de 5 a 9 cm. Na maioria das crianças com idade entre 3 meses e 1 ano se o tubo endotraqueal tiver sua marca de 10 cm posicionado na borda alveolar, a ponta do tubo estará acima da carina. Em neonatos pré-termos e termos, a distância é menor. Em crianças de 2 anos, 12 cm geralmente é adequado. Uma forma fácil de lembrar desses valores é 10 para recém-nascido, 11 para 1 ano de idade e 12 para 2 anos de idade. Após 2 anos, a distância correta pode ser estimada por fórmulas:[4]

- Idade (anos)/2 + 12.
- Peso (kg)/5 + 12.
- Diâmetro interno do tubo orotraqueal x 3.

Tubos endotraqueais com a distância de inserção pré-formada normalmente não são adequados e não correspondem a anatomia pediátrica.[4]

É comum que o tubo endotraqueal se mova para um brônquio principal após um posicionamento correto inicial durante o reposicionamento da criança para o procedimento cirúrgico. Isto se manifesta geralmente por uma pequena e persistente redução da saturação de oxigênio (por exemplo de 100% para 93-95%). A simples flexão ou extensão da cabeça é suficiente para deslocamento do tubo (extubação ou seletivação).[4]

■ COMPLICAÇÕES DA INTUBAÇÃO TRAQUEAL

Estridor (Crupe) Pós-Intubação

Estridor pós-intubação perioperatório (ou pós-extubação) ocorre em 0,1% a 1% das crianças. Os fatores associados ao aumento da incidência são tubo endotraqueal com diâmetro externo grande (sem vazamento com pressão maior que 25 cmH$_2$O ou resistência na inserção), mudanças na posição durante o procedimento, posicionamentos diferentes do de-

cúbito dorsal, tentativas múltiplas de intubação, intubação traumática, crianças com idade entre 1 e 4 anos, duração da cirurgia maior que uma hora, tosse com tubo orotraqueal e história prévia de estridor. História de infecção de vias aéreas superiores também parecem ser fator de risco. O tratamento é adrenalina inalatória e dexametasona, baseado na experiência do tratamento do estridor infeccioso.[4]

Estenose Laringotraqueal (Subglótica)

A frequência da estenose subglótica caiu nas últimas décadas e atualmente é entre 0% e 2%. A incidência em neonatos é menor devido a imaturidade da cartilagem cricoide. Nessa idade a cartilagem é hipercelular e sua matriz tem grande quantidade de fluido, o que a torna mais resiliente e menos susceptível a lesão isquêmica.[4]

A patogênese da estenose subglótica adquirida é lesão isquêmica secundária a pressão lateral do tubo traqueal. A isquemia gera edema e ulcerações na mucosa. Infecção secundária resulta em exposição da cartilagem. Em 48 horas, tecido de granulação começa a se formar nessas ulcerações. Por fim, fibrose resulta em redução do lúmen da traqueia.[4]

Fatores que predispõe a estenose subglótica incluem o uso do tubo traqueal grande, trauma laríngeo (intubação traumática, inalação química ou térmica, trauma externo, trauma cirúrgico, refluxo gástrico), intubação prolongada (maior que 25 dias), intubações repetidas, hipotensão, sepse e infecção, doenças crônicas e doenças inflamatórias.[4]

■ DISPOSITIVOS SUPRAGLÓTICOS

Há uma variedade de dispositivos supraglóticos disponíveis. Muitos deles são empregados no manejo da via aérea normal ou em situações de VAD em crianças, mas não há dados suficientes para estabelecer que um dispositivo seja melhor que o outro. Cada instituição deve determinar qual dispositivo é melhor em seu cenário.[4] A máscara laríngea é o dispositivo supraglótico mais disponível no Brasil.

Máscara Laríngea

A máscara laríngea (ML) se tornou uma alternativa para o manejo da via aérea durante a anestesia geral. Há uma grande variedade de modelos de ML. A ML Classic é feita de silicone e consiste em uma estrutura tubular de grande diâmetro com um adaptador de 15 mm em sua ponta proximal e uma estrutura elíptica parecida com uma máscara, que encaixa na laringe, em sua extremidade distal. Há outros modelos disponíveis, mas nem todos possuem tamanhos pediátricos. Há, inclusive, algumas ML de intubação, como a Fastrach® e Ambu Aura-i®. A seleção do tamanho adequado da ML é baseado no peso, que é descrito na embalagem da ML.[4]

A ML é utilizada em diferentes cirurgias, mas foi desenvolvida para substituir a máscara facial em adultos durante a manutenção da anestesia. ML pode ser utilizada em qualquer caso em que a ventilação espontânea seja adequada ou qualquer caso que possa ser manejado sob máscara facial. Ela oferece diversas vantagens em relação a máscara facial: o anestesiologista fica com as mãos livres para desempenhar outras tarefas e redução da poluição da sala cirúrgica. O uso da ventilação controlada com a ML Classic® também é descrito. Entretanto, essa prática é mais controversa que seu uso em ventilação espontânea pelo risco de insuflação do estômago e regurgitação. A insuflação do estômago é mais provável quando altas pressões ventilatórias são utilizadas (geralmente maiores que as necessárias para escutar vazamento). Mal posicionamento clinicamente não detectado da ML Classic® é descrito como um fator de risco importante para insuflação gástrica em crianças entre 3 e 11 anos de idade sob ventilação com pressão positiva, especialmente com um pico de pressão inspiratória maior que 17cmH$_2$O. Ventilação controlada com ML (com ou sem bloqueador neuromuscular) é facilmente estabelecida e menos provavelmente causa eventos adversos quando a vedação é boa com pressões de insuflação pulmonar menores que 17cmH$_2$O. As máscaras laríngeas de segunda geração possuem uma via de passagem para aspiração do estômago, e estão disponíveis em tamanhos pediátricos.[4]

Broncoscopia flexível tanto diagnóstica quanto terapêutica, radioterapia, procedimentos radiológicos, otorrinolaringológicos e oftalmológicos são as indicações pediátricas mais comuns de utilização de ML. Uma vantagem da ML em oftalmologia é que sua inserção não aumenta a pressão intraocular. Para procedimentos de broncoscopia, a vantagem é que a ML permite ventilação e oxigenação, enquanto também permite a passagem de um broncoscópio maior do que passaria por um tubo endotraqueal. Também, a ML promove melhores condições para o exame devido ao seu material e formato. Para crianças que demandam múltiplos procedimentos anestésicos em curtos períodos em radioterapia, a ML garante a via aérea sem os traumas de intubações orotraqueais repetidas. A ML também tem sido utilizada como escolha em crianças com maior risco de hiper-reatividade de via aérea (infecção de via aérea superior, história de doenças de vias aéreas), embora o risco de laringoespasmo permaneça elevado.[4]

A ML também é uma ferramenta importante no manejo da VAD, particularmente em neonatos. Entretanto, vale lembrar que ML e outros dispositivos supraglóticos não protegem da aspiração pulmonar.[4]

A técnica de inserção de ML em crianças é a mesma para adultos. O balonete deve ser completamente desinsuflado e a região posterior a ML lubrificada. Após a indução anestésica e posicionamento adequado da criança, a mão não dominante deve estender a cabeça e flexionar o pescoço (posição do cheirador). A ML é inserida com a sua abertura apontada anteriormente pela língua. O dedo indicador a mão de inserção (dominante) é posicionado no palato entre a máscara e o cano. Com o dedo indicador, a máscara é empurrada para cima e para trás, em direção ao topo da cabeça da criança. Isso comprime a máscara contra o palato. Pressão contínua para trás guia a máscara pelo palato até o esfíncter esofagiano superior. É importante aplicar pressão para forçar a ML contra o teto da boca. A ML é avançada pelo palato até resistência. Quando houver resistência, ar deve ser injetado ao balonete da ML. A insuflação do balonete causa uma movimentação da ML para fora da boca de cerca de 1 cm e forma uma vedação frouxa ao redor do esôfago, o que direciona o fluxo de gases frescos para a traqueia (Figura 141.7). Se houver indícios de que a ML não está corretamente posicionada, a ML deve ser prontamente removida e reposicionada (Figura 141.8).[4]

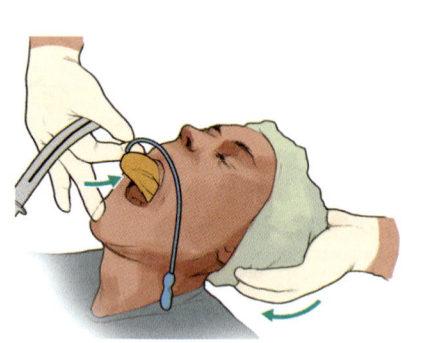 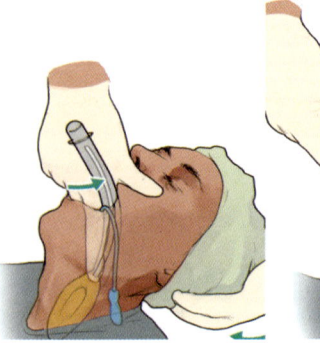 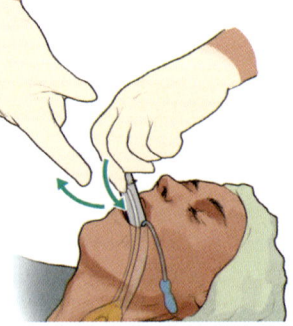 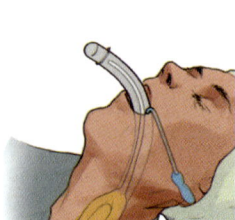

▲ **Figura 141.7** Técnica de inserção da Máscara Laríngea.
Fonte: Adaptada de Orebaugh SL, 2012.[7]

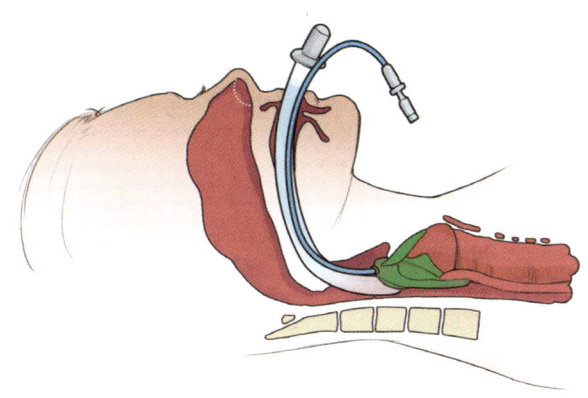

▲**Figura 141.8** Máscara laríngea posicionada.
Fonte: Adaptada de Orebaugh SL, 2012.[7]

Há alguns relatos de que quando método tradicional de inserção é utilizado em crianças, a ML fica na faringe posterior, dificultando o posicionamento adequado. Assim, outras formas de inserção são descritas. O método de rotação é um deles. A ML é posicionada na boca com o balonete apontado para o palato duro (oposto ao método tradicional). Então, ele é avançado e rotacionado simultaneamente até a posição adequada. Uma técnica de insuflação parcial da ML também tem sido utilizada. A ML é parcialmente insuflada para suavizar suas bordas, e então é inserida da forma tradicional ou lateralmente, e depois girada, ou com uma rotação de 180 graus. Uma tração da mandíbula e o uso do laringoscópio também foram descritos para o posicionamento da ML Classic®.[4]

Independentemente do método de inserção, a causa mais comum de falha da ML é o tamanho inadequado. Uma ML muito grande não passará a faringe posterior e uma ML pequena não vai vedar suficientemente a laringe. Outro erro comum quando o método tradicional de inserção é utilizado é pressionar a ML para baixo, quando deveria ser pressionada para trás contra a parede da faringe, para que siga a curvatura natural da faringe e se posicione no esfíncter esofágico superior sem dobrar. A inserção da ML fora do plano anestésico adequado torna a alocação impossível e pode desencadear laringoespasmo.[4]

A ML pode causar lesões às estruturas da via aérea superior e aos nervos laríngeo recorrente e hipoglosso. A incidência de dor de garganta se assemelha a da intubação traqueal. ML em crianças pequenas requer atenção especial uma vez que a ML pode deslocar.[4]

A falha da ML foi associada a duração cirúrgica prolongada, procedimentos de cabeça e pescoço, procedimentos não ambulatoriais, anormalidades craniofaciais e transporte do paciente.[4]

O momento da retirada da ML em crianças é controverso, podendo ser realizado com o paciente em plano anestésico profundo ou acordado. A retirada com o paciente acordado garante retorno dos reflexos protetores de via aérea, mas aumenta a incidência de problemas relacionados a reatividade da via aérea. Por outro lado, a retirada

com o paciente em plano anestésico profundo evita a reatividade de via aérea e potencial laringoespasmo, mas pode aumentar o risco de aspiração ou de obstrução de via aérea quando o paciente acorda na recuperação pós-anestésica. Um autor sugeriu que deixar o balonete inflado até que o paciente comece a deglutir ou que seja capaz de abrir a boca ao comando são formas de reduzir o laringoespasmo. O mecanismo seria que as secreções são limpas da laringe reduzindo o estímulo para laringoespasmo. Lubrificação do balonete com lidocaína 2% em geleia ou a adição intravenosa de opioide a técnica anestésica pode reduzir a tosse e o estímulo laríngeo na emergência.[4]

■ VIA AÉREA DIFÍCIL

Princípios de Manejo

A abordagem mais segura para o manejo de uma VAD é a formulação de planos de ação. Eles devem incluir várias soluções para todas as possíveis falhas e perdas da via aérea, ou seja, a adaptação de um algoritmo para o cenário específico antes de iniciar o atendimento. Assim, é interessante avaliar a patologia da via aérea e a patofisiologia da síndrome congênita e/ou doenças associadas.[4]

O atendimento de uma VAD prevista ou não prevista se inicia com a mobilização de recursos materiais e humanos. Além do material anestésico básico, sugere-se a disponibilidade de equipamentos adicionais e em tamanhos compatíveis com a população pediátrica.[4,8] Para sugestão (Tabela 141.3). Além do material específico disponível, também é necessário ter a disposição recursos humanos capacitados como um outro colega anestesiologista e cirurgiões experientes na realiza-

Tabela 141.3 Materiais para via aérea difícil (maleta/carro de VAD sugerido).	
Categoria	**Item**
Ventilação	Cânulas nasofaríngeas
	Cânulas orofaríngeas
	Dispositivos supraglóticos
Intubação	Tubos endotraqueais
	Lâminas de laringoscópio de diversos formatos e tamanhos
	Fio-guia
	Pinça de Magill
	Guia flexível (*bougie*)
	Dispositivo supraglótico de intubação
	Videolaringoscópio
	Fibroscópio
Emergência	Equipamento para cricotireoidostomia por punção e cirúrgica
	Equipamento para ventilação a jato
Outros	Sonda trocadora
	Antiembaçante
	Auxílios cognitivos (algoritmos de VAD)
	Capnógrafo

Fonte: Adaptada de Jerry A, *et al.*, 2011.[8]

ção de fibroscopia e traqueostomia. Deve haver comunicação clara e efetiva entre todos os membros da equipe e todos devem conhecer os planos de manejo e detalhes específicos sobre manobras para facilitar o processo.[4]

Alguns princípios se aplicam a todas as crianças com VAD antecipada. Na maioria dos casos, se a VAD é a única dificuldade antecipada, pode-se iniciar a abordagem com a criança sob anestesia geral em ventilação espontânea. Ela garante oxigenação adequada enquanto a via aérea é adequadamente avaliada e manejada.[4] No entanto, é importante garantir uma profundidade anestésica adequada, para evitar reatividade da via aérea.[9] Apesar do importante valor histórico da ventilação espontânea no manejo da VAD, há uma tendência atual a utilização dos bloqueadores neuromusculares[4,10] devido à redução de complicações como hipoxemia e laringoespasmo.[9] Ainda, pode proporcionar melhores condições clínicas para a ventilação sob máscara facial e laringoscopia com o relaxamento das estruturas musculares da via aérea.[9]

Quando é feita a opção por anestesia geral em ventilação espontânea, anestesia tópica pode ajudar a abolir reflexos de vias aéreas. Métodos úteis incluem: nebulização de lidocaína, aplicação tópica de *sprays*, óleos ou gelatinas anestésicas, lidocaína translaríngea, "*spray as you go*", ou seja, lidocaína aplicada pelo canal de trabalho do fibroscópio na laringe e cordas vocais à medida que o equipamento é avançado, e bloqueio do nervo laríngeo recorrente. Cuidado deve ser tomado com a dose tóxica máxima de anestésico local. Lidocaína parece ter a maior segurança e sua dose deve ser limitada a 4 mg/kg.[4]

Estratégias para a manutenção da oxigenação variam de acordo com a técnica e não devem ser negligenciadas. Elas são utilizadas para reduzir risco de dessaturação ou prolongar o tempo até que ela ocorra. Para crianças maiores e colaborativas, a pré-oxigenação com 100% de oxigênio é imprescindível. Outra técnica, que pode ser utilizada em crianças de qualquer idade, é a oxigenação passiva ou apneica. Ela pode ser realizada com um cateter nasal de alto fluxo ou até mesmo com um cateter nasal de baixo fluxo a 0,2 L/kg/min.[10] Ainda, algumas técnicas incluem a utilização da máscara laríngea como canal de intubação, então é possível manter ventilação controlada e oxigenação pela ML.[4]

Muitas técnicas e dispositivos para o manejo da VAD são recomendados. Alguns deles serão revisados a seguir. Dominar o seu uso com experiências anteriores em vias aéreas normais podem tornar estes dispositivos grandes aliados no manejo da VAD.

Se a intubação traqueal não for possível, é importante reconhecer a situação de risco e solicitar ajuda imediatamente. Como alternativa, a criança pode ser acordada e transferida a um centro de referência. No caso de uma emergência ou situação ameaçadora a vida, a utilização de um dispositivo supraglótico ou uma cricotiroidostomia percutânea podem ser alternativas viáveis.[4]

Vieses cognitivos podem desempenhar um importante papel no manejo da VAD e o conhecimento desses padrões de pensamento podem ajudar a selecionar as opções viáveis em situações de estresse. Alguns sexemplos são aversão à perda e ancoragem. Aversão a perda se refere a ideia de que é pior uma perda do que um ganho equivalente, o que

leva a escolhas irracionais. Um exemplo é um paciente com VAD prevista e história de ventilação sob máscara facial difícil. O anestesista pode reconhecer a necessidade de uma abordagem com o paciente acordado ou minimamente sedado, mas pela falta de familiaridade com o método, medo de falhar e medo de uma percepção negativa dos colegas, decide prosseguir com uma indução anestésica inalatória. A aversão a perda influenciou o anestesista a fazer uma escolha inapropriada para o paciente. Já a ancoragem ocorre quando uma característica inicial influencia ou enviesa decisões subsequentes. Um exemplo seria um paciente que tem ventilação sob máscara facial fácil no início da indução anestésica, mas posteriormente se torna difícil de ventilar. O anestesiologista pode fixar no fato que a ventilação foi fácil no início e tentar medidas para melhorar a ventilação e retardar tratamento definitivo como via aérea cirúrgica. O quadro cognitivo desempenha um papel importante na tomada de decisões. No exemplo anterior do paciente que se tornou difícil de ventilar, dois padrões de pensamento são comuns. Um deles é "isto é muito ruim, este paciente pode precisar de uma via aérea cirúrgica e eu vou ser processado". O outro é "este paciente precisa de uma via aérea cirúrgica e isso pode salvar sua vida". Claramente o último padrão de pensamento resulta na ação mais favorável, enquanto a anterior gera inatividade e atrasos.[4] Estes problemas podem ser amenizados ao chamar ajuda de outro colega e/ou com o uso de auxílios cognitivos como os algoritmos de manejo de VAD impresso ou o uso de aplicativo de celular com os passos seguintes a serem tomados.[8] Como sugestão, temos o PeDI Crisis 2.0 Critical Events Checklists Mobile App®, disponível em <https://pedsanesthesia.org/pedi-crisis-app/> que tem versão em português.

▪ A VIA AÉREA DIFÍCIL NÃO ANTECIPADA

Com uma avaliação pré-anestésica e planejamento cuidadosos, a VAD não antecipada é rara. Entretanto, o anestesiologista deve estar sempre preparado para este evento potencialmente fatal. A VAD não antecipada geralmente é identificada após a indução anestésica (plano A), quando muitas decisões no manejo da via aérea já foram tomadas. O objetivo mais importante nesse momento é manter a oxigenação enquanto uma estratégia é planejada (planos B, C, D etc.).[4]

Uma diferença importante entre adultos e crianças é que a criança tem maior demanda metabólica e reduzida capacidade residual funcional, então o tempo entre a perda da via aérea e a hipoxemia importante com potencial dano neurológico é muito reduzido em relação ao adulto. Um modelo matemático estima o tempo aproximado para uma saturação de zero com uma FiO_2 de 90% em uma criança de 10 kg de aproximadamente 4 minutos, enquanto em um adulto de 70 kg este tempo seria de 10 minutos.[4]

O registro PeDi[2] demonstrou que mais de duas tentativas de laringoscopia direta em crianças com VAD foi associado a alta taxa de falha e aumento da taxa de complicações graves. Múltiplas laringoscopias devem ser evitadas pelo risco de trauma de via aérea com edema e deterioração clínica de uma situação de não intubo, mas ventilo para uma situação não intubo e não ventilo. Sugere-se as seguintes estratégias: otimizar a laringoscopia desde a sua primeira tentativa, tanto pelo posicionamento adequado do paciente quanto pelo uso de dispositivos auxiliares com fio-guia ou *bougie*; minimizar as tentativas de laringoscopia direta e mudar para métodos indiretos (videolaringoscopia ou fibroscopia) quando houver falha; e considerar métodos de oxigenação passiva dos pulmões durante as tentativas de intubação traqueal, como cateter de alto fluxo ou cateter nasal.

Dispositivos supraglóticos podem ser utilizados e são uma ferramenta fundamental para o manejo adequado da VAD. Os algoritmos sugerem o uso do dispositivo supraglótico, se possível quando houver falha da tentativa de intubação traqueal em crianças. Veja os algoritmos da American Society of Anesthesiologists (ASA) (Figura 141.9) e da Difficult Airway Society (DAS) (Figuras 141.10, 141.11 e 141.12).

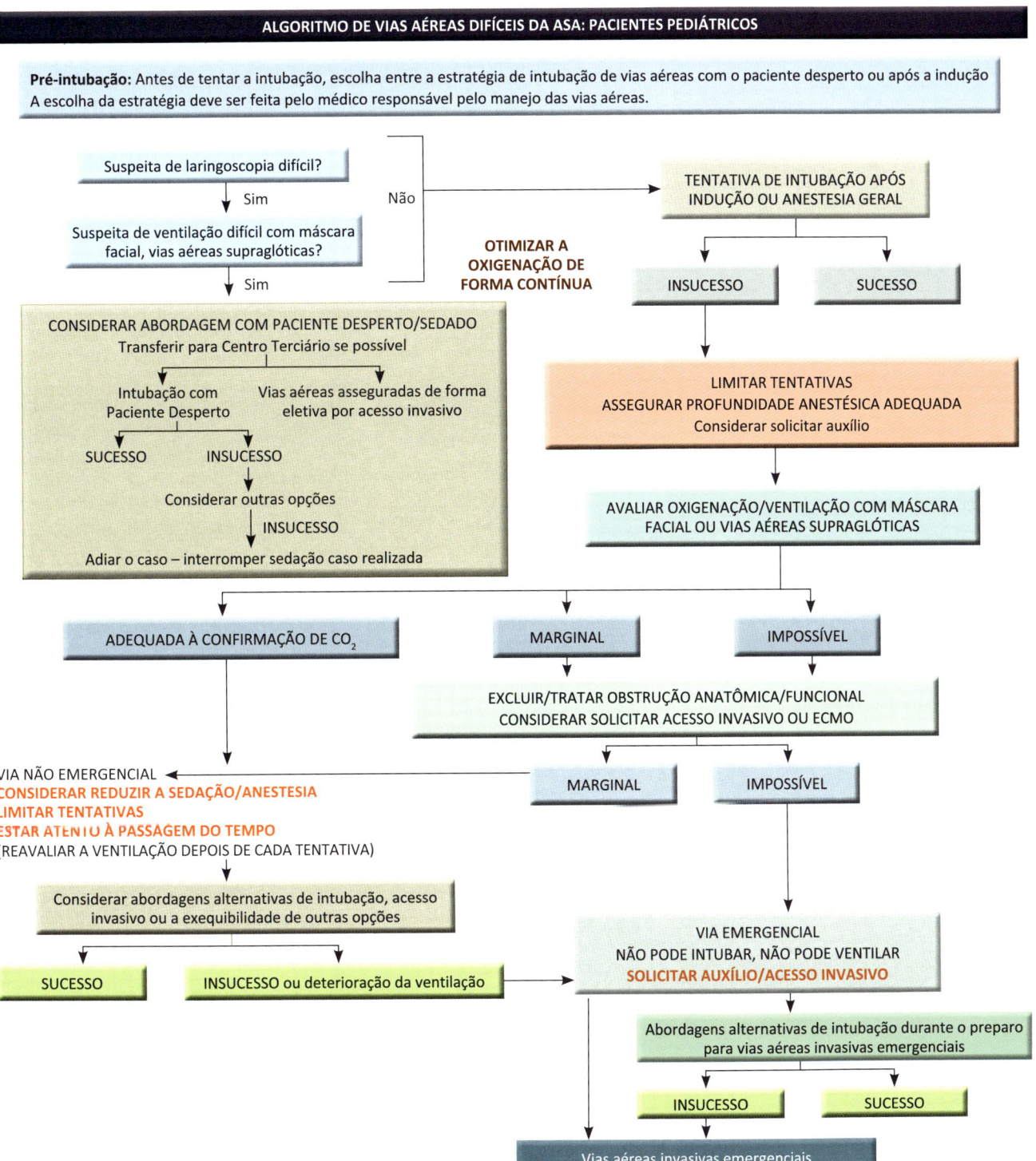

▲ **Figura 141.9** Algoritmo de vias aéreas difíceis (VAD) da *American Society of Anesthesiologists* (ASA).

CO_2, Gás carbônico; ECMO, circulação com membrana extracorpórea.

Fonte: Adaptada de Jerry A, *et al.*, 2011.[8]

VENTILAÇÃO COM MÁSCARA (VM) DIFÍCIL – DURANTE A INDUÇÃO ANESTÉSICA DE ROTINA EM CRIANÇAS DE 1 A 8 ANOS DE IDADE

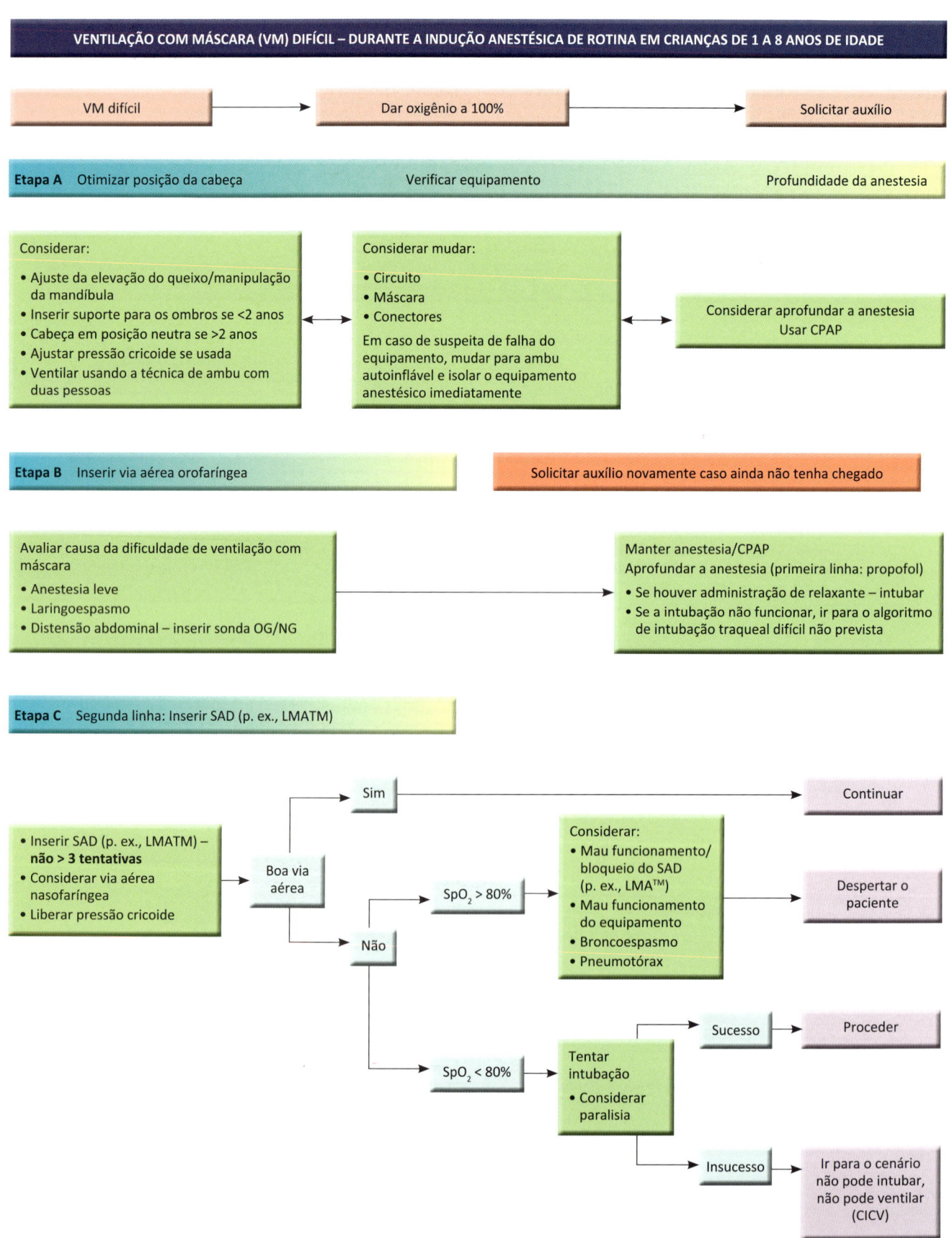

SAD = dispositivo para vias aéreas supraglóticas

▲**Figura 141.10** Algoritmo DAS – intubação traqueal difícil não prevista.
Fonte: Adaptada de Stein ML, *et al.*, 2020.[11]

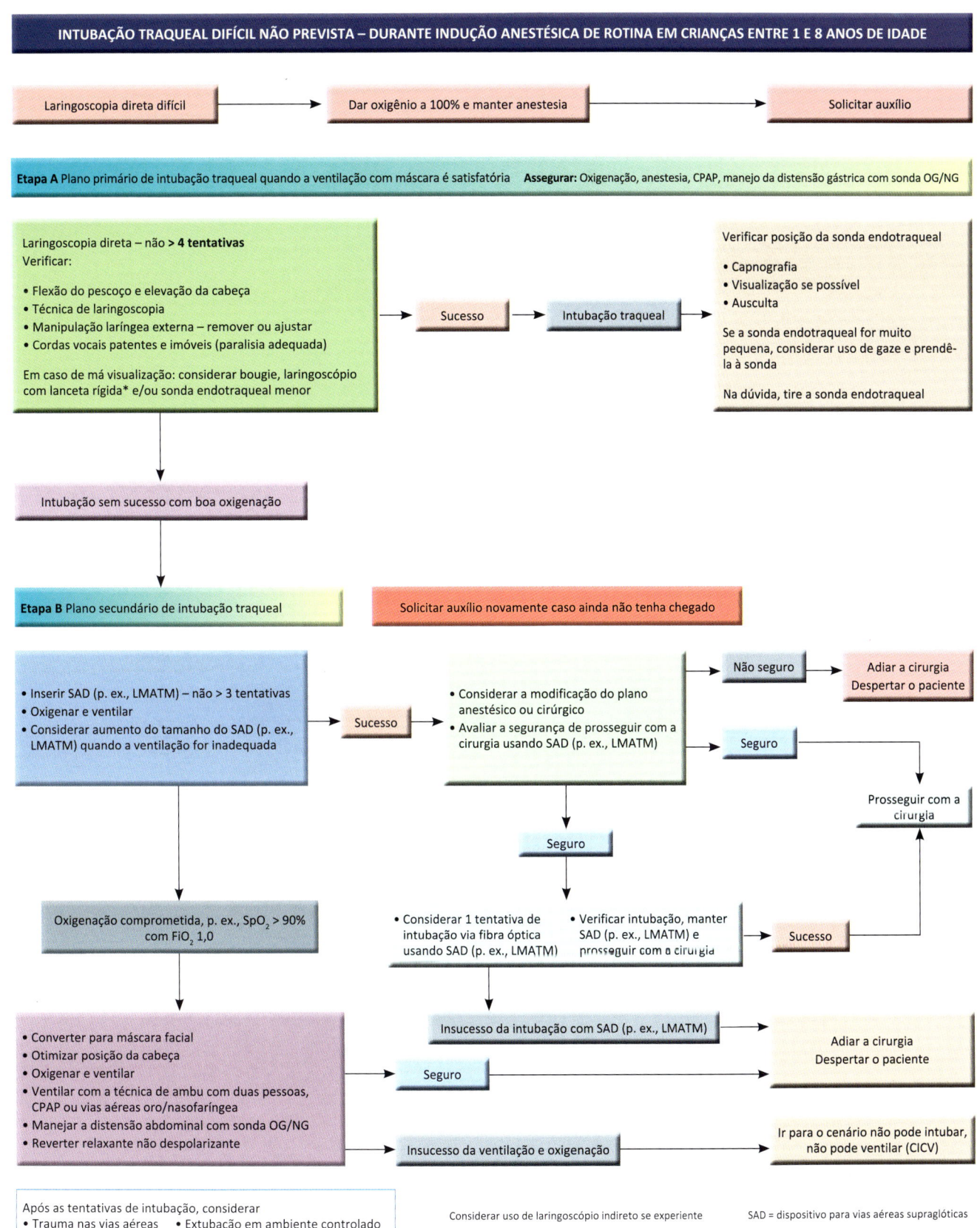

INTUBAÇÃO TRAQUEAL DIFÍCIL NÃO PREVISTA – DURANTE INDUÇÃO ANESTÉSICA DE ROTINA EM CRIANÇAS ENTRE 1 E 8 ANOS DE IDADE

Laringoscopia direta difícil → Dar oxigênio a 100% e manter anestesia → Solicitar auxílio

Etapa A Plano primário de intubação traqueal quando a ventilação com máscara é satisfatória   **Assegurar:** Oxigenação, anestesia, CPAP, manejo da distensão gástrica com sonda OG/NG

Laringoscopia direta – não **> 4 tentativas**
Verificar:

• Flexão do pescoço e elevação da cabeça
• Técnica de laringoscopia
• Manipulação laríngea externa – remover ou ajustar
• Cordas vocais patentes e imóveis (paralisia adequada)

Em caso de má visualização: considerar bougie, laringoscópio com lanceta rígida* e/ou sonda endotraqueal menor

Sucesso → Intubação traqueal →

Verificar posição da sonda endotraqueal

• Capnografia
• Visualização se possível
• Ausculta

Se a sonda endotraqueal for muito pequena, considerar uso de gaze e prendê-la à sonda

Na dúvida, tire a sonda endotraqueal

Intubação sem sucesso com boa oxigenação

Etapa B Plano secundário de intubação traqueal   Solicitar auxílio novamente caso ainda não tenha chegado

• Inserir SAD (p. ex., LMATM) – não > 3 tentativas
• Oxigenar e ventilar
• Considerar aumento do tamanho do SAD (p. ex., LMATM) quando a ventilação for inadequada

Sucesso →

• Considerar a modificação do plano anestésico ou cirúrgico
• Avaliar a segurança de prosseguir com a cirurgia usando SAD (p. ex., LMATM)

Não seguro → Adiar a cirurgia Despertar o paciente

Seguro →

Prosseguir com a cirurgia

Seguro

Oxigenação comprometida, p. ex., SpO$_2$ > 90% com FiO$_2$ 1,0

• Considerar 1 tentativa de intubação via fibra óptica usando SAD (p. ex., LMATM)
• Verificar intubação, manter SAD (p. ex., LMATM) e prosseguir com a cirurgia

Sucesso →

Insucesso da intubação com SAD (p. ex., LMATM) → Adiar a cirurgia Despertar o paciente

• Converter para máscara facial
• Otimizar posição da cabeça
• Oxigenar e ventilar
• Ventilar com a técnica de ambu com duas pessoas, CPAP ou vias aéreas oro/nasofaríngea
• Manejar a distensão abdominal com sonda OG/NG
• Reverter relaxante não despolarizante

Seguro

Insucesso da ventilação e oxigenação → Ir para o cenário não pode intubar, não pode ventilar (CICV)

Após as tentativas de intubação, considerar
• Trauma nas vias aéreas   • Extubação em ambiente controlado

Considerar uso de laringoscópio indireto se experiente   SAD = dispositivo para vias aéreas supraglóticas

▲ **Figura 141.11** *Algoritmo da Difficult Airway Society* (DAS) – intubação traqueal difícil não prevista.
CPAP, pressão positiva contínua nas vias aéreas; OG, orogástrica; NG, nasogástrica; SpO$_2$, saturação periférica de oxigênio; FiO$_2$, fração inspirada de oxigênio.
Fonte: Adaptada de

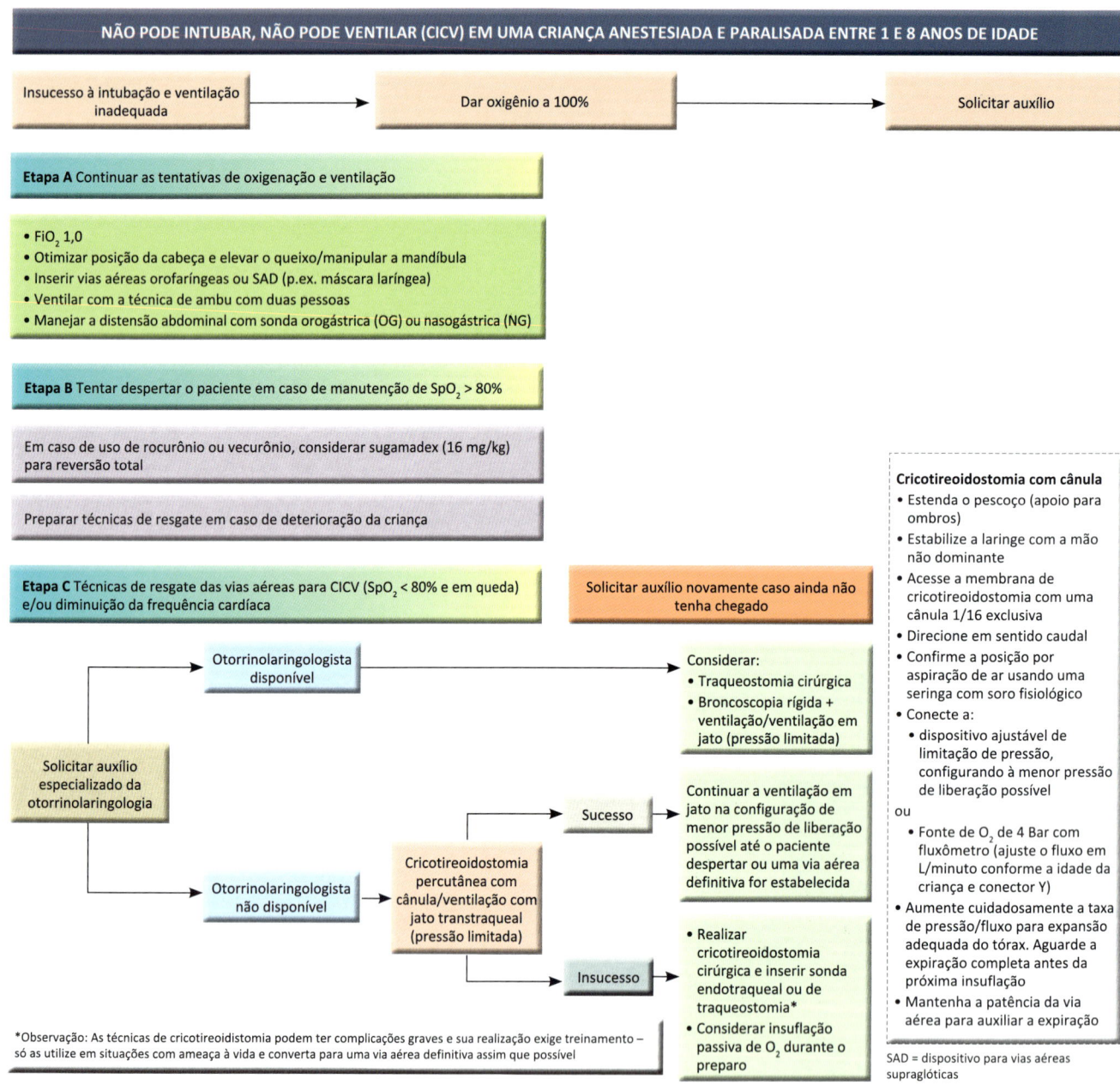

▲ **Figura 141.12** Algoritmo DAS não intubo, não ventilo.
Fonte: Adaptada de Stein ML, *et al.*, 2020.[11]

▪ EXTUBAÇÃO DA CRIANÇA COM VIA AÉREA DIFÍCIL

Preparação para a extubação começa logo após a intubação. O equipamento utilizado para a intubação deve ser conferido, preparado novamente para uso e mantido dentro da sala operatória até que a criança tenha sido extubada com sucesso. Crianças que tiveram muitas tentativas de intubação ou vão passar por procedimentos que podem gerar edema de via aérea podem se beneficiar de dexametasona endovenosa (0,5 a 1 mg/kg até 20 mg). Se edema importante de via aérea é antecipado, deve-se considerar manter a criança intubada até resolução. A criança deve estar completamente acordada e ter retorno completo da ventilação antes da tentativa de extubação.[4]

Sonda trocadora (Cook®) com um adaptador Rapi-Fit® é um guia plástico oco com orifícios em sua extremidade distal que pode ser utilizado para a extubação porque o adaptador na extremidade proximal permite a colocação de um conector Luer-Lok® para conexão com ventilação a jato ou um adaptador de 15 mm para a conexão com o aparelho de anestesia. Ele está disponível em uma variedade de tamanhos que permitem a troca de tubos de diâmetro interno de 3,0 mm ou maiores. Ele pode ser utilizado para oxigenação e ventilação ou como um guia para a recolocação do tubo endotraqueal se a ventilação estiver inadequada ou se houver obstrução da via aérea.[4]

Se a criança permanecer intubada por período prolongado após a cirurgia, é recomendado que ela retorne para a sala cirúrgica para ser extubada. Um cirurgião treinado em broncoscopia e traqueostomia e um anestesiologista familiarizado com as técnicas utilizadas previamente para o manejo bem-sucedido da via aérea devem estar presentes.[4]

■ CRICOTIREOIDOSTOMIA POR PUNÇÃO

A American Heart Association mudou as recomendações para a o manejo emergencial da via aérea para critireoidostomia por punção no lugar de cricotireoidostomia cirúrgica em 1992 devido a crença de menor risco de lesão às estruturas vitais como carótida e jugulares, principalmente nas mãos de profissionais sem treinamento cirúrgico. Também, esse procedimento é executado mais rápido. Entretanto, a membrana cricotireóidea tem um tamanho relativamente menor em crianças menores de 5 anos de idade. Tentativas de cricotireoidostomia podem resultar em grandes danos às cartilagens cricóideas e tireóideas, resultando em estenose laríngea e dano permanente a fala. Assim, esse procedimento deve ser reservado somente para situações emergenciais. Embora mais estudos sejam necessários, a cricotireoidostomia por punção ainda é a técnica de escolha em situações não intubo, não ventilo em crianças.

Como a cricotireoidostomia por punção é raramente utilizada em bebês e crianças, é recomendado que seja treinada em modelos de simulação. Deve-se estender a cabeça da criança com um coxim sob os ombros, posicionar-se à esquerda dela e estabilizar a traqueia com a mão direita. A membrana cricotireóidea deve ser localizada com a ponta do dedo indicador da mão esquerda entre as cartilagens tireóidea e cricóidea. Esse espaço pode ser tão pequeno em um bebê (em torno de 1 mm), que pode ser localizado somente com a unha. A traqueia deve ser estabilizada entre o 1º e o 3º dedos da mão esquerda enquanto a unha do dedo indicador marca a membrana cricotireóidea. Um cateter intravenoso calibroso (12 a 14 *gauge*) deve ser inserido pela membrana enquanto o ar é aspirado. O cateter deve ser avançado pela traqueia pela membrana e a agulha descartada. A posição intraluminal do cateter deve ser confirmada pela aspiração de ar. Um adaptador de 3 mm de um tubo orotraqueal pediátrico pode ser acoplada a qualquer cateter intravenoso. Ventilação pode ser estabelecida pelo acoplamento de um adaptador padrão de 22 mm (Figura 141.13). Há *kits* específicos disponíveis. Eles utilizam agulha curta, mas grossa ou agulha, fio-guia e dilatador para a inserção de uma via aérea percutânea mais calibrosa para permitir ventilação além de oxigenação, embora, o tempo para a inserção desses dispositivos pode ser muito longo e eles podem ser inapropriados para o estabelecimento imediato de uma via aérea em uma emergência.[4]

■ VIA AÉREA CIRÚRGICA

Uma via aérea cirúrgica de emergência é considerada por alguns como uma alternativa a cricotireoidostomia por punção. Anteriormente, estava sob a alçada de o cirurgião. Entretanto, com treinamento, pode ser executado por anestesiologistas. A situação não ventilo, não intubo em crianças é extremamente raro. Tanto a cricotireoidostomia por punção quanto com bisturi e *bougie* são difíceis em crianças devido ao tamanho e a mobilidade de traqueia. A via aérea cirúrgica de emergência é feita melhor em crianças acima de 5 anos. Fora da emergência, em crianças, uma traqueostomia é preferida em relação a cricotireoidostomia devido a menor incidência de complicações de longo prazo e resultados melhores de decanulação.

■ FIBROSCOPIA

Uma vantagem da utilização da fibroscopia para intubação da criança com VAD é que não requer manipulação da cabeça e do pescoço, sendo útil em crianças que tem imobilidade cervical (síndrome Klippel-Feil) e instabilidade cervical (síndrome de Down, trauma). A técnica também é versátil porque o instrumento flexível se molda a diversas vias aéreas anormais e é bem tolerada pelo paciente sedado e em ventilação espontânea.[4]

Sua desvantagem é que o feixe de fibra ótica é pequeno e permite somente um campo de visão limitado. Assim, a presença de sangue ou secreção pode dificultar a visualização. Ainda, o uso da fibroscopia requer experiência. É necessário treinar em vias aéreas normais primeiro. Prática com cada tamanho é importante porque a habilidade manual necessária varia conforme o tamanho. Também, o fibroscópio é frágil e caro. Muito cuidado no manuseio e armazenagem deve ser tomado para não danificar o feixe de fibra ótica e a ponta ajustável. Eles devem ser esterilizados entre os usos para manter a patência do canal de trabalho e uma visão clara e evitar a transmissão de infecção.[4]

Fibroscópios estão disponíveis em vários tamanhos. O menor deles tem 2,2 mm de diâmetro e pode auxiliar na passagem de tubos endotraqueais de 2,5 mm de diâmetro interno com ou sem o adaptador de 15 mm. Entretanto, não tem canal de trabalho para aspiração de secreções, administração de oxigênio e administração de anestésico local. Fibroscópios com a fonte de luz incorporada ao corpo do equipamento aumentam a sua portabilidade.[4]

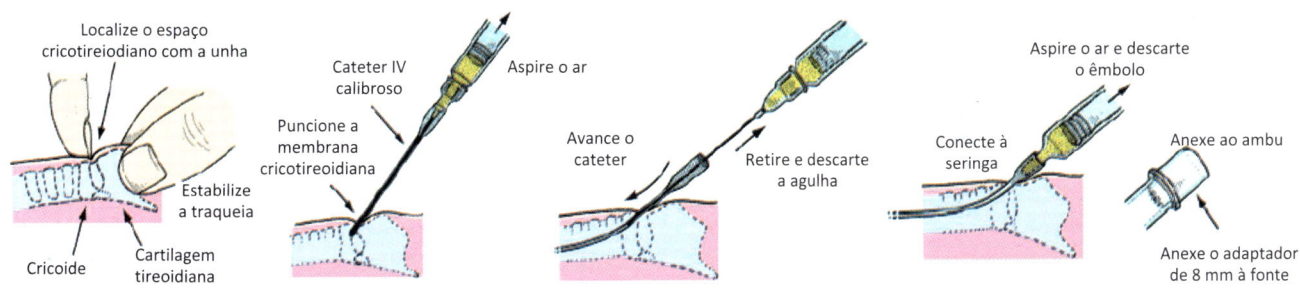

▲ **Figura 141.13** Cricotireoidostomia por punção.
Fonte: Adaptada de Jagannathan N, *et al.*, 2020.[4]

O posicionamento da criança para a fribroscopia é diferente do posicionamento para laringoscopia direta. A cabeça deve ficar reta na mesa cirúrgica e discretamente estendida na articulação atlantooccipital para evitar que a epiglote obstrua a visão da glote. Se uma abordagem oral for selecionada, é necessário que o fibroscópio seja inserido na linha média. Uma abordagem nasal pode facilitar o posicionamento na linha média, embora possa ocasionar lesão adenoide e sangramento nasal. Com as duas abordagens, um assistente deve realizar uma tração da mandíbula para abrir os espaços faríngeo posterior e supraglótico.[4] Alternativamente, um dispositivo de intubação pode ser utilizado como a cânula orofaríngea Vama® ou uma ML de intubação.

A ponta do fibroscópio deve ser introduzido e gradualmente avançado na linha média sob visão direta até que alguma estrutura seja reconhecida. É essencial que o fibroscópio seja mantido rígido para que quando a direção da ponta seja alterada, ela permaneça no mesmo plano que o fibroscópio. Quando o fibroscópio é rotacionado, a ponta deve ser levemente dobrada para uma visão panorâmica. Em geral, a ponta do fibroscópio deve passar para a traqueia antes das tentativas de passagem do tubo traqueal pela narina ou orofaringe. Devido às menores distâncias da orofaringe em crianças que em adultos, o erro mais comum é avançar o fibroscópio até o esôfago. Para evitar isso, o fibroscópio deve ser avançado somente conforme as estruturas da via aérea são identificadas.[4]

Uma vez que o fibroscópio é introduzido dentro da via aérea, um problema comum é a resistência a passagem do tubo traqueal. Para minimizar esse problema, o tubo orotraqueal deve ser colocado no fibroscópio com o bisel apontado para baixo (olho de Murphy para cima) em intubações orais e com o bisel para cima em intubações nasais. Se resistência persistente ocorrer durante a passagem do tubo pela abertura glótica, o tubo dever ser rotacionado 90 a 180 graus.[4]

■ VIDEOLARINGOSCOPIA

Videolaringoscópios estão rapidamente virando comuns na prática anestésica e vão invariavelmente virar padrão-ouro. Eles oferecem vantagens sobre a laringoscopia direta como uma visualização melhor da glote, o compartilhamento da visão que facilita o ensino aos residentes e estudantes e a menor força para a intubação.

Existe uma ampla variedade de videolaringoscópios no mercado e eles podem ter lâminas de diferentes formatos e tamanhos, que se adaptam a diferentes cenários clínicos (Figura 141.14). Além da disponibilidade de lâminas retas, eles podem ter lâminas curvas, que podem hiperanguladas ou com curvatura padrão (semelhantes a Macintosh®). Embora as lâminas hiperanguladas podem ser melhores para vias aéreas difíceis por serem mais anteriorizadas, a progressão do tubo traqueal pode ser desafiadora devido ao ângulo agudo entre a linha de visualização da câmera e o plano da traqueia.[4] Dessa forma, a videolaringoscopia, independentemente do tipo de lâmina, deve ser realizada com o auxílio de um fio-guia pelo tubo endotraqueal, moldado conforme o tipo de lâmina utilizada.

Ao contrário da laringoscopia tradicional, em geral, o deslocamento para a esquerda da língua é desnecessário devi-

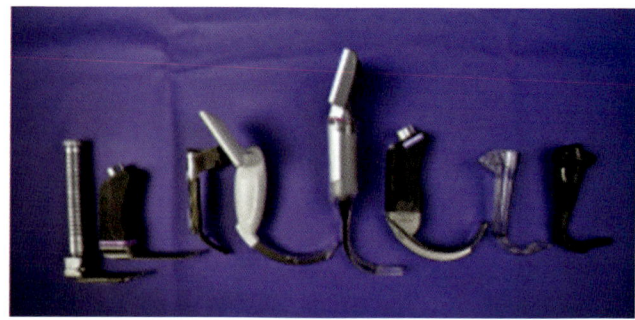

▲ **Figura 141.14** Diferentes curvaturas de lâminas de videolaringoscopia. Da esquerda para a direita: Miller 1 (laringoscopia direta), Storz C-Mac® Miller 1, Truview EVO®, McGrath® series 5 Mac 3, King Vision®, Storz C-Mac® Pedi-D, Glidescope® Cobalt AVL, Glidescope® Spectrum.
Fonte: Paediatric Difficult Airway Guidelines.[12]

do a localização da câmera na extremidade distal da lâmina. A lâmina videolaringoscópio é idealmente posicionada na linha média ou discretamente para a esquerda na faringe. Essa posição maximiza o espaço disponível para a introdução do tubo traqueal. A ponta da lâmina é posicionada na valécula e uma discreta elevação da lâmina expõe a glote. A epiglote pode ser elevada se o posicionamento da ponta da lâmina na valécula não proporcionar visualização ótima. Uma visualização ruim pode ocorrer devido ao tamanho inadequado da lâmina ou ao seu posicionamento muito profundo da faringe. Manipulação externa da laringe pode ser utilizada para melhorar a visualização.

Dificuldade de inserção do tubo traqueal apesar de boa visualização da glote é um problema comum com os videolaringoscópios. Isso ocorre devido a abordagem indireta e a necessidade de boa coordenação entre os olhos e a mão. Essa habilidade é adquirida pelo uso frequente do dispositivo em crianças com via aérea normal. Alguns videolaringoscópios possuem magnificação das lentes de sua câmera, de forma que a epiglote pode obstruir a visualização da câmera. Se isto ocorrer, a ponta da lâmina pode ser usada para levantar a epiglote e expor a glote[4] ou o videolaringoscópio pode ser tracionado para proporcionar uma visualização mais panorâmica da glote e facilitar a inserção do tubo endotraqueal.

■ MÁSCARA LARÍNGEA COMO UM GUIA PARA INTUBAÇÃO

Muitos relatos de caso afirmam a utilidade da ML como um canal para intubação. Múltiplos métodos para o posicionamento do tubo traqueal pela ML foram descritos: às cegas (em ML com curvatura específica) ou assistido por fibroscopia. Entretanto, ML tradicionais e tubos traqueais convencionais tem o mesmo comprimento e todos os métodos de intubação são complicados pela inabilidade de estabilização do tubo traqueal para a retirada da ML de forma que a retirada da ML pode retirar o tubo traqueal. Assim, foram desenvolvidas ML específicas para serem canais de intubação, que são, em geral, mais curtas, largas e hiperaguladas e que possuem dispositivos específicos para a estabilização do tubo endotraqueal para a retirada da ML (Figura 141.15).[4]

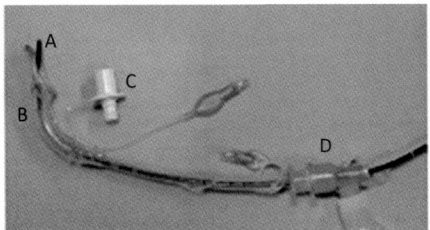 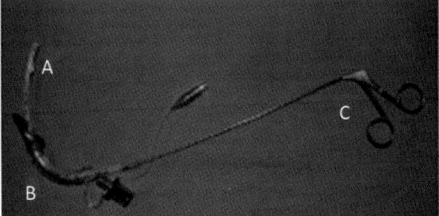 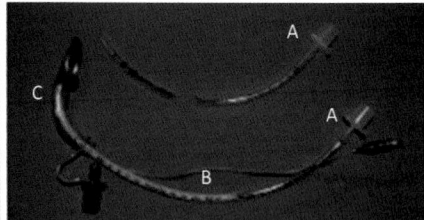

A: Fibroscópio flexível
B: Air-Q ILATM de tamanho 1 com sonda endotraqueal com cuff
C: Conector de circuito de 15 mm do air-Q ILATM
D: Adaptador giratório de três portas

A: Sonda endotraqueal 4.0 com cuff e adaptador de 15 mm removido
B: Air-Q ILATM de tamanho 1
C: Pinça laringoscópica

A: Sonda endotraqueal de estabilização 4.0 sem *cuff*
B: Sonda endotraqueal traqueal - Sonda endotraqueal de 4.0 com cuff e adaptador de 15 mm removido
C: Air-Q ILATM de tamanho 1

▲ **Figura 141.15** Intubação utilizando a máscara laríngea como canal.
Fonte: Adaptada de Garcia-Marcinkiewicz AG, *et al.*, 2020.[10]

COMBINAÇÃO VIDEOLARINGOSCÓPIO E FIBROSCÓPIO

A combinação de técnicas e dispositivos permite que a que as fraquezas individuais sejam suplantadas e haja maior chance de sucesso. Além da combinação ML de intubação e fibroscópio, discutida anteriormente, a combinação do videolaringoscópio com o fibroscópio também é popular. O videolaringoscópio permite a otimização da visualização da abertura glótica e permite o posicionamento do fibroscópio diretamente na laringe, sem a necessidade de passar todas as estruturas orais. Já o uso do fibroscópio, permite que o tubo seja guiado pela abertura glótica com maior facilidade, já que tem maior mobilidade. Um ponto negativo dessa combinação é que requer dois operadores experientes.[4,10]

ASSISTÊNCIA VENTILATÓRIA

Os equipamentos de anestesia atuais estão muito distantes dos sistemas ventilatórios abertos não reinalantes do passado. O exemplo clássico de sistema aberto é o tubo em "T" de Ayre, que utiliza um tubo simples como reservatório de gás. Modificações desse tipo de sistema resultaram em circuitos de ventilação abertos que são parte da classificação de Mapleson. Mapleson D é um sistema leve que permite um ajuste de pressão positiva ao fim da expiração (PEEP) enquanto o paciente ventila espontaneamente e pressão de pico inspiratório quando a ventilação é controlada. O circuito requer um fluxo de gases frescos de três vezes o volume-minuto para prevenir a reinalação de CO_2. O Mapleson D permite que a criança respire espontaneamente sem que adicional esforço para iniciar o fluxo de gases, o que contrasta com o dispositivo auto inflável (Ambu) que requer pressão positiva para iniciar o fluxo de gases. Entretanto, na ausência de fluxo de gases, o Mapleson D não pode iniciar a ventilação, uma vez que não é auto inflável.[4]

Além de entregar anestésicos inalatórios e oxigênio e eliminar CO_2, uma das funções primordiais do equipamento de anestesia é promover ventilação pulmonar. Essa tarefa é ainda mais complexa em crianças pequenas e neonatos, em que uma imprecisão de 20 mL pode dobrar o volume corrente oferecido. Os determinantes do volume corrente oferecido são: complacência do circuito de ventilação, entrada de gases frescos, a forma de entrega da ventilação, o fluxo de gases e o espaço morto do circuito. Os equipamentos de anestesia modernos utilizam sistemas eletrônicos compensar por mudanças nestas variáveis, exceto espaço morto, e estimar de forma acurada o volume-minuto.[4,13]

O sistema eletrônico dos equipamentos de anestesia modernos pode compensar a complacência e volume de compressão tanto dos gases fornecidos quanto do circuito do sistema respiratório. Os sistemas respiratórios podem ser paralelos ou coaxiais e lisos ou corrugados. Os sistemas corrugados podem ser de vários tamanhos de acordo com o tamanho do paciente. Os sistemas com o grande lúmen têm menor resistência ao fluxo de ar, mas um maior volume quando pressão é aplicada ao sistema. O sistema de anestesia moderno realiza uma calibração para compensar mudanças no volume pela expansão sob pressão. Os testes automáticos do sistema devem ser realizados a cada troca de paciente/circuito ventilatório, pois a complacência é automaticamente incorporada à memória do sistema ventilatório e utilizado para compensar pela expansão de volume melhorar a acurácia do volume corrente entregue.[4,13]

Uma preocupação com os ventiladores dos equipamentos de anestesia antigos era que a mudança do fluxo de gases frescos poderia alterar o volume corrente entregue aos pulmões. O volume de gases programado para ser entregue entrava no mecanismo de fole do ventilador durante a inspiração, aumentando ou diminuindo o volume corrente pretendido durante o modo controlado a volume. Os equipamentos mais modernos não têm essa limitação. O mecanismo varia conforme o fabricante. Um deles incorpora uma válvula que desliga a fluxo de gases frescos durante a inspiração. Outro, mede o fluxo de gases frescos e ajusta o volume do fole, pistão ou turbina utilizada para entregar o volume corrente programado. A habilidade de medir o fluxo de gases com acurácia permite que esse ajuste e a compensação do circuito sejam realizados.[4,13]

Atualmente os equipamentos de anestesia tem vários modos de ventilação mecânica, como ventilação controlada a volume (VCV), ventilação controlada a pressão (PCV) e ventilação com volume garantido (VGV). Esses modos podem ser programados como ventilação mecânica intermitente (IMV) ou ventilação mecânica intermitente sincronizada (SIMV), em que o esforço ventilatório da criança desencadeia uma ventilação. Adicionalmente, o ventilador pode fornecer pressão de suporte (PS) acima da PEEP.[4]

Para PCV, programa-se a pressão inspiratória (PInsp), PEEP, relação inspiração: expiração (I:E) e frequência respiratória. O ventilador entrega a ventilação com um fluxo inicial alto, que se reduz a medida em que a pressão programada é atingida. Isso é conhecido com fluxo desacelerado. A pressão na via aérea é constante durante toda a inspiração e forma uma curva quadrada. No modo PCV, o volume corrente depende da complacência do circuito e do sistema respiratório.[4]

Alternativamente, no modo VCV, programa-se o volume corrente a ser entregue, PEEP, relação I:E e frequência respiratória. A pressão inspiratória depende da complacência do circuito e do sistema ventilatórios e do tempo para cada inspiração. Esse tempo inspiratório é determinado pela frequência respiratória e pela relação I:E. Nesse modo, o fluxo de ar é constante e forma uma curva quadrada. Entretanto, a pressão aumenta durante a inspiração.[4]

As diferenças práticas entre esses dois modos são que se é programada uma pressão de pico, o volume corrente deve ser monitorizado e deve haver ajuste na pressão se houver alteração na complacência. Se houver uma programação do volume corrente, a pressão deve ser monitorizada e deve haver ajuste de fluxo, tempo inspiratório, curva inspiratória ou volume corrente se houver mudança de complacência. Como consequência da diferença de padrão do fluxo de ar entre PCV e VCV, uma pressão maior é necessária para o mesmo volume corrente em VCV.[4] Esse aumento de pressão decorre do gradiente de pressão dependente do fluxo da via aérea distal a peça Y e não é transmitida aos pulmões. Assim, não há preferência por VCV ou PCV em crianças, a escolha do melhor método dependerá de condições clínicas específicas. O PCV é mais vantajoso durante a utilização de tubos endotraqueais sem balonete com vazamento, pois seu fluxo desacelerado pode compensar o vazamento e entregar volume corrente necessário. Ainda, o PCV limita a pressão (e consequente lesão alveolar) quando há risco de hiperinsuflação dinâmica (auto-PEEP), pela limitação da pressão. Já o VCV é o melhor modo quando se espera mudanças na complacência como em cirurgias com pneumoperitônio.[14]

O modo VGV pode ter diferentes nomenclaturas a depender do fabricante. Programa-se o volume corrente e o ventilador mede a pressão das vias aéreas por várias ventilações enquanto se ajusta para entregar o volume corrente programado. Então, o ventilador utiliza pressão para atingir o volume programado. O objetivo é utilizar a menor pressão possível para entregar o volume corrente programado. O fluxo de ar é desacelerado e a pressão é constante por todo a inspiração. Esse é o modo ideal em crianças em plano anestésico profundo e ou sob relaxantes musculares. Entretanto, quando há alteração abrupta na complacência pulmonar como em tosse, é difícil manter o volume corrente programado.[4,14]

Outro modo ventilatório muito útil é PS. A PS fornece pressão adicional a via aérea quando o paciente desencadeia uma nova ventilação ou por pressão negativa ou por alteração no fluxo. A sensibilidade do *trigger* pode ser ajustada, de modo que toda criança é capaz de iniciar uma ventilação. Se o *trigger* for muito baixo, é possível que ocorra auto-ciclagem. Auto-ciclagem pode ocorrer quando ventilações sob PS são desencadeadas por mudanças em pressão ou fluxo no circuito ventilatório devido a vazamento ao re-

dor do tubo traqueal ou outros mecanismos não iniciados pelo paciente. Isso pode ser identificado pela alta frequência respiratória com baixo volume corrente. O espaço morto em crianças pequenas e bebês pode ser maior que o volume corrente. O uso da PS e PEEP pode ajudar a criança em ventilação espontânea a transpassar o espaço morto e manter um CO_2 normal.[4] A pressão de suporte ajustada deve ser suficiente para vencer a resistência do sistema respiratório, especialmente dos tubos orotraqueais (Figura 141.16).

Os equipamentos de anestesia têm a habilidade de monitorizar pressão e fluxo na via aérea. Ainda, monitoriza a fração inspirada e expirada de gases no circuito respiratório. Isso permite maior segurança. É possível detectar aumento da pressão de via aérea, que pode indicar obstrução ou broncoespasmo; desconexão; apneia; aumento ou redução da pressão; ventilação minuto; baixa FiO_2; altas concentrações de anestésicos; e altas ou baixas concentrações de CO_2 expirado e inspirado. Ainda, a capnografia e as curvas de volume-pressão pode fornecer muitas informações.[4]

O espaço morto mecânico começa na peça Y do circuito ventilatório e se estende distalmente. Isso inclui o cotovelo, filtros HEPA (*high efficiency particulate air*) e outras conexões. Todos esses itens podem aumentar significativamente o espaço morto em crianças pequenas e devem ser reduzidos se possível.[4]

A programação do ventilador para atingir um volume-minuto adequado representa grande desafio em crianças. Quanto menor a criança, maior o volume-minuto proporcional. Entretanto, a grande resistência do tubo endotraqueal ao fluxo limita a troca de gases.[14]

As evidências em adultos que associam o volume corrente a complicações pulmonares pós-operatórias não se aplicam a crianças, e o volume corrente deve ser mantido próximo ao fisiológico 5-8 mL/kg ou menor que 10 mL/kg de peso ideal em crianças acima de 2 anos (de acordo com gráficos de peso x idade) e peso real em crianças menores. Em neonatos pré-termo e termo saudáveis, um volume corrente de 4 a 6 mL/kg com uma ventilação minuto de 0,2 a 0,3 l/min/kg parece adequado.[14]

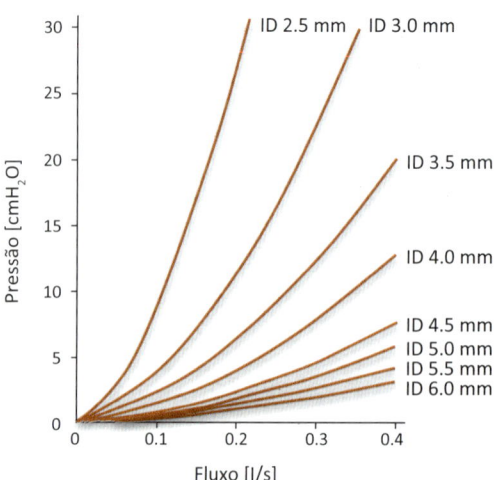

▲**Figura 141.16** Gradiente de pressão inspiratória pelos tubos traqueais dependente do fluxo.

Fonte: Adaptada de Spaeth J, *et al.*, 2022.[14]

Uma vez que o volume corrente adequado é estabelecido, a menor frequência respiratória possível para atingir o volume-minuto deve ser programada. Os equipamentos de anestesia modernos podem fornecer tempos inspiratórios tão pequenos quanto 0,2 segundos, compatível com o tempo inspiratório de um neonato. Altas frequências respiratórias aumentam a ventilação do espaço morto, dificultando a ventilação alveolar adequada. Algumas situações clínicas podem influenciar a frequência respiratória o tempo inspiratório. Em crianças com aumento da resistência das vias aéreas, como em broncoespasmo, é recomendada uma frequência respiratória menor. Já em crianças com constante de tempo pequena (pequena complacência), em que os pulmões se esvaziam mais rapidamente, frequências respiratórias maiores podem ser aplicadas para atingir volume-minuto suficiente. A relação I:E deve ser programada de forma a permitir a exalação completa, mas que limite o tempo em pressão mínima (PEEP), para reduzir atelectasias. Em modo PCV, um tempo inspiratório otimizado, aumenta o volume corrente.[14]

Há poucos cenários (talvez hipertensão intracraniana e ventilação monopulmonar) em que não há benefício em pelo menos um pequeno valor de PEEP. Mesmo altos níveis de PEEP não reduzem o débito cardíaco em crianças com volemia adequada. Em vez de aumentar a FiO_2 em resposta a dessaturação, deve-se considerar manobras de recrutamento alveolar (Figura 141.17) e uso de PEEP para manter os alvéolos abertos.[4] O valor adequado de PEEP é controverso. Atualmente, a PEEP deve ser ajustada de modo a alcançar a maior complacência.[14] Veja o seguinte fluxograma para auxiliar na programação da ventilação mecânica (Figura 141.18).[14]

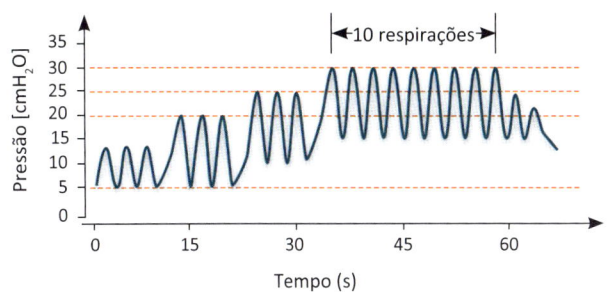

▲ **Figura 141.17** Manobras de recrutamento alveolar.
Fonte: adaptada de Peyton J, *et al.*, 2021.[13]

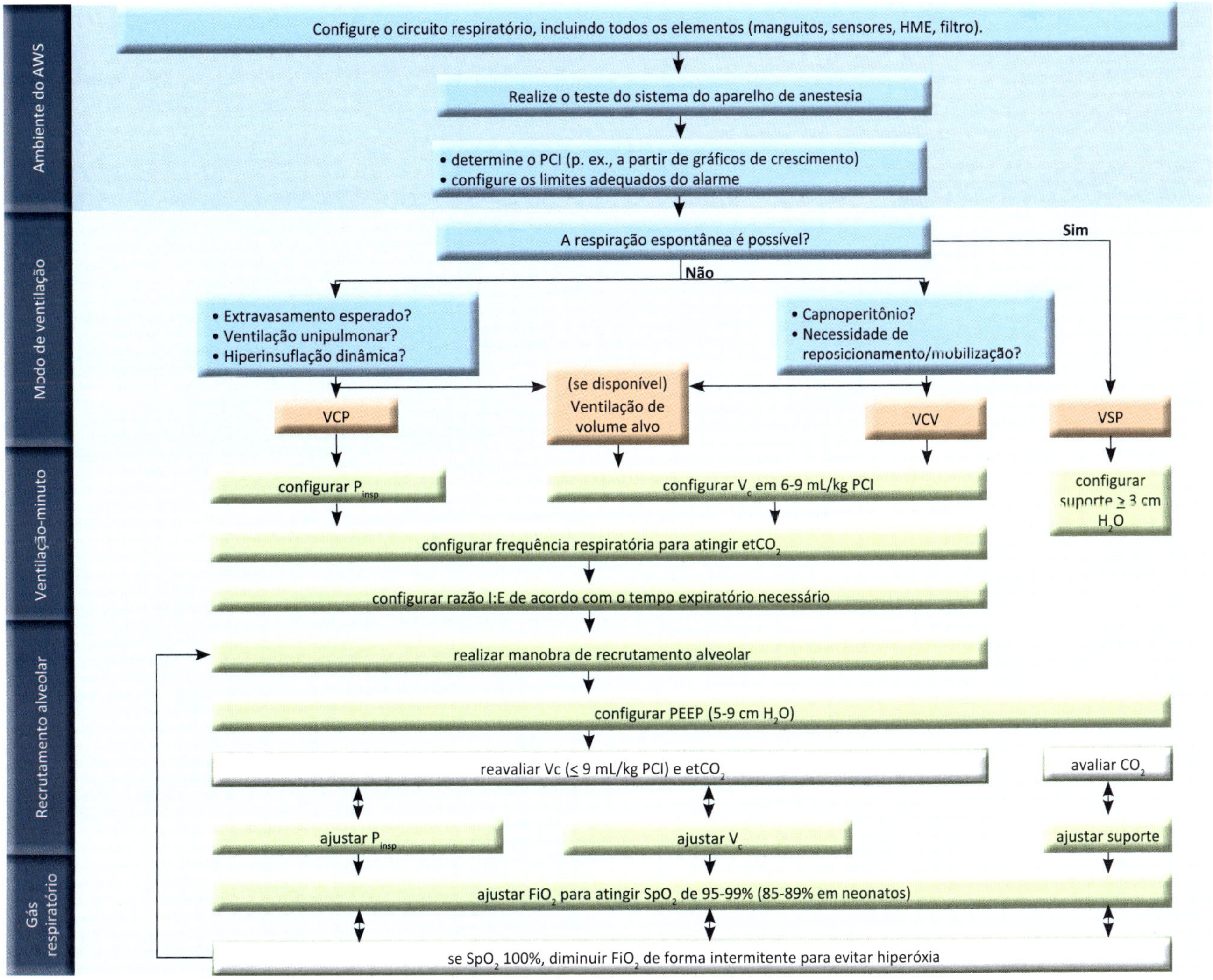

Ambiente do AWS

Configure o circuito respiratório, incluindo todos os elementos (manguitos, sensores, HME, filtro).

Realize o teste do sistema do aparelho de anestesia

• determine o PCI (p. ex., a partir de gráficos de crescimento)
• configure os limites adequados do alarme

Modo de ventilação

A respiração espontânea é possível?   **Sim**

Não

• Extravasamento esperado?
• Ventilação unipulmonar?
• Hiperinsuflação dinâmica?

• Capnoperitônio?
• Necessidade de reposicionamento/mobilização?

(se disponível) Ventilação de volume alvo

VCP   **VCV**   **VSP**

Ventilação-minuto

configurar P_{insp}

configurar V_c em 6-9 mL/kg PCI

configurar suporte ≥ 3 cm H_2O

configurar frequência respiratória para atingir $etCO_2$

configurar razão I:E de acordo com o tempo expiratório necessário

Recrutamento alveolar

realizar manobra de recrutamento alveolar

configurar PEEP (5-9 cm H_2O)

reavaliar Vc (≤ 9 mL/kg PCI) e $etCO_2$

avaliar CO_2

ajustar P_{insp}

ajustar V_c

ajustar suporte

Gás respiratório

ajustar FiO_2 para atingir SpO_2 de 95-99% (85-89% em neonatos)

se SpO_2 100%, diminuir FiO_2 de forma intermitente para evitar hiperóxia

▲ **Figura 141.18** Fluxograma para programação da ventilação mecânica.
PCI: Peso corporal ideal; VCP: ventilação controlada por pressão, VCV: ventilação controlada por volume, VSP: pressão de suporte.
Fonte: Adaptada de Spaeth J, *et al.*, 2022.[15]

REFERÊNCIAS

1. Chrimes N. The Vortex: a universal 'high-acuity implementation tool' for emergency airway management. Br J Anaesth. 2016; 117(Suppl 1):i20-i27.
2. Habre W, Disma N, Virag K, Becke K, Hansen TG, Jöhr M, et al.; APRICOT Group of the European Society of Anaesthesiology Clinical Trial Network. Incidence of severe critical events in paediatric anaesthesia (APRICOT): a prospective multicentre observational study in 261 hospitals in Europe. Lancet Respir Med. 2017; 5(5):412-425. Erratum in: Lancet Respir Med. 2017; 5(5):e19. Erratum in: Lancet Respir Med. 2017; 5(6):e22.
3. Fiadjoe JE, Nishisaki A, Jagannathan N, Hunyady AI, Greenberg RS, Reynolds PI, et al. Airway management complications in children with difficult tracheal intubation from the Pediatric Difficult Intubation (PeDI) registry: a prospective cohort analysis. Lancet Respir Med. 2016; 4(1):37-48.
4. Jagannathan N, Fiadjoe JE. Management of the Difficult Pediatric Airway. Cambridge: Cambridge University Press; 2020.
5. Coté CJ, Lerman J, Anderson BJ, eds. A Practice of Anesthesia for Infants and Children. 6a ed. Philadelphia: Elsevier; 2019.
6. Peter J. Davis, Franklyn P. Cladis. Smith's Anesthesia for Infants and Children. Philadelphia: Elsevier; 2022.
7. Orebaugh SL. Atlas of Airway Management: Techniques and Tools. 2a ed. Philadelphia: Lippincott Williams & Wilkins; 2012.
8. Dorsch JA, Dorsch SE. A Practical Approach to Anesthesia Equipment. Philadelphia: Lippincott Williams & Wilkins; 2011.
9. Apfelbaum JL, Hagberg CA, Connis RT, Abdelmalak BB, Agarkar M, Dutton RP, et al. 2022 American Society of Anesthesiologists Practice Guidelines for Management of the Difficult Airway. Anesthesiology. 2022; 136(1):31-81.
10. Garcia-Marcinkiewicz AG, Adams HD, Gurnaney H, Patel V, Jagannathan N, Burjek N, et al.; PeDI Collaborative. A Retrospective Analysis of Neuromuscular Blocking Drug Use and Ventilation Technique on Complications in the Pediatric Difficult Intubation Registry Using Propensity Score Matching. Anesth Analg. 2020; 131(2):469-479.
11. Stein ML, Park RS, Kovatsis PG. Emerging trends, techniques, and equipment for airway management in pediatric patients. Paediatr Anaesth. 2020; 30(3):269-279.
12. Black A, Flynn P, Popat M, Smith H, Thomas M, Wilkinson K. Paediatric Airway Guidelines Group. Difficult Airway Society (DAS) - Paediatric Difficult Airway Guidelines. [Online] [Citado em: 02 de dezembro de 2023.] https://das.uk.com/guidelines/paediatric-difficult-airway-guidelines.
13. Peyton J, Park R, Staffa SJ, Sabato S, Templeton TW, Stein ML, et al.; PeDI Collaborative Investigators. A comparison of videolaryngoscopy using standard blades or non--standard blades in children in the Paediatric Difficult Intubation Registry. Br J Anaesth. 2021; 126(1):331-339.
14. Spaeth J, Schumann S, Humphreys S. Understanding pediatric ventilation in the operative setting. Part I: Physical principles of monitoring in the modern anesthesia workstation. Paediatr Anaesth. 2022; 32(2):237-246.
15. Spaeth J, Schumann S, Humphreys S. Understanding pediatric ventilation in the operative setting. Part II: Setting perioperative ventilation. Paediatr Anaesth. 2022; 32(2):247-254.

142

Anestesia Geral em Pediatria

Marcella Marino Malavazzi Clemente ■ **Hugo Ítalo Melo Barros** ■ **Vinícius Caldeira Quintão**

INTRODUÇÃO

As crianças devem ser respeitadas, porém não devem ser temidas pelos anestesiologistas. Faz parte do treinamento dos anestesiologistas estudar as particularidades anatômicas, fisiológicas, farmacológicas e psicológicas do universo infantil. Através da prática, estudo e treinamento ganha-se intimidade com tais particularidades e como consequência, maior segurança para submeter os filhos daqueles pais que confiam a nós, especialistas, tal responsabilidade. Devido às particularidades da criança, muitos procedimentos cirúrgicos e de diagnóstico, que em adultos seriam realizados sob sedação ou anestesia local, serão realizados sob anestesia geral.

Há muitas formas seguras de induzir a anestesia geral nas crianças. A escolha da técnica depende da idade da criança, procedimento cirúrgico, doenças de base, programação de alta hospitalar e, em parte, da familiaridade do anestesista com a técnica. Pode depender também, da preferência do paciente ou da família em casos de crianças submetidas de forma frequente a anestesia. Neste capítulo descreveremos, com enfoque prático, os principais agentes intravenosos e inalatórios disponíveis atualmente para utilização em crianças.

Uma informação cada vez mais solicitada pelos pais é a respeito do risco de alterações neurocognitivas decorrentes do procedimento anestésico, principalmente nos pacientes menores de 2 anos de idade (cérebro em desenvolvimento).[1] A SmartTots (www.smarttots.org), uma instituição criada por parceria entre a International Anesthesia and Research Society (IARS) e a Food and Drug Administration (FDA), tem como objetivo coordenar as pesquisas sobre esse tema. A seguir um trecho de um comunicado divulgado pela SmartTots, direcionado para os pais e disponível na íntegra na sua página da internet: "Apenas nos Estados Unidos, mais de um milhão de crianças com 4 anos de idade ou menos, são submetidas anualmente a procedimentos cirúrgicos com necessidade de anestesia. Enquanto a maioria das crianças parecem se recuperar bem, descobertas de estudos em animais chamam a atenção para mais pesquisas com relação a segurança das crianças que serão submetidas a anestesia. Enquanto esclarecimentos não surgem, as crianças que necessitam de cirurgias indispensáveis a sua saúde, devem fazer os procedimentos, quando orientadas por seus médicos. Crianças pequenas não são submetidas a cirurgias, a não ser que seja essencial ao seu bem-estar. Portanto, adiar um procedimento necessário pode levar, por si só, a significativos problemas de saúde, e pode não ser uma opção para a maioria das crianças."[2]

As evidências mostram que uma ampla variedade de anestésicos está relacionada a neuroapoptose em cérebros em desenvolvimento, mas de forma perturbadora, a pergunta se esses fármacos levam a neurotoxicidade no cérebro humano em desenvolvimento permanece sem resposta.[3-5]

Um estudo comumente conhecido como GAS[6] incluiu mais de 700 crianças submetidas a reparo de hérnia inguinal ainda recém-nascidas, randomizadas para anestesia geral com sevoflurano ou raquianestesia acordada. Os resultados do estudo não demonstraram associação entre uma hora de anestesia com sevoflurano no início da vida e os escores cognitivos compostos aos 2 anos de idade ou quociente de inteligência aos 5 anos, em comparação com raquianestesia. Esse ensaio clínico é consistente com os resultados de dois outros estudos recentes em humanos, o estudo PANDA[7] e o estudo MASK,[8] fornecendo fortes evidências de que uma curta exposição à anestesia geral não resulta em alterações detectáveis no resultado do desenvolvimento neurológico.[9]

ABORDAGEM DO PACIENTE PEDIÁTRICO

A abordagem do paciente pediátrico que será submetido a uma anestesia, seja para um procedimento cirúrgico ou diagnóstico, deve incluir cuidados específicos que variam de acordo com cada faixa etária. Crianças a partir dos 6 meses de vida já têm uma ligação afetiva com os seus familiares, e o medo da separação pode levar a uma experiência desagradável. Entre a idade pré-escolar e escolar, à medida que a capacidade de compreensão aumenta, a fantasia, o medo da mutilação e as dúvidas sobre o procedimento geram desconforto e ansiedade. Já na fase da adolescência, com o desenvolvimento da sexualidade, o medo de se despir deve ser abordado de maneira cuidadosa.[10]

Criar um ambiente lúdico, com apoio psicológico adequado e baseado em informação e confiança, ajudam a conquistar uma boa abordagem do paciente pediátrico. Estudos sugerem que 50% das crianças que serão submetidas a um procedimento sentem medo ou ansiedade, e isso eleva o risco de *delirium* do despertar e também de alterações do comportamento no período pós-anestesia. Medidas não farmacológicas como o uso de brinquedos e, atualmente, de jogos ou desenhos animados em *smartphones* parecem ser uma boa opção para diminuir a ansiedade na indução anestésica.[11]

JEJUM PRÉ-OPERATÓRIO

O jejum pré-operatório faz parte da rotina anestésica e tem por finalidade diminuir o volume de conteúdo gástrico, evitando dessa maneira a regurgitação ou o vômito, e consequentemente a possibilidade de broncoaspiração.

Jejum prolongado deve ser evitado, pois suas consequências para a criança, com aumento de estresse, irritabilidade, desidratação e hipoglicemia podem agravar o trauma operatório e a lesão tecidual que o segue.

De acordo com as Diretrizes de Jejum Pré-Operatório da American Society of Anesthesiologists (ASA), atualizadas em 2017 e 2022, a recomendação para jejum de líquidos claros em crianças é de 2 horas (Tabela 142.1).[12] Essas orientações foram feitas com base em revisões sistemáticas da literatura, considerando o objetivo primário de reduzir a aspiração pulmonar, embora esse risco seja muito baixo em crianças saudáveis, e o dano resultante da aspiração de líquido claro bastante raro.[13,14]

O estudo APRICOT[13] demonstrou risco de aspiração de 9,3/10.000 e nenhuma dessas crianças apresentou complicações sérias. Um estudo recente do Children's Hospital of Philadelphia aplicou uma metodologia de melhoria da qualidade para diminuir o tempo de jejum em crianças que seriam submetidas a procedimentos ambulatoriais.[15] Seu principal objetivo era que esse tempo em jejum fosse menor do que 4 horas, permitindo que as crianças recebessem líquidos claros até 30 minutos após a chegada ao hospital. Os autores demonstraram uma melhoria do tempo de jejum de líquidos claros menor do que 4 horas de 20% para 63%, sem qualquer evento de cancelamento de cirurgia ou aspiração pulmonar. Considerando as diretrizes da ASA, esse estudo foi o primeiro nos Estados Unidos a permitir jejum de 1 hora em crianças.

Tabela 142.1 Recomendações para jejum pré-operatório segundo a American Society of Anesthesiologists (ASA).

Alimento ingerido	Jejum mínimo (horas)
Líquidos sem resíduos (água, chá, café e sucos sem polpa)	2
Leite materno	4
Fórmula infantil, leite não materno e dieta leve	6
Sólidos (alimentos gordurosos, carne e frituras)	8

Fonte: Practice Guidelines for Preoperative Fasting and the Use of Pharmacologic Agents to Reduce the Risk of Pulmonary Aspiration: Application to Healthy Patients Undergoing Elective Procedures: An Updated Report by the American Society of Anesthesiologists Task Force on Preoperative Fasting and the Use of Pharmacologic Agents to Reduce the Risk of Pulmonary Aspiration, 2017.[12]

Para os anestesiologistas que têm a maioria da prática com crianças não é incomum encontrar pacientes com tempo de jejum muito longo, de 6 a 15 horas, apesar de orientação pré-operatória adequada do jejum de 2 horas para líquidos claros. No Brasil, principalmente em hospitais em que adultos e crianças são atendidos, esse tempo pode ser mais longo, o que poderia prejudicar a qualidade perioperatória.

Com base nesse raciocínio e evidências da literatura, a European Society For Paediatric Anaesthesiology (ESPA), junto da L'Association Des Anesthesistes-Reanimateurs Pediatriques d'Expression Francaise (ADARPEF) e da Association of Paediatric Anaesthetists of Great Britain and Ireland (APAGBI), endossaram uma nova declaração que reduz o jejum de líquidos claros de 2 para 1 hora.[16]

De acordo com a nova declaração da ESPA,[16] recomenda-se oferecer 3 mL.kg-1 (peso predito) de líquidos claros. Uma maneira prática seria oferecer 55 mL para crianças de 1 a 5 anos, 140 mL para crianşss de 6 a 12 anos e 250 mL para os maiores de 12 anos (Tabela 142.2). As contraindicações devem ficar a critério do anestesiologista e/ou da equipe cirúrgica, como refluxo gastroesofágico, insuficiência renal, paralisia cerebral, enteropatias, diabetes melito e/ou contraindicações cirúrgicas.

A declaração da ESPA[16] foi publicada em fevereiro de 2018 e endossada pela European Society of Anaesthesiology and Intensive Care (ESAIC) e Society for Paediatric Anaesthesia of New Zealand and Australia (SPANZA) em maço de 2019.[14,17] Em abril de 2019, a Canadian Pediatric Anesthesia Society declarou: "Os pacientes pediátricos devem ser encorajados e autorizados a ingerir líquidos claros até 1 hora antes de anestesia ou sedação eletiva" e endossou a declaração europeia.[18]

Como a Sociedade Brasileira de Anestesiologia (SBA) não tem diretrizes específicas, cada hospital ou departamento de anestesia define seu tempo de jejum de acordo com a literatura atual. A ASA ainda não se pronunciou sobre essas novas declarações feitas pelas sociedades da Europa, do Canadá e da Austrália/Nova Zelândia e mantém suas recomendações de tempo de jejum de 2 horas para líquidos claros.

Tabela 142.2 Recomendações para jejum pré-operatório segundo a European Society for Paediatric Anaesthesiology (ESPA) e European Society of Anaesthesiology and Intensive Care (ESAIC).

Idade	Alimentos sólidos	Fórmula infantil	Leite Materno	Líquidos sem resíduos
0-16 anos	6 horas	4 horas	3 horas	1 hora

Fonte: Adaptada de Disma N *et al.*, 2019.[14]

■ INTUBAÇÃO EM SEQUÊNCIA RÁPIDA MODIFICADA

O objetivo da intubação em sequência rápida é proteger e controlar a via aérea rapidamente e é utilizada nos pacientes com estômago cheio para proteger a via aérea da potencial aspiração do conteúdo gástrico.

A indução anestésica em sequência rápida tem suas recomendações clássicas: ofertar oxigênio a 100% sob máscara facial, utilizar opioide e anestésico (hipnótico) venoso de curta latência e duração, utilizar bloqueador neuromuscular com curta latência e duração. Recomenda-se ainda: elevar a cabeceira da mesa cirúrgica e aplicar pressão na cartilagem cricoide. Embora estas ações sejam simples e lógicas, não existe nenhum estudo randomizado, controlado, que confirme os benefícios da "intubação em sequência rápida clássica." Na criança, pode ser difícil realizar pré-oxigenação, pois raramente haverá colaboração, pode haver dificuldade de acesso venoso prévio a indução; a elevação da cabeceira não gera a mesma barreira hidrostática contra regurgitação como ocorre no adulto e a pressão cricoide pode distorcer a visão à laringoscopia se não aplicada corretamente, podendo levar a trauma na via aérea.[19]

A aspiração pulmonar é uma das complicações mais graves e temidas em anestesia, mas é um evento raro e superestimado, especialmente em pediatria.

A prevenção da rara aspiração pulmonar ganhou mais importância ao longo dos anos, em relação a proteger o paciente do risco de hipoxemia, memória do evento, instabilidade hemodinâmica e outras complicações relacionadas. Contribuindo para aumento da morbidade, a intubação traqueal em sequência rápida clássica acaba sendo realizada pelos anestesistas menos habituados a anestesiar crianças.

A maioria dos casos de aspiração pulmonar em crianças ocorre durante a indução anestésica, e apenas 13%, no despertar ou extubação. Por outro lado, em adultos, 30% das aspirações ocorrem durante o despertar. Em um estudo em crianças, quase todos os casos de aspiração pulmonar ocorreram quando elas engasgaram ou tossiram durante a manipulação da via aérea sob anestesia superficial ou durante a indução da anestesia sem o uso ou sob doses insuficientes de bloqueador neuromuscular para prevenir engasgo ou tosse.[20]

Atualmente, na anestesia pediátrica, trabalhamos com o conceito de "indução em sequência rápida controlada". Existem estudos que provam que: a ventilação sob máscara facial com pressões iguais ou menores a 10-12 cmH$_2$O permite oxigenação, limita hipercarbia e mantém as pequenas vias aéreas abertas, sem risco de insuflação gástrica e morbidade relacionada.[21-23]

Com relação a pressão cricoide, não há evidências que diminua o risco de aspiração; a técnica é aplicada de maneira incorreta na maioria das vezes, distorce anatomia, dificul-

ta ventilação e intubação, é desagradável para as crianças, que podem reagir com tosse vigorosa e combate, além de poder causar o relaxamento do esfíncter esofagiano inferior, ou seja, cenário perfeito para aspiração pulmonar.[24]

Conclui-se assim que a intubação em sequência rápida em pediatria não é uma questão de tempo. Como hipóxia e hipercarbia podem ser prevenidas por ventilação "suave", o tempo para condição adequada de intubação traqueal não é crítico.

Deve-se realizar a intubação sem pressa, estabelecendo condições respiratórias e hemodinâmicas adequadas para evitar trauma de intubação, diminuir o risco de tosse, resistência do paciente e vômitos durante a laringoscopia. A "intubação em sequência rápida controlada" consiste em: garantir plano anestésico adequado, não aplicar pressão cricoide, confirmar tempo adequado do bloqueio neuromuscular antes da laringoscopia e é primordial que seja realizada por anestesista experiente.[24]

A cânula nasal de alto fluxo tem sido amplamente utilizada há mais de vinte anos no departamento de emergência e terapia intensiva pediátrica. Porém, são mais recentes as publicações sobre sua aplicação na anestesia.

O uso da cânula nasal de alto fluxo durante a pré-oxigenação e de forma contínua durante o período de apneia para intubação orotraqueal pode prevenir hipóxia antes e durante a intubação, aumentando a segurança durante o período de apneia e melhorando a taxa de sucesso na primeira tentativa.[25] Parece uma alternativa interessante e segura durante a manipulação da via aérea da criança com estômago cheio.

O uso da cânula nasal de alto fluxo durante a intubação de neonato com atresia de esôfago foi descrita em correspondência a revista *Pediatric Anesthesia* em 2017 com o título: *Sequência rápida ultra-modificada*. Mais estudos ou série de casos são necessários para corroborar o relato, garantir a segurança dos neonatos e extrapolar o seu uso nesta população.[26]

■ ANESTESIA VENOSA

Os agentes anestésicos endovenosos, de uma maneira geral, podem ser utilizados na população pediátrica com segurança. Nas últimas décadas, o surgimento de fármacos endovenosos de curta duração tem propiciado o uso de técnicas de anestesia venosa total (TIVA = *total intravenous anesthesia*) em crianças, com diversas vantagens sobre a anestesia inalatória (Tabela 142.3). Porém, algumas limitações como a necessidade de acesso venoso prévio, dor à injeção do propofol e a necessidade de dispositivos de infusão com modelos farmacocinéticos validados na população pediátrica tornam, muitas vezes, a anestesia inalatória preferível à esta técnica.[27]

Tabela 142.3 Vantagem da anestesia venosa total em crianças.

- Rápido início de ação na indução anestésica
- Menor risco de náuseas e vômitos pós-operatórios (NVPO)
- Maior estabilidade cardiovascular
- Menor reatividade de via aérea – redução de complicações respiratórias
- Broncodilatação
- Melhora da função ciliar e da fração de shunt
- Preservação da vasoconstrição pulmonar hipóxica
- Redução de tosse no despertar
- Redução da pressão intracraniana
- Redução da pressão intraocular
- Redução da pressão de ouvido médio
- Redução do risco de delirium de emergência
- Neuroproteção
- Menor incidência de dor pós-operatória
- Ausência de toxicidade renal ou hepática
- Ausência de poluição atmosférica

Devido ao importante efeito anti-emético, a TIVA está indicada em pacientes com fatores de risco para náuseas e vômitos pós-operatório. A anestesia venosa total também é indicada em neurocirurgias, devido ao melhor controle da pressão intracraniana e à proteção cerebral, cirurgias que necessitem de monitorização de potenciais evocados e em pacientes com susceptibilidade à hipertermia maligna. Procedimentos diagnósticos ou cirúrgicos nas vias aéreas também podem ser beneficiados pela TIVA, pois independem da ventilação pulmonar para manutenção do plano anestésico adequado.[27]

Diversas características fisiológicas, peculiares a cada faixa etária dentro da população pediátrica, influenciam na farmacocinética dos agentes endovenosos.[28] O propofol, por exemplo, apresenta uma meia-vida contexto-dependente maior nas crianças do que nos adultos, sendo que o tempo de despertar chega a ser duas vezes maior.[29] Por isso, existe a necessidade de utilizar bombas de infusão controladas por *softwares* com modelos farmacocinéticos adaptados à população pediátrica.

■ PROPOFOL

Propofol é o agente hipnótico mais utilizado na prática clínica da anestesiologia. Possui uma molécula altamente lipofílica, preparada em emulsão lipídica de óleo de soja com lectina de ovo. Sua formulação propicia a proliferação bacteriana, devendo-se tomar todos os cuidados com assepsia durante sua manipulação. Seu efeito hipnótico deve-se à ativação dos neurotransmissores inibitórios do sistema nervoso central, ácido gama-aminobutíricos (GABA).[30]

Tem metabolização hepática por glucuronidação e eliminação renal. Sua farmacocinética é descrita utilizando-se um modelo tricompartimental e sua alta lipossolubilidade contribui para o rápido início de ação (30 a 60 segundos) e rápida redistribuição para os tecidos periféricos, com consequente término do efeito.[30] Esse perfil farmacocinético faz do propofol o hipnótico ideal para uso em infusão contínua.

A dose de indução recomendada para crianças (2 a 5 mg/kg) é maior que em adultos devido ao maior volume de distribuição e maior metabolização, consequência do débito cardíaco aumentado. Neonatos, porém, são mais sensíveis aos efeitos dos anestésicos venosos, e devem ter sua dose reduzida e administrada com cautela.[30]

O tempo de equilíbrio entre a concentração plasmática (Cp) e a concentração no sítio efetor (Ce) é de cerca de 4 minutos, e esse tempo não varia com a velocidade de infusão. Portanto, injeção mais lenta do propofol durante a indução da anestesia não atrasa o equilíbrio Cp/Ce e provoca menos efeitos depressores na respiração, propiciando a manutenção da ventilação espontânea.[31]

O uso do propofol em infusão contínua deve ser feito preferencialmente através de bombas de infusão com modelos farmacocinéticos validados em pediatria. Dentre esses modelos, o de Marsh (Paedfusor®) e o de Kataria são os mais populares, e ambos têm índices de viés e de precisão adequados para a população pediátrica.[32] Recomenda-se uma dose alvo da Cp de 2-3 µg/mL para sedação e 4-6 µg/mL para anestesia, e a monitorização do nível de consciência através do índice bispectral (BIS).[30]

No Brasil, a disponibilidade de bombas de infusão com esses modelos farmacocinéticos ainda é limitada. Entretanto, é possível realizar infusão de propofol com cálculo manual seguindo o esquema proposto por McFarlan e col. para crianças acima de 3 anos (Tabela 142.4)[29] e o esquema de Steur e col. para crianças abaixo de 3 anos de idade (Tabela 142.5).[33]

O propofol produz efeitos em diversos órgãos e sistemas. No aparelho cardiovascular, ele leva à importante queda na pressão arterial (redução de 25% a 40% na pressão arterial sistólica após uma dose de indução) devido à vasodilatação periférica e também à redução na contratilidade do miocárdio. No sistema nervoso central provoca vasoconstricção cerebral, com diminuição do fluxo sanguíneo e redução da

Tabela 142.4 Esquema manual de infusão de propofol em crianças > 3 anos.

Tempo (início)	15 minutos	15-30 minutos	30-60 minutos	1-2 horas	2-4 horas
Dose (mg/kg/h)	15	13	11	10	9

Tabela 142.5 Esquema manual de infusão de propofol em crianças < 3 anos.

Tempo de anestesia	Primeiros 10 minutos	10-20 minutos	Tempo subsequente
Dose (mg/kg/h)	12	9	6

pressão intracraniana. A autorregulação cerebral em resposta à concentração de CO_2 permanece inalterada. Em cirurgias que utilizam monitorização neurofisiológica o uso do propofol demonstra maior estabilidade nas respostas dos estímulos em relação aos agentes inalatórios.[30]

No sistema respiratório, o propofol pode provocar apneia por inibição central do controle respiratório e esse efeito depende da dose e da velocidade de infusão do fármaco. Além disso, o propofol provoca diminuição dos reflexos da via aérea e do tônus da musculatura da laringe,[30] sendo portanto o fármaco de escolha no tratamento do laringoespasmo perioperatório.

Apesar da sua formulação, o propofol não parece estar associado com reações anafiláticas em pacientes alérgicos a ovo, soja ou amendoim. O seu uso em doses acima de 4 mg/kg/h por longos períodos (acima de 48 horas) está associado à síndrome da infusão do propofol, uma afecção rara, mas de alta mortalidade, que se caracteriza pela ocorrência de acidose metabólica, rabdomiólise, arritmias, insuficiência hepática e renal. Uma contraindicação ao uso do propofol, principalmente em infusão contínua, é em crianças com doenças mitocondriais, visto que o propofol deprime a função mitocondrial podendo provocar descompensação metabólica.[30]

▪ ALFA-2 AGONISTAS

Os alfa-2 agonistas possuem efeitos sedativo, analgésico, diurético e ação protetora contra náuseas e vômitos, *delirium* do despertar e tremores pós-operatórios.[34] Agem sobre receptores alfa pré e pós-sinápticos do sistema nervoso central e periférico e outros órgãos, causando simpatólise e outros efeitos específicos.

Os agonistas alfa-2 adrenérgicos clinicamente usados em anestesia pediátrica são a clonidina e a dexmedetomidina. Atuam em todos os receptores alfa 2 e também em receptores alfa-1 e de imidazol, responsáveis pelos eventos adversos associados aos fármacos.

A ligação aos receptores alfa-1A, 1B e 1D causa vasoconstrição periférica e hipertensão, que pode observado em crianças com doses habituais de clonidina e dexmedetomidina.

A ligação aos receptores alfa-2A é o efeito terapêutico desejado. Esse receptor regula a neurotransmissão simpática ao diminuir a liberação de neurotransmissores adrenérgico. Esses efeitos ocorrem no córtex pré-frontal, *locus ceruleus* e medula espinhal, levando a sedação, ansiólise e analgesia. Ligação aos receptores alfa-2B periféricos pode causar vasoconstrição e aos receptores alfa-2C no *striatum* e hipocampo regula a neurotransmissão do sistema adrenérgico no cérebro e coração. Acredita-se que os alfa-2 agonistas apresentam um papel importante na neuroproteção, que já foi comprovado em estudos em animais, em que os alfa-2 agonistas diminuíram a neuroapoptose. Os receptores de imidazol são alvos da clonidina e podem ser responsáveis pela hipotensão em doses baixas.[35,36]

Os alfa-2 agonistas podem ser utilizados como medicação pré-anestésica, adjuvantes na anestesia geral, da anestesia regional e para tratamento de eventos adversos pós-operatórios, como dor e *delirium* do despertar. Sua utilização como sedativo na unidade de terapia intensiva e em outras situações como tratamento no desmame de pacientes com dependência de opioides também tem crescido. São extensamente metabolizados pelo fígado em metabólitos inativos e depois excretados pelo rim.[35,36]

Clonidina

A clonidina é um agonista alfa-2 com seletividade alfa-2:alfa-1 de 220:1. É amplamente utilizada em anestesia pediátrica como adjuvante da anestesia geral, medicação pré-anestésica ou associada a bloqueios de neuroeixo ou periféricos. Pode ser administrada por via IV, IM, intranasal, oral, subaracnóidea e epidural. Além disso, possui efeito antiemético, antitremor e é uma forma farmacológica de prevenção do *delirium* do despertar.[36]

Seu uso em pediatria é mais habitual do que o da dexmedetomidina devido à menor complexidade de administração, a experiência com seu uso e pelo baixo preço. Clonidina pode ser utilizada como fármaco pré-anestésico por via oral ou nasal na dose de 3-8 µg .kg^{-1}, 60 minutos antes do procedimento, mas alguns trabalhos demonstram uma ação menos favorável do que a utilização do midazolam, tanto relacionada ao tempo maior de início de ação quanto ao resultado esperado.[37-39]

Em contrapartida, uma metanálise comparando clonidina com midazolam como medicação pré-anestésica mostrou que a clonidina foi superior em prover sedação, diminuir o *delirium* do despertar e controle da dor pós-operatória. A dose usada nos trabalhos primários incluídos nesta meta-análise foi de 4 mcg.kg^{-1}.[40]

É utilizada como adjuvante da anestesia geral na dose de 0,1 a 0,5 µg .kg-1.h^{-1} ou em dose única de 1-3 µg .kg^{-1} em 30-60 minutos. As doses parenterais são menores do que a dose por via oral devido a diminuição da biodisponibilidade por esta via. Uma diminuição de 30% da dose de morfina pode acontecer quando se utiliza clonidina para tratamento da dor pós-operatória ou como adjuvante da anestesia geral ou da anestesia regional.[35]

Clonidina é considerado um fármaco seguro em pediatria. O estudo POISE-2 mostrou um aumento de eventos cardiovasculares em adultos, sendo esses eventos associados à hipotensão causada pela clonidina.[41] Em crianças não foi comprovada essa associação de aumento de eventos cardiovasculares em cirurgias não cardíacas.

A hipotensão não é um evento adverso comum da clonidina em crianças. Mesmo em doses habituais, o estímulo dos receptores alfa-1 pode levar a vasoconstrição, hipertensão e bradicardia. A hipotensão está mais associada às baixas doses de clonidina. Mesmo assim, a bradicardia e a hipotensão associada à clonidina raramente precisa de intervenção, somente quando associada a outros eventos adversos como a hipovolemia. Em um estudo observacional com crianças que receberam clonidina via oral ou IV como medicação pré-anestésica foi praticamente ausente.[36]

Dexmedetomidina

A dexmedetomidina foi aprovada pelo FDA em 2008 para sedação de pacientes mecanicamente ventilados e para procedimentos invasivos em adultos. Porém, seu uso em crianças ainda é considerado *off-label*. Na última avaliação de farmacovigilâcia pós-marketing publicada em 2016, os autores afirmam que não existem dados suficientes para liberação da dexmedetomidina com segurança em pacientes pediátricos.[42]

Apesar do uso *off-label*, esse fármaco é amplamente utilizados em crianças como adjuvante de anestesia geral, medicação pré-anestésica e sedação para procedimentos. Segundo o fabricante, somente é liberada para uso IV, mas o uso IM, SC, mucosa oral e intranasal são descritos na literatura.

A dexmedetomidina apresenta uma seletividade bem maior em relação ao receptor alfa-2 quando comparada à clonidina. Sendo a relação alfa-2:alfa-1 de 1623:1 para a dexmedetomidina e 220:1 para a clonidina.[43,44]

Sua ação no *locus ceruleus* provê ansiólise, sedação e hipnose ao estimular o receptor alfa-2 subtipo A. Além dessa ação, a dexmedetomidina melhora a cognição ao estimular o mesmo receptor e é considerada neuroprotetora. Ao estimular receptores na medula espinhal, pode prover analgesia por meio de hiperpolarização de neurônios, diminuição do glutamato e da substância P.[44]

Como adjuvante da anestesia geral balanceada, a dexmedetomidina diminui o consumo de anestésicos inalatórios, opioides e outros hipnóticos. A dose de ataque varia de 0,5 a 2 mcg.kg^{-1} em infusão de 20 minutos, seguida de infusão contínua de 0,3 a 0,7 mcg.kg^{-1}.h^{-1}. A diluição recomendada é de 4 mcg.mL^{-1}.[45]

A dexmedetomidina é considerada um dos melhores fármacos para prevenção e tratamento do *delirium*/agitação do despertar, tanto como adjuvante de anestesia geral balanceada quanto medicação pré-anestésica. Uma dose de ataque de 0,5 a 1 mcg.kg^{-1} em 10 a 20 minutos é indicada para prevenção do *delirium*/agitação do despertar.[45,46] Uma revisão sistemática com metanálise de 12 estudos e com 851 pacientes mostrou que a administração de dexmedetomidina como adjuvante ou medicação pré-anestésica reduziu o risco de *delirium*/agitação do despertar em 63% em crianças anestesiadas com sevoflurano.[47]

Como medicação pré-anestésica, pode ser usada por via oral, intranasal ou bucal (absorvida pela mucosa oral). A dose por via bucal é de 1 mcg.kg^{-1} e por via oral e intranasal de 2 a 4 mcg.kg^{-1}. Não é necessário diluir. Se for necessário, somente uma diluição mais concentrada para dar volume para uso intranasal, que deve ser atomizado com dispositivo adequado. Com essas doses, é possível observar efeito da medicação pré-anestésica em 30 a 40 minutos.[45]

A dexmedetomidina é considerada um fármaco seguro, preserva a patência das vias aéreas e o *drive* respiratório. Os efeitos adversos mais frequentes são os hemodinâmicos. Por estímulo ao receptor alfa-2 subtipo A, ocorre uma diminuição da liberação de norepinefrina no *locus ceruleus* levando a bradicardia e hipotensão. Estes efeitos adversos são pouco pronunciados em crianças. Um estudo retrospectivo que incluiu 747 crianças que receberam altas doses de dexmedetomidina (bólus 2 mcg.kg^{-1}) para sedação para realização de exame de ressonância nuclear magnética (RNM), a incidência de bradicardia foi de 16%.[48] Em uma revisão sistemática com metanálise de 15 estudos mostrou que houve

redução média de 17 bpm em relação à frequência cardíaca (FC) média das crianças, que foi neste estudo de 103 bpm.[49]

Em outro estudo com 250 pacientes que receberam altas doses de dexmedetomidina para realização de tomografia foi observado valores normais de frequência cardíaca durante a dose de ataque em 82% a 93% das crianças.[50] A dexmedetomidina estimula o receptor alfa-2 subtipo B presente na musculatura lisa vascular, podendo levar a hipertensão em altas doses. Em estudo retrospectivo que incluiu 3.522 pacientes que receberam doses altas de dexmedetomidina (bólus de 2 mcg.kg^{-1}) para realização de exame de RNM, a incidência de hipertensão foi de 4,9%, sendo mais comum na faixa etária de 0-3 anos.[48]

Os alfa-2 agonistas, em especial a dexmedetomidina, foi considerada pelo FDA um dos poucos fármacos seguros do ponto de vista de neurotoxicidade em crianças com menos de 3 anos.[42] O estudo T-REX avaliou a possibilidade de anestesiar crianças somente com fármacos considerados não neurotóxicos. Foi um estudo piloto, *open label*, em que crianças com menos de 1 ano foram anestesiadas com dexmedetomidina e remifentanil associadas à bloqueio de neuroeixo para cirurgias de abdome inferior e membros inferiores com previsão de duração de 120 minutos. Essa técnica foi efetiva em 87,5% dos pacientes, sendo o primeiro estudo a demonstrar uma opção considerada segura do ponto de vista de neurotoxicidade.[51]

Seu uso ainda continua *off-label*, mas estudos recentes mostraram sua efetividade e segurança em pediatria, não só como adjuvante da anestesia geral para procedimentos de vias aéreas e neurocirurgia, mas para sedação em procedimentos, como broncoscopia e exames de imagem, além de medicação pré-anestésica.[45] Apesar disso, pesquisas adicionais, principalmente estudos controlados, são necessários para recomendar a dexmedetomidina com relação às doses apropriadas e interações medicamentosas.

▪ OPIOIDES

Os opioides são fármacos derivados do ópio da papoula (*Papaver somniferum*) que interagem com receptores específicos do sistema nervoso central (*mu, delta* e *kapa*) responsáveis, entre outros efeitos, pela analgesia e depressão respiratória. O término da ação normalmente se faz por redistribuição e, por serem altamente lipofílicos, podem se acumular nos tecidos e provocar sedação prolongada e depressão respiratória, principalmente em neonatos e crianças pequenas. Exceto o remifentanil, todos os opioides possuem metabolização hepática e alguns deles podem produzir metabólitos ativos, que são envolvidos com eventos adversos indesejáveis.[52]

Morfina

Morfina é considerada o protótipo dos opioides, sendo o fármaco mais utilizado para tratar dor pós-operatória em crianças. É o menos lipofílico dos opioides, por isso seu início de ação se dá de forma mais lenta, variando entre 8 minutos em neonatos até 17 minutos em adultos. É metabolizada no fígado onde gera produtos ativos que estão envolvidos com efeitos adversos como depressão respiratória, sedação prolongada, prurido, náuseas e vômitos pós-operatórios. A depuração da morfina aumenta conforme a idade, portanto esses efeitos indesejados são mais evidentes nos neonatos e crianças até o primeiro ano de vida.[10]

A dose inicial recomendada pela via endovenosa é de 0,05 a 0,2 mg/kg, e doses adicionais de 0,02 mg/kg podem ser tituladas até alcançar o efeito desejado. Doses menores são indicadas em neonatos, crianças gravemente enfermas, crianças que estão recebendo outros analgésicos ou hipnóticos e crianças com apneia obstrutiva do sono. A via epidural na dose de 25 a 50 µg /kg também pode ser utilizada, mas exige monitorização criteriosa devido ao risco de depressão respiratória tardia.[10]

Fentanil

Fentanil é o opioide mais utilizado no intraoperatório e apresenta maior estabilidade hemodinâmica, início de ação mais rápido e efeito mais curto quando comparado com a morfina. Os produtos da metabolização hepática são inativos e têm eliminação renal. A depuração também é diminuída em neonatos prematuros, mas atinge valores similares aos adultos na segunda semana de vida.[10]

A dose inicial recomendada pela via endovenosa é de 1 a 3 g/ kg (10H) com meia-vida de eliminação de 10 a 20 minutos.[52] A infusão rápida de fentanil está associada à rigidez torácica e glótica principalmente em neonatos. Altas doses (10 a 100 µg/ kg) podem ser necessárias em cirurgias de grande estímulo álgico com boa estabilidade cardiovascular. A meia-vida contexto sensitiva aumenta gradativamente durante a infusão contínua, não sendo uma boa opção para TIVA.[10]

Sufentanil

É um análogo do fentanil com potência 5 a 10 vezes maior. Possui metabolização hepática e sua depuração é diminuida em neonatos. A meia-vida de eliminação é de 434 ± 160 min em neonatos e de 97 ± 42 minutos em crianças maiores.[52] A maioria dos estudos que envolvem o uso do sufentanil em crianças são relacionados à cirurgia cardíaca.[10]

A dose de indução é de 0,3 a 1,0 g/ kg. Existe o risco de bradicardia e assistolia após bólus de sufentanil, portanto é recomendado o uso concomitante de atropina. Em infusão contínua a dose é de 0,25 a 1,3 µg /kg/min.[52]

Alfentanil

É um análogo do fentanil com ¼ da sua potência. Tem a vantagem de apresentar rápido início de ação (0,9 minutos em adultos)[10] e tempo de ação curto (1 a 14 minutos em crianças), sendo útil em situações de intubação em sequência rápida.[52] Uma dose inicial de 10 µg /kg é recomendada para intubação. É metabolizado pelo fígado e deve ser utilizado com cautela em hepatopatas. Embora tenha eliminação renal, pode ser utilizado em pacientes com falência renal. A depuração nos neonatos é menor, o que pode elevar a meia-vida de eliminação.[10] Além disso, está associado com o risco de rigidez torácica e glótica, principalmente em neonatos, devendo ser utilizado sempre associado a bloqueador neuromuscular na indução anestésica.[52]

Remifentanil

O remifentanil é um opioide sintético de alta potência e ação ultra-curta. Seu rápido início de ação e metabolização por esterases plasmáticas e teciduais, além de uma meia-vida contexto sensitiva pequena (3 a 5 minutos), fazem desse fármaco o opioide de melhor perfil farmacocinético para uso em infusão contínua. Em neonatos e lactentes até 2 meses de vida, o remifentanil apresenta volume de distribuição e *clearance* maiores, necessitando de taxas de infusão mais rápidas. A meia-vida de eliminação, porém, não apresenta mudanças clinicamente significativas nas diferentes faixas etárias.[53]

A dose de remifentanil recomendada em infusões manuais é de 0,1 a 0,5 µg /kg/min. Em infusões alvo-controladas deve-se buscar uma Cp de 2 a 10 µg /l. O uso em associação com o propofol em TIVA tem efeito sinérgico, diminuindo a necessidade de propofol para manter o nível de hipnose.[54] Uma preocupação com o uso em infusão contínua é a possibilidade de hiperalgesia no pós-operatório. Apesar das evidências controversas na literatura, recomenda-se titular a dose do remifentanil buscando a menor dose possível para atingir o efeito desejado, além de otimizar o plano de analgesia pós-cirúrgico.[27]

Recentemente foi desenvolvido um modelo farmacocinético/farmacodinâmico para o remifentanil que parece ser bastante promissor, pois apresentou boa acurácia em uma ampla faixa etária que inclui a população pediátrica. Mas necessitam-se estudos prospectivos para avaliar segurança e aplicabilidade desse modelo.[55]

■ CETAMINA

Surgiu em 1970 como "ideal e completo " agente anestésico. Antagonista de receptores NMDA cuja ação é capaz de produzir adequada analgesia, perda de consciência, imobilismo e amnésia. No entanto, quando utilizado como medicamento isolado apresenta inúmeros efeitos adversos: hipersalivação, náuseas, vômitos, pesadelos e diminuição da capacidade de concentração. Efeitos esses que fizeram a cetamina não ter grande aceitação clínica.

A incidência desses efeitos é claramente relacionada à sua Cp e os efeitos psíquicos são menos prováveis, embora ainda possíveis, com a utilização de menores doses. Estudos recentes relacionados com mecanismos de ação, efeitos neuronais e analgésicos motivaram sua reavaliação e ampliação do seu uso.[56]

Em 1992 é iniciado o uso clínico da Cetamina S+, isômero, que difere de sua fórmula racêmica por apresentar menos efeitos adversos e, assim, ressurge o interesse clínico na cetamina.[56,57]

Na prática clínica, é uma ótima e segura alternativa para uso em crianças com suscetibilidade a hipertermia maligna com necessidade de biópsia muscular para confirmação dessa suspeita. Apesar de controverso, há serviços que utilizam rotineiramente a cetamina na indução anestésica de crianças com tetralogia de Fallot, por manter estabilidade hemodinâmica e não piorar o *shunt* esquerda- direita. É amplamente utilizada no período perioperatório como analgésico adjuvante, com o objetivo de potencializar efeitos dos opioides e diminuir o consumo dos mesmos no pós-operatório imediato. Há pouco suporte na literatura com relação ao seu uso como único analgésico endovenoso em crianças, no período perioperatório.[58] Uma metanálise de estudos pediátricos concluiu que, apesar da diminuição nos escores de dor na sala de recuperação pós-anestésica e no consumo de analgésicos não opioides, a cetamina não diminui o consumo de opioides no pós-operatório.[59]

As doses empregadas dependem da indicação (analgesia, sedação ou anestesia geral com intubação traqueal) variando de 1 a 4 mg.kg^{-1} (IV); 6 a 10 mg.kg^{-1} (IM) e 3 a 6 mg.kg^{-1} (VO).[60]

Na anestesia pediátrica é inevitável o questionamento sobre seus efeitos potencialmente deletérios no cérebro em desenvolvimento, porém os dados disponíveis na literatura são ainda controversos. Recentemente, uma série de estudos em animais demonstraram que a cetamina tem efeito neurotóxico no cérebro em formação e que tal efeito pode levar a danos neurofuncionais tardios. Porém, outros trabalhos evidenciaram seu efeito protetor no sistema nervoso central ao inibir a inflamação no cérebro em desenvolvimento. Em 2013 uma revisão de estudos pré-clínicos e clínicos concluiu que seus efeitos variam de acordo com a dose administrada, frequência de exposição e intensidade do estímulo álgico. Em conclusão, seu uso repetido pode ser neurotóxico aos cérebros imaturos, porém pode ter efeito neuroprotetor nestes, na presença de fortes estímulos dolorosos, ao que chamaram de "efeito duplo da cetamina". O equilíbrio entre os efeitos tóxicos e neuroprotetores desse fármaco deve ser possível, porém mais estudos são necessários.[61]

■ ETOMIDATO

Não se relaciona quimicamente a nenhum outro agente utilizado para indução anestésica venosa. Assim como o propofol, benzodiazepínicos e barbitúricos, leva a depressão do sistema nervosos central por aumentar os efeitos inibitórios do GABA. Esse hipnótico penetra a barreira hematoencefálica rapidamente, atingido seu pico de ação um minuto após injeção endovenosa. Pouco utilizado na anestesia pediátrica, possui 76% de ligação a albumina, o que para neonatos e crianças pequenas, com baixa reserva de albumina, leva a grande fração livre da droga, aumentando seus níveis plasmáticos.[10]

Sabidamente ótima opção para pacientes hemodinamicamente instáveis, na dose de 0,3 mg/kg na indução. Porém, deve-se ter em mente o risco de supressão da síntese adrenal de esteroides até 24 horas após o seu uso. Contraindicado no choque séptico.

■ TIOPENTAL

Barbitúrico que leva a rápido despertar após dose endovenosa única. Pode ser utilizado na dose de 5-6 mg/kg na indução anestésica. Deve-se considerar redução desta dose em 20% a 30% em neonatos, pois o tiopental é o barbitúrico com maior ligação às proteínas plasmáticas, sua ligação a albumina varia de 72% a 86%.[10]

Sofre redistribuição importante para o término de efeito devido à alta lipossolubilidade, com risco de longa duração

e sedação residual prolongada após altas doses ou repiques. Depressão cardiovascular e respiratória dose dependentes.[62]

■ BENZODIAZEPÍNICOS

Diazepam

O diazepam via venosa na dose de 0,2-0,4 mg/kg permite uma indução suave, porém lenta. Apresenta longa duração de ação, podendo chegar a 24 horas. Metabolismo hepático, pode ter efeito ainda mais duradouro em lactentes abaixo de 6 meses de idade. Pouco utilizado na anestesia pediátrica. Pode também ser administrado por via oral, na dose de 0,1 mg/kg.

Midazolam

O midazolam é hidrossolúvel, não doloroso à injeção e duas a três vezes mais potente que o diazepam. Tem curta duração de ação, e seus metabólitos são inativos. É o fármaco mais utilizado como medicação pré-anestésica (MPA) em crianças, dose de 0,25-0,5 mg/kg via oral com pico de ação entre 20-40 minutos. Porém, recentes estudos, incluindo novos agentes, questionam se o midazolam ainda é a melhor indicação como MPA em crianças.

Foi demonstrado que o midazolam mantém a memória implícita para eventos potencialmente estressantes no perioperatório (p ex. indução sob máscara), associado porém a escassa memória explícita para os mesmos eventos. Dessa forma, a criança medicada com midazolam pode se lembrar inconscientemente de eventos estressantes, mas não consegue trazê-los à consciência para elaborá-los e compreendê-los.[63] Outro argumento contra o uso do midazolam, é o fato de ser inefetivo para prevenção da agitação psicomotora no despertar da anestesia e *delirium* pós-operatório em crianças, quando comparado a outras medicações.[64]

Muitos trabalhos fazem comparação entre seu uso *versus* a utilização de alfa-2 agonistas, principalmente a clonidina, demonstrando vantagens e desvantagens das duas drogas.

Midazolam pode ser administrado por outras vias:

- **Intramuscular:** 0,1-0,15 mg.kg^{-1} (máximo 7,5 mg);
- **Oral:** 0,25 -1,0 mg.kg^{-1} (máximo 20 mg);
- **Retal:** 0,2 mg.kg^{-1};
- **Sublingual:** 0,2 mg.kg^{-1}.

O midazolam tem interação com inibidor de proteases, bloqueadores de canais de cálcio, suco de *grapefruit* e eritromicina devido à inibição citocromo P450 – redução da dose em 50%.

■ BLOQUEADORES NEUROMUSCULARES

Algumas características fisiológicas como o volume de distribuição aumentado, maior proporção de líquido extracelular, imaturidade da junção neuromuscular, quantidade e tipo de fibra muscular, fazem com que os neonatos sejam mais sensíveis aos efeitos dos bloqueadores neuromusculares (BNM). Além disso, o início de ação e a recuperação do bloqueio neuromuscular são mais rápidos nos neonatos e crianças pequenas.[65]

A utilização rotineira de BNM em anestesia pediátrica permanece um dilema. A alta incidência de reações alérgicas, o atraso na recuperação da anestesia e o risco de bloqueio neuromuscular residual são motivos que desencorajam seu uso, principalmente em cirurgias de curta duração. Alguns autores defendem que a associação de opioides e propofol em doses maiores permite condições de intubação comparáveis à estratégia que inclui o uso de BNM. Porém o risco de lesão da via aérea, maior incidência de eventos adversos respiratórios e maiores repercussões hemodinâmicas devem ser levados em consideração, quando se opta por não utilizar esses fármacos.[66]

A sucinilcolina é o único bloqueador neuromuscular despolarizante disponível atualmente para uso clínico. Seu rápido início de ação e curta duração são características que tornaram seu uso popular em situações de intubação em sequência rápida. Porém está associada a diversos efeitos indesejados como bradicardia, rigidez de masseter, rabdomiólise, aumento da pressão intraocular, hipercalemia e hipertermia maligna.[10]

A dose de succinilcolina endovenosa para intubação é maior em neonatos e lactentes (3 mg/kg) do que em crianças maiores (1,5 a 2 mg/kg). Sua administração endovenosa deve ser sempre precedida de uma dose de atropina, devido ao risco de bradicardia e assistolia. As vias de administração intramuscular e sublingual também são uma opção em situações de emergência em que não esteja disponível acesso venoso, necessitando de doses maiores (3 a 6 mg/kg).[10]

O atracúrio é um bloqueador neuromuscular constituído por um composto benzilisoquinolínico de duração intermediária e sua metabolização se dá principalmente por eliminação de Hofmann, a qual depende do Ph e temperatura fisiológicas e independe da função hepática e renal. A dose de duas ou três vezes a ED95 (300 a 600 µg /kg) promove boas condições de intubação em crianças após 2 minutos e o tempo de recuperação total geralmente ocorre em 40 a 60 minutos.[10]

O cisatracúrio é um estereoisômero do atracúrio que tem potência três vezes maior. A dose de duas vezes a ED95 (80 µg/ kg) promove boas condições de intubação em crianças após 2,5 minutos e o tempo de recuperação é similar ao do atracúrio. A metabolização é semelhante à do atracúrio e tem a vantagem de provocar mínima liberação de histamina. É importante lembrar que pacientes em uso de terapia anticonvulsivante pode apresentar resistência à ação do cisatracúrio.[10]

O pancurônio é um bloqueador neuromuscular do tipo aminoesteroide de longa duração. Tem metabolização hepática e eliminação renal. Seu uso em pacientes com falência hepática e renal provoca um prolongamento importante do bloqueio neuromuscular. A administração de pancurônio induz a uma leve taquicardia com aumento do débito cardíaco sem liberação de histamina, por isso, seu uso combinado com opioides tem boa tolerabilidade em crianças cardiopatas. A dose de 100 µg /kg promove boas condições de intubação após 150 segundos, mas a duração de ação (103 minutos) é um importante limitante para seu uso rotineiro.[10]

O rocurônio é outro bloqueador neuromuscular do tipo aminoesteroide de eliminação predominantemente hepática, porém com duração intermediária. Uma dose de duas vezes a ED95 (300 µg /kg) promove 100% de bloqueio neuromuscular em 1,3 minutos. Dose maior, de 1,2 mg/kg, pode ser utilizada para intubação em sequência rápida com início de ação comparável ao da succinilcolina. Essas doses maiores podem provocar uma taquicardia transitória, porém sem efeitos na pressão arterial. A duração da ação é em torno de 45 minutos e pode ser maior em neonatos, chegando até 90 minutos (Tabela 142.6).[10]

Tabela 142.6 Doses intravenosas para intubação traqueal (mg.kg^{-1}).

Fármaco	Lactentes até 1 ano	Crianças > 1 ano
Succinilcolina	3	1,5-2
Atracúrio	0,5	0,5
Cisatracúrio	0,1	0,1-0,2
Pancurônio	0,1	0,1
Rocurônio	0,25-0,5	0,6-1,2

Fonte: Adaptada de Anderson BJ *et al.*, 2019.10

Apesar do tempo de duração prolongado, o rocurônio tem sido utilizado como uma alternativa à succinilcolina em situações de emergência com necessidade de intubação em sequência rápida, com a vantagem de não expor o paciente aos efeitos colaterais da succinilcolina. O reversor direto do rocurônio, sugamadex, permite a total recuperação do bloqueio neuromuscular em 1,3 minutos após doses de 2 mg/kg e em 2 minutos após dose de 16 mg/kg (utilizada para reverter doses maiores de rocurônio em situações de não--intubo e não-ventilo).[10]

O uso do sugamadex tem como desvantagens a possibilidade de reações anafiláticas, além de seu alto custo. Seu uso em crianças foi inicialmente questionado devido a escassez de evidências científicas que mostrasse sua segurança. Atualmente sabemos que o uso do sugamadex em crianças promove uma rápida e eficaz reversão do bloqueio neuromuscular específico do rocurônio e vecurônio. Embora algumas evidências apontem para um bom perfil de segurança desse fármaco na população pediátrica, são necessários mais estudos prospectivos para embasar seu uso rotineiro.[67,68]

Independente do fármaco utilizado, a monitorização do bloqueio neuromuscular é essencial na população pediátrica. Assim como nos adultos, a reversão baseada apenas nos parâmetros clínicos não é segura. Além disso, a ausência de monitorização implica, muitas vezes, na reversão desnecessária do bloqueio neuromuscular e seus possíveis efeitos adversos.[69]

■ AGENTES INALATÓRIOS

A anestesia inalatória é técnica consagrada na anestesia pediátrica pela possibilidade de indução anestésica por máscara facial. Antes do surgimento do sevoflurano em 1991, o halotano era o anestésico de escolha para indução em crianças.

Os anestésicos inalatórios modernos são halogenados com radical metil-etil, como o isoflurano, desflurano e enflurano ou metil-isopropil, como o sevoflurano. O halotano é considerado um alcano, sendo quimicamente distinto dos outros halogenados.

Além dos halogenados, o óxido nitroso é muito utilizado em anestesia pediátrica e existe na forma de gás. Não é um anestésico potente, sendo possível alcançar uma CAM somente em situações hiperbáricas. É muito utilizado na indução anestésica ou como forma de diminuição da ansiedade e dor em procedimentos e durante a punção venosa periférica.

No Brasil, está disponível para uso em anestesia clínica o halotano, sevoflurano, isoflurano, desflurano e o óxido nitroso. O halotano foi amplamente substituído pelo sevoflurano, sendo que alguns aparelhos de anestesia não apresentam mais vaporizadores calibrados específicos. As características farmacológicas do anestésicos inalatórios estão na Tabela 142.7.

■ FARMACOCINÉTICA DOS ANESTÉSICOS INALATÓRIOS E DIFERENÇAS NAS CRIANÇAS

A taxa de equilíbrio entre a pressão parcial alveolar dos anestésicos inalatórios e a fração inspirada é determinada por seis fatores: concentração inspirada, ventilação alveolar, capacidade residual funcional, débito cardíaco, solubilidade do anestésico inalatório e gradiente alvéolo-capilar do anestésico inalatório.

Comparado aos adultos, o rápido equilíbrio entre a pressão parcial alveolar e a fração inspirada do anestésico local deve-se a uma maior razão entre a ventilação alveolar e a capacidade residual funcional, uma maior fração do débito cardíaco para tecidos ricamente vascularizados, uma redução da razão de solubilidade tecido/sangue e sangue/gás. Todas estas características são próprias das crianças, o que torna a anestesia inalatória mais eficiente e segura em pediatria.[10,70,71]

Fatores que Alteram a Entrega do Anestésico Inalatório aos Pulmões

A relação ventilação alveolar/capacidade residual funcional é determinante na velocidade de equilíbrio entre a pressão parcial alveolar e fração inspirada dos anestésicos inalatórios, sendo mais importante ainda para os fármacos muito lipossolúveis, como o halotano. Essa relação em recém-nascido é de 5:1, sendo que em adultos é de 1,5:1. Por esse motivo, a entrega dos anestésicos inalatórios é muito maior em recém-nascidos e crianças, levando a um rápido equilíbrio entre a pressão parcial alveolar e fração inspirada do anestésico inalatório.[72]

Fatores que Alteram a Retirada do Anestésico Inalatório dos Pulmões

Quanto maior for o débito cardíaco, maior será a retirada dos anestésicos inalatórios do pulmão e menor será a velocidade de equilíbrio entre a pressão parcial alveolar e a fração inspirada. Pacientes com diminuição do débito cardíaco terão um rápido equilíbrio entre a pressão parcial alveolar e a fração inspirada do anestésico inalatório, sendo que condições de aumento do débito cardíaco, como situações de aumento da taxa metabólica ou ansiedade da criança, a retirada do anestésico inalatório do pulmão é aumentada, atrasando o equilíbrio. Esse fatores alteram mais os anestésicos inalatórios muito lipossolúveis, como o halotano, tendo pouca influência nos anestésicos pouco lipossolúveis, como o sevoflurano e o desflurano.[10]

Em recém-nascidos, devido ao aumento do débito cardíaco para órgãos ricamente vascularizados (cérebro, coração, rins e glândulas endócrinas), a pressão parcial dos anestésicos inalatórios se equilibra precocemente nesses órgãos. Como a captação em outros órgãos não ricamente vascularizados é pequena em recém-nascidos, ocorre rápido equilíbrio no sangue que retorna ao pulmão, diminuindo a retirada dos anestésicos inalatórios.[10]

A velocidade para equilíbrio da pressão parcial alveolar e a fração inspirada dos anestésicos inalatórios é inversamente proporcional à solubilidade dos fármacos. O óxido nitroso e o desflurano são os mais lipossolúveis, seguidos do sevoflurano, isoflurano, enflurano e halotano. A solubilidade sanguínea do halotano e isoflurano é 18% menor em recém-nascidos em relação aos adultos. Além disso, a solubilidade dos anestésicos inalatórios nos tecidos de órgãos ricamente vascularizados é cerca da metade em relação aos adultos. Essas características reduzem o tempo para equilíbrio entre a pressão parcial alveolar e fração inspirada dos anestésicos inalatórios em recém-nascidos e crianças pequenas. Essas características são comuns aos anestésicos inalatórios lipossolúveis, como o halotano e o isoflurano. O sevoflurano e o

Tabela 142.7 Características físico-químicas e farmacológicas dos anestésicos inalatórios.						
	Óxido nitroso	**Halotano**	**Isoflurano**	**Sevoflurano**	**Desflurano**	**Xenônio**
Peso molecular	44	197,4	184,5	200,1	168	131
Ponto ebulição °C	-88,5	50,2	48,5	58,6	23,5	-108,1
Pressão de vapor (mmHg)	-	244	240	185	664	-
Metabolismo	-	15-25	0,2	5	0,02	-
Solubilidade/Coeficiente partição						
Sangue: gás	0,47	2,4	1,4	0,66	0,42	0,115
Gordura: sangue	2,3	51	45	48	27	-

Fonte: Adaptada de Anderson BJ *et al.*, 2019.[10]

desflurano são praticamente não lipossolúveis, o que torna suas características farmacocinéticas bem parecidas entre crianças e adultos.[10]

Os anestésicos inalatórios também se distribuem para tecidos pouco vascularizados, como a musculatura esquelética. Recém-nascidos e crianças pequenas apresentam relativamente uma menor massa muscular e uma solubilidade menor dos anestésicos inalatórios, aumentando a velocidade de equilíbrio entre a pressão parcial alveolar e a fração inspirada.[10]

Todos os fatores que aumentam a velocidade de equilíbrio entre a pressão parcial alveolar (fração alveolar [FA]) e a fração inspirada (FI), chamada de relação FA:FI, diminui o tempo para indução anestésica. Como já dito, uma ventilação alveolar maior que a capacidade residual funcional, um maior débito cardíaco para órgão ricamente vascularizados e uma menor solubilidade dos anestésicos inalatórios, torna a indução anestésica inalatória em crianças muito mais rápida.

Comparando sevoflurano, anestésico inalatório pouco lipossolúvel, com o halotano, muito solúvel, percebe-se que as características das crianças citadas até agora aumentaria a velocidade da indução dos halotano e não do sevoflurano. Além disso, a velocidade da indução depende da potência do fármaco e da fração inspirada. O halotano é o anestésico inalatório halogenado mais potente e devido às características físicas e do seu vaporizador calibrado, é possível administrar altas doses durante a indução. Por esse motivo, muitos pacientes apresentavam sinais de toxicidade e overdose pelo halotano, aumentando o risco durante a indução anestésica. Devido a baixa lipossolubilidade do sevoflurano e das características do vaporizador calibrado, não é possível administrar rapidamente altas doses durante a indução. Mesmo com a vaporização máxima de 8%, não se recomenda instrumentar as vias aéreas sem punção prévia de acesso venoso periférico e complementação com algum agente venoso.

O despertar é inversamente proporcional à solubilidade dos anestésicos inalatórios, sendo o despertar mais rápido com os anestésicos inalatórios pouco lipossolúveis, como o desflurano e o sevoflurano. Em recém-nascidos e crianças pequenas, o tempo para o despertar é menor em comparação às crianças maiores e adultos pelos mesmos motivos para o rápido equilíbrio entre FA:FI.[10]

▪ FARMACODINÂMICA DOS ANESTÉSICOS INALATÓRIOS E DIFERENÇAS NAS CRIANÇAS

Concentração Alveolar Mínima

A concentração alveolar mínima (CAM) é a fração expirada medida em que o paciente não se moverá em decorrência de um estímulo doloroso, como a incisão da pele. Em pediatria, existem vários trabalhos mostrando a CAM para outros estímulos dolorosos, como a intubação orotraqueal a inserção da máscara laríngea.[10]

A CAM do sevoflurano para recém-nascidos e crianças menores de 6 meses é de 3,3%, sendo que crianças maiores é de 2,5%. Os valores da CAM dos outros anestésicos inalatórios estão na Tabela 142.8.

Tabela 142.8 CAM dos anestésicos inalatórios de acordo com as faixas etárias.

Anestésico inalatório	Faixa etária	CAM
Isoflurano	Pré-termo < 32 semanas	1,28
	Pré-termo 32-37 semanas	1,41
	7-30 meses	1,69
	4-10 anos	1,69
Sevoflurano	Neonato	3,3
	1-6 meses	3,2
	6-12 meses	2,5
	1-3 anos	2,6
	2-12 anos	2,3-2,5
Desflurano	Neonato	9,16
	1-6 meses	9,42
	6-12 meses	9,92
	1-3 anos	8,72
	3-5 anos	8,62
	5-12 anos	7,98

Fonte: Adaptada de Anderson BJ *et al.*, 2019.[10]

Efeitos no Sistema Nervoso Central

Todos os anestésicos inalatórios deprimem o sistema nervoso central, diminuindo o metabolismo cerebral e o fluxo sanguíneo cerebral até 0,6 CAM. Em neurocirurgia, pode-se usar sevoflurano ou isoflurano, em doses menores de uma CAM sem aumento da velocidade do fluxo sanguíneo cerebral.[73]

É comum crianças apresentarem movimentos mioclônicos durante indução anestésica com sevoflurano, mas não foi evidenciado aumento do risco de convulsão.[74] Para evitar o surgimento de movimentos mioclônicos, é recomendado indução rápida com 8% de sevoflurano. Se ocorrer apneia, recomenda-se ventilação assistida em baixa frequência para evitar hiperventilação.

Efeitos no Sistema Cardiovascular

Os anestésicos inalatórios apresentam efeitos no sistema cardiovascular diretamente por deprimir a função do miocárdio e por levar a vasodilatação, e indiretamente diminuir o tônus simpático causando um desbalanço com o tônus parassimpático.

Em recém-nascidos, a sensibilidade do miocárdio aos anestésicos inalatórios pode ser maior ainda devido a imaturidade estrutural, como redução de elementos contráteis, imaturidade do retículo sarcoplasmático e diminuição da sensibilidade dos elementos contráteis ao cálcio.[10]

O halotano é o anestésico inalatório que mais tem efeitos no sistema cardiovascular. Pode levar a hipotensão e bradicardia na indução, além de aumentar a sensibilidade do miocárdio às catecolaminas, aumentando a incidência de arritmias. Hoje o halotano foi substituído pelo sevoflurano que apresenta um perfil cardiovascular bem seguro. Sevoflurano altera pouco a frequência cardíaca durante a indução até uma CAM. A frequência pode diminuir transitoriamente, mas retorna aos valores basais. Em crianças com síndrome de Down é mais comum observar bradicardia, que geralmente se resolve com diminuição da concentração inspirada.

Os efeitos cardiovasculares do anestésicos inalatórios estão resumidos na Tabela 142.9.

Efeitos Respiratórios

Os anestésicos inalatórios deprimem o *drive* respiratório, diminuem o volume corrente, diminuem a resposta ao CO_2 e em contrapartida aumentam a frequência respiratória. Durante a indução, as crianças podem apresentar sinais de obstrução respiratória e respiração abdominal, com diminuição da capacidade residual funcional. Além disso, crianças menores de 2 anos tem menos fibras musculares tipo I no diagrama e músculos intercostais, aumentando o risco de fadiga se a ventilação não for assistida com pressão positiva.[10]

Também durante a indução anestésica com sevoflurano foi observado uma diminuição das área de secção transversal das vias aéreas por colapso da parede faríngea, o que pode levar a obstrução e dificuldade de manter a ventilação espontânea. Essa obstrução também é tratada com ventilação por pressão positiva.[75]

▪ INDUÇÃO INALATÓRIA

Além do halotano, o único anestésico inalatório considerado seguro para indução anestésica sob máscara facial é o sevoflurano. Como o halotano é pouco disponível e apresenta perfil de eventos adversos desfavorável, somente o sevoflurano é indicado para indução anestésica. Isoflurano e desflurano são extremamente pungentes e irritam as vias aéreas, levando a aumento da incidência de laringoespasmo, apneia, tosse, salivação de dessaturação de oxigênio.

Não existe uma técnica de indução anestésica inalatória de escolha em crianças. Recomenda-se preparar a criança para a indução, seja com medicação pré-anestésica ou técnicas de distração para que a experiência com a máscara facial não seja ruim. Se possível, durante a visita pré-anestésica no hospital, recomenda-se apresentar a máscara facial para a criança e deixar que ela brinque e aprenda como se faz a inalação. Se tiver disponível, essências para mascarar o cheiro de plástico da máscara facial podem ser aplicados. Se a criança não quiser deitar na mesa operatória, a indução pode ser feita com a criança sentada e segurando a máscara facial. Uma mistura de óxido nitroso 70% com oxigênio é administrado num fluxo máximo de 6 litros por minuto. Assim que a criança parar de responder, liga-se o sevoflu-

rano na vaporização máxima de 8%, assim evita-se a agitação motora que pode ocorrer na indução. Deve-se manter a ventilação espontânea com a maior fração inspirada de sevoflurano para providenciar o acesso venoso periférico, evitando resposta indesejada durante a punção, como movimentação e agitação. Assim que o acesso venoso periférico é garantido, fármacos venosos podem ser administrados e a fração inspirada de sevoflurano pode ser diminuída.

▪ DESPERTAR

As características do despertar dos anestésicos inalatórios foram discutidas na seção de farmacocinética. A incidência de complicações das vias aéreas é maior com o desflurano, sendo um anestésico inalatório pouco indicado em anestesia pediátrica.

Outras complicações, como náuseas e vômitos, apresentam incidência semelhante entre os anestésicos inalatórios.

Delirium do Despertar

O *delirium* do despertar é uma complicação que pode ocorrer no despertar da anestesia geral, sendo as crianças uma população de risco. Caracteriza-se por agitação psicomotora, alteração da consciência, falta de percepção do ambiente e alteração do olhar. É comum a criança não reconhecer seus pais, o que aumenta a ansiedade do cuidador, aumentando a percepção negativa do ato anestésico. Esse evento adverso é auto-limitado e com duração em torno de 30 minutos. Geralmente não precisa de tratamento, sendo a prevenção a melhor abordagem.[76,77]

A anestesia inalatória é o principal fator de risco para o *delirium* do despertar, principalmente os anestésicos de baixa solubilidade, como o sevoflurano e o desflurano. Além dos anestésicos inalatórios, crianças menores de 6 anos e cirurgias de otorrinolaringologia e oftalmologia constituem outros fatores de risco.[78]

O diagnóstico é clínico e geralmente feito por meio de escalas. A única escala validade para diagnóstico é a escala Pediatric Anesthesia Emergence Delirium (PAED), que avalia cinco domínios do despertar e considera como pontuação de corte uma nota ≥ 10 (Tabela 142.10).[76]

A prevenção constitui em associar adjuvantes à anestesia inalatória, como os alfa-2 agonistas ou propofol. O tratamento é indicado quando a criança apresenta agitação importante, sendo que a dor deve ser excluída e tratada. Crianças com risco aumentado de se machucar ou de perder acessos vasculares e drenos devem ser tratadas. O tratamento também é constituído de alfa-2 agonistas ou propofol.[78,79]

Tabela 142.9 Efeitos cardiovasculares dos anestésicos inalatórios.					
Efeito	**Óxido nitroso**	**Halotano**	**Isoflurano**	**Sevoflurano**	**Desflurano**
Pressão arterial média	↔/↑	↓	↓	↓	↓
Resistência vascular sistêmica	↔/↑	↔	↓	↔	↓
Frequência cardíaca	↔/↑	↔	↑	↑	↑
Função miocárdica	↓	↓	↓	↓	↓
Arritmia adrenalina-induzida	↑	↑	↔	↔	↔

Tabela 142.10 Escala Pediatric Anesthesia Emergence Delirium.					
Item					
A criança faz contato com os olhos do cuidador?	Nunca 4	Quase nunca 3	Às vezes 2	Muito 1	Extremamente 0
As ações da criança são propositais, decididas?	Nunca 4	Quase nunca 3	Às vezes 2	Muito 1	Extremamente 0
A criança está consciente do ambiente que a circunda?	Nunca 4	Quase nunca 3	Às vezes 2	Muito 1	Extremamente 0
A criança está inquieta?	Nunca 0	Quase nunca 1	Às vezes 2	Muito 3	Extremamente 4
A criança está inconsolável?	Nunca 0	Quase nunca 1	Às vezes 2	Muito 3	Extremamente 4

Fonte: Sikich N et al., 2004.[76]

■ CONCLUSÃO

Através do conhecimento das peculiaridades das crianças, a anestesia pediátrica pode se tornar uma rotina para qualquer profissional disposto a estudar, praticar e aprender sobre o cuidado desse grupo de pacientes.

É crescente o interesse dos anestesiologistas em formação em se aprofundar nos conhecimentos da anestesia pediátrica, seja por preferência pessoal ou por maior responsabilidade e consciência. Vivemos uma era em que qualidade e segurança não podem ser negligenciadas e com a anestesia pediátrica não é diferente. Torna-se uma prática segura, desde que nas mãos de profissionais bem treinados.

REFERÊNCIAS

1. Nemergut ME, Aganga D, Flick RP. Anesthetic neurotoxicity: what to tell the parents? Paediatr Anaesth. 2014; 24(1):120-126.
2. SmartTots. Consensus Statement FAQs for Parents & the Public. Available on: https://smarttots.org/faq-for-parents/. 2019. Accessed September 1st, 2019.
3. Benveniste H, Makaryus R. Are We Moving Closer to Noninvasive Imaging and Monitoring of Neonatal Anesthesia-induced Neurotoxicity? Anesthesiology. 2016; 125(1):22-24.
4. Zhang X, Liu S, Newport GD, Paule MG, Callicott R, Thompson J, et al. In Vivo Monitoring of Sevoflurane-induced Adverse Effects in Neonatal Nonhuman Primates Using Small--animal Positron Emission Tomography. Anesthesiology. 2016; 125(1):133-146.
5. O'Leary JD, Janus M, Duku E, Wijeysundera DN, To T, Li P, et al. A Population-based Study Evaluating the Association between Surgery in Early Life and Child Development at Primary School Entry. Anesthesiology. 2016; 125(2):272-279.
6. McCann ME, de Graaff JC, Dorris L, Disma N, Withington D, Bell G, et al. Neurodevelopmental outcome at 5 years of age after general anaesthesia or awake-regional anaesthesia in infancy (GAS): an international, multicentre, randomised, controlled equivalence trial. Lancet. 2019; 393(10172):664-677.
7. Sun LS, Li G, Miller TL, Salorio C, Byrne MW, Bellinger DC, et al. Association Between a Single General Anesthesia Exposure Before Age 36 Months and Neurocognitive Outcomes in Later Childhood. JAMA. 2016; 315(21):2312-2320.
8. Warner DO, Zaccariello MJ, Katusic SK, Schroeder DR, Hanson AC, Schulte PJ, et al. Neuropsychological and Behavioral Outcomes after Exposure of Young Children to Procedures Requiring General Anesthesia: The Mayo Anesthesia Safety in Kids (MASK) Study. Anesthesiology. 2018; 129(1):89-105.
9. Vutskits L, Culley DJ. GAS, PANDA, and MASK: No Evidence of Clinical Anesthetic Neurotoxicity! Anesthesiology. 2019; 131(4):762-764.
10. Anderson BJ, Lerman J, Coté CJ. Pharmacokinetics and pharmacology of drugs used in children. In: Anderson BJ, Lerman J, Coté CJ, eds. A Practice of Anesthesia for Infants and Children. 6th ed. Philadelphia: Elsevier; 2019. p. 468-906.
11. Cumino DO, Vieira JE, Lima LC, Stievano LP, Silva RA, Mathias LA. Smartphone-based behavioural intervention alleviates children's anxiety during anaesthesia induction: A randomised controlled trial. Eur J Anaesthesiol. 2017; 34(3):169-175.
12. Practice Guidelines for Preoperative Fasting and the Use of Pharmacologic Agents to Reduce the Risk of Pulmonary Aspiration: Application to Healthy Patients Undergoing Elective Procedures: An Updated Report by the American Society of Anesthesiologists Task Force on Preoperative Fasting and the Use of Pharmacologic Agents to Reduce the Risk of Pulmonary Aspiration. Anesthesiology. 2017; 126(3):376-393.
13. Habre W, Disma N, Virag K, Becke K, Hansen TG, Jöhr M, et al. Incidence of severe critical events in paediatric anaesthesia (APRICOT): a prospective multicentre observational study in 261 hospitals in Europe. Lancet Respir Med. 2017; 5(5):412-425.
14. Disma N, Thomas M, Afshari A, Veyckemans F, De Hert S. Clear fluids fasting for elective paediatric anaesthesia: The European Society of Anaesthesiology consensus statement. Eur J Anaesthesiol. 2019; 36(3):173-174.
15. Isserman R, Elliott E, Subramanyam R, Kraus B, Sutherland T, Madu C, et al. Quality improvement project to reduce pediatric clear liquid fasting times prior to anesthesia. Paediatr Anaesth. 2019; 29(7):698-704.
16. Thomas M, Morrison C, Newton R, Schindler E. Consensus statement on clear fluids fasting for elective pediatric general anesthesia. Paediatr Anaesth. 2018; 28(5):411-414.
17. Linscott D. SPANZA endorses 1-hour clear fluid fasting consensus statement. Paediatr Anaesth. 2019; 29(3):292.
18. Rosen D, Gamble J, Matava C; Group CPASFGW. Canadian Pediatric Anesthesia Society statement on clear fluid fasting for elective pediatric anesthesia. Can J Anaesth. 2019; 66(8):991-992.
19. Walker RW. Pulmonary aspiration in pediatric anesthetic practice in the UK: a prospective survey of specialist pediatric centers over a one-year period. Paediatr Anaesth. 2013; 23(8):702-711.
20. Warner MA, Warner ME, Warner DO, Warner LO, Warner EJ. Perioperative pulmonary aspiration in infants and children. Anesthesiology. 1999;90(1):66-71.
21. Lawes EG, Campbell I, Mercer D. Inflation pressure, gastric insufflation and rapid sequence induction. Br J Anaesth. 1987;59(3):315-318.
22. Weiler N, Heinrichs W, Dick W. Assessment of pulmonary mechanics and gastric inflation pressure during mask ventilation. Prehosp Disaster Med. 1995;10(2):101-105.
23. Neuhaus D, Schmitz A, Gerber A, Weiss M. Controlled rapid sequence induction and intubation - an analysis of 1001 children. Paediatr Anaesth. 2013; 23(8):734-740.
24. Engelhardt T. Rapid sequence induction has no use in pediatric anesthesia. Paediatr Anaesth. 2015; 25(1):5-8.
25. Gleason JM, Christian BR, Barton ED. Nasal Cannula Apneic Oxygenation Prevents Desaturation During Endotracheal Intubation: An Integrative Literature Review. West J Emerg Med. 2018; 19(2):403-411.
26. Kulkarni K, Karnik P, Dave N, Garasia M. Ultra-modified Rapid Sequence Induction. Paediatr Anaesth. 2017; 27(12):1278.
27. Lauder GR. Total intravenous anesthesia will supercede inhalational anesthesia in pediatric anesthetic practice. Paediatr Anaesth. 2015; 25(1):52-64.
28. Constant I, Rigouzzo A. Which model for propofol TCI in children. Paediatr Anaesth. 2010; 20(3):233-239.
29. McFarlan CS, Anderson BJ, Short TG. The use of propofol infusions in paediatric anaesthesia: a practical guide. Paediatr Anaesth. 1999; 9(3):209-216.
30. Chidambaran V, Costandi A, D'Mello A. Propofol: a review of its role in pediatric anesthesia and sedation. CNS Drugs. 2015; 29(7):543-563.
31. Lauder GR. Total intravenous anesthesia will supercede inhalational anesthesia in pediatric anesthetic practice. Paediatr Anaesth. 2015; 25(1):52-64.
32. Constant I, Rigouzzo A. Which model for propofol TCI in children. Paediatr Anaesth. 2010; 20(3):233-239.
33. Steur RJ, Perez RSGM, De Lange JJ. Dosage scheme for propofol in children under 3 years of age. Paediatr Anaesth. 2004; 14(6):462-467.
34. Pickard A, Davies P, Birnie K, Beringer R. Systematic review and meta-analysis of the effect of intraoperative alpha2-adrenergic agonists on postoperative behaviour in children. Br J Anaesth. 2014; 112(6):982-990.
35. Ghazal EA, Vadi MG, Mason LJ, Coté CJ. Preoperative Evaluation, Premedication, and Induction of Anesthesia. In: Anderson BJ, Lerman J, Coté CJ (eds.). A practice of anesthesia for infants and children. 6th ed. Philadelphia: Elsevier; 2019.
36. Afshari A. Clonidine in pediatric anesthesia: the new panacea or a drug still looking for an indication? Curr Opin Anaesthesiol. 2019; 32(3):327-333.

37. Larsson P, Eksborg S, Lönnqvist PA. Onset time for pharmacologic premedication with clonidine as a nasal aerosol: a double-blind, placebo-controlled, randomized trial. Paediatr Anaesth. 2012; 22(9):877-883.
38. Mikawa K, Maekawa N, Nishina K, Takao Y, Yaku H, Obara H. Efficacy of oral clonidine premedication in children. Anesthesiology. 1993; 79(5):926-931.
39. Reimer EJ, Dunn GS, Montgomery CJ, Sanderson PM, Scheepers LD, Merrick PM. The effectiveness of clonidine as an analgesic in paediatric adenotonsillectomy. Can J Anaesth. 1998; 45(12):1162-1167.
40. Dahmani S, Brasher C, Stany I, Golmard J, Skhiri A, Bruneau B, et al. Premedication with clonidine is superior to benzodiazepines. A meta analysis of published studies. Acta Anaesthesiol Scand. 2010; 54(4):397-402.
41. Devereaux PJ, Sessler DI, Leslie K, Kurz A, Mrkobrada M, Alonso-Coello P, et al. Clonidine in patients undergoing noncardiac surgery. N Engl J Med. 2014; 370(16):1504-1513.
42. Epidemiology FaDACfDEaROoSa. Pediatric Postmarketing Pharmacovigilance and Drug Utilization Review. In: Department of Health and Human Services Public Health Service, Food and Drug Administration Center for Drug Evaluation and Research Office of Surveillance and Epidemiology, 2016.
43. Weerink MAS, Struys MMRF, Hannivoort LN, Barends CRM, Absalom AR, Colin P. Clinical Pharmacokinetics and Pharmacodynamics of Dexmedetomidine. Clinical Pharmacokinetics. 2017; 56(8):893-913.
44. Kamibayashi T, Maze M. Clinical uses of alpha2-adrenergic agonists. Anesthesiology. 2000; 93(5):1345-1349.
45. Mahmoud M, Mason KP. Dexmedetomidine: review, update, and future considerations of paediatric perioperative and periprocedural applications and limitations. Br J Anaesth. 2015; 115(2):171-182.
46. Aldecoa C, Bettelli G, Bilotta F, Sanders RD, Audisio R, Borozdina A, et al. European Society of Anaesthesiology evidence-based and consensus-based guideline on postoperative delirium. Eur J Anaesthesiol. 2017; 34(4):192-214.
47. Costi D, Cyna AM, Ahmed S, Stephens K, Strickland P, Ellwood J, et al. Effects of sevoflurane versus other general anaesthesia on emergence agitation in children. Cochrane Database of Systematic Reviews. 2014;2014(9):CD007084.
48. Mason KP, Zurakowski D, Zgleszewski S, Prescilla R, Fontaine PJ, Dinardo JA. Incidence and predictors of hypertension during high-dose dexmedetomidine sedation for pediatric MRI. Paediatr Anaesth. 2010; 20(6):516-523.
49. Gong M, Man Y, Fu Q. Incidence of bradycardia in pediatric patients receiving dexmedetomidine anesthesia: a meta-analysis. Int J Clin Pharm. 2017; 39(1):139-147.
50. Mason KP, Zgleszewski SE, Prescilla R, Fontaine PJ, Zurakowski D. Hemodynamic effects of dexmedetomidine sedation for CT imaging studies. Paediatr Anaesth. 2008; 18(5):393-402.
51. Szmuk P, Andropoulos D, McGowan F, Brambrink A, Lee C, Lee KJ, et al. An open label pilot study of a dexmedetomidine-remifentanil-caudal anesthetic for infant lower abdominal/lower extremity surgery: The T REX pilot study. Paediatr Anaesth. 2019; 29(1):59-67.
52. Kaye AD, Fox CJ, Padnos IW, Ehrhardt KP Jr, Diaz JH, Cornett EM, et al. Pharmacologic Considerations of Anesthetic Agents in Pediatric Patients: A Comprehensive Review. Anesthesiol Clin. 2017; 35(2):e73-e94.
53. Ross AK, Davis PJ, Dear Gd GL, Ginsberg B, McGowan FX, Stiller RD, et al. Pharmacokinetics of remifentanil in anesthetized pediatric patients undergoing elective surgery or diagnostic procedures. Anesthesia and analgesia. 2001; 93(6):1393-contents.
54. Sammartino M, Garra R, Sbaraglia F, De Riso M, Continolo N. Remifentanil in children. Paediatr Anaesth. 2010; 20(3):246-255.
55. Eleveld DJ, Proost JH, Vereecke H, Absalom AR, Olofsen E, Vuyk J, et al. An Allometric Model of Remifentanil Pharmacokinetics and Pharmacodynamics. Anesthesiology. 2017; 126(6):1005-1018.
56. Luft A, Mendes FF. Low S(+) ketamine doses: a review. Rev Bras Anestesiol. 2005; 55(4):460-469.
57. Pfenninger EG, Durieux ME, Himmelseher S. Cognitive impairment after small-dose ketamine isomers in comparison to equianalgesic racemic ketamine in human volunteers. Anesthesiology. 2002; 96(2):357-366.
58. Gorlin AW, Rosenfeld DM, Ramakrishna H. Intravenous sub-anesthetic ketamine for perioperative analgesia. J Anaesthesiol Clin Pharmacol. 2016; 32(2):160-167.
59. Dahmani S, Michelet D, Abback P-S, Wood C, Brasher C, Nivoche Y, et al. Ketamine for perioperative pain management in children: a meta-analysis of published studies. Paediatric anaesthesia. 2011; 21(6):636-652.
60. Roelofse JA. The evolution of ketamine applications in children. Paediatr Anaesth. 2010; 20(3):240-245.
61. Yan J, Jiang H. Dual effects of ketamine: neurotoxicity versus neuroprotection in anesthesia for the developing brain. J Neurosurg Anesthesiol. 2014; 26(2):155-160.
62. Russo H, Bressolle F. Pharmacodynamics and pharmacokinetics of thiopental. Clin Pharmacokinet. 1998; 35(2):95-134.
63. Stewart SH, Buffett-Jerrott SE, Finley GA, Wright KD, Valois Gomez T. Effects of midazolam on explicit vs implicit memory in a pediatric surgery setting. Psychopharmacology (Berl). 2006; 188(4):489-497.
64. Dahmani S, Stany I, Brasher C, Lejeune C, Bruneau B, Wood C, et al. Pharmacological prevention of sevoflurane- and desflurane-related emergence agitation in children: a meta-analysis of published studies. Br J Anaesth. 2010; 104(2):216-223.
65. Meretoja OA. Neuromuscular block and current treatment strategies for its reversal in children. Paediatr Anaesth. 2010; 20(7):591-604.
66. Same M, Smith J. Should neuromuscular blockers be used for every paediatric intubation? Br J Hosp Med (Lond). 2016; 77(6):374.
67. Liu G, Wang R, Yan Y, Fan L, Xue J, Wang T. The efficacy and safety of sugammadex for reversing postoperative residual neuromuscular blockade in pediatric patients: A systematic review. Sci Rep. 2017; 7(1):5724.
68. Won YJ, Lim BG, Lee DK, Kim H, Kong MH, Lee IO. Sugammadex for reversal of rocuronium-induced neuromuscular blockade in pediatric patients: A systematic review and meta-analysis. Medicine (Baltimore). 2016; 95(34):e4678.
69. de Souza CM, Romero FE, Tardelli MA. Assessment of neuromuscular blockade in children at the time of block reversal and the removal of the endotracheal tube. Rev Bras Anestesiol. 2011; 61(2):145-149, 150-145, 178-183.
70. Gregory P, Shargel RO, Eger EI, Pollat P. Rate of rise of alveolar xenon concentration in man. Br J Anaesth. 1966; 38(11):853-856.
71. Salanitre E, Rackow H. The pulmonary exchange of nitrous oxide and halothane in infants and children. Anesthesiology. 1969; 30(4):388-394.
72. Goldman LJ. Anesthetic uptake of sevoflurane and nitrous oxide during an inhaled induction in children. Anesth Analg. 2003; 96(2):400-406, table of contents.
73. Sponheim S, Skraastad Ø, Helseth E, Due-Tønnesen B, Aamodt G, Breivik H. Effects of 0.5 and 1.0 MAC isoflurane, sevoflurane and desflurane on intracranial and cerebral perfusion pressures in children. Acta Anaesthesiol Scand. 2003; 47(8):932-938.
74. Adachi M, Ikemoto Y, Kubo K, Takuma C. Seizure-like movements during induction of anaesthesia with sevoflurane. Br J Anaesth. 1992; 68(2):214-215.
75. Litman RS, McDonough JM, Marcus CL, Schwartz AR, Ward DS. Upper airway collapsibility in anesthetized children. Anesth Analg. 2006; 102(3):750-754.
76. Sikich N, Lerman J. Development and Psychometric Evaluation of the Pediatric Anesthesia Emergence Delirium Scale. Anesthesiology. 2004; 100(5):1138-1145.
77. Mason KP. Paediatric emergence delirium: a comprehensive review and interpretation of the literature. Br J Anaesth. 2017; 118(3):335-343.
78. Dahmani S, Delivet H, Hilly J. Emergence delirium in children: an update. Curr Opin Anaesthesiol. 2014; 27(3):309-315.
79. Somaini M, Engelhardt T, Fumagalli R, Ingelmo PM. Emergence delirium or pain after anaesthesia--how to distinguish between the two in young children: a retrospective analysis of observational studies. Br J Anaesth. 2016; 116(3):377-383.

143

Anestesia Regional em Pediatria

Débora de Oliveira Cumino ▪ **Luciana Cavalcanti Lima**

INTRODUÇÃO

A Anestesia Regional (AR) em crianças ganhou aceitação mundial nas últimas décadas, e muitos fatores contribuíram para o seu rápido crescimento, como o desenvolvimento de novos agentes anestésicos locais, materiais apropriados à população pediátrica e o conhecimento e divulgação de novas técnicas de bloqueios periféricos, além dos avanços na tecnologia de Ultrassom (US). Atualmente, é possível utilizar técnicas de AR em mais de 80% dos procedimentos cirúrgicos em crianças. A abrangência do uso das técnicas depende principalmente da prática clínica de cada instituição.[1]

Os benefícios da AR em crianças incluem: redução do consumo de opioides; da incidência de náuseas e vômitos pós-operatórios; dos escores de dor pós-operatória e da incidência de complicações respiratórias. A AR é cada vez mais usada como parte de regimes analgésicos multimodais, e provou ser alternativa válida às estratégias convencionais baseadas em opioides. Na escolha da técnica, os riscos devem ser pesados e comparados com outras formas de analgesia. Muitos fatores influenciam essa escolha, desde idade e condição geral do paciente, presença de comorbidades, local e intensidade do estímulo doloroso, habilidade do anestesista, presença ou não de contraindicação à anestesia regional e até do consentimento da criança ou responsáveis. Ao fazer a escolha, o anestesista deve levar em consideração a disponibilidade de equipamentos, o nível de acompanhamento e cuidados de enfermagem disponíveis.[2,3] No entanto, é importante ressaltar que é difícil demonstrar claramente os benefícios "baseados em evidências" da AR sobre outras formas de analgesia.[3]

Sabe-se que órgãos e sistemas imaturos dessa população são sensíveis aos efeitos depressores de anestésicos gerais. Todos os anestésicos inalatórios produzem depressão cardiorrespiratória, agente e dose-dependentes, particularmente em recém-nascidos e lactentes, portanto, a diminuição da profundidade anestésica com a associação de bloqueios anestésicos oferece várias vantagens, incluindo redução da necessidade de anestésicos, analgésicos, bloqueadores neuromusculares, despertar mais suave, confortável e rápido, alta precoce da Sala de Recuperação Pós-Anestésica (SRPA), alimentação precoce, redução de náuseas e vômitos, além da redução dos riscos associados aos planos mais profundos de anestesia geral.[4]

Neonatos e lactentes diferem de crianças mais velhas e adultos em características anatômicas, fisiológicas e farmacocinéticas. Embora a apreciação de estruturas menores e mais superficiais seja uma etapa crítica, diferenças anatômicas na coluna também devem ser consideradas antes de realizar bloqueios neuraxiais. Os lactentes apresentam débito cardíaco aumentado e função hepática imatura (tanto na via sintética quanto na via de depuração), o que pode resultar em aumento da absorção sistêmica e acúmulo de AL. Esse acúmulo aumenta potencialmente o risco de Toxicidade Sistêmica de AL (LAST), especialmente com doses repetidas em bólus ou infusão contínua.[3]

Ainda em relação às vantagens dos bloqueios anestésicos, destacam-se o recente desenvolvimento e ampliação das indicações dos bloqueios periféricos e analgesia prolongada por meio da utilização de cateteres.[5]

Dados os debates em andamento sobre a neurotoxicidade da anestesia geral, especialmente em populações de pacientes mais jovens, ainda é razoável supor que a anestesia regional possa oferecer vantagens.[6]

Outra vantagem potencial é a opção de certos procedimentos cirúrgicos poderem ser realizados com anestesia neuraxial em neonatos e lactentes respirando espontaneamente com instrumentação mínima das vias aéreas. Quando apropriado, Bloqueios de Nervos

Periféricos (BNPs) devem ser oferecidos como alternativa à anestesia neuraxial.[3]

Um benefício adicional é a utilização dos bloqueios anestésicos quando a anestesia geral é contraindicada, considerada tecnicamente difícil ou associada ao aumento da morbimortalidade, como em ex-prematuros, nos portadores de doenças neuromuscular, metabólicas, pulmonar ou cardíaca crônicas, quando há risco de hipertermia maligna, ou em situações de emergência com risco de broncoaspiração.[2]

É importante ressaltar que a analgesia profunda proporcionada pela anestesia regional pode ocasionar ausência de sensibilidade e mobilidade em membros inferiores, determinando desconforto para algumas crianças, aspecto que merece atenção.[7]

Em termos gerais, bloqueios de nervo periférico são considerados mais seguros do que os bloqueios neuraxiais em crianças. Os bloqueios regionais em pediatria são empregados em associação à anestesia geral inalatória ou venosa, geralmente realizados logo após a indução anestésica ou nas situações já citadas, como técnica única.[7] As principais técnicas de bloqueios regionais em pediatria são os bloqueios do neuroeixo (subaracnóideo e peridural caudal ou lombar) e os bloqueios de nervos periféricos (bloqueios de membro superior e inferior, bloqueios de parede abdominal e do nervo dorsal do pênis).

■ EPIDEMIOLOGIA E SEGURANÇA

A AR em crianças é considerada segura, desde que cuidado e atenção adequados aos detalhes sejam tomados. Lactentes e recém-nascidos apresentam risco ligeiramente maior de complicações, e esses grupos devem, portanto, ser atendidos por profissionais experientes. Como os bloqueios regionais são realizados em crianças anestesiadas, as técnicas descritas em adultos nem sempre são adequadas para uso pediátrico.[3] Por exemplo, a pressão negativa gerada durante a inspiração é insuficiente para permitir que a técnica de gota pendente ou outras técnicas de detecção de pressão negativa sejam utilizadas com segurança.[6] Enquanto complicações graves foram relatadas informalmente, a morbidade relacionada à anestesia regional, com base em grandes estudos retrospectivos e prospectivos, é baixa.

Dois grandes estudos sobre bloqueios anestésicos em crianças que nos trazem dados sobre epidemiologia e segurança da AR foram publicados nas últimas décadas. Doze anos após a publicação do primeiro estudo, a Association Des Anesthésistes Réanimateurs Pédiatriques d'Expression Française (ADARPEF) projetou mais um ano de estudo multicêntrico, prospectivo e anônimo para atualizar os dados epidemiológicos e de morbidade da AR em crianças.[8] Os dados foram coletados em 47 instituições a partir de 104.612 anestesias gerais, 29.870 anestesias inalatórias associadas a bloqueios regionais e 1.262 bloqueios regionais isolados. Bloqueios centrais representaram 34% de todas as anestesias regionais, e 66% foram bloqueios periféricos, dos quais 29% foram bloqueios de membros superiores e inferiores,

enquanto 71% corresponderam a bloqueios de face e tronco, caracterizando o surgimento de técnicas que não foram claramente identificadas no estudo anterior (ílioinguinal e ilio-hipogástrico, paraumbilical, pudendo, torácico, lombar e paravertebral). Bloqueios faciais são uma prática nova e amplamente utilizada para a cirurgia facial e reconstrutiva, particularmente na reparação da fenda labiopalatina. O estudo registra ainda o uso de um número significativo de cateteres, centrais e periféricos, sendo a maioria deles neuroaxial. A taxa global de complicações foi muito baixa, igual a 0,12%, seis vezes maior em bloqueios centrais comparados aos periféricos. As complicações foram punção lombar na peridural com raquianestesia total, convulsões, toxicidade cardíaca, extensão da raquianestesia em ex-prematuros, punção de colo em bloqueio dos nervos ilioinguinal e ilio-hipogástrico e suspeitas de lesões neurológicas. Não houve relatos de cefaleia pós-punção da dura-máter. Complicações menores como dor lombar, inflamação no local da punção, deslocamento do cateter peridural também ocorreram. Nenhuma complicação resultou em sequela ou lesão grave após um ano. Como resultado do baixo índice de complicações, os autores concluem que técnicas de anestesia regional têm um bom perfil de segurança e que podem ser usadas para oferecer analgesia pós-operatória em crianças, e que técnicas de bloqueios periféricos devem ser estimuladas. A quantidade significativa de dados demonstra claramente uma transição na prática dos bloqueios, passando de predominantemente central para um maior número de bloqueios de nervos periféricos, incluindo técnicas com cateter. Outros resultados interessantes foram que a frequência de utilização de bloqueios, independente de qual, aumenta de acordo com a idade, e que a incidência de complicações é significativamente mais elevada no grupo de menor faixa etária, 0,4% nos menores de seis meses e 0,1% nos maiores de seis meses.[8] Esses resultados sugerem que crianças menores sejam assistidas por anestesistas com experiência em anestesia pediátrica.

Dados subsequentes do registro da *Pediatric Regional Anesthesia Network* (PRAN)[9,10] de mais de 100 mil bloqueios nervosos confirmaram achados semelhantes. Déficit neurológico transitório foi registrado em apenas 25 casos (2,4 em 10.000), mas nenhum resultou em sequelas permanentes. Os eventos adversos mais comuns foram mau funcionamento do cateter, como deslocamento, oclusão e desconexão, que ocorreram em 4% dos casos.[10] Outra análise das técnicas neuraxiais, que incluiu 18.650 bloqueios caudais, mostrou incidência de complicações de 1,9% com pico em crianças menores de seis meses.[3] Achados semelhantes foram relatados no *UK National Paediatric Epidural Audit*, que mostrou apenas alguns eventos adversos graves, incluindo dois abscessos epidurais, um caso de meningismo, uma cefaleia pós-punção dural e cinco casos de neuropatia/radiculopatia grave, que resolvido em um período de 4 a 10 meses.[3] Embora as complicações neuraxiais possam ser potencialmente devastadoras, sua incidência é extremamente baixa; alguns casos são potencialmente evitáveis, enquanto em outros a etiologia não é clara. Além disso, o risco de infecção por infusão peridural contínua é baixo e seu principal fator de risco é a duração da manutenção do cateter.[3,10]

■ ULTRASSONOGRAFIA(US)

Um dos mais importantes avanços recentes na tecnologia em anestesia pediátrica foi o desenvolvimento do conhecimento anatômico baseado na Ultrassonografia (US), que facilita a localização de estruturas como nervos e vasos. A utilização da US na anestesia regional não só reduz a quantidade de anestésico local, mas também sua concentração (Tabela 143.1), pois, como o fármaco é administrado apenas em torno do nervo, seu efeito é maximizado. Ainda como vantagem, a US facilita a execução de bloqueios difíceis de serem realizados utilizando-se apenas referências anatômicas com potencial de injeção contígua em áreas sensíveis vasculares.[11,12]

Tabela 143.1 Volume sugerido de anestésico.

Técnica de bloqueio	Dose bloqueio guiado por USG (mL.kg⁻¹)	Dose bloqueio por referências anatômicas (mL.kg⁻¹)
Supraclavicular	0,3	0,5
Infraclavicular	0,2	0,5
Ciático	0,2	0,3
Femoral	0,15	0,3
Bainha do reto abdominal	0,1 (cada lado)	0,3
Ilioinguinal	0,1	0,4

Fonte: adaptada de Ecoffey C. Safety in pediatric regional anesthesia.

Como um facilitador das técnicas de bloqueios regionais e centrais, assim como de acessos venosos, a US aumenta a segurança dessas técnicas por permitir identificação de relações anatômicas entre estruturas críticas em crianças, que, na maioria das vezes, estão sedadas ou sob anestesia geral, impossibilitadas de relatar qualquer sinal potencial de complicações durante a realização dos bloqueios, como parestesias, dor ou sinais de intoxicação pelo anestésico local.[11] A imagem de US permite uma avaliação cuidadosa de alvos anatômicos, visualização de variações anatômicas e de estruturas vitais ao redor dos nervos e distribuição do anestésico local ao redor do nervo ou plexo. Os avanços na tecnologia de US melhoraram a precisão e a clareza na identificação de estruturas e planos fasciais, permitindo o desenvolvimento de novas técnicas (bloqueios do plano transverso do abdome, quadrado lombar, peitoral e serrátil anterior).[3]

A principal vantagem do bloqueio de nervo periférico guiado por US é a capacidade de visualizar o avançar da agulha e/ou a injeção do anestésico local. A não visualização da ponta da agulha, pode gerar lesões vasculares, neurais ou viscerais não intencionais. As técnicas tradicionais, baseadas em referências anatômicas e em métodos de tentativa e erro promovem maior desconforto ao paciente pelo maior número de redirecionamentos da agulha e maior tempo para realização do bloqueio.[12]

■ BLOQUEIOS DO NEUROEIXO

Particularidades Anatomofisiológicas

O conhecimento das diferenças existentes entre adultos e crianças com relação à anatomia, fisiologia e farmacologia é fundamental para a realização da anestesia regional em pediatria.[13] As diferenças anatômicas afetam o desempenho das técnicas regionais na população pediátrica, principalmente nos bloqueios do neuroeixo.

O cone medular em neonatos e lactentes está localizado no nível de L_2-L_3, sendo mais caudal que nos adultos (L_1), da mesma forma que as meninges estão localizadas em S_3-S_4. Entretanto, a partir de 1 ano de idade, essas estruturas localizam-se em L_1 e S_1, respectivamente (Figura 143.1). O sacro é mais delgado e estreito, e o hiato sacral é facilmente identificado, permitindo acesso direto ao espaço peridural e subaracnóideo.

Em adultos, a anestesia espinhal é realizada frequentemente no espaço intervertebral L_3-L_4 localizado entre a linha imaginária que se estende de uma crista ilíaca a outra, linha de Tuffier. Os Recém-Nascidos (RN) e lactentes têm a pélvis proporcionalmente menor que adultos, e o sacro está localizado mais cefálico. Logo, a linha de Tuffier cruza a linha média da coluna vertebral no espaço L_4-L_5 ou L_5-S_1, abaixo da terminação da medula espinhal, tornando-a referência apropriada para os bloqueios espinhais nos pacientes pediátricos.[13] Em crianças pequenas, o final do saco dural pode estar em uma distância de apenas poucos milímetros a partir do local de punção. A terminação mais caudal do saco dural propicia a punção inadvertida do espaço subaracnóideo durante a realização do bloqueio caudal. Portanto, deve-se progredir e direcionar a agulha cuidadosamente.[14]

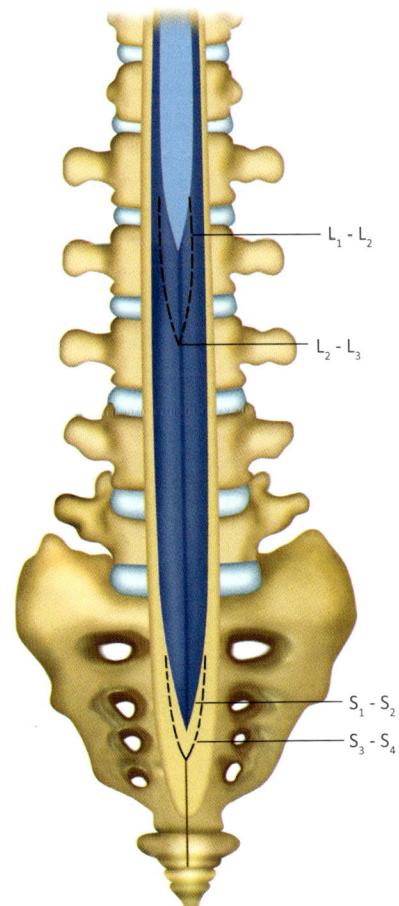

▲ **Figura 143.1** Diferenças anatômicas do Sistema Nervoso Central (SNC) no adulto e na criança.

Dentre as particularidades fisiológicas no SNC, a menor espessura dos nervos e o processo de mielinização incompleto, até em torno dos 18 meses de vida, promovem inespecificidade de resposta aos estímulos nervosos. A menor distância entre os nodos de Ranvier e a frouxa bainha perineurovascular permitem uma comunicação livre com os espaços perineurais, com maior difusão dos anestésicos locais e, consequentemente, uma maior área de analgesia após injeção única de fármaco. O volume do Líquido Cefalorraquidiano (LCR) relativo ao peso é maior em RN e lactentes (4 mL.kg^{-1}) quando comparado aos adultos (2 mL.kg^{-1}), explicando parcialmente as necessidades de maiores doses de anestésico local e a duração mais curta da raquianestesia nessa população. Outros fatores que determinam menor duração de ação e necessidade de doses elevadas são o alto índice cardíaco e o alto fluxo sanguíneo regional na medula espinhal e no espaço peridural, além de uma superfície de exposição dos tecidos neurais relativamente grande, todos promovendo maior captação do anestésico local. A configuração anatômica da coluna vertebral é plana em crianças pequenas, e, consequentemente, os fármacos injetados no espaço subaracnóideo são distribuídos de forma bastante uniforme e comumente resultam em um bloqueio médio-torácico. Todos esses fatores contribuem para a grande eficácia dos bloqueios nervosos na população pediátrica, promovendo uma anestesia de boa qualidade com menores concentrações do anestésico local.

As alterações hemodinâmicas são raras devido à imaturidade do Sistema Nervoso Simpático (SNS) e à menor capacitância do sistema venoso em crianças abaixo dos 8 anos de idade. Isso minimiza a necessidade de aumento da pré-carga com volume ou com o uso de vasoconstritores. No entanto, pacientes individuais, especialmente recém-nascidos e lactentes pequenos com anestesia caudal e geral combinada, podem experimentar profunda hipotensão após um bloqueio caudal.

A diferença mais importante entre a farmacodinâmica do adulto e da criança consiste no risco aumentado da toxicidade pelos anestésicos locais, devido principalmente ao elevado débito cardíaco e imaturidade do metabolismo hepático. As menores concentrações de albumina e de alfa 1-glicoproteína plasmáticas resultam em aumento da fração livre do anestésico local. Todos esses fatores associados fazem com que a latência e duração dos bloqueios regionais, nos neonatos e lactentes, sejam menores quando comparados aos adultos.

Anestesia Subaracnóidea

A anestesia espinhal ou subaracnóidea é uma das mais antigas modalidades para proporcionar alívio da dor em pacientes submetidos à cirurgia.[15] A partir das publicações de Melman, em 1975, muitos autores passaram a utilizar bloqueio subaracnóideo como técnica única em crianças acordadas, defendendo-a para a identificação de possíveis lesões neurológicas durante o bloqueio.[16] Um novo interesse para o uso dessa técnica surgiu para a realização de herniorrafias em recém-nascidos prematuros para minimizar o alto risco de apneia associada à anestesia geral.

Devido às características favoráveis, como rápido início de ação e curta duração, esses bloqueios são utilizados para procedimentos de pequeno porte, abrangendo uma maior faixa etária e permitindo alta hospitalar precoce. A duração do bloqueio sensitivo e motor é curta, devido ao maior volume de liquor que dilui o anestésico local, à maior velocidade de absorção do anestésico, à maior vascularização da região e ao menor diâmetro das fibras nervosas.[17]

Indicações

Cirurgia da região inferior do corpo é a principal indicação para bloqueio subaracnóideo em crianças. Em recém-nascidos, a técnica é usada para correção de hérnia inguinal e, no passado, foi muito utilizada em cirurgia cardíaca. É particularmente útil em crianças nas quais o anestesiologista deseja evitar anestesia geral e manipulação das vias aéreas. Pode ser usada também em crianças com vias aéreas reconhecidamente difíceis, devendo haver um plano B caso seja necessária a sedação. Também é uma técnica viável nas situações de estômago cheio, como em pacientes pediátricos com trauma de membro inferior, torção testicular, e em crianças com doença pulmonar ou neuromuscular nas quais a anestesia geral pode piorar a função respiratória.[18] Um problema do bloqueio subaracnóideo é a taxa de insucesso que pode ser significativa. Até 45% das crianças submetidas ao bloqueio subaracnóideo necessitam de sedativos ou anestésicos para complementar a anestesia. Isso pode eliminar o benefício, quando se deseja, da anestesia regional como técnica única.[15,19]

Contraindicações

Deve ser evitada em crianças com infecção no local da punção, doença degenerativa axonal em curso, aumento da pressão intracraniana e hipovolemia grave.[20] O risco de hematoma espinhal tem sido uma das principais preocupações, apesar de raro em crianças. Grande deformidade da coluna vertebral é contraindicação relativa. No entanto, em alguns pacientes, a deformidade da coluna vertebral pode comprometer a função respiratória ou causar outros problemas funcionais e, nesses casos, a anestesia espinhal pode ser considerada uma técnica alternativa. A sua principal barreira é a duração limitada.[17]

Complicações

A avaliação dos sinais e sintomas de complicações em lactentes e crianças pequenas não é tão fácil e simples como nas crianças mais velhas e em adultos. Os bebês são incapazes de verbalizar suas queixas, e os médicos podem interpretar mal as mudanças físicas e comportamentais sugestivas de complicações pós-punção. A mais conhecida complicação da punção é cefaleia pós-punção da dura-máter, evento muito raro e de difícil avaliação em crianças.[17]

Técnica

Em RN e lactentes o espaço de escolha para a punção é L_4-L_5 ou L_5-S_1 e, em crianças mais velhas, pode-se optar pelo espaço L_3-L_4. Recomenda-se abordagem na linha média, em RN e lactentes, devido à calcificação incompleta das lâminas vertebrais. Utiliza-se agulha espinhal pediátrica 22, 25 ou 26 Gauge. O método de barbotagem não é recomendado, podendo resultar em altos níveis de bloqueio ou bloqueio espinhal total. A raquianestesia na criança pode ser também realizada na posição sentada, porém é mais fácil e comumente realizada na posição de decúbito lateral (Figura 143.2). O anestesiologista deve ter certeza, em ambas as posições, de que o pescoço não está fletido, que pode resultar em obstrução das vias aéreas.[21]

Após a injeção, a criança é colocada em posição supina, evitando elevação dos membros inferiores, principalmente quando se utiliza anestésico hiperbárico. Tal conduta pode resultar em níveis altos de bloqueio ou raquianestesia total, levando à depressão respiratória. As seringas (para a injeção do anestésico local) e agulhas devem ter tamanhos apropriados. Devido aos pequenos volumes de anestésico local utilizados, deve-se acrescentar o volume que ficará no espaço morto (canhão) da agulha para assegurar que a dose total de anestésico local seja administrada. Antes da injeção do anestésico local, é importante garantir um fluxo livre de LCR. A injeção deve ser realizada lentamente, maior que 20 segundos, para evitar a disseminação extensa do bloqueio. Após a injeção do anestésico local, o mandril deve ser reinserido e a agulha pode ser deixada na posição durante alguns segundos, para evitar que o medicamento escoe de volta para os tecidos no local de perfuração da pele. Isto é especialmente sugerido em crianças pequenas, porque uma parte relativamente grande do orifício na dura-máter promove o retorno do anestésico para o local de punção.

Anestésicos Locais e Adjuvantes na Anestesia Subaracnóidea

Soluções de anestésicos hiperbáricos ou isobáricos têm similar qualidade e duração nos bloqueios em crianças. Uma variedade de agentes e doses é descrita na literatura, incluindo bupivacaína,[22] lidocaína, ropivacaína e levobupivacaína. Doses de 0,3 mg.kg^{-1} a 1 mg.kg^{-1} de bupivacaína são geralmente administradas.

Dentro do conceito de analgesia multimodal, diferentes classes de adjuvantes são combinadas com os anestésicos espinais para modificar o início, intensidade e duração do bloqueio. Os fármacos injetados por via subaracnóidea estão em contato com o tecido neural, portanto o potencial de neurotoxicidade deve sempre ser considerado.[17]

O primeiro opioide utilizado como adjuvante nos bloqueios espinais foi a morfina, em doses que variam de 4 a 10 µg.kg^{-1}, associada ao anestésico local.[23] Diversos autores demonstram aumento significativo da analgesia com essas doses, variando de 6 a 24 horas de analgesia no período pós-operatório com menores necessidades de resgates analgésicos.[24] Porém, a morfina no neuroeixo não é desprovida de efeitos colaterais, há relatos de alta incidência de náuseas, vômitos e prurido, acometendo cerca de 30% das crianças que recebem morfina na raquianestesia.[24] A incidência de eventos adversos graves, como dessaturação e depressão respiratória, é menor. No entanto, esses eventos podem ser catastróficos, sendo recomendada vigilância em terapia intensiva com monitorização adequada por no mínimo 12 horas após a administração da morfina no espaço subaracnóideo.[25] O fentanil pode ser associado à raquianestesia em doses que variam de 0,25 a 1 µg.kg^{-1}. Batra YK demonstra aumento significativo da analgesia, em torno de 80 minutos, com doses de 1 µg . kg^{-1} quando comparado aos 50 minutos com a bupivacaína isolada.[26] Novos adjuvantes, como a clonidina, na dose de 1 µg.kg^{-1} adicionada à bupivacaína (1 mg.kg^{-1}), prolongam a duração da analgesia para o dobro da duração habitual em RN e lactentes.[27] Nota-se diminuição transitória na pressão arterial e maior predisposição à sedação pós-operatória, com doses superiores a 2 µg.kg^{-1} de clonidina. Em neonatos prematuros, uma metanálise recente não demonstrou evidências de superioridade dos bloqueios de neuroeixo comparados à anestesia geral, com relação à diminuição na incidência de apneia no pós-operatório.[28] Atualmente recomenda-se o uso de cafeína 10 mg.kg^{-1} por Via Venosa (IV), assim como Ventilação Não-Invasiva (CPAP) com o objetivo de prevenir apneia pós-operatória em neonatos ex-prematuros.[29]

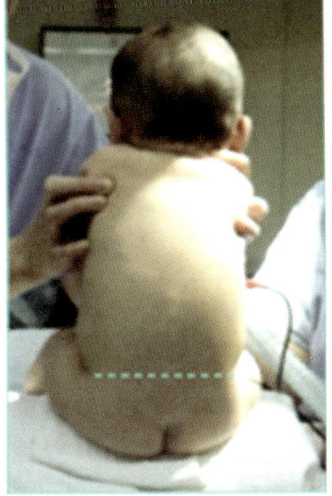
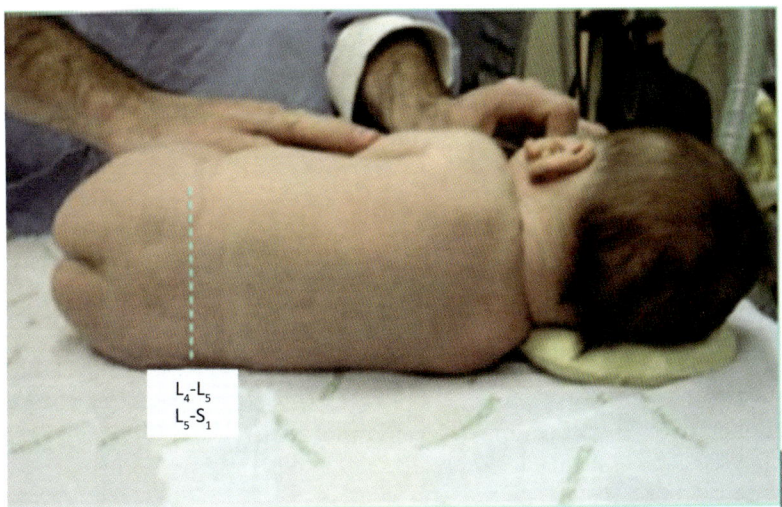

▲ **Figura 143.2** Posicionamento sentado e em decúbito lateral.

No bloqueio neuroaxial, o comitê conjunto European Society of Regional Anesthesia and Pain Therapy e American Society of Regional Anesthesia and Pain Medicine (ESRA/ASRA) sugere o uso de morfina sem conservantes (10 e 20 mcg/kg) ou clonidina (1 e 2 mcg/kg) por meio de injeção intratecal, pos isso melhora a qualidade da analgesia e a duração dos bloqueios. A cetamina não é recomendada devido a preocupações com possíveis efeitos neurotóxicos. A dexametasona não é recomendada na ausência de qualquer evidência de estudos pediátricos para apoiar seu uso.

Avaliação do Bloqueio

A avaliação do nível do bloqueio pode ser difícil nos lactentes e crianças, principalmente nos que receberam sedação ou que estão sob anestesia geral. Para testar a extensão do bloqueio sensitivo utiliza-se pinçamento digital ou resposta ao estímulo frio (*swab* com álcool) e, para o bloqueio motor, verifica-se a capacidade de elevar os membros, assim como o desempenho ventilatório. Para crianças com mais de 2 anos, utiliza-se a escala de Bromage. A regressão do bloqueio sensitivo de T_4 a T_{10} ocorre em média após 90 minutos com bupivacaína, em diferentes idades, com doses de 0,5 mg kg^{-1} (3 a 5 kg), 0,4 mg.kg^{-1} (6 a 15 kg) e 0,3 mg.kg^{-1} (16 a 40 kg).[22]

Eventos Adversos

Na população pediátrica o bloqueio subaracnóideo promove estabilidade hemodinâmica e raramente são administradas soluções cristaloides ou coloides com o objetivo de aumentar a pré-carga. Apesar de altos níveis de bloqueio, devido à imaturidade do SNS, hipotensão e bradicardia são ocorrências raras quando se utiliza anestesia subaracnóidea na criança. A incidência de cefaleia pós-punção é menor em crianças que em adultos. Grandes séries em pacientes pediátricos oncológicos[30] mostram incidência de 8% de cefaleia pós-punção dural. Não existe correlação significativa quanto à incidência de cefaleia em crianças quando se utilizam agulhas do tipo Whitacre ou Quincke. A cefaleia pós-punção é tratada preferencialmente com repouso no leito, hidratação, analgésicos e cafeína. Não havendo melhora do quadro, pode-se realizar o tampão peridural (0,3 mL.kg^{-1} de sangue), considerando os riscos inerentes à técnica. Sintomas neurológicos transitórios, como irritação radicular, são registrados em crianças após anestesia espinhal, porém são de difícil avaliação.

■ ANESTESIA PERIDURAL

Peridural Caudal

Os bloqueios caudais de injeção única, representam 34% a 40% da anestesia regional na população pediátrica. Dentre os bloqueios centrais, sua frequência varia de 80% nos centros europeus até 97% nos EUA, sendo mais comumente administrados a crianças na faixa etária de 12 meses até 3 anos.[6]

A peridural caudal ou sacral apresenta como vantagens analgesia pós-operatória, bloqueio motor de menor intensidade, quando administradas baixas concentrações de anestésico local, possibilidade de infusão contínua por meio da colocação de cateter no espaço epidural, além de fácil execução, segurança e estabilidade hemodinâmica.[31] A peridural caudal é capaz de reduzir os níveis séricos de adrenalina, noradrenalina, cortisol, prolactina e glicose, conferindo proteção ao estresse cirúrgico.[7]

Indicações

O principal objetivo do bloqueio caudal é proporcionar alívio da dor pós-operatória. Todos os tipos de cirurgia abaixo do umbigo podem ser realizados com bloqueio caudal. Isto é relevante, porque nem todos os anestesiologistas estão familiarizados com a diversidade de bloqueios de nervos periféricos em crianças, ou seja, cirurgias de membros inferiores, quadril, abdome inferior, herniorrafia inguinal, orquidopexia, hipospádia e cirurgia anal.[31] A experiência clínica diária mostrou que a taxa de sucesso é limitada, e a perspectiva de sucesso é basicamente imprevisível, quando a anestesia caudal é usada para intervenções cirúrgicas na metade do abdome, como a correção da hérnia umbilical. As razões para essa deficiência podem ser diferenças dependentes da idade nos níveis de analgesia sensorial atingíveis pelo bloqueio caudal, além da propagação secundária imprevisível dos anestésicos locais. Portanto, intervenções desse tipo são melhor gerenciadas pelo bloqueio da bainha do reto ou anestesia peridural lombar.[6]

A anestesia caudal com dose única é extremamente segura. A observação da literatura mundial não mostra um único caso de hematoma peridural ou paraplegia depois de um bloqueio caudal único, em contraste com outras técnicas neuraxiais em crianças, por exemplo, com anestesia peridural torácica, em que foram relatados três casos com dano neurológico grave, apesar de essa técnica raramente ser usada em crianças.[32]

Contraindicações

As contraindicações são as mesmas que para o bloqueio subaracnóideo, incluindo o cisto pilonidal, lesões sépticas ou distróficas que recobrem o hiato sacral, meningite e malformações importantes do osso sacro.

Na presença de anomalias espinhais ou meníngeas, sugerimos a realização de uma investigação anatômica pré-operatória por ultrassonografia ou ressonância magnética. A realização de uma análise cuidadosa do risco-benefício pode ajudar a identificar pacientes com baixo risco de lesões nervosas inadvertidas, que podem se beneficiar da anestesia regional em vez da geral, apesar da sua anomalia (exemplo, crianças com via aérea difícil ou prematuros com história de episódios de depressão respiratória). Quaisquer bloqueios caudais nesses pacientes específicos devem ser realizados com orientação por ultrassonografia e somente por anestesiologistas altamente experientes com a técnica.[6]

Complicações

As complicações mais comuns são perfuração da dura-máter, punção subcutânea, bloqueio de apenas uma raiz sacral, injeção intravascular ou intraóssea, contaminação, altura inadequada do bloqueio e persistência de dermátomos não anestesiados (L_5, S_1, S_2). Raquianestesia total é possível, e dor no local da injeção ou nas costas é discutida, mas isso não é um problema relevante na prática clínica. Da mesma forma, a ocorrência de retenção urinária pode ser mais comum com um bloqueio caudal, mas os autores não observam aumento da necessidade de cateterismo vesical, na ausência de opioides neuraxiais ou cirurgia anterior peniana ou na bexiga. Na maioria das vezes, as complicações são tratadas com sucesso.[31]

Técnica

É clássico descrever a projeção cutânea do hiato sacro como o ângulo inferior de um triângulo equilátero, com os outros dois ângulos nas espinhas ilíacas posterosuperiores direita e esquerda (Figura 143.3). O hiato sacro está localizado na parte inferior do osso sacro e resulta da não fusão dos arcos posteriores da 5ª vértebra sacral. Nessa região, palpa-se, habitualmente, uma depressão em forma de U ou V invertido, cujas margens laterais são constituídas pelos cornos sacrais (resíduos embriológicos das apófises articulares inferiores da quinta vértebra sacral). É recoberto pela membrana sacrococcígea (ligamentos sacrococcígeos superficiais e profundos) que possui consistência elástica (Figura 143.4).

A técnica preconizada consiste em abordar o espaço peridural abaixo do cone medular e do saco dural, em um nível em que o canal sacral praticamente não contém raízes espinhais. O nível segmentar que a medula espinhal e o saco du-

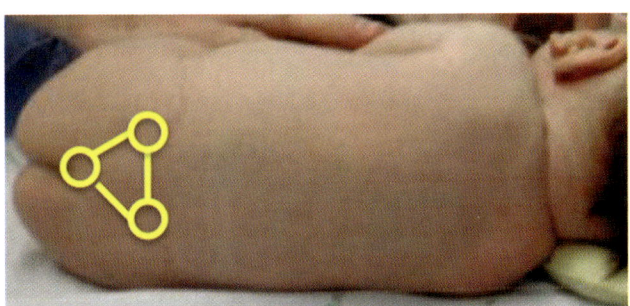

▲**Figura 143.3** Projeção cutânea do hiato sacro.

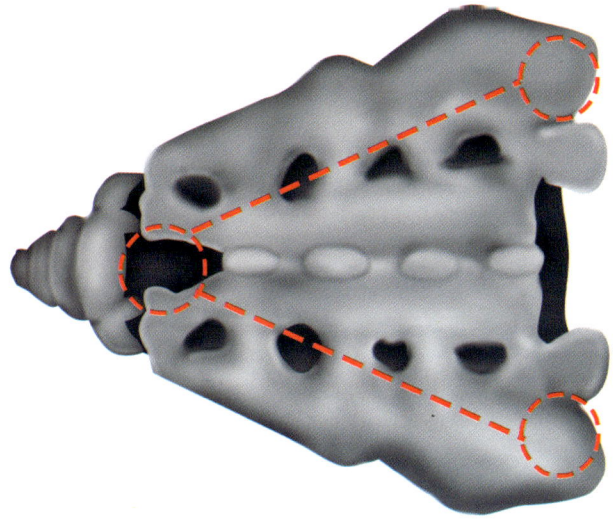

▲**Figura 143.4** Osso sacro.

ral terminam em um determinado paciente de acordo com a idade e o posicionamento do corpo. Em relação à idade, observa-se que o surto de crescimento puberal envolve o movimento craniano da terminação da medula espinhal de L_3 para um nível L_1-L_2 em 12 meses. Em contraste, autores observaram em população de estudo de crianças que o saco dural termina abaixo de S2 e S3 em 8% dos pacientes. Com relação ao posicionamento, a colocação lateral de pacientes com pescoço, quadris e joelhos flexionados ao máximo foi associada à mudança cefálica significativa do saco dural, ou seja, encontrar a posição correta para um paciente pode ajudar a evitar complicações.[6] O posicionamento para realização do bloqueio é o decúbito lateral com os quadris e os joelhos fletidos em 90°. As referências anatômicas utilizadas são a espinha ilíaca posterosuperior e o hiato sacral, que formam as bordas de um triângulo equilátero. A punção peridural é conseguida na região mais próxima do hiato sacral com a agulha inclinada de 45° a 60° em relação à pele. A agulha deve ser inserida logo abaixo do processo espinhoso de S_4. Após a perfuração da membrana, que obstrui o hiato sacro, a agulha deve ser apenas minimamente avançada, não mais do que 1 a 3 mm, a fim de evitar uma punção com sangue ou uma injeção subaracnóidea. A distância entre o saco dural e o local da punção pode ser extremamente curta, e injeção subaracnóidea acidental com uma anestesia espinhal total pode ocorrer. Com a flexão da coluna, o final do saco dural move-se em direção cranial, aumentando assim a margem de segurança. Até 1 ano de idade, a extensão peridural correta pode ser facilmente visualizada por ultrassonografia.[31]

As dimensões, a forma e a orientação do hiato sacro variam durante o crescimento. Com o passar dos anos, o ângulo se atenua e o hiato sacro tende a se fechar, fato que dificulta o procedimento após os 7 a 8 anos de idade. Entretanto, alguns autores relatam ossificação completa somente após os 25 a 30 anos de idade.

No lactente, o espaço peridural sacral é preenchido por um tecido de sustentação gorduroso pobre em fibras conjuntivas, no qual a difusão das soluções anestésicas é rápida e uniforme. Em torno dos 6 a 7 anos de idade, a gordura peridural se torna mais densa e rica em tecido fibroso, diminuindo a difusão do anestésico.

É uma região ricamente vascularizada e que apresenta comunicação praticamente livre com os espaços perineurais. Tal fato promove perda das soluções anestésicas pela via peridural ao longo dos nervos espinhais, principalmente na região do tronco lombossacral, o que contribui para a eficácia do bloqueio na criança, já que uma anestesia de boa qualidade pode ser obtida mesmo com soluções com menores concentrações.

Diferentes tipos de agulhas estão atualmente em uso. Agulhas hipodérmicas foram por muito tempo utilizadas, mas estudiosos afirmam que essa prática é perigosa por risco de propagação de células epidérmicas no canal espinhal. Há uma hipótese de que agulhas sem mandril podem aumentar o risco de tumores epidermóides. No entanto, a incidência de tumores epidermóides adquiridos é tão baixa que relatos de caso esporádicos são a única fonte de dados disponíveis. Um estudo de 2008 sugere que o transporte celular por agulhas caudais de qualquer tipo está confinado a células epiteliais não nucleadas. Acrescente-se a isso o menor risco de punção espinhal acidental em procedimentos peridurais caudais do que em epidurais torácicas. Assim, o risco de tumores epidermoides que se desenvolvem na sequência da anestesia caudal devem ser infinitesimais. De qualquer forma, como muitos centros tem uma política de aplicação de anestésicos locais transdérmicos antes dos bloqueios, a pré-punção com uma agulha hipodérmica pode ser uma estratégia adequada para evitar a disseminação do tecido epidérmico. A seleção do equipamento correto é essencial para o sucesso da anestesia caudal. Um estudo em larga escala mostrou que equipamentos inadequados levaram a complicações neurológicas evitáveis. Não é apropriado usar em crianças os mesmos materiais usados em adultos. O trauma tecidual diminui com o calibre da agulha. [6]

Com agulhas modernas, a quantidade de perfuração de tecido parece ser idêntica para os diferentes tipos de agulhas. Agulhas especialmente concebidas para anestesia caudal, com um bisel curto e um estilete, são uma boa escolha e, provavelmente, reduzem o risco de punção vascular.[31]

A extensão do bloqueio depende do volume administrado. O regime clássico de Armitage de dosagem caudal de bupivacaína a 0,25% é 0,5 mL.kg^{-1} para bloqueio sacro-lombar, 1 mL.kg^{-1} para bloqueio abdominal e 1,2 mL.kg^{-1} para bloqueio médio-torácico. No entanto, essas dosagens são pouco preditivas para extensão do AL, e a dose 'torácica' de 1,2 mL.kg^{-1} de bupivacaína a 0,25% excede a dose máxima habitualmente recomendada (1 mL.kg^{-1}). A ASRA/ESRA recomenda ropivacaína (0,2%) ou levobupivacaína/bupivacaína (0,25%) em volumes não superiores a 1 mL.kg^{-1}.

Deve-se considerar a dose tóxica do anestésico, adequando-se o volume à concentração, que varia de 0,125% a 0,25% de bupivacaína e levobupivacaína ou 0,2% a 0,35% de ropivacaína.

Embora a abordagem baseada em referências anatômicas para a anestesia caudal produza taxas de sucesso convincentes, também é propensa a falha. A orientação ultrassonográfica, em comparação, oferece duas principais vantagens: ajuda a identificar estruturas anatômicas e permite que a disseminação do anestésico local seja observada.[6] A US possibilita a visualização das estruturas anatômicas envolvidas no bloqueio, como hiato sacro, membrana sacrococcígea e cornos sacrais, facilitando o posicionamento da agulha no espaço correto (Figura 143.5) e, assim, evitando acidentes como a anestesia espinhal ou a punção inadvertida de vasos.[32] Para isso, um transdutor pediátrico (taco de hóquei) pode ser usado tanto longitudinal como transversalmente.

A introdução da agulha no espaço peridural caudal pode ser melhor observada com o transdutor em posição longitudinal mediana em relação à coluna, cerca de 1 cm acima do ponto de inserção, o que facilita a determinação do seu melhor ângulo de inserção. O turbilhonamento do anestésico local no espaço peridural é observado por meio de ambas as incidências, especialmente com o auxílio do Doppler. A US apresentou valores preditivos negativos maiores quando comparada à ausculta lombar para a confirmação do adequado posicionamento da agulha no espaço peridural caudal em estudo retrospectivo observacional.[33]

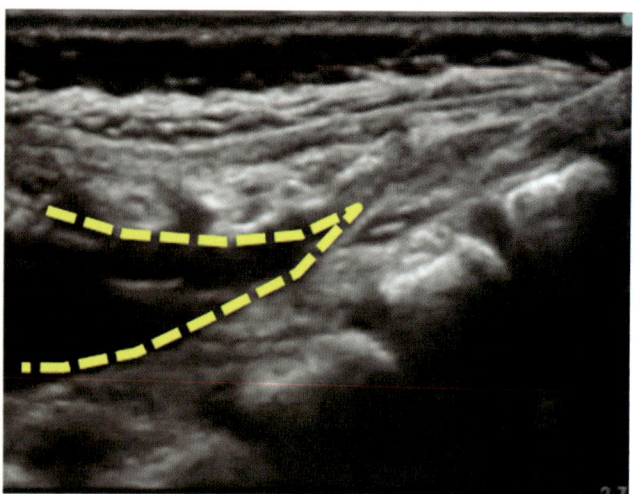

▲ **Figura 143.5** USG do bloqueio peridural caudal.

Não existem dados de estudos prospectivos de larga escala disponíveis atualmente para confirmar que a US oferece menor morbidade e resultados a longo prazo em crianças de qualquer faixa etária sob anestesia caudal.[6]

Ao se utilizar uma agulha Tuohy, é tecnicamente fácil inserir um cateter através do hiato sacral e usá-lo para alívio da dor intra ou pós-operatória. A proximidade da região anal desperta preocupações sobre o risco de contaminação bacteriana, e cuidados especiais devem ser tomados. Alguns especialistas aconselham tunelização dos cateteres caudais. Estudos envolvendo grande número de bloqueios, infecções graves não são relatadas, e o método parece seguro. No entanto, um aumento da incidência de colonização de cateteres caudais com bactérias gram-negativas é descrito. Como a maioria das complicações relacionadas à anestesia peridural caudal ocorre com técnicas contínuas e não com dose única, é forte a crença dos autores que cateteres caudais só devem ser utilizados em casos selecionados.[31]

Em uma revisão sistemática e metanálise comparando a eficácia analgésica entre a analgesia caudal e técnicas de bloqueios periféricos em crianças submetidas a cirurgias inguinais, a analgesia proporcionada pelo bloqueio peridural caudal mostrou-se superior em períodos precoces (até 4 horas) e tardios (4 a 24 horas). No entanto, essa técnica apresentou um risco significativamente maior de bloqueio motor e retenção urinária, quando comparada as técnicas de bloqueios periféricos. A qualidade da evidência, de acordo com o Granding of Recommendantion, Assessment, Development and Evaluation (GRADE), foi considerada moderada.[34]

Peridural Lombar

Técnica

O local preferível para executar a punção é L$_3$-L$_4$ ou L$_4$-L$_5$. Bloqueios em níveis mais altos exigem experiência e cautela do anestesiologista, devido ao risco de punção acidental da dura-máter e lesão medular. A técnica é similar àquela realizada no adulto, porém na criança o espaço peridural é mais superficial e possui menor capacitância. O espaço peridural é identificado pelo teste da perda de resistência, realizado com ar ou solução salina. Alguns estudos demonstram que o uso de solução salina diminui o risco de embolia aérea e promove melhor analgesia, pois o ar pode formar bolhas no espaço peridural, impedindo a dispersão homogênea do anestésico local.[34]

A ultrassonografia pode auxiliar a realização da peridural em crianças. Ao contrário do adulto, as ondas US passam com maior facilidade pela coluna lombar menos ossificada, gerando imagens muito claras das estruturas de interesse no bloqueio. Em crianças menores de seis meses a dura-máter é visualizada com frequência, permitindo observar a progressão da agulha de Tuohy em tempo real, dispersão do anestésico e a localização apropriada do cateter peridural, especialmente quando utilizam-se transdutores pediátricos na posição longitudinal paramediana. O ultrassom possibilita determinar a profundidade do ligamento amarelo e identificar as referências anatômicas adequadas para punção, particularmente vantajoso em crianças obesas.[35]

Após a realização do bloqueio com técnica de perda da resistência, também é possível confirmar o adequado posicionamento da agulha, observando a dispersão do volume de anestésico local no espaço peridural e o abaulamento ventral da dura-máter. Apesar de auxiliar na técnica do bloqueio peridural, o ultrassom não exclui a necessidade de realizar o teste de perda da resistência para confirmar o posicionamento adequado da agulha.[32]

Anestésicos Locais e Adjuvantes na Anestesia Peridural

A ropivacaína e a levobupivacaína são capazes de promover analgesia similar à da bupivacaína racêmica, apresentando menor cardio e neurotoxicidade. Habitualmente utilizam-se esses anestésicos em dose única para o intraoperatório, nas doses de 2 a 2,5 mg.kg^{-1} de bupivacaína, levobupivacaína e ropivacaína, respeitando-se a dose máxima de 3 mg.kg^{-1} para bupivacaína e de 3,5 mg . kg^{-1}, para levobupivacaína e ropivacaína, adequando-se o volume e a concentração para o nível de bloqueio desejado.[36] As doses tóxica em neonatos e lactentes é mais baixa. Em infusão contínua, para controle da dor pós-operatória, em neonatos utiliza-se infusão de 0,25 mg.kg^{-1}.h^{-1}, em concentrações de 0,125% de bupivacaína ou levobupivacaína, e 0,1% de ropivacaína. Em lactentes acima dos seis meses de idade, utiliza-se infusão de 0,5 mg.kg^{-1}.h^{-1} em concentrações de 0,25% de bupivacaína ou levobupivacaína e de 0,2% de ropivacaína.

Diversos adjuvantes já foram associados aos bloqueios de neuroeixo com o objetivo de prolongar a analgesia, inicialmente a adrenalina, seguida pelos opioides como morfina, fentanil e sulfentanil. Atualmente, nota-se um aumento na utilização de adjuvantes não opioides nos bloqueios peridurais, como a clonidina, e a diminuição da utilização de agentes opioides como a morfina. As doses recomendadas na prática pediátrica, nos bloqueios peridurais lombares ou sacrais, são de 1 a 2 µg.kg^{-1} de clonidina, melhorando a qualidade do bloqueio e prolongando a analgesia pós-operatória, com mínimos efeitos colaterais.[37]

A morfina associada aos bloqueios peridurais também é bastante utilizada na população pediátrica, nas doses de 30

a 50 µg.kg^{-1} pela via peridural. Em 2009, a sociedade americana de anestesiologia publicou diretrizes para os cuidados e identificação de riscos dos pacientes que recebem opioides no neuroeixo. Portanto, pacientes que recebem morfina no bloqueio peridural, devido ao risco de efeitos colaterais graves, como a depressão respiratória tardia, deverão permanecer em cuidados intensivos no período pós-operatório.[25]

Diretrizes atuais recomendam 10 a 30 µg.kg^{-1} para a morfina, mas desaconselham o fentanil ou o sufentanil. Esses dois, opioides lipofílicos, fornecem até 4 horas de anestesia efetiva, enquanto a morfina como fármaco solúvel em água é eficaz por até 24 horas.[6]

▪ BLOQUEIOS DE NERVOS PERIFÉRICOS

Os bloqueios de nervos periféricos recuperaram popularidade na prática diária de muitos anestesiologistas. A execução de bloqueios periféricos em pediatria apresenta taxas de sucesso e complicações semelhantes aos adultos. Embora muitos bloqueios de nervos periféricos sejam realizados em ambiente cirúrgico, o uso da AR em crianças se estende também às urgências e à Unidade de Terapia Intensiva (UTI).

Métodos para Localização dos Nervos Periféricos

O método mais comum para localização de nervos é com estimulador acoplado a uma agulha apropriada, progredindo na direção do nervo. O estimulador permite a localização precisa de nervos independentes e profundos. A estimulação de superfície ou o mapeamento de superfície são práticas especialmente úteis em pacientes com alterações anatômicas e com maior risco de complicações pela anestesia regional. Podem ser utilizadas em uma grande variedade de bloqueios de nervos periféricos, tanto no membro superior quanto no inferior.

A utilização da ultrassonografia como guia nos bloqueios de nervos aumenta significativamente a precisão e diminui potencialmente o risco de complicações neurológicas e sistêmicas. Um dos maiores benefícios do seu emprego é a visualização da dispersão do anestésico local dentro dos planos desejados. Entretanto, tal método requer treinamento e habilidade para a obtenção de bons resultados.[12]

Devido ao uso concomitante de anestesia geral, a eficácia intraoperatória dos bloqueios de nervos em crianças é avaliada indiretamente por meio de parâmetros hemodinâmicos.

Bloqueio de Membro Superior

O bloqueio de plexo braquial via axilar é o mais utilizado na população pediátrica para a correção de fraturas do terço distal do antebraço e supracondilianas, nas quais a via axilar promove analgesia adequada. Também é útil nas correções de malformações congênitas, como as sindactilias e nas confecções de fístulas arteriovenosas.[7] É indicado para procedimentos cirúrgicos ou dolorosos na face mediana do antebraço, braço e mão. Apresenta falha na região do ombro, referente ao nervo axilar, e efetividade nos territórios dos nervos ulnar, mediano e radial.

O bloqueio de plexo braquial via axilar é de fácil execução e quase desprovido de complicações, pela ausência de relações anatômicas com estruturas vitais, como pulmão e grandes vasos, por exemplo.

Relações anatômicas

O plexo braquial é derivado dos ramos ventrais das raízes nervosas de C_5 a T_1, recebendo também ramos de C_4 e T_2. As raízes emergem da coluna envoltas por uma fáscia que se estende desde os processos transversos até a axila. Em nível cervical, o feixe atravessa o espaço interescalênico, formado pelos músculos escaleno anterior e médio. As raízes convergem e formam os troncos superior, médio e inferior. Atrás da clavícula, os troncos dividem-se em fascículos e posteriormente em nervos que, no cavo axilar, agrupam-se ao redor da artéria axilar. É importante ressaltar que o nervo musculocutâneo deixa o envoltório ao nível do processo coracoide, ocasionando falhas no seu território de inervação (face lateral do antebraço). Essa é uma das limitações do bloqueio via axilar que pode ser minimizada ao posicionar a agulha em sentido cefálico durante a administração do anestésico, promovendo dispersão cefálica e favorecendo o bloqueio desse território (Figura 143.6).

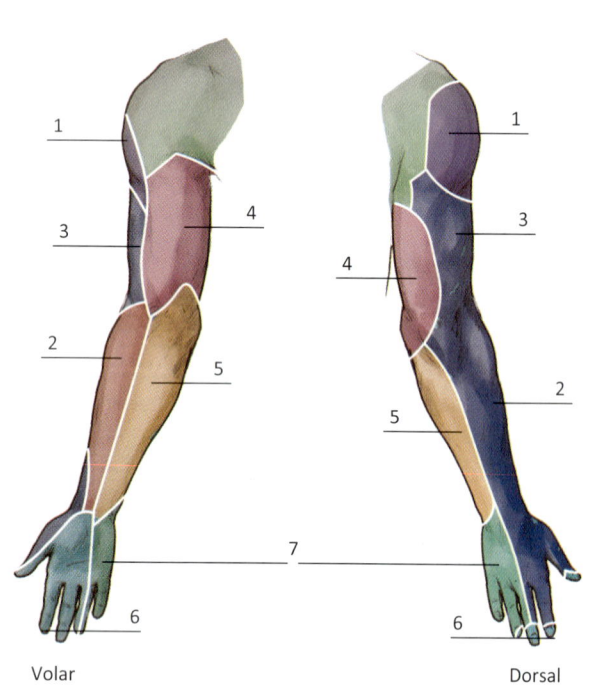

Volar — Dorsal

1 – nervo axilar
2 – nervo musculocutâneo
3 – nervo radial
4 – nervo cutâneo medial do braço
5 – nervo cutâneo medial do antebraço
6 – nervo mediano
7 – nervo ulnar

▲ **Figura 143.6** Suprimento sensitivo dos territórios do membro superior.

Contraindicações

O bloqueio do plexo braquial via axilar tem como contraindicações a incapacidade de abduzir o braço a 90°, lesões cutâneas no território axilar, infecção local, linfadenopatia axilar, fraturas que cursam com lesão neurológica e distúrbios de vascularização que podem se agravar pela compressão exercida pela solução anestésica.[38]

Técnica

A técnica clássica é realizada no cavo axilar, com o braço abduzido a 90° e externamente rodado. A punção perivascular é a preferida nas crianças, pois a transarterial tem maior risco de formação de hematoma. Após a injeção, o envoltório axilar torna-se ingurgitado, podendo-se realizar leve compressão distal com o objetivo de aumentar a dispersão cefálica e promover bloqueio do nervo musculocutâneo. O material para realização do bloqueio deve ser adequado à população pediátrica. A utilização de estimulador de nervo favorece alto índice de sucesso com baixa incidência de complicações neurológicas, porém no paciente anestesiado pode ocorrer lesão sensitiva do nervo, mesmo sem resposta motora com o uso do neuroestimulador.[12,38]

A ultrassonografia agrega segurança aos bloqueios de membro superior em crianças, especialmente nas outras técnicas além da via axilar, devido à proximidade do plexo braquial a estruturas nobres como pleura (supraclavicular e infraclavicular) e medula espinhal (interescalênico). Permitem menor latência, maior duração do bloqueio, uso de doses menores de anestésico local e qualidade do bloqueio igual ou superior se comparados à neuroestimulação. Os transdutores devem ser lineares e de alta frequência, pois o plexo braquial é muito superficial em crianças. O transdutor em taco de hóquei deve ser considerado em lactentes e crianças menores por permitir um contato pleno com a pele em locais em que os transdutores lineares maiores não se adaptam completamente, como na realização de bloqueios supraclaviculares e axilares.[12,38]

Anestésicos locais e doses

De forma prática pode-se utilizar 0,5 mL.kg^{-1} de volume total, calculando-se sempre a dose máxima do anestésico (Tabela 143.2) e adequá-la em volume, massa e concentração ao peso e idade da criança. Pode-se utilizar concentrações de 0,25% ou preparar soluções com concentração de 0,375%, adequando dose e volume.

Complicações

O bloqueio via axilar apresenta baixa incidência de complicações, representadas principalmente por hematoma, insuficiência arterial por vasoconstrição transitória, injeção intravascular com intoxicação sistêmica pelo anestésico local e lesões neurais que podem ser graves e ocasionar sequelas. Os mecanismos de lesão envolvem a injeção de anestésico intraneural, lesão isquêmica por vasoconstrição, toxicidade local e compressão do nervo por hematoma ou grandes volumes da solução anestésica. No paciente anestesiado é difícil identificar as falhas de bloqueio, que geralmente cursam com alterações dos sinais vitais. Ocorrem em torno de 6% dos

Tabela 143.2 Concentração e doses dos anestésicos locais.			
Anestésico local	**Concentração**	**Dose máxima**	**Com adrenalina**
Lidocaína	0,5 – 2%	5 mg.kg^{-1}	10 mg.kg^{-1}
Bupivacaína	0,25 – 0,5%	2 mg.kg^{-1}	3 mg.kg^{-1}
Ropivacaína	0,2 – 1%	3 mg.kg^{-1}	Não
Levobupivacaína	0,25 – 0,5%	3,5 mg.kg^{-1}	4,5 mg.kg^{-1}

Fonte: adaptada de *Fisher W, Bingham R, Hall R. Axillary brachial plexus block for perioperative analgesia in 250 children.*[38]

bloqueios via axilar, podendo ser completas ou parciais. Na sua presença, pode-se lançar mão de complementações com bloqueios periféricos do nervo ulnar, mediano e radial no nível do cotovelo ou punho, respeitando as limitações da faixa etária pediátrica e evitando o uso de neuroestimulador em nervos muito superficiais, devido ao risco de lesão neural.[38]

Bloqueios da Parede Abdominal

Nos últimos anos, houve um crescente interesse em bloqueios de parede abdominal com dados promissores sobre a eficácia. O Bloqueio do Plano Transverso Abdominal (*TAP block*) é uma técnica que foi desenvolvida nos anos 1980 e envolve múltiplas injeções de anestésico local na parede abdominal. Ele permite o bloqueio sensorial da parede abdominal inferior via depósito de anestésico local acima do músculo transverso abdominal. Essa técnica foi aperfeiçoada com uma técnica de referência anatômica, cega, por meio do triângulo lombar de Petit. A eficácia clínica da técnica baseada em referências anatômicas e, mais recentemente, técnicas guiadas por US é investigada em vários centros ao redor do mundo.

Dentre os bloqueios realizados no tronco anterior, o bloqueio dos nervos ilioinguinal e ílio-hipogástrico é o mais comumente realizado para a cirurgia na região inguinal, sendo um dos bloqueios do nervo periférico mais frequentes em crianças. Vários outros bloqueios nervosos também estão se tornando populares para fornecer analgesia para procedimentos nas regiões umbilical ou epigástrica. A US é particularmente benéfica para a realização desses bloqueios em crianças devido às estreitas relações anatômicas entre os nervos e as várias estruturas críticas abdominais. As técnicas convencionais muitas vezes incluem detecção subjetiva de "*pops*", "cliques", ou "sensações de coçar" na penetração do respectivo compartimento fascial, onde os nervos estão geralmente localizados. Visibilidade da fáscia, musculatura relacionada, aponeuroses e a dispersão do anestésico local com o auxílio do US podem melhorar as taxas de sucesso, permitindo a administração de menores volumes de anestésicos locais.[12,32]

Bloqueio do Plano Transverso da Parede Abdominal (*Tap Block*)

Anatomia

A inervação da parede abdominal anterolateral surge a partir dos ramos anteriores dos nervos espinais T_7 a L_1. Divisões do ramo anterior incluem os nervos intercostais (T_7-T_{11}), o nervo subcostal (T_{12}) e os nervos ílio-hipogástrico e ilioinguinal (L_1). Esses dão origem ao cutâneo lateral e ramos cutâneos anteriores à medida que se tornam mais superficiais. Os nervos intercostais T_7 a T_{11} saem dos espaços intercostais e correm em plano neurovascular entre os músculos oblíquo interno e transverso do abdome. O nervo subcostal (T_{12}) e os nervos ilioinguinal e ilio-hipogástrico (L_1) também viajam no plano entre o transverso abdominal e oblíquo interno, inervando esses músculos. Os nervos T_7-T_{12} continuam anteriores no plano transverso para perfurar o músculo reto abdominal e terminam como nervos cutâneos anteriores. Os nervos torácicos T_7 a T_{12} fornecem inervação motora para o *piramidalis* e o músculo reto. Esses nervos têm ramos cutâneos lateralmente no abdome. Os nervos T_7-T_{11} fornecem inervação sensitiva para pele, partes costais do diafragma, pleura parietal relacionada e peritônio, enquanto T_7 para a região epigástrica, T_{10} para umbigo e L_1 para prega inguinal.

Indicações

O *TAP* pode ser usado para qualquer tipo de cirurgia que envolve a parede abdominal inferior. Isso inclui cirurgia do intestino, apendicectomia, correção de hérnia, cirurgia umbilical, orquidopexias, laparotomias e laparoscopias. Uma única injeção pode determinar bloqueio sensorial sobre uma ampla área da parede abdominal. A extensão superior do bloqueio e sua utilização nas cirurgias de abdome superior são controversas. O *TAP* é particularmente útil nos casos em que a peridural está contraindicada ou há recusa do paciente. Pode ser realizado unilateral ou bilateral quando a incisão cirúrgica cruza a linha média. Uma única injeção pode ser usada ou um cateter pode ser inserido para benefício analgésico. Tem indicação na analgesia de resgate no pós-operatório em pacientes acordados que não receberam bloqueios para a cirurgia abdominal.

Técnica

O bloqueio pode ser realizado utilizando-se referências anatômicas. Rafi foi o primeiro a descrever as referências anatômicas superficiais para encontrar o triângulo de Petit, formado pela crista ilíaca na base, músculo grande dorsal posteriormente e músculo oblíquo externo anteriormente.[39] O local da punção é imediatamente acima da crista ilíaca posterior e na linha axilar média dentro do triângulo de Petit. Uma agulha de ponta romba 50 mm (24G) é inserida perpendicularmente à pele, até que um "clique" seja sentido, quando a agulha passa através das extensões da membrana fibrosa do músculo oblíquo interno. A ponta da agulha está entre as camadas da membrana fibrosa do oblíquo externo e interno. Maior avanço, com um segundo "clique", indica que a agulha avançou para o plano fascial acima do músculo transverso abdominal e, após a aspiração, o anestésico local é injetado. Jankovic e col.[40] estudaram o triângulo de Petit em uma série de cadáveres e encontraram que o local do bordo medial varia amplamente, mas é sempre posterior à linha axilar média. Nessa área, a camada muscular mais superficial é geralmente o oblíquo interno, no entanto, a US confirmou variabilidade do triângulo de Petit. Alguns pacientes têm três camadas musculares distintas (oblíquo externo, oblíquo interno e transverso abdominal), enquanto outros têm quatro camadas musculares distintas, presumivelmente causadas por uma sobreposição dos músculos oblíquo externo e grande dorsal,[18] o que traz dificuldades para a realização desse bloqueio, gerando controvérsia sobre a busca de um ou dois "cliques" para a realização do TAP baseado em referências anatômicas.

Estudos com US demonstram que os anestésicos são depositados no local correto em apenas 14% dos bloqueios. Hebbard e col., após observação de que as sensações de "cliques" na abordagem clássica eram imprecisas devido à variabilidade anatômica, descreveram uma abordagem com US em 2007 utilizando um transdutor orientado transversalmente no sentido anterolateral na parede abdominal, em que as três camadas musculares são mais distintas (Figura 143.7). Após a identificação do TAP entre os músculos abdominais oblíquo interno e transverso, o transdutor é deslocado posteriormente em toda a linha axilar média, imediatamente superior à crista ilíaca, ou seja, sobre o triângulo de Petit. A agulha é então introduzida. O ponto de inserção da agulha está mais próximo do transdutor em crianças do que em adultos. Essa técnica é conhecida como abordagem posterior e é a mais comumente relatada e publicada. Em 2009, Suresh e Chan descreveram uma variação na abordagem posterior do Hebbard para crianças, posicionando o transdutor mais lateralmente ao longo da parede abdominal para visualizar o grande dorsal e a origem do músculo abdominal transverso. A deposição do anestésico local mais perto da origem das raízes toracolombares permite melhor distribuição do fármaco em toda a parede abdominal. Em 2008, Hebbard também descreveu a abordagem subcostal especificamente para cirurgia de abdome superior. Nessa variação, a agulha penetra na pele numa área perto do apêndice xifoide.[12,39]

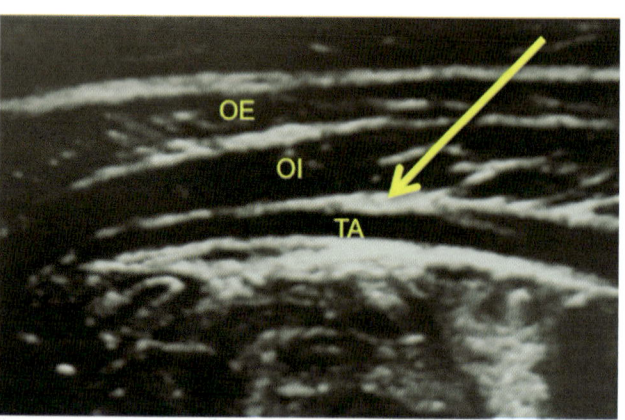

▲ **Figura 143.7** US do plano transverso abdominal.

A dose do anestésico local é determinada de acordo com idade, estado físico, área a ser anestesiada e peso. Suresh e Chan[1] defendem dose de bupivacaína 0,2 mL.kg[-1] com um volume máximo de 20 mL injetado em cada lado para as crianças, limitando a dose de bupivacaína em 2 mg.kg[-1] em RN, 3 mg.kg[-1] em crianças e 4 mg.kg[-1] em adolescentes, a fim de evitar toxicidade. Evidências para apoiar qualquer regime anestésico local em particular, bem como a farmacocinética e os riscos de toxicidade sistêmica do bloqueio TAP, permanecem insuficientemente estudados em crianças. Estudo prospectivo randomizado com o objetivo de comparar os efeitos analgésicos e investigar o perfil farmacocinético da levobupivacaína (0,4 mg.kg[-1]) após o bloqueio TAP guiado por US, com solução de baixo volume/alta concentração (0,1 mL.kg[-1] de levobupivacaína a 0,4%) ou de alto volume/baixa concentração (0,2 mL.kg[-1] de levobupivacaína a 0,2%) incluiu 65 crianças agendadas para cirurgia abdominal ambulatorial. O número de pacientes que recebeu analgesia de resgate e os escores médios de dor face, legs, cry, consolability scale (FLACC) na alta da SRPA não diferiram entre os grupos. O perfil farmacocinético da levobupivacaína foi comparável nos dois grupos e foi associada a um risco muito baixo de toxicidade sistêmica do anestésico local.[41]

Bloqueio da Bainha do Reto

Os bloqueios da bainha do reto de injeção única guiados por US são usados para analgesia pós-operatória após incisões abdominais na linha média, como a herniorrafia umbilical. O oitavo ao décimo primeiro nervos intercostais viajam lateralmente entre os músculos transverso e oblíquo interno do abdome e, no nível da linha semilunar, penetram na bainha do reto para viajar entre a parede posterior da bainha do reto e o músculo reto do abdome. Bilateralmente, as aponeuroses dos três músculos abdominais laterais formam a bainha do reto. As bainhas se unem na linha alba e juntas envolvem o músculo reto abdominal. O bloqueio da bainha do reto visa colocar anestésico local entre o aspecto posterior da bainha do reto e o músculo reto abdominal.[12]

Para o bloqueio da bainha do reto, o transdutor é colocado sobre a linha semilunar (no aspecto lateral do músculo reto abdominal) em um nível abaixo do umbigo, e a borda lateral do músculo reto. Uma agulha de bisel curto é inserida em uma abordagem no plano na borda inferior do transdutor linear, tipo taco de hóquei. A ponta da agulha é colocada dentro da bainha do reto próximo ao aspecto posterior do músculo reto do abdome. Após aspiração negativa, a solução de anestésico local é injetada; a expansão do espaço entre a bainha e a face posterior do músculo reto indica o posicionamento adequado da agulha. Recomenda-se doses de 0,1 a 0,2 mL.kg[-1] de anestésico local. A localização exata é necessária, pois o espaço é pequeno, sendo fundamental observar a hidrodissecção para encontrar o plano correto.[12,43]

Estudo determinou a distribuição superior e inferior do anestésico local e calculou a incidência de casos com disseminação até a margem subcostal e abaixo do umbigo, correlacionando a disseminação com o volume administrado, com idade, peso, altura, sexo e índice de massa corporal do paciente. O volume médio injetado de ropivacaína foi de 8,3 ± 2,8 mL (direita) e 8,2 ± 2,8 mL (esquerda). A dispersão média foi medida como 3,9 ± 1,4 cm (direita) e 3,4 ± 1,3 cm (esquerda) cranial ao umbigo e 1,5 ± 1,6 cm (direita) e 1,6 ± 1,4 cm (esquerda) caudal ao umbigo. A dispersão completa até o nível da margem subcostal foi observada em 52,9% (direita) e 36,8% (esquerda) dos casos. A propagação correlacionou-se estreitamente com o volume de ropivacaína injetada. A propagação abaixo do umbigo foi de 70,6% (direita) e 80,9% (esquerda). Houve uma forte correlação positiva entre a distribuição total de anestésico e idade, peso e altura. Os autores concluíram que após bloqueios da bainha do reto de injeção única, guiados por US, pode-se esperar uma distribuição cefalo-caudal incompleta da medicação dentro da bainha do reto posterior.[42]

Bloqueios dos Nervos Illioinguinal e Ílio-hipogástrico

O bloqueio dos nervos ilioinguinal e ílio-hipogástrico está indicado em herniorrafias inguinais, orquidopexias, correções cirúrgicas de hidrocele, cistos de cordão, além de apendicectomias, quase exclusivamente para controle da dor pós-operatória, promovendo analgesia completa da região inguinal de forma tão efetiva quanto o bloqueio caudal, com duração que varia de 6 a 8 horas. A imprecisão dos pontos de injeção explica porque algumas vezes os resultados são incertos, com falha de aproximadamente 10% dos bloqueios, podendo chegar a 30%.[43] Não existem contraindicações específicas ao bloqueio ilioinguinal, somente as inerentes a qualquer bloqueio regional.

Relações anatômicas

Os nervos ilioinguinal e ílio-hipogástrico são ramos terminais do plexo lombar que apresentam trajetos paralelos, dirigindo-se ventral e caudalmente à parede abdominal. O nervo ílio-hipogástrico cruza o músculo transverso do abdome e dirige-se posteriormente ao músculo oblíquo interno, até a região da crista ilíaca, onde divide-se em dois ramos responsáveis pela inervação da parede abdominal acima da pube. O nervo ilioinguinal cruza o músculo transverso do abdome e o músculo oblíquo interno ao nível da crista ilíaca, atingindo, no canal inguinal, o cordão espermático nos homens e o ligamento redondo do útero nas mulheres. Supre a inervação sensitiva da porção superior do saco escrotal, a porção medial da coxa e da raiz do pênis nos homens e dos grandes lábios nas mulheres.[43,44]

Técnica

O objetivo da técnica consiste em realizar uma infiltração abaixo da aponeurose do músculo oblíquo interno, atingindo os dois nervos e suas ramificações. O bloqueio pode ser realizado no início ou ao término da cirurgia. Há pelo menos três técnicas descritas: infiltração direta do anestésico local na proximidade dos nervos, depois da incisão; instilação de anestésico local ao final da dissecção cirúrgica e antes do fechamento; e infiltração percutânea de anestésico local dentro dos planos da fáscia, circundando os nervos antes da incisão cirúrgica.[43]

Uma das técnicas consiste em se traçar uma linha entre a espinha ilíaca anterossuperior e o umbigo, mais ou menos 1 cm medial e inferior à espinha ilíaca, introduzindo-se uma agulha de bisel curto, num ângulo de 45° a 60° com a pele, em direção caudal e medial. Ao atravessar a aponeurose do músculo oblíquo externo, sente-se perda de resistência e injeta-se metade da solução anestésica. Então, aprofunda-se a agulha, atingindo o espaço entre o músculo oblíquo interno e o transverso do abdome, injetando-se o anestésico restante (Figura 143.8).

Os nervos ilioinguinal e ílio-hipogástrico podem também ser bloqueados com auxílio da US (Figura 143.9). Nessa técnica, utiliza-se um transdutor linear pediátrico (taco de hóquei) medial à crista ilíaca, longitudinalmente à linha que une a espinha ilíaca anterossuperior à cicatriz umbilical. Nessa incidência, é possível observar ambos os nervos, que aparecem como estruturas ovais e hipoecogênicas circundadas por bainha hiperecogênica, localizadas entre os músculos oblíquo interno e transverso. Os nervos situam-se em média a 7 mm medialmente à crista ilíaca e a 8 mm de pro-

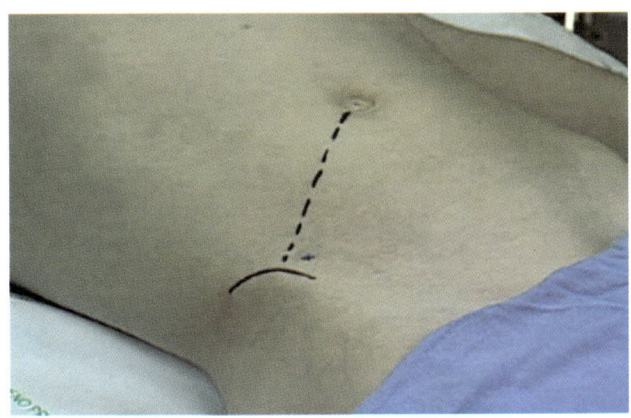

▲**Figura 143.8** Projeção cutânea dos pontos anatômicos para o bloqueio dos nervos ilioinguinal e iliohipogástrico.

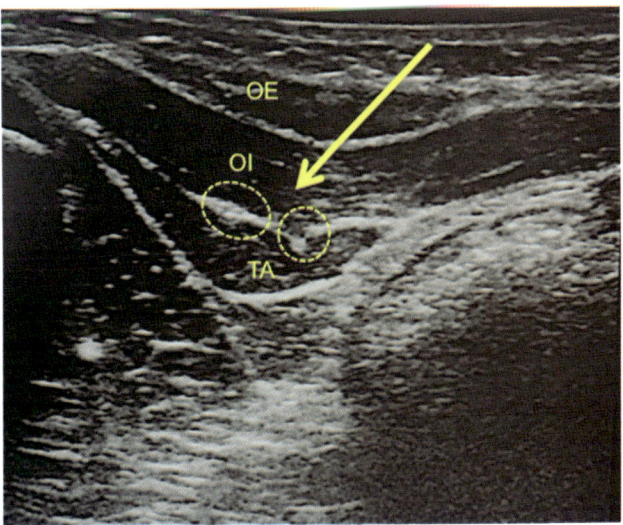

▲**Figura 143.9** Imagem (US) dos nervos ilioinguinal e ílio-hipogástrico.

fundidade, e podem ser bloqueados avançando a agulha em plano ou fora de plano. Recomenda-se a utilização de 0,1 a 0,2 mL.kg^{-1} de anestésico local, dependendo da concentração do anestésico e da duração desejada do bloqueio.[12]

Complicações

Há poucas complicações descritas, podendo citar: as perfurações de colo, formação de hematoma pélvico, injeção intraneural e intravascular. A toxicidade neural pelo anestésico local e a paralisia transitória do nervo femoral podem acometer até 5% das crianças que recebem esse tipo de bloqueio.[43]

Bloqueio do Nervo Dorsal do Pênis

O bloqueio peniano é de fácil execução, com taxa de sucesso de 93,5%,[44] seguro e tão efetivo quanto o bloqueio caudal. O bloqueio dos nervos dorsais do pênis é considerado a melhor técnica para analgesia intra e pós-operatória para cirurgias do prepúcio (circuncisão, fimose e parafimose) e para cirurgias de hipospádias que não envolvam a raiz do pênis. Não há contraindicações, mas como o nervo passa próximo à artéria dorsal do pênis, que é um ramo terminal, não se deve utilizar anestésico local com adrenalina, devido ao risco de isquemia e necrose.[44]

Relações anatômicas

O pênis é inervado principalmente pelo nervo dorsal à direita e à esquerda, ramos terminais do nervo pudendo. O nervo dorsal do pênis emerge abaixo da sínfise púbica, atravessa o espaço subpúbico, penetra no ligamento suspensor do pênis e corre lateralmente às artérias e veias dorsais do pênis, internamente à fáscia de Buck. Supre a glande e quase todo o corpo do pênis, exceto a região proximal e escrotal, que são supridas por alguns ramos do nervo gênitofemoral e ilioinguinal.[44,45]

Técnica

Várias são as técnicas descritas para realização do bloqueio peniano. A técnica de Bacon é a mais utilizada e consiste na administração de anestésico local no espaço subpúbico, que é rico em tecido frouxo e gorduroso e pobre em elementos vasculares. Os pontos de referência são a sínfise púbica, o bordo inferior dos ramos iliopúbicos e a linha média. Para a execução do bloqueio, deve-se tracionar o pênis caudalmente, mantendo a fáscia de Scarpa sob tensão (**Figura 143.10**), e introduzir uma agulha de bisel curto perpendicularmente à pele abaixo da sínfise púbica (**Figura 143.11**). Nota-se uma resistência elástica correspondente à fáscia de Scarpa e, ao atravessá-la, ocorre perda de resistência. Injeta-se o anestésico local bilateralmente e os nervos dorsais do pênis são atingidos por difusão. A dose recomendada de bupivacaína é de 0,25% a 0,5%, sem adrenalina, o que equivale 0,5 a 1 mg.kg^{-1}, ou em volume de 0,1 mL.kg^{-1} em cada lado. A latência do bloqueio peniano é de aproximadamente 15 minutos, e sua duração pode chegar a até 24 horas de analgesia no pós-operatório.[44,45]

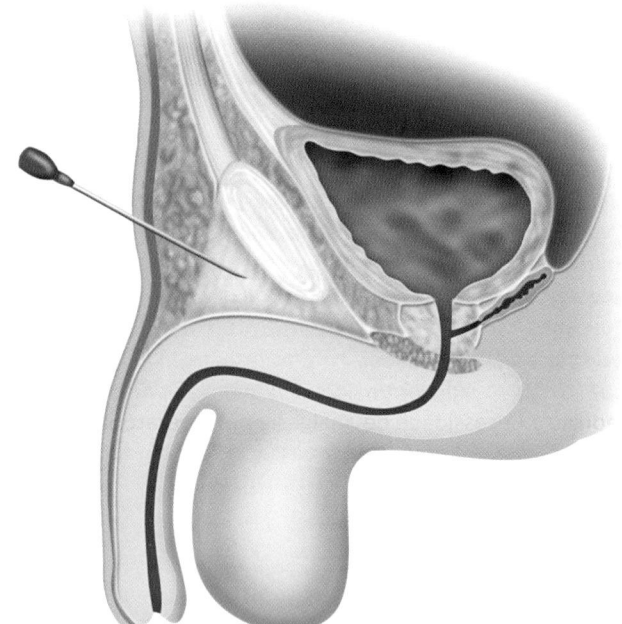

▲ **Figura 143.10** Bloqueio peniano.

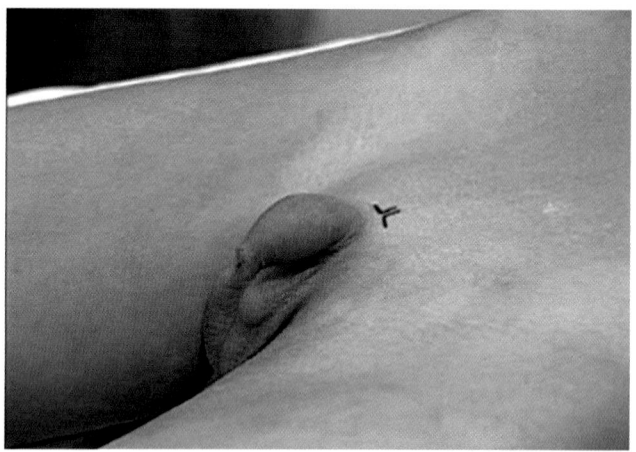

▲ **Figura 143.11** Projeção cutânea da sínfise púbica.

Apesar da descrição de técnicas de bloqueio peniano guiadas por US, seu papel ainda não está estabelecido na literatura. Para a técnica com auxílio da US, um transdutor "taco de hóquei" é utilizado. O transdutor é colocado verticalmente sobre a sínfise púbica e na base do pênis, uma visão sagital da haste peniana é produzida. A fáscia de Scarpa é vista como uma linha hiperecogênica superficial ao pênis. Sob a orientação em tempo real, a agulha é inserida e avançada até que a sua ponta fixe na fáscia profunda de Scarpa (isto é, dentro do espaço subpúbico), onde o anestésico local é depositado. Tal como na técnica de referência anatômica, a técnica de dupla punção (isto é, a inserção da agulha em ambos os lados da linha média imediatamente distal ao ramo inferior da sínfise) é empregada. A realização desse bloqueio guiado por USG, em geral, leva mais tempo para ser executada.[45]

Com o objetivo de comparar o bloqueio do nervo dorsal peniano guiado por US com o orientado por referências anatômicas, 310 crianças pré-púberes, com idades entre 52 semanas pós-conceptual e 11 anos, foram incluídas em ensaio clínico controlado randomizado com observador cego com 0,1 mL.kg^{-1} de levobupivacaína a 0,5% bilateralmente. A proporção de pacientes que necessitou analgésicos no pós-operatório não diferiu significativamente entre os dois grupos. Os escores de dor, incidência de náusea e vômito no pós-operatório e tempo de alta também não foram diferentes. No entanto, o tempo de execução da anestesia foi significativamente maior no bloqueio do nervo peniano dorsal guiado por ultrassonografia. Os autores concluíram que, o bloqueio do nervo dorsal peniano guiado por US, não reduziu a necessidade de analgesia pós-operatória após circuncisão em crianças, mas foi associado a um aumento no tempo de procedimento.[46]

Complicações

O bloqueio peniano pode apresentar sérias complicações, principalmente quando da utilização inadvertida de adrenalina associada ao anestésico local. Como exemplos de consequências indesejáveis, pode-se citar injeção intravascular acidental do anestésico local, punção inadvertida do corpo cavernoso e compressão dos nervos dorsais por administração de grandes volumes de anestésico, ocasionando desde hematomas simples até isquemia e necrose peniana.[44]

Bloqueios de Membros Inferiores

Os bloqueios de nervos em membros inferiores são usados para procedimentos ortopédicos, cirúrgicos, manipulações e fisioterapia. São de grande valia nos acessos unilaterais, promovem analgesia duradoura e evitam o bloqueio motor decorrente dos bloqueios do neuroeixo.

Relações anatômicas

O plexo lombar, localizado no compartimento do músculo psoas, é formado por uma pequena porção das raízes de T_{12} e raízes de lombares L_1-L_4. Emerge do espaço paravertebral e se divide em três nervos: femoral, cutâneo lateral e obturador (Figura 143.12). O nervo femoral é um nervo misto, provê inervação motora ao músculo quadríceps e inervação sensorial da parte anterior e medial da coxa. O nervo safeno, ramo do femoral, propicia inervação abaixo do joelho para a direção medial da perna e pé. O nervo cutâneo lateral é um ramo sensorial com inervação para a coxa lateral, já o nervo obturador é primariamente motor para os músculos adutores da perna com algumas raízes sensoriais para coxa e joelho. O plexo sacral é derivado dos ramos anteriores de L_4-L_5 e S_1-S_3, de onde se originam o nervo isquiático e o cutâneo posterior da coxa. O isquiático é um nervo misto, que proporciona inervação sensorial e motora para a parte posterior da coxa e das pernas, além de se dividir em nervo fibular e nervo tibial posterior.

Anestésicos locais e doses

Bloqueios de nervos da extremidade inferior requerem mais solução de anestésico local que os bloqueios da extremidade superior. Crianças abaixo de 8 anos de idade podem receber 0,5 a 1 mL.kg^{-1} de bupivacaína 0,25% ou ropivacaína 0,2%. As crianças acima de 8 anos podem requerer concentrações mais altas, como 0,5 mL.kg^{-1} de bupivacaína 0,5% ou ropivacaína 0,5%. Recomenda-se adicionar epinefrina 1:200.000 para diminuir a absorção do anestésico local. Se múltiplos bloqueios são realizados, a dose total de anestésico para ambos os bloqueios não deve exceder a dose máxima calculada para peso e idade. Para infusão contínua, em nervo periférico, a dose sugerida de anestésico local é 0,2 mg.kg^{-1}.h^{-1} de ropivacaína 0,1% ou levobupivacaína 0,125% em RN e lactentes; em crianças maiores é 0,3 a 0,4 mg.kg^{-1}.h^{-1} de ropivacaína 0,1% ou levobupivacaína 0,125%.

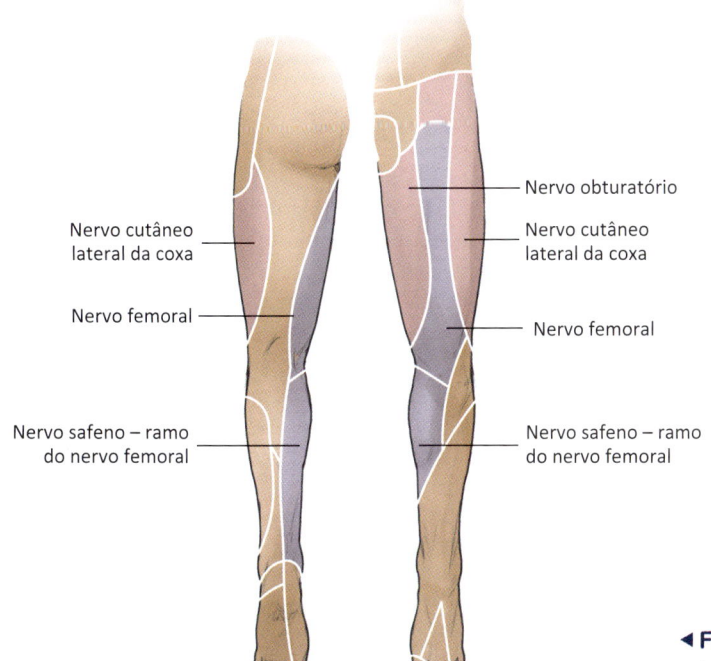

Nervo obturatório

Nervo cutâneo lateral da coxa

Nervo cutâneo lateral da coxa

Nervo femoral

Nervo femoral

Nervo safeno – ramo do nervo femoral

Nervo safeno – ramo do nervo femoral

◄ **Figura 143.12** Território sensitivo da inervação dos membros inferiores.

Bloqueio do Nervo Femoral

O bloqueio do nervo femoral, localizado no nível da prega inguinal, lateralmente à artéria femoral, é realizado para procedimentos nas extremidades inferiores em crianças.

Técnica

A agulha deve ser inserida lateralmente ao pulso da artéria femoral, provocando contração do músculo quadríceps. Após aspiração cuidadosa, a solução de anestésico local (0,2 a 0,3 mL.kg⁻¹) é injetada. O bloqueio do nervo femoral guiado por US é de simples execução, visto que o nervo é superficial e localiza-se muito próximo à artéria femoral, que serve de referência anatômica para a imagem ultrassonográfica adequada.[12] Deve-se utilizar transdutor linear pediátrico paralelo e inferior à crista ilíaca até que a artéria femoral comum seja observada. O nervo encontra-se imediatamente lateral à artéria e abaixo da fáscia ilíaca, com formato triangular e aspecto hiperecoide. A agulha pode ser inserida longitudinal ou transversal ao transdutor. É fundamental que o anestésico local seja injetado abaixo da fáscia ilíaca para sua adequada dispersão. Doses de 0,1 a 0,2 mL.kg⁻¹ são geralmente suficientes para um bloqueio eficaz.[12]

Complicações

Administração intravascular é prevenida por aspiração cuidadosa, injeção lenta e gradual do volume de anestésico local. O risco de injeção intraneural pode ser reduzido pela localização do nervo com o estimulador (> 0,2 mA). Apesar de não existirem evidências diretas, alguns autores relatam menor número de punções vasculares inadvertidas quando o bloqueio é realizado com o auxílio do US.[12]

Bloqueio do Nervo Isquiático

Várias técnicas são descritas para o bloqueio do nervo isquiático em crianças, porém as abordagens mais utilizadas são a infraglútea e na fossa poplítea. O plexo sacral abrange o nervo isquiático, que proporciona a inervação da parte posterior da coxa, da perna e de grande parte do pé, com exceção da porção média, inervada pelo femoral.[12]

Bloqueio do nervo isquiático – abordagem infraglútea

O bloqueio do nervo isquiático infraglúteo é de fácil abordagem na criança sob anestesia geral, tanto na posição lateral como em posição supina com elevação da perna. Delimita-se a linha infraglútea, que se estende do trocanter maior do fêmur à tuberosidade isquiática. Deve-se identificar o tendão femoral do bíceps, pois o local de punção é no meio da linha sob o tendão (Figura 143.13). Introduz-se a agulha, progredindo em direção anterior e cefálica num ângulo de 60° a 70°. A inversão do pé indica estímulo do nervo tibial. A flexão plantar também é indicador de posicionamento adequado. Se, ao contrário, nota-se eversão, a agulha é retraída até a pele e inserida medialmente. O bloqueio é praticamente desprovido de complicações. Há o risco de injeção intravascular, que pode ser minimizado por aspiração cuidadosa antes da administração do anestésico (0,5 mL.kg⁻¹ da solução de anestésico local).

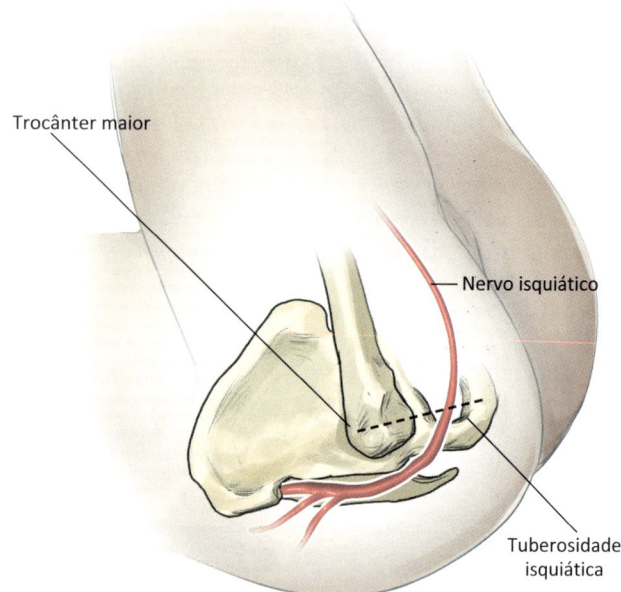

Trocânter maior

Nervo isquiático

Tuberosidade isquiática

▲ **Figura 143.13** Pontos anatômicos do bloqueio isquiático.

As mesmas referências anatômicas acima descritas são utilizadas para a realização do bloqueio do nervo ciático infraglúteo guiado por US. Devemos utilizar transdutores lineares na maioria das crianças, mas transdutores curvos de baixa frequência devem ser considerados em crianças maiores, pois o nervo isquiático pode encontrar-se mais profundo. O nervo geralmente aparece em formato elíptico e hiperecoico, logo abaixo do músculo glúteo máximo. O bloqueio contínuo do nervo isquiático com auxílio do ultrassom foi bem descrito na literatura.[32] Agulha e cateter são mais frequentemente inseridos através de abordagem transversal ao transdutor (fora de plano). A localização do cateter e a dispersão do anestésico local podem ser confirmadas durante o procedimento, aumentando a segurança do bloqueio.[12,46]

Bloqueio do nervo isquiático – abordagem na fossa poplítea

A fossa poplítea é uma área losangular com um triângulo formado na parte superior pelo tendão do semitendinoso, medialmente pelo semimembranoso e lateralmente pelo tendão femoral do bíceps. Há duas possibilidades de abordagem para o nervo isquiático na fossa poplítea – a lateral e a posterior. O nervo isquiático divide-se em nervo fibular comum e nervo tibial, que se localizam na porção lateral e medial da fossa poplítea, respectivamente (Figura 143.14). A ramificação do nervo isquiático geralmente é observada 5 a 8 cm acima da prega poplítea. A bainha epineural envolve os dois nervos, tibial e fibular comum, favorecendo o bloqueio completo de ambos.[46]

Abordagem lateral da fossa poplítea

Após indução da anestesia, o joelho é fletido no local do bloqueio, identificando-se o tendão do bíceps femoral.

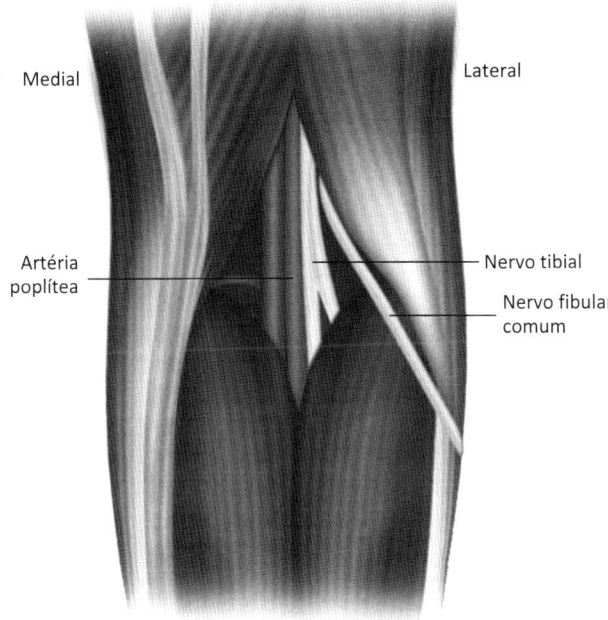

Medial

Lateral

Artéria
poplítea

Nervo tibial

Nervo fibular
comum

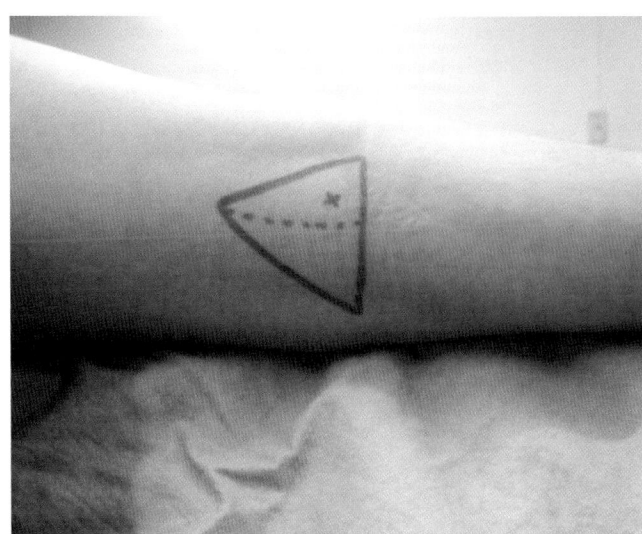

▲ **Figura 143.14** Pontos anatômicos da fossa poplítea.

Coloca-se a agulha entre os tendões do vasto femoral e do bíceps, num ângulo de 30°, 5 a 6 cm acima da prega poplítea. Dorsiflexão plantar, eversão ou inversão confirmam a posição da agulha nas proximidades da divisão do nervo isquiático, administrando-se o anestésico local nesse ponto. No bloqueio poplíteo administra-se volume de 0,5 mL.kg^{-1}, com volume máximo de 20 mL, respeitando-se os limites das doses tóxicas dos anestésicos locais. Alternativamente um cateter pode ser inserido para promover infusão contínua e tempo maior de analgesia.

Abordagem posterior da fossa poplítea

Embora esta seja a abordagem clássica da fossa poplítea, implica na colocação do paciente em decúbito ventral. Na população pediátrica, devido ao baixo peso e facilidade de movimentação, pode-se alternativamente elevar a perna. Após a identificação de cada nervo, executam-se individualmente os bloqueios com auxílio do estimulador de nervo. O nervo tibial é localizado pela resposta de inversão e flexão plantar e o fibular comum, na presença de eversão e dorsiflexão. O volume total para nervos bloqueados individualmente pode ser reduzido para 0,2 mL.kg^{-1}. Isso é particularmente vantajoso em crianças, pois diminui os riscos de toxicidade pela solução de anestésico local. O bloqueio na fossa poplítea também é praticamente desprovido de complicações. São raras as ocorrências de injeção intravascular e a lesão neural.

O ultrassom é particularmente útil nos bloqueios de nervo isquiático na fossa poplítea, pois o nível da divisão do nervo isquiático em seus ramos fibular comum e tibial apresenta certa variabilidade entre os pacientes. Por se tratar de nervos superficiais, os transdutores lineares são os mais adequados. Com o paciente em decúbito lateral ou ventral e o transdutor em posição transversal ao feixe vásculo-nervo-

so, deve-se pesquisar artéria e veia tibial (poplítea) a partir da crista poplítea. O nervo tibial encontra-se próximo aos vasos tibiais, e o nervo fibular comum um pouco mais anterior e lateral. Ao movimentar-se o transdutor cranialmente, observa-se a confluência dos nervos acima em uma mesma bainha, formando o nervo isquiático, cuja imagem tem aspecto ovalado, hiperecoico e de certo destaque entre os músculos que o circundam.[12,32]

A comparação entre as técnicas de neuroestimulação e de ultrassom nos bloqueios de membro inferior em crianças mostraram que os bloqueios de membros inferiores, quando realizados sob US e por meio da técnica de redirecionamento da agulha (certificando-se que os nervos foram completamente envolvidos pelo anestésico local), apresentam maior duração, mesmo com doses menores.[47] Embora aparentemente mais eficazes, há maior necessidade de evidências científicas da superioridade das técnicas guiadas por US.

Novos Bloqueios

Atualmente, observa-se aumento no número de publicações científicas abordando novas modalidades de bloqueios guiados por US na população pediátrica. Relatos e séries de casos relacionam a utilização dos bloqueios do quadrado lombar e do eretor da espinha para analgesia intra e pós-operatória. No entanto, a falta de evidências robustas não permitem a indicação clínica rotineira na prática pediátrica. Novos estudos ainda são necessários para avaliação da efetividade, indicações e segurança relacionadas a essas técnicas.

Quadrado Lombar

Uma variedade de abordagens também foi descrita para o bloqueio do quadrado lombar, que é essencialmente uma abordagem mais proximal ao nervo espinal ou intercostal do que o bloqueio do TAP. A distribuição do bloqueio do quadrado lombar difere com a abordagem usada. Com a abordagem lateral, o agente anestésico local situa-se lateralmente ao quadrado lombar e posteriormente à fáscia toracolombar. Com a abordagem anterior, o anestésico local é colocado no plano entre o músculo quadrado lombar e o músculo psoas maior com dispersão no espaço paravertebral. E a abordagem posterior coloca o anestésico local posterior ao quadrado lombar e grande dorsal, lateralmente ou anteriormente ao músculo eretor da espinha. Já a abordagem intramuscular coloca o anestésico local dentro do músculo quadrado lombar e bloqueia o nervo, enquanto ele atravessa o músculo. Cada um deles, assim como outros descritos, tem diferenças sutis na distribuição dos bloqueios.[47]

Bloqueio pudendo

As indicações para o bloqueio do nervo pudendo são praticamente as mesmas cirurgias perineais para as quais os bloqueios caudais são usados. Isso inclui operações para hipospádia, fimose, incisões perineais e incisões inguinoscrotais, incluindo orquidopexias. O bloqueio do nervo pudendo confere maior qualidade e duração da analgesia (comparado aos bloqueios caudais) para circuncisões, cirurgias penianas e hipospádias. As taxas de sucesso do bloqueio do nervo pudendo são relatadas > 85%, menor do que as taxas de sucesso com a técnica caudal de 99%. O nervo pudendo origina-se das raízes nervosas espinhais S2 a S4, viaja com a artéria e veias pudendas dentro do canal de Alcock, e, então, se divide terminalmente: no nervo dorsal do pênis/clitóris, no nervo perineal e no nervo retal inferior. O bloqueio é realizado guiado por US com os quadris totalmente abduzidos ("posição da perna de rã") ou com um assistente suspendendo ambas as pernas totalmente estendidas no ar em um ângulo de 90° em relação ao tronco ("posição da fralda") (Figura 143.15). Dois pontos de entrada às 3 e 9 horas, 2 e 2,5 cm lateralmente ao ânus, são identificados (mais para uma criança maior). A sonda de US é colocada em um eixo estendido, ao longo de uma linha imaginária, conectando a tuberosidade isquiática ao ânus. Técnicas dentro e fora do plano são descritas. O Doppler colorido auxilia na identificação da artéria pudenda pulsante. Pode-se supor que o nervo pudendo esteja no feixe neurovascular adjacente a essa artéria. Uma agulha de bisel curto de 22G de 50 mm é avançada sob orientação de US em tempo real na fossa isquiorretal. Um "pop" distinto pode ser percebido quando a agulha perfura o ligamento sacrotuberal. A infiltração de 0,3 e 0,4 mL.kg^{-1} de bupivacaína a 0,25% é adequada. Um estimulador de nervo pode ser usado para provocar uma resposta motora (contração do esfíncter anal, bulboesponjoso ou músculo perineal transverso) e, assim, facilitar a precisão do posicionamento da ponta da agulha. A duração típica da analgesia conferida por um bloqueio do nervo pudendo é de cerca de 8 horas.[47]

■ BLOQUEIOS DA PAREDE TORÁCICA

Bloqueio Paravertebral

A anestesia paravertebral é frequentemente usada para toracotomia, laparotomia e reparo do pectus, mas também com frequência crescene para cirurgias minimamente invasivas, como laparoscopia e toracoscopia. A anestesia paravertebral fornece anestesia somática ipsilateral de dermátomos toraco-abdominais e simpatólise química transitória. Cateteres paravertebrais bilaterais ou unilaterais são úteis para prolongar a duração da analgesia. Pontuações semelhantes de dor pós-operatória são observadas ao comparar cateteres paravertebrais com cateteres caudal-torácico em lactentes submetidas a grande cirurgia de abdome superior. Para procedimentos de reparo de *pectus excavatum* (Nuss/Ravitch), pacientes com bloqueios paravertebrais bilaterais têm escores de dor mais baixos, menos uso de opioi-

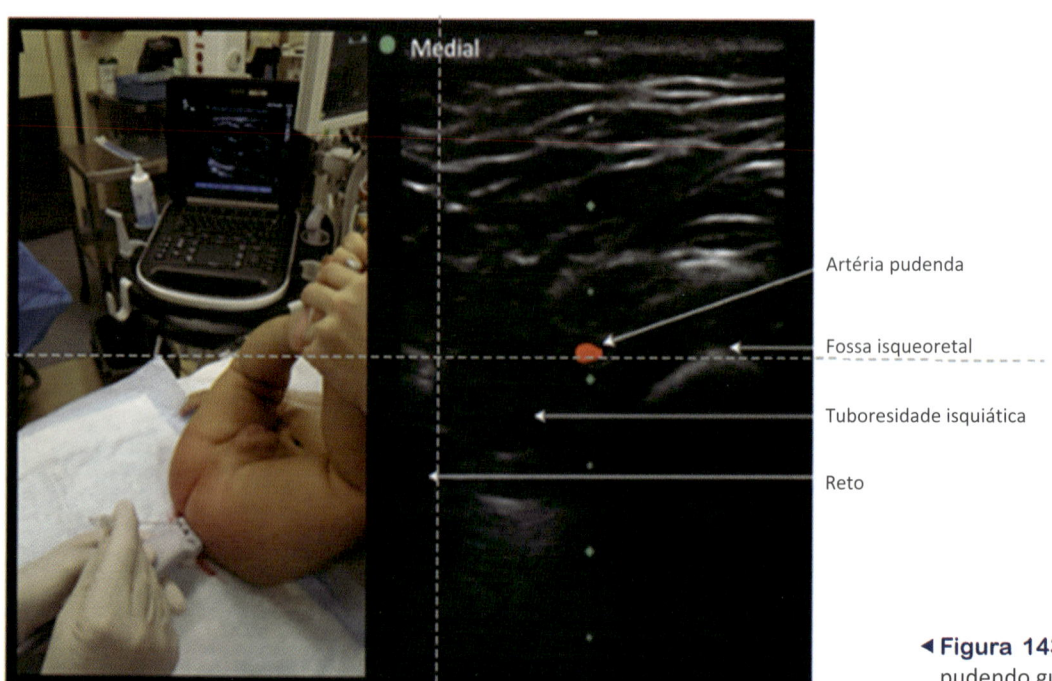

Artéria pudenda

Fossa isqueoretal

Tuboresidade isquiática

Reto

◄ **Figura 143.15** Bloqueio do nervo pudendo guiado US.

des, menos distúrbios comportamentais e menor tempo de permanência em comparação com a analgesia opioide.

A colocação de cateter paravertebral unilateral para toracotomia para procedimentos cardíacos (reparação de coarctação e ligadura do canal arterial patente) fornece analgesia equivalente (com taxas de complicações reduzidas), em comparação com analgesia peridural. As abordagens guiadas por US estão substituindo as técnicas de referência anatômicas. Técnicas comuns incluem colocar o paciente em decúbito lateral e acessar o espaço paravertebral de lateral a medial em uma abordagem no plano com a sonda de US posicionada parassagital ou transversalmente. No entanto, pelo menos nove diferentes técnicas guiadas por US são descritas. Técnicas de injeção única podem ser de um único local, mas frequentemente injeções em vários locais são usadas para alcançar uma disseminação dermatomal mais ampla. Em uma série de casos, complicações maiores surgiram com uma incidência de 0,04%, e a taxa de complicação geral foi mais semelhante ao bloqueio do nervo periférico do que à anestesia peridural. Pneumotórax não foi relatado na literatura pediátrica.[47]

Outros Bloqueios da Parede Torácica

O bloqueio do serrátil anterior e os bloqueios Pecs I e II oferecem o benefício da analgesia dos nervos intercostais torácicos lateral e anterior, respectivamente, evitando assim as possíveis complicações dos bloqueios paravertebrais mais proximais e peridurais torácicas. Os bloqueios Pec I e do plano do serrátil anterior visam dois planos fasciais diferentes. O termo bloqueio Pecs II é reservado para casos em que ambos os planos fasciais (Pecs I e serrátil anterior) são injetados com uma única passagem de agulha.

Bloqueio do Plano Serrátil Anterior

As indicações para o bloqueio do plano serrátil anterior continuam a aumentar, incluindo reparo de coarctação, procedimentos de Nuss, cirurgia toracoscópica e outros procedimentos da parede torácica lateral de T2 a T9. É um bloqueio do plano fascial direcionado aos nervos cutâneos torácicos intercostais laterais conforme eles perfuram lateralmente os músculos intercostais e serrátil anterior, que é realizado em um ponto mais lateral e posterior aos bloqueios Pecs I e

II. O anestésico local (com ou sem adjuvantes) é depositado no plano facial como um único disparo superficial ou profundo ao músculo serrátil anterior. Não há evidência de alta qualidade que mostre superioridade de um sobre o outro. As vantagens da injeção superficial incluem menor risco de punção arterial inadvertida ou pneumotórax, enquanto a injeção profunda no plano facial menos distensível pode levar a uma maior disseminação do AL nos dermátomos, com o benefício adicional de poupar o nervo torácico longo. A técnica é: abdução do braço a 90° e posicionamento da sonda de forma craniocaudal ao longo da linha axilar média. Em abordagem em plano, o local de injeção escolhido sobre uma costela para proteger as estruturas profundas, caso a ponta da agulha passe profundamente ao plano serrátil profundo (Figura 143.16). Sugere-se bupivacaína 0,125% (0,4 mL/kg).[47]

Bloqueio do Plano Eretor da Espinha

O bloqueio do Plano Eretor da Espinha (ESP) é uma nova técnica anestésica regional que está ganhando popularidade em pediatria, sendo talvez o mais interessante dos recentes bloqueios de planos teciduais. A técnica consiste na injeção de anestésicos locais no plano fascial entre o músculo eretor da espinha e o os ramos dos nervos espinhais. O músculo eretor da espinha é uma série de feixes musculares e tendões pareados que correm ao longo do plano vertebral parassagital vertical. Evidências pré-clínicas e clínicas sugerem que a deposição de AL, ao longo do plano fascial profundamente ao músculo eretor da espinha, leva à disseminação craniocaudal e paravertebral (esta última através do forâmen costotransverso), bloqueando os ramos dorsal e ventral dos nervos espinhais toraco-abdominais.[47] Os músculos das costas, ou seja, o trapézio, os romboides (acima de T7) e os eretores da espinha também formam planos de tecido que podem ser visualizados com ultrassom e utilizados para a execução do bloqueio. O bloqueio é realizado colocando a sonda craniocaudalmente e visualizando o ESP sobrejacente aos processos transversos em eixo curto. A ponta da agulha é avançada no plano para os processos transversos, e o AL é depositado ventralmente e profundamente ao músculo eretor da espinha (Figura 143.17), adjacente aos processos transversos de vértebras específicas, espalha se cefalicamente sobre mais dermátomos do que um bloqueio paravertebral colocado em um único interespaço, onde blo-

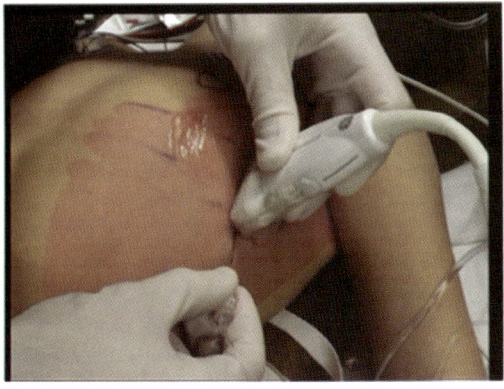

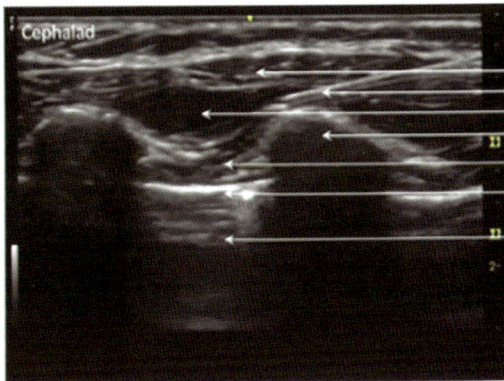

Serrátil anterior
Agulha
Anestésico local
Costela
Músculos intercostais
Pleura

Pulmão

▲ **Figura 143.16** Bloqueio do Plano Serrátil guiado US.

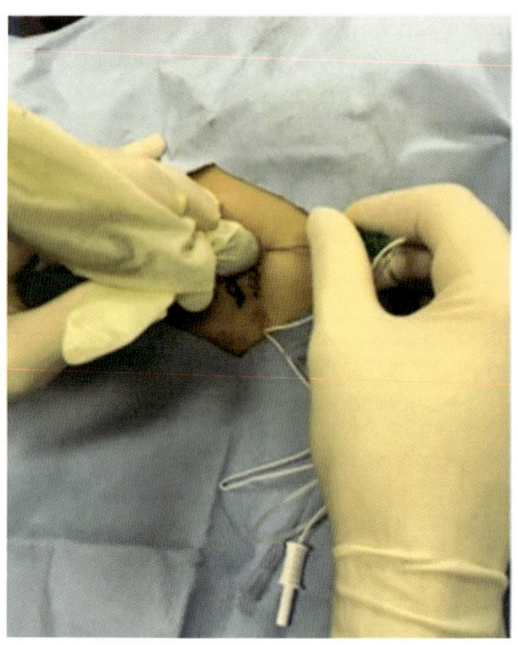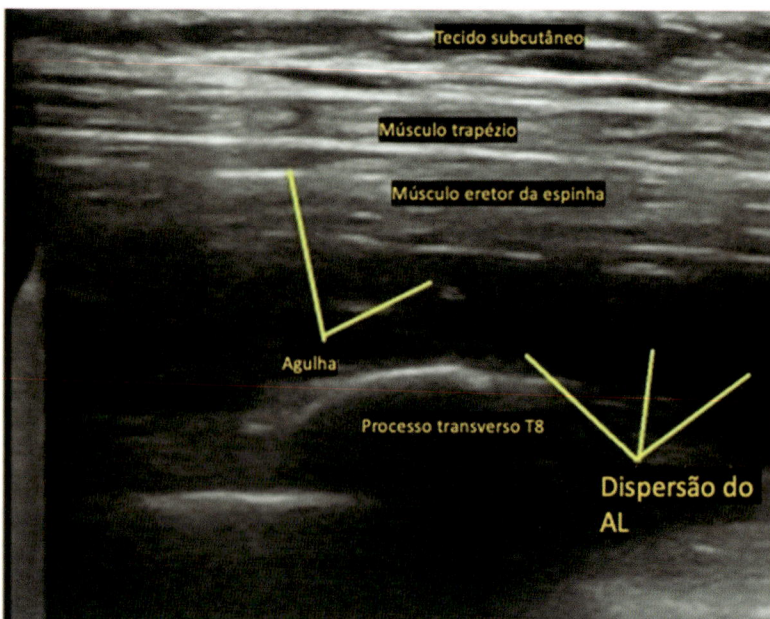

▲ **Figura 143.17** Bloqueio ESP guiado por US.

queia a cadeia simpática para fornecer analgesia visceral. Os bloqueios bilaterais dos eretores da espinha se comportam como uma epidural, e relatos iniciais sugerem que a duração do bloqueio dos eretores da espinha pode ser mais longa do que um bloqueio paravertebral.[47,48]

Nos últimos anos, um número crescente de ensaios clínicos randomizados (RCTs) avaliou a eficácia do ESPB em cirurgias cardíacas e abdominais pediátricas. No entanto, seus resultados parecem ser inconsistentes. O bloqueio do eretor da espinha é fácil de executar e não consome muito tempo. Atualmente, a literatura em pediatria é limitada, relatando sucessos em cirurgias toracoabdominais laparoscópicas e abertas. O papel exato da ESP e dos regimes de dosagem ideais na prática pediátrica ainda não foi determinado.[47,48]

Revisão sistemática e metanálise recente investigando os efeitos do bloqueio ESP no alívio da dor pós-operatória em crianças mostrou que, comparado com nenhum bloqueio, o bloqueio ESP reduziu ligeiramente os escores de dor em 0 e 6 horas, e reduziu significativamente a necessidade de analgésicos de resgate. Um estudo demonstrou que o efeito analgésico do bloqueio ESP foi semelhante ao bloqueio do quadrado lombar, enquanto outro demonstrou que o efeito analgésico foi superior ao bloqueio do nervo ilioinguinal. Portanto, essa revisão mostrou que não há evidências de qualidade de que o bloqueio ESP apresenta analgesia superior em comparação com nenhum bloqueio em crianças, e, que devido aos dados limitados, as evidências sobre a comparação com outros bloqueios regionais permanecem obscuras.[49]

Mais recentemente, vários desses novos bloqueios, ESP, paravertebral, intercostal e PEC, são sugeridos para controlar ou atenuar a reação inflamatória sistêmica em crianças submetidas a cirurgias cardíacas com circulação extracorpórea. Além do excelente controle da dor, não só a da ferida operatória, mas também dos cateteres, drenos torácicos,

outro, com enorme desconforto nas crianças, outros benefícios são observados, como, por exemplo, a redução da atividade simpática. Entretanto, o nível de evidência ainda é baixo.[50] Revisão sistemática comparando os efeitos das técnicas de AR com a analgesia sistêmica na dor pós-operatória em crianças submetidas à cirurgia cardíaca mostrou que a AR reduz a dor até 24 horas após a cirurgia. Não foram observadas diferenças para náusea e vômito, duração da intubação traqueal, duração da internação na unidade de terapia intensiva, duração da internação hospitalar, reoperação, morte e depressão respiratória. Nenhum estudo relatou sinais de toxicidade do anestésico local ou complicações neurológicas ou infecciosas duradouras relacionadas às técnicas de AR. Único estudo relatou um episódio ipsilateral transitório de paralisia diafragmática com analgesia intrapleural que foi resolvida com a interrupção da administração do anestésico local. Considerando que o estudo representa uma metanálise de estudos pequenos e heterogêneos, e que a qualidade da evidência foi considerada baixa, mais estudos são necessários para se indicar rotineiramente técnicas de AR para analgesia em cirurgia cardíaca.[51]

A Figura 143.18 mostra um esquema de pontos de acesso aos bloqueios dos nervos intercostais para controle da dor perioperatória em cirurgia cardíaca. Bloquear o nervo intercostal em qualquer local acessível é a teoria do bloqueio do nervo periférico para cirurgia cardíaca com esternotomia mediana, bem como abordagem intercostal.[52]

Uso de adjuvantes nos bloqueios periféricos

O efeito analgésico de uma injeção única de anestésico local no bloqueio de nervo periférico geralmente não se estende por mais de 12 horas, exigindo um plano de analgesia suplementar no pós-operatório prolongado. O uso de adjuvantes é defendido e pode oferecer as seguintes vantagens: início precoce do bloqueio; o uso de AL diluído, principal-

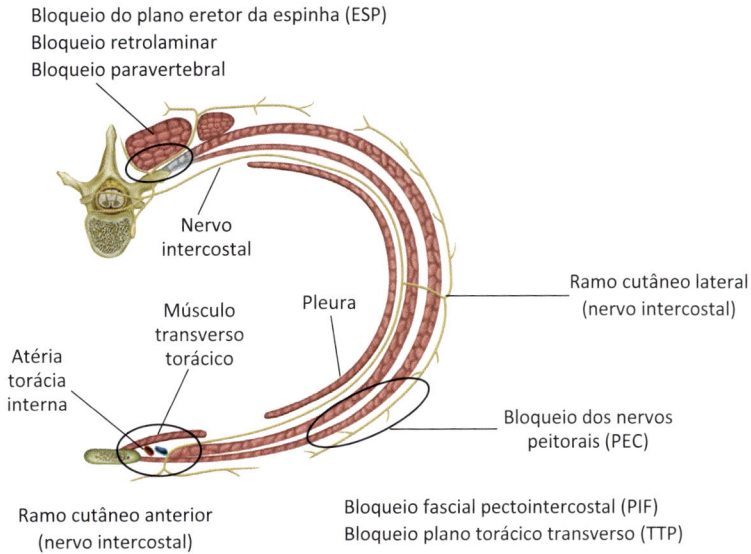

▲Figura 143.18 Pontos de acesso aos bloqueios dos nervos intercostais.
Fonte: Adaptada de Yamamoto T, e col., 2023.[52]

mente em neonatos e lactentes jovens, reduzindo a dose total de AL; potencial redução na incidência de toxicidade do AL; duração prolongada do bloqueio (pelo menos um aumento de 50% em relação apenas ao AL); e redução do uso de opioides, com redução concomitante de efeitos adversos. No contexto de bloqueios periféricos, achados de uma metanálise recente sobre agonistas a2-adrenoceptores, clonidina e dexmedetomidina mostraram uma melhora na analgesia pós-operatória em comparação com AL simples. Na ausência de mais dados sobre toxicidade, a mínima dose efetiva é geralmente recomendada. Atualmente, não há evidências para recomendar outros aditivos (como midazolam, neostigmina, magnésio, buprenorfina e tramadol).[3]

Bloqueios Contínuos

Bloqueios contínuos de nervos periféricos são um dos mais recentes desenvolvimentos na AR em crianças. Anestésicos locais em um único procedimento têm duração limitada de ação, suficiente para um grande número de cirurgias pediátricas, mas insuficiente em cirurgia de grande porte. Até recentemente, a intensidade da dor pós-operatória nesse tipo de cirurgia era controlada por opioides parenterais ou por bloqueios neuroaxiais contínuos e, às vezes, por uma combinação de tais técnicas. Entretanto, essas técnicas apresentam alguns riscos de complicações ou efeitos colaterais. Nos últimos anos, os bloqueios contínuos dos nervos periféricos são utilizados mais amplamente em crianças porque materiais adequados estão sendo comercializados, permitindo o controle completo e prolongado da dor no pós-operatório. Sem dúvida, o US foi um dos grandes responsáveis pelo desenvolvimento dessa técnica na anestesia pediátrica.

Atualmente, diversas são as indicações para o bloqueio periférico contínuo. Analgesia está indicada principalmente para as crianças nas quais se espera uma exposição à dor pós-operatória por períodos prolongados, cirurgia associada à dor pós-operatória intensa (cirurgia ortopédica para malformação congênita do pé ou da mão, tração de uma fratura da diáfise do fêmur, osteotomias do úmero, fêmur, ou tíbia, alongamento femoral, osteossíntese, exostose e amputações), no manejo da dor pós-operatória ou para permitir a realização de fisioterapia presumivelmente dolorosa. Em algumas doenças, como epidermólise bolhosa, as técnicas são relatadas como úteis na abordagem multimodal.[53] Até o momento não há publicação sobre o uso de cateteres contínuos em ferida operatória em crianças e, portanto, não serão aqui abordados.

Poucos estudos relatam os efeitos colaterais e as complicações decorrentes da utilização de cateteres perineurais em crianças. Os principais eventos adversos são problemas mecânicos, bem como a retirada acidental do cateter, deslocamento ou oclusão do cateter, vazamento no local do cateter, ou náuseas e vômitos. A incidência de náuseas e vômitos responde por cerca de 15% dos efeitos colaterais, a de bloqueio motor persistente está entre 11% e 18%, especialmente depois de bloqueio contínuo do nervo ciático. Complicações graves não são observadas nos estudos publicados, mas as coortes são muito pequenas para evidenciar essas complicações.[54]

Técnicas contínuas com a utilização de cateteres aumentam o risco de toxicidade do anestésico local devido ao potencial acúmulo do fármaco ao longo do tempo. Esse risco é maior em crianças menores de seis meses de idade que têm baixos níveis de alfa 1-glicoproteína ácida, resultando em uma maior fração de anestésico local livre no sangue. Deve-se ter atenção para não exceder os limites recomendados, especialmente após 24 horas de infusão. Em crianças, as taxas de complicações infecciosas são significativamente mais baixas do que as relatadas em adultos. Embora raras, há maior risco de infecções com cateteres que pode ser minimizado com técnica asséptica rigorosa. Presume-se que a maioria das infecções surja a partir do local de inserção e posterior migração de bactérias ao longo do cateter. Podem ser categorizadas como superficial ou profunda, esta última obviamente com implicações mais graves. Infecções superficiais geralmente podem ser tratadas pela retirada do cateter, cuidados locais na pele e antibióticos.[56]

Ganesh e col.[54] relataram um caso de celulite em 227 crianças com cateteres de nervo periférico com resolução após uso de antibióticos. Como essas crianças podem receber alta com o cateter no local, instruções meticulosas de acompanhamento e cuidado para os pais são críticos.

Embora o uso do bloqueio periférico contínuo faça parte de muitas das práticas pediátricas em regime hospitalar, seu uso ambulatorial é muito limitado. Alguns dos desafios são preocupações sobre segurança, riscos de deslocamento e/ou vazamento do cateter, educação dos pais e da criança e acompanhamento adequado, enquanto o cateter estiver no local ou no momento da remoção. Cateteres de nervos periféricos ambulatoriais na população pediátrica são indicados para procedimentos nos quais se espera que a dor do procedimento cirúrgico dure mais que a duração de uma injeção única de bloqueio do nervo periférico (cerca de 12 a 20 horas). Nesses pacientes, o cateter é um método eficaz para prolongar os benefícios analgésicos de um bloqueio do nervo periférico por 48 a 72 horas após a cirurgia. Benefícios adicionais incluem alta domiciliar no dia da cirurgia, redução do uso de opioides no pós-operatório e melhora na satisfação do paciente. Indicações comuns para uso ambulatorial incluem cateter femoral para procedimentos artroscópicos ou abertos de joelho, cateter ciático para procedimentos de pé e tornozelo, cateter de plexo lombar para cirurgia de quadril, cateteres interescalênicos para reparos do manguito rotador do ombro e cateter infraclavicular para reconstrução da maior extremidade superior ou abaixo do úmero distal. Uma das áreas de interesse crescente tem sido o uso de cateteres paravertebrais torácicos ambulatoriais para cirurgia de reparo de *pectus excavatum* e outros procedimentos cirúrgicos.[56]

Os anestésicos locais e concentrações típicas utilizados na prática pediátrica são a ropivacaína 0,1% a 0,2%, e a bupivacaína 0,1 % a 0,25%. As taxas de infusão podem ser determinadas pela localização do bloqueio, posição do cateter, em relação ao nervo ou plexo alvo, e extensão do bloqueio desejado. Em estudo onde o cateter foi utilizado ambulatorialmente em vários locais anatômicos, a taxa de ropivacaína variou de 0,12 a 0,33 mg.kg^{-1}.h^{-1}.[56]

Controvérsias em Anestesia Regional

Vários aspectos da AR pediátrica geram debate entre os especialistas. Recomendações recentes divulgadas pelo comitê conjunto ESRA/ASRA sobre alguns desses tópicos críticos visam fornecer esclarecimentos e orientações sobre práticas seguras em crianças. A seguir, recomendações sobre o valor da dose de teste, o uso da solução salina em comparação com técnicas de perda de resistência, a realização do bloqueio sob anestesia ou acordado, e sobre síndrome compartimental.[3]

- **Dose teste**: a adição de adrenalina (epinefrina) (2 e 5 mcg/kg) ao AL para detectar injeção intravascular acidental em crianças é controversa. A anestesia geral (AG) e a sedação profunda são fatores de confusão para uma interpretação correta de aumento da frequência cardíaca (FC). Além disso, resultados falso-negativos podem ser causados por injeção IV incompleta da dose teste e, embora a ausência de alterações da onda T possa ser tranquilizadora, não exclui totalmente a injeção intravascular. Dado o desafio intrínseco de interpretar uma resposta negativa, o uso de uma dose teste deve permanecer discricionário. Se for utilizada uma dose teste, a solução de AL deve ser injetada lentamente, em bólus fracionados (0,1 e 0,2 mL/kg), com aspiração intermitente e sob monitorização de ECG. Finalmente, uma dose teste deve ser interpretada como positiva, se a modificação da onda T ou da FC ocorrer dentro de 30 a 90 segundos após sua injeção.[3]

- **Perda de resistência**: a técnica da perda da resistência com ar continua sendo a mais utilizada para a detecção de entrada da agulha no espaço peridural. Recentemente, a técnica com solução salina normal é defendida por ser a técnica de escolha em adultos. Na população pediátrica, ainda existe controvérsia na literatura sobre qual é o meio mais adequado. Dada a escassez de estudos que apoiem qualquer uma das técnicas, quando usadas adequadamente e, ao mesmo tempo minimizando o volume injetado, ambas as técnicas têm um nível aceitável de segurança em lactentes e crianças, mas, em neonatos e lactentes, o volume cumulativo de ar injetado deve ser limitado a 1 mL.[3]

- **Anestesia regional sob sedação/anestesia ou acordado**: o uso moderno da anestesia regional pediátrica iniciou em meados da década de 1980, e tornou-se mais amplamente praticado em 1988. Logo surgiram vozes questionando essa prática, pois a maioria dos bloqueios era realizada com o criança anestesiada ou profundamente sedada, o que foi percebido como associado a um risco desnecessário ("o dobro da anestesia, o dobro do risco"). Na prática adulta, era contraindicado fazer bloqueios em pacientes anestesiados devido à incapacidade do paciente de relatar sinais de alerta de possível lesão nervosa ou sinais de toxicidade sistêmica do anestésico local. Esses comentários resultaram em um contra-argumento maciço. Anestesistas pediátricos influentes publicaram declaração conjunta, considerando segura a prática de realizar anestesia regional em crianças anestesiadas. Seguiram-se dois estudos multicêntricos prospectivos de grande escala da ADARPEF e o relatório da Rede Regional de Anestesia Pediátrica (PRAN), todos mostrando que a taxa de complicações é reconfortantemente baixa. Diretrizes de prática conjunta publicadas recentemente sobre a prática segura da anestesia regional pediátrica das Sociedades Europeia e Americana de Anestesia Regional concluem que há evidências sólidas para recomendar que os bloqueios regionais podem e devem ser preferencialmente realizados sob anestesia ou sedação profunda em crianças de todas as idades. Os dados do PRAN até sugerem que a realização de anestesia regional em crianças acordadas ou apenas levemente sedadas acarreta um risco aumentado (mas ainda muito baixo) de sintomas neurológicos pós-operatórios. Assim, o caso parece encerrado sobre como realizar anestesia regional em crianças.[57]

- **Síndrome compartimental aguda:** um aumento súbito de pressão dentro de um compartimento fascial pode causar Síndrome Compartimental Aguda (SCA), por exemplo, após uma fratura, trauma ou evento vascular isquêmico. A expansão dos tecidos moles dentro de um espaço não complacente pode causar isquemia com sinais iniciais de disfunção motora e sensorial, que, se não for reconhecida ou mal interpretada, pode levar à lesão necrótica de nervos e músculos. Uma pressão do compartimento >30 mmHg é considerada crítica e deve requerer intervenção imediata. Cateter peridural ou perineural contínuo com AL e injeção única com AL foram todos responsabilizados por mascarar sinais precoces de SCA. No entanto, apenas alguns relatos de casos de SCA em pediatria foram publicados, e nenhum deles mostrou uma ligação convincente entre AR e diagnóstico tardio de SCA, o que sugere que a dor súbita em pacientes previamente confortáveis tratados com AR deve levantar a suspeita de SCA. O comitê ESRA/ASRA relatou que os sintomas comuns de SCA de membros superiores e inferiores foram aumento da dor com o aumento da necessidade de analgésicos e edema. Por outro lado, dor distante do local da cirurgia, parestesia não atribuída à técnica analgésica e dor ao movimento passivo do membro foram sinais mais confiáveis de isquemia iminente do membro inferior. O conselho concluiu que não há evidências convincentes de que a AR complique o diagnóstico de SCA, desde que os pacientes sejam adequadamente monitorados e avaliados no período perioperatório.[3]

As diretrizes atuais de melhores práticas em relação à SCA são:

- Concentração de AL para injeção única em bloqueios periféricos e neuraxiais: bupivacaína, levobupivacaína ou ropivacaína 0,1 e 0,25%; esses são menos propensos a mascarar a dor isquêmica ou produzir fraqueza muscular;
- Dose para infusão contínua: bupivacaína, levobupivacaína ou ropivacaína 0,1% como concentração máxima permitida;
- Para cirurgia de alto risco para SCA, quando um cateter de nervo ciático é indicado, uma restrição no volume e concentração de AL é aconselhável;
- Recomenda-se o uso cauteloso de adjuvantes de AL, pois podem aumentar a duração e a densidade do bloqueio;
- Os pacientes de alto risco, devem ser adequadamente avaliados pelo serviços de dor aguda para permitir a detecção de potenciais, sinais e sintomas iniciais da SCA;
- Se houver suspeita de SCA, medição da pressão do compartimento deve ser realizada com urgência.[3]
- **Recomendações sobre Segurança:** devido ao debate ainda em curso sobre questões importantes relacionadas à conduta eficaz e segura da anestesia regional em pediatria, e à falta de quaisquer orientações geralmente aceitas sobre o assunto, as Sociedades ESRA e ASRA abordaram estas questões em duas publicações tópicas. Após uma extensa pesquisa bibliográfica e uma abordagem baseada em evidências, a força-tarefa ESRA-ASRA forneceu uma recomendação prática sobre alguns tópicos importantes.[58]
  - **Anestesia geral ou sedação profunda:** a realização da anestesia regional em crianças sob anestesia geral/se-

dação profunda está associada à segurança aceitável e deve ser vista como o padrão de cuidado;
- **Dose teste:** devido à dificuldade em interpretar uma dose de teste negativa, a utilização da dose teste permanece opcional;
- **Perda de resistência com salina ou ar:** qualquer das técnicas de perda de resistência com ar ou salina usadas adequadamente podem ser aplicadas com segurança em lactentes e crianças;
- **Síndrome compartimental aguda:** não há evidências atuais de que o uso de anestésicos regionais aumente o risco de síndrome compartimental aguda ou atrase seu diagnóstico em crianças;
- **Doses de anestésicos locais para bloqueios centrais:** a ropivacaína a 0,2% (2 mg.mL^{-1}) ou levobupivacaína/bupivacaína a 0,25% (2,5 mg.mL^{-1}) são recomendadas para a realização de bloqueios caudais em crianças, e não devem exceder 2 mg.kg^{-1} de ropivacaína ou 2,5 mg.kg^{-1} de bupivacaína ou levobupivacaína;
- **Doses de anestésicos locais para bloqueios periféricos:** ao utilizar infusões contínuas de anestésicos locais para bloqueios do nervo periférico e do plano fascial, as seguintes dosagens devem ser seguidas: bupivacaína racêmica ou levobupivacaína a 0,125% ou ropivacaína a 0,2% com taxa de infusão de 0,1 a 0,3 mg.kg^{-1}.h^{-1};
- **Adjuvantes:** existe uma base sólida de evidências para o uso da clonidina como adjuvante dos anestésicos locais para bloqueios neuroaxiais e de nervos periféricos em crianças.

Toxicidade dos Anestésicos Locais

A toxicidade sistêmica é essencialmente de dois tipos: neurológica e cardíaca. Infelizmente, os primeiros sinais de toxicidade neurológica são mascarados pela anestesia geral. Os principais eventos são distúrbios da condução cardíaca, arritmias cardíacas e bloqueio da condução atrioventricular. No entanto, sinais de toxicidade cardíaca e neurológica ocorrem em níveis plasmáticos mais baixos de bupivacaína, comparada com a ropivacaína e a levobupivacaína. Essa toxicidade é agravada por diminuição da concentração plasmática de proteínas que se ligam ao anestésico local, principalmente a alfa 1-glicoproteína ácida, resultando em maior proporção de formas livres do anestésico local. A concentração plasmática dessa proteína é baixa ao nascimento, tende a aumentar com a idade da criança para atingir valores equivalentes aos dos adultos com a idade de 10 meses. No entanto, recomenda-se cuidado especial durante a infusão contínua. A dosagem de anestésico local deve ser sistematicamente reduzida em crianças pequenas ou após a administração prolongada (> 48 horas) (Tabela 143.3). Até o momento, nenhum caso de toxicidade sistêmica de anesté-

Tabela 143.3 Doses máximas sugeridas de bupivacaína, ropivacaína e levobupivacaína em bolus e infusão.

Faixa etária	*Bolus* – dose máxima	Infusão contínua – máxima
Neonatos	2 mg.kg^{-1}	0,2 mg.kg^{-1}.h^{-1}
Crianças	2,5 mg.kg^{-1}	0,4 mg.kg^{-1}.h^{-1}

sico local, com uso da técnica contínua perineural em crianças, foi relatado na literatura. Além da toxicidade sistêmica, os anestésicos são localmente tóxicos. A mielina, protetor eficaz de raízes nervosas, é menos abundante ou ausente em crianças, tornando os nervos potencialmente mais sensíveis ao anestésico local.[59]

A LAST é um evento muito raro, mas potencialmente fatal em crianças, com incidência estimada de 0,76 a 1,6:10.000. A maioria dos casos ocorre em bebês. Segundo estudo ADARPEF[8], intoxicação por AL resultou em um caso de convulsões, enquanto a auditoria peridural do Reino Unido relatou apenas duas paradas respiratórias e uma convulsão. O registro PRAN[10] atual relatou sete eventos, cinco dos quais em lactentes (0,76 em 10.000). Apenas três casos (duas paradas cardíacas e uma convulsão) exigiram tratamento de resgate com um lipídeo. As medidas sugeridas para minimizar o risco de LAST incluem um alto nível de vigilância; monitoramento contínuo dos sinais vitais (incluindo ECG); cumprimento estrito das doses recomendadas de AL; e aspiração suave seguida de injeção lenta e fracionada de AL, evitando pressão excessiva. Condições que possam aumentar a toxicidade, como hipoxemia, acidemia e hipercapnia, também devem ser evitadas. As doses máximas seguras de ropivacaína e levobupivacaína devem seguir as doses sugeridas para bupivacaína. O reconhecimento precoce da toxicidade é fundamental. No entanto, como a maioria das crianças está anestesiada ou fortemente sedada, a detecção de sintomas do SNC pode ser um desafio. A toxicidade cardiovascular pode ocorrer sem quaisquer sintomas prévios do SNC.[3]

A terapia de ressuscitação lipídica na forma de intralipid 20% mostra resultados encorajadores, tanto em modelos animais quanto em estudos humanos. Os últimos resultados da pesquisa sugerem que o intalipid pode funcionar por meio de um mecanismo multimodal, que compreende a capacidade de remover drogas do cérebro e do miocárdio e redistribuí-las para o músculo e o fígado, aumentando a desintoxicação. O resgate lipídico também melhora o desempenho do miocárdio por meio de seus substratos lipídicos. Dez dos onze casos documentados de toxicidade por AL em crianças foram tratados com sucesso com intralipid. A Sociedade de Anestesia Pediátrica (SPA) e o comitê conjunto ESRA/ASRA propuseram recentemente um tratamento diretriz para toxicidade do AL em pediatria, adaptada das últimas diretrizes da ASRA para adultos, limitando a quantidade cumulativa máxima de intralipid a 10 mL/Kg.[3]

Manejo da toxicidade do anestésico local em crianças (diretrizes da SPA)[3]:

- Pare de injetar o anestésico local e peça ajuda;
- Confirme ou estabeleça acesso IV adequado;
- Mantenha as vias aéreas e administre oxigênio a 100%. Considere a intubação traqueal e otimize a ventilação pulmonar;
- Se ocorrerem convulsões, administre um benzodiazepínico, como midazolam 0,05 e 0,1 mg/kg/minuto, IV, enquanto avalia o estado cardiovascular;
- Trate a hipotensão com pequena dose de epinefrina (máxima 1 mcg/kg);
- Evite propofol, vasopressina, bloqueadores do canal de cálcio e betabloqueadores;
- Administre intralipide IV, como dose inicial em bólus de emulsão lipídica a 20% 1,5 mL/Kg em um minuto;
- Inicie uma infusão de emulsão lipídica a 20% a 0,25 mL/Kg/minuto;
- Aumente a infusão para 0,5 mL/Kg/minuto se a estabilidade cardiovascular não é restaurada;
- Repita o bólus a cada 3 e 5 minutos até 4,5 mL/Kg com dose total até que a circulação seja restabelecida;
- A dose total não deve exceder 10 mL/Kg;
- Reconheça arritmias e/ou parada cardíaca: diretrizes de Ressuscitação Cardiopulmonar (RCP)/PALS;
- Continue as compressões torácicas (o lipídeo deve circular). Pode necessitar de compressões prolongadas;
- Considere alertar o centro de circulação extracorpórea/ECMO e UTI mais próximos se não houver retorno à circulação espontânea após 6 minutos;
- Monitore e corrija acidose, hipercarbia e hipercalemia.

REFERÊNCIAS

1. Marhofer P, Ivani G, Suresh S, et al. Everyday regional anesthesia in children. Pediatr Anesth. 2012;22:995-1001.
2. Brosenberg A. Benefits of regional anesthesia. Pediatr Anesth. 2012;22:10-8.
3. Merella F, Canchi-Murali N, Mossetti V. General principles of regional anaesthesia in children. BJA Educ. 2019 Oct;19(10):342-348. doi: 10.1016/j.bjae.2019.06.003. Epub 2019 Aug 24. Erratum in: BJA Educ. 2020 Jan;20(1):32.
4. Lako SJ, Steegers MA, van Egmond J, et al. Incisional continuous fascia iliaca block provides more effective pain relief and fewer side effects than opioids after pelvic osteotomy in children. Anesth Analg. 2009;109:1799-803.
5. Ivani G, Mossetti V. Continuous central and perineural infusions for postoperative pain control in children. Curr Opin Anaesthesiol. 2010;23:637-42.
6. Wiegele M, Marhofer P, Lönnqvist PA. Caudal epidural blocks in paediatric patients: a review and practical considerations. Br J Anaesth. 2019, 122 (4): 509-517.
7. Giaufreé E, Dalens B, Gombert A. Epidemiology and morbidity of regional anesthesia in children: a one-year prospective survey of the French-Language Society of Pediatric Anesthesiologists. Anesth Analg. 1996;83:904-12.
8. Ecoffey C, Lacroix F, Giaufré E, et al. Epidemiology and morbidity of regional anesthesia in children: a follow-up one-year prospective survey of the French-Language Society of Paediatric Anaesthesiologists (ADARPEF). Pediatr Anesth. 2010;20:1061-9.
9. Polaner D, Taenzer A, Walker B, et al. Pediatric Regional Anesthesia Network (PRAN): a multi-institutional study of the use and incidence of complications of pediatric regional anesthesia. Anesth Analg. 2011;115:1353-64.
10. Walker BJ, Long JB, Sathyamoorthy M, Birstler J, Wolf C, Bosenberg AT, Flack SH, Krane EJ, Sethna NF, Suresh S, Taenzer AH, Polaner DM, on behalf of the Pediatric Regional Anesthesia Network Investigators. Complications in Pediatric Regional Anesthesia: An Analysis of More than 100,000 Blocks from the Pediatric Regional Anesthesia Network (PRAN). Anesthesiology. 2018; 129(4):721-732.
11. Ecoffey C. Safety in pediatric regional anesthesia. Pediatr Anesth. 2012;22:25-30.
12. Ban C. H. Tsui, Santhanam Suresh, David S. Warner; Ultrasound Imaging for Regional Anesthesia in Infants, Children, and Adolescents: A Review of Current Literature and Its Application in the Practice of Extremity and Trunk Blocks. Anesthesiology [internet]. 2010; 112:473–492. Disponível em: https://doi.org/10.1097/ALN.0b013e3181c5dfd7. Acesso em: 15 August 2023.

13. Ross A, Eck J, Tobias J. Pediatric regional anesthesia: beyond the caudal. Anesth Analg. 2000;91(1):16-26.
14. Busoni P, Messeri A. Spinal anesthesia in infants: could a L5-S1 approach be safer? Anesthesiology.1991;75(1):168-9.
15. Chiao F. Pediatric Spinal Anesthesia Is Back [internet]. 2023. Disponível em: asamonitor.org. Acesso em: August 2023.
16. Frumiento C, Abajian J, Vane D. Spinal anesthesia for preterm infants undergoing inguinal hernia repair. Arch Surg. 2000;135(4):445-51.
17. Kokki H. Spinal blocks. Pediatr Anesth. 2012;22:56-64.
18. Williams RK, Adams DC, Aladjem EV, et al. The safety and efficacy of spinal anesthesia for surgery in infants: the Vermont infant spinal registry. Anesth Analg. 2006;102:67-71.
19. Jöhr M, Berger T. Regional anaesthetic techniques for neonatal surgery: indications and selection of techniques. 2004;18:357-75.
20. Kachko L, Simhi E, Tzeitlin E, et al. Spinal anesthesia in neonates and infants – a single-center experience of 505 cases. Pediatr Anesth. 2007;17:647-53.
21. Gleason C, Martin R, Anderson J, et al. Optimal position for a spinal tap in preterm infants. Pediatrics. 1983;71(1):31-5.
22. Puncuh F, Lampugnani E, Kokki H. Spinal anaesthesia in paediatric patients. Curr Opin Anaesthesiol. 2005 Jun;18(3):299-305.
23. Duedahl T, Hansen E. A qualitative systematic review of morphine treatment in children with postoperative pain. Paediatr Anaesth. 2007;17(8):756-74.
24. Ganesh A, Kim A, Casale P, et al. Low-dose intrathecal morphine for postoperative analgesia in children. Anesth Analg. 2007;104(2):271-6.
25. Horlocker T, Burton A, Connis R, et al. Practice guidelines for the prevention, detection, and management of respiratory depression associated with neuraxial opioid adminis-tration. Anesthesiology. 2009;110(2):218-30.
26. Batra Y, Lokesh V, Panda N, et al. Dose-response study of intrathecal fentanyl added to bupivacaine in infants undergoing lower abdominal and urologic surgery. Paediatr Anaesth. 2008;18(7):613-9.
27. Rochette A, Raux O, Troncin R, et al. Clonidine prolongs spinal anesthesia in newborns: a prospective dose-ranging study. Anesth Analg. 2004;98(1):56-9.
28. Craven P, Badawi N, Henderson-Smart D, et al. Regional (spinal, epidural, caudal) versus general anaesthesia in preterm infants undergoing inguinal herniorrhaphy in early infancy. Cochrane Database Syst Rev. 2003(3):CD003669.
29. Moriette G, Lescure S, El Ayoubi M, et al. Apnea of prematurity: what's new?. Arch Pediatr. 2010;17(2):186-90.
30. Ramamoorthy C, Geiduschek J, Bratton S, et al. Postdural puncture headache in pediatric oncology patients. Clin Pediatr. 1998;37(4):247-51.
31. Jöhr M, Berger T. Caudal blocks. Pediatr Anesth. 2012;22:44-50.
32. Tsui B, Suresh S. Ultrasound imaging for regional anesthesia in infants, children, and adolescents: a review of current literature and its application in the practice of neuraxial blocks. Anesthesiology. 2010;112(3):719-28.
33. Raghunathan K, Schwartz D, Connelly N. Determining the accuracy of caudal needle placement in children: a comparison of the swoosh test and ultrasonography. Paediatr Anaest. 2008;18(7):606-12.
34. Shanthanna H, Singh B, Guyatt G. A systematic review and meta-analysis of caudal block as compared to noncaudal regional techniques for inguinal surgeries in children. Biomed Res Int. 2014;2014:890626. doi: 10.1155/2014/890626. Epub 2014 Aug 5. PMID: 25162033; PMCID: PMC4139076.
35. Kawaguchi R, Yamauch M, Sugino S, et al. Two cases of epidural anesthesia using ultrasound imaging. Masui. 2007;56(6):702-5.
36. De Negri P, Ivani G, Tirri T, et al. New local anesthetics for pediatric anesthesia. Curr Opin Anaesthesiol. 2005;18(3):289-92.
37. Xing M, Liang X, Li L, Liao L, Liang S, Jiang S, Li J, Zhang C, Zou W. Efficacy of caudal vs intravenous administration of α2adrenoceptor agonists to prolong analgesia in pediatric caudal block: A systematic review and meta-analysis. Paediatr Anaesth. 2020 Dec;30(12):1322-1330.
38. Carre P, Joly A, Cluzel Field B, et al. Axillary block in children: single or multiple injection? Paediatr Anaesth. 2000;10(1):35-9.
39. Mai CL, Young MJ, Quraishi SA. Clinical implications of the transversus abdominis plane block in pediatric anesthesia. Pediatr Anesth. 2012;22:831-40.
40. Jankovic ZB, du Feu FM, McConnell P. An anatomical study of the transversus abdominis plane block: location of the lumbar triangle of Petit and adjacent nerves. Anesth Analg. 2009;109(3):981-5.
41. Sola C, Menacé C, Bringuier S, Saour, AC; Raux, Mathieu O, Capdevila X, Dadure C. Transversus Abdominal Plane Block in Children: Efficacy and Safety: A Randomized Clinical Study and Pharmacokinetic Profile. Anesth Analg. 2019: 128(6):1234-1241.
42. Visoiu M, Hauber J, Scholz S. Single injection ultrasound-guided rectus sheath blocks for children: Distribution of injected anesthetic. Paediatr Anaesth. 2019 Mar;29(3):280-285. doi: 10.1111/pan.13577. Epub 2019 Jan 30. PMID: 306091
43. Lim S, Ng Sb A, Tan G. Ilioinguinal and iliohypogastric nerve block revisited: single shot versus double shot technique for hernia repair in children. Paediatr Anaesth. 2002;12(3):255-60.
44. Schuepfer G, Jöhr M. Generating a learning curve for penile block in neonates, infants and children: an empirical evaluation of technical skills in novice and experienced anaesthetists. Paediatr Anaesth. 2004;14(7):574-8.
45. Teunkens A, Van de Velde M, Vermeulen K, et al. Dorsal penile nerve block for circumcision in pediatric patients: A prospective, observer-blinded, randomized controlled clinical trial for the comparison of ultrasound-guided vs landmark technique. Pediatr Anesth. 2018;00:1–7.
46. Schwemmer U, Markus C, Greim C, et al. Sonographic imaging of the sciatic nerve and its division in the popliteal fossa in children. Paediatr Anaesth. 2004;14(12):1005-8.
47. Bosenberg AT. Innovative peripheral nerve blocks facilitated by ultrasound guidance. Paediatr Anaesth. 2018 Aug;28(8):684-685.
48. Greaney D, Everett T. Paediatric regional anaesthesia: updates in central neuraxial techniques and thoracic and abdominal blocks. BJA Educ. 2019 Apr;19(4):126-134.
49. Luo R, Tong X, Yan W, Liu H, Yang L, Zuo Y. Effects of erector spinae plane block on postoperative pain in children undergoing surgery: A systematic review and meta-analysis of randomized controlled trials. Paediatr Anaesth. 2021 Oct;31(10):1046-1055.
50. Schindler E, Turner NM. Beyond the spine: Local anesthetic blocks in pediatric cardiac surgery. Paediatr Anaesth. 2019 May;29(5):403-404.
51. Monahan A, Guay J, Hajduk J, Suresh S. Regional Analgesia Added to General Anesthesia Compared With General Anesthesia Plus Systemic Analgesia for Cardiac Surgery in Children: A Systematic Review and Meta-analysis of Randomized Clinical Trials. Anesth Analg. 2019;128(1):130-136.
52. Yamamoto T, Schindler E. Regional anesthesia as part of enhanced recovery strategies in pediatric cardiac surgery. Curr Opin Anaesthesiol. 2023 Jun 1;36(3):324-333.
53. Dadure C, Capdevila X. Peripheral catheter techniques. Pediatr Anesth. 2012;22(1):93-101.
54. Ganesh A. Continuous peripheral nerve blockade for inpatient and outpatient postoperative analgesia in children. Anesth Analg. 2007;105:1234-42.
55. Polaner DM, Drescher J. Pediatric regional anesthesia: what is the current safety record? Pediatr Anesth. 2011;21:737-42.
56. Antony S, Gurnaney H, Ganesh A. Pediatric Ambulatory Continuous Peripheral Nerve Blocks. Anesthesiol Clin 2018; 36(3):455-465.
57. Lönnqvist PA. Asleep or awake: is paediatric regional anaesthesia without general anaesthesia possible? Br J Anaesth. 2020 Aug;125(2):115-117.
58. Lönnqvist PA, Ecoffey C, Bosenberg A, Suresh S, Ivani G. The European society of regional anesthesia and pain therapy and the American society of regional anesthesia and pain medicine joint committee practice advisory on controversial topics in pediatric regional anesthesia I and II: what do they tell us? Curr Opin Anaesthesiol. 2017; 30(5): 613-620.
59. Suresh S, De Oliveira GS. Local anaesthetic dosage of peripheral nerve blocks in children: analysis of 40 121 blocks from the Pediatric Regional Anesthesia Network database. Br J Anaesth 2018; 120 (2):317-322.

144

Anestesia no Recém-nascido

Norma Sueli Pinheiro Módolo ▪ **Lais Helena Navarro e Lima** ▪ **Rodrigo Moreira e Lima**

INTRODUÇÃO

A anestesia no neonato é um dos grandes desafios da Anestesiologia. Nesta faixa etária, os sistemas cardiovascular, respiratório, renal e nervoso central ainda não completaram a plenitude da maturação. Além disso, existe dificuldade na manutenção da temperatura corporal, há imaturidade dos sistemas enzimáticos e concentração menor de proteínas plasmáticas, como a albumina e a alfa-1-glicoproteína ácida, resultando em uma ligação menos eficaz com essas proteínas. E o controle glicêmico deverá ser seriado.

Devido a todos estes fatores, os neonatos são mais sensíveis à depressão causada pelos anestésicos inalatórios, venosos e locais. A dose deve ser ajustada e a vigilância contínua deve ser a principal preocupação do anestesiologista.

A reposição volêmica no intraoperatório deve ser realizada de forma criteriosa, porque não existe um monitor de volemia validado para todas as faixas etárias pediátricas.

Desta forma, quando associamos todas estas dificuldades com as anomalias congênitas cirúrgicas, o objetivo deve ser a otimização das condições clínicas para que aconteça o sucesso do ato anestésico-cirúrgico.

▪ ATRESIA DE ESÔFAGO E FÍSTULA TRAQUEOESOFÁGICA

A primeira descrição da Atresia de Esôfago (AE) e da Fístula Traqueoesofágica (FTE) data de 1697, feita por Thomas Gibson.[1] Um bebê afetado por essa condição morreu com dois dias de vida, e o autor identificou o defeito durante o exame *post mortem*.

Vários outros autores descreveram séries de casos,[2] mas somente em 1939, os dois primeiros pacientes que sobreviveram foram tratados por Ladd[3] e Leven.[4] Embora Richter[5] tenha sugerido o método de anastomose primária, a primeira descrição de sobrevida com o procedimento primário foi de Haight e Tonnsley,[6] em 1944.

A taxa de mortalidade vem decrescendo, principalmente devido à melhor assistência perioperatória. Se esta afecção não estiver associada com outras anomalias congênitas importantes, a sobrevida poderá atingir 100%.[7]

Incidência

A incidência desta condição situa-se entre 1:3000-3500 nascidos vivos,[2,7] sem nenhuma distinção entre sexo e raça.[7]

Embriologia

O desenvolvimento normal da traqueia e do esôfago começa na quarta semana de gestação e ambos derivam do divertículo ventromedial do intestino primitivo.[2] No 26º dia da gestação, a traqueia e o esôfago separam-se em dois tubos paralelos até o nível da laringe.[8] As lesões da FTE resultam da falência das duas estruturas em se separar durante a divisão do endoderma.[9]

Vários mecanismos para explicar este defeito congênito têm sido postulados: insuficiência vascular;[10] inflamação;[11] ulceração[12] ou deficiência do material para o desenvolvimento.[13]

Anomalias Associadas

Aproximadamente, metade dos bebês com FTE tem anomalias congênitas associadas, cuja gravidade pode comprometer a sobrevida. As mais frequentes são as do aparelho cardiovascular (30%), apresentadas em ordem de ocorrência: defeito no septo ventricular, patência do duto arterioso, tetralogia de Fallot, defeito no septo atrial e coartação da aorta.[14]

*Agradecimento aos professores Érica Veruska Paiva Ortolan, da Disciplina de Cirurgia Pediátrica e Pedro Tadao Hamamoto Filho, da Disciplina de Neurocirurgia da Faculdade de Medicina da Unesp, campus de Botucatu, pela cessão das fotos que ilustram este capítulo

As anomalias musculoesqueléticas perfazem 30% das anomalias associadas à FTE e AE e incluem malformações vertebrais, aplasia de rádio, polidactilia, anomalias no cotovelo e joelho.[15]

No trato gastrintestinal, pode-se encontrar imperfuração anal, má rotação do intestino, atresia duodenal, estenose de piloro, divertículo de Meckel e pâncreas anular ou ectópico. Essas alterações são responsáveis por 20% das anomalias associadas.[16]

As alterações mais comuns do aparelho geniturinário, responsáveis por 10% das anomalias associadas, são: má posição, rotação ou agenesia renal, hidronefrose ou anormalidades uretrais e hipospádias.[16] Quanto as anomalias craniofaciais, com 4% de incidência, as mais comuns são: anormalidade craniofacial, lábio leporino e/ou fenda palatina.[15]

Essas anomalias, inicialmente receberam o acrômio de VATER (Vertebral, Anal, Traqueoesofágico, Radial ou Anomalias renais), mas, como existem outras malformações envolvidas, estendeu-se o acrômio para VACTERL, abrangendo também os problemas cardíacos e das extremidades.[2,17]

Classificação

A classificação mais comumente utilizada é a de Gross, que classificou essa anomalia descrevendo os tipos de A até F (Figura 144.1). Na maioria dos casos, existe associação entre a FTE e a AE.[18]

A lesão mais comum é a tipo C de Gross, representada por AE com fístula distal. Ocorre em 80% a 90% dos casos[7] (Figura 144.2).

A fístula existe entre a traqueia e o esôfago inferior, 0,5 a 1,0 cm acima da carina, enquanto o segmento superior do esôfago acaba num fundo cego no mediastino, ao nível da segunda ou terceira vértebra torácicas.[9] Entretanto, o esôfago pode ser curto, terminando na sétima vértebra cervical, ou longo, terminando na quinta vértebra torácica.

O tamanho do coto proximal, o posicionamento mais baixo da fístula e o espaço entre eles determinam a dificuldade da correção cirúrgica.[19] A irrigação do coto proximal é feita pelo tronco tireocervical, possibilitando grande mobilização sem comprometimento do suprimento vascular,

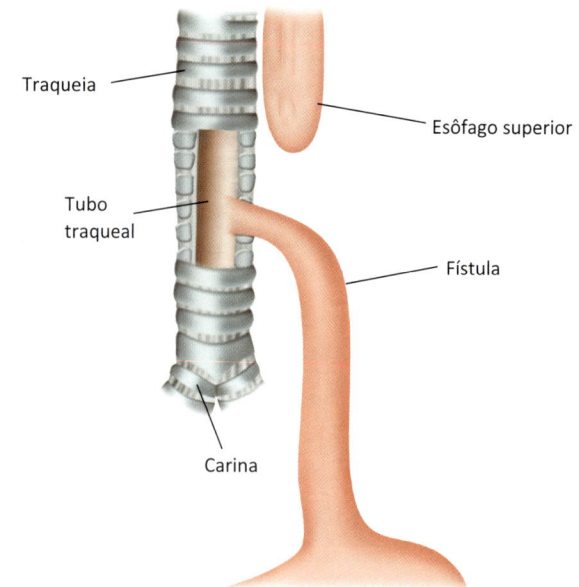

▲ **Figura 144.2** FTE/AE – Tipo C de Gross.

permitindo a técnica do alongamento e facilitando a anastomose. O segmento distal tem irrigação segmentar (terminal), tendo sua origem nas artérias intercostais e, mesmo com mobilização mínima, pode sofrer alteração.[19]

Para que se pudessem comparar resultados de tratamento, Waterson e col.[20] propuseram a classificação a seguir:

- **Grupo A:** bebês com peso > 2.500 g em bom estado geral (expectativa de vida de 93% a 100%);
- **Grupo B₁:** bebês entre 1.800 a 2.500 g em bom estado geral;
- **Grupo B₂:** bebês com peso > 2.500 g com pneumonia moderada ou anomalia congênita de menor gravidade;
- **Grupo C₁:** bebês com peso, ao nascimento, < 1.800 g;
- **Grupo C₂:** bebê com qualquer peso ao nascimento com pneumonia grave e/ou anomalia congênita grave. Expectativa de vida de 10% a 20%.

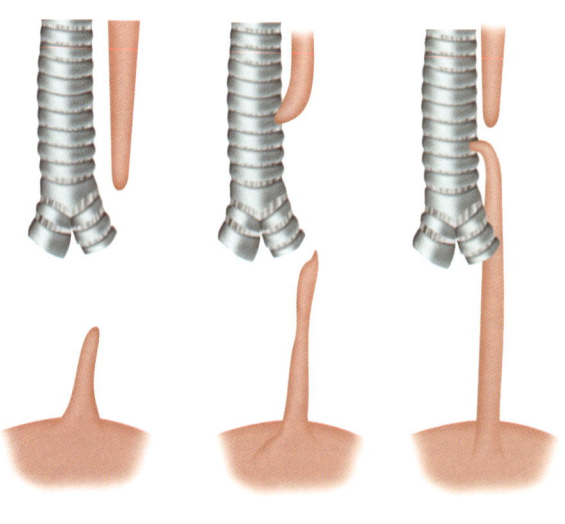
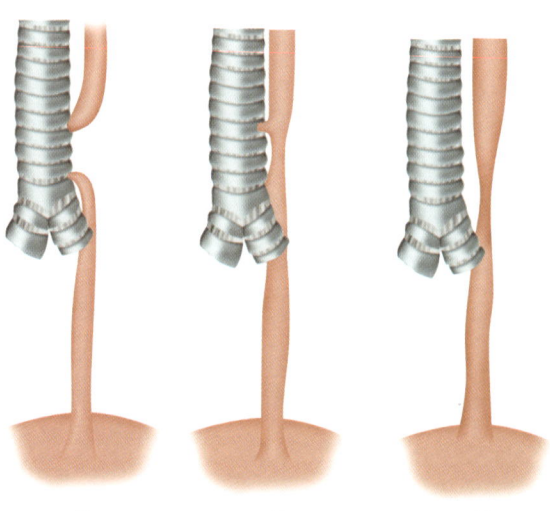

A   B   C   D   E   F

▲ **Figura 144.1** Classificação de Gross.
Fonte: Adaptada de Ulma G, e col., 2002.[7]

Diagnóstico

Deve-se suspeitar de FTE e AE nos casos de polidrâmnio e trabalho de parto prematuro, sendo causado pela inabilidade do feto em deglutir o líquido amniótico.[21] A AE pode ser diagnosticada no momento do nascimento, quando não se consegue passar sonda nasogástrica para dentro do estômago da criança. Pode-se suspeitar também desta malformação quando a criança apresenta salivação excessiva após o nascimento (Figura 144.3).

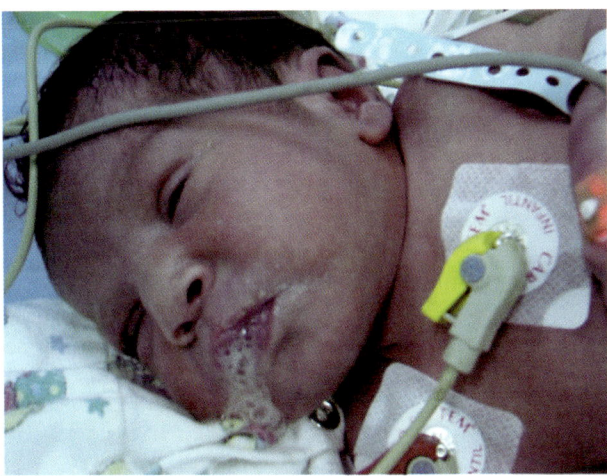

▲ **Figura 144.3** FTE e AE: criança com salivação excessiva.

Às vezes, ao nascimento, não se suspeita dessa patologia, tornando-se aparente somente no momento das primeiras refeições do recém-nascido, quando pode ocorrer tosse, cianose e até e engasgo.[7,9,21,22]

O diagnóstico é confirmado pela passagem de um cateter radiopaco no segmento do esôfago proximal. É claro que se o cateter chegar até o estômago, não existe atresia. Entretanto, se o cateter parar abruptamente, numa distância de aproximadamente 10 cm da linha da boca, o diagnóstico, teoricamente, se fecha. Posteriormente, deve-se determinar a posição da ponta do esôfago por meio de radiografia[7,21] (Figura 144 4).

A radiografia do tórax e do abdome revela ar, ou bolhas de gás, no estômago e intestinos que entram através da fístula.[9] Quando a porção do esôfago superior é atrésica, encontrar ar no estômago é patognomônico de fístula entre a traqueia e a porção inferior do esôfago. Por outro lado, a ausência de ar no trato gastrintestinal usualmente indica presença de AE sem FTE[7] (Figura 144.5).

Cuidados pré-operatórios

As duas maiores complicações da AE e FTE são a desidratação e a aspiração pulmonar. A primeira pode ocorrer por dois mecanismos: pela aspiração de saliva e alimentos do fundo cego da porção superior do esôfago e pela regurgitação da secreção gástrica por via retrógrada por meio da fístula.[21] Assim, o bebê deve ser colocado na posição lateral ou, preferivelmente, na posição semissentado (Figura 144.6).

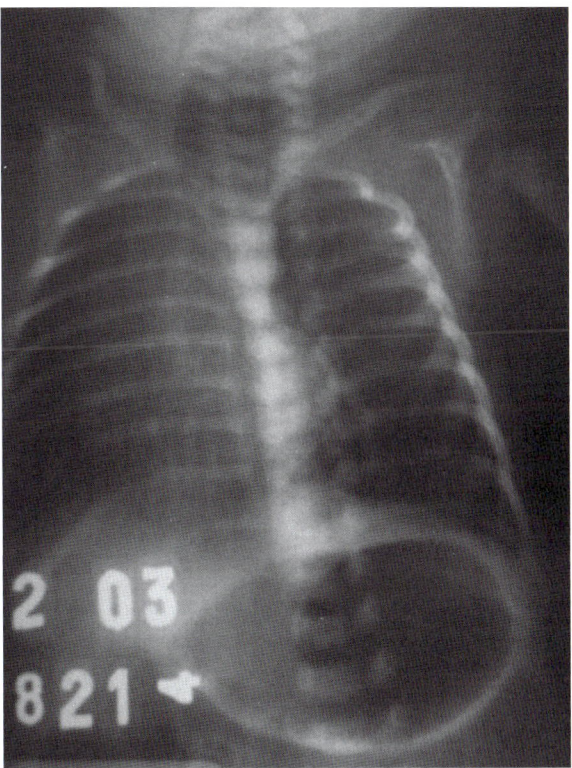

▲ **Figura 144.4** AE e FTE. Observe o acúmulo de contraste no fundo superior cego do esôfago e a presença de ar no trato gastrintestinal.

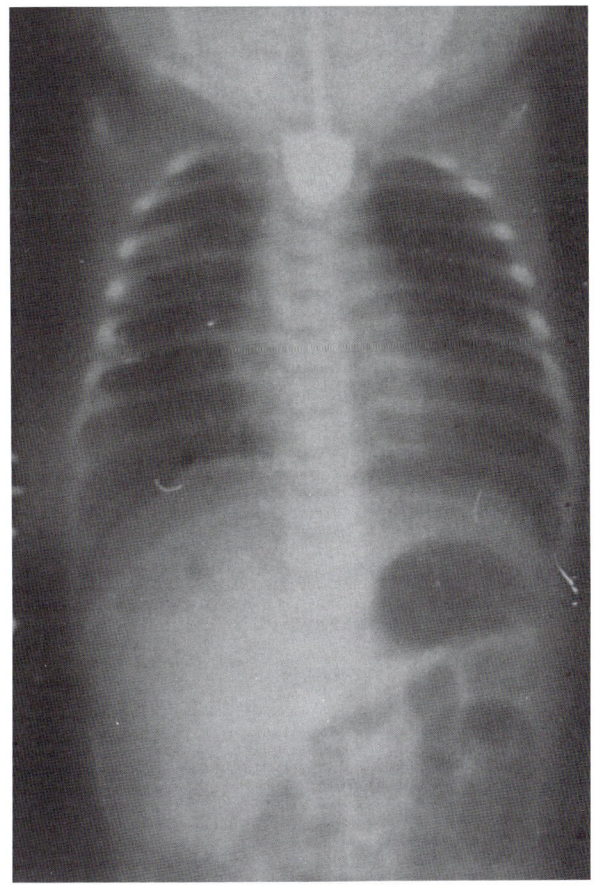

▲ **Figura 144.5** FTE e AE: ar no trato gastrintestinal.

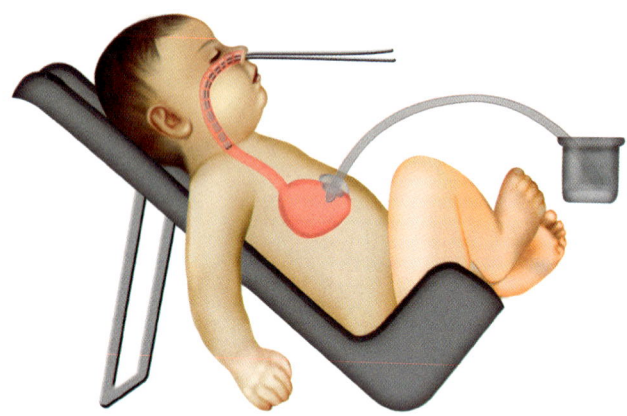

▲**Figura 144.6** Criança em posição semissentada. Tubo de gastrostomia em selo d'água.

Se a criança estiver em bom estado geral, a cirurgia deve ser realizada após completar a avaliação clínica, laboratorial e de eventuais malformações associadas por meio de exames complementares.

Aspiração do segmento proximal do esôfago deve ser realizada, entretanto, de forma muito cuidadosa para que não ocorra lesão da mucosa do esôfago, prevenindo-se aspiração da secreção na nasofaringe.[2,18] O grau de comprometimento pulmonar deve ser avaliado por meio de exame clínico, radiografia de tórax e gases sanguíneos.

Atelectasias e pneumonites são achados comuns, principalmente no lobo superior direito. Essas alterações pulmonares podem ser importantes para desencadear hipoxemia persistente ou insuficiência respiratória. Como resultado, algumas crianças vão necessitar de intubação traqueal e de ventilação mecânica.[7] Desta forma, pode existir a necessidade de antibioticoterapia e de fisioterapia prévias.

A conduta cirúrgica depende da condição clínica da criança. O ideal seria a realização de cirurgia em um só tempo, onde a fístula seria reparada e o esôfago seria anastomosado primariamente. Entretanto, quando o estado físico da criança é mais crítico (desidratação, infecção importante no pulmão, hipoxemia etc.), é realizada apenas a gastrostomia sob anestesia geral ou local.[2,7,9,22] O reparo definitivo normalmente ocorre dentro de 24 a 72 horas, quando, então, a criança estará em condições clínicas adequadas para suportar melhor a anestesia e a cirurgia.[2,7,9,22]

Alguns autores preconizam a realização de broncoscopia para a localização exata da fístula e a obliteração da mesma por cateter de embolectomia tipo Fogarty.[23,24] O objetivo deste tipo de procedimento é evitar a realização de gastrostomia e reduzir o risco de ventilação inadequada pela via aberta do tubo de gastrostomia.[25]

Considerações Anestésicas

A melhor técnica para intubação de crianças com AE e FTE é ainda controversa. Existem anestesiologistas que preferem a intubação com a criança acordada, outros praticam a indução inalatória e, ainda, existem os que preferem a técnica da indução com agentes venosos.[2,7,21]

O essencial é evitar ventilação com pressão positiva, que poderia distender o estômago e causar refluxo do conteúdo gástrico para o pulmão, ou causar rotura do estômago, ou mesmo comprometer a função respiratória.[7,9,19,21]

O tubo traqueal deverá ser posicionado adequadamente para que não ocorram as complicações já citadas. Desta maneira, como a maior incidência é de fístula localizada logo acima da carina e na parede posterior da traqueia, o tubo traqueal é posicionado, gentilmente, até o brônquio fonte direito e retirado lentamente até atingir a posição logo acima da carina. A ausculta deve ser feita e devem ser constatados sons respiratórios simétricos em ambos hemitórax. A face posterior do bisel da cânula deverá contribuir para selar a abertura da fístula.

Durante a realização da cirurgia, a posição da cânula deverá ser checada toda vez que houver problemas com a ventilação, pois ela poderá se deslocar para dentro da fístula.[7,9,19,21]

Outra técnica para verificar a colocação adequada da sonda de intubação orotraqueal é descrita em pacientes com gastrostomia. A ponta do tubo de gastrostomia deverá ser colocada em um selo d'água e, após a intubação traqueal, o balão do aparelho de anestesia deverá ser gentilmente comprimido. Bolhas de ar aparecerão e passarão através do tubo de gastrostomia. O tubo endotraqueal deverá, então, ser mobilizado mais para baixo na traqueia até que as bolhas de ar cessem. Neste ponto, o tubo traqueal deverá estar localizado além da fístula.[7]

Outros profissionais preferem realizar fibroscopia, ou broncoscopia, rotineiramente para determinar a exata localização da fístula e, dessa forma, posicionar o tubo endotraqueal distal à mesma.

Se a fístula for muito grande, ou localizada muito próximo à carina, um cateter de Fogarty poderá ser passado e manipulado dentro da fístula sob visão direta e ocluir a mesma com seu balão.[21] O broncoscópio rígido pode ser retirado e o paciente gentilmente intubado. Durante a anestesia, deve-se observar se o cateter de Fogarty não se mobilizou para dentro da traqueia, causando dificuldade respiratória.[7,21]

Portanto, durante a cirurgia, se houver dificuldade de ventilação, várias hipóteses deverão ser aventadas: torção da traqueia, insuflação inadequada dos pulmões, distensão gástrica, retração dos pulmões, rotura da pleura e obstrução do tubo traqueal por secreção ou sangue.[7,17,21]

Após a indução da anestesia, o paciente é colocado em decúbito lateral esquerdo para a realização da toracotomia direita e, assim, proceder a ligação da fístula (Figura 144.7).

A equipe anestésica e cirúrgica deve ter um bom entrosamento, pois este tipo de cirurgia depende da colaboração de ambas. Com a ligadura da fístula, o cirurgião pedirá ao anestesiologista que introduza uma sonda através do nariz, ou da boca, da criança até o fundo superior cego do esôfago. Por sua vez, ele direcionará outro cateter na posição inferior do esôfago. Esse procedimento é importante, porque os cateteres guiarão a realização da anastomose, que será realizada sobre eles.[7]

Ao término da sutura, o cateter da porção superior do esôfago é recolocado logo acima da anastomose, e a distância dele até a boca é marcada. Somente cateteres deste comprimento deverão ser utilizados para sucção no período pós-operatório.[7,17,21]

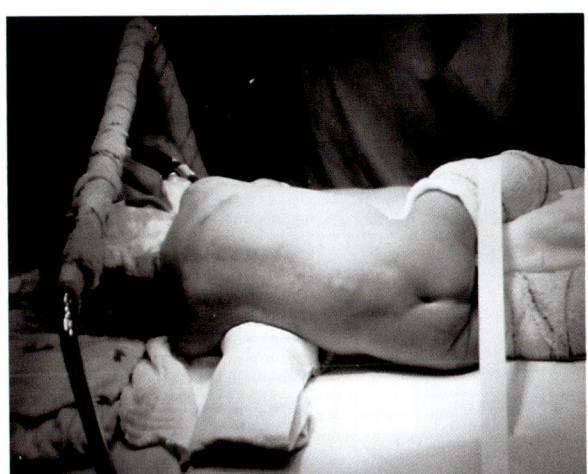

▲ **Figura 144.7** Criança em decúbito lateral esquerdo.

Considerações Pós-operatórias

A extubação deverá ser planejada ao final da cirurgia, pois se evita, assim, pressão prolongada na linha da sutura. Não deverá ocorrer extensão acentuada do pescoço para que não ocorra tração na região da anastomose. Entretanto, existem autores que preferem não extubar a criança por 24 a 48 horas para evitar trauma na anastomose, se, eventualmente, houver necessidade de reintubação.[7,9,17,21]

As complicações mais comuns no pós-operatório são pneumonites e atelectasia, principalmente pelo acúmulo de secreções na árvore traqueobrônquica. Se houver opção por extubação precoce, deve existir vigilância cuidadosa de sinais de colapso traqueal, pois a traqueomalácia também é uma complicação comum na FTE e AE.[26]

Os bebês com disfunção pulmonar grave, prematuros e com anomalias associadas deverão permanecer intubados e com suporte ventilatório. A extubação dependerá da melhora clínica, demonstrada por meio de gasometrias e da melhora da mecânica ventilatória.[7,9,17,21] Outras complicações precoces que poderão ser observadas são: pneumotórax, deiscência da anastomose e alterações pulmonares.

A sobrevida de crianças com FTE e AE depende muito das anomalias associadas, sendo excelente quando a anomalia associada não é grave.[7,9,17,21] No entanto, existe uma porcentagem alta de crianças que têm sintomatologia residual esofágica ou pulmonar[27].

Pode existir algum grau de estenose esofágica, que, inclusive, pode necessitar de dilatação.[21,28] Essas complicações vão tornando-se menos graves e frequentes com o crescimento da criança. Na segunda ou terceira década de vida, mais de 90% dos pacientes estão assintomáticos ou com leve disfagia.[28,29]

Outra complicação tardia e comum é o refluxo gastresofágico. Jolly e col.[30] relataram esta alteração em 68% dos pacientes, e Deurloo e col.[31] avaliaram a incidência de esofagite e esôfago de Barrett após 10 anos da correção da AE; também observaram que essas alterações tiveram maior incidência nesses pacientes do que na população geral.

Bokay e col.[29] relataram, por meio de eletrogastrografia, que o refluxo gastresofágico, quando ocorre, parece ser devido a várias causas: atividade mioelétrica gástrica desordenada, ângulo esôfago-gástrico artificialmente estreitado ou atividade peristáltica esofágica lentificada.

■ HÉRNIA DIAFRAGMÁTICA CONGÊNITA

Hérnia Diafragmática Congênita (HDC) refere-se à herniação das vísceras abdominais para o interior do tórax devido a um defeito no diafragma. A incidência desta malformação está estimada em 1:2000 a 1:5000 nascimentos.[9,32] Apesar de o quadro clínico ter sido descrito pela primeira vez no início do século XIX, a correção cirúrgica foi considerada impossível até 1940, quando Laad e Gross publicaram a primeira série de casos com sucesso terapêutico.[33]

Mesmo com a melhora no diagnóstico e no manejo clínico, a mortalidade desses pacientes permanece alarmante, como resultado do desenvolvimento de hipoplasia pulmonar e das complicações relacionadas a esta. Somado a esses fatores fisiológicos, a não padronização das condutas utilizadas no manejo dos pacientes com HDC pode contribuir sobremaneira para o aumento da mortalidade. Por outro lado, a redução na variabilidade no manejo da HDC, baseado no desenvolvimento de protocolos de tratamento, parece exercer importante papel na melhora a sobrevida destes pacientes.[34]

Estudo incluindo mais de 2700 pacientes com até 8 dias de vida e com diagnóstico de HDC mostrou taxa de mortalidade de 34%.[35] De acordo com outra pesquisa que abrangeu mais de 3000 pacientes com diagnóstico de HDC, aqueles com melhor prognóstico e maior probabilidade de sobrevivência estão entre pacientes que apresentaram maior peso ao nascimento, maior idade gestacional e maior escore de Apgar aos 5 minutos de vida. Por outro lado, a taxa de mortalidade é alta quando o paciente se apresenta sintomático nas primeiras horas de vida, o que reflete maior gravidade da hipoplasia e hipertensão pulmonar, assim como quando há malformações congênitas associadas, ou lesão pulmonar iatrogênica associada à ventilação mecânica.[36]

Um dos avanços no manejo dos neonatos com HDC e comprometimento pulmonar grave foi a introdução do Emprego da Membrana de Oxigenação Extracorpórea (ECMO). ECMO é comumente empregada quando há deterioração da função respiratória do neonato associada à hipoplasia pulmonar e à hipertensão pulmonar persistente. É estimado que cerca de 20% a 40% dos neonatos com diagnóstico de HDC necessitarão de ECMO como tratamento de resgate.[37] Porém, quando é utilizada, a taxa de mortalidade aumenta para aproximadamente 50%. Vários fatores estão relacionados com a alta mortalidade dos pacientes submetidos à ECMO, entre eles: baixo peso ao nascimento (< 2 kg), baixo índice de Apgar aos 5 minutos, $PaCO_2$ maior que 60 mmHg antes da introdução da ECMO, necessidade de ECMO por mais de 15 dias, hemólise e necessidade de diálise enquanto em uso de ECMO.[38]

Indicação de ECMO

A utilização da ECMO, embora bastante debatida na literatura, tem sido indicada principalmente para a estabilização pré-operatória. A taxa de sobrevida não é diferente entre os centros que possuem ECMO e aqueles que não a têm,[3] e essa taxa situa-se em 51% dos neonatos com HDC que utilizaram ECMO.[39, 40, 41]

Outra discussão relativa ao tratamento cirúrgico da HDC em neonatos que tiveram indicação para uso da ECMO é o momento ideal para a realização da cirurgia. São considerados três períodos:

- Menos de 72 horas → fase precoce;
- Após a canulação para ECMO → > 72 horass → fase tardia;
- Após decanulação da ECMO.

O maior problema é a cirurgia durante a ECMO devido à anticoagulação, o que aumenta o risco de sangramento, hemorragia pós-reparo, instabilidade hemodinâmica, hemotórax e síndrome compartimental abdominal.[42,43]

Classificação

A classificação da HDC é baseada na localização da herniação diafragmática, como segue:

- Em torno de 75% a 80% dos pacientes, há um defeito posterolateral no diafragma (forâmen de Bochdalek), com a lesão do lado esquerdo, sendo oito vezes mais frequente que a do lado direito.[7] São as maiores hérnias, sendo associadas com graus mais graves de hipoplasia pulmonar;[9]
- Em 2% dos casos, a herniação ocorre por meio do forâmen anterior de Morgani. Essas hérnias são relativamente menores;[9]
- O restante dos casos corresponde às herniações que ocorrem por meio do hiato esofágico.[9]

Embriologia

Existem duas hipóteses para o desenvolvimento dos defeitos que levam à herniação diafragmática:[7]

1. Crescimento pulmonar anormal, resultando em um desenvolvimento diafragmático anormal secundário;
2. Defeito primário diafragmático, com hipoplasia pulmonar secundária, resultante da compressão pulmonar pelo conteúdo diafragmático herniado.

Durante o primeiro mês de vida intrauterina, o feto apresenta cavidade pleuroperitoneal comum. As cavidades pleural e peritoneal aparecem separadamente entre a quarta e a nona semana de gestação. Se ocorrer algum evento neste período que impeça a migração do conteúdo abdominal para a cavidade peritoneal, pode estabelecer-se a herniação diafragmática.[7]

Defeitos Anatômicos do Pulmão e do Coração

A herniação das vísceras intra-abdominais para o interior do tórax resulta em compressão das estruturas torácicas, iniciando-se na segunda metade do primeiro trimestre de gestação. A compressão do pulmão durante o estágio pseudoglandular de desenvolvimento pulmonar (8ª a 16ª semanas de gestação) promove a interrupção do processo de morfogênese bronquiolar normal.[44] Como resultado, o desenvolvimento da árvore brônquica ipsilateral é dramá-

tica e irreversivelmente prejudicado. Consequentemente, desenvolve-se hipoplasia pulmonar com hipertensão pulmonar associada. O número total de gerações das vias aéreas pode diminuir em até 50%, e a maturação pulmonar ocorre ao redor das vias aéreas formadas, porém com poucas vias aéreas haverá poucos alvéolos.[7,9]

Além dessas alterações, a hipoplasia pulmonar resulta em redução da pré-carga para o ventrículo esquerdo, com consequente inibição do desenvolvimento ventricular.[45] Inamura e col.[46] demonstraram que a utilização de prostaglandina E_1 preveniu a disfunção diastólica aguda nas crianças com HDC e hipoplasia pulmonar grave, porque conseguiu manter o ducto arterioso pérvio e suportar a função ventricular esquerda.

Diagnóstico

O diagnóstico pode ser realizado tanto no período intraútero, por meio de exame ultrassonográfico, quanto no período pós-natal.[7,9] O aumento na indicação de exames ultrassonográficos rotineiros, durante a gestação, tornou o diagnóstico da HDC um evento relativamente frequente. Os achados ultrassonográficos que sugerem pior prognóstico são: presença de polidrâmnio, estômago localizado acima do diafragma e diagnóstico antes da 20ª semana de gestação, desvio do mediastino contrário à herniação.[7] Polidrâmnio pode ser decorrente de torção do duodeno que resulta em dilatação gástrica e, finalmente, agravamento da hipoplasia pulmonar. Essa hipótese ajuda a explicar a relação observada entre polidrâmnio e HDC com piores prognósticos.[47]

Outros dois achados ultrassonográficos podem predizer o prognóstico da doença: razão pulmão/cabeça (< 25% → 25% de sobrevida; > 45% → 100% de sobrevida) e posição do fígado (se intratorácica, é preditor de gravidade).[48]

O diagnóstico ultrassonográfico permite, em algumas situações, intervenções intrauterinas que visam melhorar a sobrevida dos pacientes após o nascimento.[49] A redução cirúrgica da hérnia diafragmática, ainda durante o período intrauterino, permite a melhora do desenvolvimento pulmonar e, consequentemente, melhora no prognóstico pós--natal.[48] Outra estratégia é a tentativa de produzir oclusão traqueal, baseada em artigo que demonstrou a presença de crescimento pulmonar excessivo em pacientes com atresia congênita de laringe.[50]

A HDC deve ser investigada em toda criança que apresente comprometimento respiratório no período pós-natal imediato. A tríade clínica clássica da HDC consiste em cianose, dispneia e aparente dextrocardia.[9] Em decorrência do deslocamento do mediastino para o lado contralateral à herniação, os sons cardíacos também vão estar deslocados na mesma direção. A presença de borborigmos auscultados no tórax é achado incomum.[7]

Os neonatos com HDC apresentam, geralmente, abdome escavado, associado ao tórax "em barril", refletindo a presença de conteúdo abdominal dentro da cavidade torácica.[9] A radiografia do tórax mostra a presença de alças intestinais e, eventualmente, do estômago, do baço ou do fígado dentro da cavidade torácica. O pulmão ipsilateral é, geralmente, comprimido contra o mediastino, deslocando este para o lado contralateral[7] (Figura 144.8).

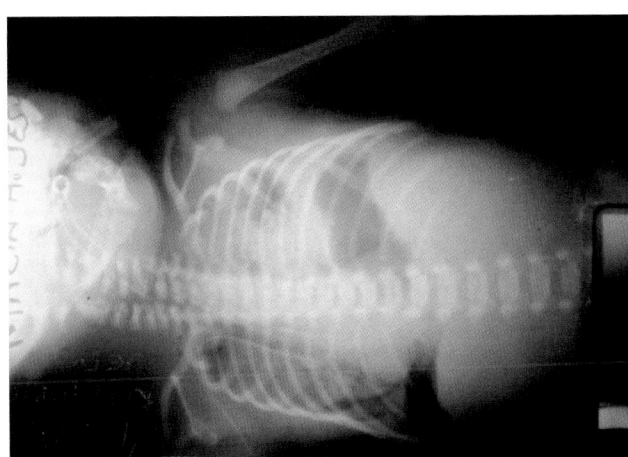

▲ **Figura 144.8** HDC: criança com conteúdo abdominal no tórax.

O tempo despendido para o diagnóstico clínico relaciona-se com o prognóstico, porque o início e agravamento dos sintomas refletem o grau de hipoplasia pulmonar, o tamanho do defeito e a dimensão efetiva do efeito de massa produzido pelo conteúdo abdominal herniado.[7]

As crianças que apresentam insuficiência respiratória nas primeiras 6 horas de vida são consideradas de alto risco, enquanto aquelas que a apresentam na primeira hora de vida têm taxa extremamente alta de mortalidade.[7]

A HDC pode manifestar-se apenas na adolescência ou na idade adulta, casos estes em que, geralmente, são encontrados pequenos defeitos diafragmáticos, com pulmões relativamente normais.[7]

Diagnóstico Diferencial

O principal diagnóstico diferencial para a HDC é a eventração diafragmática, que se desenvolve por alteração no componente muscular do diafragma. Sua apresentação clínica varia desde um quadro assintomático, até comprometimento profundo da função respiratória.[7,9]

Cuidados Pré-operatórios

A HDC está frequentemente associada a outras anomalias congênitas. Dentre elas, as mais comuns são:[7]

- Em 28% dos casos, alterações do sistema nervoso central, como hidrocefalia, anencefalia e espinha bífida;
- Em 23% dos casos, alterações do sistema cardiovascular, como defeitos septais atriais ou ventriculares, coarctação de aorta e tetralogia de Fallot;
- Em 20% dos casos, alterações do trato gastrintestinal, como atresias e má rotação intestinal;
- Em 15% dos casos, alterações do sistema geniturinário, como hipospádia.

A presença e a gravidade de anomalias congênitas associadas podem ser determinantes, visto que algumas delas podem influenciar nos resultados terapêuticos.

A filosofia sobre o período inicial de tratamento da HDC tem mudado. No passado, a hérnia era reparada em caráter de emergência, pois se acreditava que o conteúdo herniado causava colapso pulmonar e falência respiratória. Como resultado, muitos pacientes eram levados às pressas para o centro cirúrgico, sem tempo para estabilização clínica prévia.

Atualmente, é mais aceito o adiamento da cirurgia, concentrando-se esforços na estabilização clínica do neonato. Essa nova abordagem da doença reflete a crença que a compressão pulmonar não é o problema primário. Além disso, a cirurgia não cura a insuficiência respiratória e, em alguns casos, pode até piorar os mecanismos respiratórios.[7,9]

O objetivo, então é programar eletivamente a cirurgia para quando o neonato estiver estável clinicamente. O tempo ótimo de adiamento do procedimento cirúrgico ainda é desconhecido. O retardo na intervenção cirúrgica de algumas horas até poucos dias tem sido estudado. Tem-se encontrado melhora na sobrevida dos pacientes que tiveram seu quadro clínico estabilizado, antes de serem submetidos à cirurgia corretiva, quando os resultados são comparados aos dados históricos de intervenção imediata como controle.[51]

Os cuidados iniciais são determinados pelo grau de comprometimento clínico do paciente. As alterações fisiológicas que sabidamente precipitam hipertensão pulmonar devem ser evitadas. Devem ser feitos todos os esforços para se manter uma situação de normoxia, normo ou hipocarbia e pH normal ou alto.

Crianças com comprometimento grave da função pulmonar necessitam de intubação traqueal, sedação, curarização, ventilação com pressão positiva e, eventualmente, oxigenação extracorpórea.[7,9] Os critérios de seleção para o emprego de ECMO em pacientes com HDC, porém, permanecem pobremente definidos.[52] Já nos casos mais brandos, pode-se tentar o emprego de ventilação espontânea, com certo grau de hipercarbia permissiva, evitando ao máximo altas pressões ventilatórias.[53]

Além desses cuidados, também é imprescindível que seja evitada a distensão gasosa do estômago e das alças intestinais, sendo mandatória a colocação de sonda nasogástrica o mais precocemente possível (Figura 144.9). Si-

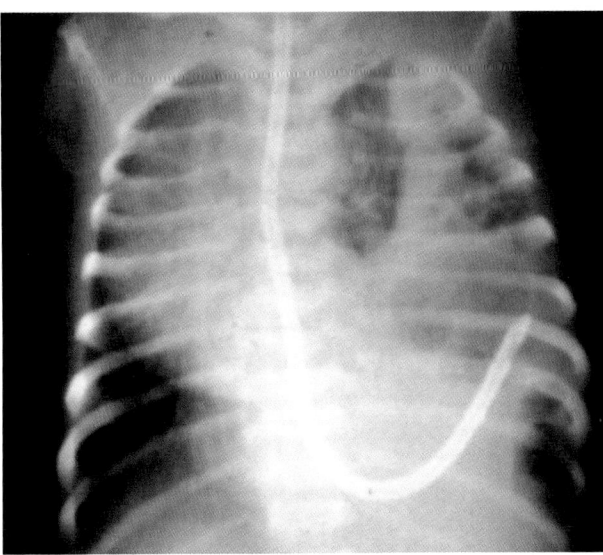

▲ **Figura 144.9** HDC: colocação de sonda nasogástrica. Observe a migração dela para o interior do tórax e o deslocamento do mediastino para direita.

milarmente, qualquer tipo de assistência ventilatória que possa provocar distensão gástrica deve ser evitado, como CPAP nasal ou ventilação prolongada sob máscara.[7,9]

Um dos determinantes da morbimortalidade na hérnia diafragmática congênita é a hipertensão pulmonar.

Os fatores que afetam a resistência vascular pulmonar são: mudanças transicionais anormais na vasculatura pulmonar; alteração na hemodinâmica e no fluxo sanguíneo pulmonar; volume pulmonar e recrutamento; tônus do musculo liso da vasculatura pulmonar; endotélio e desenvolvimento alveolar/arteriolar.

O pulmão hipoplásico não é apenas menor, mas estruturalmente diferente. Histologicamente, apresenta redução do número dos ramos das vias aéreas, poucos alvéolos, interfaces ar-sangue, redução da área total cross-seccional do leito vascular pulmonar, alteração da produção de surfactante, conteúdo de elastina e maturação epitelial. O pulmão hipoplásico contém poucas unidades arteriolar-alveolar.

A hipoplasia pulmonar é comumente associada a outras anormalidades congênitas, porém de 5% a 10% dos casos podem ocorrer isoladamente. Se a hipertensão pulmonar for um problema, algumas estratégias podem ser utilizadas, visando promover vasodilatação pulmonar, melhorando o fluxo sanguíneo no órgão. Hiperóxia e alcalose com hipocarbia são empregadas, apesar de concentrações inspiradas elevadas de oxigênio virem a causar danos pulmonares secundários. Os sucessos terapêuticos mais consistentes são conseguidos com alcalose associada à hiperventilação.[7]

Vários fármacos vasodilatadores pulmonares têm sido utilizados na tentativa de diminuir o quadro hipertensivo, incluindo morfina, prednisolona, clorpromazina, tolazolina (bloqueador alfra-adrenérgico, com efeito relaxante na musculatura lisa), bradicinina, acetilcolina e prostaglandinas E e D$_2$.[7,9]

A inalação de Óxido Nítrico (NO) pode promover vasodilatação pulmonar em alguns pacientes, sendo este o único vasodilatador pulmonar específico, não tendo efeito na circulação sistêmica quando inalado.[54] Estudos clínicos, ainda limitados, têm mostrado excelente melhora na oxigenação de neonatos com hipertensão pulmonar persistente, quando expostos à inalação de 20 a 80 ppm de NO.[55,56]

Os cuidados com a circulação sistêmica e com a função miocárdica desses pacientes é outro importante aspecto a ser considerado. Hipotensão arterial sistêmica, associada à hipóxia, pode resultar em falência da função cardíaca. Monitorização do volume intravascular e a necessidade de drogas inotrópicas e vasoativas são obrigatórias.[7]

Todos os neonatos com HDC e comprometimento respiratório necessitam de monitorização invasiva. O acesso venoso periférico é mais efetivo se localizado nos membros superiores, porque a redução da hérnia diafragmática pode aumentar a pressão intra-abdominal e obstruir parcialmente a veia cava inferior.[7]

O acesso venoso central deve ser conseguido por via umbilical ou pela veia femoral, pois as veias do pescoço devem ser evitadas, sendo preservadas em caso de necessidade de instalação de ECMO. A canulação da artéria radial deve ser realizada de preferência do lado direito, pois amostras sanguíneas pré-ductais podem ser colhidas.[7]

Cuidados Intraoperatórios

A mortalidade dos neonatos com HDC, nos anos 70, era de, aproximadamente, 40% a 50%.[56,57] Atualmente, com os avanços nos cuidados clínicos destes pacientes, especialmente minimizando-se barotrauma durante a ventilação e se utilizando oxigenação extracorpórea, quando indicada, a taxa de mortalidade foi reduzida, porém não o suficiente, estando ao redor de 30%.[33,58] Entretanto, as técnicas cirúrgicas não evoluíram significativamente durante este período de melhora na sobrevida.

Abordagem Cirúrgica

Comparações entre as técnicas cirúrgicas (aberta, por toracoscopia ou laparoscopia) têm mostrado resultados diversos quando se compara morbimortalidade. No entanto, uma metanálise realizada por Landsdale e col. demonstrou maior taxa de recorrência com a técnica por vídeo.[59]

Avaliação da Hipoplasia Pulmonar

1. Relação entre PAO$_2$ e PaO$_2$
   - Não sobreviventes: PAO$_2$ e PaO$_2$ > 500 mmHg;
   - Sobrevida incerta: PAO$_2$ e PaO$_2$ entre 400 e 500 mmHg;
   - Melhor prognóstico: PAO$_2$ e PaO$_2$ < 400 mmHg.
2. Índice ventilatório (Índice prognóstico de Bohn)
   IV = pressão arterial média x frequência respiratória
   - Sobrevive: PaCO$_2$ < 40 mmHg e IV < 1000;
   - Sobrevida incerta: PaCO$_2$ > 50 mmHg e IV < 1000 ou;
   - PaCO$_2$ < 40 mmHg e IV > 1000.
3. É necessário fazer avaliação ecocardiográfica, cateterização cardíaca, angiografia pulmonar e *doppler*.

Procedimentos minimamente invasivos (toracoscopia) foram tentados, porém com descrição de altos índices de complicação, podendo precipitar acidose respiratória e hipertensão pulmonar, culminando com o aumento na taxa de mortalidade se critérios de seleção pré-operatórios rígidos não forem obedecidos.[60]

Segundo Yang e col.,[61] tais critérios baseiam-se em fatores anatômicos, como possibilidade de reparo primário do diafragma e hiato esofágico intacto, com estômago e fígado localizados dentro da cavidade abdominal, situações que diminuem o tempo cirúrgico e minimizam o risco de desenvolvimento de acidose respiratória. Além de fatores anatômicos, os fatores fisiológicos são determinantes no sucesso desta técnica cirúrgica. Dentre estes, os principais são: boa função pulmonar no período pré-operatório, pressão de pico inspiratória menor que 24 mmHg e nenhuma evidência de hipertensão pulmonar.

A necessidade de suporte ventilatório geralmente aumenta após toracoscopia.[61] Isto, somado ao fato de que a abordagem cirúrgica transabdominal facilita a correção da má-rotação intestinal, quando presente, e também a redução da hérnia diafragmática, faz com que a maioria dos cirurgiões prefira a correção cirúrgica aberta.[7]

Na maior parte dos casos, a cavidade abdominal é fechada primariamente, mas, se esta for muito pequena para acomodar o conteúdo herniado, uma bolsa de *Silastic* pode ser criada para abrigar as alças, sem aumento excessivo na pressão intra-abdominal.[7,9]

■ MANEJO INTRAOPERATÓRIO

Monitorização

A monitorização contínua da saturação de oxigênio permite reconhecimento precoce do desenvolvimento do *shunt* direito-esquerdo. Além disso, os gases sanguíneos devem ser avaliados com frequência.

Durante o intraoperatório, além da monitorização obrigatória, eletrocardiograma, capnógrafo/capnometria, a saturação periférica de oxigênio deverá ser aferida no braço direito, que reflete a saturação pré-ductal e, portanto, a adequação à perfusão do cérebro e coração, mantendo a saturação entre 80% a 95%, enquanto a pós-ductal deve permanecer acima de 70%.

A $PaCO_2$ poderá atingir valores de até 65 mmHg, desde que o pH seja maior que 7,2. A pressão arterial invasiva é necessária para a coleta seriada de exames, e os valores serão considerados adequados ao levar em conta a idade gestacional.

Ventilação

A ventilação mecânica durante a cirurgia deve manter a normóxia ou hiperóxia e, também, uma situação de hipo ou normocarbia, utilizando mínimas pressões de vias aéreas (< 20 a 30 cmH_2O), baixo volume corrente e frequência respiratória rápida (60 a 120 movimentos por minuto).[62]

A intubação deverá ser realizada sem ventilação, com pressão positiva prévia, para que não ocorra distensão dos órgãos intra-abdominais situados no tórax. O pico da pressão inspiratória deverá ser o mais baixo possível, em torno de 25 cm de água, com volume corrente de 6 a 7 mL.kg^{-1} de peso corporal.

A estratégia ventilatória visa manter a saturação pré-ductal entre 80% a 95% e a pós-ductal acima de 70%, enquanto a $PaCO_2$ poderá ficar entre 50 a 70 mmHg. Um aparelho de ventilação mecânica proveniente da Unidade de Terapia Intensiva (UTI) neonatal deve ser considerado se o aparelho de anestesia não seja capaz de oferecer este tipo de ventilação.[7]

Os mecanismos pulmonares mudam durante a cirurgia, podendo ocorrer diminuição aguda da complacência pulmonar. É muito importante estar atento para alterações ventilatórias ou hemodinâmicas no decorrer da cirurgia, pois qualquer deterioração súbita na complacência pulmonar, na oxigenação ou na pressão arterial pode indicar a presença de pneumotórax. Sendo assim, os equipamentos necessários para eventual drenagem pulmonar devem estar disponíveis imediatamente. Alguns autores recomendam a inserção profilática de dreno torácico do lado contralateral à hérnia antes da cirurgia.[7,9]

Para se evitar qualquer mecanismo que possa desencadear vasoconstrição pulmonar, a PaO_2 deve ser mantida acima de 80 mmHg, a $PaCO_2$ deve variar ao redor de 25 a 30 mmHg, e o pH deve ser mantido normal ou ligeiramente elevado.[7] A presença de acidose metabólica deve ser tratada apropriadamente com a infusão de bicarbonato de sódio.

As perdas sanguíneas durante o procedimento são usualmente mínimas. Entretanto, qualquer perda significativa deve ser imediatamente compensada. Goonasekera e col. demonstraram que o volume de líquidos infundidos e a duração da anestesia associaram-se à morte no pós-operatório. O índice de oxigenação de 24 horas no pós-operatório foi o melhor preditor do aumento do risco de mortalidade.[63]

Todos os esforços são necessários para se evitar a hipotermia no paciente, já que esta pode aumentar o consumo de oxigênio e, portanto, exacerbar a dessaturação sistêmica.[9]

Finalmente, a escolha dos agentes anestésicos dependerá do estado de estabilidade cardiovascular da criança. Anestésicos inalatórios halogenados podem, mesmo em baixas concentrações, causar hipotensão significativa. Já, os opioides, como fentanil ou sufentanil, são geralmente bem tolerados.[7,9]

Os relaxantes musculares são agentes úteis durante a anestesia destas crianças, enquanto o óxido nitroso deve ser evitado porque pode provocar dilatação gasosa das alças intestinais, comprimindo ainda mais o pulmão e tornando o fechamento da cavidade abdominal extremamente difícil após a redução da hérnia. Além disso, estas crianças geralmente necessitam de alta FiO_2 durante a anestesia, o que inviabiliza o emprego do N_2O.[7,9]

Ao término da cirurgia, o neonato deve ser encaminhado para a UTI, onde receberá monitorização e cuidados pós-operatórios adequados.

Cuidados Pós-operatórios

Desde que as condições clínicas dos pacientes tenham sido estabilizadas, a necessidade de assistência respiratória contínua deve ser reavaliada. Os critérios a serem considerados nesta decisão são: as condições pré-operatórias do neonato, o tamanho do defeito no diafragma, a tensão da parede abdominal, a presença de anomalias congênitas associadas e o grau da hipoplasia pulmonar, que deve ser avaliada por meio do gradiente alvéolo-arterial de oxigênio ($[A-a]DO_2$).[64, 65]

Em crianças com quadros mais brandos de acometimento pulmonar, a ventilação controlada é mantida, habitualmente, por 2 a 12 horas no período pós-operatório. Entretanto, nos neonatos com comprometimento pulmonar grave ($[A-a]DO_2 < 400$ mmHg), ou naqueles nos quais a deterioração da função cardiopulmonar se desenvolva, a ventilação mecânica controlada deve ser mantida, mantendo a otimização dos padrões ventilatórios, semelhantes aos do período intraoperatório.[7,9] É importante lembrar que a aspiração do tubo traqueal deve ser realizada apenas quando estritamente necessária, evitando-se alterações, mesmo que transitórias, da FiO_2 e da PaO_2.

Se a hipertensão pulmonar estiver presente, uma variedade de vasodilatadores pulmonares pode ser empregada; entretanto, como previamente mencionado, o NO mostra-se como a melhor promessa por seus efeitos mais seletivos.[54]

Em neonatos com hipertensão pulmonar grave, hipoxemia e/ou hipercarbia, sem melhora com as medidas previamente citadas, a ECMO pode ser empregada. A principal complicação deste procedimento é sangramento, que pode ocorrer, inclusive, no sistema nervoso central, em decorrência do uso de heparina e ao consumo e inativação de plaquetas no circuito.[66, 67]

Observações pós-operatórias tardias

Aproximadamente 87% dos pacientes com HDC corrigida apresentam comorbidades associadas com a doença em uma avaliação em longo prazo. Dentre estas, as comorbidades pulmonares, gastrintestinais e neurológicas são as mais comuns.[68,69]

As comorbidades pulmonares mais comuns incluem hipertensão pulmonar persistente, asma e infecções recorrentes do sistema respiratório. Dentre as comorbidades gastrintestinais, as mais comuns são Refluxo Gastresofágico (RGE) e obstruções intestinais. Comorbidades neurológicas são especialmente relacionadas com a lesão hipóxia cerebral pós-ECMO.

■ ONFALOCELE E GASTROSQUISE

As origens embriológicas da onfalocele e da gastrosquise são diferentes, entretanto a abordagem anestésica dessas malformações congênitas é similar. Essas malformações congênitas da parede abdominal apresentam um alto índice de mortalidade, com somente 60% das crianças sobrevivendo ao final de um ano de vida.[70,71]

Onfalocele

Onfalocele é a hérnia do intestino na base do cordão umbilical e é secundária a um defeito embriológico[21,72] (Figura 144.10). A incidência de onfalocele é aproximadamente de 1 a 2 para cada 10 mil nascidos vivos.[72-73]

Aproximadamente de 66% a 76% das crianças com onfalocele apresentam associação com outras malformações congênitas. Além disso, essa condição tem maior incidência em crianças prematuras (25%).[9,21,72]

As malformações congênitas associadas mais comuns são do sistema gastrintestinal (divertículo de Meckel, atresia intestinal, má rotação do intestino, atresia biliar, ânus imperfurado), sistema cardiovascular (tetralogia de Fallot), geniturinário (estrofia vesical, hipoplasia renal) e defeitos cranioencefálicos (macrocefalia, microcefalia, defeitos de septo ventricular cerebral).[9,72,74]

Pode haver associação com a trissomia 13/15 e com a síndrome de Beckwith-Wiedemann que consiste em macrossomia visceral, macroglossia, microcefalia e hipoglicemia. A onfalocele epigástrica está associada à alta incidência de doença cardíaca congênita e malformações torácicas (pentalogia de Cantrell), enquanto que com a onfalocele hipogástrica estão associadas às anormalidades na bexiga e nos genitais.[9,19,72]

Gastrosquise

Gastrosquise é definida como um defeito na parede abdominal que envolve herniação do intestino e, ocasionalmente, outros órgãos como o fígado e o baço. A incidência da gastrosquise vem crescendo drasticamente nas últimas décadas, passando de 1,35 para 4 a 5 casos a cada 10 mil nascidos vivos[9,19,21,75-78] (Figura 144.11).

Normalmente ocorre do lado direito do umbigo e é caracterizada pela ausência da membrana que recobre os órgãos prolapsados e, desta forma, eles ficam expostos ao líquido amniótico. O contato com o líquido amniótico pode causar peritonite química, edema, perda de calor, infecção e espessamento das alças do intestino.[75]

Esta pode ser descrita como simples, nos casos em que ocorre somente a gastrosquise, ou complexa quando está associada a outro quadro do trato gastrintestinal, como: atresia, perfuração, segmentos necróticos ou volvo.[74] A associação de atresia e gastrosquise ocorre em 5% a 15% dos pacientes e está ligada a um prognóstico desfavorável devido ao aumento do tempo de utilização da nutrição parenteral, prolongamento do período de internação e aumento na mortalidade.[79-83]

Com o avanço da medicina fetal, 88% a 97% das gestantes recebem o diagnóstico de gastrosquise ainda no período pré-natal, sendo, então, encaminhadas a centros de referência para o acompanhamento e tratamento de seus bebês.[84-87] A elevação da alfa-feto proteína plasmática materna (análogo fetal da albumina), exame utilizado para detectar

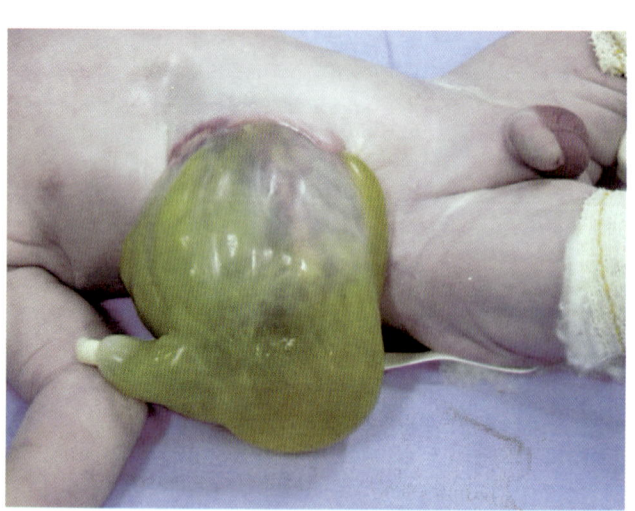

▲ **Figura 144.10** Onfalocele.

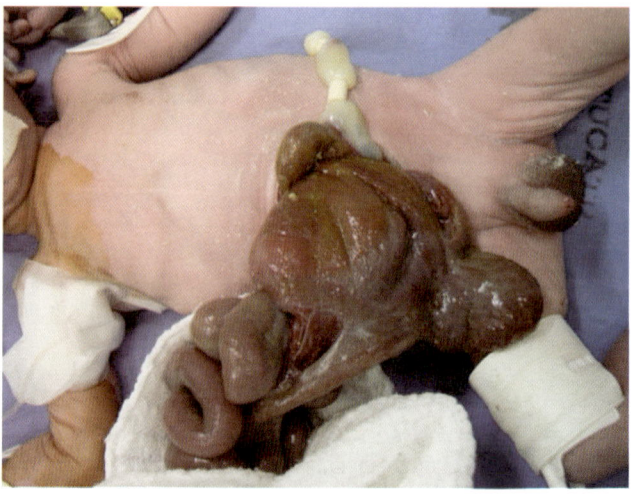

▲ **Figura 144.11** Gastroquise.

alterações cromossômicas ou de tubo neural, pode também ser sugestiva de gastrosquise.[88]

Na gastrosquise, as anomalias associadas são menos comuns, variando de 10% a 31%, principalmente relacionadas com anormalidades cardíacas dos tratos gastrintestinal e genitourinário.[80,89-93] Além destas, a incidência de prematuridade pode chegar a 60%.[9,90,91]

Avanços recentes no entendimento dos elementos responsáveis pela lesão no intestino, como a inflamação causada pela presença de componentes digestivos presentes no líquido amniótico, podem mudar as estratégias terapêuticas. A troca do líquido amniótico pode ser uma opção.[75]

Foram identificados diversos fatores maternos associados à gastrosquise. Dentre estes, a idade materna menor que 20 anos é fator para o aumento no risco de gastrosquise.[94] Outros fatores de risco incluem: primíparas e primigestas, baixo nível socioeconômico e educacional, uso de medicações vasoativas (pseudoefedrina e salicilatos) e abuso de drogas (tabaco, álcool e cocaína).[75,94-99] Essas substâncias têm sido implicadas com efeitos vasorreativos durante o período embriogênico. Além disso, existem casos associados à alteração cromossômica e outros de caráter familiar.[100,101] O papel exato de todos estes fatores, genéticos ou ambientais, ainda não foi totalmente esclarecido.[102,103]

Considerações Pré-operatórias

A perda de líquidos e de calor, o trauma direto das estruturas herniadas e infecção são as principais preocupações no manuseio de crianças com essas malformações. Na onfalocele, o conteúdo intestinal está recoberto com a membrana peritoneal, que quando íntegra, poderá fornecer proteção maior ao mesmo, quanto aos efeitos irritativos do líquido aminiótico.[9,66]

Os cuidados com a manutenção da normotermia deverão ser intensificados, sendo necessário recobrir o conteúdo herniado com gaze, ou compressa, embebidos em soro fisiológico, ou com plásticos esterilizados.

A descompressão do estômago, com sonda oro ou nasogástrica, previne a regurgitação, a pneumonia de aspiração e a distensão intestinal. O uso de antibiótico apropriado e a fluidoterapia intravenosa são medidas necessárias para que não ocorram hipovolemia e septicemia.[9,71] Se não forem adotadas estas condutas, a combinação de peritonite, edema, isquemia, perda proteica e perda de líquidos para o terceiro espaço poderá causar choque hipovolêmico, hemoconcentração e acidose metabólica.

A glicemia deve ser monitorizada com atenção, visto que os pacientes com defeitos da parede abdominal apresentam frequente associação com prematuridade e restrição do crescimento intrauterino.[104] É recomendável adicionar glicose (5% ou 10%) nos líquidos utilizados para reposição das perdas básicas.[105]

Considerações Anestésicas

Durante o período intraoperatório, a monitorização deverá ser constituída de oxímetro de pulso, capnografia e capnometria, eletrocardiograma e pressão venosa central. Especial atenção deve ser dada a crianças com estado geral mais grave ou com malformações que possam comprometer a sobrevida. O débito urinário deve ser monitorizado, assim como a perda sanguínea.

Os grandes desafios deste tipo de cirurgia são a manutenção da volemia e da normotermia. Sendo assim, é frequente a necessidade de uma reposição volêmica mais agressiva, podendo chegar até três a quatro vezes àquela administrada para neonatos normais (150 a 300 ml/kg/dia). Solução de Ringer com lactato, associado ou não à albumina 5%, é o líquido de escolha nestes casos. A monitorização do débito urinário, dos eletrólitos e do equilíbrio acidobásico é crucial no manejo destes pacientes.[106]

Quando o defeito é pequeno, o fechamento primário pode ser realizado. Entretanto, a decisão de reparar a hérnia em um fechamento primário, ou o planejamento da colocação de um silo e fechamento num segundo tempo, depende muito das repercussões hemodinâmicas que acontecem com a colocação das vísceras herniadas na cavidade abdominal, que, normalmente, neste tipo de alteração, é hipodesenvolvida e poderá não acomodar o conteúdo herniado. Desta maneira, poderá existir uma piora na ventilação, com aumento da pressão nas vias aéreas e diminuição da complacência pulmonar[9,71,106] (Figuras 144.12 e 144.13).

O aumento excessivo da pressão abdominal pode resultar na síndrome compartimental abdominal, causando comprometimento da irrigação dos órgãos, o que pode levar à isquemia e consequentemente à oligúria, translocação bacteriana e diminuição da perfusão dos membros inferiores. A diminuição do retorno venoso, por compressão, poderá causar hipotensão e congestão dos membros inferiores.[9,19,71]

Yaster e col.[107] observaram que, em adultos, pressões intragástricas acima de 20 mmHg e aumento na pressão venosa central de 4 mmHg estariam associados à redução do retorno venoso e do índice cardíaco, determinando como tratamento a descompressão cirúrgica do abdome.

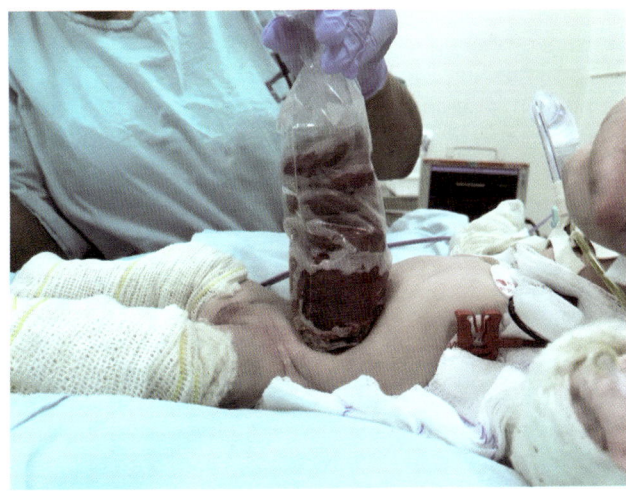

▲ **Figura 144.12** Fechamento com silo.

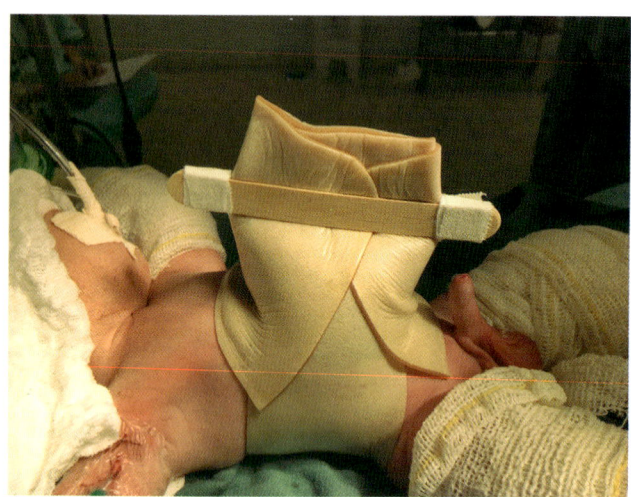

▲ **Figura 144.13** Fechamento com Silo de Abello.

Pressão Intra-abdominal

Um dos determinantes da cirurgia para a correção de gastrosquise, onfalocele e mesmo a hérnia diafragmática congênita é o aumento da pressão intra-abdominal. O padrão ouro para medida da pressão intra-abdominal é a colocação de um cateter através do peritônio, que, no entanto, pode causar peritonite e perfuração intestinal. O método recomendado pela *World Society of the Abdominal Compartment Syndrome* (WSACS) é a medida indireta da pressão vesical, que se correlaciona com a pressão intra-abdominal.[108,109]

A medida da pressão intra-abdominal deverá ser realizada indiretamente por cateter introduzido na bexiga. Deverá ser expressa em mmHg e medida no final da expiração em posição supina, com ausência de contração da musculatura abdominal. O zero deverá estar ao nível da linha axilar média.

A instilação de solução salina estéril na bexiga urinária deverá ser de 1 ml/kg de peso, com volume mínimo de 3 ml e máximo de 25 ml. A pressão intra-abdominal normal em doentes graves deverá estar entre 4 a 10 mmHg. A pressão de perfusão abdominal será calculada pela diferença entre a pressão arterial média e a pressão intra-abdominal, medida indiretamente pela pressão intravesical.

O Subcomitê Pediátrico da WSACS definiu que, em crianças, uma sustentada pressão abdominal > 10 mmHg associada à piora da função orgânica possa ser atribuída à elevação da pressão intra-abdominal. O aumento da pressão abdominal e da pressão intratraqueal determinará o fechamento primário ou não da parede abdominal.

Na literatura, existe a descrição de aumento da pressão arterial como complicação após fechamento do defeito da parede abdominal. Tal complicação ocorreu em 40% dos pacientes, foi transitória e raramente necessitou terapia.[110]

Estudo realizado no Reino Unido, incluindo 56 neonatos com gastrosquise, em um período de cinco anos de estudo, sugere que o emprego de anestesia geral com emprego de opioides pode estar relacionado ao prolongamento da necessidade de ventilação mecânica quando comparado à associação de anestesia geral mais bloqueio regional para

analgesia.[110] Porém, é importante ressaltar dois pontos: primeiro, o estudo foi realizado em um hospital de referência para esta doença, no qual o emprego de anestesia regional é feito de maneira rotineira;[111] segundo, foi um estudo retrospectivo, não randomizado e realizado em um único hospital. Portanto, estudos prospectivos, randomizados e multicêntricos fazem-se necessários para avaliar até que ponto a técnica anestésica é determinante no prolongamento da necessidade de ventilação mecânica desses pacientes.

No pós-operatório existe frequentemente a necessidade de manutenção da assistência ventilatória por 24 a 48 horas. A observação clínica e a monitorização devem continuar para que se possa detectar possível instalação da síndrome compartimental abdominal, alterações hemodinâmicas e sinais de infecção.[9] Desta forma, se houver compressão da veia cava inferior, os membros inferiores tornar-se-ão cianóticos, indicando necessidade de descompressão cirúrgica.

Na literatura relacionada à gastrosquise, muitos estudos avaliam o tempo de ventilação mecânica, duração na nutrição parenteral, tempo para iniciar alimentação ou permanência hospitalar. Desta forma, Singh e col.[110] mostraram que o tempo para introduzir alimento era de 10 dias, e a incidência de sepse, duração da nutrição parenteral, ventilação e internação hospitalar foram curtos. Outros estudos mostram que o tempo total de permanência hospitalar foi de 80 dias e dependeu do tempo de nutrição enteral e parenteral.[75]

O seguimento em longo prazo tem se mostrado muito bom no aspecto geral e neurológico.[75,112] Quanto à onfalocele, a sobrevida depende muito das anomalias associadas, que quando não são muito importantes, o tempo de nutrição enteral e a alta hospitalar costumam ser mais precoces em comparação com a gastrosquise.[74] Outro fator importante é que os pacientes com onfalocele não apresentam hipomobilidade tão grave como na gastrosquise.[113,114]

Koivusalo e col.[115] descreveram a morbidade e a qualidade de vida em pacientes adultos que foram submetidos à cirurgia para correção de defeitos congênitos da parede abdominal, e não encontraram diferença entre os pacientes que tiveram gastrosquise ou onfalocele.

■ ENTEROCOLITE NECROSANTE

A Enterocolite Necrosante (NEC) permanece uma significante fonte de morbimortalidade nos neonatos, sendo uma das causas mais frequentes de cirurgia gastrintestinal nesta população. Os avanços nas técnicas de ressuscitação e o aumento na sobrevida dos neonatos pré-termos é a causa mais provável do aumento no risco para o desenvolvimento de NEC.[47] Como resultado, a incidência e a taxa de mortalidade relacionadas à NEC permanecem relativamente inalteradas durante os últimos 20 anos.

Apesar de a prematuridade ser o mais importante fator de risco para NEC, recém-nascidos de termo também estão sujeitos a apresentar a doença.[116] Os fatores de risco para NEC em neonatos de termo incluem: retardo de crescimento intrauterino, asfixia no parto, cardiopatias congênitas, gastrosquise, policitemia, hipoglicemia, sepse, alergia ao leite, ruptura prematura de membranas, diabetes gestacional, entre outras.[117-120] Estudo realizado em Israel, incluindo mais de 40 mil neonatos de termo, encontrou uma correlação entre o aumento no número de resolução da gestação por via cirúrgica (cesárea) e aumento na incidência de NEC nesta população,[116] porém estudos multicêntricos são necessários para corroborar este achado.

A etiopatogenia da NEC ainda não está completamente estabelecida, mas certamente é multifatorial. Por muitos anos, isquemia mesentérica foi postulada como o denominador comum de todos os casos da doença. Porém causas de estresse cardiovascular, incluindo hipotensão, hipotermia, hipóxia, anemia e cateterização umbilical, são também associadas com o desenvolvimento da NEC. O fato é que os intestinos imaturos dos neonatos parecem ter uma capacidade reduzida para regular o fluxo sanguíneo e oxigenação adequada em situações de estresse.[116] Além disso, colonização bacteriana do trato gastrintestinal parece ser um pré-requisito para o início da NEC. Por fim, estudo multicêntrico recente, incluindo quase 300 mil neonatos, aventou a hipótese de que infecções virais sazonais predisporiam os neonatos à debilidade física e este seria um fator predisponente de um aumento sazonal de casos de NEC nos EUA.[121]

Considerações Pré-operatórias

O diagnóstico clínico é geralmente difícil, visto que os sintomas de NEC não diferem sobremaneira dos sintomas de outras doenças que cursam com obstrução intestinal. Estes incluem, entre outros: distensão abdominal, vômitos biliosos, presença de sangue nas fezes, trombocitopenia, coagulopatia, hiperglicemia e anemia.[105,115] Distúrbios hidreletrolíticos e/ou acidobásicos e instabilidade hemodinâmica podem estar presentes, especialmente nos casos mais graves.

O tratamento clínico inclui jejum, antibioticoterapia, nutrição parenteral e medidas de suporte. O uso de fármacos vasoativos, visando à melhora do débito cardíaco e, consequentemente, da perfusão intestinal pode ser de grande valia.

Quando o tratamento clínico falha, ou quando sinais de perfuração, necrose ou obstrução intestinal tornam-se evidentes, a cirurgia está indicada. Consequentemente, os neonatos candidatos à cirurgia apresentam-se, geralmente, com distúrbios hidreletrolíticos e/ou acidobásicos e instáveis hemodinamicamente, além de poderem apresentar distúrbios de coagulação, o que pode demandar o emprego de hemoderivados durante o procedimento.[105]

Considerações Anestésicas

Assim como nas cirurgias de correção dos defeitos da parede abdominal, os grandes desafios deste tipo de cirurgia são a manutenção da volemia e da normotermia. Por haver exposição das alças intestinais durante quase todo o procedimento cirúrgico, a perda de calor e de fluidos é extremamente importante (Figura 144.14). Além disso, a perda de fluidos para o terceiro espaço é grande, o que pode requerer reposição volêmica vigorosa no período intraoperatório. A monitorização deverá ser constituída de oxímetro de pulso, capnografia e capnometria, eletrocardiograma, além do débito urinário e da perda sanguínea que devem ser ativamente acessados.

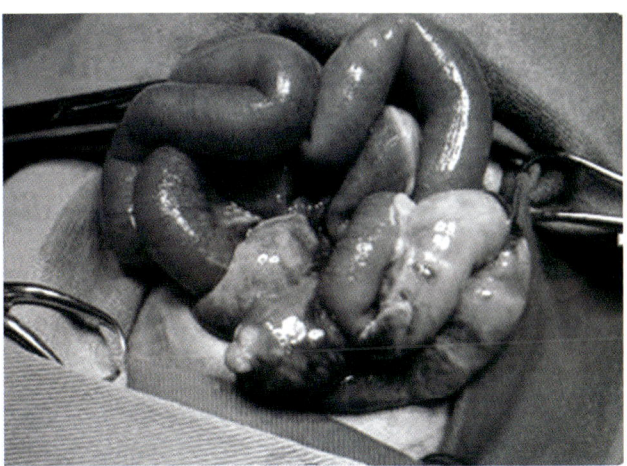

▲ **Figura 144.14** Enterocolite necrosante.

Esses pacientes devem ser sempre considerados portadores de estômago cheio e as medidas profiláticas contra aspiração pulmonar devem ser tomadas. O uso do óxido nitroso deve ser evitado, visto a sua alta capacidade de difusão para cavidades fechadas preenchidas de ar como os intestinos.

A técnica anestésica mais empregada é a anestesia geral inalatória balanceada. Bloqueios regionais estão contraindicados naqueles pacientes que apresentem sinais de septicemia.

Neonatos com NEC necessitam de cuidados intensivos pós-operatórios, especialmente aqueles pacientes prematuros, devendo ser encaminhados à Unidade de Terapia Intensiva ao término do procedimento.[122,123]

■ ESTENOSE HIPERTRÓFICA DO PILORO

A estenose hipertrófica do piloro é o diagnóstico mais frequente para as obstruções intestinais em crianças atendidas em hospitais gerais. A primeira descrição clínica foi realizada por Fabricious Hildanus, em 1627, mas foi em 1888, que Harald Hirschsprung descreveu com detalhe esta afecção, o que permitiu o seu entendimento. Em 1912, Ransfedt foi o primeiro a realizar cirurgia.

Embora os sintomas possam ocorrer entre a segunda e sexta semana de vida, o diagnóstico pode ser feito precocemente nos primeiros dias de vida. Após a alimentação, o recém-nascido apresenta regurgitação e vômitos em jato, sem bile. A incidência é de 2 a 4 casos a cada 1000 nascidos vivos.

A doença envolve a hipertrofia da musculatura circular do piloro, causando constrição da saída do estômago, levando à obstrução ao enchimento gástrico (Figura 144.15).

A etiologia sugerida, embora não seja aceita como única, é que os coágulos de leite se moveriam lentamente através do piloro, causando irritação, edema e subsequentemente hipertrofia muscular.

Postula-se ainda que inervação anormal também pode levar a falência do relaxamento do músculo do piloro e aumentar a síntese de fatores de crescimento e subsequente hipertrofia. Um espectro de mutações genéticas envolvendo a produção de óxido nítrico pode ser responsável por muitos casos de estenose hipertrófica. O diagnóstico é usualmente sugerido pela história.

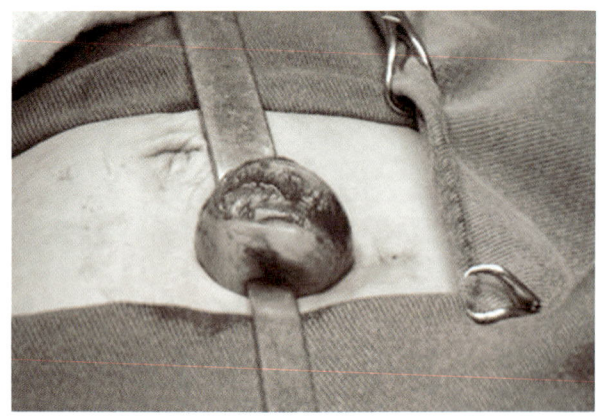

▲ **Figura 144.15** Estenose hipertrófica de piloro.

Ao exame físico poderão ser observadas ondas peristálticas na região epigástrica (ondas de Kussmaul) e poderá ser palpada a "oliva pilórica" ligeiramente à direita da linha média, também na região epigástrica.

A confirmação do diagnóstico poderá ser feita pela ultrassonografia ou por exames radiológicos nos quais se observa sinais clássicos como "bico do seio", do "fio ou corda" no canal pilórico e do "guarda-chuva" no bulbo duodenal. A ultrassonografia tem se mostrado exame que permite diagnóstico precoce sem aumento da morbidade. E o exame contrastado com bário pode aumentar a morbidade devido ao risco de aspiração do contraste.

O tratamento clínico deve ser iniciado, sendo que a alimentação deve se resumir a líquidos claros em pequenas porções. A perda do fluído gástrico – que contém hidrogênio, sódio, potássio e cloro – pelos vômitos incoercíveis desencadeia desidratação, alcalose metabólica hiponatrêmica, hipoclorêmica e hipopotassêmica.

A resposta renal para essa situação clínica acontece em duas fases. Inicialmente, o pH permanece estável e o rim excreta urina alcalina que contém sódio e cloreto de potássio. Posteriormente, com a desidratação e a depleção do cloreto de sódio, o rim aumenta a secreção de aldosterona para preservar o volume extracelular, retendo cloreto de sódio e secretando íons hidrogênio, produzindo, desta maneira, acidificação da urina. Essa acidúria paradoxal piora a alcalemia. A azotemia pré-renal pode se instalar e, com a piora do estado clínico e a perda volêmica, o paciente poderá desenvolver estado de choque.

Antes da cirurgia, é essencial corrigir quaisquer distúrbios na volemia e nos eletrólitos. A piloromiotomia é associada à baixa incidência da morbidade e mortalidade.

Recomendações para a Abordagem Anestésica

- Adequada reposição de fluídos antes da cirurgia, confirmada por débito urinário adequado;
- correção das anormalidades de eletrólitos ou do estado ácido-base;
- manutenção de normotermia;
- Prevenção de aspiração gástrica;
- Adequado relaxamento muscular;
- Plano adequado de anestesia.

▪ MENINGOMIELOCELE

O desenvolvimento anormal dos tecidos do ectoderma, mesoderma e neuroectoderma ocasiona o defeito do tubo neural, que pode ser definido como disrafismo espinhal.[124]

O defeito pode ocorrer em qualquer local ao longo do neuroeixo, tendo denominações diferentes: encefalocele, quando ocorre na cabeça (Figura 144.16) ou meningomielocele, quando ocorre na espinha[125] (Figura 144.17).

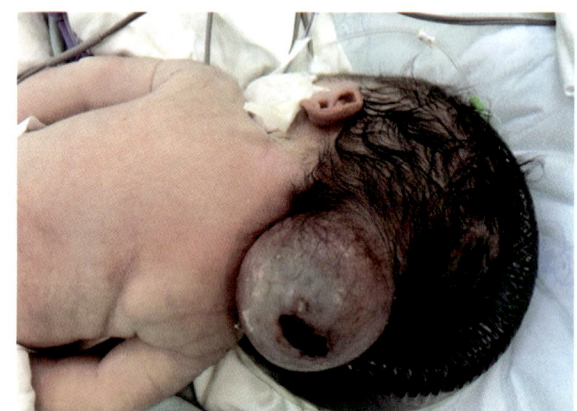

▲ **Figura 144.16** Encefalocele.

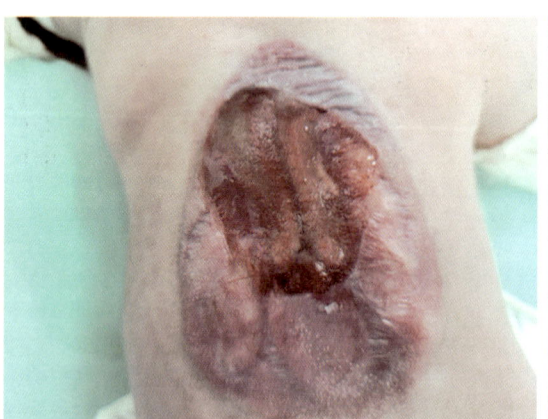

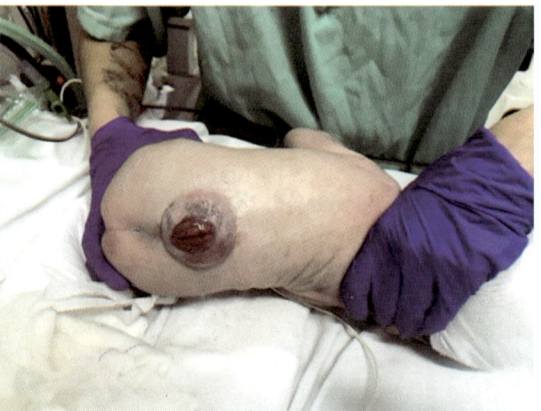

▲ **Figura 144. 17** Meningomielocele.

Pode ocorrer defeito nos corpos vertebrais (espinha bífida), meningocele quando o conteúdo herniado incluí meninges e líquido cefalorraquidiano, ou meningomielocele quando existem hernias do tecido neural.[125]

A medula espinhal e as meninges são expostas ao ambiente intrauterino e isso pode causar lesão neural e das raízes nervosas, podendo causar fraqueza nas extremidades inferiores, perda sensorial, deformidade ou comprometimento da função do intestino e da bexiga. Há sempre associação da meningomielocele com a malformação de Arnold-Chiari e com o desenvolvimento de hidrocefalia. Além disso, o vermis cerebelar, o quarto ventrículo e a porção mais baixa do cérebro podem herniar abaixo do forâmen magno.[126,127]

Manejo Intraoperatório

Um dos maiores desafios da anestesia para esses pacientes é a posição durante a indução e entubação devido ao risco de trauma da estrutura herniada. A criança poderá ser colocada na posição supina, tendo-se o cuidado de cobrir a herniação com um campo estéril e poderá ser acomodada em um coxim, na forma de rodilha.[126,127,128]

Em defeitos muito grandes, às vezes, há necessidade de deixar o neonato na posição lateral para a realização da indução e da entubação. Há relatos de que, na posição lateral, entubar com a mão direita é mais fácil, especialmente quando a lâmina de Macintosh está sendo utilizada.

Durante a cirurgia, realizada em posição prona, o cuidado deve ser redobrado, para que não aumente a pressão sobre o abdome, olhos, nariz, ouvidos e genitália[125,126,128] (Figura 144.18).

As crianças com mielodisplasias são de alto risco para desenvolver alergia ao látex devido à sondagem vesical frequente e múltiplas abordagens cirúrgicas com exposição a materiais que contêm látex (luvas, sondas vesicais).[125, 126,128]

Na avaliação pré-anestésica, é importante pesquisar alergias a certos antibióticos e a frutas, como avocado, kiwi, banana, devido à possibilidade de reação cruzada. Deverão ser abordadas em ambiente livre de látex, seguindo protocolo próprio de cada instituição.[125,126,128]

Ainda no intraoperatório, observar com atenção a reposição volêmica devido à grande área de descolamento que poderá acontecer para facilitar o fechamento da pele. No pós-operatório, atenção à depressão respiratória, principalmente nas crianças com diagnóstico de malformação de Arnold-Chiari.[126] As cirurgias de correção poderão ser realizadas no período pré-natal e pós-natal.

Em 2011, o estudo *MOMS* (*Management of Myelomeningocele Study*) investigou os desfechos das cirurgias realizadas pré *versus* pós-natal. A taxa de deiscência, perda de liquor, rutura das membranas e nascimento prematuro foi maior na técnica de fetoscopia, enquanto na técnica aberta foi maior, enquanto na técnica aberta hpuve uma maior incidência de deiscência uterina.[126]

■ CONSIDERAÇÕES FINAIS

A escolha da técnica anestésica para a correção destas doenças deverá ser aquela que em que o anestesiologista esteja mais familiarizado. Os bloqueios periféricos ou do neuroeixo, associados à anestesia geral ou mesmo à anestesia geral balanceada, poderão ser técnicas realizadas, desde que se tenha conhecimento prévio das recomendações e contraindicações das mesmas para esta faixa etária.

Portanto, tanto o conhecimento das limitações que fazem parte do desenvolvimento dos órgãos e sistemas do recém-nascido e das principais anomalias congênitas farão com que o atendimento anestésico da criança seja otimizado e ocorra de forma segura.

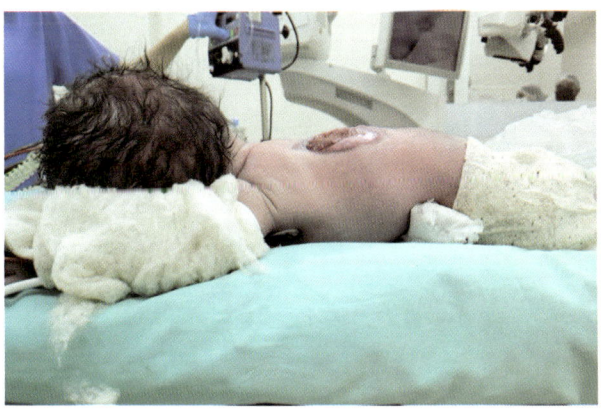 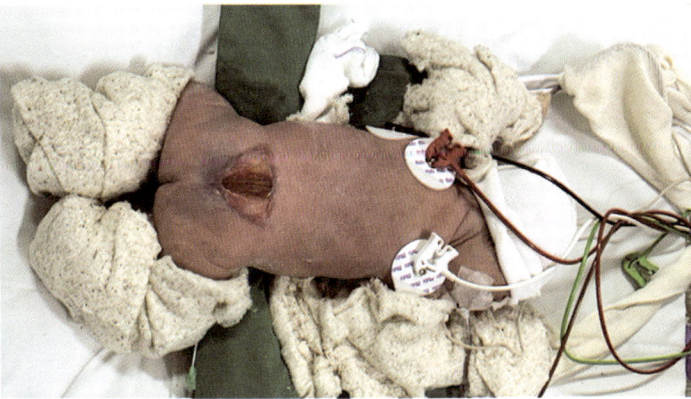

▲ **Figura 144.18** Posição para correção da meningomielocele no intraoperatório.

REFERÊNCIAS

1. Gibson T. The Anatomy of Human Bodies Epitomised. 1697. Aunsham & Churchill London.
2. Cudmore RE. Esophageal atresia and tracheo-oesophageal fístula. In: Lister J, Irving IM. eds. Neonatal Surgery. 3ª ed. 1990; p. 231-58.
3. Ladd WE. The surgical treatment of esophageal atresia and tracheo-oesophageal fistulas. New Engl J Med. 1944; 230:625-37.
4. Leven NL. Surgical management of congenital atresia of the oesophagus eith tracheo oesophageal fístula. Reporta of two cases. J Thorac Surg. 1936; 6:30-9.
5. Richter HM. Congenital atresia of the esophagus. An operation designed for its cure, with a report of two cases operated upon by the author. Surg Gynec Obstet. 1913; 17:397-402.
6. Haight C. Congenital atresia of the esophagus and tracheo-esophageal fistula. Reconstruction of the esophagus by primary anastomasis. Ann Surg 1944; 120(4): 623-52.
7. Ulma G, Geiduschek JM, Zimmerman AA, Morray JP. Anesthesia for Thoracic Surgery. In: Gregory GA (ed). Pediatric Anesthesia. New York: Churchil Livingstone, 2002. p.423-65.
8. Todres DI. Diseases of the respiratory system. In: Katz J, Steward DJ. ed. Anesthesia and Uncommon Pediatric Diseases. Philadelphia: WB Saunders Company, 1987. p.65-92.

9. Bikhazi GB, Davis P. Anesthesia for neonates and premature infants. In: Smith's Anesthesia for Infants and Children. eds. Motoyama EK, Davis PJ. 6ª ed. St. Louis: Mosby, 1996. p. 445-74.
10. Lister J. The blood supply of the oesophagus in relation to oesophageal atresia. Arch Dis Child. 1964; 39:131-7.
11. Luschka HJ. Blinde endigung deshalsteiles der spersershre und kommunikation chres pars. Virchows Arch Path Anat. 1869; 47:378-81.
12. Sandblom P. The treatment of congenital atresia of the esophagus from a technical point of view. Acta Chir Scand. 1948; 97:25-34.
13. Politzer G, Portele K. Die formale genese kongenitales oesophagusatresie. Beitr Path Anat. 1954; 114:355-71.
14. Greenwood RD, Rosenthal A. Cardiovascular malformations associated with tracheoesophageal fistula and esophageal atresia. Pediatrics. 1976; 57:87-91.
15. Chen H, Goei GS, Hertzler JH. Family studies on congenital esophageal atresia with or without tracheoesophageal fistula. Birth Defects Orig Artic Ser. 1979; 15:117-44.
16. Andrassy RJ, Mahour GH. Gastrointestinal anomalies associated with esophageal atresia or tracheoesophageal fistula. Arch Surg. 1979; 114:1125-8.
17. Bul C, Kain Z. The urgent operative patient. In: Beel C, Kain Z (eds). The Pediatric Handbook. 2ª ed. St Louis: Mosby, 1997. p.369-97.
18. Gross RE. The surgery of infancy childhood. Philadelphia: WB Saunders 1953.
19. Cumino D, Valinette EA, Nomura S. Malformação congênita em pediatria. In: Duarte NM, Bagatini A, Azoatiigui LC (eds). Curso de Educação à Distância em Anestesiologia. São Paulo: Segmento Forma, 2002. p.93-114.
20. Waterson DJ, Bonham-Carter RE, Aberdeen E. Oesophageal atresia. Tracheo-oesophageal fistula. Lancet. 1962; i:819-22.
21. Berry FA. Physiology and surgery of the infant. In: Berry FA. Anesthetic management of difficult and routine pediatric patients. New York: Churchill Livingstone. 2ª ed. 1990, p. 121-66.
22. Benitez PRB, Ohira H. Anestesia para emergências neonatais da cirurgia geral e prematuridade. Em: Auler Jr JOC, Teruya SBM, Jacob RSM, Valinetti EA. Eds. Anestesia em Pediatria. 1a ed. São Paulo: Atheneu, 2008. p.285-309.
23. Holder TM, Ashcraft KW. Developments in the care of patients with esophageal atresia and tracheoesophageal fistula. Surg Clin North Am. 1981; 61:1051-61.
24. Bloch EC, Filston HC. A thin fiberoptic bronchoscope as an aid to occlusion of the fistula in infants with tracheoesophageal fistula. Anesth Analg. 1988; 67:791-3.
25. Andropoulos DB, Rowe RW, Betts JM. Anaesthetic and surgical airway management during tracheo-oesophageal fistula repair. Paediatr Anaesth. 1998; 8:313-9.
26. Richenbacher WE, Ballantine TV. Esophageal atresia, distal tracheoesophageal fistula, and an air shunt that compromised mechanical ventilation. J Pediatr Surg. 1990; 25:1216-8.
27. Conroy PT, Bennett NR. Management of tracheomalacia in association with congenital tracheo-oesophageal fistula. Br J Anaesth. 1987; 59:1313-7.
28. Davies MR, Cywes S. The flaccid trachea and tracheoesophageal congenital anomalies. J Pediatr Surg. 1978; 13:363-7.
29. Bokay J, Kis E, Verebely T. Myoelectrical activity of the stomach after surgical correction of esophageal atresia. J Pediatr Surg. 2005; 40:1732-6.
30. Jolly SG, Johnson DG, Roberts CC, et al. Patterns of gastroesophageal reflux in children following repais of esophageal atresia and distal bracheoesophageal fistula. J Pediatr Surg. 1980; 15:857-62.
31. Deurloo JA, Ekkelkamp S, Taminiau J, et al. Esophagitis and Barrett esophagus after correction of esophageal atresia. J Pediatr Surg. 2005; 40(8):1227-31.
32. Langham MR, Kays DW, Ledbetter DJ, et al. Congenital diaphragmatic hernia: Epidemiology and outcome. Clin Perinatol. 1996; 23:671-88.
33. Ladd WE, Gross RE. Congenital diaphragmatic hernia. N Engl J Med. 1940; 223:917.
34. Tracy ET, Mears SE, Smith PB, et al. Protocolized approach to the management of congenital diaphragmatic hernia: benefits of reducing variability in care. J Ped Surg. 2010; 45:1343-8.
35. Sola JE, Bronson SN, Cheung MC, et al. Survival disparities in newborns with congenital diaphragmatic hernia: a national perspective. J Ped Surg. 2010; 45:1336-42.
36. Seetharamaiah R, Younger JG, Bartlett RH, et al. Factors associated with survival in infants with congenital diaphragmatic hernia requiring extracorporeal membrane oxygenation: a report from the Congenital Diaphragmatic Hernia Study Group. J Ped Surg. 2009; 44:1315-21.
37. Lally KP, Lally PA, Van Meurs KP, et al. Treatment evolution in high-risk congenital diaphragmatic hernia: ten year's experience with diaphragmatic agenesis. Ann Surg. 2006; 244:505-13.
38. Haricharan RN, Barnhart DC, Cheng H, et al. Identifying neonates at a very high risk for mortality among children with congenital diaphragmatic hernia managed with extracorporeal membrane oxygenation. J Ped Surg. 2009; 44:87-93.
39. ELSO Registry: ECLS Registry Report International Summary, 2014. Extracorporeal Live Support Organization. 2014 [acesso em: 25 Jun 2020]. Disponível em https://www.elso.org/Registry/Statistics/InternationalSummary.aspx.
40. Snock KG, Capolupo I, VanRosmalen I, et al.; CHD EURO Consortium. Conventional Mechanical Ventilation Versus High-frequency Oscillatory Ventilation for Congenital Diaphragmatic Hernia: A Randomized Clinical Trial (The VICI-trial). Ann Surg. 30 Apr 2016, 263(5):867-74. Ann Surg. 2015;epuds ahead of print).
41. Snoek KG, Reiss IKM, Greenough A,et al.; CDH EURO Consortium. Standardized Postnatal Management of Infants With Congenital Diaphragmatic Hernia in Europe: The CDH EURO Consortium Consensus - 2015 Update. Neonatology. 2016;110(1):66-74.
42. Desai A, Ostlie DJ, Juang D. Optimal timing of congenital diaphragmatic hernia repair in infants on extracorporeal membrane oxygenation. 2015;24(1):17-9.
43. Costerus S, Zahn K, van de Ven K, et al. Thoracoscopic Versus Open Repair of CDH in Cardiovascular Stable Neonates. Surg Endosc. 2016;30(7):2818-24.
44. Kinane TB. Lung development and implications for hypoplasia found in congenital diaphragmatic hernia. Am J Med Genet C Semin Med Genet. 2007; 15:117-24.
45. Sieberg JR, Hass JE, Beckwith JB. Left ventricular hypoplasia in congenital diaphragmatic hernia. J Pediatr Surg. 1984; 19:567-71.
46. Inamura N, Kubota A, Nakajima T, et al. A proposal of new therapeutic strategy for antenatally diagnosed congenital diaphragmatic hernia. J Pediatr Surg. 2005; 40:1315-9.
47. Adzick NS, Harrison MR. The developmental pathophysiology of surgical disease. Semin Pediatr Surg. 1993; 2:92-102.
48. Deprest J, Jani J, Van Schoubroeck D, et al. Current consequences of prenatal diagnosis of congenital diaphragmatic hernia. J Pediatr Surg. 2006: 41:423-30.
49. Hedrick HL. Management of prenatally diagnosed congenital diaphragmatic hernia. Semin Fetal Neonat Med. 2010; 15:21-7.
50. Oepkes D, Teunissen AK, Van de Velde M. Congenital high airway obstruction syndrome successfully treated with ex-utero intrapartum treatment. Ultrasound Obstet Gynaecol. 2003; 22:437-9.
51. Reyes C, Chang LK, Waffarn F, Mir H, Warden MJ, Sills J. Delayed repair of congenital diaphragmatic hernia with early high-frequency oscillatory ventilation during preoperative stabilization. J Pediatr Surg. 1998; 33:1010-4.
52. Durkin EF, Shaaban A. Commonly encountered surgical problems in the fetus and neonate. Pediatr Clin N Am. 2009; 56:647-69.
53. Boloker J, Bateman DA, Wung JT, et al. Congenital diaphragmatic hernia in 120 infants treated consecutively with permissive hypercapnea/spontaneous respiration/elective repair. J Pediatr Surg. 2002: 37:357-66.
54. Frostell C, Fratacci MD, Wain JC, Jones R, Zapol WM. Inhaled nitric oxide: a selective pulmonary vasodilator reversing hypoxic pulmonary vasoconstriction. Circulation. 1991; 83:2038-2047.
55. Roberts JD, Polaner DM, Lang P, Zapol WM. Inhaled nitric oxide in persistent pulmonary hypertension of the newborn. Lancet. 1992; 340:818.
56. Kinsella JP, Neish SR, Shaffer E, et al. Low-dose of inhalational nitric oxide in persistent pulmonary hypertension of the newborn. Lancet. 1992; 340:819-20.
57. Rose-Spencer JA, Bloss RS, Beardmore HE. Congenital posterolateal diaphragmatic hernia: a retrospective study. Can J Surg. 1981; 24:515-7.
58. Bagolan BP, Casaccia G, Creacenzi F, et al. Impact of current treatment protocol of high-risk congenital diaphragmatic hernia. J Pediatr Surg. 2002; 39:313-8.
59. Landsdale N, Alam S, Losty PD, Jesudason EC. Neonatal Endosurgical Congenital Diaphragmatic Hernia. Repair: A Systematic Review and Meta-Analysis. Ann Surg. 2010;252(1):20-6.
60. Downard CD, Jaksic T, Garza JJ, et al. Analysis of an improved survival rate for congenital diaphragmatic hernia. J Pediatr Surg. 2003; 38:729-32.
61. Yang EY, Allmendinger N, Johnson SM, Chen C, Wilson JM, Fishman SJ. Neonatal thoracoscopic repair of congenital diaphragmatic hernia: selection criteria for successful outcome. J Pediatr Surg. 2005; 40:1369-75.
62. Vitali SH, Arnold JH. Bench-to-bedside review: Ventilator strategies to reduce lung injury – lessons from pediatric and neonatal intensive care. Crit Care. 2005; 9:177-83.
63. Goonasekera C, Ali K, Hickey A, et al. Mortality following congenital diaphragmatic hernia repair: the role of anestesia. Ped Anesth. 2016;26(12):1197-201.
64. Raphaely RC, Downes JJ. Congenital diaphragmatic hernia: prediction of survival. J Pediatr Surg. 1973; 8:815-23.
65. Boix-Ochoa J, Peguero G, Seijo G, Natal A, Canals J. Acid-base balance and blood gases in prognosis and therapy of congenital diaphragmatic hernia. J Pediatr Surg. 1974; 9:49-57.
66. Levy FH, O'Rourke PP, Crone RK. Extracorporeal membrane oxygenation, review article. Anesth Analg. 1992; 75:1053-62.
67. Bartlett RH, Gazzaniga AB, Toomasian J, Coran AG, Roloff D, Rucker R. Extracorporeal membrane oxygenation (ECMO) in neonatal respiratory failure: 100 cases. Ann Surg. 1986; 204:236-45.
68. Van den Hout L, Sluiter I, Gischler S, et al. Can we improve outcome of congenital diaphragmatic hernia? Pediatr Surg Int. 2009; 25:733-43.
69. Peetsold MG, Heij HA, Kneepkens CMF, et al. The long-term follow-up of patients with a congenital diaphragmatic hernia: a broad spectrum of morbidity. Pediatr Surg Int. 2009; 25:1-17.
70. Stoll C, Alembik Y, Dott B, Roth MB. Risk factor in congenital abdominal wall defects (omphalocele and gastroschisis): a study in a series of 265,858 consecutive births. Ann Genet. 2001; 44:201-8.

71. Kasaura MR, LLie RT, Irgens LM, et al. Increasing risk of gastroschisis in Norway: an age-period-cohort analysis. Am J Epidemiol. 2004; 159:358-63.

72. Holl JW. Anesthesia for abdominal surgery. In: Gregory AG Pediatric Anesthesia. 4 ed. Philadelphia: Churchill Livingstone, 2002. p. 567.

73. Mac Bird T, Robbins JM, Druschel C, Cleves MA, Yang S, Hobbs CA. Demographic and environmental risk factor for gastroschisis and omphalocele in the National Birth Defects Prevention Study. J Ped Surg. 2009; 44:1546-51.

74. Calzolari E, Bianchi F, Dolk H, Milan M. Omphalocele and gastroschisis in Europe: a survey of 3 million births 1980-1990. EUROCAT Working Group. Am J Med Genet. 1995; 58:187-94.

75. Chircor L, Mehedinti R, Hîncu M. Risk factors related to omphalocele and gastroschisis. Roman J Morphol Embryol. 2009; 50:645-9.

76. Saada J, Oury JF, Vuillard E, et al. Gastroschisis. Clin Obstet Gynecol. 2005; 48:964-72.

77. Rankin J, Dillon E, Wright C. Congenital anterior abdominal wall defects in the north of England, 1986-1996: occurrence and outcome. Prenat Diagn. 1999; 19:662-8.

78. Loane M, Dolk H, Bradbury I. Increasing prevalence of gastroschisis in Europe 1980-2002: a phenomenon restricted to younger mothers?. Paediatr Perinat Epidemiol. 2007; 21:363-9.

79. Laughon M, Meyer R, Bose C, et al. Rising birth prevalence of gastroschisis. J Perinatol. 2003; 23:291-3.

80. Molik KA, Gingalewski CA, Grosfeld JL, et al. Gastroschisis: a plea for risk categorization. J Pediatr Surg. 2001; 36:51-5.

81. Lao OB, Larison C, Garrison MM, et al. Outcomes in neonates with gastroschisis in US children's hospitals. Am J Perinatol. 2010; 27:97-101.

82. Jager LC, Heij HA. Factors determining outcome in gastroschisis: clinical experience over 18 years. Pediatr Surg Int. 2007; 23:731-6.

83. Di Lorenzo M, Yazbeck S, Ducharme J-C. Gastroschisis: a 15-year experience. J Pediatr Surg. 1987; 23:710-2.

84. Hoehner JC, Ein SH, Kim PCW. Management of gastroschisis with concomitant jejuno-ileal atresia. J Pediatr Surg. 1998; 33:885-8.

85. Richmond S, Arkins J. A population-based study of the prenatal diagnosis of congenital malformation over 16 years. Br J Obstet Gynaecol. 2005; 112:1349-57.

86. Algert CS, Bowen JR, Hadfield RM, et al. Birth at hospitals with co-located paediatric units for infants with correctable birth defects. Aust N Z J Obstet Gynaecol. 2008; 48:273-9.

87. Fillingham A, Rankin J. Prevalence, prenatal diagnosis and survival of gastroschisis. Prenat Diagn. 2008; 28:1232-7.

88. Davis RP, Treadwell MC, Drongowski RA, et al. Risk stratification in gastroschisis: can prenatal evaluation or early postnatal factors predict outcome?. Pediatr Surg Int. 2009; 25:319-25.

89. Palomaki GE, Hill LE, Knight GJ, et al. Second-trimester maternal serum alpha-fetoprotein levels in pregnancies associated with gastroschisis and omphalocele. Obstet Gynecol. 1988; 71:906-99.

90. Payne NR, Pfleghaar K, Assel B, et al. Predicting the outcome of newborns with gastroschisis. J Pediatr Surg. 2009; 44:918-23.

91. Fleet MS, de La Hunt MN. Intestinal atresia with gastroschisis: a selective approach to management. J Pediatr Surg. 2000; 35:1323-5.

92. Lawson A, de La Hunt MN. Gastroschisis and andescended testis. J Pediatr Surg. 2001; 36:366-7.

93. Hwang PJ, Kousseff BG. Omphalocele and gastroschisis: an 18-year review study. Gent Med. 2004; 6:232-6.

94. Mastroiacovo P, Lisi A, Castilla EE. Gastroschisis and associated defects: an international study. Am J Med Genet. 2007; 143:660-71.

95. Nichols CR, Dickinson JE, Pemberton PJ. Rising incidence of gastroschisis in teenage pregnancies. J Matern Fetal Med. 1997; 6:225-9.

96. Torfs CP, Velie EM, Oechsli FW, et al. A population-based study of gastroschisis: demographic, pregnancy, and lifestyle risk factors. Teratology. 1994; 50:44-53.

97. Haddow JE, Palomaki GE, Holman MS. Young maternal age and smoking during pregnancy and risk factors for gastroschisis. Teratology. 1993; 47:225-8.

98. Lam PK, Torfs CP. Interaction between maternal smoking and malnutrition in infant risk of gastroschisis. Birth Defects Res A Clin Mol Teratol. 2006; 76:182-6.

99. Martinez-Frias ML, Rodriguez-Pinilla E, Prieto L. Prenatal exposure to salicylates and gastroschisis: a case-control study. Teratology. 1997:56:241-43.

100. Werler MM, Sheehan JE, Mitchell AA. Association of vasoconstrictive exposures with risks of gastroschisis and small intestinal atresia. Epidemiology. 2003; 14:349-54.

101. Morrison JJ, Chitty LS, Peebles D, Rodeck CH. Recreational drugs and fetal gastroschisis: maternal hair analysis in the peri-conceptional period and during pregnancy. BJOG. 2005; 112:1022-5.

102. Curry JI, McKinney P, Thornton JG, et al. The aetiology of gastroschisis. BJOG. 2000; 107:1339-46.

103. Schmidt AI, Gluer S, Muhlhaus K, et al. Family cases of gastroschisis. J Pediatr Surg. 2005; 40:740-1.

104. Yang P, Beaty TH, Khoury MJ, et al. Genetic-epidemiologic study of omphalocele and gastroschisis: evidence for heterogeneity. Am J Med Genet. 1992; 44:668-75.

105. Holland AJA, Walker K, Badawi N. Gastroschisis: an update. Pediatr Surg Int. 2010; 26:871-8.

106. Tenório SB, Gomes DBG, Cumino DO. Anestesia para cirurgia abdominal. Em: Auler Jr JOC, Teruya SBM, Jacob RSM, Valinetti EA. Eds. Anestesia em Pediatria. São Paulo: Atheneu. 1ª ed., 2008, p.381-98.

107. Yaster M, Buck JR, Dudgeon DL, et al. Hemodynamic effects of primary closure of omphalocele/gastroschisis in human newborns. Anesthesiology. 1988; 69:84-88.

108. Kirkpatrick AW, Roberts DJ, Waele JD, et al.; The Pediatric Guidelines Sub-Committee for the World Society of the Abdominal Compartment Syndrome. Intra-abdominal hypertension and the abdominal compartment syndrome: updated consensus definitions and clinical practice guidelines from the World Society of the Abdominal Compartment Syndrome. Int Care Med. 2013; 39: 1190-206.

109. Thabet FC, Ejike JC. Intra-abdominal hypertension and abdominal compartment syndrome in pediatrics. A review. J Crit Care. 2017;41:275-82.

110. Singh SJ, Fraser A, Leditschke JF, et al. Gastroschisis: determinants of neonatal outcome. Pediatr Surg Int. 2003; 19:260-5.

111. Raghavan M, Montgomerie J. Anesthetic management of gastroschisis – a review of our practice over the past 5 years. Pediatr Anesth. 2008; 18:1055-9.

112. Craven PD, Badawi N, Henderson-Smart DJ, et al. Regional (spinal, epidural, and caudal) versus general anesthesia in preterm Infants undergoing inguinal herniorrhaphy in early infancy. Cochrane Database Sys Rev. 2003; 3:CD003669.

113. Luton D, De Lagausie P, Guibourdenche J, et al. Prognostic factors of prenatally diagnosed gastroschisis. Fetal Diagn Ther. 1997; 12:7-14.

114. Tarnowski KJ, King DR, Green L, et al. Congenital gastrointestinal anomalies: psychosocial functioning of children with imperforate anus, gastroschisis, and omphalocele. J Consult Clin Psychol. 1991; 59:587-90.

115. Koivusalo A, Lindahl H, Rintala RJ. Morbidity and quality of life in adult patients with a congenital abdominal wall defect: a questionnaire survey. J Pediatr Surg. 2002; 37:1594-601.

116. Maayan-Metzger A, Iltzchak A, Mazkereth R, Kuint J. Necrotizing enterocolitis in full-term infants: case-control study and review of literature. J Perinatol. 2004; 24:494-9.

117. Fanaroff AA, Martin RJ. Neonatal-Perinatal Medicine. 7th ed. London:Mosby, 2002. p. 1298-300.

118. Bolissety S, Lui K, Oei J, Wojtulewicz J. A regional study of underlying congenital diseases in term neonates with necrotizing enterocolitis. Acta Paediatr. 2000; 89:1226-30.

119. Thilo EH, Lazarte RA, Hernandez JA. Necrotizing enterocolitis in the first 24 hours of life. Pediatrics. 1984; 73:476-80.

120. Andrews DA, Sawin RS, Ledbetter DJ, Schaller RT, Hatch EI. Necrotizing enterocolitis in term neonates. Am J Surg. 1990; 159:507-9.

121. Snyder CL, Hall M, Sharma V, St. Peter SD. Seasonal variation in the incidence of necrotizing enterocolitis. Pediatr Surg Int. 2010; 26:895-8.

122. Aspelund G, Langer JC. Current management of hipertrophic pyloric stenosis. Semin Pediatr Surg. 2007; 16: 27-33.

123. Bissonette B Sullivan PJ. Continuing medical education. Can J Anaesth. 1991; 38: 668-76.

124. Kaufmann BA. Neural tubes defects. Pediatr Clin N Am. 2004;51:389-419.

125. McClain CD, Soriano SG. Pediatric neurosurgical anesthesia. In: Coté Cj, Herman J, Anderson BJ. A practice of anesthesia for Infants and children. 6.ed. Philadelphia, PA : Elsevier; 2019. p.604-28.

126. Bowman RM, Lee JY, Yang J, Kim KY, Wang KC. Myelomeningocele: the evolution of care over the last 50 years. Childs Nerv Syst. 2023;39(10):2829-45.

127. Norton NS, Fairgrieve R, Wallace MA. Anesthesia for the full-term and ex-premature infant. In: Gregory GA, Andropoulos DB (eds).. Gregory's Pediatric Anesthesia. 5.ed. Reino Unido: Wiley-Blackwell; 2012. P.497-519.

128. Dave MN. Anesthesia for surgery in the neonate. In: Dhayagude SH, Dave MN (eds). Principles and Practice of Pediatric Anesthesia. 1. Ed. New Dehli: Jaypce Brothers Medical Publishers Ltd ; 2017; p. 205-223.

145

Reposição Volêmica e Hemotransfusão em Anestesia Pediátrica

Mariana Fontes Lima Neville ■ Carolina Sant'Anna

INTRODUÇÃO

A fluidoterapia perioperatória é uma prática onipresente no dia a dia do anestesiologista. Seus objetivos incluem manter ou reestabelecer a volemia, a perfusão tecidual e o equilíbrio eletrolítico e ácido-base.[1] A escolha do fluido intravenoso e o regime de infusão são aspectos cruciais para a fluidoterapia adequada. Por ser dinâmico, o período perioperatório traz desafios adicionais para a manutenção da homeostase do paciente. As características anatomofisiológicas da população pediátrica também impõem adaptação do manuseio hídrico.

A avaliação da necessidade de fluidos intravenosos em bebês e crianças pequenas é uma tarefa complexa, cuja dificuldade é potencializada pela baixa tolerância a variações na homeostase. Outra questão relevante é o impacto negativo que perdas sanguíneas relativamente pequenas têm sobre essa população, tornando imperativa vigilância constante e pronto tratamento.

Uma maior necessidade de fluidos durante a cirurgia pode ser um marcador de gravidade e está associada à maior mortalidade. No estudo Nectarine, a média de fluidos infundidos durante a cirurgia foi de 57 mL.Kg^{-1} nos pacientes que morreram, comparado a 27 mL.Kg^{-1} naqueles que sobreviveram, embora o desvio padrão tenha sido elevado.[2] Nesse mesmo estudo, instabilidade cardiovascular, predominantemente hipotensão, contabilizou 60% de todos os eventos críticos reportados. Por outro lado, choque hipovolêmico hemorrágico representa uma das principais causas de parada cardiorrespiratória intraoperatória.[3]

■ CONSIDERAÇÕES FISIOLÓGICAS NO PACIENTE PEDIÁTRICO

A proporção relativa dos compartimentos corporais (músculo, água e gordura) sofre alterações com a idade. A água corporal total constitui 75% do peso total do neonato a termo, reduzindo para 60% no adulto (Figura 145.1). A volemia também é proporcionalmente maior no neonato (90 mL.Kg^{-1}), diminuindo gradativamente até a idade adulta (70 mL.Kg^{-1}). Logo após o nascimento, a proporção entre o conteúdo de água extracelular e intracelular é de 40% e 20% do peso corporal, respectivamente. Com um ano de vida, ela se inverte, e a criança aumenta a sua reserva frente à desidratação, visto que o conteúdo de água intracelular é mais facilmente mobilizado.[4]

Na fase intrauterina, os rins são órgãos passivos, recebendo apenas 3% do débito cardíaco, em contraste com 25% desse débito na fase adulta. Após o nascimento, ocorre uma mudança dramática no fluxo sanguíneo renal e na taxa de filtração glomerular, que dobra nas duas primeiras semanas de vida. Esse aumento da taxa de filtração glomerular ocorre paralelamente ao desenvolvimento da função tubular.[5,6]

Nos primeiros dias de vida, a capacidade de concentração urinária do rim imaturo é baixa. Desse modo, o neonato tolera mal situações de desidratação. Por sua vez, a baixa taxa de filtração glomerular limita a excreção de água livre,

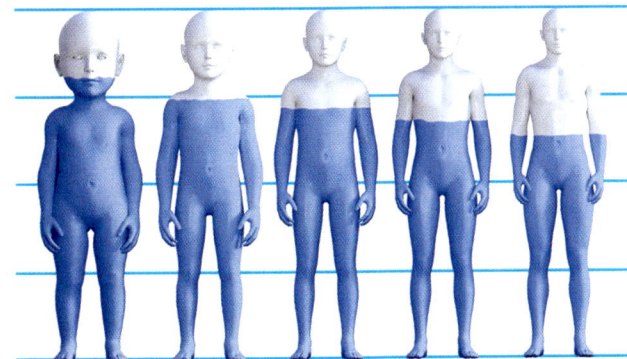

▲ **Figura 145.1** Proporção de água corporal ao longo do tempo.

tornando-o mais propenso à intoxicação hídrica e hiponatremia.[7] O rim imaturo tem maior capacidade de conservar sódio do que o excretar. Assim, há também um risco aumentado de hipernatremia nesse período.[8] Apesar de todas essas alterações serem mais marcadas no período neonatal, a maturidade glomerulotubular só ocorre por volta dos dois anos de vida[6] (Figura 145.2). Desse modo, o manuseio hídrico e eletrolítico em crianças deve ser criterioso e levar em consideração as características de cada faixa etária.

No período neonatal, os estoques de cálcio intracelular são reduzidos e os mecanismos de mobilização do cálcio a partir do retículo sarcoplasmático são imaturos, resultando em uma maior dependência do cálcio extracelular. Deve-se atentar, portanto, à necessidade de reposição de cálcio, particularmente em cirurgias longas, de grande porte, ou quando há necessidade de transfusão de sangue ou reposição de albumina, já que ambos se ligam ao cálcio ionizado.[9,10]

■ TIPOS DE SOLUÇÕES

Os fluidos intravenosos são classificados em relação à sua composição da seguinte maneira:

1. **Cristaloides:** são soluções que contém água, íons inorgânicos e moléculas de baixo peso molecular. Podem ser consideradas hipotônicas, isotônicas ou hipertônicas em relação ao plasma;
2. **Coloides:** são soluções que contêm, além dos componentes acima, macromoléculas oncoticamente ativas. Essas moléculas não são capazes de cruzar as paredes dos capilares sob condições normais. Os coloides mais utilizados na prática clínica são a albumina, os coloides de amido e as gelatinas.

As soluções podem ainda ser classificadas como:

1. **Balanceadas:** são soluções que contêm ânions tampões precursores do bicarbonato (como lactato, malato, acetato e gluconato) para a prevenção de acidose metabólica;

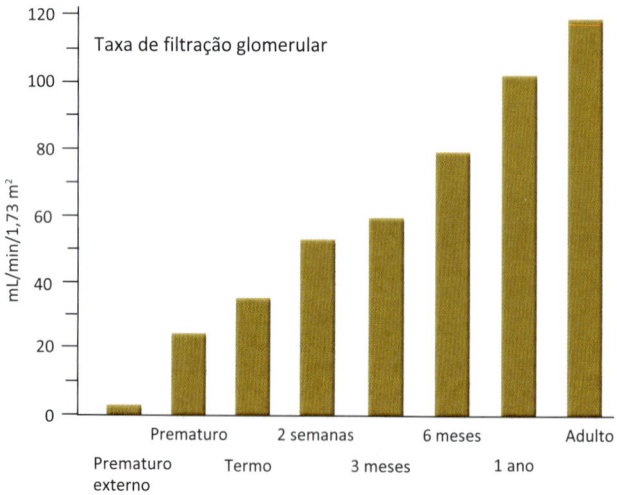

▲ **Figura 145.2** Função renal conforme idade.
Fonte: Adaptada de McCrory WW, 1972.[7]

2. **Não balanceadas:** também conhecidas como ricas em cloreto, são soluções com quantidades suprafisiológicas do íon cloreto. O seu principal representante é o NaCl 0,9% ou soro fisiológico.

■ SOLUÇÕES CRISTALOIDES

O Ringer Lactato, também conhecido como solução de Hartmann, tem longo histórico de segurança na população pediátrica. Por ser discretamente hipotônico, deve ser usado com cautela em pacientes sob risco de hipertensão craniana. Em hepatopatas graves, deve-se considerar que o lactato tem metabolização hepática, podendo acumular-se.

O NaCl 0,9%, soro fisiológico, continua a ser a solução intravenosa mais amplamente utilizada em todo o mundo.[11] Apesar de sua infusão resultar em hipercloremia e acidose, estudos que avaliam seu papel sobre o aumento do risco de lesão renal e da mortalidade trazem resultados controversos.[12-14] De qualquer forma, ressalta-se que os efeitos deletérios de qualquer solução intravenosa são dose-dependentes. Em procedimentos de curta duração realizados em pacientes de baixo risco clínico, é improvável que sejam observados tais efeitos colaterais.

Crianças com estenose hipertrófica do piloro e vômitos recorrentes podem cursar com desidratação e alcalose metabólica hipoclorêmica. Nesse caso, o NaCl 0,9% torna-se a solução intravenosa de escolha.

As soluções balanceadas polieletrolíticas vêm sendo incorporadas à prática clínica de forma crescente.[15] As mais utilizadas contêm acetato e gluconato como íons tampões. O mecanismo de duplo-tampão previne a acidose de forma mais eficaz do que outras soluções. Também possui a vantagem de ser compatível com hemoderivados na mesma via de infusão, já que não possuem cálcio em sua composição. São bem indicadas em hepatopatas graves e durante transplante hepático, já que a metabolização do lactato e do gliconato são extra-hepáticas. Em doentes neurocríticos, seu uso foi associado a maior mortalidade,[13] embora esse resultado requeira ponderação e melhor investigação (Tabela 145.1).

Soluções Hipotônicas

As soluções intravenosas podem ser classificadas ainda em relação à sua osmolaridade em isotônicas, hipertônicas e hipotônicas. Ressalta-se que o sódio costuma ser o principal determinante da osmolaridade das soluções e do plasma humano.

$$\text{Osmolaridade} = 2 \times [\text{Na+}] + \text{glicose}/18 + \text{ureia}/6$$

As soluções hipotônicas mais utilizadas na prática clínica são as soluções glicosadas, disponíveis em concentrações de 5% a 50% e NaCl 0,45%, popularmente conhecido como soro ao meio. Outras soluções hipotônicas são preparadas manualmente e prescritas para crianças internadas.

Historicamente, soluções hipotônicas são utilizadas em pediatria em pacientes internados por condições clínicas ou cirúrgicas. Holliday e Segar, em artigo clássico publicado em 1957, consagraram essa prática.[16] Nessa publicação, eles es-

Tabela 145.1 Composição de soluções cristaloides comumente utilizadas em pediatria e do plasma humano.

	Ringer Lactato	NaCl 0,9%	Solução balanceada polieletrolítica*	NaCl 0,45%	Plasma humano
Na (mEq/L)	131	154	140	77	140
K (mEq/L)	5,4	-	5	-	4,5
Cl (mEq/L)	112	154	98	77	103
Ca (mEq/L)	1,8	-	-	-	-
Mg (mEq/L)	-	-	3	-	1,25
Lactato (mEq/L)	28	-	-	-	-
Acetato (mEq/L)	-	-	27	-	-
Gliconato (mEq/L)	-	-	23	-	-
Osm (mOsm/L)	278	308	294	154	290

* Soluções balanceadas polieletrolíticas incluem o Plasmalyte e outras soluções isotônicas semlhantes, que mimetizam o plasma humano.

timavam a necessidade calórica basal dos pacientes e, desse modo, calculavam o aporte hidroeletrolítico sugerido para suprir essa necessidade. A osmolaridade dessa solução proposta é baixa comparada à do plasma humano. A quantidade de sódio presente é de aproximadamente um quinto da concentração do NaCl 0,9%. Nos últimos anos, diversos artigos demonstraram efeitos deletérios relacionados à infusão de soluções hipotônicas, incluindo hiponatremia iatrogênica, convulsões e até aumento da mortalidade.[17-20] Ressalta-se que os efeitos colaterais são dose-dependentes. Tal fato tem desencorajado o uso dessas soluções, principalmente no contexto anestésico-cirúrgico.

Hoje, entende-se que, para a maioria das situações, **as soluções balanceadas isotônicas representam o cuidado padrão para a fluidoterapia intravenosa perioperatória em crianças e adultos.**[21]

Aporte de Glicose Intraoperatório

A necessidade de reposição rotineira de glicose no período intraoperatório é tema controverso. Por um lado, o risco de hipoglicemia é maior em crianças, particularmente nos neonatos e naquelas mais jovens. Por outro lado, a resistência insulínica decorrente do estresse perioperatório seria capaz de contrabalancear esse efeito. Regimes mais liberais de jejum, em voga atualmente, também contribuiriam para redução do risco de hipoglicemia intraoperatória.

Alguns autores propõem a infusão rotineira de glicose durante anestesia por conta do maior risco de hipoglicemia em crianças. Eles enfatizam que uma infusão mínima basal de glicose previne a liberação de corpos cetônicos e ácidos graxos, assim como a ocorrência de cetoacidose. Esse método inclui a infusão de solução cristaloide balanceada isotônica, com glicose 1% a 2,5% na velocidade de 10 mL.Kg^{-1}/h. Essa solução pode ser preparada acrescentando-se 10 a 25 mL de glicose 50%, respectivamente, a uma bolsa de 500 mL de solução cristaloide. Em alguns países, ela é disponível comercialmente, sem necessidade de manipulação.[1]

Crianças com maior risco de hipoglicemia são candidatas à infusão contínua de glicose intraoperatória. Essa infusão pode ser com solução glicosada 5% a 10% ou solução cristaloide com glicose. Se a criança já recebia essa solução previamente à indução da anestesia, deve-se considerar a redução do aporte por conta do risco de hiperglicemia. Concentrações de glicose acima de 10% não são recomendadas em veia periférica pelo risco de flebite.

É importante ressaltar que crianças com maior risco de hipoglicemia devem ter a glicemia medida de forma frequente durante a anestesia, independentemente de estarem recebendo ou não aporte de glicose. São considerados fatores de risco para hipoglicemia: prematuridade, paciente pequeno ou grande para idade gestacional, hepatopatia, hiperinsulinismo (p. ex.: na Síndrome de Beckwith-Wiedemann) e nutrição parenteral (Tabela 145.2).

Tabela 145.2 Sugestão para reposição de eletrólitos e glicose.

Eletrólito	Concentração	Reposição	Comentários
Cálcio	Gliconato Ca^{++} 10% Cloreto Ca^{++} 10%	20-30 mg/kg 10 mg/kg	
Potássio	KCl 19,1% (2,5 mEq/mL)	0,5 – 1,0 mEq/kg	Velocidade de 0,5/mEq/kg/h Concentração máxima: ■ Veia periférica 40 mEq/L ■ Veia central 80 mEq/L
Sódio	NaCl 3%	3-5 mL.Kg^{-1} em 20 min	Repor apenas se hiponatremia sintomática Não ultrapassar variação de 5 mEq/L/h
Magnésio	MgSO$_4$ 10%	25-50 mg/kg em 20 min	
Glicose	10% – 50%	0,25-0,5 g/kg (< 6 meses) 0,5-1 g/kg (> 6 meses)	

Soluções Hipertônicas

Soluções hipertônicas, como manitol e salina hipertônica, costumam ser utilizadas em pacientes neurocríticos ou neurocirúrgicos para tratamento da hipertensão intracraniana. Essas soluções criam um gradiente osmótico, com movimento de água livre para o espaço intravascular, resultando em redução do volume cerebral. As soluções salinas hipertônicas também são utilizadas para tratamento da hiponatremia.

Em caso de traumatismo cranioencefálico grave, recomenda-se, como primeira opção, a infusão de 2 a 5 mL.Kg^{-1} de NaCl 3% em 10 a 20 minutos.[22] Após essa dose, espera-se uma elevação de 5 mEq/L no sódio sérico. Pode-se repetir o esquema até que o sódio sérico alcance 160 mEq/L. Concentrações mais elevadas de salina hipertônicas podem ser utilizadas, mas NaCl 3% é considerada segura em crianças, mesmo em veia periférica, com menor risco de flebite e de erro de administração.

Apesar de o manitol ser utilizado com frequência nesse contexto, faltam evidências quanto aos seus benefícios e riscos na população pediátrica.[22] Um estudo observacional recente apontou que o uso de NaCl 3%, comparado ao manitol, foi associado à menor pressão intracraniana e à maior pressão de perfusão cerebral em crianças vítimas de traumatismo cranioencefálico.[23] A dose de manitol recomendada é de 0,5 a 1,0 g/kg durante 20 a 30 minutos. Um efeito colateral frequente é a diurese osmótica, que, se não corrigida, pode resultar em hipovolemia e distúrbios eletrolíticos.

▪ COLOIDES

Por conta da sua maior pressão oncótica, as soluções intravenosas coloides permanecem no espaço intravascular por mais tempo e restauram a volemia com maior eficácia. Assim, elas têm um efeito poupador de cristaloides e reduzem o risco de anemia e coagulopatia dilucional, além de sobrecarga volêmica.

A indicação dos coloides durante cirurgia tem evidências escassas e, comumente, é baseada em opinião de especialistas. Recomenda-se o seu uso em cirurgias com grande perda volêmica prevista ou quando a infusão de cristaloides ultrapassa 30 a 50 mL.Kg^{-1}.[1,24]

As soluções desse grupo mais utilizadas no período perioperatório são a albumina humana e os coloides de amido. Essas soluções são vantajosas num contexto de grandes perdas volêmicas, mas a transfusão de concentrados de hemácias ainda não está indicada.

Albumina

Historicamente, a albumina humana, é a solução coloide de escolha para reposição volêmica intraoperatória em crianças. Por ser um derivado do plasma humano, tem alto custo e baixa disponibilidade e, assim, houve espaço para a busca de soluções alternativas como os coloides de amido.[25,26] Ela tem um perfil seguro, mesmo em neonatos e lactentes, já reportado em estudos em diversos procedimentos cirúrgicos.[27,28]

No Brasil, a solução de albumina disponível tem concentração de 20%. Para torná-la iso-oncótica, ela é frequentemente diluída em solução cristaloide, resultando em concentração de 4% a 5%. Nessa concentração, o volume de efeito é de cerca de 85%, o que significa que 85% do volume infundido permanece no espaço intravascular, comparado a 20% das soluções cristaloides isotônicas.[29]

Sugestão para preparo da albumina 4%: 80 mL de solução cristaloide isotônica + 20 mL de albumina 20%.

A dose de albumina recomendada para reposição volêmica intraoperatória é de 10 a 20 mL.Kg^{-1}, que pode ser repetida conforme necessidade. A dose teto da albumina não está clara na literatura.

Coloides de Amido

Nos últimos anos, foram reportados efeitos colaterais graves dos coloides de amido – particularmente realacionados à nefrotoxicidade e à coagulopatia. Ensaios clínicos e metanálises demonstraram aumento de mortalidade e/ou necessidade de terapia de substituição renal em pacientes críticos, sépticos e queimados.[30,31]

Para o uso perioperatório, as evidências são divergentes tantos para os benefícios quanto para os riscos. Uma metanálise de nove estudos em crianças comparou coloides de amido com grupo controle. Não houve evidência de diferença clinicamente relevante entre os grupos. A toxicidade renal e a perda sanguínea também não diferiram.[32]

Apesar dos riscos relatados, alguns autores reportam segurança com o uso de coloides de amido em crianças submetidas a cirurgia,[27,33] recomendando-o nos casos de grande perda volêmica. É importante respeitar a dose teto de cerca de 10 a 20 mL.Kg^{-1} e saber que o uso de soluções mais modernas de baixo peso molecular minimizam os efeitos colaterais.[1]

Os debates contínuos e a divergência científica sobre o uso dos coloides de amido trazem à tona a necessidade de estudos clínicos bem conduzidos e com poder apropriado para responder a essas questões. Enquanto isso, observamos restrição do seu uso por agências reguladoras e a redução contínua de sua indicação na prática clínica.

REGIMES DE INFUSÃO

De forma simples e didática, podemos dividir a fluidoterapia intraoperatória em:

1. **Fluidoterapia de manutenção**: infusão de soluções intravenosas de forma controlada, para repor as perdas metabólicas basais, perdas insensíveis, diurese;
2. **Expansão ou reposição volêmica:** infusão de soluções intravenosas, normalmente de forma mais rápida para repor perdas agudas e/ou retornar ao estado de euvolemia.

Fluidoterapia de Manutenção

Não seria possível falar de fluidoterapia em pediatria sem citar as consagradas fórmulas de manutenção, que recomendam uma taxa de infusão, normalmente baseadas no peso do paciente. A mais utilizada é a fórmula de Holiday e Segar.[16] Em artigo clássico publicado em 1957, eles propuseram uma fórmula simples e fácil de ser lembrada, que ganhou popularidade e ainda é amplamente utilizada nos dias de hoje. Muitas críticas surgiram ao longo do tempo:[34] (1) Ela pode subestimar ou superestimar as necessidades hídricas a depender do contexto; (2) Foi proposta inicialmente para crianças internadas por razões clínicas e não cirúrgicas; (3) Foi criada há mais de 60 anos, à luz do conhecimento que existia naquela época. E, apesar disso, é a fórmula de escolha em diversos países e instituições.

Posteriormente, a fórmula de Berry ganhou notoriedade, sendo proposta por sociedades de anestesia pediátrica.[35] Essa é uma fórmula adaptada ao contexto cirúrgico, que leva em consideração as perdas estimadas conforme o trauma da cirurgia. Cabe ressaltar que a infusão na primeira hora é bem elevada, condizente com um momento em que os protocolos flexíveis de jejum ainda não eram realidade.

Mais recentemente, um grupo alemão propôs uma fórmula simples e pragmática para fluidoterapia intraoperatória.[1] Para qualquer cirurgia ou paciente, a infusão de fluidos é iniciada numa velocidade de 10 mL.Kg^{-1}/h. Vale ressaltar que os próprios autores recomendam que essa taxa de infusão deve ser ajustada de acordo com as demandas do paciente e do procedimento cirúrgico (Tabela 145.3).

■ COMO AVALIAR AS DEMANDAS INDIVIDUAIS E PERSONALIZAR A FLUIDOTERAPIA?

Avaliar a necessidade hídrica de cada paciente é uma tarefa complexa que envolve muitos fatores interligados, incluindo as características do paciente e da cirurgia, os quais podem influenciar essa demanda.

Na avaliação pré-anestésica, é importante investigar se a criança está há muito tempo em jejum e se isso está afetando o seu estado de hidratação. Cardiopatas, nefropatas e hepatopatas têm um manejo hídrico mais delicado e maior chance de descompensação clínica. Pacientes com história de vômitos, sepse e abdome agudo podem necessitar de expansão volêmica antes da indução anestésica.

No período intraoperatório, devemos nos atentar que crianças têm mais perdas insensíveis comparado aos adultos, particularmente os neonatos. Em algumas cirurgias neonatais, com exposição de alças intestinais, a necessidade de fluidos intravenosos pode chegar a 50 mL.Kg^{-1}/h. O sangramento deve ser observado atentamente e tratado de maneira apropriada com cristaloides, coloides ou transfusão de concentrado de hemácias.

Parâmetros clínicos, laboratoriais (lactato, bicarbonato, pH) e hemodinâmicos podem ser usados de forma combinada e integrada para avaliação da volemia, da perfusão, e, portanto, da necessidade de fluidos. Nenhuma dessas variáveis, de forma isolada, é capaz de prever essa necessidade de forma acurada, mas, em conjunto, podem ser úteis. Variáveis estáticas como pressao venosa central (PVC) e pressão arterial carecem de validação e não são recomendadas para prever responsividade a fluidos.[36]

Parâmetros Dinâmicos de Responsividade a Fluidos

Em pacientes adultos, monitores minimamente invasivos, que fornecem variáveis como a variação da pressão de pulso (VPP ou ΔPP), são usados frequentemente para estimar responsividade a fluidos durante a cirurgia. Em boa parte dos casos, o cálculo é feito baseado na curva de pressão arterial invasiva em pacientes em ventilação mecânica. Nos pacientes respondedores, a infusão de fluidos resulta em aumento do débito cardíaco, tendo, portanto, efeito benéfico. Em crianças, essas variáveis carecem de validação e não são recomendadas como preditores de responsividade aos fluidos. Características anatomofisiológicas das crianças, particularmente a menor complacência arterial, justificariam essa diferença da população adulta. Variáveis como o Índice de Variabilidade Pletismográfica (PVI), obtido a partir da curva de pletismografia, têm resultados controversos na literatura. Uma metanálise sugere que, apesar de ser ferramenta útil para prever responsividade a fluidos em pediatria, sua *performance* diagnóstica seria inferior àquela encontrada em adultos.[37]

A ecocardiografia é uma ferramenta útil e importante na estimativa da volemia em crianças. Além de medidas qualitativas, podem ser feitos cálculos de variáveis que avaliam a responsividade a fluidos. A variação respiratória da velocidade de pico do fluxo aórtico (ΔVpico) apresenta, consistentemente, resultados favoráveis como um bom parâmetro

Tabela 145.3 Fórmulas de fluidoterapia de manutenção utilizadas em anestesia pediátrica.		
	Taxa de infusão	**Comentários**
Holliday-Segar (Regra 4-2-1)	< 10 kg: 4 mL.Kg^{-1}/h 10-20 kg: 40 mL + 2 mL.Kg^{-1}/h para cada kg acima de 10 kg > 20 kg 60 mL + 1 mL.Kg^{-1}/h para cada kg acima de 20 kg	Embora seja passível diversas críticas de críticas, ainda é muito utilizada em diversos contextos Requer adaptação às demandas individuais
Fórmula de Berry	1º hora: ■ 25 mL.Kg^{-1}: ≤ 3 anos ■ 15 mL.Kg^{-1}: > 3 anos Horas subsequentes: ■ Infusão basal 4 mL.Kg^{-1}	Variações conforme o trauma cirúrgico: ■ Leve: 6 mL.Kg^{-1}/h ■ Moderado: 8 mL.Kg^{-1}/h ■ Intenso: 10 mL.Kg^{-1}/h
Fórmula dos 10	10 mL.Kg^{-1} independentemente da idade ou peso	Necessidade de ajuste da taxa de infusão conforme as demandas do paciente e as perdas que ocorrem durante a cirurgia

de responsividade a fluidos na população pediátrica. Ele é obtido por meio de *doppler* na via de saída do ventrículo esquerdo, utilizando ecocardiografia transtorácica ou transesofágica. O cálculo é feito da seguinte maneira:

$$\Delta Vpico = Vmax - Vmin / Vmax + Vmin / 2$$

*Vpico velocidade de pico do fluxo aórtico; Vmax velocidade máxima; Vmin velocidade mínima.

O ponto de corte a partir do qual consideramos um paciente responsivo ainda está sendo estudado. Autores sugerem 12% a 13%, ou seja, para valores acima de 13%, uma infusão de fluidos de cerca de 10 mL.Kg^{-1} resultaria em aumento do débito cardíaco.[38]

A variação do fluxo carotídeo, obtida por meio da ultrassonografia transfontanela, também se mostrou útil como preditor de responsividade, podendo ser indicada em bebês que ainda tem fontanelas abertas, em situações cirúrgicas em que não é possível acessar o coração para realizar ecocardiografia.[39] O cálculo é obtido de forma semelhante ao da ΔVpico, e o ponto de corte que se mostrou mais adequado para prever a necessidade de fluidos é de 7,8%.[39]

■ CONCLUSÃO

Ajustar o aporte de fluidos e avaliar a necessidade de reposição volêmica são um desafio permanente para o anestesiologista que lida com a população pediátrica. A menor disponibilidade e pior acurácia de monitores e dispositivos potencializam esse problema em neonatos e crianças mais jovens.

Assim, é necessário utilizar todo o arsenal de ferramentas disponíveis, incluindo variáveis clínicas, laboratoriais e hemodinâmicas, de forma combinada e integrada para proporcionar um manuseio hídrico adequado a cada caso.

"...understanding of the limitations and of exceptions to the system is required. Even more essential is the clinical judgment to modify the system as circumstances dictate".

A citação acima encontra-se no artigo clássico de Holliday Segar.[16] Embora tenha sido publicada em 1957, esse conceito permanece atual e alinhado com aquilo que preconiza a prática da medicina moderna: priorizar o bom senso clínico e o ajuste do cuidado às necessidades individuais de cada paciente.

■ MANEJO SANGUÍNEO

A reposição de hemoderivados tem como objetivo restaurar a quantidade de hemoglobina, fatores de coagulação e plaquetas em pacientes que apresentam manifestações clínicas ou laboratoriais de deficiência destes componentes.

O manejo tradicional do sangramento é pautado na transfusão de hemoderivados homólogos; no entanto, há fortes evidências de que os efeitos colaterais relacionados à transfusão estão associados ao aumento da morbidade e mortalidade em crianças.[40]

Atualmente é recomendado o manejo do sangramento perioperatório do paciente pediátrico com foco no diagnóstico e tratamento da anemia e coagulopatia, utilizando trans-

fusões de hemoderivados somente quando clinicamente indicado, guiado por testes, de preferência, *point of care*.[41]

O risco de transmissão de infecções relacionadas à transfusão de hemoderivados tem diminuído nos últimos 20 anos devido a novos testes que conseguem detectar de forma mais precoce os agentes infecciosos, diminuindo a janela de não detecção de agentes virais como HIV e HCV.[42] O termo TRALLI se refere à lesão pulmonar aguda relacionada à transfusão de hemoderivados e é uma complicação extremamente grave, assim como reações transfusionais hemolíticas e não hemolíticas, reações alérgicas, erros de administração, sobrecarga circulatória relacionada à transfusão (*Transfusion associated circulatory overload* – TACO), aloimunização e imunomodulação. A mortalidade associada a essas complicações variam de 15% a 30%. Esses riscos servem como um impulso para utilizar estratégias de preservação de sangue no perioperatório. Tais estratégias incluem uso de sangue autólogo, hemodiluição, hipotensão deliberada, antifibrinolíticos e algoritmos de transfusão.[42]

A seguir discutiremos sobre cada hemoderivado e sua reposição, assim como estratégias para manejo do sangue (PBM) em pacientes neonatais e pediátricos.

■ REPOSIÇÃO DE HEMÁCIAS

O objetivo da reposição de hemácias é restaurar a concentração de hemoglobina, a fim de reestabelecer o transporte e oferta de oxigênio. Devido aos riscos de complicações e ao aumento da morbidade associada às transfusões, são necessários esforços para garantir a tomada de decisões adequadas sobre transfusões de hemácias.

Antes da cirurgia eletiva, a hemoblobina pré-operatória deve ser otimizada por meio do tratamento da anemia por deficiência de ferro, que é comum em crianças, com uma prevalência mundial em torno de 40%.[43] A anemia pré-operatória está independentemente associada ao aumento do risco de necessidade de transfusão de sangue e ao aumento da morbidade e mortalidade pós-operatória em pacientes pediátricos em estado grave e cirúrgicos.[44]

Um estudo prospectivo, multicêntrico, observacional conduzido em 30 UTIs pediátricas nos EUA e Canadá, que envolveu 977 crianças, evidenciou que 49% delas foram transfundidas.**[45]** Essa alta taxa de transfusão reflete o que ocorre na prática diária de anestesiologistas que lidam com crianças submetidas a cirurgias com alto potencial de sangramento.

Disma e colaboradores conduziram um relevante estudo multicêntrico europeu que incluiu 5.609 bebês com até 63 dias de vida submetidos a 6.542 procedimentos. O objetivo primário foi identificar quais os limites de variáveis fisiológicas específicas que desencadearam uma intervenção médica. Nessa publicação, o valor de hemoglobina médio para desencadear uma transfusão foi de 8.6 g/dL, sendo que hemotransfusão representou 5,1% das intervenções.[2]

Nos últimos anos, observa-se uma tendência a favorecer a terapia restritiva de reposição de hemácias. Em 2007, Lacroix e colaboradores publicaram um estudo multicêntrico randomizado envolvendo 637 crianças em estado crítico e hemodinamicamente estáveis. O objetivo principal foi comparar estratégia restritiva (gatilho transfusional de 7 g/dL) com a estratégia liberal (gatilho transfusional de 9 g/dL). Os autores observaram que a estratégia restritiva diminuiu obviamente o número de transfusões, porém sem aumentar os resultados adversos.[46]

A iniciativa *Wake Up Safe*, da Sociedade Americana de Anestesia Pediátrica, recomenda que as hemácias tenham menos de uma semana ou sejam lavadas se o paciente tiver menos de um ano de idade ou pesar menos de 10 kg para evitar hipercalemia.

Em 2018, o *Pediatric Critical Care Transfusion and Anemia Expertise Initiative* publicou um consenso com recomendações para transfusão de hemácias em várias situações. De um modo geral, recomendam a reposição de hemácias em crianças que estão em estado crítico, com sangramento sem risco de vida, se a concentração de hemoglobina for inferior a 5 g/dL. Destacaram também que não há evidências para indicar reposição de hemácias em crianças em estado crítico com níveis de hemoglobina entre 5 e 7 g/dL, porém é recomendável julgar a necessidade de transfusão com base no estado clínico.[47]

Em relação aos neonatos e prematuros, ainda não há um consenso sobre a superioridade da terapia restritiva em comparação a terapia liberal de transfusão de hemácias. Embora algumas publicações falem a favor de gatilhos transfusionais mais baixos,[48] há a preocupação com o neurodesenvolvimento desses pacientes, em especial os prematuros extremos.[49]

PLASMA FRESCO E CONCENTRADO DE COMPLEXO PROTROMBÍNICO

Existem algumas diferenças entre crianças e adultos no que se refere à coagulação, principalmente em neonatos, nos quais a concentração da maioria das proteínas da coagulação é 30% a 70% mais baixa em relação aos adultos. Além disso, o fibrinogênio e plasminogênio apresentam formas fetais que não funcionam de forma plena.[50] Portanto, a necessidade de tratamento dos distúrbios de coagulação pode ser mais frequente, principalmente quando se trata de cirurgias de grande porte com alto potencial de sangramento, como cirurgias craniofaciais, escoliose, cirurgia cardiovascular e transplante de fígado.

A transfusão de plasma fresco é indicada para tratar as alterações de coagulação do sangue. O uso desse hemoderivado meramente para reposição volêmica não é embasado pela literatura.

O plasma fresco contém todos os fatores de coagulação, exceto plaquetas. Contém fibrinogênio (400 a 900 mg/unidade), albumina, proteína C, proteína S, antitrombina, inibidor da via do fator tecidual. Uma dose padrão de 10 a 20 mL.Kg^{-1} (quatro a seis unidades em adultos) aumentará os níveis dos fatores em aproximadamente 20%.[51]

A infusão de plasma fresco para corrigir pequenas alterações no Tempo de Protrombina (TP) em pacientes cirúrgicos com potencial de sangramento é questionada por alguns autores. Abdel-Wahab e colaboradores publicaram em 2006 um estudo prospectivo, observacional, no qual acompanharam 121 pacientes que apresentavam o TP entre 13,1 a 17 segundos (INR entre 1,1 a 1,85) e receberam plasma fresco. Após oito horas de transfusão, apenas em 0,8% dos pacientes tiveram seus exames corrigidos para o intervalo de referência.[52] Portanto, provavelmente, a conduta de transfundir plasma fresco tomada apenas com base em exames laboratoriais que não estão com alterações significativas não seja, talvez, a mais adequada. Atualmente, os testes viscoelásticos *point of care* parecem ser a melhor opção para guiar o tratamento de distúrbios de coagulação, fornecendo o perfil de coagulação do paciente em tempo real. Há publicações evidenciando diminuição de transfusão de plaquetas e crioprecipitado com melhor custo efetividade.[53] Há de se ressaltar que, para o manejo da coagulação, também é essencial o controle da temperatura, pH e cálcio séricos.

O concentrado de complexo protrombínico é utilizado para reverter o efeito de anticoagulantes e repor fatores de coagulação nos pacientes que possuem deficiências congênitas ou adquiridas. A concentração dos fatores de coagulação nesse fármaco é, em média, 25 vezes maior que a do plasma fresco, permitindo um volume infundido bem menor, que pode evitar a sobrecarga de volume em crianças e neonatos. Giorni e colaboradores conduziram um estudo em crianças submetidas à cirurgia cardíaca com circulação extracorpórea, no qual 14 pacientes que receberam o concentrado de complexo protrombínico foram comparados com 11 pacientes que foram tratados com plasma fresco. Os autores observaram que o grupo que recebeu complexo protrombínico sangrou de forma significativamente menor que o outro grupo (o a 1,9 mL.Kg^{-1}/h *versus* 1,0 a 3,0 mL.Kg^{-1}/h, p = 0,009), sem relatos de efeitos adversos.[54]

O concentrado de complexo protrombínico tem sido utilizado em larga escala nos pacientes pediátricos e neonatais, sendo considerado seguro nessa faixa etária. A sua dose varia de 25 a 50 U/kg, podendo ser guiada pelo INR ou por testes viscoelásticos.

CRIOPRECIPITADO E CONCENTRADO DE FIBRINOGÊNIO

O fibrinogênio é uma glicoproteína plasmática sintetizado pelo fígado e possui a concentração mais alta de todas as proteínas da coagulação, sendo essencial para hemostasia. A conversão do fibrinogênio em fibrina desempenha um papel fundamental na formação e estabilização do coágulo. Além disso, o fibrinogênio induz a ativação e agregação plaquetária pela ligação à glicoproteína GPIIb/IIIa do receptor de fibrinogênio plaquetário.[55]

O crioprecipitado é preparado por descongelamento controlado de plasma para precipitar proteínas de alto peso molecular, que incluem Fator VIII (FVIII), Fator de Von Willebrand (VWF) e fibrinogênio, em média 15 g/L. As indicações de reposição de fibrinogênio são hipofribrinogenemia congênita ou adquirida após sangramento maciço ou diluição. O tratamento pode ser guiado pela dosagem de fibrinogênio plasmático, estando a reposição indicada para valores abaixo de 200 mg/dL, ou por testes viscoelásticos, em especial o FIBTEM.

Tem-se no arsenal terapêutico o fibrinogênio concentrado, uma forma purificada de fibrinogênio derivado de plasma humano, que passa por um processo de pasteurização para minimizar o risco de reações imunológicas e alérgicas. Em pacientes pediátricos, o fibrinogênio concentrado tem diversas vantagens sobre o crioprecipitado: volume pequeno, dosagem precisa, disponibilidade imediata, menor risco infeccioso e diminuição das reações alérgicas ou imunológicas.[56] O consenso europeu para manejo de sangramentos graves perioperatórios sugere administrar concentrado de fibrinogênio em crianças na vigência de sangramento perioperatório e que têm diagnóstico de hipofribrinogenemia, (recomendação com fraca evidência e qualidade moderada).[57] A recomendação atual é de 25 a 50 mg/kg de fibrinogênio concentrado quando há hipofibrinogemia.

▪ PLAQUETAS

Pacientes com infecções, em quimioterapia mielossupressora ou com coagulopatias em curso estarão em risco de trombocitopenia.[58] A reposição de plaquetas normalmente tem como guia a contagem plaquetária ou a condição clínica do paciente. A maioria dos centros considera que o gatilho de transfusão está em torno de 50 mil. Um estudo de coorte multicêntrico e prospectivo, publicado em 2018, que procurou descrever a epidemiologia, indicação e resultados relacionados à transfusão de plaquetas em crianças em estado crítico, relata que de 34% da transfusão profilática de plaquetas foi realizada quando a contagem estava abaixo de 50 mil.[59] Nessa publicação, as principais indicações de reposição de plaquetas foram: profilaxia (67%), sangramentos menores (21%) e sangramentos maiores (12%).

É importante ressaltar que, em algumas situações como cirurgia cardíaca com CEC, as plaquetas apresentam disfunção mesmo que o seu número esteja dentro dos valores de referência. Outros métodos para diagnosticar a função plaquetária incluem testes viscoelásticos e a avaliação da agregação, como a agregometria de sangue total.[60] Esses testes *point of care* parecem ser mais efetivos para o diagnóstico e tratamento de pacientes candidatos a receberem plaquetas.[61]

A Tabela 145.4 contém sugestão de indicações e de volumes de reposição de hemoderivados homólogos:

▪ ANTIFIBRINOLÍTICOS

A ativação da fibrinólise que converte plasminogênio em plasmina é o maior sistema hemostático que possuímos para manter o lúmen vascular frente à formação de trombos. Os mecanismos que geram a ativação da plasmina são: ativação endotelial, por contato ou via calicreína. Quando há um trauma ou lesão cirúrgica extensa ocorre a ativação endotelial, mecanismo pelo qual o trauma gera hiperfibrinólise. Com a instabilidade do coágulo há uma tendência ao sangramento que piora a coagulopatia, consome fibrinogênio e outros fatores de coagulação.

O Ácido Tranexâmico (TXA) e o Ácido Épsilon-aminocaproico (EACA) são fármacos existentes no mercado com ação antifibrinolítica. Amos são lisinas sintéticas que agem de forma competitiva, inibindo a ativação de plasminogênio em plasmina.

Em uma metanálise, Schouten e colaboradores concluíram que tanto o TXA quanto o EACA foram eficazes em reduzir o sangramento em torno de menos 11 mL.Kg^{-1} em crianças submetidas à cirurgia cardiovascular e de escoliose.[62] Esse benefício foi confirmado posteriormente em uma revisão sistemática na qual os autores concluem que os antifibrinolíticos parecem diminuir de forma significativa a perda sanguínea e a necessidade de transfusão em crianças submetidas a cirurgias de escoliose e craniofaciais.

Em relação ao esquema posológico, são reportadas diferentes doses de ataque e manutenção de EACA, que variam de 40 a 100 mg/kg (máximo de 2 g) e 16 a 75 mg/kg/h, respectivamente. Em relação ao TXA, a dose de ataque varia de 10 a 50 mg/kg (máximo de 1 g) e a de manutenção de 1 a 20 mg/kg/h.[63]

▪ *PATIENT BLOOD MANAGEMENT* (PBM)

Este termo em inglês se refere ao gerenciamento ou manejo de sangue dos pacientes. É uma abordagem interdisciplinar centrada no paciente, com a aplicação oportuna de intervenções médicas e cirúrgicas baseadas em evidências, projetadas para manter a massa sanguínea do paciente.[64] Esse programa é baseado em três pilares: otimizar o volume sanguíneo do paciente, minimizar a perda de sangue e diminuir a tolerância do paciente à anemia, otimizando as reservas fisiológicas.[65] A implementação do PBM pode não só reduzir a transfusão de hemoderivados, como também diminuir a morbimortalidade e os custos hospitalares. Sendo considerado o novo padrão de tratamento para o manejo da anemia e da hemostasia, foi recomendado pela Organização Mundial da Saúde, pela Sociedade Americana de Anestesiologistas, pela Sociedade Europeia de Anestesiologia e pela Autoridade Nacional Australiana de Sangue.[66] O programa encoraja as instituições a criarem protocolo de transfusão maciça direcionado para pacientes pediátricos, levando em consideração a idade e peso dos pacientes. As estratégias do PBM incluem minimizar a coleta de sangue, restringir transfusões, uso de *cell saver*, hemodiluição normovolêmica aguda, agentes antifibrinolíticos e uso de testes *point of care* para orientar as decisões de transfusão.[67]

Tabela 145.4 Sugestão para reposição de hemoderivados.

	Volume	Indicação
Concentrado de Hemácias	Peso (kg) x aumento desejado x 5, valor em ml	Hb entre 5 e 7 g/dl, associada ao estado clínico do paciente
Crioprecipitado	5 mL.Kg^{-1}	Fibrinogênio < 150 – 200 mg/dl ou MCF do FIBTEM < 8 mm
Plasma Fresco	10 a 15 mL.Kg^{-1}	INR > 1,2 ou CT/CFT alterados no EXTEM OU INTEM (desde que descartado efeito residual de heparina)
Plaquetas	5 a 10 mL.Kg^{-1}	Contagem de plaquetas < 50.000 e avaliação clínica de sangramento. MCF do EXTEM ou INTEM < 50 mm com MCF do FIBTEM normal

REFERÊNCIAS

1. Sumpelmann R, Becke K, Brenner S, et al. Perioperative intravenous fluid therapy in children: guidelines from the Association of the Scientific Medical Societies in Germany. Paediatric anaesthesia. Jan 2017;27(1):10-18. doi:10.1111/pan.13007

2. Disma N, Veyckemans F, Virag K, et al. Morbidity and mortality after anaesthesia in early life: results of the European prospective multicentre observational study, neonate and children audit of anaesthesia practice in Europe (NECTARINE). British journal of anaesthesia. Jun 2021;126(6):1157-1172. doi:10.1016/j.bja.2021.02.016

3. Bhananker SM, Ramamoorthy C, Geiduschek JM, et al. Anesthesia-related cardiac arrest in children: update from the Pediatric Perioperative Cardiac Arrest Registry. Anesthesia and analgesia. Aug 2007;105(2):344-50. doi:10.1213/01.ane.0000268712.00756.dd

4. Coté CJ, Lerman J, Anderson BJ. A practice of anesthesia for infants and children. Sixth edition. ed. Elsevier; 2019:p.

5. Gattineni J, Baum M. Developmental changes in renal tubular transport-an overview. Pediatric nephrology. Dec 2015;30(12):2085-98. doi:10.1007/s00467-013-2666-6

6. Sulemanji M, Vakili K. Neonatal renal physiology. Semin Pediatr Surg. Nov 2013;22(4):195-8. doi:10.1053/j.sempedsurg.2013.10.008

7. McCrory WW. Developmental nephrology. Harvard University Press; 1972:xii, 216 p.

8. Segar JL. Renal adaptive changes and sodium handling in the fetal-to-newborn transition. Semin Fetal Neonatal Med. Apr 2017;22(2):76-82. doi:10.1016/j.siny.2016.11.002

9. Chin TK, Friedman WF, Klitzner TS. Developmental changes in cardiac myocyte calcium regulation. Circulation research. Sep 1990;67(3):574-9. doi:10.1161/01.res.67.3.574

10. Cote CJ, Drop LJ, Hoaglin DC, Daniels AL, Young ET. Ionized hypocalcemia after fresh frozen plasma administration to thermally injured children: effects of infusion rate, duration, and treatment with calcium chloride. Anesthesia and analgesia. Feb 1988;67(2):152-60.

11. Tinawi M. New Trends in the Utilization of Intravenous Fluids. Cureus. Apr 21 2021;13(4):e14619. doi:10.7759/cureus.14619

12. Semler MW, Self WH, Wanderer JP, et al. Balanced Crystalloids versus Saline in Critically Ill Adults. N Engl J Med. Mar 1 2018;378(9):829-839. doi:10.1056/NEJMoa1711584

13. Zampieri FG, Machado FR, Biondi RS, et al. Effect of Intravenous Fluid Treatment With a Balanced Solution vs 0.9% Saline Solution on Mortality in Critically Ill Patients: The BaSICS Randomized Clinical Trial. Jama. Aug 10 2021;326(9):1-12. doi:10.1001/jama.2021.11684

14. Young P, Bailey M, Beasley R, et al. Effect of a Buffered Crystalloid Solution vs Saline on Acute Kidney Injury Among Patients in the Intensive Care Unit: The SPLIT Randomized Clinical Trial. Jama. Oct 27 2015;314(16):1701-10. doi:10.1001/jama.2015.12334

15. Weinberg L, Collins N, Van Mourik K, Tan C, Bellomo R. Plasma-Lyte 148: A clinical review. World J Crit Care Med. Nov 4 2016;5(4):235-250. doi:10.5492/wjccm.v5.i4.235

16. Holliday MA, Segar WE. The maintenance need for water in parenteral fluid therapy. Pediatrics. May 1957;19(5):823-32.

17. McNab S, Duke T, South M, et al. 140 mmol/L of sodium versus 77 mmol/L of sodium in maintenance intravenous fluid therapy for children in hospital (PIMS): a randomised controlled double-blind trial. Lancet. Mar 28 2015;385(9974):1190-7. doi:10.1016/S0140-6736(14)61459-8

18. McNab S, Ware RS, Neville KA, et al. Isotonic versus hypotonic solutions for maintenance intravenous fluid administration in children. The Cochrane database of systematic reviews. Dec 18 2014;(12):CD009457. doi:10.1002/14651858.CD009457.pub2

19. Moritz ML, Ayus JC. Prevention of hospital-acquired hyponatremia: a case for using isotonic saline. Pediatrics. Feb 2003;111(2):227-30.

20. Moritz ML, Ayus JC. Preventing neurological complications from dysnatremias in children. Pediatric nephrology. Dec 2005;20(12):1687-700. doi:10.1007/s00467-005-1933-6

21. Becke K, Eich C, Hohne C, et al. Choosing Wisely in pediatric anesthesia: An interpretation from the German Scientific Working Group of Paediatric Anaesthesia (WAKKA). Paediatric anaesthesia. Jul 2018;28(7):588-596. doi:10.1111/pan.13383

22. Kochanek PM, Tasker RC, Carney N, et al. Guidelines for the Management of Pediatric Severe Traumatic Brain Injury, Third Edition: Update of the Brain Trauma Foundation Guidelines. Pediatric critical care medicine : a journal of the Society of Critical Care Medicine and the World Federation of Pediatric Intensive and Critical Care Societies. Mar 2019;20(3S Suppl 1):S1-S82. doi:10.1097/PCC.0000000000001735

23. Kochanek PM, Adelson PD, Rosario BL, et al. Comparison of Intracranial Pressure Measurements Before and After Hypertonic Saline or Mannitol Treatment in Children With Severe Traumatic Brain Injury. JAMA Netw Open. Mar 1 2022;5(3):e220891. doi:10.1001/jamanetworkopen.2022.0891

24. Bailey AG, McNaull PP, Jooste E, Tuchman JB. Perioperative crystalloid and colloid fluid management in children: where are we and how did we get here? Anesthesia and analgesia. Feb 1 2010;110(2):375-90. doi:10.1213/ANE.0b013e3181b6b3b5

25. Hanart C, Khalife M, De Ville A, Otte F, De Hert S, Van der Linden P. Perioperative volume replacement in children undergoing cardiac surgery: albumin versus hydroxyethyl starch 130/0.4. Critical care medicine. Feb 2009;37(2):696-701. doi:10.1097/CCM.0b013e3181958c81

26. Standl T, Lochbuehler H, Galli C, Reich A, Dietrich G, Hagemann H. HES 130/0.4 (Voluven) or human albumin in children younger than 2 yr undergoing non-cardiac surgery. A prospective, randomized, open label, multicentre trial. European journal of anaesthesiology. Jun 2008;25(6):437-45. doi:10.1017/S0265021508003888

27. Peng Y, Du J, Zhao X, Shi X, Wang Y. Effects of colloid pre-loading on thromboelastography during elective intracranial tumor surgery in pediatric patients: hydroxyethyl starch 130/0.4 versus 5% human albumin. BMC Anesthesiol. Apr 27 2017;17(1):62. doi:10.1186/s12871-017-0353-z

28. Van der Linden P, Dumoulin M, Van Lerberghe C, Torres CS, Willems A, Faraoni D. Efficacy and safety of 6% hydroxyethyl starch 130/0.4 (Voluven) for perioperative volume replacement in children undergoing cardiac surgery: a propensity-matched analysis. Critical care. Mar 17 2015;19(1):87. doi:10.1186/s13054-015-0830-z

29. Rehm M, Hulde N, Kammerer T, Meidert AS, Hofmann-Kiefer K. State of the art in fluid and volume therapy : A user-friendly staged concept. English version. Anaesthesist. Apr 10 2017;Stand der Wissenschaft in der Flussigkeits- und Volumentherapie : Ein anwenderfreundliches Stufenkonzept. doi:10.1007/s00101-017-0290-8

30. Myburgh JA, Finfer S, Bellomo R, et al. Hydroxyethyl starch or saline for fluid resuscitation in intensive care. N Engl J Med. Nov 15 2012;367(20):1901-11. doi:10.1056/NEJMoa1209759

31. Lewis SR, Pritchard MW, Evans DJ, et al. Colloids versus crystalloids for fluid resuscitation in critically ill people. The Cochrane database of systematic reviews. Aug 3 2018;8(8):CD000567. doi:10.1002/14651858.CD000567.pub7

32. Thy M, Montmayeur J, Julien-Marsollier F, et al. Safety and efficacy of peri-operative administration of hydroxyethyl starch in children undergoing surgery: A systematic review and meta-analysis. European journal of anaesthesiology. Jul 2018;35(7):484-495. doi:10.1097/EJA.0000000000000780

33. Sumpelmann R, Kretz FJ, Luntzer R, et al. Hydroxyethyl starch 130/0.42/6:1 for perioperative plasma volume replacement in 1130 children: results of an European prospective multicenter observational postauthorization safety study (PASS). Paediatric anaesthesia. Apr 2012;22(4):371-8. doi:10.1111/j.1460-9592.2011.03776.x

34. Holliday MA, Segar WE, Friedman A. Reducing errors in fluid therapy management. Pediatrics. Feb 2003;111(2):424-5.

35. Berry FA. Anesthetic management of difficult and routine pediatric patients. Churchill Livingstone; 1986:xiv, 462 p.

36. Lee JH, Kim EH, Jang YE, Kim JT. Fluid responsiveness in the pediatric population. Korean J Anesthesiol. Oct 2019;72(5):429-440. doi:10.4097/kja.19305

37. Desgranges FP, Bouvet L, Pereira de Souza Neto E, et al. Non-invasive measurement of digital plethysmographic variability index to predict fluid responsiveness in mechanically ventilated children: A systematic review and meta-analysis of diagnostic test accuracy studies. Anaesth Crit Care Pain Med. Jun 2023;42(3):101194. doi:10.1016/j.accpm.2023.101194

38. Wang X, Jiang L, Liu S, Ge Y, Gao J. Value of respiratory variation of aortic peak velocity in predicting children receiving mechanical ventilation: a systematic review and meta-analysis. Critical care. Nov 22 2019;23(1):372. doi:10.1186/s13054-019-2647-7

39. Kim EH, Lee JH, Song IK, Kim HS, Jang YE, Kim JT. Respiratory Variation of Internal Carotid Artery Blood Flow Peak Velocity Measured by Transfontanelle Ultrasound to Predict Fluid Responsiveness in Infants: A Prospective Observational Study. Anesthesiology. May 2019;130(5):719-727. doi:10.1097/ALN.0000000000002526

40. Stainsby D, Jones H, Wells AW, Gibson B, Cohen H, Group SS. Adverse outcomes of blood transfusion in children: analysis of UK reports to the serious hazards of transfusion scheme 1996-2005. Br J Haematol. Apr 2008;141(1):73-9. doi:10.1111/j.1365-2141.2008.07022.x

41. Goobie SM, Haas T. Perioperative bleeding management in pediatric patients. Current opinion in anaesthesiology. Jun 2016;29(3):352-8. doi:10.1097/ACO.0000000000000308

42. Lavoie J. Blood transfusion risks and alternative strategies in pediatric patients. Paediatric anaesthesia. Jan 2011;21(1):14-24. doi:10.1111/j.1460-9592.2010.03470.x

43. New HV, Berryman J, Bolton-Maggs PH, et al. Guidelines on transfusion for fetuses, neonates and older children. Br J Haematol. Dec 2016;175(5):784-828. doi:10.1111/bjh.14233

44. Faraoni D, DiNardo JA, Goobie SM. Relationship Between Preoperative Anemia and In-Hospital Mortality in Children Undergoing Noncardiac Surgery. Anesthesia and analgesia. Dec 2016;123(6):1582-1587. doi:10.1213/ANE.0000000000001499

45. Bateman ST, Lacroix J, Boven K, et al. Anemia, blood loss, and blood transfusions in North American children in the intensive care unit. American journal of respiratory and critical care medicine. Jul 1 2008;178(1):26-33. doi:10.1164/rccm.200711-1637OC

46. Lacroix J, Hebert PC, Hutchison JS, et al. Transfusion strategies for patients in pediatric intensive care units. N Engl J Med. Apr 19 2007;356(16):1609-19. doi:10.1056/NEJMoa066240

47. Valentine SL, Bembea MM, Muszynski JA, et al. Consensus Recommendations for RBC Transfusion Practice in Critically Ill Children From the Pediatric Critical Care Transfusion and Anemia Expertise Initiative. Pediatric critical care medicine : a journal of the Society of Critical Care Medicine and the World Federation of Pediatric Intensive and Critical Care Societies. Sep 2018;19(9):884-898. doi:10.1097/PCC.0000000000001613

48. Wang YC, Chan OW, Chiang MC, et al. Red Blood Cell Transfusion and Clinical Outcomes in Extremely Low Birth Weight Preterm Infants. Pediatr Neonatol. Jun 2017;58(3):216-222. doi:10.1016/j.pedneo.2016.03.009

49. Howarth C, Banerjee J, Aladangady N. Red Blood Cell Transfusion in Preterm Infants: Current Evidence and Controversies. Neonatology. 2018;114(1):7-16. doi:10.1159/000486584

50. Eaton MP, Iannoli EM. Coagulation considerations for infants and children undergoing cardiopulmonary bypass. Paediatric anaesthesia. Jan 2011;21(1):31-42. doi:10.1111/j.1460-9592.2010.03467.x

51. Tyagi M, Maheshwari A, Guaragni B, Motta M. Use of Fresh-frozen Plasma in Newborn Infants. Newborn (Clarksville). Jul-Sep 2022;1(3):271-277. doi:10.5005/jp-journals-11002-0039

52. Abdel-Wahab OI, Healy B, Dzik WH. Effect of fresh-frozen plasma transfusion on prothrombin time and bleeding in patients with mild coagulation abnormalities. Transfusion. Aug 2006;46(8):1279-85. doi:10.1111/j.1537-2995.2006.00891.x

53. Kane LC, Woodward CS, Husain SA, Frei-Jones MJ. Thromboelastography--does it impact blood component transfusion in pediatric heart surgery? J Surg Res. Jan 2016;200(1):21-7. doi:10.1016/j.jss.2015.07.011

54. Giorni C, Ricci Z, Iodice F, et al. Use of Confidex to control perioperative bleeding in pediatric heart surgery: prospective cohort study. Pediatric cardiology. Feb 2014;35(2):208-14. doi:10.1007/s00246-013-0760-y

55. Mosesson MW. Fibrinogen and fibrin structure and functions. J Thromb Haemost. Aug 2005;3(8):1894-904. doi:10.1111/j.1538-7836.2005.01365.x

56. Downey LA, Andrews J, Hedlin H, et al. Fibrinogen Concentrate as an Alternative to Cryoprecipitate in a Postcardiopulmonary Transfusion Algorithm in Infants Undergoing Cardiac Surgery: A Prospective Randomized Controlled Trial. Anesthesia and analgesia. Mar 2020;130(3):740-751. doi:10.1213/ANE.0000000000004384

57. Kietaibl S, Ahmed A, Afshari A, et al. Management of severe peri-operative bleeding: Guidelines from the European Society of Anaesthesiology and Intensive Care: Second update 2022. European journal of anaesthesiology. Apr 1 2023;40(4):226-304. doi:10.1097/EJA.0000000000001803

58. Barcelona SL, Thompson AA, Cote CJ. Intraoperative pediatric blood transfusion therapy: a review of common issues. Part II: transfusion therapy, special considerations, and reduction of allogenic blood transfusions. Paediatric anaesthesia. Oct 2005;15(10):814-30. doi:10.1111/j.1460-9592.2004.01549.x

59. Nellis ME, Karam O, Mauer E, et al. Platelet Transfusion Practices in Critically Ill Children. Critical care medicine. Aug 2018;46(8):1309-1317. doi:10.1097/CCM.0000000000003192

60. Velik-Salchner C, Maier S, Innerhofer P, et al. An assessment of cardiopulmonary bypass-induced changes in platelet function using whole blood and classical light transmission aggregometry: the results of a pilot study. Anesthesia and analgesia. Jun 2009;108(6):1747-54. doi:10.1213/ane.0b013e3181a198ac

61. Haas T, Faraoni D. Viscoelastic testing in pediatric patients. Transfusion. Oct 2020;60 Suppl 6:S75-S85. doi:10.1111/trf.16076

62. Schouten ES, van de Pol AC, Schouten AN, Turner NM, Jansen NJ, Bollen CW. The effect of aprotinin, tranexamic acid, and aminocaproic acid on blood loss and use of blood products in major pediatric surgery: a meta-analysis. Pediatric critical care medicine : a journal of the Society of Critical Care Medicine and the World Federation of Pediatric Intensive and Critical Care Societies. Mar 2009;10(2):182-90. doi:10.1097/PCC.0b013e3181956d61

63. Gerstein NS, Brierley JK, Windsor J, et al. Antifibrinolytic Agents in Cardiac and Noncardiac Surgery: A Comprehensive Overview and Update. Journal of cardiothoracic and vascular anesthesia. Dec 2017;31(6):2183-2205. doi:10.1053/j.jvca.2017.02.029

64. Althoff FC, Neb H, Herrmann E, et al. Multimodal Patient Blood Management Program Based on a Three-pillar Strategy: A Systematic Review and Meta-analysis. Annals of surgery. May 2019;269(5):794-804. doi:10.1097/SLA.0000000000003095

65. Crighton GL, New HV, Liley HG, Stanworth SJ. Patient blood management, what does this actually mean for neonates and infants? Transfus Med. Apr 2018;28(2):117-131. doi:10.1111/tme.12525

66. Goobie SM, Gallagher T, Gross I, Shander A. Society for the advancement of blood management administrative and clinical standards for patient blood management programs. 4th edition (pediatric version). Paediatric anaesthesia. Mar 2019;29(3):231-236. doi:10.1111/pan.13574

67. Goel R, Cushing MM, Tobian AA. Pediatric Patient Blood Management Programs: Not Just Transfusing Little Adults. Transfus Med Rev. Oct 2016;30(4):235-41. doi:10.1016/j.tmrv.2016.07.004

Parte 16

Anestesia e o Paciente Idoso

Alterações Morfofisiológicas no Paciente Idoso

Leopoldo Muniz da Silva ▪ Saullo Queiroz Silveira ▪ Fernanda Leite

INTRODUÇÃO

O Brasil está passando por rápido processo de envelhecimento de sua população. Segundo o Instituto Brasileiro de Geografia e Estatística (IBGE), o segmento populacional que mais aumenta na população brasileira é o de pessoas idosas, com taxas de crescimento de mais de 4% ao ano para a década de 2012 a 2022, representando, no mesmo período, um incremento médio de mais de 1 milhão de pessoas idosas por ano. A partir de 1970, o Brasil teve seu perfil demográfico modificado, passando de uma sociedade majoritariamente rural e tradicional, com famílias numerosas e alto risco de morte na infância, para uma sociedade principalmente urbana, com menos filhos e nova estrutura. A transição demográfica também é acompanhada pela redução das taxas de mortalidade e, depois de um tempo, com a queda das taxas de natalidade, provocando significativas alterações na estrutura etária da população.[1,2] O envelhecimento da população proporciona, assim, desafios relevantes aos anestesiologistas, com foco na otimização peroperatória e no melhor desfecho clínico em pacientes cada vez mais idosos submetidos a procedimentos cirúrgicos sob anestesia.

O idoso responde mais lentamente e menos eficazmente às alterações ambientais, devido à deterioração dos mecanismos fisiológicos, tornando-se mais vulnerável. O envelhecimento caracteriza-se por perda gradual da função de muitos órgãos. Contudo, a velocidade com que esse processo avança, de indivíduo para indivíduo e de órgão para órgão de um mesmo indivíduo, depende de diversos fatores genéticos, ambientais e sociocomportamentais. Conceitualmente, indivíduos idosos são aqueles considerados com idade ≥ 60 anos. A extrema variabilidade de sinais, sintomas e apresentações clínicas faz dos idosos um grupo bastante heterogêneo do ponto de vista fisiológico, tornando a avaliação pré-operatória essencial para melhor planejamento anestésico. A avaliação da reserva funcional do idoso, ou seja, da capacidade de seus órgãos suprirem as demandas adicionais que podem vir a ocorrer em momentos de estresse orgânico, em decorrência de ato anestésico-cirúrgico, é mais importante para caracterizar a condição fisiológica do indivíduo do que um simples marcador cronológico, como a idade. Idosos fisiologicamente jovens apresentam a capacidade máxima dos seus sistemas orgânicos acima da demanda basal exigida para manutenção da homeostase.

▪ TEORIAS DO ENVELHECIMENTO

Apesar de inúmeras pesquisas realizadas e em desenvolvimento, os mecanismos de envelhecimento ainda não estão completamente compreendidos. Há diversas teorias descrevendo mecanismos básicos para explicar esse fenômeno. As teorias de fundo biológico tendem a focalizar os problemas que afetam a precisão do sistema orgânico durante o processo de envelhecimento, sejam eles de origem genética, metabólica, celular ou molecular. De forma geral, elas podem ser classificadas em duas categorias: as de natureza genético-desenvolvimentista e as de natureza estocástica. As primeiras entendem o envelhecimento no contexto do controle genético-biológico, enquanto as últimas trabalham com a hipótese de que o processo dependeria, principalmente, do acúmulo de agressões ambientais.[3] Todas essas teorias carecem de comprovação definitiva, mas torna-se importante a discussão sobre as modificações biológicas que levam à degenerescência das funções orgânicas para entender como se dariam as possíveis contribuições de fatores relacionados ao processo de senescência.

Teorias com Base Genética

Para esse grupo de teorias, o processo do envelhecimento seria, do nascimento até a morte, geneticamente programado. O tempo de vida, de acordo com essa programação, deveria conciliar as necessidades da reprodução e não as de longevidade, garantindo a preservação do meio ambiente e controle populacional, com um quantitativo mínimo de indivíduos para a preservação de cada espécie. Uma das teorias genéticas mais antigas sugere que o envelhecimento celular tenha origem a partir do momento em que, naturalmente, começam a ocorrer erros em processos como a transcrição e o transporte de material genético, ou mutações somáticas.[4] Esses erros trariam consequências negativas à renovação celular, gerando células danificadas, repercutindo em longo prazo na função de sistemas orgânicos inteiros. Essa teoria recebeu o nome de Teoria de Acúmulo de Erros ou Teoria dos Erros Catastróficos.[3,4] Teorias mais recentes descrevem outros mecanismos genéticos mais pautados em modificação programada do conteúdo gênico. A Teoria Telométrica defende que a estabilidade cromossômica é essencial para a viabilidade celular, e os telômeros (sequências repetitivas de DNA localizadas nas extremidades dos cromossomos) protegem os cromossomos da desorganização, uma vez que cromossomos sem telômeros são instáveis. Estudos mostram que os telômeros encurtam-se com o envelhecimento em células humanas somáticas normais e mantêm seu tamanho estável em células tumorais. A cada nova replicação celular, há o encurtamento do DNA do telômero, e a enzima telomerase o alonga pela adição de novas sequências repetitivas, sendo que a falência desse mecanismo associar-se-ia ao processo de envelhecimento.[5-8] A teoria da mutação do DNA mitocondrial mostrou que diminutas alterações no DNA mitocondrial acumular-se-iam ao longo da vida, levando à disfunção mitocondrial clinicamente significativa em tecidos envelhecidos e perpetuando o declínio do metabolismo oxidativo.[5-7]

Teorias com Base no Desequilíbrio Gradual

Tais teorias associam a senescência a uma depleção de sistemas enzimáticos em células pós-mitóticas ou a modificações nas funções endócrina e imunológica. Sabe-se que os sistemas nervoso central e endócrino têm atribuições essenciais na regulação do metabolismo e da integração entre os órgãos. A diminuição do potencial imunológico torna todas as estruturas do corpo mais vulneráveis a enfermidades de todos os tipos. O eixo hipotalâmico-pituitário tem sido um dos principais focos das teorias de desequilíbrio gradual, sendo sugerido que um "relógio biológico" estaria situado no hipotálamo, controlando a velocidade do envelhecimento, e este processo estaria relacionado com o desequilíbrio progressivo dos sistemas regulatórios hormonais, produzindo outros desequilíbrios metabólicos e fisiológicos que aumentariam ainda mais os desequilíbrios iniciais e assim por diante, em uma espécie de reação em cascata.[3]

Teorias com Base em Danos de Origem Química

Na visão dessas teorias, os problemas de funcionamento na reprodução e regeneração celulares não se encontrariam em um processo de programação genética predeterminado. Os problemas de codificação genética seriam causados por reações químicas orgânicas usuais que, gradativamente, causariam danos irreversíveis às moléculas das células. Tais reações poderiam ser potencializadas por fatores como a poluição ou os padrões de alimentação ou de atividade física. Contrariamente ao que se observa nas teorias de fundo genético, nesse caso, o processo de envelhecimento poderia ser retardado, uma vez diminuídas as reações responsáveis pelos danos, ou aumentada a capacidade de metabolização das substâncias produzidas. Muitos dos agentes reativos associados ao processo de ligação cruzada do DNA são moléculas produzidas no metabolismo oxidativo, denominadas radicais livres de oxigênio. Durante a vida, concentrações crescentes de radicais livres derivados do oxigênio pela fosforilação oxidativa das mitocôndrias terminam por degradar os mecanismos removedores dos subprodutos do metabolismo aeróbico, ocasionando o ciclo de envelhecimento celular. Os radicais livres são moléculas que têm um elétron desemparelhado na sua órbita externa. Essas moléculas caracterizam-se por alta instabilidade e vida média muito curta por tentar adquirir estabilidade pelo pareamento de seus elétrons. Quando presentes no meio intracelular, elas podem promover o desenvolvimento de mutações genéticas, colaborar na formação de produtos tóxicos, comprometer os componentes da matriz celular e favorecer a oxidação de lipoproteínas. As reações de peroxidação aumentam, igualmente, a predisposição para a produção de substâncias como os malonaldeídos, que participam diretamente do processo de ligações cruzadas em moléculas como o colágeno, a elastina e o DNA.[6-9]

■ FUNÇÃO CARDIOVASCULAR

No idoso, há aumento da pressão arterial, tendência a manutenção da frequência cardíaca e das frações de ejeção enquanto o volume diastólico final e o débito cardíaco reduzem, quando comparados aos de adultos não idosos. Tais diferenças são decorrentes do endurecimento do tecido conjuntivo das artérias, das veias e do miocárdio, determinando menor complacência. Uma explicação para esse fenômeno é o fato de não haver mais produção de elastina a partir da quarta década da vida, quando então ela será substituída por colágeno menos flexível. A pressão arterial sistólica aumenta à medida que o sangue percorre as artérias rígidas e a pressão diastólica cai, uma vez que as artérias rígidas do idoso não possuem elasticidade necessária para manter a pressão intravascular durante a diástole. Em consequência, a pressão de pulso arterial se alarga. A pós-carga ventricular esquerda cronicamente aumentada leva ao espessamento ventricular esquerdo (hipertrofia miocárdica). A mudança na pressão sistólica e na pressão diastólica leva a uma outra série de consequências. A perfusão coronariana depende da pressão diastólica. Quanto menor esta, menor a perfusão das coronárias. Ou seja, a queda progressiva da pressão diastólica aumenta a predisposição do indivíduo à isquemia miocárdica. Já o aumento da pressão sistólica eleva a pós-carga do VE, o que faz com que o miocárdio precise consumir ainda mais oxigênio durante as contrações. O aumento crônico da pós-carga também leva a hipertrofia de ventrículo esquerdo, que além de ser um marcador independente de mortalidade, eleva ainda mais o consumo de oxigênio pelo músculo cardíaco.[10-13]

A combinação de hipertrofia dos miócitos e aumento da pós-carga ventricular esquerda prolonga a contração miocárdica. Esse prolongamento leva a retardo no relaxamento ventricular e resulta em declínio nas taxas de enchimento diastólico inicial de, aproximadamente, 50%, entre a segunda e a oitava décadas de vida. Para atingir o mesmo volume diastólico final de um indivíduo jovem, o idoso dependerá mais do enchimento diastólico tardio, tornando-o mais dependente da contribuição atrial. O endurecimento e a hipertrofia do miocárdio também aumentam a suscetibilidade à falência cardíaca diastólica.[10,11]

O endurecimento venoso decorrente do envelhecimento reduz a capacidade de esse território tamponar alterações no volume e na distribuição de sangue. Mais de 80% do volume sanguíneo está estocado dentro da rede venosa, sendo esse reservatório importante na manutenção de pré-carga estável para o coração. O endurecimento venoso, portanto, diminui a habilidade de manter a pré-carga constante.[10]

A função cardíaca altera-se de maneira diretamente proporcional à idade. A pequena diminuição do débito cardíaco observada em idosos não caracteriza necessariamente disfunção miocárdica, mas, sim, adaptação à demanda metabólica reduzida em razão da perda de massa tecidual. A frequência cardíaca de repouso geralmente não é afetada pelo envelhecimento; no entanto, sua resposta ao exercício e ao estresse farmacologicamente induzido por β-agonistas reduz-se e é característica de envelhecimento saudável. A consequência clínica desse fato é que a frequência cardíaca máxima é reduzida em idosos durante a execução de teste de esforço e em resposta a febre e hipovolemia. Frente a necessidade do aumento de débito cardíaco em curto espaço de tempo, há pequena elevação da frequência cardíaca acompanhada de incremento na pressão e no volume diastólicos finais, que terminam por elevar o volume sistólico. Bradicardia com frequência cardíaca menor que 40 bpm e pausas sinusais de mais de três segundos não são vistas no envelhecimento saudável e devem ser investigadas quanto à possibilidade de distúrbios de condução.[14-19]

As respostas inotrópicas e cronotrópicas à estimulação β-adrenérgica têm menor intensidade nessa faixa etária, e esse processo não parece ser secundário à menor número de β-receptores, mas provavelmente à deficiência no acoplamento desses receptores à adenilciclase intracelular. No exercício, o débito cardíaco do idoso eleva-se por causa do aumento do volume diastólico final do ventrículo esquerdo em resposta à maior pré-carga, provavelmente pelo mecanismo de Frank-Starling. Ao contrário, o adulto jovem aumenta a frequência cardíaca (FC) e a fração de ejeção por mecanismos neurais e humorais do sistema simpático-adrenal.

> FC máxima (bpm) = 210 − (0,65 × idade)
> ou = 220 − (idade em anos)

O tempo de condução pelo nó atrioventricular aumenta com o envelhecimento saudável, ocorrendo tendência de intervalo PR maior. O bloqueio de ramo direito e a mudança gradual para a esquerda do eixo QRS, percebida no ECG pelo hemibloqueio anterior esquerdo, assim como a presença de contrações atriais prematuras não são preditores independentes de morbidade e mortalidade cardiovasculares. Por outro lado, o bloqueio do ramo esquerdo não está associado ao envelhecimento normal e, sim, à doença cardiovascular e aos riscos de eventos cardíacos.[16-26] Alterações eletrocardiográficas relacionadas à idade incluem: prolongamento do intervalo PR, diminuição da amplitude dos complexos QRS e das ondas T, desvio do eixo de QRS à esquerda, aumento do intervalo QT e alterações do segmento ST e das ondas T.

A perda da elasticidade tecidual afeta não apenas o miocárdio e os vasos sanguíneos, mas todo o sistema vascular. Calcificação degenerativa e degeneração mixomatosa afetam as válvulas mitral e aórtica e podem comprometer sua função. A frequência de estenose aórtica aumenta com a idade e é a lesão valvar clinicamente mais significativa no idoso. Calcificação degenerativa progressiva é a causa mais comum e ocorre ao longo das margens dos folhetos da válvula, diferentemente da fusão de comissuras observada na febre reumática. Em razão do enrijecimento arterial, o pulso carotídeo pode ser normal, mesmo na presença de estenose aórtica significativa, e a intensidade do sopro não se correlaciona com a gravidade da estenose valvar. Portanto, a análise cardiológica pré-operatória é essencial para o diagnóstico ou a avaliação do idoso doente sintomático ou com sopro sistólico aórtico ainda não previamente avaliado.[22-29]

Disfunção endotelial é a teoria mais forte para explicar o mecanismo de envelhecimento vascular. A função endotelial, incluindo liberação de óxido nítrico (NO), tem propriedades protetoras para os vasos e o coração através da inibição da agregação plaquetária, redução da adesão de células inflamatórias às células endoteliais e inibição da apoptose, além de atuar na degradação das citocinas pró-inflamatórias e na regulação do metabolismo energético tecidual. Há consideráveis evidências, na literatura, de que a idade avançada, relaciona-se a aumento das espécies reativas de oxigênio no coração e na vasculatura, e acúmulo de estresse oxidativo que resulta em produção alterada de NO. Além disso, há também menor produção de NO com a idade. Esses fatores diminuem a biodisponibilidade do NO na circulação coronariana e periférica do idoso, resultando em dificuldade de fluxo na microvasculatura e aumento do risco para disfunção orgânica.[12,30]

Os mecanismos homeostáticos que mantêm a estabilidade cardiovascular e metabólica em idosos podem não responder adequadamente em situações de estresse orgânico (Tabela 146.1). Isso é exemplificado pela maior incidência de hipotensão arterial após indução anestésica e hipovolemia. A responsividade dos barorreceptores, vasoconstrição ao frio e estabilidade cardiovascular após alteração postural tornam-se progressivamente mais lentas. Técnicas anestésicas que bloqueiam completamente o sistema nervoso simpático, como anestesia peridural ou subaracnoidea, podem provocar grave hipotensão nos idosos, principalmente quando associadas à anestesia geral, que induz vasodilatação sistêmica, aumentando os riscos de isquemia coronariana e cerebral.

Tabela 146.1 Principais manifestações das disautonomias dos idosos.

- Hipotensão ortostática e hipertensão supina
- Taquicardia de repouso
- Angina pectoris
- Infarto do miocárdio sem dor
- Alterações na motilidade do tubo gastrintestinal (esofagite de refluxo, plenitude gástrica, diarreia noturna alternada com obstipação)
- Anormalidades da sudorese (anidrose de membros inferiores com hiper-hidrose compensatória no tronco superior e face)
- Bexiga neurogênica, impotência sexual
- Alterações da regulação do diâmetro pupilar

Fonte: Acervo do autor.

FUNÇÃO PULMONAR

Com o envelhecimento biológico, a fisiologia respiratória sofre várias alterações. Ocorre calcificação das articulações costocondrais, com enrijecimento da parede torácica, diminuição da complacência, atrofia da musculatura intercostal e aumento do trabalho respiratório. A diminuição do número de alvéolos, em razão da ruptura dos septos interalveolares e consequente fusão alveolar, é também evidenciada, condicionando diminuição da superfície total respiratória e aumento do volume residual. Há aumento do espaço morto fisiológico e anatômico. Isso implica no aumento do gradiente alvéolo-arterial de oxigênio.[31,32]

O aumento na rigidez da caixa torácica, perda de retração elástica dos pulmões, e diminuição significativa da força dos músculos respiratórios, levam a uma redução progressiva da função pulmonar nos idosos, com intensidade maior a partir da quinta década de vida. A perda de força muscular da parede torácica diminui a necessidade de força exterior para ventilação, de tal forma que a capacidade pulmonar total permanece imutável. As alterações teciduais do parênquima pulmonar modificam a mecânica pulmonar. A capacidade residual funcional aumenta de 1% a 3% por década, e volume residual funcional, de 5% a 10% por década. Como a capacidade pulmonar total permanece imutável, há redução da capacidade vital de 25% a 40%. A redução da capacidade vital no idoso está relacionada a maior vulnerabilidade diante de quadros infecciosos pulmonares. O volume expiratório final no primeiro segundo (VEF1) diminui claramente. O declínio da capacidade vital forçada (CVF) com a idade é um pouco menos intenso que o declínio do VEF1 (Figura 146.1). Portanto, a razão VEF1/CVF (Índice de Tiffeneau) cai progressivamente com o aumento da idade. Conceitualmente, o Índice de Tiffeneau evidencia padrão obstrutivo quando menor que 75%, e sua avaliação, em idosos, mostra que há declínio progressivo, chegando a 73% aos 65 anos, evidenciando, portanto, padrão obstrutivo (Tabela 146.2).[27-33]

A capacidade de oclusão é o volume de gás existente nos pulmões quando, durante uma expiração lenta e contínua, se inicia o fechamento das pequenas vias aéreas. A capacidade de oclusão está aumentada nos idosos. A capacidade de oclusão varia inversamente ao calibre das pequenas vias aéreas e seu aumento em relação à capacidade residual funcional e

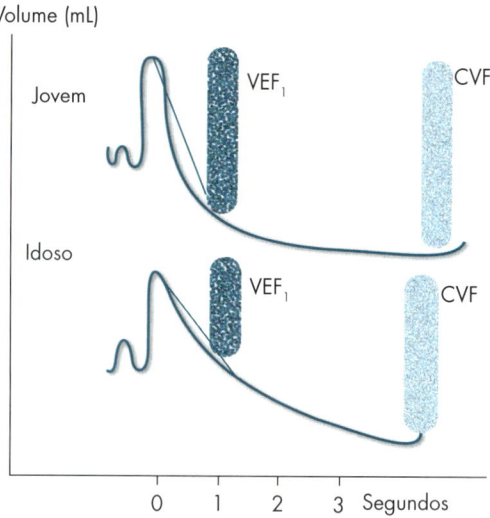

▲ **Figura 146.1** Representação gráfica dos volumes pulmonares – VEF1 (volume expiratório forçado no primeiro segundo) e CVF (capacidade vital forçada) em jovens e idosos. Há maior declínio do VEF1 em relação à diminuição da CVF nos idosos.
Fonte: Acervo do autor.

Tabela 146.2 Principais alterações respiratórias.

- Deficiência na relação ventilação-perfusão
- Aumento da rigidez torácica
- Diminuição da força dos músculos respiratórios
- Redução da superfície alveolar funcionante
- Aumento do volume residual e volume de fechamento
- Redução da capacidade vital
- Diminuição da resposta à hipoxemia e à hipercapnia
- Redução de reflexos protetores de via aérea

Fonte: Acervo do autor.

à capacidade pulmonar total significa maior encarceramento aéreo pulmonar e hipoventilação alveolar. O volume de oclusão é definido como o volume expirado após o início da oclusão de bronquíolos em regiões dos pulmões mais afetados pela gravidade (zonas dependentes). No idoso, especialmente frente às alterações degenerativas bronco-pulmonares, o volume de oclusão está muito aumentado em relação ao adulto normal (Figura 146.2). Há encarceramento aéreo, aumento do volume residual, hipoventilação alveolar e hipoxemia relativa, próprios da senilidade. Em indivíduos jovens, o fechamento das pequenas vias aéreas ocorre somente no final da expiração forçada, porém, em idosos, ele ocorre mesmo com volumes correntes normais. São consequências fisiológicas dessas alterações pulmonares: diminuição da tensão de oxigênio arterial, aumento do gradiente alvéolo-arterial de oxigênio (significando trocas gasosas prejudicadas, com superfície respiratória menor), desequilíbrio da relação entre ventilação e perfusão e aumento do efeito *shunt*.[31,34,35] A vasoconstrição pulmonar hipóxica regula o ajuste da resistência vascular pulmonar necessário para manter o equilíbrio na relação ventilação-perfusão. Durante a anestesia, esse equilíbrio pode ser alterado por agentes inalatórios em concentra-

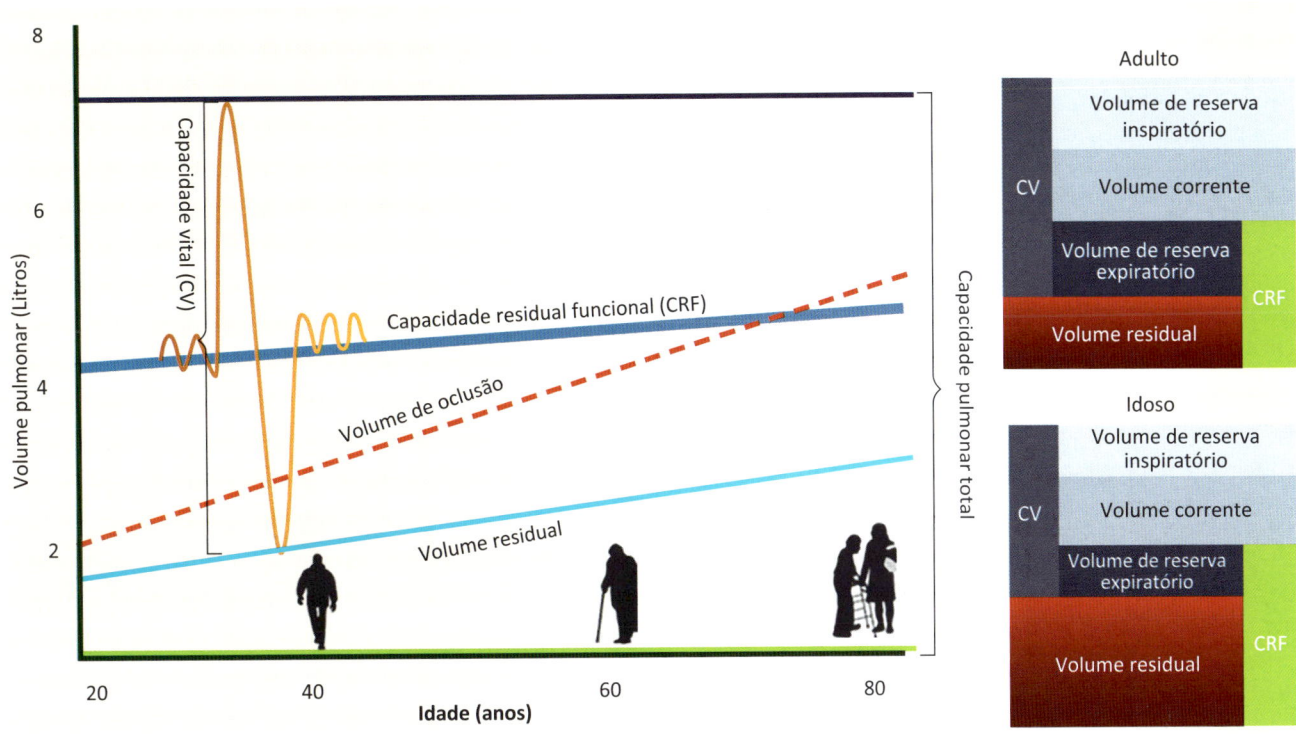

▲ **Figura 146.2** Comparação entre volumes pulmonares em adultos e idosos.

ções acima de uma concentração alveolar mínima (01 CAM). Efeito semelhante é observado em resposta a altas concentrações inspiradas de oxigênio.[31-34]

Os mecanismos de controle da respiração pelas estruturas neurais e pela resposta ventilatória aos gases respiratórios e ao pH sanguíneo permanecem inalterados. Contudo, pode ocorrer retardo dos mecanismos reflexos homeostáticos em resposta à hipóxia ou hipercapnia.[35-38]

Testes de laboratório para quantificar a reserva funcional pulmonar são utilizados na avaliação pré-operatória de idosos, como a espirometria e as medidas de impedância respiratória, sendo estas últimas mais utilizadas naqueles idosos com déficit cognitivo. No entanto, a avaliação da capacidade para subir vários degraus de escada ou exercitar-se em esteira ergométrica pode ser tão valiosa quanto os testes laboratoriais, excluindo-se os casos de claudicação que limitam tal tipo de avaliação funcional. A possibilidade de realizar exercícios de esforço prediz quais pacientes têm alto risco para complicações pulmonares. A incapacidade para desenvolver exercícios aeróbicos leves aumenta as taxas de morbidade e mortalidade de idosos submetidos a procedimentos cirúrgicos eletivos do tipo abdominal ou torácico não cardíaco. Bom estado de conservação da dentição também se relaciona com boa função pulmonar.[35] Os portadores de Doença Pulmonar Obstrutiva Crônica grave, com VEF1 abaixo de dois litros, geralmente têm risco de complicações pulmonares pós-operatórias. Na avaliação pré-operatória, exames como gasometria arterial e radiografia de tórax não têm valor específico para essa identificação.[32,38]

Idosos apresentam maior risco de desenvolver hipoxemia no período pós-operatório.

$$PaO_2 \text{ (em mmHg)} = 100 - (0,43 \times \text{idade em anos})$$

Cuidados respiratórios após cirurgias devem sempre incluir: fisioterapia respiratória, mobilização precoce, titulação adequada de analgésicos opioides, oxigenação suplementar e monitorização contínua. Como os reflexos protetores de vias aéreas estão diminuídos, bem como o movimento ciliar e a tosse, há maior sensibilidade ao efeito depressor respiratório dos opioides e de outros agentes anestésicos hipnóticos. As alterações da mecânica pulmonar prejudicam as trocas gasosas e levam ao fechamento de pequenas vias aéreas, o que pode ocasionar atelectasias.

■ FUNÇÃO RENAL

Com a idade, ocorre atrofia do tecido renal, especialmente do córtex, reduzindo-se o número de néfrons. Na oitava década de vida, mesmo na ausência de franca doença renal, o envelhecimento acelera a perda do parênquima funcional renal. Além disso, 30% dos glomérulos remanescentes, embora presentes anatomicamente, não estão esclerosados ou hialinizados. Mesmo os tufos capilares glomerulares que funcionam estão dilatados e maiores que aqueles do indivíduo adulto. Essas alterações reduzem ainda mais a superfície glomerular disponível para filtração do plasma. Ocorrem também fístulas entre arteríolas aferentes e eferentes em glomérulos esclerosados, na camada interna do córtex renal, sendo observado o fluxo, porém não a filtração.[39,40] Os túbulos renais podem estar obliterados e aqueles restantes desenvolvem múltiplos divertículos, fenômeno não observado no adulto jovem. O túbulo contornado proximal fica progressivamente mais curto e aumenta a frequência de aparecimento de estruturas císticas. Entretanto, essa contração da dimensão linear dos túbulos proximais é paralela à perda da superfície de filtração glomerular. Portanto, o balanço glomérulo-tubular, relação entre a capacidade de filtração glomerular e a aptidão da absorção tubular estão preservados no idoso saudável. Por todos esses motivos citados, a função do néfron parece estar comprometida pelo processo de envelhecimento em cerca de 6% a 8% por década a partir da quarta década de vida. O fluxo plasmático renal pode diminuir gradativamente de 600 mL/min no adulto para até 300 mL/min na 8ª década. Tem sido demonstrado, em estudos longitudinais e retrospectivos, que a filtração glomerular, estimada pela depuração de EDTA, inulina ou creatinina, declina com a idade de forma não uniforme.[39-41] A capacidade de resposta dos túbulos renais ao hormônio antidiurético é limitada e incapaz de inibir a diurese como nos jovens, ocasionando redução da capacidade de concentração urinária. O sistema renina-angiotensina-aldosterona é menos ativo por diminuição da atividade da renina e aldosterona plasmáticas em até 50%. Apesar de escassos, alguns estudos documentaram alterações tanto anatômicas como funcionais da função tubular no idoso. São relatadas diminuição progressiva da taxa de reabsorção tubular renal de glicose, redução da produção de energia pelas mitocôndrias, baixa atividade enzimática da ATPase e queda tanto no consumo de oxigênio quanto da capacidade de transporte através dos túbulos.[39-41]

Embora a creatinina sérica seja o marcador de função renal mais utilizado, no idoso, ela é objeto de várias influências. A diminuição da massa e da atividade muscular e o menor consumo de proteínas fazem com que o idoso tenha creatinina sérica "aparentemente normal", associada a graus variados de função renal. Creatinina de 1,0 mg/dL pode representar uma depuração de 120 mL/min no adulto e 60 mL/min em um idoso de 80 anos, por exemplo. O *clearance* de creatinina é o método mais usual para avaliar o ritmo de filtração glomerular. Ele pode ser calculado a partir da medida da creatinina plasmática. Das equações mais utilizadas para este fim, segue, discriminada, a de Cockcroft & Gault, de 1976, que mostrou coeficiente de correlação de 0,83 entre o seu valor e o do real *clearance* de creatinina.[42] Para mulheres, o resultado deve ser multiplicado por 0,85. Estudos clínicos mostraram, porém, que essas estimativas do *clearance* de creatinina em idosos debilitados e em grandes obesos não são verdadeiras. A relação alterada entre peso corporal, massa muscular e produção diária de creatinina é a mais provável explicação para as diferenças muito grandes encontradas entre o *clearance* estimado e o de creatinina.

A cistatina C, um outro marcador da função renal, é produzida em ritmo constante por células nucleadas, não sendo influenciada por fatores extrarrenais, segundo a maioria dos estudos. A superioridade da cistatina C em relação à creatinina como método de avaliação da função renal não é consenso na literatura. Alguns estudos demonstraram maior sensibilidade da cistatina C na detecção de disfunção renal quando comparada à creatinina.[43-45] Outros autores não encontram tal diferença.[46,47] Uma explicação para esse fato seriam as diferenças existentes quanto à população dos estudos. Em amostras compostas de pacientes com função renal normal ou discretamente diminuída, a cistatina C parece apresentar superioridade em relação à creatinina. Em pacientes com declínio acentuado da função renal, diminuem as diferenças quanto à avaliação da função renal obtida pela creatinina e cistatina C, como ocorre mais frequentemente em pacientes idosos.[45-47] Em populações com ritmo de filtração glomerular maior que 60 mL/min/1,73 m², a fórmula de Cockcroft-Gault pode subestimar a função renal, sendo mais clara a utilidade da cistatina C (Tabela 146.3).[48]

Há, portanto, alterações farmacocinéticas na absorção, na distribuição, no metabolismo e na excreção de fármacos anestésicos. Há redução no *clearance* sistêmico de fármacos que são eliminados inalterados pelos rins em razão das alterações no ritmo de filtração glomerular e na função tubular. A diminuição do fluxo sanguíneo e as alterações na autorregulação determinam aumento na prevalência peroperatória de lesão renal aguda.[49,50]

Tabela 146.3 Principais alterações do desempenho renal em idosos.

- Fluxo plasmático renal diminuído
- Taxa de filtração glomerular diminuída
- Gerenciamento de sódio prejudicado
- Capacidade de concentração reduzida
- Gerenciamento de líquidos prejudicado
- Excreção de fármacos diminuída
- Alteração da responsividade do sistema renina-aldosterona
- Função tubular prejudicada
- Redução da capacidade de sentir sede
- Redução da água corporal total

Fonte: Acervo do autor.

◼ SISTEMA NERVOSO

O envelhecimento promove diversas alterações anatômicas e químicas no sistema nervoso. Há grande variação de peso no cérebro de pessoas com idade entre 70 e 89 anos, considerada normal do ponto de vista comportamental e psicológico. Há diminuição no volume do cérebro de cerca de 2% a cada 10 anos depois dos 50 anos. Nos primeiros 50 anos de idade, perde-se mais substância cinzenta que branca, e na segunda metade da vida essa relação inverte-se. Compensando a diminuição do tecido cerebral, o volume do líquido cefalorraquidiano é maior, causando hidrocefalia de baixa pressão, principalmente após a sexta década de vida.[51-54] Com o envelhecimento, entretanto, a habilidade do epitélio do plexo coroide em formar e, consequentemente, renovar liquor declina continuamente, minguando em 50% ou mais nos muito idosos.[54]

A histologia do sistema nervoso central altera-se, ocorrendo diminuição de células, alterações dendríticas, degeneração neurofibrilar, degeneração grânulo-vacuolar e acúmulo de lipofucsina. Essas lesões predominam no córtex pré-frontal e parieto-temporal, núcleo coeruleus, substância negra e núcleo de Meynert. Ocorre redução progressiva do consumo de oxigênio e de glicose, diminuindo as funções cognitivas, decorrentes dos diversos circuitos cerebrais, de maneira semelhante ao processo que ocorre na doença de Alzheimer. Isso ocasiona redução do fluxo sanguíneo cerebral proporcional à diminuição da demanda metabólica cerebral, não havendo prejuízo aos mecanismos de autorre-gulação do fluxo cerebral e à resposta vasoconstritora cerebral à hiperventilação.[51,58]

Há perda neuronal não uniformemente distribuída no tecido nervoso. Na substância negra e no *locus coeruleus*, a perda é importante; principalmente nas primeiras 5 décadas de vida. Algumas alterações estruturais estão associadas à redução paulatina da capacidade motora, da destreza e dos reflexos e, principalmente, à perda da coordenação medula-cerebelo-vestíbulo.[51]

Um dos efeitos mais proeminentes decorrentes da idade é em parte relacionado à unidade motora e ao neurônio motor inferior. Como consequência, as fibras musculares inervadas por esses neurônios também serão afetadas, explicando assim as reduções de massa muscular e força que observamos na idade avançada. Até a idade de 60 anos não é observada qualquer evidência de perda neuronal motora, mas, além dessa idade, foi detectada perda acentuada, em torno de 25% de neurônios, a qual se apresentou uniforme em todos os segmentos; além disso, ocorre redução no diâmetro das fibras nervosas.[51,56]

Alterações químicas também são acentuadas no processo de envelhecimento. Observa-se redução nos níveis de dopamina e noradrenalina em várias regiões do encéfalo, sobretudo no tronco encefálico e em regiões onde terminam os axônios dopaminérgicos e noradrenérgicos (núcleos da base, hipotálamo e córtex cerebral). As enzimas que catabolizam a inativação das catecolaminas, a monoaminoxidase (MAO) e a catecol-O-metiltransferase (COMT), estão com a atividade aumentada. A síntese de serotonina está diminuída em decorrência da menor atividade da enzima responsável pela sua síntese, a triptofano hidroxilase.[51,52] Os neurotransmissores acetilcolina e gaba estão igualmente reduzidos em decorrência também da diminuição da atividade das enzimas que os sintetizam, colina-acetil transferase (hipocampo) e ácido glutâmico descarboxilase (tálamo).[57-59]

A memória de curto prazo encontra-se prejudicada, assim como o tempo de reação visual e auditiva. A memória de longo prazo está preservada, assim como as características relacionadas à habilidade de linguagem, comunicação e personalidade.[60]

A modulação funcional de vários sistemas do organismo coordenada pelo sistema nervoso autônomo encontra-se alterada. A disautonomia que ocorre no idoso é responsável por diversas alterações funcionais. As principais manifestações da disautonomia dos idosos estão listadas na Tabela 146.1.

Testes de avaliação do sistema nervoso autônomo cardíaco servem para demonstrar sua integridade e podem estar relacionados com as manifestações decorrentes de seu acometimento. Os testes comumente empregados são o de arritmia sinusal respiratória, a manobra de Valsalva, o teste ortostático e o teste de exercício isométrico.[61]

Pacientes idosos estão expostos à ocorrência de distúrbios cognitivos no pós-operatório e esses serão discutidos no Capítulo 148 deste livro.

◾ SISTEMA GASTRINTESTINAL

O funcionamento do trato gastrintestinal não é tão afetado pela idade como os demais sistemas; por isso, alterações clinicamente perceptíveis devem ser amplamente pesquisadas antes de ser atribuídas ao envelhecimento. A menor produção de ácido clorídrico é evento comum, podendo ser exacerbada por quadro de gastrite atrófica. Estima-se que até 30% das pessoas acima de 50 anos apresentam acloridria. Acloridria é a causa mais comum de deficiência de vitamina B12. O estômago deve secretar quantidades adequadas de ácido gástrico e uma proteína conhecida como "fator intrínseco", bem como produzir a enzima digestiva pepsina para que essa vitamina seja absorvida. Alterações no trato gastrintestinal podem afetar a absorção de vitamina B12 e, como o fígado é capaz de armazenar grandes quantidades da mesma, pode levar até cinco anos antes que os sintomas de deficiência apareçam. Estes incluem fadiga extrema, demência, confusão, formigamento e fraqueza nos membros.[62]

O fígado desempenha papel importante na transformação de produtos residuais do metabolismo, assim como influencia a absorção de medicamentos e de colesterol sérico. O envelhecimento associa-se a decréscimo no volume hepático de aproximadamente 20% a 30%, bem como a redução no fluxo sanguíneo do órgão de aproximadamente 20% a 50%. Entretanto, não há doenças específicas que sejam relacionadas ao envelhecimento. As alterações funcionais importantes que ocorrem incluem a diminuição da capacidade de regenerar células danificadas, ficando o órgão mais sensível a efeitos tóxicos de fármacos e produtos do metabolismo. O metabolismo de fármacos é influenciado pela perfusão, pelo *clearance* intrínseco (capacidade/atividade das enzimas que metabolizam fármacos) e pela ligação proteica. Os fármacos com *clearance* intrínseco alto são rapidamente metabolizados no hepatócito e a taxa do desaparecimento do fármaco é limitada pelo fluxo sanguíneo hepático (metabolismo limitado por fluxo). Outros fármacos com baixo *clearance* intrínseco são lentamente metabolizados pelas enzimas hepáticas e a taxa de eliminação depende primariamente da atividade da enzima no fígado. A biotransformação retardada de fármacos está diretamente relacionada à diminuição da massa hepatocitária, podendo estar reduzida em até 40% aos 80 anos. O *clearance* de fármacos pelas reações da fase I, mediadas pelo citocromo P450 (oxidação, redução e hidrólise), está mais diminuído no idoso que as reações de conjugação, fase II (glucoronidação).[62,63]

Em geral, o envelhecimento não afeta o transporte de alimentos através do intestino, e a capacidade de absorver alimentos e medicamentos encontra-se praticamente inalterada, embora existam exceções. Por exemplo, alterações no metabolismo e na absorção de lactose, cálcio e ferro podem ocorrer. Algumas enzimas, como a lactase, diminuem com a idade. Estudos sobre a motilidade mostram redução do peristaltismo do intestino grosso, o que contribui para a obstipação.[63] Apesar de ocorrer redução da motilidade gástrica, não há necessidade de aumento de tempo de jejum para cirurgias eletivas ou contraindicação para abreviação de jejum em idosos com líquidos claros adequados, salvo diante da ocorrência de outros fatores associados que ocasionem retardo de esvaziamento gástrico (Tabela 146.4).

Tabela 146.4 Principais alterações do sistema gastrintestinal e hepático.

- Alteração da motilidade gástrica
- Redução do fluxo sanguíneo hepático
- Redução do parênquima hepático
- Redução das vias de desmetilação microssomal
- Redução do metabolismo de fármacos
- Redução da acidez gástrica

Fonte: Acervo do autor.

SISTEMA ENDÓCRINO E IMUNOLÓGICO

De maneira geral, há diminuição da função de todas as glândulas do organismo. O pâncreas continua secretando insulina em quantidades similares as do adulto jovem, porém pode ser encontrada resistência aos efeitos da insulina. Após os 50 anos de idade, o nível de glicemia em jejum aumenta de 6 a 14 mg.dL^{-1} a cada 10 anos.[64] As células beta têm sua sensibilidade reduzida; logo, ocorre liberação mais lenta de insulina a uma glicemia mais alta, associada à maior resistência periférica. Nos idosos, os níveis pós-prandiais são maiores e o retorno aos valores basais, mais lento. O glucagon parece não se alterar, mas a relação insulina/glucagon está reduzida. A secreção da glândula adrenal também se encontra diminuída. Em média, as concentrações de aldosterona são 30% inferiores em adultos de idade entre 70 e 80 anos comparadas as de adultos jovens, e essa diminuição ocasiona menor absorção distal de sódio e maior da excreção de potássio.[62,64]

Disfunções na tireoide também são comuns nos idosos. O envelhecimento é acompanhado por diminuição sutil na liberação do hormônio tireoestimulante (TSH) pela hipófise, o que resulta em declínio gradual na concentração de T3, sem mudança importante nos níveis de T4.[64] Em termos gerais, o sistema imunológico encontra-se deprimido. O timo involui, o número de linfócitos imaturos aumenta, diminui a proporção de linfócitos T e a função de células natural killer.

As secreções de dehidroepiandrosterona (DHEA) pelas suprarrenais também diminuem com o tempo, enquanto a secreção da adrenocorticotrofina (ACTH), que é fisicamente ligada ao nível plasmático de cortisol, permanece inalterada. O declínio dos níveis de DHEA em ambos os sexos contrasta, então, com a manutenção dos níveis plasmáticos de cortisol e deve ser causado por diminuição seletiva no número de zonas funcionais nas células reticulares do córtex adrenal, especialmente regulado pelo hipotálamo. Os sistemas de disponibilização do hormônio de crescimento encontram-se alterados (Tabela 146.5).[63,64]

Tabela 146.5 Principais alterações do sistema endócrino e imunológico.

- Redução de massa muscular
- Aumento de massa adipose
- Aumento da resistência insulínica
- Redução dos níveis de testosterona em homens
- Aumento de hormônio luteinizante em homens
- Redução do estradiol na mulher
- Hormônio luteinizante na mulher inalterado
- Redução de T3 e valores de T4 inalterados
- Diminui a proporção de linfócitos T e a função de células natural killer

Fonte: Acervo do autor.

TEMPERATURA

O fluxo sanguíneo cutâneo máximo decresce linearmente em função da idade. Existe hipertrofia da musculatura lisa vascular e redução na densidade capilar. O fluxo sanguíneo da pele humana é controlado reflexamente por dois ramos distintos do sistema nervoso simpático – um ramo vasoconstritor adrenérgico e um ramo vasodilatador colinérgico. No idoso, mesmo na ausência de doença, estão atenuados os reflexos cutâneos vasoconstritores e vasodilatadores. O idoso saudável (de 60 a 90 anos) apresenta diminuição de 25% a 50% do fluxo sanguíneo da pele, comparado ao adulto jovem entre 18 e 30 anos, tornando-o mais sensível tanto a problemas relacionados ao frio quanto ao calor. O reduzido reflexo de vasoconstrição contribui para menor habilidade de o idoso manter a temperatura central durante exposição, mesmo a temperaturas frias amenas (22°C). Se for lembrado que, após a instalação de qualquer técnica anestésica, seja geral ou bloqueio regional, haverá vasodilatação e perda de calor central, esse é um momento crucial na anestesia desses pacientes quanto à instalação de hipotermia e seus efeitos deletérios.[71] Na recuperação pós-anestésica do idoso hipotérmico, a termogênese pelo calafrio tem início retardado e menor intensidade, pois esse tem menos massa muscular. Seu metabolismo é mais baixo e, portanto, maior será o tempo para que recupere a temperatura normal, sendo as consequências da hipotermia mais visíveis.

SÍNDROME DA FRAGILIDADE DO IDOSO

Fragilidade é uma síndrome clínica definida por redução da reserva fisiológica e da resistência a estressores. Resulta do declínio cumulativo de múltiplos sistemas orgânicos de forma mais intensa que o esperado com o envelhecimento normal e leva a vulnerabilidade a eventos adversos.[78] A fragilidade mostra-se como síndrome progressiva fundamentada nas mudanças fisiológicas e patológicas e no declínio dos sistemas refletindo diretamente na funcionalidade do idoso. O paciente frágil tem maior dificuldade de retornar a seu estado basal após um evento estressor como a cirurgia (Figura 146.3). É importante diferenciar a síndrome de fragilidade de idade avançada, multimorbidade (presença de duas ou mais doenças no mesmo indivíduo) e declínio funcional. Um indivíduo pode ter idade avançada e ser robusto (ou seja, não frágil), assim como pode ser frágil na ausência de comorbidades significativas. Independentemente das condições associadas, a síndrome de fragilidade aumenta o risco de eventos adversos em idosos e deve, portanto, ser abordada de maneira apropriada.

A prevalência de fragilidade entre os idosos gira em torno de 10%, é mais comum em mulheres e aumenta com a idade: 4% entre 65 e 69 anos, 7% entre 70 e 74 anos, 9% entre 75 e 79 anos, 16% entre 80 e 84 anos e por fim 26% acima dos 85 anos.[79] A incidência em pacientes cirúrgicos é ainda maior: 10.4% a 37% em pacientes de cirurgia geral; 19% a 62% entre pacientes de cirurgia vascular, cardíaca, torácica e ortopédica.[79-81] A presença de fragilidade associa-se a pior prognóstico no pós-operatório e seu reconhecimento antes da intervenção possibilita a aplicação de estratégias que mitiguem esse risco.[82-86]

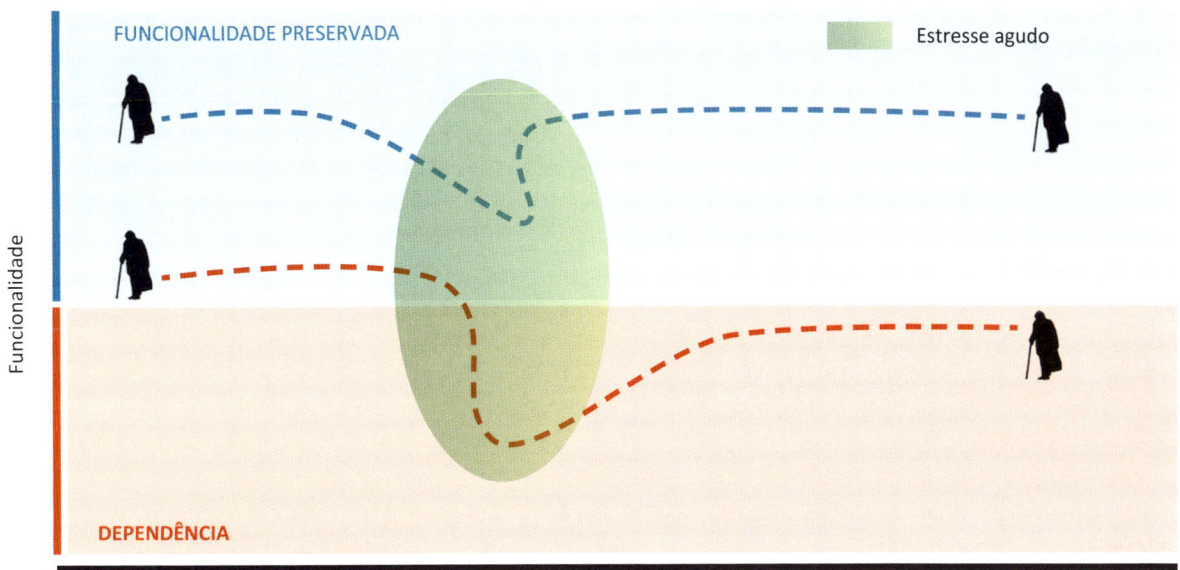

▲ **Figura 146.3** Vulnerabilidade do idoso ao estresse agudo, como doenças agudas, infecções e cirurgias. Linha superior (azul tracejada) corresponde ao idoso robusto e linha inferior (vermelha tracejada) ao idoso frágil. Frente ao insulto agudo o idoso robusto tem perda temporária de habilidades funcionais, mas retorna ao basal após, enquanto idoso frágil tem repercussão mais profunda do insulto e não retorna ao basal após, podendo tornar-se dependente.

O processo de fragilização envolve a presença de estressores do organismo, limitando, assim, o retorno para a homeostase corporal. O ciclo que envolve o surgimento da síndrome consiste em uma tríade de desregulação neuroendócrina, sarcopenia e disfunções imunológicas, e gera um fenótipo característico composto por perda de peso, exaustão, baixo nível de atividade física, redução da força muscular e lentidão da marcha. Existem dois modelos mais aceitos na literatura para conceituar a síndrome de fragilidade: o modelo fenotípico e o modelo de acúmulo de déficits. O primeiro modelo foi desenvolvido pela pesquisadora norte-americana Linda Fried[82] e apresenta a fragilidade como uma síndrome orgânica de repercussão ampla na funcionalidade do idoso. Nesse modelo, um idoso é considerado frágil se apresenta três ou mais dentre cinco componentes físicos identificados durante a avaliação clínica: perda de peso não-intencional no último ano; fraqueza (baixa *performance* no *handgrip*, ou dinamômetro); exaustão (reportada pelo paciente); diminuição da velocidade de marcha; e baixo nível de atividade física. Já no modelo de acúmulo de déficits, desenvolvido por Rockwood e Mitnitski,[87,88] a fragilidade é avaliada por meio da construção de um índice de fragilidade, ou Frailty Index (FI). O índice de fragilidade é composto de 30 ou mais variáveis que correspondem a problemas de saúde acumulados ao longo do envelhecimento. Esses problemas de saúde podem incluir comorbidades, fatores psicológicos, sintomas e incapacidades.

A escolha de ferramenta de avaliação específica deve considerar: o tempo disponível para aplicação e a viabilidade naquele cenário específico (p. ex.: a determinação de fragilidade fenotípica pelos critérios de Fried exige a avaliação da força de preensão palmar com uso de um dinamômetro, o que pode ser um fator que impossibilite a aplicação da

escala em alguns serviços). Existem diferentes escalas para diagnóstico, mas a forma mais comum é por meio do Fried Frailty Index,[82] que possui 5 critérios:

- **Perda de peso não intencional:** maior ou igual a 4,5 kg ou 5% do peso corporal no ano anterior;
- **Exaustão avaliada por autorrelato de fadiga:** pergunta-se ao indivíduo quantas vezes nas últimas duas semanas ele sentiu que teve de fazer força para desempenhar tarefas habituais, ou não conseguiu levar a frente essas tarefas. Caso ele responda 3 ou mais vezes para alguma dessas perguntas, o resultado é considerado positivo;
- **Diminuição da força de preensão manual:** utilizando-se um dinamômetro, afere-se a força máxima do membro superior dominante, sendo considerado o melhor resultado em 3 tentativas. É considerado positivo quando está abaixo do percentil 20 para seu gênero e índice de massa corporal (IMC);
- **Baixo nível de atividade física:** usa-se o Minessota Leisure Time Activity Questionnaire – Versão curta. O corte para homens é 383 kcal por semana e para mulheres é 270 kcal por semana;
- **Diminuição da velocidade de caminhada:** o indivíduo é orientado a caminhar 4,6 m em sua velocidade habitual. É positivo quando o tempo for maior ou igual a 7 segundos para homens com altura maior que 1,73 m e mulheres com altura maior que 1,59 m, ou quando for maior que 6 segundos para homens com altura menor ou igual a 1,73 m e mulheres com altura menor ou igual a 1,59 m.

São considerados "Não frágeis", os idosos que não apresentarem nenhum dos critérios; "Pré-frágeis", um ou dois dos critérios, e "Frágeis", três ou mais dos cinco critérios supracitados.[82] Apesar de Fried Frailty Index corresponder à definição clássica da síndrome, existem outras escalas clínicas que podem ser usadas no pré-operatório. Cada uma possui suas características próprias, tempo de execução, vantagens e desvantagens:[89]

- **Fried Frailty Index (índice de fragilidade de Fried):**[82] executada em 5 a 20 minutos, é a que melhor discrimina risco de *delirium*;[89]
- **Escala de fragilidade clínica:**[89] questionário visual e escrito para definir fragilidade com base em nove descrições clíni-

cas. Varia de 1 (muito robusto) a 9 (doente terminal). Executado em menos de 2 minutos, é a mais fortemente associada com mortalidade e alta não favorável (encaminhamento a unidades de longa permanência ou *homecare*). Permite abordagem rápida, sem a necessidade de dispositivos ou recursos auxiliares. Pode, portanto, ser bastante útil para avaliação sumária frente a um paciente cirúrgico na avaliação pré-anestésica. A Figura 146.4 sintetiza essa escala;

	1. Muito ativo	Pessoas que estão robustas, ativas, com energia e motivadas. Essas pessoas normalmente se exercitam regularmente. Elas estão entre as mais ativas para sua idade.
	2. Ativo	Pessoas que não apresentam nenhum sintoma ativo de doença, mas estão menos ativas que as da categoria I. Frequentemente se exercitam, ou são muito ativas ocasionalmente, exemplo: em determinada época do ano.
	3. Regular	Pessoas com problemas de saúde bem controlados, mas não se exercitam regularmente além da caminhada de rotina.
	4. Vulnerável	Apesar de não depender dos outros para ajuda diária, frequentemente os sintomas limitam as atividades. Uma queixa comum é sentir-se mais lento e, ou cansado ao longo do dia.
	5. Levemente frágil	Essas pessoas frequentemente apresentam lentidão evidente e precisam de ajuda para atividades instrumentais da vida diária (AIVD) mais complexas (finanças, transporte, trabalho doméstico pesado, medicações). Tipicamente a fragilidade leve progressivamente prejudica as compras e passeios desacompanhados, preparo de refeições e tarefas domésticas.
	6. Moderadamente frágil	Pessoas que precisam de ajuda em todas as atividades externas e na manutenção da casa. Em casa, frequentemente tem dificuldades com escadas e necessitam de ajuda no banho e podem necessitar de ajuda mínima (apoio próximo) para se vestirem.
	7. Muito frágil	Completamente dependentes para cuidados pessoais, por qualquer causa (física ou cognitiva). No entanto, são aparentemente estáveis e sem alto risco de morte (dentro de 6 meses).
	8. Severamente frágil	Completamente dependentes, aproximando-se do fim da vida. Tipicamente incapazes de se recuperar de uma doença leve.
	9. Doente terminal	Aproximando-se do fim da vida. Esta categoria se aplica a pessoas com expectativa de vida menor que 6 meses, sem outras evidências de fragilidade.

▲ **Figura 146.4** Escala clínica de fragilidade. Paciente deve ser classificado de acordo a seu nível de fragilidade enquadrando-o em uma das categorias de acordo a percepção do avaliador frente a ilustração e a descrição de cada nível.
Fonte: Adaptado de: Rodrigues MK, Nunes Rodrigues I, Vasconcelos Gomes da Silva DJ, de S Pinto JM, Oliveira MF. Clinical Frailty Scale: Translation and Cultural Adaptation into the Brazilian Portuguese Language. J Frailty Aging. 2021;10(1):38-43.

■ **Escala de fragilidade de Edmonton:**[90] esta escala avalia nove domínios, quais sejam, cognição, estado geral de saúde, independência funcional, suporte social, uso de medicamentos, nutrição, humor, continência e desempenho funcional. Executada em menos de 5 minutos, é a mais fortemente associada a complicações.[89] Considera-se que indivíduos com pontuação entre zero e quatro não apresentam fragilidade, entre cinco e seis são aparentemente vulneráveis, de sete a oito, apresentam fragilidade leve, de nove a dez, fragilidade moderada e 11 ou mais, fragilidade grande;

■ **Índice de fragilidade (FI):**[87,88] executado entre 10 e 12 minutos e apresenta moderada capacidade de predizer complicações.[89] Construído com base no acúmulo de 30 ou mais problemas de saúde. Escore varia de 0 (nenhum problema) a 1 (todos os problemas). Ponto de corte sugerido pra fragilidade: ≥ 0,25.

Com o envelhecimento e adoecimento há perda de massa muscular. Sarcopenia e fragilidade sobrepõem-se em muitos casos.[91] Isso permite que a sarcopenia seja utilizada como marcador de fragilidade para contribuir com seu diagnóstico. Estudos recentes indicam a utilidade de exames de imagem para rastreio da síndrome de fragilidade no pré-operatório, sendo a aferição da profundidade do quadríceps da coxa por ultrassonografia e a área do músculo psoas na tomografia medidas úteis. Essas ferramentas já demonstraram acurácia no diagnóstico e capacidade de prever complicações no pós-operatório.[92]

Como citado, a Síndrome de fragilidade se relaciona a maior ocorrência de complicações gerais, complicações graves, mortalidade, tempo de internação e necessidade de institucionalização após a realização do procedimento cirúrgico. Sabe-se que existem ferramentas clínicas eficazes para seu diagnóstico, mas, e em relação às possíveis intervenções capazes de impactar no desfecho do paciente? Essa é uma pergunta com resposta ainda incerta. A abordagem da síndrome de fragilidade envolve o tratamento de potenciais causas ou doenças concomitantes, a atividade física uni ou multimodal, a ingestão adequada de proteínas, a suspensão de medicamentos inapropriados, dentre outros. Resultados conflitantes estão presentes na literatura e há poucos estudos que exploram diretamente essa relação. Dois trabalhos voltados à melhoria de processos de triagem diagnóstica pré-operatória demonstraram diminuição na mortalidade em 30, 180 e 365 dias após a implementação de rastreio sistemático de fragilidade seguido reavaliação de pacientes frágeis e discussão de seus casos.[93,94] A pré-habilitação sistemática de pacientes frágeis pode ser uma ferramenta promissora, apesar de ainda existir pouca evidência robusta. É essencial explorar uma abordagem personalizada e centrada no paciente com fragilidade, considerando os aspectos individuais, como características clínicas, genéticas e socioambientais que contribuam para o surgimento dessa complexa síndrome com importante impacto no desfecho pós-operatório do paciente idoso. Futuros tratamentos para a síndrome de fragilidade poderão surgir com o melhor entendimento dos mecanismos celulares e biológicos, proporcionando a detecção precoce, diagnóstico mais acurado e maior impacto na recuperação pós-operatória.

REFERÊNCIAS

1. Leone ET, Maia AG, Baltar PE. Mudanças na composição das famílias e impactos sobre a redução da pobreza no Brasil. Econ Soc. 2010;19:59-77.
2. Brasil. Ministério da Saúde, Secretaria-Executiva, Subsecretaria de Assuntos Administrativos, Divisão de Biblioteca do Ministério da Saúde. Boletim temático da biblioteca do Ministério da Saúde. v. 1, n. 1 (mar. 2021). Brasília: Ministério da Saúde, 2021. Vasconcelos AM, Gomes MM. Transição demográfica: a experiência brasileira. Epidemiol Serv Saúde. 2012;21:539-48.
3. Farinatti PT. Teorias biológicas do envelhecimento: do genético ao estocástico. Rev Bras Med Esp. 2002;8:1-5.
4. Burnet M. Intrinsic mutagenesis: a genetic approach for aging. New York: Wiley & Sons; 1974.
5. Gray MW, Burger G, Franz LB. Mitochondrial evolution. Science 1999;283:1476-81.
6. Hayflyck L. Cell biology of human aging. Sci Am. 1980;242:58-65.
7. Hayflyck L. Biology of ageing: a review. Aust J Ageing. 1998;17:29-32.
8. Hayflych L. How and why we age. Exp Gerontol. 1998;33:639-53.
9. Holbrook NJ, Martin GR, Lockshin RA. Cellular aging and cell death. New York: Wiley-Liss; 1995.
10. Rooke GA. Cardiovascular aging and anesthetic implications. J Cardiothorac Vasc Anesth. 2003;17:512-23.
11. Priebe HJ. The aged cardiovascular risk patient. Br J Anaesth. 2000;85:763-78.
12. Ungvari Z, Kaley G, de Cabo R, et al. Mechanisms of vascular aging: new perspectives. J Gerontol A Biol Sci Med Sci. 2010;65:1028-41.
13. Alvis BD, Hughes CG. Physiology considerations in geriatric patients. Anesthesiology Clin. 2015;33:447-56.
14. Fleg JL, O'Connor F, Gerstenblith G, et al. Impact of age on the cardiovascular response to dynamic upright exercise in healthy men and women. J Appl Physiol. 1995;78:890-900.
15. Lakatta EG. Cardiovascular aging research: the next horizons. J Am Geriatr Soc. 1999;47:613-25.
16. Ebert TJ. Cardiovascular aging: anesthetic implications. Fifteenth Annual Refresher Course Lectures and Clinical Update Program. American Society of Anesthesiologists. 1999;521.
17. Ebert TJ, Muzi M, Berens R, et al. Sympathetic responses to induction of anesthesia in humans with propofol or etomidate. Anesthesiology. 1992;76:725-33.
18. Seymour DG, Vaz FG. A prospective study of elderly general surgical patients: II. Post-operative complications. Age Ageing. 1989;18:316-26.
19. Kannel WB. Framingham study insights into hypertensive risk of cardiovascular disease. Hypertens Res. 1995;18:181-96.
20. Murabito JM. Women and cardiovascular disease: contributions from the Framingham Heart Study. J Am Med Womens Assoc. 1995;50:35-9.
21. Wilson PW. Established risk factors and coronary artery disease: the Framingham Study. Am J Hypertens. 1994;7:7S-12S.
22. Rich MW, Beckham V, Wittenberg C, et al. A multidisciplinary intervention to prevent the readmission of elderly patients with congestive heart failure. N Engl J Med. 1995;333:1190-5.
23. Gardin JM, Kitzman D, Smith VE, et al. Congestive heart failure with preserved systolic function in a large community-dwelling elderly cohort: The cardiovascular health study. J Am Coll Cardiol. 1995;423A-4A.
24. Tresch DD, McGough MF, Tresch DD, et al. Heart failure with normal systolic function: a common disorder in older people. J Am Geriatr Soc. 1995;43:1035-42.
25. Selzer A. Changing aspects of the natural history of valvular aortic stenosis. N Engl J Med. 1987;317:91-8.
26. Fishman RF, Kuntz RE, Carrozza JP, et al. Acute and long-term results of coronary stents and atherectomy in women and the elderly. Coron Artery Dis. 1995;6:159-68.
27. Pocock SJ, Henderson RA, Seed P, et al. Quality of life, employment status, and anginal symptoms after coronary angioplasty or bypass surgery. Three-year follow-up in the Randomized Intervention Treatment of Angina (RITA) Trial. Circulation. 1996;94:135-42.
28. O'Keefe JH Jr, Sutton MB, McCallister BD, et al. Coronary angioplasty versus bypass surgery in patients > 70 years old matched for ventricular function. J Am Coll Cardiol. 1994;24:425-30.
29. Pashos CL, Newhouse JP, McNeil BJ. Temporal changes in the care and outcomes of elderly patients with acute myocardial infarction, 1987 through 1990. JAMA 1993;270:1832-6.
30. Dai DF, Rabinovitch PS, Ungvari Z. Mitochondria and cardiovascular aging. Circ Res. 2012;110:1109-24.
31. Timo C, Irigoyen MC, Krieger EM. Fisiologia do envelhecimento. In: Petroianu A, Pimenta LG. Cirurgia & clínica geriátrica. Rio de Janeiro: Guanabara Koogan; 1999. p. 54-64.

32. Smith TC. Respiratory system: aging, adversity, and anesthesia. In: McCleskey CH. Geriatric anesthesiology. Baltimore: Williams & Wilkins; 1997. p. 85-99.
33. Wahba WM. Influence of aging on lung function: clinical significance of changes from age twenty. Anesth Analg. 1983;62:764-76.
34. Cerveri I, Zoia MC, Fanfulla F, et al. Reference values of arterial oxygen tension in the middle-aged and elderly. Am J Resp Crit Care Med. 1995;152:934-41
35. Cordeiro R. Pneumologia fundamental. Lisboa: Fundação Calouste Gulbenkian; 1995.
36. Sharma G, Goodwin J. Effect of aging on respiratory system physiology and immunology. Clin Interv Aging. 2006;1:253-60.
37. Ruivo S, Viana P, Martins C, et al. Efeito do envelhecimento cronológico na função pulmonar: comparação da função respiratória entre adultos e idosos saudáveis. Rev Port Pneumol. 2009;15:629-53.
38. Fernandes CR, Ruiz Neto PP. O sistema respiratório e o idoso: implicações anestésicas. Rev Bras Anestesiol. 2002;52:461-70.
39. Muravchick S. Anesthesia for the elderly. In: Miller RD. Anesthesia. Philadelphia: Churchill Livingstone; 2000. p. 2140-56.
40. Muravchick S. Geroanesthesia: principles for management of the elderly patient. St. Louis: Mosby; 1997.
41. Brenner BM, Meyer TV, Hostelter TH. Dietary protein intake and progressive nature of kidney disease: the role of hemodynamically mediated glomerular injury in the pathogenesis of progressive glomerular sclerosis in aging, renal ablation and intrinsic renal disease. N Engl J Med. 1982;37:652-9.
42. Cockcroft DW, Gault MH. Prediction of creatinine clearance from serum creatinine. Nephron. 1976;16:31-41.
43. Newman DJ, Thakkar H, Edwards RG, et al. Serum cystatin C measured by automated immunoassay: a more sensitive marker of changes in GFR than serum creatinine. Kidney Int. 1995;47:312-8.
44. Tabuc B, Vrhovec L, Stabuc-Silih M, et al. Improved prediction of decreased creatinine clearance by serum cystatin C: Use in cancer patients before and during chemotherapy. Clin Chem. 2000;1:29-34.
45. Fliser D, Ritz E. Serum cystatin C concentration as a marker of renal dysfunction in the elderly. Am J Kidney Dis. 2001;1:79-83.
46. Van Den Noortgate NJ, Janssens WH, Delanghe JR, et al. Serum cystatin C concentration compared with other markers of glomerular filtration rate in the old old. J Am Geriatr Soc. 2002;50:1278-82.
47. Coll E, Botey A, Alvarez L, et al. Serum cystatin C as a new marker for noninvasive estimation of glomerular filtration rate and as a marker for early renal impairment. Am J Kidney Dis. 2000;1:29-34.
48. Goldberg TH, Finkelstein MS. Difficulties in estimating glomerular filtration rate in the elderly. Arch Intern Med. 1987;147:1430-3.
49. Silva FG. The aging kidney: a review-part II. Int Urol Nephrol. 2005;37:419-32.
50. Martin JE, Sheaff MT. Renal ageing. J Pathol. 2007;211:198-205.
51. Dangelo JG, Fattini CA. Anatomia humana sistêmica e segmentar. 6. ed. Rio de Janeiro: Atheneu; 2007.
52. Sailer A, Dichgans J, Gerloff C. The influence of normal aging on the cortical processing of a simple motor task. Neurology. 2000;55:979-85.
53. Johanson CE, Duncan 3rd JA, Klinge PM, et al. Multiplicity of cerebrospinal fluid function: New challenges in health and diseases. Cerebrospinal Fluid Res. 2008;5:10.
54. Rubenstein E. Relationship of senescence of cerebrospinal fluid circulatory system to dementias of the aged. Lancet. 1998;351:283-5.
55. Zhang Y, Peng YY, Chen GY, et al. Cerebral blood flow, cerebral blood volume, oxygen utilization and oxygen extraction fraction: the influence of age. Nan Fang Yi Ke Da Xue Xue Bao. 2010;30:1237-9.
56. Dorfman LJ, Bosley TM. Aged related changes in peripheral and central nerve conduction in man. Neurology. 1979;29:38-44.
57. Liu P, Zhang H, Devaraj R, et al. A multivariate analysis of the effects of aging on glutamate, GABA and arginine metabolites in the rat vestibular nucleus. Hear Res. 2010;269:122-33.
58. Muravchick S. Nervous system aging. In: McLeskey CH. Geriatric anesthesiology. Baltimore: Williams & Wilkins; 1997. p. 29-41.
59. Muravchick S. Preoperative assessment of the elderly patient. Anesthesiol Clin North Am. 2000;18:71-89.
60. Stein J, Luppa M, Brähler E, et al. The assessment of changes in cognitive functioning: reliable change indices for neuropsychological instruments in the elderly: a systematic review. Dement Geriatr Cogn Disord. 2010;29:275-86.
61. Castro CL, Nobrega ACL, Araujo CG. Testes autonômicos cardiovasculares. Uma revisão crítica. Parte I. Arq Bras Cardiol. 1992;59:75-85.
62. Shi S, Mörike K, Klotz U. The clinical implications of ageing for rational drug therapy. Eur J Clin Pharmacol. 2008;64:183-99.
63. Miller RD. Miller's anesthesia. 8. ed. Philadelphia: Elsevier Saunders; 2015.
64. Pavlik W, Brow M. Endocrine system. In: McLeskey CH. Geriatric anesthesiology. Baltimore: Williams & Wilkins; 1997. p. 71-84.
65. Kruijt Spanjer MR, Bakker NA, Absalom AR. Pharmacology in the elderly and newer anaesthesia drugs. Best Pract Res Clin Anaesthesiol. 2011;25:355-365.
66. Schnider TW, Minto CF, Shafer SL, et al. The influence of age on propofol pharmaco-dynamics. Anesthesiology. 1999;90:1502-16.
67. Akhtar S, Ramani R. Geriatric pharmacology. Anesthesiol Clin. 2015;33:457-69.
68. Gauzit R, Marty J, Couderc E, et al. Comparison of sufentanil and fentanyl to supplement N2O-halothane anesthesia for total hip arthroplasty in elderly patients. Anesth Analg. 1991;72:756-60.
69. Turnheim K. Pharmacokinetic dosage guidelines for elderly subjects. Expert Opin Drug Metab Toxicol. 2005;1:33-48.
70. Murphy GM, Szokol JW. Intraoperative Methadone in Surgical Patients: a review of clinical investigations. Anesthesiology. 2019;131:678-92.
71. Holowatz LA, Kenney WL. Peripheral mechanisms of thermoregulatory control of skin blood flow in aged humans. J Appl Physiol (1985). 2010;109:1538-44.
72. Cerejeira J, Firmino H, Vaz-Serra A. The neuroinflammatory hypothesis of delirium. Acta Neuropathol. 2010;119:737-754.
73. Dewan SK, Zheng SB, Xia SJ. Preoperative geriatric assessment: comprehensive, multidisciplinary and proactive. Eur J Intern Med. 2012;23:487-94.
74. American Geriatrics Society Expert Panel on Postoperative Delirium in Older Adults. Postoperative delirium in older adults: best practice statement from the American Geriatric Society. J Am Coll Surg. 2015;220:136-148.
75. Pandharipande P, Cotton B, Shintani A. Prevalence and risk factors for development of delirium in surgical and trauma intensive care patients. J Trauma. 2008;65:34-41.
76. Robinson T, Eiseman B. Postoperative delirium in the elderly: diagnosis and management. Clin Interv Aging. 2008;3:351-5.
77. Aldecoa C, Bettelli G, Bilotta F. European Society of Anaesthesiology evidence-based and consensus-based guideline on postoperative delirium. Eur J Anaesthesiol. 2017;34:192-214.
78. Buigues C, Juarros-Folgado P, Fernandez-Garrido J, et al. Frailty syndrome and preoperative risk evaluation: a systematic review. Arch Gerontol Geriatr. 2015;61:309-321.
79. Joseph B, Pandit V, Sadoun M, et al. Frailty in surgery. J Trauma Acute Care Surg 2014;76(4):1151–6.
80. Hewitt J, Long S, Carter B, Bach S, McCarthy K, Clegg A. The prevalence of frailty and its association with clinical outcomes in general surgery: a systematic review and meta-analysis. Age Ageing 2018;47(6):793–800.
81. Darvall JN, Gregorevic KJ, Story DA, et al. Frailty indexes in perioperative and critical care: a systematic review. Arch Gerontol Geriatr 2018;79:88–96.
82. Fried LP, Tangen CM, Walston J, Newman AB, Hirsch C, Gottdiener J, Seeman T, Tracy R, Kop WJ, Burke G, McBurnie MA; Cardiovascular Health Study Collaborative Research Group. Frailty in older adults: evidence for a phenotype. J Gerontol A Biol Sci Med Sci. 2001 Mar;56(3):M146-56. doi: 10.1093/gerona/56.3.m146. PMID: 11253156.
83. Makary MA, Segev DL, Pronovost PJ, Syin D, Bandeen-Roche K, Patel P, et al. Frailty as a predictor of surgical outcomes in older patients. J Am Coll Surg 2010; 210: 901-8.
84. Kim SW, Han HS, Jung HW, Kim KI, Hwang DW, Kang SB, et al. Multidimensional frailty score for the prediction of postoperative mortality risk. JAMA Surg 2014; 149: 633-40.
85. Shen Y, Hao Q, Zhou J, Dong B. The impact of frailty and sarcopenia on postoperative outcomes in older patients undergoing gastrectomy surgery: a systematic review and me-ta-analysis. BMC Geriatr 2017; 17: 188.
86. Watt J, Tricco AC, Talbot-Hamon C, Pham B, Rios P, Grudniewicz A, et al. Identifying older adults at risk of harm following elective surgery: a systematic review and meta-analysis. BMC Med 2018; 16: 2.
87. Rockwood K. A global clinical measure of fitness and frailty in elderly people. Can Med Assoc J. 2005;173(5):489-495. doi:10.1503/cmaj.050051...
88. Mitnitski AB, Mogilner AJ, Rockwood K. Accumulation of deficits as a proxy measure of aging. ScientificWorldJournal. 2001;1:323-336.
89. Aucoin SD, Hao M, Sohi R, Shaw J, Bentov I, Walker D, McIsaac DI. Accuracy and feasibility of clinically applied frailty instruments before surgery: a systematic review and meta-analysis. Anesthesiology. 2020 Jul;133(1):78-95. doi: 10.1097/ALN.0000000000003257. PMID: 32243326.
90. Rolfson DB, Majumdar SR, Tsuyuki RT, Tahir A, Rockwood K. Validity and reliability of the Edmonton Frail Scale. Age Ageing. 2006 June;35:526-9.
91. Cruz-Jentoft AJ, Baeyens JP, Bauer JM, Boirie Y, Cederholm T, Landi F, Martin FC, Michel JP, Rolland Y, Schneider SM, Topinková E, Vandewoude M, Zamboni M; European Working Group on Sarcopenia in Older People. Sarcopenia: European consensus on definition and diagnosis: Report of the European Working Group on Sarcopenia in Older People. Age Ageing. 2010 Jul;39(4):412-23. doi: 10.1093/ageing/afq034. Epub 2010 Apr 13. PMID: 20392703; PMCID: PMC2886201.
92. Canales C, Mazor E, Coy H, Grogan TR, Duval V, Raman S, Cannesson M, Singh SP. Preoperative Point-of-Care Ultrasound to Identify Frailty and Predict Postoperative Outcomes: A Diagnostic Accuracy Study. Anesthesiology. 2022 Feb 1;136(2):268-278. doi: 10.1097/ALN.0000000000004064. PMID: 34851395; PMCID: PMC9843825.
93. Hall DE, Arya S, Schmid KK, Carlson MA, Lavedan P, Bailey TL, Purviance G, Bockman T, Lynch TG, Johanning JM. Association of a Frailty Screening Initiative with Postoperative Survival at 30, 180, and 365 Days. JAMA Surg. 2017 Mar 1;152(3):233-240. doi: 10.1001/jamasurg.2016.4219. PMID: 27902826; PMCID: PMC7180387.
94. Varley PR, Buchanan D, Bilderback A, Wisniewski MK, Johanning J, Nelson JB, Johnson JT, Minnier T, Hall DE. Association of Routine Preoperative Frailty Assessment With 1-Year Postoperative Mortality. JAMA Surg. 2023 May 1;158(5):475-483. doi: 10.1001/jamasurg.2022.8341. PMID: 36811872; PMCID: PMC9947800.

147

Anestesia no Paciente Idoso

Luiz Antonio Mondadori ▪ **Giane Nakamura**

INTRODUÇÃO

O envelhecimento populacional é um fenômeno natural, irreversível, mundial e definido como a mudança na estrutura etária da população, que produz aumento do peso relativo das pessoas acima de determinada idade, considerada como definidora do início da velhice. No Brasil, é definida como idosa a pessoa que tem 60 anos ou mais. A população idosa brasileira tem crescido de forma rápida e em termos proporcionais. No Brasil, existem aproximadamente 20 milhões de pessoas com idade igual ou superior a 60 anos, o que representa pelo menos 10% da população brasileira.[1] Dentro desse grupo, os denominados "mais idosos, muito idosos ou idosos em velhice avançada" (acima de 80 anos) também vêm aumentando proporcionalmente e de maneira mais acelerada, constituindo o segmento populacional que mais cresce nos últimos tempos, sendo hoje mais de 12% da população idosa.

O Brasil caminha para um perfil demográfico cada vez mais envelhecido (Figura 147.1), fenômeno que implicará adequação das políticas sociais, particularmente as voltadas para atender às demandas nas áreas de saúde, previdência e assistência. Na área da saúde, este fenômeno implica aumento do requerimento médico e da necessidade de terapêuticas cirúrgicas no grupo geriátrico. Como consequência, há necessidade de um entendimento especializado baseado na fisiologia do envelhecimento para proporcionar melhor atendimento peroperatório desses pacientes; e muito do que é aplicado hoje para os pacientes idosos é extrapolado de estudos clínicos realizados em uma população adulta.

À medida que a anestesia, as técnicas cirúrgicas e a medicina intensiva avançam, muitas cirurgias extensas e invasivas ainda podem ser realizadas mesmo em octogenários e idosos com risco baixo ou moderado. Isso explica o crescente número de procedimentos cirúrgicos realizados a cada ano em pacientes com mais de 60 anos.

A progressão da idade é um fator independente de morbimortalidade na população cirúrgica, mesmo sem a presença de comorbidades. A adição de fatores predisponentes também aumenta a morbimortalidade progressivamente até a sexta década.[3] A disfunção em múltiplos sistemas de resposta ao estresse tem uma importante ação para a vulnerabilidade durante o envelhecimento. Doenças crônicas como o diabetes melito, as doenças vasculares, a doença pulmonar obstrutiva crônica e a insuficiência cardíaca ativam o sistema imune inato, o sistema nervoso simpático e o eixo hipotálamo-hipófise-adrenal exacerbando as condições clínicas relacionadas à idade, tais como a osteoporose e a hipertensão, aumentando a vulnerabilidade à fragilidade, as lesões acidentais e o declínio funcional.

O resultado pós-operatório em idosos pode, a longo prazo, não ser tão satisfatório como geralmente se acredita. Estudos comprovam que aproximadamente metade dos pacientes não consegue retornar ao nível de funcionalidade pré-hospitalar após a alta, mesmo na ausência de qualquer cirurgia.[4] Em cerca de um terço dos pacientes afetados, essa diminuição na funcionalidade persiste e continua presente mesmo após um ano.

No entanto, é possível reduzir muitos fatores de risco peroperatórios associados à idade por meio de cuidados adequados e de um manejo peroperatório adaptado às necessidades dos idosos. Portanto, é crucial considerar o cuidado anestesiológico ideal para os idosos como um projeto peroperatório abrangente, indo além do simples ato de administrar a anestesia no centro cirúrgico.

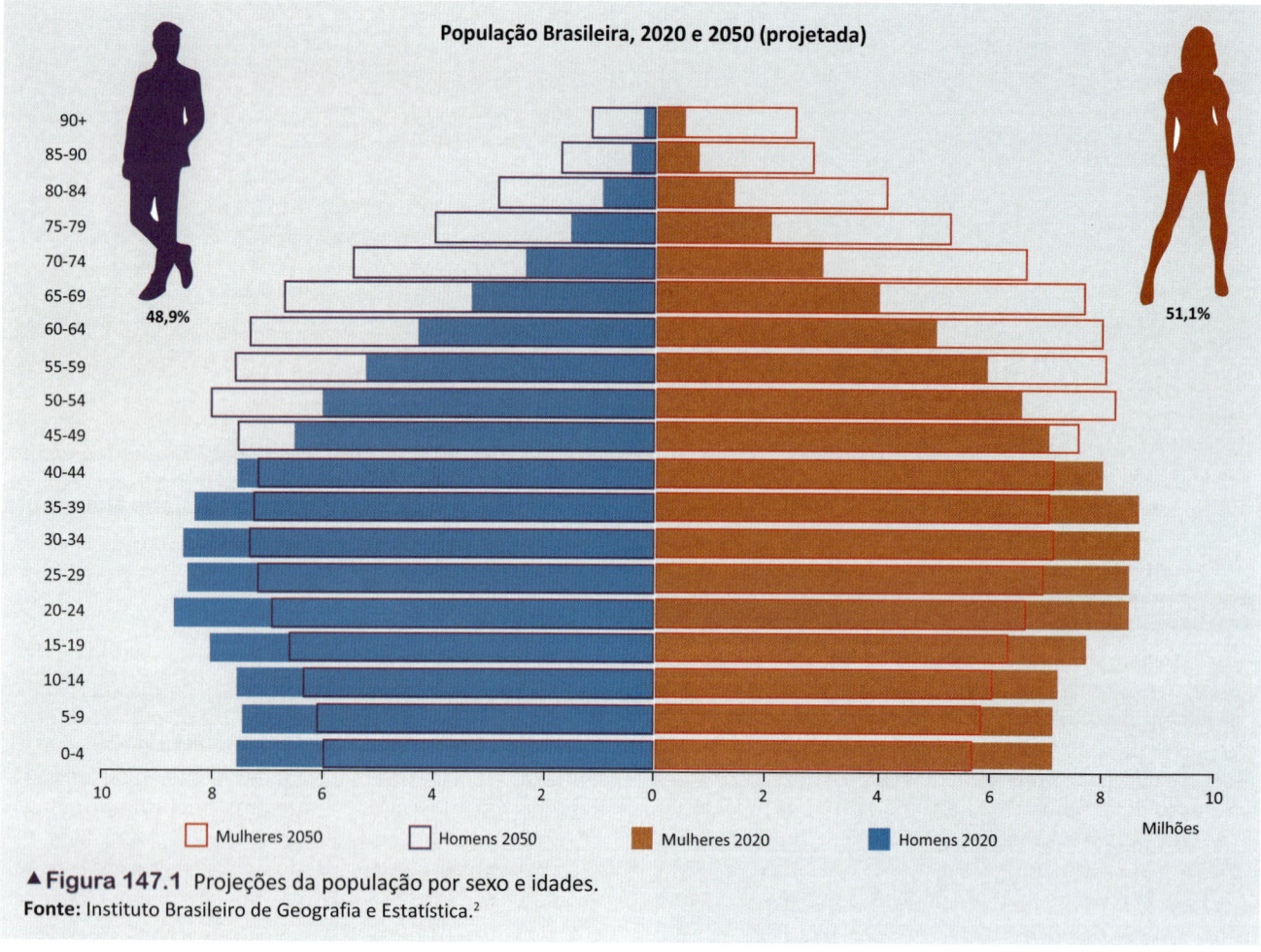

▲ Figura 147.1 Projeções da população por sexo e idades.
Fonte: Instituto Brasileiro de Geografia e Estatística.[2]

PREPARO DO PACIENTE GERIÁTRICO PARA CIRURGIA

O preparo e a avaliação do paciente geriátrico são direcionados aos fatores que mais afetam o idoso, incluindo cognição, fragilidade, polifarmácia, nutrição e suporte nutricional. Esta avaliação requer tempo e recursos, mas traz como benefício o reconhecimento dos pacientes de alto risco e a prevenção de eventos adversos; portanto, é necessário que, além desta avaliação, ocorram recursos para a melhoria do seu estado de saúde pré-operatório. Estes benefícios da otimização pré-operatória devem ser pesados em relação aos riscos no atraso da cirurgia. Em algumas situações, esta otimização deve ser realizada concomitantemente ao procedimento cirúrgico, como no caso das fraturas de quadril e nas laparotomias.

Para tanto, em adição a uma avaliação clínica completa, devem ser tomadas algumas medidas:

- Avaliação da habilidade cognitiva e da capacidade de entender a cirurgia programada;
- Rastreio dos pacientes suscetíveis à depressão;
- Identificação dos pacientes com fatores de risco para desenvolvimento de *delirium* pós-operatório;
- Rastreio dos pacientes com dependência ao álcool e a outras substâncias;

- Realização de uma avaliação cardíaca pré-operatória, de acordo com o algoritmo para pacientes idosos a serem submetidos à cirurgia não cardíaca;
- Identificação dos pacientes com fatores de risco para complicações pulmonares pós-operatórias e implementação de estratégias para prevenção;
- Documentação do estado funcional e da história de quedas;
- Determinação do escore prévio para fragilidade;
- Avaliação do estado nutricional do paciente e consideração de intervenções, se o paciente apresentar estado nutricional crítico;
- Avaliação do histórico detalhado de medicações, consideração de ajustes peroperatórios e monitoração para polifarmácia;
- Determinação de metas e expectativas para os resultados;
- Avaliação do sistema de suporte sociofamiliar;
- Solicitação de testes diagnósticos pré-operatórios focados para esta população.

INTERVENÇÕES PRÉ-CIRÚRGICAS

Uma avaliação pré-cirúrgica abrangente, alinhada com as diretrizes, possibilita uma estratificação adequada do risco individual. Os pacientes de alto risco podem, então, passar por um manejo peroperatório diligente, considerando seus fatores de risco individuais em cada caso. Em tempos de escassez de recursos financeiros e de pessoal, a individualização dos processos peroperatórios pode ser mais viável do que uma abordagem uniforme para todos os casos. Especialmente porque os fatores de risco associados à idade variam entre aqueles que apenas predispõem a um resultado pós-operatório adverso sem serem modificáveis e aqueles que podem ser modificáveis para melhorar a chance do paciente de um pós-operatório favorável.

Nesse sentido, destaca-se a importância de aproveitar o tempo entre a marcação da cirurgia e a própria operação. Surge, então, a noção de "pré-habilitação", um conceito que visa aumentar o nível de funcionalidade e resiliência pré-cirúrgica para que o impacto da cirurgia e do tratamento hospitalar seja melhor enfrentado. A pré-habilitação é uma intervenção multidisciplinar, composta por apoio psicológico, otimização nutricional e exercício físico. Estudos têm demonstrado que pacientes especialmente frágeis se beneficiam desses programas.

No contexto da pré-habilitação, a suplementação nutricional proteica é recomendada não apenas para os desnutridos, mas para todos os idosos com indicação nutricional.[5] O fortalecimento muscular pré-operatório e o treinamento de resistência têm sido associados à redução do tempo de internação, das taxas de complicações e ao aumento da qualidade de vida pós-operatória em pacientes idosos.[6] Além disso, exercícios pré-operatórios mostraram-se eficazes na prevenção de complicações pulmonares pós-operatórias.

Ansiedade pré-operatória, estresse e baixa autoeficácia parecem afetar o resultado pós-operatório, o que foi especificamente demonstrado para dor pós-cirúrgica e o desenvolvimento de dor crônica após uma cirurgia. Intervenções psicológicas pré-operatórias podem ter um efeito favorável,[7] embora estudos de alta qualidade nesse campo ainda sejam limitados.

Uma educação abrangente do paciente sobre o curso peroperatório é fundamental não apenas para a tomada de decisão compartilhada, mas também para aumentar a adesão do paciente e reduzir a ansiedade, a dor e o tempo de internação, melhorando a experiência geral do paciente. Para pacientes idosos, isso é especialmente relevante como parte da prevenção do delírio. Medidas preventivas bem estabelecidas podem ser apoiadas pelo próprio paciente e seus familiares. Itens pessoais como aparelhos auditivos e visuais, bem como fotografias, livros, diários, calendários e relógios, devem ser levados se não estiverem disponíveis nas enfermarias. A desidratação pré-cirúrgica representa um risco que deve ser evitado, e a avaliação anestesiológica pré-operatória pode ser utilizada para informar o paciente não apenas sobre a anestesia e o manejo da dor, mas também sobre o risco de delirium pós-operatório e as medidas preventivas que podem ser realizadas pelo próprio paciente.

No pré-operatório imediato, o jejum prolongado deve ser evitado, pois pacientes idosos são especialmente propensos a desidratação que é um fator predisponente para distúrbios neuro cognitivos e peroperatório e promove instabilidade hemodinâmica durante a indução anestésica. Uma carga pré-operatória de carboidratos, na noite anterior a operação e 2 horas antes dela, é recomendada para promover ansiólise e reduzir o estresse peroperatório.

■ MEDICINA PEROPERATÓRIA

Escolhendo a Anestesia Certa

Diferentes aspectos desempenham um papel quando se trata de determinar a técnica anestésica certa para um paciente: o tipo de cirurgia planejada, as comorbidades e medicamentos do paciente, a técnica analgésica pós-operatória, as preferências do paciente, as preferências do cirurgião, o tempo cirúrgico e, por último, mas não menos importante, a experiência do anestesiologista.

A prevenção do delirium é um objetivo crucial da terapia peroperatória ao cuidar de pacientes idosos. Muitas recomendações sobre o manejo peroperatório são dadas com relação à minimização do risco de distúrbios neurocognitivos pós-operatórios. Isso inclui um gerenciamento rigoroso da temperatura peroperatória, preferência por cirurgia rápida, uso de regime analgésico intraoperatório contínuo e monitoramento da profundidade da anestesia, uma vez que os estágios profundos da anestesia foram associados à redução do desempenho cognitivo pós-operatório e ao surgimento de delírio.

Anestesia Geral

As mudanças fisiopatológicas que alteram a farmacocinética e a farmacodinâmica dos fármacos já foram discutidas anteriormente nas alterações fisiopatológicas relacionadas ao Sistema Nervoso Central.

A maioria dos agentes hipnóticos atua no receptor do ácido gama aminobutírico (GABA) e tem efeito hemodinâmico aumentado na população geriátrica. Os agentes inalatórios halogenados apresentam efeitos farmacodinâmicos semelhantes aos agentes hipnóticos endovenosos indutores. A necessidade de tiopental sódico para indução de anestesia é menor na população geriátrica devido a mudanças farmacocinéticas, alterando a distribuição inicial da medicação e despertando a necessidade de uma titulação adequada, com menor velocidade de injeção para esta faixa etária.

O propofol tem uma utilização limitada na população geriátrica devido a seus efeitos hemodinâmicos. A dose necessária para perda de consciência é menor, com uma incidência mais alta de apneia e hipotensão arterial quando comparada com a utilização em pacientes mais jovens. A alteração na distribuição inicial do fármaco (diminuição do volume central) leva a concentrações mais altas e um maior efeito na mesma dose de indução em relação aos pacientes mais jovens. A eliminação não é prejudicada no idoso.

O etomidato tem como sua maior vantagem a estabilidade hemodinâmica durante a indução da anestesia na população geriátrica. A diminuição da dose necessária para o idoso é geralmente relacionada a mudanças na farmacocinética, além de alterações na responsividade cerebral. O volume de distribuição inicial do etomidato diminui significativamente em relação à população jovem, provocando alta concentração sanguínea após uma dose de indução. O clearence também diminui devido à diminuição no fluxo sanguíneo hepático. Discute-se a segurança do etomidato como agente hipnoindutor devido à inibição que provoca na síntese de cortisol.

A cetamina é um inibidor dos receptores de N-metil-D--aspartato (NMDA), promove anestesia dissociativa e, como outros inibidores de NMDA, provoca liberação de catecolaminas endógenas, providenciando uma indução de anestesia com estabilidade hemodinâmica.

O midazolam é um benzodiazepínico com um *clearence* intermediário, é dependente do fluxo sanguíneo hepático e do seu *clearence* intrínseco. Na prática clínica, observa--se que a dose sedativa ou hipnótica é menor nos pacientes idosos, apesar de causar pequenas alterações no volume compartimental central, na ligação com proteínas plasmáticas e no volume de distribuição do midazolam. Essas menores doses necessárias ao seu efeito podem ser atribuídas a mudanças farmacodinâmicas e a alterações relacionadas ao efeito causado por determinada concentração de midazolam no idoso. Doses baixas de midazolam, como 0,5 mg de medicação pré-anestésica, podem causar apneia.

Todos os anestésicos voláteis apresentam uma diminuição na concentração alveolar mínima relacionada à idade[8] (Figura 147.2). O sevoflurano pode ser utilizado para indução de anestesia no idoso, com boa estabilidade hemodinâmica, e a habilidade de pré-condicionamento para a hipóxia do miocárdio, cérebro e rins tornam os anestésicos inalatórios interessantes para essa população. O desflurano é o agente inalatório menos solúvel entre todos os agentes halogenados, sendo mais fácil para sua manipulação e de mais rápida eliminação.

O fentanil é um opioide lipossolúvel, com grande volume de distribuição e alto *clearence* dependente do fluxo sanguíneo hepático, mas não há mudanças importantes na sua concentração plasmática. A alteração em seu *clearence* pode induzir a uma prolongada meia-vida de eliminação. As mudanças farmacodinâmicas sugerem que as doses devem ser diminuídas em aproximadamente 50% nos pacientes idosos. O alfentanil apresenta depuração baixa e dependente tanto do fluxo sanguíneo hepático quanto da atividade enzimática hepática, sendo ainda alterado pela associação de outros fármacos, como a eritromicina. As doses do alfentanil devem ser reduzidas em aproximadamente em 50% nos idosos, principalmente por princípios farmacodinâmicos. A farmacocinética do sufentanil não é alterada pela idade, exceto pelo pequeno volume de distribuição inicial, o qual ocasiona alta concentração inicial do fármaco em pacientes idosos. A farmacocinética do remifentanil também é caracterizada por uma diminuição inicial no volume de distribuição, provocando altas concentrações sérica seguindo a uma dose "em bólus", enquanto seu *clearence* é diminuído em aproximadamente 30% devido à queda na concentração de esterases plasmáticas. Pela possibilidade de titulação e por seu efeito pouco persistente, o remifentanil mostra-se um fármaco bastante útil no tratamento do idoso. A morfina apresenta alterações farmacológicas semelhantes aos outros opioides, ocasionando uma sensibilidade aumentada e efeitos exagerados, sendo recomendada a diminuição da primeira dose analgésica de morfina no idoso e, em titulações posteriores na manutenção de analgesia pós-operatória, se possível, deve ser controlada pelo próprio paciente, através de bomba de infusão.

Os bloqueadores neuromusculares apresentam maior tempo de latência na população geriátrica. O tempo de ação para doses de manutenção de rocurônio e vecurônio é prolongado no idoso, fato que não acontece com o atracúrio. A recuperação do relaxamento muscular é geralmente mais prolongada nos idosos.

Anestesia Regional

Apesar de a anestesia regional não diminuir a morbidade em longo prazo, ela reduz a incidência de complicações neurológicas, pulmonares, cardíacas e endocrinológicas.[9] No entanto, está associada ao risco de hipotensão arterial grave e prolongada devido à redução dos mecanismos compensatórios no idoso[10] e ao maior risco de hipotermia,[11] que é mais frequente e prolongada na população geriátrica, podendo ocasionar, no pós-operatório, isquemia miocárdica, arritmia e diminuição do metabolismo de fármacos.

As alterações fisiopatológicas do envelhecimento, as comorbidades, o tratamento com múltiplos medicamentos e uma reserva funcional reduzida tornam o paciente idoso mais vulnerável aos efeitos farmacológicos dos anestésicos locais.[12] A bupivacaína é considerada o anestésico local de ação prolongada de escolha em diversos procedimentos,[13] especialmente para a administração subaracnoidea. A levobupivacaína é o S-enantiômero da bupivacaína racêmica, e estudos clínicos têm demonstrado que a bupivacaína e a levobupivacaína são igualmente eficazes.[14,15] No entanto, a levobupivacaína apresenta menor afinidade pelos canais de sódio no coração[16] e, portanto, é menos frequentemente associada a eventos cardiovasculares, sendo uma boa opção no paciente idoso.

Anestesia no Neuroeixo

A anestesia subaracnoidea é largamente utilizada em procedimentos ortopédicos, urológicos, ginecológicos e de abdome inferior no idoso devido à rapidez na instalação do bloqueio, menor efeito neurológico, redução de perda

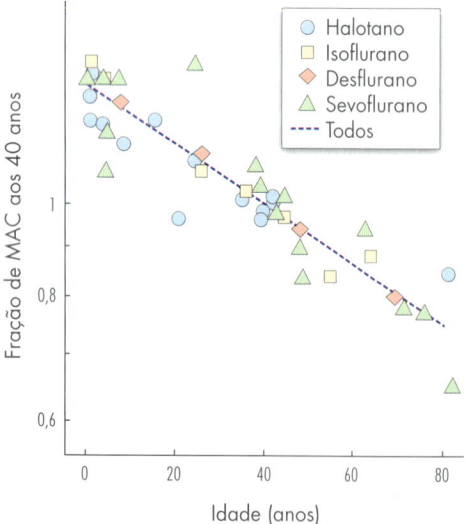

▲ **Figura 147.2** Modificações da concentração alveolar mínima relacionadas à idade.
Fonte: Adaptada de Eger EL.[8]

sanguínea e proteção contra eventos tromboembólicos.[17] Comparado com anestesia geral, o bloqueio de neuroeixo diminui a dor pós-operatória e reduz o consumo de opioide na sala de recuperação da anestesia.

É importante limitar os efeitos hemodinâmicos e pulmonares adversos associados com a raquianestesia no paciente idoso. Foi realizado um estudo observacional para avaliar o impacto hemodinâmico da anestesia subaracnoidea com levobupivacaína isobárica comparada com a bupivacaína hiperbárica para a cirurgia de fratura de quadril em pacientes com idade superior a 65 anos, o qual sugere que a levobupivacaína isobárica em baixa dose pode ser mais segura que a bupivacaína hiperbárica. Aplicando-se pequenas doses de anestésicos locais, pode-se limitá-los.

O uso de opioides como adjuvantes dos anestésicos locais melhora a qualidade da analgesia pós-operatória e prolonga a duração do bloqueio. A morfina foi o primeiro opioide a ser usado via subaracnoidea, mas seus efeitos colaterais, quando clinicamente relevantes, como a depressão respiratória e a retenção urinária, limitam sua utilidade.[18] A farmacocinética favorável dos opioides lipofílicos como fentanil e sufentanil os tornam melhores alternativas, por causa da absorção e do início de ação rápidos dessas substâncias, minimizando a migração rostral do fármaco para o centro respiratório e evitando a depressão respiratória tardia.[19]

A anestesia peridural também sofre influência na população geriátrica. Na anestesia peridural, ocorre maior dispersão cefálica decorrente do achatamento dos corpos vertebrais e da oclusão dos forâmens intervertebrais com menor escape de anestésico por eles. Um estudo mostrou a influência da idade sobre as alterações hemodinâmicas após a administração peridural de ropivacaína a 1,0% em pacientes de diferentes faixas etárias submetidos às cirurgias abdominal, ortopédica, urológica e ginecológica. O nível superior da analgesia foi maior no grupo mais idoso, assim como o bloqueio motor. A incidência de bradicardia e hipotensão e a diminuição na pressão arterial sanguínea média durante a primeira hora após a injeção peridural foram mais frequentes na faixa etária maior que 60 anos.[20]

Para muitas cirurgias, porém, a anestesia peridural combinada com anestesia geral continua sendo a primeira escolha. Cirurgias abdominais de grande porte como gastrectomia e cirurgia colorretal laparoscópica parecem se beneficiar da técnica, com melhor controle álgico[21] e da função respiratória.[22]

Bloqueio de Nervos Periféricos

Pacientes idosos com cardiopatias graves ou anticoagulados representam um desafio anestésico, uma vez que a anestesia geral e o bloqueio de neuroeixo apresentam riscos potenciais e não raramente são contraindicados. Muitas vezes esses pacientes apresentam fraturas e propensão para eventos tromboembólicos periféricos, sendo submetidos à cirurgia de emergência para preservação do membro. Não há diretrizes específicas disponíveis para tais situações, porém os bloqueios periféricos têm se mostrado extremamente úteis nesses pacientes.

O bloqueio femoral contínuo para artroplastia de joelho tem sido relatado por apresentar vantagens sobre a anestesia peridural como a diminuição da hipotensão arterial e hematoma peridural em pacientes que fazem uso de anticoagulantes, além de propiciar um controle eficaz da dor e melhor recuperação funcional.[23,24] No entanto, já foram relatadas complicações hemorrágicas como hematoma retroperitoneal associado ao bloqueio de plexo lombar em pacientes recebendo heparina de baixo peso molecular (HBPM) e warfarina.[25] Porém, ao contrário da anestesia peridural, o hematoma no bloqueio periférico é mais facilmente detectável, tanto clinicamente quanto na ultrassonografia. Dor persistente, queda nos níveis de hemoglobina, alterações morfológicas da pele e déficits neurológicos podem indicar hematoma subjacente. Em casos duvidosos, recomenda-se exame ultrassonográfico em intervalos regulares ou tomografia computadorizada para descartar compressão do nervo. Se houver expansão do hematoma, deve ser considerada a reversão da anticoagulação.[26]

Monitorização

O sistema cardiovascular no paciente idoso requer algumas técnicas de monitorização para dar suporte durante o período peroperatório devido às significativas modificações anatomofisiológicas relacionadas ao envelhecimento. É importante salientar que o valor de qualquer técnica de monitorização depende altamente da habilidade de se interpretar seus resultados e de tomar suas decisões terapêuticas.

Os parâmetros clínicos e estáticos como frequência cardíaca (FC), pressão arterial (PA), diurese, pressão venosa central (PVC) e pressão de capilar pulmonar (PCP) são pouco sensíveis e pouco específicos, pois não têm correlação direta com o débito cardíaco (DC), com a perfusão tecidual nem com a extração de oxigênio, além de não preverem com alguma antecedência a ocorrência de instabilidade hemodinâmica. As técnicas que auxiliam na avaliação do estado do volume intravascular, bem como a função cardíaca intrínseca, incluem a análise da curva de pressão arterial ou da diluição de indicadores, a pressão da artéria pulmonar (PAP) e a ecocardiografia. Essa otimização pode ser alcançada por meio da identificação do estado volêmico e da responsividade à fluidoterapia com base na curva de Frank-Starling.

A medida da pressão venosa central (PVC) traz a mais básica avaliação do estado do volume intravascular. A PVC é limitada por fatores que alteram a pressão intratorácica, tais como a ventilação com pressão positiva. Mais ainda, a PVC pode ser valorizada quando seus valores foram baixos, indicando uma depleção de volume intravascular, mas seus valores normais ou elevados podem não se relacionar com um estado hemodinâmico adequado.

A análise da curva de pressão arterial pode mostrar variabilidade do volume sistólico. Um aumento nesta variabilidade pode ser utilizado como indicador da diminuição do volume intravascular, sendo um parâmetro para o tratamento com expansão volêmica. Outra análise que pode ser realizada é a diluição de indicadores utilizando-se um cateter arterial periférico para medir a diluição de uma substância injetada via venosa. As análises da curva de pressão e a diluição de indicadores necessitam de fluxo arterial periférico adequado e podem estar limitadas em situações como doenças arteriais periféricas.

Os parâmetros conhecidos como dinâmicos podem ser mensurados por aparelhos de análise de contorno de pulso,[27] como o Flotrac™, o LIDCO™ e o PICCO™; do Eco-cardiodoppler transesofágico (tempo de ejeção de aorta ascendente – Ftc); dos cateteres venosos centrais (saturação venosa central de oxigênio – $SVcO_2$); do cateter de artéria pulmonar (saturação venosa mista de oxigênio – $SVmO_2$), dentre outros.

O cateter em artéria pulmonar permite medidas pressóricas da vasculatura pulmonar, sendo mais bem correlacionadas com o enchimento do coração esquerdo, ainda que possam ser afetadas também pela ventilação mecânica. A nova geração de cateteres de artéria pulmonar gera cálculo dos volumes finais tanto diastólicos quanto sistólicos, bem como o fluxo sanguíneo e a fração de ejeção do coração direito, tornando-o de grande importância para a otimização do volume intravascular e da *performance* cardíaca em pacientes mais graves.

Recentemente, o ecocardiograma tem se tornado mais popular devido à possibilidade de se obter uma imagem direta do coração esquerdo. Tanto o método transtorácico quanto o transesofagiano permitem avaliar o enchimento do coração esquerdo e o volume sistólico associado. A repetição de imagens durante o tratamento permite avaliação imediata do impacto do tratamento adequado, seja por meio de fluidoterapia, seja por meio de fármacos inotrópicos ou vasopressores.

Como já citado, as respostas cardiovasculares e vasomotoras normais declinam com o envelhecimento devido a um prejuízo nos reflexos autonômicos. Essas respostas podem ser agravadas por doenças como o diabetes melito, por fármacos como os betabloqueadores e outros agentes hipotensores. Os volumes infundidos necessários para restaurar a circulação após uma hemorragia podem ser maiores que o volume perdido, e pacientes que recebem diuréticos ou agentes hipotensores têm grande risco de apresentar colapso cardiovascular. Como agravante, existe um estreitamento na circulação arterial distal que causa vulnerabilidade para reduções na pressão de perfusão ou para o carreamento na capacidade de oxigênio, resultando em áreas de isquemia ou infarto no cérebro, coração e intestino.

Em pacientes geriátricos, a monitorização do eletroencefalograma processado, como o Índice Bi-espectral (BIS), pode ser particularmente importante,[28] pois esse grupo de pacientes geralmente apresenta características especiais que podem afetar a resposta à anestesia e sua recuperação após a cirurgia. Algumas considerações importantes sobre o uso do BIS em pacientes geriátricos incluem:

- **Sensibilidade à anestesia:** Pacientes idosos podem apresentar uma maior sensibilidade aos agentes anestésicos, tornando crucial uma monitorização mais precisa da profundidade da anestesia;
- **Recuperação pós-anestesia:** A idade avançada está associada a uma recuperação mais lenta da anestesia, bem como a um risco aumentado de complicações pós-operatórias;
- **Redução do uso de medicamentos:** A monitorização do BIS pode ajudar a otimizar a administração de anestésicos, evitando o uso excessivo desses medicamentos. Isso

é particularmente benéfico em pacientes idosos, pois pode reduzir o risco de efeitos colaterais indesejados,[29] como confusão pós-operatória e *delirium*;

- **Risco de hipotensão e hipoperfusão cerebral:** Pacientes geriátricos podem ser mais vulneráveis à hipotensão (pressão arterial baixa) durante a anestesia. Manter o nível de anestesia adequado com base no BIS pode contribuir para evitar quedas abruptas na pressão arterial e reduzir o risco de hipoperfusão cerebral;
- **Evitar estados de consciência inadequados:** O BIS também pode ser útil para evitar estados de consciência inadequados durante a cirurgia;
- **Identificação precoce do delírio:** O monitoramento contínuo do BIS durante a cirurgia pode permitir a identificação precoce de flutuações na atividade cerebral que podem estar associadas ao início do *delirium*. Isso pode permitir intervenções precoces para prevenir ou minimizar o impacto do delírio. No entanto, é importante destacar que a relação entre o BIS e o delírio em pacientes geriátricos ainda não está completamente compreendida. Embora estudos tenham mostrado algumas associações promissoras, mais pesquisas são necessárias para determinar com precisão o papel do BIS na prevenção e manejo do delírio em idosos.[30]

Fluidoterapia

O manuseio da fluidoterapia peroperatória continua sendo assunto controverso. Há incertezas quanto à quantidade, à duração da infusão e ao tipo de solução de reposição ideal. Os estudos referentes sobre regimes de reposição "restritivos" ou "liberais" carecem de padronização de definição, de metodologia e da análise dos parâmetros avaliados.[31] Os controles fluídico e eletrolítico são fundamentais na população geriátrica durante o cuidado peroperatório devido a um estreitamento na margem de segurança. A hidratação pode ser extremamente variável, com alguns pacientes recebendo mais que 5 litros de água e 500 mMol de sódio por dia como necessidade de manutenção.[32] Pacientes com estado nutricional ruim podem ser propensos a reter água e sal, o que provoca piora da função cardíaca e renal e traz maior dificuldade diagnóstica. O ganho de peso corpóreo peroperatório é o marcador mais fidedigno de acúmulo de fluido intersticial e está diretamente relacionado com mortalidade.[33] Por outro lado, a escassez na hidratação pode levar à disfunção renal, a qual pode ser piorada com a retenção de sal e água no pós-operatório. A fluidoterapia é o fator independente de risco de complicação mais importante nos primeiros 30 dias de pós-operatório (PO). Alguns trabalhos mostram que este fator pode ser mais importante até do que fatores de risco pré-operatórios. A otimização da fluidoterapia é um desafio no período peroperatório. Se for insuficiente, leva à hipoperfusão tecidual, insuficiência renal (IRA), translocação bacteriana, sepse, Síndrome de Resposta Inflamatória Sistêmica (SIRS) e Insuficiência de Múltiplos Órgãos (IMOS). Se for exagerada, leva ao extravasamento de líquido intersticial com formação de edema, ganho de peso excessivo, íleo prolongado, aumento de náuseas e vômitos pós-operatórios (NVPO), complicações cardíacas e pulmonares. Ambos os extremos contribuem para um maior número de complicações e maior tempo de internação hospitalar. A adequação da fluidoterapia parece estar diretamente relacionada à redução de incidência de morbidade peroperatória.[34,35] Pacientes que recebem nutrição parenteral pré-operatória foram mais propensos ao aumento de peso pós-operatório resultante de retenção de sal e água, com maior incidência de complicações no pós-operatório. Outro ponto importante em relação à retenção de sódio e água é a alteração de 1 mMol.L^{-1} de sódio plasmático para uma variação de 280 mL de água em um paciente de 70 kg, e metade desse valor em um paciente idoso de 45 kg. O risco de hiponatremia, com um sódio abaixo de 120 mMol.L^{-1}, causa edema cerebral e prejuízo da cognição, principalmente no idoso. Cabe lembrar a importância da correção lenta com um fluxo menor que 8 mMol/L/dia para evitar a desmielinização osmótica. Por outro lado, a correção rápida dos estados hiperosmolares e hipernatrêmicos também pode levar ao edema cerebral. A correção tanto do déficit quanto do excesso de volume deve ser feita lentamente para que ocorra um equilíbrio entre o fluido extracelular e o cérebro.

A manutenção de níveis adequados de oxigenação tecidual é fundamental para a ação oxidativa dos neutrófilos no combate às infecções e no processo de cicatrização da ferida operatória. A anestesia peridural e a hipercapnia leve parecem aumentar a PaO$_2$ no tecido subcutâneo. A diminuição da capacidade de transporte de oxigênio está estreitamente relacionada com a falha orgânica e a morte celular. A fluidoterapia alvo direcionada (FAD) nada mais é que uma adequação da infusão de fluidos e/ou fármacos inotrópicos ou vasopressores objetivando-se a eficiência da perfusão e da oxigenação da microcirculação. A fluidoterapia alvo direcionada (FAD) nos pacientes de alto risco, entre eles a população geriátrica, tem demonstrado diminuir a morbimortalidade como também o custo, já que esta população corresponde a 12,5% dos

pacientes anestésico-cirúrgicos e é responsável por 80% da mortalidade no período peroperatório.

As tecnologias de monitorização têm contribuído para esse sucesso, facilitando a identificação de desarranjos fisiológicos complexos, os quais podem ser tratados mais rápida e facilmente. A FAD é baseada em fluidoterapia otimizada e individualizada por meio da adequação de oferta de oxigênio. Geralmente, a primeira rota para o aumento de oferta tecidual de oxigênio em pacientes de alto risco é o aporte volêmico; em algumas situações, há a necessidade de se associar fármacos vasoativos, além da fluidoterapia, para encontrar a oferta de oxigênio adequada.

A utilização da responsividade fluídica é realizada por meio da análise da variação de pressão de pulso arterial (VPP), que é a base da FAD, e valores maiores que 15% indicam que esses pacientes irão responder à fluidoterapia com uma melhor *performance* cardíaca. A utilização de VPP durante o período peroperatório responde a três questionamentos importantes: o estudo de responsividade fluídica do paciente, qual a meta fluídica (individualização) durante o procedimento e qual o impacto da fluidoterapia na *performance* cardíaca. A utilização de monitores que analisem o volume sistólico ainda traz maior impacto para a análise da *performance* cardíaca. A partir desses dois indicadores, a variação da pressão de pulso e o volume sistólico, criaram-se algoritmos para serem utilizados em FAD. (Figura 147.3)

A solução fisiológica tem uma razão sódio/cloro de 1:1, sendo que no plasma existe uma concentração de 1,25:1,45, com alta concentração relativa de sódio (154 mMol.L^{-1} na solução fisiológica *versus* 95 a 105 mMol.L^{-1} no plasma), causando aumento no cloreto plasmático e propiciando a acidose hiperclorêmica. A hipercloremia pode também causar vasoconstrição renal e piorar ainda mais a taxa de filtração glomerular, contribuindo para a retenção salina.[37] As

Algoritmo de Hemodinâmica Perioperatória Alvo Direcionada

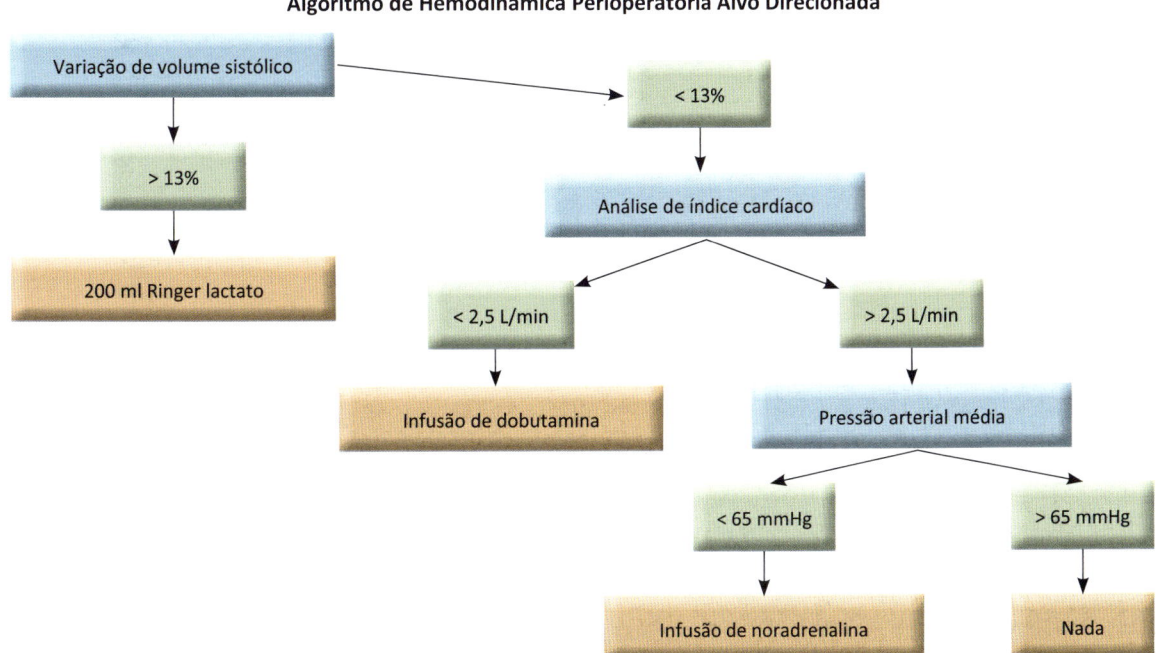

▲ **Figura 147.3** Exemplo de Fluidoterapia Alvo Direcionada.
Fonte: Adaptada de Joosten A, Tircoveanu R, Arend S, Wauthy P, Gottignies P, Van der Linden P.[36]

soluções de SG 5% ou NaCl 0,45% são importantes fontes de água livre, podendo causar hiponatremia grave, principalmente em idosos, devendo ser evitadas em reposições volêmicas habituais. A solução de Hartmann ou Ringer com Lactato tem uma razão de cloreto menor (1,18:1), não causando hipercloremia. A excreção de sódio com a utilização da solução de Ringer com lactato é também mais rápida, refletindo a menor influência do cloreto no controle renal do sódio.[38] Na ausência de hipertensão portal, os cristaloides apresentam-se como os mais eficazes, seguros e baratos expansores fluídicos.

As soluções coloides têm uma eficácia superior às soluções cristaloides, como expansores plasmáticos[39] e os derivados do hidroxietilamido (hidroxietil starch – HES), que se tornaram populares como parte da fluidoterapia alvo controlada. Há também evidências de que as soluções de amido têm uma ação melhor que a solução fisiológica na microcirculação durante a ressuscitação volêmica.[40] A partir de 2001,[41] trabalhos clínicos randomizados documentam um aumento na incidência de disfunção renal em pacientes recebendo HES em situações como sepse e disfunção renal prévia, deixando esse fármaco *sub judice* para o tratamento fluídico no período peroperatório. Uma alternativa ao HES são as soluções de gelatina, as quais são também melhores expansores plasmáticos que as soluções de cristaloides; entretanto, pode haver também lesão renal associada. Os coloides venosos causam aproximadamente 4% das reações alérgicas peroperatórias, e a grande maioria delas está relacionada ao uso das gelatinas.[42]

Transfusão

A administração de componentes sanguíneos em paciente de qualquer idade deve ter em conta sua indicação, seus riscos e benefícios. O objetivo da transfusão de hemácias é a melhoria no transporte de oxigênio, e durante o período peroperatório ela é utilizada para tratar anemia e seus efeitos adversos, como a isquemia miocárdica. Os pacientes mais jovens e com menos comorbidades podem tolerar níveis mais baixos de hemoglobina, mas os idosos não os toleram e podem ter repercussões com maior morbidade em longo termo.

A estimativa de perdas sanguíneas cirúrgicas é rotineiramente observada pelo anestesiologista, geralmente realizada por meio de exame do campo operatório, total de sangue no reservatório de aspiradores cirúrgicos e peso de compressas. Essas estimativas são geralmente inacuradas. A evidência laboratorial de hemorragia é utilizada para suplementar a decisão de transfusão durante o período peroperatório. Entretanto, as mudanças fluídicas intercompartimentais durante a cirurgia e os efeitos diluicionais da terapia com cristaloides podem tornar as concentrações de hemoglobina não representativas do real estado clínico do paciente.

Não se tem um gatilho transfusional para o paciente geriátrico, devendo ser utilizado o mesmo gatilho transfusional para o adulto, ou seja, gatilho transfusional restritivo de 7 g.dL[-1] para a maioria dos pacientes, e de 9 a 10 g.dL[-1] para os pacientes portadores de doença cardiovascular.

Correção de Hipoperfusão Peroperatória

Quando a otimização do volume vascular falha em corrigir uma hipoperfusão global, a correção da contratilidade e da pós-carga pode ser realizada com o início ou a modificação tanto de fármacos inotrópicos quanto de vasopressores. Existem poucos dados que suportam a eficácia de um agente em especial, e o cenário clínico permanece como o ponto mais importante para a indicação do tratamento adequado. Pacientes com contratilidade alterada podem se beneficiar da dobutamina devido ao seu estímulo β1; porém, a dobutamina pode causar profundas taquicardias, as quais podem não ser toleradas no idoso, com aumento importante no consumo de oxigênio. A milrinona produz aumento na função contrátil cardíaca sem efeitos na frequência cardíaca, sendo ainda mais atraente o seu uso no idoso, devido ao seu mecanismo de ação não adrenérgico. Como vasopressores, a noradrenalina e a vasopressina são comumente utilizadas. A noradrenalina causa aumento na pós-carga por estimulação α-adrenérgica, com mínimo estímulo beta cardíaco. A vasopressina não é uma catecolamina, mas resulta em importante vasoconstrição, podendo melhorar a pressão arterial. A vasopressina não funciona por meio de estímulo adrenérgico, portanto, é interessante para uso no idoso devido à sua perda de resposta adrenérgica. Quando os achados são consistentes com uma reduzida contratilidade e pós-carga, a epinefrina pode ser o agente adequado para manter a pressão arterial. A epinefrina estimula tanto receptores alfa quanto β-adrenérgicos, resultando em aumento de contratilidade e vasoconstrição.

Posicionamento do Paciente

O controle físico dos pacientes idosos na sala de operações exige precauções específicas. A pele sofre atrofia com a idade e fica propensa ao trauma, que pode ser causado por fitas adesivas, placas de eletrocautério e eletrodos eletrocardiográficos. Os ossos idosos são frágeis, as articulações enrijecidas e a amplitude de movimento limitada, especialmente se comprometida por processos artríticos relacionados à idade. O posicionamento incorreto, o enfaixamento ou o repouso forçado no leito poderão ocasionar ou agravar lesões vasculares, nervosas ou articulares.

As lesões por posicionamento são multifatoriais. A hipotermia, principalmente quando somada à pressão do posicionamento cirúrgico, acarreta a hipóxia tecidual, favorecendo o surgimento de lesões por posicionamento.[43] O tempo cirúrgico com duração maior que 2 horas também é fator de risco para o aparecimento de lesões.

As intervenções eficazes na prevenção de lesões de pele no período peroperatório estão relacionadas ao alívio de interfaces de pressão durante e imediatamente após a permanência do idoso na mesa cirúrgica. Os materiais utilizados para o posicionamento, especialmente acolchoados, devem absorver a força de compressão, redistribuir a pressão, prevenir estiramento excessivo e proporcionar suporte para uma ótima estabilidade. Estudos sugerem que os dispositivos de posicionamento mantenham a interface de pressão capilar normal de 32 mmHg ou menos. O uso de dispositivos estáticos à base de polímero de viscoelástico seco e colchão a ar apresentam resultados eficazes na prevenção de úlceras de pressão, sendo considerados alternativas adequadas no alívio da interface de pressão.

Deve-se criar um plano de ação e de atenção para o posicionamento sobre o colchão padrão ou dispositivos alternativos caso o paciente apresente condições preexistentes, principalmente aquelas que afetam os sistemas vascular, respiratório, circulatório, neurológico e imunológico, bem como aqueles que apresentam sinais de diminuição de mobilidade ou quaisquer outras condições, como problemas de coluna, uso de próteses ou implantes.

Prevenção de Hipotermia

Pacientes idosos, especialmente aqueles com mais de 65 anos de idade, estão em alto risco de hipotermia devido à capacidade regulatória menos eficaz do seu sistema nervoso central em relação à temperatura corporal, ao mau estado nutricional e a doenças preexistentes, o que pode levar a um aumento de morbidade.

Esse cenário é especialmente relevante durante procedimentos como a ressecção transuretral da próstata (RTUP) ou tumor da bexiga com anestesia regional ou geral, e também durante cirurgias artroscópicas com anestesia geral. Manter uma temperatura corporal dentro da faixa normal durante todo o período peroperatório é de extrema importância nessas situações.

Vários estudos foram conduzidos para investigar os efeitos de dispositivos e métodos de aquecimento ativo ou passivo em pacientes idosos submetidos a cirurgias urológicas artroscópicas ou abertas sob anestesia geral.[44,45,46,47] Esses estudos sugeriram que um breve período de aquecimento do ar forçado pré-operatório não reduziu significativamente a incidência de hipotermia intraoperatória, mas foi capaz de reduzir sua gravidade em pacientes idosos do sexo masculino submetidos a RTUP com anestesia local. Além disso, relataram que a utilização de um sistema de aquecimento de ar forçado combinado com um cobertor elétrico mostrou-se mais eficaz na manutenção da temperatura corporal em comparação com dispositivos individuais isolados em pacientes idosos submetidos a RTUP.

Em outro estudo, foi observado que a aplicação de um cobertor de aquecimento por 10 minutos antes da indução da anestesia reduziu a incidência de hipotermia, medida uma hora após a indução, quando comparado ao uso de um cobertor de algodão de apenas uma camada.

É crucial considerar essas medidas para garantir o bem-estar dos pacientes durante o procedimento e evitar complicações associadas à hipotermia peroperatória.

Analgesia Pós-Operatória

Uma das questões mais relevantes concernentes à dor aguda em pacientes idosos é a subtratamento da dor. Embora a falta de avaliação adequada da dor em pacientes com comprometimento cognitivo pareça ser um fator contribuinte evidente, estudos prévios também apontaram diversas preocupações culturais que prejudicam o manejo apropriado da dor.[48] A subtratamento da dor em idosos pode acarretar consequências preocupantes, como delírio ou o desenvolvi-

mento de dor crônica. A sensibilidade à dor frequentemente é subestimada em pacientes idosos e a dor é muitas vezes encarada como uma parte esperada do processo de envelhecimento, tanto por pacientes quanto por cuidadores.[49]

A dor pós-operatória pode ter duração de mais de três dias e afetar a qualidade de vida por mais de sete dias. Diversas peculiaridades, como o declínio de reserva funcional dos órgãos, as alterações na famacocinética e farmacodinâmica, a concomitância de diversas morbidades, em especial deficiências sensoriais, cognitivas e depressão e a polifarmácia, dificultam o manejo dos quadros álgicos e aumentam os riscos de iatrogenia em idosos.

A percepção da dor pode estar alterada, mas não diminui com a idade. O medo de dependência ou comprometimento cognitivo pode restringir o paciente a relatar dor. A demência e a afasia também podem dificultar o acesso a essa avaliação. Escalas simples podem facilitar o manejo da dor pós-operatória nessa população, como, por exemplo, a escala analógica visual.[50]

A farmacologia, os potenciais efeitos adversos e as interações medicamentosas devem ser considerados. O idoso apresenta declínio da reserva funcional dos órgãos e alterações na absorção, distribuição, metabolismo e excreção dos fármacos. Recomenda-se iniciar seu uso com a menor dose possível, em geral de metade a um terço da dose utilizada em adultos mais jovens, e titulá-la lentamente, estando atento a efeitos colaterais. A associação de medicamentos de classes diferentes pode controlar a dor com doses menores e menos efeitos colaterais.

Os anestésicos locais desempenham um papel fundamental isoladamente e/ou como parte da técnica anestésica. Deve ser lembrado que eles têm duração limitada e que somente com administração contínua através de cateter a dor pode ser controlada. Devido ao risco de migração do cateter, perda de sensibilidade, adesão e nível de compreensão do paciente, deve-se ter cuidado antes de se decidir sobre o uso da técnica.

Os anti-inflamatórios não hormonais são especialmente úteis no tratamento das dores pós-operatórias. Tem sido reportado um aumento do risco de sangramento digestivo importante em idosos quando comparado ao de adultos jovens.[51] A hipovolemia e a desidratação são comuns em pacientes geriátricos e aumentam o risco de insuficiência renal, especialmente se associadas aos inibidores da ECA.[52]

Os coxibs ou inibidores da COX-2 causam menos riscos de hemorragia digestiva. Entretanto, a inibição da COX-2 parece estar associada a um maior risco de eventos pró-trombóticos. O American College of Cardiology desenvolveu diversas recomendações para o uso de AINEs nos idosos:[53]

- Uso continuado de aspirina em baixa dosagem ou outro antiagregante plaquetário nos pacientes com risco cardiovascular; considerar alternativa aos AINEs, como acetaminofeno e terapias tópicas;
- Utilizar naproxeno associado à bomba de prótons como primeira escolha, caso haja indicação de AINEs;
- Prescrever inibidores seletivos de COX-2 durante períodos curtos e doses não elevadas após pesar risco/benefício. É recomendado avaliar as funções renal e hepática durante

o uso de AINEs, especialmente em cardiopatas e usuários de diuréticos.

Os opioides são os analgésicos mais eficazes no tratamento das dores moderadas e intensas. Os idosos são mais sensíveis que pacientes mais jovens para as mesmas doses analgésicas no tratamento da dor pós-operatória, dada a meia-vida prolongada e farmacocinética nessa faixa etária. Os opioides não têm dose-teto e a dose é limitada pelos efeitos colaterais. O tramadol é bem tolerado, efetivo e indicado nos casos de dor moderada/grave. Titulando lentamente a dose, temos a redução do aparecimento da êmese. Há relato de confusão mental em idosos utilizando esse medicamento. A oxicodona, sozinha ou associada ao acetaminofeno, é largamente empregada nessa população. Um estudo de revisão confirmou que a farmacocinética da oxicodona é idade-dependente e que uma cuidadosa e lenta titulação deve ser realizada para ser utilizada em idosos.[54]

Embora a administração de anestesia em idosos exija cuidados adicionais devido às alterações fisiológicas próprias da idade, com o uso de protocolos personalizados e monitoramento rigoroso, a evolução contínua da medicina e o aprimoramento das técnicas anestésicas garantem que essa população possa usufruir de procedimentos cirúrgicos com segurança e qualidade de vida aprimorada, contribuindo assim para um resultado mais positivo e uma recuperação bem-sucedida.

REFERÊNCIA

1. Brasil. Ministério da Saúde, Secretaria de Atenção à Saúde. Envelhecimento e saúde da pessoa Brasília: Ministério da Saúde; 2006.
2. IBGE. Instituto Brasileiro de Geografia e Estatística. Projeções da População. [cited 2023 jul. 23]. Available from: https://www.todamateria.com.br/referencia-site-abnt/.
3. Rosenthal RA, Perkal MF. Physiologic considerations in the elderly surgical patient. in: Miller TA. Modern surgical care: physiologic foundations and clinical applications. 2nd ed. New York: Informa; 2006. p. 1129-48.
4. van Dijk M, Vreven J, Deschodt M, Verheyden G, Tournoy J, Flamaing J. Can in-hospital or post discharge caregiver involvement increase functional performance of older patients? A systematic review. BMC Geriatr. 2020;20:362.
5. Weimann A, Braga M, Carli F, Higashiguchi T, Hübner M, Klek S, Laviano A, Ljungqvist O, Lobo DN, Martindale R, Waitzberg DL, Bischoff SC, Singer P. ESPEN guideline: clinical nutrition in surgery. Clin Nutr. 2017 Jun;36(3):623-650.
6. Ni HJ, Pudasaini B, Yuan XT, Li HF, Shi L, Yuan P. Exercise training for patients pre- and postsurgically treated for non-small cell lung cancer: a systematic review and meta-analysis. Integr Cancer Ther. 2017 Mar;16(1):63-73.
7. Levett DZH, Grimmett C. Psychological factors, prehabilitation and surgical outcomes: evidence and future directions. Anaesthesia. 2019 Jan;74(Suppl 1):36-42.
8. Eger EI 2nd. Age, minimum alveolar anesthetic concentration, and minimum alveolar anesthetic concentration-awake. Anesth Analg. 2001 Oct;93(4):947-53.
9. Nordquist D, Halaszynski TM. Perioperative multimodal anesthesia using regional techniques in the aging surgical patient. Pain Res Treat 2014;2014:902174.
10. Covert CR, Fox GS. Anaesthesia for hip surgery in the elderly. Can J Anaesth. 1989;36:311-9.
11. Frank SM, El-Rahmany HK, Cattaneo CG, et al. Predictors of hypothermia during spinal anesthesia. Anesthesiology. 2000;92:1330-4.
12. Hadzic A. Textbook of regional anesthesia and acute pain management. New York: McGraw-Hill; 2006.
13. Luger TJ, Kammerlander C, Gosch M. Neuraxial vs general anaesthesia in geriatric patients for hip fracture surgery. Does it matter? Osteoporos Int 2010;21:S555–S72.
14. Panula J, Pihlajamaki H, Mattila VM. Mortality and cause of death in hip fracture patients aged 65 or older: a popula-tion-based study. BMC Musculoskelet Disord 2011;12:105.
15. Glaser C, Marhofer P, Zimpfer G. Levobupivacaine versus racemic bupivacaine for spinal anesthesia. Anesth Analg. 2002;94:194-8.
16. Simon MJ, Veering BT, Stienstra R. The systemic absorption and disposition of levobupivacaine 0.5% after epidural administration in surgical patients: a stable isotope study. Eur J Anaesthesiol. 2004;21:460-70.
17. Liu SS, Strodtbeck WM, Richman JM, Wu CL. A comparison of regional versus general anesthesia for ambulatory anesthesia: a meta-analysis of randomized controlled trials. Anesth Analg. 2005 Dec;101(6):1634-1642.
18. Bromage PR, Camporesi EM, Durant PA, et al. Rostral spread of epidural morphine. Anesthesiology.1982;56:431-6.
19. Singh C, Trikha A, Saxena A. Spinal Anaesthesia with bupivacaine and fentanyl. J Anaesth Clin Pharmacol. 1999;15:291-4.
20. Simon MJ, Veering BT, Stienstra R, et al. The effects of age on neural blockade and hemodynamic changes after epidural anesthesia with ropivacaine. Anesth Analg. 2002;94:1325-30.
21. Werawatganon T, Charuluxananan S. Withdrawn: patient controlled intravenous opiod analgesia versus continuous epidural analgesia for pain after intra-abdominal surgery. Cochrane Database Syst Rev. 2013;3:CD004088.
22. Rodgers A, Walker N, Schug S, et al. Reduction of postoperative mortality and morbidity with epidural or spinal anaesthesia: results from overview of randomised trials. BMJ. 2000;321:1493.
23. Chelly JE, Gregor J, Gebhard R, et al. Continuous femoral blocks improve recovery and outcome of patients undergoing total knee arthroplasty. J Arthroplasty. 2001;16:436-45.
24. Barrington MJ, Olive D, Low K, et al. Continuous femoral nerve blockade or epidural analgesia after knee replacement surgery: a prospective randomised controlled trial. Anesth Analg. 2005;101:1824-9.
25. Klein SM, D'Ercole F, Greengrass RA, et al. Enoxaparin associated with psoas haematoma and lumbar plexopathy after lumbar plexus block. Anesthesiology. 1997;87:1576-9.
26. Tantry TP, Kadam D, Shetty P, et al. Combined femoral and sciatic nerve blocks for lower limb anaesthesia in anticoagulated patients with severe cardiac valvular lesions. Indian J Anaesth. 2010;54:235-8.
27. Asopa A, Karthik S, Subramaniam B. Current status of dynamic parameters of fluid loading.Int Anesthesiol Clin. 2010;48:23-36.
28. Oliveira CR, Bernardo WM, Nunes VM. Benefit of general anesthesia monitored by bispectral index compared with monitoring guided only by clinical parameters. Systematic review and meta-analysis. Braz J Anesthesiol. 2017 Jan-Feb;67(1):72-84.
29. Pandin P, Estruc I, Van Hecke D, Truong HN, Marullo L, Hublet S, Van Obbergh L. Brain Aging and Anesthesia. J Cardiothorac Vasc Anesth. 2019 Aug;33(Suppl 1):S58-S66.
30. Chew WZ, Teoh WY, Sivanesan N, Loh PS, Shariffuddin II, Ti LK, Ng KT. Bispectral Index (BIS) Monitoring and Postoperative Delirium in Elderly Patients Undergoing Surgery: A Systematic Review and Meta-Analysis With Trial Sequential Analysis. J Cardiothorac Vasc Anesth. 2022 Dec;36(12):4449-4459.
31. Lobo DN, Dube MG, Neal KR, et al. Peri-operative fluid and electrolyte management: a survey of consultant surgeons in the UK. Ann R Coll Surg Engl. 2002;84:156-60.
32. Chappell D, Jacob M, Hofmann-Kiefer K, et al. A rational approach to perioperative fluid management. Anesthesiology. 2008;109:723-40.
33. Pearse R, Dawson D, Fawcett J, et al. Early goal-directed therapy after major surgery reduces complications and duration of hospital stay. A randomised, controlled trial. Crit Care. 2005;9(6):687–93.
34. Voldby AW, Brandstrup B. Fluid therapy in the perioperative setting-a clinical review. J Intensive Care. 2016 Apr 16;4:27.
35. Malbrain MLNG, Langer T, Annane D, Gattinoni L, Elbers P, Hahn RG, De Laet I, Minini A, Wong A, Ince C, Muckart D, Mythen M, Caironi P, Van Regenmortel N. Intravenous fluid therapy in the perioperative and critical care setting: Executive summary of the International Fluid Academy (IFA). Ann Intensive Care. 2020 May 24;10(1):64.
36. Joosten A, Tircoveanu R, Arend S, Wauthy P, Gottignies P, Van der Linden P. Impact of balanced tetrastarch raw material on perioperative blood loss: a randomized double blind controlled trial. Br J Anaesth. 2016 Oct;117(4):442-449.
37. Reid F, Lobo DN, Williams RN, et al. (Ab)normal saline and physiological Hartmann's solution: a randomized double-blind crossover study. Clin Sci (Lond). 2003;104:17–24.
38. Holte K, Sharrock NE, Kehlet H. Pathophysiology and clinical implications of perioperative fluid excess. Br J Anaesth 2002; 89:622–632.
39. Feldheiser A, Pavlova V, Bonomo T, et al. Balanced crystalloid compared with balanced colloid solution using a goal-directed haemodynamic algorithm. Br J Anaesth 2013;110:231–40.
40. Dubin A, Pozo MO, Casabella CA, et al. Comparison of 6% hydroxyethyl starch 130/0.4 and saline solution for resuscitation of the microcirculation during the early goal-directed therapy of septic patients. J Crit Care 2010;25(4):659e1–8.
41. Schortgen F, Lacherade JC, Bruneel F, et al. Effects of hydroxyethylstarch and gelatin on renal function in severe sepsis: a multicentre randomised study. Lancet. 2001;357:911–6.

42. Harper NJ, Dixon T, DugueP, et al. Suspected anaphylactic reactions associated with anaesthesia. Anaesthesia. 2009;64:199–211.

43. Millsaps CC. Pay attention to patient positioning! RN. 2006;69(1):59-63.

44. Jo YY, Chang YJ, Kim YB, Lee S, Kwak HJ. Effect of preoperative forced-air warming on hypothermia in elderly patients undergoing transurethral resection of the prostate. Urol J. 2015;12:2366–70.

45. Hong S, Yoo BH, Kim KM, Kim MC, Yon JH, Lee S. The efficacy of warming blanket on reducing intraoperative hypothermia in patients undergoing transurethral resection of bladder tumor under general anesthesia. Anesth Pain Med. 2016;11:404–9.

46. Seo H, Kim K, Oh EA, Moon YJ, Kim YK, Hwang JH. Effect of electrically heated humidifier on intraoperative core body temperature decrease in elderly patients: a prospective observational study. Anesth Pain Med. 2016;11:211–6.

47. Chun EH, Lee GY, Kim CH. Postoperative hypothermia in geriatric patients undergoing arthroscopic shoulder surgery. Anesth Pain Med. 2019; 14:112–6.

48. Weiner DK, Rudy TE. Attitudinal barriers to effective treatment of persistent pain in nursing home residents. J Am Geriatr Soc. 2002;50(12):2035–40.

49. Catananti C, Gambassi G. Pain assessment in the elderly. Surg Oncol 2010;19(3):140–8.

50. Herr KA, Mobily PR, Kohout FJ, et al. Evaluation of the faces pain scale for use with the elderly. Clin J Pain. 1998;14:29-38.

51. Zullo A, Hassan C, Campo SM, et al. Bleeding peptic ulcer in the elderly: risk factors and prevention strategies. Drugs Ageing. 2007;24:815-28.

52. Jolobe OM. Nephrotoxicity in the elderly due to co-prescription of ACE inhibitors and NSAIDs. J R Soc Med. 2001;94:657-8.

53. Stillman MJ, Stillman MT. Choosing nonselective NSAIDs and selective COX-2 inhibitors in the elderly. A clinical use pathway. Geriatrics. 2007;62:26-34.

54. Olkkola KT, Hagelberg NM. Oxycodone: new 'old' drug. Curr Opin Anaesthesiol. 2009;22:459-62.

148

Transtornos Neurocognitivos no Perioperatório

Maria José Carvalho Carmona ▪ **Jucelina Verónica Bisi**
Henriette Baena Cardeal ▪ **Cláudia Maia Memória**

INTRODUÇÃO

A cognição é um conjunto de processos mentais, dentre eles a percepção, a memória, a atenção e o processamento de informações, permitindo ao indivíduo fazer planos, resolver problemas, tomar decisões e obter conhecimento. No perioperatório, diversos fatores podem interferir nos processos mentais, incluindo a resposta orgânica ao trauma anestésico-cirúrgico.[1] Uma das formas de investigar as alterações cognitivas é por meio da realização de testes específicos, avaliando cada processo mental e documentando o desempenho do paciente.[2]

O momento da avaliação pré-operatória é oportuno para a triagem cognitiva, pois alguns pacientes podem apresentar sintomas e sinais de transtorno neurocognitivo leve (TNL) ou transtorno neurocognitivo maior (TNM), segundo a terminologia da quinta edição do Manual diagnóstico e estatístico de transtornos mentais (DSM-5). É uma oportunidade para diagnóstico precoce de alterações cognitivas, como da memória episódica para eventos recentes, em pessoas que mantêm suas atividades diárias relativamente preservadas e que não preenchem critérios clínicos para o diagnóstico de TNM ou demência.

A forma mais adequada para mensurar uma alteração cognitiva é por meio de avaliações longitudinais, pois fornecem informações mais fidedignas e permitem avaliar a interação entre os aspectos biológicos (histórico familiar, doenças clínicas) e ambientais (escolaridade, estilo de vida, etc.) possibilitando identificar declínios patológicos e intervir precocemente, uma vez que o paciente se torna a sua própria referência de desempenho nos testes.

Desordens neurocognitivas perioperatórias (*Perioperative Neurocognitive Disorder* – PND) são alterações apresentadas por pacientes submetidos a procedimentos anestésico-cirúrgicos e inclui o *delirium* e a disfunção cognitiva pós-operatória (DCPO), conforme nomenclatura descrita no Quadro 148.1.[3]

Quadro 148.1 Nomenclatura das desordens neurocognitivas perioperatórias.

Período	Termos e definições		Comentários
Pré-operatório	Transtorno neurocognitivo leve (TNL)	Transtorno neurocognitivo maior (TNM) ou demência	Diagnóstico como na comunidade em geral
Despertar da anestesia	Agitação ou *delirium* do despertar		Mais frequente em pacientes pediátricos
Do pós-operatório imediato até o 30º dia após a cirurgia	*Delirium* pós-operatório	Recuperação neurocognitiva prolongada	O tempo esperado para plena recuperação depende das condições pré-operatórias e das particularidades do procedimento anestésico cirúrgico.
Do 30º dia pós-operatório até um ano após a cirurgia	Disfunção cognitiva pós-operatória (DCPO) leve	Disfunção cognitiva pós-operatória (DCPO) grave	DCPO é indicador da relação temporal entre o procedimento anestésico cirúrgico e os sintomas
Após 12 meses do procedimento cirúrgico	Transtorno neurocognitivo leve (TNL)	Transtorno neurocognitivo maior (TNM) ou demência	Diagnóstico como na comunidade em geral

Fonte: traduzido e adaptado de L. Evered *et al*. (2018).[3]

■ *DELIRIUM*

No contexto perioperatório, o *delirium* caracteriza-se por uma perturbação da atenção ou da consciência, com alteração na cognição basal que não pode ser explicada por algum transtorno neurocognitivo preexistente ou em desenvolvimento. É uma síndrome de início súbito, curso flutuante e que se manifesta com comprometimento global das funções cognitivas, do ciclo sono-vigília, com atividade motora anormalmente elevada ou reduzida.[4]

Delirium do Despertar

É mais frequente em crianças, caracteriza-se por hiperatividade, com alteração do comportamento e/ou da cognição, e ocorre no período pós-operatório imediato, durante a fase de recuperação pós-anestésica.[5] O *delirium* do despertar pode ainda ser definido como um distúrbio na consciência e na atenção da criança em relação ao ambiente, com desorientação e alterações perceptivas, incluindo hipersensibilidade aos estímulos e comportamentos motores hiperativos imediatamente após o despertar anestésico. Há controvérsias sobre a ocorrência de maior incidência de *delirium* do despertar em crianças submetidas a anestesia inalatória.[6] Apesar de o *delirium* do despertar ser considerado um evento adverso de baixa morbidade e autolimitado, crianças que apresentam esta condição necessitarão de atenção extra do anestesista e da equipe de enfermagem do centro cirúrgico. Quando a criança necessita de tratamento medicamentoso para tal evento adverso, isso pode aumentar o tempo em sala de recuperação e, consequentemente, o tempo de internação e os riscos envolvidos no tratamento. Tal tratamento medicamentoso e aumento dos tempos de internação podem levar a aumento dos custos perioperatórios. Por este motivo, a prevenção é a base da abordagem do *delirium* do despertar.

Delirium Pós-operatório

É mais frequente entre o primeiro e terceiro dia de pós-operatório, mas pode ocorrer até 30 dias após o procedimento cirúrgico, com prevalência estimada entre 15% e 53% dos idosos no pós-operatório, dependendo do tipo de cirurgia.

Os fatores de risco do *delirium* são os mesmos da DCPO, incluindo principalmente a idade avançada e as alterações cognitivas e funcionais prévias. Além dos fatores de risco, a literatura tem apontado alterações orgânicas que funcionariam como facilitadores para a ocorrência de *delirium*, como o distúrbio da atividade glutamatérgica, a diminuição da atividade colinérgica muscarínica, o aumento da atividade dopaminérgica ou as duas últimas associadas a altos níveis de cortisol.[7] A fisiopatologia do *delirium* pós-operatório é complexa e a maioria dos casos têm em comum a disfunção da barreira hematoencefálica.[8]

O *delirium* pode ocorrer nos subtipos hiperativo, hipoativo ou misto, sendo o hipoativo o mais comum, e muitas vezes desvalorizado por ocorrer em um paciente que não chama a atenção, pouco contatuante e sem interação. Este quadro é bem diferente do hiperativo, em que o paciente apresenta agitação e, em alguns casos, até agressividade e risco de lesão corporal própria ou de outrem, o que faz com que os diagnósticos sejam mais rápidos em pacientes com este quadro.[9]

A primeira etapa para o diagnóstico do *delirium* é a suspeita clínica, tendo como referência os sintomas a seguir, dentre outros, associados aos fatores de risco:

■ alterações do humor com paciente excitado ou hipoativo;
■ dificuldades para conversar de forma coordenada;
■ pensamento desorganizado;
■ confusão mental abrupta;
■ alucinações, pensamento paranoico;
■ alterações de apetite ou no ciclo sono-vigília;
■ alterações motoras, seja com agitação ou lentificação.

Após levantada a suspeita clínica de *delirium*, devem ser aplicados testes bem definidos para a conclusão do diagnóstico, como o CAM (*Confusion Assessment Method*)[10] e o PRE-DELIRIC.[11] O CAM avalia a presença de confusão mental ou *delirium* em uma investigação subjetiva, porém, apresenta sensibilidade de 94% e especificidade de 90%.

O PRE-DELIRIC (*Prediction of Delirium for Intensive Care*), considera como critérios a idade, o índice APACHE-II, coma induzido ou não, o tipo de internação (clínica, cirúrgica, trauma), a presença de infecção ou acidose metabólica, o uso de morfina ou de sedativos, o nível de ureia e a internação por emergência. Este teste pode ser realizado com até 24 horas da internação, determinando o risco em quatro níveis: baixo, moderado, alto e muito alto.

Para o CAM, aplica-se a primeiramente a Escala de Agitação e Sedação de Richmond (RASS) (Quadro 148.2) e depois o CAM-ICU, que pode ser aplicado em aproximadamente um minuto.

Quadro 148.2 Escala Richmond de agitação e sedação.[12]		
Pontos	**Classificação**	**Descrição**
+4	Agressivo	Violento, perigoso
+3	Muito agitado	Conduta agressiva, remoção de tubos ou cateteres
+2	Agitado	Movimentos sem coordenação frequentes
+1	Inquieto	Ansioso, mas sem movimentos agressivos ou vigorosos
0	Alerta, calmo	
-1	Sonolento	Não se encontra totalmente alerta, mas tem o despertar sustentado ao som da voz (> 10 s)
-2	Sedação leve	Acorda rapidamente e faz contato visual com o som da voz (< 10 s)
-3	Sedação moderada	Movimento ou abertura dos olhos ao som da voz (mas sem contato visual)
-4	Sedação profunda	Não responde ao som da voz, mas movimenta os olhos com estimulação física
-5	Incapaz de ser despertado	Não responde ao som da voz ou ao estímulo físico

Aplicação do CAM-ICU

Característica 1: Início agudo ou curso flutuante (presente ou ausente):

A. Há evidência de uma alteração aguda no estado mental em relação ao estado basal?

   ou

B. Este comportamento (anormal) flutuou nas últimas 24 horas, isto é, teve tendência a ir e vir, ou aumentar ou diminuir na sua gravidade, tendo sido evidenciado por flutuações na escala de sedação (p. ex., RASS), Glasgow, ou avaliação de delirium prévio?

Característica 2: Falta de atenção (presente ou ausente):

A. O paciente teve dificuldades em focar a atenção, tal como evidenciado por índices inferiores a 8, no componente visual ou no componente auditivo do teste de atenção (Attention Screening Examination – ASE)?

Característica 3: Pensamento desorganizado (presente ou ausente): existem sinais de pensamento desorganizado ou incoerente tal como evidenciado por respostas incorretas a duas ou mais das 4 questões e/ou incapacidade de obedecer a comandos predefinidos.

Característica 4: Nível de consciência alterado (presente ou ausente): o nível de consciência do paciente é outro qualquer que não o alerta*, tal como vigil**, letárgico*** ou estuporoso**** ? (p. ex., RASS diferente de "0" na altura da avaliação)

CAM-ICU Global: Associação de Características 1 e 2 + Característica 3 ou 4 Significam Presença de delirium

Diagnóstico diferencial

O delirium pós-operatório pode ser confundido com várias condições, como delirium induzido por medicamentos, demência, transtornos psiquiátricos agudos, distúrbios metabólicos e neurológicos, entre outros. Um diagnóstico diferencial cuidadoso pode incluir uma avaliação abrangente dos sintomas, história médica e exames físicos e laboratoriais para descartar outras causas possíveis.

O diagnóstico diferencial do delirium pós-operatório envolve a exclusão de outras condições médicas que possam estar causando os sintomas apresentados pelo paciente. Algumas das condições que podem mimetizar o delirium incluem:

1. **Demência:** o delirium pós-operatório pode ser confundido com demência, especialmete em pacientes idosos com história prévia de comprometimento cognitivo. Porém, este tipo de delirum é tipicamente agudo e flutuante, enquanto a demência é mais crônica e progressiva.

2. **Depressão:** os sintomas de depressão, como apatia, lentidão psicomotora e alterações de humor podem sobrepor-se aos sintomas do delirium. No entanto, a depressão geralmente não causa alterações abruptas no estado mental ou na consciência, como ocorre no delirium.

3. ***Delirium* induzido por medicamentos de uso contínuo do paciente:** o uso de certos medicamentos, como benzodiazepínicos, opioides e agentes anticolinérgicos pode desencadear sintomas semelhantes aos do delirium. Uma revisão cuidadosa da lista de medicamentos do paciente é crucial para identificar qualquer agente potencialmente contribuinte.

4. **Transtornos psiquiátricos:** transtornos psiquiátricos agudos, como psicose induzida por drogas, transtorno bipolar em fase maníaca ou episódio psicótico breve podem apresentar sintomas semelhantes aos do delirium. A história clínica e a avaliação psiquiátrica podem ajudar a distinguir entre essas condições.

5. **Distúrbios neurológicos e metabólicos:** distúrbios neurológicos agudos, como acidente vascular cerebral, encefalopatia hepática, hipoglicemia e distúrbios eletrolíticos podem manifestar-se com sintomas de delirium. Exames laboratoriais e de imagem podem ser necessários para excluir essas condições.

6. **Infecções:** infecções sistêmicas, como sepse, meningite ou infecções do trato urinário podem causar confusão e delirium. A avaliação clínica e os exames laboratoriais ajudam a identificar a presença de infecções.

Um diagnóstico diferencial completo geralmente demanda uma avaliação abrangente dos sintomas envolvendo a colaboração entre diferentes especialidades médicas. A participação de áreas como geriatria, psiquiatria, neurologia e medicina interna pode ser necessária para determinar a causa subjacente do delirium pós-operatório.[13] O acrônimo em inglês I WATCH DEATH contribui para a checagem das causas potenciais de delirium:

- **I**nfection (Infecção)
- **W**ithdrawl (ethanol, sedatives) (síndrome de abstinência de álcool e sedativos)
- **A**cute Metabolic (renal/liver failure, electrolytes) (Metabólico agudo – insuficiência renal/hepática, eletrólitos)
- **T**rauma (Trauma)
- **C**NS Pathology (Patologia do SNC)
- **H**ypoxia (Hipóxia)
- **D**eficiencies (B12, thiamine, folate, niacin) (Deficiências – B12, tiamina, folato, niacina)
- **E**ndocrine (hyper/hypo) (Endócrino – hiper/hipo)
- **A**cute vascular (Anormalidades vasculares agudas)
- **T**oxins (Toxinas)
- **H**eavy metals (Metais pesados)

Prevenção e tratamento

A prevenção de delirium é fundamental para prevenir tanto o evento adverso em si como as complicações relacionadas.[14] Neste contexto, o tratamento das causas eventualmente associadas é fundamental no controle do delirium pós-operatório.[9]

O tratamento do delirium consiste em estabilizar o paciente com relação ao balanço hidroeletrolítico e a gasometria, descartar causas infecciosas e descompensação de doenças crônicas que necessitariam de tratamento específico.

Deve-se tratar sempre as queixas álgicas, em pacientes IOT, usar morfina ou fentanil para tratamento da dor, sedação com propofol ou dexmedetomidina, porém, não usá-la em pacientes com RASS-2 ou inferior. Em caso de agitação, utilizar haloperidol ou clorpromazina. Para o haloperidol, sugere-se utilizar a dose de 0,5-1,0 mg via venosa a cada 15-30 minutos até o controle da agitação, ou via muscular na dose de 2-10mg VO ou IV, com intervalos de 90 minutos em 12 horas; a meia-vida de eliminação é de 72 horas. Monitorização diária do ECG: quetiapina 25 mg VO a cada 12 horas, resperidona, olanzapina. Benzodiazepínicos não devem ser utilizados, exceto no manejo da síndrome de abstinência alcoólica.

■ DISFUNÇÃO COGNITIVA DO PÓS-OPERATÓRIO (DCPO)

As alterações cognitivas perioperatórias foram primeiramente descritas em 1955[15] e desde os primeiros estudos há ênfase no maior risco da ocorrência do evento adverso em pacientes idosos.[16] O aumento da expectativa de vida e do número de procedimentos sob anestesia na população idosa, com elevada incidência de alterações cognitivas perioperatórias após alguns tipos de cirurgia, levou ao aumento do interesse no estudo dos fatores de risco, de formas de prevenção, diagnóstico e reabilitação. Idosos submetidos a cirurgia cardíaca sob circulação extracorpórea podem ter alta incidência de alterações cognitivas pós-operatórias,[17] seguidos de pacientes submetidos a procedimentos ortopédicos ou outros procedimentos sob anestesia geral.[18] A incidência é variável com o perfil dos pacientes atendidos e os testes utilizados no diagnóstico. Em idosos, a ocorrência de *delirium* pós-operatório é um fator de risco para o desenvolvimento de disfunção cognitiva tardia.[14]

A DCPO é definida como a deterioração da função intelectual com prejuízo da memória, da concentração e da função executiva, bem como comprometimento das atividades diárias, porém sem alteração do nível de consciência.[19] Apresenta duração variável, podendo permanecer por poucos dias ou ser permanente.[3] As manifestações mais precoces são relacionadas ao armazenamento de informação, à evocação de memória, a alterações na compreensão da linguagem, da concentração e da interação social. Pode ser confundido com depressão, o que posterga o diagnóstico correto e o tratamento.[18]

A DCPO pode se apresentar com alterações sutis na vida diária, chegando a quadros de total dependência de terceiros, alterando totalmente a rotina do paciente e de familiares. A mortalidade em um ano é superior nos pacientes que não tiveram alteração cognitiva no pós-operatório.[2]

Há diversos fatores de risco para o desenvolvimento de alteração cognitiva no pós-operatório, que podem estar relacionados a alterações prévias à cirurgia, ao processo anestésico-cirúrgico ou a alterações pós-cirurgia como a ocorrência de *delirium*. Contudo, ainda há discussão na literatura sobre a interferência ou não de cada fator de risco na causa da alteração cognitiva, não sendo possível determinar com precisão o impacto real de cada um deles.

O diagnóstico de DCPO deve ser considerado sempre que houver queixas sugestivas de alterações de memória, atenção, função executiva, do humor ou da consciência. A família deve ser sempre consultada para se avaliar a percepção destes a respeito de alterações do paciente, não relatadas por ele próprio. Há o risco de confusão com diagnósticos diferenciais como depressão, isolamento social, irritação ou alterações próprias da idade.

Devem ser realizados exame físico completo e exames laboratoriais, com exclusão de alterações eletrolíticas e metabólicas, bem como de descompensação de doenças prévias e de depressão. Deficiências nutricionais e hormonais devem ser avaliadas também, como o nível sérico de vitamina B12 e dosado o TSH (hormônio tireoestimulante). Para os casos considerados necessários, também solicitar exames de imagem.

Após exclusão de outras causas para definição do diagnóstico de DCPO, testes neuropsicológicos para definição dos construtos cognitivos alterados devem ser realizados. Quando o paciente foi submetido a triagem cognitiva no pré-operatório, os resultados pós e pré-operatórios devem ser comparados.

O conhecimento da função cognitiva alterada guiará a reabilitação, o manejo diário do paciente e o acompanhamento a longo prazo. A avaliação pode ser feita em qualquer momento, de acordo com a necessidade do diagnóstico, não havendo na literatura definição do momento exato. Casos específicos de DCPO devem ser encaminhados para reabilitação cognitiva por profissionais especializados. Recomenda-se a repetição dos testes alguns meses e até um ano após o diagnóstico inicial para avaliação da recuperação ou a permanência das alterações.

Avaliação Cognitiva Perioperatória

Sendo a presença de transtorno neurocognitivo leve ou de demência, fatores de risco para *delirium* e disfunção cognitiva pós-operatória, justifica-se a realização de triagem cognitiva pré-operatória em pacientes de risco. O consenso atual sobre o tema indica a triagem cognitiva rotineira durante a avaliação pré-operatória nos seguintes casos:[20]

- pacientes acima de 65 anos;
- coronariopatia;
- diabetes mellitus;
- fragilidade;
- baixo nível educacional;
- limitações funcionais;
- cirurgias de grande porte.

A avaliação neurocognitiva é feita por meio da realização de diversos testes, visando avaliação de diferentes funções cognitivas, com posterior interpretação adequada dos mesmos. Para simplificar o processo de triagem cognitiva e reduzir custos, o anestesiologista deve dar preferência a testes de triagem que são de domínio público. Estas baterias de rastreio cognitivo apresentam limitações, e casos específicos podem necessitar de encaminhamento para especialistas em neuropsicologia. As baterias de testes cognitivos realizados por neuropsicólogos costumam requerer maior tempo para aplicação e interpretação. Há perspectivas futuras de uso de *games*[21] ou de exames de imagem, como a ressonância nuclear magnética, para otimização da triagem cognitiva.

Os testes cognitivos aplicados atualmente permitem a avaliação de diferentes funções cognitivas, algumas vezes de forma redundante, não existindo um único teste que avalie todas elas. Há necessidade da associação de testes para uma completa avaliação do paciente. Os instrumentos utilizados no pré-operatório permitem avaliação global, são de aplicação rápida, mas permitem apenas uma triagem e não um diagnóstico definitivo de comprometimento cognitivo. Alguns testes apresentam diferentes versões, o que possibilita a avaliação longitudinal do paciente, minimizando o viés do efeito de aprendizado com a repetição do mesmo teste. Isto se deve ao fato de que alguns pacientes, com a repetição do mesmo teste, memorizam o que será perguntado e geram um resultado falso. O fato de usar testes diferentes reduz o efeito de reteste. A escolaridade e a idade também podem influenciar o resultado dos testes e enviesar o resultado. Compete ao avaliador considerar esses fatores na avaliação e optar preferencialmente por testes com tabelas de correção que contemplem essas variáveis.

Fora do contexto perioperatório, o Miniexame do Estado Mental (MEEM, Mini-mental) é um dos testes de rastreio mais utilizados em todo mundo, com o objetivo de detectar o declínio cognitivo. O teste tem questões objetivas para avaliar a orientação temporal e espacial, memória de fixação, atenção e cálculo, memória de evocação e a linguagem. Os pontos de corte desse instrumento variam de acordo com o tempo de escolaridade formal. Para até 4 anos de escolaridade, considera-se o ponto de corte de 18 pontos, e para os com mais de 4 anos, o ponto de corte de 23 pontos. Este teste tem livre acesso *on-line*, sendo de fácil acesso.[22]

A tomada de decisão sobre qual teste utilizar é dificultada pelo grande número de testes disponíveis. No Quadro 148.3 são apresentados os testes de rastreio mais frequentemente utilizados na avaliação das funções cognitivas, com

utilização de instrumentos de domínio público que podem ser utilizados por qualquer profissional de saúde devidamente treinado. Este algoritmo permite guiar a tomada de decisões na escolha dos instrumentos e na sequência de aplicação. O algoritmo apresentado tem maior especificidade que o Mini-Cog e o Mini-mental. Mas não existe, até o momento, um protocolo cognitivo de consenso, fazendo com que cada instituição ou pesquisador utilize uma associação distinta de testes. Dessa forma, é interessante o conhecimento das funções cognitivas avaliadas em cada teste, permitindo entender o processo e individualizar o uso dos testes de acordo com a suspeita clínica para cada paciente.

Teste do desenho do relógio

O teste do desenho do relógio (TDR) é instrumento de rastreio cognitivo que avalia as habilidades visuoespaciais, construtivas e funções executivas, mobilizando o funcionamento de regiões frontais e temporoparietais.[23] Destina-se a pacientes adultos e idosos, sobretudo para a identificação precoce de demência, com tempo médio para administração de cinco minutos.

Apesar da falta de um modo único padronizado de administração e correção, o TDR é amplamente aceito como um instrumento de rastreio cognitivo, considerado um teste complementar ao MEEM durante a avaliação pré-operatória. As diferenças variam em função da instrução dada para realizar a tarefa, da hora ser marcada, bem como do sistema de escore a ser utilizado.

Dada a diversidade de autores, optou-se por apresentar uma das versões validadas para a população brasileira, cuja pontuação máxima é de 15 pontos. Nessa versão, um escore menor que 11 pontos é sugestivo de declínio cognitivo. Para sua aplicação são necessários apenas lápis e papel.

Quadro 148.3 Funções cognitivas avaliadas nos testes de rastreio.					
	Teste do desenho do relógio (TDR)	10-point cognitive screener (10-CS)	Montreal cognitive assessment (MoCA)	Montreal cognitive assessment (MoCA-B)	TICS (telephone interview for cognitive status)
Orientação temporal e/ou espacial		X	X	X	X
Aprendizado/ evocação imediata		X	X	X	X
Memória operacional			X		
Memória tardia		X	X	X	X
Memória semântica					X
Funções executivas	X		X	X	
Atenção/vigilância			X	X	
Abstração	X		X	X	
Praxia visuoconstrutiva	X		X		
Habilidade visuoespacial	X		X	X	
Nomeação			X	X	
Repetição de informação verbal			X	X	X
Fluência verbal		X	X	X	
Cálculo mental			X	X	X

Fonte: ambulatório de Avaliação Perioperatória do Hospital das Clínicas da Faculdade de Medicina da Universidade de São Paulo.

Entrega-se ao paciente uma folha em branco com um lápis e solicita-se o seguinte: "gostaria que o(a) senhor(a) desenhasse um relógio, com números e ponteiros, marcando dez horas e dez minutos". A instrução e o critério de correção encontram-se a seguir (Quadro 148.4).

10-*Point cognitive screener*

O *10-Point Cognitive Screener* (10-CS) (Figura 148.1) faz a junção de tarefas bem difundidas para detecção do comprometimento cognitivo (como os itens de orientação temporal e a evocação de três palavras) e uma prova de fluência verbal (categoria semântica). Trata-se de um teste desenvolvido no Brasil, por profissionais dos Departamentos de Geriatria e Neurologia do Hospital das Clínicas da Faculdade de Medicina da Universidade de São Paulo.[24] É destinado ao público idoso, e o tempo médio para administração é de cinco minutos. Na própria folha de aplicação encontram-se os critérios para ajuste de escolaridade e de interpretação dos escores.

Montreal Cognitive Assessment (MoCA)

O MoCA foi desenvolvido com o objetivo de rastrear com maior especificidade o comprometimento cognitivo leve em adultos e idosos, com tempo médio para aplicação ao redor de 15 minutos. O teste é composto de tarefas que avaliam a função visuoespacial e executiva, a nomeação, a memória, a atenção, a linguagem, a abstração e a orientação temporal e espacial. Para cada parte do teste é atribuída uma pontuação diferente. O escore total máximo é de 30 pontos. Para corrigir vieses educacionais, 1 ponto é adicionado à pontuação total para participantes com escolaridade ≤12 anos (se o escore for < 30).[25] Em estudo realizado com a população de idosos brasileiros, pontuações ≤25 pontos indicam um possível declínio cognitivo.[26] Essa validação mostrou-se pouco adequada para sujeitos com menos de quatro anos de es-

colaridade, devido às baixas sensibilidade e especificidade (Figura 148.2).

Diante da necessidade de um rastreio mais apropriado para sujeitos de baixa escolaridade, incluindo analfabetos, foi desenvolvido o *Montreal Cognitive Assessment-Basic* (MoCA-B) (Figura 148.3).[27]

O teste avalia os mesmos domínios cognitivos do MoCA original, com exceção da inclusão da percepção visual em vez de habilidades visuoconstrutivas. O tempo médio para aplicação é de 20 minutos, e o escore total máximo é de 30 pontos. O estudo original sugere que escores <25 pontos indicam um possível declínio cognitivo.

A folha de aplicação, as regras de aplicação e a correção de ambas as versões se encontram disponíveis para *download*, assim como a versão digital do MoCA, em https://mocacognition.com.

Questionário Pfeffer de avaliação funcional

O Questionário Pfeffer de Avaliação Funcional (*Functional Activities Questionnaire* – FAQ)[28] avalia o desempenho em dez itens relacionados às atividades e tarefas diárias necessárias pra uma vida independente, as atividades instrumentais da vida diária (AIVD), que envolvem também habilidades cognitivas como: controlar as próprias finanças, fazer compras, esquentar água e apagar o fogo, preparar refeições, manter-se atualizado, prestar atenção em uma notícia e discuti-la, lembrar-se de compromissos, cuidar da própria medicação, manter-se orientado ao andar pela vizinhança e ficar sozinho em casa. O questionário foi validado para a população brasileira[29] e deve ser preenchido por um familiar ou acompanhante do idoso. A pontuação total é a soma dos itens, que variam de 0 a 30 pontos; o teste não é influenciado pela escolaridade, mas por uma nota superior a 5 pontos, que indica a dependência e o prejuízo funcional, permitindo avaliar o prejuízo funcional (Quadro 148.5).

Quadro 148.4 Correção e pontuação do testes do desenho do relógio.			
Contorno	1. Desenho de contorno aceitável	1 – Sim	0 – Não
	2. Contorno com tamanho médio	1 – Sim	0 – Não
Números	3. De 1 a 12 sem adição ou omissão	1 – Sim	0 – Não
	4. Só arábicos	1 – Sim	0 – Não
	5. Ordem correta	1 – Sim	0 – Não
	6. O papel não é rodado quando se escreve	1 – Sim	0 – Não
	7. Posição correta	1 – Sim	0 – Não
	8. Todos dentro do contorno	1 – Sim	0 – Não
Ponteiros	9. Com 2 ponteiros e/ou marcas	1 – Sim	0 – Não
	10. Hora indicada de alguma maneira	1 – Sim	0 – Não
	11. Minutos indicados de alguma maneira	1 – Sim	0 – Não
	12. Na proporção correta (minutos maior)	1 – Sim	0 – Não
	13. Sem marcas supérfluas	1 – Sim	0 – Não
	14. Ligados (ou até 12 mm de proximidade)	1 – Sim	0 – Não
Centro	15. Centro desenhado, inferido ou extrapolado onde os ponteiros seencontram	1 – Sim	0 – Não

10-CS
10-POINT COGNITIVE SCREENER

Nome: _____ Data: _____

Sexo: _____ Idade: _____ Escolaridade: _____

Administrado por: _____

Orientação

Em que ano estamos?	0	1
Em que mês estamos?	0	1
Que dia do mês é hoje?	0	1

Aprendizado

	Versão A	Versão B	Versão C	
Agora eu vou dizer o nome de 3 objetos para você memorizar. Assim que eu terminar repita os 3 objetos. (até 3 tentativas, se necessário)	óculos	chapéu	relógio	Não pontua
	caneta	moeda	chave	
	martelo	lanterna	vassoura	

Fluência verbal

Agora eu quero que você me diga o maior número de animais que conseguir, o mais rápido possível.

Vale qualquer tipo de animal ou bicho.

Eu vou marcar o tempo no relógio e contar quantos animais você consegue dizer em 1 minuto.

1. _____	11. _____	21. _____	Animais	
2. _____	12. _____	22. _____	0-5	0
3. _____	13. _____	23. _____	6-8	1
4. _____	14. _____	24. _____	9-11	2
5. _____	15. _____	25. _____	12-14	3
6. _____	16. _____	26. _____	≥15	4
7. _____	17. _____	27. _____		
8. _____	18. _____	28. _____		
9. _____	19. _____	29. _____		
10. _____	20. _____	30. _____		

Evocação

	Versão A	Versão B	Versão C		
Agora me diga quais eram os 3 objetos que eu pedi para você memorizar.	óculos	chapéu	relógio	0	1
	caneta	moeda	chave	0	1
	martelo	lanterna	vassoura	0	1

Ajuste para escolaridade (10-CS-Edu)

• Sem escolarização formal: + 2 pontos (máximo de 10)

• 1-3 anos de escolaridade: +1 ponto (máximo de 10)

Interpretação do 10-CS-Edu

• > 8 pontos: Normal

• 6-7 pontos: Comprometimento cognitivo possível

• 0-5 pontos: Comprometimento cognitivo possível

10-CS: _____

10-CS-Edu: _____

▲**Figura 148.1** Teste 10-*Point Cognitive Screener*.
Fonte: Apolinario D. *et al.* (2016).[24]

MONTREAL COGNITIVE ASSESSMENT (MOCA)
Versão Experimental Brasileira

Nome: _____ Data de nascimento: ___/___/___
Escolaridade: _____ Data de avaliação: ___/___/___
Sexo: _____ Idade: _____

Visuoespacial/Executiva	Copiar o cubo	Desenhar um RELÓGIO (onze horas e dez minutos) (3 pontos)	Pontos

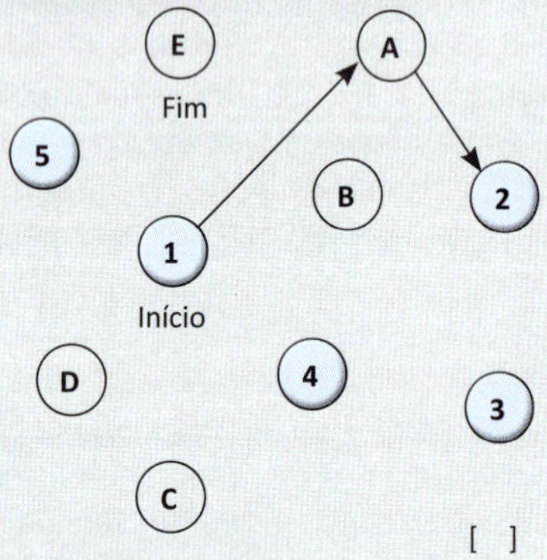

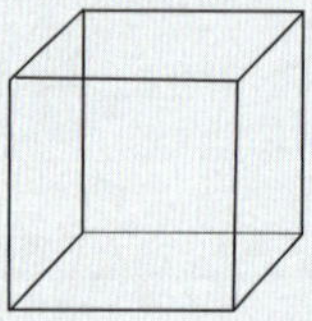

E — Fim
A
5
B
2
1 — Início
D
4
3
C

[ ]   [ ]

[ ]   [ ]   [ ]
Contorno   Números   Ponteiros   ___/5

Nomeação

[ ]   [ ]   [ ]   ___/3

Memória

Leia a lista de palavras, o sujeito deve repeti-la, faça duas tentativas. Evocar após 5 minutos.		Rosto	Veludo	Igreja	Margarida	Vermelho	Sem pontuação
	1ª tentativa						
	2ª tentativa						

Atenção

| Leia a sequência de números (1 número por segundo) | O sujeito deve repetir a sequência em ordem direta [ ] 2 1 8 5 4 | |
| | O sujeito deve repetir a sequência em ordem indireta [ ] 7 4 2 | ___/2 |

Leia a série de letras. O sujeito deve bater com a mão (na mesa) cada vez que ouvir a letra "A". Não se atribuem ponto se ≥ 2 erros.
[ ] F B A C M N A A J K L B A F A K D E A A A J A M O F A A B   ___/1

Subtração de 7 começando pelo 100   [ ] 93   [ ] 86   [ ] 79   [ ] 72   [ ] 65
4 ou 5 subtrações corretas: 3 pontos; 2 ou 3 corretas 2 pontos; 1 correta 1 ponto; 0 correta 0 ponto   ___/3

Linguagem

Repetir: Eu somente sei que é João quem será ajudado hoje. [ ]   O gato sempre se esconde embaixo do sofá quando o cachorro está na sala [ ]   ___/2

Fluência verbal: dizer o maior número possível de palavras que comecem pela letra F (1 minuto) [ ] ____   (N ≥ 11 palavras)   ___/1

Abstração

Semelhança p. ex. entre banana e laranja – fruta [ ]   trem – bicicleta [ ]   relógio – régua [ ]   ___/2

Evocação tardia / Opcional

	Rosto	Veludo	Igreja	Margarida	Vermelho	
Deve recordar as palavras sem pistas	[ ]	[ ]	[ ]	[ ]	[ ]	Pontuação apenas para evocação sem pistas
Pista de categoria						
Pista de múltipla escolha						

___/5

Orientação

[ ] Dia do mês   [ ] Mês   [ ] Ano   [ ] Dia da semana   [ ] Lugar   [ ] Cidade   ___/6

© Z. Nasreddine MD www.mocatest.org
Versão experimental Brasileira: Ana Luisa Rosas Sarmento
Paulo Henrique Ferreira Bertolucci – José Roberto Wajman
(UNIFESP – SP 2007)

Total
Adicionar 1 pt se ≤ 12 anos ___/30
de escolaridade

▲**Figura 148.2** Montreal Cognitive Assessment (MoCA-A).[26]
Fonte: Nasreddine ZS et al. (2005).[25]

Nome: ______
Sexo: ______ Idade: ______
Escolaridade: ______ Data: __/__/__
Administrado por: ______

MONTREAL COGNITIVE ASSESSMENT – BASIC (MoCA-B)

Versão Brasileira

	Pontuação
Funções executivas	Horário de início ______ (__/1)

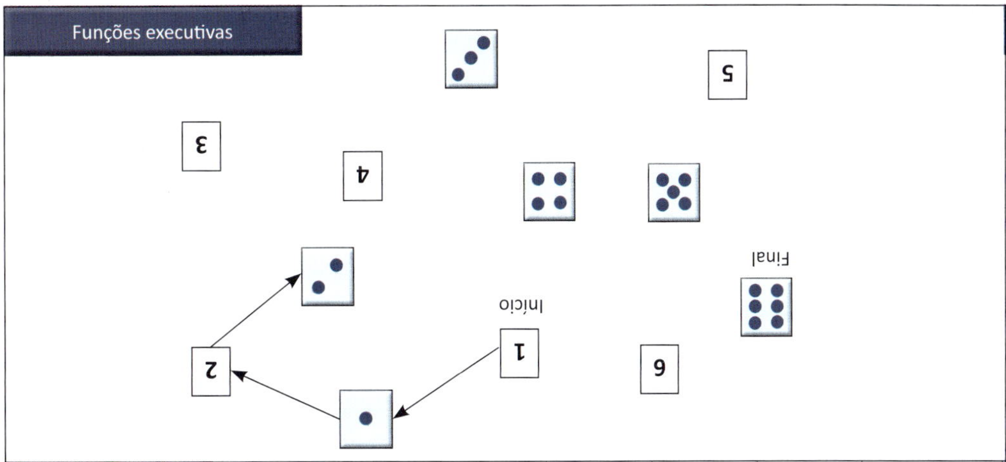

Evocação imediata		Tomate	Sofá	Joelho	Azul	Colher	Não pontua
Realize 2 tentativas mesmo que a 1ª tenha sido bem-sucedida	1ª tentativa						
	2ª tentativa						

Fluência Diga o maior número de FRUTAS que conseguir em 1 minuto. (__/2)

1 ______	2 ______	3 ______	4 ______	5 ______	6 ______	Nº ______
7 ______	8 ______	9 ______	10 ______	11 ______	12 ______	2 pontos se ≥ 13 1 ponto se 8–12
13 ______	14 ______	15 ______	16 ______	17 ______	18 ______	0 pontos se ≤ 7

Orientação [ ] horário (± 2h) [ ] dia da semana [ ] mês [ ] ano [ ] local [ ] cidade (__/6)

Cálculo Diga 3 formas de pagar por um produto que custa R$ 13: usando moedas de R$ 1, notas de R$ 5 e notas de R$ 10. (__/3)

[ ] 1. ______ [ ] 2. ______ [ ] 3. ______

Abstração A que categorias essas palavras pertencem? (e. g. laranja – banana = frutas) (__/3)

[ ] trem – barco [ ] norte – sul [ ] tambor – flauta

Evocação tardia (__/5)

Pontos são atribuídos às evocações livres (1 ponto para cada item)

	Tomate	Sofá	Joelho	Azul	Colher
Evocação livre	[ ]	[ ]	[ ]	[ ]	[ ]
Evocação com pista	[ ] tipo de legume	[ ] peça de mobília	[ ] parte do corpo	[ ] cor	[ ] utensílio de cozinha
Reconhecimento	[ ] tomate/cebola/batata	[ ] mesa/sofá/cama	[ ] perna/joelho/braço	[ ] azul/marrom/verde	[ ] garfo/faca/colher

Percepção visual Identifique as figuras. Máximo de 60 segundos. (folha de estímulos) (__/3)

tesoura	camiseta	banana	abajur	vela
relógio	xícara	folha	chave	colher

3 pontos se 9-10
2 pontos se 6-8
1 ponto se 4-5
0 ponto se 0-3

Nomeação Identifique os animais. (*folha de estímulos*) [ ] zebra [ ] pavão [ ] tigre [ ] borboleta (__/4)

Atenção Diga os números nos círculos. (*folha de estímulos*) **1** 5 **8** 3 9 **2** 0 **3** 9 **4** 0 2 1 **6** 8 **7** 4 6 7 **5** — Nº de erros ______ Não pontua se ≥ 2 erros (__/1)

Diga os números nos círculos e quadrados. (*folha de estímulos*)
3 **8** 5 1 **3** 0 **2** **9** 2 **0** **4** **9** 7 **8** 6 **1** **5** 7 6 4
1 **5** 8 3 **9** 2 0 3 **9** **4** 0 **2** 1 6 **8** 7 4 **7** 5

Nº de erros ______
Não pontua se ≤ 2 erros
1 ponto se 3 erros
0 pontos se ≥ 4 erros

(__/2) Horário final ______

Pontuação total (30)
Some 1 ponto se escolaridade < 4 anos
+ 1 ponto se analfabeto(a)

▲ **Figura 148.3** *Montreal Cognitive Assessment* (MoCA-B).[27]
Fonte: Julayanont P. *et al.* (2015).[27]

Quadro 148.5 Questionário Pfeffer de Avaliação Funcional (FAQ).[16]				
0 = Normal ou nunca fez, mas poderia fazê-lo 1 = Faz com dificuldade, ou nunca fez e agora apresenta dificuldade 2 = Necessita de ajuda 3 = Não é capaz				
Nº Perguntas	0	1	2	3
1 Ele(a) é capaz de preparar uma refeição?				
2 Ele(a) manuseia seu próprio dinheiro (cartões bancários)?				
3 Ele(a) é capaz de manusear suas próprias medicações?				
4 Ele(a) é capaz de comprar roupas, comida, coisas para casa sozinho(a)?				
5 Ele(a) é capaz de esquentar a água para o café e apagar o fogo?				
6 Ele(a) é capaz de manter-se em dia com atualidades, acontecimentos dacomunidade ou da vizinhança?				
7 Ele(a) é capaz de prestar atenção em programa de rádio e televisão, acompanhar noticiários e também de entender e discutir a mensagem veiculada?				
8 Ele (a) é capaz de lembrar-se de compromissos, acontecimentos familiares, feriados?				
9 Ele (a) é capaz de passear pela vizinhança e encontrar o caminho de voltapara casa?				
10 Ele (a) pode ser deixado(a) sozinho(a) de forma segura?				

Avaliação da depressão e ansiedade

A coexistência de sintomas depressivos e de ansiedade são comuns na população geriátrica, dificultando o diagnóstico diferencial por impactarem a cognição e, em alguns casos, comprometerem a funcionalidade.

Queixas de apatia, dificuldades de memória, perda de interesse, dores e preocupações são relatadas frequentemente pelos idosos e demandam cautela, sendo pertinente investigar esses sintomas no contexto da avaliação perioperatória.

Uma das medidas utilizadas para identificação e quantificação de sintomas depressivos em idosos é a Escala de Depressão Geriátrica (*Geriatric Depression Scale* – GDS).[30] A versão original com 30 itens vem cedendo espaço para as versões reduzidas com 4, 10 e 15 itens, todas compostas por perguntas com respostas classificadas em "sim" ou "não".

Esta escala foi adaptada e validada para o Brasil (Quadro 148.6),[31] e a pontuação acima de 5 pontos é considerada sugestiva de sintomas depressivos na versão de 15 itens (conta-se 1 ponto para respostas com conotação depressiva, situadas na coluna à direita).

Sintomas de ansiedade são comuns na população geriátrica e, em um contexto perioperatório, podem estar exacerbados devido aos receios relacionados ao procedimento cirúrgico. O Inventário de Ansiedade Geriátrica (*Geriatric Anxiety Inventory* – GAI) é um instrumento desenvolvido para avaliar sintomas de ansiedade em idosos, contém 20 itens e pode ser autorrespondido. A aplicação é breve e conta com validação para nosso país (Quadro 148.7).[32] Conta-se 1 ponto para as respostas "concordo", e escores acima de 8 pontos são considerados sugestivos do quadro de ansiedade.[33]

Quadro 148.6 Escala de Depressão Geriátrica (GDS-15).[31]		
Responda ao questionário indicando como você tem se sentido na última semana.		
1 Você se considera globalmente satisfeito(a) com sua vida?	Sim	Não
2 Você tem abandonado muitas de suas atividades e interesses?	Não	Sim
3 Você tem a sensação de que sua vida está vazia?	Não	Sim
4 Você se aborrece com frequência?	Não	Sim
5 Você habitualmente está de bom humor?	Sim	Não
6 Você tem medo de que algo ruim possa lhe acontecer?	Não	Sim
7 Você se sente feliz na maior parte do tempo?	Sim	Não
8 Você se sente frequentemente sem ajuda, desamparado(a)?	Não	Sim
9 Você prefere ficar em casa ao invés de sair e fazer coisas novas?	Não	Sim
10. Você acha que sua memória é pior do que a das outras pessoas?	Não	Sim
11. Você acha maravilhoso viver nos dias de hoje?	Sim	Não
12. Você atualmente se sente sem valor?	Não	Sim
13. Você se sente cheio(a) de energia?	Sim	Não
14. Você se julga sem esperança em relação à sua situação atual?	Não	Sim
15. Você acha que a maioria das pessoas vive melhor do que você?	Não	Sim

Quadro 148.7 Inventário de Ansiedade Geriátrica (GAI-BR).[32]		
Por favor, responda aos itens de acordo com o que você tem sentido na última semana. Marque o círculo CONCORDO se você concorda em maior grau que esse item o(a) descreve; marque o círculo DISCORDO se você discorda em maior grau que esse item o(a) descreve.		
	CONCORDO	DISCORDO
1 Eu me preocupo em grande parte do tempo.	O	O
2 Eu acho difícil tomar uma decisão.	O	O
3 Sinto-me agitado(a) com frequência.	O	O
4 Eu acho difícil relaxar.	O	O
5 Eu frequentemente não consigo aproveitar as coisas por causa de minhaspreocupações.	O	O
6 Pequenas coisas me aborrecem muito.	O	O
7 Eu frequentemente sinto uma sensação parecida com um "frio na barriga".	O	O
8 Eu penso que sou preocupado(a).	O	O
9 Não posso deixar de me preocupar mesmo com coisas triviais.	O	O
10 Frequentemente me sinto nervoso(a).	O	O
11 Meus próprios pensamentos com frequência me deixam ansioso(a).	O	O
12 Tenho dor de estômago por causa das minhas preocupações.	O	O
13 Eu me vejo como uma pessoa nervosa.	O	O
14 Eu sempre espero que o pior irá acontecer.	O	O
15 Frequentemente me sinto tremendo por dentro.	O	O
16 Eu acho que minhas preocupações interferem na minha vida.	O	O
17 Minhas preocupações frequentemente me oprimem.	O	O
18 Às vezes eu sinto como se tivesse um grande nó no estômago.	O	O
19 Eu perco coisas por me preocupar demais.	O	O
20 Frequentemente me sinto chateado(a).	O	O

Fatores de Risco Pré-operatórios

Além da idade, fatores genéticos,[34] grau de escolaridade, comorbidades e uso de medicamentos podem predispor à ocorrência de desordens neurocognitivas perioperatórias.

A idade é fator de risco isolado para DNP, devendo-se diferenciar a idade cronológica da idade biológica.[16] Com a idade ocorre deterioração das respostas imunológica, humoral e homeostática, queda da capacidade aeróbica, redução da produção e liberação de diversos neurotransmissores. Tais alterações podem comprometer a reserva funcional, física e cognitiva, resultando em fragilidade. A fragilidade é fator de risco para desordens neurocognitivas, e o paciente idoso sofre maior impacto com as alterações ocasionadas no procedimento anestésico-cirúrgico.[35]

Há também alterações estruturais, como alterações cerebrovasculares ou aterosclerose progressiva, que reduzem o aporte de nutrientes e oxigênio ao cérebro, podendo ser um fator de alteração cognitiva pela idade, independentemente de intervenção cirúrgica.[36]

Não foi possível estabelecer uma relação direta sexo e estado físico, obtido por meio da classificação ASA (American Society of Anesthesiology) e a ocorrência de DCPO. Porém, algumas comorbidades como hipertensão arterial sistêmica, insuficiência renal crônica e diabetes mellitus estão relacionadas com um pior desfecho neurológico no pós--operatório.[37] Não está bem definido o papel do etilismo no desenvolvimento de DCPO.

Considerando as doenças existentes no pré-operatório, a politerapia medicamentosa também é fator de risco para DCPO. Muitos pacientes idosos chegam à avaliação pré-operatória em uso de diversas medicações, algumas delas com potencial de interação com os anestésicos. Alguns medicamentos, dentre eles benzodiazepínicos, podem contribuir para a ocorrência de *delirium* em idosos, sem evidências de relação com DCPO.[38] A suspensão abrupta de alguns antidepressivos antes da cirurgia pode causar alteração de neurotransmissores, aumentando o risco de DCPO.

A escolaridade é inversamente proporcional ao risco de desenvolver DCPO, sendo que os indivíduos com maior tempo de escolaridade têm menor risco de desenvolver alteração cognitiva no pós-operatório. A teoria levantada para dar suporte a esta conclusão foi que, quanto maior o grau de instrução do indivíduo, maior o número de sinapses no neocórtex, com maior comunicação neuronal e maior reserva cognitiva. Desta forma, mesmo que ocorra perda neuronal ou outro dano neuronal no procedimento ao qual o paciente está sendo submetido, a perda neuronal será menos significativa, pois ocorreria compensação pelos neurônios e sinapses que permanecessem íntegros.

Há evidências de que exista no idoso um desequilíbrio de neurotransmissores (GABA – ácido gama-aminobutírico, dopamina, glutamato) e de mediadores inflamatórios (interleucina 2, cortisol), porém ainda faltam estudos para esclarecer melhor esses desequilíbrios. Também foram relatadas alterações do cortisol, relacionadas à limitação da função cognitiva no pré-operatório, porém não foi observado aumento da liberação ou maior tempo de liberação de cortisol em pacientes com DCPO, ocorrendo somente variação do ritmo circadiano. Não foi possível, então, estabelecer o vínculo de DCPO com o aumento de cortisol, porém a manutenção do ciclo circadiano auxilia na prevenção de alteração cognitiva no pós-operatório. As evidências sobre o possível efeito do uso perioperatório de corticosteroides para a prevenção de DCPO não são robustas.[39] Para a enolase específica do neurônio (NSE) foi estabelecida uma correlação como preditor de disfunção cognitiva após intervenção cirúrgica, sendo necessários mais estudos sobre o tema.

Em relação às alterações genéticas, a presença do alelo da apolipoproteína E4 (APOE 4) pode estar relacionada à DCPO. A presença desse alelo é comum em pacientes com risco elevado de desenvolver doença de Alzheimer e também naqueles que apresentaram trauma cerebral ou AVC (acidente vascular cerebral), com evolução cognitiva e neurológica ruins. Há evidências, ainda pouco robustas, sobre o impacto do fator genético na DCPO.[34]

Fatores de Risco Intraoperatórios

As respostas endócrinas, metabólicas e imunológicas ao trauma cirúrgico podem contribuir para alterações neurológicas e cognitivas no pós-operatório. A anestesia também pode ser estar relacionada às desordens neurocognitivas perioperatórias. Há evidências de que o trauma anestésico-cirúrgico pode promover disfunção da barreira hematoencefálica.[8]

Alguns anestésicos têm efeito sobre a apoptose neuronal,[40] diminuição da liberação de neurotransmissores, além de possível interferência na oferta tecidual de oxigênio e nutrientes por alterações hemodinâmicas no intraoperatório. Esse efeito de apoptose tem maior importância na fase de sinapogênese do cérebro em desenvolvimento.[41] Em bebês submetidos a correção de cardiopatias congênitas, o uso de altas doses de cetamina mostrou correlação com a ocorrência de alterações motoras tardias.[42]

Considera-se que a profundidade anestésica seja fator de risco para as desordens neurocognitivas perioperatórias.[43] Estudos realizados com monitorização da profundidade anestésica com BIS (índice bispectral) encontraram diferenças estatisticamente significativas entre os grupos, com o grupo que manteve o BIS adequado (40 a 60) apresentando menos alterações cognitivas que o grupo com anestesia profunda. A maioria dos estudos até hoje realizados não apresenta evidência suficiente para indicar a obrigatoriedade de monitorização da profundidade da anestesia ou a contraindicação do uso de anestesia com valores baixos de BIS. Mais estudos também são necessários em relação à monitorização da oximetria cerebral e a relação entre a dessaturação cerebral de oxigênio e a ocorrência de desordens neurocognitivas perioperatórias. São esperados, para o futuro, mais estudos e evidências robustas sobre o impacto dos diversos tipos de monitorização cerebral, com foco no melhor desfecho neurocognitivo pós-operatório.

O uso de anestésicos inalatórios tem sido considerado um importante fator de risco para DCPO em estudos com animais. Esses anestésicos ocasionam acúmulo de β-amiloide,

modificação de neurotransmissores, e também influenciam nas sinapses e na homeostase do cálcio. Contudo, na realização de estudos clínicos, esta relação causal não foi comprovada. O propofol e o tiopental, considerados importantes para a proteção cerebral, não mostraram efeito na redução da ocorrência de DCPO. Os únicos medicamentos que apresentaram evidências fracas de ação preventiva foram a lidocaína, quando utilizada em doses antiarrítmicas, a dexametasona[39] e a dexmedetomidina,[44] sendo necessários mais estudos sobre o tema.[14] Embora existam evidências de menor incidência de *delirium* em pacientes submetidos à anestesia regional, o mesmo não se confirma sobre a relação entre a técnica anestésica e a ocorrência de DCPO.

Há correlação entre hipotensão arterial intraoperatória e a ocorrência de *delirium* pós-operatório e de outras complicações que podem piorar o desfecho de longo prazo do paciente de alto risco.[45] Em relação à DCPO, a hipotensão arterial e hipóxia são fatores de risco contribuintes conflitantes na literatura, havendo estudos que consideram fator de risco e outros que consideram não haver influência na incidência dessa complicação.

A ocorrência de embolia também é um fator de risco para DCPO, podendo ocorrer micro ou macroêmbolos, sendo os primeiros mais relacionados à ocorrência da DCPO. Macroêmbolos têm maior relação com a ocorrência de isquemia cerebral e acidentes vascular encefálico. A duração do procedimento cirúrgico também está relacionada a maior risco obstrução microvascular por êmbolos, sendo o tempo prolongado da cirurgia outro fator de risco. Procedimentos cirúrgicos prolongados e de grande porte apresentam maior resposta inflamatória, risco de hiperglicemia, de dessaturação cerebral de oxigênio, de hipotermia, além de maior chance de indicação de transfusão sanguínea, fatores que apresentam relação com desordens neurocognitivas perioperatórias.

Fatores de Risco Pós-operatórios

A presença de dor no pós-operatório é considerada um fator de risco importante para *delirium*, e o *delirium* é considerado um fator de risco isolado para disfunção cognitiva.[46]

Os demais fatores de risco são todos relacionados ao manejo do paciente após o procedimento cirúrgico. Os medicamentos previamente utilizados devem ser mantidos, adequando-se às doses conforme necessário – deve-se manter a normovolemia e o controle da reposição de eletrólitos. Também deve ser mantida a vigilância em relação à ocorrência de infecção, realizando-se a adequação das doses dos medicamentos tomados previamente, a adequada hidratação e às demais complicações cirúrgicas.

■ PREVENÇÃO DE DESORDENS NEUROCOGNITIVAS PERIOPERATÓRIAS

A prevenção de DNP é multimodal. A estabilização das comorbidades, o ajuste metabólico e hidroeletrolítico, bem como a pré-habilitação antes da cirurgia contribuem para minimizar o impacto do trauma anestésico cirúrgico. A reabilitação física tem impacto importante no aumento da reserva cognitiva. O ajuste dos medicamentos em uso no pré-operatório, bem como a suspensão de fármacos com efeito anticolinérgico contribuem para a minimização do risco. Deve-se evitar a suspensão de antidepressivos utilizados para doenças crônicas, assim como o uso de benzodiazepínicos para facilitar o sono, pois estão relacionados à maior incidência de *delirium*. No período pré-operatório, o uso de benzodiazepínicos deve ficar restrito aos casos de ansiedade extrema, abstinência ao álcool ou em situações de uso crônico desses fármacos. O tempo de jejum deve ser o menor possível, e deve-se manter a administração de líquidos, evitando que o paciente fique desidratado.

Apesar das limitações para o diagnóstico definitivo e das controvérsias em relação à profilaxia de *delirium* e DCPO, algumas medidas podem ser tomadas visando à prevenção de distúrbios neurocognitivos perioperatórios, como evitar-se hipotensão arterial e hipóxia tecidual no intraoperatório, evitar o uso de anticolinérgicos e benzodiazepínicos no paciente idoso, manter a estabilidade eletrolítica, metabólica e ventilatória, evitar anestesia muito profunda, mantendo nível adequado de hipnose.

Foram descritos efeitos neuroprotetores de fármacos como lidocaína, dexametasona e dexmedetomidina. Destes, as evidências mais robustas de neuroproteção se referem à dexmedetomidina[44] e dexametasona,[39] enquanto os outros ainda carecem de mais estudos.

Orientação do pacientes sobre os processos da jornada cirúrgica e a possibilidade de reabilitação cognitiva específica também aumentam a reserva cognitiva. Em pacientes com alto risco de desenvolver DCPO e com baixa reserva cognitiva no pré-operatório, a reabilitação preventiva para estimulação das funções como memória, atenção e função executiva podem minimizar as alterações pós-operatórias. O objetivo é fortalecer a reserva cognitiva, aumentando o número de sinapses no neocórtex, efeito semelhante ao que ocorre em pacientes com elevado nível de escolaridade, que apresentam menor risco de DNP.

Há evidências crescentes da relação entre anestesia regional e minimização do risco de *delirium*, mas há necessidade de mais estudos sobre o impacto dessa técnica anestésica sobre a incidência de DCPO.

No período pós-operatório, deve-se buscar a minimização do risco de *delirium* nos primeiros dias de pós-operatório, sendo esta indiretamente uma estratégia de minimização de DCPO. O paciente deve se sentir o mais próximo da sua rotina habitual, como fator de prevenção à desorientação. Deve-se incentivar a deambulação precoce e frequente durante o dia, a convivência com os familiares, o uso de próteses e órteses habituais, como óculos e aparelho auditivo. O planejamento de adequada analgesia pós-operatória contribui para minimizar os riscos de agitação *delirium* e DNP.

A maioria dos estudos sugere melhora espontânea da disfunção cognitiva após o sexto mês de pós-operatório, mas há a possibilidade de evolução prolongada ou definitiva. Para os casos com evolução lenta, a estimulação cognitiva deve ser realizada com foco na função mais comprometida, visando à melhora da funcionalidade.

Pouco se sabe sobre as opções de tratamento da DCPO. O tratamento atual restringe-se à estimulação das funções neurocognitivas. Porém, muitos pacientes permanecem sem diagnóstico, não recebendo tratamento, e outros não são encaminhados para reabilitação cognitiva por falta de acesso ou desconhecimento, aumentando o risco de comprometimento tardio da qualidade de vida do paciente cirúrgico.

■ PERSPECTIVAS FUTURAS NA ABORDAGEM DAS DESORDENS NEUROCOGNITIVAS PERIOPERATÓRIAS

O número crescente de pacientes idosos ou de alto risco indicados paraprocedimentos cirúrgicos aumenta o interesse na abordagem da DNP, que implica em:

- identificar fatores de riscos, preveni-los, e tratar as causas de *delirium,* se presentes;
- incluir testes cognitivos na avaliação pré-operatória;
- corrigir distúrbios hidroeletrolíticos e racionalizar a polifarmácia;
- avaliar/diminuir o grau de fragilidade e considerar programa de pré-reabilitação com treino cognitivo ou exercícios físicos que ajudam na otimização da memória, produção de substâncias relacionadas à reparação neuronal, aumento do tempo de atenção focada e melhora na tomada de decisões;
- controlar o intraoperatório, com minimização o quanto possível do tempo de exposição aos anestésicos;
- monitorizar a profundidade da anestesia, evitar BIS <40 e considerar indicação de monitor de oximetria cerebral em pacientes de alto risco, buscando novas evidências da literatura sobre o tema;
- manejar adequadamente a dor pós-operatória;
- considerar o uso de realidade virtual para prevenção e tratamento do *delirium*;
- estimular programas institucionais de prevenção para *delirium* e disfunção cognitiva pós-operatória.

REFERÊNCIAS

1. Lakshminarayanan S, Aboobacker M, Brar A, Manoj MP, Elsaid Ismail Elnimer MM, Marepalli A, et al. Advancing Perioperative Neurocognitive Health: A Critical Review of Predictive Tools, Diagnostic Methods, and Interventional Strategies. Cureus [Internet]. 2024 May 1 [cited 2024 Jul 17]. Available from: https://www.cureus.com/articles/248416-advancing-perioperative-neurocognitive-health-a-critical-review-of-predictive-tools-diagnostic-methods-and-interventional-strategies
2. Van Sinderen K, Schwarte LA, Schober P. Diagnostic Criteria of Postoperative Cognitive Dysfunction: A Focused Systematic Review. Anesthesiol Res Pract. 2020 Nov 16;2020:1–13.
3. Evered L, Silbert B, Knopman DS, Scott DA, DeKosky ST, Rasmussen LS, et al. Recommendations for the Nomenclature of Cognitive Change Associated with Anaesthesia and Surgery—2018. Anesthesiology. 2018 Nov 1;129(5):872–9.
4. Hansen CL, Thomsen T, Tøgern A, Møller AM, Vester-Andersen M, Overgaard S, et al. Delirium diagnostic tools in the postoperative setting: A scoping review protocol. Acta Anaesthesiol Scand. 2024 Jul 8;aas.14486.

5. Quintão VC, Carlos RV, Kulikowski LD, Lee-Archer P, Carmona MJC. Association between adult and child behavioral interactions with preoperative anxiety and emergence delirium. Paediatr Anaesth. 2023 May;33(5):402–4.

6. Quintão VC, Carlos RV, Cardoso PFN, Zeferino SP, Kulikowski LD, Lee-Archer P, et al. Comparison of intravenous and inhalation anesthesia on postoperative behavior changes in children undergoing ambulatory endoscopic procedures: A randomized clinical trial. Paediatr Anaesth. 2023 Mar;33(3):229–35.

7. Flacker JM, Lipsitz LA. Neural mechanisms of delirium: current hypotheses and evolving concepts. J Gerontol A Biol Sci Med Sci. 1999 Jun;54(6):B239-246.

8. Devinney MJ, Wong MK, Wright MC, Marcantonio ER, Terrando N, Browndyke JN, et al. Role of Blood–Brain Barrier Dysfunction in Delirium following Non-cardiac Surgery in Older Adults. Ann Neurol. 2023 Dec;94(6):1024–35.

9. Barbosa FT, da Cunha RM, Pinto ALCLT. Postoperative delirium in the elderly. Rev Bras Anestesiol. 2008;58(6):665–70.

10. Rolfson DB, McElhaney JE, Jhangri GS, Rockwood K. Validity of the confusion assessment method in detecting postoperative delirium in the elderly. Int Psychogeriatr. 1999 Dec;11(4):431–8.

11. van den Boogaard M, Pickkers P, Slooter AJC, Kuiper MA, Spronk PE, van der Voort PHJ, et al. Development and validation of PRE-DELIRIC (PREdiction of DELIRium in ICu patients) delirium prediction model for intensive care patients: observational multicentre study. BMJ. 2012 Feb 9;344:e420.

12. Ely EW, Truman B, Shintani A, Thomason JWW, Wheeler AP, Gordon S, et al. Monitoring Sedation Status Over Time in ICU Patients: Reliability and Validity of the Richmond Agitation-Sedation Scale (RASS). JAMA. 2003 Jun 11;289(22):2983.

13. Park SY, Lee HB. Prevention and management of delirium in critically Ill adult patients in the intensive care unit: a review based on the 2018 PADIS guidelines. Acute Crit Care. 2019 May 31;34(2):117–25.

14. Aldecoa C, Bettelli G, Bilotta F, Sanders RD, Audisio R, Borozdina A, et al. European Society of Anaesthesiology evidence-based and consensus-based guideline on postoperative delirium. Eur J Anaesthesiol. 2017 Apr;34(4):192–214.

15. Bedford PD. Adverse cerebral effects of anaesthesia on old people. Lancet Lond Engl. 1955 Aug 6;269(6884):259–63.

16. O' Brien H, Mohan H, Hare CO, Reynolds JV, Kenny RA. Mind Over Matter? The Hidden Epidemic of Cognitive Dysfunction in the Older Surgical Patient. Ann Surg. 2017 Apr;265(4):677–91.

17. Evered LA, Silbert BS, Scott DA, Maruff P, Ames D. Prevalence of Dementia 7.5 Years after Coronary Artery Bypass Graft Surgery. Anesthesiology. 2016 Jul;125(1):62–71.

18. Monk TG, Weldon BC, Garvan CW, Dede DE, Van Der Aa MT, Heilman KM, et al. Predictors of Cognitive Dysfunction after Major Noncardiac Surgery. Anesthesiology. 2008 Jan 1;108(1):18–30.

19. Li L, Dohan D, Smith AK, Whitlock EL. 'It was a great brain, and I miss it': lay perspectives on postoperative cognitive dysfunction. Br J Anaesth. 2023 May;130(5):567–72.

20. Berger M, Schenning KJ, Brown CH, Deiner SG, Whittington RA, Eckenhoff RG, et al. Best Practices for Postoperative Brain Health: Recommendations From the Fifth International Perioperative Neurotoxicity Working Group. Anesth Analg. 2018 Dec;127(6):1406–13.

21. Schmidt AP, Carmona MJC. Perioperative cognitive evaluation and training: the use of digital games for assessment and prevention of cognitive decline after major non-cardiac surgery. Braz J Anesthesiol Elsevier. 2022;72(1):4–6.

22. Wajman JR, Oliveira FF de, Schultz RR, Marin S de MC, Bertolucci PHF. Educational bias in the assessment of severe dementia: Brazilian cutoffs for severe Mini-Mental State Examination. Arq Neuropsiquiatr. 2014;72(4):273–7.

23. Manos PJ, Wu R. The ten point clock test: a quick screen and grading method for cognitive impairment in medical and surgical patients. Int J Psychiatry Med. 1994;24(3):229–44.

24. Apolinario D, Lichtenthaler DG, Magaldi RM, Soares AT, Busse AL, Amaral JR das G, et al. Using temporal orientation, category fluency, and word recall for detecting cognitive impairment: the 10-point cognitive screener (10-CS). Int J Geriatr Psychiatry. 2016 Jan;31(1):4–12.

25. Nasreddine ZS, Phillips NA, Bédirian V, Charbonneau S, Whitehead V, Collin I, et al. The Montreal Cognitive Assessment, MoCA: a brief screening tool for mild cognitive impairment. J Am Geriatr Soc. 2005 Apr;53(4):695–9.

26. Memória CM, Yassuda, MS, Nakano EY, Forlenza OV. Brief screening for mild cognitive impairment: validation of the Brazilian version of the Montreal cognitive assessment. Int J Geriatr Psychiatry 2013;28:34-40.

27. Julayanont P, Tangwongchai S, Hemrungrojn S, Tunvirachaisakul C, Phanthumchinda K, Hongsawat J, et al. The Montreal Cognitive Assessment—Basic: A Screening Tool for Mild Cognitive Impairment in Illiterate and Low-Educated Elderly Adults. J Am Geriatr Soc. 2015 Dec;63(12):2550–4.

28. González DA, Gonzales MM, Resch ZJ, Sullivan AC, Soble JR. Comprehensive Evaluation of the Functional Activities Questionnaire (FAQ) and Its Reliability and Validity. Assessment. 2022 Jun;29(4):748–63.

29. Jomar RT, Lourenço RA, Lopes CDS. Estrutura dimensional da versão brasileira do Functional Activities Questionnaire (FAQ-BR). Cad Saúde Pública [Internet]. 2018 Nov 8 [cited 2024 Jul 17];34(11). Available from: http://www.scielo.br/scielo.php?script=sci_arttext&pid=S0102-311X2018001104001&lng=pt&tlng=pt

30. Yesavage JA, Brink TL, Rose TL, Lum O, Huang V, Adey M, et al. Development and validation of a geriatric depression screening scale: a preliminary report. J Psychiatr Res. 1982 1983;17(1):37–49.

31. Almeida OP, Almeida SA. Confiabilidade da versão brasileira da Escala de Depressão em Geriatria (GDS) versão reduzida. Arq Neuropsiquiatr. 1999 Jun;57(2B):421–6.

32. Ribeiro O, Paúl C, Simões MR, Firmino H. Portuguese version of the Geriatric Anxiety Inventory: transcultural adaptation and psychometric validation. Aging Ment Health. 2011 Aug;15(6):742–8.

33. Pachana NA, Byrne GJ, Siddle H, Koloski N, Harley E, Arnold E. Development and validation of the Geriatric Anxiety Inventory. Int Psychogeriatr. 2007 Feb;19(1):103–14.

34. Lelis RGB, Krieger JE, Pereira AC, Schmidt AP, Carmona MJ, Oliveira SA, et al. Apolipoprotein E4 genotype increases the risk of postoperative cognitive dysfunction in patients undergoing coronary artery bypass graft surgery. J Cardiovasc Surg (Torino). 2006 Aug;47(4):451–6.

35. Dammavalam V, Murphy J, Johnkutty M, Elias M, Corn R, Bergese S. Perioperative cognition in association with malnutrition and frailty: a narrative review. Front Neurosci. 2023;17:1275201.

36. Bettelli G. Anaesthesia for the elderly outpatient: preoperative assessment and evaluation, anaesthetic technique and postoperative pain management. Curr Opin Anaesthesiol. 2010 Dec;23(6):726–31.

37. Alencar RC, Cobas RA, Gomes MB. Assessment of cognitive status in patients with type 2 diabetes through the mini-mental status examination: a cross-sectional study. Diabetol Metab Syndr. 2010 Dec;2(1):10.

38. Rasmussen LS, Steentoft A, Rasmussen H, Kristensen PA, Moller JT. Benzodiazepines and postoperative cognitive dysfunction in the elderly. ISPOCD Group. International Study of Postoperative Cognitive Dysfunction. Br J Anaesth. 1999 Oct;83(4):585–9.

39. Valentin LSS, Pereira VFA, Pietrobon RS, Schmidt AP, Oses JP, Portela LV, et al. Effects of Single Low Dose of Dexamethasone before Noncardiac and Nonneurologic Surgery and General Anesthesia on Postoperative Cognitive Dysfunction-A Phase III Double Blind, Randomized Clinical Trial. PloS One. 2016;11(5):e0152308.

40. Wu L, Zhao H, Weng H, Ma D. Lasting effects of general anesthetics on the brain in the young and elderly: "mixed picture" of neurotoxicity, neuroprotection and cognitive impairment. J Anesth. 2019 Apr;33(2):321–35.

41. Andropoulos DB, Greene MF. Anesthesia and Developing Brains — Implications of the FDA Warning. N Engl J Med. 2017 Mar 9;376(10):905–7.

42. Simpao AF, Randazzo IR, Chittams JL, Burnham N, Gerdes M, Bernbaum JC, et al. Anesthesia and Sedation Exposure and Neurodevelopmental Outcomes in Infants Undergoing Congenital Cardiac Surgery: A Retrospective Cohort Study. Anesthesiology. 2023 Oct 1;139(4):393–404.

43. Arefayne NR, Berhe YW, van Zundert AA. Incidence and Factors Related to Prolonged Postoperative Cognitive Decline (POCD) in Elderly Patients Following Surgery and Anaesthesia: A Systematic Review. J Multidiscip Healthc. 2023;16:3405–13.

44. Fu Y, Wei Q, Wang Z, Zhao Q, Shi W. Effects of dexmedetomidine on postoperative pain and early cognitive impairment in older male patients undergoing laparoscopic cholecystectomy. Exp Ther Med. 2024 May;27(5):189.

45. Cai J, Tang M, Wu H, Yuan J, Liang H, Wu X, et al. Association of intraoperative hypotension and severe postoperative complications during non-cardiac surgery in adult patients: A systematic review and meta-analysis. Heliyon. 2023 May;9(5):e15997.

46. Girard TD, Jackson JC, Pandharipande PP, Pun BT, Thompson JL, Shintani AK, et al. Delirium as a predictor of long-term cognitive impairment in survivors of critical illness. Crit Care Med. 2010 Jul;38(7):1513–20.

Parte 17

Anestesia Para Cirurgia e Procedimentos Torácicos

149

Ventilação Monopulmonar

David Ferez

INTRODUÇÃO

O progresso da cirurgia torácica só foram possíveis à medida que se aprofundou a compreensão das profundas e intensas alterações fisiopatológicas inerentes à abertura do tórax. O domínio desse conhecimento e o entendimento dos mecanismos envolvidos vieram possibilitar a realização segura dos procedimentos intratorácicos.

Nos primórdios da cirurgia torácica, a primeira barreira a ser transposta foi o acesso cirúrgico seguro à cavidade torácica, uma vez que, o pneumotórax tornava improvável a sobrevivência do paciente. Este problema foi resolvido na primeira metade do século XX com o desenvolvimento das técnicas de intubação traqueal e da ventilação mecânica com pressão positiva. Também contribuíram para esse avanço, obtendo melhores resultados: as técnicas anestésicas mais seguras, a evolução na monitorização e o desenvolvimento dos métodos de isolamento pulmonar como os bloqueadores brônquicos (Maggill em 1934 e Crafoörd em 1938) e o progresso dos tubos de dupla luz (Carlens em 1949), entre outros.

As técnicas de isolamento pulmonar e ventilação monopulmonar desenvolvidas ao longo dos anos saíram do universo da anestesia e acabaram ganhando indicações específicas também nas unidades de tratamento intensivo.[1,2]

Deve-se comentar que a ideia do bloqueio brônquico não é recente, pois apresenta algumas vantagens sobre o isolamento convencional, porém só conseguiu seu desenvolvimento e efetividade com a melhora na fibroscopia ótica.[3]

FISIOPATOLOGIA DO "BALANÇO" DO MEDIASTINO

Durante uma respiração espontânea, intensas alterações são observadas em um paciente com o tórax aberto, o que foi chamado de balanço do mediastino. Ocorre que durante a inspiração, a incursão diafragmática conduz o ar atmosférico para dentro da cavidade pleural no hemitórax aberto, isso promove um colapso maior do pulmão acometido pelo pneumotórax cirúrgico. Por outro lado, a pressão negativa entre a pleura parietal e visceral do lado contralateral (não cirúrgico), leva a um desvio do mediastino para este mesmo lado. E o oposto é observado durante a expiração.

Os movimentos acima acarretam um "balanço do mediastino", levando a grave repercussão hemodinâmica pela torção dos vasos da base e desencadeamento de reflexos vagais (Figura 149.1).

FISIOPATOLOGIA DO "AR PÊNDULO"

Muito semelhante ao fenômeno anteriormente descrito, existe o fenômeno do "ar pêndulo". Durante a fase inspiratória, a contração do músculo diafragma permite que o pneumotórax colapse ainda mais o pulmão que sofreu a abertura da cavidade pleural e, contrariamente, o pulmão do tórax integro se expande «aspirando ar» daquele outro pulmão.

Na fase expiratória, com o relaxamento do diafragma, o lado íntegro se retrai e ocorre a **liberação de ar** para o lado lesado. Este fato é chamado de **mecanismo do ar pêndulo,** que conduz a grave hipercapnia e hipoxemia, comprovado experimentalmente por Harada, em 1983, (Figura 149.2).[4]

FISIOLOGIA DO DECÚBITO LATERAL

A gravidade e as características especiais de baixa resistência e alta complacência da circulação pulmonar, em conjunto com as modificações ocasionadas pelo decúbito lateral na ventilação pulmonar, conduzem fenômenos que devem ser do conhecimento do anestesiologista.

Inicialmente, quando o paciente está na posição ortostática, há um maior fluxo sanguíneo para as bases pulmonares. West, em 1960, dividiu estas áreas em três regiões, às quais posteriormente foi acrescentada uma quarta.[5,6]

Balanço do mediastino

Inspiração

Expiração

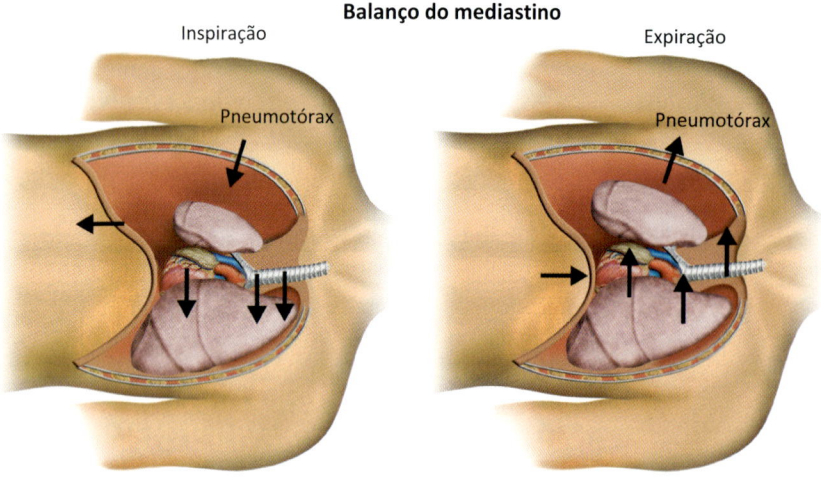

◄ **Figura 149.1** Balanço do mediastino.

Ar pêndulo

Inspiração

Expiração

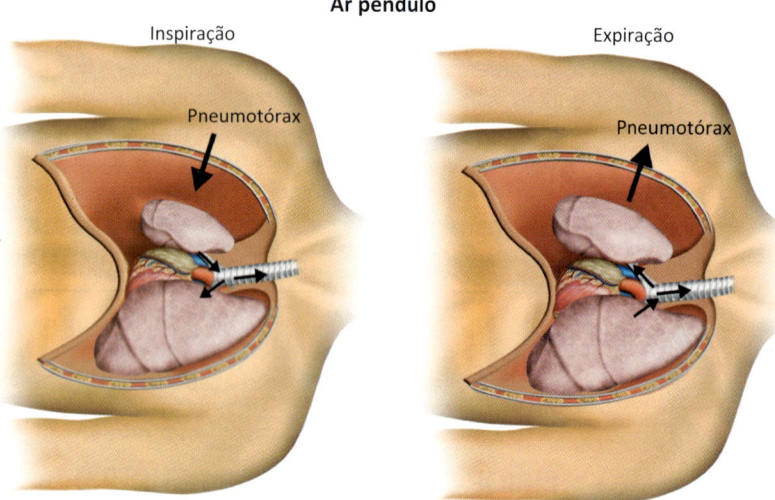

◄ **Figura 149.2** Mecanismo do ar pêndulo.

Assim, no ápice pulmonar, ocorre um fluxo mínimo de sangue, sendo por isso chamada de região **não dependente**. Nesse local, a Pressão Alveolar (PA) é maior que a Pressão da Artéria Pulmonar (PAP) e que a Pressão da Veia Pulmonar (PVP), ou seja, um efeito espaço morto onde a relação ventilação perfusão é maior que a unidade.

Na base pulmonar detecta-se efeito oposto. Nessa região, há um fluxo sanguíneo intenso no tecido pulmonar, por isso é chamada de **dependente**. Nesse local, a PAP é maior que a PVP, que é, por sua vez, maior que a PA. Isso resulta no efeito *shunt* pulmonar, onde a relação ventilação e perfusão é menor que a unidade.

A região média pulmonar comporta-se de forma intermediária a base e ápice pulmonar (Figura 149.3).

Cabe discutir o que se observa na posição ortostática com relação à ventilação pulmonar. Sabe-se que devido ao peso pulmonar, a base dele apresenta uma pressão negativa entre as pleuras menor que a do ápice pulmonar. Assim, sobre circunstâncias fisiológicas, a base pulmonar trabalha na faixa de curva de complacência mais adequada, quando uma pequena mudança na pressão transpulmonar leva a uma grande variação do volume alveolar. Pode-se afirmar que os alvéolos da base são de menor tamanho, porém apresentam uma maior variação em seu volume (maior ventilação). O ápice, contrariamente, trabalha na faixa de curva de complacência muito inadequada, quando uma grande mudança na pressão transpulmonar leva a uma pequena variação do volume alveolar e ficam distendidos. Os alvéolos do ápice pulmonar são maiores, todavia apresentam uma pequena variação em seu volume, menor ventilação, (Figura 149.4).

O Paciente em Decúbito Lateral Respirando Espontaneamente

Nesta posição, a influência gravitacional permite que o fluxo sanguíneo pulmonar se faça com maior intensidade para o pulmão inferior, comportando-se como a base pulmonar na posição ortostática, e em menor intensidade para o pulmão superior, semelhante ao ápice pulmonar. Devido as diferenças no fluxo sanguíneo, o pulmão superior é chamado de "não dependente" e o inferior de "dependente" (Figura 149.5).[7]

Quanto a ventilação, o pulmão dependente, devido a compressões externas parciais do mediastino e do abdome, trabalha na faixa mediana da curva de complacência pulmonar, adequada para a uma boa ventilação. Esta região assemelha-se a região da base e médio pulmonar de um paciente na posição ortostática.

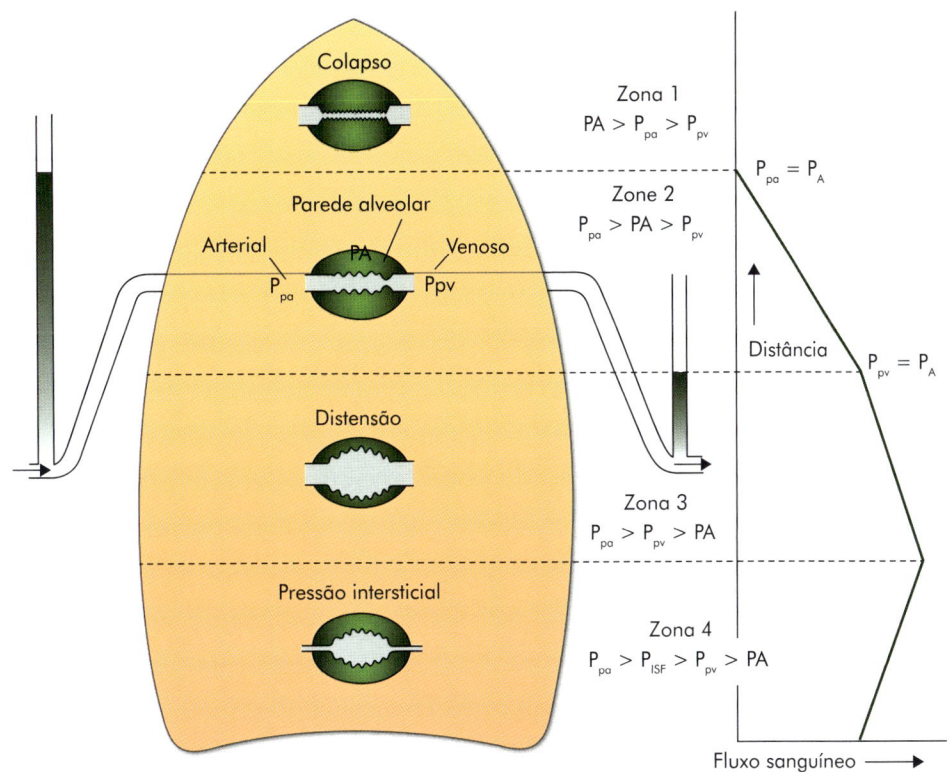

▲ **Figura 149.3** Zonas de West na posição ereta.

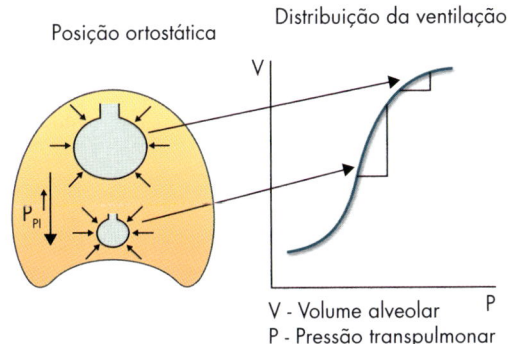

▲ **Figura 149.4** Ventilação alveolar segundo as regiões pulmonares.

O pulmão não dependente, livre de compressões externas, é conduzido a trabalhar na faixa superior da curva de complacência pulmonar, inadequada à ventilação. Essa região assemelha-se, então, a região do ápice pulmonar de um paciente na posição ortostática (Figura 149.6).[7]

Assim, o pulmão dependente recebe maior fluxo sanguíneo e é melhor ventilado, enquanto o pulmão não dependente recebe menor fluxo e é menos ventilado. Nesse contexto, a somatória desses efeitos resulta em pouca variação na relação entre ventilação e perfusão em relação à posição ortostática descrita por West, em 1960.[5,6]

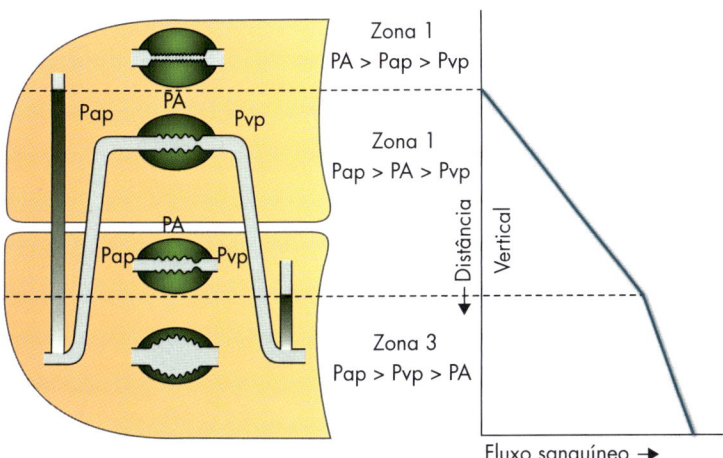

◄ **Figura 149.5** Fluxo sanguíneo em decúbito lateral.

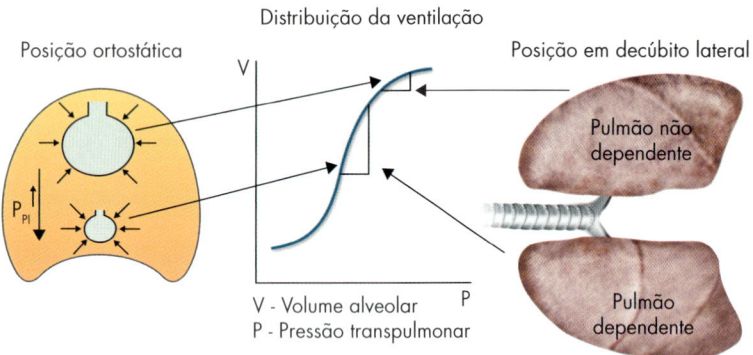

◀ **Figura 149.6** Ventilação em decúbito lateral.

O Paciente em Decúbito Lateral sob Anestesia Geral com Tórax Fechado

O fluxo sanguíneo permanece inalterado em relação ao quadro anterior devido à alta complacência da circulação pulmonar e a influência gravitacional. Porém, a utilização de anestésicos e bloqueadores neuromusculares faz com que a queda do mediastino e das vísceras abdominais sejam mais acentuadas sobre o pulmão dependente. Agora, as compressões externas levam o pulmão dependente a trabalhar na faixa inferior da curva de complacência pulmonar, inadequada para a ventilação.

O pulmão não dependente sofre compressões externas parciais do abdome e é levado a trabalhar na faixa mediana da curva de complacência pulmonar, que é adequada para a ventilação. A soma dos efeitos acima descritos induz a alterações importantes da relação ventilação e perfusão.

O pulmão não dependente, embora agora mais ventilado, por receber menor fluxo de sangue, mostra um efeito de espaço morto mais acentuado. Já o pulmão dependente, bem perfundido, contudo pouco ventilado, apresenta um efeito *shunt* (Figura 149.7).[7]

O Paciente em Decúbito Lateral sob Anestesia Geral com Tórax Aberto

O fluxo sanguíneo permanece inalterado em relação aos quadros anteriores e, no que se refere aos fenômenos ventilatórios, pode ocorrer uma piora, uma vez que a abertura do

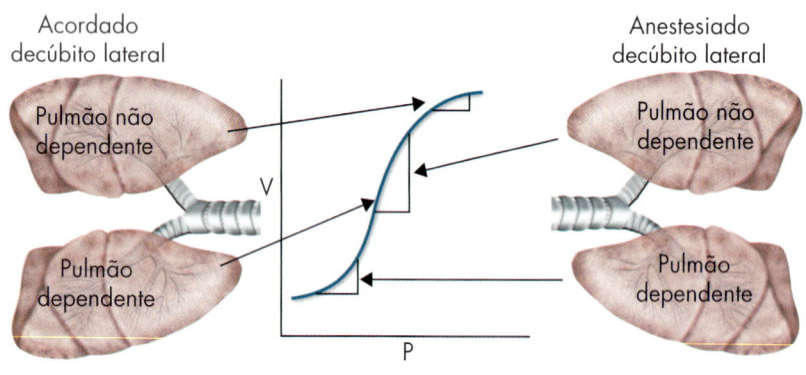

◀ **Figura 149.7** Ventilação em decúbito lateral acordado e sob anestesia geral com tórax fechado.

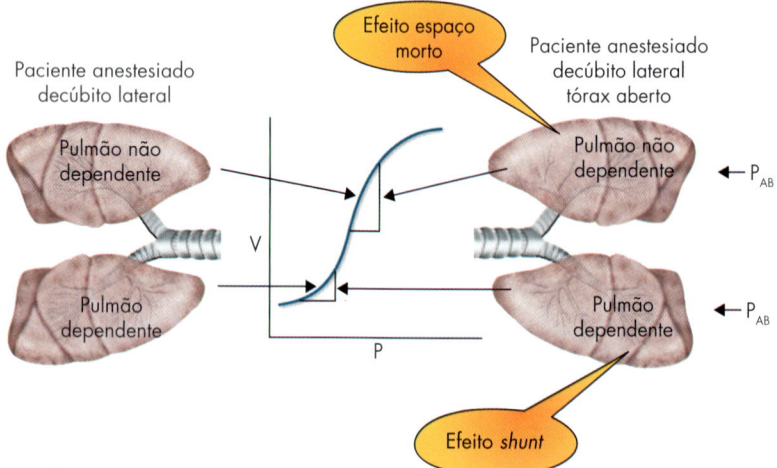

◀ **Figura 149.8** Ventilação em decúbito lateral anestesiado com tórax fechado e aberto.

tórax permite uma ventilação pulmonar ainda maior no pulmão não dependente, sem aumento proporcional na perfusão, ampliando os efeitos do espaço morto (Figura 149.8).[7]

O Paciente em Decúbito Lateral sob Anestesia Geral com Tórax Aberto e o Pulmão Não Dependente sendo Operado (Colapso Induzido)

Neste cenário, existe um grave risco de hipoxemia, pois o fluxo sanguíneo só é parcialmente desviado do pulmão colapsado (não dependente) para o pulmão dependente devido ao efeito gravitacional e ao fenômeno da vasoconstricção pulmonar hipóxica, contudo, eles não têm efetividade plena em bloquear completamente o fluxo.

Como consequência, o pulmão não dependente (colapsado) apresenta ainda um pequeno fluxo sanguíneo e, portanto, contribuindo para o efeito *shunt*. Por outro lado, o pulmão dependente recebe a maior parte do fluxo sanguíneo e se encontra na faixa inferior (ruim) da curva de

complacência pulmonar, inadequada para a ventilação, o que conduz também a um efeito *shunt* (Figura 149.9).[7] Além disso, a hipoxemia é uma complicação comum durante esse período cirúrgico.[8]

As indicações e objetivos do isolamento pulmonar e ventilação monopulmonar são múltiplos, tanto na anestesiologia como na terapia intensiva. As duas principais finalidades são: evitar que o pulmão dependente se contamine com secreções do pulmão não dependente, e permitir ao cirurgião um campo imóvel e seguro para a realização do procedimento.[7]

■ INDICAÇÕES DO ISOLAMENTO PULMONAR E VENTILAÇÃO MONOPULMONAR

O isolamento pulmonar com a ventilação monopulmonar é indicado para uma variedade de procedimentos cirúrgicos. Suas indicações podem ser resumidas na Tabela 149.1.

■ SONDAS E TÉCNICAS DE ISOLAMENTO

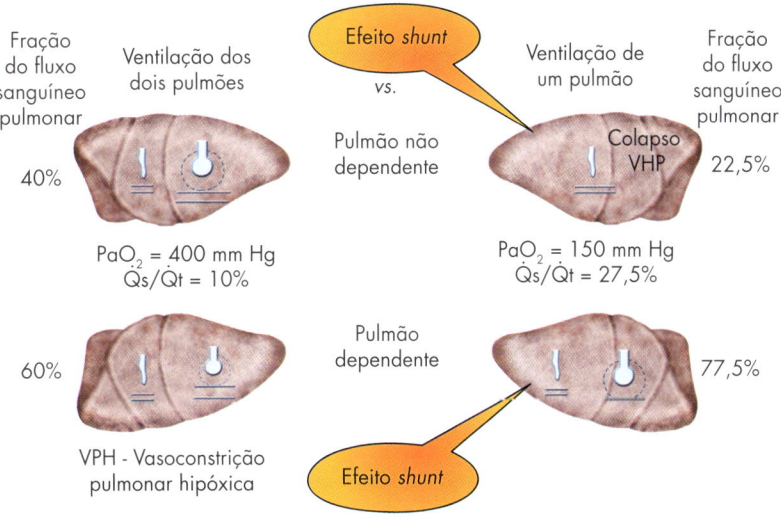

▲**Figura 149.9** Ventilação e perfusão em decúbito lateral e a origem do *shunt* pulmonar apesar da vasoconstrição pulmonar hipóxica.

Tabela 149.1 Indicações de ventilação monopulmonar.		
Absolutas	**Controle de secreção**	**Infecção**
		Hemoptise
	Controle da ventilação	Fístula bronco-pleural de alto débito
		SARA doença pulmonar unilateral
		Cisto pulmonar unilateral
Relativas	**Exposição cirúrgica**	**Grande prioridade** Pneumectomia
		Lobectomia superior
		Aneurismectomia de aorta torácica
		Toracoscopia
	Pequena prioridade	Lobectomia inferior
		Lobectomia média
		Segmentectomia
		Cirurgias esofágicas

PULMONAR

A escolha da técnica de isolamento é determinada por uma grande variedade de considerações como: a natureza da cirurgia, doença pulmonar prévia, morfologia alterada das vias aéreas, presença de via aérea difícil e experiência do anestesiologista. As técnicas mais conhecidas são apresentadas na Tabela 149.2.

Tabela 149.2 Técnicas de isolamento pulmonar.	
Bloqueadores brônquicos	Crafoörd
	Magill
	Thompson
	Fogarty
	Cohen
	Arndt
	EZ Blocker
Tubos endobrônquicos de lume simples	Machray (esq.)
	Macintosh-Leartherdale (esq.)
	Bromptom (esq.)
	Gordon-Green (dir.)
Tubos endobrônquicos de duplo lúmen	Carlens (esq.)
	White (dir.)
	Bryce-Smith (dir./esq.)
	Robertshaw (dir./esq.)

A ventilação monopulmonar com bloqueadores brônquicos é realizada locando-se o bloqueador (Magill, Fogarty etc.) às cegas ou por fibroscopia, no brônquio ou segmento desejado, após a intubação traqueal convencional.

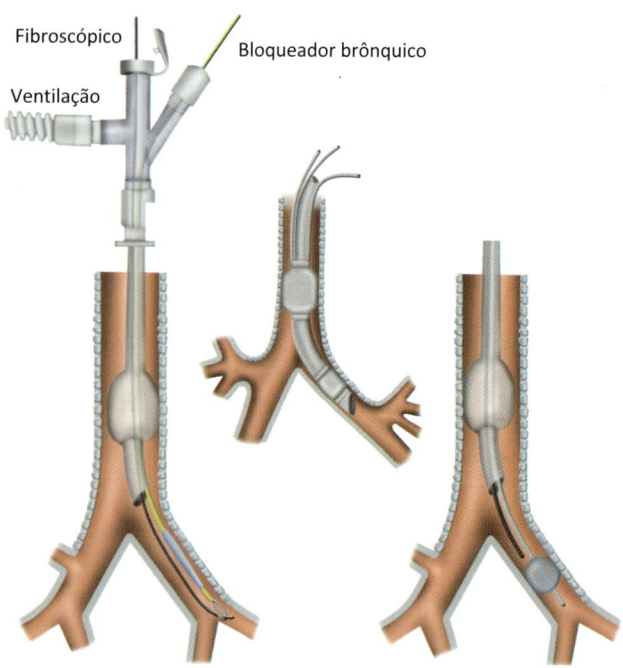

▲ **Figura 149.11** Bloqueador de Ardnt.

O menor tubo de duplo lúmen disponível no mercado brasileiro é o 28 French, por isso os bloqueadores podem ser uma alternativa interessante em crianças com menos de 10 anos que necessitam de isolamento pulmonar e ventilação monopulmonar,[9] assim como: na presença de via aérea difícil, pacientes traqueostomizados,[10] estomago "cheio"[11] ou de reserva funcional pulmonar diminuída[12] (Figuras 149.10 e 149.11).

Quanto aos tubos endobrônquicos de apenas um único lúmen, mas com dois *cuffs* (traqueal e bronquial), não são

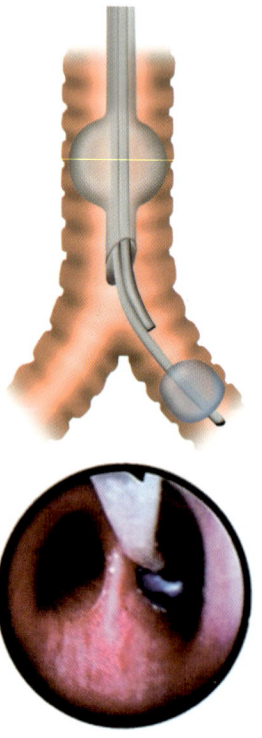

▲ **Figura 149.10** Bloqueador brônquico Univent.

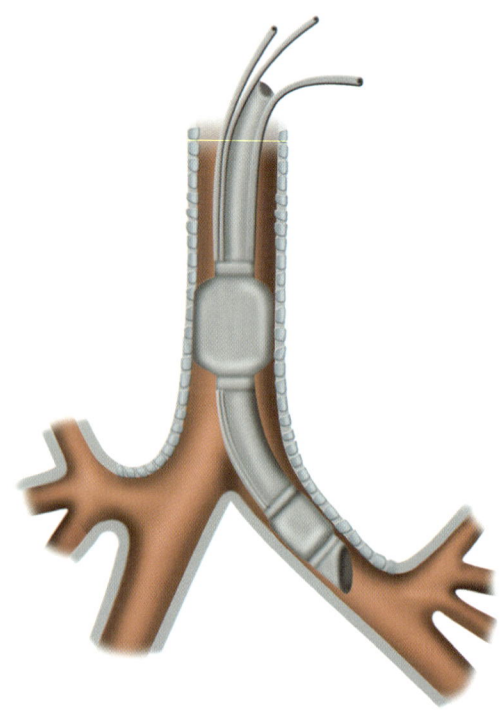

▲ **Figura 149.12** Sonda de Brompton.

corriqueiros na clínica da anestesiologia, mas existem um gama enorme de suas variações (Figura 149.12).

As sondas endobrônquicas de duplo lúmen são as mais usadas na prática clínica. Quando a cirurgia é no pulmão direito, os tubos de duplo lúmen para a esquerda são utilizados.

Na indicação em que a cirurgia é realizada no pulmão esquerdo, os tubos de duplo lúmen para a direita ou esquerda podem ser utilizados. No entanto, nos procedimentos muito próximos da **carina** no pulmão esquerdo, os tubos de duplo lúmen para a direita são obrigatórios.

Deve ser lembrado que os tubos de duplo lúmen para a direita, quando deslocados ou incorretamente locados, podem conduzir a hipoventilação do lobo superior direito, devido à saída muito precoce desse ramo com a carina (Figuras 149.13 e 149.14).

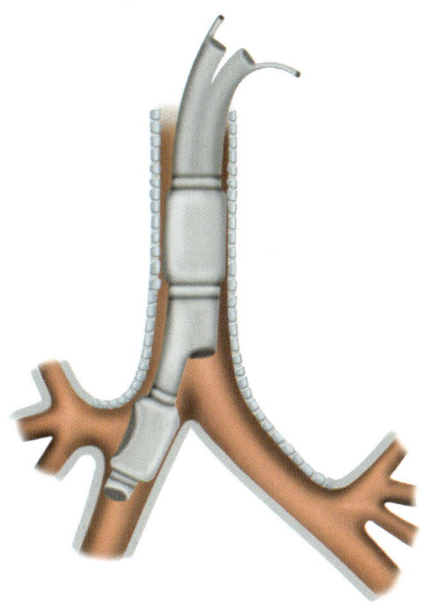

▲ **Figura 149.13** Sonda de Robertshaw direita.

A sonda de Carlens foi primeira sonda de duplo lúmen a ser idealizada, e é ainda muito empregada. É uma sonda direcionada ao brônquio esquerdo e oferece um **gancho carineal** para sua melhor locação na árvore traqueal (Figura 149.15).

Sua locação é realizada do seguinte modo: a curvatura distal para a esquerda é direcionada anteriormente ao paciente, ficando a curvatura proximal para a direita. Após a passagem da ponta da sonda pela laringe, ela é rodada cento e oitenta graus no sentido anti-horário. Isso é necessário pela presença do gancho carineal, ficando este, então, na posição anterior, enquanto a curvatura distal posterior e a proximal para a esquerda. Então se introduz cerca de 2 cm dentro da traqueia e rodamos noventa graus no sentido horário. Nesta última posição, a curvatura distal fica direcionada para a esquerda e a proximal anteriormente. O tubo é empurrado suavemente pela traqueia até que se encontre uma discreta resistência.[7]

A sonda do tipo Broncho-Cath (similar a sonda de Robertshaw) é a mais utilizada na atualidade nos EUA. Isso se deve à menor possibilidade de lesão traqueal (ausência do gancho carineal) e a seu material (Cloreto de Polivinil), menos irritante da mucosa traqueal.

O Broncho-Cath-esquerdo é locado do seguinte modo: a curvatura distal (esquerda) é direcionada anteriormente ao paciente, ficando a curvatura proximal para a direita. Após a passagem pela laringe da extremidade anterior da sonda, esta é rodada noventa graus no sentido anti-horário. Dessa forma, a curvatura proximal agora torna-se direcionada anteriormente e a distal para a esquerda. O tubo é empurrado suavemente pela traqueia até que se encontre uma discreta resistência[7] (Figura 149.16).

O Broncho-Cath-direito é locado do seguinte modo: a curvatura distal (direita) é direcionada anteriormente ao paciente, ficando a curvatura proximal para a esquerda. Após a passagem pela laringe da extremidade anterior da sonda, esta é rodada noventa graus no sentido horário. Procedendo-se dessa maneira, a curvatura proximal agora torna-se direcionada anteriormente e a distal para a direita. O tubo é empurrado suavemente pela traqueia até que se encontre uma discreta resistência.[7]

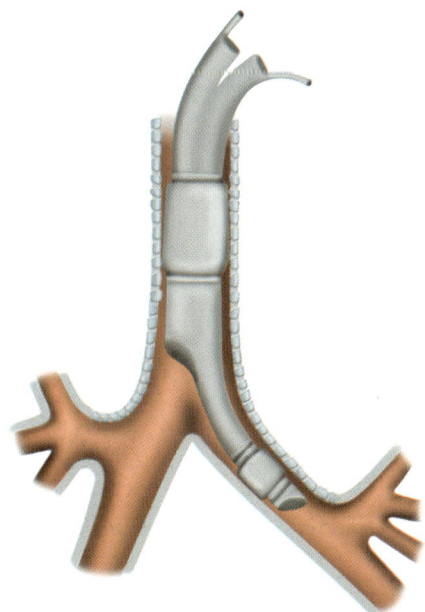

▲ **Figura 149.14** Sonda de Robertshaw esquerda.

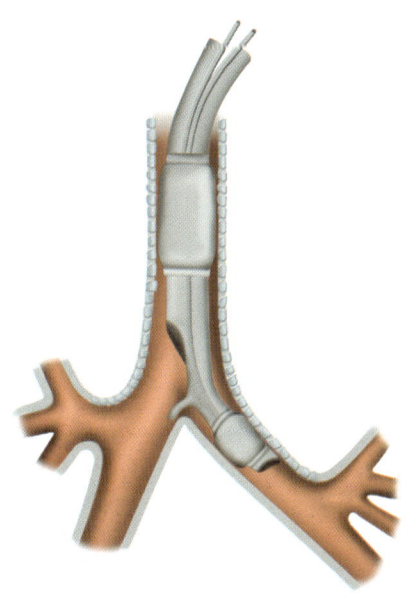

▲ **Figura 149.15** Sonda de Carlens.

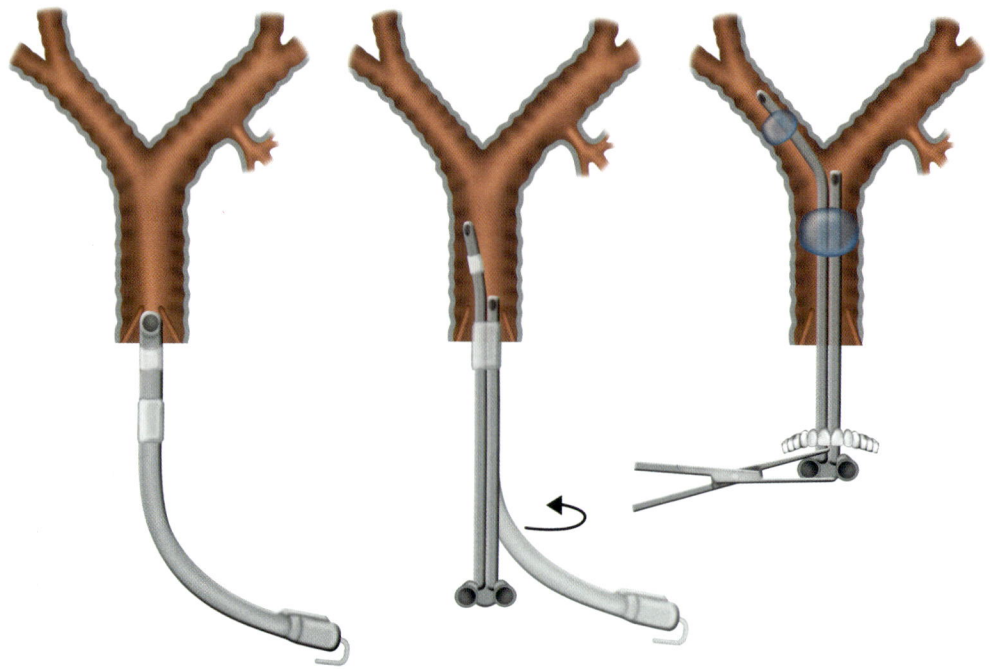

▲ **Figura 149.16** Técnica da instalação da Sonda de Robertshaw.

A localização precisa das sondas de duplo lúmen é crucial, sendo a fibroscopia considerada o padrão de excelência para garantir seu posicionamento adequado. Qualquer desvio nesse posicionamento pode resultar em consequências fatais para o paciente.

Na ausência da fibroscopia, as técnicas para se verificar a correta locação da sonda devem seguir a seguinte ordem após sua introdução:

1. Inflar o *cuff* traqueal e checar a ventilação bilateral;
2. Inflar o *cuff* do brônquio e checar a ventilação bilateral;
3. Alternando a obstrução dos conectores do tubo de duplo lúmen, podemos diagnosticar seu correto posicionamento ou não. O murmúrio respiratório deve desaparecer do lado em que se está *clamp* e permanecer do lado contralateral (Figura 149.17).

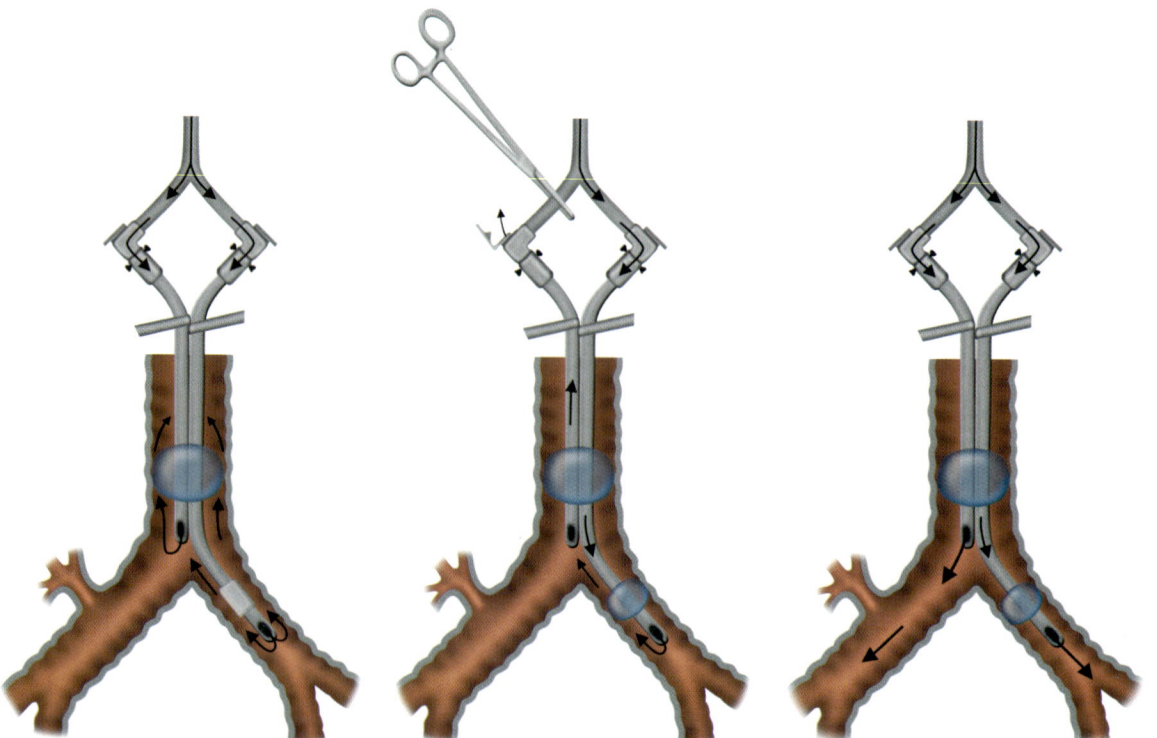

▲ **Figura 149.17** Testes de instalação correta do tubo de duplo lúmen.

Para não exceder a pressão nos *cuffs*, o *cuff* traqueal é inflado até que não se ausculte a saída de ar pela traqueia.

Ao ventilar o lado do *cuff* brônquico, este é inflado até que não se perceba a saída de ar pelo ramo oposto, e então colocado em selo de água. Por exemplo, o Broncho-Cath--esquerdo (*cuff* brônquico esquerdo), utilizado para ventilar o pulmão esquerdo, o "cuff" deve ser inflado até que pare de borbulhar ar pelo ramo traqueal, em selo de água, (Figura 149.18).

Como deve ser enfatizado, a confirmação sempre que possível, deve ser feita por fibroscopia (padrão ouro para essa intervenção). Porém, alguns testes de ausculta podem auxiliar no diagnóstico da posição do tubo de duplo lúmen (Figura 149.19).

A técnica de posicionamento dos dispositivos acima descritos requer conhecimento e habilidade no manuseio da fibroscopia. Após a inserção do tubo de duplo lúmen na traqueia, o fibroscópio é introduzido pelo lúmen bronquial até que seja reconhecida carina principal. O aparelho é intro-duzido no brônquio esquerdo (sonda para esquerda – canal bronquial esquerdo) ou direito (sonda para direita – canal bronquial direito), sendo identificadas as carinas secundárias dos lobos pulmonares respectivos. Destaca-se que no emprego do tubo direito ainda deve-se avaliar a perviedade do brônquio do lobo superior direito pelo canal bronquial, devido à sua emergência precoce do brônquio fonte direito. Na sequência, utiliza-se o fibroscópio como guia do tubo de duplo lúmen e, que é introduzido gentilmente enquanto o fibroscópio é removido. Em seguida, o fibroscópio é introduzido pelo lúmen traqueal (Figura 149.20).

Com o fibroscópio no lúmen traqueal, se o tubo é esquerdo, reconhece a carina principal e verifica-se se o *cuff* bronquial esquerdo está adequadamente insuflado, não deformando a carina principal ou seu formato está alterado. Pode-se avaliar os brônquios lobares à direita, especialmente o superior. Por outro lado, quando o tubo é inserido à direita, o fibroscópio também reconhece a carina principal no lúmen traqueal, e verifica-se se o *cuff* bronquial direito

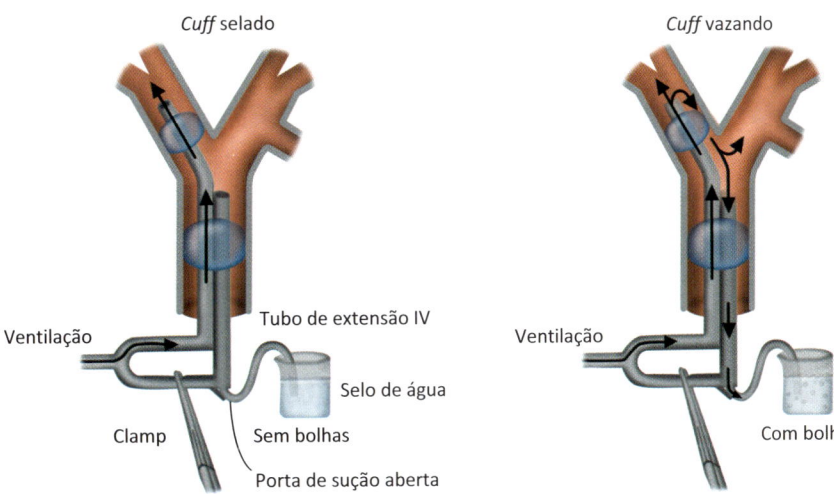

▲ **Figura 149.18** Avaliação do *cuff* brônquico.

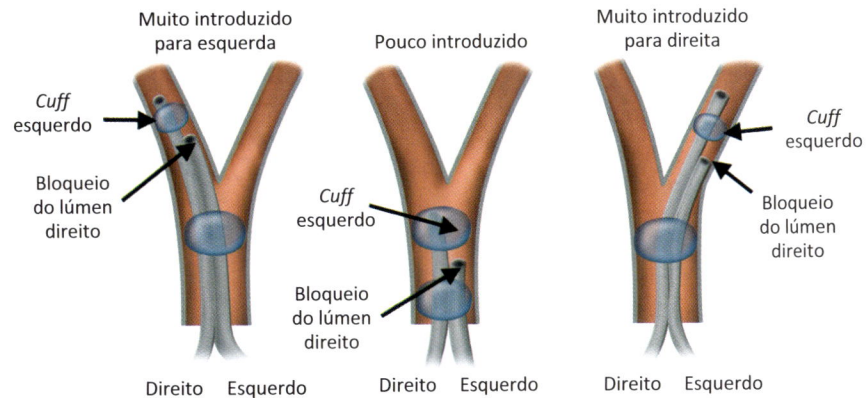

Procedimento	Sons respiratórios auscultados		
Clamp no lúmen direito (ambos *cuffs* insuflado)	esquerda	esquerda e direita	direita
Clamp no lúmen esquerdo (ambos *cuffs* insuflado)	nenhum	nenhum	nenhum
Clamp no lúmen esquerdo (*cuff* esquerdo desinsuflado)	esquerda	esquerda e direita	direita

▲ **Figura 149.19** Testes de avaliação da localização do tubo de duplo lúmen para a esquerda.

está adequadamente insuflado, sem causar deformação na carina principal ou alterar seu formato. Além disso, é possível avaliar os brônquios lobares à esquerda.[2]

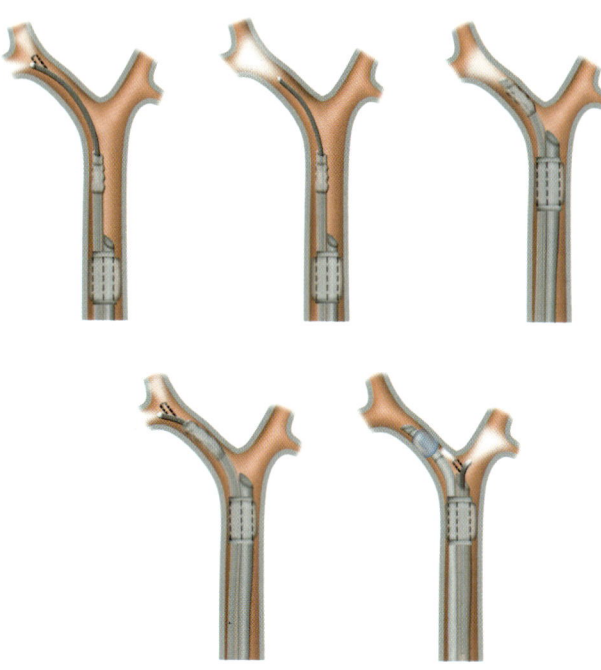

▲**Figura 149.20** Colocação do tubo de duplo lúmen à esquerda com fibroscopia.

■ TÉCNICAS DE VENTILAÇÃO

O emprego de baixos volumes-correntes, usualmente de 4 a 6 mL.kg⁻¹, no modo de Ventilação Pressão Controlada (PCV) é o padrão protetor durante a ventilação monopulmonar.

Deve-se manter uma pressão de platô, sempre que possível, abaixo de 30 cm de água e uma relação entre o tempo inspiratório e expiratório, privilegiando este último (relação I:E menor) para que se evite o auto-PEEP, principalmente nos paciente com doença pulmonar obstrutiva.[13]

Deve-se buscar, de forma parcimoniosa, uma pressão positiva no final da expiração (PEEP) titulada e adequada, pois está relacionada a melhores resultados.[14]

Kim e colaboradores, em metanálise de 2016, forneceram evidências que a oxigenação no modo PCV é mais adequada, e com um pico de pressão inspiratória significativamente mais baixo. Porém, é difícil tirar conclusões definitivas devido ao fato de que a duração da ventilação nos estudos revisados foi insuficiente para revelar benefícios clinicamente relevantes ou desvantagens de PCV.[15] Esses dados são semelhantes aos obtidos por Liu e colaboradoes, porém esse autor encontrou menor pressão de platô.[16] Ambos não encontraram diferenças entre o modo VCV e PCV em relação à mortalidade, tempo de ventilação mecânica e de internação na UTI.

A utilização de uma Pressão Contínua nas Vias Aéreas (CPAP) no pulmão não dependente, combinada com PEEP no pulmão dependente, está associada a melhor oxigenação do paciente e menor inflamação desse pulmão.[17,18] Uma alternativa ao CPAP é a Ventilação em Jatos de Alta Frequência (VJAF)[19] que também melhora as trocas gasosas. Esses modelos não prejudicam o campo operatório de forma importante e diminuem significantemente o *shunt* pulmonar (Figuras 149.21 e 149.22).

Muitas discussões existem sobre a anestesia venosa ou inalatória em cirurgia torácica. Apesar dos parâmetros de oxigenação serem similares da anestesia venosa e inalatória,[20] Sun e colaboradores, em 2015, concluíram em sua metanálise que a anestesia inalatória está associada à menor nível de estresse oxidativo em cirurgias torácicas com isolamento pulmonar e ventilação monopulmonar.[21]

A dexmedetomidina está associada à menor estresse oxidativo e potencializa o reflexo da vasoconstrição pulmonar hipóxica nas cirurgias que o isolamento pulmonar com ventilação monopulmonar é utilizada,[22] assim como o Sevoflurano[23] e Isoflurano.[24]

■ COMPLICAÇÕES[25]

Embora existam várias descrições na literatura de complicações decorrentes do uso destas sondas, as principais são:

1. **Trauma das vias aéreas:** trauma dos tecidos moles, deslocamento das cartilagens aritenoides, edema etc.;
2. **Deslocamento ou mau posicionamento do tubo:** pode ser evitado por meio de uma rigorosa avaliação e de uma fixação adequada;
3. **Obstrução da sonda:** é comum no tubo de duplo lúmen (Carlens, Robertshaw etc.) apresente um ou ambos os seus condutos obstruídos por secreções, isso se deve ao seu lúmen estreito;
4. **Hipoxemia:** secundária a alterações da relação ventilação e perfusão.

■ CONCLUSÃO

O isolamento pulmonar com a ventilação monopulmonar requer do anestesiologista um conhecimento sólido de fisiologia e ventilação mecânica. Deve-se conhecer as alternativas disponíveis de isolamento pulmonar em situações incomuns e as principais complicações e seu manejo.

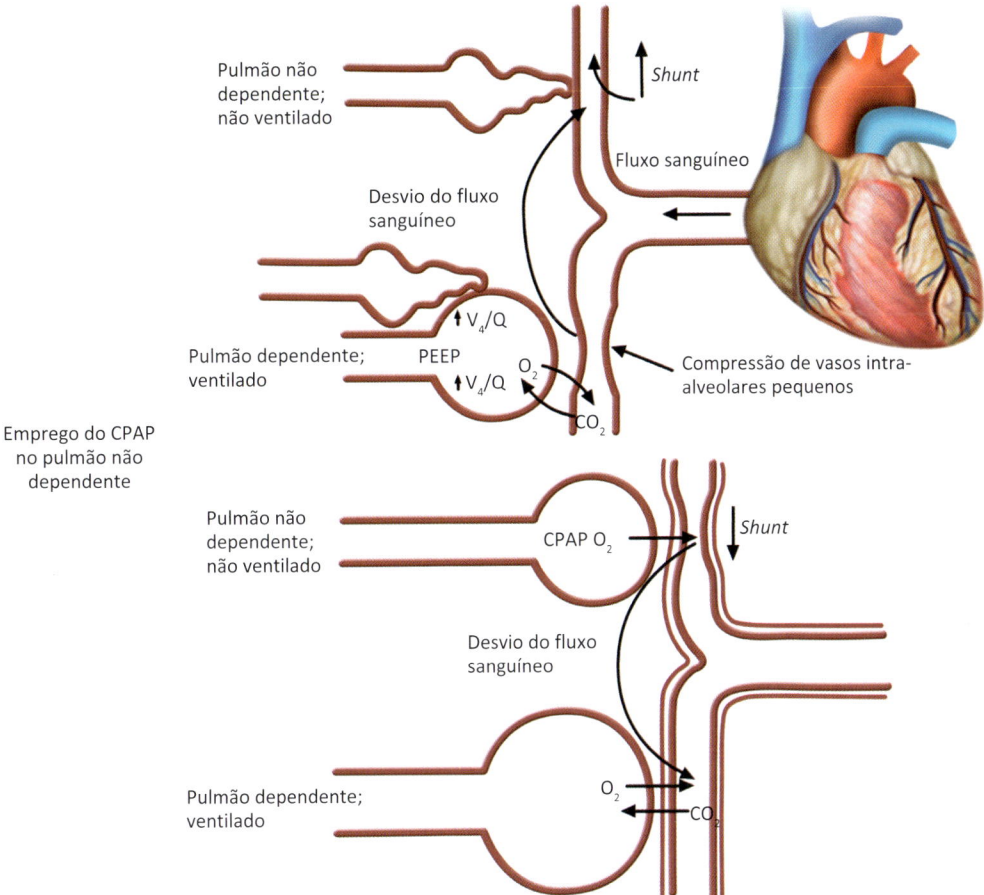

▲ **Figura 149.21** Pressão contínua nas vias aéreas (CPAP) no pulmão não dependente e pressão positiva no final da expiração (PEEP) no pulmão dependente.

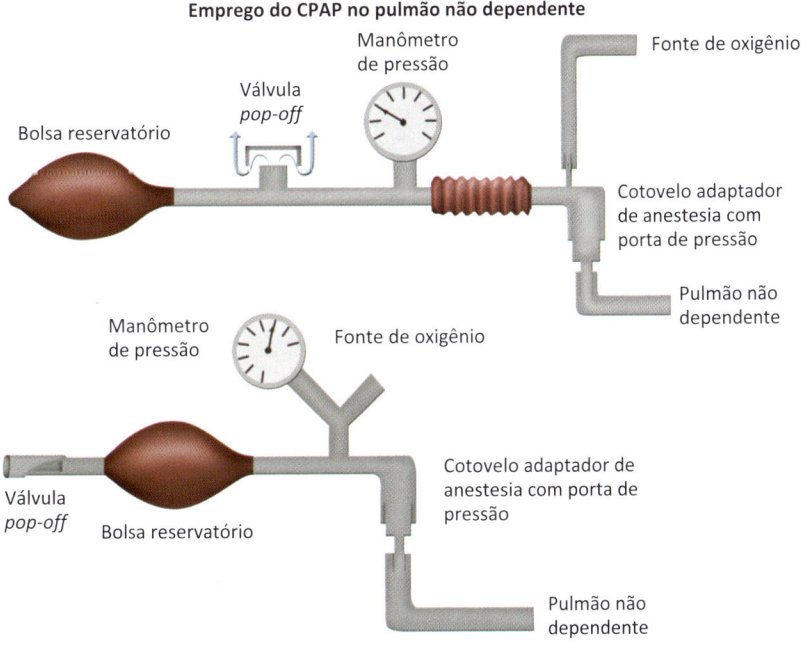

▲ **Figura 149.22** Pressão contínua nas vias aéreas (CPAP) no pulmão não dependente e pressão positiva no final da expiração (PEEP) no pulmão dependente.

REFERÊNCIAS

1. Benumof JL. Anaesthesia for thoracic surgery: recent advances. Canadian Anaesthetists' Society journal. 1986;33(3 Pt. 2):S28-37.
2. Benumof JL. AANA Journal Course: update for nurse anesthetists--anesthesia for thoracic surgery: lung separation. AANA journal. 1998;66(3):253-61.
3. Bussieres JS, Somma J, Del Castillo JL, Lemieux J, Conti M, Ugalde PA, et al. Bronchial blocker versus left double-lumen endotracheal tube in video-assisted thoracoscopic surgery: a randomized-controlled trial examining time and quality of lung deflation. Can J Anaesth. 2016;63(7):818-27.
4. Harada K, Saoyama N, Izumi K, Hamaguchi N, Sasaki M, Inoue K. Experimental pendulum air in the flail chest. The Japanese journal of surgery. 1983;13(3):219-26.
5. West JB, Dollery CT. Distribution of blood flow and ventilation-perfusion ratio in the lung, measured with radioactive carbon dioxide. J Appl Physiol. 1960;15:405-10.
6. West JB. Relação Ventilação-Perfusão - Como o equilíbrio entre os gases e sangue determina o troca gasosas. In: West JB, editor. Fisiologia Respiratória. 1. São Paulo: Atheneu; 1980. p. 57-76.
7. Campos PDSJH. Anesthesia for Thoracic Surgery. In: Miller RD, editor. Miller's Anesthesia. 2. 7a Ed ed. Philadelphia: Churchill Livigstone; 2010. p. 1819-88.
8. Roth JV. Complications of One-lung Ventilation: Is It the Blood Flow or the Ventilation? Anesthesiology. 2016;125(6):1253-4.
9. Cerchia E, Ferrero L, Molinaro F, Donato L, Messina M, Becmeur F. Pediatric Thoracoscopy and Bronchial Blockers: The Continued Search for the Ideal One-Lung Ventilation. J Laparoendosc Adv Surg Tech A. 2016;26(2):153-6.
10. Rispoli M, Nespoli MR, Salvi R, Corcione A, Buono S. One-lung ventilation in tracheostomized patients: our experience with EZ-Blocker. J Clin Anesth. 2016;31:288-90.
11. Moritz A, Schreiner W, Schmidt J. One-lung ventilation after rapid-sequence intubation: a novel approach using an ETView tracheoscopic ventilation tube for placement of an EZ-Blocker without bronchoscopy. J Clin Anesth. 2016;29:48-9.
12. Agrawal DR, Nambala S, Fartado A. Selective lobar blockade in minimally invasive coronary artery bypass grafting: A technical advantage in patients with low respiratory reserve that precludes one-lung ventilation. Ann Card Anaesth. 2016;19(3):542-4.
13. Spaeth J, Ott M, Karzai W, Grimm A, Wirth S, Schumann S, Loop T. Double-lumen tubes and auto-PEEP during one-lung ventilation. Br J Anaesth. 2016;116(1):122-30.
14. Blank RS, Colquhoun DA, Durieux ME, Kozower BD, McMurry TL, Bender SP, Naik BI. Management of One-lung Ventilation: Impact of Tidal Volume on Complications after Thoracic Surgery. Anesthesiology. 2016;124(6):1286-95.
15. Kim KN, Kim DW, Jeong MA, Sin YH, Lee SK. Comparison of pressure-controlled ventilation with volume-controlled ventilation during one-lung ventilation: a systematic review and meta-analysis. BMC Anesthesiol. 2016;16(1):72.
16. Liu Z, Liu X, Huang Y, Zhao J. Intraoperative mechanical ventilation strategies in patients undergoing one-lung ventilation: a meta-analysis. Springerplus. 2016;5(1):1251.
17. Tojo K, Goto T, Kurahashi K. Protective effects of continuous positive airway pressure on a nonventilated lung during one-lung ventilation: A prospective laboratory study in rats. Eur J Anaesthesiol. 2016;33(10):776-83.
18. Fujiwara M, Abe K, Mashimo T. The effect of positive end-expiratory pressure and continuous positive airway pressure on the oxygenation and shunt fraction during one-lung ventilation with propofol anesthesia. J Clin Anesth. 2001;13(7):473-7.
19. Feng Y, Wang J, Zhang Y, Wang S. One-Lung Ventilation with Additional Ipsilateral Ventilation of Low Tidal Volume and High Frequency in Lung Lobectomy. Med Sci Monit. 2016;22:1589-92.
20. Pruszkowski O, Dalibon N, Moutafis M, Jugan E, Law-Koune JD, Laloe PA, Fischler M. Effects of propofol vs sevoflurane on arterial oxygenation during one-lung ventilation. Br J Anaesth. 2007;98(4):539-44.
21. Sun B, Wang J, Bo L, Zang Y, Gu H, Li J, Qian B. Effects of volatile vs. propofol-based intravenous anesthetics on the alveolar inflammatory responses to one-lung ventilation: a meta-analysis of randomized controlled trials. J Anesth. 2015;29(4):570-9.
22. Xia R, Xu J, Yin H, Wu H, Xia Z, Zhou D, et al. Intravenous Infusion of Dexmedetomidine Combined Isoflurane Inhalation Reduces Oxidative Stress and Potentiates Hypoxia Pulmonary Vasoconstriction during One-Lung Ventilation in Patients. Mediators Inflamm. 2015;2015:238041.
23. Erturk E, Topaloglu S, Dohman D, Kutanis D, Besir A, Demirci Y, et al. The comparison of the effects of sevoflurane inhalation anesthesia and intravenous propofol anesthesia on oxidative stress in one lung ventilation. Biomed Res Int. 2014;2014:360936.
24. Abe K, Shimizu T, Takashina M, Shiozaki H, Yoshiya I. The effects of propofol, isoflurane, and sevoflurane on oxygenation and shunt fraction during one-lung ventilation. Anesth Analg. 1998;87(5):1164-9.
25. Baraka A. Complications Following Different Techniques of One-Lung Ventilation. Middle East J Anaesthesiol. 2015;23(2):129-30.

150

Anestesia para Procedimentos Torácicos Diagnósticos e Minimamente Invasivos

Vanessa Henriques Carvalho ▪ Emica Shimozono
Patrícia Gonçalves Caparroz Busca ▪ Derli Conceição Munhoz

INTRODUÇÃO

A broncoscopia, a videotoracoscopia e a mediastinoscopia têm sido utilizadas não apenas como métodos diagnósticos em cirurgia torácica, mas como acesso a inúmeros tratamentos minimamente invasivos de doenças pulmonares, pleurais e mediastinais.[1]

Mesmo que relativamente pouco invasivos, esses procedimentos apresentam seus riscos e complicações relevantes. Portanto, não se deve menosprezar o cuidado pré-anestésico e o preparo adequado dos equipamentos para manejo de vias aéreas, com atenção especial ao exame da cavidade bucal e mobilidade da mandíbula e pescoço. A história clínica e o exame físico são mandatórios e recomendam-se exames laboratoriais, eletrocardiograma e radiografia de tórax. Tomografia de tórax, provas de função pulmonar e gasometria arterial podem ser necessários em casos específicos.[2]

Em pacientes debilitados, com escore *ASA* (*American Society of Anesthesiologists*) aumentado e baixa saturação de O_2, com possível obstrução e comprometimento das vias aéreas, a presença do anestesiologista torna-se imprescindível.[3] A interação entre as equipes (anestesiologia, broncoscopia ou cirurgia) é essencial para promover segurança e uma atuação eficaz no manejo de complicações durante o procedimento.

▪ ANESTESIA PARA BRONCOSCOPIA

Parte considerável dos procedimentos diagnósticos torácicos é realizada em regime ambulatorial; assim, o emprego dos anestésicos tem por objetivo trazer conforto ao paciente para a adequada execução do exame, com segurança e menor tempo de despertar. A complexidade e a duração do procedimento definem a escolha de sedação ou anestesia geral, e os agentes venosos apresentam-se como opção a ser cogitada em adultos.

Os benzodiazepínicos, em especial o midazolam, que dentre esse grupo tem curta meia-vida de eliminação e rápido início de ação, têm sido amplamente utilizados com segurança e eficácia. Apresentam propriedades sedativas, hipnóticas, ansiolíticas e amnésicas, além de estabilidade hemodinâmica se comparados a outros fármacos, com a vantagem de reversibilidade de seus efeitos por meio do uso de antagonista específico (flumazenil).[4]

O propofol apresentou-se tão seguro e eficaz quanto o midazolam para broncoscopia em ventilação espontânea devido ao seu efeito hipnótico, atenuando os reflexos de vias aéreas superiores, mas com início e despertar mais rápidos, podendo ser utilizado tanto em bólus quanto em infusão contínua.[5]

Os opioides, associados aos benzodiazepínicos ou ao propofol, têm ação analgésica e antitussígena, e também atenuam a resposta simpática da manipulação das vias aéreas, reduzindo o consumo dos agentes sedativos associados.[4] O fato de os procedimentos intervencionistas por meio da broncoscopia necessitarem de pouca analgesia e terem duração relativamente curta faz do remifentanil uma escolha possivelmente vantajosa entre os opioides, haja vista o efeito residual reduzido na sala de recuperação anestésica.

A dexmedetomidina em associação com propofol pode ser opção valiosa para a realização da broncoscopia, com reduzida incidência de dessaturação periférica de oxigênio e salivação quando comparado à associação remifentanil/propofol, apesar de provocar um maior tempo de despertar e incidência de tosse aumentada.[6]

O sevoflurano, utilizado principalmente na população pediátrica, mostrou-se eficaz em manter estabilidade hemodinâmica e menor risco de dessaturação periférica de oxigênio em comparação ao remifentanil e propofol em crianças mantidas em ventilação espontânea, apesar de provocar maior incidência de agitação no despertar.[7]

A cetamina, também de uso frequente em pacientes pediátricos submetidos à broncoscopia e endoscopia, tem ação broncodilatadora, analgésica e de estimulação simpática com mínimos efeitos sobre a ventilação quando aplicada como único agente. No entanto, ela promove o aumento da salivação e não atenua o reflexo de vias aéreas superiores, além de causar alucinações e confusão no despertar. O uso concomitante de propofol ou midazolam reduz a incidência dos últimos, mas prolongam o tempo de despertar.[4]

Os bloqueadores neuromusculares, como succinilcolina, podem ser administrados para facilitar a intubação ou alocação do broncoscópio quando não há indicação de manutenção de ventilação espontânea, exceto na presença de obstrução da via aérea, inclusive por corpo estranho, ou quando for necessária uma avaliação dinâmica das cordas vocais.

A anestesia tópica com lidocaína antes e durante o procedimento é recomendada quando não houver contraindicação, pois é capaz de reduzir a incidência de tosse e o consumo de sedativos. Várias técnicas podem ser utilizadas para esse fim, incluindo gel nasal ou *spray*, nebulização, injeção transcricoidea e transtraqueal, bloqueio laríngeo superior ou glossofaríngeo e instilação contínua durante o procedimento. A lidocaína aplicada sobre membrana mucosa das vias aéreas atinge concentrações séricas máximas entre 20 a 30 minutos. A eficácia de soluções a 1% ou 2% foi semelhante, sendo então sugeridas concentrações menores para a manutenção da segurança,[8] lembrando que a dose tópica total não deve exceder 7 mg.kg^{-1}.

Dentre os fármacos anticolinérgicos, amplamente utilizados por broncoscopistas no passado, apenas o glicopirrolato foi capaz de reduzir a secreção nas vias aéreas, enquanto a atropina não mostrou efeitos similares. No entanto, o emprego desses fármacos não resultou em benefícios em relação ao conforto do paciente, dessaturação periférica de oxigênio ou redução no tempo de realização do procedimento, além de promover maiores flutuações hemodinâmicas e aumento na pressão arterial.[9]

■ BRONCOSCOPIA FLEXÍVEL

De forma geral, a sedação moderada com ventilação espontânea é suficiente para broncoscopia flexível. No entanto, em procedimentos de maior complexidade, estímulo doloroso e duração, o uso de máscara laríngea pode ser a alternativa mais apropriada, considerando a necessidade de sedação profunda ou anestesia geral (Figura 150.1).

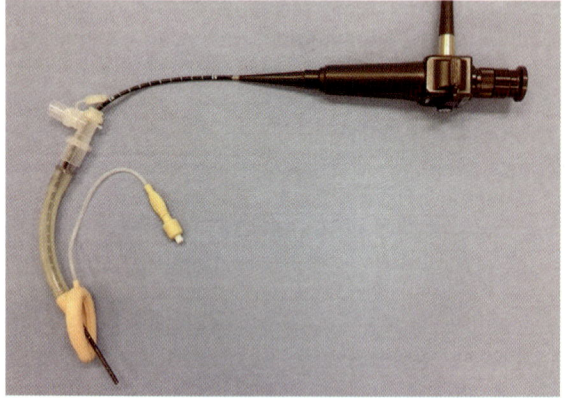

▲ **Figura 150.1** Modelo de máscara laríngea para broncoscopia flexível.

Comparados aos infraglóticos, os dispositivos supraglóticos apresentam menor estimulação da via aérea, além de permitirem a manipulação do broncoscópio e a inspeção da laringe, bem como da árvore brônquica, sem necessitar de interrupção da ventilação.[10]

Atenção especial deve ser dada ao jejum pré-operatório, pois tanto na broncoscopia flexível quanto na rígida, o risco de broncoaspiração está sempre presente. Deve-se considerar intubação traqueal para proteção das vias aéreas em pacientes com alto risco de aspiração.

A broncoscopia flexível diagnóstica é um procedimento usualmente seguro, com raras complicações graves como sangramento, depressão respiratória, infarto, arritmia e pneumotórax.[11]

■ BRONCOSCOPIA RÍGIDA

Além de procedimentos diagnósticos, a broncoscopia rígida também se aplica a inúmeros procedimentos terapêuticos, dentre eles dilatação de estenoses, alocação de *stents*, braquiterapia, crioterapia, terapia fotodinâmica, além de ablação com *laser* de CO_2 ou Nd-YAG, eletrocautério e coagulação com plasma de argônio. Nas técnicas chamadas "quentes", há risco de combustão dos gases inalatórios com queimadura de vias aéreas, cuja prevenção inclui redução da FiO_2 para níveis inferiores a 40%, aspiração contínua da orofaringe e campos cirúrgicos umedecidos.[11] A associação de óxido nitroso aos gases inalatórios não é recomendada, pois este é um comburente tão eficiente quanto o oxigênio.[12] Outras complicações associadas ao uso do *laser* em obstrução de vias aéreas são hipoxemia, hemorragia e perfuração traqueal ou bronquial, além de edema tardio de vias aéreas associado ao uso do Nd-YAG.[13,14]

A broncoscopia rígida é geralmente realizada sob sedação profunda ou anestesia geral, em ventilação espontânea ou controlada. Particularmente em crianças submetidas ao procedimento para remoção de corpo estranho, a anestesia geral com ventilação controlada mostrou-se escolha de valor reconhecido, com menor incidência de laringoespasmo e tosse em relação aos pacientes em ventilação espontânea.[15]

As estratégias ventilatórias em broncoscopia rígida incluem, além da ventilação espontânea, oxigenação apneica (intercalando ventilação sob máscara e a manipulação da via aérea com o broncoscópio), ventilação a jato (*jet ventilation*), manual ou de alta frequência e ventilação com pressão positiva em circuito fechado. A ventilação apneica tem sido cada vez menos utilizada devido à incidência de acidose, hipertensão e taquiarritmias, restringindo-se preferencialmente a procedimentos de curta duração.[16]

A dificuldade em controlar o vazamento de gases durante o uso do broncoscópio rígido fez da ventilação a jato a opção habitual. Recomenda-se uso de bloqueador neuromuscular e, quando a ventilação for realizada manualmente, frequência de 8 a 10 ciclos por minuto, com pressão de vias aéreas de até 30 cm H_2O associada à observação cuidadosa da expansão torácica. A ventilação a jato não é recomendável para crianças pequenas devido ao maior risco de barotrauma. Dentre as complicações mais frequentes da ventilação a jato, além do pneumotórax, estão a hipoxemia, a hipotensão e a hipercapnia, sendo esta última associada à obesidade e às doenças pulmonares, em especial as restritivas.[16] As complicações relacionadas à broncoscopia rígida são inferiores a 0,1% e incluem lesão de dentes, lábios e gengivas, laceração de traqueia e brônquios, bem como sangramento.[17] A Tabela 150.1 traz as diferenças entre broncoscopia flexível e rígida, e a Figura 150.2 ilustra o equipamento de ventilação a jato manual.

Tabela 150.1 Diferenças entre broncoscopia flexível e rígida.

Broncoscopia rígida	Broncoscopia flexível
Sedação mínima	Requer anestesia geral
Pode ser inserido por meio do tubo traqueal	Difícil execução com a presença do tubo traqueal
Nenhuma contraindicação absoluta	Contraindicada em patologias da coluna cervical
Mínimo risco de trauma	Significante risco de trauma
Inabilidade em ventilar por meio dele (excetuando-se HFJV) (*High frequency jet ventilation*)	Providencia uma via aérea para ventilação
Requer uso de pequenos instrumentos	Permite usar grandes instrumentos
Pode ser necessária a remoção do aparelho quando retirado corpo estranho	Apto em remover grandes objetos com o aparelho
Pode acessar a via aérea distal	Limitado a vias aéreas centrais
Tecnicamente menos complicado	Necessita de treinamento especializado

Fonte: Adaptada de Finlayson GN, 2019.[18]

PLEUROSCOPIA

O exame do espaço pleural, com óticas rígidas ou flexíveis[19] e eventuais procedimentos como biópsias e pleurodese,[20,21] é o exame toracoscópico realizado mais comumente sob anestesia local associada ou não à sedação. Nesta técnica anestésica, o espaço disponível na cavidade restringe-se àquele resultante do pneumotórax aberto, e manipulações mais intensas ou em porções mediais do tórax, próximas ao hilo, podem gerar reflexo de tosse intenso.

No entanto, sendo exame utilizado com relativa frequência em pacientes que apresentam derrames pleurais, o próprio derrame sustenta a cavidade pleural aberta, permitindo sua observação. Casos específicos que cursem com aderências intensas podem exigir anestesia regional ou até mesmo anestesia geral para sua execução.[22] Pacientes com hipóxia grave, comprometimento cardiovascular ou dependência de suporte ventilatório podem não tolerar a pleuroscopia clínica feita com anestesia local e sedação. Essa técnica tem como principal indicação os procedimentos diagnósticos e terapêuticos simples, como drenagem pleural, por exemplo, em que não há necessidade de coleta de amplas amostras de tecidos para análise.[21]

TORACOSCOPIA

A toracoscopia permite intervenções minimamente invasivas no tórax. Ela pode ser a via de acesso para um procedimento terapêutico ou ser utilizada unicamente como método diagnóstico de lesões torácicas. Essa técnica permite exame da cavidade torácica, parênquima pulmonar e acesso ao mediastino.[23] O regime de internação ambulatorial pode ser adotado em pacientes submetidos a toracoscopias, previamente selecionados.[24-26]

Rotineiramente, a toracoscopia é realizada com o paciente em decúbito lateral com o hemitórax de interesse voltado para cima, mas pode ser executada excepcionalmente em decúbito dorsal. Quando realizada apenas para fins de diagnóstico, a toracoscopia não costuma envolver perdas volêmicas importantes. Diferentes técnicas anestésicas são descritas e utilizadas para submeter um paciente a uma toracoscopia[27] com significativas diferenças, principalmente no que se refere a campo cirúrgico, estratégia para acesso às vias aéreas, controle da ventilação, repercussões cardiovasculares e analgesia pós-operartória.[28] A Figura 150.3 mostra um bócio intratorácico em corte tomográfico axial.

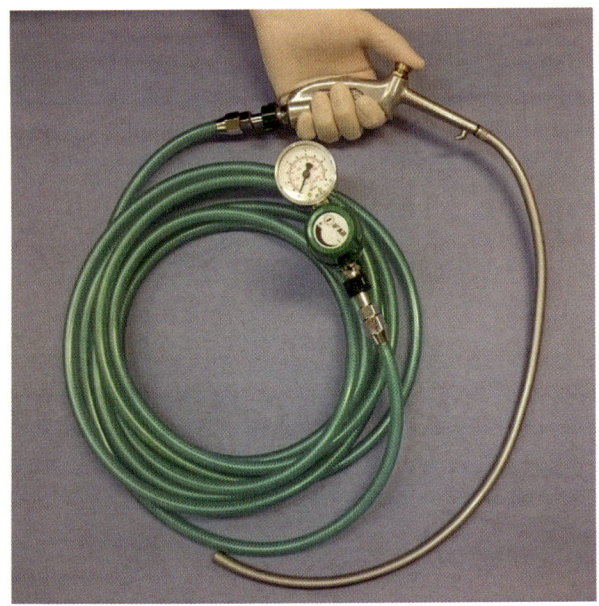

▲ **Figura 150.2** Equipamento de ventilação a jato manual.

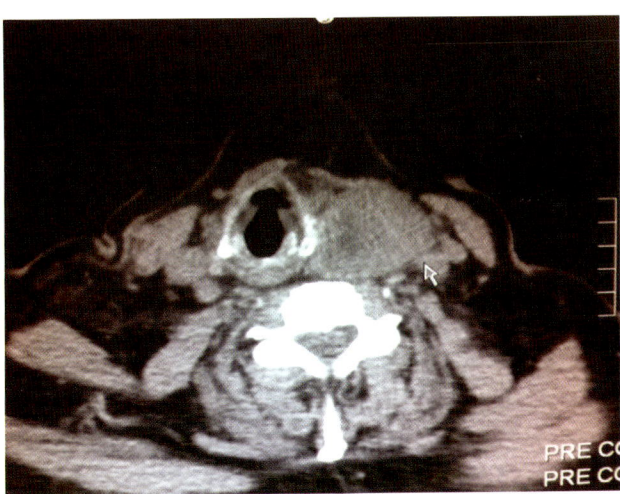

▲ **Figura 150.3** Bócio intratorácico em corte tomográfico axial.

■ TÉCNICAS ANESTÉSICAS

Anestesia Geral

Historicamente, a toracoscopia é realizada sob anestesia geral, principalmente pela necessidade de controle da ventilação. Com o intuito de oferecer campo cirúrgico adequado, opta-se pela separação pulmonar, a fim de obter colapso pulmonar no lado a ser operado e amplo espaço para exame e coleta de material para diagnóstico. A estratégia para a separação pulmonar depende de aspectos anatômicos do paciente (acesso às vias aéreas para intubação e eventuais variações anatômicas da árvore traqueobrônquica) e experiência do anestesiologista com as ferramentas a serem usadas, mais comumente os tubos de duplo lúmen e bloqueadores endobrônquicos.[29,30] O uso do fibroscópio flexível é de grande valia durante a fase de inserção desses dispositivos, assegurando o posicionamento e a ventilação monopulmonar adequados.[31] Nos casos de hipóxia intraoperatória, manobras como PEEP (Pressão Positiva Expiratória Final) no pulmão dependente e baixos níveis de CPAP (Pressão Positiva Contínua nas Vias Aéreas) no pulmão não dependente auxiliam no retorno da saturação a níveis seguros.

Anestesias Local e Regional

Anestesia peridural torácica,[32] bloqueio intercostal, bloqueio paravertebral e anestesia local[24,33] podem ser utilizados com segurança para a execução de uma toracoscopia. Nas manipulações e nos exames das porções mais centrais do tórax, o bloqueio de gânglio estrelado ipsilateral pode ser necessário para a redução do reflexo de tosse.[34] Quando essa situação for antecipada, o paciente pode ser submetido à inalação com lidocaína imediatamente antes do procedimento, buscando a redução das respostas reflexas. O uso de opioides via venosa também auxilia na redução da tosse e da sensação de desconforto que resulta da manipulação da pleura visceral. Em alguns pacientes, o uso de sedativos e analgésicos faz-se necessário para que tolerem o posicionamento ao longo de todo o procedimento. Diversos fármacos e técnicas foram descritos para administração de sedação a esses pacientes, entretanto, sem diferença significativa em seus resultados.

A utilização da anestesia peridural torácica como método de escolha para a toracoscopia agrega uma série de benefícios para o paciente, especialmente no que diz respeito à não manipulação das vias aéreas, à *performance* cardiorrespiratória e à analgesia pós-operatória. Em contrapartida, um bloqueio motor extenso pode precipitar insuficiência respiratória em pacientes com doenças pulmonares crônicas e levar à hipóxia durante o procedimento. O bloqueio simpático consequente à anestesia peridural torácica pode também levar a um aumento nos tônus da musculatura lisa brônquica, facilitando o broncoespasmo.[35] No entanto, anestesia peridural torácica como método de escolha não permite separação pulmonar. Ausência de controle da ventilação pode levar a hipercarbia e colabamento pulmonar insuficiente para o exame de lesões de difícil acesso, e naqueles pacientes com aderências entre as estruturas presentes na caixa torácica. Nesse último caso, o uso de afastadores pode auxiliar na exposição do campo cirúrgico.

Seu emprego no exame de pacientes com empiemas pode ser limitado quando estes forem a causa do quadro inflamatório intenso ou séptico, devido à instabilidade hemodinâmica e aos distúrbios da coagulação que frequentemente se associam a essa condição.

Pacientes que venham a ser submetidos à cirurgia torácica podem também fazer uso de fármacos anticoagulantes em doses profiláticas ou terapêuticas. Portanto, os prazos para manipulação de neuroeixo em pacientes sob anticoagulação devem ser respeitados quando essa estratégia de analgesia for considerada pelo anestesiologista.

Novos bloqueios regionais guiados por ultrassom (bloqueio do plano eretor da espinha e bloqueio do plano serrátil anterior) podem ser utilizados visando a analgesia intra e pós-operatória, conforme alguns relatos de casos e revisões.[36-38]

Em pacientes bem selecionados, pode-se realizar a *AwakeVATS* (toracoscopia videoassistida com o paciente acordado). Neste procedimento, há uma grande preocupação relacionada à analgesia torácica, principalmente com a realização de bloqueios locorregionais, mínima sedação e indicações precisas como tumores periféricos menores que 3 cm, pacientes com enfisema grave, VEF_1 menor que 40%, PaO_2 menor que 65 mmHg, capacidade de difusão do monóxido de carbono menor que 40%, dentre outras.[39]

O momento atual visa à realização de técnicas cirúrgicas menos invasivas (VATS), diminuindo as lesões teciduais e a resposta ao estresse, mantendo a fisiologia do paciente, controlando efetivamente a dor e culminando com a redução de complicações pulmonares pós-operatórias e a rápida restauração das funções vitais.[40] A Tabela 150.2 mostra os elementos que promovem melhor recuperação pós-cirúrgica – ERAS *fast track*.

Tabela 150.2 Elementos que promovem melhor recuperação pós-cirúrgica – ERAS *fast track*.		
Elementos que promovem melhor recuperação pós-cirúrgica – ERAS *fast track*.		
Pré-operatório	**Intraoperatório**	**Pós-operatório**
Avaliação de risco	Anestesia Peridural Torácica	Anestesia Peridural Torácica
Educação e aconselhamento	Evitar sobrecarga de fluidos	Evitar sobrecarga de fluidos
Teste de exercício e treinamento	Normotermia	Prevenção de náuseas e vômitos
Cessar tabagismo	Fármacos anestésicos de curta duração	Remoção precoce de drenos e cateteres
Profilaxia antibiótica		Nutrição enteral
Espirometria de incentivo		Espirometria de incentivo
Profilaxia de trombose		

Fonte: Adaptada de Loop T, 2016.[40]

■ MEDIASTINOSCOPIA

Tem como principal indicação a investigação de linfonodomegalia mediastinal[41] e está entre os exames passíveis de serem realizados em regime ambulatorial. Pode ser executada sob anestesia local, mas, devido ao seu caráter invasivo e à via de acesso, que exige extensão atlantoccipital máxima, mesmo em sua modalidade videoassistida, costuma ser realizada sob anestesia geral, em decúbito dorsal horizontal e com auxílio de coxim escapular. O mediastinoscópio é inserido posterior ao manúbrio esternal e através da fáscia pré-traqueal, permitindo exame e instrumentação de toda porção mediastinal posterior aos vasos da base.

O manejo desses pacientes pode exigir cuidado específico no que se refere à indução anestésica, pois grandes massas mediastinais podem causar obstrução das vias aéreas após hipnose e relaxamento muscular.[42]

Intubação sob anestesia tópica e sedação consciente pode ser a abordagem mais segura em alguns casos (Figura 150.4).

A mediastinoscopia não requer ventilação monopulmonar, e as principais complicações relatadas referem-se à manipulação eventual de estruturas subjacentes às cadeias linfonodais. Lesões dos nervos frênico e laríngeo recorrentes estão entre as complicações nervosas relacionadas às técnicas de exame do mediastino, sendo influenciadas tanto pela via de acesso quanto à tração de estruturas durante a coleta de material para exame. Lesões vasculares também podem ocorrer com maior frequência envolvendo as veias ázigos e a artéria inominada. Habitualmente são lesões relativamente pequenas em sistemas de baixa pressão, o que não traz riscos mais importantes para o paciente. Já nas lesões das artérias pulmonares, o acesso restrito pode dificultar o controle da lesão. Os pacientes também estão expostos ao risco de perfurações de pleura, esôfago e traqueia. Estas últimas podem ser responsáveis por conversão do exame em toracotomia ou esternotomia terapêuticas.[43]

Dentre as alterações dinâmicas que podem surgir no intraoperatório, destacam-se as eventuais compressões venosas e as bradicardias sintomáticas à custa de eferências vagais reflexas à tração das estruturas mediastinais. No entanto, tanto as lesões quanto as alterações cardiopulmona-

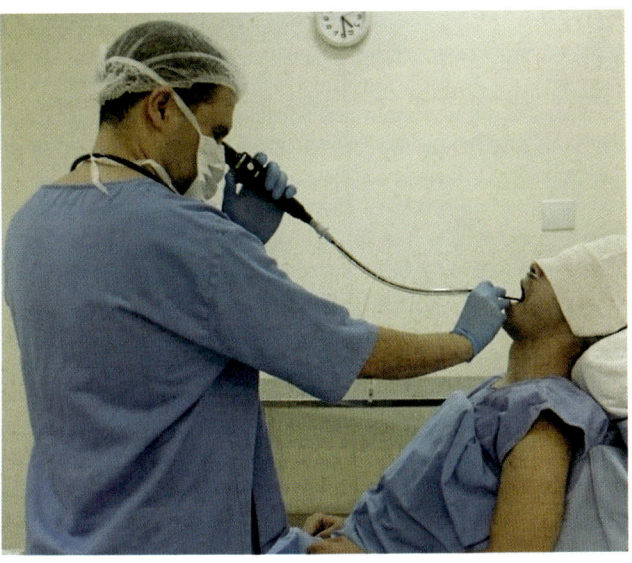

▲**Figura 150.4** Modelo de intubação com fibroscopia em paciente semissentado sob anestesia tópica e sedação consciente.

res reflexas são pouco frequentes, o que explica a relativa baixa morbimortalidade desse procedimento.[44]

Toracoscopia Videoassistida por Robótica: RATS *(Robotic assisted thoracic surgery)*

A *RATS* é considerada uma evolução da cirurgia minimamente invasiva, ganhando espaço na última década, com aplicações para procedimentos complexos em sítios pulmonares, esofágicos e mediastinais. São realizadas pequenas incisões para colocação dos instrumentos, "os braços do robô", permitindo uma visão tridimensional, com todas as manobras conduzidas pelo cirurgião e executadas por um robô com alta precisão numa angulação de 360°. Tanto a VATS como a RATS sugerem benefícios em termos de complicações perioperatórias e menor tempo de permanência hospitalar.[45,46]

A anestesia para RATS é bem semelhante a anestesia para cirurgia torácica aberta, exigindo os mesmos cuidados criteriosos, como ventilação protetora pulmonar e o criterioso manejo de fluidos, minimizando complicações pós-operatórias. No entanto, há diferenças importantes relacionadas ao manejo intraoperatório e ao posicionamento do paciente. Preconiza-se a anestesia geral associada às técnicas para analgesia. A conduta anestésica dependerá do porte cirúrgico e das condições clínicas do paciente, podendo-se necessitar de acessos venosos calibrosos, acesso venoso central e linha arterial para a monitorização e coleta de exames seriados.

Para a adequada analgesia, pode-se empregar anestesia local nos portais de inserção de trocateres e drenos, Bloqueio do Plano Eretor da Espinha (ESPB) ou peridural torácica. O isolamento pulmonar com um Tubo Traqueal de Duplo Lúmen (TDL) à esquerda é preferível pela facilidade de posicionamento e menor probabilidade de deslocamento. O posicionado do TDL deve ser checado com fibroscopia flexível; a utilização de TDL com câmera de vídeo no lúmen traqueal pode ser útil como monitoramento contínuo do tubo.[47]

Um plano anestésico adequado e bloqueio neuromuscular profundo devidamente monitorado são desejados, a fim de se evitar qualquer movimento do paciente e possível lesão de estruturas como grandes vasos. O posicionamento do paciente frequentemente é em decúbito lateral, e a mesa cirúrgica é ajustada para promover extrema flexão lateral, abrindo os espaços intercostais para melhor acesso cirúrgico. Deve-se garantir que o paciente esteja seguro na mesa cirúrgica com suporte adequado para cabeça e pescoço, proteção dos olhos, apoio dos braços, costas com coxim e proteção dos pontos de pressão, tendo como prioridade garantir que não haja espaço para nenhum movimento, assim como evitar lesões no paciente por colisão com o instrumento robótico.

É essencial que se faça a checagem periódica no intraoperatório de todos os dispositivos vasculares, monitores e TDL, certificando-se que não tenham sido deslocados. O sucesso da técnica cirúrgica depende de um isolamento pulmonar bem-sucedido, garantindo uma visão clara do campo operatório. Ao contrário da VATS, no qual a abertura da cavidade torácica é aberta à pressão atmosférica, na *RATS* há insuflação do tórax pelo dióxido de carbono, criando uma pressão intratorácica positiva entre 5 a 10 cm H_2O, para a melhora do campo cirúrgico, devido ao achatamento do diafragma. Os efeitos hemodinâmicos causados pela compressão de grandes vasos, podem levar à instabilidade hemodinâmica e aumentar a hipercarbia.

Técnicas para amenizar os efeitos do colapso pulmonar podem ser empregadas, como ventilar bilateralmente até que se inicie a cirurgia, aspiração do TDL e manter FIO_2 de 100%. Assim como na cirurgia aberta, é importante otimizar o pulmão dependente; não existindo um nível absoluto de hipoxemia permitido, sendo uma saturação de O_2 de 90% aceitável, assim como uma hipercarbia permissiva. Essas medidas são empregadas desde que toleradas hemodinamicamente e o paciente não tenha comorbidades que as impeçam. O uso do CPAP interfere com a exposição cirúrgica, por isso deve ser deixado como última etapa do manejo da hipoxemia.[45,46]

A anestesia para *RATS* representa um enorme desafio ao anestesiologista, pois além da grande demanda exigida pela técnica, o profissional trabalha com acesso extremamente restrito e limitado ao paciente. Nesta modalidade, é necessário ter uma equipe de sala altamente treinada e com funções específicas bem determinadas para resolução de emergências. O anestesiologista também deve estar pronto para a possibilidade de uma conversão em cirurgia aberta.[45,46]

REFERÊNCIAS

1. Ross AF, Ferguson JS. Advances in interventional pulmonology. Curr Opin Anaesthesiol 2009;22:11-7.
2. Bolliger CT, Mathur PN, Beamis JF, et al. ERS/ATS statement on interventional pulmonology. European Respiratory Society/American Thoracic Society. Eur Respir J 2002;19:356-73.
3. Sarkiss M. Anesthesia for bronchoscopy and interventional pulmonology: from moderate sedation to jet ventilation. Curr Opin Pulm Med 2011;17:274-8.
4. José RJ, Shaefi S, Navani N. Sedation for flexible bronchoscopy: current and emerging evidence. Eur Respir Rev 2013;22:106-16.
5. Clarkson K, Power CK, O'Connell F, et al. A comparative evaluation of propofol and midazolam as sedative agents in fiberoptic bronchoscopy. Chest 1993;104:1029-31.
6. Ryu JH, Lee SW, Lee JH, et al. Randomized double-blind study of remifentanil and dexmedetomidine for flexible bronchoscopy. Br J Anaesth. 2012;108:503-11.
7. Liao R, Li JY, Liu GY. Comparison of sevoflurane volatile induction/maintenance anaesthesia and propofol-remifentanil total intravenous anaesthesia for rigid bronchoscopy under spontaneous breathing for tracheal/bronchial foreign body removal in children. Eur J Anaesthesia 2010;27:930-4.
8. Wahidi MM, Jain P, Jantz M, et al. American College of Chest Physicians consensus statement on the use of topical anesthesia, analgesia, and sedation during flexible bronchoscopy in adult patients. Chest 2011;140:1342-50.
9. Malik JA, Gupta D, Agarwal AN, et al. Anticholinergic premedication for flexible bronchoscopy: a randomized, double-blind, placebo-controlled study of atropine and glycopyrrolate. Chest 2009;136:347-54.
10. José RJ, Shaefi S, Navani N. Anesthesia for bronchoscopy. Curr Opin Anaesthesiol 2014;27:453-7.
11. Ernst A, Silvestri GA, Johnstone D. Interventional pulmonary procedures: guidelines from the American College of Chest Physicians. Chest 2003;123:1693-717.
12. Wainwright AC, Moody RA, Carruth JA. Anaesthetic safety with the carbon dioxide laser. Anaesthesia. 1981;36:411-5.
13. Dumon JF, Shapshay S, Bourcereau J, et al. Principles for safety in application of neodymium-YAG laser in bronchology. Chest 1984;86:163-8.
14. Van Der Spek AF, Spargo PM, Norton ML. The physics of lasers and implications for their use during airway surgery. Br J Anaesth 1988;60:709-29.
15. Liu Y, Chen L, Li S. Controlled ventilation or spontaneous respiration in anesthesia for tracheobronchial foreign body removal: a meta-analysis. Pediatric Anesthesia 2014;24:1023-30.
16. Pathak V, Welsby I, Mahmood K. Ventilation and anesthetic approaches for rigid bronchoscopy. Ann Am Thorac Soc 2014;11:628-34.
17. Ernst A, Silvestri GA, Johnstone D. Interventional pulmonary procedures: Guidelines from the American College of Chest Physicians. Chest 2003;123:1693-717.
18. Finlayson GN. Brochoscopy procedures In: Slinger P. Priciples and practice of anestuesia for thoracic anesthesia. 2nd ed. Toronto: Springer; 2019: p.197-217.
19. Lee P, Colt H. Rigid and semirigid pleuroscopy: the future is bright. Respirology 2005;10:418-25.
20. Michaud G, Berkowitz D, Ernst A. Pleuroscopy for diagnosis and terapy for pleural effusions. Chest 2010;138:1242-6.
21. Lee P, Colt H. State of the art: pleuroscopy. J Thorac Oncol 2007;2:663-70.
22. Watanabe Y, Sasada S, Chavez C, et al. Flex-rigid pleuroscopy under local anesthesia in patients with dry pleural dissemination on radiography. Jpn J Clin Oncol 2014;44:749-55.
23. Fischer GW, Cohen E. An update on anesthesia for thoracoscopic surgery. Curr Opin Anaesthesiol 2010;23:7-11.
24. Katlic MR, Facktor MA. Video-assisted thoracic surgery utilizing local anesthesia and sedation: 384 consecutive cases. Ann Thorac Surg 2010;90:240-5.
25. Molins L, Fibla J, Pèrez J. Outpatient Thoracic surgical programme in 300 patients: clinical results and economic impact. Eur J Cardiothorac Surg 2006;29:271-5.
26. Brodsky J, Finlayson G, Whyte R, Cannon W. Thoracic surgery/Mediastinoscopy. In: Jaffe R, Samuels S. Anesthesiologists manual of surgical procedures. 4th ed. Philadelphia: Lippincott Williams & Wilkins; 2009. p.300-6.
27. Pompeo E, Rogliani P, Tacconi F. Randomized comparison of awake nonresectional versus nonawake resectional lung volume reduction surgery. J Thorac Cardiovasc Surg 2012;143:47-54.
28. Marasigan B, Sheinbaun R, Hammer G, Cohen E. Separation of the lungs: double lumen tubes, endobronchial blockers and endobronchial single-lumen tubes. In: Hagberg C. Benunof and Hagber's airway management. 3rd ed. Philadelphia: Saunders; 2013. p.549-68.
29. Narayanaswamy M, McRae K, Slinger P. Choosing a lung isolation device for thoracic surgery: a randomized trial of three bronchial blockers versus double lumen tubes. Anesth Analg 2009;108:1097-101.
30. Campos J, Hallam E, Van Natta T. Devices for lung Isolation used by anesthesiologists with limited thoracic experience. Anesthesiology 2006;104:261-6.
31. Ovassapian A. Fiberoptic endoscopy and the difficult airway. 2nd ed. Philadelphia: Raven;1996.
32. Mineo TC. Epidural anesthesia in awake thoracic surgery. Eur J Cardiothorac Surg 2007;32:13-9.
33. Yang J, Hung M, Chen J. Anesthetic consideration for nonintubated VATS. J Thorac Dis 2014;6:10-3.
34. Chen K, Cheng Y, Hung M. Nonintubated thoracoscopic surgery using regional anesthesia and vagal block and targeted sedation. J Thorac Dis 2104;6:31-6.
35. Kao M, Lan C, Huang C. Anesthesia for awake video-assisted thoracic surgery. Acta Anaesthesiol Taiwan 2012;50:126-30.
36. Luis-Navarro JC, Seda-Guzmán M, Luis-Moreno C, López-Romero JL. The erector spinae plane block in 4 cases of video-assisted thoracic surgery. Rev Esp Anestesiol Reanim 2018;65:204-28.
37. Liu JY, Hung M, Hsu HH. Effects on respiration of nonintubated anesthesia in thoracoscopic surgery under spontaneous ventilation. Ann Transl Med 2015;3:107.
38. Umari M, Falini S, Segat M, et al. Anesthesia and fast track in video-assisted thoracic surgery (VATS): from evidence to practice. J Thorac Dis 2018;10:S542-S55.
39. Pompeu E, Mineo TC. Awake operative videothoracoscopic pulmonary resections. Thorac Sur Clin 2008;18:311-20.
40. Loop T. Fast track in thoracic surgery and anaesthesia: update of concept. Curr Opin Anaesthesiol 2016;29:20-5.
41. Venissac N, Alifano M, Mouroux J. Video-assisted mediastinoscopy: experience from 240 consecutive cases. Ann Thorac Surg 2003;76:208-12.
42. Neuman G, Weingarten A, Abramowitz R. The anesthetic management of the patient with an anterior mediastinal mass. Anesthesiology 1984;60:144-7.
43. Elsayed H. Haemotorax after mediastinoscopy: a word of caution. Eur J Cardiothorac Surg 2012;41:138-9.
44. Wei B, Bryant AS, Minnich DJ, Cerfolio RJ. The safety and efficacy of mediastinoscopy when performed by general thoracic surgeons. Ann Thorac Surg 2014;97:1878-83.
45. 'P. McCall, M. Steven and B. Shelley. Anaesthesia for video-asisted and robotic thoracic surgery. British Journal of Anaesthesia 2019;12:405-411.
46. K.Gonsette, T. Tuna, L. L. Szegedi. Anesthesia for robotic thoracic surgery. Saudi Journal of Anesthesia 2021; 15: 356-361.
47. D. L. Faber, Y. Malyanker, R. R. Nir, L. A. Best, M. Barak. Comparison of VivaSight double-lumen tube with a conventional double-lumen tube in adult patients undergoing video-assisted thoracoscopic surgery. Anaesthesia 2015;70:1259-1263.

151

Anestesia para Ressecção Pulmonar e Traqueal

David Ferez

INTRODUÇÃO

O grande progresso da Cirurgia Pulmonar e Traqueal ocorreu à medida que foram sendo compreendidas as profundas e intensas alterações funcionais inerentes à abertura do tórax e os reflexos traqueais desencadeados. O domínio desse conhecimento e o entendimento dos mecanismos envolvidos vieram possibilitar a realização segura desses procedimentos, atualmente muito invasivos e em pacientes com várias comorbidades.[1]

No início da especialidade, a barreira inicial era o acesso cirúrgico à cavidade torácica, uma vez que, o pneumotórax promovido pelo acesso cirúrgico em um paciente que se mantinha respirando espontaneamente tornava improvável a sobrevivência.[2,3,4] O segundo obstáculo foi o da aspiração pulmonar.[5] Estes problemas só foram resolvidos na primeira metade do século passado, com o desenvolvimento da técnica de intubação traqueal e da ventilação mecânica com pressão positiva intermitente.[6] A anestesiologia contribuiu de forma extraordinária para a evolução desta especialidade da cirurgia torácica, pois com o início do emprego dos bloqueadores neuromusculares, o desenvolvimento das técnicas de bloqueio brônquico (Maggill, 1934 e Crafoörd, 1938) e o desenvolvimento dos tubos de dupla luz (Carlens, 1949) permitiram o aprimoramento técnico e reduziu a mortalidade drasticamente.[4,7,8]

A morbidade e mortalidade dos procedimentos torácicos não cardíacos é bem variada, como pode ser vista na sequência, e é multifatorial como: doença pulmonar de base, estágio da neoplasia, reservas fisiológicas do paciente, idade, transfusão intraoperatória, tempo de cirurgia etc.[9,10]

Shapiro e colaboradores, em 2010, relataram mortalidade em 30 dias de 5,6% para cirurgia de pneumectomia.[11] Deslauriers e colaboradores relataram mortalidade global de apenas 3,8%, entretanto, a mortalidade em 30 dias de pneumectomia e lobectomia foi respectivamente de 31,9% e 28,2%.[12] Towe e colaboradores, em 2019, encontrou uma mortalidade de 30 dias de 3,1% para decorticação pulmonar.[13]

Raymond e colaboradores, em 2016, encontraram uma mortalidade de 30 dias de 3,4% em pacientes submetidos a esofagectomia incluído todas as técnicas.[14] Seus resultados apontam que a técnica de McKeown está associada com maior mortalidade.[14]

A mortalidade, portanto, é muito variada conforme o tipo de cirurgia sobre a cavidade torácica, oscila de apenas 0,9% para mais de 30%. Estas frequências certamente são também influenciadas pelas comorbidades associadas, idade do paciente, tabagismo e recursos hospitalares.

As complicações pós-operatórias impactam em maior tempo de internação e custos. Conforme as definições da *European Society of Thoracic Surgeons* (ESTS), vinte são as principais complicações cardiopulmonares após cirurgia de ressecção pulmonar e Sandri e colaboradores, em 2015, relataram as mais graves em seu estudo: Fibrilação Atrial (FA): 10,5%; Síndrome Do Desconforto Respiratório do Adulto (SDRA): 1,5%; Embolia Pulmonar: 2,10%; Ventilação Mecânica > 24 horas: 1,5%; Pneumonia: 3,15%; Infarto do Miocárdio: 1,5%; Atelectasia que necessitou de broncoscopia: 2,10%.[15]

Estudo pioneiro em 1951 de Blummer, uma época de poucos recursos e mídia favorável ao tabagismo, apontou a relação entre câncer de pulmão e tabagismo,[16] seguiu-se a este trabalho múltiplas evidências, o que originou, as intensas campanhas contra o tabagismo somente no final da década de 1990, mais de quarenta anos após. O combate ao tabagismo, diminuiu o carcinoma epidermoide e pequenas células, porém não impacta nos outros tipos celulares e que se vem elevando, especialmente o adenocarcinoma.[17,18] Esta observação aliada ao fato do crescimento e ao envelhecimento populacional tem evidenciado um aumento no número de cirurgia torácica nas últimas décadas.

■ PERÍODO PRÉ-OPERATÓRIO[19,20]

Avaliação Pré-operatória

O objetivo geral da avaliação pré-operatória na cirurgia torácica é estimar e implementar medidas para diminuir as complicações e mortalidade, assim como preparar o melhor possível os pacientes de alto risco.

O anestesiologista deve ter conhecimento dos riscos associados a cada procedimento cirúrgico e planejar estratégias para enfrentá-lo. Portanto, o manejo da anestesia, além do conhecimento dos fármacos utilizados, deve-se dispor de dispositivos de monitorização adequados e técnicas de isolamento pulmonar avançadas.

Um fato é a necessidade de uma especialização do anestesiologista nessa área, pois a incorporação dos cuidados intensivos na maioria dos hospitais observou-se com o passar das décadas um aumento do número de pacientes que outrora eram considerados inoperáveis.

O anestesiologista também deve considerar o risco de adiar uma cirurgia potencialmente curativa nos pacientes portadores de câncer de pulmão. Nesse subgrupo de pacientes, o risco *versus* o benefício de postergar a cirurgia para proporcionar uma terapia adicional é temerário, especialmente pela imponderação da propagação do câncer.

Além da história clínica, os testes pré-operatórios podem ajudar a identificar e quantificar melhor os riscos pois, a clínica com uma boa anamnese e exame físico cuidadoso determinam quais exames complementares serão necessários para cada doença e paciente. Atenção especial deve ser dada aos sistemas cardiovascular e respiratório, porque a grande maioria desses pacientes encontra-se com suas reservas funcionais acometidas pela sua doença e ao envelhecimento.[21]

Um segundo objetivo é reconhecer a afecção pulmonar de base e o estadiamento nos casos de câncer pulmonar e, como já foi explicitado, o procedimento cirúrgico pretendido.

E finalmente o terceiro e último passo: a estratificação do risco geral e pulmonar, esta etapa é crítica pois irá direcionar os recursos disponíveis do centro hospitalar objetivando minimizar as complicações e mortalidade.

História clínica

O paciente característico encontra-se na sexta ou sétima década de vida;[22] é ou foi fumante pois o carcinoma de pequenas células e epidermoide tem relação direta com o hábito de fumar;[23] reside na área urbana e, frequentemente, apresenta-se com enfermidades associadas como: hipertensão, insuficiência coronariana, diabetes melito, obesidade, asma, doença obstrutiva crônica etc., as quais influenciam fortemente nos resultados.[24,25,26]

Os sintomas broncopulmonares são importantes: a tosse, a hemoptise, a dor torácica, a dispneia e menos frequente o broncoespasmo. O broncoespasmo é encontrado em cerca de 10% dos casos e pode complicar a cirurgia e anestesia. O alvo é assegurar ao paciente livre de sintomas do broncoespasmo quando apresentar-se para a cirurgia e/ou *peak flow* acima de 80% do predito para o gênero, idade e peso. Agentes β2 adrenérgicos e corticosteroides inalados é a terapêutica básica. Porém, fármacos orais ou mesmo venosos algumas vezes são necessários por um tempo mais prolongado de três a quatro semanas para a sua reversão.[27] A incidência de broncoespasmo é aproximadamente de 1,7:1.000 pacientes submetidos a anestesia, podendo chegar a 21,9:1.000 nos pacientes com doença pulmonar obstrutiva crônica,[28] contudo, cerca de 5% dos pacientes podem apresentarem-se assintomáticos.

O início da dispneia é geralmente abrupto e a tosse do tipo produtivo devido à irritação da árvore traqueobrônquica. O muco expelido na forma de escarro deve ser analisado quanto ao seu volume e cor. No câncer pulmonar o escarro invariavelmente aumenta de produção e vem acompanhado de laivos de sangue. Nos processos infecciosos o escarro é amarelado ou esverdeado.

Os sintomas extrapulmonares, mas intratorácicos, são menos corriqueiros que os sintomas broncopulmonares. O derrame pleural por invasão metastática pode se tornar volumoso e promover sintomatologia exuberante principalmente por diminuir a capacidade residual funcional (CRF) necessitando muitas vezes de drenagem pleural repetidas.

Os sintomas extrapulmonares e extratorácicos são inespecíficos, apresentam-se com acentuada anemia, perda de peso, fadiga e letargia.

O sistema cardiovascular deve ser estudado criteriosamente, os mais críticos são: Insuficiência Coronariana (ICo), Arritmias Cardíaca, Doença Pulmonar Obstrutiva Crônica (DPOC) o qual pode levar a Insuficiência Cardíaca Congestiva (ICC). Os sintomas e sinais de ICo não são facilmente identificáveis devido ao sedentarismo e a precordialgia é mascarada pela dor torácica da afecção de base. Os biomarcadores de ICo,[29] em pacientes assintomáticos durante a avaliação pré-operatória, é ainda ponto de discussão. A recomendação é que se siga as orientações do algoritmo de cirurgia não cardíaca para o paciente cardiopata.[30]

A DPOC pode levar a um grau variável de hipertensão pulmonar e pode delinear sintomas cardiovasculares de ICC, por exemplo: queixa de arritmias, edema de membros inferiores, dor no hipocôndrio direito etc.

A história do tabagismo quantificada em anos-maço é enorme, pois a produção de muco é maior quanto mais intenso é o hábito. Nos pacientes que não interromperam o tabagismo observa-se uma maior concentração de carboxihemoglobina no sangue e o ideal seria a interrupção por um tempo mais longo possível, mas não existe um tempo ideal definido.

Exame físico

No exame físico geral deve-se atentar para o estado nutricional, presença clínica de anemia ou policitemia e cianose central. A obesidade, apesar de controverso, é potencialmente um fator de risco. Por outro lado, a desnutrição importante pode contribuir também para maiores complicações. O seu manejo adequado antes da cirurgia é desejável.[31]

Os achados no exame físico pulmonar são variados e dependentes da extensão da afecção de base, pode-se encontrar propedêutica broncopulmonar a mais variada possível como: consolidação pulmonar, a atelectasia, o derrame pleural e todas suas associações. A presença de cianose e os dedos hipocráticos são proporcionais à gravidade e cronicidade da DPOC.

Os pacientes que utilizam a musculatura acessória da ventilação e que se apresentam com dispneia, denotam um comprometimento intenso da mecânica ventilatória e aumento acentuado do trabalho respiratório e gasto de energia.

Evidentemente a avaliação da via aérea é obrigatória, a manipulação com os tubos de duplo lume é mais complexa do que o método usual com as sondas de um único lume.[32] Antecipar uma via aérea difícil (VAD) e ter disponível alternativas para este cenário é decisivo para melhores resultados.[33,34,35] Ressalta-se que o testes para a identificação de uma VAD isoladamente são de especificidade e sensibilidade modesta. A integração de alguns destes testes pode auxiliar na estimativa mais precisa do risco da VAD (Teste de Malanpatti, distância mento-hioidea etc.).

A hepatomegalia com fígado de bordo fino e doloroso, estase jugular, ascite e edema de membros inferiores quando presentes são indicativos da insuficiência cardíaca direita (ICD), podendo apontar para um *cor pulmonale* avançado. O ritmo de galope apical aparece com frequência no *cor pulmonale* descompensado, constituindo um sinal de alerta de mortalidade.[36]

Avaliação laboratorial

A avaliação laboratorial pré-operatória é complexa e controversa. Pode-se dividi-la em duas etapas: a avaliação geral e a avaliação específica da função pulmonar.

Avaliação laboratorial geral

A solicitação de testes de laboratório gerais, como em qualquer outro tipo de cirurgia é orientada pela história, exame físico e do porte da cirurgia indicada.

O hemograma pode estimar o grau de anemia ou policitemia, a presença ou não de infecção associada e serve de base para cirurgias onde a perda de sangue pode ser volumosa.

O eletrocardiograma (ECG) auxilia na detecção do grau de comprometimento cardíaco, principalmente se houver suspeita de *cor pulmonale* associado. A hipertensão pulmonar aparece no ECG pela presença de desvio do eixo QRS para a direita, onda "P" bifásica (primeiro componente da onda predominante chamado de "P" *pulmonale*), sinais de hipertrofia ventricular direita e bloqueio de ramo direito que pode ser completo ou incompleto.[36] O ECG também ajuda na identificação do tipo de arritmia se estiver presente. Os sinais de insuficiência coronariana ao ECG simples são difíceis de serem observados, pois as alterações da sobrecarga ventricular direita rotineiramente mascaram essas evidências. Os pacientes com história de angina e/ou infarto devem ser submetidos a exames mais detalhados da função coronariana seguindo as recomendações da ACC/AHA.[30]

A radiografia do tórax (raio X tórax) presta-se para quantificar o tamanho da lesão e das afecções associadas. Procura-se identificar pneumotórax, derrame pleural, bolhas pulmonares, desvios da traqueia etc. Os achados no raio X tórax impactam sobre o planejamento da anestesia como tamanho do tubo de dupla luz que será utilizado, a possibilidade do desencadeamento de hipoxemia na indução da anestesia e no intraoperatório a estimativa da intensidade de sangramento etc. O raio X tórax também auxilia na suspeita de hipertensão pulmonar por meio da dilatação da silhueta da artéria pulmonar e cefalização do leito vascular.

Outros exames podem ser solicitados, o objetivo, como foi visto, é determinar as reservas biológicas do paciente, quantificar o risco e corrigir desvios.

Avaliação da função pulmonar[19,20]

A avaliação da função pulmonar pré-operatória abrange dois aspectos importantes que é a operabilidade funcional do paciente, ou seja, o risco de complicações e mortalidade e, nos casos de neoplasia, a ressecabilidade dela.

O critério de ressecabilidade da neoplasia pulmonar fica subordinado ao estadiamento pelo sistema: tamanho do tumor (T), presença de nódulos (N) e a presença de metástases (M) -TNM. O estadiamento é obtido por vários exames subsidiários e métodos invasivos ou não (CT-Scan, Ressonância Nuclear Magnética, Mediastinoscopia, PET-CT etc.). Pacientes portadores de carcinoma de pulmão, com exceção ao carcinoma de pequenas células, são considerados candidatos para cirurgia de ressecção pulmonar nos estadiamento I até IIA. Uma opção habitualmente empregada para os pacientes em estágio mais avançado da doença como o IIB e IIIA é a terapia neoadjuvante para os tumores que respondem de forma adequada a citorredução da quimioterapia.

Os critérios de operabilidade funcional envolvem o risco de complicações e mortalidade e que deve ser ponderado e discutido com o paciente e/ou seus familiares. A previsibilidade de complicações no pós-operatório envolve múltiplas incertezas, porém as mais conhecidas são a idade, o tabagismo, DPOC, broncoespasmo e a obesidade mórbida.

Torrington e Henderson mesclaram as variáveis clínicas e alguns Teste de Função Pulmonar (TFP) na estimativa do risco das complicações pulmonares no pós-operatório exclusiva para cirurgias torácicas (Tabela 151.1).[37]

Tabela 151.1 Escala de risco de Torrington e Henderson.

Variável		Pontos
Espirometria		
CVF	< 50% do previsto	2
	65 – 70% do previsto	1
VEF1/CVF		
	< 50%	3
	50 – 65%	2
Idade	> 65 anos	1
Obesidade	Peso > 150% do ideal	
Local cirúrgico		
	Tórax	2
	Abdome alto	2
	Outros	1
História pulmonar		
	Tabagismo nos últimos dois meses	1
	Sintomas pulmonares	1
	DPOC	1

Risco de complicações pulmonares e mortalidade			
	Baixo	**Moderado**	**Elevado**
	0 a 3 pontos	4 a 6 pontos	> 7 pontos
Complicações	6,1%	23,3%	35%
Mortalidade	1,7%	6,3%	11,7%

Uma escala de risco específica para insuficiência respiratória após cirurgia não cardíaca foi idealizada por Arozullah e Daley, em 2000.[38] (Tabela 151.2).

Tabela 151.2 Escala de Arozullah e Daley.	
Variável	**Pontuação**
Tipo de cirurgia	
Aneurisma de aorta abdominal	27
Torácicas	21
Abdominais alta, neurocirúrgicas, vasculares periféricas	14
Cabeça e Pescoço	11
Cirurgia em caráter de urgência	11
Albumina < 3,0 g/dL	9
Uréia > 30 mg/dL	8
Estado funcional de dependência	7
Diagnóstico de DPOC	6
Idade > 69 anos	6
Idade de 60 a 69 anos	4

Estimativa de risco		
Classe	**Pontos**	**Frequência de complicações**
1	< 11	0,5%
2	11-19	1,8%
3	20-27	4,2%
4	28-40	10,1%
5	> 40	26,6%

A escala ARISCAT,[39] associada ou não ao ASA, é adequada e pode ser utilizada na avaliação destes riscos.[40]

A comunidade científica fez um grande esforço para tentar encontrar um único teste de função respiratória que tenha sensibilidade e especificidade suficientes para predizer o desfecho dos pacientes com ressecção pulmonar. Está claro que nenhum teste isoladamente jamais conseguirá isso.

A abordagem racional, nos pacientes de risco moderado e elevado, é ponderar a função respiratória em três grupos relacionados, mas de áreas independentes como: a mecânica respiratória, o parênquima pulmonar e a função e interação cardiorrespiratória. Estes podem ser lembrados como as unidades funcionais básicas da respiração: para obter oxigênio atmosférico, promover a hematose sanguínea e transportá-lo aos tecidos periféricos

Testes da Mecânica Pulmonar

Na rotina emprega-se os TFP com seus volumes e capacidades (Volume Pulmonar – VP e Capacidade Pulmonar – CP), os quais são obtidos por da espirometria convencional (Figura 151.1) e/ou por diluição de um gás inerte.

Alguns outros TFP podem ser obtidos por meio do mesmo aparelho, porém com uma velocidade mais elevada e sobre estímulo expiratório, como: o Volume Expirado Forçado no primeiro segundo (VEF_1) e o Fluxo Expirado Forçado nos 25% a 75% da curva (FEF_{25-75}) (Figura 151.2).

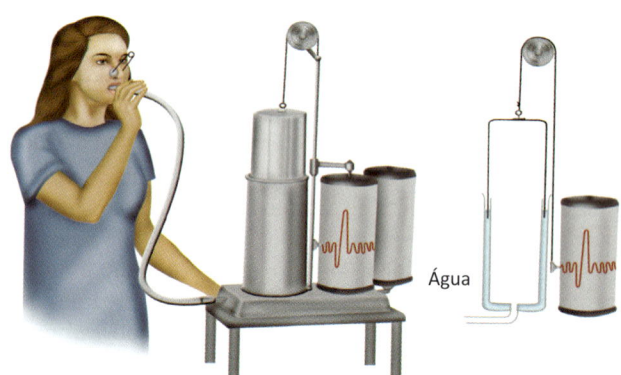

▲ **Figura 151.1** Espirômetro clássico de Robert Tiffeneau.

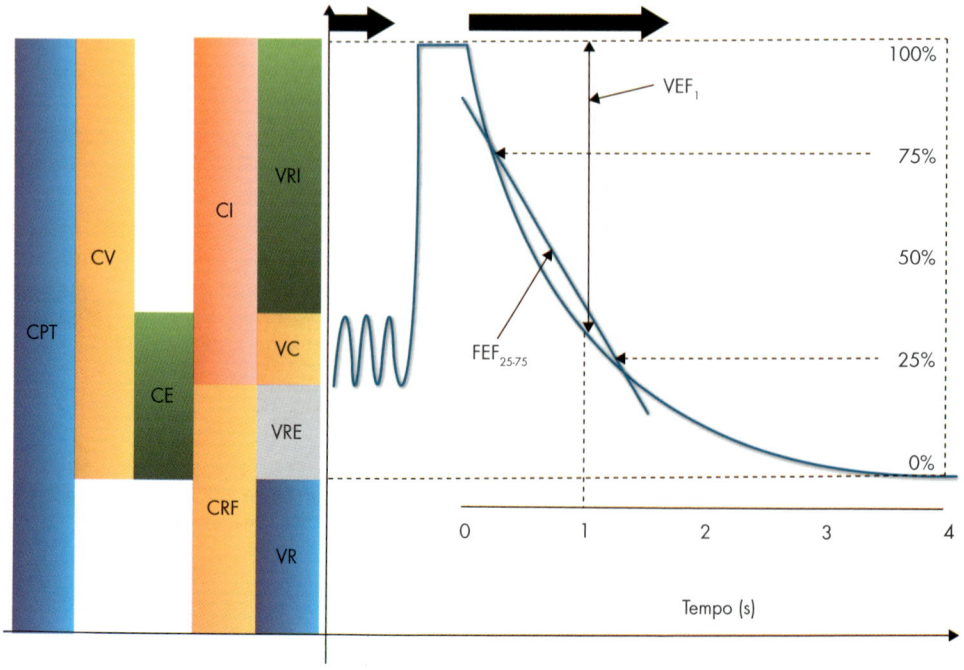

◀ **Figura 151.2** Teste de Função Pulmonar Estáticos e Dinâmicos.

Estáticos: VC – Volume-Corrente, VRI – Volume de Reserva Inspiratório, VRE – Volume de Reserva Expiratório, VR – Volume Residual, CI – Capacidade Inspiratória (VC + VRI), CE – Capacidade Expiratória (VC + VRE), CRF – Capacidade Residual Funcional (VRE + VR), VC – Capacidade Vital (VC + VRE + VRI) e CPT – Capacidade Pulmonar Total (VR + VRE + VC +VRI).

Dinâmicos: VEF_1 – Volume Expirado Forçado no primeiro segundo e FEF_{25-75} – Fluxo Expirado Forçado nos 25 a 75% da Capacidade Vital Forçada.

Alguns TFP, VP e CP selecionados guardam relação, apesar de limitada, com os resultados após cirurgia de ressecção pulmonar. Pode-se citar: o Volume Expirado no primeiro segundo (VEF_1), a Capacidade Vital Forçada (CVF), a Ventilação Voluntária Máxima (VVM) e a relação entre o Volume Residual (VR) e a Capacidade Pulmonar Total (CPT) (VR/CPT).

Estes VP e CP podem ser expressos em relação a idade, gênero e peso em valores absolutos ou podem ser apresentados como uma porcentagem do esperado da normalidade.

Os TFP dão ao médico uma definição do padrão respiratório do paciente, obstrutivo ou restritivo, e a quantificação da gravidade da doença pulmonar subjacente. As indicações mais corriqueiras dos TFP podem ser resumidas na Tabela 151.3.

Tabela 151.3 Indicações de realização dos TFP.

Pacientes com suspeita de doença pulmonar subjacente

Diagnóstico de broncoespasmo oculto (hiperinsuflação pulmonar)

Presença de deformidades da parede torácica e da coluna

Resposta terapêutica insatisfatória ao emprego de broncodilatadores

Cirurgias de ressecção pulmonar

Embora existam outros critérios dos TFP para a estimativa de risco para as cirurgias de menor porte do que uma pneumectomia, o comportamento pulmonar evolutivo pós-operatório de uma ressecção de menor intensidade pode ser semelhante ao de uma pneumectomia ipsilateral e, portanto, deve ser assim considerado. Várias são as razões que tornam esta afirmação como uma verdade: primeiramente, a função do pulmão operado está alterada no pós-operatório imediato, devido à presença de atelectasias secundárias a manipulação intraoperatória e a dor; segundo, o estágio da neoplasia é mais preciso durante o ato intraoperatório e pode conduzir a uma pneumectomia; terceiro, o isolamento inadequado do pulmão dependente leva a uma diminuição de sua função pela contaminação com sangue e/ou secreções; e por último, estudos têm demonstrado que existe aumento da ventilação e perfusão do tecido pulmonar residual mas, a relação ventilação perfusão por unidade de volume permanece diminuída, em outras palavras: gera hiperinsuflação no pulmão residual.

Observa-se uma menor possibilidade de complicações quando os limites dos TFP respeitarem os valores acreditados pela literatura (Tabela 151.4).[19,20]

O VEF_1 está relacionado a maiores complicações e mortalidade no pós-operatório de cirurgias de ressecção pulmonar quando os seguintes valores não são obtidos: 55% a 65% do previsto (idade, gênero e peso) para pneumectomia, 40% a 50% para Lobectomia e acima de 40% para segmentectomia.

A relação entre o VR e a CPT (VR/CPT) quando é maior de 50%, observa-se aumento nas complicações pós-operatórias (quanto maior a relação maior é a gravidade da hiperinsuflação).[41,42]

A ventilação voluntária máxima (VVM) determina a capacidade do paciente suportar uma carga elevada de estresse na mecânica respiratória e, portanto, pode classificar aqueles que entrarão em fadiga ou não no pós-operatório. Esse teste é realizado solicitando ao paciente que respire com o maior volume-corrente e na frequência que conseguir durante 15 a 30 segundos e afere-se o valor para um minuto.[43] Seu valor normal é de 120 a 180 L/min. Considera-se que a VVM é adequada quando fica acima de 55% do predito (idade, gênero e peso) para pacientes que serão submetidos a pneumectomia, acima de 40% para lobectomia e acima de 35% para segmentectomias.

Uma abordagem com maior precisão para avaliação do risco é o cálculo da porcentagem do VEF_1 residual após a ressecção pulmonar pretendida chamada de Volume Expirado Forçado no primeiro segundo previsto para o pós-operatório (VEF_{1ppo}).

Kearney e colaboradores, em 1994, propuseram que a estimativa do VEF_1 no pós-operatório poderia ser utilizado para estimar o risco de complicações pulmonares e mortalidade em cirurgias de ressecção pulmonar secundário a falha na mecânica pulmonar.[44] Foi proposto por Brunelli e Flanchini, em 1997, que o VEF_{1ppo} fosse empregado isoladamente ou em conjunto com outras variáveis neste julgamento.[45] Contudo, o VEF_{1ppo} é apenas uma estimativa e, usualmente, discordante do valor real no pós-operatório.[46] Habitualmente o VEF_{1ppo} é superestimado no pós-operatório recente e subestimado no pós-operatório tardio.[47]

Obviamente o VEF1 real do pós-operatório apresenta um valor preditivo de complicações pulmonares melhor que o previsto (VEF_{1ppo}),[48] porém aquele só é conhecido após a intervenção.

O cálculo do VEF_{1ppo} é realizado conhecendo a região que será manipulada e retirada do pulmão e os potenciais segmentos funcionais que irão ser extirpados, avaliado pelo raio x de tórax simples, CT-Scan, Cintilografia de perfusão etc.

O número de segmentos broncopulmonares que se pretende remover é então determinado para o paciente e su-

Tabela 151.4 Limites aceitáveis dos TFP para ressecção pulmonar.

	Normal	Pneumectomia	Lobectomia	Segmentectomia
VEF1	> 2,0 L	> 1,7 – 2,0 L	> 1,0 – 1,2 L	> 0,6 – 0,9 L
% VEF_1	100%	55 – 65%	40 – 50%	> 40%
$FEF_{25-75\%}$	2,0 L	> 1,6 L	> 0,6 – 1,6 L	0,6 L
%$FEF_{25-75\%}$	100%	> 80%	> 50%	> 30%
VVM	> 100 L/min	> 70 L/min	40 – 70 L/min	> 40 L/min
%VVM	100%	> 55%	> 40%	> 35%

VEF1-Volume Expiratório Forçado no primeiro segundo. %VEF1-% VEF1 encontrado em relação ao esperado. FEF25-75%-Fluxo Expiratório Forçado no 25 a 75 % da CVF. VVM-Ventilação voluntária máxima. %VVM-% do VVM encontrado em relação ao esperado.

pondo que o pulmão normal é composto por 19 segmentos broncopulmonares e que estes contribuem igualmente para a função ventilação alveolar calcula-se o VEF_{1ppo}.

Cada segmento representa 5,26% (100%÷19) do total da função pulmonar normal e o VEF_{1ppo} é então estimado utilizando-se fórmula proposta por Juhl e Frost, em 1975, que se segue.[49]

$$VEF1ppo = VEF1 \times [1 - (S \times 5,26\%)/100]$$

S = número de segmento broncopulmonares que se pretende remover.

Ligeiras variações dessa "fórmula" podem ser encontradas em diferentes referencias.

Uma pneumectomia direita é considerada como causadora de uma de um decréscimo de 55% no VEF_{1ppo} e uma pneumectomia esquerda pode causar um decremento de 45%. Em pacientes submetidos a resseção em cunha do parênquima pulmonar, cada ressecção deve ser considerada como responsável por um segmento broncopulmonar. Os lobos inferiores direito e esquerdo são considerados cinco segmentos broncopulmonares, o lobo médio dois segmentos broncopulmonares, o lóbulo superior direito três segmentos broncopulmonares, e o lóbulo superior esquerdo quatro segmentos broncopulmonares (Figura 151.3).

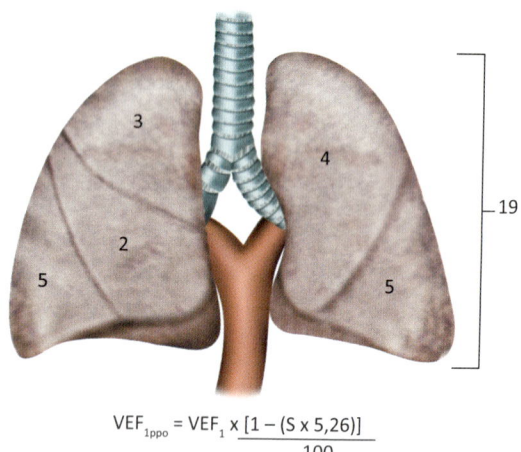

$$VEF_{1ppo} = VEF_1 \times \frac{[1 - (S \times 5,26)]}{100}$$

Elevada mortalidade → $VEF1_{ppo}$ → 40% a 30%

▲ **Figura 151.3** Cálculo do VEF_{1ppo}.

O limite absoluto de 0,8 litros do VEF_{1ppo} sugere a fronteira para uma ressecção do parênquima pulmonar, ou apenas 40% do pré-operatório, abaixo deste limite existe grande probabilidade de graves complicações pulmonares.[20] Por exemplo, se a massa de pulmão a ser retirada corresponde a 15,8% (3 segmentos) e o seu VEF_1 antes da ressecção corresponde a 2 litros, pode-se esperar que um VEF_{1ppo} será de 1,68 litros (84,2% do basal). Portanto, como o índice de 0,8 litros não foi atingido, espera-se um pós-operatório com menor risco de complicações.[20] Porém, deve-se ressaltar que, mesmo com essa abordagem, apesar de sua lógica atraente, vem apresentando críticas graves e valores menores vêm sendo propostos como estes limites.[50]

A quantificação da massa pulmonar que será retirada pode ser mais bem ponderada por técnicas com isótopos radiativos, certamente levando a maior precisão dessa abordagem.[51]

Testes do Parênquima Pulmonar

Após o processo mecânico que leva os gases até aos alvéolos pulmonares, a respiração passa por um segundo passo importante que é a troca de oxigênio e dióxido de carbono entre os alvéolos e o leito vascular. Esta interface é realizada pela membrana alvéolo-capilar e depende só da lei física da difusão dos gases.

Tradicionalmente, os gases sanguíneos, tais como PaO_2 <60 mmHg ou $PaCO_2$> 45 mmHg têm sido utilizados como valores de limites para se indicar uma ressecção pulmonar. Contudo, ressecções já foram realizadas com sucesso, ou mesmo combinadas com redução de volume, em pacientes que não atendem a esses valores.

Conclui-se que, embora estes valores dos gases sanguíneos referidos no parágrafo anterior permaneçam úteis como indicadores de alerta do risco aumentado, não são de valor incontestável.

O teste mais útil da capacidade de troca de gases pelo pulmão é a capacidade de difusão do monóxido de carbono (DL_{CO}). A DL_{CO} é um reflexo da superfície de funcionamento total da interface alvéolo-capilar.

Se disponível, a DL_{CO} pode ser utilizada para a estratificação de risco de boa qualidade e foi introduzida na prática clínica já em 1988 por Fergunson e colaboradores, que observaram a função de preditor mais importante de mortalidade e de complicações pulmonares pós-operatórias.

A DL_{CO} também pode revelar a existência de alterações enfisematosas no pulmão, mesmo quando os valores da espirometria clássica são aceitáveis. Como conclusão ela deve ser parte obrigatória na avaliação nos pacientes risco elevado.[52]

A perda da superfície de troca de gases por uma ressecção pulmonar diminui a DL_{CO}, e esta relaciona-se diretamente com complicações e mortalidade no pós-operatório imediato e tardio.[53,54,55,56,57]

De forma semelhante ao VEF_{1ppo} pode-se também calcular a capacidade de difusão do monóxido de carbono estimada para o pós-operatório (DL_{COppo}). Este parâmetro (DL_{COppo}) apresenta melhor correlação de risco pós-operatório que a DL_{CO} isolada[53] (Figura 151.4).

O valor limite (de corte) da DL_{CO} acima de 80% é o mais utilizado como padrão de normalidade. Uma DL_{COppo} < 30% a 40% correlaciona-se com o aumento da frequência de complicações graves respiratória e mortalidade independente do VEF_1[53,54,55,56,57] e somando-se a esta observação a DL_{COppo} < 20% apresenta uma mortalidade pós-operatória inaceitável,[58] mas infelizmente nem todos os centros hospitalares possuem esta tecnologia.

Naqueles pacientes cujo procedimento cirúrgico seria de grande benefício, mas os resultados destas estratificações de risco estão abaixo dos limites aceitáveis, é necessário prosseguir na avaliação, porque para determinados tipos de câncer a melhor alternativa é a cirúrgica. Para uma melhor conduta neste grupo de pacientes de alto risco resta a avaliação da ventilação e perfusão dos pulmões em separado, que é uma abordagem de elevado custo e disponível

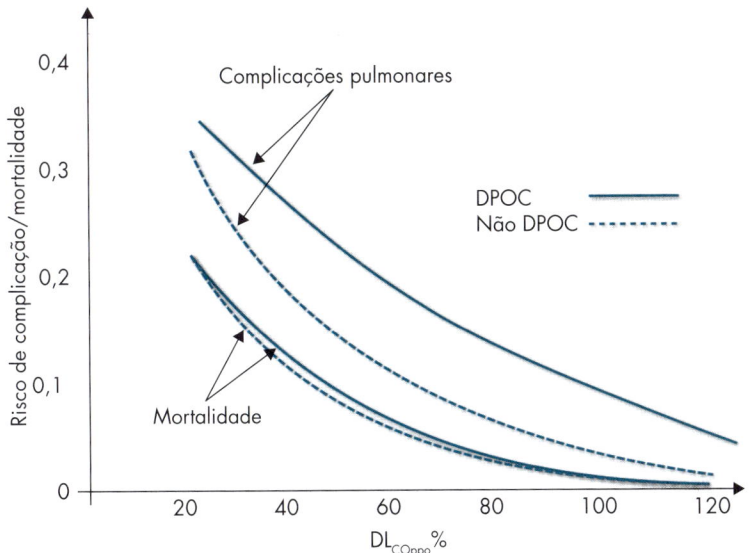

◀ **Figura 151.4** Relação entre DL_{CO} e mortalidade e complicações pós-operatória.

Fonte: Adaptada de Ferguson MK, Vigneswaran WT.[53]

somente em centros avançados. Estes testes podem ajudar no cálculo do VEF_{1ppo} e DL_{COppo} e prever os desfechos pós--operatório de forma mais precisa.

Os testes de ventilação e perfusão são realizados com substâncias radioativas (Xe_{133} ou Te_{99}) administradas pela corrente sanguínea (perfusão) ou por inalação (ventilação). Colimadores de radiação posicionados no tórax do paciente obtém a perfusão e a ventilação regional.

Após a ressecção do parênquima pulmonar, o leito vascular do tecido remanescente pode ser incapaz de receber todo o fluxo sanguíneo imposto pelo ventrículo direito e levar a um sofrimento desse. Esta incapacidade pode gerar ao desenvolvimento um *cor pulmonale* agudo.[36,59] No caso do tecido pulmonar que se pretende retirar receber mais que 70% do fluxo sanguíneo a probabilidade da ocorrência no pós-operatório de um *cor pulmonale* agudo é razoável. O teste de oclusão da artéria específica da região que será extirpada, pelo cateter vascular especial é realizado no laboratório da hemodinâmica, e pode simular se o ventrículo direito irá suportar aquela sobrecarga. Contudo, este teste é invasivo, oneroso e apresenta uma dificuldade técnica apreciável.

Espera-se que após a oclusão arterial da região interessada a pressão do tronco da artéria pulmonar não se elevar acima de 40 mmHg e/ou a PaO_2 não diminuir abaixo de 45 mmHg e/ou a $PaCO_2$ aumentar acima de 60 mmHg. Na possibilidade de se medir a resistência vascular pulmonar esta deve ficar abaixo de 190 dinas.seg^{-1}.cm^{-5} com o paciente em repouso.

Testes da Reserva Cardiopulmonar

É de se esperar que apenas um pequeno grupo seleto destes pacientes conseguirão realizar as provas mais adequadas que analisam o acoplamento cardiovascular. Porém, como veremos, existe testes clínicos que apresentam excelente correlação com os testes *Gold Standard*.

O teste formal de exercício em laboratório é atualmente o padrão. O consumo máximo de oxigênio (VO_2máx) é o preditor mais útil neste julgamento. O teste é realizado em bicicleta ergométrica ou esteira (cicloergometria). Medições em repouso são feitas por 3 a 5 minutos e é permitido 3 a 4

minutos para aquecimento, segue-se o teste com uma carga de trabalho incremental segundo vários protocolos disponíveis. A taxa de aumento do trabalho é projetada para atingir a capacidade máxima em 8 a12 minutos.

Os critérios da interrupção precoce do teste podem ser absolutos como o aparecimento de dor precordial, taquicardia ventricular, fadiga ou quando solicitada pelo paciente. Os critérios relativos são a resposta hipertensiva, mudanças no seguimento ST no ECG (depressão ou elevação), aparecimento de bloqueio de ramo, frequência cardíaca máxima atingida (FC_{max} = 220 − idade(anos)), coeficiente respiratório maior que 1,2 (VCO_2/VO_2) e platô da captação de oxigênio ≤ 150 mL/min.

O VO_2max estimado pode ser calculado por meio de várias fórmulas, o que pode ser visto na tabela que se segue (Tabela 151.5).

Tabela 151.5 Estimativas do VO₂max.

VO_2 predito para homens na carga zero (VO_2zero)

VO_2zero = 0,0168 x {(0,00023 x P) + 0,0068} L/min

VO_2 predito para mulheres na carga zero (VO_2zero)

VO_2zero = 0,0168 x {(0,00033 x P) + 0,00041} L/min

VO_2max predito para homens

VO_2max = {(0,0716 x H − 0,00518) x (44,22 − (0,394 x I)) + (0,0058 x P) L/mim

VO_2max predito para mulheres

VO_2max = {(0,0626 x H − 0,00455) x (37,03 − (0,371 x I)) + (0,0058 x P) L/min

H (altura) em metros; I (Idade) em anos; P (Peso) em quilos.

Diversos estudos demonstraram que parâmetros derivados dos testes de avaliação cardiopulmonar ao exercício, particularmente o VO_2max, constituem-se em previsores importantes de morbidade e mortalidade pós-operatórias,[60,61] especialmente na toracotomia com ressecção pulmonar.

O risco de complicações e mortalidade é alto se VO_2max pré-operatório é menor que 15 mL. Kg^{-1}.min^{-1}.[62] Poucos pacientes com um VO_2max maior que 20 mL. $Kg^{-1}.min^{-1}$ têm complicações pós-operatória.

O VO_2max pode ser apresentado em valor absoluto ou em uma relação com o observado frente ao previsto. A interpretação de seu valor parece mais adequada quando se avalia em % do previsto [% do previsto VO_2max = (Valor observado VO_2max / Valor previsto VO_2max) x 100].

Um fenômeno interessante ocorre durante o exercício dinâmico, e vem sendo correlacionado com complicações e mortalidade pós-operatória, que é princípio no metabolismo anaeróbico.[63] Em exercícios mais extenuantes, primordialmente aeróbicos, quando a sua intensidade é supranormal, observa-se um desacoplamento entre o consumo de oxigênio (VO_2) e a produção de CO_2 (VCO_2). Ocorre uma produção de CO_2 maior que o consumo de O_2. Esta fonte adicional de CO_2 resulta do metabolismo anaeróbico intenso subjacente e o tamponamento do ácido lático produzido pelo bicarbonato sanguíneo, resultando em CO_2 e H_2O. Neste cenário, a VCO_2 é aumentada em até 2,5 vezes aos valores no exercício essencialmente aeróbico.

A hipótese mais aceita é que o déficit relativo de O_2 nas mitocôndrias teciduais leve a este desequilíbrio em sua capacidade de redução e oxidação (capacidade redox), induzindo ao metabolismo anaeróbico e produzindo ácido láctico. Este ponto é conceituado como limiar da lactatemia ($Lact_{lim}$).

O $Lact_{lim}$ tem sido empregado para avaliar a capacidade aeróbica de atletas e pacientes pois relaciona-se com stress aeróbico e monitoramento do condicionamento cardiopulmonar.[63]

O limiar anaeróbio é de aproximadamente 55% do VO_2max em indivíduos não treinados, e pode aumentar para > 80% em atletas treinados.

O teste de exercício de laboratório completo é demorado e dispendioso e, mais importante, impraticável em pacientes graves e com doença pulmonar. Porém, existem alternativas demonstradas e validadas em sua substituição.

O teste substitutivo mais estudado e utilizado é o da distância que um paciente pode percorrer durante 6 minutos (6MWT), ele demonstra uma excelente correlação com VO_2max e requer pouco ou nenhum equipamento.[61]

Para pacientes com DPOC moderada ou grave, a distância percorrida no teste pode ser usada para estimar o VO_2max dividindo simplesmente a distância pela constante de 30, por exemplo, 600 m de distância percorrida é equivalente a um VO_2max de 20 mL.$Kg^{-1}.min^{-1}$ (600/30 = 20 mL.$Kg^{-1}.min^{-1}$).[64] Alguns centros também avaliam a queda na oximetria de pulso (SpO_2) durante o exercício. Doentes com um decréscimo na SpO_2 maior que 4% durante o exercício (como subir 2 ou 3 lances de escada ou equivalente) têm maior risco de morbidade e mortalidade.[65] Porém, Varela e colaboradores, em 2001, não conseguiu reproduzir este achado.[66]

Uma análise semelhante ao VEF_{1ppo} também pode ser utilizada com relação ao VO_2max e estimar o VO_2max_{ppo}.

Com base na quantidade de tecido pulmonar funcional removido uma estimativa de VO_2max_{ppo} menor que 10 mL.

$Kg^{-1}.min^{-1}$ pode ser considerada uma contraindicação à ressecção pulmonar. Em uma pequena série de casos a mortalidade foi de 100% (3/3) nos pacientes com um VO_2max_{ppo} menor que 10 mL. $Kg^{-1}.min^{-1}$.[67]

O teste cardiopulmonar ao exercício não deve ser rotineiramente realizado em pacientes com risco funcional baixo, nestes pacientes, não existem evidências de que os testes cardiopulmonares ao exercício tragam informações prognósticas úteis.[67] Entretanto, na hierarquia de decisões a solicitação das avaliações adicionais (cintilografia de perfusão ou teste cardiopulmonar ao exercício) é ainda discutível. Enquanto alguns grupos utilizam a cintilografia antes do teste cardiopulmonar ao exercício, outros realizam primeiro o teste cardiopulmonar ao exercício. Parece claro, todavia, que a maioria dos autores preconiza o teste cardiopulmonar ao exercício quando o VEF1 previsto pós-operatório (VEF_{1ppo}) sugira a classificação do paciente como de alto-risco, como VEF_{1ppo} < 0,8 L ou < 40% do previsto.

Em similaridade com a avaliação prognóstica para a insuficiência cardíaca, diversos pontos-de-corte baseados no VO_2max foram sugeridos como indicadores de risco cirúrgico aumentado e/ou baixa capacidade funcional pós-operatória como: < 10mL/min/kg, < 15 mL/min/kg, < 50% do previsto ou < 60% do previsto. Dados mais recentes indicam que o uso do VO_2max previsto para o pós-operatório também pode trazer importante informação prognóstica, assim como a DL_{CO} durante o exercício.

Por outro lado, deve-se observar que estimativas clínicas do "risco cardiopulmonar" ou testes mais simples também se mostraram úteis. Entretanto, em recente revisão, recomendou-se que o teste cardiopulmonar ao exercício deva fazer parte obrigatória da avaliação dos pacientes considerados de risco mais elevado de acordo com o VEF_{1ppo}.

Na avaliação pós-operatória longitudinal dos pacientes submetidos à cirurgia redutora do volume pulmonar, a análise da *performance* cardiopulmonar ao estresse do exercício tem sido amplamente utilizada para a determinação objetiva do impacto funcional deste tipo de cirurgia sobre o paciente. Neste contexto, o teste cardiopulmonar ao estresse do exercício parece ser mais sensível que as avaliações funcionais de repouso, fornecendo informações úteis acerca das alterações fisiológicas longitudinais associadas à cirurgia e evolução do paciente.

Concluindo, a avaliação integrada do impacto funcional da cirurgia torácica e o teste cardiopulmonar ao estresse do exercício, podem determinar com maior acurácia e sensibilidade, a evolução do paciente, do que a avaliação clínica e funcional de repouso.[97-99]

Combinação das avaliações (testes)

Como foi visto, para ser utilizado na avaliação pré-operatória, infelizmente, nenhum teste isolado mostrou validade adequada para a previsão do risco, principalmente nos pacientes submetidos a cirurgia de ressecção pulmonar. Parece adequado uma associação dos variados testes cobrindo as três áreas: mecânica respiratória, reserva cardiorrespiratória e membrana alvéolo-capilar (Figura 151.5).

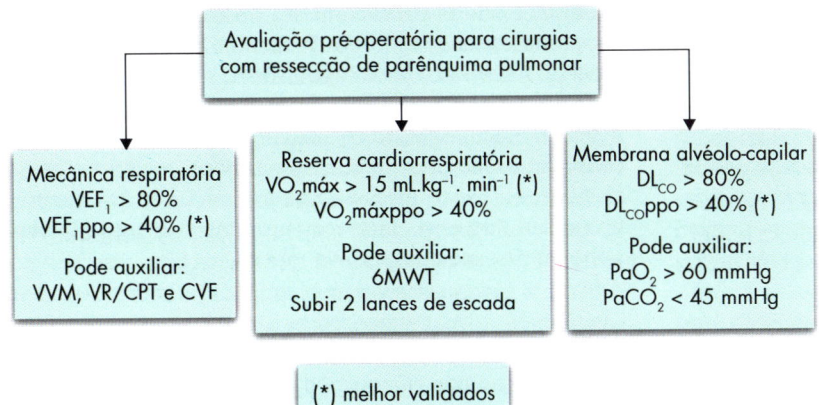

◄ **Figura 151.5** Fundamentos da avaliação em pacientes de risco para resseção pulmonar.

Preparo Pré-operatório[19,20]

Após a avaliação pré-operatória ter sido realizada, tem início o preparo do paciente para a cirurgia. O preparo adequado do paciente modifica de modo considerável sua potencial evolução, pois reduz sensivelmente a incidência de complicações, que como já foi vista podem ser comuns e põem em risco a vida do doente.

Assim, o "regime pulmonar" pré-operatório consiste em otimizar as condições do paciente e é composto de oito tópicos.

Primeiramente o abandono ao tabagismo, essa renúncia é crucial, principalmente naqueles que apresentam esse costume de longa data.

Controle do tabagismo

Não é recente o conhecimento que o tabagismo constituí um importante fator de risco para as cirurgias realizadas sobre tórax e abdome superior. Este efeito está relacionado não somente a doença pulmonar crônica associada, mas também aos efeitos agudos provocados pelo cigarro[68,69,70] Gronkjaer e colaboradores, em 2014, em estudo de revisão sistemática e metanálise constataram que o tabagismo pré-operatório está associado a um maior risco de complicações pós-operatórias como: morbidade geral, complicações na ferida cirúrgica, infecções gerais, complicações pulmonares, complicações neurológicas e admissão na unidade de terapia intensiva e tempo de permanência na mesma.

Portanto, é de se esperar que o abandono do tabagismo seja incentivado antes da cirurgia. Porém, o que permanece obscuro é de quanto deve ser esse tempo da interrupção antes da cirurgia? Qual seria o mais adequado? Todavia, não há dúvidas que para essas respostas deve-se considerar que esse período fica condicionado à doença cirúrgica, uma vez que nas neoplasias este tempo deve ser limitado.[71]

Considerando que o paciente sempre se beneficia da interrupção do ato de fumar.[72] A interrupção aguda por um curto período, por menos de quatro semanas, não parece aumentar ou reduzir o risco de complicações respiratórias pós-operatórias[73,74] Uma vez interrompido o tabagismo, a irritação mucosa é abolida, mas, a queda na produção mucosa só é alcançada após um tempo mais prolongado. Por um outro lado, mesmo que a interrupção seja feita de forma aguda, existe a possibilidade de diminuir a incidência de hipoxemia[75] e, teoricamente, a carboxihemoglobina, os efeitos estimulantes da nicotina no sistema cardiovascular, assim como também melhora a atividade mucociliar da árvore traqueobrônquica.[76]

Concluindo, parar de fumar por longos períodos reduz o risco de complicações pulmonares e, parar de fumar por curto período não modifica o risco de complicações pulmonares.[73,74]

Destaca-se que alguns pacientes se tornam muito dependentes da nicotina e a interrupção leva-os a um grau de ansiedade extrema, prejudicando o preparo e a interrupção do hábito.

A quantidade de cigarros consumida por dia pelo paciente é importante e pacientes que fumam mais de 20 maços-ano têm elevada incidência de complicações pulmonares.

Controle da infecção pulmonar

É evidente que pacientes com doença pulmonar estão sujeitos à infecção pulmonar de repetição e terão um prognóstico pior caso a cirurgia seja realizada na vigência do processo infeccioso. Os pacientes com diagnóstico de bronquiectasia, podem apresentar um difícil controle do processo infeccioso e os organismos responsáveis pela infeção são os mais variados possíveis. Isto é atribuído ao acesso insignificante dos antibióticos naquela região e à seleção de bactérias resistentes (Bactérias Gram Negativas, Micobactéria Tuberculosa e Não Tuberculosa etc.).[77] Não é raro que alguns doentes são levados para a cirurgia em seu melhor estado, mas sem controle completo do processo infeccioso.

Controle do broncoespasmo[78]

O controle do broncoespasmo é de enorme importância no período de preparo pré-operatório, é uma das mais corriqueiras complicações durante o intraoperatório e pós-operatório, pois leva a dificuldades ventilatórias, induz ao auto-PEEP especialmente durante o período da ventilação monopulmonar. Felizmente os eventos adversos secundários à hiper-reatividade brônquica vêm declinado nos últimos anos, sugerindo uma melhor compreensão e controle desse fenômeno apesar da via aérea ser intensamente manipulada. Deve ser lembrado que os pacientes com história do uso recente de fármacos broncodilatadores ou internação por broncoespasmo devem ser tratados com atenção especial.

O controle da hiper-reatividade brônquica pode ser realizado por meio da utilização de um grande arsenal terapêutico tanto na prevenção como no tratamento da crise aguda.

O potente efeito broncodilatador das xantinas é conhecido já de longa data, no século XIX sabia-se do efeito benéfico do café forte e chá sobre os sintomas da asma brônquica. Apesar desse conhecimento, seu exato mecanismo de ação permanece controverso até o presente momento. As metilxantinas aumentam a concentração intracelular da Adenosina Monofosfato Cíclica (AMPc) por inibição da enzima que promove sua metabolização, a fosfodiesterase. Existem cinco subtipos de fosfodiesterase, os subtipos três e quatro seriam os responsáveis pela ação pulmonar.

O aumento da concentração da AMPc promove o relaxamento da musculatura brônquica. Entretanto, observações experimentais apontam que a dose para produzir inibição da fosfodiesterase é mais elevada que a dose terapêutica usualmente empregada. Por isso são descritos outros mecanismos de ação como a liberação de noradrenalina no pulmão e sistêmica, os quais promovem a dilatação dos brônquios pela estimulação dos receptores β2 adrenérgicos. Outro suposto meio de atuação das xantinas é o de melhorar o desempenho respiratório, induzindo um desempenho superior dos músculos responsáveis pela ventilação pulmonar.

O primeiro mecanismo descrito (liberação de noradrenalina) torna este grupo de fármacos potencialmente perigoso para a prática anestésica.

A teofilina etilenodiamina (aminofilina) é o fármaco mais utilizado deste grupo e possui como característica sua metabolização exclusivamente hepática. A meia-vida de metabolização é prolongada pela diminuição no fluxo hepático durante a anestesia, elevando o risco de efeito cumulativo com intoxicação. Ressalta-se que seu índice terapêutico é pequeno, portanto, a concentração sérica tóxica é muito próxima da concentração sérica terapêutica. Torna-se fundamental a monitorização dos níveis sérico e este deve ficar entre 10 mcg/ml e 20 mcg/ml.

Outra ação importante das metilxantinas é sua ação anti-inflamatória, inibe a ativação e a infiltração de células inflamatórias nas vias aéreas. Essa ação é desencadeada pelo bloqueio da fosfodiesterase subtipo IV.

Os fármacos β2-agonistas promovem broncodilatação por agirem direto nos receptores adrenérgicos desse subtipo. O estímulo eleva o AMPc intracelular e promove broncodilatação independente do fator desencadeante. O emprego de doses elevadas está associado ao desencadeamento de arritmias cardíacas. Apesar de existirem fármacos β2-agonistas específicos, deve ser enfatizado que a especificidade só existe em baixas doses. A via de administração inalatória é sempre a preferencial, pois assim se alcança altos níveis pulmonares da droga com baixos níveis sistêmicos. Outros efeitos adversos são os tremores, a taquicardia e a hipocalemia. Na fase aguda constituem os fármacos maior eficiência na reversão do espasmo brônquico.

Os anticolinérgicos constituem uma alternativa. Agem ligando-se aos receptores muscarínicos da musculatura lisa bronquial impedindo a ação da acetilcolina. Portanto, diminuem a atividade parassimpática no pulmão, promovendo queda na concentração da Guanidina Monofosfato Cíclica (GMPc). A GMPc é um antagonista do AMPc e sua diminuição leva ao relaxamento da musculatura lisa brônquica. Os anticolinérgicos não são eficazes em todos os tipos de broncoespasmo, são úteis naqueles induzidos por irritantes das vias aéreas. Existe discussão se a diminuição da secreção brônquica que esses fármacos promovem é acompanhada também de espessamento do muco.

Foram identificados cinco subtipos dos receptores muscarínicos M_1 a M_5. Os receptores M_1 e M_3 são pós-sinápticos e promovem a contração da musculatura lisa bronquial e hipersecreção das glândulas da mucosa. Os receptores M_2 são pré-sinápticos e seu estímulo pela acetilcolina inibe a liberação desse mesmo mediador. Os anticolinérgicos utilizados atualmente não apresentam seletividade, sua ação sobre o receptor M_2 pode, pelo menos teoricamente, diminuir sua ação broncodilatadora.

O segredo no controle mais prolongado da hiper-reatividade brônquica são os fármacos anti-inflamatórios. Portanto, são fármacos empregados na prevenção do broncoespasmo.

Os corticosteroides não têm efeito broncodilatador direto, mas diminui o edema da mucosa brônquica e o infiltrado inflamatório das vias aéreas. Seu mecanismo de ação é complexo e envolve o bloqueio no núcleo celular na transcrição do DNA na síntese de mediadores inflamatórios. Tem ação também induzindo a síntese do polipeptídio lipocortina-1, que inibe a enzima fosfolipase A2. Essa enzima é o início da produção de inúmeros mediadores inflamatórios como: prostaglandinas; leucotrienos; fator ativador de plaquetas; interleucinas, fator tumoral de necrose etc. Existem preparações para uso por via inalatória com menos repercussão sistêmica.

O Cromoglicato, Nedocromil e Cetotifeno apresentam atividade anti-inflamatória, que se faz por meio da estabilização das membranas dos mastócitos, previne a liberação dos mediadores que levam ao broncoespasmo. Possuí ação sobre outras células da cadeia inflamatória, impedindo o recrutamento dessas nas paredes dos brônquios. Outro efeito aditivo é o de diminuir o fluxo para o sistema nervoso dos estímulos irritantes das vias aéreas. Seu uso mais preciso é na prevenção do broncoespasmo.

Controle da secreção pulmonar

A melhoria da eliminação de secreções pode ser conseguida através de hidratação adequada (por nebulização ou via parenteral), tapotagem, incentivo a tosse, drenagem pela postura e, eventualmente, com o uso de agentes monolíticos.

A N-acetilcisteína é o monolítico mais utilizado, rompe as pontes dissulfeto que unem as glicoproteínas do muco, reduzindo a sua viscosidade e melhorando sua eliminação.

Controle da educacional do paciente

A meta é alcançada por meio do ensino continuado pré-operatório da espirometria de incentivo, preparo psicológico e exercício físico discreto. A finalidade é prevenir ao máximo a atelectasia pós-operatória.

Nesta fase é interessante incentivar o abandono do tabagismo, de uma forma lenta e duradoura se for possível.

Controle sobre a nutrição

A nutrição deve ser adequadamente planejada nesses pacientes. No pós-operatório é de se esperar um balanço nitrogenado negativo nas fases iniciais e o paciente desnutrido deve ser submetido a um programa de alimentação adequada para o seu restabelecimento das medidas adequadas antes do procedimento cirúrgico.

Controle da hipoxemia crônica

Nos pacientes em estágios avançados da DPOC pode ser necessário utilizar oxigênio em baixos fluxos o evita a hipoxemia grave e a hipertensão pulmonar secundária ao fenômeno da vasoconstrição pulmonar hipóxica (VPH).

O fenômeno da VPH foi descrito em 1946 por Von Euler e Liljestrand e tem atraído o interesse de inúmeros investigadores desde essa época nas cirurgias pulmonares. Esta resposta reflexa atende ao princípio fisiológico básico de que a região pulmonar sem ventilação adequada não poderá ser perfundida de modo luxuriante, permitindo manter adequada relação entre ventilação e perfusão.

Esse reflexo tem maior influência na distribuição regional do fluxo sanguíneo pulmonar do que os fatores mecânicos, como os ocasionados pelas distorções dos vasos sanguíneos secundários à atelectasia.

Desafiando a fisiologia, o mecanismo pelo qual a hipóxia alveolar contrai os vasos pulmonares permanece parcialmente desconhecido mas é provável que o sistema do receptor PY2 esteja envolvido facilitando o influxo de Calcio ao citosol das células musculares dos vasos pulmonares.[79]

Controle do *cor pulmonale*

Finalmente o controle do *cor pulmonale* é especialmente importante para que ocorra menores complicações. Contudo, deve-se empregar diuréticos e digital com cautela, pois estes fármacos não estão isentos de efeitos adversos importantes, especialmente nesses pacientes já tão limítrofes (intoxicação digitálica, hipopotassemia etc.).[80]

Ainda no preparo pré-operatório devesse advertir que eventualmente os procedimentos de manipulação intratorácicos "abertos" são acompanhados de sangramento, habitualmente elevado, portanto, necessitando de transfusão sanguínea. As indicações de transfusão sanguíneas respeitam os preceitos atuais de sua reposição. A limitação da idade, da doença de base e das afecções associadas afastam a possibilidade da autotransfusão. Portanto, a reserva de sangue não deve ser esquecida.

A recomendação de se realizar o pós-operatório em terapia intensiva de forma rotineira e linear não é obrigatória. São variados os tipos de cirurgia, assim como a condição clínica dos pacientes. Somente nas cirurgias de maior vulto ou nos pacientes com estado físico mais comprometido é conveniente que o paciente seja encaminhado no pós-operatório para o centro de tratamento intensivo.

O emprego da medicação pré-anestésica depende do grau de comprometimento sistêmico em que o paciente se encontra, portanto, deve ser individualizada. A utilização dos anticolinérgicos permanece controversa. Os opioides devem ser evitados devido à possibilidade de conduzirem a depressão respiratória, entretanto, constituem uma alternativa naqueles pacientes com razoável função pulmonar e dor intensa. Os benzodiazepínicos por interferirem menos na função ventilatória parecem uma alternativa mais atrativa na atenuação da ansiedade.

Porém, nos pacientes com grave limitação ventilatória é razoável que se empregue apenas a explanação dos acontecimentos que irão se suceder no centro cirúrgico.

■ INTRAOPERATÓRIO

Monitorização e Vias de Infusão

As vias de infusão devem ser compatíveis frente a risco de sangramento. Na expectativa de sangramento limitado e que necessite de reposição volêmica modesta, um acesso venoso de médio calibre (18G) usualmente é suficiente.

O acesso venoso central pode ser uma alternativa quando se prevê um intraoperatório e pós-operatório turbulento, especialmente quando se antecipa a introdução de fármacos vasoativos.

Acesso venoso periférico de calibre mais avantajado (14G) são indicados, evidentemente, quando se espera uma perda sanguínea de maior intensidade, por exemplo, nas decorticações pulmonares extensas.

Quanto ao sistema de monitorização necessita de três considerações iniciais: a primeira é conhecer detalhadamente o estado físico do paciente uma vez que, na dependência das condições clínicas o profissional irá escolher uma monitorização mais avançada; a segunda consideração é pautada no tipo de procedimento, naqueles mais invasivos necessitam uma monitorização mais precisa; e finalmente na presença de qualquer intercorrência, deve-se reavaliar o sistema de monitorização.

Técnica de Anestesia

A técnica mais utiliza é a anestesia geral associada ao um bloqueio peridural torácico, principalmente para as cirurgias onde haverá abertura da cavidade torácica com grande manipulação. A escolha comum da associação da anestesia geral com a anestesia peridural nesse canário é devido aos melhores resultados e a um controle mais eficaz da dor pós-operatória.[81,82] Porém, existem inúmeros relatos do uso só da anestesia loco regional em pacientes selecionados também com bons resultados.[83]

A anestesia geral padrão é a anestesia geral inalada ou balanceada.[84] Porém, pode-se dar preferência a via venosa quando se prevê várias desconexões da ventilação mecânica no intraoperatório. Uma vantagem da anestesia venosa com Propofol é que este relacionou-se com menor disfunção cognitiva no pós-operatório em pacientes idosos.[85] Em estudo no Reino Unido em 2012, realizado por Shelley e colaboradores, 85% dos anestesiologistas empregaram a anestesia geral inalada e apenas 15% a anestesia venosa total.[86]

Estudos experimentais suportam que os anestésicos inalados inibem a vasoconstrição pulmonar hipóxia dose dependente e induzem a piora na oxigenação durante o período da ventilação de apenas um pulmão. Porém, estudos clínicos não conseguiram demostrar este efeito não desejado.[87] Contrariamente, a funcionalidade da microcirculação é melhor preservada quando se emprega a anestesia inalatória do que a anestesia venosa, ambas associada a peridural.[88]

Várias evidências têm apontado que o Sevoflurano, e possivelmente os outros anestésicos inalados, atenua a resposta inflamatória pulmonar[89,90] e traqueal,[91] principalmente a resposta inflamatória induzida por elevados volumes correntes.[92]

Uma alternativa atraente para analgesia pós-operatória nos pacientes onde o bloqueio peridural é contraindicado ou houve falha é o bloqueio conhecido como eretor da espinha (ESP).[93] O bloqueio paravertebral não apresentam aparentemente vantagens sobre o ESP,[93] mas podem ser combinados.[94] O estudo PROcedure SPECific Postoperative Pain ManagemenT (PROSPECT) recomenda o bloqueio do plano eretor da espinha (ESP) ou bloqueio paravertebral (PVB) para analgesia pós-operatória após cirurgia de toracoscopia videoassistida (VATS).[95]

Lembra-se que excetuando o Desflurano, os anestésicos inalatórios promovem uma importante broncodilatação.

A ventilação pulmonar é controlada mecanicamente com bloqueador neuromuscular, de preferência aqueles que não liberam histamina. O recrutamento pulmonar apesar de controverso pode ser necessário em muitas ocasiões durante a cirurgia para otimização da oxigenação sanguínea.[96,97]

Posicionamento do Paciente

A maioria dos procedimentos torácicos é realizado com o paciente em decúbito lateral, com o sítio operatório em posição superior, cuidados especiais devem ser tomados nessa posição devido as complicações relacionadas (**Figura 151.6**).

Outra posição muito utilizada é a semilateral, que consiste em manter o decúbito supino com o tórax rodado em 30° em relação à mesa cirúrgica. É utilizada para as toracotomias anteriores, isto é conseguido colocando-se um coxim entre o tórax e a mesa cirúrgica.

Nas toracotomias posteriores, alguns cirurgiões preferem a posição prona, posição de Overholth. Esta posição permite a drenagem das secreções para a traqueia evitando a contaminação do pulmão contralateral.

Deve-se ter muito zelo na fase do posicionamento pois, uma vez colocados os campos cirúrgicos, pouca visão pode-se ter do paciente, principalmente nas cirurgias robóticas e os cuidados com o posicionamento dos pacientes previne várias complicações pós-operatórias.

As potenciais complicações do posicionamento são: 1 – distensão do plexo braquial por hiperextensão do membro superior, pode ser evitada colocando um suporte de braço adequado; 2 – distensão do plexo braquial por flexão lateral acentuada da cabeça, deve-se colocar um travesseiro adequado de apoio na cabeça; 3 – compressão do membro inferior entre o tórax e a mesa cirúrgica, esta complicação é minimizada colocando-se um coxim na axila; 4 – compressão do nervo tibial anterior e lesão peniana, é obrigatório um coxim entre as pernas do paciente; 5 – queimaduras elétricas pelo contato do paciente com superfícies metálicas e aquosas, previne-se verificando o correto aterramento dos monitores e bisturi elétrico.

Técnica de Isolamento Pulmonar e Ventilação Monopulmonar

As técnicas de isolamento pulmonar, a fisiologia pulmonar nos vários decúbitos assim como a ventilação monopulmonar são abordadas em capítulo específico.

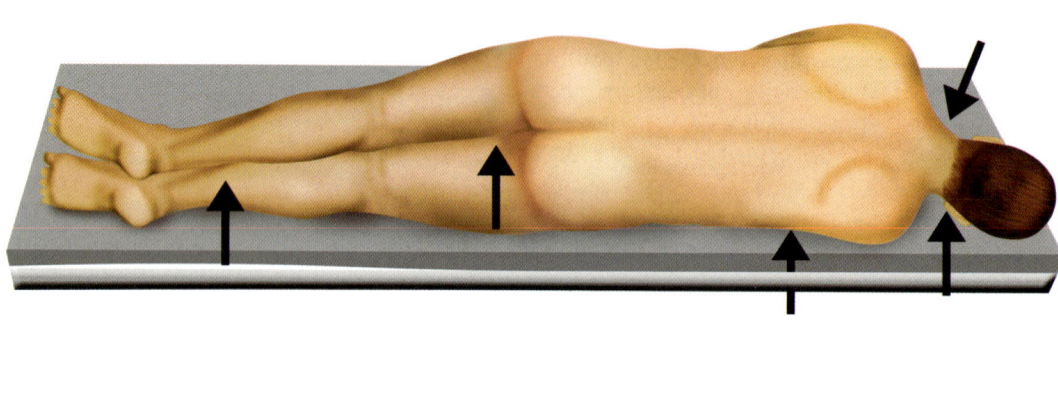

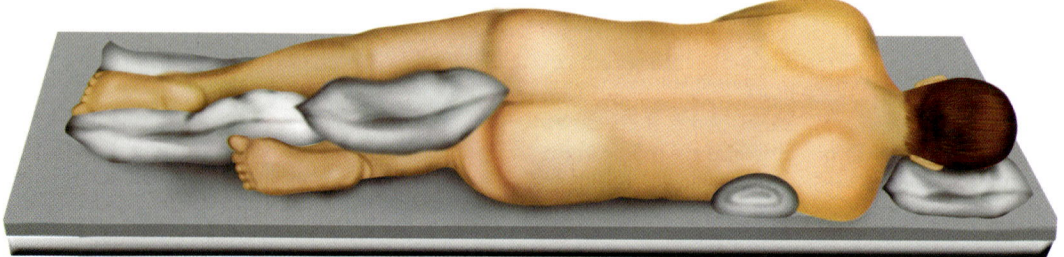

▲ **Figura 151.6** Posição lateral inadequada sem proteção e com proteção por meio de coxins.

▪ CUIDADOS PÓS-OPERATÓRIOS

Não existe estudo recente sobre as frequências das complicações no pós-operatório imediato (POI) em cirurgia torácica. As complicações mais corriqueiras são: atelectasias, hipoxemia e a dor pós-operatória.[98] Complicações cardiovasculares também podem surgir, especialmente a fibrilação atrial[99] e essa última deve alertar para sobrecarga ventricular direita.

Durante o POI, cerca de 50% a 70% da capacidade vital encontra-se diminuída. Decúbito elevado, deambulação precoce, espirometria de incentivo e controle da dor restauram a capacidade vital e supostamente diminui as complicações.

Como visto, o controle da dor no intraoperatório deve se continuado no pós-operatório é pode ser realizado de várias maneiras pois, observa-se na literatura vários protocolos. Porém, a estratégia escolhida deve ser discutida com o paciente já na fase pré-operatória e o Patient Control Analgesia (PCA) a pedra angular neste sentido. A técnica multimodal associada ao PCA permite a retirada desta técnica mais rapidamente. Fármacos venosos como os anti-inflamatórios não hormonais (AINHS), opioides orais etc., fazem parte da técnica multimodal. Somente as técnicas peridurais têm mostrado consistentemente a capacidade de diminuir complicações respiratórias pós-toracotomia nos pacientes de alto risco.[100]

A infiltração dos nervos intercostais com anestésicos locais ou sua crio analgesia, os opioides sistêmicos etc., podem ser alternativas. A administração de anestésicos locais por via interpleural, apesar de resultados satisfatórios, é de difícil manejo na enfermaria.

▪ CIRURGIA TRAQUEAL

Frequentemente a cirurgia de ressecção traqueal e a sua reconstrução estão indicadas em pacientes que apresentam obstrução traqueal como resultado de um tumor traqueal, trauma traqueal anterior (mais comumente devido à estenose traqueal), anomalias congênitas e lesões vasculares.

Para os pacientes que têm tumores operáveis, aproximadamente 80% sofrem ressecção com anastomose primária, 10% são submetidos a ressecção com reconstrução protética e os restantes 10% são submetidos a colocação de um *stent* de tubo em T.

Os estudos de imagem diagnósticos são revistos como parte da avaliação pré-operatória. A tomografia linear da traqueia é considerada a ferramenta mais precisa para definir a gravidade e o nível do comprimento da lesão. A tomografia computadorizada é uma ferramenta diagnóstica útil para avaliar o envolvimento do tumor extra traqueal ou extra brônquico. A broncoscopia é um dos exames diagnósticos definitivos para avaliar o grau da obstrução traqueal.

Nos casos de obstrução moderada a grave, a fibroscopia é normalmente adiada até ao momento do tratamento cirúrgico, pelo elevado risco de hipoxemia. A broncoscopia para paciente com estenose traqueal deve ser realizada no local onde as equipes de cirurgia e anestesia estão presentes e prontas para intervir se ocorrer hipoxemia grave pela obstrução da via aérea. Uma das poucas vantagens da broncoscopia rígida sobre broncoscopia flexível é que ela pode contornar a obstrução e fornecer uma via de ventilação se ocorrer obstrução.

Durante a cirurgia de ressecção da traqueia, os pacientes devem ter um cateter arterial inserido para facilitar a coleta de exames laboratoriais, em especial a gasometria arterial, bem como medir a pressão arterial média.

A pressão venosa central (PVC) ou os cateteres de artéria pulmonar (CAP) têm indicação nos pacientes que irão necessitar de circulação extracorpórea (CEC) para o procedimento.

Uma variedade de métodos para proporcionar uma oxigenação adequada e a eliminação de CO_2 foram e podem ser utilizados durante a ressecção traqueal. Estas modalidades incluem: a intubação orotraqueal padrão, a inserção de um tubo de único lume estéril na traqueia aberta ou brônquios distais à área de ressecção, a ventilação a jato de alta frequência (HFJV) por meio da região de estenose, ventilação com pressão positiva de alta frequência (HFPPV), e o uso de CEC.[101]

Para uma indução de anestesia segura em pacientes com compromisso via aérea, é necessária uma boa comunicação entre a equipe cirúrgica e o anestesiologista. O cirurgião deve estar sempre na sala de operação durante a indução e disponível para gerar uma via aérea cirúrgica se for necessário. O broncoscópio rígido deve estar disponível para uso imediato. O doente deve ser pré-oxigenado com 100% de O_2 antes do início da indução, de preferência pela inalação de um agente de baixa solubilidade sanguínea. O método mais seguro e mais comumente recomendado é indução inalatória com a manutenção da ventilação espontânea associada a fármacos não depressores da respiração como a Dexmedetomidina. O uso do Sevoflurano é o mais recomendado porque, de todos os anestésicos inalados, é o que tem os efeitos menos irritantes sobre a via aérea.

Quando a profundidade da anestesia inalada é adequada, a anestesia tópica da via aérea com o anestésico local é feita, usualmente utiliza-se a Lidocaína a 4% em nebulização por meio da máscara de ventilação. Nesse tempo, a broncoscopia pode ser realizada para a localização da estenose ou da lesão.[102]

A via aérea deve ser segura antes de se empregar o relaxante muscular. Porém, se for necessário o relaxamento muscular, são preferíveis inicialmente relaxantes musculares de curta duração, tais como Succinilcolina.

Uma técnica comum de controle da via aérea é com o tubo endotraqueal simples que é locado acima da lesão traqueal, sob a visão de uma broncoscopia flexível direta após a indução da anestesia geral. A broncoscopia é necessária para se evitar lesão do tumor ou da estenose, o que pode proporcionar sangramento local, piorando a oxigenação do paciente.

O tubo simples pode ser manipulado pelo cirurgião distal à massa ou área de estenose. Esta técnica está limitada a pacientes com estenose ou tumor pequeno. A presença do tubo no campo torna a realização da anastomose traqueal mais difícil.

Uma alternativa é inserir um tubo estéril aramado, disponível no campo, na traqueia ou brônquio que foi aberto distal ao local da ressecção.

Assim, inicialmente, um tubo traqueal pequeno é passado distal à obstrução ou um tubo padrão é colocado proximal a região afetada. No tempo cirúrgico adequado, o tubo aramado é locado pelo cirurgião distal a lesão.[103]

Com uma lesão traqueal baixa, uma toracotomia direita é o melhor acesso para a exposição cirúrgica. Aqui também, um tubo aramado estéril é usado para fornecer ventilação pulmonar distal à ressecção.

Após o posterior, a anastomose é completada, o tubo endobrônquico é removido e o tubo traqueal original é avançado além do local da ressecção e a anastomose anterior é realizada.

Esta técnica também pode ser utilizada para ressecção na região da Carina.

A ressecção pode incluir a ventilação/oxigenação com HFJV, que é feita por um tubo endotraqueal de pequeno calibre ou cateter. Nesta técnica, um cateter sem furos de pequeno calibre é colocado por meio da área de estenose e a ventilação é realizada, o que expõe intermitente do pulmão a um fluxo elevado de gás através do cateter. Apesar dos pequenos volumes dos jatos de oxigênio, estes arrastam (efeito Venturi) o ar do ambiente que, por sua vez, fornece um volume necessário para uma ventilação adequada e dilui o oxigênio.

A desvantagem desta técnica inclui a possibilidade de ocorrer um escape insuficiente de ar ao redor do cateter de jato durante a expiração em uma área de estenose grave, causando barotrauma. Outras desvantagens são: a obstrução do cateter com sangue, o deslocamento do cateter, a aspiração de sangue, e a dificuldade técnica com injetores de alta pressão.

Os cateteres utilizados para HFJV têm um diâmetro interno que varia de 2 a 5 mm, e com comprimento de 45 ou 50 cm. Nesses pacientes, a traqueia é intubada oralmente e os pulmões ventilados com ventilação compressão positiva intermitente convencional. Quando a traqueia é aberta para a cirurgia de ressecção, a HFJV é iniciada por meio de um cateter fino inserido por dentro do tubo convencional e posicionado na traqueia distal ou no brônquio do tronco principal esquerdo.

Outras técnicas que têm sido utilizadas para oxigenação as ressecções da via aérea distal e incluem HFPPV, misturas de hélio-oxigênio e CEC.

Após a conclusão da ressecção traqueal, a maioria dos pacientes é mantida em uma posição de flexão do pescoço para reduzir a tensão na linha de sutura. Um fio de sutura grosso é passado no queixo até o esterno na posição de flexão do pescoço. Esta posição pode ser necessária por vários dias com este tipo de fixação ou com uma tala cervical.

No final da cirurgia, nos casos em que o edema glótico é uma preocupação ou nos pacientes que necessitam de suporte ventilatório, a traqueostomia pode ser necessária e é feita distal à anastomose. Porém, a retirada precoce do tubo traqueal é altamente desejável. Se um paciente necessitar de reintrodução do tubo traqueal, este deve ser realizado com um broncoscópio flexível. O paciente é mantido na posição de céfaloaclive para diminuir o edema da via aérea. A epinefrina racêmica, corticosteroides, diuréticos e restrição de líquidos são úteis nestes casos de edema da via aérea.[104]

Uma das complicações no período pós-operatório importante é a tetraplegia, que é resultado da hiperflexão do pescoço. Nestes casos é necessário interromper a hiperflexão, promovendo a retirada da fixação.[104]

Após a cirurgia traqueal a retirada do tubo é sempre um desafio. Portanto, a infusão de baixas doses de Propofol e/ou Remifentanil e/ou Dexmedetomidina podem auxiliar nesse propósito, mantendo a colaboração do paciente.

REFERÊNCIAS

1. D'Andrilli A, Rendina EA, Venuta F. Tracheal surgery. Monaldi Arch Chest Dis. 2010;73(3):105-15.
2. Bellamy RF. History of surgery for penetrating chest trauma. Chest Surg Clin N Am. 2000;10(1):55-70, viii.
3. Pate JW. Southern thoracic surgery. South Med J. 1975;68(9):1161-9.
4. Wiedemann K, Fleischer E. [The history of anesthesia in thoracic surgery. The problem of pneumothorax, intubation, one-lung ventilation]. Anasthesiol Intensivmed Notfallmed Schmerzther. 1992;27(1):3-10.
5. McIntyre JW. Evolution of 20th century attitudes to prophylaxis of pulmonary aspiration during anaesthesia. Can J Anaesth. 1998;45(10):1024-30.
6. Dobell AR. The origins of endotracheal ventilation. Ann Thorac Surg. 1994;58(2):578-84.
7. Todd TR. The history of ventilation in the evolution of thoracic surgery. Chest Surg Clin N Am. 2000;10(1):71-82, viii.
8. Wiedemann K, Fleischer E, Dressler P. [Separation of the airways: historical aspects]. Anasthesiol Intensivmed Notfallmed Schmerzther. 2002;37(1):8-15.
9. Serpa Neto A, Hemmes SN, Barbas CS, Beiderlinden M, Fernandez-Bustamante A, Futier E, et al. Incidence of mortality and morbidity related to postoperative lung injury in patients who have undergone abdominal or thoracic surgery: a systematic review and meta-analysis. Lancet Respir Med. 2014;2(12):1007-15.
10. Suksompong S, Thamtanavit S, von Bormann B, Thongcharoen P. Thoracic surgery mortality and morbidity in a university hospital. Asian Cardiovasc Thorac Ann. 2012;20(2):182-7.
11. Shapiro M, Swanson SJ, Wright CD, Chin C, Sheng S, Wisnivesky J, Weiser TS. Predictors of major morbidity and mortality after pneumonectomy utilizing the Society for Thoracic Surgeons General Thoracic Surgery Database. Ann Thorac Surg. 2010;90(3):927-34; discussion 34-5.
12. Deslauriers J, Ginsberg RJ, Piantadosi S, Fournier B. Prospective assessment of 30-day operative morbidity for surgical resections in lung cancer. Chest. 1994;106(6 Suppl):329S-30S.
13. Towe CW, Carr SR, Donahue JM, Burrows WM, Perry Y, Kim S, et al. Morbidity and 30-day mortality after decortication for parapneumonic empyema and pleural effusion among patients in the Society of Thoracic Surgeons' General Thoracic Surgery Database. J Thorac Cardiovasc Surg. 2019;157(3):1288-97 e4.
14. Raymond DP, Seder CW, Wright CD, Magee MJ, Kosinski AS, Cassivi SD, et al. Predictors of Major Morbidity or Mortality After Resection for Esophageal Cancer: A Society of Thoracic Surgeons General Thoracic Surgery Database Risk Adjustment Model. Ann Thorac Surg. 2016;102(1):207-14.
15. Sandri A, Papagiannopoulos K, Milton R, Kefaloyannis E, Chaudhuri N, Poyser E, et al. Major morbidity after video-assisted thoracic surgery lung resections: a comparison between the European Society of Thoracic Surgeons definition and the Thoracic Morbidity and Mortality system. J Thorac Dis. 2015;7(7):1174-80.
16. Blumer G. Cigarette smoking and cancer of the lung. Ill Med J. 1951;100(2):98-9.
17. Oberli LS, Valeri F, Korol D, Rohrmann S, Dehler S. 31 years of lung cancer in the canton of Zurich, Switzerland: incidence trends by sex, histology and laterality. Swiss Med Wkly. 2016;146:w14327.
18. Kinoshita FL, Ito Y, Nakayama T. Trends in Lung Cancer Incidence Rates by Histological Type in 1975-2008: A Population-Based Study in Osaka, Japan. J Epidemiol. 2016;26(11):579-86.
19. Bernstein WK, Deshpande S. Preoperative evaluation for thoracic surgery. Semin Cardiothorac Vasc Anesth. 2008;12(2):109-21.
20. G. SPD. Preanesthetic Assessment for Thoracic Surgery. In: Slinger P, editor. Principles and Practice of Anesthesia for Thoracic Surgery. 1st ed. New York: Springer Science + Business Media; 2012. p. 11-34.

21. Limmer S, Hauenschild L, Eckmann C, Czymek R, Schmidt H, Bruch HP, Kujath P. Thoracic surgery in the elderlyco-morbidity is the limit. Interact Cardiovasc Thorac Surg. 2009;8(4):412-6.
22. Asmis TR, Ding K, Seymour L, Shepherd FA, Leighl NB, Winton TL, et al. Age and comorbidity as independent prognostic factors in the treatment of non small-cell lung cancer: a review of National Cancer Institute of Canada Clinical Trials Group trials. J Clin Oncol. 2008;26(1):54-9.
23. Warren GW. Cigarette smoking and systemic therapy for lung cancer: considering the evidence to improve cancer care. J Thorac Oncol. 2014;9(7):914-6.
24. Grose D, Morrison DS, Devereux G, Jones R, Sharma D, Selby C, et al. The impact of comorbidity upon determinants of outcome in patients with lung cancer. Lung Cancer. 2015;87(2):186-92.
25. Aarts MJ, Aerts JG, van den Borne BE, Biesma B, Lemmens VE, Kloover JS. Comorbidity in Patients With Small-Cell Lung Cancer: Trends and Prognostic Impact. Clin Lung Cancer. 2015;16(4):282-91.
26. Ambrogi V, Pompeo E, Elia S, Pistolese GR, Mineo TC. The impact of cardiovascular comorbidity on the outcome of surgery for stage I and II non-small-cell lung cancer. Eur J Cardiothorac Surg. 2003;23(5):811-7.
27. Hagihira S. [Preoperative Management of Patients with Bronchial Asthma or Chronic Bronchitis]. Masui. 2015;64(9):934-41.
28. Olsson GL. Bronchospasm during anaesthesia. A computer-aided incidence study of 136,929 patients. Acta Anaesthesiol Scand. 1987;31(3):244-52.
29. O'Malley RG, Bonaca MP, Scirica BM, Murphy SA, Jarolim P, Sabatine MS, et al. Prognostic performance of multiple biomarkers in patients with non-ST-segment elevation acute coronary syndrome: analysis from the MERLIN-TIMI 36 trial (Metabolic Efficiency With Ranolazine for Less Ischemia in Non-ST-Elevation Acute Coronary Syndromes--Thrombolysis In Myocardial Infarction 36). J Am Coll Cardiol. 2014;63(16):1644-53.
30. Fleisher LA, Beckman JA, Brown KA, Calkins H, Chaikof EL, Fleischmann KE, et al. ACC/AHA 2007 Guidelines on Perioperative Cardiovascular Evaluation and Care for Noncardiac Surgery: Executive Summary: A Report of the American College of Cardiology/American Heart Association Task Force on Practice Guidelines (Writing Committee to Revise the 2002 Guidelines on Perioperative Cardiovascular Evaluation for Noncardiac Surgery) Developed in Collaboration With the American Society of Echocardiography, American Society of Nuclear Cardiology, Heart Rhythm Society, Society of Cardiovascular Anesthesiologists, Society for Cardiovascular Angiography and Interventions, Society for Vascular Medicine and Biology, and Society for Vascular Surgery. J Am Coll Cardiol. 2007;50(17):1707-32.
31. Trufa DI, Arhire LI, Nita O, Gherasim A, Nita G, Graur M. The evaluation of preoperative nutritional status in patients undergoing thoracic surgery. Rev Med Chir Soc Med Nat Iasi. 2014;118(2):514-9.
32. Thota RS. Conversion of a single lumen tube to double lumen tube in an anticipated difficult airway: Flexible fiberoptic bronchoscope assisted with intubating introducer--guided technique. Ann Card Anaesth. 2016;19(1):149-51.
33. Imajo Y, Komasawa N, Minami T. Efficacy of bronchofiberscope double-lumen tracheal tube intubation combined with McGRATH MAC for difficult airway. J Clin Anesth. 2015;27(4):362.
34. Onrubia X, Lluch-Oltra A, Armero R, Baldo J. Use of GlideScope for double lumen endotracheal tube insertion in an awake patient with difficult airway. Rev Esp Anestesiol Reanim. 2014;61(6):346-8.
35. Subramani S, Poopalalingam R. Bonfils assisted double lumen endobronchial tube placement in an anticipated difficult airway. J Anaesthesiol Clin Pharmacol. 2014;30(4):568-70.
36. Weitzenblum E, Chaouat A. Cor pulmonale. Chron Respir Dis. 2009;6(3):177-85.
37. Torrington KG, Henderson CJ. Perioperative respiratory therapy (PORT). A program of preoperative risk assessment and individualized postoperative care. Chest. 1988;93(5):946-51.
38. Arozullah AM, Daley J, Henderson WG, Khuri SF. Multifactorial risk index for predicting postoperative respiratory failure in men after major noncardiac surgery. The National Veterans Administration Surgical Quality Improvement Program. Ann Surg. 2000;232(2):242-53.
39. Canet J, Gallart L, Gomar C, Paluzie G, Valles J, Castillo J, et al. Prediction of postoperative pulmonary complications in a population-based surgical cohort. Anesthesiology. 2010;113(6):1338-50.
40. Ulger G, Sazak H, Baldemir R, Zengin M, Kaybal O, Incekara F, Alagoz A. The effectiveness of ARISCAT Risk Index, other scoring systems, and parameters in predicting pulmonary complications after thoracic surgery. Medicine (Baltimore). 2022;101(30):e29723.
41. Cerfolio RJ, Tummala RP, Holman WL, Zorn GL, Kirklin JK, McGiffin DC, et al. A prospective algorithm for the management of air leaks after pulmonary resection. Ann Thorac Surg. 1998;66(5):1726-31.
42. Shin TR, Oh YM, Park JH, Lee KS, Oh S, Kang DR, et al. The Prognostic Value of Residual Volume/Total Lung Capacity in Patients with Chronic Obstructive Pulmonary Disease. J Korean Med Sci. 2015;30(10):1459-65.
43. Cavalheri V, Hill K, Donaria L, Camillo CA, Pitta F. Maximum voluntary ventilation is more strongly associated with energy expenditure during simple activities of daily living than measures of airflow obstruction or respiratory muscle strength in patients with COPD. Chron Respir Dis. 2012;9(4):239-40.
44. Kearney DJ, Lee TH, Reilly JJ, DeCamp MM, Sugarbaker DJ. Assessment of operative risk in patients undergoing lung resection. Importance of predicted pulmonary function. Chest. 1994;105(3):753-9.
45. Brunelli A, Fianchini A. Predicted postoperative FEV1 and complications in lung resection candidates. Chest. 1997;111(4):1145-6.
46. Varela G, Jimenez MF, Novoa N, Macri P. Discordance between predicted postoperative forced expiratory volumes in one second (ppoFEV1) calculated before and after resection of bronchogenic carcinoma. Interact Cardiovasc Thorac Surg. 2003;2(2):138-42.
47. Brunelli A, Refai M, Salati M, Xiume F, Sabbatini A. Predicted versus observed FEV1 and DLCO after major lung resection: a prospective evaluation at different postoperative periods. Ann Thorac Surg. 2007;83(3):1134-9.
48. Varela G, Brunelli A, Rocco G, Novoa N, Refai M, Jimenez MF, et al. Measured FEV1 in the first postoperative day, and not ppoFEV1, is the best predictor of cardio-respiratory morbidity after lung resection. Eur J Cardiothorac Surg. 2007;31(3):518-21.
49. Juhl B, Frost N. A comparison between measured and calculated changes in the lung function after operation for pulmonary cancer. Acta Anaesthesiol Scand Suppl. 1975;57:39-45.
50. Paul S, Andrews WG, Nasar A, Port JL, Lee PC, Stiles BM, Altorki NK. Outcomes of lobectomy in patients with severely compromised lung function (predicted postoperative diffusing capacity of the lung for carbon monoxide % </= 40%). Ann Am Thorac Soc. 2013;10(6):616-21.
51. Caglar M, Kara M, Aksoy T, Kiratli PO, Karabulut E, Dogan R. Is the predicted postoperative FEV1 estimated by planar lung perfusion scintigraphy accurate in patients undergoing pulmonary resection? Comparison of two processing methods. Ann Nucl Med. 2010;24(6):447-53.
52. Ferguson MK, Little L, Rizzo L, Popovich KJ, Glonek GF, Leff A, et al. Diffusing capacity predicts morbidity and mortality after pulmonary resection. J Thorac Cardiovasc Surg. 1988;96(6):894-900.
53. Ferguson MK, Vigneswaran WT. Diffusing capacity predicts morbidity after lung resection in patients without obstructive lung disease. Ann Thorac Surg. 2008;85(4):1158-64; discussion 64-5.
54. Donato L, Giovanna Elisiana C, Giuseppe G, Pietro S, Michele C, Brunetti ND, et al. Utility of FVC/DLCO ratio to stratify the risk of mortality in unselected subjects with pulmonary hypertension. Intern Emerg Med. 2016.
55. Enright Md P. Office-based DLCO tests help pulmonologists to make important clinical decisions. Respir Investig. 2016;54(5):305-11.
56. Ferguson MK, Dignam JJ, Siddique J, Vigneswaran WT, Celauro AD. Diffusing capacity predicts long-term survival after lung resection for cancer. Eur J Cardiothorac Surg. 2012;41(5):e81-6.
57. Liptay MJ, Basu S, Hoaglin MC, Freedman N, Faber LP, Warren WH, et al. Diffusion lung capacity for carbon monoxide (DLCO) is an independent prognostic factor for long-term survival after curative lung resection for cancer. J Surg Oncol. 2009;100(8):703-7.
58. Salati M, Brunelli A. Risk Stratification in Lung Resection. Curr Surg Rep. 2016;4(11):37.
59. Guerin C, Matthay MA. Acute cor pulmonale and the acute respiratory distress syndrome. Intensive Care Med. 2016;42(5):934-6.
60. Scholes RL, Browning L, Sztendur EM, Denehy L. Duration of anaesthesia, type of surgery, respiratory co-morbidity, predicted VO2max and smoking predict postoperative pulmonary complications after upper abdominal surgery: an observational study. Aust J Physiother. 2009;55(3):191-8.
61. Bolliger CT, Jordan P, Soler M, Stulz P, Gradel E, Skarvan K, et al. Exercise capacity as a predictor of postoperative complications in lung resection candidates. Am J Respir Crit Care Med. 1995;151(5):1472-80.
62. Walsh GL, Morice RC, Putnam JB, Jr., Nesbitt JC, McMurtrey MJ, Ryan MB, et al. Resection of lung cancer is justified in high-risk patients selected by exercise oxygen consumption. Ann Thorac Surg. 1994;58(3):704-10; discussion 11.
63. Nagamatsu Y, Shima I, Hayashi A, Yamana H, Shirouzu K, Ishitake T. Preoperative spirometry versus expired gas analysis during exercise testing as predictors of cardiopulmonary complications after lung resection. Surg Today. 2004;34(2):107-10.
64. Carter R, Holiday DB, Nwasuruba C, Stocks J, Grothues C, Tiep B. 6-minute walk work for assessment of functional capacity in patients with COPD. Chest. 2003;123(5):1408-15.
65. Ninan M, Sommers KE, Landreneau RJ, Weyant RJ, Tobias J, Luketich JD, et al. Standardized exercise oximetry predicts postpneumonectomy outcome. Ann Thorac Surg. 1997;64(2):328-32; discussion 32-3.

66. Varela G, Cordovilla R, Jimenez MF, Novoa N. Utility of standardized exercise oximetry to predict cardiopulmonary morbidity after lung resection. Eur J Cardiothorac Surg. 2001;19(3):351-4.
67. Bolliger CT, Wyser C, Roser H, Soler M, Perruchoud AP. Lung scanning and exercise testing for the prediction of postoperative performance in lung resection candidates at increased risk for complications. Chest. 1995;108(2):341-8.
68. Bluman LG, Mosca L, Newman N, Simon DG. Preoperative smoking habits and postoperative pulmonary complications. Chest. 1998;113(4):883-9.
69. Warner MA, Offord KP, Warner ME, Lennon RL, Conover MA, Jansson-Schumacher U. Role of preoperative cessation of smoking and other factors in postoperative pulmonary complications: a blinded prospective study of coronary artery bypass patients. Mayo Clin Proc. 1989;64(6):609-16.
70. Handlin DS, Baker T. The effects of smoking on postoperative recovery. Am J Med. 1992;93(1A):32S-7S.
71. Seok Y, Hong N, Lee E. Impact of smoking history on postoperative pulmonary complications: a review of recent lung cancer patients. Ann Thorac Cardiovasc Surg. 2014;20(2):123-8.
72. Lindstrom D, Sadr Azodi O, Wladis A, Tonnesen H, Linder S, Nasell H, et al. Effects of a perioperative smoking cessation intervention on postoperative complications: a randomized trial. Ann Surg. 2008;248(5):739-45.
73. Wong J, Lam DP, Abrishami A, Chan MT, Chung F. Short-term preoperative smoking cessation and postoperative complications: a systematic review and meta-analysis. Can J Anaesth. 2012;59(3):268-79.
74. Clair C, Rigotti NA. Stopping smoking in the weeks prior to surgery has no effect on the risk of postoperative complications. Evid Based Med. 2012;17(3):101-2.
75. Guan Z, Lv Y, Liu J, Liu L, Yuan H, Shen X. Smoking Cessation Can Reduce the Incidence of Postoperative Hypoxemia After On-Pump Coronary Artery Bypass Grafting Surgery. J Cardiothorac Vasc Anesth. 2016;30(6):1545-9.
76. Pascual-Lledo JF, De la Cruz-Amoros E, Bustamante-Navarro R, Buades-Sanchez MR, Contreras-Santos C, Castillo-Aguilar C. [Smoking cessation after 12 months follow-up at a smoking cessation unit]. Med Clin (Barc). 2006;126(16):601-6.
77. Zoumot Z, Wilson R. Respiratory infection in noncystic fibrosis bronchiectasis. Curr Opin Infect Dis. 2010;23(2):165-70.
78. Boytim MJ. Anesthetic management of the asthmatic patient: a perioperative approach. CRNA. 1993;4(1):35-42.
79. Leopold JA. Pannexin 1: a key regulator of intracellular calcium levels and hypoxic pulmonary vasoconstriction. Cardiovasc Res. 2022;118(11):2400-1.
80. See KC. Acute cor pulmonale in patients with acute respiratory distress syndrome: A comprehensive review. World J Crit Care Med. 2021;10(2):35-42.
81. Porizka M, Koudelkova K, Kopecky P, Porizkova H, Dohnalova A, Kunstyr J. High thoracic anesthesia offers no major benefit over general anesthesia in on-pump cardiac surgery patients: a retrospective study. Springerplus. 2016;5(1):799.
82. Ke JD, Hou HJ, Wang M, Zhang YJ. The comparison of anesthesia effect of lung surgery through video-assisted thoracic surgery: A meta-analysis. J Cancer Res Ther. 2015;11 Suppl:C265-70.
83. Wang B, Ge S. Nonintubated anesthesia for thoracic surgery. J Thorac Dis. 2014;6(12):1868-74.
84. Eldawlatly A, Turkistani A, Shelley B, El-Tahan M, Macfie A, Kinsella J, Thoracic-anaesthesia Group C. Anesthesia for thoracic surgery: a survey of middle eastern practice. Saudi J Anaesth. 2012;6(3):192-6.
85. Yu W. Anesthesia with propofol and sevoflurane on postoperative cognitive function of elderly patients undergoing general thoracic surgery. Pak J Pharm Sci. 2017;30(3(Special)):1107-10.
86. Shelley B, Macfie A, Kinsella J. Anesthesia for thoracic surgery: a survey of UK practice. J Cardiothorac Vasc Anesth. 2011;25(6):1014-7.
87. Reid CW, Slinger PD, Lenis S. A comparison of the effects of propofol-alfentanil versus isoflurane anesthesia on arterial oxygenation during one-lung ventilation. J Cardiothorac Vasc Anesth. 1996;10(7):860-3.
88. Cho YJ, Bae J, Kim TK, Hong DM, Seo JH, Bahk JH, Jeon Y. Microcirculation measured by vascular occlusion test during desflurane-remifentanil anesthesia is superior to that in propofol-remifentanil anesthesia in patients undergoing thoracic surgery: subgroup analysis of a prospective randomized study. J Clin Monit Comput. 2016.
89. Rodriguez-Gonzalez R, Baluja A, Veiras Del Rio S, Rodriguez A, Taboada M, et al. Effects of sevoflurane postconditioning on cell death, inflammation and TLR expression in human endothelial cells exposed to LPS. J Transl Med. 2013;11:87.
90. Schilling T, Kozian A, Senturk M, Huth C, Reinhold A, Hedenstierna G, Hachenberg T. Effects of volatile and intravenous anesthesia on the alveolar and systemic inflammatory response in thoracic surgical patients. Anesthesiology. 2011;115(1):65-74.
91. Shen QY, Fang L, Wu HM, He F, Ding PS, Liu RY. Repeated inhalation of sevoflurane inhibits airway inflammation in an OVA-induced mouse model of allergic airway inflammation. Respirology. 2015;20(2):258-63.
92. Xiong XQ, Lin LN, Wang LR, Jin LD. Sevoflurane attenuates pulmonary inflammation and ventilator-induced lung injury by upregulation of HO-1 mRNA expression in mice. Int J Nanomedicine. 2013;6:1075-81.
93. Das S, Saha D, Sen C. Comparison Among Ultrasound-Guided Thoracic Paravertebral Block, Erector Spinae Plane Block and Serratus Anterior Plane Block for Analgesia in Thoracotomy for Lung Surgery. J Cardiothorac Vasc Anesth. 2022;36(12):4386-92.
94. Zengin M, Alagoz A, Sazak H, Ulger G, Baldemir R, Senturk M. Comparison of efficacy of erector spinae plane block, thoracic paravertebral block, and erector spinae plane block thoracic paravertebral block combination for acute pain after video-assisted thoracoscopic surgery: a randomized controlled study. Minerva Anestesiol. 2023;89(3):138-48.
95. Moorthy A, Ni Eochagain A, Dempsey E, Wall V, Marsh H, Murphy T, et al. Postoperative recovery with continuous erector spinae plane block or video-assisted paravertebral block after minimally invasive thoracic surgery: a prospective, randomised controlled trial. Br J Anaesth. 2023;130(1):e137-e47.
96. Unzueta C, Tusman G, Suarez-Sipmann F, Bohm S, Moral V. Alveolar recruitment improves ventilation during thoracic surgery: a randomized controlled trial. Br J Anaesth. 2012;108(3):517-24.
97. Park SH, Jeon YT, Hwang JW, Do SH, Kim JH, Park HP. A preemptive alveolar recruitment strategy before one-lung ventilation improves arterial oxygenation in patients undergoing thoracic surgery: a prospective randomised study. Eur J Anaesthesiol. 2011;28(4):298-302.
98. Solaini L, Prusciano F, Bagioni P, di Francesco F, Solaini L, Poddie DB. Video-assisted thoracic surgery (VATS) of the lung: analysis of intraoperative and postoperative complications over 15 years and review of the literature. Surg Endosc. 2008;22(2):298-310.
99. De Decker K, Jorens PG, Van Schil P. Cardiac complications after noncardiac thoracic surgery: an evidence-based current review. Ann Thorac Surg. 2003;75(4):1340-8.
100. Junior Ade P, Erdmann TR, Santos TV, Brunharo GM, Filho CT, Losso MJ, Filho GR. Comparison between continuous thoracic epidural and paravertebral blocks for postoperative analgesia in patients undergoing thoracotomy: systematic review. Braz J Anesthesiol. 2013;63(5):433-42.
101. Pearson FG. Advances in tracheal surgery. Adv Surg. 1983;16:197-223.
102. Wiedemann K, Mannle C. Anesthesia and gas exchange in tracheal surgery. Thorac Surg Clin. 2014;24(1):13-25.
103. Filler RM. Current approaches in tracheal surgery. Pediatr Pulmonol Suppl. 1999;18:105-8.
104. Leschber G. Management of tracheal surgery complications. Thorac Surg Clin. 2014;24(1):107-16.

152

Anestesia para Cirurgia de Tumores do Mediastino

Vanessa Henriques Carvalhos ▪ Angélica de Fátima de Assunção Braga
▪ Emica Shimozono ▪ Marcos de Simone Melo

INTRODUÇÃO

Os tumores mediastinais são classificados como um grupo heterogêneo de doenças que inclui tumores de vários padrões, podendo ser benignos ou malignos em sua natureza, além de cistos e aneurismas que, por sua localização, demandam uma abordagem específica.

O conhecimento das potenciais complicações e a avaliação prévia do anestesiologista é imprescindível para promover os cuidados peroperatórios necessários aos pacientes, tanto para procedimentos diagnósticos quanto procedimentos terapêuticos dessas lesões. Os tumores mediastinais apresentam uma estreita relação do seu tipo com a sua localização e a idade do paciente. Os diagnósticos mais comuns nos adultos são: linfoma, timoma, neoplasias de células germinativas e carcinoma broncogênico;[1] por outro lado, em crianças, as massas mais comuns são: linfoma, tumor neuroectodérmico primitivo e neuroblastoma.[2]

Ressalta-se que a morbidade e a mortalidade peroperatórias são proporcionadas pela compressão das relações anatômicas do sistema respiratório e das estruturas cardiovasculares, devido a consequente hipóxia e colapso hemodinâmico que podem ocorrer no paciente anestesiado. Conclui-se que o conhecimento aprimorado, o preparo adequado e a vigilância diminuíram a morbidade desta população quando comparados aos casos relatados nos anos 1970 e 1980.[3-6]

Os melhores resultados incluem não apenas o conhecimento da anatomia e da fisiopatologia da lesão a ser abordada e sua localização com relação às estruturas importantes (árvore traqueobrônquica, coração e grandes vasos), como também o planejamento das condutas do cirurgião e a habilidade de resposta rápida frente às complicações cardiorrespiratórias.

Os procedimentos cirúrgicos propostos podem ser: biópsia de massa extratorácica, biópsia de massa mediastinal via mediastinoscopia cervical, mediastinoscopia pa-raesternal anterior/mediastinotomia (procedimento de Chamberlain), biópsia ou excisão da massa por toracoscopia videoassistida (VATS), toracotomia e esternotomia.[1] Esses procedimentos podem ocorrer também em pacientes que chegam para outras condutas cirúrgicas ou para laparotomias ligadas ao estadiamento tumoral.[7,8]

▪ ANATOMIA E FISIOPATOLOGIA

O mediastino é limitado pelo esterno anteriormente, corpos vertebrais posteriormente, estende-se do início do tórax até o diafragma. É dividido em regiões superior e inferior, anterior, médio e posterior.[9,10] A Figura 152.1 mostra os quatro compartimentos do mediastino.

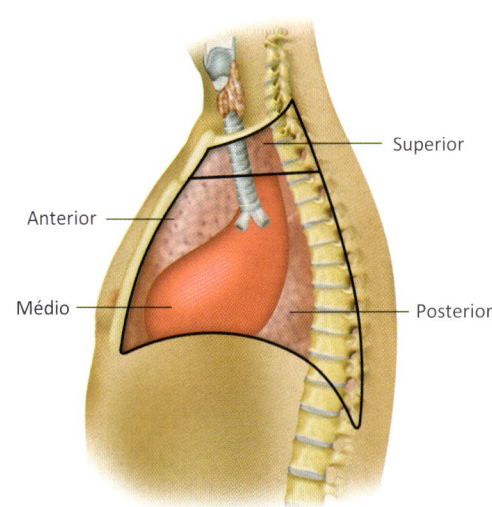

▲ **Figura 152.1** Localização anatômica dos quatro compartimentos do Mediastino.
Fonte: Adaptada de Warren.[10]

A proximidade dessas massas com as estruturas cardiovasculares e com a via aérea pode causar complicações durante a anestesia geral por efeito compressivo e/ou torções após o relaxamento e a abolição da respiração espontânea. Embora a maioria das complicações sejam descritas com as massas presentes no mediastino anterior, os tumores do mediastino médio e posterior também podem precipitar o colapso respiratório e hemodinâmico.[11-13]

Durante a respiração espontânea, há perfusão preferencial das áreas dependentes do pulmão e a ventilação, sob controle da complacência pulmonar, também se faz para a mesma região, minimizando o desacoplamento entre ventilação e perfusão.[14] Alguns estudos avaliaram as mudanças ventilatórias induzidas pela anestesia geral e demonstraram um grande desacoplamento dessa relação, elevando o *shunt* pulmonar. Essas mudanças geram grande área de atelectasias nas regiões dependentes e leva à redução da capacidade residual funcional. A paralisia muscular na posição supina leva ao desvio cefálico do diafragma, que piora essas alterações nas trocas gasosas.[15]

De acordo com a descrição de Newman, podem ocorrer três problemas importantes durante a anestesia: a redução no volume pulmonar em 500 a 1.500 mL; o relaxamento da musculatura lisa brônquica, piorando a obstrução; e a perda do movimento diafragmático espontâneo com a paralisia, reduzindo o gradiente de pressão transpulmonar que normalmente ajudaria na dilatação das vias aéreas.[15]

Essas alterações ventilatórias que ocorrem normalmente durante a anestesia geral tornam-se mais pronunciadas nos pacientes com massas mediastinais que possuam reserva limitada e alterações na relação ventilação/perfusão causadas pela compressão extrínseca da via aérea.

Durante a indução da anestesia geral, podem ocorrer complicações em vários estágios, incluindo mudança da posição ortostática para supina, transição do estado acordado para anestesiado, mudança de ventilação por pressão negativa para ventilação com pressão positiva e perda do tônus muscular, devido ao bloqueio neuromuscular.

As complicações podem ocorrer tanto na fase de indução e intubação traqueal como também na manutenção, na extubação e no período pós-operatório.[16]

Eventos fatais foram descritos como mais comuns na população pediátrica, possivelmente devido à grande compressão de vias aéreas, ao desconhecimento da extensão do envolvimento da via aérea e à intolerância a insultos cardiovasculares.[17]

A descompensação hemodinâmica pode ocorrer quando há compressão do coração e de grandes vasos, como a artéria pulmonar e a veia cava superior. Durante a compressão da artéria pulmonar, pode haver hipoxemia por diminuição da perfusão pulmonar, disfunção ventricular direita aguda e até mesmo parada cardíaca.[16] A compressão da veia cava superior pode ocasionar redução do retorno venoso e subsequente redução do débito cardíaco.[18] A compressão direta do coração é rara, mas pode resultar em arritmias, derrame pericárdio e diminuição da pré-carga por compressão mecânica.[16]

AVALIAÇÃO PRÉ-ANESTÉSICA

Deve-se avaliar sinais e sintomas como dispneia, tosse, rouquidão, surgimento de broncoespasmo recente, síncope, dor torácica, sudorese noturna, perda de peso, disfagia e sinais e sintomas de obstrução da veia cava superior, assim como assegurar que estes sintomas pioram na posição supina.[16]

A Síndrome da Veia Cava Superior (SVCS) apresenta-se como edema da porção superior do corpo (face, pescoço, laringe, membros superiores), pletora, dilatação de veias (pescoço e tórax) e desenvolvimento de veias colaterais, caso a progressão seja lenta.[10,16,18] Os pacientes podem desenvolver sintomas relacionados ao sistema nervoso central como cefaleia, distúrbios visuais e alteração do estado mental. Sintomas respiratórios podem ocorrer caso o tumor ou as veias ingurgitadas comprimam a via aérea.[18] Sinais clínicos incluem: taquipneia, estridor, roncos e diminuição dos murmúrios pulmonares. A gravidade dos sintomas respiratórios pode não ter correlação com o grau de obstrução da via aérea, principalmente em crianças.[6,17-18] Ressalta-se que as síndromes sistêmicas podem coexistir como: *miastenia gravis*, disfunção tireoidiana etc. Porém, podem ser assintomáticas e encontradas, incidentalmente, em outros procedimentos diagnósticos e cirúrgicos.[8,9] A radiografia de tórax, em incidências anteroposterior e de perfil, e a Tomografia Computadorizada de Tórax (TC) são avaliadas para determinação do tamanho da massa, detalhes anatômicos e relação com estruturas adjacentes.[1] A TC pode também ser útil na determinação da extensão e compressão sobre a via aérea e o envolvimento cardiovascular, apesar de ser um exame estático e não levar em conta alterações fisiológicas em compressões dinâmicas e mudanças de movimento e do decúbito.[15,19,20] A Ressonância Nuclear Magnética (RNM) não é solicitada na rotina, mas poderia avaliar melhor tecidos moles, lesões neurogênicas e vasculares.[21]

Newman e colaboradores, em 1984, e Rath e colaboradores, em 2012, recomendaram a realização de provas de função pulmonar e alças fluxo-volume no pré-operatório dos pacientes com massa mediastinal anterior;[15,22] porém, estudos subsequentes não confirmaram a correlação entre as alterações da espirometria e o grau de complicação de obstrução da via aérea no perioperatório.[24] A espirometria e as alças fluxo-volume não foram superiores aos exames de imagem em predizer a morbidade intraoperatória e a mortalidade dos pacientes com massas mediastinais.[1,22]

A ecocardiografia transtorácica e transesofágica são indicadas quando a clínica ou a TC mostra envolvimento de grandes vasos e coração, dando-nos informações adicionais sobre os efeitos de compressões dinâmicas, pois o exame pode ser realizado em decúbitos dorsal e lateral.[15,23] Destaca-se que algumas massas tumorais podem progredir rapidamente, logo, está indicado que os exames sejam realizados próximos à data cirúrgica.

Outra modalidade como a *fluorodeoxyglucose positron emission tomography* (FDG-PET) pode trazer informações adicionais para o estadiamento, o diagnóstico e o prognóstico, pois avalia a atividade metabólica do tumor e sua resposta à terapia neoadjuvante.[20]

A fibrobroncoscopia realizada com o paciente acordado acessa qualquer compressão dinâmica de via aérea, especialmente em mudanças de posicionamento, sendo um exame útil na avaliação pré-operatória desses pacientes.[24]

Estratificação do Risco

A Figura 152.2 mostra o fluxograma de estratégias para manejo do paciente com tumor de mediastino baseado na estratificação do risco pré-operatório.

O risco dessa população está relacionado aos sinais e sintomas clínicos, com ênfase na presença destes sintomas na posição supina, estudos de imagens radiológicas (raio x de tórax e TC) e ecocardiografia, caso haja suspeita de compressão cardíaca e vascular (Tabela 152.1).

Tabela 152.1 Critérios pré-operatórios de alto risco.
Dispneia em posição supina (ortopneia)
Aumento da tosse em posição supina
Síncope
Síndrome da veia cava superior (SVCS)
Derrame pericárdico
Compressão traqueal > 50% na população pediátrica

A partir do fluxograma apresentado na Figura 152.2, as modificações propostas foram manter o paciente em ventilação espontânea e evitar o relaxamento muscular, sempre que possível. Deve-se sempre avaliar e documentar a "posição de conforto do paciente" em relação aos eventos respiratórios e circulatórios.[15]

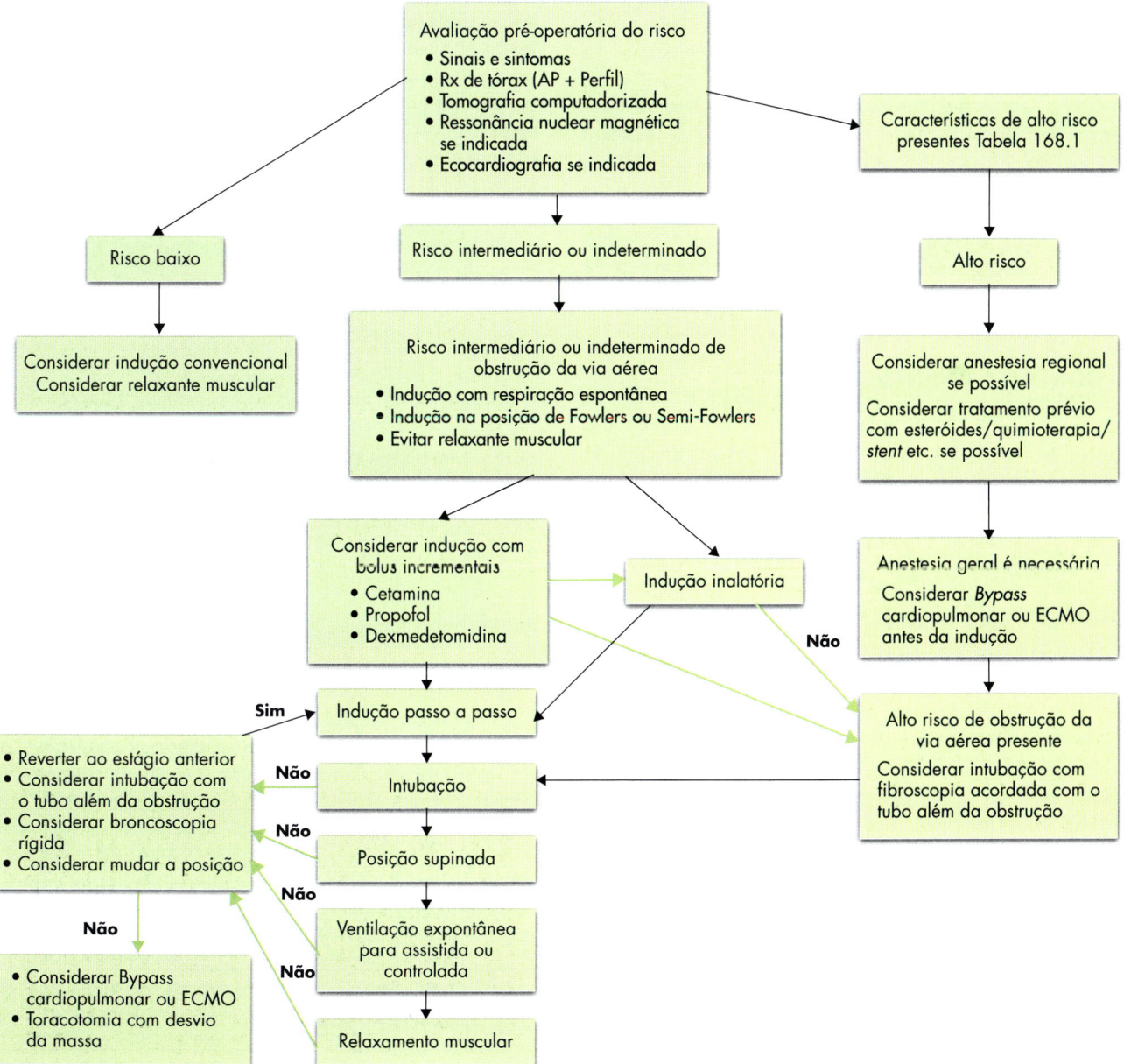

▲**Figura 152.2** Fluxograma de estratégias para manejo do paciente com tumor de mediastino baseado na estratificação de risco pré-operatório.

Fonte: Adaptada de Newman e colaboradores.[15]

O risco de complicações na população pediátrica é de 7% a 20%.[4,6] Em estudo realizado por Bechard e colaboradores na população adulta, não foi encontrado aumento na incidência de obstrução respiratória no intraoperatório. Porém, os pacientes mais graves e com maior risco de comprometimento de via aérea foram submetidos previamente à quimioterapia e a outros métodos de biópsia do tumor.[24] Este estudo mostrou correlação entre sintomas cardiorrespiratórios e complicações intraoperatórias e ausência de complicações intraoperatórias nos pacientes assintomáticos. Apesar de uma prova de função pulmonar anormal (PFE < 40%) não denotar complicações intraoperatórias, este achado pré-operatório está associado a dez vezes mais complicações pós-operatórias. Assim como um padrão obstrutivo/restritivo está associado a uma maior taxa de complicações pós-operatórias.[25]

Terapêutica Pré-operatória

Os tratamentos pré-operatórios, como quimioterapia e radioterapia prévias, além do uso de esteroides, servem para reduzir o tamanho do tumor e as complicações intraoperatórias, mas podem distorcer o diagnóstico histológico. Porém, a radioterapia pré-operatória é justificada nos casos de síndrome de veia cava superior (SVC), onde há hemorragia maciça, obstrução respiratória e risco de exacerbação da obstrução pela SVC na indução da anestesia geral.[7,9] O *stent* traqueobrônquico pode ser colocado via broncoscopia flexível ou rígida e serve como uma ponte entre o tratamento oncológico prévio e a excisão cirúrgica na manutenção da via aérea pérvia.[11]

▪ CONDUTA ANESTÉSICA

A escolha da técnica anestésica baseia-se na estratificação de risco pré-operatório. Em pacientes com critérios de alto risco (Tabela 152.1), deve-se evitar anestesia geral e optar por anestesia locorregional. Deve-se sempre considerar a capacidade de mudar o paciente de posição rapidamente antes do início da anestesia geral ou da cirurgia.

Sedação

Há que se considerar uso cauteloso da sedação ou evitá-la em pacientes de alto risco, pois qualquer depressão respiratória, obstrução de via aérea ou relaxamento muscular podem piorar os sintomas compressivos da massa mediastinal.[15,26]

A dexmedetomidina tem sido utilizada com sucesso nesta população como único agente anestésico sem uso de relaxamento muscular, com manutenção da ventilação espontânea e mínima depressão respiratória.[26,27]

Indução e Intubação Traqueal

Deve-se verificar sempre a ventilação e a circulação antes do procedimento e dar preferência a agentes de curta duração, que propiciem o retorno da ventilação espontânea, quando necessário.

Opções para indução

1. Somente anestesia locorregional associada ou não à sedação leve;

2. Intubação com o paciente acordado. Uso de fibroscópio ótico com introdução do tubo traqueal além da área de estenose ou compressão. Posteriormente, deve-se proceder à indução da anestesia;

3. Manutenção da ventilação espontânea, com baixo bólus de anestésicos venosos (cetamina,[28] etomidato, propofol) ou anestesia inalatória;

4. Indução venosa usual, com ou sem relaxamento neuromuscular.

Antes da indução da anestesia geral, deve-se deixar todo o equipamento necessário para manejo alternativo de via aérea e resgate hemodinâmico, tais como vários diâmetros de tubo traqueal, tubos endobrônquicos e tubos de microlaringe, tubos duplo-lúmen ou bloqueadores brônquicos, fibroscópio flexível, broncoscópio rígido e um exímio broncoscopista, além de equipamento e equipe para início de circulação extracorpórea, se a canulação for planejada antes da indução. Administrar medicação parassimpaticolítica para reduzir secreções e respostas vagais à manipulação da via aérea. O relaxamento muscular deve ser evitado. Caso seja necessário, preferir baixas doses de bloqueadores neuromusculares de curta duração como succinilcolina.[16,29]

O eventual emprego da circulação extracorpórea (*Bypass Cardiopulmonar* ou ECMO) em pacientes de alto risco pode ser considerado.

Monitorização Intraoperatória

Além da monitorização padrão, pode-se considerar a utilização intraoperatória do ecocardiotransesofágico (TEE) nas situações em que este não é contraindicado, como em um tumor esofágico ou na invasão deste. Esse tipo de monitorização ganha importância na avaliação de alterações hemodinâmicas durante a ressecção tumoral, mostrando imagens em tempo real.[31-33]

O TEE pode informar também sobre estado de contratilidade do coração, grau de obstrução da saída do VD ou compressão,[12] estado de volemia e presença de derrame pericárdico.[30-32]

Despertar e Cuidados Pós-operatórios

Uma vigilância cuidadosa no pós-operatório é fundamental, uma vez que a dor, a ansiedade e a tosse podem aumentar o fluxo e o turbilhonamento de ar na via aérea já comprometida. A traqueomalácia pela compressão prolongada da via aérea por massas grandes é comum no pós-operatório. Além disso, a obstrução de via aérea alta e a perda do tônus muscular podem agravar o colapso respiratório com uma pressão inspiratória alta realizada contra uma glote fechada. É comum os pacientes com obstrução de veia cava superior apresentarem edema de via aérea após a extubação.[33]

▪ COMPLICAÇÕES

Síndrome da massa mediastinal é o termo utilizado para descrever o cenário clínico de alterações respiratórias e hemodinâmicas nos pacientes com massa mediastinal submetidos à anestesia geral.

Compressão de via aérea é o termo da descompensação respiratória dada pela compressão mecânica da traqueia, do brônquio principal ou de ambos. A Tabela 152.2 mostra opções de resgate nos casos de obstrução de via aérea.

Até mesmo os pacientes assintomáticos podem desenvolver obstrução grave de via aérea na indução e na manutenção anestésicas.[29,34] Qualquer indício de obstrução traqueal e/ou brônquica pode estar associado a complicações na via aérea durante a anestesia.[30,34]

Tabela 152.2 Opções de Resgate nos Casos de Obstrução de Via Aérea.

- Tubo duplo-lúmen ou tubo traqueal longo (avançar além da lesão, obstrução ou compressão)
- Reposicionar o paciente para uma posição de conforto (lateral ou prona) para diminuir o peso do tumor sobre a via aérea
- Reassumir o estado fisiológico tolerado previamente (levantar o paciente e voltar rapidamente à ventilação espontânea, revertendo a anestesia)
- Broncoscopia rígida além da estenose
- Iniciar *Bypass Cardiopulmonar* ou ECMO

Há relatos de crianças com mais de 50% de compressão traqueal que evoluíram com descompensação respiratória.[17] A ventilação espontânea é preconizada nesses casos, porém, nem sempre é garantia de ausência de complicações.[29]

MANEJO ALTERNATIVO DA VIA AÉREA

Existem muitas alternativas no manejo alternativo da via aérea – a introdução de tubos aramados, tubos endotraqueais longos, broncoscopia flexível ou rígida.

Lee e colaboradores, em 2014, descreveram um caso de obstrução de via aérea na indução que foi aliviada com broncoscopia rígida e introdução subsequente de tubo duplo-lúmen agindo como um *stent* endobrônquico.[35] A ventilação forçada por meio de uma via aérea parcialmente obstruída pode acarretar hiperinsuflação dinâmica e piora hemodinâmica (*auto-peep*). Estes pacientes poderiam se beneficiar de desconexão transitória do circuito ou ZEEP (pressão expiratória final zero).

Colapso Cardiovascular

A compressão e a obstrução da veia cava superior podem resultar em sangramento excessivo, liberação insuficiente de fármacos e edema de via aérea. Esses pacientes geralmente necessitam de ventilação mecânica pós-operatória, pois o edema ainda permanece. Caso a síndrome de veia cava superior se agrave, deve-se otimizar a pré-carga e aliviar a compressão da massa (Tabela 152.3).

Tabela 152.3 Conduta na síndrome da veia cava superior.

Aumento da pré-carga

Posicionamento minimizando a compressão do coração e dos grandes vasos – por exemplo, o decúbito lateral

Acesso venoso em MMII

Ventilação espontânea para aumentar o retorno venoso

Esternotomia e elevação da massa para aliviar a compressão

Pode ocorrer a compressão do tronco pulmonar ou da artéria pulmonar principal. Diferentemente da veia cava superior, a artéria pulmonar é protegida pelo arco aórtico, tornando-a menos vulnerável à compressão extrínseca. Caso haja cianose, o paciente pode apresentar obstrução à saída do fluxo do VD, hipoxemia, hipotensão e falência cardíaca.[36,37]

CIRCULAÇÃO EXTRACORPÓREA

Nos pacientes de alto risco, deve-se sempre considerar a canulação de artéria femoral previamente à indução anestésica, pois um *Bypass* Cardiopulmonar de emergência pode demorar de 10 a 20 minutos para ser iniciado e pode resultar em lesão cerebral anóxica.

Um *Bypass* Cardiopulmonar femoro-femoral iniciado no paciente acordado, com anestesia local, tem sido utilizado em pacientes de alto risco para colapso cardiovascular e de via aérea durante a anestesia geral e onde a intubação acordado por fibroscopia não foi possível.[38-40]

Atualmente, a ECMO tem sido utilizada previamente à indução nos pacientes com massa mediastinal e grande comprometimento de via aérea.[40] Deve-se sempre lembrar das complicações da anticoagulação necessária para a CBP e, muitas vezes, o paciente não consegue ficar muito tempo em posição supina para a realização das canulações.[41]

MEDIASTINOSCOPIA

A mediastinoscopia pode ser realizada para estadiamento de câncer de pulmão, avaliação de linfonodos mediastinais ou para obtenção de biópsias de massas mediastinais para diagnóstico. O procedimento mais comum é a mediastinoscopia cervical, em que o mediastinoscópio é inserido na direção da carina por meio de uma pequena incisão transversal no nó supraesternal, sendo necessária anestesia geral (Figura 152.3). Menos comumente, temos a mediastinoscopia anterior realizada no espaço intercondral na altura da segunda costela.[42,43]

É necessária a monitorização de pulso no braço direito do paciente (linha arterial e/ou oxímetro de pulso), pois o mediastinoscópio pode comprimir a artéria inominada, ocasionando diminuição da perfusão cerebral e isquemia.[42,43] A pressão arterial não invasiva no braço esquerdo servirá para avaliação da pressão de perfusão sistêmica.

A maior complicação da mediastinoscopia é a hemorragia grave, devendo sempre ter um acesso venoso calibroso em membro inferior e banco de sangue preparado para grandes transfusões. Os vasos lesados com maior frequência são: veia ázigos, artérias inominada e pulmonar. Outras complicações podem ocorrer, tais como: pneumotórax, lesão do nervo laríngeo recorrente, nervo vago, ducto torácico e compressão da aorta, resultando em bradicardia reflexa.[44]

TIMECTOMIA E MIASTENIA GRAVIS

O timo é uma glândula situada no mediastino anterior, protegido pelo esterno e pelos arcos costais e muito próximo a estruturas cardiopulmonares vitais. É um dos sítios de maturação de células T dos progenitores hematopoéticos e tem uma parte no desenvolvimento adaptativo do sistema imune. Sua função autoimune pode desencadear *Miastenia gravis* (MG).

Indicações comuns de timectomia incluem *miastenia gravis* e presença de massas tímicas. O tumor mais comum do timo e

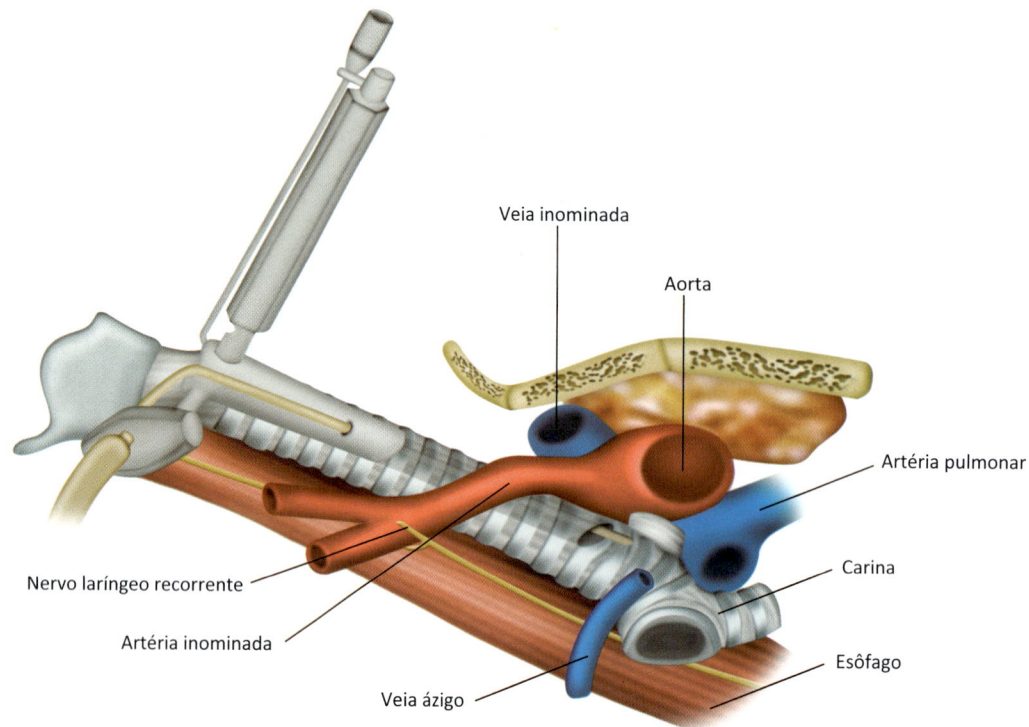

Veia inominada

Aorta

Artéria pulmonar

Nervo laríngeo recorrente

Carina

Artéria inominada

Esôfago

Veia ázigo

▲ **Figura 152.3** Diagrama de um mediastinoscópio dentro da fáscia pré-traqueal em contato relevante com as estruturas adjacentes. Notar que a artéria inominada está imediatamente anterior ao mediastinoscópio. A veia ázigos drena para a veia cava superior, mas não está representada no desenho.

Fonte: Adaptada de Slinger e col.[44]

do mediastino anterior é o timoma. As implicações anestésicas são as mesmas para o manejo de massas de mediastino anterior, associadas aos cuidados dos pacientes com MG.

A MG é uma doença autoimune da junção neuromuscular causada por anticorpos que destroem os receptores nicotínicos da acetilcolina, provocando a diminuição destes e alterando a margem de segurança da junção neuromuscular. Os pacientes apresentam fraqueza muscular esquelética que piora com o exercício. A redução de receptores de acetilcolina pós-sinápticos resulta na geração de poucos potenciais motores de placa terminal e poucas fibras musculares se contraem. Há então a redução da amplitude do potencial da placa motora e a incapacidade da junção neuromuscular em transmitir sinais das fibras nervosas para as fibras musculares. Com o estímulo repetido ou contínuo, poucos potenciais de placa terminal atingem o limiar, e a fraqueza muscular se torna mais pronunciada.[45,46]

Trata-se de uma doença rara cuja prevalência na população geral é de 1/17.000, sendo mais comum no sexo feminino, no adulto jovem e na faixa etária entre 20 e 40 anos.[45]

Este processo pode ter origem no timo, sendo que 15% dos pacientes miastênicos têm timoma e 70% a 80% apresenta hiperplasia do timo. A MG pode estar associada a outras doenças autoimunes: Lúpus eritematoso sistêmico, artrite reumatoide, anemia perniciosa e tireoidite. A fraqueza muscular é a manifestação clínica principal, com períodos de exacerbação e remissão. Infecções, gestação, estresse, antibióticos, cirurgia e exercício físico podem agravar a doença. Vários músculos esqueléticos podem estar acome-

tidos, podendo causar disfagia, disartria, ptose palpebral e aspiração pulmonar. A mais grave seria a fraqueza respiratória associada à paralisia da deglutição.[45,46]

O diagnóstico é baseado em história clínica, teste do edrofônio, eletromiografia e detecção de anticorpos antirreceptores colinérgicos. O tratamento consiste no uso de anticolinesterásicos (piridostigmina), corticosteroides, imunossupressores, plasmaferese e timectomia.[47-49]

São fatores precipitantes da crise miastênica:[50,51] estresse da cirurgia ou infecção; fármacos como os aminoglicosídeos, quinolonas, macrolídeos, betabloqueadores, bloqueadores de canais de cálcio, sais de magnésio, contrastes iodados, fenitoína e procainamida. Foram relacionados com fatores de risco para crise miastênica por Xue e colaboradores, em 2017, o estágio Osserman (IIA-IV) e os timomas tipo B2-B3 da OMS como preditores independentes de crise miastênica em pacientes e que foram submetidos à timectomia total. Assim, cuidados peroperatórios adequados devem ser prestados a esses pacientes.[51]

Cuidados Anestésicos em Pacientes com *Miastenia Gravis*

Na avaliação pré-operatória, verificar idade, sexo, duração da doença, presença de comprometimento bulbar ou da musculatura respiratória, detalhado exame físico, exames laboratoriais, testes de função pulmonar e cardiocirculatório. A manutenção dos anticolinesterásicos é controversa; alguns autores sugerem a manutenção e até infusão contínua previamente à cirurgia e, outros, a interrupção 6 horas antes do procedimento com restituição do tratamento no pós-operatório.[48] A Tabela 152.4 mostra os critérios de Leventhal para a necessidade de ventilação mecânica no pós-operatório e a Tabela 152.5 mostra causas de suporte ventilatório prolongado no pós-operatório. A Tabela 152.6 mostra sugestão para investigação pré-operatória.

Tabela 152.4　Critérios de Leventhal.[48]

- Duração da doença > 6 anos
- Dose de piridostigmina > 750 mg/dia
- Capacidade vital pré-operatória < 2,9 L
- Capacidade vital pré-operatória < 2,9 L
- Presença de outra doença respiratória

Fonte: Leventhal SR, Orkin FK, Hirsh RA.[48]

Tabela 152.5　Pacientes com MG e alto risco de suporte ventilatório prolongado no pós-operatório.[48,55,56]

- Idade avançada
- *Miastenia Gravis* há 6 anos ou mais
- História de uso de esteroides para tratamento de MG
- História de insuficiência respiratória induzida por MG
- Capacidade vital < 2,9 L
- Dose de piridostigmina > 750 mg/dia
- Força respiratória máxima < 40-50 cmH$_2$0

Fonte: Leventhal SR, Orkin FK, Hirsh RA;[48] Petrun AM, Mekis D, Kamenik M;[55] de Boer HD, Shields MO, Booij LH.[56]

Tabela 152.6　Sugestão de investigação pré-operatória para o paciente com *Miastenia Gravis*.[51,52,53]

- Hemograma completo devido à relação com anemia perniciosa, aplasia de células vermelhas e supressão de medula óssea pelos imunossupressores
- Eletrólitos, creatinina, função hepática: necessários pelo uso de determinados imunossupressores
- TSH por comumente possuírem disfunção tireoidiana
- Radiografia de tórax para descartar timoma/massa mediastinal, pneumonia (particularmente pneumonia aspirativa – sintomas bulbares)
- ECG nas arritmias e fibrilação atrial
- Ecocardiograma nos casos em que são encontrados sinais e sintomas de envolvimento cardíaco
- Testes de função pulmonar

Fonte: Xue L, Wang L, Dong J, *et. al.*;[51] Hofstad H, Ohm OJ, Mork SJ, Aarli JA;[52] Eisenkraft JB, Papatestas AE, Kahn CH, *et. al.*[53]

A medicação pré-anestésica deve ser administrada com cautela e somente em miastênicos estáveis, jamais naqueles com comprometimento bulbar.[51-54]

A monitorização inclui todas as características básicas associadas ao estimulador de nervo periférico para avaliação da profundidade do bloqueio neuromuscular. Sempre que possível, deve-se optar pela anestesia regional ou anestesia tópica para IOT. Na anestesia geral, deve-se administrar fármacos de curta duração de ação.[54]

Estes pacientes são resistentes à ação da succinilcolina, sendo a dose recomendada para IOT em sequência rápida de 1,5 a 2 mg.kg^{-1}. Por outro lado, o uso crônico de anticolinesterásicos e a plasmaférese diminuem a atividade da butirilcolinesterase, prolongando o efeito da succinilcolina, assim como do mivacúrio.[54]

Em relação ao bloqueio adespolarizante, observa-se na MG acentuada potencialização da atividade desses fármacos e intensificação do seu efeito, acelerando o início de ação e prolongando sua duração.[55] A monitorização do TOF permite titular as doses dos bloqueadores neuromusculares. Devido à grande variabilidade entre indivíduos, a dose inicial dos bloqueadores adespolarizantes deve ser reduzida a 1/5 a 1/10 da DE95.

O sugamadex é uma ciclodextrina que reverte a ação do rocurônio, sendo uma opção atrativa para reversão do bloqueio adespolarizante na MG. Há muitos relatos e séries de casos[56] que suportam essa estratégia. Porém, pode existir falha nesse processo,[57] pois outros fatores intraoperatórios e fármacos podem afetar a junção neuromuscular. Os opioides devem ser minimizados pela depressão respiratória central. Para controle da dor, peri e pós-operatória pode ser considerada uma técnica anestésica poupadora de opioides como anestesia regional (peridural torácica ou bloqueios interfasciais torácicos guiados por ultrassom) e analgesia multimodal.[58] Nenhuma técnica anestésica se mostrou superior na MG. Deve-se sempre individualizar o planejamento peroperatório.

Ao final da cirurgia, recomenda-se uma rigorosa avaliação respiratória e recuperação da junção neuromuscular. O paciente que não apresentar padrão respiratório satisfatório deve ser extubado com segurança na Unidade de Terapia Intensiva.[51]

REFERÊNCIAS

1. Slinger P, Karsli C. Management of the patient with a large anterior mediastinal mass: recurring myths. Curr Opin Anaesthesiol. 2007;20:1-3.
2. Dubashi B, Cyriac S, Tenali SG. Clinicopathological analysis and outcome of primary mediastinal malignancies: a report of 91 cases from a single institute. Ann Thorac Med. 2009;4:140-2.
3. Bittar D. Respiratory obstruction associated with induction of general anesthesia in a patient with mediastinal Hodgkin's disease. Anesth Analg. 1975;54:399-403.
4. Piro AJ, Weiss DR, Hellman S. Mediastinal Hodgkin's disease: a possible danger for intubation anesthesia. Intubation danger in Hodgkin's disease. Int J Radiat Oncol Biol Phys. 1976;1:415-9.
5. Keon TP. Death on induction of anesthesia for cervical node biopsy. Anesthesiol. 1981;55:471-2.
6. Bray RJ, Fernandes FJ. Mediastinal tumour causing airway obstruction in anaesthetised children. Anaesthesia. 1982;37:571-5.
7. Shi D, Webb CA, Wagner M, Dizdarevic A. Anesthetic evaluation and perioperative management in a patient with new onset mediastinal mass syndrome presenting for emergency surgery. Case Rep Anesthesiol. 2011;2011:782391.
8. Szokol JW, Alspach D, Mehta MK, et al. Intermittent airway obstruction and superior vena cava syndrome in a patient with an undiagnosed mediastinal mass after cesarean delivery. Anesth Analg. 2003;97:883-4.
9. Pullerits J, Holzman R. Anaesthesia for patients with mediastinal masses. Can J Anaesth. 1989;36:681-8.
10. Warren WH. Anatomy of the mediastinum with special reference to surgical access. In: Person AG, Person FG, Cooper JD, et al. Pearson's thoracic and esophageal surgery. 3th ed. Minton, Canada: Churchill Livistone Elsevier; 2009.
11. Gothard JW. Anesthetic considerations for patients with anterior mediastinal masses. Anesthesiol Clin. 2008;26:305-14.

12. Shapiro BP, Sprung J, Scott K, et al. Cardiovascular collapse induced by position-dependent pulmonary vein occlusion in a patient with fibrosing mediastinitis. Anesthesiol. 2005;103:661-3.
13. Anderson DM, Dimitrova GT, Awad H. Patient with posterior mediastinal mass requiring urgent cardiopulmonary bypass. Anesthesiol. 2011;114:1488-93.
14. Froese AB, Bryan AC. Effects of anesthesia and paralysis on diaphragmatic mechanics in man. Anesthesiol. 1974;41:242-55.
15. Neuman GG, Weingarten AE, Abramowitz RM, et al. The anesthetic management of the patient with an anterior mediastinal mass. Anesthesiol. 1984;60:144-7.
16. Erdos G, Tzanova I. Perioperative anaesthetic management of mediastinal mass in adults. Eur J Anaesthesiol. 2009;26:627-32.
17. Tan A, Nolan JA. Anesthesia for children with anterior mediastinal masses. Pediatr Anesth. 2022;32:4–9.
18. Goodman R. Superior vena cava syndrome. Clinical management. JAMA. 1975;231:58-61.
19. Li WW, van Boven WJ, Annema JT, et al. Management of large mediastinal masses: surgical and anesthesiological considerations. J Thorac Dis. 2016;8:E175-84.
20. Shamberger RC, Holzman RS, Griscom NT, et al. CT quantitation of tracheal cross-sectional area as a guide to the surgical and anesthetic management of children with anterior mediastinal masses. J Pediatr Surg. 1991;26:138-42.
21. Shamberger RC, Holzman RS, Griscom NT, et al. Prospective evaluation by computed tomography and pulmonary function tests of children with mediastinal masses. Surgery. 1995;118:468-71.
22. Rath L, Gullahorn G, Connolly N, et al. Anterior mediastinal mass biopsy and resection: anesthetic techniques and perioperative concerns. Semin Cardiothorac Vasc Anesth. 2012;16:235-42.
23. Vander Els NJ, Sorhage F, Bach AM, et al. Abnormal flow volume loops in patients with intrathoracic Hodgkin's disease. Chest. 2000;117:1256-61.
24. Bechard P, Letourneau L, Lacasse Y, et al. Perioperative cardiorespiratory complications in adults with mediastinal mass: incidence and risk factors. Anesthesiol. 2004;100:826-34.
25. Hnatiuk OW, Corcoran PC, Sierra A. Spirometry in surgery for anterior mediastinal masses. Chest. 2001;120:1152-6.
26. Rajagopalan S, Harbott M, Ortiz J, Bandi V. Anesthetic management of a large mediastinal mass for tracheal stent placement. Braz J Anesthesiol. 2016;66:215-8.
27. Abdelmalak B, Marcanthony N, Abdelmalak J, Machuzak MS, Gildea TR, Doyle DJ. Dexmedetomidine for anesthetic management of anterior mediastinal mass. J Anesth. 2010;24:607-10.
28. Thakur P, Bhatia P, Sitalakshmi N, Virmani P. Anaesthesia for mediastinal mass. Indian J Anaesth. 2014;58:215-7.
29. Gardner JC, Royster RL. Airway collapse with an anterior mediastinal mass despite spontaneous ventilation in an adult. Anesth Analg. 2011;113:239-42.
30. Yang YL, Lu HI, Huang HW, Tseng CC. Mediastinal tumor resection under the guidance of transoesophageal echocardiography. Anaesth Intensive Care. 2007;35:312.
31. Oneglia C, Di Fabio D, Bonora-Ottoni D, Rusconi C. Is transesophageal echocardiography useful in planning surgery of mediastinal thymomas? Transesophageal investigation of a mediastinal thymoma. Int J Cardiol. 2007;121:312-4.
32. An updated report by the American Society of Anesthesiologists and the Society of Cardiovascular Anesthesiologists Task Force on Transesophageal Echocardiography. Anesthesiology. 2010;112(5):1084-96.
33. Chaudhary K, Gupta A, Wadhawan S, et al. Anesthetic management of superior vena cava syndrome due to anterior mediastinal mass. J Anaesthesiol Clin Pharmacol. 2012;28:242-6.
34. Goh MH, Liu XY, Goh YS. Anterior mediastinal masses: an anaesthetic challenge. Anaesthesia. 1999;54:670-4.
35. Lee J, Rim YC, In J. An anterior mediastinal mass: delayed airway compression and using a double lumen tube for airway patency. J Thorac Dis. 2014;6:E99-E103.
36. Levin H, Bursztein S, Heifetz M. Cardiac arrest in a child with an anterior mediastinal mass. Anesth Analg. 1985;64:1129-30.
37. Yamashita M, Chin I, Horigome H, et al. Sudden fatal cardiac arrest in a child with an unrecognized anterior mediastinal mass. Resuscitation. 1990;19:175-7.
38. Sendasgupta C, Sengupta G, Ghosh K, et al. Femoro-femoral cardiopulmonary bypass for the resection of an anterior mediastinal mass. Indian J Anaesth. 2010;54:565-8.
39. Said SM, Telesz BJ, Makdisi G, et al. Awake cardiopulmonary bypass to prevent hemodynamic collapse and loss of airway in a severely symptomatic patient with a mediastinal mass. Ann Thorac Surg. 2014;98:e87-90.
40. Hong Y, Jo KW, Lyu J, et al. Use of venovenous extracorporeal membrane oxygenation in central airway obstruction to facilitate interventions leading to definitive airway security. J Crit Care 2013;28:669-74.
41. Asai T. Emergency cardiopulmonary bypass in a patient with a mediastinal mass. Anaesthesia. 2007;62:859-60.
42. Sharifian Attar A, Jalaeian Taghaddomi R, Bagheri R. Anesthetic management of patients with anterior mediastinal masses undergoing chamberlain procedure (anterior mediastinotomy). Iran Red Crescent Med J. 2013;15:373-4.
43. Ahmed-Nusrath A, Annamanneni R, Wyatt R, Leverment J. Management of major hemorrhage during mediastinoscopy. J Cardiothorac Vasc Anesth. 2006;20:762-3.
44. Slinger PD CJ. Anesthesia for thoracic surgery. In: Miller RD, Fleisher LA, Wiener-Kronish JP, Young WL. Miller's anesthesia. 7th ed. Amsterdam: Elsevier; 2009.
45. Drachman DB. Myasthenia gravis. N Engl J Med. 1994;330:1797-810.
46. Engel AG, Tsujihata M, Lindstrom JM, Lennon VA. The motor end plate in myasthenia gravis and in experimental autoimmune myasthenia gravis. A quantitative ultrastructural study. Ann N Y Acad Sci. 1976;274:60-79.
47. El-Bawab H, Hajjar W, Rafay M, et al. Plasmapheresis before thymectomy in myasthenia gravis: routine versus selective protocols. Eur J Cardiothorac Surg. 2009;35:392-7.
48. Leventhal SR, Orkin FK, Hirsh RA. Prediction of the need for postoperative mechanical ventilation in myasthenia gravis. Anesthesiol. 1980;53:26-30.
49. Chigurupati K, Gadhinglajkar S, Sreedhar R, et al. Criteria for postoperative mechanical ventilation after thymectomy in patients with myasthenia gravis: a retrospective analysis. J Cardiothorac Vasc Anesth. 2018;32:325-30.
50. Li Y, Wang H, Chen P, et al. Clinical outcome and predictive factors of postoperative myasthenic crisis in 173 thymomatous myasthenia gravis patients. Int J Neurosci. 2018;128:103-9.
51. Xue L, Wang L, Dong J, et al. Risk factors of myasthenic crisis after thymectomy for thymoma patients with myasthenia gravis. Eur J Cardiothorac Surg. 2017;52:692-7.
52. Hofstad H, Ohm OJ, Mork SJ, Aarli JA. Heart disease in myasthenia gravis. Acta Neurol Scand. 1984;70:176-84.
53. Eisenkraft JB, Papatestas AE, Kahn CH, et al. Predicting the need for postoperative mechanical ventilation in myasthenia gravis. Anesthesiol. 1986;65:79-82.
54. Breucking E, Mortier W. Anesthesia in neuromuscular diseases. Acta Anaesthesiol Belg 1990;41:127-32.
55. Petrun AM, Mekis D, Kamenik M. Successful use of rocuronium and sugammadex in a patient with myasthenia. Eur J Anaesthesiol. 2010;27:917-8.
56. de Boer HD, Shields MO, Booij LH. Reversal of neuromuscular blockade with sugammadex in patients with myasthenia gravis: a case series of 21 patients and review of the literature. Eur J Anaesthesiol. 2014;31:715-21.
57. Mulier JP, Dubois PE, de Boer HD, Debaerdemaeker L. Failure of sugammadex to reverse rocuronium-induced neuromuscular blockade: simply an outlier or are we missing something? Eur J Anaesthesiol. 2015;32:743-4.
58. Mekis D, Kamenik M. Remifentanil and high thoracic epidural anaesthesia: a successful combination for patients with myasthenia gravis undergoing transsternal thymectomy. Eur J Anaesthesiol. 2005;22:397-9.

Parte 18

Anestesia Para Cirurgia Cardíaca e Vascular

Circulação Extracorpórea e Assistência Circulatória Mecânica

Raquel Pei Chen Chan

INTRODUÇÃO

A circulação extracorpórea (CEC) abrange uma gama de procedimentos que incluem o *bypass* (desvio) cardiopulmonar (CPB), *bypass* do coração esquerdo, oxigenação extracorpórea por membrana (ECMO) e suporte cardiopulmonar.[1]

O CPB é o método mais utilizado para fornecer suporte circulatório extracorpóreo que possibilita a cirurgia cardíaca. O objetivo desse procedimento é o desvio do fluxo de sangue do coração, permitindo um campo cirúrgico sem sangue e que não se movimente.[1-3]

Nesse procedimento, o sangue do paciente é redirecionado para fora do sistema vascular e as funções cardíaca e pulmonar, e em menor proporção a renal, são assumidas por um aparelho de maneira que os outros órgãos permaneçam adequadamente oxigenados e perfundidos.[1-3]

O esforço conjunto do cirurgião, perfusionista e anestesiologista é essencial para o sucesso do CPB. Sendo assim, todos têm sua parte nas complicações e estratégias para reduzir esses contratempos.[3]

▪ HISTÓRIA DO DESENVOLVIMENTO DA CEC

O desenvolvimento e aplicação do CPB a fim de permitir a cirurgia cardíaca aberta é considerado um dos mais importantes avanços da Medicina da segunda metade do século XX. Além disso, o CPB estimulou novos avanços como o suporte respiratório extracorpóreo, aparelhos de assistência ventricular e corações artificiais.[4,5]

O nascimento do CPB é atribuido a John Gibbon Jr, em 1953, porém seu uso clínico ocorreu 2 anos depois, com John Kirklin, na clínica Mayo, e C.Walton Lilehei, na Universidade de Minnesota. Esta última é considerada o berço da cirurgia cardíaca mundial, onde os fatos mais importantes ocorreram. Conceitos como parada circulatória hipotérmica, circulação cruzada e oxigenador de bolha, comuns hoje em dia, foram desenvolvidas ali. Os pioneiros da cirurgia cardíaca brasileira fizeram seu treinamento nessa universidade, entre eles Euryclides J Zerbini, Delmont Bittencourt, André Esteves Lima, Hugo Felipozzi e Domingos J Moraes.[4-8]

A ideia da viabilidade de uma circulação extracorpórea surgiu em 1813 com Le Gallois, seguida por vários autores como Kay, Ludwig e Schidmit, e Crafoord, entre outros. Entretanto, o CPB que conhecemos atualmente precisou da descoberta paralela de importantes conceitos como tipo sanguíneo, heparina e protamina para seu completo sucesso.[4,5,7]

Um dos pontos-chave no desenvolvimento de um aparelho de CPB foi a invenção do oxigenador, fruto do esforço de várias equipes cirúrgicas (Figura 153.1). Este esforço culminou no sucesso de Gibbon, em 1953, após 20 anos de seus estudos. A partir deste sucesso, várias equipes iniciaram programas de cirurgia cardíaca aberta utilizando CPB, principalmente para cirurgias congênitas.[4-7]

No Brasil, dois anos após o feito de Gibbon, a primeira máquina de CPB nacional foi desenvolvido por Hugo Felipozzi e utilizado em uma cirurgia cardíaca aberta. Em 1958, Euryclides Zerbini e Adib Jatene também desenvolveram uma máquina de CPB, utilizada nas cirurgias no Hospital das Clínicas da FMUSP (Figura 153.2 e 153.3).[7-9]

Na década de 1960, quatro avanços tiveram grande impacto para o desenvolvimento do CPB. Esses avanços foram:

1. desenvolvimento de valvas cardíacas artificiais, permitindo a cirurgia cardíaca valvar;
2. revascularização do miocárdio (RM);
3. hipotermia profunda para cirurgias cardíacas congênitas complexas, e
4. transplante cardíaco.[4,7]

Oxigenador de tela (1946)   Oxigenador de disco (1956)   Oxigenador de cilindro (1957)

▲ **Figura 153.1** Diferentes oxigenadores desenvolvidos para CPB.

A Primeira "MÁQUINA CORAÇÃO-PULMÃO ARTIFICIAL"

Produzida em 1958 no Hospital das Clínicas da Faculdade de Medicina da USP para realização das cirurgias do coração com Circulação Sanguínea Extracorpórea pelo Prof. Euryclides de Jesus Zerbini.

Está máquina é composta de quatro "Bombas Elétricas", uma delas a Bomba A, destinada a movimentar o sangue do paciente imprimindo-lhe um fluxo unidirecional, como faz o ventrículo esquerdo do coração, retirando-o do átrio direito, ou seja, das veias de todo o corpo, e enjetando-o na aorta, ou seja, em todas as artérias do corpo, após tê-lo feito passar por um "Pulmão Artificial", denominado "Oxigenador do Sangue", do qual existiam dois tipos, conforme seu funcionamento:

Tipo 1 – oxigenador de membrana e tipo 2 – oxigenador de bolhas.

As três outras bombas são destinadas a aspirar o sangue do interior das câmaras cardíacas e do campo operatório para que as estruturas cardíacas possam ser vistas e manipuladas durante a cirurgia.

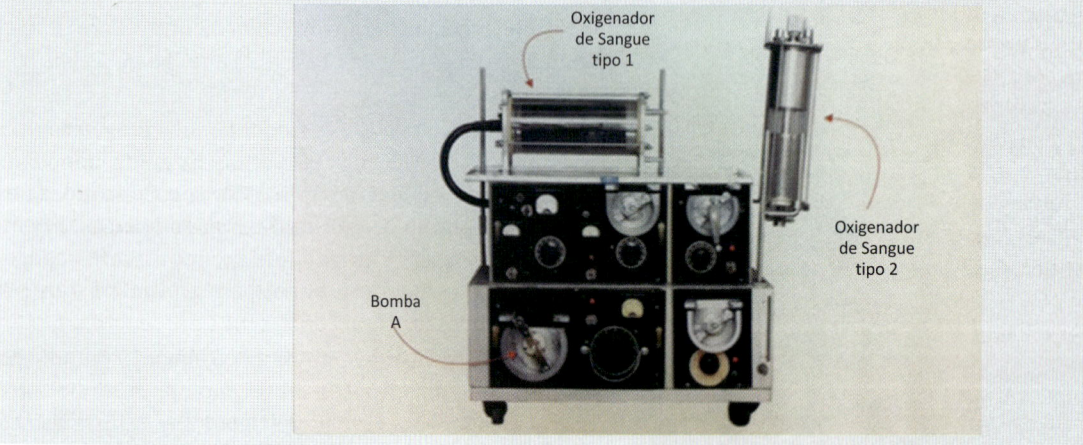

▲ **Figura 153.2** Esquema da primeira máquina coração-pulmão artificial fabricada no HC-FMUSP.

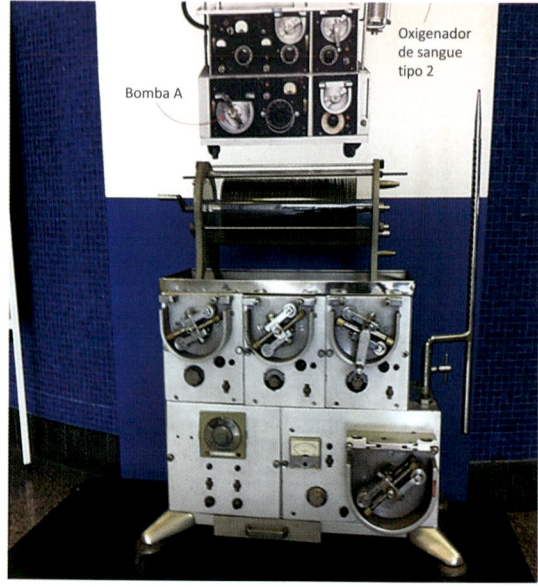

◄ **Figura 153.3** Primeira máquina coração-pulmão artificial fabricada no HC-FMUSP.

Na década de 1970 houve uma expansão acentuada da cirurgia cardíaca graças principalmente ao aumento das RM. Verificou-se um progresso dramático no CPB após o início do uso de cardioplegia com baixa concentração de potássio.[4]

Em 1975, Bull e Bull desenvolveram a monitorização da heparinização através do uso de tempo de coagulação ativada (TCA) durante o CPB. Consideraram como zona segura entre 300-600 segundos e escolheram arbitrariamente como ideal o valor de 480 segundos. Esse valor ainda é usado por muitos até hoje, sem razão científica aparente. O valor ideal ainda é razão de debate, sendo provavelmente > 400 segundos.[4,5]

O primeiro transplante foi realizado em 1967 por Christian Barnard, e na América Latina, em 1968, por Euryclides Zerbini. O uso da ciclosporina nos transplantes cardíacos fez explodir este tipo de cirurgia na década de 1980.[4,6,7]

Em 1982 implantou-se o primeiro coração totalmente artificial. Foi nessa época que a reação inflamatória do CPB e as formas de atenuação de seus efeitos deletérios desenvolveram-se com o uso da aprotinina, circuitos heparinizados, hemofiltração, leucofiltração e da RM sem CPB.[4,6,7]

É nesse período que se desenvolveu a monitorização do fluxo cerebral, uso do Alpha-Stat na hipotermia, proteção cerebral com barbitúricos, uso de bombas centrífugas, uso do fluxo pulsátil, uso de antifibrinolíticos para diminuir o sangramento, monitoramento com ecocardiograma transesofágico e a introdução de práticas seguras com *checklists* (lista de checagem) e diretrizes.[4]

Os anos de 1990 coincidiram com a prática do *fast tracking* (extubação precoce) e cirurgias minimamente invasivas, incluindo as cirurgias sem CPB. Houve melhoria dos cuidados com as complicações neurológicas e efeitos deletérios do CPB. Um grupo de Toronto introduziu nessa época o CPB normotérmico.[4,5]

A cirurgia cardíaca e o CPB continuam seu amadurecimento e os desafios mudam continuamente. Atualmente, o foco está na cirurgia robótica e na troca da valva aórtica via cateter (TAV), assim como no tratamento da fibrilação atrial e da regurgitação mitral. O implante de aparelhos de assistência ventricular, ECMO, CPB com circuitos mínimos, diretrizes de transfusão, entre outros, mostram que o CPB (e a CEC) é uma fonte interminável de estudos e pesquisas.[4,10]

■ COMPONENTES DO CPB

Os componentes do CPB estão diagramados na Figura 153.4. A Figura 153.5 mostra os aparelhos atuais de CPB em uso no Instituto do Coração do HC-FMUSP (Incor-HC-FMUSP). Inicialmente o sangue venoso é interceptado ao retornar ao átrio direito (i) através da colocação de uma cânula de grosso calibre e é desviado através da linha venosa (linha azul da figura) para o reservatório venoso (ii). Esse processo é passivo e depende de vários fatores, entre eles a volemia do paciente, tamanho da cânula e gradiente hidrostático entre o átrio direito e o reservatório venoso.[1,11]

Do reservatório venoso, o sangue é bombeado pela bomba sanguínea (iii) através de um trocador de calor (iv) para um oxigenador (v) que funciona como pulmão. No oxigenador, o sangue é oxigenado, o gás carbônico é retirado e é aquecido ou esfriado conforme a necessidade. A partir do oxigenador, o sangue torna-se arterial (linha vermelha).[1,11]

Do oxigenador, o sangue passa por um filtro de linha arterial (vi) (catador de bolhas e detritos). Finalmente, o sangue retorna ao coração através de uma cânula arterial, que pode ser colocada na aorta ascendente ou arterial femoral ou axilar.[1,11]

Há sistemas de bombeamento extras e componentes que ajudam na cirurgia. O aspirador (vii) retira o sangue retido no campo cirúrgico. O vácuo (vent) da raiz da aorta (viii) e do ventrículo esquerdo (ix) descomprimem o coração e previnem a isquemia miocárdica. Esses três sistemas são encaminhados para o reservatório de cardiotomia (x) e, deste, para o reservatório venoso.[1,11]

A cardioplegia (xi) é bombeada separadamente e há a possibilidade de se instalar um hemofiltro junto ao oxigenador, que retira água do sangue. Pode-se acoplar monitor de linha de gases sanguíneos e vaporizadores de anestésicos voláteis ao circuito.[1,11]

Outros componentes do circuito são a linha de gás e o misturador (*blender*), que mandam gás fresco para o oxigenador de forma misturada. A fração de O_2 determina a PaO_2 e o fluxo total determina a $PaCO_2$ do CPB. As máquinas modernas de CPB também têm sistemas de monitorização de pressão, temperatura, saturação de oxigênio, hemoglobina, gases sanguíneos e eletrólitos, assim como aparelhos de segurança como detectores de bolhas, sensor de oxigênio e alarme de detecção de reservatório baixo.[3]

Tubulação e Cânula

A tubulação utilizada para conectar os vários componentes e conduzir o sangue durante o CPB. E confeccionada em borracha de silicone, borracha de látex ou cloreto de polivinil (PVC) medicinal.[1,3,11]

Atualmente, os tubos de polivinil são reforçados com arame metálico para impedir obstrução e torção. Além disso, são revestidos e modificados para alterar a biorreatividade da superfície do circuito e diminuir a liberação de citoquinas e outros marcadores inflamatórios, e dos níveis plasmáticos dos marcadores de coagulação subclínica.[1,3,11]

A canulação venosa em estágio simples é usada na maioria das cirurgias cardíacas abertas, onde uma canula é inserida na veia cava superior e uma na veia cava inferior e são unidas por uma peça em Y. A canulação em estágio duplo, por sua vez, é usada na maioria dos procedimentos cardíacos fechados, onde uma cânula simples é inserida no átrio direito. A drenagem ocorre por gravidade. A aplicação de vácuo no reservatório venoso permite o uso de cânulas e tubos menores e, portanto, a diminuição do volume do circuito.[3]

Um local alternativo de canulação é na veia femoral, utilizado em cirurgias minimamente invasivas ou reoperações, onde uma longa cânula é inserida da veia femoral até o átrio direito. O ecocardiograma transesofágico ajuda na colocação correta dessa cânula. Um respiradouro é necessário para drenar a parte esquerda do coração a fim de drenar o sangue vindo das veias brônquicas e de Tebésio.[3]

Uma cânula arterial geralmente é inserida na aorta ascendente. Locais alternativos de canulação arterial são: artéria femoral, inominada ou axilar, e são úteis em casos emergenciais, respiratórios, minimamente invasivos ou procedimentos da aorta ascendente e arco.[3]

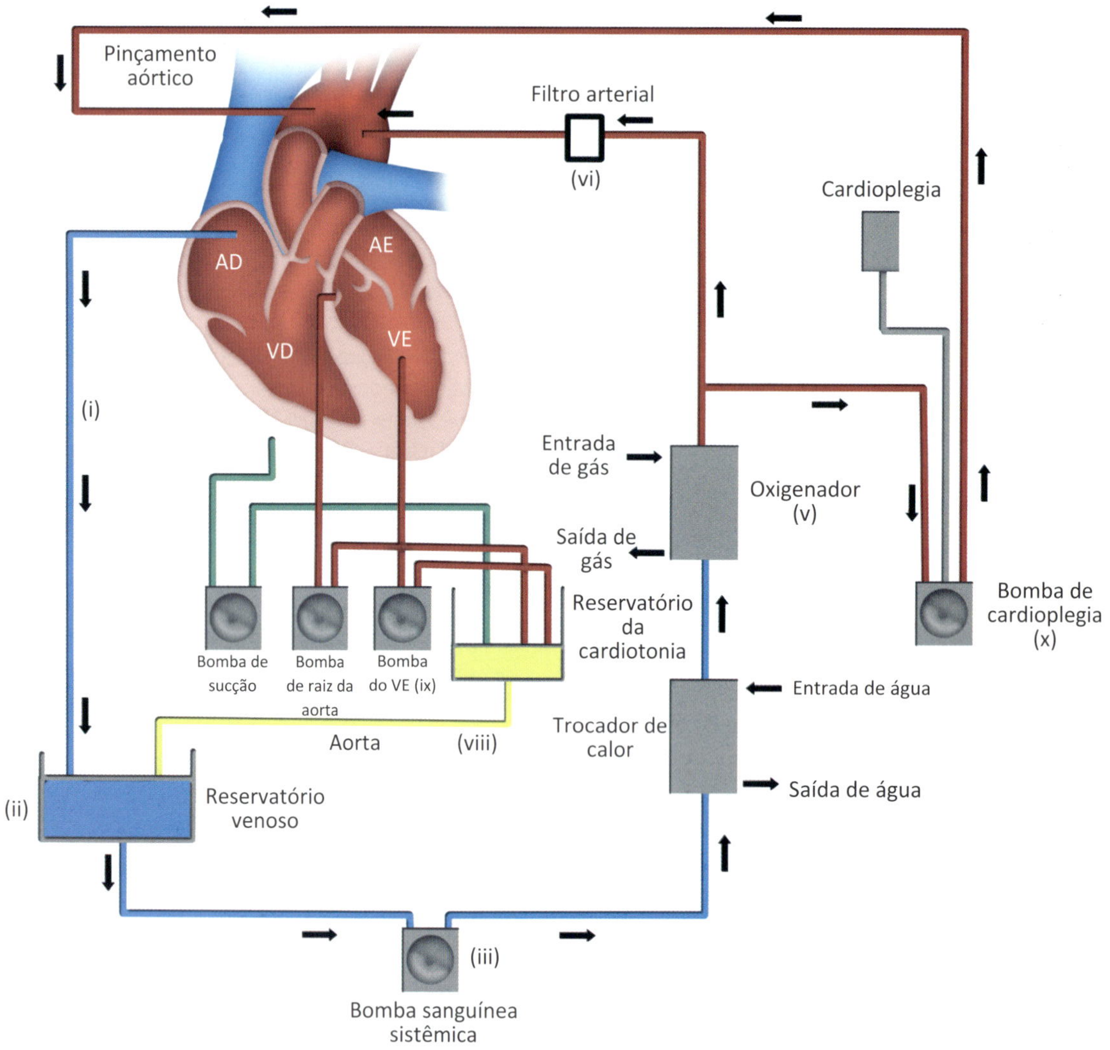

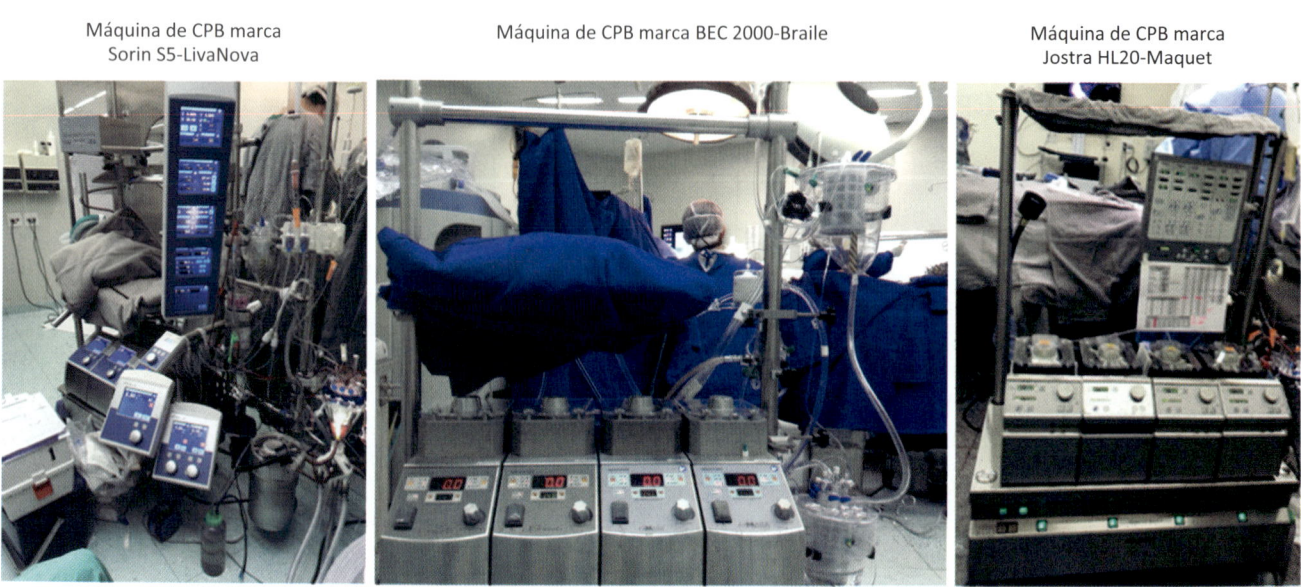

Pinçamento aórtico

Filtro arterial

(vi)

Cardioplegia

AD

AE

VD

VE

(i)

Entrada de gás

Oxigenador (v)

Saída de gás

Bomba de sucção

Bomba de raiz da aorta

Bomba do VE (ix)

Reservatório da cardiotonia

Bomba de cardioplegia (x)

Entrada de água

Aorta

(viii)

Trocador de calor

Saída de água

(ii)

Reservatório venoso

(iii)

Bomba sanguínea sistêmica

▲ **Figura 153.4** Diagrama de um circuito de CPB.
Linha azul: sangue desoxigenado; linha vernelha: sangue oxigenado; linha verde: sangue misturado.

Máquina de CPB marca Sorin S5-LivaNova

Máquina de CPB marca BEC 2000-Braile

Máquina de CPB marca Jostra HL20-Maquet

▲ **Figura 153.5** Fotos de aparelhos de CPB em uso no Incor-HC-FMUSP.

Reservatórios Sanguíneos

Os reservatórios sanguíneos têm uma importante função na condução do CPB ao facilitar a retirada de um grande volume de sangue para fora da circulação durante períodos estratégicos da cirurgia. Estes estão posicionados entre a linha venosa e a bomba arterial, podendo ser feitos de sacos plásticos colapsáveis ou containers de plásticos duros.[1,3]

Os containers duros têm um mecanismo de filtração integral com uma tela e filtros, através do qual o sangue passa antes de sair em direção à bomba arterial. Geralmente há valvas de escape de pressão positiva e negativa nos containers, para que se possa adicionar o vácuo ao reservatório, a fim de aumentar a drenagem venosa. O uso do vácuo deve ser mantida com a pressão menor possível, para impedir a entrada de ar do campo cirúrgico.[1]

Há dois tipos de reservatórios: aberto e fechado. O reservatório aberto é o mais usado. Ele permite a retirada passiva do ar venoso entranhado e tem a opção de colocação de vácuo. A ele se integra um reservatório de cardiotomia separado e o circuito antiespuma processa o sangue aspirado. Um nível seguro de sangue nese tipo de reservatório deve se mantido a fim de evitar a entrada de ar no circuito arterial.[3]

Reservatórios fechados têm capacidade volumétrica limitada, mas oferecem uma área de contato sanguínea menor com superfícies artificiais. Isso leva a menos ativação inflamatória, melhor esterilidade e diminui a transfusão pós-operatória. Entretanto, requer um circuito separado para o processamento do sangue aspirado.[3]

Bombas

O sistema de bombeamento utilizado para substituir a função cardíaca emprega uma das duas tecnologias: bomba de rolamento e bomba centrífuga. Ambas as bombas são traumáticas para os elementos sanguíneos, entretanto, as bombas centrífugas são menos traumáticas que as de rolamento (Tabela 153.1).[1,3,11]

Tabela 153.1 Comparação entre as bombas de rolamento e centrífuga.

Bomba de rolamento	Bomba centrífuga
Independe da pós-carga	Depende da pós-carga
Não necessita de fluxômetro	Necessita de fluxômetro
Aumenta trauma sanguíneo e debris na tubulação	Diminui trauma sanguíneo e debris
Não há fluxo retrógrado	É possível o fluxo retrógrado, se a bomba parar
Barato	Caro
Uso por curto tempo	Uso prolongado
Volumoso	Portátil
Rompimento do circuito por pressão excessiva na linha	Não há rompimento
Maior risco de embolia aérea	Menor risco de embolia aérea
Menor volume inicial (*priming*)	Maior volume inicial

A bomba de rolamento é uma bomba de deslocamento positivo onde trava-se um ponto do tubo e então rola-se esse ponto ao longo do tubo. Esse processo força o avanço do fluido à frente do ponto travado e ao mesmo tempo puxa o fluido que está por trás do ponto travado, não havendo a possibilidade de fluxo retrógrado.[1,3,11]

A fraqueza desse sistema está no fato dessa bomba poder gerar pressões positivas e negativas extremamente altas e também na capacidade de bombear quantidades maciças de ar. Essa bomba é geralmente usada na cardioplegia, no aspirador e no vácuo.[1,3,11]

A bomba centrífuga, por outro lado, é uma bomba cinética não oclusiva que gera fluxo através do acoplamento magnético de um motor reutilizável de alta rotação, com uma placa plástica, barbatana ou canal dentro de um cone descartável.[1,11]

Esse processo produz um redemoinho restrito que propulsiona o fluido através da parte aberta do cone e ao mesmo tempo puxa o fluido pela ponta do cone. O fluxo desse tipo de bomba, diferentemente da bomba de rolamento, varia conforme a pré e a pós-carga do paciente, portanto, um fluxômetro deve ser colocado na parte arterial do CPB.[1,3,11]

Esse tipo de bomba não gera altas pressões e também não permite a entrada de ar. A falta do ponto de oclusão, entretanto, permite o retorno do sangue para o sistema venoso quando a rotação da bomba cai abaixo de um limite crítico, possibilitando a exsanguinação do paciente. Essa bomba é utilizada para o suporte sistêmico. As bombas centrífugas podem melhorar a preservação plaquetária, função renal e prognóstico neurológico em caso de CPB prolongado.[1,3,11]

Apesar de serem confiáveis em fornecer pressão sistêmica durante o CPB, infelizmente nenhuma das bombas consegue mandar fluxo pulsátil fisiológico. Esse fluxo pulsátil está relacionado ao aumento da sobrevida, diminuição da necessidade de drogas inotrópicas e suporte mecânico. O fluxo não pulsátil aumenta a disfunção renal e a liberação de produtos resultantes da isquemia.[11]

Trocador de Calor

O trocador de calor é um aparelho de contra-corrente onde a água quente ou fria circula ao redor de um material com boas propriedades condutoras e que está em contato com o sangue do paciente. É essencial durante o CPB para facilitar o manejo da temperatura do paciente.[1,11]

Muitas cirurgias necessitam de algum grau de hipotermia para diminuir o metabolismo do paciente. O trocador permite que se esfrie o paciente no início do CPB e esquente no final deste. Além do mais, o próprio CPB leva à hipotermia, pois 20%-30% da volemia do paciente fica fora do corpo e submetido à temperatura ambiente.[1,11]

Oxigenador

O oxigenador substitui o pulmão do paciente e faz a função essencial de troca de gases. Há muitas semelhanças entre o oxigenador e o pulmão. Ambos têm um espaço gasoso e um espaço sanguíneo, ambos são dirigidos por um gradiente de difusão passivo e ambos lançam mão de uma membrana para separar o sangue do gás.[1]

Geralmente a membrana do oxigenador é confeccionada em polipropileno com microporos. Esse material protrui-se em pequenos canudos com diâmetro externo de 200-400 um, espessura de parede de 20-50 um e superfície total de 2-4 m². O oxigenador tem volume de *priming* (inicial) estático de 135-340 ml e arterializa até 7 L.min de sangue.[1,3,11]

Diferentemente do pulmão, o oxigenador tem vias separadas para a entrada e saída do gás e é possível colocar gás fresco no próprio espaço gasoso, dentro do lúmen interno dos canudos, através de um fluxo contínuo ou intermitente. O espaço fora dos canudos é o espaço sanguíneo do oxigenador.[1]

O sangue venoso que entra no oxigenador é direcionado para a parte externa dos canudos e o gás passa ao mesmo tempo pela parte interna. Gradientes pressóricos entre os espaços sanguíneo e gasoso fazem com que o oxigênio entre no sangue e o gás carbônico saia para o espaço gasoso. É possível mandar anestésicos voláteis através do fluxo de gás fresco.[1,11]

Contrariamente ao pulmão, o oxigenador não tem uma membrana verdadeira. As pontas dos canudos são pequenos o suficiente para impedir a saída de plasma e elementos sanguíneos, mas não de gás. Portanto, deve-se ter cuidado para que a pressão no espaço gasoso nunca exceda o sanguíneo, senão haverá formação de êmbolo gasoso no sangue.[1]

Filtro Arterial

O filtro de linha arterial é o último componente que o sangue passa antes de voltar para o paciente. Este tem a função de remover microêmbolos gasosos e particulados. Possui poros de 20-40 um e, para remover efetivamente as bolhas, permite que pequena quantidade de sangue saia do topo do filtro e volte para o reservatório venoso. Esse *shunt* (desvio) arterial é uma boa forma de medida de *performance* do oxigenador.[1]

Cardioplegia

O clampeamento da aorta é necessário para cirurgias intracardíacas, o que pode levar à isquemia cardíaca. A cardioplegia é um método de proteção miocárdica onde o coração é perfundido com uma solução que leva à parada eletromecânica, o que leva à diminuição do consumo de oxigênio do miocárdio.[3]

A cânula de cardioplegia é inserida na área proximal e a cânula aórtica na área distal ao *clamp* aórtico. Uma bomba separada manda a cardioplegia anterogradamente para a raiz da aorta e/ou retrogradamente para o seio coronariano. A cardioplegia retrógrada, por si, leva à proteção inadequada do ventrículo direito. A cardioplegia do óstio é dada quando há regurgitação aórtica grave.[2,3]

A cardioplegia pode ser composta por cristaloides (fria) ou sanguínea (quente ou fria) e pode ser dada de forma intermitente ou contínua. Soluções baseadas em potássio são as mais frequentemente empregadas. Cardioplegia sanguínea é uma combinação de sangue oxigenado e cristaloides em uma razão variando de 1:1 a 8:1. Podem ser adicionadas substâncias como bicarbonato, manitol, magnésio, cálcio, adenosina, porcina, glicose e glutamato.[3]

■ FISIOPATOLOGIA DO CPB

O estresse cirúrgico em sí leva à resposta inflamatória, agravado pelo CPB que ativa rápida e profundamente a resposta inflamatória. Essa ativação ocorre através do contato do sangue com uma superfície não endotelial, lesão de isquemia e reperfusão, microembolização gasosa e particulada, e endotoxemia, que levam à ativação e amplificação de múltiplas cascatas imunes redundantes e interconectadas.[1,12-14]

A ativação das cascatas humorais e celulares provoca o aumento sérico das citoquinas pró-inflamatórias e a intensificação do recrutamento leucocitário. Esse processo resulta na síndrome da resposta inflamatória sistêmica (SIRS), com complicações pós-operatórias incluindo a disfunção miocárdica, falência respiratória, lesão renal aguda, disfunção neurológica, coagulopatia e, finalmente, falência de múltiplos órgãos (MOF), com aumento da morbimortalidade.[12-14]

A fisiopatologia da SIRS do CPB é, portanto, multifatorial e pode ser dividida em duas fases: inicial e tardia. A fase inicial resulta do contato do sangue com superfícies não endoteliais (ativação por contato). A fase tardia é desencadeada pela lesão de isquemia-reperfusão, endotoxemia, alterações da coagulação e reações heparina-protamina.[14]

A fase inicial é causada por: (1) componentes celulares - células endoteliais, neutrófilos, monócitos, linfócitos e plaquetas; (2) componentes humorais - contato, coagulação intrínseca e extrínseca, complemento e fibrinólise. A lesão de isquemia-reperfusão da fase tardia tem dois componentes: (1) dependente de leucócito (interação neutrófilo-endotélio); (2) independente de leucócito (reação de superóxidos, metabólitos do ácido araquidônio e liberação de citrinas). A endotoxemia implica na ativação do complemento, liberação de citoquinas e óxido nítrico, e aumento do consumo de oxigênio.[14]

Mediadores da Resposta Inflamatória

Coagulação e inflamação

As células endoteliais dos vasos produzem fatores pró e anticoagulantes que, juntos, mantêm o equilíbrio da fluidez sanguínea. A exposição dos componentes sanguíneos às superfícies artificiais do circuito de CPB levam à ativação das cascatas de coagulação. Essas cascatas, classicamente divididas em intrínseca e extrínseca, consistem em uma série de cascatas enzimáticas que geram a trombina ativada (Figura 153.6).[12]

A via intrínseca inicia-se com a ativação do fator XII (fator de Hageman) pelo contato com superfícies não endoteliais e na presença da pré-calicreína e do cininogênio de alto peso molecular (CAPM). O fator XII ativado (XIIa) contribui na cascata enzimática que leva à produção da trombina, que por sua vez cliva o fibrinogênio em fibrina.[12]

Ademais, o fator XIIa capacita a ativação da pré-calicreína em calicreína. A calicreína, por sua vez, cliva o CAPM para liberar bradicinina. A bradicinina é um potente peptídeo vasoativo que altera a permeabilidade do endotélio, tônus da musculatura lisa vascular e produção leucocitária de citoquinas.[12]

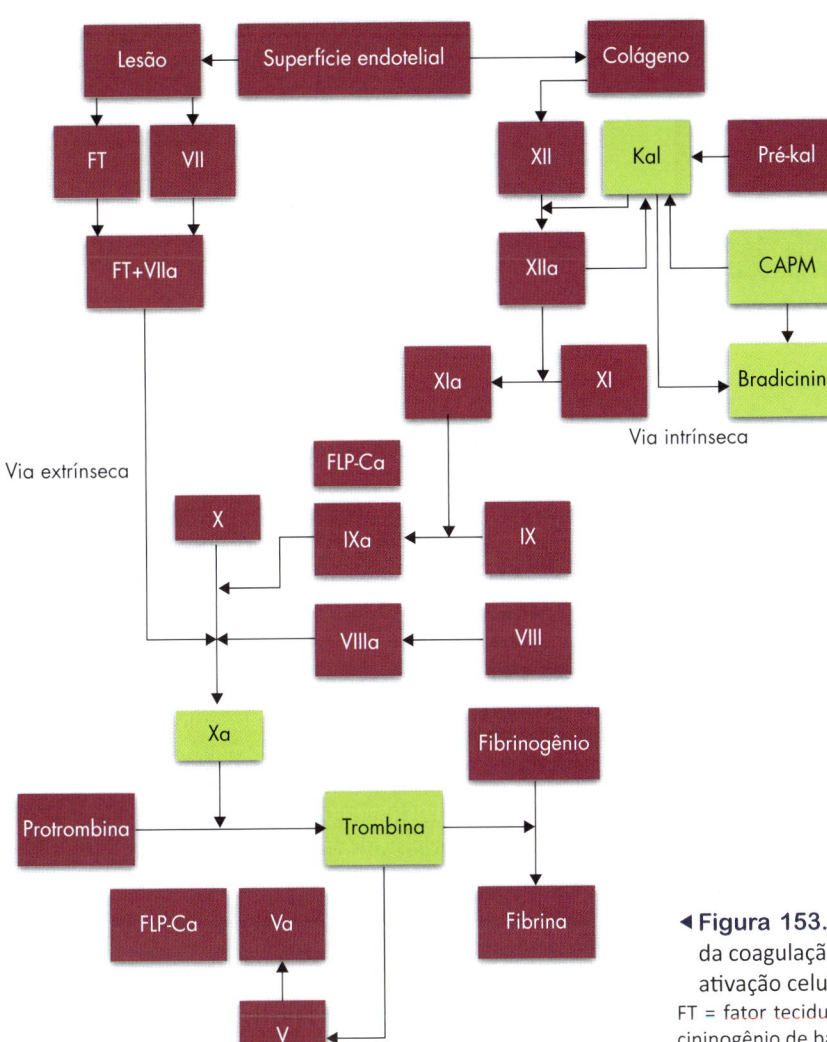

◄ **Figura 153. 6** Esquema das vias intrínsecas e extrínsecas da coagulação. Fatores de coagulação que contribuem para a ativação celular inflamatória estão em vermelho.
FT = fator tecidual; pré-kal = pré-calicreína; kal = calicreína; CAPM = cininogênio de baixo peso molecular; FLP = fosfolipídeos; V,VII, VIII, IX, X, XI, XII = fatores de coagulação (a- forma ativa)

A via extrínseca, por sua vez, inicia-se com o trauma tecidual. Paredes vasculares lesadas permitem a exposição do sangue ao fator tecidual (FT), que tem o poder de ativar o fator VII. O complexo FT-VIIa (fator VII ativado) promove a ativação do fator X em X ativado (Xa). O fator Xa é o ponto de convergência das duas vias de coagulação, com a produção de trombina e fibrina.[12]

Os fatores Xa e a trombina tem outros efeitos além da coagulação. Ambos atuam no processo inflamatório, remodelação tecidual e aterosclerose. Além disso ativam os receptores que levam à ativação plaquetária e leucocitária, atando a coagulação com a inflamação.[12]

O CPB ativa as duas vias da coagulação e mesmo com a anticoagulação total feita geralmente com a heparina, há formação de trombina com altos níveis do complexo trombina-antitrombina III. Esse processo pode levar a uma coagulopatia consumptiva com eventos tromboembólicos e sangramento não cirúrgico pós-CPB.[12]

Citoquinas e complementos

O CPB induz alteração na liberação das citoquinas pró e anti-inflamatórias. Há aumento das citoquinas pró-inflama-

tórias, fator de necrose tumoral alfa (TNFalfa), interleucina 6 e 8 (IL6 e IL8) e fator depressor do miocárdio.[12,14,15]

A ativação de complementos envolve aproximadamente 20 proteínas em sequência pelas vias clássica e alternativa. A via alternativa é ativada pela exposição do sangue ao circuito de CPB, com formação de C3a e C5a. A via clássica, por sua vez, é ativada após a reversão da heparina com protamina, com aumento do C4a e C3a.[15]

Óxido nítrico

As células endoteliais regulam o tônus vascular através da produção do óxido nítrico (NO) em resposta a estímulos fisiológicos como o fluxo pulsátil e o estresse de cisalhamento. O NO liberado diminui a contração da musculatura lisa, promovendo assim a vasodilatação e diminuindo o cisalhamento.[12]

Diferentemente do NO liberado fisiologicamente, o NO produzido em resposta às citoquinas pró-inflamatórias e endotoxinas não necessita da sinalização do cálcio. Esse NO, além dos efeitos fisiológicos, prejudica a cadeia respiratória mitocondrial com aumento da produção de espécies de oxigênio reativo (ROS).[12,14]

As ROS alteram o pH intracelular, diminuem a produção de ATP e induzem a lesão celular pela peroxidação lipídica, oxidação do DNA e inativação de enzimas. Outrossim, há formação de peroxinitritos que levam à necrose das células endoteliais, com destruição da barreira endotelial e vazamento vascular.[12]

As ROS extracelulares funcionam como estímulo pró-inflamatório potente, pois podem engatilhar uma regulação positiva das moléculas que aderem à superfície celular e a liberação de citoquinas pelos macrófagos ativados.[12]

Plaquetas e inflamação

As plaquetas contribuem para a resposta inflamatória do CPB através de vários mecanismos. Heparinização, hipotermia, trauma cirúrgico e o circuito de CPB ativam as plaquetas, que mudam sua configuração e liberam uma variedade de mediadores que agem em outras plaquetas, leucócitos e células endoteliais.[12]

Mediadores contidos nos grânulos plaquetários são as quemoquinas, citoquinas, fatores de adesão (P selectina, GPIIb/IIIa e fator de von Willebrand), fatores de crescimento e fatores de coagulação (V, XI, plasminogênio ativador inibidor-1 e proteína S).[12]

A ativação plaquetária pelo CPB resulta no recrudescimento da P selectina na superfície plaquetária que, por sua vez, promove a ativação dos monócitos com liberação de citoquinas. Os monócitos apresentam o FT na sua superfície durante a exocitose das citoquinas, o que leva à ativação da via extrínseca da coagulação e a formação de trombos.[12]

O contato das plaquetas com os leucócitos são reforçados pelas integrinas, receptores presentes em quase todas as superfícies celulares. Além disso, as plaquetas ligadas ao endotélio contribuem para a amplificação neutrofílica e ativação dos monócitos, pela interação direta plaquetas-leucócitos. Sendo assim, pacientes submetidos à CPB têm aumento dos níveis do agregado plaqueta-leucócito.[12]

Ativação leucocitária

O recrutamento neutrofílico está envolvido na patogênese da SIRS após CPB. A ativação neutrofílica leva à liberação de grandes quantidades de superóxido, peróxido de hidrogênio e componentes antibacterianos. Esses componentes causam lesão tecidual e aumentam a permeabilidade vascular.[12]

Na vigência da inflamação, as citoquinas estimulam as células endoteliais que intensificam a expressão das moléculas de adesão, moléculas estas que fazem a mediação inicial entre os leucócitos e as células endoteliais ativadas, levando ao recrutamento da cascata leucocitária.[12]

Lesão de isquemia e reperfusão

A lesão de reperfusão é o dano tecidual causado pelo sangue que retorna ao tecido após um período de isquemia ou falta de oxigênio. Durante o CPB, o suprimento sanguíneo para o coração e pulmão fica temporariamente interrompido. A falta de oxigênio nesses órgãos leva ao acúmulo de metabólitos intermediários, com produção de ROS.[12]

O dano celular mediado pelo ROS induz a ativação das moléculas de adesão e a expressão das citoquinas pró-inflamatórias. Após a reperfusão, há piora da lesão tecidual pelo recrutamento leucocitário para dentro do tecido inflamado.[12]

Os neutrófilos recrutados durante a reperfusão aumentam os níveis teciduais de ROS, citoquinas e químioatraentes, amplificando desse modo a resposta inflamatória e aumentando a permeabilidade vascular. Os neutrófilos são as maiores fontes de produção de ROS, que podem causar lesão celular mesmo em tecidos não hipóxicos.[12]

O edema e lesão celular pela hipóxia ou pelos componentes citotóxicos podem desequilibrar o balanço entre os fatores pró e anticoagulantes endoteliais, com tendência trombótica.[12]

As plaquetas e os neutrófilos podem aderir-se aos capilares inflamados, provocando assim a hipoperfusão e hipóxia tecidual, levando ao chamado fenômeno de não refluxo. Finalmente, o recrutamento neutrofílico devastador durante a isquemia-reperfusão contribui para a SARA (Síndrome da Angústia Respiratória Aguda), SIRS e MOF.[12]

Endotoxemia

A flora intestinal gram-negativa produz lipopolissacarídeos e endotoxinas como parte da sua parede celular. Em pacientes submetidos à cirurgia cardíaca, a hipoperfusão e hipóxia podem alterar a integridade da barreira intestinal, necessária para impedir a passagem de endotoxinas.[12]

As endotoxinas intravasculares ligam-se a vários receptores com produção de citoquinas, ativação de leucócitos e das vias clássicas e alternativas do complemento. A ativação dos complementos amplia a resposta inflamatória, pelo aumento das citoquinas TNFalfa, procalcitonina e interleucinas IL1, IL2, IL6 e IL8.[12,15]

■ FATORES QUE CONTRIBUEM PARA A FALÊNCIA ORGÂNICA APÓS CPB

Os fatores que concorrem para a disfunção orgânica após o CPB são múltiplos. Dois são os grupos de variáveis responsáveis por essa falência. O primeiro grupo está ligado ao período pré-operatório, associado às condições clínicas do paciente. O segundo grupo depende do período perioperatório.[16]

A maioria dos fatores do primeiro grupo não pode ser influenciada durante a cirurgia cardíaca. Entre estes fatores estão as doenças crônicas com impacto na função endotelial, como o diabetes ou a síndrome metabólica. Outros fatores incluem a cirurgia cardíaca prévia, acidente vascular cerebral prévia, insuficiência renal, idade (idoso) e endocardite.[16]

As variáveis mais importantes do segundo grupo compõem-se de resposta inflamatória sistêmica, passagem do fluxo pulsátil dinâmico para o fluxo não pulsátil estático durante o CPB, hipoperfusão da microcirculação, hemodiluição, microêmbolos gasosos e sólidos e isquemia, e reperfusão (Tabela 153.2).[16]

Tabela 153.2 Fatores que influenciam a falência orgânica após cirurgia cardíaca com CPB.

Fatores predisponentes	Fatores relacionados ao CPB	Perioperatórios relacionados à cirurgia
Idade	Hemodiluição	Manipulação da aorta
Fenótipo	Fluxo não pulsátil	Tipo de cirurgia
Diabetes mellitus	Hematócrito < 22%	Hipotermia profunda com parada circulatória
Hipertensão	Pressão arterial média	Proteção miocárdica
Reoperação	Succão da cardiotomia	
Infecção prévia (endocardite, pneumonia)		
Tipo de cirurgia		
História de Acidente Vascular Cerebral (AVC)		

■ LESÃO MIOCÁRDICA

Apesar dos avanços tecnológicos e científicos desde sua invenção, em 1953, e as estratégias para diminuir os efeitos pró-inflamatórios do CPB, o coração continua sendo isolado da circulação, portanto, sofre a lesão da isquemia-reperfusão.[16,17,18]

Além do trauma mecânico direto, CPB e clampeamento da aorta provocam dano miocárdico. CPB provoca uma resposta inflamatória sistêmica vigorosa, resultando em lesão multiorgânica, incluindo o miocárdio. No centro da patogênese da lesão miocárdica isquêmica está a depleção dos fosfatos de alta energia e o distúrbio da homeostase do cálcio intracelular.[17]

Somado à isquemia miocárdica de duração variável, sobrevêm a reperfusão que engatilha a disfunção miocárdica pós-isquêmica e aumenta o dano miocárdico já existente, podendo manifestar-se com arritmias, disfunção contrátil reversível, disfunção endotelial e, finalmente, lesão de reperfusão irreversível com morte celular.[17]

Na fisiopatologia da lesão de reperfusão, o mais crucial é a extensão do dano mitocondrial, relacionado ao grau de abertura do poro de permeabilidade de transição mitocondrial (MPTP). A abertura do MPTP é causada pela reperfusão e liberação de espécimes de oxigênio reativo. Se a abertura for mínima, há recuperação total; quando localizada, pode haver recuperação ou apoptose (10%-50% de abertura). Entretanto, se for generalizada, ocorre necrose (50%-90% de abertura).[17]

■ COMPLICAÇÕES PULMONARES

As complicações pulmonares pós-operatórias da cirurgia cardíaca com CPB são comuns e a hipoxemia resultante pode estar relacionado à falência cardíaca e/ou pulmonar. Historicamente, a lesão do CPB foi atribuída ao oxigenador de bolha e ao circuito de bomba. O advento de novas tecnologias e a oxigenação de membrana deveriam diminuir a incidência da lesão pulmonar, o que não ocorreu.[15,18]

Após o uso do CPB, a mecânica pulmonar alterada e a troca gasosa prejudicada contribuem para as complicações, cuja manifestações variam entre a hipoxemia e atelectasia até a lesão pulmonar aguda, falência respiratória e SARA (Síndrome da Angústia Respiratória Aguda). Atualmente a SARA é estabelecida pela definição de Berlim de 2012 (Tabela 153.3).[15,19]

A hipoxemia é comum nesse cenário, entre 5-10%. Entretanto, a SARA é bem mais rara, ocorrendo em 2%-3% dos casos, mas carrega um péssimo prognóstico, com mortalidade entre 15%-50%.[15,19]

Fatores cirúrgicos, incluindo paralisia hemidiafragmática com atelectasia, dor pela ferida cirúrgica, drenos e derrame pleural residual contribuem para o aumento do risco pulmonar. Atelectasia, *shunt*, alterações da parede torácica e da mecânica pulmonar, mudanças da permeabilidade capilar e do tecido pulmonar também participam do risco.[15,20]

Isquemia Pulmonar

O pulmão é excluído da circulação sistêmica durante o CPB, já que o sangue é desviado da átrio direito para o apa-

Tabela 153.3 Quadro atualizado da Definição de Berlim para a SARA (Síndrome da Angústia Respiratória Aguda).

Definição de Berlim para SARA	
Insuficiência respiratória	Leve: $PaO_2.FiO_2$ > 200 e <= 300 mmHg com PEEP ou CPAP >= 5 cmH_2O Moderada: $Pao_2.FiO_2$>100 e <= 200 mmHg com PEEP >= 5 cmH_2O Severa: $PaO_2.FiO_2$<= 100 mmHg com PEEP>=5 cmH_2O
Momento	Ocorre dentro de 7 dias do insulto clínico conhecido, com sintomas novos ou piora destes
Imagem	Opacidade pulmonar bilateral, não explicado por derrame pleural, colapso lobar ou pulmonar
Característica do edema pulmonar	Não cardiogênico, não por excesso de volume Ecocardiograma para excluir edema hidrostático sem fatores de risco

relho de CPB e retorna pela aorta. A demanda metabólica dos pulmões excluídos da circulação sistêmica é dependente do fluxo sanguíneo das artérias brônquicas.[15,20]

As artérias brônquicas fornecem de 3%-5% do fluxo pulmonar em condições normais, mas em CPB há diminuição do fluxo de até 10 vezes. Sendo assim, há períodos de isquemia pulmonar seguida de reperfusão, que é agravada pela produção de radicais livres que aumentam a inflamação e ativam neutrófilos, macrófagos e células endoteliais.[15,20]

A lesão de isquemia-reperfusão leva ao aumento da permeabilidade microvascular, aumento da resistência vascular pulmonar, edema pulmonar e hipertensão pulmonar, prejudicando assim a oxigenação.[15]

Resposta Inflamatória

Há razões para a vulnerabilidade pulmonar à lesão. A inflamação do CPB leva ao edema da célula endotelial, extravasamento protéico e plasmático no interstício, à liberação de enzimas e congestão dos sacos alveolares com plasma, hemoglobina e outros debris.[15]

Além disso, os neutrófilos presos na vasculatura pulmonar levam à congestão pulmonar e se agregam via tromboxane A2, com pico 2-4 horas após CPB. Os leucócitos ativados, por seu lado, aumentam a água pulmonar extravascular, levando à piora da troca gasosa e da mecânica da parede e dos pulmões.[15,20]

O edema e os mediadores constritores levam ao processo obstrutivo das vias aéreas, com piora do broncoespasmo e atelectasias. Verificou-se que altos níveis de PaO_2 (> 400 mmHg) durante o CPB aumentam os níveis das citoquinas pró-inflamatórias e exacerbam a lesão pulmonar. FiO_2 (fração de oxigênio) 0,5 foi considerado melhor que 1,0.[15,20]

■ ANTICOAGULAÇÃO

O contato entre o sangue do paciente e o circuito do CPB leva à ativação das vias intrínsecas e extrínsecas da cascata da coagulação, sendo a coagulopatia uma ameaça à vida nessa situação. É preciso, portanto, a anticoagulação do paciente antes da canulação, que é feita geralmente com a heparina por via endovenosa.[3,11,12]

Heparina

A heparina é um mucopolissacarídeo poliônico descoberta em 1915 por Jay McLean, e é ainda o principal anticoagulante usado em CPB. Em pacientes normotérmicos, o início do pico de ação do medicamento é de < 5 minutos e a meia-vida de 90 minutos. Há aumento progressivo da meia-vida conforme a temperatura diminui.[1,11]

O efeito anticoagulante da heparina deriva da sua capacidade de potencializar em mais de 1.000 vezes a atividade da antitrombina III (AT), através da mediação de uma sequência de pentassacarídeos.[1,11]

A AT, por sua vez, inibe a trombina em seu efeito pró-coagulante, ligando-se ao sítio ativo do resíduo serina da trombina, impedindo, assim, a formação da fibrina nas vias intrínseca e extrínseca. Além disso, a heparina inibe os fatores IX, Xa, XIa, XIIa, kalicreína e plasmina.[1,11]

O tempo de tromboplastina parcial ativada (TTPa) não é utilizado para verificar a ação da heparina durante CPB, pois este é sensível demais. A quantidade de heparina suficiente para iniciar um CPB leva-se a um TTPa quase incoagulável.[11]

Atualmente utilizam-se dois métodos para medir a heparinização: tempo de coagulação ativado (TCA) e concentração sérica da heparina. O TCA consiste na colocação de uma amostra de sangue em um tubo contendo celite, caolin ou vidro. Aquece-se a 37°C e roda-se o conjunto para, então, ler o tempo de formação do coágulo.[1,11]

Somente 1/3 da heparina administrada contém o pentassacarídeo necessário para ligar-se à AT. Sendo assim, doses relativamente grandes de heparina devem ser dadas durante o CPB. Na verdade a dose correta de heparina é empírica. O TCA normal está entre 80-120 segundos. A dose inicial da heparina simples é de 3-4 mg.kg (300-400 UI.kg) endovenoso (EV). Em geral, TCA> 480 segundos é suficiente para o CPB.[1,2,3]

Em pacientes obesos, é razoável o uso do peso ideal para ajuste da dose inicial de heparina, ao invés do peso total. Deve-se medir o TCA 3 minutos depois da dose inicial de heparina e a cada 30-40 minutos.[2,3]

A correlação entre heparinização e TCA é pobre. Além da ligação variada entre o pentassacarídeo e a trombina, fatores fisiológicos como hemodiluição, hipotermia, trombocitopenia e estresse cirúrgico alteram a correlação. Além disso, os aparelhos dos diferentes fabricantes afetam o TCA considerado normal e o terapêutico.[1,3]

A concentração sérica da heparina permite diagnosticar a anticoagulação inadequada, apesar do TCA apropriado. Sabendo-se que 1 mg de protamina neutraliza 1 mg de heparina (100 UI), adiciona-se doses conhecidas de protamina até que se chegue à dose que produza coágulo em menor tempo, chegando-se assim à concentração sérica da heparina.[3,11]

Existe um terceiro método para medir as altas doses de heparina utilizada durante o CPB. É o tempo de trombina de alta dose, modificação do tempo de trombina. Este método correlaciona-se bem com a concentração da heparina e não é afetado pela hemodiluição ou hipotermia.[1]

Resistência à Heparina

A resistência à heparina é definida como a inabilidade de aumentar o TCA após a administração da dose terapêutica de heparina ou TCA < 480 segundos após administração de 5 mg.kg de heparina endovenosa ou TCA < 400 segundos a qualquer momento durante o CPB (Figura 153.7).[1,2,3]

Pacientes em uso de heparina no período pré-operatório, idosos, com deficiência adquirida à AT, sepse, plaquetas ativadas, aumento de proteínas ligadoras de heparina e aqueles com deficiência congênita de AT podem precisar de doses maiores de heparina que o normal, de até 6 a 10 mg.kg.[1,2,3,11]

A anticoagulação inadequada pela deficiência de AT pode exigir o uso de AT exógeno (500-1000 unidades) ou plasma fresco (2-4 unidades). Essa mesma AT exógena pode levar a sangramento no período pós-operatório por causa da heparina conjugada à AT. Esse rebote da heparina pode ser prevenido com a administração de protamina adicional na forma de infusão contínua por 6 horas após o CPB, na dose de 25-50 mg.h.[1-3,11]

Se o nível de AT estiver normal ou for desconhecido, considerar outras causas de resistência à heparina (trombocitose, aumento do nível de fator VIII ou aumento da concentração de fibrinogênio), que pode ser mitigada pela hemodiluição com o início do CPB, quando o circuito de prime (até 1,5 litros de cristaloides) se mistura ao sangue do paciente. Consultar o cirurgião e o perfusionista quanto à possibilidade de entrar em CPB. Aceitar TCA >350 segundos para iniciar CPB e administrar doses adicionais de heparina baseadas em tempo e duração do CPB (Figura 153.7).[2]

Trombocitopenia Induzida por Heparina

A alergia à heparina é rara, mas a trombocitopenia induzida pela heparina (TIH) é mais comum, de 1%-3% após CPB. TIH é uma disordem pró-trombótica imunomediada, com ativação plaquetária, caracterizada por plaquetopenia < 100.000.uL ou < 50% da contagem inicial.[1,2,11]

Existem 2 tipos de TIH. O primeiro tipo é geralmente leve e consiste em plaquetopenia transitória alguns dias após a cirurgia, com a administração de heparina. O segundo tipo é mais grave, caracterizado por plaquetopenia autoimune causada pela formação de composto antigênico de heparina (anti-PF4).[1,11]

O anti-PF-4 ativa as plaquetas em face da lesão endotelial. Essa ativação predispõe à aglutinação plaquetária e trombose microvascular com isquemia intestinal, disfunção renal, isquemia de membros, entre outros.[1,11]

No manejo de pacientes com TIH que serão submetidos à cirurgia cardíaca, deve-se analisar os riscos e benefícios em se utilizar alternativas à heparina e a urgência da cirurgia. É preferível, se possível, postergar a cirurgia até que os níveis de anticorpo diminuam, o que ocorre geralmente em 90 dias.[1,21]

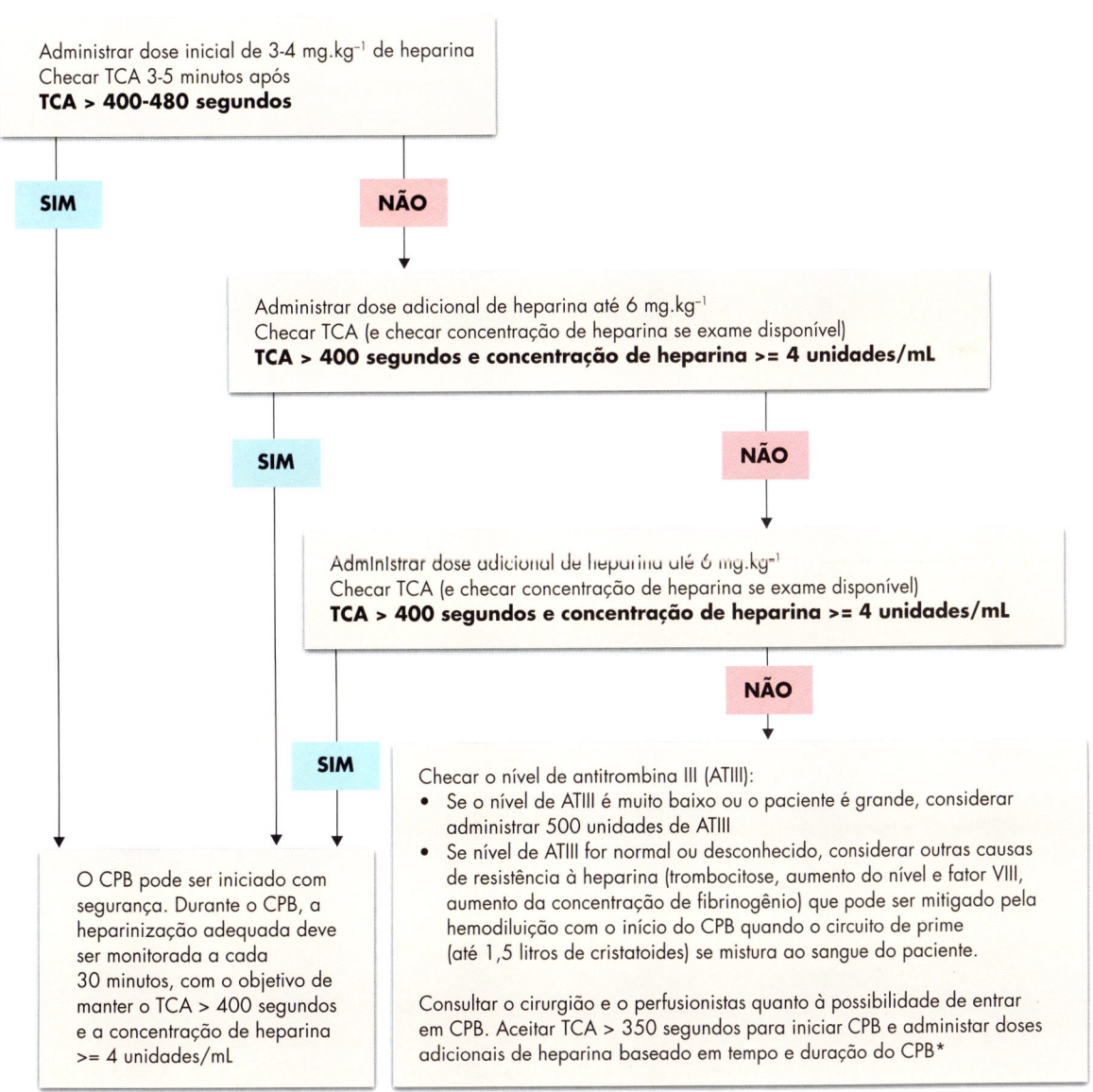

▲**Figura 153.7** Fluxograma a ser seguido em casos de resistência à heparina durante CPB.
* Doses fixas de heparina durante CPB- 1-1,5 mg.kg.h ou 0,5 mg.kg cada 30 minutos se CPB curta.
Fonte: Cheung AT, Stanford-Smith M, Heath M. 2023.[2]

Se não for possível postergar a cirurgia, há algumas alternativas:[1,21]

1. utilizar um medicamento alternativo (atualmente os mais usados são os inibidores da trombina);
2. utilizar dose única de heparina e neutralizar prontamente com protamina e:
   a) realizar plasmaférese para diminuir os níveis de anticorpo (no pré ou intraoperatório);
   b) usar inibidores plaquetários.

Pacientes com TIH que necessitam de anticoagulação devem utilizar alternativas à heparina, como os agentes bloqueadores diretos de fibrinogênio (ancrode), inibidores diretos da trombina (hirudina, bivalirudina, argatroban, ximelagatran e dabigatran), inibidores do fator Xa (rivaroxaban, apixaban, heparina de baixo peso molecular, fondaparinux e idraparinux) ou inibidores dos receptores plaquetários (iloprost, aspirina, dipiridamol, abciximabe e bloqueadores dos receptores derivados da glicoproteina).[1-3,11,21] (Figura 153.8)

■ PROTEÇÃO MIOCÁRDICA E ORGÂNICA

Proteção Miocárdica

Preparo do miocárdio para CPB

É geralmente aceito que o miocárdio deva ser preparado da melhor forma possível para o período de isquemia durante o clampeamento aórtico. Diferentes estratégias têm sido propostas, algumas muito lógicas e outras com prova insuficiente de eficácia (Tabela 153.4).[2,17]

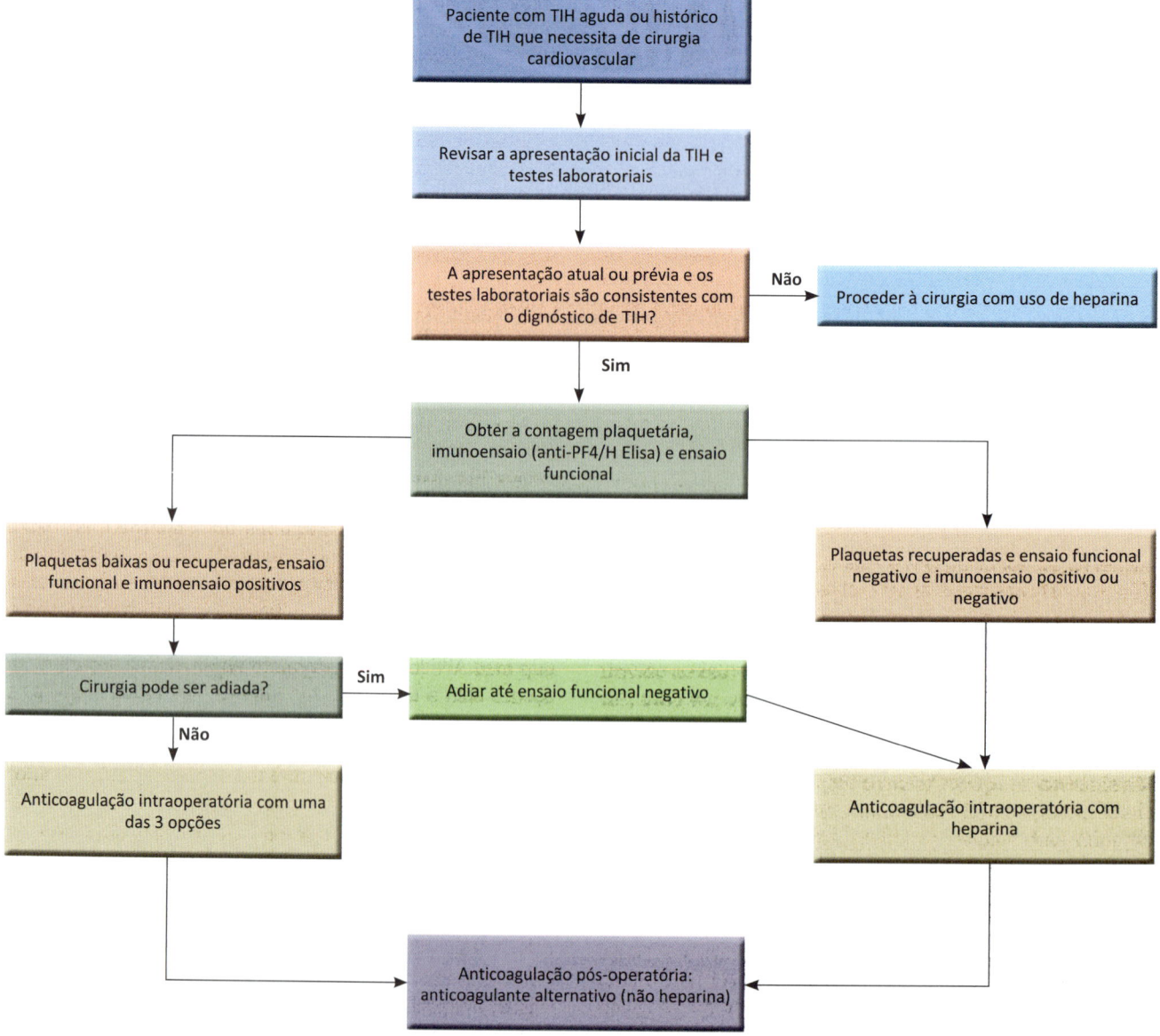

▲ **Figura 153.8** Manejo de TIH ou histórico de TIH em cirurgias cardíacas (para pacientes com histórico de TIH, o prontuário deve ser revisto para confirmar o diagnóstico. Contagem plaquetária, anti-PF4/H imunoensaio e ensaio funcional determinam a fase de TIH e o risco de reexposição à heparina).

Tabela 153.4 Estratégias para preparo do miocárdio para CPB.

Preparo hemodinâmico	Preparo metabólico	Preparo farmacológico
prevenir taquicardia	hidratação	estatinas
prevenir hipotensão	homeostase da glicose	betabloqueadores
prevenir hipertensão	administração de substratos	bloqueadores do canal de cálcio
		lidoflazine

As estatinas utilizadas no período pré-operatório diminuem a morbimortalidade de eventos cardiovasculares em pacientes com doença coronariana, levando à menor incidência de mortalidade, infarto do miocárdio (IAM) e acidente vascular cerebral (AVC).[12,16]

Além do mais, pacientes submetidos às cirurgias cardíacas têm diminuição significativa no período pós-operatório na mortalidade, IAM, insuficiência renal aguda (IRA), AVC, fibrilação atrial e estadia hospitalar. A combinação de estatina com betabloqueadores reduz ainda mais a chance de AVC.[12,16]

O tratamento com aspirina diminui a mortalidade, complicações cardiocerebrais, insuficiência renal, AVC, infarto intestinal e melhora a permeabilidade das pontes em pacientes submetidos às cirurgias de revascularização do miocárdio. A Sociedade de Cirurgiões Torácicos (STS) recomenda a retirada da aspirina de 3-5 dias antes da cirurgia, pela possibilidade de aumento do sangramento e transfusão no período pós-operatório.[16]

A administração de fluidos antes da CPB tipicamente restringe-se a pequenos volumes necessários para administrar medicamentos, pois iniciar CPB significa hemodiluição importante com o volume de prime. Apesar disso, pequenas expansões volêmicas ou uso de vasopressores podem ser necessárias para manter a estabilidade hemodinâmica.[2]

Não se deve usar soluções de hidroxietilamido (HES) pela preocupação com insuficiência renal aguda e sangramento. É razoável o tratamento da anemia pré-operatória com suplemento de ferro e eritropoietina. A transfusão sanguínea pré-operatória deve seguir protocolo padrão da instituição, sabendo que a transfusão em casos de anemia assintomática tem benefício incerto. Evita-se transfundir plaquetas pré-CPB pois a CPB precisa de anticoagulação e a própria CPB causa disfunção plaquetária e tem benefício duvidoso.[2,22]

Cardioplegia

O coração é parado em diástole para permitir um campo imóvel para o cirurgião. A interrupção da atividade eletromecânica do miocárdio é o passo mais importante na diminuição do metabolismo cardíaco e é feita através de cardioplegia rica em potássio, com diminuição de 90% do metabolismo.[1-3,17]

A administração de cardioplegia fria (10 °C -15°C) ajuda na redução do metabolismo, pois a temperatura cardíaca < 22°C, conjuntamente com a parada por potássio, diminui o consumo cardíaco em 97% e permite a interrupção completa do fluxo sanguíneo por 20-40 minutos.[1,11,17]

As soluções de cardioplegia utilizadas dependem das instituições. Entretanto, o potássio é um componente fundamental. Essa solução pode ser sanguínea ou de cristaloide. Geralmente utiliza-se cardioplegia sanguínea em porcentagem 4:1 ou 8:1 (sangue total arterial:cristaloide).[1-3,11,17,20]

As substâncias adicionadas na cardioplegia são levemente hipertônicas para diminuir o edema intracelular e intersticial, tem um tampão para inibir os metabólitos ácidos produzidos pelo coração e um substrato para fornecer energia ou um catalítico para ajudar o coração na produção de ATP.[1,11,17,20]

Tipicamente, duas são as soluções preparadas durante a cirurgia. A indução da parada se faz com dose alta de potássio (20-30 mEq) em 1.000-1.500 ml de líquido, que permite cirurgia de 10 a 40 minutos. Passa-se, então, para dose baixa de potássio (10 mEq) em 200-500 ml de líquido, de modo intermitente, durante o resto do procedimento.[1,11]

A adequação da proteção miocárdica é avaliada empiricamente, baseada no eletrocardiograma isoelétrico, no tempo desde a última dose, na temperatura cardíaca e no enchimento das câmaras ventriculares (o enchimento rápido aquece o coração e compromete a proteção miocárdica).[1,11]

A solução de cardioplegia pode ser administrada de duas formas: anterógrada ou retrógrada (Tabela 153.5). A forma mais completa de proteção miocárdica é a perfusão anterógrada associada à retrógrada.[1-3,11]

Hipotermia Sistêmica

Tradicionalmente, conjuntamente à cardioplegia aplica-se a hipotermia moderada (28°C-32°C), pois esta é benéfica na proteção miocárdica e neurológica. Recentemente a normotermia ou hipotermia leve (34°C-36°C) tem sido adotada.

Tabela 153.5 Formas de administração da solução de cardioplegia.

	Anterógrada	Retrógrada
Local de administração	Artérias coronárias	Veias coronárias
Procedimento	Injeção com agulha na raiz da aorta entre a cânula aórtica e a valva aórtica	Injeção via cânula com balão no seio coronário
Limitações	Mais fisiológica, porém pacientes com doença coronariana ou insuficiência da valva aórtica, a cardioplegia não é distribuida uniformemente	A área irrigada pela artéria coronária direita é mal perfundida; a microvasculatura não sustenta o metabolismo energético normal

A hipotermia promove a diminuição da taxa de metabolismo, consumo de oxigênio, preservação dos substratos de fosfato de alta energia e reduz a liberação dos neurotransmissores excitatórios.[3,11,20]

A viscosidade sanguínea aumenta com a hipotermia e permite manter uma pressão de perfusão mais alta, apesar da hemodiluição. Apesar disso, a hipotermia inibe reversivelmente os fatores de coagulação e as plaquetas.[3]

A cada grau de diminuição da temperatura centígrado há redução de 8% da taxa metabólica, de modo que o paciente a 28ºC tem diminuição de aproximadamente 50% do seu metabolismo. Essa diminuição pode ser passiva, através da equalização da temperatura do paciente com o ambiente, ou ativa, usando o trocador de calor. Além disso, a hipotermia diminui a produção de TNF alfa, NF-kB, contagem de leucócitos e lesões histológicas.[11]

Os locais de monitorização da temperatura central incluem: reto, bexiga, esôfago e artéria pulmonar. A temperatura nasofaríngea, ou da artéria pulmonar, estima razoavelmente a temperatura central. A temperatura da saída arterial do oxigenador é recomendada como substituta para a temperatura cerebral e não deve ultrapassar 37ºC para evitar a hipertermia durante CPB.[3,20]

Condicionamento e Proteção Miocárdica

A lesão celular causada pela isquemia-reperfusão pode ser modulada pelo mecanismo de defesa intrínseco chamado condicionamento orgânico. O fenômeno do pré-condicionamento trata-se da oclusão da artéria circunflexa do coração durante 5 minutos por 4 vezes, separados por períodos de 5 minutos entre si e então aplica-se a oclusão sustentada de 40 minutos. Esse pré-condicionamento diminuiu em 25% o tamanho do infarto comparado a somente 40 minutos de oclusão.[17]

Existe também o fenômeno de pós-condicionamento onde, ao final da oclusão de 60 minutos da artéria descendente anterior, aplicam-se mais 3 ciclos de oclusão de 30 segundos, após o início da reperfusão. Observou-se nessa técnica a diminuição do tamanho do infarto semelhante ao pré-condicionamento.[17]

O condicionamento tanto pré quanto pós-isquêmico tem se limitado a poucos estudos. Seu uso diário não foi instituído, pelo receio de piorar a isquemia em um órgão que já necessita de tratamento para a isquemia. Um estudo mostrou que o próprio CPB ativa uma das vias protetoras do pré-condicionamento, porém não se traduziu em estratégia clínica relevante.[17]

O conceito de condicionamento isquêmico remoto constitui numa estratégia atraente nas cirurgias cardíacas, com diminuição pós-operatória da liberação de troponina T e com efeitos protetores. Vários estudos clínicos sobre esse assunto estão em andamento.[17]

Diversos estudos com o uso de substâncias farmacológicas que mimetizam os efeitos do condicionamento foram feitos, porém, sem resultados positivos, com exceção do nicorandil (abertura do potássio ATP) e da ciclosporina A (inibição da abertura do MPTP).[17]

Laboratorialmente, mostrou-se que os anestésicos voláteis (principalmente sevoflurano e desflurano) têm efeitos pré e pós-condicionamento que compartilham muitas das vias protetoras do condicionamento isquêmico, atenuando os efeitos da apotetose e necrose pós-isquemia e reperfusão.[2,17,23]

Entretanto, no ambiente da cirurgia cardíaca os efeitos benéficos resultaram-se controversos. Aparentemente, o uso de sevoflurano 10 minutos antes do início do CPB, na dose de 1 CAM por 5 minutos, intercalado por lavagem de 5 minutos, mostrou-se mais benéfico que seu uso contínuo.[2,17]

Outros anestésicos também podem ter efeitos cardioprotetores, como a morfina 40 mg antes do CPB e o remifentanil em alta dose antes da esternotomia, com diminuição da liberação da troponina cardíaca. Ainda mais, sevoflurano, sufentanil e propofol em alta dose, durante o CPB, têm efeitos protetores contra a lesão de isquemia e reperfusão.[12,17,23]

A anestesia peridural torácica leva a uma frequência cardíaca estável e diminui o consumo miocárdico. Entretanto, deve-se ter cuidado com o estado de coagulação do paciente. O risco de hematoma peridural aparentemente é semelhante à população geral.[12]

A maioria das observações clínicas indica que o uso dos anestésicos voláteis durante toda a cirurgia cardíaca confere proteção miocárdica e pulmonar comparado à anestesia venosa total (AVT), com diminuição do IAM, SARA, pneumonia, atelectasia e da mortalidade intra-hospitalar. Ambas as técnicas anestésicas ativam enzimas protetoras e têm efeitos vasodilatadores, anti-inflamatórios e antioxidantes.[2,3,12,17,22,23]

Um estudo de revisão sistemática e metanálise mostrou que o uso de anestésicos voláteis aparentemente leva à melhor proteção cerebral comparado à AVT (14A). Entretanto, o impacto dessas intervenções na morbimortalidade pós-operatória permanece incerto. A lesão de isquemia-reperfusão é um fenômeno complexo demais para que seja resolvido com intervenção única, como é a escolha do tipo de anestesia.[17]

O óxido nítrico, por sua vez, protege a função miocárdica, diminui a inflamação e contra-ataca a não responsividade do miocárdio diabético à proteção antilesão isquêmica.[16]

Modulação da Resposta Inflamatória

Durante o CPB uma variedade de estímulos ativam o SIRS. Diferentes medicamentos, técnicas cirúrgicas e de perfusão que diminuam a resposta inflamatória têm sido pesquisados, não existindo intervenção única que resulte em sucesso, já que múltiplos fatores contribuem para a patologia (Tabela 153.6).[1,10-14]

Abordagens Técnicas

Diversos componentes do circuito do CPB foram testados a respeito de suas propriedades inflamatórias, porém poucas são as estratégias capazes de diminuir a resposta inflamatória e o prognóstico do paciente.[12,13]

Tipos de filtro diferentes, tipo e quantidade de fluxo durante CPB, tipo de perfusato, hipotermia, perfusão regional e manutenção do equilíbrio ácido-básico foram estudados, com resultados promissores.[13,15]

Tabela 153.6 Efeitos benéficos na sobrevida de pacientes submetidos à cirurgia cardíaca pela intervenção técnica ou farmacológica.			
	Abordagem	**Mecanismo-alvo**	**Efeito clínico**
Abordagens técnicas	Componentes de circuito com revestimento	Diminui a ativação dos componentes de coagulação sanguínea pelo contato com superfícies não endoteliais	Diminui transfusões sanguíneas, tempo de ventilação mecânica, tempo de estadia em UTI e níveis de IL6 e TNF alfa
	Circuito de mini CEC	Diminui a hemodiluição e o prejuizo associado da capacidade de liberação do oxigênio	Diminui transfusões sanguíneas e nível de IL6 e TNF alfa
	Filtro leucocitário	Remoção de leucócitos ativados	Atenua a lesão de isquemia e reperfusão, melhora oxigenação e diminui água extravascular
	Ultrafiltração	Remoção de substâncias destrutivas e inflamatórias	Dimimui SIRS (diminui IL6 e IL8), melhora função plaquetária e diminui sangramento
Abordagens farmacológicas	Alta versus baixa dose de propofol	Efeitos antioxidantes e anti-inflamatórios	Diminui marcadores da lesão neuronal
	Anestésicos voláteis versus anestesia venosa total	Pré-condicionamento isquêmico	Diminui % IAM e mortalidade
	Estatinas	Efeitos pleiotrópicos; ligação ao receptor de leucócito LFA1	Diminui fibrilação atrial, tempo de estadia hospitalar, IAM e mortalidade
	Glicocorticoides	Efeitos anti-inflamatórios	Diminui % de nova fibrilação atrial, pneumonia e liberação de citoquinas pró-inflamatórias

Circuitos revestidos com heparina também apresentaram resultados promissores. Estes tentam mimetizar a superfície endotelial fisiológica, diminuindo assim a ativação de complementos, interleucinas e radicais livres. Uma metanálise recente mostrou que diminuem a transfusão sanguínea, reoperacões, tempo de ventilação mecânica e estadia em UTI.[12,13,15]

O uso da circulação extracorpórea minimamente invasiva (MiECC) para CPB tem sido associada com uma gama de melhora no prognóstico clínico em comparação com o CPB convencional. Enfatiza-se que MieECC representa não só uma tecnologia de circuito de baixo volume, mas principalmente uma abordagem que focada na minimização de todos os aspectos procedimentais da cirurgia cardíaca, desde a quantidade de volume administrado até o tempo de ventilação no período pós-operatório.[10,13,14]

Vários efeitos associados à MiECC incluem aumento da sobrevida, diminuição da transfusão, níveis mais altos de hemoglobina, preservação da função renal e diminuição dos marcadores inflamatórios e podem refletir melhora da perfusão microcirculatória. Porém, não houve melhora importante nas complicações pulmonares, neurológicas ou na mortalidade.[10-15,22]

O circuito de mini-CEC (MiECC) consiste em um sistema revestido com heparina e oxigenador de membrana e sem reservatório venoso. O volume de *priming* é menor (800 ml), diminuindo significativamente a hemodiluição e a necessidade de transfusão sanguínea. Além do mais, há diminuição do IL6 e do TNF alfa.[12-15]

Os serviços das universidades em Paris (França) e Regensburg (Alemanha) desenvolvem estudos sobre esse tema. O serviço de Paris utiliza um circuito de *prime* com centrifuga, oxigenador de membrana, utiliza linhas arteriais e venosas curtas de 3/8 e não usa reservatório venoso. O circuito é colocado perto do ombro do paciente e o volume de *prime* é <500 ml.[10]

Entretanto, esse tipo de circuito pode não ser apropriado em cirurgias de alta complexidade. Independentemente do tamanho do circuito, não há dados suficientes para avaliar a contribuição relativa de cada componente do CPB na iniciação do processo de inflamação e estresse oxidativo.[13]

Sugere-se que oxigenadores e conectores menores, bombas menores que necessitam de velocidades maiores e filtros de linhas extras estão associados a maior estresse de cisalhamento e hemólisee durante a perfusão, com exacerbação do estresse oxidativo e inflamação.[13]

Abordagens Farmacológicas

A maioria dos agentes anestésicos possui efeitos imunomoduladores. Opioides em altas doses mantêm a estabilidade hemodinâmica e atenuam a resposta ao estresse cirúrgico. Remifentanil diminui o nível de sinalização das citoquinas, o tempo de ventilação mecânica e o tempo de estadia hospitalar.[12,23]

Propofol em alta dose (200 ucg.kg.min) diminui o consumo de oxigênio, o fluxo sanguíneo miocárdico e exerce proteção cerebral pelos seus efeitos antioxidantes e anti-inflamatórios, com diminuição dos níveis plasmáticos dos marcadores da lesão cerebral. A cetamina, por seu lado, tem propriedades anti-inflamatórias. Diminui significativamente IL6 e IL8 e aumenta as citoquinas anti-inflamatórias IL10.[1,2,12,23]

Os anestésicos voláteis diminuem as citoquinas pró-inflamatórias IL6, IL8 e TNF alfa. O sevoflurano tem efeito negativo sobre a microcirculação, o isoflurano diminui a densidade vascular e o desflurano produziu os efeitos mais estáveis sobre a microcirculação.[12,16,23]

A aprotinina tem a propriedade de diminuir a água extravascular, melhorar a oxigenação e diminuir o sequestro neutrofilico. Ela atenua o SIRS e preserva a hemostasia através da ação sobre o receptor-1 da protease plaquetária ativada (PAR1).[14-16]

O combate à hipercolesterolemia com a utilização das estatinas está bem estabelecida. Seu uso profilático no período pré-operatório têm propriedades anti-inflamatórias (efeito pleiotrópico), através da ligação com o leucócito integrina (LFA-1) da cascata de recrutamento neutrofílico, inibição das vias transcripcionais pró-inflamatórias e da atividade das enzimas pró-oxidantes das células endoteliais.[1,12,16]

O uso de corticoides tem o objetivo de atenuar a resposta inflamatória do CPB. O mecanismo de ação primário é a repressão dos genes pró-inflamatórios que codificam as citoquinas, quemoquinas, moléculas de adesão, enzimas inflamatórias e receptores. [1,24,25]

Seu uso em cirurgias cardíacas com CPB é comum, mesmo com dados limitados de seu benefício no prognóstico dos pacientes. Não se sabe se a falta de benefício é causada por concentração plasmática insuficiente no período pré, intra ou pós-CPB.[24]

Uma metanálise completa mostrou que os efeitos benéficos dos glicocorticoides são menores do que se pensava anteriormente. Não houve diferença em parâmetros como eventos cardíacos, pulmonares e mortalidade após 30 dias. O estudo SIRS (*The Steroids in Cardiac Surgery Trial*) não mostrou até agora evidências de melhora das complicações cardíacas e na mortalidade com o uso de corticoides.[1,25]

Estudos com alta dose de dexametasona, 1 mg.kg com máximo de 100 mg, também não conseguiram demonstrar benefícios em relação ao declínio cognitivo, IAM, falência respiratória e mortalidade 30 dias após CPB, apesar de diminuir infecções, falência respiratória e *delirium*.[14,15]

Apesar de seus resultados controversos, outros estudos incluindo metanálises, sugerem benefícios na população adulta e pediátrica quanto à diminuição da estadia em UTI e no hospital, e na incidência de fibrilação atrial no período pós-operatório. A diminuição da inflamação tem sido sugerida como elemento-chave nesses efeitos. O uso profilático de corticoides é atualmente recomendado pela Associação Americana de Cardiologia e Colégio Americano de Cardiologia.[13]

A administração de diferentes antioxidantes (vitaminas e coenzima Q10), antes ou durante o CPB, pode diminuir a produção de produtos inflamatórios e atenuar o estresse oxidativo, melhorar a proteção e a função cardíaca e pulmonar, além do prognóstico clínico. Estudos com uso de vitamina C têm sido promissores.[13]

Abordagens Cirúrgicas e de Perfusão

Cirurgias minimamente invasivas têm parte da sua motivação no objetivo de diminuir a inflamação do CPB. Estas incluem cirurgias com técnicas modificadas e incisões mínimas com ou sem uso de robô. Cirurgias com uso de CPB mínimo ou sem CPB (*off-pump* CPB) diminuem o tempo de inflamação e previnem a lesão de reperfusão, assim como a cirurgia com CPB e coração batendo e manipulação mínima da aorta, e o implante da valva aórtica transcateter sem CPB (TAVI).[1,10,15]

Outras tentativas para diminuir a inflamação incluem ultrafiltração, hemofiltração, uso de filtro leucocitário, manejo da temperatura, minimização da sucção da cardiotomia, ventilação durante o CPB e o *priming* com albumina.[1,13-15]

■ USO DE ANTIFIBRINOLÍTICOS

Uma das indicações mais comuns de transfusão sanguínea é o sangramento perioperatório e a cirurgia cardíaca é uma das principais razões. Em média 50%-60% dos pacientes submetidos à cirurgia cardíaca recebem sangue. Sabe-se que perdas sanguíneas cirúrgicas estão associadas ao aumento da mortalidade intra-hospitalar e depende da quantidade de sangue perdida.[18,26,27]

A transfusão sanguínea em cirurgia cardíaca está associada com o aumento da morbidade, estadia hospitalar, mortalidade e custos hospitalares. A revisão de hemostasia aumenta em 4 vezes a mortalidade e a infecção esternal.[18,26]

O uso de antifibrinolíticos como estratégia para diminuir o sangramento perioperatório é altamente recomendado pelo *guideline* da Sociedade de Cirurgiões Torácicos (STS) e da Sociedade dos Anestesiologistas Cardiovasculares americano e pelos *guidelines* europeus.[18,20,22,26,27]

Fibrinólise e Cirurgia

A cirurgia leva à lesão tecidual e perda sanguínea, com ativação imediata dos mecanismos de hemostasia. Considera-se hemostasia o controle do sangramento, a cura da ferida e a remodelação tecidual. Esse fenômeno depende do equilíbrio de quatro processos fisiológicos: dois promovendo o sangramento (sistema anticoagulante e fibrinolítico) e dois promovendo a coagulação (atividade pró-coagulante e antifibrinolítica).[18,26]

Em cirurgias de pequeno porte esse fenômeno ocorre localmente. Entretanto, em cirurgias de grande porte, nas prolongadas, trauma maciça e CPB, as alterações são profundas e generalizadas. Há aumento de 4-8 vezes da atividade fibrinolítica, com ativação da coagulação no pulmão.[18,26]

Fibrinólise, Cirurgia Cardíaca e CPB

A lesão tecidual, juntamente com o CPB, ativa o sistema de coagulação e cria um cenário clínico complexo, resultando em desregulação ampla do sistema hemostático. O sistema fibrinolítico é ativado de modo variável. Trinta por cento dos pacientes não mostram alterações no sistema fibrinolítico, enquanto outros têm alterações profundas.[12,18,27,28]

Geralmente, a fibrina está presente localmente na lesão e somente 1% dela é circulante. Durante o CPB, com a heparinização, há diminuição do total de trombina e de fibrina geradas. Entretanto, há aumento de 5-10 vezes da fibrina solúvel e da trombina não relacionada à lesão.[12,26,28]

A fibrina é degradada por uma protease da serina, uma forma ativa do plasminogênio, a plasmina. O plasminogênio, por sua vez, é ativado pelo ativador do plasminogênio tecidual (t-PA) ou pelo ativador do plasminogênio uroquinase (u-PA). Em condições normais, o endotélio vascular é o maior ativador da fibrinólise e da liberação de t-PA. A trombina e a bradicinina também ativam o t-PA.[26]

Contrariamente aos estudos *in vitro*, a bradicinina, e não a trombina, é a maior ativadora da secreção de t-PA durante o CPB, pelo *feedback* positivo dado pela calicreína plasmática, clivando o fator XII e produzindo bradicinina. Há aumento em 10 vezes do nível da bradicinina nesse contexto. Reveja a Figura 153.6.[12,18,26]

O nível de t-PA aumenta progressivamente durante o CPB e permanece alto até 2 horas após o CPB. A produção de plasmina aumenta 10-100 vezes no início do CPB e aumenta 10-20 vezes durante todo o CPB, com degradação da fibrina concomitante.[18,26]

Normalmente somente 1% da fibrina é degradada pelo sistema fibrinolítico, e durante o CPB a produção e a degradação desta não muda. Sendo assim, há consumo do fibrinogênio e pouco dele disponível para a coagulação. Além do mais, o aumento da atividade fibrinolítica correlaciona-se com o sangramento no periodo pós-operatório. Há coagulopatia consuptiva pela produção simultânea de trombina e fibrinólise.[18,26]

Papel dos Antifibrinolíticos na Cirurgia Cardíaca

O efeito benéfico dos antifibrinolíticos é importante no contexto de cirurgias cardíacas de alto risco, definido como cirurgias complexas, incluindo reoperação do esterno, troca de múltiplas valvas, procedimentos no arco e aorta ascendente, e cirurgias de emergência.[2,20,29,30] (Tabela 153.7)

Há evidência mais que suficiente na literatura médica de que o uso dos antifibrinolíticos diminui o sangramento e a necessidade de transfusão sanguínea. Comparando as drogas ácido e-amicocaproico (EACA), ácido tranexêmico (TXA) e aprotinina, chegou-se à conclusão de que a aprotinina é a que mais diminui a chance de revisão de hemostasia, gera menos sangramento pelos drenos e diminui a necessidade de transfusão sanguínea. Entretanto, o uso da aprotinina é controversa após o estudo BART de 2007, sendo suspenso o uso do medicamento em vários países do mundo.[18,20,22]

Aprotinina

A aprotinina é um inibidor da protease da serina que estruturalmente se parece com o inibidor da via do fator tecidual. Ela inibe várias proteases, como a plasmina, calicreína, tripsina e fator XIIa. É metabolizada por enzimas lisossomais, excretada pelo rim e tem meia-vida de eliminação de 5 a 10 horas.[18,27,30]

Desde a sua aprovação no uso em cirurgias cardíacas, a aprotinina está cercada de controvérsias. É um medicamento muito efetivo na redução de sangramentos, porém causa preocupações quanto aos seus efeitos pró-trombóticos, renais e de anafilaxia.[18,20,22]

Em 2006, dois estudos observaram que a aprotinina estava associada com o aumento do risco de eventos cardiovasculares como IAM e insuficiência cardíaca, eventos cerebrovasculares como AVC, encefalopatia e coma, e eventos renais como a disfunção, falência e toxicidade renal.[18,20,22,26,27,32]

Em 2007, um estudo observacional da própria empresa fabricante do medicamento (Bayer) demonstrou aumento do risco de lesão renal, insuficiência cardica (ICC), AVC e mortalidade. Piorando a situação, o estudo BART concluiu que houve maior mortalidade com o uso da aprotinina (6%

Tabela 153.7 Agentes antifibrinolíticos.					
Drogas	**Composição**	**Mecanismo de ação**	**Eliminação**	**Farmacocinética**	**Sugestão de doses em adulto**
Aprotinina	Proteína isolada do tecido pulmonar bovino	Inibidor da protease; faz complexos reversíveis com plasmina, kalicreina e tripsina; inibe a fibrinólise, fator XIIa, ativação plaquetária induzida pela trombina e resposta inflamatória	Predominante proteólise; < 10% renal	Meia-vida plasmática inicial 150 minutos meia-vida terminal 10h	Dose total = 2 milhões KIU bolus no paciente + 2 milhões bolus no CPB + 0,5 milhões.h Meia dose = 1 milhão KIU bolus no paciente + 1 milhão bolus no CPB + 0,25 milhões.h
EACA	Análogo sintético da lisina	Antifibrinolitico; inibição competitiva da ativação do plasminogenio em plasmina	Renal	Meia-vida 2h	100mg.kg em bolus no paciente+ 5mg.kg bolus no CPB+ 30mg.kg.h
TXA	Análogo sintético da lisina	Antifibrinolitico; inibição competitiva da ativação do plasminogenio em plasmina	Renal	Meia-vida 3h	Alta dose = 30mg.kg bolus no paciente + 2mg.kg bolus no CPB + 16mg.kg.h ou 50mg.kg dose total Baixa dose = 10mg.kg bolus no paciente + 1-2mg.kg bolus no CPB + 1mg.kg.h

KIU: unidades internacionais de calicreína.

na mortalidade de 30 dias) comparado com os análogos da lisina (4% EACA e 3,9% TXA). Diante dessa situação, o medicamento foi retirado do mercado mundial pela empresa.[18,20,22,25,27,30,33]

Desde então, outros estudos sobre a droga continuaram a controvérsia, favorecendo ou refutando a sua retirada. O próprio estudo BART, fundamental para a retirada do medicamento do mercado, foi questionado, já que houve exclusão sem fundamento de um grande número de pacientes, disparidades no uso de heparina, monitorização inadequada do uso de anticoagulantes, entre outras controvérsias.[18,20,22,24,27,30]

Na Europa a suspensão foi retirada em 2012 pelo EMA (*European Medicines Agency*) somente para cirurgias de RM com alta probabilidade de sangramento. Os Estados Unidos continuam a recomendar a suspensão do uso do medicamento.[20,26,27,30]

No Brasil, a ANVISA (Agência Nacional de Vigilância Sanitária) suspendeu seu uso em 2007 para aguardar mais estudos, e cancelou o registro do medicamento da Bayer em janeiro de 2015 (Resolução - RE nº 1, de 2 de Janeiro de 2015). Atualmente a aprotinina está liberada para uso no Brasil e está disponível pela Roche-Sigma-Aldrich.[34,35]

Análogos do Aminoácido Lisina

EACA e TXA são componentes sintéticos com pequeno peso molecular e meia-vida de 80-120 minutos. TXA é no mínimo 7 vezes mais potente que o EACA. TXA economiza 300 ml de sangue por paciente durante a cirurgia cardíaca, com diminuição de risco relativo (RR) de 32% de receber transfusão. EACA, por sua vez, economiza 200 ml de sangue, com diminuição de RR de 30%. Um estudo de 2019 afirma que o uso de EACA não é altamente recomendado e acredita que o TXA é o antifibrinolítico de escolha.[20,26,27]

Os análogos de lisina não diminuem a necessidade de revisão de hemostasia, mas também não aumentam a mortalidade. Ambas as drogas levam à disfunção renal (TXA 30% *versus* EACA 20%) e convulsões (TXA 7,6% *versus* EACA 3,3%). As convulsões podem ser causadas pelo antagonismo ao receptor do ácido gama-aminobutírico (GABA) e glicina.[26,27,30,36]

Ácido Tranexêmico (TXA)

O TXA, comparado ao placebo, diminui a perda sanguínea e a necessidade de transfusão e revisão de hemostasia, não havendo aumento de eventos neurológicos pós-operatórios.[20,26,27,37]

Comparando TXA em alta dose com aprotinina, esta última tem aumento da porcentagem de AVC isquêmica tardia e disfunção neurológica. Enquanto isso, o TXA aumenta a chance de convulsões pós-operatórias, sangramento pelos drenos e revisão de hemostasia e mortalidade.[25,27,38]

A concentração *in vitro* de TXA necessária para inibir a fibrinólise é de 10-20 ucg.ml. A dose para manter a concentração sérica > 20 ug.ml foi calculada: bolus de 5,4 mg.kg + bolus na solução prime de 50 mg (para um circuito de 2,5 litros)+5 mg.kg.h.[26,30,39]

A dose ideal de TXA é controversa. Um estudo concluiu que alta dose (bolus de 30 mg.kg na indução da anestesia + 30 mg.kg na solução do *prime*) *versus* baixa dose da medicação (15 mg.kg após heparinização sistêmica + 1 mg.kg.h até o final da cirurgia), não alterou a porcentagem de perda sanguínea nem a necessidade de transfusão sanguínea.[2,26,40]

Além disso, os protocolos de baixa e alta dose de TXA, como descrito na Tabela 153.7, levam a concentrações plasmáticas que ultrapassam em muito o alvo. O grupo baixa dose com 28-55 ug.ml e o grupo alta dose com 114-209 ug.ml. Estudos mostram que o que chamamos de protocolo de baixa dose está associado à inibição poderosa da fibrinólise.[30]

Entretanto, a eficácia clínica da baixa dose ainda precisa ser comprovada. Estudo utilizando os protocolos da Tabela 153.7 concluíram pela maior eficácia das altas doses, com menor porcentagem de revisão de hemostasia e menos transfusão de plasma e plaquetas.[30,41]

Uma revisão da literatura mais recente (de 2019) sugere que em cirurgias de baixo risco de sangramento utiliza-se dose baixa de TXA (10 mg.kg de ataque e 1 mg/kg.h contínua) ou não utiliza nada. Em cirurgias com alto risco de sangramento, recomenda o uso de dose total de 50 mg.kg de TXA.[20]

A administração de TXA é fator independente de aumento de convulsões e é mais frequente com altas doses. No entanto, a relação entre convulsões e mortalidade ainda não está clara. Pacientes que tiveram convulsões relacionadas à TXA não tiveram distúrbios neurológicos persistentes após 1 ano de seguimento.[20,30,36]

Além da ação sobre o receptor da GABA e da glicina, TXA também pode levar a convulsões por isquemia cerebral causada por vasoespasmo ou trombose. TXA aplicado diretamente no SNC (Sistema Nervoso Central) é neurotóxico.[26,30]

O uso de TXA para diminuir sangramento e transfusão sanguínea em cirurgias cardíacas sem CPB demonstrou ser seguro, não havendo diferenças em relação à mortalidade, morbidade, porcentagem de trombose e ao uso de recursos comparado com placebo.[22,27]

Ácido E-aminocaproico (EACA)

Assim como o TXA, não há consenso quanto à dose ideal de EACA. A concentração plasmática e *in vitro* efetivas na inibição da fibrinólise é de 130 ug.ml. Esse efeito é adquirido com dose de 100 mg.kg a cada 4 horas. Outras dosagens são de bolus de 150 mg.kg na indução anestésica e depois 30 mg.kg.h ou 100 mg.kg bolus+ 5 g no CPB + 30 mg.kg.h.[2,17,26,30]

Um quarto protocolo com 100 mg.kg na indução anestésica, seguida de 1 g.h durante a cirurgia e uma dose adicional de 10 g no CPB, diminuiu em 30% a perda sanguínea mas não a necessidade de transfusão se comparado ao placebo.[2,26,42]

Outro estudo avaliou diferentes doses e regimes de infusão do EACA. Os pacientes foram divididos em 4 grupos: Grupo 1= placebo; Grupo 2 = bolus único de EACA de 150 ug.kg; Grupo 3 = bolus de 150 mg.kg+1g.h por 6 horas, e Grupo 4 = bolus de 150 mg.kg na indução, durante o CPB e depois da protamina.[26,43]

Concluiu-se que qualquer regime com uso da medicação é melhor que o placebo e que os grupos 3 e 4 são mais efetivos quanto à diminuição da perda sanguínea e necessidade de transfusão.[26,43]

Em pacientes pediátricos, comparou-se duas dosagens de EACA com placebo: (1) Grupo bolus = 3 bolus de 100 mg.kg, na indução anestésica, no início do CPB e após protamina; (2) Grupo contínuo = 75 mg.kg bolus na indução e 75 mg.kg.h até o fechamento do tórax; (3) Grupo placebo. Os 2 grupos de EACA foram efetivos na diminuição do sangramento e na necessidade de transfusão, sendo o grupo contínuo o mais efetivo dos dois.[26,44]

Não há estudos sobre o uso de EACA em cirurgias cardíacas sem CPB.[27]

■ PREPARO PARA CPB

Cada instituição tem sua sequência de eventos para iniciar o CPB. Entretanto, todos seguem uma cadeia de eventos mais ou menos previsíveis. O preparo para o CPB começa na escolha do circuito, tipo e volume da solução inicial que preencherá o circuito (*prime*), anticoagulação plena, canulação arterial e venosa e proteção miocárdica.[1-3]

Seleção do Circuito e do Volume Inicial (*prime*)

A fim de selecionar os componentes do CPB, é preciso antes calcular o fluxo sanguíneo máximo necessário. Em geral, o fluxo é de 2,4-3,0 L.minuto.m^2 ou 60-70 ml.kg.minuto. O fluxo calculado é então comparado ao fluxo nominal dos componentes do circuitos. Esse fluxo nominal corresponde ao fluxo nominal máximo que o componente pode suportar sem causar trauma sanguíneo inaceitável.[1,3]

O volume de *prime* é o volume necessário para retirar todo o ar do circuito de CPB. Esse volume é a principal causa de hemodiluição durante o CPB. É preciso, então, calcular o hematócrito final do paciente após a mistura do sangue do paciente com o volume de *prime*.[1,3] (Figura 153.9)

O volume de distribuição de um adulto aumenta em 20%-35% no início do CPB. Esse aumento dilui todas as proteínas, elementos do sangue e nível plasmático das drogas. Essa diluição deve ser prevista para que não haja diminuição na concentração circulante dos medicamentos e anestésicos ao se iniciar a CEC.[1]

Fórmula do hematócrito resultante (Htr)

Htr = volume sanguíneo do paciente no início da cirurgia / volume de distribuição total no início do CPB

Htr = (VSP x Ht) / (VSP + VP)

Htr = (P x 75 x Ht) / (P x 75) + VP

VSP = volume sanguíneo do paciente
Ht = hematócrito do início da cirurgia
VP = volume de prime
P = peso corpóreo

▲**Figura 153.9** Fórmula do hematócrito final do paciente adulto.

A solução do *prime* geralmente é composta por solução eletrolítica balanceada (ringer lactato, plasmalite). Várias drogas podem ser acrescidas para diminuir os efeitos da diluição como a albumina, heparina e bicarbonato, ou para diminuir o edema ou promover a diurese como o manitol.[1,3]

O *priming* autólogo retrógrado é uma técnica que mostrou diminuição significativa da necessidade de transfusão. Essa técnica consiste na substituição do cristaloide do circuito de CEC pelo sangue do próprio paciente, logo antes do início do CPB, em um período de 2-5 minutos, onde o perfusionista controla o fluxo de sangue da cânula aórtica de volta para a máquina de CPB.[2,22]

Uma técnica alternativa é o *priming* anterógrado venoso, na qual o volume de *prime* é colocado num reservatório ao mesmo tempo que o sangue venoso é drenado através da átrio direito. Ambas as técnicas permitem a expulsão de 400-800 ml do volume de prime.[2,22]

A hemodiluição normovolêmica aguda é outra técnica desenhada para diminuir a necessidade de transfusão sanguínea. Esta consiste na retirada de 1-2 unidades de sangue do próprio paciente antes do início de CPB, para que menos sangue seja exposto ao circuito de CEC e seus efeitos deletérios. Após o CPB, esse sangue pode ser devolvido ao paciente. Mais estudos são necessários para padronizar essa técnica de modo a ser utilizada amplamente; entretanto, parece ser um método efetivo no que se propõe.[22]

Hematócrito Ideal para CPB

Anemia perioperatória e a necessidade de transfusão contínua representam duas das maiores preocupações e problemas relacionados à CPB. Anemia durante CPB (hematócrito <20%-25%) está associada ao aumento do risco de morte, AVC e insuficiência renal, mas a transfusão sanguínea está associada ao aumento de morbimortalidade.[20]

O CPB leva à 20%-30% de hemodiluição. Muitos estudos demonstraram uma correlação entre hematócrito baixo e aumento da morbimortalidade pós-operatória. Hematócritos < 18%-21% estão associados ao aumento da disfunção renal, disfunção respiratória, AVC e infarto perioperatório. A mortalidade, por sua vez, aumenta quando hematócrito diminui para 15% (hemoglobina de 5,0 g.dl).[16,28,45]

Não está claro se o aumento da morbidade se deve ao hematócrito baixo ou pela diminuição da distribuição do oxigênio (DO_2). DO_2 depende de 2 fatores: débito cardíaco e hemoglobina.[16]

Geralmente durante o CPB, trabalha-se com índices cardíacos fixos de 2 ou 3 L.min.m^2, e a DO_2 ideal pode variar em até 50% com o mesmo hematócrito, de modo que é difícil definir qual é o fluxo de perfusão ideal nesse cenário. É óbvio que a manutenção do metabolismo aeróbio é preferível.[16]

A DO_2 é crítica quando o consumo de O_2 depende da DO_2, sendo de 330 ml.min.m^2 em pacientes anestesiados fora do CPB. A DO_2 crítica durante hipotermia leve ou moderada não é bem determinada. Fluxos de até 1,2 L.min.m^2 durante hipotermia possibilitaram a proteção miocárdica por diminuir o fluxo colateral.[16]

Um estudo mantendo no mínimo DO_2 de 260 mL.min.m^2 durante CPB normotérmico mostrou que aumentando o fluxo sanguíneo sem administrar sangue, diminuiu a disfunção renal, mesmo com hematócrito de 20%. No entanto, outro estudo encontrou hematócrito de 26% como nível de corte.[16,46]

Um estudo multicêntrico, com mais de 5.000 cirurgias cardíacas, não mostrou diferença entre o gatilho transfusional de 7,5 g.dl (hematócrito de 23,5%) e 9,5 g.dl (hematócrito 28,5%) em relação à mortalidade, infarto do miocárdio, insuficiência renal e acidente vascular cerebral.[20,22,27]

Diferentes associações médicas americanas recomendam a estratégia restritiva de transfusão sanguinea (hemoglobina-Hb <7,0-8,0 g.dl ou hematócrito de 21%-24%), ao invés da estratégia liberal (Hb<8-10g.dl ou hematócrito de 24%-30%), pois não há aumento da morbimortalidade.[20,22,45]

A sociedade americana de anestesiologia recomenda que a transfusão em pacientes com Hb entre 6-10 g.dl (hematócrito 18%-30%) deve ser baseada em sangramento potencial ou atual (porcentagem e magnitude), volemia intravascular, sinais de isquemia orgânica e reserva cardiopulmonar. Além disso, a transfusão deve ser feita de 1 em 1 unidade, se possível, com reavaliação após cada transfusão.[47]

Checklist para Iniciar CPB

Após a anticoagulação com heparina simples na dose de 3-4 mg.kg EV, através de um cateter venoso central, as cânulas são inseridas e a anticoagulação adequada é checada após 3-5 minutos (TCA > 480 segundos) para que se possa iniciar o CPB. Em pacientes obesos é razoável dar a dose inicial de heparina baseada no peso ideal, desde que se verifique a adequação da anticoagulação.[1,2,3,11,20]

Antes da canulação, a aorta ascendente deve ser avaliada via palpação direta, ecocardiograma transesofágico ou ecocardiograma epiaórtico para identificar e evitar áreas ateromatosas e para minimizar o risco de embolia cerebral durante a canulação.[2,20]

Na canulação central, insere-se primeiramente uma cânula em uma artéria de grosso calibre, geralmente a aorta ascendente, 3-4 cm acima da valva aórtica, para permitir injeção rápida de volume ou ressuscitação sanguínea se necessário. Após a canulação aórtica, passa-se à canulação venosa no átrio direito.[1,2]

A fim de permitir um CPB optimizado, é preciso utilizar cânulas de alto fluxo em uma artéria e veia calibrosas. Ademais, cânulas extras são necessárias para administrar cardioplegia e para retirar ar e sangue das câmaras cardíacas (vents).[1,2]

A escolha dos locais de canulação arterial e venosa é determinada em geral pelo tipo de cirurgia e se a cirurgia é uma reoperação, pela dificuldade técnica em se acessar o coração e os grandes vasos. Nesse último caso, pode-se canular a artéria femoral ou axilar. Na canulação bicaval, coloca-se 2 cânulas separadas, uma na veia cava superior e outra na inferior, o que permite isolamento completo do lado direito do coração (Tabela 153.8).[1,2,20]

Complicações da canulação aórtica incluem dissecção arterial, sangramento e hipotensão secundária, canulação inadvertida dos vasos da base e embolia por deslocamento de placa aterosclerótica ou aérea. A dissecção leva à hipotensão arterial, alta pressão da linha arterial (>300 mmHg), perda do retorno venoso, descoloração azulada do vaso, com diagnóstico via ecocardiograma transesofágico. O reparo se faz sob parada cardíaca e hipotermia profunda (PCHP).[1,3]

Complicações da canulação venosa incluem hipotensão por sangramento, arritmias, compressão mecânica do coração ou dos grandes vasos e mal posicionamento da cânula ou ar aprisionado causando mal retorno venoso, levando à congestão cerebral e esplâncnica. A embolia aérea maciça é causada pelo bombeamento de um reservatório vazio, sendo o tratamento o desligamento da bomba e início de perfusão cerebral retrógrada.[1,3]

Como mecanismo de segurança, sempre canula-se primeiramente a artéria. Se a canulação arterial for bem sucedida e não houver ar, pode-se dar volumes de 100 ml por vez para corrigir a hipovolemia e o sangramento. As arritmias podem ser corrigidas com cardioversão, medicamentos ou início rápido de CPB.[1]

Em casos de reoperações, há a possibilidade de acidentes cirúrgicos com lesão cardíaca ou dos grandes vasos. Sendo assim, o anestesiologista deve ter em mãos 2 concentrados de hemácias e heparina. Se necessário, assim que o paciente for heparinizado, insere-se a cânula pela artéria femoral ou aórtica e os aspiradores da cardiotomia fazem a função de retorno venoso (*bypass* por aspiradores).[1]

Não havendo complicações, inicia-se o CPB. Verifica-se então: (A) a adequada drenagem venosa, com a perda da onda pulsátil da PVC (Pressão Venosa Central) ou das ondas da PAP (Pressão da Artéria Pulmonar) com pressão de

Tabela 153.8 Abordagens para a canulação arterial e venosa para CPB.				
Procedimento	**Arterial**	**Venoso**	**Cardioplegia**	**Vent**
RM	Aorta ascendente	Acesso em 2 estágios no AD	Raiz e/ou SC	RA
VA	Aorta ascendente	Acesso em 2 estágios no AD	Raiz e/ou SC + seletivo portátil quando raiz aberta	RA e VE
VM	Aorta ascendente	Bicaval	Raiz e/ou SC	RA e VE
RA	Aorta ascendente	Acesso em 2 estágios no AD	Raiz e/ou SC	RA e VE
AA	Artéria axilar ou femoral	Acesso em 2 estágios no AD	Raiz e/ou SC	RA e VE
REOP	Artéria femoral	Veia femoral	Raiz e/ou SC	RA e.ou VE
Outros	Aorta ascendente	Bicaval	Raiz e/ou SC	RA e VE

RM: revascularização do miocárdio; VA: plastia ou troca da valva aórtica; VM: plastia ou troca da valva mitral; RA: raiz da aorta; AA: arco da aorta; REOP: reoperações; Outros: outros procedimentos cardíacos; AD: átrio direito; SC: seio coronariano; VE: ventrículo esquerdo.

0 mmHg; (B) retorno do sangue pela artéria monitorada com pressão adequada, de 50-70 mmHg e também sem onda pulsátil. Administra-se anestesia EV ou anestésicos voláteis no circuito de CPB e relaxamento muscular extra. Quando houver CPB total, a ventilação pulmonar não é mais necessária (Tabela 153.9).[1,3,11,20]

Tabela 153.9 Checklist para iniciar CPB.	
Parâmetro	**Adequação**
Valores laboratoriais	Heparinização (TCA ou outro método) Hematócrito
Anestesia	Suplementação de amnésticos, opioides e relaxantes musculares
Monitores	Pressão arterial = inicia com hipotensão e então volta ao normal PVC = onda não pulsátil PAP = pressão encunhada aumentada pode significar drenagem inadequada ou insuficiência aórtica; puxar cateter artéria pulmonar 3-5 cm Ecocardiograma transesofágico = deixar em posição neutra (destravada)
Campo cirúrgico	Cânula no lugar = não há acotovelamentos ou *clamps* ou bloqueios de ar, cânula arterial sem bolhas
Face do paciente	Edema do rosto, veias do pescoço, conjuntiva = drenagem inadequada da veia cava superior Branqueamento unilateral da face = canulação da artéria inominada
Coração	Sinais de distensão por insuficiência aórtica ou isquemia

■ MANEJO DURANTE CPB

Checklist durante CPB

Após o preparo adequado do paciente e as condições do *checklist* para entrar em CPB forem atingidas, o perfusionista desclampeia a linha venosa, permitindo que o sangue encha o reservatório venoso, enquanto o sangue arterial volta pela cânula aórtica.[2,20]

Esse processo ocorre razoavelmente rápido e o desvio completo ocorre quando todo o sangue venoso é drenado do paciente para o reservatório. O coração continua batendo, porém há diminuição da pulsatilidade da pressão arterial. Quando a oxigenação estiver completa, desliga-se a ventilação mecânica.[1,2,11]

No início do CPB há um período de hipotensão (30-40 mmHg), pelo fim da onda pulsátil e pela hemodiluição, que deve ser tratada com aumento do fluxo da bomba de CPB e se não houver melhora com vasopressores em bolus ou EV contínua (fenilefrina, vasopressina ou noradrenalina) (Tabela 153.10).[1,11,20]

A PAM ideal durante CPB continua sendo controversa. Em geral períodos de hipotensão e hipertensão arterial durante CPB, apesar de fluxos e saturação venosa adequadas, são corrigidos com vasopressores se PAM< 65 mmHg e com anestésicos inalatórios e/ou endovenoso se PAM > 90 mmHg. Ocasionalmente, pode ser necessário o uso de vasodilatadores e diminuição do fluxo da bomba por pouco tempo.[1,11,20]

Tabela 153.10 Parâmetros a serem seguidos durante CPB.
Parâmetros durante o CPB
TCA adequado, geralmente entre 400-480 segundos
pH 7,35-7,45
pCO_2 35-45 mmHg
pO_2 15-250 mmHg
Fluxo 2,2-2,4L.min.m²
PAM ≥ 65 mmHg na ausência de doença cerebrovascular ou aterosclerose aórtica
PAM ≥ 75 mmHg na presença de doença cerebrovascular ou aterosclerose aórtica
Saturação venosa de oxigênio ≥ 75%

Corrige-se a acidose metabólica com melhora do fluxo e pressão arterial e, se necessário, bicarbonato de sódio. Bolus adicionais de heparina são administrados quando TCA<= 400 segundos. Monitora-se a gasometria arterial e a saturação venosa mista a cada 30 minutos para verificar a adequação da perfusão.[1,2,3,11,20]

Monitoriza-se a diurese conforme o fluxo e a pressão arterial. A pouca diurese durante CPB não prediz insuficiência renal pós-operatória. Idade, função renal prévia, duração do CPB, sepse, diabetes e fração de ejeção são os fatores que se correlacionam com a disfunção renal pós-operatória.[1,3,11] (Tabela 153.11)

Fluxo e Pressão Arterial Ideais

Até hoje debate-se qual é a pressão e o fluxo ideais durante o CPB e qual deles é mais importante. Fluxo de CPB é efetivamente o débito da bomba e se assemelha ao débito cardíaco. É um balanço entre a distribuição de oxigênio para os tecidos e o fornecimento de um campo cirúrgico o mais exsanguíneo possível.[20]

O objetivo mais comum é um fluxo o menor possível, que forneça boas condições de visualização cirúrgica e que ao mesmo tempo não leve a alterações na distribuição de oxigênio. O fluxo da bomba e a pressão arterial se relacionam através da impedância arterial, que é uma combinação entre hemodiluição, temperatura e área seccional da vasculatura arterial.[20]

Pressão Arterial Média (PAM)

A pressão arterial média (PAM) é mantida entre 50-70 mmHg. Aqueles que advogam PAM durante CPB mais baixos (50-60 mmHg) sugerem que há menos trauma aos elementos sanguíneos, menos sangue no campo cirúrgico, melhora da proteção miocárdica por diminuição do fluxo coronariano colateral e diminuição da embolia cerebral.[1,3,11,20]

Entretanto, pacientes hipertensos e idosos necessitam de PAM maior que 50-60 mmHg. Vantagens da pressão mais alta incluem melhora da perfusão tecidual em pacientes hipertensos e diabéticos, melhora do fluxo colateral para os tecidos em risco de isquemia e permite fluxos de bomba mais altos.[1,9,20]

Tabela 153.11 *Checklist* durante CPB.	
Parâmetro	**Adequação**
Escoamento venoso	▪ Qual o nível sanguíneo no reservatório venoso? ▪ Evidencia de obstrução da veia cava superior?
Retorno arterial	Oxigenação adequada do sangue arterial que retorna ao paciente Sinais de dissecção arterial Sinais de hiperperfusão unilateral
CEC total	Verificar a pressão e fluxo do CPB adequados Acidose? Saturação venosa mista Diurese Temperatura
Interrompe-se a ventilação mecânica	▪ Considerar uso de ventilação sob baixo volume corrente
Interrompe-se os fluidos e drogas anestésicas	Suspender medicações em uso antes do início do CPB Continua-se o uso de anestésicos e relaxantes musculares
Laboratório	Heparinização adequada (TCA> 400) Corrigir acidose Hematócrito ($\geq$22%); sódio, potássio, cálcio e glicemia
Monitorização arterial	▪ Hipertensão = alto fluxo da bomba; cânula arterial mal colocada; anestesia leve; resposta à hipotermia; monitor mal colocado ou dobrado ▪ Hipotensão = retorno venoso inadequado (sangramento, cânula venosa mal colocada, hipovolemia); fluxo da bomba baixo ou com má oclusão; cânula arterial mal colocada; dissecção da aorta; anestesia profunda, hemodiluição
Monitorização venosa	▪ Aumentado = obstrução da drenagem da câmara? (PVC = coração direito; swan ganz = coração esquerdo) ▪ Diminuído = transdutor acima do nível atrial?

Fluxo da Bomba

O fluxo da bomba é determinado por diversas variáveis incluindo a superfície corpórea, grau de hipotermia, balanço ácido-básico, consumo de oxigênio, conteúdo arterial de oxigênio e profundidade da anestesia. O fluxo normal é de 2,2-2,5L. min.m^2 (ou 1,6-3), semelhante ao índice cardíaco em pacientes anestesiados normotérmicos com hematócrito normal.[1,20]

É possível fluxos mais baixos (em média 1,2L.min.m^2) em pacientes sob CPB hipotérmica e hematócrito de 22%. Utiliza-se a saturação venosa mista como guia da perfusão tecidual e o alvo é de 65%-70%. Entretanto, esse nível não garante perfusão ótima em tecidos como músculo e gordura, que ficam fora da circulação durante o CPB.[1,20]

Anestesia durante CPB

Aparentemente o início de CPB é um período de diminuição do trabalho para o anestesiologista. Na verdade, essa fase é um período onde o médico compartilha com o perfusionista o cuidado e manejo do paciente.[48]

As alterações farmacocinéticas e farmacodinâmicas das drogas (Tabela 153.12); as controvérsias acerca da pressão arterial, fluxo e anticoagulação ideais; a ausência dos parâmetros tradicionais de anestesia adequada como frequência cardíaca, pressão arterial pulsátil, e a delegação de vários processos anestésicos para o perfusionista demandam vigilância constante do anestesiologista.[48]

A anestesia durante o CPB pode ser mantida com anestésicos voláteis acoplados ao circuito de CPB, anestesia venosa total ou anestesia balanceada (agentes voláteis e venosos).[2,3]

Propofol e anestésicos voláteis durante cirurgias cardíacas têm efeitos benéficos na morbimortalidade pós-operatória. Há estudos favorecendo o uso dos anestésicos inalatórios e outros não mostrando diferença no uso destes.[23,49]

Nos Estados Unidos utiliza-se com mais frequência os anestésicos voláteis acoplados ao circuito de CEC pelos efeitos benéficos no pré-condicionamento, na proteção cerebral e o medo anedótico da formação de um biofilme de propofol sobre a membrana do oxigenador, com má função deste. As desvantagens da anestesia venosa total durante o CPB incluem a variação da fração livre do propofol causada

Tabela 153.12 Fatores clínicos que influenciam a farmacocinética das drogas anestésicas durante o CPB.	
Anestésicos	**Fator clínico**
Anestésicos venosos	Hemodiluição pelo volume do *prime*
	Diluição das proteínas plasmáticas c/aumento de drogas livres (propofol, midazolan e opioides)
	Drogas c/alto volume de distribuição não são afetadas pela CEC (propofol e fentanil)
	Hipotermia afeta o *clearance* das drogas
	Opioides e relaxantes musculares são sequestrados no pulmão durante CPB e voltam à circulação quando reiniciada a ventilação
	Sequestro dos opioides, propofol e anestésicos voláteis pelo circuito de CEC
	Propofol atenua efeitos inflamatórios da CEC
Anestésicos voláteis	Hemodiluição diminui o coeficiente de partição sangue/gás; hipotermia aumenta (há demora p/alterar profundidade anestésica)
	Hipotermia aumenta a solubilidade nos tecidos (aumenta profundidade anestésica)
	Tipo de oxigenador (polipropileno = anestésicos voláteis atravessam a membrana; poli-4-metil-1-pentano = não atravessam)

pela hemodiluição, hipotermia e absorção do propofol pelo circuito de CPB.[2,3,47,50,51]

Na Europa é de praxe o uso da anestesia venosa total por segurança, contra a necessidade de modificação do circuito de CEC para acoplar o vaporizador, a lesão de componentes plásticos do CPB pelos anestésicos voláteis e a exposição dos profissionais a esses anestésicos. Ademais, há captação variável dos inalatórios com os diferentes tipos de oxigenadores, dificuldade na manutenção de nivel plasmático estável e má correlação entre a concentração do inalatório na saída do oxigenador e BIS (bispectral index) e monitores semelhantes.[48,51]

A monitorização da profundidade anestésica pode ser efetuada com o uso do BIS ou EEG não processada. Muitas instituições utilizam a concentração do inalatório na saída do oxigenador. É sabido que ambas as monitorizações têm má correlação com a profundidade anestésica e o acordar durante o CPB é possível.[48,51]

A hipotermia diminui a necessidade de anestésicos, além de aumentar a captação dos anestésicos inalatórios. Consequentemente, durante o reaquecimento deve-se aumentar a dosagem dos anestésicos. O uso de benzodiazepínicos nessa fase diminui o acordar, porém deve-se evitar altas doses desse medicamento, pois pode prolongar o despertar no periodo pós-operatório.[51]

Utiliza-se bloqueador neuromuscular durante CPB para facilitar a cirurgia. A hipotermia diminui a necessidade da medicação por diminuir diretamente a força muscular de até 10% por grau Celsius. Durante o reaquecimento deve-se fazer nova dose.[51]

A dosagem do bloqueador deve ser guiada pelo estimulador de nervo periférico (ENP). Os eletrodos de ENP são colocados ao longo do nervo facial que supre o músculo orbicular. Vale lembrar que a hipotermia em si diminui a força muscular, com diminuição da amplitude da resposta nervosa de até 10% por grau Celsius e reforça a ação dos bloqueadores neuromusculares não despolarizantes (BNMND). Entretanto, no reaquecimento geralmente é necessário mais BNMND.[48,51]

Manejo Gasoso do Sangue

Na temperatura normal de 37ºC, sangue e fluidos teciduais são alcalinos em relação à água, mantendo pH = 7,36-7,44. Diferentes sistemas de tamponamento mantêm essa relativa alcalinidade de 16:1 (OH-/H+) apesar da variação de temperatura. A histidina é o maior tampão, por ser um aminoácido comum nos tecidos corporais.[52]

A temperatura, por seu lado, tem efeito significativo na solubilidade dos gases em líquido. Especificamente na gasometria, a concentração de CO_2 e do pH são profundamente alterados pela diferença na temperatura. A $PaCO_2$ diminui à medida que cai a temperatura, pois o CO_2 se torna mais solúvel no plasma.[1,52]

Ao se induzir hipotermia durante CPB impõe-se, portanto, um dilema sobre qual a melhor forma de se conduzir o equilíbrio ácido-básico: manejo da gasometria por alfa-stat ou pH-stat (Tabela 153.13).[1,52]

Em adultos submetidos à hipotermia moderada, ancorado por evidência de vários estudos, recomenda-se o uso do alfa-stat para manejo da gasometria durante o CPB, pois este produziu melhor resultado neurológico e é considerado mais fisiológico. Entretanto, não está claro qual a estratégia superior em adultos submetidos à hipotermia profunda.[1,3,51,52]

Nas crianças, diversos estudos concluíram em favor do pH stat. Este método permite vasodilatação cerebral, aumento do fluxo sanguíneo cerebral, esfriamento mais homogêneo, menos consumo de O_2 e melhor recuperação metabólica cerebral.[1,3,52]

A maior dúvida nesse caso é o uso do pH-stat durante todo o CPB ou somente durante o esfriamento, e passa-se para alfa-stat durante o reaquecimento (estratégia combinada) quando o paciente é submetido à hipotermia profunda.[1,3]

Alfa-stat

Em sistemas aquosos, a neutralidade ocorre quando [H+] = [OH-]. A dissociação da água depende da temperatura. Sendo assim, o valor do pH no qual ocorre neutralidade depende da temperatura. Estudo comparativo em animais permite a equiparação entre a neutralidade da água com a do sangue e pH intracelular, de acordo com a temperatura.[1]

Esses achados levaram à estratégia alfa-stat, que advoga a neutralidade eletroquímica intracelular em todas as temperaturas. No manejo alfa-stat permite-se a queda da $PaCO_2$

Tabela 153.13 Diferentes estratégias de manejo da gasometria durante CPB.				
Estratégia	**Objetivo**	**Implemento**	**Conteúdo de CO_2 total**	**Benefícios teóricos**
Alfa-stat	Atinge a neutralidade eletroquímica mantendo H+/OH- constante	Usa valores normais não corrigidos por temperatura	Constante	Preserva a função enzimática e a autorregulação cerebral
pH-stat	Mantém pH constante	Usa valores normais corrigidos por temperatura	Aumenta	Leva ao esfriamento cerebral mais homogêneo; diminui o consumo cerebral de O_2
Combinação	Mantém pH constante durante esfriamento, depois restaura a neutralidade eletroquímica antes da parada cardíaca	Durante o esfriamento usa-se pH stat, troca-se para alfa-stat antes da parada circulatória. No reaquecimento usa-se o alfa-stat	Aumenta durante esfriamento, depois retorna ao normal	Leva ao esfriamento cerebral homogêneo; depois restaura a neutralidade; melhora $CMRO_2$

OH–/H+: porcentagem entre o íon hidróxido e o hidrogênio; CO_2 = dióxido de carbono; $CMRO_2$ = porcentagem de metabolismo do oxigênio cerebral.

de acordo com a queda da temperatura e o sangue torna-se alcalótico. Não se adiciona CO_2 ao circuito de CPB.[1,3,52,53]

O alfa do alfa-stat refere-se ao anel alfa-imidazole da histidina, um tampão intracelular importante. A constância da carga desse anel é importante na regulação do processo celular pH dependente. Os estoques de CO_2 nessa técnica permanecem constantes durante o esfriamento, portanto, o estado ionizado (chamado alfa) também permanece constante. Esse estado ionizado é importante, pois afeta a função e a estrutura das proteínas, a função enzimática e a autoregulação cerebral.[1,3,52]

O pH intracelular e a atividade enzimática estão preservados e a demanda metabólica está diminuída em baixas temperaturas. A autorregulação cerebral está mantida e o fluxo sanguíneo cerebral diminui linearmente à queda da temperatura. Nesse método o esfriamento cerebral é menos homogêneo que o pH stat e a diminuição da demanda metabólica cerebral é menor que o esperado.[1,3,52]

pH stat

O pH stat mantém o pH constante apesar da mudança da temperatura. À medida que a temperatura cai, para manter a neutralidade eletroquímica o sangue torna-se mais alcalótico. A fim de contrabalancear essa alcalose, o corpo aumenta o conteúdo de CO_2 para manter o pH constante.[1,3,52,53]

Nesse método acrescenta-se CO_2 ou diminui-se a mistura ar-O_2 para manter a $PaCO_2$ constante e o pH neutro à medida que a temperatura cai. CO_2 3%-5% é adicionado na entrada de gás do oxigenador para manter um sangue corrigido por temperatura com $PaCO_2 = 40$ mmHg e pH = 7,40. Como resultado, há aumento do estoque de CO_2 e diminuição do pH intracelular com maior depressão do metabolismo.[1,3,52]

O CO_2 é um potente vasodilatador cerebral. O uso da estratégia pH stat leva, portanto, ao desacoplamento da autorregulação cerebral onde o fluxo sanguíneo cerebral aumenta independentemente da necessidade metabólica cerebral.[1]

Essa estratégia é neuroprotetora em crianças que têm colaterais aortopulmonares e promove esfriamento mais homogêneo do cérebro antes da parada circulatória total (PCT). No entanto, durante o reaquecimento, o alto fluxo cerebral pode aumentar a quantidade de êmbolos que são levados para o cérebro.[1,3,52,53]

Temperatura

A hipotermia deliberada é um método confiável de neuroproteção e é usado rotineiramente durante o CPB. Mesmo diminuições de 1°C – 2°C minimizam a isquemia cerebral em modelos animais. A hipotermia cria um balanço favorável entre a demanda e o consumo de O_2, diminui o consumo cerebral de O_2, previne a disfunção da barreira hematoencefálica e diminui a resposta inflamatória da região lesada.[1,3,51]

A hipertermia, por seu lado, é deletéria. Mesmo aumentos de 2°C diminuem a tolerância à isquemia. A hipertermia retarda a recuperação metabólica neuronal, leva à produção de radicais livres, acidose intracelular e aumento da permeabilidade da barreira hematoencefálica, lesão renal aguda e mediastinite.[1,23,51]

A hipertermia cerebral durante o reaquecimento agressivo pode piorar a lesão cerebral preexistente durante um período de embolização frequente. Ademais, a hipertermia sistêmica cursa com insuficiência renal aguda e mediastinite. Portanto, o reaquecimento deve ser gradual (0,5°C por minuto) e não deve ultrapassar 36,5°C – 37°C.[1,23,51]

Não existe monitor direto da temperatura cerebral durante o CPB. Mede-se em locais alternativos como o tímpano, nasofaringe, esôfago, reto, bexiga etc. A temperatura do bulbo venoso jugular é considerado padrão ouro por se situar próximo à origem da artéria carotídea e a cânula aórtica o torna mais parecido com a temperatura cerebral. A temperatura da nasofaringe dá uma estimativa da temperatura cerebral. Durante o CPB hipotérmico a temperatura da saída da linha arterial do oxigenador é o melhor local para a medida da temperatura cerebral.[1,3,23,53]

A temperatura está subestimada durante o reaquecimento, quando se utiliza a temperatura esofágica, retal ou da pele em locais periféricos. Como não é prático a medida da temperatura do bulbo, pode-se usar a temperatura da linha arterial do oxigenador ou da artéria pulmonar ou da nasofaringe por serem locais que recebem a maior parte do fluxo durante o reaquecimento.[1,2,3,23,51]

Hipotermia profunda e parada circulatória total (PCT)

A hipotermia é considerada profunda quando for <14°C, profunda entre 14,1°C - 20°C, moderada entre 20,1°C e 28°C e leve entre 28,1°C e 34°C.[53]

A hipotermia profunda e a PCT consistem primeiramente na diminuição da temperatura do paciente para 15°C--22°C e então parada total do fluxo sanguíneo e drenagem de todo o sangue do paciente para o reservatório venoso. Em adultos, esse procedimento permite cirurgias da aorta, principalmente do arco aórtico.[1,53]

Não existe medida de temperatura cerebral direta, portanto, utiliza-se vários sítios diferentes de medida. Além disso, é essencial a monitoração com EEG, que precisa estar isoelétrico antes da PCT. Não há estudos com uso de BIS nessa situação. O uso de *Near Infrared Spectroscopy* (NIRS) é controverso, pois não há correlação entre prognóstico neurológico e uso do aparelho.[1,53]

É sabido que existe uma lacuna entre a temperatura sanguínea e a cerebral. Quando se atinge a temperatura sanguínea desejada, é preciso continuar por mais 20-30 minutos o fluxo total antes de iniciar a PCT, para que haja equilíbrio entre as temperaturas.[1,53]

A fim de permitir uma PCT de 20-30 minutos, provavelmente temperaturas de 14 °C -20°C sejam adequadas. Temperaturas mais altas são permitidas se o tempo de PCT for menor ou se houver perfusão cerebral mantida.[1,53]

O hematócrito ideal nessa situação é controverso. É sabido que a hipotermia leva à hiperviscosidade. Alguns advogam manter hematócrito entre 18% e 20%, mas há estudo em animais concluindo pelo uso de hematócrito de 30%.

Um estudo retrospectivo não mostrou diferença entre hematócrito de 24% ou 30%.[1,53]

A hipotermia proposital com esfriamento sistêmico é a única forma confiável de neuroproteção durante a isquemia global completa. Há diferentes estratégias de proteção cerebral, como a cirúrgica com perfusão cerebral anterógrada ou retrógrada, e farmacológicas. As estratégias farmacológicas incluem tiopental, propofol, esteroides (dexametasona, metilprednisolona, hidrocortisona), etomidato, benzodiazepínicos (midazolan, lorazepam), manitol e furosemida. Nenhuma das estratégias farmacológicas provou-se eficaz.[1,53]

O risco de lesão neurológica em pacientes submetidos à PCT continua durante o período pós-operatório, pois há aumento da resistência vascular cerebral e diminuição do fluxo cerebral por horas além de hipertemia, possivelmente pela resposta inflamatória sistêmica.[1]

Monitorização cerebral durante CPB

O monitor de oximetria cerebral (NIRS – *Near Infrared Spectroscopy*) utiliza a análise do espectro de absorção na faixa infra-vermelha (680-1.100 nm) para determinar a saturação de oxigênio da hemoglobina tecidual regional. A luz infra-vermelha penetra nos tecidos biológicos e é absorvida principalmente pela hemoglobina. NIRS tecidual detecta a porcentagem relativa de sangue oxigenado e desoxigenado para determinar a saturação de oxigênio tecidual. Durante o CPB, intervenções devem ser feitas quando há diminuição aguda > 20% do valor de base ou valor de base <50%.[51,53]

Estudos não comprovaram a associação entre medidas de NIRS baixas e AVC. Não existe correlação entre valores de NIRS durante PCT e disfunção neurológica temporária ou permanente.[51,53]

Um estudo utilizando os dados da STS com monitorização com EEG processado, não mostrou diferença na melhora ou piora do prognóstico neurológico, incluindo AVC ou delírio pós-operatório. Por outro lado, outro estudo usando BIS mostrou associação entre AVC pós-operatório e BIS <25 e PAM <65 mmHg.[51]

Saída do CPB

Uma vez terminado o procedimento cirúrgico, começa o processo de separação do CPB. Nele há várias etapas e é o reverso do início do CPB, começando com o reaquecimento e culmina com a saída de CEC, reversão da anticoagulação e remoção das cânulas. É um esforço gradual que envolve o cirurgião, anestesiologista, perfusionista e a enfermeira da sala.[3,54,55]

Preparo para saída de CPB

Na maioria dos casos a separação do CPB é um processo relativamente tranquilo e a chave do sucesso é a comunicação clara entre o cirurgião, o anestesista e o perfusionista. Vários critérios são rotineiros e devem ser atingidos antes da saída de CEC. Existem diferentes protocolos de saída de CPB, apresentados nas Tabelas 153.14, 153.15, 153.16.[1,3,54,55]

Tabela 153.14 *Checklist* para saída de CPB.

(1) Reaquecimento	(2) Balanço ácido-básico e eletrólitos	(3) Ritmo cardíaco	(4) Retirada de ar	(5) Drogas vasoativas e inotrópicas	(6) ETE avaliação hemodinamica	(7) Necessidade de suporte mecânico
Qual a temperatura do paciente?	cálcio e potássio	desfibrilação	verificar presença de ar pelo ETE	avaliar necessidade de drogas antes de cuidar do coração	avaliar função cardíaca, mobilidade regional da parede cardíaca	paciente consegue ficar sem CPB?
Dar mais anestésicos e relaxantes musculares	pH, acidose metabólica e respiratória	há necessidade de marcapasso?	possível disfunção VD causado por ar	ter certeza que as drogas estão chegando ao paciente, por acesso central	avaliara função valvar	considerar balão intra-aórtico; assistência ventricular; ECMO
	Hematócrito	PAM	ventilação mecânica	cuidar do coração		
Objetivo = temperatura 36°C	SvO$_2$	há vasoplegia?	recrutamento pulmonar	diminuir suporte do CPB, permitir mais fluxo sanguineo através do coração		
		Objetivo = FC 70-100	tratar atelectasias	lembrar de ventilar antes		
		Objetivo = ritmo sinusal (se possível)	retornar a ventilação e oxigenação antes de cuidar do coração			

ETE: ecocardiograma transesofágico; SvO$_2$: saturação venosa de oxigênio; PAM: pressão arterial média; VD: ventrículo direito; ECMO: extracorporeal membrane oxigenation; FC: frequência cardíaca.

Tabela 153.15 Mnemônica para saída de CPB (CVP).		
C	**V**	**P**
Cold (frio)	Ventilação	Preditores (de mau prognóstico)
Conduction (ritmo cardíaco)	Visualização (do coração)	Pressão (arterial)
Cardiac output (débito cardíaco)	Vaporizer (anestésico inalatório)	*Pressors* (drogas vasopressoras)
Células (hematócrito)	Volume *expanders* (fluidos EV)	*Pacer* (marcapasso)
Cálcio		Potássio
Coagulação		Protamina

Tabela 153.16 Mnemônica WAAARRRRMM para a saída de CPB.	
Aquecimento (WARN)	Temperatura nasofaríngea de 37 °C e temperatura central de 35.5 °C
Anesthesia (anestesia)	A maioria dos pacientes permanece entubado e sedado com ventilação mecânica no período pós-operatório
Adjuvant drugs (drogas adjuvantes)	Suprimento adequado de relaxantes musculares, antiarrítmicos, inotrópicos etc devem estar prontos
Air (ar)	Removido pela ventilação e pela massagem do coração, com a ajuda do ecocardiograma transesofágico
Rhythm (ritmo)	Ritmo sinusal é o ideal, mas utiliza-se o marcapasso epicárdico temporário se não conseguir o ritmo sinusal
Rate (frequência)	Frequência cardíaca entre 80-90 batimentos/minuto
Resistance (resistência)	Hipotensão com fluxo de CEC ou débito cardíaco normal ou alto indica resistência vascular sistêmica baixa e a necessidade de vasopressores
Respiration (respiração)	Ventilação e oxigenação adequadas
Metabolism (metabolismo)	Cálcio entre 1,09-1,3 mmil.L, potássio entre 4-5,5 mmol.L, estado ácido básico normal
Monitoring (monitorização)	Todos os monitores em funcionamento e o oxímetro de pulso audível

Reaquecimento

Na fase de reaquecimento, aumenta-se gradualmente a temperatura do sangue arterial que chega ao paciente, através do trocador de calor. O reaquecimento é um período potencialmente problemático, já que há a tentação de se aquecer rapidamente o paciente.[54]

A STS (*Society of Thoracic Surgeons*), SCA (*Society of Cardiovascular Anesthesiologists*) e AmSECT (*American Society of Extracorporeal Technology*) recomendam o aquecimento gradual de temperaturas >30°C limitado a ≤ 0,5°C/minuto e o gradiente de temperatura entre o fluxo venoso de entrada e a linha arterial de saída do oxigenador deve ser mantido em ≤ 4°C.[51]

A hipertermia cerebral e sistêmica está associada com piora do prognóstico neurológico e neurocognitivo, insuficiência renal e mediastinite, portanto, a temperatura da saída arterial do oxigenador não deve exceder 37°C. A temperatura final de saída de CPB é 37°C no termômetro nasofaríngeo, correspondendo a 35,5°C de temperatura periférica.[51,54]

Pressão Arterial Sistêmica (PAM)

Ao se remover o clampeamento da cânula aórtica, as artérias coronárias são novamente perfundidas com sangue da cânula aórtica. Em alguns pacientes o reaquecimento e a retirada da cânula levam à diminuição importante da PAM, medida na artéria radial. Essa diminuição pode ser causada pela vasodilatação transitória que é comum na saída de CEC e no período pós-CPB inicial (diminuição da resistência vascular sistêmica-RVS), hipovolemia ou disfunção ventricular.[3,54]

A hipovolemia é tratada com bolus controlados de sangue do circuito de CEC. A diminuição da RVS é tratada com vasopressores como a fenilefrina, noradrenalina ou vasopressina. A necessidade de inotrópicos deve ser avaliada através da visualização direta da contratilidade e com uso de ecotransesofágico.[3,54]

Há discrepância entre a PAM central (pressão aórtica, femoral) e a periférica (radial). Essa diferença deve ser levada em conta ao se tomar as decisões terapêuticas. A pressão arterial sistólica desejável <100 mmHg e PAM (pressão arterial média) de 60-90 mmHg a fim de reduzir a diminuição do sangramento, dissecção da aorta ou lesão vascular.[1,54]

Métodos para diminuir a pressão arterial são realizados através da diminuição da pré ou pós-carga ou raramente alterando o marca-passo temporário. A pré-carga pode ser diminuída através do uso de nitroglicerina e a diminuição da pós-carga através do uso de anestésicos com propriedades vasodilatadores (propofol em bolus de 10-50 mg ou anestésicos inalatórios) ou agentes vasodilatadores (nicardipina, clevidipina ou nitroprussiato).[54]

Ritmo Cardíaco

É comum a fibrilação ventricular (FV) após a retirada do clampeamento da aorta e o reaquecimento. Esta pode reverter-se espontaneamente, porém se prolongada deve ser tratada agressivamente, pois há aumento do consumo de O_2, sofrimento do endocárdio e distensão do ventrículo esquerdo.[54]

A desfibrilação é feita com pá interna, 10 joules (J), onda bifásica, aumentando 5 J a cada tentativa. As alterações ácido-básicas e eletrolíticas devem ser tratadas. A lidocaína (100 mg – 2 vezes), amiodarona (300 mg) e magnésio (2-4 g) ajudam na desfibrilação. É comum a hipomagnesemia após CPB e, apesar de sua utilidade ser controversa, geralmente administra-se de 2-4g.[1,3,54]

Geralmente o primeiro ritmo após o desclampeamento é a bradicardia juncional, que não consegue manter a perfusão e o débito cardíaco. Trata-se esse problema com marca-passo epicárdico temporário e/ou beta-adrenérgicos e/ou atropina.[1,14,41,54]

O estudo BiPACS mostrou que a melhor forma de estimulação via marca-passo é a biventricular. Outras formas de estimulação são a atrial, ventricular e a atrioventricular.[23,53,54]

A frequência cardíaca desejável é entre 80-90 bpm, de preferência sinusal. A taquicardia >120 bpm, por seu lado, é indesejável. A taquicardia sinusal pode ser causada por anemia, hipovolemia, falta de anestesia ou excesso de inotrópicos. A taquicardia supraventricular é tratada geralmente com cardioversão sincronizada e amiodarona, esmolol, verapamil ou adenosina.[1,54,55]

Retirada de Ar

O ar intracardíaco geralmente fica coletado nas veias pulmonares, ápice do VE, átrio esquerdo, artéria pulmonar, seio de Valsalva e raiz da aorta. Quando o fluxo sanguíneo volta aos pulmões, as bolhas migram para a artéria coronária direita e inominada.[3,53,54]

A embolia aérea tem efeitos negativos na saída e pós-CEC com déficit neurológico, arritmias e isquemia da coronária direita e disfunção do VD. O ECO transesofágico (ETE) é útil para verificar a adequação da retirada do ar.[3,54]

A fim de evitar a embolia, deve-se retirar o ar antes da saída de CPB. Há várias formas: posição de Trendelenburg, clampeamento parcial da aorta ascendente, insuflação de CO_2, aspirador no ventriculo esquerdo (VE), aumento da pressão de perfusão, suporte hemodinâmico, manutenção da perfusão pulsátil através do clampeamento parcial da linha venosa e técnica de Lund.[3,54]

Retorno da Ventilação Mecânica e Oxigenação

Após o término do procedimento e o coração começa a bater, aspira-se as vias aéreas e volta-se a ventilar o pulmão, caso este esteja desconectado. A apneia pode levar à atelectasia e ativação de enzimas que levam à disfunção pulmonar no período pós-operatório.[54,55]

Métodos que permitem alguma ventilação durante a CEC incluem o CPAP, ventilação com baixa frequência+volume corrente e ventilação com alguma perfusão da artéria pulmonar. Manobras da capacidade vital 1-3 vezes, com pressões de 35-40 cmH$_2$O no final da CEC, aparentemente também melhoram a oxigenação. A insuflação pulmonar adequada deve se observada através da visualização direta.[1,31]

O diagnóstico diferencial da má insuflação e/ou deflação do pulmão incluem obstrução das vias aéreas (tubo endotraqueal dobrado, obstrução por rolha de muco ou compressão pelo probe do ETE), intubação seletiva do brônquio fonte direito ou aspiração pulmonar. É incomum a presença de sangue nas vias aéreas, mas pode ocorrer por lesão do parênquima pulmonar, ruptura da artéria pulmonar pelo cateter de artéria pulmonar (Swan-Ganz) ou lesão durante tromboendarterectomia pulmonar.[31]

A avaliação da obstrução das vias aéreas inicia-se com a passagem de sonda flexível e aspiração das secreções. Se não houver melhora, considerar broncoespasmo. Pode ser necessário uso de broncoscópio flexível para diagnóstico e tratamento.[31]

O broncoespamo durante a saída de CEC pode ser causada por:[31]

- reação alérgica a drogas (exemplo: protamina);
- reação transfusional (produtos sanguíneos, expansores plasmáticos);
- hipotermia;
- anestesia superficial;
- asma ou DPOC prévia.

O tratamento do broncoespasmo consiste no uso de broncodilatadores beta2 agonistas, inalatório (albuterol) e/ou adrenalina EV 5-10 ucg bolus e ou 2-10 ucg.min. Anti-histaminicos H1 e H2 são administrados para reverter os efeitos da liberação de mediadores. Em casos graves, utiliza-se esteroides (metilprednisolona ou hidrocortisona). Se não houver melhora pode ser necessário retorno a CPB.[31]

A ocorrência de edema pulmonar pode ser cardiogênica ou não cardiogênica. Edema pulmonar cardiogênica pode ser causado por doença preexistente ou falência cardíaca aguda exacerbada por excesso de volume durante CPB. A hemoconcentração durante CPB e a diurese durante e após CEC diminuem essa complicação.[31]

O edema pulmonar não cardiogênico pode ser causado pela protamina, lesão pulmonar aguda transfusional, CPB prolongada (>4h), entre outros. O tratamento se faz com diuréticos como a furosemida e, se a pressão arterial pulmonar for alta, trata-se com óxido nítrico ou epoprosterol. Em casos graves, pode ser necessário o uso de ECMO.[31]

Vasopressores e Inotrópicos

Pode-se administrar cálcio (5-10 mg.kg), 10-15 minutos após o desclampeamento da aorta quando houver hipocalcemia e hipercalEmia, para melhorar a condução cardíaca e a contratilidade. Os efeitos negativos do uso do cálcio incluem a lesão de isquemia, diminuição da contratilidade e do relaxamento diastólico, e diminuição da função sistólica durante a reperfusão, com miocárdio «aturdido» correspondente.[1,31,54]

Inicia-se a administração de vasopressores e inotrópicos durante a saída de CPB para melhorar a contratilidade e a pressão arterial. Uma variedade de drogas pode ser utilizadas (Tabelas 153.17 e 153.18). Os elementos para uma saída bem sucedida do CPB incluem pressão arterial sistólica (PAS 90-125 mmHg) como marcador da pressão de perfusão tecidual, pressões de enchimento (PAP, PVC) e intervenção farmacológica.[3,23,31,55-57]

Tabela 153.17 Hemodinâmica e plano de ação na saída de CPB.

PA sistólica	PAP	IC	ETE	Condição	Plano de ação
Baixa	Baixa	Normal	Boa função ventricular; VD e VE pequenos	Hipovolemia	Dar fluido em bolus
Baixa	Alta	Baixo	Anormalidade da movimentação regional da parede; hipocinesia global do VE; VE dilatado	Isquemia, falência ou disfunção do VE	Dar suporte ao VE com milrinona; adrenalina; dobutamina; dopamina; suporte mecânico; levosimendan
Baixa	Baixa a normal	Normal a alto	Coração vazio; não há resistência ao bombeamento; aumento da contratilidade	Vasodilatação; vasoplegia	Dar vasoconstritor: vasopressina; noradrenalina; fenilefrina; dopamina; azul de metileno
Baixa	Alta	Baixo	Distensão do VD com VE vazio; parede livre do VD com excursão diminuída; regurgitação da valva tricúspide	Falência ou disfunção do VD	Diminuir a pré-carga e dar suporte ao VD com milrinone; adrenalina; dobutamina; prostaciclina inalatória; NO; levosimendan
Baixa	Alta	Alto	Função ventricular normal	Hipertensão pulmonar	Administrar vasodilatador pulmonar

VD: ventrículo direito; VE: ventrículo esquerdo; suporte mecânico = balão intra-aórtico, assistência ventricular esquerda; PAP: pressão da artéria pulmonar; IC: índice cardíaco; ETE: ecocardiograma transesofágico.

Tabela 153.18 Medicamentos utilizados para saída de CPB (doses adultas).

Medicamento	Classe funcional	Mecanismo de ação	Dosagem
fenilefrina	Vasoconstritor	Agonista do receptor alfa adrenérgico	0,1-2 ug.kg.min
Vasopressina	Vasoconstritor	Agonista do receptor da vasopressina 1 e 2	1-6 unidades.h ou 0.01-0.1 unidades.h
Terlipressina	Vasoconstritor	Agonista do receptor da vasopressina 2	Bolus de 1 mg
Azul de metileno	Vasoconstritor	Inibidor da guanililciclase	1-100 ucg bolus e depois 0,25-1 mg.kg.h por 6h ou 2 mg.kg em 30-60 min
Levosimedan	Inotrópico	Sensibilizador do cálcio	0,05-0,2ug.kg.mim
Noradrenalina	Inotrópico, vasoconstritor	Agonista do receptor adrenérgico alfa e beta1	0,02-0,3 ug.kg.min
Dobutamina	Inotrópico, vasoconstritor	Agonista do receptor adrenérgico beta1 e 2	1-20 ug.kg.min
Dopamina	Inotrópico, vasoconstritor	Agonista do receptor adrenérgico alfa, beta 1 e 2 e dopaminérgico	3-20 ug.kg.min
Milrinona	Inotrópico, vasodilatador	Inibidor da fosfodiesterase	Bolus de 50 ucg.kg e depois 0,35-0,75 ug.kg.min
Isoproterenol	Inotrópico, vasodilatador	Agonista do receptor adrenérgico alfa, beta 1 e 2	0,05-0,2 ug.kg.mim
iNO	Vasodilatador	Vasodilatador pulmonar	10-20 ppm
Epoprostenol	Vasodilatador	Vasodilatador pulmonar	2-50 ng.kg.min inalatório
Clevidipina	Vasodilatador	Inibidor do influxo do cálcio, relaxante arteriolar seletivo	0,02-0,27 mg.min
Nicardipina	Vasodilatador	Inibidor do influxo do cálcio, relaxante arteriolar seletivo	0,08-0,25 mg.min
Nitroglicerina	Vasodilatador	Aumento do GMPc	0,1-4 ucg.kg.min
Nitroprussiato	Vasodilatador	Relaxamento da musculatura lisa	0,1-4 ucg.kg.min
Esmolol	Antagonista adrenérgico e antiarrítmico	Antagonista do receptor beta 1	Bolus de 10-50 mg e depois 25-300 ucg.kg.min
Labetalol	Antagonista adrenérgico	Antagonista do receptor beta 1e 2 e alfa 1	Bolus de 5-20 mg e depois 0,5-2 mg.min

Várias novas drogas, incluindo nesiritide e levosimendan pode ser úteis em cirugia cardíaca. Levosimendan é um inodilatador que aumenta o inotropismo através da sensibilização da troponina ao cálcio intracelular sem AMPc e tem propriedades de um inibidor da fosfodiesterase que aumenta a vasodilatação coronária e periférica. Uma metanálise mostrou que o uso perioperatório do levosimendan em pacientes com disfunção do VE diminuiu a mortalidade pós-operatória, fibrilação atrial e lesão miocárdica.[55,56]

Disfunção e Falência Orgânica Após CPB

O termo falência para desmamar do CPB é aplicado para pacientes com síndrome do baixo débito que não conseguem manter a oxigenação, débito cardíaco adequado e perfusão dos órgãos quando se tenta separar o paciente da máquina de CPB. Em um grande estudo com 6.120 pacientes, a falência para desmamar do CPB na primeira tentativa ou a necessidade de assistência mecânica ocorreu em 14,5% dos pacientes.[54]

Os fatores associados à essa falência são: idoso, disfunção do ventrículo esquerdo, cirurgia cardíaca prévia, presença de regurgitação mitral, coagulopatia e tempo prolongado de CEC.[54]

A dificuldade para sair da CEC caracteriza-se por necessidade de suporte inotrópico após-CPB com uso de dopamina, dobutamina ou adrenalina por >12h em UTI e síndrome do baixo débito, definido como uso de balão intra-aórtico ou inotrópicos para manter a PAS > 90 mmHg e índice cardíaco $\geq$ 2,2 L.min.m^2.[1,55]

Se durante a saída de CEC e apesar do uso de vasopressores, inotrópicos, marca-passo e tratamento das alterações eletrolíticas, ficar evidente que o coração não funcionará bem o suficiente para se separar do CPB ou manter PAS, deve-se pensar no uso de suporte mecânico com balão intra-áortico, assistência ventricular ou oxigenação por membrana extracorpórea (ECMO).[54]

Em pacientes com dificuldade para sair do CPB por falência respiratória e/ou cardíaca, o ECMO pode ser considerado como ponte para a recuperação da função cardiopulmonar (Figura 153.10).[1,54]

Um dos desafios durante a saída de CPB e no pós, principalmente em casos de *bypass* prolongado, é a síndrome vasoplégica. Essa síndrome ocorre em 8%-20% dos casos e caracteriza-se por vasodilatação grave e resistente a vasopressores, causada por ativação do óxido nítrico sintetase dos canais de potássio ATP-sensível da musculatura vascular lisa e deficiência relativa de vasopressina.[20,55,56,57]

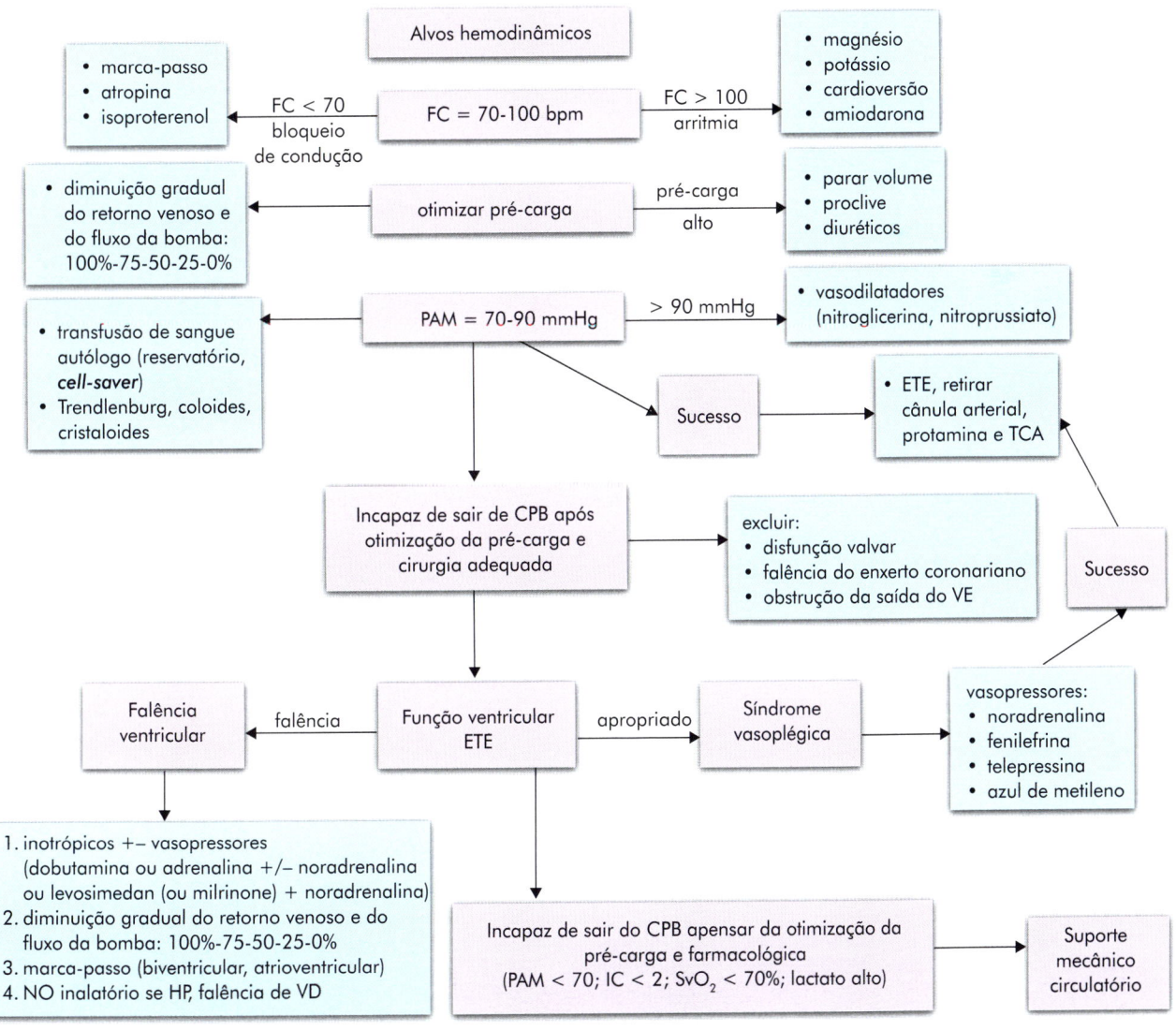

▲ **Figura 153.10** Fluxograma para saída de CPB.

FC: frequência cardíaca; PAM: pressão arterial média; ETE: ecocardiograma transesofágico; TCA: tempo de coagulação ativada; NO: óxido nítrico; HP: hipertensão pulmonar; VD: ventrículo direito; IC: índice cardíaco; SvO$_2$: saturação venosa de oxigênio.

A hipotensão nesse caso é definida como PAM < 50 mmHg ou pressão sistólica < 85 mmHg, com alto índice cardíaco ($\geq 2,5$ L.m².min), RVS < 600-800 dina.s.cm²,⁵ pressões de enchimento centrais normais ou baixas (PVC <10 mmHg e pressão encunhada < 10 mmHg) e necessidade aumentada de vasopressores (noradrenalina 0,2-0,5 ucg.kg.min, com normovolemia).[20,58]

Vários fatores contribuem para esse fenômeno e incluem administração pré-operatória de inibidores da enzima conversora da angiotensina e bloqueadores do receptor da angiotensina, má função do VE, insuficiência renal prévia, idoso, sexo masculino, planejamento ou presença de aparelho de assistência do VE, cirurgia valvar, endocardite, transplante cardíaco, transfusão sanguínea e CPB prolongado.[20,55,56]

Os tratamentos de primeira linha incluem assegurar função adequada do VE, ressuscitação volêmica com fluidos e vasopressores como fenilefrina, noradrenalina, adrenalina, dopamina, vasopressina e terlipressina. O azul de metileno é um inibidor competitivo do óxido nítrico e é usado como droga de resgate (Figura 153.11).[20,31,55-57]

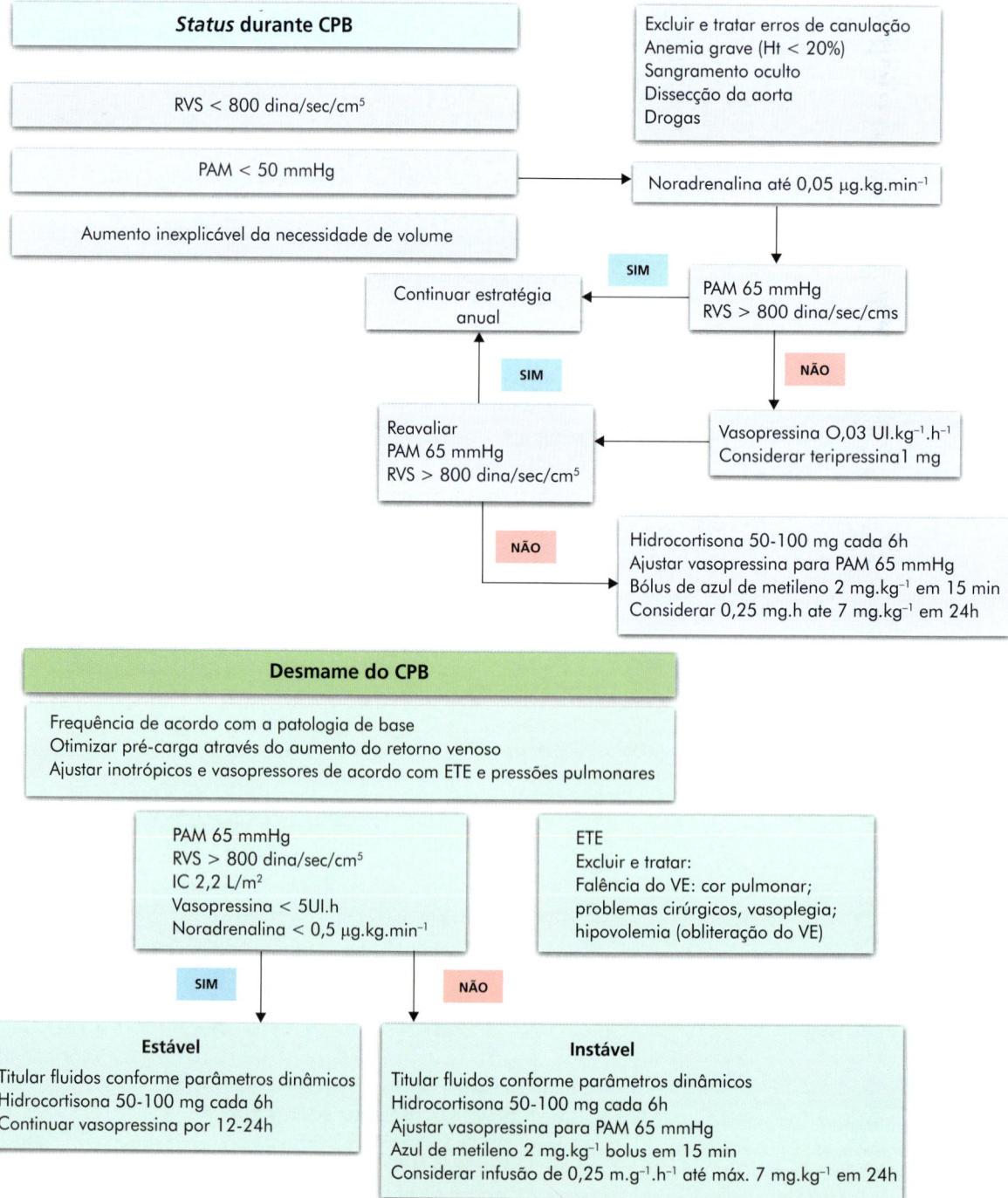

▲**Figura 153.11** Algoritmo para tratamento da Síndrome Vasoplégica.

RVS: Resistência vascular sistemática; PAM: pressão arterial sistêmica; Ht: hematócrito; CPB: *bypass* extracorpóreo; IC: índice cardíaco; ETE: ecocardiograma transesofágico; VE: ventrículo esquerdo.

A seleção de agentes deve ser individualizada, pois a vasoplegia pode ser refratária às catecolaminas. A combinação de agentes pode ser necessária para o tratamento efetivo e ajuda a limitar a toxicidade potencial de cada agente. O uso de vasopressina como vasopressor único, ou em combinação com noradrenalina, diminui a ocorrência de fibrilação atrial comparado com noradrenalina como agente único. Entretanto, há relato de que a vasopressina aumenta a chance de insuficiência renal aguda.[20,31,57]

Muito frequentemente os corticoides são utilizados pelas suas propriedades anti-inflamatórias, mas seu benefício é controverso. Outros medicamentos considerados são a vitamina B12 (hidroxicobalamina), vitamina C (ácido ascórbico) e angiotensina II.[20]

Existe um escore chamado VIS (*Vasoactive and Inotropic Score*) que pode ser utilizado para a tomada de decisão em saídas de CPB complexas. Esse escore é calculado da seguinte forma: VIS = dose de dopamina (ucg.kg.min) + dobutamina (ucg.kg.min) + enoximone (ucg.kg.min) + 100 Xadrenalina (ucg.kg.min) + 100X noradrenalina (ucg.kg.min) + 10X milrinone (ucg.kg.min) + 10.000X vasopressina (U.kg.min).VIS <10 é considerado fácil, VIS entre 10-30 é difícil e VIS>30 é complexo. VIS >30 requer a colocação de um aparelho de assistência circulatória temporária.[58]

Manejo da Falha de Desmame do CPB

Como anteriormente definido, o termo falência para desmamar do CPB é aplicado para pacientes com síndrome do baixo débito (SBD) que não conseguem manter a oxigenação, débito cardíaco adequado e perfusão dos órgãos quando se tenta separar o paciente da máquina de CEC.[54]

As causas de insucesso na saída de CEC geralmente é multifatorial, pois um problema se mistura a outros. Pode ser necessário o retorno urgente ao CPB se a pressão arterial, débito cardíaco e perfusão orgânica forem inadequados.[54]

O retorno à CEC envolve vários passos que devem ocorrer numa sequência rápida:[51,54,58]

1. O perfusionista prepara a máquina de CPB e o circuito. Geralmente mantém-se a máquina de CEC preenchida com o sangue do paciente até que este esteja estável e não necessite retornar à CPB.

2. Se já tiver sido administrada a protamina, o anestesiologista deve dar novamente heparina 300-400 UI.kg antes do retorno ao CPB (ou dar heparina conforme resultado do teste de HepCon). Pode ser necessário dar heparina extra por causa do efeito residual da protamina.

3. Uma vez iniciado o CPB, o cirurgião corrige qualquer problema técnico existente. Geralmente os problemas cirúrgicos são corrigidos com o coração batendo. Há casos em que se necessita de clampeamento aórtico, cardioplegia e silêncio eletromecânico para o reparo cirúrgico adequado.

4. Suporte mecânico temporário pode ser empregado em casos de disfunção miocárdica ou pulmonar que impeçam a saída de CPB. A escolha do aparelho (ECMO, balão intra-aórtico, etc) depende do paciente, fatores hemodinâmicos, preferências cirúrgicas e institucionais.

5. Se um problema cirúrgico específico não for encontrado, deve-se procurar outras causas cardíacas e não cardíacas antes de tentar o desmame do CPB.

Os problemas cirúrgicos ou técnicos que levam à isquemia miocárdica são causa rara de dificuldade de saída de CPB. Exemplos desses problemas são: má qualidade da anastomose do enxerto da revascularização do miocárdio ou enxerto dobrado, embolização aérea ou microdebris na coronária nativa ou no enxerto ou sutura com fechamento da artéria coronária durante troca da valva aórtica, raiz da aorta ou valva mitral. Nesses casos, a isquemia miocárdica é diagnosticada através das alterações na motilidade da parede ventricular pelo ETE, hipotensão, débito cardíaco baixo e alterações de ST no ECG, apesar de altas doses de inotrópico e ou vasopressor. O baixo fluxo no enxerto pode ser confirmado pelo Doppler aplicado diretamente no vaso.[31]

Dissecção aórtica iatrogênica é outra complicação rara em cirurgia cardíaca, sendo de 7 casos em 3.000 procedimentos em um estudo. Essa alteração geralmente ocorre durante a canulação aórtica e é detectada no início do CPB mas às vezes é detectada somente no final da CEC através do ETE.[31]

A obstrução do trato de saída do ventrículo esquerdo (VE) pode acontecer quando a saída do trato está diminuída pela hipertrofia septal do VE e/ou posicionamento e comprimento anormais dos folhetos da valva mitral. O contato entre os folhetos da valva mitral com o septo do VE durante a sístole causa uma obstrução mecânica contra a ejeção do VE e também regurgitação mitral pela má coaptação do folhetos. O ETE é o método de diagnóstico dessa alteração.[31]

Essa obstrução da saída do VE pode ser preexistente ou ocorrer após a troca da valva mitral ou aórtica. Essa alteração é dinâmica. A hipovolemia e a diminuição da resistência sistêmica (RVS) pioram a obstrução, pois o VE hipertrofiado tem diminuição da complacência e é muito sensível a alterações da pré e pós-carga. É contraindicado o uso de simpatomiméticos para tratar a hipotensão, pois a taquicardia e hipercontratilidade resultantes pioram a obstrução.[31]

O tratamento dessa condição inclui:[31]

1. Administrar fluido para aumentar o volume do VE;

2. Aumentar a RVS com vasoconstritores que não têm ação inotrópica ou cronotrópica (fenilefrina ou vasopressina);

3. Diminuir o inotropismo e a frequência cardíaca (FC) com anestésicos ou betabloqueadores. Marca-passo epicárdico pode manter FC adequada se essas medidas levarem à bradicardia.

O choque cardiogênico pós-cardiotomia ocorre em 0,2%-6% dos pacientes após cirurgia cardíaca com CEC, com incapacidade de manter a oxigenação, débito cardíaco (DC) adequado e perfusão orgânica. Suporte mecânico temporário pode ser empregado nos casos de disfunção ventricular refratária e baixo DC persistente. A seleção do aparelho depende dos fatores hemodinâmicos do paciente e dos recursos da instituição (Tabela 153.19). As contraindicações e complicações dos aparelhos temporários estão na Tabela 153.20.[31,54,58]

Tabela 153.19 Aparelhos mecânicos temporários para suporte cardíaco.

Aparelho	Suporte máximo (L.min)	Suporte VD	Duração do suporte	Implantação percutânea	Rapidez para instalar	Contraindicações
BiAo	0.5	Não	Semanas	Sim	Rápido	IA, dissecção aórtica, aneurisma aórtica abdominal
Tandem Heart	5	Não	4 semanas	Sim	Moderada	IA moderada a grave, CIV
Centrimag (AAV)	10	Sim	Meses	Sim	Lenta	
ECMO(VA)	6	Sim	Semanas	Sim	Rápida	VCM > 7 dias, IA moderada a grave
Impella 2.5	2.5	Não	± 4 Semanas	Sim	Moderada	Trombo em VE, VA mecânica, EA grave, FOP, CIV, falência importante de VD, DAP grave e falência cardiorrespiratória
Impella 5.0	5	Não	± 4 semanas	Não	Lenta	O mesmo do Impella 2.5

BiAo: balão intra-aórtico, AAV: aparelho de assistência ventricular, IA: insuficiência aórtica, CIV: comunicação interventricular, VCM: ventilação mecânica, VE: ventrículo esquerdo, EA: estenose aórtica, FOP: forame oval patente, VD: ventrículo direito, DAP: doença arterial periférica.

Tabela 153.20 Contraindicações e complicações de TODOS os aparelhos de suporte temporário.

Contraindicações	Complicações
Doença vascular periférica grave	Sangramento
Doença neurológica irreversível	Lesão vascular
Sepse (relativa)	Infecção
Falta de consentimento	Lesão neurológica
Contraindicação para a anticoagulação	Mal posicionamento e deslocamento

Balão intra-aórtico (BiAo)

O uso de BiAo é o esteio no tratamento da falência de desmame do CPB, sendo o uso desse aparelho ocorrendo em 14%-28% de todos os casos de CEC. Este serve para vários problemas que impedem o desmame do CPB. O BiAo é posicionado na aorta descendente proximal, melhorando a perfusão miocárdica através do aumento do fluxo sanguíneo coronariano e da pressão arterial diastólica durante a fase diastólica do ciclo cardíaco (Figura 153.12). Em uma instituição italiana, BiAo é indicado quando VIS>30, pressão arterial sistólica <90 mmHg, pressão de oclusão arterial >18 mmHg e IC <2L.min.m^2.[31,58]

O balão infla durante a diástole, o que joga sangue na raiz da aorta e dentro das artérias coronarianas. Durante a fase sistólica, a rápida deflação do balão, antes da abertura da valva aórtica, diminui a pós-carga do VE, o consumo de oxigênio do miocárdio e o trabalho miocárdico. O BiAo não gera fluxo sanguíneo sistêmico mas o DC melhora em +/- 20%.[31]

O BiAo é colocado em geral na artéria femoral, mas pode – em raras ocasiões – ser colocado diretamente no arco aórtico através de um enxerto. As contraindicações do uso do aparelho são: insuficiência aórtica moderada a grave, aneurisma ou dissecção da aorta e doença arterial periférica grave.[31]

Idealmente o ecotransesofágico (ETE) é utilizado para descartar as contraindicações do uso do BiAo e para verificar o correto posicionamento da ponta do balão na aorta descendente alguns centímetros depois da origem da artéria subclávia. Se o ETE for contraindicado ou não estiver disponível, o posicionamento do BiAo pode ser confirmado com Rx de tórax. O BiAo deve estar entre a porção anterior do 2º espaço intercostal e a 1ª vértebra lombar.[31]

Após o início do uso do aparelho, as alterações hemodinâmicas esperadas são: aumento do DC e PAM, diminuição da pressão sistólica, aumento da pressão diastólica e diminuição da pressão de cunha da artéria pulmonar.[31]

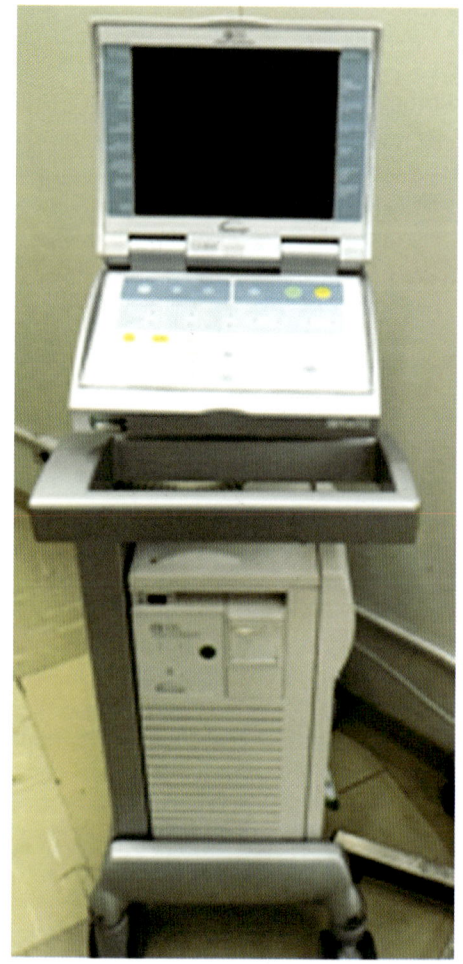

▲ **Figura 153.12** Balão intra-aórtico da marca Datascope CS100 usado no Incor (HC-FMUSP).

A mortalidade intra-hospitalar em pacientes em uso de BiAo varia entre 2% e 34%. Os fatores de riscos para a mortalidade incluem altas doses de vasopressores, saturação venosa mista <60%, alta pressão do átrio esquerdo ou da pressão diastólica do VE, creatinina pré-operatória aumentada, duração longa do clampeamento da aorta e cirurgias urgentes ou emergentes.[31]

As complicações do uso de BiAo são: isquemia do membro, lesão vascular e raramente sangramento importante. Os fatores de risco para essas complicações são: doença arterial periférica, idoso, sexo feminino, superfície <1,8 m^2, cateter >9,5 french, diabetes mellitus, hipertensão, suporte com BiAo prolongado e IC (índice cardíaco) <2,2L.min.m^2.[31]

Aparelhos de Assistência Ventricular (AAV)

Um AAV temporário pode dar suporte circulatório e permite tempo para a recuperação cardíaca e raramente ser colocado como ponte para transplante cardíaco urgente. É ideal o uso do ETE ou fluoroscopia para confirmar a correta colocação das cânulas de entrada e saída do aparelho em si, e também para acessar a função do aparelho após a colocação. Os aparelhos são: AAV implantáveis, AAV percutâneos e aparelho TandemHeart®.[31,58]

Os AAV implantáveis provêm fluxo ativo e permitem suporte por tempo mais longo que o BiAO. O AAV CentriMag consiste em uma bomba centrífuga contínua, um console e um motor, probe de fluxo e tubos. A bomba pode gerar fluxo de até 9,9 L.min, com 5.500 rotações.min e é aprovado para suporte do ventrículo direito (VD), esquerdo (VE) e biventricular por até 30 dias.[31]

Entre os AAV percutâneos estão os aparelhos Impella®. Estes são aparelhos de fluxo axial pequeno que podem ser usado para VD, VE e biventricular. O sangue é retirado do VE e expelido pela via saída para a raiz da aorta para suporte do VE e colocado na entrada da junção cavoatrial inferior e com saída na artéria pulmonar no suporte do VD. Há cinco tipos de Impella® (Impella Recover® 2.5, Impella® CP3.5, Impella Recover® 5.0, Impella LD® e Impella RP®).[31,58]

A colocação dos Impellas® demoram mais que o BiAo e ECMO. As contraindicações de seu uso são: estenose aórtica ou valva aórtica mecânica, doença vascular periférica e defeitos do septo (Figura 153.13).[31,58]

O TandemHeart® é um suporte percutâneo atrial-femoral. Um cateter é introduzido pela veia femoral e usado como guia até o átrio esquerdo (AE) via punção do septo, guiado pelo ETE. O sangue oxigenado é retirado do AE e colocado numa bomba centrífuga periférica e então recolocado na circulação sistêmica através de uma cânula na artéria femoral. Gera-se fluxo de 3,5-4 L.min (Figura 153.14).[31]

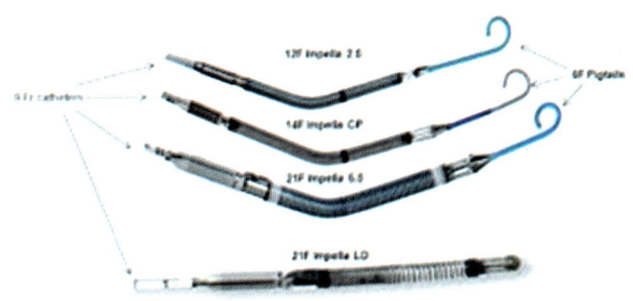

▲ **Figura 153.13** Aparelhos Impellas®.

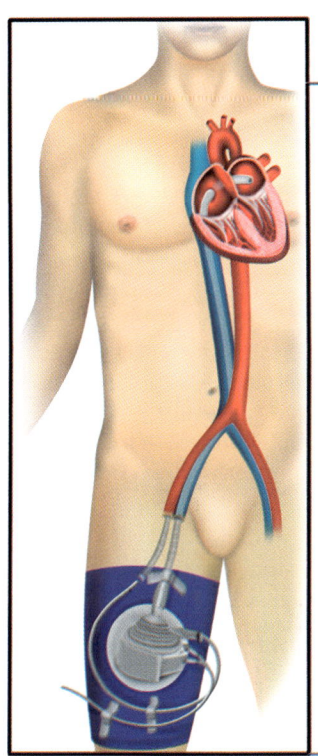

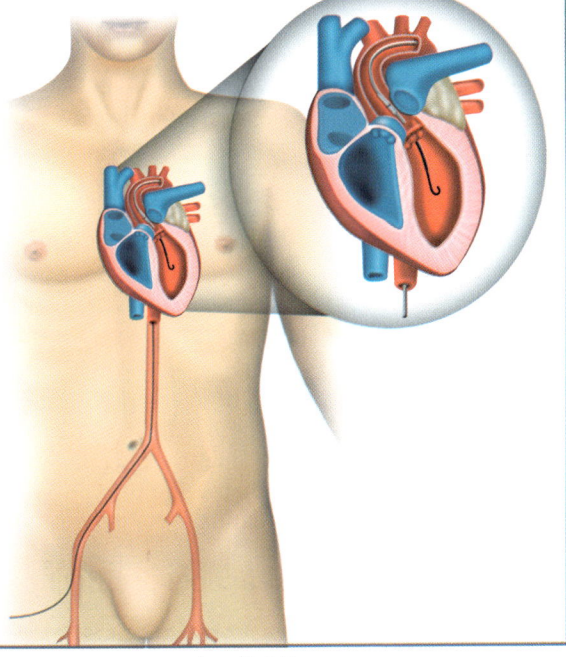

TandemHeart System   Impella 2.5

◀ **Figura 153.14** TandemHeart® e Impella® 2.5.

Oxigenação por Membrana Extracorpórea (ECMO)

O ECMO pode prover suporte hemodinâmico e respiratório em pacientes com choque cardiogênico pós-cardiotomia que não podem ser manejados com drogas e estratégias ventilatórias.[31,54,58] Ver especificações adiante.

Saída de CPB

O objetivo no período pós-CPB imediato é a reverter a anticoagulação, hemostasia, reinjeção do sangue residual da máquina de CEC de volta para o paciente; manter a estabilidade hemodinâmica, completar o procedimento cirúrgico e preparar o paciente para ser transportado para UTI.[3,54]

A separação do CPB é um processo de diminuição do retorno venoso para o reservatório venoso e aumento do volume sanguíneo no coração. A saída se completa com a retirada da cardioplegia e das cânulas aórtica e venosas.[54,55]

Inicialmente, o perfusionista deixa que o sangue encha o coração e os pulmões, através do clampeamento parcial da linha venosa. Quando a PAP e/ou PVC chegam ao nível adequado, o perfusionista diminui o fluxo da bomba, 0,5-1L.min por vez, até chegar ao suporte mínimo (500 ml-1L.min.m²) e então separa-se do CPB.[1,53]

Ao mesmo tempo, o anestesiologista vai titulando as drogas vasoativas e inotrópicas para manter a contratilidade e a resistência vascular sistêmica adequadas. Após a saída de CEC, passa-se à reposição do volume do reservatório e depois retira-se as cânulas. O ETE é um excelente instrumento de monitorização nesse processo.[54]

O alvo hemodinâmico durante a saída de CPB é alcançar parâmetros fisiológicos estáveis e a perfusão orgânica adequada. Os objetivos são:[3,54]

- Frequência cardíaca entre 80-90 bpm, a fim de otimizar o enchimento ventricular e o índice cardíaco (IC). Talvez seja necessário o uso de marca-passo.
- Pressão arterial média entre 60-90 bpm a fim de manter a perfusão do miocárdio e outros órgãos vitais. Evita-se pressões mais altas enquanto não retirar a cânula aórtica. Pode haver gradiente entre pressão arterial central e periférica.
- Enchimento adequado dos ventrículos (pré-carga) para manter IC (ou volume diabólico final no ETE). A PVC pode ser usada como parâmetro, mas depende do valor basal individual de cada paciente.
- IC de 2,0-2,4L.mim.m², indicando perfusão adequada dos órgãos.
- Temperatura nasofaríngea de 37ºC (temperatura central de 35,5ºC-36,5ºC).
- Equilibrio ácido-básico, electrólitos, PaO_2, $PaCO_2$, glicemia e hematócrito dentro dos limites normais. Potássio sérico entre 4,5-5,0 mmol.L para prevenir arritmias.

Após a retirada das cânulas, cuida-se da hemostasia. A protamina é dada para reverter a heparina, geralmente 1:1, e mede-se o TCA após. Fatores e produtos sanguíneos devem estar disponíveis, caso necessário. Se o paciente estiver em risco de coagulopatia, colhe-se coagulograma e nível de plaquetas.[1,54,55]

Protamina

A neutralização da heparina sistêmica com protamina é total ou pelo menos iniciada antes da decanulação da aorta. Essa cronometragem permite rápido retorno ao CPB em caso de reação catastrófica à protamina.[1,3,52,54]

A sucção do sangue do campo cirúrgico para o reservatório venoso deve ser interrompida no início da administração da protamina ou após um terço ter sido administrada. Essa precaução é teorizada pelo receio de formação de coágulo no reservatório venoso que poderia impedir o retorno emergencial de CPB.[54]

A protamina é administrada de acordo com o total de heparina dada. A dose de protamina ideal para reverter a heparina ainda é controversa. Há vários protocolos vigentes.[1,54]

Protocolos

No primeiro protocolo, a protamina é dada de acordo com o total de heparina usada [1-1,3 mg de protamina por 1 mg (100 UI) de heparina] lentamente em 10-15 min. Esse método pode levar à administração de altas doses de protamina, que diminui os riscos de ricochete da heparina. Entretanto, aumenta os riscos de sangramento pelos efeitos anticoagulantes da protamina.[1,3,54]

O ricochete da heparina ocorre quando há re-heparinização do paciente pela volta da heparina sequestrada durante a CEC. É mais comum em obesos e pacientes que utilizaram altas doses de heparina e pode estar relacionado à ligação inespecífica da heparina às proteínas plasmáticas, assim como ao acúmulo no tecido adiposo.[54,59]

Após a administração total da protamina, checa-se a normalização do TCA. Se necessário, administra-se dose adicional de protamina. É razoável limitar a reversão da heparina na razão 1:2,6-3,0 (heparina:protamina), pois o excesso de protamina está associado à inibição da função planetária, coagulograma aumentado e sangramento excessivo.[3,54]

No segundo protocolo, a protamina é calculada de acordo com a concentração de heparina, medida através de um ensaio de titulação da protamina. A dose de protamina é graficamente derivada dos valores de TCA durante toda a cirurgia e cria-se assim curvas de dose-resposta da heparina.[1,54]

A quantidade de protamina usada nesse método está baseada na concentração circulante de heparina no momento da reversão. Esse método está fundamentado na teoria de que não existe protamina em excesso.[1]

No entanto, o paciente pode estar sob risco de ricochete da heparina e pode necessitar de doses extras de protamina. Em um estudo, essa forma de reversão resultou na administração de doses maiores de protamina mas ocorreu menos sangramento, por tratar o ricochete da heparina.[1]

Um terceiro protocolo administra a protamina baseada no peso do paciente 3-4 mg.kg independentemente da dose de heparina dada. O último protocolo, por seu lado, utiliza o aparelho Hepcon®, que titula automaticamente a dose heparina-protamina.[1]

Reação à protamina

A protamina está associada a diversos efeitos hemodinâmicos que variam entre a hipotensão leve até reações hemodinâmicas graves, que aumentam o risco de mortalidade intra-hospitalar. Essa reações são classificadas em tipos I, II e III.[1,55]

A reação tipo I envolve hipotensão com pressões de enchimento normais e pressões de vias aéreas normais, causadas por efeitos diretos e indiretos da protamina e potencial ativação de complemento pelo complexo-heparina-protamina. Essa reação geralmente é leve, responde a volume, diminuição da velocidade de infusão da protamina e doses pequenas de drogas vasoativas.[1,55]

A reação tipo II inclui hipotensão moderada a grave e sinais e sintomas de reação anafilactoide com broncoconstrição. As reações anafilactoides envolvem sensibilidade à protamina de fundo imunológico e não imunológico. Essa reação deve ser tratada como reação anafilática perioperatória.[1,55]

A reação tipo III é causada por anticorpos IgG ou altas doses do complexo heparina-protamina ou que se localizam na circulação pulmonar, causando a liberação de mediadores e resultando em hipotensão grave, vasoconstrição pulmonar aguda e pressões de enchimento altos que podem levar à disfunção do VD, podendo ser acompanhados por broncoespasmo ou edema pulmonar não cardiogênico.[1,55]

Os mecanismos das reações da protamina incluem liberação de NO endotelial, degranulação de mastócitos e liberação de histamina associada à infusão rápida. Fatores de risco para essas reações são: alergia à insulina NPH, paciente alérgico, exposição prévia à protamina, vasectomia, disfunção do VE e instabilidade hemodinâmica. Nem o tratamento preventivo com anti-histamínico nem a troca da via de infusão inibem a reação.[1]

Cuidados devem ser tomados a fim de evitar essas reações:[1,55]

1. Administrar protamina lentamente, por ≥ 5 minutos.
2. Em pacientes com história de alergia à protamina, considerar drogas alternativas (PF4 ou heparinase) ou não reverter a heparina e utilizar produtos sanguíneos para reverter a coagulopatia ou considerar procedimentos cirúrgicos alternativos (cirurgia sem CPB, CPB sem heparina).
3. A hipotensão geralmente melhora com a diminuição da infusão da protamina, volume e medicações vasoativas como fenilefrina ou efedrina, ou aumento das drogas vasoativas.
4. Pacientes com hipotensão grave e intratável, com ou sem envolvimento pulmonar, broncoespasmo e disfunção de VD, necessitam de tratamento agressivo e possível retorno em CPB. Hepariniza-se o paciente novamente com 0,7 mg.kg de heparina para suporte hemodinâmico e depois 3 mg.kg de heparina, caso seja necessário voltar para CPB total, suporte inotrópico com drogas como adrenalina, noradrenalina ou vasopressina e azul de metileno se necessário e dar albuterol para broncoespasmo.
5. Em casos graves, com edema pulmonar ou SARA (síndrome da angústia respiratória aguda), considerar uso temporário de ECMO

Impossibilidade de Fechar o Esterno

O fechamento do tórax em pacientes hemodinamicamente estáveis pode causar diminuição leve do IC e aumento leve da PVC (Pressão Venosa Central) e ou PAP (Pressão da Artéria Pulmonar) pela compressão do AD e VD, sem impedir o fechamento do esterno.[31,54]

Em alguns pacientes, principalmente aqueles submetidos a cirurgias complexas com CEC prolongada, a tentativa de fechamento do tórax pode causar hipotensão grave que torne obrigatório deixar o esterno aberto. A compressão do AD e VD atrapalha o enchimento ventricular e diminui o IC e é pior em paciente hipovolêmicos.[31,54]

As tentativas para fechar o esterno pode também comprometer o reparo cirúrgico, como dobra do enxerto ou o enxerto ficar no meio do esterno, ou deslocamento do fio de marca-passo, com instabilidade hemodinâmica.[31]

Se necessário, o fechamento do esterno pode ser adiado para um dia após a cirurgia. O benefício dessa postura inclui: permitir tempo para recuperação cardíaca, diminuir o edema tecidual e evitar o risco de tamponamento cardíaco por sangramento pós-operatório ao redor do coração. Entretanto, o risco é a maior chance de infecção intratorácica.[31,54]

Coagulopatia após CPB

Cirurgias cardíacas que necessitam de CPB são frequentemente complicadas por coagulopatia causada pela combinação de hiperfibrinólise, disfunção plaquetária, diminuição dos fatores de coagulação por contato com o circuito de CEC, hemodiluição, hipotermia e trauma cirúrgico. Até 10% dos pacientes experimentarão sangramentos importantes, e de 20% a 40% receberão transfusões.[31,44,59 62]

Vários produtos sanguíneos e farmacológicos estão disponíveis para minimizar o excesso de sangramento associado à coagulopatia. Apesar de não existir consenso internacional no manejo de sangramento após a cirurgia cardíaca concluiu se, nos últimos 25 anos, que protocolos de transfusão baseados em algoritmos são melhores que as decisões individuais.[59,61,62]

A tendência atual do tratamento está baseado em exames laboratoriais e testes específicos (*Point Of Care Test* - POC). No entanto, não há evidências sólidas de que qualquer tipo de exame ou teste melhore a morbimortalidade. Há relatos de que o uso de POC usando testes viscoelásticos diminua a necessidade de transfusão sanguínea em até 50% comparado com o uso de testes laboratoriais de rotina.[59,60,62]

Após a cirurgia cardíaca é normal o sangramento pelos drenos de até 400 ml em 6h. Considera-se sangramento excessivo quando > 2 ml.kg.h, sangramento este associado à triplicação da mortalidade e é causa de 10%-15% das mortalidades gerais.[59]

Os principais fatores de risco para sangramento no período perioperatório de cirurgias cardíacas são:[31,59,60]

1. cirúrgicas (principalmente re-esternotomias e cirurgias complexas);
2. coagulopatia: CPB longo, hipotermia intraoperatória, coagulação intravascular disseminada;

3. coagulopatia pré-operatória não diagnosticada ou não tratada: uso de anticoagulantes, antiplaquetários, doença sanguínea congênita, trombocitopenia ou disfunção plaquetária reversível;

4. idoso;

5. volume pequeno de células vermelhas (anemia pré-operatória, corpo de tamanho pequeno).

Além disso, o sangramento pós-operatório pode ser complicado pelo "ricochete da heparina", quando sangue heparinizado retorna da máquina de CPB para o paciente após a infusão de protamina já terminada.[31,59,62]

Diagnóstico

A conduta padrão baseia-se nos resultados laboratoriais convencionais, integrados ao algoritmo de tratamento. Esses exames incluem número de plaquetas, fibrinogênio, tempo de trombina, tempo de protrombina (TP) e tempo de tromboplastina ativada (TTPa). Há aumento de interesse no uso de POC com testes viscoelásticos como o tromboelastograma (TEG) e tromboelastograma rotacional (ROTEM). Abaixo estão 2 exemplos de algoritmo com e sem uso de TEG/Rotem (Figuras 153.15 e 153.16).[60,62]

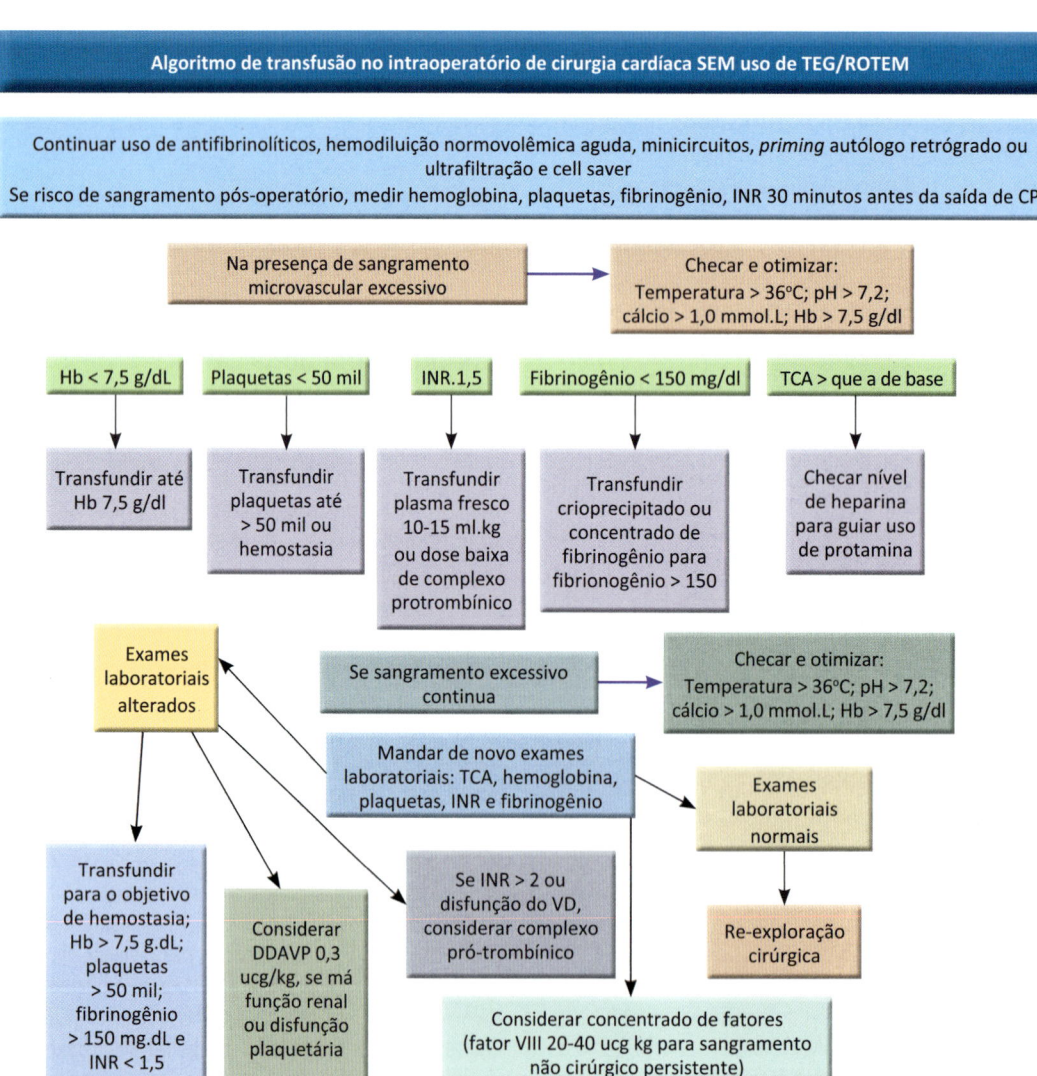

▲ **Figura 153.15** Algoritmo de Transfusão da Sociedade de Anestesiologistas Cardiovasculares, NÃO baseado em ROTEM/TEG.

esse algoritmo não se aplica às transfusões sanguíneas.

se uma dose extra de protamina não encurtar o TCA, considerar fibrinogênio baixo (A10-FIBTEM baixo) ou uma deficiência adquirida dos fatores de coagulação enzimáticas (CT-EXTEM prolongado) como razões para TCA prolongado e tratar de acordo com o algoritmo (dose máxima de protamina é 1-2 mg por mg da dose inicial de heparina).

não é necessário pesar compressas se sangramento maciço; nesse caso pode-se iniciar transfusão sem pesar compressas e combinar passos se cumprido critérios.

@ deve-se tratar um passo por vez e verificar sangramento após cada passo, a não ser que haja sangramento maciço ou compressa > 120 g. Se testes POC normais, em paciente com sangramento, repetir testes e seguir algoritmo.

@@ considerar 2 pools de plaquetas em pacientes com sangramento maciço, plaquetas funcionantes < 15.000 ou uso de drogas antiplaquetárias potentes.

@@@ considerar concentrado de complexo protrombínico 20UI.kg se falência de VD, excesso de volume ou uso recente de varfarina.

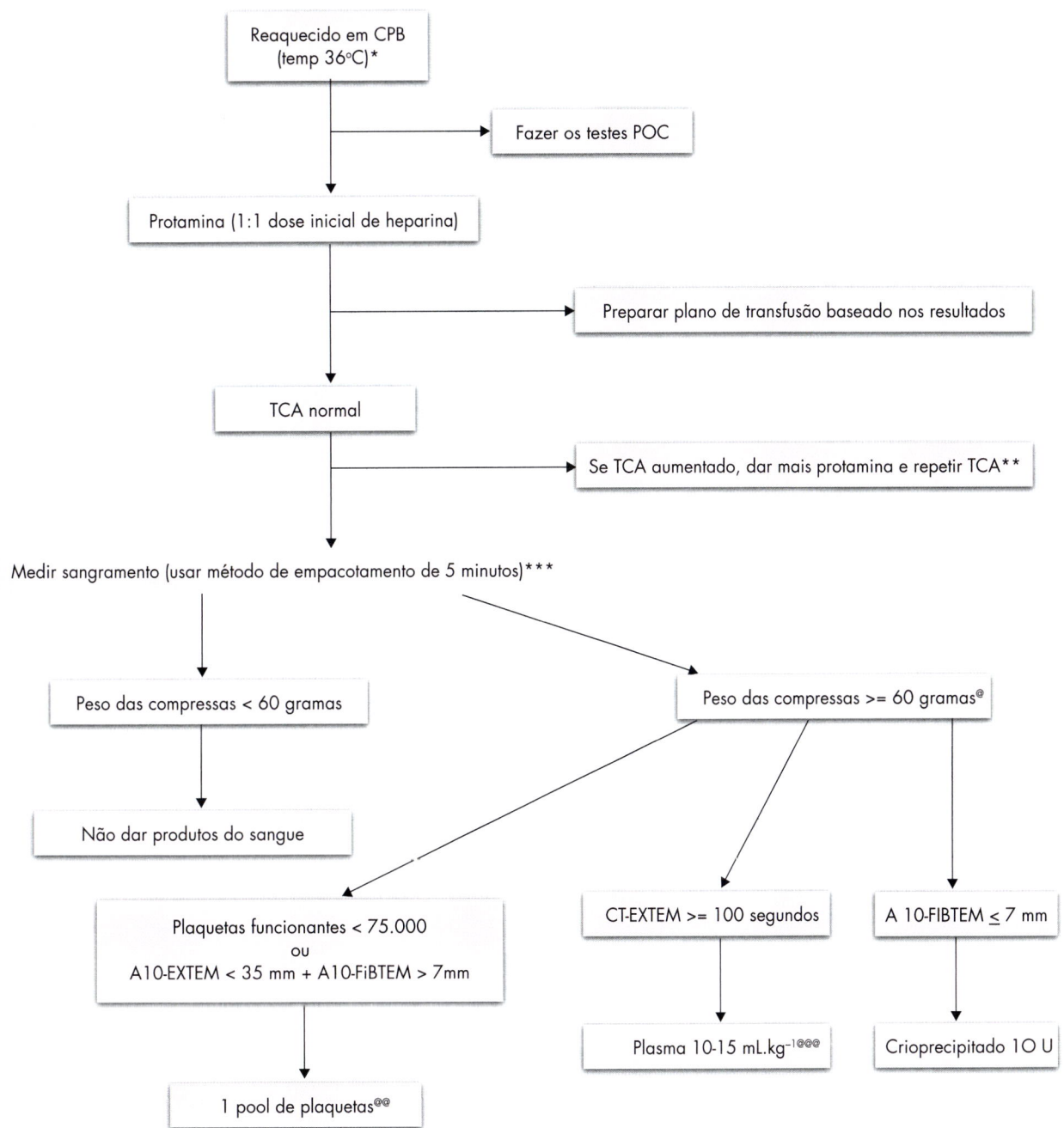

▲ **Figura 153.16** Algoritmo de transfusão associado a testes POC (Rotem® e Platelworks®).
Fonte: Toronto General Hospital.

Medicamentos e Produtos Disponíveis

Fibrinogênio e crioprecipitado

Após CPB, é fundamental a reposição de fibrinogênio quando o nível deste está baixo (< 150-200 mg.dl). A dose recomendada em cirurgias cardíacas é de 25-50 mg.kg (1-3 g). Dez unidades de crioprecipitado contêm 2g de fibrinogênio e aumentará o nível de fibrinogênio em 70 mg.dl em uma pessoa de 70 kg.[31,59,60]

Há um estudo que mostra que a dose de 70 mg.kg aumenta o nível de fibrinogênio em 100 mg.dl e aparentemente não aumenta os fenômenos trombóticos em cirurgias de reconstrução aórtica e hipotermia profunda, porém recomenda novos estudos sobre essa alta dosagem.[63]

Outro estudo recomenda o uso do fibrinogênio de acordo o resultado do ROTEM:[64]

■ Dose de fibrinogênio = [FIBTEM MCF alvo (22 mm) – FIBTEM MCF obtido] [peso(kg).140]; FIBTEM-teste de tromboelastograma baseado em fibrina, MCF – firmeza máxima do coágulo

A forma de fibrinogênio recomendada, concentrado de fibrinogênio ou crioprecipitado, depende da disponibilidade. Há falta de evidência entre risco-benefício e custo-efetividade entre os dois produtos, porém o crioprecipitado não está disponível em todos os locais e para a reposição do fibrinogênio é preciso alto volume. O concentrado de fibrinogênio tem a vantagem de ter dose padrão, armazenamento e reconstituição e segurança na purificação, além da diminuição de patógenos.[59,62,64]

A dose de crioprecipitado é de 4-6 ml.kg.[60]

Plasma Fresco Gongelado

A transfusão desse componente tem vários dos riscos da transfusão de hemácias e é usada quando não estão disponíveis frações mais seguras dos produtos sanguíneos. É apropriada em pacientes com deficiências congênitas de fatores e em sangramentos graves onde há diluição ou consumo dos fatores de coagulação (coagulação intravascular disseminada). A transfusão do plasma está incluída em protocolos de transfusão maciça, geralmente na proporção de 1:1 com as hemácias e plaqutas.[31,62]

A dose é de 15 a 20 ml.kg. É questionável seu uso em pacientes com TP, TTPa e parâmetros viscoelásticos levemente alterados.[59,60,62]

Concentrado de Complexo Protrombínico Inativado (CCP)

O complexo protrombínico contém altas doses de proteínas C e S, fatores II, VII, IX, X, antitrombina e heparina. Estes repõem fatores vitamina K dependentes, mas sua principal indicação é para reversão da varfarina. Sua vantagem sobre o plasma baseia-se na rapidez da administração, efeito confiável, volume mínimo: 40-50 ml do produto corresponde a 15 ml.kg de plasma e menor exposição a alógenos.[31,59,62]

A administração do CCP, ao invés do plasma, também pode ser benéfico em pacientes com coagulopatia fator-mediada e sangramento pós-CPB, principalmente quando a normalização rápida da coagulação é necessária, com transfusão limitada de produtos sanguíneos, evitando-se a administração excessiva de fluidos. A dose é de 12,5-25U.kg.[31,60,62]

Plaquetas

A trombocitopenia é comum no período pós-CPB imediato, pela combinação de hemodiluição, perda de plaquetas por sangramento cirúrgico persistente, aderência das plaquetas na superfície do circuito de CEC, consumo pela ativação da coagulação ou *clearance* acelerado causado pela ativação mediada por trombina. Menos comum é a trombocitopenia por coagulação intravascular disseminada.[31,54,62]

Há diversas opções de teste POC para a função plaquetária: PFA-100, um analisador da função plaquetária, um ensaio com sangue total; Multiplate, que depende da agregometria de impedância; PlateletWorks, que acessa a função plaquetária com sangue total antes e depois da ativação e agregação plaquetária.[62]

Artigo de revisão do periódico *Anesthesiology*, de maio de 2023, advoga a transfusão plaquetária quando <50 mil em cirurgias cardíacas. Entretanto, há um estudo que advoga a transfusão de plaquetas em pacientes com contagem plaquetária <100.000.mm[3] e com sangramento microvascular clinicamente importante. Pacientes em uso de antiplaquetários, principalmente inibidores do receptor P2Y12 como o clopidogrel, prasugrel e ticagrelor estão sob maior risco desse tipo de sangramento pela disfunção plaquetária.[31,60]

Desmopressina (DDAVP)

A DDAVP é um análogo da vasopressina que libera fator de von Willebrand, fator VIII, prostaciclina e ativador do plasminiogênio tecidual endógenos. Sua estrutura é modificada da vasopressina para diminuir as ações vasoativas.[31,59]

Alguns médicos administram uma dose de DDAVP para atenuar o sangramento excessivo e minimizar a transfusão pós-CPB, principalmente em pacientes com doença de von Willebrand ou uremia. Pacientes com estenose aórtica, outro tipo de lesão estenótica ou com assistência de VE (vetntrículo esquerdo) podem ter uma forma de doença de von Willebrand adquirida e pode ser útil a administração de DDAVP. DDAVP 0,3 mg.kg é administrada lentamente, em 30 minutos, para minimizar os efeitos colaterais da medicação como hipertensão, hipotensão e vermelhidão.[31,59,62]

Alguns poucos estudos utilizando a DDAVP em situações outras que as citadas acima mostram que esta pode melhorar a função plaquetária e diminuir a perda sanguínea pós-CPB com hipotermia. Entretanto, uma revisão do Cochrane de 2017, sobre a eficácia da DDAVP em indivíduos que não apresentam alterações sanguíneas hereditárias, concluiu que a diminuição de transfusão sanguínea é pequena e clinicamente insignificante quando comparada ao placebo.[31,62]

Fator VIIa Recombinante

Esse medicamento é usado somente como último recurso, em sangramentos pós- cirurgias cardíacas intratáveis, pois leva ao excesso de eventos pró-trombóticos e falta evidências que demonstrem melhora da mortalidade em geral. O produto contém 4 vezes a dose fisiológica de fator VIIa, capaz de ativar o fator Xa na presença de plaquetas ativadas.[31,59,62]

O fator VIIa recombinante funciona mal em casos de hipotermia, hipocalcemia, hipofibrinogenia e coagulopatia maciça. Aparentemente, doses baixas ≤20-40 ucg.kg podem ser efetivas sem aumentar o risco de eventos adversos.[20,59,62]

■ CPB PEDIÁTRICO

Os pacientes pediátricos, principalmente neonatos e crianças pequenas, têm um volume plasmático circulante pequeno e órgãos imaturos e, portanto, os efeitos da hipotermia, alterações circulatórias, hemodiluição, balanço ácido-básico e resposta inflamatória causadas pela CEC são muito maiores que em adultos.[52,65,66]

Pacientes com doenças congênitas frequentemente têm variações anatômicas que complicam o CPB, incluindo atresia ou duplicação dos vasos necessários para canulação e a presença de colaterais aortopulmonares pode diminuir significativamente o débito do CPB efetivo pelo *shunt* com a circulação pulmonar. A existência de variações anatômicas demanda canulação alternativa, estratégias de manejo do pH e PCT.[52,66]

Não há guias práticos específicos na perfusão pediátrica, de aceitação universal, sendo que a maioria dos protocolos depende de política institucional, experiência e treino do cirurgião, anestesiologista e perfusionista.[66,67]

Volume do *Prime* e Hemodiluição

Não é possível a diminuição do circuito proporcionalmente ao tamanho da criança. O volume do *prime* depende dos tubos, do reservatório venoso e do oxigenador. Esse volume correlaciona-se diretamente com a necessidade de transfusão perioperatória. Volumes de *prime* pequenos diminuem o volume de transfusão durante o CPB e melhoram o balanço de água perioperatório e diminuem a duração do suporte ventilatório pós-operatória.[52,66,67]

A otimização do circuito de CPB usando cânula e reservatório os menores possíveis e eliminando potenciais componentes supérfluos como hemoconcentrador, ultrafiltração, linhas de sucção adicionais e *cell saver* pode diminuir a hemodiluição e a necessidade de transfusão.[52,65-67]

No Boston Children's Hospital o menor volume de *prime* é de 175 ml. No Incor-HCFMUSP, o menor circuito disponível é de 300 ml da marca Maquet (Tabela 153.21).[52,68]

A volemia estimada do paciente baseada no peso (VEP) está listada na Tabela 153.22. A relação entre o volume do *prime* (VP) e a VEP é grande, particularmente nos neonatos.[52,65]

O circuito de CPB pode ser preenchido com cristaloides, coloides ou produtos do sangue. O *prime* sem sangue tem a vantagem de evitar as complicações relacionadas à transfusão. Entretanto, o hematócrito baixo pode ser inadequado para manter a oxigenação.[52,65-67,69]

A hemodiluição diminui a viscosidade sanguínea, a resistência vascular sistêmica, a pressão oncótica do plasma com edema tecidual e aumenta a liberação dos hormônios de estresse. Essas alterações são evidentes nos neonatos. Baixo peso corpóreo, hematócrito baixo, tempo prolongado de CPB e hipotermia são fatores de risco para a retenção de fluidos na CEC. A diluição sanguínea moderada diminui a viscosidade sanguínea e aumenta a circulação sanguínea, aumentando a perfusão tecidual.[52,65]

A Figura 153.17 mostra como calcular o hematócrito após a diluição com o volume do *prime* e a quantidade de sangue que é necessário colocar no circuito de CPB para se chegar ao hematócrito desejado. No Incor-HCFMUSP o hematócrito é mantido em 30% durante toda a CEC nas cirurgias cardíacas congênitas (Tabela 153.23).[68]

Tabela 153.22 Volume sanguíneo estimado de acordo com o peso corpóreo.

Peso do paciente (kg)	Volume de sangue (ml.kg)
< 10	85
10-20	80
20-30	75
30-40	70
> 40	65

Hematócrito desejado (HtD) = 30%

Fórmula para verificar o hematócrito após a hemodiluição (HtF)

$$HtF = \frac{volemia \times Htpré}{volemia + perfusato}$$

Fórmula para verificar o volume de hemácias do paciente (VhP)

$$VhP = \frac{volemia \times Htpré}{100}$$

Fórmula para verificar o volume de hemácias necessário (VhN) ser colocado no volume do prime para obter hematócrito de 30%

$$HtD\ (30\%) = \frac{(VhP + VhN) \times 100}{volemia + perfusato}$$

▲ **Figura 153.17** Fórmulas para cálculo do hematócrito após hemodiluição com o volume do *prime* e a quantidade de sangue que deve ser acrescida no circuito para atingir o hematócrito desejado.
Fonte: Incor-HCFMUSP.

Tabela 153.23 Correspondência entre o volume de hemácias necessário (VhN) e a quantidade de sangue necessário (CH) ser colocado no volume de prime.*

VhN (mL)	CH (mL)
6	10
30	50
60	100
66	110
72	120
78	130
84	140
90	150
120	200

* Considerando hematócrito da bolsa de sangue em 60%.

Tabela 153.21 Oxigenador e circuito de CEC utilizados no Incor-HCFMUSP.

Peso (kg)	Oxigenador	Marca	Linha venosa (2 cavas) (polegadas)	Linha arterial (polegadas)	Volume do circuito (ml)
Até 8	Neonato	Maquet	3/16	3/16	300
8-20	Infantil	Braile	1/4	¼	600
20-25	Infantil	Braile	1/4	¼	1.000
25-35	Pediátrico	Braile	1/4	¼	1.200
Acima de 35	Adulto	Braile	3/8	3/8	1.500-1.800

No Incor-HCFMUSP, crianças com peso <= 10kg têm o volume de *prime* constituído por manitol 3 ml.kg + plasma 20 ml.kg + concentrado de hemácias (para manter hematócrito em 30%) + ringer lactato (para preencher o circuito até o volume mínimo de prime) + heparina 30 mg.kg + albumina (a critério do anestesiologista). A solução de ringer lactato pode ser substituída pelo Plasma-Lyte, se disponível.[68]

Solução de *Prime* Baseada em Cristaloides

Historicamente o soro fisiológico (SF), uma solução isotônica e não tamponada e que tem a osmolalidade do sódio plasmático, era usado como solução de *prime*. Entretanto, o SF foi abandonado pela evidência de que este leva à hipercloremia e aumento do risco de insuficiência renal aguda (IRA).[65]

A partir dos anos de 1990, muitos centros passaram a usar as soluções salinas fisiológicas (Plasma Lyte) ou Ringer Lactato (RL) com ou sem adição de coloides. O RL difere do SF por ter nível de cloro quase fisiológico e tem capacidade tampão pela incorporação de ânions como o lactato, malato gluconato e acetato.[66,67]

Plasma Lyte se refere a uma família de soluções cristaloides balanceadas que se parecem com o plasma humano quanto ao balanço de eletrólitos, pH e osmolalidade. A principal diferença entre RL e Plasma Lyte é o lactato como ânion inorgânico no RL.[66]

O Plasma Lyte se tornou a solução de escolha em várias instituições. A literatura é esparsa sobre qual é a solução cristaloide ideal para uso no *prime* dos CPB pediátricos. O maior problema dos *primes* baseados em cristaloides é a falta de atividade oncótica, o que pode levar à edema intersticial e balanço positivo de fluidos. Uma revisão sistemática mostrou que a maioria dos serviços utiliza principalmente plasma fresco, seguido de albumina e coloides artificiais.[66,69]

Solução de *Prime* Baseada em Coloides

Albumina

Como as soluções cristaloides não têm atividade oncótica, a albumina é frequentemente colocada na solução de *prime* com o intuito de diminuir a resposta inflamatória da CEC, absorção do fibrinogênio circulante, ativação plaquetária e para contra-atacar a diminuição da pressão oncótica (POC). Geralmente utiliza-se albumina a 20%-25% pois há estudos mostrando benefícios da albumina em concentração mais alta. A albumina pode também diminuir o vazamento capilar e o ganho de peso.[66,69]

Estudos mostraram que dose alta de albumina, objetivando POC >18 mmHg, diminuiu significativamente o tempo de ventilação e lactato sérico e aumentou a contagem plaquetária no intra e pós-operatório imediato.[69]

As principais desvantagens do uso da albumina são o custo, o risco de reações imunes e IRA. Não há descrição específica na literatura sobre os inconvenientes do uso da albumina na população pediátrica. Geralmente é bem tolerada, mas pode levar a reações imunes com sintomas de febre, náuseas, vômitos, hipotensão, urticária e alterações de frequência cardíaca e respiratória. Além disso, a albumina humana carrega o risco teórico da doença do prion.[66]

Coloides sintéticos

Dado os inconvenientes do uso da albumina, coloides sintéticos têm sido extensivamente estudados. Estudos em crianças mostraram que o HES 130/0,4 6% é seguro para neonatos e crianças pequenas com coagulação e função renal normal, não afeta a função renal, é semelhante à albumina em relação à perda sanguínea, transfusão de hemácias, função renal e hemodinâmica. Além disso, HES pode ser superior à albumina como solução de *prime* pois exibiu menor acúmulo de fluidos e de perda sanguínea perioperatória e menos transfusão sanguínea e de plaquetas.[66,69]

Entretanto, esses estudos estão em total contraste com múltiplos estudos em adultos que relacionam HES com disfunção renal, coagulopatia e aumento da mortalidade. Uma metanálise demonstrou plaquetopenia e aumento de estadia em UTI com o uso do HES. Sendo assim, pela falta de evidência de alta qualidade, deve-se ter muito cuidado no uso do HES em Pediatria.[66]

Sangue

Soluções baseadas em sangue incluem sangue total, concentrado de hemácias (CH) e CH+ plasma fresco congelado (PFC). Esse tipo de solução é considerada em casos de baixo peso e hematócrito baixo. As desvantagens dessas soluções são: infecções, reações transfusionais, imunossupressão, aloimunização e gasto de produtos sanguíneos.[66]

O uso de sangue total na CEC pediátrica é controversa e baseada na preferência e experiência de cada instituição. Proponentes sugerem que há melhora da hemodinâmica pós-operatória e diminui a inflamação sistêmica. Oponentes dizem que não é efetivo e não é razoável, pois é difícil encontrar e testar o sangue total e atrapalha o banco de sangue. Essa controvérsia é exacerbada pelos poucos estudos com sangue total na pediatria.[66]

PFC é fonte de fibrinogênio, fator que geralmente diminui com a hemodiluição na CEC pediátrica. A adição de PFC aumenta significativamente os níveis e/ou função do fibrinogênio, porém dura < 24h em UTI. A dose de PFC adicionado ao volume de *prime* é variável e não há estudos comparando diretamente as dosagens. Há poucos estudos comparando PFC e coloides (albumina) quanto à necessidade de transfusão, com resultados controversos.[66,69]

Hematócrito Ideal

O hematócrito ideal é altamente individual em doença cardíaca congênita e depende da idade, presença de cianose e procedimento planejado. Esse hematócrito é aquele que mantém o balanço distribuição-consumo de oxigênio tecidual, evitando hipóxia e acidose. Não há número que defina esse balanço. Um estudo demonstrou que hematócrito >= 21% é tolerado por crianças criticamente doentes, sem aumento da morbimortalidade e que no subgrupo de cirurgias cardíacas não houve diferença na disfunção multiorgânica pós-operatória entre hematócrito de 21% *versus* 28,5%.[45,70]

Entretanto, um outro estudo concluiu que hematócrito de 20% em CPB *versus* 30% resultou em índice cardíaco mais baixo, níveis de lactato mais alto, piora do desenvolvimento neurológico (DN) em 1 ano no período pós-operatório. Aparentemente, hematócrito de 24% é adequado para preservar bons resultados clínicos e de DN.[52,70]

Um protocolo de manejo do hematócrito durante CPB está descrito na Tabela 153.24. O objetivo desse protocolo é minimizar a transfusão sanguínea enquanto se assegura hematócrito > 24%. Outro protocolo advoga hematócrito em CEC >32% e após saída de CPB > 40%-45%.[52,67]

Vale ressaltar que neonatos, pacientes cianóticos e com outras doenças específicas necessitam de hematócritos mais altos. Hematócrito ideal para o desmame do CPB também é importante e deve ser discutido entre o cirurgião, anestesiologista e perfusionista e este deve ser também individualizado.[52,70]

É importante salientar que o risco da transfusão sanguínea não é o mesmo entre pacientes que a necessitam para evitar a hemodiluição grave e aqueles que recebem transfusão terapêutica. Existe uma relação complexa entre doença de base, necessidade de transfusão e resultados clínicos, sendo que a própria transfusão é uma variável importante de confusão.[70]

Ultrafiltração

As técnicas de ultrafiltração pré-CPB, ultrafiltração com balanço zerado, ultrafiltração convencional (UFC) e ultrafiltração modificada (MUF) são comumente usadas em CPB pediátrica. Todas essas técnicas podem ser feitas com o mesmo ultrafiltrador. Os mais utilizados são a UFC e a MUF.[52,67]

A UFC é empregada em quase todos os casos de CPB pediátrico. Nesse método, o sangue é passado ativa ou passivamente pelo filtro para retirar o excesso de volume da cardiotomia e/ou do reservatório venoso (volume da cardioplegia, soluções de teste da valva e volemia aumentada dos pacientes).[52,71]

A MUF, por sua vez, permite a ultrafiltração do volume do circuito de CEC, assim como da volemia do paciente após a saída de CPB, sem esvaziar o circuito. A maior vantagem da MUF sobre a UFC é a possibilidade de hemoconcentração mesmo após o fim do CPB. Ambas as técnicas são utilizadas ao mesmo tempo, pois não são excludentes entre si.[52,71]

O circuito de MUF corre paralelo ao do CPB. Há três formas de MUF: (1) tradicional arterial-venosa, quando o sangue sai da aorta e volta pela cânula atrial; (2) SMUF (MUF simplificada) ou venoarterial, quando o sangue sai do átrio direito ou cânula venosa e volta pela cânula aórtica; (3) venovenosa, quando o sangue sai pela veia cava inferior e volta pela superior.[52,65]

O final da MUF depende da instituição e pode ter como objetivos: intervalo de tempo (15-20 minutos), hematócrito (40%) ou volume removido (750 ml/m^2). Estudo de revisão da literatura concluiu que a MUF diminui a quantidade de fatores inflamatórios circulantes e melhora os parâmetros hemodinâmicos como frequência cardíaca, pressão arterial, pressões atriais e pulmonares, e função cardíaca.[52,65,68,71]

Ainda mais, a MUF não altera a profundidade anestésica, diminui o edema miocárdico, melhora a função ventricular esquerda, é melhor que a UFC na diminuição da retenção de fluidos, diminui a disfunção pulmonar, tempo de intubação, estadia em UTI e tempo de hospitalização.[65]

Finalmente, a MUF diminui significativamente a água corporal total e diminui a coagulopatia após CPB por aumento do nível de plaquetas, hematócrito, albumina, proteínas plasmáticas, protrombina, fator VII e fibrinogênio.[65,70]

O mecanismo exato da efetividade da MUF não está claro, mas a retirada dos mediadores inflamatórios é um dos mecanismos sugeridos para a melhora da inflamação baseada no pulmão. Entretanto, a MUF pode levar a complicações como embolia aérea do pulmão, arritmias, hipotermia, hipotensão persistente e deficiência neurológica. Estratégias seguras de MUF devem ser aplicadas: monitorização contínua da pressão da linha arterial, uso de catador de bolhas, inversão do hemoconcentração entre outros.[65,70,71]

Controle da Temperatura

A temperatura ideal em CPB pediátrica não está determinada. Sabe-se que a hipotermia reduz a demanda metabólica e permite a diminuição do fluxo da bomba, melhora a proteção miocárdica, diminui o trauma sanguíneo e melhora a proteção orgânica.[52,67,71]

Entretanto, a normotermia (>34°C) mostrou-se tão segura quanto a hipotermia (< 34°C) na população pediátrica com cardiopatia congênita simples e é compatível com estudos em adultos, onde a normotermia leva a menos disfunção orgânica. A hipotermia aumenta a resistência vascular sistêmica e diminui o fluxo sanguíneo para todos os órgãos, além de aumentar o risco de sangramento.[52,71]

Cardiopatias complexas, lesões que necessitem de hipotermia profunda e insuficiência cardíaca congestiva estão excluídas da aplicação da normotermia.[52,67,71]

Fluxo da Cânula e Pressão Arterial

O fluxo ideal em CEC nas crianças é desconhecido. O fluxo é extrapolado de estudos em adultos com compensação pela alta demanda metabólica, de 7,5-9 ml O$_2$.kg.min *versus*

Tabela 153.24 Manejo do hematócrito em crianças.				
Hematócrito (Ht)	**Reparo primário com anatomia biventricular**	**Anatomia biventricular complexa/ cirurgia paliativa em ventrículo único em criança mais velha**	**Outros neonatos**	**Neonatos com ventrículos únicos shuntados**
Ht previsto após *prime*	24	28	35	35
Ht mínimo na saída de CPB	25	30	35-40	40-45
Ht mínimo na saída da sala cirúrgica	25	30	37	40-50

4 ml O_2.kg.min a 37°C em adultos. Em adultos, a anestesia geral e a hipotermia diminuem o consumo de O_2 de até 1-2 ml O_2.kg.min a 28°C, permitindo a diminuição do fluxo.[52]

Fluxos de 2-2,4L.m^2.min não aumentam o lactato e correspondem à necessidade de consumo de O_2 em adultos anestesiados a 37°C. Essa relação não é tão clara na infância e piora com a presença de *shunts*. O lactato sérico é utilizado para monitorizar a adequação do fluxo sistêmico.[52,67]

A Tabela 153.25 mostra a recomendação de fluxo, na ausência de shunts, de acordo com a temperatura. A Tabela 153.26 mostra os fluxos utilizados no Incor-HCFMUSP em normotermia.[52,54,65,68]

Tabela 153.25 Índices de fluxo durante CEC temperatura-dependente.

Temperatura do Paciente (Celsius)	Fluxo do CPB (L.min.m^2)
> 35	2,4-3,5
32	2.2
30	2.0
28	1.8
26	1.6
24	1.4
22	1.2
20	1.0
< 20	0.7

Tabela 153.26 Fluxos protocolados no Incor-HCFMUSP durante normotermia.

Peso (kg)	Fluxo
0-5	100-150 ml.kg
5-10	120-150 ml.kg
10-25	100-130 ml.kg
25-30	2,4 ml.min
> 40	2,2 ml.min

Um serviço americano advoga o uso de alto fluxo e hematócrito como vantajoso sobre o fluxo e hematócrito convencionais (2,4L.min.m^2 ou 150 ml.kg.min e hematócrito de 25%). Relata melhora na preservação renal, neurológica, nível de lactato sérico, balanço de fluidos e recuperação pós-operatória mais favorável. O alto fluxo e hematócrito se traduzem em 2,6-3,0 L.min.m^2 em crianças maiores em normotermia, 175-200 ml.kg.min em neonatos, 2,6 L.min.m^2 ou 150-175 ml.kg.min entre 26%-30% e hematócrito em CPB de 32%.[67]

Diferentemente dos adultos, a pressão arterial média (PAM) aceitável varia muito dependendo da idade da criança. É aceitável PAM em CPB de 30-45 mmHg em neonatos e de 40-60 mmHg em crianças. Durante a hipotermia e diminuição do fluxo, PAM mais baixos são aceitáveis (Tabela 153.27). A perfusão cerebral e sistêmica adequadas devem ser monitorizadas com índice cardíaco, PAM, oximetria cerebral, NIRS, saturação venosa do oxigênio, status ácido--básico, lactato sérico e diurese.[52,65]

Tabela 153.27 Pressão arterial média alvo durante CPB.

Idade	Pressão arterial média (mmHg)
< 1 mês	30-45
1-12 meses	40-50
1-10 anos	45-60
10-16 anos	50-70
> 16 anos	60-90

Monitorização durante CPB

A monitorização do metabolismo durante CPB é mandatória em Pediatria dada a grande heterogenicidade das doenças cardíacas congênitas e as diferenças baseadas em idade e peso sobre o fluxo.[52]

A saturação venosa mista (SvO_2) e o lactato sérico são indicadores do suprimento e demanda metabólica global. A SvO_2 é uma indicadora de fluxo sanguíneo adequado, mas não reflete diretamente a adequada oxigenação celular. O lactato sérico, por sua vez, reflete melhor a oxigenação celular por indicar a presença de metabolismo anaeróbico.[52]

A função renal é acessada pela diurese, que pode ser difícil de mensurar por causa da quantidade de urina produzida, comparada à extensão da sonda vesical. A perfusão cardíaca é acessada por visualização direta e alterações do eletrocardiograma.[52]

Monitorização Neurológica e Hipotermia Profunda com Parada Circulatória Total (HPCT)

A incidência de complicações neurológicas em cirurgia cardíaca pediátrica varia entre 2% a 25%. A etiologia geralmente é a hipoperfusão cerebral e pode estar relacionada a malformações cerebrais preexistentes, hipoxemia, débito cardíaco baixo e sequela do CPB. Há diferentes formas de monitorização neurológica, porém, não há correlação com a melhora do prognóstico.[52,71]

A HPCT é utilizada em casos que não podem ser operados com a cânula de CPB no local e aqueles com colaterais aortopulmonares que impedem um CPB adequado. No início, o uso da técnica resultava em mal prognóstico neurológico.[52]

Houve melhora do prognóstico com estratégias como manutenção do hematócrito >30%, esfriamento cerebral homogêneo com esfriamento ativo > 20 minutos, uso do pH stat e colocação de gelo na cabeça.[52,65]

As alternativas à HPCT incluem reperfusão intermitente e perfusão cerebral regional. Revisões sistemáticas não mostraram superioridade de nenhuma técnica ou tempo de esfriamento, uso de HCPT ou perfusão regional.[52]

Manejo Ácido-básico

No manejo com pH-stat há perda da autorregulação cerebral com maior chance de eventos tromboembólicos. Esse fenômeno ocorre com menos frequência nas crianças. Eventos vasculares cerebrais na infância estão mais frequentemente associados à hipoperfusão cerebral, que melhora com o uso do pH stat.[52,65]

A vasodilatação cerebral com pH stat é vantajoso durante a hipotermia profunda por permitir esfriamento cerebral mais homogêneo e pacientes cianóticos, com colaterais aortopulmonares, têm menor *shunt* para a circulação pulmonar.[52,65,71]

Uso de Corticoides

A reação inflamatória da CEC está exacerbada nas crianças, pois proporcionalmente o circuito é maior, o fluxo sanguíneo é alto e a cânula pequena. Os pulmões são particularmente afetados, com edema e diminuição da complacência, e os rins diminuem sua filtração glomerular por aumento da vasopressina.[52,65,71]

O uso de corticoides é muito controverso durante o CPB, também na seara pediátrica, com uma grande variabilidade de condutas. Uma metanálise mostrou impacto positivo no balanço de fluidos no perído pós-operatório com seu uso, mas sem efeito na morbimortalidade em cirurgias cardíacas pediátricas complexas.[71]

Antifibrinolíticos, Heparina e Protamina

O uso de antifibrinolíticos em Pediatria baseia-se no EACA e ATX. Diferentes doses e regimes foram testados. É sabido que esses análogos da lisina diminuem a perda sanguínea intraoperatória e a necessidade de transfusão sanguínea. Entretanto, a heterogenicidade da população (idade e doença) e dos regimes (dose e duração) impede a comparação e interpretação dos estudos referentes a esse tema.[52,70]

O TCA aumenta com a hipotermia, hemodiluição, disfunção plaquetária e fatores de coagulação diminuídos. Sendo assim, o TCA na criança superestimará os efeitos anti-IIa e Xa da heparina. Sugere-se que o Hepcon® é melhor que o TCA nessa faixa etária, pois é menos dependente das variações da trombocitopenia dilucional.[52,70]

Em crianças, o TCA alargado, após a reversão com protamina, pode ter outras causas que não a presença de heparina residual. Não é benigna a administração de dose extra de protamina e, além disso, atrapalha a detecção e tratamento da trombocitopenia, disfunção plaquetária e deficiência de fatores da coagulação. A incidência de reação à protamina é muito menor que adultos, variando entre 1,76%-2,88%.[52,70]

■ ECMO (OXIGENAÇÃO POR MEMBRANA EXTRACORPÓREA)

A ECMO moderna é uma tecnologia versátil cuja instalação é relativamente simples, pode restabelecer a perfusão tecidual e a oxigenação em pacientes instáveis e é muito mais portátil que o CPB. Este aparelho é um circuito fechado sem reservatório ou bombas secundárias.[52]

A ECMO mantêm o suporte cardiopulmonar independente dos pulmões (ECMO veno-venoso) e/ou coração (ECMO venoarterial), fornecendo uma ponte temporária para recuperação, transplante ou em longo prazo, suporte circulatório mecânico após falência pulmonar e/ou cardíaco.[52,72-74]

É um tratamento de suporte e não aquele que modifica a doença. Os melhores resultados são obtidos se escolhidos para o paciente, tipo de ECMO e configuração correta (local, manejo e antecipação das complicações).[74]

O sangue, durante o ECMO, é drenado do sistema vascular, circula fora do corpo através de uma bomba mecânica e é então reinfundido na circulação. Enquanto fica fora do corpo, a hemoglobina se torna totalmente saturada com O_2 e o CO_2 é removido. A oxigenação depende do fluxo sanguíneo e a eliminação do CO_2 é controlada pelo ajuste do fluxo de gás que passa pelo oxigenador (Figura 153.18).[72-74]

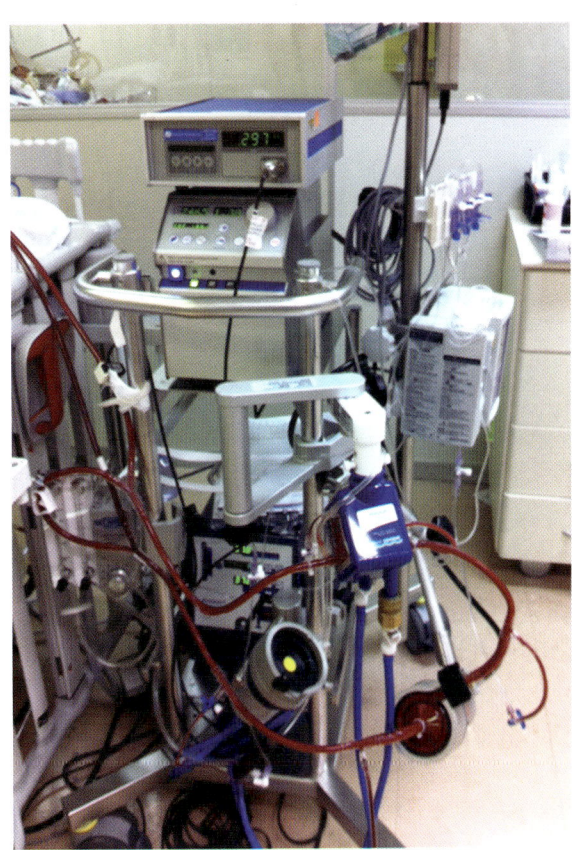

▲ **Figura 153.18**   Circuito de ECMO.

Tipos de Circuito de ECMO

Existem 2 tipos de ECMO: venoarterial (VA) e venovenoso (VV). Ambos podem ser instituídos central ou perifericamente. A remoção de CO_2 extracorpóreo (ECCO2R) é uma variação do ECMO VV. Nesse caso, o oxigênio é fornecido pelos pulmões nativos com a ajuda de um ventilador e o CO_2 é removido pelo circuito extracorpóreo. Esse método foi largamente substituído pelo ECMO VV.[72-74]

ECMO VA

A ECMO VA é instituída para falência cardíaca com ou sem falência respiratória hipóxica, fornecendo troca gasosa e suporte hemodinâmico, restabelecendo a perfusão e oxigenação para os órgãos. Igualmente ao CPB, o sangue venoso é drenado para um oxigenador e o sangue arterial é devolvido à circulação sistêmica (Figura 153.19).[72-74]

O fluxo da ECMO e a função cardíaca residual determinam a existência ou não de uma circulação pulmonar, que é desejável para evitar estase e trombose. A regurgitação aórtica deve ser urgentemente corrigida, pois pode levar à

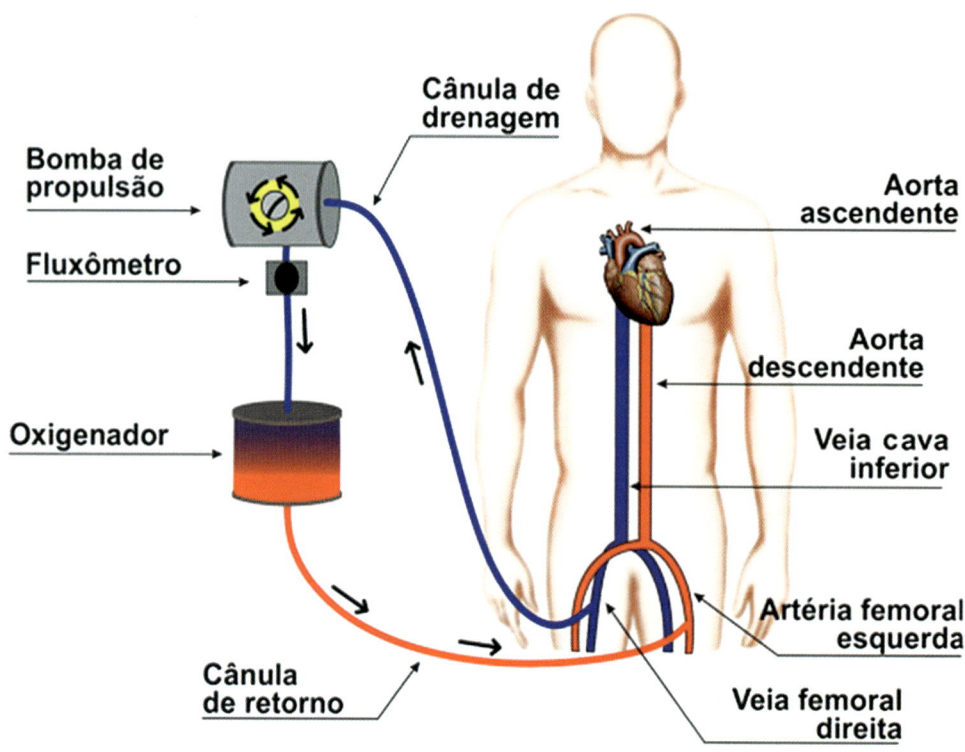

Figura 153.19 ECMO VA periférica.

dilatação do VE, regurgitação mitral e congestão pulmonar com altas pressões de enchimento cardíaco e/ou edema pulmonar.[72,73]

A ECMO VA central envolve canulação para drenar o átrio direito e retorno do sangue pela aorta ascendente. A ECMO VA periférica drena o sangue da veia femoral ou veia jugular interna e retorna o sangue pela artéria femoral comum, axilar ou carotídea.[72-74]

ECMO VV

A ECMO VV envolve somente troca gasosa sem suporte hemodinâmico e é reservada para falência respiratória hipóxica refratária, com função cardíaca preservada. O sangue venoso é drenado para o oxigenador e o sangue arterial oxigenado volta pela circulação venosa. O CO_2 também é controlado (Figura 153.20).[72-74]

Na ECMO VV central colocam-se 2 cânulas no átrio direito (ou uma cânula saindo pela veia cava e retornando pelo átrio direito), com separação > 2 cm para impedir a circulação redundante, que pode levar à hipóxia. A ECMO VV periférica, por sua vez, drena sangue pela veia femoral e retorna pela veia jugular interna.[72-74]

Indicações e Contraindicações

A Organização para o Suporte de Vida Extracorpóreo (ELSO) é dedicada ao desenvolvimento e avaliação de novos tratamentos para o suporte de órgãos em falência. É uma organização internacional multicêntrica que mantém dados desde 1985. As indicações de ECMO são fornecidas pela ELSO.[73,74]

As indicações de ECMO são classificadas em 4 categorias: falência respiratória hipoxêmica, falência respiratória hipercápnica, choque cardiogênico e parada cardíaca. As três principais indicações de ECMO-VV são: pneumonia bacteriana, pneumonia viral e SIRS pós-operatório ou trauma. As quatro principais indicações de ECMO VA são: choque cardiogênico, cardiomiopatia, cardiopatia congênita e miocardite (Tabela 153.28).[72,73,74]

Indicações típicas de suporte cardíaco incluem débito cardíaco baixo refratário (índice cardíaco < $2L.min.m^2$) e hipotensão (pressão sistólica < 90 mmHg), apesar da reposição volêmica adequada; altas doses de inotrópicos e balão intra-aórtico. Outras indicações são: embolia pulmonar maciça, parada cardiorrespiratória, ponte para transplante cardíaco etc. As indicações de ECMO-VV são SARA, fístula broncopleural, asma, ponte para transplante pulmonar, hipotermia etc.[72-74]

O consenso da ELSO define que não existe contraindicação absoluta do uso de ECMO, devendo ser os riscos e benefícios individualizados. As contraindicações relativas são: hemorragia ativa não controlada, neoplasia intratável, transplante de órgão sólido ou imunossupressão, disfunção do SNC irreversível, falência cardíaca ou respiratória irreversíveis ou estágio terminal em pacientes não candidatos à transplante.[73]

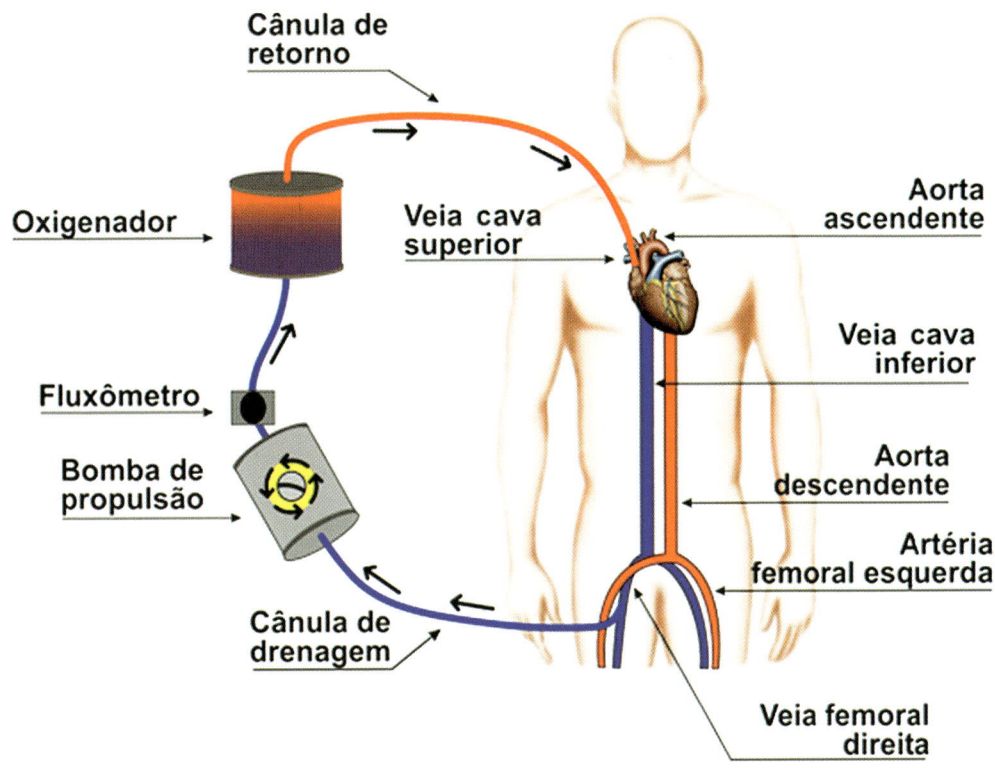

▲ **Figura 153.19** ECMO VV periférico

Tabela 153.28 Indicações da ECMO.
Insuficiência respiratória hipoxêmica (causa primária ou secundária)
■ $PaO_2/FiO_2 < 100$, com $FiO_2 > 90\%$ e/ou escore de Murray 3 – 4 por mais que 6 horas
■ $PaO_2/FiO_2 < 80$, com $FiO_2 > 80\%$ por mais que 3 horas
■ Ponte para transplantes pulmonar
Insuficiência respiratória hipercápnica
■ pH < 7,20 com FR de 35 rpm, volume corrente de 4 – 6 ml/kg de peso predito de PD ≤ 15 cmH₂O
■ Ponte para transplante pulmonar
Insuficiência cardíaca
■ Choque cardiogênico associado a infarto agudo do miocárdio
■ Miocardite fulminante
■ Depressão miocárdica associada à sepse
■ Ressuscitação cardiopulmonar extracorpórea
■ Choque cardiogênico pós-cardiotomia ou pós-transplante cardíaco
■ Falência de enxerto pós-transplante cardíaco
■ Ponte para implantação de dispositivo de assistência ventricular
■ Ponte para transplante cardíaco

PaO_2: pressão parcial de oxigênio no sangue arterial; FiO_2: fração inspirada de oxigênio; FR: frequência respiratória; PD: pressão de distensão.

Titulação e Manutenção da ECMO

Após a canulação, o paciente é conectado ao circuito de ECMO e o fluxo sanguíneo é aumentado até que os parâmetros respiratórios e hemodinâmicos estejam satisfatórios. Alvos razoáveis são:[73,74]

■ saturação da oxihemoglobina arterial >90% e venosa >70% em ECMO VA e >75%-80% em ECMO VV;

■ saturação da oxihemoglobina venosa ($SatvO_2$) 20%-25% < que a saturação arterial, medida na linha venosa;

■ perfusão tecidual adequada, determinada pela pressão arterial, saturação de oxigênio venosa e lactato sérico;

■ pH = 7,40; $PaCO_2$ = 40 mmHg

Após chegar ao alvo respiratório e hemodinâmico, o fluxo sanguíneo é mantido nesse nível. Ajustes e monitorização frequentes são feitos com a ajuda da oximetria venosa contínua, que mede diretamente a $SatvO_2$ no ramo venoso do circuito. Quando $SatvO_2$ for menor que o alvo, deve-se intervir através do aumento do fluxo sanguíneo, volemia intravascular e/ou hematócrito. Diminuir a temperatura para diminuir a captação de oxigênio também ajuda.[74]

A anticoagulação é adquirida através da infusão contínua de heparina não fracionada ou inibidor direto da trombina para manter o TCA entre 180-240 segundos ou TTPA > 1,5 vezes > normal. Tromboelastograma é um adjunto útil. O efeito da heparina depende da antitrombina 3 (AT3). Se houver suspeita de deficiência de AT3 e for <50% do normal, deve-se dar plasma fresco.[73,74]

As plaquetas são consumidas continuamente durante a ECMO e devem ser mantidas > 50.000 uL. Hemoglobina deve ser mantida >8-12 g.dl e fibrinogênio >100 mg/dl. Os parâmetros ventilatórios são diminuídos para evitar barotrauma, volutrauma e toxicidade do oxigênio: pressão de platô das vias aéreas < 20 cmH₂0 e fração de oxigênio <50%, PEEP = 10 cmH₂O. Recomenda-se traqueostomia precoce para diminuir o espaço morto e melhorar o conforto do paciente.[73,74]

A ventilação e sedação durante a ECMO, segundo consenso da ELSO é:[73]

- **primeiras 24h de ECMO:** sedação moderada ou profunda, frequência respiratória = 5, tempo inspiratório 2:1, FiO_2=50%, PEEP=15 cmH_2O, ventilado à pressão;
- **24-48h de ECMO:** se paciente estável, platô de 20 cmH_2O, FiO_2 entre 21%-40%, PEEP = 10 cmH_2O;
- **> 48h:** se paciente estável e com melhora, deixar sedação mínima.

Complicações do Uso de ECMO

As complicações do uso da ECMO são muito comuns e como esperado está associado ao aumento significativo da morbimortalidade. Diversas complicações podem ocorrer durante o suporte com ECMO (Tabela 153.29). As principais são: falha na membrana de oxigenação, ruptura do circuito, coagulação do sistema, hemorragia intracraniana, lesão renal aguda e infecções. A Tabela 153.30 mostra os principais exames laboratoriais utilizados para o manejo da ECMO.[72-74]

Tabela 153.29 Complicações durante a ECMO.

Relacionado a	
Aparelho	(1) ruptura da tubulação (geralmente desconecção)
	(2) má função da bomba
	(3) deslocamento ou desalojamento da cânula
	(4) arrastamento de ar causando embolia aérea
Paciente	(1) neurológica: hemorragia intracraniana (pode estar associada a sepse); isquemia da perna por causa da cânula (ECMO periférico); desregulação da temperatura
	(2) infecção: sepse; bacteremia; ferida de decúbito (posição supina)
	(3) lesão de órgão-alvo: lesão renal aguda; hipoperfusão esplânica; sangramento gastrintestinal com perfuração e ulceração; hemorragia pulmonar
	(4) falência hepática
Anticoagulação	anticoagulação; hemodiluição; consumo de fatores; trombocitopenia

Tabela 153.30

Exames	Quando coletar	Alvo terapêutico	Considerações
TCA	Imediatamente após a canulação da ECMO	Inicialmente entre 180 a 220 segundos. Após coleta dos exames, o ajuste da anticoagulação deve ser guiado pelo TTPa ou pela atividade do anti-Xa	Fácil execução, pode ser realizado a beira do leito. Resultado disponibilizado rapidamente. Permite o ajuste inicial da infusão de heparina
TTPa	Diariamente. Pode ser coletado mais de uma vez ao dia, especialmente em caso de necessidade de ajuste da infusão de heparina	Manter entre 40 a 55 segundos	O adequado manejo da anticoagulação é fundamental para evitar complicações como coagulação do sistema e hemorragia intracraniana
Atividade do anti-XA	Alternativa ao TTPa. Pode ser coletado mais de uma vez ao dia, especialmente em caso de necessidade de ajuste da infusão.	Manter entre 0,2 e 0,3 iU/mm	O adeuado manejo da anticoagulação é fundamental para evitar complicações como coagulação do sistema e hemorragia intracraniana
Plaquetas	Diariamente. Pode ser coletado mais de uma vez ao dia. especialmente em caso de sangramento	Idealmente mantido acima de 100.000 células por mm³	A plaqueta é componente fundamental da hemostasia e na prevenção de complicações hemorrágicas
Hemoglobina	Duariamente. Pode ser coletado mais de uma vez ao dia, especialmente em caso de sangramento	Idealmente mantido acima de 8,0g/dL	A hemoglobina é componente fundamental no transporte de oxigênio
D-Dímero	Diariamente. Pode ser coletado mais de uma vez ao dia	Não se aplica	A elevação súbita do dímero D é forte indicativo da formação de coágulo, sendo preditor de falha do sistema da ECMO
SvcO2	Diariamente	Idealmente mantido acima de 10% especialmente na ECMO-VA	Permite o ajuste do fluxo da ECMO-VA
PaCO2	Diariamente	Idealmente mantido próprio a 40 mmHg especialmente na ECMO-VV	Permite o ajuste do fluxo de gás fresco. Permite com PaCO2 > 50 mmHg, a redução deve ser lenta e gradual (não exceder valores de remoção superiores a 10 a 20 mmHg por hora)

Coagulação e Anticoagulação

Minutos após o início da ECMO inicia-se uma coagulopatia consumptiva e diluição dos fatores de coagulação. Há ativação plaquetária com aderência à superfície do fibrinogênio, causando ativação e agregação plaquetária e trombocitopenia. Os níveis de fibrinogênio estão diminuídos pelo consumo e hemodiluição.[52,60,72]

Apesar da coagulopatia inicial, a anticoagulação é necessária para prevenir a trombose da cânula, oxigenador e tubulação. A diminuição do depósito de fibrina e microtrombos reduz a lesão orgânica. Uma resposta inflamatória inicia-se (ver seção de fisiopatologia do CPB acima).[52,60,71,74]

A ativação ou depleção dos fatores celulares e plasmáticos, levando à trombose ou coagulopatia, é imprevisível e pode coexistir durante o suporte com ECMO. Sendo assim, a monitorização rigorosa da coagulação é imprescindível.[52,72-74]

A ELSO recomenda que se houver tempo hábil e disponibilidade de recursos, antes do início da ECMO, a hemostasia deve ser avaliada com hemograma completo, TP, fibrinogênio, D-dímero, antitrombina, ROTEM/TEG.[73]

Não há monitor ideal da coagulação durante ECMO e nem protocolo padrão de monitorização. Diferentemente do CPB, sugere-se nível de TCA entre 180-240 segundos durante a ECMO. Entretanto, monitores diferentes de TCA, com relações variadas com a heparina e TTPa não são confiáveis nesse nível de TCA.[72-74]

Sabe-se que a sensibilidade do TTPa à heparina está diminuída em casos de inflamação, que induzem ao aumento dos níveis de fibrinogênio e fator VIII, levando à distorção da relação entre o TTPA e a heparina. O quadro hemostático torna-se mais completo com o uso do ROTEM/TEG.[73]

Desmame da ECMO

A retirada da ECMO depende da melhora das disfunções orgânicas e da resolução da indicação do suporte. O desmame da ECMO-VV pode ser iniciado quando o paciente conseguir manter a troca gasosa com parâmetros ventilatórios aceitáveis (pico de pressão $\leq$30 cmH$_2$O, PEEP $\leq$15 cmH$_2$O, volume corrente $\leq$6 ml.kg, FR $\leq$35rpm, FiO$_2$ $\leq$60%), em associação com melhora radiológica e da complacência pulmonar.[72,73]

O desmame da ECMO-VA depende da melhora da função cardíaca. Os parâmetros dessa melhora são: manutenção da pressão de pulso >24h, ecocardiograma com recuperação da função sistólica (FE de VE $\geq$20%) e oxigenação arterial adequada.[72,73]

■ SUPORTE CIRCULATÓRIO MECÂNICO A MÉDIO E LONGO PRAZO (DURÁVEL)

Introdução

Tratamento clínico, ressincronização e implante de desfibriladores-cardioversores (ICD) têm melhorado a sobrevida de muitos pacientes com falência cardíaca (HF) e fração de ejeção baixa, mas ainda resta um grande grupo de pacientes com HF de mal prognóstico e, além disso, o número de transplantes cardíacos continua abaixo do necessário.[75]

O uso de suporte mecânico circulatório (MCS) é uma forma eficiente para a assistência e suporte da circulação e salva vidas de pacientes com HF grave descompensada de forma prolongada ou permanente.[75,76]

Indicações

As categorias de uso de MCS são: ponte para transplante, ponte para decisão, tratamento final e ponte para recuperação.[75,76]

Ponte para Transplante (BTT)

Os aparelhos de assistência ventricular esquerda de médio e longo prazo (LVADs) podem ser usados como BTT em pacientes com HF avançada, com deterioração clínica (NYHA classe III ou IV+ uso de inotrópicos+ balão intra-aórtico), que são ou podem ser candidatos à transplante cardíaco mas estão muito instáveis para aguardar o procedimento sem suporte circulatório.[75]

Os LVADs, além de salvar a vida desses pacientes, podem melhorar a função orgânica secundária, diminuir a hipertensão pulmonar e melhorar o status nutricional, todos fatores associados à melhora da sobrevida pós-transplante.[75]

Ponte para Decisão (BTD)

Muitos pacientes recebem LVAD antes de se chegar à decisão final de elegibilidade para transplante, o chamado BTD. Esses pacientes estão em uso de inotrópicos e/ou balão intra-aórtico e têm disfunção orgânica secundária ou outras condições médicas reversíveis, que são contraindicações temporárias para transplante. O LVAD pode permitir a reversão da contraindicação.[75]

Tratamento Final (DT)

A melhora da sobrevida com o uso de LVAD como aparelho permanente tem evoluído e expandido consideravelmente. DT refere-se ao uso prolongado do LVAD como alternativa ao transplante em pacientes com HF em estágio final, inelegíveis ao transplante.[75]

Os LVADs atuais são mais duráveis e têm menos complicações, principalmente falhas do aparelho, de modo que os pacientes podem ser mantidos neles por muito mais tempo com menos morbidade, tornando o DT uma opção realística. As diversas causas de óbito após o implante do LVAD para DT refletem as comorbidades associadas e a reserva limitada que impediram a indicação de transplante.[75]

Os fatores de risco para óbito precoce são: idade, choque cardiogênico, diabetes, hipertensão pulmonar, hiponatremia, ureia aumentada, cirurgia concomitante e assistência biventricular. Os fatores de risco para óbito durante todo o período de LVAD são: idade, diabetes, hipertensão pulmonar, hiponatremia e LVAD com fluxo pulsátil (geração antiga).[75]

Ponte para Recuperação (BR)

Há evidências de que o uso de LVAD pode promover a recuperação da função miocárdica o suficiente para a retirada do aparelho sem necessitar de transplante e deixar o paciente com excelente capacidade funcional e qualidade de vida. O uso de LVAD nessa situação é a chamada BR, mas geralmente a indicação inicial foi por DT ou BTT.[75]

Fatores de Risco para Óbito com Uso de LVADs

Os fatores de risco para óbito de toda a população de LVAD (todas as categorias) são: idoso, mulher, massa corpórea alta, INTERMAC (*Interagency Registry for Mechanically Assisted Circulatory Support*) baixo, implante por DT, em ventilação mecânica, ter ICD, tipo sanguíneo que não O, acidente vascular prévio, ureia e creatinina aumentadas, diálise, cirurgia prévia, cirurgia cardíaca concomitante e sinais de disfunção cardíaca direita.[75,76]

Opções de Aparelhos

Os LVADs têm evoluído através dos anos e continua em evolução. Estes podem ser divididos em 3 gerações de acordo com seu mecanismo de operação. A preferência é pelo implante dos aparelhos de 2ª e 3ª geração (fluxo contínuo) por ter menos efeitos adversos e sobrevida mais alta.[75,76]

As principais causas de complicação precoces e tardias do uso desses MCS são: infecção e sangramento importante. O sangramento tem causas multifatoriais: cirúrgicas, anticoagulação e deficiência adquirida ao fator de von Willebrand.[76]

Aparelhos de 1ª geração

Os aparelhos de 1ª geração são bombas pulsáteis que incluem o HeartMate I, o *Thoratec Paracorporeal Ventricular Assist Device* (PVAD) e o Novacor. Esses aparelhos pulsáteis fornecem um excelente suporte hemodinâmico e melhoram a sobrevida, mas têm limitações, principalmente de durabilidade em longo prazo, necessidade de dissecção cirúrgica extensa para implante, presença de tubos externos grandes (que favorece infecção), uma bomba audível e precisa que o paciente tenha corpo de tamanho médio a grande.[75,76]

Aparelhos de 2ª geração

As bombas de 2ª e 3ª geração são de fluxo contínuo com bombas de fluxo axial (2ª geração) e bombas de fluxo centrífugo (3ª geração). Diferentemente dos aparelhos de 1ª geração, as bombas de fluxo contínuo têm somente uma parte movente, o rotor e, portanto, mais durável.[75,76]

Os rotores são menores (principalmente pela eliminação do saco sanguíneo ou do reservatório, necessário para o sistema pulsátil), mais silenciosos e, portanto, sendo o implante cirúrgico menos traumático. As bombas de fluxo contínuo têm tubos menores, levando a menos infecção.[75,76]

As bombas de 2ª geração são o HeartMate II, Jarvik 2000 e Berlin Heart – INCOR (Figura 153.21).[75]

Aparelhos de 3ª geração

Os LVADs de 3ª geração, HeartWare e HeartMate III, têm bomba centrífuga e foram desenhados para serem de longa duração, têm tamanho compacto, otimização do fluxo sanguíneo que passa pelo aparelho para minimizar o risco da formação de trombo e hemólise e implante cirúrgico simplificado. A durabilidade está antecipada para 5-10 anos (Figura 153.22).[75]

Assistência Ventricular Direita (VD) após Colocação de LVAD

A descompressão do VE após a colocação de LVAD pode levar à piora da função do VD pela distorção da geometria do VD, desvio do septo para a esquerda e piora da re-

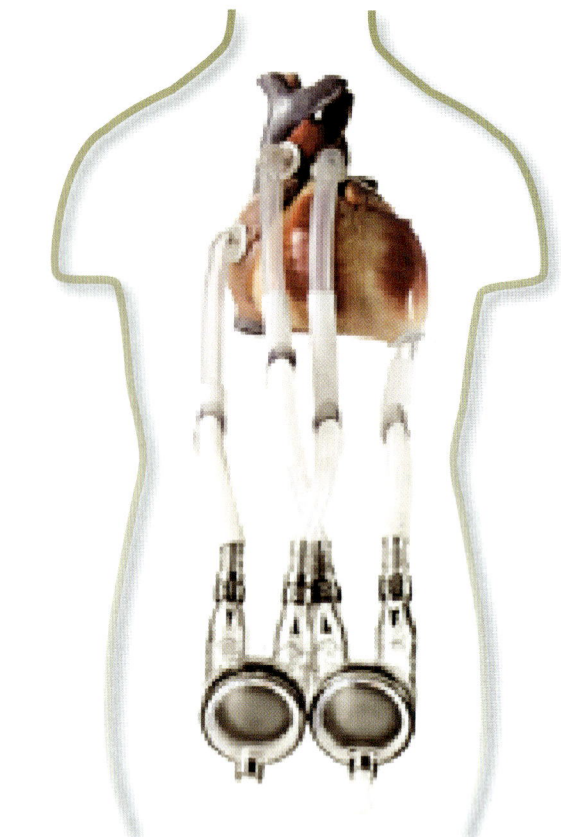

▲ **Figura 153.21** Berlim Heart – INCOR.

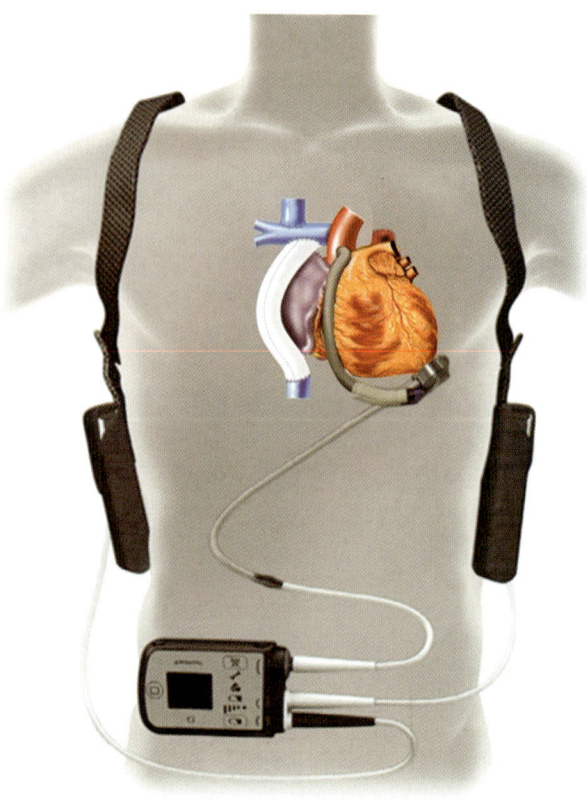

▲ **Figura 153.22** Heartmate III.

gurgitação do tricúspide. Essa piora da função do VD está associada com piora da mortalidade e maior tempo de internação. Na assistência do VD pode-se utilizar *Centrimag ou Impella RP*.[76]

Suporte Biventricular

Os candidatos ao suporte biventricular incluem os pacientes com falência biventricular grave, falência predominantemente do ventrículo direito, com doença do VE importante e cardiopatia congênita complexa. Os aparelhos são: PVAD, coração totalmente artificial (CardioWest TAH e Syncardia TAH) e uso compassivo do HeartWare como suporte biventricular.[75,76]

■ PADRÃO MÍNIMO PARA A PRÁTICA DA PERFUSÃO NO BRASIL

A Sociedade Brasileira de Cirurgia Cardiovascular, conjuntamente com a Sociedade Brasileira de Circulação Extracorpórea, publicou em 2019 os padrões e guias da prática da perfusão no Brasil. Cita 7 padrões mínimos para a perfusão em nosso país:[8]

■ **Padrão mínimo 1:** a prática da perfusão deve ser guiada por políticas escritas desenvolvidas pela instituição e aprovadas pelo médico responsável.

■ **Padrão mínimo 2:** cada perfusionista deve ser adequadamente treinado através de um processo de educação definida. O quadro de funcionários deve participar de atividades educacionais contínuas e programas de melhora de qualidade institucionais.

■ **Padrão mínimo 3:** o time de cuidado do paciente deve discutir o plano de CEC antes da incisão referente à anticoagulação, TCA, fluxos da bomba, hematócrito, temperatura, plano de proteção miocárdico, gasometria, pressão arterial etc. Comunicação em alça fechada deve ser usada durante o procedimento. O time de cuidado deve manter discussão multidisciplinar em tempo-real durante toda a efusão.

■ **Padrão mínimo 4:** os equipamentos de perfusão devem ser mantidos por pessoas qualificadas. Os equipamentos de tamanho adequado devem ser usados e ter peças de reposição disponíveis. As peças devem estar disponíveis e junto ao perfusionista na sala de cirurgia. O circuito de CEC deve estar pronto antes da chegada do paciente na sala de cirurgia.

■ **Padrão mínimo 5:** a ficha do perfusionista deve conter informação suficiente para reconstruir o CPB inteiro, incluindo o *checklist* pré-CEC e a lista de materiais usados. A ficha deve fazer parte da ficha médica do paciente.

■ **Padrão mínimo 6:** os seguintes aparelhos de segurança e de monitorização devem ser usados em todos os pacientes: termômetro para paciente e aparelho de CEC; sensor de nível de reservatório, pressão e temperatura da cardioplegia e do sistema de CEC; filtro de linha arterial; probe de fluxo; valva de direção única na linha de sucção; suprimento de oxigênio suplementar; monitorização do SvO_2 e uma manivela. NIRS e detecção de bolha devem ser consideradas caso a caso. Servorregulação deve ser usada quando disponível. Gasometria deve ser verificada no tempo programado.

■ **Padrão mínimo 7:** o time de perfusão deve ter espaço de armazenamento adequado perto das salas de cirurgia para suprimentos de emergência e de reposição. Deve ter uma cadeira confortável para permitir a monitorização do circuito.

REFERÊNCIAS

1. Gropper MA, Cohen NH, Eriksson LI, et al. Miller's Anesthesia. 9th Edition 2020, chapter 54.
2. Cheung AT, Stanford-Smith M, Heath M. Cardiopulmonary Bypass. Preparations and Initiation. Disponível em: www.uptodate.com. This topic last updated: March 2, 2023 Acessado em: 14/12/2023.
3. Sarkar M, Prabhu V. Basics of Cardiopulmonary Bypass. Indian J Anaesth. 2017;61(9):760-7.
4. Hessel EA II. A Brief History of Cardiopulmonary Bypass. Sem Card Vasc Anest 2014;18(2):87-100.
5. Hessel EA II. History of Cardiopulmonary Bypass (CPB). Best Pract Res Clin Anaesth. 2015;29:99-111.
6. Braile DM, Godoy MF. História da Cirurgia Cardíaca no Mundo. Rev Bras Cir Card. 2012;27(1):125-34.
7. Passaroni AC, Silva MAM, et al. Cardiopulmonary Bypass: Development of John Gibbon's Heart-Lung Machine. Braz J Cardiovasc Surg. 2015;30(2):235-45.
8. Caneo LF, Matte G, et al. The Brazilian Society for Cardiovascular Surgery (SBCCV) and Brazilian Society of Extracorporeal Circulation (SBCEC) Standards and Guidelines for Perfusion Practice. Braz J Cardiovasc Surg. 2019;34(2):239-260.
9. Braile DM, Gomes WJ. Evolução da Cirurgia Cardiovascular. A Saga Brasileira. Uma História de Trabalho, Pioneirismo e Sucesso. Arq Bras Card. 2010;94 (2):151-2.
10. Fromes Y, Bical OM. MIECT: How Did It Start. J Thorac Ds. 2019;11(Suppl 10):S1492-7.
11. Barash PG, Cullen BF, Stoelting RK, et al. Clinical Anesthesia. Eight edition, 2017, Chapter 39.
12. Kraft S, Schimdt C, et al. Inflammatory Response and Extracorporeal Circuit. Best Pract Res Clin Anaesth. 2015;29:113-23.
13. Hatami S, Hefler J, et al. Inflammation and Oxidative Stress in The Context of Extracorporeal Cardiac and Pulmonary Support. Frontiers in Immunology. 2022(13):article 831930.
14. Evora PRB, Bottura C, et al. Key Points for Curbing Cardiopulmonary Bypass Inflammation. Acta Cirurg Bras. 2016;31(supl 1):45-52.
15. Huffmyer JL, Groves DS. Pulmonary Complications of Cardiopulmonary Bypass. Best Pract Res Clin Anaesth. 2015;29:163-75.
16. Somer F. End-Organ Protection in Cardiac Surgery. Minerva Anest. 2013;79:285-93.
17. Hert S, Moerman A. Myocardial Injury and Protection Relates to Cardiopulmonary Bypass. Best Pract Res Clin Anaesth. 2015;29:137-49.
18. Klein A, Agarwal S, et al. A Review of European Guidelines for Patient Blood Management With a Particular Emphasis on Antifibrinolytic Drug Administration for Cardiac Surgery. J Clin Anesth. 2022;78:110654.
19. Yuan SM. Postperfusion Lung Syndrome: Physiopathology and Therapeutic Options. Rev Bras Circ Cardiov. 2014;29(3):414-25.
20. What's New in Cardiopulmonary Bypass. J Card Vasc Anesth. 2019;33:2296-326.
21. Pishko AM, Cuker A. Heparin-Induced Thrombocytopenia and cardiovascular Surgery. Hematology. 2021:ASH Education program:536-44.
22. Tibi P, McClure S, et al. STS/SCA/AmSECT/SABM Update to The Clinical Practice Guideline on Patient Blood Management. Ann Thorac Surg. 2021;112:981-1004.
23. Yeoh CJ, Hwang NC. Volatile Anesthesia Versus Total Intravenous Anesthesia During Cardiopulmonary Bypass: Narrative Review on the Technical Challenges and Considerations. J Cardio Vasc Anesth. 2020(34):2181-88.
24. Van Saet A, Zeilmaker-Roest G, et al. Methylprednisolone in Pediatric cardiac Surgery: Is There Enough Evidence?. Frontiers In Card Medicine. 2021;8:730157.
25. Crawford JH, Townsley M. Steroids for Adults and Pediatric Cardiac Surgery: A Clinical Update. J Cardio Vasc Anesth. 2019;33:2039-45.
26. Dhir A. Antifibrinolytics in Cardiac Surgery. Annals Card Anaesth. 2013;16(2):117- 25.
27. Gerstein NS, Brierley JK, et al. Antifibrinolytic Agents in Cardiac and Non Cardiac Surgery: A Comprehensive Overview and Update. J Cardio Vasc Anesth. 2017;31:2183-205.

28. Fitzsimons MG. Management of Intraoperative Problems After Cardiopulmonary Bypass. Disponível em: www.uptodate.com. This topic last updated: Jul 26, 2022. Acessado 14/12/2023.

29. Ferraris VA, Brown JR, Despotis GJ, et al. 2011 Updated to the Society of Thoracic Surgeons and the Society of Cardiovascular Anesthesiologists Blood Conservation Clinical Practice Guidelines. Ann Thorac Surg. 2011;91:944-82.

30. Koster A, Faraoni D, Levy JH. Antifibrinolytic Therapy for Cardiac Surgery. Anesthesiology 2015; 123(1): 214-20

31. Bridges CR. Valide Comparison of Antifibrinolytic Agents Used in Cardiac Surgery. Circulation. 2007;115:2790-2.

32. Mangano DT, Tudor IC, Dietzel C. Multicenter Study of Perioperative Ischemia Research Group: The Risk Associated with Aprotinin in Cardiac Surgery. N Engl J Med. 2006;354:353-65.

33. Fergusson DA, Hébert PC, Mazer CD, et al. Comparison of Aprotinin an Lysine Analogs in High-Risk Cardiac Surgery. N Engl J Med. 2008;358:2319-31.

34. ANVISA. Disponível em: www.portal.anvisa.gov.br. Liberado para uso (acessado 11/12/2023).

35. Aprotinina disponível pela Roche-Sigma-Aldrich (acessado 11/12/2023).

36. Siemens K, Sangaran DP, et al. Antifibrinolytic Drugs for The prevention of Bleeding in Pediatric Cardiac Surgery on Cardiopulmonary Bypass: A Systematic Review and Meta-analysis. Anesth Analg. 2022;134(5): 987-1001.

37. Ngaage DL, Bland JM. Lessons from Aprotinin: Is the Routine Use and Inconsistent Dosing of Tranexamic Acid Prudent Meta-Analysis of Randomized and Large Matched Observational Studies. Euro J Cardio Surg. 2010;37:1375-83.

38. Sander M, Spies CD, Martiny V, et al. Mortality Associated with Administration of High-Dose Tranexamic Acid and Aprotinin in Primary Open-Heart Procedures: a Retrospective Analysis. Crit Care. 2010;14:R148.

39. Dowd NP, Karski JM, Cheng DC, et al. Pharmacokinetics of Tranexamic Acid During Cardiopulmonary Bypass. Anesthesiology. 2002;97:390-9.

40. Armellin G, Vinciguerra A, Bonato R, et al. Tranexamic Acid in Primary CABG Surgery: High vs Low Dose. Minerva Anest. 2004;70(3):97-107.

41. Sigaut ST, Outtara A, Couturier R, et al. Comparison of Two Doses of Tranexamic Acid in Adult Undergoing Cardiac Surgery with Cardiopulmonary Bypass. Anesthesiology. 2014;120:590-600.

42. Kikura M, Levy JH, Ramsay JG. A Double-Blind, Placebo-Controlled Trial of E-aminocaproic Acid for Reducing Blood Loss in Coronary Artery Bypass Grafting Surgery. J Am Coll Surg. 2006;202:216-22.

43. Chauhan S, Bisoi AK, Rao BH, et al. Dosage of Epsilon-Aminocaproic Acid to Reduce Postoperative Blood Loss. Asian Cardio Thorac Ann. 2000;8:15-8.

44. Sarupria A, Makhija N, Lakshmy, et al. Comparison of Different Doses of E-Aminocaproic Acid in Children for Tetralogy of Fallot Surgery: Clinical Efficacy and Safety. J Card Vasc Anesth. 2013;27:23-9.

45. Carson JL, Stanworth SJ, et al. Red Blood Cell Transfusion: 2023 AABB International Guidelines. JAMA. 2023;330(19):1892-902.

46. Ranucci M, Romitti F, Isgro G, et al. Oxygen Delivery During Cardiopulmonary Bypass and Acute Renal Failure After Coronary Operations. Ann Thorac Surg. 2005;80:2213-20.

47. Practice Guidelines for Perioperative Blood Management: An Updated Report by the American Society of Anesthesiologists Task Force on Perioperative Blood Management. Anesthesiology. 2015;122(2):1-35.

48. Barry AE, Chaney MA, London MJ. Anesthetic Management During Cardiopulmonary Bypass: a Systematic Review. Anest Analg. 2015;120(4):749-62.

49. Güçlü ÇY, Ünver S, Aydinli B, et al. The Effect of Sevoflurane vs. TIVA on Cerebral Oxygen Saturation During Cardiopulmonary Bypass-Randomized Trial. Adv Clin Exp Med. 2014;23(6):919-24.

50. Chen F, Duan G, et al. Comparison of the Cerebroprotective Effect of Inhalation Anaesthesia and Total Intravenous Anaesthesia in Patients Undergoing Cardiac Surgery with Cardiopulmonary Bypass: a Systematic Review and Meta-Analysis. BMJ Open. 2017;7; e4629:1-10.

51. Cheung AT, Smith MS. Management of Cardiopulmonary Bypass. Disponível em: www.uptodate.com. Acessado em: 05/12/23.

52. Whiting D, Yuki K, DiNardo JA. Cardiopulmonary Bypass in the Pediatric Population. Best Pract Res Clin Anaesth. 2015;29(2):241-56.

53. Qu JZ, Kao LW, et al. Brain Protection in Aortic Arch Surgery: An Evolving Field. J Cardi Vasc Anesth. 2021;35:1176-88.

54. Fitzsimons MG. Weaning from Cardiopulmonary Bypass. Disponível em: www.uptodate.com. This topic last updated: Sept 20, 2023. Acessado em: 14/12/2023

55. Cui WW, Ramsay JG. Pharmacologic Approaches to Weaning from Cardiopulmonary Bypass and Extracorporeal Membrane Oxygenation. Best Pract Res Clin Anaesth. 2015;29:215-70.

56. Cui WW, Ramsay JG. Pharmacologic Approaches to Weaning from Cardiopulmonary Bypass and Extracorporeal Membrane Oxygenation. Best Pract Res Clin Anaesth. 2015;29:257-70.

57. Vinasco DMO, Schoonewolff CAT, et al. Vasoplegic Syndrome in Cardiac Surgery: Definitions, Pathophysiology, Diagnostic Approach and Management. Rev Esp Anest Rean. 2019;66(5):277-87.

58. Monaco F, Di Prima AL, et al. Management of Challenging Cardiopulmonary Bypass Separation. J Cardio Vasc Anesth. 2020;34:1622-35.

59. Besser MW, Ortman E, Klein AA. Haemostatic Management of Cardiac Surgical Haemorrhage. Anaesthesia. 2015;70(Suppl 1):87-95.

60. Erdoes G, Faraoni D, et al. Perioperative Considerations in Management of the Severely Bleeding Coagulopathic Patient. Anesthesiology. 2023;138(5):535-60.

61. Karkouti K, McCluskey SA, Callum J, et al. Evaluation of a Novel Transfusion Algoritm Employing Point-of-Caire Coagulation Assays in Cardiac Surgery. Anesthesiology. 2015;122(3):560- 8.

62. Bartoszko J, Karkouti K. Managing the Coagulopathy Associates with Cardiopulmonary Bypass. J Thromb Haemost. 2021;19:617-32.

63. Hanna JM, Keenan JE, et al. Utilization of Human Concentrate During Proximal Aortic Reconstruction with Deep Hypothermic Circulatory Arrest. J Thorac Cardiovasc Surg. 2016;15(2):376-82.

64. Ranucci M, Baryshnikovs E, et al. Randomized, Double-Blinded, Placebo-Controlled Trial of Fibrinogen Concentrate Supplementation After Complex Cardiac Surgery. J Am Heart Assoc. 2015;4:e002066:1-10.

65. Hirata Y. Cardiopulmonary Bypass for Pediatric Cardiac Surgery. Gen Thorax Cardio Surg. 2018;66:65-70.

66. Medikonda R, Ong CS, et al. Trends and Updates on Cardiopulmonary Bypass Setup in Pediatric Cardiac Surgery. J Card and Vasc Anesth. 2019;1-10.

67. Ramakrishnan K, Kumar TS, et al. Cardiopulmonary Bypass in Neonates and Infants: Advantages of High Flow High Hematocrit Bypass Strategy—Clinical Practice Review. Transl Pediatr. 2023;12(7):1431-38.

68. Rotina de Circulação Extracorpórea em Cirurgia Cardíaca Pediátrica Incor-HCFMUSP. Dezembro de 2023.

69. Siemens K, Donnelly P, et al. Evaluating the Impact of cardiopulmonary Bypass priming Fluids on Bleeding After Pediatric Cardiac Surgery: A Systematic Review and Meta-analysis. J Cardio Vasc Anesth. 2022(36):1584-94.

70. Machovec KA, Jooste EH. Pediatric Transfusion Algorithms: Coming to a Cardiac Operating Room Near You. J Cardio Vasc Anesth. 2019;(33):2017-29.

71. Saleem Y, Darbari A, et al. Recent Advancements in Pediatric Cardiopulmonary Bypass Technology for Better Outcomes of Pediatric Cardiac Surgery. The Cardio Surg. 2022;30(23);1-10.

72. Wrisinger WC, Thompson SL. Basics of Extracorporeal Membrane Oxygenation. Surg Clin N Am. 2022;102:23-35.

73. Chaves RCF, Rabello Filho R, et al. Oxigenação por Membrana Extracorpórea. Revisão da Literatura. Rev Bras Ter Int. 2019;31(3):410-24.

74. Abrams D, Agerstrand C, et al. Extracorporeal Membrane Oxygenation (ECMO) In Adults. Disponível em: www.uptodate.com. This topic last updated: Jul 19 2023. Acessado em: 14/12/2023.

75. Mancini D. Management of Long Term Mechanical Circulatory Support Devices. Disponível em: www.uptodate.com. This topic last updated: Jul 22, 2022. Acessado em: 14/12/2023.

76. Bennett S, Sutherland L, et al. Update on Mechanical Circulatory Support. Anesth Clin. 2023;41:79-102.

154

Anestesia para Revascularização Miocárdica

Thiana Yamaguti

INTRODUÇÃO

Avanços nos conhecimentos fisiopatológicos, diagnósticos e terapêuticos da doença aterosclerótica coronariana (DAC) alteraram o perfil dos pacientes submetidos à cirurgia de revascularização do miocárdio (RM). Pacientes com múltiplas comorbidades, com disfunção ventricular, reoperações e com lesões coronarianas mais graves têm sido encaminhados para o tratamento cirúrgico. O adequado manejo anestésico desses pacientes é complexo e desafiador, envolvendo a integração de conhecimentos anatômicos, farmacológicos e fisiopatológicos.

A evolução tecnológica e os conhecimentos adquiridos por meio de novos estudos resultaram em melhor monitorização e segurança na anestesia para cirurgia cardíaca. O uso intraoperatório da eletrocardiografia transesofágica (ETE) e da oximetria regional cerebral é exemplo de novos monitores que podem colaborar no melhor manejo anestésico dos pacientes.

Nos últimos anos várias técnicas anestésicas e cirúrgicas entraram em voga e caíram em desuso conforme novos estudos são publicados. Um exemplo é a técnica baseada em altas doses de opioides, muito utilizada na década de 1980, visando à estabilidade hemodinâmica e à redução do estresse cirúrgico e pós-operatório na cirurgia de RM. Acreditava-se que o uso de halogenados estaria relacionado à depressão cardiovascular e ao potencial roubo de fluxo coronariano. Já em 1989, Slogoff e Keats, demonstraram que a escolha do agente anestésico primário (halotano, enflurano, isoflurano ou sufentanil) não influenciou no desempenho miocárdio após cirurgia de RM,[1] assim evidências de que os anestésicos halogenados não causariam danos ao miocárdio e o surgimento de dados sugerindo uma ação protetora dos anestésicos voláteis mediante o pré-condicionamento,[2] fizeram com que a anestesia baseada em altas doses de opioides fosse substituída pela anestesia balanceada com halogenados ou pela anestesia venosa total, contribuindo, também, para menores custos e recuperação mais rápida por menor tempo de internação e ventilação mecânica.

Quanto à escolha da técnica anestésica balanceada ou venosa total, estudos sugerem que a técnica anestésica não influenciou no desfecho cognitivo e na mortalidade imediata dos pacientes submetidos à cirurgia de RM.[3,4] Porém, quanto à mortalidade em 1 ano, uma metanálise observou melhor desfecho no grupo que utilizou sevoflurano ou desflurano em comparação ao propofol.[5] Por outro lado, a anestesia venosa total parece ter menor impacto climático (considerando especialmente o desflurano e o óxido nitroso) e melhor perfil na saúde ocupacional.[2]

Protocolos multidisciplinares a fim de acelerar a recuperação dos pacientes (ERACS – *enhanced recovery after cardiac surgery*) vêm sendo desenvolvidos com importante contribuição dos anestesiologistas nos resultados perioperatórios.[6-8]

Além dos avanços na monitorização e no manejo anestésico, novas técnicas cirúrgicas, como a cirurgia minimamente invasiva e robótica, assim como os procedimentos híbridos demandam novos desafios também para a anestesia cardíaca.[9]

■ EPIDEMIOLOGIA E AVALIAÇÃO DE RISCO CIRÚRGICO

A doença isquêmica do coração (DIC) é a principal causa de morte no mundo, sendo responsável por mais de 9 milhões de mortes no ano de 2016, segundo dados da Organização Mundial da Saúde (OMS).[10]

No Brasil, as mortes por DIC vem apresentando redução ao longo dos anos, no entanto ainda é a causa líder de mortalidade, sendo responsável por 111.849 óbitos no ano de 2015.[10]

A revascularização do miocárdio é o pilar do tratamento de graus avançados da doença coronariana, embora o número de cirurgias realizadas venha diminuindo no mundo em detrimento dos avanços na técnica percutânea, a cirurgia de RM continua um procedimento comum e sua complexidade tende a aumentar nas próximas décadas. Assim, diversos modelos de estratificação de risco cirúrgico em cirurgia cardíaca foram desenvolvidos nos últimos anos.

A avaliação do risco cirúrgico na RM tem como objetivos informar o paciente e familiares quanto à probabilidade de complicações e óbito, auxiliar na decisão terapêutica clínico-cirúrgica, permitir o aprimoramento dos serviços médicos por intermédio da comparação de resultados entre diferentes equipes e serviços de acordo com o grau de complexidade do paciente, auxiliar no planejamento hospitalar quanto à identificação de potenciais complicações que resultariam em maior tempo de internação e auxiliar no planejamento de recursos financeiros para as seguradoras e convênios médicos.

O modelo de estratificação de risco ideal deve ser de fácil aplicabilidade, objetivo e possuir boa acurácia na predição de eventos observados na população estudada.

Dentre os diversos modelos de estratificação de risco desenvolvidos para cirurgia cardíaca, o European System for Cardiac Operative Risk Evaluation II (EuroSCORE II)[11] e o Society of Thoracic Surgeons Score (STS) score[12,13] são os mais utilizados em diversos centros do mundo.

O EuroSCORE II foi desenvolvido a partir de dados de 22.381 pacientes operados entre maio e junho de 2010 em 154 centros de 43 países (incluindo quatro centros brasileiros).[11] O cálculo da estimativa de risco para mortalidade cirúrgica está disponível *online* em http://www.euroscore.org[10] e por aplicativos de *tablets* e *smartphones* (sistemas iOS e Android).

O STS score possui um algoritmo que calcula além da estimativa de mortalidade também a estimativa de morbidade cirúrgica, como complicações renais, ventilação mecânica prolongada, risco de mediastinites, reoperações, dentre outras. Sua versão atual, foi desenvolvida utilizando-se de dados de 1.250.165 pacientes submetidos à cirurgia cardíaca nos Estados Unidos da América e no Canadá entre julho de 2011 a dezembro de 2016 e sua base de dados é constantemente renovada a fim de manter a calibração da ferramenta.[13]

A Sociedade Europeia de Cardiologia e a Associação Europeia de Cirurgia Cardiotorácica (ESC/EACTS) publicaram recentemente (2019) uma diretriz para Revascularização do Miocárdio recomendando o uso preferencial do STS score (Classe I, Nível de evidência B) para avaliação da mortalidade hospitalar em RM, por ter uma calibração renovada regularmente e apresentar melhor *performance* quando comparado ao EuroSCORE II nos pacientes de RM.[8]

O STS score possui modelos de predição de mortalidade e morbidade para cirurgias de RM combinadas com cirurgias valvares, e mais recentemente foram introduzidos em seu banco de dados novos fatores, como a fragilidade do paciente que pode influenciar no resultado cirúrgico.

Poucas publicações estão disponíveis avaliando o EuroSCORE II e o STS score na população brasileira,[14,15] sendo necessário aguardar novos estudos que confirmem a aplicabilidade dessas ferramentas em nossa população. Um modelo de risco denominado SPScore, utilizando dados de cirurgias realizadas em hospitais paulistas vem sendo avaliado e calibrado na população brasileira.[15,16]

■ FISIOPATOLOGIA DA DOENÇA ARTERIAL CORONARIANA

Anatomia

O anestesiologista deve estar familiarizado com a anatomia coronariana e a distribuição do fluxo sanguíneo miocárdico para uma completa compreensão da extensão e grau de risco de isquemia e infarto do miocárdio durante a cirurgia (Figura 154.1).

■ A **artéria coronariana direita (ACD)** origina-se do seio de Valsalva direito e segue anteriormente por alguns milímetros, atravessa o sulco atrioventricular (AV) direito e curva-se posteriormente no sulco para atingir a *crux cordis* (intersecção do sulco AV e septo interventricular). Em cerca de 85% das pessoas, a ACD termina como a **artéria descendente posterior (ADP)**, que emite ramos perfurantes para suprir a porção posterossuperior do septo interventricular. Os anatomistas consideram dominância direita quando a ACD cruza a *crux cordis* e continua no sulco AV, enquanto os hemodinamicistas determinam a dominância de acordo com a artéria que origina a ADP, direita quando a ADP se origina da ACD e esquerda quando a origem é da artéria circunflexa.

■ Logo após a emergência da aorta a ACD origina dois ramos, a **artéria do *conus arteriosus*** que segue pela via de saída do ventrículo direito (VD) e o ramo atrial que origina a **artéria do nodo sinoatrial (SA)** em cerca de 60% das pessoas. Durante o seu trajeto pelo sulco AV direito, a ACD emite diversos ramos para o átrio direito e VD. Sendo o **ramo marginal direito** um dos principais, que corre pela margem direita do coração suprindo essa região. Após a curvatura posterior pelo sulco AV a ACD segue pela face diafragmática do coração e na região da *crux cordis* emite o **ramo do nó atrioventricular (AV)** em cerca de 85% dos casos. Nos pacientes com dominância direita, a ACD pode emitir até três **ramos ventriculares posteriores** que irrigam a parede inferior do ventrículo esquerdo (VE).

■ A orientação vertical e superior do óstio da ACD possibilita que bolhas de ar passem facilmente durante a canulação aórtica, circulação extracorpórea (CEC) ou deaeração nas cirurgias com câmaras cardíacas abertas, podendo resultar em isquemia do VD e da parede inferior do VE.

■ A **ACE** tem origem no seio aórtico esquerdo, como o **tronco comum da coronária esquerda (TCE)**. Este, normalmente com 1 cm de comprimento, encontra-se entre o apêndice da aurícula esquerda e o tronco da artéria pulmonar. O tronco comum divide-se em **artéria circunflexa (ACX)** e **artéria descendente anterior (ADA) ou interventricular anterior**. Em cerca de 25% da população existe um **ramo intermédio**.

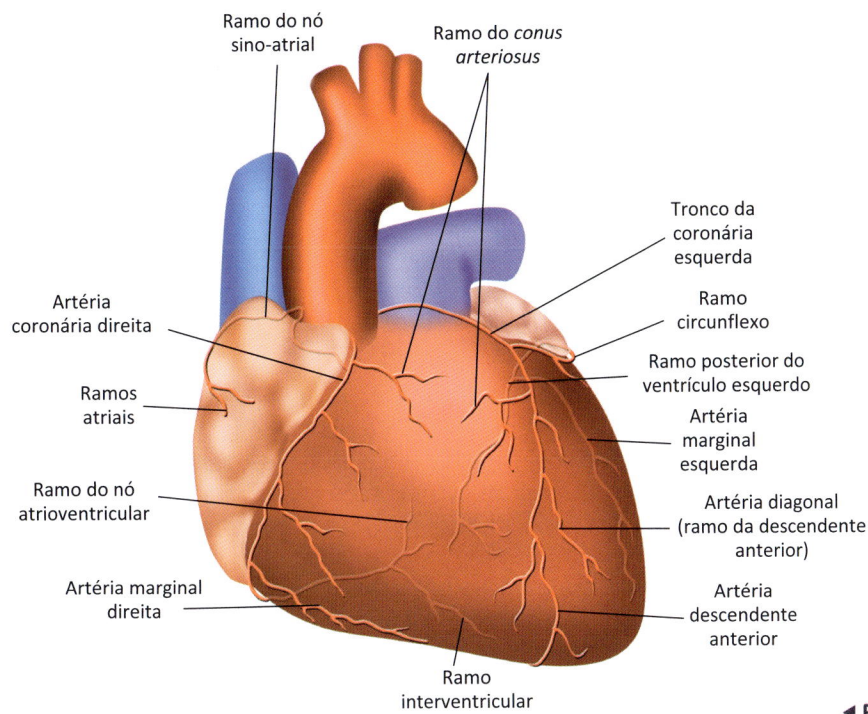

Ramo do nó sino-atrial

Ramo do *conus arteriosus*

Artéria coronária direita

Ramos atriais

Ramo do nó atrioventricular

Artéria marginal direita

Ramo interventricular posterior

Tronco da coronária esquerda

Ramo circunflexo

Ramo posterior do ventrículo esquerdo

Artéria marginal esquerda

Artéria diagonal (ramo da descendente anterior)

Artéria descendente anterior

◀ **Figura 154.1** Circulação coronariana.

■ A **ADA** segue como uma continuação do TCE pelo sulco interventricular anterior, dando origem a ramos septais e diagonais. Os **ramos septais** irrigam a maior parte do septo interventricular (dois terços) e suprem os ramos do feixe de His e o sistema de Purkinje. Os **ramos diagonais** irrigam a parede anterolateral do VE. Assim, a ADA e seus ramos suprem a maior parte do septo interventricular, a parede anterolateral e apical do VE, assim como o múscu-lo papilar anterior da valva mitral e pode originar circula-ção colateral para a parede anterior do VD e parte poste-rior do septo IV e para a ADP.

■ A **ACX** cursa pelo sulco AV esquerdo dando origem aos **ramos marginais obtusos** que suprem a parede lateral do VE. Quando a ACX origina a ADP, os hemodinamicistas de-nominam como dominância esquerda e a circulação co-ronariana esquerda irriga todo o septo e o nodo AV. Em aproximadamente 40% dos casos a ACX irriga o nodo SA.

Os ramos epicárdicos descritos anteriormente emitem ramos menores que suprem o terço externo do miocárdio e ramos penetrantes que se anastomosam com o plexo su-bendocárdico. Este plexo capilar funciona de maneira única como um sistema arterial terminal. Cada arteríola epicárdi-ca supre um plexo capilar que forma uma alça terminal em vez de se ligar a outro plexo capilar adjacente de outra ar-téria epicárdica. Não existe circulação colateral significante em nível microcirculatório. Esta anatomia capilar explica as áreas distintas de isquemia miocárdica ou infarto que po-dem estar relacionadas a doença numa artéria epicárdica.

As lesões epicárdicas podem ser únicas, mas, em geral, são múltiplas. Uma lesão combinada da ACD com os dois ra-mos da coronária esquerda é denominada de lesão triarterial.

A drenagem venosa miocárdica ocorre primariamente para o seio coronário que drena a maior parte da parede livre do VE e do septo e o restante do retorno venoso ocorre

diretamente para o átrio direito. Uma pequena fração pode drenar para outras câmaras cardíacas através das veias an-teriores sinusoidais, anterior luminal e veias de tebésios.

Isquemia e Infarto do Miocárdio

Nos pacientes com DAC, a isquemia miocárdica geral-mente resulta de aumento na demanda miocárdica de oxi-gênio que excede a capacidade de uma artéria coronariana estenótica em aumentar a oferta de oxigênio. A obstrução total da artéria coronariana sem uma circulação colateral adequada resulta em infarto do miocárdio.

Em condições normais, o fluxo sanguíneo coronariano está intimamente acoplado à demanda de oxigênio, que é determinada primariamente pela frequência cardíaca (FC), tensão da parede ventricular (pré e pós-carga) e contrati-lidade. A oferta de oxigênio para o miocárdio depende da pressão de perfusão coronariana (pressão diastólica sistê-mica menos a pressão diastólica final do ventrículo esquer-do) e do conteúdo de oxigênio do sangue coronariano. A região endocárdica do coração sofre maior estresse de pa-rede e consome cerca de 20% mais oxigênio por unidade de massa que o epicárdio.

O fluxo sanguíneo do miocárdio e seu metabolismo es-tão acoplados em um largo espectro de pressão de perfusão coronariana, resultando em valores relativamente constan-tes de taxa de extração e saturação de oxigênio do seio ve-noso (70% e 30%, respectivamente). Assim, em situações de estresse e exercícios, por exemplo, o aumento na demanda de oxigênio é acompanhado de dilatação coronariana, au-mentando o fluxo sanguíneo para o miocárdio. Este aumen-to do fluxo sanguíneo é denominado de reserva vascular coronariana.

Nos pacientes com DAC, a vasculatura coronariana distal à estenose pode já estar maximamente dilatada ao repouso e, dessa forma, a reserva vascular coronariana encontra-se exaurida e o fluxo distal à estenose fica dependente da pressão de perfusão coronariana. Nessa situação, qualquer aumento na demanda de oxigênio precipita a isquemia, principalmente na vulnerável região subendocárdica.

A formação da placa lipídica na camada íntima das artérias coronárias é a lesão fundamental na DAC, causando redução luminal e, eventualmente, oclusão por trombose. O centro lipídico é o componente mais trombogênico da placa, a ruptura da placa com a exposição do conteúdo lipídico resulta em trombose e redução luminal aguda, gerando quadros de síndrome coronariana aguda (angina instável ou IAM com ou sem supra de segmento ST). Uma placa vulnerável é caracterizada por ter alto conteúdo lipídico, cápsula fibrosa fina, reduzido conteúdo de colágeno na matriz extracelular e atividade celular inflamatória.[17]

■ ANESTESIA PARA CIRURGIA DE REVASCULARIZAÇÃO DO MIOCÁRDIO

Em 2021, a American Heart Association (AHA), juntamente com o Colégio Americano de Cardiologia e a Sociedade Cardiovascular de Angiografia e Intervenção, publicou um guia com diretrizes práticas para a RM[18] sugerindo condutas baseadas em classes de recomendações (benefício *versus* risco) e níveis de evidência – A, B ou C de acordo com os tipos de estudos em que as recomendações foram embasadas (Tabelas 154.1 e 154.2).

Outras diretrizes como a europeia para RM de 2019,[19] de medicações perioperatórias,[20] de manejo sanguíneo em cirurgia cardíaca,[21] bem como o consenso de cuidados perioperatórios em cirurgia cardíaca de 2024[22] trazem também importantes orientações para o anestesiologista.

Muitas das recomendações descritas nesta seção são baseadas nessas diretrizes.

Avaliação Pré-anestésica

A avaliação pré-anestésica deve incluir além de uma adequada anamnese quanto aos sintomas do quadro isquêmico coronariano, as morbidades associadas principalmente à presença de eventos cerebrovasculares prévios e doença carotídea, aterosclerose da aorta proximal, insuficiência renal, insuficiência vascular periférica, doença pulmonar obstrutiva crônica e estenose esofágica ou outra alteração que possam limitar o uso da ETE. Histórias de cirurgias prévias, dificuldade de intubação prévia, alergias e antecedentes pessoais ou familiares de hipertermia maligna devem ser pesquisados. Uso crônico de opioides deve ser investigado a fim de planejar a estratégia analgésica utilizada no intraoperatório. O exame físico deve incluir, além do exame habitual com especial atenção ao aparelho cardiovascular, a

Tabela 154.1 Classes de recomendações.

Classe de recomendação	Definição	Frases sugeridas para as recomendações
Classe I	Recomendação forte Benefício >>> Risco	■ Deve ser indicado/recomendado ■ É útil/efetivo/benéfico
Classe IIa	Recomendação moderada Benefício >> Risco	■ É razoável ■ Pode ser útil/efetivo/benéfico ■ É provavelmente recomendado
Classe IIb	Recomendação fraca Benefício ≥ Risco	■ Pode ser considerado ■ Utilidade/eficácia é desconhecida/não é clara, não é bem estabelecida
Classe III	Recomendações em que o tratamento ou o procedimento não é útil/efetivo e pode ser danoso	■ Não é recomendado ■ Não é indicado ■ Potencialmente danoso ■ Causa dano

Tabela 154.2 Níveis de evidência.

Nível de evidência	Definição
Nível A	■ Evidencias de alta qualidade de mais de um estudo controlado randomizado (ECR) ■ Metanálise de ECR de alta qualidade ■ 1 ou mais ECRs, corroborados por estudos de registro de alta qualidade
Nível B-R	■ Evidências de qualidade moderada de 1 ou mais ECR ■ Metanálise de ECR de qualidade moderada
Nível B – NR (não randomizados)	■ Evidências de qualidade moderada de 1 ou mais estudos nãorandomizados, estudos observacionais ou estudos de registro bem eladorados e bem executados ■ Metanálises desses tipos de estudos
Nível C – DL (dados limitados)	■ Estudos observacionais ou de registro randomizados ou não, com limitações de método e execução ■ Metanálises desses tipos de estudos ■ Estudos fisiológicos ou mecanísticos em seres humanos
Nível C – EO	■ Consenso de opiniões de especialistas com base em experiência clínica

presença de varizes de membros inferiores e a avaliação da via aérea.

Os pacientes candidatos à cirurgia de RM quase sempre são amplamente estudados. A avaliação dos exames laboratoriais deve incluir o hemograma com contagem de plaquetas, coagulograma caso tenha histórico de sangramento ou uso prévio de anticoagulantes, identificação de diabetes não diagnosticados baseado na hemoglobina A1c (> 6 a 7%), identificação de hipoalbuminemia (< 4g.L⁻¹, preditor independente de pior prognóstico incluindo insuficiência renal aguda),[22] avaliação da função renal, avaliação dos eletrólitos e outros de acordo com as comorbidades associadas. O anestesiologista deve avaliar a cineangiocoronariografia e, quando disponível, a ventriculografia para conhecer o grau e a extensão das lesões coronarianas, bem como a função ventricular. A ecocardiografia também deve ser analisada visando à função ventricular esquerda e direita, à presença de valvopatias associadas, à presença de hipertrofias ventriculares e septais e à avaliação da presença e grau de hipertensão pulmonar.

É importante identificar a anemia pré-operatória e, sempre que possível, o tratamento prévio à cirurgia cardíaca a fim de reduzir a morbimortalidade associada às transfusões sanguíneas na cirurgia cardíaca.[21] O índice de fragilidade também está relacionado às complicações e à mortalidade pós-operatória sendo um dado fundamental a ser identificado e tratado com programas de reabilitação com exercícios, nutrição e assistência psicossocial no pré-operatório.[22]

Medicação Ansiolítica Pré-anestésica

Além da ação esclarecedora e confortante de uma adequada visita pré-anestésica, a prescrição de medicações para redução do medo e da ansiedade pode ser benéfica para o paciente que será submetido à cirurgia de RM. O tratamento deve ser individualizado, levando-se em conta idade, peso, condição médica, função ventricular, medicações associadas e nível de ansiedade pré-operatória.

O uso de benzodiazepínicos promove ansiólise e algum grau de amnésia, podendo ser administrado por via oral, intramuscular ou venosa, porém seu uso pode estar relacionado ao aumento de *delirium*, principalmente em pacientes idosos, no período pós-operatório.[23] Outros métodos não farmacológicos, como o uso de músicas e realidade virtual, vêm sendo investigados.[24-26]

Manejo dos Anti-hipertensivos e Antiagregantes Plaquetários

Antiagregantes plaquetários

Os pacientes com doença arterial coronariana frequentemente recebem tratamento antiplaquetário e sua suspensão para reduzir o sangramento perioperatório deve levar em conta os riscos de uma eventual trombose coronariana. Assim, deve ser realizada uma abordagem multidisciplinar, envolvendo cardiologistas, anestesiologistas, hematologistas e cirurgiões, para determinar o risco do paciente. Com o desenvolvimento da intervenção coronariana percutânea, o número de pacientes recebendo terapia antiplaquetária dupla (ácido acetilsalicílico – AAS+ tienopiridínicos, como clopidogrel) tem crescido e o manejo perioperatório desses fármacos tem sido alvo de inúmeros estudos (Tabela 154.3).

O resultado de alguns estudos como o ATACAS falharam em demonstrar menos complicações trombóticas com AAS pré-operatório[27] e alguns estudos observaram aumento no débito dos drenos, embora pareça não ter resultado em aumento nas reabordagens cirúrgicas. Assim, em algumas situações em que o risco de sangramento é elevado, a manutenção do AAS deve ser discutida. A seguir, citamos as recomendações das diretrizes de 2021 da AHA:[18]

- Nos pacientes em uso diário de AAS no pré-operatório de RM, é recomendada a manutenção até o momento da cirurgia para redução de eventos isquêmicos (Classe I – BR).
- Nos pacientes eletivos de RM que não fazem uso de AAS, não é recomendada a introdução de aspirina (100 a 300 mg) no período pré-operatório (< 24 h antes da cirurgia) (Classe III – BR).
- Nas cirurgias de RM urgentes, clopidogrel e ticagrelor devem ser descontinuados por, no mínimo, 24 h antes da cirurgia para reduzir o risco de sangramento e transfusões (Classe I – BNR).
- Nas cirurgias de RM, a descontinuação dos inibidores da glicoproteína IIb/IIIa (epifibatide e tirofiban) por 4 h e abciximab por 12 h antes da cirurgia é recomendada a fim de reduzir o risco de sangramento e transfusões (Classe I – BNR).

Tabela 154.3 Inibidores da P2Y12.[20]	Clopidogrel	Prasugrel	Ticagrelor	Cangrelor
Biodisponibilidade	50%	80%	36%	100%
Meia-vida (metabólito ativo)	1-2 h	2-15 h	7-9 h	3-6 min
Reversibilidade da ligação	Irreversível	Irreversível	Reversível	Reversível
Início de ação	2-6 h	30 min	30 min	2 min
Frequência de administração	1x/dia	1x/dia	2x/dia	Infusão venosa
Duração do efeito	3-10 dias	7-10 dias	3-5 dias	1-2 h
Antídoto	Não	Não	Não	Não
Descontinuação antes de cirurgia eletiva	mínimo 5 dias	mínimo 7 dias	mínimo 3 dias	1 h

- Nas cirurgias de RM eletivas em pacientes com terapia antiplaquetária dupla, deve ser considerada a interrupção por, no mínimo, 3 dias no caso do ticagrelor, 5 dias de clopidogrel e 7 dias de prasugrel (Classe IIa – BNR).

Uma vez que os inibidores da P2Y12 possuam efeitos inibitórios variados e variação individual em sua ação antiagregante, um teste de função plaquetária para guiar o melhor momento da cirurgia cardíaca nos pacientes que receberam recentemente inibidores da P2Y12 pode ser considerado (Classe IIa – BNR), segundo diretriz de manejo do sangramento do STS.[21]

Nos pacientes submetidos à RM, AAS (100 a 325 mg/dia) deve ser iniciado 6 h após a cirurgia caso não haja evidência de sangramentos e então ser mantida indefinidamente para reduzir a oclusão do enxerto de veia safena e de eventos cardiovasculares (Classe I-A).[18]

Em pacientes selecionados submetidos à RM, terapia antiplaquetária dupla com AAS e ticagrelor ou clopidogrel por 1 ano pode ser razoável para melhorar a patência do enxerto venoso comparado ao AAS sozinho (Classe IIb – BR).[18]

Estatinas

As estatinas são fármacos essenciais no tratamento da DAC por reduzir o colesterol das lipoproteínas de baixa densidade (LDL-C), retardar a progressão da aterosclerose e melhorar a sobrevida dos pacientes, reduzindo o risco de morte de causa vascular, infarto do miocárdio e acidente vascular cerebral (AVC). Além da ação nos níveis de lipídeos, alguns estudos sugeriam que as estatinas no período pré-operatório reduziam a mortalidade, possuíam propriedades antioxidante e anti-inflamatórias reduzindo a fibrilação atrial (FA) no pós-operatório (PO) e a injúria renal aguda. Entretanto, o Statin Therapy in Cardiac Surgery trial (STICS trial), que randomizou 1.922 pacientes eletivos de cirurgia cardíaca para receber rosuvastatina (20mg/dia) ou placebo antes da cirurgia, não observou redução da FA nem redução do dano ao miocárdio (concentração de Troponina I). O mesmo estudo observou, ainda, aumento da lesão renal aguda no grupo da rosuvastatina.[28] Assim, baseado nas diretrizes de 2017 da EACTS[20] quanto ao uso das estatinas no período pré-operatório:

- Não é recomendado iniciar terapia com estatinas no pré-operatório imediato de RM em pacientes sem uso prévio de estatinas (Classe III, nível A).
- Quanto à manutenção das estatinas no período pré-operatório, naqueles que já fazem uso, ainda não existem dados suficientes, embora, em geral, elas possam ser consideradas (Classe IIa, nível C).

Betabloqueadores e amiodarona

Em pacientes submetidos à cirurgia de RM eletiva, os riscos e os benefícios da administração de betabloqueadores e amiodarona antes da cirurgia devem ser cuidadosamente avaliados. Embora a administração pré-operatória de betabloqueadores esteja associada à menor incidência de FA no pós-operatório, novos dados de metanálises de ECRs e diversos grandes estudos observacionais, apresentaram resultados conflitantes quanto ao seu impacto em outros desfechos,

incluindo morte, eventos cardíacos adversos maiores (MACE) e outras arritmias. A seguir, citamos as recomendações das diretrizes de 2021 da AHA[18] quanto ao manejo de betabloqueadores e amiodarona no período pré-operatório:

- Nos pacientes candidatos à RM e sem contraindicações ao uso de betabloqueadores, a sua administração antes da cirurgia pode ser benéfica para a redução da incidência de FA pós-operatória (Classe IIa – BR).
- Nos pacientes candidatos à RM, a administração de amiodarona antes da cirurgia é razoável para a redução da incidência de FA pós-operatória (Classe IIa – BR).
- Nos pacientes candidatos à RM e sem contraindicações ao uso de betabloqueadores, a sua administração antes da cirurgia pode ser considerada para a redução da mortalidade hospitalar e em 30 dias (Classe IIb – BNR).
- Nos pacientes candidatos à RM, o papel dos betabloqueadores pré-operatórios para a prevenção de isquemia miocárdica aguda pós-operatória, AVC, insuficiência renal aguda (IRA) ou arritmias ventriculares é incerta (Classe IIb – BNR).
- Se o betabloqueador for iniciado no pré-operatório, recomenda-se uma titulação cuidadosa de acordo com a pressão arterial (PA) e FC, iniciando-se vários dias antes da cirurgia (Classe I, Nível C), segundo diretriz de 2017 da EACTS.[20]
- Nos paciente submetidos à RM, recomenda-se o uso de betabloqueadores, assim que possível, para redução da incidência ou sequelas clínicas da FA pós-operatória (Classe I – BR).[18]

Inibidores da enzima conversora de angiotensina (iECAs) e Antagonistas dos receptores de angiotensina II (ARAs II)

Os iECAs e os ARAs II possuem propriedades cardioprotetoras independentes da sua ação anti-hipertensiva, particularmente nos pacientes com disfunção ventricular sistólica, hipertensão, diabetes *mellitus* ou insuficiência renal crônica.[11] Melhora na função endotelial, supressão da resposta inflamatória associada à aterosclerose, limitação da hiperplasia nos enxertos venoso e seu papel na angiogênese são algumas das ações relacionadas a essas classes de medicações que fazem parte do arsenal terapêutico da doença aterosclerótica coronariana.

No entanto, o uso pré-operatório dos iECAs e dos ARAs II em cirurgia cardíaca pode estar associado à hipotensão intraoperatória, à diminuição da resposta à vasopressores e inotrópicos após a indução anestésica e à circulação extracorpórea (síndrome vasoplégica), além de disfunção renal pós-operatória, aumentando o tempo de ventilação mecânica e de internação em terapia intensiva.[29] Por essas razões, tem sido recomendada a suspensão pré-operatória dos iSRAA na cirurgia cardíaca. Naqueles com hipertensão pré-operatória descontrolada, as medicações iECAs e ARA II de longa ação podem ser trocadas por iECAs de curta duração.

Após a fase aguda do pós-operatório de RM, os iSRAA têm ações protetoras nos pacientes com fração de ejeção do ventrículo esquerdo (FEVE) reduzida e disfunção renal, principalmente por prevenção de eventos adversos a longo prazo.[30] Os antagonistas da aldosterona também podem ser utilizados em conjunto com os betabloqueados e os iECAs no pós-operatório de RM, naqueles com FEVE reduzida e sintomas de insuficiência cardíaca da New York Heart Association (NYHA) classes II a IV, desde que sejam evitados nos pacientes com falência renal ou hipercalemia. Assim, as recomendações das diretrizes de 2017 da EACTA[20] quanto ao manejo dos iECAs e dos ARAs II na cirurgia de RM são:

■ Recomenda-se a suspensão pré-operatória dos iECAs e dos ARAs II no pré-operatório de pacientes submetidos à cirurgia cardíaca (Classe I, nível C).

■ Deve ser considerado a troca de iECA ou ARA II de longa ação por iECAs de curta duração naqueles com hipertensão mal controlada no período pré-operatório de cirurgia cardíaca (Classe IIa, nível C).

■ Deve ser considerado iniciar baixas doses de iECA de curtadura ção, não antes de 48 h após cirurgia cardíaca, naqueles com FEVE < 40% e TFG > 30 ml/min/1,73 m² (Classe IIa, nível C).

■ Tratamento a longo prazo e em doses otimizadas com iECA ou ARA II deve ser iniciado no pós-operatório de cirurgia cardíaca em pacientes que tenham FEVE < 40%, e TFG > 30 mL/min/1,73 m² (Classe I, nível A).

■ É recomendada a adição de aldosterona à terapia com betabloqueadores e iECAs no tratamento a longo prazo de pacientes pós-cirurgia cardíaca com sintomas de insuficiência cardíaca e FEVE < 35% e TFG > 30 ml/min/1,73 m² e sem hipercalemia (Classe I, nível A).

Monitorização

A monitorização básica na cirurgia de RM inclui eletrocardiograma (ECG), PA invasiva, oximetria de pulso, pressão venosa central (PVC), temperatura central, capnografia e diurese.

Eletrocardiograma

Na chegada à sala cirúrgica, o paciente deverá ser monitorizado com o ECG de 5 canais, oximetria de pulso e PA não invasiva. O ECG de 5 canais é o padrão nas cirurgias cardíacas; a avaliação dos canais V5 e DII, bem como a avaliação da morfologia basal do segmento ST, aumenta a detecção de isquemia miocárdica.

Além da determinação da FC e do ritmo de base, devem-se avaliar a morfologia e os desvios do complexo QRS, a fim de detectar novos bloqueios e anormalidades na condução que podem sugerir novas isquemias.

Pressão arterial invasiva

A monitorização da PA invasiva é geralmente realizada pela cateterização da artéria radial. Idealmente deve ser realizada antes da indução anestésica com anestesia local e sedação leve. A utilização do teste de Allen para determinar a patência do arco palmar e a incidência de complicações isquêmicas é controversa.[31] Antes da cateterização da artéria radial deve-se discutir com a equipe cirúrgica se será usado enxerto da artéria radial para a cirurgia de RM; nesse caso, deve-se cateterizar o lado contralateral a ser dissecado para a cirurgia.

A artéria femoral também pode ser utilizada para monitorização da PA invasiva, devendo-se levar em consideração canulação femoral para circulação extracorpórea, uso de balão intra-aórtico e presença de doença isquêmica periférica.

Cateter Venoso Central

Na cirurgia cardíaca, o cateter venoso central deve ser utilizado rotineiramente para monitorização da PVC, coleta de exames laboratoriais e infusão de fármacos vasoativos. Alguns centros usam dois acessos venosos centrais, um introdutor para infusão rápida de volume e outro menor para monitorização da PVC e infusão de fármacos.

O emprego da ultrassonografia (US) para inserção do cateter venoso central tem crescido nos últimos anos e contribuído para o sucesso da canulação e da redução de complicações quando utilizado por equipes treinadas, sendo seu uso fortemente recomendado.[32]

Cateter da Artéria Pulmonar

O uso do cateter da artéria pulmonar (CAP) na prática médica vem diminuindo ao longo dos anos. Dados de diversos estudos randomizados em terapia intensiva demonstraram que os principais desfechos (particularmente a mortalidade) não foram alterados pelo uso do CAP.[33]

Novos estudos sugerem que mesmo em pacientes submetidos à cirurgia cardíaca (particularmente cirurgia de RM e cirurgias valvares), o uso do CAP não resultou em redução na mortalidade e lesão de órgãos-alvo, resultando em aumento no tempo de internação na unidade de terapia intensiva (UTI) e aumento nas transfusões sanguíneas[34,35] provavelmente por tratamentos exagerados, como excesso de inotrópicos, expansões volêmicas e transfusões podendo resultar em pior evolução e maiores custos. Pacientes de baixo risco submetidos à cirurgia de RM podem ser conduzidos somente com a monitorização da PVC e o CAP deve ser postergado para eventuais casos de intercorrências ou instabilidade hemodinâmica no intraoperatório ou no pós-operatório.

A perfuração ou ruptura da artéria pulmonar tem alta letalidade (50% a 75%) e geralmente pode ser evitada puxando-se a ponta do cateter para a artéria pulmonar principal antes do início da CEC, recuando o cateter para a artéria pulmonar antes da insuflação do balão, especialmente se o traçado da pressão sugere amortecimento da onda e evitando-se a medida rotineira da pressão do capilar pulmonar, reservando essa manobra em situações específicas.

Embora tenha riscos associados, o CAP fornece dados, como medida indireta da pressão no átrio esquerdo, presença e gravidade da hipertensão pulmonar, medida do débito cardíaco por termodiluição e alguns cateteres medida da saturação venosa mista de oxigênio, dados que podem ser importantes no manejo dos pacientes de alto risco. Assim, recomenda-se a avaliação cuidadosa do estado clínico prévio do paciente e do procedimento planejado, a fim de determinar o risco/benefício da monitorização com CAP.

A diretriz de 2021 da AHA[18] comenta que na cirurgia de RM:

- Nos pacientes de alto risco selecionados (p. ex.: idosos, com insuficiência cardíaca congestiva, hipertensão pulmonar ou procedimentos valvares múltiplos), o CAP pode ser seguro e pode potencialmente auxiliar na sobrevida e no tratamento da instabilidade hemodinâmica.
- Nos pacientes de baixo risco ou clinicamente estáveis, o uso do CAP é desencorajado porque a prática está associada ao aumento de intervenções que aumentam as despesas sem que haja melhora na taxa de morbimortalidade.

Monitores hemodinâmicos minimamente invasivos utilizando análise de contorno de pulso

Com a redução do uso do CAP para a avaliação hemodinâmica, inúmeros dispositivos que utilizam um algoritmo baseado na análise de contorno de pulso para o cálculo do débito cardíaco (DC) foram desenvolvidos. Tecnologias da análise de contorno de pulso invasivas utilizando-se do cateter de PA têm demonstrado uma porcentagem de erro variando entre 23% e 74% e taxas de concordância de 84% a 93% quando comparados à termodiluição.[36]

A relativa acurácia da análise de contorno de pulso pode contribuir no cuidado dos pacientes submetidos à cirurgia cardíaca, utilizando-se da tendência dos dados para titulação à beira leito de medicações e avaliando alterações agudas no estado hemodinâmico do paciente. Além disso, novos algoritmos retroalimentados de grandes bancos de dados podem auxiliar na detecção de parâmetros hemodinâmicos abaixo do ideal antes da aparição da hipotensão.

Limitações da análise do contorno de pulso arterial incluem regurgitação aórtica, arritmias, uso de balão intra-aórtico, instabilidade hemodinâmica e circulação extracorpórea. Entretanto, novos algoritmos começaram a abordar algumas dessas limitações.[36] Mais estudos avaliando a evolução clínica dos pacientes com o uso dos monitores hemodinâmicos minimamente invasivos com análise de contorno de pulso são necessários para a definição da importância desses dispositivos na monitorização de pacientes submetido à RM.[36]

A diretriz de 2019 da EACTS/EACTA em circulação extracorpórea recomenda que os monitores hemodinâmicos minimamente invasivos com análise de contorno de pulso podem ser indicados em casos selecionados na cirurgia cardíaca (Classe IIb, nível de evidência B).[37]

Ecocardiografia transesofágica

A ETE tem tido crescente papel na monitorização intraoperatória, principalmente na cirurgia cardíaca por ser um método pouco invasivo e fornecer relevantes informações que podem alterar a estratégia anestésico-cirúrgica e, possivelmente, o prognóstico dos pacientes.

Além de auxiliar no diagnóstico de alterações hemodinâmicas agudas, avaliando volemia, função ventricular e resposta a agentes inotrópicos, a ETE na cirurgia de RM pode auxiliar na avaliação da função cardíaca pré-CEC, avaliar lesões valvulares associadas, incluindo insuficiência mitral funcional, avaliar placas ateromatosas na aorta, detectar forame oval patente e persistência da veia cava superior esquerda (importante para a cardioplegia retrógrada), avaliar o posicionamento das cânulas de CEC e verificar o posicionamento do CAP.[38]

A ETE também tem se mostrado um método sensível e precoce para detecção de isquemia miocárdica intraoperatória. O diagnóstico de isquemia miocárdica baseia-se na detecção e na localização das alterações de contratilidade segmentar do ventrículo esquerdo que ocorrem precocemente (< 1 min). A contratilidade é avaliada visualmente pelo espessamento e pela movimentação da parede miocárdica para o centro durante a sístole. Áreas que não se movem para o centro ou as paredes que não se espessam durante a sístole apresentam alterações da contratilidade segmentar. Outro método para análise da função miocárdica pela ETE é o *speckle tracking* que permite uma análise quantitativa da contratilidade miocárdica. Com a piora do quadro isquêmico ocorrem alterações gradativas desde hipocinesia leve a grave, acinesia e discinesia. O corte transgástrico eixocurto no nível dos músculos papilares é o mais utilizado para monitorização das alterações segmentares do VE por incluir áreas do miocárdio supridas pelas três artérias coronárias principais,[38] no entanto esse corte pode não detectar alterações regionais basais ou apicais. Assim, um exame completo deve ser realizado antes e após a CEC ou antes e após o término das anastomoses no caso de RM sem CEC.

Embora a ETE intraoperatória seja consolidada e amplamente utilizada nos grandes centros americanos, canadenses e europeus com diretrizes que visam regulamentar a prática pelos anestesiologistas, no Brasil a prática da ETE intraoperatória encontra-se em ascensão, com o desenvolvimento do Curso de Ecocardiografia Intraoperatória da Sociedade Brasileira de Anestesiologia (ETI/SBA) desde 2011. A área de atuação em ecocardiografia perioperatória está sendo definida pela SBA juntamente com a Sociedade Brasileira de Cardiologia e no ano de 2017, foi publicado o primeiro Consenso sobre ecocardiografia transtorácica e transesofágica no intraoperatório (ETTI) da Sociedade Brasileira de Cardiologia.[39]

O Consenso sobre ETE perioperatória de 2017 da SBA/SBC recomenda o uso da ETE para avaliação da função miocárdica após RM com ou sem CEC (Classe IIa).[39]

A diretriz de 2021 da AHA comenta que o uso da ETE na cirurgia isolada de RM é menos estabelecido, mas tem se mostrado útil nas tomadas de decisões anestésico-cirúrgicas, como ferramenta para avaliação em tempo real do estado hemodinâmico, mobilidade regional miocárdica, função ventricular e função diastólica.[18]

Monitorização do Sistema Nervoso Central

A monitorização do sistema nervoso central em cirurgia cardíaca tem tido grande interesse pelos pesquisadores, uma vez que as complicações derivadas da hipoperfusão cerebral e da consciência intraoperatória acidental são muitas vezes desastrosas. Embora os monitores de profundidade anestésica e oximetria cerebral existam há mais de duas décadas, sua eficácia clínica na cirurgia cardíaca ainda permanece controversa.

Eletroencefalograma processado

Os pacientes submetidos à cirurgia cardíaca têm maior risco de consciência intraoperatória, sendo reportadas taxas em torno de 0,2% a 2%, incidência dez vezes maior que nos pacientes da cirurgia geral.[40]

A presença de comprometimento da função cardíaca, como disfunção ventricular e hipertensão pulmonar tornam os pacientes mais propensos a terem alterações hemodinâmicas em decorrência da administração de anestésicos e, assim, quantidades menores de anestésicos podem ser administradas. A titulação de anestésicos baseada na FC e PA na anestesia para cirurgia cardíaca é, muitas vezes, inadequada, pois muitos recebem betabloqueadores e vasodilatadores, o uso de fármacos vasoativos também pode interferir na percepção do plano anestésico. Também, durante a CEC os parâmetros hemodinâmicos, como PA (determinada pelo fluxo da CEC) e FC (muitas vezes ausente pela solução cardioplégica) não podem ser utilizados para avaliação do plano anestésico e a saída de gases do oxigenador da CEC nem sempre é monitorada para a concentração dos gases anestésicos. O uso de bloqueadores neuromusculares é frequente durante a CEC, outro fator de risco para consciência intraoperatória acidental é a anestesia intravenosa total, técnica muito utilizada e que pode ter interferência da CEC na farmacocinética, tornando a infusão alvo controlada imprecisa. Dessa forma, a monitorização e a prevenção da consciência intraoperatória na cirurgia cardíaca e principalmente durante a CEC representam um desafio para o anestesiologista.

No estudo BAG RECALL, publicado no *New England Journal of Medicine* em 2011, que comparou um protocolo de prevenção de consciência intraoperatória baseado no índice bispectral (BIS) ou na concentração anestésica expirada em pacientes de alto risco de despertar intraoperatório, ao menos três pacientes apresentaram episódios de despertar durante a CEC.[41] Este mesmo estudo não demonstrou superioridade do protocolo baseado nos valores do eletroencefalograma processado (EEGp) em relação ao protocolo baseado nos valores de concentração expirada do anestésico inalatório na prevenção de consciência intraoperatória. Casos de despertar intraoperatório ocorreram ainda com valores de BIS abaixo de 60.[41] Outros estudos randomizados também não observaram redução na incidência de consciência intraoperatória com o uso do BIS.[40]

Em 2019, o estudo ENGAGES , publicado no *JAMA*, avaliou o efeito da anestesia guiada pelo EEGp no delírio pós-operatório de pacientes idosos submetidos às cirurgias de grande porte, incluindo um grupo de cirurgias cardíacas.[42] Embora metanálises prévias tenham sugerido associação do *delirium* com profundidade anestésica excessiva e maiores taxas de supressão eletroencefalográficas,[43] este estudo demonstrou que a anestesia guiada pelo EEGp não reduziu a incidência de *delirium* pós-operatório em idosos, mas a mortalidade no grupo guiado pelo EEGp foi quatro vezes menor que o grupo não guiado, sendo assim necessário maior investigação para identificar a causa desse achado.[42]

Assim, ainda não existem evidências que suportem a recomendação mandatória do uso de monitorização do nível de consciência em cirurgia cardíaca, devendo esta ser considerada caso a caso. Segundo o Consenso Brasileiro sobre monitoração da profundidade anestésica, publicado em 2015, para prevenção de despertar intraoperatório o uso de monitores da atividade elétrica cerebral é altamente recomendado para pacientes sob anestesia venosa total, uma vez que constitui fator de risco para despertar intraoperatório e é sugerido para pacientes de alto risco sob anestesia geral balanceada como é o caso das cirurgia de RM.[44]

A diretriz de 2019 da EACTS/EACTA em CEC considera que a monitorização rotineira do EEGp para reduzir as incidências de despertar pode ser indicada nas cirurgias cardíacas (Classe IIb, nível de evidência B).[37]

Oximetria regional cerebral por espectroscopia com infravermelho de proximidade

A disfunção cognitiva pós-operatória ainda é uma das complicações mais frequentes após a cirurgia cardíaca e tem origem multifatorial, sendo a hipoperfusão cerebral uma das causas mais citadas.[45] Por conseguinte, métodos para detecção e correção precoce da hipoperfusão cerebral têm sido desenvolvidos e estudados, havendo um crescente interesse pela monitorização da oximetria regional cerebral (rSO_2) por meio da espectroscopia com infravermelho de proximidade (NIRS) em cirurgia cardíaca.

A NIRS avalia o balanço entre oferta e consumo de oxigênio cerebral de forma não invasiva. Os eletrodos são colocados na região frontal bilateralmente e o monitor registra a oximetria tecidual de cada hemisfério cerebral. Diferentemente da oximetria de pulso, a NIRS não necessita de fluxo pulsátil para avaliação da oxigenação, sendo bastante útil em situações de baixo fluxo e fluxo contínuo como o observado durante a CEC.[45]

Idade, sexo feminino e diversos outros fatores podem afetar os valores de leitura da NIRS, assim a tendência numérica deve ter valor maior que a análise de valores isolados. Diversos estudos têm analisados diferentes formas de interpretação e abordagem dos valores de NIRS, mas parece que existe uma razoável concordância de que reduções de 10% a 20% da linha de base ou valores absolutos < 50% merecem alguma intervenção.[46]

Valores baixos de NIRS no pré-operatório (ScO2 < 59,5%) estão relacionados ao maior risco de *delirium* após cirurgia cardíaca.[47] Quanto ao benefício do uso da NIRS no intraoperatório e intervenções baseadas em seus valores a fim de reduzir o *delirium* e disfunção cognitiva nos pacientes submetidos à cirurgia cardíaca, uma metanálise publicada em 2019, avaliando sete estudos randomizados, demonstrou benefício em manter os valores de NIRS > 80% do basal.[48]

O papel preciso da monitorização com NIRS perioperatório ainda precisa ser determinado. Há um espectro de problemas a ser detectado, desde o posicionamento incorreto das cânulas de CEC aórtica e atrial direito (que pode ser detectado com a dessaturação cerebral unilateral, sendo, nesse caso, de fácil correção) até a dessaturação global, que exigirá uma investigação mais elaborada da causa (hipóxia, hipocarbia, anemia, baixo débito etc.). Futuramente, estudos randomizados de melhor qualidade, utilizando escalas padronizadas de evolução neurocognitiva mais homogêneas, poderão esclarecer melhor o papel desse monitor na cirurgia cardíaca.

A diretriz de 2019 da EACTS/EACTA em CEC recomenda que pode ser considerado o uso de algoritmos guiados pela NIRS para melhorar os desfechos clínicos nas cirurgias cardíacas (Classe IIb, nível de evidência B).[37]

Indução e Manutenção da Anestesia Geral

Não existe uma técnica universal para o manejo anestésico dos pacientes submetidos à cirurgia de RM. Diversos agentes hipnóticos, opioides e anestésicos inalatórios têm sido utilizados em diferentes combinações para indução e manutenção da anestesia, apresentando bons resultados quando aplicados por anestesiologistas experientes.

A indução anestésica é um momento crítico durante a cirurgia de RM e deve ser realizada em um ambiente calmo e com temperatura agradável, a fim de evitar o estresse e o desencadeamento de um indesejável estímulo simpático.

Deve-se ter em mente que o objetivo da indução anestésica é produzir inconsciência, com atenuação da resposta hemodinâmica à intubação e ao estímulo cirúrgico, levando-se em consideração para escolha do agente e da técnica utilizada a função ventricular e a gravidade das lesões coronarianas. Pacientes com lesões graves fluxo-dependentes (p. ex.: TCE e da ADA), disfunções ventriculares ou estenoses valvares coexistentes podem ser mais sensíveis à hipotensão e à depressão miocárdica excessiva.

Outro fator a ser considerado é limitar a dose de agentes de longa duração (particularmente opioides e benzodiazepínicos) que possam interferir na técnica de extubação precoce e recuperação acelerada no pós-operatório de pacientes selecionados.[18,49]

Inúmeros estudos têm validado a segurança da adoção de protocolos de *fast-track* em cirurgia cardíaca em pacientes de baixo risco e risco moderado, visando à redução de custos e melhora na evolução dos pacientes.[18,49] A extubação precoce no pós-operatório, em até 6 h, faz parte desse protocolo que envolve uma equipe multidisciplinar treinada e engajada em diversas estratégias de manejo perioperatório.[8,49]

O controle adequado da glicemia no perioperatório também faz parte do programa de redução de complicações na RM, recomenda-se manter a glicemia abaixo de 180mg.dL^{-1} através da infusão de insulina visando às menores taxas de infecção de ferida operatória (Classe I – BR).[18] O controle rigoroso da glicemia (80 a 110 mg.dL^{-1}) pode resultar em hipoglicemias e não é recomendado.

O controle da temperatura no período perioperatório também é importante para a recuperação do paciente. Deve-se manter a normotermia após a CEC e durante o período inicial do cuidado intensivo. A hipertermia (temperatura central > 37,9 °C) tem sido associada à disfunção cognitiva, à infecção e à injúria renal. A hipotermia persistente (temperatura central < 36 °C) pode ocasionar sangramento, infecção e aumento no tempo de internação e mortalidade.[6]

As diretrizes de 2021 da AHA[18] recomendam que o manejo anestésico na RM deva ser direcionado à recuperação acelerada pós-operatória otimizando a analgesia, minimizando a exposição aos opioides, prevenindo complicações, reduzindo o tempo de intubação, o tempo de internação e os custos (Classe I – BNR).

Tiopental

O uso do tiopental para indução anestésica na cirurgia de RM tem diminuído substancialmente. Seus principais efeitos hemodinâmicos resultam de uma combinação da ação venodilatadora, com depressão miocárdica direta e inibição da atividade simpática, acarretando redução da pressão arterial média (PAM) e do DC, acompanhado de um modesto aumento na FC.

Além da sua ação hemodinâmica, os efeitos adversos, como broncoespasmo e associação às náuseas e aos vômitos pós-operatórios, fizeram com que outros agentes mais favoráveis sejam utilizados com maior frequência.

Cetamina

A cetamina estimula, de forma indireta, o sistema nervoso central e periférico, resultando em aumento da FC e da PAM. Em estados de depleção de catecolaminas e em preparados isolados, a cetamina parece ter um efeito inotrópico negativo direto e ação vasodilatadora.

É pouco utilizada nos pacientes de RM como agente indutor, mas sua aplicação como adjuvante analgésico numa estratégia multimodal tem crescido.

Segundo as diretrizes de 2017 da EACTS,[20] a cetamina pode ser considerada um analgésico adjuvante pós-operatório (Classe IIb, nível de evidência B).

Etomidato

O etomidato é um hipnótico de ação curta que interfere pouco nos parâmetros hemodinâmicos, tendo pouca ou nenhuma ação inotrópica negativa ou ação simpatomimética, sendo muito utilizado como anestésico de indução nos pacientes com disfunção ventricular e instabilidades hemodinâmicas.

Mioclonia pode ser observada, assim como menor bloqueio da resposta adrenérgica à intubação nos pacientes com função ventricular normal, resultando em hipertensão e taquicardia quando utilizado pouco opioide.

Um dos efeitos adversos do etomidato que geram algumas ressalvas ao seu uso é a supressão da síntese de cortisol pela inibição reversível da enzima 11-beta-hidroxilase no córtex adrenal, mesmo em dose única (0,2 a 0,3 mg.kg^{-1}). No entanto, esta ação quase sempre é limitada a menos de 24 h.[50] Existem dúvidas quanto à importância clínica dessa supressão adrenal na evolução dos pacientes. Num estudo retrospectivo com 8.978 pacientes submetidos à cirurgia cardíaca foi observado que o uso do etomidato na indução anestésica não foi associado às arritmias pós-operatórias, nem ao aumento no tempo de internação na UTI ou hospitalar.[51] Outro estudo clínico randomizado em cirurgias de RM avaliou a indução com etomidato e propofol, e observou que apesar da incidência de insuficiência adrenocortical relativa ser maior no grupo do etomidato, não houve diferença no uso de vasopressores, tempo de extubação, tempo de UTI ou mortalidade em 30 dias, sendo, portanto, seguro para uso como indutor.[52]

Propofol

O propofol é um agente hipnótico venoso de ação curta que possui um perfil farmacocinético e farmacodinâmico previsível, o que o torna muito útil para infusão contínua na anestesia venosa total. Os efeitos hemodinâmico são semelhantes ao do tiopental, com redução da PAM e do DC, principalmente por sua ação vasodilatadora reduzindo a pré e a pós-carga, possui ação inotrópica negativa, mas pouco pronunciada em situações normais pelo aumento simultâneo na sensibilidade ao cálcio dos miofilamentos.[53] Com o propósito de minimizar a hipotensão provocada pela indução com o propofol, a dose inicial pode ser reduzida e a injeção em *bolus* pode ser realizada de forma lenta ou titulada em doses menores.

A infusão do propofol protege o miocárdio contra a lesão de isquemia e reperfusão decorrente de sua ação antioxidante e neutralizadora de radicais livres e pela inibição na permeabilidade do poro de transição mitocondrial.[54] No entanto, inúmeros estudos clínicos comparando a infusão de propofol com os anestésicos voláteis na cirurgia de RM têm observado menor liberação de marcadores de injúria miocárdica e melhor função ventricular com o uso de anestésicos voláteis.[5,55]

Benzodiazepínicos

Os benzodiazepínicos são muito utilizados na anestesia para cirurgia cardíaca, em combinações com opioides e outros agentes hipnóticos na indução anestésica e no intraoperatório. O midazolam é mais administrado que o diazepam, por suas propriedades, como hidrossolubilidade, menor meia-vida, ausência de metabólitos cumulativos capazes de prolongar sua ação sedativa e maior capacidade de amnésia anterógrada.

O midazolam é considerado seguro na prática clínica. Estudos clínicos demonstraram redução na pós-carga e na contratilidade miocárdica, resultando em manutenção do índice cardíaco (IC) após doses de 0,1 a 0,2 mg.kg^{-1}. Doses menores de benzodiazepínicos nas cirurgias de RM são cada vez mais utilizadas visando despertar precoce nos protocolos de recuperação acelerada.

Opioides

Durante muitos anos a anestesia para cirurgia cardíaca foi sinônimo de altas doses de opioides, inicialmente com morfina e mais tarde com fentanil, a fim de promover segurança evitando-se a depressão miocárdica. Mais tarde, observou-se altos índices de despertar intraoperatório e tempo prolongado de depressão respiratória, sendo então substituído por doses menores associadas a outros anestésicos hipnóticos.

Diversos agentes opioides vem sendo utilizados com sucesso no protocolo de *fast-track* para anestesia cardíaca, não havendo uma clara superioridade de algum agente em relação a outro com a escolha do opioide em doses adequada.[56]

Doses totais de fentanil entre 10 e 25 µg.kg^{-1} e sufentanil entre 1 e 3 µg.kg^{-1}, associados aos hipnóticos de curta duração durante o procedimento cirúrgico, têm sido descritas como eficazes para manutenção e despertar precoce no pós-operatório.

Uma possível exceção a essa uniformidade pode ser o remifentanil, que parece apresentar propriedades cardiopro-

tetoras com menores níveis de marcadores de necrose miocárdica quando comparado ao fentanil e sufentanil, além de menor tempo de ventilação mecânica segundo uma metanálise publicada em 2012.[57] O controle da dor pós-operatória deve ser cuidadosamente planejado, sobretudo com o uso do remifentanil em cirurgia cardíaca, opioides de maior duração associado ao remifentanil ou métodos de analgesia regional e controlada pelo paciente *patient controled analgesia* (PCA) podem auxiliar no controle da dor pós-operatória.

Bloqueadores neuromusculares

Os bloqueadores neuromusculares (BNM) são utilizados na cirurgia de RM para facilitar a intubação traqueal e promover o relaxamento muscular no intraoperatório.

Agentes de ação mais curta, como o rocurônio e o cisatracúrio, são mais indicados quando se planeja uma estratégia de extubação precoce.[58]

Em relação às alterações hemodinâmicas, o rocurônio e o vecurônio podem diminuir a FC, em geral com pouca repercussão clínica, e podem reduzir a PA pulmonar. O cisatracúrio não possui efeitos hemodinâmicos significativos.[58]

O rocurônio tem a vantagem de reversão com o sugamadex, que não é acompanhada de efeitos adversos cardiovasculares comumente vistos, como o uso de inibidores da acetilcolinesterase e não necessitam de coadministração de agentes anticolinérgicos.[58] Deve-se, ainda, considerar a presença de comorbidades como insuficiência renal na escolha dos agentes BNM, bem como a administração de magnésio para prevenção de arritmias que podem prolongar o tempo de ação desses agentes.

A necessidade de BNM contínuo na cirurgia de RM é discutível. Alguns autores recomendam que os BNM sejam utilizados somente na indução anestésica[59] tendo a vantagem de detecção precoce da superficialização do plano anestésico, porém à custa de maior risco de movimentação em momentos críticos da cirurgia.

Anestésicos inalatórios

Durante um período, os anestésicos inalatórios foram pouco administrados na cirurgia cardíaca por acreditar-se que estariam envolvidos com depressão cardiovascular e roubo de fluxo coronariano. Posteriormente, o uso dos halogenados nas cirurgias de RM foi disseminado por seu papel na recuperação acelerada dos pacientes e na prevenção de despertar intraoperatório, além das evidências de estudos clínicos e experimentais de suas propriedades cardioprotetoras diretas, denominada de pré-condicionamento anestésico.[60]

O pré-condicionamento miocárdico é um fenômeno desencadeado por diversos tipos de estímulo, como a isquemia, e por agentes farmacológicos, como os anestésicos voláteis e alguns opioides, como a morfina, resultando em redução da lesão miocárdica após um insulto prolongado de isquemia.[2] A ação miocardioprotetora dos anestésicos voláteis envolve mecanismos semelhantes ao do pré-condicionamento isquêmico, mediante ativação dos canais de potássio adenosina trifosfato (ATP) dependentes da mitocôndria e do sarcolema do cardiomiócito, resultando em diminuição da sobrecarga de cálcio mitocondrial e citoplasmático, preservando a função mitocondrial celular e a reserva de energia e prevenindo a ativação da apoptose e necrose celular.[60]

Diversos estudos experimentais comprovaram a ação miocardioprotetora dos halogenados em modelos com cães, coelhos e diversos preparados com miocárdio de átrio humano e células tronco humanas. Interações com medicamentos, como a potencialização da ação miocardioprotetora dos halogenados com morfina e bloqueio do pré-condicionamento miocárdico com a hiperglicemia e a hipercolesterolemia e com medicações, como as sulfoniluréias (bloqueadores de canais de potássio ATP-dependentes) e o metoprolol têm sido relatados em estudos experimentais.[61]

Muitos estudos clínicos utilizando isoflurano, sevoflurano e desflurano em cirurgias de RM têm demonstrado menores níveis de marcadores de necrose miocárdica (troponina I e CK-MB) quando comparados à anestesia venosa total. Os protocolos utilizados variam conforme o estudo, alguns estudos utilizaram o halogenado durante períodos de pré-condicionamento antes do clampeamento aórtico na CEC, outros utilizaram durante toda a cirurgia exceto na CEC, outros durante a CEC. Os melhores resultados parecem estar relacionados à administração do anestésico halogenado durante todo o período cirúrgico e de forma intermitente antes do clampeamento aórtico, simulando o pré-condicionamento isquêmico.[61]

Algumas metanálises têm observado redução no infarto miocárdico pós-operatório e na mortalidade com o uso dos anestésicos voláteis,[5] outras observaram redução de marcadores de necrose miocárdica, melhor IC, menor uso de inotrópicos, mas não verificaram redução de eventos clínicos, como mortalidade e infarto.[62]

O estudo MYRIAD , publicado em 2019, randomizou 5.400 pacientes submetidos à RM eletiva, de 36 centros incluindo dois brasileiros e constatou que o uso de agentes voláteis não reduziu a mortalidade relacionada a todas as causas em um ano, quando comparado à anestesia venosa total (2,8% *versus* 3%; p = 0,71), e nem houve diferença nos demais desfechos secundários analisados, como tempo de internação e morte por causas cardíacas.[4]

A diretriz de 2019 da EACTS/EACTA em CEC recomenda que os anestésicos voláteis devem ser considerados durante a CEC (Classe IIa, nível de evidência B).[37]

Anestesia Peridural Torácica

A anestesia peridural torácica alta para cirurgia de RM tem sido descrita e utilizada como complemento da anestesia geral e mesmo como técnica isolada em cirurgias de RM sem CEC.[63] Melhor controle da dor é o principal benefício desta técnica, embora extubação precoce, menor incidência de arritmias e complicações pulmonares têm sido descritos, mas com resultados controversos.[64] O bloqueio simpático pode desencadear hipotensão e maior necessidade de uso de inotrópicos e vasopressores.

A decisão do uso de técnicas neuraxiais na cirurgia de RM deve ser realizada cuidadosamente. O uso de antiagregantes plaquetários, anticoagulantes em altas doses para CEC e coagulopatias aumentam o risco de complicações graves, em particular o hematoma peridural com compressão neuraxial e sequelas permanentes. A incidência real dessas complicações na cirurgia cardíaca ainda é desconhecida. Apesar de poucos relatos na literatura, o número exato de eventos pode estar subestimado podendo ser por volta de 1:1528 para a técnica peridural e 1:3.610 para anestesia raquidiana.[65]

Segundo as recomendações para anestesia regional em pacientes recebendo antitrombóticos e trombolíticos da Sociedade Americana de Anestesia Regional publicada em 2018,[66] o bloqueio neuraxial deve ser evitado nos pacientes com coagulopatia conhecida de qualquer causa, a cirurgia deve ser postergada por 24 h em casos de punção traumática, o intervalo entre a punção ou remoção do cateter neuraxial e a heparinização sistêmica deve ser maior que 60 min, a remoção do cateter peridural deve ser realizada quando a coagulação estiver normalizada e os pacientes devem ser monitorizados para sinais e sintomas de formação de hematoma.

Alguns centros realizam a inserção do cateter peridural no dia anterior à cirurgia, a fim de aumentar o intervalo de tempo entre a punção e a administração de heparina sistêmica.

Segundo as diretrizes de 2017 da EACTS,[20] a eficácia da anestesia peridural torácica alta para uso analgésico rotineiro em RM é incerta, devendo-se pesar riscos e benefícios (Classe IIb, nível de evidência B).

Bloqueio Paravertebral Torácico e Bloqueios fasciais torácicos

Visando à recuperação precoce do paciente por meio de estratégias poupadoras de opioides, o uso de técnicas multimodais para o controle da dor perioperatória têm tido crescente uso. O emprego da analgesia regional com técnicas como o bloqueio paravertebral e os bloqueios fasciais parecem apresentar menor risco de complicações graves relacionadas à anticoagulação plena utilizada na cirurgia cardíaca.[67] Para a esternotomia mediana é necessária a realização do bloqueio bilateral, aumentando o risco de toxicidade por anestésico local.

Quando comparados à anestesia peridural torácica, os potenciais riscos do bloqueio paravertebral torácico foram mais estudados. Os riscos de toxicidade ao anestésico local parece ser maior com o bloqueio paravertebral,[68] já outros potenciais riscos, como alterações hemodinâmicas incluindo hipotensão e bradicardia são raros.[69] A incidência de pneumotórax reportado com o bloqueio paravertebral é de 0,5%.

A realização do bloqueio paravertebral em pacientes anticoagulados é controversa, as atuais diretrizes do Sociedade Americana de Anestesia Regional recomendam o uso das mesmas diretrizes para o bloqueio do neuroeixo nos bloqueios de plexo profundos.[66]

O bloqueio do plano eretor da espinha ainda não tem uma classificação formal, segundo alguns autores poderia ser classificado como um bloqueio superficial com menores riscos de sangramentos e hematomas,[67] porém um panorama mais claro das incidências e gravidade das complicações deve ser melhor definido com a ampliação do uso desta técnica.

Outros bloqueios fasciais, como os bloqueios paraesternais superficiais e profundos, bloqueios do plano serrátil e PECs 1 e 2, também têm sido estudados e parecem reduzir a necessidade de opioides, promovendo extubação e mobilização mais precoces, auxiliando na melhor recuperação dos pacientes.[70]

Anti-inflamatórios Não Esteroidais e Outros Analgésicos

Além da analgesia regional, outros fármacos podem fazer parte da estratégia multimodal a fim de poupar o consumo dos opioides. Paracetamol e dipirona, gabapentina e pré-gabalina podem ser utilizados no período perioperatório. Já o uso de agentes anti-inflamatórios não esteroidais (AINEs) na cirurgia cardíaca, embora possa contribuir para o controle da dor pós-operatória, pode estar associado à piora da função renal e ao aumento dos eventos adversos cardiovasculares, principalmente os inibidores da ciclo-oxigenase-2 (COX-2). O ibuprofeno foi associado à redução da ação antiagregante plaquetária do AAS.

As diretrizes de 2017 da EACTS[20] não recomendam o uso dos *inibidores* da COX-2 para alívio da dor pós-operatória (Classe III, nível de evidência A), nem o uso rotineiro de AINE, como agentes de primeira linha para tratamento da dor pós-operatória em cirurgia cardíaca (Classe III, nível de evidência A).

Isquemia Miocárdica Intraoperatória

O controle hemodinâmico cuidadoso e o rápido tratamento das alterações são fundamentais no manejo dos pacientes com DAC. Se o início da isquemia miocárdica estiver relacionado à alteração hemodinâmica esta deve ser prontamente tratada. O manejo hemodinâmico para manter uma adequada pressão de perfusão coronariana (pressão diastólica sistêmica menos a pressão diastólica final do ventrículo esquerdo) deve ser prioridade, assim como o controle da FC, o principal fator tratável determinante do consumo miocárdico de oxigênio.

O tratamento da isquemia intraoperatória deve levar em conta o quadro hemodinâmico associado. Assim, em casos em que é observado hipertensão e aumento das pressões de enchimento, além do aprofundamento do plano anestésico, a nitroglicerina venosa pode ser uma boa opção por sua ação rápida e curta, reduzindo o retorno venoso e a pré-carga, diminuindo, consequentemente, a tensão de parede e em dose maiores pode reduzir a resistência vascular sistêmica (RVS) e a resistência arterial coronariana epicárdica, sendo útil também em casos de espasmos de enxertos coronarianos arteriais (principalmente enxerto de artéria radial).

Vasopressores, como fenilefrina e norepinefrina, podem ser necessários em casos em que a RVS se encontra muito diminuída resultando em hipotensão, principalmente da PA diastólica. Isquemia resultante de embolia aérea coronariana também pode ser tratada com vasopressores para "empurrar" o ar intracoronariano.

Betabloqueadores venosos, como o metoprolol e preferencialmente o esmolol, por sua ação mais curta (tempo

de meia-vida de 9 min), também podem ser úteis no tratamento da isquemia miocárdica intraoperatória associada à taquicardia e à hipertensão, devendo-se ter cautela com disfunção ventricular.

Bloqueadores de canais de cálcio, preferencialmente os di-idropiridínicos são descritos como úteis no tratamento do espasmo coronariano. Verapamil e diltiazem podem produzir intensa alteração hemodinâmica com depressão miocárdica e distúrbios de condução durante a anestesia.

O suporte inotrópico com fármacos, suporte mecânico com balão intra-aórtico (BIA) e dispositivos de assistência ventricular esquerda e direita podem ser necessários. O uso de marca-passo atrioventricular pode auxiliar na melhora da FC, ritmo e estabilidade hemodinâmica quando indicado.

A isquemia miocárdica pode se dar em decorrência de complicações técnicas, dentre elas baixa qualidade das anastomoses proximais e distais, incisão inadvertida da parede posterior da coronária acarretando dissecção coronariana, enxerto curto resultando em distensão do enxerto após o enchimento das câmaras cardíacas, enxerto venoso muito longo resultando em dobra do enxerto e trombose do enxerto; nesses casos, a correção cirúrgica com reinstalação de CEC pode ser necessária.

Outras causas de isquemia após a revascularização cirúrgica são a revascularização incompleta por leitos distais ruins ou por doença distal difusa, embolia coronariana aérea ou de *debris*, espasmo coronariano, distensão ou oclusão do fluxo da artéria mamária secundária à hiperinsuflação pulmonar.

▪ ANESTESIA PARA REVASCULARIZAÇÃO DO MIOCÁRDIO SEM CIRCULAÇÃO EXTRACORPÓREA

Uma vez que parte das complicações associadas à cirurgia de RM é causada pela CEC e pelos acessos para a instalação da CEC, em particular a canulação da aorta ascendente, a RM sem CEC foi desenvolvida buscando redução da manipulação aórtica e das taxas de complicações neurológicas, renais, pulmonares e miocárdicas.

Os resultados de diversos estudos são conflitantes. A técnica sem CEC parece ter melhores resultados a curto prazo (menor incidência de AVC, disfunção renal, transfusão sanguínea, insuficiência respiratória, FA, infecção de ferida, tempo de ventilação mecânica e tempo de internação).[71] No entanto, a cirurgia sem CEC pode estar associada à menor quantidade de enxertos realizados, à menor patência dos enxertos, ao risco aumentado de reintervenções cardíacas e à maior mortalidade em cinco anos.[71] De fato, a cirurgia sem CEC necessita de maior curva de aprendizado, pois as anastomoses são realizadas com o coração em movimento, dificultando a realização das delicadas anastomoses, além da exposição não ideal da artéria em alguns casos.

A RM sem CEC está associada à extubação mais precoce, à redução da transfusão de sangue e à redução do tempo de ventilação mecânica em comparação à cirurgia com CEC, podendo melhorar os resultados dos pacientes com risco pulmonar aumentado, talvez pela redução na resposta inflamatória sistêmica relacionada à CEC e seu impacto na função pulmonar.[18]

A esternotomia mediana é a abordagem tradicional utilizada para procedimentos de revascularização sem CEC. As fontes potenciais de enxertos incluem as artérias radiais, artérias mamárias direita e esquerda e as veias safenas. O pericárdio é incisado, refletido e fixado às bordas do mediastino. Afastadores esternais especiais permitem a colocação de dispositivos de fixação ajustáveis e flexíveis que funcionam por pressão direta sobre a superfície do miocárdio, por sucção ou por ambos os métodos. Esses dispositivos são estabilizadores da coronária alvo e do miocárdio circundante, facilitando a realização das anastomoses; também permitem que o cirurgião "verticalize" o ápice cardíaco por meio da sucção dessa região para acessar as coronárias localizadas na região posterior e lateral (ramos da coronária direita e circunflexa) (Figura 154.2). Pontos de tração no meio do seio oblíquo do pericárdio posterior também auxiliam na exposição das paredes posterolaterais, permitindo que a técnica sem CEC seja realizada em múltiplos vasos.

A anticoagulação para os casos de RM sem CEC deve ser sempre discutida com o cirurgião. Alguns preferem heparina em dose plena (300 a 500 U.kg^{-1}), outros, regimes de baixa dosagem (100 a 200 U.kg^{-1}).

Quando a coronária e o miocárdio circundante são estabilizados, um torniquete é colocado em torno da artéria coronária produzindo uma isquemia temporária, para minimizar o sangramento da arteriotomia; em seguida, o cirurgião pode posicionar *shunts* intracoronários para permitir a perfusão distal durante a confecção das anastomoses distais, embora haja controvérsias quanto ao benefício na proteção miocárdica e potencial lesão endotelial. A visualização cirúrgica da abertura dos vasos também é otimizada pela aplicação de um jato aerossol de solução salina estéril ou de gás carbônico na região da anastomose distal, realizado por um cirurgião assistente. As anastomoses proximais dos enxertos de veia safena ou dos enxertos arteriais livres são confeccionadas diretamente na aorta ascendente com um clampe aórtico tangencial. De forma alternativa, a fim de evitar o clampeamento e manipulação da aorta, as anastomoses proximais podem também ser feitas de forma indireta na artéria mamária que ainda está conectada à artéria subclávia, por meio de anastomoses terminolaterais .

O anestesiologista deve estar atento e familiarizado com os passos cirúrgicos, com o objetivo de antecipar e tratar de forma adequada as alterações hemodinâmicas decorrentes da manipulação e posicionamento cardíaco, comunicando-se sempre com a equipe cirúrgica. Distorções geométricas, como compressão do ventrículo direito e, em menor grau, distorções no anel mitral, podem ocorrer em magnitudes diversas, dependendo do tamanho e da geometria dos ventrículos, habilidade do cirurgião na colocação dos dispositivos de estabilização e abertura do espaço pleural direito para melhor acomodação do VD comprimido. A isquemia miocárdica pode ser exacerbada pelo torniquete temporário na coronária alvo; o grau de deterioração funcional depende do grau de estenose e da extensão das colaterais.

O anestesiologista deve estar pronto para prevenir e tratar hipotensão grave e minimizar a redução na pressão de perfusão coronária causada por alterações hemodinâmicas e isquemia intraoperatória. Em geral, xpansão volêmica, posição de cefalodeclive e pequenas doses de vasoconstritores e inotrópicos são suficientes para corrigir as alterações hemodinâmicas. Manobras simples de reposicionamento do coração podem normalizar o enchimento ventricular e o comprometimento da geometria ventriculoanular. Durante as anastomoses proximais, PAs menores são preferidas, a fim de evitar complicações com o clampeamento aórtico parcial. A PAM é mantida em torno de 60 mmHg durante esta fase, podendo ser utilizada titulação de vasodilatadores, como a nitroglicerina.

A hipotermia deve ser uma preocupação nos procedimentos sem CEC, uma vez que o aquecimento pela CEC não é possível. Aquecimento por convecção com mantas térmicas não é possível pela necessidade de exposição de estruturas intratorácicas e dos membros inferiores, assim a infusão de fluidos aquecidos, colchões térmicos ou mantas de aquecimento infracorpóreo e uma sala de operação em temperatura adequada são essenciais na prevenção da hipotermia em graus inaceitáveis.

A monitorização inclui o ECG de cinco canais, PA invasiva e acesso venoso central. Medidas de DC mediante cateter de artéria pulmonar ou do contorno de pulso contínuo podem ser consideradas. A ecocardiografia transesofágica (ETE) é benéfica, mas a visão é limitada durante certas posições do procedimento cirúrgico; a "verticalização" e a compressão externa resultam em comprometimento na obtenção de imagens. A imagem do corte de esôfago médio pode ser melhor que o corte transgástrico para avaliação

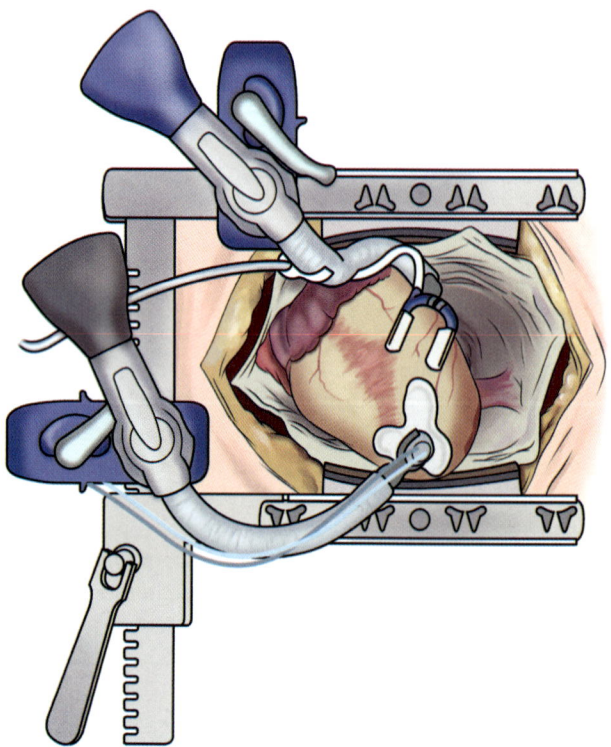

▲ **Figura 154.2** Dispositivo de sucção apical e estabilizador miocárdico em cirurgia de RM sem CEC.

Fonte: Apostila medtronic.

contínua pela ETE durante as anastomoses. O posicionamento do coração pode também interferir na relação entre esta estrutura e os eletrodos do ECG, alterando o formato e a amplitude que fica reduzida. Um gerador de marca-passo cardíaco deve estar disponível e testado, principalmente durante as anastomoses da coronária direita.

A instalação de BIA e de CEC pode ser necessária em casos de alterações persistentes no ECG e colapso cardiovascular. A conversão emergencial de uma RM sem CEC em cirurgia com CEC não é inócua, tendo sido relacionada à maior mortalidade, à maior incidência de AVC e de complicações renais, respiratórias e infecciosas.[72]

■ CIRURGIA DE REVASCULARIZAÇÃO DO MIOCÁRDIO MINIMAMENTE INVASIVA

A esternotomia mediana é a abordagem tradicionalmente utilizada para a cirurgia de RM, permite ampla visão do sítio cirúrgico, facilitando a confecção das anastomoses. Mas, as complicações decorrentes da ampla esternotomia e dos afastadores, como infecção do sítio cirúrgico, maior sangramento e lesão do plexo braquial, têm estimulado o desenvolvimento de técnicas menos invasivas , com o propósito de minimizar as complicações, acelerar a recuperação dos pacientes e melhorar o aspecto estético das incisões.

A cirurgia de revascularização do miocárdio minimamente invasiva (*minimally invasive direct coronary artery bypass, MIDCAB*) originalmente é realizada através de uma pequena toracotomia anterior esquerda, que permite acesso direto à artéria mamária interna esquerda (MIE), sua dissecção e

anastomose para a ADA (Figura 154.3). Esta cirurgia pode ser realizada sem o auxílio de CEC ou com CEC pela canulação dos vasos femorais.

Técnicas toracoscópicas e robóticas para a dissecção da artéria MIE têm sido desenvolvidas e por causa do acesso limitado ao sistema arterial coronariano, muitas vezes são combinadas com a revascularização percutânea utilizando *stents* coronarianos (procedimentos híbridos). No entanto, técnicas totalmente endoscópicas com a confecção de múltiplas anastomoses distais têm sido descritas.[9]

A indução e a manutenção da anestesia devem levar em conta o adequado relaxamento neuromuscular evitando que movimentos inadvertidos possam resultar em complicações, como perfurações do miocárdio, grandes vasos ou lesões de outras estruturas pelas pinças do robô.[73] O posicionamento geralmente é em decúbito dorsal horizontal (DDH) com uma leve elevação do hemitórax esquerdo por um coxim subescapular, melhorando a exposição do hemitórax esquerdo. O braço E é posicionado posteriormente e permanece ao longo do corpo, porém evitando excessos no posicionamento que possa resultar em lesões do plexo braquial. Uma particularidade é a ventilação monopulmonar com deflação do pulmão esquerdo para a visualização da anastomose que pode ser realizada com um tubo endotraqueal de duplo lúmen ou um bloqueador brônquico. A insuflação de dióxido de carbono no hemitórax esquerdo para manipulação de instrumentos intratorácicos e confecção das anastomoses é mantida com pressões abaixo de 10 a 12 mmHg, aumentos na PVC e PAP, bem como alterações na motilidade regional miocárdica e diminuição do DC têm sido descritos com esta técnica.[74] Expan-

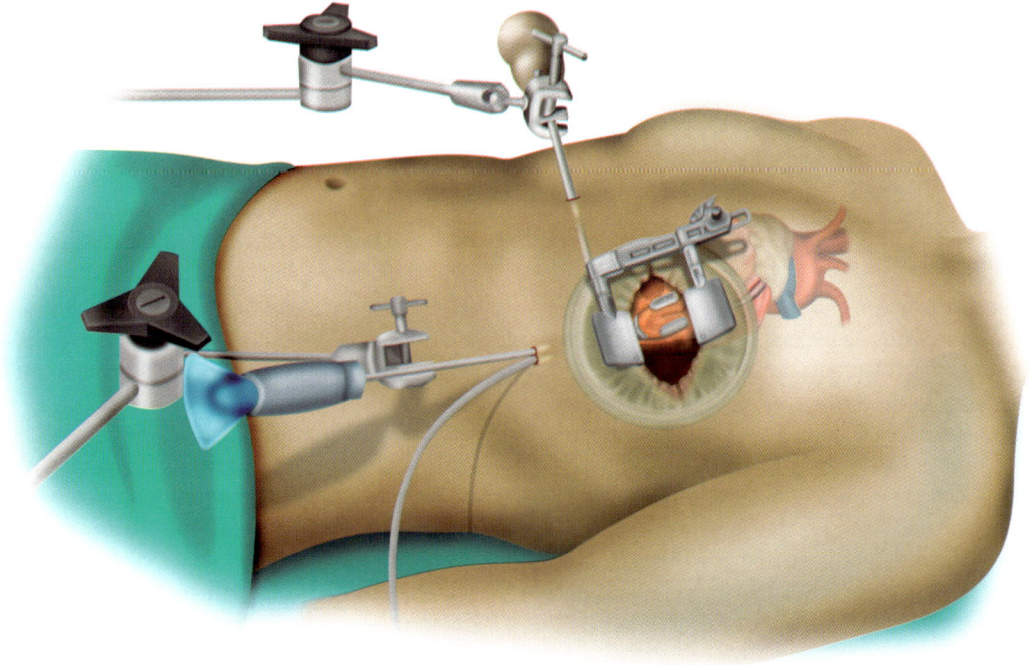

Estabilizador tecidual Octopus Nuvo

Posicionador cardíaco Starfish NS

Sistema afastador Thoratrak MICS   Inserção remota das hastes Starfish NS e Octopus Nuvo

▲ **Figura 154.3** Cirurgia minimamente invasiva de revascularização miocárdica com toracotomia anterolateral esquerda.

Fonte: Apostila medtronic.

são volêmica, manobras de posicionamento e administração de inotrópicos e vasopressores podem ser necessários.

A monitorização hemodinâmica deve levar em conta o longo tempo cirúrgico dos procedimentos e as frequentes alterações hemodinâmicas associadas ao capnotórax e à ventilação monopulmonar. ETE é fundamental e o cateter de artéria pulmonar com monitorização contínua do DC e da saturação venosa mista podem ser utilizados, especialmente se mais de uma anastomose é planejada. O acesso ao coração é limitado, assim placas de desfibrilação externa devem ser instaladas no dorso antes do preparo e cobertura do paciente.

A analgesia adequada é fator importante para a recuperação precoce desses pacientes, uma vez que a dor de uma toracotomia, mesmo que pequena, pode ser maior que a da esternotomia mediana. Bloqueios intercostais, paravertebrais e bloqueios fasciais, como do plano eretor da espinha e serrátil anterior podem ser úteis nesses casos.[74,75]

■ MANEJO DO SANGRAMENTO E TRANSFUSÕES DE HEMOCOMPONENTES

Esforços para reduzir o sangramento perioperatório e o número de transfusões de hemocomponentes devem fazer parte do planejamento cirúrgico da revascularização miocárdica, para reduzir a morbimortalidade do procedimento cirúrgico.

Avaliação e manejo cuidadoso dos pacientes sob antiagregação plaquetária dupla e anticoagulação são parte desta estratégia, devendo-se postergar a cirurgia quando possível.[21]

A anemia pré-operatória é frequentemente observada nos pacientes candidatos à cirurgia cardíaca e representa um fator de risco para complicações pós-operatórias e necessidade de transfusões sanguíneas. A identificação pré-operatória desses pacientes e o tratamento prévio da anemia, quando possível, com eritropoetina e suplementação de ferro pode resultar em melhor evolução dos pacientes.

Em 2017, a EACTS e a EACTA publicaram diretrizes para o manejo sanguíneo dos pacientes submetidos a cirurgia cardíaca[76] e recomendam:

■ A eritropoetina associada à reposição de ferro deve ser considerada nos pacientes eletivos para redução de transfusões pós-operatórias (Classe IIa, nível de evidência B).

■ Reposição de ferro via oral ou venoso pode ser considerada nos pacientes com anemia leve (mulheres com hemoglobina [Hb] 10 a 12 g/dl; homens com Hb 10 a 13 g.dL^{-1}) ou nos pacientes com anemia grave (Hb < 10 g/dL independente do gênero) para melhorar a eritropoese (Classe IIb, nível de evidência C). O momento ideal para se iniciar a reposição com ferro antes da cirurgia ainda não está bem definido pelas evidências atuais.

■ A transfusão de hemácias pré-operatória nos pacientes previamente anêmicos, a fim de prevenir insuficiência renal pós-operatória, não é recomendada rotineiramente (Classe III, nível de evidência C). No entanto, em casos de cirurgia de emergência em paciente com anemia grave com risco de morte, a transfusão de hemácias para aumento dos níveis de Hb é legitimada.

Quanto ao manejo intraoperatório:

■ O ATACAS trial, um grande estudo multicêntrico e randomizado, publicado em 2017[1], avaliou o uso do ácido tranexâmico e placebo em cirurgias de RM e observou menor sangramento no grupo do antifibrinolítico sem aumento no risco de complicações trombóticas e morte em 30 dias, porém com maior risco de convulsões pós-operatórias no grupo do ácido tranexâmico (0,7% *versus* 0,1%, p = 0,002). O protocolo utilizou uma dose total de 100mg/kg e mais tarde por conta de convulsões relacionadas às doses elevadas da droga, reduziu para 50 mg.kg^{-1} (ataque de 12,5 mg.kg^{-1} e manutenção de 6,5 mg.kg^{-1}.h^{-1} e *bolus* de 1 mg.kg^{-1} no prime da CEC). Embora tenham sido incluídos no estudo pacientes submetidos à RM sem CEC, em razão do número reduzido desses pacientes, não foi possível conclusões específicas a respeito desse subgrupo.

■ As diretrizes de 2017 da EACTA considera que a terapia com antifibrinolíticos (ácido tranexâmico e ácido epsilonaminocaproico) são eficazes na redução do sangramento e transfusões de hemocomponentes e necessidade de reexploração por sangramento pós-operatório nas cirurgias cardíacas (ácido tranexâmico) (Classe I, nível de evidência A).

■ O uso rotineiro de *cell-savers* deve ser considerado para recuperação de hemácias intraoperatória e do volume residual do circuito de circulação extracorpórea, podendo contribuir para redução das transfusões (Classe IIa, nível de evidência B).

■ A limitação de hemodiluição é recomendada como parte de uma estratégia conservadora para redução de sangramento e transfusões (Classe I, nível de evidência B).

■ O uso de soluções modernas de amido de baixo peso molecular no prime ou fora do prime para redução de transfusões ou sangramentos não é recomendada, em vista do resultado de alguns estudos que sugerem aumento na taxa de mortalidade e maior risco de insuficiência renal (Classe III, nível de evidência C).

■ Recomenda-se a implantação de um protocolo para manejo do sangramento e transfusões nos pacientes (Classe I, nível de evidência C).

■ Algoritmos de tratamento das coagulopatias associadas aos métodos viscoelásticos *point-of-care* podem auxiliar na redução de transfusões sanguíneas (Classe IIa, nível de evidência B).

■ Quando necessário, o uso de concentrados de hemácias leucodepletados é recomendado para reduzir a incidência de infecções pós-operatórias relacionadas à imunossupressão causada pelas transfusões (Classe I, nível de evidência B).

■ A idade das hemácias transfundidas não afeta a evolução dos pacientes. Assim, recomenda-se a transfusão de hemácias de qualquer idade (Classe I, nível de evidência A).

■ Recomenda-se a transfusão de concentrado de hemácias baseado nas condições clínicas do paciente, a otimização do balanço entre oferta e consumo de oxigênio pelos tecidos é mais relevante que a transfusão baseada num valor de corte fixo de hemoglobina (Classe I, nível de evidência B).

- Hematócrito entre 21% e 24% pode ser considerado durante a CEC quando se é mantida uma oferta adequada de oxigênio (DO$_2$ > 273 ml O$_2$/min/m^2) (Classe IIb, nível de evidência B).

- Concentrado de plaquetas pode ser transfundido em pacientes com sangramento e com contagem de plaquetas menor que 50.000/mm^3 ou nos pacientes em terapia antiplaquetária com complicações hemorrágicas (Classe IIa, nível de evidência C).

- Nos pacientes com sangramento e níveis baixos de fibrinogênio (<1,5g/L), reposição de fibrinogênio pode ser considerada para redução do sangramento pós-operatório e transfusões (Classe IIb, nível de evidência B).

- Nos pacientes cujo sangramento está relacionado a deficiência dos fatores de coagulação, a administração de concentrado de complexo protrombínico (CCP) ou plasma fresco congelado (PFC) deve ser considerada para redução do sangramento pós-operatório e transfusões (Classe IIa, nível de evidência B).

- Desmopressina (DDAVP) pode ser considerada para atenuar sangramento excessivo e transfusões nos pacientes com disfunção plaquetária por doença hemorrágica hereditária ou adquirida (p. ex., hemofilia leve, doença de von Willebrand, estenose aórtica, tempo prolongado de CEC) (Classe IIa, nível de evidência C).

- Nos pacientes com sangramento refratário de causa não cirúrgica, o uso *off-label* de fator VII recombinante (rFVII) pode ser considerado para a redução do sangramento (Classe IIb, nível de evidência B).

O uso profiático de PFC, CCP, fibrinogênio, DDVAP e rFVII, para prevenção e redução do sangramento, não é recomendado (Classe III, nível de evidência B).[76]

REFERÊNCIAS

1. Slogoff S, Keats AS. Randomized trial of primary anesthetic agents on outcome of coronary artery bypass operations. Anesthesiology. 1989;70(2):179-88.
2. Pagel PS, Crystal GJ. The discovery of myocardial preconditioning using volatile anesthetics: a history and contemporary clinical perspective. J Cardiothorac Vasc Anesth. 2018 Jun;32(3):1112-34.
3. Han J, Ryu JH, Jeon YT, Koo CH. Comparison of volatile   analysis. J Cardiothorac Vasc Anesth. 2024 Jan 1;38(1):141-7.
4. Landoni G, Lomivorotov VV, Neto CN, Monaco F, Pasyuga VV, Bradic N, et al. Volatile anesthetics versus total intravenous anesthesia for cardiac surgery. N Engl J Med. 2019 Mar 28;380(13):1214-25.
5. Bonanni A, Signori A, Alicino C, Mannucci I, Grasso MA, Martinelli L, et al. Volatile anesthetics versus propofol for cardiac surgery with cardiopulmonary bypass: meta-analysis of randomized trials. Anesthesiology. 2020 Jun 1;132(6):1429-46.
6. Mondal S, Bergbower EAS, Cheung E, Grewal AS, Ghoreishi M, Hollander KN, et al. Role of cardiac anesthesiologists in intraoperative enhanced recovery after cardiac surgery (ERACS) protocol: a retrospective single-center study analyzing preliminary results of a yearlong ERACS Protocol Implementation. J Cardiothorac Vasc Anesth. 2023 Dec 1;37(12):2450-60.
7. Engelman DT, Ben Ali W, Williams JB, Perrault LP, Reddy VS, Arora RC, et al. Guidelines for perioperative care in cardiac surgery: enhanced recovery after surgery society recommendations. JAMA Surg. 2019 Aug 1;154(8):755-66.
8. Mejia OAV, Borgomoni GB, Lasta N, Okada MY, Gomes MSB, Foz MLNN, et al. Safe and effective protocol for discharge 3 days after cardiac surgery. Sci Rep. 2021 Apr 26;11(1):8979.
9. Marin-Cuartas M, Sá MP, Torregrossa G, Davierwala PM. Minimally invasive coronary artery surgery: Robotic and nonrobotic minimally invasive direct coronary artery bypass techniques. JTCVS Tech. 2021 Oct 13;10:170-7.
10. Nowbar AN, Gitto M, Howard JP, Francis DP, Al-Lamee R. Mortality from ischemic heart disease. Circ Cardiovasc Qual Outcomes. 2019 Jun;12(6):e005375.
11. Nashef SAM, Roques F, Sharples LD, Nilsson J, Smith C, Goldstone AR, et al. EuroSCORE II. Eur J Cardio-Thorac Surg Off J Eur Assoc Cardio-Thorac Surg. 2012 Apr;41(4):734-44; discussion 744-45.
12. Shahian DM, Jacobs JP, Badhwar V, Kurlansky PA, Furnary AP, Cleveland JC, et al. The Society of Thoracic Surgeons 2018 Adult Cardiac Surgery Risk Models: part 1-background, design considerations, and model development. Ann Thorac Surg. 2018 May;105(5):1411-8.
13. O'Brien SM, Feng L, He X, Xian Y, Jacobs JP, Badhwar V, et al. The Society of Thoracic Surgeons 2018 Adult Cardiac Surgery Risk Models: part 2-statistical methods and results. Ann Thorac Surg. 2018 May;105(5):1419-28.
14. Lisboa LAF, Mejia OAV, Moreira LFP, Dallan LAO, Pomerantzeff PMA, Dallan LRP, et al. EuroSCORE II and the importance of a local model, InsCor and the future SP-SCORE. Rev Bras Cir Cardiovasc Órgão Of Soc Bras Cir Cardiovasc. 2014;29(1):1-8.
15. Mejia OAV, Borgomoni GB, Zubelli JP, Dallan LRP, Pomerantzeff PMA, Oliveira MAP, et al. Validation and quality measurements for STS, EuroSCORE II and a regional risk model in Brazilian patients. PLOS ONE. 2020 Sep 10;15(9):e0238737.
16. Nakazone MA, Machado MN, Machado LO, Machado JO, Mejía OAV, Lisboa LAF, et al. Risk assessment in cardiac surgical procedures using the sp-score (sao paulo risk score) – an independent validation. J Am Coll Cardiol. 2021 May 11;77(18_Suppl_1):1021.
17. Naghavi M, Libby P, Falk E, Casscells SW, Litovsky S, Rumberger J, et al. From vulnerable plaque to vulnerable patient. Circulation. 2003 Oct 7;108(14):1664-72.
18. Lawton JS, Tamis-Holland JE, Bangalore S, Bates ER, Beckie TM, Bischoff JM, et al. 2021 ACC/AHA/SCAI Guideline for Coronary Artery Revascularization: A Report of the American College of Cardiology/American Heart Association Joint Committee on Clinical Practice Guidelines. Circulation. 2022 Jan 18;145(3):e18-114.
19. Neumann FJ, Sousa-Uva M, Ahlsson A, Alfonso F, Banning AP, Benedetto U, et al. 2018 ESC/EACTS Guidelines on myocardial revascularization. Eur Heart J. 2019 Jan 7;40(2):87-165.
20. Sousa-Uva M, Milojevic M, Head SJ, Jeppsson A. The 2017 EACTS guidelines on perioperative medication in adult cardiac surgery and patient blood management. Eur J Cardiothorac Surg. 2018 Jan 1;53(1):1-2.
21. Tibi P, McClure RS, Huang J, Baker RA, Fitzgerald D, Mazer CD, et al. STS/SCA/AmSECT/SABM Update to the clinical practice guidelines on patient blood management. Ann Thorac Surg. 2021 Sep;112(3):981-1004.
22. Grant MC, Crisafi C, Alvarez A, Arora RC, Brindle ME, Chatterjee S, et al. Perioperative care in cardiac surgery: a joint consensus statement by the enhanced recovery after surgery (ERAS) Cardiac Society, ERAS International Society, and The Society of Thoracic Surgeons (STS). Ann Thorac Surg. 2024 Apr 1;117(4):669-89.
23. Duprey MS, Devlin JW, Griffith JL, Travison TG, Briesacher BA, Jones R, et al. Association between perioperative medication use and postoperative delirium and cognition in older adults undergoing elective noncardiac surgery. Anesth Analg. 2022 Jun;134(6):1154.
24. Fu VX, Oomens P, Klimek M, Verhofstad MHJ, Jeekel J. The effect of perioperative music on medication requirement and hospital length of stay: a meta-analysis. Ann Surg. 2020 Dec;272(6):961.
25. Chiu PL, Li H, Yap KYL, Lam K man C, Yip P ling R, Wong CL. Virtual reality–based intervention to reduce preoperative anxiety in adults undergoing elective surgery: a randomized clinical trial. JAMA Netw Open. 2023 Oct 31;6(10):e2340588.
26. el Mathari S, Hoekman A, Kharbanda RK, Sadeghi AH, de Lind van Wijngaarden R, Götte M, et al. Virtual reality for pain and anxiety management in cardiac surgery and interventional cardiology. JACC Adv. 2024 Feb 1;3(2):100814.
27. Myles PS, Smith JA, Forbes A, Silbert B, Jayarajah M, Painter T, et al. Stopping vs. continuing aspirin before coronary artery surgery. N Engl J Med. 2016 Feb 25;374(8):728-37.
28. Zheng Z, Jayaram R, Jiang L, Emberson J, Zhao Y, Li Q, et al. Perioperative rosuvastatin in cardiac surgery. N Engl J Med. 2016 May 5;374(18):1744-53.
29. Zhang Y, Ma L. Effect of preoperative angiotensin-converting enzyme inhibitor on the outcome of coronary artery bypass graft surgery. Eur J Cardio-Thorac Surg Off J Eur Assoc Cardio-Thorac Surg. 2015 May;47(5):788-95.
30. Savarese G, Costanzo P, Cleland JGF, Vassallo E, Ruggiero D, Rosano G, et al. A meta-analysis reporting effects of angiotensin-converting enzyme inhibitors and angiotensin receptor blockers in patients without heart failure. J Am Coll Cardiol. 2013 Jan 15;61(2):131-42.

31. Romeu-Bordas Ó, Ballesteros-Peña S. [Reliability and validity of the modified Allen test: a systematic review and metanalysis]. Emerg Rev Soc Espanola Med Emerg. 2017 Apr;29(2):126-35.

32. Practice Guidelines for Central Venous Access 2020: An Updated Report by the American Society of Anesthesiologists Task Force on Central Venous Access*. Anesthesiology. 2020 Jan 1;132(1):8-43.

33. Rajaram SS, Desai NK, Kalra A, Gajera M, Cavanaugh SK, Brampton W, et al. Pulmonary artery catheters for adult patients in intensive care. Cochrane Database Syst Rev. 2013 Feb 28;2013(2):CD003408.

34. Schwann NM, Hillel Z, Hoeft A, Barash P, Möhnle P, Miao Y, et al. Lack of effectiveness of the pulmonary artery catheter in cardiac surgery. Anesth Analg. 2011 Nov;113(5):994-1002.

35. Brown JA, Aranda-Michel E, Kilic A, Serna-Gallegos D, Bianco V, Thoma FW, et al. The impact of pulmonary artery catheter use in cardiac surgery. J Thorac Cardiovasc Surg. 2022 Dec;164(6):1965-73.e6.

36. Recco DP, Roy N, Gregory AJ, Lobdell KW. Invasive and noninvasive cardiovascular monitoring options for cardiac surgery. JTCVS Open. 2022 Apr 11;10:256-63.

37. Kunst G, Milojevic M, Boer C, Somer FMJJD, Gudbjartsson T, Goor J van den, et al. 2019 EACTS/EACTA/EBCP guidelines on cardiopulmonary bypass in adult cardiac surgery. Br J Anaesth. 2019 Dec 1;123(6):713-57.

38. Júnior CG, Botelho ESL, Diego LADS. Intraoperative monitoring with transesophageal echocardiography in cardiac surgery. Braz J Anesthesiol. 2011 Jul;61(4):495-512.

39. Salgado-Filho MF, Morhy SS, Vasconcelos HD de, Lineburger EB, Papa F de V, Botelho ESL, et al. [Consensus on Perioperative Transesophageal Echocardiography of the Brazilian Society of Anesthesiology and the Department of Cardiovascular Image of the Brazilian Society of Cardiology]. Braz J Anesthesiol Elsevier. 2018;68(1):1-32.

40. Kertai MD, Whitlock EL, Avidan MS. Brain monitoring with electroencephalography and the electroencephalogram-derived bispectral index during cardiac surgery. Anesth Analg. 2012 Mar;114(3):533-46.

41. Avidan MS, Jacobsohn E, Glick D, Burnside BA, Zhang L, Villafranca A, et al. Prevention of intraoperative awareness in a high-risk surgical population. N Engl J Med. 2011 Aug 18;365(7):591-600.

42. Wildes TS, Mickle AM, Ben Abdallah A, Maybrier HR, Oberhaus J, Budelier TP, et al. Effect of electroencephalography-guided anesthetic administration on postoperative delirium among older adults undergoing major surgery: The ENGAGES Randomized Clinical Trial. JAMA. 2019 Feb 5;321(5):473-83.

43. Punjasawadwong Y, Chau-In W, Laopaiboon M, Punjasawadwong S, Pin-On P. Processed electroencephalogram and evoked potential techniques for amelioration of postoperative delirium and cognitive dysfunction following non-cardiac and non-neurosurgical procedures in adults. Cochrane Database Syst Rev. 2018 May 15;5(5):CD011283.

44. Nunes RR, Fonseca NM, Simões CM, Rosa DM, Silva ED, Cavalcante SL, et al. Brazilian consensus on anesthetic depth monitoring. Braz J Anesthesiol Elsevier. 2015;65(6):427-36.

45. Murkin JM, Arango M. Near-infrared spectroscopy as an index of brain and tissue oxygenation. Br J Anaesth. 2009 Dec;103 Suppl 1:i3-13.

46. Milne B, Gilbey T, Gautel L, Kunst G. Neuromonitoring and neurocognitive outcomes in cardiac surgery: a narrative review. J Cardiothorac Vasc Anesth. 2022 Jul 1;36(7):2098-113.

47. Schoen J, Meyerrose J, Paarmann H, Heringlake M, Hueppe M, Berger KU. Preoperative regional cerebral oxygen saturation is a predictor of postoperative delirium in on-pump cardiac surgery patients: a prospective observational trial. Crit Care. 2011 Sep 19;15(5):R218.

48. Ortega-Loubon C, Herrera-Gómez F, Bernuy-Guevara C, Jorge-Monjas P, Ochoa-Sangrador C, Bustamante-Munguira J, et al. Near-infrared spectroscopy monitoring in cardiac and noncardiac surgery: pairwise and network meta-analyses. J Clin Med. 2019 Dec 14;8(12):2208.

49. Mertes PM, Kindo M, Amour J, Baufreton C, Camilleri L, Caus T, et al. Guidelines on enhanced recovery after cardiac surgery under cardiopulmonary bypass or off-pump. Anaesth Crit Care Pain Med. 2022 Jun 1;41(3):101059.

50. Forman SA. Clinical and molecular pharmacology of etomidate. Anesthesiology. 2011 Mar;114(3):695-707.

51. Komatsu R, Makarova N, You J, Sessler DI, Anthony DG, Kasuya Y, et al. Etomidate and the Risk of complications after cardiac surgery: a retrospective cohort analysis. J Cardiothorac Vasc Anesth. 2016 Dec;30(6):1516-22.

52. Basciani RM, Rindlisbacher A, Begert E, Brander L, Jakob SM, Etter R, et al. Anaesthetic induction with etomidate in cardiac surgery: a randomised controlled trial. Eur J Anaesthesiol. 2016 Jun;33(6):417-24.

53. Gelissen HP, Epema AH, Henning RH, Krijnen HJ, Hennis PJ, den Hertog A. Inotropic effects of propofol, thiopental, midazolam, etomidate, and ketamine on isolated human atrial muscle. Anesthesiology. 1996 Feb;84(2):397-403.

54. Javadov SA, Lim KH, Kerr PM, Suleiman MS, Angelini GD, Halestrap AP. Protection of hearts from reperfusion injury by propofol is associated with inhibition of the mitochondrial permeability transition. Cardiovasc Res. 2000 Jan 14;45(2):360-9.

55. Landoni G, Greco T, Biondi-Zoccai G, Nigro Neto C, Febres D, Pintaudi M, et al. Anaesthetic drugs and survival: a Bayesian network meta-analysis of randomized trials in cardiac surgery. Br J Anaesth. 2013 Dec;111(6):886-96.

56. Engoren M, Luther G, Fenn-Buderer N. A comparison of fentanyl, sufentanil, and remifentanil for fast-track cardiac anesthesia. Anesth Analg. 2001 Oct;93(4):859-64.

57. Greco G, Landoni G, Biondi-Zoccai G, Cabrini L, Ruggeri L, Pasculli N, et al. Remifentanil in cardiac surgery: a meta-analysis of randomized controlled trials. J Cardiothorac Vasc Anesth. 2012 Feb;26(1):110-6.

58. Hemmerling TM, Russo G, Bracco D. Neuromuscular blockade in cardiac surgery: an update for clinicians. Ann Card Anaesth. 2008;11(2):80-90.

59. Gueret G, Rossignol B, Kiss G, Wargnier JP, Miossec A, Spielman S, et al. Is muscle relaxant necessary for cardiac surgery? Anesth Analg. 2004 Nov;99(5):1330-3.

60. Pagel PS. Myocardial protection by volatile anesthetics in patients undergoing cardiac surgery: a critical review of the laboratory and clinical evidence. J Cardiothorac Vasc Anesth. 2013 Oct;27(5):972-82.

61. Kunst G, Klein AA. Peri-operative anaesthetic myocardial preconditioning and protection - cellular mechanisms and clinical relevance in cardiac anaesthesia. Anaesthesia. 2015 Apr;70(4):467-82.

62. Yu CH, Beattie WS. The effects of volatile anesthetics on cardiac ischemic complications and mortality in CABG: a meta-analysis. Can J Anaesth J Can Anesth. 2006 Sep;53(9):906-18.

63. Salvi L, Sisillo E, Brambillasca C, Juliano G, Salis S, Marino MR. High thoracic epidural anesthesia for off-pump coronary artery bypass surgery. J Cardiothorac Vasc Anesth. 2004 Jun 1;18(3):256-62.

64. Svircevic V, Nierich AP, Moons KGM, Diephuis JC, Ennema JJ, Brandon Bravo Bruinsma GJ, et al. Thoracic epidural anesthesia for cardiac surgery: a randomized trial. Anesthesiology. 2011 Feb;114(2):262-70.

65. Ho AM, Chung DC, Joynt GM. Neuraxial blockade and hematoma in cardiac surgery: estimating the risk of a rare adverse event that has not (yet) occurred. Chest. 2000 Feb;117(2):551-5.

66. Horlocker TT, Vandermeulen E, Kopp SL, Gogarten W, Leffert LR, Benzon HT. Regional anesthesia in the patient receiving antithrombotic or thrombolytic therapy: American Society of Regional Anesthesia and Pain Medicine Evidence-Based Guidelines (Fourth Edition). Reg Anesth Pain Med. 2018 Apr;43(3):263-309.

67. Tsui BCH, Kirkham K, Kwofie MK, Tran DQ, Wong P, Chin KJ, et al. Practice advisory on the bleeding risks for peripheral nerve and interfascial plane blockade: evidence review and expert consensus. Can J Anaesth J Can Anesth. 2019 Nov;66(11):1356-84.

68. Ho AMH, Karmakar MK, Ng SK, Wan S, Ng CSH, Wong RHL, et al. Local anaesthetic toxicity after bilateral thoracic paravertebral block in patients undergoing coronary artery bypass surgery. Anaesth Intensive Care. 2016 Sep;44(5):615-9.

69. Chin KJ. Thoracic wall blocks: From paravertebral to retrolaminar to serratus to erector spinae and back again –a review of evidence. Best Pract Res Clin Anaesthesiol. 2019 Mar;33(1):67–77.

70. Capuano P, Sepolvere G, Toscano A, Scimia P, Silvetti S, Tedesco M, et al. Fascial plane blocks for cardiothoracic surgery: a narrative review. J Anesth Analg Crit Care. 2024 Mar 11;4(1):20.

71. Puskas JD, Martin J, Cheng DCH, Benussi S, Bonatti JO, Diegeler A, et al. ISMICS Consensus Conference and Statements of Randomized Controlled Trials of Off-Pump Versus Conventional Coronary Artery Bypass Surgery. Innov Phila Pa. 2015;10(4):219-29.

72. Maroto Castellanos LC, Carnero M, Cobiella FJ, Alswies A, Ayaon A, Reguillo FJ, et al. Off-pump to on-pump emergency conversion: incidence, risk factors, and impact on short-and long-term results. J Card Surg. 2015 Oct;30(10):735-45.

73. Hoogma DF, Oosterlinck W, Rex S. Hoogma DF, Oosterlinck W, Rex S. Small incisions still require great anesthesia: anesthesiology techniques to enhance recovery in robotic coronary bypass grafting. Ann Cardiothorac Surg 2024. doi: 10.21037/acs-2024-rcabg-0048. Small Incisions Still Require Gt Anesth Anesthesiol Tech Enhance Recovery Robot Coron Bypass Grafting.

74. Bernstein WK, Walker A. Anesthetic issues for robotic cardiac surgery. Ann Card Anaesth. 2015;18(1):58-68.

75. Alfirevic A, Marciniak D, Duncan AE, Kelava M, Yalcin EK, Hamadnalla H, et al. Serratus anterior and pectoralis plane blocks for robotically assisted mitral valve repair: a randomised clinical trial. Br J Anaesth. 2023 Jun;130(6):786-94.

76. Task Force on Patient Blood Management for Adult Cardiac Surgery of the European Association for Cardio-Thoracic Surgery (EACTS) and the European Association of Cardiothoracic Anaesthesiology (EACTA), Boer C, Meesters MI, Milojevic M, Benedetto U, Bolliger D, et al. 2017 EACTS/EACTA Guidelines on patient blood management for adult cardiac surgery. J Cardiothorac Vasc Anesth. 2018 Feb;32(1):88-120.

155

Anestesia para Cirurgia Valvar

Chiara Scaglioni Tessmer ▪ Eric Benedet Lineburger ▪ Filomena Regina Barbosa Gomes Galas
Maria Paula Martin Ferro ▪ Marilde de Albuquerque Piccioni

INTRODUÇÃO

A anestesia para cirurgia cardíaca permanece em constante aperfeiçoamento. Publicações sobre monitorização, coagulação e manejo hemodinâmico são realizadas constantemente. Cabe a nós, anestesistas, avaliar a mudança do conhecimento e, com sabedoria, introduzir adequadamente novos tratamentos na prática diária.

A anestesia para este tipo de cirurgia tem experimentado avanços significativos, impulsionados pela incorporação de tecnologias inovadoras, como, por exemplo, a ecocardiografia avançada. Nos últimos anos, o uso dessa técnica se tornou uma prática padrão nos centros cirúrgicos, permitindo uma monitorização detalhada e diagnósticos precisos durante os procedimentos, o que tem sido vital para alcançar melhores resultados para os pacientes. O papel dos anestesiologistas na anestesia cardíaca foi expandido para incluir uma gama mais ampla de responsabilidades, como a pré-habilitação, avaliação pré-operatória rigorosa, a supervisão do manejo hemodinâmico perioperatório e a implementação de técnicas menos invasivas.[1,2]

A introdução de procedimentos transcateteres para o tratamento de doenças cardíacas estruturais tem sido uma das muitas inovações que facilitam intervenções menos invasivas e melhoram a recuperação dos pacientes. Além desses avanços, a anestesia cardíaca também abraçou novas abordagens terapêuticas, como o uso de dispositivos de assistência ventricular e circulatória avançadas (LVAD'S, ECMO), bem como a aplicação de medicamentos mais eficazes.

A colaboração entre diversas especialidades médicas (heart team) tem sido crucial para integrar essas novas tecnologias e métodos, garantindo que o paciente receba um cuidado completo e humanizado.[3] Além disso, a participação crescente de outros profissionais no time perioperatório cardiovascular reforça o conceito de "cuidado perioperatório" como o padrão mais avançado no tratamento de pacientes submetidos a cirurgia cardíaca, visto que nutrição, fisioterapia, psicologia, entre outras áreas, são essenciais para alcançar a pré-habilitação cirúrgica, recuperação acelerada e uma reabilitação otimizada dos pacientes cardiopatas. A constante atualização e adoção de novas abordagens e técnicas são reflexos do compromisso dos profissionais com a excelência no manejo anestésico em cirurgias cardíacas, sempre buscando o melhor desfecho possível para os pacientes. Da mesma forma, a própria cirurgia cardíaca experimentou uma verdadeira revolução com a aplicação de técnicas cirúrgicas que podem evitar a esternotomia e, muitas vezes, a própria circulação extracorpórea.[2]

Essas evoluções são historicamente sustentadas por um compromisso contínuo com a medicina baseada em evidências, buscando sempre as melhores práticas para o cuidado perioperatório. Em 2012 foi formada, pelo American College of Cardiology Foundation e pela American Heart Association, uma força-tarefa que resultou em uma diretriz para cirurgia de revascularização do miocárdio. Além dos aspectos cirúrgicos, esse consenso contempla aspectos relacionados à anestesia e estabelece qual o grau de evidência de cada uma das nossas ações no manejo perioperatório do paciente coronariopata.[4]

A American Society of Cardiovascular Anesthesiologists também publicou, em 2012, uma diretriz que contemplou outros aspectos importantes da anestesia para cirurgia cardíaca. Nesse consenso, são debatidos os avanços do uso da ecocardiografia perioperatória e como o aprendizado entre os anestesiologistas pode ser realizado. Apresentou, entre outros assuntos, as novas abordagens cirúrgicas minimamente invasivas da valva mitral, da valva aórtica e da aorta no contexto anestésico, os aspectos importantes da avaliação da disfunção diastólica e no uso da imagem para guiar os acessos venosos, bem como os aspectos éticos relacionados às diretrizes.[5]

Nesse sentido, no Brasil, o consenso sobre Ecocardiografia Transesofágica Perioperatória (ETE), desenvolvido pela Sociedade Brasileira de Anestesiologia e pelo Departamento de Imagem Cardiovascular da Sociedade Brasileira de Cardiologia de 2018,[6] foi um marco importante na anestesia cardíaca nacional. Esse consenso ajusou a padronizar as práticas, elevar a segurança e eficácia dos procedimentos, alinhar-se às diretrizes internacionais, impulsionar a educação continuada e contribuir significativamente para a literatura científica.

Em 2014, a American College of Cardiology e a American Heart Association publicaram um consenso sobre o manejo do paciente com doença valvar.[7] Essas diretrizes foram revisadas e atualizadas em 2020 e terão grande importância na exposição deste capítulo, a fim de mostrar ao leitor os melhores tratamentos para anestesiar um paciente valvar.[8]

Este capítulo também abordará os assuntos que mais se modificaram com os avanços da tecnologia. Serão discutidas, com base em evidências, as novas técnicas de monitorização, de manejo hemodinâmico, de conservação sanguínea, de avaliação do sangramento perioperatório, de tratamento farmacológico do sangramento, de manejo dos pacientes nas cirurgias não convencionais e, principalmente, da importância do trabalho em equipe. Assim, a ciência e o humanismo estarão trabalhando juntos em favor do melhor desfecho clínico dos pacientes.

EPIDEMIOLOGIA

No Brasil, a doença valvar representa uma significativa parcela das internações por doença cardiovascular. Diferentemente de países mais desenvolvidos, a Febre Reumática (FR) é a principal etiologia das valvopatias no território brasileiro, responsável por até 70% dos casos. Esta informação deve ser valorizada ao aplicarmos dados de estudos internacionais nessa população, tendo em vista que os doentes reumáticos apresentam uma média etária menor, assim como imunologia e evolução exclusivas dessa doença.[9]

Estudos realizados na população escolar em algumas capitais brasileiras estimaram a prevalência de cardite reumática entre 1 e 7 casos/1.000, enquanto nos Estados Unidos a prevalência está entre 0,1 e 0,4 casos/1.000.[10,11]

A valvopatia mitral reumática mais comum é a dupla disfunção não balanceada (insuficiência e estenose em diferentes estágios de evolução) manifestada entre a 2ª e a 5ª décadas de vida. Caracteristicamente, a Insuficiência Mitral (IM) corresponde à lesão aguda, enquanto a estenose, às lesões crônicas; entretanto, é possível que pacientes apresentem graus variados de estenose e insuficiência mitral. O Prolapso da Valva Mitral (PVM), no Brasil, é a segunda causa de IM,

cuja evolução é dependente da intensidade do prolapso e tem idade média de apresentação em torno de 50 anos.[12]

A valvopatia aórtica tem apresentação bimodal; em indivíduos jovens destacam-se a etiologia reumática e a doença congênita da valva aórtica bivalvulada, enquanto nos idosos prevalece a doença aórtica senil calcificada, que está associada aos fatores de risco tradicionais para aterosclerose (dislipidemia, tabagismo e hipertensão arterial).[13]

Alguns dados epidemiológicos emergentes vêm mudando a forma de apresentação de pacientes com doenças valvares. A população geriátrica, cada vez mais frequente nas unidades de internação e consultórios, apresenta índices elevados de calcificação e disfunção valvar. Em geral, os idosos realizam poucas atividades físicas ou são sedentários, sendo comuns achados sugestivos de lesões valvares importantes em indivíduos assintomáticos ou oligossintomáticos, frequentemente com Estenose Aórtica (EAo).[9]

Atualmente, há um aumento no número de pacientes com miocardiopatias (isquêmica, hipertensiva, alcoólica, por drogas etc.) que desenvolvem insuficiência mitral secundária. Embora essa IM seja uma consequência de outras condições, ela não é menos importante. Também há aumento de pacientes portadores de valvopatias com comorbidades graves, com limitação para avaliação e indicação de tratamento intervencionista, como os portadores de neoplasia em radioterapia e/ou quimioterapia, entre outros. Além disso, o estado de fragilidade, que pode ser mensurado de maneira objetiva, também deve ser considerado.[9]

A Endocardite Infecciosa (EI) incide cada vez mais em indivíduos idosos e hospitalizados, frequentemente associada ao uso de próteses, cateteres, fios de marca-passo e outros dispositivos invasivos, com maior participação de estafilococos e outros germes agressivos (bacilos Gram-negativos). Contudo, grande parte da população brasileira apresenta saúde bucal inadequada e baixo acesso ao tratamento odontológico, com manutenção da alta incidência de endocardite estreptocócica em valva nativa e próteses.[9] O médico anestesiologista tem papel fundamental na profilaxia da endocardite quando esses pacientes valvares são submetidos a uma cirurgia não cardíaca.

O manejo clínico da valvopatia continua dependente da escolha ideal para o momento do tratamento intervencionista, uma vez que esse constitui a única opção capaz de alterar a evolução natural da doença valvar. As medicações são utilizadas para tratar comorbidades e aliviar sintomas, enquanto as medidas profiláticas são eficazes na prevenção da endocardite e surtos de atividade reumática. A história e o exame clínico continuam servindo como divisor de águas na tomada de decisão na doença valvar.[9]

AVALIAÇÃO E MEDICAÇÃO PRÉ-ANESTÉSICA

Uma das maiores qualidades do médico anestesiologista é saber prever e evitar complicações. Por isso a avaliação pré-anestésica do paciente submetido a uma cirurgia valvar é tão importante.

Além da avaliação pré-anestésica usual (vide capítulo "Avaliação pré-anestésica"), devem ser pontuadas algumas peculiaridades do paciente valvar:

- Anticoagulação: muitos pacientes são anticoagulados, em razão de fibrilação atrial ou valva mecânica prévia, com cumarínicos; tais devem ser suspensos antes da cirurgia por pelo menos cinco dias e susbtituídos por anticoagulantes de menor meia-vida, como a heparina de baixo peso molecular, administrada por via subcutânea. Em caso de ciriurgia de emergência, o efeito da varfarina deve ser revertido com a infusão de complexo protrombínico ou com a transfusão de plasma fresco;
- Cirurgia eletiva *versus* emergência;
- Capacidade funcional;
- Classificação do grau de insuficiência cardíaca;
- Presença de hipertensão pulmonar;
- Função ventricular esquerda e direita;
- Comorbidades;
- Complicações infecciosas/endocardite;
- Reoperação.

Os exames fundamentais são os seguintes:

- Laboratoriais: hemograma, contagem de plaquetas, coagulograma, eletrólitos, ureia e creatinina, função hepática, glicemia de jejum e exame de urina tipo I;
- Ecocardiograma: exame fundamental na avaliação desses pacientes. Aspectos importantes:

  1. **Avaliação da valva acometida e na consequência hemodinâmica**: além das características da valva acometida, o eco é importante para a valiar a consequência hemodinâmica da valvolopatia. Por exemplo, no paciente com estenose mitral, além da classificação da gravidade da doença valvar, é necessário evidenciar se há hipertensão pulmonar, pois, devido a obstrução ao fluxo sanguíneo pela valva mitral, o átrio esquerdo aumenta sua pressão, o que eleva a pressão das veias e capilares pulmonares, aumentando a resistência vascular pulmonar e gerando uma hipertensão pulmonar pós-capilar. Isso pode, ao longo dos anos, causar hipertrofia ventricular direita, dilatação das cavidades direitas, insuficiência tricúspide e disfunção ventricular direita. Com toda essa alteração da fisiologia, pode-se perceber que o manejo anestésico é muito mais delicado em pacientes cuja doença mitral ainda não envolveu outros segmentos do coração;

  2. **Avaliação da função sistólica do ventrículo esquerdo:** em geral, a medida mais utilizada é a Fração de Ejeção (FE); todavia, nas doenças valvares que cursam com insuficiência, a FE é superestimada. Por exemplo, na insuficiência mitral, uma parte do volume sistólico que sai do coração volta para o átrio esquerdo (volume regurgitante) em vez de ir completamente para a raiz da aorta (volume sistólico efetivo). Quando a insuficiência for corrigida, o volume sistólico irá somente para a aorta e, mesmo que a contratilidade continue a mesma, a FE medida pelo eco irá diminuir, pois não contará com o volume regurgitante. Então, o volume sistólico final será maior, diminuindo a FE;

  3. **Avaliação de presença e gravidade da hipertensão pulmonar**: muitas doenças valvares cursam com hipertensão pulmonar, principalmente quando são tardiamente corrigidas. O sucesso de uma anestesia segura para doentes com hipertensão pulmonar depende do preparo da equipe, como a diluição prévia de drogas vasoativas e preparo do óxido nítrico inalatório, entre outras medidas;

  4. **Avaliação da função ventricular direita:** ao longo do tempo, os pacientes com hipertensão pulmonar podem desenvolver disfunção ventricular direita. A indução anestésica deve levar em conta essa informação, pois a transição de ventilação espontânea para ventilação positiva após a intubação causa mudanças dramáticas na fisiologia do ventrículo direito;

  5. **Evidências de trombos intracavitários:** muitas doenças valvares cursam com fibrilação atrial, que é um grande fator de risco para a formação de trombos atriais;

  6. **Avaliação valvar na saída de circulação extracorpórea (CEC):** a avaliação da válvula protética e das plastias valvares ao final da CEC é um componente vital na cirurgia cardíaca, garantindo a eficácia do procedimento e a segurança do paciente. O ETE é essencial para esta avaliação, permitindo a confirmação do posicionamento adequado da prótese valvar, a análise da eficácia das plastias, e a detecção de complicações, como regurgitação paravalvar, deiscência da prótese ou falhas na reparação valvar. O ETE também fornece informações hemodinâmicas críticas, como os gradientes de pressão pelas válvulas e a avaliação da função ventricular, possibilitando a identificação precoce de qualquer necessidade de intervenção adicional antes do término da cirurgia. Assim, a utilização do ETE é indispensável para assegurar o sucesso tanto das substituições valvares quanto das plastias, garantindo a estabilidade hemodinâmica e a recuperação otimizada do paciente no pós-operatório;

  7. **Cateterismo cardíaco:** pacientes com risco de doença coronariana e até mesmo nos assintomáticos maiores que 50 anos;

  8. **Radiografia de tórax:** derrames pleurais e edema pulmonar são frequentes nos pacientes com doença valvar; deve-se dar especial atenção para esses pacientes na indução da anestesia, pois eles, devido à diminuição da capacidade residual funcional, têm um menor tempo de apneia.

Medicação Pré-anestésica

Nos pacientes críticos, em uso de oxigênio ou de drogas vasoativas, nenhuma medicação pré-anestésica deve ser prescrita; apenas deve ser realizada a visita e a explanação de que a anestesia será administrada no centro cirúrgico, após a monitorização, para a segurança do paciente.

Nos pacientes com *status* funcional limítrofe, por exemplo, os pacientes com disfunção ventricular ou hipertensão pulmonar, pode ser administrado bromazepam 3 mg, via oral.

Já nos pacientes com boa capacidade funcional, o midazolam por via oral ou intramuscular pode ser administrado como medicação pré-anestésica.

■ LESÕES ESTENÓTICAS *VERSUS* REGURGITANTES

■ **Lesões estenóticas:** essas lesões levam à sobrecarga de pressão. O estreitamento do orifício de uma valva cardíaca irá causar obstrução ao fluxo sanguíneo por meio da valva. Esta obstrução leva a uma transformação do fluxo sanguíneo laminar para um fluxo turbilhonar com alta velocidade para vencer o estreitamento da valva cardíaca.[15] A velocidade com que o fluxo sanguíneo passa através do orifício valvar pode se traduzir em gradiente. A equação de Bernoulli simplificada ajuda na compreensão desse fenômeno, já que, pela fórmula, o gradiente pode ser estimado por meio do orifício valvar, ao multiplicar a velocidade do sangue através do orifício ao quadrado por quatro:

> Gradiente de pressão = 4x (velocidade do fluxo sanguíneo)^2

A equação simplificada de Bernoulli permite que a velocidade do fluxo sanguíneo medida pelo doppler seja convertida em gradientes de pressão, permitindo a quantificação do grau de estenose valvar.[15]

Também é muito importante entender que uma obstrução valvar pode ser fixa ou dinâmica. Na obstrução fixa (p. ex.: estenose aórtica verdadeira, membrana subaórtica), o grau de obstrução se mantém constante durante todo o ciclo cardíaco e não é afetada por condições de pré-carga ventricular. Já na obstrução dinâmica (p. ex.: cardiomiopatia hipertrófica assimétrica), a obstrução está presente em parte do ciclo cardíaco, primariamente ocorrendo do meio para o final na sístole ventricular, e o grau de obstrução está altamente relacionado com as condições de pré-carga ventricular.[16] O paciente com tetralogia de Fallot que somente fica cianótico quando chora, sente dor ou está hipovolêmico é exemplo de obstrução dinâmica; já outro paciente com tetralogia de Fallot que é sempre cianótico, com piora nas crises, provavelmente tem estenose da artéria pulmonar associada à hipertrofia ventricular direita e, dessa forma, apresenta obstrução fixa e dinâmica da via de saída do ventrículo direito (veja também a Discussão do Caso Clínico para entender melhor a diferença de obstruções dinâmicas).

■ **Lesões regurgitantes:** as lesões valvares regurgitantes levam a patologias associadas à sobrecarga de volume, resultando em dilatação de câmeras cardíacas e hipertrofia ventricular.[15] Clinicamente, nos estágios iniciais da doença, há compensação do aumento do volume circulante com o remodelamento ventricular. Com a progressão da doença, não apenas a função ventricular piora, como também a insuficiência cardíaca pode se tornar irreversível. O manejo pré-operatório das doenças regurgitantes é facilitado pelo entendimento de como as condições de pré-carga, pós-carga e frequência cardíaca contribuem para a otimização do volume sistólico efetivo que chega à circulação periférica e para minimizar o volume sistólico regurgitante deletério para a câmera cardíaca afetada.

■ CLASSIFICAÇÃO

Estenose aórtica

Fisiopatologia

A valva aórtica é composta por três folhetos semilunares inseridos na raiz da aorta, formando o seio de Valsalva. O diâmetro normal do anel aórtico varia de 1,9 a 2,3 cm, com uma área de 2 a 4 cm² (Figuras 155.1 e 155.2). Os folhetos da valva aórtica correspondem à emergência da coronária respectiva, sendo denominados folhetos coronariano esquerdo, coronariano direito e não coronariano.

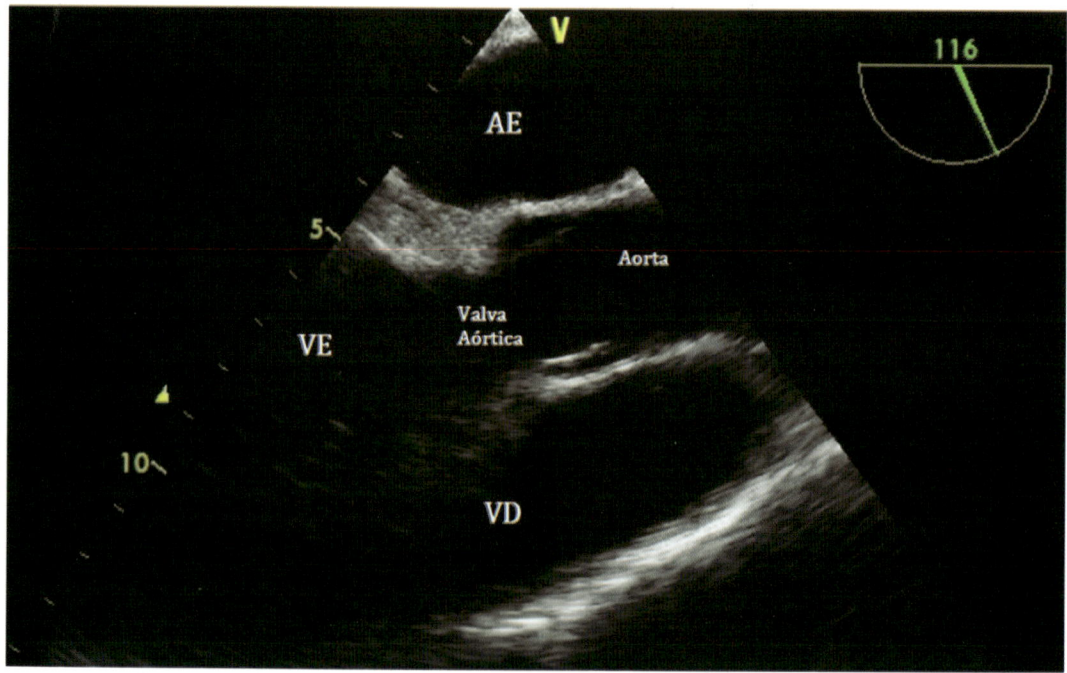

▲**Figura 155.1** ETE – corte esôfago médio eixo longo evidenciando anel aórtico normal e abertura normal da valva aórtica.
AE: Átrio esquerdo; VE: ventrículo esquerdo; VD: ventrículo direito.
Fonte: Acervo pessoal dos autores.

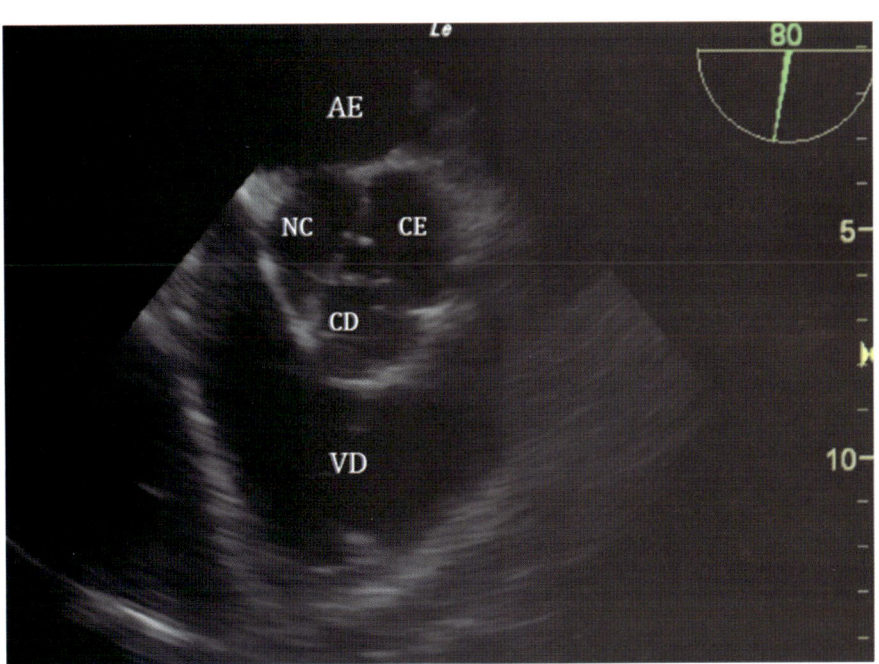

▲ **Figura 155.2** ETE – corte esôfago médio eixo curto evidenciando anel aórtico normal e abertura normal da valva aórtica.

AE: Átrio esquerdo; NC: folheto não coronariano da valva aórtica; CE: folheto coronariano esquerdo da valva aórtica; CD: folheto coronariano direito da valva aórtica.

Fonte: Acervo pessoal dos autores.

As principais doenças que acometem a valva aórtica nos adultos são as congênitas, sendo as mais comuns a valva aórtica bivalvulada, a doença reumática e a ateroesclerose.[15]

A calcificação da valva aórtica pela ateroesclerose tem muitos aspectos similares aos da doença coronariana. O espessamento e a calcificação dos folhetos causam diminuição da mobilidade da valva e obstrução do fluxo sanguíneo. Os fatores de risco são: idade, sexo masculino, tabagismo, hiperlipidemia e hipertensão.

Os principais sintomas de paciente com estenose aórtica são angina (35%), síncope (15%) e dispneia (50%). Esses sintomas são associados ao mau prognóstico, com sobrevida de cinco, três e dois anos, respectivamente, caso a valva aórtica estenótica não seja trocada.[17] A progressão da estenose da valva aórtica resulta em obstrução do fluxo sanguíneo do VE em direção à aorta. Com a progressão da doença, há aumento da pressão intraventricular, a fim de preservar o volume sistólico. Os pacientes já podem apresentar Insuficiência Cardíaca Congestiva (ICC) diastólica nessa fase da doença, pela redução da complacência ventricular. Nessa fase, a manutenção do ritmo sinusal e da contração atrial é crítica para manter o paciente compensado, pois a contração atrial contribui com até 30% a 40% do volume diastólico final do VE. O aumento da tensão na parede do ventrículo resulta em uma hipertrofia concêntrica para preservar a fração de ejeção, que se mantém normal até que os mecanismos compensatórios entrem em falência. Isso resulta na dilatação do VE, redução do volume sistólico e queda da pressão de perfusão das artérias coronárias e outros orgãos nobres, resultando nos sintomas de angina e síncope. Em geral, esses sintomas ocorrem quando a valva apresenta uma área menor que 0,8 a 1,0 cm².[7]

Indicação cirúrgica

Está indicado o tratamento cirúrgico convencional de troca da valva aórtica, segundo o último consenso do American College of Cardiology e da American Heart Association de 2020[8], nos pacientes de risco baixo ou intermediário que atinjam os critérios de estenose da valva aórtica com restrição da abertura da valva por calcificação ou por doença congênita, que atinjam gradientes médios ≥ 40 mmHg ou velocidade do fluxo sanguíneo no orifício estenótico ≥ 4,0 m/s e sintomas de dispneia aos esforços, insuficiência cardíaca, angina, síncope ou pré-síncope, seja por histórico ou durante teste de esforço. Nos pacientes com alto risco cirúrgico pode estar indicado apenas o tratamento clínico ou implante de valva aórtica transcateter. Para obter todos os detalhes sobre as indicações, aconselha-se acessar o consenso completo.[8]

Manejo hemodinâmico anestésico pré-circulação extracorpórea (CEC)

O conhecimento dos mecanismos compensatórios das doenças são fundamentais para que o anestesista antecipe e corrija o problema para que o paciente não entre no círculo vicioso baixo débito-isquemia-disfunção orgânica. Por isso, a monitorização da pressão arterial invasiva é fundamental antes da indução da anestesia, quando ocorrem mudanças dramáticas nos sistemas de compensação, principalmente quando regulados pelo sistema nervoso simpático.

A hipotensão deve ser prevenida ou tratada imediatamente para que não ocorra hiperfusão coronariana, que pode levar à isquemia miocárdia e fibrilação ventricular.

A bradicardia é uma causa frequente de descompensação e hipotensão, que deve ser tratada imediatamente em pacientes com estenose aórtica. A diminuição da frequência cardíaca e o aumento do tempo diastólico não resultam em aumento do volume sistólico, que é fixo nesses pacientes com hipertrofia concêntrica e estenose. A taquicardia também deve ser evitada, pois reduz o tempo diastólico e, consequentemente, o tempo de perfusão coronariana, aumentando o consumo do miocárdio, que já é limítrofe. Desta forma, manter o ritmo sinusal e a frequência cardiaca normal é fundamental para a manutenção do débito cardíaco e da normotensão.

A resistência vascular sistêmica também deve ser mantida para que não ocorra queda na pressão de perfusão coronariana. Como a maioria dos anestésicos é vasodilatadora, muitas vezes vasoconstritores são administrados para manter a resistência na faixa da normalidade.

A contratilidade miocárdica pode ser reduzida pelos efeitos dos anestésicos, mesmo com a utilização de medicações cardioestáveis, como os opioides e o etomidato ou midazolam, porém, somente pela simpatólise o ventrículo pode entrar em falência. Por isso, a monitorização da contratilidade miocárdica por meio do ecotransesofágico é fundamental para decidir quando iniciar o uso de inotrópicos, pois, se o paciente estiver hipotenso, com queda de resistência e for iniciada dobutamina, por exemplo, a hipotensão só irá piorar. A dobutamina aumentará a frequência e diminuirá a resistência, todavia, se a hipotensão for por disfunção ventricular, a dobutamina ou outro inotrópico, como a epinefrina em dose beta adrenérgica, estão totalmente indicados.

As metas hemodinâmicas pré-CEC no paciente com estenose aórtica estão resumidas na Tabela 155.1.

Insuficiência Aórtica

A insuficiência da valva aórtica pode ser resultado da dilatação da raiz da aorta ou de doenças dos folhetos propriamente ditos. A dilatação da aorta ocorre nos pacientes com aneurismas ou com dissecção, e o tratamento cirúrgico está intimamente ligado ao tratamento da doença da aorta (Figuras 155.3 e 155.4). Aterosclerose, doença reumática, valva aórtica bivalvulada, endocardite e traumas são algu-

mas das causas de insuficiência aórtica, por resultarem em mobilidade anormal dos folhetos e perda da coaptação entre os mesmos.[18]

Fisiopatologia

Na insuficiência aórtica, parte do volume sistólico, ejetado pelo VE na sístole ventricular, retorna para o VE durante a diástole, causando sobrecarga de volume e pressão ao VE. Na doença crônica, conforme a cavidade se expande devido ao aumento do volume diastólico, a espessura do miocárdio também aumenta, mas de forma desproporcional, levando a uma hipertrofia excêntrica. A pressão diastólica final em geral não cresce devido ao aumento da complacência do ventrículo e, diferentemente da estenose aórtica, os pacientes só apresentam sintomas quando os mecanismos de compensação se esgotam e a contratilidade miocárdica diminui. Idealmente, a valva deve ser tratada cirurgicamente antes que ocorram alterações funcionais irreversíveis do ventrículo. O prognóstico dos pacientes é melhor quando a fração de ejeção é maior que 50% e o diâmetro diastólico final de VE é menor que 55 mm.[19]

Na insuficiência aórtica aguda, como pode ocorrer nas dissecções de aorta ascendente, o ventrículo não tem tempo de compensar o aumento de volume e pressão, podendo entrar em choque cardiogênico, se a insuficiência não for tratada (Figuras 155.3 e 155.4).

Indicação cirúrgica

Segundo o último consenso do American College of Cardiology e da American Heart Association, de 2020[8], o tratamento cirúrgico da insuficiência da valva aórtica está indicado nos casos de pacientes sintomáticos com insuficiência importante da valva aórtica, independentemente da função ventricular. Também está indicado para pacientes assintomáticos com insuficiência aórtica crônica grave e disfunção sistólica do ventrículo esquerdo (FEVE ≤ 55%) se nenhuma outra causa para a disfunção sistólica for identificada. Além disso, é indicado para pacientes com insuficiência aórtica significativa que vão se submeter a outra cirurgia cardíaca, entre outras indicações. Para obter todos os detalhes sobre as indicações, acesse o consenso completo.[8]

Tabela 155.1 Metas hemodinâmicas pré-CEC durante anestesia para cirurgia valvar.

	Pré-carga	Pós-carga	Meta hemodinâmica	Prevenir
Estenose aórtica	Aumentada	Aumentada (mantém gradiente de perfusão coronariana)	Ritmo sinusal	Hipotensão Queda da RVS* Taquicardia (isquemia) Bradicardia(↓ DC**)
Insuficiência aórtica	Aumentada	Diminuída	Aumentar fluxo aórtico anterógrado	Bradicardia
Estenose mitral	Normal ou aumentada	Normal	Controlar a resposta ventricular	Taquicardia Vasoconstrição pulmonar
Insuficiência mitral	Aumentada	Diminuída	Taquicardia Vasodilatação	Diminuição da contratilidade miocárdica

*RVS = resistência vascular sistêmica
** DC = Débito cardíaco

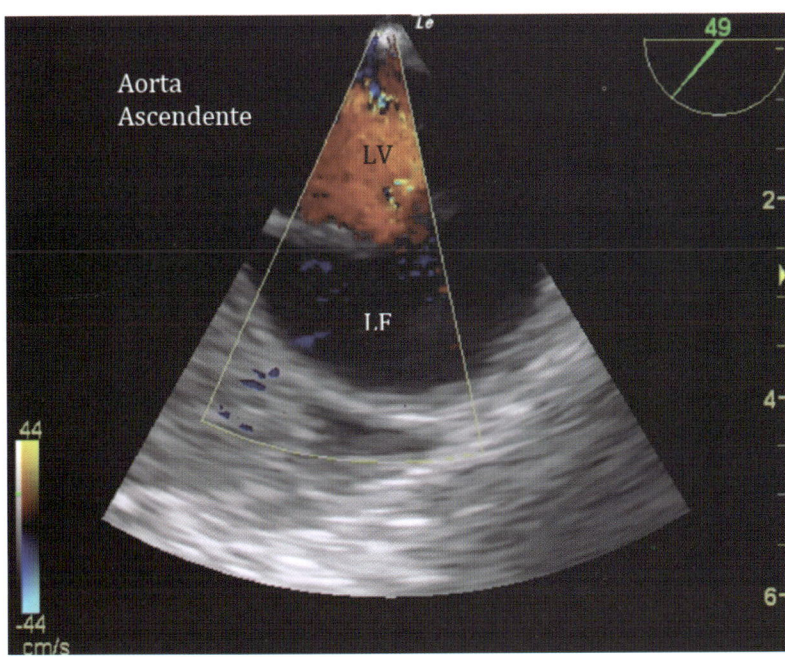

◄ **Figura 155.3** ETE – corte esôfago médio aorta ascendente eixo curto evidenciando dissecção aguda da aorta ascendente.

Luz verdadeira (LV); luz falsa (LF).

Fonte: Acervo pessoal dos autores.

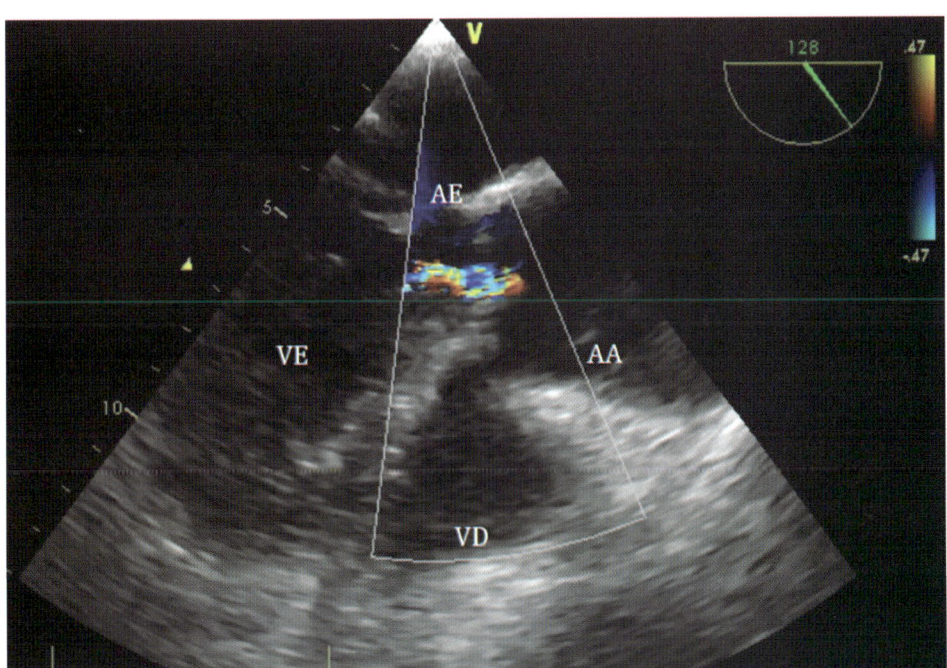

▲**Figura 155.4** ETE – corte esôfago médio eixo longo evidenciando insuficiência aórtica aguda por dissecção aguda de aorta ascendente.

AE: Átrio esquerdo; VE: ventrículo esquerdo; VD: ventrículo direito; AA: aorta ascendente.

Fonte: Acervo pessoal dos autores.

Os pacientes com insuficiência da valva aórtica por dilatação devida a doenças da aorta também recebem tratamento cirúrgico de acordo com as indicações da doença da aorta. Muitas vezes, a valva nativa pode ser preservada pelo remodelamento da aorta ou pela plastia da valva nativa (Figuras 155.5 e 155.6).[8]

Manejo hemodinâmico anestésico pré-CEC

O principal objetivo hemodinâmico é não aumentar a tensão ao VE. O aumento da resistência vascular sistêmica piora a regurgitação e diminui o volume efetivo que vai para a circulação periférica. Vasodilatação discreta e taquicardia modesta ajudam o paciente a manter um débito cardíaco adequado. A bradicardia deve ser evitada, por causa da distensão ventricular, do aumento da pressão do átrio esquerdo e consequente edema pulmonar.[18]

Estenose Mitral

As maiores causas de estenose mitral são a febre reumática, principalmente nos países em desenvolvimento, a ateroesclerose nos pacientes de idade mais avançada e a endocardite. As lesões típicas da febre reumática na valva mitral são o espessamento de seus folhetos e a fusão comissural (Figura 155.7); já a lesão da ateroesclerose se dá por calcificação, principalmente do anel mitral.

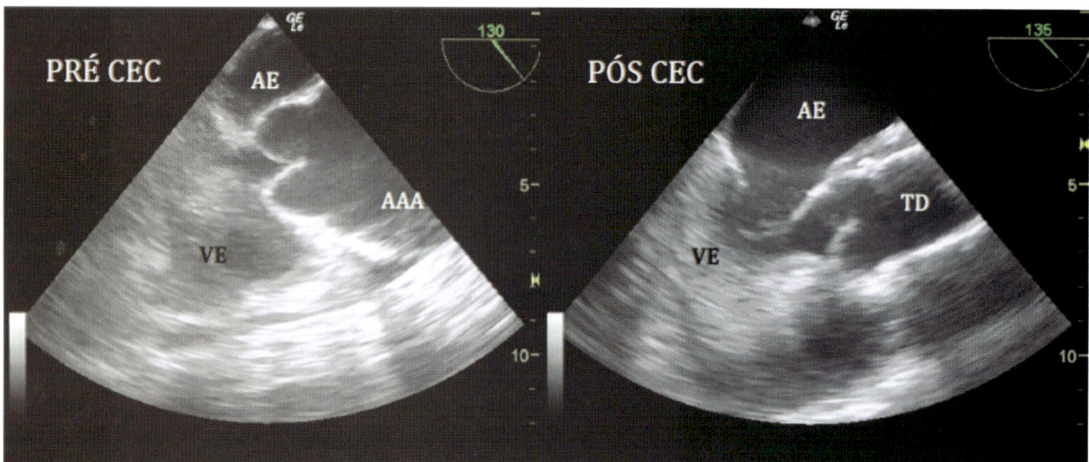

▲ **Figura 155.5** ETE – corte esôfago médio em eixo longo evidência, na imagem pré-CEC, um aneurisma da aorta ascendente. No pós-CEC, observa-se a substituição da aorta ascendente por tubo de Dacron®, com preservação da valva aórtica nativa e da raiz da aorta.

Átrio esquerdo (AE); ventrículo esquerdo (VE); ventrículo direito (VD); aneurisma da aorta ascendente (AAA); tubo de Dacron® (TD).

Fonte: Acervo pessoal dos autores.

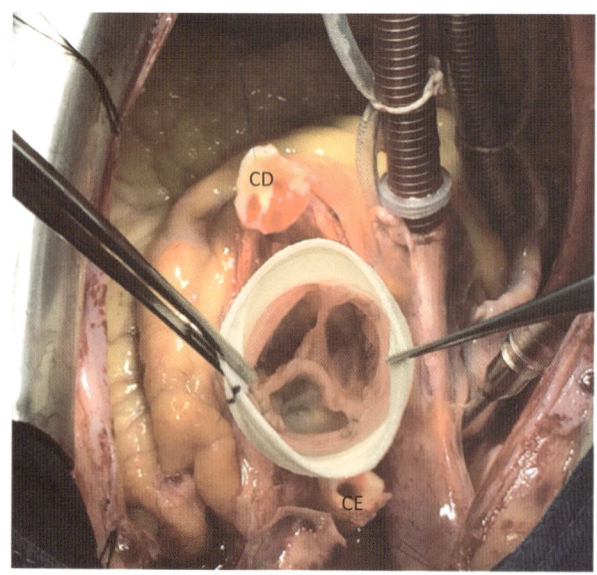

◄ **Figura 155.6** Cirurgia de David-Tirone – substituição da aorta ascendente por tubo de Dacron® e reinserção com plastia da valva aórtica nativa no tubo. As coronárias serão inseridas também no tubo.

Coronária direita (CD); coronária esquerda (CE).

Fonte: Acervo pessoal dos autores.

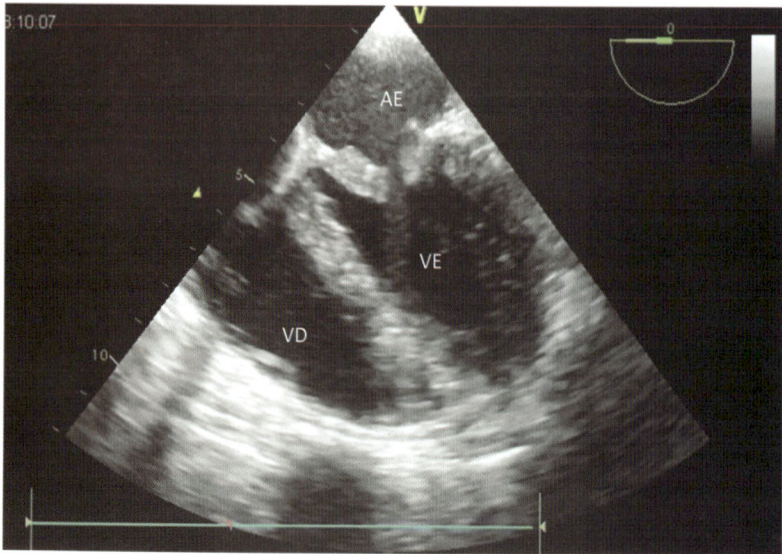

◄ **Figura 155.7** ETE – corte esôfago médio de quatro câmaras (ME4CH) evidenciando estenose mitral reumática. Note a presença de contraste espontâneo no átrio esquerdo e o espessamento dos folhetos da valva mitral.

Átrio esquerdo (AE); ventrículo esquerdo (VE); ventrículo direito (VD).

Fonte: Acervo pessoal dos autores.

Fisiopatologia

A estenose mitral causa obstrução do fluxo do Átrio Esquerdo (AE) para o VE, resultando em um gradiente pressórico na valva mitral durante a diástole.[16] Conforme a doença progride, a obstrução do fluxo impede o enchimento diastólico do VE, o que pode acarretar diminuição do volume sistólico do VE e baixo Débito Cardíaco (DC). Além disso, ocorre dilatação e aumento da pressão do AE, com diminuição da velocidade sanguínea, propiciando o aparecimento de fibrilação atrial e a formação de trombos atriais (Figura 155.8). A perda da contratilidade sincronizada do átrio é causa frequente de descompensação, pois a contração do AE tem grande participação na diástole ventricular nos pacientes com estenose mitral; a taquicardia gerada pela fibrilação atrial piora o tempo de enchimento diastólico do VE, comprometendo ainda mais o volume sistólico. Por isso, a manutenção do ritmo sinusal e da frequência cardíaca normal são primordiais para a manutenção da homeostase do paciente.

Esse aumento de pressão do AE é transmitido para a circulação pulmonar, levando a congestão pulmonar, aumento do esforço respiratório, sobrecarga de pressão ao VD e hipertrofia compensatória do VD.[18]

A progressão da gravidade da hipertensão pulmonar é variável, mas, uma vez desenvolvida, aumenta o risco cirúrgico de 3% para 8% a 12%.[20] Com a progressão da disfunção ventricular direita, observa-se dilatação das cavidades direitas, dilatação no anel tricúspide, aparecimento de insuficiência tricúspide e sinais clínicos de insuficiência cardíaca direita, como estase jugular, hepatomegalia e edema de membros inferiores.

A contratilidade do VE, em geral, é mantida, porém sua função pode deteriorar por uma combinação da diminuição progressiva do volume diastólico e do aumento da pós-carga.[20]

Indicação cirúrgica

Está indicado o tratamento cirúrgico da valva mitral, segundo o último consenso do American College of Cardiology e da American Heart Association de 2020 (9), nos pacientes sintomáticos (classe funcional III/IV), com estenose mitral importante (área valvar ≤ 1,5 cm²). Nos pacientes de alto risco cirúrgico e anatomia favorável, pode estar indicada a valvuloplastia percutânea com balão. Para obter todos os detalhes sobre as indicações, acesse o consenso completo.[8]

Manejo hemodinâmico anestésico pré-CEC

O principal objetivo hemodinâmico pré-CEC é evitar taquicardia e crise de hipertensão pulmonar, prevenindo a diminuição do volume diastólico final do VE e baixo débito sistêmico. A maneira de atingir essa meta se inicia no pré-operatório, com o controle da frequência cardíaca do paciente pela administração de betabloqueador. No intraoperatório, os anestésicos taquicardizantes devem ser evitados, por exemplo, o pancurônio, pelo seu efeito parassimpatolítico. Nos pacientes com hipertensão pulmonar, todos os fatores que pioram a resistência pulmonar devem ser evitados, como dor, hipoxemia, hipercarbia, acidose e pressões de pico de vias aéreas altas; por isso, a intubação e a ventilação devem ser cuidadosamente manipuladas. Inotrópicos e vasodilatadores pulmonares e até mesmo a instalação de circulação extracorpórea de emergência podem ser necessários caso ocorra crise de hipertensão pulmonar ou choque cardiogênico de ventrículo direito.

Insuficiência Mitral

Na insuficiência mitral, a valva é incompetente durante a sístole ventricular, permitindo que parte do volume sistólico retorne para o átrio esquerdo (Figura 155.9).

Fisiopatologia

As causas da insuficiência mitral podem ser divididas em três grupo:[21]

1. **Dilatação de anel:** em geral secundária a doenças que cursam com cardiomiopatias dilatadas;
2. **Prolapso:** ocorre pela doença primária da valva, como na doença fibroelástica, principalmente do folheto posterior (Figura 155.10);
3. **Restritiva:** pode ocorrer na doença reumática e nos pacientes isquêmicos.

Na doença crônica, o coração se adapta à sobrecarga de volume com dilatação do átrio e hipertrofia do VE e, mais tardiamente, dilatação do VE por aumento crônico da volemia. Os sintomas são mínimos até o desenvolvimento da disfunção ventricular ou do aparecimento de fibrilação atrial, comuns na história natural da doença.

Já na doença aguda, o quadro é mais dramático. A insuficiência mitral aguda pode ser causada por infarto de músculo papilar ou por ruptura de cordoalha, que levam a uma insuficiência mitral aguda, aumentando agudamente o volume e a pressão do AE, o que pode ocasionar edema agudo de pulmão e choque cardiogênico. Nos casos de doença isquêmica, o paciente em geral apresenta queda da contratilidade ventricular e necessitará de suporte farmacológico e mecânico, como a instalação de balão intra-aórtico para manejo do choque até que o tratamento cirúrgico seja instituído.

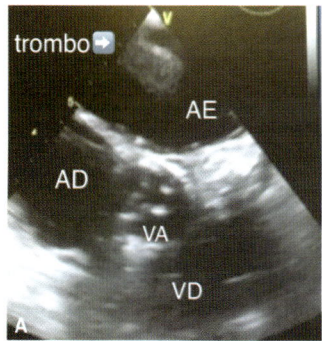

◄ **Figura 155.8 (A)** ETE – corte esôfago médio da valva aórtica em eixo curto (ME4CH) evidenciando a presença de possível trombo em átrio esquerdo em um paciente com estenose de valva mitral e valva aórtica. **(B)** Trombo de átrio esquerdo retirado durante o tratamento cirúrgico das valvas acometidas.
Átrio esquerdo (AE); ventrículo esquerdo (VE); ventrículo direito (VD).

Fonte: Acervo pessoal dos autores.

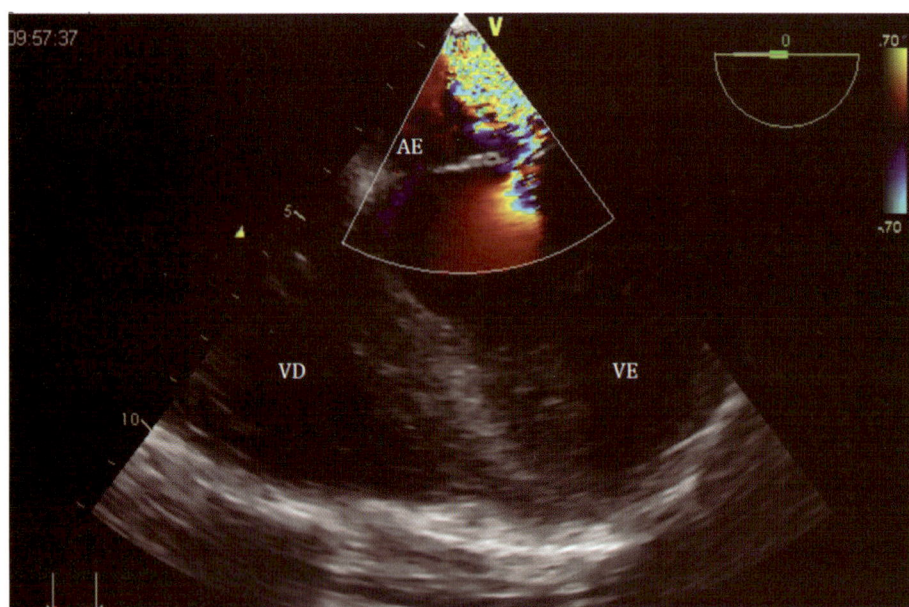

◀ **Figura 155.9** ETE – corte esôfago médio de quatro câmaras (ME4CH) evidenciando a presença de insuficiência mitral.

Átrio esquerdo (AE); ventrículo esquerdo (VE); ventrículo direito (VD).

Fonte: Acervo pessoal dos autores.

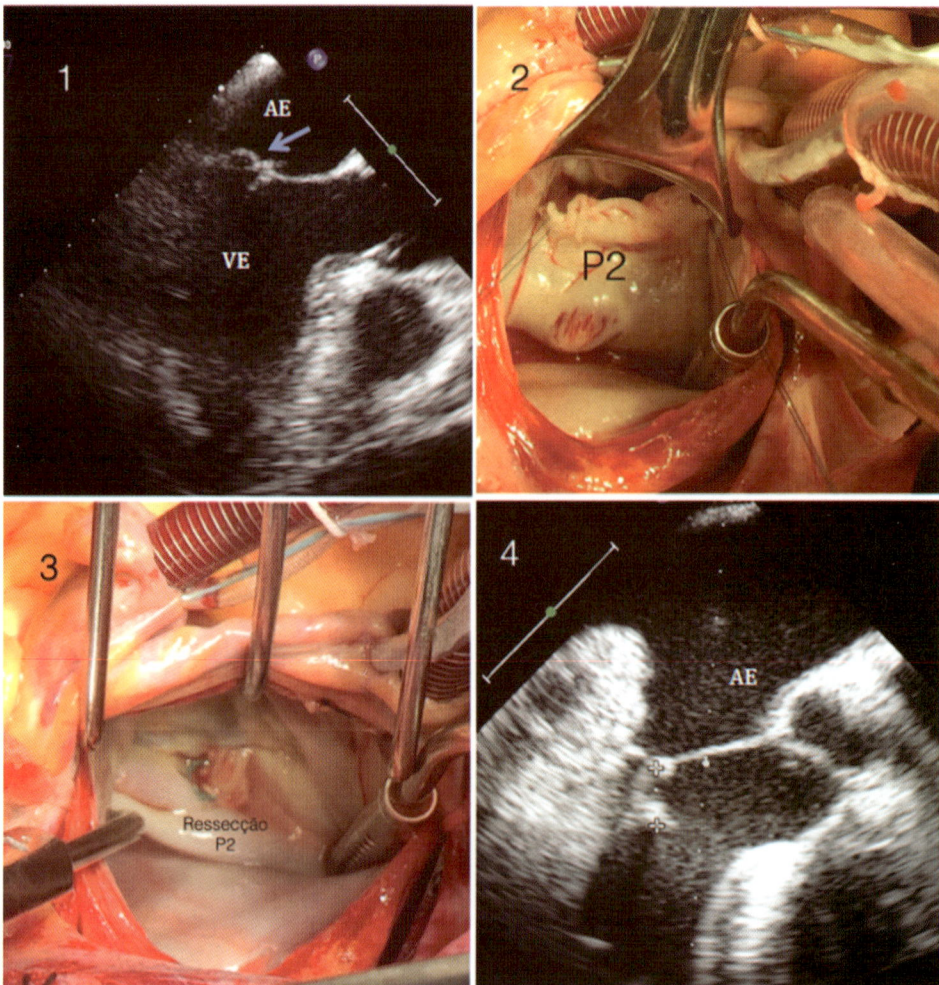

▲ **Figura 155.10** Tempos cirúrgicos da cirurgia valva mitral por diagnóstico de insuficiência mitral por prolapso e rotura de cordoalha tendínea do segmento P2 da cúspide posterior da valva mitral. **(1)** ETE identificando o mecanismo de insuficiência da valva; **(2)** Confirmação cirúrgica do prolapso com rotura de duas cordoalhas; **(3)** Tratamento cirúrgico com ressecção quadrangular de P2 e anuloplastia; **(4)** Confirmação por ETE do resultado cirúrgico.

Átrio esquerdo (AE); ventrículo esquerdo (VE).

Fonte: Acervo pessoal dos autores.

Indicação cirúrgica

Está indicado o tratamento cirúrgico da valva mitral, segundo o último consenso do American College of Cardiology e da American Heart Association de 2020(9), em pacientes sintomáticos com regurgitação mitral primária severa, independentemente da função sistólica do ventrículo esquerdo, e nos pacientes assintomáticos com regurgitação mitral primária severa e disfunção sistólica do VE menor ou igual a 60% e/ou diâmetro sistólico final do VE maior ou igual a 40 mm. Nos pacientes de alto risco cirúrgico e com anatomia favorável, pode estar indicada a valvuloplastia trascateter. Para obter todos os detalhes sobre as indicações, acesse o consenso completo.[8]

Manejo hemodinâmico anestésico pré-CEC

Os pacientes com insuficiência mitral crônica se beneficiam de vasodilatação e discreta taquicardia; por isso, anestésicos que promovam esse quadro hemodinâmico, como os anestésicos halogenados, estão indicados. Já os pacientes com doença aguda que se encontram em choque cardiogênico geralmente não toleram vasodilatação; portanto, anestésicos com mínimos efeitos hemodinâmicos estão indicados.

■ MONITORIZAÇÃO INTRAOPERATÓRIA

Monitorização Hemodinâmica

Todos pacientes submetidos a cirurgia cardíaca devem ser monitorizados com ECG, oxímetro de pulso, pressão arterial invasiva, pressão venosa central, temperatura, gasometrias e exames laboratoriais seriados no intraoperatório. Nos casos de reoperação, cirurgia por cateteres, cirurgia cardíaca minimamente invasiva e em pacientes com alto risco de arritmias malignas, é necessário acoplar placas externas de desfibrilador ao paciente. Já aqueles com alto risco de dificuldade de saída de CEC, os eletrodos do balão intra-aórtico já devem ser posicionados.

Além disso, está indicada a monitorização avançada para que o manejo hemodinâmico seja guiado por metas para a otimização da entrega de oxigênio para a perfusão tecidual, uma vez que esse tratamento tem demonstrado melhora no prognóstico dos pacientes.[22,23]

As metas de otimização hemodinâmica são as seguintes:

- Índice Cardíaco (IC) ≥ 2,5 L/min/m^2;
- Pressão arterial média (PAM) ≥ 65 mmHg;
- Saturação venosa mista ≥ 70%;
- Diurese ≥ 0,5 mL/kg/h;
- Lactato < 3 mmol/L.

A fim de avaliar a circulação e atingir essas metas, temos de monitorizar o paciente de forma mais avançada. Dentre os monitores utilizados estão os seguintes:

- **Cateter de artéria pulmonar:** o uso desse cateter está indicado na cirurgia cardíaca, nos pacientes de alto risco perioperatório, para avaliar e manejar pacientes com disfunção ventricular direita e/ou esquerda, para avaliação e manejo da hipertensão pulmonar, para diferenciação e tratamento das causas de choque, no manejo de pacientes com disfunção múltipla de órgãos, nos pacientes submetidos a cirurgia de aorta com pinçamento suprarrenal, nos pacientes com instabilidade hemodinâmica e no transplante cardíaco ortotópico de coração.[2]

- **As contraindicações absolutas são:** estenose valvar tricúspide e/ou pulmonar, massa e/ou tumor átrio e/ou ventrículo direito e tetralogia de Fallot.

- **Já as contraindicações relativas são:** arritmias importantes, coagulopatia e marca-passo inserido recentemente;[2]

- **Monitorização minimamente invasiva:** em virtude das controvérsias sobre a utilização do cateter de artéria pulmonar e os riscos inerentes à técnica de cateterização da artéria pulmonar, monitores menos invasivos têm sido desenvolvidos na tentativa de avaliar a função cardiovascular de uma forma menos invasiva.

- Os monitores que avaliam o débito cardíaco de maneira minimamente invasiva podem ser classificados em quatro grupos[1]:
  - Análise pelo contorno de pulso;
  - Doppler;
  - Termodiluição pelo método de Fick;
  - Bioimpedância.

Estes monitores têm sido utilizados nos pacientes de risco cirúrgico baixo ou intermediário. Porém, suas limitações devem ser respeitadas. Por exemplo, nos pacientes em uso do balão intra-aórtico, o método de avaliação do débito cardíaco por contorno de pulso está contraindicado pela inacurácia do método.

O método de Doppler tem sido bastante utilizado, pois o paciente na cirurgia cardíaca, na maioria das vezes, já está sendo monitorizado com a ETE. Na terapia intensiva, o débito pode continuar sendo avaliado intermitentemente por meio da avaliação do ecotranstorácico.

Monitorização do Sistema Nervoso Central (SNC)

Os monitores de eletroencefalograma processado, como, por exemplo, o BIS (índice bispectral — *Aspect Medical Systems*, Natick, MA), podem avaliar o estado anestésico do sistema nervoso central. No entanto, estudos demonstraram falhas desse monitor para detectar consciência intraoperatória em cirurgia cardíaca[24], uma vez que os pacientes podem relatar consciência, mesmo quando o BIS está em níveis "apropriados" (BIS < 60).[25] No entanto, na ausência de monitores que avaliem a concentração de anestésico inalatório na CEC ou durante o uso de anestésicos venosos, esses monitres podem ter aplicabilidade para reduzir a incidência de consciência intraoperatória. Outros benefícios são: prevenir *overdose* de anestésico e reduzir a instabilidade hemodinâmica, pela titulação mais adequada da dose necessária para cada paciente em específico, podendo também diminuir morbidade e mortalidade e permitir uma extubação *fast-track*, ou seja, extubação em até 6 horas de pós-operatório.[27]

A oximetria cerebral tem mostrado utilidade, especialmente em CEC com fluxo não pulsátil, pois, por meio da absorção da luz na frequência quase infravermelha (*near infrared espectroscopy*), consegue aferir a saturação de oxigênio tecidual cerebral e somática (periférica). Quando utilizada em conjunto com o eletroencefalograma processado, podem fornecer dados importantes para diagnosticar as causas de dessaturação cerebral como hipotensão, anemia, hipocarbia, entre outros. Também pode ajudar o anestesiologista a definir a pressão arterial média ideal e individualizada para os pacientes submetidos a CEC. Quando utilizada em conjunto com EEG processado e Doppler transcraniano, também proporciona um melhor entendimento do acoplamento hemometabólico cerebral.[27] Recentemente, a oximetria cerebral recebeu recomendação de uso durante a CEC nas Normas e Diretrizes para a Prática de Perfusão da Sociedade Brasileira de Cirurgia Cardiovascular (SBCCV) e da Sociedade Brasileira de Circulação Extracorpórea (SBCEC) de 2019.[28]

Cada monitor cerebral possui suas vantagens e limitações. Com esse entendimento, o ideal seria monitorizar o paciente de forma multimodal, onde um monitor complementa o outro.[1,29,31]

ECOCARDIOGRAFIA TRANSESOFÁGICA INTRAOPERATÓRIA

Múltiplos estudos têm demonstrado a efetividade da Ecocardiografia Transesofágica (ETE) nas cirurgias cardíacas. A ETE revela novas informações em 13% a 45% dos casos monitorizados, e modifica o tratamento proposto de 10% a 52% dos casos, particularmente para guiar a reposição volêmica e no ajuste de drogas vasoativas, bem como influencia efetivamente na decisão cirúrgica.[32,33]

Conforme o consenso de 2010 da American Society of Anesthesiologists e da Society of Cardiovascular Anesthesiologists, o uso intraoperatório da ETE tem indicação em todos os pacientes submetidos a cirurgia com o coração aberto. Isso inclui toda cirurgia cardíaca valvar, toda cirurgia de aorta torácica e as cirurgias baseadas em cateter com o implante percutâneo da valva aórtica.[34]

A ETE intraoperatória tem como objetivo:[34]

- Confirmar e refinar o diagnóstico preoperatório;
- Detectar novas patologias não diagnosticas nos exames preoperatórios;
- Guiar o manejo hemodinâmico e anestésico;
- Avaliar o resultado final da cirurgia.

A ETE possui contraindicações que devem ser respeitadas para que não ocorram efeitos adversos indesejados pelo seu uso.

As contraindicações da ETE são as seguintes:[35]

- Absolutas:
  - Perfuração de vísceras;
  - Estenose de esôfago;
  - Tumor de esôfago;
  - Perfuração e/ou laceração de esôfago;
  - Divertículo de esôfago;
  - Sangramento ativo de trato gastrintestinal alto.

- Relativas:
  - História de radiação do pescoço e/ou mediastino;
  - História de cirurgia gastrintestinal;
  - Sangramento recente de trato gastrintestinal alto;
  - Esôfago de Barrett;
  - História de disfagia;
  - Restrição da movimentação do pescoço;
  - Hérnia de hiato sintomática;
  - Varizes de esôfago;
  - Coagulopatia e/ou plaquetopenia;
  - Esofagite ativa;
  - Úlcera péptica ativa.

CONSERVAÇÃO SANGUÍNEA EM CIRURGIA CARDÍACA

Diversos estudos têm demonstrado os efeitos deletérios da transfusão sanguínea em cirurgia cardíaca, como apontado no estudo TRACS, de Hajjar e colaboradores,[36] os quais, por meio de um estudo prospectivo e randomizado, concluíram que a transfusão sanguínea em cirurgia cardíaca foi um fator de risco independente para complicações clínicas e óbito em 30 dias de pós-operatório. Porém, a anemia perioperatória também foi demonstrada como um fator de risco independente do aumento de morbidade em cirurgia cardíaca.[37] Então, o que se deve fazer?

A solução é tratar a anemia pré-operatória quando possível e fazer conservação sanguínea do próprio sangue do paciente no intraoperatório.[4] Podemos citar algumas estratégias recomendadas pelos consensos para a conservação sanguínea intraoperatória em cirurgia cardíaca:[4,14]

- Realizar heparinização adequada e monitorização da anticoagulação por método *point-of-care*, como o tempo de coagulação ativada (TCA);
- Prevenção e tratamento agressivo dos fatores que contribuem para o sangramento, como hipotermia, pH e calcemia;
- Otimimização da macrocirculação: realizar manejo hemodinâmico guiado por metas, usar monitores dinâmicos para a avaliação da volemia (p. ex.: índice de colapsibilidade de veia cava superior) e evitar hipervolemia;
- Transfusão racional de concentrados de hemácias: individualização da necessidade de transfusão, mantendo valores de hemoglobina de 7 a 9 g/dL durante sangramento ativo e de acordo com protocolos institucionais;
- Realizar tratamento da coagulopatia guiado por algoritmos de transfusão baseados nos exames *point-of-care* da coagulação, como tromboelastograma e tromboelastografia;
- Uso profilático de antifibrinolíticos análogos da lisina em cirurgias com CEC;
- Uso de Desmopressina (DDAVP®) para tratamento da coagulopatia por disfunção plaquetária, disfunção induzida pela CEC, pela uremia e na doença de von Willebrand, tanto tipo I como adquirida;
- Uso de complexo protrombínico para reversão de varfarina e tratamento de coagulopatia quando indicado;

- Uso de concentrado de fibrinogênio para tratamento de sangramento significativo, acompanhado de suspeita de hipofibrinogenemia ou disfunção do fibrinogênio, guiado por exames viscoelásticos da coagulação, para diminuir a perda sanguínea em cirurgia cardíaca complexa;
- Uso de *cell-saver*;
- Redução dos circuitos e solução do *prime* da CEC;
- Revisão minuciosa da hemostasia cirúrgica;
- Criação de equipe multidisciplinar com foco na conservação sanguínea.

■ INDUÇÃO E MANUTENÇÃO DA ANESTESIA PARA CIRURGIA VALVAR

Antes da recepção do paciente, a Sala Operatória (SO) deve estar adequada para atender o caso. O material de intubação, o de ventilação e os aspiradores devem ser checados como em qualquer anestesia. Em caso de via aérea difícil, máscara laríngea, fibroescópio e/ou videolaringoscópio devem estar em sala, já testados.

A circulação extracorpórea deve estar montada e funcionante para o caso de uma eventual instabilidade hemodinâmica grave após indução anestésica. Equipamento de *cell-saver* e mesa cirúrgica também devem estar prontos.

As drogas vasoativas devem estar diluídas em bólus, para manejo rápido, e em bomba de infusão. No caso de pacientes com hipertensão pulmonar, o circuito de óxido nítrico, ou de outro vasodilatador pulmonar, deve estar acoplado ao sistema de ventilação. Sistemas de aquecimento de fluidos, colchão e manta térmica devem estar ligados antes da chegada do paciente, e, além disso, a temperatura da SO deve estar adequada. Concentrados de hemácias devem estar no centro cirúrgico, checados, ou no banco de sangue, caso este se localize dentro do centro cirúrgico. No caso de disfunção ventricular grave ou estenose aórtica de alto risco, pode-se optar pela passagem do Balão Intra-Aórtico (BIA), antes da indução da anestesia ou logo após a intubação; neste caso, o equipamento do BIA já deve estar à disposição em sala.

Após a monitorização básica, acessos venosos calibrosos devem ser instalados, devido ao alto risco de sangramento em qualquer cirurgia cardíaca. A pressão arterial invasiva é adquirida antes da indução da anestesia, especialmente nos pacientes com alto risco de instabilidade hemodinâmica, como os pacientes com disfunção ventricular e hipertensão pulmonar.

A anestesia de escolha para a cirurgia cardíaca é a anestesia geral, enquanto a do neuroeixo não está indicada devido ao alto risco de complicações e à necessidade de anticoagulação para o estabelecimento da CEC.[4,5]

Nos pacientes com via aérea difícil, deve ser realizada anestesia tópica adequada e sedação consciente para que o paciente não descompense durante a intubação (ver capítulo "Via aérea difícil").

Nos demais pacientes eletivos, as medicações de indução anestésica devem ser escolhidas de acordo com o perfil hemodinâmico e a limitação funcional de cada paciente. Nenhum agente anestésico pode garantir total estabilidade hemodinâmica, principalmente em pacientes à beira da descompensação, que dependem do tônus adrenérgico, o qual é pelo menos parcialmente abolido pelos anestésicos.[16] Nesses pacientes, a indução da anestesia deve ser realizada concomitantemente com o início de inotrópicos e/ou vasopressores, para garantir débito cardíaco adequado e reverter os efeitos adversos dos anestésicos, como vasodilatação, depressão miocárdica e diminuição da frequência cardíaca. Para indução e manutenção da anestesia são utilizados opioides, hipnóticos e relaxantes musculares.

O opioide mais utilizado em valvopatas é o fentanil, por sua estabilidade hemodinâmica e fácil manejo. Outros opioides, como o sufentanil e remifentanil, podem ser utilizados em casos específicos. A maior vantagem do fentanil e seus análogos é a ausência de depressão miocárdica[38] e a proteção do paciente ao grande estímulo nociceptivo de intubação orotraqueal, esternotomia e pinçamento da aorta. Para a intubação orotraqueal é administrada dose de 2 a 10 mcg/kg de fentanil. Uma dose cumulativa de fentanil de 50 a 70 mcg/kg até a esternotomia diminui a incidência de hipertensão durante a esternotomia para menos de 50% dos casos. Todavia, apenas altas doses de fentanil, como 150 mcg/kg, foram capazes de eliminar totalmente a resposta adrenérgica e nociceptiva à esternotomia; porém, tais doses impedem a extubação precoce após a cirurgia e devem ser evitadas. Por isso, além dos opioides, são utilizados os hipnóticos e os vasodilatadores para abolir a resposta à esternotomia sem aumentar o tempo de ventilação mecânica dos pacientes.[39]

Dentre os hipnóticos utilizados para indução estão o etomidato, a quetamina, o midazolam e, mais raramente, o propofol.

O etomidato é descrito como o hipnótico que causa menores alterações hemodinâmicas. O etomidato, quando utilizado na dose de 0,3 mg/kg para intubação de pacientes com infarto agudo do miocárdio, não alterou a Frequência Cardíaca (FC) ou a pressão arterial média.[40] Todavia, quando administrado nos pacientes valvopatas, provoca redução de 17% a 19% da pressão sistólica e diastólica, respectivamente, com manutenção do débito cardíaco.[2] Um efeito adverso indesejado do etomidato é a supressão adrenal por 24 horas, mesmo após dose única.[40] A maioria dos centros de cirurgia cardíaca administra corticosteroide antes do início da CEC. Porém, nos pacientes sépticos, seu uso é controverso na literatura, uma vez que o estudo de Chan e colaboradores[41] demonstrou, por meio de uma metanálise, uma associação do uso de etolidato com aumento de mortalidade; já o estudo publicado port Gu e colaboradores não demonstrou aumento de mortalidade.[42] Dessa forma, o etomidato deve ser utilizado com parcimônia nos pacientes sépticos, até que estudos randomizados evidenciem a segurança da droga nesse subgrupo.

O midazolam é um hipnótico estável para indução do valvopata, porém há redução de cerca de 20% da pressão arterial média em dose de 0,2 mg/kg, mas o débito cardíaco é mantido.[2] O midazolam também é utilizado para manutenção da anestesia durante a CEC em centros que optam por não usar anestésicos inalatórios durante o procedimento, especialmente em pacientes com função cardíaca limítrofe.

A quetamina é uma droga com efeitos hipnóticos e analgésicos que tem como característica hemodinâmica a estimulação do sistema cardiovascular, com aumento da frequência cardíaca, da pressão arterial sistêmica e pulmonar, do índice cardíaco e do consumo miocárdico. Essa caracteristica pode beneficiar a indução e intubação dos pacientes que apresentam tamponamento cardíaco ou que são admitidos em estado crítico, com choque cardiogênico.[16] Já nos pacientes isquêmicos ou que não toleram taquicardia, como indivíduos com estenose aórtica, outra droga de indução deve ser utilizada.

O propofol, apesar de ser amplamente utilizado para a indução de pacientes para cirurgia não cardíaca, seu perfil farmacodinâmico não beneficia os pacientes cardiopatas. Após a indução com propofol, há redução de 10% a 30% da resistência vascular sistêmica, do índice cardíaco e do volume sistólico.[43] Também há diminuição da contratilidade miocárdica, indesejada nos pacientes cardiopatas.[2,44] Todavia, nos centros de cirurgia cardíaca que não utilizam anestésicos inalatórios acoplados à CEC, o propofol em infusão contínua é uma opção possível,[45] principalmente nos pacientes com maior reserva miocárdica e candidatos à extubação precoce.

Os anestésicos inalatórios são amplamente utilizados em cirurgia cardíaca pelos seus efeitos protetores em situações de isquemia-reperfusão miocárdica,[46] além de facilitarem a extubação precoce do paciente e prevenirem a consciência intraoperatória pela monitorização da fração expirada de halogenado. Muitos centros de cirurgia cardíaca, especialmente nos Estados Unidos, acoplam o vaporizador do anestésico inalatório ao circuito da CEC; todavia, esse sistema deve ser utilizado em centros com experiência na técnica para que não haja alteração da membrana do oxigenador e contaminação ambiental do anestésico.[45] O efeito hemodinâmico predominante dos anestésicos inalatórios é a vasodilatação, com consequente queda da pressão arterial média por queda da resistência vascular sistêmica. O uso de vasoconstritores pode atenuar esse efeito indesejado nos pacientes que não toleram essa alteração, como os com estenose aórtica importante.

Os bloqueadores musculares mais utilizados são os adespolarizantes de efeito intermediário, como, por exemplo, o cisatracúrio e o rocurônio. O pancurônio tem sido cada vez menos utilizado em cirurgia cardíaca do adulto, não só pelo seu efeito vagolítico indesejado e como também pelo bloqueio muscular prolongado, que pode dificultar técnicas de extubação precoce.[47]

Após a intubação orotraqueal e a estabilização hemodinâmica, deve-se aspirar o estômago do paciente e passar a ETE nos pacientes com indicação. Os cateteres centrais são puncionados com técnica asséptica e por profissionais com paramentação cirúrgica. O paciente deve receber sondagem vesical de demora para monitorização da diurese intraoperatória. Exames como gasometria e TCA são coletados e medicações adjuvantes, como antibióticos e antifibrinolíticos, são administrados. O posicionamento do paciente é de extrema importância, com a colocação de coxim nos locais de apoio e estabilização de cabeça e pescoço na posição neutra, para prevenir lesões associadas ao posicionamento, e melhorar a drenagem venosa cerebral.

Após a colocação dos campos estéreis e o início da cirurgia, a esternotomia é realizada na cirurgia convencional. Este é um dos passos cirúrgicos críticos, principalmente em reoperações, em que há risco de lesão inadvertida, principalmente do VD. Por isso, anestésicos e vasodilatadores devem ser administrados para que não haja qualquer movimentação e que a resposta adrenérgica ao trauma seja abolida. Também é realizada apneia transitória, para que não haja lesão do tecido pulmonar. Nas reoperações com alto risco de lesão cardíaca durante a esternotomia, pode-se optar por canulação femoral para instituição da circulação extracorpórea. O posicionamento da cânula venosa deve ser guiado pela ETE. Esta estratégia deve ser previamente abordada com a equipe cirúrgica e seu planejamento deve ser feito por meio de exames preoperatórios.

Antes da canulação para CEC, é administrada heparina de alto peso molecular 4 a 5 mg/kg, conforme protocolo institucional. O TCA deve ser checado antes das canulações e do início da CEC, e deve ser mantido acima de 400 a 450 segundos durante o procedimento.

A cânula da aorta é a primeira a ser inserida para permitir reposição volêmica em caso de sangramento durante a canulação das cavas. A pressão arterial sistólica deve ser reduzida momentaneamente para 90 a 100 mmHg, a fim de reduzir o risco de dissecção de aorta e facilitar a canulação. Na canulação das veias cavas pode ocorrer hipotensão e arritmias transitórias por compressão cardíaca, principalmente durante o acesso à veia cava inferior, a qual deve ser tratada, se a alteração hemodinâmica for persistente, se possível com cessação da compressão cirúrgica e reposição volêmica pela cânula da aorta.

Durante a CEC, exames laboratoriais seriados devem ser checados e a anestesia deve ser mantida para garantia de inconsciência intraoperatória. Também deve ser mantida a estabilidade hemodinâmica, com fluxo adequado para cada paciente para que haja perfusão adequada dos órgãos e se evite a ocorrência de baixo débito e acidose metabólica por hiperlactatemia. A dosagem de lactato elevada está associada ao aumento de mortalidade em cirurgia cardíaca, como foi demonstrado no estudo prospectivo de Maillet e colaboradores, no qual os pacientes que tiveram dosagem de lactato maior que 3 mol/L na admissão da UTI após uma cirurgia cardíaca tiveram maior risco de morbidade e mortalidade pós-operatória.[48]

Durante a CEC, após o tratamento da valva e antes da abertura da pinça da aorta, são realizadas manobras para a retirada do ar das cavidades cardíacas que foram abertas para a realização da cirurgia. Dentre as manobras estão a insuflação pulmonar para retirada do ar das veias pulmonares, posição em cefalodeclive, retenção da volemia no coração, massagem cardíaca pela equipe cirúrgica e aspiração contínua na raiz da aorta mesmo após a abertura da pinça. A retirada completa do ar das cavidades é primordial para diminuição da incidência de embolia aérea. A ETE é de fundamental importância para guiar as manobras de retirada de ar e para abertura da pinça da aorta com segurança (Figura 155.11).

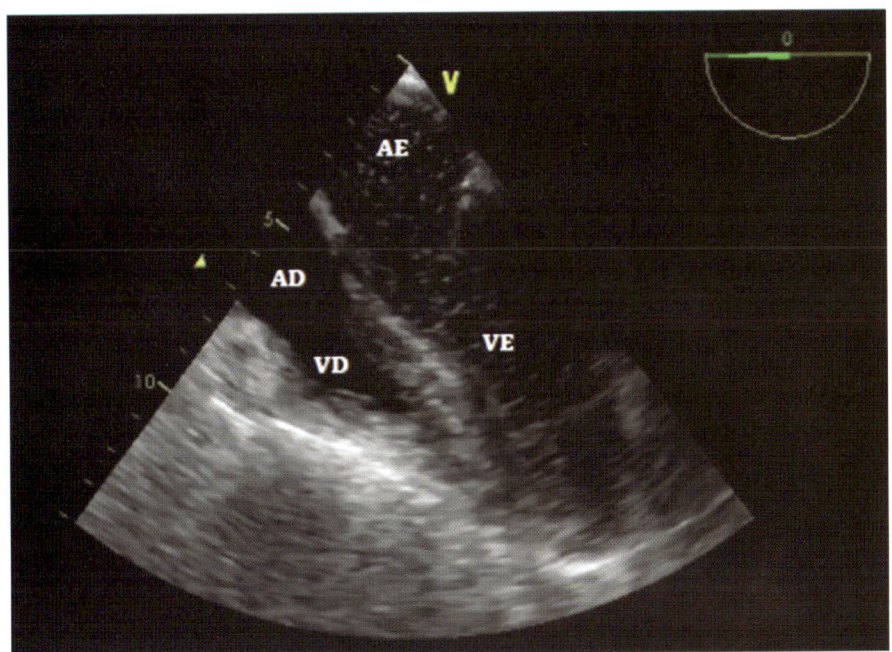

◀ **Figura 155.11** ETE – corte do esôfago médio de quatro câmaras (ME4CH) evidenciando a presença de ar nas cavidades esquerdas, que deve ser retirado antes da abertura da pinça da aorta e saída de CEC. Note a evidência de pontos hiperecogênicos nas câmaras esquerdas e a ausência deles nas câmaras direitas.

Átrio esquerdo (AE); ventrículo esquerdo (VE); ventrículo direito (VD).

Fonte: Acervo pessoal dos autores.

Antes da saída de CEC, deve-se checar os seguintes pontos:

- **Temperatura:** a temperatura nasofaríngea deve estar em 36 a 37°, o que é obtido com o reaquecimento pela CEC, e pelo colchão e manta térmica. A hipotermia pós-CEC é deletéria e contribui para a piora da função cardíaca e da coagulopatia;
- **Frequência cardíaca (FC):** a FC deve estar de 80 a 100 batimentos por minuto (bpm), para manter um débito cardíaco adequado e não distender o coração após a saída de CEC, uma vez que há redução da complacência ventricular pós-CEC, tornando a manutenção do volume sistólico dependente da frequência cardíaca;
- **Ritmo cardíaco:** o ritmo sinusal é sempre o ideal, uma vez que o sincronismo atrioventricular é fundamental para a ótima *performance* miocárdica. Todavia, as cirurgias valvares podem cursar com alteração da condução intraventricular associada à manipulação dos tecidos. Pode ocorrer bloqueio atrioventricular, que deve ser tratado com o uso de marca-passo e com início de drogas cronotrópicas, como a adrenalina ou a dobutamina. Na presença de hipocalcemia, o gluconato ou cloreto de cálcio deve ser administrado para melhora do débito cardíaco. A fibrilação ventricular pode ocorrer na abertura da pinça da aorta, pelo mecanismo de isquemia-reperfusão, e deve ser tratada com desfibrilação interna, pressão de perfusão coronariana adequada e adequação dos níveis séricos de eletrólitos, como o magnésio e o potássio. A fibrilação ventricular persistente pode sinalizar isquemia miocárdica por oclusão coronariana ou proteção miocárdica inadequada. A ETE pode avaliar se há alteração de contratilidade regional nova e identificar um possível tratamento para a causa da arritmia;
- **Hemoglobina:** deve ser checada durante a CEC e em sua saída para garantir a entrega adequada de oxigênio aos tecidos;
- **Ventilação:** a ventilação pulmonar deve ser reestabelecida, a cânula orotraqueal deve ser checada e aspirada, e

as atelectasias devem ser desfeitas. A impossibilidade da troca de gases pelo pulmão inviabiliza a saída de CEC, por isso o tratamento imediato das causas de hipoxemia e hipercarbia é fundamental;

- **Contratilidade miocárdica:** com a saída da CEC, o coração tem de retomar sua função bombeadora, por isso a contratilidade deve ser inspecionada visualmente pelo anestesista e pela equipe cirúrgica, além de ser mensurada pela ETE. Drogas inotrópicas positivas, como a dobutamina e a adrenalina, devem ser iniciadas para melhorar a contratilidade e para prevenir baixo débito na saída de CEC. Fatores de risco para a necessidade de suporte inotrópico em doses mais altas incluem maior tempo de anóxia miocárdica, proteção miocárdica inadequada, cirurgia incompleta e disfunção miocárdica pré-operatória. O resultado cirúrgico também deve ser checado pela ETE, a fim de descartar causa cirúrgica de disfunção miocárdica. Nas plastias mitrais e nos pacientes hipertróficos, uma das causas de choque na saída de CEC é o Movimento Anterior da Valva Mitral (SAM), que será abordado na discussão de caso no final deste capítulo;
- **Pressão arterial:** na saída da CEC, deve ser mantido uma pressão de perfusão adequada dos órgãos, lembrando que a pressão é dependente da resistência vascular sistêmica e do débito cardíaco; se o débito cardíaco estiver adequado e a hipotensão persistir, um dos diagnósticos possíveis é o choque vasoplégico, que pode ser tratado com vasopressores, como a noradrenalina e a vasopressina. A hipertensão também deve ser controlada com vasodilatadores, como o nitroprussiato, para que não ocorra sangramento inadvertido das linhas de sutura e lesão de órgãos nobres, como o SNC. A hipertensão pulmonar deve ser tratada agressivamente para que não haja disfunção ventricular direita;
- **Equilíbrio hidreletrolítico e acidobásico:** gasometrias arteriais e venosas com a dosagem dos principais eletrólitos

devem ser colhidas seriadamente durante na CEC. Para saída de CEC, os valores de pH, potássio e glicose devem estar nos limites da normalidade, uma vez que os distúrbios hidreletrolíticos e acidobásicos são causas de falência de saída de CEC.

Após a saída bem-sucedida da CEC, a correção completa da patologia é confirmada pela ETE e a reposição volêmica do volume presente no circuito da CEC é feita. Em seguida, as cânulas da CEC são removidas, a protamina é administrada e o TCA é checado. A equipe cirúrgica realiza a revisão de hemostasia, enquanto o anestesiologista maneja a volemia e possíveis coagulopatias.

Os principais pontos de checagem durante a cirurgia cardíaca estão resumidos na Tabela 155.2.

Tabela 155.2 *Check list* de anestesia segura em cirurgia valvar.[2]

Antes da chegada do paciente em Sala Operatória (SO)

1. Checagem do material de intubação e aparelho de anestesia
2. Diluição das drogas vasoativas em seringas para bólus (noradrenalina 50 e 5 mcg/mL, adrenalina 50 e 5 mcg/mL, efedrina 5 mg/mL, tridil 200 mcg/mL ou conforme protocolo institucional)
3. Diluição de drogas vasoativas em bomba de infusão de acordo com o caso
4. Checar reserva de hemocomponentes
5. Óxido nítrico em SO caso a hipertensão pulmonar seja grave
6. Balão intra-aórtico se a disfunção ventricular for grave e/ou angina
7. Confirmação da equipe cirúrgica e do material cirúrgico em sala
8. Confirmação da máquina de circulação extracorpórea pronta
9. Cell-saver
10. Ligar colchão ou manta térmica e, se possível, desligar o ar-ondicionado

Antes da indução da anestesia

- Monitorização básica
- Desfibrilador externo se reoperação, cirurgia minimamente invasiva e/ou risco de fibrilação ventricular
- Acessos venosos periféricos com sistemas de aquecimento de fluido e de infusão rápida
- Linha arterial
- Antibioticoprofilaxia e adjuvantes
- Avaliação da estabilidade hemodinâmica do paciente para escolha das medicações anestésicas e início das DVA, se necessário (SN)

Após IOT e ventilação mecânica

1. Aspiração do estômago
2. Passagem do probe da ETE
3. Termômetro nasofaríngeo
4. Passagem de cateter central e/ou cateter de artéria pulmonar guiado por US com técnica asséptica*
5. Posicionamento do paciente com coxins adequados
6. Gasometria arterial e venosa completa, eletrólitos, Hemoglobina (Hb) e hematócrito, lactato e glicemia
7. TCA (Tempo de Coagulação Ativado) inicial
8. Administração de antifibrinolíticos se indicado
9. Avaliação ecocardiográfica pré-CEC

Antes da CEC

- Anticoagulação:
  - Administração de heparina 400-500 u/kg**
  - TCA ≥ 450**.
- Canulação arterial:
  - Pressão arterial 60-70 mmHg?
  - Ausência de bolhas nas cânulas arteriais?
  - Linha arterial CEC sem resistência?
  - Canulação venosa:
- Drenagem passiva?
- Evidência de obstrução da veia cava superior?
- Evidência de obstrução da veia cava inferior?
  - Tracionar cateter de artéria pulmonar (se presente)
  - ETE posição neutra e imagem desligada ou congelada
  - Todos os monitores estão em funcionamento?
  - Complementação da anestesia (analgésicos, hipnóticos e relaxantes musculares)

(Continua)

Tabela 155.2 *Check list* de anestesia segura em cirurgia valvar.[2]   *(Continuação)*

- Inspeção de cabeça e pescoço:
  1. Coloração
  2. Simetria
  3. Drenagem venosa
  4. Pupilas

Durante a CEC

1. Fluxo arterial:
   a. Cânulas arteriais com sangue adequadamente oxigenado?
   b. A direção do fluxo arterial está adequada?
   c. Evidência de dissecção arterial?
   d. A pressão arterial do paciente está adequada (60-80 mmHg)?
   e. Há resistência ao fluxo arterial?
   f. O fluxo arterial está adequado para a superfície corpórea do paciente?
2. Retorno venoso pelas cânulas:
   a. A drenagem está adequada?
   b. O reservatório mantém nível adequado?
3. Checagem a cada 15min de gasometria arterial e venosa, Hb/Ht, eletrólitos, lactato, glicemia, TCA e diurese
4. ETE com a imagem congelada ou desligada

Preparo para a saída de CEC

1.   Início de inotrópicos, vasopressores e/ou vasodilatadores SN***
2.   Manobras de retirada de ar das câmeras cardíacas com checagem da deaeração completa pela ETE
3.   Reaquecimento completo?
4.   Temperatura nasofaríngea 36-37°C
5.   Medicações anestésicas ajustadas
6.   FC cardíaca e ritmo estáveis? (Use o marca-passo se necessário)
7.   Fluxo CEC e pressão arterial sistémica:
     a. O fluxo da CEC mantém saturação venosa ≥ 70%?
     b. A pressão arterial sistêmica está adequada para normotermia?
8.   Todos os monitores estão funcionantes?
     a. ETE
     b. Zerar transdutores de pressão arterial e PVC
     c. O cateter da artéria pulmonar se move livremente?
9.   Parâmetros metabólicos
     a. pH, PO_2, PCO_2 nos limites da normalidade?
     b. Ht ≥ 21%****
     c. K+ = 4,0-5,0 mEq/L
     d. Cálcio iônico normal?
10. Ventilação
     a. Aspiração das vias aéreas?
     b. Reexpansão adequada com reversão da atelectasia?
     c. Evidência de pneumotórax?
     d. Ventilação normal?
11. Contratilidade ventricular adequada verificada pela ETE?

Antes da decanulação

1. Estabilidade hemodinâmica?
2. Ventilação adequada?
3. Defeitos cirúrgicos corrigidos e confirmados pela ETE?
4. Ausência de sangramentos cirúrgicos?

Após a decanulação

1. Reversão da heparina com protamina 1:1 ou até 1:1.3
2. Coleta de TCA e exames laboratoriais
3. TCA normal?
4. Se não, administrar 10% da dose de protamina
5. Persistência de sangramento não cirúrgico? Seguir protocolo de tratamento de coagulopatia

Antes de fechamento do tórax

1. Estabilidade hemodinâmica e ventilatória?
2. Ausência de sangramento?
3. Todos os defeitos cirúrgicos corrigidos e confirmados pelo ETE?

*Se paciente sem acesso venoso adequado ou com necessidade de início de DVA antes da indução da anestesia, passagem de cateter central com a anestesia local e sedação consciente.
**Valores de doses e parâmetros podem ser modificados dependendo do fabricante.
***DVA dependendo de: condição hemodinâmica pré-operatória, tempo de CEC e anóxia e complexidade cirúrgica.
***Ou Ht de acordo com o protocolo institucional ou a gravidade/necessidade do paciente para manter a entrada de oxigênio (DO_2) adequada.

Quando todos os exames estiverem corrigidos, a hemostasia cirúrgica estiver completa e o paciente permanecer estável do ponto de vista ventilatório e hemodinâmico, se inicia o fechamento do tórax.

Ao final da cirurgia, o paciente é transferido para a UTI. O transporte deve ser realizado com segurança pela equipe anestésica e cirúrgica. A monitorização deve ser completa, por meio de monitores de transporte, e a ventilação deve ser mantida por ventiladores de transporte apropriados. Antes da saída da SO, os drenos devem ser avaliados para a certificação da ausência de sangramento.

ANESTESIA PARA CIRURGIA MINIMAMENTE INVASIVA DA VALVA MITRAL

A cirurgia minimamente invasiva tem revolucionado a cirurgia cardíaca. Os avanços tecnológicos na criação de novos instrumentais cirúrgicos, de vídeo e robóticos, bem como a modernização nos sistemas de circulação extracorpórea durante a década de 1990, estimularam a difusão da técnica do tratamento cirúrgico minimamente invasivo da valva mitral.[49]

A técnica minimamente invasiva é definida pela abordagem do coração evitando a esternotomia padrão. Ela envolve pequenas incisões torácicas para a colocação de instrumentos e do aparelho de toracoscopia, além de uma minitoracotomia que permita a realização do procedimento em si (Figuras 155.12 e 155.13).

Atualmente, essa técnica é a padrão em muitas instituições, sendo a participação do anestesiologista fundamental para o sucesso do procedimento, pois quanto menor for a incisão, mais o anestesiologista precisa guiar a equipe cirúrgica pela monitorização com cateteres intracardíacos e ecocardiografia transesofágica, uma vez que o cirurgião não tem acesso total ao coração.

Há diversos benefícios dessa técnica. A satisfação do paciente e o resultado estético são fatores contribuintes para a escolha da técnica, porém não são os principais. Estudos têm demonstrado benefícios na técnica minimamente invasiva, comparada à convencional, na diminuição do sangramento, transfusão, incidência de fibrilação atrial e no tempo de recuperação pós-operatória, incluindo o retorno às atividades normais.[50-57]

AVALIAÇÃO PRÉ-OPERATÓRIA

Os seguintes aspectos são essenciais e devem ser avaliados nos candidatos à cirurgia da valva mitral com abordagem minimamente invasiva:[50]

- **Acesso vascular:** como a canulação para a obtenção da circulação extracorpórea é realizada por canulação peri-

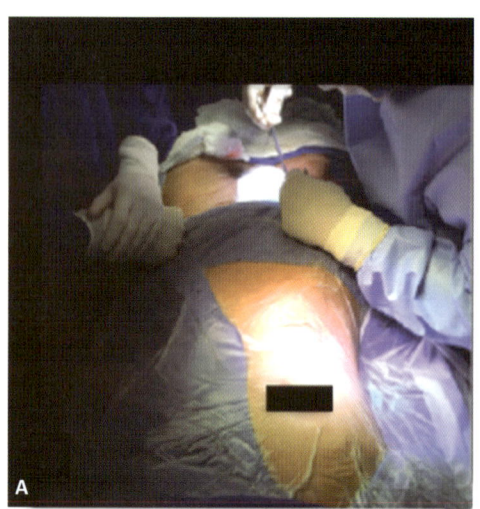
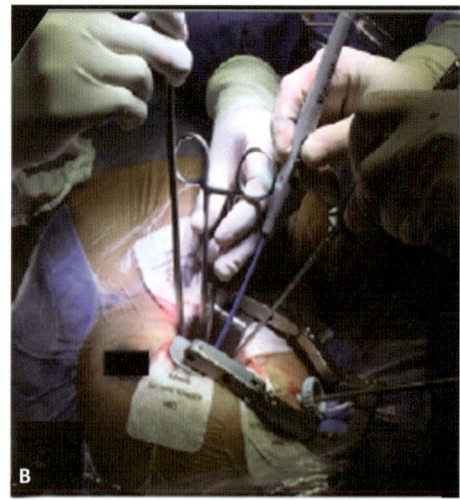
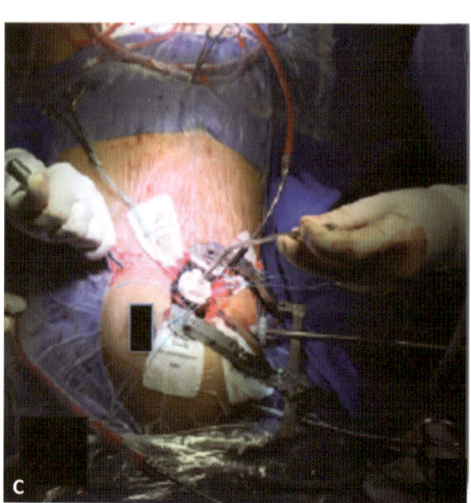
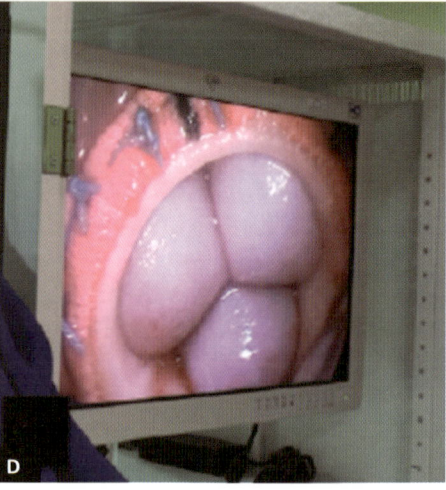

◄ **Figura 155.12** Cirurgia minimamente invasiva videoassistida da valva mitral. **(A)** posicionamento do paciente e preparo para canulação femoral; **(B)** Acesso cirúrgico por minitoracotomia direita; **(C)** Implante de prótese mitral biológica. **(D)** Vídeo durante implante da prótese mitral.

Fonte: Acervo pessoal dos autores.

férica, os pacientes devem ter as veias e artérias femorais avaliadas para que se tenha segurança nesse acesso;[49]

- **Acessibilidade ao tórax:** como o acesso será pelo tórax, mostra-se importante avaliar a presença de adesões e cirurgias prévias que possam inviabilizar esse acesso;[49]

- **Ecotransesofágico:** o ecotransesofágico tem fundamental papel na realização dessa cirurgia, uma vez que guia com segurança as canulações, por isso o paciente com contraindicação de uso transesofágico do eco, como estenose de esôfago, não é candidato à técnica minimamente invasiva. Em raros casos, o uso do eco epicárdico pode ser considerado;[49]

- **Função pulmonar:** a avaliação pré-anestésica de rotina deve ser feita, com ênfase específica na avaliação pulmonar, uma vez que esses pacientes ficarão com ventilação monopulmonar por tempo prolongado durante a cirurgia. Testes de Função Pulmonar (PFT) devem ser realizados, com adequada otimização de uso de broncodilatadores e esteroides nos pacientes com doença pulmonar.[58]

Manejo Anestésico

Agentes anestésicos

As principais considerações anestésicas incluem possibilitar uma extubação rápida e garantir analgesia adequada no pós-operatório.[58]

A escolha dos agentes anestésicos empregados varia entre as instituições, porém a utilização de anestésicos de ação curta ou intermediária é majoritária, uma vez que a cirurgia minimamente invasiva tem como objetivo reduzir o tempo de ventilação mecânica e de internação hospitalar, reduzindo os riscos do paciente.[49]

Posicionamento cirúrgico

O paciente é colocado em posição supina, com uma elevação do tórax à direita.[12] O braço direito deve ficar ao longo do tronco, com o ombro em posição mais posterior para melhor exposição cirúrgica. Deve-se lembrar sempre que o posicionamento adequado do braço é crucial para evitar qualquer inadvertida lesão do plexo nervoso. No entanto, os pacientes também devem estar preparados para esternotomia ou toracotomia de emergência, uma vez que a conversão para cirurgia convencional ocorre em pelo menos 1% dos casos, como demonstrado em estudo de Vollroth e colaboradores com a experiência do Heart Center Leipzig,[58] em que, entre os 3.125 pacientes que receberam cirurgia valvar mitral minimamente invasiva, 34 pacientes (1%) foram submetidos à conversão para esternotomia total. A principal razão para a conversão foi sangramento importante em 18 pacientes (52,9%). Após a conversão, o sangramento foi identificado no apêndice atrial esquerdo em cinco pacientes (14,7%), no ápice ventricular esquerdo em quatro (11,7%) e na aorta ascendente em quatro (11,7%). Os cinco pacientes restantes (14,7%) apresentaram coagulopatia. Outras razões para a conversão foram aderências pulmonares graves em seis pacientes (17,6%) e dissecção da aorta tipo A em cinco deles (14,7%).[58]

As placas de desfibrilação externa devem estar corretamente posicionadas e checadas, pois o pequeno acesso cirúrgico dificulta ou até mesmo impossibilita o posicionamento das pás de desfibrilação interna.[49] Vale lembrar que, se uma das pás estiver no campo do tórax direito e uma desfibrilação for necessária durante a ventilação monopulmonar, o pulmão direito pode ser reexpandido para aumentar a eficácia do choque.

Monitorização hemodinâmica

A monitorização invasiva padrão inclui: cateter arterial e cateter de pressão venosa central, além do ecotransesofágico, o qual é considerado semi-invasivo.

O uso de um cateter de artéria pulmonar varia entre as instituições. Porém, na cirurgia mitral minimamente invasiva, em geral, o cateter de artéria pulmonar é utilizado, pois o coração não pode ser diretamente visualizado e frequentes e múltiplas manipulações de coração, com possível instabilidade hemodinâmica e hipertensão pulmonar, são necessárias para obter a exposição ideal das estruturas.[49]

Manejo da via aérea

Na grande maioria dos casos, o acesso da cirurgia mitral minimamente invasiva é obtido por uma minitoracotomia direita, como visualizado na Figura 155.12. O bloqueio pulmonar correto e a ventilação monopulmonar adequada são pontos-chave para um manejo anestésico de sucesso.

Tipicamente, após o início da cirurgia, o pulmão direito é bloqueado e a ventilação monopulmonar é estabelecida para abertura do tórax e o reparo do pericárdio, facilitando a exposição do coração até o início da CEC. Após a saída da CEC, a ventilação monopulmonar muitas vezes é essencial para revisão das suturas e hemostasia cirúrgica até o fechamento do tórax.

Apesar de a ventilação monopulmonar não ser mandatória, a ventilação bipulmonar pode prejudicar a exposição cirúrgica, podendo ser causa de conversão da cirurgia para a técnica convencional.

Por isso, a intubação seletiva e a seletivação brônquica devem ser checadas sempre por meio da fibroscopia, uma vez que o mau posicionamento do tubo pode causar desde atelectasias pelo excesso de introdução do tubo seletivo, até a impossibilidade de ventilação, como quando ocorre herniação do balonete brônquico na traqueia pela tração do tubo durante manipulação do probe de ecotransesofágico.

A seletivação pulmonar pode ser obtida por intubação com sonda de duplo lúmen à esquerda ou intubação simples com posicionamento de bloqueadores brônquicos à direita. Ambas as técnicas têm pontos positivos e negativos. A sonda de duplo lúmen tem como desvantagem o maior trauma no posicionamento e a necessidade de troca por uma sonda simples no final da cirurgia, quando o paciente necessita ir intubado para a unidade de terapia intensiva (UTI). A troca do tubo pode ser desafiadora, pois situações de CEC prolongada podem causar edema de vias aéreas, o que pode até impedir a troca do tubo por uma sonda simples. A vantagem do duplo lúmen é sua menor taxa de deslocamento do tubo uma vez posicionado, e a possibilidade de uso de Pressão Positiva Contínua Não Invasiva (CPAP) e de aspiração do pulmão não ventilado. Já a grande vantagem do bloqueador brônquico é a possibilidade de intubação com tubo simples, o que facilita o transporte para a UTI e o manejo da via aérea difícil; sua desvantagem está na curva de aprendizagem do manejo do equipamento e na menor familiaridade dos anestesiologistas em geral.[49]

Todavia, independentemente da técnica de seletivação escolhida, o importante é manter ventilação monopulmonar adequada sem hipoxemia, hipercarbia ou pressões de vias aéreas altas, uma vez que as doenças mitrais já cursam com aumento da resistência vascular pulmonar, e esses fatores que pioram a resistência devem ser evitados, especialmente com o intuito de não piorar a função ventricular direita.

Ainda não há evidências de que um teste pulmonar alterado contraindique a cirurgia minimamente invasiva, porém a maioria dos centros considera a disfunção pulmonar severa como uma contraindicação relativa.[49]

Ecocardiografia transesofágica intraoperatória

A ETE tem papel fundamental no manejo do paciente submetido à cirurgia minimamente invasiva, pelos aspectos peculiares da cirurgia. A importância da ETE para guiar as decisões clínicas do intraoperatório já foi bem estabelecida pela literatura.[59-62]

A indicação da ETE para essa cirurgia é suportada pela diretriz da American Society of Echocardiography (ASE) e da Society of Cardiovascular Anesthesiologists (SCA), publicada em 2013, que recomenda o uso de ETE para toda cirurgia com o coração aberto.[35]

O papel da ETE no intraoperatório compreende os seguintes aspectos:

■ Guiar e avaliar canulações e acompanhar a administração da cardioplegia (Figura 155.14);

■ Avaliar a proposta cirúrgica e o resultado pós-CEC, como já realizado nas cirurgias convencionais, em conjunto com a equipe da cardiologia, como demonstrado na Figura 155.10;

■ Avaliar a deaeração cardíaca antes da abertura da pinça da aorta: muitas vezes o tempo de deaeração pode ser maior que na cirurgia convencional pelo menor acesso

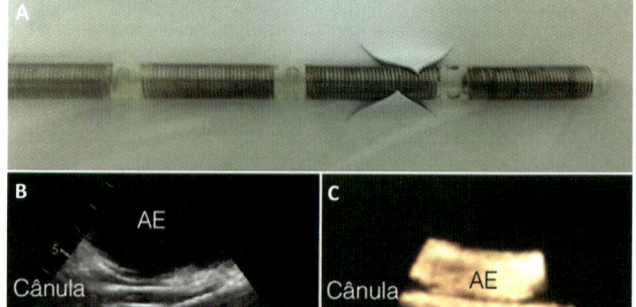
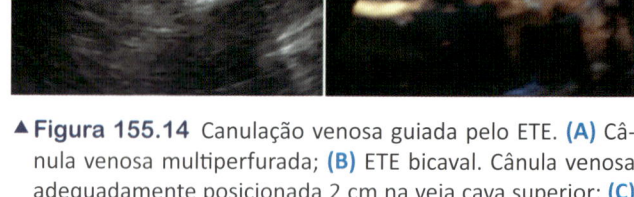

▲ **Figura 155.14** Canulação venosa guiada pelo ETE. **(A)** Cânula venosa multiperfurada; **(B)** ETE bicaval. Cânula venosa adequadamente posicionada 2 cm na veia cava superior; **(C)** ETE 3D da canulação.

Átrio esquerdo (AE); átrio direito (AD); veia cava inferior (VCI); veia cava superior (VCS).

Fonte: Acervo pessoal dos autores.

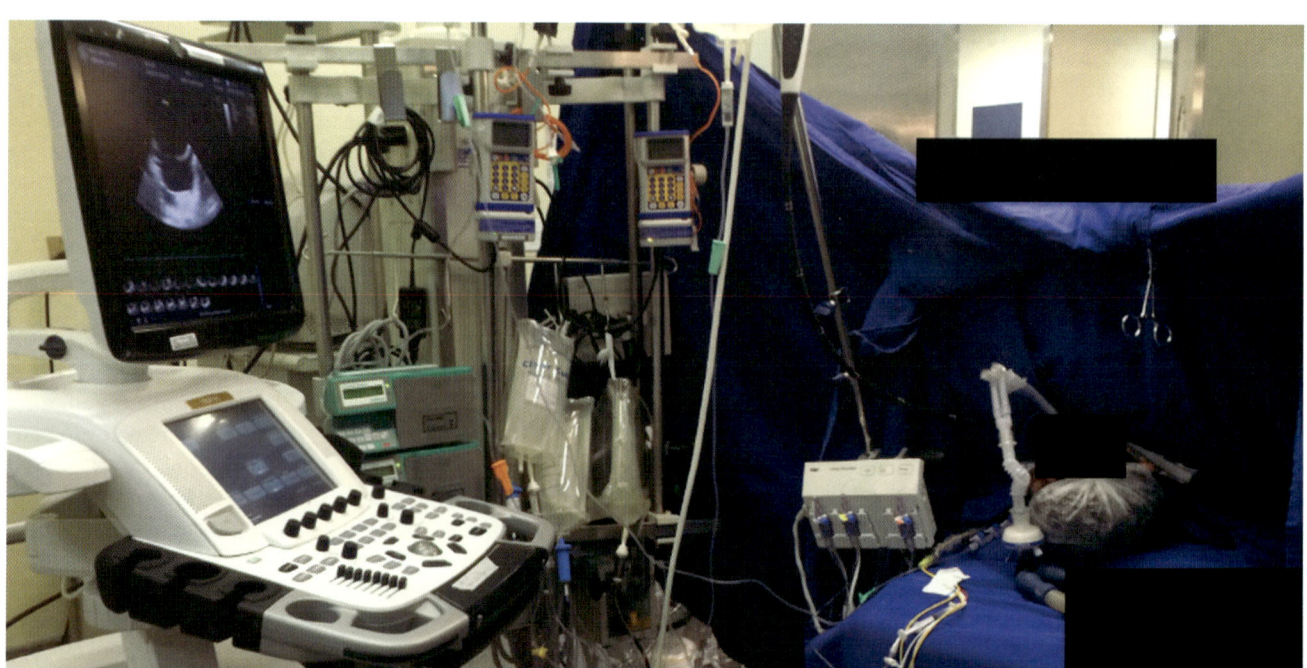

▲ **Figura 155.13** Posicionamento do paciente: posição lateral esquerda com exposição da região femoral, intubação seletiva, monitorização do cateter da artéria pulmonar, ETE com visualização de corte bicaval para posicionamento da cânula de drenagem venosa.

Fonte: Acervo pessoal dos autores.

cirúrgico de todo o coração, por isso a confirmação completa pela ETE deve ser sempre realizada (Figura 155.11);

- Monitorização hemodinâmica: de fundamental importância, pois, diferente da técnica convencional, a equipe não visualiza totalmente o coração e a ETE possibilita avaliação global do coração, vasos da base, veia cava e aorta descendente.

CANULAÇÕES PARA CIRURGIA MINIMAMENTE INVASIVA DA VALVA MITRAL

Drenagem venosa

Uma drenagem venosa adequada é imprescindível para o retorno venoso para CEC, descompressão do coração e melhor exposição das estruturas a serem abordadas; por isso, esse preparo deve ser minucioso.

A canulação para a obtenção da drenagem venosa da CEC, em geral, é realizada de forma percutânea pela veia femoral ou por dissecção cirúrgica da mesma.

Após punção ou dissecção da veia femoral, um longo fio-guia é introduzido pela veia femoral, passando pela veia cava inferior e átrio direito até a veia cava superior. Todo esse trajeto deve ser acompanhado pela ETE, que confirma a posição da cânula e sinaliza qualquer complicação.

A seguir, é introduzida, por meio desse fio-guia, uma cânula de drenagem venosa, na qual a ponta deve estar localizada na veia cava superior. Em geral, o corte da ETE bicaval é utilizado para confirmar o posicionamento dos guias e da cânula, além de alertar qualquer complicação, como demonstrado na Figura 155.14.

Se a drenagem venosa não ficar adequada com essa canulação, há outras opções, como a canulação percutânea, guiada por ultrassom da veia cava superior através da veia jugular interna. A colocação de cateteres de grande calibre nas veias do pescoço não é isenta de risco,[49] complicações como perfuração de átrio direito, veia cava e outras estruturas podem levar rapidamente ao hemopericárdio e tamponamento agudo, o qual deve ser rapidamente diagnosticado pela ETE e tratado cirurgicamente.

Antes de qualquer canulação, o paciente deve ser heparinizado e o Tempo de Coagulação Ativado (TCA) checado, uma vez que o sangue entra em contato com uma superfície não endotelial.

Canulação Arterial

Em geral, é obtida por canulação percutânea, mas também pela técnica de Seldinger da artéria femoral ou por dissecção cirúrgica. A visualização do fio-guia na aorta descendente deve ser checada pela ETE, pelos cortes da aorta descendente, eixo curto e longo. Possíveis complicações, como dissecção de aorta, sempre devem ser afastadas. A avaliação de placas de ateroma, que contraindiquem a canulação femoral, deve ser feita no pré-operatório e confirmada antes da passagem do fio-guia.

Cardioplegia

A administração correta da cardioplegia permite que o coração tolere a anóxia necessária para o tratamento da válvula em questão e garanta sua função ventricular preservada para a saída de CEC. Uma proteção miocárdica incompleta pode resultar em isquemia miocárdica, aumento da necessidade de inotrópicos para saída de CEC, choque cardiogênico e aumento da morbimortalidade cirúrgica.[63] Por isso, o envolvimento do anestesista nessa questão mostra-se de fundamental importância.

Pelo menor acesso à aorta, a administração da cardioplegia, na cirurgia minimante invasiva, pode utilizar rotas diferentes do clampeamento usual da aorta. Dentre as maneiras de administrar a cardioplegia, pode-se utilizar a cardioplegia retrógrada pela canulação do seio coronariano, Endoclamp® e o pinçamento aórtico propriamente dito.[49]

A cardioplegia retrógrada pode ser administrada por meio de um cateter implantado de forma percutânea, guiado pela ETE – o chamado EndoPledge® – cateter do seio coronariano. O EndoPlege® é um cateter de triplo lúmen com um balonete na ponta, inserido de forma percutânea na artéria coronariana. Ele é introduzido pela veia jugular interna usando um introdutor 11F com capa estéril, sendo guiado por imagem de ETE através de um corte esôfago médio bicaval modificado. Porém, esse cateter não tem sido amplamente utilizado, em parte pelo risco de perfuração do seio coronariano, pela complexidade no posicionamento e pela taxa de descolamento,[49] entre outras complicações.[64]

Já o Endoclamp Aortic Catheter® (Edwards Lifescience) é um cateter colocado na aorta ascendente pela punção arterial femoral. Esse cateter tem um balonete na ponta que, quando insuflado, obstrui a aorta ascendente. Isso permite a administração de cardioplegia e a obstrução de fluxo na aorta durante a cirurgia com o coração aberto, ou seja, faz o papel da pinça da aorta convencional. O Endoclamp também precisa de confirmação por meio da ETE, pelo corte esôfago médio eixo longo da valva aórtica. Porém, o papel da ETE não acaba após o posicionamento do cateter; todo fluxo da cardioplegia deve ser visualizado em direção às artérias coronárias. O cateter, se descolado inadvertidamente, pode obstruir vasos da crossa da aorta ou migrar para a raiz da aorta, lesando a valva aórtica.[2] Por isso, muitos centros têm desaconselhado o uso de Endoclamp, pelo fato dessa técnica aumentar significativamente o tempo de pinçamento e de CEC, além de estar associada a uma maior incidência de eventos cerebrovasculares perioperatórios.[58]

Devido a essas características, muitos cirurgiões optam pelo pinçamento propriamente dito da aorta para administração da cardioplegia. Esse pinçamento é obtido por um *clamp* especial, chamado *Chitwood Transthoracic Aortic Cross-Clamp*.[49] A administração da cardioplegia pode ser também acompanhada pela ETE, já que o cirurgião não visualiza diretamente a aorta, como demonstrado na Figura 155.15.

MANEJO DA CEC

Tipicamente, medidas adjuvantes para melhora da drenagem venosa são utilizadas durante a CEC minimamente invasiva. O uso do sistema de vácuo pode aumentar a drenagem de 20% a 40%.[65,66]

Ao final de qualquer cirurgia com abertura do coração, ar dentro das cavidades cardíacas está presente em 100%

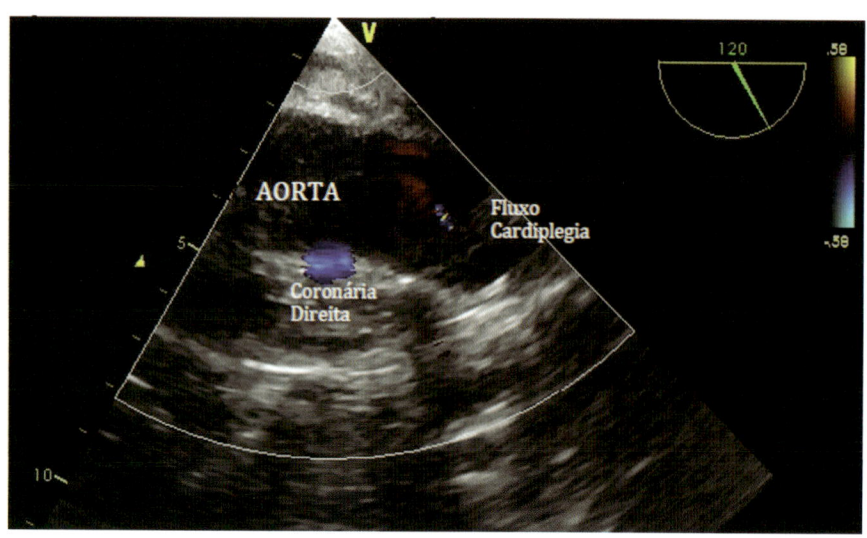

◄ **Figura 155.15** ETE – corte esôfago médio valva aórtica eixo longo (ME AV LAX) durante CEC para visualização da administração de cardioplegia. O fluxo da cardioplegia é representado em vermelho mosaico e a perfusão da coronária direita, em azul.

Fonte: Acervo pessoal dos autores.

dos casos, teoricamente. Por isso, antes da abertura da pinça da aorta, como na cirurgia convencional, deve-se realizar as manobras de retirada de ar das cavidades cardíacas. Dentre elas, estão a insuflação pulmonar, aspiração do ar, aspiração do ar na raiz da aorta, massagem cardíaca, posição de Trendelenburg, entre outras. Como na abordagem minimamente invasiva o acesso ao coração é restrito, a verificação da ausência de ar nas cavidades cardíacas é de suma importância (Figura 155.11). A embolização de ar para a coronária direita pode causar significativa disfunção cardíaca, arritmias, entre outras complicações.[49]

Durante a saída de CEC, não há grandes diferenças da cirurgia convencional, exceto pela visualização do coração somente pelos monitores e vídeo. Pelo menor acesso cirúrgico aos grandes vasos, antes da saída de CEC, eles devem ser inspecionados pela ETE. A ETE também deve verificar a valva aórtica pela proximidade do folheto não coronariano com a valva mitral. A função ventricular deve ser cuidadosamente avaliada, assim como o território de irrigação da artéria circunflexa. Pela proximidade desta artéria ao anel da valva mitral, pode ocorrer lesão inadvertida da mesma durante a sutura da prótese mitral, por isso a ETE deve inspecionar a contratilidade da parede lateral do ventrículo esquedo, a qual é irrigada pela artéria circunflexa e seus ramos. Se utilizada a cardioplegia retrógrada, a função do ventrículo direito também deve ser inspecionada, pela sua menor proteção. Baseado nos achados da ETE, em conjunto com os dados de monitorização hemodinâmica e avaliação clínica e cirúrgica, o paciente deve receber as drogas vasoativas necessárias para separação da CEC e restauração da volemia.

■ TRANSPORTE PARA UTI E ANALGESIA

Ao final da cirurgia, antes do transporte para UTI, caso o paciente esteja intubado com sonda de duplo lúmen, esta deve ser trocada por uma sonda simples, exceto se sinais de edema importante da cabeça e pescoço estiverem presentes pelo risco de hipoxemia durante a troca do tubo. Se isso ocorrer, encaminhar para a UTI com o tubo duplo lúmen e trocá-lo quando o edema melhorar. Para facilitar a troca

para um tubo simples, podem ser utilizados trocadores de tubo, que garantem maior segurança no procedimento.[49]

O planejamento da analgesia pós-operatória tem grande papel no sucesso cirúrgico, pois facilita a extubação e garante que a cirurgia minimamente invasiva seja realizada em regime *fast-track*.[67]

A analgesia deve ser obtida de forma multimodal, por meio de analgésicos opioides e não opioides sistêmicos e bloqueio intercostal ao final da cirurgia. Em virtude dos potenciais riscos de hematoma peridural, a analgesia peridural torácica raramente é utilizada. Alguns centros têm realizado o bloqueio paravertebral guiado por ultrassom para cirurgia minimamente invasiva. As vantagens de um bloqueio paravertebral sobre uma peridural torácica incluem uma maior margem de segurança para complicações neurológicas, além de evitar simpatólise bilateral farmacológica.[68]

■ ANESTESIA PARA IMPLANTE DE VALVA AÓRTICA TRANSCATETER (TAVI)

Apesar dos claros benefícios da troca da valva aórtica para pacientes com estenose da valva aórtica,[69] a cirurgia aberta apresenta mortalidade perioperatória de 4% a 18%, dependendo de comorbidades do paciente.[70,71] Consequentemente, a cirurgia aberta é contraindicada pelo alto risco cirúrgico. Como a população está envelhecendo, a prevalência de estenose aórtica e comorbidades relacionadas tende a aumentar. Desta forma, foram estudados tratamentos alternativos que poderiam beneficiar a população de alto risco.

A valvoplastia percutânea foi inicialmente desenvolvida, porém somente melhorava temporariamente os sintomas e os gradientes causados pela estenose. Cribier e colaboradores foram os primeiros a descrever o implante de valva aórtica transcateter em 2002.[72]

As valvas Edwards Sapien® (Edwards Lifescience Inc., IR, EUA, Figura 155.16), e a Corevalve® (Medtronic, MN, Figura 155.17),[73] cada uma com suas características, vantagens e desvantagens próprias, foram as pioneiras. Atualmente, várias outras gerações e modelos estão aprovadas pelas FDA como Edwards SAPIEN® Valve Series (SAPIEN XT®, SAPIEN 3®, SAPIEN 3 Ultra®), Medtronic CoreValve® Series (CoreValve®,

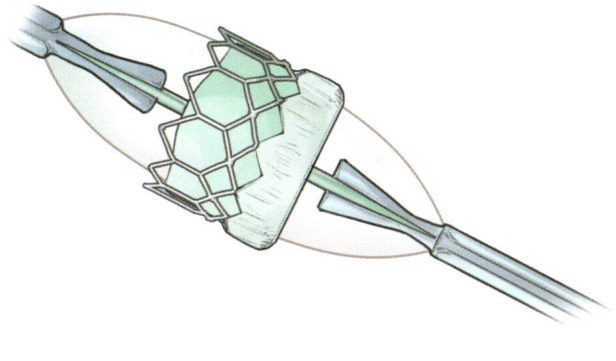

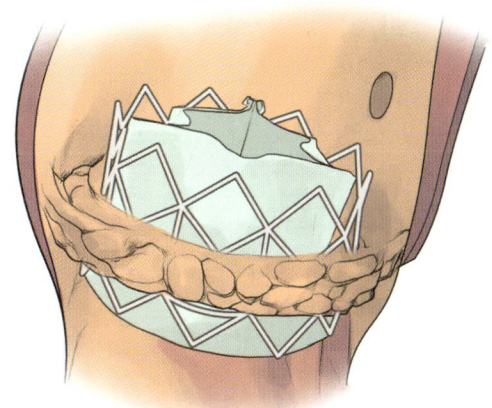

▲ **Figura 155.16** Valva aórtica transcateter – Edwards Sapien® (Edwards Lifescience Inc., IR, EUA).

Evolut R®, Evolut PRO®, Evolut PRO+®), Boston Scientific Lotus Edge®, Abbott Portico® e Boston Scientific Acurate neo2®.

O procedimento deve ser realizado, idealmente, em salas híbridas, ou seja, uma sala de hemodinâmica que permita a realização de um procedimento cirúrgico com circulação extracorpórea.[73] É necessário o uso de equipamento de fluoroscopia de alta qualidade para verificação da prótese.

Não há dúvida de que a demanda da TAVI aumentará rapidamente, principalmente pelo seu aspecto pouco invasivo. O anestesiologista cardíaco deve estar envolvido em todo o processo do procedimento e estar apto para realizar uma anestesia para cirurgia convencional em caso de conversão de emergência.

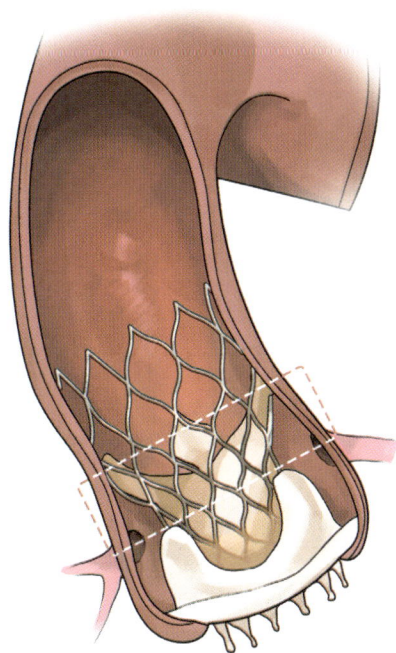

▲ **Figura 155.17** Valva aórtica transcateter – Corevalve® (Medtronic, MN).

Estudos randomizados estão sendo realizados para expansão das indicações de TAVI; caso isso aconteça, no futuro talvez, essa técnica seja realizada em pacientes com menor número de comorbidades e em pacientes mais jovens, tornando o procedimento mais frequente no dia a dia do médico anestesiologista.[74]

Indicação do Procedimento

Segundo o consenso publicado em 2020 pelo American College of Cardiology e a American Heart Association,[8] os pacientes que se beneficiam de implante de valva aórtica transcateter são os seguintes:

- Para pacientes sintomáticos com estenose aórtica grave, que tenham entre 65 e 80 anos de idade e não apresentem contraindicações anatômicas para TAVI transfemoral, tanto a troca valvar aórtica cirúrgica quanto a TAVI transfemoral são recomendadas após a tomada de decisão compartilhada sobre o equilíbrio entre a longevidade esperada do paciente e a durabilidade da válvula (Classe I de recomendação, nível de evidência A);
- Para pacientes sintomáticos com estenose aórtica grave que tenham mais de 80 anos de idade ou para pacientes mais jovens com uma expectativa de vida inferior a 10 anos e sem contraindicação anatômica para TAVI transfemoral, a TAVI transfemoral é recomendada em preferência à troca valvar aórtica cirúrgica (Classe I de recomendação, nível de evidência A);
- Para pacientes sintomáticos de qualquer idade com estenose aórtica grave e alto ou proibitivo risco cirúrgico, a TAVI é recomendada se a sobrevida prevista após a TAVI for superior a 12 meses com uma qualidade de vida aceitável (Classe I de recomendação, nível de evidência A);
- Em pacientes assintomáticos com estenose aórtica grave e uma fração de ejeção do ventrículo esquerdo menor ou igual a 50%, que tenham idade menor ou igual a 80 anos e não apresentem contraindicação anatômica para TAVI transfemoral, a decisão entre TAVI e SAVR deve seguir as

mesmas recomendações que para pacientes sintomáticos (Classe I de recomendação, nível de evidência B).

Descrição do Procedimento

As vias de implante mais utilizadas são a transfemoral e a transapical, porém podem ser utilizadas outras vias, como a transaórtica, a transaxilar e a transcarotídea.[75] A via depende das características do paciente. Por exemplo, pacientes com vasos ilíacos muito tortuosos, avaliados por meio de tomografia, não são candidatos à via femoral. A Tabela 155.3 resume as complicações associadas a cada via de implante da prótese.

Via retrógrada transfemoral

A artéria femoral é acessada por via percutânea ou por dissecção. A artéria é puncionada e um fio-guia é introduzido até a aorta ascendente, guiado por fluroscopia e ETE. A artéria femoral é então dilatada para que consiga acomodar o cateter de calibre necessário para passagem da válvula.[75]

Via anterógrada transapical

Após a localização do ápice cardíaco pelo ecotranstorácico (ETT), é realizada uma minitoracotomia de 5 a 7 cm de comprimento. A pleura e o pericárdio são abertos, expondo o ápice do ventrículo. Suturas especiais são realizadas no ápice cardíaco e um guia é introduzido através da via de saída do ventrículo esquerdo, passando pela valva aórtica nativa até a aorta ascendente. Esse acesso é dilatado para permitir a passagem do cateter com a válvula. No final do procedimento a ventriculotomia é fechada[76] (Figura 155.16).

Manejo Anestésico

Cuidados pré-operatórios – os aspectos específicos a serem considerados no pré-operatório são os seguintes:[75]

- **Reserva de hemoderivados e UTI:** hemoderivados devem estar reservados e presentes na sala operatória no início da cirurgia, pois se trata de uma cirurgia cardíaca que pode necessitar de CEC e transfusão;
- **Medicações pré-operatórias:** antiagregantes plaquetários devem ser instituídos;
- **Profilaxia da insuficiência renal associada ao contraste:** a hidratação deve ser instituída no pré-operatório, principalmente nos pacientes com insuficiência renal prévia;
- **Ecotransesofágico:** tem fundamental papel na realização dessa cirurgia, uma vez que guia com segurança o posicionamento e o funcionamento da prótese; por isso, deve

Tabela 155.3 Potenciais complicações associadas a diferentes abordagens do implante de valva aórtica transcateter.[76]

Via do procedimento	Complicações
Independente da via de acesso	Instabilidade hemodinâmica e/ou choque cardiogênico após indução da taquicardia ventricular para abertura da prótese com a necessidade de inotrópicos e/ou CEC
	Embolização de prótese/materiais/cálcio
	Oclusão coronariana – isquemia miocárdica
	Insuficiência aórtica paravalvar
	Dissecção de aorta
	Tamponamento cardíaco
	Bloqueio atrioventricular total com necessidade de marca-passo permanente
	Insuficiência renal associada ou não ao contraste
	Lesão vascular
	AVC
Transapical	Lesão pulmonar (pneumotórax/hemotórax)
	Pseudoaneurisma apical
	Sangramento do ápice do ventrículo esquerdo
	Lesão do ventrículo esquerdo
	Dor pós-operatória pela minitoracotomia
Transfemoral	Sangramento retroperitoneal
	Lesão de vasos femorais
	Síndrome compartimental de membros inferiores
	Isquemia de membros inferiores
Transaórtica	Lesão do ventrículo esquerdo
	Dor pós-operatória pela minitoracotomia
Transubclávia/transaxilar	Oclusão e/ou dissecção da artéria mamária
	Lesão subclávia/axilar

ser discutido com a equipe, individualmente, cada caso de paciente com contraindicação de uso transesofágico do eco, como, por exemplo, paciente com estenose de esôfago.

Manejo Intraoperatório

Inicialmente, a anestesia geral era a escolha padrão para todas as abordagens, devido ao uso da ETE em todos os pacientes para monitoramento contínuo do procedimento. No entanto, com a evolução das próteses e a redução da incidência de leaks paravalvares, a sedação como técnica principal tornou-se rotina em muitos centros de alto volume e experiência ao redor do mundo. Muitas vezes, é possível obter uma janela ecocardiográfica transtorácica (ETT) de excelente qualidade, permitindo a avaliação de leaks paravalvares residuais. A decisão sobre a melhor técnica anestésica deve ser tomada em conjunto pela equipe cirúrgica e anestésica, considerando tanto as condições do paciente quanto a viabilidade de se obter uma janela ETT suficiente para colaborar na avaliação da prótese, em conjunto com a fluoroscopia. A anestesia geral, quando indicada para TAVI, mantém os mesmos padrões da anestesia para a cirurgia convencional, porém um dos objetivos é extubar o paciente ao final da cirurgia, se as condições clínicas permitirem, para avaliação neurológica e extubação precoce, a fim de diminuir do tempo de UTI e o risco perioperatório.[77] Também, como não há esternotomia, o estímulo cirúrgico é menor que o da cirurgia convencional, principalmente no acesso transfemoral, necessitando do menor uso de anestésicos. Após o final da cirurgia, os pacientes devem ser encaminhados para UTI para cuidados intensivos do pós-operatório.

O paciente deve ser monitorizado como na cirurgia convencional com punção da artéria radial antes da indução da anestesia. As placas de desfibrilação externa também devem estar locadas, pelo risco de fibrilação ventricular e de arritmias malignas.

A anestesia peridural está contraindicada neste procedimento, mesmo no acesso por minitoracotomia, pois os pacientes recebem AAS e clopidogrel no pré-operatório e mantêm essas medicações em geral por seis meses.[78] No intraoperatório, o paciente é heparinizado, antes do implante da prótese, para que o TCA se mantenha maior que 250 segundos.

Após a indução da anestesia, o paciente é intubado com uma sonda orotraqueal simples. Mesmo com a via transapical, não é necessária a intubação seletiva para acesso do ápice do ventrículo; apenas alguns curtos períodos de apneia serão necessários na abertura da prótese. Deve ser realizada aspiração gástrica e posicionamento da ETE.

O paciente pode necessitar de vasopressores após a indução da anestesia para contrabalancear a vasodilatação causada pelos anestésicos, uma vez que é primordial prevenir hipotensão e disfunção ventricular para que a perfusão coronariana seja mantida. A Pressão de Perfusão Coronariana (PPC) se dá pela diferença da Pressão Diastólica na Raiz da aorta (PDAo) e a Pressão Diastólica Final no Ventrículo Esquerdo (PDFVE):

$$PPC = PDAo - PDFVE$$

Para abertura da prótese com segurança, é induzida uma taquicardia ventricular com frequências maiores que 200 bpm (*rapid pacing*) para que o débito cardíaco caia e ocorra hipotensão. Em pacientes com reserva sistólica e/ou diastólica baixas, o acesso venoso central está indicado para a administração de vasopressores, inotrópicos e/ou vasodilatadores tanto no manejo da possível instabilidade hemodinâmica após a indução da anestesia quanto para tratar ou prevenir depressão cardiocirculatória após a indução do *rapid pacing*. Também, se faz uma breve apneia na valvuloplastia e na abertura da prótese para que o coração não se movimente. A ETE/ETT e a curva da pressão arterial são utilizadas para avaliar a ausência de contração ventricular antes da abertura da prótese.[77] Após o implante da prótese, o estímulo do marca-passo termina e o paciente deve manter estabilidade hemodinâmica com medidas de pressão arterial e débito cardíaco nos valores iniciais ao procedimento. Muitas vezes são necessários bólus de vasopressores e inotrópicos para que o paciente retome a estabilidade hemodinâmica, principalmente nos pacientes com disfunção ventricular.[74] Também não é raro que ocorra fibrilação ventricular durante e após o estímulo do marca-passo, a qual deve ser tratada imediatamente com desfibrilação. Após a abertura da prótese, o paciente deve ser desfibrilado com as placas de desfibrilador externas. Se a instabilidade hemodinâmica persistir, a instituição de CEC de emergência pode ser necessária.

Pode também ocorrer distúrbio de condução após o implante da prótese, com a necessidade de uso de marca-passo temporário no pós-operatório. A necessidade de implante de marca-passo permanente era mais comum para CoreValve® do que para a válvula Edwards Sapien®. A incidência de implante de marca-passo permanente variava de 4,9% a 6% para a válvula Edwards Sapien® e 23,4% a 39% para a CoreValve®.[77-80] O *stent* CoreValve® é mais longo e se estende no interior do VE via de saída (VSVE), onde ele pode comprimir o sistema de condução.[78] Uma metanálise recente, de 43 estudos e com 29.113 pacientes, encontrou uma incidência de 19% de implantação de marcapasso permanente após TAVI com as próteses mais recentes. Os principais preditores de PPI foram bloqueio de ramo direito, válvula autoexpansível, idade avançada e profundidade de implantação. As válvulas autoexpansíveis tiveram maior taxa de PPI em comparação às válvulas expansíveis por balão.[81]

A avaliação hemodinâmica e o manejo dos inotrópicos e vasopressores devem ser baseados na monitorização invasiva e nos achados da ETE/ETT. A ecocardiografia mostra a função ventricular em tempo real, tornando o manejo hemodinâmico do paciente altamente fidedigno. A hipovolemia por sangramento também pode ser rapidamente avaliada pela ETE/ETT e deve ser tratada imediatamente.

O *cell-saver* deve ser utilizado. Na maioria dos casos, o sangramento é mínimo, porém ocasionalmente pode ocorrer sangramento importante nos vasos de acesso e no fechamento do acesso apical do ventrículo esquerdo. Por isso, acessos periféricos de grande calibre devem ser obtidos após a indução da anestesia.

A temperatura deve ser monitorizada e mantida por mantas térmicas que não interfiram na visualização pela fluroscopia. A hipotermia é comum, pela baixa temperatura da sala híbrida e pela grande área de exposição do paciente, e deve ser prevenida para que não ocorram complicações associadas à hipotermia, como coagulopatia, arritmias e atraso na extubação, entre outros eventos adversos.

Geralmente, o paciente é extubado ao final do procedimento quando submetido à anestesia geral, caso não tenha havido intercorrências e a valva esteja com funcionamento adequado. A extubação precoce tem como objetivo diminuir o tempo de ventilação mecânica e o tempo de internação em UTI e hospitalar. Estudos têm demonstrado que pacientes submetidos à TAVI têm uma alta hospitalar mais precoce que os pacientes submetidos à cirurgia convencional.[75] Da mesma forma, algumas evidências apontam para a técnica de sedação no intuito de redução de custos e alta hospitalar precoce.[82,83]

A dor pós-operatória depois do implante transfemoral, em geral, é mínima, sendo tratada com infiltração de anestésico local no sítio cirúrgico inguinal e analgésicos intravenosos. O uso de anti-inflamatórios está contraindicado pelo alto risco de insuficiência renal e sangramento.

Já no acesso transapical, o estímulo doloroso é maior em razão da minitoracotomia. A dor deve ser tratada com bloqueio intercostal ao final do procedimento e opioides intravenosos. Os bloqueios de neuroeixo estão contraindicados pela necessidade de antiagregação plaquetária ao longo prazo no pós-operatório.[75]

As principais metas a atingir na anestesia para TAVI estão resumidas nas Tabelas 155.4 e 155.5.

Tabela 155.4 Principais metas na anestesia para TAVI.

- Evitar taquicardia e hipotensão antes do implante da prótese – para manter a pressão de perfusão coronariana (PPC)

- Realizar a indução da taquicardia ventricular com marca-passo para abertura da prótese

- Evitar movimentos do coração durante o implante da prótese – com apneia e taquicardia induzida

- Dar suporte hemodinâmico após o término da indução da taquicardia e implante da prótese

- Extubar com segurança ao final do procedimento, se as condições clínicas permitirem

---

O Papel da Ecocardiografia na TAVI

Todos os pacientes submetidos à TAVI são monitorizados no ecocardiograma. Isso é fundamental para o procedimento, pois, diferente da cirurgia aberta, em que se pode enxergar o coração durante todo o tempo, na TAVI o coração é visto somente pelo eco e pela radioscopia. Assim, as informações obtidas pelo ecocardiografista são compartilhadas pela equipe anestésica e cirúrgica.

O papel do eco como monitor pode ser dividido em quatro pontos:[74]

- **Monitor hemodinâmico:**[84] o eco pode informar dados que eram obtidos pelo cateter de artéria pulmonar, como cálculo do débito cardíaco, estimativas das pressões de enchimento e avaliação direta dos volume cardíaco e contratilidade miocárdica. Também avalia constantemente a motilidade regional de cada parede, uma vez que o risco de isquemia miocárdica é alto, tanto pelo risco de hipoperfusão coronariana pela obstrução valvar pré-procedimento, como pelo risco de ocusão coronariana periprocedimento por meio de embolização de material calcificado da valva nativa ou até mesmo pela obstrução mecânica das coronárias após a abertura da prótese;

- **Avaliação pré-procedimento:** apesar de a escolha do tamanho da prótese ser realizada pela tomografia computadorizada, medidas da via de saída do VE e do anel da valva aórtica são também realizadas pelo eco. A fluroscopia é o principal método de posicionamento da prótese e checagem das coronárias, porém a posição da prótese também deve ser checada pela ETE/ETT. Um exame compreensivo deve ser realizado conforme as orientações da SCA/ASE;[35]

- **Antes da abertura da prótese**: ETE/ETT deve confirmar a ausência de contração ventricular antes da abertura da prótese;

- **Após a abertura da prótese:** a retomada da contratilidade miocárdica e o retorno do débito cardíaco são confirmados pela ETE/ETT e mostra-se vital que o anestesiologista modifique as drogas vasoativas para manter a estabilidade hemodinâmica e a perfusão coronariana adequadas. O posicionamento e o funcionamento da valva devem ser então checados pela ETE/ETT, por meio dos cortes esôfago médio eixo curto e longo da valva aórtica. Posicionamento mais distal que o ideal pode causar insuficiência paravalvar e embolização distal da prótese. Caso seja identificada uma insuficiência paravalvar significativa, um balonamento da prótese pode ser necessário para corrigir o vazamento ou até mesmo a colocação de outra prótese.[75] Também se mostra importante a avaliação da valva mitral após o procedimento, pois a prótese pode alterar o funcionamento do folheto anterior da valva. A aorta também deve ser inspecionada, pelo risco de dissecção.

Tabela 155.5 Implicações anestésicas na cirurgia de implante da valva aórtica transcateter.	
O que muda da cirurgia convencional?	O que não muda?
Não há CEC	A gravidade do paciente
Não há esternotomia	Cuidados intensivos
Não há visualização direta do coração	
Manejo hemodinâmico para abertura da prótese	
Procedimento realizado em sala híbrida	

Qualquer alteração significativa é compartilhada com a equipe cirúrgica para correção do problema. O pericárdio é avaliado pelo risco de tamponamento.

■ ANESTESIA PARA O REPARO TRANSCATETER DA VÁLVULA MITRAL

Introdução

A insuficiência mitral é uma condição prevalente na população idosa, frequentemente frágil e com baixa reserva funcional. A cirurgia para reparo ou troca da válvula mitral muitas vezes acompanha morbimortalidade elevada nessa população de alto risco de complicações perioperatórias. Quando indicada, a reparação transcatéter da válvula mitral pode ser uma alternativa principalmente para pacientes com alto risco cirúrgico. Esse procedimento foi baseado na técnica de Alfieri, descrita pela primeira vez em 1991, em que o cirurgião aproximava os segmentos A2 e P2 dos folhetos da válvula mitral por meio de sutura cirúrgica (reparo valvar percutâneo borda a borda) para tratamento da regurgitação mitral. O seu uso ganhou popularidade rapidamente a partir dos primeiros casos de reparo transcatéter borda a borda da válvula mitral em humanos no ano de 2003. Foi aprovado na Europa em 2008 e pela FDA em 2013, e, atualmente, está estabelecida como uma alternativa eficaz ao tratamento cirúrgico quando respeitados os critérios e indicações.

Dispositivos

Existem dois dispositivos aprovados para uso pela FDA: Mitraclip® (Abbott®) e o sistema de reparo PASCAL® (Edwards Lifesciences®), sendo o primeiro o mais frequentemente utilizado no mundo. Esses dispositivos aproximando os segmentos A2 e P2, geram uma válvula com orifício duplo devido à aposição dos folhetos (Figura 155.18). Ele é composto de um cateter guia orientável de 24-Fr e um sistema de entrega de clipe, que inclui uma bainha direcionável de 16-Fr, um cateter de entrega de clipe de 10-Fr e o clipe implantável. O acesso é realizado por via transeptal através da veia femoral. O dispositivo é feito de tecido de polipropileno revestido com cobalto-cromo, equipado com dois braços de preensão que aproximam as cúspides valvares. O sistema de reparo PASCAL®, por sua vez, possui uma bainha 22-Fr utilizada como guia para um cateter flexível (facilita a navegação pelo átrio esquerdo) que utiliza o mesmo acesso femoral e pela via transeptal. O implante, que é fixado à extremidade distal do cateter, possui um espaçador central de 10 mm, destinado a ocupar o orifício regurgitante da válvula mitral. Além disso, o dispositivo utiliza duas pás e grampos para garantir a apreensão das cúspides, distribuindo a tensão uniformemente nos folhetos[2] (Figura 155.18).

Evidências

Em 2012, o pioneiro estudo EVEREST[85] investigou o uso do MitraClip® em pacientes com regurgitação mitral grave. Em 12 meses, 66% dos pacientes tratados com o dispositivo estavam livres de regurgitação significativa. Comparado à cirurgia, o MitraClip® apresentou menos eficácia em re-

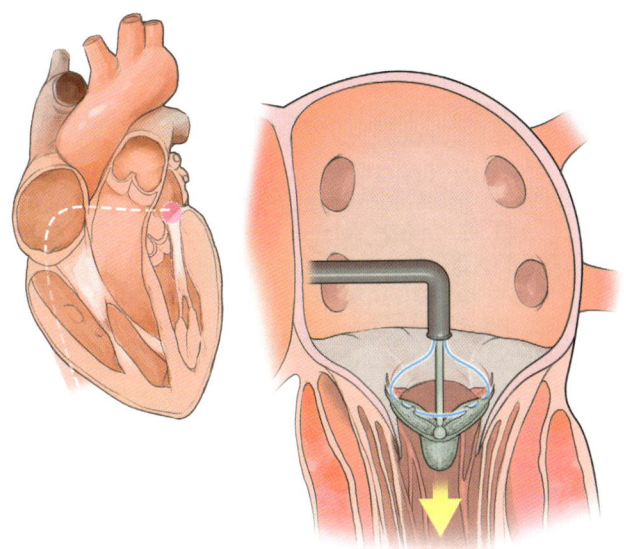

▲**Figura 155.18** Dispositivo intracardíaco para reparo borda-a-borda da valva mitral transcateter "MitraClip"® (Abbot).
Fonte: Johns Hopkins.[101]

duzir a regurgitação grave, mas a cirurgia foi associada a uma maior taxa de eventos adversos nos primeiros 30 dias. O estudo EVEREST II,[86] que teve como objetivo avaliar a segurança, eficácia e durabilidade a longo prazo do reparo percutâneo com MitraClip® em comparação com a cirurgia convencional para regurgitação mitral, concluiu que, apesar do MitraClip® ter resultado em maior necessidade de cirurgia (27,9% *versus* 8,9%, p = 0,003) e maiores taxas de regurgitação mitral moderada a severa (12,3% *versus* 1,8%, p = 0,02) no primeiro ano, ambos os métodos apresentaram taxas de mortalidade similares em 5 anos (20,8% *versus* 26,8%, p = 0,36) e melhorias duráveis nas dimensões ventriculares durante o seguimento de 5 anos. Dois estudos randomizados controlados importantes sobre o MitraClip® para regurgitação mitral funcional, o Mitra-FR[87] de 2018 e o COAPT[88] de 2019, tiveram resultados divergentes. O COAPT mostrou uma redução significativa nas hospitalizações por insuficiência cardíaca, enquanto o Mitra-FR não encontrou benefícios significativos. Com base na análise dos três principais estudos (EVEREST-II, COAPT e MITRA-FR), podemos concluir que o MitraClip® demonstra eficácia a longo prazo no tratamento da regurgitação mitral, com evidências robustas provenientes desses ensaios clínicos. O EVEREST-II destacou-se ao comparar o MitraClip® diretamente com a cirurgia, enquanto os outros estudos utilizaram terapia médica padrão como controle. O sistema PASCAL®, introduzido em 2016, apesar de ser menos estudado, mostrou-se eficaz em reduzir a regurgitação mitral grave em pacientes de alto risco, com baixos índices de complicações e bons resultados a longo prazo.[88-90]

Indicações

O reparo mitral transcateter com o MitraClip® é indicado principalmente para pacientes que apresentam regurgitação mitral grave e possuem alto risco cirúrgico. No caso de regurgitação mitral secundária grave (aprovado para uso em 2019 pelo FDA), é recomendável que o paciente primeiro receba o melhor tratamento clínico disponível para insuficiência cardíaca e doenças coronarianas associadas.[2] Se, após esse tratamento, os sintomas persistirem e a regurgitação mitral permanecer significativa, o reparo transcateter pode ser considerado. O reparo com o sistema PASCAL® para regurgitação mitral secundária foi aprovado na Europa em 2019 e, até momento da escrita deste texto, carece de aprovação pela FDA. À medida que a experiência com esse procedimento cresce, as indicações têm se ampliado, permitindo que mais pacientes sejam elegíveis para o MitraClip®. No entanto, é importante lembrar que algumas características anatômicas específicas ainda podem representar contraindicações para o uso do dispositivo, exigindo uma avaliação criteriosa antes de decidir pelo tratamento:[91]

- **Área da Válvula:** pacientes cuja área da válvula mitral seja inferior a 3 cm² podem encontrar dificuldades para realizar o procedimento, já que essa dimensão reduzida pode comprometer a eficácia do reparo;
- **Comprimento da cúspide:** um comprimento da cúspide da válvula mitral inferior a 6 mm é outro fator que pode dificultar o procedimento, pois pode ser desafiador para o dispositivo pinçar adequadamente as cúspides;
- **Gradiente de pressão médio:** se o gradiente de pressão médio na válvula mitral for superior a 5 mmHg, isso pode indicar uma obstrução significativa, tornando o reparo menos eficaz e, portanto, é considerado uma contraindicação relativa;
- **Calcificação na área de pinçamento:** a presença de calcificação na área onde o dispositivo precisará agir pode dificultar a fixação adequada do MitraClip, representando outro desafio ao sucesso do procedimento;
- **Trombo ou massa na válvula ou no anel:** a existência de um trombo ou de uma massa na válvula mitral ou em seu anel representa um risco de complicações, como embolização, durante o procedimento, o que torna essa condição uma contraindicação relativa;
- **Perfuração da válvula:** se houver uma perfuração na válvula mitral, o procedimento de reparo pode ser comprometido, uma vez que a integridade estrutural da válvula está afetada, o que é considerado uma contraindicação relativa;
- **Fenda na cúspide com regurgitação significativa:** uma fenda na cúspide da válvula, especialmente se acompanhada de regurgitação grave, pode dificultar a obtenção de um resultado satisfatório com o MitraClip, sendo uma contraindicação relativa;
- **Regurgitação na comissura:** quando a regurgitação mitral ocorre na comissura da válvula, o procedimento de reparo pode ser mais complexo, o que constitui uma contraindicação relativa;

Questões relacionadas ao acesso ao átrio:

- **Dificuldade em alcançar a altura adequada no septo intra-atrial:** se houver dificuldade em alcançar mais de 35 mm acima da válvula mitral durante a punção do septo intra-atrial, o acesso ao local do reparo pode ser inadequado, representando uma contraindicação relativa;

- **Átrio esquerdo muito pequeno:** um átrio esquerdo de pequenas dimensões pode dificultar o manuseio dos dispositivos durante o procedimento, tornando-o mais arriscado.

Técnica Anestésica e Avaliação Ecocardiográfica

A anestesia geral é a escolha padrão durante o procedimento MitraClip®, pois garante imobilidade completa do paciente e facilita o uso do ETE. O manejo anestésico deve focar na manutenção da estabilidade hemodinâmica, crucial para pacientes que frequentemente apresentam disfunção ventricular esquerda severa.

A indução anestésica deve ser realizada de maneira a evitar hipotensão abrupta, utilizando agentes que minimizem a depressão cardiovascular e seguindo o princípio de uma conduta da anestesia para o paciente valvulopata. A monitorização invasiva contínua, incluindo a pressão arterial, é essencial para identificar rapidamente quaisquer alterações hemodinâmicas. Agentes vasoativos são frequentemente necessários para sustentar a pressão arterial durante todo o procedimento. Intervenções hemodinâmicas e ventilatórias podem facilitar procedimentos cardíacos, especialmente em pacientes com regurgitação mitral secundária.

Reduzir o tamanho do VE ajuda a diminuir o espaço entre as cúspides da válvula mitral, facilitando a colocação dos clipes. Para isso, pode-se administrar furosemida (20 a 40 mg i.v.) durante a indução anestésica para promover diurese e inotrópicos como dobutamina (2 a 5 µg/kg/min) ou milrinona (0,05 a 0,5 µg/kg/min) para reduzir o tamanho do VE e mitigar o desajuste da pós-carga, especialmente em pacientes com função ventricular comprometida. No manejo ventilatório, uma PEEP moderada (5 a 10 cmH$_2$O) pode diminuir o retorno venoso e ajudar na coaptação das cúspides, mas PEEP alta pode reduzir o débito cardíaco. O uso de volumes correntes baixos (3 a 6 mL/kg) reduz o movimento cardíaco, facilitando a apreensão das cúspides, enquanto volumes elevados dificultam essa tarefa.[91] Alterações ventilatórias devem ser evitadas em momentos críticos do procedimento para prevenir complicações. A interação constante entre a equipe anestésica, o cardiologista intervencionista e o ecocardiografista é fundamental. Essa comunicação permite ajustes rápidos na anestesia em resposta às mudanças nas necessidades do procedimento, como durante a manipulação do cateter ou posicionamento do clipe. A sinergia entre as equipes é crucial para minimizar riscos e otimizar o resultado clínico.

O ETE é uma ferramenta indispensável no procedimento MitraClip®, oferecendo visualização em tempo real que orienta cada etapa do processo. A ETE é utilizada para avaliar a anatomia da válvula mitral, guiar o posicionamento do dispositivo, e monitorizar a eficácia da redução da regurgitação mitral. A seguir, detalha-se cada fase da avaliação ecocardiográfica no contexto do MitraClip®.

Avaliação pré-procedimento

Antes do início do procedimento, a ETE é fundamental para a avaliação inicial da válvula mitral e das estruturas cardíacas adjacentes. Essa avaliação envolve a medição da gravidade da regurgitação mitral, a análise da anatomia dos folhetos mitrais, a geometria do anel mitral, e a função ventricular esquerda.

Parâmetros-chave incluem:

■ **Área do Orifício Regurgitante Efetivo (EROA):** a ETE mede a EROA usando o método da área de Superfície de Isovelocidade Proximal (PISA). Este parâmetro ajuda a quantificar a gravidade da regurgitação mitral;
■ **Volume regurgitante e fração regurgitante:** estes são calculados para avaliar o impacto da regurgitação no débito cardíaco e na sobrecarga de volume do ventrículo esquerdo;
■ **Geometria do ventrículo esquerdo e do anel mitral:** a avaliação da geometria do ventrículo e do anel mitral é crítica para determinar se o paciente é um candidato adequado para o MitraClip, especialmente em casos de regurgitação mitral funcional.

Guiagem e monitoramento intraoperatório

Durante o procedimento, a ETE é usada extensivamente para guiar o cateter que transporta o MitraClip® através das câmaras cardíacas e para posicioná-lo com precisão na válvula mitral. A ETE fornece uma série de janelas que são críticas para o sucesso do procedimento:

■ **Janelas apicais e longitudinais:** são utilizadas para avaliar a direção e a magnitude dos jatos regurgitantes, bem como para orientar o cateter na abordagem à válvula mitral;
■ **Visualização da abordagem transeptal:** a passagem transeptal, necessária para alcançar a válvula mitral, é guiada por ETE para garantir que o cateter cruze o septo interatrial em um ponto ideal, facilitando o acesso à válvula;
■ **Monitoramento do posicionamento do MitraClip®:** a ETE em tempo real é usada para assegurar que o clipe seja posicionado corretamente entre os folhetos anterior e posterior da válvula mitral. A visualização tridimensional (3D) é particularmente útil neste estágio, permitindo uma avaliação precisa da relação entre o dispositivo e a anatomia mitral.

Avaliação Pós-Procedimento

Após a implantação do MitraClip®, a ETE continua a ser uma ferramenta essencial para avaliar o sucesso do proce-

dimento e para monitorizar possíveis complicações. A avaliação inclui:

■ **Redução da regurgitação mitral:** a eficácia do MitraClip® é avaliada imediatamente após a sua implantação, verificando-se a redução da regurgitação mitral. A área do orifício regurgitante e a área da vena contracta são medidas novamente para confirmar a eficácia do clipe;
■ **Avaliação do fluxo venoso pulmonar:** mudanças no padrão de fluxo nas veias pulmonares podem indicar uma melhora na função cardíaca após a redução da regurgitação. A normalização do fluxo venoso pulmonar é um sinal de sucesso clínico;
■ **Pressão transmitral e gradiente:** a ETE é usada para medir o gradiente de pressão por meio da válvula mitral após a implantação do clipe. Um aumento excessivo no gradiente pode sugerir estenose mitral induzida pelo clipe, que pode necessitar de intervenção adicional.

A Ecocardiografia Tridimensional (ETE 3D) desempenha um papel cada vez mais importante no procedimento MitraClip®. A ETE 3D oferece uma visão detalhada da válvula mitral e da relação espacial entre o clipe e as estruturas cardíacas adjacentes. Este método é particularmente útil para:

■ **Avaliação da vena contracta 3D:** a quantificação da área da Vena Contracta Tridimensional (3D VCA) permite uma avaliação mais precisa da gravidade da regurgitação residual após a implantação do MitraClip. Estudos sugerem que uma VCA total de ≤ 0,27 cm² está associada a melhores desfechos clínicos;
■ **Monitoramento do procedimento em tempo real:** a ETE 3D permite que a equipe de intervenção observe o posicionamento do MitraClip® em tempo real, ajustando a posição do clipe conforme necessário para otimizar o resultado.

O tratamento transcateter da válvula mitral com o MitraClip® é uma opção segura e eficaz para pacientes de alto risco cirúrgico com regurgitação mitral grave. Embora ofereça benefícios significativos, como a redução de hospitalizações e melhoria na qualidade de vida, a seleção adequada dos pacientes é essencial para o sucesso. A gestão anestésica e o uso preciso da ecocardiografia transesofágica são fundamentais para otimizar os resultados e minimizar complicações.[91-93]

CASO CLÍNICO

Paciente M., sexo feminino, 50 kg, 35 anos, em SO para ser submetida à plastia de valva mitral. Ecocardiografia pré-operatória: insuficiência mitral importante por prolapso de folheto posterior (P2) da válvula mitral, aumento de átrio esquerdo, ventrículos com tamanho e função preservados, Pressão Sistólica da Artéria Pulmonar (PSAP) estimada em 50 mmHg.

1. Como você monitorizaria essa paciente?
2. Como você realizaria a indução anestésica dessa paciente?
3. Como você realizaria a manutenção dessa paciente?

Identificação da paciente. Checagem de duas unidades de concentrados de hemácias em SO. Realizada monitorização básica (cardioscopia, oxímetro de pulso, pressão arterial não invasiva, índice biespectral – BIS®), colocação de placa de desfibrilador externa. Realizada venóclise 14 G em Membro Superior Direito (MSD) com anestesia local, sedação leve com midazolam 2 mg IV e máscara de oxigênio 5 L/minuto. Assepsia no local da punção arterial e anestesia local; punção artéria radial direita com cateter arterial 20 G. Monitorizada pressão arterial invasiva. Sinais vitais antes da indução: Frequência Cardíaca (FC) 80 bpm, Pressão Arterial Média (PAM) 90 mmHg, Saturação Arterial (SatO$_2$)99%, Frequência Respiratória (FR) 18.

Pré-oxigenação por 3 minutos e indução anestésica: midazolam 0,1 mg/kg, fentanil 5 mcg/kg, etomidato 0,3 mcg/kg e cisatracúrio 0,15 mcg/kg; após, aguardar o tempo e início de cada medicação e ventilação mecânica sob máscara; após, IOT 7,5 *cuff* AP MV + SP simétrico, fixação do tubo, proteção ocular, ventilação mecânica, aspiração gástrica e passagem de ecotransesofágico e termômetro nasofaríngeo. A manutenção da temperatura já estava sendo realizada com colchão térmico. Passagem de cateter central e cateter de artéria pulmonar com técnica asséptica sem intercorrências. Manutenção da anestesia com fentanil em doses tituladas até esternotomia de 20 mcg/kg, conforme necessidade da paciente, cisatracúrio contínuo e isoflurano. Sinais vitais estáveis e exames laboratoriais DLN. A PSAP medida pelo cateter de artéria pulmonar era de 40 mmHg para uma pressão arterial sistêmica de 120 mmHg. Avaliação ETE confirma achados do ECO pré-operatório. Administrado cefuroxima 1,5 g, difenidramina 50 mg, ranitidina 50 mg, metilpredisolona 500 mg, ácido aminocaproico 5 g em bólus e manutenção 1 g/hora. Administrada heparina 500 u/kg IV no cateter central a pedido do cirurgião. Verificado TCA maior que 450, início da CEC. Mantida anestesia durante a CEC com propofol, alvo controlado para manter BIS 50-60 e cisatracúrio contínuo. CEC sem intercorrências.

Realizada plastia da valva mitral com ressecção quadrangular de P2 e anuloplastia. Após início do aquecimento, iniciado dobutamina 5 mcg/kg/minuto em cateter central. Realizadas manobras de deaeração cardíaca e reiniciada a ventilação mecânica. Após saída de CEC, piora da pressão arterial (PS 60 mmHg) com baixo débito (DC 2 L/min), taquicardia (FC 110 bpm) e PSAP 70 mmHg. Avaliada ETE: insuficiência mitral importante, turbilhonamento na via de saída no ventrículo esquerdo com gradiente de 90 mmHg, ventrículo esquerdo hiperdinâmico e hipovolêmico.

Qual a causa do choque?

A causa do choque dessa paciente é o movimento Anterior da Valva Mitral (SAM), causando uma obstrução dinâmica da Via de Saída do Ventrículo Esquerdo (VSVE), levando a um baixo volume sistólico e choque.

O SAM é definido como a translação de um ou dois folhetos da valva mitral para dentro da VSVE durante a sístole ventricular, podendo causar obstrução dinâmica da via de saída do ventrículo esquerdo.[94,95] A extensão dessa translação é variável e causa desde ausência de interferência hemodinâmica no fluxo da VSVE até colapso circulatório e parada cardíaca com ausência de fluxo para as coronárias nos casos mais graves. Essa variabilidade de apresentação clínica se deve à natureza dinâmica do SAM e pelo fato de que sua presença e gravidade dependem das condições de pré-carga e de contratilidade do coração.[96]

Os fatores hemodinâmicos que podem precipitar o aparecimento do SAM são: diminuição do volume diastólico final do ventrículo esquerdo, queda da resistência vascular sistêmica e aumento da contratilidade e cronotropismo do ventrículo.[96]

SAM após plastia de valva mitral pode ocorrer em uma frequência de até 8,4% dos casos.[97] Dentre outras causas de SAM estão cardiomiopatia hipertrófica, cardiomiopatia hipertensiva, infarto agudo do miocárdio, infusão de catecolaminas, troca de valva aórtica por estenose, entre outras.

1. Como você realizaria o manejo hemodinâmico dessa paciente?

O tratamento instituído foi de acordo com protocolo indicado pela literatura:[80]

- Parada da infusão de dobutamina;
- Reposição volêmica;
- Início de noradrenalina 0,05 mcg/kg/minuto.

Após as medidas, as pressões de PVC e POAP foram para 5 e 12 mmHg, respectivamente, e o débito cardíaco subiu para 6 L/minuto. A ETE demonstrava ausência de insuficiência mitral, desaparecimento da incursão anterior do folheto mitral e fluxo laminar na via de saída do VE com desaparecimento do gradiente.

2. Qual foi a indicação de ETE nessa cirurgia e qual foi o papel dele no manejo dessa paciente?

A monitorização por meio da ETE está indicada por se tratar de uma cirurgia cardíaca com o coração aberto, conforme a recomendação das diretrizes da SCA/ASE.[35]

A monitorização com o ecotransesofágico foi fundamental para diagnóstico e tratamento dessa patologia. Se nesse caso somente fosse usado o cateter de artéria pulmonar, provavelmente o SAM não teria sido diagnosticado e o tratamento teria sido o oposto do necessário, pois o cateter demonstrava baixo débito e aumento das pressões de enchimento com resistência vascular sistêmica alta, o que nos levaria ao diagnóstico de choque cardiogênico por disfunção ventricular e ao aumento dos inotrópicos. Isso poderia piorar o SAM e a obstrução da via de saída do VE, com consequente retorno à circulação extracorpórea por colapso circulatório.

Considerações finais: cirurgia cardíaca e trabalho em equipe

A história e evolução da anestesia cardíaca é marcada pela dedicação e contribuição de anestesistas que, individualmente, pesquisaram, publicaram, inovaram e, coletivamente, somaram esforços para que hoje possamos compreender essa área como o resultado de um trabalho contínuo, focado principalmente no paciente, mas também na tecnologia e na ciência do método. Procedimentos menos invasivos e a monitorização altamente avançada possibilitaram tratamentos que prolongaram a vida de milhões de pacientes em todo o mundo, acometidos por doenças de proporções epidemiológicas, como as doenças coronarianas e valvares.

Não podemos esquecer que a evolução nessa área transcende a própria especialidade, beneficiando também pacientes cardiopatas submetidos a cirurgias não cardíacas, que passaram a usufruir das inovações e avanços proporcionados por esse trabalho. Um exemplo disso é o melhor entendimento do paciente portador de estenose aórtica severa submetido a cirurgias não cardíacas, fruto da experiência acumulada ao longo dos últimos anos nesses pacientes, especialmente nos submetidos a TAVI.[98] Atualmente, pacientes assintomáticos com estenose aórtica severa podem ser anestesiados para cirurgias de risco moderado, algo que, há algum tempo, seria contraindicado devido à condição cardíaca.[9,99]

Da mesma forma, a expertise acumulada na área permitiu, por meio da assistência ventricular e circulatória, beneficiar e recuperar inúmeros pacientes vítimas de parada cardiorrespiratória e outras condições de deterioração hemodinâmica grave que, de outra forma, não sobreviveriam.[2]

Além disso, o ecocardiograma transtorácico e transesofágico rapidamente se tornou uma ferramenta presente não apenas nas salas de cirurgia cardíaca, mas também em cirurgias gerais, enfermarias, UTIs, pronto-atendimentos e até mesmo fora dos hospitais, contribuindo para a redução da morbimortalidade e para um cuidado mais eficaz em pacientes com fatores de risco cardiovasculares.[100]

Por fim, o entendimento do cuidado perioperatório multidisciplinar, por meio da pré-habilitação, recuperação acelerada e reabilitação, tem permitido que a fragilidade do paciente seja uma barreira cada vez mais superada nos pacientes cardiopatas submetidos a cirurgias complexas.

REFERÊNCIA

1. Denault A, Canty D, Azzam M, Amir A, Gebhard CE. Whole body ultrasound in the operating room and intensive care unit. Korean J Anesthesiol. 2019;72(5):413-28.
2. Kaplan JA AJ, Gutsche JT, Maus T, Mittnacht AJC, Pagel PS, Ramakrishna H. Kaplan's Cardiac Anesthesia. 8th ed. Philadelphia: Elsevier; 2024. 1176 p.
3. Welman MJM, Streukens SAF, Mephtah A, Hoebers LP, Vainer J, Theunissen R et al. Outcomes of Mitral Valve Regurgitation Management after Expert Multidisciplinary Valve Team Evaluation. J Clin Med. 2024;13(15).
4. Hillis LD, Smith PK, Anderson JL, Bittl JA, Bridges CR, Byrne JG et al. 2011 ACCF/AHA Guideline for Coronary Artery Bypass Graft Surgery: executive summary: a report of the American College of Cardiology Foundation/American Heart Association Task Force on Practice Guidelines. Circulation. 2011;124(23):2610-42.
5. Akhtar S CN, Culp WC. Practice Guidelines in Cardiovascular Anesthesia: Updates and Controversies. A Society Of Cardiovascular Anesthesiologists Monograph. San Francisco2012
6. Salgado-Filho MF, Morhy SS, Vasconcelos HDd, Lineburger EB, Papa FdV, Botelho ESL et al. Consenso sobre Ecocardiografia Transesofágica Perioperatória da Sociedade Brasileira de Anestesiologia e do Departamento de Imagem Cardiovascular da Sociedade Brasileira de Cardiologia. Arquivos Brasileiros De Cardiologia - Imagem Cardiovascular. 2018;31(3).
7. Nishimura RA, Otto CM, Bonow RO, Carabello BA, Erwin JP, 3rd, Guyton RA, et al. 2014 AHA/ACC Guideline for the Management of Patients With Valvular Heart Disease: executive summary: a report of the American College of Cardiology/American Heart Association Task Force on Practice Guidelines. Circulation. 2014;129(23):2440-92.
8. Otto CM, Nishimura RA, Bonow RO, Carabello BA, Erwin JP, Gentile F et al. 2020 ACC/AHA Guideline for the Management of Patients With Valvular Heart Disease: A Report of the American College of Cardiology/American Heart Association Joint Committee on Clinical Practice Guidelines. J Am Coll Cardiol. 2021;77(4):e25-e197.
9. Tarasoutchi F, Montera MW, Ramos AIO, Sampaio RO, Rosa VEE, Accorsi TAD et al. Update of the Brazilian Guidelines for Valvular Heart Disease - 2020. Arq Bras Cardiol. 2020;115(4):720-75.
10. Meira ZM, Goulart EM, Colosimo EA, Mota CC. Long term follow up of rheumatic fever and predictors of severe rheumatic valvar disease in Brazilian children and adolescents. Heart. 2005;91(8):1019-22.
11. Huffman MD, Bonow RO. Clinical practice guidelines and scientific evidence. Jama. 2009;302(2):144-5; author reply 6-7.
12. Flack JM, Kvasnicka JH, Gardin JM, Gidding SS, Manolio TA, Jacobs DR, Jr. Anthropometric and physiologic correlates of mitral valve prolapse in a biethnic cohort of young adults: the CARDIA study. Am Heart J. 1999;138(3 Pt 1):486-92.
13. Summers RM, Andrasko-Bourgeois J, Feuerstein IM, Hill SC, Jones EC, Busse MK et al. Evaluation of the aortic root by MRI: insights from patients with homozygous familial hypercholesterolemia. Circulation. 1998;98(6):509-18.
14. Kietaibl S, Ahmed A, Afshari A, Albaladejo P, Aldecoa C, Barauskas G et al. Management of severe peri-operative bleeding: Guidelines from the European Society of Anaesthesiology and Intensive Care: Second update 2022. Eur J Anaesthesiol. 2023;40(4):226-304.
15. CM O. Textbook of Clinical Echocardiography. 7. ed. Philadelphia: Elsevier Saunders; 2023.
16. Tuck BC TM. Anesthetic Management for the Surgical and Interventional Treatment of Aortic Valvular Heart Disease. A Practical Approach to Cardiac Anesthesia. 6th ed. Philadelphia: Lippincott Williams & Wilkins; 2018. p. 312-44.
17. Carabello BA. Clinical practice. Aortic stenosis. N Engl J Med. 2002;346(9):677-82.
18. Khanna S HJ, Abraham A, Maldonado Y, Chhabada S, Vera NB, Skubas NJ. Anesthesia for Cardiac Surgery. Clinical Anesthesia. 8. ed. Philadelphia: Elsevier; 2024. p. 1050-82.
19. Bekeredjian R, Grayburn PA. Valvular heart disease: aortic regurgitation. Circulation. 2005;112(1):125-34.
20. Cardoso LF, Grinberg M, Rati MA, Pomerantzeff PM, Medeiros CC, Tarasoutchi F et al. Comparison between percutaneous balloon valvuloplasty and open commissurotomy for mitral stenosis. A prospective and randomized study. Cardiology. 2002;98(4):186-90.
21. Hogan M EJ, Dryden AM, Lambert AS. Mitral Regurgitation. In: Perrino AC RS, editor. A Practical Approach to Transesophageal Echocardiography. 4. ed. Philadelphia: Wolters Kluwer; 2020.
22. Shoemaker WC, Appel PL, Kram HB, Waxman K, Lee TS. Prospective trial of supranormal values of survivors as therapeutic goals in high-risk surgical patients. Chest. 1988;94(6):1176-86.

23. Pölönen P, Ruokonen E, Hippeläinen M, Pöyhönen M, Takala J. A prospective, randomized study of goal-oriented hemodynamic therapy in cardiac surgical patients. Anesth Analg. 2000;90(5):1052-9.

24. Kertai MD, Whitlock EL, Avidan MS. Brain monitoring with electroencephalography and the electroencephalogram-derived bispectral index during cardiac surgery. Anesth Analg. 2012;114(3):533-46.

25. Avidan MS, Jacobsohn E, Glick D, Burnside BA, Zhang L, Villafranca A, et al. Prevention of intraoperative awareness in a high-risk surgical population. N Engl J Med. 2011;365(7):591-600.

26. Punjasawadwong Y, Phongchiewboon A, Bunchungmongkol N. Bispectral index for improving anaesthetic delivery and postoperative recovery. Cochrane Database Syst Rev. 2014;2014(6):Cd003843.

27. Brady K, Joshi B, Zweifel C, Smielewski P, Czosnyka M, Easley RB et al. Real-time continuous monitoring of cerebral blood flow autoregulation using near-infrared spectroscopy in patients undergoing cardiopulmonary bypass. Stroke. 2010;41(9):1951-6.

28. Caneo LF, Matte G, Groom R, Neirotti RA, Pego-Fernandes PM, Mejia JAC et al. The Brazilian Society for Cardiovascular Surgery (SBCCV) and Brazilian Society for Extracorporeal Circulation (SBCEC) Standards and Guidelines for Perfusion Practice. Braz J Cardiovasc Surg. 2019;34(2):239-60.

29. Milne B, Gilbey T, Gautel L, Kunst G. Neuromonitoring and Neurocognitive Outcomes in Cardiac Surgery: A Narrative Review. J Cardiothorac Vasc Anesth. 2022;36(7):2098-113.

30. Shaaban-Ali M, Momeni M, Denault A. Clinical and Technical Limitations of Cerebral and Somatic Near-Infrared Spectroscopy as an Oxygenation Monitor. J Cardiothorac Vasc Anesth. 2021;35(3):763-79.

31. Azzam MA, Couture EJ, Beaubien-Souligny W, Brassard P, Gebhard CE, Denault AY. A proposed algorithm for combining transcranial Doppler ultrasound monitoring with cerebral and somatic oximetry: a case report. Can J Anaesth. 2021;68(1):130-6.

32. Couture P, Denault AY, McKenty S, Boudreault D, Plante F, Perron R et al. Impact of routine use of intraoperative transesophageal echocardiography during cardiac surgery. Can J Anaesth. 2000;47(1):20-6.

33. Michel-Cherqui M, Ceddaha A, Liu N, Schlumberger S, Szekely B, Brusset A et al. Assessment of systematic use of intraoperative transesophageal echocardiography during cardiac surgery in adults: a prospective study of 203 patients. J Cardiothorac Vasc Anesth. 2000;14(1):45-50.

34. Practice guidelines for perioperative transesophageal echocardiography. An updated report by the American Society of Anesthesiologists and the Society of Cardiovascular Anesthesiologists Task Force on Transesophageal Echocardiography. Anesthesiology. 2010;112(5):1084-96.

35. Hahn RT, Abraham T, Adams MS, Bruce CJ, Glas KE, Lang RM, et al. Guidelines for performing a comprehensive transesophageal echocardiographic examination: recommendations from the American Society of Echocardiography and the Society of Cardiovascular Anesthesiologists. J Am Soc Echocardiogr. 2013;26(9):921-64.

36. Hajjar LA, Vincent JL, Galas FR, Nakamura RE, Silva CM, Santos MH et al. Transfusion requirements after cardiac surgery: the TRACS randomized controlled trial. Jama. 2010;304(14):1559-67.

37. Karkouti K, Grocott HP, Hall R, Jessen ME, Kruger C, Lerner AB et al. Interrelationship of preoperative anemia, intraoperative anemia, and red blood cell transfusion as potentially modifiable risk factors for acute kidney injury in cardiac surgery: a historical multicentre cohort study. Can J Anaesth. 2015;62(4):377-84.

38. Howie MB, Cheng D, Newman MF, Pierce ET, Hogue C, Hillel Z et al. A randomized double-blinded multicenter comparison of remifentanil versus fentanyl when combined with isoflurane/propofol for early extubation in coronary artery bypass graft surgery. Anesth Analg. 2001;92(5):1084-93.

39. Bovill JG, Sebel PS, Stanley TH. Opioid analgesics in anesthesia: with special reference to their use in cardiovascular anesthesia. Anesthesiology. 1984;61(6):731-55.

40. Morel J, Salard M, Castelain C, Bayon MC, Lambert P, Vola M et al. Haemodynamic consequences of etomidate administration in elective cardiac surgery: a randomized double-blinded study. Br J Anaesth. 2011;107(4):503-9.

41. Chan CM, Mitchell AL, Shorr AF. Etomidate is associated with mortality and adrenal insufficiency in sepsis: a meta-analysis. Crit Care Med. 2012;40(11):2945-53.

42. Gu WJ, Wang F, Tang L, Liu JC. Single-dose etomidate does not increase mortality in patients with sepsis: a systematic review and meta-analysis of randomized controlled trials and observational studies. Chest. 2015;147(2):335-46.

43. Hannam JA, Mitchell SJ, Cumin D, Frampton C, Merry AF, Moore MR et al. Haemodynamic profiles of etomidate vs propofol for induction of anaesthesia: a randomised controlled trial in patients undergoing cardiac surgery. Br J Anaesth. 2019;122(2):198-205.

44. Mulier JP, Wouters PF, Van Aken H, Vermaut G, Vandermeersch E. Cardiodynamic effects of propofol in comparison with thiopental: assessment with a transesophageal echocardiographic approach. Anesth Analg. 1991;72(1):28-35.

45. Barry AE, Chaney MA, London MJ. Anesthetic management during cardiopulmonary bypass: a systematic review. Anesth Analg. 2015;120(4):749-69.

46. Tanaka K, Ludwig LM, Kersten JR, Pagel PS, Warltier DC. Mechanisms of cardioprotection by volatile anesthetics. Anesthesiology. 2004;100(3):707-21.

47. Murphy GS, Szokol JW, Marymont JH, Vender JS, Avram MJ, Rosengart TK et al. Recovery of neuromuscular function after cardiac surgery: pancuronium versus rocuronium. Anesth Analg. 2003;96(5):1301-7.

48. Maillet JM, Le Besnerais P, Cantoni M, Nataf P, Ruffenach A, Lessana A et al. Frequency, risk factors, and outcome of hyperlactatemia after cardiac surgery. Chest. 2003;123(5):1361-6.

49. Vernick WJ, Woo JY. Anesthetic considerations during minimally invasive mitral valve surgery. Semin Cardiothorac Vasc Anesth. 2012;16(1):11-24.

50. Modi P, Hassan A, Chitwood WR, Jr. Minimally invasive mitral valve surgery: a systematic review and meta-analysis. Eur J Cardiothorac Surg. 2008;34(5):943-52.

51. Yamada T, Ochiai R, Takeda J, Shin H, Yozu R. Comparison of early postoperative quality of life in minimally invasive versus conventional valve surgery. J Anesth. 2003;17(3):171-6.

52. Walther T, Falk V, Metz S, Diegeler A, Battellini R, Autschbach R et al. Pain and quality of life after minimally invasive versus conventional cardiac surgery. Ann Thorac Surg. 1999;67(6):1643-7.

53. Vleissis AA, Bolling SF. Mini-reoperative mitral valve surgery. J Card Surg. 1998;13(6):468-70.

54. Cheng DC, Martin J, Lal A, Diegeler A, Folliguet TA, Nifong LW et al. Minimally invasive versus conventional open mitral valve surgery: a meta-analysis and systematic review. Innovations (Phila). 2011;6(2):84-103.

55. Suri RM, Schaff HV, Dearani JA, Sundt TM, 3rd, Daly RC, Mullany CJ et al. Survival advantage and improved durability of mitral repair for leaflet prolapse subsets in the current era. Ann Thorac Surg. 2006;82(3):819-26.

56. Galloway AC, Schwartz CF, Ribakove GH, Crooke GA, Gogoladze G, Ursomanno P et al. A decade of minimally invasive mitral repair: long-term outcomes. Ann Thorac Surg. 2009;88(4):1180-4.

57. Iribarne A, Karpenko A, Russo MJ, Cheema FH, Umann T, Oz MC et al. Eight-year experience with minimally invasive cardiothoracic surgery. World J Surg. 2010;34(4):611-5.

58. Vollroth M, Seeburger J, Garbade J, Borger MA, Misfeld M, Mohr FW. Conversion rate and contraindications for minimally invasive mitral valve surgery. Ann Cardiothorac Surg. 2013;2(6):853-4.

59. Eltzschig HK, Rosenberger P, Löffler M, Fox JA, Aranki SF, Shernan SK. Impact of intraoperative transesophageal echocardiography on surgical decisions in 12,566 patients undergoing cardiac surgery. Ann Thorac Surg. 2008;85(3):845-52.

60. Minhaj M, Patel K, Muzic D, Tung A, Jeevanandam V, Raman J et al. The effect of routine intraoperative transesophageal echocardiography on surgical management. J Cardiothorac Vasc Anesth. 2007;21(6):800-4.

61. Quigley RL. The role of echocardiography in mitral valve dysfunction after repair. Minerva Cardioangiol. 2007;55(2):239-46.

62. Freeman WK, Schaff HV, Khandheria BK, Oh JK, Orszulak TA, Abel MD et al. Intraoperative evaluation of mitral valve regurgitation and repair by transesophageal echocardiography: incidence and significance of systolic anterior motion. J Am Coll Cardiol. 1992;20(3):599-609.

63. Kaplan JA CB, Maus T. Kaplan's Essentials of Cardiac Anesthesia for Cardiac Surgery. Philadelphia: Elsevier; 2018. 866 p.

64. Abramson DC, Giannoti AG. Perforation of the right ventricle with a coronary sinus catheter during preparation for minimally invasive cardiac surgery. Anesthesiology. 1998;89(2):519-21.

65. Toomasian JM, McCarthy JP. Total extrathoracic cardiopulmonary support with kinetic assisted venous drainage: experience in 50 patients. Perfusion. 1998;13(2):137-43.

66. Chauhan S, Sukesan S. Anesthesia for robotic cardiac surgery: an amalgam of technology and skill. Ann Card Anaesth. 2010;13(2):169-75.

67. Sostaric M, Gersak B, Novak-Jankovic V. Early extubation and fast-track anesthetic technique for endoscopic cardiac surgery. Heart Surg Forum. 2010;13(3):E190-4.

68. Carmona P, Llagunes J, Cánovas S, de Andrés J, Marqués I. The role of continuous thoracic paravertebral block for fast-track anesthesia after cardiac surgery via thoracotomy. J Cardiothorac Vasc Anesth. 2011;25(1):205-6.

69. Schwarz F, Baumann P, Manthey J, Hoffmann M, Schuler G, Mehmel HC et al. The effect of aortic valve replacement on survival. Circulation. 1982;66(5):1105-10.

70. Jamieson WR, Edwards FH, Schwartz M, Bero JW, Clark RE, Grover FL. Risk stratification for cardiac valve replacement. National Cardiac Surgery Database. Database Committee of The Society of Thoracic Surgeons. Ann Thorac Surg. 1999;67(4):943-51.

71. Powell DE, Tunick PA, Rosenzweig BP, Freedberg RS, Katz ES, Applebaum RM, et al. Aortic valve replacement in patients with aortic stenosis and severe left ventricular dysfunction. Arch Intern Med. 2000;160(9):1337-41.

72. Cribier A, Letac B. Percutaneous balloon aortic valvuloplasty in adults with calcific aortic stenosis. Curr Opin Cardiol. 1991;6(2):212-8.

73. Walther T, Falk V, Kempfert J, Borger MA, Fassl J, Chu MW et al. Transapical minimally invasive aortic valve implantation; the initial 50 patients. Eur J Cardiothorac Surg. 2008;33(6):983-8.
74. Klein AA, Skubas NJ, Ender J. Controversies and complications in the perioperative management of transcatheter aortic valve replacement. Anesth Analg. 2014;119(4):784-98.
75. Klein AA, Webb ST, Tsui S, Sudarshan C, Shapiro L, Densem C. Transcatheter aortic valve insertion: anaesthetic implications of emerging new technology. Br J Anaesth. 2009;103(6):792-9.
76. Wang C, Hamburger J, Bhatt H. Cardiac tamponade after transcatheter aortic valve replacement using a transaortic approach. A A Case Rep. 2014;3(9):113-5.
77. Billings FTt, Kodali SK, Shanewise JS. Transcatheter aortic valve implantation: anesthetic considerations. Anesth Analg. 2009;108(5):1453-62.
78. Fraccaro C, Buja G, Tarantini G, Gasparetto V, Leoni L, Razzolini R et al. Incidence, predictors, and outcome of conduction disorders after transcatheter self-expandable aortic valve implantation. Am J Cardiol. 2011;107(5):747-54.
79. Jilaihawi H, Chin D, Vasa-Nicotera M, Jeilan M, Spyt T, Ng GA et al. Predictors for permanent pacemaker requirement after transcatheter aortic valve implantation with the CoreValve bioprosthesis. Am Heart J. 2009;157(5):860-6.
80. Buellesfeld L, Stortecky S, Heg D, Hausen S, Mueller R, Wenaweser P et al. Impact of permanent pacemaker implantation on clinical outcome among patients undergoing transcatheter aortic valve implantation. J Am Coll Cardiol. 2012;60(6):493-501.
81. Bruno F, D'Ascenzo F, Vaira MP, Elia E, Omede P, Kodali S et al. Predictors of pacemaker implantation after transcatheter aortic valve implantation according to kind of prosthesis and risk profile: a systematic review and contemporary meta-analysis. Eur Heart J Qual Care Clin Outcomes. 2021;7(2):143-53.
82. Luzzi C, Orlov D, Foley K, Horlick E, Osten M, Cusimano RJ et al. Choice of anesthesia technique is associated with earlier hospital discharge and reduced costs after transcatheter transfemoral aortic valve implantation. J Thorac Dis. 2024;16(3):1836-42.
83. Tellez-Alarcon M, Montes FR, Hurtado P, Gutierrez LP, Cabrales JR, Camacho J et al. Conscious sedation versus general anesthesia for transcatheter aortic valve implantation: a retrospective study. Braz J Anesthesiol. 2022;72(4):539-41.
84. Porter TR, Shillcutt SK, Adams MS, Desjardins G, Glas KE, Olson JJ et al. Guidelines for the use of echocardiography as a monitor for therapeutic intervention in adults: a report from the American Society of Echocardiography. J Am Soc Echocardiogr. 2015;28(1):40-56.
85. Herrmann HC, Gertz ZM, Silvestry FE, Wiegers SE, Woo YJ, Hermiller J et al. Effects of atrial fibrillation on treatment of mitral regurgitation in the EVEREST II (Endovascular Valve Edge-to-Edge Repair Study) randomized trial. J Am Coll Cardiol. 2012;59(14):1312-9.
86. Obadia JF, Messika-Zeitoun D, Leurent G, Iung B, Bonnet G, Piriou N et al. Percutaneous Repair or Medical Treatment for Secondary Mitral Regurgitation. N Engl J Med. 2018;379(24):2297-306.
87. Stone GW, Lindenfeld J, Abraham WT, Kar S, Lim DS, Mishell JM et al. Transcatheter Mitral-Valve Repair in Patients with Heart Failure. N Engl J Med. 2018;379(24):2307-18.
88. Lim DS, Smith RL, Gillam LD, Zahr F, Chadderdon S, Makkar R et al. Randomized Comparison of Transcatheter Edge-to-Edge Repair for Degenerative Mitral Regurgitation in Prohibitive Surgical Risk Patients. JACC Cardiovasc Interv. 2022;15(24):2523-36.
89. Szerlip M, Spargias KS, Makkar R, Kar S, Kipperman RM, O'Neill WW et al. 2-Year Outcomes for Transcatheter Repair in Patients With Mitral Regurgitation From the CLASP Study. JACC Cardiovasc Interv. 2021;14(14):1538-48.
90. Webb JG, Hensey M, Szerlip M, Schäfer U, Cohen GN, Kar S et al. 1-Year Outcomes for Transcatheter Repair in Patients With Mitral Regurgitation From the CLASP Study. JACC Cardiovasc Interv. 2020;13(20):2344-57.
91. Dryden A, Hynes M, Hibbert B. Anaesthesia for transcatheter mitral valve repair. BJA Educ. 2023;23(5):189-95.
92. Wu IY, Barajas MB, Hahn RT. The MitraClip Procedure-A Comprehensive Review for the Cardiac Anesthesiologist. J Cardiothorac Vasc Anesth. 2018;32(6):2746-59.
93. Asher S, Maslow A, Black R. Assessment of the MitraClip Procedure: Reassessing the Goals. J Cardiothorac Vasc Anesth. 2023;37(5):812-20.
94. Hymel BJ, Townsley MM. Echocardiographic assessment of systolic anterior motion of the mitral valve. Anesth Analg. 2014;118(6):1197-201.
95. Nagueh SF, Bierig SM, Budoff MJ, Desai M, Dilsizian V, Eidem B et al. American Society of Echocardiography clinical recommendations for multimodality cardiovascular imaging of patients with hypertrophic cardiomyopathy: Endorsed by the American Society of Nuclear Cardiology, Society for Cardiovascular Magnetic Resonance, and Society of Cardiovascular Computed Tomography. J Am Soc Echocardiogr. 2011;24(5):473-98.
96. Gersh BJ, Maron BJ, Bonow RO, Dearani JA, Fifer MA, Link MS et al. 2011 ACCF/AHA Guideline for the Diagnosis and Treatment of Hypertrophic Cardiomyopathy: a report of the American College of Cardiology Foundation/American Heart Association Task Force on Practice Guidelines. Developed in collaboration with the American Association for Thoracic Surgery, American Society of Echocardiography, American Society of Nuclear Cardiology, Heart Failure Society of America, Heart Rhythm Society, Society for Cardiovascular Angiography and Interventions, and Society of Thoracic Surgeons. J Am Coll Cardiol. 2011;58(25):e212-60.
97. Brown ML, Abel MD, Click RL, Morford RG, Dearani JA, Sundt TM et al. Systolic anterior motion after mitral valve repair: is surgical intervention necessary? J Thorac Cardiovasc Surg. 2007;133(1):136-43.
98. Whitener SK, Francis LR, McMurray JD, Whitener GB. Asymptomatic Severe Aortic Stenosis and Noncardiac Surgery. Seminars in Cardiothoracic and Vascular Anesthesia. 2020;25(1):19-28.
99. Vahanian A, Beyersdorf F, Praz F, Milojevic M, Baldus S, Bauersachs J et al. 2021 ESC/EACTS Guidelines for the management of valvular heart disease. Eur Heart J. 2022;43(7):561-632.
100. El Tahan MM, Cheng DC, Szegedi L, Mellin-Olsen J, Zdravkovic M, Lineburger EB et al. A Multi-Country Survey on the Availability of Intraoperative Use of Echocardiography for Noncardiac Surgery. Semin Cardiothorac Vasc Anesth. 2024:10892532241256020.
101. Hopkins Johns. Disponível em: https://clinicalconnection.hopkinsmedicine.org/news/a-minimally-invasive-approach-for-mitral-valve-repair. Acesso em: 13 set. 2024.

156

Anestesia para Cirurgias da Aorta Torácica

Mauricio Daher Andrade Gomes ■ João Paulo Jordão Pontes ■ Raquel Augusta Monteiro de Castro

INTRODUÇÃO

As doenças da aorta torácica são condições clínicas potencialmente fatais que tipicamente requerem intervenções cirúrgicas extensas associadas a graves complicações operatórias. Em relação às suas apresentações, as doenças aórticas podem ser divididas em: emergências (dissecções agudas, aneurismas rotos e lesão traumática de aorta), urgências (dissecção subaguda, aneurisma em rápida expansão) e condições crônicas (aneurismas de crescimento lento, doença ateromatosa e condições congênitas).

Recentemente, tem-se observado um aumento do número de procedimentos terapêuticos da aorta torácica, provavelmente em virtude do envelhecimento populacional, dos diagnósticos mais precoces, dos avanços dos métodos de imagem e do desenvolvimento de novas técnicas cirúrgicas, incluindo as abordagens endovasculares. Consequentemente, também se observa o crescimento de um subgrupo de pacientes que necessitam de reoperações para tratamento de complicações de longo prazo dos procedimentos cirúrgicos, como falha de enxerto, pseudoaneurisma em linha de sutura, endocardite e progressão da doença aórtica para áreas previamente não afetadas.

As cirurgias de aorta torácica representam um grande desafio para o anestesiologista, uma vez que a interrupção temporária do fluxo sanguíneo aórtico, etapa necessária durante a maioria das técnicas operatórias, leva à isquemia de múltiplos órgãos. Por conseguinte, o manejo anestésico desses procedimentos é pautado, principalmente, em estratégias de proteção orgânica durante a isquemia. Vale ressaltar que a capacidade técnica e o entrosamento de toda a equipe são fundamentais para a condução bem-sucedida dos procedimentos peculiares e complexos envolvidos nesse grupo de cirurgias, entre eles circulação extracorpórea (CEC) esquerda, hipotermia profunda acompanhada de parada circulatória total, perfusão cerebral anterógrada e drenagem liquórica lombar.

■ DOENÇAS AÓRTICAS AGUDAS E CRÔNICAS

As doenças aórticas passíveis de tratamento cirúrgico (Tabela 156.1) podem ser classificadas em quatro grupos principais: aneurismas, dissecções, hematomas intramurais e úlceras aórticas penetrantes.

Tabela 156.1 Doenças aórticas agudas e crônicas passíveis de tratamento cirúrgico.
Aneurismas
Alterações degenerativas (degeneração cística da camada média, ateromatose avançada)
Traumatismos (contuso ou penetrante)
Vasculites inflamatórias (arterite de Takayasu, síndrome de Behçet, doença de Kawasaki)
Infecções (bacteriana, fúngica, viral)
Pseudoaneurismas
Dissecções agudas, subagudas e crônicas
Hematomas intramurais
Úlceras penetrantes ateroscleróticas
Doenças congênitas: ■ Aneurismas associados a anomalias do colágeno (síndrome de Marfan, síndrome de Ehler-Danlos) ■ Coarctação de aorta
Complicações mecânicas pós-operatórias (estenose, pseudoaneurisma em linha de sutura)

Aneurismas

O aneurisma de aorta torácica pode ser definido como uma dilatação permanente e localizada do vaso, levando a um aumento de pelo menos 50% no seu diâmetro, e deve ter as três camadas vasculares em sua parede.[1] A incidência de aneurismas da aorta torácica é de aproximadamente seis casos por 100.000 pessoas/ano, sendo mais frequente entre a quinta e a sétima década de vida, com uma proporção aproximada de 2,4 homens para cada mulher diagnosticada.[2]

Pode acometer aorta ascendente, arco e porção descendente, com eventual acometimento dos vasos da base. Dilatações do segmento ascendente são consideradas clinicamente significativas quando apresentam diâmetros maiores que 4,0 cm, e classificadas como aneurisma quando maiores que 4,5 cm.[3] Uma dilatação localizada que não apresente alguma da três camadas vasculares é chamada de pseudoaneurisma, e é resultado de rupturas contidas da aorta ou de lesões da camada íntima.[4]

Os aneurismas aórticos torácicos originam-se primariamente da degeneração focal do tecido muscular e elástico da parede aórtica, que, em função das altas pressões do sangue, levam à dilatação progressiva do vaso. A dilatação resulta em redução da complacência vascular, aumento da tensão na parede e propensão para ruptura. São fatores de risco para essa doença degenerativa: envelhecimento, hipertensão arterial, hipercolesterolemia, tabagismo e predisposição genética.[4]

Apesar de a etiologia degenerativa ser a mais comum, várias doenças congênitas do tecido conectivo se associam ao desenvolvimento de aneurismas torácicos, como as síndromes de Marfan, Ehlers-Danlos, Loeys-Dietz, Turner, entre outras. Doenças reumáticas, como arterite de Takayasu, arterite de células gigantes, doença de Behçet e espondilite anquilosante, também estão associadas ao surgimento de aneurismas. Embora raros, os aneurismas de aorta torácica também podem ter etiologia infecciosa, secundários a infecções bacterianas, micobacterianas ou fúngicas. Por fim, pacientes com válvula aórtica bicúspide também apresentam alto risco de formação de aneurismas em aorta ascendente e raiz de aorta.[4]

Os aneurismas de aorta torácica são de crescimento lento e progressivo, sendo normalmente assintomáticos e diagnosticados de forma acidental em exames de imagem. A sintomatologia, quando presente, inclui dor torácica e nas costas, que ser de forte intensidade em função de complicações como dissecção, ruptura ou erosão óssea. Efeito de massa pode ser observado em grandes aneurismas torácicos, os quais, ao comprimir estruturas torácicas, podem levar a: rouquidão (nervo laríngeo recorrente), dispneia (traqueia, brônquio esquerdo, artéria pulmonar), síndrome de veia cava (veia cava superior) e disfagia (esôfago). A ruptura da aorta ascendente normalmente causa tamponamento cardíaco, enquanto a ruptura na aorta descendente pode ocasionar hemotórax, fístulas aorto-brônquicas (hemoptise maciça) e fístulas esôfago-brônquicas (hematêmese).[4]

Os aneurismas de aorta ascendente não costumam seguir uma classificação específica, mas são descritos em relação à extensão da aorta que envolvem, incluindo válvula aórtica, raiz da aorta e arco aórtico. Já os aneurismas toracoabdominais são descritos utilizando a classificação de Crawford modificada (Figura 156.1), que os subdivide em cinco tipos, de acordo com a extensão da intervenção cirúrgica necessária.[3]

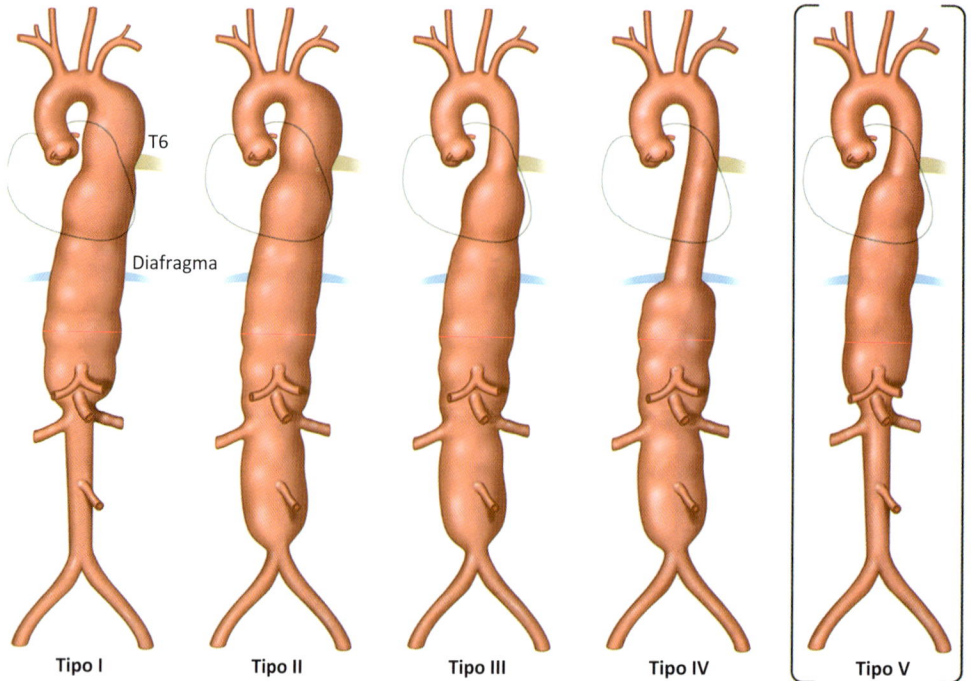

▲ **Figura 156.1** Classificação de Crawford modificada: **Tipo I**: inicia-se distal à artéria subclávia esquerda e termina acima das artérias renais; **tipo II**: começa distal à subclávia esquerda e estende-se até abaixo das artérias renais; **tipo III**: inicia-se abaixo do sexto espaço intercostal, mas acima do diafragma, e estende-se abaixo das artérias renais; **tipo IV**: inicia-se abaixo do diafragma e termina abaixo das artérias renais; **tipo V**: inicia-se acima do diafragma e termina acima das artérias renais.

Fonte: adaptada de Isselbacher *et al.*, 2022.[3]

O tamanho do aneurisma é o principal fator preditor de ruptura. Para cada aumento de 1 cm no diâmetro, o risco de ruptura praticamente dobra. O ponto de corte em que o risco aumenta de forma dramática é a partir de 4,5 cm para aorta ascendente e de 6 cm para aorta descendente.[3] A primeira indicação cirúrgica do aneurisma torácico é a presença de sintomas, independentemente do seu tamanho, mas esta representa somente 5% dos casos, uma vez que em 95% deles o primeiro sintoma é a ruptura, já seguida de morte. As outras indicações dependem do diâmetro, da porção acometida e da presença de condições que aumentam o risco de ruptura (Tabela 156.2).

Tabela 156.2 Condições que aumentam o risco de ruptura de aneurisma de aorta torácica descendente.
Aneurisma com crescimento ≥ 0,5 cm/ano
Presença de sintomas
Síndrome de Marfan, síndrome de Loeys-Dietz, síndrome de Ehlers-Danlos ou outras doenças aórticas genéticas
Aneurisma sacular
Sexo feminino
Aneurisma infeccioso

Fonte: adaptada de Kristensen *et al.* 2014.[8]

Dissecção de Aorta

A dissecção de aorta é o resultado de uma ruptura da camada íntima que expõe a camada média à força pulsátil do sangue do interior do lúmen vascular. Esse sangue invade a camada média, dissecando a parede da aorta e criando um falso lúmen que pode se expandir rapidamente em direção proximal, distal ou em ambos os sentidos, em relação ao ponto de ruptura.[4] A extensão da dissecção para os ramos aórticos pode causar oclusão desses vasos e consequente isquemia orgânica, uma vez que, ao expandir, a falsa luz leva à obstrução da luz verdadeira. As dissecções que atingem a raiz da aorta podem resultar em regurgitação aórtica aguda e isquemia miocárdica em função da oclusão dos óstios coronarianos.

A parede de uma aorta que apresentou dissecção se torna enfraquecida, o que frequentemente resulta em dilatação aguda que pode progredir para ruptura com complicações catastróficas, como tamponamento cardíaco e exsanguinação. As dissecções que envolvem a aorta ascendente são consideradas emergências cirúrgicas, e nesses casos a mortalidade aumenta 1% a 2% a cada hora.[3]

A hipertensão arterial não controlada é a comorbidade mais comumente encontrada em pacientes que apresentam dissecção de aorta, embora a doença aterosclerótica, a gravidez e o uso de cocaína também sejam condições associadas. Doenças inflamatórias e do tecido conectivo também aumentam o risco de dissecção aórtica. A dissecção pode ainda ocorrer de forma iatrogênica durante canulação aórtica em cirurgia cardíaca, cateterismo cardíaco ou implante de balão intra-aórtico.[5]

A sintomatologia é normalmente caracterizada por intensa dor no tórax, de início súbito e irradiada para o dorso. Os sintomas também podem se manifestar em função da isquemia de órgãos secundária à oclusão dos ramos aórticos, podendo ocorrer dor abdominal, síncope, isquemia cerebral ou isquemia de membros. Um alto índice de suspeita clínica é necessário para detectar a doença antes que complicações letais irreversíveis ocorram. Isso pode ser desafiador, dado o potencial de sobreposição de sintomas entre a dissecção aórtica e as síndromes coronarianas agudas e o acidente vascular cerebral (AVC). A tomografia computadorizada (TC), o ecocardiograma transesofágico (ETE) e a ressonância magnética (RM) têm excelente precisão no diagnóstico da dissecção aórtica, e a escolha do exame depende da disponibilidade e da experiência da instituição, bem como do estado clínico do paciente.[5]

Do ponto de vista anatômico, existem dois sistemas de classificação para dissecções de aorta: de DeBakey e de Stanford (Figura 156.2). O sistema DeBakey categoriza as dissecções com base na origem da lesão da íntima e na extensão da dissecção, ao passo que o sistema de Stanford divide as dissecções de acordo com o envolvimento ou não da aorta ascendente, independentemente do local de origem.

A dissecção aórtica tem sido tradicionalmente definida como aguda durante as primeiras duas semanas após o início dos sintomas, e crônica quando ultrapassa a segunda semana. Clinicamente, essa diferenciação é relevante, uma vez que, após duas semanas, o risco de morte se aproxima de um platô, e o tratamento cirúrgico emergencial passa a não ser mandatório.

O sistema de classificação temporal mais contemporâneo propõe que a dissecção aórtica seja dividida em quatro tipos temporais: hiperaguda (menos de 24 horas), aguda (dois a sete dias), subaguda (oito a trinta dias) e crônica (mais de trinta dias). Essa classificação tem sido utilizada para orientar a tomada de decisões sobre o momento e os tipos de intervenção potencial.[3]

Tabela 156.3 Sistema de classificação para dissecções aórticas.

Classificação	Subtipo	Características
Stanford	Tipo A	Todas as dissecções envolvendo a aorta ascendente
	Tipo B	Todas as dissecções que não envolvam a aorta ascendente (p. ex., acometimento do arco sem comprometimento da porção ascendente)
DeBakey	Tipo I	Origem da dissecção na aorta ascendente com propagação para o arco aórtico e, frequentemente, para a aorta descendente
	Tipo II	Dissecção restrita à aorta ascendente, sem acometimento do arco
	Tipo III	Origem da dissecção na aorta descendente com propagação distal na maioria dos casos

Fonte: adaptada de Kristensen *et al.* 2014.[8]

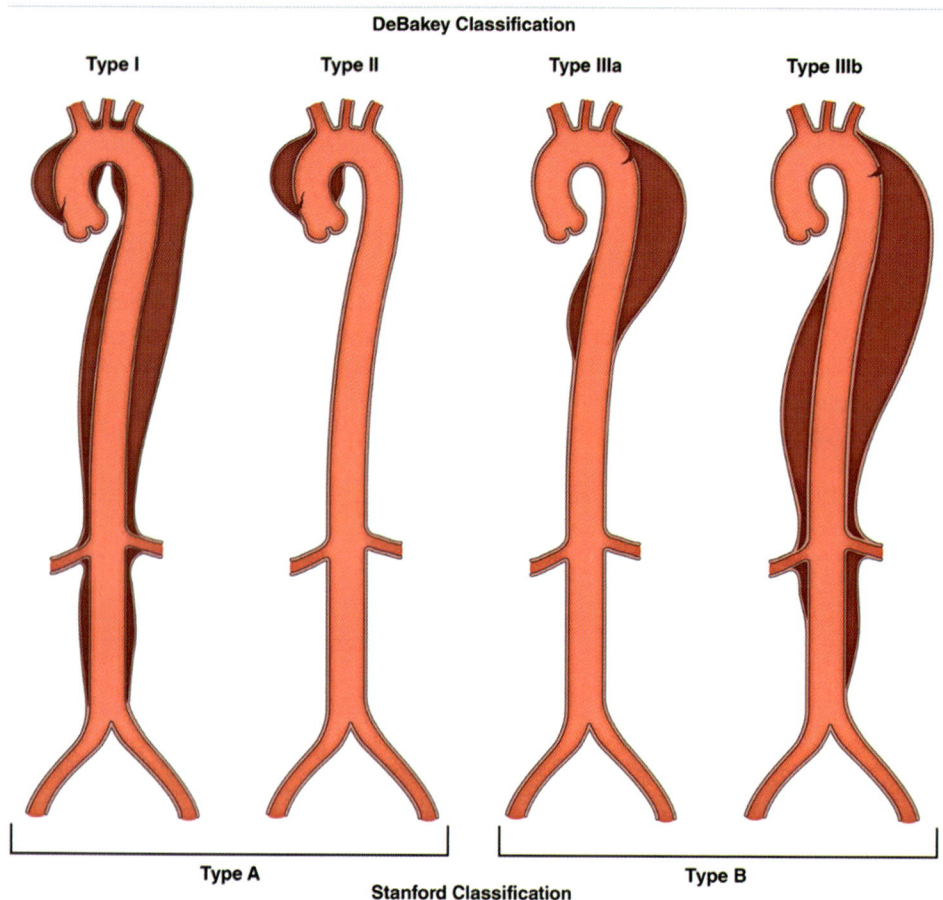

DeBakey Classification

Type I   Type II   Type IIIa   Type IIIb

Type A   Type B

Stanford Classification

◄ **Figura 156.2** Classificação de DeBakey e de Stanford.

Fonte: adaptada de Isselbacher *et al.*, 2022.[3]

Lesão Traumática

As causas mais comuns de lesão traumática aórtica são o trauma contuso de tórax e as lesões de desaceleração, ambos associados a traumas automobilísticos e quedas. A maioria das lesões traumáticas ocorre na região do istmo aórtico, por ser de transição entre uma porção aórtica móvel e uma fixa na parede torácica posterior.[6] Normalmente os pacientes com esse tipo de lesão apresentam-se com múltiplas lesões associadas. O ETE tem papel importante nesses casos, uma vez que fornece o diagnóstico rapidamente, possibilitando também a identificação de condições associadas, como tamponamento cardíaco, derrame pleural esquerdo, hipovolemia e disfunção ventricular.[7]

Úlcera Aterosclerótica Penetrante

A úlcera aterosclerótica é uma doença isolada da camada íntima da aorta, ocorrendo no local de uma placa de ateroma. Esse tipo de lesão pode acontecer em qualquer porção da aorta, sendo mais comum na aorta torácica descendente. Ocorre em placas ateromatosas graves e pode levar ao desenvolvimento de pseudoaneurismas, hematomas intramurais, aneurismas e até rupturas. A sintomatologia inicial é similar à dissecção de aorta, caracterizada por dor torácica e nas costas.[4]

O tratamento cirúrgico é recomendado quando a lesão acomete a aorta ascendente; já o tratamento de lesões localizadas na aorta descendente pode ser feito tanto pela abordagem endovascular quanto pela aberta.[3]

Hematoma Intramural

O hematoma intramural surge quando ocorre acúmulo de sangue na camada média da parede aórtica na ausência de um rompimento da camada interna. Essa condição pode ser consequência da ruptura de pequenos vasos sanguíneos (*vasa vasorum*) na camada média ou de rotura da íntima que não são visíveis em exames convencionais. O diagnóstico de hematoma intramural é feito por meio de técnicas como angiotomografia, RM e ecocardiografia, quando se observa um espessamento em formato circular ou de meia-lua na parede aórtica, com mais de 5 mm de espessura, sem fluxo sanguíneo dentro da lesão. Estudos indicam que aproximadamente 5% a 25% dos pacientes com suspeita de síndromes aórticas agudas (SAA) apresentam hematoma intramural.[3]

A evolução do hematoma intramural varia consideravelmente. Menos de 10% dos casos se resolvem espontaneamente, mas entre 16% e 47% podem progredir para dissecção aórtica caso ocorra uma ruptura na camada interna, criando uma fenda de entrada para o fluxo sanguíneo aórtico.[3]

■ AVALIAÇÃO E PREPARO PRÉ-OPERATÓRIO GERAL

O primeiro componente da avaliação pré-operatória do paciente com doença da aorta torácica consiste em classificar o procedimento como emergência, urgência ou eletiva.

Essa abordagem permite uma melhor organização da equipe envolvida, uma vez que o sucesso das cirurgias de emergência depende do tempo e da precisão cirúrgica.[4]

O detalhamento diagnóstico vem a seguir, pois a extensão e as consequências fisiológicas da doença aórtica determinam tanto o manejo anestésico quanto o planejamento cirúrgico. Por exemplo, doenças proximais à artéria subclávia esquerda normalmente são abordadas por esternotomia mediana, enquanto condições distais à artéria subclávia esquerda são abordadas via toracotomia esquerda ou por incisão toracoabdominal. Os detalhes anatômicos da doença aórtica permitem que o anestesiologista antecipe potenciais complicações no manejo intra e pós-operatório do paciente.[4]

A avaliação sistemática da reserva funcional de cada sistema orgânico possibilita a predição do risco de complicações pós-operatórias e, consequentemente, permite que estratégias protetoras sejam dispensadas. Para os casos eletivos, sugere-se a realização de testes neurocognitivos, a avaliação das carótidas, testes de função pulmonar, ecocardiografia e cateterismo cardíaco.[1]

A isquemia miocárdica é considerada um importante preditor de complicações pós-operatórias em pacientes que serão submetidos à cirurgia de aorta torácica, sendo que qualquer evidência de isquemia deve ser seguida pela avaliação de sua extensão e gravidade. Nos casos de síndrome coronariana aguda, recomenda-se que a revascularização ocorra antes ou concomitantemente à cirurgia da aorta. Na presença de coronariopatia grave, a revascularização miocárdica pode ser realizada durante a abordagem das doenças da aorta ascendente e do arco.[4]

Avaliação da Função Cardiovascular

Uma detalhada avaliação cardiovascular pré-operatória é essencial nas cirurgias de aorta torácica em virtude das intensas alterações hemodinâmicas relacionadas ao clampeamento aórtico, das translocações de fluidos e da possibilidade de grande perda sanguínea no período perioperatório. A carga de estresse imposta ao sistema cardiovascular por essas perturbações é considerável, e coloca as cirurgias de aorta torácica no topo da classificação entre as cirurgias com maior risco cardiovascular.[8] Aproximadamente dois terços dos pacientes apresentam disfunção diastólica durante o clampeamento aórtico, e até 30% dos casos evoluem com alguma disfunção cardíaca no pós-operatório.[9]

A hipertensão arterial e a doença arterial coronariana são comorbidades frequentes na população de pacientes com doenças aórticas. Insuficiência cardíaca congestiva pode estar presente, geralmente secundária a uma patologia valvar aórtica. Na presença de fatores de risco, sintomas ou história de doença arterial coronariana (DAC), um teste de estresse miocárdico deve ser realizado, acompanhado ou não por angiografia coronariana. Pacientes com angina instável, lesões complexas ou lesões triarteriais normalmente são submetidos à revascularização do miocárdio antes ou concomitantemente ao procedimento da aorta.

A realização de intervenções percutâneas em lesões complexas ainda é controversa devido à necessidade de

terapia antiplaquetária subsequente, que pode complicar a hemostasia durante a cirurgia para a doença aórtica.

Avaliação da Função Respiratória

Os testes de função pulmonar devem ser realizados no pré-operatório, especialmente nos casos em que a ventilação monopulmonar estiver sendo planejada. A identificação de pacientes com restrição importante da função pulmonar pode indicar a instituição de CEC, uma vez que esses pacientes podem não ser capazes de tolerar a ventilação monopulmonar. Adicionalmente, o hábito do tabagismo deve ser fortemente desencorajado no período pré-operatório.[10]

A presença de estridor ou dispneia pode indicar compressão de traqueia ou brônquio principal esquerdo no caso de aneurismas de aorta torácica. Nessas condições, exames de imagem como TC ou RM devem ser realizados para auxiliar no planejamento do manejo das vias aéreas e na correta seleção do dispositivo de isolamento pulmonar (bloqueadores brônquicos, tubo de duplo-lúmen etc.). Nos casos de compressão do brônquio principal esquerdo, o uso de tubos de duplo-lúmen orientados para direita está indicado.[11]

O anestesiologista deve estar atento para história de lesão pré-operatória do nervo laríngeo recorrente direito, uma vez que o nervo laríngeo recorrente esquerdo muitas vezes é sacrificado em cirurgias de arco ou aorta proximal, gerando comprometimento respiratório após extubação. Pacientes com disfunção pulmonar importante no pré-operatório devem ser aconselhados sobre a possibilidade de ventilação mecânica prolongada no pós-operatório e até mesmo sobre a realização de traqueostomia (11).

A disfunção respiratória no perioperatório é uma complicação frequente e potencialmente grave em pacientes submetidos a cirurgias para correção de aneurisma torácico ou toracoabdominal de aorta. Essa elevada incidência se deve, em parte, à restrição respiratória relacionada à dor das incisões torácicas. Assim, está ao alcance do anestesiologista a atenuação da restrição respiratória por meio de um adequado planejamento analgésico pós-operatório, lançando mão de estratégias como o uso de bombas de analgesia controlada pelo paciente (PCA, do inglês *patient-controlled analgesia*) e a infusão de anestésicos locais no espaço peridural ou no plano do músculo eretor da espinha.[12]

Avaliação da Função Renal

A presença de algum grau de disfunção renal é um achado frequente entre os pacientes que serão submetidos a cirurgias da aorta torácica, sendo este um dos principais fatores risco para insuficiência renal no pós-operatório. Assim, é fundamental que a função renal basal seja avaliada nesse grupo. O risco é especialmente elevado nos casos em que o aneurisma envolve o leito das artérias renais, ou em pacientes com histórico de insuficiência cardíaca.

A incidência reportada de lesão renal aguda com ou sem necessidade de diálise é elevada em cirurgias de aneurisma de aorta torácica, e varia entre 5% e 29% a depender dos critérios diagnósticos utilizados.[13] No caso de pacientes submetidos ao tratamento endovascular o risco é menor, porém este ainda permanece em níveis consideráveis, com uma incidência de 10% a 15%.[14] Nesse grupo de procedimentos, a disfunção renal está associada a uso de meios de contraste, mobilização de debris embólicos ateroscleróticos pelos fios-guia e cateteres intravasculares próximos aos óstios das artérias renais. Portanto, estratégias para prevenir a deterioração da função renal são essenciais, como manter uma pressão de perfusão renal adequada, evitar o uso de drogas nefrotóxicas, evitar a desidratação pré-operatória e utilizar protocolos de reposição volêmica guiada por metas.[11]

Avaliação da Função Neurológica

A depender da doença e técnica operatória, as cirurgias de aorta torácica podem evoluir com lesões tanto cerebrais quanto medulares no período pós-operatório. Com o objetivo de minimizar o risco de isquemia cerebral intraoperatória, é fundamental a avaliação da anatomia e da função das carótidas, do tronco braquiocefálico e do polígono de Willis. Essas informações serão essenciais para o planejamento de cirurgias de reconstrução do arco aórtico, em que os pacientes são submetidos a parada circulatória e perfusão cerebral seletiva, especialmente aqueles que apresentem história de doença cerebrovascular prévia.

A elevada incidência de doença cerebrovascular coloca esse grupo de pacientes sob alto risco de isquemia cerebral em virtude da liberação de debris de placas ateroscleróticas durante a manipulação cirúrgica do arco aórtico ou na instalação de by-pass esquerdo.[15] Como a lesão cerebral isquêmica ou embólica é agravada pela hipotensão, o manejo perioperatório, que garanta pressões arteriais médias proximais mais elevadas, precisa ser almejado.

O risco de paraplegia em aneurismas toracoabdominais deve ser sempre abordado com o paciente. Apesar de as evoluções tecnológicas e clínicas terem diminuído a incidência dessa temida complicação, ela ainda ocorre em 2% a 15% dos casos, a depender da extensão da doença aórtica.[16] Procedimentos cirúrgicos que envolvem troca ou revestimento de grandes segmentos estão associados a uma maior incidência de paraplegia, por interromperem o fluxo da artéria de Adamkiewicz, que geralmente se origina entre os segmentos T5 e L2, o que leva à privação do suprimento sanguíneo da medula nessa região.[11]

As principais estratégias para proteção da isquemia medular em cirurgias de aorta torácica descendente incluem o by-pass cardíaco esquerdo, a hipotermia, a drenagem lombar liquórica e o reimplante das artérias segmentares espinhais.

Avaliação da Função Hematológica

Os procedimentos de aorta torácica normalmente apresentam perda sanguínea expressiva no intraoperatório. Dessa forma, durante a avaliação pré-operatória, deve ser pesquisada a presença de doenças da hemostasia, além do uso de medicações que possam alterar a agregação plaquetária ou as cascatas de coagulação, para que sua suspensão, se factível, possa ocorrer em tempo hábil.

Tempo prolongado de CEC, instituição de hipotermia profunda e grandes deslocamentos de fluidos corporais são importantes fatores de risco para o desenvolvimento de coagulopatia e exigem que técnicas de conservação sanguínea sejam empregadas para os procedimentos cirúrgicos de aorta. Entre estas, destacam-se o uso de cell saver e de testes viscoelásticos, doação autóloga pré-operatória, hemodiluição normovolêmica aguda e uso de agentes hemostáticos tópicos biológicos e antifibrinolíticos.[11] Além disso, a disponibilidade imediata de concentrados de hemácias, plasma fresco congelado, concentrados ou aférese de plaquetas e fatores de coagulação específicos precisa ser confirmada.

O uso de protocolos transfusionais baseados em testes viscoelásticos para reposição dos diferentes tipos de componentes da coagulação reduz o número de transfusões e melhora os desfechos.[4]

ABORDAGEM ANESTÉSICA EM CIRURGIAS DA AORTA ASCENDENTE E DO ARCO AÓRTICO

A gravidade das doenças da aorta ascendente e do arco aórtico, a complexidade das técnicas cirúrgicas e o elevado risco de mortalidade e disfunção orgânica impõem à equipe de anestesiologia um grande desafio na execução desses procedimentos. É fundamental a manutenção da estabilidade hemodinâmica, evitando-se aumentos agudos da pressão arterial, especialmente nos casos de pacientes que apresentem uma síndrome aórtica aguda, em função do elevado risco de ruptura da aorta. Outro objetivo crucial durante procedimentos desse tipo é a preservação da perfusão e da viabilidade de órgãos vitais, que, devido à exposição à isquemia, podem sofrer lesão irreversível. Nesse contexto, a monitorização neurológica é fundamental para a prevenção de disfunção dessa ordem no pós-operatório.

Avaliação e Preparo Pré-operatório

Pacientes que se apresentam com dissecção aórtica aguda precisam de uma terapia medicamentosa inicial com o objetivo diminuir o estresse da parede, a fim de limitar a extensão da dissecção e reduzir o risco de ruptura da aorta e lesão de órgãos-alvo. É importante a obtenção de controle adequado da dor, da frequência cardíaca e da pressão arterial sistólica. Para tanto, os betabloqueadores intravenosos (propranolol, metoprolol, labetalol ou esmolol) são drogas de primeira linha. Bloqueadores de canal de cálcio não diidropiridínicos (verapamil e diltiazem) são alternativas razoáveis em pacientes que não toleram betabloqueadores. Em alguns casos, o uso de vasodilatadores (nitroprussiato de sódio) pode ser associado aos betabloqueadores, visando ao rápido controle pressórico, com o cuidado de iniciar primeiro o betabloqueio para contrabalançar a taquicardia reflexa e o aumento de inotropismo que podem acompanhar a terapia vasodilatadora.[5]

Alguns pacientes podem apresentar sinais de hipoperfusão sistêmica. Nesses casos, a etiologia suspeita do choque deve orientar a terapia antes da intervenção cirúrgica. Pacientes com suspeita de hipovolemia ou tamponamento cardíaco requerem expansão de volume e uso de vasopressores para manter a perfusão orgânica. Se houver evidência de oclusão coronariana e disfunção miocárdica, a administração de inotrópicos pode ser necessária.[17] Assim, é recomendado, que antes do início do procedimento, bombas de noradrenalina, nitroprussiato de sódio e algum agente inotrópico estejam prontas para infusão imediata.[18]

Monitorização

A monitorização hemodinâmica perioperatória durante a cirurgia do arco aórtico deve ser multimodal, abrangendo o uso de pressão venosa central, cateter de artéria pulmonar, ETE e medida invasiva da pressão arterial em diferentes locais. Caso a perfusão cerebral anterógrada for planejada durante a parada circulatória hipotérmica, é importante realizar a monitorização da pressão arterial invasiva tanto na extremidade superior direita quanto na extremidade superior esquerda (ou artéria femoral), a fim de auxiliar no monitoramento da pressão de perfusão cerebral e sistêmica, respectivamente.

A monitorização pressórica pode ser feita em até três locais distintos: ambas as artérias radiais e uma artéria femoral. A artéria radial direita pode fornecer leituras falsamente elevadas durante a CEC se a canulação da artéria axilar direita ou inominada for usada. Para realizar monitorização pressórica durante a perfusão cerebral retrógrada, deve-se instalar um cateter venoso central na veia jugular interna ou na veia subclávia.[17]

■ ECOCARDIOGRAFIA TRANSESOFÁGICA E ULTRASSONOGRAFIA INTRAOPERATÓRIA

A avaliação intraoperatória por ETE de um paciente com doença de aorta ascendente ou arco aórtico deve se concentrar nas condições que podem alterar o tratamento cirúrgico. A identificação de alterações segmentares de contratilidade do ventrículo esquerdo sugere comprometimento da perfusão coronariana e pode indicar a necessidade de revascularização. Da mesma forma, o ETE pode ser usado para avaliar a presença de derrame pericárdico ou pleural, o que pode sugerir rutura aórtica. A medida das dimensões do anel aórtico, dos seios de Valsalva e da junção sinotubular pode ajudar a orientar se o reparo cirúrgico inclui a aorta ascendente sozinha ou também a raiz da aorta e a valva aórtica. Na presença de insuficiência aórtica, o mecanismo e a gravidade devem ser definidos para ajudar a orientar se o procedimento cirúrgico incluirá reparo ou substituição da valva aórtica.[17]

A diferenciação da luz verdadeira da falsa luz pode ser feita por meio da ultrassonografia vascular. O lúmen verdadeiro é caracterizado pela expansão sistólica, enquanto o falso lúmen normalmente se expande na diástole. A falsa luz também pode demonstrar contraste espontâneo ou hematoma, auxiliando ainda mais na diferenciação.

A identificação do lúmen verdadeiro é importante para auxiliar na orientação da canulação da aorta pela técnica de Seldinger, via passagem retrógrada ou anterógrada do guia para o lúmen verdadeiro, com subsequente colocação da cânula arterial. Se houver altas pressões na cânula arterial durante o início da CEC, uma reavaliação imediata deve ser feita para garantir que a luz verdadeira está recebendo o fluxo sanguíneo, pois a pressurização da falsa luz pode resultar em rápida propagação da dissecção e em ruptura aórtica.[17]

Após o reparo cirúrgico, a aorta deve ser reexaminada para garantir que o ponto de dissecção e a falsa luz tenham foram excluídos e que o fluxo foi restaurado para a luz verdadeira. A válvula aórtica deve ser reavaliada para confirmar que nenhuma insuficiência significativa persista após o reparo ou a substituição. Novas alterações segmentares de contratilidade do ventrículo esquerdo podem indicar a necessidade de outros procedimentos, seja revascularização miocárdica, seja intervenção coronariana percutânea. A avaliação global da função ventricular direita e esquerda é importante para verificar a necessidade de suporte inotrópico mais agressivo para evitar a síndrome de baixo débito cardíaco no pós-operatório, que está associada a aumento na mortalidade após o reparo da dissecção aórtica.[17]

Monitorização Neurológica

O alto risco de disfunção neurológica após as cirurgias de aorta ascendente e arco aórtico requer um nível mais elevado de neuromonitoramento intraoperatório. A monitorização cerebral pode ser realizada por meio de monitorização da saturação venosa de oxigênio do bulbo jugular ($SjvO_2$), Doppler transcraniano, eletroencefalograma (EEG), potenciais evocados e espectroscopia de luz infravermelha próxima (NIRS, do inglês *near infra-red spectroscopy*).[3]

A $SjvO_2$ avalia de forma global a relação entre oferta e consumo cerebral de oxigênio, mas requer recursos invasivos, havendo certa complexidade para o posicionamento correto do cateter. Em teoria, $SjvO_2$ maior que 95% representa supressão metabólica suficiente, ao passo que saturações inferiores a 20% sugerem desbalanço metabólico.[19] Entretanto, esse método não apresenta boa correlação para predizer desfechos após cirurgia de aorta.[17]

O Doppler transcraniano mede a velocidade do fluxo sanguíneo em tempo real na artéria cerebral média. No entanto, esse metodo requer alto nivel de especializaçao, consome tempo, é sensível ao deslocamento do sensor e tem limitado valor em condições de baixo fluxo. A artéria oftálmica seria outro local para se estimar o fluxo cerebral pela técnica Doppler, podendo superar algumas das limitações da avaliação transcraniana, porém não permite monitorização contínua.[19]

O EEG pode ser usado para avaliar o silêncio elétrico cerebral antes do início da parada circulatória hipotérmica.[17,19] Ele também é capaz de detectar recuperação anormal ou atividade convulsiva após circulação extracorpórea e durante o reaquecimento, o que pode estar associado a desfechos neurológicos adversos. O uso do monitoramento completo do EEG durante o reparo aórtico é incomum, devido à complexidade da aplicação do monitor no contexto de um procedimento cirúrgico de emergência e à necessidade de treinamento adicional para interpretar de forma confiável o monitor.

Mais frequentemente, monitores de EEG processados são usados para avaliar a profundidade da anestesia e a presença de silêncio elétrico cerebral.[17] É amplamente aceito que a inatividade elétrica representa supressão suficiente do metabolismo cerebral e, portanto, tem sido historicamente usada como parâmetro para determinar a temperatura ideal durante a parada circulatória hipotérmica.[19] Embora o nível de atividade cerebral nos monitores de consciência pareça diminuir de forma confiável com a progressão da hipotermia, ele traduz apenas a função do córtex frontal e é vulnerável a vários artefatos comuns em pacientes submetidos à cirurgia cardíaca, a exemplo do uso de altas doses de opioides, antagonistas do receptor N-metil-D-aspartato, bloqueadores neuromusculares e dispositivos de aquecimento por ar forçado). Entretanto, ainda não existem evidências de melhora do prognóstico neurocognitivo quando o silêncio elétrico cerebral é guiado pelo EEG processado.

O NIRS é a tecnologia mais utilizada para orientar a otimização da oxigenação cerebral, sendo fortemente recomendado para uso em procedimentos de arco aórtico, além de outros procedimentos cardiovasculares que envolvem manipulação dos vasos da base.[20] Esse tipo de monitor permite a avaliação não invasiva e em tempo real da saturação cerebral regional de oxigênio. O valor médio inicial está entre 60% e 70% e deve ser aferido em ar ambiente e na ausência de sedativos ou opioides.

Embora o NIRS normalmente permita um monitoramento confiável da saturação de oxigênio cerebral, é importante considerar suas limitações. A monitoração é limitada ao córtex frontal e as medidas podem ser afetadas por tecidos extracerebrais, mudanças na proporção de volume venoso e arterial intracraniano, hemodiluição, hiperbilirrubinemia, alterações patológicas na autorregulação cerebral, entre outros. Estudos anteriores mostraram ampla variação nos valores de limiar de dessaturação cerebral absoluta e relativa, que estão associados a déficits neurocognitivos no pós-operatório; contudo, parece que tanto o grau quanto a duração da dessaturação são importantes na predição de resultados adversos, incluindo piores desfechos neurocognitivos.[17,19] Na cirurgia da aorta, diminuição na saturação de oxigênio cerebral regional para valores iguais ou inferiores a 55% ou entre 76% e 86% do valor basal foi associada a aumento de eventos neurológicos no pós-operatório. Estudos sugerem que o NIRS pode auxiliar no posicionamento correto das cânulas durante a cirurgia aórtica, permitindo a identificação precoce de problemas na perfusão cerebral e evitando o desenvolvimento de lesões neurológicas potencialmente catastróficas.[15]

O manejo da dessaturação cerebral regional de oxigênio é geralmente feito seguindo o protocolo proposto por Denault e col., que inclui otimização do posicionamento da cânula e da posição da cabeça, aumento da pressão arterial média (ou da pressão de perfusão), aumento da saturação de oxigênio, ajuste da pressão parcial dióxido de carbono, aumento da oferta sistêmica de oxigênio por meio de transfusão de concentrados de hemácias e adequação do débito cardíaco (Figura 156.3).[21] Atualmente, não existem muitos estudos avaliando o uso do NIRS em cirurgia de aorta com parada circulatória hipotérmica. De modo geral, há evidências de nível moderado de que a monitorização e o manejo ativo guiado pela saturação cerebral de oxigênio estão associados a melhores resultados neurocognitivos. Assim, pelo potencial de identificar problemas modificáveis

que comprometem a perfusão cerebral e pela característica de ser não invasivo, o uso do NIRS recebeu um nível de recomendação classe I para cirurgias de reparo do arco aórtico em consenso de *experts* europeus.[22]

Estratégias de Proteção Neurológica

O objetivo fundamental na prevenção de danos cerebrais durante cirurgias de aorta ascendente e arco aórtico é manter o equilíbrio entre a oferta de oxigênio e a demanda metabólica cerebral. Nesse contexto, as técnicas de perfusão cerebral seletiva e manipulação da temperatura cerebral com instituição de hipotermia merecem descrição detalhada (Tabela 156.4).

Tabela 156.4 Técnicas de proteção cerebral durante cirurgias da aorta ascendente e do arco aórtico.

Neuromonitoramento	NIRS – em caso de valores absolutos menores que 55% (ou 20% abaixo do basal do paciente), otimizar DO$_2$ cerebral (fluxo e/ou oferta de oxigênio)
Hipotermia	Hipotermia leve a moderada – respeitar gradiente máximo de 10°C entre a temperatura do sangue arterial e da H$_2$O do circuito de CEC
Perfusão cerebral seletiva	Utilizar preferencialmente a técnica de perfusão anterógrada. Manter pressão de perfusão entre 40 mmHg e 60 mmHg

NIRS: espectroscopia de luz infravermelha próxima; CEC: circulação extracorpórea; DO$_2$: oferta de oxigênio; H$_2$O: água.

A perfusão cerebral seletiva é uma técnica comumente utilizada em casos que exigem parada circulatória hipotérmica, sendo capaz de manter o fluxo sanguíneo encefálico com o objetivo de minimizar a lesão neurológica enquanto a equipe cirúrgica realiza o reparo aórtico. Quando usada efetivamente, a perfusão cerebral seletiva mantém a oferta de oxigênio e glicose do sistema nervoso central durante a parada circulatória, além de fornecer resfriamento contínuo.[17,19] As duas estratégias mais comumente empregadas para este fim são a perfusão cerebral por via anterógrada e via retrógrada. Na técnica anterógrada, o sangue é direcionado da artéria axilar ou inominada para a artéria carótida comum direita após clampeamento da artéria inominada e descontinuação do fluxo sanguíneo sistêmico. Essa estratégia é vantajosa porque mantém contínua a circulação do sistema arterial cerebral, porém pode resultar em embolização ou lesão vascular durante a manipulação dos vasos do arco aórtico, além de apresentar risco de perfusão não uniforme do cérebro quando é instituído fluxo unilateral. A perfusão unilateral por meio de canulação axilar direita oferece uma boa visão do campo operatório e evita a canulação direta das artérias carótidas, mas é fundamental que o círculo de Willis permita que a perfusão dos vasos à direita tenha comunicação com os vasos cerebrais esquerdos. É importante ressaltar que até 40% a 68% dos pacientes com doenças do arco aórtico apresentam anormalidades nesse sistema arterial.[19]

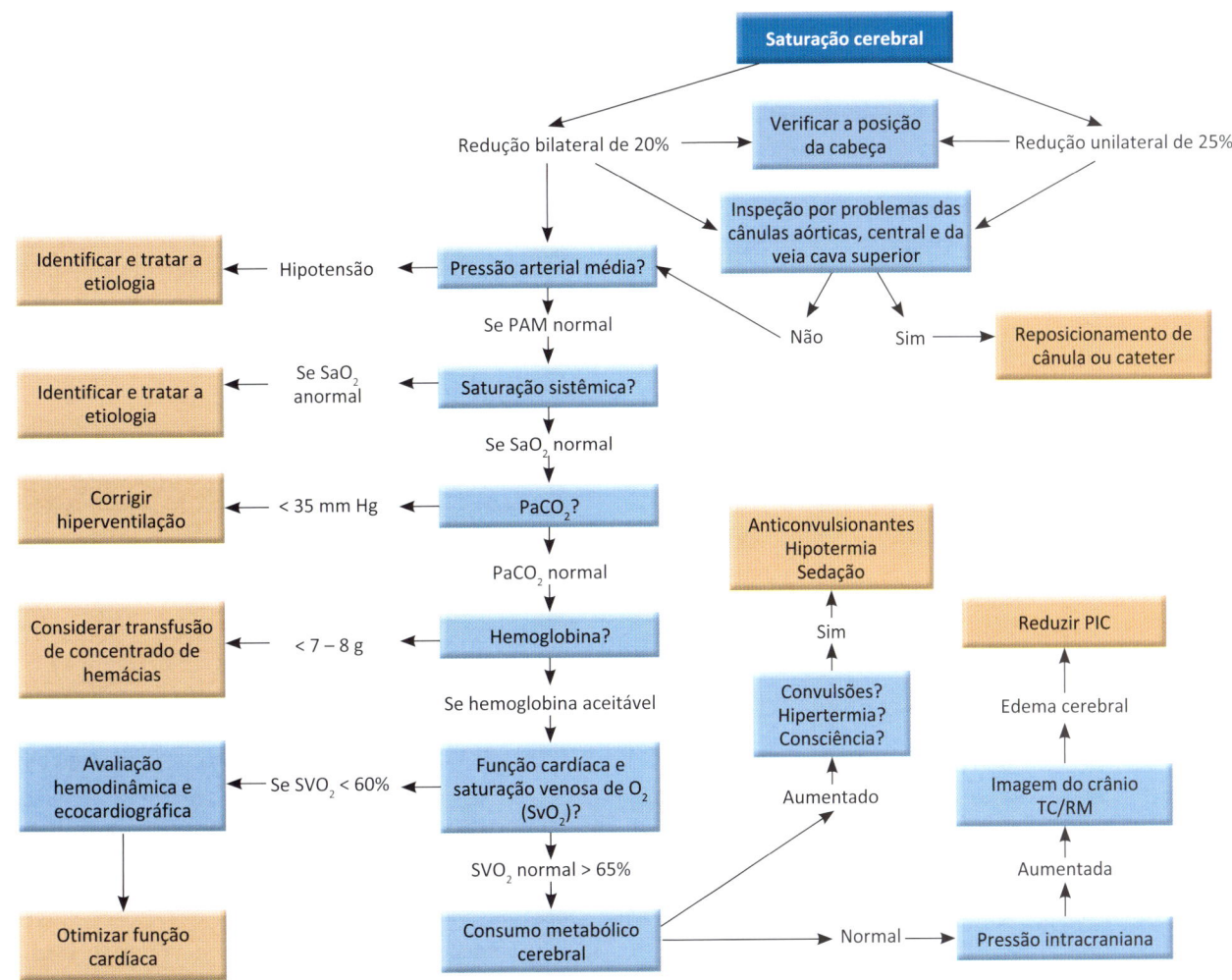

▲**Figura 156.3** Algoritmo de cuidado baseado na oximetria cerebral.

SaO_2: saturação de oxigênio; SvO_2: saturação venosa de oxigênio; $PaCO_2$: pressão parcial de gás carbônico arterial; PAM: pressão arterial média; PIC: pressão intracraniana; TC: tomografia computadorizada; RM: ressobância magnética.

Um correto ajuste da pressão de perfusão e do fluxo sanguíneo cerebrais são cruciais, em particular quando se usa hipotermia moderada. Enquanto a hipoperfusão pode resultar em isquemia, a hiperperfusão pode levar à formação de edema cerebral. Evidências atuais sugerem que é necessário manter o fluxo acima de 6 mL/kg^{-1}/min^{-1} para atender às exigências metabólicas cerebrais. Portanto, deve-se almejar valores de fluxo sanguíneo entre 6 mL/kg^{-1}/min^{-1} e 10 mL/kg^{-1}/min^{-1}.[17,19] Por outro lado, há evidências de que altas pressões de perfusão cerebral (acima de 90 mmHg) podem estar associadas a aumentos na pressão intracraniana e pior prognóstico neurocognitivo. Sugere-se manter a pressão de perfusão cerebral entre 60 mmHg e 70 mmHg, sendo a pressão arterial geralmente medida na artéria radial direita.

O uso intraoperatório do monitor NIRS permite detectar problemas de perfusão cerebrais, que podem ser resultado de mau posicionamento da cânula, roubo de sangue da circulação cerebral pela artéria carótida esquerda e anormalidades do círculo de Willis. A identificação de problemas com a perfusão seletiva unilateral pelo NIRS pode indicar a canulação da artéria carótida esquerda e instituição de perfusão cerebral anterógrada bilateral.

Um estudo de casos sugeriu valores de dessaturação de oxigênio cerebral à esquerda abaixo de 55%, ou um decréscimo de 15% a 20% abaixo da linha de base, como limiar para iniciar a perfusão bilateral. Essa conduta foi associada a aumento significativo na saturação cerebral de oxigênio do lado esquerdo, sem déficit neurológico pós-operatório associado.[17] Em casos de parada circulatória prolongada (superior a 40 minutos), o emprego da perfusão cerebral anterógrada bilateral também parece proporcionar melhores desfechos.[19]

A perfusão cerebral retrógrada foi muito utilizada no passado, mas atualmente é menos popular. Nessa técnica, utiliza-se a canulação venosa bicaval e o sangue oxigenado pelo circuito de CEC é direcionado através da veia cava superior para as veias jugulares internas e os seios venosos visando fornecer fluxo encefálico durante a parada circulatória. Ela promove perfusão bilateral, mas pode provocar a liberação de material embólico. Além disso, seu uso é limitado por preocupações relativas a edema cerebral e neuroproteção inadequada por baixo fluxo.[17,19]

A hipotermia é uma estratégia de proteção cerebral com evidência já bem estabelecida, e procedimentos envolvendo o arco aórtico são frequentemente realizados com sua instituição. A cada 1°C de diminuição da temperatura é observada uma redução de 6% a 7% na taxa metabólica cerebral de oxigênio (CMRO$_2$).[23] A hipotermia é obtida pelo resfriamento do sangue no sistema trocador de calor do circuito de CEC.[24]

Além de diminuir a demanda metabólica, a hipotermia também desempenha importante papel na evolução de lesões isquêmicas cerebrais. O efeito protetor da hipotermia deve-se à diminuição da liberação de mediadores excitatórios, como o glutamato, limitando a excitotoxicidade normalmente observada após a morte neuronal. Adicionalmente, a hipotermia também é capaz de atenuar a lesão de isquemia-reperfusão, pela redução da liberação de espécies reativas de oxigênio, e de contribuir para a integridade da barreira hematoencefálica pela inibição da ação de metaloproteinases, enzimas responsáveis pela degradação da matriz extracelular.[23]

Os locais mais representativos para mensuração da temperatura cerebral incluem a artéria pulmonar, a nasofaringe, o bulbo venoso jugular e a membrana timpânica.[23] A temperatura da saída arterial do oxigenador da CEC é usada como substituto primário da temperatura alvo do cérebro durante o resfriamento, e termômetros posicionados na membrana nasofaríngea fornecem uma estimativa adicional, sendo estas as medidas de escolha na maioria das instituições.[24] O reto e a bexiga, embora eficazes para avaliar a temperatura central, são muito distais para monitoramento da temperatura cerebral.[23]

Apesar de suas ações benéficas, a diminuição da temperatura corporal também está associada ao surgimento de efeitos indesejáveis, como disfunção neurológica, coagulopatia, AVC, hiperglicemia, acidemia e aumento do tempo de CEC. O principal fator prognóstico de mortalidade e lesão neurológica é a duração da parada circulatória total hipotérmica (PCTH).[23] Durações da PCTH abaixo de 30 minutos estão associadas a redução de risco de injúria renal aguda.

Apesar de o benefício da hipotermia ser universalmente aceito, não há consenso sobre a temperatura ideal durante a PCTH. A hipotermia pode ser classificada em:[25]

- **Leve:** 28,1°C a 34°C;
- **Moderada** (20,1°C a 28°C;
- **Profunda:** 14,1°C a 20°C;
- **Muito profunda:** inferior a 14°C.

Embora a hipotermia profunda oferecer uma leve vantagem fisiológica ao cérebro, o prolongamento do período necessário para resfriamento e reaquecimento resulta em aumento significativo no risco de coagulopatia. Por isso, muitas instituições têm adotado abordagens de hipotermia moderada, com estratégias de perfusão cerebral seletiva. Dessa maneira, tem-se obtido melhores taxas de disfunção endotelial, duração da CEC, coagulopatia e disfunção renal.[23]

A lesão neurológica é o efeito adverso mais grave após o uso de PCTH e pode variar desde disfunção cognitiva pós-operatória até AVC. Estudos recentes não demonstraram diferenças significativas nas taxas de déficits neurológicos permanentes ou transitórios quando as abordagens de parada circulatória com ou sem perfusão cerebral anterógrada foram comparadas. No entanto, a mortalidade foi significativamente menor (8,5% *versus* 15,2%) quando a perfusão cerebral anterógrada foi realizada.[23]

Na intenção de limitar a coagulopatia induzida pela hipotermia, o processo de reaquecimento deve feito o mais rapidamebte possível. No entanto, o reaquecimento não deve produzir hipertermia cerebral (temperatura acima de 37°C), uma vez que essa condição também resulta em piores desfechos neurológicos. As lesões cerebrais associadas à hipertermia surgem em função de isquemia, edema, êmbolos e lesão térmica.[23] De forma geral, o reaquecimento deve ser realizado a uma taxa de 0,5°C/min, o que pode demandar 90 minutos após hipotermia profunda que alcançou 16°C.[24]

As seguintes estratégias de manejo anestésico devem ser consideradas em pacientes que serão submetidos ao processo de hipotermia e reaquecimento:

1. Acessos vasculares venosos (central e periférico) e arteriais de tamanhos adequados;
2. Monitorização e exames laboratoriais individualizados, entre eles: gasometria arterial e venosa, hemoglobina e hematócrito, eletrólitos, glicose, lactato, tempo de coagulação ativado, testes viscoelásticos da hemostasia, ETE, débito urinário, monitorização das temperaturas central e cerebral, eletroencefalograma, oximetria cerebral e monitoramento cardiovascular invasivo com cateter de artéria pulmonar;
3. Disponibilidade de hemoderivados e hemocomponentes para o tratamento de possíveis coagulopatias;
4. Infusões de drogas vasoativas para tratamento tanto da vasoconstrição, que pode acompanhar a hipotermia, quanto da vasodilatação, que pode ocorrer durante o reaquecimento e a reperfusão;
5. Infusão de insulina para correção uma provável hiperglicemia perioperatória (o alvo de glicemia é permanecer abaixo de 180 mg/dL^{-1}).

As necessidades anestésicas são reduzidas durante a hipotermia profunda, e a anestesia geral não é necessária após o aparecimento da supressão do EEG e durante o período de silêncio eletrocortical. No entanto, a administração anestésica deve ser retomada durante o reaquecimento para garantir um estado anestesiado quando a temperatura nasofaríngea atingir aproximadamente 30°C ou quando a atividade do EEG tiver retornado (em geral, aproximadamente 30 minutos após o início do reaquecimento).

O resfriamento cerebral tópico com bolsas de gelo durante a parada circulatória ainda é uma técnica controversa e as evidências quanto à sua eficácia são limitadas. Embora o resfriamento tópico seja uma intervenção de baixo risco, pode interferir com os monitores de perfusão cerebral, incluindo o EEG e o NIRS, e tem o potencial de causar lesão ocular ou tecidual. Com a utilização frequente de perfusão cerebral seletiva, provavelmente haverá benefício mínimo para uso rotineiro de resfriamento tópico na cirurgia de aorta proximal.[17]

ABORDAGEM ANESTÉSICA EM CIRURGIAS DA AORTA TORÁCICA DESCENDENTE

O tratamento cirúrgico do aneurisma da aorta toracoabdominal representa uma tarefa complexa e desafiadora tanto para o cirurgião quanto para o anestesiologista. Historicamente, a morbidade e a mortalidade desse tipo de procedimento têm sido altas e são dependentes do cirurgião e da instituição. As taxas de complicações, entretanto, melhoraram significativamente em função dos avanços científicos, das técnicas cirúrgicas e do manejo perioperatório.[9]

Monitorização

A artéria radial direita é o local de escolha para monitorizar a pressão arterial proximal, uma vez que a artéria radial esquerda pode ser comprometida caso o pinçamento aórtico seja colocado proximalmente à artéria subclávia esquerda.[9] Um cateter arterial femoral direito pode ser obtido para avaliação da pressão distal, especialmente quando se opta por realizar a técnica do *by-pass* atriofemoral. Inserção de cateter venoso central é recomendada para monitorização da pressão venosa central, medida da gasometria venosa e infusão de drogas vasoativas, assim como acessos venosos calibrosos devem ser obtidos para rápida infusão de fluidos.

O ETE possibilita a monitorização do estado hemodinâmico e permite intervenções terapêuticas precoces.[10] Ele também fornece informações específicas a respeito da aorta, sendo particularmente útil para identificar dissecção retrógrada ou hematoma intramural relacionados à canulação ou ao pinçamento aórtico. Entretanto, o uso dessa ferramenta é limitado para a avaliação da região do arco aórtico e da aorta abdominal. Além disso, é necessário que o anestesiologista tenha habilidade e experiência tanto na obtenção de imagens adequadas quanto em sua interpretação.

Manejo Durante Pinçamento Aórtico

Durante a fase de pinçamento aórtico é fundamental manter a estabilidade cardiovascular e a adequada pressão de perfusão, a fim de evitar isquemia de órgãos e da medula espinhal. O uso do ETE para monitorar alterações cardíacas e orientar o tratamento hemodinâmico nessa fase cirúrgica é de grande valia. Durante o *by-pass* atriofemoral, a leitura das informações acerca da perfusão distal é possível por meio de parâmetros do circuito de CEC. O manejo da circulação proximal ao pinçamento, no entanto, é guiado pelas medidas da pressão arterial radial, da pressão venosa central e pela avaliação cardíaca pelo ETE.[10]

As mudanças hemodinâmicas resultantes do pinçamento da aorta são hipertensão proximal e hipotensão distal. Ocorre redução da fração de ejeção e do débito cardíaco e, em paralelo, as pressões de enchimento, o estresse da parede e o consumo de oxigênio pelo miocárdio aumentam.[25] O aumento do retorno venoso e a liberação de catecolaminas também acompanham o pinçamento aórtico supracelíaco, levando à diminuição da capacitância venosa.[9] O grau de hipertensão observado depende do ponto de pinçamento, do *status* da circulação colateral e do fluxo pré-oclusão. Vasodilatadores, como a nitroglicerina e o nitroprussiato, podem ser necessários para o controle pressórico. É recomendado que a pressão arterial proximal ao pinçamento seja mantida entre 80 mmHg e 100 mmHg, enquanto a pressão distal deve ser ajustada para permanecer acima de 60 mmHg.[26,27]

Após a conclusão das anastomoses, as pinças são retiradas, o *by-pass* atriofemoral é descontinuado e as cânulas são removidas. O desclampeamento aórtico pode resultar em hipotensão importante devido à hipovolemia relativa (redistribuição sanguínea), bem como em diminuição da resistência vascular sistêmica e depressão miocárdica. Metabólitos vasoativos, como o peptídeo intestinal vasoativo, entram na circulação, causando vasodilatação e hiperemia reativas. Agentes vasopressores devem estar prontamente disponíveis nesta etapa do procedimento. Adicionalmente, a reposição volêmica adequada e a correção das anormalidades metabólicas precisam ser realizadas.[9]

A detecção de isquemia de órgãos imediatamente após a remoção do pinçamento aórtico é primordial, especialmente em pacientes que se apresentaram com dissecção aórtica. Os pulsos femorais e as linhas arteriais devem ser cuidadosamente avaliados, bem como os parâmetros metabólicos, como gasometria, eletrólitos e lactato.[10] Apesar de suas limitações, a monitorização da diurese auxilia na avaliação da perfusão renal.

Após a confirmação de boa perfusão periférica, a heparinização residual deve ser revertida com protamina. A hemorragia intraoperatória é uma das principais causas de mortalidade precoce em cirurgias de aorta torácica. O risco de perda sanguínea está aumentado em função de hipotermia, acidose e heparinização residual. A hipoperfusão hepática durante o pinçamento aórtico leva ao acúmulo de citrato e hipocalcemia. O sangramento agudo, com consequente reposição volêmica ou transfusão, pode levar à coagulopatia diluicional. A avaliação *point-of-care* (POC) da coagulação é importante, sendo idealmente realizada por testes viscoelásticos e por análise da função plaquetária.[10] A utilização de algoritmos baseados nos exames POC para correção de distúrbios da coagulação nesse tipo de procedimento é de grande valia. Devido ao elevado risco de sangramento, é fundamental que hemocomponentes e hemoderivados estejam disponíveis em sala cirúrgica.

Estratégias de Proteção Neurológica

A fisiopatologia da isquemia medular após cirurgias da aorta descendente é multifatorial. O tempo de pinçamento é o principal fator etiológico para o surgimento de complicações neurológicas. Historicamente, os reparos da aorta eram realizados sem perfusão distal e, nessas condições, a incidência de paraplegia era diretamente proporcional ao tempo sem fluxo.[28] A padronização da técnica de CEC (atriofemoral ou cardiopulmonar) fez com que as taxas de isquemia medular caíssem de maneira significativa, embora a duração do pinçamento aórtico continue sendo um importante fator de risco para o seu desenvolvimento. Adicionalmente, propõe-se que a lesão de reperfusão também contribua para o surgimento da isquemia medular. O restabelecimento do fluxo sanguíneo que se segue a um período de isquemia resulta em resposta inflamatória intensa, podendo gerar edema periarterial e medular que pode evoluir para necrose neuronal.[28] Por fim, fatores sistêmicos também podem contribuir para o surgimento e a exacerbação da isquemia espinhal, entre os quais estão incluídos alterações hemodinâmicas (hipotensão arterial) e espasmos na microcirculação (hipoperfusão ou uso de vasopressores).

A instituição da CEC esquerda é geralmente realizada a partir do átrio esquerdo, do arco aórtico ou da aorta descendente proximal ao aneurisma, ou da veia pulmonar esquerda, sendo o sangue direcionado para a artéria femoral esquerda ou aorta torácica descendente distal ao pinçamento. O fluxo costuma ser ajustado entre 1.500 mL/min[-1] e 2.500 mL/min[-1], a fim de manter a pressão arterial média distal em pelo menos 60 mmHg. Embora não existam ensaios clínicos randomizados sobre o uso da perfusão aórtica distal para a proteção da medula espinhal, há muitas séries publicadas que documentam sua eficácia.[27,28]

Como citado anteriormente, a monitorização de potenciais evocados motores (PEM) e potenciais evocados somatossensoriais (PESS) oferece avaliação não invasiva em tempo real da perfusão medular durante as cirurgias da aorta. A monitoração do PEM é usada para avaliar as vias descendentes da coluna vertebral, enquanto o monitoramento do PESS avalia as vias ascendentes. Perdas ou alterações em PEM e PESS sugerem hipoperfusão da medula espinhal, demonstrando a necessidade de o anestesiologista lançar mão de estratégias para melhorar a perfusão medular, como a otimização da pressão arterial ou a drenagem do líquido cefalorraquidiano (LCR). A abordagem dos casos que não respondem às intervenções iniciais pode envolver técnicas cirúrgicas, como o reimplante das artérias intercostais ou a divisão do procedimento em dois tempos.[28]

A hipotermia é uma medida comprovadamente eficaz na redução de complicações isquêmicas, em função da diminuição da demanda de oxigênio dos tecidos resfriados. Em cirurgias de aorta descendente, a hipotermia profunda é empregada nos casos em que a parada circulatória total é necessária devido à impossibilidade do posicionamento de uma pinça aórtica proximal ao reparo. Entretanto, abordagens hipotérmicas leves a moderadas, sem parada circulatória completa, são mais frequentemente utilizadas nesse tipo de cirurgia, pois oferecem os efeitos protetores da hipotermia, mantendo condições mais próximas da fisiologia normal.[27] O uso de hipotermia local e regional nos reparos abertos da aorta torácica também foi já descrito, com utilização de cateteres epidurais com infusão de solução gelada. No entanto, faltam dados consistentes na literatura que justifiquem o emprego dessa técnica na prática clínica.

Já foi demonstrado que o pinçamento aórtico aumenta a pressão do LCR, muito provavelmente de forma secundária às alterações de volume nas veias de capacitância do espaço peridural e ao aumento de produção de LCR devido à elevação da pressão encefálica. O resultado é uma diminuição da pressão de perfusão medular, aumentando o risco de isquemia e complicações neurológicas. A drenagem de LCR é capaz de reverter esse quadro, e diversos estudos já demonstraram a eficácia dessa técnica em melhorar os desfechos neurológicos de pacientes submetidos a cirurgias de aorta descendente.[28] É recomendado que a passagem do dreno de LCR seja realizada abaixo do ponto onde a medula termina, nos espaços interespinhosos L3-L4 ou L4-L5, preferencialmente na linha média para que o plexo venoso peridural seja evitado. O cateter é geralmente inserido 8 cm a 10 cm dentro do espaço subaracnóideo, que, após fixação, é conectado a um sistema de coleta usando técnica asséptica. O sistema de drenagem é conectado a um transdutor de pressão, zerado na altura do átrio direito (paciente em decúbito) ou na altura da transição entre a coluna torácica e a lombar (paciente sentado), que corresponde à região medular sob maior risco de isquemia. O LCR pode ser drenado continuamente ou de forma intermitente para que a pressão subaracnóidea seja mantida a uma faixa de pressão pré-definida, geralmente entre 10 mmHg e 12 mmHg.[27]

A drenagem liquórica pode resultar em complicações graves, inclusive hemorragia subaracnóidea e morte. Por isso, sinais de alerta devem ser continuamente pesquisados, como o surgimento de cefaleia, sinais de irritação meníngea e aparecimento de sangue no LCT. Com o objetivo de diminuir a incidência de complicações, foi proposto que o volume de drenagem em uma hora seja limitado a 10 mL a 15 mL, com a possibilidade de este volume ser ajustado conforme a condição clínica do paciente. Idealmente, o cateter não deve permanecer mais de 72 horas após sua passagem, porém, antes de sua remoção, é importante que permaneça posicionado sem drenagem por 24 horas; assim, caso surjam sintomas, a drenagem pode ser reiniciada.

Diferentes agentes farmacológicos já foram avaliados quando à capacidade de promover proteção neurológica em cirurgias de aorta descendente. Os agentes mais investigados foram os corticosteroides, e estudos experimentais mais antigos mostraram que altas doses de metilprednisolona estiveram associadas à diminuição do risco de lesão medular. O uso de manitol, naloxona, papaverina intratecal, terapia com oxigênio hiperbárico, alopurinol, prostaglandina ou edaravone também já foi descrito na literatura da área, mas nenhuma terapêutica medicamentosa foi comprovadamente capaz de reduzir a incidência de complicações neurológicas de pacientes submetidos a cirurgias de aorta descendente.[28]

Manejo da Dor e Pós-operatório Imediato

Em função da manipulação da região torácica e da grande extensão da incisão operatória, as cirurgias de aorta torácica descendente estão associadas à dor de elevada intensidade no pós-operatório. Assim, um controle adequado da analgesia pós-operatória é de extrema importância, oferecendo ao paciente mais mobilização e melhor performance em sessões de fisioterapia. Além do controle da dor, também é objetivo da terapia analgésica a diminuição das taxas de complicação relacionadas a tromboembolismo venoso e de complicações respiratórias.

O manejo da dor pode ser realizado com bombas de PCA, administração venosa de opioides ou administração peridural com baixas concentrações de anestésico local. Apesar de ainda não existirem evidências na literatura, os autores deste presente capítulo têm obtido resultados satisfatórios com o bloqueio contínuo do plano eretor da espinha (bloqueio ESP), que, quando comparado à analgesia peridural, não apresenta os riscos de hematoma peridural ou instabilidade hemodinâmica.

Após o término da cirurgia, os pacientes são encaminhados para a unidade de terapia intensiva (UTI), onde os objetivos são a detecção e o tratamento precoce de complicações neurológicas e cardiovasculares.[10] Caso um tubo de duplo-lúmen tenha sido utilizado para isolamento pulmonar, ele precisará ser trocado por tubo simples ao final do procedimento. A utilização de um bloqueador brônquico para isolamento pulmonar previne a realização dessa manobra, que não é isenta de riscos. Assim que possível, uma avaliação neurológica deve ser realizada e, se houver suspeita de disfunção aguda, é indicada investigação com TC ou RM deve ser feita para excluir sangramento intracraniano ou compressão medular por hematoma peridural.

A pressão arterial média é geralmente mantida entre 80 mmHg e 90 mmHg, a fim de se manter uma pressão de perfusão medular adequada. Mesmo que não haja déficit neurológico imediato, é necessário estar atento para déficits tardios. Se surgirem sinais de isquemia de membros inferiores, renal ou visceral no período pós-operatório, exames diagnósticos imediatos devem ser realizados para avaliar a perfusão e planejar adequadamente os procedimentos de revascularização cirúrgica, se necessários.

■ ABORDAGEM ANESTÉSICA EM PROCEDIMENTOS ENDOVASCULARES DE AORTA

O tratamento ou reparo endovascular da aorta torácica (TEVAR, do inglês *thoracic endovascular aortic repair*) refere-se a uma abordagem minimamente invasiva em que uma prótese endovascular (também chamada endoprótese), constituída por um tubo de tecido sintético suportado por uma estrutura metálica, é inserida na aorta torácica ou toracoabdominal para o tratamento de uma variedade de doenças que acometem esse vaso. Há também a possibilidade de procedimentos híbridos, que consistem na combinação das abordagens aberta e endovascular. A abordagem aberta é utilizada para criar desvios, ou anastomoses extra-anatômicas que visem permitir o disparo da endoprótese sobre as origens de ramos aórticos.

Avaliação e Preparo Pré-operatório

Os pacientes submetidos ao TEVAR geralmente são idosos com diferentes comorbidades que podem influenciar o risco perioperatório. A literatura aponta uma elevada incidência de hipertensão (87%), doença arterial coronariana (29%), doença pulmonar (27%), doença renal crônica (26%) e diabetes (15%).[29]

Apesar de o TEVAR estar associado a menor oscilação de fluidos, não necessitar de clampeamento aórtico e ser realizado através de pequenas incisões cirúrgicas, ainda é considerado um procedimento de alto risco para complicações cardiovasculares maiores. Assim, a avaliação pré-operatória deve ser tão abrangente quanto aquela realizada para pacientes que serão submetidos à cirurgia aórtica aberta, devendo abordar a doença aórtica, as comorbidades, as potenciais complicações e outras considerações relacionadas ao procedimento.

Técnica Anestésica

O procedimento pode ser realizado tanto sob anestesia geral quanto sob anestesia regional ou de neuroeixo. A condução sob anestesia geral apresenta importantes van-

tagens: manutenção da ventilação controlada, imobilização do paciente e possibilidade do uso do ETE e da monitorização neurofisiológica.[30]

Em serviços de maior volume, as técnicas anestésicas mais comumente empregadas são a anestesia regional ou a anestesia de neuroeixo, acompanhadas de sedação venosa. A técnica regional consiste na infiltração da pele com anestésico local, que pode ser complementada com os bloqueios ilioinguinal ou ílio-hipogástrico. O bloqueio do neuroeixo pode ser feito por raquianestesia ou pela combinação raquianestesia-peridural. Os benefícios dessas técnicas incluem evitar as complicações respiratórias da anestesia geral, facilitar o manejo da dor pós-operatória com cateteres peridurais contínuos, menor necessidade de fluidos, menor suporte com vasopressores e potencial diminuição do tempo de internação hospitalar.[29] Para realização das técnicas regionais ou de neuroeixo, é fundamental que o paciente seja colaborativo e não se mexa durante etapas cruciais do procedimento.

Não existem evidências científicas que apontem superioridade de uma técnica sobre a outra. Independentemente da técnica escolhida, as metas anestésicas gerais são fornecer estabilidade hemodinâmica preservando a perfusão orgânica, manter o volume intravascular adequado, manter oxigenação e evitar hipotermia. Além disso, o planejamento anestésico do TEVAR deve sempre considerar a possibilidade de conversão para a abordagem cirúrgica aberta.

Monitorização

A artéria radial direita é preferencialmente canulada para monitorização invasiva da pressão arterial nas situações em que a artéria subclávia esquerda pode ser encoberta pela endoprótese ou quando a artéria braquial esquerda é utilizada para via de acesso como parte do procedimento.[4] Frequentemente, um acesso venoso central é utilizado para monitorização da pressão atrial direita e administração de drogas vasoativas para o controle hemodinâmico. A diurese deve ser cuidadosamente avaliada, e a fluidoterapia direcionada para manter normovolemia e reduzir o risco de nefropatia induzida pelo contraste. A temperatura corporal central deve ser monitorizada, e a hipotermia prevenida por meio do uso de dispositivos de aquecimento de ar forçado e aquecimento de fluidos.

Ecocardiograma Transesofágico Intraoperatório

O uso do ETE é recomendado no TEVAR com os seguintes objetivos: avaliação da função ventricular e volemia; diagnóstico e confirmação de anormalidades da aorta; auxílio no posicionamento do fio-guia, do sistema de disparo e da endoprótese; detecção e classificação de *endoleaks*; confirmação da exclusão do aneurisma, mostrando contraste estático no saco aneurismático; e auxílio na identificação das zonas de ancoragem proximal e distal, pontos de entradas e saída e lúmen falso e verdadeiro, no caso de dissecções.[31] O ETE também pode mostrar ateromas móveis no arco aórtico, os quais, quando presentes, podem predizer elevado risco de AVC no pós-operatório.[4]

Os *endoleaks* após TEVAR são uma das principais complicações no seguimento a longo prazo desses procedimentos, e sua taxa de incidência global em endopróteses torácicas é de aproximadamente 5%, sendo o tipo I o mais frequente.[31] Os *endoleaks* podem ser classificados em quatro categorias (Figura 156.4):

- **Tipo I:** vazamento nos pontos de fixação do *stent* (Ia: fixação proximal; Ib: fixação distal);
- **Tipo 2:** permanência de fluxo patente retrógrado de ramos da aorta para o saco aneurismático;
- **Tipo 3:** vazamentos decorrentes de defeitos da endopróteses;
- **Tipo 4:** vazamento devido à porosidade da parede da endoprótese.

Alguns autores consideram o vazamento de origem indeterminada como tipo 5 ou endotensão.

Manejo Durante Liberação da Endoprótese

A porção torácica da aorta apresenta um ambiente desfavorável para o implante de endopróteses, em função de sua tortuosidade e da grande tensão hemodinâmica. Embora episódios de hipotensão sejam reconhecidamente prejudiciais para o paciente, medidas podem ser tomadas, durante o disparo e a liberação da endoprótese, para reduzir a pressão arterial, a frequência cardíaca e o débito cardíaco. O objetivo é auxiliar no posicionamento preciso da endoprótese, evitando migração ou deslocamento da porção distal.[29] Para esse fim, medidas farmacológicas e não farmacológicas podem ser empregadas.

As medidas farmacológicas consistem na administração de medicações tituláveis, de curta duração e latência. A pressão arterial média alvo no momento da liberação deve ser de 50 mmHg a 60 mmHg, que pode ser alcançada pela infusão de nitroglicerina, nitroprussiato, propofol, remifentanil ou anestésicos inalatórios. A redução da frequência cardíaca para 50 bpm a 60 bpm pode ser obtida pelo uso de esmolol ou dexmedetomidina.[32]

As medidas não farmacológicas incluem a instalação de marca-passo transvenoso ventricular direito (RVP, do inglês *rapid ventricular pacing*) e a oclusão do fluxo sanguíneo para o átrio direito. Quando ajustado para estimular a uma frequência de 130 bpm a 180 bpm, o RVP leva à perda da sincronia atrioventricular, produzindo redução do enchimento ventricular, do volume sistólico e do débito cardíaco. Nessas condições, a pressão arterial sistólica geralmente cai para 50 mmHg a 60 mmHg. O aumento da frequência de disparo do marca-passo para 200 bpm pode reduzir a pressão sistólica para até 20 mmHg a 30 mmHg. A oclusão do fluxo sanguíneo para o átrio direito pode ser feita por pela oclusão temporária da veia cava inferior, resultando em queda da pré-carga e hipotensão arterial e favorecendo a liberação da endoprótese.[32]

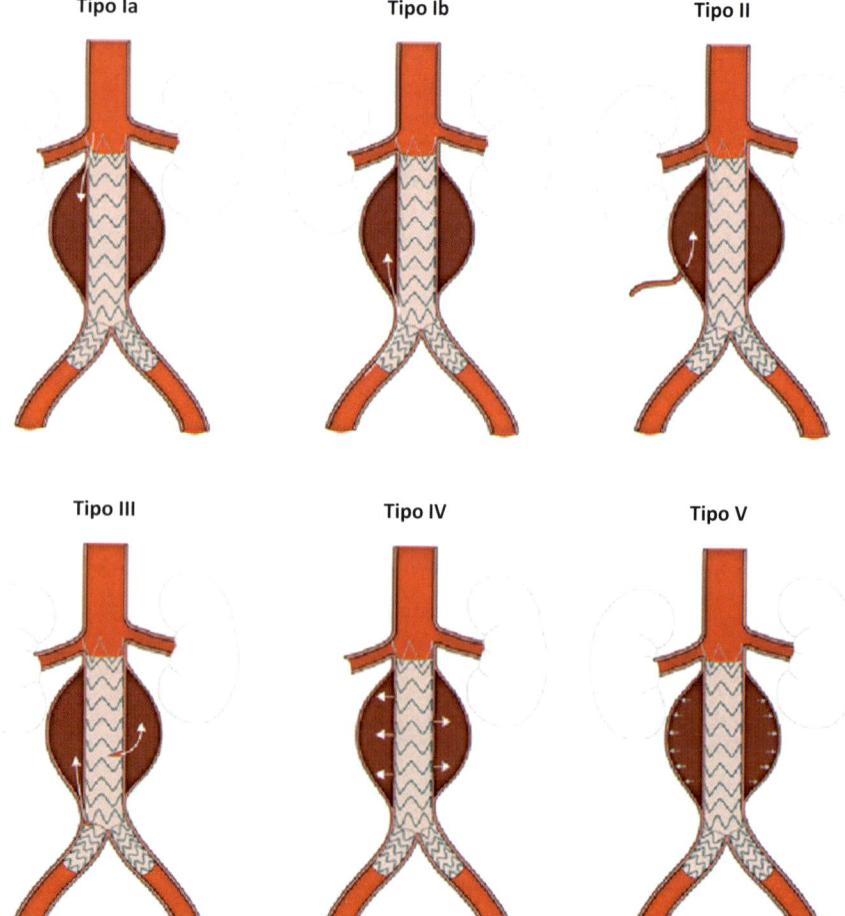

Tipo Ia   Tipo Ib   Tipo II

Tipo III   Tipo IV   Tipo V

◀ **Figura 156.4** Classificação dos tipos de *endoleak* após posicionamento de endoprótese de aorta.

Fonte: adaptada de Isselbacher *et al.*, 2022.[3]

Estratégias de Proteção Neurológica

A incidência de isquemia medular com subsequente paraplegia é estimada entre 3% e 6% e está entre as mais temidas complicações do TEVAR, ainda que essas taxas sejam menores do que aquelas observadas na abordagem aberta.[29] Como descrito anteriormente, o uso da drenagem liquórica está bem estabelecido nas cirurgias abertas de aorta toracoabdominal. No caso dos procedimentos endovasculares, no entanto, o benefício da inserção de cateteres subaracnóideos é discutível, em função das menores variações hemodinâmicas perioperatórias e da natureza invasiva do procedimento de drenagem.

Atualmente, o consenso entre especialistas é de que a drenagem liquórica deve ser reservada para pacientes sob alto risco de isquemia medular.[14] As condições que determinam alto risco incluem: cirurgia prévia de aorta, cobertura da porção aórtica de T9 a T12 pela prótese (território da artéria de Adamkiewicz), cobertura de segmento da aorta torácica superior a 20 cm, comprometimento de vascularização colateral, pacientes sintomáticos no pós-operatório que não foram submetidos à drenagem pré-procedimento e doença aneurismática extensa (Crawford I e II). A inserção e a manutenção do cateter de drenagem liquórica seguem as mesmas recomendações descritas no manejo anestésico de cirurgias da aorta torácica descendente.

REFERÊNCIAS

1. Hiratzka LF, Bakris GL, Beckman JA, Bersin RM, Carr VF, Casey DE, et al. 2010 ACCF/AHA/AATS/ACR/ASA/SCA/SCAI/SIR/STS/SVM Guidelines for the diagnosis and management of patients with thoracic aortic disease: a report of the American College of Cardiology Foundation/American Heart Association Task Force on Practice Guidelines, American Association for Thoracic Surgery, American College of Radiology, American Stroke Association, Society of Cardiovascular Anesthesiologists, Society for Cardiovascular Angiography and Interventions, Society of Interventional Radiology, Society of Thoracic Surgeons, and Society for Vascular Medicine. Circulation. 2010;121(13):e266-369.
2. Nardi P, Ruvolo G. Current indications to surgical repair of the aneurysms of ascending aorta. J Vasc Endovasc Surg. 2016;01(02):3-6.
3. Isselbacher EM, Preventza O, Hamilton Black J, Augoustides JG, Beck AW, Bolen MA, et al. 2022 ACC/AHA Guideline for the Diagnosis and Management of Aortic Disease: a report of the American Heart Association/American College of Cardiology Joint Committee on Clinical Practice Guidelines. Circulation. 2022;146(24).
4. Patel SJ, Augoustides JGT. Serratus anterior plane block - a promising technique for regional anesthesia in minimally invasive cardiac surgery. J Cardiothorac Vasc Anesth. 2020;34(11):2983-5.
5. Bossone E, LaBounty TM, Eagle KA. Acute aortic syndromes: diagnosis and management, an update. Eur Heart J. 2018;39(9):739-49d.
6. Bossone E, Eagle KA. Epidemiology and management of aortic disease: aortic aneurysms and acute aortic syndromes. Nat Rev Cardiol. 2021;18(5):331-48.
7. Cinnella G, Dambrosio M, Brienza N, Tullo L, Fiore T. Transesophageal echocardiography for diagnosis of traumatic aortic injury: an appraisal of the evidence. J Trauma. 2004;57(6):1246-55.
8. Kristensen SD, Knuuti J, Saraste A, Anker S, Bøtker HE, Hert SD, et al. 2014 ESC/ESA Guidelines on non-cardiac surgery: cardiovascular assessment and management: The Joint Task Force on non-cardiac surgery: cardiovascular assessment and management of the European Society of Cardiology (ESC) and the European Society of Anaesthesiology (ESA). Eur Heart J. 2014;35(35):2383-431.
9. Vaughn SB, LeMaire SA, Collard CD, Riou B. Case Scenario: anesthetic considerations for thoracoabdominal aortic aneurysm repair. Anesthesiology. 2011;115(5):1093-102.
10. Chiesa R, Tshomba Y, Civilini E, Marone EM, Bertoglio L, Baccellieri D, et al. Open repair of descending thoracic aneurysms. HSR Proc Intensive Care Cardiovasc Anesth. 2010;2(3):177-90.
11. McCartney M, Fell G, Finnikin S, Hunt H, McHugh M, Gray M. Why 'case finding' is bad science. J R Soc Med. 2020;113(2):54-8.
12. Khan FM, Naik A, Hameed I, Robinson NB, Spadaccio C, Rahouma M, et al. Open repair of descending thoracic and thoracoabdominal aortic aneurysms: a meta-analysis. The Ann Thoracic Surg. 2020;110(6):1941-9.
13. Chatterjee S, LeMaire SA, Amarasekara HS, Green SY, Price MD, Yanoff MS, et al. Early-stage acute kidney injury adversely affects thoracoabdominal aortic aneurysm repair outcomes. Ann Thoracic Surg. 2019;107(6):1720-6.
14. Upchurch GR, Escobar GA, Azizzadeh A, Beck AW, Conrad MF, Matsumura JS, et al. Society for Vascular Surgery clinical practice guidelines of thoracic endovascular aortic repair for descending thoracic aortic aneurysms. J Vascular Surg. 2021;73(1):55S-83S.
15. Gaudino M, Benesch C, Bakaeen F, DeAnda A, Fremes SE, Glance L, et al. Considerations for reduction of risk of perioperative stroke in adult patients undergoing cardiac and thoracic aortic operations: a scientific statement from the American Heart Association. Circulation. 2020;142(14).
16. Gaudino M, Khan FM, Rahouma M, Naik A, Hameed I, Spadaccio C, et al. Spinal cord injury after open and endovascular repair of descending thoracic and thoracoabdominal aortic aneurysms: A meta-analysis. J Thoracic Cardiovasc Surg. 2022;163(2):552-64.
17. Gregory SH, Yalamuri SM, Bishawi M, Swaminathan M. The perioperative management of ascending aortic dissection. Anesth Analg. 2018;127(6):1302-13.
18. Vilacosta I, San Román JA, Di Bartolomeo R, Eagle K, Estrera AL, Ferrera C, et al. Acute Aortic syndrome revisited. JACC. 2021;78(21):2106-25.
19. Peterss S, Pichlmaier M, Curtis A, Luehr M, Born F, Hagl C. Patient management in aortic arch surgery†. Eur J Cardiothorac Surg. 2017;51(Suppl 1):i4-14.
20. Caneo LF, Matte G, Groom R, Neirotti RA, Pêgo-Fernandes PM, Mejia JAC, et al. The Brazilian Society for Cardiovascular Surgery (SBCCV) and Brazilian Society for Extracorporeal Circulation (SBCEC) Standards and Guidelines for Perfusion Practice. Braz J Cardiovasc Surg. 2019;34(2).
21. Denault A, Deschamps A, Murkin JM. A proposed algorithm for the intraoperative use of cerebral near-infrared spectroscopy. Semin Cardiothorac Vasc Anesth. 2007;11(4):274-81.
22. Czerny M, Schmidli J, Adler S, Van Den Berg JC, Bertoglio L, Carrel T, et al. Current options and recommendations for the treatment of thoracic aortic pathologies involving the aortic arch: an expert consensus document of the European Association for Cardio-Thoracic surgery (EACTS) and the European Society for Vascular Surgery (ESVS). Eur J Cardio Thoracic Surg. 2019;55(1):133-62.
23. Ghia S, Savadjian A, Shin D, Diluozzo G, Weiner MM, Bhatt HV. Hypothermic circulatory arrest (HCA) In adult aortic arch surgery: a review of HCA and its Anesthetic implications. J Cardiothorac Vasc Anesth. 2023;S1053077023007139.
24. Cheung AT, Heath M. Anesthesia for aortic surgery requiring deep hypothermia. Disponível em: https://www.uptodate.com/contents/anesthesia-for-aortic-surgery-with--hypothermia-and-elective-circulatory-arrest-in-adult-patients. Acesso: 12 fev 2024.
25. Puchakayala MR, Lau WC. Descending thoracic aortic aneurysms. Continuing Education in Anaesthesia Critical Care & Pain. 2006;6(2):54-9.
26. Parotto M, Ouzounian M, Djaiani G. Spinal cord protection in elective thoracoabdominal aortic procedures. J Cardiothorac Vasc Anesth. 2019;33(1):200-8.
27. Lindsay HA, Srinivas C, Ouzounian M. Open thoracoabdominal aortic aneurysm repair. In: Slinger P (ed.). Principles and practice of anesthesia for thoracic surgery. Cham: Springer International Publishing; 2019.
28. Arora L, Hosn MA. Spinal cord perfusion protection for thoraco-abdominal aortic aneurysm surgery. Current Opinion in Anaesthesiology. 2019;32(1):72-9.
29. Cheruku S, Huang N, Meinhardt K, Aguirre M. Anesthetic management for endovascular repair of the thoracic aorta. Anesthesiology Clinics. 2019;37(4):593-607.
30. Papakonstantinou NA, Antonopoulos CN, Baikoussis NG, Kakisis I, Geroulakos G. Frozen elephant trunk: an alternative surgical weapon against extensive thoracic aorta disease. A three-year meta-analysis. Heart Lung Circ. 2019;28(2):213-22.
31. Riambau V, Böckler D, Brunkwall J, Cao P, Chiesa R, Coppi G, et al. Editor's choice - management of descending thoracic aorta diseases: clinical practice guidelines of the European Society for Vascular Surgery (ESVS). Eur J Vasc Endovasc Surg. 2017;53(1):4-52.
32. Nicolaou G, Forbes TL. Strategies for accurate endograft placement in the proximal thoracic aorta. Semin Cardiothorac Vasc Anesth. 2010;14(3):196-200.

157

Anestesia para Cirurgias da Aorta Abdominal

Bruno Francisco de Freitas Tonelotto ▪ José Leonardo Izquierdo Saurith

▪ Vinícius Barros Duarte de Morais

INTRODUÇÃO

A aorta abdominal é um segmento vital da principal artéria do corpo humano, estendendo-se do diafragma até sua bifurcação nas artérias ilíacas comuns. Esta região é de importância crítica, não apenas devido ao seu papel no fornecimento de sangue para os órgãos abdominais e membros inferiores, mas também devido à sua suscetibilidade a várias patologias, incluindo aneurismas e dissecções. As cirurgias da aorta abdominal, portanto, são procedimentos complexos e de alto risco, exigindo uma abordagem anestésica meticulosa e especializada.[1]

A aorta abdominal é responsável por fornecer sangue oxigenado para uma série de órgãos vitais, incluindo os rins, fígado e intestinos, além dos membros inferiores. Qualquer comprometimento neste fluxo sanguíneo pode ter consequências graves, tornando a cirurgia da aorta abdominal um procedimento crítico. Além disso, a aorta abdominal é um local comum para o desenvolvimento de aneurismas.[2,3]

Aneurisma de Aorta Abdominal (AAA) é definido como um aumento de dois desvios-padrão acima da média populacional do diâmetro da aorta abdominal. Em termos práticos, considera-se que a aorta possa estar aneurismática quando esta é maior que 3 cm, seja no plano anteroposterior quanto em planos transversos.[4]

Os principais fatores de risco para o desenvolvimento do AAA são: idade avançada, sexo masculino, tabagismo e história familiar de aneurisma. O tabagismo é o principal fator de risco (com *odds ratio* > 3,0 em todos os estudos), e o histórico de outros aneurismas, doença coronariana, doença cerebrovascular, hipercolesterolemia e hipertensão também têm sido associados ao desenvolvimento de AAA.[5] Assim, segundo a Sociedade Europeia de Cirurgia Vascular, recomenda-se que pacientes com idade maior que 65 anos sejam encaminhados para a realização de USG abdominal para *screening* de AAA. Para aqueles com histórico familiar de AAA, tabagismo ou outros fatores de risco é recomendado um *screening* mais precoce.[5]

As cirurgias eletivas para correção de AAA necessitam de uma cuidadosa avaliação de risco, onde imperam o risco de ruptura do aneurisma e a expectativa de vida em longo prazo. Estima-se um risco de ruptura de 3,5% ao ano para aneurismas de 5 a 5,9 cm, 4,1% ao ano para aneurismas de 6,0 a 6,9 cm e 6,3% ao ano para aqueles com mais de 7 cm.[1] Após a introdução de estatinas, antiplaquetários e anti-hipertensivos, essas taxas têm apresentado queda consistente ao longo das últimas décadas; porém, ainda se considera como ponto de corte o valor de 5,5 cm para a indicação cirúrgica de correção de aneurismas abdominais.[2,3] Esses pontos de corte são baseados nas taxas de crescimento dos aneurismas e, quando o tabagismo está presente, este é um fator importante para o crescimento aneurismático.[4]

Nos últimos anos, as técnicas para correção de AAA também vêm sofrendo alterações. Técnicas endovasculares, que inicialmente estavam associadas a altas taxas de reintervenções e falhas nos enxertos, têm demonstrado, atualmente, uma taxa de mortalidade perioperatória de 1,3%, menor que a realizada por via aberta, com mortalidade perioperatória de 3,7%; entretanto, em longo prazo, elas parecem se equivaler.[6,7] Além disso, a correção via endovascular apresentou menores taxas de infarto agudo do miocárdio e tempo de internação hospitalar, tanto para pacientes eletivos quanto para casos com ruptura.[8] Devido a esses fatos, a técnica endovascular tem sido a preferencial para a maioria dos casos.

A anestesia para cirurgias da aorta abdominal apresenta desafios únicos. Devido à natureza complexa e ao alto risco desses procedimentos, o anestesiologista deve estar preparado para enfrentar várias questões críticas. É um campo complexo e desafiador, exigindo um conhecimento profundo da fisiologia cardiovascular e das técnicas anestésicas avançadas. O sucesso desses procedimentos depende não apenas da habilidade ou da técnica cirúrgica, mas também de uma abordagem anestésica cuidadosamente planejada e executada. Este capítulo visa fornecer uma visão abrangente dos desafios e estratégias envolvidas na anestesia para cirurgias da aorta abdominal, enfatizando a importância de uma preparação meticulosa e de uma monitorização intraoperatória rigorosa para garantir os melhores resultados possíveis para os pacientes.[9]

ANATOMIA E FISIOLOGIA DA AORTA ABDOMINAL

A aorta abdominal, uma extensão direta da aorta torácica, começa na passagem do diafragma, no nível da abertura aórtica do diafragma, aproximadamente na altura da vértebra torácica T12. Esta seção da aorta termina ao se bifurcar nas artérias ilíacas comuns no nível da vértebra lombar L4, com variações anatômicas individuais sendo uma possibilidade.

Do ponto de vista anatômico, a aorta abdominal é uma artéria elástica de grande calibre, desempenhando um papel fundamental na condução do fluxo sanguíneo sistêmico oxigenado para a porção inferior do corpo. Situa-se anteriormente à coluna vertebral lombar e posteriormente ao peritônio e aos órgãos intestinais. É circundada por estruturas vitais, incluindo o pâncreas, o duodeno, os rins e os ureteres, uma relação de proximidade que tem implicações clínicas na ocorrência de patologias aórticas.

A parede da aorta abdominal é histologicamente composta por três camadas distintas: a íntima, a média e a adventícia. A íntima, a camada mais interna, é formada por um endotélio simples assentado em uma lâmina basal, essencial para a manutenção da fluidez sanguínea e prevenção da trombose. A camada média é caracterizada pela presença de células musculares lisas e fibras elásticas, conferindo à aorta a capacidade de suportar as elevadas pressões sanguíneas e acomodar variações de volume. A adventícia, composta por tecido conjuntivo frouxo, contém nervos e vasos sanguíneos (*vasa vasorum*) que nutrem a parede aórtica.[2]

Fisiologicamente, a aorta abdominal é fundamental na distribuição hemodinâmica. O sangue que percorre a aorta abdominal é enriquecido com oxigênio e nutrientes, cruciais para a homeostase dos órgãos inferiores. A partir dela, originam-se várias artérias viscerotróficas, como as artérias renais, as mesentéricas superior e inferior, e as ilíacas internas e externas, que suprem órgãos vitais no abdômen e na pelve.

A aorta abdominal exibe uma dinâmica impressionante de adaptação às variações da demanda sanguínea. Em situações de aumento metabólico, como durante o exercício físico, a aorta pode dilatar-se para facilitar o aumento do fluxo sanguíneo. Em contraste, em períodos de repouso, o calibre aórtico pode diminuir ligeiramente em resposta à menor demanda (Figura 157.1).[10]

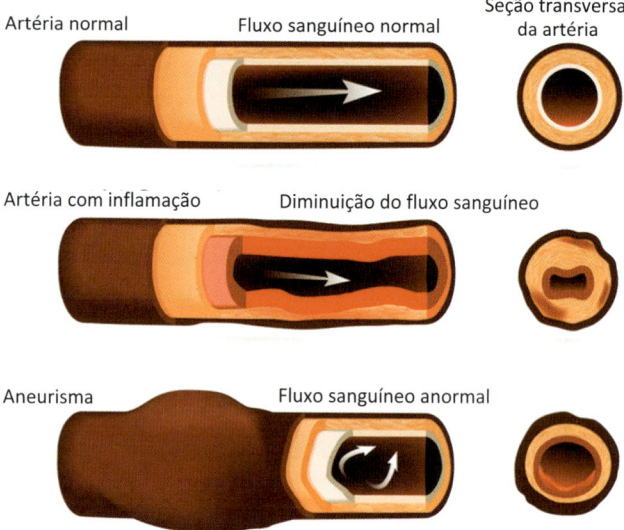

▲ **Figura 157.1** Alterações patológicas da aorta.

Fonte: Disponível em: https://ivcnorthwest.com/treatment/abdominal-endovascular-aneurysm-repair-evar/

Doenças que acometem a aorta abdominal, como aneurismas e aterosclerose, são de grande interesse clínico. Aneurismas da aorta abdominal, caracterizados por uma dilatação patológica da parede aórtica, representam um risco significativo de ruptura e hemorragia interna. A aterosclerose, manifestada pela formação de placas ateromatosas, pode levar à estenose aórtica, comprometendo o fluxo sanguíneo e aumentando o risco de eventos isquêmicos.

Portanto, o entendimento detalhado da anatomia e fisiologia da aorta abdominal é imperativo na prática médica, dada a sua relevância na perfusão sistêmica e nas implicações patológicas associadas. O diagnóstico e manejo apropriados das condições aórticas são cruciais para a prevenção de complicações e para a otimização dos desfechos clínicos em pacientes.

Indicações para Cirurgias da Aorta Abdominal

- **Aneurismas da Aorta Abdominal:** a cirurgia é primariamente indicada para aneurismas da aorta abdominal quando estes apresentam risco significativo de ruptura. Este risco aumenta proporcionalmente ao tamanho do aneurisma; aneurismas com diâmetro superior a 5,5 cm em homens e 5,0 cm em mulheres geralmente são candidatos para intervenção cirúrgica. A cirurgia também é considerada em casos de rápido crescimento do aneurisma (expansão superior a 0,5 cm em 6 meses) ou na presença de sintomas relacionados, como dor abdominal ou lombar, que podem indicar uma iminente ruptura.[11]

- **Dissecções Aórticas:** as dissecções aórticas do tipo B (aquelas que ocorrem distalmente à artéria subclávia esquerda) podem requerer intervenção cirúrgica em situações específicas, como a presença de sinais de isquemia de órgãos, falha no controle da hipertensão arterial apesar de terapia médica adequada, progressão do diâmetro da aorta ou extensão da dissecção. Em alguns casos, técnicas endovasculares podem ser preferidas em relação à cirurgia aberta.

- **Lesões Traumáticas:** lesões traumáticas na aorta abdominal, embora raras, constituem emergências médicas que requerem reparo cirúrgico imediato. Tais lesões geralmente resultam de traumas contusos de alta energia, como acidentes de trânsito ou quedas de grandes alturas. A cirurgia é indicada para estabilizar a parede aórtica e prevenir rupturas fatais.

- **Outras Patologias Relevantes:** outras indicações para cirurgia incluem a presença de doenças infecciosas ou inflamatórias da aorta, como a aortite, que podem comprometer a integridade estrutural da aorta. Além disso, casos raros de tumores aórticos ou complicações de procedimentos médicos prévios, como fístulas aortoentéricas, também podem necessitar de intervenção cirúrgica. A escolha entre técnicas endovasculares e cirurgia aberta dependerá da especificidade da patologia, da anatomia aórtica do paciente e das condições clínicas gerais.

Avaliação Pré-operatória

A avaliação pré-operatória, embora já tenha sido discutida em capítulos anteriores, merece um breve detalhamento, pois é um fator que pode modificar o desfecho do paciente. É uma etapa importante e crítica que visa maximizar os resultados cirúrgicos e minimizar os riscos associados. Essa avaliação abrangente envolve múltiplos aspectos, desde a análise detalhada da patologia aórtica até a avaliação da condição clínica geral do paciente. Os elementos mais importantes nesta avaliação incluem:

Avaliação da patologia aórtica

A obtenção de exame de imagem detalhado é essencial. A realização de estudos de imagem avançados, como a tomografia computadorizada com contraste (TC), ressonância magnética (RM) ou ultrassonografia, é fundamental. Estes estudos fornecem informações detalhadas sobre tamanho, forma, extensão do aneurisma ou da dissecção, a relação com ramos vasculares e a presença de outras patologias concomitantes. Estas imagens são cruciais para o planejamento cirúrgico, especialmente se a abordagem for endovascular, como no caso do reparo endovascular de aneurisma (EVAR).

Avaliação cardiovascular

Considerando-se a natureza cardiovascular da cirurgia, é essencial avaliar a função cardíaca do paciente. Isso inclui eletrocardiograma (ECG), ecocardiograma e, em alguns casos, testes de estresse cardíaco. Como já dito anteriormente, o infarto agudo do miocárdio é uma das complicações mais frequentes e temidas após a cirurgia de aorta. Esta é responsável por 50% dos óbitos no pós-operatório. Assim, todos os pacientes candidatos a cirurgias de correção de AAA devem ser submetidos à avaliação cardiológica, com pelo menos um eletrocardiograma pré-operatório.[9]

Caso apresentem fatores de risco cardiológico, histórico cardiológico positivo, doença arterial coronariana, insuficiência cardíaca congestiva, doença cerebrovascular, diabetes *mellitus*, insuficiência renal crônica ou MET<4, um ecocardiograma transtorácico e um teste de estresse cardiológico devem ser solicitados.[10] Caso haja doença coronariana sintomática, é necessário considerar a possibilidade de revascularização prévia ao procedimento.[10] A revascularização é cogitada também em pacientes com angina estável e acometimento coronariano de duas artérias, sendo uma delas a descendente anterior que apresente isquemia em teste cardiológico não invasivo ou fração de ejeção abaixo de 50%.[10]

Avaliação da função renal

A função renal deve ser cuidadosamente avaliada, pois a insuficiência renal pode aumentar o risco de complicações durante e após a cirurgia. Testes como a taxa de filtração glomerular estimada (eGFR) e níveis de creatinina são cruciais, uma vez que muitos insultos renais estarão presentes durante a cirurgia, seja pelo uso do contraste ou pela isquemia-reperfusão gerada pelo pinçamento aórtico.[5] Em pacientes com função renal prejudicada, medidas devem ser tomadas para reduzir o risco de nefropatia induzida por contraste durante os procedimentos de imagem, como por exemplo, manter o paciente normo-hidratado.

Além disso, recomenda-se a transfusão perioperatória de hemácias, se a hemoglobina estiver abaixo de 7 g.dL^{-1}, e de plaquetas, quando a contagem estiver abaixo de 150.000/uL.[10]

Avaliação pulmonar

Pacientes sintomáticos, com doença pulmonar obstrutiva crônica (DPOC), com MET<4 ou tabagistas de longa data, devem ser avaliados quanto à função pulmonar, incluindo uma gasometria arterial em ar ambiente.[10]

Avaliação de medicações de uso habitual

A revisão da medicação atual do paciente é essencial, especialmente anticoagulantes, antiplaquetários e medicamentos para diabetes, pois podem precisar de ajustes no pré-operatório. Recomenda-se que os pacientes tenham iniciado a administração de estatinas há pelo menos 1 mês, e estas devem ser continuadas por um período indefinido no pós-operatório.[11-13] É recomendada também a manutenção de betabloqueadores para pacientes de maior risco cardiovascular e que, caso sejam já administrados no pré-operatório, que esta prescrição seja realizada com bastante tempo antes do procedimento cirúrgico, avaliando a segurança e a tolerância.[10]

Quanto ao uso da aspirina, a Sociedade Americana de Cardiologia recomenda:[14]

a) Se a cirurgia for não emergencial e não cardíaca, sem *stent* coronário, pode ser razoável a continuação da aspirina, se a probabilidade de evento cardiológico superar o risco de sangramento (Classe IIb, Nível B);

b) Se cirurgia for não cardíaca e não carotídea, sem *stent* coronário prévio, início ou continuação da aspirina não é benéfico (Classe III, Nível B), a menos que o risco de evento isquêmico supere o risco de sangramento (Classe III, Nível C).

Avaliação do risco

As cirurgias de aorta abdominal, segundo a AHA/ACC, quando realizadas de maneira convencional, são classificadas como de alto risco cardiovascular, enquanto a endovascular apresenta risco moderado. Esta classificação, no entanto, é questionada por alguns autores, uma vez que o paciente é igualmente grave, do ponto de vista de comorbidades, além de que em longo prazo não há grande diferença entre essas técnicas com relação à mortalidade.[14-16]

Baseando-se em escores de risco próprios para a avaliação de aneurismas, o mais utilizado é o *British Aneurysm Repair Score* (BAR), que pode ser acessado *on-line* em http://www.britishaneurysmrepairscore.com. O escore BAR contempla variáveis referentes ao aneurisma, mas também as comorbidades apresentadas pelos pacientes, avaliando tipo de reparo a ser realizado (aberto ou endovascular), idade do paciente, sexo, creatinina sérica, presença de doença cardíaca, alterações prévias no ECG, cirurgia vascular prévia, leucograma, sódio sérico, diâmetro do aneurisma e estado físico do ASA (Tabela 157.1). Cruzando esses dados, esta calculadora estima a probabilidade de óbito para o paciente em forma de porcentagem.[17]

Apesar de existirem outros, como *Medicare* e *Vascular Governance North West* (VGNW), o BAR é o único calibrado para os subgrupos de cirurgia convencional e endovascular.[18]

Tabela 157.1 Fatores de risco considerados no *Score Bar*.

- Tipo de Cirurgia (Aberta/Endovascular)
- Idade
- Sexo
- Creatinina
- Doença Cardíaca (Isquemia Cardíaca Prévia ou Insuficiência Cardíaca)
- Anormalidade no ECG
- *Stent* ou Cirurgia Prévia na Aorta
- Contagem de Leucócitos
- Sódio Sérico
- Diâmetro do Aneurisma
- ASA

Fonte: disponível em: http://www.britishaneurysmrepairscore.com/.

IDOSOS

O censo de 2022 do Brasil indicou um aumento de 57% na população idosa nos últimos 12 anos, agora representando cerca de 10% da população, com maior concentração no sul e sudeste. Esses idosos, frequentemente com múltiplas comorbidades e alterações relacionadas à idade, como menor resposta aos efeitos hipotensores dos anestésicos e maior labilidade hemodinâmica, necessitam de uma abordagem anestésica especializada, incluindo o uso de vasopressores e monitoramento de consciência intraoperatório.[19] Alterações cardíacas comuns, como placas coronarianas e arritmias, devem ser identificadas na avaliação pré-anestésica. As complicações pulmonares, incluindo atelectasias e pneumonia, são prevalentes em idosos devido a mudanças na função pulmonar, exigindo estratégias como a reversão completa dos bloqueadores neuromusculares e

anestesia poupadora de opioides. O cuidado multidisciplinar, incluindo fisioterapia respiratória e controle glicêmico, é essencial. Pacientes idosos também enfrentam riscos aumentados de insuficiência renal em procedimentos que utilizam contraste ou clampeamento suprarrenal. Além disso, a desnutrição e o diabetes mal controlado aumentam a morbimortalidade, sendo crucial o manejo nutricional pré-operatório e o controle glicêmico rigoroso, principalmente em cirurgias em diabéticos.[20]

OUTROS FATORES IMPORTANTES

Uma boa nutrição é importante para a recuperação pós-operatória, e a desnutrição deve ser abordada antes da cirurgia. Além disso deve-se avaliar e minimizar o risco de infecção, especialmente em pacientes imunocomprometidos ou com histórico de infecções prévias.

Não menos importante, avaliação e suporte psicológico devem ser fornecidos. A cirurgias cardiovasculares (incluindo aneurisma de aorta abdominal) podem ter uma incidência de até 50% de depressão no período pós-operatório, podendo gerar um impacto significativo no bem-estar psicológico do paciente, especialmente em pacientes com histórico de ansiedade ou depressão.

TÉCNICAS ANESTÉSICAS

O reparo do aneurisma de aorta abdominal é um procedimento complexo que exige uma abordagem anestésica meticulosamente planejada e adaptada às características individuais do paciente e à natureza da cirurgia, seja ela aberta ou endovascular. A escolha da técnica anestésica ideal depende de vários fatores, como o estado clínico do paciente, suas comorbidades e as preferências da equipe cirúrgica e anestesiológica.[21] A gestão eficaz da dor pós-operatória é essencial, podendo envolver analgésicos opioides e não opioides, além de técnicas de anestesia regional, como cateteres epidurais para analgesia contínua. Portanto, a decisão sobre a técnica anestésica apropriada deve ser tomada após uma avaliação cuidadosa e em colaboração entre a equipe cirúrgica e anestesiológica, visando assegurar a segurança e o conforto do paciente.

Reparo Aberto de Aneurisma de Aorta Abdominal (AAA)

A anestesia geral é frequentemente a técnica preferida para o reparo aberto do aneurisma de aorta abdominal (AAA), oferecendo vantagens significativas como controle total da via aérea, respiração e circulação do paciente. Essa abordagem também possibilita o relaxamento muscular necessário para facilitar o acesso cirúrgico. Durante o procedimento, a gestão da hemodinâmica é crucial, pois a abertura e o fechamento da aorta podem causar grandes variações na pressão sanguínea. Por isso, a monitorização invasiva, incluindo cateterização arterial e uso de linhas venosas centrais, é comumente utilizada para um controle rigoroso da pressão arterial e do volume sanguíneo.[22]

Reparo Endovascular do Aneurisma de Aorta Abdominal

Iniciada em 1990, a técnica de correção do aneurisma de aorta abdominal (AAA) por via endovascular tem se estabelecido como a preferida, tanto em cirurgias de emergência quanto eletivas. Ela oferece benefícios como menor mortalidade 30 dias após a cirurgia, redução no tempo de internação em UTI, menor sangramento intraoperatório e menor necessidade de transfusões sanguíneas, além de alta hospitalar precoce. No entanto, a incidência de eventos cardiovasculares é semelhante entre as técnicas endovascular e aberta.[21,22]

Há um debate sobre a melhor técnica anestésica para esses procedimentos endovasculares, com a literatura apresentando resultados conflitantes. Independentemente da técnica escolhida, o objetivo deve ser um controle hemodinâmico adequado, buscando reduzir a estimulação simpática com o uso de bloqueios periféricos; a administração de opioides, anestésicos inalatórios ou betabloqueadores, para diminuir o consumo de oxigênio pelo coração e manter uma pressão de perfusão coronariana adequada.

Na escolha da técnica anestésica, o anestesiologista deve considerar vários fatores, como a capacidade do paciente de permanecer imóvel com leve sedação, tolerância à sedação (desafiadora em pacientes obesos ou com apneia obstrutiva do sono), estado cardiopulmonar e comorbidades associadas. Evitar a intubação pode trazer vantagens, como redução de complicações cardíacas e pulmonares, consumo de opioides e risco de broncoaspiração, além de diminuir o *delirium* pós-operatório. Contudo, pacientes não intubados podem se mover durante o procedimento, desafiando o cirurgião e comprometendo a qualidade anestésica.[23]

Procedimento de Emergência para Reparo de Aneurisma de Aorta Abdominal

A literatura tem avançado em desvendar qual a melhor técnica anestésica em pacientes submetidos a procedimentos de emergência. Segundo dados atuais, tanto a anestesia geral como a anestesia local podem ser usados nessa ocasião. Isso depende muito da *expertise* do serviço da equipe cirúrgica e do anestesista. Alguns estudos observacionais indicam que a anestesia local pode ser melhor que a anestesia geral. As teorias para isso seriam que a anestesia geral causa um maior relaxamento dos tecidos e efeitos hemodinâmicos que podem piorar a sobrevida do paciente.[23,24]

Entretanto, a técnica de AL para pacientes nesta condição clínica ainda é bastante incomum e o melhor ainda é ser feito de acordo com a experiência da equipe anestésico-cirúrgica. É importante ressaltar que no reparo com anestesia local em situações de emergência, o anestesista deve sempre estar preparado para o pior, puncionando a linha arterial e o acesso central prévio sempre que necessário.[22]

▪ MANEJO INTRAOPERATÓRIO

Antibioticoprofilaxia

No início do procedimento, deve ser realizada a antibioticoprofilaxia em dose única para todos os procedimentos que envolvem reconstrução arterial, como nos aneurismas. O antibiótico deve ser administrado 30 minutos antes da incisão cirúrgica, não mostrando superioridade entre cefalosporinas de primeira ou segunda geração, penicilina com ou sem a associação de betalactâmicos ou aminoglicosídeos.[20]

Técnica Anestésica

As técnicas anestésicas foram discutidas no tópico acima.

Monitorização Hemodinâmica

Quanto à monitorização, recomenda-se, além da monitorização básica, a inserção de linha arterial antes da indução anestésica, sob infiltração local, para melhor monitorização das variações pressóricas induzidas pelos anestésicos. Após a indução, dois acessos calibrosos e um cateter venoso central são indicados para casos de correção aberta de aneurismas. É importante, ainda, monitorizar a temperatura corporal: a hipertermia está associada com aumento da taxa metabólica e isquemia medular durante a fase de clampeamento da aorta descendente.

Quando há possibilidade de isquemia medular (p. ex.: aneurismas toracoabdominais, reparo de AAA prévio, grande extensão de prótese ou oclusão das artérias ilíacas internas), recomenda-se algum método de monitorização da perfusão medular, podendo este conter potencial evocado sensitivo ou motor. A complicação mais temida durante as cirurgias da aorta descendentes na região toracoabdominal é a paraplegia devido a uma perfusão inadequada da porção anterior da medula espinhal. A monitorização com potenciais evocados pode ser benéfica para os pacientes, principalmente durante o clampeamento ou a liberação do *stent*.

Recentemente, oxímetros cerebrais (espectroscópios próximos ao infravermelho) têm sido desenvolvidos para a monitorização da perfusão da medula espinhal, sendo considerados uma alternativa promissora ao tradicional potencial evocado.[25] Entretanto, sua disponibilidade ainda é limitada, mas poderá se tornar uma monitorização promissora no futuro próximo. A necessidade de passagem de cateter para drenagem liquórica também deve ser avaliada, pesando-se a possibilidade de isquemia medular (p. ex.: aneurismas toracoabdominais, reparo de AAA prévio, extensão grande de prótese ou oclusão das artérias ilíacas internas).[26]

Para pacientes com alto risco de eventos cardíacos, recomenda-se adicionalmente monitorização de débito cardíaco e saturação venosa central, visando à otimização hemodinâmica e à saturação venosa central em torno de 70%.[14]

O cateter de Swan-Ganz deve ser restrito a casos em que o distúrbio hemodinâmico esperado no intraoperatório será grande.[10] A monitorização do débito cardíaco pode ser realizada de maneira minimamente invasiva ou ter a função cardíaca monitorada por meio do ecocardiograma transesofágico. A monitorização com ecocardiograma transesofágico é fundamental durante períodos de instabilidade hemodinâmica, principalmente em casos com pouca resposta ao tratamento (Tabela 157.2).[14]

Tabela 157.2 *Check list* de Monitorização.

- Acesso vascular periférico calibroso
- Oximetria de pulso, pressão arterial não invasiva, cardioscopia com 5 eletrodos, capnografia
- Temperatura corporal
- Acesso venoso central
- Cateterismo vesical de demora
- Pressão arterial invasiva – monitores não invasivos do débito cardíaco
- Cateter de artéria pulmonar (se houver hipertensão pulmonar)
- Gasometria arterial
- Potencial evocado motor e sensitivo
- Oximetria cerebral
- Pressão liquórica (quando indicado)
- Ecocardiografia transesofágica

Ecocardiografia Intraoperatória

A ecocardiografia transesofágica tem muitas utilidades durante o perioperatório do reparo das patologias da aorta ascendente e descendente (aneurisma, dissecção, hematoma, placa de ateroma): ajuda o anestesista a avaliar a função ventricular, a função valvar, medidas indexadas da raiz aórtica, volemia, fluidorresponsividade, avaliação da função diastólica, posicionamento das cânulas na circulação extracorpórea. E principalmente durante o pinçamento da aorta, quando mudanças dinâmicas do débito cardíaco, fração de ejeção do ventrículo esquerdo, alterações nas dimensões do ventrículo esquerdo no final da diástole podem ajudar na adequada condução do caso.[27]

O clampeamento proximal da aorta descendente aumenta a pós-carga e a pré-carga do ventrículo esquerdo, levando a um aumento da demanda de oxigênio do miocárdio. Em um paciente sem antecedentes de doença arterial coronariana, este aumento causaria uma vasodilatação das artérias coronárias, melhorando a perfusão coronariana e a entrega de oxigênio ao subendocárdio, aumentando a contratilidade ventricular. Em paciente com antecedentes de doença arterial coronariana com perfusão coronária inadequada, um aumento da pressão diastólica final do ventrículo esquerdo de uma forma súbita, como acontece na hora do clampeamento, leva a uma hipoperfusão do subendocárdio e alteração da função contrátil. A maioria dos pacientes submetidos à correção cirúrgica endovascular programada, é avaliada pela equipe da cardiologia previamente. Através dos métodos diagnósticos disponíveis pode-se obter uma avaliação global do paciente e, assim, dispor de dados para melhor condução anestésica.[27,28]

Após indução anestésica deve-se avaliar e arquivar dados para realizar comparações posteriores das janelas ou cortes básicos do nível do esôfago médio, na ecocardiografia transesofágica . As avaliações de movimentação segmentar das paredes ventriculares, fração de ejeção, alterações nas dimensões ventriculares durante a sístole ou diástole são factíveis pelas janelas do esôfago médio e transgástricas (Figura 157.2).

O ventrículo esquerdo foi dividido em 3 níveis (basal, médio e apical), e cada nível foi subdivido em segmentos para avaliar a contratilidade regional, totalizando 17. Em cada segmento ventricular devem ser avaliadas a mobili-

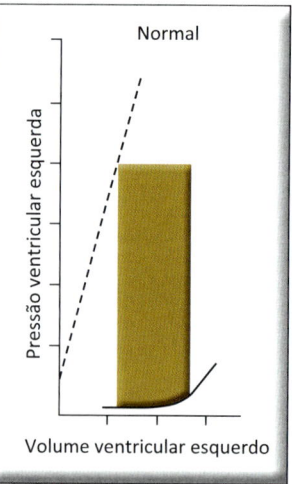
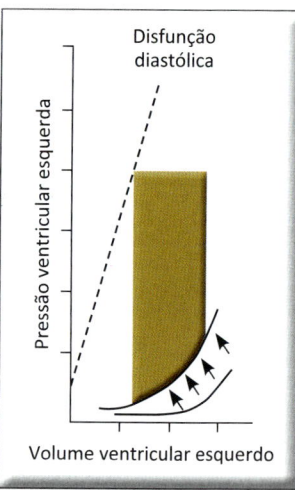

▲ **Figura 157.2** Diagrama da alça pressão-volume ventricular esquerda normal (painel esquerdo) e na disfunção diastólica (painel direito). A curva de volume da pressão diastólica está deslocada para cima e para a esquerda. A função sistólica do VE permanece inalterada – disfunção típica após o clampeamento de aorta.

Fonte: Maharaj R, 2012. Disponível em: https://doi.org/10.1016/j.jsha.2012.01.004)

dade parietal e o espessamento sistólico, e de uma forma visual e individual determinar se há alteração da contratilidade regional (hipocinesia, acinesia, discinesia). Esta avaliação visual, apesar de parecer simples, pode fornecer informações importantes e inferir o envolvimento de uma artéria coronária em um possível evento isquêmico.

A melhor medida para calcular a fração de ejeção do ventrículo esquerdo é o método de Simpson. A maioria dos pacientes portadores de aortopatias tem algum grau de alteração da contratilidade regional, o que limita o uso medidas lineares (método de Teichholz).

Ao avaliar-se o acoplamento ventrículo-arterial, deve-se determinar a função diastólica. A disfunção diastólica é definida como a incapacidade de encher o ventrículo até um volume diastólico final adequado, com uma pressão normal do átrio esquerdo. O objetivo de avaliar a disfunção diastólica através da ecocardiografia é determinar se o paciente tem uma alteração do relaxamento, complacência ventricular e pressão diastólica final do ventrículo esquerdo. Esta última reflete a pressão do átrio esquerdo e a pressão de oclusão capilar pulmonar, e assim diminuir a possibilidade de edema pulmonar. Vale lembrar que a disfunção diastólica está presente em todos os pacientes com disfunção sistólica, enquanto os pacientes com disfunção diastólica podem ter funções sistólicas conservadas.[29]

A disfunção diastólica se classifica em disfunção diastólica **tipo 1** (alteração do relaxamento), **tipo 2** ou pseudonormal (alteração do relaxamento e aumento da pressão do átrio esquerdo), e **tipo 3** (alteração do relaxamento, aumento da pressão do átrio, alteração da complacência ventricular). Este conhecimento é importante, pois durante o reparo do aneurisma toracoabdominal, após o clampeamento proximal, a pós-carga aumenta abruptamente, aumentando a pressão diastólica final das câmaras esquerdas, piorando a perfusão coronária do subendocárdio, podendo levar ao infarto agudo do miocárdio. A isquemia miocárdica após clampeamento, inicialmente não está associada a alterações de contratilidade segmentar, valores da PVC, pressão de oclusão capilar pulmonar, etc; mas sempre estará associada à disfunção diastólica (Figura 157.3).[8,27,28,30]

Reposição Volêmica

Quanto à estratégia de reposição de fluidos, atualmente não existe nenhuma recomendação específica para o AAA. A perda de fluidos durante o reparo do AAA é, em parte, pela perda sanguínea e também pela perda extracelular, com formação de edema tecidual que pode chegar a taxas de até 1 L por hora.[5] Antes da liberação do pinçamento da aorta, principalmente, a reposição volêmica é extremamente importante para evitar instabilidade hemodinâmica pelo retorno da circulação do sangue em um sistema vasodilatado. Porém, apesar dos diversos estudos publicados, não há evidência de qual o melhor fluido a ser utilizado nessas situações, sendo os cristaloides mais comumente utilizados.[28]

Com o passar dos anos as estratégias para administração de fluidos no perioperatório foram mudando de uma estratégia convencional para uma estratégia restritiva, para uma estratégia de balanço hídrico zero, até a terapia guiada por metas. A terapia guiada por metas tem sido defendida como benéfica, com menor morbimortalidade para os pacientes no pós-operatório submetidos a cirurgias de grande porte, mas ainda faltam estudos quando se refere ao AAA.[29] Apesar da estratégia restritiva ter demonstrado redução de complicações em cirurgias abdominais, estudos recentes não indicaram vantagem entre esta estratégia e a anterior.

Estas terapias variam entre si, baseadas em algoritmos de fluidos-responsividades, alvos pressóricos e manejo na disfunção cardíaca. O objetivo é garantir um volume intravascular adequado que mantenha uma pressão arterial ótima. Na Figura 157.4 é apresentado um exemplo de terapia

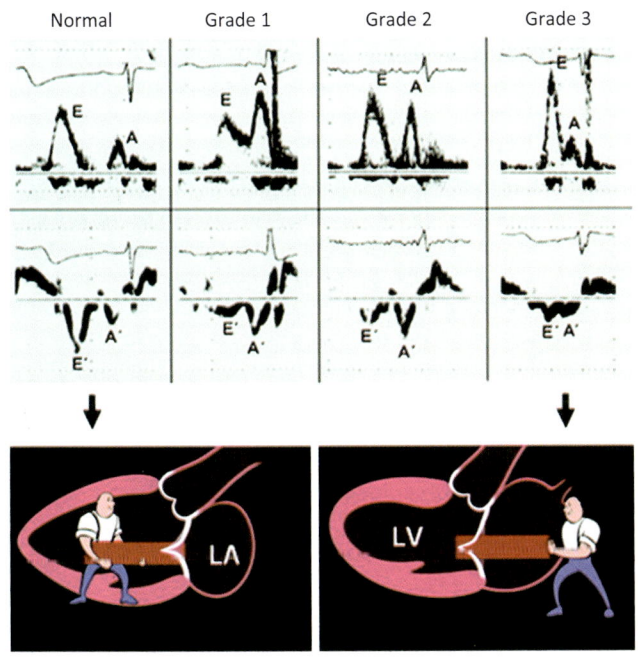

◄ **Figura 157.3** Diagrama esquemático do influxo mitral e das velocidades do anel medial mitral dos estágios normais aos progressivos da disfunção diastólica. O fluxo mitral "E" é sensível à pré-carga, tornando-se maior com menor tempo de desaceleração (tempo desde o pico até a linha de base), à medida que a função diastólica piora com o aumento da pressão de enchimento. Porém, "E'" é menos sensível à pré-carga e reduzido em todos os estágios da disfunção diastólica. Na verdade, a E' reduzida é geralmente a manifestação mais precoce da disfunção diastólica. Parte inferior, diagrama esquemático ilustrando "puxar" ou "sugar" sangue do AE para o VE por meio de bom relaxamento em indivíduos com função diastólica normal (esquerda) e "empurrar" sangue para dentro do VE por aumento da pressão de enchimento em pacientes com relaxamento anormal devido à disfunção diastólica grave (direita). "A" indica fluxo mitral diastólico tardio devido à contração atrial; "A'", velocidade diastólica tardia do anel mitral; "E" é a velocidade diastólica precoce; "E'", velocidade diastólica precoce do anel mitral.
AE = átrio esquerdo; VE = ventrículo esquerdo.
Fonte: disponível em: https://www.ahajournals.org/doi/full/10.1161/circimaging.110.961623

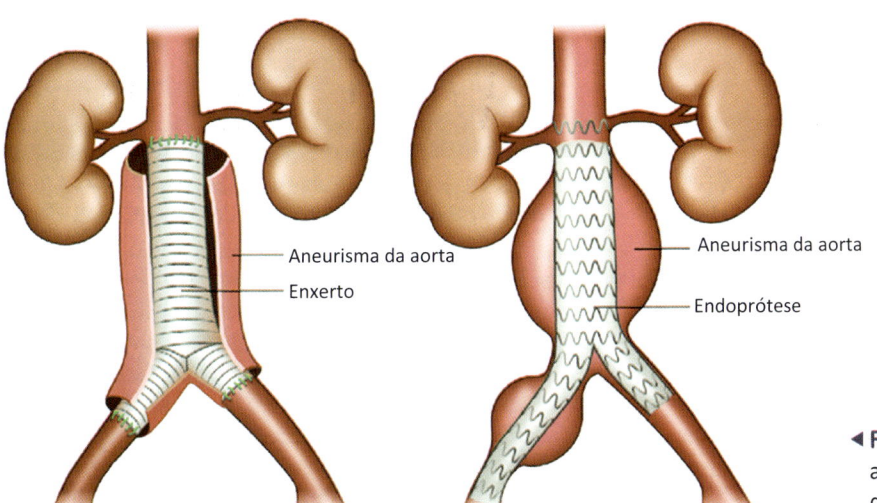

◄ **Figura 157.4** Esquema de reparo do aneurisma de aorta abdominal aberto (esquerda) e endovascular (direita).

guiada por metas.[30] Assim, recomenda-se o uso de medidas repetidas de uma combinação de hematócrito/hemoglobina, lactato, déficit de bases, pH e delta CO_2 para monitorar a perfusão e a oxigenação tecidual, principalmente durante os períodos de instabilidade. Esses parâmetros podem ser estendidos para medidas de débito cardíaco, valores dinâmicos do *status* volêmico (como por exemplo, variação do volume sistólico e variação da pressão de pulso e saturação venosa central).

O nível de hemoglobina deve ser mantido acima de 7 g.dL[-1], sendo este o valor considerado para avaliar a necessidade de transfusão. Só deve ser considerada transfusão com níveis maiores, em pacientes sintomáticos por sangramento.[14] Entretanto, há a recomendação da Sociedade Europeia de Cirurgia Vascular que, caso esteja ocorrendo sangramento, o nível do hematócrito não deve ser menor que 30%.[10]

Na UTI, o mesmo parâmetro deve ser preservado, mantendo pacientes com nível de hemoglobina de 7 g.dL[-1] ou maior.[10,14] Vale ressaltar que o nível da hemoglobina deve ser individualizado para cada momento cirúrgico e para cada paciente. O uso de sistemas tipo *cell savers* durante cirurgias eletivas de AAA tem sido questionável, sendo considerado de melhor custo-efetividade quando as perdas sanguíneas estimadas passarem de 1.000 mL e quando a recuperação superar 750 mL.[31] Em nossa instituição, estes dispositivos são utilizados quando há previsão de grandes perdas sanguíneas (> 1.000 mL) ou quando há algum risco relacionado à transfusão, como por exemplo, em polissensibilizados por múltiplas transfusões.

Assim como em todos os manejos de aneurismas de aorta, o manejo intraoperatório deve focar um controle rígido e seguro da pressão arterial, prevenindo a hipertensão, que pode aumentar a força de cisalhamento sobre o aneurisma e causar progressão da dissecção ou até mesmo a rotura, bem como a hipotensão, que pode piorar e causar isquemia medular.[32] O alvo para controle pressórico deve objetivar manter uma pressão sistólica abaixo de 180 mmHg e uma diastólica abaixo de 120 mmHg, mas, ao mesmo tempo, uma pressão arterial média normal/ligeiramente elevada.[26]

É de extrema importância a manutenção da normotermia (> 36°C) durante todo o procedimento cirúrgico. Para conseguir cumprir este objetivo, o uso de soros aquecidos e mantas térmicas são fundamentais. A hipotermia é fator de risco para diminuição do débito cardíaco, das contagens plaquetárias e do aumento no tempo de protrombina.[33] Além disso, a hipotermia está associada à maior liberação de mediadores de estresse, com maior risco de IAM.

Particularidades na Abordagem do Tratamento do Aneurisma de Aorta Abdominal por Via Endovascular

Apesar de aparentemente menos agressiva, os pacientes candidatos à cirurgia endovascular são tão graves quanto os que se apresentam para correção de aneurisma por via aberta. As comorbidades de base dos pacientes são as mesmas. Além dos cuidados já descritos na via aberta, esses pacientes estão mais propensos a desenvolver insuficiência renal no período pós-operatório, seja pela nefropatia induzida pelo contraste (NIC) ou por êmbolos liberados durante a manipulação com os cateteres.

A NIC é caracterizada por um aumento de 25% da creatinina basal, ocorrendo entre 24 e 72 horas após a administração do contraste, excluindo outros fatores. A NIC é mais comum em pacientes com disfunção renal preexistente, diabetes *mellitus*, idade avançada, disfunção ventricular, insuficiência cardíaca avançada e infarto agudo do miocárdio. A hidratação ainda é a pedra angular na prevenção da NIC. Uma solução cristaloide pode ser administrada 6-12 horas antes do uso do contraste, com uma taxa de infusão de 1 mL.kg[-1].h[-1].[10] Além disso, os pacientes devem ser incentivados a ingerir uma quantidade abundante de fluidos. Quanto ao uso de bicarbonato e N-acetilcisteína, os resultados ainda são controversos, e aparentemente há um benefício quando associado bicarbonato com N-acetilcisteína.[34] Entretanto, apesar de resultados controversos, pode-se utilizar em pacientes de alto risco N-acetilcisteína em uma dose de 600-1.200 mg por 3 dias antes e após a cirurgia, além de uma infusão de solução com bicarbonato 150 mEq.L[-1] infundidos a 3 mL.kg[-1] uma hora antes da cirurgia e 1 mL.kg[-1].h[-1] após a dose inicial nas 6 horas subsequentes.[33,34]

O tipo de anestesia mais utilizado para este tipo de procedimento é a anestesia geral. Entretanto, a anestesia local pode ser utilizada em alguns casos. Estima-se que 8% dos casos de correção de AAA sejam feitos sob anestesia local e 61% com anestesia geral.[35] Estudos também mostram que a técnica local é capaz de determinar menores tempos de internação em terapia intensiva e hospitalar, menor morbidade e mortalidade.[36,37] Quando o reparo do aneurisma é feito sob regime de emergência, uma revisão sistemática recente contendo 16 estudos e mais de 23 mil pacientes confirma essa tendência, evidenciando que o reparo endovascular sob anestesia local parece ter um efeito benéfico.[38] Assim, recomenda-se que, sempre que possível, a técnica local deve ser utilizada, deixando a anestesia geral para casos específicos. A sedação fica a critério do anestesiologista, mas muitas vezes o paciente é capaz de tolerar bem o procedimento sem sedação.

Entretanto, o paciente não deve ser subestimado, uma vez que a técnica endovascular pode falhar. Um estudo com 28.862 pacientes mostrou que a taxa de conversão foi de apenas 3,8%; porém, as taxas de reintervenções podem chegar a 18%.[3,39] Recomenda-se, assim, que se tenha à mão pelo menos um acesso venoso calibroso, além de monitorização invasiva da pressão arterial.

Assim como no aneurisma aberto, recomenda-se o uso de métodos de avaliação de isquemia medular e drenagem liquórica, quando houver risco de isquemia medular.

No intraoperatório, o controle pressórico meticuloso também é fundamental para o adequado posicionamento da prótese. Em situações de instabilidade hemodinâmica, a liberação da prótese pode causar lesão na parede da aorta ou propiciar a migração durante a colocação. Durante o curto período da oclusão da aorta e liberação das próteses, o paciente deve ser mantido em bradicardia e levemente hipotenso.[40] Nessas situações, prefere-se o uso de agentes hipotensores de curta duração, como betabloqueadores ou vasodilatadores. Vale ressaltar que o uso de nitroprussiato pode ter efeito hipotensor imprevisível na pressão arterial, principalmente em pacientes com hipertrofia ventricular e disfunção diastólica dependente de pré-carga. Alguns centros empregam, para esta situação, a administração de adenosina em doses de até 36 mg, que pode produzir um período de assistolia por até 6 segundos, ou utilizam marca-passos com frequências de 160-180 bpm até a liberação completa da prótese.[41] Ambas as técnicas apresentam a vantagem de serem de curta duração e ajustáveis.[42]

Logo após a liberação da prótese, a pressão arterial deve ser elevada e mantida para garantir uma boa perfusão orgânica, principalmente quando a oclusão é alta, com risco de isquemia medular. Tem-se, neste momento, como objetivo, a manutenção de uma pressão arterial média de 90-110 mmHg.[40] Caso a pressão arterial não seja atingida espontaneamente ou haja evidência de isquemia medular (realçada por potencial evocado motor ou sensitivo), o uso de catecolaminas ou vasopressina é recomendado. A vantagem da vasopressina é que ela é capaz de aumentar a pressão, sem grande aumento da frequência cardíaca.[40] Este regime pressórico deve ser mantido por, pelo menos, 48 horas após a locação da prótese.

Quanto à monitorização da perfusão da medula espinhal após a liberação da prótese, deve-se atentar a evidências de lesão de medula espinhal. Caso o aumento da pressão arterial não seja suficiente para normalizar a perfusão medular, deve-se realizar a drenagem liquórica.[26,40] Deve-se manter como alvo uma pressão liquórica entre 8-12 mmHg para melhorar a perfusão medular.[40] Um estudo de Bobadilla et al. usou um protocolo proativo em pacientes com risco de isquemia medular que conseguiu reduzir para 1,1% a taxa de paraplegia em aneurismas torácicos. O protocolo consistia na manutenção de uma pressão de 8 mmHg no intraoperatório, na administração de metilprednisona e manitol, e a manutenção de uma leve hipotermia no intraoperatório, além de uma pressão arterial média acima de 85 mmHg. A ressalva é feita quanto à hipotermia, uma vez que esta é fator de risco para mortalidade em pacientes com AAA roto.

O uso de hioscina tem sido empregado em alguns centros para tentar diminuir a motilidade intestinal, facilitando a visualização do local de inserção da prótese, mas deve-se lembrar do principal efeito colateral, que é a taquicardia. Assim, recomenda-se que não seja utilizado se a frequência cardíaca estiver acima de 100 bpm ou houver insuficiência coronariana.[41,42]

Sabe-se que há um aumento da atividade procoagulante quando comparada com a cirurgia aberta durante o procedimento endoscópio. Esse estado procoagulante tem sido atribuído ao aumento da morbidade, seja por trombose macrovascular ou microvascular, podendo acarretar infartos agudos do miocárdio, disfunção orgânica múltipla, trombose venosa e até tromboembolismos.[43] Assim, durante o procedimento, o uso de heparina é recomendado, sendo guiado principalmente pelo tempo de coagulação ativado (TCA). Assim como no aneurisma de aorta torácica, o uso deve ser iniciado com uma dose de 3.000-5.000 UI, objetivando um TCA 1,5-2 vezes o valor basal. Caso haja suspeita de rompimento, coagulopatia, choque grave e hipotermia, o uso de heparina deve ser reavaliado.[44]

Particularidades na Abordagem do Tratamento do Aneurisma de Aorta Abdominal Roto

A rotura do aneurisma é definida quando há escape de sangue para além da adventícia da aorta. A rotura pode ocorrer para a cavidade peritoneal, desta forma, não tamponada, ou para o espaço retroperitoneal, que pode causar um tamponamento e a redução parcial do escape sanguíneo. Embora exista uma queda constante no número de casos decorrentes principalmente das técnicas de rastreamento, o AAA roto apresenta ainda altas taxas de mortalidade, com alguns estudos evidenciando taxas de mortalidade superior a 80%.[45] Os casos rotos são, portanto, emergências cirúrgicas, devendo ser operados imediatamente. Há uma importante diferenciação entre o aneurisma sintomático e o aneurisma roto: o aneurisma sintomático é um aneurisma não roto que produz dor pela sua dilatação, sem a rotura pela adventícia. O aneurisma sintomático é uma urgência, devendo o paciente ser operado em até 48 horas.[5]

O manejo anestésico nessas situações é focado na reposição das perdas, com transfusão e volumeterapia agressivas. Entretanto, poucos estudos têm sido publicados sobre qual o melhor alvo terapêutico a ser utilizado em AAA rotos. Assim, muitas das estratégias focadas nessa situação baseiam-se em estudos de traumas com grandes perdas sanguíneas. Essas estratégias serão discutidas em outro capítulo. Entretanto, há recomendação da Sociedade Europeia de Cirurgia Vascular que, caso esteja ocorrendo sangramento, o nível da hemoglobina não deve ser menor que 10 g.dL^{-1} e o regime de transfusão deve ser 1:1:1 entre concentrado de hemácias, plasma fresco congelado e plaquetas.[10]

Para situações de emergência, o uso do ecocardiograma intraoperatório é extremamente útil para diferenciar uma potencial hipovolemia de uma disfunção cardíaca, além de permitir a avaliação da extensão e da gravidade do AAA.[26] O ecocardiograma, assim, é indicado para todos os aneurismas operados em regime de urgência, seja esse roto ou sintomático.

Quanto ao término do procedimento, a dúvida deve estar relacionada quanto ao fechamento primário ou em um segundo tempo. Considerando que de 10% a 55% dos pacientes com AAA roto desenvolvem hipertensão intra-abdominal, alguns estudos têm mostrado melhor sobrevida em pacientes cujo fechamento se faz com tela e posteriormente procede-se ao fechamento definitivo.[46,47]

Na abordagem endovascular, com o paciente estável hemodinamicamente, a técnica anestésica inicial é com anestesia local. O uso da anestesia local tem sido advogado como uma técnica para prevenir o colapso circulatório causado pela indução anestésica. A perda do tônus da musculatura abdominal, compensado pela ativação simpática, pode promover uma maior perda sanguínea.[48] Assim, a técnica local pode ser vista como uma alternativa. Em nossa instituição, sempre que possível, até a adequada oclusão do aneurisma, a técnica local é utilizada preferencialmente.

Apesar de menos invasiva, a técnica endovascular também apresenta como complicação a síndrome compartimental abdominal e a possibilidade de isquemia orgânica.

Entretanto, a incidência de síndrome compartimental é menor, mas não menos preocupante, pois é capaz de atingir até 20% dos pacientes. A necessidade de balão aórtico, coagulopatia importante ou necessidade de transfusão maciça são sinais de alarme para avaliar a necessidade de realizar laparotomia de alívio nesses pacientes.[5,49] A isquemia visceral é a complicação mais preocupante após o reparo endovascular de AAA. Geralmente é causada por embolização ou isquemia/reperfusão após a oclusão por balão da aorta. Estima-se que até 11,5% dos pacientes tenham isquemia medular, sendo a principal causa a oclusão de artéria hipogástrica ou por balonamento prolongado da aorta.[50] Lembrar, também, que há o uso de contraste, que pode ser causa de NIC.

■ COMPLICAÇÕES

Complicações Hemorrágicas

O reparo cirúrgico do aneurisma da aorta toracoabdominal está associado à hemorragia no período perioperatório. As causas podem ser cirúrgicas (sangramento retroperitoneal persistente, ruptura da anastomoses, lesão de estruturas venosas adjacentes, tempos cirúrgicos prolongados, tempo de clampeamento prolongado, tempo de circulação extracorpórea prolongado, clampeamento mais próximo ao arco aórtico) e não cirúrgicas (coagulopatia dilucional, coagulação intravascular disseminada, antiagregantes plaquetários e anticoagulantes pré-operatórios, hipotermia e hipocalcemia).[51]

As medidas anestésicas podem ajudar a diminuir o sangramento intraoperatório e são fáceis de implantar, dentre elas:

- Uso antifibrinolíticos;
- *Cell saver* - deve ser usado de uma forma rotineira;
- Reversão da heparina com protamina;
- Uso de hemocomponentes e hemoderivados de forma racional e guiados por métodos viscoelásticos sempre que possível;
- Normotermia, reposição de cálcio;
- Manter hemoglobina > ou = 9 g/dl em pacientes com antecedentes de doença arterial coronariana.

Deve-se ter atenção às perdas sanguíneas em procedimentos endovasculares, pois pode ser difícil quantificar, necessitando da coleta de exames complementares para avaliar hemoglobina e hematócrito durante o intraoperatório.

Complicações Gastrointestinais

As principais complicações gastrointestinais são: isquemia mesentérica, síndrome compartimental abdominal e íleo paralítico. A função gastrointestinal retorna mais rapidamente quando utilizadas técnicas retroperitoneais com clampeamento infrarrenal. Para atenuar a hipoperfusão mesentérica devido ao clampeamento proximal, deve-se reimplantar o tronco celíaco e a artéria mesentérica superior o mais rápido possível, além de perfundir o fígado, o intestino, e o rim através de um *shunt* artificial ou por perfusão visceral seletiva nas artérias celíaca ou mesentérica superior.

Insuficiência Renal

A insuficiência renal aguda ocorre em 5%-13% dos casos após o reparo cirúrgico do aneurisma da aorta toracoabdominal, com incidência maior quando o clampeamento é suprarrenal. As causas principais incluem hipoperfusão renal durante o clampeamento, síndrome de lesão por reperfusão após desclampeamento (como a liberação de mioglobina), tempo de clampeamento superior a 30 minutos, idade avançada, insuficiência renal preexistente e disfunção sistólica ventricular prévia.[52]

O uso rotineiro de proteção farmacológica renal com manitol e dopamina não é recomendado com base em ensaios clínicos. O fenoldopam, um agonista seletivo dos receptores DA-1, pode melhorar o fluxo sanguíneo renal, a filtração glomerular e a natriurese sem reduzir a pressão arterial, mas é importante notar que o débito urinário não está diretamente correlacionado com a insuficiência renal aguda.

Durante o clampeamento suprarrenal, a perfusão seletiva da artéria renal pode ser realizada infundindo sangue ou coloide a uma temperatura de 4°C diretamente no óstio da artéria renal. Manitol e metilprednisolona podem ser adicionados ao perfusato; o manitol reduz o consumo de oxigênio e o corticoide atua como um estabilizador de membrana.

Complicações Neurológicas

A paraplegia, resultante de isquemia da medula espinhal, é a complicação mais grave do reparo do aneurisma toracoabdominal, com uma incidência de 5%-30% que varia de acordo com a extensão da cirurgia ou o tipo de aneurisma (sendo mais frequente nos tipos I e II). Esta complicação pode ser causada pela oclusão temporária das artérias intercostais por mais de 30-45 minutos, pela ressecção da artéria de Adamkiewicz, hipotensão perioperatória e hipoxemia. Durante o clampeamento proximal, há interrupção da perfusão medular pelas artérias intercostais e pela artéria de Adamkiewicz, resultando em aumento da pressão do líquido cefalorraquidiano e diminuição da pressão de perfusão medular.[7,12,22,53]

A drenagem do líquido cefalorraquidiano através de um dreno lombar externo pode melhorar a pressão de perfusão medular, mas essa medida por si só não é suficiente, sendo necessário manter também a perfusão aórtica distal. O dreno lombar deve permanecer por 72 horas, mantendo a pressão de perfusão medular em torno de 10-15 mmHg. Caso a pressão seja maior, deve-se drenar o líquido a uma taxa de 20 ml/h. A pressão de perfusão cerebral ideal é de 70 mmHg, alcançável com uma pressão do líquido cefalorraquidiano inferior a 15 mmHg e uma pressão arterial média de 80-100 mmHg, podendo ser necessário o uso de vasopressores como noradrenalina. As complicações da drenagem do líquido cefalorraquidiano incluem cefaleia, hemorragia neuroaxial, meningite e hipotensão intracraniana.[54-57]

Os potenciais evocados somatossensoriais monitoram a função sensorial da região posterior da medula espinhal, mas não a função motora da região anterior, que está em risco. A perfusão distal é eficaz se o clampeamento distal estiver localizado acima da artéria de Adamkiewicz. A hipotermia regional leve, a 32°C, pode proteger a medula de isquemia, reduzindo a liberação de neurotransmissores excitatórios, a produção de radicais livres e o edema pós--isquêmico.[58] O risco de isquemia medular é baixo em procedimentos endovasculares, mas a drenagem do líquido cefalorraquidiano e os potenciais evocados podem ser necessários em pacientes de alto risco.[27]

Complicações Cardiovasculares e Pulmonares

As principais complicações pulmonares após a cirurgia de aneurisma toracoabdominal incluem insuficiência respiratória, causada por pneumonia; atelectasia, tromboembolismo pulmonar e lesão do nervo laríngeo recorrente. Fatores de risco pré-operatórios para essas complicações são idade avançada, obesidade mórbida, classificação ASA IV e testes de função pulmonar anormais (FEV1 ou FVC < 70%, taxa de fluxo expiratório < 200 ml/min). Fatores de risco intraoperatórios incluem incisão toracoabdominal, incisão diafragmática (que pode levar à paralisia ou disfunção do diafragma), hipervolemia e a necessidade de ventilação monopulmonar.[59,60]

Para minimizar as complicações pulmonares são utilizadas estratégias como ventilação mecânica pulmonar com volume corrente protetivo e PEEP alta para recrutamento pulmonar, redução do consumo de tabaco nas semanas antes da cirurgia, terapias respiratórias incluindo manobras de expansão pulmonar e espirometria, uso de antibióticos para pneumonia e analgesia com bloqueio peridural torácico.[61,62]

As principais intercorrências cardíacas são arritmias e infarto agudo do miocárdio, com incidência de 2%-8%. Os fatores de risco incluem histórico de doença arterial coronariana, anemia, hipotermia, hipermetabolismo e hipofibrinólise. A dor torácica não é comum devido ao uso de analgésicos, e a maioria dos infartos são do tipo não-Q, manifestando-se muitas vezes como isquemia subendocárdica (Infarto sem elevaçao do segmento ST) durante o clampeamento. Elevação das troponinas cardíacas T é comum, e o tratamento envolve aumentar a FiO_2, iniciar nitroglicerina, betabloqueadores e anticoagulação. Durante o clampeamento, é importante diminuir a pós-carga com nitroglicerina para aumentar a pressão de perfusão coronariana do subendocárdio.[63-65]

Complicações Específicas do Reparo Endovascular

A oclusão da artéria subclávia esquerda, uma complicação comum após a colocação de stents torácicos, ocorre em cerca de 50% dos casos e é particularmente preocupante em pacientes com histórico de revascularização miocárdica usando a artéria mamária interna. O tratamento recomendado para a isquemia do membro superior esquerdo é a realização de um bypass.[7,8,66]

O Acidente Vascular Cerebral (AVC) possui uma incidência de 2%-8% após esses procedimentos, geralmente causado pela manipulação do arco aórtico e da aorta toracoabdominal, onde placas de ateroma podem embolizar.[67]

Isquemia medular pode ocorrer devido à obstrução das artérias intercostais ou da artéria subclávia que irriga as artérias vertebrais. Cerca de 14% dos pacientes desenvolvem insuficiência renal aguda após o reparo endovascular, principalmente devido à embolização de placas de ateroma.[68] A Síndrome Pós-Implantação, manifestada por febre, leucocitose e elevação de marcadores inflamatórios, responde bem ao tratamento conservador.[69]

Endoleaks (vazamentos de sangue no saco aneurismático após reparo endovascular) ocorrem em 5%-30% dos casos e estão associados ao maior diâmetro do saco aneurismático pré-operatório, maior comprimento da cobertura do *stent* e uso de múltiplos *stents*.

■ RECUPERAÇÃO PÓS-OPERATÓRIA

O acompanhamento cuidadoso no pós-operatório imediato é essencial para pacientes submetidos à correção de aneurisma de aorta abdominal, independentemente de serem cirurgias abertas ou endovasculares. Muitos desses pacientes possuem comorbidades como diabetes e disfunção renal, o que exige uma observação atenta para corrigir eventos adversos e diminuir a morbimortalidade. A extubação imediata na sala cirúrgica para pacientes submetidos à anestesia geral deve considerar fatores como a magnitude da cirurgia, a perda de fluidos e a estabilidade hemodinâmica. Procedimentos mais curtos e endovasculares, com pouca variação hemodinâmica, permitem a extubação na sala. Em casos mais complexos, com perda significativa de fluidos, a extubação deve esperar pela estabilização do paciente.[21,34,68]

Critérios para a extubação incluem pH maior que 7,3, PO_2 acima de 60 mmHg, FiO_2 menor que 50%, $PaCO_2$ acima de 50 mmHg, estabilidade hemodinâmica, frequência respiratória inferior a 30 por minuto e capacidade vital maior que 15 mL/Kg. Nas cirurgias de aneurisma de aorta abdominal, especialmente as abertas e suprarrenais, o impacto sobre a função pulmonar é significativo, reduzindo o volume corrente pulmonar e aumentando o risco de complicações como atelectasias e pneumonias. A analgesia peridural e os bloqueios periféricos podem reduzir essas complicações, permitindo fisioterapia respiratória precoce e acelerando a recuperação.

A analgesia neuroaxial peridural com cateter PCA é preferencial para o controle da dor, podendo ser utilizada anestesia local isolada ou combinada com opioides. Deve-se estar atento aos efeitos colaterais, como hipotensão postural. Complicações como punção inadvertida da dura-máter, hematoma epidural e abscesso peridural, embora raras, devem ser consideradas, especialmente em pacientes anticoagulados ou recebendo terapia trombolítica.[69]

Os efeitos colaterais da morfina na anestesia peridural, como prurido, náuseas, vômitos, tontura, retenção urinária, depressão respiratória e confusão mental, exigem atenção. A hipotensão ortostática pode ser minimizada com baixas concentrações de anestésico local. A combinação de infusão contínua e ativação pelo paciente via dispositivo PCA tem se mostrado eficaz no controle da dor, melhorando a experiência pós-operatória. Quando a via peridural não está disponível, a endovenosa é uma alternativa, embora esteja associada ao maior consumo de opioides e seus efeitos colaterais.[70]

■ CONCLUSÃO

Estudos indicam que a mortalidade devido a doenças cardíacas, como isquemia do miocárdio, é alta em pacientes submetidos à cirurgia da aorta abdominal. Fatores como grande perda sanguínea, insuficiência cardíaca pré-operatória, baixa fração de ejeção, doença coronariana prévia e histórico de cirurgia de revascularização do miocárdio aumentam o risco de isquemia intra e pós-operatória. Portanto, é essencial uma atenção redobrada na sala de recuperação anestésica ou na UTI para esses pacientes.

A abordagem multidisciplinar no cuidado do paciente é fundamental para melhores desfechos e maior sobrevida. Equipes compostas por clínicos, cirurgiões, radiologistas, anestesistas, endocrinologistas, enfermeiros, fisioterapeutas e nutricionistas permitem a identificação, tratamento ou minimização de riscos antes da intervenção cirúrgica. A participação ativa do anestesista nas reuniões da equipe multidisciplinar é crucial para uma tomada de decisão eficaz. A coordenação clínica eficiente é necessária para otimizar o preparo do paciente para a cirurgia, evitando atrasos no tratamento. Nas equipes multidisciplinares, pacientes e familiares são informados sobre riscos e benefícios das intervenções e participam ativamente das decisões. A formação e experiência em cirurgia vascular da equipe médica e a realização do pós-operatório em unidades especializadas são essenciais.

É importante ressaltar que entre 4% e 8% dos homens idosos são afetados pelo aneurisma de aorta abdominal, sendo a maioria assintomática. E a ruptura não prevista do aneurisma apresenta alta letalidade, ultrapassando 50%.

REFERÊNCIAS

1. Parkinson F, Ferguson S, Lewis P, et al. Rupture rates of untreated large abdominal aortic aneurysms in patients unfit for elective repair. J Vasc Surg. 2015;61:1606-12.
2. Mortality results for randomised controlled trial of early elective surgery or ultrasonographic surveillance for small abdominal aortic aneurysms. The UK Small Aneurysm Trial Participants. Lancet 1998;352:1649-55.
3. Endovascular aneurysm repair and outcome in patients unfit for open repair of abdominal aortic aneurysm (EVAR trial 2): randomised controlled trial. Lancet. 2005;365:2187-92.
4. Thompson AR, Cooper JA, Ashton HA, Hafez H. Growth rates of small abdominal aortic aneurysms correlate with clinical events. Br J Surg. 2010;97:37-44.
5. Moll FL, Powell JT, Fraedrich G, et al. Management of abdominal aortic aneurysms clinical practice guidelines of the European society for vascular surgery. Eur J Vasc Endovasc Surg. 2011;41:S1-S58.
6. Malas M, Arhuidese I, Qazi U, et al. Perioperative mortality following repair of abdominal aortic aneurysms: application of a randomized clinical trial to real-world practice using a validated nationwide data set. JAMA Surg. 2014;149:1260-5.
7. Gualandro DM, Yu PC, Calderaro D, et al. II Diretriz de Avaliação Perioperatória da Sociedade Brasileira de Cardiologia. Arq Bras Cardiol. 2011;96:1-68.
8. Thomas DM, Hulten EA, Ellis ST, et al. Open versus endovascular repair of abdominal aortic aneurysm in the elective and emergent setting in a pooled population of 37,781 patients: a systematic review and meta-analysis. ISRN Cardiol. 2014;2014:149243.
9. Faggiano P, Bonardelli S, De Feo S, et al. Preoperative cardiac evaluation and perioperative cardiac therapy in patients undergoing open surgery for abdominal aortic aneurysms: effects on cardiovascular outcome. Ann Vasc Surg. 2012;26:156-65.
10. Chaikof EL, Dalman RL, Eskandari MK, et al. The Society for Vascular Surgery practice guidelines on the care of patients with an abdominal aortic aneurysm. J Vasc Surg. 2018;67:2-77 e2.
11. Cho MJ, Lee MR, Park JG. Aortic aneurysms: current pathogenesis and therapeutic targets. Exp Mol Med. 2023 Dec;55(12):2519-30. doi: 10.1038/s12276-023-01130-w. Epub 2023 Dec 1. PMID: 38036736; PMCID: PMC10766996.
12. Schouten O, Boersma E, Hoeks SE, et al. Fluvastatin and perioperative events in patients undergoing vascular surgery. New Engl J Med. 2009;361:980-9.
13. Durazzo AE, Machado FS, Ikeoka DT, et al. Reduction in cardiovascular events after vascular surgery with atorvastatin: a randomized trial. Journal of Vascular Surgery. 2004;39:967-75.
14. Devereaux PJ, Mrkobrada M, Sessler DI, et al. Aspirin in patients undergoing noncardiac surgery. New Engl J Med. 2014;370:1494-503.
15. Sulzer TAL, Vacirca A, Mesnard T, Baghbani-Oskouei A, Savadi S, Kanamori LR, et al. How We Would Treat Our Own Thoracoabdominal Aortic Aneurysm. J Cardiothorac Vasc Anesth. 2024 Feb;38(2):379-87. doi: 10.1053/j.jvca.2023.10.034. Epub 2023 Oct 28. PMID: 38042741.
16. Scali ST, Stone DH. Modern management of ruptured abdominal aortic aneurysm. Front Cardiovasc Med. 2023 Dec 12;10:1323465. doi: 10.3389/fcvm.2023.1323465. PMID: 38149264; PMCID: PMC10749949.
17. Dewangga R, Winston K, Ilhami LG, Indriani S, Siddiq T, Adiarto S. Association of metformin use with abdominal aortic aneurysm: A systematic review and meta-analysis. Asian Cardiovasc Thorac Ann. 2024 Jan 18:2184923231225794. doi: 10.1177/02184923231225794. Epub ahead of print. PMID: 38239055.
18. Fleisher LA, Fleischmann KE, Auerbach AD, et al. 2014 ACC/AHA guideline on perioperative cardiovascular evaluation and management of patients undergoing noncardiac surgery: executive summary: a report of the American College of Cardiology/American Heart Association Task Force on Practice Guidelines. Circulation 2014;130:2215-45.
19. Gerstein NS, Carey MC, Cigarroa JE, Schulman PM. Perioperative aspirin management after POISE-2: some answers, but questions remain. Anesth Analg. 2015;120:570-5.
20. Landesberg G, Beattie WS, Mosseri M, et al. Perioperative myocardial infarction. Circulation. 2009;119:2936-44.
21. Shan W, Chen B, Huang L, Zhou Y. The Effects of Bispectral Index-Guided Anesthesia on Postoperative Delirium in Elderly Patients: A Systematic Review and Meta-Analysis. World Neurosurg. 2021 Mar;147:e57-e62. doi: 10.1016/j.wneu.2020.11.110. Epub 2020 Dec 9. PMID: 33307265.
22. Staheli B, Rondeau B. Anesthetic Considerations in the Geriatric Population. [Updated 2023 Aug 5]. In: StatPearls [Internet]. Treasure Island (FL): StatPearls Publishing; 2023 Jan. Disponível em: https://www.ncbi.nlm.nih.gov/books/NBK572137/
23. Armstrong RA, Squire YG, Rogers CA, Hinchliffe RJ, Mouton R. Type of Anesthesia for Endovascular Abdominal Aortic Aneurysm Repair. J Cardiothorac Vasc Anesth. 2019 Feb;33(2):462-71. doi: 10.1053/j.jvca.2018.09.018. Epub 2018 Sep 15. PMID: 30342821.
24. Kothandan H, Haw Chieh GL, Khan SA, Kartheekeyan RB, Sharad SS. Anesthetic considerations for endovascular abdominal aortic aneurysm repair. Annals of Cardiac Anaesthesia. 2016;19(1):132–41.
25. Bakker EJ, van de Luijtgaarden KM, van Lier F, Valentijn TM, Hoeks SE, Klimek M, et al. General anaesthesia is associated with adverse cardiac outcome after endovascular aneurysm repair. European Journal of Vascular and Endovascular Surgery. 2012;44(2):121–5.
26. Armstrong RA, Squire YG, Rogers CA, Hinchliffe RJ, Mouton R. Type of Anesthesia for Endovascular Abdominal Aortic Aneurysm Repair. J Cardiothorac Vasc Anesth. 2019 Feb;33(2):462-71. doi: 10.1053/j.jvca.2018.09.018. Epub 2018 Sep 15. PMID: 30342821.
27. Marino EC, Negretto L, Ribeiro RS, Momesso D, Feitosa ACR. Rastreio e Controle da Hiperglicemia no Perioperatório. Diretriz Oficial da Sociedade Brasileira de Diabetes (2023). DOI: 10.29327/5238993.2023-7, ISBN: 978-85-5722-906-8.
28. Nellaiyappan M, Omar HR, Justiz R, Sprenker C, Camporesi EM, Mangar D. Pulmonary artery pseudoaneurysm after Swan-Ganz catheterization: a case presentation and review of literature. Eur Heart J Acute Cardiovasc Care. 2014 Sep;3(3):281-8. doi: 10.1177/2048872613520252. Epub 2014 Jan 27. PMID: 24470440.
29. Hamilton MA. Perioperative fluid management: progress despite lingering controversies. Cleve Clin J Med. 2009;76:S28–31.
30. Doherty M, Buggy DJ. Intraoperative fluids: how much is too much? British Journal of Anaesthesia 2012;109:69–79. Disponível em: https://doi.org/10.1093/bja/aes171.
31. Lobo SM, Ronchi LS, Oliveira NE, et al. Restrictive strategy of intraoperative fluid maintenance during optimization of oxygen delivery decreases major complications after high risk surgery. Crit Care. 2011;15:R226.
32. Bundgaard-Nielsen M, Holte K, Secher NH, Kehlet H. Monitoring of peri-operative fluid administration by individualized goal- directed therapy. Acta Anaesthesiol Scand. 2007;51:331–40.
33. Eefting D, Ultee KH, Von Meijenfeldt GC, Hoeks SE, ten Raa S, Hendriks JM, et al. Ruptured AAA: state of the art management. J Cardiovasc Surg (Torino). 2013 Feb;54(1 Suppl 1):47-53. PMID: 23443589.
34. Mehta M, Byrne J, Darling RC, Paty PS, Roddy SP, Kreienberg PB, et al. Endovascular repair of ruptured infrarenal abdominal aortic aneurysm is associated with lower 30-day mortality and better 5-year survival rates than open surgical repair. J Vasc Surg. 2013 Feb;57(2):368-75. doi: 10.1016/j.jvs.2012.09.003. Epub 2012 Dec 21. PMID: 23265582.

35. Cho JS, Kim HI, Lee KY. et al. Comparison of the effects of patient-controlled epidural and intravenous analgesia on postoperative bowel function after laparoscopic gastrectomy: a prospective randomized study. Surg Endosc. 2017;31, 4688–96. Disponível em: https://doi.org/10.1007/s00464-017-5537-6

36. Behrendt CA, Kölbel T, Schwaneberg T, Diener H, Hohnhold R, Sebastian Debus E, et al. Multidisciplinary team decision is rare and decreasing in percutaneous vascular interventions despite positive impact on in-hospital outcomes. Vasa. 2019 May;48(3):262-9. doi: 10.1024/0301-1526/a000771. Epub 2018 Dec 10. PMID: 30526427.

37. Perissiou M, Bailey TG, Saynor ZL, Shepherd AI, Harwood AE, Askew CD. The physiological and clinical importance of cardiorespiratory fitness in people with abdominal aortic aneurysm. Exp Physiol. 2022 Apr;107(4):283-98. doi: 10.1113/EP089710. Epub 2022 Mar 18. PMID: 35224790; PMCID: PMC9311837.

38. Hibino M, Otaki Y, Kobeissi E, Pan H, Hibino H, Taddese H, et al. Blood Pressure, Hypertension, and the Risk of Aortic Dissection Incidence and Mortality: Results From the J-SCH Study, the UK Biobank Study, and a Meta-Analysis of Cohort Studies. Circulation. 2022 Mar;145(9):633-44. doi: 10.1161/CIRCULATIONAHA.121.056546. Epub 2021 Nov 8. PMID: 34743557.

39. Grant SW, Hickey GL, Grayson AD, et al. National risk prediction model for elective abdominal aortic aneurysm repair. Br J Surg. 2013;100:645-53.

40. Grant SW, Hickey GL, Carlson ED, McCollum CN. Comparison of three contemporary risk scores for mortality following elective abdominal aortic aneurysm repair. Eur Vasc Endovasc Surg. 2014;48:38-44.

41. Raux M, Marzelle J, Kobeiter H, et al. Endovascular balloon occlusion is associated with reduced intraoperative mortality of unstable patients with ruptured abdominal aortic aneurysm but fails to improve other outcomes. J Vasc Surg. 2015;61:304-8.

42. Stewart A, Eyers PS, Earnshaw JJ. Prevention of infection in arterial reconstruction. Cochrane Database System Reviews. 2006:CD003073.

43. Brustia P, Renghi A, Fassiola A, et al. Fast-track approach in abdominal aortic surgery: left subcostal incision with blended anesthesia. Interac Cardiovasc Thorac Surg. 2007;6:60-4.

44. Muehling B, Schelzig H, Steffen P, et al. A prospective randomized trial comparing traditional and fast-track patient care in elective open infrarenal aneurysm repair. World J Surg. 2009;33:577-85.

45. Horlocker TT, Wedel DJ, Rowlingson JC, et al. Regional anesthesia in the patient receiving antithrombotic or thrombolytic therapy: American Society of Regional Anesthesia and Pain Medicine Evidence-Based Guidelines (Third Edition). Reg Anesth Pain Med. 2010;35:64-101.

46. Rao TL, El-Etr AA. Anticoagulation following placement of epidural and subarachnoid catheters: an evaluation of neurologic sequelae. Anesthesiology. 1981;55:618-20.

47. Badner NH, Nicolaou G, Clarke CF, Forbes TL. Use of spinal near-infrared spectroscopy for monitoring spinal cord perfusion during endovascular thoracic aortic repairs. J Cardiothorac Vasc Anesth. 2011;25:316-9.

48. Hogendoorn W, Schlosser FJ, Muhs BE, Popescu WM. Surgical and anesthetic considerations for the endovascular treatment of ruptured descending thoracic aortic aneurysms. Curr Opin Anaesthesiol. 2014;27:12-20.

49. Porter TR, Shillcutt SK, Adams MS, et al. Guidelines for the use of echocardiography as a monitor for therapeutic intervention in adults: a report from the American Society of Echocardiography. J Am Soc Echocardiogr. 2015;28:40-56.

50. Toomtong P, Suksompong S. Intravenous fluids for abdominal aortic surgery. Cochrane Database System Rev. 2010:CD000991.

51. Pearse RM, Rhodes A, Grounds RM. Clinical review: how to optimize management of high-risk surgical patients. Crit Care. 2004;8:503-7.

52. Lippmann M, Kakazu C, Fang TD, et al. Adenosine's usefulness in vascular surgery. Texas Heart Institute J. 2007;34:258-9.

53. Gupta PK, Gupta H, Khoynezhad A. Hypertensive Emergency in aortic dissection and thoracic aortic aneurysm - a review of management. Pharmaceuticals. 2009;2:66-76.

54. Englberger L, Savolainen H, Jandus P, et al. Activated coagulation during open and endovascular abdominal aortic aneurysm repair. J Vasc Surg. 2006;43:1124-9.

55. Resch T, Dias N, Sonesson B. Endovascular repair of ruptured abdominal aortic aneurysms: techniques and strategies for optimal outcomes. Endovasc Today [Internet]. 2015:52-6.

56. Dillavou ED, Muluk SC, Makaroun MS. A decade of change in abdominal aortic aneurysm repair in the United States: have we improved outcomes equally between men and women? J Vasc Surg. 2006;43:230-8.

57. Bjorck M, Wanhainen A, Djavani K, Acosta S. The clinical importance of monitoring intra-abdominal pressure after ruptured abdominal aortic aneurysm repair. Scand J Surg. 2008;97:183-90.

58. Djavani K, Wanhainen A, Bjorck M. Intra-abdominal hypertension and abdominal compartment syndrome following surgery for ruptured abdominal aortic aneurysm. Eur J Vasc Endovasc Surg. 2006;31:581-4.

59. Hinchliffe RJ, Braithwaite BD, Hopkinson BR. The endovascular management of ruptured abdominal aortic aneurysms. Eur J Vasc Endovasc Surg. 2003;25:191-201.

60. Kumar L, Kanneganti YS, Rajan S. Outcomes of implementation of enhanced goal directed therapy in high-risk patients undergoing abdominal surgery. Ind J Anaesth. 2015;59:228-33.

61. Goodnough LT, Monk TG, Sicard G, et al. Intraoperative salvage in patients undergoing elective abdominal aortic aneurysm repair: an analysis of cost and benefit. J Vasc Surg. 1996;24:213-8.

62. Hiratzka LF, Bakris GL, Beckman JA, et al. 2010 ACCF/AHA/AATS/ ACR/ASA/SCA/SCAI/SIR/STS/SVM guidelines for the diagnosis and management of patients with thoracic aortic disease: executive summary. A report of the American College of Cardiology Foundation/American Heart Association Task Force on Practice Guidelines, American Association for Thoracic Surgery, American College of Radiology, American Stroke Association, Society of Cardiovascular Anesthesiologists, Society for Cardiovascular Angiography and Interventions, Society of Interventional Radiology, Society of Thoracic Surgeons, and Society for Vascular Medicine. Cath Cardiovasc Interv. 2010;76:E43-86.

63. Gregorini P, Cangini D. Control of body temperature during abdominal aortic surgery. Acta Anaesthesiol Scand. 1996;40:187-90.

64. Briguori C, Airoldi F, D'Andrea D, et al. Renal Insufficiency Following Contrast Media Administration Trial (REMEDIAL): a randomized comparison of 3 preventive strategies. Circulation. 2007;115):1211-7.

65. Ricotta JJ, Malgor RD, Oderich GS. Endovascular abdominal aortic aneurysm repair: part I. Ann Vasc Surg. 2009;23:799-812.

66. Bettex DA, Lachat M, Pfammatter T, et al. To compare general, epidural and local anaesthesia for endovascular aneurysm repair (EVAR). Eur J Vasc Endovasc Surg. 2001;21:179-84.

67. Sadat U, Cooper DG, Gillard JH, et al. Impact of the type of anesthesia on outcome after elective endovascular aortic aneurysm repair: literature review. Vascular. 2008;16:340-5.

68. Armstrong RA, Squire YG, Rogers CA, et al. Type of anesthesia for Endovascular Abdominal Aortic Aneurysm Repair. J Cardioth Vasc Anesth. 2019;33:462-71.

69. Franks SC, Sutton AJ, Bown MJ, Sayers RD. Systematic review and meta-analysis of 12 years of endovascular abdominal aortic aneurysm repair. Eur J Vasc Endovasc Surg. 2007;33:154-71.

70. Muehle A, Uzun I, Jalali Z, Khoynezhad A. Perioperative hemodynamic management and pharmacotherapeutics of patients undergoing thoracic endovascular aortic repair. Adv Vasc Med. 2014;2014:6.

158

Anestesia para Correção de Cardiopatias Congênitas

Fábio Luis Ferrari Regatieri ▪ Ana Cristina Aliman Arashiro

Introdução

Os cuidados dispensados pelo anestesiologista a crianças submetidas a cirurgia cardíaca continuam sendo um dos grandes desafios da especialidade. Nas últimas duas décadas, a evolução das técnicas cirúrgicas e anestésicas, bem como o aumento dos recursos diagnósticos e da tecnologia para monitorização e cuidados perioperatórios, têm permitido um melhor tratamento dos pacientes com cardiopatias congênitas (CC).

A prática da anestesia cardiovascular pediátrica mudou bastante durante a década de 1980. Houve uma modificação da técnica cirúrgica no sentido de se afastar das cirurgias paliativas e se aproximar das correções definitivas, mesmo nos primeiros meses de vida. A filosofia por trás dessa alteração de visão está respaldada na tentativa de evitar as complicações em longo prazo da manutenção clínica desses pacientes, bem como evitar possíveis sequelas das cirurgias paliativas e, em última análise, diminuir a morbimortalidade (Quadro 158.1).[1-3]

O sistema cardiovascular se altera significativamente após o nascimento, com grandes mudanças nos padrões dos fluxos sanguíneos. Durante a vida fetal, o sangue retorna para o coração, desviando-se dos pulmões, que estão colapsados e tomados por fluidos. Assim, o sangue sofre um *shunt* fisiológico pelo forame oval (FO), ainda aberto, pelo átrio esquerdo (AE), ou passa do ventrículo direito (VD) para a circulação sistêmica pelo ducto arterioso (DA) patente. Ao nascimento, o fechamento fisiológico de ambos, FO e DA, inicia os padrões circulatórios adultos. Todo o sangue que chega ao átrio direito (AD) dirige-se aos pulmões, e todo o sangue oxigenado pelos pulmões retorna ao átrio esquerdo (AE) e é bombeado via ventrículo esquerdo (VE) para a circulação sistêmica.

Quadro 158.1 Relação de siglas e acrônimos.

AD:	átrio direito	HP:	hipertensão pulmonar
AE:	átrio esquerdo	Mi:	mitral
Ao:	aórtica, aorta	MPA:	medicação pré-anestésica
AP:	artéria pulmonar		
BAP:	bandagem da artéria pulmonar	PCA:	persistência do canal arterial
CC:	cardiopatias congênitas	PGE_1:	prostaglandina E1
CEC:	circulação extracorpórea	PVC:	pressão venosa central
		RMC:	ressonância magnética cardíaca
CIA:	comunicação interatrial		
CIV:	comunicação interventricular	RN:	recém-nascido
		RVP:	resistência vascular pulmonar
CoAo:	coarctação da aorta		
DA:	*ductus arteriosus*	RVS:	resistência vascular sistêmica
DC:	débito cardíaco		
DTC:	*Doppler* transcraniano	SCEH:	Síndrome do Coração Esquerdo Hipoplásico
DSVA:	defeito do septo atrioventricular		
		T4F:	tetralogia de Fallot
EAo:	estenose aórtica	TCA:	tempo de coagulação ativado
EIC:	espaço intercostal		
EPIV:	espectroscopia próxima ao intravermelho (tradução livre do inglês *near-infrared spectroscpy* – NIRS)	TGA:	transposição das grandes artérias
		TGV:	transposição dos grandes vasos
		Tri:	tricúspide
ETE:	ecocardiografia transesofágica	VD:	ventrículo direito
		VE:	ventrículo esquerdo
FiO_2:	fração inspirada de oxigênio	VP:	valva pulmonar
		VPP:	ventilação sob pressão positiva
FO:	forâmen oval		
FSP:	fluxo sanguíneo pulmonar	VSVD:	via de saída do ventrículo direito
FSS:	fluxo sanguíneo sistêmico	VSVE:	via de saída do ventrículo esquerdo

Certas cardiopatias congênitas ou doenças pulmonares atrapalham o processo adaptativo, criando uma circulação transicional na qual *shunts* da direita para a esquerda pelo FO ou DA patentes persistem. Sob essas circunstâncias, a permanência da circulação transicional leva a hipoxemia, acidose e instabilidade hemodinâmica, condições pouco toleradas pelo recém-nascido (RN). Ainda assim, a abordagem inicial de algumas CCs cianóticas visa justamente a prolongar esse estado transicional, mantendo a viabilidade do RN.[4] Um dos recursos para manter a patência do DA é a administração de prostaglandina E1 (PGE1).

Além da fisiopatologia das CCs, deve-se ficar atento à concorrência de outras malformações. Aproximadamente 25% a 30% das crianças com CC têm também malformações extracardíacas (Quadro 158.2), as quais podem interferir na técnica anestésica.[5]

A abordagem multidisciplinar é necessária, com a participação de anestesistas, cirurgiões, cardiologistas e pediatras, a fim de se entenderem as alterações provocadas pelas CCs, prever o risco anestésico e planejar os cuidados perioperatórios.

Os objetivos gerais a serem alcançados pelas cirurgias em relação às cardiopatias congênitas são: a separação fisiológica da circulação, o alívio da obstrução ao fluxo, a preservação ou restauração da massa ventricular e sua função e a normalização da expectativa de vida.

▪ EPIDEMIOLOGIA

A incidência de cardiopatias congênitas varia conforme os estudos consultados, mas aceita-se um número em torno de 4 a 12 por 1.000 nascidos vivos. Nos EUA, isso representa cerca de 32 mil bebês com CC nascidos a cada ano, e, no Brasil, algo em torno de 24 mil crianças por ano.

Em geral, considera-se que aproximadamente 0,8% dos nascidos vivos tem malformação cardiovascular. Nessa estatística não se incluem as duas anomalias congênitas mais comuns: valva aórtica bicúspide e prolapso da valva mitral.[6]

As CCs mais comuns no sexo feminino são a persistência do canal arterial (PCA) e a comunicação interatrial (CIA). As mais comuns no sexo masculino são a estenose aórtica, a coarctação da aorta, a hipoplasia do coração esquerdo, as atresias pulmonar e tricúspide e a transposição das grandes artérias (TGA).[6]

Como citado, anomalias extracardíacas ocorrem em 25% dos lactentes com cardiopatia significativa, dos quais um ter-

ço se inclui em alguma síndrome conhecida. Considera-se que existe hereditariedade multifatorial associada a 90% das cardiopatias congênitas. Entre 5% e 10% das CCs devem-se a fatores genéticos primários. Por exemplo, defeitos do septo atrioventricular são encontrados em até 50% dos pacientes com síndrome de Down (trissomia do cromossomo 21) (Quadro 158.2).[7]

O risco de recorrência quando a mãe é portadora de CC pode variar entre 2,5% e 18%, dependendo da lesão materna.

As malformações com maior recorrência nos filhos são representadas pelas lesões obstrutivas das vias de saída do ventrículo esquerdo (VSVE).[5]

Além dos aspectos genéticos citados anteriormente, são considerados fatores de risco materno para desenvolvimento de cardiopatias congênitas no concepto: obesidade, tabagismo, etilismo, drogas de abuso, rubéola durante a gestação, exposição a radiações ionizantes e inseminação artificial. É fundamental, entretanto, lembrar que mais de 90% das malformações cardíacas ocorrem em fetos sem qualquer fator de risco.[7]

Oitenta por cento dos pacientes com CC terão indicação cirúrgica. Atualmente, no Brasil, estima-se que sejam feitas 23 mil cirurgias cardíacas ao ano, por todas as etiologias, inclusive em adultos não portadores de cardiopatias congênitas.

Graças à melhora no tratamento desses pacientes, houve uma grande redução na mortalidade no primeiro ano de vida. "Apenas" cerca de 15% a 20% dessas crianças morrem nesse período. A idade média dos pacientes com lesões graves e/ou complexas aumentou da infância para a adolescência. Sendo assim, muitos desses pacientes farão cirurgias não cardíacas em algum momento da vida. Globalmente, documenta-se prevalência de CC em quatro adultos a cada 1.000 pessoas.[6] A valva aórtica bicúspide ocorre em aproximadamente 2% da população geral e é apontada como a lesão congênita mais frequente.[5]

▪ CLASSIFICAÇÃO FISIOPATOLÓGICA DAS CARDIOPATIAS CONGÊNITAS

Considerando as várias doenças que fazem parte das cardiopatias congênitas, é útil determinar se a criança tem cianose e/ou insuficiência cardíaca congestiva (Quadros 158.3 e 158.4).

Quadro 158.2 Porcentagem de malformações extracardíacas em pacientes com cardiopatias congênitas.

Porcentagem de malformações extracardíacas em pacientes com cardiopatias congênitas e associações frequentes		
Malformação extracardíaca	Incidência em pacientes com cardiopatia congênita	Associações frequentes
Hérnia diafragmática	25	CIV, T4F
Anormalidades anorretais	20	CIV, T4F
Onfalocele/gastroquise	20	CC não específica
Rim em ferradura	40	CC não específica
Trissomia 21 (Down)	50	CIA, CIV, DSVA
Síndrome de Turner	35	EAo, CIA, CoAo
Síndrome de Pierre-Robin	30	CIV, PCA, CIA, CoAo

CIV: comunicação interventricular; T4F: tetralogia de Fallot; CC: cardiopatia congênita; CIA: comunicação interatrial; DSVA: defeito do septo atrioventricular; EAo: estenose aórtica; CoAo: coarctação da aorta; PCA: persistência do canal arterial.

Quadro 158.3 Classificação das cardiopatias congênitas e respectivos exemplos.[5]

Tipo	Exemplos
Acianóticas	Comunicação interatrial (10%) Comunicação interventricular (30%) Defeito do septo atrioventricular (3%) Persistência do canal arterial (10%)
Cianóticas	Tetralogia de Fallot Atresias: pulmonar e tricúspide Transposição dos grandes vasos Hipoplasias de ventrículo direito e ventrículo esquerdo Drenagem anômala das veias pulmonares Tronco arterioso

Quadro 158.4 Frequência relativa das cardiopatias congênitas acianóticas e cianóticas.[5]

Acianóticas	Frequência entre cardiopatias congênitas
Comunicação interatrial	10%
Comunicação interventricular	30%
Defeito do septo atrioventricular	3%
Persistência do canal arterial	10%
Cianóticas	
Tetralogia de Fallot	12%
Atresias: pulmonar e tricúspide	
Transposição dos grandes vasos	7%
Hipoplasias de ventrículo direito e ventrículo esquerdo	
Drenagem anômala das veias pulmonares	
Tronco arterioso	

■ CONSIDERAÇÕES GERAIS SOBRE A FISIOPATOLOGIA DAS CARDIOPATIAS CONGÊNITAS

Na presença de um *shunt* intracardíaco, é importante entender como se comporta o fluxo sanguíneo nessa comunicação. Basicamente, isso vai depender de dois fatores: do gradiente de pressão pelo *shunt* e, portanto, da relação entre a resistência vascular pulmonar (RVP) e a resistência vascular sistêmica (RVS); e do diâmetro do *shunt*, o que determinará as propriedades restritivas da anomalia.[8]

Uma relação RVP/RVS elevada está associada a fluxos da direita para a esquerda, enquanto relações RVP/RVS baixas levam a *shunts* da esquerda para a direita. O segundo fator determinante, por exemplo, é alteração comum nas comunicações interventriculares (CIVs) e levará a fluxo da esquerda para a direita e aparecimento de hipertensão pulmonar (HP). Essa HP pode precipitar o aumento da reatividade vascular pulmonar e reverter o fluxo que era inicialmente da esquerda para a direita, fazendo que surja um *shunt* bidirecional (Figura 158.1).

A maior parte das cardiopatias com *shunt* da esquerda para a direita (Quadro 158.5) é acianótica, enquanto os *shunts* da direita para a esquerda provocam cianose.[8]

Quadro 158.5 Alterações decorrentes dos *shunts* da esquerda para a direita.

- Alterações decorrentes do *shunt* da esquerda para a direita
- Aumento do fluxo pulmonar
- Hipertrofia do miocárdio
- Obstrução das vias respiratórias por compressão causada por vasos pulmonares
- Infecções respiratórias de repetição
- Insuficiência cardíaca congestiva
- Hipertensão pulmonar
- Doença vascular obstrutiva pulmonar

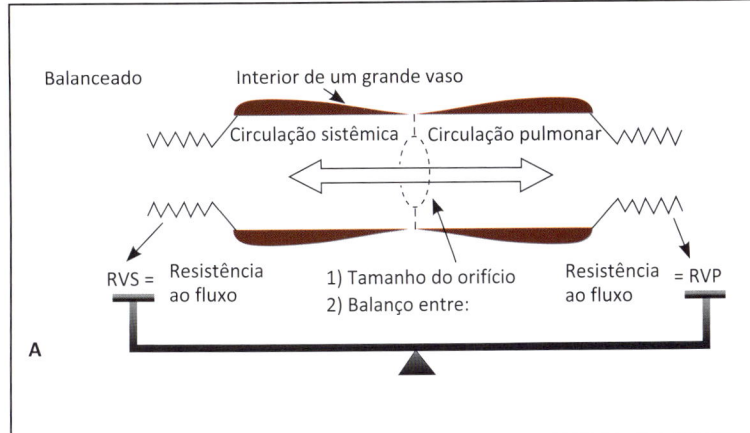

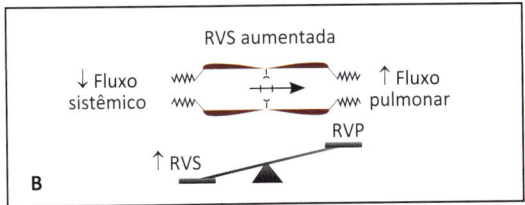

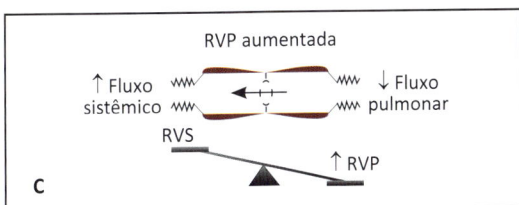

▲**Figura 158.1** Determinantes de magnitude e direção de *shunts* centrais simples. (1) O tamanho do orifício é importante na determinação da magnitude do *shunt*, e do gradiente de pressão pelo *shunt* e geralmente é fixo. (2) O equilíbrio da resistência vascular pulmonar e da resistência vascular sistêmica é dinâmico e determina a direção do *shunt* e variações de magnitude em torno dos limites fixados pelo tamanho do orifício. **(A)** PVR/SVR equilibradas. **(B)** Aumento do fluxo pulmonar com aumento da RVS. **(C)** Aumento do fluxo sistêmico com elevação da RVP.

Fonte: adaptada de Nasr VG, Hickeyem PR. 2018.[9]

Em pacientes com grandes *shunts* da esquerda para a direita e RVP, o fluxo sanguíneo pulmonar (FSP) pode ser enorme, fato que envolve três fatores fisiopatológicos característicos: (a) sobrecarga de volume na circulação pulmonar, (b) aumento do trabalho cardíaco no VE, que precisa aumentar o volume sistólico e a frequência cardíaca para garantir a perfusão sistêmica e (c) excesso no FSP, levando a aumento progressivo da RVP. Com o tempo, alterações permanentes das arteríolas pulmonares irão se estabelecer, levando a doença pulmonar vascular obstrutiva, uma condição possivelmente irreversível.[8]

Cianose, em geral, reflete a presença de *shunt* da direita para a esquerda. Em *shunts* da direita para a esquerda, ocorrem aumento da RVP ou/e a resistência ao fluxo de saída do VD, que ultrapassa a RVS, com concomitante redução do FSP. A circulação sistêmica acaba recebendo uma parte do sangue desoxigenado das câmaras direitas por meio do *shunt*, ocorrendo cianose e hipoxemia clinicamente manifestadas. É observado quando o débito pulmonar diminui na tetralogia de Fallot (T4F), na atresia pulmonar ou na estenose pulmonar.[9]

Cianose também pode ser observada em condições em que o retorno venoso se mistura com a circulação sistêmica, como na transposição do grandes vasos (TGV).

Nas CCs cianóticas, há uma hipoxemia crônica, a qual pode precipitar insuficiência cardíaca e/ou arritmias. Embora esses pacientes tenham resposta diminuída à hipoxemia pelos quimiorreceptores periféricos, a resposta ventilatória à elevação do CO_2 permanece intacta na maioria das vezes. Essa hipoxemia crônica aumenta a secreção de eritropoietina, resultando em policitemia, aumento da viscosidade do sangue e micro-oclusões vasculares, agravando a hipoxemia e diminuindo a perfusão coronariana e a densidade de receptores beta, fatores que estão na gênese da miocardiopatia nessas crianças.

Eventualmente, a função cardíaca é normal, mas as alterações se tornam evidentes sob estresse ou exercício físico. Há dois grandes problemas fisiopatológicos: a redução do fluxo sanguíneo pulmonar, resultando em hipoxemia sistêmica e cianose, e o aumento da pós-carga para o ventrículo direito, originando sobrecarga de pressão, disfunção ventricular e insuficiência ventricular direita.

Eventos tromboembólicos (p. ex., trombose de seio cavernoso) podem surgir como complicações da policitemia, principalmente na ocorrência de precipitantes como febre e desidratação. Por essa razão, em crianças com níveis de hematócritos superiores a 55% devem-se iniciar os fluidos intravenosos na noite anterior à cirurgia a fim de manter a hidratação adequada. Em determinadas condições, preconiza-se flebotomia (sangria) com o objetivo de diminuir o hematócrito e a hiperviscosidade. Alguns protocolos sugerem essa conduta no pré-operatório ou no intraoperatório, antes do início da circulação extracorpórea (CEC), quando o hematócrito excede 65%.[7]

Prejuízos da hemostasia incidem em aproximadamente 20% dos pacientes cianóticos e policitêmicos.[5] Alterações diversas em fatores da coagulação, ativação da fibrinólise, trombocitopenia e diminuição da função plaquetária são citadas nesses casos. Alguns autores delineiam essas alterações como uma coagulação intravascular disseminada expressa em baixo grau. Vale lembrar que mesmo recém-nascidos normais usualmente apresentam níveis baixos de fatores de coagulação em virtude da falta de maturidade da função hepática.[8,9] Eventualmente, a flebotomia pode melhorar as condições da coagulação (Figura 158.2).

Curas cirúrgicas completas são raramente alcançadas. Anormalidades antes e após as cirurgias produzem efeitos

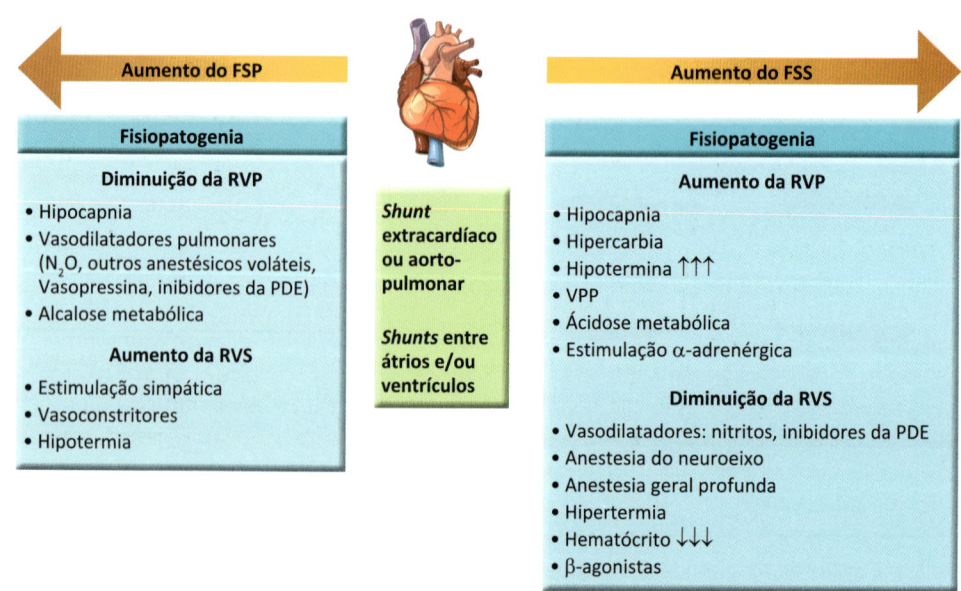

▲**Figura 158.2** Dinâmica de distribuição de fluxo. Dependendo da direção do fluxo, o balanço entre RVP e RVS afetará o débito cardíaco e a perfusão periférica.

FSP: fluxo sanguíneo pulmonar; RVP: resistência vascular pulmonar; PDE: fosfodiesterase; RVS: resistência vascular sistêmica.

Fonte: adaptada de Junghare SW *et al.*, 2017.[10]

em longo prazo sobre a função cardíaca dos pacientes com cardiopatia congênita. Embora as perspectivas gerais para esses pacientes sejam boas, todo defeito é associado a alterações miocárdicas, e cada reparo deixa algumas anomalias obrigatoriamente.[10,11] Muitas das alterações são triviais, enquanto outras afetam a função ventricular, o crescimento do sistema nervoso central, o sistema de condução do coração ou o fluxo sanguíneo pulmonar. Sob essas circunstâncias, em longo prazo, a qualidade de vida pode ser afetada. Anormalidades do desempenho ventricular em repouso e com exercício podem ser detectadas em vários pacientes.[12] Essas anormalidades na função ventricular são as consequências de capacidades ventriculares alteradas, repetidos episódios de isquemia miocárdica e resíduos ou sequelas dos tratamentos cirúrgicos (p. ex., ventriculotomia). Os efeitos crônicos sobre a circulação pulmonar estão associados a certas formas de doenças cardíacas congênitas e levam a importantes sequelas patológicas. No cenário de um grande *shunt* da esquerda para a direita, como em um defeito do septo ventricular, o aumento do FSP provoca aumento na pressão luminal da artéria pulmonar, que, após um período, não será reversível e se transformará em hipertensão pulmonar crônica.

Mais adiante serão analisadas algumas das lesões mais comuns encontradas na prática, suas opções terapêuticas e as considerações anestésicas.[9] Embora separadas em categorias com base em manifestação de cianose ou insuficiência cardíaca congestiva, é importante lembrar que essas divisões são arbitrárias. Para algumas lesões (a TGA é um bom exemplo), o paciente pode ser cianótico, estar em insuficiência cardíaca congestiva ou ambos, dependendo de outras lesões associadas. As consequências dessas lesões variam de paciente para paciente, por isso é preciso ter cautela para individualizar o cuidado de cada criança.

Avaliação Pré-anestésica

Cada paciente apresenta um conjunto de alterações particulares, o que torna cada procedimento um caso único.

Os pacientes são desde uma criança saudável e assintomática, com um pequeno defeito do septo atrial, até o RN com síndrome do coração esquerdo hipoplásico (SCEH), que demanda intervenção hemodinâmica pré-operatória agressiva e suporte ventilatório. Entrelaçado com a diversidade médica desses pacientes, há o aspecto psicológico, tanto do paciente quanto dos pais. A preparação do paciente e da família tende a ser demorada, mas omitir ou comprometer esse aspecto da assistência é um óbice a um bom resultado. Cirurgiões cardíacos, cardiologistas, anestesiologistas, intensivistas e enfermeiros devem trabalhar coordenadamente na preparação do paciente e da família para a cirurgia e recuperação pós-operatória.

Uma boa parte do conhecimento utilizado na manutenção de pacientes adultos submetidos a cirurgias cardiovasculares é de pouca utilidade quando anestesiamos crianças com CC.

A avaliação pré-operatória deve sempre começar com história cuidadosa e exame físico. Conquanto a história deva concentrar-se no sistema cardiopulmonar, 25% dos pacientes com cardiopatia congênita têm anomalias congê-

nitas não cardíacas associadas.[6] As mais comuns são os defeitos dos aparelhos genitourinário e musculoesquelético, todavia anomalias das vias respiratórias e pulmonares são frequentes. Algumas síndromes, como a que inclui atresia de coanas nasais, alterações oculares, alterações genitourinárias, retardo de desenvolvimento neuropsicomotor e alterações do aparelho auditivo (CHARGE), estão associadas a traqueomalacia, hipoplasia do timo, artéria subclávia direita aberrante e anomalias do arco aórtico. Tetralogia de Fallot com a válvula pulmonar ausente é associada a compressão do brônquio principal e vasos pulmonares distais anormais, formando tufos que se entrelaçam com os brônquios pulmonares distais e resultando em insuficiência respiratória decorrente da obstrução das vias respiratórias extrínsecas. A trissomia do cromossomo 21 está associada a anomalias das vias respiratórias superiores e inferiores, bem como à instabilidade cervical.

Na avaliação pré-anestésica, deve-se procurar por sinais e sintomas de descompensação da função cardiopulmonar. Podem-se esperar déficit do desenvolvimento neuropsicomotor e diminuto ganho ponderal como consequências de hipertensão pulmonar e/ou hipoxemia sistêmica crônica. O estado geral de saúde da criança e suas atividades regulares refletem sua reserva cardiorrespiratória. É preciso determinar se a criança tem tolerância normal ou deficiente ao exercício. Qualquer doença intercorrente, como infecção do trato respiratório superior recente ou pneumonia, deve ser apurada. Isso pode postergar a cirurgia devido ao impacto negativo que a reatividade das vias respiratórias e as elevações da pressão arterial pulmonar têm no resultado cirúrgico. Pneumonias de repetição são frequentemente associadas a elevação do FSP.

Achados que estão associados à insuficiência cardíaca congestiva são taquicardia, irritabilidade, dispneia, estase jugular, chiados, estertores pulmonares, hepatomegalia, edema de extremidades e cianose. É importante caracterizar a tolerância a exercícios do paciente, o que pode ser determinado por aparecimento de sintomas no dia a dia, como durante momentos como choro, alimentação e evacuação.

Em crianças com cirurgia de Blalock-Taussig prévia, os pulsos nas extremidades superiores podem estar diminuídos ou ausentes. A pressão arterial deve ser aferida em todos os membros, especialmente tendo em vista o diagnóstico de coarctação da aorta (CoAo). Existe boa correlação da ausculta cardíaca com lesões anatômicas, e esse é um item que deve fazer parte do exame físico dessas crianças (Quadro 158.6). Além da ausculta, o exame físico deve incluir a palpação das fontanelas, que é um bom meio de avaliação do volume intravascular. A palpação do fígado deve ser também realizada de rotina. Fígado aumentado e congestionado é frequentemente encontrado em crianças com insuficiência cardíaca direita. Margem hepática não palpável e fontanela deprimida são sinais de depleção do volume intravascular.

A ausculta dos pulmões é valiosa ao se estabelecer uma linha de base para comparação com as mudanças intraoperatórias. O exame de extremidades distais e pulsos fornece uma avaliação de sítios potenciais para acesso venoso e ins-

Quadro 158.6 Interpretação dos sopros cardíacos.			
Sopro	Sistólico	Diastólico	Contínuo
Patologia/condição	Valvas semilunares (Ao, Pu) estenóticas	Valvas semilunares (Ao, Pu) insuficientes	Canal arterial (ducto arterioso) patente
	Valvas atrioventriculares (Mi, Tri) insuficientes	Valvas atrioventriculares (Mi, Tri) estenóticas	Fístula arteriovenosa
	CIA		Janela aortopulmonar
	CIV		*Shunt* cirúrgico
	Coarctação da aorta		

Ao: aórtica; Pu: pulmonar; Mi: mitral; Tri: tricúspide.

talação de cateteres arteriais, o que limita o tempo gasto na procura em sala de cirurgia.

Como mencionado, existe possibilidade de concomitância de alterações craniofaciais com CC. Assim, a avaliação da via respiratória deve ser cuidadosa a fim de predizer dificuldades de intubação e possibilitar o planejamento adequado da indução anestésica. Lembre-se de que, em geral, esses são pacientes com quase nenhuma reserva funcional pulmonar, o que pode agravar as complicações de uma via respiratória difícil, com queda rápida da oximetria de pulso (SpO_2) e complicações cardiovasculares precoces.[11,12]

Os exames laboratoriais devem incluir hemograma, coagulograma completo, glicemia, eletrólitos, testes de função renal e urina tipo I. Pacientes que já foram submetidos a cirurgias prévias e transfundidos devem ter provas cruzadas completas visando a identificar anticorpos contra vários antígenos do sangue.

Outros exames complementares essenciais são eletrocardiograma (ECG), ecocardiograma, radiografia de tórax e, eventualmente, cateterismo.[10-13]

Ecocardiografia com dopplerfluxometria é uma ferramenta valiosa que fornece um meio não invasivo de avaliação da anatomia intracardíaca, padrões de fluxo sanguíneo e estimativas dos dados fisiológicos. Para defeitos cardíacos sem complicações, como defeito do septo atrial, persistência do canal arterial e coarctação da aorta, a ecocardiografia elimina a necessidade de um cateterismo cardíaco invasivo. A interpretação exata de mudanças anatômicas e fisiológicas requer um ecocardiografista habilidoso, bem como uma equipe bem integrada e interativa.[11-13]

O cateterismo cardíaco continua a ser o padrão ouro para avaliar a anatomia e a função fisiológica em pacientes com doença cardíaca congênita. Dados de cateterização importantes para o anestesiologista incluem localização, tamanho e direção do *shunt* intracardíaco, pressões ventriculares e atriais (com atenção especial às pressões diastólicas finais dos ventrículos esquerdo e direito), pressões pulmonar e sistêmica, bem como a RVP e a RVS, o tamanho das câmaras cardíacas, a anatomia e a função valvares, os eventuais gradientes pressóricos transvalvares, o estado funcional das eventuais cirurgias paliativas realizadas anteriormente e, finalmente, a anatomia coronariana.

Mais recentemente, a ressonância magnética cardíaca (RMC) e a tomografia computadorizada *multi-slice* têm se tornado boas ferramentas na avaliação de pacientes com

CC, visto que possibilitam reconstruções anatômicas tridimensionais, que não dependem do tamanho do corpo nem de janelas acústicas. São especialmente úteis para medidas volumétricas, acesso aos vasos e detecção de fibrose miocárdica.[12-14]

A medicação pré-anestésica (MPA) ideal seria aquela que promovesse sedação adequada, tivesse efeitos mínimos sobre a função respiratória e o estado hemodinâmico e pudesse ser administrada de forma não traumática.

Em geral, crianças com menos de 6 meses não necessitam de MPA. Entre 6 e 9 meses, considera-se a administração de doses menores de midazolam (0,3 a 0,5 mg.kg^{-1}) em alguns casos, e crianças acima dessa idade poderiam se beneficiar de doses um pouco maiores do mesmo fármaco, com um limite de 0,75 mg.kg^{-1}, administrado entre 30 e 60 minutos antes da separação dos pais. Recentemente, um estudo mostrou vantagens da associação entre midazolam e cetamina administrados por via oral como MPA a crianças a serem submetidas à cirurgia cardíaca.[11,12,15] Regimes de pré-medicação que incluam opioides tendem a provocar hipercarbia e hipoxemia e causar mais danos do que benefícios nessa população. Esse assunto será novamente abordado nas cirurgias específicas para tratamento das CC, mas sempre devem-se pesar riscos e benefícios, levando-se em conta as particularidades de cada caso.[11,12,15]

Preparação da Sala de Cirurgia

A preparação da sala de cirurgia deve incluir as verificações habituais do aparelho de anestesia, bem como a verificação da adequação do ventilador e dos circuitos respiratórios para o paciente em questão. O aparelho de anestesia deve ter a capacidade de fornecer ar comprimido, além de oxigênio e óxido nitroso, importantes para equilibrar os fluxos pulmonar e sistêmico. Equipos intravenosos precisam estar livres de bolhas de ar para evitar embolia gasosa. Fármacos para ressuscitação devem estar rotulados e prontos para administração, incluindo gluconato ou cloreto de cálcio, bicarbonato de sódio, atropina, fenilefrina, lidocaína e epinefrina. É necessário que uma infusão inotrópica, geralmente de dopamina ou dobutamina, esteja previamente preparada e pronta para administração a pacientes de alto risco (Tabela 158.1).

Para todos os pacientes pediátricos, alguns fármacos anestésicos são disponibilizados para emergências (p. ex.: cetamina, succinilcolina, fentanil) e devem estar em seringas

Tabela 158.1 Fármacos e produtos usados em cirurgia cardiovascular.[12,16]

Medicamentos	Ataque	Solução	Doses (mcg.kg⁻¹.min⁻¹)
Adrenalina	0,01 a 0,03 mg.kg⁻¹	Diluição para infusão: 1 mg (1 mL, 1:1.000) + 9 mL AD	0,05 a 2 mcg.kg⁻¹.min⁻¹
Noradrenalina	Não indicado	1 ampola (4 mL = 4.000 μg) + 246 mL SG (1 mL = 16 μg) ou 1 ampola (4 mL = 4.000 μg) + 96 mL SF0,9% (1 mL = 40 μg)	0,05 a 0,20 μg.kg⁻¹.min⁻¹
Dopamina	Não indicado	(10 mL = 50 mg) + 40 mL SF 0,9% (1 mL = 1.000 μg)	2 a 20 μg.kg⁻¹.min⁻¹
Isoproterenol (Isoprel®)	Não indicado	5 ampolas (1 mL = 0,2 mg) + 95 mL SG5% (1 mL = 10 μg)	0,01 a 0,05 μg.kg⁻¹.min⁻¹
Dobutamina (Dobutrex®)	Não indicado	1 ampola (20 mL = 250 mg) + 80 mL SF0,9% (1 mL = 2.500 μg)	2 a 20 μg.kg⁻¹.min⁻¹
Milriona (Primacor®)	50 μg kg⁻¹ (em 10 minutos)	(20 mL da solução de 20 mL = 20 mg + 30 mL SF0,9%) 400 μg.mL⁻¹	0,2 a 1 μg.kg⁻¹.min⁻¹
Nitroglicerina (Tridil®)	Não indicado	1 ampola (5 mL= 25 mg) + 45 mL SG (1 mL = 500 μg)	0,1 a 20 μg.kg⁻¹.min⁻¹
Nitroprussiato de sódio (Nipride®)	Não indicado	1 ampola (pó liófilo 50 mg) + 250 mL SG (1 mL = 200 μg)	0,5 a 8 μg.kg⁻¹.min⁻¹
PGE1 (alprostadil; Aplicav®; Prostavasin®)	Não indicado	1 a 20 μg.mL⁻¹ (pó liófilo)	0,01 a 0,4 μg.kg⁻¹.min⁻¹
Amiodarona	5 mg kg⁻¹		5 μg.kg⁻¹.min⁻¹ (7,2 mg.kg⁻¹ ao dia)
Esmolol	0,5 a 1,0 mg.kg⁻¹	10 mL (2.500 mg) + 240 mL SF 0,9% (10 mg.mL⁻¹)	20 a 100 μg.kg⁻¹.min⁻¹
Ácido Epsolon-aminocaproico	100 a 150 mg.kg⁻¹ em 20 a 30 min	Sem padrão definido	15 a 50 mg.kg⁻¹.h⁻¹ até fechamento da pele
Ácido tranexâmico	10 a 20 mg.kg⁻¹	1 mg.kg⁻¹h⁻¹	Sem padrão definido
Heparina	4 a 5 mg.kg⁻¹ ou 4.000 a 5.000 U.kg⁻¹	De acordo com TCA; metade da dose inicial	Sem padrão definido
Protamina	igual à soma dispensada de heparina, considerando administração na CEC	Repetir metade da dose, se TCA permanecer elevado	Sem padrão definido
Plaquetas (filtradas/aferese)	1 U/10 kg de peso	Não se aplica	Sem padrão definido
Hemácias	10 a 20 mL.kg⁻¹ de peso	Repetir até hematócrito ideal	Sem padrão definido
Crioprecipitado	1 U para cada 4 kg peso	Repetir conforme testes de coagulação	Sem padrão definido
Complexo protrombínico (Beriplex®)	25 a 30 U.kg⁻¹		
Desmopressina (DDAVP)	0,3 μg.kg⁻¹ em infusão lenta	Repetir a dose inicial; risco de taquifilaxia	
Fibrinogênio (Haemocomplettan®)	25 a 50 mg.kg⁻¹	Repetir até corrigir hipofibrinogenemia	1 frasco de pó liófilo 1 g, diluir com 50 mL de água destilada (20 mg.mL⁻¹)

devidamente identificadas, com concentração em mg.mL⁻¹ discriminada. Na cirurgia cardíaca congênita, deve-se ser capaz de alterar rapidamente a temperatura corporal, promovendo resfriamento e/ou reaquecimento, de acordo com o momento da intervenção cirúrgica. Assim, esses recursos fazem parte do equipamento essencial da sala.[16]

Monitorização

A monitorização depende da condição do paciente e do tipo e extensão do procedimento cirúrgico. Monitoramento não invasivo é geralmente instalado antes da indução anes-

tésica. Isso inclui ECG contínuo, oxímetro de pulso e pressão arterial não invasiva (PANI).

Como em pacientes adultos, a isquemia miocárdica é monitorizada pela avaliação adequada do segmento ST e da onda T do ECG. A monitorização adicional inclui um cateter arterial, um cateter venoso central, monitores de temperatura e estetoscópio esofágico, todos itens habituais para essas cirurgias. Sondagem vesical com cateteres de Foley é padrão em neonatos e lactentes submetidos à parada circulatória hipotérmica e em reoperações. A monitorização contínua da pressão arterial é realizada por meio de um cateter intra-arterial de longa permanência. Cuidados devem ser tomados para garantir que os procedimentos anteriores ou a serem realizados não interfiram no sítio selecionado de monitorização da pressão arterial. Outros locais disponíveis para canulação incluem artérias ulnar, femoral e axilar.[11,12] Canulação das artérias tibial posterior e dorsal do pé não é normalmente realizada. Cateteres arteriais periféricos, principalmente dos membros inferiores, funcionam mal após a CEC e não refletem a pressão aórtica central, enquanto a temperatura das extremidades distais permanece baixa.

A hipotermia é estratégia comum na preservação miocárdica e cerebral. Por conseguinte, um controle exato e contínuo da temperatura corporal é crucial. As temperaturas retal e timpânica devem ser monitorizadas, uma vez que refletem com precisão as temperaturas central e cerebral, respectivamente. A temperatura esofágica é um bom reflexo das temperaturas cardíaca e torácica.

A oximetria de pulso e a capnografia fornecem *feedback* instantâneo sobre a adequação da ventilação e oxigenação, as quais são úteis para equilibrar a relação entre fluxos sanguíneos sistêmico e pulmonar e fornecem informações sobre *shunts* criados cirurgicamente e bandas arteriais pulmonares.

A vasoconstrição periférica em pacientes submetidos a hipotermia profunda e parada circulatória torna os sensores digitais que aferem a SpO_2 menos confiáveis. Sensores linguais têm sido indicados para o recém-nascido por aferirem medidas centrais da saturação de oxigênio com menor variabilidade relacionada com a temperatura.[17] Um segundo sensor do oxímetro de pulso pode ser colocado como um *backup* antes de a cirurgia começar, especialmente em pacientes submetidos a hipotermia profunda. Artefatos e mau funcionamento relacionados ao *probe* não são incomuns durante o desmame da CEC.

O acesso venoso central também deve ser realizado, mesmo em crianças menores, posto que, além de permitir a monitorização de vários parâmetros, na dependência do tipo de cateter inserido, ainda é via segura para a administração de fármacos vasoativos e volume. Em geral, o vaso de escolha é a veia jugular interna direita. As potenciais complicações, como hematoma no sítio de punção, punção arterial inadvertida, pneumotórax, infecção, insucesso da punção e mau posicionamento do cateter, podem ser diminuídas com a punção guiada por ultrassom,[18,19] especialmente em crianças com menos de 10 kg.[18,19] Para RNs com peso inferior a 7 kg, a colocação percutânea de um cateter de artéria pulmonar pode ser difícil. As limitações do cateter de artéria pulmonar são várias, desde a dificuldade técnica na passagem do cateter, a inadequação dos tamanhos disponíveis e a invalidação das medidas de débito cardíaco obtidas pela termodiluição tradicional pela cardiopatia congênita até as alterações frequentes da saturação venosa central de oxigênio ($SVcO_2$) pela patologia de base. Aos casos em que o cateter de artéria pulmonar está bem indicado, linhas intracardíacas colocadas cirurgicamente podem ser boas alternativas.

Em RN e crianças pequenas, certas circunstâncias ditam a necessidade de informação contínua sobre pressões atrial esquerda e direita e/ou monitorização de parâmetros da artéria pulmonar. Por exemplo, em recém-nascidos com hipertensão arterial pulmonar ou em crianças submetidas à operação de Fontan para realização de derivação atriopulmonar para o tratamento das cardiopatias univentriculares, essas medições são particularmente úteis, uma vez que não há ventrículo direito para bombear o sangue para os pulmões. A adequação do fluxo através do leito pulmonar depende da manutenção de um gradiente de pressão do átrio direito para o átrio esquerdo. A monitorização das pressões atrial direita e atrial esquerda pode ser um recurso valioso na conduta intraoperatória e pós-operatória desses pacientes.

Pacientes que farão cirurgias no lado esquerdo do coração, os que não têm *shunts* e aqueles com risco de disfunção de VE ou hipertensão pulmonar eventualmente também se beneficiarão de um cateter de artéria pulmonar. Exemplos são aqueles submetidos a cirurgias de aorta, reparos ou substituição da valva aórtica, ressecções subaórticas, miocardiotomias para miocardiopatias hipertróficas ou reparos e substituições de valva mitral.

A ecocardiografia intraoperatória com dopplerfluxometria é outra ferramenta útil na monitorização dos pacientes submetidos a correções cirúrgicas das CCs. A ecocardiografia transesofágica (ETE) é a abordagem preferida em adultos, mas o tamanho do transdutor e as janelas restritas podem limitar seu uso em lactentes e crianças pequenas. O desenvolvimento de transdutores cada vez menores faz que a ETE seja empregada cada vez mais na população pediátrica. Em comparação com a abordagem epicárdica, esse método propicia a monitorização contínua do coração sem interrupção da cirurgia. A limitação das janelas foi praticamente eliminada com a experiência clínica e melhores imagens bidimensionais. Novos transdutores pediátricos estenderam os limites de tamanho do paciente para recém-nascidos entre 2,5 e 3 kg.[20] Alguns cuidados com a ETE que merecem ser observados referem-se à compressão das vias respiratórias e da aorta descendente em função do tamanho do transdutor em pequenos neonatos e lactentes.

A segunda técnica para obtenção do ecocardiograma intraoperatório em crianças é a abordagem epicárdica, método que inclui um transdutor de 5 a 7 MHz, o qual é envolvido em um invólucro estéril e passado para o campo cirúrgico, onde, em seguida, pode ser colocado sobre a superfície do epicárdio. A tela onde as imagens são interpretadas pode ser acoplada ao monitor da anestesia, o que facilita as manipulações necessárias do transdutor para avaliação das estruturas principais e da função dinâmica do coração, sem limitação de janelas e de tamanho do paciente. Entre as desvantagens estão a exigência de habilidade e experiência do operador – geralmente um cirurgião – e a necessidade de interromper a cirurgia para manipular o transdutor e eventuais impactos mecânicos deletérios provocados pelo contato com o miocárdio.[20]

Independentemente do método, o ecodopplercardiograma intraoperatório possibilita a avaliação imediata do reparo cirúrgico, bem como da função cardíaca, examinando os movimentos das paredes ventriculares. Defeitos estruturais residuais após a saída da CEC podem ser imediatamente diagnosticados e reparados no mesmo ambiente operacional, evitando que o paciente saia da sala de cirurgia com defeitos residuais significativos que poderiam exigir reoperação em um momento posterior. A identificação de pacientes com disfunções ventriculares esquerda ou direita após a CEC, conforme determinado por alterações nos movimentos das paredes ou ingurgitamento sistólico, viabiliza intervenções farmacológicas imediatas e com resultados avaliados em tempo real.

A incidência de complicações neurológicas após a cirurgia cardíaca pediátrica varia de 2% a 25%. As causas são multifatoriais e incluem malformações cerebrais pré-operatórias, hipoxemia perioperatória, débito cardíaco baixo, sequelas da circulação extracorpórea e parada circulatória hipotérmica. Atualmente, dispositivos para monitoramento neurológico estão prontamente disponíveis e o anestesiologista pode avaliar a função cerebral durante a cirurgia cardíaca pediátrica.[16]

O índice bispectral (BIS) usa um algoritmo baseado no eletroencefalograma (EEG) do adulto normal. Mediante a transformação de Fourier e a análise bispectral de um canal do eletroencefalograma padrão, é possível calcular um único número, o BIS, que reflete a profundidade da anestesia. Esse índice varia de 0 (EEG isoelétrico) a 100 (acordado). A média dos valores dos pacientes acordados está na faixa de 90 a 100 em adultos, lactentes e crianças. A onda do EEG não processado do BIS em tempo real pode ser trabalhada para reconhecer a taxa de supressão (*supression rate* [SR]) ou o silêncio elétrico do EEG. A taxa de supressão normal é zero; valores acima desse limite se correlacionam com sofrimento cerebral e podem alertar o anestesista sobre a necessidade de continuar o resfriamento antes do início da entrada em CEC. Embora não tenhamos eventos bem documentados de despertar durante a anestesia em crianças submetidas a correções cirúrgicas de CC, o BIS e outros monitores baseados no EEG são potencialmente úteis para monitorizar os níveis de anestesia nessa população. O uso de anestésicos inalatórios durante a CEC auxilia na prevenção do despertar inadvertido e no surgimento de memória intraoperatória. Em um estudo do tipo coorte com crianças submetidas a essas cirurgias sob anestesia em técnica de *fast-tracking*, o BIS aumentou durante a fase de reaquecimento, um período considerado de risco para o despertar durante a anestesia;[21,22] entretanto, nesse estudo e em um similar com crianças com idade inferior a 1 ano, o BIS não se correlacionou com os níveis séricos dos hormônios de estresse, que usualmente se elevam na anestesia superficial, nem com os níveis plasmáticos de fentanil. Assim, outros estudos são necessários para corroborar a utilidade do BIS nessas situações.[22,23]

O Doppler transcraniano (DTC) monitoriza em tempo real a velocidade do fluxo sanguíneo cerebral e eventos tromboembólicos. As fontanelas temporal e anterior servem de janelas para se avaliarem os sinais das artérias cerebral média (ACM) e anterior (ACA) no lado de interesse. Os sinais obtidos pelo DTC são facilmente interpretados. Obtêm-se as velocidades de pico sistólico e do fluxo médio em cm.s⁻¹, bem como o índice de pulsatilidade, que é o pico de velocidade menos a velocidade diastólica final dividido pela velocidade média. É possível selecionar uma forma em que se isolam somente as artérias de interesse para a análise, sem contaminação de outros vasos. A técnica mais consis-

tente e reprodutível para uso clínico em pacientes de todas as idades é monitorizar a ACM por meio da janela temporal, que habitualmente é encontrada um pouco acima do zigoma e imediatamente anterior ao trago da orelha. Vários transdutores estão disponíveis, variando de muito pequenos, adequados para lactentes e crianças, a outros maiores, para adolescentes e adultos.[24,25]

A monitorização cardiovascular convencional pode não detectar hipoxemia tissular, e o suporte hemodinâmico tradicional, em geral, tem como alvo metas que, uma vez atingidas, eventualmente não restauram a oxigenação dos tecidos. A espectroscopia próxima ao infravermelho (EPIV) (tradução livre do inglês *near-infrared spectroscopy*) oferece um método não invasivo para monitorização da oxigenação tecidual em várias situações. Em geral, é utilizada para medir a oxigenação cerebral (rSO₂), por exemplo, durante cirurgias cardíacas, situações em que frequentemente se depara com hipoxemia cerebral. Dados da literatura sugerem que medir e ajustar a oxigenação cerebral pode prevenir complicações no pós-operatório. Esse método usa princípios de óptica com base no fato de que materiais biológicos, inclusive o crânio, são relativamente transparentes ao espectro de onda da EPIV.

Devido, entretanto, aos baixos sinais e aos artefatos que surgem como consequência da pequena intensidade de luz transmitida, a maioria dos aparelhos comercialmente disponíveis usa a EPIV no modo de reflectância, em que os captadores de luz são posicionados de modo ipsilateral aos emissores de luz, explorando o fato de que os fótons transmitidos por uma esfera se propagam em padrão elíptico, no qual a profundidade de penetração é proporcional entre receptor e emissor. A maioria dos dispositivos utiliza dois a quatro comprimentos de onda luminosa entre 700 e 1.000 nm, nas quais os complexos ferro-porfirina das hemoglobinas oxigenada e desoxigenada têm diferentes espectros de absorção da luz. Assim, mediante a medida e o processamento computadorizado desses dados, obtém-se um valor numérico entre 15% e 95%, que expressa a taxa de oxiemoglobina em relação à hemoglobina total (Figura 158.3).[26]

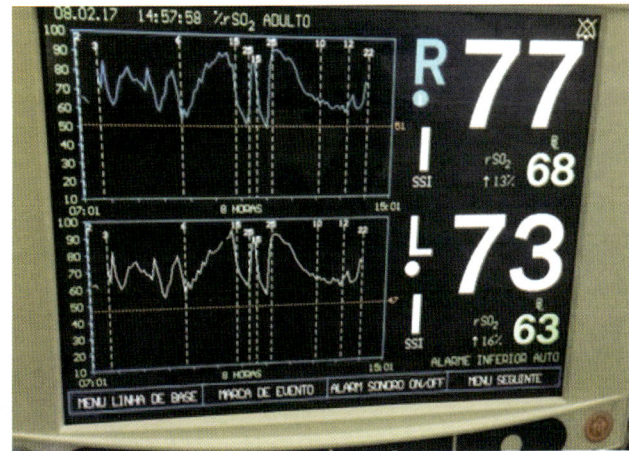

▲ **Figura 158.3** Oximetria cerebral bilateral obtida por espectroscopia próxima ao infravermelho (EPIV), equipamento Invos®, Covidien-Medtronic.

O oxímetro cerebral consiste em um *probe* que contém diodos emissores de luz e sensores de luz que captam a luz não absorvida. O computador a que estão conectados fará os cálculos e exibirá um número que poderá ser acessado. A maioria dos equipamentos pode ser conectada a dois ou quatros sensores, os quais são posicionados em qualquer ponto da cabeça, geralmente, escolhendo-se a testa, onde não há cabelo. A rSO_2 se correlaciona bem com a saturação venosa de oxigênio no bulbo da jugular, considerada padrão para acesso à saturação de oxigênio global do cérebro.[24-26] O valor normal da rSO_2 é entre 55% e 80%, e valores absolutos inferiores a 50% ou uma queda de 20% com relação ao valor basal individual são considerados gatilhos que disparam intervenções. As evidências clínicas sugerem uma correlação entre baixa saturação cerebral e complicações neurológicas. Alguns estudos propõem que até 70% das crianças submetidas a cirurgia cardíaca apresentam queda significativa da rSO_2 em algum momento do procedimento. Intervenções feitas com base na rSO_2 são capazes de reduzir sequelas neurológicas em até quatro vezes.[25-27] Quando se dispõe da monitorização bilateral, considera-se fisiológica uma diferença de até 10% entre os hemisférios. Caso observem-se diferenças maiores, deve-se suspeitar de isquemia em um dos hemisférios cerebrais ou aumento relativo de consumo de O_2 unilateralmente. Matcan *et al.*[28] relataram um caso de lactente submetido a cirurgia cardíaca sob CEC em que a aferição da rSO_2 foi importante para auxiliar na monitorização cerebral.[21]

Um estudo com 100 pacientes submetidos a cirurgia cardíaca mostrou que houve significativa diminuição das funções cognitivas nos pacientes que apresentaram queda de rSO_2 inferior a 35% em algum momento da cirurgia ou mantiveram valores abaixo de 40% por mais de 10 minutos.

Na revisão de Desmond,[29] enfatiza-se que a monitorização com EPIV pode desempenhar papel fundamental na identificação de queda do débito cardíaco juntamente com dosagens seriadas do lactato em amostras venosas mistas, especialmente em pacientes criticamente enfermos, como os que têm diagnóstico de septicemia e/ou nos distúrbios perfusionais associados a outros tipos de choque. Destaca-se ainda um papel na previsão de longo prazo quanto ao desfecho neurológico relacionado com a queda da rSO_2 intraoperatória e que, no pós-operatório, em terapia intensiva, desempenhará função cada vez mais relevante na prevenção e no tratamento de lesões cerebrais.[28,29]

■ CIRCULAÇÃO EXTRACORPÓREA NO PERÍODO NEONATAL E EM PEDIATRIA

A CEC é usada rotineiramente em neonatos e lactentes que necessitam de cirurgia cardíaca precocemente. Apesar de ser um procedimento considerado seguro, trata-se de um método pouco fisiológico e responsável por muitas complicações observadas no pós-operatório das cirurgias cardíacas.

Os RNs são expostos, durante a perfusão, a extremos fisiológicos que raramente são necessários nos adultos. Por exemplo, enquanto o fluxo aórtico na perfusão dos adultos é mantido em torno de 50 mL.kg^{-1}.min^{-1}, nos RNs pode va-

riar de 200 mL.kg^{-1}.min^{-1} no início e no final da perfusão até a interrupção total da circulação.[30,31] Outra diferença importante entre adultos e RNs é quanto à temperatura, que é mantida próxima aos valores fisiológicos nos primeiros e em hipotermia profunda nos últimos. A hipotermia tem efeitos fisiológicos importantes sobre o pH, a viscosidade sanguínea e a filtração de líquidos pelos capilares.[31] O volume do circuito de CEC (tubos, oxigenadores, filtros) é proporcionalmente maior nos equipamentos empregados em RNs. A grande área da superfície da bomba e o volume de *priming* aumentam a exposição do sangue a superfícies não endoteliais e provocam a liberação de vários mediadores inflamatórios. A parada circulatória em hipotermia profunda e o baixo fluxo circulatório elevam o risco de isquemia/reperfusão. As respostas humorais incluem ativação do complemento e cascatas da calicreína, dos eicosanoides e da fibrinólise. As respostas celulares incluem ativação plaquetária e respostas inflamatórias, que estimulam a ativação neutrofílica e liberam substâncias proteolíticas e vasoativas.

Nos últimos anos, a íntima relação entre resposta inflamatória sistêmica e lesão endotelial provocadas pela CEC tem sido estudada, e estratégias para atenuar esses efeitos vêm sendo propostas:[30,31]

a) atenuação da resposta ao estresse, na qual a anestesia e sua profundidade adequada podem ter um papel bastante relevante;

b) a redução do volume do *priming*, buscando manter hematócrito e pressão oncótica mais elevados no líquido de perfusão da CEC, parece diminuir o edema cerebral e melhorar a recuperação cerebral depois de paradas circulatórias sob hipotermia profunda. Nesse sentido, o uso de circuitos miniaturizados, a fim de reduzir a transfusão de produtos do sangue e inflamação, é tendência nessa faixa etária;

c) hemofiltração, que, além de promover a hemoconcentração, remove mediadores inflamatórios, incluindo complemento, citocinas (interleucina [IL]-6, IL-8 e IL-1β) e fator de necrose tumoral (TNF). Estudos mostraram aumento das pressões diastólica e sistólica e melhora da função pulmonar com redução da RVP e da água total pulmonar. Tempo sob ventilação mecânica, permanência na UTI e tempo de internação hospitalar também são reduzidos;

d) a monitorização da saturação venosa mista de oxigênio e saturações regionais de oxigênio, para acessar a adequação da perfusão. A hipotermia – especialmente a profunda –, a composição do *priming*, a hemodiluição, o uso profilático de antifibrinolíticos e, ocasionalmente, de corticosteroides, bem como a escolha da estratégia de proteção miocárdica, a melhor pressão parcial de dióxido de carbono ($PaCO_2$) a ser mantida e até mesmo o fluxo da bomba são ainda objetos sujeitos a debate, a despeito das melhorias que a CEC neonatal teve na última década. Ainda assim, surpreendentemente, diferentes técnicas podem levar a resultados semelhantes e taxas de mortalidade parecidas (Figura 158.4).

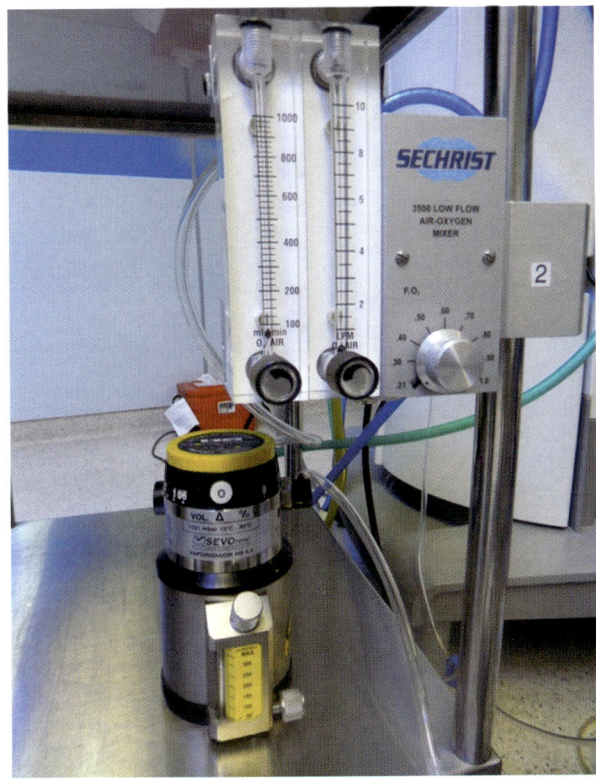

▲ **Figura 158.4** Sistema para administração de sevoflurano em circulação extracorpórea.

■ CARDIOPATIAS ACIANÓTICAS

Didaticamente, considera-se que as CCs acianóticas costumam se manifestar clinicamente com sintomas de insuficiência cardíaca congestiva.

Comunicação Interatrial

Predominante no sexo feminino, na razão de 2:1, é classificada, de acordo com a lesão anatômica, em três tipos:

1. **Ostium secundum:** é o tipo mais comum, correspondendo a 75% das CIAs. Ocorre por excessiva reabsorção do *septum primum* ou crescimento deficiente do *septum secundum* e localiza-se centralmente na área da fossa oval.
2. **Ostium primum:** corresponde a 15% a 20% das CIAs. Ocorre por fusão incompleta do *septum primum* com o coxim endocárdico, localizando-se, portanto, na parte baixa do septo e frequentemente associando-se a válvula mitral incompetente.
3. **Seio venoso:** corresponde a 5% a 10% das CIAs. Ocorre por fusão anormal do seio venoso com o átrio e se localiza na junção da veia cava superior com o átrio direito; geralmente está associado a retorno venoso anômalo parcial.

Clinicamente, a CIA caracteriza-se por ocorrência de *shunt* da esquerda para direita, uma vez que a pressão no átrio esquerdo é maior. O tamanho do defeito e a relação entre as complacências do VD e VE determinam o volume de fluxo que vai ao AD. Eventualmente, o FSP pode ser três a quatro vezes maior que o fluxo sanguíneo sistêmico (FSS).[32,33] Os pacientes podem ser assintomáticos, especial-

mente em casos de defeitos do tipo *secundum*. Se os sintomas de insuficiência cardíaca ocorrem precocemente na infância, deve-se suspeitar de que o paciente tem outro defeito coexistente.

Alterações da RVP não costumam ser precoces, sendo possível que o paciente alcance a quarta década de vida e tenha uma CIA não diagnosticada.

A síndrome de Eisenmenger foi descrita em 1897 por um médico austríaco e é uma doença obstrutiva vascular pulmonar que se desenvolve em consequência de um grande *shunt* da esquerda para a direita preexistente. À medida que as pressões arteriais pulmonares se aproximam dos níveis sistêmicos, o fluxo do *shunt* torna-se bidirecional ou invertido (da direita para a esquerda). Pacientes com CIA, CIV e PCA podem desenvolver essa síndrome.

No caso de pacientes com CIA, as manifestações comumente não ocorrem antes da segunda década de vida. As alterações fisiológicas da gestação muitas vezes acabam revelando a patologia em uma paciente anteriormente considerada saudável.[7]

Muitas vezes os pacientes procuram a atenção médica devido à ocorrência de um acidente vascular encefálico ou por causa do desenvolvimento de sintomatologia durante a gestação.

O fluxo sanguíneo para AD e VD aumenta, causando sobrecarga de volume do VD. A hipertrofia de ambos os átrios predispõe a arritmias cardíacas, especialmente a fibrilação atrial.

Uma vez diagnosticada, em geral se indica o fechamento cirúrgico da CIA, a fim de evitar doenças embólicas cerebral e vascular pulmonar. A reparação é mais comumente realizada com CEC e hipotermia moderada. O defeito é abordado por meio de uma atriotomia direita. Se a CIA é do tipo *secundum*, pode ser feita uma sutura, ou, se for grande, será necessária a interposição de um *patch*. Para um defeito do tipo seio venoso, um *patch* é posicionado para redirecionar o fluxo da anomalia para o átrio esquerdo. A reparação de um defeito do tipo *ostium primum* requer um *patch* e atenção à válvula mitral. Se necessário, as suturas são utilizadas para restaurar a competência da válvula mitral, tomando-se cuidado para não a tornar estenótica. Como o sistema de condução AV pode localizar-se ao longo da margem inferior da CIA, uma atenção especial deve ser dada à sutura, a fim de evitar bloqueio cardíaco.

Atualmente, uma boa parte dos fechamentos das CIA pode ser realizada por via percutânea endovascular. A abordagem cirúrgica tradicional tem sido reservada para quando a CIA é realmente grande ou há pouca margem em torno do defeito,[31] dificultando o posicionamento dos dispositivos percutâneos. À medida que mais experiência é adquirida e a tecnologia melhora, essa técnica se torna cada vez mais comum, eliminando, assim, a necessidade de cirurgia em vários pacientes e reduzindo a morbidade.[30,34]

Recentemente, cirurgias para fechamentos de CIA e CIV têm sido realizadas também por toracoscopia, com resultados estéticos melhores e redução dos tempos de internação e de permanência em UTI, bem como do uso de opioides no pós-operatório. Esses procedimentos podem ser ou não auxiliados por robôs.

Do ponto de vista anestésico, é preciso lembrar que essas crianças são relativamente saudáveis e normalmente passam por cirurgia aos 4-5 anos de idade, portanto qualquer técnica anestésica pode ser utilizada com sucesso. Em geral, não há contraindicação para uso de medicação pré-anestésica (MPA). O tempo de CEC é relativamente curto e o retorno à circulação espontânea costuma se dar sem maiores sobressaltos. A técnica anestésica deve ser adaptada para uma meta de extubação ao final do procedimento, portanto, em geral, limita-se a quantidade de opioides. A anestesia geral com técnica em *fast-tracking*, combinando baixas doses de midazolam (0,05 mg.kg^{-1}), fentanil (3 a 5 µg.kg^{-1}) e propofol (0,5 a 1,5 mg.kg^{-1}) com doses habituais de vecurônio ou rocurônio na indução e manutenção com sevoflurano e remifentanil, tem sido descrita. Durante a CEC, o propofol pode ser infundido para manter a hipnose. Nesse caso, pode-se optar por modelos alvo-controlados[33] (2 a 4 mcg.mL^{-1}) ou por infusões simples de 2 a 7 mg.kg^{-1}.h^{-1}. Analgesia no pós-operatório pode ser obtida com bólus endovenoso de morfina em doses habituais.

Como acontece em qualquer lesão envolvendo uma comunicação intracardíaca, o preparo das soluções deve ser cuidadoso, de modo a evitar qualquer presença de ar nas linhas venosas.

Frequentemente, os valores da pressão venosa central (PVC) se comportam de maneira errática no pós-operatório. O átrio direito tornou-se acostumado a lidar com volumes elevados e muitas vezes é dilatado e complacente. Quando a CIA é fechada, o volume no átrio direito decresce agudamente. Se usados valores habituais de PVC como guia para reposição volêmica, é provável que o paciente seja sobre-hidratado, com as conhecidas consequências deletérias.

Comunicação Interventricular

Comunicações interventriculares são CCs que podem aparecer isoladamente ou em associação a outras malformações (Figura 158.5).

Anatomicamente, são encontrados três tipos principais:

1. **Perimembranosa:** parte da margem da comunicação é formada por tecido do septo membranoso. É o tipo de CIV mais comum, respondendo por aproximadamente 70% dos casos;
2. **Muscular:** nesse caso, a comunicação está totalmente margeada pelo miocárdio e corresponde a 5% a 20% dos casos;
3. **Subarterial:** parte da margem da lesão está em contiguidade com o tecido fibroso das valvas arteriais. Esse tipo de CIV ocorre em 5% a 30% dos casos.

Do ponto de vista funcional, a gravidade e a sintomatologia das CIVs são também divididas em três tipos:

a) Nas chamadas CIVs **restritivas**, há gradiente de pressão significativo entre os dois ventrículos, e o *shunt* é usualmente pequeno. Em geral, as alterações hemodinâmicas são frustras e podem fechar-se espontaneamente nos 5 primeiros anos de vida;

b) As CIVs **moderadamente restritivas** são aquelas em que o gradiente de pressão e o *shunt* entre os ven-

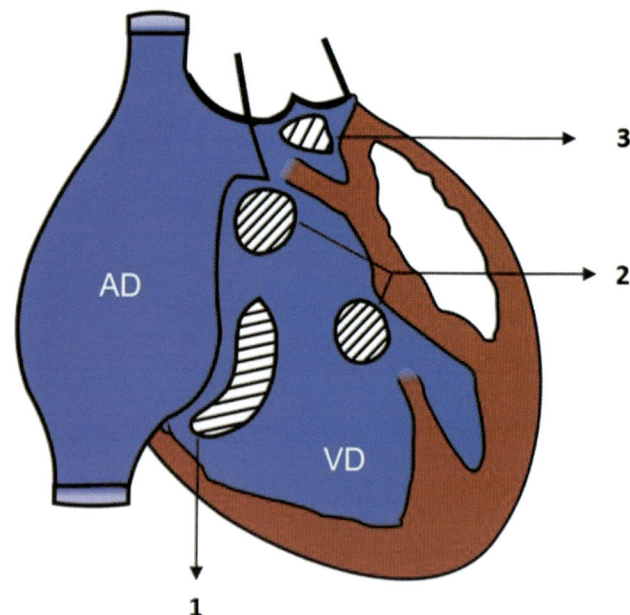

▲ **Figura 158.5** Tipos de CIV: **(1)** perimembranosa, **(2)** muscular e **(3)** subarterial.

AD: átrio direito; VD: ventrículo direito.

trículos são moderados. Assim, há sobrecarga hemodinâmica sobre o VE e o AE, levando à dilatação e à disfunção de ambas as câmaras. Causam aumento da resistência vascular pulmonar;

c) Nas CIVs **não restritivas**, ocorrem grandes *shunts*. As pressões em ambos os ventrículos serão praticamente iguais porque, fisiologicamente, a RVP equivale a aproximadamente um sexto da RVS, fazendo que o fluxo sanguíneo pulmonar seja maior do que o fluxo de sangue sistêmico. Esse excesso de fluxo irá causar dilatação do VE e geralmente também do VD. A acentuada sobrecarga de volume do VE ocasiona aumento progressivo da pressão da artéria pulmonar, o que futuramente pode causar reversão do *shunt*, que passa a ser da direita para a esquerda.

Nas grandes CIVs, o paciente desenvolverá sintomas de insuficiência cardíaca no primeiro mês de vida, manifestando taquipneia, taquicardia, sudorese, infecções respiratórias frequentes e baixo ganho ponderal.

A ausculta cardíaca caracteriza-se pela presença de sopro holossistólico que pode ser acompanhado de frêmito, mais bem auscultado na margem esternal esquerda, entre os quarto e quinto espaços intercostais. Quanto menor a CIV, maiores o gradiente e o sopro. Assim, CIVs pequenas causam poucos sintomas, mas apresentam um sopro mais intenso.

A criança pode ter cianose discreta, especialmente na vigência de infecções respiratórias. Se o tratamento cirúrgico for postergado, o alto fluxo pulmonar ocasionará hipertensão pulmonar e danos vasculares irreversíveis. Em seguida, o paciente se tornará menos sintomático. À medida que a hipertensão pulmonar aumenta, o fluxo sanguíneo pulmonar diminui. A fase terminal desse processo culmina com a inversão do sentido do fluxo, tornando-se, então, um *shunt* da direita para a esquerda.

Se a patologia atinge esse ponto, a reparação cirúrgica pode não ser mais indicada. A maioria dos serviços recomenda a reparação de grandes defeitos durante o primeiro ano de vida.

O tratamento cirúrgico definitivo das CIV pode envolver a interposição de um *patch* por abordagem via átrio direito e válvula tricúspide, com o paciente em CEC. A ventriculotomia direita será necessária em alguns casos.

A **bandagem da artéria pulmonar** (BAP), uma técnica de cirurgia paliativa que foi muito utilizada por cirurgiões cardíacos como um passo intermediário na correção de cardiopatias congênitas, destina-se a prevenir as lesões definitivas causadas por *shunts* da esquerda para a direita sobre a circulação pulmonar. Nas últimas duas décadas, os serviços de cirurgia cardíaca demonstraram que a correção primária de defeitos como a CIA, mesmo em crianças com menos de 1 ano de idade, oferece resultados melhores que a bandagem de artéria pulmonar seguida da correção definitiva em idade mais avançada. Hoje a bandagem ainda desempenha um papel relevante apenas em casos esporádicos, como em pacientes com múltiplas lesões e hiperfluxo pulmonar.

Assim como no tratamento da CIA, a técnica percutânea endovascular tem ocupado um espaço cada vez maior no tratamento das CIVs.[5,34-36] Como nas CIAs, as correções com tórax aberto vêm sendo indicadas preferencialmente para as crianças que precisam do procedimento antes de 6 a 12 meses de idade, quando o defeito anatômico é muito grande ou, ainda, quando há associação a outras malformações cardíacas.[33] As crianças que são precocemente encaminhadas para a cirurgia são, em geral, as que têm lesões moderadamente restritivas ou não restritivas. Muitas vezes estão em tratamento clínico com digitálicos, diuréticos e, às vezes, com antibióticos, já que as infecções respiratórias são comuns nessa população. O uso de medicação pré-anestésica deve ser reservado a crianças maiores de 1 ano que não tenham grau de disfunção ventricular muito alto. O uso de MPA deve ser judicioso, a fim de não provocar hipercarbia, o que pode agravar a hipertensão pulmonar.

A escolha dos agentes anestésicos também depende do estado clínico do paciente. Se o paciente tem reserva cardíaca baixa, talvez seja melhor induzir por via venosa. Se a criança é menos sintomática, indução inalatória pode ser usada, passando-se para técnica balanceada quando o acesso venoso estiver garantido. Alguns trabalhos relatam benefícios do uso de halogenados na evolução pós-operatória.[37]

Mais uma vez, o cuidado para evitar a presença de bolhas de ar nas linhas de infusão é importante, lembrando que o sentido do *shunt* pode se inverter no transoperatório e tornar-se da direita para a esquerda. Nesse caso, mínimas quantidades de ar nas linhas venosas podem ocasionar acidentes vasculares cerebrais. Deve-se fazer um esforço para manter a criança em normocarbia. Hipocarbia e hiperóxia diminuem a RVP e podem aumentar o *shunt* da esquerda para a direita a ponto de comprometer a perfusão sistêmica. A hipercarbia e a hipóxia aumentam a RVP e podem precipitar descompensação da insuficiência cardíaca congestiva. O uso de PEEP ajuda a limitar o fluxo pulmonar e, em certas ocasiões, ajuda

a melhorar a perfusão sistêmica. A transição da CEC para a circulação espontânea usualmente não é complicada. Atenção maior deve ser dada aos pacientes que têm hipertensão pulmonar importante diagnosticada no pré-operatório, visto apresentarem maior risco de desenvolver disfunção de VD na saída da CEC. O uso de vasodilatadores e inotrópicos pode ser útil, e os inibidores da fosfodiesterase desempenham um papel bastante relevante, uma vez que diminuem a RVP.[16]

Persistência do Canal Arterial

Essa lesão é uma das mais comuns, especialmente em conjunto com outras anomalias cardíacas. O canal arterial, ou ducto arterioso, é um vaso fetal normal que faz a comunicação entre a aorta e a artéria pulmonar esquerda. Durante a vida intraútero, serve para possibilitar que a maior parte do sangue ejetado pelo ventrículo direito se desvie dos pulmões não aerados. Assim, no feto normal, o canal arterial é que garante que o sangue não oxigenado passe do VD para a aorta descendente e alcance a placenta, onde será oxigenado. Ocorrem fechamento funcional do canal por vasoconstrição horas após o nascimento e, semanas depois, o fechamento anatômico, por proliferação da íntima e fibrose. A PCA é um achado frequente nos prematuros, nos quais pode-se esperar o fechamento tardio espontâneo. Em neonatos a termo, a persistência do canal representa uma malformação congênita.

Além da prematuridade, rubéola na gestação e hipoxemia perinatal são conhecidos fatores de risco associados a persistência do canal arterial.

A PCA pode ser classificada, de acordo com o grau do *shunt*, em: silenciosa (não apresenta sopro), pequena, moderada e grande, nos quais ocorre sopro contínuo.

Do ponto de vista fisiopatológico, o fluxo é da aorta para o tronco pulmonar, uma vez que a pressão da aorta (120/60 mmHg) é bem maior que a pressão da artéria pulmonar (30/15 mmHg) durante todo o ciclo cardíaco; assim, o sopro é contínuo. Novamente, observa-se hiperfluxo pulmonar, sendo possível haver hipertensão arterial pulmonar com a evolução da patologia.

O quadro clínico inclui dispneia e palpitações, essas últimas frequentemente representando arritmias atriais. Infecções respiratórias e déficits ponderais são menos comuns. No exame físico, por vezes ausculta-se um sopro contínuo com pico no final da sístole (segunda bulha [B2]), mais bem audível no primeiro ou segundo espaço intercostal (EIC) esquerdo. Há aumento da pressão de pulso (pressão arterial sistólica [PAS] – PA diastólica [PAD]) por fuga do fluxo aórtico para o tronco pulmonar na diástole. Há também sinais de sobrecarga de volume ventricular esquerdo, como icto desviado para a esquerda e presença de terceira bulha (B3). Os pulsos se encontram com amplitude aumentada.[7]

Há duas populações distintas com PCA, dependendo da gravidade do *shunt*. Pode-se encontrar um desses pacientes na UTI neonatal, com hipertensão pulmonar e insuficiência respiratória, necessitando de ventilação mecânica de difícil desmame. Em alguns casos, é possível abordar o paciente inicialmente de forma clínica, acelerando o fechamento do canal arterial com a administração de anti-inflamatórios não hormonais, como indometacina ou ibuprofeno. Se introduzido de maneira precoce, quando os primeiros sinais clínicos se manifestam, o tratamento farmacológico tem mostrado reduzir a incidência de doença crônica pulmonar, a duração de ventilação mecânica e a enterocolite necrotizante quando em comparação com o tratamento medicamentoso tardio, ou seja, quando a insuficiência cardíaca já está instalada.[33] Se essa estratégia não for bem-sucedida, o tratamento cirúrgico precoce provavelmente será necessário.

Crianças mais velhas, muitas vezes assintomáticas, representam o outro grupo de pacientes em que um sopro cardíaco é detectado em seu exame físico de rotina.

A abordagem cirúrgica clássica para correção da PCA envolve uma toracotomia esquerda. Uma vez localizado o canal arterial, ele é ligado com sutura ou fixado com grampos vasculares. Muitos centros, entretanto, têm defendido uma abordagem toracoscópica para o procedimento.

Em serviços de cirurgia cardíaca minimamente invasiva, já se faz o procedimento assistido por robôs.[35] O custo, o tempo cirúrgico durante a curva de aprendizado do cirurgião e a adequação do equipamento para a população pediátrica são os maiores problemas nessa modalidade de cirurgia robótica.[35,38,39]

Além disso, o procedimento endovascular tem ganhado terreno, e vários dispositivos foram desenvolvidos para ocluir o canal arterial. Mais uma vez, a melhoria da técnica e novos equipamentos têm mostrado excelentes resultados com o mínimo de complicações.[36,39,40]

A maioria dos pacientes que irão à cirurgia será constituída por pequenos prematuros, alguns em estado grave, vindos da UTI já sob ventilação mecânica. Além das considerações habituais para esse tipo de paciente, deve-se prestar especial atenção a assistência respiratória, temperatura e controle de fluidos. Esses pacientes podem se beneficiar da aplicação judiciosa de pressão positiva contínua nas vias respiratórias para ajudar a melhorar a oxigenação e controlar o excesso de fluidos pulmonares. Durante a toracotomia, o pulmão não dependente será comprimido e não ventilado, e a hipoxemia pode se tornar um problema. É preciso equilibrar a necessidade de ventilar de forma agressiva o suficiente para manter a oxigenação e evitar o uso de elevadas pressões, as quais podem lesar pulmões imaturos.

Evitar hipotermia e suas complicações é fundamental, e estratégias devem ser adotadas desde o transporte da UTI para o centro cirúrgico. A restrição hídrica deve ser a regra, visto que a maioria desses pacientes encontra-se em insuficiência cardíaca.

A anestesia da criança mais velha tende a ser mais simples. O procedimento cirúrgico é curto e a monitorização invasiva geralmente não é necessária. Embora sangramentos abundantes sejam raros, é importante obter acesso venoso adequado. Esses pacientes podem se beneficiar de sedação pré-operatória para facilitar a separação de seus pais. Qualquer técnica anestésica é aceitável, desde que adaptada para uma meta de extubação no final da cirurgia. A dor de uma toracotomia é significativa, por isso o uso criterioso de narcóticos venosos ou analgesia via peridural é aconselhável.

Coarctação da Aorta

A CoAo é uma das malformações cardiovasculares mais frequentes, constituindo cerca de 5% a 8% das cardiopatias em geral, ocupando o sexto ou sétimo lugar entre as CCs e predominando no sexo masculino, numa proporção de 2 a 3:1. A alteração obstrutiva localiza-se na união da croça com a aorta descendente (região ístmica – entre a artéria subclávia esquerda e o ducto arterioso ou seu remanescente), podendo envolver, em maior ou menor extensão, o próprio arco aórtico. A CoAo pode se apresentar como lesão isolada ou associada a outras anomalias, como valva aórtica bicúspide (lesão associada a até 50% dos casos), persistência do canal arterial, comunicação interventricular, estenose aórtica valvar ou subvalvar, sendo ainda a malformação cardiovascular mais frequente na síndrome de Turner (20%).[40]

Há dois períodos em que os sintomas se desenvolvem: lactentes com estenose grave costumam apresentar sintomas de insuficiência cardíaca no primeiro ano de vida, todavia pacientes com lesões menos exuberantes podem permanecer assintomáticos até a adolescência ou a idade adulta. Algumas vezes, a lesão é descoberta em um exame físico de rotina, no qual se detectam sopro cardíaco, ausência ou diminuição da amplitude dos pulsos arteriais nos membros inferiores associada à presença de pulsos amplos e hipertensão arterial nos membros superiores. A ausência de hipertensão na extremidade superior, entretanto, não descarta o diagnóstico. Apesar de ser considerado simples, observa-se que, para muitos pacientes, desde recém-nascidos até adultos portadores de CoAo, o correto diagnóstico dessa anomalia muitas vezes não é estabelecido. Os sintomas variam com a gravidade da anomalia e vão desde cefaleia, dor torácica, extremidades frias, fadiga e claudicação das pernas até insuficiência cardíaca fulminante e choque (Figura 158.6).[40,41]

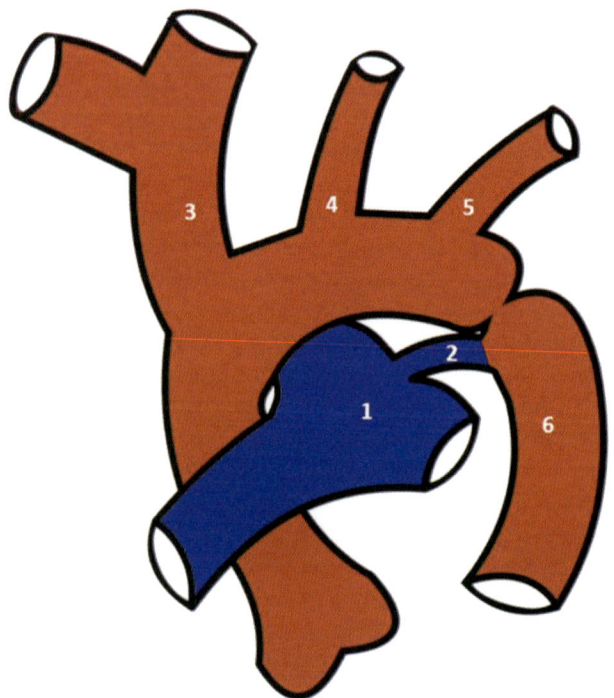

▲ **Figura 158.6** Coarctação de aorta pré-ductal ("infantil"): **(1)** tronco da artéria pulmonar; **(2)** ducto arterioso; **(3)** tronco braquiceálico; **(4)** carótida comum esquerda; **(5)** artéria subclávia esquerda; **(6)**: aorta descendente.

As consequências fisiológicas envolvem dois fenômenos, a sobrecarga de pressão na circulação arterial proximal à coarctação e a hipoperfusão distal à coarctação. A sobrecarga de pressão pode causar hipertrofia do ventrículo esquerdo e hipertensão na parte superior do corpo, incluindo o encéfalo; a hipoperfusão afeta os órgãos abdominais e os membros inferiores; a má perfusão intestinal eleva o risco de sepse causada por microrganismos entéricos; e, por fim, o gradiente de pressão aumenta a circulação colateral em abdome e membros inferiores via artérias intercostal, mamária interna, escapular e outras.

A coarctação não tratada pode resultar em hipertrofia ventricular esquerda, insuficiência cardíaca, formação colateral de vasos, endocardite bacteriana, hemorragia intracraniana, encefalopatia hipertensiva e doença cardiovascular hipertensiva durante a vida adulta. Pacientes com CoAo não tratada têm maior risco de dissecção ou ruptura aórtica mais tarde na vida ou associada à gestação.

A coarctação da aorta pode ser descrita como tipo pré-ductal (ou "infantil") ou pós-ductal (ou "do adulto"), dependendo se o segmento da coarctação é proximal ou distal ao ducto arterioso, respectivamente.

Na CoAo pré-ductal, o estreitamento é proximal ao DA. O fluxo sanguíneo para a aorta, que é distal ao estreitamento, depende bastante da patência do ducto arterioso (que habitualmente se fecha entre o 8º e 10º dias de vida), portanto coarctações graves podem ser fatais. Esse é o tipo visto em aproximadamente 5% dos bebês com síndrome de Turner. O recém-nascido sintomático com CoAo exibe insuficiência de VE, hipoperfusão distal e, às vezes, franca acidose metabólica. Se a criança tem uma coarctação pré-ductal e hipertensão pulmonar, o fluxo através da persistência do canal pode ser da direita para a esquerda, provocando o surgimento de "cianose diferencial" entre os membros superiores (que permanecem rosa) e inferiores (azulados, onde a cianose efetivamente se manifesta). Nos primeiros dias de vida, a discrepância de pressões entre membros superiores e inferiores pode ser difícil de avaliar, especialmente se o DA está aberto e a função ventricular é deficiente. Muitos recém-nascidos com essa lesão requerem suporte inotrópico pré-operatório.[41]

Na CoAo pós-ductal, a estenose ocorre após o DA ou muito próxima a ele (também chamado justaductal). Mesmo com um canal arterial aberto, o fluxo sanguíneo para a parte inferior do corpo pode estar prejudicado. Esse tipo é mais comum em adultos. A CoAo pós-ductal está associada ao entalhe nas margens inferiores das costelas devido a circulação colateral e alto fluxo pelas artérias intercostais (sinal de Roesler), hipertensão nas extremidades superiores e pulsos fracos nas extremidades inferiores.

A coarctação pós-ductal é mais provavelmente o resultado da conexão de uma artéria muscular (ducto arterioso) com uma artéria elástica (aorta) durante a vida fetal. Após o nascimento, a contração e a fibrose do ducto arterioso no nascimento tracionam e estreitam o lúmen da aorta. Assim, na maioria das vezes, nas CoAo pós-ductais, o diagnóstico pode ser mais tardio e, quando feito, o DA geralmente se encontra atrésico.

Embora a clássica CoAo localize-se na aorta torácica distal à origem da artéria subclávia esquerda, mais raramente um segmento coarctado pode se situar na aorta torácica inferior ou abdominal. Nesses casos, o segmento coarctado pode ser longo e fusiforme com luz irregular. Muitos consideram que sejam de origem inflamatória ou autoimune e podem ser variantes da arterite de Takayasu (Figura 158.7).[41,42]

A correção cirúrgica é realizada mediante uma toracotomia esquerda. Várias técnicas cirúrgicas diferentes vêm sendo usadas nas últimas seis décadas.[40-42] Para recém-nascidos e lactentes, a angioplastia da subclávia muitas vezes é a técnica indicada. Em crianças mais velhas, a área afetada é ressecada e a anastomose terminoterminal entre os segmentos é indicada. Ocasionalmente, os enxertos de interposição serão necessários se o segmento de coarctação for longo. A angioplastia com balão da coarctação é outra opção, mas a sua utilização tem sido associada a alta incidência de estenose residual ou recorrente.[41] Pode haver, no entanto, um lugar para a sua utilização em situações de estenose recorrente após a reparação cirúrgica.

Clarkson *et al.*, em seguimento de 10 a 28 anos após cirurgia, demonstraram que somente 20% dos pacientes operados de coarctação da aorta depois de 1 ano de vida estavam sem qualquer enfermidade cardiovascular residual ou recorrente e que o aparecimento de aneurisma da aorta no local da aortoplastia se desenvolveu até 20 anos após o procedimento.[43]

Um longo e prospectivo estudo multicêntrico envolvendo 326 neonatos criticamente enfermos, portadores de coarctação da aorta (muitos com outros defeitos associados), foi realizado por Quaegebeur *et al.*, que constataram que a técnica cirúrgica não representou um fator de risco.

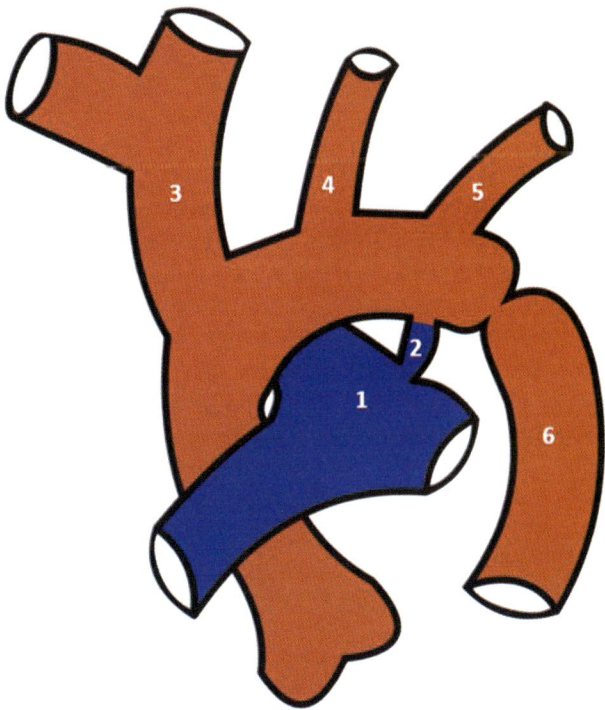

▲**Figura 158.7** Coarctação da aorta pós-ductal: **(1)** tronco da artéria pulmonar; **(2)** ducto arterioso; **(3)** tronco braquicefálico; **(4)** carótida comum esquerda; **(5)** artéria subclávia esquerda; **(6)** aorta descendente.

A recoarctação não foi mais frequente quando se utilizou correção com retalho (*patch graft repair*). Sobrevida de 24 meses foi obtida em 84%, e os pacientes com comunicação interventricular associada tiveram taxa de sobrevida maior quando se utilizou a correção da coarctação da aorta associada à BAP, seguida da correção da comunicação interventricular.[44] Em uma série de 109 pacientes com idade média de 11 anos quando da cirurgia, Kappetein *et al.*[45] demonstraram que a idade, a bandagem da artéria pulmonar e o tipo de procedimento cirúrgico foram fatores preditivos independentes de morte hospitalar. Num seguimento estendido por 35 anos (média de 16,7 anos), foi encontrada taxa de recoarctação relativamente baixa (5,4%), entretanto 86% dos pacientes com anastomose terminoterminal apresentaram recoarctação após 30 anos, concluindo-se que o maior fator preditivo para recoarctação foi a idade, sendo os pacientes com menos de 6 meses de vida os que apresentaram a maior taxa de recorrência.[45]

Apesar de a abordagem cirúrgica ser semelhante nas diversas faixas etárias, a técnica anestésica será bastante diferente em se tratando de um lactente com coarctação e insuficiência cardíaca congestiva e um pré-escolar com coarctação relativamente assintomática.

O neonato criticamente doente pode chegar à sala de cirurgia com infusão de fármacos vasoativos ou de PGE1 para melhorar o fluxo pós-ductal e poderá se beneficiar de opioides em altas doses para minimizar as alterações hemodinâmicas.[16] A criança mais velha tem tipicamente hipertrofia do VE e hipertensão e pode se beneficiar de anestésicos voláteis que provocam alguma depressão miocárdica; nesse caso, a indução pode ser tanto venosa quanto inalatória.

Como se pode imaginar, a monitorização da PA merece consideração especial. Em geral, um cateter arterial é inserido na artéria radial direita. O braço esquerdo é evitado, pois a artéria subclávia muitas vezes deve ser fixada ou ligada para facilitar a reparação. Quando a aorta é pinçada, a pressão sanguínea no segmento cefálico e nos membros superiores se eleva. É preciso ter cuidado para não tentar diminuir essa pressão de volta ao "normal", porque a perfusão medular é criticamente dependente da pressão, e a perfusão inadequada da medula espinal pode resultar em paraplegia. Alguns centros indicam monitorar a perfusão medular com potenciais evocados somatossensoriais.

Nesses casos, deve-se levar em conta a utilização de agentes que afetem minimamente os potenciais evocados. Infusão contínua de opioides com baixa concentração de agente volátil é uma alternativa razoável. Ainda que a paraplegia seja uma complicação rara (0,4%), deve-se ter cautela especialmente em pacientes que exibem colaterização insuficiente.[41,42]

Depois da remoção do pinçamento aórtico, é indicado controle agressivo da pressão arterial. Os recém-nascidos habitualmente não manifestam hipertensão, mas os pacientes mais velhos muitas vezes apresentam aumento paradoxal da pressão arterial para níveis ainda mais elevados do que os basais. Inicialmente, o controle pode ser obtido com nitroprussiato de sódio, entretanto o uso prolongado desse fármaco está associado a taquifilaxia. Agentes como o labetalol, que fornecem tanto alfa quanto betabloqueio,

são ótimas opções e podem ser administrados por via endovenosa e, depois, via oral, quando o paciente retomar a ingestão de fluidos.

O tratamento adequado da dor pode auxiliar no controle da hipertensão. Infusões por via peridural torácica de anestésicos locais e opioides são eficazes e bem toleradas, e analgesia controlada pelo paciente por via venosa é uma alternativa para a população de maior idade.

No grupo de crianças em idade pré-escolar e mais velhas, a extubação no final do procedimento cirúrgico é desejável, visto que ajuda no controle da pressão arterial, bem como viabiliza a realização de exame neurológico completo e diagnóstico precoce de eventuais complicações medulares. A população neonatal normalmente se beneficia de intubação um pouco mais prolongada.[41,42]

▪ CARDIOPATIAS CIANÓTICAS

Tetralogia de Fallot

Essa malformação é a forma mais comum de cardiopatia congênita cianótica, representando 50% delas, e sua ocorrência é igual nos sexos masculino e feminino.

O defeito embrionário que culmina em todas as alterações que o coração de um portador da tetralogia apresenta anatomicamente é a falha no fechamento do septo infundibular, que não se funde com o septo muscular, desenvolvimento anômalo que provoca estreitamento na região eferente do ventrículo direito e dextroposição da aorta sobre o septo muscular.[46]

A tetralogia de Fallot foi primeiramente descrita por Steno, em 1673, e tornou-se conhecida em 1888 por intermédio de Étienne-Louis Arthur Fallot, que enfatizou e agrupou os quatro principais achados da "doença azul".

A T4F é definida por quatro alterações anatômicas presentes simultaneamente:

1. **Comunicação interventricular** próxima às vias de saída. Na maioria dos casos, a CIV é única e grande. Em alguns casos, o espessamento septal (hipertrofia septal) pode diminuir as margens do defeito;

2. **Obstrução da via de saída do ventrículo direito:** pode ocorrer na valva pulmonar (estenose valvar) ou abaixo dela (estenose infundibular). A estenose infundibular pulmonar é geralmente causada por hipertrofia das trabéculas septoparietais, embora acredite-se que os eventos que levam à formação da aorta que se sobrepõe ao defeito septal ventricular (DSV) também possam ser a causa. A estenose pulmonar é a maior fonte de malformações, com as outras malformações associadas agindo como mecanismos compensatórios a ela. O grau de estenose varia nos indivíduos com a tetralogia de Fallot e é o principal determinante dos sintomas e da gravidade da doença. Essa malformação também pode ser denominada de "estenose subpulmonar" ou "obstrução subpulmonar";

3. **Cavalgamento – dextroposição da aorta:** a aorta se sobrepõe ao defeito septal ventricular, fazendo que esse aparelho valvar tenha conexão biventricular, ou seja, situe-se no DSV e conecte-se com os dois ventrículos.

A raiz da aorta pode estar deslocada anterior ou diretamente acima do defeito septal, todavia está sempre anormalmente deslocada para a direita da raiz da artéria pulmonar. O grau de deslocamento para o ventrículo direito é variável, com 5% a 95% de chance de a válvula estar conectada ao ventrículo direito;

4. **Hipertrofia do ventrículo direito**: essa hipertrofia leva à aparência característica em forma de bota (*coeur-en-sabot*), visível na radiografia de tórax. Em função do desarranjo do septo ventricular externo, a parede do ventrículo direito aumenta de tamanho para lidar com a crescente obstrução de fluxo da câmara direita. Atualmente essa condição é reconhecida como sendo uma anomalia secundária, já que o grau de hipertrofia geralmente aumenta com a idade (Figura 158.8).

O espectro da doença varia do *pink tet* – paciente com T4F acianótico, o qual, em geral, apresenta-se com estenose leve, grande CIV e *shunt* da esquerda para a direita predominante – até pacientes com cianose intensa e atresia pulmonar com obliteração da via de saída (estenose infundibular).

A cianose é proporcional ao grau de obstrução da via de saída do VD e dependente da RVS. O paciente clássico terá diminuição do fluxo sanguíneo pulmonar devido à obstrução do efluxo sanguíneo do ventrículo direito e ao aumento do fluxo sanguíneo sistêmico. A pressão intraventricular direita aumenta gradualmente e causa hipertrofia da musculatura até que os níveis pressóricos do ventrículo direito superam os do ventrículo esquerdo (fisiologicamente superior) e tanto o sangue venoso como o arterial deixam o coração pela aorta. Como os pacientes são incapazes de aumentar a perfusão pulmonar, apresentam baixa tolerância a exercícios físicos.

Na maior parte dos pacientes, a cianose não se manifesta ao nascimento, a não ser que a via de saída do VD seja muito atrésica. Em geral, a cianose vai se desenvolvendo ao longo de meses, à medida que o quadro se torna mais grave. As crises de hiperpneia paroxística ocorrem em 20% a 70% dos pacientes, com pico de incidência entre 2 e 3 meses, e podem ser consideradas respostas à piora da hipoxemia e da cianose. As crises são normalmente desencadeadas por choro, alimentação ou durante a evacuação. Embora a etiologia seja incerta, provavelmente as crises estão associadas a aumento da demanda de oxigênio, diminuição da pressão parcial de oxigênio no sangue arterial (PaO_2) e do pH e ele-

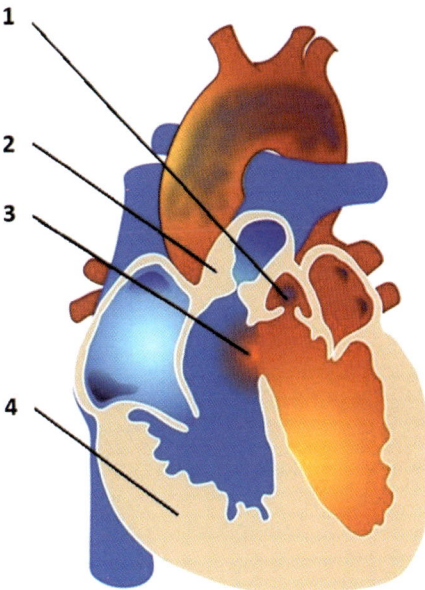

▲ **Figura 158.8** Tetralogia de Fallot: **(1)** cavalgamento ou dextroposição da aorta; **(2)** obstrução da via de saída do VD; **(3)** defeito do septo ventricular; **(4)** hipertrofia de VD.

vação da $PaCO_2$. À proporção que a hipóxia se desenvolve, a RVS diminui ainda mais, concorrendo para aumento do *shunt* da direita para a esquerda. Outros autores sugerem que as crises podem ser iniciadas ou agravadas por hipercontratilidade ou espasmo infundibular. Os pacientes comumente adotam a posição de cócoras (*squatting*), que, por aumentar a resistência vascular periférica, reduz o *shunt* e, consequentemente, a hipóxia. Isquemia cerebral transitória pode fazer parte do quadro, levando a palidez, fraqueza e perda de consciência.

Com a evolução do quadro, a piora da cianose por vezes é acompanhada de baqueteamento digital em mãos e pés. Podem-se eventualmente palpar as contrações sistólicas do VD e detectar frêmito na margem esternal esquerda. O sopro típico é sistólico, em ejeção, auscultado no foco pulmonar e na margem esternal esquerda, e sua intensidade é inversamente proporcional ao grau de obstrução da via de saída do VD. Durante as crises de cianose, o sopro pode desaparecer. A Figura 158.9 mostra a canulação da aorta para entrada em CEC.

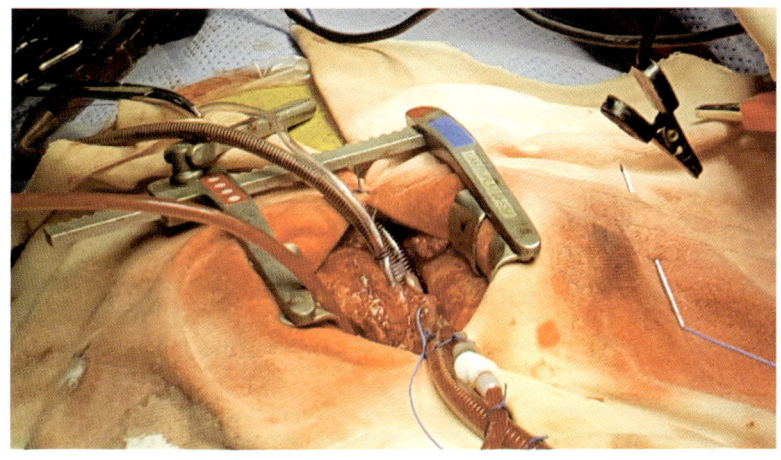

◀ **Figura 158.9** Canulação da aorta para entrada em CEC – criança de 8 meses, 6 kg, correção de tetralogia de Fallot.

Procedimentos Cirúrgicos no Paciente com Tetralogia de Fallot

Procedimentos Paliativos

Em 1944, o Dr. Alfred Blalock, a Dra. Helen Taussig e o técnico cirúrgico Vivien Thomas desenvolveram a primeira abordagem cirúrgica para a tetralogia de Fallot, criando uma anastomose entre a artéria subclávia direita e a artéria pulmonar, que ficou conhecida como *shunt* de Blalock-Taussig.

Posteriormente, a técnica foi modificada, com a interposição de um enxerto sintético entre as artérias anteriormente citadas ou entre o tronco braquicefálico e a artéria pulmonar direita. Ambas as técnicas são feitas mediante toracotomia posterolateral no lado contrário ao arco aórtico.

O aumento do fluxo sanguíneo pulmonar resultante é útil para estimular o crescimento de artérias pulmonares pequenas, possibilitando posterior reparo completo.

O *shunt* de Glenn bidirecional ou hemi-Fontan é a anastomose da via cava superior (VCS) com o tronco pulmonar. Com isso, a perfusão aumenta nos dois pulmões, propiciando um fluxo bidirecional. O procedimento de Fontan é realizado em dois passos: o primeiro consiste no *shunt* de Glenn bidirecional e o segundo, na realização da anastomose da veia cava inferior (VCI) com o tronco pulmonar, fazendo que todo o sangue do corpo seja drenado para os pulmões sem passar pelo coração direito.

Correções definitivas

O advento da circulação extracorpórea, em 1954, possibilitou que o Dr. Lillehei realizasse a primeira cirurgia corretiva de T4F com tórax aberto.[47] As cirurgias para correção total da T4F consistem primariamente na ressecção do excesso de tecido no infundíbulo do VD e no fechamento da CIV sob circulação extracorpórea, cardioplegia e hipotermia.[47,48] Os cirurgiões costumam escolher entre dois acessos, de acordo com o caso e a própria experiência. O acesso transventricular é feito por uma ventriculotomia direita no infundíbulo, pela qual o cirurgião tem acesso ao defeito do septo interventricular e pode corrigi-lo com a fixação de um *patch* de politetrafluoroetileno.

Esse acesso tem caído em desuso frente ao acesso transpulmonar, no qual, após a abertura do saco pericárdico, é feita uma comissurotomia através do ânulo fibroso da valva pulmonar. Em seguida, é corrigido o defeito do septo da mesma forma que na técnica transventricular e, então, é feita uma avaliação do diâmetro da valva pulmonar. Nos casos de hipoplasia do anel pulmonar, pode-se realizar ampliação transanular da via de saída do VD.[47,48] Em ambos os procedimentos, realizam-se a excisão de parte das fibras ventriculoinfundibulares hipertróficas e a ampliação da via de saída do VD.

Conduta anestésica em pacientes submetidos a correção cirúrgica da tetralogia de Fallot

O conhecimento da fisiopatologia e da lesão anatômica do paciente em questão é fundamental no desenvolvimento de um plano anestésico racional. É particularmente importante saber se existe fluxo pela via de saída do ventrículo direito (VSVD) ou se o paciente é totalmente dependente de um *shunt* (p. ex., obtido por uma cirurgia de Blalock-Taussig prévia) para a circulação pulmonar. Em pacientes com fluxo pela VSVD, há potencial de obstrução dinâmica e a possibilidade de intervenções terapêuticas para mudar o calibre dessa via de saída. É preciso que a avaliação pré-operatória se concentre na estimativa do grau de cianose. Devem-se buscar evidências de crises de agravamento da cianose e de sua frequência, e uma verificação da saturação de O_2 pode ser útil. O aumento do hematócrito é reflexo de cianose e hipoxemia crônicas, numa tentativa do organismo de manter a capacidade de transporte de O_2. Outro exame laboratorial útil é o coagulograma, uma vez que esses pacientes frequentemente exibem coagulopatia associada.

É importante manter o paciente com tetralogia de Fallot bem hidratado por duas razões: (a) se o paciente é policitêmico, um período de jejum prolongado o coloca em risco de desidratação com o aumento da viscosidade e possibilidade de trombose. Se o grau de policitemia é extremo, a flebotomia pré-operatória está indicada; (b) se o paciente tem estenose infundibular, a hipovolemia agravará a obstrução de saída do VD. Manter o paciente euvolêmico ou até mesmo discretamente hipervolêmico ajuda a manter a VSVD (ou o *shunt* artificial, se for o caso) aberta e a melhorar o fluxo sanguíneo pulmonar.

A MPA pode ser um auxiliar valioso, mas é importante que o paciente não fique sedado a ponto de apresentar hipercapnia, o que aumentará a RVP e precipitará aumento no *shunt* da direita para a esquerda. As injeções intramusculares devem ser evitadas, pois a ansiedade e o estresse que provocam podem levar a crises de cianose.

A monitorização cuidadosa da SpO_2 após a MPA é indicada porque a resposta pode ser variável. A prevenção da endocardite bacteriana é essencial e segue as normas de cada instituição.

A escolha dos anestésicos deve ser individualizada. Muitos fármacos diferentes têm sido utilizados com sucesso.[49-51]

O plano anestésico deve ser profundo o suficiente para evitar descargas simpáticas, sendo desejável manter a RVS normal ou ligeiramente aumentada e a RVP baixa. A monitorização das vias respiratórias deve ser meticulosa. Obstrução das vias respiratórias, hipoxemia e hipercarbia podem rapidamente desencadear crises de cianose, nova diminuição da oxigenação e aumento da RVP, em um círculo vicioso com maior diminuição do fluxo sanguíneo pulmonar.

Indução inalatória tem sido usada com sucesso em crianças com tetralogia de Fallot, contudo escolha do agente inalatório enseja certa polêmica. Classicamente, o halotano tem sido descrito como agente ideal porque mantém a RVS e relaxa o infundíbulo do VD, aumentando o fluxo sanguíneo pulmonar,[49,51] entretanto vários centros aceitam a indução e a manutenção inalatória com sevoflurano. Quem usa o sevoflurano defende que sua solubilidade, quatro vezes menor que a do halotano, abrevia o tempo de indução e facilita ajustes na profundidade anestésica. Além disso, provoca menos depressão miocárdica e não induz o surgimento de arritmias cardíacas, condição importante quando é necessário introduzir fármacos vasoativos, reconhecidamente arritmogênicos. Por outro lado, o sevoflurano diminui ainda mais a RVS e não promove o mesmo grau de relaxamento infundibular que o halotano. De qualquer forma, é preciso cautela com a indução inalatória, porque o fluxo sanguíneo pulmonar é comprometido pela malformação, causando mudanças lentas na tensão do anestésico inalatório no sangue e retardando a indução anestésica. Ainda mais importante: caso ocorra superdose relativa de halotano, por exemplo, será difícil remover o agente devido ao fluxo sanguíneo pulmonar limitado.

Caso se opte por indução intravenosa, devem-se escolher fármacos que mantenham a RVS e minimizem a RVP. A cetamina é um dos mais recomendados, porque aumenta a RVS sem elevar o *shunt* da direita para a esquerda. Esse tipo de *shunt* retarda a indução e a regressão da anestesia inalatória, entretanto é capaz de aumentar a velocidade de indução com agentes venosos. Geralmente a SpO$_2$ se eleva após a indução com cetamina. Devem-se evitar relaxantes musculares que liberam histamina e tendem a diminuir a RVS. Crises de cianose podem ser tratadas com infusão cuidadosa de volume e/ou fenilefrina (5 mcg.kg^{-1}). Betabloqueadores como propranolol ou metoprolol podem ser usados caso se suspeite de espasmo infundibular. Eventualmente, se a hipoxemia for grave, a acidose resultante demandará a infusão de pequenas doses de bicarbonato de sódio.

É necessário atenção para problemas com a disfunção do VD após o reparo. Normalmente, o reparo cirúrgico envolve uma ventriculotomia direita significativa e ressecção de tecido na VSVD. Dependendo do que é realizado pelo cirurgião na válvula pulmonar, haverá tanto algum grau de obstrução residual quanto insuficiência da VP. Felizmente, esses pacientes não têm, em geral, RVP elevada, porque ocorre diminuição do fluxo sanguíneo pulmonar; no entanto, podem ter artérias pulmonares pequenas, o que agravará qualquer disfunção do VD. Se o tempo de pinçamento aórtico for prolongado, o risco de disfunção miocárdica aumentará. As intervenções terapêuticas devem girar em torno de esforços para melhorar a função do VD e diminuir a RVP. Nesse momento, a redução da pós-carga e/ou um agente inotrópico podem ser benéficos, especialmente se a ventriculotomia direita foi realizada. Outras complicações são bloqueios atrioventriculares e arritmias cardíacas tardias.

Walker *et al.* descrevem um padrão de analgesia para crianças com T4F submetidas a cirurgias abdominais de urgência na primeira semana de vida com anestesia peridural obtida por punção caudal e posicionamento de cateter na altura do nível vertebral correspondente à incisão cirúrgica. Os autores relatam administração de 1 mL.kg^{-1} de ropivacaína a 0,2%, para a dose inicial, e, depois, 0,2 mL.kg^{-1}.h^{-1} em infusão contínua.[52] Alternativamente, analgesia pós-operatória pode ser obtida com infusão venosa de morfina.[53]

Transposição das Grandes Artérias

A TGA é a anormalidade congênita grave mais comumente diagnosticada durante a infância, representando cerca de 8% a 10% das cardiopatias congênitas. Há predomínio de incidência no sexo masculino sobre o feminino em uma razão de aproximadamente 3:1. Malformações (cardíacas ou não cardíacas) associadas são raras. As crianças com esse diagnóstico geralmente têm peso normal e a mortalidade até o 2º ano de vida atinge 95% daquelas sem a correção cirúrgica.

A TGA é uma condição na qual a aorta e as artérias coronárias originam-se do ventrículo direito e do tronco pulmonar do ventrículo esquerdo, ou seja, as grandes artérias (aorta e artéria pulmonar) apresentam-se com suas conexões invertidas, causando paralelismo das circulações sistêmica e pulmonar.

As veias pulmonares, veias cavas, átrios e ventrículos, assim como suas respectivas valvas atrioventriculares, estão posicionados corretamente, em concordância. Nesse sentido, a TGA apresenta uma discordância ventriculoarterial. O tipo mais comum de TGA é a d-transposição em *situs solitus*, que significa uma transposição de grandes artérias em que a disposição das câmaras cardíacas (átrios e ventrículos) está correta e a aorta está posicionada à direita da artéria pulmonar. Fisiologicamente, esses corações funcionam com duas circulações em paralelo, porque a circulação do coração direito não tem conexão com a do coração esquerdo.

Essa anomalia anatômica é incompatível com a vida se não houver mistura de sangue entre as duas circulações por meio de uma comunicação entre os átrios (CIA), ventrículos (CIV) ou grandes artérias (PCA).[54] Pelas técnicas mais aceitas atualmente, em virtude das condições do coração do recém-nascido, que favorecem o melhor resultado operatório, a maioria das crianças deve ser operada nos primeiros dias de vida.[54-56]

O diagnóstico de TGA é habitualmente feito pouco depois do nascimento. O paciente estará cianótico e, se a mistura de sangue entre as circulações for insuficiente, haverá acidose metabólica importante. Em geral, se o paciente tiver uma CIV associada, a cianose será menos grave, entretanto pode haver o desenvolvimento de sobrecarga pulmonar e sinais de insuficiência cardíaca congestiva se a CIV for grande. Se a criança tiver PCA, será observada cianose diferencial entre as partes superior e inferior do corpo, visto que o sangue oxigenado é bombeado a partir do VE para a artéria pulmonar e o canal arterial na aorta descendente. Nessa situação, a parte superior do corpo será mais cianótica do que o tronco e os membros inferiores.

As operações de comutação atrial (procedimentos de Senning e Mustard) são projetadas para redirecionar o sangue que entra no átrio usando-se um defletor intra-atrial, portanto o sangue venoso sistêmico (desoxigenado) vai para o ventrículo esquerdo e, depois, para a artéria pulmonar e os pulmões, enquanto o sangue pulmonar oxigenado, que chega ao coração pelas veias pulmonares, é redirecionado para o ventrículo direito e, em seguida, para a aorta e a circulação sistêmica. No caso do procedimento de Senning, o defletor é configurado usando-se uma aba do átrio direito, ao passo que o procedimento de Mustard usa um defletor de pericárdio. Ambos os procedimentos resultam na correção fisiológica do problema, mas não na correção anatômica, porque o ventrículo direito permanece sendo a câmara responsável pela circulação sistêmica.[55]

A operação de Jatene, desenvolvida em nosso meio em 1975, tornou-se o procedimento de escolha, oferecendo correções anatômica e fisiológica da malformação. Basicamente, os grandes vasos são seccionados acima das válvulas semilunares e movidos para os ventrículos opostos. As origens das artérias coronárias direita e esquerda são dissecadas.

das e reimplantadas na neoaorta. A nova artéria pulmonar é reconstruída onde as origens das artérias coronárias foram removidas. Quando o processo está completo, o VE recebe sangue oxigenado dos pulmões e o bombeia para o corpo em seguida. O VD passa, então, a enviar o retorno venoso sistêmico para os pulmões, na forma usual.[56]

O tratamento clínico é inicialmente realizado com o objetivo de estabilizar o paciente. Se o *shunt* for inadequado, o paciente desenvolverá cianose intensa e profunda acidose metabólica. A PGE1 em infusão contínua (0,02 a 0,05 µg.kg^{-1}.min^{-1}) pode ser utilizada para manter ou reabrir o canal arterial, levando a aumento do fluxo sanguíneo pulmonar, o que amplia também o retorno venoso pulmonar e a pressão atrial esquerda, promovendo fluxo da esquerda para a direita em nível atrial. Efeitos colaterais, precoces ou tardios incluem apneia, bradicardia, hipotensão sistêmica, distúrbios hidroeletrolíticos, febre e *rash* cutâneo.[54,55]

Caso a compensação clínica não seja possível, o paciente pode necessitar de uma septostomia percutânea (procedimento de Rashkind) em regime de urgência para aumentar o shunt.[54,57]

O momento da intervenção cirúrgica é ditado pela anatomia específica do paciente. Se a criança tem TGA com septo ventricular íntegro, é importante realizar a cirurgia de Jatene durante o primeiro mês de vida, enquanto a massa do VE ainda é adequada.[56] Se a cirurgia for adiada por muito tempo, o VE sofrerá "descondicionamento", porque ele está trabalhando no circuito pulmonar com baixa resistência. Por outro lado, se o paciente tem TGA e CIV, o VE terá uma certa sobrecarga e a massa ventricular não irá diminuir. Nesse caso, a cirurgia pode ser postergada por alguns meses a fim de otimizar as condições da criança. Esses pacientes geralmente vêm à sala de cirurgia para a operação de Jatene com um cateter intravenoso, recebendo infusão de PGE1, a qual não deve ser interrompida a fim de manter a permeabilidade do canal arterial. A MPA não é indicada, e a indução intravenosa geralmente o é com uso liberal de opioides. Como o *shunt* ocorre em nível atrial, há poucas estratégias para minimizar a hipóxia. Eventualmente, a administração criteriosa de volume poderá melhorar a hemodinâmica. Assegurar a profundidade adequada da anestesia é importante para diminuir o consumo de oxigênio.

Os recém-nascidos submetidos ao procedimento de Jatene têm o potencial de manifestar disfunção tanto de VE quanto de VD. Disfunção ventricular esquerda em geral é secundária à insuficiência coronariana ou ao tempo prolongado de pinçamento. Durante o procedimento de Jatene, as artérias coronárias são submetidas a manipulação significativa. Atenção especial deve ser dada à monitorização do segmento ST. A infusão de nitroglicerina (1 a 2 µg.kg^{-1}min^{-1}) melhora a perfusão coronariana. A disfunção cardíaca direita pode também ser um problema, pois essas crianças são tipicamente operadas nas primeiras semanas de vida. A RVP durante esse período é alta e a circulação extracorpórea durante a cirurgia contribui para aumentá-la ainda mais, ampliando também o trabalho do VD. Se o paciente vem recebendo PGE1 por um período superior a duas semanas, é aconselhável manter uma infusão em dose baixa durante o procedimento e programar o desmame do fármaco em três

dias em média, visto que a suspensão abrupta da medicação pode resultar em exacerbação de hipertensão pulmonar.

Após a instalação de monitores não invasivos, inicia-se a indução. É importante colocar sensores de oxímetros em topografia pré e pós-ductal pelas razões mencionadas anteriormente. A maioria dos pacientes é induzida por via intravenosa, com administração de opioides e relaxantes neuromusculares. A hipnose pode ser obtida com uso criterioso de agentes inalatórios. A manutenção da anestesia com uso de opioides em altas doses é muito utilizada e tem a vantagem de reduzir a resposta endócrino-metabólica ao estresse, as disfunções da coagulação e a necessidade de transfusão, além de apresentar menos morbidade quando comparada com técnica sem opioides ou com baixas dosagens desses fármacos.[57] Após a indução, uma linha arterial e o acesso venoso central são obtidos. A espectroscopia próxima ao infravermelho (EPIV) é indicada para seguir a oximetria cerebral durante o procedimento.

Em geral, instala-se hipotermia profunda logo no início da cirurgia. Se disponível, a monitorização com ETE deve ser iniciada, o que confirmará ou elucidará pontos relevantes da anatomia cardíaca. Geralmente, ocorre estabilidade hemodinâmica no período que antecede a CEC, e, se o neonato estiver respirando ar ambiente no pré-operatório, deve-se limitar a suplementação de O_2 ao estritamente necessário, uma vez que saturações arteriais de O_2 em torno de 75% são comuns e tipicamente bem toleradas se a perfusão sistêmica for adequada. Se entretanto, quedas importantes da SpO_2 ocorrerem nesse período, as causas usuais devem ser acessadas (ventilação, débito cardíaco) e tratadas. Se a condição for persistente e não puder ser tratada, deve-se apressar a entrada em CEC. A titulação de frações inspiradas de O_2 crescentes pode valer a pena, e é improvável que cause choque cardiogênico agudo a partir da hipercirculação pulmonar nesse curto período que antecede a CEC.[57] Uma vez em *bypass*, é essencial assegurar pressão média arterial (PAM) adequada à idade em CEC, uma baixa PVC e valores (bilaterais e iguais) ótimos de saturação cerebral de O_2. Qualquer assimetria na rSO_2 deve ser comunicada ao cirurgião, e a posição das cânulas da CEC, checada. Parâmetros como hematócrito mínimo tolerado, FiO_2 e correção de distúrbios acidobásicos em geral seguem valores institucionais. Muitas vezes, ao final da CEC, é necessário transfundir plaquetas e/ou crioprecipitado para corrigir a coagulopatia que se desenvolve. Durante o reaquecimento e antes da saída de CEC, o suporte inotrópico é iniciado. Cada instituição tem suas preferências quanto aos fármacos indicados. Nesse caso, deve-se levar em conta que, ao contrário de muitas outras CCs infantis, que demandam suporte para insuficiência de VD, a disfunção de VE é a preocupação principal na saída de CEC. Assim, combinar inotrópicos e vasodilatadores arteriais é uma abordagem adequada para melhorar a função do VE, e tal terapêutica pode ser necessária por vários dias no pós-operatório. Cabos de marca-passo com frequência são posicionados antes do fechamento da toracotomia. Geralmente as crianças saem de CEC em ritmo sinusal, entretanto pode haver isquemia por estenose coronária e lesão do nó A-V, além de, ocasionalmente, arritmias diversas. Aproximadamente 25% dos pacientes submetidos ao procedimento de Rastelli desenvolvem arritmias, entre as quais taquicardia supraventricular, taquicardia ectópica juncional e bloqueios atrioventriculares intermitentes ou definitivos.

A ETE e pressões invasivas são importantes para avaliar a efetividade do reparo cirúrgico e guiar o controle hemodinâmico. Embora seja muito difícil acessar o fluxo coronariano diretamente com a ETE, a motilidade das paredes ventriculares e a presença de regurgitação mitral são utilizadas como indícios indiretos da patência coronariana.[56,57] Assim, sinais de isquemia coronariana devem levar o cirurgião a examinar imediatamente os óstios coronarianos e suas anastomoses. Da mesma forma, a ETE permite o exame da anatomia, garantindo o fechamento dos *shunts*, se as válvulas semilunares estão estenosadas ou insuficientes e se as vias de saída estão desobstruídas. É importante evitar distensão cardíaca por administração de excesso de volume, o que pode vir a acontecer se houver coagulopatia pós-CEC e distensão nas coronárias reimplantadas, ocasionando um círculo vicioso em que a isquemia retroalimenta a distensão do coração. Em geral, o paciente é transportado intubado e em suporte inotrópico para a UTI. Estudos mostram que a função miocárdica piora nas primeiras 6 horas de pós-operatório, provavelmente devido a edema pós-CEC e efeitos dos pinçamentos vasculares prolongados. Assim, é importante postergar o desmame dos fármacos vasoativos. Caso se opte por técnica anestésica em *fast tracking* visando extubação precoce, deve-se levar em consideração que as reintubações ocorrem, na maioria das vezes, em crianças com 2 meses de idade ou menos.

Atresia Tricúspide

A atresia tricúspide (AT) é a terceira lesão cianótica mais comum depois da T4F e da TGA. Há ausência da valva tricúspide, portanto não há comunicação direta entre o átrio direito e o ventrículo direito. O átrio direito está aumentado e um *shunt* da direita para a esquerda no nível atrial é essencial para manter o enchimento do coração esquerdo. Muitas vezes, esse *shunt* será uma segunda CIA ou um forame oval alargado. O lado esquerdo do coração acaba tendo sobrecarga de volume, afinal recebe tanto o fluxo arterial sistêmico quanto o pulmonar. O VD geralmente é hipoplásico e CIV está presente. As anomalias extracardíacas estão presentes em 20% dos pacientes com atresia tricúspide.

A apresentação clínica depende do tipo de atresia tricúspide (**Quadro 158.7**). Na forma mais comum de atresia tricúspide, as grandes artérias estão relacionadas normalmente e há algum grau de obstrução ao fluxo sanguíneo pulmonar. Ao longo do tempo, a cianose aumentará à medida que a CIV se feche ou ocorram aumentos de obstrução na região infundibular.

Em cerca de um terço dos casos, as grandes artérias são transpostas. Nessa situação, o paciente pode apresentar fluxo sanguíneo pulmonar normal ou aumentado e sinais manifestos de insuficiência cardíaca. Nesses casos, a CIA se torna restritiva, resultando em obstrução subaórtica significativa.[58] Objetiva-se otimizar o estado fisiológico da criança com AT para que a cirurgia de Fontan possa ser realizada na idade de 2 a 4 anos. Normalmente, esses pacientes necessitam de uma abordagem em multiestágios para que se alcance esse objetivo. Neonatos sintomáticos normalmente necessitam de tratamento paliativo para qualquer cianose grave ou insuficiência cardíaca. Mais comumente, a criança terá diminuição do fluxo sanguíneo pulmonar, exigindo um *shunt* sistêmico para artéria pulmonar.

Por outro lado, cerca de 10% a 15% dos pacientes com atresia tricúspide têm aumentado o fluxo sanguíneo pulmonar e podem necessitar de cerclagem para proteger a árvore vascular pulmonar. Se a CIA for restritiva, o paciente irá requerer uma septostomia percutânea com passagem de balão.

Entre as idades de 6 a 18 meses, uma anastomose cavopulmonar bidirecional é criada mediante a realização de qualquer procedimento de Glenn bidirecional ou uma operação hemi-Fontan. Ambos os procedimentos obtêm o mesmo resultado fisiológico: o sangue da veia cava superior passa diretamente para a artéria pulmonar. Esses procedimentos diminuirão o volume do coração e a pressão na artéria pulmonar, fazendo que o paciente se torne melhor candidato para a operação final – o procedimento de Fontan. As anastomoses cavopulmonares não podem ser realizadas no período neonatal porque a RVP é demasiado elevada.

Na operação de hemi-Fontan, a veia cava superior é dividida em dois cotos, e cada um deles é anastomosado à artéria pulmonar direita. O átrio direito é aberto e um *patch* de Gore-Tex® é colocado ao longo do orifício da veia cava superior, logo na entrada do átrio direito. Fisiologicamente, esse reparo é o mesmo que a anastomose cavopulmonar bidirecional. O procedimento hemi-Fontan simplifica a cirurgia posterior, quando se conclui a operação de Fontan.

Quadro 158.7 Tipos de atresia tricúspede.[58]			
Tipo de AT	**A**	**B**	**C**
Tipo I, sem transposição das grandes artérias.	Tipo Ia, atresia pulmonar com ausência virtual do ventrículo direito.	Tipo Ib, hipoplasia pulmonar com estenose subpulmonar, ventrículo direito diminuto e pequenos defeitos do septo ventricular.	Tipo Ic, não há hipoplasia pulmonar, há um ventrículo direito diminuto.
Tipo II, D-transposição das grandes artérias.	Tipo IIa, atresia pulmonar, aorta surge do ventrículo direito.	Tipo IIb, pulmonar ou estenose subpulmonar.	Tipo IIc, artéria pulmonar normal ou aumentada.
Tipo III L-transposição das grandes artérias.	Tipo IIIa, pulmonar ou estenose subpulmonar.	IIIb, estenose subaórtica, há inversão ventricular.	

Fonte: adaptada de: Arciniegas E., Cirurgia cardíaca pediátrica. Chicago: Year Book, 1985: p. 298-300.

Para completar esse procedimento, o *patch* de Gore-Tex® é retirado e um novo enxerto, dessa vez retangular, é utilizado para formar um túnel que ligará a veia cava inferior à superior. Geralmente, a conclusão do procedimento de Fontan é feita aos 2 a 4 anos.[59] A seleção dos pacientes é determinante no sucesso do procedimento de Fontan. Idealmente, a RVP (Quadro 158.8) deve ser baixa (menos de 4 U Woods) e a pressão média da artéria pulmonar (AP), inferior a 15 mmHg. Fatores que contribuem para o sucesso cirúrgico são AP de tamanho adequado, sem disfunção valvar AV sistêmica, ritmo sinusal e função ventricular esquerda preservada.

No pré-operatório, é imperativo determinar quais são as alterações presentes no paciente. Deve-se recorrer à análise de radiografia do tórax, ecocardiograma e dados de cateterismo cardíaco. Se um recém-nascido tem reduzido fluxo sanguíneo pulmonar, PGE1 é administrada usualmente para manter a permeabilidade ductal. A septostomia percutânea pode ser necessária, caso a CIA seja pequena (Figura 158.10).

Se o paciente tem disfunção ventricular e não tolera volume, pode ser necessária a introdução de inotrópicos. Para crianças mais velhas submetidas ao procedimento Fontan, o uso criterioso de pré-medicação pode ser benéfico, desde que a hipercapnia seja evitada. Se o paciente é policitêmico devido a hipoxemia, deve-se evitar jejum prolongado a fim de não agravar a condição.

Durante o intraoperatório, devem-se dispensar cuidados de rotina a pacientes submetidos a qualquer *shunt* sistêmico-pulmonar. Uma indução inalatória pode ser utilizada, desde que se tenha cautela para manter a patência das vias respiratórias e minimizar a RVP. Se o fluxo sanguíneo pulmonar do paciente for dependente de uma PCA, deve-se evitar hipotensão, porque o fluxo ductal depende da pressão arterial. Se houver disfunção ventricular importante, a indução intravenosa cuidadosa com agentes de efeitos cardiodepressores mínimos pode ser preferível. Após o reparo, o fluxo sanguíneo pulmonar torna-se passivo e depende da pressão da veia cava para ser capaz de superar a RVP. Medição de pressões de enchimento em ambos os lados do coração, esquerdo e direito, pode ser útil para otimizar a terapia dos pacientes após o procedimento de Fontan. A pressão atrial direita superior à pressão atrial esquerda em mais de 10 mmHg é sugestiva de obstrução ao fluxo sanguíneo pulmonar, portanto terapia deve ser instituída para diminuir a RVP. Essas manobras incluem a otimização da capacidade residual funcional e da hiperventilação, o aumento da fração de oxigênio inspirado (FiO_2) e evitar a acidose. Se o paciente tem broncoespasmo, o tratamento com beta-2-agonistas por via inalatória poderá ser benéfico. O óxido nítrico, em doses entre 10 e 40 ppm, pode ser administrado para promover vasodilatação pulmonar. Tipicamente, PVC entre 12 e 15 mmHg será necessária para que haja FSP. Se for necessária PVC superior a 20 mmHg para garantir o FSP, o prognóstico é considerado desfavorável.

Manter o Fontan fenestrado se tornou norma, porque o sangue desviado da direita para a esquerda ajuda a manter a pré-carga do VE e preservar o débito cardíaco. Os pacientes geralmente toleram bem a hipoxemia leve resultante, desde que o débito cardíaco seja mantido.

O procedimento de Glenn ou hemi-Fontan bidirecional é bem tolerado porque o fluxo da veia cava continua em comunicação com o ventrículo sistêmico. Esse sangue, embora seja deficiente em O_2, possibilita o enchimento adequado do ventrículo e a manutenção do débito cardíaco. Deve ser dada atenção à minimização da RVP para garantir oxigenação e fluxo sanguíneo pulmonar adequados.

A pressão intratorácica aumentada irá limitar o fluxo sanguíneo pulmonar após o procedimento de Fontan.[59,60] Modos em que a ventilação é espontânea são preferíveis porque

---

Quadro 158.8 Cálculo da resistência vascular pulmonar e da resistência vascular sistêmica.

RVP = 80 × (PAP − PoAP)/DC, normal 100 a 200 dyn/s/cm⁵ ou 0,25 a 2,0 unidades Wood.

1 "unidade Wood" = 1 mmHg.L⁻¹.min⁻¹.

PAM: pressão arterial média; PVC: pressão de venosa central; PAPm: pressão média de artéria pulmonar; PCPm: pressão média do capilar pulmonar (também conhecida como pressão de encunhamento).

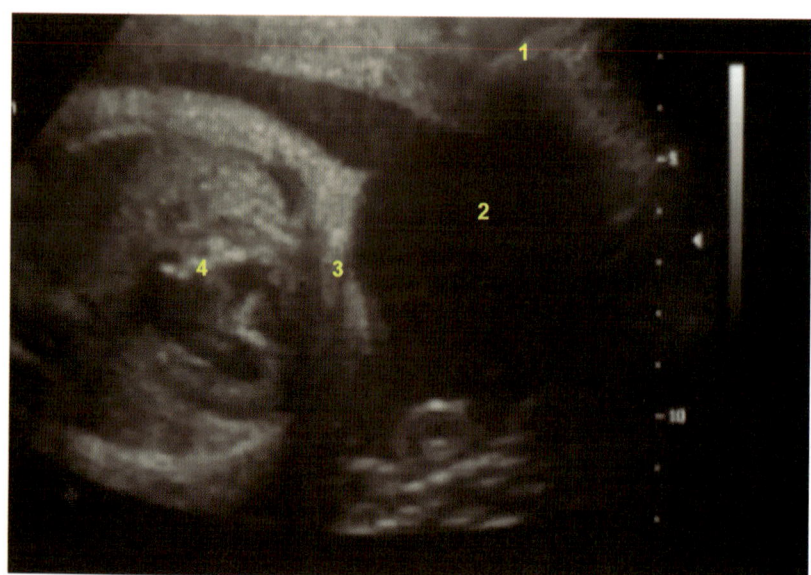

◀ **Figura 158.10** Atriosseptostomia percutânea intrauterina por balão em feto de 30 semanas de gestação.

1: cateter; **2:** líquido amniótico; **3:** parede torácica do feto; **4:** cateter perfurando o septo interatrial, balão insuflado.

Fonte: acervo dos autores.

otimizam o FSP, no entanto, se houver hipercarbia, haverá aumento da RVP, neutralizando qualquer efeito positivo da ventilação espontânea. Idealmente, é melhor manter o paciente em ventilação sob pressão positiva até que se estabeleça o plano anestésico. O reinício da ventilação espontânea e a extubação devem ser obtidos o mais precocemente possível, portanto o uso de narcóticos deve ser judicioso.

As complicações mais frequentes são hipertensão venosa sistêmica (com derrame pleural resultante ou pericárdico, hepatomegalia, ascite e edema periférico), redução do débito cardíaco, arritmias atriais, hipoxemia secundária a *shunts* residuais da direita para a esquerda, trombose e fístulas arteriovenosas pulmonares.[60]

Tronco arterioso

Tronco arterioso é uma CC pouco comum caracterizada pela presença de um único vaso arterial (tronco) com uma única valva semilunar (valva truncal) emergindo do coração. Além disso, as artérias pulmonares usualmente se originam do tronco distalmente às coronárias e proximalmente ao primeiro ramo braquicefálico do arco aórtico. A parte comum do tronco tipicamente atravessa uma grande CIV (septo conal), entretanto, em raros casos, pode se originar quase completamente do VE ou do VD. Em pacientes com arco aórtico patente e de calibre normal, o ducto arterioso pode ser diminuto ou mesmo ausente. Assim, a estrutura recebe sangue misto de ambos os ventrículos e o envia para as circulações pulmonar, sistêmica e coronariana. A proporção entre os fluxos sanguíneos pulmonar e sistêmico varia de acordo com as respectivas resistências vasculares.[61]

Várias anormalidades podem estar associadas ao tronco arterioso, algumas das quais afetam o tratamento clínico/cirúrgico e os resultados pós-operatórios.

Anormalidades estruturais da valva truncal, incluindo folhetos displásicos e supranumerários, são frequentemente observadas, e regurgitação significativa (moderada ou grave) pela válvula truncal está presente em 20% dos pacientes ou mais.

Da mesma forma, artérias coronárias proximais são anormais em muitos pacientes. Coronária única ou com curso intramural é a variação mais importante. Outra grande anomalia associada ao tronco arterioso em uma porção substancial dos casos é a interrupção do arco aórtico,[62] que quase sempre ocorre entre a artéria carótida comum esquerda e a artéria subclávia e implica cirurgia maior e mais complexa.[67]

A malformação é dividida em quatro tipos, de acordo com a classificação de Collett e Edwards,[61] com base na origem das artérias pulmonares a partir da artéria truncal (Quadro 158.9).

Artérias pulmonares podem emergir a partir do tronco comum (90% das vezes) ou separadamente do tronco. Arco aórtico à direita ocorre em cerca de 25% dos casos. A valva truncal consiste geralmente em três ou quatro cúspides, embora esse número possa variar entre duas e seis cúspides. Em cerca de metade dos pacientes, a valva é insuficiente e displásica. As anomalias extracardíacas são comuns. Felizmente, esse defeito é relativamente incomum, representando entre 1% e 2% de todas as cardiopatias congênitas em nascidos vivos.[4]

Outra classificação muito citada é a de Van Praaghs,[63] proposta em 1965, que também divide essas malformações em quatro tipos primários (Quadro 158.10).

Quadro 158.9 Classificação de Collett e Edwards[61] para tronco arterioso.

Tipos/Autores	I	II	III	IV
Collett e Edwards	Origem de um único tronco pulmonar a partir do aspecto lateral esquerdo do tronco comum, com divisão em artérias pulmonares direita e esquerda a partir de um tronco pulmonar.	Origens separadas (mas próximas) das artérias pulmonares direita e esquerda a partir do aspecto posterolateral do tronco comum.	O ramo que origina as artérias pulmonares vem independentemente do tronco comum ou do arco aórtico, mais frequentemente a partir do aspecto lateral esquerdo ou direito do tronco. Ocasionalmente, a origem de uma das artérias pulmonares vem do lado de baixo do arco aórtico, geralmente a partir do *ductus arteriosus*.	Originalmente proposto pelos autores como uma forma de lesão sem qualquer ramo arterial pulmonar surgindo do tronco comum, é agora reconhecido como sendo uma forma de atresia pulmonar com defeito do septo ventricular, em vez de *truncus arteriosus*.

Quadro 158.10 Classificação de Van Praaghs[63] para tronco arterioso.

Autor/Tipo	A1	A2	A3	A4
Van Praaghs	Idêntico ao grupo I de Collett e Edwards.	Inclui o tipo II Collett e Edwards e a maioria dos tipos III, marcadamente aqueles com origens separadas dos ramos pulmonares a partir dos aspectos laterais esquerdo e direito do tronco comum.	Origem de um dos ramos da artéria pulmonar (em geral o direito) a partir do *truncus*, com o suprimento sanguíneo do pulmão contralateral ou por uma artéria pulmonar emergindo do arco aórtico ou de colaterais arteriais sistêmicos.	Definido não pela origem dos ramos pulmonares e sim pela presença de arco aórtico interrompido.

O tratamento dessa CC deve buscar como meta manter uma proporção entre circulação sistêmica e pulmonar próxima de 1 para 1, a fim de obter saturação de oxigênio razoável, bem como perfusão sistêmica adequada.

Esses pacientes exibem sintomas precoces, em geral com o desenvolvimento de cianose, insuficiência cardíaca congestiva e sobrecarga biventricular. Geralmente, têm o FSP aumentado e a SaO_2 depende da relação entre o FSP e o FSS. Mesmo que a mistura das duas circulações ocorra, a cianose resultante pode ser mínima.

A mistura – incompleta – entre os débitos ventriculares direito e esquerdo ocorre primariamente durante a sístole e no nível do tronco arterial comum. Uma vez que as circulações sistêmica e pulmonar estão essencialmente em paralelo, o fluxo sanguíneo pulmonar é tipicamente três vezes maior do que o fluxo sanguíneo sistêmico, com sobrecarga circulatória pulmonar e aumento do trabalho miocárdico que resulta em elevação da demanda de oxigênio (mesmo em repouso) e queda da reserva metabólica.

Devido ao fluxo e à pressão elevados no território vascular pulmonar, os danos no leito vascular ocorrem cedo. Sem tratamento, a maioria das crianças vai a óbito nos primeiros 6 meses de vida.

A terapia cirúrgica do tronco arterioso sofreu significativa evolução nos últimos 30 anos. O reparo completo foi realizado pela primeira vez em 1967, mas até que a reparação neonatal precoce se tornasse rotineira, na década de 1980, a bandagem da artéria pulmonar paliativa era comum e o reparo completo era postergado para idade mais avançada.

Na maioria dos centros, reparação completa primária no recém-nascido e lactente tornou-se o padrão aceito.[61,63-65]

Nesse procedimento, a CIV é corrigida de modo a dirigir o sangue do VE para a aorta (tronco). As artérias pulmonares são desconectadas do tronco, e uma prótese do VD para a artéria pulmonar é instalada. Se a valva truncal for severamente insuficiente, será reparada ou substituída.

O tratamento desses pacientes é semelhante ao de qualquer outro neonato gravemente doente.[65] Em geral, não se administra MPA. Podem chegar ao centro cirúrgico intubados e sob ventilação mecânica com pressão positiva. Se a insuficiência cardíaca for grave, fármacos inotrópicos positivos poderão ser administrados.

Alguns desses pacientes apresentam síndrome de Di-George com alterações craniofaciais, alterações nas paratireoides, timo ausente e deficiência imunológica.[66] Se assim for, eles são suscetíveis à reação enxerto *versus* hospedeiro e exigem produtos de sangue purificados. Eles também são propensos à infecção e necessitam de regime de antibioticoprofilaxia especial. Até que o diagnóstico de certeza seja estabelecido, deve-se assumir o pior e tomar-se as medidas de precaução adequadas.

A técnica anestésica deve levar em conta o fato de que a criança está em um estado hemodinâmico delicado. O objetivo deve ser preservar o fluxo sanguíneo sistêmico, minimizando o fluxo sanguíneo pulmonar. A titulação cuidadosa dos agentes anestésicos e a monitorização de seus efeitos hemodinâmicos, adotando-se prontas medidas para ajustar FSP, RVS e DC, são provavelmente mais importantes do que

a seleção de um fármaco específico.[64,65] Opioides em altas doses são utilizados na maioria das vezes, entretanto, se administrados isoladamente, associam-se a respostas hemodinâmicas diante de estimulação cirúrgica, mesmo com doses de fentanil entre 25 e 50 ug.kg^{-1}. Sugere-se associação a outros fármacos para diminuir essas respostas e o otimizar o despertar.

É descrita indução venosa usando-se fentanil e midazolam (ou etomidato), associando-se vecurônio, rocurônio ou pancurônio. Anestésicos inalatórios podem ser utilizados, todavia com muito cuidado. Pacientes com essa malformação são extremamente sensíveis a baixas concentrações de anestésicos inalatórios na fase anterior à CEC. Assim, o uso suplementar de sevoflurano entre 1% e 2% ou isoflurano entre 0,2% e 0,8% pode ser indicado.[67,68] O tratamento da hipotensão pode ser feito com judiciosa infusão de volume e/ou administração de fármacos vasoativos.[64,65] Hiperventilação deve ser evitada, porque diminuiria a RVP e desviaria mais sangue para os pulmões. Uma das manobras para limitar o FSP é a limitação da FiO_2, mantendo-se normocarbia ou mesmo hipercarbia leve e uso de PEEP. O cirurgião também pode clampear intermitentemente as artérias pulmonares para limitar o FSP. Essas manobras são especialmente importantes durante a CEC para assegurar perfusão sistêmica adequada. É preciso ter cuidado para não deixar a RVS baixa demais, especialmente se a valva truncal for insuficiente. Nesse caso, a pressão diastólica já pode ser baixa, o que predispõe a criança à insuficiência coronariana.

Após a cirurgia, a terapia deve ser direcionada para aumentar o FSP. Essas crianças têm uma vasculatura pulmonar incrivelmente reativa e muitas vezes se beneficiam de sedação durante vários dias após o procedimento para minimizar a reatividade vascular pulmonar. Inotrópicos geralmente são necessários para o desmame da CEC.

Síndrome do Coração Esquerdo Hipoplásico

A SCEH está entre as CCs mais complexas que existem. Trata-se de várias anormalidades cardíacas que costumam incluir hipoplasia, estenose ou atresia das vias de entrada e de saída do VE. SCHE, portanto, é um termo usado para descrever um espectro de doenças, tendo como denominador comum o subdesenvolvimento do lado esquerdo do coração. O paciente pode apresentar atresia mitral, atresia aórtica e/ou de um arco aórtico hipoplásico. Com todas essas lesões, o VE é pequeno. Todo o fluxo de sangue que retorna dos pulmões ao coração passa do átrio esquerdo para o átrio direito, onde se mistura com o retorno venoso sistêmico. O VD, em seguida, torna-se a câmara mais importante, tanto para a circulação pulmonar quanto para a sistêmica. O sangue é ejetado pelas artérias pulmonares aos pulmões e, por meio da PCA, dos pulmões para a circulação sistêmica. A perfusão para as circulações cerebral e coronariana depende de fluxo retrógrado pelo arco aórtico hipoplásico.

As crianças com SCHE muitas vezes parecem saudáveis ao nascer, desde que o canal arterial seja amplamente patente, entretanto, dentro de algumas horas ou dias, a condição se deteriora rapidamente, à medida que o canal arterial começa a se fechar e a perfusão sistêmica vai se tornando insuficiente. Os pacientes passam, então, a apresentar taquipneia, taquicardia, cardiomegalia, diminuição dos pulsos periféricos e aquilo que foi denominado "cianose cinza" (resultado de queda da saturação sistêmica e baixo débito cardíaco). Sem tratamento, os pacientes não ultrapassam 4 a 5 dias de vida. As anomalias extracardíacas, geralmente malformações menores do aparelho genitourinário, ocorrem em cerca de 15% a 25% dos casos. Com a evolução do diagnóstico e com a aquisição de novas tecnologias, alguns pacientes são submetidos a cirurgias intrauterinas, o que pode melhorar as condições clínicas ao nascimento e retardar o primeiro estágio das cirurgias paliativas. Um exemplo é a atriosseptostomia intraútero, indicada a pacientes com septos interatriais intactos ou altamente restritivos.

Existem basicamente duas opções cirúrgicas para essas crianças: transplante cardíaco ortotópico ou procedimento de reconstrução em estágios, proposto por Norwood. Embora o transplante seja uma opção atraente, não é habitualmente efetuado, principalmente por causa da limitada disponibilidade de doadores de órgãos.

O procedimento de Norwood foi refinado ao longo dos anos, mas ainda é composto de uma série de três cirurgias paliativas com tórax aberto, objetivando melhorar as condições hemodinâmicas do paciente. As primeiras duas cirurgias (estágio I e estágio II) temporariamente aliviam as alterações de fluxo sanguíneo dos pulmões e para os pulmões. A terceira cirurgia (estágio III) é usada para melhoras globais na circulação. Nessa atual estratégia de reparo cirúrgico da SCEH em três estágios, o primeiro deles é realizado no período neonatal e está associado a altas taxas de morbidade e mortalidade.

a) O estágio I do procedimento de Norwood envolve a septectomia atrial, a transecção e a ligadura distal da artéria pulmonar principal. A artéria pulmonar proximal é então anastomosada com o arco aórtico hipoplásico ao mesmo tempo em que o segmento estenótico da aorta é reparado. Assim, uma mistura de sangue oxigenado e desoxigenado pode ser bombeada para a circulação sistêmica por intermédio de um VD morfológico, provendo circulação sistêmica. Assim, a primeira etapa de um procedimento de Norwood tem como finalidade criar uma fisiologia mais estável e independente da PCA.

Quanto à circulação pulmonar, há duas opções para restabelecê-la:

i) Mediante um *shunt* Blalock-Taussig modificado, uma prótese de Gore-Tex® é utilizada para conectar a artéria subclávia à AP. Nesse caso, o sangue vem do ventrículo único (VD), passa pela valva pulmonar, alcança a neoaorta, passa à artéria subclávia e, por meio da prótese, vai à AP. Há variações nesse procedimento, e o *shunt* pode ser feito diretamente entre a aorta e a AP.

II) Por meio do *shunt* de Sano, um orifício é feito no ventrículo único e uma prótese de Gore-Tex® conecta o ventrículo à AP. A diferença principal é que o fluxo é mais pulsátil do que a versão de Blalock-Taussig e há melhores pressões diastólicas, com otimização da perfusão coronariana.

b) O estágio II é a separação das circulações sistêmica e pulmonar, assim que a RVP cair. Nessa etapa, remove-se o *shunt* aortopulmonar, procedimento seguido pela criação de um *shunt* bidirecional entre a veia cava superior e a AP. Esse procedimento já foi citado neste capítulo e é conhecido como cirurgia de Glenn bidirecional.

c) O estágio III é a realização do procedimento de Fontan, também já descrito neste texto.

A sobrevivência desses pacientes vem crescendo continuamente, desde que Norwood *et al.*, em 1983, reportaram pela primeira vez a abordagem de tratamento em vários estágios.[69] Essas melhorias têm sido atribuídas a melhor seleção dos pacientes, refinamentos nos tratamentos intra e pós-operatório e na implantação de protocolos institucionais de cuidados. Em geral, a sobrevida precoce após a cirurgia de Norwood varia entre 70% e 80%. Alguns centros têm reportado números superiores a 90% de sobrevida após o primeiro estágio cirúrgico. Ainda assim, mortalidade e morbidade, que incluem sequelas neurológicas, ainda são elevadas. As causas são principalmente eventuais instabilidades da circulação em paralelo resultantes do procedimento de Norwood e o estresse cirúrgico (especialmente causado por CEC), bem como hipotermia profunda e a subsequente resposta inflamatória sistêmica.

O procedimento de Norwood foi a única opção de tratamento por mais de 20 anos, conquanto mudanças estejam em curso nos últimos 10 anos. Realizado no primeiro mês de vida, a criança é submetida à segunda etapa do tratamento paliativo com cerca de 6 meses, quer seja um *shunt* de Glenn bidirecional, quer um hemi-Fontan. Esse procedimento provisório é necessário para diminuir a pré-carga do VD, viabilizando a remodelação e ajudando a preservar a sua função. Mais tarde, entre 18 e 24 meses, é realizada a cirurgia final de Fontan.[69]

A técnica tradicional prevê que o tronco pulmonar principal seja desconectado das artérias pulmonares, e o fluxo sanguíneo pulmonar se dará mediante *shunt* aortopulmonar ou subclávio-pulmonar. Ainda é possível construir um *bypass* diretamente do VD para a AP, chamado *shunt* de Sano. Comparado com o *shunt* de Blalock–Taussig modificado (BTM), o *shunt* de Sano parece oferecer um estado hemodinâmico mais estável no pós-operatório e menos mortalidade interestágios.[70]

Além disso, esse procedimento está associado a maiores valores de pressão diastólica, com consequente melhora da perfusão coronariana e equilíbrio mais adequado entre as circulações sistêmica e pulmonar.

O subdesenvolvimento das artérias pulmonares após o primeiro estágio do procedimento de Norwood é considerado um fator de risco independente para altas taxas de morbidade e mortalidade depois dos procedimentos subsequentes, Glenn bidirecional e Fontan.[71] A hipoplasia da artéria pulmonar esquerda e a estenose da bifurcação da AP podem chegar a 40% e 77%, respectivamente. A compressão extrínseca pela neoaorta, a distorção da AP direita pelo *shunt* de Blalock-Taussig modificado, o fluxo preferencial para a AP direita e os problemas técnicos concernentes ao método de reparo do segmento central das artérias pulmonares também elevam a mortalidade e a morbidade. O uso do *shunt* do VD para a AP pode estar relacionado com melhor desenvolvimento das artérias pulmonares após o procedimento de Norwood.[71]

Usualmente, infunde-se PGE1 (alprostadil – Prostavasin®) para manter o ducto arterioso aberto, entretanto a infusão prolongada de prostaglandinas está associada a vários efeitos colaterais: febre, depressão respiratória, sangramentos no sistema nervoso central (SNC), diarreia, hiperostose cortical e alterações irreversíveis na musculatura das artérias pulmonares. Esses problemas estimularam a busca de maneiras alternativas para manter a patência do ducto arterioso. A passagem de *stents* por via percutânea no ducto arterioso de animais foi descrita primeiramente no início da década de 1990 e hoje está bem estabelecida em humanos. Bacha[72] e Galantowitz,[73] em 2005 e 2008, respectivamente, descreveram uma abordagem híbrida modificada em pacientes com SCEH. Os autores combinaram bandagem bilateral das artérias pulmonares com instalação de *stent* no ducto arterioso. A despeito dos resultados promissores em curto e médio prazos reportados por esses centros, a maior parte dos serviços limita a técnica híbrida aos pacientes com risco elevado para o primeiro estágio de Norwood.

Assim, os candidatos à abordagem híbrida são neonatos em condições críticas, como os que já apresentaram parada cardiorrespiratória, têm insuficiência renal ou hepática ou baixo peso ao nascimento (inferior a 2.500 g). Quando o procedimento híbrido é feito em substituição à primeira etapa da cirurgia paliativa, o próximo estágio torna-se mais complicado, uma vez que será necessário excisar o *stent* ductal previamente implantado, remover ambas as bandas de artérias pulmonares, reconstruir o arco aórtico e realizar a cirurgia de Glenn bidirecional.[72,73] Há vantagens potenciais, como evitar CEC, cardioplegia e hipotermia profunda, o que diminuiria a duração da cirurgia, limitaria a resposta inflamatória sistêmica e, ao menos teoricamente, melhoraria o prognóstico; entretanto há também desvantagens da técnica híbrida, como a ausência de reparo do arco aórtico hipoplásico – o que traz o risco de perfusão sistêmica insuficiente devido à obstrução retrógrada do arco aórtico –, a possível restrição na comunicação interatrial (muitas vezes necessitando-se de reintervenção) e a distorção mecânica dos arcos da AP, além das já citadas maiores requisições cirúrgicas no segundo estágio.

Em pacientes com forame oval excessivamente restritivo, a atriosseptostomia percutânea intraútero (Figura 158.9) é uma alternativa,[74] uma vez que, nessa condição, o óbito fetal é bastante frequente.

Voltando à técnica tradicional, do ponto de vista anestésico, o tratamento usual dos pacientes a serem submetidos às técnicas com tórax aberto envolve amplas doses de opioides, alta probabilidade de transfusão de hemocomponentes, provável hipotermia profunda, ventilação mecânica prolongada e sedação no pós-operatório.[75] Serão feitas considerações centradas no primeiro estágio da operação de Norwood, uma vez que as fases 2 (cavopulmonar) e 3 (Fontan) foram discutidas anteriormente.

Dois objetivos principais que devem ser alcançados no pré-operatório: em primeiro lugar, a PCA deve ser mantida patente para possibilitar perfusão sistêmica. Em segundo lugar, o equilíbrio entre a RVS e a RVP deve ser mantido, a fim de otimizar o fluxo de sangue a cada circuito. A administração de PGE1 já foi citada com a finalidade de manter o canal arterial aberto. Os recém-nascidos com essa síndrome geralmente apresentam acidose importante no momento do diagnóstico.

Essa condição deve ser tratada agressivamente para melhorar a função cardíaca. As crianças normalmente são intubadas e sedadas para minimizar o consumo de oxigênio. Hipercarbia leve (PCO_2 entre 45 e 55 mmHg), baixas concentrações de oxigênio e PEEP são úteis para diminuir o FSP. É importante lembrar que o oxigênio é um vasodilatador pulmonar poderoso capaz de elevar o FSP excessivamente e provocar inadequação da perfusão sistêmica. Assim, essas crianças são geralmente mantidas em ar ambiente. Se a RVP é demasiado baixa, uma mistura levemente hipóxica (FiO_2 por volta de 18%) pode também ser considerada.[76] Quando as circulações pulmonar e sistêmica são bem equilibradas, seria de se esperar SpO_2 entre 75% e 80%. Valores mais elevados implicam perfusão sistêmica inadequada e sobrecarga pulmonar. A transfusão às vezes é necessária para manter o hematócrito por volta de 45%, assegurando transporte de oxigênio adequado para os tecidos. Esses pacientes eventualmente necessitam de suporte inotrópico, e o uso de dopamina pode ser vantajoso se a RVP for baixa.

Todas as estratégias pré-operatórias devem ser continuadas na sala de cirurgia. A anestesia geralmente é realizada com opioides a fim de minimizar a depressão do miocárdio. Agentes inotrópicos podem ser necessários para manter a estabilidade durante a dissecção. Após o reparo, a gestão individual é ditada por quão grande é o *shunt* aortopulmonar e como o fluxo sanguíneo pulmonar ficou. A mesma fisiologia existe depois de reparação, com ênfase em equilibrar os fluxos sanguíneos pulmonar e sistêmico.[76] É preciso garantir a expansão pulmonar e evitar atelectasias. O grau de ventilação e a concentração de oxigênio usados dependem da saturação de oxigênio do paciente. Alguns centros defendem a adição de CO_2 no circuito respiratório para permitir a ventilação e a manutenção da capacidade residual funcional sem causar alcalose respiratória. Essas crianças podem se beneficiar de sedação pós-operatória pesada a fim de evitar crises de hipertensão pulmonar.

REFERÊNCIAS

1. Turley K, Tucker WY, Ebert PA. The changing role of palliative procedures in the treatment of congenital heart disease. J Thorac Cardiovasc Surg. 1980;79(2):194-201.
2. Castaneda AR, Mayer JEJ, Jonas RA, et al. The neonate with critical congenital heart disease: repair – a surgical challenge. J Thorac Cardiovasc Surg. 1989;98(5 Pt 2):869-75.
3. Hickey PR, Hansen DD, Norwood WI. Anesthetic complications in surgery for congenital heart disease. Anesth Analg. 1984;63(7):657-64.
4. Kloesel B, DiNardo JA, Body SC. Cardiac Embryology and Molecular Mechanisms of Congenital Heart Disease: A Primer for Anesthesiologists. Anesth Analg. 2016;123(3):551-69.

5. Goldman L, Schafer AI. Goldman Cecil Medicina [Tratado de medicina interna]. 24. ed. Amsterdã: Elsevier; 2014.
6. Marelli AJ, Mackie AS, Ionescu-Ittu R, et al. Congenital Heart Disease in the General Population - Changing Prevalence and Age Distribution. Circulation. 2007;115(2):163-72.
7. Bonow RO, Mann DL, Ziper DP, et al. Braunwald – Tratado de Doenças Cardiovasculares. 9. ed. Amsterdã: Elsevier; 2013.
8. Berman W. The hemodynamics of shunts in congenital heart disease. In: Johansen KM, Burggren WW. Cardiovascular shunts: phylogenetic ontogenetic and clinical aspects. New York: Raven Press; 1985.
9. Nasr VG e Hickeyem PR. Anesthesia for Surgical Treatment of Congenital Heart Disease. In: Longnecker DE, Mackey SC, Newman M,F et al. Anesthesiology. 3. ed. New York: McGraw Hill; 2018. p. 867-888, figura 48.1, adaptada de Kaplan JA. Cardiac Anesthesia. 2. ed. New York: Grune & Stratton; 1987.
10. Junghare SW, Desurkar V. Congenital heart diseases and anaesthesia. Indian J Anaesth 2017;61:744-52.
11. Tariq A, Bora V. Perioperative Management of Patients With Congenital Heart Disease. [Internet]. StatPearls. Treasure Island, FL: StatPearls Publishing. (Accessed on Sep 4, 2023).
12. Nasr VG, Markham LW, Clay M; American Heart Association Council on Lifelong Congenital Heart Disease and Heart Health in the Young and Council on Cardiovascular Radiology and Intervention, et al. Perioperative Considerations for Pediatric Patients With Congenital Heart Disease Presenting for Noncardiac Procedures: A Scientific Statement From the American Heart Association. Circulation 2023;16(1):77-94.
13. Mcleod G, Shum K, Gupta T, et al. Echocardiography in Congenital Heart Disease. Prog Cardiovasc Dis. 2018;61(5-6):468-475.
14. Kozak MF, Afiune JY, Grosse-Wortmann L.. Uso Atual de Ressonância Magnética Cardíaca Pediátrica no Brasil. Arq Bras Cardiol. 2021;116(2):305-312.
15. Shah RB, Patel RD, Patel JJ, et al. Comparative study of oral midazolam, oral ketamine and their combination as premedication in pediatric cardiac surgery. Indian J Applied Basic Med Sci. 2014;16b(23):137-44.
16. Varela-Chinchilla CD, Sánchez-Mejía DE, Trinidad-Calderón PA. Congenital Heart Disease: The State-of-the-Art on Its Pharmacological Therapeutics. J Cardiovasc Dev Dis. 2022;26;9(7):201.
17. O'Leary RJ Jr, Landon M, Benumof JL. Buccal pulse oximeter is more accurate than finger pulse oximeter in measuring oxygen saturation. Anesth Analg. 1992;75(4):495-8.
18. Åsheim P, Mostad U, Aadahl P. Ultrasound-guided central venous cannulation in infants and children. Acta Anaesthesiol Scand. 2002;46(4):390-2.
19. Leyvi G, Taylor DG, Reith E, et al. Utility of ultrasound-guided central venous cannulation in pediatric surgical patients: a clinical series. Paediatr Anaesth. 2005;15(11):953-8.
20. Dragulescu A, Golding F, Arsdell GV, et al. The impact of additional epicardial imaging to transesophageal echocardiography on intraoperative detection of residual lesions in congenital heart surgery. J Thorac Cardiovasc Surg. 2012;143(2):361-7.
21. Andropoulos DB, Stayer SA, Diaz LK, et al. Neurological Monitoring for Congenital Heart Surgery. Anesth Analg. 2004;99(5):1365-75.
22. Laussen PC, Murphy JA, Zurakowski D, et al. Bispectral index monitoring in children undergoing mild hypothermic cardiopulmonar bypass. Paediatr Anaesth. 2001;11(5):567-73.
23. Kussman BD, Gruber EM, Zurakowski D, et al. Bispectral index monitoring during infant cardiac surgery: relationship of BIS to the stress response and plasma fentanyl levels. Paediatr Anaesth. 2001;11(6):663-9.
24. Massey SL, Weinerman B, Naim MY.. Perioperative neuromonitoring in children with congenital heart disease. Neurocrit Care. 2024 Feb;40(1):116-129.
25. Ryalino C, Sahinovic MM, Drost G, Absalom AR. Intraoperative monitoring of the central and peripheral nervous systems: a narrative review. Neuroscience and Neuroanaesthesia. 2024;132 (2):285-299.
26. Scheeren TWL, Schober P, Schwarte LA. Monitoring tissue oxygenation by near infrared spectroscopy (NIRS): background and current applications. J Clin Monit Comput. 2012;26(4):279-87.
27. Austin EH 3rd, Edmonds HL Jr, Auden SM, et al. Benefit of neurophysiologic monitoring for pediatric cardiac surgery. J Thorac Cardiovasc Surg. 1997;114(5):707-15.
28. Matcan S, Carretero PS, Rojo MG, et al. The importance of bilateral monitoring of cerebral oxygenation (NIRS): Clinical case of asymmetry during cardiopulmonar bypass secondary to previous cerebral infarction. Rev Esp Anestesiol Reanim. 2018 Mar;65(3):165-169.
29. Desmond FA, S Namachivayam. Does near-infrared spectroscopy play a role in paediatric intensive care? BJA Education. 2016;16(8):281-285.
30. Tenório SB, Cumino DO, Gomes DB. Anestesia para o Recém-Nascido Submetido a Cirurgia Cardíaca com Circulação Extracorpórea. Rev Bras Anestesiol. 2005;55(1):118-34.
31. Pouard P, Bojan M. Neonatal cardiopulmonary bypass. Semin Thorac Cardiovasc Surg Pediatr Card Surg Ann. 2013;16(1): 59-61.
32. Gatzoulis MA, Webb GD, Daubeney PEF. Diagnosis and Management of Adult Congenital Heart Disease. Philadelphia: Churchill Livingstone; 2005.
33. Zannini L, Borini I. State of the art of cardiac surgery in patients with congenital heart disease. J Cardiovasc Med. 2007;8(1):3-6.
34. El-Said H, Hegde S, Foerster S, et al. Device therapy for atrial septal defects in a multicenter cohort: acute outcomes and adverse events. Catheter Cardiovasc Interv. 2015;85 (2):227-33.
35. Zhang ZW, Li CY, Ma LL, et al. Technical Aspects of Anesthesia and Cardiopulmonary Bypass in Patients Undergoing Totally Thoracoscopic Cardiac Surgery. J Cardiothor Vasc Anesth. 2012;26(2):270-3.
36. Egbe AC, Joseph Poterucha, Allison Cabalka, et al. Transcatheter closure of ventricular septal defect: results of midterm followup. J Am Coll Cardiol. 2015;65(10):A1800.
37. Singh P, Chauhan S, Jain G, et al. Comparison of Cardioprotective Effects of Volatile Anesthetics in Children Undergoing Ventricular Septal Defect Closure. Mundial J Pediatr Congenit Surg. 2013;4(1):24-9.
38. Malviya MN, Ohlsson A, Shah SS.. Surgical versus medical treatment with cyclooxygenase inhibitors for symptomatic patente ductus arteriosus in preterm infants. Cochrane Database Syst Rev. 2013; 2013(3):CD003951.
39. Suematsu Y, Mora BN, Mihaljevic T, del Nido PJ. Totally endoscopic robotic-assisted repair of patent ductus arteriosus and vascular ring in children. Ann Thorac Surg. 2005;80(6):2309-13.
40. Modi P, Rodriguez E, Chitwood WR Jr.. Robot-assisted cardiac surgery. Interagir Cardiovasc Thorac Surg. 2009;9 (3):500-5.
41. Ebaid M, Afiune JY. Coarctação de Aorta. Do Diagnóstico Simples às Complicações Imprevisíveis. Arq Bras Cardiol. 1998;71(5):647-8.
42. Santos MA, Azevedo VMP. Coarctação da aorta. Anomalia congênita com novas perspectivas de tratamento. Arq Bras Cardiol. 2003;80(3):340-6.
43. Clarkson PM, Brandt PW, Barratt-Boyes BG, et al. Prosthetic repair of coarctation of the aorta with particular reference to Dacron onlay patch grafts and late aneurysm formation. Am J Cardiol. 1985;56(4): 342-6.
44. Quaegebeur JM, Jonas RA, Weinberg AD, et al. Outcomes in seriously ill neonates with coarctation of the aorta. A multiinstitutional study. J Thorac Cardiovasc Surg. 1994 Nov;108(5):841-51; discussion 852-4.
45. Kappetein AP, Zwinderman AH, Bogers AJ, et al. More than thirty-five years of coarctation repair. An unexpected high relapse rate. J Thorac Cardiovasc Surg. 1994 Jan;107(1):87-95.
46. Bartelings M, Gittenberger-de Groot A. Morphogenetic considerations on congenital malformations of the outflow tract. Part 1: Common arterial trunk and tetralogy of Fallot. Int J Cardiol. 1991;32(2):213-30.
47. Lillehei CW, Varco RL, Cohen M, et al. The first open heart corrections of tetralogy of Fallot. A 26-31 year follow-up of 106 patients. Ann Surg. 1986;204 (4):490-502.
48. Moraes Neto F, Gomes CA, Lapa C, et al. Tratamento cirúrgico da tetralogia de Fallot no primeiro ano de vida. Rev Bras Cir Cardiovasc. 2000;15(2):143-53.
49. Singh RM, Banakal SK, Muralidhar K, et al. Halothane vs sevoflurane for anaesthetic induction in tetralogy of Fallot. J Anesth. 2002;18(1):57-62.
50. Chiu CL, Wang CY. Case report: Sevoflurane for dental extraction in children with Tetralogy of Fallot. Paediatr Anaesth. 1999;9(3):268-70.
51. Zeyneloglu P, Donmez A. Sevoflurane Induction in Cyanotic and Acyanotic Children with Congenital Heart Disease. Adv Ther. 2008;25(1):1-8.
52. Walker A, Stokes M, Moriarty A. Anesthesia for major general surgery in neonates with complex cardiac defects. Paediatr Anaesth. 2009;19(2):119-25.
53. Twite MD, Ing RJ. Tetralogy of Fallot: Perioperative Anesthetic Management of Children and Adults. Seminars in Cardiothoracic and Vascular Anesthesia. 2012;16(2):97-105.
54. Martins P, Castela E. Transposition of the great arteries. Orphanet J Rare Dis. 2008;3:27.
55. Caneo, LF, Lourençi Filho DD, Rocha e Silva R, et al. Operação de Senning com a utilização de tecidos do próprio paciente. Rev Bras Cir Cardiovasc. 1999;14(4):298-302.
56. Jatene MB, Jatene FB, Monteiro AC. Correção cirúrgica da transposição das grandes artérias: 30 anos de operação de Jatene. Rev Med (São Paulo). 2005;84(3-4):113-7.
57. Latham GJ, Joffe DC, Eisses MJ, et al. Anesthetic Considerations and Management of Transposition of the Great Arteries. Semin Cardiothorac Vasc Anesth. 2015;19(3):233-42.
58. Arciniegas E. Pediatric cardiac surgery. Chicago: Year Book Medical Publishers; 1985. p. 298-300.
59. Tam CKH, Lightfoot NE, Finlay CD, et al. Course of the tricuspid atresia in the Fontan Era. Am J Cardiol. 1989;63:589-93.
60. D'souza S, Satarkar B, Bharne SS. Anaesthesia for a minor procedure in a patient with fontan physiology. Indian J Anaesth. 2012;56(6):572-4.
61. Collett RW, Edwards JE. Persistent truncus arteriosus: a classification according to anatomic types. Surg Clin North Am. 1949;29:1245-70.
62. Bohuta L, Hussein A, Fricke TA, et al. Surgical repair of truncus arteriosus associated with interrupted aortic arch: long-term outcomes. Ann Thorac Surg. 2011 May;91(5):1473-7.
63. Van Praagh R, Van Praagh S. The anatomy of common aorticopulmonary trunk (truncus arteriosus communis) and its embryologic implications. A study of 57 necropsy cases. Am J Cardiol. 1965 Sep.;16(3):406-25.
64. Egbe A, Uppu S, Lee S, et al. Changing prevalence of severe congenital heart disease: a population-based study. Pediatr Cardiol. 2014 Oct.;35(7):1232-8.
65. Saxena A. Consensus on timing of intervention for common congenital heart disease. Indian Pediatr. 2008 Feb.;45(2):117-26.
66. Yeoh TY, Scavonetto F, Hamlin RJ, et al. Perioperative management of patients with DiGeorge syndrome undergoing cardiac surgery. J Cardiothorac Vasc Anesth. 2014 Aug;28(4):983-9.

67. Bosman M. Truncus arteriosus: perioperative management. Egypt J Cardiothorac Anesth. 2012;6(1):1-6.
68. Ziyaeifard M, Azarfarin R, Ferasatkish R. New aspects of anesthetic management in congenital heart disease "common arterial trunk". J Res Med Sci. 2014;19(4):368-74.
69. Norwood WI, Lang P, Hansen DD. Physiologic repair of aortic atresia-hypoplastic left heart syndrome. N Engl J Med; 1983;308(1):23-6.
70. Reemtsen BL, Pikeb NA, Starnes VA. Stage I palliation for hypoplastic left heart syndrome: Norwood versus Sano modification. Curr Opin Cardiol. 2007;22:60-5.
71. Caspi J, Pettitt TW, Mulder T, et al. Development of the Pulmonary Arteries After the Norwood Procedure: Comparison Between Blalock-Taussig Shunt and Right Ventricular–Pulmonary Artery Conduit. Ann Thorac Surg 2008;86:1299-304.
72. Bacha EA, Hijazi ZM, Cao QL, et al. Hybrid pediatric cardiac surgery. Pediatr Cardiol. 2005 Jul-Aug;26(4):315-22.
73. Galantowicz M, Cheatham JP, Phillips A, et al. Hybrid approach for hypoplastic left heart syndrome: intermediate results after the learning curve. Ann Thorac Surg. 2008 Jun; 85(6):2063-70.
74. Marshall AC, van der Velde ME, Tworetzky W, et al. Creation of an Atrial Septal Defect In Utero for Fetuses With Hypoplastic Left Heart Syndrome and Intact or Highly Restrictive Atrial Septum. Circulation 2004;110: 253-8.
75. Anesthesia for hypoplastic left heart syndrome: use of high-dose fentanyl in 30 neonates. Anesth Analg. 1986 Feb;65(2):127-32.
76. Naguib AN, Winch P, Schwartz L, et al. Anesthetic management of the hybrid stage 1 procedure for hypoplastic left heart syndrome (HLHS). Paediatr Anaesth. 2010 Jan;20(1):38-46.

159

Anestesia para Cirurgia Vascular Periférica

Alexandra Rezende Assad ■ **Luis Antonio dos Santos Diego** ■ **Pedro Ivo Rodrigues do Carmo Rezende**
João Alexandre Rezende Assad ■ **Tiago Coutas de Souza**

INTRODUÇÃO

Doença arterial oclusiva periférica (DAOP) é o termo empregado para descrever a diminuição do fluxo sanguíneo para as extremidades inferiores. É uma doença progressiva causada por uma oclusão ou estenose nas artérias dos membros inferiores (artéria ilíaca, femoral, poplítea e tibial posterior). A etiologia mais comum é a doença aterosclerótica com formação de placa de ateroma nas artérias, mas podem existir outras causas, como embolia e arterite. Outras patologias que podem ocorrer são as doenças aneurismáticas localizadas nas artérias ilíacas, femorais ou poplíteas.[1]

A doença arterial periférica é frequentemente um indicador de doença aterosclerótica obstrutiva dos vasos cerebrais e coronarianos, com consequente aumento do risco de acidente vascular cerebral (AVC), morte cardiovascular e infarto do miocárdio. Os pacientes com DAOP apresentam múltiplas comorbidades, como hipertensão arterial, dislipidemia, doença pulmonar obstrutiva crônica (DPOC), doença cerebrovascular (DCV), doença renal crônica (DRC), diabetes melito, idade avançada e doença arterial coronariana (DAC). Frequentemente, apresentam história de tabagismo, síndrome de fragilidade e capacidade funcional limitada, o que os caracteriza como pacientes de elevado risco cirúrgico.[2,3]

O manejo da doença arterial periférica inclui terapias conservadoras, tratamentos farmacológicos e tratamentos cirúrgicos, como a revascularização convencional ou endovascular.

Com o avanço no diagnóstico de doença arterial periférica, houve um aumento no número de procedimentos cirúrgicos de revascularização, especialmente por meio de intervenções endovasculares.[3] A incidência de complicações, principalmente cardíacas, é elevada durante o período perioperatório; por isso, a atuação do anestesiologista é fundamental para reduzir a morbimortalidade nessas cirurgias.[4]

■ DOENÇA ARTERIAL OCLUSIVA PERIFÉRICA

Incidência

A DAOP ocorre em 15% a 20% da população acima dos 70 anos, e em 3% a 10% dessa idade. Estima-se que 200 milhões de pessoas no mundo sofram de DAOP, mas muitos desses indivíduos são assintomáticos: apenas 25% a 33% apresentam sintomas da doença. O risco de eventos cardíacos adversos no período perioperatório de um paciente portador de DAOP é o mesmo que o de um paciente com DAC ou DCV. Por isso, é muito importante que indivíduos com DAC ou DCV sejam diagnosticados no pré-operatório e que os fatores de risco sejam controlados antes das cirurgias, sejam elas cardiovasculares ou não.[3,4]

A incidência de amputação nos pacientes com DAOP é de 3% a 4% em cinco anos, com exceção das pessoas com diabetes e daquelas que desenvolvem isquemia crítica de membros inferiores (dor em repouso, gangrena ou úlcera não cicatrizante) – nesses casos, o risco de amputação aumenta para mais de 25%. A taxa média anual de mortalidade de indivíduos com DAOP em cinco anos é de 82,4 mortes por 1.000 pacientes/ano.[3,4]

Sintomatologia

O curso clínico da DAOP é variável na população em geral. Somente 10% dos pacientes apresentam os sintomas clássicos de claudicação intermitente (CI).[3] Eles referem dor, dormência, cãibras e queimação em músculos dos membros inferiores desencadeadas pelo exercício, sendo necessária a interrupção da atividade física para alívio dos sintomas, o que ocorre em menos de dez minutos após o repouso. Esses sintomas resultam da redução do fluxo sanguíneo para a musculatura esquelética das extremidades inferiores.

Quanto maior a gravidade da doença, maior é a limitação funcional, com diminuição da quantidade de exercício sem sintomatologia. Outros fatores que influenciam a gravidade da CI são a extensão da circulação colateral e a quantidade de atividade física realizada. O principal determinante do aparecimento dos sintomas é o nível de atividade física adotado pelo paciente. Quanto maior for a atividade física praticada, mais precocemente esses sintomas aparecerão. Nos casos mais graves, os sintomas podem ocorrer inclusive em repouso. Cerca de 40% dos pacientes com DAOP são assintomáticos e 50% têm apresentação atípica, com dor e parestesia em outros músculos que não a panturrilha, além de diminuição da temperatura, atrofia e fraqueza muscular e ausência de pulso.[3,5]

Na maioria dos pacientes com DAOP, os sintomas de claudicação estabilizam-se devido ao desenvolvimento de circulação colateral ou adaptações metabólicas musculares. Contudo, em 25% dos casos, a doença evolui com piora da CI ou desenvolvimento de isquemia crítica dos membros inferiores (ICMI), que consiste em um quadro grave, com dor em repouso, úlcera isquêmica que não cicatriza ou gangrena. A ICMI é rara, com incidência de 0,25 a 0,45 por 1.000 pacientes/ano, associada a risco de amputação de 40% em um ano e/ou a risco de mortalidade extremamente elevado (25% em um ano).[5]

Fatores de Risco

Os fatores de risco associados ao desenvolvimento de DAOP mais comuns e importantes são tabagismo e diabetes melito. O tabagismo é o fator de risco mais importante para o desenvolvimento da doença, pois ocasiona um aumento de quatro vezes na chance de desenvolvimento da doença, enquanto o diabetes melito dobra o risco. Os pacientes diabéticos apresentam curso muito agressivo da doença, com risco cinco a dez vezes maior de amputação. A duração do diabetes e o nível de controle glicêmico estão fortemente associados ao desenvolvimento de DAOP.[4]

No caso do tabagismo, a gravidade da DAOP e a taxa de mortalidade aumentam com a carga tabágica. A interrupção do fumo está associada a declínio da progressão da CI.

Outros fatores de risco são: dislipidemia, hipertensão arterial, insuficiência renal crônica, idade avançada, sexo masculino e afrodescendência.[3] Há um efeito cumulativo dos fatores de risco, de modo que a probabilidade de desenvolver DAOP aumenta com cada fator de risco presente. Um fator de risco aumenta 1,5 a chance de DAOP, dois fatores de risco quase triplicam a ocorrência da doença, e três fatores aumentam em dez vezes o risco.

Fisiopatologia

A DAOP é causada por aterosclerose, com placas ateromatosas em vasos de médio e grosso calibre, causando diminuição do fluxo sanguíneo para as regiões supridas por esses vasos em virtude da diminuição do calibre deles. Durante o exercício, o aporte sanguíneo não consegue suprir as necessidades teciduais de oxigênio (O_2), o que leva a um desbalanço entre a oferta e o consumo de O_2 e causa a isquemia tecidual. No entanto, assim como na DAC, a placa de ateroma pode se romper e gerar uma trombose com oclusão aguda do vaso e isquemia da região.

As placas de ateroma formam-se por processos multifatoriais, incluindo disfunção endotelial, inflamação, estresse oxidativo, ativação de plaquetas, dislipidemia, ativação da musculatura lisa vascular e hipercoagulabilidade. Trata-se de um processo difuso e progressivo.[6]

Diagnóstico

O diagnóstico é baseado na história clínica detalhada de CI, obtendo-se informações sobre a distância percorrida para o início do aparecimento dos sintomas e o máximo que se consegue andar.[3] No exame físico, deve-se avaliar os pulsos nos membros inferiores, verificando se estão presentes, diminuídos ou ausentes. Avalia-se também a presença de alterações tróficas na pele, como queda de cabelo, variação de temperatura, áreas de ulceração e presença de gangrena.

O índice tornozelo-braquial (ITB) é o melhor teste inicial para confirmar a presença de DAOP. Consiste na comparação da pressão arterial sistólica (PAS) do membro superior (braquial) e do tornozelo. Usa-se a fórmula:

$$ITB = (PASt/PASb) \ (PASt = PAS \ do \ tornozelo; PASb = PAS \ do \ braço)$$

Valores entre 0,9 e 1,3 são considerados normais; valores abaixo de 0,9 são altamente específicos de DAOP.

O valor de ITB tem relação direta com a gravidade da doença. Pacientes com CI têm valores de ITB entre 0,5 e 0,9, e os valores de ITB dos pacientes com isquemia crítica são menores que 0,5. O ITB é um fator independente como preditor de eventos cardiovasculares e mortalidade. Valores falsamente elevados podem ser encontrados em pacientes diabéticos que apresentam artérias muito calcificadas.[1-5]

Pode-se realizar também o teste de Buerger, que consiste em elevar o membro inferior acometido passivamente e depois colocá-lo em uma posição pendente. Se houver DAOP, a pele do membro ficará empalidecida ao se elevar e, em seguida, ocorrerá rubor na posição pendente.[3]

É preciso pesquisar todos os fatores de risco associados com DAOP e investigar a existência de DAC e DCV, diabetes melito, doença renal crônica e DPOC.[3]

O exame de imagem que deve ser solicitado a um paciente com DAOP é o Doppler colorido arterial de membros inferiores. Este é um método não invasivo que permite avaliar o calibre das artérias, verificar a localização das áreas estenóticas e determinar medidas de fluxo sanguíneo. Também é utilizado para acompanhamento pós-operatório de pacientes submetidos à revascularização.[4,5]

Outros exames de imagem realizados quando se tem como objetivo a intervenção cirúrgica do paciente são a angiorressonância e a angiotomografia de membros inferiores e a arteriografia. Esses exames podem causar morbidade para os pacientes, devendo ser solicitados somente quando é necessário avaliar a localização anatômica, a extensão da doença arterial e o fluxo distal à área acometida. Na arteriografia e na angiotomografia, utiliza-se contraste iodado, podendo causar reações alérgicas e nefrotoxicidade. No caso da angiorressonância, pacientes claustrofóbicos têm dificuldade para a realização do exame, e aqueles com insuficiência renal podem desenvolver uma fibrose sistêmica nefrogênica pelo uso do contraste de gadolínio. Tanto a angiotomografia quanto a angioressonância apresentam excelente acurácia e alta sensibilidade e especificidade para o diagnóstico de DAOP, com localização anatômica precisa das lesões estenóticas; por isso, são exame frequentemente realizados antes da intervenção cirúrgica. A arteriografia é o exame de imagem considerado padrão-ouro para a localização e a avaliação da extensão da doença aterosclerótica.[3] Uma estenose é considerada hemodinamicamente significativa se tiver uma redução de 70% no diâmetro do vaso ou um gradiente significativo em repouso.[5]

Tratamento Conservador

A DAOP deve ser tratada com o objetivo de manter a atividade funcional, reduzir a incidência de eventos cardíacos adversos e evitar a amputação. O tratamento inicial inclui um programa de exercícios que reduz os sintomas de claudicação e aumenta a velocidade e a distância da caminhada. Deve-se sempre incentivar o paciente a ter um programa supervisionado de exercícios (PSE) praticados regularmente para aumentar o fluxo por vasos colaterais, produzir alterações metabólicas nos músculos e melhorar a função endotelial. Além disso, devem ser instituídos tratamentos médicos para melhorar os sintomas e fatores de risco. Para ser efetivo, o PSE deve ser estruturado com exercícios com duração de 30 a 45 minutos, três vezes na semana, por 12 semanas.[3] O PSE é considerado nível de recomendação classe 1 para a melhora da capacidade funcional, da qualidade de vida e dos sintomas nos membros inferiores.[3,4]

O tratamento medicamentoso inclui o uso de cilostazol, agente vasodilatador que age inibindo a enzima fosfodiesterase na musculatura vascular e que se mostrou efetivo no tratamento da CI, com redução dos sintomas.[3,4] Para o controle dos fatores de risco, é fundamental a interrupção do tabagismo, pois isso reduz o risco de amputação futura, aumenta a expectativa de vida e melhora o resultado cirúrgico tanto da angioplastia quanto da cirurgia, diminuindo a rejeição ao enxerto. Controle da glicemia e da hipertensão arterial, redução do peso e emprego de antagonistas da enzima conversora ou antagonistas dos receptores de angiotensina II parecem ser particularmente efetivos em reduzir a morbimortalidade cardíaca em pacientes com DAOP.[3,4]

O tratamento com estatinas pode reduzir a progressão da doença em pacientes com DAOP, melhorando a distância da CI e o ITB e diminuindo a incidência de eventos adversos cardiovasculares em pacientes com a doença. As diretrizes atuais recomendam o uso de estatinas em todos os pacientes com DAOP. Um estudo de coorte observacional envolvendo 156.647 pacientes entre os anos de 2003 e 2014 revelou que o uso de estatinas diminuiu significativamente o risco de amputação e a mortalidade desses pacientes quando comparado ao uso somente de ácido acetilsalicílico (AAS).[7]

A terapia antiplaquetária com AAS na dose de 75 mg a 325 mg/dia ou clopidogrel 75 mg/dia é recomendada aos pacientes com DAOP para reduzir os riscos de eventos cardiovasculares adversos.[3] O estudo CAPRIE mostrou uma leve superioridade do clopidogrel (8,7%) quando comparado com AAS na redução dos riscos enquanto monoterapia.[8]

Já o estudo CHARISMA não mostrou diferença na incidência de eventos adversos cardiovasculares comparando clopidogrel e AAS com somente AAS em pacientes com DAOP.[9] E o estudo COMPASS, por sua vez, revelou que a combinação de AAS com rivaroxabana mostrou melhores resultados do que somente AAS em reduzir eventos cardíacos adversos.[10]

Prognóstico

Em média, a sobrevida após o aparecimento dos sintomas de CI é de dois anos, dependendo das comorbidades dos pacientes: idade acima de 80 anos, índice de massa corporal (IMC) inferior a 18 kg/m^{-2}, hemodiálise, DCV, fração de ejeção ventricular esquerda inferior a 40%.

A revascularização, seja endovascular, seja cirúrgica, é determinante na redução da alta morbimortalidade associada à perda do membro. A taxa de mortalidade é de cerca de 20% dentro de seis meses e de 50% após cinco anos do diagnóstico em pacientes sem tratamento de revascularização.[5]

◾ TRATAMENTO CIRÚRGICO

A cirurgia de revascularização de membros inferiores é realizada para restaurar o suprimento sanguíneo das extremidades inferiores quando há uma obstrução arterial. Pode ser realizada por meio de cirurgia (ponte/by-pass ou endarterectomia) ou por um método menos invasivo, como a técnica endovascular (angioplastia transluminal e implante de stent). As cirurgias podem ser divididas anatmomicamente em suprainguinal (doença oclusiva ilíaca e da aorta infrarrenal) e infrainguinal (doença oclusiva nas artérias femorais comuns e artérias distais). As indicações cirúrgicas ocorrem no caso de ICMI (dor em repouso, perda tecidual ou úlcera ou gangrena) ou CI em que as medidas conservadoras (exercício e tratamento farmacológico) falharam no alívio dos sintomas que estão causando incapacitação para o trabalho ou para atividades importantes ao paciente.

A decisão entre a técnica endovascular e a convencional ou cirúrgica deve levar em consideração as condições clínicas do paciente, a experiência do cirurgião, a meia-vida de duração da técnica selecionada, a localização e o padrão anatômico da lesão, a presença de veia autóloga para o enxerto e o risco de morbimortalidade associado.

Há poucos estudos clínicos que comparam os resultados das duas técnicas.[2,5,11] Em geral, a técnica endovascular é escolhida para pacientes de alto risco, com expectativa de vida limitada, lesões únicas e veia incompetente para a ponte. A técnica convencional é selecionada para pacientes com melhor condição clínica, expectativa de vida maior que dois anos, lesões complexas e múltiplas e veia safena adequada para o enxerto.[6]

É importante ressaltar que cada situação clínica é única e a avaliação deve ser individualizada, com a decisão médica sendo baseada na técnica que trará maiores benefícios para o paciente. Ambas as técnicas, endovascular e convencional, são apropriadas para a revascularização do membro inferior diante de uma lesão isquêmica com risco de amputação.

Com o cenário de constantes avanços na abordagem da doença arterial periférica, é imperativo que a equipe cirúrgica esteja atualizada e ofereça recursos e opções terapêuticas que permitam o melhor desfecho dos pacientes. No entanto, sempre devem ser consideradas questões como a disponibilidade e a qualidade dos dispositivos, além da experiência clínica da equipe.[5] Embora não se haja consenso sobre a melhor técnica, uma metanálise recente envolvendo sete trabalhos clínicos randomizados e 20 estudos retrospectivos com 17.536 pacientes demonstrou que a técnica endovascular apresentou, estatisticamente, menor incidência de complicações, menor tempo de internação hospitalar e menores taxas de amputação e de mortalidade quando comparada à técnica convencional. Não houve diferença significativa em relação a salvamento do membro, taxa de sucesso cirúrgico e sobrevida.[12]

Independentemente do tipo de cirurgia, é importante o seguimento desses pacientes no pós-operatório, com avaliações clínicas periódicas para verificar a cicatrização da úlcera ou ferida no membro inferior, o alívio da dor e dos sintomas de CI, a presença de pulso e a melhora do ITB. Exames de imagem também podem avaliar a evolução após a cirurgia.

A terapia medicamentosa com agentes antiplaquetários e antitrombóticos é empregada para diminuir a incidência de reestenose, oclusão do enxerto e trombose intra-*stent*. Pacientes com *by-pass* utilizando próteses se beneficiam de terapia antiplaquetária com ASS (75 mg a 325 mg), e aqueles com enxertos venosos se beneficiam do uso de anticoagulantes. Pacientes que realizam procedimentos endovasculares se beneficiam de dupla antiagregação, embora o melhor regime terapêutico ainda seja controverso e careça de mais estudos.

A estratégia de redução dos fatores de risco deve ser mantida no pós-operatório, com cessação do tabagismo, para não reduzir a patência da revascularização e aumentar o risco de amputação subsequente. Deve-se manter o controle da hipertensão arterial, da hiperlipidemia, do diabetes melito e da terapia com estatina.

Técnica endovascular

Com os avanços no diagnóstico da doença arterial periférica, tem crescido o número de cirurgias com novos métodos de tratamento e revascularização, especialmente as intervenções endovasculares. À medida que novos e sofisticados dispositivos são desenvolvidos, os especialistas necessitam entender como incorporar melhor essas tecnologias em suas decisões clínicas e em suas escolhas para a melhor abordagem terapêutica desses pacientes.[5]

Em geral, a técnica endovascular consiste em uma angioplastia transluminal com ou sem a implantação de um *stent* que permite a recanalização de um vaso. Introduz-se, por meio de um acesso percutâneo no vaso (geralmente punção na artéria femoral), um cateter com balão até o local de estenose na artéria; com a insuflação do balão, a placa de ateroma é quebrada e dilata-se a área estenótica. Pode ou não haver a colocação de um *stent* intravascular com a finalidade de retardar ou reduzir a incidência de reestenose ou oclusão.

A duração da patência da cirurgia endovascular é maior para os procedimentos proximais realizados nas artérias ilíacas e femorais do que para os procedimentos distais, como aqueles feitos nas artérias infrapatelares. O risco de reestenose aumenta quanto maior for o segmento de artéria a ser tratada. Atualmente, para elevar a duração da patência do vaso, tem-se utilizado na angioplastia um balão com fármacos (balão farmacológico) que diminuem a chance de reestenose.[5]

Em relação à durabilidade do tratamento, as lesões com menos de 100 mm de comprimento podem ser tratadas com angioplastia por balão, e o implante de *stent* é uma opção para lesões de maior comprimento.[11] Nos casos de isquemia aguda por oclusão arterial, pode-se colocar um cateter para a infusão de trombolíticos diretamente na artéria ocluída – esta é considerada uma terapia complementar à cirurgia endovascular ou à convencional. Nesses casos, a anestesia regional está contraindicada.

Muitos pacientes com DAOP apresentam comorbidades que os tornam inelegíveis para a realização da cirurgia convencional, na qual eles seriam submetidos aos efeitos do pinçamento e despinçamento de grandes vasos e estariam sujeitos a grande perda sanguínea, mas podem ser candidatos à técnica endovascular, que é menos invasiva e causa menor repercussão hemodinâmica.

Técnica convencional ou cirúrgica

Os tratamentos variam de acordo com a localização da área estenótica, a patência de veias para a realização das pontes e as condições clínicas dos pacientes. Eles se baseiam na criação de uma via alternativa para o redirecionamento do fluxo sanguíneo quando há obstrução ou estenose arterial.[4] Esses procedimentos apresentam alta morbimortalidade, sendo indicados para pacientes com estado geral mais preservado, sem grandes comorbidades.

As repercussões hemodinâmicas são maiores tanto pela perda sanguínea quanto pelo efeito da lesão de isquemia e reperfusão causado pelo pinçamento e despinçamento da artéria.[13,14]

Apesar do aumento do número de procedimentos endovasculares realizados para o tratamento da doença supra inguinal, o tratamento cirúrgico ainda é considerado o padrão-ouro para esse tipo de doença. Para a doença oclusiva aortoilíaca, pode-se realizar a ponte aortobifemoral (revascularização anatômica). Nos pacientes cuja condição clínica é limitada essa ponte aortobifemoral, podem ser feitas as pontes axilofemoral e a femorofemoral (revascularização extra anatômica) – neste último caso, quando a doença se restringir a uma artéria ilíaca. Nesses procedimentos, são utilizados enxertos de Dacron ou de politetrafluoroetileno (PTFE).[13,14]

Para a doença oclusiva arterial infrainguinal, o procedimento mais comumente realizado é a ponte femoropoplítea. Para essa ponte, prefere-se utilizar a veia safena ipsilateral, pois sua patência é maior que a de um enxerto de PTFE. A doença geralmente acomete a artéria femoral superficial no seu trecho mediano ou distal. Se existir doença mais distal, a ponte deverá ser realizada entre as artérias femoral e tibial posterior ou anterior ou artéria fibular, mas também poderá ser feita em artérias mais distais ao nível do tornozelo, sendo então chamada de ponte femorodistal.[5]

Pode-se, ainda, realizar a endarterectomia na artéria femoral superficial ou profunda, o que consiste na retirada da placa de ateroma com colocação de um *patch* (tecido) para fechar a abertura da artéria, melhorando o fluxo sanguíneo.[13,14]

Também podem ser feitos procedimentos híbridos, em que as técnicas endovascular e convencional são utilizadas conjuntamente.

■ AVALIAÇÃO PRÉ-OPERATÓRIA

Os pacientes submetidos a cirurgias vasculares periféricas arteriais (estenose ou aneurismas) são considerados de elevado risco para eventos cardíacos adversos (5%) segundo o American College of Cardiology (ACC) e a American Heart Association (AHA). Os procedimentos endovasculares são classificados como de risco intermediário, por serem menos invasivos do que os cirúrgicos convencionais, que são classificados como de elevado risco de complicação.[15]

Esse risco elevado de eventos cardíacos adversos está associado à presença de várias comorbidades além da DAOP, como hipertensão arterial, diabetes melito, DAC, DPOC, DRC, dislipidemia, DCV e idade avançada. Por essas razões, a anestesia para procedimentos vasculares é um desafio para os anestesiologistas.

Em caso de cirurgias eletivas, o objetivo principal da consulta pré-anestésica é identificar e tratar as condições que assegurem uma condição pré-operatória otimizada desse paciente, a fim de diminuir a morbimortalidade perioperatória e realizar um adequado planejamento anestésico.[15] Apesar da pequena janela de tempo entre a apresentação da doença e a cirurgia vascular, frequentemente há oportunidades de intervenções que irão impactar de maneira positiva o cuidado perioeratória e desfecho pós-operatório.

Avaliação Cardiológica

Pacientes submetidos a cirurgias vasculares periféricas apresentam alta incidência de hipertensão, DAC e dislipidemia, exigindo atenção especial à avaliação cardiológica.

As diretrizes da AHA/ACC, publicadas em 2014 para avaliação cardiológica em pacientes submetidos a cirurgias não cardíacas, são o guia primário para avaliação pré-operatória, ainda que novas evidências demonstrem a necessidade de atualização na predição dos riscos.[15,16]

Pacientes submetidos a cirurgias eletivas devem ser avaliados no pré-operatório quanto à presença de condições cardíacas ativas. Essas condições podem postergar a cirurgia até a realização de intervenção ou a otimização do quadro. Entre elas, destacam-se doença coronariana instável, insuficiência cardíaca sintomática, doença cardíaca valvular instável, arritmia instável, doença cardíaca congênita instável.[16]

Em outra etapa das diretrizes, os pacientes deverão ser estratificados. Um dos critérios mais utilizados é o índice de risco cardíaco revisado (IRCR), que inclui: história de cardiopatia isquêmica, história de ICC, história de DCV; creatinina maior que 2 mg/dL^{-1}; diabetes melito e cirurgias de alto risco. A presença de um ou mais fatores de risco aumenta a probabilidade de evento cardíaco adverso (isquemia miocárdica, infarto agudo do miocárdio ou morte). Para dois fatores de risco, a incidência de eventos cardíacos adversos é de 7%; para três ou mais, 11%.[15]

Evidências atuais mostram que o IRCR tende a subestimar os pacientes, principalmente aqueles com acometimento vascular, de modo que cerca de 30% dos que são avaliados como de baixo risco deveriam ser considerados de alto risco, o que levaria a uma investigação adicional. [16]

A estratificação das cirurgias também é realizada considerando-se os procedimentos vasculares abertos como de risco cirúrgico elevado (evento cardíaco adverso maior que 5%), e os procedimentos endovasculares e na carótida como de risco intermediário.[15]

Em outra etapa das diretrizes, deverá ser realizada a avaliação da capacidade funcional, que nesses pacientes é prejudicada pela DAOP, o que, por si só, limita a atividade física. Os pacientes com capacidade funcional limitada menor que 4 MET têm maior incidência de complicações após cirurgia de revascularização de membros inferiores do que aqueles com boa capacidade funcional.[15]

Pacientes que apresentam alto risco de eventos cardíacos adversos e têm capacidade funcional ruim (inferior a 4 MET) ou desconhecida são candidatos à investigação cardiológica antes da cirurgia vascular por meio de exames não invasivos, como ecocardiograma de estresse com dobutamina e cintilografia miocárdica com dipiridamol. Em caso de anormalidade, o paciente deverá realizar exame invasivo (cineangiocoronariografia) para a definição de conduta, seja angioplastia coronariana, seja revascularização miocárdica.[15,16]

A realização do ecotranstorácico não é obrigatória em todos os pacientes submetidos a procedimentos vasculares, porém esse exame traz informações importantes sobre condições cardíacas ativas, bem como sobre a performance cardíaca, alterações segmentares de movimentação de parede e presença de disfunção diastólica.[15,16]

Avaliação Respiratória

Muitos desses pacientes são portadores de DPOC e/ou tabagistas crônicos e, portanto, devem ter a sua função respiratória avaliada no pré-operatório. A otimização da função pulmonar antes da cirurgia, por meio de fisioterapia respiratória e de terapia medicamentosa à base de broncodilatadores, deve ser realizada em conjunto com o pneumologista.

Além disso, deve-se verificar a carga tabágica desse paciente. Tabagistas têm pior curso da doença e maiores taxas de complicação pós-operatória, além de elevado risco de falência do enxerto e de estenose dos *stents*. O aconselhamento da suspensão pré-operatória do tabagismo é particularmente importante nos pacientes com DAOP para melhorar os desfechos perioperatórios, incluindo o risco de eventos adversos cardiovasculares, as complicações pulmonares e a perda do membro inferior.[3-5]

Avaliação Nefrológica

A DRC é comum em pacientes com DAOP de extremidade inferior que requer revascularização. Esses pacientes têm maior risco de desenvolver nefropatia induzida pelo contraste (NIC); portanto, a avaliação da dosagem sérica de creatinina deve ser obtida no período pré-operatório e utilizada como parâmetro de comparação com os valores de creatinina após o uso do contraste iodado. Se possível, recomenda-se aguardar cerca de duas semanas entre a última administração de contraste e o momento da cirurgia, caso a função renal do paciente tenha diminuído.

A hidratação com solução salina isotônica é a forma mais adequada para prevenção da NIC. Para pacientes ambulatoriais, solução fisiológica a 0,9% via venosa (3 mL/kg⁻¹) é normalmente administrada uma hora antes do procedimento planejado; em seguida, de 1 a 1,5 mL/kg⁻¹/hora é administrado durante o procedimento e por quatro a seis horas no pós-operatório.

Para pacientes internados, 1 mL/kg⁻¹/hora de solução fisiológica a 0,9% é administrado por 6 a 12 horas antes e durante o procedimento, e mantido por 6 a 12 horas após, ou pode ser realizada infusão de 75 mL/kg⁻¹ 12 horas antes e seis horas depois.[17,18]

Avaliação Endocrinológica

Aproximadamente um terço dos pacientes com DAOP têm diabetes mellitus insulinodependente ou não. O gerenciamento de fatores de risco e o controle glicêmico são importantes para reduzir as complicações, principalmente as infecciosas. A dosagem da hemoglobina glicada deve ser realizada no pré-operatório e seus níveis estão relacionados a uma maior incidência de complicações.

Os objetivos do manejo perioperatório de pacientes com diabetes são: evitar a hipoglicemia, fazer manutenção do equilíbrio de fluidos e eletrólitos e evitar hiperglicemia significativa. No período perioperatório, existem algumas diretrizes que estabelecem como desejável manter a glicemia entre 140 a 180 mg/dL⁻¹.[16]

História de Alergia ou Reação Adversa a Iodo

História de alergia a contraste iodado deve ser investigada no pré-operatório, pois ele será utilizado nos procedimentos endovasculares ou nas arteriografias, nos procedimentos convencionais. Em caso de alergia a contraste iodado, deve-se realizar o protocolo de dessensibilização antes do procedimento. Cada instituição tem seu protocolo – um deles recomenda a dose de 50 mg de prednisona via oral 13 horas, 7 horas e 2 horas antes da cirurgia, associada a antagonistas de receptores histamínicos H$_1$ (loratadina 10 mg ou fexofenadina 180 mg). Outras instituições utilizam o protocolo com três dias de preparo: no primeiro dia, administra-se uma dose de prednisona de 20 mg; no segundo dia, 40 mg; e no terceiro (dia da cirurgia), 60 mg associada a loratadina 10 mg ou fexofenadina 180 mg via oral.

A terapia profilática com corticosteroide e anti-histamínicos deve ser empregada em pacientes que apresentem fatores de risco (nomeadamente história de reação prévia a contraste iodado), pois tem efeito protetor no desenvolvimento de sintomas cutâneos, respiratórios e cardiovasculares e previne uma reação adversa grave.[19]

Síndrome de Fragilidade

Muitos pacientes com DAOP, além das múltiplas comorbidades e da idade avançada, apresentam a síndrome da fragilidade (SF), que impacta diretamente no desfecho pós-operatório. No geral, 30% a 50% dos pacientes idosos candidatos a cirurgias de grande porte apresentam a SF.

A SF é considerada um fator de risco independente para complicações pós-operatórias, morbimortalidade, tempo prolongado de internação e institucionalização, independentemente do tipo de cirurgia. Há uma relação direta entre o grau de SF e os eventos adversos após a cirurgia. A fragilidade foi identificada como o mais forte fator de risco para o desenvolvimento de morbidade pós-operatória nesse grupo de pacientes, além de ser um fator de risco independente para o desenvolvimento de *delirium*. A fragilidade é um forte preditor de resultados funcionais adversos – cerca de 29% das pessoas com fragilidade morrem, ficam institucionalizados ou retornam para casa com uma nova deficiência após cirurgia eletiva.[20]

A fragilidade é uma síndrome multidimensional que inclui déficits relacionados a desempenho físico, estado nutricional, saúde mental e cognição. Representa um estado de vulnerabilidade fisiológica decorrente da reserva homeostática diminuída de diversos órgãos e sistemas e da capacidade reduzida do organismo de enfrentar um número variado de desfechos negativos de saúde, como cirurgias, internações hospitalares, quedas e perda funcional, com aumento da probabilidade de morte. A SF tem um espectro amplo, desde casos leves até casos muito avançados, e deve ser diferenciada do envelhecimento.[20]

Existem vários instrumentos para avaliação, todos com o objetivo de identificar o idoso frágil ou vulnerável. Esses indivíduos podem se beneficiar de reabilitação pré-operatória com exercícios multimodais (ou seja, treinamento aeróbio e de força), que diminuem as taxas de complicações e possivelmente melhoram resultados funcionais quando realizados pelo menos duas semanas antes da cirurgia. Além disso, deve-se tratar desnutrição e anemia ferropriva com suplementação alimentar proteica e de ferro, respectivamente, no pré-operatório.[20] A otimização das condições do paciente com relação a força, mobilidade e nutrição melhoram os desfechos pós-operatórios.

Medicações de Uso Crônico

Medicações de uso crônico, principalmente aquelas que diminuem o risco de eventos cardiovasculares adversos como betabloqueadores, estatinas e AAS, devem ser mantidas, inclusive no dia da cirurgia. A exceção são os inibidores da enzima conversora e os antagonistas de receptores da angiotensina II, que devem ser suspensos devido ao risco de lesão renal aguda e aumento da incidência de hipotensão arterial 24 horas antes da cirurgia. Os anti-inflamatórios não esteroides devem ser suspensos em virtude do risco de agravarem uma lesão renal aguda no perioperatório.[16-18]

No caso de pacientes com diabetes, os hipoglicemiantes orais devem ser substituídos por insulina no período perioperatório, principalmente a metformina, que deverá ser suspensa 48 horas antes do procedimento que envolva a administração de contraste iodado, pelo risco de acidose metabólica. No caso de pacientes em uso de insulina de duração de ação intermediária ou longa, a dose administrada na manhã da cirurgia deverá ser suspensa ou reduzida para metade ou um terço, a fim de evitar hipoglicemia. As insulinas de ação rápida são indicadas no pré-operatório para o tratamento da hiperglicemia. O controle da glicemia deve ser realizado com rigor no pré-operatório desses pacientes.[18]

Em sua grande maioria, pacientes com DAOP fazem uso de AAS na dose de 75 mg a 325 mg/dia. No entanto, algumas vezes, esses pacientes podem estar fazendo uso de dupla antiagregação (AAS e clopidogrel), por possuírem *stents* coronarianos implantados previamente, ou mesmo de anticoaguladores no pré-operatório, como no caso de isquemia arterial aguda (IAA). Nesses casos, deve ser feita uma avaliação individual e uma verificação sobre a necessidade de suspensão ou não da medicação antes da cirurgia.

As recomendações da Sociedade Americana de Anestesia Regional para pacientes em uso de antiagregantes plaquetários são: manter a aspirina, pois não aumenta o risco de hematoma espinhal após raquianestesia ou anestesia peridural; e suspender clopidogrel, ticagrelor (cinco a sete dias), prasugrel (sete a dez dias) e ticlopidina (dez dias) antes do bloqueio, se possível. No caso dos inibidores da glicoproteína IIb/IIIa, cilostazol deve ser suspenso dois dias antes; dipiridamol, 24 horas antes; abciximabe, 24 horas a 48 horas antes; eptifibatide e tirofiban, quatro a oito horas antes da realização do bloqueio do neuroeixo.

No caso dos anticoagulantes, a recomendação é suspender a heparina de baixo peso molecular utilizada em dose plena 24 horas antes da realização do bloqueio e profilaticamente 12 horas antes. A heparina não fracionada deve ser suspensa seis horas antes; os cumarínicos (varfarina), cinco dias; a apixaban e a rivaroxabana, 72 horas; e a dabigatran, três a cinco dias antes do bloqueio[21] (Tabelas 159.1 e 159.2).

Tabela 159.1 Antiagregantes plaquetários.

Medicamentos	Recomendação (suspensão antes do bloqueio)
Aspirina	Manter
Clopidogrel (Plavix®)	5 a 7 dias
Ticagrelor (Brilinta®)	5 a 7 dias
Prasugrel (Effient®)	7 a 10 dias
Ticlopidina (Ticlid®)	10 dias
Inibidores da glicoproteína IIb/IIIa	
Cilostazol	2 dias
Dipiridamol	1 dia
Abiximab (ReoPro®)	1 a 2 dias
Eptifibatide (Integrilin®)	4 h a 8 h
Tirofiban (Aggrastat®)	4 h a 8 h

Tabela 159.2 Anticoagulantes.

Medicamentos	Recomendação (suspensão antes do bloqueio)
Heparina de baixo peso molecular – dose terapêutica	24 h
Heparina de baixo peso molecular – dose profilática	12 h
Heparina fracionada	6 h
Cumarínicos	5 dias
Apixaban (Eliquis®)	3 dias
Rivaroxabana (Xarelto®)	3 dias
Dabigatran (Pradaxa®)	3 a 5 dias

◾ ANESTESIA PARA A TÉCNICA CIRÚRGICA ENDOVASCULAR

Esses procedimentos podem ser realizados na sala de hemodinâmica ou no centro cirúrgico com um intensificador de imagens com funções adequadas para o procedimento vascular. A mesa cirúrgica deve ser radiotransparente e a equipe deve utilizar equipamentos de proteção individual (EPI) durante todo o procedimento, a fim de evitar lesões por exposição ao raio X. Esses equipamentos incluem avental de chumbo, protetor de tireoide e óculos de proteção.

Nos pacientes programados para o procedimento endovascular, a técnica anestésica pode variar entre uma anestesia regional (subaracnóidea ou peridural ou a técnica combinada raqui/peridural), desde que não haja contraindicação, bloqueio de nervos periféricos guiados por ultrassonografia ou anestesia local e sedação. Esse procedimento é considerado minimamente invasivo, pois na maioria das vezes é realizada apenas uma punção arterial para a introdução das bainhas e cateteres, gerando um estímulo doloroso pequeno.

A técnica de sedação venosa pode ser: associação de benzodiazepinicos (midazolam 0,5 a 0,8 mg.kg^{-1}) com opioides (fentanil 1 µg.kg^{-1} ou remifentanil 0.05 µg.kg^{-1}.min^{-1} em infusão contínua) ou infusão contínua de propofol (30-50 mg.kg^{-1}.min^{-1}) ou dexmedetomedina (0,3-0,4 µg.kg^{-1}.h^{-1}) ou uma associação de dexmedetomedina (1µg.kg^{-1}) com cetamina (1 mg.kg^{-1}).

A monitorização deve incluir o cardioscópio, a oximetria de pulso, a pressão não invasiva e a temperatura. Raramente, é necessária monitorização mais invasiva. A monitorização do eletrocardiograma deve incluir a análise do segmento ST, e recomenda-se incluir três derivações DII, V4 e V5 para aumentar a detecção de eventos isquêmicos intraoperatórios por alterações no segmento ST. A sensibilidade para a detecção de isquemia significativa no perioperatório é de 80% quando DII e V5 são utilizados e aumenta para 96% quando V4 é usado. DII também é útil para a detecção de arritmias.[22]

Geralmente, não é necessária a monitorização da pressão arterial invasiva, acesso vascular de grande calibre ou a punção de veia profunda nos procedimentos endovasculares de membros inferiores, a não ser que o paciente apresente disfunção cardíaca significativa.

■ ANESTESIA PARA A TÉCNICA CIRÚRGICA CONVENCIONAL

Os pacientes candidatos a cirurgias de revascularização de membros inferiores podem ser submetidos a anestesia geral, regional (subaracnóidea, peridural ou raqui/peridural combinadas), anestesia geral e regional combinadas ou bloqueio de nervos periféricos. Alguns estudos sugeriram que a anestesia regional poderia ser mais vantajosa que a anestesia geral nesses procedimentos, por diminuir a morbimortalidade perioperatória, as complicações pulmonares e tromboembólicas e a incidência de isquemia miocárdica, além de melhorar a patência do enxerto e possibilitar um melhor controle da dor no pós-operatório e da resposta endócrino metabólica ao trauma. No entanto, quando se comparam as anestesias geral e regional para revascularização de membros inferiores, os resultados são conflitantes, com alguns trabalhos não mostrando diferença entre as duas técnicas em relação a mortalidade, isquemia miocárdica, insuficiência renal, patência do enxerto ou insuficiência cardíaca congestiva.[23]

Uma revisão Cochrane que incluiu quatro estudos comparando ambas as técnicas concluiu que não há diferença na mortalidade pós-operatória, na incidência de infarto do miocárdio ou na taxa de amputação. No entanto, a incidência de pneumonia no pós-operatório foi menor nos pacientes submetidos à técnica de anestesia regional.[24]

Um estudo avaliou retrospectivamente, entre os anos de 2011 a 2016, 16.052 pacientes foram submetidos à cirurgia de revascularização infrainguinal de membros inferiores por DAOP, em vários centros, comparando as anestesias geral e regional. A anestesia regional foi realizada em 3,5% dos casos (572 pacientes),[20] e essa desproporção está associada ao fato de que, em 31% dos centros participantes, esse tipo de anestesia não era utilizado para esse tipo de procedimento. Entre os fatores independentes relacionados à decisão por essa anestesia, estão DPOC, cirurgia de urgência e idade avançada. Os resultados mostraram menor tempo de permanência hospitalar (6,8 dias *versus* 5,7 dias; P < 0,01), menor incidência de insuficiência cardíaca congestiva pós-operatória (2,3% *versus* 1,1%; P < 0,04) e menor incidência de disfunção renal (5,7% *versus* 2,9%; P < 0,005) em favor da anestesia regional. Houve uma tendência para menores taxas de mortalidade, mas isso não atingiu significância estatística. A incidência de infarto miocárdio, complicações pulmonares e AVC não foi estatisticamente diferente entre as duas técnicas. A conclusão desse estudo foi de que a anestesia regional é uma técnica anestésica eficaz para cirurgia de revascularização infrainguinal e que pacientes idosos e com problemas respiratórios subjacentes podem se beneficiar dela.[25]

Em recente revisão sistemática que incluiu cinco estudos randomizados (970 pacientes) e 13 observacionais (96.800 pacientes), a anestesia regional não causou redução da mortalidade em 30 dias quando comparada à anestesia geral para cirurgia de revascularização arterial de membros inferiores nos estudos randomizados; porém, nos estudos observacionais, houve uma redução significativa na mortalidade a curto prazo. Também houve redução das complicações pulmonares nos pacientes submetidos à anestesia regional em relação à anestesia geral nos estudos randomizados. Nos estudos não randomizados, a anestesia regional ocasionou redução de morbidade, complicações cardíacas, pneumonia, ventilação mecânica prolongada, e trombose do enxerto. A conclusão é de que a anestesia regional reduz a morbidade quando comparada à anestesia geral para cirurgia de revascularização de membros inferiores.[26,27]

Os estudos são controversos e as evidências de benefícios a longo prazo em relação a essas técnicas anestésicas são fracas, assim como qual das técnicas de anestesia regional pode ser mais benéfica nesse tipo de cirurgia.[27]

O uso de bloqueio de nervos periféricos surge como uma possibilidade em casos especiais, nos quais a reserva cardíaca e pulmonar é reduzida e o paciente apresenta alguma contraindicação absoluta ou relativa para a anestesia regional. Nos casos de cirurgia vascular periférica, costuma-se realizar a associação de bloqueio do nervo ciático com o nervo femoral para a maioria dos procedimentos – esse tipo de anestesia proporciona analgesia pós-operatória prolongada, por até 24 horas.[28]

O uso dessa técnica, no entanto, deve ser feito com cautela em pacientes anticoagulados, principalmente se o nervo a ser bloqueado estiver próximo de estruturas vasculares profundas ou importantes. As contraindicações do bloqueio do nervo periférico do membro inferior são: recusa do paciente, anticoagulação (bloqueios periféricos profundos), infecção no local da punção, infecção sistêmica e dano neurológico prévio. Possíveis efeitos adversos incluem dano neurológico por injeção intraneural, intoxicação por anestésico local, infecção local e/ou sistêmica e hematomas no local da punção.[28]

Os bloqueios periféricos devem ser realizados utilizando-se, preferencialmente, a ultrassonografia e/ou o estimulador de nervos periféricos.

O nervo ciático fornece inervação sensorial e motora aos músculos de toda a superfície posterior da coxa, da perna e do pé, exceto a parte anteriormedial da perna, cuja inervação é feita pelo nervo safeno interno, ramo terminal sensitivo do nervo femoral. O nervo ciático, no nível da região poplítea, divide-se em nervo tibial posterior e nervo fibular comum. O nervo tibial posterior origina o nervo sural ou safeno externo, responsável pela inervação sensorial e motora de toda a parte posterior da perna e região plantar do pé (flexão plantar). O nervo fibular comum é responsável pela inervação sensorial e motora de toda a superfície dorsal do pé (dorsiflexão). Várias abordagens foram relatadas para bloqueio do nervo ciático: subglútea posterior, poplítea e via anterior. A resposta motora esperada do nervo tibial quando se utiliza o estimulador de nervos periféricos é a flexão plantar do pé e dos dedos dos pés, e as respostas do nervo fibular comum são a dorsiflexão ou eversão do pé e a extensão dos dedos com valores de 0,3 mA a 0,5 mA.[28]

O bloqueio do nervo femoral é realizado na altura na região inguinal guiado com ultrassonografia com ou sem estimulador de nervo periférico. Classicamente, esse bloqueio fornece analgesia e anestesia na parte anterior da coxa, em grande parte da articulação do quadril, no periósteo femoral, na articulação do joelho, no músculo quadríceps e no lado medial da perna e do joelho (nervo safeno interno). Em uma porcentagem variável de pacientes, esse bloqueio também se estende para os nervos cutâneo lateral da coxa (analgesia no lado lateral da coxa) e obturador (músculos mediais da coxa e adutores da coxa) e, assim, contribui para a analgesia do quadril. É importante ressaltar que, embora seja um bloqueio de fácil execução, deve-se identificar duas fáscias: a fáscia lata, que passa sobre o nervo e sobre os vasos femorais, e a fáscia ilíaca, que passa sobre o nervo, mas abaixo dos vasos femorais. A injeção do anestésico deve ser realizada abaixo da fáscia ilíaca. Quando se utiliza o estimulador de nervos periféricos, as respostas motoras esperadas são a contração do quadríceps femoral e a elevação da patela com valores de 0,3 mA a 0,5 mA.[28] Emprega-se um volume de 20 mL de anestésico local em cada um dos nervos.

A anticoagulação não impede a realização de bloqueios de nervos periféricos considerados superficiais e, portanto, com facilidade de compressão em caso de punção vascular, como é o caso dos nervos femoral e ciático na altura da fossa poplítea e safena. As recomendações da Sociedade de Anestesia Regional Americana são de que os bloqueios periféricos profundos ou em locais não compressíveis devem seguir as mesmas regras em relação aos bloqueios do neuroeixo em pacientes antiagregados ou anticoagulados.[21] Entretanto, com o uso de ultrassonografia, o risco de lesão vascular mesmo em bloqueios periféricos profundos é bastante reduzido, como demonstram algumas metanálises.[21]

A escolha da técnica anestésica depende de inúmeros fatores, incluindo características do procedimento, planejamento cirúrgico, experiência da equipe e comorbidades dos pacientes. Os anestesiologistas ficam mais inclinados a selecionar a técnica regional para a realização de revascularização de membros inferiores em pacientes que apresentam doença cardíaca ou pulmonar crônica e a técnica de anestesia geral em procedimentos mais complexos e prolongados. A escolha recai também sobre a anestesia geral nos casos de contraindicação para a anestesia regional, como uso de anticoagulantes e antiagregantes plaquetários, apesar de não haver evidências fortes a respeito da superioridade de uma técnica sobre a outra.[28] Em suma, a escolha pela técnica anestésica deve ser individualizada para cada paciente de acordo com suas condições clínicas e a proposta cirúrgica.

Cirurgias de grande porte estão associadas com instabilidade hemodinâmica e grandes perdas sanguíneas. A monitorização desses pacientes deve compreender, além de cardioscópio com análise de segmento ST (utilizando as derivações DII, V4 e V5), a oximetria de pulso, a diurese, a temperatura e a pressão arterial invasiva para avaliação contínua da pressão arterial e obtenção de amostras de sangue para exames. Para a avaliação da volemia, podem ser utilizadas as medidas dinâmicas de variação da pressão de pulso, utilizando-se monitores minimamente invasivos que fornecem o valor de delta PP (valores abaixo de 13% indicam responsividade ao volume).[2]

Na maioria das cirurgias de revascularização de membros inferiores convencionais, o emprego do cateterismo de artéria pulmonar e da ecocardiografia transesofágica não são considerados rotina nesses procedimentos. O uso desses monitores deverá ser avaliado individualmente, levando em conta as comorbidades dos pacientes, o tipo e a duração do procedimento proposto. Nos pacientes com disfunção cardíaca ou risco de isquemia miocárdica, pode ser empregado o ecotransesofágico.

Como os pacientes serão submetidos à anticoagulação com heparina durante a cirurgia e apresentam risco de coagulopatia pós-transfusão sanguínea maciça, medidas de tromboelastografia são importantes para nortear o adequado tratamento das coagulopatias que podem a ocorrer durante o procedimento. Na maioria dos casos, a avaliação da anticoagulação é feita pelo tempo de coagulação ativado (TCA).[29]

Nesses pacientes, acessos vasculares de grosso calibre devem ser obtidos para a infusão rápida de líquidos, e o acesso venoso profundo deve estar presente para infusão de aminas, avaliação da pressão venosa central e obtenção de amostra de sangue venoso.

É importante manter a normotermia, aquecendo paciente por meio de manta térmica e infusão de líquidos venosos aquecidos. O controle glicêmico deve ser feito com a monitorização da glicemia capilar ou sanguínea horária, mantendo os níveis na faixa de 110 mg/dL^{-1} a 180 mg/dL^{-1}.[16]

As perdas sanguíneas devem ser acompanhadas durante a cirurgia, e a reposição deve ser realizada inicialmente com a infusão de soluções cristaloides isotônicas associadas ou não a coloides, como albumina. O limiar para a transfusão sanguínea é bastante debatido, porém o paciente com DAOP geralmente tem doença coronariana coexistente, de modo que a hemoglobina limite para iniciar o processo de transfusão costuma ser um pouco mais elevada do que para pacientes sem doença coronariana. Valores de 9 g/dL^{-1} de hemoglobina são adotados como limite para pacientes com história de doença cardíaca isquêmica e de 8 g/dL^{-1} para aqueles sem DAC. Nos procedimentos envolvendo a aorta, pode ser empregado o *cell saver* de rotina, que permite aspirar e processar o sangue no campo operatório, retornando-o ao paciente e reduzindo a quantidade de transfusão de sangue alogênico.[79]

Particularmente nos pacientes submetidos à ponte aorta bi-ilíaca, costuma-se realizar uma anestesia peridural torácica ou lombar com a passagem de cateter peridural combinada à anestesia geral visando à analgesia pós-operatória. Durante a cirurgia, pode ser utilizada solução de anestésico local associado a adjuvantes como opioides ou agonistas alfa-2 adrenérgicos.

Durante a cirurgia, a aorta e as artérias femorais são pinçadas para a realização das anastomoses. As repercussões do pinçamento nessa cirurgia são menores do que nas cirurgias de aneurismas abdominais e torácicos, pois é colocado um *clamp* em uma localização mais distal; ainda assim, porém, os efeitos da lesão de isquemia e reperfusão ocorrem, e o anestesiologista deve estar preparado para tratá-los de maneira adequada.

Inicialmente, há aumento agudo da pós-carga sobre o ventrículo esquerdo, e essa sobrecarga pode levar à isquemia miocárdica. Esse aumento será tanto maior quanto mais proximal for o *clamp*. Geralmente, ocorre um aumento da pressão sanguínea arterial associada ao pinçamento, que poderá ser tratado com vasodilatadores venosos, aumento da profundidade anestésica ou uso de anestésicos locais no cateter peridural. O pinçamento da aorta ou das artérias ilíacas ou femorais leva a uma isquemia distal ao *clamp* dos tecidos irrigados por esses vasos. Essa isquemia é proporcional ao tempo de pinçamento. Deve-se manter adequada volemia com infusões de líquidos, preferencialmente cristaloides, e também um bom débito urinário durante o pinçamento.

No momento do despinçamento, a circulação é restaurada nas áreas isquêmicas onde o metabolismo anaeróbico levou à depleção dos estoques de glicogênio e fosfatos de alta energia, com acúmulo de metabólitos, ácido lático, espécies reativas de oxigênio, citocinas, moléculas de adesão do endotélio, ativação do complemento e das vias da coagulação. A reperfusão das áreas submetidas à isquemia carreia esses metabólitos e o ácido lático para a circulação sanguínea, ocasionando uma vasodilatação sistêmica manifestada por grande instabilidade hemodinâmica com queda da pressão arterial, a qual deve ser tratada com a infusão de líquidos e fármacos vasoativos. A infusão de líquidos deve ser aumentada um pouco antes da retirada do *clamp*. E, devido a essa entrada de metabólitos na circulação, ocorre vasoconstrição pulmonar e depressão miocárdica. Nesses casos, pode ser necessário o uso de fármacos inotrópicos.

Deve-se avaliar o grau de acidose metabólica e a necessidade de infusão de solução de bicarbonato de sódio nos casos graves (pH < 7,2). Uma técnica adotada por várias equipes de cirurgia vascular é retirar o *clamp* de forma lenta e gradual e, se as condições hemodinâmicas não permitirem, retornar o pinçamento até que a pressão sanguínea se estabilize novamente. Essa lesão de isquemia e reperfusão pode provocar uma síndrome de resposta inflamatória sistêmica no pós-operatório, caracterizada por febre, hipotensão arterial, taquicardia e níveis elevados de marcadores inflamatórios sem um foco infeccioso[30]

Cirurgias de ponte femoropoplítea, femorofemoral ou femorodistal podem ser realizadas sob anestesia regional (raquianestesia ou anestesia peridural ou ambas) ou geral. No caso da anestesia regional, pode-se optar pela colocação de cateter peridural, seja na anestesia peridural, seja na técnica combinada raqui e peridural. As cirurgias de revascularização podem demorar algumas horas e exceder o tempo do bloqueio subaracnóideo simples; nesses casos, o cateter pode ser utilizado para doses adicionais de anestésico local, além de permitir analgesia no pós-operatório. Se o anestesiologista optar pela anestesia subaracnóidea, pode utilizar, juntamente com anestésico local, adjuvantes como opioides e agonistas alfa-2 adrenérgicos (clonidina 1 µg/kg[-1]), para que a duração da anestesia e a analgesia sejam adequadas ao procedimento. A sedação durante a cirurgia pode ser feita com a combinação de benzodiazepínicos e opioides ou com a infusão contínua de propofol ou dexmedetomedina em baixas doses para obter o conforto do paciente durante as horas de procedimento.

Nesses pacientes, as artérias ilíacas ou femorais serão pinçadas para a realização das anastomoses, levando à isquemia das áreas perfundidas por esses vasos, seguida de reperfusão depois do despinçamento. Os efeitos desse pinçamento são menores do que os efeitos dos pinçamentos mais proximais, como os utilizados em cirurgias de revascularização de aorta bifemoral ou bi-ilíaca ou de aneurisma de aorta. Ainda assim, contudo, os pacientes estão sujeitos às repercussões desse pinçamento/despinçamento. A isquemia desses segmentos é proporcional ao tempo de pinçamento. Por isso, o anestesiologista pode utilizar vasodilatadores durante o momento do pinçamento, e no despinçamento, é necessária uma generosa infusão de líquidos (de preferência iniciada antes do despinçamento), assim como de vasoconstritores e/ou inotrópicos para manter a estabilidade hemodinâmica.[30]

No caso de realização de anestesia geral para esses procedimentos, deve-se atentar sempre para a manutenção da estabilidade hemodinâmica utilizando fármacos cardioestáveis.

Estudos em cirurgia cardíaca demonstraram efeitos cardioprotetores dos anestésicos voláteis na lesão de isquemia e reperfusão, reduzindo a mortalidade, a incidência de isquemia e o infarto do miocárdio, assim como a necessidade de agentes inotrópicos, o tempo de internação hospitalar e em unidade de terapia intensiva (UTI). Todavia, esses efeitos de cardioproteção não foram evidenciados em estudos de cirurgias não cardíacas.[31]

No caso de anestesia geral, a analgesia deve ser estabelecida de forma adequada no pós-operatório por via venosa, optando-se por opioides de longa duração, como a morfina.

Ao final da cirurgia, esses pacientes devem ser encaminhados a uma UTI para controle hemodinâmico, tratamento da dor, detecção e tratamento precoce das complicações e verificação frequente da perfusão dos membros inferiores. Os riscos de eventos adversos cardíacos continua no pós-operatório e, simultaneamente, há elevação dos níveis de catecolaminas por 48 horas, mas são minimizados pelo alívio da dor e com a estabilidade hemodinâmica.

■ MANEJO DA ANTICOAGULAÇÃO EM PROCEDIMENTOS ENDOVASCULARES E CONVENCIONAIS

Durante os procedimentos endovasculares e convencionais, é necessária a anticoagulação plena, realizada com administração de heparina não fracionada endovenosa na dose de 70 UI/kg[-1] a 150 UI/kg[-1] por via venosa. A heparina atua como cofator da antitrombina aumentando sua atividade e, consequentemente, seu efeito anticoagulante sob a trombina (fator IIa), o fator Xa e, em menor grau, os fatores XII, XI e IXa.[21]

A heparinização não contraindica a anestesia regional; apenas deve-se respeitar o intervalo mínimo de uma hora entre o tempo do bloqueio e o momento de administração de heparina.[21]

Como há poucos dados sobre a dose ideal de heparina, faz-se necessário o monitoramento do efeito anticoagulante para determinar a necessidade de readministração ou para guiar a reversão com protamina. Esses pacientes podem ser monitorados pelo TCA ou pelo tromboelastograma no intraoperatório. Valores basais devem ser obtidos antes da administração de heparina. Geralmente, um valor de TCA de 200 segundos a 250 segundos é considerado uma anticoagulação adequada ao procedimento endovascular. Outros visam um TCA de aproximadamente o dobro do valor basal do paciente, colhido antes da administração da heparina. No entanto, existem poucos dados que suportam metas específicas de TCA para procedimentos de revascularização de extremidades inferiores.[31]

Algumas instituições utilizam uma estratégia de dose fixa com bólus periódico de heparina ao longo do procedimento.[23,24] As diretrizes do Colegio Americano de Cirurgiões recomendam a administração de 100 UI/kg^{-1} a 150 UI/kg^{-1} de heparina antes da colocação do *clamp*, com doses subsequentes de 50 UI/kg^{-1} a cada 45 minutos, enquanto houver *clamp* arterial. No entanto, a administração de heparina em dose fixa não leva em consideração a variabilidade no metabolismo da heparina, a possibilidade de resistência à heparina em alguns pacientes ou os desafios da dosagem baseada em peso em indivíduos obesos. Em algumas circunstâncias, o cirurgião pode injetar heparina diretamente por via intra-arterial.[32]

A reversão do efeito da heparina ao final do procedimento deverá ser norteada pelo valor do TCA ou pelo resultado do tromboelastograma. O sulfato de protamina é utilizado para a reversão do efeito da heparina por formar um complexo estável com as moléculas de heparina na proporção 1:1, impedindo a ação da heparina. A dose empregada é de 1 mg de protamina para cada 100 UI de heparina ou pelos resultados do TCA ou do tromboelastograma. A protamina pode causar uma série de efeitos colaterais, como reação anafilática, hipertensão pulmonar, hipotensão arterial, bradicardia e até parada cardíaca. Tratamento prévio com insulina NPH é considerado fator de risco importante para anafilaxia após a administração de protamina. Sua infusão deve ser lenta e realizada em 10 minutos a 15 minutos. A protamina possui meia-vida mais curta que a heparina, entre 30 minutos e 60 minutos, sendo a diferença entre a meia-vida da heparina em relação à da protamina parcialmente responsável pelo fenômeno de rebote da heparina.[32]

As evidências atuais sugerem que a dosagem de protamina para reversão do efeito anticoagulante da heparina não deve exceder a relação 1:1 protamina/heparina. A relação protamina/heparina superior a 1 está associada a maiores perdas sanguíneas e aumento da necessidade de hemotransfusão devido às propriedades anticoagulantes da protamina na ausência de heparina quando há excesso de dose. Esses efeitos anticoagulantes são atribuídos a aumento da fibrinólise, redução da função plaquetária e inibição da coagulação, afetando a ativação de trombina (IIa) e dos fatores V e VII. A relação ótima protamina/heparina, apesar de não estar definitivamente estabelecida, pode variar entre 0,6 e 1,0 da dose inicial de heparina.[32]

ISQUEMIA ARTERIAL AGUDA

A IAA é causada pela interrupção abrupta do fluxo sanguíneo para uma extremidade. É uma emergência vascular que requer revascularização urgente para evitar a perda do membro. Está associada com alta morbidade, incluindo insuficiência renal, rabdomiólise, amputação do membro e mortalidade de 25% em 30 dias. Os sintomas são dor, palidez, parestesia e paralisia. A etiologia geralmente é

tromboarterial, trombose *in situ,* trombose de enxerto ou trauma arterial. O restabelecimento do fluxo é obtido de duas formas: terapia com trombólise intra-arterial por meio de cateter com trombectomia mecânica adjuvante ou trombectomia cirúrgica; se necessário, pode-se realizar endarterectomia ou revascularização adjuvante.[33]

Do ponto de vista anestésico, os desafios são lidar com um paciente com doenças coexistentes sem tempo para otimizar sua condição clínica e obter exames mais elaborados. O eletrocardiograma (ECG) e os exames laboratoriais simples podem ser realizados antes da cirurgia. Em pacientes considerados de elevado risco cardiovascular, está indicada a anticoagulação plena terapêutica (infusão de heparina) no pré-operatório, excluindo-se a possibilidade de realização de anestesia no neuroeixo. Pode-se realizar anestesia geral ou, caso se trate apenas de uma embolectomia, optar pela anestesia local com sedação ou bloqueio de nervos ciático e femoral.

Após a reperfusão do membro isquêmico, podem ocorrer desequilíbrios acidobásicos, como acidose lática e hiperpotassemia, além de síndrome compartimental e rabdomiólise, dependendo do tempo de isquemia que requerem um tratamento agressivo.[33]

EVENTOS ADVERSOS

Isquemia Miocárdica

Os pacientes submetidos à cirurgia de revascularização de membros inferiores são bastante susceptíveis a desenvolverem isquemia miocárdica perioperatória, que ocorre em 4% a 15% dos pacientes. DAC grave assintomática foi detectada em 55% dos pacientes com DAOP.[34]

A incidência de IAM no pós-operatório é quatro vezes maior do que na população geral. A isquemia perioperatória está associada à elevada taxa de morbimortalidade (de 15% a 25%), sendo esta a principal causa de morte após cirurgia vascular em curto e longo prazo. O IAM geralmente ocorre nos três primeiros dias de pós-operatório. A isquemia miocárdica deve ser prevenida, identificada precocemente e tratada no intraoperatório.

Os IAM que acometem os pacientes durante o período perioperatório são, em sua maioria, silenciosos e causados pelo desequilíbrio entre oferta/demanda de oxigênio (95%) – uma pequena parte ocorre por ruptura de placa intracoronariana com trombose (5%).[34]

Para a prevenção dos eventos isquêmicos miocárdicos, devem ser mantidos os antiagregantes plaquetários, as estatinas, a clonidina e os betabloqueadores, que são utilizados pelo paciente no pré-operatório para estabilizar a placa, reduzir o risco de eventos trombóticos e o risco de infarto do miocárdio.[35]

No intraoperatório, a monitorização do segmento ST é fundamental, e qualquer alteração (depressão ou elevação), inversão de onda T no cardioscópio ou uma nova alteração de movimentação de parede regional no ecocardiograma transesofágico (caso esteja sendo utilizado) deve levantar a suspeita de isquemia miocárdica. Caso essa suspeita se confirme, devem ser colhidas amostras seriadas de sangue para a dosagem de marcadores de lesão miocárdica, principalmente a troponina.[35]

Durante a cirurgia, deve-se minimizar as grandes flutuações hemodinâmicas a fim de reduzir o estresse cardiovascular e, assim, prevenir as complicações cardíacas, principalmente a isquemia miocárdica.

Uma vez estabelecido o diagnóstico de isquemia miocárdica no intraoperatório, deve-se aumentar a oferta de oxigênio aos tecidos com elevação da fração inspirada de oxigênio (FiO$_2$) para otimizar a saturação de oxigênio – os valores de hemoglobina devem estar na faixa de 9 mg/dL^{-1} ou mais. Deve-se controlar o duplo produto (frequência cardíaca × pressão arterial) utilizando betabloqueadores, como esmolol ou metoprolol, para diminuir a frequência cardíaca abaixo de 70 bpm, e um vasodilatdor arterial e coronariano, como nitroglicerina, para tratar a hipertensão arterial. A hipotensão arterial, que diminui o fluxo sanguíneo coronariano, também deve ser controlada com vasoconstritores e volume. [34,35]

ECG e medidas seriadas de marcadores de lesão miocárdica, como a troponina, devem ser realizados no pós-operatório dos pacientes submetidos a cirurgias vasculares, sejam convencionais, sejam endovasculares. Também ser avaliado, no pós-operatório, se esse paciente precisará ser encaminhado para intervenção coronariana em caso de isquemia miocárdica. Nesses casos, geralmente o paciente apresenta choque cardiogênico, dor refratária a tratamento ou elevação mantida do supra de ST, apesar das medidas terapêuticas empregadas.[35]

Complicações Respiratórias

Muitos pacientes com indicação de revascularização de membros inferiores apresentam DPOC devido ao tabagismo e à idade avançada. Isso aumenta os riscos de complicações respiratórias, como pneumonia, insuficiência respiratória e atelectasia. A incidência de complicações respiratórias é maior nas cirurgias de aorta do que nas cirurgias que envolvem artérias periféricas. Complicações pulmonares pós-operatórias estão relacionadas a impacto significativo sobre a morbidade e a mortalidade após cirurgias não cardíacas de grande porte ou em pacientes de elevado risco cirúrgico.[27]

Para a prevenção dessas complicações, deve ser estimulada a cessação do hábito de fumar antes da cirurgia. Esforços para otimizar a função respiratória devem ser feitos no pré-operatório, como a fisioterapia e a manutenção da terapia broncodilatadora nos pacientes com resposta positiva na prova de função respiratória. Como medida preventiva, deve-se também promover uma boa analgesia no pós-operatório para estimular a tosse e a mobilização de secreções.[16]

A anestesia/analgesia peridural está associada com diminuição da incidência de complicações respiratórias, tanto nas cirurgias de aorta quanto naquelas de membros inferiores. Estudos mostram que a anestesia geral está associada com aumento na incidência de pneumonia pós-operatória (em uma razão de 2,2) quando comparada com anestesia regional para revascularização de membros inferiores. A anestesia regional pode ser considerada em pacientes com reserva pulmonar reduzida no pré-operatório. No entanto, há indícios que a anestesia geral com estratégia de ventilação protetora pode reduzir a incidência de complicações pulmonares após o procedimento.[16,23,27]

Complicações Renais

Os pacientes com DAOP podem apresentar disfunção renal após cirurgia de revascularização de membros inferiores. É importante identificar os fatores de risco para a injúria renal aguda (IRA) no pós-operatório. Entre eles, estão: doença renal preexistente (creatinina maior que 1,2 mg/dL^{-1} e/ou taxa de filtração glomerular menor que 20 mL/min^{-1}), diabetes melito com proteinúria, idade avançada (acima de 70 anos), sexo feminino, anemia, pacientes com depleção do volume intravascular (p. ex., , disfunção cardíaca grave, desidratação, hipotensão, sangramento), anemia, dose elevada de contraste iodado ou outros agentes nefrotóxicos (furosemida, anti-inflamatórios não esteroidaes, aminoglicosídeos), cirurgias de emergência e cirurgias envolvendo a aorta (menor risco nas cirurgias de revascularização infrainguinais).[17]

A incidência de IRA é de 20% a 70% após procedimentos endovasculares e vasculares periféricos, dependendo do tipo de cirurgia e da definição de IRA empregada. Sua ocorrência aumenta a morbimortalidade em cerca de 15% a 50%, o tempo de hospitalização e os custos hospitalares. Cerca de 0,5% a 5% dos pacientes podem necessitar de diálise por falência renal, que pode ser transitória ou permanente. A mortalidade dos pacientes que necessitam diálise está entre 40% e 70%, e está relacionada com a gravidade do insulto inicial e o número de episódios de IRA durante a internação hospitalar.[36]

A causa da disfunção renal é geralmente multifatorial e ocasionada por alterações hemodinâmicas, como hipotensão arterial, hipovolemia, sangramento, ateroembolismo, rabdomiólise, hemólise, inflamação, nefrotoxicidade (contraste iodado, antibióticos), entre outros.

A definição de IRA foi dada pelos critérios de Acute Kidney Injury Network (AKIN) e modificados de RIFLE (Tabela 159.3).[17]

Tabela 159.3 Critérios de IRA segundo critérios de AKIN (RIFLE 48 horas).		
	Creatinina	**Débito urinário**
Estágio 1 R = risco	Aumento da Cr ≥ 0,3 mg/mL^{-1} em valores absolutos ou em 1,5 vez em relação ao valor basal	< 0,5 mL/kg^{-1}/min^{-1} em 6 h
Estágio 2 I = injúria	Aumento da Cr em 2 vezes em relação ao valor basal	< 0,5 mL/kg^{-1}/min^{-1} em 12 h
Estágio 3 F = falência	Aumento da Cr em 3 vezes em relação ao valor basal ou Cr ≥ 4 mg/mL^{-1} ou diálise	< 0,3 mL/kg^{-1}/min^{-1} em 24 h ou anúria por 12 h
L = loss (perda)	IRA permanente = perda completa da função renal > 4 semanas	
E= end (final)	Doença renal estágio terminal > 3 meses	

Cr: creatinina; DU: débito urinário.

A dosagem de creatinina deve ser realizada antes da cirurgia, e a função renal (creatinina e débito urinário) deve ser monitorada dentro das primeiras 24 horas de pós-operatório. A dosagem de biomarcadores renais também pode ser utilizada para avaliação do dano renal, como cistatina C e NGAL (lipocalina associada à gelatinase neutrofílica).[36]

Poucas medidas terapêuticas mostraram-se efetivas na prevenção da disfunção renal. Numerosos agentes farmacológicos, como levosimendan, estatinas, N-acetilcisteína, bicarbonato de sódio e eritropoetina, não demonstraram benefício na prevenção da IRA. A dopamina e os diuréticos de alça não só não previnem contra a IRA, como podem ser deletérios, piorando a função renal. Uma possível exceção é a dexmedetomidina, que levou a uma redução na incidência de IRA em estudos, porém de qualidade científica pequena ou baixa. Mais estudos com o uso de fenoldopam, manitol e peptídeo natriurético atrial devem ser realizados, pois as evidências são fracas e conflitantes.[36]

As medidas de suporte preventivas para evitar a IRA são a principal abordagem na prática clínica, já que as opções terapêuticas para tratar a doença já estabelecida são limitadas. As intervenções preventivas incluem uma abordagem de múltiplos componentes que combinam a identificação precoce de pacientes de elevado risco para a IRA e as diretrizes recomendadas pela Kidney Disease Improving Global Outcomes (KDIGO; Tabela 159.4). O manejo hemodinâmico é a medida mais importante para otimizar a perfusão renal e a oferta de oxigênio tissular ao rim, e deve ser guiado por metas com protocolos definidos para administração de fluidos e vasopressores durante e após a cirurgia, com a finalidade de prevenir a hipotensão e a hipovolemia, que são os principais fatores modificáveis que contribuem para a IRA. Deve-se ter especial atenção para evitar tanto a sobrecarga hídrica quanto a hipoperfusão.[17]

Tabela 159.4 Diretrizes da KDIGO para prevenção da IRA – medidas recomendadas.

Descontinuar todos os agentes nefrotóxicos, se possível

Otimizar a volemia e os parâmetros hemodinâmicos, incluindo pressão de perfusão

Considerar monitorização hemodinâmica por métodos não invasivos ou invasivos

Monitorização seriada dos níveis de creatinina e do débito urinário

Evitar hiperglicemia por 72 h após a cirurgia

Considerar alternativas ao meio de contraste iodado

Descontinuar IECA, ARA por 48 h antes da cirurgia

IECA: inibidores enzima conversora angiotensina; ARA: antagonistas do receptor da angiotensina.

O limiar de pressão arterial média, abaixo do qual pode haver IRA, tende a ser mais elevado (75 mmHg) que o limiar para causar lesão miocárdica (65 mmHg). Em um estudo prospectivo, concluiu-se que níveis de pressão arterial média intraoperatórios acima de 80 mmHg a 95 mmHg podem reduzir a incidência de IRA pós-operatória. A hipotensão arterial (pressão arterial média inferior a 75 mmHg) deve ser tratada tão logo o episódio seja diagnosticado, mantendo a pressão de perfusão renal. Estudos recentes têm reforçado uma terapia individualizada em relação aos valores de pressão arterial segundo os valores basais.[37]

O uso de soluções cristaloides balanceadas guiada por medidas dinâmicas de responsividade a fluidos é a recomendação para a reposição volêmica. Estudos mostraram que soluções tamponadas ou coloides, como a albumina, não apresentam

efeitos vantajosos em relação ao soro fisiológico a 0,9%. A utilização de coloide à base de amido, como o hidroxietilamido, deve ser evitada, pois está associada a aumento da IRA e à falência renal em pacientes críticos.[36] Quanto aos vasoconstrictores, a noradrenalina é o agente de primeira escolha, e a vasopressina pode ser uma alternativa.[17]

O bicarbonato de sódio foi comparado ao soro fisiológico isotônico em pacientes submetidos à cirurgia cardíaca para a prevenção de IRA. Nesse estudo, o uso de bicarbonato de sódio foi associado a uma maior incidência de IRA, comparada ao soro fisiológico (47,7% *versus* 36,4%, P < 0,03) e a um aumento da mortalidade (6,3% *versus* 1,7%, P < 0,03). Esse estudo foi interrompido precocemente, e a conclusão é de que o uso de bicarbonato de sódio não pode ser recomendado para a prevenção da IRA.[38]

Outro estudo envolvendo pacientes de terapia intensiva (40% cirúrgicos) comparou bicarbonato de sódio com outras soluções em pacientes com acidose metabólica (pH inferior a 7,2) e verificou que pacientes com IRA estágios 2 e 3 na classificação de AKIN tiveram uma redução de 22% na necessidade de diálise e na falência de órgãos no sétimo dia e menor mortalidade no 28º dia quando tratados com bicarbonato de sódio comparado a outras soluções. Este estudo sugere que, em pacientes com acidose metabólica grave (pH inferior 7,2) e com IRA estabelecida, a solução de bicarbonato de sódio pode trazer benefícios.[39]

O controle da glicose em uma faixa moderada (127 mg/dL^{-1} a 179 mg.dL^{-1}) é preferível comparado a uma faixa mais rígida (inferior ou igual a 126 mg/dL^{-1}), resultando em taxas menores de IRA e mortalidade, sendo o fator mais importante evitar grandes flutuações dos níveis glicêmicos durante o período perioperatório.[36]

Deve-se evitar agentes nefrotóxicos, como anti-inflamatórios e antibióticos aminoglicosídeos, diuréticos e suspender inibidores da enzima conversora da angiotensina e antagonistas do receptor da angiotensina II 48 horas antes da cirurgia, pois alteram a hemodinâmica renal. Muitas vezes, o emprego de agentes nefrotóxicos é inevitável, como o uso do contraste iodado durante a cirurgia endovascular; mesmo assim, porém, deve-se implantar medidas como o uso parcimonioso desse agente (dose menor que 3 mL/kg^{-1}) e dar preferência a contrastes não iônicos de baixa e/ou iso-osmolaridade.[17]

Nefropatia induzida por contraste

Os pacientes com DAOP recebem contraste iodado para a realização das angiografias no período pré-operatório e no intraoperatório, principalmente nos procedimentos endovasculares. O contraste iodado pode efeitos deletérios, como alergias e anafilaxia, além de nefropatia induzida por contraste (NIC).[40] A NIC é um prejuízo da função renal, definida pela elevação de 25% dos níveis de creatinina em relação ao basal ou um aumento de 0,5 mg/dL^{-1} no valor absoluto de creatinina em até 48 horas a 72 horas após a administração de contraste.[40]

Geralmente, a NIC é uma causa transitória e reversível de IRA, com pico em dois a três dias e retorno aos níveis basais de creatinina dentro de sete a dez dias após a administração do contraste. A incidência de NIC é de 0 a 24%. Essa ampla faixa se deve a diferenças na definição de IRA, fatores de risco subjacentes, tipo e volume do meio de contraste utilizado e à frequência de outras causas potenciais coexistentes. Em um grande estudo com mais de 13.000 pacientes submetidos a procedimentos endovasculares periféricos, observou-se incidência de 3% de NIC, e 6,5% desses pacientes necessitaram de diálise. Os pacientes que desenvolveram NIC apresentaram risco aumentado de mortalidade hospitalar, bem como outras morbidades, como infarto do miocárdio, AVC ou ataque isquêmico transitório, aumento das transfusões sanguíneas e maior duração da internação hospitalar.[41]

Os mecanismos fisiopatológicos subjacentes a NIC são complexos e envolvem vasoconstricção intrarrenal com resultante hipoxia medular renal, toxicidade direta de agentes de contraste por aumento da viscosidade do fluido intravascular e intratubular, estresse oxidativo por geração de radicais livres de oxigênio, apoptose, inflamação e resposta imune alterada e regulação epigenética. Até o momento, não existe terapia eficaz para nefropatia e, portanto, a identificação dos fatores de risco para NIC e as estratégias preventivas eficazes são fundamentais para reduzir sua ocorrência. Verificou-se que uso adequado do meio de contraste, manter o *status* volêmico de forma individualizada, evitar agentes nefrotóxicos pré e pós-procedimento e altas doses de estatinas podem reduzir a ocorrência de NIC, ao passo que antioxidantes não demonstraram benefícios terapêuticos significativos. Além disso, o papel do pré-condicionamento de isquemia remota e dos vasodilatadores na prevenção da NIC precisa de mais estudos.[40]

Os fatores de risco mais relacionados com a NIC são a preexistência de doença renal e diabetes melito. Essa associação apresenta um risco quatro vezes maior de desenvolver NIC comparado ao de pacientes sem nefropatia diabética. Cerca de 56% progridem para falência renal irreversível. Outros fatores são idade avançada, insuficiência cardíaca congestiva, anemia, depleção do volume intravascular e uso concomitante de diuréticos, IECA, ARA e AINES.[40, 41]

Elevado volume de contraste (superior a 3 mL/kg^{-1}) e um intervalo de tempo menor que 72 horas entre injeções repetidas de contraste aumentam o risco de NIC. Os contrastes iodados de primeira geração são iônicos e hiperosmolares (1.500 mOsm/kg a 1.900 mOsm/kg) quando comparados ao plasma; porém, são raramente usados hoje em dia por apresentam risco maior de nefrotoxicidade. As novas gerações têm baixa osmolaridade (600 mOsm/kg a 800 mOsm/kg), como o iopamidol (Iopamiron®), ou são iso-osmolares (290 mOsm/kg), como iodixanol (Visipaque®), e apresentam risco muito menor de causar NIC. Outros exemplos de contraste baixa osmolaridade ou iso-osmolares são o ioexol (Ominipaque®) e o iobitridol (Henetix®).

Não há diferença na incidência de NIC entre os contrastes iso-osmolares ou com baixa osmolaridade. Uma opção que pode ser considerada para diminuir o volume de contraste administrado é a realização de angiografia com a injeção de dióxido de carbono (CO_2), porém devem ser respeitados o volume e o fluxo máximo de CO_2 para evitar efeitos adversos, como embolia gasosa e retenção de CO_2 com carbonarcose com neurotoxidade.[40] Em resumo, o uso adequado do meio de contras-

te deve seguir as seguintes orientações: seleção de contrastes iso-osmolares ou de baixa osmolaridade em pacientes de alto risco, utilizar uma alternativa para o meio de contraste como o CO_2 e redução no volume de contraste utilizada.[40,41]

A manutenção da volemia, evitando a depleção do volume intravascular e mantendo uma hidratação adequada, é a mais importante estratégia para reduzir o risco de NIC. Vários são os regimes recomendados para a reposição de volume em pacientes hospitalizados que receberão contraste iodado, entre eles solução fisiológica a 0,9% 1 mL/kg^{-1}/h^{-1} por 6 horas a 12 horas antes e 12 horas a 24 horas depois do procedimento. Em pacientes não hospitalizados, pode-se recomendar o aumento da ingesta hídrica, que é uma opção viável e eficaz na prevenção da NIC, como 500 mL de água antes do procedimento, seguida de uma hidratação venosa de 2.500 mL para produzir um débito urinário de 1 mL/kg^{-1}/h^{-1}. Outros regimes de hidratação são sugeridos, e a recomendação é que a hidratação seja feita de forma individualizada.

Metanálise recente demonstrou que a hidratação oral com água foi tão efetiva quanto a hidratação usando solução fisiológica via venosa na prevenção de NIC. Em pacientes com insuficiência cardíaca, os fluidos devem ser administrados de forma parcimoniosa, individualizada, com ausculta pulmonar frequente e guiados por medidas dinâmicas ou estáticas como por pressão venosa central ou pressão diastólica final do ventrículo esquerdo. Por conta do contraste iodado e da hidratação, alguns desses pacientes com disfunção cardíaca podem apresentar congestão pulmonar durante o procedimento ou no pós-operatório.[40]

Evidências científicas têm demonstrado o efeito protetor das estatinas em pacientes com risco de NIC, provavelmente associados a mecanismos anti-inflamatórios, antioxidantes ou antiapoptóticos e por suprimir a endocitose do meio de contraste pelas células epiteliais tubulares. O estudo PRATO-ACS mostrou que doses elevadas de rosuvastatina (40 mg na admissão seguida de 20 mg/dia) reduziu de forma significativa a incidência de NIC em pacientes submetidos à cineangiocoronariografia. Consistentemente, doses elevadas de atorvastatina 80 mg/12 horas na admissão, seguida de 40 mg/2 horas antes do procedimento e 40 mg/dia, mostraram grande potencial de prevenção da NIC.[42]

Em relação aos agentes antioxidantes, como bicarbonato de sódio e N-acetilcisteína, os resultados permanecem conflitantes. Ensaios clínicos randomizados, revisões sistemáticas e metanálises têm falhado em mostrar os benefícios do bicarbonato de sódio em relação à solução fisiológica, que continua sendo a melhor opção para reduzir o risco de NIC, assim como não há evidências para recomendar o uso de rotina da N-acetilcisteína para sua prevenção.[40,43]

Quanto às medidas farmacológicas de prevenção ou tratamento, como o uso de manitol, diuréticos de alça e dopamina em baixas doses, estas não mostraram evidências conclusivas na prevenção da NIC. Agentes vasodilatadores, como teofilina (inibidor não seletivo da adenosina), sildenafil e bloqueadores do canal de cálcio, como amlodipina, têm demonstrado bons resultados na prevenção da NIC, porém mais estudos ainda são.[40]

Não é recomendada a terapia dialítica profilática após a administração do contraste, por não se mostrar efetiva na prevenção da NIC e pelos riscos associados ao procedimento.[40]

Portanto, a administração de solução salina isotônica 0,9% ou ingesta oral de água pré-procedimento de forma individualizada e o uso adequado de contraste de baixa osmolaridade ou iso-osmolar com o menor volume possível podem reduzir o risco de NIC em pacientes de alto risco.

Hemorragia

É uma complicação muito comum no contexto das cirurgias vasculares convencionais e também das endovasculares, nas quais o sangramento é insidioso e, muitas vezes, oculto pelos campos cirúrgicos, e sua verificação é dificultada pela diminuição da luminosidade da sala para melhor visualização da imagem na tela do intensificador de imagens.

O anestesiologista deve sempre acompanhar o campo operatório e repor as perdas sanguíneas com soluções cristaloides e/ou coloides, bem como fazer a reposição do concentrado de hemácias. Hemotransfusões maciças podem levar a coagulopatias que devem ser tratadas. Ao final do procedimento, a hemostasia deve ser alcançada, as coagulopatias devem ser corrigidas e o nível de hemoglobina deve estar adequado. No pós-operatório, episódios de hipotensão arterial podem estar relacionados a sangramento por ruptura de anastomose ou hemostasia inadequada. Além da hipotensão, a queda da hemoglobina, a taquicardia, a palidez cutânea e a baixa perfusão periférica levam à suspeita de hemorragia. Na suspeita de hemorragia, a reintervenção cirúrgica é necessária e imediata.[2]

Falência do enxerto

A falência do enxerto aguda que ocorre 30 dias após a cirurgia de revascularização dos membros inferiores é uma complicação grave e associada com um prognóstico ruim, com incidência é de 4% a 7%. Os fatores de risco para essa condição são vários, como dificuldade técnica, trombose, qualidade do deságue distal ao enxerto e estado funcional pré-operatório. A anestesia regional, por conta do bloqueio simpático, leva à vasodilatação arterial, melhora o fluxo na microcirculação, reduz o vasoespasmo e permite analgesia mais prolongada no pós-operatório, com atenuação da resposta inflamatória, do estado de hipercoagulabilidade, causando redução da resposta endócrina e metabólica ao trauma e diminuindo a taquicardia, a hipertensão e a vasoconstrição periférica – todos esses eventos prejudiciais para o paciente e potencialmente deletérios para a permeabilidade do enxerto vascular. No entanto, os resultados de estudos científicos se mostram conflitantes em relação à melhor técnica anestésica (anestesia regional ou geral) para aumentar a patência do enxerto e diminuir a taxa de amputação subsequente.[25]

■ CONSIDERAÇÕES FINAIS

Pacientes submetidos a cirurgias vasculares periféricas têm elevado risco de morbimortalidade perioperatória em virtude de uma combinação de fatores, como a presença de inúmeras e graves comorbidades e a complexidade dos procedimentos cirúrgicos. O preparo pré-operatório otimizado desses pacientes é fundamental para a prevenção de complicações pós-operatórias, principalmente cardíacas e respiratórias. A técnica de anestesia escolhida para a condução desses casos não altera a morbimortalidade pós-operatória, porém a participação do anestesiologista é fundamental na prevenção, no diagnóstico e no tratamento das inúmeras complicações desse tipo de cirurgia.

REFERÊNCIAS

1. Abdulhannan P, Russell DA, Homer-Vanniasinkam S. Peripheral arterial disease: a literature review. Br Med Bull. 2012;104:21-39.
2. Anton JM, McHenry ML. Perioperative management of lower extremity revascularization. Anesthesiol Clin 2014;32:661-76.
3. Shamaki GR, Markson F, Soji-Ayoade D, Agwuegbo CC, Bamgbose MO, Tamunoinemi BM. Peripheral artery disease: a comprehensive updated review. *Curr Probl Cardiol.* 2022; 47(11):101082
4. Gerhard-Herman MD, Gornik HL, Barrett C, Barshes NR, Corriere MA, Drachman DE, et al. 2016 AHA/ACC guideline on the management of patients with lower extremity peripheral artery disease: executive summary: a report of the American College of Cardiology/American Heart Association Task Force on Clinical Practice Guidelines. J Am Coll Cardiol. 2017; 69:1465-508.
5. Bailey SR, Beckman JA, Dao TD, Misra S, Sobieszczyk PS, White CJ, et al. ACC/AHA/SCAI/SIR/SVM 2018 Appropriate Use Criteria for Peripheral Artery Intervention: a report of the American College of Cardiology Appropriate Use Criteria Task Force, American Heart Association, Society for Cardiovascular Angiography and Interventions, Society of Interventional Radiology, and Society for Vascular Medicine. J Am Coll Cardiol. 2019;73:214-37.
6. Faxon D, Fuster V, Libby P, Beckman JA, Hiatt WR, Thompson RW, et al. Atherosclerotic Vascular Disease Conference Writing Group III: pathophysiology. Circulation. 2004;109:2617-25.
7. Arya S, Khakharia A, Binney ZO, DeMartino RR, Brewster LP, Goodney PP, et al. Association of statin dose with amputation and survival in patients with peripheral artery disease. Circulation. 2018;137:1435-46.
8. Creager MA. Results of the CAPRIE trial: efficacy and safety of clopidogrel. Clopidogrel versus aspirin in patients at risk of ischaemic events. Vasc Med. 1998;3:257-60.
9. Bhatt DL, Fox KA, Hacke W, Berger PB, Black HR, Boden WE, et al. Clopidogrel and aspirin versus aspirin alone for the prevention of atherothrombotic events. N Engl J Med. 2006;354:1706-17.
10. Eikelboom JW, Connolly SJ, Bosch J, Dagenais GR, Hart RG, Shestakovska O et al. COMPASS Investigators. Rivaroxaban with or without Aspirin in Stable Cardiovascular Disease. N Engl J Med. 2017;377 (14):1319-30.
11. Norgren L, Hiatt WR, Dormandy JA, Nehler MR, Harris KA, Fowkes FG. Inter-society consensus for the management of peripheral arterial disease (TASC II). J Vasc Surg 2007;45 Suppl S:S5-S67.
12. Tang QH, Chen J, Hu CF, Zhang XL. Comparison between endovascular and open surgery for the treatment of peripheral artery diseases: a meta-analysis. Ann Vasc Surg. 2020;62:484-95.
13. Conte MS. Critical appraisal of surgical revascularization for critical limb ischemia. J Vasc Surg. 2013;57:8S-13S.
14. Thompson A. Anaesthesia for aorto-iliac occlusive disease and lower limb revascularization procedures. In: Moores C, Nimmo AF. Core topics in vascular anaesthesia. New York: Cambridge University Press; 2012..
15. Fleisher LA, Fleischmann KE, Auerbach AD, Barnason SA, Beckman JA, Bozkurt B, et al. 2014 ACC/AHA Guideline on Perioperative Cardiovascular Evaluation and Management of Patients Undergoing Noncardiac Surgery A Report of the American College of Cardiology/American Heart Association Task Force on Practice Guidelines. Circulation. 2014;130(24):2215-45.
16. Goeddel LA, Grant MC. preoperative evaluation and cardiac risk assessment in vascular surgery. Anesthesiology Clin. 2022:40;575-85.
17. Canet E, Bellomo R. Perioperative renal protection. Curr Opin Crit Care. 2018;24:568-574.

18. Garg R, Schuman B, Bader A, Hurwitz S, Turchin A, Underwood P, et al. Effect of preoperative diabetes management on glycemic control and clinical outcomes after elective surgery. Ann Surg. 2018;267:858-62.

19. Wu YW, Leow KS, Zhu Y, Tan CH. Prevention and management of adverse reactions induced by iodinated contrast media. Ann Acad Med Singapore 2016;45:157-64.

20. McIsaac DI, MacDonald DB , Aucoin SD. Frailty for perioperative clinicians: a narrative review. Anest Analg. 2020;130(6):1450-60.

21. Horlocker TT, Vandermeuelen E, Kopp SL, Gogarten W, Leffert LR, Benzon HT. Regional anesthesia in the patient receiving antithrombotic or thrombolytic therapy. American Society of Regional Anesthesia and Pain Medicine Evidence-Based Guidelines (Fourth Edition). Reg Anesth Pain Med. 2018;43:263-309.

22. Landesberg G, Mosseri M, Wolf Y, Vesselov Y, Weissman C. Perioperative myocardial ischemia and infarction: identification by continuous 12-lead electrocardiogram with online ST-segment monitoring. Anesthesiology. 2002;96:264-70.

23. Singh N, Sidawy AN, Dezee K, Neville RF, Weiswasser J, Arora S, et al. The effects of the type of anesthesia on outcomes of lower extremity infrainguinal bypass. J Vasc Surg. 2006;44(5):964-8.

24. Barbosa FT, Cavalcante JC, Jucá MJ, Cavalcante JC. Neuraxial anaesthesia for lower limb revascularization. Cochrane Database Syst Rev. 2010:CD007083

25. Sgroi MD, McFarland G, Mell MW. Utilization of regional versus general anesthesia and its impact on lower extremity bypass outcomes. J Vasc Surg. 2019;69:1874-95.

26. Li A, Dreksler H, Nagpal SK, Li A, Parsons Leigh J, Brandys T, et al. Outcomes after receipt of neuraxial or regional anesthesia instead of general anesthesia for lower limb revascularization surgery: a systematic review and meta-analysis of randomized and non-randomized studies. Eur J Vasc Endovasc Surg. 2022;3:S1078-S5884

27. Schmidt AO, Maschi MM, Andrade CF. Anesthetic management for lower extremity vascular bypass procedures: the impact of general or regional anesthesia on clinical outcomes. Vascular. 2023;17085381231193492.

28. Guimarães JF, Angonese CF, Gomes RK, et al. Anestesia para bypass vascular em membro inferior com bloqueio de nervos periféricos. Rev Bras Anestesiol. 2017;67:626-31.

29. Meier J. Blood transfusion and coagulation management. Best Pract Res Clin Anaesthesiol. 2016;30:371-9.

30. Zammert M, Gelman S. The pathophysiology of aortic cross-clamping. Best Pract Res Clin Anaesthesiol. 2016;30(3):257-69.

31. Landoni G, Fochi O, Zangrillo A. Cardioprotection by volatile anesthetics in noncardiac surgery? No, not yet at least. J Am Coll Cardiol 2008;51:1321.

32. Boer C, Meesters MI, Veerhoek D, Vonk ABA. Anticoagulant and side-effects of protamine in cardiac surgery: a narrative review. Br J Anaesth. 2018;120:914-27.

33. Blecha MJ. Critical limb ischemia. Surg Clin North Am. 2013;93:789-812.

34. Hur DJ, Kizilgul M, Aung WW, Roussillon KC, Keeley EC. Frequency of coronary artery disease in patients undergoing peripheral artery disease surgery. Am J Cardiol. 2012;110:736-40.

35. Levine GN, Bates ER, Bittl JA, Brindis RG, Fihn SD, Fleisher LA, et al. 2016 ACC/AHA Guideline Focused Update on Duration of Dual Antiplatelet Therapy in Patients With Coronary Artery Disease: a report of the American College of Cardiology/American Heart Association Task Force on Clinical Practice Guidelines: An Update of the 2011 ACCF/AHA/SCAIGuideline for Percutaneous Coronary Intervention, 2011 ACCF/AHA Guideline for Coronary Artery Bypass Graft Surgery, 2012 ACC/AHA/ACP/ AATS/PCNA/SCAI/STS Guideline for the Diagnosis and Management of Patients With Stable Ischemic Heart Disease, 2013 ACCF/AHA Guideline for the Management of ST-Elevation Myocardial Infarction, 2014 AHA/ACC Guideline for the Management of Patients With Non-ST-Elevation Acute Coronary Syndromes, and 2014 ACC/AHAGuideline on Perioperative Cardiovascular Evaluation and Management of Patients Undergoing Noncardiac Surgery. Circulation. 2016;134:e123-55.

36. Nadim MK, Forni LG, Bihorac A, Hobson C, Koyner JL, Shaw A, et al. Cardiac and vascular surgery-associated acute kidney injury: the 20th International Consensus Conference of the ADQI (Acute Disease Quality Initiative) Group. J Am Heart Assoc. 2018;7:e008834.

37. Salmasi V, Maheshwari K, Yang D, Mascha EJ, Singh A, Sessler DI, et al. Relationship between intraoperative hypotension defined by either reduction from baseline or absolute thresholds, and acute kidney and myocardial injury after noncardiac surgery: a retrospective cohort analysis. Anesthesiology. 2017;126:47-65.

38. Haase M, Haase-Fielitz A, Plass M, Kuppe H, Hetzer R, Hannon C, et al. Prophylactic perioperative sodium bicarbonate to prevent acute kidney injury following open heart surgery: a multicenter double-blinded randomized controlled trial. PLoS Med. 2013;10:e1001426.

39. Jaber S, Paugam C, Futier E, Lefrant JY, Lasocki S, Lescot T, et al. Sodium bicarbonate therapy for patients with severe metabolic acidaemia in the intensive care unit (BICAR-ICU): a multicentre, open-label, randomised controlled, phase 3 trial. Lancet. 2018;392:31-40.

40. Zhang Z, Lu Z, Wang F. Advances in the pathogenesis and prevention of contrast-induced Nephropathy. Life Sci. 2020;259:118379.

41. Grossman PM, Ali SS, Aronow HD, Boros M, Nypaver TJ, Schreiber TL, et al Contrast-induced nephropathy in patients undergoing endovascular peripheral vascular intervention: Incidence, risk factors, and outcomes as observed in the Blue Cross Blue Shield odf Michigan Cardiovascular Consortium. J Interv Cardiol. 2017;30:274-80.

42. Leoncini M, Toso A, Maioli M, Tropeano F, Villani S, Bellandi F. Early highdose rosuvastatin for contrast-induced nephropathy prevention in acute coronary syndrome: results from the PRATO-ACS study (protective effect of rosuvastatin and antiplatelet therapy on contrast-induced acute kidney injury and myocardial damage in patients with acute coronary syndrome). J Am Coll Cardiol. 2014;63(1):71-9.

43. Solomon R, Gordon P, Manoukian SV, Abbott JD, Kereiakes DJ, Jeremias A, et al. Randomized trial of bicarbonate or saline study for the prevention of contrast-induced nephropathy in patients with CKD. Clin J Am Soc Nephrol. 2015;10:1519-24.

Parte **19**

Anestesia para Cirurgias Abdominais

160

Anestesia em Abdômen Agudo

Guilherme Henryque da Silva Moura ■ Enis Donizete Silva

INTRODUÇÃO

A frequência de cirurgias abdominais de urgência na nossa prática é muito alta, portanto, é fundamental que a fisiopatologia e a epidemiologia destas patologias sejam objeto do nosso conhecimento.

Diferentes patologias cirúrgicas abdominais podem estar associadas ao abdômen agudo cirúrgico, mas é muito importante estudarmos a história clínica para diferenciá-las das causas não cirúrgicas.[1] A Tabela 160.1[2] demonstra os possíveis diagnósticos diferenciais de dor abdominal e a Figura 160.1 apresenta a correlação da patologia com o seu possível local de acometimento. Atualmente, a abordagem cirúrgica tradicional – cirurgia aberta – e as cirurgias laparoscópicas, são de decisão da equipe cirúrgica.[3] Neste contexto, a fisiopatologia do pneumoperitônio se soma às alterações fisiopatológicas encontradas na doença que originou a cirurgia.

Importante estudo de Pearse et al. sobre população cirúrgica eletiva versus população cirúrgica, principalmente em procedimentos de urgência, mostra taxa de mortalidade de 0,4% no grupo eletivo e 12,3% nos procedimentos de urgência. Esse grupo de pacientes corresponde a 12,5% do total de procedimentos cirúrgicos, mas é responsável por 83% dos óbitos e acima de 80% do custo total envolvido nos pacientes cirúrgicos.[4]

Na conclusão do estudo apontam-se que falta de estrutura, falhas nos processos de cuidado e protocolos de conduta clínica, além da falta de cuidado intensivo no pós-operatório foram fatores fortemente associados à piora do desfecho. O que se depreende disso?

Como política de saúde pública voltada ao paciente cirúrgico o instrumento de maior ganho de custo-efetividade está em compreender essa população submetida aos procedimentos de urgência[4] em toda a sua complexidade e amplitude, bem como buscar todas as oportunidades de intervenção que possam reduzir essa sinistralidade.

Na Tabela 160.2, temos uma análise de 10 anos de diferentes hospitais do Reino Unido acerca de procedimentos cirúrgicos de urgência, que reforça os achados de Pearse, relativos à fisiopatologia associada aos processos agudos abdominais, concluindo que até 40% dos pacientes apresentam um foco séptico, sendo ainda mais frequente síndrome da resposta inflamatória sistêmica (SIRS) –, presença de disfunção intestinal e aumento de resistência à insulina.[4]

Outro achado importante mostra que a presença de hipotensão arterial secundária à sepse, piora o prognóstico desses pacientes, e observou-se que o atraso na administração de antibiótico acarreta aumento da mortalidade.

A utilização de bancos de dados nacionais permite uma análise estruturada sobre procedimentos cirúrgicos, que podem sustentar ações e planos de saúde pública para orientar investimentos com maior custo-efetividade e custo-eficácia. O sistema de saúde da Dinamarca (Danish Anaesthesia Database) foi analisado por Verter-Andersen et al. em um estudo prospectivo (estudo Coorte) em seis hospitais; foram incluídos 2.904 pacientes submetidos à cirurgia laparoscópica ou laparotomia para procedimentos de cirurgia gastrintestinais de urgência. Com achados semelhantes aos de Pearse, o estudo dinamarquês apontou que, em 30 dias, o desfecho de óbito teve 538 ocorrências, totalizando 18,5% e mostrando, também, que o cuidado em terapia intensiva no pós-operatório reduz a mortalidade.[4,5]

A análise de desfecho e o uso de análise de regressão os fatores que modificam a morbimortalidade possibilitam a estruturação de modelos de avaliação de risco que se mostram superiores aos modelos de estratificação de risco usuais, como o ASA – Estado Físico, referido pela Associação Americana de Anestesia. Nesta linha, Al-Iemini et al.[6] estudaram retrospectivamente o Banco de Dados – The American College of Surgeons National Surgical Quality Improvement Program. No período de 2005-2009, foram analisados os dados de

37.553 pacientes submetidos à cirurgia de laparotomia de urgência, com taxa de mortalidade de 14%. Os parâmetros de estado físico ASA, *status* funcional, presença

Tabela 160.1 Causas de dor abdominal gastrintestinal e intraperitoneal.

I – Inflamação e Infecção

A – Peritônio

1) Peritonite química e não bacteriana
2) Peritonite bacteriana (pneumocócica, estafilocócica, tuberculósica)
3) Perfuração de órgãos ocos (estômago, intestino e trato biliar)

B – Órgãos ocos intestinais

1) Apendicite
2) Colecistite
3) Ulceração péptica
4) Gastroenterite
5) Enterite regional
6) Diverticulite de Meckel
7) Colite (ulcerativa, bacteriana, amebiana)

C – Vísceras sólidas

1) Pancreatite
2) Hepatite
3) Abscesso hepático
4) Abscesso esplênico

D – Mesentério

1) Linfadenite

E – Órgãos pélvicos

1) Doença inflamatória pélvica
2) Abscesso tubovariano
3) Endometrite

II – Mecânicas (distensão obstrutiva aguda)

A – Órgãos intestinais ocos

1) Obstrução intestinal (aderências, hérnia, tumor, volvo, intussuscepção)
2) Obstrução biliar (cálculo, tumor, cisto de colédoco, hematobilia)

B) Vísceras sólidas

1) Esplenomegalia aguda
2) Hepatomegalia aguda (insuficiência cardíaca, síndrome de Budd-Chiari)

C) Mesentério

1) Torção do omento

D) Órgãos pélvicos

1) Cisto de ovário
2) Torção ou degeneração fibroide
3) Prenhez ectópica

III – Vascular

A – Hemorragia intraperitoneal

1) Ruptura de fígado
2) Ruptura de baço
3) Ruptura mesentérica
4) Ruptura de prenhez ectópica
5) Ruptura de aneurisma aórtico, esplênico ou hepático

B – Isquemia

1) Trombose mesentérica
2) Infarto hepático (toxemia, púrpura)
3) Infarto esplênico
4) Isquemia do omento

IV – Miscelânea

A – Endometriose

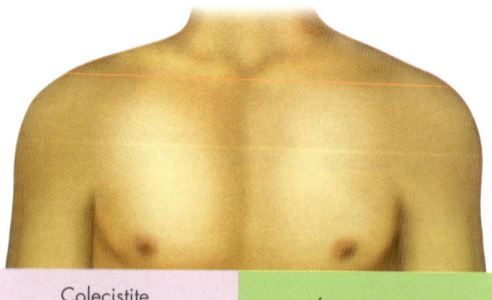

Região epigástrica
Úlcera péptica
Pancreatite
Infarto do miocárdio

Colecistite Pielonefrite Cólica ureteral Hepatite Pneumonia	Úlcera gástrica Pielonefrite Cólica ureteral Pneumonia
Apendicite Cólica ureteral Doença Inflamatória Intestinal Infecção do Trato Urinário Ginecológica Torção de testículo	Diverticulite Cólica ureteral Hérnia inguinal Doença Inflamatória Intestinal Infecção do Trato Urinário Ginecológica Torção de testículo

Região periumbilical
Pequena obstrução intestinal
Grande obstrução intestinal
Apendicite
Aneurisma de aorta abdominal

◀ **Figura 160.1** Diagnóstico diferencial da dor em diferentes regiões do abdômen.

de sepse e idade foram variáveis mais significativamente relacionadas à mortalidade. Nessa análise, pacientes acima de 90 anos, presença de choque séptico, *status* funcional dependente e leucograma anormal, têm probabilidade de sobrevivência menor que 10%.

O estudo retrospectivo[7] realizado no Sistema de Saúde Americano – Medicare – de 2000 a 2010, com o objetivo de identificar causas de óbito em pacientes idosos submetidos às cirurgias abdominais de grande porte em 30, 180 e 365 dias após o procedimento, corrobora os dados até agora discorridos. Em relação à presença de doença prévia, o estudo mostrou que 50% apresentavam doença arterial coronariana, 48% câncer, 33% insuficiência cardíaca congestiva, e outros 37% apresentaram alguma complicação cirúrgica no pós-operatório. Após ajuste de análise multivariada, foram considerados fatores relacionados à menor sobrevida em 30, 180 e 365 dias, a presença de: complicações pós-operatórias (de qualquer etiologia), demência, hospitalização prévia de até 6 meses à cirurgia e complicações clínicas.

Tabela 160.2 Taxa de mortalidade para seleção de códigos de procedimentos para o grupo de recursos para cuidados de saúde.

Código de procedimento para o grupo de recursos hospitalares	n	Urgência	Mortes (*n*)	Taxa (%) de mortalidade (*n*)
Q01 Cirurgia de emergência da aorta	6.598	Emergência	2.721	41,24
F33 Intestino grosso (procedimentos maiores com condição de complicação)	5.765	Emergência	1.290	22,38
F41 Cirurgia geral abdominal maior ou em idades maiores que 69 anos com condições de complicações	11.648	Emergência	1.843	15,82
H05 Cirurgias complexas de quadril, ou revisões de joelho	1.667	Eletiva	186	11,16
H33 Fratura do colo do fêmur, idade maior que 69 anos, ou condições de complicações	170.804	Emergência	15.780	9,24
F11 Cirurgias complexas do estômago e duodeno	3.714	Eletiva	312	8,40
Q02 Cirurgia vascular abdominal eletiva	17.791	Eletiva	1.321	7,43
F01 Procedimentos complexos no esôfago	5.594	Eletiva	375	6,70
F32 Procedimentos extensos sobre o intestino grosso	44.814	Eletiva	1.521	3,39
Q03 Cirurgia arterial dos membros inferiores	18.247	Eletiva	480	2,63
L02 Procedimentos abertos dos rins, idade maior que 49 anos, ou condições para complicações	17.549	Eletiva	343	1,95
H02 Prótese primária de quadril	123.,785	Eletiva	507	0,41
L27 Ressecção transuretral da próstata, idade maior que 69 anos, ou condições para complicações	6.196	Eletiva	24	0,39
B02 Extração de catarata por facoemulsificação e implante de lente introcular	89.444	Eletiva	50	0,06
F82 Apendicectomia, idade menor que 70 anos com ou sem condições para complicações	88.067	Emergência	15	0,02

Fonte: Dados extraídos do banco de dados CHKS.

■ EPIDEMIOLOGIA

Uma análise mais aprofundada dos fatores sociais, ambientais, genéticos, distribuição de fatores prévios e agravamento associado à cirurgia abdominal de urgência pode nos auxiliar na identificação de uma população de maior risco de morbidade e mortalidade, criando condições para o desenvolvimento de políticas sociais voltadas à saúde pública, no intuito de buscar melhor resolutividade nesses procedimentos cirúrgicos. Essa abordagem permite avaliação da frequência e distribuição das patologias cirúrgicas de urgência e análise dos fatores desencadeantes, ou associados à piora do prognóstico, tornando nossa abordagem clínica e cirúrgica a ser mais assertiva.

Dados de diferentes estudos epidemiológicos demonstram claramente que a cirurgia abdominal de urgência tem índices de morbidade e mortalidade mais elevados comparados aos de cirurgias abdominais de órgãos semelhantes; o estudo retrospectivo realizado pelo American College of Surgeons – NSQ1P[8] mostrou uma mortalidade de 14% para pacientes que se submetem à laparotomia de urgência. Pearse *et al.*, em estudo retrospectivo publicado em 2006, acerca de mortalidade encontrada em cirurgias abdominais eletivas *versus* cirurgias abdominais de urgência no mesmo órgão (intestino, estômago e outros), encontrou diferença significativa na mortalidade, como apresentado na Tabela 160.3.

Portanto, para tomada de decisão, deve-se considerar que o fato isolado do caráter eletivo ou de urgência da cirurgia abdominal representa uma grande mudança sobre o desfecho mortalidade. E o agravante "idade" (pacientes acima de 69 anos submetidos às cirurgias abdominais de urgência têm mortalidade alta, e pacientes acima de 90 anos mortalidade prevista de 90% em 1 ano) também é fundamental para essa análise inicial.

Tabela 160.3 Dados para duas populações de pacientes de cirurgia geral identificados por meio do banco de dados chks.

	População padrão	População de alto risco	P
n	3.603.803	513.924	–
Idade (anos)	54 (38–69)	75 (63–83)	< 0,0001
Procedimentos de emergência	769.371 (21,3%)	454.924 (88.5%)	< 0,0001
Duração da permanência hospitalar (dias)	3 (1–6)	16 (9–29)	< 0,0001
Mortalidade	15.038 (0,42%)	63.340 (12.3%)	< 0,0001

Dados apresentados como média ou percentagem. População padrão: todos os pacientes encaminhados para procedimentos com taxa de mortalidade menor que 5%: População de alto risco: todos os pacientes encaminhados para procedimentos com taxa de mortalidade de 5% ou maior.

Outro autor mostra que o aumento significativo da mortalidade está associado também aos pacientes de idade igual ou superior a 80 anos, indicando que somente 49% dos pacientes nessa faixa etária sobrevivem após 1 ano,[9] quando submetidos à ressecção de cólon em procedimentos de urgência. Em comparação, pacientes acima de 69 anos, submetidos aos procedimento eletivos semelhantes, apresentam taxa de mortalidade da ordem de 3,39%.[4]

Outro ponto fundamental é a não utilização da classificação e ASA – Estado Físico isoladamente, pois realizado dessa forma, a avaliação não reflete a probabilidade de morbimortalidade. Nesse sentido, o estudo retrospectivo realizado por Al-Iemini *et al.* encontrou que a presença de idade acima de 70 anos, classificação ASA IV, contagem leucocitária inferior a $4500/mm^3$ ou acima de $20.000/mm^3$, presença de choque séptico e um *status* funcional dependente, todos eles associados, apresentam taxa de mortalidade de 50%, em 30 dias.[8]

Ações relacionadas à redução de mortalidade incluem intensificação do uso de ultrassonografia abdominal e tomografia computadorizada e de leitos de terapia intensiva para acompanhamento pós-operatório. Ainda no caminho de redução da mortalidade, há que se destacar o benefício com a utilização de terapia de reposição de fluidos dirigida por metas.[10]

■ FISIOPATOLOGIA

A ocorrência de abdômen agudo está relacionada a uma série de patologias clinicocirúrgicas especificas, tais como: obstrução intestinal, úlcera gastroduodenal hemorrágicas/perfuradas, hérnias encerceradas, doença isquêmica intestinal, abdômen agudo perfurativo, entre outras condições.[2]

Para fins de adequação à fisiopatologia vamos nos concentrar na resposta inflamatória sistêmica, sepse e choque séptico como base em associação ao abdômen agudo ou cirurgia abdominal de urgência. Além dessa multiplicidade de patologias, outros fatores agravantes associados à laparotomia de urgência são a idade, com todas as modificações do *status* fisiológico e, ainda, doenças associadas:

Diabetes *mellitus*, hipertensão arterial crônica, insuficiência cardíaca congestiva, doença pulmonar crônica, anemia do idoso, disfunção renal, resposta inflamatória reduzida. Já o quadro de abdômen agudo, também agravado pelo fator idade, enseja manifestações, tais como: sepse, desidratação, desbalanço hidroeletrolítico e ácido-básico, disfunção orgânica e até falência de órgãos, todos corroborando a complexidade e a gravidade desses pacientes.[7]

Resposta Inflamatória

Em edição do JAMA, a Sepsis Definitions Task Force publicou dois artigos atualizando as definições de sepse e choque séptico[11] e fornecendo evidências científicas para a derivação e a validação dessas novas definições.[12]

Essa atualização se mostrou necessária em razão do maior número de recursos de suporte de vida disponíveis nas unidades de terapia intensiva (UTIs) atuais, especialmente em países desenvolvidos, e do melhor entendimento dos mecanismos fisiopatológicos responsáveis pelas disfunções celulares e moleculares relacionadas à sepse e que contribuem para morbidade e mortalidade associadas a essa síndrome.[13]

Para a derivação e a validação inicial dos critérios, os autores indentificaram todos os 148.907 casos com suspeita de infecção numa coorte de 1,3 milhão de atendimentos médicos registrados em prontuários eletrônicos em 12 hospitais da Pensilvânia, EUA. O próximo passo foi fazer uma análise confirmatória que incluiu 706,399 atendimentos em 165 hospitais norte-americanos e alemães. Dois escores demonstraram bons resultados.[12]

O qSOFA score (também conhecido como quickSOFA) é uma ferramenta para se usar à beira leito para identificar pacientes com suspeita/documentação de infecção que estão sob maior risco de desfechos adversos (Figura 160.2 e Tabela 160.4). Os critérios usados são: PA sistólica menor que 100 mmHg, frequência respiratória maior que 22/min e alteração do estado mental (escala de coma de Glasgow [GCS] < 15). Cada variável conta um ponto no escore, portanto ele vai de 0 a 3. Uma pontuação igual ou maior a 2 indica maior risco de mortalidade ou permanência prolongada na UTI.

Um qSOFA score alto está associado ao aumento na probabilidade de mortalidade. O escore gradua anormalidades em diferentes sistemas do organismo e também considera intervenções clínicas. No entanto, valores de exames laboratoriais, como pressão parcial de oxigênio (PaO_2), plaquetas, creatinina e bilirrubinas, são necessários para completar a avaliação.[12]

Nos resultados, os pesquisadores usaram os dados para testar a validade preditiva (correlação entre o resultado de um critério e um desfecho predefinido dos critérios para sepse). Os resultados demonstraram que nos atendimentos de pacientes com suspeita de infecção na UTI (n = 7.932), a validade preditiva do SOFA para mortalidade no hospital (área sob a ROC *curve* [AUROC], 0,74 [95% intervalo de confiança [CI] i, 0,73-0,76]) não foi significativamente diferente do valor gerado pelo critério LODS, de uso mais

Estado mental alterado

Rápida frequência respiratória

Baixa pressão arterial

▲ **Figura 160.2** *Sequential organ failure assessment score* (qSOFA).

Tabela 160.4 **Escore de avaliação sequencial da falência de órgãos.**					
			Escore		
Sistema	**0**	**1**	**2**	**3**	**4**
Respiração					
PaO₂/FIO₂, mmHg (kPa)	≥ 400 (53,3)	< 400 (53,3)	< 300 (40)	< 200 (26,7) com suporte respiratório	< 100 (13,3) com suporte respiratório
Coagulação					
Plaquetas, × 10³/μL	≥ 150	< 150	< 100	< 50	< 20
Fígado					
Bilirrubina, mg.dL⁻¹ (μmol.L⁻¹)	< 1,2 (20)	1,2-1,9 (20-32)	2-5,9 (33-101)	6-11,9 (102-204)	>12 (204)
Cardiovascular	PAM ≥ 70 mmHg	PAM < 70 mmHg	Dopamina < 5 ou dobutamina (uma dose)	Dopamina 5,1-15 ou epinefrina ≤ 0,1 ou norepinefrina ≤ 0,1	Dopamina > 15 ou epinefrina > 0,1 ou norepinefrina > 0,1
Sistema nervoso central					
Escore da escala de coma de Glasgow	15	13-14	10-12	6-9	<6
Renal					
Creatinina, mg.dL⁻¹ (μmol/L)	< 1,2 (110)	1,2-1,9 (110-170)	2-3,4 (171-299)	3,5-4,9 (300-440)	> 5 (440)
Débito urinário, mL.d⁻¹				< 500	< 200

FIO₂: fração inspirada de oxigênio, PAM: Pressão arterial média; PaO₂: pressão parcial de oxigênio; doses de catecolaminas são administradas em μg.kg⁻¹.min⁻¹ em menos de 1 h; escores da escala de Glasgow variam de 3 a 15; escores altos indicam melhor função neurológica.
Fonte: adaptado de Vicente *et al.*, 2015.[18]

complexo (AUROC, 0,75 [95% CI, 0,73-0,76]), mas foi superior ao valor gerado pelo critério SIRS (AUROC, 0,64 [95% CI, 0,62-0,66]), que está em uso atualmente. Esses dados dão base para o uso do qSOFA como critério clínico para o diagnóstico de sepse. Já nos atendimentos de pacientes com suspeita de infecção fora da UTI (*n* = 66.522), o qSOFA demonstrou alta validade preditiva para mortalidade intra-hospitalar (AUROC, 0,81 [95% CI, 0,80-0,82]) e o resultado foi estatisticamente maior do que a validade preditiva do critério SIRS (AUROC, 0,76 [95% CI, 0,75-0,77]), sugerindo que o qSOFA é útil como critério de triagem clínica para se pensar em sepse.

Em outro artigo publicado na mesma edição do JAMA, pesquisadores descreveram a definição e os critérios clínicos para a identificação de choque séptico em adultos.[3] Os autores descrevem uma revisão sistemática e metanálise de 92 estudos seguida do uso de um método de Delphi (técnica quantitativa para estabelecimento de consensos[6]), que

resultou na criação da nova definição. Após a conclusão do processo, as variáveis identificadas foram testadas em estudos de coorte (*Surviving Sepsis Campaign* [n = 28.150; *University of Pittsburgh Medical Center* [n = 1.309.025] e *Kaiser Permanente Northern California* [n = 1.847.165]).

Como resultado desses dois estudos, novas definições e critérios clínicos para sepse e choque séptico foram adotadas. Ao mesmo tempo, alguns termos como septicemia, síndrome séptica e sepse grave foram colocados em desuso pelo grupo de trabalho.[14]

Definições

- **Sepse**: disfunção orgânica potencialmente fatal causada por uma resposta imune desregulada a uma infecção.
- **Choque séptico**: sepse acompanhada por profundas anormalidades circulatórias e celulares/metabólicas capazes aumentar a mortalidade substancialmente.[12]

Critérios Clínicos

- **Sepse**: suspeita ou certeza de infecção e aumento agudo de ≥ 2 pontos no SOFA em resposta à infecção (representando disfunção orgânica).
- **Choque séptico**: sepse + necessidade de vasopressor para elevar a PAM acima de 65 mmHg e lactato > 2 mmol.L^{-1} (18 mg.dL^{-1}) após reanimação volêmica adequada.[12]

Comparação com as Definições Antigas[1-3,8,9]

A Tabela 160.5 compara as definições antigas e as novas.

Algoritmo

Essas novas definições e critérios permitiram a criação de um novo algoritmo organizacional para os critérios clínicos de sepse e choque séptico (Figura 160.3).

Tabela 160.5 Comparações entre as definições antigas e novas para sepse e choque séptico.		
	Definições antigas	**Definições novas**
Sepse	**SIRS:** <u>temperatura</u> > 38 °C ou < 36 °C; <u>FC</u> > 90 bpm; <u>frequência respiratória</u> > 20 mrm ou PaCO$_2$ < 32 mmHg; e <u>leucócitos totais</u> < 4.000 ou > 12.000, ou > 10% de <u>bastões</u> + Suspeita de infecção	Suspeita/documentação de infecção + 2 ou 3 no qSOFA ou Aumento de 2 ou mais no qSOFA
Sepse grave	Sepse + <u>PAS</u> < 90 ou <u>PAM</u> < 65 <u>Lactato</u> > 2 mmol.L^{-1} <u>INR</u> > 1,5 ou <u>TTPA</u> > 60 s <u>Bilirrubina</u> > 2 mg.dL^{-1} Débito <u>urinário</u> < 0,5 mL.kg^{-1}.h^{-1} por 2 h <u>Creatinina</u> > 2 mg.dL^{-1} <u>Plaquetas</u> < 100.000 <u>SaO$_2$</u> < 90% em AA	Definição excluída
Choque séptico	Sepse + Hipotensão mesmo com reanimação volêmica adequada	Sepse + Necessidade de vasopressores para manter PAM > 65 E Lactato > 2 mmol.L^{-1} após reanimação volêmica adequada

PAM: pressão arterial média; PaO$_2$: pressão parcial de oxigênio; qSOFA: *sequential organ failure assessment score*; SIRS: síndrome da resposta inflamatória sistêmica; AA: ar ambiente.

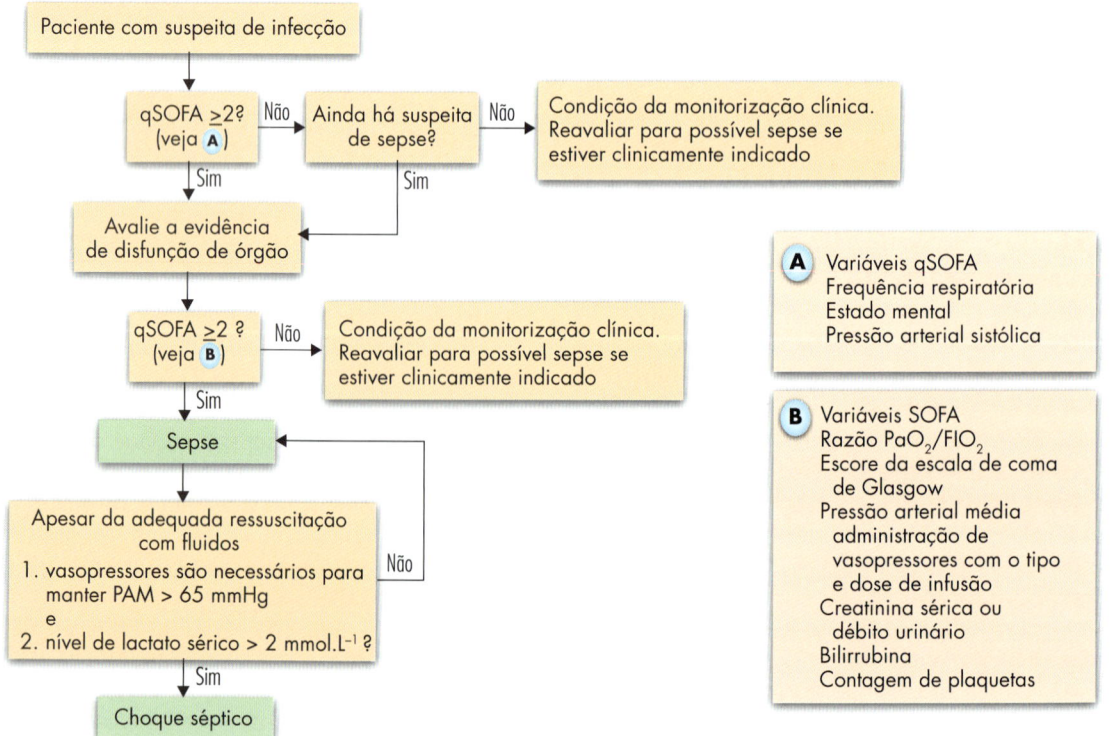

▲ **Figura 160.3** Algoritmo organizacional para os critérios clínicos de sepse e choque séptico.

Novo algoritmo internacional para os critérios clínicos de sepse e choque séptico.[1]

Ao avaliar um paciente com suspeita de infecção fora da UTI, o médico deve procurar pelas variáveis do qSOFA score (GCS < 15, FR ≥ 22 e PAS ≤ 100). Caso o paciente preencha dois ou mais critérios do qSOFA score, a árvore diagnóstica continua. Exames laboratoriais devem ser coletados para que o SOFA score seja calculado. Um SOFA score que demonstre aumento de 2 ou mais pontos resulta em confirmação do diagnóstico de sepse. Se esse paciente tiver a necessidade de uso de vasopressor para manter PAM maior que 65 mmHg e se o nível de lactato for acima de 2 mMol,L^{-1}, mesmo após reanimação volêmica adequada, ele se encaixa no diagnóstico de choque séptico.[14]

Fisiopatologia da Resposta Inflamatória e Outras Situações Associadas

Para caracterizar a sepse frequentemente associada à cirurgia abdominal de urgência (acima de 40% dos casos), é adequada uma revisão de termos e condições clínicas relacionadas ao abdômen agudo.

De acordo com o definido pela Society of Critical Care Medicine,[14] temos:

- **Infecção:** está associada à resposta inflamatória pela presença de agentes microbianos em tecidos estéreis.
- **Bacteremia:** pode ser detectada e confirmada por exames laboratoriais – hemocultura, pela presença de agentes microbianos no sangue.
- **Síndrome da Resposta Inflamatória Sistêmica (SRIS):** é uma resposta inflamatória do hospedeiro secundário à infecção e também por outros patologias, como trauma, choque, administração de mediadores inflamatórios, pancreatite, entre outras situações clínicas. Para caracterizar a SRIS é necessário encontrar pelo menos dois parâmetros ou sinais clínicos de:
  - Hipotermia (T < 36 °C) ou febre (T > 38 °C).
  - Frequência cardíaca acima de 90 bat/min.
  - Frequência respiratória acima de 20 inspirações respiratórias por minuto (ins /resp/min) ou PaCO$_2$ abaixo de 32 mmHg.
  - Leucocitose ou leucopenia (acima de 12 mL/mm^3 ou abaixo de 4 mL/mm^3) ou presença de formas imaturas acima de 10% da contagem leucocitária.
- Sepse: síndrome da resposta inflamatória aguda sistêmica secundária à infecção.
- Sepse grave: é a sepse relacionada à disfunção orgânica e às anormalidades da perfusão tecidual laboratorial ou clínica (acidose metabólica, acidose lática, oligúria [abaixo de 0,5mL.kg^{-1}.h^{-1}], alterações nos níveis de consciência relacionados ao baixo débito cardíaco [DC] e oferta tecidual de oxigênio reduzidas). Presença de hipotensão arterial (PAS < 90mm/Hg ou queda de 40% nos valores basais) e normalmente responsivos à infusão de fluidos.
- Choque séptico: sepse na presença de hipotensão, não responsiva à reposição agressiva de fluidos, associada à disfunção orgânica (sistema respiratório, cardiovascular, renal, hidroeletrolítico e ácido-básico, entre outros),

presença de anormalidades graves na perfusão tecidual, na ausência de outras causas.
- Síndrome de falência de múltiplos órgãos: presença de anormalidade grave de três ou mais órgãos (cardiovascular, renal, pulmonar, por exemplo) e no qual a homeostasia não pode ser revertida sem intervenção (fármacos vasoativos), uso de métodos dialíticos, utilização de ventilação mecânica, entre outros).

Essas definições ajudam a clarificar a situação clínica e estabelecer um modelo de tomada de decisão.

■ OTIMIZAÇÃO PRÉ-OPERATÓRIA – MODELO DE CUIDADO ORIENTADO PELA ANÁLISE DO DESFECHO

A compreensão do papel fundamental da análise clínica e laboratorial de eventos associados à morbimortalidade em cirurgias abdominais identifica e mostra a oportunidade de diferentes situações pré-operatória como momentos-chave de intervenção para reduzir complicações.

Buscaremos, assim, a oportunidade de um trabalho integrado: sala de urgência, anestesia e cuidado intensivo com base em informações clínicas e laboratoriais no intuito de utilizar as horas antes da cirurgia como uma janela de oportunidade de intervenções dirigida por um programa ou protocolo voltado à cirurgia de urgência abdominal, fato que é reforçado por uma análise de que o cuidado subótimo acarreta alta mortalidade.

Como base dessa proposição, inferimos uma análise do The Emergency Laparotomy Pathway Quality Improvement Care (ELPQuIC), estruturado a partir da coleta de informações de 35 hospitais em 2010, que reportou mortalidade em 30 dias de 14,9% (variação 3,6% − 41,7%) e chegando a 24,4% em pacientes acima de 80 anos em um programa denominado The Emergency Laparotomy Network (ELN).[15]

Para reforçar a necessidade do estabelecimento de um programa específico voltado à cirurgia abdominal de urgência, citamos a Dinamarca que, após uma análise no sistema de coleta de dados dos pacientes cirúrgicos (Danish Anaesthesia Database), retrospectivamente avaliando 2.904 pacientes submetidos à cirurgia abdominal de urgência, apontou mortalidade em 30 dias de 19,5%.[5] Essas informações retrospectivas evidenciaram a necessidade da estruturação de um programa padronizado de cuidado de urgência, uma vez que o cuidado pré-operatório apresentava grandes variações entre hospitais e entre as próprias equipes em dias diferentes. Fatores apontados como importantes para a redução da mortalidade foram a qualificação do cirurgião e o treinamento adequado para cirurgias abdominais de urgência. Outro fator foi o foco da instituição hospitalar. Cirurgias eletivas *versus* urgência requerem visão e cultura diferentes para abordagem multidisciplinar. Soma-se, ainda, como fatores de melhora no cuidado a necessidade de médicos anestesistas experientes e treinados para esses procedimentos e a subutilização de recursos intraoperatórios, como a terapia por objetivos e a necessidade de cuidado intensivo pós-operatório.[5]

A resolução de problemas médicos de alta complexidade apontam na direção de sua melhoria, mediante a implementação de um pacote de cuidados – *Care Bundle* – por meio de evidências clínicas combinadas a uma análise de banco de dados retrospectivos. Este foi o cenário que estimulou um grupo de hospitais britânicos a desenvolver o pacote de cuidados – *Care Bundle*, para cirurgias abdominais de urgência no Reino Unido em 2010, e o objetivo do estudo seria comparar a mortalidade em 30 dias após a cirurgia abdominal de urgência antes e após a implementação de um programa de qualidade multicêntrico – Emergency Laparotomy Pathway Quality Improvement Care (ELPQuIC).[15]

As bases para construção do pacote de cuidados do ELPQuIC advêm de publicações Royal College of Surgeons of England Department of Health of United Kingdom, em que se estabeleceu apenas recomendações com forte evidência seriam adotadas na construção final do pacote de cuidados.[15]

Elementos contribuintes do pacote de cuidados têm como premissa a documentação de escores de alerta (a*cute ill patients in hospital: recognition of anual response to acute illness in adults in hospital*) avaliados na sala de urgência ou na UTI.[16]

Antibioticoterapia precoce e administração de antibióticos de largo espectro são práticas a serem adotadas para todos os pacientes com suspeita de líquido ou inflamação peritoneal. Esta também é a recomendação do Survival Sepsis Campaign. Neste contexto, um estudo publicado por Arnaud Kurma *et al.* sobre a relação entre hipotensão encontrada em pacientes que apresentaram sepse em sua evolução, demonstrou que a administração precoce de antibióticos (primeira hora de documentação da hipotensão) está associada ao aumento significativo da taxa de sobrevida e alta desses pacientes. Esse estudo aponta, ainda, que apenas 50% dos pacientes que desenvolveram choque séptico tiveram administração de antibiótico de largo espectro antes de 6 h. Esta meta está estabelecida em diretrizes do Survival Sepsis Campaign, que adotou como meta institucional: "a administração de antibióticos até no máximo em 6 h na suspeita de sepse", devendo ser considerado um padrão de qualidade e segurança da Instituição.[15,17]

Como parte do pacote de cuidados sugeridos pelo ELPQuIC está a decisão de submeter os pacientes à laparotomia no máximo em 6 h após a decisão ser tomada e iniciar a ressuscitação volêmica com fluidos utilizando terapia dirigida por objetivos.[10]

Uma revisão sobre estudos randomizados que avaliaram morbidade e mortalidade como desfecho primário e secundário em pacientes submetidos à terapia dirigida por metas, iniciada até 24 h antes da cirurgia e mantida no intra e pós-operatório, demonstrou que a redução de complicações (cardiovasculares, pulmonares, infecciosas, tempo de internação hospitalar) foi atingida pela adoção deste protocolo em todos os grupos (baixo, médio e alto risco) e que a redução de mortalidade foi positiva nos pacientes com alta mortalidade (acima de 20%).[10]

O estudo publicado por Rupert Pearse *et al.*, com o objetivo de avaliar terapia dirigida por metas em pacientes submetidos à cirurgia de grande porte mostrou redução em complicações e menor tempo de internação hospitalar;

complicações que incluem infecção respiratória, cardiovascular, abdominais e hemorrágica.[18]

Estudos apontam que a sepse, a desidratação e o choque séptico estão presentes em até 42,4% dos pacientes em cirurgias de urgência, comparados a 4,3% dos pacientes que se apresentaram em cirurgias eletivas. Esse fato reforça a necessidade de um foco na reposição volêmica para pacientes de urgência em cirurgia abdominal.

Estudo publicado em 2011, acerca de uma avaliação do padrão de cuidados dispensados a pacientes em cirurgias de urgência (*UFNational Confidential Enquiry into Patient Outcome and Death* – 2011), mostra que apenas 26% dos pacientes de alto risco tinham acesso arterial invasivo e que menos de 14% tinham acesso venoso central. Estudo de hospitais americanos em cirurgias cólon-retal (63% destes em regime de urgência) mostra que houve atraso no diagnóstico em 19% dos casos, 22% tiveram atraso na indicação de cirurgia, 14% realizaram cirurgias menos radicais que o necessário para resolver o problema e 20% dos pacientes foram a óbito.[19]

Esses achados reforçam a necessidade da incorporação de um modelo de cuidado estruturado em protocolos voltados também à monitorização hemodinâmica (preferencialmente por métodos dinâmicos) associado à avaliação de perfusão periférica (BE, lactato). O acesso venoso central e o acesso arterial, ou uso de métodos não invasivos ou minimamente invasivos são de forte recomendação para orientar a terapia de fluidos e drogas vasoativas e transfusão do sangue.

■ GESTÃO E CUIDADOS DURANTE ANESTESIA

Como estabelecido nos tópicos anteriores, fica claro que eses pacientes manifestam situações de risco de base, o que frequentemente reduz ou elimina o tempo adequado para preparo dos pacientes, e esta equação "doenças crônicas + situações clínicas agudas" contribuem para um desfecho desfavorável.

Consequentemente, estabelecer um plano de cuidado estruturado em monitorização hemodinâmica, avaliação de oferta tecidual de oxigênio, *status* da volemia, avaliação da função respiratória, renal, da coagulação, entre outros pontos, é de fundamental importância.

Evidencia-se que 3 a 6 hs de otimização pré-operatória com foco nos principais riscos podem efetivamente mudar o desfecho deste grupo de pacientes.[10]

Como Organizar Estes Cuidados?

Avaliação da volemia com uso de monitorização hemodinâmica invasiva ou minimamente invasiva

Ter em conta que o uso da pressão venosa central (métodos estáticos) para estimar a volemia não encontra respaldo na literatura atual. Métodos dinâmicos (variação do volume sistólico), delta de variação da pressão de pulso – ΔPP, monitorização do índice cardíaco (IC) e volume sistólico (VS), acoplados à avaliação da microcirculação e adequação da oferta de oxigênio, lactato, excesso de bases (BE) e saturação venosa de oxigênio (SVO_2) mantido acima de 75%) podem oferecer métodos confiáveis para avaliação da volemia e adequação tecidual da oferta e consumo de oxigênio. Realize reposição volêmica agressiva para correção da hipovolemia.

PAM adequada pode não significar oferta de oxigênio necessário à situação clínica. Portanto, este item do plano de anestesia é de fundamental importância. Nas situações de sepse grave ou choque séptico, o estabelecimento de metas, como $SVO_2 \geq 70\%$, IC ≥2,5 L/min, PAM ≥ 65 mmHg e diurese ≥ 0,5 – 1mL.kg^{-1}.h^{-1}, quando comparados dois grupos de pacientes com terapia clássica e esse cuidado definido por metas, houve redução significativa na mortalidade no grupo conduzido por metas.

A sepse grave ou choque séptico, que acompanha frequentemente casos clínicos de abdômen agudo inflamatório, são caracterizados pela liberação de substância anti e pró-inflamatórias, a disfunção orgânica se estabelece na fase inicial e também ter correlação com uma resposta inflamatória excessiva. Esses fatores colaboram para a degradação e destruição do glicocálix, estrutura que sustenta todo o endotélio vascular. Essa alteração propicia o extra-vasamento de líquidos e proteínas do intravascular para todos os órgãos e tecidos, acarretando além de hipovolemia real, uma alteração na perfusão tecidual por acúmulo de líquidos (transudação) no espaço intersticial, ocasionando dificuldades na transferência do oxigênio às células. Esse sistema de deterioração se retroalimenta e acarreta edema generalizado em pulmões, coração, mucosa intestinal, cérebro, rins e no próprio endotélio vascular.

Portanto, a reposição volêmica precoce e dirigida por metas é a base do cuidado que devemos executar na reposição de fluidos e fármacos vasoativos.

Ainda devemos evitar planos de anestesia muito profunda, que tendem a piorar a resposta autonômica muito comprometida desses pacientes. Outro aspecto importante na velocidade da reposição volêmica nesses pacientes e que tem relação direta com a redução de mortalidade é a infusão, nas primeiras 6 h após a admissão do paciente no hospital.[10]

A análise mais acurada do estudo randomizado de Rivers *et al.* mostra que essas horas iniciais e a recuperação da perfusão tecidual utilizando metas foram os principais beneficiadores da estratégia.[14]

O uso precoce de noradrenalina, após a correção da hipovolemia, deve estar previsto como forma de reduzir a hipoperfusão periférica e manter a PAM acima de 65 mmHg, sempre atentos para a adequação de fluidos.[14]

Cristaloides *versus* coloides

A reposição volêmica em pacientes com sepse grave ou choque séptico tem como base o uso de soluções cristaloides (soluções balanceadas, tais como: Ringer, Ringer com lactato, Plasma-lyte A®).

A análise de subgrupos permite definir que um grupo de pacientes pode se beneficiar do uso de soluções coloides (albumina a 5%) e se associam ao melhor desfecho; este fato foi observado em estudos randomizados.[20]

A reposição volêmica com albumina permite uma recuperação mais rápida da volemia e melhoria precoce do DC, em comparação à ressuscitação com cristaloide isoladamente na hipovolemia da sepse.

O uso de orientações advindas do Survival Sepsis Campaign recomenda a aplicação inicial de soluções cristaloides balanceadas, por apresentarem melhor perfil ácido-básico e de concentração de eletrólitos, principalmente sódio e cloro, mais próximos dos valores plasmáticos.[14]

Condução da Anestesia

Muitas vezes, a logística de admissão do paciente na sala de cirurgia obedece a padrões administrativos que, por vezes, se sobrepõe às metas de cuidado, acarretando dificuldades no tempo disponível para avaliação, definição de plano diagnóstico e organização do cuidado da anestesia na sala de cirurgia.

Este ponto é importante ressaltar, em virtude da proposição dos trabalhos britânicos que mostram grande melhora quando o foco passa ser o cuidado, a terapêutica e as intervenções que efetivamente mudam o desfecho e que pacientes com diagnóstico de abdômen agudo sejam operados em até 6 h após sua admissão no hospital.

Nesse aspecto, ainda não podemos negligenciar o tempo e, sendo assim, o plano de trabalho selecionado para a anestesia deve ser executado na amplitude que a gravidade do caso impõe. Vamos organizar um modelo de cuidado focado no paciente para que o médico anestesiologista possa ser mais assertivo, o que também pressupõe trabalhar para organizar na sua instituição um modelo de cuidado integrado entre a urgência, centro cirúrgico e cuidados intensivos.[14]

O tempo mínimo pode ser otimizado antes da indução da anestesia. O foco é a recuperação rápida das condições cardiovasculares com ênfase na correção da hipovolemia (real ou oculta); disfunção autonômica periférica, que contribui para a instabilidade hemodinâmica; e a disfunção respiratória associada à hipoxemia leve ou moderada (saturação arterial ≤ 92%) sem o suporte de oxigênio.

Portanto, inferimos um foco de ação hemodinâmica e respiratória de forma prioritária para esses pacientes.

Débito Cardíaco

A otimização do débito cardíaco pelo volume sistólico, diretamente relacionado à volemia e à *performance* cardiovascular obedece a uma prioridade, avaliar de forma criteriosa a presença da hipovolemia, que nos pacientes geriátricos o critério de diagnóstico pela hemodinâmica tradicional – pressão arterial (PA) e FC – podem falhar pelas alterações autonômicas induzidas pelo envelhecimento e aterosclerose.[21]

Nesse contexto fisiopatológico, reforçam os achados que os parâmetros estáticos – PAM, pressão venosa central e pressão capilar pulmonar, não apresentam correlação direta com a volemia. Os métodos dinâmicos derivados da análise da curva de PA ou da pletismografia têm apresentado uma *performance* melhor na definição dos pacientes "que respondem à infusão do volume". Neste cenário, inúmeras tecnologias estão disponíveis em nosso meio para a monitorização dinâmica e indicadas nesses pacientes para melhorar a assertividade na definição da hipovolemia.[10]

O aumento da sensibilidade e, principalmente, especificidade nessas técnicas, pode ser conseguido por meio da manobra de elevação das pernas e elevação da cabeça (Figura 160.4) – *Passive Leg Raising*, que pode ser um teste preditivo para estabelecer melhor a necessidade e pertinência da infusão de volume.

Essa decisão assume uma importância clínica pela possibilidade de criarmos outra complicação advinda da infusão da sobrecarga de volume desproporcional ao necessário, acarretando ocorrência da síndrome compartimental abdominal,[22] que pode ocorrer frequentemente nesses pacientes e ser agravada pela infusão de grandes volumes de líquido, gerando piora significativa da sobrevida diretamente, e pelas complicações associadas a outros órgãos e sistemas, por redução de perfusão tecidual (redução da oferta tecidual de oxigênio) e aumento dos períodos de isquemia e ocorrência de fenômenos de isquemia-reperfusão. Sendo assim, a efetividade e a propriedade da infusão de líquidos obedecem a um princípio: a melhoria na oferta tecidual de oxigênio – DO_2.

$$DO_2 = DC \times (1{,}39 \times [Hb] \times SaO_2 + (0.003 \times PaO_2))$$

Em que:

DO_2: oferta tecidual de oxigênio
DC: débito cardíaco (VS × FC – volume sistólico × frequência cardíaca)
Hb: hemoglobina periférica (g.dL^{-1})
SaO_2: saturação arterial da hemoglobina pelo oxigênio
PaO_2: pressão parcial do oxigênio

A DO_2 pode ser avaliada com exames laboratoriais da gasometria arterial, da dosagem da hemoglobina, e nas situações de monitorização invasiva, ou minimamente invasiva, advém a definição dos valores de DC e IC, considerando que muitos desses equipamentos que avaliam o DC pela análise do contorno da curva de PA têm acopladas medidas dinâmicas de avaliação volêmica, como variação do volume sistólico – VVS, índice de variação plestimográfica (IVP) e ΔPP.[21]

O objetivo na avaliação da oferta tecidual de oxigênio é a manutenção desses níveis em valores indexados próximos dos 600 mL/min/m², portanto, meta é o resultado de uma estratégia.

Retornando aos conceitos emanados a partir da fórmula do DC (VS × FC), a melhoria do VS pode ser conseguida também por melhoria nas condições cardíacas – *performance*

da função ventricular – e também hemodinâmica periférica – função autonômica que pode ser otimizada pelo uso precoce de drogas vasoativas (de preferência de ação mista – arterial e venosa) que ajam tanto na resistência vascular (pulmonar e sistêmica), como também nos vasos de capacitância (sistema venoso), produzindo melhoria significativa no DC. Esta forma de otimização do VS se soma à otimização da volemia por infusão de fluidos produzindo um objetivo primário: a melhora na DO_2.[10]

Assegurar a avaliação seriada do lactato e do Base Excess – BE são fundamentais, pois a redução do DO_2 com manutenção ou aumento do consumo de oxigênio do miocárdio (VO_2) provoca déficits na perfusão tecidual com desvios do metabolismo aeróbico para o anaeróbico (presença de elevação do lactato e pelos déficits de perfusão a elevação do BE) e podem ser considerados índices preditivos de morbimortalidade em pacientes de alto risco.[23]

O que se depreende? Que a monitorização hemodinâmica com avaliação da volemia, manobras para definir a necessidade de reposição de líquidos (*passive leg raising*), acompanhada de avaliação da efetividade da intervenção com líquidos ou fármacos vasoativos (inotrópicos positivos ou fármacos vasoativos de ação periférica), medida pelos níveis de lactato e BE (reduzidos de forma seriada) definem as bases da primeira fase da intervenção do médico anestesista.

Outro ponto muito importante ainda na fase inicial é a administração de antibióticos, na fase do preparo do paciente para a cirurgia (até 30 – 60 min antes da cirurgia). Caso ainda não tenha sido administrado, discuta a melhor opção e, também, nos casos em que o paciente receber com antecedência acima de 1 h, verifique o(s) antibiótico(s) e repita, de acordo com a orientação do serviço de controle de infecção hospitalar (CCIH) de sua instituição. Dentre os objetivos do Survival Sepsis Campaign, o tempo de administração dos antibióticos é fato de qualidade institucional nos pacientes com suspeição de sepse.[14]

Antes da indução da anestesia, confirme se as condições hemodinâmicas do paciente permitem essa segunda fase na sala de cirurgia. A ocorrência de hipotensão arterial pós-indução pode ser minimizada pelo preparo prévio sugerido, que pode ser realizado num tempo capaz de mudar o desfecho do paciente. Neste momento, prévio de preparo, outra parte fundamental para a qual chamamos atenção é a saturação arterial periférica de oxigênio (SPO_2), que pode ser otimizada pelo uso adicional de oxigênio, administrado por cateter de oxigênio, caso o paciente esteja desperto e bem responsivo, ou por máscara facial acoplada a uma bolsa reservatória (sistema de Venturi), em que podemos ofe-

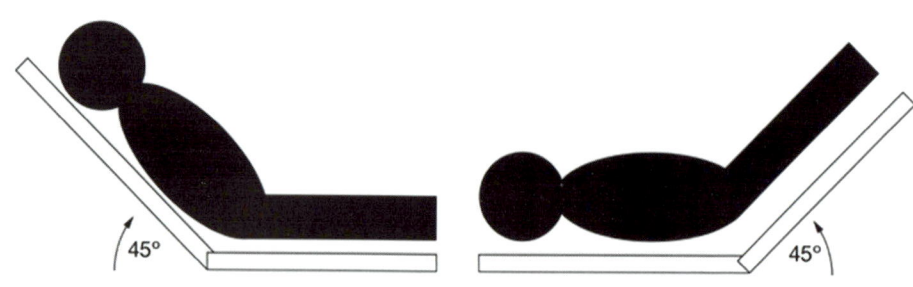

◀ **Figura 160.4** Levantamento passivo das pernas.

recer frações inspiradas de oxigênio (FIO$_2$) crescentes e mais adaptadas às necessidades dos pacientes. Vale ressaltar que este mesmo sistema respiratório acompanha o paciente até o término do procedimento podendo, nos casos em que o paciente for extubado, ou nas situações de anestesia regional, ser o sistema de administração de oxigênio, otimizando e reduzindo o custo associado a essa intervenção.[21]

Portanto, retomando ao início de nossa intervenção:

$$DC = VS \times FC$$
$$DO_2 = DC \times (1{,}39 \times [Hb] \times SaO_2 + 0{,}003 \times PaO_2)$$

Outra terapêutica para melhorar a oferta tecidual de oxigênio é a transfusão de concentrado de hemácias (CH) no intuito de melhorar a concentração de hemoglobina (Hb) e, consequentemente, o DO$_2$.

Trabalhos recentes demonstram que, para pacientes submetidos à cirurgia abdominal, os níveis plasmáticos de Hb acima de 10 g/dL apresentam melhor prognóstico com redução da mortalidade e da morbidade. No trabalho inicial de Rivers *et al.*, uma das metas estabelecidas estava associada a manter Hb acima de 10 g.dL^{-1}; dados corroborados pela *Survival Sespsis Campaign*.[14]

A decisão pela transfusão, ainda na fase de admissão na urgência ou terapia intensiva, e a correção precoce da anemia trazem vantagens na melhora da *performance* da Hb transfundida no paciente de cirurgia abdominal de urgência, pois a afinidade e a liberação do oxigênio tecidual se tornam mais eficazes e eficientes. Caso essa medida não tenha sido realizada previamente, o médico anestesista deve definir a pertinência da transfusão antes da indução e proceder a transfusão no intuito de melhorar o desfecho do paciente, e, nessa situação, este tempo adicional significa ganho de redução da morbimortalidade.[10]

Lembre-se que, por vezes, o banco de sangue necessita de um tempo maior para tipagem e reserva da unidade solicitada. Certifique-se que, nos casos indicados, houve a solicitação e, mais do que isto, cheque o tempo para chegada do sangue até a sala de cirurgia. Pacientes politransfundidos apresentam altas taxas de anticorpos e dificuldade compatibilidade sanguínea. Nesse contexto, a correção prévia ou intraoperatória dos fatores associados à coagulação deve ser comparada em custo-benefício com a administração de fatores de coagulação liofilizados, utilizando avaliação do *status* prévio à coagulação sanguínea.[24]

O uso de *point of care* – laboratório voltado à avaliação da coagulação com provas relacionadas às intervenções – tromboelastograma e ROTEM®, são de grande utilidade e permitem redução significativa no uso de componentes do sangue, tais como plaquetas, plasma fresco congelado e crioprecipitado.

A terapia guiada por parâmetros dinâmicos da coagulação torna-se uma alternativa mais efetiva e que retrata melhor a situação clínica que os métodos tradicionais de avaliação da coagulação.[25]

Cirurgia de Controle de Danos

Nas duas últimas décadas, esta técnica tem-se tornado padrão de cuidado em pacientes graves com comprometimento fisiológico, que necessitam intervenções cirúrgicas. Temos que ressaltar que essa alternativa não é apenas de caráter associado à cirurgia, mas inclui uma série de medidas com objetivo de reduzir mortes em pacientes muito comprometidos, por meio de um procedimento sequencial, sendo, na primeira fase, uma intervenção emergencial e, posteriormente, a cirurgia definitiva.[26]

O que se depreende em pacientes de alto risco em cirurgias abdominais de urgência é que a duração da cirurgia *versus* a situação clínica do paciente é um parâmetro crítico.[27]

Nesta técnica – *Damage Control Surgery*, está incluído o princípio de redução do estresse e do tempo cirúrgico, pois o foco e o objetivo da cirurgia são o controle parcial da patologia desencadeante (exemplo, na obstrução intestinal tumoral grave, realização de ostomia para descompressão imediata) e retorno à unidade de cuidados intensivos para recuperação e tratamento da sepse e das complicações associadas; a cirurgia definitiva aguarda a recuperação parcial ou total do paciente. Essa condição tem reciprocidade nas cirurgias de urgência no trauma abdominal, onde o objetivo da equipe é o controle dos focos hemorrágicos e suturas absolutamente necessárias à melhoria aguda do paciente.

A técnica de cirurgia do controle de danos tem sido benéfica em pacientes de cirurgia abdominal de urgência – incluindo pacientes com diverticulite ou pacientes com enterites necrotizantes, que necessitam de debridamentos sucessivos e reabordagens cirúrgicas para redução de perdas sanguíneas melhor controle da volemia.

Pacientes com isquemia mesentérica ou doença venosa oclusiva também são candidatos aos procedimentos cirúrgicos estagiados; e o fator idade, observando que há um aumento significativo da mortalidade em pacientes acima de 80 anos, sugere esta opção para redução da mortalidade.[27]

Outro fator importante associado a essa opção é o controle da pressão intra-abdominal, pela sua contribuição expressiva para a morbimortalidade, por se tratar de uma das complicações mais frequentes nos pacientes internados em terapia intensiva. A avaliação da pressão intra-abdominal e os métodos de fechamento temporários e parciais abdominais são uma estratégia eficaz para pacientes de alto risco.[28]

Indução e Manutenção da Anestesia

O início da anestesia nos pacientes com abdômen agudo representa uma grande preocupação dos médicos anestesistas com relação ao acesso à via aérea. Esssencial ressaltar que o uso de anestesia regional no neuroeixo (peridural ou subaracnóidea) não evita o risco de broncoaspiração, portanto, devemos ter um planejamento no sentido de buscar minimizar ou evitar esta grave complicação[1] (Tabela 160.6).

Erros de medicação compõe um conjunto de eventos adversos que ocorre em anestesia. Portanto, há que ter atenção redobrada ao momento de preparação, identificação e administração dos medicamentos em anestesia. Esta ação pode ser considerada uma das mais importantes atividades do médico anestesista, principalmente nas situações de urgência.[29]

A presença de quadros infecciosos abdominais, vasculares, acompanhados de isquemia, entre outros fatores, pode alterar a fisiologia do esvaziamento gástrico e da peristalse

Tabela 160.6 Checklist antes da indução em sequência rápida.
1. Checagem do material de intubação orotraqueal?
2. Laringoscópio funcionando bem?
3. Tubo traqueal conectado ao fio-guia e com seringa para insuflar o *cuff* pré-conectados ao tubo orotraqueal?
4. Sonda e aspiradores checados e funcionantes?
5. Dorsiflexão da mesa?
6. Fármacos para indução preparados, identificados e checados?
7. Apoio e auxílio para realização de manobra de Sellick, quando indicada?
8. Oxigenação prévia sem uso de pressão positiva de oxigênio a 100% ?

no trato digestivo e, ainda, gerar aumento da pressão e do volume intragástrico e intestinal, propiciando condições de broncoaspiração com consequente ocorrência de pneumonia aspirativa – Síndrome de Mendell.[30]

A utilização de técnica de "sequência rápida", sem ventilação com pressão positiva, com uso de bloqueador neuromuscular (BNM) adespolarizante – rocurônio, tem sido considerada como opção segura por médicos anestesistas mais experientes. Pelos efeitos colaterais associados à indução com uso de succinilcolina, a dose de rocurônio adequada para intubação orotraqueal com relaxante muscular é da ordem de 1 a 1,2mg.kg^{-1} (apresentando condições de intubação semelhantes à succinilcolina em 1 min). É importante ressaltar que essa dose ocasiona aumento de duração da ação (de 30-40 min para 60 min); no entanto, considerando a necessidade de BNM para cirurgias abdominais de urgência, este evento não compromete a escolha da técnica.

Um ponto relevante a ser ressaltado é a suspeita de via aérea difícil na condição de abdômen agudo, o que nos leva a avaliar o uso de intubação com aplicação do fibroscópio ou, em casos selecionados, pelo menor risco, o uso de videolaringoscópio associado ao bougie ou na intubação orotraqueal com paciente desperto.[31]

A manutenção da anestesia pode ser realizada com uso de técnica de anestesia venosa total (TIVA) ou anestesia balanceada. Em todas essas situações devemos evitar o uso de protóxido de azoto, pelo risco de aumento do volume das alças intestinais e consequente elevação da pressão intra-abdominal. Anestésicos halogenados devem ser administrados na mistura do oxigênio – ar comprimido.[31]

Recomenda-se que todos os líquidos administrados sejam aquecidos em sistemas aprovados e reconhecidos pela Agência Nacional de Vigilância Sanitária (ANVISA) como adequados para o aquecimento de líquidos e sangue.

No intuito de manter a temperatura corporal em normotermia (T ≥ 36 °C), sistemas ativos de geração e transferência de calor devem ser empregados, desde o início do procedimento. Muitos trabalhos atuais apontam o uso da técnica de pré-aquecimento com sistemas de convecção a ar aquecido, como uma estratégia correta e adequada para manutenção da temperatura corpórea. Isto pode ser feito com aquecimento prévio com manta térmica a 38 ou 42 °C por 30 a 60 min antes da admissão do paciente à sala de cirurgia.

A presença de sepse ou outro quadro inflamatório ou infeccioso pode ser acompanhada de febre (T ≥ 38 °C). Não deixe de aquecer o paciente; mantenha a temperatura do gerador externo de calor visando ao alcance da normotermia. Neste caso de utilização de sistemas ativos de geração e transferência de calor são fundamentais, assim como a monitorização da temperatura, usada para guiar a terapia térmica, visto que os efeitos colaterais relacionados à hipotermia acidental, como infecção, aumento do sangramento, isquemia miocárdica e arritmia ventricular, podem piorar o prognóstico desses pacientes.[32]

■ ESCOLHA DA TÉCNICA: TÉCNICA COMBINADA TRAZ VANTAGENS?

Uma doença comum, o abdômen agudo é propenso à hemorragia maciça secundária ou choque. A técnica anestésica deve ser selecionada com base nos sintomas do paciente quando os pacientes são submetidos à cirurgia, de modo a reduzir complicações e garantir a qualidade da cirurgia. Em um estudo chinês, publicado em 2021, 40 pacientes do grupo A foram submetidos ao bloqueio subaracnóideo ou epidural associado à anestesia geral e 80 pacientes do grupo B foram submetidos à anestesia geral como técnica única. Não se observou diferença nas taxas de complicações entre os grupos (P > 0,05).

Além disso, os tempos intraoperatórios e de recuperação relacionados à anestesia de grupo A foram significativamente menores do que no grupo B, assim como os níveis de dor pós-operatória, o que indica que a técnica anestésica combinada desempenha um papel de alívio considerável na dor pós-operatória dos pacientes. No período pós-operatório, a motilidade intestinal foi menos afetada no grupo A, demonstrada com maiores níveis de motilina e grelina. O tempo de recuperação da função gastrintestinal no grupo A foi significativamente menor, indicando que a técnica combinada é mais propícia para a recuperação da função gastrintestinal (P < 0,001).

No entanto, a principal limitação do estudo é o tamanho da amostra que necessita de estudos complementares para um maior nível de evidência.

Resumindo, os anestesiologistas devem escolher a técnica anestésica levando em consideração as condições específicas dos pacientes na cirurgia de abdômen agudo para obter um resultado robusto.[33]

■ ANALGESIA PÓS-OPERATÓRIA

A estratégia de analgesia pós-operatória deve estar entre as prioridades do médico anestesista; entretanto, o momento da realização da técnica de analgesia e a via de administração de analgésicos opioides, anestésicos locais e ou adjuvantes da analgesia, como clonidina e cetamina, devem ser criteriosamente definidos.

A realização prévia de analgesia pelo neuroeixo peridural ou subaracnóidea deve ser pesada em relação ao seu benefício diante da interação com distúrbio hemodinâmico, com o estado da coagulação e com a propriedade do momento da execução da técnica, e, nesse contexto, a decisão de se fazer ao final do procedimento, por vezes, oferece maior segurança na realização dessas técnicas.[34]

Administração pelo neuroeixo ou por via parenteral de analgésico opiáceo, deve, ainda, ser avaliada pelo risco de íleo pós-operatório, reduzindo o benefício da técnica de analgesia.

O advento da ultrassonografia em anestesia para a realização de bloqueios regionais tem trazido cada vez maior aceitação e receptividade do médico anestesista, posto que essa técnica alia o uso de anestésicos locais com baixo índice de complicações hemodinâmica e possibilidade de associação aos fármacos adjuvantes administrados de forma locorregional, reduzindo os efeitos do acesso ao neuroeixo.

A analgesia por vias alternativas ou na parede abdominal, como o bloqueio do plano transverso abdominal (*TAP block*), pode ser uma opção adequada e com baixo índice de complicações. A instilação de anestésicos locais por meio de cateter colocado no plano muscular do reto abdominal pode também ser uma opção para analgesia pós-operatória.

O uso de morfina por via venosa, por técnica de analgesia controlada pelo paciente, em associação aos bloqueios locorregionais realizados com uso de ultrassonografia, também representa uma alternativa de analgesia pós-operatória.[34]

■ REPOSIÇÃO VOLÊMICA NA CIRURGIA ABDOMINAL DE URGÊNCIA

No contexto das cirurgias abdominais eletivas, na atualidade, o objetivo é a redução do tempo de jejum, e a liberação de ingestão de alimentos sólidos até 6 h antes, com alimentos de fácil digestão (exceto gorduras, proteínas e fibras) e a ingestão de líquidos até 2 ou 3 h antes da cirurgia, tem sido aceita como uma conduta mais adequada à fisiologia do aparelho digestivo, é uma das estratégias de redução de eventos adversos relacionada ao projeto ERAS.[10]

Contudo, nas cirurgias de urgência, a conduta com relação à ingestão prévia de líquidos ainda não apresenta um consenso e o risco de broncoaspiração associado ao de pneumonia aspirativa é uma realidade que não pode ser ignorada.

Dentre as premissas para a reposição volêmica, e, por conseguinte, também na cirurgia abdominal, devemos ter em mente quais os objetivos da necessidade de reposição volêmica:

a) Para corrigir alterações ou distúrbios pré-operatórios (hipovolemia, desidratação, anemia, hipocalemia, hipo ou hipercloremia etc.).

b) Para reposição das condições de base, fisiológicas.

c) Reposição de perdas de sangue e/ou fluidos do intraoperatório e também do pós-operatório.

d) Com objetivo de manter parâmetros fisiológicos dentro de uma margem aceitável e acarretando o mínimo risco possível de uma sobrecarga hídrica com todas as suas complicações associadas.[35]

Quais os pontos básicos relacionados às necessidades de fluidos, eletrólitos e o equilíbrio ácido-básico

a) **Perdas por perspiração insensíveis:** estão relacionadas primariamente à perda pela pele e pela respiração de água livre. Seu volume diário de perdas, em condições fisiológicas é de aproximadamente 10 mL.kg^{-1} por dia; 60% deste volume são perdidos pela pele. Situações, como febre, podem aumentar as perdas insensíveis, mas não em grande escala.

Outro ponto: pacientes sob ventilação mecânica e principalmente com uso de filtro e umidificador no sistema respiratório têm as perdas de água pela respiração reduzidas, na ordem de até 60% (aproximadamente 0,3 mL/kg/dia).

Nas condições cirúrgicas, em que o abdômen e as alças ficam expostos, estima-se que ocorra perda por evaporação de água da ordem de 1 mL.kg^{-1}.h^{-1}, e o uso de proteções plásticas envolvendo as alças, reduzindo a exposição destas ao meio ambiente, diminui essas perdas para até 0,5 mL.kg^{-1}.h^{-1}

b) Perdas por perspiração sensível, sendo a mais visível o suor, que consiste em água e sal, portanto, difere da perspiração insensível, em que apenas água é perdida.

Vale lembrar que pacientes com bloqueio da resposta simpática têm essa perda minimizada, não existindo uma estimativa do volume a ser reposto por essa via.

c) **Diurese:** em um paciente adulto de aproximadamente 70kg, a produção de urina é de 1.000mL nas 24 h, considerando a ingesta de líquidos e sólidos normais. Esse volume equivale a 0,5 – 1 mL.kg^{-1}.h^{-1} e pode ser usado como base de cálculo e observação no período intraoperatório. Volumes abaixo de 0,5 mL podem estar associados aos quadros de oligúria e volumes superiores a 1 mL.kg^{-1} podem estar associados à poliúria.

A principal causa, e situação mais frequente, no intraoperatório é o aumento da diurese resultado de uma administração excessiva de líquidos cristaloides. Este parâmetro em condições fisiológicas tem extrema relevância para o desfecho dos pacientes submetidos aos procedimentos cirúrgicos ou invasivos.

A capacidade fisiológica renal de concentração de urina fica em torno de 900 – 1.200 mMol.L^{-1}. Para criarmos uma relação entre infusão de líquidos e a capacidade de concentração de urina, podemos usar como referência que após a infusão de 2 l de solução salina 0,9% (concentração de sódio de 154 mEq.L^{-1} e 154 mL.kg^{-1}.h^{-1} de cloro, com pH ≤ 5), aproximadamente 40% deste volume – 800 mL – serão eliminados por perdas irreversíveis, e o volume restante será excretado; a massa de cloreto e sódio leva o rim perto da capacidade máxima de excreção e concentração de água, sódio e cloro.[10]

Reposição de Líquidos no Período Intraoperatório em Cirurgia Abdominal

Nas cirurgias eletivas abdominais, a estratégia de reposição de fluidos com o objetivo de balanço zero – considerada uma terapia restritiva, tem sido uma estratégia associada à redução de morbimortalidade. Neste contexto, as bases anteriores de reposição, observando as características fisiológicas, concentrações iônicas (principalmente sódio e cloro) e manutenção do equilíbrio ácido-básico são a referência para a administração de líquidos – preferencialmente soluções cristaloides balanceadas, em detrimento da solução fisiológica a 0,9%.

Nas cirurgias abdominais de urgência, os parâmetros fisiológicos de perdas insensíveis (respiração, pele, sudorese e pela exposição da cavidade abdominal) permanecem em torno de $1 – 1,5$ mL.kg^{-1}.h^{-1} e as perdas por diurese na ordem de $0,5 – 1$ mL.kg^{-1}.h^{-1}. Essas perdas devem ser repostas por soluções eletrolíticas e iônicas semelhantes às da perda. No entanto, o abdômen agudo enseja alterações na distribuição de líquidos com um sequestro importante para o interstício e a cavidade livre abdominal e na luz das alças. Este fato, associado à alteração de resposta autonômica pelo quadro inflamatório e, por vezes, infeccioso, infere a necessidade de reposição agressiva para equilibrar a homeostasia e a volemia de fluidos cristaloides, preferencialmente, soluções balanceadas.

A associação de reposição de fluidos com terapia dirigida por metas ou objetivos tem mostrado, assim como a terapia por balanço zero na cirurgia eletiva, redução significativa da morbimortalidade de pacientes submetidos à cirurgia abdominal de urgência, sobretudo nos pacientes de alto risco.[15]

a) Avaliação precoce e ressuscitação agressiva (reposição de fluidos, transfusão, uso de fármacos vasoativos).
b) Administração precoce (até 6 h) de antibióticos para pacientes com sinais de sepse ou SRIS – mperatura ≥ 38 °C, FC ≥ 96 batimentos/min, frequência respiratória ≥ 16 inc/min, saturação de hemoglobina (oxigênio) ≤ 92% e PAM ≤ 70 mmHg.
c) Diagnóstico rápido da patologia e indicação cirúrgica precoce.
d) Terapia de reposição da volemia utilizando terapia dirigida por metas no intra e no pós-operatório.
e) Cuidado intensivo no pós-operatório.

A matriz de identificação dos pacientes de risco relacionada ao procedimento cirúrgico, publicada no Consenso Brasileiro sobre Terapia Hemodinâmica Guiada por Metas, deve ser utilizada em conjunto com o protocolo descrito anteriormente, do Colégio Britânico de Cirurgiões e do Colégio Real dos Anestesistas.[10]

■ PACIENTE IDOSO

A maioria dos pacientes que se apresentam para cirurgia abdominal de urgência é composta por idosos. Uma das publicações que relaciona pacientes idosos em cirurgia de urgência advoga que mesmo nesses pacientes com pequeno tempo entre o diagnóstico e a cirurgia, um cuidado proativo de otimização pode reduzir o tempo de internação, num modelo de abordagem multidisciplinar.

O custo do cuidado médico abaixo do que o paciente necessita representa aumento significativo no custo financeiro, social e médico. Portanto, cuidar deste grupo de pacientes sem a exata noção da gravidade embutida numa cirurgia de urgência, que pode comprometer seriamente a qualidade de vida desses pacientes, tem estimulado um trabalho focado, estruturado e meticulosamente realizado.

Nessa situação, serve como um modelo de cuidado a comparação de dados de procedimentos semelhantes eletivos *versus* urgência, em que a mortalidade nessa condição pode chegar a ser 4 ou 10 vezes maior em relação aos procedimentos eletivos e a possibilidade de alta hospitalar chega a 69% para pacientes eletivos, em comparação a 6,5% dos pacientes cirúrgicos de urgência.[36]

Esses achados reforçam a necessidade do estabelecimento de informações e coleta de dados dessa população e o estabelecimento de planos de cuidado multidisciplinares e multiprofissionais, desenhados para se iniciar previamente à cirurgia, mesmo na cirurgia de urgência; assim como um acompanhamento definido por objetivos relacionados às principais complicações pós-operatórias desses pacientes, dentre eles, complicações respiratórias – mecânicas e infecciosas, renais, neurológicas – *delirium*, principalmente, e cardiovasculares – com ênfase para acidente vascular cerebral (AVC) e infarto agudo do miocárdio [IAM]), que podem acometer esses pacientes no curto e médio prazos.[9]

■ AGENTES ANESTÉSICOS NA CIRURGIA ABDOMINAL DE URGÊNCIA

Não existe contraindicação a nenhum fármaco anestésico aos pacientes de cirurgia abdominal de urgência. No entanto, a dose e a velocidade de administração dos fármacos anestésicos podem comprometer a situação clínica desses pacientes.

A presença de hipovolemia, disfunção autonômica – principalmente na sepse, as alterações crônicas e patologias associadas à idade, devem ser consideradas na escolha do fármaco, dose e velocidade de administração.

Para minimizar os efeitos colaterais da hipertensão arterial após indução, devemos observar a necessidade de reposição volêmica prévia e administração de fármacos vasoativos de curta duração, mas de início de ação rápido, como araminol, fenilefrina e efedrina.

Uma excelente associação é a administração conjunta de efedrina (50 µg/1mL), araminol (5µg/1mL) diluídos em 18 mL de solução aquosa e administração de *bolus* de $0,5 – 1$ mL para controle hemodinâmico pós-indução.

Escolha dos Fármacos de Indução

1. **Etomidato:** indução rápida, pouca alteração hemodinâmica, não deprime função cardíaca, reduz consumo de oxigênio cerebral.
2. **Propofol:** apresenta início de ação rápido, acarreta depressão miocárdica e vasodilatação, sendo esta mais intensa. A redução na dose e a velocidade de administração são fatores que diminuem essa complicação.

3. **Cetamina:** tem efeitos simpaticomimético, analgésico e hipnótico. Manter estabilidade hemodinâmica, no entanto, em pacientes com depressão endógena de catecolaminas, pode desencadear depressão cardíaca e até isquemia miocárdica. Pode ser uma opção como droga adjunta para reduzir doses de hipnóticos e analgésicos.

Agentes Opioides

O uso de agentes analgésicos potentes, que apresentam efeito na resposta simpática, deve ser observado com atenção, pois pode contribuir para a instabilidade hemodinâmica. Neste sentido, a reposição de fluidos previamente à indução e o uso de fármacos vasoativos de curta duração podem contribuir para contrabalançar esses efeitos colaterais. Não há contraindicação para a administração de qualquer opiáceo.

Bloqueadores Neuromusculares

Na cirurgia abdominal de urgência devemos ter em mente que alguns fatores podem nos auxiliar na escolha e na decisão pelo BNM.

- **Início de ação:** podemos considerar todos os pacientes submetidos à cirurgia abdominal de urgência na "condição de estômago cheio". A utilização de succinilcolina ainda permanece como a melhor escolha; porém, em pacientes com risco de instabilidade cardíaca, o uso de rocurônio – nas doses 1 1,2 mg.kg⁻¹ em *bolus* – pode ser uma alternativa adequada.

Agentes Inalatórios

- **Sevoflurano**: apresenta menos aumento no volume sanguíneo cerebral, com início de ação e recuperação rápidos. Ocasiona depressão da função cardíaca, mas em cirurgias cardíacas apresenta efeito protetor da função miocárdica.
- **Isoflurano**: é um dos anestésicos halogenados com grande tempo de uso na anestesia. Apresenta efeitos de vasodilatação de forma mais pronunciada que a depressão miocárdica.
- **Desflurano**: início de ação ultrarrápido, com rápido despertar. Não apresenta efeito analgésico residual; como vantagem manifesta a melhor estabilidade hemodinâmica (depressão cardíaca e efeitos periférico de vasodilatação) e em doses mais elevadas, apresenta estimulação simpática.[21,37,38]

REFERÊNCIAS

1. Saksena S.,Jain N. Anaesthetic management of acute abdomen: a clinical study. Int J Adv Med. 2019;6(1):6.
2. Yao F. S. F. Yao & Artusio's anesthesiology: Problem-oriented patient management. 7. ed., 2012.
3. Hines O. J. Schwartz's Principles of Surgery. 9. ed.,2010.
4. Pearse R. M. et al. Identification and characterisation of the high-risk surgical population in the United Kingdom. Critical Care. 2006;10(3):10-15.
5. Antonsen K., Vallentin C. CLEP-99517-the-danish-anaesthesia-database. 2016, p. 435-8.
6. Ko C. Y., Hall B. L., Hart A. J., Cohen M. E., Hoyt D. B. The American College of Surgeons National Surgical Quality Improvement Program: Achieving better and safer surgery. Jt Comm J Qual Patient Saf. 2015;41(5):199-204.
7. Rosenthal A., Lipsitz S. R., Kelley and A. S. Predictors of mortality up to one year after emergent major abdominal surgery in older adults. J Am GeriatrSoc. 63(12):2572-9.
8. Al-Temimi M. H. et al. When is death inevitable after emergency laparotomy? Analysis of the American College of Surgeons national surgical quality improvement program database. J Am Coll Surg. 2012;215(4):503-11.
9. Turrentine F. E., Wang H., Simpson V. B., Jones R. S. Surgical risk factors, morbidity, and mortality in elderly patients. J Am Coll Surg. 2006;203(6)865-77.
10. Donizetti E. et al. Consenso Brasileiro sobre terapia hemodinâmica perioperatória guiada por objetivos em pacientes submetidos a cirurgias não cardíacas: estratégia de gerenciamento de fluidos – elaborado pela Sociedade de Anestesiologia do Estado de São Paulo (SAESP). Braz J Anesthesiol. 2016;66(6):557-71.
11. Singer M. et al. The third international consensus definitions for sepsis and septic shock (sepsis-3). JAMA J Am Med Assoc. 2016;315(8)801-10.
12. Seymour C. W. et al. Assessment of clinical criteria for sepsis for the third international consensus definitions for sepsis and septic shock (sepsis-3). JAMA J Am Med Assoc. 2016;315(8):762-74.
13. Abraham E. New definitions for sepsis and septic shock continuing evolution but with much still to be done. JAMA J Am Med Assoc. 2016;315(8):7579.
14. Rhodes A. et al.,Surviving Sepsis Campaign: International Guidelines for Management of Sepsis and Septic Shock: 2016. Critical Care Medicine. 2017;45(3):486-552.
15. uddart S. et al. Use of a pathway quality improvement care bundle to reduce mortality after emergency laparotomy. Br J Surg. 2015;102(1):57-66.
16. NICE. Acutely ill adults in hospital: recognising and responding to deterioration. Clinical guidance CG50. Natl Inst Heal Care Excell.2007.
17. Quenot J. P. et al. The epidemiology of septic shock in French intensive care units: The prospective multicenter cohort EPISS study. Crit Care. 2013;17(2):R65.
18. Vincent J. et al. Perioperative cardiovascular monitoring of high-risk patients: a consensus of 12. Crit Care. 2015;19(1):224 [1-12].
19. NCEPOD. Themes and Recommendations Common to all Hospital Specialities. 2018. p. 46.
20. Martin G. S., Bassett P. Crystalloids vs. colloids for fluid resuscitation in the Intensive Care Unit: A systematic review and meta-analysis. J Crit Care. 2019;50:144-54.
21. Miller R. D. "Miller's Anesthesia. v. 2, 2005.
22. Nápoles M. G., Fabra M. E. L. Síndrome compartimental abdominal. Rev Cuba Cir., 2013;52(2):126-38.
23. Park M., Noritomi D. T., Toledo-Maciel A., de Azevedo L. C. P., Pizzo V. R., da Cruz-Neto L. M. Partitioning evolutive standard base excess determinants in septic shock patients. Rev Bras Ter Intensiva. 2007;19(4):437-43.
24. Fernandez-Moure J. et al.HHS Public Access. 2020;29(7):2150-60.
25. Ichikawa J. et al. Introduction of thromboelastometry-guided administration of fresh-frozen plasma is associated with decreased allogeneic blood transfusions and post--operative blood loss in cardiopulmonary-bypass surgery. Blood Transfus.2018;16(3):244-52.
26. Sugeir S., Grunstein I., Tobin J. M. Damage control anesthesia. Damage Control Trauma Care: An Evolving Comprehensive Team Approach. 2018. p. 193-207.
27. Kahan B. C. et al. Critical Care Admission Following Elective Surgery was not Associated with Survival Benefit: Prospective Analysis of Data from 27 Countries. 2017. p. 971-9.
28. Lamb C. M., Macgoey P., Navarro A. P., Brooks A. J. Damage control surgery in the era of damage control resuscitation. Br J Anaesth. 2014;113(2):242-9.
29. Agarwala. A. V. Anesthesia quality and safety. Anesthesiology. 2014;120(2):253-6.
30. Benhamou D. Ultrasound assessment of gastric contents in the perioperative period: why is this not part of our daily practice?. Br J Anaesth. 2014;65:545-8.
31. Sakles J. C.,Laurin E. G., Rantapaa Rocuronium for rapid sequence intubation of emergency. J Emerg Med. 1999;17(4):611-6.
32. Andrzejowski J., Hoyle J., Eapen G., Turnbull D. Effect of prewarming on post-induction core temperature and the incidence of inadvertent perioperative hypothermia in patients undergoing general anaesthesia. Br J Anaesth. 2008;101(5):627-31.
33. Han Q., Wu S., Chen H., Wang L., Zhang C. The choice of anesthesia for acute abdomen surgery patients and its influence on gastrointestinal function recovery. Am J Transl Res. 2021;13(8):9621-6.
34. Kehlet H., Dahl J. B. Anaesthesia, surgery, and challenges in postoperative recovery. Lancet. 2003;362(9399):1921-8.
35. Melnyk M., Casey R. G., Black P., Koupparis A. J. Enhanced recovery after surgery (eras) protocols: Time to change practice? J Can Urol Assoc. 2011;5(5):342-8.
36. Kirov M. Y., Kuzkov V. V.,Molnar Z. Perioperative haemodynamic therapy. Curr Opin Crit Care. 2010; 16(4):384-92.
37. Sinclair R. C. F., Luxton M. C. Rapid sequence induction. Contin Educ Anaesthesia. 2005;5(2):. 45–48.
38. Miller T. E., Myles P. S. Perioperative fluid therapy for major surgery. Anesthesiology. 2019; 130(5):825-32.

161

Anestesia para Cirurgia Hepática

Joel Avancini Rocha Filho ▪ Rui Carlos Detsch Junior ▪ Estela Regina Ramos Figueira

INTRODUÇÃO

A cirurgia hepática é atualmente uma intervenção frequente na rotina da anestesiologia. Devido aos grandes avanços que tivemos nas ultimas décadas, a mortalidade que chegava a 20% nos anos de 1970, hoje não ultrapassa 2% nas hepatectomias menores, podendo chegar a 6% nas hepatectomias maiores. Entretanto, a morbidade do procedimento continua alta, acometendo até 50% dos casos.[1-3] Do ponto de vista anestésico, a cirurgia hepática é um procedimento extremamente desafiador, e requer o emprego de sistemas de monitorização e de cuidados anestésicos avançados, e o anestesista participa ativamente com impacto nos resultados. Vários fatores (Tabela 161.1 e 161.2) tiveram grande influência nesta melhoria, sendo a redução do sangramento operatório o principal fator a consolidar o aumento na sobrevida em curto, médio e longo prazos.

Tabela 161.1 Principais fatores anestésicos implicados na melhoria dos resultados.

Pré-operatório	▪ avaliação cardiopulmonar ▪ avaliação da função hepática ▪ otimização das comorbidades ▪ abstinência de tabagismo e álcool 4 a 8 semanas ▪ otimização do estado nutricional ▪ jejum de 2h para líquidos e 6h para sólidos
Intraoperatório	▪ comunicação em alça fechada do anestesista com cirurgião

(Continua)

Tabela 161.1 Principais fatores anestésicos implicados na melhoria dos resultados.

(Continuação)

Intraoperatório	▪ proteção da isquemia reperfusão-hepática
	▪ normotermia
	▪ manejo hemodinâmico orientado pelas metas
	▪ meta hemodinâmica dirigida à fase da cirurgia
	▪ medidas de conservação sanguínea durante a transecção do parênquima
	  ▪ PVC baixa (<5 mmHg)
	  ▪ VVS 13 – 20%
	  ▪ PEEP zero e VC baixo (6 mL/Kg)
	▪ manejo do pneumoperitônio
	▪ manejo das técnicas de oclusão vascular hepática
	▪ garantia de perfusão orgânica adequada e proteção da massa hepática remanescente
	▪ compressão pneumática intermitente MMII

Pós-operatório	▪ Incorporação das recomendações do ERAS ▪ Profilaxia antitrombótica com heparina (HBPM ou HNF) ▪ Analgesia multimodal ▪ Controle glicêmico (glicemia < 150 mg/dL)

PVC: pressão venosa central; VVS: variação do volume sistólico; PEEP: pressão expiratória final positiva; VC: volume corrente; ERAS: protocolo de otimização da recuperação pós-operatória; HBPM: heparina de baixo peso molecular; HNF: heparina não fracionada; MMII: membros inferiores.

Tabela 161.2 Principais fatores cirúrgicos implicados na melhoria dos resultados.

1. Melhor seleção de pacientes

2. Aprimoramento na estimativa do volume hepático remanescente

3. Aprimoramento no uso das técnicas de oclusão vascular hepática temporária:
   - oclusão do hilo hepático (manobra de Pringle)
   - oclusão seletiva do influxo de segmentos hepáticos
   - oclusão vascular hepática do influxo e efluxo, total ou seletiva

4. Incorporação da cirurgia minimamente invasiva (laparoscópica e robótica)

5. Incorporação de novos equipamentos cirúrgicos como aspirador ultrassônico cavitacional e pinças de energia de selagem vascular

■ INDICAÇÕES CIRÚRGICAS

A principal indicação para hepatectomia é a ressecção de metástase de câncer colorretal. Aproximadamente 20% dos pacientes com câncer colorretal apresentam metástases hepáticas no momento do diagnóstico. No Brasil, 83,3% das ressecções hepáticas estão nesta categoria, e as demais ressecções incluem 14,3% para tumores malignos primários e 2,4% para lesões hepáticas benignas.[4] O carcinoma hepatocelular é o principal tumor maligno primário e corresponde a 80% dos casos seguido pelo colangiocarcinoma em 20%. Entre os tumores benignos, os mais comuns são os hemangiomas, os adenomas e a hiperplasia nodular focal.

■ ANATOMIA DO FÍGADO

O fígado é um órgão altamente vascularizado, com peso aproximado de 1.500 g (mínimo de 508 g e máximo de 3.081 g),[5] recebe 25% do débito cardíaco com fluxo sanguíneo de 1,5 L/min, o que corresponde a 100 mL/min por 100 g de massa hepática. Esse fluxo chega ao fígado por duas vias, pela artéria hepática, responsável por 25% do fluxo, e pela veia porta, responsável pelos outros 75%. A mistura do sangue arterial com o venoso ocorre nos sinusoides hepáticos. Como a artéria hepática transporta sangue arterializado, otimamente oxigenado, cada uma destas vias fornece cerca de 50% do oxigênio para o órgão, porém a árvore biliar é suprida apenas pela artéria hepática. A drenagem é feita pelas veias hepáticas direita, média e esquerda, que drenam o sangue diretamente à veia cava inferior.[6,7]

O fígado é dividido em 8 segmentos funcionais, descritos por Couinaud,[8] em 1954, que fundamentam as ressecções hepáticas da atualidade. Cada segmento hepático consiste do parênquima com sua tríade portal (ramo da artéria hepática, ramo da veia porta e do ducto biliar) com drenagem venosa pela sua veia hepática eferente. Essa divisão é extremamente útil para estabelecer a estratégia cirúrgica e evitar maior sangramento no intraoperatório, pois cada segmento apresenta sua própria vascularização e drenagem biliar. O fígado direito contém os segmentos 5, 6, 7 e 8; e o esquerdo, os segmentos 2, 3 e 4. O segmento 1 é considerado à parte.

A cirurgia hepática pode então ser realizada de acordo com a distribuição segmentar nas hepatectomias anatômicas, mas podem não respeitar esta distribuição nas hepatectomias não anatômicas, como no caso das nodulectomias. As ressecções hepáticas menores removem até dois segmentos como na hepatectomia lateral esquerda, que envolve a ressecção dos segmentos 2 e 3, sendo esta a cirurgia mais comum no doador intervivos do transplante hepático pediátrico. As ressecções hepáticas maiores envolvem três ou mais segmentos, como na hepatectomia direita (segmentos 5, 6, 7 e 8), sendo esta a cirurgia mais realizada no caso do doador intervivos do transplante hepático adulto, na hepatectomia direita estendida (segmentos 4, 5, 6, 7 e 8), na hepatectomia esquerda (segmentos 2, 3 e 4), e na hepatectomia esquerda estendida (segmentos 2, 3, 4, 5 e 8) (Figura 161.1).[9,10]

O fígado apresenta, além das suas características singulares de anatomia e fisiologia, a capacidade de regeneração do seu parênquima. Esse processo inicia-se nas primeiras

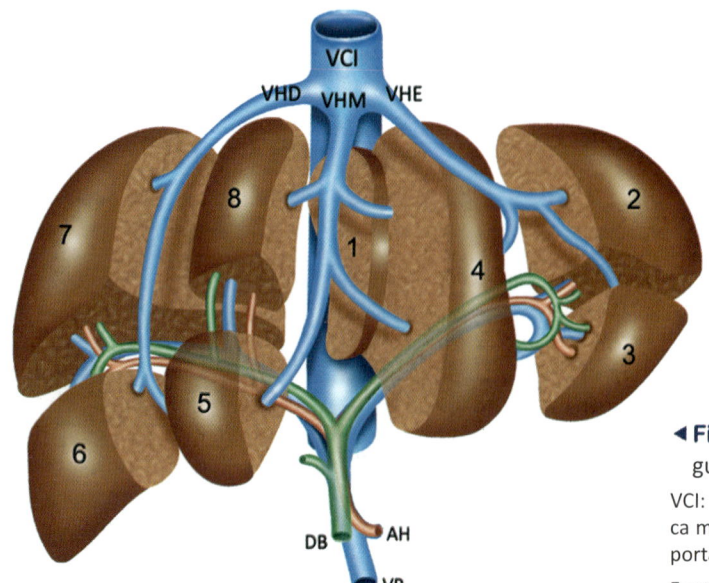

◀ **Figura 161.1** Representação dos segmentos hepáticos segundo Couinaud.[8]

VCI: veia cava inferior; VHD: veia hepática direita; VHM: veia hepática média; VHE: veia hepática esquerda; AH: artéria hepática; VP: veia porta; DB: ducto biliar.

Fonte: Imagem gentilmente cedida pelo Prof. Wellington Andraus.

24 horas após a ressecção e perdura até a restauração do volume hepático que é atingida em torno de 3 meses após a hepatectomia direita ou esquerda.[11,12] A recuperação da função hepática ocorre principalmente entre 8 e 15 dias após a cirurgia, mesmo nos casos de ressecção maior que 70% do parênquima original.[13]

▪ CIRURGIA

A hepatectomia continua sendo uma cirurgia complexa e multifacetada, com diversas opções de técnicas e abordagens. A escolha da técnica ideal depende de uma avaliação individualizada, levando em consideração:

1. as características do paciente como idade biológica, doenças coexistentes e do impacto da quimioterapia neoadjuvante pré-operatória;
2. o tipo do tumor;
3. a presença de doença hepática associada;
4. a estimativa do volume hepático residual (VHR) após a hepatectomia e
5. a experiência do cirurgião.

Volumetria Hepática

A avaliação pré-operatória do risco de disfunção hepática pós-hepatectomia (DHPH) é fundamental para programar o procedimento cirúrgico. A amplitude da ressecção deve ser avaliada em relação ao parênquima remanescente, especialmente em pacientes submetidos a resseções hepáticas maiores e naqueles com algum grau de disfunção hepática prévia. A fisiopatologia da DHPH envolve um fígado remanescente pequeno, para suportar o aumento do fluxo e da pressão portal que ocorre principalmente após as hepatectomias maiores.[14] O aumento da pressão portal se correlaciona com a DHPH. A embolização portal pré-operatória (EPP) do fígado a ser ressecado é indicada nos casos de VHR estimado pequeno. A EPP aumenta o volume hepático remanescente, aliviando o aumento deletério da pressão portal que sucede às hepatectomias maiores.[14,15]

A DHPH ocorre em 1,2% a 32% dos casos após a hepatectmia.[16] De acordo com o *International Study Group of Liver Surgery* (ISGLS), a DHPH é caracterizada por aumento sustentado do RNI e da bilirrubina, que persiste a partir do 5º dia do pós-operatório.[16] A DHPH é uma situação gravíssima de difícil manejo, onde a melhor estratégia é evitar sua ocorrência. A DHPH é graduada em A, quando não é necessário mudança no tratamento pós-operatório; em B, quando há indicação de tratamentos adicionais não invasivos como reposição com albumina, plasma fresco congelado e ventilação não invasiva; e em C, quando estão indicados tratamentos invasivos, como ventilação mecânica, hemodiálise, suporte hemodinâmico com drogas vasoativas, suporte hepático extracorpóreo (MARS), e transplante hepático como única alternativa nos casos extremos.[14,16] O escore do MELD é comumente usado para avaliar o grau e a progressão da DHPH.[17]

São considerados fatores de risco para DHPH: VHR pequeno, sexo masculino, hipoalbuminemia pré-operatória, comorbidades (diabete melito, esteatose, cirrose, colesta-se), hepatotoxicidade associada à quimioterapia e necessidade de transfusão intraoperatória.[17,18]

Tanto a tomografia computadorizada (TC) quanto a ressonância nuclear magnética podem realizar a análise volumétrica com estimativa do VHR, que é o fator que melhor se relaciona com a o risco de DHPH. Atualmente, um VHR de 20% é considerado o volume mínimo seguro para pacientes com função hepática normal, enquanto um VHR maior que 30% é necessário para pacientes com esteatose ou que receberam quimioterapia prévia, e um VHR maior de 40% é necessário em pacientes com cirrose.[19,20]

Estudos recentes mostram um aumento da acurácia de prever o risco de DHPH com a utilização de volumetria hepática por TC combinada com testes funcionais como cintilografia e o verde de indocianina (VIC). A taxa de retenção do VIC pode ser usada para determinar quantitativamente a função hepática e calcular o VHR necessário para a manutenção da função hepática essencial.[21]

Técnica Cirúrgica

Os avanços nas técnicas anestésico-cirúrgicas, junto com a inclusão de novas tecnologias, permitiram que a cirurgia minimamente invasiva fosse incorporada na cirurgia hepática. Atualmente a cirurgia hepática minimamente invasiva (CHMI), que inclui as cirurgias laparoscópica e robótica, tem demonstrado ser segura e efetiva em ressecções hepáticas cada vez mais complexas e em pacientes mais idosos. Quando a cirurgia robótica é comparada com a hepatectomia laparoscópica ela apresenta vantagens como a magnificação do campo de visão cirúrgico tridimensional em até 15 vezes e maior precisão da cirurgia, permitindo melhor acesso a lesões no segmento posterossuperior, mais difícil de ser acessado por laparoscopia.[22] No entanto, a maioria das hepatectomias maiores ainda é realizada por laparotomia.[23] Quando comparada à cirurgia aberta, a CHMI oferece melhor visualização do campo operatório e reduz o sangramento venoso devido ao efeito tampão do pneumoperitônio; entretanto, há maior dificuldade para obter controle vascular em casos de sangramentos intensos e inesperados, sendo esta a principal causa de conversão para cirurgia aberta. As indicações da CHMI são as mesmas da cirurgia aberta, e a avaliação pré-operatória bem como a monitorização e os acessos vasculares, devem ser feitos da mesma maneira, pois a taxa de conversão para cirurgia aberta pode chegar de 6% a 18%.[24,25]

Em 2021, uma metanálise de estudos randomizados com 1.457 pacientes, que comparou a ressecção hepática laparoscópica com a cirurgia aberta, mostrou menor incidência de complicações pós-operatórias para os subgrupos de ressecções menores e de ressecções maiores, menor tempo de internação, menor perda sanguínea e melhor recuperação funcional após a cirurgia laparoscópica.[26] Outra metanálise, publicada em 2022, incluiu 1.346 pacientes ≥ 65 anos, submetidos à ressecção hepática por carcinoma hepatocelular. Os resultados mostraram menor tempo de internação e menor incidência de complicações pós-operatórias menores e maiores na cirurgia laparoscópica, sem diferença na sobrevida e na sobrevida livre de doença.[27]

Em relação à CHMI, um estudo multicêntrico recente (2023) que comparou a resseção hepática robótica com a laparoscópica em tumores ≥10 cm, não encontrou diferença no tempo operatório, no sangramento cirúrgico, na transfusão sanguínea, no tempo de hospitalização, na taxa de morbidade e no uso da manobra de Pringle.[23] A metanálise de 2024, com 986 pacientes, que comparou a resseção hepática robótica com a laparoscópica, não mostrou diferença no tempo de cirurgia, na taxa de conversão para cirurgia aberta, na incidência de complicações gerais e de complicações menores, no tempo de internação e nos resultados oncológicos.[28]

O paciente submetido à cirurgia hepática tem risco elevado de sangramento e o resultado da cirurgia em curto e longo prazos estão fortemente relacionados ao sangramento e à necessidade de transfusão sanguínea operatória. A transfusão está associada ao aumento de complicações pós-operatórias e de mortalidade, e ao comprometimento do resultado oncológico em longo prazo.[29,30] O sangramento ocorre predominantemente durante a transecção do parênquima e neste aspecto, cirurgiões e anestesiologistas trabalham juntos utilizando uma série de estratégias para minimizar o sangramento operatório e a necessidade transfusional.

Em 1908, J. H. Pringle[31] descreveu a primeira técnica de controle vascular para conter o sangramento hepático. A técnica, denominada Manobra de Pringle (MP), consiste no pinçamento do hilo hepático. Inicialmente a MP era realizada de forma contínua durante toda a resseção hepática, porém a MP contínua é acompanhada de lesão hepática isquêmica proporcional ao tempo de pinçamento, o qual, em condições normotérmicas, não deve ultrapassar 60 minutos. Mais frequentemente, a MP é realizada de forma intermitente, principalmente nos casos com doença hepática crônica.[32] A Manobra de Pringle Intermitente (MPI) consiste geralmente na aplicação de períodos de isquemia de 15 minutos, intercalados com 5 minutos de reperfusão até a conclusão da ressecção.[32,33] O controle vascular hepático pode ser mais seletivo (CVS), e consiste no pinçamento do pedículo vascular correspondente à parte do fígado que vai ser ressecado. O CVS limita a injúria isquêmica à área de ressecção, preservando melhor o fígado remanescente, e também permite a demarcação dos limites da área de ressecção.[34,35] Deve-se salientar que estas técnicas de controle do influxo vascular não impedem o sangramento retrógrado pelas veias hepáticas periféricas. Portanto, durante a secção do parênquima, é importante manter a pressão venosa central (PVC) baixa, com intuito de diminuir a pressão nas veias hepáticas com consequente diminuição da pressão sinusoidal e diminuição do sangramento.[36-38]

O controle vascular pode, em algumas situações mais complexas, requerer a exclusão vascular hepática total (EVHT), a qual envolve o pinçamento do hilo hepático, da veia cava inferior (VCI) infra-hepática e da veia cava supra-hepática.[34] Esta técnica é reservada para a ressecção de tumores junto à VCI ou nos casos de hepatectomia ex-situ. A EVHT é acompanhada de alterações hemodinâmicas e geralmente necessita da implantação de bypass venovenoso (BVV) para manutenção do débito cardíaco durante o pinça-

mento da VCI. A ressecção hepática ex-situ está indicada em tumores malignos avançados e irressecáveis pelas técnicas convencionais. A cirurgia consiste na retirada do fígado para realização da remoção do tumor na mesa auxiliar, com posterior reimplante do órgão, com preservação da VCI.[39] Outra possibilidade é a exclusão vascular seletiva (EVS). Esta técnica consiste no pinçamento seletivo do influxo e das veias hepáticas, direita ou esquerda (efluxo) de acordo com o setor do fígado a ser ressecado. Quando comparada com a EVHT, a EVS necessita de maior dissecção, embora tenha vantagem na melhor preservação da estabilidade hemodinâmica.[34]

Vários dispositivos cirúrgicos foram incorporados para facilitar a transecção do parênquima hepático, diminuir o sangramento e aumentar a segurança do paciente. A técnica mais antiga e ainda muitas vezes utilizada na cirurgia aberta é a Kellyclasia, que consiste no esmagamento do parênquima com pinça, seguido de ligadura com fio de algodão ou seda.[4]

Um dos dispositivos muito usados para a transecção do parênquima é o aspirador cirúrgico ultrassônico cavitacional (CUSA®, Integra) que combina energia ultrassônica com aspiração, assim, ocorre a esqueletização de pequenos vasos e ductos biliares. O CUSA® pode ser útil em situações de proximidade entre tumores e estruturas vasculares importantes e pode ser utilizado na cirurgia laparoscópica. Entretanto, em comparação com a Kellyclasia, não foi demonstrada diferença na perda sanguínea e no tempo operatório.[40]

Atualmente, as pinças de energia para selagem de vasos são instrumentos cirúrgicos que utilizam energia para selar vasos sanguíneos durante procedimentos operatórios, como as cirurgias de resseção hepática. Estes dispositivos modernos funcionam aplicando calor gerado por correntes elétricas para fundir as paredes do vaso, criando uma vedação permanente que impede o sangramento. Esta tecnologia é particularmente útil em cirurgias minimamente invasivas, como laparoscopias e cirurgias robóticas, onde a precisão e a redução do sangramento são críticas. Destacam-se algumas pinças que podem ser utilizadas nas ressecções hepáticas: 1) o LigaSure® (Covidien) é um dispositivo bipolar para selagem permanente de vasos sanguíneos de até 7 mm de diâmetro, realizando a hemostasia pela denaturação do colágeno e da elastina da parede do vaso,[41] 2) o bisturi harmônico UltraCision® (Ethicon) utiliza energia ultrassônica para selar e cortar tecidos simultaneamente, geralmente utilizado para vasos menores até 5 mm,[42] 3) o Thundebeat® (Olympus) combina energia ultrassônica e bipolar avançada para selagem de vasos de até 7 mm e,[43] 4) o EnSel® (Ethicon) utiliza energia térmica para realizar a coagulação de vasos de até 7 mm.[44]

■ ANESTESIA

Avaliação Pré-Anestésica (APA)

A APA fundamenta-se em 5 aspectos: estabelecer a relação médico-paciente, avaliar a presença e a gravidade de comorbidades, identificar os preditores de situações críticas anestésicas (via aérea difícil, aspiração pulmonar de conteúdo gástrico, anafilaxia, hipertermia maligna e as relacionadas a comorbidades), planejar a incorporação de estratégias protetoras aos eventos operatórios, e auxiliar a equipe multiprofissional a otimizar as condições clínicas do paciente para a cirurgia. A APA deve esclarecer o paciente quanto aos riscos dos procedimentos, dirimir dúvidas e dar orientação a respeito dos processos desde o momento da internação, passando pelos eventos de sala de operação até o ambiente de terapia intensiva.

Cirurgias hepatobiliopancreáticas são classificadas como de alto risco a complicações cardíacas, apresentando risco de evento cardiovascular superior a 5%.[45] Deve ser devidamente avaliada a capacidade do sistema cardiovascular em tolerar a restrição fluida para manutenção de PVC baixa, tolerar as manobras de controle vascular hepático e de tolerar os efeitos do pneumoperitônio.

Nas hepatectomias menores, na avaliação cardiovascular pré-operatória, pacientes com menos de 45 anos, sem fator de risco cardiovascular, ou comorbidades, com capacidade funcional acima de 4 MET, a realização de eletrocardiografia de 12 derivações e ecocardiograma transtorácico são suficientes. Exames laboratoriais de rotina incluem: hemograma completo, eletrólitos, função renal, função hepática e estudo da coagulação sanguínea. Avaliações adicionais são direcionadas a possíveis comorbidades e status funcional.

Nas hepatectomias maiores, nos pacientes com ≥ 3 fatores de risco (Figura 161.2) ou naqueles com esteato-hepatite não alcoólica (NASH), sendo este último, fator de risco

independente para doença arterial coronariana, está indicada a cintilografia de perfusão miocárdica. A cintilografia de perfusão miocárdica e a ecocardiografia sob estresse farmacológico são os testes não invasivos mais frequentemente indicados para rastreamento de doença arterial coronariana e avaliação da função ventricular esquerda (Figura 161.2).

Os testes habituais de função pulmonar devem ser solicitados para avaliar as doenças ventilatórias obstrutivas. Testes cardiopulmonares de tolerância ao exercício têm sido validados e incorporados na avaliação e manejo de pacientes no pré-operatório de ressecção hepática. Estes testes avaliam o pico do consumo de oxigênio (VO_{2max}), o consumo de oxigênio no limiar anaeróbio (LA) e o equivalente ventilatório de CO_2 (VE/VCO_2).[46] O LA é o ponto metabólico no qual se inicia o desequilíbrio entre a produção e eliminação do lactato. LA < 9,9 $mLO_2/Kg/min$ prediz a mortalidade intra-hospitalar com 100% de sensibilidade e 76% de especificidade em cirurgia de ressecção hepática.[46,47]

A CHMI está associada à diminuição das complicações pulmonares pós-operatórias.[48] As alterações pulmonares do pneumoperitônio incluem aumento da pressão de pico inspiratório e diminuição da capacidade residual funcional. Assim, a ventilação adequada pode ser um desafio durante o pneumoperitônio nos pacientes com doença obstrutiva crônica.

A presença de doença hepática é o maior determinante da capacidade regenerativa do fígado submetido à hepatectomia e é um dos principais fatores de risco para o desenvolvimento de disfunção hepática pós-hepatectomia (DHPH).[49] O carcinoma hepatocelular frequentemente se desenvolve em pacientes com cirrose e a ressecção hepática nesse contexto de cirrose é associada a altos índices de morbimortalidade, principalmente por DHPH.[49]

Os pacientes com câncer colorretal podem apresentar complicações relacionadas à quimio e às radioterapias. A quimioterapia neoadjuvante, com oxaliplatina, bevacizumabe e irinotecano, promovem esteatose, obstrução sinusoidal e fibrose hepática, e elevam o risco de sangramento operatório.[50] O parênquima demora 6 meses, após a última aplicação, para retornar às suas características prévias.[51,52]

Anestesia

A indução anestésica é realizada com monitorização não invasiva convencional que inclui eletrocardioscopia em D2 e CM5 com análise do segmento ST, oximetria de pulso, oximetria cerebral, pressão arterial não invasiva, profundidade anestésica (índice biespectral – BIS), e monitorização do bloqueio neuromuscular (BNM) por sequência de quatro estímulos (TOF) e contagem pós-tetânica (CPT). Nas CHMI deve-se manter BNM profundo com CPT de 1 a 2 e TOF = 0. Os cuidados com o paciente na sala de operação incluem o controle da temperatura corporal com a utilização de mantas térmicas e sistema de infusão de fluidos aquecidos, monitorização do débito urinário, profilaxia de úlceras de calcâneo, sacrococcígea e occipital, e a profilaxia de eventos trombóticos perioperatórios com a utilização de sistema de compressão pneumática intermitente.

As principais características das drogas e técnicas anestésicas na cirurgia hepática envolvem a preservação do fluxo

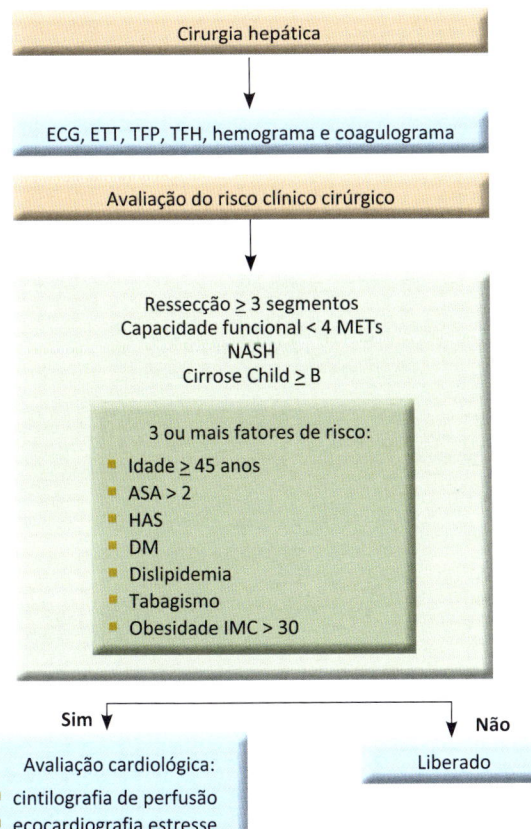

▲ **Figura 161.2** Algoritmo de avaliação pré-operatória.

ECG: eletrocardiograma; ETT: ecocardiograma transtorácico; TFP: testes de função pulmonar; TFH: testes de função hepática; ASA: classificação de risco da *American Society of Anesthesiology*; HAS; hipertensão arterial sistêmica; IMC: índice de massa corpórea.

sanguíneo hepático, a proteção hepática à isquemia-reperfusão e a diminuição da PVC para melhor controle do sangramento. A anestesia com propofol, com sevoflurano ou desflurano tem se mostrado segura na manutenção do fluxo sanguíneo hepático e na proteção do fígado nas ressecções hepáticas.[53-56] Em nosso serviço, a anestesia é conduzida mais frequentemente com sevoflurano e complementada com opioide (fentanil, sufentanil ou remifentanil) e bloqueador neuromuscular (cisatracúrio ou rocurônio) no modo de infusão contínua. A ventilação mecânica ajustada à proteção pulmonar, mantendo-se baixos picos de pressão, volumes correntes de 6 a 8 mL/kg, frequência respiratória ajustada para $PaCO_2$ de 35 a 40 mmHg, e FiO_2 ajustada para a melhor relação de PaO_2/FiO_2. Durante a transecção hepática, na CHMI em pneumoperitônio, o sangramento é melhor controlado quando se utiliza menores pressões de vias aéreas sem PEEP,[57,58] porém o risco de embolia aérea aumenta quando a pressão de via aérea é mais baixa, quanto maior a pressão do pneumoperitônio e quanto menor a PVC.[57]

Monitorização e Acessos Vasculares

A monitorização invasiva deve incluir uma linha arterial, usualmente artéria radial, e uma linha venosa central para monitorização da PVC e infusão de drogas vasoativas. A complacência cardíaca varia muito durante a cirurgia, principalmente nas hepatectomias maiores, onde alterações na pré e pós-cargas, decorrentes das técnicas de controle vascular hepático, e também secundárias ao pneumoperitônio, ocorrem de maneira mais significativa. Recomendamos que a terapêutica fluida e o uso de vasopressores sejam orientados pela medida da PAM e pela monitorização minimamen-

te invasiva do débito cardíaco (DC), com meta orientada pela monitorização da variação do volume sistólico (VVS) e da PVC.[47,59,60] Durante as CHMI, devido às alterações inerentes ao pneumoperitônio, a monitorização da PVC isolada pode se tornar imprecisa na avaliação da volemia.

Nas hepatectomias maiores, é fortemente recomendado que se obtenha um acesso venoso periférico de grande calibre. Nos casos com dificuldade de acesso periférico de grosso calibre, um introdutor do cateter de artéria pulmonar pode ser instalado para a infusão rápida de fluidos. Se houver planejamento do uso do BVV, como nas cirurgias de EVHT, um cateter 12 Fr deve ser instalado em veia jugular interna ou veia subclávia. Na fase pós-transecção do parênquima, quando a normovolemia deve ser restaurada, a estratégia de recuperação hemodinâmica deve ser orientada por algoritmos que incorporam a monitorização minimamente invasiva do DC, do VVS e da PVC (Figuras 161.3 e 161.4).[47,61]

■ ALTERAÇÕES HEMODINÂMICAS

As alterações hemodinâmicas do procedimento estão relacionadas ao sangramento operatório, às técnicas empregadas para sua mitigação e ao pneumoperitônio. Os principais preditores de sangramento operatório estão listados na Tabela 161.3. As principais medidas para diminuição do sangramento são as técnicas operatórias de controle vascular hepático (MP, MPI, CVS, EVS e EVHT), e as técnicas anestésicas. Estas envolvem a manutenção da PVC baixa (< 5 mmHg) durante a fase de transecção do parênquima, obtida pela restrição fluida associada ao uso de diuréticos e de nitroglicerina; pelo posicionamento do paciente anti-Trendelenburg 15º; e pela minimização das pressões de

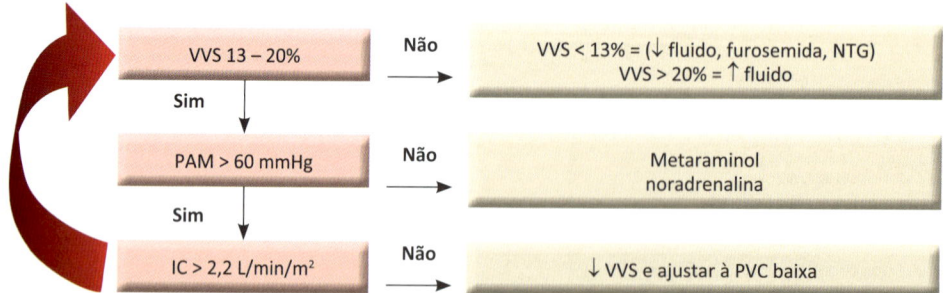

▲**Figura 161.3** Algoritmo hemodinâmico da fase de transecção do parênquima.

VVS: variação do volume sistólico; PAM: pressão arterial média; IC: índice cardíaco; PVC: pressão venosa central.

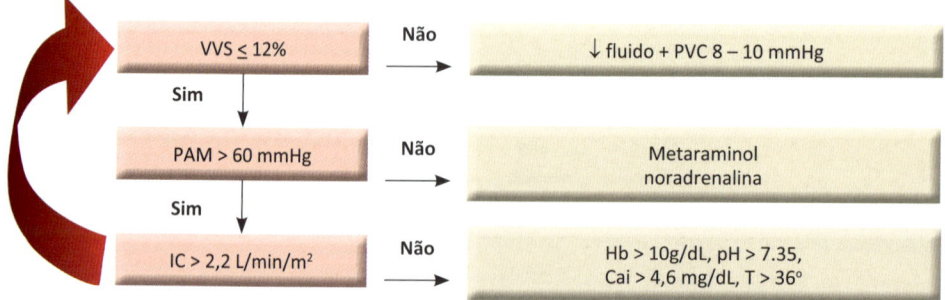

▲**Figura 161.4** Algoritmo hemodinâmico da fase pós-ressecção hepática.

VVS: variação do volume sistólico; PAM: pressão arterial média; IC: índice cardíaco; PVC: pressão venosa central; Cai: cálcio ionizado; Hb: hemoglobina; T: temperatura.

vias aéreas na ventilação mecânica. É recomendado iniciar aumento gradual e lento da pressão do pneumoperitônio, até 12 mmHg a 15 mmHg, antes de posicionar o paciente em anti-Trendelenburg para evitar grandes alterações hemodinâmicas.

Tabela 161.3 Principais preditores de sangramento operatório.

- Tumores > 4 cm
- Tumores múltiplos
- Necessidade exposição veia cava
- Quimioterapia prévia
- Hipertensão portal
- Esteatose hepática
- Cirurgia abdominal prévia

Controle Vascular Hepático

As técnicas de controle vascular hepático têm o objetivo de isolar a área de transecção hepática da circulação sistêmica, e assim diminuir o sangramento operatório. A MP é acompanhada de significantes alterações hemodinâmicas como: diminuição do retorno venoso por bloqueio do fluxo sanguíneo portal, diminuição do DC, e aumento compensatório da resistência vascular sistêmica, da pós-carga e da pressão arterial média.[62,63] (Tabela 161.4) A EVHT, que envolve o pinçamento do hilo hepático, da veia cava inferior (VCI) infra-hepática e supra-hepática constitui contraindicação a PVC baixa. A EVHT é a modalidade de controle vascular que mais compromete a hemodinâmica. A queda do DC, nesta situação, pode ser > 50% e o suporte hemodinâmico farmacológico nem sempre é suficiente para manutenção de PAM > 60 mmHg, estando indicado o emprego do BVV. O BVV é uma técnica que tem como objetivo drenar o sangue das veias porta e cava inferior para a veia axilar ou jugular interna, e dessa forma diminuir as consequências do pinçamento total da veia cava.[64] Nas hepatectomias complexas, como na hepatectomia *ex-situ*, sua utilização diminui o sangramento operatório.[64,65] As complicações do BVV incluem embolia aérea, tromboembolismo e lesão vascular.

Tabela 161.4 Alterações hemodinâmicas da oclusão vascular hepática temporária.

1. Diminuição do retorno venoso (20%)
2. Diminuição da pressão de artéria pulmonar (6%)
3. Diminuição do Índice Cardíaco (10%)
4. Aumento da resistência vascular sistêmica (20%-30%)
5. Aumento da PAM (6%-13%)

PVC baixa

Durante a transecção do parênquima hepático, quando o cirurgião limita o influxo sanguíneo do fígado (MP, MPI, CVS), a principal fonte de sangramento é o refluxo pelas veias hepáticas, que não apresentam válvulas. Controlar a PVC e, consequentemente, a pressão venosa hepática baixa, é crucial para reduzir a perda sanguínea durante a transecção do parênquima.[58,66,67] Diversos estudos demonstraram que a PVC > 5 mmHg, medida no átrio direito, aumenta significativamente o sangramento.[66] Manter uma PVC baixa (< 5 mmHg) no intraoperatório é o recomendado, porém

deve-se estar atento ao aparecimento de instabilidade cardiovascular e embolia aérea.[3] Drogas vasoconstritoras, como noradrenalina, podem ser necessárias para manter uma pressão de perfusão satisfatória a outros órgãos até que a fase de transecção finalize e a normovolemia seja restabelecida. A EVHT é contraindicação absoluta para emprego da PVC baixa.

Pneumoperitônio

As principais alterações hemodinâmicas inicias ao pneumoperitônio incluem aumento da atividade simpática, da frequência cardíaca, da resistência vascular sistêmica, da PAM e da PVC.[68-70] O retorno venoso diminui proporcionalmente ao aumento da pressão intra-abdominal, contribuindo para o decréscimo da função cardíaca.[71] A redução do retorno venoso é agravada pela posição anti-Trendelenburg, comum nas CHMI. Nos pacientes com reserva cardíaca diminuída estas alterações têm maior impacto sobre a hemodinâmica e, portanto, é recomendado o aumento gradual da pressão intra-abdominal e do grau da inclinação do posicionamento do paciente.[70,71] Nestes pacientes, as técnicas intraoperatórias de controle vascular (MP, MPI, CVS) e PVC baixa amplificam o comprometimento à função cardíaca. Portanto, as manobras intraoperatórias devem ser individualizadas, respeitando-se a reserva cardiovascular de cada paciente.

■ MANEJO DA DOR PÓS-OPERATÓRIA

A analgesia pós-operatória, nas cirurgias de ressecção hepáticas, deve ser individualizada baseada na patologia hepática, na extensão da ressecção, na técnica cirúrgica e nas condições clínicas do paciente. O controle efetivo da dor reduz a incidência de complicações cardiorrespiratórias, estimula o retorno da função intestinal, facilita a mobilização precoce e pode acelerar a recuperação do paciente, sendo um dos pontos-chave para o sucesso do protocolo ERAS.[72,73]

A analgesia epidural torácica (AET), tradicionalmente considerada o padrão ouro nas hepatectomias abertas, a despeito de proporcionar ótimo controle da dor, tem sido cada vez menos utilizada frente a seus potenciais efeitos adversos. Em decorrência dos seus potenciais efeitos adversos, que incluem hipotensão prolongada (que exige a reposição de fluidos em uma situação onde a PVC baixa é preconizada), risco de hematoma epidural (alteração da coagulação pós-ressecção hepática) e comprometimento da mobilidade precoce, a AET tem sido substituída por técnicas alternativas multimodais.[3,74] A analgesia intratecal, quando comparada à AET, tem menor incidência de falha, é mais simples e rápida de ser realizada, reduz a necessidade de fluidos e acelera a alta hospitalar. A droga mais usada é a morfina em doses intratecais de 100 a 500 mcg, sendo o prurido, o efeito colateral mais frequente, e a depressão respiratória, a grande preocupação, que dificilmente ocorre com doses < 500 mcg.[47] Em nosso serviço a rotina é a morfina intratecal em dose de 150 a 200 mcg. A infusão contínua de anestésico local na ferida operatória, o bloqueio do plano transverso abdominal, e analgesia em bomba controlada pelo paciente (PCA) com fentanil, são opções seguras e efetivas nas abordagens multimodais que favoreçem o sucesso do protocolo de recuperação otimizada pós-operatória na cirurgia hepática.[75]

CUIDADOS PÓS-OPERATÓRIOS

Os pacientes devem ser encaminhados à unidade de terapia intensiva, exceto nos casos CHILD A submetidos a ressecções hepáticas pequenas sem intercorrências. Pacientes com doença hepática estabelecida, ou submetidos a hepatectomias maiores, apresentam elevada morbidade pós-operatória, incluindo DHPH, infecção e deiscência da ferida operatória, fístula biliar, ascite, insuficiência renal aguda e complicações trombóticas.

CONCLUSÃO

É fundamental reiterar a importância de uma abordagem meticulosa e individualizada no manejo anestésico desses pacientes. A complexidade das hepatectomias exige um entendimento profundo da anatomia e da fisiologia hepática, bem como das alterações patológicas associadas às doenças do fígado. O sucesso da anestesia nesse contexto apoia-se na utilização de tecnologias avançadas, na monitorização rigorosa do paciente, e na colaboração interdisciplinar contínua. A evolução constante das técnicas cirúrgicas e anestésicas promete aumentar ainda mais a segurança do paciente com melhoria dos resultados para os pacientes considerados, hoje, de maior risco.

REFERÊNCIAS

1. Hallet J, Jayaraman S, Martel G, et al. Patient blood management for liver resection: consensus statements using Delphi methodology. HPB (Oxford) 2019; 21(4):393-404.
2. Jones C, Kelliher L, Dickinson M, et al. Randomized clinical trial on enhanced recovery versus standard care following open liver resection. Br J Surg 2013; 100(8):1015-24.
3. Patel J, Jones CN, Amoako D. Perioperative management for hepatic resection surgery. BJA Educ 2022; 22(9):357-363.
4. Fonseca GM, Jeismann VB, Kruger JAP, et al. Cirurgia Hepatica no Brasil: Um Inquerito Nacional. Arquivos Brasileiros de Cirurgia Digestiva 2018.
5. de la Grandmaison GL, Clairand I, Durigon M. Organ weight in 684 adult autopsies: new tables for a Caucasoid population. Forensic Sci Int 2001; 119(2):149-54.
6. Vollmar B, Menger MD. The hepatic microcirculation: mechanistic contributions and therapeutic targets in liver injury and repair. Physiol Rev 2009; 89(4):1269-339.
7. Rocha FG. Chapter 4 - Liver blood flow: Physiology, measurement, and clinical relevance. In: Jarnagin WR, Blumgart LH, eds. Blumgart's Surgery of the Liver, Pancreas and Biliary Tract (Fifth Edition). Philadelphia: W.B. Saunders; 2012:pp. 74-86.e5.
8. Couinaud C. [Liver lobes and segments: notes on the anatomical architecture and surgery of the liver]. Presse Med (1893) 1954; 62(33):709-12.
9. Strasberg SM, Phillips C. Use and dissemination of the brisbane 2000 nomenclature of liver anatomy and resections. Ann Surg 2013; 257(3):377-82.
10. Faria LL, Darce GF, Bordini AL, et al. Liver Surgery: Important Considerations for Pre- and Postoperative Imaging. Radiographics 2022; 42(3):722-740.
11. Gong WF, Zhong JH, Lu Z, et al. Evaluation of liver regeneration and post-hepatectomy liver failure after hemihepatectomy in patients with hepatocellular carcinoma. Biosci Rep 2019; 39(8).
12. Yagi S, Hirata M, Miyachi Y, et al. Liver Regeneration after Hepatectomy and Partial Liver Transplantation. Int J Mol Sci 2020; 21(21).
13. Lock JF, Malinowski M, Seehofer D, et al. Function and volume recovery after partial hepatectomy: influence of preoperative liver function, residual liver volume, and obesity. Langenbecks Arch Surg 2012; 397(8):1297-304.
14. Sparrelid E, Olthof PB, Dasari BVM, et al. Current evidence on posthepatectomy liver failure: comprehensive review. BJS Open 2022; 6(6).
15. Bogner A, Reissfelder C, Striebel F, et al. Intraoperative Increase of Portal Venous Pressure is an Immediate Predictor of Posthepatectomy Liver Failure After Major Hepatectomy: A Prospective Study. Ann Surg 2021; 274(1):e10-e17.
16. Rahbari NN, Garden OJ, Padbury R, et al. Post-hepatectomy haemorrhage: a definition and grading by the International Study Group of Liver Surgery (ISGLS). HPB (Oxford) 2011; 13(8):528-35.
17. Kauffmann R, Fong Y. Post-hepatectomy liver failure. Hepatobiliary Surg Nutr 2014; 3(5):238-46.
18. van den Broek MA, Olde Damink SW, Dejong CH, et al. Liver failure after partial hepatic resection: definition, pathophysiology, risk factors and treatment. Liver Int 2008; 28(6):767-80.
19. Jadaun SS, Saigal S. Surgical Risk Assessment in Patients with Chronic Liver Diseases. J Clin Exp Hepatol 2022; 12(4):1175-1183.
20. Guglielmi A, Ruzzenente A, Conci S, et al. How much remnant is enough in liver resection? Dig Surg 2012; 29(1):6-17.
21. Koller A, Grzegorzewski J, Tautenhahn HM, et al. Prediction of Survival After Partial Hepatectomy Using a Physiologically Based Pharmacokinetic Model of Indocyanine Green Liver Function Tests. Front Physiol 2021; 12:730418.
22. Goja S, Yadav SK, Chaudhary RJ, et al. Transition from open to robotic assisted liver resection: A retrospective comparative study. Is experience of laparoscopic liver resections needed? Laparoscopic, Endoscopic and Robotic Surgery 2019; 2(4):94-98.
23. Cheung TT, Liu R, Cipriani F, et al. Robotic versus laparoscopic liver resection for huge (>/=10 cm) liver tumors: an international multicenter propensity-score matched cohort study of 799 cases. Hepatobiliary Surg Nutr 2023; 12(2):205-215.
24. Marino R, Olthof PB, Shi HJ, et al. Minimally Invasive Liver Surgery: A Snapshot from a Major Dutch HPB and Transplant Center. World J Surg 2022; 46(12):3090-3099.
25. Kamarajah SK, Bundred J, Manas D, et al. Robotic versus conventional laparoscopic liver resections: A systematic review and meta-analysis. Scand J Surg 2021; 110(3):290-300.
26. Haney CM, Studier-Fischer A, Probst P, et al. A systematic review and meta-analysis of randomized controlled trials comparing laparoscopic and open liver resection. HPB (Oxford) 2021; 23(10):1467-1481.
27. Wang Q, Li HJ, Dai XM, et al. Laparoscopic versus open liver resection for hepatocellular carcinoma in elderly patients: Systematic review and meta-analysis of propensity-score matched studies. Int J Surg 2022; 105:106821.
28. Long ZT, Li HJ, Liang H, et al. Robotic versus laparoscopic liver resection for liver malignancy: a systematic review and meta-analysis of propensity score-matched studies. Surg Endosc 2024; 38(1):56-65.
29. Bennett S, Baker LK, Martel G, et al. The impact of perioperative red blood cell transfusions in patients undergoing liver resection: a systematic review. HPB (Oxford) 2017; 19(4):321-330.
30. Jarnagin WR, Gonen M, Fong Y, et al. Improvement in perioperative outcome after hepatic resection: analysis of 1,803 consecutive cases over the past decade. Ann Surg 2002; 236(4):397-406; discussion 406-7.
31. Pringle JH. V. Notes on the Arrest of Hepatic Hemorrhage Due to Trauma. Ann Surg 1908; 48(4):541-9.
32. Belghiti J, Noun R, Malafosse R, et al. Continuous versus intermittent portal triad clamping for liver resection: a controlled study. Ann Surg 1999; 229(3):369-75.
33. Lesurtel M, Lehmann K, de Rougemont O, et al. Clamping techniques and protecting strategies in liver surgery. HPB (Oxford) 2009; 11(4):290-5.
34. Chouillard EK, Gumbs AA, Cherqui D. Vascular clamping in liver surgery: physiology, indications and techniques. Ann Surg Innov Res 2010; 4:2.
35. Figueras J, Llado L, Ruiz D, et al. Complete versus selective portal triad clamping for minor liver resections: a prospective randomized trial. Ann Surg 2005; 241(4):582-90.
36. Wang WD, Liang LJ, Huang XQ, et al. Low central venous pressure reduces blood loss in hepatectomy. World J Gastroenterol 2006; 12(6):935-9.
37. Tympa A, Theodoraki K, Tsaroucha A, et al. Anesthetic Considerations in Hepatectomies under Hepatic Vascular Control. HPB Surg 2012; 2012:720754.
38. Topaloglu S, Yesilcicek Calik K, Calik A, et al. Efficacy and safety of hepatectomy performed with intermittent portal triad clamping with low central venous pressure. Biomed Res Int 2013; 2013:297971.
39. Serrablo A, Gimenez-Maurel T, Utrilla Fornals A, et al. Current indications of ex-situ liver resection: A systematic review. Surgery 2022; 172(3):933-942.
40. Takayama T, Makuuchi M, Kubota K, et al. Randomized comparison of ultrasonic vs clamp transection of the liver. Arch Surg 2001; 136(8):922-8.
41. Saiura A, Yamamoto J, Koga R, et al. Liver transection using the LigaSure sealing system. HPB (Oxford) 2008; 10(4):239-43.
42. Kloosterman R, Wright GWJ, Salvo-Halloran EM, et al. An umbrella review of the surgical performance of Harmonic ultrasonic devices and impact on patient outcomes. BMC Surg 2023; 23(1):180.
43. Badawy A, Seo S, Toda R, et al. Evaluation of a new energy device for parenchymal transection in laparoscopic liver resection. Asian J Endosc Surg 2018; 11(2):123-128.
44. Dunay MP, Jakab C, Németh T. Evaluation of EnSeal®, an adaptive bipolar electrosurgical tissue-sealing device. Acta Vet Hung 2012; 60(1):27-40.

45. Kristensen SD, Knuuti J, Saraste A, et al. 2014 ESC/ESA Guidelines on non-cardiac surgery: cardiovascular assessment and management: The Joint Task Force on non-cardiac surgery: cardiovascular assessment and management of the European Society of Cardiology (ESC) and the European Society of Anaesthesiology (ESA). Eur J Anaesthesiol 2014; 31(10):517-73.

46. Junejo MA, Mason JM, Sheen AJ, et al. Cardiopulmonary exercise testing for preoperative risk assessment before hepatic resection. Br J Surg 2012; 99(8):1097-104.

47. Krige A, Kelliher LJS. Anaesthesia for Hepatic Resection Surgery. Anesthesiol Clin 2022; 40(1):91-105.

48. Fuks D, Cauchy F, Fteriche S, et al. Laparoscopy Decreases Pulmonary Complications in Patients Undergoing Major Liver Resection: A Propensity Score Analysis. Ann Surg 2016; 263(2):353-61.

49. Coelho FF, Herman P, Kruger JAP, et al. Impact of liver cirrhosis, the severity of cirrhosis, and portal hypertension on the outcomes of minimally invasive left lateral sectionectomies for primary liver malignancies. Surgery 2023; 174(3):581-592.

50. Karoui M, Penna C, Amin-Hashem M, et al. Influence of preoperative chemotherapy on the risk of major hepatectomy for colorectal liver metastases. Ann Surg 2006; 243(1):1-7.

51. Kurz A. Thermal care in the perioperative period. Best Pract Res Clin Anaesthesiol 2008; 22(1):39-62.

52. Bonofiglio FC. Anesthesia in liver resections: review. Journal of Anesthesia & Critical Care: Open Access 2017; 8(5).

53. Nguyen TM, Fleyfel M, Boleslawski E, et al. Effect of pharmacological preconditioning with sevoflurane during hepatectomy with intermittent portal triad clamping. HPB (Oxford) 2019; 21(9):1194-1202.

54. Beck-Schimmer B, Breitenstein S, Urech S, et al. A randomized controlled trial on pharmacological preconditioning in liver surgery using a volatile anesthetic. Ann Surg 2008; 248(6):909-18.

55. Matsumi J, Sato T. Protective effect of propofol compared with sevoflurane on liver function after hepatectomy with Pringle maneuver: A randomized clinical trial. PLoS One 2023; 18(8):e0290327.

56. Abou Hussein M, Mahmoud F, Beltagy R, et al. Desflurane Compared to Sevoflurane for Cirrhotic Patients Undergoing Major Liver Resection. A Randomized Control Study. Middle East J Anaesthesiol 2015; 23(2):213-23.

57. Kobayashi S, Honda G, Kurata M, et al. An Experimental Study on the Relationship Among Airway Pressure, Pneumoperitoneum Pressure, and Central Venous Pressure in Pure Laparoscopic Hepatectomy. Ann Surg 2016; 263(6):1159-63.

58. Serednicki WA, Holowko W, Major P, et al. Minimizing blood loss and transfusion rate in laparoscopic liver surgery: a review. Wideochir Inne Tech Maloinwazyjne 2023; 18(2):213-223.

59. Lee M, Weinberg L, Pearce B, et al. Agreement in hemodynamic monitoring during orthotopic liver transplantation: a comparison of FloTrac/Vigileo at two monitoring sites with pulmonary artery catheter thermodilution. J Clin Monit Comput 2017; 31(2):343-351.

60. Kim UR, Wang AT, Garvanovic SH, et al. Central Versus Peripheral Invasive Arterial Blood Pressure Monitoring in Liver Transplant Surgery. Cureus 2022; 14(12):e33095.

61. Ratti F, Cipriani F, Reineke R, et al. Intraoperative monitoring of stroke volume variation versus central venous pressure in laparoscopic liver surgery: a randomized prospective comparative trial. HPB (Oxford) 2016; 18(2):136-144.

62. Belghiti J, Noun R, Zante E, et al. Portal triad clamping or hepatic vascular exclusion for major liver resection. A controlled study. Ann Surg 1996; 224(2):155-61.

63. Lentschener C, Ozier Y. Anaesthesia for elective liver resection: some points should be revisited. Eur J Anaesthesiol 2002; 19(11):780-8.

64. de Mathelin P, Cusumano C, Foguenne M, et al. Extended Right Hepatectomy to Inferior Vena Cava Under Total Vascular Exclusion, Veno-Venous Bypass and In Situ Hypothermic Perfusion of the Future Liver Remnant. Ann Surg Oncol 2023; 30(13):8006.

65. Navez J, Cauchy F, Dokmak S, et al. Complex liver resection under hepatic vascular exclusion and hypothermic perfusion with versus without veno-venous bypass: a comparative study. HPB (Oxford) 2019; 21(9):1131-1138.

66. Yu L, Sun H, Jin H, et al. The effect of low central venous pressure on hepatic surgical field bleeding and serum lactate in patients undergoing partial hepatectomy: a prospective randomized controlled trial. BMC Surg 2020; 20(1):25.

67. Hughes MJ, Ventham NT, Harrison EM, et al. Central venous pressure and liver resection: a systematic review and meta-analysis. HPB (Oxford) 2015; 17(10):863-71.

68. Sato N, Kawamoto M, Yuge O, et al. Effects of pneumoperitoneum on cardiac autonomic nervous activity evaluated by heart rate variability analysis during sevoflurane, isoflurane, or propofol anesthesia. Surg Endosc 2000; 14(4):362-6.

69. Safran DB, Orlando R, 3rd. Physiologic effects of pneumoperitoneum. Am J Surg 1994; 167(2):281-6.

70. Wahba RW, Beique F, Kleiman SJ. Cardiopulmonary function and laparoscopic cholecystectomy. Can J Anaesth 1995; 42(1):51-63.

71. Egger ME, Gottumukkala V, Wilks JA, et al. Anesthetic and operative considerations for laparoscopic liver resection. Surgery 2017; 161(5):1191-1202.

72. Lillemoe HA, Marcus RK, Day RW, et al. Enhanced recovery in liver surgery decreases postoperative outpatient use of opioids. Surgery 2019; 166(1):22-27.

73. Joshi GP, Kehlet H. Postoperative pain management in the era of ERAS: An overview. Best Pract Res Clin Anaesthesiol 2019; 33(3):259-267.

74. Agarwal V, Divatia JV. Enhanced recovery after surgery in liver resection: current concepts and controversies. Korean J Anesthesiol 2019; 72(2):119-129.

75. Joliat GR, Kobayashi K, Hasegawa K, et al. Guidelines for Perioperative Care for Liver Surgery: Enhanced Recovery After Surgery (ERAS) Society Recommendations 2022. World J Surg 2023; 47(1):11-34.

162

Anestesias para Cirurgias Gastrintestinais

Felipe Pinn de Castro ▪ Gustavo Guimarães Torres

INTRODUÇÃO

As cirurgias do trato gastrintestinal são uma grande parcela do número total de procedimentos diários realizados no mundo, englobando cirurgias de baixa complexidade (p. ex., a colecistectomia videolaparoscópica) até cirurgias mais complexas (p. ex., a gastroduodenopancreatectomia convencional).

Ao mesmo tempo, o atendimento perioperatório para tais cirurgias evoluiu drasticamente nas últimas duas décadas com procedimentos minimamente invasivos por videolaparoscopia e robótica que podem reduzir a resposta endócrino metabólica ao trauma cirúrgico e, assim, aprimorou as técnicas cirúrgicas para cirurgias do trato gastrintestinal de grande complexidade. Assim, em conjunto com a equipe cirúrgica, as modalidades anestésicas também evoluíram e se adequaram à grande variedade de procedimentos.

Assim surgiu uma via de cuidado perioperatório mais adequada, resultando em melhores desfechos para os pacientes. Tal evolução, tornou a especialidade da anestesiologia como a responsável pelo cuidado clínico perioperatório pleno nas cirurgias abdominais, sendo o principal responsável em criar protocolos, exigindo condutas mais seguras e efetivas diante das cirurgias abdominais, buscando a melhor estratificação de riscos perioperatório dos pacientes e modulação das respostas inflamatórias acarretadas pela injúria cirúrgica com o intuito de reduzir a morbimortalidade.

Dessa forma, será tratado neste capítulo os cuidados anestésicos em cirurgias de abdome superior e inferior e suas particularidades.

▪ PARTICULARIDADES DA ANESTESIA DE ABDOME SUPERIOR

Funções Diafragmática e Respiratória após Incisão Abdominal Superior

Os efeitos respiratórios pós-operatórios da cirurgia abdominal incluem um padrão ventilatório restritivo, com reduções da capacidade residual funcional (CRF), capacidade vital forçada (CVF), volume expiratório forçado em 1 segundo (VEF1) e atelectasias. No segundo dia pós-operatório em comparação com as medições pré-operatórias, a CVF é normalmente reduzida em 33,65% depois de colecistectomia aberta e 20 a 36% depois do mesmo procedimento laparoscópico. Um mecanismo para o comprometimento mecânico pulmonar é a dor cirúrgica e a tosse prejudicada; no entanto, o tratamento da dor com anestesia local peridural ou opioides normaliza apenas parcialmente as anormalidades mecânicas pulmonares. Outro mecanismo é o comprometimento da função do diafragma, possivelmente pela inibição do reflexo causada pela ativação das fibras aferentes viscerais pela inflamação do tecido local. Esta é provavelmente a razão para a maior redução no VEF1 e na CVF depois de procedimentos laparoscópicos abdominais superiores versus abdominais inferiores, apesar dos números semelhantes de portais cirúrgicos e dor subjetiva pós-operatória.[5]

▪ ABDOME SUPERIOR

Esôfago

O esôfago é um órgão tubular, composto de musculatura lisa e estriada. Apresenta em média 30 cm de comprimento e tem como função a transferência de alimento da boca até o estômago. Tem início na altura de C6, terminando em T11. É dividido em três partes anatômicas: esôfago cervical, torácico e abdominal.

O esôfago cervical tem íntima relação com o nervo laríngeo recorrente, possui 5 cm de comprimento aproximadamente, com início logo abaixo do esfíncter esofagiano superior (EES) e término na altura de T1.

O esôfago torácico possui 16 a 18 cm de comprimento e é dividido em supra e infrabrônquico, acima e abaixo da carina, respectivamente. A parte suprabrônquica localiza-se posterolateralmente e é recoberta pelas pleuras pulmonares na altura da 5ª e 10ª vertebras torácicas. À direita é cruzado pelo arco da veia ázigos e à esquerda possui relação com o nervo laríngeo recorrente esquerdo, origem das artérias carotídeas e subclávia do mesmo lado, com ducto torácico e o arco aórtico. A porção infrabrônquica localiza-se posteriormente e tem relação com a coluna dorsal, a aorta descendente, a veia ázigos, o ducto torácico e os segmentos de reflexão pleural.

Os ramos do nervo vago encontram-se paralelos ao esôfago e formam um plexo visceral ao seu redor, com dois troncos principais emergindo na altura do hiato esofágico; os ramos esquerdos encontram-se anteriormente e os direitos posteriormente, quando passam ao estômago. Essas considerações anatômicas, sobre o esôfago torácico revelam uma íntima relação com grandes estruturas que podem ser lesadas durante o ato cirúrgico, incluindo vasos importantes, podendo levar a quadros de perda sanguínea aguda de grande volume

O esôfago abdominal é uma estrutura mais curta, de 0,5 a 3 centímetros. Entra obliquamente no estômago, formando o ângulo de Hiss, também responsável pela prevenção do refluxo internamente.

O esfíncter esofágico inferior (EEI) localiza-se nos 3 a 4 centímetros distais do órgão e caracteriza-se por ser um segmento de musculatura lisa tonicamente contraído. A existência anatômica de um anel no EEI não é aceita por vários autores, entretanto, Liebermann et al.[99] identificaram um anel ao nível da grande curvatura do estômago e do esôfago terminal (abaixo do diafragma e acima do ângulo de Hiss) com função esfincteriana.

A vascularização do esôfago segue a divisão citada anteriormente. A irrigação do esôfago cervical é feita pelas artérias tireóideas inferiores, do esôfago torácico por ramos que nascem direto da aorta e por ramos esofágicos das artérias intercostais e brônquicas, e a parte inferior do órgão pela artéria frênica inferior e por ramo da artéria gástrica esquerda. Funcionalmente, essas artérias tendem a uma vascularização do tipo terminal. Mas, apesar de não possuir uma exuberante rede arterial, o esôfago possui numerosas intercomunicações na submucosa e na superfície muscular, o que permite interromper vasos sem causar isquemia, e assim, dissecções com pouco sangramento.

A drenagem venosa também é dividida em três segmentos e segue paralela à rede arterial. O terço superior drena pelas veias tireóideas superiores para a veia cava superior; o terço médio, para a veia cava superior, através do sistema ázigos e semiázigos; e o terço inferior, ao nível da união esofagogástrica, tem sua drenagem feita pelo sistema porta, pela veia gástrica esquerda. Na submucosa esofágica existe um fino plexo venoso que drena para outras veias da submucosa mais calibrosas, situadas ao redor da circunferência esofágica, formando uma rede longitudinal paralela ao órgão. Essa rede comunica-se com os sistemas porta e sistêmico ao nível dos três segmentos, e todos possuem anastomoses entre si, permitindo desvio de sangue no caso de obstrução em qualquer um deles. Essa característica, mais uma vez, confere segurança, minimizando o sangramento.

A inervação do esôfago fica a cargo dos plexos mioentéricos de Meissner e Auerbach, com suas conexões comunicando-se com o nervo vago. A atividade parassimpática de tal órgão se dá por esse par craniano também. Esse desce paralelamente ao esôfago, formando um plexo ao seu redor. Na altura do hiato esofágico, o ramo esquerdo do vago orienta-se anteriormente e o ramo direito posteriormente, quando, então ambos alcançam o estômago. O esôfago recebe primordialmente fibras simpáticas oriundas do plexo cervical e parcialmente de cadeias torácicas.

EES é uma estrutura composta de musculatura estriada, com comprimento entre 2 e 4,5 centímetros. Sua região de maior pressão tem aproximadamente 1 centímetro de comprimento e corresponde ao músculo cricofaríngeo. Sua pressão de repouso é de aproximadamente 10 mmHg. O EEI atua como uma barreira contra a regurgitação anormal do conteúdo gástrico, sendo o principal mecanismo de prevenção contra o refluxo gastroesofágico. Sua pressão normal em repouso é de 10 a 30 mmHg, sendo menor no período pós-prandial e à noite. A distensão do órgão pode produzir um relaxamento do EEI, e a amplitude desse relaxamento é proporcional ao grau de distensão esofágica, aumentando assim o risco de broncoaspirações. Além disso, aumentos da pressão intra-abdominal, contínuos ou transitórios, elevam o gradiente abdominotorácico de pressão e tendem a provocar refluxo.

Anestesia para Câncer de Esofágico

O câncer de esôfago é um dos tumores sólidos mais comuns que ocorrem em humanos. Sua incidência mundial está aumentando, com um milhão de pessoas esperadas para serem diagnosticadas até 2040. O carcinoma de células escamosas constitui o tipo mais comum de neoplasia esofágica. A segunda forma mais frequente é o adenocarcinoma, que está aumentando rapidamente no mundo ocidental, enquanto a do primeiro está em declínio. Sexo, idade e aspectos genéticos são os principais fatores de risco não modificáveis para o câncer de esôfago. Álcool e tabaco e uma dieta pobre em frutas e vegetais constituem os principais fatores de risco modificáveis em relação ao carcinoma escamoso esofágico, enquanto aqueles relacionados com o adenocarcinoma incluem tabaco, obesidade e doença do refluxo gastroesofágico.[1]

A taxa de mortalidade para esse tipo de tumor é alta, com menos de 50% dos pacientes sobrevivendo por mais de cinco anos depois do diagnóstico. Várias razões podem contribuir para explicar essa baixa taxa de sobrevivência, incluindo atraso no diagnóstico, falta de centralização em centros de alto volume e a não otimização pré-operatória.[1]

A esofagectomia continua sendo uma intervenção cirúrgica complexa associada a uma taxa de complicações pós-operatórias de até 60%, mas centros de alto volume que realizam mais de 20 esofagectomias anualmente registraram menos complicações e exibiram melhor sobrevivência geral graças a níveis mais altos de experiência da equipe.

Uma equipe multidisciplinar é necessária para cuidar desses pacientes desde o ambiente pré-operatório até a fase pós-cirúrgica. O anestesiologista, uma figura de liderança dessa equipe, deve estar envolvido no manejo do paciente desde o início, pois isso tem sido associado a uma menor taxa de complicações pós-operatórias. O anestesiologista deve acompanhar o paciente durante todo o período perioperatório.

Outros objetivos incluem avaliar e quantificar o risco perioperatório para permitir o melhor atendimento perioperatório a ser planejado, maximizando assim a segurança do paciente. Assim, existe a necessidade de se focar na estratificação cardiovascular dos pacientes que serão submetidos a esofagectomia, solicitando teste de exercício cardiopulmonar; cintilografia miocárdica com estresse farmacológico; de coronárias/score de cálcio; ecocardiograma transtorácico com *strain* e estresse farmacológico, assim como exames de sangue que auxiliam bastante, por terem um valor preditivo negativo alto em pacientes com fatores de risco para doenças cardiovasculares, como troponina e peptídeo natriurético cerebral (BNP) quando indicados

Necessidade da otimização no pré-operatório do *status* nutricional do paciente, pois sarcopenia, caquexia e perda de peso resultam em piores desfechos. Além disso, otimizar a massa eritrocitária tratando adequadamente anemia que sabidamente aumenta morbimortalidade e pré-habilitação física para cirurgia com pelo menos 2 a 4 semanas de antecedência.

No intraoperatório o gerenciamento das vias aéreas é a principal preocupação do anestesiologista. A esofagectomia tradicional requer ventilação monopulmonar. Procedimentos menos invasivos, em geral envolvem uma abordagem toracoscópica. Alguns centros realizam a toracoscópica para a esofagectomia na posição prona sem intubação monopulmonar, o que resulta em mais proteção ao pulmão do paciente operado e a ventilação mecânica durante a esofagectomia deve ser protetora. Os pacientes cirúrgicos são particularmente vulneráveis à sobrecarga de fluidos; isso é parcialmente explicado pelo dano ao glicocálix endotelial durante a cirurgia, justificando uma abordagem mais cautelosa à administração de líquidos principalmente durante a esofagectomia. Portanto, é necessário monitorar de maneira plena o estado e o equilíbrio do fluido do paciente durante toda a fase perioperatória. Da mesma forma, monitorizar a profundidade anestésica, manter normotermia aquecendo o paciente e usar termômetro central. Utilizar a monitorização hemodinâmica utilizada para guiar o momento exato para transfusão de hemocomponentes e não se basear apenas em triggers transfusionais.

A extubação na sala de cirurgia depois do procedimento sem intercorrências é uma opção viável e segura se os parâmetros vitais estiverem dentro dos valores normais, especialmente se a oxigenação, a estabilidade hemodinâmica, a normotermia, o controle da dor e a reversão do bloqueio neuromuscular forem obtidos no final da cirurgia, pois reduz complicações pulmonares no pós-operatório.

A decisão de encaminhar ou não o paciente para uma unidade de terapia intensiva (UTI) deve ser baseado nos recursos locais disponíveis em termos de pessoal, tecnologia e finanças. Como regra geral, pacientes de baixo risco (ASA 1-2) podem receber alta da sala operatória para um unidade semi-intensiva se disponível. Pacientes de maior risco (ASA 3) são mais propensos a serem adequados para admissão na UTI, pacientes ASA 4 ou aqueles instáveis após a cirurgia devem entrar na UTI para estabilização e otimização pós-cirurgia.

A analgesia perioperatória e o manejo eficaz da dor depois da esofagectomia é essencial para o conforto do paciente, recuperação precoce, baixa morbidade cirúrgica e um curto período de hospitalização. A dor experimentada após a toracotomia foi descrita como uma das piores. O controle da dor perioperatória é uma prerrogativa para os anestesiologistas. Dependendo do tipo de cirurgia adotada (ou seja, aberta *versus* minimamente invasiva), diferentes abordagens podem ser selecionadas. A analgesia do cateter peridural é provavelmente a melhor ferramenta disponível para o controle da dor pós-operatória, especialmente no caso da toracotomia, associado a uma analgesia multimodal venosa, podendo também, em caso de cirurgias minimamente invasivas para esofagectomia renunciar ao uso da anestesia peridural e realizar bloqueios periféricos fasciais como bloqueio do plano eretor da espinha e bloqueio paravertebral que são excelentes alternativas.[3,4]

Doença do Refluxo Gastroesofágico e Hérnia de Hiato

A doença do refluxo gastroesofágico (DRGE) é associada com um gradiente de pressão entre o tórax e o abdome e a episódios transitórios de relaxamento do esôfago inferior (ainda pouco compreendidos).

O funcionamento adequado do EEI depende de seu tônus intrínseco, do comprimento do segmento muscular do EEI, da porção do segmento intra-abdominal e da sua interação com a cárdia. A etiologia do refluxo ácido pode ser devido a uma função gástrica anormal ou devido a alterações esofágicas, como clareamento esofágico deficiente, incompetência do EEI ou relaxamento transitório da porção esofágica inferior. O clareamento esofágico do volume refluído depende da deglutição, da gravidade, da atividade motora intrínseca, da salivação e da presença de uma hérnia de hiato.

A hérnia de hiato produz um defeito na propulsão esofágica que resulta em um clareamento inadequado do conteúdo gástrico e um aumento no tempo do trânsito pelo órgão. Caso o EEI já apresente alteração, encontramos um cenário propenso para um refluxo com broncoaspiração e, consequentemente, pneumonia aspirativa.

Para a correção da DRGE, podem ser efetuados, basicamente, dois procedimentos. A cirurgia de Nyssen, realizada por abordagem abdominal (mais comumente por laparoscopia), onde uma retração hepática pode ocorrer e a posição de Trendelenburg deve ser adotada; e a técnica de Belsey (fundoplicatura de 240 graus), realizada por incisão torácica esquerda. Em ambas, uma sonda orogástrica de grosso calibre (Fouchet) deve ser locada, para que o reparo possa ser dimensionado sem gerar estreitamentos.

O refluxo do conteúdo gástrico em pacientes com doenças da motilidade do esôfago quando o paciente tem uma via aérea desprotegida pode causar aspiração traqueal. A incidência exata da aspiração é desconhecida, pois a regurgitação é muitas vezes não reconhecida ou "silenciosa" com a aspiração subsequente. No entanto, um grande estudo europeu sugere que a incidência é baixa, em aproximadamente 0,05%, com metade desses casos durante a cirurgia de emergência.

O aumento do risco de aspiração com o estômago cheio é uma preocupação bem conhecida e, como resultado, procedimentos foram desenvolvidos para minimizar o risco durante a indução da anestesia, como o desenvolvimento de pressão cricoide (manobra de Sellick) ou intubação acordado (que necessita obrigatoriamente da colaboração e orientação do paciente). Quando realizada corretamente, a pressão cricoide deve fornecer uma barreira até que a colocação do tubo endotraqueal seja confirmada. Além disso, a pressão cricoide demonstrou piorar a visão laringoscópica em um número significativo de casos. Dessa forma, o papel do anestesiologista em avaliar adequadamente o jejum do paciente no pré--operatório de cirurgias eletivas e ao mesmo tempo utilizar métodos minimamente invasivos (USG do antro gástrico que reflete indiretamente o volume de todo o estômago) para confirmar se o paciente está com o estômago vazio quando ele apresenta doenças causadoras de refluxo.

Pâncreas

O suprimento arterial do pâncreas é derivado do tronco celíaco e da artéria mesentérica superior, com uma notória variação no padrão de ramificações dessas artérias, com um padrão típico em aproximadamente 80% dos casos. A drenagem venosa tem suas veias correndo o correspondente às artérias, drenando para a veia mesentérica superior ou diretamente para a veia porta. A inervação autonômica simpática do pâncreas se origina dos plexos celíaco e, em alguns casos, mesentérico superior (T5-T12) e possui grande importância no diagnóstico e tratamento da dor pancreática crônica. Numa fase precoce, a dor pancreática por neoplasia maligna é gerada por obstrução ductal. Mais tardiamente, o tumor invade as vias linfáticas, sendo tipicamente grave, de difícil controle, mesmo com utilização dos bloqueios do plexo celíaco.

Anestesia para Pancreatectomia

Como observado, a anatomia e a fisiologia do pâncreas e sua localização dentro do corpo significam que a cirurgia do pâncreas é muitas vezes complicada e de alto risco. Os procedimentos cirúrgicos pancreáticos mais comuns são gastroduodenopancreatectomia (GDP) e pancreatectomia distal.

Apesar dos avanços no tratamento e da melhoria dos tempos de sobrevivência para muitos tipos diferentes de cânceres abdominais, o prognóstico para aqueles diagnosticados com câncer de pâncreas permanece ruim. Globalmente, há quase meio milhão de novos casos de câncer de pâncreas (sobretudo adenocarcinoma) diagnosticados a cada ano, dando uma taxa de incidência padronizada por idade de 4,8 por 100.000. Essas taxas são 3 a 4 vezes maiores no mundo desenvolvido. Estima-se que a sobrevivência geral de 1 ano para todos os pacientes diagnosticados seja de aproximadamente 25%, caindo para 5% aos 5 anos. A remoção cirúrgica do tumor primário é o único tratamento curativo e um dos principais determinantes da sobrevivência é o estágio do câncer na apresentação. Isso pode ser dividido em quatro categorias: ressecável, limítrofe ressecável, irressecável localmente avançado e metastático. Apenas 10 a 15% dos pacientes apresentam doença ressecável. A sobrevida em 5 anos pode ser tão alta quanto 25% para aqueles em que a cirurgia é possível, em comparação com uma sobrevida média de 6 meses naqueles em que não é. Como resultado, enquanto a incidência de câncer de pâncreas é muito menor do que a do pulmão, mama, cólon, próstata, pele e outros, é a sétima principal causa de morte por câncer.

A Pancreatoduodenectomia (DP) é um procedimento cirúrgico complexo que envolve a ressecção em bloco da cabeça do pâncreas, vesícula biliar, duodeno, estômago distal (piloro) e jejuno proximal, seguido de reconstrução via gastrojejunostomia, hepaticojejunostomia e pancreaticojejunostomia. A principal indicação para essa cirurgia é o câncer da cabeça pancreática, mas também é usado para o tratamento de outros cânceres periampular (duodenal e colangiocarcinoma) bem como tumores benignos, pancreatite crônica que afeta a cabeça do pâncreas e tumores neuroendócrinos. O procedimento foi iniciado na década de 1930 por um cirurgião americano chamado Allen Oldfather Whipple e, portanto, é amplamente conhecido como procedimento Whipple. Historicamente, tem sido associado a mortalidade e morbidade pós-operatória significativas, relatadas até 25% e 60%, respectivamente, na década de 1960. Com os avanços na técnica cirúrgica, atendimento perioperatório e seleção de pacientes, esses números reduziram, e a mortalidade atual é estimada em aproximadamente 4%, com alguns centros de alto volume relatando mortalidade tão baixa quanto 1%. A morbidade pós-operatória continua sendo um problema significativo, com os principais problemas sendo infecções no local cirúrgico, complicações pulmonares, vazamentos anastomóticos, fístulas e esvaziamento gástrico tardio. Na tentativa de reduzir algumas dessas complicações, alternativas à pancreaticoduodenectomia clássica foram desenvolvidas. A principal entre elas é a preservação do piloro (pancreaticoduodenectomia com preservação do piloro).

Classicamente, a pancreaticoduodenectomia é um procedimento aberto. Uma variedade de incisões é usada, incluindo Chevron, transversal reta e transversal curva e, sem evidência/consenso para a superioridade uma sobre a outra, a escolha geralmente depende da preferência cirúrgica. Em comum com muitos outros procedimentos cirúrgicos, técnicas minimamente invasivas (tanto laparoscópicas quanto roboticamente assistidas) foram desenvolvidas com o objetivo de reduzir a morbidade pós-operatória e os tempos de recuperação. Várias metanálises examinaram as evidências comparando as minimamente invasivas com pancreaticoduodenectomia aberta, cujos resultados indicam que – embora a abordagem minimamente invasiva possa estar associada a menos perda de sangue intraoperatória, menores taxas de transfusão e estadias hospitalares mais curtas – não há diferença na morbidade ou mortalidade principal e os tempos operacionais são mais longos. Todos apontam para a necessidade de mais evidências de alta qualidade.

Atualmente, o uso de pancreaticoduodenectomia minimamente invasiva depende da experiência cirúrgica disponível e da seleção cuidadosa do paciente.

Dada a natureza de alto risco da cirurgia, como a esofagectomia, e da população de pacientes, muitos centros optam por avaliar o sistema cardiovascular, respiratório e esquelético dos pacientes com testes de exercício cardiopulmonar (TECP), além de testes pré-operatórios de rotina. As variáveis dos TECP, como VO_2 máx, mostraram correlacionar-se com desfechos pós-operatórios adversos depois de uma variedade de cirurgias não cardiopulmonares, incluindo pancreaticoduodenectomia e é amplamente utilizada para estratificação de risco e para informar a tomada de decisões.

A desnutrição perioperatória é comum em pacientes com pancreaticoduodenectomia e está associada a uma maior incidência de complicações pós-operatórias. O estado nutricional dos pacientes deve ser avaliado no pré-operatório e aqueles que estão significativamente desnutridos devem receber suplementação para aumentar a ingestão de calorias e proteínas e substituir minerais e vitaminas por via oral ou enteral. Da mesma forma, a nutrição pós-operatória deve seguir o mesmo raciocínio. O uso rotineiro da nutrição parenteral não demonstrou ser benéfico e está associado a complicações e, portanto, deve ser evitado.

Como já relatado, a GDP é uma cirurgia intra-abdominal de alto risco e a técnica anestésica deve refletir isso. Intubação traqueal, acesso periférico e central de maior calibre possível, monitoramento invasivo da pressão arterial, amostragem regular de gases sanguíneos, aquecimento ativo, controle glicêmico, profilaxia contra trombose e antimicrobiana são padrão. A hemorragia maciça está entre as possíveis complicações intraoperatórias e deve ser preparada. O uso do monitoramento do débito cardíaco para orientar o gerenciamento de fluidos e vasopressores demonstrou reduzir as complicações na cirurgia gastrointestinal principal e deve ser considerado. Profundidade do monitoramento da anestesia minimizando a dosagem eficaz de agente anestésico, talvez tornando o manejo hemodinâmico mais simples enquanto reduz também a incidência de *delirium* pós-operatório e déficit cognitivo.

O gerenciamento de fluidos e a analgesia são dois aspectos particularmente desafiadores dos cuidados anestésicos nesse ambiente. Cirurgia prolongada, mediadores inflamatórios, anestesia/hipotensão induzida por peridural e perda de sangue podem complicar a estimativa das necessidades de líquidos. A sobrecarga de fluidos está associada ao aumento da morbidade após a pancreaticoduodenectomia e as diretrizes do ERAS (recuperação aprimorada após a cirurgia) recomendam direcionar um equilíbrio de fluidos próximo de zero (balanço hídrico zero) usando uma solução cristaloide balanceada e monitoramento do débito cardíaco para ajudar a orientar a administração de bólus de líquidos.

A modalidade analgésica dependerá da abordagem cirúrgica adotada e da experiência e prática locais. Para cirurgia aberta, as diretrizes atuais do ERAS defendem o uso de analgesia peridural torácica e, embora uma peridural eficaz e bem gerenciada ofereça excelente alívio dinâmico da dor, a analgesia peridural pode estar associada à hipotensão e sobrecarga de fluidos. A analgesia peridural não é recomendada no contexto de cirurgia minimamente invasiva. Existem muitas alternativas que podem ser consideradas, incluindo o uso de cateteres anestésicos locais, bloqueios fasciais do abdome, opioides intratecais, infusões de lidocaína e, claro, opioides parenterais. Não há evidências de consenso para nenhuma técnica/combinação específica e os regimes analgésicos devem ser adaptados para se adequar à experiência local e à prática cirúrgica. O ERAS recomenda, em geral, que a analgesia deve ser multimodal, poupadora de opioides, com o objetivo de fornecer alívio eficaz da dor, permitindo a mobilização precoce e minimizando os riscos de íleo, náuseas pós-operatória, sonolência, alucinação e depressão respiratória.[6]

A natureza de alto risco dessa cirurgia, junto com a ocorrência frequente de complicações, exige que esses pacientes sejam gerenciados no pós-operatório em um ambiente de UTI. Juntamente com os riscos gerais que vêm com a grande cirurgia intra-abdominal, como sangramento, sepse, complicações pulmonares, íleo, infecção da ferida e tromboembolismo venoso e algumas complicações específicas do procedimento que surgem com frequência nos primeiros 5-7 dias.[7]

Pancreatite

Atualmente, o tratamento da pancreatite aguda é clínico. A abordagem cirúrgica pode ser necessária em certas situações, como drenagem de abcesso ou descompressões do ducto pancreático, ou até casos mais graves com necrosectomias. O manejo inclui aspiração gástrica, manutenção do volume intravascular, suporte respiratório, analgesia e suporte nutricional. Um estado de diabetes pode se desenvolver em uma parcela dos pacientes, devido a uma grande destruição de tecido pancreático.

Estômago e Duodeno

O estômago é dividido em fundo (acima e à esquerda da junção esofagogástrica), corpo (entre fundo e antro) e antro (entre corpo e piloro). Fundo e corpo são revestidos por uma mucosa parietal, contendo células parietais e principais, secretoras de ácido e pepsina, respectivamente.

O antro é revestido pela mucosa antral, contendo células mucosas e G, secretoras de um muco espesso e viscoso e do hormônio gastrina, respectivamente. A mucosa fúndica tem sua superfície ácida, ao contrário da mucosa antral, que é levemente alcalina ou neutra. A junção do estômago com duodeno é formada pelo piloro, responsável por permitir a passagem do alimento após este ter sido misturado com a secreção ácida. O duodeno começa no piloro e termina na junção duodenojejunal, à esquerda da segunda vértebra lombar. Este é dividido em quatro partes: superior (com sua porção proximal moderadamente dilatada, chamada de bulbo duodenal), descendente ou vertical, transversa e ascendente.

O suprimento arterial vem principalmente dos três ramos do tronco celíaco: as artérias gástricas esquerda, esplênica e hepática. Estas formam duas arcadas, uma na pequena e outra na grande curvatura. A arcada da pequena curvatura é formada pela artéria gástrica direita (ramo da artéria hepática) e pela artéria gástrica esquerda (ramo direto do tronco celíaco). A arcada da grande curvatura é formada pela artéria gastroepiploica (ramo da artéria gastroduodenal, que é ramo da artéria hepática) e pela artéria gastroepiploica esquerda (ramo da artéria esplênica). A porção proximal da grande curvatura recebe suprimento sanguíneo dos vasos curtos do estômago (ramos da artéria esplênica), variando de 1 a 9 destes. A porção proximal do estômago também recebe suprimento adicional das artérias esofágicas e da artéria frênica inferior. Seis outras artérias ainda contribuem, com importância secundária, para a vascularização do estômago: pancreatoduodenal superior, supraduodenal, retroduodenal, pancreática transversa, pancreática dorsal e frênica inferior esquerda. O suprimento do duodeno é derivado das artérias pancreatoduodenal anterior (ramo da artéria gastroduodenal), pancreatoduodenal posterior (ramo da artéria mesentérica superior), gástrica direita, gastroepiploica direita e supraduodenal e a artéria gastroduodenal vasculariza o piloro.

A drenagem venosa do estômago e duodeno é análoga à das artérias e se dirige ao sistema porta. As anastomoses venosas entre o sistema porta e as veias sistêmicas são comuns na junção esofagogástrica, sendo de extrema importância na patogênese das varizes gastresofágicas na hipertensão porta.

A inervação simpática é feita por ramos provenientes dos segmentos torácicos T5, T6 T9 e T10 e suas fibras pré-ganglionares atravessam seus respectivos gânglios diretamente, dirigindo-se aos gânglios celíacos, onde fazem sinapses com as fibras pós-ganglionares, dirigindo-se ao estômago e duodeno junto com os ramos da artéria celíaca. A inervação parassimpática local é proveniente dos nervos vago posterior (direito) e anterior (esquerdo). O vago anterior divide-se no ramo hepático (inerva o fígado e a vesícula biliar) e no nervo anterior da curvatura menor do estômago; o vago posterior divide-se no ramo celíaco (inerva o intestino delgado, o pâncreas e parte de intestino grosso) e no nervo posterior da curvatura menor do estômago. Os nervos anteriores da curvatura menor dão pequenos ramos ao estômago, do fundo ao antro pilórico, formando a «pata de ganso». Os ramos gástricos fazem sinapse com as fibras pós-ganglionares nos gânglios localizados na submucosa (plexo de Meissner) ou na camada muscular (plexo de Auerbach).

Anestesia para Câncer Gástrico

No Brasil o câncer gástrico é o quarto tipo mais frequente entre homens e mulheres. O adenocarcinoma, responsável por cerca de 95% dos casos de tumor do estômago, atinge, em sua maioria, homens por volta dos 60-70 anos. Cerca de 65% dos pacientes têm mais de 50 anos. Outros tipos de tumores, como linfomas e sarcomas, também podem ocorrer no estômago. Os linfomas são diagnosticados em 3% dos casos e os sarcomas extremamente raros. Outro tipo que pode afetar o estômago é o tumor estromal gastrintestinal (GIST), sendo também raro e mais indolente.

Diante da evolução da medicina colocando ao lado da mesma a revolução da anestesiologia nos últimos 20-30 anos colocando o médico anestesiologista como o especialista clínico do perioperatório e em uma cirurgia, como

a gastrectomia em um paciente com câncer, começa o procedimento anestésico na educação e o aconselhamento pré-operatórios que são críticos para definir expectativas em relação à recuperação funcional, dor pós-operatória e nutrição. Intervenções de aconselhamento dedicadas, incluindo plataformas multimídia, direção verbal de uma enfermeira registrada/anestesiologista ou material escrito, podem resultar em melhor conhecimento e menos ansiedade, dor e náusea, tempo de internação e maior aderência ao tratamento em comparação com a discussão de rotina realizada pelo cirurgião.[6]

A desnutrição basal e a deficiência de micronutrientes (assim como no tumor de esôfago e pâncreas) estão associadas à resposta imune prejudicada, ao estresse fisiológico e ao aumento da morbidade perioperatória. A intolerância oral e a perda de peso afetam uma grande proporção de pacientes com câncer gástrico. Embora as definições de desnutrição pré-operatória variem, entre os mais comumente referenciados são os critérios ESPEN: (1) índice de massa corporal (IMC)\ 18,5 kg/m², ou² perda de peso combinada (10% ou 15% em mais de 3 meses) e IMC reduzido. Específica do câncer gástrico, a sarcopenia, comumente quantificada pela área transversal do músculo psoas, está associada ao aumento do tempo de permanência hospitalar e complicações, enquanto a má nutrição basal está associada à sobrevivência a curto e a longo prazos. O manejo ideal da desnutrição pré-gastrectomia continua controverso, mas o que se sabe comprovadamente que os pacientes devem receber uma nutrição adequada no pré-operatório.

Embora diante de um protocolo ERAS para gastrectomia seja recomendada a cessação do tabagismo por pelo menos 1 mês antes da cirurgia e da reabilitação pulmonar pré-operatória, as diretrizes para gastrectomia não forneceram detalhes sobre dados de suporte ou um protocolo de pré-reabilitação ideal para gastrectomia. Todavia a pré-reabilitação em outras cirurgias demonstrou reduzir a taxa de complicações após uma grande cirurgia abdominal, mas os dados específicos para tal cirurgia são escassos ainda.

A filosofia de que o jejum completo após a meia-noite antes da cirurgia reduz significativamente o risco de aspiração não é apoiada pela fisiologia gástrica. Para fluidos iso-osmolares, como a salina, há uma passagem quase completa além do piloro dentro de 2 horas após a ingestão. Para sólidos de fácil digestão, a taxa de esvaziamento gástrico é da ordem de 4 horas. De acordo com as recomendações da Sociedade Americana de Anestesiologia, recomenda-se a ingestão de líquidos claros (maltodextrina) até 2 horas antes e sólidos com nenhuma gordura até 6 horas antes da indução. O jejum prolongado produz um estado de resistência à insulina, acaba com as reservas de glicogênio hepático e promove a hiperglicemia. Esses efeitos são agravados pelo estresse do trauma cirúrgico. Carregamento pré-operatório de carboidratos via infusão ou ingestão oral de líquido claro dentro de 4 horas antes da cirurgia tem como objetivo combater esses efeitos deletérios. Em uma revisão Cochrane de 27 ensaios randomizados, a carga pré-operatória de carboidratos foi associada a menor tempo de internação, retorno mais precoce da função intestinal e aumento da sensibilidade à insulina.

No pré-operatório de uma cirurgia oncológica como a gastrectomia, seja convencional ou minimamente invasiva, é necessária uma estratificação de risco perioperatório minuciosa com a solicitação de exames complementares que possam mudar o desfecho do paciente no intraoperatório, além dos de rotina. Ao mesmo tempo, o paciente pode estar anêmico e deve ser tentado, mesmo que o tempo até o procedimento não seja ideal, diagnosticar e tratar essa comorbidade, seguindo o primeiro pilar do "patient blood management" (PBM) e, assim, também reduzir as chances de transfusões hemocomponentes que pioram, comprovadamente o prognostico oncológico. O planejamento anestésico começa com a forma a qual a equipe cirúrgica irá proceder a cirurgia (minimamente invasiva ou convencional) e lembrar que a gastrectomia por videolaparoscopia ou robótica vem aumentando devido aos seus benefícios em reduzir sangramento, tempo de internação, começo mais rápido da dieta e em como essas modalidades influenciam em uma anestesia menos invasiva.

Como foi observado na epidemiologia, o câncer gástrico afeta pacientes mais velhos, podendo ao mesmo tempo terem comorbidades mais graves, alterações fisiológicas da faixa etária e, com certeza tal fato pode influenciar em maiores riscos perioperatórios. Dessa forma, a depender do tipo de cirurgia que será feita e das comorbidades dos pacientes, no intraoperatório pode ser necessário monitorização da pressão arterial invasiva, acesso venoso central e periférico calibroso e monitores de débito cardíaco (sejam invasivo, minimamente invasivos ou não invasivos). O uso de medicamentos anestésicos de indução de ação curta, opioides e agentes bloqueadores neuromusculares é preferível. O bloqueio neuromuscular profundo pode ser útil em procedimentos laparoscópicos/robóticos para otimizar a exposição cirúrgica e reduzir a dor pós-operatória. Assim, a profundidade do bloqueio neuromuscular deve ser monitorada e mantida tão profunda quanto clinicamente indicado pelo mínimo de tempo necessário.

A manutenção da anestesia geral é igualmente um equilíbrio entre o excesso de profundidade, com tempo prolongado de emergência e recuperação resultante, e profundidade inadequada, com risco de consciência intraoperatória. A titulação de agentes anestésicos, normalmente, é feita por meio do monitoramento da concentração anestésica mínima, mas a adição do monitoramento do índice bispectral pode ajudar a reduzir as concentrações de anestésicos de manutenção e o uso de opioides, o que pode facilitar a recuperação mais precoce da anestesia geral. Náusea e vômitos pós-operatórios (PONV) são comuns, diminuem a satisfação do paciente e prolongam o tempo de recuperação. A profilaxia da PONV deve ser feita com agressividade correlacionada com o número de fatores de risco. Estratégias de ventilação protetora pulmonar também foram sugeridas, com volumes correntes de 6 a 8 mL/kg, pressão final da expiratória positiva (PEEP) de 6 a 8 cm de água, e manobras de recrutamento a cada 30 minutos que mostraram reduzir as principais complicações pulmonares e tempo de internação hospitalar em pacientes de risco pulmonar intermediário a alto submetidos a grandes cirurgias abdominais, principalmente em abdome superior como a gastrectomia convencional. Por fim, medidas para prevenir a hipotermia intraoperatória devem ser implementadas, incluindo o uso de dispositivos de aquecimento ativo e a consideração do aquecimento pré-operatório (30 minutos antes da indução anestésica). A hipotermia tem vários efeitos deletérios, incluindo aumento das taxas de infecção por feridas, complicações cardíacas e sangramento, bem como tempo prolongado de recuperação pós-anestésica e função imunológica prejudicada. Em relação ao manejo da hidratação venosa recomenda-se seguir o "balanço zero" buscando não causar danos com sobrecarga ou pouco volume de cristaloides balanceados.

Em relação a analgesia perioperatória também deve-se pensar em que tipo de cirurgia a equipe cirúrgica irá fazer o procedimento, pois em caso de uma gastrectomia convencional recomenda-se o uso da anestesia peridural torácica buscando o melhor controle associada ao uso racional de opioides e para tal deve-se buscar uma analgesia venosa multimodal. Contudo, nos casos minimamente invasivos pode-se renunciar à invasividade do cateter peridural e seus efeitos adversos e realizar bloqueios periféricos como: bloqueio do plano do musculo transverso ou bloqueio do plano eretor da espinha.

Do mesmo modo, o pós-operatório em unidade de terapia intensiva ou não depende das comorbidades dos pacientes, se houve ou não complicações perioperatórias ou se a cirurgia foi mais invasiva.[6]

Vias Biliares

A maior parte do suprimento arterial da vesícula é fornecido da artéria cística (na maioria das vezes formada por um único tronco originário da artéria hepática direita), localizada no trígono de Calot (limitado superiormente pela face inferior do fígado, medialmente ao ducto hepático comum e inferiormente ao ducto cístico), e uma pequena porção provida diretamente pelo leito hepático. Sua drenagem venosa é realizada por vasos para o leito hepático. Tem inervação simpática por meio de ramos originários dos 7º ao 9º segmentos torácicos, e parassimpática pelas fibras do vago, originárias do núcleo dorsal do vago.

Anestesia para Colecistopatias

Existem três tipos de cálculos biliares: os de colesterol, os pigmentados e os mistos, sendo estes últimos responsáveis por aproximadamente 75% dos casos. Seu diagnóstico é basicamente clínico e ocorre quando o cálculo impacta no ducto cístico, gerando obstrução e levando a uma lesão epitelial local com resposta inflamatória, gerando dor local e o aumento de enzimas (gama GT e fosfatase alcalina). Na maioria dos casos (aproximadamente 75%) o processo é autolimitado, com resolução dentro de uma semana, mas, entre 5% e 10% dos pacientes podem desenvolver complicações graves, como empiema, colangite, gangrena ou perfuração. Nestes, culturas positivas podem ser achadas em até 30% pacientes menores de 50 anos e até 50% nos maiores de 70 anos. A ultrassonografia de abdome é uma ferramenta excelente no auxílio diagnóstico.

O tratamento clínico, com o uso de ácido desoxicólico, é parcialmente efetivo. Durante as crises agudas, o uso de opioides para o controle da dor pode piorar o quadro álgico, devido a um aumento de pressão no esfíncter de Oddi (induzido pelos opioides). O quadro pode ser transitório e o uso de antagonistas opioides reverte esse aumento pressórico. Para a maioria deles, a colecistectomia deve ser realizada. A abordagem laparoscópica com uso de grampeadores é a técnica de escolha para o tratamento, sendo a técnica aberta reservada para casos mais complicados (como abcessos e perfurações). Em ambas as técnicas, a colangiografia intraoperatória pode ser realizada. Dependendo da intensidade do processo inflamatório e sua cronicidade, os tecidos podem estar mais ou menos friáveis e aderidos, predispondo a maior risco de lesões de vias biliares ou sangramentos. Um relaxamento muscular adequado pode minimizar esse risco, propiciando uma cavidade adequada para o ato cirúrgico.

Anestesia para Câncer de Vesícula Biliar

O câncer da vesícula biliar é mais comum em mulheres idosas e está associado a cálculos da vesícula biliar. Está associado à ocorrência precoce de metástases, fazendo com que muitas pacientes se apresentem irressecáveis ao diagnóstico. A abordagem cirúrgica para o tratamento envolve variações de derivações biliares com anastomoses entéricas, dependendo da localização do tumor. Essas cirurgias estão associadas ao desenvolvimento de um grande estado inflamatório e possuem um manejo anestésico muito similar às pancreatectomias, devendo adotar as mesmas estratégias.

INTESTINO GROSSO E ÂNUS

Duas das três maiores artérias do trato digestivo nutrem inteiramente o intestino grosso: mesentérica superior e inferior. A circulação colateral entre elas é feita por uma única artéria, a artéria marginal, podendo haver desconti- nuidade dela particularmente em três pontos: na porção inferior do colo ascendente, na flexura cólica esquerda e no sigmoide. A mesentérica superior origina-se da aorta ao nível da borda superior do pâncreas (na altura da primeira vértebra lombar), e supre o ceco, o apêndice, o colo ascendente e a maior parte do colo transverso. Ainda supre o intestino delgado e o pâncreas e, ocasionalmente, o fígado. A mesentérica inferior origina-se ao nível da terceira lombar, dirigindo-se para baixo, cruzando os vasos ilíacos esquerdos e entrando na pelve. A artéria retal superior (artéria hemorroidária superior), continuação na pelve da artéria mesentérica inferior, e a artéria retal inferior (ramo da artéria pudenda interna, e esta ramo da ilíaca interna) são responsáveis pelo principal suprimento sanguíneo do *anorectum*, que possui uma rede anastomótica intramural profusa. A drenagem venosa, basicamente, segue seu suprimento arterial. O sangue proveniente do colo direito, via mesentérica superior, e do colo esquerdo, via mesentérica inferior, drenam para a veia porta. O *anorectum* tem sua drenagem na veia cava inferior, por meio das veias retais média e inferior e, posteriormente, na ilíaca interna.

A inervação simpática do colo direito origina-se nos seis segmentos torácicos inferiores, atingindo os gânglios celíaco, pré-aórtico e mesentérico superior. Seu suprimento parassimpático origina-se no nervo vago direito e no plexo celíaco. O colo esquerdo tem sua inervação simpática proveniente dos nervos L1 a L3, que fazem sinapse no plexo pré-aórtico. O reto baixo tem sua inervação simpática por meio dos plexos pré-sacrais. O suprimento parassimpático de colo esquerdo e reto são originários dos segmentos S2 a S4. O canal anal possui inervação simpática oriunda de L5 e parassimpática de S2 a S4, sendo rico em terminações nervosas livres, principalmente na vizinhança das válvulas anais. A sensibilidade anal é carreada pelo ramo retal inferior do nervo pudendo e é parte integrante do mecanismo de continência anal.

O PAPEL DO NEUROEIXO E MODALIDADES ANALGÉSICAS

Quando pensamos em anestesia ou analgesia do neuroeixo buscamos obter uma melhora no desfecho de nossos pacientes, e logo pensamos na dor pós-operatória. Mas outros benefícios também estão associados à sua utilização, e outras questões devem ser levadas em consideração na decisão de utilizar essa técnica. Deve-se ter em mente qual tipo de desfecho, se este seria a longo ou curto prazo, a qual cirurgia está relacionado, quais pacientes são candidatos, quais são as complicações esperadas, e assim por diante. Logo, devemos ser mais cautelosos em nossas afirmações. E foi justamente essa a pergunta que Hopkins (2015) tentou responder, chegando a essas mesmas variáveis.[18]

Muitas das vezes levamos em consideração o controle da dor e a atenuação da resposta ao estresse cirúrgico como embasamento para tal resposta, e não estamos errados! Este último possui dois grandes componentes: uma resposta neuroendócrina sistêmica desencadeada por uma ativação simpática e pituitária (resultando em estado de catabolismo, resistência periférica à insulina e hiperglicemia) e um estado inflamatório com alterações imunológicas.[19] Já um controle inadequado de dor pós-operatória pode atrasar a alta hospitalar.[11-19] E, como já mencionado anteriormente, ambos são peças importantes nos protocolos de recuperação rápida! Mas existem mais aspectos relacionados com essa anestesia que devem ser considerados e correlacionados com a proposta terapêutica para pacientes e com o procedimento cirúrgico em questão.

Dentre as cirurgias esofágicas, as esofagectomias estão associadas à liberação de grandes quantidades de citocinas inflamatórias e às altas taxas de morbimortalidade.[1,2,20-22] A peridural torácica reduz a resposta pró-inflamatória,[20,21] com redução da hipercitocinemia e melhora a oxigenação pós-operatória.[20] Além disso, reduz a incidência de pneumonia pós-operatória[20-22] e a síndrome do desconforto respiratório agudo (SDRA);[20] diminui o tempo de permanência em UTI[21,23] e o tempo de ventilação mecânica,[23] promove a redução da frequência cardíaca, da pressão intra e pós-operatória,[20] da deiscência de anastomose,[20,21] além de um adequado controle da dor.[2,20,21] A peridural torácica é procedimento essencial no controle de dor da esofagectomia e tem papel importante na extubação do paciente ainda sala de cirurgia.[21]

Uma redução significativa de interleucinas 6 (IL6) e 8 (IL8) foi observada em pacientes submetidos à esofagectomia com peridural torácica associada, com consequente redução da resposta inflamatória,[52] e os benefícios da diminuição da incidência de deiscência de anastomose devem ser resultado de um aumento do fluxo sanguíneo para o tubo gástrico recém-formado, proporcionado pelo bloqueio simpático da peridural. Porém, associado à queda da resistência vascular, pode haver o desenvolvimento de hipotensão com hipoperfusão, que pode ser prejudicial às anastomoses. Pathak *et al.* demonstraram que a infusão de fenilefrina na reversão desse quadro é uma alternativa segura à infusão de volume (que levaria a um balanço positivo, com possível edema de alça na anastomose, dificultando sua perfusão), sem causar isquemia na terminação da anastomose (sendo esta a maior causa de deiscência de anastomose).[53] Além disso, o tipo de analgesia utilizada (peridural, subaracnóidea ou PCA endovenoso) parece não afetar a oferta de oxigênio aos tecidos (DO_2) e não alterar a incidência de deiscência de anastomose,[54] e este último estaria mais relacionado a uma queda da DO_2.

Para as esofagectomias, ambas as técnicas prevalentes nos dias atuais (videolaparoscópica ou tradicional aberta) acarretam a geração de grande processo inflamatório, associado a dor pós-operatória importante, e com isso, suas complicações. A peridural torácica parece ser a melhor estratégia para obtenção de um adequado controle em cirurgias no andar superior do abdome. Nos procedimentos minimamente invasivos (videocirúrgicos) observa-se uma diminuição na incidência de pneumonia e deiscência de anastomose;[31] e na técnica convencional (Ivor Lewis) uma redução na resposta inflamatória sistêmica promove melhor controle analgésico pós-operatório.[70] Além disso, essas técnicas propiciam uma redução no tempo de internação em UTI71.[32]

Ante o insucesso ou a impossibilidade da realização da peridural, os bloqueis de nervo periférico tornam-se uma alternativa viável. O bloqueio paravertebral mostrou-se eficaz no controle analgésico pós-operatório, sendo superior ao uso de opioide venoso,[72-74] podendo ainda ser associado ao bloqueio do plano transverso abdominal subcostal.[33] O bloqueio do plano serrátil anterior também pode ser uma alternativa que permite o uso de cateteres para infusão contínua.[75]

Levando em consideração que muitos dos efeitos oriundos da peridural são provenientes do bloqueio simpático, foram comparados os efeitos da injeção intratecal de morfina associada ao PCA de morfina com peridural torácica, em pacientes submetidos à gastrectomia convencional.[25] Os pacientes submetidos à injeção intratecal de morfina obtiveram uma analgesia inferior aos submetidos à peridural, com maior consumo de opioides, maior tempo para deambulação, aumento da incidência de íleo paralítico pós-operatório e complicações pulmonares. Resultados semelhantes foram encontrados em ressecções colônicas laparoscópicas,[26] onde a infusão subaracnóidea de morfina levou ao menor consumo de opioides por via venosa, em comparação ao uso apenas do PCA; porém, nenhum outro benefício foi encontrado, apresentando as mesmas taxas para retorno da função intestinal, critérios de alta, números de complicações pós-operatórias e tempo de permanência hospitalar. Fica clara a superioridade da peridural torácica para gastrectomias convencionais, tanto no manejo

analgésico quanto no desenvolvimento de complicações pós-operatórias, já que uma associação com anestésicos locais com menor dose de opioides pode ser realizada via cateter peridural, diminuindo o consumo de opioides endovenosos, que irão predispor às complicações citadas anteriormente. O uso da dexmedetomidina intraoperatória mostrou-se eficiente no controle da resposta ao estresse cirúrgico, porém esse efeito não se estende para um adequado controle de dor pós-operatória. Para procedimentos laparoscópicos, que geram menores respostas inflamatórias e menor dor, a utilização da analgesia do neuroeixo não apresenta ganhos significativos. Não foram observadas diferenças no primeiro dia de deambulação, no primeiro dia de ingesta oral ou no tempo de permanência hospitalar, evidenciando uma discreta redução no consumo de opioides nos pacientes que receberam peridural, que também estavam associados a maior risco de retenção urinária. Porém, não compararam a analgesia peridural com nenhuma outra técnica multimodal de analgesia.[27]

Nas pancreatectomias e duodenopancreatectomias, o mesmo raciocínio se aplica. São cirurgias extensas que propiciam um grande estado inflamatório, e a utilização da peridural torácica reduz a atividade simpática e influencia a função de órgãos e sistemas. Além de promover bom controle de dor pós-operatória, ela atenua a resposta catabólica à cirurgia abdominal, diminui a incidência de complicações pulmonares, diminui a demanda metabólica cardíaca e reduz o risco de complicações tromboembólicas, promovendo a recuperação da função intestinal.[28,29] Nesses casos, a peridural associada à anestesia geral é a técnica anestésica de escolha na maioria dos grandes centros.

Em grandes procedimentos abdominais, a peridural torácica demonstra ser uma técnica eficiente na otimização do controle da dor pós-operatória (Tabela 162.1), o que permite mobilização precoce, redução do íleo adinâmico e das complicações pulmonares,[30,39,40] devendo permanecer nos primeiros dias de pós-operatório.

Tabela 162.1 Efeitos da anestesia peridural.

Redução do processo inflamatório: reduz a atividade simpática, reduz a FC e a pressão arterial intra e pós-operatória, diminui a demanda metabólica cardíaca, atenua a resposta catabólica.

Otimização do controle da dor pós-operatória, com diminuição do consumo de opioides.

Permite extubação precoce, diminuindo o tempo de ventilação mecânica e a incidência de reintubação.

Diminui a incidência de complicações respiratórias como SDRA, PNM, IOT prolongada e atelectasias.

Diminui o tempo de internação na UTI.

Diminui a incidência de deiscência de anastomoses.

Diminui a incidência de eventos tromboembólicos.

Diminui a incidência do íleo adinâmico, com melhor retorno da função intestinal.

Propicia deambulação precoce: pelo bom controle da dor.

Nos procedimentos videolaparoscópicos, a peridural mostrou um melhor controle de dor quando comparada à anestesia geral sem bloqueio, porém sem os demais benefícios desejados nos protocolos *Fast Track* (conforme iremos discutir mais adiante) e ainda aumentando a incidência de retenção urinária (mas sem aumentar o risco de infecção).[27,41,42] Talvez nesse cenário os bloqueios de nervos periféricos (bloqueio do plano transverso abdominal, bloqueio do quadrado lombar, bloqueio do plano serrátil anterior) possam ser utilizados com melhores resultados. Ainda, a infiltração dos portais dos trocanteres, mesmo pré-incisional, não foi efetiva no controle adequado de dor no pós-operatório, e os pacientes apresentam uma percepção de dor similar aos demais, com melhora apenas localmente.[77]

Nas colectomias e retossigmoidectomias, tais benefícios não são evidentes. A maioria desses procedimentos é realizada por laparoscopia, com menores incisões e resposta inflamatória, gerando um quadro de dor pós-operatória menos intensa. Dessa forma, os bloqueios de nervos periféricos ganham mais espaço. Em um estudo retrospectivo não foram observados benefícios tão evidentes da peridural em pacientes submetidos a colectomias convencionais.[78] Foi observada uma menor incidência de complicações tromboembólicas e de eventos cerebrovasculares quando comparados a pacientes submetido a apenas à anestesia geral, porém com a incidência maior de infarto agudo do miocárdio pós-operatório, transfusão sanguínea, infecção de trato urinário e admissão em UTI. Mediante a esse cenário os bloqueios de nervos periféricos aparecem como ótimas técnicas analgésicas adjuvantes. O bloqueio do plano transverso abdominal é uma boa opção para analgesia, com diminuição no consumo de opioides no PO[79-81] e no tempo de internação hospitalar.[80,81] Também demonstrou bons resultados em hemicolectomias abertas quando comparado ao PCA venoso, com menor consumo de opioide no pós-operatório, porém não comparado à peridural.[82] O bloqueio da bainha do músculo com uso de cateter, quando comparado à peridural, mostrou resultados semelhantes no controle da dor e tempo de internação hospitalar, com melhora no tempo para mobilização, sem complicações, mas com necessidade de PCA venoso;[83] é considerado uma modalidade segura e efetiva de analgesia pós-operatória.

O bloqueio do quadrado lombar (BQL) é uma técnica que vem sendo utilizada e com bons resultados. Ele é realizado de forma mais posterior, onde o anestésico local é administrado no espaço entre o músculo quadrado lombar e a camada da fáscia toracolombar. Esse bloqueio pode se espalhar para o espaço paravertebral, atuando como um bloqueio paravertebral indireto.[102] A técnica pode alcançar bloqueios sensitivos mais altos (entre T6 à L1) sendo, por essa razão, interessante em incisões mais altas. Este já mostra benefícios em cirurgias videolaparoscópicas, com bom controle e com duração de efeito até 48 horas no pós-operatório. Quando comparado com o bloqueio do plano transverso abdominal, mostrou-se superior em cirurgias ovarianas e colorretais.[102,103]

Para cirurgias anorretais, ambas as modalidades (bloqueios do neuroeixo ou periféricos) podem ser aplicadas, mas deve-se ter em mente que a maioria desses procedimentos são ambulatorias, atuando-se de forma a dar condições cirúrgicas e conforto ao paciente, sem prolongar a internação hospitalar.

As hemorroidectomias e fistulectomias são procedimentos comumente realizados. São patologias que geram quadro doloroso intenso com grande desconforto pós-operatório. Os procedimentos são realizados em curto espaço de tempo e, em sua maioria, de forma ambulatorial e segura. Logo, deve-se prover uma anestesia que envolva um bom controle álgico durante o procedimento e no pós-operatório, sem prolongar o tempo de internação hospitalar. Para que essa modalidade seja realizada deve-se levar em consideração as comorbidades do paciente (aqueles mais debilitados talvez não sejam elegíveis). Eles devem ser adequadamente informados sobre o procedimento anestésico-cirúrgico, suas complicações e a dor pós-operatória, de preferência na presença de um acompanhante no dia da cirurgia e também nos primeiros dias de pós-operatório. Deve-se evitar a analgesia espinhal sem nenhuma adaptação para o contexto ambulatorial como técnica anestésica de escolha.[93]

Com a anestesia subaracnoide se obtém um bom controle de dor intraoperatória, com a possibilidade do uso de morfina visando adequado controle de dor pós-operatória e sem a necessidade de um bloqueio extenso, onde o uso de anestésico hiperbárico pode levar a um bloqueio regional do períneo (chamada raquianestesia em cela) sem bloqueio de membros inferiores. Porém, a utilização de opioides hidrofílicos de longa duração (morfina) pode predispor à ocorrência de retenção urinária, retardando a alta hospitalar. E caso esta seja a técnica anestésica de escolha e a cirurgia seja realizada em caráter ambulatorial, outra forma de analgesia pós-operatória deve ser escolhida. As técnicas envolvendo o bloqueio do nervo pudendo são uma escolha segura e eficiente.[91,92] Associadas à anestesia geral ou com sedação produzem condições cirúrgicas satisfatória, com adequado controle de dor pós-operatória e sem aumento na incidência de complicações.[91,92] Ainda, a anestesia local com infiltração da região perineal, associada à sedação, também mostrou ser uma técnica adequada e segura, sem aumento da incidência de complicações.[94]

A indicação de um bloqueio ou outro deve levar em consideração as características da instituição, a *expertise* dos profissionais envolvidos, a presença ou não de uma equipe de dor pós-operatória (para o seguimento de cateteres colocados) e sua posição dentro de protocolos institucionais de recuperação rápida.

■ CIRURGIAS ONCOLÓGICAS NO TGI

Uma parcela significativa das cirurgias realizadas no trato gastrintestinal é representada por cirurgias oncológicas, sejam elas parte de uma proposta curativa ou procedimentos paliativos (que não necessariamente são pequenos ou simples). O que observamos é que, quanto mais alto o procedimento, mais extensas serão as cirurgias e suas repercussões; quanto mais próximos do final do trato gastrintestinal, estes tendem a ser um pouco menos complexos (mas não simples) e menos invasivos, com menor repercussão sistêmica.

As esofagectomias estão entre as cirurgias com maior morbimortalidade e permanecem ainda como um dos procedimentos torácicos de maior risco cirúrgico, com uma mortalidade perioperatória em torno de 3% e morbidades maiores ocorrendo em torno de 30% dos casos.[34] Os cânceres pancreáticos estão associados a uma alta mortalidade e baixa sobrevida,[35] e a porcentagem de pacientes candidatos à cirurgia no momento do diagnóstico também é baixa, entre 10% e 20%.[36,43] As gastrectomias por câncer também possuem taxas significativas de morbidade e mortalidade; porém, em menores valores: 2,8% e 14,7%, respectivamente.

Como já mencionados anteriormente, os protocolos de recuperação rápida agregam grandes vantagens no controle do estado inflamatório, desfecho e permanência hospitalar e internação em UTI. Mesmo que para cirurgias esofagogástricas os resultados não sejam tão animadores, as mesmas revisões mostraram segurança na aplicação desses protocolos e identificaram que talvez os baixos benefícios se devam à sua não uniformidade e abaixo número de pacientes. Portanto, devem ser criados e utilizados.

Técnicas Cirúrgicas

As esofagectomias podem ser realizadas por técnicas videolaparoscópicas (técnica minimamente invasiva) ou abertas (trans-hiatal ou de Ivor Lewis). As técnicas minimamente invasivas vêm sendo utilizadas desde 2007,[37] combinando as abordagens laparoscópica e toracoscópica tanto para ressecção quanto para reconstrução do tubo gástrico, sendo necessário decúbito lateral esquerdo durante parte do procedimento, com o uso de sondas seletivas para ventilação. A técnica é comparável em termos de mortalidade e complicações maiores pós-operatórias, em relação à técnica convencional;[44,45] porém, apresenta menor tempo de internação hospitalar, menor taxa de íleo adinâmico, menor taxa de infecção de ferida operatória e menor transfusão alogênica.[44] Embora isso, necessita de maior tempo anestésico-cirúrgico, associado a um maior risco de reoperação e maiores taxas de empiema (fato este que pode ser explicado pela curva de aprendizado da técnica).[44] Mesmo assim, possui grau de recomendação A nas recentes diretrizes sobre cuidados em esofagectomia.[46] Para isso, os cuidados com o posicionamento em decúbito lateral são necessários, como o uso de coxins axilares, para evitar hiperextensão dos membros superiores, além de cuidados com pontos de pressão, manter a cabeça nivelada ao tronco e atenção aos membros inferiores. Quando as sondas de duplo lúmen são utilizadas na intubação orotraqueal, seu posicionamento adequado deve ser verificado após o término do posicionamento do paciente, pois podem se deslocar durante sua movimentação.

A técnica cirúrgica nas duodenopancreatectomias depende da localização do tumor: para aqueles localizados na cabeça e no processo uncinado, a duodenopancreatectomia (DP), com ou sem a preservação do piloro, é a técnica de escolha; para aqueles localizados na cauda e no corpo, é realizada a pancreatectomia distal (PD), com ou sem esplenectomia associada.[43] Esta última, com menor repercussão.

As gastrectomias para cirurgias oncológicas são procedimentos de alta complexidade, associados à morbimortalidade,[47,48] muitas vezes relacionados com ressecções linfonodais. Os procedimentos podem ser realizados por técnica convencional (aberta) ou videolaparoscópicas (a maioria dos procedimentos em grandes centros), e as técnicas aplicadas variam de acordo com o estadiamento da doença.

Outro fato que merece relevância é a característica desses pacientes. Cada vez mais idosos, com mais comorbidades associadas, uma menor reserva funcional e não infrequente em uso de quimioterapias neoadjuvantes. Além do fato de seu manejo anestésico mais desafiador, as novas técnicas cirúrgicas impõem ainda mais desafios, como decúbitos variados no intraoperatório e a necessidade de ventilação monopulmonar nas esofagectomias ou procedimentos videolaparoscópicos prolongados em pancreatectomias.

Avaliação Pré-Anestésica

Muitos dos pacientes candidatos a cirurgias oncológicas são mais idosos, possuem comorbidades associadas, muitas vezes apresentando um *status* funcional debilitado. O intuito da avaliação pré-anestésica é reconhecer tais pacientes e os principais riscos associados ao procedimento, otimização do preparo pré-operatório e a padronização de condutas de acordo com a gravidade, minimizando assim o risco anestésico cirúrgico. Sabemos hoje que uma abordagem multimodal e uma otimização perioperatória individualizada (levando em consideração características do paciente e do tipo de cirurgia) são essenciais para melhora nos resultados. Existem diversos instrumentos preditores de mortalidade perioperatória, dentre eles o POSSUM e suas variantes, que são os métodos mais estudados. O P-POSSUM mostrou uma melhor acurácia e performance para cirurgias eletivas e é mais aplicável em diversas instituições em seus diferentes perfis, e com uma maior sensibilidade quando comparado ao escore de APACHE (Tabela 162.2).[3,49,55-57]

Tabela 162.2 POSSUM – parâmetros fisiológicos e operatórios.

Parâmetros fisiológicos	Parâmetros operatórios
Idade	Complexidade cirúrgica
Estado funcional cardíaco	Procedimentos múltiplos
Estado funcional respiratório	Perda sanguínea
Frequência cardíaca	Contaminação peritoneal
Pressão arterial sistólica	Disseminação oncológica/ malignidade
Escala de coma de Glasgow	Modelo de cirurgia: eletiva ou urgência
Nível de hemoglobina	
Leucograma	
Ureia	
Na⁺ sérico	
K⁺ sérico	
Eletrocardiograma	

P-POSSUM: ln $(R/1 - R) = -9065 + (0,1692 \times$ escore fisiológico$) + (0,1550 \times$ escore operatório$)$

Fonte: Prytherch (1998).[49]

Em esofagectomias, Raymond *et al.* identificaram fatores preditores de maior morbimortalidade perioperatória não modificáveis (idade maior de 65 anos, IMC maior que 35 kg/m², tabagismo prévio, histologia de células escamosas), porém, comorbidades potencialmente modificáveis também foram encontradas (como tabagismo atual, insuficiência cardíaca congestiva, *status* funcional prejudicado) e devem ser otimizadas no pré-operatório, pois podem afetar os resultados.[50,51]

A idade é um fator de risco para morbimortalidade pós-operatória em pacientes submetidos a pancreatectomia.[37] Como muitos desses pacientes possuem idade mais avançada e histórico de tabagismo, uma avaliação de risco cardiovascular e pulmonar deve ser realizada cautelosamente, já que as complicações pulmonares são responsáveis por até 40% das complicações. Devido à agressividade da doença, a prevalência de desnutrição é alta (35% a 60%), associada ao aumento da mortalidade e à piora nos resultados, mas pode ser melhorada. Os preparos intestinais (seguindo protocolos de recuperação rápida) podem ser evitados, e uma estratégia adequada de tromboprofilaxia deve ser adotada, já que esses pacientes apresentam alta associação com a ocorrência de trombos.[30,38] Na Tabela 162.3, segue uma representação de condutas integradas para pancreatectomias, que podem ser estendidas para cirurgias no andar superior do abdome (Tabelas 162.3 e 162.4).

■ PROTOCOLOS DE RECUPERAÇÃO RÁPIDA

Os protocolos de recuperação rápida, também chamados protocolos *Fast-Track*, vêm sendo aplicados em diversos tipos de cirurgias, com diferentes resultados.[1-10] O conceito foi introduzido por Kehlet na década de 1990[11,58,59] e baseia-se na atenuação da resposta ao estresse cirúrgico e no retorno do paciente às suas funções o mais rápido possível. No entanto, não existe um protocolo padrão único a ser seguido, mesmo dentro das diversas subespecialidades e seus procedimentos cirúrgicos, e diversas estratégias podem ser traçadas para alcançar esse objetivo, adequando-se também aos diferentes procedimentos.

As cirurgias de colo já têm seus resultados mais bem estabelecidos[61-66] e as cirurgias gastresofágicas, pancreáticas e das vias biliares[1-3,67,68] também ganharam um maior corpo de evidência científica e mostraram-se eficazes em seus próprios protocolos. Tais evidências indicam que esses protocolos são seguros e devem estar associados a melhoras nos resultados, entre eles a redução no tempo de internação. Em uma época de crescente pressão sobre os sistemas de

Tabela 162.3 Representação esquemática do manejo perioperatório de pacientes submetidos à cirurgia pancreática oncológica.

Pré-operatório	Intraoperatório	Pós-operatório
Consentimento informado ao paciente	Técnica anestésica combinada: geral com peridural	Retirada precoce de drenos, cateteres e sondas
Avaliação de risco pré-operatório/ Estratificação de risco	Prevenção de infecção de sítio cirúrgico	Nutrição oral precoce e controle glicêmico
Otimização pré-operatória medicamentosa e das condições físicas	Profilaxia antibiótica	Manejo volêmico guiado por metas
Estratificação de risco e condutas para tromboprofilaxia	Prevenção da hipotermia	Adequado controle da dor/analgésicos orais não opioides
	Controle glicêmico	Deambulação pós-operatória intensiva
	Adequado manejo na transfusão de hemocomponentes	Prevenção de eventos tromboembólicos
	Manejo volêmico intraoperatório – terapia guiada por metas	Reabilitação respiratória intensiva
	Otimização da ventilação intraoperatória	Manejo pós-operatório intensivo
	Tromboprofilaxia intraoperatória	

Fonte: Pietri *et al.* (2014, p.).[30]

Tabela 162.4 Preditores perioperatórios clínicos de complicações pulmonares.

Fatores relacionados ao paciente	Fatores relacionados ao procedimento	Fatores relacionados a exames pré-operatórios
ASA > 2	Cirurgia abdominal	Albumina sérica < 2,5 g.dL^{-1}
Insuficiência cardíaca congestiva	Duração de cirurgia > 3 horas	Anemia (Hb < 10 g.dL^{-1})
Idade > 65 anos	Anestesia geral	Baixa SpO$_2$
DPOC	Transfusões	Alteração em radiografia torácica
Dependência functional	Internação hospitalar prolongada	
Perda ponderal		
Alteração sensorial		
Tabagismo		
Infecções respiratórias no último mês		

Fonte: Pietri *et al.* (2014, p.).[30]

saúde visando uma maior eficiência nos serviços prestados, agravada pela reduzida disponibilidade de leitos e profissionais de saúde, tanto no sistema público (onde talvez seja mais óbvio) quanto no privado (traduzido pela pressão nos custos sobre tratamentos e internações), esses protocolos apresentam-se como uma ferramenta segura de melhora no cuidado perioperatório.[9,76]

Em uma recente revisão sistemática, observou-se uma carência de estudos controlados e randomizados, e os encontrados com uma amostra de pacientes não muito grande, retrospectivos e de um único centro.[84] Mesmo assim, observou uma menor taxa de morbidade (entre elas, deiscência de anastomose), uma tendência a menor tempo de internação em UTI (resultando em redução significativa de custos), e que a falência na implementação dos protocolos estaria associada ao aumento de complicações seguidas de quimioterapia. Para que tal resultado fosse alcançado, algumas práticas foram fundamentais: extubação imediata na sala de cirurgia, controle analgésico com peridural, mobilização precoce e suplementação nutricional pós-operatória.

Pesquisadores chegaram a desfechos semelhantes na implantação de seus protocolos. Observaram uma diminuição no tempo de internação em UTI e hospitalar, estabilização das comorbidades e baixa taxa de mortalidade, mesmo em vista de pacientes cada vez mais comprometidos do ponto de vista funcional, portadores de doenças mais extensas e submetidos cada vez mais a modalidades de tratamento neoadjuvantes.[85] Eles observaram, ainda, que a combinação do uso de soluções com carboidratos no pré-operatório, o uso da peridural torácica em procedimentos torácicos, a reposição volêmica guiada por metas, a mobilização precoce, a nutrição enteral precoce e a alta hospitalar rápida melhoraram seus desfechos. Identificou-se, ainda, detalhadamente, qual seria o papel do anestesiologista dentro dos protocolos de recuperação rápida, no cuidado dos pacientes submetidos à esofagectomia (Tabela 162.5). É possível ampliar essa atuação para os demais protocolos de outras cirurgias.

Tabela 162.5 Papel do anestesiologista nos protocolos de recuperação rápida.

1. Participação na avaliação e preparação pré-operatória, assegurando adequada otimização das comorbidades existentes.

2. Uso no intraoperatório de técnicas anestésicas comprovadas ou relacionadas à melhora dos resultados: uso de peridural com cateter, ventilação pulmonar protetora, restrição volêmica e extubação pós-operatória imediata.

3. Assegurar a qualidade do cateter peridural em seu funcionamento e sua localização adequada.

4. Manejo diário no controle da dor pós-operatória com uso de analgesia multimodal, em colaboração com a equipe cirúrgica a respeito do manejo volêmico, evitando tanto hipovolemia quanto excessiva administração de fluidos por via venosa.

5. Colaboração com a equipe cirúrgica na decisão da transição da analgesia peridural para via oral, participando na orientação de pacientes e familiares sobre o manejo da dor.

6. Participação na revisão de eventos adversos para o desenvolvimento e a melhora de condutas perioperatórias de cuidado com o paciente.

Fonte: Grete *et al.* 2015.[2]

Em protocolos para cirurgias gástricas, foram encontrados resultados semelhantes em um pequeno número de trabalhos randomizados e multicêntricos com protocolos variados.[86] Estes incluíam mobilização precoce, remoção de drenos e sondas nasogástricas, retomada rápida de dieta oral, uso de peridural e soluções com carboidratos. Mesmo assim, eles também alcançaram bons resultados, com diminuição na permanência hospitalar e redução de custos no atendimento, sem piora na morbimortalidade. Dados semelhantes também foram alcançados em estudos menores, mas com resultados satisfatórios e sem complicações relacionadas, mostrando segurança e aplicabilidade nos protocolos, e demonstrando, ainda, melhora na qualidade de vida no pós-operatório imediato.[87] Tais melhoras não ocorrem somente em pacientes submetidos a cirurgias oncológicas, mas também em outros procedimentos eletivos, como a superioridade de resultados após a implementação de protocolos de recuperação em pacientes submetidos à cirurgia bariátrica videolaparoscópica, com diminuição do tempo de internação, sem aumento de readmissões ou complicações (mais uma vez demonstrando segurança nos protocolos).[88]

Nas cirurgias de colo existe maior evidência e força estatística. Uma metanálise da Cochrane, composta de estudos randomizados e controlados de protocolos de recuperação rápida mostrou uma redução nas taxas de complicação e de permanência hospitalar em pacientes submetidos à cirurgia colorretal,[89] e diversos outros estudos controlados e randomizados provam que tais protocolos são seguros e associados a uma diminuição das taxas de complicações.[7,90] Este último fato ganha uma maior importância ao levarmos em consideração que as complicações de cirurgias colorretais por câncer aumentam a mortalidade a curto prazo e, em um ano, aumentando o risco de recorrência local.[14,15]

Uma relação de custo-efetividade dos protocolos de recuperação rápida já foi demonstrada em estudos multicêntricos, de forma prospectiva, para pacientes submetidos à cirurgia colorretal eletiva. Além da melhora clínica e dos desfechos pós-alta hospitalar, observaram menor custo institucional por um menor tempo de hospitalização e menor custo social. Esses pacientes tiveram uma menor perda produtiva com um retorno mais rápido ao trabalho; necessitaram de ajuda de cuidadores por menor tempo (contratados ou familiares), evidenciando uma redução de custo no tratamento por paciente e diminuição do seu custo social.[95] Foram observados dados condizentes após a implementação desses protocolos em um hospital de menor porte,[96] onde foi alcançada uma diminuição no tempo de internação sem aumento da taxa de reinternação e uma grande economia de custo por paciente (alcançando valores expressivos).

Da mesma maneira que esses protocolos vêm mostrando seus bons resultados em desfechos clínicos, redução de custos e segurança de sua aplicabilidade, eles devem ser reavaliados constantemente em busca de melhores práticas, buscando maior efetividade e segurança. Mesmo após 10 anos de implementação com bons resultados, um estudo propôs uma mudança de seu protocolo. Dessa maneira, conseguiram diminuir o tempo de internação hospitalar e das taxas de complicação, provando assim a necessidade de uma constante reavaliação e modernização de seus instrumentos já implementados.[16]

Os componentes-chave para o desenvolvimento desses protocolos são: orientação e preservação da autonomia do paciente, preservação da função intestinal, deambulação precoce e alta com acompanhamento ambulatorial.[17] Para tal, estratégias de cuidado multidisciplinar devem ser adotadas, e, nesse cenário, o anestesista possui um papel determinante. Com base nos diversos protocolos apresentados pela literatura, pode-se concluir que algumas estratégias devem ser adotadas.[10,98] E, se observamos cuidadosamente os tópicos relacionados, veremos que os itens mencionados estão relacionados entre si (Tabela 162.6).

Dentre as ações de *Fast Track*, uma das mais conhecidas é o protocolo do grupo ERAS (do inglês, *Enhanced Recovery After Surgery*). O grupo ERAS teve o início de suas atividades em 2001, depois de uma reunião para a confecção de um protocolo que visasse à melhoria de resultados cirúrgicos com base nas evidências publicadas até então, e enfatizando os cuidados durante todo o período perioperatório, não somente durante o ato cirúrgico propriamente dito. O grande desafio nesses pacientes está na abordagem durante toda a sua permanência no hospital, não apenas durante o período intraoperatório, mas desde sua internação até a alta hospitalar, atuando sobre todos os setores nos quais eles possam ter passado, onde cada unidade afeta aqueles a seguir pelas escolhas de tratamento feitas. Além disso, uma equipe multiprofissional se faz necessária, para que esses objetivos possam ser alcançados (contando com médicos, enfermeiros, fisioterapeutas e nutricionistas). E essa equipe deve ter tarefas e posições bem estabelecidas. Nesse cenário, o anestesiologista possui um papel fundamental durante toda a estadia do paciente no hospital, também assumindo posições de coordenação da equipe (Figura 162.1). Incialmente, foram as cirurgias colorretais; porém, hoje já existem protocolos para diversas outras cirurgias que podem ser acessados no *site* da ERAS *Society* (www.erassociety.org).

Uma quantidade crescente de literatura sobre barreiras à implementação relata que os fatores que possibilitam a implementação bem-sucedida do ERAS incluem não apenas a disposição de mudar para o ERAS, a formação de equipes multidisciplinares e, assim, a comunicação e a colaboração aprimoradas e o suporte da gerência do hospital, mas também a padronização dos conjuntos de pedi-

Tabela 162.6 Estratégias a serem adotadas nos protocolos de recuperação rápida e suas repercussões.

1. Educação e orientação pré-operatória do paciente sobre o procedimento e a utilização dos protocolos.	Necessário para uma adequada realização e sucesso dos protocolos.
2. Redução do estresse cirúrgico.	Adequada analgesia. Redução do jejum. Não realização do preparo intestinal.
3. Não realização de preparo de colo/intestino ou seu uso racional.	Redução do estresse cirúrgico.
4. Profilaxia antitrombótica medicamentosa (heparina) ou medidas mecânicas (meias compressivas e compressores pneumáticos).	Diminuição de complicações pós-operatórias Melhor recuperação e cooperação para deambulação precoce.
5. Atenuação do jejum pré-operatório com o uso de soluções preparadas com carboidratos específicos até 2 horas antes do procedimento.	Redução do estresse cirúrgico pós-operatório. Aceleração da recuperação.
6. Pequenas incisões, com o uso de técnicas videolaparoscópicas, quando possível.	Diminuem o estresse cirúrgico. Melhor controle dor pós-operatório. Melhora a recuperação.
7. Controle da temperatura.	Diminui o risco de infecção do sítio cirúrgico. Melhora a perfusão das anastomoses. Diminui o sangramento e as transfusões.
8. Profilaxia antibiótica correta, de acordo com procedimento cirúrgico e perfil institucional.	Diminui o risco de infecção do sítio cirúrgico. Melhora a perfusão das anastomoses.
9. Evitar, ou pelos minimizar, o uso de sondas nasogástricas/nasoenterais, drenos intra-abdominais e sondagem vesical de demora. Se utilizados, retirar o quanto antes.	Facilita a deambulação precoce. Propicia a reintrodução de dieta oral.
10. Técnicas de analgesia multimodal, incluindo uso de bloqueios (periférico ou neuroeixo) intra e pós-operatória.	Diminui o estresse cirúrgico pós-operatório. Facilita a deambulação precoce.
11. Deambulação precoce.	Diminui as chances de complicações tromboembólicas. Diminui a incidência de íleo adinâmico pós-operatório.
12. Manejo volêmico adequado intra e pós-operatório. Avaliar a indicação de diferentes modalidades de monitorização hemodinâmica intra e pós-operatória.	Evita balanço hídrico positivo e suas complicações. Melhora a perfusão das anastomoses.
13. Progressão rápida para dieta oral.	Diminui a ocorrência de íleo adinâmico pós-operatório. Menor uso de medicações endovenosas.
14. Profilaxia contra náuseas e vômitos.	Auxilia na reintrodução da dieta oral e na progressão para analgesia por via oral.

Fluxograma ERAS (Recuperação Aprimorada Após Cirurgia)

	Pré-admissão	Pré-operatório	Intraoperatório	Pós-operatório
Cirurgia	Suporte nutricional Pré admissional Cessar tabagismo Controle da ingesta alcoólica	Preparo intestinal seletivo	Cirurgia minimamente invasiva Minimizar uso de drenos e tubos	Retirada precoce de drenos e tubos Parar fluidos intravenosos
Anestesia	Otimização de medicações	Solução de carboidratos pré-operatório Sem jejum VO Profilaxia para NVPO	Anestesia regional Anestesia poupadora de opióide Reposição volêmica balanceada Controle de temperatura	Controle álgico multimodal poupador de opióide
Enfermagem	Informações pré-operatórias			Mobilização precoce Ingesta oral de líquidos e sólidos precoce Acompanhamento após alta hospitalar

Uma visão geral típica do fluxograma do ERAS indicando diferentes itens dos protocolos ERAS a serem executados por diferentes profissões e disciplinas em diferentes partes do hospital durante a jornada do paciente. As setas representam cada período de tempo e passam para o período a seguir para indicar que todos os tratamentos dados afetam o tratamento posterior.
Nenhum jejum de VO indica diretrizes de jejum que recomendam a ingestão de líquidos claros e bebidas específicas de carboidratos até 2 horas antes da anestesia; NVOPO, náuseas e vômitos pós-operatórios.

▲ **Figura 162.1** Fluxograma de recuperação após cirurgia (ERAS).

dos e processos de atendimento e uso de auditoria.[97] Boa liderança local e referências locais são fatores importantes no sucesso da implementação. Por outro lado, as barreiras à implementação são uma resistência geral à mudança, falta de tempo e equipe e má comunicação, colaboração e coordenação entre os departamentos. Construir um sistema pronto para a próxima mudança é a chave para acelerar o ritmo de implementação de melhores cuidados.

Os programas do ERAS tipicamente possuem diversos elementos; porém, todos com um elemento em comum: eles minimizam o estresse e melhoram a resposta a ele! Mantendo a homeostase, o paciente evita o catabolismo, com consequente perda proteica, perda de massa muscular e disfunção celular; e a redução da resistência à insulina promove adequado funcionamento celular durante a lesão celular. Uma série de elementos contribuem para esse sucesso: suporte nutricional perioperatório ao paciente desnutrido, oferta de carboidratos (por meio de soluções adequadas e próprias para esse fim) antes da cirurgia para minimizar a resistência insulínica no pós-operatório; uso de bloqueios do neuroeixo (quando indicados) para reduzir a resposta endócrina metabólica ao trauma cirúrgico; otimização e controle da dor pós-operatória para evitar estresse e resistência insulínica; e alimentação precoce após a cirurgia, garantindo assim a ingesta energética. Além disso, os protocolos ERAS também visam minimizar a troca de fluidos. Pouca administração de fluidos pode levar à hipovolemia e consequente redução na perfusão e disfunção orgânica, enquanto a sobrecarga volêmica é reconhecida como a maior causa de íleo pós-operatório e suas consequências. A manutenção da euvolemia, do débito cardíaco e a oferta de oxigênio e nutrientes aos tecidos são importantes para preservar o adequado funcionamento celular, e uma vez atingido, os vasopressores podem ser necessários para a manutenção de uma adequada pressão arterial média, mantendo uma adequada pressão de perfusão aos tecidos.[100]

Os resultados provenientes dos protocolos ERAS vêm sendo cada vez mais divulgados, dentre eles: menor tempo de internação hospitalar, menor taxa de complicações, menores readmissões em unidades de cuidados intensivos e reoperações. Consequentemente, os efeitos financeiros sobre esses resultados começam a aparecer, com economia total justificada pelos resultados citados anteriormente. Além destes, resultados a longo prazo também começam a aparecer, como um aumento na sobrevida de pacientes de câncer colorretal em 42% e uma queda na mortalidade em dois anos em artroplastias de quadril em joelho. As cirurgias colorretais, que foram a base do desenvolvimento para o ERAS, dominam esta literatura. Porém, nos outros cenários onde o ERAS possui protocolos específicos, sua implementação mostrou benefícios, incluindo as seguintes áreas: ressecções hepáticas, ressecções pancreáticas e gástricas, cirurgias esofágicas, cirurgias torácicas, cirurgias urológicas maiores, cirurgias ginecológicas, cirurgias ortopédicas e cirurgias emergenciais.[101]

REFERÊNCIAS

1. Deana C, Vetrugno V, Bignami E, Flaio Bassi F. Operative approach to esophagectomy: a narrative review from the anesthesiological standpoint. 2021 Aug 19. DOI 10.21037/jtd-21-940
2. Hu Y, Hsu AW, Strong VE. Enhanced recovery after major gastrectomy for cancer. Ann Surg. 2021 Apr 7. DOI 10.1245/s10434-021-09906-y
3. Porteus GH, Neal JM. A standardized anesthetic and surgical clinical pathway for esophageal resection. Reg Anesth Pain Med. 2015 Mar-Apr;40(2).

4. Chincholkar MW, Eccles M. Predicting periperative mortality after esophagectomy: a systematic review of performance and methods of multivariate models. Brit J Anaesth. 2015;114(1):32-43.
5. Miller TE, Moon RE. Anesthesia for gastrointestinal surgery. Longnecker Anestehsiology. 3rd ed. Cap 51.
6. Kim JW, Kim WS, Cheong J, et al. Safety and efficacy of fast-track surgery in laparoscopic distal gastrectomy for gastric cancer: a rabdomized clinical trial. World J Surg. 2012;36:2879-87.
7. Lerigh JSK, Krige A. Anesthesia for pancreatic surgery. 2022 Mar. DOI: 10.1016/j.anclin.2021.11.005
8. Geltzeiler CB, Rotramel A, Wilson C, et al. Prospective study of colorectal enhanced recovery after surgery in a community hospital. JAMA Surg. 2014;149(9):955-61. DOI: 10.1001/jamasurg.2014.675
9. Adamina M, Senagore AJ, Delaney CP, Kehlet H. A systematic review of economic evaluations of enhanced recovery pathways for colorectal surgery. Ann Surg. 2015;261:5. DOI: 10.1097/SLA.0000000000000679
10. Lee L, Mata J, Ghitulescu GA. Cost-effectiveness of enhanced recovery versus conventional perioperative management for colorectal surgery. Ann Surg. 2015 Dec;262:6. DOI: 10.1097/SLA.0000000000001019
11. Proczko M, Kaska L, Twardowski P, Stepaniak P. Implementing enhanced recovery after bariatric surgery protocol: a retrospective study. J Anhest. 2016;30:170-3.
12. Spanjersberg WR, Reurings J, Keus F, et al. Fast track surgery versus conventional recovery strategies for colorectal surgery. Cochrane Database Syst Rev. 2011:CD007635.
13. Adamina M, Kehlet H, Tomlinson GA, Senagore AJ, Delaney CP. Enhanced recovery pathways optimize health outcomes and resource utilization: a meta-analysis of randomized con- trolled trials in colorectal surgery. Surgery. 2011;149:830-40.
14. Morris AM, Baldwin LM, Matthews B, et al. Reoperation as a quality indicator in colorectal surgery: a population-based analysis. Ann Surg. 2007;245:73-9.
15. Mamidanna R, Burns EM, Bottle A, et al. Reduced risk of medical morbidity and mortality in patients selected for laparoscopic colorectal resection in England: a population--based study. Arch Surg. 2012;147:219-27.
16. Keller DS, Stullberg JJ, Lawrence JK, et al. Process control to measure improvement in colorrectal surgery: modifications to an established enhanced recovery pathway. Dis Colon Rectum. 2014;57:194-200. DOI 10.1097/DC0b013e3182a62c91
17. Enzinger PC, Mayer RJ. Esophageal cancer. N Engl J Med. 2003;349:2241-52.
18. Hopkins PM. Does regional anaesthesia improve outcome? Brit J Anaesth. 2015;115(S2):ii26–ii33. doi: 10.1093/bja/aev377
19. Day AR, Smith RVP, Scott MJP, et al. Randomized clinical trial investigating the stress response from two different methods of analgesia after laparoscopic colorectal surgery. BJS. 2015;102:1473-9. DOI: 10.1002/bjs.9936
20. Fares KM, Mohamed SA, Hamza HM, et al. Effect of thoracic epidural analgesia on pro-inflammatory cytokines in patients subjected to protective lung ventilation during Ivor Lewis esophagectomy. Pain Phys. 2014;17:305-15.
21. Durkin C, Schisler T, Lohse J. Current trends in anesthesia for esophagectomy. Curr Opin Anesthesiol. 2017;30:30-5. DOI:10.1097/ACO.000000000000040
22. Pathak D, Pennefather SH, Russell GN, et al. Phenylephrine infusion improves blood flow to the stomach during oesophagectomy in the presence of a thoracic epidural anal- gesia. Eur J Cardio-Thoracic Surg. 2013;44:130-3. doi:10.1093/ejcts/ezs644
23. Heinrich S, Janitz K, Merkel S, et al. Short- and long term effects of epidural analgesia on morbidity and mortality of esophageal cancer surgery. Langenbecks Arch Surg. 2015;400:19-26. DOI 10.1007/s00423-014-1248-9
24. Levy BF, Fawcett WJ, Scott JP, Rockall T. Intra-operative oxygen delivery in infusion volume-optimized patients undergoing laparoscopic colorectal surgery within an enhanced recovery programme: the effect of different analgesic modalities. Colorectal Disease Association Coloproctology Great Britain Ireland. doi:10.1111/j.1463-1318.2011.02805.x
25. Lee JH, Park JH, Kil HK, et al. Efficacy of intrathecal morphine combined with intravenous analgesia versus thoracic epidural analgesia after gastrectomy. Yonsei Med J. 2014;55(4):1106-14.
26. Wongyingsinn M, Baldini G, Stein B, Charlebois P, et al. Spinal analgesia for laparoscopic colonic resection using an enhanced recovery after surgery programme: better anal- gesia, but no benefits on postoperative recovery: a randomized controlled trial. Brit J Anaesth. 2012;108(5):850-6. doi:10.1093/bja/aes
27. Yanagimoto Y, Takiguchi S, Miyazaki Y, et al. Comparison of pain management after laparoscopic distal gastrectomy with and without epidural analgesia. Surg Today. 2016;46:229-34. DOI 10.1007/s00595-015-1162-y
28. Carli F, Kehlet H, Baldini G, Steel A, McRae K, Slinger P, et al. Evidence basis for regional anesthesia in multidisciplinary fast-track surgical care pathways. Reg Anesth Pain Med. 2011;36:63-72. PMID: 22002193 DOI: 10.1097/AAP.0b013e31820307f7
29. Clemente A, Carli F. The physiological effects of thoracic epidural anesthesia and analgesia on the cardiovascular, respiratory and gastrointestinal systems. Minerva Anestesiol. 2008;74:549-63. PMID: 18854796.
30. De Pietri L, Montalti P, Begliomini B. Anaesthetic perioperative management of patients with pancreatic cancer. World J Gastroenterol. 2014 March 7; 20(9):2304-20. doi:10.3748/wjg.v20.i9.2304
31. Kooguchi K, Kobayashi A, Kitamura Y, Ueno H, Urata Y, Onodera H, et al. Elevated expression of inducible nitric oxide synthase and inflammatory cytokines in the alveolar macrophages after esophagectomy. Crit Care Med. 2002;30:71-6.
32. Nakazawa K, Narumi Y, Ishikawa S, Yokoyama K, Nishikage T, Nagai K, et al. Effect of prostaglandin E1 on inflammatory responses and gas exchange in patients undergoing urgery for oesophageal cancer. Br J Anaesth. 2004;93:199-203.
33. Farrokhnia E, Makarem J, Khan ZH, Mohagheghi M, Maghsoudlou M, Abdollahi A. The effects of prostaglandin E1 on interleukin-6, pulmonary function and postoperative recovery in oesophagectomised patients. Anaesth Intensive Care. 2009;37:937-43.
34. Kawahara Y, Ninomiya I, Fujimura T, Funaki H, Nakagawara H, Takamura H, et al. Prospective randomized controlled study on the effects of perioperative administration of a neutrophil elastase inhibitor to patients undergoing video-assisted thoracoscopic surgery for thoracic esophageal cancer. Dis Esophagus. 2010;23:329-39.
35. Cai XH, Wang SP, Chen XT, Peng SL, Cao MH, Ye XJ, et al. Comparison of three analgesic methods for post-operative pain relief and their effects on plasma interleukin-6 con- centration following radical surgery for gastric carcinoma. 2007;27:387-9.
36. Yun Li, Bin Wang, Li-li Zang, et al. Dexmedetomidine combined with general anesthesia provides similar intraoperative stress response reduction when compared with a combined general and epidural anesthetic technique. Anesth Analg. 2016;122:1202-10. DOI: 10.1213/ANE.0000000000001165
37. Takiguchi S, Fujiwara Y, Yamasaki M, et al. Laparoscopy-assisted distal gastrectomy versus open distal gastrectomy. A Prospective Randomized Single-Blind Study. World J Surg. 2013;37:2379-86. DOI 10.1007/s00268-013-2121-7
38. Tedore T. Regional anaesthesia and analgesia: relationship to cancer recurrence and survival. Brit J Anaesth. 2015;115(S2):ii34–ii45. doi: 10.1093/bja/aev375
39. Maher DP, White PF. Proposed mechanisms for association between opioid usage and cancer recurrence after surgery. J Clin Anesth. 2016;28:36-40.
40. Singh PP, Lemanu DP, Taylor MHG, Hill AG. Association between preoperative glucocorticoids and long-term survival and cancer recurrence after colectomy: follow-up analysis of a previous randomized controlled trial. Brit J Anaesth. 2014;113(S1):i68–i73. doi:10.1093/bja/aet577
41. Hiller JG, Hacking MB, Link EK, et al. Perioperative epidural analgesia reduces cancer recurrence after gastro-oesophageal surgery. Acta Anaesthesiol Scand. 2014;58:281-90. doi: 10.1111/aas.12255
42. Day A, Smith R, Jourdan I, et al. Retrospective analysis of the effect of postoperative analgesia on survival in patients after laparoscopic resection of colorectal cancer. Brit J Anaesth. 2012;109(2):185-90. doi: 10.1093/bja/aes106
43. Matsuok L, Selby R, Genyk Y. The surgical management of pancreatic cancer. Gastroenterol Clin N Am. 2012;41:211-21. doi: 10.1016/j.gtc.2011.12.015
44. Sihag S, Kosinski AS, Gaissert HA, et al. Minimally invasive versus open & esophagectomy for esophageal cancer: a comparison of early surgical outcomes from the society of thoracic surgeons national database. Ann Thorac Surg. 2016;101:1281-9.
45. Yerokun BA, Sun Z, Jeffrey Yang CF, et al. Minimally invasive versus open esophagectomy for esophageal cancer: a population-based analysis. Ann Thorac Surg. 2016;102:416-23.
46. Findlay JM, Gillies RS, Millo J, et al. Enhanced recovery for esophagectomy: a systematic review and evidence-based guidelines. Ann Surg. 2014;259:413-31.
47. Gemmill EH, Humes DJ, Catton JA. Systematic review of enhanced recovery after gastro-oesophageal cancer surgery. Ann R Coll Surg Engl. 2015;97:173-9. doi 10.1308/00358 8414X14055925061630
48. Schietroma M, Cecilia EM, Carlei F, et al. Prevention of anastomotic leakage after total gastrectomy with perioperative supplemental oxygen administration: a prospective randomized, double-blind, controlled, single-center trial. Ann Surg Oncol. 2013;20:1584-90. DOI 10.1245/s10434-012-2714-7
49. Prytherch DR, Whiteley MS, Higgins B, Weaver PC, Prout WG, Powell SJ. Possum and Portsmouth Possum for predicting mortality. Brit J Surg. 1998;85:1217-20.
50. Bartels K, Fiegel M, Stevens Q, et al. Approaches to perioperative care for esophagectomy. J Cardiothorac Vasc Anesth. 2015;29:472-80.
51. Carney A, Dickinson M. Anesthesia for esophagectomy. Anesthesiol Clin. 2015;33:143-63.
52. Chau EH, Slinger P. Perioperative fluid management for pulmonary resection surgery and esophagectomy. Semin Cardiothorac Vasc Anesth. 2014;18:36-44.
53. Eng OS, Arlow RL, Moore D, et al. Fluid administration and morbidity in transhiatal esophagectomy. J Surg Res. 2016;200:91-7.
54. Lee EH, Kim HR, Baek SH, et al. Risk factors of postoperative acute kidney injury in patients undergoing esophageal cancer surgery. J Cardiothorac Vasc Anesth. 2014;28:936-42.
55. Behman R, Hanna S, Coburn N, et al. Impact of fluid resuscitation on major adverse events following pancreaticoduodenectomy. Am J Surg. 2015;210:896-903.

56. Weinberg L, Wong D, Karalapillai D, et al. The impact of fluid intervention on complications and length of hospital stay after pancreaticoduodenectomy (Whipple's procedure). BMC Anesthesiol. 2014;14:35.
57. Lobo SM, Ronchi LS, Oliveira NE, et al. Resttricitve strategy of intraoperative fluid maintanence during optimization of oxygen delivery decreases major complications after high-risk surgery. Crit Care. 2011;15:R226.
58. Mayer J, Boldt J, Mengistu AM, et al. Goal directed intraoperative therapy based on autocalibrated arterial pressure waveform analysis reduces hospital stay in high risk surgical patients: a randomized, controlled trial. Crit Care. 2010;14:R18.
59. Benes J, Chytra I, Altmann P, et al. Intraoperative fluid optimization using stroke volume variation in high risk surgical patients: results of prospective randomized study. Crit Care. 2010;14:R118.
60. Kozek-Langenecker SA, Afshari A, Albaladejo P, San-tullano CA, De Robertis E, Filipescu DC, et al. Management of severe perioperative bleeding: guidelines from the European Society of Anaesthesiology. Eur J Anaesthesiol. 2013;30:270-382. PMID: 23656742. DOI: 10.1097/EJA.0b013e32835f4d5b
61. Mets B. Should norepinephrine, rather than phenylephrine, be considered the primary vasopressor in anesthetic practice? Anesth Analg. 2016;122:1707-14.
62. Molena D, Mungo B, Stem M, Lidor AO. Incidence and risk factors for respiratory complications in patients undergoing esophagectomy for malignancy: a NSQIP analysis. Semin Thorac Cardiovasc Surg. 2014;26:287-94.
63. Howells P, Thickett D, Knox C, et al. The impact of the acute respiratory distress syndrome on outcome after oesophagectomy. Br J Anaesth. 2016;117:375-81.
64. Boshier PR, Marczin N, Hanna GB. Pathophysiology of acute lung injury following esophagectomy. Diseases of the Esophagus. 2015;28:797-804. DOI: 10.1111/dote.12295
65. Lohser J, Slinger P. Lung injury after one-lung ventilation: a review of the pathophysiologic mechanisms affecting the ventilated and collapsed lung. Survey Anesthesiol. 2016;60:98-9.
66. Verhage RJ, Boone J, Rijkers GT, et al. Reduced local immune response with continuous positive airway pressure during one-lung ventilation for oesophagectomy. Br J Anaesth. 2014;112:920-8.
67. Saikawa D, Okushiba S, Kawata M, et al. Efficacy and safety of artificial pneumothorax under two-lung ventilation in thoracoscopic esophagectomy for esophageal cancer in the prone position. Gen Thorac Cardiovasc Surg. 2014;62:163-78. DOI 10.1007/s11748-013-0335-0
68. Ferrando C, Mugarra A, Gutierrez A, et al. Setting individualized positive end- expiratory pressure level with a positive end-expiratory pressure decrement trial after a recruitment maneuver improves oxygenation and lung mechanics during one-lung ventilation. Anesth Analg. 2014;118:657-65.
69. Li W, Li Y, Huang Q, et al. Short and long-term outcomes of epidural or & intravenous analgesia after esophagectomy: a propensity-matched cohort study. PLoS One. 2016;11:e0154380.
70. Fares KM, Mohamed SA, Muhamed SA, et al. Effect of thoracic epidural analgesia on pro-inflammatory cytokines in patients subjected to protective lung ventilation during Ivor Lewis esophagectomy. Pain Physician. 2014;17:305-15.
71. Heinrich S, Janitz K, Merkel S, et al. Short-and long term effects of epidural & analgesia on morbidity and mortality of esophageal cancer surgery. Langenbeck's Archiv Surg. 2015;400:19-26.
72. Zhang W, Fang C, Li J, Geng QT, et al. Single-dose, bilateral paravertebral block plus intravenous sufentanil analgesia in patients with esophageal cancer under-going combined thoracoscopic-laparoscopic esophagectomy: a safe and effective alternative. J Cardiothorac Vasc Anesth. 2014;28:966-72.
73. Zhang W, Fang C, Li J, MD, et al. Single-dose, bilateral paravertebral block plus intravenous sufentanil analgesia in patients with esophageal cancer undergoing combined thoracoscopic–laparoscopic esophagectomy: a safe and effective alternative. J Cardiothor Vasc Anesth. 2014;28:966-72.
74. Li NL, Liu CC, Cheng SH, et al. Feasibility of combined paravertebral block and subcostal transversus abdominis plane block in postoperative pain control after minimally invasive esophagectomy. Acta Anaestheiol Taiwanica. 2013;51:103-7.
75. Madabushi R, Tewari S, MD, Gautam SK, et al. Serratus anterior plane block: a new analgesic technique for post-thoracotomy pain. Pain Physician. 2015;18:E421-E424.
76. Wu Y, Liu F, Tang H, et al. The analgesic efficacy of subcostal transversus abdominis plane block compared with thoracic epidural analgesia and intravenous opioid analgesia after radical gastrectomy. Anesth Analg. 2013;117:507-13. DOI: 10.1213/ANE.0b013e318297fcee
77. Moncada R, Martinaitis L, Landecho M, et al. Does preincisional infiltration with bupivacaine reduce postoperative pain in laparoscopic bariatric surgery? Obes Surg. 2016;26:282-8. DOI 10.1007/s11695-015-1761-0
78. Poeran J, Yeo H, Rasul R, et al. Anesthesia type and perioperative outcome: open colectomies in the United States. J Surg Res. 2015;193:684e692
79. Park JS, Choi GS, Kwak KH, et al. Effect of local wound infiltration and transversus abdominis plane block on morphine use after laparoscopic colectomy: a nonrandomized, single-blind prospective study. J Surg Res. 2015;195:61e66.
80. Keller DS, Ermlich BO, Delaney CP. Demonstrating the benefits of transversus abdominis plane blocks on patient outcomes in laparoscopic colorectal surgery: review of 200 consecutive cases. J Am Coll Surg. 2014;08:11.
81. Favuzza J, Brady K, Delaney CP. Transversus abdominis plane blocks and enhanced recovery pathways: making the 23-h hospital stay a realistic goal after laparoscopic colorectal surgery. Surg Endosc. 2013;27:2481-6. DOI 10.1007/s00464-012-2761-y
82. Brady RR, Ventham NT, Roberts DM, Graham C, Daniel T. Open transversus abdominis plane block and analgesic requirements in patients following right hemicolectomy. Ann R Coll Surg Engl. 2012;94: 327-30. doi 10.1308/003588412X13171221589856
83. Tudor ECG, Yang W, Brown R, Mackey PM. Rectus sheath catheters provide equivalent analgesia to epidurals following laparotomy for colorectal surgery. Ann R Coll Surg Engl. 2015;97:530-3. doi 10.1308/rcsann.2015.0018
84. Zheng X, Feng X, Cai XJ. Effectiveness and safety of continuous wound infiltration for postoperative pain management after open gastrectomy. World J Gastroenterol. 2016 Feb 7; 22(5):1902-10. DOI: 10.3748/wjg.v22.i5.1902
85. Melton GB, Vogel JD, Swenson BR, et al. Continuous intraoperative temperature measurement and surgical site infection risk. Ann Surg. 2013;258:606-13. DOI: 10.1097/SLA.0b013e3182a4ec0f
86. Proczko MA, Stepaniak PS, Quelerij M, et al. STOP-Bang and the effect on patient outcome and length of hospital stay when patients are not using continuous positive airway pressure. J Anesth. 2014;28:891-7. DOI 10.1007/s00540-014-1848-0
87. Barrio J. Effect of depth of neuromuscular blockade on the abdominal space during pneumoperitoneum establishment in laparoscopic surgery. J Clin Anesth. 2016 Nov;34:197-203.
88. Ünal DY, Baran İ, Mutlu M, Ural G, Akkaya T, Özlü O. Comparison of sugammadex versus neostigmine costs and respiratory complications in patients with obstructive sleep apnoea. Turk J Anaesthesiol Reanim. 2015 Dec;43(6):387-95.
89. Robertis E, Marinosci GZ, Romano GM. The use of sugammadex for bariatric surgery: analysis of recovery time from neuromuscular blockade and possible economic impact. Clin Econ Outcomes Res. 2016:8 317-22.
90. Badaoui R, Cabaret A, Alami Y, et al. Reversal of neuromuscular blockade by sugammadex in laparoscopic bariatric surgery: in support of dose reduction. Anaesth Crit Care Pain Med. 2016;35:25-9.
91. Tepetes K, Symeonidis D, Christodoulidis G, et al. Pudendal nerve block versus local anesthesia for harmonic scalpel hemorrhoidectomy: a prospective randomized.
92. Castellví J, Sueiras A, Espinosa J, Vallet J, Gil V, Pi F. LigasureTM versus diathermy hemorrhoidectomy under spinal anesthesia or pudendal block with ropivacaine: a randomized prospective clinical study with 1-year follow-up. Int J Colorectal Dis. 2009;24:1011-8. DOI 10.1007/s00384-009-0715-1
93. Vinson-Bonnet B, Higuero T, Faucheron JL, et al. Ambulatory haemorrhoidal surgery: systematic literature review and qualitative analysis. Int J Colorectal Dis. 2015;30:437-45. DOI 10.1007/s00384-014-2073-x
94. Haveran LA, Sturrock PR, Sun MY, et al. Simple harmonic scalpel hemorrhoidectomy utilizing local anesthesia combined with intravenous sedation: a safe and rapid alternative to conventional hemorrhoidectomy. Int J Colorectal Dis. 2007;22:801-6. DOI 10.1007/s00384-006-0242-2
95. Meyer ZC, Schreinemakers JM, Mulder PG, PhD, et al. Determining the clinical value of lactate in surgical patients on the intensive care unit. J Surg Res. 2013;183:814-20.
96. Nguyen HB. Lactate in the critically ill patients: an outcome marker with the times. Crit Care. 2011;15:1016.
97. Silva ED, Perrino AC, Teruya A, et al. Consenso brasileiro sobre terapia hemodinâmica perioperatória guiada por objetivos em pacientes submetidos a cirurgias não cardíacas: estratégia de gerenciamento de fluidos - produzido pela Sociedade de Anestesiologia do Estado de São Paulo (SAESP). Rev Bras Anestesiol. 2016;66(06).
98. Jo YY, Kim JY, Park CK, Chang YJ, Kwak HJ. The effect of ventilation strategy on arterial and cerebral oxygenation during laparoscopic bariatric surgery. Obes Surg. 2016;26:339-44. DOI 10.1007/s11695-015-1766-8
99. Coelho J. Aparelho digestivo clínica e cirurgia. 3. ed. Rio de Janeiro: Atheneu. ISBN 85-7379-709-6
100. Longnecker DE. Anesthesiology. 2nd ed. McGraw-Hill. ISBN 978-0-07-174469-0. MHID 0-07-174469-X
101. Ljungqvist O, Scott M, Fearon KC. Enhanced recovery after surgery: a review. JAJA Surg. 2017;152(3):292-8.
102. Murouchi T, Iwasaki S, Yamakage M. Quadratus lombatorum block. Analgesic effects and chronological ropivacaine concentrations after laparoscopic surgery. Reg Anesth Pain Med. 2012;41(2):146-50.
103. Deng W, Long X, et al. Quadratus lumborum block versus transversus abdominal plane block for postoperative pain management after laparoscopic colorectal surgery: a randomized controlled trial. Medicine. 2019;98:52:e18448.

163

Anestesia para Cirurgia Videolaparoscópica e Robótica

Luis Henrique Cangiani ▪ Matheus Rodrigues Vieira ▪ Tassio Mattos Pereira Franco

INTRODUÇÃO

As técnicas de anestesia e cirurgia têm evoluído de forma rápida e consistente. Em publicações do ano de 1987, Whickham, em seu editorial, afirmou que os cirurgiões deveriam ser treinados como microendoscopistas e bioengenheiros para atender aos apelos dos pacientes por incisões cada vez menores. Também afirmou que as cirurgias abertas ainda continuariam a ser realizadas em pacientes politraumatizados e nas situações em que grandes reconstruções orgânicas fossem realizadas.[1]

As afirmações do passado podem ser aplicadas e vivenciadas hoje com as técnicas videolaparoscópicas. O desenvolvimento de instrumentos cirúrgicos mais precisos, materiais de melhor qualidade e medicamentos com melhores características farmacológicas auxiliaram no avanço da cirurgia videolaparoscópica, trazendo vantagens aos pacientes. Mais recentemente, o surgimento das cirurgias robóticas trouxe ainda mais avanço às técnicas cirúrgicas, melhor visualização do campo operatório e maior chance de preservação de estruturas delicadas, como, por exemplo, dos nervos perineais na prostatectomia robótica.

A cirurgia videolaparoscópica é considerada uma técnica pouco invasiva. Ela tem como vantagens menor incisão, menos comprometimento da função pulmonar, da incidência de íleo paralítico, de trauma tecidual, de dor pós-operatória e do tempo de internação, além de deambulação mais precoce menos e redução de custos. Por outro lado, durante a cirurgia, alguns sistemas orgânicos têm sua fisiologia alterada transitoriamente. É necessário que o paciente se adapte rapidamente às alterações impostas pela insuflação peritoneal. Nesse aspecto, a boa prática da anestesia é fundamental, tornando o organismo humano apto a resistir a variações agudas de pré-carga, débito cardíaco, diminuição da complacência pulmonar, liberação de neuro-hormônios e alterações de posicionamento durante a cirurgia. Muitas vezes o paciente é colocado em posição de cefaloaclive ou de cefalodeclive acentuados para que o cirurgião tenha a exposição ampla do campo cirúrgico, levando a alterações principalmente dos seus sistemas cardiocirculatório e respiratório.

As cirurgias videolaparoscópicas realizadas em pacientes em regime ambulatorial ajudam na maior rotatividade do centro cirúrgico, uma vez que o paciente fica mais confortável no período pós-operatório. As técnicas anestésicas empregadas em cirurgias videolaparoscópicas devem prever rápido despertar e analgesia pós-operatória de boa qualidade, colaborando com o perfil pouco invasivo da técnica cirúrgica.

As cirurgias robóticas, iniciadas mais recentemente, trouxeram grande avanço tecnológico para as técnicas cirúrgicas. Em relação à anestesia, permanecem as alterações decorrentes da instalação do pneumoperitônio e também um tempo cirúrgico mais prolongado. Existem algumas peculiaridades da cirurgia robótica que serão descritas neste capítulo. Nesse tipo de cirurgia, o conceito de *teamwork* é importante. Isso significa que, para o atendimento de pacientes que serão submetidos a cirurgia robótica, serão selecionadas pessoas com habilidade técnicas e não técnicas bem definidas. Entre as habilidades não técnicas estão cooperação, envolvimento positivo, conhecimento adquirido em treinamento, experiência compartilhada, capacidade de organização e familiaridade com os equipamentos e com as demais pessoas envolvidas. É claro que essas características são fundamentais para todos os tipos de cirurgias e pessoas, mas, na cirurgia robótica, isso ganha maior importância.[2] As maiores barreiras e dificuldades para a implementação de cirurgia robótica são o treinamento específico para manuseio dos materiais, que tem alto custo, a organização da sala cirúrgica, a determinação de funções das pessoas dentro da sala e o planejamento da posição para o deslocamento de acoplamento (*docking*) do robô. Todas essas fase de preparação se tornarão cada vez mais suaves e rápidas à medida que a equipe for adequadamente treinada e se tornar mais experiente.[3]

■ AVALIAÇÃO PRÉ-ANESTÉSICA

Todo paciente deve ser avaliado de forma rigorosa na consulta pré-anestésica, de preferência com tempo suficiente para que novos dados possam ser verificados, caso seja necessário. A avaliação também pode ser feita no dia da cirurgia, mas deve seguir a mesma rotina e os cuidados daquelas realizadas dias antes das cirurgias eletivas.

Os pacientes em regime ambulatorial ou internados devem ser igualmente avaliados, considerando-se todos os dados incluídos na história clínica atual, a história de cirurgias anteriores e doenças preexistentes, as alergias a medicamentos ou a qualquer outra substância, os hábitos, como tabagismo, alcoolismo agudo ou crônico e as medicações de uso contínuo ou que estejam recebendo em ambiente hospitalar devido a doenças agudas. Exame físico, exames laboratoriais e de imagem e avaliações especializadas completam o protocolo para que o risco anestésico/cirúrgico seja estabelecido. Nas avaliações especializadas, os sistemas cardiocirculatório e respiratório devem ser ressaltados, pois são os principais responsáveis pela manutenção da homeostasia durante a cirurgia. A anestesia, o pneumoperitônio e o posicionamento do paciente produzem alterações nesses sistemas. Nesse aspecto, é importante saber se eles têm reserva funcional suficiente para suportar as alterações agudas decorrentes da insuflação peritoneal. As reservas funcionais são avaliadas comparando-se as atividades diárias dos pacientes com os equivalentes metabólicos (METs) ou por meio de exames complementares. As cirurgias laparoscópicas são realizadas em pacientes sadios, mas também em situações extremas, como lactentes, grandes obesos e pacientes idosos, portanto todos têm peculiaridades que devem ser investigadas na análise pré-anestésica.

A partir da avaliação pré-anestésica, é possível escolher técnicas e fármacos, preparar o ambiente no qual o paciente será submetido ao ato anestésico/cirúrgico com materiais específicos e programar a analgesia pós-operatória.

É importante que a avaliação pré-anestésica mostre eventuais dificuldades ou cuidados que devam ser tomados com o paciente, devendo nortear também a preparação do ambiente cirúrgico visando a aumentar a segurança do paciente sob anestesia.

A medicação pré-anestésica é muito útil para pacientes muito ansiosos e que realmente se beneficiem da ansiólise promovida principalmente pelos benzodiazepínicos, como midazolam, diazepam ou lorazepam, por via oral 30 a 40 minutos antes da cirurgia.

A utilização da medicação pré-anestésica é benéfica para a maioria dos pacientes, mas em situações em que há risco de depressão respiratória, como em crianças portadoras de deformidades craniofaciais, ou em idosos que podem apresentar confusão mental ou agitação, o uso deve ser cauteloso e ponderado caso a caso.

Entre os benzodiazepínicos, o diazepam tem sido menos utilizado devido à sua maior meia-vida e pelo fato de produzir metabólitos ativos (desmetildiazepam). Além disso, sua ação amnéstica é menor do que a do midazolam. Em cirurgias videolaparoscópicas, muitas vezes realizadas em regime ambulatorial, não é desejável que se utilizem fármacos que prolonguem o despertar e a alta hospitalar do paciente.

Opioides podem ser utilizados com medicação pré-anestésica, porém não são ansiolíticos ou amnésticos e ainda podem produzir náusea e vômitos pós-operatórios.

Em pacientes eletivos que serão atendidos em regime de curta permanência hospitalar, em que a alta está programada, não se justifica o uso de opioides como medicação pré-anestésica, no entanto, para pacientes internados e que apresentam dor de alta intensidade, o uso de opioides no pré-operatório está bem indicado.

A gabapentina, um analgésico não opioide, tem sido utilizada como medicação pré-operatória em pacientes submetidos a cirurgias abdominais pelo fato de ter boa biodisponibilidade por via oral, flexibilidade de dose em relação à resposta clínica, ação ansiolítica e redução da inflamação tecidual e do consumo de opioides, sendo, portanto, uma alternativa a eles como medicação pré-anestésica.[4]

■ ALTERAÇÕES INDUZIDAS PELA INSUFLAÇÃO PERITONEAL

O pneumoperitônio é produzido para criar o espaço necessário na cavidade abdominal para que vários tipos de cirurgias sejam realizados. Entre essas cirurgias estão os procedimentos diagnósticos intra-abdominais e as cirurgias de pequeno e médio portes, como colecistectomia, correção de hérnia hiatal, herniorrafia, apendicectomia e até cirurgias mais complexas e com tempo cirúrgico mais prolongado, como colectomias, nefrectomias e hepatectomias. O pneumoperitônio faz parte da técnica cirúrgica videolaparoscópica e, para isso, a anestesia deve proporcionar condições ótimas para que ele seja feito e mantido de forma adequada durante toda a cirurgia, principalmente quando ela for realizada em estruturas retroperitoneais circundadas por músculos e nas situações em que o espaço para a manipulação é pequeno.

A cavidade abdominal pode ser insuflada com ar ambiente, oxigênio, gás carbônico (CO_2), óxido nitroso, hélio ou argônio. O ar ambiente e o oxigênio são combustíveis e podem provocar incêndio, uma vez que vários instrumentos cirúrgicos são conectados a equipamentos que produzem faíscas quando acionados. O desenvolvimento dos instrumentos cirúrgicos videolaparoscópicos é que possibilitou o avanço das técnicas e que um maior número de procedimentos fosse feito por videolaparoscopia. O óxido nitroso não é um gás inflamável, mas pode perpetuar o incêndio, caso ocorra. É considerado seguro para uso em laparoscopias, é menos irritante para o peritônio e provoca menos dor pós-operatória, podendo, então, ser utilizado. Hélio e argônio são gases não inflamáveis e praticamente insolúveis no sangue e, por isso, foram abandonados. O risco de embolia gasosa por injeção direta de gás hélio ou argônio (gás insolúvel) na corrente sanguínea torna seu uso não recomendado.

O CO_2 é o gás mais utilizado para a insuflação peritoneal. Por ser altamente solúvel, os pacientes podem ficar com hipercapnia durante a cirurgia. É uma substância estável quimicamente, fisicamente inerte e não é explosiva. A insuflação de gás carbônico frio e seco na cavidade abdominal provoca irritação peritoneal e dor pós-operatória.

A insuflação do peritônio é o momento crítico da cirurgia videolaparoscópica. As alterações fisiopatológicas decorrentes de insuflação peritoneal ocorrerão sempre e com qualquer gás que for utilizado, porém serão mais ou menos intensas dependendo do estado físico do paciente, de sua reserva funcional, da velocidade de insuflação do gás dentro da cavidade abdominal, da pressão intra-abdominal resultante da insuflação, da escolha da técnica anestésica e dos fármacos utilizados, do posicionamento do paciente durante a cirurgia e de sua ventilação. O valor da pressão intra-abdominal e o fluxo de gás utilizado pelo cirurgião durante a insuflação do peritônio devem ser sempre acompanhados pelo anestesiologista, juntamente com as variações dos dados monitorados do paciente durante a cirurgia.[5]

Na insuflação do peritônio, a utilização da agulha de Veres (Figura 163.1) limita o fluxo em 2 L.min⁻¹. A agulha de Veres é longa e fina, portanto produz alta resistência ao fluxo aéreo, segundo a Lei de Poiselle.

Normalmente, ajusta-se o fluxo máximo do insuflador (40 L.min⁻¹) para que a cavidade seja insuflada (Figura 163.2). Mesmo que o fluxo seja máximo, o pneumoperi-

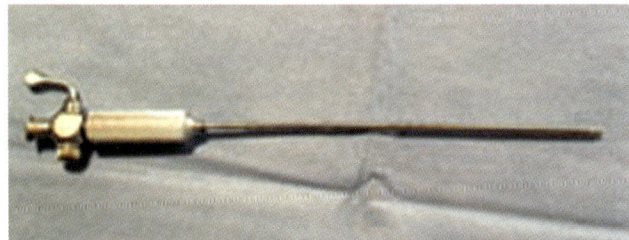

▲**Figura 163.1** Agulha de Veres.

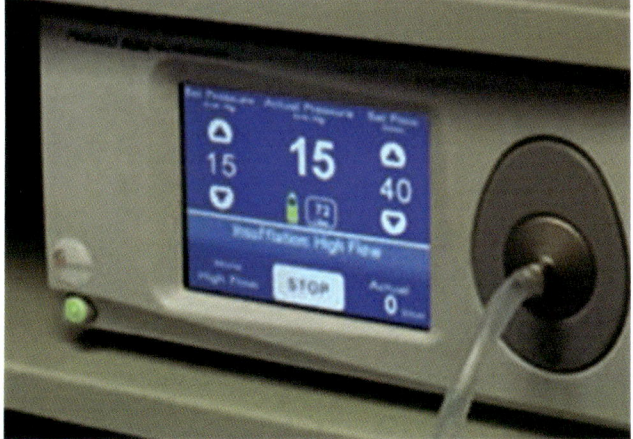

▲**Figura 163.2** Aparelho utilizado para a insuflação da cavidade peritoneal.

tônio será feito de forma lenta. Durante a cirurgia, o fluxo pode ser mantido em altos valores (máximo) para que a cavidade seja rapidamente restabelecida após aspirações de fluidos corporais realizadas de forma intermitente ou à medida que são necessárias. Nesse momento, o paciente já está sob bom controle e com a homeostasia em equilíbrio diante do pneumoperitônio. Ao término da cirurgia, a cavidade peritoneal é esvaziada e o gás absorvido é eliminado pelos pulmões rapidamente.

A pressão do balonete do tubo traqueal se altera durante a cirurgia videolaparoscópica, principalmente quando o paciente é mantido na posição de cefalodeclive. Em geral, a pressão aplicada no balonete fica em torno de 20 a 30 mmHg, ou o suficiente para que haja a vedação adequada da traqueia. Em um estudo recente, foi avaliado o comportamento da pressão do balonete do tubo traqueal em pacientes que foram submetidos a laparoscopias em posição de cefaloaclive e cefalodeclive e em um grupo submetido à cirurgia abdominal por laparotomia. Em nenhum paciente foi utilizado óxido nitroso e todos receberam a mesma técnica de anestesia geral. Nos pacientes do sexo masculino, foi utilizado tubo traqueal de 7,5 mm e, nas mulheres, de 7 mm. Todos os pacientes foram ventilados mecanicamente com volume-corrente equivalente a 8 a 10 mL.kg⁻¹ e frequência respiratória entre 8 e 14 ciclos/min para manutenção da normocapnia sem a utilização de pressão expiratória positiva final (PEEP). A pressão do balonete foi ajustada por manometria para permanecer entre 20 e 30 cmH_2O e sem ruídos indicativos de vazamento de ar imediatamente anterior à incisão cirúrgica. Depois de 20 minutos da insuflação peritoneal, a pressão do balonete foi medida a cada 5 minutos nos pacientes submetidos a laparotomias. Naqueles que estavam sob laparoscopias, a pressão do balonete foi medida 2 minutos após a insuflação abdominal, com posicionamento do paciente em cefaloaclive ou cefalodeclive de 30 graus. Os resultados mostram que, nos pacientes que foram operados por laparotomia, não houve alterações nos valores de pressão do balonete nos primeiros 20 minutos (valor médio de pressão do balonete de 24 cmH_2O) nem nos valores de pressão de via respiratória. Nos pacientes operados por laparoscopia, a pressão do balonete aumentou de 27 para 33 cmH_2O e também houve elevação da pressão de via respiratória (18 para 25 cmH_2O). Importante observar que o maior aumento da pressão do balonete verificado foi de 20 cmH_2O. Em relação ao posicionamento do paciente em cefaloaclive ou cefalodeclive, o estudo observou que há aumento das pressões do balonete e de via respiratória nas duas situações e que esse aumento é maior em cefalodeclive do que em cefaloaclive. Os valores de pressão do balonete aumentam, em média, 10 a 15 cmH_2O com a insuflação peritoneal e não tiveram relação com o índice de massa corporal (IMC) do paciente. No estudo, o maior aumento de pressão de balonete foi observado em um paciente com IMC de 21,08 kg/m².[6]

É importante verificar a pressão intra-abdominal (PIA) que será produzida pela insuflação peritoneal. A PIA é a responsável pelas alterações na homeostasia do paciente, e, quanto maior o seu valor, mais alterações cardiocirculatórias, respiratórias, renais, endócrinas e do sistema nervoso central ocorrerão.

■ AVALIAÇÃO DA COMPLACÊNCIA ABDOMINAL E DA PRESSÃO INTRA-ABDOMINAL

O planejamento da técnica anestésica, iniciado desde a avaliação pré-operatória, tem impacto no desfecho clínico do paciente. O objetivo da instalação do pneumoperitônio é produzir espaço suficiente para o trabalho do cirurgião.

É possível imaginar que o abdome do paciente é um compartimento que tem componentes e propriedades viscoelásticas que determinam a sua capacidade de expansão. A insuflação da cavidade abdominal é uma função biomecânica e seu resultado é o estabelecimento de um valor de PIA.

A medida da complacência abdominal (Cab) é a mensuração da expansibilidade da parede abdominal e tem como determinante a elasticidade da parede abdominal e do diafragma. A medida da complacência abdominal é equivalente à alteração do volume abdominal que eleva a PIA, ou seja, o volume de gás que foi insuflado na cavidade abdominal, necessário para atingir a PIA determinada. A complacência abdominal determina os limites da PIA e o volume necessário de gás para se obter a máxima distensão da cavidade abdominal. Desse modo, pode-se compreender que PIAs extremamente altas levarão certamente à redução do fluxo esplâncnico e do débito urinário e ao aumento do estresse oxidativo, além de não aumentarem o espaço da cavidade abdominal.

Os princípios físicos que determinam a complacência abdominal são universais, ou seja, existem e estão presentes em todos os pacientes, porém o volume de gás e a pressão determinada por esse volume em cada paciente é individual. Os pacientes têm perfis biofísicos diferentes, portanto devem ser tratados de modo individualizado. Para isso, é de se esperar que cada paciente tenha uma capacidade de distensão da parede abdominal específica. Aqueles que com menor capacidade de distensão da parede abdominal, por consequência, têm menor complacência abdominal. Pelo fato de a Cab ser individual, não é muito comum que seja medida, no entanto é importante tomar conhecimento do seu valor, visto que é determinante para o valor final da PIAs durante o pneumoperitônio. O entendimento dos fatores envolvidos na determinação da complacência abdominal pode resultar na utilização suficiente de menores valores da PIA para que a cavidade abdominal esteja bem distendida e haja espaço para o trabalho do cirurgião e, consequentemente, produzir menos alterações na homeostasia do paciente, diminuir as complicações e facilitar a conduta perioperatória dos pacientes submetidos à cirurgia videolaparoscópica.

A relação entre o volume abdominal, a complacência abdominal e sua influência sobre a PIA é determinante para o tamanho do espaço produzido pelo pneumoperitônio. As propriedades do gás, as leis da Física, como a de Pascal e a de LaPlace, e o cálculo de complacência, por sua vez, têm influência sobre a complacência pulmonar.

A lei de Pascal, também chamada de princípio mecânico dos fluidos, estabelece que a pressão exercida sobre um fluido dentro de um compartimento é transmitida igualmente pelo fluido e atua em todas as direções ao mesmo tempo. No pneumoperitônio, conforme essa lei, a pressão produzida dentro do abdome será transmitida igualmente a todos pontos, exceto pelo movimento diafragmático que altera a cavidade a cada ciclo respiratório. Desse modo, a insuflação peritoneal deve ser contínua, a fim de estabelecer um equilíbrio dinâmico da pressão intra-abdominal.

A lei de LaPlace estabelece uma relação entre a espessura da parede do compartimento, a tensão aplicada sobre ela e o raio da circunferência do compartimento. Quanto maior for a diferença de pressão entre as suas duas faces, maior será a tensão sobre a parede. Essa lei também interfere sobre o pneumoperitônio, de modo que, quanto mais fina for a parede abdominal, mais fácil será a insuflação peritoneal e maior será o espaço resultante.

A definição física de complacência é simples e muito importante. Complacência é a razão da variação de volume pela variação de pressão. Quanto mais complacente, mais fácil será a insuflação peritoneal.

Os valores da PIA são determinados no insuflador. É fundamental que o anestesiologista saiba qual o valor de pressão pretendido e, após atingido, qual foi o volume de gás insuflado na cavidade abdominal. Quando a expansão da cavidade abdominal é fácil, ou seja, há uma pequena variação da PIA para um maior volume de gás insuflado, pode-se afirmar que a complacência abdominal é grande e o espaço resultante para o trabalho do cirurgião será adequado e limitado pela expansão da parede abdominal. Por outro lado, se há uma grande elevação da PIA à custa de pouco volume de gás insuflado, a conclusão é que o paciente tem pouca complacência abdominal e serão necessárias pressões mais altas para manter a pequena cavidade expandida. O anestesiologista deve sempre estar atento às variações de pressão e volume provocadas pela insuflação peritoneal.

Além da distensão da parede abdominal, que é determinante para a expansão da sua cavidade, as características relacionadas com o paciente, como idade, sexo, peso, altura, IMC, distribuição entre gordura visceral e subcutânea, doenças associadas, cirurgias abdominais prévias ou gestação, influenciam muito a complacência abdominal.

Utilizando a lei de LaPlace e a capacidade de distensão viscoelástica dos tecidos da parede e das estruturas anatômicas da cavidade abdominal, o espaço máximo criado pela insuflação peritoneal pode ser estimado de modo rápido. Devido ao fato de a expansão da parede abdominal ter limites, uma vez que a expansão máxima seja atingida, a insuflação de maior volume de gás na cavidade abdominal não produzirá mais espaço, porém a PIA aumentará. O volume de gás necessário para criar o maior espaço na cavidade abdominal de cada paciente é individual. Não há possibilidade de ultrapassar esse limite, ou seja, a mesma determinação de PIA não é específica para todos os pacientes, e um mesmo valor de PIA pode não ser suficiente para todos os pacientes. Isso é a complacência abdominal.

Em repouso, a PIA inicial é de 5 a 7 mmHg com o paciente na posição supina. Alterações na posição do paciente modificam o valor da PIA inicial. Se o paciente for posicionado em cefaloaclive, cefalodeclive, decúbito lateral ou na posição ventral, certamente o valor da PIA inicial será alterado. Isso é explicado pelo fato de que o equilíbrio da PIA abdominal inicial funciona como um sistema hidráulico.

Após a insuflação peritoneal completa, é possível observar que a área de maior espaço está localizada no plano sagital, porque o músculo reto abdominal é menos rígido que as fáscias fibrosas transversais e não é mais necessário realizar insuflação adicional, visto que, como já explicado, o espaço criado pela insuflação peritoneal não aumentará e ocorrerá apenas a elevação da PIA.

Em um paciente com complacência abdominal normal, a relação entre o volume e a pressão intra-abdominais é de 200 a 400 mL/mmHg. Assim, com o valor de PIA de 14 mmHg, da variação da capacidade de insuflação peritoneal é de 2.800 a 5.600 mL de volume intra-abdominal (200 mL × 14 = 2.800 mL e 400 mL × 14 = 5.600 mL). Isso significa que a complacência abdominal varia de 2,8 a 5,6 litros a uma PIA de 14 mmHg.

O valor adequado de pressão para se obter o melhor espaço na cavidade peritoneal é aquele alcançado com o menor valor de PIA – já que existe limitação à distensão da parede e das estruturas abdominais –, para que o cirurgião possa realizar seu procedimento sem aumentar os riscos ou alterar o desfecho do paciente. Pacientes com parede abdominal e musculatura mais finas podem ser operados com menor PIA e maior volume de gás, ao passo que aqueles com paredes menos complacentes necessitam de PIA um pouco maior, estabelecida com menor volume de gás.

O tipo de obesidade pode ser utilizado como preditor da complacência abdominal e da capacidade de distensão da parede abdominal. Pacientes com obesidade do tipo androide têm aumento da gordura visceral e sua cavidade abdominal exibe formato esférico, com pouca capacidade de distensão da parede abdominal. Pacientes com obesidade do tipo ginecoide têm mais quantidade de gordura no tecido subcutâneo, com formato abdominal em elipse e, portanto, maior capacidade de distensão da parede abdominal. Fica fácil perceber que o volume necessário para atingir a PIA determinada será menor nos pacientes com obesidade do tipo androide. Algumas situações clínicas ou relacionadas com os pacientes podem reduzir a complacência abdominal, como ascite, gestação, laparotomia prévia, diálise peritoneal, cicatrizes decorrentes de cirurgias prévias, queimaduras ou aderências.

Por meio do entendimento da complacência abdominal, suas características e seus fatores determinantes, é recomendado que, sempre que iniciada a insuflação peritoneal, o anestesiologista acompanhe a insuflação e adéque o relaxamento abdominal de modo individualizado para cada paciente. Há pacientes que se beneficiam de bloqueio neuromuscular adequado e individualizado.[7]

■ ALTERAÇÕES DO SISTEMA CIRCULATÓRIO

A partir da insuflação peritoneal, o volume de sangue contido nos vasos sanguíneos e órgãos abdominais é expulso para a periferia ao mesmo tempo em que um obstáculo é criado para que o volume sanguíneo que está na periferia possa chegar à circulação central. Produz-se, portanto, um estado de hipovolemia central e de congestão periférica que ocorre de acordo com a velocidade de insuflação da cavidade abdominal. Por esse motivo, justifica-se que a insuflação da cavidade abdominal deve ser feita sempre lentamente.

O aumento da PIA comprime artérias e veias abdominais, aumenta a resistência vascular e a pós-carga e reduz o débito cardíaco. A compressão venosa diminui o retorno venoso e a pré-carga, o que também contribui para a redução do débito cardíaco. Devido ao aumento da resistência vascular periférica, a pressão arterial se eleva. O aumento da resistência vascular sistêmica pode ser de 20% a 80%, e o da pós-carga se reflete diretamente no ventrículo esquerdo. A tensão sobre a parede do ventrículo esquerdo e o consumo de oxigênio aumentam, consequentemente ampliando os riscos para os pacientes mais graves.

Diante de uma cirurgia videolaparoscópica, tem-se, portanto, um quadro de hipertensão arterial com baixo débito cardíaco, diminuição do índice cardíaco e da fração de ejeção e aumento das resistências periféricas e pulmonar. A pressão intratorácica se eleva em decorrência da ampliação da pressão intra-abdominal e, por fim, acaba sendo transmitida às câmaras cardíacas, fazendo que elas sejam comprimidas. O resultado hemodinâmico da compressão das câmaras cardíacas é que as pressões de enchimento, tanto das câmaras cardíacas direitas como das esquerdas, mantêm-se elevadas durante todo o tempo em que o pneumoperitônio é sustentado. Isso é outra causa que justifica a diminuição do retorno venoso e o baixo débito cardíaco. A Figura 163.3 mostra as alterações fisiopatológicas do sistema cardiovascular relacionadas com o pneumoperitônio.

A frequência cardíaca sofre poucas alterações pelo aumento da PIA. Pode ocorrer taquicardia, caso a profundidade da anestesia não esteja adequada e haver bradicardia em decorrência do estiramento peritoneal durante a insuflação do peritônio. A bradicardia deve ser revertida com a desinsuflação cuidadosa da cavidade abdominal seguida da administração imediata de fármacos anticolinérgicos (atropina), por via venosa, em doses adequadas de 0,01 a 0,02 mg.kg^{-1}. A cavidade abdominal poderá ser reinsuflada após a reversão da bradicardia.

O aumento da pressão arterial e da resistência vascular sistêmica ocorrem imediatamente após a insuflação peritoneal, indicando resposta do sistema nervoso autônomo (SNA). Quando o paciente é colocado na posição de cefaloclive, a ação do SNA se torna ainda mais importante. Os pacientes cardiopatas ou portadores de síndrome do QT longo têm alto risco de apresentar arritmias ventriculares. A avaliação do intervalo QT (QTi) e a variação da frequência cardíaca por monitorização contínua do traçado eletrocardiográfico podem indicar desequilíbrio hemodinâmico ou servir como marcador prognóstico de arritmias no período intraoperatório. Um estudo comparou dois grupos de pacientes submetidos a colecistectomias laparoscópicas, sendo um grupo sob anestesia inalatória com sevoflurano e outro sob anestesia geral venosa total. Todos os pacientes foram monitorizados por um programa de computador que avalia continuamente eletrocardiograma (ECG), QTi (dispersão do QTi) e a variação da frequência cardíaca sob 12 derivações. Eles foram avaliados em períodos diferentes da cirurgia: antes da indução, depois da indução, após o posicionamento do paciente em cefaloclive de 60 graus, depois do pneumoperitônio e ao final da cirurgia (paciente acordado). Também foram medidas a pressão arterial média (PAM) e a frequência cardíaca nos

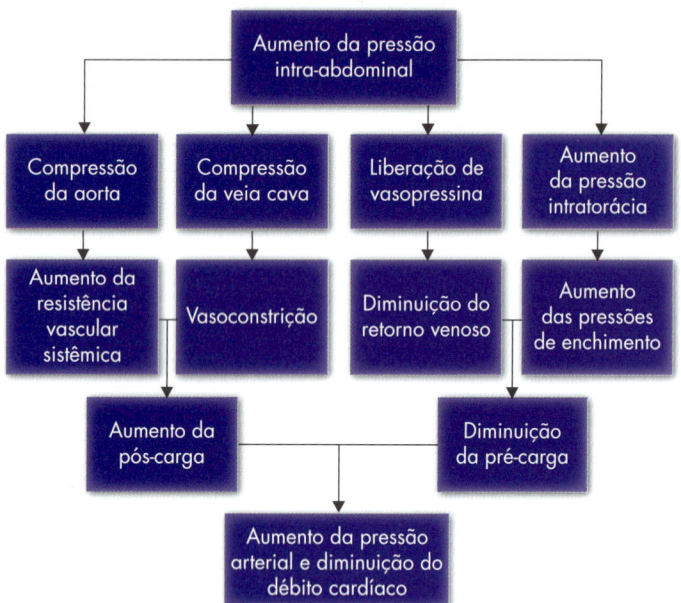

◀ **Figura 163.3** Alterações fisiopatológicas do sistema cardiovascular relacionadas com o pneumoperitônio.

mesmos momentos. O estudo afirma que entre os grupos não houve diferenças significativas no QTi ou na variação da frequência cardíaca, porém alerta que essa oscilação durante a cirurgia é um bom indicador do estado do SNA. Maiores variações da frequência cardíaca correspondem a maior ativação parassimpática ou menor ação simpática, ou, indiretamente, de analgesia insuficiente naquele momento da cirurgia. Quando o paciente é posicionado em cefaloaclive, ocorre aumento da variabilidade do QTi, principalmente no grupo sob anestesia inalatória, indicando aumento do tônus simpático nos momentos iniciais após o posicionamento do paciente. Percebe-se, portanto, que, durante a cirurgia videolaparoscópica, o SNA está em constante ajuste, de acordo com as demandas do organismo. Esse controle ocorre independentemente do fármaco que esteja sendo utilizado na manutenção da anestesia, mas parece que há maior tendência ao aumento do tônus simpático quando se utiliza um agente inalatório e, por isso, há maior probabilidade do desenvolvimento de arritmias ventriculares. Mais importante que a escolha do agente anestésico é estabelecer um bom plano de analgesia para que as variações do tônus do SNA sejam amenizadas.[8]

A secreção de substâncias endógenas neuro-humorais, como a vasopressina, também colabora para a explicação das alterações hemodinâmicas que acontecem com a insuflação do peritônio e se inicia a partir de 10 mmHg de pressão intra-abdominal. A vasopressina (ou hormônio antidiurético [ADH]) é secretada pela neuro-hipófise em situações de hipoperfusão devido ao baixo débito cardíaco. O fato é que o aumento da pressão arterial é muito maior do se espera em situações de resposta compensatória pela diminuição do retorno venoso, do débito cardíaco e do índice cardíaco. As primeiras publicações da liberação de vasopressina em laparoscopias datam do final da década de 1990. A tração do peritônio e das vísceras abdominais, associada ao aumento da pressão intratorácica com menor enchimento atrial, explica a liberação da vasopressina. A vasopressina também é liberada quando há queda da osmolaridade plasmática,

mas, em estudos realizados em pacientes submetidos a colecistectomias e a procedimentos ginecológicos, os valores da osmolaridade plasmática se mantiveram normais.[7] Outra explicação para a liberação de vasopressina é a estimulação de nervos simpáticos mesentéricos que, por meio de quimiorreceptores, provoca sua liberação neuro-hipofisária.

A utilização da lidocaína intraperitoneal ou por via venosa na dose de 0,5 mg.kg^{-1} mostrou uma pequena redução do nível plasmático de vasopressina com relação aos grupos em que não foi utilizada. O mais interessante desse estudo é que os valores de resistência vascular periférica foram menores e o débito cardíaco permaneceu inalterado no tocante aos valores iniciais obtidos antes da insuflação peritoneal, demonstrando melhor perfusão tecidual durante o pneumoperitônio.[9]

Os efeitos hemodinâmicos após o pneumoperitônio feito com gás carbônico se caracterizam pela redução do retorno venoso e pela vasoconstrição arterial sistêmica, induzida em grande parte por mecanismos humorais decorrentes dos efeitos da pressão abdominal sobre o leito vascular esplâncnico. A diminuição do retorno venoso e o aumento da resistência vascular levam à diminuição do débito cardíaco. Com a utilização da lidocaína, ocorreu inibição da responsividade vascular ao pneumoperitônio insuflado com gás carbônico, o que melhorou a pós-carga e o trabalho cardíaco, resultando em melhor débito cardíaco. A lidocaína é capaz de bloquear a ativação simpática mediada pela estimulação dos terminais nervosos mesentéricos pelo CO_2.

Outro fato importante é que não existe somente o efeito da pressão abdominal alta comprimindo as estruturas atriais e, com isso, liberando a vasopressina, como o efeito do próprio CO_2, pois, quando o pneumoperitônio é feito com gases inertes, como hélio ou argônio, não ocorre liberação de vasopressina. Diante dessa afirmação publicada por Boccara *et al.*, pode-se dizer que devem existir não só alterações hemodinâmicas decorrentes da insuflação, como também efeitos provocados pela insuflação de gás carbônico na cavidade peritoneal, já que com gases inertes a vasopressina não foi liberada.[8] Depois disso, outros estudos voltaram a afirmar que a vasopressina é a principal causa das alterações hemodinâmicas, junto com o estímulo de terminações nervosas mesentéricas estimuladas pelo CO_2.

A vasopressina é responsável pela homeostasia e pelo controle das osmolaridades plasmática e cardiovascular e. Também conhecida como hormônio antidiurético e com estrutura molecular nonapeptídica secretada pelo hipotálamo (Figura 163.4), é sintetizada por dois núcleos neuronais: os neurônios magnocelular e parvocelular. Os neurônios magnocelulares estão localizados principalmente nos núcleos supraóticos e paraventricular hipotalâmicos e enviam axônios unipolares para a neuro-hipófise, onde a vasopressina é liberada. Dentro da neuro-hipófise não existe uma barreira hematoencefálica, portanto toda a produção de vasopressina alcança facilmente à corrente sanguínea. De modo semelhante, os parvoneurônios enviam axônios para a região periférica da hipófise, onde a vasopressina produzida é liberada diretamente no sistema porta hipofisário (Figura 163.5).

O estímulo mais potente que leva à produção e à secreção da vasopressina é decorrente das alterações da osmolaridade plasmática e da diminuição da pressão arterial e das pressões de enchimento das câmaras cardíacas. A insuflação peritoneal não provoca essas alterações, pelo contrário, causa hipertensão arterial com baixo débito cardíaco. Ocorre que a diminuição do volume circulante, represado nos membros inferiores durante a insuflação, justifica a liberação da vasopressina, que, após liberada, passa a agir provocando a hipertensão arterial com baixa perfusão tecidual, quadro característico das cirurgias videolaparoscópicas.

A vasopressina se difunde rapidamente do plasma para o fluido intersticial, é metabolizada no fígado e nos rins e uma pequena proporção é excretada diretamente

$$Cys\text{-}Tyr\text{-}Phe\text{-}Gln\text{-}Asn\text{-}Cys\text{-}Pro\text{-}Arg\text{-}Gly\text{-}NH_2$$

Vasopressina

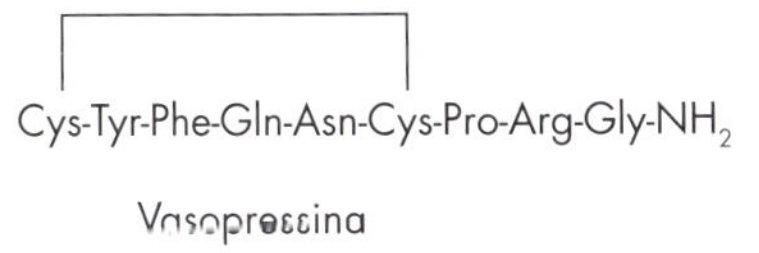

▲ **Figura 163.4** Estrutura nonapeptídica da vasopressina.

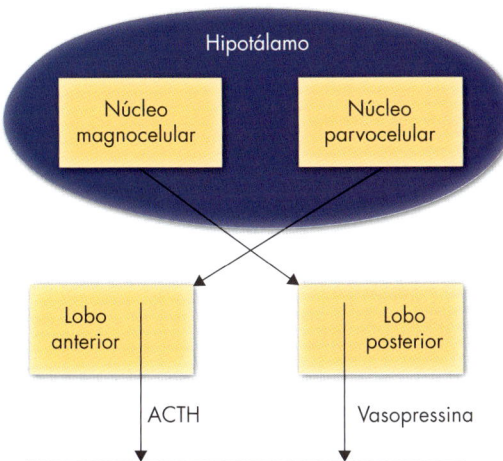

▲ **Figura 163.5** Vias de produção e secreção neural da vasopressina.

na urina. Sua meia-vida plasmática é curta, em torno de 4 a 20 minutos.

Existem três tipos de receptores descritos para a vasopressina, denominados V1, V2 e V3. Os receptores V1 estão localizados em vários tipos celulares, incluindo as células musculares lisas, cuja estimulação pela vasopressina leva à vasoconstrição. Os receptores V2, localizados nos ductos coletores dos néfrons, retêm água quando estimulados, e os receptores V3 estão localizados no sistema nervoso central, especialmente na adeno-hipófise, e agem com atividade modulatória da secreção de glicocorticoides. Os três receptores da vasopressina são estruturas membranosas heptaméricas acopladas à proteína G, mediando a transdução de sinal intracelular. A ativação de receptores V1 e V3 estimula a fosfolipase C, que, por sua vez, faz a hidrólise do 4,5 bifosfato de inositol (PIP_2), do 1,4,5 trifosfato de inositol (PIP_3) e do diacilglicerol (DAG). Esses segundos mensageiros ativam enzimas como a proteína quinase C e mobilizam cálcio intracelular estocado no retículo endoplasmático, aumentando o metabolismo celular. Se o estoque de cálcio intracelular se esgota, os receptores de cálcio chamados TRP são ativados e permitem influxo de cálcio extracelular para o meio intracelular com o objetivo de manter a atividade celular. No caso da estimulação dos receptores V1, a vasoconstrição é mantida.[10] Em relação ao receptor V2, o mecanismo de ativação é semelhante, porém o resultado é a inclusão de aquaporinas nos túbulos coletores dos néfrons para possibilitar a reabsorção de água. A Figura 163.6 mostra o mecanismo de ação da vasopressina.

A vasopressina tem seu pico de concentração plasmática 5 minutos após a insuflação peritoneal, enquanto a pressão parcial arterial de CO_2 sobe lentamente.

O gás carbônico provoca irritação do tecido peritoneal porque altera o pH local e sensibiliza as células musculares lisas à ação da vasopressina. Já foi proposta a instilação de anestésico local (lidocaína) intraperitoneal para diminuir a resposta inflamatória, tentando-se bloquear as respostas hemodinâmicas provocadas pelo CO_2. A atenuação da resposta hemodinâmica pela insuflação de gás carbônico é auxiliada pela administração de volume prévio à insuflação e pelo uso de opioides, como o remifentanil, em doses adequadas durante a cirurgia. A vasopressina se mantém alta durante o pneumoperitônio e diminui com o final da insuflação.[11]

Outras classes de fármacos são utilizadas com o objetivo de minimizar a elevação da pressão arterial e da resistência vascular periférica. São utilizados betabloqueadores, agonistas alfa-adrenérgicos, opioides, vasodilatadores e o sulfato de magnésio.

O sulfato de magnésio é capaz de bloquear a liberação de catecolaminas dos terminais nervosos adrenérgicos e da glândula suprarrenal, produzir vasodilatação por ação direta sobre os vasos sanguíneos e, em altas doses, atenuar a vasoconstrição induzida pela vasopressina. Em um estudo comparativo entre dois grupos de pacientes submetidos à colecistectomia videolaparoscópica, no grupo em que o sulfato de magnésio foi utilizado, os valores das pressões arteriais sistólica e diastólica foram menores, mesmo com concentrações plasmáticas de noradrenalina e vasopressina semelhantes às do grupo em que não foi utilizado o sulfato de magnésio.[12]

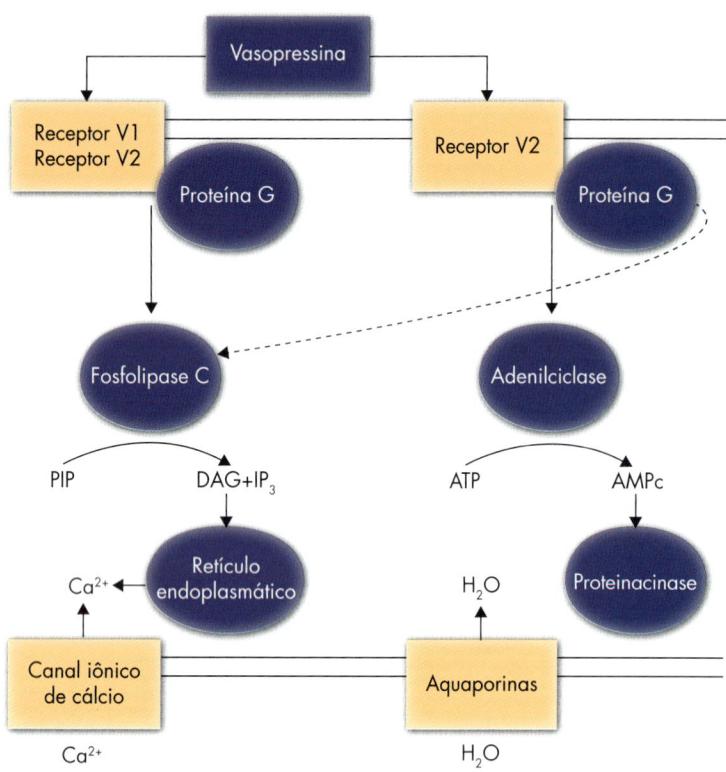

◀ **Figura 163.6** Mecanismo de ação da vasopressina.

Durante o procedimento cirúrgico, o paciente pode ser posicionado em cefaloaclive ou cefalodeclive, muitas vezes até de modo acentuado. Algumas considerações precisam ser feitas no que se refere ao posicionamento do paciente e suas repercussões no sistema cardiovascular.

A posição de cefaloaclive faz que uma quantidade maior de volume circulante permaneça represado nos membros inferiores, o que proporciona redução na pré-carga. Isso é agravado pelo pneumoperitônio, que comprime a circulação venosa abdominal e piora ainda mais o baixo débito cardíaco. Outro dado importante em relação ao posicionamento do paciente em cefaloaclive é que o sistema nervoso simpático é ativado à medida que o paciente é posicionado. Essa ativação simpática é proporcional ao grau de elevação da posição do paciente, portanto também contribui para a redução do débito cardíaco por induzir a vasoconstrição periférica durante as cirurgias videolaparoscópicas.

O aumento do conteúdo de sangue nos membros inferiores também é um fator de risco para o desenvolvimento de trombose venosa profunda e tromboembolismo pulmonar. Esse risco pode ser diminuído com a utilização de meias elásticas, equipamentos de compressão intermitente dos membros inferiores, enfaixamento dos membros inferiores ou com a utilização de fármacos profiláticos, como a enoxaparina por via subcutânea nos pacientes que tenham indicação precisa.

Quando o paciente é posicionado em cefalodeclive, a situação ocorre de modo inverso: há tendência de elevação da pré-carga pelo aumento do retorno venoso, portanto a redução do débito cardíaco é amenizada. Por outro lado, ocorre piora da drenagem venosa do sistema nervoso central, podendo ocasionar edema cerebral, aumento da pressão intracraniana e agitação no pós-operatório.

Em pacientes obesos submetidos à gastroplastia redutora sob videolaparoscopia, ocorrem redução de 20% a 35% do débito cardíaco e do volume sistólico e aumento da resistência vascular sistêmica durante a insuflação peritoneal. Essa situação é agravada pela posição de cefaloaclive, levando à redução adicional de 15% do débito cardíaco. Após a insuflação peritoneal, aumenta em 24%, e, na posição de cefaloaclive, em 142% em comparação com os valores iniciais. Após a desinsuflação peritoneal, os valores retornam aos basais. Em pacientes obesos, o pneumoperitônio induz a um estado crítico de redução do débito cardíaco e da disfunção diastólica que foi analisado por ecocardiografia transesofágica intraoperatória. Observou-se que, durante o pneumoperitônio, o aumento da resistência vascular sistêmica produz disfunção diastólica aguda em três a cada quatro pacientes estudados (75%), independentemente do estado da pré-carga. Segundo o estudo, as alterações provocadas pelo pneumoperitônio são intensas, mas retornam aos valores basais com a desinsuflação peritoneal.[13]

Atualmente, sabe-se que os índices dinâmicos mostram com mais precocidade e confiabilidade as alterações volêmicas que ocorrem durante as cirurgias. O pneumoperitônio altera os determinantes do débito cardíaco porque reduz a pré-carga e aumenta a pós-carga cardíaca. Os índices dinâmicos, como a variação do volume sistólico (VVS), a variação da pressão de pulso (delta PP) e a variação do índice pletismográfico (PVI), são utilizados para otimizar a reposição volêmica intraoperatória, indicando se o paciente é ou não responsivo à administração de fluidos. Pode ser que, em determinado momento da cirurgia, a administração de fluido restabeleça a homeostasia do paciente ou o paciente deva ser tratado com fármacos vasoativos. Serve, portanto, para que a terapia com infusão de fluidos seja feita de modo mais preciso, evitando-se excessos. Em um estudo publicado por Hoiseth *et al.*, o delta PP, a VVS, o PVI e a variação da amplitude de onda pletismográfica (delta POP) foram utilizados para investigar os efeitos do pneumoperitônio sobre os índices dinâmicos. Os pacientes foram submetidos a cirurgias abdominais laparoscópicas e todos receberam 250 mL de hidroxietilamido (solução coloidal) a 6% e solução salina por 2 a 2,5 minutos. Por esse estudo, observou-se que os índices dinâmicos dependentes da pressão arterial, delta PP e VVS, não variaram, mas os que são dependentes da onda pletismográfica, PVI e delta POP, diminuíram. Os monitores de PVI e de delta POP não foram capazes de mostrar a mesma responsividade a fluidos dos pacientes submetidos a cirurgias laparoscópicas. Outro fato importante do estudo é que os pacientes foram colocados em cefalodeclive antes e após o pneumoperitônio. Nos pacientes aos quais foi administrada a solução coloidal, esperava-se que houvesse aumento da pré-carga, o que não ocorreu. Os monitores de delta PP e de VVS também não conseguiram identificar quais pacientes são ou não responsivos a volume diante do pneumoperitônio. Acredita-se que os monitores de delta PP e de VVS ficaram na chamada *gray zone*, mostrando desempenho questionável ou limitação do método. Analisando os resultados pela curva característica receptora-operacional (ROC), os quatro métodos estudados mostraram resultados com sensibilidade inferior a 75%. Nenhum dos quatro índices dinâmicos avaliados se mostrou útil na avaliação volêmica intraoperatória de cirurgias videolaparoscópicas.[14]

Embora a videolaparoscopia seja uma técnica cirúrgica pouco invasiva, com melhores resultados pós-operatórios e maior satisfação do paciente, do ponto de vista do sistema cardiocirculatório, ela provoca alterações intensas, muitas vezes breves, mas que devem ser toleradas e adequadamente controladas pelo anestesiologista no período intraoperatório.

▪ ALTERAÇÕES DO SISTEMA RESPIRATÓRIO

O pneumoperitônio também provoca sérias alterações no sistema respiratório dos pacientes submetidos a videolaparoscopias.

O gás carbônico é rapidamente absorvido pelos capilares peritoneais durante a cirurgia, principalmente naquelas em que o peritônio é amplamente dissecado, como nas herniorrafias inguinais videolaparoscópicas. O que se nota é que, enquanto o pneumoperitônio está instalado, os capilares peritoneais estão colabados pela pressão extrínseca exercida sobre eles, contudo, pela capnometria, é observado um aumento gradual da fração expirada de CO_2 ($P_{ET}CO_2$). Quando a cavidade é desinsuflada, ocorre um rápido aumento da $P_{ET}CO_2$ resultante da abertura dos capilares que antes estavam colabados, mas que agora absorvem o CO_2. Obviamente, a maior parte do gás é eliminada para o ambiente, mas nesse momento ocorre hipercapnia transitória, que facilmente é revertida com o aumento da frequência respiratória. Desse modo, o CO_2 absorvido será eliminado por via inalatória. Os ossos são os maiores reservatórios do CO_2 que foi insuflado na cavidade abdominal, mas que não foi eliminado com a desinsuflação.

O aumento da $P_{ET}CO_2$ que ocorre durante o pneumoperitônio é o reflexo da elevação da pressão parcial arterial de CO_2 ($PaCO_2$), que é decorrente das variações da relação ventilação/perfusão pulmonar, da ventilação pulmonar, do posicionamento do paciente durante a cirurgia, da intensidade do pneumoperitônio, do débito cardíaco e da estratégia de ventilação mecânica que está sendo utilizada. A hipercapnia durante a cirurgia videolaparoscópica tem várias causas, portanto deve ser conduzida pelo anestesiologista com uma visão mais ampla, tentando adequar o valor medido pela capnometria às condições clínicas do paciente e à cirurgia que está sendo realizada.

Inicialmente, existe um aumento mais rápido da $PaCO_2$. Após 15 a 30 minutos, esse valor se mantém mais estável devido ao colabamento dos capilares. O valor da $P_{ET}CO_2$ poderá subir por causa de amplas ressecções e rupturas peritoneais em cirurgias mais prolongadas.

O método padrão ouro para medir a $PaCO_2$ é a gasometria arterial, que é um procedimento invasivo. Muitas vezes, as coletas são feitas de modo intermitente, necessitando de várias punções arteriais, provocando dor, desconforto e iatrogenias nos pacientes. Por esse motivo, a $P_{ET}CO_2$ tem sido utilizada como método não invasivo contínuo para avaliação da $PaCO_2$.

A capnometria é influenciada por várias condições clínicas, como doenças pulmonares, alterações da relação ventilação/perfusão, obesidade, pacientes hipopneicos crônicos. Por esse motivo, outros métodos não invasivos têm sido desenvolvidos para medir indiretamente a $PaCO_2$. Trata-se da medida transcutânea de CO_2, a $P_{et}CO_2$. No estudo publicado por Shijang Liu *et al.*, 21 pacientes obesos foram submetidos à gastroplastia redutora por videolaparoscopia. Os valores da $PaCO_2$, $P_{et}CO_2$ transdérmica de CO_2 foram medidos em quatro momentos. A medida transdérmica mostrou valores mais próximos da $PaCO_2$ nos momentos avaliados. A diferença entre os valores da $PaCO_2$ e da medida transdérmica foi sempre menor do que a diferença entre a $PaCO_2$ a fração explrada de CO_2.[15]

Quando a cavidade peritoneal é insuflada, ocorre um deslocamento do diafragma em sentido cefálico, e a pressão intra-abdominal aumentada provoca o aumento das pressões intratorácica e intratraqueal na mesma proporção. Existe, portanto, uma alteração aguda da relação ventilação-perfusão (V/Q) compatível com um quadro de restrição pulmonar. Nessa situação, o fluxo aéreo se mantém inalterado, mas os volumes e as capacidades pulmonares diminuem, fazendo que a relação V/Q diminua. Ocorrem aumento da resistência e redução da complacência pulmonar, com diminuição da capacidade residual funcional e da capacidade vital, ampliação do espaço morto e atelectasia das bases pulmonares, que são comprimidas pelo diafragma deslocado cefalicamente. Consequentemente, as pressões de pico e platô das vias respiratórias aumentam devido ao colapso pulmonar e à formação de atelectasias. Consequentemente ocorrem, como resultado, acidemia, hipercapnia, instabilidade cardiovascular e manutenção da vasoconstrição pulmonar hipóxica. A perfusão dos alvéolos não ventilados diminui (efeito *shunt*), o que melhora a oxigenação sanguínea e altera também a eliminação do gás carbônico. Apesar da expansão das áreas de atelectasias produzida pelo pneumoperitônio, o *shunt* não precisa aumentar ainda mais, e a oxigenação não é prejudicada, mesmo ocorrendo diminuição da pressão parcial arterial de oxigênio (PaO_2). Há um aparente conflito diante desses conceitos em que existem áreas com baixa perfusão, mas que mantêm a oxigenação normal. Um estudo experimental realizado em porcos avaliou, por meio de cortes tomográficos e coletas arteriais e de gases expirados, vários parâmetros para tentar estabelecer a real situação da relação V/Q antes e após a instalação do pneumoperitônio. O estudo tomográfico foi realizado nos eixos X e Y, de modo que conseguiu avaliar o comportamento da relação V/Q na direção craniocaudal e na direção anteroposterior do tórax antes e após o pneumoperitônio. Os resultados do estudo tomográfico mostram claramente que há manutenção da relação V/Q da direção craniocaudal explicada pelo deslocamento cefálico do diafragma, que produz atelectasias nas áreas justadiafragmáticas e melhora a ventilação nas áreas não atelectasiadas, fazendo que a relação V/Q, na direção craniocaudal do tórax, não se altere. No eixo Y, direção anteroposterior, ocorre uma grande diferença. A ventilação se concentra na região central do pulmão, em uma proporção muito maior do que a perfusão tecidual. O resultado é que, nas áreas próximas ao diafragma, a ventilação é reduzida e o fluxo sanguíneo é mantido, indicando que existe um desequilíbrio na relação V/Q. Pelo estudo, o que se observou é que o fluxo sanguíneo pulmonar se afasta da região dorsal (posterior) para a região ventral (anterior) do pulmão, enquanto a ventilação se altera devido às áreas atelectasiadas. Segundo a avaliação tomográfica, depois da indução da anestesia, as áreas de atelectasias somavam 4% e que, após o pneumoperitônio, aumentaram para 10%. O pneumoperitônio é o responsável pela ampliação das áreas de atelectasias, elevação da pressão de vias respiratórias e diminuição dos volumes pulmonares, porém não aumenta o *shunt*. Nesse estudo, o *shunt* pulmonar diminuiu e áreas com relação V/Q diminuídas não foram detectadas. O fato importante desse estudo é que há maior redistribuição de fluxo sanguíneo para áreas dependentes de ventilação durante o pneumoperitônio, distanciando-se de áreas colapsadas, o que pode ser explicado pela atuação mais intensa da vasoconstrição pulmonar hipóxica.[16]

Já está bem documentado que a função pulmonar sofre menores consequências em cirurgias laparoscópicas do que em cirurgias abertas, principalmente quando são comparadas no período pós-operatório. Sabe-se também que o pneumoperitônio provoca redução de pelo menos 16% na capacidade residual funcional e atelectasias, e pode piorar ainda mais quando a cirurgia requer que o paciente seja colocado em cefalodeclive. Um estudo comparou dois grupos de pacientes que foram submetidos a colecistectomias e histerectomias por laparoscopia. As pacientes foram anestesiadas da mesma maneira e foi utilizada PEEP de 5 cmH_2O. As manobras de recrutamento alveolar não foram realizadas. Coletaram-se amostras de sangue arterial 10 minutos depois da intubação, ao final da cirurgia e 2 horas após o término da cirurgia. Também foram realizadas espirometrias antes da cirurgia e 2 horas após a extubação para avaliar o volume expiratório forçado no primeiro segundo (VEF1) e a capacidade vital forçada (CVF). Os mesmos parâmetros também foram avaliados 24 horas após a cirurgia. Segundo os resultados obtidos, a conclusão do estudo é que existe redução na oxigenação nos dois grupos, independentemente da posição em que o paciente tenha sido operado. A redução da oxigenação foi mais acentuada no período inicial, até 2 horas após a extubação. Na avaliação 24 horas depois da cirurgia, os parâmetros respiratórios já estavam restabelecidos. Ocorreu redução de 10% a 19% no VEF1 e na CVF, porém sem alterações na relação VEF/CVF. O estudo mostra limites porque o grupo da colecistectomia tinha maior média de idade, mas é interessante porque demonstrou que, em uma avaliação um pouco mais longa no período pós-operatório, a função pulmonar se restabelece rapidamente após cirurgias videolaparoscópicas, mesmo em pacientes que foram ventilados em posição de cefalodeclive.[17]

A redução da capacidade residual funcional (CRF) que acontece na laparoscopia é decorrente da insuflação peritoneal, sendo também provocada pela indução da anestesia geral. A queda da CRF associada a baixos volumes-corrente pode levar a alterações das vias respiratórias mais distais, chegando ao ponto de o volume de fechamento das vias respiratórias se tornar menor do que a CRF. O fechamento das vias respiratórias está associado ao surgimento de atelectasias relacionadas com o uso de altas frações de oxigênio e o deslocamento cefálico do diafragma. Isso, entretanto, ocorre em todos os pacientes submetidos à insuflação peritoneal e a oxigenação nem sempre é prejudicada, ou seja, existe uma discrepância entre os efeitos provocados pelo pneumoperitônio sobre a mecânica respiratória e a oxigenação do paciente durante a cirurgia.[18] O estudo de Strang *et al.*, citado anteriormente, elucida esse mecanismo. Fica estabelecido, então, que a cirurgia minimamente invasiva otimiza a recuperação do paciente e realmente justifica suas vantagens, além de produzir menor dor pós-operatória, fazendo que o consumo de morfina diminua. A utilização de opioide na sala de recuperação pode levar à depressão respiratória e piorar a atelectasia e o desequilíbrio da relação V/Q, principalmente em cirurgias realizadas no abdome superior. Diante de uma cirurgia minimamente invasiva, o objetivo é preservar as vantagens da técnica cirúrgica utilizada para que a função pulmonar seja restabelecida rapidamente, mantendo a previsão de recuperação rápida do paciente.

▪ ALTERAÇÕES DO SISTEMA NERVOSO CENTRAL

O sistema nervoso central sofre alteração da sua homeostasia durante o pneumoperitônio – principalmente se a posição de cefaloaclive for necessária, como nas cirurgias de abdome inferior e pélvicas – decorrente do aumento da pressão intra-abdominal. A pressão intracraniana (PIC) aumenta proporcionalmente com a elevação da PIA, uma vez que existe compressão da veia cava, aumento da pressão intratorácica e deslocamento do diafragma em sentido cefálico.

A pressão de perfusão cerebral (PPC) é calculada por meio de uma equação que subtrai o valor da PIC do valor da PAM, portanto PPC = PAM – PIC. Em pacientes estáveis e em boas condições clínicas, a PIC poderá ser substituída pela pressão venosa central (PVC), tornando possível o cálculo da PPC efetiva (PPCe). Em situações de grande edema cerebral perivascular, compreende-se que a PPCe estará alterada. Assim, a medida da PPC está associada à adequada perfusão cerebral com o paciente em posição supina e será alterada quando o paciente for mantido em cefalodeclive por tempo prolongado. A diminuição da PPCe provocada pelo edema cerebral perivascular indica o aparecimento da pressão de fluxo zero (PFZ), que é equivalente à PAM. Teoricamente, nesse ponto, o fluxo sanguíneo cerebral é interrompido, ou seja, a PPCe é zero. A avaliação da PPCe e da PFZ pode ser feita pelo Doppler transcraniano da artéria cerebral média; dessa maneira, a medida da PFZ corresponde indiretamente à resistência vascular cerebral. O estudo publicado por Kalmar *et al.* avaliou o comportamento da PPCe e da PFZ em pacientes operados por laparoscopias em cefalodeclive, verificando quando a alteração desses fatores corresponde ao aumento da pressão intracraniana e da resistência vascular cerebral. Como objetivos secundários do estudo, avaliaram-se alterações da pressão parcial arterial de CO_2, do índice de pulsatilidade (IP) e do índice de resistência (IR). Os resultados mostraram que durante todo o tempo o valor de PPCe foi menor que o inicial, IP e IR se mantiveram e não sofreram alterações e os valores da PFZ inicialmente aumentaram; todavia, passado um tempo, devido ao aumento da $PetCO_2$, a PFZ se elevou, mostrando que a vasorreatividade cerebral se mantém durante o pneumoperitônio com CO_2. Por conseguinte, segundo esse estudo, a conclusão é que, mesmo em cefalodeclive e na presença do pneumoperitônio, não há evidência de que exista aumento da resistência vascular cerebral além do que é explicado pelo aumento da pressão hidrostática causada pela posição do paciente em cefalodeclive.[19]

A utilização de PEEP preserva a oxigenação cerebral em cirurgias realizadas com laparoscopia em que o pneumoperitônio é produzido com CO_2. Insuflado na cavidade peritoneal, esse gás é absorvido e produz vasodilatação cerebral e aumento do fluxo sanguíneo cerebral e da pressão intracraniana. Já foi descrita a redução da saturação da oxigenação cerebral em cirurgias videolaparoscópicas.[20-22] Em estudo publicado por Kwak HJ *et al.*, foram estudados dois grupos de pacientes submetidos a colecistectomias laparoscópicas. No primeiro grupo, foi iniciada a ventilação mecânica com PEEP de 10 cmH_2O e, no segundo grupo, adotou-se a ventilação controlada sem a utilização de PEEP, ou seja, pressão expiratória final zero (ZEEP). Nos dois grupos, a avaliação da saturação cerebral de oxigênio foi medida com a utilização de um oxímetro cerebral colocado na região frontal de cada paciente, além da monitorização mínima exigida. O pneumoperitônio foi produzido e a pressão intra-abdominal estabelecida entre 12 e 14 mmHg. Os resultados mostraram que, no grupo com PEEP, os valores de pico de pressão das vias respiratórias e o valor médio de pressão das vias respiratórias foram maiores do que no grupo com ZEEP, porém os valores de saturação de oxigênio cerebral foram semelhantes durante todo o estudo. A utilização de PEEP se mostrou, portanto, segura durante as cirurgias videolaparoscópicas e houve melhora do desempenho da mecânica ventilatória. As outras variáveis avaliadas, como $P_{ET}CO_2$, pressão arterial

e frequência cardíaca, também tiveram comportamentos semelhantes entre os grupos.[23]

Na posição de cefalodeclive, ocorre elevação da PIC decorrente da diminuição do retorno venoso do segmento cefálico, com consequente aumento do volume de sangue e do volume de líquido cefalorraquidiano no encéfalo. Em cefalodeclive de 30 graus, a PIC aumenta de 8 para 13 mmHg. O pneumoperitônio pode produzir aumento do fluxo sanguíneo cerebral em decorrência da elevação da $PaCO_2$ e da liberação de catecolaminas. O fluxo sanguíneo cerebral muda proporcionalmente com a variação da $PaCO_2$. Nessa situação, a saturação cerebral de oxigênio também aumenta, seguindo a mesma proporcionalidade da variação do fluxo sanguíneo cerebral com a $PaCO_2$, sendo auxiliada pelo cefalodeclive, que produz aumento do fluxo sanguíneo cerebral.

A saturação cerebral de oxigênio reflete o equilíbrio entre a oferta e a demanda de oxigênio no parênquima cerebral. Esse equilíbrio, por sua vez, é influenciado por alterações na oxigenação sanguínea, no fluxo sanguíneo cerebral, na taxa metabólica cerebral e no valor da hemoglobina. Em pacientes que já tenham doença cerebral isquêmica ou outras enfermidades cerebrovasculares, a instalação do pneumoperitônio associado ao cefalodeclive pode levar a resultados ruins decorrentes do aumento da PIC. Em vista disso, está correto afirmar que procedimentos laparoscópicos em cefalodeclive não produzem isquemia cerebral pelo fato de ocorrer aumento da saturação cerebral de oxigênio proporcional à variação da $PaCO_2$.[24]

O fluxo sanguíneo cerebral e a oxigenação cerebral também podem ser medidos por outros métodos, como a saturação venosa do bulbo jugular ($SvjO_2$). Trata-se de um método invasivo e que pode levar a complicações graves, como lesão neural e hemorragias. Em um estudo publicado por Choi *et al.*, a $SvjO_2$ foi medida e comparada com a saturação cerebral de oxigênio (SrO_2) mensurada por Doppler transcraniano bilateral em pacientes submetidos a cirurgias laparoscópicas realizadas em posição de cefalodeclive. Nesse estudo, a $SvjO_2$ foi utilizada como indicador do fluxo sanguíneo cerebral. Os resultados mostraram que os valores da $SvjO_2$ variaram de 59% a 92,7%, e os da SrO_2, de 52% a 88%, resultando em reduções de 12% da SrO_2. Durante o estudo também ficou evidente que, nos momentos de elevação da $PaCO_2$, a $SvjO_2$ também se elevava. Em relação à alteração de posicionamento do paciente durante a cirurgia, observou-se que, na posição supina ou em cefalodeclive, as saturações do bulbo jugular e cerebral não mantiveram boa correlação. A $SvjO_2$ mostrou maior responsividade ao aumento da $PaCO_2$, sendo que, com o paciente em cefalodeclive, a resposta foi melhor.[25] O estudo, portanto, oferece mais uma ferramenta para a avaliação do fluxo sanguíneo cerebral durante as cirurgias laparoscópicas, mas traz como limitação o uso de um método invasivo e que, de certa forma, não é de grande aplicabilidade clínica em pacientes eletivos.

Durante o pneumoperitônio, ocorre aumento da PIC, principalmente quando a cirurgia requer que o paciente seja posicionado em cefalodeclive. Esse é, sem dúvida, o maior efeito indesejável do pneumoperitônio sobre o sistema nervoso central. Muitas vezes, a monitorização da PIC com cateter adequado não é possível e não é isenta de complicações como hemorragia, infecção ou mau funcionamento do equipamento.

A medida do diâmetro da bainha do nervo óptico por ultrassonografia durante a cirurgia foi utilizada por Kim MS *et al.* para avaliar a PIC. Trata-se de um método simples, não invasivo e reprodutível e que já tem sido utilizado para avaliação de pacientes com hipertensão intracraniana de várias origens. Nesse estudo, os autores realizaram a medida do diâmetro da bainha do nervo óptico em pacientes submetidos a prostatectomias robóticas, em que o pneumoperitônio e o cefalodeclive acentuados são necessários. A SrO_2 foi medida por Doppler transcraniano bilateral. Os resultados mostraram que, durante o pneumoperitônio com o paciente em cefalodeclive, o diâmetro da bainha do nervo óptico aumenta 12,5% com relação à medida inicial feita com o paciente acordado em posição supina. Essa alteração aconteceu em 15% dos pacientes. Os valores dos diâmetros da bainha do nervo óptico ultrapassaram 6 mm, o que corresponde, na avaliação clínica, a valores de PIC iguais a 20 mmHg, e, mesmo assim, em nenhum dos momentos aferidos houve redução da SrO_2, mesmo durante o pneumoperitônio com cefalodeclive. Os autores acreditam que a elevação da PIC pode ser explicada também pelo aumento do fluxo sanguíneo cerebral decorrente da hipercapnia provocada pela insuflação de CO_2 na cavidade peritoneal. Observaram ainda que o aumento ocorreu em apenas 15% dos pacientes e que nenhum deles apresentou qualquer alteração neurológica intra ou pós-operatória.[26] Em prostatectomias robóticas, foi relatado aumento da bainha do nervo óptico condizente com elevação da pressão intracraniana. Houve aumento de 7 mm no diâmetro da bainha do nervo óptico, alteração que retornou ao valor inicial 30 minutos após o término da cirurgia, ou seja, pode-se recomendar que o paciente seja adequadamente ventilado após ser retirado da posição de cefalodeclive.[27,28] O diâmetro da bainha do nervo óptico aumenta mais com a utilização de sevoflurano do que de propofol.[29]

■ ALTERAÇÕES DAS CIRCULAÇÕES ESPLÂNCNICA E RENAL

A redução da perfusão tecidual durante o pneumoperitônio é multifatorial. Todos os órgãos abdominais têm a perfusão diminuída. Quando a pressão intra-abdominal é elevada de 10 para 15 mmHg, a perfusão do estômago diminui 54%; do jejuno, 32%; do colo, 4%; do fígado, 39%; do peritônio parietal, 60%; e do duodeno, 11%. Estudos de tonometria gástrica durante o pneumoperitônio indicam aumento da acidez com diminuição do pH da mucosa gástrica, o que foi correlacionado com isquemia tecidual consequente às alterações hemodinâmicas. Outro fato importante a ser notado é que a perfusão das vísceras abdominais se restabelece mais lentamente do que a circulação sistêmica após a desinsuflação peritoneal. Todas essas alterações da circulação esplâncnica são proporcionais ao aumento da pressão intra-abdominal, portanto deve-se trabalhar com o menor valor possível de pressão abdominal que seja suficiente para a boa visualização do campo cirúrgico.

Em relação aos rins, o aumento da pressão intra-abdominal eleva a pressão intraglomerular em virtude do aumento da pressão venosa renal. O resultado desse desequilíbrio é a redução do fluxo renal plasmático, do ritmo de filtração glomerular e do débito urinário. Durante as cirurgias videolaparoscópicas, o paciente pode não apresentar diurese em quantidades esperadas e satisfatórias devido a esse estado de hipoperfusão renal. O aumento da PIA de 0 (inicial) para 20 mmHg com o pneumoperitônio eleva a resistência vascular renal em 55%, e o ritmo de filtração glomerular diminui 25%, mesmo com a expansão volêmica. Isso demonstra que os efeitos mecânicos de compressão da artéria e da veia renal, associados à secreção de substâncias neuro-humorais, explicam a hipoperfusão abdominal, uma vez que a volemia do paciente se redistribui para outras regiões do organismo, como os membros inferiores, no caso de o paciente ser mantido em cefaloaclive durante a cirurgia. Como nos outros órgãos abdominais, o restabelecimento do fluxo plasmático renal é lento, indicando que o paciente pode continuar oligúrico no pós-operatório inicial, tendendo a melhorar com o passar do tempo.[5]

■ VENTILAÇÃO MECÂNICA EM CIRURGIAS VIDEOLAPAROSCÓPICA E ROBÓTICA

A insuflação abdominal de gás durante a laparoscopia altera a mecânica ventilatória. A elevação do diafragma provoca a diminuição do volume pulmonar, da capacidade residual funcional e do volume de reserva necessários para a oxigenação do sangue. A diminuição do volume pulmonar também reduz a complacência pulmonar, facilitando a tendência ao colabamento do pulmão e a formação de áreas de atelectasias, levando a maior dificuldade para a oxigenação sanguínea durante a laparoscopia. Além disso, a insuflação da cavidade abdominal com 10 a 12 mmHg eleva não só o diafragma, como também a parede torácica, diminuindo o volume pulmonar, além de deslocar a curva pressão-volume para a direita e para cima, indicando piora da complacência pulmonar.

A maioria dos ventiladores modernos registra as pressões de pico e de platô das vias respiratórias durante todo o tempo do ciclo respiratório. Também é possível avaliar a resistência ao fluxo aéreo, calculada pela diferença entre a pressão de pico e a pressão de platô, e as propriedades elásticas dos pulmões (pressão de platô – PEEP). A resistência das vias respiratórias sempre aumenta durante o pneumoperitônio devido ao afilamento ou à distorção das vias respiratórias condutivas de maior diâmetro; logo, a diferença entre a pressão de pico e a pressão de platô aumenta.

A elevação da pressão das vias respiratórias considerada isoladamente é, entretanto, um descritor insuficiente das alterações da mecânica respiratória ocorridas durante o pneumoperitônio. A pressão de via aérea (Pva) durante a ventilação mecânica constante reflete a complacência do sistema respiratório pulmonar – também chamada de complacência pulmonar total (Cpt), de acordo com a razão que reúne volume-corrente (VC) e variação da Pva (Cpt = VC/DPva). Durante a cirurgia laparoscópica, o pneumoperitônio reduz a complacência pulmonar e da parede torácica, por isso o valor da Pva e sua variação não conseguem diferenciar esses dois componentes. De fato, a Pva reflete o comportamento dos dois componentes: o pulmonar, por meio da pressão transpulmonar (Pt), e a parede torácica, por meio da pressão pleural (Pp). Desse modo, a Pva é igual à soma das pressões transpulmonar e pleural (Pva = Pt + Pp), portanto qualquer alteração na Pva é decorrente das alterações na complacência pulmonar ou da parede torácica.

Na prática anestesiológica diária, é necessária a atenção constante na Pva no monitor, no momento da insuflação peritoneal, para que um novo valor da Pva como referência seja adotado e atribuído às alterações da complacência pulmonar diminuída artificialmente pelo pneumoperitônio. Toda a alteração ventilatória produzida pelo pneumoperitônio é rapidamente revertida com a desinsuflação da cavidade abdominal.

Nas cirurgias videolaparoscópicas existe maior acúmulo de CO_2 no organismo. Sendo assim, para que valores próximos da normalidade da $PaCO_2$ sejam mantidos, é preciso que a ventilação-minuto seja aumentada em até 30%. Por outro lado, os prejuízos causados pela mecânica pulmonar e pela parede torácica alterada pelo pneumoperitônio, tendendo à diminuição do volume pulmonar, sendo contrabalançados pela ventilação mecânica, tornam-na potencialmente danosa para o organismo. A distribuição do volume-corrente dentro de um volume expiratório diminuído provoca colabamento pulmonar com formação de atelectasias, o que provocar injúria pulmonar induzida pela ventilação mecânica. É necessário, principalmente diante de cirurgias laparoscópicas mais longas, que estratégias protetoras pulmonares sejam utilizadas. Diz-se habitualmente que a ventilação mecânica deve ser gentil, inclusive em cirurgias laparoscópicas, em que a complacência pulmonar está reduzida.

A instalação do pneumoperitônio com CO_2 produz acidemia, que leva a repercussões sistêmicas, algumas vezes provocando comprometimentos clínicos de maior relevância. O aumento da ventilação-minuto do paciente é uma das condutas que podem ser instituídas para se contrapor ao aumento da $PaCO_2$. É fato que pequenas alterações do pH não levam à instabilidade hemodinâmica, por isso, atualmente, o conceito de hipercapnia permissiva é utilizado e deve ser mantido em situações em que a $PaCO_2$ se eleva, mas o paciente não apresenta qualquer comprometimento hemodinâmico, com o objetivo de não produzir lesão pulmonar induzida pela ventilação mecânica durante as cirurgias videolaparoscópicas.[30]

Várias medidas podem ser adotadas como estratégia ventilatória protetora pulmonar. São medidas relacionadas com a ventilação mecânica, como fração inspirada de oxigênio (FiO_2), volume-corrente, frequência respiratória, utilização de PEEP, manobras de recrutamento alveolar intermitentes e escolha entre ventilação controlada a volume ou a pressão. Também devem ser adotadas medidas não relacionadas com a ventilação mecânica, como posicionamento do paciente, hipercapnia permissiva e seleção de fármacos anestésicos.

A elevação da FiO_2 é sempre a alternativa mais simples para que uma hipoxemia seja revertida na prática diária. Apesar das atelectasias que se formam durante a cirurgia, mantém-se o hábito de elevar a fração inspirada de oxigênio para 100% com o objetivo de melhorar a oxigenação. O que se sabe é que, mesmo após a realização de manobras de recrutamento alveolar, um alvéolo normal que é preenchido por oxigênio a 100% desenvolve uma rápida tendência ao colabamento, aumentando o *shunt* pulmonar, levando ao colapso pulmonar e à evolução para a lesão pulmonar induzida pela ventilação mecânica. A toxicidade do oxigênio nos pulmões já é conhecida. Ocorre pela indução à produção de várias frações reativas do oxigênio, como o peróxido de hidrogênio, e de radicais livres. A interação entre a ventilação mecânica com altos volumes-corrente e a hiperoxemia produz os resultados da toxicidade pelo oxigênio em curto período. Além disso, a alta concentração de oxigênio atua favoravelmente à tendência de aumento do estresse oxidativo produzido tanto por cirurgias laparoscópicas como em cirurgias convencionais.

No que se refere ao volume-corrente, o estudo de Webb *et al.*[31] demonstrou que há formação de edema pulmonar quando se utiliza volume-corrente excessivo ou quando o aumento do volume pulmonar é resultado de alterações no volume-corrente isoladamente ou da combinação da utilização de PEEP com alto volume-corrente. Depois desse estudo, vários outros têm defendido o conceito de melhor ajuste do volume-corrente para preservar o pulmão. O conceito de *strain* ou distensão (S) pulmonar foi estabelecido e é definido pela relação entre a variação da largura da estrutura quando distendida e a sua largura quando em repouso (S = DL/Lo). A distensão pulmonar deve ser entendida como a razão entre o volume inspiratório (Vins) e o volume que permanece no pulmão após a expiração (Vpex) – S = Vins/Vpex. O limite dessa relação, a partir da qual a ventilação mecânica pode provocar dano pulmonar, é 2, ou seja, Vins = 2 × Vpex. Nos pacientes submetidos à cirurgia laparoscópica em cefalodeclive, foi descrito que o valor da relação é de 1,1, mostrando que, ao se utilizar o volume-corrente habitual, os pacientes foram ventilados com segurança.

Durante a cirurgia laparoscópica, a frequência respiratória precisa ser maior para aumentar o volume-minuto e minimizar a elevação do CO_2. A instalação do pneumoperitônio aumenta a resistência das vias respiratórias com diminuição da complacência de todo o sistema respiratório e com redução do fluxo expiratório. Diante disso, a utilização de FRs muito altas pode originar PEEP intrínseca com maior retenção de ar alveolar, principalmente em pacientes obesos.

A utilização da PEEP está bem estabelecida durante a ventilação mecânica em cirurgias laparoscópicas, uma vez que apenas alterações ou ajustes no volume-corrente e na frequência respiratória não são suficientes para melhorar a oxigenação do paciente durante o pneumoperitônio. A atelectasia sempre ocorrerá e, desse modo, a PEEP é considerada uma boa estratégia para evitar a hipoxemia. Vários estudos foram realizados mostrando os reais benefícios da utilização da PEEP durante o pneumoperitônio. A combinação da PEEP com o volume-corrente baixo já provou ser útil na redução dos níveis plasmáticos e pulmonares de mediadores inflamatórios, na incidência de infecção pulmonar e na prevenção de coagulopatias em pacientes submetidos à cirurgia.

As atelectasias e o consequente *shunt* pulmonar que é produzido nos pulmões dos pacientes submetidos a cirurgias videolaparoscópicas não são totalmente avaliados e medidos por monitores convencionais, como as variáveis respiratórias (complacência pulmonar) e a capnometria. Outros métodos, como a tomografia por impedância elétrica (TIE), avaliam com precisão a influência da anestesia, do pneumoperitônio e da PEEP sobre as alterações induzidas pelo pneumoperitônio na ventilação mecânica. No estudo publicado por Karsten J. *et al.*, os pacientes foram divididos em dois grupos; em um deles foi utilizada a PEEP de 10 cmH_2O e, no outro, a ZEEP, considerando suficiente a utilização da PEEP de 10 cmH_2O para restabelecer a homogeneidade da ventilação e também para produzir melhora da oxigenação e da complacência pulmonar. Os resultados mostraram que não houve diferenças hemodinâmicas entre os grupos. Quanto à ventilação pulmonar, no grupo PEEP, o valor da complacência pulmonar foi sempre maior, apesar de ocorrer redução dos valores nos dois grupos. Os valores da oxigenação sanguínea medidos pela relação PaO_2/FiO_2 foram maiores no grupo PEEP após a indução da anestesia, no entanto, durante o pneumoperitônio, a relação PaO_2/FiO_2 não indicou diferenças entre o grupo em que foi utilizada PEEP de 10 cmH_2O e o grupo ZEEP. Em relação à distribuição da ventilação entre as regiões ventral e dorsal dos pulmões, avaliadas segundo a TIE, as diferenças entre os grupos foram grandes. No grupo ZEEP, especialmente após a indução da anestesia geral, houve um grande aumento da ventilação na região ventral (anterior) dos pulmões, enquanto no grupo PEEP em nenhuma região do pulmão houve predomínio de ventilação , mostrando que a PEEP tornou a ventilação pulmonar mais homogênea, com aumento da ventilação na região dorsal dos pulmões (posterior), melhora da complacência pulmonar e, por isso, melhor oxigenação.[32]

A PEEP é efetiva para manter os pulmões abertos, e não para abri-los, por isso as manobras de recrutamento alveolar sustentadas por curtos intervalos são necessárias para tornar a pressão de abertura dos alvéolos muito menor. Com os alvéolos abertos, a PEEP atua mantendo-os assim. A utilização das manobras de recrutamento alveolar em pacientes operados por laparoscopia é eficaz como tratamento de hipoxemia durante a cirurgia e melhora a mecânica ventilatória, entretanto as manobras de recrutamento alveolar podem produzir alterações no equilíbrio hemodinâmico do paciente, devendo ser realizadas cautelosamente.[30]

As manobras de recrutamento alveolar expandem alvéolos que foram colapsados após a indução da anestesia e aumentam a capacidade residual funcional em indivíduos adultos saudáveis e nos pacientes obesos. Em algumas ocasiões, entretanto, as manobras de recrutamento alveolar isoladamente podem não ser suficientes, por isso a utilização da PEEP se faz necessária para a resolução precoce das atelectasias, especialmente quando altas frações de oxigênio estão sendo utilizadas. Já foi demonstrado por autores citados anteriormente que a oxigenação não é um fator confiável para quantificar as atelectasias e a extensão do colapso pulmonar que ocorre por causa do pneumoperitônio, portanto a oxigenação sanguínea também não é um bom marcador para quantificar a eficiência das manobras de recrutamento alveolar. No estudo publicado por Futier *et al.*, foi feita a comparação dos efeitos da manobra de recrutamento alveolar após a aplicação da PEEP sobre o volume expiratório final, que, por sua vez, corresponde à capacidade residual do paciente, à mecânica respiratória e à oxigenação em indivíduos obesos e não obesos que foram submetidos à cirurgia videolaparoscópica com duração de pelo menos 1 hora. Os resultados mostraram que, no grupo em que foi feita a PEEP isoladamente, ocorreu aumento do volume expiratório final de 46% quando em comparação com o momento, em que os pacientes obesos e não obesos foram ventilados com ZEEP, porém não houve alteração da oxigenação, apesar de os valores da $PaCO_2$ terem diminuído nos dois grupos. No grupo em que foi feita PEEP associada às manobras de recrutamento alveolar, também houve redução do volume expiratório final nos pacientes obesos e não obesos, mas a utilização das manobras de recrutamento alveolar melhorou a mecânica ventilatória e, consequentemente, a oxigenação do paciente. Ocorre que o recrutamento alveolar é capaz de reduzir a elastância pulmonar (aumenta a complacência) de forma sustentada por mais de 30 minutos após cada recrutamento.[33] A escolha do valor da PEEP a ser utilizado em cirurgias laparoscópicas e robóticos é difícil de ser estabelecido. Estudo publicado por Girrbach *et al.* comparou dois grupos de pacientes submetidos a prostatectomia robótica em que foi utilizada PEEE de 5 cmH_2O com outro grupo em que a PEEP foi individualizada e determinada por tomografia de impedância elétrica associada a manobras de recrutamento alveolar intermitente e estudou o comportamento da relação PaO_2/FiO_2 e também o volume de reserva expiratório. Importante observar que esse estudo incluiu pacientes não obesos que foram operados em posição de cefalodeclive intenso. Os autores concluíram que, no grupo em que a PEEP foi individualizada, houve melhor oxigenação intraoperatória com PEEP média de 14 cmH_2O associada e relação PaO_2/FiO_2 maior do que no grupo com PEEP de 5 cmH_2O.[34] Diante do conceito de ventilação mecânica protetora com volume-corrente reduzido e PEEP maior, o estudo publicado por Defresnet *et al.* mostrou que a aplicação de manobras de recrutamento alveolar em pacientes obesos submetidos à gastroplastia por laparoscopia não identificou diferenças nos valores de capacidade residual funcional e na capacidade vital forçada, medidos até o primeiro dia de pós-operatório. A explicação dos autores é que o estabelecimento da estratégia adequada previne as complicações intra e pós-operatórias relacionadas com a ventilação mecânica.[35]

Atualmente, considera-se que a ventilação mecânica influencia os desfechos clínicos que podem ocorrer nos pacientes que foram ventilados mecanicamente. O risco de complicações pulmonares pós-operatórias, como desenvolvimento de síndrome do desconforto respiratório agudo, pneumonia, necessidade de utilização de oxigênio não planejada, pneumotórax e outros, pode ser avaliado pelo escore de ARISCAT. Esse escore, portanto, estabelece critérios de avaliação de risco perioperatório de desenvolvimento de complicações pulmonares pós-operatórias. Pode-se afirmar que, em cirurgias robóticas, os maiores escores de ARISCAT e de complicações pulmonares são encontrados nos pacientes em que a Ppico e a *driving pressure*, definido como a diferença entre a Pplatô e a PEEP, são maiores.[36] Também foi observado que o valor da *driving pressure* pode ser menor quando é utilizada PEEP de 10 cmH_2O, porém melhores valores de oxigenação avaliada pela relação PaO2/FiO2 e menores complicações pulmonares pós-operatórias ocorreram quando foi utilizada PEEP de 5 cmH_2O. É possível afirmar que a oxigenação sanguínea aumenta e a *driving pressure* diminui quando estratégias ventilatórias protetoras (volume corrente de 6 mL.kg⁻¹, PEEP em torno de 5 a 6 cmH_2O e manobra de recrutamento alveolar) são utilizadas no intraoperatório.[37-39]

Recentemente foi publicada uma revisão sobre estratégias ventilatórias recomendadas para serem utilizadas em cirurgias robóticas urológicas e ginecológicas. O objetivo desse estudo foi englobar sugestões para melhorar o desfecho clínico de pacientes submetidos a procedimentos na posição de cefalodeclive intenso e por tempo prolongado. As estratégias que foram comparadas fazem sempre o contraponto entre PEEP alta e PEEP baixa, presença ou não de manobras de recrutamento alveolar intermitente. A recomendação do estudo é que a utilização de PEEP entre 4 e 8cmH_2O pode estar associada a melhores desfechos do que apenas considerar a utilização de PEEP baixa ou mais alta. Outra recomendação é que as manobras de recrutamento alveolar melhoram a oxigenação arterial, o volume de reserva expiratório e a distribuição da ventilação das áreas dependentes do pulmão, ou seja, da região onde dorsal onde se forma mais atelectasia, já que esses pacientes são operados em decúbito dorsal. Em relação à modalidade ventilatória, os autores afirmam que a ventilação controlada a pressão produz menores pressões de pico, com maior complacência pulmonar e melhor eliminação de gás carbônico.[40] Obviamente, em pacientes com doença pulmonar obstrutiva crônica (DPOC) ou obesos, os cuidados com a ventilação devem ser ainda maiores, já que provavelmente a pressão de pico será maior.[41]

A ventilação mecânica durante cirurgias videolaparoscópicas e robóticas deve ser a menos "agressiva" para que o pulmão seja menos distendido e, desse modo, evitar que mediadores pró-inflamatórios sejam liberados. A ventilação, como citado anteriormente, deve ser gentil, permitindo aumentos gradativos da fração expirada de CO_2, trabalhando com volumes correntes e pressões de pico e de platô também menores. Em relação à PEEP, existem diversos estudos que comparam PEEPs mais altas com PEEPs mais baixas ou até ZEEP e medem desfechos clínicos. A tendência é que PEEP em torno de 4 a 8 cmH_2O corresponda às recomendações mais atuais. A *driving pressure* é um bom parâmetro para tentar evitar estados de hiperdistensão alveolar. É difícil estabelecer um número de *driving pressure* em cirurgias laparoscópicas e robóticas, visto que as complacências abdominal e torácica serão reduzidas durante a cirurgias, o que produzirá mais dificuldades para o manuseio da ventilação no intraoperatório. asno tocante às manobras de recrutamento alveolar, um estudo recente afirma que, em pacientes ventilados mecanicamente com Ppico máximo de 35 mmHg, PEEP de 5 cmH_2O submetidas a histerectomias robóticas, a realização de manobras de recrutamento alveolar com pressão de via respiratória de 30 mmHg por 30 segundos promoveu a melhora da oxigenação no intraoperatório, mas não evitou a piora da espirometria no pós-

operatório imediato.[42] Ou seja, se há momentos de piora da oxigenação no intraoperatório, podem-se fazer manobras de recrutamento alveolar, porém essa melhora inicial eventualmente não se mantém no pós-operatório imediato.

■ MONITORIZAÇÃO

Durante as cirurgias videolaparoscópicas e robóticas é essencial e indispensável a monitorização de frequência cardíaca, eletrocardiografia, oximetria de pulso com pletismografia, pressão arterial não invasiva, fração expirada de CO_2, capnografia e analisador de gases. Utilizam-se também monitor da pressão da via respiratória, curva de fluxo-volume ou de pressão-volume, medida de complacência pulmonar e resistência de via respiratória, além de medida da pressão do balonete. Nas cirurgias mais longas ou em pacientes mais graves, como naqueles portadores do estado físico ASA III, podem-se utilizar também a pressão arterial invasiva por punção da artéria radial, monitorização da temperatura, sondagem vesical de demora para análise da diurese e gasometrias seriadas. Nos pacientes ASA III, a correlação entre $PaCO_2$ e $P_{ET}CO_2$ pode não ser precisa, e, em algumas situações, a coleta de gasometria arterial e venosa durante a cirurgia será um indicador mais confiável do estado clínico do paciente. Isso é explicado pelo aumento da diferença alveoloarterial de CO_2 que é encontrado nos pacientes graves portadores de hipertensão pulmonar, DPOC grave e *cor pulmonale*, uma vez que não são capazes de eliminar o CO_2 produzido e absorvido pelo organismo durante o pneumoperitônio instalado com CO_2.

A monitorização da transmissão neuromuscular vem sendo mais utilizada em cirurgia laparoscópica para titular a administração do bloqueador neuromuscular e, desse modo, facilitar a criação do espaço suficiente na cavidade abdominal para que a cirurgia seja realizada em boas condições. O desenvolvimento de reversores de bloqueadores neuromusculares específicos, como o sugamadex, abriu espaço para a utilização mais liberal do bloqueador neuromuscular. Nesse contexto, a monitorização da transmissão e do bloqueio neuromuscular proporciona maior segurança para guiar a administração do bloqueador neuromuscular em bólus seguido de doses adicionais, quando necessárias, ou em infusão contínua. A monitorização também proporciona a manutenção do paciente em bloqueio neuromuscular profundo, situação em que o relaxamento muscular é otimizado, melhoram as condições cirúrgicas e a reversão do bloqueio é monitorizada, garantindo segurança para a extubação do paciente, apesar de existirem na literatura vários estudos questionando o uso rotineiro de fármacos bloqueadores neuromusculares, mesmo em cirurgias desse tipo. No estudo publicado por Dubois *et al.*, dois grupos de 100 pacientes mulheres foram anestesiados da mesma maneira para a realização de histerectomias laparoscópicas. Em um grupo, o rocurônio foi utilizado na dose única de 0,45 mg.kg⁻¹; no outro, a dose administrada foi de 0,6 mg.kg⁻¹, e, se necessário, segundo a monitorização pelo *train of four* (TOF), uma dose adicional de 5 mg seria administrada. O cirurgião classificou as condições cirúrgicas em quatro níveis: (1) excelente; (2) boa, mas não ótima; (3) ruim, mas aceitável; e (4) inaceitável ou situação impossível para continuar a cirurgia. Os resultados são claros e mostram que os escores são piores no grupo em que a dose de rocurônio foi menor. Nenhum paciente do grupo com bloqueio neuromuscular profundo foi classificado no escore 4 (com condições inaceitáveis ou impossibilidade de realizar a cirurgia), e as condições subótimas 2, 3 e 4 apareceram quando o TOF mostrava 1, 2 ou 3 respostas, respectivamente. O estudo mostrou que o bloqueio neuromuscular profundo reduziu a incidência de condições cirúrgicas subótimas que frequentemente surgem quando as doses adicionais do bloqueador neuromuscular não são utilizadas.[43]

Para que o paciente esteja sob bloqueio neuromuscular profundo, é recomendado que a monitorização neuromuscular indique que a contagem pós-tetânica (CPT) esteja ≤ 5, o que significa que o paciente está em ótima condição de relaxamento abdominal. Em alguns pacientes em que a pressão abdominal inicial, ou seja, antes da insuflação abdominal, já é alta, a manutenção com bom relaxamento abdominal é fundamental para que a cavidade abdominal possa ser insuflada e exista espaço suficiente para que o cirurgião trabalhe confortavelmente. Para o paciente, um melhor relaxamento abdominal pode resultar em menos dor pós-operatória e, consequentemente, recuperação mais rápida. Os pacientes que se beneficiam do bloqueio neuromuscular profundo são os obesos e aqueles que já foram submetidos à abdominoplastia com plicatura dos músculos retos abdominais. Em uma revisão sistemática e metanálise publicada por Park et al. em 2018,[44] os autores tomaram como base estudos preliminares em que o bloqueio profundo está associado a melhores condições cirúrgicas e não observaram outras possíveis consequências do bloqueio profundo no pós-operatório. Ainda segundo essa revisão, existem outros estudos que comprovam que os pacientes, quando submetidos a bloqueio neuromuscular profundo, têm menos dor na parede abdominal e dor referida no ombro no pós-operatório; porém, ainda conforme o estudo, diferentes escalas, intervalo de tempo entre as medidas e pressões abdominais foram comparados, por isso os resultados são inconsistentes. Na revisão sistemática com metanálise, portanto, foram comparados estudos com métodos semelhantes, com o objetivo de estabelecer em que circunstâncias o bloqueio neuromuscular profundo é recomendado, podendo melhorar o campo cirúrgico durante as cirurgias laparoscópicas e as complicações pós-operatórias. Na metanálise, o bloqueio neuromuscular profundo foi definido como TOF zero, com CPT entre 1 e 2; o bloqueio moderado foi definido como TOF 1 a 3 (1 ou 3 respostas ao TOF). O desfecho primário avaliado foi uma escala de qualidade do campo cirúrgico, apesar de essa escala poder ter mais de um valor para um mesmo paciente. Essa escala foi avaliada pelos cirurgiões. A condição cirúrgica classificada como excelente ou ótima foi considerada desfecho primário. Os desfechos secundários analisados foram o tempo cirúrgico, o consumo de analgésicos na sala de recuperação e a incidência de náuseas e vômitos. Foram incluídos oito estudos que totalizaram 579 pacientes. Entre os pacientes analisados cujas condições cirúrgicas foram excelentes ou boas, o maior número estava no grupo do bloqueio profundo. Quando a condição cirúrgica foi avaliada diante de diferentes pressões abdominais, o resultado não foi tão claro. Na análise de subgrupos feita

com pressões intra-abdominais fixas, não houve diferenças significativas entre os grupos de bloqueio profundo e moderado, entretanto, quando as pressões intra-abdominais variaram dentro de um mesmo intervalo, houve diferença significativa na análise dos subgrupos. De modo geral, as condições cirúrgicas com o bloqueio profundo, quando comparado com o bloqueio moderado, foram melhores. Importante observar que isso ocorreu nos pacientes que realmente necessitavam de bloqueio profundo. Em relação aos desfechos secundários, não houve diferença no consumo de analgésicos na sala de recuperação pós-anestésica (SRPA) e a duração da cirurgia foi menor no grupo de pacientes submetidos ao bloqueio profundo. Pode-se concluir do estudo que a utilização de baixas pressões de pneumoperitônio são benéficas, desde que haja condição cirúrgica suficiente. Outro detalhe importante é o tipo de cirurgia. Cirurgias retroperitoneais, como nefrectomias ou prostatectomias, têm espaço reduzido quando comparadas com cirurgias realizadas na cavidade peritoneal. Esse dado também prejudica a avaliação e a comparação entre os grupos.

É importante, nesse momento, apontar que a monitorização da transmissão neuromuscular é fundamental quando se pretende manter o paciente submetido à cirurgia laparoscópica sob bloqueio profundo e o sugamadex disponível para ser utilizado. Nos pacientes mantidos sob bloqueio neuromuscular profundo, a reversão com neostigmina é praticamente ineficaz. O tempo para reversão até atingir a relação T4/T1 > 0,9% é muito longo, como pode ser observado no estudo publicado por Brull SJ e Kopman A em 2017.[45]

A utilização do índice bispectral (BIS) durante as cirurgias laparoscópicas respeita as indicações do monitor de pacientes sob anestesia geral, do mesmo modo que outros cuidados são tomados.

Além disso, o conhecimento da equipe cirúrgica e do equipamento de insuflação ajuda muito na escolha não só da monitorização necessária, como também da seleção de fármacos que serão utilizados na anestesia. Monitorização adequada e atenção constante são fundamentais para que as alterações induzidas pelo pneumoperitônio sejam rapidamente identificadas e tratadas, tornando o paciente adaptado às condições cirúrgicas impostas pelas circunstâncias.

■ POSICIONAMENTO

O posicionamento do paciente durante a cirurgia é importante e afeta a ventilação mecânica. O cefaloaclive está relacionado com a melhora da mecânica respiratória, da oxigenação e do volume expiratório final antes e após a instalação do pneumoperitônio. Por outro lado, o posicionamento do paciente em cefalodeclive aumenta a preocupação em relação à formação de atelectasias e colapso pulmonar, exigindo a realização das manobras descritas para que a oxigenação do paciente seja mantida. Em cirurgias robóticas, o cefalodeclive é necessário para que o equipamento seja acoplado ao paciente nas cirurgias pélvicas, como prostatectomias e cirurgias ginecológicas. Nas cirurgias do abdome superior, pode ser necessário cefaloaclive. Em alguns tipos de cirurgias, como nefrectomias ou cirurgias torácicas, o paciente é colocado em decúbito lateral. Cada cirurgia tem sua peculiaridade e, nas robóticas, isso ganha grande importância porque há necessidade de se realizar o *docking* do robô. O robô é acoplado ao paciente para que seus braços possam ser conectados aos trocartes que estão inseridos no paciente. Após o *docking* do robô, pequenas alterações na mesa cirúrgica podem ser difíceis e delicada, se não impossíveis. Também é muito difícil, ou praticamente impossível, realizar qualquer manobra ou manuseio do anestesiologista, como a instalação de um acesso vascular, no paciente após o *docking*, principalmente nas cirurgias realizadas com o paciente em decúbito dorsal. Todos os acessos venosos, monitores, sistemas ventilatórios, linha de administração de fármacos e o próprio aparelho de anestesia ficam distantes do paciente e todos os médicos e membros da equipe presentes na sala cirúrgica devem estar atentos aos fios, cabos e conexões que estão ligados ao paciente para que não sejam desconectados acidentalmente. Também deve haver treinamento da equipe para retirar o robô rapidamente em caso de acidentes ou alguma complicação que seja considerada urgência ou emergência.[46]

Todo processo leva tempo e, para isso, o paciente deve estar devidamente anestesiado, com apoios e proteções a fim de evitar quaisquer lesões nervosa, cutânea ou outra decorrente da compressão extrínseca. Os nervos que mais comumente podem ser comprometidos são plexo braquial, nervos perineais (nervo pudendo), cutâneo lateral da coxa e obturatório.[41]

■ SELEÇÃO DE FÁRMACOS E TÉCNICAS ANESTÉSICAS

A escolha da técnica anestésica ideal para as cirurgias videolaparoscópicas está baseada na seleção adequada do paciente, no bom relacionamento com a equipe cirúrgica e na utilização de bons equipamentos necessários para a insuflação abdominal, visualização e manipulação das estruturas abdominais. Esses são princípios básicos aplicados à cirurgia executada por técnica convencional e por laparoscopia. Nesse aspecto, a grande variante é o paciente. A escolha das técnicas, a monitorização necessária e os fármacos utilizados devem se basear nas condições clínicas do paciente.

A anestesia geral é a melhor técnica a ser utilizada em cirurgia videolaparoscópica, embora haja descrição da utilização de outras técnicas anestésicas para a realização de anestesia em laparoscopia. Sob anestesia geral, todas as repercussões do pneumoperitônio sobre a homeostase do paciente são mais bem toleradas e controladas. Quando a insuflação peritoneal é realizada sob bloqueio do neuroeixo, como a anestesia subaracnóidea ou peridural, ou sob anestesia local, é necessário que haja grande colaboração do paciente, que normalmente não tolera a insuflação e o posicionamento necessários para a realização do procedimento, principalmente quando mais prolongados, referindo sensação de opressão ou mesmo dor devido à distensão peritoneal. No caso dos bloqueios neuroaxiais, o alto nível de bloqueio necessário para produzir analgesia na cavidade abdominal (T_6 a T_4) pode levar a bradicardia e hipotensão arterial intensas, que pioram com a insuflação da cavidade

peritoneal. Outro aspecto importante é que o relaxamento da musculatura abdominal também não será o ideal, o que prejudicará o campo cirúrgico e prolongará o tempo da cirurgia. Os bloqueios neuroaxiais altos executados com maiores massa e volume de solução de anestésico local resultam em maior tempo para reversão, o que aumenta o tempo de permanência do paciente na SRPA. Esse fato é ruim tanto para a unidade ambulatorial, já que aumenta os custos, quanto para o paciente, que fica mais tempo sem o restabelecimento do contato familiar. A maioria dos procedimentos realizados por videolaparoscopia é de curta duração. A recuperação rápida e o retorno precoce das funções orgânicas e psíquicas são alguns dos objetivos da anestesia para a cirurgia videolaparoscópica, portanto a anestesia geral é melhor para essa técnica cirúrgica.

A associação entre anestesia geral e bloqueio peridural para cirurgias abdominais mais complexas realizadas por videolaparoscopia é benéfica. No estudo publicado por Michelet *et al.* envolvendo pacientes submetidos a esofagectomia transtorácica com laparoscopia e toracoscopia com pneumotórax hipertensivo, o bloqueio peridural foi realizado entre T_6 e T_8 e foi colocado um cateter peridural. A analgesia peridural foi instalada com solução de ropivacaína (20 mg.h^{-1}) e sufentanil (5 μg.h^{-1}) em um grupo; no outro grupo foi realizada analgesia sistêmica no pós-operatório. O objetivo do estudo foi avaliar a microcirculação e a perfusão do tubo gástrico e a incidência de complicações entre os grupos. Os critérios clínicos que validaram o estudo foram: comparar pacientes com as mesmas condições de temperatura, valor de hemoglobina, dados hemodinâmicos estáveis, relação PaO_2/FiO_2, medida do fluxo médio da mucosa gástrica por dopplerfluxometria (FMMG), gasometrias arteriais e ausência de sangramento. Os resultados mostram que o FMMG foi maior no grupo em que foi realizada a anestesia peridural, o que foi explicado pela melhora do índice cardíaco e da pressão arterial em comparação com o grupo em que foi feita apenas analgesia sistêmica. Foi demonstrado aumento da perfusão da microcirculação da porção distal do tubo gástrico onde foi feita a anastomose esofagogástrica proximal, fator útil para a diminuição da morbidade em cirurgias de maior porte realizadas por videolaparoscopia.[47]

Durante a instalação do pneumoperitônio, o paciente pode apresentar regurgitação do conteúdo gástrico devido à compressão externa do estômago pelo CO_2. Recomenda-se a utilização de uma sonda orogástrica para que o conteúdo gástrico seja retirado e o estômago esvaziado antes da insuflação peritoneal, até mesmo pelo fato de diminuir o tamanho do estômago e reduzir o risco de lesão inadvertida do órgão durante a introdução do trocarte ou da agulha de Veres. Atualmente, a maior indicação da passagem da sonda orogástrica não visa tanto à preocupação com a regurgitação do conteúdo gástrico, mas à diminuição do tamanho do estômago, para que a manipulação das demais estruturas do andar superior do abdome seja facilitada. É descrito também que a passagem de sonda orogástrica não diminui a incidência de náuseas e vômitos no pós-operatório.[48]

O mesmo conceito da sondagem gástrica pode ser aplicado à sondagem vesical de demora, em que o objetivo é reduzir o tamanho da bexiga para que não ocorra lesão inadvertida por inserção do trocarte, com consequente aumento da morbidade.

Tomada a decisão de que a anestesia geral é a melhor escolha para cirurgias videolaparoscópicas, devem-se selecionar os fármacos, levando em consideração que muitos pacientes serão submetidos à anestesia em regime ambulatorial, conceito que subentende que o paciente deve ser operado e receber alta hospitalar sem pernoitar no hospital. Mesmo nos casos em que, por motivos relacionados com a cirurgia ou com a preferência da equipe cirúrgica, o paciente permaneça internado, deve-se entender que a escolha dos fármacos deve ter como objetivo final a rápida recuperação do paciente, afinal a videolaparoscopia é um procedimento minimamente invasivo. Todo o procedimento a ser feito deverá ser programado, desde a admissão do paciente até a sua alta hospitalar. Nesse sentido, a programação da técnica anestésica, desde a utilização ou não da medicação pré-anestésica, a classificação do estado físico do paciente, a verificação da medicação de uso contínuo do paciente, a seleção de fármacos que tenham perfil adequado para a rápida recuperação, o planejamento da analgesia pós-operatória, a prevenção de complicações como náuseas e vômitos e o aquecimento do paciente devem ser estabelecidos antes mesmo do início da anestesia. Quanto melhor for o planejamento pré-operatório, melhor será a recuperação do paciente.

Dentro da diversidade de fármacos que podem fazer parte da anestesia geral, os anestésicos inalatórios ocupam grande espaço e são utilizados amplamente na prática diária.

Atualmente, destacam-se o sevoflurano e o desflurano, por serem menos lipossolúveis, com perfil farmacocinético mais ágil, sendo tituláveis, já que utilizam rotineiramente o analisador de gases acoplado à capnometria. Um estudo comparou a ação desses dois agentes sobre a motilidade intestinal em pacientes obesos submetidos à cirurgia bariátrica por laparoscopia. Já é sabido que o aumento do peristaltismo atrapalha os movimentos realizados pelo cirurgião para executar as suturas manuais ou mecânicas e que os opioides diminuem o peristaltismo. Então, o estudo separou os pacientes em dois grupos: um foi submetido à anestesia geral com sevoflurano, e outro, com desflurano, e nos dois grupos o opioide utilizado foi o remifentanil em infusão contínua. Os resultados mostraram que o número de ondas peristálticas avaliadas em 15 cm de intestino delgado foi muito menor no grupo sevoflurano do que no grupo do desflurano E, também, que o uso de anticolinérgicos foi solicitado pelo cirurgião na maior parte dos pacientes que foram anestesiados com desflurano. Então, mesmo considerando que o desflurano é um anestésico menos lipossolúvel, com menor coeficiente de partição sangue/gás e recuperação mais rápida, em relação à motilidade intestinal mostrou-se pior do que o sevoflurano.[49] Por outro lado, no estudo de Strum et al., o sevoflurano e o desflurano foram comparados em pacientes obesos também submetidos à cirurgia bariátrica laparoscópica. Na análise dos parâmetros ventilatórios e do tempo para recuperação da anestesia, e o desflurano mostrou-se mais eficaz. Nesse estudo, os pacientes anestesiados com desflurano apresentaram menor tempo para abertura ocular espontânea, para extubação e

para pronunciar informações pessoais, como sua data de nascimento ou seu nome, mostrando que já tinham recuperado sua consciência.[50] Outros estudos que compararam o sevoflurano e o desflurano quanto à saturação periférica de oxigênio no pós-operatório imediato de pacientes obesos submetidos à cirurgia bariátrica laparoscópica mostram resultados favoráveis ao desflurano com relação ao sevoflurano, principalmente quando o tempo de observação do paciente na SRPA é maior. Inicialmente, até os primeiros 30 minutos não existem diferenças estatisticamente significativas entre os pacientes, contudo, quando a observação é feita com 45 minutos ou mais, as diferenças aparecem, o que é possivelmente explicado pela menor lipossolubilidade do desflurano. Ainda no mesmo estudo, os pacientes anestesiados com desflurano apresentaram mais incidência de náuseas e vômitos do que no grupo de pacientes anestesiados com sevoflurano.[51,52]

O óxido nitroso é utilizado em cirurgias videolaparoscópicas na mistura gasosa com oxigênio e um agente halogenado. Em cirurgias videolaparoscópicas, ele pode distender as alças intestinais, aumentando seu volume e, assim, reduzir o campo cirúrgico. Esse efeito é controverso porque é dependente da quantidade de ar que já existe dentro do intestino. Se a quantidade de ar for mínima, o paciente estiver em jejum e não apresentar quadro de obstrução ou suboclusão intestinal, o óxido nitroso poderá ser utilizado. Segundo a literatura, a utilização de óxido nitroso está relacionada com o aumento de náuseas e vômitos no pós-operatório (NVPO) de modo dependente do tempo. O estudo publicado por Peyton et al. mostra que o risco de o paciente apresentar NVPO aumenta em 20% por hora de utilização do óxido nitroso, e o número necessário para tratar (NNT) para prevenir NVPO é de 128, 23 e 9 pacientes, quando a duração da exposição ao óxido nitroso é de 1 hora, 1 a 2 horas e mais de 2 horas, respectivamente, ou seja, quanto maior for o tempo cirúrgico, maior o risco de o paciente apresentar náuseas e vômitos pós-operatórios.[53] Não há evidências que contraindiquem a utilização do óxido nitroso em cirurgias videolaparoscópicas, devendo-se apenas considerar seus efeitos indesejáveis.

A resposta endócrino-metabólica durante a cirurgia sempre acontece. Nesse quadro, ocorrem alterações neuroendócrinas, inflamatórias e imunológicas, as quais são traduzidas por liberação de hormônios (noradrenalina, adrenalina, hormônio adrenocorticotrófico [ACTH], cortisol e outras) ou substâncias endógenas (glicose, proteína C reativa [PCR]) e citocinas inflamatórias (interleucina 6 [IL-6]). Um dos objetivos da anestesia é reduzir o estresse catabólico e inflamatório. O estudo de Marana et al. comparou o sevoflurano e o desflurano em relação ao controle endócrino metabólico produzido por esses agentes em pacientes saudáveis submetidas a laparoscopias ginecológicas. A manutenção da anestesia geral foi realizada com remifentanil em infusão contínua, manualmente controlada na dose de $0,15$ $\mu g.k^{-1}.h^{-1}$. Foram coletadas amostras sanguíneas das pacientes dos dois grupos para a análise laboratorial dos níveis plasmáticos de adrenalina, noradrenalina, ACTH, cortisol, glicose, PCR e IL-6. As pacientes mantiveram os dados hemodinâmicos dentro dos limites desejados, não havendo diferenças entre os grupos. Observou-se que o valor do cortisol plasmático diminuiu e o ACTH aumentou nos dois grupos, entretanto o valor do cortisol no grupo desflurano diminuiu muito, resultando em pequeno aumento do ACTH na amostra sanguínea colhida posteriormente. No grupo sevoflurano, houve pequena queda do cortisol, que resultou em grande aumento reflexo no ACTH nas demais amostras sanguíneas. O valor da noradrenalina plasmática aumentou muito mais no grupo do desflurano do que no grupo do sevoflurano. Cinco horas após o término da cirurgia, os valores de adrenalina, noradrenalina, cortisol e ACTH retornaram aos níveis basais. No que concerne aos mediadores inflamatórios, IL-6, glicose e PCR não mostraram grandes flutuações dos níveis plasmáticos. O que se pode concluir desse estudo é que a escolha entre sevoflurano e desflurano em cirurgias laparoscópicas de pequeno e médio portes não influenciará a evolução do paciente, desde que ele seja saudável. O estudo mostra que o sevoflurano produz menor liberação de catecolaminas endógenas, sendo, portanto, a melhor escolha diante de um paciente portador de doença cardiovascular prévia. Por outro lado, o desflurano um melhor perfil de abolir a secreção de ACTH-cortisol, o que é benéfico em pacientes diabéticos ou naqueles portadores de resistência periférica à insulina, sépticos, oncológicos e imunossuprimidos.[54]

Em relação ao uso de opioide durante a anestesia, a associação de remifentanil aos anestésicos halogenados é muito utilizada. Alguns estudos afirmam que essa associação, embora utilize dois fármacos com farmacocinética favorável à recuperação rápida do paciente, está relacionada com a indução de dor pós-operatória mais intensa, principalmente quando altas doses dos dois agentes são utilizadas.[55]

Quando se utiliza o remifentanil associado ao sevoflurano, existe uma redução da concentração alveolar mínima do sevoflurano de 48% a 63%, segundo Zou *et al.* Nesse estudo, três grupos de pacientes foram submetidos a laparoscopias ginecológicas, e os dados foram colhidos até 20 minutos após a insuflação peritoneal. Em um grupo, foi utilizado apenas o sevoflurano, e, nos outros dois grupos, o remifentanil em infusão alvo-controlada em 1 e 2 hg.mL^{-1}, respectivamente. Os autores concluíram que houve redução importante da concentração alveolar mínima (CAM) do sevoflurano, ao mesmo tempo em que os valores medidos de adrenalina e noradrenalina plasmática nos três grupos se mantiveram constantes. Do mesmo modo, dados hemodinâmicos, como a frequência cardíaca e a pressão arterial, também não demonstraram diferenças significativas, portanto o remifentanil apresenta bom efeito sinérgico com sevoflurano e é capaz de atenuar as respostas fisiopatológicas induzidas pelo pneumoperitônio.[56] O estudo publicado por Watanabe *et al.* comparou a utilização do remifentanil em infusão contínua manualmente controlada em baixa dose (0,25 µg.k^{-1}.h^{-1}), altas doses (1 µg.k^{-1}.h^{-1}) e sem a utilização de remifentanil em outro grupo em que foi realizado bloqueio peridural. Nesse estudo, os valores plasmáticos de ACTH, glicose, ADH e catecolaminas foram medidos antes, com 30 minutos e 90 minutos após a instalação do pneumoperitônio para avaliar a resposta sistêmica funcional entre os grupos. Os resultados mostram que apenas os pacientes que receberam o remifentanil em altas doses tiveram supressão da resposta simpática e da secreção neuro-hormonal hipofisária, recomendando o uso de

remifentanil também em cirurgias laparoscópicas de maior porte.[57]

Além do remifentanil, outros opioides podem ser utilizados e têm boa aplicação clínica diante das cirurgias videolaparoscópicas. O fentanil e o sufentanil têm grande aplicabilidade clínica e amplo uso na prática diária. Vale ressaltar que a escolha do opioide deve levar em conta a experiência do anestesiologista e da equipe cirúrgica, tentando adequar a escolha do opioide ao procedimento que será realizado. É fato que o remifentanil ganhou muita visibilidade pela introdução da anestesia venosa total. Essa técnica de anestesia reduz a incidência de náuseas e vômitos porque evita o uso dos agentes inalatórios e se ajusta melhor ao perfil de meia-vida extremamente curta e titulável do remifentanil. Em anestesia para procedimentos pouco invasivos, com menor dor pós-operatória e de curta permanência hospitalar, o uso de remifentanil tem, portanto, vantagens com relação aos outros opioides. É importante salientar também que é necessário um bom planejamento da analgesia pós-operatória, uma vez que não haverá efeito analgésico residual relacionado com o uso do remifentanil, como ocorre com os demais opioides que têm meia-vida mais longa.

Entre os hipnóticos disponíveis, o propofol é o que melhor se enquadra nas vantagens da cirurgia videolaparoscópica, haja vista suas propriedades de indução suave, rápido despertar, alta taxa de depuração, meia-vida de eliminação, contexto-dependente curto e ação antiemética. O propofol reúne características para ser o fármaco de escolha para a indução e/ou manutenção da anestesia geral em pacientes submetidos à cirurgia em regime de curta permanência hospitalar ou mesmo naqueles que permanecerão internados. Sua ação antiemética aumenta e melhora a qualidade do despertar dos pacientes, além de reduzir os custos relacionados ao tratamento de pacientes que apresentam NVPO.

Foi descrito anteriormente que a pressão intraocular (PIO) aumenta quando se posiciona o paciente em cefalodeclive durante o pneumoperitônio. Existem descrições na literatura que apontam para o fato de que a PIO é reflexo da congestão venosa intraocular, o que resulta em diminuição da pressão de perfusão intraocular e da perfusão do nervo óptico. O propofol e o sevoflurano exercem comportamentos diferentes sobre a pressão intraocular. No estudo publicado por Yoo *et al.*, os pacientes foram submetidos a prostatectomias laparoscópicas. Em todos os momentos em que a tonometria ocular foi realizada, os pacientes anestesiados com sevoflurano mantiveram a PIO maior do que os pacientes que foram anestesiados com anestesia venosa total controlada por alvo com propofol e remifentanil. O estudo também afirma que o propofol diminui o risco de lesão do nervo óptico durante a laparoscopia porque atenua o aumento da PIO e, portanto, o risco de hipoperfusão ocular.[58] Dentro do mesmo aspecto, há evidências de que o propofol, quando comparado com o sevoflurano, atenua o aumento da pressão da orelha média durante o pneumoperitônio quando o paciente é posicionado em cefalodeclive.[59]

A utilização da lidocaína por via venosa está associada à redução da necessidade de anestésicos voláteis e também de propofol, visto que levou o plano anestésico ao aprofundamento, porém, nos estudos mais antigos publicados por Hans *et al.*, a lidocaína só atuava diante de um estímulo álgico.[60] Mais recentemente, Altermatt *et al.* exploraram o efeito sinérgico entre o propofol e a lidocaína em colecistectomias laparoscópicas realizadas sob anestesia geral venosa total utilizando o BIS. A lidocaína foi administrada em bólus de 1,5 mg.kg⁻¹ seguido de infusão contínua na dose de 2 mg.kg⁻¹.h⁻¹. Os resultados mostraram que os valores do BIS foram semelhantes entre os pacientes que receberam ou não a lidocaína, porém o sinergismo entre os fármacos foi demonstrado quando observou-se que a taxa de manutenção da infusão de propofol foi significativamente menor no grupo em que foi utilizada a lidocaína. Em ambos os grupos, as alterações induzidas pelo pneumoperitônio foram bem toleradas, sem que os pacientes apresentassem instabilidades hemodinâmicas. Isso significa que o uso da lidocaína reduz a massa total de propofol infundida no paciente e se mostra eficaz para conduzir a anestesia venosa total em cirurgias laparoscópicas.[47]

Tomando como parte do planejamento anestésico a qualidade da titulação da administração de fármacos inalatórios e/ou venosos, um dos objetivos é reduzir as complicações, como agitação pós-operatória, consumo de opioide na SRPA, incidência de NVPO, além de evitar a depressão respiratória. Diante desse objetivo, os fármacos alfa-2-agonistas têm sido muito utilizados como adjuvantes da anestesia geral. As grandes justificativas para utilizá-los são a estabilidade hemodinâmica proporcionam e sua atuação de modo sinérgico com os agentes inalatórios e com o propofol, além de auxiliarem na analgesia pós-operatória, fazendo que haja redução do consumo de opioide no pós-operatório imediato e, consequentemente, da incidência de NVPO.

A dexmedetomidina é um fármaco alfa-2-agonista que apresenta maior seletividade pelo receptor alfa$_{2A}$ do que a clonidina. Ambos podem ser utilizados com as finalidades citadas, sendo necessário respeitar a forma como são utilizados com base nos seus perfis farmacocinéticos.

Durante a cirurgia, não apenas o estímulo cirúrgico, mas também a administração de fármacos como propofol, opioides e agentes inalatórios, induz à secreção de citocinas inflamatórias. Nesse cenário, a dexmedetomidina comprovou ter ação anti-inflamatória, reduzindo a secreção das citocinas e a mortalidade por causa dos seus efeitos simpaticolíticos. No estudo realizado por Kang *et al.*, os pacientes foram submetidos a colecistectomias laparoscópicas sob anestesia geral com a utilização de remifentanil em infusão contínua controlada por alvo associada e sevoflurano. A um grupo de pacientes foi administrada a dexmedetomidina e, ao outro, apenas solução salina. O que se observou foi que, nos pacientes que receberam a dexmedetomidina, os valores plasmáticos medidos de IL-β, IL-10, o fator de necrose tumoral alfa (TNF-α), a PCR e o número de leucócitos foram menores do que no grupo controle; além disso, esses pacientes utilizaram menor quantidade de analgésicos de resgate na SRPA, com um pós-operatório de melhor qualidade.[48]

Outro estudo que ressalta a utilização da dexmedetomidina em cirurgias videolaparoscópicas foi realizado por Cho *et al.* em gastrectomias laparoscópicas. Os autores conseguiram demonstrar que, nos pacientes em que foi utilizada a dexmedetomidina, a motilidade intestinal foi recupera mais rapidamente, o tempo de internação foi menor, assim como foram menores as variações de pressão arterial média e da frequência cardíaca, o escore de dor e a dose de remifentanil utilizada.[49]

Em relação à utilização de bloqueadores neuromusculares, o mais óbvio é que esses fármacos devam ser administrados para que o relaxamento da musculatura abdominal seja total e proporcione boa visualização da cavidade abdominal. Atualmente está em utilização clínica um reversor específico do rocurônio, o sugamadex. Esse reversor, apesar de ser um fármaco de alto custo, já provou ser muito ágil e eficaz na reversão do bloqueio neuromuscular instalado pelo rocurônio, mesmo em situações em que a quantidade de bloqueador atuando na placa mioneural é grande, ou seja, logo após a administração do rocurônio. Observando-se por esse lado, entende-se que o uso do bloqueador neuromuscular, especificamente do rocurônio, tornou-se um pouco mais liberal.

Em cirurgias laparoscópicas, a monitorização da transmissão neuromuscular deve ser feita rotineiramente, utilizando-se não apenas a sequência de quatro estímulos (TOF), mas também a CPT, cuja utilização possibilita quantificar a intensidade do bloqueio neuromuscular, enquanto o TOF ainda é zero. O relaxamento abdominal ideal é obtido com TOF igual a zero, no entanto, quando já surgem duas ou três respostas na sequência de quatro estímulos, denomina-se bloqueio cirúrgico ou moderado . A partir desse ponto, uma dose adicional de bloqueador neuromuscular deve ser administrada para que o campo cirúrgico continue em boas condições para a cirurgia, mantendo o TOF igual a zero (Figura 163.7).

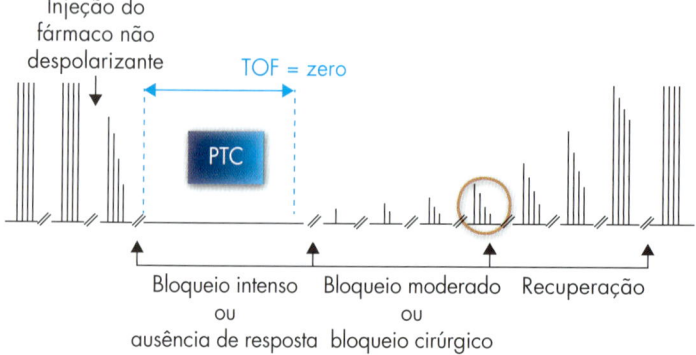

▲ **Figura 163.7** Utilização do bloqueador neuromuscular de acordo com a monitorização da junção neuromuscular.

Com o desenvolvimento da cirurgia laparoscópica, cada vez mais procedimentos complexos e prolongados têm sido realizados. Na literatura, surgiu o conceito de bloqueio neuromuscular profundo e, em seguida, estudos justificando a manutenção do bloqueio neuromuscular profundo em cirurgias laparoscópicas.

A utilização do bloqueador neuromuscular com o objetivo de manter o bloqueio em nível mais profundo e relacionar esse uso com as condições cirúrgicas adequadas foi estudada por Dubois *et al*. Dois grupos de pacientes foram submetidos a laparoscopias ginecológicas. A um grupo (S) foi administrado 0,45 mg.kg⁻¹rocurônio sem qualquer dose adicional. Para o outro grupo (D), a dose de rocurônio foi de 0,6 mg.kg⁻¹, e doses adicionais do bloqueador neuromuscular de 5 mg foram administradas quando surgia a segunda resposta no TOF, momento em que termina o efeito clínico do bloqueio. No final da cirurgia, caso necessário, segundo o TOF, no grupo S utilizou-se neostigmina e, no grupo D, sugamadex para a reversão do bloqueio neuromuscular. Os resultados mostraram que o campo cirúrgico ótimo só foi obtido no grupo com bloqueio neuromuscular profundo e, nos escores intermediários de avaliação do campo cirúrgico, havia mais pacientes do grupo D. Outro dado importante é que as condições cirúrgicas ruins só ocorreram no grupo S (baixa dose de rocurônio).[29]

Outro estudo publicado por Kopman *et al*. inicialmente questiona se é realmente útil o uso do bloqueio neuromuscular profundo nas cirurgias videolaparoscópicas; além disso, determina, segundo a monitorização da transmissão neuromuscular, denominações para o nível de bloqueio muito intenso, intenso (profundo), moderado e superficial. O bloqueio muito intenso corresponde a CPT igual a zero; o intenso ou profundo, a CPT entre um ou mais, porém, com TOF igual a zero; o bloqueio moderado apresenta de uma a três respostas no TOF; e o bloqueio superficial, as quatro respostas no TOF. Existem relatos de que a manutenção do bloqueio neuromuscular intenso até o final da cirurgia laparoscópica reduz a dor abdominal pós-operatória[50] e melhora a visibilidade do campo cirúrgico, com consequente redução da morbidade perioperatória.

A manutenção do bloqueio profundo poderia ser justificada pelo fato de possibilitar a utilização de menor pressão de insuflação abdominal, porém os autores citam vários outros estudos e concluem que não há vantagens na manutenção do bloqueio neuromuscular profundo. Apenas a utilização do bloqueador neuromuscular, em doses adequadas, não melhorou a qualidade da visualização e do espaço da cavidade abdominal necessário para a realização da cirurgia. É claro que os bloqueadores neuromusculares devem fazer parte do arsenal farmacológico do anestesiologista, mas não substitui a manutenção de um bom plano anestésico com hipnose e analgesia adequadas durante as cirurgias laparoscópicas.[30,50] Como citado anteriormente, as características físicas e as peculiaridades de cada paciente contribuem definitivamente para que o pneumoperitônio seja estabelecido de modo suficiente para a realização da cirurgia.

Atualmente, com a possibilidade do uso de sugamadex como reversor específico do rocurônio, torna-se mais prática a manutenção do paciente com profundidade adequada e necessária para a cirurgia laparoscópica, seja com doses intermitentes de rocurônio, seja com a utilização do rocurônio em infusão contínua. Em ambas as formas de administração do rocurônio, com manutenção do bloqueio neuromuscular profundo, são fundamentais a monitorização da transmissão neuromuscular com TOF e a contagem pós-tetânica. Ademais, a reversão do bloqueio neuromuscular deve ser feita com sugamadex, até que a monitorização pelo TOF apresente relação T4/T1 > 0,9.

Conclui-se, portanto, que a seleção adequada dos fármacos e das técnicas cirúrgicas é importante para que haja sucesso na cirurgia e para que o planejamento da técnica anestésica tenha relação direta com o desfecho do paciente.

ANALGESIA PÓS-OPERATÓRIA

A escolha da técnica anestésica deve incluir o planejamento da analgesia pós-operatória, tentando-se evitar que o paciente experimente a sensação dolorosa.

A dor é definida como uma experiência individual e subjetiva, ou seja, quando o paciente relata dor e a quantifica diante de uma escala analógica visual, ela deve ser considerada e adequadamente tratada.

As cirurgias videolaparoscópica e robótica são procedimentos minimamente invasivos e têm como uma de suas vantagens produzir menor dor pós-operatória. Mesmo assim, o uso preventivo de analgésicos comuns, como a dipirona, por via venosa, e de anti-inflamatórios não hormonais deve ser recomendado rotineiramente, desde que não apresentem contraindicações ao paciente. Estudo recente publicado por Tanab *et al*. comparou o consumo de anti-inflamatórios não hormonais, acetaminofeno e analgesia controlada pelo paciente por via venosa em mulheres submetidas a histerectomia por videolaparoscopia com cirurgia robótica. Esse estudo não observou diferença estatística entre os grupos, concluindo que esses fármacos devem fazer parte da terapia multimodal e que a cirurgia robótica, apesar de mais longa, não demonstrou necessidade de maior consumo de analgésicos.[61]

Outra conduta interessante para melhorar o pós-operatório do paciente é solicitar ao cirurgião uma infiltração de anestésico local de longa duração nos portais por onde foram introduzidos os trocartes. Pode ser utilizada a ropivacaína a 0,75% ou a bupivacaína a 0,5%, administradas antes da introdução ou após a retirada dos trocartes.

Também deve-se atentar para a possibilidade de ativação dos receptores n-metil-D-aspartato (NMDA), os quais têm relação com o aumento da intensidade da dor pós-operatória. Nesse sentido, mesmo em pacientes submetidos a cirurgia em regime ambulatorial, alguns fármacos, como a metadona e os alfa-2-agonistas, têm ação bloqueadora dos receptores NMDA, além de melhorar a qualidade da recuperação do paciente sem prolongar o tempo até a alta.

Outros fármacos adjuvantes têm sido utilizados conjuntamente com o objetivo de proporcionar analgesia multimodal. Na verdade, fármacos como lidocaína, dexmedetomidina, sulfato de magnésio e até mesmo dextrocetamina têm sido utilizados em doses menores, buscando-se efeitos sinérgicos. A associação de fármacos de várias classes tem como meta reduzir a dose de cada um deles, principalmente dos opioides, mantendo a analgesia. A redução dos opioides pode proporcionar otimização do pós-operatório, redução do tempo até a alta hospitalar e recuperação mais precoce.

O bloqueio peridural pode ser realizado em procedimentos mais complexos realizados por laparoscopias, como, por exemplo, colectomias, esofagectomias, hepatectomias, gastrectomias e nefrectomias. Nessas situações, a associação do bloqueio peridural diminui a morbidade pós-operatória, além de proporcionar maior conforto ao paciente.[30] Com a associação do bloqueio peridural à anestesia geral, a administração de fármacos adjuvantes como a clonidina deve ser bem avaliada ou evitada, pois as vias neuroaxiais já estão bloqueadas e poderá haver hipotensão arterial decorrente do bloqueio simpático. Pode ser utilizada morfina no espaço subaracnóideo associada a pequenas doses de bupivacaína para controle da dor pós-operatória. A comparação de 300 µg associado a 12,5 mg de bupivacaína *versus* mofina em bólus na dose de 0,1mcg.kg^{-1} mostrou que o consumo de opioides foi menor no grupo em que se realizou bloqueio subaracnóideo, porém a maioria dos pacientes relatou prurido. Por outro lado, os pacientes que receberam morfina por via venosa experimentaram mais sedação.[62] Trata-se de uma alternativa possível de ser realizada. Acredita-se que, em pacientes submetidos a prostatectomia robótica, doses menores de morfina e bupivacaína no espaço subaracnóideo podem ser empregadas com segurança. Doses de 10 mg de bupivacaína com 100 µg de morfina se mostraram eficazes para reduzir a dor sem apresentar efeitos adversos importantes.[63]

O bloqueio do plano transverso abdominal (TAP) pode ser realizado em cirurgias laparoscópicas mais complexas. Sua realização proporciona analgesia da parede abdominal, porém não faz analgesia visceral. Existem estudos que comprovam a eficiência da realização do bloqueio do TAP em cirurgias laparoscópicas. Segundo uma metanálise publicada por Oliveira *et al.*, a realização do bloqueio do TAP tem resultados positivos na redução da dor avaliada no período entre 4 e 24 horas após a cirurgia. Na avaliação tardia da dor, existe uma relação entre a dose de anestésico utilizada e a redução do escore de dor pós-operatória. Esses pacientes tiveram menores escores de dor em repouso e, quando foram mobilizados, não houve diferenças estatísticas entre aqueles em que o bloqueio do TAP foi realizado ou não. Um dado interessante do estudo é que, nos pacientes em que foi realizado o bloqueio do TAP, houve redução do consumo de opioide no pós-operatório e, consequentemente, menos incidência de náuseas e vômitos.[52] O bloqueio do TAP também pode ser realizado pelo cirurgião pela visão da laparoscopia. Um estudo comparou a infiltração dos portais com bloqueio do TAP realizado pelo mesmo cirurgião em cirurgias robóticas ginecológicas. Foram administrados 30 mL de ropivacaína a 0,1% ao grupo em que foi feita infiltração dos portais e, em outro grupo, foi feito o bloqueio bilateral do TAP injetando-se 15 mL de ropivacaína de cada lado sob visão direta. Os resultados mostram melhores escores de redução de dor pós-operatória no grupo do bloqueio do TAP, o que se explica pela maior efetividade dos bloqueios

versus a infiltração dos portais. Além disso, houve redução da incidência de falhas relacionadas com a realização dos bloqueios guiados por ultrassonografia (US), já que, em alguns pacientes, principalmente em idosos e em obesos, há redução da efetividade do bloqueio do TAP devido ao aumento da dificuldade técnica.[64]

Outras alternativas de bloqueios periféricos, como o bloqueio do quadrado lombar, têm sido descritas como alternativas para ao bloqueio do TAP e apresentam execução relativamente simples e segura. Em uma série de casos publicada em 2021, oito pacientes foram submetidos a cirurgia robótica torácica e a analgesia pós-operatória foi realizada com bloqueio contínuo do plano eretor da espinha. A esses pacientes, foi administrada uma dose inicial em bólus de anestésico local seguida da inserção do cateter localizado no plano eretor da espinha. Foram utilizados 10 mL de ropivacaína a 0,5% e 10 mL de mepivacaína (25 mL no total) e, em seguida, instalou-se o cateter. O bloqueio foi realizado no nível de T5 a T6 e mantido por dois dias. O escore de dor dos pacientes foi avaliado a cada 6 horas, tendo-se observado que essa técnica produziu grande redução do consumo de opioides no pós-operatório e também a necessidade de analgesia de resgate.[65]

O bloqueio do quadrado lombar também pode ser utilizado para analgesia pós-operatória em cirurgias laparoscópicas e robóticas. Existem estudos que o comparam com o bloqueio do TAP e observam resultados com maior redução do consumo de opioides em 24 horas e da dor pós-operatória. Esses estudos foram realizados em pacientes submetidos a prostatectomia e nefrectomias robóticas.[66,67]

É claro que as técnicas multimodais devem ser sempre executadas, respeitando-se a necessidade de cada paciente para que a recuperação ocorra da melhor maneira. O objetivo de reduzir o trauma cirúrgico com o aprimoramento tecnológico é garantir que o paciente retorne às suas capacidades físicas e psíquicas após o procedimento cirúrgico. Nesse aspecto, a soma de estratégias farmacológicas e regionais ganha muita importância, porque consegue reunir seus benefícios e reduzir suas falhas e eventos adversos.

▪ EVENTOS ADVERSOS

Os pacientes submetidos a cirurgias laparoscópicas podem apresentar eventos adversos, desde manifestações mais comuns e de resolução fácil até efeitos graves.

Um dos eventos adversos mais comuns é a bradicardia sinusal desencadeada pelo estiramento da cavidade abdominal pelo gás insuflado. É mais comum quando altos fluxos de gás são utilizados diretamente no trocarte, cujo diâmetro é maior do que o da agulha de Veres e que por isso não oferece resistência ao fluxo aéreo. Para isso, o trocarte é colocado diretamente na cavidade abdominal após a dissecção e a abertura da aponeurose. Se isso for feito pelo cirurgião, é imprescindível que o fluxo do insuflador seja estabelecido em 2 L.min^{-1} para que não haja a compressão abrupta das vísceras abdominais e da circulação esplâncnica. Caso a bradicardia seja sustentada e, principalmente, associada à hipotensão arterial, a conduta a ser tomada é solicitar ao cirurgião que esvazie lentamente a cavidade, administre atropina na dose de 0,01 a 0,02 mg.kg^{-1}, por via venosa, e aguarde o restabelecimento da frequência cardíaca para que a cavidade abdominal seja reinsuflada.

A prevenção da hipoperfusão tecidual a que o paciente será submetido em virtude da insuflação peritoneal não é considerada evento adverso, mas há evidências na literatura de que a administração de solução cristaloide antes do pneumoperitônio ameniza a redução do débito cardíaco e auxilia na manutenção da perfusão tecidual durante a cirurgia laparoscópica.

Na maioria das laparoscopias, o paciente é posicionado em cefaloaclive ou cefalodeclive. Toda a mudança de posicionamento do paciente deve ser feita de forma lenta, para que as alterações decorrentes causem menos repercussões agudas sobre a homeostasia. É importante também, nas situações em que a cirurgia necessitar de maiores desnivelamentos do paciente, assegurar que ele esteja fixado à mesa, que não haja contato dele com estruturas metálicas da mesa cirúrgica e que os acessos venosos, a via respiratória e os monitores não sejam retirados ou tracionados inadvertidamente durante a cirurgia.

Nas cirurgias em que o paciente é posicionado em cefaloaclive, ocorrem diminuição do tempo circulatório e, consequentemente, estase venosa nos membros inferiores, o que aumenta o risco de trombose venosa profunda e de embolia pulmonar. A utilização de meias elásticas de compressão antes de o paciente ser posicionado em cefaloaclive auxilia na prevenção de eventos tromboembólicos.

Na posição em cefalodeclive, os efeitos do pneumoperitônio são mais intensos sobre a mecânica ventilatória, reduzindo a complacência pulmonar e a capacidade residual funcional. Do ponto de vista do sistema cardiovascular, há melhora do desempenho cardíaco devido ao aumento do retorno venoso. Mesmo assim, ainda persiste a redução do débito cardíaco. O enfisema subcutâneo, embora não seja grave, é um dos eventos adversos mais comuns e ocorre pela penetração do CO_2 no tecido celular subcutâneo em função da passagem do gás insuflado na cavidade peritoneal para as áreas mais craniais. O surgimento do enfisema subcutâneo pode estar relacionado ao aumento da pressão intra-abdominal ou não, e normalmente aparece em pacientes mais longilíneos ou em cirurgias mais prolongadas. Com o enfisema subcutâneo, nota-se aumento da $P_{ET}CO_2$, mas sem elevação da pressão das vias respiratórias. Nesse quadro, o paciente poderá ser extubado normalmente ao final da cirurgia. O cuidado que se deve tomar ao diagnosticar o enfisema subcutâneo é observar se há aumento da pressão das vias respiratórias e realizar a ausculta pulmonar para excluir a presença de pneumotórax hipertensivo. Às vezes, durante a correção cirúrgica de hérnia de hiato, principalmente em reoperações, pode ocorrer lesão pleural durante a dissecção da porção esofágica intratorácica, provocando um pneumotórax hipertensivo ou capnotórax pelo extravasamento de gás para a cavidade torácica. A pressão intra-abdominal será igual à pressão intratorácica, elevando a pressão de via respiratória e diminuindo o volume corrente, indicando uma situação de diminuição aguda da complacência pulmonar, com queda da saturação periférica de oxigênio e até cianose. Nesse momento, a ventilação mecânica deve ser reajustada com a diminuição do volume corrente e o aumento do tempo inspiratório e da frequência respiratória para tentar ventilar o paciente e evitar que a $PaCO_2$ aumente muito. Caso necessário, a desinsuflação do pneumoperitônio deve ser realizada de forma lenta. Pelo fato de a cavidade abdominal e o tórax se tornarem uma cavidade única nessa cirurgia, o cirurgião, ao desinflar o abdome, consegue também desinflar a cavidade torácica, de tal forma que os pacientes não precisam permanecer com dreno de tórax no pós-operatório e podem ser extubados normalmente. No pós-operatório, o paciente pode se queixar de prurido devido à aeração do tecido subcutâneo. O CO_2 que extravasou da cavidade peritoneal será lentamente absorvido pela circulação e eliminado pelos pulmões em até 30 a 60 minutos.

Existem alterações anatômicas que facilitam o extravasamento de gás da cavidade abdominal para o tórax. Alguns canais embriológicos remanescentes são vias de comunicação entre as cavidades peritoneal e pleural, assim como defeitos diafragmáticos ou pontos fracos do hiato diafragmático, como os forames de Bochdaleck e Morgani.[3]

Com a insuflação da cavidade peritoneal, o diafragma é deslocado em sentido cefálico. Nesse momento, pode haver também o deslocamento da traqueia e da carina cefalicamente. O tubo orotraqueal que está fixado próximo à boca do paciente pode ser deslocado para baixo dentro da traqueia e até mesmo entrar no brônquio fonte direito, ou seja, acontece uma intubação endobrônquica inadvertida, com consequentes aumento da pressão de via respiratória e diminuição da saturação periférica de oxigênio e da $P_{ET}CO_2$. Essa condição é outro diagnóstico diferencial em relação ao pneumotórax hipertensivo. A conduta é muito simples: basta tracionar o tubo traqueal, verificar sua nova posição com a ausculta pulmonar e acompanhar a melhora dos parâmetros ventilatórios nos monitores.

A embolia gasosa durante as cirurgias laparoscópicas é uma complicação rara, porém potencialmente fatal, que consiste no aparecimento de gás dentro da circulação sanguínea. Pode ocorrer devido à colocação da agulha de Veres ou de um trocarte dentro de um vaso sanguíneo ou de um órgão sólido (fígado) seguida da injeção de gás. O gás utilizado e o seu volume (tamanho da bolha) é que vão determinar se a evolução do paciente é ou não grave. Clinicamente, a embolia gasosa por CO_2 mostra, de início, um comportamento bifásico da $P_{ET}CO_2$ com aumento no começo, seguido de queda abrupta, redução da $PaCO_2$, hipotensão arterial, taquicardia, arritmias, aumento da pressão venosa central, alterações das bulhas cardíacas, cianose, edema pulmonar e óbito. Toda essa manifestação é dependente também da velocidade de injeção do gás e do tipo de gás, por isso, no início da insuflação, é recomendado que o fluxo ajustado no insuflador seja baixo (2 L.min^{-1}). Métodos mais precisos, como o Doppler precordial, o cateter de artéria pulmonar e a ecocardiografia transesofágica, podem diagnosticar mais precocemente o aparecimento de bolhas na circulação sanguínea, antes mesmo do surgimento dos sintomas clínicos.

No estudo experimental realizado por Richter, dos animais submetidos à embolia gasosa com ar, apenas um sobreviveu, enquanto, entre aqueles em que o gás utilizado foi o CO_2, nenhum animal foi a óbito. Em todos os animais, as repercussões foram graves, contudo a taxa de mortalidade foi muito diferente. Outro dado interessante do estudo é que, quando foi utilizado ar ambiente para a realização do pneumoperitônio, houve uma correlação linear entre $P_{ET}CO_2$ e PIA, entretanto essa relação não foi linear quando o CO_2 foi utilizado, garantindo a maior segurança da insuflação do peritônio com CO_2.[53]

Nas cirurgias de maior porte, como as hepatectomias realizadas por videolaparoscopia, altos fluxos e até mesmo dois insufladores têm sido utilizados no momento da hepatotomia. O objetivo é utilizar a PIA como uma "compressa" ou como um mecanismo hemostático por compressão, diminuindo o sangramento. Outro objetivo da utilização dos dois insufladores é restabelecer rapidamente a PIA após a utilização de aspirações intermitentes do leito hepático. O estudo publicado por Eriksson *et al.* afirma que existem duas preocupações nas ressecções hepáticas laparoscópicas: sangramento e embolia gasosa. Também declara que não há definição do valor ideal da PIA que deva ser utilizada nessas cirurgias. No estudo em animais, dois valores de PIA foram utilizados: 8 e 16 mmHg. Os resultados mostraram que, no grupo de PIA baixa (8 mmHg), houve mais sangramento, enquanto a embolia gasosa foi maior no grupo com alta PIA (16 mmHg). Os dados hemodinâmicos avaliados não apresentaram diferenças clinicamente significativas. A PVC se manteve maior no grupo da PIA alta. Em relação aos dados gasométricos, a $PaCO_2$ e a $P_{ET}CO_2$ aumentaram nos dois grupos, porém mantiveram-se maiores no grupo da PIA alta. O estudo afirma que, embora a maioria das medidas e as monitorizações utilizadas no intraoperatório estejam relacionadas com o sangramento, a embolia gasosa por CO_2 ocorre e muitas vezes não altera os parâmetros analisados. As alterações surgem tardiamente. Apenas o acompanhamento constante das variações hemodinâmicas e gasométricas é que vai conseguir diagnosticar a embolização por CO_2, possibilitando que se possa afirmar que somente a utilização da $P_{ET}CO_2$ seja considerada um método não confiável para a detecção da embolia gasosa por CO_2. A análise combinada dos dados fornecidos pela monitorização adequada é fundamental para a segurança do paciente.[54]

Atualmente, muitos pacientes são submetidos a cirurgias laparoscópicas, seja em regime de internação, seja em regime de curta permanência hospitalar, sendo fundamental o planejamento da anestesia envolvendo todo o período perioperatório, objetivando o aumento da segurança do paciente.

REFERÊNCIAS

1. Jea W. The new surgery. Br Med J (Clin Res Ed). 1987 Dec 19;295(6613): 1581–1582.
2. Myklebust MV, Storheim H, Hartvik M, et al. Anesthesia Professionals' Perspectives of Teamwork During Robotic-Assisted Surgery. AORN J. 2020;111(1):87-96.
3. Cofran L, Cohen T, Alfred M, et al. Barriers to safety and efficiency in robotic surgery docking. Surg Endosc. 2022;36(1):206-15.
4. Achuthan SVS, Srinivasan A. Gabapentin prophylaxys for postperative nausa and vomiting in abdominal surgeries: a quantitave analysis of evidence from randomized controlled trials. Br J Anaesth. 2015;114:588-97.
5. Posso IP, Miranda MM. Anestesia para cirurgia videolaparoscópica. 7 ed. São Paulo: Atheneu; 2011.
6. Wu CY, Yeh YC, Wang MC, et al. Changes in endottacheal cuff pressure during laparoscopic surgery in head-up and head-down position. BMC Anesthsiology. 2014;15:75-61.
7. Ott DE. Abdominal Compliance and Laparoscopy: A Review. JSLS. 2019;23(1).
8. Di Iorio C, Cafiero T, Di Minno RM. The effects of pneumoperitoneum and head-ip position on heart variability and QT interavl dispersion during laparoscopic cholecystectomy. Minerva Anesthesiologica. 2010;76:882-9.
9. Walder AD, Aitkenhead AR. Role of vasopressin in the haemodinamic response to laparoscopic cholecystectomy. Br J Anaesth. 1997;78:264-6.
10. Treschan TA, Peters J.. The vasopressin system: physiology and clinical strategies. Anesthesiology. 2006;105:599-612.
11. Boccara G,Eliet J, Pouzeratte Y, et al. Pre-emptive lidocaine inhibits arterial vasoconstriction but not vasopressin release induced by a carbon dioxide pneumoperitonium in pigs. Br J Anaesth. 2003;90:343-8.
12. Jee D, Lee D, Yun S, et al. Magnesium sulphate attenuates arterial pressure increase during laparoscopic cholescystectomy. Br J Anaesth. 2009;103:484-9.
13. Popescu WM, Bell R, Duffy AJ, et al. A pilot study of patients with clinical severe obesity undergoing laparoscopic surgery: evidence for impaired cardiac performance. J Card Vasc Surg. 2011;25:943-9.
14. Høiseth LØ, Hoff IE, Myre K, et al. Dynamic variables of fluid responsiveness during pneumoperitoneum and laparoscopic surgery. Acta Anaesth Scand. 2012;56:777-86.
15. Liu S, Sun J, Chen X, et al. The application of transcutaneous CO2 pressure monitoring in the anesthesia of obese patients undergoing laparoscopic bariatric surgery. PLoS One. 2014;9(4):e91563.
16. Strang CM FF, Maripuu E et al. Dynamic variables of fluid responsiveness during pneumoperitoneum and laparoscopic surgery. Acta Anaesth Scand. 2012;103:298-303.
17. Staehr-Rye AK, Rasmussen LS, Rosenberg J, et al. Minimal impairment in pulmonary function following laparoscopic surgery. Acta Anaesthesiol Scand. 2014;58(2):198-215.
18. Volta CA, Spadaro S. CO2 insufflations during laparsocopic surgery: the paradox of oxygenation. Minerva Anesthesiologica. 2013;79(579-81).
19. Kalmar AF, Dewaele F, Foubert L, et al. Cerebral haemodinamic physiology during steep Trendelemburg position and CO2 pneumoperitoneum. Br J Anaesth. 2012;108(3):478-84.
20. Kim SJ, Kwon JY, Cho AR, et al. The effects of sevoflurane and propofol anesthesia on cerebral oxygenation in gynecologucal laparoscopic surgery. Korean J Anestthesiol. 2011;61:225-32.
21. Kurukahvecioglu O, Sare M, Karamercan A, et al. Intermitent pneumatic sequential compression of the lower extremities restores the cerebral oxygen saturation during laparoscopic cholecystectomy. Surg Endosc. 2008;22:907-11.
22. Lee JR, Lee PB, Do SH, et al. The effect of gynaecological laparoscopic surgery on cerebral oxigenation. J Int Med Res. 2006;34(5):531-6.
23. Kwak HJ, Park SK, Lee KC, et al. High positive end-expitaory pressure preserves cerebral oxygen saturation during laparoscopic cholecystectomy under propofol anesthesia. Surg Endosc. 2013;27:415-20.
24. Park EY, Koo BN, Min KT, et al. The effect of pneumoperitoneum in the steep Trendelemburg position on cerebral oxigenation. Acta Anaesth Scand. 2009;53(895-899).
25. Choi SH, Kim SH, Lee SJ, et al. Cerebral oxygenation during laparoscopic surgery: jugular bulb versus regional cerebral oxygen saturation. Yonsei Med J. 2013;54(1):225-30.
26. Kim MS, Bai SJ, Lee JR, et al. Increase in intracranial pressure during carbon dioxide pneumoperitoneum with steep trendelemburg positioning proven by ultrasonographic measurement of optic nerve sheath diameter. J Endourol. 2014;28(7):801-6.
27. Kondo Y, Echigo N, Mihara T, et al. Intraocular pressure during robotic-assisted laparoscopic prostatectomy: a prospective observational study. Braz J Anesthesiol. 2021;71(6):618-22.
28. Goel N, Chowdhury I, Dubey J, et al. Quantitative rise in intraocular pressure in patients undergoing robotic surgery in steep Trendelenburg position: A prospective observational study. J Anaesthesiol Clin Pharmacol. 2020;36(4):546-51.
29. Kim Y, Choi S, Kang S, et al. Propofol Affects Optic Nerve Sheath Diameter less than Sevoflurane during Robotic Surgery in the Steep Trendelenburg Position. Biomed Res Int. 2019;2019:5617815.
30. Valenza F, Chevallard G, Fossali T, et al. Management of mechanical ventilation during laparoscopic surgery. Best Prac and Res Clin Anesth. 2010;24:227-41.
31. Webb HH, Tierney DF. Experimental pulmonary edema due to intermitent positive pressure ventilation with high inflation pressure The american review of respiratory disease. 1974;110:556-65.

32. Karsten J LH, Grossherr M. Effecy of PEEP on regional ventilation during laparoscopic surgery monitored by electrical impedance tomography. Acta Anaesthesiol Scand. 2011;55:878-86.

33. Futier E, Constantin JM, Pelosi P. Intraoperative recruiment maneuvers reverses detrminetal pnemoperitoneum-induced respiratory effects in healthy weight and obese patients undergoing laparoscopy. Anesthesiology. 2010;113(6):1310-9

34. Girrbach F, Petroff D, Schulz S, , et al. Individualised positive end-expiratory pressure guided by electrical impedance tomography for robot-assisted laparoscopic radical prostatectomy: a prospective, randomised controlled clinical trial. Br J Anaesth. 2020;125(3):373-82.

35. Defresne AA, Hans GA, Goffin PJ. Recruiment of lung during surgery neither affects the postoperative spirometry nor the risk of hypoxemia after laparoscopic gastric bypass in morbidly obese patients: a randomized controlled trial. Br J Anaesth. 2014;113(3):501-7.

36. Assessment of Ventilation during general AnesThesia for Robotic surgery Study I, Network PRV, Writing Committee M, Steering Committee M, Investigators AV. Ventilation and outcomes following robotic-assisted abdominal surgery: an international, multicentre observational study. Br J Anaesth. 2021;126(2):533-43.

37. Cheng M, Ni L, Huang L, et al. Effect of positive end-expiratory pressure on pulmonary compliance and pulmonary complications in patients undergoing robot-assisted laparoscopic radical prostatectomy: a randomized control trial. BMC Anesthesiol. 2022;22(1):347.

38. Buonanno P, Marra A, Iacovazzo C, et al. Electric impedance tomography and protective mechanical ventilation in elective robotic-assisted laparoscopy surgery with steep Trendelenburg position: a randomized controlled study. Sci Rep. 2023;13(1):2753.

39. Chun EH, Baik HJ, Moon HS, et al. Comparison of low and high positive end-expiratory pressure during low tidal volume ventilation in robotic gynaecological surgical patients using electrical impedance tomography: A randomised controlled trial. Eur J Anaesthesiol. 2019;36(9):641-8.

40. Chiumello D, Coppola S, Fratti I, et al. Ventilation strategy during urological and gynaecological robotic-assisted surgery: a narrative review. Br J Anaesth. 2023;131(4):764-74.

41. Bačak Kocman I, Mihaljević S, Goluža E, et al. Anesthesia for Robot-Assisted Radical Prostatectomy – a Challenge for Anaesthesiologist. Acta Clin Croat. 2022;61(Suppl 3):76-80.

42. Parmeswaran P, Gupta P, Ittoop AL, et al. Effect of intraoperative alveolar recruitment maneuver on intraoperative oxygenation and postoperative pulmonary function tests in patients undergoing robotic-assisted hysterectomy: a single-blind randomized study. Braz J Anesthesiol. 2023;73(4):418-25.

43. Dubois PE, Putz L, Jamart J te al. Deep neuromuscular block improves surgical conditions during laparoscopic surgery. Eur J Anaesthesiosiol. 2014;31(8):430-6.

44. Park SK, Son YG, Yoo S, et al. Deep vs. moderate neuromuscular blockade during laparoscopic surgery: A systematic review and meta-analysis. Eur J Anaesthesiol. 2018;35(11):867-75.

45. Brull SJ, Kopman AF. Current Status of Neuromuscular Reversal and Monitoring: Challenges and Opportunities. Anesthesiology. 2017;126(1):173-90.

46. Suryawanshi CM, Shah B, Khanna S, et al. Anaesthetic management of robot-assisted laparoscopic surgery. Indian J Anaesth. 2023;67(1):117-22.

47. Michelet P, Roch A, D'Journo XB, et al. Effect of thoracic epidural analgesia on gastric blood flow after oesophagectomy. Acta Anaesthesiol Scand. 2007;51:587-94.

48. Gan TJ, Belani KG, Bergese S, et al. Fourth Consensus Guidelines for the Management of Postoperative Nausea and Vomiting. Anesth Analg. 2020;131(2):411-48.

49. De Corte W, Delrue H, Vanfleteren LJ, et al. Randomized clinical trial on the influence of anaesthesia protocol on intestinal motility during laparoscopic surgery requiring small bowel anastomosis. Br J Surg. 2012;99(11):1524-9.

50. Strum EM, Szenohradszki J, Kaufman WA, et al. Emergence and recovery characteristics of desflurane versus sevoflurane in morbidly adult surgcal patients: a prospective, randomized study. Anesth Analg. 2004;99(6):1848-53.

51. Baedemaeker. Postoperative results after desflurane or sevoflurane combined with remmifentanil in morbidly obese patients. Obs Surg. 2006;16:728-33.

52. Vallejo MC, Sah N, Phelps A et al. Desflurane versus sevoflurane for laparoscopic gastroplasty in morbidly obese patients. J Clin Anesth. 2007 Feb;19(1):3-8.

53. Peyton PJ, Wu CY. Nitrous oxide-related postoperative nausea and vomiting depends on duration of exposure. Anesthesiology. 2014;120(5):1137-45.

54. Marana E, Russo A, Colicci S, et al. Desflurane versus sevoflurane: a comparison on stress response. Minerva Anesthesiologica. 2013;79(1):7-14.

55. Shin SW, Cho AR, Lee HJ, et al. Maintenance anaesthetics during remifentanil-based pain control after breast cancer surgery. Br J Anaesth. 2010;105(5):601-7.

56. Zou Z, Zhao Y, Yang G. Effects of different remifenanil target concentration on MAC BAR of sevoflurane in gynaecological patients with CO2 pneumoperitoneum. Br J Anaesth. 2015;114:634-9.

57. Watanabe K, Kashiwagi K, Kamiyama T, et al. High-dose remifentanil suppresses stress response associated with pneumoperitoneum during laparoscopic colectomy. J Anesth. 2014;28(3):334-40.

58. Yoo YC, Shin S, Choi EK, et al. Increase in intraocular pressure is less with propofol than with sevoflurane during laparoscopic surgery in the steep trendelemburg position. Can J Anesth. 2014;61(4):322-9.

59. Güler S, Apan A, Muluk NB, et al. Sevoflurane vs TIVA in term of middle ear during laparoscopic surgery. Adv Clin Exp Med. 2014;23(3):447-54.

60. Hans GA, Lauwick SM, Kaba A, et al. Intravenous lidocaine infusion reduces bispectral index-guided requirements of propofol only during surgical stimulation. Br J Anaesth. 2010;105(4):471-9.

61. Tanabe R, Yamamoto R, Sugino S, et al. Comparison of postoperative analgesia use between robotic and laparoscopic total hysterectomy: a retrospective cohort study. J Robot Surg. 2023;17(4):1669-74.

62. Koning MV, de Vlieger R, Teunissen AJW, et al. The effect of intrathecal bupivacaine/morphine on quality of recovery in robot-assisted radical prostatectomy: a randomised controlled trial. Anaesthesia. 2020;75(5):599-608.

63. Engstrom AJE, Ivarsson CA, Aldergard A, et al. Analgesic effects of intrathecal morphine and bupivacaine during robotic-assisted surgery: A prospective randomized controlled study. Pain Pract. 2023;23(6):631-8.

64. Rajanbabu A, Puthenveettil N, Appukuttan A, et al. Efficacy of laparoscopic-guided transversus abdominis plane block for patients undergoing robotic-assisted gynaecologic surgery: A randomised control trial. Indian J Anaesth. 2019;63(10):841-6.

65. Cavaleri M, Tigano S, Nicoletti R, et al. Continuous Erector Spinae Plane Block as Postoperative Analgesic Technique for Robotic-Assisted Thoracic Surgery: A Case Series. J Pain Res. 2021;14:3067-72.

66. Khater N, Comardelle NJ, Domingue NM, et al. Current Strategies in Pain Regimens for Robotic Urologic Surgery: A Comprehensive Review. Anesth Pain Med. 2022;12(3):e127911.

67. Rosner AK, van der Sluis PC, Meyer L, et al. Pain management after robot-assisted minimally invasive esophagectomy. Heliyon. 2023;9(3):e13842.

164

Anestesia para Adrenalectomia

Silvia Corrêa Soares ▪ Matheus Fachini Vane

INTRODUÇÃO

As glândulas adrenais são capazes de exercer um amplo espectro de funções no organismo por meio da secreção de hormônios como cortisol, aldosterona, andrógenos e catecolaminas. Com isso, a homeostase do organismo depende de um eficiente controle glandular. A presença de qualquer desequilíbrio nesse controle pode ocasionar grandes alterações fisiológicas, levando a dificuldades para o manuseio anestésico desses pacientes. Essas alterações serão abordadas neste capítulo.

▪ ASPECTOS ANATÔMICOS E FISIOLÓGICOS DAS GLÂNDULAS SUPRARRENAIS

As duas glândulas adrenais estão localizadas na parte anterossuperior dos rins, aproximadamente ao nível da 12ª vérterbra torácica, com peso aproximado de 4 g. Essas glândulas são divididas funcionalmente em duas partes: medula e córtex.

A medula representa 20% do total da glândula e faz parte do sistema nervoso simpático, contendo células cromafins que secretam catecolaminas. Essas células recebem fibras nervosas simpáticas pré-ganglionares e são funcionalmente modificadas no gânglio simpático. Elas sintetizam catecolaminas, como epinefrina, norepinefrina e dopamina, que são liberadas na corrente sanguínea em resposta a estímulos simpáticos.

O córtex, por sua vez, representa 80% do total da glândula e está localizado externamente à medula, sendo responsável pela secreção de corticosteroides. É dividido funcionalmente em três zonas:

▪ **Glomerulosa:** responsável pela produção de mineralocorticoides (aldosterona);

▪ **Fascicular:** responsável pela produção de glicocorticoides (cortisol);
▪ **Reticular:** produtora de andrógenos.

Os mineralocorticoides, representados principalmente pela aldosterona, são capazes de regular a homeostase eletrolítica, exercendo papel importante no controle das concentrações corporais de sódio, potássio e água. A aldosterona age no tubo contornado distal, promovendo a retenção de água e sódio e a consequente perda dos íons hidrogênio e potássio. A secreção da aldosterona é controlada pelo sistema renina-angiotensina. Qualquer estímulo ao aparelho justaglomerular renal, como hipotensão, hiponatremia e hipercalemia, é capaz de estimular a liberação de renina, levando à produção de aldosterona; igualmente, o aumento do nível sérico de hormônio adrenocorticotrófico (ACTH, do inglês *adrenocorticotropic hormone*) também aumenta sua liberação. A aldosterona, quando produzida em excesso, é responsável pela síndrome de Conn.

Os glicocorticoides atuam na regulação do metabolismo e da homeostase, com efeitos essenciais à vida. O cortisol, o mais importante deles, é responsável pela regulação do metabolismo dos carboidratos, estimulando a gliconeogênese e aumentando as enzimas necessárias para a conversão de aminoácidos em glicose. Também atua na regulação do metabolismo das proteínas, reduzindo as reservas nas células do organismo. Quanto às gorduras, é capaz de mobilizar os ácidos graxos do tecido adiposo, aumentando a concentração de ácidos graxos livres e a utilização da energia. É capaz de mediar a inflamação, promovendo o bloqueio da maioria dos fatores proinflamatórios. Sua produção em excesso resulta na síndrome de Cushing.

Os andrógenos, produzidos na zona reticular, incluem a androstenediona e a desidroepiandrosterona. Normalmente, no ser humano, os androgênios adrenais têm apenas efeitos leves, sem grandes causas de alterações fisiológicas que tenham influência no ato anestésico.

■ SÍNDROMES ADRENAIS

Síndrome de Conn (Hiperaldosteronismo Primário)

O hiperaldosteronismo primário é um tumor de incidência rara. Sua taxa de prevalência é inferior a 0,5% nos pacientes diagnosticados com hipertensão arterial.[1] É mais comum no sexo feminino, na proporção de 2:1 e entre os 30 e 50 anos.

O quadro clínico clássico de hiperaldosteronismo primário é um paciente jovem com hipertensão arterial grave e hipocalemia importante. Nesses casos, o efeito direto da elevação dos níveis da aldosterona leva a uma maior perda urinária de potássio, acarretando hipocalemia. Entretanto, é possível encontrar pacientes portadores de hiperaldosteronismo que ainda não apresentem hipocalemia.[2]

A forma mais comum de hiperaldosteronismo primário é idiopática, ocasionada por hiperplasia glandular, que é, na maioria das vezes, bilateral. Nessa situação, a adrenalectomia não é capaz de resolver completamente a hipertensão.

Outra variação de hiperaldosteronismo é causada por um adenoma produtor de aldosterona. Nesses casos, o adenoma é, usualmente, unilateral, sendo a adrenalectomia o tratamento de escolha. Após a retirada cirúrgica, há regularização da pressão arterial e da hipocalemia.

No hiperaldosteronismo, observa-se a elevação da dosagem sérica de aldosterona (> 15 ng/dL^{-1}) e da relação entre aldosterona/atividade plasmática da renina (≥ 30). Para complementação diagnóstica, o exame de imagem mais utilizado é a tomografia computadorizada (TC), que possibilita a identificação de nódulos adrenais e, com isso, permite a diferenciação entre um adenoma e a forma idiopática.

O diagnóstico do hiperaldosteronismo é feito pela dosagem sérica da relação da atividade da aldosterona/renina e por um exame de imagem, como TC. Esse exame se faz necessário para a diferenciação entre um adenoma e a forma idiopática.

O tratamento clínico é feito com antagonistas da aldosterona, como espironolactona e eplerenona. Usualmente, a dose inicial da espironolactona é de 12,5 mg/dia a 25 mg/dia, com aumento baseado na necessidade clínica do paciente, até o máximo de 100 mg^{-1}. Após instituído o tratamento, a hipocalemia se corrige rapidamente, mas a hipertensão pode levar de um a seis meses para ser corrigida, e o potássio também pode ser incluído na dieta.[3] Não há uma técnica anestésica de escolha – cada anestesiologista deve utilizar a que lhe for mais familiar –, mas é importante lembrar que, se ainda houver hipopotassemia, os bloqueadores musculares terão seu tempo de ação prolongado.

O tratamento cirúrgico é indicado na maioria dos casos em que se identifica um nódulo produtor de aldosterona. Na última década, a via laparoscópica tem sido a escolhida.

Considerações anestésicas

Nos pacientes com hiperaldosteronismo candidatos ao tratamento cirúrgico, procura-se fazer o melhor controle possível da hipertensão com medicamentos e tratamento da hipocalemia, quando presente.

Deve-se realizar a avaliação pré-operatória de acordo com as comorbidades do paciente, especialmente aquelas relacionadas à hipertensão de difícil controle (p. ex., acidente vascular cerebral, aterosclerose, coronariopatia) e a distúrbios hidreletrolíticos, em particular a hipocalemia.[4] Nesses pacientes, deve-se ter maior cuidado com o uso de diuréticos para tratamento da hipertensão, uma vez que podem exacerbar ainda mais a hipocalemia.

Cuidados intraoperatórios

Durante o procedimento cirúrgico, não costumam ser observadas oscilações de níveis pressóricos, como ocorre nos pacientes com feocromocitoma. Os cuidados habituais para o tipo e porte de cirurgia a ser realizada devem ser mantidos, com atenção especial aos níveis séricos de potássio.

A adoção de estratégias que reduzem o potássio, como a hiperventilação, deve ser evitada em algumas situações, principalmente em pacientes hipocalêmicos.

Síndrome de Cushing

A síndrome de Cushing, causada por excesso de secreção de glicocorticoide, pode ter etiologias distintas, sendo a endógena decorrente da produção excessiva de ACTH (80% dos casos) e a exógena, que é independente de ACTH, decorrente de um tumor adrenocortical ou de hiperplasia adrenal bilateral (20% dos casos). A forma endógena, denominada doença de Cushing, pode ser desencadeada por um adenoma produtor de ACTH na glândula hipófise ou pela secreção ectópica de ACTH (p. ex., um tumor de pequenas células pulmonares e alguns tumores neuroendócrinos).[5]

O mecanismo habitual de *feedback* hipotálamo-hipófise-adrenal é perdido na síndrome de Cushing, acarretando uma perda do ritmo circadiano dos glicocorticoides, com aumento da produção do cortisol, e consequentemente, causando hipercortisolismo.

O hipercortisolismo desencadeia aumento de peso corporal, fadiga, fraqueza muscular, hipertensão arterial, depressão, disfunção cognitiva, estrias cutâneas, fragilidade capilar, diabetes, hirsutismo, acne e alterações menstruais.[6,7] Além disso, pode levar ao desenvolvimento de síndrome metabólica e elevar de forma importante a ocorrência de eventos cardiovasculares.

O diagnóstico dessa síndrome é complicado em razão da baixa especificidade e da alta prevalência dos sintomas clínicos. O diagnóstico inicial pode ser feito pela dosagem de cortisol sérico, salivar e urinário e pelo teste de supressão de cortisol com 1 mg de dexametasona.[8]

Preparo pré-operatório

Nos pacientes com síndrome de Cushing que serão submetidos à adrenalectomia, deve-se realizar a reposição de cortisol para evitar os sintomas da deficiência desse hormônio logo que se extirpa a glândula acometida ou o nódulo produtor. Nos tumores de origem hipofisária, não há necessidade de reposição de hidrocortisona.

Essa reposição inicia-se na indução anestésica (hidrocortisona 100 mg por via endovenosa) e segue no pós-operatório com medicações por via oral. Apesar de a adrenalectomia, muitas vezes, ser unilateral, o excesso de produção de cortisol pelas células tumorais acarreta uma supressão da glândula adrenal contralateral, demandando a reposição de corticosteroide. O período dessa reposição varia conforme m a etiologia do hipercortisolismo e a resposta ao tratamento cirúrgico.

Cuidados intraoperatórios

Durante o procedimento cirúrgico, devem ser mantidos os cuidados habituais para o tipo e porte de cirurgia.

Em adultos, a atrofia muscular e as estrias podem ser achados diagnósticos importantes, enquanto em crianças o retardo no crescimento é mais frequente.

O diagnóstico da síndrome de Cushing é complicado em razão da baixa especificidade e da alta prevalência dos sintomas clínicos. O diagnóstico inicial pode ser feito por exames bioquímicos, teste de supressão de cortisol por dexametasona e dosagem do cortisol urinário.

No intraoperatório, deve-se ter cuidado especial com o risco de via aérea difícil, uma vez que esses pacientes apresentam obesidade central e fraqueza muscular, o que leva a uma redução da capacidade residual funcional, predispondo a hipoventilação, atelectasia e hipóxia, além das dificuldades anatômicas decorrentes do hipercortisolismo, como face em lua cheia e giba. Esses pacientes também estão mais propensos a broncoaspiração e a fraturas ósseas, demandando o uso de coxins.

Hiperglicemia também é esperada no intraoperatório, e deve ser tratada com insulina endovenosa.

Feocromocitoma

Feocromocitoma é um tumor raro, com incidência média na população de 1,5 a 2 casos por cada milhão de pessoas ao ano, sendo responsável por 0,1% a 0,95% dos diagnósticos de hipertensão.[9] Aparece mais frequentemente em mulheres entre 20 e 50 anos, mas pode acometer desde recém-nascidos até idosos.[10,11] Esse tipo de tumor pode ser também de etiologia genética, como os representados por neoplasia endócrina múltipla (NEM) tipo 2 ou por displasias neuroectodérmicas (Tabela 164.1). Quando diagnosticado durante a gestação, pode aumentar em até 40% a mortalidade materna e em 56% a mortalidade fetal.[12-15]

Tabela 164.1 Neoplasia endócrina múltipla.

Tipo 2A
Carcinoma medular de tireoide
Hiperplasia ou adenoma de paratireoide
Feocromocitoma
Tipo 2B: NEM 2A mais
Neurinoma de mucosa
Aparência marfanoide
Feocromocitoma
Displasias neuroectodérmicas
Neurofibromatose tipo 1
Síndromes paraganglionares
Síndrome de Sturge-Weber
Síndrome de Von Hippel-Lindau

NEM: neoplasia endócrina múltipla.

A nomenclatura desse tumor é dependente de sua localização: quando localizado na adrenal, é denominado feocromocitoma (mais comum); quando localizado fora dela, denomina-se paraganglioma. A localização mais comum dos paragangliomas é na cadeia para-aórtica, mas também podem ser encontrados na cavidade torácica e na bexiga.[16,17] O feocromocitoma obedece à "regra dos 10": 10% extra-adrenal, 10% maligno e 10% bilateral. Contudo, atualmente acredita-se que, nos pacientes com síndromes genéticas, até 30% dos tumores sejam bilaterais.[18]

Além de maior incidência de bilateralidade e localização extra-adrenal, os tumores de origem genética também têm maior probabilidade de malignidade.[19] E existem ainda os incidentalomas, que representam 25% dos tumores diagnosticados.

A noradrenalina é a catecolamina mais comumente liberada pelos feocromocitomas, porém a adrenalina e a dopamina também podem estar presentes, uma vez que a grande maioria dos tumores é mista. A secreção de dopamina com níveis elevados de noradrenalina e baixos níveis de adrenalina é característica de tumores malignos.[20]

Quadro clínico e diagnóstico

Os sinais e sintomas apresentados pelos pacientes portadores de feocromocitoma devem-se à liberação de catecolaminas (adrenalina, noradrenalina e/ou dopamina) decorrentes de mínimos estímulos que podem ser paroxísticos ou constantes (p. ex., hipoxia).[21]

Os sintomas clássicos do feocromocitoma são cefaleia, sudorese e palpitação. Entretanto, essa tríade não está presente em todos os pacientes, e quando presente, apresenta sensibilidade de 90,9% e especificidade de 93,8%. Isoladamente, os sintomas mais comuns são cefaleias, palpitações e diaforese. A Tabela 164.2 mostra a frequência de sinais e sintomas.

Tabela 164.2 Frequência de manifestações clínicas em pacientes com feocromocitoma.

Sinais	Frequência (%)
Cefaleia	60 a 90
Palpitações	50 a 70
Sudorese	55 a 75
Palidez cutânea	40 a 45
Náusea	20 a 40
Perda de peso	20 a 40
Ansiedade	20 a 40
Hipertensão	50-60
Hipertensão paroxística	30
Hipotensão ortostática	10 a 50
Hiperglicemia	40
Fadiga	25-40

Fonte: adaptada de Lenders *et al.* 2005.[10]

Outros sinais e sintomas inespecíficos também podem estar presentes e retardar o diagnóstico. O feocromocitoma pode se apresentar também de forma assintomática em até

8% dos pacientes, e nesses casos estão presentes com mais frequência nas formas familiares ou quando associados a tumores císticos grandes.[22]

Em pacientes portadores de síndromes genéticas, a sintomatologia é mais tardia e, quando presente, deve ser investigada imediatamente.

O quadro clínico do paciente também depende da catecolamina secretada pelo tumor. Existem basicamente três associações ao tipo de catecolamina secretada:

- Predominância da secreção de noradrenalina: associada a manifestações do tipo alfa-adrenérgicas, como hipertensão sistólica e diastólica, com menor intensidade de taquicardia;
- Predominância de adrenalina: observam-se manifestações beta-adrenérgicas, como hipertensão sistólica, taquicardia, hipermetabolismo, hiperglicemia e, em alguns casos, períodos de hipotensão postural;
- Predominância de dopamina: apresentam-se com pressão arterial normal ou baixa, com taquicardia, diarreia, poliúria e náusea.[23]

O diagnóstico específico é realizado por meio de exames bioquímicos que avaliam a presença de catecolaminas e seus metabólitos no plasma ou na urina. Entretanto, existe uma flutuação do nível de catecolaminas circulantes que pode acarretar resultados falso-positivos. Por esse motivo, a comprovação do diagnóstico é feita com a realização de exames de imagem, TC, ressonância nuclear magnética (RNM) e metaiodobenzilguanidina norepinefrina (131I-MIBG), que apresenta altas especificidade e sensibilidade para detectar feocromocitoma.[24]

Preparo pré-operatório

Devido à elevação crônica do nível de catecolaminas circulantes, frequentemente os pacientesapresentam um número significativo de alterações cardiovasculares que requerem atenção na avaliação pré-operatória. Entre elas, a mais comum é a hipertensão arterial, que muitas vezes é acompanhada de taquicardia.

A hipertensão geralmente é de difícil controle, e a pressão sistólica costuma ultrapassar os 200 mmHg, e a diastólica, 100 mmHg. O aumento das catecolaminas circulantes em pacientes com cardiopatia prévia, principalmente naqueles com insuficiência coronariana, pode acarretar isquemia miocárdica importante.

Durante o preparo pré-anestésico, é necessário avaliar a presença de hipotensão postural, que geralmente acontece durante a liberação exagerada de catecolaminas na corrente sanguínea, mas também pode ocorrer devido à hipovolemia, que é resultado da estimulação alfa-adrenérgica prolongada. Essa estimulação também resulta em vasoconstrição periférica, que minimiza os efeitos da diminuição do volume intravascular.

Assim, o preparo pré-operatório visa ao controle da hipertensão arterial (pressão arterial menor que 130 × 80 mmHg sentado e pressão sistólica maior que 90 mmHg em pé) e ao restabelecimento do volume circulante antes da intervenção cirúrgica. Cabe mencionar que o preparo pré-anestésico não está relacionado à prevenção da liberação de catecolaminas durante o ato cirúrgico, pois essa é desencadeada por estímulo local.[25]

O preparo pré-operatório deve ser feito sempre com a ideia de que esses pacientes apresentam alta morbimortalidade e alto risco anestésico. Sugere-se que todos os pacientes realizem o preparo pré-operatório por 7 a 14 dias.

Alguns estudos recentes têm questionado o uso de alfa-bloqueadores no preparo pré-operatório desses pacientes, mostrando que não há evidência de menor morbimortalidade, além de eventualmente prolongar a hipotensão pós-operatória. No entanto, essa visão ainda não é adotada em nossa instituição , optando-se por suspender o uso de alfa-bloqueador com 24 horas de antecedência da cirurgia.[26]

Fármacos utilizados no preparo pré-operatório

Existem vários fármacos utilizados para o controle prévio desses pacientes, os quais sempre devem ser atendidos por uma equipe multidisciplinar, incluindo anestesiologistas, endocrinologistas e urologistas, integrados desde o preparo até o pós-operatório.

O alfabloqueador é o fármaco de escolha para iniciar o preparo desses pacientes e visa basicamente ao controle pressórico e ao restabelecimento da volemia circulante, tendo como resultado esperado a diminuição ou o bloqueio da vasoconstrição periférica induzida pelo tumor. Posteriormente, se necessário, introduz-se o betabloqueador e, em alguns casos, outro anti-hipertensivo.[27]

Alfabloqueadores

Os alfabloqueadores mais utilizados na prática clínica são: fentolamina, fenoxibenzamina, prazosin e daxasozina. A fentolamina é um alfabloqueador competitivo de curta duração, enquanto a fenoxibenzamina apresenta ação prolongada e não competitiva. Ambas têm a desvantagem de bloquear não somente os receptores alfa-1 pós-sinápticos, mas também os receptores alfa-2 pré-sinápticos, com consequente taquicardia.

O prazosin é um alfabloqueador competitivo, alfa-1 seletivo, que não age nos receptores alfa-2. Este alfabloqueador é capaz de minimizar os efeitos beta-adrenérgicos secundários e a taquicardia. Essa última, quando presente, é de menor intensidade, se comparada ao uso dos outros alfabloqueadores.

O prazosin tem grande utilidade, principalmente em pacientes que apresentam tumores que secretam adrenalina. Todavia, a introdução dessa medicação deve ser monitorizada, pois os receptores alfa-2 ainda não se encontram bloqueados e pode ocorrer seu estímulo secundário. Com isso, alguns pacientes, ao iniciarem o tratamento, apresentam hipotensão importante, decorrente da diminuição súbita da pós-carga.

A dose de prazosin deve ser titulada e aumentada diariamente até se obter um bloqueio alfa-adrenérgico estável, isto é, manutenção da pressão arterial menor que 160 × 90 por 24 horas e ausência de hipotensão postural. Esse controle é obtido geralmente em um período de 7 a 14 dias e deve ser realizado durante o preparo pré-operatório.[27]

Apesar de alguns estudos referirem que os três fármacos apresentam eficiência similar quanto à estabilidade hemodinâmica no pré-operatório,[14,15] a fenoxibenzamina, devido à sua longa duração, pode causar maior instabilidade hemodinâmica no pós-operatório imediato.

Alguns centros também têm utilizado a doxazosina, principalmente onde há baixa disponibilidade dos outros alfabloqueadores para controle pré-operatório. Trata-se também de um alfa-1-bloqueador seletivo que não resulta em taquicardia, mas que, por ser um antagonista competitivo, pode ser deslocado por altos níveis de catecolamina endógena. Esse medicamento tem meia-vida de 20 horas e é iniciado com 1 mg a 2 mg uma vez/dia, podendo chegar a até 16 mg diários.[28] Quanto à sua eficácia, estudos mostram que a doxazosina é similar aos alfabloqueadores e com menos efeitos colaterais que a fenoxibenzamina, principalmente nas primeiras 24 horas após a retirada tumoral.[29]

Betabloqueadores

Após a adequação do alfabloqueio e da volemia, a taquicardia e as arritmias podem ser controladas com um antagonista beta-adrenérgico. Entretanto, cuidado especial deve ser tomado para que ele não seja administrado antes do controle pressórico do tumor, pois há grande risco de ocorrer uma crise hipertensiva grave, em virtude da vasoconstrição periférica na ausência da vasodilatação mediada pelo betabloqueio.

Quanto à escolha do betabloqueador, o propanolol vem sendo substituído pelo atenolol, devido à longa duração deste. É importante lembrar que a retirada da betaestimulação de um paciente com cardiopatia grave também pode levar a um edema agudo de pulmão.[25,30,31]

Bloqueador do canal de cálcio

Os bloqueadores do canal de cálcio têm sido utilizados no preparo pré-operatório de pacientes com feocromocitoma, inibindo o transporte do cálcio no músculo liso. Entre os bloqueadores do canal de cálcio, o mais utilizado é a nicardipina (40 mg/dia a 60 mg/dia), por sua facilidade de ingestão oral e sua eficácia no controle pressórico, apresentando resultados similares aos alfabloqueadores, mas com menor incidência de hipotensão.[19]

Esses fármacos inibem a liberação tumoral de catecolaminas bloqueando a entrada de cálcio, o que previne o vasoespasmo coronariano e a miocardite induzidos pelo aumento das catecolaminas circulantes. Além disso, são utilizados quando o alfa e o betabloqueio não são eficientes.[23,32]

Cuidados intraoperatórios

O manejo intraoperatório do paciente com feocromocitoma deve ser realizado por uma equipe multidisciplinar bem relacionada. Em nossa instituição, há uma média mensal de um a dois casos, perfazendo um total de 10 a 20 casos por ano. Raramente ocorre algum tipo de complicação no intraoperatório, apesar da alta complexidade dos casos.

Procedimento cirúrgico

Com o uso da cirurgia laparoscópica em 1992, a maioria das intervenções cirúrgicas para ressecção de feocromocitoma passou a ser realizada por essa técnica. Quando foi introduzida, era empregada apenas para tumores pequenos, de até 6 cm, mas atualmente é utilizada para qualquer tamanho de tumor, inclusive para tumores bilaterais.[33]

Cuidados anestésicos

Existem três pontos muito importantes a se considerar: preparo pré-operatório, monitorização e técnica anestésica, descritos a seguir.

Preparo pré-operatório

Inclui a fase realizada pelo endocrinologista, a visita e a medicação pré-anestésica realizadas pelo anestesiologista.

A visita pré-anestésica deve ser realizada pelo médico anestesiologista na noite anterior ao procedimento, com o propósito de reduzir a ansiedade do paciente e, assim, diminuir a liberação de catecolaminas.

Como medicação pré-anestésica, recomenda-se o uso de um benzodiazepínico na noite anterior e antes da ida ao centro cirúrgico. Pode-se utilizar diazepam 10 mg na noite anterior ao procedimento e midazolam titulado para manter uma sedação eficaz por 45 minutos antes da cirurgia.[34]

Monitorização

Devido às grandes alterações hemodinâmicas decorrentes da liberação de catecolaminas, a monitorização deve ser básica (oximetria de pulso, cardioscópio, pressão arterial não invasiva, temperatura e débito urinário) antes da realização do bloqueio do neuroeixo e da indução anestésica.

Pelo risco da liberação de catecolaminas e do consequente uso de fármacos vasoativos, é obrigatória a utilização de cateter invasivo de pressão arterial e acesso venoso central para monitorização da pressão arterial invasiva e da pressão venosa central, respectivamente. Dependendo da gravidade do paciente, pode ser necessário o uso de outras técnicas invasivas (p. ex., débito cardíaco em pacientes com função cardiovascular alterada).

A anestesia para pacientes com feocromocitoma é um fator muito importante quando se estuda a morbimortalidade dessa doença. A cirurgia de feocromocitoma está potencialmente associada à morbidade perioperatória decorrente da instabilidade hemodinâmica durante o procedimento, e a monitorização adequada é fundamental para o tratamento das crises de instabilidade.[35] Ela é utilizada para o pronto tratamento da hipertensão e das arritmias durante a manipulação da glândula e também para o controle da hipotensão após a ligadura da veia.

Outro ponto de destaque durante o manejo de pacientes com feocromocitoma é a incidência de hipoglicemia, que ocorre tanto no intraoperatório quanto no pós-operatório. A hipoglicemia pode começar precocemente, iniciando-se em cinco horas após a retirada tumoral. Estima-se uma incidência de hipoglicemia em até 60% dos casos, quando considerado um período de até 20 horas após a ressecção do tumor, especialmente em pacientes com distúrbios da glicemia já presentes, como nos indivíduos com diabetes e naqueles com glicemia de jejum alterada.[36]

Técnica anestésica

A escolha da técnica anestésica deve contemplar situações como medo, estresse, dor, tremor, hipoxia, liberação de histamina, intubação traqueal, efeitos colaterais das medicações e manipulação do tumor. Todos esses fatores contribuem para a liberação de catecolaminas.

Assim, é importante lembrar que devem ser evitados fármacos com efeito vagolítico ou simpaticomimético, como atropina, pancurônio e cetamina, que potencializam os efeitos cronotrópicos da adrenalina ou que aumentam a concentração plasmática de catecolaminas. A succinilcolina também deve ser evitada, devido à compressão mecânica do tumor pelas fasciculações e aos seus efeitos autonômicos.

Medicação pré-anestésica

Na escolha da medicação pré-anestésica, devem ser considerados todos os fármacos utilizados pelos pacientes. Não se pode suspender as medicações de uso habitual permitidas até o dia da cirurgia, com exceção do alfabloqueador, que deve ser utilizado até o dia anterior. O estresse desencadeia a liberação de catecolaminas e, para que isso não ocorra, é obrigatório o uso de um ansiolítico na noite anterior e na manhã da cirurgia. Pode ser utilizado diazepam (10 mg) na noite anterior e midazolam no dia da cirurgia.

Técnica

Para a escolha da melhor técnica anestésica, é importante saber quais são as causas da instabilidade hemodinâmica durante a cirurgia, ou seja, todos os estímulos que podem desencadear a liberação de adrenalina e noradrenalina:

- Deitar na mesa cirúrgica;
- A realização do bloqueio, se o paciente não estiver bem sedado;
- A indução anestésica e a intubação traqueal;
- A insuflação do pneumoperitônio;
- A manipulação do tumor;
- Alterações pressóricas após a ligadura da veia.[36]

Anestesia geral simples ou combinada (geral mais bloqueio) são as duas técnicas utilizadas para ressecção de feocromocitoma, com um resultado muito satisfatório. Prefere-se a anestesia combinada peridural com a geral.[37]

De modo geral, o bloqueio da atividade simpática, quando se utiliza anestesia combinada, tem duas funções: proteger o paciente da liberação de catecolaminas durante o ato cirúrgico e permitir um pós-operatório tranquilo pela analgesia provida com a utilização de morfina no neuroeixo.[38] Entretanto, vale salientar que só a anestesia regional não é suficiente para controlar a liberação de catecolaminas durante a manipulação do tumor. A anestesia peridural deve ser realizada com um volume pequeno (de até 10 mL) para o bloqueio em faixa de apenas cinco ou seis metâmeros, o que permite uma vasodilatação periférica menos intensa e não altera a hemodinâmica. Podem ser utilizados 10 mL de ropivacaína a 0,2%, associados a 2 mg de morfina sem cateter peridural. O cateter pode ser utilizado quando o tumor for muito grande e houver a possibilidade de converter a cirurgia para aberta.[39]

A anestesia geral pode ser inalatória ou venosa. Os agentes inalatórios são considerados muito seguros, com exceção do halotano, que pode sensibilizar o miocárdio às catecolaminas, desencadeando arritmias.[38] Os efeitos vasodilatadores do isoflurano e do sevoflurano podem ser benéficos nesses pacientes, uma vez que, pela própria doença, são considerados "vasoconstritores". Por esse motivo, são utilizados com sucesso em pacientes com essa patologia.

Na indução anestésica, o fármaco mais utilizado é o propofol, mas isso não impede que cada anestesiologista escolha aquele com o qual está mais familiarizado. Uma ressalva se faz para a cetamina, que, por sua ação simpaticomimética, pode aumentar a liberação de catecolaminas.[40]

O tipo de opioide e de bloqueador neuromuscular também pode ser de livre escolha do anestesiologista, desde que não se utilize o pancurônio, devido à sua ação autonômica e por causar liberação de histamina.

Cuidados intraoperatórios

Hipertensão arterial

A hipertensão grave pode ocorrer abruptamente durante o procedimento, principalmente na indução anestésica, na intubação traqueal, na insuflação do pneumoperitônio e na manipulação do tumor. O aumento da pressão arterial é súbito e, com frequência, excede 200 mmHg na sistólica e 100 mmHg na diastólica em questão de segundos.[41]

A hipertensão pode vir acompanhada de taquicardia, particularmente em pacientes que não utilizaram betabloqueadores no pré-operatório. A manipulação do tumor é o estímulo mais importante para o aumento da pressão arterial e, nesse momento, infarto do miocárdio, parada cardíaca, edema agudo pulmonar e lesões cerebrovasculares podem ocorrer. Esse efeito pode ser observado também na intubação traqueal, no posicionamento e na insuflação do pneumoperitônio.

Os fármacos mais utilizados nessa situação são:

- **Nitroprussiato de sódio:** potente vasodilatador que produz a liberação de óxido nítrico. Por sua curta duração, apresenta como principal vantagem o rápido início de ação. Entretanto, pode causar hipotensão grave com consequente taquicardia, devendo ser utilizado com cautela. Pode ser utilizado em infusão contínua, quando necessária;
- **Fentolamina:** tem efeito antagonista de alfa-1 e alfa-2 antagonista, sendo utilizada no intraoperatório de feocromocitomas, no controle das crises hipertensivas. Apresenta duração aproximada de uma hora e deve ser utilizada com cautela, pois pode ocorrer hipotensão grave. É um fármaco de alto custo e baixa disponibilidade no Brasil;
- **Sulfato de magnésio:** tem ganhado destaque recentemente no manejo intraoperatório de pacientes com feocromocitoma. Por sua ação nos canais de cálcio, é capaz

de bloquear a liberação de catecolaminas, uma vez que o cálcio é necessário para a sua exocitose pelas terminações neuronais na medula da adrenal.[40] O magnésio também apresenta efeito vasodilatador e antiarrítmico, motivo pelo qual é utilizado com sucesso em pacientes com feocromocitoma.[42-44]

O uso de sulfato de magnésio no intraoperatório é realizado em bólus de 40 mg/kg^{-1} a 60 mg/kg^{-1} antes da intubação traqueal, seguido pela infusão contínua de 2 g/h^{-1}.

Hipotensão arterial

Após a ligadura da veia renal, há uma queda abrupta da atividade simpática, desencadeando hipotensão arterial grave, principalmente em pacientes que não estavam adequadamente alfabloqueados antes do procedimento cirúrgico. O uso de alfabloqueadores no pré-operatório não garante que possíveis alterações intraoperatórias sejam abolidas, uma vez que são decorrentes de estímulos e/ou da manipulação do tumor.

O uso de fármacos vasoconstritores pode ser necessário por algumas horas ou por alguns dias após a retirada da glândula. O mais utilizado é a norepinefrina, sendo administrada sob infusão contínua. O paciente previamente alfabloqueado tem necessidade reduzida de vasoconstritores no pós-operatório, e a infusão de volume no intraoperatório também ajuda a reverter esse quadro.

Preconiza-se hidratar os pacientes com 10 mL/kg^{-1} a 15 mL/kg^{-1}, a fim de manter suas condições hemodinâmicas mais estáveis. A hidratação utilizada por nossa equipe é de 10 mL/kg^{-1}/h^{-1} por hora, e a reposição do jejum é realizada rapidamente antes de insuflar o pneumoperitônio, evitando-se alterações hemodinâmicas na insuflação e no posicionamento dos pacientes.

Arritmias cardíacas

As taquiarritmias devem ser controladas com betabloqueadores. Atualmente, no pré-operatório, o mais utilizado é o atenolol, por causar menor incidência de hipoglicemia no pós-operatório. O uso de betabloqueadores seletivos é recomendado porque o betabloqueio pode prejudicar a produção hepática de glicose e a secreção de glucagon.[45]

No intraoperatório, o mais indicado é um betabloqueador de curta duração. Em nossa instituição , utiliza-se o esmolol em dose única de 0,5 mg/kg^{-1} a 1,0 mg/kg^{-1} em dose única. Todavia, deve-se ter atenção para não se utilizar essa classe de medicamentos próximo ao pinçamento da veia.[46]

Considerando que o betabloqueio pode agravar a disfunção miocárdica preexistente, na ocorrência de arritmias supraventriculares, a amiodarona é o fármaco de escolha, e na presença de batimentos ventriculares ectópicos, a lidocaína na dose de 1 mg/kg^{-1} está indicada.[47]

Cuidados pós-operatórios

Todos os pacientes submetidos à ressecção de feocromocitoma devem ser encaminhados para a unidade de terapia intensiva (UTI), pois podem apresentar alta vulnerabilidade para episódios hipertensivos, hipotensivos e hipoglicêmicos. A alta frequência de hipotensão no pós-operatório imediato pode ser explicada por:

- Ligadura da veia da adrenal e diminuição abrupta da liberação de catecolaminas;
- Efeitos residuais do preparo pré-operatório com bloqueadores alfa-adrenérgicos;
- Eventualmente, uma complicação (p. ex., sangramento).

Nos primeiros dias, 50% dos pacientes permanecem hipertensos, uma vez que o nível de catecolaminas circulantes demora de sete a dez dias para se estabilizar.[48] Em média, 30% dos pacientes permanecem hipertensos para sempre.

A hipoglicemia é descrita no pós-operatório imediato, mas sua fisiopatologia ainda não está bem definida. Admite-se que os níveis de insulina aumentam drasticamente após a ressecção do tumor, uma vez que a supressão das células beta do pâncreas deixa de ser efetiva. É obrigatório checar os níveis de glicose antes, durante e após a cirurgia.[34,36,49]

Situações especiais

O feocromocitoma, quando diagnosticado na gravidez, aumenta em 40% a mortalidade materna e em 56% a mortalidade fetal. O diagnóstico durante a gestação é difícil, uma vez que pode ser confundido com outras doenças, como pré-eclâmpsia e miocardiopatias.[15] A cesárea assim que possível é uma boa indicação para essas pacientes.

REFERÊNCIAS

1. Berglund G, Andersson O, Wilhelmsen L. Prevalence of primary and secondary hypertension: studies in a random population sample. Br Med J. 1976;2:554-6.
2. Mulatero P, Stowasser M, Loh KC, Fardella CE, Gordon RD, Mosso L, et al. Increased diagnosis of primary aldosteronism, including surgically correctable forms, in centers from five continents. J Clin Endocrinol Metabol. 2004;89:1045-50.
3. Funder JW, Carey RM, Fardella C, Murad MH, Reincke M, Shibata H, et al. Case detection, diagnosis, and treatment of patients with primary aldosteronism: an endocrine society clinical practice guideline. J Clin Endocrinol Metabol. 2008;93:3266-81.
4. Monticone S, D'Ascenzo F, Moretti C, Williams TA, Veglio F, Gaita F et al. Cardiovascular events and target organ damage in primary aldosteronism compared with essential hypertension: a systematic review and meta-analysis. Lancet Diab Endocrinol. 2018;6:41-50.
5. Biller BM, Grossman AB, Stewart PM, Melmed S, Bertagna X, Bertherat J, et al. Treatment of adrenocorticotropin-dependent Cushing's syndrome: a consensus statement. J Clin Endocrinol Metabol. 2008;93:2454-62.
6. Boscaro M, Barzon L, Fallo F, Sonino N. Cushing's syndrome. Lancet. 2001;357:783-91.
7. Makras P, Toloumis G, Papadogias D, Kaltsas GA, Besser M. The diagnosis and differential diagnosis of endogenous Cushing's syndrome. Hormones. 2006;5:231-50.
8. Elamin MB, Murad MH, Mullan R, Erickson D, Harris K, Nadeem S, et al. Accuracy of diagnostic tests for Cushing's syndrome: a systematic review and metaanalyses. J Clin Endocrinol Metabol. 2008;93:1553-62.

9. Werbel SS, Ober KP. Pheochromocytoma. Update on diagnosis, localization, and management. Med Clin North Am. 1995;79:131-53.
10. Lenders JW, Eisenhofer G, Mannelli M, Pacak K. Phaeochromocytoma. Lancet. 2005;366:665-75.
11. Srougi V, Tanno F, Soares ISC, et al. Adrenalectomy in elderly with pheocromocytoma/paraganglioma: a comparative analysis with young adult patients. 2014 International Symposium on Pheochromocytoma and Paraganglioma; 2014; Kyoto: Japan; 2014.
12. Young Jr WF. Adrenal causes of hypertension: pheochromocytoma and primary aldosteronism. Rev Endocr Metabol Disord. 2007;8:309-20.
13. Andrade J. Patologias cardíacas da gestação. São Paulo: EdUSP; 2000.
14. Tebaldi TC, Soares FC, Soares ISC, et al. Cesariana em paciente em feocromocitoma. Rev Temas Livres 2006. p.272.
15. Lyman DJ. Paroxysmal hypertension, pheochromocytoma, and pregnancy. J Am Board Fam Pract. 2002;15:153-8.
16. Disick GI, Palese MA. Extra-adrenal pheochromocytoma: diagnosis and management. Cur Urol Rep. 2007;8:83-8.
17. Ilias I, Pacak K. A clinical overview of pheochromocytomas/paragangliomas and carcinoid tumors. Nuc Med Biol. 2008;35:S27-34.
18. Gimenez-Roqueplo AP, Burnichon N, Amar L, Favier J, Jeunemaitre X, Plouin PF. Recent advances in the genetics of phaeochromocytoma and functional paraganglioma. Clin Exper Pharmacol Physiol. 2008;35:376-9.
19. Safwat AS, Bissada NK, Seyam RM, Hanash KA. The clinical spectrum of phaeochromocytoma: analysis of 115 patients. BJU Intern. 2008;101:1561-4.
20. Pacak K. Phaeochromocytoma: a catecholamine and oxidative stress disorder. Endocr Regul. 2011;45:65-90.
21. Taylor SC, Peers C. Hypoxia evokes catecholamine secretion from rat pheochromocytoma PC-12 cells. Biochem Biophys Res Comm. 1998;248:13-7.
22. Bravo EL, Tagle R. Pheochromocytoma: state-of-the-art and future prospects. Endocr Rev. 2003;24:539-53.
23. Tardelli MA. Anestesia no feocromocitoma. In: Vianna PT, Ferez D. Atualização em anestesiologia. São Paulo: SAESP; 1996.
24. van Berkel A, Pacak K, Lenders JW. Should every patient diagnosed with a phaeochromocytoma have a (1)(2)(3) I-MIBG scintigraphy? Clin Endocrinol. 2014;81:329-33.
25. Lenders JW, Duh QY, Eisenhofer G, Gimenez-Roqueplo AP, Grebe SK, Murad MH, et al. Pheochromocytoma and paraganglioma: an endocrine society clinical practice guideline. J Clin Endocrinol Metab. 2014;99:1915-42.
26. Wang J, Liu Q, Jiang S, Zhang J, He J, Li Y, et al. Preoperative alfa-blockade vesus no blockade for pheochromocytoma-paraganglioma patients undergoing surgery: a systematic review and updated meta-analysis. Int J Surg. 2023;109:1470-80.
27. Fishbein L, Orlowski R, Cohen D. Pheochromocytoma/paraganglioma: review of perioperative management of blood pressure and update on genetic mutations associated with pheochromocytoma. J Clin Hypert. 2013;15:428-34.
28. Elliott HL, Meredith PA, Vincent J, Reid JL. Clinical pharmacological studies with doxazosin. Br J Clin Pharmacol. 1986;21:27S-31S.
29. Prys-Roberts C, Farndon JR. Efficacy and safety of doxazosin for perioperative management of patients with pheochromocytoma. World J Surg. 2002;26:1037-42.
30. Schreiner F, Anand G, Beuschlein F. Perioperative management of endocrine active adrenal tumors. Exp Clin Endocrinol Diabetes. 2019;127:137-46.
31. Pacak K. Preoperative management of pheochromocytoma patient. J Clin Endocrinol Metab. 2007;92:4069-79.
32. Brunaud L, Boutami M, Nguyen-Thi PL, Finnerty B, Germain A, Weryha G, et al. Both preoperative alpha and calcium channel blockade impact intraoperative hemodynamic stability similarly in the management of pheochromocytoma. Surgery. 2014;156:1410-7.
33. Kercher KW, Park A, Matthews BD, Rolband G, Sing RF, Heniford BT. Laparoscopic adrenalectomy for pheochromocytoma. Surg Endosc. 2002;16:100-2.
34. Plouin PF, Duclos JM, Soppelsa F, Boublil G, Chatellier G. Factors associated with perioperative morbidity and mortality in patients with pheochromocytoma: analysis of 165 operations at a single center. J Clin Endocrinol Metabol. 2001;86:1480-6.
35. Mallat J, Pironkov A, Destandau MS, Tavernier B. Systolic pressure variation (Deltadown) can guide fluid therapy during pheochromocytoma surgery. Canadian journal of anaesthesia. J Can D'anesth. 2003;50:998-1003.
36. Tatokoro M, Nakanishi Y, Komai Y, et al. Impact of impaired glucose tolerance on the development of hypoglycemia following removal of pheochromocytoma. Am Urol Assoc. 2015;193:15-20.
37. Lentschener C, Gaujoux S, Tesniere A, Dousset B. Point of controversy: perioperative care of patients undergoing pheochromocytoma removal-time for a reappraisal? Eur J Endocrinol. 2011;165:365-73.
38. Bajwa SS, Bajwa SK. Implications and considerations during pheochromocytoma resection: a challenge to the anesthesiologist. Ind J Endocrinol Metabol. 2011;4:S337-44.
39. Brunjes S, Johns VJ Jr, Crane MG. Pheochromocytoma: postoperative shock and blood volume. New Engl J Med. 1960;262:393-6.
40. Li N, Kong H, Li SL, Zhu SN, Wang DX. Combined epidural-general anesthesia was associated with lower risk of postoperative complications in patients undergoing open abdominal surgery for pheochromocytoma: a retrospective cohort study. PLoS One 2018; 13: e0192924.
41. Atallah F, Bastide-Heulin T, Soulie M, Crouzil F, Galiana A, Samii K, et al. Haemodynamic changes during retroperitoneoscopic adrenalectomy for phaeochromocytoma. Br J Anaesth. 2001;86:731-3.
42. Do SH. Magnesium: a versatile drug for anesthesiologists. Kor J Anesthesiol. 2013;65:4-8.
43. James MF. Use of magnesium sulphate in the anaesthetic management of phaeochromocytoma: a review of 17 anaesthetics. Br J Anaesth. 1989;62:616-23.
44. Sanath Kumar SB, Date R, Woodhouse N, El-Shafie O, Nollain K. Successful management of phaeochromocytoma using preoperative oral labetalol and intraoperative magnesium sulphate: report of four cases. Sultan Qaboos Univ Med J. 2014;14:e236-40.
45. Costello GT, Moorthy SS, Vane DW, Dierdorf SF. Hypoglycemia following bilateral adrenalectomy for pheochromocytoma. Cr Care Med. 1988;16:562-3.
46. Zakowski M, Kaufman B, Berguson P, Tissot M, Yarmush L, Turndorf H. Esmolol use during resection of pheochromocytoma: report of three cases. Anesthesiology. 1989;70:875-7.
47. Solares G, Ramos F, Martin-Duran R, San-José JM, Buitrago M. Amiodarone, phaeochromocytoma and cardiomyopathy. Anaesthesia. 1986;41:186-90.
48. Desmonts JM, Marty J. Anaesthetic management of patients with phaeochromocytoma. Br J Anaesth. 1984;56:781-9.
49. Plouin PF, Amar L, Dekkers OM, Fassnacht M, Gimenez-Roqueplo AP, Lenders JW, et al. European Society of Endocrinology Clinical Practice Guideline for long-term follow-up of patients operated on for a phaeochromocytoma or paraganglioma. Eur J Endocrinol. 2016;174:G1-G10.

Parte 20

Anestesia e o Paciente Obeso

Obesidade: Aspectos Fisiológicos, Fisiopatológicos e Farmacológicos

Luiz Eduardo de Paula Gomes Miziara ■ Ricardo Francisco Simoni

INTRODUÇÃO

Obesidade é o excesso de tecido adiposo no organismo. A diferença entre peso normal e excesso de peso é arbitrária, mas uma pessoa deve ser considerada obesa quando o excesso de tecido adiposo afeta sua saúde física e mental, diminuindo sua expectativa de vida.[1]

■ CLASSIFICAÇÃO DA OBESIDADE

A obesidade pode ser classificada quantitativamente ou qualitativamente. A classificação quantitativa faz-se, entre outros métodos, pelo índice de Quetelet, mais conhecido como índice de massa corporal (IMC), em que o peso é dividido pelo quadrado da altura. Esse índice, apesar de não distinguir gordura central de gordura periférica e massa gordurosa de massa magra, é o mais utilizado na prática clínica em razão da simplicidade do cálculo e da boa correlação com a adiposidade corporal. Segundo esse índice, a Organização Mundial da Saúde (OMS) classifica a obesidade de acordo com o descrito na Tabela 165.1.

Na classificação qualitativa da obesidade, dá-se importância à distribuição anatômica da massa gordurosa. Na obesidade tipo androide, superior, central, ou em maçã, o excesso de tecido adiposo está mais localizado na região abdominal ou no tronco. Esse tipo é mais comum no sexo masculino e está associado ao acúmulo de gordura intra-abdominal ou visceral.[1] Na obesidade ginecoide, inferior, periférica ou subcutânea, gluteofemoral, ou em pera, o excesso de tecido gorduroso está mais localizado na região do quadril. A obesidade do tipo ginecoide é mais frequentemente encontrada no sexo feminino.[1]

As complicações cardiovasculares e metabólicas, como isquemia miocárdica, diabetes melito e dislipidemias, estão mais correlacionadas com a obesidade androide, ao passo que as complicações vasculares e os problemas ortopédicos, à obesidade ginecoide.[2]

Tabela 165.1 Classificação da obesidade segundo o IMC e o risco de doença.

Classificação	IMC (kg/m²)	Risco de doenças coexistentes
Baixo peso/magreza	< 18	Elevado
Normal	18,5-24,9	Normal/baixo
Sobrepeso	25-29,9	Pouco Elevado
Obesidade		
Grau I	30-34,9	Elevado
Grau II	35-39,9	Muito elevado
Grau III	40-49,9	Muitíssimo elevado
Superobeso	50-69,9	Extremamente elevado
Ultraobeso	> 70	Extremamente elevado

IMC: índice de massa corporal.

EPIDEMIOLOGIA

A prevalência de obesidade mais do que dobrou nos últimos 25 anos. De acordo com a OMS, em 2016, mais de 39% da população adulta mundial estavam acima do peso, sendo 13% classificados como obesos. Considerando a prosperidade um fator importante para o desenvolvimento do excesso de peso, a sua prevalência continua a aumentar em regiões desenvolvidas, como os EUA, a Europa e a Austrália, assim como em alguns países em desenvolvimento e do Mediterrâneo oriental, com incidência entre 70% e 80% da população.[3]

No Brasil, a prevalência de obesidade aumentou na última década. Na população feminina, que é a mais afetada, a prevalência de obesidade é de 13,3% e a sua taxa de ascensão é de 0,36% ao ano. Na população masculina, a prevalência é de aproximadamente 7% e a taxa de ascensão, 0,2% ao ano.[2] Na Europa, a prevalência de obesidade é de 20%, e nos EUA, 31%.[1]

As taxas de ascensão da obesidade nos países desenvolvidos variam de 0,5% a 1% ao ano, com exceção do Japão e da Holanda, que apresentam taxas estáveis.[2]

Ao ritmo atual, 68 milhões de norte-americanos serão obesos em sete anos, ou seja, 40% da população, e a marca de 50% poderá ser superada em uma década, de acordo com as estatísticas apresentadas pelo Centro de Controle de Doenças (CCE), ligado ao governo federal. O número de pessoas diabéticas nos EUA aumentará 165% entre 2000 e 2050.

O custo anual da obesidade nos EUA atingiu US$ 117 bilhões, e, nesse país, ela é a segunda causa de óbito (300 mil mortes por ano) por causas evitáveis.[2]

ETIOLOGIA

A causa da obesidade é complexa e multifatorial.[1]

- **Idade:** a obesidade aumenta com a idade e é mais incidente na quinta e sexta décadas de vida, diminuindo ligeiramente na sétima e oitava décadas.[2]
- **Sexo:** em razão da maior porcentagem de gordura, as mulheres apresentam maior incidência de sobrepeso e obesidade do que os homens.[2]
- **Raça:** a obesidade acomete mais as mulheres negras que as brancas, e essa variação é difícil de ser explicada.[2]
- **Renda familiar e escolaridade:** a obesidade é mais prevalente nas classes sociais média e baixa, que apresentam renda familiar mais baixa e menor grau de escolaridade.[2]
- **Estado civil:** entre os homens, o casamento é o principal fator desencadeante do excesso de peso.[2]
- **Paridade:** entre as mulheres, a gestação pode ser precursora da obesidade e é considerada o principal fator desencadeante. A cada gestação, a mulher acumula, em média, 1 kg de peso, o que poderia estar relacionado com o aumento do consumo de alimentos no início da gestação, a diminuição da atividade física e a elevação dos níveis de prolactina e estrógenos que favorecem o acúmulo de tecido adiposo.[2]
- **Genética:** a carga genética da obesidade chega a 80% em estudos em que o pai e a mãe são obesos, e também está relacionada com as doenças coexistentes.[2,4]

- **Tabagismo:** o tabagismo está relacionado com a diminuição de peso, e a sua interrupção, com o ganho de peso.[2]
- **Etilismo:** o uso moderado de bebida alcoólica está associado a IMC elevado.[2]
- **Dieta:** o equilíbrio positivo entre o que é ingerido e o que se gasta num certo período é um dos principais fatores de sobrepeso e obesidade, o que está relacionado diretamente com a quantidade e a qualidade da alimentação. Os *fast-foods* são os principais vilões de uma dieta equilibrada.[2]
- **Atividade física e sedentarismo:** a atividade física é a grande forma de gasto energético e principal responsável pela termogênese humana. Pessoas sedentárias têm maior peso que as praticantes de atividade física.[2]
- **Outros fatores:** doenças endócrinas (hipotireoidismo, síndrome de Cushing, hipogonadismo, síndrome do ovário policístico), traumatismos, infecções, processos expansivos ou cirurgias sobre áreas do hipotálamo ventromedial e iatrogênicas (antidepressivos, anti-histamínicos e corticosteroides) podem predispor à obesidade.[1,5]

Morbidade e Mortalidade

Muitas doenças estão associadas à obesidade (Tabela 165.2). Sabe-se que a morbidade e a mortalidade aumentam agudamente quando o IMC > 30 kg/m², e o risco de morte prematura duplica com o IMC > 35 kg/m². A morte súbita é 13 vezes mais frequente entre mulheres obesas quando em comparação com mulheres de peso normal. O risco de mortalidade ente os obesos do sexo masculino é 3,9 vezes maior que nos homens com peso normal.[1]

Tabela 165.2 Comorbidades da obesidade.	
Doenças	**Exemplos**
Cardiovasculares	Morte súbita, cardiomiopatia da obesidade, hipertensão, isquemia, hiperlipidemia, *cor pulmonale*, vasculopatia periférica, varizes, TVP, embolia pulmonar
Pulmonares	Distúrbio ventilatório restritivo, apneia obstrutiva do sono, síndrome da hipoventilação da obesidade, síndrome de Pickwick
Endócrinas	Diabetes melito, doença de Cushing, hipotireoidismo, infertilidade
Gastrointestinais	Hérnia hiatal, hérnia inguinal, doença do refluxo gastroesofágico
Genitourinárias	Menstruação anormal, incontinência urinária feminina, calculose renal
Neoplasias	Mama, próstata, colorretal, colo uterino, endométrio
Musculoesqueléticas	Osteoartrites pelo excesso de carga nas articulações

TVP: trombose venosa profunda.

FISIOPATOLOGIA

A fisiopatologia da obesidade ainda não está totalmente esclarecida, mas as principais razões para um indivíduo se tornar obeso são:

- Aumento da ingestão calórica, principalmente de gordura, doces e álcool;
- Menor gasto calórico, termogênese (atividade física) diminuída;
- Maior adipogênese (níveis elevados da lipase lipoproteica);
- Capacidade reduzida de oxidar gorduras.[4]

Os Adipócitos na Fisiopatologia da Obesidade

As células de gordura, ou adipócitos, têm papel fundamental nas mudanças fisiopatológicas comumente associadas à obesidade e suas comorbidades.

Os adipócitos têm duas funções principais: o controle de lipídios, em que o tecido adiposo pode ser visto como uma resposta adaptativa destinada a controlar a toxicidade potencial dos níveis de ácidos graxos livres, e as funções endócrina e parácrina central para o impacto negativo da obesidade.[6] Essas células produzem e secretam ativamente grande número de importantes hormônios biologicamente ativos, conhecidos como adipocitoquinas, que incluem substâncias com funções metabólicas e de regulação do crescimento, bem como colágenos e citocinas (Figura 165.1).

Substâncias pró-inflamatórias são secretadas, principalmente, por células da gordura visceral, enquanto adiponectina e neptina são as principais substâncias produzidas pelos adipócitos subcutâneos. Essas substâncias pró-inflamatórias aumentam os macrófagos e o recrutamento de células T no tecido adiposo, contribuindo ainda mais para o processo inflamatório. Os adipócitos e as células inflamatórias representam uma combinação potente no cerne dos distúrbios metabólicos na obesidade.

A leptina é produzida pelos triglicérides e suas ações fisiológicas normais são redução do apetite e aumento da atividade simpática para queimar calorias, promovendo a manutenção do saldo entre a ingestão e o gasto de energia. Os níveis de leptina são elevados na obesidade, porém um estado de resistência à leptina também pode ocorrer.

A adiponectina é um hormônio com efeitos antiateroscleróticos, antidiabéticos, anti-inflamatórios e anti-hipertensivos. A adiponectina aumenta a oxidação de ácidos graxos livres e a produção de óxido nítrico endotelial e desempenha importante função na regulação da ciclo-oxigenase 2 (COX-2). Os níveis de adiponectina diminuem na obesidade, e essa queda está associada a riscos elevados de hipertensão, hipertensão arterial pulmonar e síndrome coronariana aguda. Os níveis de adiponectina são inversamente relacionados com os de aldosterona e da atividade simpática.[6]

■ A CIRURGIA BARIÁTRICA

As primeiras operações utilizadas no tratamento da obesidade mórbida seguiram os estudos experimentais de Kremen *et al.*, em 1954, e tinham como base a redução da absorção pela derivação de grande parte do intestino delgado. Essa técnica era bastante eficaz para redução substancial e permanente do peso, entretanto a intensidade dos sintomas decorrentes da má absorção fez que essa técnica e suas variações fossem abandonadas em 1970.[7]

As substituições das derivações jejunoileais se iniciaram, em 1967, com Mason *et al.* A técnica baseava-se em obter-se redução da massa corpórea pela diminuição da capacidade gástrica, restringindo-se a ingestão de alimentos. As primeiras técnicas foram as derivações gástricas, ainda hoje utilizadas por boa parte dos especialistas.[7]

Dois aspectos técnicos são de grande importância: o reservatório gástrico remanescente não deve ter mais que 30 mL de capacidade e o orifício de saída desse reservatório não deve ter mais que 1,5 cm de diâmetro. Com base nessas informações, Mason introduziu a técnica da gastroplastia vertical com bandagem (GVB), mais empregada nas décadas de 1980 e 1990. A operação é bastante simples, rápida, com poucas complicações e mortalidade quase nula, entretanto o índice de perda de peso não era satisfatório, principalmente após seguimento mais longo, com alta incidência de recidiva da obesidade.[7]

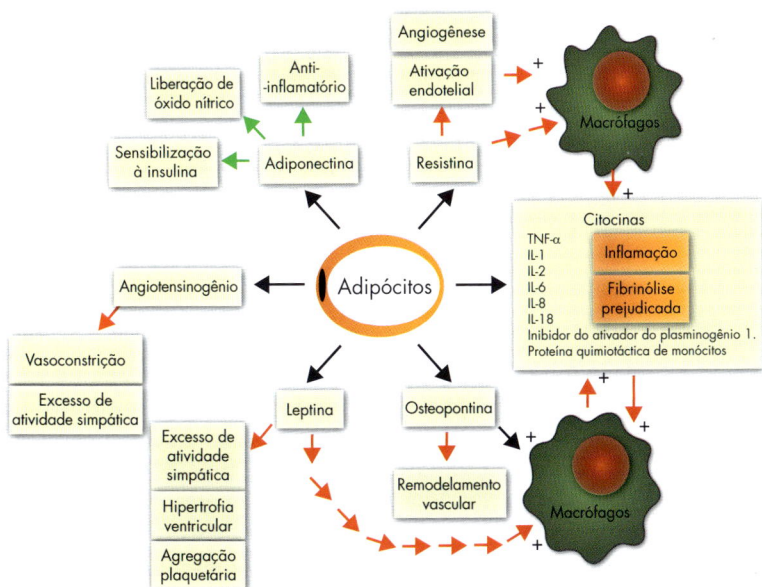

◄ **Figura 165.1** Adipócitos na fisiopatologia da obesidade.

Nos últimos anos, a tendência tem sido a associação de redução do reservatório gástrico e restrição do seu esvaziamento com um pequeno prejuízo na absorção, como nos pacientes gastrectomizados, por meio de uma derivação gastrojejunal em Y de Roux. Com a associação de restrição e má absorção, as perdas médias de peso com essa técnica são da ordem de 35%. A segurança e a baixa morbidez são semelhantes às da GVB. A padronização dessa técnica foi proposta por Capella.[5]

Recentemente, foram adotadas técnicas videolaparoscópicas na cirurgia bariátrica, desenvolvidas por Kuzmak (1989) e padronizadas por Belachew (1995) e Favretti (1995), que consistem na aplicação de uma banda inflável de silastic, envolvendo a porção alta do estômago e estreitando-a, de modo que seja criada uma pequena câmara justaesofágica, com esvaziamento lento, seguindo o mesmo princípio da GVB de Mason. O orifício de passagem é regulável por punção cutânea. Apesar da comodidade e das vantagens dessa técnica, os mecanismos fisiológicos são os mesmos observados na GVB, que se mostraram insuficientes em longo prazo.[7]

Com a evolução dos grampeadores e das suturas mecânicas, todas as técnicas cirúrgicas podem ser realizadas por via laparoscópica.[8] Quando comparada com a técnica aberta, a derivação gastrojejunal em Y de Roux por via laparoscópica tem como vantagens: incisão cutânea menor, sangramento reduzido, menos necessidade de internação em unidade de terapia intensiva (UTI), pequeno número de complicações imediatas e tardias, menos reoperações, diminuição do tempo de permanência hospitalar, mobilização mais precoce, redução da incidência de hérnias incisionais e infecção, consumo reduzido de analgésicos no pós-operatório e melhor preservação da função pulmonar.[8] Como a curva de aprendizado é maior por via laparoscópica, em aproximadamente 70% dos casos, o tempo cirúrgico tende a ser maior pela via laparoscópica, dependendo da habilidade do cirurgião.[8]

As complicações mais frequentes da cirurgia bariátrica são: deiscência de anastomoses, obstrução do trânsito intestinal, trombose venosa profunda, embolia pulmonar, parada respiratória, sangramento gastrointestinal e infecção. As complicações tardias são: náuseas e vômitos prolongados, colestase, hérnias incisionais, anemia, má nutrição proteico-calórica e síndrome de Dumping.[8]

A síndrome de Dumping é caracterizada por uma série de sintomas decorrentes do esvaziamento rápido do coto gástrico, como anemia, perda de peso, sensação de plenitude pós-prandial e preferência por alimentos líquidos.[7]

ALTERAÇÕES FISIOLÓGICAS E FISIOPATOLÓGICAS DO PACIENTE OBESO MÓRBIDO

Sistema Respiratório

O sistema respiratório no obeso mórbido (OM) sofre alterações estruturais e funcionais diretamente proporcionais à duração e ao grau da obesidade.[9]

No OM, a demanda metabólica e o gasto energético estão elevados em razão do aumento da massa corporal e da energia necessária para seu deslocamento. Com isso, o OM consome mais O_2 e produz mais CO_2, necessitando de hiperventilação alveolar com aumento do volume-minuto para manter a normocapnia.[10] Grande parte dos obesos jovens apresenta aumento de resposta ventilatória à hipóxia e redução relativa da resposta à hipercarbia.[11]

O IMC aumentado está associado a declínio exponencial da complacência pulmonar total, que, em casos mais graves, estará diminuída em até 30% do valor normal.[1] O acúmulo de tecido adiposo sobre as paredes do tórax e no parênquima pulmonar reduz as complacências torácica e pulmonar. O aumento da pressão mecânica sobre o abdome e a presença de alterações da coluna vertebral, como a cifose e a lordose lombares, são responsáveis pela elevação das pressões intratorácica e intra-abdominal, restringindo os movimentos diafragmáticos e a complacência pulmonar.[5,9] O declínio da complacência pulmonar já resulta no início do aumento do volume sanguíneo pulmonar.[1]

A musculatura respiratória dos OMs é ineficiente em virtude do aumento da demanda metabólica da musculatura respiratória e da infiltração gordurosa dos músculos da respiração.[1,5]

Devido à ineficiência da musculatura respiratória e à redução da complacência pulmonar e torácica, ocorre aumento do trabalho respiratório nos pacientes obesos. Em OM em repouso, esse aumento é de até 30%.[10]

A obesidade também está associada ao aumento da resistência respiratória total como resultado da elevação da resistência pulmonar.[1]

O obesidade mórbida está associada a reduções da capacidade residual funcional (CRF), do volume de reserva expiratório (VRE) e da capacidade pulmonar total (CPT), características do distúrbio ventilatório restritivo.[1] Essas alterações, que se devem ao aumento do peso sobre a caixa torácica e o abdome, ocasionando deslocamento cefálico do diafragma, são agravadas pela posição supina.[4]

O VRE e a CRF eventualmente se reduzem, de modo que o volume-corrente (VC) torna-se inferior ao volume de oclusão (VO), ocasionando alterações na relação ventilação-perfusão (V/Q), *shunt* direita-esquerda e hipoxemia arterial.[1] Essas alterações pioram quando o OM é anestesiado. A CRF sofre diminuição de 50% nos OMs anestesiados, enquanto em não obesos a queda é de 20%.[5,7] Já o *shunt* intrapulmonar é de 10% a 25% nos OMs anestesiados e de 2% a 5% em pacientes com peso normal anestesiados.[1] O espaço morto aumenta e pode comprometer até 61% do volume-corrente.[5]

Distúrbios respiratórios do sono e apneia obstrutiva do sono

Os distúrbios respiratórios do sono descrevem um conjunto de condições que vão desde a apneia obstrutiva do sono (AOS) até a síndrome de hipoventilação da obesidade (SHO). Estima-se que a AOS afete entre 40% e 90% dos indivíduos obesos. Hipóxia noturna e hipercapnia associada à obstrução das vias respiratórias são características da AOS. A hipoxemia crônica e a hipercapnia levam a hipertensão pulmonar e disfunção ventricular direita. Alguns pacientes com obesidade grave desenvolvem SHO, que é caracterizada por hipoventilação alveolar com pressão parcial de dióxido de carbono ($PaCO_2$) > 45 mm Hg inexplicável por outros distúrbios.[12]

Asma

A probabilidade de asma é duas vezes maior em obesos quando comparados com indivíduos cujo IMC < 25 kg/m². Os principais fatores associados são a alteração da contratilidade da musculatura lisa das vias respiratórias, aumentando sua responsividade, e o estado inflamatório crônico associado à obesidade. Pacientes obesos têm maior probabilidade de respostas insatisfatórias aos corticosteroides inalados e aos beta-agonistas de ação prolongada. Uma boa resposta aos broncodilatadores sugere asma não relacionado com a obesidade. Em 50% dos pacientes, a asma relacionada com a obesidade é reversível com perda de peso.[12]

Hipertensão pulmonar

Pacientes obesos apresentam múltiplos fatores de risco para o desenvolvimento de hipertensão pulmonar, AOS, SHO, disfunção cardíaca esquerda e tromboembolismo pulmonar crônico.[12]

Sistema Cardiovascular

As doenças cardiovasculares, como hipertensão arterial, isquemia miocárdica e insuficiência cardíaca, são as principais causas de morbimortalidade nos obesos, e sua alta prevalência nesses pacientes surge da necessidade de o organismo adaptar-se ao excesso de massa corporal e ao aumento da demanda metabólica. A doença cardiovascular é prevalente em 37% dos adultos com IMC > 30 kg/m².[1]

A hipertensão é moderada em 50% a 60% e grave em 5% a 10% dos pacientes obesos. O mecanismo exato para o desenvolvimento da hipertensão no OM é ainda desconhecido, mas acredita-se que exista interação entre fatores genéticos, hemodinâmicos, hormonais e renais.[1]

Com o aumento da massa corporal, principalmente de tecido adiposo, o paciente obeso desenvolve aumento do volume intravascular e do débito cardíaco (DC), resultando em elevação da pressão arterial. O DC aumenta cerca de 0,1 mL.min⁻¹ para cada quilograma de peso ganho em gordura,[9] enquanto a pressão sistólica se eleva 3-4 mmHg e a diastólica, 2 mmHg para cada 10 kg de peso ganho.[1] O volume sanguíneo total é intensificado nos pacientes obesos, porém a relação volume/peso é menor do que nos não obesos (50 mL.kg⁻¹ *vs.* 75 mL.kg⁻¹). A maioria desse volume extra é distribuída para a gordura. O fluxo sanguíneo esplâncnico sofre aumento de 20%, entretanto os fluxos sanguíneos cerebral e renal não variam.[1]

A hiperinsulinemia, característica da obesidade contribui para a elevação da pressão, ativando o sistema nervoso simpático e o sistema renina-angiotensina-aldosterona, ampliando a reabsorção tubular de sódio no organismo. A resistência periférica da insulina pode ser a responsável pelo aumento da atividade pressórica da norepinefrina e da angiotensina II.[1]

A obesidade é fator de risco independente para a doença isquêmica do miocárdio, principalmente na obesidade de distribuição central e associada à hipertensão, ao diabetes e à dislipidemia, no entanto 40% dos pacientes obesos com angina não apresentam coronariopatia. Supõe-se, então, que a angina seja um sintoma direto da obesidade.[1]

As arritmias cardíacas nos pacientes OMs são de várias causas, entre elas hipóxia, hipercapnia, distúrbios hidroeletrolíticos (terapia diurética), coronariopatias, apneia obstrutiva do sono, hipertrofia miocárdica, aumento das concentrações de catecolaminas circulantes e infiltração gordurosa do sistema de condução.[1]

Acreditava-se que a infiltração gordurosa no coração, o chamado *cor adiposum*, fosse o principal fator da fisiopatologia da miocardiopatia, entretanto as autópsias dos OMs têm demonstrado que, apesar do acúmulo de tecido adiposo no epicárdio, a infiltração gordurosa no miocárdio é incomum. A principal câmara cardíaca infiltrada pela gordura é o ventrículo direito, fato que explica os distúrbios de condução e as arritmias. O aumento de peso observado nos corações dos OMs é ocasionado, principalmente, pela dilatação e pela hipertrofia dos ventrículos direito (VD) e esquerdo (VE).[1]

A miocardiopatia na obesidade é causada pela interação da hipertensão arterial, da doença isquêmica e de doenças respiratórias (Tabela 165.2).

A hipertensão arterial, com o aumento do débito cardíaco, contribui para o desenvolvimento da hipertrofia concêntrica do VE, diminuindo a complacência ventricular e elevando a pressão diastólica final do VE, com potencial aparecimento de isquemia miocárdica e edema pulmonar. No ecocardiograma, observa-se diminuição na função sistólica do VE, principalmente durante o exercício, em que a fração de ejeção aumenta de forma lenta e limitada quando comparada com a de indivíduos não obesos. Somam-se a esse quadro a doença isquêmica do miocárdio (aumento na espessura e tensão da parede do miocárdio) e as doenças respiratórias, como a apneia obstrutiva do sono, que levam à falência dos ventrículos esquerdo e direito.[1]

Sistema Endócrino

Os pacientes OMs precisam de alta ingestão de calorias para manter o peso corpóreo estável, saturando a homeostasia do controle glicêmico e tendo como efeito elevada incidência de diabetes e intolerância à glicose.[10] Após o teste de tolerância à glicose, os OMs, principalmente os do tipo androide, apresentam maior concentração plasmática de insulina e glicose. O aumento da secreção e da resistência periférica à insulina, associado à diminuição em sua depuração hepática, resulta na hiperinsulinemia da obesidade.[5] Os tecidos muscular e adiposo dos OMs respondem menos às ações da insulina, resistência que provavelmente se relaciona com a diminuição do número de receptores para insulina e a menor resposta criada pela interação insulina-receptor.[5]

Em relação aos hormônios tireoidianos, os pacientes obesos apresentam níveis normais de tiroxina (T4) e hormônio estimulante da tireoide (TSH), entretanto a tri-iodotironina (T3) está elevada até níveis superiores, o que está diretamente relacionado com a hiperalimentação. A depuração de T3 e T4 encontra-se aumentada.[5]

A produção de cortisol está, na maioria das vezes, aumentada, porém, se a taxa de conversão também estiver aumentada, os níveis sanguíneos de cortisol estarão reduzidos. Os OMs apresentam dificuldade na excreção de sódio e água.[5]

Nos OMs do sexo masculino, observa-se concentração diminuída de testosterona total, de testosterona livre e do hormônio foliculoestimulante (FSH), além de concentrações plasmáticas aumentadas de estrogênio e estradiol, resultado da maior aromatização de precursores na suprarrenal. Com isso, os homens OMs desenvolvem hipogonadismo hipogonadotrófico. Não há, contudo, alteração na espermatogênese, na libido ou na potência sexual. Já nas mulheres obesas, os níveis estrogênicos estão normais na pré-menopausa e elevam-se na pós-menopausa pela conversão periférica aumentada de androstenodiona em estrona. As mulheres OMs do tipo androide têm taxas elevadas de androgênios, testosterona e estradiol em comparação com as do tipo ginecoide.[5]

Sistema Gastrointestinal

Segundo o estudo de Vaughan, publicado em 1975, volume gástrico dos pacientes OMs no momento da indução é > 25 mL e o pH < 2,5, portanto com potencial risco de aspiração pulmonar.[13] O aumento da gordura sobre a parede abdominal acarreta aumento linear da pressão abdominal, da secreção de suco gástrico, do tempo de esvaziamento do estômago e maior incidência de hérnia hiatal e refluxo gastroesofágico. Alguns trabalhos mais recentes, entretanto, consideram esse risco de aspiração superestimado.[14-18]

A principal crítica ao estudo de Vaughan está na metodologia, visto ter sido realizado coletando-se suco gástrico por meio de aspiração "às cegas".

Em recente estudo de revisão, os autores não conseguiram estabelecer uma clara relação entre obesidade e conteúdo gástrico, não demonstrando evidências de risco aumentado de aspiração de conteúdo gástrico no obeso; portanto a obesidade não é fator de risco isolado.[17]

Só nos EUA, são realizadas mais de 70 mil intervenções em obesos anualmente, e, apesar desse número significativo, são muito raros os relatos de broncoaspiração, indicando provavelmente que o risco de aspiração esteja realmente superestimado.

Em 90% dos pacientes OMs, o fígado apresenta alterações histológicas e funcionais. A infiltração gordurosa é observada em até 50% dos hepatócitos, porém a depuração hepática não está reduzida.[8] O grau de infiltração gordurosa é diretamente proporcional ao peso corporal e pode estar associado à intolerância à glicose. Além do estado de tolerância aos carboidratos, a hipertrofia das ilhotas pancreáticas e a hiperinsulinemia podem refletir a alta prevalência de diabetes melito nos pacientes obesos.[19] Um estudo demonstrou que, em 84% dos obesos submetidos à cirurgia bariátrica, havia evidências de esteatose hepática, e 20% deles apresentavam comprometimento grave e difuso do fígado. Os testes de função hepática nos OMs sem doença hepática concomitante estão 20% a 30% elevados. Na população obesa, o aumento de aspartato alanina aminotransferase (ALT) é a mais frequente. Para cada 1% na redução do peso corporal, a atividade da ALT aumenta 8,1%. Outro estudo mostra que pacientes OMs que estavam aguardando a cirurgia bariátrica apresentavam enzimas hepáticas elevadas (ALT 14,1%, aspartato aminotransferase [AST] em 9,6% e gama-glutamiltransferase [GGT] em 6,6%). Apesar das alterações histológicas e enzimáticas do fígado, não há correlação evidente entre os testes de rotina da função hepática e a capacidade do fígado em metabolizar fármacos.[8]

Sistema Renal

Os rins dos pacientes obesos estão aumentados em razão do acúmulo de gordura nesses órgãos.[9]

Estudos mais recentes mostram que a obesidade provoca aumento do fluxo sanguíneo renal e da taxa de filtração glomerular, elevando a depuração renal de fármacos.[8] Outros estudos, porém, observam que o fluxo sanguíneo renal no OM está normal ou diminuído.[9]

A taxa de filtração glomerular encontra-se elevada em 40% ou mais nos obesos, e esse é o fator mais importante para o desenvolvimento da proteinúria, que é a anormalidade renal mais comum nos OMs.[8]

Alterações Psíquicas

A ansiedade e a depressão são mais comuns em Oms do que na população geral, além de tabagismo e etilismo. Nesses pacientes, também se observam alta incidência de história de abuso sexual, sintomas de estresse pós-traumático e distúrbios alimentares, como bulimia, *binge eating* e *night eating syndrome*. Aqueles que conseguem reduzir o peso apresentam melhora da autoestima e redução dos sintomas de depressão e dos distúrbios alimentares, no entanto pode ocorrer dificuldade de adaptação e mesmo de aceitação de outros estresses fisiológicos.[19]

■ FARMACOLOGIA NO OBESO

As propriedades farmacológicas dos fármacos, tanto farmacocinéticas como farmacodinâmicas, no paciente obeso estão alteradas, ocasionando certas mudanças no comportamento delas. Essas alterações devem ser de conhecimento do anestesiologista para que ele empregue de maneira correta os agentes anestésicos.

Absorção

Estudos indicam que não existe alteração na absorção de fármacos por via oral no paciente OM, e a biodisponibilidade dos fármacos administrados por essa via é semelhante à do indivíduo não obeso.[20]

Distribuição

O volume de distribuição dos fármacos depende de muitos fatores, incluindo a afinidade do fármaco a um determinado compartimento tecidual, a massa desse tecido, a permeabilidade do fármaco nesse compartimento e a ligação dos fármacos a proteínas plasmáticas.[20]

A presença de várias doenças altera as propriedades físico-químicas dos fármacos. A obesidade é uma doença que acarreta mudanças em muitas dessas propriedades e está associada ao aumento da massa adiposa, da massa magra, do tamanho do coração, do débito cardíaco, do volume sanguíneo e do fluxo esplâncnico relativo, além de alterações na ligação dos fármacos a proteínas plasmáticas.[20]

Em geral, o volume de distribuição dos fármacos altamente lipofílicos está aumentado na obesidade, com base no coeficiente de partição lipídica octanol/água (LPC), o qual está geralmente elevado no paciente obeso.[19]

Nos OMs, os fármacos altamente lipofílicos têm LPC alto, potencializando, assim, a sua distribuição no tecido adiposo desses pacientes. Conclui-se, então, que as doses dos barbitúricos e dos benzodiazepínicos, compostos altamente lipofílicos, devem ser calculadas com base no peso corporal total.[20]

Os compostos com baixa lipossolubilidade estão com o volume de distribuição normais ou pouco alterados, e sua dose deve ser calculada tendo como base o peso corporal ideal ou, mais precisamente, a massa magra do paciente. Esses valores não são idênticos porque 20% a 40% do aumento do peso corporal total dos pacientes obesos devem ser atribuídos ao aumento da massa magra. Adicionar 20% ao peso corporal ideal para o cálculo da dose das medicações hidrofílicas é o suficiente para incluir a massa magra extra.[8,20]

São exceções a essa regra o remifentanil, a digoxina e a procainamida, fármacos muito lipossolúveis, mas que não apresentam relação entre o grau de lipossolubilidade e sua distribuição nos pacientes obesos.[8]

O peso corporal corrigido (PCC) é uma fórmula empírica que tem sido recomendada e utilizada em alguns trabalhos com opioides e propofol, principalmente nas infusões alvo-controladas, quando havia um risco de sobredose (PCC = peso corporal ideal + 40% do excesso de peso).[21]

As dosagens para os compostos polares, como a teofilina, mostraram relações diferentes entre o peso corporal e o volume de distribuição, no entanto, nos bloqueadores neuromusculares, que também são compostos polares, a dose deve ser calculada pelo peso ideal do paciente.[20]

A ligação dos fármacos a proteínas plasmáticas é um fator determinante na farmacocinética do medicamento. Mudanças na concentração das proteínas plasmáticas ou alterações na afinidade pelo substrato são capazes de afetar o movimento do fármaco nos diversos compartimentos teciduais.[20]

A maior proteína plasmática, a albumina, é primariamente responsável pela ligação aos fármacos ácidos, enquanto a alfa-1 glicoproteína ácida é responsável pela ligação aos fármacos básicos.[20]

A afinidade dos fármacos que se ligam à albumina não se altera nos pacientes obesos, porém os estudos são bastante controversos com respeito a medicamentos que se ligam à alfa-1 glicoproteína. Existe uma tendência em afirmar-se que, nos pacientes obesos, existe uma alteração na afinidade da ligação proteica sem alteração na concentração da alfa-1 glicoproteína ácida.[20]

Benedek et al. mostraram aumento significativo na concentração de alfa-1 glicoproteína ácida em obesos com concomitante diminuição da fração livre de propranolol.[20]

Cheymol mostrou não haver diferença significativa na concentração de alfa-1 glicoproteína ácida entre pacientes obesos e não obesos, todavia demonstrou diminuição no volume de distribuição (VD) do propranolol com aumento na fração ligada à proteína.[20]

Dery et al. também observaram aumento na concentração de alfa-1 glicoproteína ácida sem alteração da fração livre de triazolam, um fármaco com grande afinidade pela alfa-1 glicoproteína ácida.[20]

Os níveis de lipoproteínas (lipoproteína de alta densidade [HDL], lipoproteína de baixa densidade [LDL] e lipoproteína de muito baixa densidade [VLDL]) podem estar elevados no OM, porém a relação desse aumento com a afinidade ao fármaco tem sido pouco estudada e não foi bem compreendida até o momento.[20]

Eliminação

A depuração de muitos fármacos pode estar afetada na obesidade, embora o aumento não necessariamente reflita mudanças na meia-vida plasmática do fármaco, que deve ser relacionada também com o VD. A meia-vida plasmática do fármaco pode estar aumentada sem haver alterações na depuração. Existe uma inter-relação direta entre meia-vida plasmática, volume de distribuição e depuração.[20]

Apesar de as anomalias histológicas do fígado dos pacientes obesos serem bastante comuns, a depuração hepática pode apresentar-se inalterada quando comparada com a do paciente não obeso. As reações da fase I (oxidação, redução e hidrólise) são normais ou até mesmo aceleradas, embora o metabolismo de alguns fármacos pela fase II (conjugação) possa estar diminuído; no entanto isso ainda é muito controverso.[1]

Existem alguns marcadores do metabolismo hepático que possibilitam demonstrar a diferença entre a atividade metabólica do fígado de um paciente obeso e a de um não obeso.[20]

Como já mencionado, o metabolismo oxidativo é inalterado no OM, fato comprovado quando se utiliza o marcador para o metabolismo oxidativo, que é a antipirina. A insignificante alteração na depuração hepática da antipirina mostra que os processos oxidativos do fígado do paciente OM são normais.[20]

Outro marcador para o metabolismo hepático é a transformação da clorzoxazona em 6-hidroxiclorzoxazona. Esse marcador é específico para o citocromo P450 2E1 ativo em humanos. Foi demonstrado aumento na depuração da clorzoxazona em indivíduos obesos, o que foi atribuído à intensificação da atividade do citocromo P450 2E1.[20]

Utilizando-se fármacos que são preferencialmente metabolizados pela fase II (conjugação – glicuronização e sulfonização), como o oxazepam e o lorazepam, mostrou-se que a depuração desses fármacos está reduzida. Estudos mostraram, no entanto, que a depuração da procainamida, metabolizada pela fase II (conjugação) não está alterada no paciente obeso.[20]

Nos pacientes OMs, a infiltração gordurosa do fígado pode se comportar como uma hepatite alcoólica moderada, ocasionando lesão hepática grave. Nessa situação, haver é possível que haja impacto significativo na atividade metabólica do fígado. É comum também, nesses pacientes, certo grau de insuficiência cardíaca, o que reduz o fluxo sanguíneo hepático e a eliminação de muitos fármacos, como o midazolam e a lidocaína, que seriam eliminados rapidamente com um fluxo sanguíneo normal.[20]

De modo geral, a depuração renal dos fármacos eliminados pelos rins está elevada na obesidade em razão do aumento do fluxo sanguíneo renal e da taxa de filtração glomerular; no entanto, em alguns OMs, pode haver associação de alguma nefropatia que retardaria a depuração renal.[20]

A Tabela 165.3 mostra como proceder ao cálculo da dosagem dos anestésicos venosos e bloqueadores neuromusculares nos OMs.

■ PACIENTE OBESO SUBMETIDO A CIRURGIA NÃO BARIÁTRICA

Atualmente, não existem estudos randomizados disponíveis para investigar quais são os reais benefícios da anestesia regional no paciente obeso. Estudos sugerem que a falta de sedação residual e a respiração espontânea preservada são pontos positivos das técnicas anestésicas regionais.

Por outro lado, a realização de anestesia regional em pacientes obesos é tecnicamente desafiadora e, em muitos casos, são necessários equipamentos especiais como agulhas de tamanhos maiores e maior experiência do anestesiologista.

Em termos práticos, recomenda-se diminuir a dosagem de anestésicos locais usados para anestesia peridural e raquidiana, semelhante às orientações em anestesia obstétrica, pois imagina-se que a pressão no espaço peridural aumenta devido ao excesso de gordura peridural.

Na anestesia geral, propofol, desflurano e remifentanil podem representar uma boa escolha em relação às considerações farmacocinéticas.[22,23]

Quando o remifentanil for utilizado, deve ser implementada uma abordagem multimodal para o tratamento da dor pós-operatória.[24]

■ CONCLUSÃO

A incidência mundial de sobrepeso e obesidade está crescendo constantemente e, consequentemente, a proporção de pacientes obesos e superobesos submetidos à cirurgia não bariátrica está aumentando.

A obesidade está associada a várias comorbidades, como hipertensão arterial sistêmica, hiperlipidemia, diabetes, doenças cardiovasculares e síndrome da apneia do sono.

Para um atendimento adequado de pacientes obesos submetidos à cirurgia não bariátrica, deve ser estabelecido um ambiente adequado e adaptado na enfermaria e na sala cirúrgica.

O aumento da incidência de via respiratória difícil e os problemas respiratórios perioperatórios são aspectos relevantes para o anestesiologista.

A pré-oxigenação é de suma importância, e a ventilação com pressão positiva contínua antes da indução da aneste-

Tabela 165.3 Relação dose-peso dos anestésicos venosos empregados em pacientes obesos.		
Fármacos	**Doses**	**Comentários**
Propofol	PCI Manutenção: PCT	Devido à alta depuração, o VD pode ser usado seguramente com o PCT Alta afinidade pelo excesso de gordura e outros tecidos bem vascularizados. Alto índice de extração e conjugação hepática relacionada com PCT
Tiopental	PCT	Aumento do VD, do volume sanguíneo, do débito cardíaco e da massa muscular. Dose absoluta aumentada. Duração prolongada
Midazolam	PCT	VD central aumentado diretamente proporcional ao peso corporal. Dose absoluta aumentada. Sedação devido à alta dose inicial necessária para proporcionar concentração plasmática adequada
Succinilcolina	PCT	Atividade da colinesterase plasmática é diretamente proporcional ao peso corporal. Aumentar a dose absoluta
Vecurônio	PCI	A recuperação pode ser retardada se a dose for administrada de acordo com o peso total devido ao aumento do VD e à depuração hepática diminuída
Rocurônio	PCI	Rápido tempo de ação e duração prolongada. A farmacocinética e a farmacodinâmica não estão alteradas em pacientes obesos
Pancurônio	PCI	Baixa lipossolubilidade
Atracúrio Cisatracúrio	PCT	Depuração absoluta, VD e meia-vida de eliminação não estão alteradas. Pode ser utilizado o PCT por não haver dependência de algum órgão para suas recuperação e eliminação
Fentanil Sufentanil	PCT PCT; manutenção: PCI	Aumento do VD e da meia-vida de eliminação diretamente proporcional ao grau de obesidade. Distribui-se intensamente pelo excesso de massa adiposa e massa magra. A dose deverá ser empregada conforme o PCT
Alfentanil	PCI	Eliminação pode ser prolongada se a dose for calculada pelo PCT
Remifentanil	PCI	Depuração sistêmica e VD corrigido por quilograma de PCT – significantemente pequeno no obeso e no não obeso. A farmacocinética é similar no obeso e no não obeso. A idade e a massa magra devem ser considerados para ajuste da dose

PCI: peso corporal ideal; PCT: peso corporal total; VD: volume de distribuição.

sia pode aumentar consideravelmente o tempo de apneia tolerável.

Ainda não existe a validação de um escore de risco especialmente adaptado para pacientes obesos e superobesos submetidos a cirurgia não bariátrica, sendo necessários estudos comparando técnicas de anestesias regional e geral em pacientes obesos no que se refere a incidência de complicações e resultados perioperatórios.[24]

REFERÊNCIAS

1. Adams JP, Murphy PG. Obesity in anaesthesia and intensive care. Br J Anaesth. 2000;85(1):91-108.
2. Mancini MC. Diagnóstico e classificação da obesidade. In: Garrido Jr AB. Cirurgia da obesidade. São Paulo: Atheneu; 2002. p. 1-7.
3. Bluth T, Pelosi P, Abreu MG. The obese patient undergoing nonbariatric surgery. Curr Opin Anaesthesiol. 2016 Jun;29(3):421-9. [
4. Halpern A. Fisiopatologia da obesidade. In: Garrido Jr AB. Cirurgia da obesidade. São Paulo: Atheneu; 2002. p. 9-12.
5. Braga AFA, Silva ACM, Cremonesi E. Obesidade mórbida: considerações clínicas e anestésicas. Rev Bras Anestesiol. 1999;49(3):201-12.
6. Cullen A, Ferguson A. Perioperative management of the severely obese patient: a selective pathophysiological review. Can J Anesth. 2012;59:974-96.
7. Garrido Jr AB. Cirurgia da obesidade mórbida. In: Moraes IN. Residente de cirurgia. São Paulo: Rocca; 1992. p.518-21.
8. Ogunnaike BO, Jones SB, Jones DB, et al. Anesthetic considerations for bariatric surgery. Anesth Analg. 2002;95(6):1793-805.
9. Amaral CRT, Cheibub ZB. Obesidade mórbida: implicações anestésicas. Rev Bras Anestesiol. 1991;41(4):273-9.
10. Dominguez-Cherut G, Borunda D, et al. Anesthesia for morbidly obese. In: Cowan GSM - Update: surgery for the morbidly obese patient. Toronto: Mother Sill; 2000. p. 95-104.
11. Lins AAA, Barbosa MSA, Brodsky JB. Anestesia para gastroplastia no paciente obeso. Rev Bras Anestesiol. 1999;49(4):282-7.
12. Sharma S, Arora L. Anesthesia for the Morbidly Obese Patient. Anesthesiol Clin. 2020;38(1):197-212.
13. Vaughan RW, Bauer S, Wise L. Volume and pH of gastric juice in obese patients. Anesthesiology. 1975;43(6):686-9.
14. Harter RL, Kelly WB, Kramer MG, et al. A comparison of the volume and pH of gastric contents of obese and learn surgical patients. Anesth Analg. 1998;86(1):147-52.
15. Wright RA, Krinsky S, Fleeman C, et al. Gastric emptying and obesity. Gastroenterology. 1983;84(4):747-51.
16. Brodsky J. Anesthesia for bariatric surgery. In: ASA – Annual Refresher Course Lectures and Basics Science Rewies. San Diego: ASA; 2004. p. 506.
17. Reis Lde A, Reis GF, Oliveira MR. The airways and gastric contents in obese patients. Rev Bras Anestesiol. 2010;60(1):98-103.
18. Juvin P, Fèvre G, Merouche M, et al. Gastric residue is not more copious in obese patients. Anesth Analg. 2001;93(6):1621-2.
19. Coutinho WF. Obesidade mórbida e afecções associadas. In: Garrido Jr AB. Cirurgia da obesidade. São Paulo: Atheneu; 2002. p. 13-7.
20. Cheymol G. Effects of obesity on pharmacokinetics implications for drug therapy. Clin Pharmacokinet. 2000;39(3):215-31.
21. Nogueira CS, Oliveira CRD. Farmacologia das drogas anestésicas no paciente obeso. In: Ferez D, Vane LA, Posso IP, et al. Atualização em Anestesiologia. São Paulo: Atheneu; 2005. p. 45-52.
22. Juvin P, Vadam C, Malek L, et al. Postoperative recovery after desflurane, propofol, orisoflurane anesthesia among morbidly obese patients: a prospective, randomized study. Anesthesia & Analgesia. 2000;91:714-719.
23. Egan TD, Huizinga B, Gupta SK, et al. Remifentanil pharmacokinetics in obese versus lean patients. Anesthesiology. 1998;89:562-573.
24. Bein, B, Scholz, J. Anaesthesia for adults undergoing non-bariatric surgery. Best Practice & Research Clinical Anaesthesiology, 2010;25(1):37-51.

Anestesia para Cirurgia Bariátrica

Maria Denisia de Souza Saraiva Nobayashi ▪ Ricardo Carvalhaes Machado
João Rodrigo Oliveira ▪ Camille Sayuri Saraiva Nobayashi

INTRODUÇÃO

Diante da escassez de alternativas eficazes para o tratamento da obesidade mórbida, a cirurgia bariátrica tem se destacado ao longo da última década como tratamento mais eficiente a curto, médio e longo prazo.

No Capítulo 181 foram abordados os aspectos clínicos do paciente com obesidade. Esse capítulo aborda especificamente as condutas perioperatórias com pacientes de cirurgia bariátrica.

▪ A CIRURGIA BARIÁTRICA

As primeiras operações utilizadas no tratamento da obesidade mórbida (OM) seguiram os estudos experimentais de Kremen e col., em 1954, reduziam a absorção pela derivação de grande parte do intestino delgado. Essa técnica era bastante eficaz para redução substancial e permanente do peso, entretanto a intensidade dos sintomas decorrentes da má absorção acabou invibializando essa técnica e suas variações, que foram abandonadas em 1970.[1]

A substituição das derivações jejunoileais iniciou-se em 1967 com Mason e col. A nova abordagem reduzia a massa corpórea pela diminuição da capacidade gástrica, restringindo-se a ingestão de alimentos. As primeiras técnicas foram as derivações gástricas, ainda hoje utilizadas por boa parte dos especialistas.[1]

Dois aspectos técnicos são de grande importância: o reservatório gástrico remanescente não deve ter mais que 30 mL de capaciadade e o orifício de saída desse reservatório não deve ter mais que 1,5 cm de diâmetro. Com base nessas informações, Mason introduziu a técnica da gastroplastia vertical com bandagem (GVB), que foi a técnica mais empregada nas décadas de 1980 e 1990. A operação é bastante simples, rápida, com poucas complicações e mortalidade quase nula. Entretanto o índice de perda de peso não

é tão satisfatório, principalmente após seguimento mais longo, com alta incidência de recidiva da obesidade.[1]

Assim, nos últimos anos, a tendência tem sido a associação de redução do reservatório gástrico e restrição do seu esvaziamento com um pequeno prejuízo na absorção, como nos pacientes gastrectomizados, por meio de uma derivação gastrojejunal em Y de Roux. Ao aliar a restrição e a má absorção, as perdas médias de peso com essa técnica são da ordem de 35%. A segurança e a baixa morbidez são semelhantes às da GVB. A padronização dessa técnica foi proposta por Capella e Scopinaro[1] (Figuras 166.1 e 166.2).

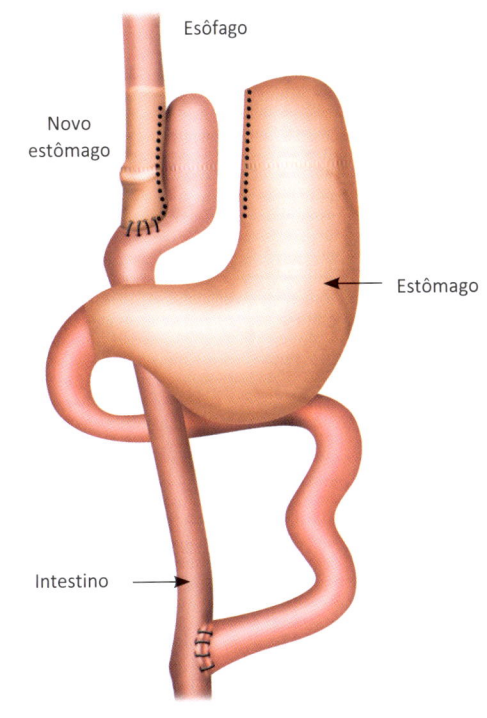

▲ **Figura 166.1** Capella.

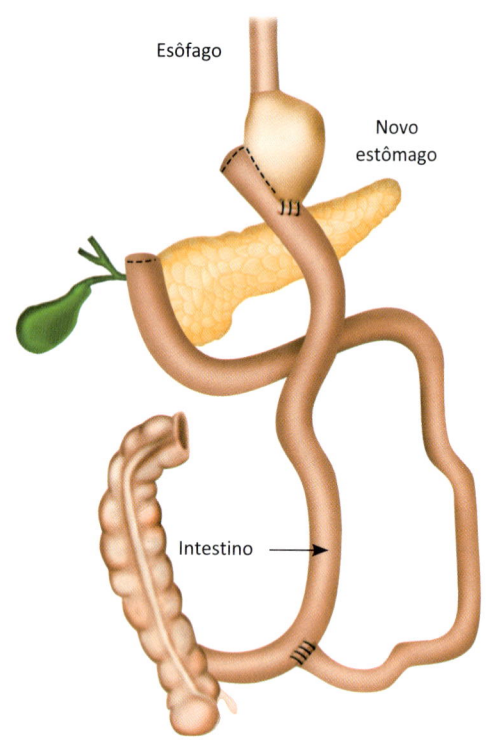

▲ Figura 166.2 Scopinaro.

No final da década de 1980, técnicas videolaparoscópicas foram adotadas na cirurgia bariátrica, desenvolvidas por Kuzmak (1989), e padronizadas por Belachew (1995) e Favretti (1995). Tratava-se da aplicação de uma banda inflável de *silastic* (banda gástrica) que envolve a porção alta do estômago, estreitando-a, de modo a criar uma pequena câmara justaesofágica de esvaziamento lento, seguindo o mesmo princípio da GVB de Mason. O orifício de passagem é regulável por punção cutânea. Apesar da comodidade e das vantagens dessa técnica, os mecanismos fisiológicos são os mesmos que a GVB, que se mostrou insuficiente a longo prazo[1] sendo essa técnica praticamente abandonada nos dias atuais.

Com a evolução dos grampeadores e das suturas mecânicas, todas essas técnicas cirúrgicas podem ser realizadas por via laparoscópica.[2] Quando comparada com a técnica aberta, a derivação gastrojejunal em Y de Roux por via laparoscópica tem como vantagens: o menor tamanho da incisão na pele, sangramento reduzido, pouca necessidade de internação em UTI, pequeno número de complicações imediatas e tardias, menor número de reoperações, diminuição no tempo de permanência hospitalar, mobilização mais precoce, redução na incidência de hérnias incisionais e infecção, menor consumo de analgésicos no pós-operatório e maior preservação da função pulmonar.[2] Como a curva de aprendizado é maior por via laparoscópica, aproximadamente 70 casos, o tempo cirúrgico tende a ser maior pela via laparoscópica, dependendo da habilidade do cirurgião.[2]

Atualmente, a via laparoscópica é a mais comum, sendo a derivação gastrojejunal em Y de Roux e gastrectomia vertical (GVB ou *sleeve*) as técnicas mais empregadas. Ambas correspondem a 80% de todos os procedimentos bariátricos.[3,4]

A mortalidade perioperatória associada a esse procedimento é muito baixa (<0,3%).[5] Entretando, recente revisão sistemática e metanálise sugere que a derivação gastrojejunal em Y de Roux (*by-pass*) é mais efetiva à curto, médio e longo prazo quando comparada com a técnica de gastrectomia vertical (*sleeve*). Não só a perda de peso foi mais efetiva, como também o controle dos níveis glicêmico e lipidêmico foram melhores.[4]

O Guideline da Associação dos Anestesistas da Grã Bretanha e a Sociedade Irlandesa de Obesidade e Anestesia Bariátrica recomendam os seguintes cuidados no perioperatório:[6]

1. Todo hospital deve nomear um anestesiologista responsável para cirurgia de obesidade.
2. A lista de checagem deve incluir peso e IMC do paciente.
3. O manejo de pacientes obesos deve ser realizada por anestesiologistas e equipe cirúrgica experientes.
4. Equipamento especializado adicional é necessário e deve estar disponível.
5. Obesidade central e síndrome metabólica devem identificados como fatores de risco.
6. Distúrbios do sono e suas consequências sempre devem ser considerados em pacinetes obesos.
7. A anestesia deve ser realizada dentro da sala de operação.
8. A anestesia regional é desejável, mas muitas vezes é tecnicamente difícil e pode ser impossível de se realizar.
9. Uma estratégia sólida para as vias aéreas deve ser planejada e discutida, pois a desaturação ocorre rapidamente nesses pacientes e a gestão das vias aéreas pode ser complicada.
10. O uso da posição em rampa ou semissentada é recomendada como auxílio à indução e recuperação dos pacientes obesos.
11. Geralmente, a dosagem dos fármacos deve ser baseada no peso de massa magra e titulada pelo efeito, raramente deve ser baseada no peso corporal total.
12. É necessário ter cuidado com o uso de agentes hipnoanalgésicos de longa duração.
13. Monitorização do bloqueio neuromuscular deve ser sempre utilizada quando se utiliza bloqueadores neuromusculares.
14. A monitorização da profundidade anestésica deve ser considerada, especialmente quando se usa a técnica de anestesia venosa total associada a bloqueadores neuromusculares.
15. Movimentação precoce e profilaxia adequada para tromboembolismo é recomendada, uma vez que a incidência é maior em pacientes obesos.
16. O pós operatório em unidade de terapia intensiva deve ser considerada, mas é determinada sobretudo pelas comorbidades e o desenrolar cirúrgico do que a obesidade *per se*.

As complicações mais frequentes da cirurgia bariátrica são: deiscência de anastomoses, obstrução do trânsito intestinal, trombose venosa profunda, embolia pulmonar, parada respiratória, sangramento gastrintestinal e infecção. As complicações tardias são: náuseas e vômitos prolongados, colestase, hérnias incisionais, anemia, má nutrição protéico-calórica e síndrome de *dumping*.[2]

A síndrome de *dumping* é caracterizada por uma série de sintomas decorrentes do esvaziamento rápido do coto gástrico, como anemia, perda de peso, sensação de plenitude pós-prandial e preferência por alimentos líquidos.[1]

■ AVALIAÇÃO PRÉ-ANESTÉSICA

O tratamento da OM exige um planejamento minucioso que se inicia na seleção dos pacientes, tem continuidade no pré-operatório detalhado e intra-operatório individualizado, estendendo-se até o pós-operatório cujas complicações são maiores do que no paciente não obeso.[7]

Contudo, a maioria dos pacientes obesos que se submete à cirurgia é relativamente saudável, e o risco perioperatório é similar ao de pacientes não obesos. Os pacientes com alto risco de complicações no perioperatório são aqueles com obesidade central e síndrome metabólica.[8]

Existe um escore muito útil para estratificação do risco de mortalidade em pacientes submetidos à cirurgia bariátrica (Tabela 166.1). Pacientes que pontuam 4 ou 5 são mais propensos à exigência de um acompanhamento intensivo no pós-operatório.[9]

Uma dieta pré-operatória é recomendada para reduzir o tamanho do fígado e facilitar o acesso ao estômago. Há evidências de que 2 a 6 semanas de dieta pré-operatória pode melhorar a função respiratória e facilitar a cirurgia laparoscópica, o que é extremamente importante nos pacientes de maior risco.[10]

É essencial discutir com o paciente a necessidade de abandonar o tabagismo, esclarecer a importância da tromboprofilaxia e a mobilização precoce, bem como planejar o manejo das medicações em uso antes da admissão hospitalar, além de lembrar os pacientes de que eles devem trazer a sua própria máquina de CPAP para o hospital quando fizerem uso contínuo deste.[6]

A avaliação pré-anestésica dos pacientes que serão submetidos à cirurgia bariátrica deve incluir história clínica completa, com foco nos distúrbios ventilatórios e cardiovasculares, exame físico detalhado, principalmente das vias aéreas superiores; e exames laboratoriais e complementares adequados para o estado físico de cada paciente.

A história clínica é fundamental, pois revela sintomas sugestivos de angina pectoris, hipertensão arterial, insuficiência cardíaca, infarto do miocárdio, doença pulmonar obstrutiva crônica, distúrbios ventilatórios, *diabetes mellitus* ou doença hepática.[11]

Atenção especial a cada tipo de medicamentos de uso contínuo pois comumente pacientes obesos utilizam medicações para perda de peso e adequado controle glicêmico. Análogos do GLP-1, peptídio-1 semelhante ao glucagon humano, como a semaglutida, vem sendo muito utilizado para perda de peso, redução de esvaziamento gástrico e melhor controle diabetico; contudo tais medicações devem ser suspensas de acordo com a posologia ou orientação endocrinoógica, sob risco de broncoaspiração em anestesia. Para demais classes de antidiabéticos há, atualmente, uma tendência de manter durante cirurgia; contudo, uma avaliação pormenorizada da condição do paciente, juntamente com as atuais diretrizes, deve ser feita para descontinuação ou manutenção da medicação em cirurgias.

Síndrome da Apnéia Obstrutiva do Sono (SAOS)

Segundo estudo realizado com pesquisa de polissonograia em pacientes agendados para cirurgia bariátrica, revelou-se que a incidência da SAOS pode ser de até 60% nesses pacientes.[12] Os principais fatores predisponentes são o IMC maior que 30 kg/m^2 e circunferência cervical maior que 16,5 cm. Em pacientes com IMC maior que 35 kg/m^2, a SAOS pode ser grave em até 20% dos casos.[13] Sabe-se que a obesidade associada à SAOS é fator de risco para complicações em intubação orotraqueal e no pós-operatório.

A SAOS é caracterizada por frequentes episódios de apnéia ou hipopnéia durante o sono, ronco, problemas na concentração e memória, sono durante o dia e cefaléias ocasionadas por retenção de gás carbônico no período noturno e vasodilatação cerebral. Um episódio de apnéia obstrutiva é definido como interrupção total do fluxo de ar apesar de um esforço respiratório contínuo contra a via aérea fechada por um período maior ou igual a 10 segundos. Já a hipopnéia é definida como uma redução de 50% no fluxo de ar ou uma redução suficiente para a saturação do sangue arterial diminuir 4%. O número de episódios é clinicamente significativo quando é superior ou igual a cinco episódios por hora ou maior que 30 episódios por noite.

As complicações clínicas são: desenvolvimento de hipertensão arterial sistêmica, distúrbio ácido-base, hipóxia, hipercapnia, hipertensão pulmonar, sobrecarga e falência de ventrículo direito e arritmias cardíacas. Episódios repetidos de hipoxemia geram policitemia secundária e estão associados ao aumento do risco de isquemia miocárdica e a acidentes vasculares cerebrais. O distúrbio ácido-base dessa síndrome é a acidose respiratória, inicialmente limitada durante o sono, mas com alteração no controle da respiração no longo prazo, caracterizado por episódios de apnéia sem esforço respiratório. A síndrome da apnéia obstrutiva do sono culmina com o aparecimento da síndrome de Pickwicki que é caracterizada por obesidade, hipersonolência, hipóxia, hipercapnia, falência ventricular direita e policitemia.[14]

Saturação de oxigênio arterial menor que 95% em ar ambiente, capacidade vital forçada menor 3 L ou volume

Tabela 166.1 Escore de estratificação do risco de mortalidade em cirurgia bariátrica.

Fator de risco	Escore
IMC > 50 kg.m-2	1
Homem	1
Idade > 45 anos	1
Hipertensão	1
Fatores de risco tromboembolismo ■ Tromboembolismo prévio ■ Filtro na veia cava ■ Hipoventilação (apnéia obstrutiva sono) ■ Hipertensão pulmonar	1

	Risco de morte
Classe A: 0 – 1 ponto	0,2 – 0,3%
Classe B: 2 – 3 pontos	1,1 – 1,5%
Classe C: 4 – 5 pontos	2,4 – 3,0%

expiratório forçado em 1 segundo menor que 1,5 L, sibilos respiratórios em repouso e bicarbonato plasmático maior que 27 mMol.L[-1] podem indicar a presença de doença respiratória subjacente e a solicitação de uma gasometria pré-operatória deve ser considerada.[6]

Uma $PaCO_2$ maior 45 mmHg indica um certo grau de insuficiência respiratória e, consequentemente, elevação do risco anestésico.[6]

Já a síndrome da hipoventilzação da obesidade (SHO) é um segundo distúrbio respiratório do sono. Ela é caracterizada pela hipoventilação alveolar devido à mecânica respiratória. Sua causa principal é um impulso respiratório central menos intenso em resposta à hipercapnia, hipoxemia e resistência a leptina.[15] A fisiopatologia desse impulso central diminido não é clara. Contudo, distúrbios do sono como a SAOS desempenham um papel importante, uma vez que o tratamento da SAOS corrige parcialmente os efeitos negativos da SHO, sugerindo que a obstrução das vias aéreas superiores à limitação do fluxo são fatores importantes em sua patogênese.[16] A SHO é fator de risco independente para doenças mais graves e está presente em 20% dos pacientes com SAOS. A associação SHO e SAOS está associoada a maior morbimortalidade.[17] Considerando a alta mortalidade dessa doença, estudo mais recente recomenda a triagem da SHO através da dosagem do bicarbonato venoso.[18]

Síndrome Metabólica

Os pacientes com OM frequentemente possuem mobilidade limitada, e podem apresentar-se assintomáticos mesmo com doença cardiovascular significativa.

Características da síndrome metabólica devem ser idenficadas de forma ativa uma vez que existe uma forte associação com morbidade cardíaca.[19] Sintomas como angina pectoris ou dispnéia aos esforços podem se manifestar apenas ocasionalmente, mas coincidem com períodos de atividade física. Muitos indivíduos com OM preferem dormir semissentados, e então irão negar os sintomas de ortopnéia e dispnéia paroxística noturna. Uma breve caminhada pelo consultório pré-anestésico pode ser o suficiente para acusar tolerância reduzida ao exercício; assim, então, a escolha da posição supina pode desencadear importante ortopnéia e até mesmo parada cardíaca.[14] Uma detalhada avaliação do aparelho cardiovascular deve ser realizada com foco preferencialmente nos sinais de insuficiência cardíaca, como estase jugular, terceira bulha, estertores pulmonares, hepatomegalia e edema periférico. Os sintomas mais comuns de hipertensão pulmonar são dispnéia aos esforços, fadiga e síncope, a qual reflete um aumento insuficiente do débito cardíaco durante a atividade física.[2]

Exame Clínico

No exame clínico, a aferição da pressão arterial deve ser realizada com manguito apropriado à circunferência do braço. Os locais de acessos venosos periféricos e centrais devem ser avaliados durante a avaliação pré-operatória. O uso da ultrassonografia pode auxiliar nesse sentido.[13] A possibilidade de monitorização invasiva deve ser discutida com o paciente. Um simples teste de Allen mostra as condições da artéria radial.[2]

As vias aéreas superiores devem receber avaliação especial nesses pacientes, já que o acúmulo de tecido adiposo na região facial e no pescoço pode dificultar as manobras de ventilação e intubação traqueal. É recomendado que a barba seja removida ou aparada no pré-operatório.[6] Segundo alguns autores, a obesidade está associada a uma chance 30% maior de dificuldade ou falha na intubação, embora os fatores preditores para dificuldade de laringoscopia sejam semelhantes a população não obesa.[20] As dificuldades são impostas por fatores como face e bochecha volumosas, pescoço grosso e curto, tórax largo, macroglossia, excesso de palato mole, laringe alta e anterior, restrição na abertura da boca e limitação na flexão, extensão da articulação atlanto-occipital e posicionamento inadequado do paciente.[14]

A avaliação pré-operatória das vias aéreas superiores deve incluir:

- avaliação da flexão, extensão e rotação lateral do pescoço e da cabeça;
- avaliação da mobilidade da mandíbula e abertura da boca;
- inspeção da orofaringe e dentição;
- avaliação das condições das narinas;
- questionamento sobre episódios pregressos de intubação traqueal difícil;
- questionamento sobre sinais e sintomas da apnéia obstrutiva do sono.[14]

Além do teste de Mallampati, da distância mento-tireoidiana e mento-esternal, outro modelo simples e bastente funcional foi desenvolvido para predizer a dificuldade de intubação traqueal. Trata-se da medida da circunferência do pescoço. A probabilidade de dificuldade na intubação traqueal é de aproximadamente 5% com 40 cm de circunferência, e de 35% com 60 cm de circunferência.[2]

Deve ser discutida a possibilidade da realização da intubação traqueal com o paciente acordado ou utilizando outros métodos, como o uso de *combi-tube*, *fast-track* ou fibra óptica. A possibilidade de eventual traqueostomia também dever ser esclarecida. O uso de dispositivos alternativos para intubação traqueal, como o vídeo laringoscópio, reduz a falha na intubação.[21]

Às vezes, mesmo com história e exame clínico detalhados do sistema respiratório, do aparelho cardiovascular e das vias aéreas superiores, é difícil de avaliar a real morbidade desses pacientes, necessitando-se, então, de uma investigação mais profunda. Dentre os testes laboratoriais, o hemograma é útil para excluir policitemia, os eletrólitos, principalmente o potássio, podem estar alterados nos pacientes em uso de diuréticos; a glicemia é importante nos pacientes diabéticos e o exame de urina mostra a presença ou não de corpos cetônicos. Os testes da função hepática devem ser realizados.

Conforme já citado a gasometria arterial é um exame muito importante e pode ser realizado no pré e no intra-operatório. No pré-operatório, a gasometria arterial deve ser colhida com o paciente sentado e deitado, e é útil para excluir a retenção de CO_2 e ajudar a estabelecer os parâmetros para a administração de oxigênio no pré e no pós-operatório. Já no intra-operatório, ela é fundamental para adequar a ventilação do paciente, uma vez que a análise da $ETCO_2$ não é muito confiável, já que a diferença alvéolo-arterial é bastante expressiva nesses pacientes, principalmente quando ventilados com volumes correntes inapropriados (pequenos ou grandes demais).[2,11,22]

A radiografia de tórax pode revelar cardiomegalia sugestiva de insuficiência cardíaca, alterações do parênquima e hilo pulmonar, além de ser útil no pós-operatório como estudo comparativo. Já a radiografia da coluna cervical, expondo as espinhas cervicais, bem como a tomografia computadorizada da faringe, hipofaringe e laringe darão informações topográficas das vias aéreas e avaliação das dificuldades no manuseio das vias aéreas.[23]

Um eletrocardiograma no pré-operatório é obrigatório. O complexo QRS pode estar com baixa voltagem devido ao excesso de massa corpórea, podendo subestimar a gravidade da hipertrofia ventricular. O desvio do eixo para a direita, taquiarritmias atriais e defeitos na condução são relativamente comuns. Pode notar também áreas isquêmicas prévias e distúrbios do potássio.[23]

A Tabela 166.2 traz um resumo dos exames pré-operatórios recomendados.[24]

Um ecocardiograma identificando insuficiência da válvula tricúspide é o sinal mais confiável de diagnóstico de hipertensão pulmonar.[2] O ecocardiograma transesofágico oferece melhores imagens do lado esquerdo do coração, porém é um exame mais invasivo.[14]

O teste de esforço é provavelmente impossível de ser realizado quando existe suspeita de doença coronariana. Todavia, uma avaliação prévia do cardiologista deve ser considerada, com a finalidade de elucidação e otimização, como o controle da pressão arterial, o tratamento da insuficiência cardíaca ou da coronariopatia.[14]

Os testes da função pulmonar têm como objetivo a avaliação diagnóstica, terapêutica e da melhora da condição pulmonar.[11]

Nos pacientes com sintomas de apnéia obstrutiva do sono, a avaliação da saturação de oxigênio pelo oxímetro de pulso no período noturno, junto com uma polissonografia, dever ser considerada no pré-operatório para o planejamento da otimização da obstrução da via aérea noturna, feita através de CPAP ou BIPAP via máscara nasal.[25,26] Ainda não existe um consenso na literatura sobre a necessidade de triagem de pacientes bariátricos em relação a SAOS.[15]

Tabela 166.2 Exames pré operatórios.	
Exame	**Indicação**
Hemograma, testes de função hepática, perfil metabólico	Insuficiência renal, insuficiência cardíaca congestiva, uso de diuréticos, esteatose não alcoólica
Creatinina	Idade > 50 anos, uso de diurético
TP/TTPA	Mal nutrido (revisão de cirurgia bariátrica)
Glicose	Diabetes
EEG	Homem > 40 anos, mulher > 50 anos, coronariopatia, hipertensão arterial, diabetes
Radiografia de Tórax	Idade > 50 anos, doença cardíaca ou pulmonar (suspeita ou diagnóstico)

Medicações em Uso

Grande parte dos medicamentos usuais do paciente exceto insulina hipoglicemiantes orais, sejam mantidos até o horário da cirurgia.[2] Alguns autores recomendam que pacientes em uso dos inibidores da ECA não utilizem tal medicação 24 horas antes da cirurgia por causarem hipotensão arterial grave durante a anestesia. Atenção especial deve ser dada ao tempo correto de suspensão dos análogos de de GLP-1 antes da cirurgia, pois estes podem causar importante retardo no esvaziamento gástrico e risco de broncoaspiração.[14]

Na grande maioria das vezes, os pacientes com OM já usam ou estão usando algum tipo de medicamento ou fórmula para perder peso. São comuns os anorexígenos, os sacietógenos, os termogênicos e os inibidores da lípase gastrintestinal, podendo estar associado a algum antidepressivo. Muitas dessas medicações utilizadas para emagrecimento acabam repercutindo sistematicamente no paciente ou interagindo com fármacos de uso anestésico.

O tratamento medicamentoso está indicado quando o IMC for maior que 30 kg/m^2 ou IMC entre 27 e 29,9 kg/m^2 associado a alguma comorbidade relatada, como estímulo inicial, quando há necessidade de perda rápida (pré-operatório) ou como estratégia para manutenção do peso.[2]

As anfetaminas fazem parte do grupo dos anorexígenos. Sua ação é como agonista noradrenégico, liberando norepinefrina e bloqueando sua recaptação, reduzindo a ingestão alimentar por estimularem os receptores beta no hipotálamo. Elas interferem na ação de fármacos vasoativos. Quando utilizadas agudamente, aumentam as necessidades de anestésicos; entretanto, se o seu uso for crônico, a necessidade anestésica é menor.[11]

A sibutramina e o orlistate são fármacos aprovados para longo uso no tratamento da obesidade com considerável eficácia.

A sibutramina é um sacietógeno que atua inibindo a recaptação de norepinefrina, serotonina e dopamina causando hiporexia. Este mecanismo age sinergicamente aumentando a saciedade após ingestão de pouca quantidade de alimento, reduzindo o apetite.

Com a sibutramina, a depleção das catecolaminas na sinapse neural não ocorre e a perigosa hipotensão arterial refratária a vasopressores geralmente é evitada, diferente da fenfluramina e a dexflenfluramina que depletam catecolaminas da sinapse neural causando grave hipotensão arterial.[2]

Os efeitos adversos com o tratamento de sibutramina incluem boca seca, insônia, anorexia e constipação intestinal. Também causa aumento transitório dose-dependente da pressão arterial sistólica e diastólica em 2 a 4 mmHg e pequeno aumento da frequência cardíaca em 3 a 5 bpm. Embora a pressão sanguínea diminua com a perda de peso, o efeito estimulante da sibutramina é detectável durante a toda a administração do fármaco. O pico da perda de peso após o tratamento com a sibutramina ocorre após seis meses e é mantida por 12 meses no mínimo.[2]

O orlistate é um derivado sintético de um produto vindo do *Streptomyces toxytricini* que inibe a lipase. Bloqueia a digestão e absorção das gorduras contidas nas dietas ligando-se a lipases do trato gastrintestinal, resultando na redução na concentração plasmática de LDL-colesterol e diminuição no peso. Os sintomas gastrintestinais induzidos pela má absorção de gordura são os mais comuns. Redução na concentração plasmática das vitaminas lipossolúveis (A, D, E e K) tem sido observada em aproximadamente 5% a 15% dos indivíduos tratados. Em casos isolados, o orlistate causou aumento da pressão arterial, porém a relação causa-efeito ainda não foi bem defendida. Os efeitos da warfarina estão aumentados devido à queda de absorção de vitamina K.[2]

Tanto a sibutramina, quanto o orlistate induzem a redução de 5% a 10% do peso corporal, com manutenção de até 2 anos.[2]

Existem poucos estudos na literatura quanto à interação direta entre sibutramina ou orlistate e os agentes anestésicos. Porém, o anestesiologista deve conhecer seus efeitos colaterais juntamente com seus efeitos sistêmicos para planejar corretamente a sua anestesia.

Os temogênicos são fármacos que aumentam o gasto energético. Fazem parte desse grupo a teofilina e a *loimbina*. Já os antidepressivos mais utilizados em associação são os serotoninérgicos, como a fluoxetina, a sertralina e a bupropiona.

■ MEDICAÇÃO PRÉ-OPERATÓRIA

O uso de antibióticos ainda no pré-operatório é importante para profilaxia de infecção, uma vez que a taxa de infecção da ferida operatória é de 5% após cirurgia gástrica e de 2% a 3% em cirurgia gastrintestinal com preparo prévio. Muitos cirurgiões praticantes da técnica laparoscópica também recomendam a profilaxia com antibióticos.[2]

A OM é o maior fator de risco independente para morte súbita no pós-operatório. A heparina, 5.000 UI por via subcutânea, administrada após cirurgia e a cada 12 horas até que o paciente possa movimentar-se livremente, reduz o risco de trombose venosa profunda.[2]

As heparinas de baixo peso molecular ganharam popularidade na profilaxia do tromboembolismo devido à sua boa biodisponibilidade quando injetada por via subcutânea. A dose de 40 mg a cada 12 horas é a mais eficaz para a prevenção da trombose venosa profunda no pós-operatório sem aumentar o sangramento.[27] Estudos têm mostrado que 5.000 UI de heparina não fracionada administrada por via subcutânea a cada 8 horas é equivalente à heparina de baixo peso administrada a cada 12 horas para profilaxia do tromboembolismo.[28]

Outro método para profilaxia do tromboembolismo é o uso de meias de compressão pneumáticas para serem usadas na sala de cirurgia e na sala de recuperação pós-anestésica.

Uma pesquisa realizada pela Sociedade Americana de Cirurgia Bariátrica demonstrou que a heparina não fracionada na dose de 5.000 UI por via subcutânea a cada 8 ou 12 horas é o método de preferência para profilaxia do tromboembolismo (50%), seguido das meias de compressão pneumáticas (33%), heparina de baixo peso molecular (13%) e outros métodos (4%).[29] A mesma sociedade recomenda a profilaxia mecânica e farmacológica do tromboembolismo em todos os pacientes submetidos a cirurgia bariátrica.[30]

Jejum

Há uma mudança no paradigma em direção a períodos de jejum menores e mais seguros antes da cirurgia bariátrica. Um estudo em pacientes obesos mostrou que os líquidos claros orais até duas horas antes da cirurgia não alteravam o volume ou o pH gástrico e, portanto, não aumentavam os riscos de aspiração.[31]

Os pacientes devem ser encorajados a beber líquidos claros até 2 horas antes da cirugia e o jejum noturno prolongado deve ser evitado, pois pode ser metabolicamente prejudicial. Além disso, um período de jejum reduzido melhora o equilíbrio de fluídos, resultando num paciente mais euvolêmico.[32]

Estudo recente sugere que o uso de líquidos ricos em carboidratos orais isomolares no pré-operatório pode reduzir a ansiedade, diminuir a resitência periférica à insulina e reduzir a náusea e vômito do pós-operatório.[33]

■ MEDICAÇÃO PRÉ-ANESTÉSICA

Como todo paciente, o OM que será submetido à cirurgia bariátrica também encontra-se ansioso antes da cirurgia; além do estresse cirúrgico, há a expectativa do emagrecimento e da mudança de sua aparência para si mesmo e para a sociedade. A medicação pré-anestésica é, então, de muita importância para diminuir toda essa ansiedade, porém existem certas peculiaridades que devem ser discutidas.

O grande problema em se administrar a medicação pré-anestésica é prever o grau de depressão e obstrução respiratória que tal medicação provocará. A sedação, até de forma leve, dos OM já pode acarretar obstrução parcial ou completa das vias aéreas superiores, principalmente naqueles pacientes com apnéia obstrutiva do sono. A depressão respiratória central pode provocar parada respiratória. A administração de qualquer sedativo em pacientes com OM deve ser realizada em ambiente com monitorização segura.[11,14,34]

Outro ponto é a escolha da via de administração do fármaco. Devem-se evitar as vias muscular e subcutânea já que a absorção é muito irregular. A via oral é a preferida para administração da medicação pré-anestésica, uma vez que a absorção de medicamentos por essa via não está alterada no paciente com OM.[14,34]

Os benzodiazepínicos por via oral são os ansiolíticos de preferência por causarem pouca depressão respiratória. O midazolam por via venosa, em doses tituladas, pode ser utilizado durante o período pré-operatório imediato.[2] Já a utilização de opióides não é recomendada por causa da depressão respiratória prolongada que eles causam.[34]

Atualmente, o protocolo *ERAS – Enhanced Recovery after Bariatric Surgery* sugere parcimônia na utilização de sedativos e ansiolíticos como pré-medicação em pacientes bariátricos, e sugere substituição dessa terapia por um aconselhamento mais detalhado na avaliação pré-operatória.[32]

Todos os pacientes com OM devem receber profilaxia contra a regurgitação e aspiração do conteúdo gástrico, mesmo que não existam sintomas de pirose, queimação retroesternal ou refluxo. A associação de um antagonista de receptor H_2 (ranitidina 150 mg, por via oral 12 horas antes) e um eucinético (metoclopramida 10 mg, por via oral 2 horas antes) irá diminuir a acidez e o volume do conteúdo gástrico, prevenindo a pneumonite aspirativa. Como precaução adicional, o uso de 30 mL de citrato a 0,3 M, por via oral, imediatamente antes da indução anestésica, poderá tamponar satisfatoriamente o pH gástrico, porém aumentará o volume do conteúdo gástrico.[11,14]

Apesar de encontrar volumes gástricos maiores nos pacientes obesos medicados com citrato associado ou não a metoclopramida, ranitidina ou ondansetrona, o risco de aspiração é menor,[35] sugerindo que todos os obesos devem receber tais medicações antes do procedimento cirúrgico.

Se houver previsão de intubação traqueal com o paciente acordado ou com o uso de fibroscópio, o uso de um antisialagogo deve ser considerado, lembrando que os anticolinérgicos inibem a produção de suco gástrico de forma variada. No entanto, esses fármacos reduzem o tônus do esfíncter esofagiano inferior.[11,14] Sempre que houver suspeita de conteúdo gástrico volumoso, deve-se tentar o esvaziamento com sonda gástrica.

◼ ANESTESIA E O PERÍODO INTRA-OPERATÓRIO

Posicionamento do Paciente

Por causa da grande massa corpórea, o posicionamento do paciente com OM que será submetido a uma cirurgia bariátrica torna-se uma tarefa, no mínimo, complicada. A maioria dos hospitais não dispõe de mesas operatórias e equipamentos especiais para esse tipo de paciente, e a equipe anestésico-cirúrgica tem que lidar, na maioria das vezes, por adaptações, o que aumenta o risco de eventos adversos.

O uso de duas mesas cirúrgicas dispostas uma ao lado da outra pode ser uma opção. Deve-se lembrar que a capacidade de suporte de peso das mesas cirúrgicas normais é de aproximadamente 205 kg, porém essa capacidade pode chegar a até 405 kg se houver acomodação extra na largura da mesa, especialmente para a região abdominal. Mesas operatórias com motorização elétrica favorecem o posicionamento em várias posições cirúrgicas.[2]

O paciente bariátrico está propenso a escorregar da mesa operatória durante mudanças de posições no decorrer da cirurgia, por isso deve ser corretamente fixado à mesa operatória. O uso de *bean bag* é também recomendado. Trata-se de um colchão com vários grãos plásticos no seu interior. Quando o paciente deita-se, esses grãos se amoldam em seu corpo, acoplam-se e, então, uma linha de sucção é acionada criando um vácuo dentro do colchão, permitindo que o corpo do paciente fique moldado à bolsa.[2]

As lesões nervosas são comuns nesse grupo de pacientes, principalmente os obesos diabéticos. Por isso, no momento do posicionamento sobre a mesa cirúrgica, é importante identificar junto ao paciente pontos de pressão.

Assim, as áreas de maior pressão devem ser bem protegidas, evitando-se também o estiramento. As lesões por estiramento das raízes inferiores plexo braquial são causadas principalmente por abdução extrema do braço, ao passo que as lesões por estiramento das raízes superiores, por rotação excessiva da cabeça para o lado oposto.[2]

As lesões do nervo ciático são causadas por compressão prolongada contra estruturas localizadas ao lado da mesa operatória.[2] O nervo cutâneo lateral da coxa pode lesionar-se quando o membro inferior cai da mesa e permanece dependurado livremente por longo intervalo de tempo.[2]

A neuropatia do nervo ulnar está associada ao aumento do IMC. Em um estudo retrospectivo, 29% dos pacientes com IMC superior ou igual a 38 kg/m^2 tiveram lesão do nervo ulnar, comparado com apenas 1% do grupo controle.[36] O grau e a extensão da lesão nervosa devem ser documentados, assim como a recuperação e o prognóstico discutido com o paciente. Uma eletroneuromiografia pode oferecer informações clínicas a esse respeito.

Apesar de todo cuidado com o posicionamento, as lesões nervosas podem ocorrer nessa população. Entretanto, a grande maioria se resolve com o passar do tempo.[2]

É natural que, durante o ato cirúrgico, o cirurgião solicite a mudança no posicionamento da mesa operatória para melhor desenvolvimento de sua técnica. Alterações na posição supina como céfalo-aclive, céfalo-declive e laterais são bastante comuns. Todas essas variações do posicionamento da mesa cirúrgica provocam alterações na fisiologia cardiorrespiratória do paciente.

A posição supina provoca aumento do retorno venoso, do débito cardíaco, da pressão da artéria pulmonar, da pressão arterial e do consumo de oxigênio. Existe maior tendência à hipoxemia devido à redução da CRF, dos volumes pulmonares e da complacência pulmonar total, ocasionado pelo aumento na pressão intra-abdominal e alteração grave de relação ventilação-perfusão (V/Q). A magnitude dessas alterações é diretamente proporcional ao aumento do IMC, tornando-se exacerbada nos pacientes com OM. Alguns deles não suportam a posição supina e podem apresentar a síndrome fatal da posição supina que é uma descompensação cardiorrespiratória irreversível. A simples suspensão do panículo adiposo abdominal ou a abertura da cavidade abdominal faz com que todos os parâmetros ventilatórios e respiratórios tendam a valores normais, diminuindo, também, a compressão da veia cava inferior com melhora do retorno venoso.[14,37]

Antes da indução anestésica, os pacientes com OM devem ser posicionados com travesseiros ou coxins sob os ombros, cabeça ligeiramente levantada e em posição semideitada (posição em rampa), visto que essa é a posição que favorece a ventilação com máscara e melhora as condições da intubação traqueal. Além disso, essa posição promove melhora dos parâmetros ventilatórios com pouco efeito hemodinâmico adverso.[14,37] Um dispositivo em forma trapezoidal pode ser útil para o posicionamento e intubação traqueal (Figura 166.3). Trata-se de um coxim com a forma de trapézio, confeccionado com espuma de densidade 33 e envolto em lona lavável, cujas medidas estão apresentadas nas figuras a seguir.[38]

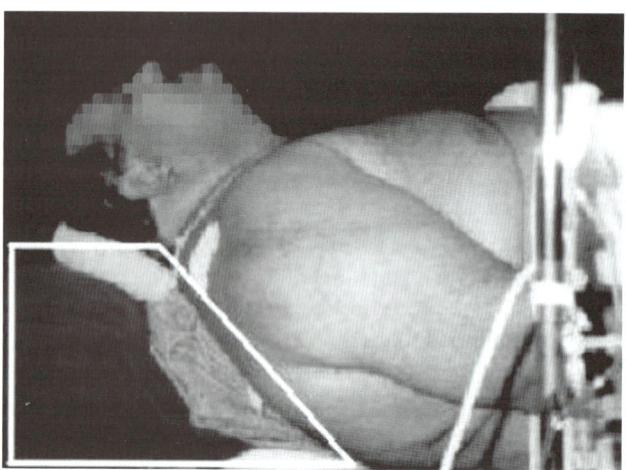

▲**Figura 166.3** Forma trapezoidal dos coxins.

A posição de cefalodeclive, em alguns casos, melhora a exposição para o cirurgião e reduz o sangramento durante o procedimento. Entretanto, os pacientes com OM toleram bem menos essa posição que a supina. Há uma autotransfusão de sangue das extremidades inferiores para a circulação pulmonar e central. Há aumento da compressão diafragmática pelo abdome, piorando a complacência pulmonar total, a capacidade residual funcional e a ventilação perfusão (V/Q), aumentando ainda mais as atelectasias e a tendência à hipoxemia. A combinação da posição de céfalo-declive com o uso de afastadores subcostais é particularmente perigosa.[39]

Já a posição de céfalo-aclive promove melhora na diferença alvéolo-arterial de oxigênio [P(A-a)O$_2$], principalmente após a colocação dos afastadores subcostais.[39]

Monitorização

Toda a monitorização deve ser adequada para o paciente com OM, e a rotina mínima deve incluir: pressão arterial não-invasiva com manguito adequado, cardioscópio nas derivações DII e V5, oximetria de pulso, capnografia e temperatura.

Alguns autores preconizam que, até mesmo em procedimentos pequenos, a pressão arterial seja medida de modo invasivo, com canulização da artéria radial após teste de Allen prévio.[14] Se a opção for pelo método não-invasivo, o uso de manguitos apropriados é mandatório. Em geral, um manguito maior que 18 cm é recomendado no paciente com OM, abrangendo 70% do braço.[11] Entretanto, a medida da pressão arterial pelo método não-invasivo, em alguns casos, é ineficaz por causa do formato cônico dos braços desses pacientes.[6] Manguitos pequenos superestimam a pressão arterial, ao passo que, os manguitos muito grandes subestimam o real valor da pressão.

O uso de cardioscópio com no mínimo duas derivações, DII e V5, auxilia na detecção de anomalias do ritmo e isquemias no intraoperatório. A oximetria de pulso e a avaliação da P$_{ET}$CO$_2$ expirada, em conjunto com a gasometria, indicam se a ventilação do paciente está sendo adequada. A espirometria é útil para monitorização do volume corrente. Um analisador de gases auxilia no controle da fração inspirada e

expirada dos agentes inalatórios, principalmente nos circuitos respiratórios com absorção de CO$_2$.

O cateter vesical é importante para avaliação do débito urinário, servindo como guia para reposição volêmica. A hipotermia acidental no intraoperatório é mais frequente em decorrência da grande superfície corporal, apesar de o panículo adiposo servir como isolante térmico. Com isso, o uso de colchão ou manta térmica é bem indicado.

O uso de monitores para avaliação do bloqueio neuromuscular é útil e deve ser sempre utilizada quando se utiliza bloqueadores neuromusculares,[6] pois, além de assegurar relaxamento adequado durante toda a cirurgia, evita a curarização ao final da cirurgia. No entanto, como a camada de tecido adiposo é muito espessa, é preciso utilizar eletrodos subcutâneos de agulha em alguns casos.[11]

A monitorização da profundidade anestésica deve ser considerada, especialmente quando se usa a técnica de anestesia venosa total associada a bloqueadores neuromusculares.[6] Na análise de modelos farmacocinéticos, foi caracterizado o perfil farmacocinético/farmacodinâmico do propofol em pacientes obesos utilizando dados da resposta do BIS. Os resultados obtidos foram semelhantes aos descritos em pacientes não obesos, o que confirma a validade do BIS no monitoramento de pacientes obesos.[40] A punção da veia jugular externa pode ser empregada quando a punção venosa periférica é difícil ou quando é medida a avaliação da pressão venosa central.[41]

Se houver a presença de doenças cardiopulmonares importantes, o emprego de monitorização mais invasiva, como o uso de cateter de Swam-Ganz, deve ser considerada, apesar do difícil posicionamento do cateter nesses pacientes. No entanto, a reposição hídrica e o uso de fármacos vasoativos serão mais criteriosos nesses pacientes críticos.[34] Um estudo piloto mostrou que o uso de monitores minimamente invasivos para monitorização do débito cardíaco são pouco precisos em pacientes com OM.[42]

Manutenção das Vias Aéreas

A intubação traqueal nos pacientes com OM que serão submetidos à cirurgia é mandatória. Deve ser feito um planejamento adequado da intubação traqueal, visando a evitar hipoxemia aguda. Na avaliação pré-anestésica, já é possível prever o grau de dificuldade da intubação traqueal.

Houve uma série de pontos de aprendizagem a partir do NAP4 (4º Projeto de Auditoria Nacional da Grã Gretanha), o qual abordou as complicações gerais das vias aéreas que são pertinentes para o manejo das vias aéreas dos pacientes obesos:[43]

- houve muitas vezes houve falha no reconhecimento e planejamento para o manejo de vias aéreas potencialmente problemáticas.
- como resultado do tempo de apnéia segura é reduzido, quando as complicações das vias aéras ocorreram, desenvolveram-se rapidamente com resultados potencialmente catastróficos.
- há evidências que técnicas de salvamento, tais como dispositivos supraglóticos e cricotireoidectomia de urgência tinham alta taxa de insucesso.

■ os eventos adversos ocorreram com mais frequência em pacientes obesos quando eles eram anestesiados por anestesiologistas inexperientes.

O algoritmo para via aérea é difícil e deve ser observado. Todo equipamento disponível para manuseio da via aérea deve estar presente na sala de operação, incluindo cânulas orofaríngeanas, tubos traqueais com introdutores, lâminas de laringoscópio de tipos e tamanhos variáveis, máscara laríngea, *fast-track, combi-tube*, vídeo laringoscópio e fibroscópio.

A incidência de intubação traqueal difícil gira em torno de 13% e 30%.[14,20] Em contrapartida, vários estudos não conseguiram fazer um paralelo entre IMC e intubação traqueal difícil. Somente quando o obeso mórbido apresentava apnéia obstrutiva do sono é que tal correlação era mais consistente.[25,44]

Na maioria das vezes, o insucesso da intubação traqueal no obeso mórbido está no mau posicionamento do paciente. Nota-se que, para haver o correto posicionamento de obesos, deve-se traçar uma linha imaginária entre o meato acústico externo e o manúbrio esternal do paciente, e que tal linha deve estar paralela ao solo.[44] O coxim em formato de trapézio (Figura 166.4) facilita essa posição quando colocado sob o paciente, proporcionando extensão da coluna torácica e flexão da coluna cervical com o favorecimento da articulação atlanto-occipital.[38] A posição "em rampa" permite melhor visualização da laringe do obeso mórbido, quando comparada com a posição habitual (posição do cheirador).[45] Ademais, essa posição melhora a mecânica pulmonar, auxiliando assim a oxigenação e ventilação, maximizando o tempo de apnéia segura.

Uma conduta útil é olhar previamente dentro da boca usando uma lâmina do laringoscópio, sob sedação leve e anestesia tópica, para verificar se é possível visualizar a região laríngea antes da indução anestésica. Caso a visualização seja fácil, segue-se a indução em sequência rápida com pré-oxigenação, devendo o paciente estar na posição semideitada para redução do esforço ventilatório. Se a visualização for difícil, deve-se proceder à intubação traqueal com o paciente acordado ou com fibroscopia. A disponibili-dade de uma máscara laríngea de tamanho adequado é de vital importância ante a eventual dificuldade de acesso à via aérea.[25,26,44]

Alguns estudos demonstram que os obesos mórbidos não possuem conteúdo gástrico maior que a população não obesa e, portanto, o risco de aspiração pulmonar pode estar sendo superestimado.[26,35,46-48] Dessa forma, não existiria risco adicional ao ventilar o obeso sob máscara facial. Entretanto, na maioria das vezes, mesmo com a utilização de cânulas oro ou nasofaríngeas, é necessário aplicar uma força adicional (> 20 mmHg) para se realizar tal procedimento devido as alterações de face, pescoço e vias aéreas desses pacientes. Com isso, a possibilidade de insuflação gástrica é alta, o que dificultaria a técnica cirúrgica, uma vez que esse ar gástrico desloca-se rapidamente para a primeira porção do duodeno. Essa seria a justificativa para se realizar a técnica de indução em sequência rápida. Entretanto, havendo a desaturação, o paciente deve ser ventilado prontamente, sob máscara facial ou laríngea. Atenção especial ao risco de aspiração deve ser dada somente aos obesos mórbidos com doença do refluxo gastroesofágico com ou sem diabetes.[25]

Nos casos mais extremos de intubação traqueal difícil, a traqueostomia é uma alternativa válida, porém a possibilidade desse procedimento ser empregado deve ser de conhecimento prévio do paciente e da sua família (Figuras 166.5 e 166.6).

Ventilação

Recomenda-se, a utilização de ventiladores que proporcionem fluxo alto e constante. Esses ventiladores permitem vencer com mais facilidade a resistência inicial das vias aéreas.[2,49,50]

Distúrbio ventilatório restritivo é o mais comum nos pacientes com OM. A tendência à hipoxemia é caracterizada principalmente pela redução da capacidade residual funcional e pelo aumento da capacidade de oclusão, associada aos distúrbios da relação ventilação/perfusão e ao aumento do *shunt* intrapulmonar. A complacência pulmonar diminui, e a posição supina, a anestesia e o relaxamento muscular podem piorar esta situação.

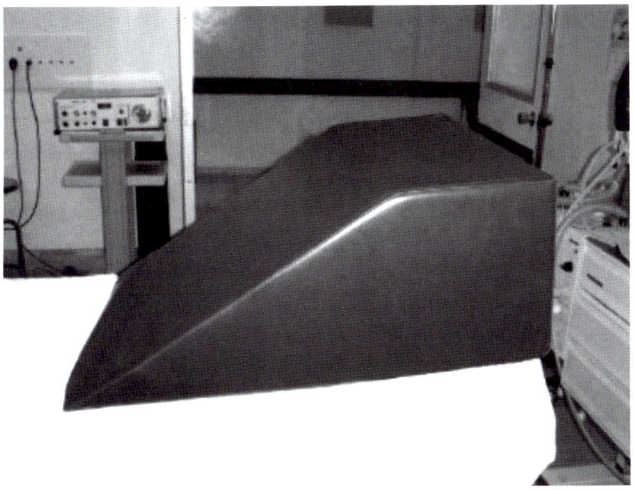

▲ **Figura 166.4** Dispositivo com formato trapezoidal.

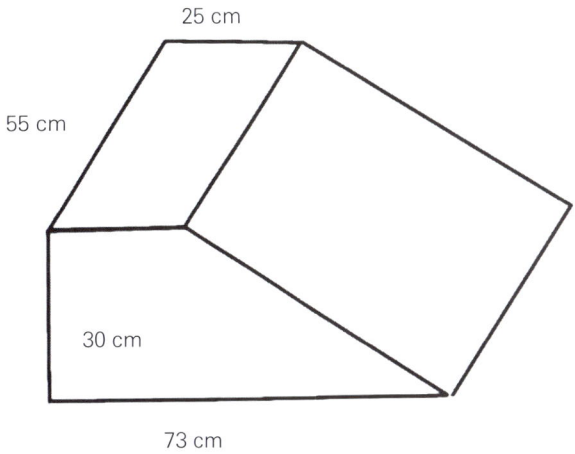

▲ **Figura 166.5** Dimensões do dispositivo.

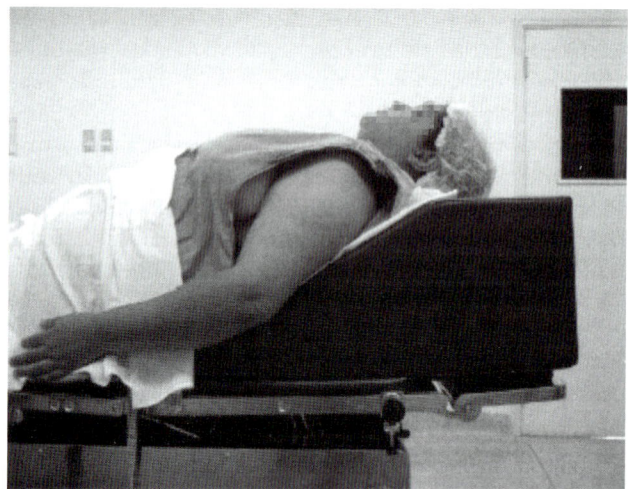

▲ **Figura 166.6** Paciente obeso mórbido sobre o dispositivo.

Sabe-se que o paciente com OM desenvolve atelectasias com mais facilidade que os pacientes não obesos, tanto no intra como no pós-operatório imediato, independente da técnica anestésica (balanceada ou venosa total). Ela é uma das principais causas de hipoxemia no pós-operatório e pode predispor o paciente a insuficiência respiratória, pneumonia e aumento da mortalidade.[51] Até 15% da área pulmonar pode estar atelectasiada durante a anestesia, principalmente a região basal, resultando num *shunt* de aproximadamente 5 a 10% do débito cardíaco.[52] Essa atelectasia é mais acentuada em cirurgia videolaparoscópica em virtude do aumento adicional da pressão intra-abdominal causada pelo pneumoparitônio.[53]

Uma grande variedade de estratégias de ventilação foi testada em um número limitado de estudos aleatórios sobre a aplicação de anestesia geral em pacientes obesos. Infelizmente, a grande variedade de intervenções de ventilações testadas produziu muito pouca evidência convincente. Na verdade, um padrão ouro em termos de estratégia de ventilação no intraoperatório para pacientes obesos não existe.[54]

Várias propostas têm sido apresentadas para o estabelecimento do volume corrente (VC) nesses pacientes. O mais aceitável seria o uso de VC calculado a partir do peso corporal ideal e que não seja superior a 11 mL.kg^{-1}, pois muitos pesquisadores concluíram que o uso de altos volumes correntes não foi acompanhado de aumento significativo na oxigenação. Além disso, esses volumes causariam elevação importante da pressão da via aérea levando ao desenvolvimento de lesões no parênquima pulmonar (volutrauma) e hipocapnia grave.[50]

O uso ou não de PEEP também tem sido questionado. Como a capacidade de oclusão das pequenas vias aéreas é mais alta no paciente com OM, e por promover manutenção do recrutamento alveolar, o uso de PEEP seria indicado. Mas é preciso lembrar que a PEEP pode provocar decréscimo no índice cardíaco em até 20% nesses pacientes, ressaltando que os obesos já podem ter, previamente, algum grau de insuficiência cardíaca, o que diminuiria mais ainda a oferta de oxigênio aos tecidos.[49] Recente estudo demonstrou não haver diferença na incidência de hipoxemia pós-operatória em obesos submetidos a PEEP titulado pela máxima complacência dinâmica ou PEEP fixo em 10 cm H_2O.[55]

Entretanto, a associação de manobras de recrutamento alveolar e PEEP possuem forte evidência na melhora da oxigenação no intraoperatório e no aumento da complacência do sistema respiratório quando comparado ao uso de PEEP isolado, embora ainda não seja claro por quanto tempo esses benefícios são duradouros e podem se estender no período pós-operatório.[54]

A abertura dos alvéolos colapsados e o PEEP de manter tais alvéolos abertos é o efeito das manobras de recrutamento alveolar. Estudos têm demonstrado que a pressão inspiratória durante a manobra de recrutamento alveolar de 30 cmH_2O reduziu a atelectasia a metade da extensão inicial, enquanto que a pressão de 40 cmH_2O e a duração mínima de 15 segundos promoveu a reabertura completa de todo tecido pulmonar colapsado.[56,57]

A otimização do VC de acordo com os dados de PaO_2, $PaCO_2$ e curvas pressão-volume (P-V), para a prevenção do barotrauma, associado a manobras de recrutamento alveolar e PEEP seria o mais recomendado até o momento.[49,54] A pausa inspiratória é uma forma muito útil de promover ventilação em alvéolos com abertura mais lenta.

Nenhum modo de ventilação (PCV ou VCV) tem se provado superior em pacientes obesos, mas volumes correntes melhores para um dado pico de pressão podem muitas vezes ser alcançado usando ventilação controlada a pressão em vez de volume controlado.[6] Em revisão sistemática, a oxigenação intraoperatória, a média da pressão das vias aéreas e a pressão arterial média de pacientes obesos foram similares em PCV e VCV.[54]

▪ TÉCNICAS ANESTÉSICAS

A técnica anestesia ideal para o paciente com OM seria aquela que promovesse indução e intubação traqueal suave, boa estabilidade hemodinâmica peri-operatória, rápido despertar, recuperação imediata das funções cognitivas, deambular precoce e pós-operatório sem dor.

Para conseguir se aproximar desse objetivo, podem ser utilizadas várias técnicas anestésicas já descritas, como a anestesia geral balanceada e a anestesia venosa total, associadas ou não aos bloqueios espinhais. Contudo, é importante que se utilizem fármacos de eliminação rápida e opióides de baixa lipossolubilidade com moderação, respeitando as propriedades farmacocinéticas de cada fármaco.

Pode-se dizer, então, que remifentanil, propofol, sevoflurano, desflurano e bloqueadores neuromusculares de curta e média duração são os fármacos que melhor atendem a essas caracterícsticas, promovendo despertar e transporte mais seguro do paciente.

Um estudo demonstrou que a utilização de fármacos de curta duração associados a bloqueio peridural em pacientes submetidos à cirurgia bariátrica por laparotomia, diminuiu o tempo de despertar, a incidência de eventos respiratórios no pós-operatório, bem como reduziu o tempo de permanência em SRPA e o tempo hospitalar. Concluiu também que existe um aumento de 4,5 vezes no risco relativo do paciente em desenvolver um evento respiratório adverso toda vez que o tempo de despertar seja maior que 20 min.[58]

Muito se discute na literatura sobre o efeito da obesidade na farmacologia dos agentes anestésicos mais utilizados.

Muito do excesso de peso é tecido adiposo, o qual é relativamente pouco vascularizado. Enquanto os fármacos lipofílicos têm um volume de distribuição maior em relação aos fármacos hidrofílicos, as evidências atuais indicam que as mudanças no volume de distribuição nos obesos são específicos de cada fármaco, por isso as generalizações são difíceis.[59]

Para a maioria dos agentes anestésicos, o cálculo da dose baseado no peso corporal total é raramente apropriado e aumenta o risco relativo de uma sobredosagem.

A recomendação, com base na prática atual entre os especialistas em anestesia bariátrica, é que o peso de massa magra ou o peso corporal corrigido sejam utilizados para o cálculo da dosagem inicial dos agentes anestésicos.[6]

No paciente obeso, a dose de *bolus* da indução anestésica para promover inconsciência com o propofol correlaciona-se bem com o peso de massa magra. Entretanto, devido a rápida redistribuição desse agente para o grande tecido adiposo, os pacientes obesos despertam mais rapidamente do que os pacientes não obesos após uma única dose de indução. Por outro lado, se a dose de indução for calculada com base no peso corporal total, o seu tempo de duração será maior em relação à dose calculada pelo peso de massa magra ou pelo pelo corporal corrigido, porém resultará em significativa hipotensão.[60]

Fármacos hidrofílicos como os bloqueadores neuromusculares são distribuídos primeiramente no compartimento central e sua dosagem deve ser feita pelo peso de massa magra. A dose de rocurônio baseada no peso corporal total diminui significativamente o tempo de ação, mas também aumenta substancialmente a sua duração.[61]

A dose de succinilcolina mais apropriada deve ser baseada no peso corporal total, uma vez que a atividade da colinesterase plasmática está aumentada em pacientes obesos. Doses de neostigmina e sugamadex relacionam-se com o tempo e a dose total do bloqueador neuromuscular utilizado para serem revertidas, e geralmente pode ser titulada para o efeito,[6] embora, outros estudos preconizam que a dose de sugammadex mais segura para os pacientes obesos deve ser calculada pelo peso corporal total.[62]

Para os opióides, o efeito clínico é mal relacionado com a concentração plasmática. A dosagem utilizando o peso de massa magra é, portanto, um ponto de partida razoável.[63]

Nenhuma das técnicas anestésicas (anestesia balanceada ou anestesia venosa total) mostrou-se melhor quanto ao tempo de alta anestésica e ao tempo de alta hospitalar.[64] Cabe ao anestesiologista utilizar a técnica que mais se sente confortável. Independente de qual técnica seja selecionada, é tendência atual que se utilize agentes de curta duração e uso restrito de opióides com objetivo de acelerar a recuperação desses pacientes.[32]

Para infusões manualmente controlada, a dose de indução de propofol pode ser baseada no peso de massa magra, entretanto a dose de manutenção ($\mu g.kg.$ min^{-1} ou $mg.kg.h^{-1}$) deve ser calculada pelo peso corporal total.[65] Já o remifentanil, a dose sempre deve ser baseada no peso de massa magra.

Para infusões alvo controlada (TCI) de propofol, os modelos farmacocinéticos de Marsh e Schnider tornam-se imprecisos para pacientes com peso acima de 140 a 150 kg.

Por isso, nenhuma das bombas disponíveis comercialmente permite a entrada de pesos superiores a 150 kg utilizando o modelo de Marsh, ou IMC maior que 35 kg/m^2 (feminino) e 42 kg/m^2 (masculino) utilizando o moldelo de Schnider.

Cortínez e col.[40] estudaram o desempenho de cinco modelos farmacocinéticos de propofol (Marsh, Schnider, Cortínez,[66] van Kralingen[67] e Eleveld[68]) em pacientes obesos mórbidos, inclusive os três últimos são mais específicos para pacientes obesos. Eles demonstraram que o modelo farmacocinético alométrico de Eleveld, quando utilizado com o peso corporal total, foi o que obteve melhor desempenho, com erros dentro da faixa aceitável para infusão alvo controlada (MDPE <10% a 20% e MDAPE entre 20 e 40%). Todavia, todos os modelos estudados tendem a subestimar a concentração de propofol.

Nos pacientes obesos, o uso do peso corporal corrigido melhora o desempenho tanto no modelo de Marsh quanto do modelo de Schnider.[40] Entretanto, o uso do peso corporal corrigido com ambos é recomendado somente se houver monitoramento da hipnose (BIS), para evitar o risco de consciência.[40] No modelo de Marsh, o uso do peso corporal corrigido reduziu proporcionalmente todos os volumes e clearances. No modelo de Schnider, essa conduta reduziu o erro na depuração, que geralmente é sobrestimada por esse modelo devido ao erro da equação de James para o calculo da massa magra, visto que essa equação é inapropriada para os pacientes obesos mórbidos.[65]

Alguns estudos mostram que o uso da dexmedetomidina no intraoperatório diminui a quantidade total de hipnoanalgésicos utilizada, promove melhor controle hemodinâmico no intra e pós-operatório minimizando o risco de efeitos adversos cardiovasculares, diminui o consumo de morfina e a dor no pós-operatório, diminuindo, consequentemente, a incidência de náuses e vômitos pós-operatórios (NVPO) e o tempo de permanência na SRPA.[69-71]

Foi demonstrado que a utilização da dexmedetomidina como adjuvante em anestesia geral suprimiu as respostas do estresse cirúrgico em gastrectomias por laparotomias. Os efeitos da técnica de dexmedetomidina combinada com anestesia venosa total sobre o estresse cirúrgico foram comparáveis à técnica de bloqueio peridural combinado com anestesia venosa total.[72]

Como a farmacinética de vários agentes anestésicos está alterada no paciente com OM, a utilização de monitor da profundidade anestésica (BIS) e do bloqueio neuromuscular pode ser interessante na titulação desses agentes, promovendo tempo de extubação e recuperação precoce.[32,73,74]

Quanto à associação dos bloqueios espinhais, deve-se ressaltar que eles são muito úteis para melhor estabilidade hemodinâmica no intraoperatório, reduzir o consumo de anestésicos e aperfeiçoar o controle da dor pós-operatória, principalmente nas cirurgias abertas. Porém, antes de realizar o bloqueio, é de extrema importância observar qual agente trombolítico está sendo usado e qual o horário de sua última administração.

Geralmente, o grau de dificuldade é maior para realização desses bloqueios. Recomenda-se a utilização de agulhas mais longas que seriam mais apropriadas para esses pacientes. Agulhas convencionais não alcançariam o espaço desejado devido à grande espessura de tecido adiposo.[25]

A dispersão dos anestésicos locais é diretamente proporcional ao IMC. O aumento da pressão abdominal promoverá deslocamento sanguíneo oriundo da veia cava inferior para o sistema venoso peridural, dilatando esses vasos e diminuindo o volume dos espaços peridural e subaracnóideo. O acúmulo de gordura no espaço peridural também está aumentado, contribuindo para maior redução desse espaço. Devido a essas alterações, a dose de anestésico local deve ser reduzida em 20% a 25% para bloqueios peridural e subaracnóideo.[25]

Mesmo observando esses detalhes, o nível do bloqueio produzido pelos anestésicos locais é imprevisível, com instalação e ascensão incidiosas. Além disso, as punções venosas acidentais tornam-se mais comuns nestes pacientes.[34]

Sobre a reposição hidroeletrolítica perioperatória, o excesso de gordura pode reduzir a água corpórea de 65% para 40% do peso corporal, influindo, assim, na distribuição dos fármacos no organismo. Quando expresso em litros por quilograma, o seu volume total circulante é similar ao do paciente não obeso. Como a gordura contém pouca água, cerca de 6% a 10%, a hidratação pode ser avaliada pelo peso ideal. Os fatores hemodinâmicos, porém, serão os determinantes da hidratação. A monitorização da pressão arterial sistêmica, da frequência cardíaca, da diurese e da pressão venosa central deve ser a base para realizar a reposição.[11]

A monitorização invasiva da onda de pulso fornece informações adicionais para a hemodinâmica e reposição volêmica, porém não altera o tempo de permanência na sala de recuperação, o tempo de permanência hospitalar ou as complicações pós-operatórias.[75]

■ CIRURGIA BARIÁTRICA POR VIA LAPAROSCÓPICA

A evolução da técnica laparoscópica nas últimas décadas foi fundamental para que a cirurgia bariátrica pudesse ser realizada por essa via. Devido ao grande desenvolvimento tecnológico, surgiram as microcâmeras com altíssima definição de imagem, pinças mais eficientes e suturas mecânicas de melhor qualidade. Todas essas mudanças praticamente fizeram da laparoscopia a técnica de eleição para a realização da cirurgia bariátrica.

Em comparação com a técnica aberta, a cirurgia bariátrica por via laparoscópica tem como vantagens incisão bem menor na pele, sangramento reduzido, menor necessidade de internação em unidade de terapia intensiva (UTI), pequeno número de complicações imediatas e tardias, menor número de reoperações, menor tempo de permanência hospitalar, mobilização mais precoce, redução na incidência de hérnias incisionais e infecções, menor consumo de analgésicos no pós-operatório e função pulmonar mais preservada.[76-78] Estudos relatam um tempo médio de alta hospitalar de cinco dias em cirurgias por laparoscopia para correção da obesidade mórbida e 15 dias para cirurgias abertas.[79,80] Atualmente, este tempo diminuiu para dois e três dias para cirurgia laparoscópica e cirurgia aberta, respectivamente.

Como a curva de aprendizado é maior pela via laparoscópica, aproximadamente 70 casos, o tempo cirúrgico tende a ser maior por essa via, porém dependendo da habilidade do cirurgião, tal tempo pode até ser menor que a técnica aberta.[77] Pela literatura o tempo cirúrgico médio de um *by-pass* gástrico pode variar de 40 a 240 minutos.[81,82]

Contudo, em virtude das dificuldades técnicas e de instrumentação, em alguns casos a cirurgia por via laparoscópica pode ser muito difícil de ser realizada em pacientes com peso acima de 180 kg.[64,80] Além disso, dois fatos na intubação traqueal do paciente obeso na cirurgia bariátrica laparoscópica devem ser salientados.

Em primeiro lugar, muito se discute da necessidade ou não da intubação traqueal em sequência rápida ou até mesmo com o paciente acordado, pelo fato de o obeso ser um paciente com potencial risco de aspiração pulmonar. Nota-se que essa preocupação tem sido superestimada.[25,26] Somente os obesos mórbidos com doença do refluxo gastroesofágico e diabetes teriam risco elevado para aspiração pulmonar. Porém, para a realização do procedimento por via laparoscópica, necessita-se de cavidade gástrica e alças intestinais livres de ar. Tendo em vista que a ventilação sob máscara propiciaria passagem de ar para dentro do estômago e, consequentemente, para o duodeno e alças intestinais, por causa das alterações morfológicas da face, do pescoço e da cavidade oral, ocasionados pelo excesso de tecido adiposo, a intubação traqueal em sequência rápida seria a mais indicada. Então, a IOT em sequência rápida seria mais uma indicação cirúrgica que anestésica.

Em segundo lugar, após a instalação do pneumoperitônio, é comum ocorrer deslocamento cefálico do diafragma e dos pulmões e o tubo traqueal dirigir para dentro de um dos brônquios principais, geralmente o brônquio direito, ocasionando intubação seletiva. Para evitar isso, a ponta do tubo deve ficar entre 3 e 5 cm acima da carina. Uma maneira prática de se obter isso é, durante a intubação, fazer com que o balonete do tubo traqueal fique posicionado apenas 1 cm abaixo das cordas vocais.[83]

O bloqueio neuromuscular deve ser adequado para o completo relaxamento da musculatura que esses procedimentos exigem, tanto para facilitar a ventilação, como para promover espaço abdominal adequado para a visualização e o manuseio do instrumental na cavidade. A perda do pneumoperiônio pode indicar bloqueio neuromuscular insuficiente.[26] Há uma tendência para a permanência do pacientes em bloqueio neuromuscular profundo (PTC 0 a 2) durante a laparoscopia, uma vez que isso pode melhorar o acesso cirúrgico e a dor pós operatória.[84] Porém, recente estudo demonstrou não haver diferença nas condições cirúrgicas e da função pulmonar no pós-operatório em paciente obesos submetidos a cirúrgia bariátrica laparoscópica sob bloqueio neuromuscular moderado (TOF 1 a 2) ou bloqueio neuromuscular profundo (PTC 1 a 2).[85]

A cirurgia laparoscópica trouxe ao anestesiologista vários questionamentos sobre o efeito do pneumoperitônio e do posicionamento do paciente sobre o sistema cardiorrespiratório. No que se refere ao paciente com peso normal, a maioria dessas alterações na dinâmica cardiorrespiratória já foi estudada. Nota-se, no entanto, que nos pacientes obesos mórbidos, muitas dessas alterações não se comportam como o esperado.

Foi mostrado que não há diferença significativa na mecânica respiratória nos procedimentos realizados por via laparosópica ou por via convencional.[86] Os efeitos do pneumoperitônio sobre aparelho respiratório do obeso mórbido têm sido alvo de muitos estudos. Dumont e col. observaram, com volume corrente constante, uma redução de 31% na complacência pulmonar, aumento de 17% na pressão inspiratória de pico e acréscimo de 32% na pressão inspiratória de platô. Todas essas variações retornavam aos valores previstos após a deflação do pneumopertitônio[87] e vários outros estudos confirmaram essas alterações.[22,50,86,88] Em outro estudo com um método similar a de Dumont, só que com pacientes não obesos, observou-se que os efeitos do pneumoperitônio são até maiores para os mesmos parâmetros. Houve redução de 47% na complacência pulmonar e aumento de 50% e 81% na pressão inspiratória de pico e de platô, respectivamente.[36] Isso se deve à elevada pressão intra-abdominal e à alta complacência abdominal da população obesa.[87]

Muito se questiona sobre a influência do pneumoperitônio sobre as trocas gasosas nos pacientes obesos mórbidos. Esses pacientes possuem volumes pulmonares reduzidos, capacidade residual funcional diminuída e alta capacidade de oclusão permitindo alterações na relação ventilação/perfusão e aumentando o *shunt* intrapulmonar fisiológico. Estes características são exacerbadas pela posição supina, anestesia geral, relaxamento muscular e ventilação mecânica, as quais elevam a cúpula diafragmática e promovem deslocamento sanguíneo para dentro do tórax, causando atelectasias e redução de até 50% da capacidade residual funcional, piorando ainda mais a hipoxemia.[87] Entretanto, o pneumoperitônio é fator de menor significância para a hemostase. A PaO_2 e o gradiente tensão alveolar-arterial do oxigênio são determinados exclusivamente pelo peso corporal e não estão associados a mudanças da mecânica respiratória proveniente da insuflação abdominal. A hipoxemia é diretamente proporcional ao aumento da massa corporal.[22,87]

Outra preocupação nesses pacientes seria a hipercapnia, agravada pela absorção de CO_2 pela mucosa peritonial, e a diferença alargada entre a $PaCO_2$ e a $P_{ET}CO_2$. Sprung e col. demonstraram que o gradiente $PaCO_2/P_{ET}CO_2$ dos pacientes obesos foi similar ao dos pacientes não obesos, em vários volumes correntes. Porém, com pequenos volumes correntes, o gradiente $PaCO_2/P_{ET}CO_2$ foi mais alto nos pacientes obesos. Esse fato deve-se ao aumento do espaço morto, posto que o volume corrente é insuficiente para "lavagem" do espaço morto alveolar. Por outro lado, quando ventilaram os pacientes não obesos com grandes volumes correntes, houve aumento do gradiente $PaCO_2/P_{ET}CO_2$. A alta pressão inspiratória de pico causou diminuição no fluxo sanguíneo pulmonar, reduzindo a transferência do CO_2 para o espaço alveolar. Então, ventilando os pacientes obesos com volume corrente adequado, a diferença do gradiente $PaCO_2/P_{ET}CO_2$ é minimizada, equivalendo-se ao dos pacientes não obesos.[22]

Um paciente não obeso submetido à laparoscopia pélvica em céfalo-declive, necessita de aumento em torno de 20% a 30% no volume minuto para manter uma normocapnia. Já o obeso mórbido anestesiado, mas antes do pneumoperitônio, necessita de um aumento de 15% no volume minuto para manter a normocapnia. Aumentando-se 100 mL no volume corrente de pacientes não obesos, reduz-se a $PaCO_2$ em torno de 5,3 mmHg, ao passo que no obeso mórbido essa redução é de apenas 3,6 mmHg. Isto mostra que, devido à baixa qualidade da relação ventilação/perfusão do obeso mórbido durante a laparoscopia, a eficiência da eliminação de CO_2 é prejudicada, necessitando o obeso mórbido de aumento adequado no volume corrente para manter a $PaCO_2$ normal.[22]

Muitos estudos têm demonstrado as alterações hemodinânicas induzidas pelo pneumoperitônio em pacientes não obesos. Essas mudanças são complexas e depende da interação de muitas variáveis, incluindo o aumento da pressão intra-abdominal e intratorácica, o posicionamento do paciente, o grau de hipercarbia e o *status* hemodinâmico prévio dos pacientes. Porém, as variações mais comuns ocasionadas pela insuflação de CO_2 na cavidade abdominal são o aumento da frequência cardíaca, da pressão arterial sistêmica, da resistência vascular sistêmica e da resistência vascular pulmonar, acompanhadas de variações no débito cardíaco. Nos pacientes não obesos é comum a diminuição do débito cardíaco durante o pneumoperitônio. O débito cardíaco depende da frequência cardíaca e do volume sistólico, o qual é dependente da contratilidade do miocárdio e da pré e pós-carga. Durante o procedimento laparoscópico, a queda do débito cardíaco deve-se principalmente pela redução do volume sistólico ocasionado pela diminuição da pré-carga e aumento da pós-carga.[89]

Frequentemente, os obesos mórbido já apresentam redução no desempenho ventricular com diminuição na contratilidade e da complacência ventricular esquerda, relacionada com o grau da obesidade. A elevação do débito cardíaco observado nesses pacientes é diretamente proporcional ao maior consumo de oxigênio. Os obesos mórbidos apresentam aumento na pré-carga devido ao aumento do volume sanguíneo. A medida da pressão arterial sistêmica está frequentemente aumentada causada pela maior atividade do sistema renina-angiotensina-aldosterona, do aumento do volume intra-vascular e do tônus simpático. O aumento da pressão da artéria pulmonar está diretamente correlacionada com o excesso de massa corporal.[88,89]

Como os pacientes com OM possuem desempenho ventricular reduzido, uma pequena queda no débito cardíaco pode acontecer durante a instalação do pneumoperitônio. Entretanto, 15 minutos após a insuflação e até a deflação, pode-se esperar um aumento no índice cardíaco, explicado pelo aumento da frequência cardíaca com o retorno do volume sistólico para valores pré-insuflação. O aumento da frequência cardíaca pode ser acompanhado por aumento da contratilidade do miocárdio, ocasionada pelo aumento do tônus simpático, o qual se torna completo após 15 minutos. Geralmente, os níveis das catecolaminas endógenas aumentam durante a cirurgia nos períodos de hipercapnia.[89,90]

Nos obesos mórbidos, as consequências hemodinâmicas da insuflação peritoneal são diferentes quando comparadas com pacientes não obesos. Existem algumas hipóteses para explicação desse fato. A primeira hipótese seria que, na posição supina, os pacientes obesos possuem uma pressão intra-abdominal maior em relação aos pacientes não obesos. Esse fato, juntamente com uma complacência abdominal aumentada, diminuiria os efeitos hemodinâmicos do pneumoperitônio. Outra explicação seria o fato que esses pacientes teriam um tônus simpático maior, o que ocasionaria uma resposta hemodinâmica mais expressiva ao estímulo cirúrgico.[88] Uma outra hipótese seria que o pneumoperitônio no obeso mórbido deslocaria para a circulação central um volume sanguíneo mais elevado advindo dos vasos esplânicos, o que aumentaria o volume sanguíneo, melhorando o débito cardíaco.[2]

O fator mais importante para atenuar as alterações respiratórias e hemodinâmicas seria limitar a pressão de insuflação abdominal em 15 mmHg. Primeiramente, com uma pressão intra-abdominal de até 10 mmHg há aumento do retorno venoso, por redução do sequestro esplânico, e consequente aumento no débito cardíaco e da pressão arterial. Em contrapartida, com uma pressão intra-abdominal maior que 20 mmHg, há compressão da veia cava acarretando decréscimo no retorno venoso dos membros inferiores e diminuição do débito cardíaco. Com essa pressão excessiva, observa-se, também, aumento na resistência vascular renal, com diminuição no fluxo sanguíneo renal e taxa filtração glomerular. O fluxo sanguíneo da veia femoral fica comprometido, predispondo o paciente a fenômenos tromboembólicos.[2]

Ao longo da cirurgia laparoscópica bariátrica, é comum que o cirurgião solicite a mudança constante da mesa operatória, alterando o posicionamento do paciente. Mas é importante salientar que nenhuma alteração no posicionamento do paciente seja realizada antes que o pneumoperitônio tenha sido realizado por completo. Tanto o céfalodeclive como o cefaloaclive seriam prejudiciais nesse instante, devendo o paciente permanecer em decúbito dorsal horizontal.

Muito se questiona sobre os efeitos somatórios adversos do pneumoperitônio e da posição de cefaloaclive ou céfalodeclive. Sprung e col. demonstraram que o cefaloaclive não melhora significativamente a mecânica respiratória ou a PaO_2. Os efeitos benéficos do deslocamento caudal do conteúdo abdominal, aumentando a complacência pulmonar, seriam contrabalanceados pelo pneumoperitônio.[91] Obviamente, os pacientes com OM submetidos à laparoscopia, em posição de cefalodeclive, terão reduções nos volumes pulmonares mais significativas.[27] Porém, alterações no cefaloaclive ou declive até 30º não causam efeitos maiores na mecânica respiratória ou na hemodinâmica do paciente bariátrico.[91,92]

Após essa análise, pode-se concluir que os pacientes obesos mórbidos podem ser submetidos a procedimentos laparoscópicos com segurança, desde que seja respeitado o limite de pressão intra-abdominal (15 mmHg) e que as variações no posicionamento do paciente no intraoperatório não ultrapasse os 30º.

Em intervenções bariátricas laparoscópicas, um restudo com pacientes obesos (IMC médio de 35 kg/m²) na posição de cefaloaclive pronunciado, demonstrou que a PCV com PEEP de 5 cmH_2O e relação inspiração/expiração inversa (2:1), não somente melhorou a mecânica respiratória e a oxigenação arterial, como também preservou a saturação regional cerebral de oxigênio sem instabilidade hemodinâmica.[93]

PÓS-OPERATÓRIO

Eventos Adversos

A maioria das complicações pós-operatórias dos pacientes com OM está relacionada com hipoxemia, depressão cardiorrespiratória, acidentes tromboembolíticos e infecção.

A hipoxemia e a depressão respiratória são os principais problemas no pós-operatório imediato.[94] Sem dúvida, as complicações respiratórias pós-operatórias são mais comuns em pacientes obesos que em não obesos, e o IMC ou teste pré-operatório de função pulmonar não é fator prognóstico acurado.[11]

Já na avaliação pré-anestésica, é preciso suspeitar dos pacientes mais propícios a complicações respiratórias. Pacientes com história prévia de roncos e, principalmente, apnéia obstrutiva do sono, devem-se tomar cuidados especiais, que incluem, muitas vezes, que o pós-operatório seja realizado em unidades de terapia intensiva ou semi-intensiva.[34]

No momento da extubação traqueal, é necessário observar a completa reversão do bloqueio neuromuscular, tanto clinicamente como pela sua monitorização. Se o paciente estiver acordado e orientado, a extubação traqueal pode ser efetuada.

A elevação do tórax em 30º e 45º melhora a oxigenação no período pós-operatório imediato, estendendo-se até 48 horas, uma vez que auxilia a incursão diafragmática e eleva a capacidade residual funcional.[34]

Já na sala operatória, deve ser iniciada a suplementação de oxigênio com cateter nasal ou máscara facial, estendendo-se por, no mínimo, 48 horas. A maioria dos OM submetidos à gastroplastia redutora apresenta PaO_2 menor que 60 mmHg nas primeiras 24 horas do pós-operatório quando o não oxigênio suplementar não é administrado.[41]

O uso de CPAP ou BIPAP na sala de recuperação é recomendado principalmente nos pacientes com história prévia de apnéia obstrutiva do sono e cirurgias prolongadas. Tais dispositivos podem ser aplicados sob máscara facial permitindo o recrutamento dos alvéolos durante a inspiração e impedindo o colapso na expiração.[41] Teoricamente, o uso de CPAP poderia distender o estômago, porém, durante o acompanhamento de várias cirurgias de *bypass* gástrico, não houve associação com o aumento da incidência de deiscência na anatomose pelo uso do CPAP, entretanto deve-se treinar o paciente a usar esse dispositivo no pré-operatório.[95]

Um estudo mostrou que a utilização de CPAP ou BiPAP na SRPA em pacientes com apnéia obstrutiva do sono submetidos a cirurgia bariátrica laparoscópica, contribuiu para diminuição de eventos respiratórios adversos (insuficiência respiratória hipercápnica), não atrasando a recuperação anestésica.[96]

Mais recentemente, um estudo demonstrou que o uso profilático de CPAP contínuo no pós-operatório de cirurgias abdominais de alto risco reduziu a incidência de pneumonia pós-operatória, atelectasias e outras complicações pulmonares.[97]

Após cirurgias do abdome superior, verificou-se incidência de 45% de atelectasias. Embora em menor quantidade que na cirurgia aberta, a cirurgia laparoscópica no obeso mórbido proporciona formação de atelectasias associada à hipoxemia e ao aumento do trabalho respiratório, tanto no pré como no pós-operatório. Eichenberger e col. mostraram que, nos procedimentos laparoscópicos, os pacientes obesos mórbidos, comparados aos não obesos, possuíam maior área pulmonar com atelectasias (2,1% contra 1% antes da indução e 7,6% contra 2,8% após a extubação), permanecendo elevada (9,7% contra 1,9% dos não obesos) mesmo após 24 horas do procedimento.[98]

As atelectasias podem ser diminuídas com a administração de CPAP na pré-indução, PEEP no intra-operatório e ventilação não-invasiva no pós-operatório.[25] Outra medida de prevenção é recorrer à hiperventilação manual durante 7 e 8 segundos, elevando-se a pressão intratraqueal a valores de até 40 cmH$_2$O.[26]

A técnica anestésica utilizada também é de extrema importância. A utilização de opióides e agentes anestésicos altamente lipofílicos propiciam despertar lento e tempo de orientação retardado, predispondo esses pacientes à depressão respiratória e à hipoxemia na sala de recuperação pós-anestésica pelo efeito residual delas. O uso de técnicas de anestesia regional no per e pós-operatório reduz a incidência de complicações respiratórias.[99,100]

A náusea e vômito no pós operatório é o principal fator responsável pelo atraso na recuperação do paciente bariátrico. O uso de uma profilaxia tripla (droperidol, ondansetrona e dexametasona) no combate da NVPO é recomendado, pois diminui o tempo de permanência em SRPA.[96] Nesse sentido, a técnica de anestesia venosa total livre de opióide mostrou redução significativa na incidência de NVPO quando comparada a técnica de anestesia balanceada.[101]

O controle da dor pós-operatória também é fator indispensável para uma boa expansibilidade toracopulmonar com diminuição das atelectasias e menor possibilidade de hipoxemia. A ventilação mecânica raramente é necessária no pós-operatório. Contudo, às vezes há necessidade de suporte ventilatório, como no caso de pacientes em extremos de idade (com mais de 50 anos), com doença cardíaca concomitante, retenção de CO$_2$, febre ou infecção, além de pacientes não cooperativos ou extremamente ansiosos.[41] A fisioterapia respiratória deve ser realizada precocemente.

A instabilidade hemodinâmica, decorrente da significativa redução do índice cardíaco, é um fator importante que contribui para o aumento da morbidade e da mortalidade dos pacientes com OM. Redução significativa da função ventricular esquerda pode ocorrer no período pós-operatório. Esses pacientes devem ser monitorados rigorosamente, principalmente se receberam bloqueios peridural ou subaracnóideo. Agentes inotrópicos podem ser necessários.[25,34] É melhor optar por suporte de terapia intensiva levando-se em conta as condições clínicas do paciente e seu comportamento no período intraoperatório.[102]

Os acidentes tromboembólicos, trombose venosa profunda e a embolia pulmonar pós-operatória, são até duas vezes mais frequentes nos pacientes obesos quando comparados aos pacientes não obesos. Os fatores de risco para desenvolvimento desses eventos incluem imobilização prolongada, policitemia, pressão intra-abdominal aumentada que eleva a pressão na veia cava inferior e causa estase

venosa, insuficiência cardíaca e atividade fibrinolítica diminuída, com aumento das concentrações de fibrinogênio.[102]

As principais medidas para evitar os acidentes tromboembólicos já foram discutidos neste capítulo; entretanto, é preciso ressaltar que o uso de técnicas regionais diminui a incidência de trombose venosa profunda e embolia pulmonar.[102] A incidência de infecções hospitalares é maior no paciente obeso. Destaca-se a grande incidência de infecção da incisão cirúrgica em comparação com pacientes não obesos. As causas mais prováveis desse fato são: incisões maiores, tempo operatório prolongado, trauma tecidual por tração excessiva, obliteração do espaço morto e inabilidade do tecido adiposo para resistir à infecção.[102]

A rabdomiólise está relacionada com a permanência em um único decúbito por longos períodos. A compressão prolongada da musculatura pelo excesso de peso em cirurgias longas leva a um aumento de volume e da pressão intracompartimental. A mioglobinúria será detectada somente se a mioglobina sérica ultrapassar valores acima de 1,5 mg.dL^{-1}. A elevação da concentração sérica de CPK é suficiente para diagnóstico, sendo necessário um aumento pelo menos cinco vezes superior ao valor normal. O paciente pode evoluir para insuficiência renal aguda e óbito.[103] Uma revisão sistemática realizada em 145 estudos mostrou uma incidência de 60% de rabdomiólise em cirurgia bariátrica.[104]

Os fatores de risco do paciente obeso em desenvolver rabdomiólise são: sexo masculino, ASA III ou IV, IMC maior que 52 kg/m^2, tempo cirúrgico maior que quatro horas, imobilização prolongada relacionada à anestesia, presença de diabetes com IMC maior que 40 kg/m^2 e uso de estatinas.[105] O uso da técnica de anestesia venosa com propofol, parece não aumentar a incidência de rabdomiólise em pacientes obesos submetidos a cirurgia bariátrica não complicadas e de curta duração.[105]

Analgesia Pós-operatória

A analgesia pós-operatória adequada é obrigatória em todos os pacientes cirúrgicos, principalmente nos pacientes com OM e deve ser realizada de maneira multimodal. Como já foi discutido, a analgesia pós-operatória eficaz diminui as complicações respiratórias do pós-operatório, promove maior estabilidade hemodinâmica e deambulação precoce, prevenindo o aparecimento de úlceras de decúbito e acidentes tromboembólicos.

O emprego de PCA venoso aumenta o risco de depressão respiratória, principalmente naqueles pacientes com apnéia obstrutiva do sono não diagnosticados. Quando necessário, os pacientes em uso de PCA, devem permanecer monitorados em unidade nível 2 de recuperação, principalmente nos casos suspeitos ou que estão sendo tratados de maneira ineficaz[6]. Uma vez utilizado o PCA de morfina, o peso inserido para cálculo da dosagem deve ser o peso ideal do paciente.[106,107]

A utilização de opiódes no controle da dor no pós-operatório é um dos principais fatores que prolongam o tempo de recuperação da anestesia e aumentam a incidência de NVPO, por isso devem ser evitados.[32,96] Já a utilização de bloqueio subaracnóideo associado a opióide é uma técnica eficiente e reduz a utilização de opióides no pós- operatório.[6] Entretanto, tanto o bloqueio subaracnóideo como o peridural podem ser de difícil ou até mesmo impossível de serem realizados. O uso concomitante de opióides no neuroeixo e via parenteral deve ser evitado em virtude da potencialização do risco de depressão respiratória. O mesmo princípio é válido para a associação de medicamentos depressores do sistema nervoso central (SNC), como benzodiazepínicos e anti-histamínicos.[106-108]

As infusões peridurais para controle da dor estão associadas a redução da mobilidade pós-operatória e podem ser contraproducentes.[6] A utilização de analgésicos pelas vias subcutânea e muscular deve ser evitada pela absorção absorção.[2] A via oral, por motivos exclusivamente cirúrgicos, também deve ser excluída.

Em relação a analgesia pós-operatória de bypass gástrico por laparoscopia, uma revisão sistemática propõe que a utilização de anti-inflamatórios não hormonais, anestésicos locais (intraperitoneal, subfascial/subcutâneo), bloqueio do plano transverso abdominal (TAP), dexmedetomidina e cetamina podem melhorar a analgesia quando comparada com grupos-controle de pacientes. Porém, a atual literatura existente apresenta evidências limitadas relacionadas com a gestão da dor após bypass gástrico por laparoscopia.[109]

Por mais que os AINHs façam parte do arsenal de fármacos para controle da dor pós-operatória, o uso crônico deve ser evitado por causa do elevado risco de eventos adversos, como, por exemplo, o desenvolvimento de úlceras gástricas e eventos cardio/cerebrovasculares.[2]

A infiltração de anestésico local de longa duração (intraperitoneal, subfascial/subcutâneo) deve ser técnica estimulada junto aos cirurgiões, uma vez que é uma alternativa simples, de baixo custo e sem grandes eventos adversos se respeitada a dosagem recomendada,[109] embora sua eficácia seja questionada em outros estudos.[110,111]

O bloqueio do plano transverso abdominal bloqueia as fibras somáticas e autonômicas da dor da parede abdominal. Sua realização é facilitada pelo uso do ultrassom, porém as alterações anatômicas do paciente obeso pode comprometer a realização do bloqueio.[109] Recentemente, foi desenvolvida uma técnica de orientação laparoscópica para guiar esse tipo de bloqueio com resultados superiores a infiltração dos portais.[112]

A dexmedetomidina é interessante alternativa analgésica para pacientes com risco aumentado de depressão respiratória. Contudo, seu uso demanda monitorização cardiovascular constante, devido aos potenciais efeitos adversos, como bradicardia e hipotensão.[109] Já a cetamina quando administrada em infusão contínua em baixa dose no intraoperatório, promove melhor controle da dor no pós-operatório e reduz o consumo de opióide na recuperação.[113]

É injustificável amputar a utilização de opióides sistêmicos para o controle da dor pós-operatória alegando o eventual perigo de depressão respiratória causada pela substância,[26] mas o paciente deve permanecer sob estreita observação, em ambiente com amplos recursos para monitorização e manutenção das vias aéreas.

REFERÊNCIAS

1. GarridoJr AB - Cirurgia da Obesidade Mórbida, em: Moraes IN - Residente de Cirurgia. São Paulo. Rocca, 1992; 518-521.
2. Ogunnaike BO, Jones SB, Jones DB - Anesthetic considerations for bariatric surgery. Anesth Analg, 2002; 95:1793-1805.
3. Angrisani L, Santonicola A, Iovino P, Formisano G - Bariatric Surgery Worldwide 2013. Obes Surg, 2015; 25:1822-1832.
4. Christelle H, Thierry H, Aristotle RD, Alain B - Comparison of metabolic outcomes in patients undergoing laparoscopic roux-en-Y-gastric bypass versus sleeve gastrectomy - a systematic review and meta-analysis of randomised controlled trials. Swiss Med Wkly, 2018; 148:1-23.
5. Flum DR, Belle SH, King WC - Longitudinal assessment of bariatric surgery (LABS) Perioperative safety in the longitudinal assessment of bariatric surgery. N Engl J Med, 2009; 36:445-454.
6. Nightingale CE, Margarson MP, Shearer E, Redman JW, Lucas DN, Cousins JM, Fox WTA, Kennedy NJ, Venn PJ, Skues M, Gabbott D, Misra U, Pandit JJ, Popat MT, Griffihs R - Peri-operative management of the obese surgicar patient 2015. Anaesthesia, 2015; 70:859-876.
7. Lorentz MN, Albergaria VF, Lima FAS - Anestesia para obesidade mórbida. Rev Bras Anestesiol, 2007; 57:199-213.
8. Glance LG, Wissler R, Mukamel DB - Perioperative outcomes among patients with the modified metabolic syndrome who are undergoing noncardiac surgery. Anesthesiol, 2010; 113:859-872.
9. Demaria EJ, Murr M, Byrne TK - Validation of the obesity surgery mortality risk score in a multicenter study proves it stratifies mortality risk in patients undergoing gastric bypass for morbid obesity. Annals os Surgery, 2007; 246:578-584.
10. Edholm D, Kullberg J, Haenni A - Preoperative 4-week low-calorie diet reduces liver volume and intrahepatic fat, and facilitates laparoscopic gastric bypass in morbidly obese. Obes Surg, 2011; 21:345-350.
11. Braga AFA, Silva ACM, Cremonesi E - Obesidade mórbida: considerações clínicas e anestésicas. Rev Bras Anestesiol, 1999; 49:201-212.
12. deRaaf CA, Gorter-Stam MA, deVries N - Perioperative management of obstructive sleep apnea in bariatric surgery: a consensus guideline. Surg Obes Relat Dis, 2017; 13:1095-1109.
13. Pouwels S, Buise M, Twardowski P, Stepaniak PS, Proczko M - Obesity surgery and anesthesiology risks: a review of key concepts and related physiology. Obes Surg, 2019; 1:1-8.
14. Adams JP, Murphy PG - Obesity in anaesthesia and intensive care. Br J Anaesth, 2000; 85:91-108.
15. deRaaf CA, deVries N, vanWagensveld BA - Obstructive sleep apnea and bariatric surgical guidelines: summary and update. Curr Opin Anesthesiol, 2017; 30:1-6.
16. Pouwels S, Smeenk FW, Manschot L - Perioperative respiratory care in obese patients undergoing bariatric surgery: implications for clinical practice. Respir Med, 2016; 117:73-80.
17. Kaw R - Postoperative complications in patients with unrecognized obesity hypoventilation syndrome undergoing elective noncardiac surgery. Chest, 2016; 149:84-91.
18. Raveendran R, Wong J, Singh M - Obesity hypoventilation syndrome, sleep apnea, overlap syndrome: perioperative management to prevent complications. Curr Opin Anesthesiol, 2017; 30:146-155.
19. Apovian CM, Gokce N - Obesity and cardiovascular disease. Circulation, 2012; 125:1178-1182.
20. Lundstrom LH, Moller AM, Rosenstock C, Astrup G, Wetterslev J - High body mass index is a weak predictor for difficult and failed tracheal intubation: a cohort stydy of 91332 consecutive patients scheduled for direct laryngoscopy registered in the Danish Anesthesia Database. Anesthesiol, 2009; 110:266-274.
21. Aceto P, Perilli V, Modesti C - Airway management in obese patients. Surg Obes Relat Dis, 2013; 9:809-815.
22. Sprung J, Whalley DG, Falcone T - The impact of morbid obesity, pneumoperitoneum, and posture on respiratory system mechanics and oxygenation during laparoscopy. Anesth Analg, 2002; 94:1345-1350.
23. Amaral CRT, Cheibub ZB - Obesidade mórbida: implicações anestésicas. Rev Bras Anestesiol, 1991; 41:273-279.
24. Kuruba R, Koche LS, Murr MM - Preoperative assessment and perioperative care of patients undergoing bariatric surgery. Med Clin N Am, 2007; 91:339-351.
25. Neligan PJ - Clinical Implications Of Morbid Obesity, em: Anesthesiology ASo - Annual Refresher Course Lectures and Basics Science Rewies. San Diego. ASA, 2004; 121.

26. Brodsky J - Anesthesia for bariatric surgery, em: ASA - Annual Refresher Course Lectures and Basics Science Rewies. San Diego. ASA, 2004; 506.
27. Scholten DJ, Hoedema RM, Scholten SE - A comparison of two different prophylactic dose regimens of low molecular weight heparin in bariatric surgery. Obes Surg, 2002; 12:19-24.
28. Bergquist D, Eldor A, Thorlacius-Ussing O - Efficacy and safety of enoxaparin versus unfractionated heparin for prevention of deep vein thrombosis in elective cancer surgery: a double-blind randomized multicenter trial with venographic assessment. Br J Surg, 1997; 84:1099-1103.
29. Wu EC, Barba CA - Current pratices in the prophylaxis of venous thromboembolism in bariatric surgery. Obes Surg, 2000; 10:7-13.
30. Hamadi R, Marlow CF, Nassereddine S, Taher A - Bariatric venous thromboembolism prophylaxis: un update on the literature. Expert Rev Hematol, 2019; 12:763-771.
31. Maltby JR - Preoperative fasting guidelines. Can J Surg, 2006; 49:138-139.
32. Alvarez A, Goudra BG, Singh PM - Enhanced recovery after bariatric surgery. Curr Opin Anesthesiol, 2017; 30:133-139.
33. Yilmaz N, Çekmen N, Bilgin F - Preoperative carbohydrate nutrition reduces postoperative nausea and vomiting compared to preoperative fasting. J Res Med Sci, 2013; 18:827-832.
34. Dominguez-Cherut G, Borunda D, Gonzalez R - Anesthesia for Morbidly Obese, em: Cowan GSM - Update: Surgery For The Morbidly Obese Patient. Toronto. Mother Sill, 2000; 95-104.
35. Harter RL, Kelly WB, Kramer MG - A comparison of the volume and ph of gastric contents of obese and learn surgical patients. Anesth Analg, 1998; 86:147-152.
36. Warner MA, Warner ME, Martin JT - Ulnar neuropathy: incidence, outcome, and risk factors in sedated or anesthetized patients. Anesthesiology, 1994; 81:1332-1340.
37. Mancini MC - Diagnóstico e Classificação da Obesidade, em: GarridoJr AB - Cirurgia da Obesidade. São Paulo. Atheneu, 2002; 1-7.
38. Simoni RF - Dispositico útil para intubação traqueal no paciente obeso mórbido. Rev Bras Anestesiol, 2005; 55:256-260.
39. Perilli V, Sollazzi L, Bozza P - The effects of the reverse trendelenburg position on respiratory mechanics and blood gases in morbidly obese patients during bariatric surgery. Anesth Analg, 2000; 91:1520-1525.
40. Cortínez LI, Fuente NDL, Eleveld DJ, Oliveros A, Crovari F, Sepulveda P, Ibacache M, Solari S - Performance of propofol target-controlled infusion models in the obese: pharmacokinetic and pharmacodynamic analysis. Anesth Analg, 2014; 119:302-310.
41. Lins AAA, Barbosa MSA, Brodsky JB - Anestesia para gastroplastia no paciente obeso. Rev Bras Anestesiol, 1999; 49:282-287.
42. Tejedor A, Rivas E, Ríos J, Arismendi A - Accuracy of Vigileo/Flotrac monitoring system in morbidly obese patients. J Crit Care, 2015; 30:562-566.
43. Cook TM, Woodall N, Frerk C - Major complications of airway managent in the UK: results of the Fourth National Audit Project of the Royal College of Anaesthetists and the Difficult Airway Society. Part 1: Anaesthesia. Br J Anaesth, 2011; 106:617-631.
44. Brodsky J, Lemmens HJM, Brock-Utne JG - Morbid obesity and tracheal intubation. Anesth Analg, 2002; 94:732-736.
45. Collins JS, Lemmens HJM, Brodsky J - Laryngoscopy and morbid obesity: a comparison of the "sniff" and "ramped" positions. Obes Surg, 2004; 14:1171-1175.
46. Wright RA, Krinsky S, Fleeman C, Trujillo J, Teague E - Gastric emptying and obesity. Gastroenterology, 1983; 84:747-751.
47. Reis LA, Reis GFF, Oliveira MRM - Vias aéreas e conteúdo gastrico no paciente obeso. Rev Bras Anestesiol, 2010; 60:98-103.
48. Juvin P, Fevre G, Merouche M - Gastric residue is not more copious in obese patients. Anesth Analg, 2001; 93:1621-1622.
49. Pelosi P, Ravagnan I, Giurati R - Positive end-expiratory pressure improves respiratory function in obese but not in normal subjects during anesthesia and paralysis. Anesthesiology, 1999; 91:1221-1231.
50. Sprung J, Whalley DG, Falcone T - The effects of tidal volume and respiratory rate on oxygenation and respiratory mechanics during laparoscopy in morbidly obese patients. Anesth Analg, 2003; 97:268-274.
51. Imberger G, McIlroy D, Pace NL - Positive end-expiratory pressure (PEEP) during anaesthesia for the prevention of mortality and postoperative pulmonary complications. Cochrane Database Syst Rev, 2010; 9:56-67.
52. Reber A, Englberg G, Sporre B, Kviele L, Rothen HU - Volumetric analysis of aeration in the lungs during general anaesthesia. Br J Anaesth, 1996; 76:760-766.
53. Azab TO, El-Masry A, Salah M - Effect of intraoperative use of positive end expiratory pressure on lung atelectasis during laparoscopic cholecystectomy. Egyptian Journal of Anaestesia, 2005; 21:219-225.
54. Aldenkortt M, Lysakowski C, Elia N, Brochard L, Tramèr MR - Ventilation strategies in obese patients undergoing surgery: a quantitative systematic review and meta-analysis. Br J Anaesth, 2012; 109:493-502.
55. VanHecke D, Bidgoli JS, VanderLinden P - Does lung compliance optimization through PEEP manipulations reduce the incidence of postoperative hypoxemia in laparoscopic bariatric surgery? A ramdomized trial. Obes Surg, 2019; 29:1268-1275.
56. Rothen HU, Neumann P, Berglund JE, Valtysson J, Magnusson A, Hedenstierna G - Dynamics of re-expansion of atelectasis during general anaesthesia. Br J Anaesth, 1999; 82:551-556.
57. Arnal JM, Paquet J, Wysocki M - Optimal duration of sustained inflation recruitment maneuver in ARDS patients. Intensive Care Med, 2011; 37:1588-1594.
58. Sudré ECM, Batista PR, Castiglia YMM - Longer immediate recovery time after anesthesia increases risk of respiratory complications after laparotomy for bariatric surgery: a randomized clinical trial and cohhort study. Obes Surg, 2015; 25:2205-2212.
59. Hanley MJ, Adernethy DR, Greenlatt DJ - Effect of obesity on the pharmacokinetics of drug in humans. Clinical Pharmacokinetics, 2010; 49:71-87.
60. Ingrande J, Brodsky JB, Lemmens HJM - Lean body weight scalar for the anesthetic induction dose of propofol in morbidly obese subjects. Anesth Analg, 2011; 113:57-62.
61. Leykin Y, Pellis T, Lucca M, Lomangino G, Marzano B, Gullo A - The pharmacodynamics effects of rocuronium when dosed according to real body weight or ideal body weight in morbidly obese patients. Anesth Analg, 2004; 99:1086-1089.
62. DeBaerdemaeker L, Margarson M - Best anaesthetic drug strategy for morbidly obese patients. Curr Opin Anesthesiol, 2016; 29:119-128.
63. Hammoud HA, Aymard G, Lechat P, Boccheciampe N, Riou B, Aubrun F - Relationships between plasma concentrations of morphine, morphine 3 glucuronide, morphine-6-glucuronide, and intravenous morfine titration outcomes in the postoperative period. Fundamental and Clinical Pharmacology, 2011; 25:518-527.
64. Salihoglu Z, Karaca S, Kose Y - Total intravenous anesthesia versus single breath technique and anesthesia maintenance with sevoflurane for bariatric operations. Obes Surg, 2001; 11:496-501.
65. Absalom AR, Mani V, DeSemet T, Struys MM - Pharmacokinetic models for propofol - defining and illuminating the devil in the detail. Br J Anaesth, 2009; 103:26-37.
66. Cortínez LI, Anderson BJ, Penna A, Olivares L, Muñoz HR, Holford NH, Struys MM, Sepulveda P - Influence of obesity on propofol pharmacokinetics: derivation of a pharmacokinetic model. Br J Anaesth, 2010; 105:448-456.
67. vanKraligen S, Diepstraten J, Peeters MY, Deneer VH - Population pharmacokinetics and phamacodynamics of propofol in morbidly obese patients. Clinical Pharmacokinetics, 2011; 50:739-750.
68. Eleveld DJ, Proost JH, Cortínez LI, Absalom AR, Struys MM - A general purpose pharmacokinetic model for propofol. Anesth Analg, 2014; 118:1221-1237.
69. Bakhamees HS, El-Halafawy YM, El-Kerdawy HM, Gouda NM, Altemyatt S - Effects of dexmedetomidine in morbidly obese patients undergoing laparoscopic gastric bypass. Middle East J Anesth, 2007; 19:537-552.
70. Tufanogullari B, White PF, Peixoto MP, Kianpour D, Lacour T - Dexmedetomidine infusion during laparoscopic bariatric surgery - the effect on recovery outcome variables. Anesth Analg, 2008; 106:1741-1748.
71. Piccinini L, Mathias LAST, Malheiros CA, Gregori WM, Guaratini AA, Vieira JE - Uso da dexmedetomidina em pacientes obesos mórbidos submetidos a gastroplastia: estabilidade cardiovascular e consumo de anestésicos venosos - estudo comparativo. Rev Bras Anestesiol, 2006; 56:109-118.
72. Li Y, Wang B, Zhang L, He S, Hu X, Wong GTC, hang YZ - Dexmedetomidine combined with general anesthesia provides similar intraoperative stress response reduction when compared with a combined general and epidural anesthetic technique. Anesth Analg, 2016; x:xx-xx.
73. Ibraheim O, Alshaer A, Mazen K, El-Dawlaty A - Effect of bispectral index monitoring on postoperative recovery and sevoflurane consumption among morbidly obese patients undergoing laparoscopic gastric banding. Middle East J Anesth, 2005; 19:819-830.
74. Pandazi A, Bourlioti A, Kostopanagiotou G - Bispectral index monitoring in morbidly obese patients undergoing gastric bypass surgery - experience in 23 patients. Obes Surg, 2005; 15:58-62.
75. Pösö T, Winsö O, Aroch R, Kesek D - Perioperative fluid guidance with transthoracic echocardiography and pulse-contour device in morbidly obese patients. Obes Surg, 2014; 24:2117-2125.
76. Provost DA, Jones DB - Minimally invasive surgery for the treatment of severe obesity. Dallas Med J, 1999; 87:110-113.
77. Nguyen NT, Goldman C, Rosenquist L - Laparoscopic versus open bypass: a randomized study of outcomes, quality of life, and costs. Ann Surg, 2001; 234:279-291.
78. Wittgrove AC, Clark GW - Laparoscopic bypass, Roux-en-Y: 500 patients-technique and results, with 3-60 month follow-up. Obes Surg, 2000; 10:233-239.
79. BlancoEngert R, Gascon M, Weiner R - Vídeo-laparoscopic placement of adjustable gastric banding (lap-band) in the treatment of morbid obesity. Gastroenterol Hepatol, 2001; 24:
80. Juvin P, Vadam C, Malek L - Postoperative recovery after desflurano, propofol, or isoflurane anesthesia among morbidly obese patients: a prospective, randomized study. Anesth Analg, 2000; 91:714-719.

81. Bergland A, Gislason H, Raeder J - Fast-track surgery for bariatric laparoscopic gastric bybass with focus on anaesthesia and peri-operative care. Experience with 500 cases. Acta Anaesthesiol Scand, 2008; 52:1394-1399.

82. Jacobsen HJ, Bergland A, Raeder J, Gislason HG - High-volume bariatric surgery in a single centrer; safety, quality, cost-efficacy and teaching aspects in 2,000 consecutive cases. Obes Surg, 2012; 22:158-166.

83. Chander S, Feldman E - Correct placement of endotracheal tubes. NY State J Med, 1979; 79:1843-1844.

84. Staehr-Rye AK, Rasmussen LS, Rosenberg J - Surgical space conditions during low-pressure laparoscopic cholecystectomy with deep versus moderate neuromuscular blockade: a randomized clinical study. Anesth Analg, 2014; 119:1084-1092.

85. Baete S, Vercruysse G, Laenen MV, DeVooght P - The effect pf deep versus moderate neuromuscular block on surgical conditions and postoperative respiratory function in bariatric laparoscopic surgery: a randomized, double blind clincal trial. Anesth Analg, 2017; 124:1469-1475.

86. Demiroluk S, Salihoglu Z, Zengin K - The effects of pneumoperitoneum on respiratory mechanics during bariatric surgery. Obes Surg, 2001; 12:376-379.

87. Dumont L, Mattys M, Mardirosoff C - Changes in pulmonary mechanics during laparoscopic gastroplasty in morbidly obese patients. Acta Anaesthesiol Scand, 1997; 41:408-413.

88. El-Dawlatly AA, Al-Dohayan A, ME MEA-M - The effects of pneumo¬peritonium on respiratory mechanics during general anesthesia for bariatric surgery. Obes Surg, 2005; 14:212-215.

89. Dumont L, Mattys M, Mardirosoff C - Hemodynamic changes during laparoscopic gastroplasty in morbidly obese patients. Obes Surg, 1997; 7:326-331.

90. Bardoczky GI, Engelman E, Levaruet M - Ventilatory effects of pneumoperi¬toneum monitored with continuous spirometry. Anesth Analg, 1993; 48:309-311.

91. Sprung J, Whalley DG, Falcone T - The impact of morbid obesity, pneumo¬peritoneum, and posture on respiratory system mechanics and oxygenation during laparoscopy. Anesth Analg, 2002; 94:1345-1350.

92. Fahy BG, Barnas GM, Nagle SE - Effects of Trendelenburg and reverse Trendelenburg postures on lung and chest wall machanics. J Clin Anesth, 1996; 8:236-244.

93. Jo YY, Kim JY, Park CK, Chang YJ, Kwak HJ - The effect of ventilation strategy on arterial and cerebral oxygenation during laparoscopic bariatric surgery. Obes Surg, 2016; 26:339-344.

94. Bagatini A, Trindade RD, Gomes CR, Marcks R - Anestesia para cirurgia bariátrica - avaliação retrospectiva e revisão da literatura. Rev Bras Anestesiol, 2006; 56:205-222.

95. Huerta S - Safety and efficacy of postoperative continuous positive airway pressure to prevent coronary complicacions after Roux-en-Y gastric bypass. J Gastrointest Surg, 2002; 6:354-358.

96. Weingarten TN, Hawkins NM, Beam WB, Brandt HA, Koepp DJ, Kellogg TA, Sprung J - Factors associated with prolonged anesthesia recovery following laparoscopic bariatric surgery: a restropective analysis. Obes Surg, 2015; 25:1024-1030.

97. Singh PM, Borle A, Shad D - Optimizing prophylactic CPAP in patients without obstructive sleep apnoea for high-risk abdominal surgeries: a meta-regression analysis. Lung, 2016; 194:201-217.

98. Eichenberg A, Proietti S, Wichy S - Morbid obese and postoperative pulmonary atelectasis: and underestimated problem. Anesth Analg, 2002; 95:1788-1792.

99. Sollazzi L, Perilli V, Modesti C - Volatile anesthesia in bariatric surgery. Obes Surg, 2001; 11:623-626.

100. Martinotti R, Vassalo C, Ramaioli F - Anesthesia with sevoflurane in bariatric surgery. Obes Surg, 1999; 9:180-182.

101. Ziemann PZ, Goldfarb AA, Koppman J, Marema RT - Opioid-free total intravenous anaesthesia reduces postoperative nausea and vomiting in bariatric surgery beyond triple prophylaxis. Br J Anaesth, 2014; 112:906-911.

102. Coutinho WF - Obesidade Mórbida e Afecções Associadas, em: GarridoJr AB - Cirurgia da Obesidade. São Paulo. Atheneu, 2002; 13-17.

103. Benevides ML, NochiJr RJ - Rabdomiólise por síndrome compartimental glútea após cirurgia bariátrica - relato de caso. Rev Bras Anestesiol, 2006; 56:408-412.

104. Chakravartty S, Sarma DR, Patel AG - Rhabdomyolysis in bariatric surgery: a systematic review. Obes Surg, 2013; 23:1333-1340.

105. Lehavi A, Sandler O, Mahajna A, Weissman A, Katz YS - Comparison of rhabdomyolysis markers in patients undergoing baratric surgery with propofol and inhalation-based anesthesia. Obes Surg, 2015; 25:1923-1927.

106. Nunes CEL, Pinho M - Condutas Analgésicas: Cirurgia Videolaparoscópica, em: Cavalcanti IL, Gozzani JL - Dor Pós-Operatória. Rio de Janeiro. SBA, 2004; 337-351.

107. Azevedo MP, Nunes BC, Pereira ACMP - Dor Aguda, em: Cavalcanti IL, Maddalena ML - Dor. Rio de Janeiro. SAERJ, 2003; 95-166.

108. Chaves LC, Faintuch J, Kahwage S - A cluster of polyneuropathy and Wernick-Korsakoff syndrome in a bariatric unit. Obes Surg, 2002; 12:328-334.

109. Andersen LPH, Werner MU, Rosenberg J, Gögenur I - Analgesic treatment in laparoscopic gastric bypass surgery: a systematic review of randomized trials. Obes Surg, 2014; 24:462-470.

110. Scott NB - Wound infiltration for surgery. Anaesthesia, 2010; 65:67-75.

111. Kahokehr A, Sammour T, Srinivasa S - Systematic review and meta-analysis of intraperitoneal local anaesthetic for pain reduction after laparoscopic gastric procedures. Br J Surg, 2011; 98:29-36.

112. Ruiz-Tovar J, Garcia A, Ferrigni C, Gonzalez J - Laparoscopic-guided transversus abdominis plane (TAP) block as part of multimodal analgesia in laparoscopic Roux-en-Y gastric bypass within an enhanced recovery after surgery (ERAS) program: a prospective randomized clinical trial. Obes Surg, 2018; 28:3374-3379.

113. Hasanein R, El-Sayed W, Nashwa R - The effect of combined remifentanil and low dose ketamine infusion in patients undergoing laparoscopic gastric bypass. Egypt J Anaes-thesiol, 2011; 27:255-260.

Parte 21

Anestesia para Procedimetos Urológicos

Anestesia para Litotripsia Extracorpórea por Ondas de Choque

Tulio Antonio Martarello Gonçalves

INTRODUÇÃO

A litíase urinária é uma afecção das vias urinárias muito comum, que vem aumentando em decorrência de dieta inapropriada, obesidade, síndrome metabólica e hábitos de vida sedentários. A litotripsia extracorpórea por ondas de choque (LEOC) é uma alternativa para o tratamento intervencionista minimamente invasiva, com poucas complicações e bons resultados que pode ser realizada em caráter ambulatorial e com baixo custo.

Embora tenha ocorrido avanço das técnicas endourológicas, que proporcionaram novas opções de tratamento para a litíase urinária, a LEOC ainda permanece como a melhor opção para muitos pacientes.[1] Portanto, a seleção dos casos favoráveis, a aplicação dos princípios técnicos e a técnica anestésica ideal podem otimizar o resultado da LEOC.

HISTÓRICO

Na década de 1980 a LEOC revolucionou o tratamento da litíase urinária. Antes do aparecimento dessa técnica, a remoção cirúrgica aberta era a técnica mais comum para o tratamento de cálculos ureterais e renais. A evolução tecnológica dos litotridores foi essencial para o sucesso da LEOC.

Na 1ª geração de litotridores era necessário a colocação do paciente submerso dentro de uma banheira com água morna e sob anestesia geral ou peridural, o que acarretava importantes alterações hemodinâmicas.[2] Os litotridores de 2ª e 3ª gerações utilizam três tipos de gerador de energia: eletro-hidráulica, eletromagnética e piezoelétrica, sendo a localização do cálculo feita por meio de fluoroscopia, ultrassonografia ou com a combinação de fluoroscopia e ultrassonografia.[3,4]

MECANISMO DE AÇÃO DAS ONDAS DE CHOQUE

O litotridor contém uma bolha d'agua que é acoplada ao paciente após a localização do cálculo, uma fonte de energia gera uma onda de choque que se propaga através do meio líquido da bolha e se dirige ao ponto focal onde está localizado o cálculo, ponto onde a onda de choque exerce o maior pico de pressão. Na fragmentação vários fatores estão envolvidos, um desarranjo na estrutura do cálculo decorrente da incidência da onda de choque em sua superfície resultando em forças de cisalhamento direto, e indiretamente, por um processo de cavitação. Ao atingir o cálculo, a onda progride pelo cálculo, gerando um gradiente de pressão que leva a fragmentação. Forma-se também uma força circunferencial decorrente da diferença de velocidade da onda dentro do cálculo e na urina que o circunda. Ondas transversais se propagam no interior do cálculo e geram seu cisalhamento, contribuindo para o processo de fragmentação. Bolhas de cavitação se formam em torno do cálculo, que, quando se rompem, geram elevação de pressão e temperatura ao redor do cálculo. Acredita-se ser a cavitação o principal mecanismo de fragmentação do cálculo e da lesão tecidual causada pela LEOC.[1,5]

O mecanismo final de fragmentação ocorre por um processo de fratura dinâmica, por meio de um processo de nucleação, onde ocorre um crescimento e coalescência das falhas preexistentes (microfissuras) no interior do cálculo porque os cálculos renais não são homogêneos, mas têm uma estrutura cristalina lamelar ligada por um material de matriz orgânica ou uma aglomeração de material cristalino e não cristalino. Todos os mecanismos de fratura descritos possuem o potencial para gerar danos progressivos para o interior do cálculo e de sua fragmentação.[6]

▪ PRINCÍPIOS TÉCNICOS

Na LEOC a fragmentação de cálculos por meio de ondas acústicas pulsadas de alta intensidade e de baixa frequência dirigidas para o cálculo a partir de uma fonte de energia externa, denominado litotridor. Vários fatores técnicos devem ser considerados para otimização do resultado da LEOC, como o tipo do dispositivo, o nível de energia, a frequência dos impulsos, a qualidade do acoplamento entre o paciente e o litotridor, a zona focal, o local do cálculo e a técnica anestésica.[7,8]

Os cálculos renais e de ureter proximal apresentam melhores resultados comparados aos cálculos na porção distal do ureter, pois estes são mais difíceis de serem localizados e atingidos pelas ondas de choque, por terem como obstáculo os ossos da pelve, o que também pode aumentar a dor durante o procedimento e, muitas vezes exige o posicionamento do paciente em decúbito ventral, o que pode prejudicar o controle ventilatório e hemodinâmico, aumentando os riscos nos pacientes com doenças cardíacas ou respiratórias.

Em relação a composição dos cálculos, os de ácido úrico e de oxalato de cálcio di-hidratado são mais fáceis de serem tratados. Os de fosfato de cálcio monoidratado e cistina apresentam maior resistência às ondas de choque. Quanto ao tamanho, os cálculos renais menores que 2 cm e os ureterais menores que 1 cm são mais indicados para o tratamento com LEOC.

Pacientes magros apresentam maior dor durante a LEOC porque a onda de choque convergente se torna mais concentrada no ponto de penetração da pele.[6] O acoplamento correto do paciente à bolha líquida do litotridor, proporciona adequada propagação das ondas de choque, aumentando o sucesso da LEOC. Deve-se utilizar gel de contato em quantidade adequada para melhor acoplamento da bolha. A presença de ar (alças intestinais) no trajeto das ondas de choque é inversamente proporcional a sua efetividade.[9,10]

A localização do cálculo no ponto focal deve ser feita durante a expiração e manter os movimentos respiratórios com menor amplitude.[11]

O desconforto experimentado durante a LEOC tem relação direta com intensidade da energia da onda de choque que passa pela pele, a qual é regulável no litotridor durante o procedimento, bem como do tamanho do ponto focal das ondas de choque. O procedimento deve iniciar com um baixo nível de energia em cada pulso de onda, e baixa frequência de pulsos, e em seguida gradualmente aumentado.[12]

▪ COMPLICAÇÕES

Durante a LEOC, as ondas de choque não incidem apenas no ponto focal onde se encontra o cálculo, mas também nos tecidos adjacentes, causando muitas vezes efeitos indesejáveis, seja durante o procedimento ou tardios. Durante a LEOC, o miocárdio pode ser estimulado pela energia das ondas de choque na fase de repolarização do coração, produzindo disritmias supraventriculares[13] ou mais frequentemente ritmo ventricular ectópico e até mesmo taquicardia ventricular. Portanto, a monitorização do ritmo cardíaco é obrigatória em todos os pacientes.[14] A disritmia geralmen-

te desaparece com a interrupção da litotripsia, ocasionalmente pode persistir e exigir tratamento. A incidência de disritmias é maior quando o cálculo está localizado no polo superior do rim, devido a proximidade com o coração.

A maioria das disritmias reverte com a sincronização das ondas de choque com o período refratário do coração, 20 mseg após a onda R, quando ocorrerá o disparo das ondas de choque após a fase de repolarização, na mesma frequência que o ritmo cardíaco do paciente, recurso esse existente nos litotridores que deve ser acionado nos casos de disritmias. Já os litotridores que utilizam geradores piezoelétricos não causam disritmias.

Outro órgão atingido pelas ondas de choque são os pulmões, devido a sua movimentação e proximidade com os rins, podendo ocorrer casos de hemoptise, porém com remissão espontânea. Em crianças, em que a proximidade dos rins com os pulmões é maior, ficando os pulmões no campo de ação das ondas de choque está indicada a proteção do tórax com uma cobertura plástica contendo bolhas de ar, formando dessa forma um escudo de proteção às ondas de choque.[15]

Em 63% a 85% ocorrem alterações radiológicas renais, como perda da relação corticomedular, hematoma perirrenal, edema e aumento renal nas primeiras 24 horas pós-LEOC.[13,14] Entretanto em menos de 1% dessas alterações ocorrem alterações clínicas, e a maioria tem resolução espontânea.[16,17] Hematúria microscópica ocorre em praticamente todos os casos.[18] A hematúria macroscópica é um desses efeitos indesejáveis mais frequentes, consequentes ao trauma direto sobre o parênquima renal, porém não apresenta nenhuma repercussão clínica na maioria dos casos, sendo autolimitada em 48 horas em 85% dos casos, e em 10 dias em praticamente 100% dos casos.[19]

Outra possibilidade é a presença de algum grau de edema renal imediatamente após a LEOC, com possível formação de hematoma subcapsular ou parenquimatoso, o que geralmente pode estar relacionado com o aumento da dor após a LEOC,[20] ou até ocasionar insuficiência renal transitória sem evidência de disfunção renal permanente, por esse motivo é que a LEOC bilateral deve ser evitada em um único procedimento.

Uma série de complicações menores pode ocorrer após a LEOC, dor no ângulo costovertebral e flanco e o aparecimento de petéquias ou equimose subcutânea no ponto de entrada ou saída das ondas de choque são comuns e requerem analgésicos em até 40% dos casos.[21]

Os pacientes podem apresentar cólica renal após a LEOC, a dor pode ser tratada com medicamentos anti-inflamatórios ou antiespasmódicos sem qualquer outra intervenção necessária na maioria dos casos, tais como LEOC repetidas ou ureteroscopia.[6] Em alguns casos existe a possibilidade devido à passagem de fragmentos do cálculo pelo ureter, ocorrer a formação de ruas de cálculos, que podem levar a obstrução total do ureter, podendo causar dor intensa e elevação dos níveis de creatinina, estando indicada a desobstrução endoscópica ou nefrostomia.

Complicações tardias como hipertensão arterial, diabetes melito e perda da função renal ainda são controversas e carecem de investigação.[1] Existiria, em tese, relação de causa e efeito entre a LEOC e a hipertensão arterial, pois a LEOC representa uma forma de trauma renal direto, e este está relacionado à hipertensão arterial. Essa correlação é por vezes difícil de ser estabelecida devido a prevalência de hipertensão arterial na população geral e entre pacientes com urolitíase. Estudos realizados em grupos de pacientes com função renal e pressão arterial normais submetidos à LEOC não houve diferença na função renal, na média da pressão arterial e nem incidência de novos casos de hipertensão arterial entre eles.[22-24] No entanto, um estudo pós-LEOC encontrou aumento ainda pouco significativo na incidência de hipertensão arterial nesses pacientes em comparação com controles pareados por idade, sexo e índice de massa corporal.[25] Em relação a uma possível piora da função renal após a LEOC , em um estudo realizado com 156 pacientes com rim único submetidos a LEOC e um acompanhamento médio de 3,8 anos, não foram encontradas mudanças nos níveis de creatinina, pelo menos em médio prazo.[26] Outros estudos já demonstraram uma diminuição transitória da taxa de filtração glomerular; portanto, em indivíduos com rim único e/ou creatinina maior que 2 mg.dl^{-1} essa situação pode se instalar definitivamente, o que sugere muita atenção nesse grupo específico de pacientes.[27,28]

Outros órgãos podem ser atingidos pelas ondas de choque, o trauma pancreático pode ter relação com o início de diabetes melito, porém estudos em pacientes submetidos a LEOC não encontraram aumento da incidência de diabetes.[29,30] Um segmento de 19 anos observou aumento da incidência de diabetes melito e hipertensão arterial em relação ao grupo controle de pacientes com urolitíase em tratamento conservador.[31] Estudos de revisão de pacientes submetidos a LEOC, também não observou correlação com o desenvolvimento de hipertensão arterial e diabetes melito.[32,33] A associação entre LEOC e o desenvolvimento de doenças crônicas (hipertensão arterial e diabetes) não é clara e estudos com níveis mais elevados de provas são necessários para confirmar ou descartar essa associação.[26]

Foram observadas petéquias hepáticas com elevação de enzimas, fragmentação acidental de cálculos biliares, resultando em pancreatite, ruptura de baço, hematomas na submucosa do intestino delgado, cólon e abscesso de parede abdominal.[6,34-36] Complicações vasculares extra-renais foram relatadas, como ruptura da aorta abdominal, ruptura da artéria hepática e trombose da veia ilíaca. Eventos torácicos como pneumotórax e urinotórax estão descritos. Felizmente esses eventos são todos extremamente raros, e geralmente apresentados como incidentes isolados.[6]

CONTRAINDICAÇÕES

Gravidez, distúrbios da coagulação, hipertensão arterial não controlada, infecção ativa do trato urinário e casos de obstrução urinária são contraindicações absolutas para LEOC.[21] Em mulheres em idade fértil, deve-se afastar a possibilidade de gravidez, devido ao risco de malformações e aborto. Complicações hemorrágicas significativas ocorreram após a LEOC em pacientes em uso de anticoagulantes, aspirina e anti-inflamatórios não hormonais[37,38] e ainda nos pacientes portadores de hipertensão arterial não controla-

da.[39] Calcificações ou pequenos aneurismas da aorta abdominal ou artéria renal não são contraindicações absolutas, porém os pacientes devem ser cuidadosamente posicionados na zona focal, estando o cálculo próximo as calcificações ou aneurismas, a LEOC deve ser evitada.[6] O risco de ruptura acidental aumenta exponencialmente com o tamanho do aneurisma, aneurismas da aorta abdominal > 4 cm apresenta contraindicação formal.[40]

Infecção ativa do trato urinário deve der tratada antes do procedimento, confirmando e documentando a ausência de infecção urinária ativa antes da LEOC. Nos casos de infecção urinária crônica por cálculos infectados, a antibioticoterapia apropriada deve ser realizada antes, durante e depois da LEOC. A presença de febre contraindica LEOC devido ao risco de complicações sépticas.

Em pacientes portadores de marca-passo cardíaco implantados no tórax, deve-se avaliar o tipo e a condição atual do marca-passo antes da LEOC, o paciente deve ser posicionado de forma que o dispositivo fique fora do campo de ação das ondas de choque, pois estas podem inibi-lo ou danificá-lo. Portanto, deve-se ter disponível pessoal e material para reprogramar ou implantar um marca-passo externo durante a LEOC.[41,42]

TÉCNICA ANESTÉSICA

A LEOC é um procedimento considerado doloroso e é necessário alguma forma de anestesia, exceto quando são utilizados litotridores piezoelétricos ou uma baixa potência das ondas de choque.[43] A realização da LEOC sem anestesia está relacionada com a maior incidência de retratamento, necessitando de outras sessões, por não ser possível atingir a potência e o número de ondas de choque suficientes para um bom resultado, e por falta de colaboração e movimentação do paciente devido ao desconforto e à dor.

A escolha da técnica anestésica ideal, assim como a eficácia da LEOC depende de vários fatores, como o tipo do litotridor, modo de aplicação (potência e frequência dos pulsos das ondas de choque), localização, composição e tamanho do cálculo, assim como a idade, peso, estado emocional, sensibilidade dolorosa, imobilidade e condições clínicas do paciente.[31] Para maior eficiência da LEOC, o cálculo deve permanecer no centro do foco do litotridor durante todo procedimento, pois a movimentação dos rins e dos cálculos devido a movimentação do diafragma durante a respiração pode afastar o cálculo dessa área restrita de foco da onda de choque, a própria fragmentação do cálculo pode fazer que este saia do foco, dessa forma a avaliação do foco deve ser realizada durante o decorrer do procedimento. O efeito do movimento respiratório dificulta ainda mais a segmentação do cálculo e reduz suas taxas de ruptura. Portanto, o ideal é que o paciente se mantenha imóvel e com movimentos respiratórios regulares durante o procedimento. Com a anestesia geral, obtém-se maior imobilidade do paciente e melhor controle da frequência respiratória e do volume corrente de forma uniforme e regular, quanto menor a incursão respiratória, menor será a movimentação do cálculo, de forma que permaneça no ponto focal, onde é maior a eficácia das ondas de choque. Pelo fato da anestesia geral estar associada a melhores resultados, ela pode ser a técnica de escolha para a LEOC, a não ser que seja contraindicada pelas condições clínicas do paciente.[44-46] Algumas técnicas de ventilação com alta frequência respiratória e com pequeno volume corrente foram utilizadas na tentativa de diminuir a movimentação do cálculo e aumentar a eficácia do tratamento, entretanto, a experiência clínica e os bons resultados com o uso de ventilação convencional mostraram que não se justifica o uso rotineiro dessas técnicas por serem complexas e apresentarem riscos durante sua realização.

A anestesia regional com sedação também pode ser utilizada, e nesse caso a ventilação espontânea é preferida. Os bloqueios subaracnoideos e peridural podem ser utilizados, sendo que o nível do bloqueio necessário deve ser T_6, a peridural contínua tem a vantagem de poder ser utilizada para outro procedimento concomitante quando necessário, como a colocação de cateter ureteral ou nefrostomia. No momento da perda de resistência para identificação do espaço peridural deve-se evitar a injeção de grande quantidade de ar no espaço peridural, para que o ar não dissipe a energia das ondas de choque, é preciso também que o cateter peridural, ao ser fixado externamente não fique no trajeto das ondas de choque. Para maior desintegração dos cálculos é importante que a onda de choque atinja o cálculo sem perda de energia; qualquer interface entre o litotridor e o cálculo pode fazer com que ocorra dissipação de energia das ondas de choque.

Com a evolução dos litotridores, a LEOC se tornou cada vez menos dolorosa, o que permite a utilização de técnicas de sedação e analgesia com excelentes resultados.[6] A técnica de sedação e analgesia com benzodiazepínicos e opioides como midazolam, fentanil, alfentanil, remifentanil, mostra-se eficiente e segura, proporcionando rápida indução e recuperação, excelente tolerância e satisfação aos pacientes ambulatoriais.[20,44,47]

Agentes de curta duração, como o propofol e a dexmedetomidina, têm sido utilizado em várias combinações para permitir que a maioria dos tratamentos de LEOC seja confortável para o paciente sem a necessidade de anestesia geral ou regional. A dexmedetomidina é um agonista de alta seletividade do receptor α_2-adrenérgico com propriedades analgésica e sedativa e pequeno efeito sobre a ventilação. Esse perfil farmacológico, combinado com uma alta mar-

gem de segurança, a tornou uma opção atraente para LEOC quando associada ao fentanil, em estudo comparando com a infusão de propofol e fentanil.[48] Tanto a dexmedetomidina quanto o propofol são medicamentos eficazes e seguros que diminuem a dor, garantem um bom nível de sedação e têm estabilidade hemodinâmica durante procedimentos de litotripsia extracorpórea.[49] A técnica com propofol (em bólus ou infusão contínua), máscara laríngea e óxido nitroso também já foi utilizada com sucesso.[47] Os tempos de anestesia e de recuperação foram significativamente menores do que os registrados para as técnicas de anestesia regional.

A anestesia da parede abdominal na área que fica em contato com o litotridor, onde incidem as ondas de choque, diminui a intensidade da dor, mas não dispensa a sedação. Foram descritos infiltração local, bloqueio intercostal, bloqueio do plano transverso abdominal (TAP *Block*),[50,51] bloqueio do plano eretor da espinha (ESP *Block*)[52] e aplicação tópica de uma mistura eutética de anestésicos locais, lidocaína e prilocaína (EMLA), mostrou reduzir significativamente a necessidade de agentes venosos durante a LEOC, a combinação de agentes tópicos e agentes venosos de curta duração diminui a quantidade necessária desses agentes, reduzindo o tempo de recuperação. A aplicação tópica do creme EMLA deve ser feita pelo menos 45 minutos antes.[6]

O emprego da LEOC em crianças se tornou rotineiro.[53,54] A anestesia geral inalatória, venosa ou balanceada, com ventilação espontânea ou controlada, com ou sem intubação traqueal, é necessária para manter a imobilidade, que é fundamental para a realização e o bom resultado da LEOC. Devido a proximidade dos pulmões com os rins nas crianças, além do uso de protetores plásticos contendo bolhas de ar sobre o tórax formando uma proteção para os pulmões,[15] recomenda-se a utilização de baixa potência das ondas de choque, diminuindo o risco de lesão pulmonar.

Pacientes com lesões espinhais estão sujeitos a desenvolver disreflexia autonômica durante a LEOC, apresentando espasmos musculares em resposta às ondas de choque.[55]

Independente da técnica anestésica utilizada, o paciente deve estar em jejum e preencher os pré-requisitos estabelecidos para procedimentos ambulatoriais. A monitorização mínima deve incluir cardioscopia, oximetria de pulso e pressão arterial não invasiva.

REFERÊNCIAS

1. Neto ACL. Litotripsia extracorpórea por ondas de choque. In: Reis RB, Zequi SC, Filho MZ. Urologia moderna. São Paulo: Lemar; 2013. p. 342-8.
2. Behnia R, Shanks CA, Ossapian A, et al. Hemodynamic responses associated with lithotripsy. Anesth Analg. 1987;66(4):354-6.
3. Taily GG. Lithotripsy systems. In: Smith AD, Badlani GH, Preminger GM, Kavoussi LR. Smith's textbook of endourology. New Jersey: Blackwell Publishing; 2012. p. 559-75.
4. Rassweiller JJ, Tailly GG, Chaussy C. Progress in lithotriptor technology. EUA Update Series. 2005;(3):17-36.
5. Rassweiller JJ, Knoll T, Kohrmann KU, McAteer JA, Lingeman JE, Cleveland RO, et al. Shok wave technology and application: an update. Eur Urol. 2011;59:784-96.
6. Matagla RB, Lingeman JE. Surgical Management of Upper urinary tract calculi. In: Kavoussi LR. Campbell-Walsh, Urology. 10th ed. Philadelphia: Saunders Elsevier; 2012. p. 48:1357.
7. Partin AW, Novick Ac Peters AC. Campbell-Walsh, Urology. 10th ed. Philadelphia: Saunders Elsevier; 2012. p. 1388-99.
8. Alanee S, Ugarte R, Monga M. The effectiveness of shock wave lithotripters: a case matched comparison. J Urol. 2010;184:2364-7.
9. Torricelli FCM, Danilovic A, Vicentini FC, Marchini GS, Srougi M, Mazzucchi E. Litotripsia extracorpórea no tratamento de cálculos renais e ureterais. Assoc Med Bras. 2015;61(1):65-71.
10. Pishchalnikov YA, Neucks JS, VonDerHaar RJ, et al. Air pockets trapped during routine coupling in dry head lithotripsy can significantly decrease the delivery of shock wave energy. J Urol. 2006;17(6 Pt 1):2706-10.
11. Li G, Willians JC Jr, Pishchalnikov YA, et al. Size and location of defects at the coupling interface affect lithotripter performance. BJU Int. 2012;110(11 Pt C):E 871-877.
12. Lambert EH, Walsh R, Moreno MW, et al. Effect of escalating versus fixed voltage treatment on stone comminution and renal injury during extracorporeal shock wave lithotripsy: a prospective randomized trial. J Urol. 2010;183(2):580-4.
13. Billote DB, Challapalli RM, Nadler RB. Unintended supraventricular tachycardia induced by extracorporeal shock wave lithotripsy. Anesthesiology. 1998;88(3):830-2.
14. Ganem JP, Carson CC. Cardiac Arrhythmias with external fixed-rate signal generators in shock wave lithotripsy with the Medstone lithotripter. Urology. 1998;51(4):548-52.

15.   Kroovand RL, Rarrison LH, McCullough DL. Extracorporeal shock wave lithotripsy in childhood. J Urol. 1987;138(4 Pt 2):1106-8.
16.   Knapp PM, Kulb TB, Lingeman JE, et al. Extracorporeal shock wave lithotripsy-induced perirenal hematomas. J Urol. 1988;139(4):700-3.
17.   Krishnamurthi V, Streem B. Long-term radiographic and functional outcome of ESWL induced perirenal hematomas. J Urol. 1995;154(5):1673-5.
18.   Sofras F, Karayannis A, Kostakopoulos A, et al. Methodology, results and complications in 2000 extracorporeal shock wave lithotripsy procedures. BJU Int. 1988;61:9-13.
19.   Salem S, Mehrsai A, Zartab H, et al. Complications and outcomes following extracorporeal shock wave lithotripsy: a prospective study of 3.241 patients. Urol Res. 2010;38:135-42.
20.   Gonçalves TAM, Procedimentos urológicos. In: Cangiani LM. Anestesia Ambulatorial. São Paulo: Atheneu; 2001. p. 505-19.
21.   Newman RC, Bezirdjian L, Steinbock G, et al. Complications of extracorporeal shock wave lithotripsy: prevention and treatment. Semin Urol. 1986;4(3):170-4.
22.   Godschalk M, Gheorghiu D, Chen J, Katz PG, Mulligan T. Long-term efficacy of a new formulation of prostaglandin E1 as treatment for erectile failure. J urol. 1996;155(3):915-7.
23.   Chew BH, Zavaglia B, Sutton C, et al. Twenty-year prevalence of diabetes mellitus and hypertension in patients receiving shock-wave lithotripsy for urolithiasis. BJU Int. 2012;109(13):444-9.
24.   Krambeck AE, Rule AD, Li X, Bergstralh EJ, et al. Shock wave lithotripsy is not predictive of hypertension among community stone formers at long-term follow up. J Urol. 2011;185(1):164-9.
25.   Barbosa PV, Makhlouf AA, Thorner D, et al. Shock wave lithotripsy associated with greater prevalence of hypertension. Urology. 2011;78(1)22-5.
26.   Makhlouf AA, Thorner D, Ugarte R, et al. Shock wave lithotripsy not associated with development of diabetes mellitus at 6 years of follow-up. Urology. 2009;73(1):4-8.
27.   De Cógáin M, Krambec AE, Rule AD, et al. Shock wave lithotripsy and diabetes mellitus: a population-based cohort study. Urology. 2012;79(2):298-302.
28.   Krambec AE, Gettman MT, Rohlinger AL, et al. Diabetes mellitus and hypertension associated with shock wave lithotripsy of renal and ureteral stones at 19 years of follow up. 2006;175(5):1742-7.
29.   Sato Y, Tanda H, Kato S, Ohnishi S, et al. Shock wave lithotripsy for renal stones is not associated with hypertension and diabetes mellitus. Urol. 2008;71(4):586-91.
30.   Skolaricus A, Alivizatos G, de la Rosette J. Extracorporeal Shock Wave Lithotripsy 25 years later: complication and prevention. Eur Urol. 2006;50(5):981-90.
31.   El-Assmy A, el-Nahas AR, Hekal IA, et al. Long-term effects of extracorporeal shock wave lithotripsy on renal function: our experience with 156 patients with solitary kidney. J Urol. 2008;179(6):2229-32.
32.   Rutz-Danilczak A, Pupek-Musialik D, Raszeja-Wanic B. Effects of extracorporeal shock wave lithotripsy on renal function in patients with kidney stone disease. Nephron. 1998;79(2):162-6.
33.   Cass AS. Renal function after extracorporeal shock wave lithotripsy to a solitary kidney. J Endourol. 1994;8(1):15-9.
34.   Al karawi, Harrison LH, el-Etaibi KE, et al. Extracorporeal shock wave lithotripsy (ESWL) induced erosions upper gastrointestinal tract. Prospective study in 40 patients. Urology. 1987;30(3):224-7.
35.   Drach GW, Dretler S, Fair W, et al. Report of the United States cooperative study of extracorporeal shock wave lithotripsy. J Urol. 1986;135(6):1127-33.
36.   White W, Klein F. Five-year clinical experience with the Dornier Delta lithotriptor. Urolog. 2006;68(1):28-32.
37.   Plinskin MJ, Wikert GA, Dresner ML. Hemorrhagic complication of extracorporeal shock wave lithotripsy in anticoagulated patient. J Endourol. 1989;3:405-8.
38.   Ruiz H, Saltzman B. Aspirin-induced bilateral renal hemorrhage after extracorporeal shock wave lithotripsy therapy: implication and conclusions. J Urol. 1990;143(4):791-2.
39.   Knapp PM, Kulb TB, Lingeman JE, et al. Extracorporeal shock wave lithotripsy-induced perirenal hematomas. J Urol. 1988;139(4):700-3.
40.   Streem SB. Contemporary clinical practice of shock wave lithotripsy: a reevaluation of contraindications. J Urol. 1997;157:1197-203.
41.   Theiss M, Wirth MP, Frohmüller HG. Extracorporeal shock wave lithotripsy in patients with cardiac pacemakers. J Urol. 1990;143(3):479-80.
42.   Drach GW, Weber C, Donovan JM. Treatment of pacemaker patients with extracorporeal shock wave lithotripsy: experience from 2 continents. J Urol. 1990;143(5):895-6.
43.   Malhorta V, Diwan S. Anesthesia, and genitourinary systems. In: Miller RD. Anesthesia 5th ed. New York: Churchill Livingstone; 2000. p. 1934-59.
44.   Zommick J, Leveillee R, Zabbo A, et al. Comparison of general anesthesia and intravenous sedation-analgesia for SWL. J Endourol. 1996;10(6):489-91.
45.   Turna B, Raza A, Moussa S, et al. Management of calyceal diverticular stones with extracorporeal shock wave lithotripsy and percutaneous nephrolithotomy: long-term outcome. BJU Int. 2007;100(1):151-6
46.   Sorensen C, Chandhoke P, Moore M, et al. Comparision of intravenous sedation versus general anesthesia on the efficacy of Doli 50 lithotriptor. J Urol. 2002;168(1):35-7.
47.   Burmeister MA, Brauer P, Wintruff M, et al. A comparison of anesthesia techniques for shock wave lithotripsy: the use of remifentanil infusion alone compared to intermittent fentanyl boluses combined with a low dose propofol infusion. Anesthesia. 2002;57(9):877-81.
48.   Kaygusuz K, Gokce G; Gursoy S, et al. A Comparison of Sedation with Dexmedetomidine or Propofol During Shockwave Lithotripsy: A Randomized Controlled Trial. Anesthesia & Analgesia. 2008;106(1):114-19.
49.   Grados S, Castro C, Mediva-Vera AJ. Analgesia, nível de sedación y câmbios hemodinâmicos com dexmedetomidina y propofol em pacientes sometidos a litotricia extracorpórea: estudio prospectivo, aleatorizado y ciego. Revista Argentina de Anestesiología. 2017;75(3):131-39.
50.   Elnabtity AMA, Tawfeek MM, Keera AA, Badran YA. Is unilateral transversus abdominis plane block an analgesic alternative four ureteric wave lithotripsy? Anesth Essays Res. 2015;9(1):51-56.
51.   Sir E, Ekserts Zor M, Ince ME, Kaya E, Bedir S. The analgesic efficacy of ultrasound guided unilateral transversus abdominis plane block in the pain management of shock wave lithotripsy. Arch Esp Urol. 2019;72(9):933-38.
52.   Karaaslan M, Olcucuoglu E, Kurtbeyoglus S, Tonyali S, Yilmaz M, Odabas O. Erector spinae plane block prior to extracorporeal shock wave lithotripsy decrease fluoroscopy time and promise a comfortable procedure for renal stones: A prospective randomized study. Actas Urológicas Españolas. 2023;20:1538 1-6.
53.   Gschwend JE, Haag U, Hollmer S, et al. Impact of extracorporeal shock wave lithotripsy in pediatric patients: complications and long-term follow-up. Urol Int. 1996;56(4):241-5.
54.   Nijman RJ, Ackaert K, Scholtmeijer RJ, et al. Log-term results of extracorporeal shock wave lithotripsy in children. J Urol. 1989;142:609-19.
55.   Kabalim JN, Lennon S, Gill HS, et al. Incidence and management of autonomic dysreflexia and other intraoperative problems encountered in spinal cord injury patients undergoing extracorporeal shock wave lithotripsy without anesthesia on a second-generation lithotripter. J Urol. 1993;149(5):1064-7.

Anestesia para Urologia

Silvia Minhye Kim

INTRODUÇÃO

Os procedimentos cirúrgicos urológicos envolvem procedimentos sobre estruturas lombares e pélvicas, desde procedimentos minimamente invasivos por via endoscópica até grandes cirurgias oncológicas. Embora possam se apresentar pacientes de ambos os extremos de idade, a maioria será composta por idosos com comorbidades sistêmicas crônicas mais prevalentes do que na população de outras especialidades. Além disso, algumas particularidades do acesso aos órgãos do sistema urinário representam desafios para o anestesiologista, que deve considerar a melhor técnica anestésica e analgésica a ser adotada, o adequado posicionamento do paciente e as estratégias possíveis para minimizar o risco de complicações.

INERVAÇÃO DO TRATO URINÁRIO SUPERIOR

O parênquima renal não é sensível a dor, por ser inervado por receptores cuja ativação não atingem o nível cerebral, mas a distensão da pelve renal provoca estímulo doloroso referido em região de flanco. Os ureteres são inervados por fibras do plexo hipogástrico (T11-T12) e dos nervos iliohipogástrico, ilioinguinal e genitofemoral. A dor referida do ureter pode se localizar na região inguinal e escrotal. A dor visceral do trato urinário superior não se relaciona somente a lesões, mas a estímulos de distensão, isquemia e inflamação ou à combinação deles. Ela se acompanha de reflexos motores e autonômicos, uma vez que aferentes viscerais acompanham o sistema nervoso autônomo.[1]

INERVAÇÃO DO TRATO URINÁRIO INFERIOR

O trato urinário inferior recebe inervação eferente bilateral de segmentos torácicos e lombossacros da medula, de T11 a L2. A inervação simpática, através do ramo hipogástrico (T11-L2), leva ao relaxamento do corpo da bexiga e estímulo da base da bexiga e uretra. Já a inervação parassimpática, através de ramos sacrais e nervos pélvicos (S2-S4), estimula a bexiga e relaxa a uretra. Nervos sacrais, primariamente nervos pudendos (S2-S4), compõem a eferência somática. As aferências compostas de ramos pélvico, hipogástrico e pudendo monitoram o volume da bexiga e amplitude das contrações vesicais.[2]

ANESTESIA E ANALGESIA REGIONAL PARA CIRURGIAS UROLÓGICAS

Para adequada estratégia de analgesia, o tamanho e a localização de incisão devem ser considerados. A cistectomia radical aberta e a prostatectomia envolvem abordagens infraumbilicais. A nefrectomia pode envolver incisões de flanco (T9-T11), toracoabdominal (T7-T12) ou transabdominal (T6-T10).[3]

A anestesia peridural torácica tem bloqueio eficiente da dor operatória e da resposta neuroendócrina ao estresse cirúrgico, além de reduzir complicações cardiopulmonares. O nível ideal do bloqueio não é claro, mas níveis de anestesia entre T9 e T11 têm sido adotados em cistectomia radical. Para nefrectomias, nível de anestesia em T6 pode ser necessário de acordo com a incisão escolhida para a abordagem cirúrgica. A anestesia do neuroeixo em grandes cirurgias pode apresentar benefício principalmente em pacientes com doenças cardiológicas e pulmonares, e também quando há risco de desenvolvimento de íleo pós-operatório pela imobilidade do paciente com dor e em uso de altas doses de opioides.

Bloqueios de parede como do plano do transverso abdominal (TAP), quadrado lombar ou bainha do reto são bloqueios periféricos que podem ser alternativas adequadas e com boa analgesia em cistectomia e prostatectomia.[4]

■ ANALGESIA SISTÊMICA PARA CIRURGIAS UROLÓGICAS

O aconselhamento e a instrução do paciente na etapa de planejamento da cirurgia têm papel importante em sua analgesia pós-operatória, uma vez que direciona suas expectativas com relação à dor após a cirurgia.

A analgesia preemptiva também é importante componente do controle de dor pós-operatória. O estímulo nociceptivo durante a cirurgia pode se ampliar ao ser conduzido da periferia para a medula espinal. Com o intuito de reduzir ou bloquear esta via, medicações não-opioides podem ser usadas, como anti-inflamatórios não-hormonais para reduzir a resposta inflamatória, e a infiltração da pele com anestésico local antes da incisão, para diminuir a ativação de fibras do tipo C. Gabapentina ou paracetamol como pré-medicação apresentaram em alguns trabalhos perfil de redução no consumo de opioides no período pós-operatório.[5]

■ ANTIBIOTICOPROFILAXIA[6,7]

A profilaxia antimicrobiana para redução da infecção de sítio cirúrgico deve ser considerada para todos os procedimentos urológicos em que haja previsão de quebra de barreira do tecido normal e cistouretroscopias com instrumentação e colocação de *stents*. Os procedimentos podem ser classificados em risco infeccioso baixo, intermediário e alto. Dose única é apropriada para a maioria dos casos não complicados, incluindo tratamentos de hiperplasia prostática benigna (HPB), ressecções transuretrais de tumores e intervenções para tratamento de urolitíase por ureteroscopia ou nefroscopia percutânea.

O antibiótico parenteral deve ser administrado dentro de uma hora da incisão para estabelecer concentração tissular adequada no momento da incisão. Se usados vancomicina e fluoroquinolonas, a administração deve ser dentro de duas horas. O antibiótico não deve ser continuado no pós-operatório, exceto em infecções confirmadas do trato urinário.

Pacientes com bacteriúria devem ser tratados com antibióticos apropriados, para evitar complicações infecciosas e possível desenvolvimento de urossepse, principalmente associada a obstrução do trato urinário e manipulação endourológica. Recomenda-se urocultura antes da intervenção e tratamento direcionado ao antibiograma. Considerar também que culturas de cálculos geralmente são discordantes da cultura de urina.

A administração de antibioticoprofilaxia é justificada em procedimentos de baixo risco infeccioso e cultura negativa quando o paciente possui fatores de risco como idade avançada, alterações anatômicas do trato urinário, deficiência nutricional, tabagismo, uso crônico de corticosteroides, imunodeficiência, cateteres externalizados, material com colonização endógena ou exógena, infecção remota coexistente e hospitalização prolongada.

A cobertura antimicrobiana de patógenos Gram-negativos e enterococos é recomendada tanto para procedimentos transuretrais quanto procedimentos endourológicos mais altos. As atuais recomendações incluem cefalosporinas de primeira e segunda geração ou sulfametoxazol + trimetoprima em dose única. A incidência de graves efeitos adversos e aumento de resistência bacteriana têm desencorajado o uso de fluoroquinolonas.

■ CIRURGIAS ENDOUROLÓGICAS

As cirurgias endourológicas envolvem técnicas minimamente invasivas com acesso por meio de sondas endoscópicas rígidas ou flexíveis, com possibilidade de visão direta, para diagnóstico e procedimentos, com cateterização, biópsias, ressecção ou litotripsia. Os procedimentos para tratamento de nefrolitíase são abordados em outro capítulo deste Tratado.

Procedimentos endourológicos consistem em:

- Uretroscopias e cistoscopias;
- Ressecções transuretrais de bexiga e próstata;
- Biópsias de bexiga e próstata;
- Ureteroscopias;
- Nefroscopia;
- Ureterolitotripsia;
- Nefrolitotomia percutânea.

Procedimentos na uretra, como uretrotomias, podem ser realizadas sob anestesia local com lidocaína em gel, principalmente em mulheres, que têm uretras mais curtas, e em estreitamentos uretrais inferiores a 2 cm. Para procedimentos com maior instrumentação e ressecções pode ser necessária anestesia regional ou geral.[8]

A escolha da técnica anestésica para cistoscopias deve levar em consideração fatores como o objetivo do exame, se diagnóstico ou terapêutico, e o tipo de cistoscópio, rígido ou flexível, principalmente em pacientes do sexo masculino. Também deve ser considerado o tempo do procedimento e a necessidade de intervenção.

Alguns desses procedimentos endourológicos têm sido realizados em ambiente ambulatorial, como cistoscopia flexível, biópsia transretal de próstata, dilatação e meatotomia de uretra e algumas ressecções e ablações transuretrais de bexiga e próstata. O avanço das técnicas cirúrgicas, junto com técnicas de anestesia com perfil de recuperação rápida, contribuem para a adoção e crescimento dos procedimentos urológicos ambulatoriais.[9]

Na ressecção endoscópica com eletrocautério, é importante o relaxamento da bexiga e da parede abdominal. Deve ser levada em consideração a posição de tumores que serão abordados, pois o nervo obturatório passa próximo à parede inferolateral da bexiga, ao colo vesical e lateralmente à uretra prostática. O nervo pode ser estimulado pelo estímulo do ressectoscópio elétrico monopolar, elicitando contração violenta dos músculos adutores e risco de perfuração vesical. Esse estímulo pode ser inibido por curarização em anestesia geral ou associação de bloqueio periférico do nervo obturatório.[10]

■ POSICIONAMENTO EM LITOTOMIA

O posicionamento do paciente em litotomia é escolhido para os procedimentos uretrais e endoscópicos urológicos por permitir excelente acesso cirúrgico ao períneo.

Na posição de litotomia os membros inferiores são abduzidos em 30 a 45 graus e os quadris fletidos até um ângulo entre 80 e 100 graus. A manutenção prolongada desse posicionamento pode levar a lesões. As complicações perioperatórias aumentam com angulações mais pronunciadas dos quadris e extremidades inferiores. As lesões neurológicas são as mais frequentes complicações, mas também são descritas síndrome compartimental de membros inferiores, trombose venosa e rabdomiólise. As neuropatias mais comuns são de nervos fibular comum, ciático e femoral. Os principais fatores de risco para lesões neurológicas associadas à posição de litotomia se relacionam a características próprias do paciente (IMC baixo, neuropatias prévias, tabagismo, diabetes etc.), mas principalmente devido ao posicionamento inadequado e prolongado (> 2 horas), com flexão exagerada de quadris e joelhos, causando estiramento e compressões nervosas. O nervo femoral pode sofrer isquemia por compressão abaixo do ligamento inguinal, o nervo ciático pode sofrer lesões no forame isquiático e em vários pontos ao longo de seu trajeto na coxa. O nervo fibular comum contorna a cabeça da fíbula superficialmente antes de se dividir em ramos superficial e profundo e pode ser comprimido e lesado por apoio direto em superfícies rígidas.[11]

■ RESSECÇÃO TRANSURETRAL DE PRÓSTATA

A ressecção transuretral de próstata (RTU-P) é o principal tratamento para aliviar os sintomas de obstrução do trato urinário inferior, devido à HPB. Essa afecção corresponde ao diagnóstico histológico em que há proliferação do estroma (musculatura lisa e tecido conjuntivo) e de células epiteliais na zona de transição da próstata, produzindo sintomas por dois mecanismos: obstrução da via de saída vesical e aumento do tônus da musculatura lisa.[12,13]

O tecido prostático não contém muitas fibras sensitivas, mas a cápsula prostática é abundantemente inervada por fibras do plexo pélvico (T10-L2). A distensão é dolorosa e acompanhada de urgência miccional. Na RTU-P é dada preferência à anestesia do neuroeixo, com bloqueio espinal limitado a altura de T10, para avaliação de consciência e reconhecimento precoce de sintomas de hiponatremia diluicional, principalmente se houver rotura da cápsula prostática e exposição dos seios venosos. O nível T10 é desejável também, pois permite bloquear a sensação de distensão vesical pelas soluções de irrigação.

O paciente com HPB pode estar em uso de alfabloqueadores, inibidores de 5-alfa-redutase e/ou anticolinérgicos

(Tabela 168.1), que podem se relacionar a maior incidência de hipotensão à indução da anestesia, mas não precisam ser contraindicados no período pré-operatório. Além disso, o tratamento pré-operatório com anti-androgênios e inibidores de 5-alfa-redutase por via oral parece estar associado a menor sangramento intraoperatório, por reduzir o volume prostático antes da cirurgia.[14]

Os alfabloqueadores comercialmente disponíveis são a terazosina, alfuzosina, doxazosina e tansulosina. Eles agem opondo-se à contração da musculatura lisa prostática mediada por receptores alfa-1-adrenérgicos. Os efeitos colaterais mais comuns são hipotensão postural, vertigem, astenia, problemas ejaculatórios e congestão nasal. Os agentes não seletivos (terazosina) causam redução das pressões arteriais sistólica e diastólica e da frequência cardíaca em grau maior que agentes seletivos (tansulosina).

Finasterida e dutasterida são inibidores da 5-alfa-redutase tipo 2, com efeitos baseados na redução dos níveis séricos e intraprostáticos da di-hidrotestosterona. Os efeitos adversos são primariamente relacionados à função sexual.

Os agentes anticolinérgicos (antimuscarínicos) bloqueiam o neurotransmissor acetilcolina no sistema nervoso central e periférico. Essa classe de medicação reduz os efeitos mediados pela acetilcolina nos receptores muscarínicos da bexiga por inibição competitiva, com o objetivo de melhorar os sintomas de armazenamento. O efeito adverso mais comum com a monoterapia com tolterodina é a boca seca, mas também são relatados turvação visual, constipação intestinal e sintomas cognitivos, principalmente em idosos, em razão da maior permeabilidade da barreira hematoencefálica.

Existem opções de terapias minimamente invasivas para o controle dos sintomas da HPB. Elas consistem basicamente da aplicação de calor para destruir o tecido prostático, de forma limitada e controlada, para evitar as complicações associadas à RTU-P. Em geral, essas terapias se caracterizam por serem realizadas sem anestesia geral ou regional, em ambiente ambulatorial. Exemplos incluem a termoterapia transuretral com microondas, ablação transuretral com agulha, endopróteses uretrais, dilatação uretral com balão, ultrassom focado de alta intensidade, coagulação intersticial com *laser*, termoterapia induzida por água e injeção intraprostática de etanol.[12,13]

O paciente com indicação de RTU-P apresenta sintomas mais graves ou complicações pela HPB, como retenção urinária persistente e refratária, uretero-hidronefrose, insuficiência renal, infecções recorrentes, hematúria macroscópica recorrente etc. A idade média dos pacientes

Tabela 168.1 Fármacos utilizados no tratamento da hiperplasia prostática benigna.			
Classe	**Exemplos**	**Mecanismo de ação**	**Efeitos colaterais mais comuns**
Antagonistas alfa-adrenérgicos	Terazosina, alfuzosina, doxazosina e tansulosina	Redução do tônus muscular liso dentro da próstata e no colo vesical	Hipotensão postural, vertigem, astenia, problemas ejaculatórios e congestão nasal
Inibidores de 5-alfa-reductase	Finasterida, dutasterida	Redução da di-hidrotestosterona	Diminuição da libido, impotência sexual
Anticolinérgicos	Tolterodina, oxibutinina	Diminuição da contração vesical	Boca seca

submetidos à RTU-P é de aproximadamente 69 anos, com ressecção média de 22 g de tecido prostático. As complicações trans e pós-operatórias estão relacionadas ao tamanho da próstata maior de 45 g e à duração do procedimento por mais de 90 minutos. A mortalidade em 30 dias é de 0,3% e as morbidades relacionam-se aos seguintes fatores: síndrome pós-ressecção transuretral (1%), perfuração da cápsula prostática com extravasamento de líquido para o retroperitônio (2%), hemorragia com necessidade de transfusão sanguínea (5%) e infecções do trato urinário decorrentes do procedimento (20%).[15]

A RTU-P consiste na remoção cirúrgica da porção interna da próstata abordada por via endoscópica através da uretra, sem incisão da pele. O procedimento cirúrgico visa ressecar o tecido hiperplásico, mantendo a cápsula cirúrgica, que consiste de um tecido prostático normal, comprimido contra a cápsula. O ressectoscópio possui eletrocautério para corte e coagulação, e a bexiga é irrigada continuamente para permitir uma visão direta e lavar debris e sangue. A principal técnica para o tratamento da obstrução prostática benigna continua sendo a RTU monopolar, embora vem sendo desenvolvidas opções com cautério bipolar, fotovaporização, ressecção/enucleação com Holmium Laser (HoLEP®) etc.,[16] com menores riscos de complicações perioperatórias, principalmente aquelas relacionadas à síndrome pós-RTU. As terapias com *laser* ainda são realizadas em centro cirúrgico e sob anestesia. A ressecção bipolar limita a dispersão do fluxo de corrente no corpo e usa solução fisiológica de NaCl a 0,9% como solução de irrigação, eliminando o risco de síndrome pós-RTU.

A escolha da anestesia leva em conta as comorbidades do paciente, mas uma vantagem da anestesia regional é o reconhecimento dos sinais e sintomas precoces da intoxicação hídrica, sobrecarga volêmica e perfuração de bexiga ou rompimento da cápsula prostática. A perfuração vesical pode ser reconhecida precocemente, porque o paciente pode se queixar de dor periumbilical ou em ombro, se o bloqueio de neuroeixo se limitar ao nível T10. O bloqueio acima de T9 deve ser evitado porque não permitiria o diagnóstico de ruptura da cápsula prostática. O nível T10 é desejável, pois permite bloquear a sensação de distensão vesical pelas soluções de irrigação. A sensibilidade da bexiga é conduzida por fibras aferentes simpáticas do plexo hipogástrico, que tem origens de T11-L2. A dor visceral da bexiga e da próstata é conduzida pelos nervos aferentes parassimpáticos das raízes sacrais de S2-S3 e a dor no pós-operatório de RTU está relacionada com espasmos do músculo detrusor.[17]

SÍNDROME PÓS-RTU

A síndrome pós-RTU é uma forma iatrogênica de intoxicação hídrica, caracterizando-se pela combinação de sobrecarga volêmica e hiponatremia, que pode ocorrer em vários procedimentos cirúrgicos endoscópicos, mas classicamente após RTU de próstata. Ela ocorre quando a solução de irrigação usada para visualização do campo operatório é absorvida em quantidade suficiente para causar manifestações sistêmicas, cardiovasculares e neurológicas, além de alterações metabólicas (Tabela 168.2). O anestesiologista deve ter alto grau de vigilância e suspeitar quando surgirem os primeiros sinais para conseguir diagnosticar essa complicação.

O quadro clínico varia de acordo com a gravidade e é influenciado pelo tipo de solução de irrigação utilizada e por fatores cirúrgicos e próprios do paciente. Os sinais e sintomas são, em geral, vagos, variáveis e inespecíficos, sem uma apresentação clássica, tornando difícil o diagnóstico sem o conhecimento de que houve a abordagem transuretral da próstata.

Um dos primeiros sinais relatados é o formigamento e a sensação de queimação transitórios na face e no pescoço, acompanhados de letargia e inquietação. O paciente pode se tornar agitado e queixar-se de cefaleia. Os sinais mais consistentes são a bradicardia e a hipotensão arterial, que podem ser detectados no período perioperatório pela equipe anestésica.

Fisiopatologia

A fisiopatologia da síndrome envolve sobrecarga hídrica, hiponatremia e hipo-osmolalidade, e no caso da utilização de solução de glicina, hiperamonemia. O fluido de irrigação pode ser absorvido pelos seios venosos ou por extravasamento para o peritônio. A absorção do fluido de irrigação pelos seios venosos prostáticos ocorre em quase todas as ressecções transuretrais de próstata e é maior quando o eletrocautério causa lesão vascular. A força motriz é a pressão do fluido, quando esta excede a pressão venosa em cerca de 10 mmHg. O tempo em que esta pressão do fluido excede 15 mmHg causa significativo aumento do volume absorvido na circulação.[18]

O extravasamento ocorre com a perfuração da cápsula prostática durante a RTU de próstata. O fluido de irrigação pode se depositar rapidamente nos espaços periprostático, retroperitoneal ou intraperitoneal. Bastam 5 mmHg de diferença entre a pressão da solução de irrigação e a pressão intra-abdominal para ocorrer o extravasamento. O primeiro sinal mais comum de extravasamento é a dor abdominal,

Tabela 168.2 Sinais e sintomas da síndrome pós-RTU da próstata.[7]		
Sistema nervoso central	**Cardiovascular e respiratório**	**Metabólico e renal**
■ Inquietação	■ Hipertensão arterial	■ Hiponatremia
■ Cefaleia	■ Taquicardia	■ Hiperglicinemia
■ Confusão mental	■ Taquipneia	■ Hemólise intravascular
■ Convulsões	■ Hipóxia	■ Insuficiência renal aguda
■ Coma	■ Edema pulmonar	
■ Distúrbios visuais	■ Hipotensão arterial	
■ Náusea e vômitos	■ Bradicardia	

que pode irradiar para o ombro. Os eletrólitos extracelulares se difundem para o líquido de irrigação depositado e a hiponatremia é mais pronunciada 2 a 4 horas mais tarde. Esse movimento de eletrólitos é seguido por hipovolemia, bradicardia e hipotensão arterial. O extravasamento pode se desenvolver lentamente e ter sua detecção no dia seguinte.

O volume de fluidos absorvidos é de difícil estimativa, mas aumenta com a extensão e duração da ressecção. Os sintomas da síndrome e sua gravidade aumentam se o volume de solução absorvida for maior. Observou-se que a pressão intravesical é maior nos pacientes que apresentaram absorção de solução de irrigação. A altura do frasco de solução de irrigação pode aumentar a pressão intravesical, mas não a pressão média durante o procedimento, portanto, não tem correlação com o total de fluidos absorvidos. Em pacientes com maior risco de desenvolvimento de síndrome pós-RTU, deve-se evitar a posição de Trendelenburg, que também causa aumento da pressão intravesical. Em geral, não existem indicações visuais da absorção, mas a probabilidade aumenta se houver perfuração da cápsula prostática, que pode ocorrer em 10% das RTU de próstata ou se houver lesão aparente de seios venosos. A Tabela 168.3 mostra fatores que aumentam a absorção do líquido de irrigação.

Tabela 168.3 Fatores que aumentam a absorção de solução de irrigação em RTU de próstata.[6]

Fator	Recomendação
Pressão da solução de irrigação	Altura do frasco deve ser mantida. 70 cm acima da bexiga são suficientes
Baixa pressão venosa	Controle de hipovolemia e hipotensão
Tempo cirúrgico prolongado	Não ultrapassar 1 hora
Grande perda sanguínea	Sinal de grande número de vasos abertos Controle cirúrgico
Perfuração da cápsula ou da bexiga	Grande volume de fluidos na cavidade peritoneal, rapidamente absorvidos Vigilância

Solução de Irrigação

O líquido de irrigação ideal deve ser isotônico, não hemolítico, eletricamente inerte, não tóxico, transparente, estéril e de baixo custo. A água estéril, se usada para irrigação na RTU-P, pode causar uma hemólise intravascular, quando absorvida. Soluções sem eletrólitos contendo glicina, manitol ou sorbitol podem ser introduzidas para prevenir hemólise, sem dispersar a corrente elétrica utilizada no ressectoscópio.

A glicina é um aminoácido não essencial com concentração plasmática de 0,3 mmol.L^{-1} em humanos e é metabolizada no fígado em amônia. A glicina também é um neurotransmissor inibitório na retina, por isso, a absorção de grandes quantidades leva ao retardo da transmissão de impulsos da retina para o córtex cerebral. O prolongamento do potencial evocado visual (PEV) e a deterioração da visão ocorrem mesmo após a absorção de pequenas quantidades de solução de irrigação de glicina 1,5%. Pacientes com distúrbios visuais pós-RTU têm reflexo pupilar lentificado ou ausente, enquanto na cegueira cortical o reflexo pupilar está preservado, sugerindo que o mecanismo de amaurose pós-RTU é devido à inibição direta do potencial retiniano. Essa cegueira é revertida com o decaimento da concentração sérica de glicina.[19]

O aumento da amônia no plasma, devido ao metabolismo da glicina em concentrações maiores que 100 mmol.L^{-1} (o normal é 10 a 35 mmol.L^{-1}), associa-se a sinais e sintomas neurológicos. O paciente pode se tornar comatoso após a absorção de glicina, mesmo sem a presença de edema cerebral, e com sinais de encefalopatia metabólica com ou sem aumento significativo de amônia sérica.

O manitol é um isômero da glucose usado como solução a 3% ou 5%. Após breve fase de distribuição, o manitol se espalha através do espaço extracelular. A meia-vida de eliminação é de cerca de 100 minutos, mas pode ser aumentada em duas a quatro vezes nos em pacientes com creatinina moderadamente elevada. O manitol não é metabolizado e é excretado sem alteração na urina, promovendo diurese osmótica. Esse efeito faz com que seja inapropriado combinar irrigação com manitol 5% e administração de diurético no pós-operatório. O manitol não é diurético em solução de irrigação com concentração de 0,5% a 1% e combinado a sorbitol 2% a 3%.

O sorbitol é metabolizado no fígado em frutose, glicose e lactato, tem meia-vida de cerca de 35 minutos e é utilizado em solução contendo pequena quantidade de manitol.

Hiponatremia

A redução na concentração plasmática de sódio abaixo de 7 mmol.L^{-1} ou 7% pode se correlacionar ao aparecimento das manifestações cardiovasculares e neurológicas que definem a síndrome pós-RTU.[20] A absorção de 1 litro de solução de irrigação em 1 hora causa a redução de 5 a 8 mmol.L^{-1} da concentração de sódio. Os sintomas da hiponatremia se relacionam tanto à gravidade quanto à rapidez em que se instala a redução da concentração plasmática de sódio. A absorção rápida e de grande volume pode produzir concentrações muito baixas de sódio, típicas da síndrome pós-RTU grave. Quando a concentração de sódio plasmático cai abaixo de 120 mmol.L^{-1}, a síndrome pós-RTU é considerada grave. Esse decréscimo na concentração plasmática de sódio cria um gradiente osmótico entre o líquido intra e extracelular no cérebro, o que resulta em saída de líquido do espaço intravascular, levando a edema cerebral, aumento da pressão intracraniana (PIC) e sintomas neurológicos. Na hiponatremia de evolução rápida o paciente pode apresentar fraqueza muscular, espasmos musculares, convulsões, coma, lesão cerebral permanente, parada respiratória, herniação de tronco cerebral e choque hemodinâmico.

Hipo-osmolalidade

O principal fator que leva à deterioração do sistema nervoso central (SNC) não é a hiponatremia isoladamente, mas a hipo-osmolalidade aguda. Isso se justifica porque a barreira hematoencefálica é virtualmente impermeável ao sódio, mas livremente permeável à água. O cérebro reage ao estresse hipo-osmótico com a diminuição intracelular de sódio, potássio e cloro. A redução intracelular desses eletrólitos ajudam a reduzir a osmolalidade intracelular e evitar o inchaço. O edema cerebral é um problema grave e a herniação pode levar ao óbito em algumas horas no pós-operatório.

Em geral, há redução de osmolalidade plasmática em 10 a 25 mosmol.L^{-1}.kg^{-1}, já que a maioria das soluções de irrigação são hipo-osmolares (200 mosmol.L^{-1}). Uma osmolalidade menor da solução de irrigação em relação ao plasma significa que a água entrará nas células rapidamente após a absorção. A glicina e o sorbitol entram nas células e, por osmose, levam água para o intracelular.

Alterações Fisiológicas

A absorção de fluidos causa hipervolemia transitória, com aumento das pressões centrais, que se estabiliza em 15 minutos. Falta de ar, inquietação, dor torácica e edema pulmonar podem se manifestar na mesa operatória, particularmente em procedimentos com menor perda sanguínea. A hipervolemia é seguida por uma fase mais prolongada e problemática de instabilidade hemodinâmica, caracterizada por queda do débito cardíaco, hipovolemia e diminuição da pressão arterial.[18]

Fatores que levam à alteração hemodinâmica incluem natriurese, diurese osmótica e, com glicina e sorbitol, captação intracelular de água. Hiponatremia, hipocalcemia e osmolalidade sérica diminuída, redução aguda da temperatura corporal e liberação de substâncias prostáticas ou endotoxinas também podem contribuir para o quadro. Assim, a bradicardia e a redução acentuada de pressão arterial sistólica para 50 a 70 mmHg no período pós-operatório pode ser um primeiro sinal sugestivo de síndrome pós-RTU. O edema pulmonar pode se desenvolver posteriormente, indicando que o sódio sérico está abaixo de 100 mmol.L^{-1} e há hipo-osmolalidade grave.

Tanto a hiper quanto a hipotensão podem ocorrer na síndrome pós-RTU. A hipertensão e a bradicardia reflexa se explicam pela expansão volêmica rápida, que pode chegar a 200 mL.min^{-1}. Pacientes com função ventricular prejudicada também podem sofrer edema pulmonar pela sobrecarga circulatória aguda. A hipertensão transitória, que pode não ocorrer se houver grande sangramento, pode ser seguida por período prolongado de hipotensão, para a qual há diversas teorias. A hiponatremia associada à hipertensão pode levar ao fluxo final de água, seguindo gradiente de pressões osmóticas e hidrostática para fora do espaço intravascular e para o interstício pulmonar, levando a edema pulmonar e choque hipovolêmico. A liberação de endotoxinas na circulação e acidose metabólica podem contribuir também para a hipotensão.

Distúrbios de função cardíaca devido ao excesso de água podem ser uma causa importante de colapso cardiovascular. Depressão do sistema de condução, bradicardia e depressão do segmento ST e onda T podem ocorrer com a absorção maciça de líquidos. O ECG pode mostrar bradicardia com prolongamento do intervalo PR, alargamento do complexo QRS e redução da amplitude do QRS.

As causas das alterações do SNC podem ser atribuídas à hiponatremia, hiperglicinemia e/ou hiperamonemia. A hi-

ponatremia pode ocorrer com qualquer tipo de solução de irrigação utilizada, mas a hiperglicinemia e hiperamonemia ocorrem somente com o uso de solução de glicina. Os distúrbios visuais também são complicações descritas da síndrome pós-RTU, mas ocorrem com a associação do uso de solução de glicina e hiponatremia grave.[21]

Tratamento[17,18]

A identificação precoce dos sintomas é essencial para evitar a instalação de manifestações graves da síndrome de RTU-P. Se houver suspeita intraoperatória, os pontos de sangramento devem ser coagulados e a cirurgia deve ser interrompida assim que possível. O tratamento cardiocirculatório deve ser instituído de acordo com o quadro clínico. A hipertensão é provavelmente transitória e o choque circulatório pode ser revertido se prontamente tratado. Se houver indícios de hipovolemia e redução do débito cardíaco, a expansão volêmica pode estar indicada assim que for encerrada a administração de solução de irrigação vesical.

O tratamento específico inclui solução salina hipertônica, que está indicado se a concentração plasmática de sódio for menor que 120 mmol.L^{-1} ou se houver sintomas graves, como cegueira transitória, náuseas e vômitos persistentes, cefaleia grave e hipotensão profunda (queda da pressão arterial sistólica maior que 50 mmHg). A correção rápida não deve ser realizada para evitar a mielinólise pontina. A velocidade de correção não deve passar de 1 mmol.L^{-1}.h^{-1} nas primeiras 24 horas. A solução salina hipertônica trata o edema cerebral, mas também expande o volume plasmático. A correção até o valor normal não é indicada, mas deve ser guiada pela melhora clínica. A solução hipertônica deve ser administrada por veia calibrosa.

A administração de furosemida só está indicada para tratar edema agudo de pulmão. A furosemida piora a hiponatremia, mas é eficaz para eliminar a água livre. O tratamento precoce com furosemida se baseia na ideia de que a hiponatremia ocorreria somente pela sobrecarga hídrica diluindo o fluido extracelular. No entanto, após uma hora de cirurgia com absorção moderada (até 1,3 L), a natriurese é a principal causa de hiponatremia. O manitol causa menor perda de sódio que os diuréticos de alça.

A hiperglicinemia pode ser a causa da encefalopatia relacionada à síndrome de RTU-P, por causa da sua ação em receptores NMDA. Convulsões também podem ser causadas por hipomagnesemia decorrente da hemodiluição ou pelo uso de diuréticos de alça.[19]

Os distúrbios visuais normalmente regridem espontaneamente após 24 horas e não requerem tratamento. Sintomas leves como náusea, vômitos e agitação sem instabilidade hemodinâmica devem ser monitorizados e podem ser tratados receptores NMDA com sintomáticos, incluindo antieméticos.

■ CIRURGIAS UROLÓGICAS DE GRANDE PORTE

Os pacientes que necessitam das grandes cirurgias urológicas são em sua maioria idosos com comorbidades sistêmicas significativas. Se associado ao diagnóstico de câncer, em seus crescentes estágios, os riscos operatórios representam um desafio a mais no cuidado perioperatório.

No trato urinário superior, as cirurgias maiores consistem em nefrectomias radical ou parcial e nefroureterectomia radical. As grandes cirurgias pélvicas incluem a cistectomia radical com derivação urinária e a prostatectomia radical.

Nefrectomia

O carcinoma de células renais representa a grande maioria (cerca de 90%) das massas sólidas renais, e tem como principais fatores de risco o tabagismo, a hereditariedade, a obesidade, a hipertensão, entre outros. O tratamento cirúrgico pode ser por nefrectomia radical ou parcial com preservação de néfrons.

O paciente a ser submetido a nefrectomia comumente terá idade acima de 70 anos e acompanhado de comorbidades. A nefrectomia é o tratamento padrão do carcinoma de células renais, e poderá ser radical ou parcial de acordo com características do tumor. O paciente com doença metastática, risco de desenvolvimento de insuficiência renal grave ou tumores bilaterais possivelmente será candidato à cirurgia com preservação de néfrons.

As cirurgias por via laparoscópica ou com assistência robótica estão se tornando padrão por se associarem a menor perda sanguínea, transfusão de hemocomponentes e taxas de complicações, menor tempo de internação hospitalar e menor alteração da taxa de filtração glomerular.[22]

A cirurgia renal aberta é indicada principalmente quando os tumores envolvem a veia cava inferior ou para tumores volumosos e centrais que requerem nefrectomia parcial e a abordagem laparoscópica não é possível.

Posterior e lateralmente, o rim se relaciona ao diafragma, pleura, décima-segunda costela e aos músculos quadrado lombar e psoas. Nas operações abertas sobre o rim são comumente adotadas abordagem extraperitoneal por lombotomia ou acesso subcostal posterolateral com o paciente em decúbito lateral. Esse acesso evita contaminação do compartimento com urina, sangue e/ou pus.

Anteriormente, o rim se relaciona ao peritônio, baço, cauda do pâncreas, cólon, segunda e quarta porção do duodeno e jejuno. Já medialmente, relaciona-se à veia cava inferior e aorta. O acesso transperitoneal anterior é adotado para a remoção de rins com neoplasias volumosas, para que vasos sejam acessíveis para ligadura, primeiramente da artéria renal, para redução do tamanho da massa, seguida da veia renal, o que evita disseminação tumoral. Cirurgias com homotransplante e correções renovasculares, ou reoperações também podem ser realizadas por acesso anterior transperitoneal.[23]

O posicionamento do paciente em decúbito lateral com flexão para lombotomia pode se associar a complicações. Cirurgias prolongadas com o paciente nessa posição pode resultar em alterações ventilatórias, com consequente formação de atelectasias e pneumonia, devido a congestão e inibição do movimento contralateral do pulmão pela cirurgia e inibição semelhante do pulmão ipsilateral pela dor pós-operatória. Fisioterapia respiratória precoce e regular é mandatória após cirurgia renal.

Cistectomia

O paciente com câncer de bexiga é em sua maioria idoso (acima dos 75 anos) e com histórico de tabagismo. As opções de tratamento da doença com invasão muscular inclui cistectomia com reconstrução urinária com confecção de conduto ileal ou neobexiga, além da possibilidade de tratamento com quimio e radioterapia.

A cistectomia radical com linfadenectomia pélvica bilateral e reconstrução e derivação urinária é uma das grandes cirurgias urológicas associada a alta morbidade (30% a 64%), mesmo com avanços recentes na técnica cirúrgica e dos protocolos de cuidados perioperatórios. A cistectomia radical foi incluída em estudos do protocolo ERAS® (Enhanced Recovery after Surgery) para adoção de medidas visando reduzir o índice de complicações e para acelerar a recuperação do paciente.[24]

Uma das medidas no preparo do paciente inserido no protocolo ERAS para cistectomia radical é a retirada do preparo de cólon por via oral no período pré-operatório e a abreviação do jejum antes da cirurgia, estimulando a ingestão de líquidos até 2 horas antes da indução da anestesia. Desse modo, o paciente tem menor depleção de volume intravascular antes da cirurgia, o que permite a adoção de técnicas restritivas de reposição de fluidos no período intraoperatório. Tanto o excesso de administração de fluidos venosos como a hipovolemia podem se associar a alteração de perfusão, em especial do território esplâncnico, o que pode causar íleo paralítico, aumento de morbidade e do tempo de internação hospitalar. A cistectomia radical se associa a grande risco de perdas sanguíneas, justificando-se então a adoção de monitores hemodinâmicos avançados para que a terapia hídrica, de reposição de hemocomponentes e de suporte cardiocirculatório sejam guiados por metas, em especial por parâmetros obtidos de monitores de débito cardíaco e volume sistólico.

A anestesia peridural torácica em nível de T9 a T11 pode ser associada por 72 horas, com intuito de bloquear a resposta ao estresse cirúrgico, garantir boa analgesia e permitir recuperação funcional mais rápida, com mobilização precoce, reintrodução de dieta e melhora da capacidade ventilatória, reduzindo as complicações cardiopulmonares pós-cirúrgicas.

A cistectomia radical robótica tem se desenvolvido e é opção menos invasiva e associada a menor índice de complicações perioperatórias e tempo de internação hospitalar, embora, por ser uma nova técnica, ainda tem tempo cirúrgico mais prolongado e dependa de treinamento e experiência do cirurgião.

Prostatectomia

O câncer de próstata é doença predominantemente do homem mais idoso (65 a 79 anos) e o câncer mais comum no homem. Opções de tratamento incluem vigilância ativa, radioterapia, terapia de ablação hormonal ou prostatectomia radical. A prostatovesiculectomia radical, cirurgia em que são removidas a glândula prostática e a vesícula seminal, é geralmente recomendada para pacientes cuja doença está contida na próstata e a expectativa de vida ultrapassa 10 anos. Não existe um limite de idade específico para sua realização, porém, muitos autores utilizam como limite a idade de 75 anos. Mais recentemente, tem-se ampliado o espectro de indicações da prostatectomia radical, sendo também uma das opções no tratamento multimodal da doença localmente avançada, devido à sua eficácia no controle das complicações locais da doença.[25-27]

Em geral, o câncer de próstata localizado não causa sintomas, ou estes se confundem com sintomas urinários comuns do avançar da idade, e os exames para detecção são realizados precocemente, para identificar a doença enquanto ela se limita à próstata. Esses tumores estão no estadio clínico T1 (toque retal normal) ou T2 (toque retal anormal, mas sem evidência de doença além da próstata), N0 ou Nx (sem evidência de disseminação linfonodal ou linfonodos não avaliados) e M0 (sem evidência de metástase). A escolha do tratamento é baseada considerando-se mais a expectativa de vida do que a idade cronológica. Quando a expectativa de vida do paciente é relativamente longa, o câncer de próstata localizado pode ser uma causa de morbidade e mortalidade. Já o paciente com idade avançada ou com expectativa de vida relativamente curta possui fatores de mortalidade que reduzem a probabilidade de que sofra progressão ou óbito pelo câncer de próstata. O valor de PSA, grau de Gleason e estadio tumoral compõem a estratificação de risco, que se associa à recorrência bioquímica e à mortalidade associada ao câncer. O tamanho (volume) da próstata pode ter impacto na escolha do tratamento em algumas situações.

A prostatectomia radical pode ser realizada por meio de uma incisão retropúbica ou perineal, por videolaparoscopia ou com assistência robótica, com ou sem linfadenectomia pélvica. A cirurgia de prostatectomia radical teve grande evolução técnica nos últimos 25 anos e apresenta incisões menores, menor perda sanguínea, menor tempo de internação e melhores taxas de continência e potência. Não existem evidências científicas que demonstrem superioridade de uma técnica sobre a outra, no que diz respeito ao controle da doença.

O câncer de próstata localmente avançado (estadio T3-T4) não está mais restrito ao órgão, mas pode ter indicação de prostatectomia radical exclusiva para controle da doença. Nesses casos, a cirurgia é abrangente, com ressecção ampla da próstata, em bloco, com estruturas laterais que contêm os feixes vasculonervosos e ressecção linfonodal mais extensa. A linfadenectomia pode envolver principalmente linfonodos na fossa obturatória e ao longo da veia ilíaca externa, mas pode se extender às cadeias ilíaca comum, hipogástrica, para-aórtica, pré-sacral ou perirretal.

Prostatectomia Radical Aberta

O tempo cirúrgico da prostatectomia radical aberta varia com a experiência do urologista, sendo geralmente inferior a 150 minutos (incluindo a linfadenectomia), com internação hospitalar média de 3 dias. Com a melhora na técnica da anastomose uretrovesical, a permanência média do cateter vesical de demora é de 7 a 10 dias.

A complicação peroperatória mais comum dessa técnica é o sangramento, principalmente pelas veias do complexo dorsal. A perda sanguínea média é de 500 a 1.000 mL e a taxa de transfusão sanguínea pode atingir níveis de até 30%.

A prostatectomia radical por via perineal é uma opção para pacientes com tumores primários de baixo risco e próstatas relativamente pequenas, quando há cirurgia pélvica prévia ou indicação específica. Ela se associa a menor perda sanguínea, quando comparada à cirurgia retropúbica, mas comparável quanto ao resultado oncológico.

Prostatectomia Radical Videolaparoscópica

A utilização da prostatectomia radical laparoscópica como tratamento do câncer de próstata tem aumentado e se aperfeiçoado desde que a técnica foi desenvolvida. Está relacionada com os benefícios das abordagens minimamente invasivas, preservando os resultados oncológicos e funcionais por meio da magnificação ótica e do uso de instrumentos refinados. Essa técnica está associada a uma melhor visualização cirúrgica, menor perda sanguínea e melhor preservação de estruturas adjacentes, mas não há melhor resultado oncológico, em comparação à cirurgia aberta. A abordagem laparoscópica reduz o sangramento intraoperatório, principalmente devido à elevação da pressão intra-abdominal e às melhores condições de visualização, sendo o sangramento médio em torno de 400 mL (185 a 1.200 mL). Em virtude do menor sangramento, reduz o índice de transfusões. Além do treinamento do cirurgião, outros fatores que influenciam o tempo cirúrgico são tamanho da próstata, extensão da doença neoplásica, dissecção linfonodal e preservação nervosa.

São descritas diferentes técnicas para cirurgia de prostatectomia videolaparoscópica, incluindo transperitoneal anterógrada, transperitoneal retrógrada, extraperitoneal anterógrada e extraperitoneal retrógrada.[28] O paciente é posicionado com os braços aduzidos ao longo do corpo e a mesa cirúrgica fica em posição de Trendelenburg. Na técnica extraperitoneal, em que há a dissecção e dilatação do espaço extraperitoneal, existe maior risco de absorção de CO_2.

Prostatectomia Radical Robótica

A prostatectomia radical assistida por robô vem crescendo a cada ano. O aumento rápido do emprego da cirurgia robótica ocorre devido aos avanços tecnológicos, como: imagem em 3 dimensões com magnificação de até 15 vezes, filtro de tremor, 7 níveis de liberdade de movimento e maior conforto para o cirurgião. O procedimento apresenta as mesmas contraindicações relativas das cirurgias laparoscópicas, ou seja, em pacientes com cirurgias abdominais prévias, doença pulmonar obstrutiva ou insuficiência renal, em que a seleção dos doentes deve ser mais criteriosa.

O tempo operatório em comparação à cirurgia aberta é maior, mas a incidência de complicações é comparável e há melhora em tempo de internação, sangramento estimado e frequência de transfusão. O tempo operatório varia de 130 a 282 minutos (51 a 540 minutos). É importante ressaltar que estudos que avaliaram esse parâmetro após o domínio da técnica cirúrgica indicam uma melhora importante do tempo.

Possivelmente devido à melhor visualização e às vantagens do equipamento, a perda sanguínea e a taxa de transfusão têm se mostrado menores do que em outras técnicas.

Manejo Anestésico

Anestesia geral, bloqueio subaracnóideo, anestesia peridural e técnicas combinadas têm sido utilizadas para realização da prostatectomia. A escolha da técnica anestésica deve levar em consideração o risco de recorrência tumoral e de trombose venosa profunda.

A anestesia combinada geral com peridural e a analgesia peridural mantida por 24 horas no pós-operatório reduzem significativamente a incidência de trombose venosa profunda, quando comparada com a anestesia geral. Essa ocorrência parece estar relacionada com a redução da resposta inflamatória e o efeito dos anestésicos locais no sistema hemostático. Além disso, o uso da anestesia combinada parece estar relacionado a um menor sangramento intraoperatório, quando comparado à anestesia geral.

As técnicas combinadas também estão relacionadas ao melhor controle da dor pós-operatória e, portanto, menor consumo de analgésicos. Esse controle mais eficiente da dor pós-operatória possibilita alta hospitalar mais precoce, diminuindo os custos da internação.

A relação entre a técnica anestésica e a recorrência tumoral tem sido extensamente estudada. Estudos retrospectivos, como o desenvolvido por Biki e col.,[29] sugerem que a anestesia geral combinada com peridural diminui a incidência de recidiva bioquímica da neoplasia de próstata. Os benefícios teóricos da anestesia combinada se baseiam na modulação da resposta neuroendócrina e na redução do consumo de opioides. Contudo, mais estudos são necessários para avaliar a relação de técnicas anestésicas em cirurgias oncológicas.[30,31]

Outra técnica eficaz na analgesia pós-operatória para prostatectomias é o bloqueio do plano transverso abdominal. Essa modalidade de anestesia regional promove bloqueio sensitivo da parede abdominal (T10-L1).[32] A técnica é simples de realizar e relativamente de baixo risco. Uma desvantagem é que não proporciona analgesia visceral e, quando utilizada, é comum que os pacientes se queixem da sensação de "bexiga cheia", devido ao espasmo vesical provocado pela manipulação cirúrgica.

Alterações Fisiológicas do Posicionamento Cirúrgico

As principais preocupações do anestesiologista nas prostatectomias laparoscópicas e robóticas são os efeitos fisiológicos do pneumoperitônio associado à posição de Trendelenburg acentuada, o acesso restrito ao paciente e a prevenção e/ou tratamento de complicações.[33-35] O efeito combinado do posicionamento e pneumoperitônio com CO_2 tem repercussões na homeostase cardiovascular, cerebrovascular e respiratória.

Nas cirurgias robóticas, devem ser levadas em consideração as restrições espaciais, devido ao volumoso aparato cirúrgico. Uma vez que o robô foi posicionado e montado, o anestesiologista não consegue mais acessar o doente livremente. Portanto, extensões, monitores e dispositivos protetores devem ser colocados antes dos campos cirúrgicos e fixados, de modo a evitar dobras ou deslocamentos.

Posicionamento

O posicionamento do paciente nas cirurgias urológicas é geralmente complexo e algumas posições necessárias para uma exposição cirúrgica ótima põem o paciente em risco de algumas complicações.

- **Litotomia:** posição habitualmente utilizada nas cirurgias endoscópicas da próstata, em que é utilizada uma variedade de suportes para pernas e pés. Essa posição tem consequências no sistema respiratório, dado o aumento na pressão abdominal, que determina redução dos volumes e complacência pulmonar. Esses efeitos são exacerbados quando o paciente é posto em cefalodeclive. As neuropatias de membros inferiores representam uma outra possível complicação desse posicionamento. Os principais fatores de risco são idade avançada e tempo de procedimento prolongado. As lesões possíveis de ocorrer são: compressão do nervo fibular superficial (mais comum), distensão do nervo obturatório, cutâneo femoral lateral e do nervo ciático. Para evitar a distensão destes nervos, recomenda-se que não se flexione o quadril mais do que 90 graus. A síndrome compartimental com rabdomiólise é uma complicação grave desse posicionamento e está descrita em procedimentos com duração maior que 4 horas, flexão extrema do quadril e compressão das pernas pelo suporte das pernas. Essa complicação parece estar relacionada com a redução da pressão arterial nos membros inferiores, causada pela elevação dos membros e associada a um aumento na pressão tecidual nos compartimentos musculares, gerando hipoperfusão tecidual e edema, que potencialmente podem evoluir para a síndrome compartimental. Suportes de pernas bem acolchoados ajudam a prevenir essa complicação. A dor lombar também pode ser decorrente da posição de litotomia, pela perda da lordose lombar.

- **Cefalodeclive:** a posição de Trendelenburg é frequentemente usada para melhorar a exposição perineal em cirurgias prostáticas laparoscópicas e robóticas. As consequências fisiológicas desse posicionamento são a redução do volume corrente na ventilação pulmonar, com consequente atelectasia e o aumento da PIC. Usualmente é colocado um suporte nos ombros do paciente, para evitar seu deslocamento, principalmente quando é usado o cefalodeclive acentuado. Essa prática desencorajada, pois pode causar estiramento e lesão do plexo braquial, particularmente se os membros superiores estiverem abduzidos.

A posição de Trendelenburg acentuada também pode causar edema facial, faríngeo e laríngeo. Se ao final do procedimento for observado edema facial e/ou conjuntival, deve-se suspeitar que possa haver também edema laríngeo e é recomendado realizar teste de vazamento do balonete do tubo traqueal antes de extubar o paciente, mantendo observação cuidadosa na sala de recuperação pós-anestésica. A restrição hídrica moderada e a limitação do tempo em Trendelenburg podem ajudar a evitar essa complicação. A restrição hídrica também ajuda a reduzir a diurese, que pode interferir no campo operatório.

Posição supina com hiperextensão: essa posição é habitualmente usada nas prostatectomias radicais convencionais, para melhor acesso aos órgãos pélvicos. Nesse caso, a crista ilíaca é posicionada na quebra da mesa, para que se aumente a distância entre esta e as costelas. Nesta posição há a possibilidade de lesão nervosa e da coluna lombar.

Sistema Respiratório

Tanto a posição de Trendelenburg acentuada quanto o pneumoperitônio influenciam na mecânica respiratória, elevando o CO_2 arterial e as pressões de pico inspiratório durante a ventilação mecânica. O Trendelenburg faz com que o conteúdo abdominal pressione o diafragma e as estruturas mediastinais em direção cefálica, reduzindo a complacência pulmonar e a capacidade residual funcional; os pulmões ficam predispostos à formação de atelectasias por compressão e alteração da relação ventilação/perfusão, que podem levar à hipóxia. Pressões intra-abdominais entre 12 e 15 mmHg promovem espaço operatório suficiente dentro da cavidade peritoneal. Mas quando a insuflação abdominal é associada à posição de Trendelenburg, a Associação Europeia de Cirurgia Endoscópica recomenda evitar pressões acima de 12 mmHg, devido à redução de mais de 30% na complacência pulmonar.[36] Outro fator que promove essas alterações é o aumento do volume sanguíneo pulmonar. A pressão inspiratória no platô também se eleva, retornando a valores um pouco acima dos basais à restituição à posição supina.

O risco respiratório pode ser minimizado com a redução do volume corrente e o aumento da frequência respiratória, permitindo pequeno grau de hipercarbia. O aumento da duração da inspiração pode ser uma alternativa para promover melhor troca gasosa, com relação I:E de 2:1 ou 1:1.

Sistema Cardiovascular

Na instituição do Trendelenburg acentuado, a pressão arterial média e a pressão venosa central elevam-se significativamente. No início, esses aumentos de pressão são decorrentes do aumento de pressão hidrostática, causada pelo posicionamento da mesa operatória. Em parte, o aumento da pressão arterial média também pode ser explicado pelo aumento do débito cardíaco e da resistência vascular sistêmica. O aumento da pressão intra-abdominal causa compressão da aorta e aumento da pós-carga. O Trendelenburg pode causar sobrecarga ao ventrículo direito, aumentando o trabalho miocárdico e o débito cardíaco, embora as alterações hemodinâmicas sejam transitórias ou pouco significativas. Em pacientes com função cardíaca comprometida, a elevação da pré-carga pode levar à insuficiência cardíaca. Também foi descrita bradicardia grave no início do pneumoperitônio, provavelmente decorrente de estimulação vagal pela distensão peritoneal.

Se por um lado a posição de Trendelenburg pode aumentar o volume sistólico e o débito cardíaco devido ao aumento do retorno venoso, a compressão aórtica pelo pneumoperi-

tônio aumenta a resistência vascular sistêmica e, portanto, o volume sistólico e o débito cardíaco podem sofrer redução, em vez de elevação. O pneumoperitônio também aumenta a atividade cardíaca mediada pelo sistema nervoso simpático e induz uma resposta hemodinâmica ao estresse com ativação do sistema neuro-humoral vasoativo (vasopressina e sistema renina-angiotensina-aldosterona – SRAA), resultando em elevação de frequência cardíaca, resistência vascular periférica e pulmonar e pressão arterial. Esses efeitos combinados podem levar ao aumento da demanda miocárdica de oxigênio; portanto especial cuidado deve ser tomado em pacientes com reserva cardíaca reduzida ou barorreflexo prejudicado.

Sistema Neurológico

A posição de Trendelenburg se associa ao aumento da PIC. Além disso, o pneumoperitônio causa aumento da pressão intra-abdominal, que obstrui o retorno venoso pelo plexo venoso lombar, também resultando em elevação da PIC. Em pacientes com isquemia cerebral ou doenças cerebrovasculares, a produção de pneumoperitônio e o posicionamento em Trendelenburg podem ter consequências desastrosas devido à elevação excessiva da PIC. Como a hipercapnia causa aumento no volume sanguíneo cerebral, recomenda-se que os pacientes sejam mantidos em normocapnia para preservar a oxigenação cerebral e a pressão de perfusão cerebral dentro dos limites em que a autorregulação cerebral mantenha o fluxo sanguíneo cerebral.

A posição de Trendelenburg também causa elevação da pressão intraocular (PIO). O aumento da PIO e a diminuição da pressão de percussão ocular podem ser as causas da amaurose.

Absorção de CO_2

Uma complicação temida é a embolia gasosa venosa, por ser potencialmente fatal. A apresentação clínica depende não somente do tamanho das bolhas, mas da velocidade da sua entrada na circulação. Esse quadro deve ser suspeitado quando ocorrer súbito colapso cardiocirculatório sem causa evidente, acompanhado de alterações na curva de capnografia. Existem dois momentos em que ela pode ocorrer: durante a insuflação e durante a dissecção do complexo venoso dorsal profundo. Como o CO_2 é extremamente solúvel na presença de hemácias, a embolia por CO_2 apresenta menor risco que a embolia gasosa.

O enfisema subcutâneo com CO_2 também é uma complicação comum da cirurgia laparoscópica, pois pode haver um aumento na absorção de CO_2 na dissecção de retroperitônio. A hipercarbia pode causar estimulação simpática, elevando a frequência cardíaca e pressão arterial. A ventilação mecânica pode ser mantida até a correção da hipercarbia, para prevenir o aumento excessivo do trabalho respiratório.

■ CIRURGIAS DA GENITÁLIA EXTERNA MASCULINA

Cirurgias de curta duração do conteúdo escrotal, como orquiectomia, vasectomia, coleta de esperma por punção testicular, entre outras, podem ser realizadas com anestesia local e bloqueio do cordão espermático. A inervação do conteúdo escrotal é proveniente do ramo genital do nervo genitofemoral e de ramo terminal do nervo ilioinguinal. Após a saída do anel externo do canal inguinal, ambos entram pelo cordão espermático. Como a pele da bolsa escrotal é inervada por fibras sensitivas do nervo pudendo e ramos perineais do nervo cutâneo lateral da coxa, é importante complementação com anestesia local infiltrava no local da incisão da pele.[37]

O bloqueio do cordão espermático pode ser realizado por técnica anatômica, 1 cm abaixo e medial ao tubérculo púbico, ou com auxílio de ultrassonografia, visualizando diretamente o cordão espermático. Desse modo, é reduzido o risco de injeção intravascular e lesão da artéria testicular.[38]

O pênis é inervado pelo nervo pudendo, proveniente de ramos sacrais de S2 a S4, que se divide dentro do canal pudendo em ramos dorsais do pênis e perineais. Os nervos dorsais passam em cada lado em espaços distintos, raramente comunicantes. O freio peniano recebe inervação dos nervos dorsais e de ramos do nervo perineal.

Cirurgias como postectomia e correção de hipospádia distal podem ser realizadas com bloqueio peniano. Esse é realizado com injeção do anestésico local bilateralmente nos espaços entre a fáscia superficial e de Buck, de cada lado do ligamento suspensor. Para complementação da anestesia do freio do pênis, pode ser realizada infiltração subcutânea na base ventral. Também é descrita técnica do bloqueio dorsal do pênis com auxílio de ultrassom, garantindo dispersão bilateral do anestésico no plano correto.[39]

■ CONCLUSÃO

As cirurgias do sistema urinário envolvem procedimentos com acessos cada vez menos invasivos e, em alguns casos, possíveis de serem realizados sob anestesia locorregional. As cirurgias endourológicas estão adotando instrumentais mais sofisticados e miniaturizados, conduzidos em ambiente ambulatorial. Mesmo as grandes cirurgias com maior potencial de complicações estão se desenvolvendo tecnicamente, com possibilidade de adoção de protocolos de aceleração de recuperação, em que o manejo intraoperatório do anestesiologista representa papel importante no desfecho cirúrgico.

REFERÊNCIAS

1. Pedersen KV, Drewes AM, Frimodt-Møller PC, Osther PJS. Visceral pain originating from the upper urinary tract. Urol Res. 2010; 38(5):345-55.
2. de Groat WC, Griffiths D, Yoshimura N. Neural control of the lower urinary tract. Compr Physiol. 2015; 5(1):327-96.
3. Patel J, Jones CN. Anaesthesia for Major Urological Surgery. Anesthesiol Clin. 2022; 40(1):175-197.
4. Vukovic N, Dinic L. Enhanced Recovery After Surgery Protocols in Major Urologic Surgery. Front Med (Lausanne). 2018; 5:93.
5. Katims AB, Eilender BM, Pfail JL, Sim AJ, Sfakianos JP. Tips and tricks in achieving zero peri-operative opioid used in onco-urologic surgery. World J Urol. 2022; 40(6):1343-1350.
6. Lightner DJ, Wymer K, Sanchez J, Kavoussi L. Best Practice Statement on Urologic Procedures and Antimicrobial Prophylaxis. J Urol. 2020; 203(2):351-356.
7. Wolf JS Jr, Bennett CJ, Dmochowski RR, Hollenbeck BK, Pearle MS, Schaeffer AJ; Urologic Surgery Antimicrobial Prophylaxis Best Practice Policy Panel. Best practice policy statement on urologic surgery antimicrobial prophylaxis. J Urol. 2008; 179(4):1379-90.
8. Geavlete P, Multescu R, Drăgutescu M, Georgescu D, Geavlete B, Geavlete PA. Optical Internal Urethrotomy in Males. In: Geavlete PA, editor. Endoscopic diagnosis and treatment in urethral pathology: Handbook of endourology. San Diego, CA: Academic Press; 2015. Chapter 2. p. 11-63.
9. Galway U, Borkowski R. Office-based anesthesia for the urologist. Urol Clin North Am. 2013; 40(4):497-519.
10. Georgescu D, Alexandrescu E, Multescu R, Geavlete B, Geavlete PA. Cystoscopy and Urinary Bladder Anatomy. In: Geavlete PA, editor. Endoscopic diagnosis and treatment in Urinary Bladder Pathology: Handbook of endourology. San Diego, CA: Academic Press; 2016. Chapter 1. p. 1-24.
11. Tollefson MK, Boorjian SA, Leibovich BC, Taneja SS. Complications of the Incision and Patient Positioning. In: Taneja SS, Shah O, editors. Complications of urologic surgery: Prevention and management. 5th ed. Philadelphia: Elsevier; 2017. Chapter 20. p. 225-36.
12. EAU Guidelines on Management of Non-Neurogenic Male Lower Urinary Tract Symptoms (LUTS), incl. Benign Prostatic Obstruction (BPO); 2018. https://uroweb.org/wp-content/uploads/EAU-Guidelines-on-the-Management-of-Non-neurogenic-Male-LUTS-2018-large-text.pdf.
13. Foster HE, Barry MJ, Dahm P, Gandhi MC, Kaplan SA, Kohler TS, et al. Surgical Management of Lower Urinary Tract Symptoms Attributed to Benign Prostatic Hyperplasia: AUA Guideline. J Urol. 2018; 200(3):612-619.
14. O'Leary MP. Treatment and pharmacologic management of BPH in the context of common comorbidities. Am J Manag Care. 2006; 12(5 Suppl):S129-40.
15. Rassweiler J, Teber D, Kuntz R, Hofmann R. Complications of transurethral resection of the prostate (TURP)--incidence, management, and prevention. Eur Urol. 2006; 50(5):969-79; discussion 980.
16. Dornbier R, Pahouja G, Branch J, McVary KT. The New American Urological Association Benign Prostatic Hyperplasia Clinical Guidelines: 2019 Update. Curr Urol Rep. 2020; 21(9):32.
17. O'Donnell AM, Foo ITH. Anaesthesia for transurethral resection of the prostate. Continuing Education in Anaesthesia Critical Care & Pain. 2009; 9(3):92-96.
18. Hahn RG. Fluid absorption in endoscopic surgery. Br J Anaesth. 2006; 96(1):8-20.
19. Hawary A, Mukhtar K, Sinclair A, Pearce I. Transurethral resection of the prostate syndrome: almost gone but not forgotten. J Endourol. 2009; 23(12):2013-20.
20. Ishio J, Nakahira J, Sawai T, Inamoto T, Fujiwara A, Minami T. Change in serum sodium level predicts clinical manifestations of transurethral resection syndrome: a retrospective review. BMC Anesthesiol. 2015; 15:52.
21. Jensen V. The TURP syndrome. Can J Anaesth. 1991; 38(1):90-6.
22. Patel J, Jones CN. Anaesthesia for Major Urological Surgery. Anesthesiol Clin. 2022; 40(1):175-197.
23. Brown RB. Anatomy, Physiology and Related Pathology. In: Brown RB. Clinical Urology Illustrated. Dordrecht: Springer Netherlands; 1982. p. 36-74.
24. Cerantola Y, Valerio M, Persson B, Jichlinski P, Ljungqvist O, Hubner M, et al. Guidelines for perioperative care after radical cystectomy for bladder cancer: Enhanced Recovery After Surgery (ERAS®) society recommendations. Clin Nutr. 2013; 32(6):879-87.
25. Mottet N, Bellmunt J, Bolla M, Briers E, Cumberbatch MG, De Santis M, et al. EAU-ESTRO-SIOG Guidelines on Prostate Cancer. Part 1: Screening, Diagnosis, and Local Treatment with Curative Intent. Eur Urol. 2017; 71(4):618-629.
26. Sanda MG, Cadeddu JA, Kirkby E, Chen RC, Crispino T, Fontanarosa J, et al. Clinically Localized Prostate Cancer: AUA/ASTRO/SUO Guideline. Part I: Risk Stratification, Shared Decision Making, and Care Options. J Urol. 2018; 199(3):683-690.
27. Sociedade Brasileira de Urologia. Câncer de Próstata Localizado: Tratamento. Projeto Diretrizes - Associação Médica Brasileira e Conselho Federal de Medicina 2006. https://amb.org.br/files/_BibliotecaAntiga/cancer-de-prostata-localizado-tratamento.pdf (accessed August 31, 2023).
28. Frota R, Turna B, Barros R, Gill IS. Comparison of radical prostatectomy techniques: open, laparoscopic and robotic assisted. Int Braz J Urol. 2008; 34(3):259-68; discussion 268-9.
29. Biki B, Mascha E, Moriarty DC, Fitzpatrick JM, Sessler DI, Buggy DJ. Anesthetic technique for radical prostatectomy surgery affects cancer recurrence: a retrospective analysis. Anesthesiology. 2008; 109(2):180-7.
30. Grandhi RK, Lee S, Abd-Elsayed A. The Relationship Between Regional Anesthesia and Cancer: A Metaanalysis. Ochsner J. 2017; 17(4):345-361.
31. Sekandarzad MW, van Zundert AAJ, Lirk PB, Doornebal CW, Hollmann MW. Perioperative Anesthesia Care and Tumor Progression. Anesth Analg. 2017; 124(5):1697-1708.
32. Jakobsson J, Wickerts L, Forsberg S, Ledin G. Transversus abdominal plane (TAP) block for postoperative pain management: a review. F1000Res. 2015; 4:F1000 Faculty Rev-1359.
33. Gainsburg DM. Anesthetic concerns for robotic-assisted laparoscopic radical prostatectomy. Minerva Anestesiol. 2012; 78(5):596-604.

34. Kalmar AF, Foubert L, Hendrickx JFA, Mottrie A, Absalom A, Mortier EP, et al. Influence of steep Trendelenburg position and CO(2) pneumoperitoneum on cardiovascular, cerebrovascular, and respiratory homeostasis during robotic prostatectomy. Br J Anaesth. 2010; 104(4):433-9.
35. Lee JR. Anesthetic considerations for robotic surgery. Korean J Anesthesiol. 2014; 66(1):3-11.
36. Neudecker J, Sauerland S, Neugebauer E, Bergamaschi R, Bonjer HJ, Cuschieri A, et al. The European Association for Endoscopic Surgery clinical practice guideline on the pneumoperitoneum for laparoscopic surgery. Surg Endosc. 2002; 16(7):1121-43.
37. Wakefield SE, Elewa AA. Spermatic cord block: a safe technique for intrascrotal surgery. Ann R Coll Surg Engl. 1994; 76(6):401-2.
38. Wipfli M, Birkhäuser F, Luyet C, Greif R, Thalmann G, Eichenberger U. Ultrasound-guided spermatic cord block for scrotal surgery. Br J Anaesth. 2011; 106(2):255-9.
39. Yiğit D, Özen V, Kandirici A, Dokucu Aİ. Ultrasound-guided dorsal penile nerve block is a safe block in hypospadias surgery: A retrospective clinical study. Medicine (Baltimore). 2022; 101(26):e29700.

Parte 22

Anestesia para
Cirurgias Ortopédicas

Anestesia para Cirurgias Ortopédicas dos Membros Superiores

Vitor Zeponi Dal'Acqua ▪ **Diogo Barros Florenzano de Sousa** ▪ **Elaine Gomes Martins**

INTRODUÇÃO

As cirurgias ortopédicas de membro superior englobam uma grande variedade de procedimentos comuns na prática anestésica. Encontra-se nessa população um perfil etiológico amplo, que abrange desde os pacientes submetidos a uma intervenção de urgência, decorrente de um trauma ortopédico, até os pacientes com limitações ortopédicas crônicas, que buscam uma melhora da qualidade funcional do membro. Durante o planejamento anestésico nos deparamos com uma região cirúrgica de inervação complexa, com altos índices de dor pós-operatória e uma necessidade de rápida reabilitação dos pacientes. Este conjunto cria um grande desafio para os anestesiologistas.

Este capítulo fornece uma base teórica para guiar o leitor nos princípios básicos da condução das principais cirurgias ortopédicas de membro superior e que, ao final da leitura, o leitor desenvolva senso crítico e interesse suficientes para se aprofundar neste tema fascinante.

▪ EPIDEMIOLOGIA

Em 2022, através de coleta de dados do DataSUS, foi constatada a realização de 836.658 internações para cirurgias ortopédicas no Sistema Único de Saúde do Brasil – SUS,[1] demonstrando um grande volume cirúrgico da especialidade no sistema público. A tendência é de aumento da especialidade ao longo dos anos, devido principalmente à expansão hospitalar do país e também ao aumento da população idosa. Em último informe do Instituto Brasileiro de Geografia e Estatística – IBGE, a população idosa do Brasil aumentou de 11,3% em 2012 para 14,7% em 2021,[1] tendência também verificada na maioria dos outros países. O aumento da expectativa de vida reflete de maneira positiva no número de procedimentos ortopédicos, visto que a população idosa representa um dos principais grupos etários submetidos a esse tipo de cirurgia.[2]

As fraturas de membro superior apresentam uma alta incidência em todas as faixas etárias, com pico de incidência duplo ocorrendo em adultos jovens e pacientes acima de 65 anos.[3] É importante entender o motivo dessa distribuição. A população jovem está sujeita a traumas de alta energia, geralmente relacionados ao esporte e a acidentes automobilísticos, motivo que também infere em predomínio no sexo masculino nesta faixa etária. As fraturas da população mais idosa estão relacionadas com traumas de baixa intensidade, justificadas pela maior incidência de fragilidade do idoso e osteoporose.[2] É interessante ressaltar que a ocorrência de fraturas em mulheres é maior neste último grupo etário. Este achado pode ser explicado pelos menores níveis hormonais do sexo feminino na pós-menopausa, pela menor massa muscular, além de fatores culturais como menor exposição a atividade física das mulheres durante a vida quando comparado com o sexo masculino.[4]

Quando voltamos a análise para as principais cirurgias eletivas de membro superior, a mesma tendência de crescimento impulsionada pelo envelhecimento populacional é encontrada. Lesões do manguito rotador são comuns na população geral, com prevalência relatada de 20%, podendo atingir 40% em populações acima de 70 anos de idade.[5] Estes pacientes mais idosos, que antes eram tratados de maneira conservadora, passaram a ser alvo de maior número de indicações cirúrgicas nos últimos anos. O avanço das técnicas cirúrgicas e o aumento do número de idosos que se mantêm fisicamente ativos pode justificar essa mudança. Apesar do maior risco de nova rotura do ligamento após cirurgia, a literatura hoje constata grande benefício clínico em realizar o reparo cirúrgico em pacientes acima de 70 anos de idade.[5,6] Essa tendência de aumento do número de procedimentos foi verificada de forma mais direta em um estudo brasileiro conduzido por Malavolta et al. (2017), que realizou a coleta de dados do número de procedimentos de reparo do manguito rotador realizados no Sistema Único de Saúde (SUS) entre 2003 e 2015, constatando um crescimento de 238% no número anual de procedimentos.[7]

A síndrome de compressão do túnel do carpo merece atenção, sendo descrita como a principal neuropatia periférica compressiva do membro superior, com uma prevalência de 3,8% na população geral,[8] podendo atingir 7,8% em populações de pacientes que utilizam o trabalho manual em sua rotina.[9] Apesar da possibilidade de tratamento clínico, as técnicas cirúrgicas proporcionam bons resultados funcionais e de alívio da dor.

Esta breve análise epidemiológica exemplifica o avanço das soluções cirúrgicas para diversas patologias comuns e importantes na população em geral. O envelhecimento populacional resultará em grande aumento do número de pacientes com limitações ortopédicas em busca de uma melhora da qualidade de vida.

■ AVALIAÇÃO PRÉ-OPERATÓRIA

O planejamento da anestesia para cirurgia ortopédica é de extrema importância. O estado de saúde do paciente e eventuais comorbidades podem influenciar na técnica anestésica, como será abordada a seguir neste tópico. Da mesma forma, o diálogo com o cirurgião é processo obrigatório, sendo possível obter informações acerca de incisões cirúrgicas, grupos musculares e estruturas ósseas que serão abordados durante o ato cirúrgico. O processo de reabilitação prevista para o paciente também deve ser de conhecimento do anestesista. É necessário saber qual o planejamento de alta, se haverá fisioterapia precoce, ou se o membro será totalmente imobilizado: são informações preciosas que ajudam o anestesista a guiar a escolha da técnica anestésica. Técnicas cirúrgicas menos invasivas são preferência de um número crescente de cirurgiões, e uma atenção maior está voltada para a importância da rápida reabilitação do paciente. Com o tempo, é natural que o anestesiologista de cirurgias ortopédicas adquira conhecimento sobre as principais técnicas cirúrgicas e o plano de reabilitação dos pacientes, elevando a sua prática anestésica.

Neste tópico serão abordadas as principais condições pré-operatórias que irão influenciar no planejamento anestésico das cirurgias ortopédicas de membro superior, de forma a guiar o leitor a realizar uma avaliação pré-operatória direcionada, sanando dúvidas sobre a condução de pacientes que se enquadram nessas condições importantes. É comum que o anestesiologista tenha dúvidas sobre as contraindicações de um bloqueio periférico, muitas vezes tomando a decisão de não realizá-lo baseado em mitos originários de uma literatura não atual, que foram perpetuados ao longo do tempo. Os temas a seguir foram selecionados para que o leitor tenha maior segurança na tomada de condutas frente a esse tipo de problema. As técnicas cirúrgicas serão abordadas em outra seção deste capítulo, porém, na prática devem ser investigadas no momento da avaliação pré-anestésica.

Anticoagulação

O envelhecimento populacional acarretou uma maior parcela de pessoas com doenças crônicas que necessitam de anticoagulação terapêutica, como: fibrilação atrial, válvulas cardíacas mecânicas, doença arterial coronariana e doença arterial periférica.[10] Da mesma forma, o uso da profilaxia para prevenção da trombose venosa profunda tornou-se prática comum no manejo de pacientes internados, com amplo uso no perioperatório de pacientes cirúrgicos. O manejo destes anticoagulantes no período perioperatório é tema de grande discussão e estudo, e o anestesiologista deve estar atento às frequentes atualizações decorrentes do surgimento de novas medicações.

O sangramento cirúrgico não é a única preocupação relacionada à anticoagulação. A literatura alerta para o aumento da ocorrência de hematoma espinal após bloqueios neuroaxiais, visto que o uso de anticoagulantes é o principal fator de risco relacionado a esta intercorrência.[11] Sua incidência é estimada em 1/150 mil punções epidurais, e 1/220 mil punções subaracnóideas,[12] porém, apesar de raros, as complicações neurológicas resultantes de sua ocorrência podem ser catastróficas. É importante entender que devido à baixa incidência de hematoma na população, as recomendações das sociedades anestésicas são amparadas em relatos de casos e recomendações de especialistas, devido à dificuldade de se realizar grandes estudos sobre o tema. Deste modo, as principais *guidelines* existentes devem servir como um apoio para o anestesiologista, mas não devem excluir a avaliação clínica e a individualização de cada paciente.[13-15]

A evolução da anestesia regional guiada por ultrassom trouxe uma variedade de bloqueios periféricos para a prática médica, inclusive com a possibilidade de alocação de cateteres perineurais. Deste modo, surgiu a pertinente dúvida: como manejar a anticoagulação de pacientes que serão submetidos a bloqueios periféricos?

A resposta para essa pergunta sofre com as mesmas dificuldades que cercam os hematomas espinais: as complicações apresentam uma incidência rara e escassez de dados na literatura. Os relatos de caso neste contexto ganham força literária, sendo descritos casos de hematomas musculares importantes após a realização de bloqueios do plexo lombar, canal dos adutores e quadrado lombar.[16-18] Apesar destas coleções não serem causa de complicações neurológicas, a perda volêmica pode ser preocupante. Não há um consenso absoluto acerca das recomendações de manejo da anticoagulação em bloqueios periféricos, sendo possível encontrar variações entre as diferentes sociedades de anestesiologia. As recomendações da Sociedade Europeia de Anestesiologia e Cuidados Intensivos dividem os bloqueios periféricos em bloqueios superficiais (regiões sem consequências importantes na ocorrência de um sangramento, com possibilidade de compressão externa) e bloqueios profundos (regiões com consequências potencialmente graves na ocorrência de um sangramento, sem possibilidade de compressão externa).[19]

A classificação dos principais bloqueios periféricos do membro superior pode ser verificada na Tabela 169.1, baseada nas recomendações da Sociedade Europeia de Anestesia Regional. Os bloqueios periféricos superficiais podem ser realizados na vigência de anticoagulação, enquanto os bloqueios periféricos profundos devem seguir as mesmas recomendações do bloqueio neuroaxial[19,20] (Tabela 169.2).

É importante ressaltar que a classificação de um bloqueio periférico em superficial deve considerar a individualização do paciente. Em pacientes obesos ou com deformidades estruturais, um bloqueio comumente classificado como superficial (como o bloqueio supraclavicular) pode não ser efetivamente compressível em caso de sangramento, sendo mais prudente, neste caso, considerá-lo como profundo.

Lesão Neurológica Prévia

Pacientes com neuropatias são um grande desafio para os anestesiologistas, sendo tema de debate na comunidade médica. A condução destes pacientes gera preocupação entre cirurgiões e anestesistas, devido ao risco de piora da condição neurológica do paciente no período perioperató-rio. A utilização da anestesia de regional nessa população pode gerar muitas dúvidas e questionamentos, de modo que esta seção do capítulo pretende reunir os conceitos básicos e as evidências da literatura acerca do tema, a fim de guiar as decisões do leitor.

Em 1973 foi proposta pela primeira vez a teoria do esmagamento neural duplo (*double crush*), na qual uma lesão neural prévia pode tornar o nervo suscetível a novas lesões.[21] Para entender este mecanismo, deve-se lembrar que o neurônio periférico possui um axônio de grande comprimento, dependendo de um fluxo axonal adequado por todo o seu trajeto para manter sua viabilidade. Uma lesão prévia em um ponto deste axônio pode prejudicar este fluxo, aproximando-o do limite fisiológico necessário para manter sua função adequada. Uma segunda lesão neste axônio, mesmo

Tabela 169.1 Orientações quanto à realização de bloqueios periféricos profundos e bloqueios neuroaxiais em pacientes anticoagulados.

Anticoagulante	Tempo entre a última dose e o bloqueio	Valor laboratorial alvo para realizar o bloqueio	Tempo entre o bloqueio e a próxima dose
Antagonistas da vitamina K	Warfarina – 5 dias	INR normal	Sem restrição ■ Não administrar a medicação na presença de cateter perineural/peridural
Antagonista direto do fator Xa profilático	Rivaroxaban 24h Endoxaban 24h Apixaban 36h	Sem testes	6 a 8h ■ Não administrar a medicação na presença de cateter perineural/peridural
Antagonista direto do fator Xa terapêutico	72h ou alvo de laboratório	Fator Xa direto < 30ng.ml ou anti-Xa ≤ 0,1UI/ml	6 a 8h ■ Não administrar a medicação na presença de cateter perineural/peridural
Dabigatran profilático	48h	Sem testes	6h ■ Não administrar a medicação na presença de cateter perineural/peridural
Dabigatran terapêutico	72h ou alvo de laboratório	DTI < 30ng.ml ou tempo de trombina normal	24h ■ Não administrar a medicação na presença de cateter perineural/peridural
Enoxaparina profilática	12h (24h se ClCr < 30 ml/min)	Sem testes	4h
Enoxaparina terapêutica ou concomitante com antiplaquetários	24h (48h se ClCr < 30ml.min) ou alvo de laboratorio	Anti-Xa ≤ 0,1 UI/ml	4h ■ Não administrar a medicação na presença de cateter perineural/peridural
Heparina não fracionada baixa dose ≤ 200 UI.kg/dia intravenoso ≤ 100 UI.kg/dia subcutâneo	4h	Sem testes	1h
Heparina não fracionada alta dose	Alvo de laboratório	TTPA, anti-Xa ou tempo de coagulação ativado normais	1h ■ Não administrar na presença de cateter
Fondaparinux ≤ 2.5mg/dia	36h (72h se ClCr < 50ml/min)	Sem testes	6-12 horas
Fondaparinux ≥ 2.5mg/dia	Alvo de laboratório (cerca de 4 dias)	Anti-Xa calibrado ≤ 0,1UI/ml	Não definido
AAS ≤ 200mg/dia	Sem restrições	Sem testes	0h
AAS ≥ 200mg/dia	3 a 7 dias	Função plaquetária normal	6h
Inibidores P2Y12	Ticagrelor 5 dias Clopidogrel 5 a 7 dias Prasugrel 7 dias		Clopidogrel 75mg – 0h Prasugrel, ticagrelor – 24h Clopidogrel 300mg – 48h

que pequena e pouco importante, pode prejudicar ainda mais um fluxo axonal já diminuído e limítrofe, ocasionando em uma perda de função desproporcional à gravidade da segunda lesão.[21] Este mecanismo pode ser visualizado com maior clareza na Figura 169.1.

As estruturas neurais estão sujeitas a diversas agressões durante procedimentos cirúrgicos ortopédicos, que podem decorrer da própria cirurgia (torniquetes, hemorragia, estiramentos por posicionamento, manipulação e compressão) ou por insultos anestésicos decorrentes da vasoconstrição perineural, hipoxemia ou toxicidade de medicamentos, que pode ocorrer devido aos próprios anestésicos locais.[22] Esta é a base teórica que coloca as neuropatias prévias como fator de risco para lesões neurológicas perioperatórias.

A literatura não conseguiu definir se as técnicas de anestesia regional contribuem para a ocorrência de lesões neurais perioperatórias, mesmo em pacientes com lesões neurológicas prévias. Esta população de fato está sob maior risco no perioperatório, porém as causas de uma possível deterioração neurológica após uma cirurgia são multifatoriais, sendo difícil recomendar ou contraindicar uma técnica em detrimento de outra.[23] Discute-se nesse contexto a importância de evitar o contato da agulha com o nervo, destacando-se o uso da ultrassonografia. É importante ressaltar que o uso de vasoconstrictores como adjuvantes deve ser visto com cautela, a fim de evitar uma isquemia transitória do nervo.

A seguir, serão revisadas de maneira breve as particularidades das principais neuropatias encontradas nos pacientes ortopédicos.

Neuropatia diabética

Estima-se que em 2040 a prevalência mundial da diabetes seja em torno de 640 milhões de pacientes, sendo que aproximadamente 10% dessa população apresenta sinais de neuropatia diabética.[24]

A neuropatia diabética é muito estudada na literatura, de forma que é possível estabelecer algumas particularidades nos pacientes com esta patologia. A técnica de bloqueio regional guiada por neuroestimulação ainda é amplamente utilizada na prática anestésica, utilizando referências anatômicas e um estimulador conectado a agulha, possibilitando verificar a resposta motora de um nervo após a liberação de pequenas cargas elétricas. Tão importante quanto a identificação do nervo é a possibilidade de se alterar a intensidade do estímulo, de modo a estimar se a agulha está localizada extraneural ou intraneural. Em pacientes saudáveis, a resposta motora não deve ocorrer em cargas menores do que 0,3-0,5mA (a depender do nervo alvo), a fim de se evitar um posicionamento intraneural.

Contudo, foi constatado que pacientes com neuropatia diabética apresentam limiares de estimulação neural alterados e com grande variabilidade individual, podendo não apresentar resposta à neuroestimulação com a intensidade usual, mesmo com a agulha posicionada em contato direto com o nervo.[25,26] A utilização da neuroestimulação como técnica de anestesia regional única nesses pacientes deve ser vista com cautela, pois há uma perda dos parâmetros estabelecidos como seguros. Neste contexto, os bloqueios guiados por ultrassonografia ganham grande importância na condução destes pacientes.

A sensibilidade aos anestésicos locais também é alterada nesta população. Diversos estudos constataram que o tempo de latência de bloqueios periféricos nos pacientes com neuropatia diabética é menor, enquanto a duração do efeito analgésico é maior quando comparada com grupo controle.[27,28] Este achado pode ser explicado tanto por alteração na farmacodinâmica, devido à diminuição da concentração anestésica necessária para bloquear os canais de sódio, quanto por alteração na farmacocinética, justificada por um menor suprimento sanguíneo neural, provocando uma maior disponibilidade do anestésico local ao longo do tempo. A diminuição das doses de anestésicos locais nestes pacientes deve ser considerada, principalmente nos pacientes sintomáticos.

Tabela 169.2 Bloqueios periféricos superficiais e profundos do membro superior.

Bloqueios periféricos	Categoria do bloqueio	Conduta no paciente anticoagulado
Bloqueio interescalênico	Superficial	Não há necessidade de suspensão de anticoagulantes
Bloqueio seletivo do tronco superior	Superficial	Não há necessidade de suspensão de anticoagulantes
Bloqueio do plexo cervical superficial	Superficial	Não há necessidade de suspensão de anticoagulantes
Bloqueio supraclavicular	Superficial *	Não há necessidade de suspensão de anticoagulantes * Em pacientes obesos a região pode não ser compressível, podendo ser classificado como profundo
Bloqueio do nervo supraescapular	Superficial	Não há necessidade de suspensão de anticoagulantes
Bloqueio do nervo axilar	Superficial	Não há necessidade de suspensão de anticoagulantes
Bloqueio infraclavicular	Profundo	Seguir as recomendações para anestesia neuroaxial
Bloqueio costoclavicular	Profundo	Seguir as recomendações para anestesia neuroaxial
Bloqueio axilar	Superficial	Não há necessidade de suspensão de anticoagulantes
Bloqueios distais (mediano, ulnar, radial)	Superficial	Não há necessidade de suspensão de anticoagulantes
Bloqueio da fáscia clavipeitoral	Superficial	Não há necessidade de suspensão de anticoagulantes

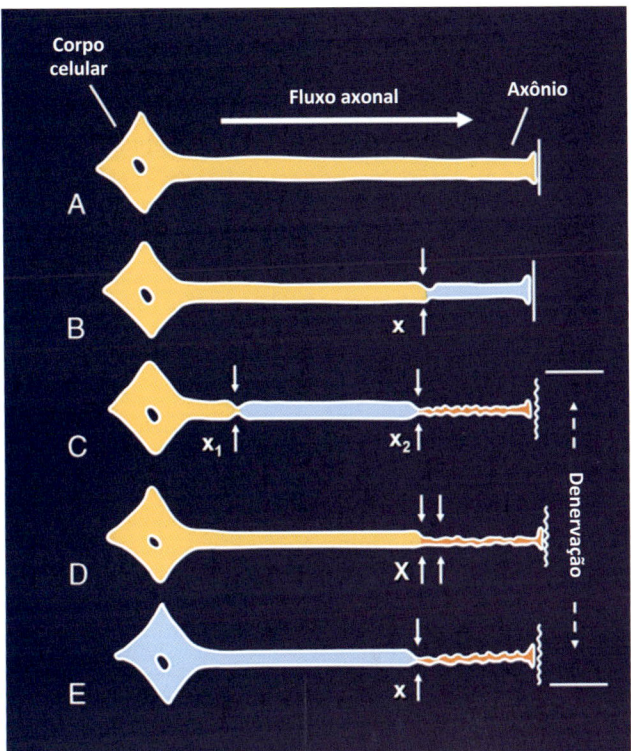

▲ **Figura 169.1** Lesões neuronais resultando em denervação. **A**, neurônio normal. **B**, lesão neuronal leve no sítio **x**, insuficiente para causar denervação. **C**, lesão neuronal leve em dois sítios distintos (**x1** e **x2**), que podem resultar em denervação (*double crush*). **D**, lesão neuronal severa em sítio **X1**, que pode causar denervação. **E**, neurônio com fluxo axonal reduzido, devido a doença ou disfunção prévia, que pode ser neurologicamente assintomática, porém predispondo o neurônio à denervação após uma lesão leve no sítio **x** (*double crush*)

Fonte: Adaptada de Kopp SL, Jacob AK, Hebl JR. Regional Anesthesia in Patients with Preexisting Neurologic Disease. Reg Anesth Pain Med. 2015;40(5):467–78.

O maior risco de infecções em pacientes com diabetes é outro fator que gera preocupação. A combinação de uma menor perfusão tecidual com uma menor eficiência do sistema imunológico proporciona um ambiente propício para a proliferação bacteriana. Deste modo, deve-se ter cautela na indicação e acompanhamento de cateteres perineurais nestes pacientes. A incidência de infecções graves em pacientes com cateteres periféricos e epidurais chegou a ser relatada como 100% maior,[29] sendo necessário avaliar a relação de risco e benefício e compartilhar a decisão com o paciente.

Apesar de as alterações descritas previamente serem bem documentadas, a literatura falha em recomendar que se evite a anestesia regional nestes pacientes. Deve-se realizar uma avaliação individual de cada caso, de modo que o anestesista possa optar por bloqueios periféricos em sua prática.[23,26] Contudo, é importante considerar mudanças na técnica de bloqueio devido à fisiopatologia da doença, como dar preferência para bloqueios guiados por ultrassonografia, considerar diminuição das doses de anestésicos locais, evitar o uso de vasoconstrictores e acompanhar com atenção os cateteres nestes pacientes.

Neuropatias Hereditárias

As neuropatias hereditárias compreendem um grande grupo de doenças genéticas derivadas de mutações de genes variados, que muitas vezes resultam em um fenótipo semelhante. O grupo fenotípico mais comum é conhecido como Charcot-Marie-Tooth (CMT), sendo a principal neuropatia periférica hereditária encontrada em seres humanos, com incidência estimada em 1 a cada 2.500 pessoas. Estes pacientes têm uma expressão variada da doença, com predomínio de manifestação dos primeiros sintomas em adultos jovens. As lesões podem compreender desmielinização ou perda axonal, ocasionando em perda de força muscular, atrofia, perda de reflexos tendinosos, déficits sensitivos e deformidades ósseas.[22,30] Contudo, a gravidade e a apresentação dos sintomas é extremamente heterogênea. Enquanto alguns pacientes apresentam sintomas leves e subclínicos, outros cursam com alterações graves e debilitantes. Este fato se justifica pelo genótipo amplo, com possibilidade de mutação em mais de 80 genes diferentes.

A utilização da anestesia regional nestes pacientes enfrenta as mesmas preocupações de outras neuropatias, porém, mais uma vez, a literatura é escassa quanto à segurança das técnicas de bloqueios nesta população. A maioria das evidências se concentra em relatos de casos. Uma coorte histórica de casos, publicada em 2022 por McClain *et al.*, reuniu 53 pacientes com CMT que foram submetidos a 132 bloqueios regionais. Os pacientes realizaram eletroneuromiografias antes e após a cirurgia. A análise dos exames e prontuários não encontrou qualquer evidência de piora da lesão neurológica associada aos bloqueios periféricos.[30]

As poucas evidências que existem através de relatos de casos sugerem que a anestesia regional pode ser utilizada nestes pacientes, após avaliação individualizada dos riscos e benefícios, e minimizando punções neurais com a utilização da ultrassonografia. Apesar do risco teórico de piora da progressão da doença, ainda não há confirmação clínica deste evento na literatura.[22,23] É importante ressaltar que estes pacientes podem obter benefícios interessantes da anestesia regional, visto que pacientes CMT estão expostos a uma maior incidência de complicações respiratórias, hipercalemia e sensibilidade a relaxantes não despolarizantes no período perioperatório.

Doença do Sistema Nervoso Central

A anestesia regional foi classicamente evitada em pacientes com doenças do sistema nervoso central nas últimas décadas. Esta conduta foi fundamentada principalmente em antigos estudos de 1950, que relataram uma piora da condição neurológica dos pacientes após anestesia subaracnóidea.[31] Contudo, a leitura destes estudos demonstra uma descrição de relatos de casos de pacientes com comorbidades graves que foram submetidos a procedimentos cirúrgicos de grande morbidade, não sendo possível estabelecer uma relação de causa e efeito com a anestesia regional. Atualmente há um entendimento de que a ocorrência de uma piora neurológica pode estar relacionada com diversos fatores cirúrgicos ou do próprio paciente, tornando muitas análises em subjetivas.

Hebl *et al.* (2006) analisaram os prontuários de 139 pacientes com doenças neurológicas centrais que receberam algum tipo de anestesia regional, não encontrando indícios de piora da doença neurológica.[32] No campo da anestesia obstétrica é possível encontrar diversos estudos que analisam o uso da anestesia regional em pacientes com doenças neurológicas do sistema nervoso central, como esclerose múltipla, sem encontrar evidências de piora da doença.

Dessa forma, apesar da ausência de uma resposta sólida na literatura, a anestesia regional pode ser indicada, desde que sejam ponderados os potenciais riscos e benefícios junto ao paciente.

Considerações finais

A anestesia regional não está contraindicada em pacientes com doenças neurológicas prévias, porém a literatura não permite eliminar totalmente a possibilidade deste ato causar maiores complicações. Há uma tendência de estudos recentes demonstrarem o não prejuízo do paciente frente as técnicas regionais, principalmente de bloqueios periféricos. O aprimoramento das técnicas com a utilização da ultrassonografia pode ter um papel importante nesta mudança. É importante que os riscos e benefícios sejam explicados ao paciente, e de que uma piora neurológica pode ocorrer independentemente da técnica anestésica utilizada, visto que a patologia dessa complicação é multifatorial. Após uma indicação de bloqueio regional, os riscos devem ser minimizados, utilizando a técnica da ultrassonografia e avaliando individualmente cada caso acerca da diminuição de doses anestésicas ou impedimento de uso de vasoconstrictores. Estes pacientes devem passar por uma avaliação neurológica prévia ao procedimento e acompanhados no período pós-operatório, para que novos déficits sejam rapidamente diagnosticados. Em caso de uma eventual piora do quadro, a eletroneuromiografia é uma ferramenta que fornece informações valiosas.

Risco de Síndrome Compartimental

A síndrome compartimental é uma complicação rara, porém, com consequências potencialmente graves. Apesar do diagnóstico desta patologia geralmente se concretizar fora do centro cirúrgico, é obrigatório reconhecer quais pacientes estão sujeitos a um maior risco. O conhecimento da fisiopatologia é essencial para entender o quadro clínico e diagnóstico desta complicação, permitindo formar a base teórica necessária para a tomada de decisão durante a escolha da técnica anestésica.

A patologia, apesar de rara, pode gerar dúvidas quanto à indicação de um bloqueio periférico em pacientes de risco, devido ao medo de que esta técnica dificulte o diagnóstico. Infelizmente, é comum que anestesiologistas desconheçam dessa problemática e realizem anestesias ortopédicas sem nenhuma preocupação com síndromes compartimentais. Por outro lado, entre os que têm esse conhecimento, predomina o receio de indicar bloqueios nesses pacientes.

Fisiopatologia e fatores de risco

Os compartimentos musculares dos membros são separados por tecidos conjuntivos densos, chamados de fáscias.

Essa estrutura anatômica implica que a musculatura, acompanhada de nervos e estruturas vasculares, está contida em espaços fechados e de baixa complacência. Essa característica torna estas regiões suscetíveis a aumentos de pressão, resultando em sofrimento dos tecidos acometidos.

Fraturas ou lesões de partes moles em membros podem cursar com grande aumento da pressão intersticial dos compartimentos musculares, devido ao surgimento de hematomas, lesões musculares diretas ou infecções. O resultado pode levar ao aumento da pressão venosa capilar, diminuindo o retorno venoso e comprometendo a perfusão tecidual. Este processo causa hipoxemia e estresse oxidativo da musculatura, culminando em necrose tecidual. Ao atingir esta etapa, a morte celular acaba por contribuir com edema da região, retroalimentando a gravidade do quadro, como demonstrado na **Figura 169.2**.[33] É importante que o leitor entenda: a base do surgimento da síndrome compartimental não é a diminuição do fluxo sanguíneo arterial, e sim o aumento da pressão venosa capilar, impedindo a drenagem do sangue e da linfa.

Apesar de os traumas agudos serem a principal causa, 30% dos casos de síndrome compartimental ocorrem sem nenhuma evidência de fratura, devido a extravasamento de medicação intravenosa, posicionamento cirúrgico, queimaduras, compressões excessivas por faixas, infecções e síndrome nefrótica.

Ao conhecer a fisiopatologia é fácil entender os fatores de risco. Lesões em compartimentos distais dos membros, como a tíbia, antebraço e punho são mais propensas ao desenvolvimento da síndrome, pois consistem em compartimentos menores, mais sensíveis ao aumento da pressão intersticial. Traumas de alta energia e fraturas complexas também demonstram maior risco de surgimento do quadro ao produzirem uma agressão tecidual mais intensa. A ocorrência é 10 vezes maior no sexo masculino, principalmente em idades menores do que 35 anos, provavelmente por ser uma população com maior massa muscular, resultando em uma menor complacência dos compartimentos musculares. O conhecimento destes fatores talvez seja o ponto mais importante de todos para o anestesiologista. Ao identificar um paciente de alto risco, diversas mudanças de conduta podem ocorrer, como mudanças da técnica anestésica, monitorização da pressão do compartimento no pós-operatório e uma minuciosa avaliação de toda e qualquer queixa de dor, como será vista a seguir.

Diagnóstico e tratamento

O diagnóstico da síndrome compartimental é difícil e representa um grande desafio. Os primeiros sinais podem surgir imediatamente após a agressão tecidual ou horas após o evento. Os mais importantes e clássicos são a dor, parestesia e a paresia do membro. A perda de pulsos periférico e palidez contribuem de maneira insatisfatória com o diagnóstico, por configurarem sinais tardios da síndrome. A perfusão tecidual do membro pode estar interrompida mesmo na presença de pulsos periféricos e fluxo arterial adequado. É fácil entender essa fraca relação. A pressão venosa capilar, o parâmetro mais importante na fisiopatologia da síndrome, pode estar aumentada apesar de fluxo arterial

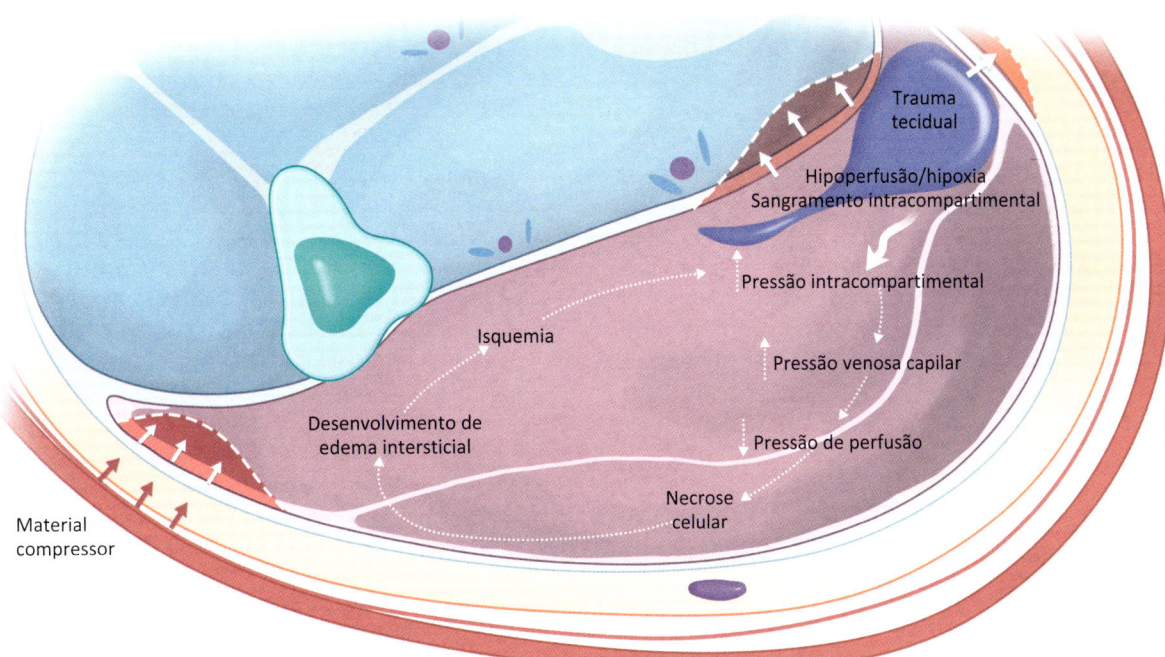

▲**Figura 169.2** Fisiopatologia da síndrome compartimental demonstrando o ciclo vicioso desencadeado após uma compressão inicial do compartimento: aumento da pressão venosa capilar e diminuição da perfusão tecidual, culminando em isquemia e morte celular, consequentemente aumentando o edema da região e alimentando o processo de deterioração do compartimento.

Fonte: Adaptada de Von Keudell AG, Weaver MJ, Appelton PT, Bae DS, Dyer GSM, Heng M, et al. Diagnosis and treatment of acute extremity compartment syndrome. Lancet. 2015;386(10000):1299–310.

presente. Por outro lado, deve-se lembrar que a síndrome pode comprometer um compartimento muscular que não contenha artérias importantes em seu interior, induzindo o examinador ao erro diagnóstico, ao desconsiderar a síndrome após a palpação de pulsos periféricos. O edema da região acometida, apesar de ser um dos sinais da síndrome, também não se correlaciona com a gravidade da pressão intersticial, levando a erros diagnósticos.[34]

A dor é o sinal mais precoce e importante da síndrome, com as características de ser desproporcional ao padrão usual do período pós-operatório esperado, acometer regiões que se estendem além do local de maior manipulação cirúrgica e com uma resposta refratária ao uso de medicamentos analgésicos. A investigação de dor ao estiramento passivo deve ser realizada durante o exame físico, e sua presença contribui para a suspeição do quadro. É preciso ressaltar a grande importância da correta avaliação da dor pós-operatória dos pacientes ortopédicos, visto que é comum que medicamentos analgésicos sejam prescritos aos pacientes que referem dor, sem que estes passem por um exame físico adequado para avaliação de sua queixa. Todo paciente com dor desproporcional ao esperado deve ser minuciosamente examinado.

A parestesia e paresia são consequências da isquemia dos nervos que realizam seu trajeto pela região comprometida, contudo, muitas vezes surgem em um diagnóstico tardio da síndrome. A identificação e o tratamento da síndrome compartimental devem ser realizados nas primeiras 6-12 horas do quadro, caso contrário lesões motoras ou sensitivas irreversíveis podem se instalar. A necrose tecidual intensa pode gerar um risco de síndrome de reperfusão após a reversão do quadro, resultando em choque distributivo, hipercalemia, acidose e falência renal aguda. Casos mais dramáticos, com grande comprometimento muscular, podem resultar em múltiplos desbridamentos ou mesmo amputação do membro. Contudo, é essencial entender que a síndrome pode acometer apenas um compartimento muscular, não sendo comum sinais de isquemia total do membro. É comum na prática clínica encontrar este erro de conceito, que pode erroneamente levar à exclusão do diagnóstico em um caso de síndrome compartimental.

A presença de um sinal clínico isolado apresenta uma baixa sensibilidade, cerca de 13% a 19% apenas, tornando o diagnóstico desafiador. Contudo, foi encontrado um valor preditivo negativo de 98% na avaliação clínica, ou seja, na ausência de quaisquer sinais típicos tem-se uma alta probabilidade de que o paciente não tenha síndrome compartimental. Quando encontrados três ou mais sinais, a probabilidade da presença da síndrome aumenta para 93%,[34] porém, neste estágio, o diagnóstico pode ser tardio.

O tratamento da síndrome se dá pela realização de uma fasciotomia cirúrgica. Com a abertura do compartimento fascial é possível obter um alívio da pressão intersticial, sendo a principal forma de tratamento disponível. A fasciotomia é uma intervenção cirúrgica associada a grande morbidade, e sua indicação pode ser uma decisão difícil para a equipe ortopédica.

A medida direta da pressão intersticial é uma ferramenta fácil de se realizar e importante para acompanhar o quadro de pacientes suspeitos, contribuindo para a decisão de se realizar uma fasciotomia. Uma diferença da pressão arterial diastólica e da pressão intersticial do membro menor do que 30 mmHg tem grande valor na indicação da fasciotomia, a principal forma de resolução do quadro.[33] Apesar de ser o padrão ouro, a monitorização da pressão intersticial pode levar à realização de fasciotomias desnecessárias, pois superestima o diagnóstico. Por isso, a monitorização contínua é essencial, para se identificar a tendência de variação da pressão.

Anestesia regional

A utilização de bloqueios periféricos em pacientes sob risco de desenvolver síndrome compartimental pode gerar grande discussão entre anestesiologistas e cirurgiões. É fácil entender este embate: a anestesia regional proporciona um alívio da dor, e pode ocasionar em parestesia e paresia da região correspondente ao bloqueio. Ou seja, essa técnica anestésica poderia mascarar os principais sinais (dor, parestesia e paresia) de uma síndrome que classicamente já apresenta um diagnóstico difícil.

A literatura acerca do tema é escassa, constituída majoritariamente de relatos de casos, dos quais a maioria tem como foco a analgesia epidural. Uma revisão sistemática conduzida por Mar *et al.* (2009) reuniu 20 relatos de casos e oito séries de casos de pacientes que receberam diferentes tipos de analgesia pós-operatória (PCA venosa, epidural ou bloqueios periféricos) e posteriormente foram diagnosticados com síndrome compartimental. Curiosamente, 3 pacientes em uso de PCA venosa tiveram prejuízo na identificação da complicação. Não foram encontrados atrasos no diagnóstico relacionados a bloqueios de membro superior, porém 1 paciente que recebeu bloqueios dos nervos femoral, obturador e cutâneo femoral lateral com bupivacaína a 0,5% teve atraso no diagnóstico. Dos 35 pacientes que receberam analgesia epidural, 32 tiveram os sinais clássicos de síndrome compartimental presentes mesmo sob analgesia epidural, enquanto 3 pacientes tiveram relato de atraso no diagnóstico. É importante ressaltar que estes 3 casos apresentavam bloqueio motor denso devido a concentrações elevadas de anestésico local, e não relatavam o uso da monitorização adequada da pressão intersticial.[35]

Como visto no estudo citado anteriormente, a utilização de opioides também pode prejudicar a identificação dos sinais da síndrome. Os opioides podem mascarar a dor e comprometer o estado cognitivo do paciente, dificultando o relato de sintomas. Nesse momento, o leitor pode tender a julgar que nenhuma forma de analgesia deve ser realizada nesses pacientes. Este raciocínio já foi utilizado em diversas especialidades cirúrgicas, nas quais muitos cirurgiões tinham receio em tirar a dor do paciente, com a finalidade não ocultar possíveis complicações no pós-operatório. Contudo, este tipo de conduta deve ficar no passado. Todo paciente tem o direito de não sentir dor, e é dever do médico conduzir um tratamento humanizado aos enfermos. É responsabilidade do profissional analisar todas as opções de analgesia possíveis e adaptá-las aos pacientes, mesmo naqueles sob risco de desenvolver uma síndrome compartimental.

O uso de bloqueios periféricos traz grandes benefícios nas cirurgias de membro superior, apresentando melhores escores de dor pós-operatória, diminuição do uso de opioides e seus efeitos colaterais e menor tempo de internação. A implementação do uso rotineiro de anestesia regional periférica nos hospitais muitas vezes leva a criação de um serviço de dor e de terapia antálgica, ocasionando em mais uma frente de acompanhamento dos pacientes no período pós-operatório, adicionando uma camada de proteção ao paciente. Na visita ao paciente que foi submetido a bloqueio periférico devem ser avaliados a função motora do membro, parestesias, escore e localização da dor. Exemplificando: um paciente submetido a uma fratura de joelho que cursa com dor intensa em região de panturrilha deve chamar a atenção do anestesiologista, pois o local da dor não condiz com a região de manipulação cirúrgica.

A analgesia adequada também pode possibilitar o surgimento de uma dor disruptiva (*breakthrough pain*), um sinal de alarme interessante. Nesta situação, um paciente apresenta um aumento abrupto e não esperado da dor, apesar da vigência de analgesia adequada. Este sinal foi evidenciado em diversos relatos de casos, no qual em um destes o paciente apresentou dor súbita de alta intensidade, apesar de estar em vigência de analgesia contínua derivada de cateter alocado na região do bloqueio infraclavicular, resultando na identificação e tratamento precoce de um caso de síndrome compartimental.[36]

Apesar da falta de grandes estudos, a literatura mais recente aponta que pacientes sob risco de desenvolvimento da síndrome compartimental podem ser submetidos a anestesia regional, com os devidos cuidados de se evitar bloqueios densos. Independentemente da técnica analgésica escolhida, deve-se proceder com a identificação dos pacientes de risco e direcionar o acompanhamento e monitorização adequadas.[34,37,38] As medidas de segurança para guiar o anestesiologista na condução dos pacientes com alto risco de desenvolver síndrome compartimental estão listadas a seguir:

- todos os pacientes devem ser avaliados quanto ao risco de desenvolvimento da síndrome compartimental (fraturas complexas, trauma de alta energia, fraturas de tíbia, antebraço diafisário e rádio distal, jovens do sexo masculino). A experiência do cirurgião é de grande valia na identificação destes pacientes;
- os pacientes classificados como de alto risco devem ser acompanhados de maneira rigorosa no período perioperatório, a fim de identificar sinais clínicos da síndrome compartimental;
- pacientes sob suspeita do quadro devem ter a pressão intersticial monitorada de forma contínua;
- as diversas modalidades de analgesia devem ser discutidas com a equipe cirúrgica e paciente, com explicação dos riscos e benefícios;

- bloqueios periféricos podem ser utilizados com concentrações diluídas, como ropivacaína 0,2% e sem uso de adjuvantes, com a finalidade de evitar bloqueios motores e sensitivos densos;
- dor desproporcional à esperada ou em local não condizente com a manipulação cirúrgica deve ser imediatamente investigada.

MANEJO PERIOPERATÓRIO

A condução de uma cirurgia ortopédica de membro superior pode parecer simples em um primeiro momento, principalmente quando o anestesiologista julga que este grupo de cirurgias apresenta menor trauma cirúrgico, e consequentemente enfrenta complicações mais brandas e infrequentes quando comparado com uma cirurgia de grande porte, como neurocirurgia ou cirurgia torácica. Sob essa visão simplista, é comum encontrar práticas uniformizadas, predominando a sensação de que qualquer técnica anestésica produziria um resultado satisfatório. Contudo, as cirurgias de membro superior são desafiadoras aos olhos de anestesiologistas experientes nesta área de atuação. Os pacientes que serão submetidos a cirurgias de altíssimo potencial álgico enfrentarão uma corrida contra o tempo para se reabilitarem e voltarem a ter uma qualidade de vida e funcionalidade adequada. Uma fratura ou mesmo uma lesão crônica pode afastar uma pessoa das atividades de trabalho e de lazer por muito tempo, podendo gerar grande angústia quanto a possiblidade de sequelas, e uma evidente ansiedade por um bom resultado cirúrgico.

Em adição a esse quadro, existe uma variedade de procedimentos ortopédicos que podem ser realizados no membro superior, através de um crescente número de técnicas cirúrgicas. Para completar, a inervação da região é complexa, e a cobertura anestésica necessária pode variar muito de acordo com a abordagem escolhida pelo ortopedista. Para se obter um desfecho otimizado, o anestesiologista deve desenvolver proficiência na utilização de bloqueios periféricos guiados por ultrassonografia e ter grande conhecimento anatômico e das técnicas cirúrgicas, para desta forma estar preparado para individualizar o caso de cada paciente e escolher a melhor técnica anestésica com base em todo este contexto.

Neste tópico serão abordados temas de manejo intraoperatório gerais, que estão presentes na maioria das cirurgias do membro superior. O manejo específico, presente em determinados tipos de cirurgias, será abordado posteriormente. Como será discutido seguir, a conduta anestésica pode ter grande influência sobre o resultado cirúrgico e na experiência do paciente.

Bloqueios Periféricos

A anestesia regional caminhou junto com a ortopedia por mais de um século, inicialmente limitada aos bloqueios neuroaxiais e regionais intravenosos, e posteriormente expandida com uma variedade de bloqueios de nervos periféricos. Existe um grande interesse acadêmico em identificar qual a melhor técnica anestésica para as cirurgias ortopédicas do membro superior, de modo que é possível encontrar na literatura muitos estudos que comparam a utilização de bloqueios periféricos como técnica única, anestesia geral e a combinação destas últimas. Contudo, ainda persistem muitas perguntas que necessitam de uma resposta mais sólida. A incorporação recente da ultrassonografia na especialidade revolucionou o modo como são realizados os bloqueios periféricos, permitindo uma expansão do arsenal de opções disponíveis. Apesar dos avanços na área, infelizmente é comum encontrar anestesiologistas e cirurgiões que questionam a segurança e até mesmo os benefícios provenientes da anestesia regional.

A seguir foram reunidos temas gerais considerados importantes para a prática da anestesia regional em cirurgias de membros superior, de modo a reunir dados da literatura que podem auxiliar o leitor a incorporar esta técnica com maior segurança e propriedade.

Benefícios

Pacientes submetidos a cirurgias ortopédicas estão sujeitos a um alto risco de dor pós-operatória, que em muitos casos pode ser severa. Estudos chegaram a relatar que a incidência de dor aguda de alta intensidade nesta população pode ser maior do que a encontrada em pacientes que foram submetidos a laparotomias.[39] Esta característica pode levar ao uso de altas doses de opioides, expondo o paciente a efeitos colaterais indesejados e um maior risco de dependência destes medicamentos. É importante destacar que atualmente há uma preocupação crescente com a epidemia de abuso e dependência de opioides no mundo, com aumento do interesse em reduzir o uso indiscriminado destas medicações. Além do risco de dependência, são descritos uma grande quantidade de efeitos colaterais decorrentes do uso de opioides, como: náuseas, retenção urinária, prurido, disfunção gastrointestinal e depressão respiratória. Estudos recentes têm chamado a atenção para novas consequências preocupantes. O uso prolongado ou de altas doses pode ocasionar imunossupressão, diminuindo a atividade fagocítica de macrófagos e a proliferação de células T, células B e *natural killer*, prejudicando a produção de anticorpos e reduzindo a produção de fator de necrose tumoral, interferon gama e interleucina-2.[40] Esta cascata de alterações pode justificar uma maior suscetibilidade a infecções perioperatórias nestes pacientes.

Diversos estudos se propuseram a investigar a relação do uso de opioides a complicações. Cozowicz *et al.* (2017) analisaram dados de cerca de 1,2 milhões de pacientes em busca dessa relação, encontrando uma maior incidência de infecções, tromboembolismo venoso, retenção urinária e complicações gastrointestinais e respiratórias, todas associadas ao uso de altas doses de opioides quando comparado com pacientes que realizaram uso de baixas doses, resultando em um maior tempo de internação e custo hospitalar.[41]

É importante ressaltar que a utilização de opioides continua sendo importante na condução perioperatória dos pacientes ortopédicos, contudo, a literatura aponta para potencial benefício em se evitar o uso excessivo e indiscriminado. É nesse contexto que ganha força o conceito de analgesia multimodal, que se baseia na utilização de diversas classes de medicamentos, agindo em diferentes vias de controle da dor, evitando os efeitos colaterais típicos de uma terapia baseada em altas doses de apenas uma classe medicamentosa.

Os bloqueios periféricos são vistos como uma grande ferramenta neste contexto ao proporcionar excelente controle álgico, com efeitos sistêmicos mínimos, potencialmente reduzindo o uso excessivo de opioides. Ao pesquisar a literatura, é possível encontrar estudos com resultados conflitantes a respeito da diminuição do consumo de opioides e escores de dor pós-operatória quando se compara o uso da anestesia regional contra técnicas anestésicas que não a utilizam. É imprescindível ter senso crítico na análise destes estudos, visto que muitos não utilizam anestésicos locais de longa duração ou pecam ao fornecerem uma prescrição analgésica deficiente no protocolo do estudo. A utilização da anestesia regional é um componente da analgesia multimodal, e não deve ser tratada como uma técnica que exclui a necessidade de uma prescrição analgésica completa. A diminuição dos escores de dor nas primeiras horas após a cirurgia, o menor consumo de opioides nas primeiras 24 horas e a diminuição dos efeitos colaterais decorrentes deste consumo reduzido são suportados por evidências mais sólidas, como foi encontrado em uma grande revisão sistemática realizada por Abdallah *et al.* (2015), que pesquisaram a eficácia do bloqueio interescalênico para cirurgias de ombro.[42] Outros estudos demonstram que o uso da anestesia regional proporciona menores índices de dor e consumo de opioides por períodos prolongados, que podem alcançar meses de melhor desfecho, com achados de melhora dos escores de funcionalidade do membro superior nos primeiros meses de reabilitação desses pacientes.[43-45] Os bloqueios periféricos, ao inibirem a transmissão de impulsos nervosos, podem diminuir a exposição do paciente a uma sensibilização central. O escore de dor menor nas primeiras horas e a menor incidência de efeitos colaterais possibilita uma fisioterapia precoce mais efetiva. Estes fatores poderiam ser uma explicação para os resultados de efeitos prolongados encontrados nos estudos citados, porém, estes achados precisam de maiores evidências.

Parestesia, estimulação e ultrassonografia

O uso da ultrassonografia tem como principal objetivo aumentar a segurança do paciente. É natural que se espere uma diminuição na incidência de lesões de nervos periféricos pós-operatórias com esta técnica, porém, curiosamente a literatura falha em provar esta hipótese, mesmo quando comparado com dados históricos acerca da época em que a parestesia era utilizada como técnica de anestesia regional. Neste momento, é preciso olhar para além das conclusões dos estudos e entender de maneira crítica o contexto destes resultados. As lesões neurais após uma cirurgia são complicações raras. Cerca de 19% dos pacientes apresentam parestesia ou bloqueio residual nos primeiros dias após o ato cirúrgico, porém após 12 meses de pós-operatório, a incidência de um sintoma persistente cai para 2 a 4 casos a cada 10 mil bloqueios periféricos realizados.[46] Em adição a esses dados, a ocorrência de uma lesão neurológica persistente é multifatorial, envolvendo traumas cirúrgicos, estiramento pelo posicionamento, instabilidades hemodinâmicas

no intraoperatório e comorbidades prévias do paciente. Ou seja, trata-se de uma complicação com uma incidência muito baixa, com uma grande dificuldade de se estabelecer um fator causal único. Deste modo, é muito improvável que um estudo consiga identificar um favorecimento de uma técnica de bloqueio em detrimento de outra.

A falta de evidência encontrada na diminuição da incidência de lesões neurológicas não ocorre ao estudar outras complicações. A utilização da ultrassonografia possibilitou uma excelente precisão de posicionamento da agulha, possibilitando uma grande redução das doses de anestésicos locais. Esse fato pode ser exemplificado através da técnica interescalênica, que já foi praticada com a utilização de 30 mL a 40 mL de volume anestésico, e hoje pode ser realizada com eficácia com doses menores do que 10 mL. O número de punções vasculares acidentais também foi reduzido com a utilização do ultrassom, que somado à diminuição das doses anestésicas produziu uma evidência favorável acerca da diminuição do risco de intoxicação por anestésicos locais.[23]

O uso do ultrassom trouxe benefícios na preservação da função pulmonar dos pacientes. A literatura demonstra uma diminuição da incidência de pneumotórax em bloqueios de plexo braquial e aprimorou os métodos de execução, possibilitando reduzir a incidência e a gravidade do bloqueio não intencional do nervo frênico, uma complicação preocupante que tem sido amplamente debatida no meio acadêmico nos últimos anos.[46]

É importante ressaltar que a visualização de uma imagem ultrassonográfica de alta qualidade em tempo real permitiu o desenvolvimento de novos bloqueios periféricos antes impossíveis de serem realizados. Atualmente há um grande interesse no desenvolvimento e estudo de bloqueios predominantemente sensitivos, com a finalidade de não prejudicar a reabilitação precoce dos pacientes. Este tipo de bloqueio, por não envolver grandes nervos motores, é de difícil execução utilizando a neuroestimulação periférica. Contudo, a combinação destas duas técnicas pode ser interessante em bloqueios que envolvam nervos motores, como nos casos em que o nervo alvo está profundo a ponto de comprometer a qualidade da imagem, ou quando o aparelho de ultrassom disponível é de baixa qualidade.

Bloqueios realizados sob anestesia geral

A realização de bloqueios periféricos em pacientes sob anestesia geral ou sedação profunda é um tema controverso na literatura. Os especialistas que defendem a contraindicação desta combinação justificam sua opinião baseados na premissa de que o paciente desperto, ou sob sedação leve, pode referir tanto sintomas de intoxicação por anestésicos locais como dor ou parestesia, indicando um possível posicionamento intraneural da agulha.

O nível plasmático necessário para que surjam sintomas neurológicos da intoxicação por anestésicos locais pode ocorrer na ausência de injeção intravascular, através da absorção sistêmica lenta do medicamento. No caso dos sintomas cardiovasculares, estes geralmente ocorrem após uma injeção intravascular não intencional. Em ambos os casos, os sintomas podem ser tardios para a deteção da complicação, pois toda a solução anestésica, ou sua maior parte, já teria sido aplicada.[47] A utilização de uma dose teste de anestésico local com adrenalina é uma maneira efetiva de contornar esta situação, pois gera uma rápida resposta e não depende de sinais relatados pelo paciente, prevenindo a infusão de grandes volumes intravasculares.

Ao olhar para o risco de lesão neural, a discussão é mais complexa. Como em muitos tópicos anteriores deste capítulo, é preciso lembrar que a lesão de nervo periférico pós-operatória é uma complicação rara, de causa multifatorial, que muitas vezes não envolve a técnica anestésica, o que torna difícil a produção de conhecimento científico acerca do tema. A literatura demonstra que presença de dor e parestesia durante a realização do bloqueio pode ocorrer sem estar relacionada com uma lesão do nervo, e da mesma forma, a sua ausência não exclui a possibilidade de instalação de uma lesão. Contudo, é possível encontrar estudos retrospectivos e relatos de casos que encontraram a presença destes sinais em pacientes que desenvolveram lesão. Um estudo interessante foi conduzido por Ben-David et al. (2006), que analisaram dados de pacientes submetidos ao bloqueio axilar, encontrando sintomas neurológicos em 7,5% dos pacientes que receberam o bloqueio sob anestesia geral, contra 2,6% dos que tiveram o bloqueio realizado sob sedação leve, porém, é importante ressaltar que não foi utilizado ultrassom ou neuroestimulação em nenhum dos casos.[48]

Os autores que advogam a favor da segurança da anestesia regional em pacientes sob anestesia geral se amparam nos dados obtidos a partir da população pediátrica. Estes pacientes não conseguem relatar de maneira efetiva dor e parestesia, e dificilmente são colaborativos durante a realização da anestesia regional. Nesta população, a realização da anestesia geral deve ser realizada antes do bloqueio periférico, a fim de se evitar movimentos bruscos que podem pôr em risco a criança. A segurança da anestesia regional pediátrica nestas condições é sólida na literatura, como evidenciada em importante estudo conduzido por Benjamin J. Walker et al. (2018), no qual não foram encontrados déficits neurológicos permanentes em nenhum paciente após análise de aproximadamente 100 mil bloqueios.[49] Esta forte evidência na população pediátrica é utilizada na argumentação de que conduta semelhante poderia ser aplicada em adultos. É importante considerar que a avaliação de déficits neurológicos leves pode ser difícil de ser quantificado em crianças pequenas, e capacidade de adaptação desta população pode possibilitar o questionamento da transposição dos resultados para os adultos.

Apesar da baixa relação da parestesia com a lesão neurológica e da evidência em pediatria, as principais *guidelines* seguem uma linha mais conservadora contraindicando a realização de bloqueios periféricos em pacientes sob anestesia geral em adultos, visto que o risco não compensaria o benefício,[23,47] tendo em vista que a maioria dos pacientes tolera a realização de bloqueios periféricos sob sedação leve. Contudo, não há uma contraindicação absoluta, de modo que em pacientes não colaborativos, como os com déficits cognitivos, ou em pacientes que se recusam a realizar o procedimento sob sedação leve, o anestesiologista pode optar por realizar a anestesia geral antes da técnica

regional. O bloqueio interescalênico merece uma consideração especial. É possível encontrar diversos relatos de casos evidenciando complicações catastróficas após a realização deste bloqueio sob anestesia geral.[50,51] Uma importante análise de processos médicos realizada por Rathmell et al. (2011) coletou dados referentes a casos de lesões neurais após procedimentos de dor intervencionista na região cervical, identificando uma maior incidência de complicação em pacientes sob anestesia geral ou sedação profunda.[52] Desta forma, a Sociedade Americana de Anestesia Regional contraindica de maneira absoluta a realização do bloqueio interescalênico sob anestesia geral.[23] É possível que em breve a popularização da ultrassonografia gere dados suficientes para mudar este cenário.

Torniquete

O uso intraoperatório do torniquete é uma prática amplamente utilizada em cirurgias ortopédicas de extremidades com a finalidade de ocluir o fluxo sanguíneo arterial e venoso da região, diminuindo o sangramento e melhorando o campo de visão do cirurgião. Apesar do evidente benefício cirúrgico, esta prática não é isenta de riscos ao paciente, e o anestesiologista deve ter conhecimento das complicações decorrentes desta técnica, estando sempre atento às melhores práticas de segurança durante sua aplicação.

Escolha do torniquete

Na prática ortopédica é possível encontrar diversos tipos de dispositivos para aplicação do torniquete no intraoperatório. O mais simples, e infelizmente ainda muito utilizado, é a faixa elástica de Esmarch. Sua utilização se dá em duas etapas: o cirurgião inicialmente envolve a mão do paciente com a faixa aplicando pressão, em seguida realiza um movimento em espiral ao redor do membro, terminando na região proximal do braço. Esta etapa tem a finalidade de drenar o sangue do membro. Em seguida, a faixa é liberada de todo o membro, exceto da região mais proximal, e utilizada para realizar o torniquete. Como abordado a seguir, a pressão aplicada no membro tem relação com a incidência de complicações, sendo possível encontrar na literatura um grande interesse na busca por um método que aplique o menor valor pressórico possível pelo dispositivo. Sob esse contexto, é fácil entender que a utilização da faixa de Esmarch é um método arcaico e que precisa ser evitado, pois não permite nenhuma regulação dos níveis de pressão aplicados.

Os dispositivos de escolha atualmente são os aparelhos com *cuff* inflável, permitindo a aplicação de valores pressóricos exatos no membro, mecanismo essencial para a individualização de cada paciente. A faixa de Esmarch ainda pode ser utilizada para drenagem do membro antes da aplicação do dispositivo definitivo, com a ressalva de que alguns autores recomendam o abandono da faixa para qualquer finalidade. O *cuff* deve ser posicionado na região de maior circunferência do braço, e ter a largura maior do que o diâmetro desta região. A pele subjacente à sua aplicação deve ser protegida com compressas.

Pressão e tempo do torniquete

Diversos métodos de cálculo do nível de pressão ideal do torniquete foram propostos, e pode-se dizer que atualmente há um grande interesse em estudos que produzam a evidência necessária para provar qual é o mais seguro. É necessário destacar que há uma tendência à individualização da pressão utilizada de acordo com cada paciente, aplicando os menores valores possíveis para minimizar complicações. A seguir serão comentados os principais métodos disponíveis.

A utilização de valores fixos é a técnica mais antiga, e provavelmente ainda a mais praticada, com a insuflação do torniquete a 250 mmHg, independentemente de quaisquer outros fatores. É fácil entender quais são as críticas em relação a este método. Os pacientes apresentam níveis basais de pressão arterial muito heterogêneos, e a aplicação de um valor fixo poderia ser tanto excessiva para alguns quanto insuficiente para outros.

Com base nesse raciocínio foi proposta a insuflação sincronizada com a pressão arterial sistólica. Neste método, a pressão alvo do torniquete em cirurgias de membro superior deve ser de 100 mmHg acima da pressão sistólica do paciente. Idealmente este alvo deve ser recalculado e atualizado em caso de alterações da pressão do paciente durante a cirurgia. Alguns dispositivos no mercado incorporam esta sincronização com os sinais vitais do paciente automaticamente, facilitando o processo, porém sua disponibilidade não é a realidade de muitos serviços. Esta técnica representa um grande avanço frente às pressões fixas de 250 mmHg, mas um olhar mais cuidadoso pode sugerir que a individualização poderia ser ainda maior, pois devido a diferenças de complacência arterial, o valor pressórico acima da pressão sistólica necessário para garantir uma oclusão do fluxo arterial efetiva poderia variar de acordo com o paciente.

Com base nesta última colocação, foi proposto o método da aferição da pressão de oclusão do membro. Com esta técnica, o torniquete é insuflado gradualmente enquanto um examinador portando um aparelho de doppler avalia a presença de fluxo arterial na região distal do membro. Após a interrupção da detecção de fluxo pelo doppler, é adicionado um valor pressórico adicional ao *cuff*, garantindo uma margem de segurança,[53] como a seguir:

- 40 mmHg quando a pressão de oclusão é <130 mmHg
- 60 mmHg quando a pressão de oclusão é >130 mmHg e <190 mmHg
- 80 mmHg quando a pressão de oclusão é >190 mmHg

Este método permite a utilização de menores níveis de pressão quando comparado com os demais, potencialmente trazendo maior segurança aos pacientes. Apesar de apresentar dificuldades de implementação por ser o menos prático, alguns aparelhos de torniquete modernos têm esta função integrada ao dispositivo, calculando a pressão de oclusão e aplicando a pressão do torniquete automaticamente. Ensaios clínicos recentes demonstraram que o cálculo baseado na pressão de oclusão do membro foi associado a menores índices de dor e consumo de analgésicos no período pós-operatório,[54,55] indicando que esta técnica é promissora.

A oclusão do fluxo sanguíneo gera uma hipóxia transitória no membro, fato que justifica a grande preocupação com o tempo de torniquete. Contudo, a literatura falha em definir qual tempo de torniquete pode ser considerado seguro. A maioria dos autores sugere recomendações que variam de 1 a 3 horas de oclusão, prática suportada por estudos laboratoriais que demonstram que os estoques de ATP e glicogênio são depletados após este tempo de hipóxia, predispondo o paciente a lesões isquêmicas. Alguns autores sugerem que o aparelho seja desinflado por 5 a 15 minutos caso a cirurgia se prolongue além deste período, em uma tentativa de mitigar o risco de lesões,[56] porém, tanto a eficácia deste método quanto o tempo de intervalo entre as insuflações permanecem sem evidência. Apesar da dificuldade em se definir um tempo de torniquete seguro, dados da literatura sugerem que as complicações aumentam com o uso prolongado, com estudos em modelos animais demonstrando necrose tecidual em longos períodos de oclusão do fluxo sanguíneo. Deste modo, as principais *guidelines* recomendam a utilização do menor tempo possível durante a cirurgia.

Complicações locais

Como visto anteriormente, os dados literários ainda não são suficientes para afirmar com precisão os limites de tempo e de pressão que conferem segurança ao paciente. Contudo, este fato pode levar um anestesiologista desatento a acreditar que não se pode fazer interpretações importantes com base nos estudos disponíveis. Ao invés de redigir uma lista de complicações a ser decorada, será fornecido ao leitor uma linha de raciocínio. Inicialmente pode-se reduzir a fisiopatologia das complicações em duas palavras: compressão e isquemia. A partir destes mecanismos, as complicações serão separadas em dois grupos distintos: as locais, decorrentes principalmente da compressão do *cuff* sobre o membro, e as sistêmicas, mais bem relacionadas às alterações metabólicas resultantes da hipóxia e isquemia prolongadas do membro como um todo.

As complicações locais envolvem a lesão de tecidos na região de instalação do torniquete, como nervos periféricos, músculos e a própria pele. Lembrando que a compressão é o mecanismo base destas agressões, a pressão elevada do *cuff* é o principal agravante da situação. Outros fatores podem estar envolvidos, como as comorbidades prévias do paciente, que podem torná-lo mais suscetível, tema que será abordado no tópico das contraindicações.

As lesões neurológicas são raras e geralmente transitórias, com incidências relatadas de 1:6.155 casos no membro superior e 1:3.752 no membro inferior.[57] Contudo é possível encontrar relatos de lesões permanentes, que resultam em grave déficit funcional ao paciente. A causa do déficit neurológico relacionado ao uso do torniquete é classicamente descrita como mista, devido à compressão neural pelo *cuff* e pela isquemia decorrente do tempo de hipóxia prolongado. Estudos demonstraram que a compressão local parece ser a principal causa da lesão. Um estudo experimental em coelhos conduzido por Mohler *et al.* (1999) se propôs a comparar diferentes intervalos de desinflação de um torniquete inicialmente programado com pressão de 350 mmHg, simulando uma cirurgia prolongada. Ao final do estudo, o grupo de pesquisa não encontrou diferença de déficit neurológico entre os grupos controle e grupo com maior tempo de desinflação, ambos apresentaram altas incidências de déficits neurológicos. Este achado sugere que a pressão elevada pode ser o principal fator causal desta complicação. A análise histológica dos nervos acometidos demonstrou que a lesão axonal era na maioria das vezes ao nível do *cuff* do torniquete.[58] Estudos da década de 1980 relataram incidências de alterações neurológicas após o uso do torniquete muito maiores do que as atuais, fato que pode ser justificado pelo amplo uso da faixa de Esmarch na época, que resultava em altas pressões no membro.[53]

A compressão elevada do membro também pode causar lesão muscular direta, sendo possível encontrar relatos de rabdomiólise. Assim como nos casos de lesão neurológica, o tempo de isquemia contribui com o quadro, porém a pressão elevada do *cuff* permanece como o principal mecanismo agravante. É importante ressaltar que tanto o déficit neurológico, mesmo quando pequeno e transitório, como a injúria muscular podem contribuir de maneira negativa na recuperação do paciente. Com base nisso, diversos estudos foram realizados com a finalidade de definir se o uso do torniquete poderia prejudicar o desfecho funcional, contudo o tema ainda permanece controverso. A rápida reabilitação do paciente ortopédico é talvez o principal desfecho a ser almejado pela equipe cirúrgica e anestésica, colocando o uso seguro do torniquete como uma meta a ser conquistada.

Por último, as lesões de pele podem acontecer devido aos mecanismos agressores já citados. O atrito entre o *cuff* e a pele pode gerar abrasões e bolhas, sendo recomendado o uso de malha e algodão ortopédico para proteção da pele.

Complicações sistêmicas

As complicações sistêmicas podem ser explicadas por três etapas: insuflação do *cuff*, período de isquemia e desinflação do *cuff*.

Com a insuflação do *cuff* tem-se um aumento abrupto do volume sanguíneo sistêmico e da resistência vascular periférica, que são bem tolerados pela maioria dos pacientes. As mudanças são mais evidentes quando o torniquete é instalado no membro inferior, principalmente quando bilateral, não apresentando risco importante em cirurgias de membro superior. É importante destacar que há evidência acerca do benefício da administração do antibiótico profilático antes da insuflação do *cuff*, para que haja nível plasmático no membro a ser operado.[59]

Em seguida ocorre um período de isquemia do membro, que produzirá uma cascata de alterações metabólicas, com consequências após a desinflação do *cuff*. O principal evento nesta fase é a hipóxia muscular, que gera uma depleção de oxigênio, predominando a respiração anaeróbica, culminando com acidose e aumento da $PaCO_2$, lactato e potássio no membro afetado. Em seguida tem-se uma queda da temperatura da região distal ao torniquete. Por último, a lesão tecidual, a estase sanguínea e liberação de catecolaminas podem levar a um estado de hipercoagulabilidade, com aumento da agregação plaquetária e atividade da cascata de coagulação.

A terceira etapa, que consiste na desinflação do *cuff* e reperfusão do membro, faz com que todo o acúmulo de alterações metabólicas descritas seja despejado na circulação sistêmica. Desta forma, verifica-se uma queda abrupta da resistência vascular periférica, tanto pela redistribuição do volume sanguíneo quanto pela vasodilatação proveniente dos metabólitos tóxicos do membro. É esperado um aumento dos níveis séricos de potássio, que devem ser acompanhados por alterações eletrocardiográficas durante a reperfusão de pacientes com hipercalemia prévia ou tempo de torniquete muito prolongado. Em seguida tem-se um aumento transitório da $EtCO_2$, que deve ser previamente corrigido nos casos de hipertensão intracraniana. A redistribuição do calor corporal tende a gerar uma rápida hipotermia no paciente, reforçando o valor de que todo paciente ortopédico deve receber aquecimento e controle da normotermia durante a cirurgia. O estado de hipercoagulabilidade prévio passa para um momento de hiperfibrinólise, com ativação da antitrombina III e proteína C, que podem levar a um aumento transitório do sangramento após a liberação do torniquete.

Contraindicações

Não há contraindicações absolutas ao uso do torniquete, porém, com base nas complicações descritas, muitos autores sugerem situações em que o uso deve ser avaliado com cautela:[59,60]

- doença vascular periférica;
- neuropatia prévia;
- histórico de trombose venosa profunda ou tromboembolismo pulmonar;
- anemia falciforme;
- infecção vigente no membro;
- linfedema;
- nefropatias;
- neoplasia maligna presente no membro.

Dor do torniquete

A dor do torniquete é uma condição especial, caracterizada por uma sensação dolorosa inespecífica, geralmente em queimação ou aperto, que pode ser limitada à região do *cuff* do torniquete ou em região mais distal do membro. A complexidade da dor pode ser exemplificada com o fato de que mesmo pacientes submetidos a raquianestesia podem referir dor após a insuflação do *cuff* de um torniquete de membro inferior. A principal teoria que explica essa ocorrência afirma que as fibras nociceptivas amielínicas do tipo C são as responsáveis por esse quadro, ativadas por alterações metabólicas isquêmicas como a hipoglicemia e hipóxia.[61] Este tipo de fibra tem uma condução lenta, que tipicamente produz uma dor contínua, inespecífica e mal localizada, diferentemente das fibras mielinizadas A Delta, que têm condução rápida e produzem uma dor aguda e bem localizada. Os autores que defendem essa tese advogam que estas fibras C podem adentrar à cadeia simpática, penetrando na medula espinal em um nível muito mais acima do que as fibras nociceptivas A Delta, explicando em parte a presença da dor em pacientes submetidos à anestesia de neuroeixo.[62] Outra teoria advoga que as fibras C retornam à sua atividade mais precocemente do que as fibras A Delta após um bloqueio regional. A importância dessa via foi documentada em estudos experimentais em animais, destacando o conduzido por Charbel *et al.* (1990) em coelhos, que demonstrou que após o uso de torniquete as fibras A Delta, que normalmente exercem um papel de supressão das fibras C, são inibidas, e as fibras tipo C, antes inativas, passam a apresentar atividade espontânea. A condução destas fibras cessou apenas após a aplicação de anestésico local perineural acima do nível do torniquete, e não abaixo, sugerindo que o local de estímulo provavelmente se dá na região da compressão ou logo acima desta.[62]

Diferentemente da anestesia de neuroeixo, que poderia não atingir nível suficiente para bloquear as fibras tipo C que adentram a cadeia simpática, os bloqueios periféricos podem suprimir essa via de forma mais eficaz.[63] Como visto anteriormente, a região do *cuff* é a provável origem do estímulo, logo um bloqueio de plexo braquial que cubra a musculatura e pele da região proximal do braço pode contribuir com alívio da dor do torniquete. Apesar da falta de estudos acerca do tema, bloqueios mais proximais como o supraclavicular e infraclavicular provavelmente têm benefício maior do que bloqueios mais distais, como o axilar, para essa finalidade. O bloqueio axilar, apesar do nome, não bloqueia o nervo axilar, responsável pela sensibilidade do músculo deltoide (e a pele sobrejacente) e a cabeça longa do tríceps, possibilitando escape da dor do torniquete. As fibras aferentes simpáticas, e possivelmente fibras C, realizam um trajeto próximo ao de grandes artérias, sendo potencialmente cobertas por bloqueios periarteriais como o infraclavicular.

O bloqueio do nervo intercostobraquial é muito utilizado em conjunto com bloqueios de plexo braquial para aliviar a dor do garroteamento. Este nervo, responsável pela inervação cutânea da parte medial do braço, tem origem no primeiro ou segundo nervo torácico, ou seja, não é coberto por nenhum bloqueio de plexo braquial. Apesar de amplamente utilizado, a real importância da cobertura deste trecho cutâneo, em um membro que teve a musculatura e restante da pele devidamente anestesiados, permanece sem resposta na literatura. Um dos poucos estudos disponíveis sobre o tema, conduzido por Le-Wedling *et al.* (2022), comparou a eficácia analgésica de adicionar o bloqueio do nervo intercostobraquial ao bloqueio supraclavicular em prevenir a dor do torniquete contra um grupo controle em que foi realizado apenas o bloqueio supraclavicular, não encontrando diferença estatisticamente significativa entre os grupos.[64]

Prevenção de Hipotermia

As consequências da hipotermia perioperatória, definida como temperatura menor do que 36ºC, é um dos temas em que a literatura contempla evidências tão sólidas e robustas, que não permite que anestesiologistas tenham dúvidas sobre a importância de sua prevenção, sob o risco de estarem praticando um ato de negligência médica. A anestesia causa uma vasodilatação periférica de rápida ins-

talação, ocasionando em uma rápida distribuição da temperatura central para a periferia do corpo. Este efeito pode ser observado tanto na anestesia geral, devido ao efeito de anestésicos venosos e inalatórios, quanto na vasodilatação decorrente da anestesia neuroaxial. Somam-se a esse mecanismo a baixa temperatura da sala cirúrgica, a exposição de tecidos do paciente durante a cirurgia e a infusão de líquidos frios, proporcionando um ambiente perfeito para a ocorrência da hipotermia.

A literatura demonstra que esta complicação está associada a uma maior incidência de infecções e eventos cardíacos adversos, além de um prejuízo da coagulação sanguínea, ocasionando maiores perdas sanguíneas e taxas de transfusão de sangue, sendo um importante fator de risco para aumento da morbidade e mortalidade perioperatória. A implementação de protocolos de controle da temperatura e prevenção da hipotermia já demonstrou ser um método efetivo para diminuir a incidência das complicações citadas e da mortalidade perioperatória.[65]

O principal método de controle da normotermia intraoperatória é a utilização de aparelhos de aquecimento ativos, sendo o de ar forçado através de mantas térmicas o mais comum no Brasil. Uma importante metanálise de ensaios clínicos conduzidas por Balki *et al.* (2020) encontrou que pacientes que receberam aquecimento ativo tiveram menor incidência de transfusões sanguíneas, infecções cirúrgicas e tremores, quando comparado com métodos de aquecimento passivo (fluidos aquecidos e cobertores).[66]

Os pacientes submetidos a cirurgias ortopédicas frequentemente são idosos ou vítimas de um trauma mecânico, com uma prevalência de hipotermia intraoperatória relatada que varia de 12% a 72%, demonstrando ser uma população que merece grande atenção quanto ao controle da temperatura.[67,68] Os bloqueios periféricos teoricamente produzem uma vasodilatação periférica menor do que a anestesia neuroaxial, contudo não excluem a necessidade de controle da temperatura. Diversos estudos demonstraram que a incidência da hipotermia continua elevada em pacientes submetidos a bloqueios do plexo braquial, principalmente em cirurgias artroscópicas.[69]

O controle da temperatura intraoperatória e a utilização de métodos de aquecimento ativo do paciente são condutas recomendadas a todos os pacientes submetidos a cirurgias ortopédicas, melhorando drasticamente o desfecho geral ao mesmo tempo em que adiciona riscos mínimos ao paciente.

Uso do Ácido Tranexâmico

O ácido tranexâmico é um antifibrinolítico com uso crescente em cirurgias com a finalidade de diminuir perdas sanguíneas e proteger o paciente contra a necessidade de transfusões de hemoconcentrados. Seu mecanismo de ação se dá pela inibição competitiva dos receptores de ativação do plasminogênio, impedindo sua transformação em plasmina, que por sua vez é responsável pela lise do coágulo, mecanismo conhecido como fibrinólise. A literatura demonstra que o trauma e o ato cirúrgico podem desencadear um estado de hiperfibrinólise nos pacientes, consequência que pode piorar uma hemorragia vigente. Esta é a base teórica que guiou o surgimento de grande número de estudos sobre a utilização do ácido tranexâmico, principalmente em cirurgias cardíacas, neurocirurgias, ortopedia, cirurgias do trauma e cirurgias pediátricas.

É importante ressaltar que os riscos e benefícios desta medicação diferem de acordo com o procedimento estudado, pois inibir a fibrinólise poderia, em teoria, aumentar o risco de eventos tromboembólicos nos pacientes. A partir desta colocação é possível formular algumas questões que devem ser respondidas para fundamentar esta indicação. Em quais pacientes não se pode utilizar a medicação? Em quais cirurgias foram encontradas evidências de melhora do desfecho? Qual a dose que representa a melhor relação risco/benefício?

Riscos

O risco de eventos tromboembólicos foi estudado em uma grande variedade de cirurgias e pacientes, de forma que é possível afirmar que existe uma robusta evidência a favor da segurança do medicamento.[70] Ao voltar a análise para estudos de populações de maior risco de eventos trombóticos, como pacientes oncológicos e coronariopatas, encontra-se uma evidência escassa, porém apontando para resultados semelhantes. Uma importante metanálise brasileira conduzida por Sampaio *et al.* (2019) analisou a eficácia e segurança do uso de antifibrinolíticos em cirurgias oncológicas, não encontrando diferença no risco de complicações quando comparado com placebo. Em cirurgias cardíacas, nas quais frequentemente são encontrados pacientes com coronariopatias, é possível encontrar grandes revisões sistemáticas constatando a segurança da medicação frente a complicações tromboembólicas, contudo, curiosamente, o uso de altas doses da medicação pode predispor o paciente a convulsões no período pós-operatório.[71] Esta complicação pode estar associada a efeitos diretos do ácido tranexâmico no sistema nervoso central, que ultrapassa a barreira hematoencefálica. Recentemente, uma coorte retrospectiva conduzida por Poeran *et al.* (2021) analisou dados de 760 mil pacientes submetidos a artroplastias de quadril e joelho, evidenciando que o uso de antifibrinolíticos não aumentou a incidência de complicações mesmo nos pacientes de alto risco para eventos trombóticos,[72] no entanto, existe uma contraindicação formal da utilização da medicação em pacientes com histórico prévio de trombose venosa profunda, hemorragia intracraniana ou evento tromboembólico em atividade.

Cirurgias ortopédicas

Ao analisar os dados de cirurgias ortopédicas, encontra-se uma robusta evidência a favor do uso do ácido tranexâmico em artroplastias de quadril e joelho, com redução da perda sanguínea e diminuição da necessidade de transfusões sanguíneas, sem aumento da incidência de complicações trombóticas.[72,73] Com resultados tão promissores para cirurgias de membro inferior, houve um aumento do interesse em transpor o uso dos antifibrinolíticos para cirurgias de membro superior com alto potencial de perdas volêmicas.

Nos últimos anos diversos ensaios clínicos acerca do uso do ácido tranexâmico em cirurgias de artroplastia de ombro foram publicados, demonstrando resultados semelhantes as artroplastias de quadril. As metanálises destes estudos reafirmaram os achados, e não encontraram aumento da incidência de complicações nesta população, favorecendo a inclusão do uso da medicação na rotina destas cirurgias.[74,75] Ao abordar as fraturas de úmero, tem-se uma evidência mais escassa, porém com ensaios clínicos demonstrando resultados promissores.

Com amplo uso em procedimentos convencionais, o uso de antifibrinolíticos começou a ser estudado para procedimentos artroscópicos. Neste momento deve-se entender que a utilização do ácido tranexâmico para este último grupo de cirurgias almeja objetivos diferentes dos procurados em artroplastias. As artroscopias apresentam uma baixa taxa de perda volêmica e, consequentemente, de transfusões sanguíneas, de modo que a melhora deste desfecho pode ser difícil de ser avaliada. Contudo, a diminuição da hemorragia intraoperatória poderia melhorar o campo de visão do cirurgião, diminuindo o tempo cirúrgico. Quanto maior o tempo de irrigação da articulação, maior a morbidade, com aumento da dor pós-operatória e infiltração da região torácica e cervical pelo líquido de irrigação. Apesar do benefício teórico, os resultados na literatura acerca da melhora do campo de visão e tempo cirúrgico são conflitantes.

O menor sangramento também poderia impactar em menor incidência da principal complicação da artroscopia, a hemartrose. Esta patologia pode ocasionar em piora da dor pós-operatória, edema da articulação, maior risco de infecção e uma pior amplitude de movimentação do membro. Provavelmente este é o principal benefício a ser constatado em cirurgias artroscópicas. Apesar dos estudos voltados para este fim serem escassos, os resultados são promissores. Uma metanálise conduzida por Belk *et al.* (2021) buscou na literatura a incidência de complicações relacionados a hemartrose após procedimentos artroscópicos em pacientes que utilizaram ácido tranexâmico contra um grupo controle, encontrando benefício estatisticamente significativo com o uso da medicação.[76] Outra importante metanálise realizada por Goldstein *et al.* (2022) analisou trabalhos que comparavam o uso de antifibrinolíticos com grupo controle encontrando não somente menor incidência de hemartrose e punções articulares, mas também menores escores de dor que persistiram por seis semanas após a cirurgia. É importante ressaltar que ambos os estudos citados incluíram ensaios clínicos de procedimentos artroscópicos de joelho e de ombro na mesma análise, e apesar desta inclusão mais ampla, o número total de trabalhos e de casos foi pequeno.

Doses

A dose ideal e a via de aplicação do ácido tranexâmico permanecem sem uma resposta clara na literatura. Diversos estudos observaram que não há diferenças entre a aplicação tópica intra-articular e a infusão endovenosa. As recomendações atuais para cirurgias ortopédicas sugerem uma dose de 10 a 20 mg.kg^{-1}, em dose única ou dividida, sendo a dose fixa de 1 a 3 g uma alternativa, sem evidência de superioridade entre os esquemas terapêuticos.[77] Devido a esse perfil, deve-se evitar doses elevadas ou longas infusões contínuas, que podem apresentar maior risco de eventos adversos sem um benefício claro. Devido à depuração renal, o ácido tranexâmico deve ter sua dose ajustada em pacientes renais crônicos.

■ CIRURGIAS DA CLAVÍCULA

A partir deste ponto do capítulo serão abordadas as cirurgias mais comuns no membro superior, que serão divididas em blocos cirúrgicos de acordo com a localização anatômica, para melhor didática. Inicialmente haverá uma breve revisão da inervação da região, que guiará a escolha dos melhores bloqueios anestésicos. Em seguida serão apresentados os principais aspectos cirúrgicos e de posicionamento que devem ser de conhecimento do anestesiologista. O entendimento das principais incisões e do material utilizado pela equipe de ortopedia é essencial para a escolha da técnica anestésica adequada. Por último, será apresentada uma discussão teórica acerca dos principais planos anestésicos possíveis de serem utilizados, levando em consideração os demais temas que foram discutidos anteriormente.

Inervação da Clavícula

É bem estabelecido que a pele sobrejacente à clavícula é inervada pelo nervo supraclavicular, porém curiosamente não há um consenso acerca da inervação do periósteo clavicular na literatura. É possível encontrar referências sugerindo a participação de uma variedade de nervos: supraescapular, subclávio, torácico longo, peitoral lateral e nervos supraclaviculares. Os principais livros textos divergem em duas teorias principais. A primeira coloca os nervos supraclaviculares do plexo cervical superficial, que inicialmente eram tidos como responsáveis apenas pela inervação cutânea da região sobrejacente à clavícula, como os principais responsáveis pela inervação sensitiva do periósteo clavicular. A segunda, por sua vez, introduz o nervo subclávio e os demais ramos do plexo braquial como os principais responsáveis por esta inervação.[78] Ambas as teorias são baseadas em estudos anatômicos do início do século XX, com metodologias de difícil reprodu-

ção, ou observações realizadas a partir dos resultados obtidos em ensaios clínicos que avaliaram a eficácia de diferentes bloqueios periféricos em cirurgias de clavícula. É interessante ressaltar que a literatura apresenta estudos que utilizam bloqueios de plexo braquial, bloqueios do plexo cervical superficial, a combinação de ambos e até mesmo bloqueios torácicos como PECS I como técnicas analgésicas ou anestésicas para cirurgias da clavícula. É possível afirmar que a região clavicular contempla a maior divergência de inervação de toda a anestesia regional, visto que até mesmo o principal plexo a ser anestesiado, o braquial ou cervical superficial, não é bem estabelecido.[78]

Para iniciar a elucidação deste tema controverso, Leurcharusmee *et al.* (2021) conduziram um importantíssimo estudo anatômico em cadáveres, analisando 40 clavículas com a finalidade de descrever a inervação clavicular. Esta análise evidenciou que o principal nervo responsável pela inervação da clavícula é o supraclavicular, ramo do plexo cervical superficial, seguido dos nervos peitoral lateral e subclávio, ramos do plexo braquial. A articulação esternoclavicular recebeu ramos do nervo supraclavicular em 85% dos cadáveres, e a articulação acromioclavicular recebeu ramos do nervo supraclavicular em 87%, e do nervo peitoral lateral, em 87%. Contudo, o autor não descarta a contribuição do nervo supraescapular para a articulação acromioclavicular e do nervo subescapular para a articulação esternoclavicular, por possível ressecção acidental destes ramos no estudo.[79] A distribuição dos principais nervos responsáveis pela sensibilidade da clavícula está ilustrada na Figura 169.3.

Fraturas da Clavícula

As fraturas de clavícula são comuns, com uma incidência relatada de 30/100 mil habitantes, constituindo a principal cirurgia que envolve esta região. Apesar de geralmente ser tratada de forma conservadora, com a imobilização do membro, estruturas anatômicas importantes estão localizadas próximas à clavícula, como a artéria axilar, o plexo braquial e o ápice pulmonar, proporcionando um potencial risco de complicações em fraturas graves. Os fragmentos ósseos podem comprimir ou lesar as estruturas citadas, sendo

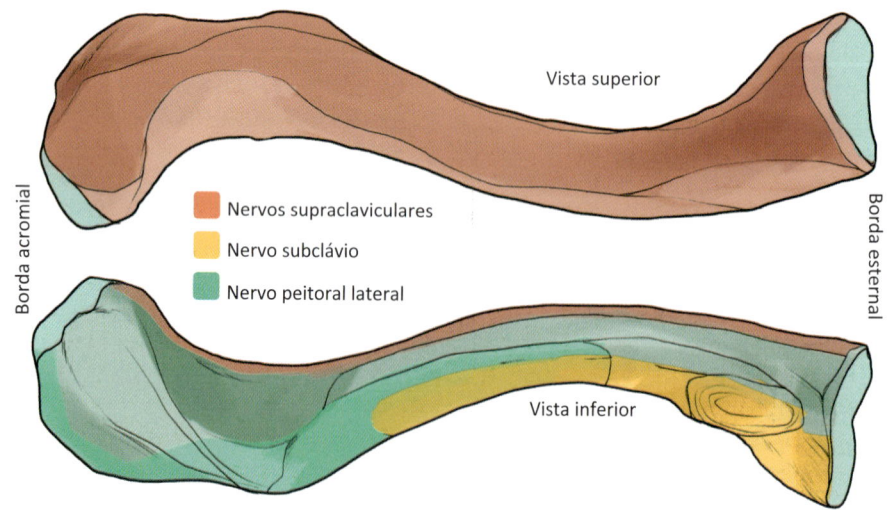

Vista superior

Borda acromial

Borda esternal

Vista inferior

■ Nervos supraclaviculares
■ Nervo subclávio
■ Nervo peitoral lateral

◄ **Figura 169.3** Inervação sensitiva da clavícula, demonstrando a importância dos nervos supraclaviculares, provenientes do plexo cervical superficial.

Fonte: Adaptada de Leurcharusmee P, Maikong N, Kantakam P, Navic P, Mahakkanukrauh P, Tran DQ. Innervation of the clavicle: a cadaveric investigation. Reg Anesth Pain Med. 2021;46(12):1076–9.

importante avaliar o membro do paciente em busca de déficits neurológicos, comprometimento da perfusão e sinais de pneumotórax, que devem ser prontamente notificados ao cirurgião e documentados em prontuário.

A literatura demonstra que ambos os tratamentos conservador e cirúrgico apresentam bons resultados funcionais, de modo que classicamente a intervenção é reservada apenas na presença de complicações ou situações risco ao paciente. Apesar desta evidência, a indicação do tratamento cirúrgico aumentou nas últimas décadas. A cirurgia proporciona um retorno mais rápido ao trabalho e à prática de esportes, e uma taxa de união óssea maior, à custa de expor o paciente às complicações cirúrgicas. A irritação e incômodo decorrentes da presença do material de síntese é a complicação mais comum, que pode atingir até 70% dos pacientes, resultando em uma alta taxa de reoperação para retirada.[80]

Seguem as principais indicações cirúrgicas da fratura de clavícula:[81]

- fraturas expostas;
- comprometimento neurológico ou vascular do membro;
- ombro flutuante;
- grandes desvios, encurtamentos e fraturas cominutivas;
- fraturas patológicas.

Atualmente a indicação da cirurgia tende a ser maior em pacientes jovens e ativos, inclusive na ausência de sinais de gravidade, com o objetivo de acelerar o retorno da função do membro.

Técnica Cirúrgica

As fraturas de clavícula podem ser abordadas através de uma variedade de técnicas, de acordo com a gravidade e localização da lesão, geralmente envolvendo uma fixação por placa. Lesões simples de terços médio ou medial podem ser tratadas de maneira minimamente invasiva através de haste intramedular, com um potencial benefício de um tempo cirúrgico menor e uma cicatriz mais discreta. Atualmente não há diferença entre as técnicas quanto ao resultado funcional e taxa de união óssea, prevalecendo a preferência do cirurgião.[81] Fraturas de terço distal podem ter abordagens mais complexas em casos de instabilidade da articulação acromioclavicular, com necessidade de reparos ligamentares. Um fragmento distal instável pode necessitar de uma placa com gancho para estabilização adequada, material que frequentemente provoca incômodo pós-operatório.

O paciente geralmente é posicionado em decúbito dorsal ou em cadeira de praia modificada. O acesso cirúrgico pode ser realizado através de uma incisão longitudinal ou oblíqua, ambas na pele sobrejacente à clavícula (Figura 169.4). Em seguida o músculo platisma é seccionado, com a identificação e preservação dos ramos do nervo supraclavicular. Por último, a fáscia clavipeitoral é aberta, proporcionando o devido acesso à clavícula. A incisão longitudinal proporciona uma exposição óssea maior do que a oblíqua, porém é esteticamente inferior é apresenta um maior risco de lesão dos ramos supraclaviculares.

Técnica Anestésica

As cirurgias para correção de fraturas de clavícula apresentam alto potencial de dor no período pós-operatório, resultando em elevado uso de opioides e expondo os pacientes a efeitos colaterais indesejados. A anestesia geral, associada ou não às técnicas regionais, permanece como a principal escolha anestésica. A possibilidade de posicionamento em cadeira de praia e a complexidade da inervação da clavícula dificultam a popularização da anestesia regional nesta população, contudo, os bloqueios regionais podem proporcionar benefícios interessantes aos pacientes, como a redução dos escores de dor, diminuição do consumo de opioides e maior satisfação com o resultado da operação.[82]

Bloqueio interescalênico associado ao plexo cervical superficial

Assim como não há um consenso sobre a inervação da clavícula, que pode ter contribuições pequenas de diferen-

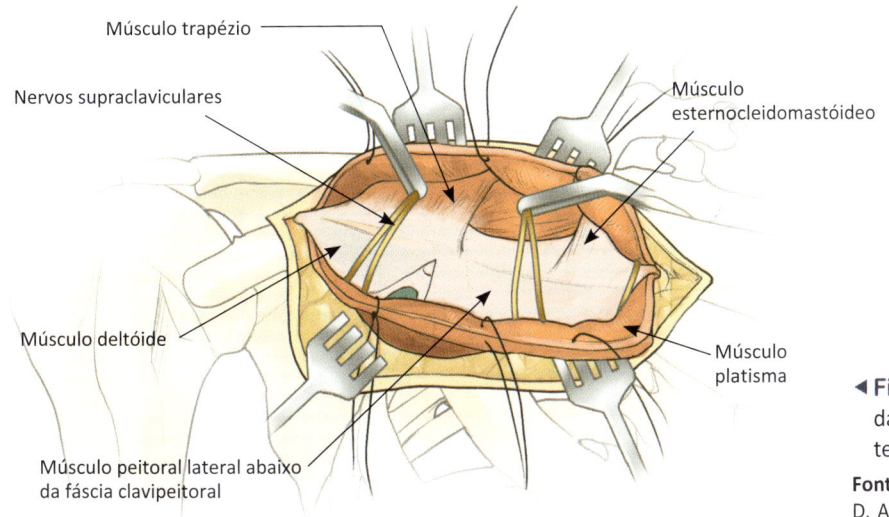

Músculo trapézio

Nervos supraclaviculares

Músculo esternocleidomastóideo

Músculo deltóide

Músculo platisma

Músculo peitoral lateral abaixo da fáscia clavipeitoral

◄ **Figura 169.4** Acesso cirúrgico anterior da clavícula, adequado para cirurgias dos terços proximal, médio e distal do osso.

Fonte: Adaptada de Andermahr J, McKee M, Nam D. Anterior approach to the clavicle, AO Foundation. Disponível em https://surgeryreference.aofoundation.org

tes nervos, naturalmente não há uma resposta definitiva sobre qual o melhor bloqueio anestésico a ser utilizado. O que podemos afirmar com maior autoridade é que o nervo supraclavicular, do plexo cervical superficial, e ramos provenientes do tronco superior do plexo braquial, principalmente o nervo subclávio e nervo peitoral lateral, são os mais relevantes. A partir deste fato, a combinação do bloqueio interescalênico com o bloqueio do plexo cervical superficial teoricamente proporcionaria uma cobertura completa. Diversos estudos demonstraram a eficácia desta técnica, destacando o conduzido por Ryan *et al.* (2021), que comparou a utilização do bloqueio interescalênico associado ao bloqueio do plexo cervical, em pacientes mantidos sob sedação, contra um grupo que foi submetido ao bloqueio interescalênico associado à anestesia geral. Curiosamente, porém perfeitamente compreensível, o grupo do plexo cervical superficial combinado não somente apresentou 0% de conversão para anestesia geral, como necessitou de menor quantidade de opioides intraoperatórios, provando ser uma alternativa viável quando há necessidade de se evitar anestesia geral em um paciente.[83]

Bloqueio inadvertido do nervo frênico

Neste momento é preciso destacar um ponto importante. A utilização do bloqueio interescalênico está fortemente associada ao bloqueio não intencional do nervo frênico, ocasionando hemiparesia diafragmática e redução da função pulmonar do paciente. Este fenômeno pode ocorrer pela dispersão do anestésico local diretamente para o nervo frênico, que tem relação de proximidade com a fenda interescalênica, ou por bloqueio das raízes de C4-C5, que originam o nervo. A incidência relatada deste fenômeno é de 100% quando utilizados altos volumes de anestésico local.[84] Esta paralisia é bem tolerada em pacientes hígidos, porém pode produzir dispneia e hipoxemia importantes em pacientes com comorbidades que aumentam o risco de complicações pulmonares, como: pneumopatias, apneia obstrutiva do sono, obesidade ou idade avançada. Em caso de cirurgias bilaterais, o bloqueio interescalênico está contraindicado devido ao risco de grave comprometimento da função pulmonar.

Nos últimos anos houve um grande esforço entre pesquisadores com a finalidade de encontrar alternativas que reduzissem esta complicação. Inicialmente, a redução do volume de anestésico local foi testada, sendo verificado que a utilização de 5 mL de solução de ropivacaína a 0,5% ocasionava em uma incidência de paralisia do frênico de 46%, sem prejuízo da analgesia em 24h, quando comparado com altos volumes.[85] Apesar da melhora da incidência, 46% de chance de ocorrência ainda é um número preocupante em um paciente de risco. A redução da concentração de anestésicos também produziu efeitos protetores, porém à custa de uma diminuição da analgesia pós-operatória. Buscando uma maior redução de acometimento diafragmático, muitos autores pesquisaram bloqueios distais à raiz de C5. O *shoulder block*, composto pelos bloqueios seletivos do nervo supraescapular e nervo axilar, responsáveis por grande parte da inervação do ombro, ganhou popularidade neste contexto. Contudo, apesar de ter grande utilidade para ci-

rurgias do ombro, estes nervos não são importantes para a inervação da clavícula.

O bloqueio seletivo do tronco superior é uma variação do bloqueio interescalênico, descrito pela primeira vez em 2014 em uma tentativa de se distanciar ao máximo do nervo frênico. O bloqueio é realizado após confluência das raízes de C5 e C6, com a formação do tronco superior, depositando anestésico local ao redor deste tronco. A combinação desta técnica com a utilização de baixos volumes de anestésico local permitiu grande redução da incidência da paresia diafragmática.[86] Um interessante ensaio clínico conduzido por Kim, David *et al.* (2019) comparou a incidência de paralisia diafragmática em pacientes que receberam o bloqueio interescalênico contra um grupo no qual foi realizado o bloqueio seletivo do tronco superior, ambos com 15 mL de bupivacaína 0,5%. Os resultados foram promissores, demonstrando uma ocorrência de algum grau de paralisia diafragmática em 4,8% dos pacientes do grupo tronco superior, contra 90,5% no grupo interescalênico, sem diferença nos escores de dor pós-operatória.[87] Outros estudos falharam em demonstrar diminuição importante da paralisia diafragmática com este bloqueio, porém a utilização de grandes volumes de anestésico local pode ter causado importante viés. Com base nestes benefícios, o bloqueio seletivo do tronco superior associado a baixos volumes (preferencialmente menores do que 10 mL) é potencialmente mais seguro do que o bloqueio interescalênico clássico. Mais estudos serão necessários para definição do volume anestésico ideal e para confirmar com maior solidez a diminuição da paralisia diafragmática.

Bloqueio único do plexo cervical superficial

Outro aspecto a ser considerado na decisão de se optar por um bloqueio de plexo braquial é a ocorrência de bloqueio motor do membro. Apesar de ser uma consequência esperada e bem tolerada pela maioria dos pacientes, nos últimos anos tem crescido a importância da reabilitação precoce nos pacientes ortopédicos. Neste contexto, há uma tendência em se preservar ao máximo a motricidade do paciente, priorizando técnicas regionais que cubram apenas a inervação necessária para a realização da cirurgia.

Se fosse necessário escolher apenas um nervo a ser anestesiado em uma cirurgia de clavícula, este definitivamente seria o nervo supraclavicular. Ele é responsável pela maior parte da inervação clavicular e da totalidade da área de pele a ser incisada. Com base neste raciocínio, diversos autores testaram a hipótese de que o bloqueio do plexo cervical superficial, quando associado a anestesia geral, seria suficiente para garantir boa analgesia cirúrgica e pós-operatória, com o benefício de se evitar um bloqueio motor do membro e a paralisia do nervo frênico. Esta estratégia foi sugerida por Abdelghany *et al.* (2021), com a realização de importante ensaio clínico comparando a utilização da combinação dos bloqueios do plexo cervical superficial e interescalênico contra apenas o plexo cervical superficial para cirurgias de clavícula, com associação de anestesia geral em ambos os grupos. Os resultados demonstraram que não houve diferença de consumo de opioides perioperatórios ou escores de dor em 24h entre as técnicas, porém o grupo do plexo cervical apresentou paralisia diafragmática em apenas 2,9% dos casos, contra 20,9% no bloqueio combinado.[88] Outros estudos e relatos de casos demonstraram resultados semelhantes, com escores de dor ligeiramente menores com a adição do bloqueio interescalênico.[89] Na presença de anestesia geral, o bloqueio do plexo cervical superficial pode ser efetivo e com efeitos colaterais mínimos.

Bloqueio da fáscia clavipeitoral associado ao plexo cervical superficial

O bloqueio da fáscia clavipeitoral foi descrito em 2017, e consiste na injeção de anestésico local entre esta fáscia e a clavícula. Esta dispersão almeja cobrir os ramos terminais sensitivos dos diferentes nervos provenientes dos plexos braquial e cervical superficial que participam da inervação clavicular, proporcionando uma analgesia eficiente e poupadora de força motora. A infusão de anestésicos deve ser realizada em 2 pontos: medial e lateral ao ponto de fratura, para evitar uma falha de dispersão devido ao fragmento ósseo. Por ser um bloqueio fascial, sem contato direto com estruturas neurais, a utilização de agulhas cortantes pode ser utilizada e facilita a perfuração da fáscia, que está em íntimo contato com a clavícula. É necessário destacar que este bloqueio cobre apenas a inervação sensitiva do periósteo, de modo que a inervação da pele a ser incisada precisa ser anestesiada por outro método. Curiosamente alguns estudos relatam bloqueio sensitivo da pele acima da clavícula após a realização do bloqueio clavipeitoral. Este fato ainda necessita de melhor elucidação, com alguns autores sugerindo que esta ocorrência pode ser justificada por escape de anestésico local para o tecido subcutâneo através do trajeto da agulha.

Diversos relatos de casos demonstraram que o bloqueio da fáscia clavipeitoral pode ser efetivo na analgesia para cirurgias de clavícula. Recentemente foram publicados os primeiros ensaios clínicos comparando o uso do bloqueio interescalênico combinado com o plexo cervical superficial contra o bloqueio da fáscia clavipeitoral associado ao plexo cervical superficial em pacientes submetidos à cirurgia de fratura de clavícula. Os resultados destes estudos demonstraram que não houve diferença nos escores de dor entre as duas técnicas, enquanto os pacientes que receberam o bloqueio clavipeitoral apresentaram preservação da força motora do membro e da função pulmonar, em contraste com os pacientes do grupo interescalênico, que apresentaram altos índices destas complicações.[90,91] Estes estudos utilizaram as técnicas regionais citadas sem a associação com anestesia geral, demonstrando um grande potencial do bloqueio da fáscia clavipeitoral combinado com o plexo cervical como técnica anestésica única. Nos próximos anos espera-se que novos estudos reforcem os dados a respeito da eficácia desta técnica regional.

Como todo bloqueio fascial, o comprometimento da fáscia pode prejudicar a dispersão do anestésico local. Deste modo, o bloqueio da fáscia clavipeitoral pode não ser a melhor escolha em cirurgias de revisão ou fraturas antigas, em que a fibrose cicatricial da região pode comprometer a dispersão do bloqueio.

Considerações Finais

A clavícula tem uma inervação complexa e desafiadora, que tem ganhado destaque devido ao aumento da escolha por tratamento cirúrgico nos casos de fratura. A anestesia geral é a técnica de preferência de muitos profissionais para conforto do paciente, principalmente quando em posição de cadeira de praia, contudo, esta deve ser combinada com um bloqueio periférico. A anestesia regional pode ser utilizada como técnica anestésica principal associada à sedação, através da combinação do bloqueio do tronco superior e plexo cervical superficial com benefício interessante em pacientes com múltiplas comorbidades em que se deseja evitar uma intubação orotraqueal ou uso excessivo de opioides e anestésicos venosos. Técnicas poupadoras de força motora e função pulmonar são efetivas e devem ser priorizadas nos demais pacientes, reservando a utilização de bloqueios de plexo braquial, como o seletivo do tronco superior, para cirurgias maiores, como nos casos com acometimento da articulação do ombro.

É de grande importância lembrar da possibilidade de comprometimento neurovascular decorrente de uma fratura de clavícula com desvio importante, de modo que a realização de exame físico do paciente pelo anestesiologista em busca destas complicações é essencial. Nestes casos, a combinação do bloqueio do plexo cervical superficial com a anestesia geral confere uma analgesia satisfatória sem a manipulação do plexo braquial lesado pela fratura.

▪ CIRURGIAS DO OMBRO

As cirurgias do ombro reúnem uma grande variedade de procedimentos convencionais e artroscópicos de relevância na prática anestésica. Nas últimas décadas houve uma tendência de aumento do número de casos, principalmente devido ao envelhecimento populacional e aprimoramento das técnicas de artroplastias e reparos ligamentares. A articulação do ombro é ricamente inervada, ocasionando em alto índice de dor pós-operatória, cenário no qual a anestesia regional se destaca como ferramenta essencial para a reabilitação e satisfação dos pacientes.

Apesar do posicionamento em decúbito lateral ser possível e efetivo, a cadeira de praia é a preferência da maioria dos cirurgiões, por oferecer benefícios cirúrgicos interessantes. Contudo, esta escolha ocorre com o preço de predispor o paciente à ocorrência de complicações temidas. Deste modo, é obrigatório que o anestesiologista tenha domínio sobre as particularidades desta posição.

Posicionamento em Cadeira de Praia

O posicionamento em cadeira de praia é uma variação do posicionamento sentado, sendo muito utilizado em cirurgias ortopédicas do ombro. Esta posição facilita a visualização das estruturas intra-articulares e permite uma rápida conversão das cirurgias artroscópicas em abertas caso seja necessário. Estes benefícios ocasionaram um grande aumento da sua utilização em detrimento do decúbito lateral. O anestesiologista deve se manter atento quanto ao correto posicionamento do paciente e ter conhecimento das principais complicações relacionadas a esta posição.

Posicionamento correto

O paciente deve ficar em posição de proclive, com flexão do quadril sobre o torso menor do que 90 graus. Os joelhos devem permanecer em leve flexão para evitar o estiramento do nervo ciático, de preferência levemente elevados por coxim acolchoado. O calcanhar é um ponto de pressão importante, e deve ser protegido. Os genitais devem estar livres e sem compressão.

O membro a ser operado deve permanecer livre e sem parte do suporte dorsal. O membro contralateral deve ser apoiado em braçadeira com apoio acolchoado protegendo contra compressão do nervo ulnar.

A cabeça deve ser presa com suporte próprio, de modo que evite movimentações laterais. A coluna cervical deve estar alinhada e sem flexão ou extensão excessiva. A flexão lateral deve ser evitada, sob o risco de estiramento do plexo braquial. Por último, a oclusão ocular deve ser checada após o posicionamento, realizando a conferência de ausência de pontos de pressão na região. O quadro geral pode ser visualizado na Figura 169.5.

Lesão neurológica

Uma das maiores preocupações referentes ao posicionamento em cadeira de praia é a possibilidade de lesões neurológicas isquêmicas. Uma grande quantidade de relatos de casos de acidente vascular isquêmico, quadriplegia e déficits neurológicos em pacientes submetidos a esse posicionamento levantou um sinal de alerta na comunidade científica.[92,93] Estudos retrospectivos maiores demonstraram resultados conflitantes acerca do aumento da incidência destas complicações nesta população, indicando que provavelmente são incomuns. A etiologia deste acontecimento permanece incerta, porém a hipotensão e o prejuízo do fluxo sanguíneo cerebral, ocasionando em hipóxia tecidual, permanecem como as principais hipóteses.

Redução da saturação cerebral

O monitoramento da saturação cerebral ganhou força com o advento recente da espectroscopia por ondas infravermelhas de uso tecidual. Este aparelho emite ondas eletromagnéticas que penetram tecidos e ossos finos como o crânio, sendo absorvidas pela oxihemoglobina e desoxihemoglobina, fornecendo uma estimativa do nível de saturação presente no tecido. Diferentemente da oximetria de pulso, este método não necessita de fluxo sanguíneo pulsátil, realizando uma leitura tanto do leito arterial como venoso. A queda de valores de saturação em 15% e 20% do basal do paciente foi sugerida por diversos estudos como um indicativo de hipóxia tecidual.[94] Contudo, nem todo episódio de dessaturação cerebral indica uma situação de isquemia. O leitor deve entender que um desbalanço entre a oferta e demanda de oxigênio na região do sensor pode ser contaminada por medidas do conteúdo sanguíneo da pele e subcutâneo subjacente ao sensor. Estes sensores também assumem uma relação fixa de conteúdo sanguíneo arterial e venoso no cálculo do valor de saturação, geralmente de 75% de conteúdo venoso e 25% de conteúdo arterial, de modo que mudanças nessa proporção no paciente, como em uma situação de aumento da proporção de sangue venoso na região, podem erroneamente indicar uma queda da saturação.

Apesar de a literatura necessitar de mais estudos para elucidar uma relação entre a ocorrência de lesão neurológica com episódios de dessaturação cerebral em pacientes, diversos estudos demonstraram que o posicionamento em cadeira de praia pode predispor a quedas da saturação tecidual cerebral. Um estudo prospectivo conduzido por Murphy *et al.* (2010) comparou a incidência de episódios de dessaturação cerebral em pacientes submetidos ao posicionamento em cadeira de praia contra pacientes que foram posicionados em decúbito lateral para cirurgias artroscópicas de ombro, encontrando uma ocorrência de 87%

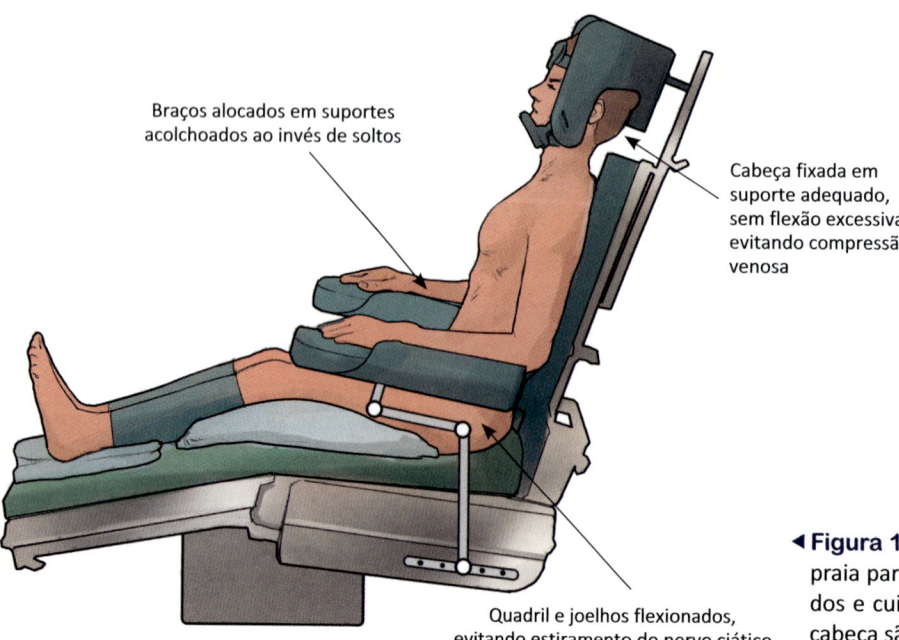

Braços alocados em suportes acolchoados ao invés de soltos

Cabeça fixada em suporte adequado, sem flexão excessiva, evitando compressão venosa

Quadril e joelhos flexionados, evitando estiramento do nervo ciático

◀ **Figura 169.5** Posicionamento em cadeira de praia para cirurgias de ombro. Coxins adequados e cuidados com a posição de membros e cabeça são essenciais para evitar lesões.

de ocorrência nos pacientes do primeiro grupo contra 0%, respectivamente.[95] Contudo, a real importância clínica destes achados necessita de maior elucidação.

Hipotensão

A anestesia geral inibe os barorreceptores, reduzindo a resistência vascular periférica, resultando em redistribuição do sangue venoso para os membros inferiores devido ao efeito gravitacional da posição sentada. Este mecanismo gera preocupação quanto ao possível prejuízo da perfusão cerebral. Na posição sentada, a cabeça está localizada em um nível acima do coração, possivelmente apresentando valores de pressão arterial média menores do que a medida no braço. Segundo esta teoria, para cada centímetro acima do nível do coração deveria ser realizada uma correção com a subtração de 1,35 mmHg da pressão arterial média, contudo não há consenso na literatura acerca de sua veracidade. O que se tem de certeza é de que a autorregulação cerebral, mecanismo no qual o fluxo cerebral é mantido apesar das variações de pressão arterial, é prejudicada na posição de cadeira de praia. Estima-se que um indivíduo hígido, acordado e em posição supina seja capaz de preservar seu fluxo cerebral a partir de uma pressão arterial média mínima de 70 mmHg, porém há grande variabilidade individual nestes valores, com relatos de achados entre 57 mmHg e 91 mmHg na população.[94]

Um importante estudo observacional realizado por Laflam et al. (2015) demonstrou que a posição sentada apresentava menores índices de saturação cerebral e maior índice de oxigenação cerebral do que a posição de decúbito lateral em pacientes submetidos a cirurgias do ombro.[96] O índice de oxigenação é um valor que representa a correlação entre a variação da pressão arterial média e a oxigenação cerebral, ou seja, quando for zero demonstra que a autorregulação está preservada, pois indica que a variação da pressão arterial não está alterando o fluxo cerebral. Quando é maior do que zero demonstra que variações na pressão arterial estão afetando o fluxo cerebral, sugerindo perda da autorregulação cerebral. Apesar deste achado importante, este estudo e demais presentes na literatura falharam em demonstrar de maneira consistente a correlação entre hipotensão e eventos de dessaturação cerebral com déficits neurológicos.

Não há um consenso acerca de qual o nível pressórico seguro para a posição em cadeira de praia, devido a dificuldade de se mensurar a preservação da autorregulação cerebral, sendo recomendado a manutenção da pressão arterial média próxima dos valores basais do paciente, enquanto a hipotensão permissiva deve ser evitada.

Medidas protetoras

Em adição à manutenção dos níveis pressóricos próximos do basal do paciente, diversos métodos foram estudados com a finalidade de proteger o paciente contra diminuições de fluxo cerebral e consequentemente hipóxia tecidual. Evitar a hiperventilação parece trazer benefícios interessantes. A literatura demonstra que níveis de capnografia no limite superior da normalidade, entre 40 e 45 mmHg, diminuíram a incidência de dessaturação cerebral quando comparados com valores entre 30 e 35 mmHg.[97]

A utilização de dispositivos de compressão de membros inferiores trouxe resultados interessantes, demonstrando que o uso intraoperatório ocasionou menor incidência de hipotensão e dessaturação cerebral,[98,99] contudo, o número de estudos ainda é limitado.

Os vasopressores devem ser vistos com cautela. Altas doses destes medicamentos podem ter efeitos paradoxais no fluxo sanguíneo cerebral. Um interessante estudo conduzido por Soeding et al. (2013) comparou a saturação cerebral em pacientes posicionados em cadeira de praia entre um grupo que recebeu fenilefrina e um grupo controle que recebeu infusão salina. Apesar de a fenilefrina ter sido efetiva em manter a pressão arterial média, este grupo apresentou uma redução de 18% da saturação cerebral contra 11% do grupo controle.[100]

Por fim, com o intuito de diminuir o prejuízo à autorregulação cerebral, o uso da anestesia regional sem estar associada à anestesia geral foi sugerido por diversos autores. Um estudo prospectivo conduzido por Koh et al. (2012) comparou episódios de dessaturação cerebral entre pacientes que receberam anestesia regional com sedação contra pacientes que foram submetidos à anestesia geral associada à regional, encontrando incidência de 0% e 57%, respectivamente. De maneira semelhante, Aguirre et al. (2014) examinaram a presença de dessaturação cerebral em um cenário de hipotensão controlada, comparando pacientes que receberam anestesia regional ou anestesia geral, encontrando incidências de 2% contra 71%, respectivamente.

Conclusões

Pacientes submetidos à posição de cadeira de praia apresentam um potencial risco de lesão neurológica, cuja etiologia precisa ser mais bem elucidada. A anestesia geral e o posicionamento sentado ocasionam em perda da autorregulação cerebral, fator que pode contribuir para a incidência desta complicação. Há uma dificuldade em se definir o valor seguro da pressão arterial média que preserva a autorregulação cerebral, de modo que se deve preconizar a manutenção de valores próximos do basal do paciente. A hiperventilação deve ser evitada, e manutenção da EtCO$_2$ no limite superior da normalidade parece ter benefícios interessantes. O uso da anestesia regional associada a sedação como técnica principal pode mitigar os efeitos da perda da autorregulação cerebral, sendo uma opção interessante em pacientes com fatores de risco para eventos neurológicos.

Inervação do Ombro

O conhecimento da inervação do complexo articular do ombro é essencial para que o anestesiologista entenda a dor pós-operatória e indique a melhor técnica de anestesia regional corretamente. Para fins didáticos iremos revisar este tema dividindo-o em 4 partes: cutânea, muscular, articulação glenoumeral e articulação acromioclavicular. As articulações esternoclavicular e escapulotorácica, apesar de não serem detalhadas a seguir, também devem ser consideradas como partes do complexo articular ombro.

Inervação cutânea do ombro

A área de pele relevante para as principais incisões presentes em cirurgias do ombro recebe ramos do plexo braquial e do plexo cervical superficial. A pele sobrejacente ao músculo deltoide é inervada pelo nervo axilar, enquanto os nervos supraclaviculares são responsáveis pela sensibilidade da região cutânea da porção superior do ombro, tórax e dorso, ilustrado na Figura 186.6. O nervo radial supre a região lateral e posterior do braço, importante para cirurgias de úmero, enquanto a pele da região da axila recebe inervação do nervo intercostobraquial.

Inervação muscular do ombro

O manguito rotador é um grupamento muscular e tendinoso responsável por estabilizar a articulação glenoumeral, mantendo a cabeça do úmero centralizada dentro da cavidade glenoide, evitando a luxação da articulação. Além da função estabilizadora, este grupo muscular é responsável por realizar movimentos de rotação, adução e abdução do úmero, sendo composto pelos músculos.

A disposição deste conjunto pode ser visualizada na Figura 169.7. Os músculos supraespinhal e infraespinal recebem inervação do nervo supraescapular, enquanto os nervos axilar e subescapular são responsáveis pelos músculos rendondo menor e subescapular, respectivamente.

Apesar da importância do manguito rotador para o ombro, é importante ressaltar que outros músculos estão envolvidos com a articulação do ombro e movimentação do úmero. Os principais componentes musculares do complexo articular do ombro foram resumidos na Tabela 169.3. Por

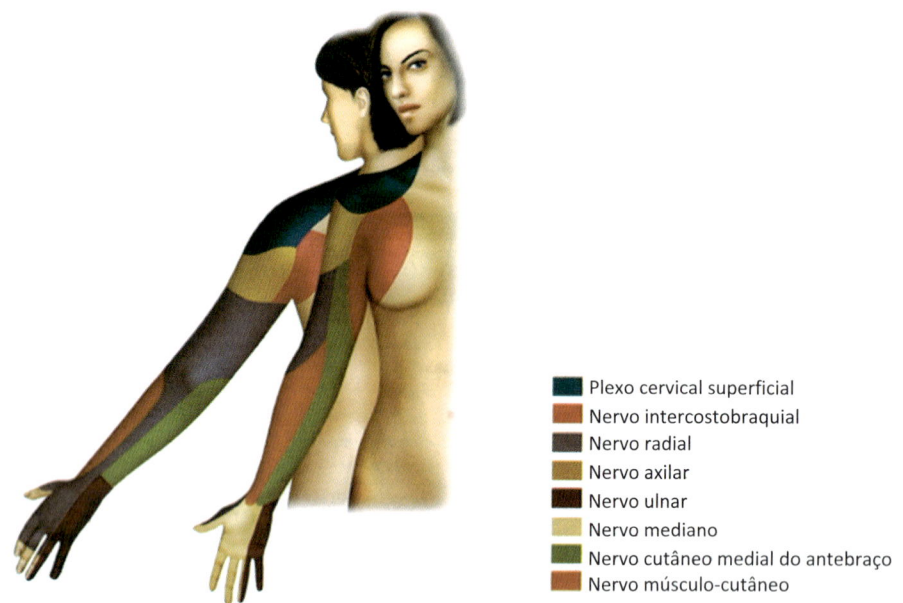

- Plexo cervical superficial
- Nervo intercostobraquial
- Nervo radial
- Nervo axilar
- Nervo ulnar
- Nervo mediano
- Nervo cutâneo medial do antebraço
- Nervo músculo-cutâneo

▲ **Figura 169.6** Inervação cutânea do membro superior. Destaque para a importância dos nervos supraclaviculares e axilar para cirurgias de ombro.

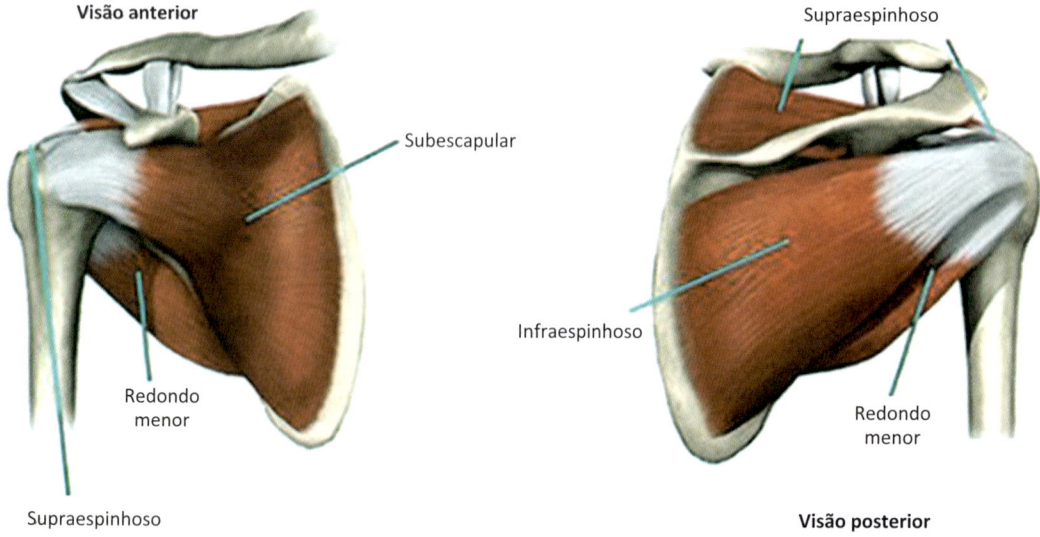

▲ **Figura 169.7** Anatomia dos músculos que compõem o manguito rotador do ombro.

Tabela 169.3 Resumo dos principais músculos do complexo articular do ombro, com as respectivas inervações e funções na movimentação da articulação.

Músculo	Inervação	Função
Supraespinhal	Supraescapular (C5,C6)	Estabilização da glenoide, abdução (auxiliando deltóide)
Infraespinhal	Supraescapular (C5,C6)	Estabilização da glenoide, rotação externa com membro na posição neutra
Subescapular	Subescapular superior (C5,C6) Subescapular inferior (C5,C6)	Estabilização da glenoide, rotação interna, adução
Redondo menor	Axilar (C5,C6)	Estabilização da glenoide, rotação externa com membro abduzido
Redondo maior	Subescapular inferior (C5,C6) Toracodorsal (C6, C7, C8)	Adução e rotação interna
Deltoide	Axilar (C5,C6)	Abdução
Coracobraquial	Musculocutâneo (C5,C6,C7)	Flexão, adução e rotação interna
Peitoral menor	Peitoral medial (C8,T1)	Estabilização da escápula, tração inferior e anterior do ombro
Peitoral maior	Peitoral medial (C8,T1) Peitoral lateral (C5,C6,C7)	Flexão, adução, rotação interna, tração anterior e inferior da escápula
Latíssimo do dorso	Toracodorsal (C6, C7, C8)	Extensão, adução e rotação externa
Bíceps braquial	Musculocutâneo (C5,C6,C7)	Flexão e adução

fim, músculos como trapézio, rombóide, subclávio, elevador da escápula e serrátil anterior desempenham papel acessório na estabilização e movimentação de escápula e clávicula.

O conhecimento da complexa anatomia muscular da região é de grande importância para o anestesiologista, para que este tenha sucesso na escolha da técnica anestésica. Apesar do tronco superior, através das raízes de c5 e c6, serem suficientes para a cobertura sensitiva das cirurgias mais comuns do ombro, certos tipos de cirurgia, como as de Latarjet e fraturas escapulares, podem necessitar de um bloqueio analgésico mais amplo.

Articulação glenoumeral

A inervação da articulação glenoumeral foi alvo de diversos estudos anatômicos, com identificação de grande participação de ramos do tronco superior. Um trabalho se destaca, conduzido por Tran *et al*. (2018), que se propôs a detalhar de forma minuciosa a inervação da articulação glenoumeral e acromioclavicular através da dissecção de 15 cadáveres. Os autores dividiram a primeira articulação em quatro quadrantes para fins de melhor entendimento. O quadrante posteroinferior recebeu ramos do nervo axilar em 15/15 dos espécimes, o anteroinferior foi inervado pelo nervo axilar em 15/15, pelo nervo peitoral lateral em 1/15 e por ramos diretos do fascículo posterior do plexo braquial em 1/15. O quadrante anterossuperior recebeu ramos do nervo subescapular em 14/15, do nervo peitoral lateral em 1/15 e do fascículo posterior em 1/15. Por último, o quadrante posterossuperior foi inervado completamente pelo nervo supraescapular em 15/15 dos casos (Figura 169.8).[101]

Articulação acromioclavicular

Segundo o mesmo estudo citado anteriormente, a articulação acromioclavicular foi inervada em todos os es-

pécimes por ramos do nervo peitoral lateral e do nervo supraescapular.[101]

Analisando a inervação de todas as estruturas anatômicas apresentadas, pode-se concluir que os nervos supraescapular e axilar suprem grande parte da musculatura, articulação e área cutânea de interesse em cirurgias do ombro. Secundariamente tem-se importante participação dos nervos subescapular e peitoral lateral. Todos são provenientes do tronco superior do plexo braquial, justificando a eficácia de bloqueios regionais que têm esta região como alvo. A plexo cervical superficial pode contribuir com a inervação cutânea de incisões e trocanteres em determinadas cirurgias.

■ PROCEDIMENTOS ARTROSCÓPICOS DO OMBRO

A artroscopia de ombro é amplamente utilizada para reparos do manguito rotador. A literatura é clara em demonstrar que não há diferença de resultado funcional entre as correções artroscópicas e abertas, com ambas apresentando benefícios próprios, cabendo ao cirurgião e ao paciente a individualização do melhor método. Apesar disso, a tendência atual caminha para um predomínio da artroscopia. Entre 1996 e 2006, nos Estados Unidos, foi relatado aumento 34% dos reparos abertos, contra 600% dos realizados por artroscopia.[102] Da mesma forma, entre 2007 e 2015 foi estimado aumento de 188% em todos os procedimentos de manguito rotador, com a mudança da proporção de cirurgias artroscópicas de 56,9% para 75% dos casos totais.[103]

Este crescimento se deu em todas as faixas etárias, com aumento mais expressivo em idades avançadas. Este fato pode ser explicado por resultados que demonstram benefício no reparo precoce de lesões, pelo maior risco de nova rotura após cirurgia em pacientes idosos ou com lesões mais extensas.[103] Enquanto as evidências demonstram resultados funcionais semelhantes, as cirurgias artroscópicas apresentam vantagens pós-operatórias imediatas interessantes, através da maior facilidade de preservação do músculo deltoide, cicatriz mais estética e melhor visualização das estruturas anatômicas, que contribuem com a tendência de escolha da técnica.

A incidência de complicações clínicas como infecção e trombose venosa profunda é baixa, contudo, novas rupturas do tendão e rigidez articular ocorrem com maior frequência, se apresentando como as maiores complicações cirúrgicas que resultam em morbidade ao paciente. Apesar de raras, lesões do nervo supraescapular e axilar podem ocorrer por estiramento devido ao posicionamento, compressão secundária ao extravasamento de líquido de infusão ou lesão cirúrgica direta.[104] Em cirurgias prolongadas, o extravasamento de líquido para o tecido subcutâneo do tórax e pescoço pode causar escape de dor importante.

Técnica Cirúrgica

A cirurgia ocorre através da utilização de uma grande variedade de portais, a depender da localização da lesão. Os principais são: posterior, instalado 2 cm posterior e 1 cm medial à borda posterolateral do acrômio, entre os músculos infraespinal e redondo menor; anterior, alocado lateral ao processo coracoide e anterior à articulação acromioclavicular, entre os músculos peitoral maior e menor; lateral, puncionado a 2 cm distais e lateralmente à borda do acrômio, atravessando o músculo deltoide. Esta disposição pode ser verificada na Figura 169.9.

Em seguida são alocadas a câmera e os equipamentos cirúrgicos através dos portais, com infusão de fluido de irrigação em fluxo constante, causando distensão da cápsula articular para aumentar o campo de visão do cirurgião. A pressão de irrigação recomendada é de 40 a 80 mmHg, com uma infusão 50-150 mL.min[-1], que devem ser respeitados para evitar o extravasamento excessivo da solução para o tecido subcutâneo. Apesar da raras, é possível encontrar relatos de complicações respiratórias graves, ocasionadas por compressão traqueal secundária ao extravasamento de fluido de irrigação.[105,106] Observada a necessidade de identificar potenciais riscos da solução artroscópica, Gupta *et al.* (2016) conduziram um estudo observacional em pacientes submetidos a procedimentos artroscópicos de ombro, encontrando um aumento significativo de hipotermia intraoperatória, aumento da circunferência cervical e pressão de pico respiratória que se relacionaram proporcionalmente à quantidade de fluido administrada e tempo de cirurgia.[107]

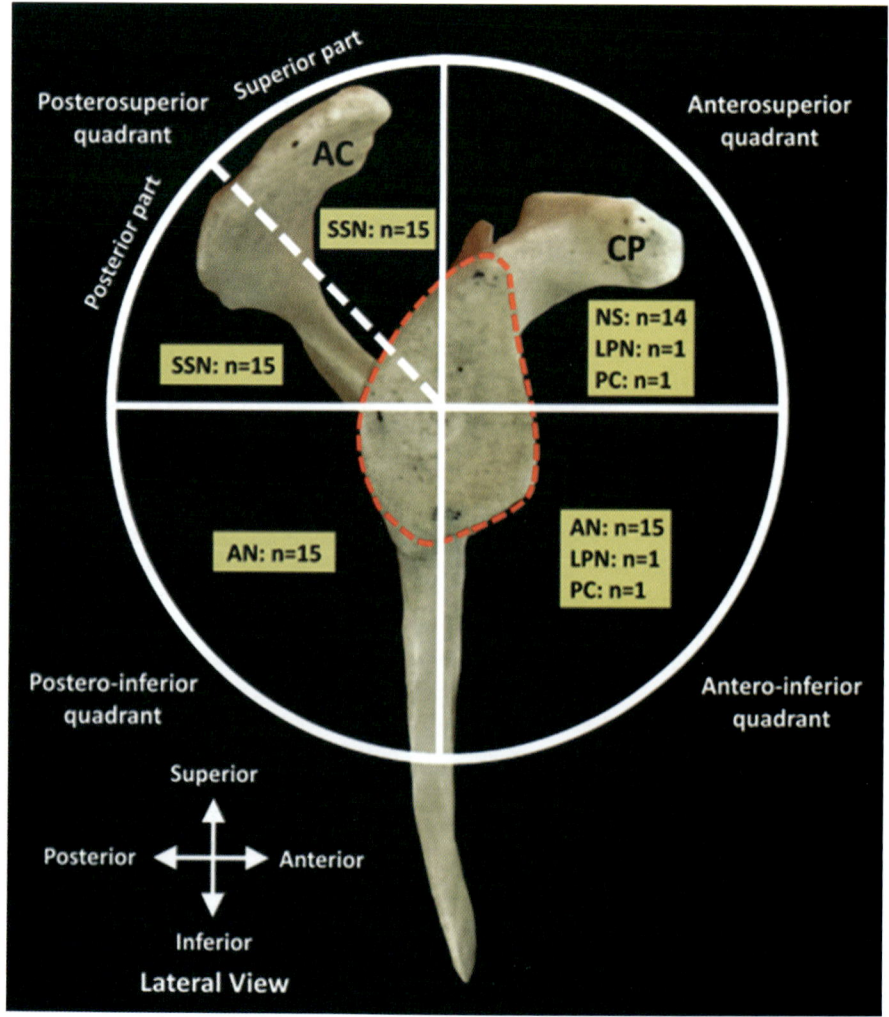

◄ **Figura 169.8** Inervação dos quadrantes da cápsula glenohumeral. **AC**, acrômio. **AN**, nervo axilar. **CP**, processo coracoide. **LPN**, nervo peitoral lateral. **NS**, nervo subescapular. **PC**, fascículo posterior. **SSN**, nervo supraescapular. Pontilhado vermelho indica o contorno da fossa glenoidal. Reproduzido com autorização de Philip Peng Educational Series.

Fonte: Tran J, Peng PWH, Agur AMR. Anatomical study of the innervation of glenohumeral and acromioclavicular joint capsules: Implications for image-guided intervention. Reg Anesth Pain Med. 2019;44(4):452–8.

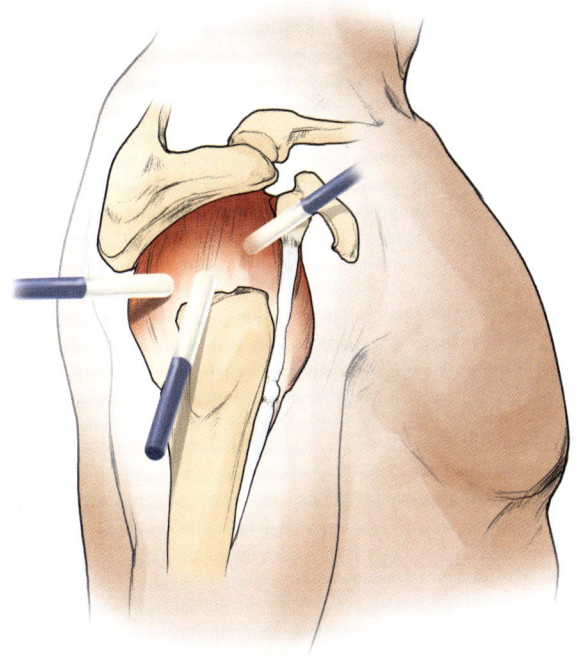

▲ **Figura 169.9** Posicionamento padrão dos portais utilizados em procedimentos artroscópicos de ombro.

Fonte: Adaptada de Di Giacomo G, Costantini A. Arthroscopic shoulder surgery anatomy: Basic to advanced portal placement. Oper Tech Sports Med. 2004;12(2):64–74.

A hipotermia destes pacientes ocorreu apesar da utilização de sistemas de aquecimento de ar forçado e fluidos aquecidos, sugerindo que a ausência de um sistema de aquecimento ativo poderia resultar em uma queda de temperatura grave. Estes dados reforçam a preocupação com o tempo cirúrgico prolongado em procedimentos artroscópicos.

Sob esse contexto de controle do tempo operatório, um bom campo visual através da câmera é essencial. O sangramento intra-articular pode aumentar o tempo cirúrgico, por perda deste campo visual. Diversas intervenções foram propostas para atenuar este problema. O ácido tranexâmico é utilizado por muitas equipes com esta finalidade, apesar de uma literatura controversa acerca deste benefício. Contudo, sua utilização apresentou resultados promissores na diminuição da hemartrose pós-operatória, consequentemente diminuindo os escores de dor e protegendo o paciente contra a necessidade de drenagem articular. Outro método de melhora da qualidade visual é a adição de concentrações baixas de epinefrina na solução de irrigação, com relatos na literatura de redução de tempo cirúrgico e aprimoramento do campo de visão do cirurgião.[108]

É comum que equipes ortopédicas solicitem menores níveis pressóricos durante a cirurgia, sob a justificativa de diminuir o sangramento intra-articular. Deve-se ter muita atenção quanto a este pedido, principalmente em pacientes com hipertensão arterial crônica, visto que a hipotensão arterial combinada com o posicionamento em cadeira de praia pode ter consequências catastróficas para a perfusão cerebral.

Técnica Anestésica

As cirurgias artroscópicas de ombro, principalmente nos casos de reparo de manguito rotador, apresentam altos índices de dor pós-operatória, expondo os pacientes aos efeitos colaterais dos opioides. A anestesia regional provou trazer benefícios importantes neste cenário, demonstrando ser efetiva em reduzir o consumo de opioides e prevenir dor severa nas primeiras 24 horas de pós-operatório,[109,110] sendo altamente recomendada. É importante ressaltar que o uso de bloqueios periféricos não exclui a necessidade de uma analgesia multimodal efetiva, a fim de se evitar aumentos expressivos do escore de dor após o fim do efeito anestésico do bloqueio. A prescrição de anti-inflamatórios não esteroidais, dexametasona, analgésicos simples e opioides de resgate é recomendada independentemente da técnica escolhida.[111]

A anestesia regional pode ser utilizada associada à sedação no tratamento de lesões simples e com previsão de tempo cirúrgico curto, sendo uma opção interessante em pacientes com múltiplas comorbidades. A combinação com anestesia geral proporciona maior conforto ao paciente e segurança da equipe na maior parte dos casos.

Diversas técnicas de bloqueio foram propostas para cirurgias de ombro na literatura, sendo importante conhecer os benefícios e reveses de cada método. O bloqueio interescalênico é talvez o mais utilizado, sendo atualmente considerado o padrão ouro para este tipo de cirurgia. Contudo, submete o paciente ao mesmo problema das cirurgias de clavícula: bloqueio inadvertido do nervo frênico, causando paralisia diafragmática e bloqueio motor do membro. Pacientes jovens toleram bem estes efeitos deletérios, porém, técnicas alternativas podem ser consideradas na vigência de comorbidades pulmonares, obesidade, apneia obstrutiva do sono e idade avançada.

Shoulder Block

Uma alternativa interessante, que não somente visa poupar a função pulmonar, como manter a motricidade de boa parte do membro, é o *shoulder block*. Esta técnica consiste no bloqueio seletivo dos nervos supraescapular e axilar, responsáveis por grande parte da inervação sensitiva relevante para cirurgias do ombro. Por não oferecer uma anestesia completa do ombro, a associação com anestesia geral é necessária. Estudos comparando os efeitos do *shoulder block* com o interescalênico apresentaram resultados consistentes, com maiores escores de dor nas primeiras horas de pós-operatório, porém sem diferença significativa em 12h e 24h. Contudo, os dados coletados demonstram que o *shoulder block* apresentou efeitos mínimos na função pulmonar, sendo efetivo em poupar o nervo frênico.[112,113] Outro benefício interessante desta técnica é a preservação da função do membro. Apesar do efeito analgésico inferior nas primeiras horas após a cirurgia, o *shoulder block* é uma técnica viável e eficaz quando se deseja evitar prejuízo da função pulmonar. É importante ressaltar que, em cirurgias maiores, como nos reparos de manguito rotador aberto, este bloqueio pode não ser a melhor escolha.

Bloqueio seletivo do tronco superior

O bloqueio seletivo do tronco superior é uma alternativa interessante para cirurgias de ombro, como mais bem elucidado anteriormente no tópico de cirurgias da clavícula. Os principais nervos responsáveis pela inervação do ombro são cobertos com esta técnica: supraescapular, axilar, subescapular e peitoral lateral. Deste modo, é possível obter uma analgesia eficiente, com preservação da função pulmonar superior ao bloqueio interescalênico. Deve-se ressaltar que, apesar de ser uma técnica com grande potencial de poupar o nervo frênico, a literatura ainda necessita de mais estudos sobre o tema. A associação de baixas doses de anestésico local, menores do que 10 mL, pode amplificar a redução da incidência de paralisia diafragmática.[86]

Bloqueio periférico contínuo

O fim do efeito de um bloqueio periférico pode ocasionar em pico abrupto de dor, acontecimento que pode ser mitigado com a realização de uma analgesia multimodal perioperatória. Uma alternativa para cirurgias com potencial de dor prolongada é a utilização de cateteres perineurais, com a possibilidade de infusão de anestésicos locais por analgesia controlada pelo paciente ou *bolus* intermitente. Diversos autores estudaram a qualidade analgésica deste método quando comparados com bloqueios simples, com achados de melhores escores de dor e maior qualidade de sono dos pacientes.[114,115] Estes dados foram reafirmados por uma metanálise conduzida por Vorobeichik *et al.* (2018), que analisaram dados de 15 ensaios clínicos, encontrando menor consumo de opioides em 24h e 48h, melhor qualidade de sono e maior controle de dor após 48h nos grupos que receberam bloqueio interescalênico contínuo quando comparado com o interescalênico *single shot*. Os ensaios incluídos envolviam grandes cirurgias do ombro, incluindo reparos artroscópicos do manguito rotador e artroplastias.[116] Apesar de não haver um consenso sobre o benefício de padronizar a realização do bloqueio contínuo para todos os pacientes, esta ferramenta é útil para o anestesiologista na individualização de cada paciente, sendo uma alternativa interessante àqueles que serão submetidos a cirurgias extensas e complexas.

Reparo do Manguito Rotador Aberto

Apesar da tendência do predomínio da artroscopia, o reparo convencional continua sendo realizado em casos com lesões extensas e complexas, ou em serviços que não dispõem de equipamento artroscópico adequado. Apesar da grande incisão lateral no músculo deltoide e pele sobrejacente para se obter o acesso cirúrgico, não há evidências de maiores escores de dor pós-operatória entre as técnicas,[117,118] deste modo, a técnica anestésica entre as duas modalidades não devem sofrer muitas interferências com base neste aspecto.

■ CIRURGIAS DO ÚMERO PROXIMAL

As cirurgias do úmero proximal compreendem um grande grupo cirúrgico, representado principalmente pelas correções cirúrgicas de fraturas da região, reconstruções oncológicas e tratamento de artropatias graves da articulação do ombro.

Fraturas do úmero proximal estão entre as mais comuns entre adultos, correspondendo a 6% de todas as fraturas,[119] apresentando picos de incidência em adultos jovens, devido a traumas de alta energia, e idosos, decorrentes de quedas da própria altura. O prejuízo da função do membro e dor persistente são sequelas comuns desta fratura, sendo causa de grande morbidade em idosos. O manejo destes pacientes deve ser realizado com cautela: independentemente do tratamento da fratura, a mortalidade em dois anos chega a 24%, e apesar de impulsionada pelas faixas etárias mais altas, não é insignificante nas populações mais jovens, nas quais podem atingir 1,3%.[120]

O tratamento conservador é a principal escolha, sendo reservada a cirurgia, geralmente fixação através placa, para fraturas com grande desvio ou múltiplos fragmentos. Em pacientes jovens, o tratamento cirúrgico é muitas vezes indicado para acelerar o retorno às funções habituais. Em idosos, o tratamento ideal permanece controverso na literatura, com estudos sólidos indicando que o tratamento cirúrgico não demonstra superioridade sobre o conservador, à custa de aumento de custo hospitalar e exposição do paciente a riscos.[121,122] Apesar destes dados, o número de indicações de cirurgia vem aumentando nos últimos anos, destacando-se o uso crescente da artroplastia reversa de ombro.

A condição óssea precária e a alta incidência de lesões de manguito rotador em pacientes idosos resultam em um resultado funcional ruim após qualquer tipo de intervenção. A artroplastia reversa busca melhorar este quadro ao mudar a biomecânica da articulação do ombro, em uma tentativa de obter escores funcionais melhores em pacientes idosos com fraturas complexas.

O mesmo raciocínio tem sido utilizado no tratamento das artropatias do ombro. Pacientes jovens, geralmente com quadros de artrites inflamatórias, tendem a receber artroplastia total anatômica de ombro ou hemiartroplastia. Quadros de artrose em pacientes mais idosos ou na presença de grandes lesões de manguito rotador parecem ter maior benefício na utilização da artroplastia reversa de ombro.

Incisões Cirúrgicas

A incisão deltopeitoral é a mais utilizada para cirurgias de úmero proximal, e deve ser do conhecimento do anestesiologista. O cirurgião inicia com uma incisão na pele entre o processo coracoide e o corpo do úmero, em seguida rebate a borda medial do músculo deltoide e a musculatura peitoral, expondo a fáscia clavipeitoral, que deve ser, por fim, seccionada para garantir acesso à articulação do ombro (Figura 169.10).

A incisão anterolateral é uma alternativa muito utilizada na alocação de placas minimamente invasivas e hastes intramedulares. Primeiramente é realizada uma incisão na borda anterolateral do acrômio e borda lateral do úmero, em seguida é realizada a separação das fibras do músculo deltoide. O nervo axilar está sob risco de lesão nesta abordagem devido à sua proximidade com o corte. Pequenas incisões adicionais podem ser necessárias durante a fixação da placa ou haste, com a finalidade de alocar os parafusos (Figura 169.11).

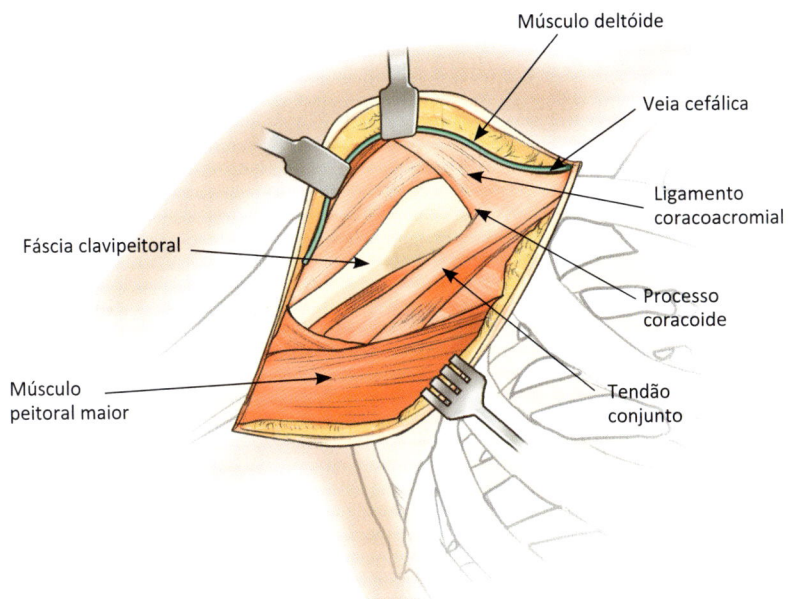

◀ **Figura 169.10** Acesso deltopeitoral, muito utilizado em cirurgias de úmero proximal.

Fonte: Adaptada de Jaeger M, Leung F, Li W. Deltopectoral approach to the proximal humerus. AO Foundation. Disponível em https://surgeryreference.aofoundation.org

■ ARTROPLASTIA DE OMBRO

Como dito anteriormente, a artroplastia total anatômica de ombro, que mantém a anatomia funcional do ombro, geralmente é realizada em pacientes jovens com boa qualidade óssea e função do manguito rotador. A artroplastia reversa do ombro foi idealizada para suprir os pacientes que não apresentam estas características. Com esta última técnica, a cabeça do úmero é substituída por uma cavidade umeral, e a cavidade glenoide é substituída por uma semiesfera, chamada de glenosfera, invertendo a anatomia funcio-nal da articulação glenoumeral. Estas mudanças tornam o centro de rotação do ombro mais medial, transformando a força de cisalhamento da articulação (que tende a luxar a articulação) em força de compressão contra a escápula, aumentando a estabilidade.[123] Nestas condições, o músculo deltoide adquire uma função abdutora muito mais efetiva, melhorando a qualidade de movimentação do membro de pacientes que não apresentam um manguito rotador eficiente. As diferenças anatômicas entre as duas técnicas podem ser observadas na Figura 169.11.

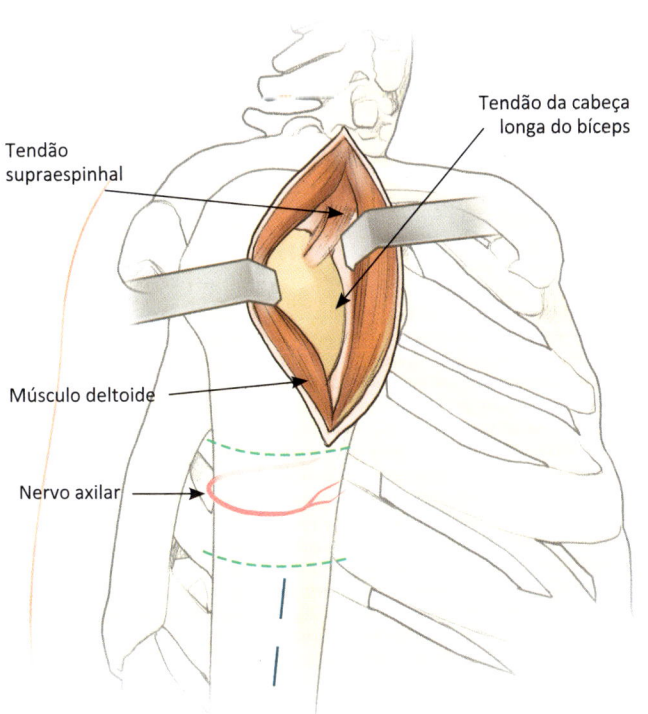

◀ **Figura 169.11** Incisão anterolateral, utilizada em cirurgias de úmero proximal. Destaque para a proximidade do nervo axilar, que pode ser lesado durante a cirurgia.

Fonte: Adaptada de Jaeger M, Leung F, Li W. Anterolateral approach to the proximal humerus. AO Foundation. Disponível em https://surgeryreference.aofoundation.org

Lesões de nervos periféricos são relatadas com incidência que variam de 1% a 4% na literatura, devido à agressão direta ou ao estiramento do plexo braquial. Os nervos axilar e supraescapular são especialmente suscetíveis, e devem ser investigados na presença de déficit neurológico pós-operatório.[124]

A perda sanguínea durante o procedimento de artroplastia de ombro pode ser significante, e deve ser monitorada pela equipe cirúrgica e anestésica. A incidência geral de transfusão de sangue é relatada variando de 2% a 20%,[125-128] a depender da população estudada, demonstrando a importância da identificação dos fatores de risco para este evento. Fraturas, cirurgias de revisão, tempo cirúrgico elevado e anemia prévia devem chamar a atenção do anestesiologista neste quesito, compondo os principais indicadores da necessidade de hemocomponentes. A utilização do ácido tranexâmico, como discutido anteriormente neste capítulo, tem o potencial benefício de reduzir a perda volêmica e necessidade de transfusão sanguínea.

Técnica Anestésica

As artroplastias de ombro são comumente associadas a episódios de dor pós-operatória severa, quadro que foi relatado incidir em 28% dos pacientes.[129] A ocorrência de elevados escores de dor impacta em maior morbidade, resultando em consumo excessivo de opioides, tempo de internação prolongado e aumento dos custos hospitalares. A utilização da anestesia regional apresenta grande impacto nesta população. Em importante estudo retrospectivo conduzido por Hertick *et al.* (2018), foram analisados dados de 67 mil pacientes submetidos a artroplastias de ombro, verificando que a utilização de bloqueios regionais diminuiu a ocorrência de complicações pulmonares e infecciosas quando comparado com pacientes que receberam apenas anestesia geral. Quando observado o tempo de internação, verificou-se que a utilização de técnicas regionais teve relação com menor tempo de permanência hospitalar.

A escolha do bloqueio periférico segue a mesma orientação das demais cirurgias de úmero proximal, com o bloqueio interescalênico permanecendo o padrão ouro, com a ressalva acerca do bloqueio inadvertido do nervo frênico, que deve ser considerado com cautela em pacientes com fatores de risco para complicações pulmonares. A utilização de bloqueios poupadores do nervo frênico, como *shoulder block* e bloqueio seletivo do tronco superior, podem ocorrer quando se busca evitar uma paralisia diafragmática.

Apesar das semelhanças na escolha da técnica anestésica em relação às demais cirurgias do úmero proximal, é importante destacar as diferenças. A utilização de bloqueios regionais, apesar de proporcionar grande benefício analgésico, não elimina completamente a ocorrência de escores de dor severa. A artroplastia de ombro tem um potencial álgico prolongado, que muitas vezes ultrapassa a duração do efeito do anestésico local. O término da analgesia proveniente dos bloqueios periféricos pode provocar pico de dor importante e característico que pode comprometer o pós-operatório dos pacientes, chamada de dor rebote.

Dor rebote

A dor rebote é classicamente definida como aumento expressivo da dor e consumo de opioides entre 8h e 24h após a realização de um bloqueio periférico, que coincide com a resolução do efeito analgésico do anestésico local, muitas vezes apresentando características semelhantes à dor neuropática, com sensação de queimação e hiperalgesia. Esta patologia é de origem incerta, com a literatura apresentando diversos mecanismos que podem desempenhar um papel em sua ocorrência. Apesar de alguns autores defenderem de que esta dor ocorre devido ao estímulo abrupto dos receptores nociceptivos na vigência de analgesia sistêmica inadequada no momento da resolução de um bloqueio periférico, há evidências de que o mecanismo pode ser mais complexo. Estudo experimental em animais demonstrou um estado de hiperalgesia térmica após a realização de bloqueios periféricos com ropivacaína 0,5% na ausência de trauma cirúrgico.[130] Este estudo reforça a teoria de que hiperatividade das fibras tipo C poderia ter um papel neste quadro, por ser capaz de produzir um padrão álgico semelhante ao relatado por estes pacientes. Outros autores sugerem que o ato cirúrgico e a toxicidade dos anestésicos locais podem gerar um estado inflamatório perineural capaz de afetar a função do nervo através de uma sensibilização periférica transitória, contribuindo para o quadro de hiperalgesia.

O uso da dexametasona perineural e intravenosa prolonga a duração do bloqueio periférico por mecanismos desconhecidos, e nos últimos anos estudos demonstraram um potencial benefício de sua utilização na prevenção da dor rebote.[131-133] Apesar destes achados, a via de administração ideal e a segurança da medicação no longo prazo ainda permanece em debate na literatura.

Regime analgésico

Considerando o contexto de uma dor prolongada após cirurgias de artroplastia de ombro, o bloqueio contínuo do plexo braquial ou nervo supraescapular são opções interessantes. Estudos demonstram que a utilização de cateteres perineurais reduzem os escores de dor e consumo de opioides após 24h de pós-operatório,[134,135] contudo, este método depende de uma equipe proficiente em sua passagem e manejo, e muitas vezes enfrenta resistência dos cirurgiões, com receio de prolongar o tempo de internação.

Como técnica alternativa ou complementar, a analgesia multimodal ganhou força neste cenário. Apesar de seu benefício na prevenção da dor rebote ainda ser incerto, sua utilização tem a capacidade de diminuir consumo de opioides e possivelmente contribuir para mitigar os efeitos da perda do efeito anestésico do bloqueio periférico. Um estudo prospectivo conduzido por McLaughlin *et al.* (2017) comparou os efeitos de um protocolo de analgesia multimodal para artroplastias de ombro, com a utilização de gabapentina, anti-inflamatório não esteroidal, paracetamol e opioides de resgate, com um grupo que utilizou apenas opioides, encontrando redução do consumo destes últimos nos pacientes sob regime multimodal.[136] O uso da dexametasona, apesar de ainda ser considerado *off-label*, permanece como a intervenção com os dados mais robustos acerca do potencial em diminuir a dor rebote.

REFERÊNCIAS

1. IBGE. Pesquisa Nacional por Amostra de Domicílios Contínua: Características Gerais dos Moradores 2020-2021 [Internet]. Rio de Janeiro: Instituto Brasileiro de Geografia e Estatística; 2022 [cited 2024 Jul 31]. 8. Available from: https://biblioteca.ibge.gov.br/visualizacao/livros/liv101957_informativo.pdf

2. MacIntyre NJ, Dewan N. Epidemiology of distal radius fractures and factors predicting risk and prognosis. J Hand Ther [Internet]. 2016;29(2):136-45. Available from: http://dx.doi.org/10.1016/j.jht.2016.03.003

3. Karl JW, Olson PR, Rosenwasser MP. The Epidemiology of Upper Extremity Fractures in the. J Orthop Trauma. 2015;29(8):2009-11.

4. Puts MTE, Lips P, Deeg DJH. Sex differences in the risk of frailty for mortality independent of disability and chronic diseases. J Am Geriatr Soc. 2005;53(1):40-7.

5. Meng C, Jiang B, Liu M, Kang F, Kong L, Zhang T, et al. Repair of rotator cuff tears in patients aged 75 years and older: Does it make sense? A systematic review. Front Public Health. 2023;10.

6. Fossati C, Stoppani C, Menon A, Pierannunzii L, Compagnoni R, Randelli PS. Arthroscopic rotator cuff repair in patients over 70 years of age: a systematic review. J Orthop Traumatol [Internet]. 2021;22(1). Available from: https://doi.org/10.1186/s10195-021-00565-z

7. Malavolta EA, Assunção JH, Beraldo RA, Pinto G de MR, Gracitelli MEC, Ferreira Neto AA. Reparo do manguito rotador no Sistema Único de Saúde: tendência brasileira de 2003 a 2015. Rev Bras Ortop. 2017;52(4):501-5.

8. Melhorn JM, Talmage JB. Prevalence of carpal tunnel syndrome in motorcyclists. Orthopedics. 2013;36(7):497-8.

9. Dale AM, Harris-Adamson C, Rempel D, Gerr F, Hegmann K, Silverstein B, et al. Prevalence and incidence of carpal tunnel syndrome in US working populations: pooled analysis of six prospective studies. Heal (San Fr. 2013;39(5):495-505.

10. Colacci M, Tseng EK, Sacks CA, Fralick M. Oral Anticoagulant Utilization in the United States and United Kingdom. J Gen Intern Med. 2020;35(8):2505-7.

11. Vandermeulen E. Regional anaesthesia and anticoagulation. Best Pract Res Clin Anaesthesiol [Internet]. 2010;24(1):121-31. Available from: http://dx.doi.org/10.1016/j.bpa.2009.09.004

12. Horlocker TT. Regional anaesthesia in the patient receiving antithrombotic and antiplatelet therapy. Br J Anaesth [Internet]. 2011;107(SUPPL. 1):i96-106. Available from: http://dx.doi.org/10.1093/bja/aer381

13. Martins Fonseca N, Rodrigues Alves R, Pontes JPJ. Recomendações da SBA para segurança na anestesia regional em uso de anticoagulantes. Rev Bras Anestesiol. 2014;64(1):1-15.

14. Douketis JD, Spyropoulos AC, Murad MH, Arcelus JI, Dager WE, Dunn AS, et al. Perioperative Management of Antithrombotic Therapy: An American College of Chest Physicians Clinical Practice Guideline. Chest [Internet]. 2022;162(5):e207–43. Available from: https://doi.org/10.1016/j.chest.2022.07.025

15. Moen V, Dahlgren N, Irestedt L. Severe neurological complications after central neuraxial blockades in Sweden 1990-1999. Anesthesiology. 2004;101(4):950–9.

16. Koniuch KL, Harris B, Buys MJ, Meier AW. Case Report of a Massive Thigh Hematoma after Adductor Canal Block in a Morbidly Obese Woman Anticoagulated with Apixaban. Case Rep Anesthesiol. 2018;2018:1–4.

17. Visoiu M, Pan S. Quadratus lumborum blocks: Two cases of associated hematoma. Paediatr Anaesth. 2019;29(3):286–8.

18. Stephen M. Klein, MD; Francine D'Ercole, MD; Roy A. Greengrass, MD, FRCP; David S. Warner M. Enoxaparin Associated with Psoas Hematoma and Lumbar Plexopathy after Lumbar Plexus Block. J Penelit Pendidik Guru Sekol Dasar. 2016;6(August):128.

19. Kietaibl S, Ferrandis R, Godier A, Llau J, Lobo C, MacFarlane AJR, et al. Regional anaesthesia in patients on antithrombotic drugs: Joint ESAIC/ESRA guidelines. Vol. 39, European Journal of Anaesthesiology. 2022. 100–132 p.

20. Horlocker TT, Vandermeulen E, Kopp SL, Gogarten W, Leffert LR, Benzon HT. Regional Anesthesia in the Patient Receiving Antithrombotic or Thrombolytic Therapy: American Society of Regional Anesthesia and Pain Medicine Evidence-Based Guidelines (Fourth Edition). Vol. 43, Regional Anesthesia and Pain Medicine. 2018. 263–309 p.

21. A R Upton AJM. The double crush in nerve entrapment syndromes. 1913;359–62.

22. Kopp SL, Jacob AK, Hebl JR. Regional Anesthesia in Patients with Preexisting Neurologic Disease. Reg Anesth Pain Med. 2015;40(5):467–78.

23. Neal JM, Barrington MJ, Brull R, Hadzic A, Hebl JR, Horlocker TT, et al. The Second ASRA Practice Advisory on Neurologic Complications Associated with Regional Anesthesia and Pain Medicine: Executive Summary 2015. Reg Anesth Pain Med. 2015;40(5):401–30.

24. Ten Hoope W, Looije M, Lirk P. Regional anesthesia in diabetic peripheral neuropathy. Curr Opin Anaesthesiol. 2017;30(5):627–31.

25. Heschl S, Hallmann B, Zilke T, Gemes G, Schoerghuber M, Auer-Grumbach M, et al. Diabetic neuropathy increases stimulation threshold during popliteal sciatic nerve block. Br J Anaesth. 2016;116(4):538–45.

26. Levy N, Lirk P. Regional anaesthesia in patients with diabetes. Anaesthesia. 2021;76(S1):127–35.

27. Baeriswyl M, Taffé P, Kirkham KR, Bathory I, Rancati V, Crevoisier X, et al. Comparison of peripheral nerve blockade characteristics between non-diabetic patients and patients suffering from diabetic neuropathy: a prospective cohort study. Anaesthesia. 2018;73(9):1110–7.

28. Cuvillon P, Reubrecht V, Zoric L, Lemoine L, Belin M, Ducombs O, et al. Comparison of subgluteal sciatic nerve block duration in type 2 diabetic and non-diabetic patients. Br J Anaesth [Internet]. 2013;110(5):823–30. Available from: http://dx.doi.org/10.1093/bja/aes496

29. Bomberg H, Kubulus C, List F, Albert N, Schmitt K, Gräber S, et al. Diabetes: A risk factor for catheter-associated infections. Reg Anesth Pain Med. 2015;40(1):16–21.

30. McClain RL, Rubin DI, Bais KS, Navarro AM, Robards CB, Porter SB. Regional anesthesia in patients with Charcot–Marie–Tooth disease: a historical cohort study of 53 patients. Can J Anesth [Internet]. 2022;69(7):880–4. Available from: https://doi.org/10.1007/s12630-022-02258-5

31. Wechsler H, Levine S, Idelson RK, Rohman M, Taylor JO. Exacerbation of pre-existing neurologic disease after spinal anesthesia. N Engl J Med. 1983;308(2):97–100.

32. Hebl JR, Horlocker TT, Schroeder DR. Neuraxial anesthesia and analgesia in patients with preexisting central nervous system disorders. Anesth Analg. 2006;103(1):223–8.

33. Von Keudell AG, Weaver MJ, Appelton PT, Bae DS, Dyer GSM, Heng M, et al. Diagnosis and treatment of acute extremity compartment syndrome. Lancet. 2015;386(10000):1299–310.

34. Marhofer P, Halm J, Feigl GC, Schepers T, Hollmann MW. Regional Anesthesia and Compartment Syndrome. Anesth Analg. 2021;133(5):1348–52.

35. Mar GJ, Barrington MJ, McGuirk BR. Acute compartment syndrome of the lower limb and the effect of postoperative analgesia on diagnosis. Br J Anaesth [Internet]. 2009;102(1):3–11. Available from: http://dx.doi.org/10.1093/bja/aen330

36. Aguirre JA, Gresch D, Popovici A, Bernhard J, Borgeat A. Case scenario: Compartment syndrome of the forearm in patient with an infraclavicular catheter: Breakthrough pain as indicator. Anesthesiology. 2013;118(5):1198–205.

37. Samet RE, Torrie AM, Chembrovich S V., Ihnatsenka B V. Pro-Con Debate: Peripheral Nerve Blockade Should Be Provided Routinely in Extremity Trauma, Including in Patients at Risk for Acute Compartment Syndrome. Anesth Analg. 2023;136(5):855–60.

38. Nathanson MH, Harrop-Griffiths W, Aldington DJ, Forward D, Mannion S, Kinnear-Mellor RGM, et al. Regional analgesia for lower leg trauma and the risk of acute compartment syndrome: Guideline from the Association of Anaesthetists. Anaesthesia. 2021;76(11):1518–25.

39. Ekstein MP, Weinbroum AA. Immediate Postoperative Pain in Orthopedic Patients Is More Intense and Requires More Analgesia than in Post-Laparotomy Patients. Pain Med. 2011;12(2):308–13.

40. Moran BL, Myburgh JA, Scott DA. The complications of opioid use during and post–intensive care admission: A narrative review. Anaesth Intensive Care. 2022;50(1–2):108–26.

41. Cozowicz C, Olson A, Poeran J, Mörwald EE, Zubizarreta N, Girardi FP, et al. Opioid prescription levels and postoperative outcomes in orthopedic surgery. Pain. 2017;158(12):2422–30.

42. Abdallah FW, Halpern SH, Aoyama K, Brull R. Will the real benefits of single-shot interscalene block please stand up? A systematic review and meta-analysis. Anesth Analg. 2015;120(5):1114–29.

43. Gurger M, Ozer AB. A comparison of continuous interscalene block versus general anesthesia alone on the functional outcomes of the patients undergoing arthroscopic rotator cuff repair. Eur J Orthop Surg Traumatol [Internet]. 2019;29(8):1659–66. Available from: https://doi.org/10.1007/s00590-019-02482-8

44. Egol KA, Soojian MG, Walsh M, Katz J, Rosenberg AD, Paksima N. Regional anesthesia improves outcome after distal radius fracture fixation over general anesthesia. J Orthop Trauma. 2012;26(9):545-9.

45. Cunningham DJ, LaRose MA, Zhang GX, Au S, MacAlpine EM, Paniagua AR, et al. Regional anesthesia reduces inpatient and outpatient perioperative opioid demand in periarticular elbow surgery. J Shoulder Elb Surg [Internet]. 2022;31(2):e48-57. Available from: https://doi.org/10.1016/j.jse.2021.08.005

46. Neal JM. Ultrasound-guided regional anesthesia and patient safety: Update of an evidence-based analysis. Reg Anesth Pain Med. 2016;41(2):195-204.

47. Bernards CM, Hadzic A, Suresh S, Neal JM. Regional Anesthesia in Anesthetized or Heavily Sedated Patients. Reg Anesth Pain Med. 2008;33(5):449-60.

48. Ben-David B, Barak M, Katz Y, Stahl S. A retrospective study of the incidence of neurological injury after axillary brachial plexus block. Pain Pract. 2006;6(2):119-23.

49. Birstler J, Wolf C, Bosenberg AT, Ch B, Suresh S, Taenzer AH, et al. Complications in Pediatric Regional Anesthesia. Anesthesiology. 2018;114(4):721-32.

50. Mostafa RM, Mejadi A. Quadriplegia after interscalene block for shoulder surgery in sitting position. Br J Anaesth. 2013;111(5):845-6.

51. Yanovski B, Gaitini L, Volodarski D, Ben-David B. Catastrophic complication of an interscalene catheter for continuous peripheral nerve block analgesia. Anaesthesia. 2012;67(10):1166-9.

52. Rathmell JP, Michna E, Fitzgibbon DR, Stephens LS, Posner KL, Domino KB. Injury and Liability Associated with Cervical Procedures for Chronic Pain. Anesthesiology. 2011;114(4):918-26.

53. Fcps SM, Mcewen A, Kragh F, Eisen A, Masri BA. Tourniquets in Orthopaedics. J Bone Joint Surg Br. 2009;91-B(12):2958-68. Available from: http://www.scienceandsociety.co.uk/

54. Kanchanathepsak T, Pukrittayakamee NC, Woratanarat P, Tawonsawatruk T, Angsanuntsukh C. Limb occlusion pressure versus standard tourniquet inflation pressure in minor hand surgery: a randomized controlled trial. J Orthop Surg Res [Internet]. 2023;18(1):1-7. Available from: https://doi.org/10.1186/s13018-023-04000-3

55. Morehouse H, Goble HM, Lambert BS, Cole J, Holderread BM, Le JT, et al. Limb Occlusion Pressure Versus Standard Pneumatic Tourniquet Pressure in Open Carpal Tunnel Surgery – A Randomized Trial. Cureus. 2021;13(12).

56. Chang J, Bhandari L, Messana J, Alkabbaa S, Hamidian Jahromi A, Konofaos P. Management of Tourniquet-Related Nerve Injury (TRNI): A Systematic Review. Cureus. 2022;14(8).

57. Odinsson A, Finsen V. Tourniquet use and its complications in Norway. J Bone Joint Surg Br. 2006;88(8):1090-2.

58. Mohler LR, Pedowitz RA, Myers RR, Ohara WM, Lopez MA, Gershuni DH. Intermittent reperfusion fails to prevent posttourniquet neurapraxia. J Hand Surg Am [Internet]. 1999;24(4):687-93. Available from: http://dx.doi.org/10.1053/jhsu.1999.0687

59. Kumar K, Railton C, Tawfic Q. Tourniquet application during anesthesia: "What we need to know?" J Anaesthesiol Clin Pharmacol. 2016;32(4):424–30.

60. Jensen J, Hicks RW, Labovitz J. Understanding and optimizing tourniquet use during extremity surgery. AORN J. 2019;109(2):171–82.

61. MacIver MB, Tanelian DL. Activation of C Fibers by Metabolic Perturbations Associated with Tourniquet Ischemia. Pain Med. 1992;76(4):617–23.

62. Charbel C, Russel LC, Lee R. Tourniquet-Induced Limb Ischemia: A Neurophysiologic Animal Model. Anesthesiology. 1990;72(6):1038–44.

63. Kamath K, Kamath SU, Tejaswi P. Incidence and factors influencing tourniquet pain. Chinese J Traumatol - English Ed. 2021;24(5):291–4.

64. Le-Wendling L, Ihnatsenka B, Jones A, Smith CR, Helander E, Kedrowski J, et al. Role of an Intercostobrachial Nerve Block in Alleviating Tourniquet Pain: A Randomized Clinical Trial. Cureus. 2022;14(2).

65. Scott AV, Stonemetz JL, Wasey JO, Johnson DJ, Rivers RJ, Koch CG, et al. Compliance with Surgical Care Improvement Project for Body Temperature Management (SCIP Inf-10) Is Associated with Improved Clinical Outcomes. Anesthesiology. 2015;123(1):116–25.

66. Balki I, Khan JS, Staibano P, Duceppe E, Bessissow A, Sloan EN, et al. Effect of Perioperative Active Body Surface Warming Systems on Analgesic and Clinical Outcomes: A Systematic Review and Meta-analysis of Randomized Controlled Trials. Anesth Analg. 2020;131(5):1430–43.

67. Charles-Lozoya S, Cobos-Aguilar H, Manilla-Muñoz E, De La Parra-Márquez ML, García-Hernández A, Rangel-Valenzuela JM. Survival at 30 days in elderly patients with hip fracture surgery who were exposed to hypothermia: Survival study. Med (United States). 2021;100(39):E27339.

68. Kleimeyer JP, Harris AHS, Sanford J, Maloney WJ, Kadry B, Bishop JA. Incidence and Risk Factors for Postoperative Hypothermia After Orthopaedic Surgery. J Am Acad Orthop Surg. 2018;26(24):E497–503.

69. Cho CK, Chang M, Sung TY, Jee YS. Incidence of postoperative hypothermia and its risk factors in adults undergoing orthopedic surgery under brachial plexus block: A retrospective cohort study. Int J Med Sci. 2021;18(10):2197–203.

70. Chornenki NLJ, Um KJ, Mendoza PA, Samienezhad A, Swarup V, Chai-Adisaksopha C, et al. Risk of venous and arterial thrombosis in non-surgical patients receiving systemic tranexamic acid: A systematic review and meta-analysis. Thromb Res [Internet]. 2019;179(April):81–6. Available from: https://doi.org/10.1016/j.thromres.2019.05.003

71. Zhang Y, Bai Y, Chen M, Zhou Y, Yu X, Zhou H, et al. The safety and efficiency of intravenous administration of tranexamic acid in coronary artery bypass grafting (CABG): A meta-analysis of 28 randomized controlled trials. BMC Anesthesiol. 2019;19(1):1–17.

72. Poeran J, Chan JJ, Zubizarreta N, Mazumdar M, Galatz LM, Moucha CS. Safety of Tranexamic Acid in Hip and Knee Arthroplasty in High-risk Patients. Anesthesiology. 2021;135(1):57–68.

73. Miangul S, Oluwaremi T, El Haddad J, Adra M, Pinnawala N, Nakanishi H, et al. Update on the efficacy and safety of intravenous tranexamic acid in hip fracture surgery: a systematic review and meta-analysis. Eur J Orthop Surg Traumatol [Internet]. 2023;33(5):2179–90. Available from: https://doi.org/10.1007/s00590-022-03387-9

74. Kuo LT, Hsu WH, Chi CC, Yoo JC. Tranexamic acid in total shoulder arthroplasty and reverse shoulder arthroplasty: A systematic review and meta-analysis. BMC Musculoskelet Disord. 2018;19(1):1–13.

75. Pecold J, Al-Jeabory M, Krupowies M, Manka E, Smereka A, Ladny JR, et al. Tranexamic acid for shoulder arthroplasty: A systematic review and meta-analysis. J Clin Med. 2022;11(1).

76. Belk JW, McCarty EC, Houck DA, Dragoo JL, Savoie FH, Thon SG. Tranexamic Acid Use in Knee and Shoulder Arthroscopy Leads to Improved Outcomes and Fewer Hemarthrosis-Related Complications: A Systematic Review of Level I and II Studies. Arthrosc - J Arthrosc Relat Surg [Internet]. 2021;37(4):1323–33. Available from: https://doi.org/10.1016/j.arthro.2020.11.051

77. Patel PA, Wyrobek JA, Butwick AJ, Pivalizza EG, Hare GMT, Mazer CD, et al. Update on Applications and Limitations of Perioperative Tranexamic Acid. Anesth Analg. 2022;135(3):460–73.

78. Tran DQH, Tiyaprasertkul W, González AP. Analgesia for clavicular fracture and urgency a call for evidence. Reg Anesth Pain Med. 2013;38(6):539–43.

79. Leurcharusmee P, Maikong N, Kantakam P, Navic P, Mahakkanukrauh P, Tran DQ. Innervation of the clavicle: a cadaveric investigation. Reg Anesth Pain Med. 2021;46(12):1076–9.

80. Hulsmans MHJ, van Heijl M, Houwert RM, Hammacher ER, Meylaerts SAG, Verhofstad MHJ, et al. High Irritation and Removal Rates After Plate or Nail Fixation in Patients With Displaced Midshaft Clavicle Fractures. Clin Orthop Relat Res. 2017;475(2):532–9.

81. Frima H, van Heijl M, Michelitsch C, van der Meijden O, Beeres FJP, Houwert RM, et al. Clavicle fractures in adults; current concepts. Eur J Trauma Emerg Surg [Internet]. 2020;46(3):519–29. Available from: https://doi.org/10.1007/s00068-019-01122-4

82. Lee CCM, Lua CB, Peng K, Beh ZY, Fathil SM, Hou J De, et al. Regional Anesthetic and Analgesic Techniques for Clavicle Fractures and Clavicle Surgeries: Part 2—A Retrospective Study. Healthc. 2022;10(10):4–15.

83. Ryan DJ, Iofin N, Furgiuele D, Johnson J, Egol K. Regional anesthesia for clavicle fracture surgery is safe and effective. J Shoulder Elb Surg [Internet]. 2021;30(7):e356–60. Available from: https://doi.org/10.1016/j.jse.2020.10.009

84. Urmey WF, McDonald M. Hemidiaphragmatic paresis during interscalene brachial plexus block: Effects on pulmonary function and chest wall mechanics. Anesth Analg. 1992;74(3):352–257.

85. Riazi S, Carmichael N, Awad I, Holtby RM, McCartney CJL. Effect of local anaesthetic volume (20 vs 5 ml) on the efficacy and respiratory consequences of ultrasound-guided interscalene brachial plexus block. Br J Anaesth [Internet]. 2008;101(4):549–56. Available from: http://dx.doi.org/10.1093/bja/aen229

86. Kim H, Han JU, Lee W, Jeon YS, Jeong J, Yang C, et al. Effects of Local Anesthetic Volume (Standard Versus Low) on Incidence of Hemidiaphragmatic Paralysis and Analgesic Quality for Ultrasound-Guided Superior Trunk Block after Arthroscopic Shoulder Surgery. Anesth Analg. 2021;133(5):1303–10.

87. Kim DH, Lin Y, Beathe JC, Liu J, Oxendine JA, Haskins SC, et al. Superior Trunk Block: A Phrenic-sparing Alternative to the Interscalene Block: A Randomized Controlled Trial. Anesthesiology. 2019;131(3):521–33.

88. Abdelghany MS, Ahmed SA, Afandy ME. Superficial cervical plexus block alone or combined with interscalene brachial plexus block in surgery for clavicle fractures: A randomized clinical trial. Minerva Anestesiol. 2021;87(5):523–32.

89. Lee CCM, Beh ZY, Lua CB, Peng K, Fathil SM, Hou J De, et al. Regional Anesthetic and Analgesic Techniques for Clavicle Fractures and Clavicle Surgeries: Part 1—A Scoping Review. Healthc. 2022;10(10):1–22.

90. Zhuo Q, Zheng Y, Hu Z, Xiong J, Wu Y, Zheng Y, et al. Ultrasound-Guided Clavipectoral Fascial Plane Block With Intermediate Cervical Plexus Block for Midshaft Clavicular Surgery: A Prospective Randomized Controlled Trial. Anesth Analg. 2022;135(3):633–40.

91. Sabaa MAA, Elbadry A, El Malla DA. Ultrasound-Guided Clavipectoral Block for Postoperative Analgesia of Clavicular Surgery: A Prospective Randomized Trial. Anesthesiol Pain Med. 2022;12(1):1–6.

92. Hindman BJ, Palecek JP, Posner KL, Traynelis VC, Lee LA, Sawin PD, et al. Cervical spinal cord, root, and bony spine injuries: A closed claims analysis. Anesthesiology. 2011;114(4):782–95.

93. Pohl A, Cullen DJ. Cerebral ischemia during shoulder surgery in the upright position: A case series. J Clin Anesth. 2005;17(6):463–9.

94. Murphy GS, Greenberg SB, Szokol JW. Safety of Beach Chair Position Shoulder Surgery: A Review of the Current Literature. Anesth Analg. 2019;129(1):101–18.

95. Murphy GS, Szokol JW, Marymont JH, Greenberg SB, Avram MJ, Vender JS, et al. Cerebral oxygen desaturation events assessed by near-infrared spectroscopy during shoulder arthroscopy in the beach chair and lateral decubitus positions. Anesth Analg. 2010;111(2):496–505.

96. Laflam A, Joshi B, Brady K, Yenokyan G, Brown C, Everett A, et al. Shoulder surgery in the beach chair position is associated with diminished cerebral autoregulation but no differences in postoperative cognition or brain injury biomarker levels compared with supine positioning: The anesthesia patient safety foundation be. Anesth Analg. 2015;120(1):176–85.

97. Murphy GS, Szokol JW, Avram MJ, Greenberg SB, Shear TD, Vender JS, et al. Effect of ventilation on cerebral oxygenation in patients undergoing surgery in the beach chair position: A randomized controlled trial. Br J Anaesth [Internet]. 2014;113(4):618–27. Available from: http://dx.doi.org/10.1093/bja/aeu109

98. Kwak HJ, Lee D, Lee YW, Yu GY, Shinn HK, Kim JY. The intermittent sequential compression device on the lower extremities attenuates the decrease in regional cerebral oxygen saturation during sitting position under sevoflurane anesthesia. J Neurosurg Anesthesiol. 2011;23(1):1–5.

99. Kwak HJ, Lee JS, Lee DC, Kim HS, Kim JY. The Effect of a Sequential Compression Device on Hemodynamics in Arthroscopic Shoulder Surgery Using Beach-Chair Position. Arthrosc - J Arthrosc Relat Surg [Internet]. 2010;26(6):729–33. Available from: http://dx.doi.org/10.1016/j.arthro.2009.10.001

100. Soeding PF, Hoy S, Hoy G, Evans M, Royse CF. Effect of phenylephrine on the haemodynamic state and cerebral oxygen saturation during anaesthesia in the upright position. Br J Anaesth [Internet]. 2013;111(2):229–34. Available from: http://dx.doi.org/10.1093/bja/aet024

101. Tran J, Peng PWH, Agur AMR. Anatomical study of the innervation of glenohumeral and acromioclavicular joint capsules: Implications for image-guided intervention. Reg Anesth Pain Med. 2019;44(4):452–8.
102. Colvin AC, Harrison AK, Flatow EL, Egorova N, Moskowitz A. National trends in rotator cuff repair. J Bone Jt Surg. 2012;94(3):227–33.
103. Day MA, Westermann RW, Bedard NA, Glass NA, Wolf BR. Trends Associated with Open Versus Arthroscopic Rotator Cuff Repair. HSS J. 2019;15(2):133–6.
104. Desai VS, Southam BR, Grawe B. Complications following arthroscopic rotator cuff repair and reconstruction. JBJS Rev. 2018;6(1):1–11.
105. Borgeat A, Bird P, Ekatodramis G, Dumont C. Tracheal compression caused by periarticular fluid accumulation: A rare complication of shoulder surgery. J Shoulder Elb Surg. 2000;9(5):443–5.
106. Vier BR, Mombell KW, Gagliano EL, King NM, McDonald LS. Extravasation of fluid in arthroscopic shoulder surgery requiring prolonged intubation: A case report. Patient Saf Surg. 2019;13(1):1–5.
107. Gupta S, Manjuladevi M, Vasudeva Upadhyaya KS, Kutappa AM, Amaravathi R, Arpana J. Effects of irrigation fluid in shoulder arthroscopy. Indian J Anaesth. 2016;60(3):194–8.
108. Van Montfoort DO, Van Kampen PM, Huijsmans PE. Epinephrine Diluted Saline-Irrigation Fluid in Arthroscopic Shoulder Surgery: A Significant Improvement of Clarity of Visual Field and Shortening of Total Operation Time. A Randomized Controlled Trial. Arthrosc - J Arthrosc Relat Surg [Internet]. 2016;32(3):436–44. Available from: http://dx.doi.org/10.1016/j.arthro.2015.08.027
109. Yan S, Zhao Y, Zhang H. Efficacy and safety of interscalene block combined with general anesthesia for arthroscopic shoulder surgery: A meta-analysis. J Clin Anesth [Internet]. 2018;47(March):74–9. Available from: https://doi.org/10.1016/j.jclinane.2018.03.008
110. Lehmann LJ, Loosen G, Weiss C, Schmittner MD. Interscalene plexus block versus general anaesthesia for shoulder surgery: a randomized controlled study. Eur J Orthop Surg Traumatol. 2015;25(2):255–61.
111. Toma O, Persoons B, Pogatzki-Zahn E, Van de Velde M, Joshi GP, Schug S, et al. PROSPECT guideline for rotator cuff repair surgery: systematic review and procedure-specific postoperative pain management recommendations. Anaesthesia. 2019;74(10):1320–31.
112. Rhyner P, Kirkham K, Hirotsu C, Farron A, Albrecht E. A randomised controlled trial of shoulder block vs. interscalene brachial plexus block for ventilatory function after shoulder arthroscopy. Anaesthesia. 2020;75(4):493–8.
113. Sun C, Zhang X, Ji X, Yu P, Cai X, Yang H. Suprascapular nerve block and axillary nerve block versus interscalene nerve block for arthroscopic shoulder surgery: A meta-analysis of randomized controlled trials. Med (United States). 2021;100(44).
114. Yun S, Jo Y, Sim S, Jeong K, Oh C, Kim B, et al. Comparison of continuous and single interscalene block for quality of recovery score following arthroscopic rotator cuff repair. J Orthop Surg. 2021;29(1):1–11.
115. Malik T, Mass D, Cohn S. Postoperative Analgesia in a Prolonged Continuous Interscalene Block Versus Single-Shot Block in Outpatient Arthroscopic Rotator Cuff Repair: A Prospective Randomized Study. Arthrosc - J Arthrosc Relat Surg [Internet]. 2016;32(8):1544-1550.e1. Available from: http://dx.doi.org/10.1016/j.arthro.2016.01.044
116. Vorobeichik L, Brull R, Bowry R, Laffey JG, Abdallah FW. Should continuous rather than single-injection interscalene block be routinely offered for major shoulder surgery? A meta-analysis of the analgesic and side-effects profiles. Br J Anaesth [Internet]. 2018;120(4):679–92. Available from: https://doi.org/10.1016/j.bja.2017.11.104
117. Pham TT, Bayle Iniguez X, Mansat P, Maubisson L, Bonnevialle N. Postoperative pain after arthroscopic versus open rotator cuff repair. A prospective study. Orthop Traumatol Surg Res [Internet]. 2016;102(1):13–7. Available from: http://dx.doi.org/10.1016/j.otsr.2015.11.005
118. Williams G, Kraeutler MJ, Zmistowski B, Fenlin JM. No difference in postoperative pain after arthroscopic versus open rotator cuff repair. Clin Orthop Relat Res. 2014;472(9):2759–65.
119. Court-Brown CM, Caesar B. Epidemiology of adult fractures: A review. Injury. 2006;37(8):691–7.
120. Sumrein BO, Berg HE, Launonen AP, Landell P, Laitinen MK, Felländer-Tsai L, et al. Mortality following proximal humerus fracture—a nationwide register study of 147,692 fracture patients in Sweden. Osteoporos Int [Internet]. 2023;34(2):349–56. Available from: https://doi.org/10.1007/s00198-022-06612-7
121. Navarro CM, Brolund A, Ekholm C, Heintz E, Ekström EH, Josefsson PO, et al. Treatment of humerus fractures in the elderly: A systematic review covering effectiveness, safety, economic aspects and current practice. PLoS One. 2018;14(3).
122. Rangan A, Handoll H, Brealey S, Jefferson L, Keding A, Martin BC, et al. Surgical vs nonsurgical treatment of adults with displaced fractures of the proximal humerus the PROFHER randomized clinical trial. JAMA - J Am Med Assoc. 2015;313(10):1037–47.
123. Berliner JL, Regalado-Magdos A, Ma CB, Feeley BT. Biomechanics of reverse total shoulder arthroplasty. J Shoulder Elb Surg [Internet]. 2015;24(1):150–60. Available from: http://dx.doi.org/10.1016/j.jse.2014.08.003
124. Olson JJ, O'Donnell EA, Dang K, Huynh TM, Lu AZ, Kim C, et al. Prevalence, management, and outcomes of nerve injury after shoulder arthroplasty: a case-control study and review of the literature. JSES Rev Reports, Tech [Internet]. 2022;2(4):458–63. Available from: https://doi.org/10.1016/j.xrrt.2022.04.009
125. Dacombe PJ, Kendall J V., McCann PAS, Packham IN, Sarangi PP, Whitehouse MR, et al. Blood transfusion rates following shoulder arthroplasty in a high volume UK centre and analysis of risk factors associated with transfusion. Shoulder Elb. 2019;11(2_suppl):67–72.
126. Ahmadi S, Lawrence TM, Sahota S, Schleck CD, Harmsen WS, Cofield RH, et al. The incidence and risk factors for blood transfusion in revision shoulder arthroplasty: Our institution's experience and review of the literature. J Shoulder Elb Surg [Internet]. 2014;23(1):43–8. Available from: http://dx.doi.org/10.1016/j.jse.2013.03.010
127. Kopechek KJ, Frantz TL, Everhart JS, Samade R, Bishop JY, Neviaser AS, et al. Risk factors for postoperative blood transfusion after shoulder arthroplasty. Shoulder Elb. 2022;14(3):254–62.
128. Malcherczyk D, Hack J, Klasan A, Abdelmoula A, Heyse TJ, Greene B, et al. Differences in total blood loss and transfusion rate between different indications for shoulder arthroplasty. Int Orthop. 2019;43(3):653–8.
129. Menendez ME, Lawler SM, Ring D, Jawa A. High pain intensity after total shoulder arthroplasty. J Shoulder Elb Surg [Internet]. 2018;27(12):2113–9. Available from: https://doi.org/10.1016/j.jse.2018.08.001
130. Kolarczyk LM, Williams BA. Transient heat hyperalgesia during resolution of ropivacaine sciatic nerve block in the rat. Reg Anesth Pain Med. 2011;36(3):220–4.
131. Fang J, Shi Y, Du F, Xue Z, Cang J, Miao C, et al. The effect of perineural dexamethasone on rebound pain after ropivacaine single-injection nerve block: a randomized controlled trial. BMC Anesthesiol. 2021;21(1):1–10.
132. An K, Elkassabany NM, Liu J. Dexamethasone as adjuvant to bupivacaine prolongs the duration of thermal antinociception and prevents bupivacaine-induced rebound hyperalgesia via regional mechanism in a mouse sciatic nerve block model. PLoS One. 2015;10(4):1–13.
133. Lee HJ, Woo JH, Chae JS, Kim YJ, Shin SJ. Intravenous Versus Perineural Dexamethasone for Reducing Rebound Pain After Interscalene Brachial Plexus Block: A Randomized Controlled Trial. J Korean Med Sci. 2023;38(24):1–12.
134. Hasan SS, Rolf RH, Sympson AN, Eten K, Elsass TR. Single-Shot Versus Continuous Interscalene Block for Postoperative Pain Control After Shoulder Arthroplasty: A Prospective Randomized Clinical Trial. J Am Acad Orthop Surg Glob Res Rev. 2019;3(6).
135. Bojaxhi E, Lumermann LA, Mazer LS, Howe BL, Ortiguera CJ, Clendenen SR. Interscalene brachial plexus catheter versus single-shot interscalene block with periarticular local infiltration analgesia for shoulder arthroplasty. Minerva Anestesiol. 2019;85(8):840–5.
136. McLaughlin DC, Cheah JW, Aleshi P, Zhang AL, Ma CB, Feeley BT. Multimodal analgesia decreases opioid consumption after shoulder arthroplasty: a prospective cohort study. J Shoulder Elb Surg [Internet]. 2018;27(4):686–91.

170

Anestesia para Cirurgias Ortopédicas dos Membros Inferiores

Leonardo Teixeira Domingues Duarte ▪ Joel Gianelli Paschoal Filho ▪ Lucas Rodrigues de Farias

INTRODUÇÃO

A cirurgia ortopédica está entre os procedimentos mais comumente realizados, principalmente em pacientes nos extremos de idade. O envelhecimento da população, com a consequente maior prevalência de osteoartrite, e a epidemia de obesidade levaram a um aumento da taxa de procedimentos de artroplastia articular, especificamente artroplastia total do joelho (ATJ) e artroplastia total do quadril (ATQ) que se tornaram intervenções cirúrgicas frequentes e cotidianas.

Globalmente, milhões de pacientes são submetidos a artroplastias totais de quadril e joelho todos os anos, e a projeção é de aumento. Apesar de representarem uma solução baseada em valor para a artrite em estágio terminal, esses procedimentos estão associados a um risco moderado de complicações, afetando aproximadamente 8% dos pacientes submetidos à artroplastia de quadril ou joelho.

Λ anestesia e a analgesia para ΛTQ e ΛTJ são desafiadoras, considerando a idade avançada e as comorbidades que esses pacientes apresentam. O grande estresse imposto ao paciente por essas cirurgias, em particular, e a dor pós-operatória de grande intensidade, exacerbada durante as mobilizações, são outros fatores que contribuem para uma grande frequência de complicações cardiovasculares e pulmonares. Por isso, é fundamental a escolha de uma técnica anestésica, seguida por um regime de analgesia pós-operatória, com mínimos efeitos adversos, e que permita mobilidade precoce, com rápida recuperação funcional.

Além de proporcionar conforto e satisfação aos pacientes, as técnicas de anestesia e analgesia também poderão contribuir para a diminuição da morbidade e da mortalidade pós-operatória. A identificação de intervenções perioperatórias modificadoras de risco representa um objetivo importante, dada a grande carga de recursos necessários para o manejo de complicações em nível de saúde da população.[1]

▪ EPIDEMIOLOGIA E DEMOGRAFIA DA CIRURGIA ORTOPÉDICA

As cirurgias ortopédicas estão, provavelmente, entre os procedimentos mais frequentemente realizados em nossos hospitais com especial destaque para as artroplastias do joelho e do quadril, bem como as artrodeses da coluna. Essa frequência enfatiza a magnitude da doença articular degenerativa, ou osteoartrite, como a principal condição médica que leva a cirurgias ortopédicas eletivas. Tendo-se a idade como um fator de risco proeminente para o desenvolvimento de osteoartrite, o envelhecimento da população deverá determinar um aumento da demanda por artroplastias primárias em aproximadamente 5 vezes até o ano 2030 (Figura 170.1).[2]

A osteoartrite afeta mais de 240 milhões de pessoas em todo o mundo e é a causa mais frequente de limitação de atividades em adultos. É uma condição degenerativa, progressiva e sem cura que se caracteriza por alterações patológicas na cartilagem, osso, sinóvia, ligamentos, músculos e gordura periarticular, levando à disfunção articular, dor, rigidez e limitação funcional. Os fatores de risco incluem idade, sexo feminino, obesidade, genética e lesões articulares graves. Em relação à raça, os afro-americanos e os brancos têm prevalência semelhante de osteoartrite de quadril, enquanto os afro-americanos, especialmente as mulheres, têm maior prevalência de osteoartrite de joelho.

Pacientes com osteoartrite apresentam mais comorbidades e são mais sedentários. Foi estimado que 31% dos pacientes com osteoartrite têm ≥ 5 comorbidades. A menor atividade física nesses pacientes leva a uma mortalidade ajustada por idade cerca de 20% maior.[3]

Vários fatores influenciam a rapidez da progressão radiográfica e clínica, incluindo idade avançada, redução da atividade física, extensão do dano à cartilagem, desalinhamento e dor mais intensa.[3] Quando a terapêutica conservadora (atividade física com fortalecimento muscular, exercícios de

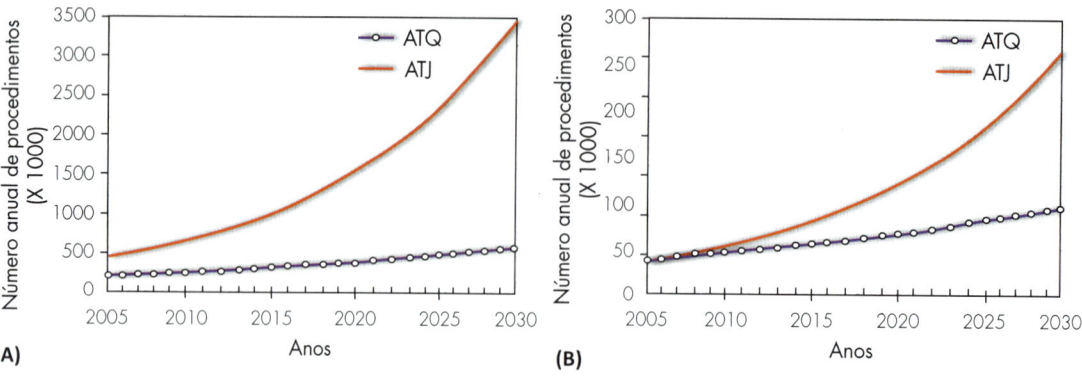

▲ **Figura 170.1** Número projetado de artroplastias primárias (A) e de revisão (B) do quadril e do joelho nos EUA de 2005 a 2030.
ATQ: artroplastia total do quadril; ATJ: artroplastia total do joelho.
Fonte: Adaptada de Kurtz S *et al.*, 2007.[2]

flexibilidade e equilíbrio, controle de peso, medicamentos analgésicos anti-inflamatórios etc.) falha em controlar os sintomas em pacientes com danos estruturais avançados, a cirurgia de substituição articular é a última opção para aliviar a dor e recuperar a mobilidade dos pacientes. Entretanto, esse é um processo de elevado custo, seja com perdas salariais pelos pacientes, seja com os custos médicos diretos. Dessa forma, não surpreende que o custo do tratamento da osteoartrite seja um dos mais elevados quando a cirurgia de substituição articular se torna necessária.

Com a maior expectativa de vida da população, juntamente com o aprimoramento dos cuidados e técnicas em cirurgias eletivas que proporcionam melhor qualidade de vida, a idade por si só não deve ser um fator impeditivo na tomada de decisão sobre quem deve ser submetido à cirurgia. Assim, nos últimos anos, artroplastias em octogenários, e até mesmo nonagenários, tornaram-se procedimentos rotineiros em muitas instituições. No entanto, um estudo recente com mais de 7.500 pacientes relatou um maior risco de mortalidade perioperatória (risco relativo [RR] 3,69; intervalo de confiança [IC] 1,37-9,93), pneumonia e infecção do trato urinário em pacientes com 80 anos ou mais submetidos a artroplastia de revisão do quadril.[4]

Além da osteoartrite, outra causa frequente de cirurgia ortopédica na população geriátrica é o trauma. O mecanismo mais comumente observado é o trauma contuso de baixa energia, como quedas da própria altura de forma que número crescente de pacientes geriátricos necessita de cuidados ortopédicos por fraturas de quadril, fraturas distais do fêmur ou fraturas articulares periprotéticas.

Enquanto as quedas são mais frequentes e a incapacidade gerada pelo trauma é maior entre as mulheres idosas, tendo a osteoporose como fator contribuinte significativo para as diversas fraturas das extremidades, existe na população geriátrica discrepância na sobrevivência entre os sexos, uma vez que pacientes geriátricos do sexo feminino têm uma taxa global de sobrevivência mais elevada em comparação com pacientes do sexo masculino que sofreram lesões de gravidade comparável.[5] Em um estudo retrospectivo, a análise de regressão logística multivariada identificou o sexo masculino (*odds ratio* (OR) 1,94) como preditor independente de mortalidade, juntamente com outros fatores

como o Injury Severity Score (ISS) (OR 1,12), pressão arterial sistólica menor que 90 mmHg no pronto-socorro (OR 6,17) e presença de mais de uma comorbidade (OR 2,28).[5]

■ AVALIAÇÃO PRÉ-OPERATÓRIA

Devido ao caráter crônico da osteoartrite, os pacientes são, tipicamente, idosos. E essa população de pacientes apresenta particularidades que impõem maior risco durante a cirurgia e, também, no período pós-operatório com maior morbimortalidade já que são mais vulneráveis aos efeitos impostos pelo procedimento anestésico-cirúrgico à fisiologia dos diversos sistemas orgânicos. Da mesma forma, nos pacientes vítimas de trauma, a fratura do quadril está associada a grande morbidade e mortalidade. Aproximadamente 5% dos pacientes morrem em um mês, e 19% no primeiro ano após a fratura.[6]

Assim, a abordagem clínica desses pacientes deve incluir as múltiplas comorbidades associadas, sua baixa *performance* funcional, fragilidade, reduzida capacidade homeostática e comprometimento cognitivo.[6] Esses pacientes necessitam de uma abordagem integrada capaz de envolver corretamente as múltiplas necessidades dos pacientes, desde a avaliação pré-operatória até a reabilitação pós-operatória e recuperação do estado funcional pré-existente.

A avaliação geriátrica abrangente é um processo multidisciplinar que visa identificar as necessidades do paciente, planejar cuidados e melhorar os resultados clínicos e funcionais. Geralmente inclui dados clínicos, como presença de comorbidades e polifarmácia, juntamente com medidas funcionais do estado cognitivo, psicológico, nutricional e comportamental, juntamente com uma avaliação da independência funcional pré-operatória. Há evidências de que essa forma de avaliação reduz a mortalidade, o tempo de internação hospitalar e a necessidade de níveis mais elevados de cuidados, particularmente em pacientes idosos com insuficiência cardíaca.[6]

A avaliação pré-anestésica deverá ser focada em avaliar a condição clínica do paciente, quantificar o impacto das comorbidades associadas, planejar medidas corretivas apropriadas, estratificar o risco associado e a aptidão para ser submetido à cirurgia, formular planos anestésicos individuais, determinar as estratégias de monitorização e vigilância perioperatória, e determinar a necessidade de reserva de leito de unidade de terapia intensiva (UTI) para os cuidados pós-operatórios.

Sabe-se que o risco cirúrgico de determinado paciente depende do tipo de procedimento cirúrgico a que será submetido (procedimentos intra-abdominais, intratorácicos e vasculares apresentam maior risco), se a cirurgia é eletiva ou de emergência, o número de comorbidades associadas, o *status* funcional e o grau de fragilidade do paciente, e sua idade.

Cirurgias de baixo risco, risco intermediário e alto risco, apresentam frequência de eventos cardíacos (morte cardíaca e infarto agudo do miocárdio [IAM]) estimada em 30 dias inferior a 1%, de 1% a 5 %, e mais de 5%, respectivamente.[7] A grande maioria das cirurgias ortopédicas, como as artroplastias e cirurgias da coluna, é considerada como de risco intermediário, com morte cardíaca ou IAM em 30 dias ocorrendo em 1% a 5% dos pacientes.[8]

A função basal dos diferentes sistemas de órgãos permanece relativamente inalterada com o envelhecimento, mas a reserva funcional e a capacidade de compensar o estresse fisiológico estão diminuídos (Figura 170.2). Esse estado delicado de equilíbrio é uma função da reserva funcional diminuída, da resposta variável ao estresse imposto pelo trauma cirúrgico e do número de comorbidades. O declínio da reserva funcional relacionado à idade pode não ser clinicamente aparente até que as demandas orgânicas sejam aumentadas por estresse, doença, polifarmácia ou intervenção cirúrgica. Uma boa capacidade de esforço é uma excelente característica prognóstica.

Análise retrospectiva de 13.775 pacientes submetidos a artroplastias do quadril e do joelho *fast-track* demonstrou taxa de mortalidade em 90 dias de 0,3% por todas as causas.[9] Os autores, então, avaliaram as causas dessas 44 mortes e verificaram que 28 estavam relacionadas a disfunções orgânicas desencadeadas a partir do estresse cirúrgico e que estas tenderam a ocorrer precocemente após a cirurgia. As disfunções pulmonar e cardíaca foram as mais frequentes, enquanto a pulmonar foi a disfunção orgânica inicial mais comumente associada a mortalidade.

A capacidade funcional para realizar as atividades da vida diária pode ser considerada um preditor independente de mortalidade perioperatória em cada classe de estado físico da American Society of Anesthesiologists (ASA). Dessa forma, a dependência funcional aumentaria a classificação ASA do paciente em 1 ponto para refletir melhor seu risco perioperatório (Figura 170.3).[10] A probabilidade de mortalidade dentro de uma mesma classificação ASA foi maior em indivíduos que apresentavam algum grau de dependência funcional. Enquanto isso, o *odds ratio* para mortalidade de pacientes 2B sobre 3A foi de 1,92 (IC 95%: 1,19-3,11; P = 0,01); 1,29 (IC 95%, 1,04-1,60; P = 0,03) para pacientes 3B sobre 4A; e 2,03 (IC 95%, 0,99-4,12, P = 0,11) para pacientes 4B sobre ASA 5, apesar de cada classe mais alta carregar maior carga de doença, por definição.

Tendo em vista as alterações funcionais inerentes à idade, a presença de comorbidades (apenas 20% dos idosos não tem problemas associados e 30% apresentam mais de três diagnósticos) e o uso frequente de politerapia farmacológica, os idosos apresentam maior morbimortalidade cirúrgica em relação aos indivíduos jovens, maior tempo de permanência hospitalar e piora da qualidade de vida no pós-operatório. As doenças coexistentes agravam ainda mais as funções e reservas orgânicas, aumentando o risco nos idosos. A idade fisiológica, combinada às comorbidades concorrentes, é mais importante do que a idade cronológica, isoladamente, no desfecho pós-operatório no idoso.

A avaliação de um subgrupo de 12.184 pacientes submetidos à ATQ evidenciou que a taxa de mortalidade em 30 dias aumentou de 1% para 6,4% com a ocorrência de complicações pós-operatórias.[11] Mais especificamente, a ocorrência de pneumonia pós-operatória aumentou a taxa de mortalidade em 30 dias e em 5 anos para 16,4% e 62,7%, respectivamente. A ocorrência de IAM aumentou a taxa de mortalidade em 30 dias e em 5 anos para 29,2% e 52,1%, respectivamente. Por isso, devido a esse grande aumento nos resultados adversos após a ocorrência de complicações em pacientes submetidos a artroplastias, todos os esforços

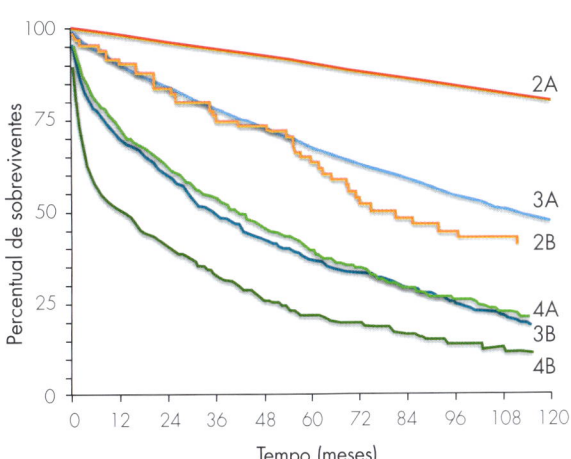

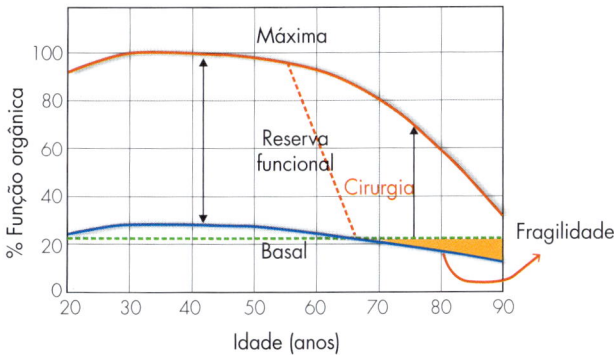

▲ **Figura 170.2** Reserva funcional do paciente idoso e fragilidade.

▲ **Figura 170.3** Impacto da capacidade funcional sobre a mortalidade em 30 dias. A curva de sobrevida de pacientes com pior capacidade funcional (**B**) de cada classificação da ASA acompanha a curva de pacientes da classificação ASA subsequente com boa capacidade funcional (**A**).

Fonte: Adaptada de Visnjevac O *et al.*, 2015.[10]

devem ser feitos durante a avaliação pré-operatória para identificar e tratar fatores de risco modificáveis (obesidade, tabagismo e controle do diabetes, por exemplo), tratar condições subjacentes e otimizar o estado clínico dos pacientes.

A anemia pré-operatória é comum em muitas populações cirúrgicas, com maior prevalência em pacientes ortopédicos, ginecológicos e colorretais. Mesmo a anemia pré-operatória leve está independentemente associada a um risco aumentado de morbimortalidade em 30 dias, bem como internação hospitalar prolongada após cirurgia não cardíaca. Além disso, pacientes anêmicos no período pré-operatório têm maior probabilidade de receber transfusões de sangue alogênico.

Estudo observacional mostrou que, após cirurgia ortopédica eletiva de grande porte, os pacientes experimentaram uma diminuição média nos níveis de hemoglobina (Hb) de 2,9 g.dL^{-1}. Notavelmente, uma proporção considerável de pacientes tornou-se gravemente anêmica (Hb < 8 g.dL^{-1}) após a cirurgia, com uma prevalência mais alta em centros que não desenvolveram programas de gerenciamento de sangue do paciente (PBM) e, particularmente, entre pacientes que já se estavam anêmicos.[12] A elevada taxa de anemia pós-operatória destaca a necessidade de um PBM eficaz que vá além do tratamento da anemia pré-operatória e inclua a redução da perda sanguínea intraoperatória e da anemia pós-operatória imediata.

Níveis diminuídos de albumina no pré-operatório, uso de inibidores da enzima conversora de angiotensina (ECA) ou bloqueadores dos receptores de angiotensina II (BRA), necessidade de transfusão de sangue e doença arterial coronariana foram considerados fatores de risco independentes para lesão renal aguda em pacientes idosos submetidos à cirurgia de fratura de quadril.[13] Hidratação com fluidos isotônicos deve ser iniciada precocemente, e os inibidores da ECA ou BRA (quando prescritos para o tratamento da hipertensão essencial) devem ser suspensos antes da cirurgia para prevenir hipotensão intraoperatória e lesão renal aguda. Nos pacientes que recebem inibidor da ECA ou BRA como tratamento para insuficiência cardíaca crônica, os riscos e benefícios de sua descontinuação devem ser ponderados com o médico cardiologista. Em um estudo retrospectivo de 4.500 ATJ de revisão, pacientes com hipoalbuminemia (< 3,5 mg.dL^{-1}) apresentaram maior probabilidade de desenvolver infecções profundas no local da cirurgia, pneumonia, sepse, intubação não planejada, transfusão e lesão renal aguda.[14]

A necessidade de exames diagnósticos pré-operatórios deve ser cuidadosamente avaliada porque podem levar ao atraso da cirurgia e, em última análise, a desfechos potencialmente piores. As diretrizes do American College of Cardiology (ACC) e American Heart Association (AHA) alertam sobre o uso indiscriminado de testes pré-operatórios que, em muitas circunstâncias, não servem para reduzir o risco do paciente ou modificar o manejo perioperatório, mas podem, em vez disso, atrasar a cirurgia e aumentar a mortalidade.[13]

De acordo diretrizes clínicas, a radiografia de tórax deve ser realizada apenas em situações clínicas selecionadas, como em doenças cardiopulmonares descompensadas ou de início recente.[6] Gasometria arterial é indicada em situações específicas quando são necessárias informações sobre o equilíbrio ácido-base, ou quando a oximetria de pulso (SpO$_2$) for menor que 92%.[6]

Nas fraturas do quadril, a ecocardiografia pré-operatória e o teste de estresse farmacológico podem atrasar a cirurgia em até 6 dias, levando a complicações pós-operatórias adicionais. Vários estudos forneceram resultados conflitantes acerca de desfechos benéficos e tomada de decisão após ecocardiografia transtorácica pré-operatória em pacientes com fratura de quadril. Em um estudo, a ecocardiografia isoladamente levou a um atraso da cirurgia de 32 a 48 horas sem diferença demonstrável na prevenção de complicações ou mortalidade.[13] Alternativamente, para estimativa do risco cardiovascular, podem ser usados o Índice de Risco Cardíaco Revisado e a dosagem pré-operatória do peptídeo natriurético tipo B (BNP). No pós-operatório, a dosagem de troponina auxilia a detectar infarto do miocárdio.[13]

Por outro lado, ecocardiograma transtorácico pré-operatório pode ser solicitado se o paciente apresenta uma das seguintes condições: sinais ou sintomas de insuficiência cardíaca descompensada (dispneia aos esforços recentemente agravada, ortopneia e edema pulmonar), sinais ou sintomas de hipertensão pulmonar grave, sopro recém-descoberto sugestivo de processo obstrutivo (obstrução intracavitária do ventrículo esquerdo, cardiomiopatia obstrutiva hipertrófica), sinais ou sintomas de estenose aórtica crítica ou estenose mitral grave em um paciente que não fez ecocardiograma nos últimos 12 meses.

Apesar da doença cardíaca valvar poder contribuir para complicações e mortalidade pós-operatórias, e a ecocardiografia poder ser usada para avaliar a natureza da doença e quantificar o grau de comprometimento cardíaco, particularmente em caso de suspeita de comprometimento ventricular ou quando os sintomas do paciente pioraram significativamente desde qualquer ecocardiograma anterior, é muito improvável que o tratamento de qualquer doença valvar preceda a cirurgia na população cirúrgica com fratura de quadril. Também permanece improvável que os resultados da ecocardiografia definam uma mudança no manejo anestésico de pacientes com suspeita de doença valvar cardíaca.

Assim, diretrizes não recomendam adiar a cirurgia de fratura do fêmur enquanto se aguarda a ecocardiografia. Em vez disso, o manejo anestésico cuidadoso deve seguir com monitorização hemodinâmica invasiva visando manter as pressões de perfusão coronária e cerebral, com possível admissão numa unidade de cuidados críticos no pós-operatório.[15]

Fragilidade

Apesar de saber-se que pacientes idosos estão mais sujeitos a complicações pós-operatórias, a quantificação ou a previsibilidade desse risco não é um processo simples. A fragilidade tem sido usada para fornecer informações prognósticas adicionais a idosos não identificados por sistemas de estratificação de risco baseados em sistemas orgânicos, sendo associada a desfechos pós-operatórios adversos, tempo de internação prolongado, necessidade de encaminhamento para unidades de alta complexidade, institucionalização, readmissão e mortalidade.[16] Assim, no ambiente cirúrgico, a avaliação da fragilidade pode servir para estratificação de risco e planejamento de cuidados.

Fragilidade é um estado de declínio progressivo da reserva fisiológica relacionado à idade que resulta em diminuição da resiliência, perda de capacidade adaptativa e aumento da vulnerabilidade a estressores. Determina um estado de alta propensão para resultados adversos para a saúde, incluindo incapacidade, dependência, quedas, necessidade de cuidados de longo prazo e mortalidade.[17]

Quando a fragilidade está presente antes da cirurgia ortopédica, as taxas de morbidade e mortalidade são mais elevadas do que em pacientes não frágeis. As chances de *delirium* e perda de independência aumentam.[16]

Um grande estudo demonstrou que a fragilidade está associada a maiores taxas de complicações, mesmo em procedimentos de baixo risco.[18] Nesse estudo, a proporção de indivíduos com alguma complicação foi maior no grupo mais frágil em comparação ao grupo hígido (42,9% *vs.* 4,4%). Os achados foram semelhantes para complicações maiores com maior proporção de indivíduos com complicações maiores no grupo mais frágil (36,4% *vs.* 3,2%). Os autores sugeriram uma associação dose-resposta entre o grau de fragilidade e o número de complicações pós-operatórias.[18]

Como resultado, a fragilidade é cada vez mais considerada nos processos de tomada de decisão do tratamento, particularmente quando está associado a um elevado estresse fisiológico, como a cirurgia, ou a eventos adversos graves (por exemplo, quedas). Notavelmente, os *guidelines* de 2012 do American College of Surgeons National Surgical Quality Improvement Program/American Geriatrics Society (ACSNSQIP/AGS) para a avaliação pré-operatória ideal do paciente cirúrgico geriátrico definiram a avaliação da fragilidade como um componente crítico.[17] Os instrumentos de investigação de fragilidade permitem avaliação multifuncional e representam bons preditores de desfechos pós-operatórios precoces e de parâmetros funcionais das atividades de vida diária do paciente até 6 meses após a cirurgia de fratura do quadril.[19]

Todavia, não existe uma definição única e amplamente aceita de fragilidade. As duas ferramentas de avaliação da fragilidade mais comumente estudadas são o modelo "fenotípico" de Fried (poderosa ferramenta de prognóstico para quedas, incapacidade, piora da mobilidade, hospitalizações e morte, mas que não leva em conta mudanças na cognição ou no humor) e o modelo de "acumulação de *déficits*" (também conhecido como Rockwood Frailty Index, mostrou ser fortemente preditivo de mortalidade e outros desfechos adversos).[17]

Tanto o modelo fenotípico de Fried como o modelo de acumulação de *déficits* suscitaram críticas porque sua aplicação é demorada e trabalhosa quando incluídos na avaliação pré-operatória. Particularmente, os critérios do modelo fenotípico exigem o uso de equipamentos especiais, enquanto o Rockwood Frailty Index original exige a avaliação de 70 *déficits* clínicos potenciais. Dessa forma, ambos os modelos foram modificados e estudados em populações cirúrgicas.

Muitos escores de fragilidade foram descritos, mas estão longe de ser consistentes na identificação da condição. Além do grande número de escalas disponíveis, a discor-

dância é frequente e, muitas vezes, substancial entre esses escores.[20] Assim, não há um padrão-ouro entre as ferramentas de avaliação da fragilidade. Os instrumentos variam nos domínios avaliados (cognição, comorbidades e função física), fonte de informação (avaliação direta, autorrelato e registros eletrônicos de saúde), tempo necessário e local da avaliação (ambulatorial, paciente internado, e por telefone).

São destacados abaixo os instrumentos mais comumente encontrados em estudos de pacientes cirúrgicos:

- **Edmonton Frail Scale (EFS):** a Escala de Fragilidade de Edmonton é uma escala de 17 pontos (na qual 17 é mais frágil) validada para uso por não geriatras que pode ser preenchida em apenas 5 minutos. A escala incorpora 10 domínios, incluindo uso de medicamentos, comprometimento cognitivo, equilíbrio e mobilidade. Foi demonstrado que o teste *"get-up-and-go"* da EFS é preditivo de morbimortalidade em cirurgias. Embora o teste não seja aplicável em cirurgias de emergência, é valioso na avaliação clínica pré-anestésica por ser um instrumento simples e prático.[17,20]
- **Clinical Frailty Scale:** a Escala de Fragilidade Clínica foi desenvolvida para permitir a medição da fragilidade em ambiente ambulatorial. É uma ferramenta semiquantitativa que estratifica os idosos de acordo com o seu grau relativo de vulnerabilidade utilizando descritores clínicos simples. Fornece uma pontuação global que varia de 1 (saúde robusta) a 9 (doente terminal).[17] É de aplicação rápida e se correlaciona com os desfechos clínicos, o que levou ao seu uso difundido na prática clínica, mas requer uso por médicos especialistas ou pessoal treinado.[20]
- **Modified Frailty Index:** Criado a partir de 11 *déficits*, coletados como parte do ACSNSQIP, dos 70 déficits do estudo inicial do Rockwood Frailty Index, o Índice de Fragilidade Modificado demonstra elevado valor preditivo para complicações pós-operatórias e readmissões em 30 dias quando aplicado em pacientes submetidos a cirurgias ortopédicas, vasculares e gerais.[17]

Idealmente a escolha do instrumento de avaliação da fragilidade deve considerar sua precisão e viabilidade (quão prático é usá-lo na prática pré-operatória de rotina). Em uma revisão sistemática, a fragilidade foi definida por meio de 35 instrumentos diferentes de avaliação em um ambiente clínico antes da cirurgia. Cinco desses instrumentos foram meta-analisados. O modelo Fenótipo de Fried foi o mais frequente. A Clinical Frailty Scale se associou mais fortemente com mortalidade. Complicações foram associadas à Escala de Fragilidade de Edmonton. E o *delirium* foi associado ao modelo fenotípico de fragilidade. A Clinical Frailty Scale apresentou as maiores medidas de viabilidade relatadas. Dessa forma, o estudo apoiou o uso da Clinical Frailty Scale nos domínios de precisão e viabilidade. Por outro lado, o modelo fenotípico de Fried pode exigir uma compensação entre precisão e menor viabilidade.[21]

Outras abordagens usadas na definição da fragilidade incluem medidas de desempenho físico. No entanto, essas estratégias são limitadas pela falta de multidimensionalidade. O uso de uma medida isolada de desempenho físico não captura aspectos de nutrição, cognição ou saúde mental.[20]

Faltam evidências de que a fragilidade possa ser atenuada ou revertida uma vez estabelecida. Todavia, programas de exercícios antes da cirurgia podem melhorar a mobilidade e a capacidade funcional em casos selecionados. Outras intervenções adjuvantes incluem triagem nutricional, otimização da massa de glóbulos vermelhos e correção da sarcopenia.[17]

O uso de escalas de fragilidade deve vir juntamente com um exame clínico completo e avaliação geriátrica abrangente, que inclua e considere o impacto das comorbidade associadas, da polifarmácia, função física, estado nutricional e psicológico e risco de delírio pós-operatório.[22] Programas de reabilitação pré-operatória com otimização de comorbidades e acompanhamento nutricional podem, na prática, reduzir a fragilidade e, assim, melhorar o resultado cirúrgico.[23] Serviços de atendimento multidisciplinar de idosos submetidos a cirurgia são atualmente parte integral do cuidado perioperatório em muitos centros.

De fato, Varley e cols.[24] demonstraram que a implementação de uma iniciativa de triagem de fragilidade vinculada a um alerta eletrônico foi associada a redução significativa da mortalidade pós-operatória total em 1 ano (de 3,9% para 3,3%). Especificamente em pacientes frágeis, a mortalidade em 1 ano diminuiu de 20,2% para 16%. O alerta eletrônico identificava o paciente com fragilidade e solicitava ao cirurgião que documentasse um processo de tomada de decisão compartilhada com base na fragilidade e considerasse avaliação adicional multidisciplinar de cuidados pré-cirúrgicos. Esse estudo veio demonstrar a validade do rastreio de fragilidade de rotina como método para melhorar os resultados em pacientes cirúrgicos.

Papel da Anestesia no Risco Perioperatório

A avaliação geriátrica abrangente é um método estabelecido para avaliar e otimizar questões físicas, psicológicas, funcionais e sociais em pacientes idosos a fim de melhorar os resultados a longo prazo.[17] Envolve avaliação com colaboração de equipes multidisciplinares no planeamento e implementação de investigações e tratamento, bem como na organização de planos de alta e acompanhamento. Isso requer a colaboração entre todos os envolvidos no percurso perioperatório, incluindo anestesistas, cirurgiões, geriatras, enfermeiros, terapeutas e nutricionistas.

Permanecem incertas as contribuições relativas da anestesia para o risco perioperatório. É difícil separar os efeitos da anestesia daqueles da cirurgia, da resposta ao estresse cirúrgico, da habilidade do cirurgião e dos cuidados perioperatórios e reabilitação. A anestesia e os cuidados perioperatórios envolvidos visam melhorar ou manter a trajetória da qualidade de vida prévia à cirurgia do paciente. Buscam evitar um declínio acelerado das funções física e cognitiva no pós-operatório (Figura 170.4). A anestesia ou cuidados perioperatórios subótimos têm o potencial de piorar a trajetória dos resultados e desfechos, independentemente da qualidade da cirurgia.[25]

Na Figura 170.4, a linha azul representa os cuidados mais tradicionais, com mínima interferência pré-operatória e uma trajetória funcional pós-operatória interrompida por complicações influenciadas pela anestesia, como dor, *delirium* e pneumonia. O resultado é o prolongamento da internação e declínio funcional após a alta. Ao contrário disso, o cuidado anestésico deve ter como objetivo possibilitar a trajetória funcional representada pela linha vermelha, através dos melhores cuidados pré e intraoperatórios, visando minimizar complicações, resultando em retorno mais rápido à normalidade funcional, alta mais precoce e manutenção da capacidade funcional após a alta.

▪ PROBLEMAS ESPECÍFICOS EM PACIENTES ORTOPÉDICOS

Artrite Reumatoide

A artrite reumatoide (AR) é uma doença inflamatória autoimune com prevalência de cerca de 1% na população adulta e que afeta todas as articulações, mais comumente as pequenas articulações das mãos e dos pés de forma simétrica. Também, com frequência, apresenta manifestações sistêmicas.

As manifestações articulares incluem inflamação e hipertrofia sinovial com destruição de cartilagem e osso. A proliferação e a hipertrofia de células sinoviais destroem a cartilagem articular, podendo anquilosar o espaço articular com fibrose e calcificação. Clinicamente apresenta-se como edema articular doloroso, rigidez e deformidade progressiva. Ao contrário da osteoartrite, a dor e a rigidez melhoram com a mobilização e são maiores após períodos de inativi-

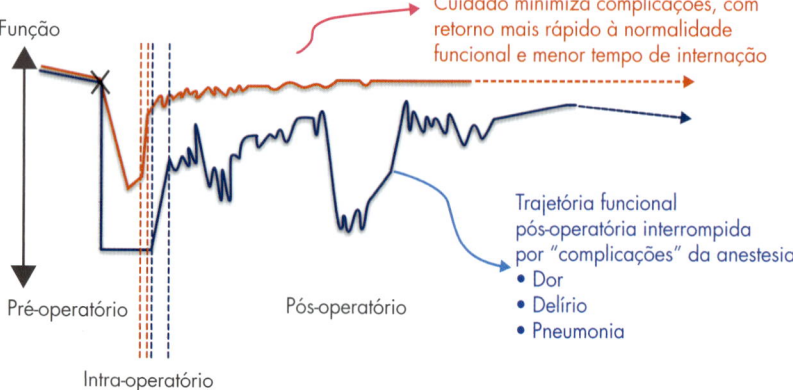

▪ **Figura 170.4** Linha do tempo da capacidade funcional de pacientes que sofreram fratura do quadril.

dade. São de interesse para o anestesiologista a articulação temporomandibular e as articulações da coluna vertebral.[26] O acometimento da coluna cervical ocorre em até 80% dos pacientes com AR e instabilidade cervical é comum afetando até 61% dos pacientes submetidos à ATQ eletiva.[26]

Administrar anestesia a pacientes com AR pode ser desafiador, não apenas pela alta incidência de via aérea difícil, mas também devido às manifestações sistêmicas da doença (Quadro 170.1). As manifestações extra-articulares da AR são comuns e se associam a maior morbimortalidade, principalmente cardiovascular. A inflamação sistêmica associada à AR contribui para aterosclerose prematura e, por isso, o risco de IAM, insuficiência cardíaca congestiva (ICC) e acidente vascular cerebral (AVC) é o dobro da população geral.[27] A pericardite é a manifestação cardíaca mais comum da AR, mas comumente sem significância clínica. O envolvimento pulmonar também é frequente na forma de derrames pleurais e doença pulmonar intersticial. Mesmo na ausência de medicação nefrotóxica, mais de 40% dos pacientes com AR apresentam insuficiência da função renal.[26] Outras manifestações extra-articulares da AR incluem anemia e trombocitose.

Quadro 170.1 Considerações anestésicas em pacientes com artrite reumatoide.	
Via aérea	Mobilidade temporomandibular limitada Estreitamento da abertura glótica
Coluna cervical	Instabilidade atlantoaxial
Cardíacas	Pericardite Derrame e tamponamento pericárdico
Oculares	Síndrome de Sjögren
Gastrintestinal	Úlceras gástricas secundárias a AINH e corticosteroides
Pulmonares	Fibrose intersticial difusa
Renais	Insuficiência renal secundária a AINH

AINH: Anti-inflamatórios não hormonais.

Dessa forma, a avaliação pré-anestésica toma relevante importância. O seu principal objetivo é determinar a extensão da doença. É crítico que o anestesiologista tenha familiaridade com as particularidades da doença e características dos fármacos usados no tratamento, bem como a idade do paciente quando recebeu o diagnóstico, a duração da doença, o estado funcional atual e se houve complicações anestésicas e cirúrgicas prévias. Complicações devem ser antecipadas em pacientes medicados cronicamente, particularmente aqueles tratados com fármacos imunomoduladores. Os pacientes costumam usar corticosteroides cronicamente o que torna necessária sua reposição em doses de estresse durante o período perioperatório.[28] É também frequente a existência de refluxo gastroesofágico, como em pacientes que usam anti-inflamatórios não hormonais (AINH) cronicamente.

Pacientes tratados com dose diária até 15 mg de prednisona, ou dose equivalente de outro corticosteroide, devem ter sua dose mantida, considerando-se dose extra do glico-corticoide somente se houver instabilidade hemodinâmica. Já aqueles pacientes que recebem doses diárias maiores que 20 mg de prednisona por mais de 30 dias apresentam risco aumentado de insuficiência adrenal e devem receber doses suprafisiológicas de glicocorticoide endovenoso. Essas doses podem variar de 25 mg de hidrocortisona em cirurgias de pequeno porte até 100-150 mg em cirurgias de grande porte. Nesses casos, a dose é administrada na indução da anestesia e repetida a cada 8 horas por 2 dias.[29] Em relação ao uso de AINH, esses devem ser suspensos por um intervalo de 5 meias-vidas antes da cirurgia e reintroduzidos 2-3 dias no pós-operatório.

A avaliação pré-anestésica deve incluir cuidadosa avaliação da via aérea, dado que a ocorrência de via aérea difícil é elevada nessa população de pacientes com o envolvimento reumatoide na cabeça e no pescoço. É essencial, portanto, antes da anestesia, avaliar a extensão do envolvimento da coluna cervical, da articulação temporomandibular e da articulação cricoaritenoide.[26]

Se houver suspeita de doença da coluna cervical, instabilidade pode resultar de subluxação atlantoaxial ou subaxial colocando o paciente em risco de compressão medular. A subluxação atlas-axis anterior pode ser diagnosticada pela radiografia da coluna cervical. No caso de instabilidade cervical, deve-se limitar os movimentos de extensão e flexão da coluna cervical durante o ato anestésico, e o manejo das vias aéreas deve ser cuidadoso com mínima mobilização do pescoço, o que pode resultar em laringoscopia direta convencional difícil, ou até impossível.[26] Estratégias com fibroscopia poderão ser a melhor escolha. Mesmo na ausência de doença da coluna cervical, a abordagem da via aérea nos pacientes com AR pode ser desafiadora, uma vez que o acometimento da articulação temporomandibular poderá limitar a abertura da boca. Além disso, pacientes com artrite temporomandibular apresentam alta incidência de obstrução de vias aéreas superiores quando em posição supina.[26]

Semelhante ao que ocorre com a osteoartrite, a presença de deformidades nos pacientes com AR pode comprometer o posicionamento durante a cirurgia, dificultando o acesso para anestesia regional ou canulação venosa. A dificuldade de posicionamento na mesa cirúrgica pode resultar em regiões do corpo sem apoio adequado ou submetidas a pressão excessiva com necessidade de proteção específica, requerendo cuidado especial durante o posicionamento e suporte adicional durante a anestesia.[26]

Deve-se considerar se é possível realizar a cirurgia sob anestesia regional. A anestesia local/regional tem a vantagem de evitar a manipulação das vias aéreas, com as alterações ventilatórias associadas à anestesia geral. Entretanto, as técnicas de peridural e raquianestesia podem ser desafiadoras devido à anquilose e formação de osteófitos. A técnica da anestesia geral apresenta as vantagens de propiciar maior controle cardiovascular e respiratório, bem como minimizar o desconforto do posicionamento de pacientes com deformidades.

Pacientes em uso de glicocorticoides e ou fármacos antireumáticos modificadores de doença são mais suscetíveis a infecção de forma que é necessária a aplicação de técnica asséptica estrita e profilaxia antibiótica apropriada.

Os objetivos no período pós-operatório são promover analgesia efetiva, minimizar o risco de insuficiência respiratória e abreviar o período de imobilização.[26] Pacientes com AR são sensíveis a fármacos, com propensão para a depressão respiratória. A analgesia com opioides deverá ser titulada com cuidado. A utilização de sistemas de analgesia controlada pelo paciente (ACP) pode ser difícil com a presença de artrite e deformidades das mãos. A função renal deve ser cuidadosamente monitorada no pós-operatório em pacientes com comprometimento renal prévio que poderá se sobrepor à nefrotoxicidade das drogas e hipovolemia.

Espondiloartropatias

A espondilite anquilosante (EA) é o exemplo mais emblemático das espondiloartropatias. É uma doença autoimune soronegativa (ausência do fator reumatoide) que geralmente afeta a coluna vertebral e as articulações sacroilíacas, apesar de também poder envolver articulações periféricas.[30] É mais prevalente em homens, com início da manifestação principalmente aos 20-30 anos. A inflamação leva à fusão e rigidez de articulações e da coluna. Pode se associar a outras doenças autoimunes, como colite ulcerativa, doença de Crohn, psoríase e síndrome de Reiter (uveíte).

A EA pode impor grandes desafios ao anestesiologista devido à potencial dificuldade no manejo da via aérea, complicações cardiovasculares e pulmonares, e pelas medicações usadas pelo paciente para o controle da dor e tratamento da doença.[30] O manejo médico da doença, apesar de ter evoluído com o uso de agentes imunobiológicos (como os fármacos anti-TNF-alfa (os anticorpos monoclonais infliximabe e adalimumabe), inibidores de interleucinas, e inibidores de JAK quinase), acaba por aumentar o potencial de infecção da ferida operatória (especialmente com o adalimumabe).[30]

Avaliação pré-anestésica extensa é necessária para estimar a gravidade da doença, em particular o envolvimento da via aérea e as manifestações extra-articulares da doença.

As implicações para o posicionamento e manejo das vias aéreas são óbvias. Também existe maior risco de complicações neurológicas no período perioperatório.[30] A limitação da amplitude de movimento do pescoço e *déficits* neurológicos preexistentes devem ser avaliados no pré-operatório. Não há consenso acerca do manejo das medicações imunobiológicas no período perioperatório. Porém, em 2022, o American College of Rheumatology (ACR) propôs um *guideline* que foi resumido no Quadro 170.2.[29] Muitos autores sugerem a interrupção da medicação antes da cirurgia tomando em consideração a meia vida de cada uma delas. Como essas medicações imunobiológicas modificam o curso natural da doença, na avaliação pré-anestésica, pode-se encontrar um paciente sem as sequelas e estereótipo marcantes da doença, porém com risco aumentado de infecção. Por essa razão, é primordial para o sucesso pós-operatório manejar e suspender a tempo essas medicações considerando sua janela terapêutica (Quadro 170.2).[29]

Quadro 170.2 Recomendações sobre o manejo de medicações imunobiológicas no período perioperatório.

Medicações que devem ser mantidas no perioperatório		
Drogas anti-reumáticas modificadoras de doença: manter em todos os pacientes	**Posologia**	**Tempo ótimo para cirurgia após última dose**
Methotrexate	Semanal	A qualquer momento
Sulfassalazina	Diário ou 2x ao dia	A qualquer momento
Hidroxicloroquina	Diário ou 2x ao dia	A qualquer momento
Leflunomide	Diário	A qualquer momento
Medicações LES Grave: manter em todos os pacientes com aval do reumatologista	**Posologia**	**Tempo ótimo para cirurgia após última dose**
Micofenolato	2x ao dia	A qualquer momento
Azatioprina	Diário ou 2x ao dia	A qualquer momento
Ciclosorina	2x ao dia	A qualquer momento
Tacrolimus	2x ao dia	A qualquer momento
Rituximabe	EV a cada 4-6 meses	4 a 6 meses
Belimumabe	SC semanal	A qualquer momento
Belimumabe	EV mensal	Após 4 semanas
Anifrolumabe	EV a cada 4 semanas	Após 4 semanas

(Continua)

Quadro 170.2 Recomendações sobre o manejo de medicações imunobiológicas no período perioperatório.		*(Continuação)*
Medicações que devem ser suspensas antes da cirurgia		
Imunobiológicos	**Posologia**	**Tempo ótimo para cirurgia após última dose**
Infliximabe	A cada 4, 6 ou 8 semanas	Após 5, 7 ou 9 semanas
Adalimumabe	A cada 2 semanas	Após 3 semanas
Etanercepte	Semanal	Após 2 semanas
Golimumabe	SC a cada 4 semanas EV a cada 8 semanas	Após 5 semanas Após 9 semanas
Abatacepte	EV mensal SC semanal	Após 5 semanas Após 2 semanas
Certolizumabe	A cada 2 ou 4 semanas	Após 3 ou 5 semanas
Rituximabe	2 doses com intervalo de 2 semanas a cada 4-6 meses	Após 7 meses
Tocilizumabe	SC semanal EV a cada 4 semanas	Após 2 semanas Após 5 semanas
Anakinra	Diário	Após 2 dias
IL-17-Secuquinumabe	A cada 4 semanas	Após 5 semanas
Ustequinumabe	A cada 12 semanas	Após 13 semanas
Ixequizumabe	A cada 4 semanas	Após 5 semanas
IL-23 Guselcumabe	A cada 8 semanas	Após 9 semanas
Inibidor da JAK quinase: suspender 3 dias antes da cirurgia	**Posologia**	**Tempo ótimo para cirurgia após última dose**
Tofacitinibe	Diário ou 2x ao dia	Após 4 dias
Baricitinibe	Diário	Após 4 dias
Upadacitinibe	Diário	Após 4 dias
LES Não-Grave: suspender 1 semana antes da cirurgia	**Posologia**	**Tempo ótimo para cirurgia após última dose**
Micofenolato	2x ao dia	1 semana após última dose
Azatioprina	Diário ou 2x ao dia	1 semana após última dose
Ciclosporina	2x ao dia	1 semana após última dose
Tacrolimus	2x ao dia EV ou VO	1 semana após última dose
Rituximabe	A cada 4-6 meses	Após 7 meses
Belimumabe EV	Mensal	Após 5 semanas
Belimumabe SC	Semanal	Após 2 semanas

LES: lúpus eritematoso sistêmico; SC: subcutâneo; EV: endovenoso; VO: via oral.

Fonte: Goodman SM, *et al.*, 2022.[29]

Manifestações extra-articulares ocorrem mais comumente em pacientes com formas mais graves da doença. Os sistemas acometidos e com maior relevância para o anestesiologista incluem o cardiovascular, o pulmonar e a pele.

Com prevalência proporcional à duração da doença, inflamação e fibrose da íntima da aorta ascendente podem levar à insuficiência aórtica, e a extensão ao sistema de condução pode resultar em bloqueio cardíaco ou arritmias supraventriculares. Como na AR, pacientes com EA também sofrem com processo acelerado de aterosclerose e existe um risco aumentado de IAM.[31] Pacientes em uso dos inibidores da JAK quinase têm risco aumentado de tromboembolismo venoso (TEV) no perioperatório.[28] As manifestações pulmonares incluem doença pulmonar restritiva devido à deformidade torácica (cifose) e rigidez da parede torácica.[30] Fibrose pulmonar pode ser observada na doença avançada.

Apesar da rigidez, a coluna dos pacientes com EA avançada é bastante frágil. Fraturas vertebrais podem ocorrer espontaneamente ou com mínimo trauma levando a colapsos vertebrais e compressão de raízes nervosas. Fraturas cervicais ocorrem mais comumente em C5-C6 e podem passar desapercebidas pela ausência de histórico de trauma. Subluxação atlantoaxial ocorre em 21% dos pacientes com EA.[30] Efeitos neurológicos incluem compressão medular, síndrome da cauda equina, insuficiência vertebrobasilar e lesão de nervos periféricos.

A mobilidade reduzida da coluna cervical e a diminuição da abertura bucal podem dificultar a intubação traqueal. Envolvimento da articulação temporomandibular pode chegar a 30-40% ao longo do curso da doença.[30] Cifose cervical pode dificultar ou impossibilitar a laringoscopia direta. Em pacientes com cifose cervical crônica, extensão cervical excessiva pode causar lesão neurológica e insuficiência vertebrobasilar resultante da compressão óssea sobre a artéria vertebral. A intubação acordada com fibra óptica pode ser a opção mais segura em pacientes com doença cervical grave, pois permite ventilação espontânea e monitorização neurológica durante a intubação. A máscara laríngea intubatória e a videolaringoscopia também têm sido utilizadas com sucesso.

A ossificação dos ligamentos interespinhosos da coluna e a formação de sindesmófitos resultam na aparência da "coluna em bambu". O acometimento da coluna na EA pode resultar em dificuldade com as técnicas neuroaxiais e consequente maior risco de complicações. Todavia, quando escolhida a técnica neuroaxial, a abordagem paramediana mostrou-se útil. Ultrassonografia pode facilitar o posicionamento adequado da agulha. No pós-operatório, vigilância deve ser mantida na busca de identificar precocemente sintomas de hematoma peridural. A incidência de hematoma peridural é maior devido às múltiplas tentativas de punções ou à prevalência do uso de anti-inflamatórios nesses pacientes que apresentam frequente estreitamento do canal medular.

Infecção e Antibioticoprofilaxia

A infecção associada à artroplastia, ou infecção articular periprotética, é uma doença rara e envolve a interação entre microrganismos por um lado, e o implante e o sistema imunológico do hospedeiro por outro.[32]

Uma pequena quantidade de microrganismos pode causar infecção periprotética aderindo-se e formando biofilmes nas superfícies da artroplastia. Os microrganismos causadores são frequentemente parte da microbiota da pele inoculados no momento da colocação da prótese, embora os implantes também possam ser semeados após a colocação, quer por via hematogênica ou através de tecidos locais comprometidos.

Em um estudo sobre infecções periprotéticas de quadril ou joelho, o grupo de estafilococos coagulase-negativos (especialmente *Staphylococcus epidermidis*) foi o agente causal mais comum, seguido por *Staphylococcus aureus*, *Streptococcus sp.*, *Enterococcus sp.*, *Cutibacterium sp.* e *Enterobacterales*.[32] Setenta por cento dos casos eram monomicrobianos, enquanto 25% foram polimicrobianos.

Todavia, esse estudo foi realizado em um único centro de referência terciário e os resultados podem ser diferentes em outras instituições.

Infecções periprotéticas estão associadas a hospitalizações prolongadas, taxas de sucesso abaixo do ideal, altas taxas de incapacidade, diminuição da qualidade de vida e alta mortalidade pós-operatória. O paciente que desenvolve infecção do sítio cirúrgico tem cinco vezes mais chances de ser readmitido no hospital, 60% mais de ser admitido na UTI e duas vezes mais chances de morrer em comparação com um paciente sem infecção.

A infecção periprotética afeta negativamente a vida dos pacientes, com efeitos físicos, sociais e emocionais, devido às altas taxas de readmissão, repetição de procedimentos, internações hospitalares prolongadas, aumento do uso de serviços ambulatoriais e administração prolongada de antibióticos. A disfunção física, o confinamento ao leito, o tratamento prolongado com antibióticos, a incapacidade de viver de forma independente e o medo da progressão da doença ou da morte causam sofrimento psicossocial, isolamento e insegurança, bem como depressão e ansiedade.

Além disso, as infecções pós-operatórias não produzem apenas sofrimento humano, mas também têm um impacto econômico considerável. O tratamento é caro, demorado e consome muitos recursos. Os custos hospitalares por episódio são de aproximadamente US$ 89.000 e US$ 116.000 para infecção periprotética de quadril e joelho, respectivamente.[32]

Estudos identificaram diversos fatores de risco para infecção periprotética, dos quais apenas alguns, incluindo anemia, uso de drogas injetáveis, desnutrição, obesidade, diabetes mal controlado e tabagismo são potencialmente modificáveis.[32] No período pré-operatório, a otimização do paciente é fundamental: índice de massa corporal (IMC) < 35, hemoglobina A1c < 7,5, cessação do tabagismo e triagem de *S. aureus* meticilina resistente (MRSA) nasal com descolonização dos portadores mostraram fortes evidências na redução do risco de infecção.[32] No intraoperatório, profilaxia antibiótica baseada no peso, manejo adequado dos níveis de glicemia, oxigenação e temperatura do paciente, preparação da pele com clorexidina alcoólica, irrigação da ferida com solução diluída de iodopovidona, restrição do trânsito de pessoas na sala cirúrgica, administração de ácido tranexâmico (ATX) e suturas monofilamentares revestidas com triclosan para fechamento de tecidos moles representaram medidas de prevenção eficazes.[33] A taxa de infecções pós-operatórias associadas a curativos oclusivos é menor do que a associada a curativos não oclusivos. A drenagem fechada da ferida operatória na artroplastia total eletiva, quando os drenos são deixados por mais de 24 horas, está associada a maior RR de contaminação bacteriana.

O uso de antibióticos profiláticos em cirurgia ortopédica é eficaz na redução de infecções do sítio operatório nas artroplastias de quadril e joelho, cirurgias da coluna vertebral, e redução aberta e fixação interna de fraturas. Para maximizar o efeito benéfico dos antibióticos profiláticos e minimizar seus efeitos adversos, o agente antimicrobiano correto deve ser selecionado e administrado antes da incisão para garantir níveis adequados no tecido no momento da incisão na pele, reduzindo assim o risco de colonização da ferida (Quadro 170.3).[34] Evidências mostram que o momento ideal para a administração profilática de antibióticos é até 30 a 60 minutos da incisão na pele. A infusão incompleta antes da incisão ou a infusão pós-incisão coloca o paciente em risco de infecção do sítio cirúrgico ou infecção periprotética.[35] A administração do antimicrobiano no momento da indução da anestesia é segura e resulta em níveis adequados do fármaco nos tecidos no momento da incisão. Uma consideração importante é a dosagem apropriada do antibiótico. Todas as dosagens devem ser baseadas no peso do paciente.[35]

Quadro 170.3 Recomendações para o uso de antibióticos profiláticos em cirurgia ortopédica.

Escolha do agente antimicrobiano

Cefalosporina (cefazolina, cefuroxima)

Se houver alergia a β-lactâmicos, use clindamicina ou vancomicina

Considerar triagem pré-operatória para colonização por MRSA

Se infectado ou colonizado com MRSA, use vancomicina

Momento da administração

Iniciar até 60 minutos antes da incisão: cefazolina, cefuroxima, clindamicina

Iniciar até 120 minutos antes da incisão: vancomicina

Infusão completa até 10 minutos antes da insuflação do torniquete

Dosagem

Cefazolina: 2 g em adultos e 30 mg.kg^{-1} em crianças

Cefuroxima: 1,5 g em adultos e 50 mg.k g^{-1} em crianças

Dosagem de vancomicina e clindamicina baseada na massa do paciente

Duração do uso de antimicrobianos

Dose pré-operatória única

Repique da dose no intraoperatório (a cada 4 horas) em caso de procedimento prolongado ou de perda sanguínea significativa

MRSA: *Staphylococcus aureus* resistente à meticilina.

O uso do torniquete na cirurgia ortopédica demanda especial consideração quanto ao momento da administração da profilaxia antibiótica. Johnson investigou a concentração de cefuroxima no osso e na gordura subcutânea durante a ATJ quando os pacientes foram randomizados para receberem 1,5 g de cefuroxima 5, 10, 15 e 20 minutos antes da insuflação do torniquete.[36] Todos os grupos de pacientes apresentaram níveis de antibiótico superiores à concentração bactericida mínima no osso. Na gordura subcutânea, 86% dos pacientes que receberam o antibiótico 5 minutos antes da insuflação do torniquete apresentaram concentrações antibióticas menores que a concentração bactericida mínima. Os níveis antibióticos foram adequados nos outros grupos de pacientes (10, 15 e 20 minutos). Os autores concluíram que 10 minutos é o tempo mínimo entre a administração do antibiótico e a insuflação do torniquete para que níveis adequados de cefuroxima sejam atingidos nos tecidos.

Cefalosporinas de primeira geração, como a cefazolina, oferecem cobertura adequada contra a maioria dos estafilococos e outras bactérias Gram positivas encontradas na pele que podem contaminar a ferida. Diretriz recente da American Academy of Orthopaedic Surgeons (2019) recomendou o uso de uma cefalosporina de primeira (por exemplo, cefazolina) ou segunda (por exemplo, cefuroxima) geração, ou o uso de antibiótico glicopeptídeo (por exemplo, vancomicina) como a escolha ideal para antibioticoprofilaxia.[35] As cefalosporinas de segunda geração têm um espectro de ação um pouco mais amplo, cobrindo algumas bactérias Gram negativas e se mantendo eficazes contra organismos Gram positivos. Em comparação com a cefazolina, agentes alternativos (por exemplo, vancomicina e clindamicina) estão associados a maior risco de infecção nas atroplastias do quadril, joelho e ombro.

Apesar das preocupações com o aumento da prevalência de MRSA, há fortes evidências para apoiar o uso atual da cefazolina como o antibiótico mais apropriado para casos de rotina em pacientes considerados de risco "habitual" (por exemplo, artroplastia total primária em paciente não imunossuprimido). Para pacientes colonizados por MRSA, alguns autores recomendam adicionar vancomicina à cefazolina.[32]

A maioria dos pacientes com relato de alergia à penicilina é candidata a receber cefazolina, na ausência de história de anafilaxia ou síndrome de Stevens-Johnson, embora alguns autores recomendem realizar avaliação pré-operatória de alergia (por exemplo, teste cutâneo). A reatividade cruzada da alergia à penicilina com as cefalosporinas, segundo dados recentes, é baixa. Em pacientes com alergia autorreferida à penicilina, a reatividade cruzada foi de cerca de 1%, e para os pacientes com alergia verdadeira, a reatividade cruzada às cefalosporinas foi de 2,5%.[35] A reatividade cruzada é determinada pela cadeia lateral R1 do anel betalactâmico e as cefalosporinas, mesmo dentro de cada geração, diferem no que diz respeito à estrutura da sua cadeia lateral R1. A cefazolina tem uma cadeia lateral R1 diferente de forma que o risco de reatividade cruzada em um paciente que nunca recebeu cefazolina, mas autorrefere alergia à penicilina, é mínimo. Portanto, é apropriado administrar cefazolina em pacientes que relatam sintomas não relacionados à IgE.[35]

■ MANEJO PERIOPERATÓRIO

Tradicionalmente, os estudos avaliam o impacto das técnicas de anestesia e analgesia pós-operatória sobre desfechos, como a mortalidade e incidência de complicações maiores (perdas sanguíneas, taxas de reoperação e complicações graves) após cirurgias de grande porte. Pouco se sabe sobre o impacto da técnica anestésica sobre o tempo de internação, alta do programa de reabilitação pós-operatória, perfil dos efeitos adversos, e, por fim, custos do tratamento. Além disso, o impacto de certos eventos pós-operatórios pode trazer consequências a longo prazo, como o desenvolvimento de dor crônica após controle inadequado da dor pós-operatória.

A escolha do tipo de anestesia, no entanto, é apenas um componente do cuidado geral, que também deve incluir outras ações como tromboprofilaxia, suporte nutricional, fisioterapia e mobilização, além de cuidados de enfermagem de alto nível. A escolha da técnica de anestesia e analgesia pode ser mais liberal e adaptada às solicitações ou comorbidades do paciente.[37] Parece que a técnica anestésica, quando mantido um controle fisiológico, não tem um papel primário sobre o prognóstico do paciente, mas apenas modulatório. Os fatores de risco inerentes ao paciente à cirurgia é que determinarão o desfecho.[25,38] O anestesiologista deve focar no cuidado perioperatório e desempenhar papel multifuncional, participando da avaliação de risco, escolhendo a monitorização hemodinâmica adequada ao risco e necessária para orientar intervenções, promovendo analgesia, prevenindo delirium pós-operatório e cuidando do transporte do paciente.[25]

Por fim, o anestesiologista também é responsável pelo retorno dos pacientes às suas atividades após o tratamento da fratura ou após a artroplastia. Tem papel facilitador da recuperação pós-operatória, seja na remobilização (reassumir a função do membro operado), seja na reabilitação (retomada das atividades de vida normal). Por exemplo, um paciente com fratura de quadril não poderá ficar de pé ou andar se estiver hipotenso, enjoado ou delirante. Analgesia eficaz, prevenção do delirium pós-operatório e complicações estão sob a responsabilidade do anestesiologista.

Distúrbios Cognitivos Pós-Operatórios

Os distúrbios cognitivos pós-operatórios são um espectro de doenças que varia desde o delirium pós-operatório imediato até a disfunção cognitiva pós-operatória. Em um pequeno grupo de pacientes, a disfunção pode ser de longa duração ou permanente.[17]

Delirium é uma alteração aguda e flutuante do estado mental com redução da consciência e perturbação da atenção. O delirium pós-operatório, embora transitório, não é uma condição benigna. Está associado a diferentes complicações pós-operatórias, como aumento do tempo de internação, recuperação funcional e cognitiva prejudicadas, subsequente comprometimento cognitivo leve ou até mesmo demência, piora da mobilidade e maior risco de mortalidade.[39] O delirium é uma complicação frequente no período pós-operatório de pacientes idosos, mas com uma incidência bastante variável entre 5% e 50%. São descritas diversas ferramentas utilizadas para o diagnóstico de delirium pós-operatório. Um estudo que comparou 11 instrumentos para avaliação de delirium constatou que o Confusion Assessment Method é o melhor instrumento de avaliação de delirium à beira do leito, enquanto o Mini-Mental State Examination é o menos útil para identificar um paciente com delirium.[40]

Ao contrário do delirium, a disfunção cognitiva pós-operatória é de difícil diagnóstico por não possuir uma definição uniforme. Além disso, os estudos adotaram diferentes tempos de pós-operatório para o diagnóstico da condição e é necessária avaliação inicial da função cognitiva antes da cirurgia para comparação posterior. Clinicamente, caracteriza-se pelo comprometimento da função cognitiva, incluindo memória, concentração, função executiva e velocidade de processamento mental. O International Study on Postoperative Cognitive Dysfunction foi um estudo de referência em que, comparado a controles não submetidos a cirurgia, a disfunção cognitiva pós-operatória estava presente em 25,8% (vs. 3,4%) dos pacientes idosos (> 60 anos), uma se-

mana após cirurgia não cardíaca de grande porte, e em 9,9% (vs. 2,8%) dos pacientes idosos, 3 meses após a cirurgia.[41] Além da mortalidade, está associada a risco aumentado de incapacidade para o trabalho e dependência social.

Tendo em vista as complicações associadas e a elevada prevalência de delirium pós-operatório em pacientes idosos, especialmente aqueles com fraturas do fêmur, a identificação precoce de pacientes em risco, bem como a implementação de medidas profiláticas para reduzir a frequência de delirium é extremamente importante. Dois escores de risco para ocorrência de delirium foram validados em pacientes cirúrgicos ortopédicos.[42]

Um modelo com fatores de risco clínicos foi validado em pacientes acima de 70 anos submetidos a cirurgias no quadril. Quatro fatores de risco foram incluídos: função cognitiva na admissão, deficiência visual, estado de saúde crônico e fisiológico agudo, e razão entre ureia e creatinina no sangue.[43] O delirium pós-operatório foi quatro vezes mais frequente em pacientes com fratura do quadril do que em pacientes eletivos submetidos a ATQ. O comprometimento cognitivo e a idade foram os fatores de risco mais importantes para a ocorrência de delirium nessa população de pacientes.

Outro estudo, em pacientes submetidos a artroplastias eletivas do quadril ou do joelho, utilizou a avaliação Delirium Elderly At-risk que considera como fatores de risco a idade, comprometimento visual ou auditivo, dependência em mais de uma atividade de vida diária, baixo escore no teste Mini-Mental na admissão ou um episódio anterior de delirium pós-operatório, e abuso de benzodiazepínicos ou álcool.[44] A presença de dois ou mais fatores se associou a um risco aumentado de delirium. O abuso de substâncias e o comprometimento cognitivo apresentaram as associações mais fortes para a ocorrência de delirium pós-operatório.

De fato, estudo recente definiu, em pacientes idosos submetidos a ATQ ou ATJ, a deficiência no desempenho em testes pré-operatórios de triagem cognitiva como preditora de complicações pós-operatórias, tais como o delirium e maior permanência hospitalar.[45] Em pacientes com fraturas do quadril, 35% dos casos de delirium têm início no pré-operatório. Uma revisão sistemática estudou o comprometimento cognitivo pré-operatório, avaliado por ferramentas validadas, em pacientes acima de 60 anos.[46] Nas cirurgias ortopédicas eletivas, a prevalência de comprometimento cognitivo não reconhecido foi de 37%, e o comprometimento cognitivo diagnosticado foi de 17%. Nas cirurgias de emergência, a prevalência de comprometimento cognitivo não reconhecido foi de 50%.[46] Assim, a estratificação do risco para delirium pós-operatório deve ser iniciada por meio da avaliação do status cognitivo pré-operatório.[47]

O Quadro 170.4 resume os preditores de risco mais comumente imputados para a ocorrência de delirium pós-operatório em pacientes com fratura do fêmur.[48-49] Em uma revisão sistemática que avaliou adultos submetidos a cirurgias não cardíacas, os fatores de risco associados à ocorrência de delirium foram estado físico 4 da ASA, idade avançada (OR 2,67 para 65-85 anos; OR 6,24 para > 85 anos) e baixo IMC. Concluir um curso universitário (ou superior) foi associado a menor probabilidade de desenvolver *delirium* pós-operatório.[50]

Quadro 170.4 Fatores de risco para *delirium* pós-operatório em pacientes idosos com fratura do fêmur.

Fatores pré-operatórios	■ Idade avançada ■ Homens ■ Estado físico ASA > 2 ■ Institucionalização ■ Comprometimento cognitivo ou demência ■ Baixo escore no Mini-Mental State Examination ■ Múltiplas comorbidades ■ Morbidades específicas (demência, comprometimento cognitivo, diabetes, comprometimento visual, ICC, DPOC e HAS) ■ Hiponatremia/Hipernatremia ■ Anemia ■ Desnutrição; IMC baixo; Albumina baixa ■ Polifarmácia ■ Febre ■ Cirurgia de emergência ■ Tempo prolongado entre admissão e cirurgia ■ Tabagismo
Fatores intraoperatórios	■ Artroplastia total do quadril ■ Sangramento ■ Politransfusão ■ Profundidade da sedação/anestesia
Fatores pós-operatórios	■ Pneumonia ou Infecção urinária ■ Dor ■ Insuficiência renal pós-operatória

ASA. American Society of Anesthesiologists; ICC: insuficiência cardíaca; IMC: índice de massa corporal; DPOC: doença pulmonar obstrutiva crônica; HAS: hipertensão arterial.

O controle da dor pós-operatória é importante na prevenção do *delirium*. Em pacientes com fratura do quadril, indivíduos com cognição intacta/normal, mas com controle inadequado da dor apresentaram risco 9 vezes maior de desenvolver *delirium*.[51] Não parece haver diferença entre os opioides usados para analgesia, com exceção da meperidina que se associa definitivamente ao *delirium*. Também não há diferença se o opioide é administrado pela via venosa ou peridural.

Há evidências crescentes de que o monitoramento do eletroencefalograma processado durante a anestesia reduz a incidência de disfunção cognitiva pós-operatória e *delirium*. Em um grande ensaio randomizado, a anestesia guiada pelo índice bispectral BIS®, mantido entre 40 e 60, se associou a uma redução significativa de 14,7% para 10,2% na ocorrência de disfunção cognitiva pós-operatória 3 meses após a cirurgia.[52] Por outro lado, não há evidências consistentes de que qualquer agente ou técnica anestésica isolada reduza o risco de disfunção cognitiva pós-operatória. Embora se possa esperar que a anestesia regional confira proteção cognitiva, mais uma vez, faltam evidências. Estudos recentes que incluíram grande número de pacientes e aplicaram metodologia rigorosa na avaliação cognitiva para estudar os efeitos da anestesia geral

e regional (geral *vs.* peridural) por até 6 meses após a cirurgia demonstraram que as técnicas de anestesia geral e regional, mesmo quando diferentes regimes de anestesia geral foram utilizados, não fizeram diferença no prognóstico cognitivo de longo prazo.[51]

Grande parte dos idosos submetidos a cirurgias ortopédicas com anestesia regional também recebem sedação em doses que produzem valores no índice bispectral (BIS®) semelhantes aos vistos na anestesia geral. Não se sabe se a anestesia regional administrada isoladamente, sem sedação, melhoraria o prognóstico cognitivo. O controle da profundidade da sedação durante a anestesia regional previne a ocorrência de *delirium* em pacientes de alto risco e pode ser um fator de risco modificável. Ensaio clínico randomizado comparou sedação leve e profunda quanto a incidência de *delirium* pós-operatório em pacientes idosos submetidos a fixação de fraturas do quadril sob raquianestesia e sedados com propofol.[53] O estudo apontou a sedação profunda durante o período perioperatório como fator de risco para ocorrência de *delirium* em populações vulneráveis. Os autores demonstraram que a sedação leve diminuiu a incidência em 50% (incidência de 19% com BIS® acima de 80 *vs.* 40% com BIS® em torno de 50) e reduziu a duração do *delirium* pós-operatório (0,5 *vs.* 4 dias).

Em um ensaio clínico, Sieber e cols.[54] estudaram 200 pacientes submetidos a fixação de fratura do quadril sob raquianestesia e sedados com propofol. Foram excluídos do estudo pacientes com *delirium* ou demência no pré-operatório. Os autores não verificaram diferença na incidência de *delirium* até 5 dias após a cirurgia independentemente da profundidade da sedação (incidência geral: 36,5%; sedação leve: 34%; sedação profunda: 39%). Todavia, análise específica estratificada pelo Índice de Comorbidade de Charlson (CCI) mostrou que a sedação profunda foi fator de risco para *delirium* pós-operatório em estados de baixa comorbidade (CCI = 0). A profundidade da sedação não alterou o risco quando CCI era maior que zero indicando que a presença de comorbidades assume relevância maior e supera o benefício da sedação leve.

A anemia pós-operatória e a necessidade de transfusão também foram associadas ao *delirium* pós-operatório. Todavia, a evidência atual a partir de ensaios clínicos randomizados é a de que a transfusão isoladamente não altera o curso ou a gravidade do *delirium* em idosos com fratura do quadril com baixa dosagem pós-operatória de hemoglobina.[55]

Não há consenso se o manejo hemodinâmico intraoperatório altera a ocorrência de *delirium* pós-operatório e nenhuma recomendação pode ser feita até o momento. Em ensaios clínicos, a anestesia peridural hipotensiva em pacientes idosos não se associou a maior incidência de *delirium* em populações selecionadas submetidas a ATQ.[56] Hipotensão leve (pressão arterial média [PAM] 55 a 70 mmHg) ou hipotensão intensa (PAM 45 a 55 mmHg) não determinaram diferença na ocorrência de disfunção cognitiva 4 meses após a cirurgia. Por outro lado, Yocum e cols.[57] demonstraram relação entre hipotensão intraoperatória e declínio cognitivo pós-operatório em pacientes hipertensos no pré-operatório.

Até o presente, poucos tipos de intervenção se demonstraram efetivos em ensaios clínicos randomizados e revisões sistemáticas para a prevenção do *delirium* pós-operatório (Tabela 170.1).[58] A primeira intervenção, e a que parece ser a estratégia mais eficaz, é o uso de protocolos clínicos estruturados no auxílio da prevenção.[59] Foi demonstrado que a incidência de *delirium* pós-operatório é reduzida substancialmente em pacientes com fraturas de quadril que receberam cuidados geriátricos abrangentes durante o período perioperatório.[60] Unidades especializadas se concentram em avaliar e identificar fatores de risco, e, assim, poder modificá-los.

Guidelines destacam as principais estratégias farmacológicas para prevenir e tratar o *delirium* pós-operatório (Tabela 170.1): utilização de anestesia regional, o controle da dor deve ser otimizado com medicamentos não opioides, e inibidores da colinesterase não devem ser prescritos para prevenir ou tratar o *delirium*.[48]

Tabela 170.1 Intervenções para prevenção do *delirium* em pacientes hospitalizados.

Medidas efetivas	Medidas não efetivas
Protocolos clínicos estruturados	Antipsicóticos (haloperidol)
Antipsicótico (olanzapina)	Inibidor da colinesterase (donezepil)
Anestesia guiada pelo BIS®	Agonistas da melatonina

BIS: índice bispectral.

Não há evidências suficientes sobre o uso profilático de antipsicóticos, seja como um grupo farmacológico ou quando o haloperidol foi comparado ao placebo. A administração profilática de baixas doses de haloperidol (1,5 mg ao dia) não reduziu a incidência, mas reduziu a gravidade e a duração dos episódios de *delirium* após cirurgias do quadril.[61] Por outro lado, a incidência de *delirium* foi reduzida em pacientes tratados com olanzapina (antipsicótico atípico) em comparação ao placebo.[58] Alguns medicamentos aumentam a incidência de *delirium* em pacientes geriátricos e devem ser evitados, especialmente fármacos com propriedades anticolinérgicas, corticosteroides, meperidina e benzodiazepínicos.[48]

Manejo Hemodinâmico

Insuficiência da perfusão tecidual e oxigenação celular, devido a hipovolemia e ou disfunção cardíaca, é uma das principais causas de complicações perioperatórias e desfechos desfavoráveis. Muitas complicações após cirurgias ortopédicas têm sua patogênese baseada na isquemia tecidual secundária ao desbalanço na relação VO_2-DO_2: disfunção cognitiva pós-operatória, insuficiência renal aguda, arritmias, falência da bomba cardíaca, infecção e má cicatrização. O manejo eficaz de líquidos para prevenir e tratar hipovolemia ou hipervolemia, e a titulação de drogas vasoativas para disfunção cardíaca, guiado por um monito-

ramento hemodinâmico eficaz, são cruciais para manter a oferta adequada de oxigênio (DO_2), prevenir a sobrecarga de líquidos e suas consequências e reduzir o risco de complicações e, assim, potencialmente melhorar os desfechos perioperatórios.[62]

A monitorização avançada é habitualmente subutilizada em idosos e na cirurgia ortopédica, mas auxiliará o anestesiologista no reconhecimento e correção de desbalanços na relação de oferta e demanda de oxigênio aos tecidos cerebral, renal e cardíaco durante o período perioperatório.[25] A decisão de lançar mão de monitorização hemodinâmica avançada dependerá de fatores cirúrgicos e de outros relacionados ao paciente.

Enquanto cirurgias ortopédicas sobre a coluna e quadril são consideradas de média complexidade (risco 1 a 5% de mortalidade), pacientes cirúrgicos de alto risco são aqueles com reserva cardiopulmonar limitada e incapacidade de atender à demanda aumentada de oxigênio (VO_2) imposta pelo estresse cirúrgico de forma a apresentarem risco de mortalidade individual maior que 5%. Fatores de risco perioperatórios, tais como o próprio trauma cirúrgico, variações volêmicas secundárias a perdas sanguíneas e transfusões, e a administração dos agentes anestésicos, ainda influenciarão negativamente o balanço entre a oferta e o consumo de oxigênio.

Conforme o consenso brasileiro sobre terapia hemodinâmica perioperatória existem critérios para avaliação do risco pré-operatório (Tabela 170.2).[63] Aumentando a complexidade da cirurgia e o grau de risco do paciente, a monitorização hemodinâmica deve ser escalonada como visto na Figura 170.5.

Tabela 170.2 Critérios para classificação do risco perioperatório de pacientes segundo o Consenso Brasileiro sobre Terapia Hemodinâmica Perioperatória Guiada por Objetivos.

Critérios maiores
Idade > 70 anos com doença crônica descompensada
Doença cardiopulmonar grave (ins. coronariana, DPOC, AVC)
Doença cardiovascular grave dos grandes vasos
Abdome agudo com instabilidade hemodinâmica
Perda sanguínea > 500 mL (ou > 7 mL.kg^{-1} em criança < 12 anos)
Sepse
Critérios menores
Tempo anestésico > 2 horas
Cirurgia de urgência/emergência

Fonte: Adaptada de Silva ED, *et al.*, 2016.[62]

Estudos demonstraram que estratégias de ressuscitação direcionadas por variáveis hemodinâmicas melhoraram o prognóstico em pacientes de alto risco.[64] Ao aumentar a DO_2 com a combinação de fluidos intravenosos e inotrópicos (terapia guiada por metas [TGM]), a morbidade e a mortalidade pós-operatórias de pacientes de alto risco podem ser reduzidas. Como a duração do choque antes da reanimação é o principal determinante da morbimortalidade, a monitorização e o tratamento devem ser precoces. Quanto

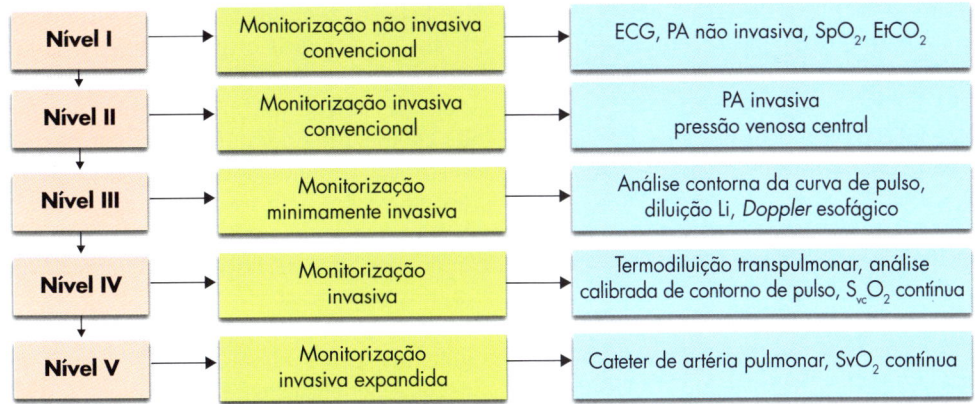

▲**Figura 170.5** Estratificação de monitoramento perioperatório.

ECG: eletrocardiografia; PA: pressão arterial; SpO_2: oximetria de pulso; $EtCO_2$: concentração de dióxido de carbono no final da expiração; Li: lítio; $S_{vc}O_2$: saturação venosa central de oxigênio; S_vO_2: saturação venosa mista de oxigênio.

mais precoce for o início do tratamento e quanto antes a isquemia tecidual é resolvida, melhores serão o prognóstico e os desfechos.

Uma revisão sistemática mostrou que, apesar de haver um benefício geral em pacientes de risco intermediário, risco alto e risco extremamente alto, o maior impacto da TGM sobre a ocorrência de complicações e sobre a mortalidade ocorreu em pacientes de risco extremamente alto.[65] Outra metanálise confirmou redução significativa da morbidade pós-operatória quando a fluidoterapia guiada por metas foi orientada em parâmetros dinâmicos (variação da pressão sistólica, variação da pressão de pulso, variação do volume sistólico).[66] Os autores relataram redução significativa na ocorrência de infecções, complicações cardiovasculares e abdominais e diminuição no tempo de permanência na UTI em pacientes cirúrgicos.

De fato, a terapia individualizada com parâmetros dinâmicos de pré-carga para avaliar a responsividade a fluidos toma maior relevância no paciente crítico ou de alto risco.[62] Nesses pacientes, a curva de euvolemia estará em uma faixa mais estreita, variando no mesmo paciente a depender da interação entre volemia, estado vasomotor (vasoconstricção ou vasodilatação) e estado inotrópico. A meta, então, será administrar volume suficiente com base na responsividade aos fluidos indicada pela monitorização funcional para levar o paciente ao topo da curva de Frank-Starling (pré-carga *vs.* volume sistólico).

Em pacientes com fratura do quadril incluídos em um ensaio clínico randomizado, a administração de bolus de coloides guiada pela monitorização do volume sistólico por meio do *ecodoppler* transesofágico para manter o volume sistólico máximo durante a cirurgia resultou em uma recuperação pós-operatória mais rápida e em tempo de internação significativamente menor.[67] Por outro lado, revisões sistemáticas não demonstraram redução nos tempos necessários para alta hospitalar, bem como na morbimortalidade em pacientes com fratura do quadril monitorados cujo manejo volêmico intraoperatório foi guiado pela análise do contorno da onda de pulso.[68] Todavia, os resultados dessas revisões sistemáticas podem ser questionados devido à he-

terogeneidade dos estudos incluídos, pequeno número de pacientes em alguns desses estudos, e à diferença existente no padrão de cuidado praticado nos países ao longo do período estudado na revisão.

Ensaio clínico randomizado multicêntrico com 447 pacientes ortopédicos (ATQ e ATJ) de risco intermediário comparou uma estratégia individualizada de administração de bolus de coloide guiada pelo Índice de Variabilidade Pletismográfica (IVP) com uma estratégia de manejo rotineiro (terapia não guiada) cujo objetivo era manter a pressão arterial média (PAM) acima de 65 mmHg.[69] Os resultados encontrados pelos autores permitiram concluir que a terapia guiada pelo IVP não conseguiu encurtar a duração da hospitalização nem diminuir a ocorrência de complicações pós-operatórias.[69]

No que se refere ao impacto da técnica anestésica sobre a hemodinâmica do paciente ortopédico idoso, a reposição volêmica na anestesia neuroaxial, apesar de não alterar a resistencia vascular, tem o papel de aumentar o retorno venoso e, assim, otimizar o débito cardíaco (DC), especialmente durante a instalação do bloqueio simpático.

O tônus simpático mais elevado e a reserva fisiológica reduzida no paciente idoso poderiam predispor essa população a vasodilatação mais pronunciada resultante dos efeitos simpaticolíticos da anestesia neuroaxial.[25] Com isso, o bloqueio simpático poderia ser causa de complicações secundárias que vão desde instabilidade hemodinâmica até a parada cardíaca. As alterações hemodinâmicas secundárias ao bloqueio simpático ocorrem devido, principalmente, a venodilatação com aumento da capacitância venosa e subsequente diminuição do retorno venoso ao coração e hipotensão arterial. O DC sofre redistribuição, aumentando para áreas vasodilatadas e diminuindo em áreas vasoconstrictas reflexamente (mecanismo compensatório). Essa redistribuição do DC também sofre influência de outros fatores, tais como posicionamento, sangramento e medicações antiadrenérgicas usadas pelo paciente. O inotropismo é pouco afetado, mas bradicardia pode ocorrer secundariamente ao predomínio parassimpático. Mecanoceptores no ventrículo esquerdo são ativados em decorrência da diminuição do volume ventricular (reflexo paradoxal de Bezold-Jarish) (Figura 170.6). É um reflexo "protetor" em que o coração aumenta o tempo diastólico em vigência de um menor retorno venoso a fim de permitir maior enchimento ventricular.

Outros fatores implicados na ocorrência de bradicardia durante a anestesia neuroaxial incluem: inversão do reflexo de Bainbridge – a limitação do volume de enchimento e da pressão atrial causa redução da FC, e bloqueio simpático extenso com bloqueio das fibras simpáticas cardioaceleradoras (T1-T4). Nesse caso, com bloqueio torácico alto, soma-se ao processo a diminuição do inotropismo e consequente diminuição do DC. A bradicardia pode evoluir para bloqueio atrioventricular (BAV) de primeiro, segundo ou terceiro graus, ou até assistolia. A incidência de parada cardíaca é maior com a raquianestesia (0,07%) do que com a peridural (0,01%) devido à instalação mais rápida do bloqueio simpático.[25] Terapia crônica com betabloqueadores parece exercer efeito protetor. Além disso, FC basal elevada diminui a ocorrência de bradicardia secundária ao reflexo Bezold-Jarisch.

Sangramento

Os procedimentos ortopédicos se associam frequentemente a sangramento intraoperatório e pós-operatório significativo e à necessidade de transfusão de sangue. O risco de sangramento importante e transfusão de sangue é especialmente alto e relevante na ATQ e ATJ, instrumentação e correção de deformidades da coluna vertebral, trauma, procedimentos oncológicos envolvendo ossos longos e pelve, e procedimentos de revisão mais complexos. O risco estimado de transfusão durante artroplastias primárias é de aproximadamente 30%, elevando-se para 50% em artroplastias de revisão.[70]

O anestesiologista tem extrema importância no processo de conservação do sangue durante a cirurgia minimizando a exposição do paciente ao sangue alogênico. Há diversas evidências que demonstram o efeito deletério das transfusões favorecendo infecções pós-operatórias, síndrome da resposta inflamatória sistêmica e falência de múltiplos órgãos, com aumento da morbidade pós-operatória, do tempo de internação hospitalar, do custo e das taxas de mortalidade.[70]

Esforços têm sido feitos para desenvolver e estudar métodos para reduzir o sangramento cirúrgico e a exposição desnecessária a transfusão de sangue. Programas de manejo de sangue (PBM), envolvendo manejo e otimização da anemia pré-operatória, diretrizes de transfusão, gatilhos restritivos de hemoglobina (Hb), decisão clínica e iniciativas de educação, bem como avanços em técnicas cirúrgicas, prática anestésica, conservação de sangue e uso de terapia antifibrinolítica, se associaram à redução do uso de sangue, menos complicações e resultados clínicos semelhantes ou melhores.[71] O manejo perioperatório de terapias anticoagulantes, como tarefa multidisciplinar, deve ponderar os riscos e benefícios para ocorrência de tromboembolismo e sangramento, de forma personalizada para cada paciente e cirurgia.

Nos pacientes cirúrgicos, os três pilares do PBM são: diagnóstico ativo e manejo da anemia pré-operatória, utilização de métodos cirúrgicos, anestésicos e farmacológicos para minimizar a perda sanguínea operatória e, por último, otimização da tolerância fisiológica do paciente à anemia.[71] Uma metanálise mostrou que um PBM abrangente está associado à redução da necessidade de transfusão de hemácias, bem como menor taxa de complicações e mortalidade.[72]

Diferentes estudos documentaram os principais fatores de risco associados a necessidade de transfusão após cirurgias ortopédicas, dentre os quais destacam-se idade avançada, IMC baixo, baixa dosagem de Hb pré-operatória, uso de anticoagulantes no pré-operatório e procedimentos bilaterais.[70] A combinação de diferentes fatores de risco aumenta proporcionalmente o risco de transfusão sanguínea.

A concentração pré-operatória de Hb é o preditor mais importante.[73] Pacientes com dosagem de Hb menor que 10 g.dL^{-1} antes da ATQ têm 90% de chance de receber hemotransfusão. Aqueles com hemoglobina entre 10 e 13,5 g.dL^{-1} têm chance entre 40% e 60%, e aqueles com hemoglobina acima de 13,5 g.dL^{-1} têm risco de 15% a 25%.[74] Em pacientes submetidos a ATQ ou ATJ e a cirurgia de fratura do quadril, anemia pré-operatória é altamente prevalente, variando de 24 ± 9% a 44 ± 9%, respectivamente.[75] Após perdas sanguíneas intraoperatórias, anemia pós-operatória foi ainda mais

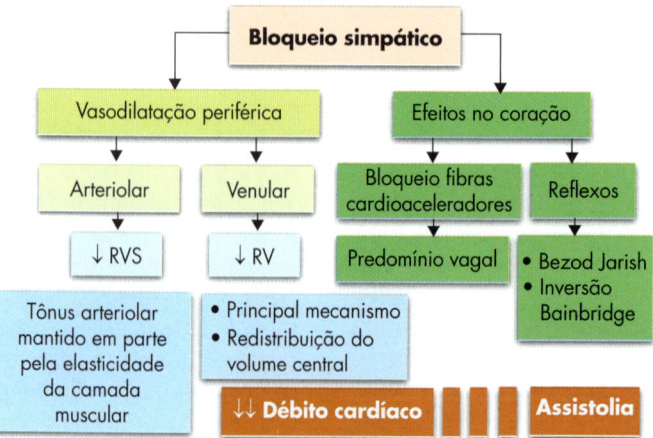

▲**Figura 170.6** Mecanismos fisiopatológicos da bradicardia e assistolia após bloqueio simpático induzido pela anestesia neuroaxial.
RVS: resistência vascular sistêmica; RV: retorno venoso.

prevalente (51% e 87%, respectivamente) de forma que a anemia perioperatória se associou a taxas de transfusão sanguínea de 45 ± 25% e 44 ± 15%.[75] A anemia pré-operatória em pacientes submetidos a cirurgias ortopédicas de grande porte também está associada a desfechos piores, como infecções pós-operatórias, pior recuperação física e funcional, maior tempo de internação e maior mortalidade.[76]

Portanto, é prudente avaliar e otimizar a massa de glóbulos vermelhos do paciente quando uma cirurgia eletiva é planejada. As diretrizes da Network for Advancement of Transfusion Alternatives recomendam que pacientes submetidos à cirurgia ortopédica eletiva tenham a dosagem de Hb determinada 28 dias antes da cirurgia.[71] Na presença de anemia, uma avaliação adicional é necessária para diagnosticar e tratar a etiologia subjacente antes da cirurgia eletiva.

Além da dosagem pré-operatória de Hb, a estimativa da perda sanguínea perioperatória tolerada pelo paciente também é um importante preditor da necessidade de transfusão.[74] A partir do cálculo do volume sanguíneo do paciente (60 mL.kg^{-1} nas mulheres e 70 mL.kg^{-1} nos homens) e do conhecimento do valor do hematócrito inicial pré-operatório, o volume de sangue perdido que pode ser tolerado pelo paciente pode ser estimado ao se definir o limite mínimo aceitável de hematócrito para o paciente após o sangramento. Com esses dados, é possível calcular o volume de sangue que poderá ser perdido no período perioperatório sem que o hematócrito caia abaixo do limite mínimo determinado (Figura 170.7).

Como a margem de segurança da perda sanguínea pode ser estimada com antecedência, e com o conhecimento do volume de sangramento esperado em cada procedimento cirúrgico, pode-se, então, planejar as estratégias de conservação de sangue em cada caso.

Estudo multicêntrico que incluiu pacientes submetidos a artroplastias totais demonstrou que as perdas sanguíneas mais volumosas ocorreram nas artroplastias de revisão do quadril e nas artroplastias bilaterais do joelho.[76] Em outro estudo, em pacientes submetidos a artroplastias bilaterais dos joelhos, o sangramento médio intraoperatório foi de 368 mL, enquanto o sangramento pós-operatório foi de 1.393 mL. Setenta e nove por cento da perda sanguínea total (1.006 mL) ocorreram nas primeiras 4 horas pós-operatórias e 47% dos pacientes receberam transfusões alogênicas. Além disso, a perda sanguínea nas artroplastias do joelho e do quadril não inclui apenas a perda visível no campo operatório e drenagem da ferida pós-operatória, inclui também a perda oculta na forma de extravasamento de sangue nos tecidos e a hemólise. Essa perda oculta pode representar 50% da perda sanguínea total.[77]

O gatilho para a transfusão de glóbulos vermelhos tem sido tradicionalmente baseado em uma convenção de nível de Hb inferior a 10 g.dL^{-1}. Todavia, um estudo prospectivo randomizado multicêntrico comparou o gatilho padrão e liberal de transfusão de Hb inferior a 10 g.L^{-1} com um grupo de restrição à transfusão com gatilho de Hb menor que 7 g.dL^{-1} e não mostrou diferença significativa na mortalidade geral em 30 dias.[78] Estudos subsequentes e metanálises demonstraram que a estratégia transfusional restritiva teve resultados não inferiores e, talvez, até superiores, em comparação com a estratégia transfusional liberal.

Esses estudos levaram à incorporação de estratégias restritivas de transfusão a PBMs o que demonstrou, juntamente com outras metas de PBM, ser uma estratégia que resultou na redução da necessidade de transfusões alogênicas e diminuição na incidência de infecção profunda de feridas. A PBM International Consensus Conference de 2018 desenvolveu recomendações condicionais para adotar um limiar transfusional restritivo (Hb < 8 g.dL^{-1}) em pacientes com doenças cardiovasculares e outros fatores de risco submetidos a cirurgia para fraturas de quadril.[71] O ensaio clínico FOCUS avaliou uma meta de transfusão para pacientes com mais de 50 anos de idade com fratura de quadril e histórico ou fatores de risco para doença cardíaca isquêmica. Um limiar de transfusão de Hb de 8 g.dL^{-1} na ausência de anemia sintomática foi considerado aceitável em pacientes idosos com ou sob risco de cardiopatia isquêmica.[79]

Diferentes métodos cirúrgicos, anestésicos e farmacológicos para minimizar a perda sanguínea operatória têm sido usados na tentativa de diminuir a transfusão de sangue alogênico em pacientes submetidos a cirurgias ortopédicas de grande porte (Quadro 170.5). Métodos comuns incluem doação autóloga, recuperação de células, hipo-

$$\text{Perda Sang tolerada} = \frac{\text{Vol Sang} \times (\text{Ht pré} - \text{Ht pós})}{\text{Ht pré}}$$

▲ **Figura 170.7** Cálculo da perda sanguínea tolerada pelo paciente.

Vol Sang: volume sanguíneo do paciente; Ht pré: hematócrito inicial; Ht pós: hematócrito final.

Quadro 170.5 Estratégias para reduzir a necessidade de transfusão sanguínea no período perioperatório.

Manejo da terapia anticoagulante e antiplaquetária

Cuidados pré-operatórios

- Correção da anemia pré-operatória
- Coagulação – Monitorização e ajuste de medicações
- Controle da hipertensão arterial

Considerações cirúrgicas

- Hemostasia rigorosa
- Posicionamento do paciente

Hipotensão controlada
Manutenção da normotermia
Tolerância à anemia
Sangue autólogo

- Eritropoetina e ferro
- Transfusão autóloga
- Recuperação de células
  - Intraoperatória
  - Pós-operatória
- Hemodiluição normovolêmica

Profilaxia farmacológica

- Antifibrinolíticos

tensão controlada, eritropoietina, hemodiluição normo-volêmica, agentes antifibrinolíticos e selantes de fibrina.[70] São estratégias que poderão ser utilizadas no pré-operatório, durante a cirurgia, ou no pós-operatório, diminuindo o sangramento, ou diminuindo a necessidade de sangue homólogo. A escolha de determinada técnica, entretanto, deve ser individualizada e baseada no risco de cada paciente, bem como adaptada à realidade e necessidades locais de cada instituição.[80]

O desenvolvimento de protocolos de transfusão específicos, começando com uma avaliação pré-operatória completa do paciente semanas antes da cirurgia para estratificar seu risco e planejar estratégias de conservação de sangue, permite sistematizar e otimizar o tratamento reduzindo a exposição às transfusões alogênicas e equilibrar os riscos da anemia. É provável que uma abordagem multimodal com a combinação de diferentes estratégias seja necessária para otimizar o manejo sanguíneo perioperatório resultando em maior conservação de sangue e menor exposição ao sangue alogênico.[70]

Manejo da terapia anticoagulante e antiplaquetária

Até 40% dos pacientes internados por fraturas do quadril recebem terapia anticoagulante. A redução do risco de sangramento perioperatório por meio da interrupção da medicação anticoagulante cumpre o segundo pilar do PBM. Todavia, dado o risco de sangramento associado, bem como o risco de eventos tromboembólicos no período pós-operatório, o manejo do uso crônico de agentes antitrombóticos no perioperatório é fundamental para alcançar resultados bem-sucedidos na artroplastia.

Independentemente do agente, a profilaxia farmacológica do TEV aumenta os principais eventos hemorrágicos, com pequeno efeito na redução da mortalidade por TEV. Equilibrar os riscos de tromboembolismo e sangramento torna-se ainda mais complexo em pacientes que recebem antitrombóticos cronicamente, pois eles normalmente apresentam comorbidades associadas a um risco basal mais elevado de tromboembolismo. Dessa forma, os riscos de sangramento e TEV devem ser equilibrados e individualizados para o procedimento e para paciente, podendo exigir discussões com o paciente, cirurgião e hematologista.

Em pacientes que usam ácido acetilsalicílico (AAS) para prevenção primária, este pode ser interrompido 7 a 10 dias antes da cirurgia, mas a maioria das declarações de consenso recomenda continuação do AAS na cirurgia ortopédica, pois o efeito no sangramento perioperatório é mínimo. Para pacientes com *stents* coronarianos e que estão em terapia antiplaquetária dupla com AAS e antagonista do receptor plaquetário P2Y12, a monoterapia com AAS deve ser continuada, se possível, e o antagonista do receptor plaquetário P2Y12 deve ser interrompido 5 a 7 dias (7 a 10 dias para o prasugrel) antes e reiniciado logo após a cirurgia.[71] Todavia, é essencial saber o porquê de o paciente estar recebendo terapia antiplaquetária dupla a fim de respeitar os tempos de antiagregação conforme o tipo de *stent* e o tempo desde a sua colocação no evento coronariano agudo.[13]

Os anticoagulantes orais diretos (ACODs) foram desenvolvidos para superar as limitações da warfarina, que requer monitoramento da coagulação para ajuste da dose. A suspensão dos ACODs deve começar, pelo menos, 48 horas antes da cirurgia para diminuir o risco de sangramento e 72 horas em pacientes com depuração de creatinina reduzida. Se técnica neuroaxial é planejada, as diretrizes da American Society of Regional Anesthesia (ASRA) recomendam a descontinuação da rivaroxabana e da apixabana 3 dias antes, e da dabigatrana 5 dias antes do procedimento.[81] Por outro lado, não existem restrições para bloqueios de nervos periféricos (BNPs) que podem ser realizados sob terapia anticoagulante, ou terapia (mono ou dupla) antiplaquetária.[6]

Embora existam protocolos detalhados para cirurgia eletiva, atualmente não há indicações claras disponíveis para a cirurgia de urgência, como na fratura do fêmur. Nessa situação, pacientes que usam ACODs habitualmente experimentam atrasos mais frequentes na cirurgia, com possível aumento na mortalidade.[6] O momento da cirurgia não foi associado a aumento do risco de transfusão ou sangramento nesses pacientes, de forma que a cirurgia precoce parece ser segura em pacientes em uso de ACODs. Apesar disso, essa ainda não é uma rotina amplamente aceita na atualidade devido a fatores, como protocolos institucionais, que acabam por atrasar a cirurgia.[82]

Alguns autores propõem reservar a dosagem dos níveis plasmáticos de ACODs ou a sua reversão para pacientes considerados de maior risco de complicações hemorrágicas, em particular aqueles com disfunção renal e/ou hepática e aqueles em uso de ACODs de ação mais prolongada, como a betrixaban.[82] Para a maioria dos pacientes, a cirurgia poderia prosseguir assim que o paciente estivesse clinicamente liberado. Nesses casos, estreita colaboração entre cirurgião e anestesista, bem como a utilização de estratégias e fármacos para mitigar a perda sanguínea perioperatória são fundamentais para otimizar os resultados do paciente.

Doação autóloga pré-operatória

A doação de sangue autólogo pré-operatório é, atualmente, uma prática cada vez menos usada. Essa estratégia eliminaria algumas complicações da transfusão de sangue alogênico e preservaria o suprimento de sangue. O próprio sangue dos pacientes é doado antes da cirurgia, com frequência de até duas vezes por semana, e até 72 horas antes da cirurgia, e armazenado por até 6 semanas para ser usado no intra e pós-operatórios. No entanto, dadas as restrições logísticas e de custo, potencial desperdício do sangue não utilizado e os benefícios limitados mostrados em uma metanálise, a prática rotineira de doação de sangue autólogo pré-operatória não é aconselhável em cirurgia ortopédica eletiva.[71]

Apesar do uso da doação autóloga pré-operatória ser uma estratégia mais custo-efetiva que a transfusão alogênica na ATQ e na ATJ, e também ser benéfica ao reduzir o risco de trombose venosa profunda (TVP), 20% a 35% dos pacientes chegam anêmicos no dia da cirurgia. Com isso, poderá aumentar o risco de transfusões autólogas e alogênicas e expor os pacientes a complicações inerentes ao sangue estocado.[83] A dosagem de Hb diminui cerca de 1 g.dL^{-1} para cada unidade de sangue autólogo coletada no pré-operatório o que sugere a insuficiência dos mecanismos compensatórios da eritropoiese.[84] Por isso, é uma técnica que só deve ser indicada em pacientes com hemoglobina maior que 11 g.dL[-1] antes da cirurgia. Por outro lado, como a diminuição esperada na dosagem de hemoglobina após ATQ é de 4 g.dL[-1], pacientes com dosagem maior que 15 g.dL[-1] não precisam fazer a doação autóloga pré-operatória.

Intraoperatório: técnicas cirúrgica e anestésica

A melhor forma de reduzir as necessidades de transfusão é prevenir a perda de sangue. Assim, a técnica cirúrgica e a habilidade do cirurgião em manusear gentilmente os tecidos, controlando prontamente pontos de sangramento serão fundamentais para o menor sangramento.

A técnica anestésica é também fundamental para determinar menor sangramento. Metanálises e ensaios clínicos randomizados demonstraram que a anestesia e analgesia regional estão associadas a redução do sangramento perioperatório e da necessidade de transfusão. Esse impacto da anestesia regional está bem demonstrado nas cirurgias de ATQ e ATJ, primárias e de revisão, nas quais a anestesia e analgesia neuroaxial, bem como o bloqueio do plexo lombar pela via posterior, diminuíram a perda sanguínea operatória e a necessidade de transfusão.[71,85-87] Todavia, há evidências de que, quando a anestesia geral é combinada à anestesia regional, o efeito de diminuir o sangramento e as necessidades transfusionais da anestesia regional é perdido ao menos em parte.[87]

No contexto da importância do cuidado anestésico, a hipotensão controlada e a manutenção da normotermia também são determinantes.

Hipotensão induzida controlada

A anestesia hipotensiva tem sido usada há muito tempo em cirurgia ortopédica para redução da perda sanguínea intraoperatória. Além de limitar a perda sanguínea, também foram demonstrados redução no tempo operatório, diminuição do edema tecidual por ligadura ou cauterização e melhor desempenho miocárdico.

A hipotensão induzida (HI) pode ser alcançada por meio de técnicas que incluem posicionamento do paciente, anestesia neuroaxial, anestésicos intravenosos, opioides (remifentanil), vasodilatadores de ação direta (nitroglicerina), betabloqueadores seletivos (esmolol) ou alfa e beta combinados (labetalol), agonista alfa-adrenérgico seletivo (dexmedetomidina) e anestésicos voláteis. Uma metanálise, que incluiu pacientes submetidos a ATQ, ATJ, fusão espinhal ou cirurgias ortognáticas, mostrou redução na perda sanguínea, independentemente do método utilizado para atingir a hipotensão.[88]

A segurança da HI sempre foi uma preocupação, principalmente na população geriátrica ou em pacientes com fatores de risco cardiovascular. O benefício da utilização desta técnica deve ser ponderado com o risco de hipoperfusão de órgãos, como coração, cérebro e rins. Jiang e cols.[89] relataram redução no sangramento intraoperatório e no volume de transfusão de sangue sem nenhum aumento na taxa de

mortalidade em uma metanálise de cirurgias ortopédicas nas quais a HI foi usada. No entanto, a maioria dos pacientes incluídos eram saudáveis e os autores concluíram que não estava claro se a HI era ou não uma técnica segura para ser usada rotineiramente em cirurgia ortopédica.

Embora nenhum grande estudo específico tenha estabelecido a segurança da HI na população ortopédica, múltiplas análises foram realizadas para estudar a relação entre hipotensão e eventos cardíacos ou cerebrovasculares adversos maiores (ECCAM), lesão renal e outros desfechos graves. Um tempo cumulativo mais longo de hipotensão intraoperatória pode estar associado a eventos adversos. Há relatos de existir uma associação progressivamente aumentada para ECCAM e mortalidade em 30 e 90 dias para cada limiar absoluto de pressão arterial média estudada (PAM 75, 65 e 55 mmHg).

Se for necessária hipotensão permissiva, a seleção adequada dos pacientes é fundamental e a hipotensão deve ser monitorada de perto para garantir a perfusão adequada dos órgãos.

Antifibrinolíticos e outras intervenções farmacológicas

Os agentes antifibrinolíticos se mostraram estratégias de conservação do sangue eficazes na redução da perda sanguínea perioperatória e da necessidade de transfusão.

Apesar de ter-se demonstrado a eficácia do ácido épsilon-aminocaproico (EACA) em diminuir a perda total de sangue e a necessidade de transfusão em cirurgias da coluna vertebral, o mesmo sucesso não foi demonstrado em pacientes submetidos a ATJ e ATQ.[90] Em doses equipotentes, um estudo realizado em ATJ relatou que o EACA tem eficácia imprecisa quando comparado ao ATX. No entanto, em uma metanálise de agentes antifibrinolíticos utilizados em procedimentos ortopédicos de grande porte, Zufferey e cols.[91] concluíram que o EACA não é eficaz em comparação com ATX ou aprotinina. Não foi relatado aumento do risco de TVP e embolia pulmonar (EP) após o uso do EACA em ATQ, e dados suficientes em ATJ ainda não estão disponíveis.[92] Além disso, o EACA tem sido associado a maior incidência de arritmias, instabilidade hemodinâmica, miopatia e rabdomiólise. Por isso, o ATX emergiu como o agente de escolha em grandes cirurgias ortopédicas.

Os resultados de pequenos ensaios clínicos randomizados, bem como revisões sistemáticas subsequentes, demonstram que o ATX perioperatório é eficaz na diminuição da perda sanguínea cirúrgica, aumento da hemoglobina pós-operatória e redução da transfusão alogênica em cirurgia ortopédica.[93] Além disso, há diminuição significativa nas taxas de reoperação por sangramento, sem aumento significativo do risco de eventos tromboembólicos. A administração de ATX foi associada a uma redução significativa na mortalidade geral e na mortalidade hemorrágica, mas não na mortalidade não hemorrágica.[94] Efeitos adversos incomuns associados ao ATX incluem náusea, diarreia e hipotensão ortostática. Foram documentados casos raros e isolados de eventos trombóticos arteriais e venosos, insuficiência renal e oclusão de enxerto coronariano. Convulsões pós-operatórias foram relatadas com doses elevadas (100 mg.kg^{-1}) de ATX, raramente usadas em cirurgia ortopédica.[93]

A utilização de ATX em pacientes submetidos a ATQ e ATJ, primária e de revisão, foi endossada por diferentes diretrizes. Essas diretrizes recomendam que:

- Todas as vias de administração de ATX (IV, oral e tópica) são eficazes na redução da perda de sangue e transfusão.
- A dose de ATX não teve impacto nos resultados, sendo 1 grama IV a dose mediana.
- Nenhum benefício adicional foi observado com uso de múltiplas doses de ATX.
- A administração de ATX antes da incisão da pele pode proporcionar o maior benefício em termos de prevenção da perda de sangue.
- Não foi observado risco aumentado de eventos tromboembólicos venosos ou arteriais com a utilização de ATX, independentemente da dosagem[93,94] Administração tópica (irrigação articular ou instilação intra-articular) de ATX é uma opção viável para pacientes com risco trombótico elevado.[71]

Pacientes com fraturas agudas diferem dos pacientes eletivos por poderem apresentar maiores riscos associados à trombose. Todavia, um estudo analisou o uso de ATX no reparo cirúrgico de fraturas de quadril e, além de demonstrar eficácia na redução da perda sanguínea total, não evidenciou aumento da frequência de eventos tromboembólicos.[95] Uma grande análise retrospectiva recente avaliou pacientes com história de doença coronariana submetidos a artroplastia total de grandes articulações há mais de 8 anos.[96] Os autores não observaram risco aumentado de TVP ou IAM nos pacientes que receberam ATX.

Em uma revisão retrospectiva de um centro único, a incidência de tromboembolismo sintomático no pós-operatório em 30 dias foi avaliada em mais de 1.000 pacientes ortopédicos que receberam ATX (1 grama na incisão e 1 grama no fechamento).[97] Em um subgrupo de pacientes classificados como de alto risco, o uso de ATX se associou a uma maior ocorrência de tromboembolismo (6,7% *vs.* 4,3%), porém sem significância estatística. Portanto, devido a preocupações com TEV, agentes antifibrinolíticos são comumente evitados em pacientes com uma das seguintes condições: história de doença tromboembólica arterial ou venosa, colocação recente de *stent* cardíaco, história de cardiopatia isquêmica grave (NYHA Classe III ou IV) ou infarto do miocárdio, e história de AVC, insuficiência renal ou gravidez.

Existe uma variabilidade significativa nas estratégias de dosagem de ATX. Um regime típico de dosagem na maioria das cirurgias ortopédicas é a administração de dose de carga de 10 mg.kg^{-1} por 10 a 30 minutos antes da incisão na pele, seguida de infusão de 1 mg.kg^{-1}.h^{-1} durante a cirurgia.[98] A manutenção do uso do ATX no pós-operatório permanece incerta. Além disso, alguns autores defendem um esquema de dosagem mais preciso e titulado ao tempo do procedimento na ATQ e à aplicação do torniquete pneumático na ATJ. Em um ensaio clínico randomizado em ATJ, os pacientes foram alocados em 6 grupos que variaram quanto ao momento e vias de administração do ATX.[99] O regime de dosagem mais eficaz para o desfecho primário estudado (sangramento total) pareceu ser uma dose de carga de 10 mg.kg^{-1} administrada no início da cirurgia, seguida de outra dose antes da desinsuflação do torniquete, e uma terceira dose três horas após o esvaziamento do torniquete. Além disso, os autores concluíram que um regime de dose única foi ineficaz e é necessário pelo menos um regime de dose dupla. O uso de 10 a 20 mg.kg^{-1} IV em doses únicas ou divididas continua sendo um dos regimes mais comuns de administração do ATX.[93]

Além dos antifibrinolíticos, outras intervenções farmacológicas estudadas incluem a administração de desmopressina e eritropoetina.

A desmopressina (DDAVP; 1-desamino-8-D-arginina-vasopressina) é um análogo sintético da vasopressina que promove um aumento transitório nos níveis plasmáticos do fator VIII e do fator von Willebrand. Uma revisão sistemática de 2017 examinou a eficácia do DDAVP na redução da perda de sangue em várias cirurgias ortopédicas e demonstrou que a taxa de transfusão foi maior quando os pacientes receberam DDAVP, em comparação com ATX. Além disso, o efeito sobre o volume de sangue transfundido foi incerto quando comparado com o placebo.[100]

Como pacientes anêmicos antes da cirurgia têm maior risco de necessitar de transfusão de sangue alogênico, a eritropoetina humana recombinante (rHuEPO), com suplementação de ferro, tem sido usada para aumentar a concentração de Hb pré-operatória em pacientes submetidos a cirurgia ortopédica com o objetivo de evitar a necessidade de transfusão de sangue alogênico.

Uma metanálise avaliou a eficácia da terapia com eritropoietina em pacientes submetidos a ATJ e reforçou que pode reduzir a necessidade de transfusões de sangue alogênico e o volume de sangue transfundido. Além disso, ao mesmo tempo, não aumentou a incidência de eventos trombóticos e outros eventos adversos.[101] Apesar de seu elevado custo, pode representar economia, uma vez que promove diminuição das necessidades de transfusão e pode evitar a doação autóloga pré-operatória.[102] Quando a administração pré-operatória de eritropoietina foi comparada à doação autóloga pré-operatória, os pacientes apresentaram dosagens de Hb significativamente maiores antes da cirurgia e até o terceiro dia pós-operatório.[103]

Atualmente, o regime de dose ideal da eritropoetina não é claro. Existem dois regimes de tratamento recomendados. A primeira recomendação é administrar 300 U.kg^{-1} 10 dias antes da cirurgia, no dia da cirurgia e 4 dias após a cirurgia. A segunda recomendação é a dose de 600 U.kg^{-1} 21 dias, 14 dias e 7 dias antes da cirurgia, e no dia da cirurgia.

Uma revisão sistemática comparou a eficácia de dois regimes de tratamento com eritropoietina na redução da necessidade de transfusões alogênicas em adultos anêmicos no pré-operatório submetidos a cirurgias não cardíacas. O primeiro, chamado "baixa dose", usou doses de 150 a 300 U.kg^{-1}, enquanto a segunda estratégia, chamada de "alta dose", usou 500 a 600 U.kg^{-1}. A maioria dos estudos incluídos foram em cirurgia ortopédica, gastrointestinal e ginecológica. Os autores demonstraram que a terapia com eritropoietina reduziu a necessidade de transfusões e, quando usado o regime de "alta dose" (mas não o de "baixa dose"), aumenta a concentração de hemoglobina no pré-operatório.[104] A administração de eritropoietina não diminuiu o número médio de unidades de hemácias transfundidas por paciente, e não aumentou o risco de eventos adversos ou mortalidade em 30 dias.

Hemodiluição normovolêmica aguda

Essa técnica envolve a retirada de sangue imediatamente antes ou após a indução da anestesia com a substituição por cristaloides ou coloides a fim de manter a volemia e para atingir um valor alvo de Hb. Com isso, é possível diminuir a quantidade de hemácias perdidas durante a cirurgia e melhorar a microcirculação. Apesar da coleta e redução da concentração de Hb, o aporte de oxigênio aos tecidos é mantido graças a mecanismos fisiológicos compensatórios que aumentam o DC, como redução da viscosidade, vasodilatação periférica, aumento do retorno venoso e do volume sistólico e desvio da curva de dissociação da hemoglobina para a direita.[105] O sangue coletado é reinfundido após grandes perdas e permite que o paciente chegue ao final da cirurgia com concentração de hemoglobina mais elevada.

É estratégia de baixo custo e efetiva em reduzir as perdas de hemácias já que o sangue perdido estará diluído e o sangue coletado (com maior hematócrito e contendo plaquetas e fatores de coagulação) é retornado até o final da cirurgia.

Estudos prospectivos examinaram o impacto da hemodiluição normovolêmica e observaram uma diminuição significativa nas necessidades de transfusão, com menos complicações pós-operatórias.[71]

Quando comparada à doação autóloga pré-operatória, possui diversas vantagens, tais como menor custo, mínimo preparo antes da cirurgia, a transfusão do sangue autólogo fresco evita as complicações do sangue estocado e elimina o risco de erro de transfusão já que as unidades coletadas são mantidas na sala de cirurgia. Todavia, o paciente deve ser sadio o suficiente para tolerar a anemia aguda, estando contraindicada em pacientes coronariopatas ou com doença renal, hepática ou pulmonar.

Recuperação, tratamento e reinfusão de sangue do campo operatório

A recuperação intraoperatória de células é procedimento em que o sangue perdido durante a cirurgia é recuperado do campo operatório e aspirado junto com anticoagulante para reservatório no qual, mais tarde, será centrifugado e lavado. Com isso, o plasma, fatores de coagulação, hemoglobina livre, debris, o anticoagulante, plaquetas e leucócitos são eliminados e um concentrado de hemácias (hematócrito 45% a 60%) pobre em leucócitos e fatores de coagulação pode ser reinfundido no paciente.

Em uma revisão sistemática, a recuperação de células foi considerada eficaz na redução da necessidade de transfusão de hemácias alogênicas em cirurgias eletivas em adultos, inclusive ortopédicas.[106] Não houve aumento na mortalidade, reoperação por sangramento, infecção, complicações da ferida, IAM, TVP, risco de AVC ou tempo de internação hospitalar. Outra metanálise observou que a recuperação

de células reduziu significativamente a taxa de transfusão e o volume de hemácias transfundidas, tanto na ATQ quanto na ATJ.[107]

No entanto, a eficácia da técnica depende do volume de sangramento e sangue recuperado. Pelo menos duas unidades devem ser recuperadas para que a técnica seja custo-efetiva. O National Institute for Health and Care Excellence (NICE) recomenda o uso de recuperação de células para procedimentos com a previsão de perda sanguínea muito volumosa, habitualmente maior que 500 mL.[71] Por isso, é técnica pouco usada na ATQ, mas que pode ser útil nas artroplastias de revisão. O uso da recuperação de células diminuiu significativamente as necessidades e frequência de transfusão alogênica e, consequentemente, os custos na artroplastia de revisão do quadril.[108]

Prevenção da Hipotermia

A hipotermia perioperatória, definida como temperatura central inferior a 36 °C, ocorre com grande frequência e pode contribuir para várias complicações, especialmente em pacientes idosos e de alto risco. Complicações cardiovasculares, hemorrágicas e infecciosas são significativamente mais frequentes em pacientes hipotérmicos. A redução da incidência e gravidade da hipotermia perioperatória tem o potencial de reduzir drasticamente os custos relacionados a complicações. Assim, todo paciente submetido a cirurgia com duração maior que 30 minutos deve ter sua temperatura monitorada e receber cuidados específicos para a manutenção da normotermia.[109]

A hipotermia também aumenta as perdas sanguíneas durante a cirurgia ao prejudicar a função plaquetária e a função enzimática dos fatores de coagulação. Estudos com pacientes submetidos a ATJ e ATQ, bem como em pacientes com fratura do quadril, mostraram que a hipotermia intraoperatória estava associada à maior perda sanguínea intraoperatória e taxas de transfusão perioperatória.[71] O sangramento é maior durante a cirurgia, e também até 48 horas após a cirurgia. Pequenas diferenças na temperatura central são significativas. Uma diferença de temperatura central menor que 1 °C se associou a um aumento médio de 16% na perda de sangue e um aumento médio de 22% no risco de transfusão.[110]

A hipotermia é um mecanismo facilitador para ocorrência de infecção da ferida operatória.[110] Em primeiro lugar, a vasoconstrição periférica induzida causa redução significativa da tensão tecidual de oxigênio que, por sua vez, está estritamente correlacionada com aumento da incidência de infecção da ferida operatória. Em segundo lugar, a hipotermia prejudica diretamente a função imune ao inibir a produção de anticorpos mediada por células T e a destruição bacteriana oxidativa inespecífica de neutrófilos, cuja atividade também depende do suprimento de oxigênio.[109]

Tanto a anestesia geral quanto a regional afetam a homeostase térmica por alterarem os mecanismos de termorregulação, reduzindo o tônus simpático com inibição da vasoconstrição periférica e consequente redistribuição do calor corporal do compartimento central para o compartimento periférico. Durante a anestesia geral, as respostas regulatórias normais são inibidas até 2-3 °C abaixo da temperatura fisiológica. Durante a anestesia regional, as respostas regulatórias são efetivas apenas nas áreas não bloqueadas do corpo e o paciente pode continuar a perder calor para o ambiente a partir da região bloqueada. A associação das duas técnicas exacerba ainda mais esses efeitos negativos, resultando em um grau ainda mais grave de hipotermia central.[109]

A redução inicial na temperatura central de quase 1 °C nos primeiros 40 minutos após a indução da anestesia ocorre devido à redistribuição do calor do compartimento central para o compartimento periférico. A quantidade de calor redistribuído é uma função do gradiente de temperatura entre os dois compartimentos. Uma estratégia simples e eficaz, embora subutilizada, baseia-se na redução desse gradiente por meio do pré-aquecimento da superfície da pele do paciente com sistemas de aquecimento de ar forçado antes da cirurgia.[109] Em um estudo, pacientes submetidos a artroplastias totais do joelho ou do quadril recebiam líquidos venosos aquecidos e aquecimento com sistema de ar forçado na espera pré-operatória.[111] Número significativamente menor de pacientes apresentou-se hipotérmico no momento da incisão cirúrgica com esse protocolo.

Durante o intraoperatório, o calor é perdido principalmente por radiação e convecção da superfície da pele e a forma mais fácil de reduzir a perda de calor seria manter uma temperatura suficientemente alta na sala de cirurgia. Todavia, isso geralmente não é possível. Outras estratégias incluem isolamento passivo por dispositivos, como campos cirúrgicos, cobertores de algodão e coberturas plásticas metalizadas, para minimizar a dispersão de calor e isolar o paciente do ambiente. Por outro lado, vários estudos indicam que os métodos ativos são mais eficientes do que o isolamento passivo.[109] Os dispositivos de aquecimento por ar forçado são os sistemas de aquecimento ativo mais utilizados e eficientes. Aquecedores de fluidos intravenosos reduzem a perda de calor devido à infusão de soluções a temperatura ambiente. No entanto, embora o aquecimento de fluidos seja útil na prevenção da redução da temperatura central, quando grandes volumes são administrados, não é capaz de manter a normotermia por si só e não deve ser considerado como método para aquecer ativamente o paciente.[109]

■ TÉCNICA ANESTÉSICA: IMPACTO DA ANESTESIA REGIONAL NOS DESFECHOS PERIOPERATÓRIOS

A anestesia geral pode ser usada como técnica de escolha em todos os procedimentos ortopédicos. No entanto, uma técnica anestésica regional permite anestesia e analgesia pós-operatória para uma variedade de procedimentos ortopédicos, incluindo cirurgias artroscópicas, de fixação de fraturas e cirurgias de substituição articular. Para cirurgias sobre os membros inferiores, podem ser utilizadas técnicas neuroaxiais (raquianestesia e peridural), além de BNP. A escolha da técnica anestésica, entretanto, é tema bastante complexo, uma vez que incorpora as preferências dos pacientes, preferências e proficiências técnicas dos profissionais e condições do sistema de atendimento.

Dada a projeção de grande incremento no número de ATQ e ATJ realizadas nos próximos anos, em uma população que vem envelhecendo e com múltiplas comorbidades, a discussão do papel da anestesia regional sobre desfechos perioperatórios de curto e longo prazos, bem como suas limitações, tem grande significado.

Existem evidências crescentes de que o uso de anestesia e analgesia regional contribui para desfechos equivalentes, se não superiores à anestesia geral, em cirurgia ortopédica. Os benefícios das técnicas regionais parecem estar relacionados com uma série de fatores intrínsecos. Os bloqueios neuroaxiais são alternativas bem estabelecidas ou adjuvantes à anestesia geral para ATQ e ATJ. Além disso, a anestesia regional muitas vezes permite evitar a manipulação das vias aéreas e diminuir a necessidade de analgesia sistêmica, permitindo redução do uso de opioides e facilitando uma recuperação mais rápida.[112] A inclusão de BNPs em estratégias multimodais de analgesia para ATQ e ATJ se associou a menor risco desses pacientes relatarem escores de dor pós-operatória moderada a intensa, reduz a necessidade de analgesia opioide e otimiza a reabilitação precoce. O bloqueio da função nervosa aferente e eferente obtido na anestesia neuroaxial e BNPs está associado a supressão da cascata fisiopatológica da resposta ao estresse. Com isso, importantes benefícios obtidos quando a anestesia regional é usada no contexto de analgesia multimodal incluem a redução do tempo de hospitalização e de eventos adversos gerando implicações médicas e econômicas positivas.[113] No entanto, os efeitos das técnicas regionais sobre os desfechos de longo prazo, como mortalidade, reabilitação funcional e qualidade da recuperação são menos claros.

É importante colocar o impacto da técnica anestésica, isoladamente, sobre a morbimortalidade perioperatória em uma perspectiva de todo o cuidado perioperatório. Uma breve exposição à anestesia pode realmente afetar os desfechos? Na última década, ocorreram diversas inovações, tais como o desenvolvimento de técnicas minimamente invasivas, cirurgia assistida por robô, protocolos avançados de reabilitação, bem como estratégias multimodais de gerenciamento da dor perioperatória que incluem anestesia e analgesia regional. Por isso, no final, é muito difícil responder à pergunta, tendo-se como base as evidências, se a anestesia regional melhora os desfechos.

Anestesia Neuroaxial *vs.* Anestesia Geral

Grande parte da pesquisa realizada atualmente sobre o manejo anestésico da fratura de quadril permanece focada em determinar se a anestesia regional ou geral proporciona melhores resultados. Estudos prospectivos e retrospectivos não conseguiram destacar uma diferença significativa do impacto da anestesia regional *vs.* anestesia geral na mortalidade, embora tenham sido identificadas diferenças significativas em várias medidas de morbidade pós-operatória.[6]

Alguns ensaios clínicos publicados no século passado focaram especificamente em desfechos raros ou fatais, para os quais as pequenas amostras estudadas diminuíram a potência dos estudos e levaram a resultados conflitantes. No início do século XXI, Rodgers e cols.,[114] em sua revisão sistemática, tentaram formar um consenso sobre a melhor forma de anestesia para impactar os resultados. Todavia, receberam muitas críticas porque a revisão fora muito abrangente, incluindo vários tipos de cirurgia, desde a cirurgia abdominal até a ortopédica, o que resultou em menor precisão dos resultados com intervalos de confiança muito amplos.

Nessa última década, surgiram estudos observacionais baseados em tamanhos de amostra muito grandes que permitiram análises em nível populacional e capazes de informar sobre resultados de baixa frequência (por exemplo, tromboembolismo). Por outro lado, entretanto, diferente dos ensaios clínicos randomizados, esses estudos observacionais ainda estão restritos às informações clínicas disponíveis e são incapazes de estabelecer causalidade.

Uma revisão sistemática, que incluiu ensaios clínicos recentes (a partir do ano 2000), avaliou a efetividade e segurança da raquianestesia em comparação à anestesia geral em pacientes com fratura do quadril.[115] Os autores, com exceção de um risco diminuído para lesão renal aguda, não identificaram diferenças significativas no conjunto de resultados principais baseado em consenso e resultados definidos como importantes entre as duas técnicas anestésicas.

Memtsoudis e cols.[116] revisaram quase 400.000 pacientes submetidos a ATQ ou ATJ e divididos em três grupos segundo o tipo de anestesia: geral, neuroaxial e combinada neuroaxial/anestesia geral. Entre os pacientes submetidos a ATJ e ATQ, a técnica neuroaxial foi associada a diferenças significativas no comprometimento pulmonar e cardíaco no pós-operatório, além de menos infecções e insuficiência renal aguda. Em geral, a anestesia neuroaxial foi associada a uma redução significativa da mortalidade em 30 dias entre os pacientes submetidos a ATJ, mas essa associação não se confirmou para a ATQ. Notavelmente, os pacientes que receberam uma combinação de anestesia neuroaxial e geral apresentaram resultados de risco intermediários (somente neuroaxial > combinado neuroaxial/geral > geral), sugerindo que os efeitos benéficos não são explicáveis simplesmente pela prevenção da anestesia geral.

Tendo como base uma revisão sistemática, um grupo multinacional de especialistas chegou a um consenso em 2019 sobre a abordagem anestésica ideal em pacientes submetidos à artroplastia de membros inferiores.[1] Entre todos os pacientes, a anestesia neuroaxial sem anestesia geral foi associada a riscos mais baixos, ou nenhuma diferença, em praticamente todas as complicações relatadas, exceto retenção urinária, quando comparada com anestesia geral. Em uma análise secundária, comparando a administração combinada de anestesia regional e anestesia geral *vs.* apenas anestesia geral, encontrou-se uma tendência semelhante à observada na análise anestesia regional *vs.* anestesia geral. Com isso, o grupo de consenso recomendou anestesia neuroaxial, em vez de anestesia geral, para artroplastias de quadril e joelho, com nível de evidência mais forte nos estudos de ATQ.

Outros autores estudaram as associações entre o uso de anestesia regional e desfechos. Perlas e cols.,[117] usando análise de escore de propensão em uma coorte, descreveu que a raquianestesia se associou a menor mortalidade em 30 dias. Usando diferentes métodos retrospectivos, um re-

sumo das revisões sistemáticas da Cochrane sobre bloqueio neuroaxial para prevenção de mortalidade pós-operatória e morbidade grave encontrou evidências, embora fracas, de redução da mortalidade e pneumonia em pacientes de alto risco que receberam anestesia neuroaxial.[118] Chen e cols.[119] analisaram se a anestesia geral ou a regional influenciaram a sobrevida nos primeiros cinco anos após artroplastia total. As taxas de sobrevida a curto prazo foram semelhantes nos dois grupos. No entanto, a sobrevida a longo prazo foi melhor nos pacientes que receberam anestesia neuroaxial.

O ensaio prospectivo REGAIN de 2021 teve como objetivo fornecer dados com potência adequada para avaliar qualquer diferença nos desfechos a longo prazo entre a anestesia neuroaxial e a geral em pacientes acima de 50 anos de idade submetidos a cirurgia de quadril.[120] Esses autores não mostraram diferença nos desfechos primários estudados (mortalidade e recuperação da deambulação independente em 60 dias). Os desfechos secundários (morte em 60 dias, *delirium*, tempo de alta e deambulação em 60 dias) também não diferiram entre os grupos. Assim, enquanto há um crescente conjunto de evidências indicando os benefícios da anestesia regional para a prevenção de inúmeras complicações, muitas podem ser explicadas pelos mecanismos de ação da anestesia neuroaxial.[121] Por outro lado, os resultados da mortalidade e da capacidade de andar após 60 dias, embora importantes, são mais difíceis de serem explicados pela escolha do anestésico. Os dados existentes são limitados para resultados funcionais. Dois pequenos ensaios clínicos randomizados sugeriram um benefício da anestesia regional para a mobilização pós-operatória imediata. Não houve estudos que relatassem qualidade de vida após diferentes tipos de anestesia.[122]

Em outro estudo, verificaram-se evidências de que certas populações podem se beneficiar ainda mais da seleção da anestesia regional. Em um estudo estratificado pela idade e presença de doença cardiopulmonar, embora a incidência de complicações maiores tenha sido significativamente maior entre pacientes mais velhos e doentes (20,1%) em comparação ao grupo mais jovem sem doença cardiopulmonar (4,5%), o uso da anestesia neuroaxial se associou a melhores desfechos em todas as faixas etárias e comorbidades com menor risco de complicações, menor necessidade de internação em UTI e menor chance de internação prolongada.[123]

A raquianestesia no contexto de uma sala de bloqueio dedicada reduziu o tempo total de sala cirúrgica. Isso, entretanto, não se traduziu em redução nos custos.[124] Os custos perioperatórios e custos hospitalares totais não foram significativamente diferentes entre os grupos raquianestesia *vs.* anestesia geral em pacientes submetidos à artroplastias primárias do quadril e do joelho.

Estudos recentes que avaliaram a anestesia regional em comparação com a anestesia geral geraram resultados inconsistentes ao considerar a incidência de *delirium* pós-operatório ou disfunção cognitiva pós-operatória, como desfechos críticos. Tendo em vista a carência de evidências, Patel e cols.[122] investigaram em uma revisão sistemática o impacto da técnica anestésica em cirurgias de fratura do quadril sobre a ocorrência de *delirium* pós-operatório e não encontraram qualquer diferença entre os tipos de anestesia. Além disso, nenhum benefício de sobrevivência pôde ser demonstrado com qualquer tipo de anestesia até 1 ano de pós-operatório. Outra revisão sistemática também não encontrou diferenças na ocorrência de *delirium* e disfunção cognitiva 24 horas, 3 dias e 7 dias após a cirurgia sugerindo que a escolha da técnica anestésica deve ser baseada nas características de cada paciente.[125]

Um ensaio clínico randomizado, multicêntrico de 2022 incluiu 950 pacientes, com 65 anos ou mais, com ou sem demência preexistente e fratura de quadril por fragilidade distribuídos em dois grupos: anestesia regional (espinhal, peridural ou ambas as técnicas combinadas sem sedação) ou anestesia geral (anestésicos intravenosos, inalatórios ou combinados).[126] A anestesia regional sem sedação, em comparação com a anestesia geral, não reduziu significativamente a incidência de *delirium* pós-operatório durante os primeiros 7 dias pós-cirurgia. A gravidade, frequência ou subtipos dos episódios de *delirium* pós-operatório, tempo de hospitalização ou mortalidade por todas as causas em 30 dias não foram significativamente diferentes.

Numa coorte populacional, a incidência de demência foi comparada entre grupos de pacientes acima de 65 anos com fratura do quadril que receberam diferentes tipos de anestesia: anestesia inalatória, anestesia intravenosa total ou anestesia regional. As taxas de incidência de demência foram maiores naqueles que receberam anestesia geral do que em pacientes que receberam anestesia regional, com a anestesia inalatória estando associada a uma taxa de demência mais alta do que a anestesia intravenosa.[127]

É provável que qualquer diferença nos desfechos entre os tipos de anestesia será pequena em comparação com o impacto de outros fatores sobre esses desfechos, tais como trauma, a cirurgia, os cuidados ortogeriátricos e características do paciente (idade, fragilidade, deficiência cognitiva). Isso pode ocorrer porque realmente não há diferença entre os tipos de anestesia ou, mais provavelmente, porque os desfechos tradicionalmente avaliados após a anestesia para fratura de quadril (mortalidade, tempo de internação etc.) são definidos de forma muito variável e estão temporalmente desconectados para serem atribuídos a um único episódio de anestesia de curta duração (1 a 2 horas).[15] Dessa forma, a qualidade do cuidado anestésico pode ser de maior importância do que o tipo de anestesia administrada. A escolha entre anestesia geral e regional deve ser adaptada às necessidades individuais, com o objetivo de reduzir complicações pós-operatórias e promover a recuperação funcional.

Em todos os contextos, ensaios randomizados mostram que a raquianestesia e a anestesia geral são provavelmente equivalentes em termos de segurança e aceitabilidade para a maioria dos pacientes sem contraindicações. As escolhas entre anestesia espinhal e anestesia geral representam cuidados "sensíveis às preferências", nos quais as decisões devem ser orientadas pelas preferências e valores dos pacientes, e baseadas nas melhores evidências disponíveis.[128]

Bloqueios de Nervos Periféricos

O uso cada vez mais frequente de terapia anticoagulante e antitrombótica no pós-operatório para prevenção de TVP e EP pode limitar o uso das técnicas neuroaxiais. O risco, embora pequeno, levou à publicação de diretrizes para uso de anestesia regional em pacientes recebendo anticoagulantes. Diferentes técnicas de BNP foram desenvolvidas, incluindo técnicas em dose única ou contínuas com cateter. O uso da ultrassonografia para realização desses bloqueios regionais ofereceu uma alternativa às técnicas neuroaxiais, com maior segurança no cenário da anticoagulação perioperatória e com excelente eficácia analgésica.

Ensaios clínicos randomizados, estudos observacionais, opiniões de consenso e revisões sistemáticas apoiam o uso de BNPs para analgesia na admissão hospitalar e para o pós-operatório imediato em pacientes com fraturas do quadril. Esses são eficazes na redução da dor e do espasmo do quadríceps em repouso e em movimento, redução do tempo para remobilização, redução na administração de opioides, e não são contraindicados em pacientes anticoagulados.[15]

Em comparação com a analgesia venosa tradicional com opioides, Hebl e cols.[113] demonstraram melhor controle da dor, menor tempo de internação hospitalar e menos eventos adversos quando foram utilizados bloqueios contínuos de nervos periféricos na ATQ e ATJ, bem como com o bloqueio do nervo isquiático em injeção única na ATJ. No entanto, levantaram-se preocupações e questionamentos com o uso de BNP devido à ocorrência de fraqueza no quadríceps e retardo no processo de reabilitação. De fato, em uma grande revisão sistemática, o bloqueio contínuo do plexo lombar se associou a um aumento no risco de quedas apesar do risco atribuível não ter diferido da probabilidade esperada no pós-operatório de cirurgia ortopédica.[129] Memtsoudis e cols.[130] não encontraram aumento nas quedas associadas ao uso de BNP. McIsaac e cols.,[131] usando uma base populacional no Canadá, demonstraram que pacientes que receberam BNP na ATJ (em comparação a nenhum bloqueio) apresentaram reduções estatisticamente significativas no tempo de permanência e taxas de readmissão hospitalar sem alterar a ocorrência de quedas.

O grupo ICAROS conduziu uma revisão sistemática e desenvolveu recomendações de prática clínica abordando o impacto do uso de BNPs em complicações perioperatórias graves em pacientes submetidos à ATQ ou ATJ.[121] A probabilidade de diversas complicações pós-operatórias graves estudadas foi significativamente menor com o uso de BNPs, tanto na ATQ quanto na ATJ. Os efeitos mais significativos foram encontrados na redução das chances de insuficiência respiratória e disfunção cognitiva. Na análise de subgrupos com base na técnica primária de anestesia, o tamanho do efeito para a redução da disfunção cognitiva foi maior nos grupos de BNP combinados a anestesia geral, em comparação com anestesia neuroaxial. Além disso, as chances de complicações pulmonares e insuficiência respiratória foram substancialmente reduzidas quando o BNP foi utilizado com anestesia geral como técnica anestésica primária, enquanto o efeito não foi observado no grupo de BNP com anestesia neuroaxial.

Uma revisão Cochrane de 2020 relatou evidências de alta qualidade de que os BNPs utilizados como analgesia pré-operatória, como analgesia pós-operatória ou como complemento à anestesia geral reduzem a dor ao movimento 30 minutos após a administração do bloqueio, o risco de estado confusional agudo, risco de infecções torácicas e tempo para a primeira mobilização em adultos com fraturas do quadril.[132] Evidências de baixa qualidade foram encontradas quanto à redução do risco de IAM, mortalidade em 6 meses e custos do regime analgésico com BNPs em injeção única. Outra metanálise investigou o efeito dos BNPs no *delirium* após cirurgia de fratura de quadril em pacientes idosos.[133] As análises foram realizadas em grupos de pacientes idosos em geral (incluindo pacientes com déficits cognitivos) e em pacientes sem comprometimento cognitivo. Não houve diferença na incidência de *delirium* entre os grupos controle e BNPs na população idosa em geral, mas houve redução significativa do *delirium* no grupo BNP em pacientes sem déficit cognitivo prévio.

▪ PRINCIPAIS PRODEDIMENTOS ORTOPÉDICOS

Cirurgia Ortopédica Ambulatorial – Artroscopias do Joelho e do Quadril

Artroscopias do joelho e do quadril, bem como do tornozelo, têm sido realizadas com frequência crescente, especialmente em regime ambulatorial. Os desafios para o anestesiologista envolvem a seleção adequada dos pacientes em ambiente ambulatorial, bem como a seleção da técnica anestésica adequada ao procedimento e que satisfaça as expectativas do paciente de rápida recuperação, analgesia e conforto.

A anestesia geral é segura e efetiva, mas se associa mais comumente a náuseas e vômitos pós-operatórios, além de qualidade inferior de analgesia. Todavia, a escolha da técnica anestésica tem papel preponderante no caso de retardo da alta na cirurgia ambulatorial. Na cirurgia ambulatorial, os fatores mais importantes foram a dor, presença de bloqueio neuroaxial, náuseas, vômitos e retenção urinária. Dessa forma, uma abordagem centrada em técnicas regionais ganha evidência e pode reduzir o impacto desses fatores.

Em uma revisão sistemática, bloqueios neuroaxiais e BNPs se associaram a um tempo maior para indução da anestesia, quando comparados à anestesia geral em cirurgias ambulatoriais.[134] Por outro lado, ambas as técnicas de anestesia regional produziram escores de dor menores e menor necessidade de analgésicos na sala de recuperação. Os bloqueios neuroaxiais não reduziram o tempo de permanência na sala de recuperação, nem a incidência de náuseas, mas se associaram a um tempo maior para a alta hospitalar. Os BNPs, entretanto, diminuíram a necessidade e encurtaram a permanência na sala de recuperação, bem como a ocorrência de náuseas, mas não reduziram o tempo para a alta hospitalar.

As artroscopias do joelho, incluindo o reparo do ligamento cruzado anterior, podem ser realizadas em base ambulatorial sob anestesia geral. Todavia, analgesia adequada é garantida no período perioperatório e pode ser estendida de maneira segura e eficaz ao período pós-operatório quando utilizada técnica anestésica regional. Como relaxamento cirúrgico pode ser necessário, raquianestesia pode promo-

ver condições cirúrgicas excelentes. Por outro lado, problemas foram relacionados à raquianestesia para cirurgia ambulatorial, tais como início e término de ação imprevisíveis, retenção urinária e sintomas neurológicos transitórios. Morfina intra-articular não mostrou promover analgesia significativa adicional.

Em procedimentos mais complexos, é essencial a adoção de uma abordagem multimodal para o tratamento da dor pós-operatória. Isso permitirá melhor controle da dor com menor necessidade de opioides, reduzindo, assim, o potencial de efeitos adversos como náuseas e vômitos. O pilar central dessas abordagens multimodais é frequentemente um BNP. Dispositivos descartáveis de infusão, como bombas elastoméricas, permitem que o paciente receba alta mantendo infusões domiciliares de solução anestésica diluída por meio de cateteres de nervos periféricos.

Para analgesia pós-operatória após reparo do ligamento cruzado anterior, a técnica de bloqueio do nervo safeno no canal adutor pode fornecer analgesia adequada sem interferir na deambulação precoce, graças a preservação da força do quadríceps.[135] Outra opção de BNP realizada ainda mais distalmente é o bloqueio dos geniculares, ramos sensitivos com origem controversa na literatura no nervo femoral ou isquiático. Todavia, durante o bloqueio dos geniculares, deve-se atentar à proximidade do nervo fibular comum. Caso esse nervo seja bloqueado, resultará em pé caído e falha no objetivo de obter-se analgesia sensitiva sem bloqueio motor.

No entanto, bloqueios dos ramos do nervo femoral não promoverão analgesia da face posterior do joelho. Tal problema pode ser resolvido com a administração de analgésicos comuns ou AINHs, ou por meio de complementação da analgesia com infiltração intraoperatória da face posterior da articulação ou bloqueio IPACK, uma injeção anestésica guiada por ultrassom entre a artéria poplítea e a cápsula posterior da articulação do joelho.

Na artroscopia do quadril, geralmente é necessário um relaxamento muscular completo para o procedimento. Assim, as técnicas anestésicas de escolha devem ser a anestesia geral ou o bloqueio neuroaxial, que podem ser combinados a BNPs para analgesia pós-operatória. O *PENG* (do inglês *pericapsular nerve group*) *block*, bloqueio dos ramos sensitivos da articulação do quadril, apresenta-se como uma opção. Uma metanálise, entretanto, não demonstrou vantagem clínica no manejo da dor pós-operatória com o uso de BNP em relação a pacientes que receberam infiltração anestésica local.[136] Durante o posicionamento do paciente, o anestesiologista deve observar que o períneo esteja protegido e acolchoado para que não haja compressão do nervo pudendo e que não seja aplicada tração excessiva do membro por períodos prolongados.

Embora de forma ainda incipiente em nosso meio, esforços têm sido engendrados para melhorar a eficiência do manejo perioperatório de pacientes submetidos a artroplastias de grandes articulações e migrar esse cuidado para o ambiente ambulatorial. Com uma seleção muito cuidadosa dos pacientes, a taxa de complicações relatada é baixa. Quando realizadas ambulatorialmente, estudos recentes em ATQ e ATJ apontam para a raquianestesia como a técnica anestésica associada a menos complicações, maior segurança e alta mais precoce.[137] Todavia, a qualidade das evidências ainda é baixa. Para analgesia, regime multimodal é efetivo com a incorporação habitual de um BNP. Na ATQ, o BNP atualmente recomendado pelo *guideline* PROSPECT é o bloqueio do compartimento da fáscia ilíaca, enquanto na ATJ, é o bloqueio do canal adutor.[138] Enquanto o bloqueio do canal adutor se associa a excelente controle da dor, permitindo mobilização precoce e participação na fisioterapia após ATJ, o bloqueio do compartimento da fáscia ilíaca deve ser cuidadosamente considerado no ambiente ambulatorial devido à possibilidade de interferência na deambulação precoce e fisioterapia devido ao bloqueio motor do quadríceps.

Artroplastia do Quadril

Na ATQ, é realizada substituição dos componentes acetabular e femoral da articulação do quadril por componentes protéticos. É um tratamento eficaz e custo-efetivo que tem como objetivos aliviar a dor no quadril, aumentar a mobilidade e melhorar a qualidade de vida dos pacientes com doença degenerativa crônica da articulação do quadril.[139] Os candidatos a ATQ devem apresentar evidência radiográfica de lesão articular (osteófitos, esclerose subcondral, erosões marginais, cistos subcondrais, ou diminuição do espaço articular) associada à dor persistente e de grande intensidade, ou incapacidade funcional a ponto de a qualidade de vida estar comprometida.

A técnica da ATQ foi desenvolvida no final da década de 1950. Desde então, novas abordagens cirúrgicas, implantes e cuidados perioperatórios foram introduzidos. A ATQ pode ser realizada por uma abordagem anterior ou lateral. A abordagem anterior oferece a vantagem da exposição sem lesão dos músculos, mas restringe o acesso ao fêmur, com risco de lesão do nervo cutâneo femoral lateral. A abordagem lateral posterior proporciona excelente exposição ao fêmur e ao acetábulo com dano muscular mínimo, mas aumenta o risco de luxação posterior. A maioria dos cirurgiões prefere a abordagem lateral posterior, o que exige o posicionamento do paciente em decúbito lateral, com o membro operado na posição não dependente.

Historicamente, a anestesia geral foi a técnica anestésica padrão para pacientes submetidos a cirurgias sobre o quadril. Todavia, a anestesia regional tem se tornado cada vez mais popular uma vez que foi associada a melhores desfechos. As técnicas de anestesia regional mais frequentemente usadas para cirurgias sobre o quadril são a anestesia peridural e a raquianestesia. Mais recentemente, BNPs, contínuos ou em injeção única, tais como os bloqueios do plexo lombar e seus ramos, pelas vias anterior ou posterior, bloqueio do nervo femoral e do nervo isquiático têm sido usados mais extensamente.

As técnicas de anestesia regional parecem reduzir a incidência de complicações por meio do controle mais adequado da dor e pela prevenção da resposta neuroendócrina ao trauma cirúrgico. A técnica peridural mostrou reduzir a morbidade cardíaca, pulmonar, da coagulação e infecciosa pós-operatória em pacientes de alto risco. Yeager e cols.[140] demonstraram uma redução significativa na morbidade cardíaca em pacientes tratados com anestesia e analgesia peridural. Por outro lado, a mortalidade cardíaca, a curto e longo prazos, foram semelhantes em pacientes submetidos à ATQ sob anestesia geral ou regional (peridural e raquianestesia).[141]

Os principais benefícios identificados com a anestesia regional são a diminuição do sangramento, e a prevenção da TVP e EP, que representam as principais complicações em cirurgias do quadril.[141,142]

Uma análise de um banco de dados da Grã-Bretanha entre 2003 e 2011 avaliou a influência de fatores de risco relacionados ao paciente e ao tratamento sobre a mortalidade em 90 dias após ATQ.[143] Os autores verificaram que os fatores contribuintes para a redução da mortalidade, e passíveis de modificação no período perioperatório, foram a cirurgia realizada pela via posterior, uso de tromboprofilaxia mecânica, uso de tromboprofilaxia farmacológica, e raquianestesia (*vs.* anestesia geral). Basques e cols.[144] estudaram 20.936 pacientes submetidos a ATQ e compararam os desfechos perioperatórios entre os tipos de anestesia realizados (geral *vs.* raquianestesia). Na análise multivariada, a anestesia geral se associou a maiores tempos de sala operatória (+ 12 minutos) e de sala de recuperação (+ 5 minutos), maior ocorrência de eventos adversos, uso prolongado de ventilação mecânica pós-operatória, intubação não planejada, AVC, parada cardíaca e necessidade de transfusão. Não houve diferença no tempo de internação e taxa de readmissão.

A dor após ATQ tem intensidade moderada a severa quando o paciente está em repouso, podendo se tornar bastante intensa, durante as mobilizações, ou devido a espasmos musculares reflexos do músculo quadríceps. Sua duração é incerta, mas os escores de dor são mais elevados nas primeiras 24 horas após a cirurgia. Após esse período, a intensidade da dor diminui rápida e significativamente e ocorre grande redução do consumo de morfina após as primeiras 24 horas de pós-operatório.[145]

As características da dor associada à ATQ no pós-operatório podem afetar a recuperação e reabilitação funcional. Dessa forma, o manejo eficiente da dor pós-operatória é muito importante. Diferentes estratégias analgésicas podem ser adotadas antes, durante e após a cirurgia. As técnicas mais comumente usadas são a administração de analgésicos não opiáceos (principalmente AINH), opioides intravenosos em doses intermitentes, analgesia venosa controlada pelo paciente,[146] as analgesias intratecal e peridural,[147,148] e os BNPs.[149,150] A estratégia multimodal, como esperado, parece obter os melhores resultados.

Analgesia preemptiva, iniciada antes da cirurgia, tem como objetivo minimizar a sensibilização central, reduzindo, assim, a intensidade da dor pós-operatória e o consumo de opioides no pós-operatório. Alguns dos fármacos mais comumente usados para analgesia preemptiva incluem inibidores da cicloxigenase-2, AINH e gabapentnoides.[151] Como estratégia intraoperatória, a injeção periarticular, ou analgesia por infiltração local, é um método bastante estudado que usa a infusão de uma solução de anestésico local de longa duração. Além de promover analgesia pós-operatória eficiente e diminuição do consumo de opioides, está associada a diminuição do tempo de internação.[151]

No pós-operatório, podem ser utilizadas estratégias de analgesia sistêmica e estratégias de anestesia/analgesia regional. Os opioides continuam sendo a base da analgesia sistêmica. Enquanto podem ser prescritos em um regime de administração em horários fixos, a técnica de ACP, utilizando bombas de infusão controladas e pré-programadas para a administração do fármaco, se mostrou um método superior e mais eficaz. Todavia, por outro lado, apesar de proporcionar adequado controle da dor com o paciente em repouso, é método insatisfatório durante as mobilizações e ineficaz na prevenção ou alívio de espasmos reflexos do músculo quadríceps. Os efeitos colaterais peculiares aos opioides ainda ocorrem de forma importante e foi sugerido que os pacientes idosos podem mostrar grande conflito com a tecnologia da ACP venosa.

Baixas doses de morfina intratecal promovem analgesia efetiva após ATQ, mas estão associadas a efeitos adversos dose-dependentes.[37,147] Por outro lado, parece que a analgesia peridural com anestésicos locais, ou sua combinação com opioides, é a mais efetiva no alívio da dor dinâmica após cirurgias de grande porte. O uso de soluções anestésicas locais diluídas, combinadas ou não a opioides, promove uma analgesia superior à ACP venosa com morfina e permite um controle adequado da dor durante as mobilizações do paciente.[37] Todavia, não é uma técnica isenta de riscos. Além da possibilidade de hematoma peridural associado à combinação do cateterismo peridural com tromboprofilaxia, a analgesia peridural pode se associar à hipotensão arterial, retenção urinária e dificuldade na deambulação devido ao bloqueio motor produzido pelos anestésicos locais.[81,152]

Os BNPs se associam a uma analgesia pós-operatória duradoura e efetiva, menor consumo de opioides e maior satisfação dos pacientes. Além disso, permitem reabilitação funcional pós-operatória e deambulação precoces.[153] Nas cirurgias sobre o quadril e o fêmur proximal, as técnicas mais usadas envolvem o bloqueio de ramos do plexo lombossacro. Diferentes autores descreveram resultados satisfatórios com o uso de bloqueios do nervo femoral (BNF),[154,155] e do plexo lombar pela via posterior,[156,157] em injeção única ou contínuos com o auxílio de cateteres, para analgesia pós-operatória em ATQ. Bloqueios contínuos de nervos periféricos mostraram-se superiores à ACP venosa com morfina, e, ao menos, igualmente efetivos à analgesia peridural.[158]

Na ATQ, a eficácia analgésica do BNF se mostrou incerta.[154,155,159] Apesar do consumo pós-operatório de morfina ter sido menor imediatamente após o final da cirurgia, o consumo horário de morfina não foi diferente no restante do período pós-operatório entre os pacientes tratados com ACP venosa, e foi maior que nos pacientes que receberam bloqueio do plexo lombar pela via posterior.[159] Tais achados podem ser explicados pela falta de bloqueio dos nervos obturatório e cutâneo femoral lateral para a analgesia da ATQ.[37] Além disso, o BNF causará bloqueio motor do quadríceps e poderá implicar em prejuízo à reabilitação pós-operatória. De fato, o bloqueio "3 em 1", em dose única, promoveu melhor alívio da dor pós-operatória em ATQ do que a ACP venosa com morfina nas primeiras 8 horas após a cirurgia.[154] Durante os bloqueios contínuos "3 em 1" e do compartimento da fáscia ilíaca, ocorreu regressão significa-

tiva no bloqueio sensitivo dos nervos obturatório e cutâneo femoral lateral ao longo de 48 horas de infusão contínua. Enquanto o bloqueio do obturatório foi mais breve na técnica do compartimento da fáscia ilíaca, o comportamento dos bloqueios dos nervos femoral e cutâneo femoral lateral foi semelhante com as duas abordagens.[160] Ao longo da infusão, o bloqueio sensitivo se manteve localizado primariamente no território do nervo femoral.

Preservar a função muscular dos membros inferiores é essencial para facilitar a fisioterapia precoce para esses pacientes. O uso de técnicas de BNP com preservação da força motora permite deambulação precoce, controle adequado da dor e prevenção de efeitos colaterais relacionados aos opioides. Em cirurgias do quadril, os estudos não conseguiram mostrar diferenças analgésicas entre bloqueios regionais e infiltração periarticular.[161]

Recentemente, foi descrito o PENG *block* que é uma técnica guiada por ultrassom que bloqueia os ramos nervosos sensoriais da cápsula articular anterior do quadril que é inervada por ramos dos nervos femoral, obturatório e obturatório acessório, ramos terminais do plexo lombar.[162] Consiste em um bloqueio fascial, que vem se tornando popular para analgesia de cirurgias do quadril.

Foi descrito como um bloqueio analgésico para o tratamento da dor aguda após fratura de quadril, enquanto estudos subsequentes ampliaram a indicação original. De fato, o bloqueio do grupo de nervos pericapsulares (PENG *block*) está associado a analgesia adequada após cirurgias do quadril, sem alteração da força motora.[163] Efeitos adversos motores foram descritos quando o anestésico local foi depositado em uma localização não intencional, como bloqueio femoral ou obturatório. Quando parte de um regime de analgesia multimodal, o PENG *block* melhorou a qualidade de recuperação e reduziu as necessidades de opioides em pacientes submetidos a ATQ primárias.[164]

O PENG *block* demonstrou ser uma excelente técnica alternativa ao BNF ou bloqueio do compartimento da fáscia ilíaca em pacientes submetidos a ATQ. Quando comparado ao bloqueio do compartimento da fáscia ilíaca, o PENG *block* resultou em menor incidência de bloqueio motor do quadríceps em 3 horas (45% *vs.* 90%) e em 6 horas (25% *vs.* 85%).[165] Além disso, também proporcionou melhor preservação da adução do quadril em 3 horas, bem como diminuição do bloqueio sensorial das faces anterior, lateral e medial da coxa em todos os intervalos de medição. Os autores não descreveram diferenças clinicamente significativas entre as técnicas em termos de escores de dor pós-operatória, consumo cumulativo de opioides, capacidade de realizar fisioterapia e tempo de internação hospitalar.

Fraturas do Quadril

As fraturas do fêmur proximal podem ocorrer no colo do fêmur ou nas áreas intertrocantérica ou subtrocantérica. As fraturas com deslocamento do colo do fêmur são geralmente tratadas por substituição protética, enquanto as fraturas intertrocantéricas ou subtrocantéricas podem ser tratadas com placa lateral e parafuso ou haste intramedular.

A fratura do quadril está associada a taxas de morbidade e mortalidade elevadas em pacientes idosos, contrastando com a cirurgia relativamente simples que é necessária para seu reparo.[166] O manejo moderno é focado na colaboração multidisciplinar para estabilização cirúrgica imediata da fratura, mobilização precoce com controle multimodal da dor para evitar o consumo de opioides em uma estratégia de recuperação acelerada com deambulação precoce e fisioterapia diária.[167] Apesar desses avanços, as complicações pós-operatórias e as taxas de mortalidade permanecem elevadas.

O reparo cirúrgico da fratura do quadril não é um procedimento eletivo. A literatura mostra que a cirurgia precoce (24 a 48 horas) se associa a um risco significativamente menor de morte e feridas por pressão. Khan e cols.[168] conduziram uma revisão sistemática a fim de identificar o momento ideal da cirurgia para o reparo do quadril e concluíram que a cirurgia precoce (dentro de 48 horas após a internação) reduz o tempo de hospitalização e também complicações e mortalidade. Pacientes com comorbidades significativas associadas que têm sua cirurgia atrasada por mais de 4 dias apresentam risco quase 2,5 vezes maior de morte em até 30 dias após a cirurgia.[166]

A recomendação de realizar a cirurgia dentro de 48 horas após a fratura continua sendo um desafio. Os principais motivos dos atrasos para cirurgia incluem pacientes considerados clinicamente inaptos ou que aguardam investigações diagnósticas, como resultados laboratoriais e ecocardiografia. Dessa forma, anestesistas devem se concentrar em melhorar os processos perioperatórios com o objetivo de reduzir o tempo até a primeira consulta de anestesia e cirurgia, melhorar a comunicação, fornecer tempo suficiente para pré-otimização, e gerenciar a dor pré- e pós-operatória.[167] Em um estudo, os autores criaram um sistema de fluxo de trabalho perioperatório para fornecer avaliações anestésicas proativas dentro de 24 horas após a admissão, e antes da marcação da cirurgia, coordenado para pré-otimização até a cirurgia.[169] Após a implementação, o tempo médio até a consulta anestésica foi reduzido significativamente de 35,3 horas para 21,5 horas. O tempo até a cirurgia também foi reduzido de 61,5 horas para 50 horas, com aumento de 13,6% no número de pacientes operados. As internações em UTI, as taxas de mortalidade em 6 e 12 meses e o tempo para realização de bloqueio nervoso analgésico foram reduzidos.

Enquanto a cirurgia precoce combinada com mobilização e reabilitação precoces devem ser as metas para pacientes clinicamente estáveis, certos pacientes podem se beneficiar da otimização pré-operatória. Condições como hipovolemia devido a sangramento ou desidratação podem precisar ser corrigidas. Além disso, condições médicas pré-existentes, como arritmias, DPOC ou disfunção renal, podem exigir atenção antes da cirurgia. A avaliação pré-operatória e otimização das condições médicas coexistentes devem ser agilizadas e não devem retardar a cirurgia.

Não há evidências definitivas que defendam a superioridade de qualquer técnica anestésica. Vários estudos compararam a anestesia geral com a anestesia neuroaxial e chegaram a conclusões conflitantes após cirurgia de fratura de quadril.

Urwin e cols.[170] descreveram uma redução na incidência de TVP e da mortalidade até um mês após a cirurgia em pacientes com fratura do quadril que receberam anestesia regional. Nenhum outro desfecho foi diferente entre os grupos, e a redução na mortalidade não foi mais vista 3, 6 ou 12 meses após a cirurgia. Esses achados foram confirmados por uma metanálise que mostrou diferença na mortalidade um mês após a cirurgia, mas que desapareceu com 3 meses de pós-operatório.[171]

Em um grande estudo observacional, foram analisados os registros de 65.535 pacientes com fratura do quadril.[172] Omitindo pacientes que receberam tanto anestesia geral quanto raquianestesia, ou aqueles nos quais o registro do tipo de anestesia era incerto, não houve diferença significativa na mortalidade cumulativa em 5 dias ou 30 dias. Uma coorte retrospectiva (73.284 pacientes) avaliou o efeito do tipo de anestesia sobre o risco de morte por qualquer causa em pacientes submetidos a fixação de fratura do quadril.[173] As taxas de mortalidade encontradas foram de 2,2%, 2,1% e 2,4%, respectivamente, para anestesia geral, anestesia neuroaxial e anestesia combinada geral-neuroaxial, sem diferença entre as três técnicas.

Apesar da mortalidade pós-operatória ser, de fato, maior e o tempo de internação mais prolongado após a cirurgia da fratura do quadril, a dificuldade em definir os papéis das técnicas anestésicas vem do fato que os resultados dos estudos são afetados por inúmeras outras variáveis relacionadas aos pacientes e ao sistema de atendimento. Além disso, os desfechos estudados estão descorrelacionados temporalmente à intervenção anestésica, dificultando muito a interpretação causativa ou associativa.[25] Da mesma forma, a maioria das metanálises não quantifica nem qualifica o efeito da sedação associada à anestesia regional (que pode afetar o tamanho do efeito). Com esse intuito, um estudo analisou a sobrevida de pacientes submetidos a reparo da fratura do quadril segundo os grupos de profundidade da sedação.[174] A taxa de sobrevida foi equivalente entre os grupos. Todavia, nos pacientes com comorbidades mais graves, a mortalidade em 1 ano foi reduzida no grupo tratado com sedação leve durante raquianestesia (22,2% *vs.* 43,6%).

Pacientes com fratura de quadril se beneficiam de analgesia multimodal com analgésicos simples (dipirona, acetaminofeno), opioides e bloqueios nervosos regionais que, inclusive, podem ser facilmente realizados na sala de emergência ou pronto-socorro.

Há um conjunto crescente de dados, incluindo ensaios clínicos randomizados, estudos observacionais, opiniões de consenso, revisões sistemáticas e recomendações PROSPECT que apoiam o uso de BNPs na fratura do quadril. Os BNPs reduzem efetivamente a dor e o espasmo do quadríceps, em repouso e em movimento, minimizam o tempo para remobilização, reduzem a necessidade de opioides e diminuem a ocorrência de *delirium*.[132]

Uma variedade de BNPs está disponível para tratar a dor da fratura do quadril: bloqueio 3-em-1, plexo lombossacral, compartimento da fáscia ilíaca, nervo femoral, plexo lombar mais plexo sacral, plexo lombar posterior, compartimento do psoas, nervo obturatório etc. No entanto, falta clareza na literatura publicada para mostrar inequivocamente qual tipo de BNP é adequado em diferentes ambientes (sala de emergência, centro cirúrgico). De forma semelhante as diferentes técnicas trarão impactos distintos na duração da analgesia, bem como no bloqueio motor para mobilização precoce e fisioterapia do paciente.

Os bloqueios do compartimento da fáscia ilíaca e do nervo femoral são técnicas estabelecidas e recomendadas no tratamento da dor em pacientes com fratura de quadril.[175] Seu uso precoce no pronto-socorro é benéfico aumentando o conforto do paciente ao reduzir a dor, e melhorando os desfechos do paciente, como ao diminuir o risco de um estado de confusão aguda. A partir do conhecimento atual sobre a nocicepção na articulação do quadril, o PENG *block* poderá ser uma alternativa relevante no tratamento da dor nesse grupo de pacientes produzindo analgesia por infiltração sem fraqueza muscular.

O momento ideal para administrar o bloqueio é antes da fixação cirúrgica, e esforços devem ser feitos para reduzir o tempo porta-bloqueio. Quando fixada, há estabilidade da fratura e menos dor. Das várias abordagens cirúrgicas, a substituição completa da articulação é menos dolorosa do que as técnicas de fixação, como parafusos dinâmicos de quadril e intramedulares.

O bloqueio do compartimento da fáscia ilíaca ou BNF podem ser realizados antes do procedimento cirúrgico com anestésico local de curta duração, como a lidocaína, ou solução diluída de anestésico local de longa duração, uma vez que produzirá bloqueio motor, muitas vezes indesejado após a cirurgia. Em associação, ou ao final da cirurgia, pode-se realizar o PENG *block* para analgesia da região acetabular. Ao final da cirurgia, pode-se realizar o bloqueio do nervo cutâneo femoral lateral com anestésico de longa duração, como a ropivacaína, para analgesia da região da incisão cirúrgica.

Artroplastia do Joelho

Os objetivos das cirurgias de substituição articular concentram-se na redução da dor pós-operatória e na aceleração do retorno à recuperação funcional. A adoção da estratégia ERAS (Enhanced Recovery After Surgery) para a ATJ resultou em menores tempos de internação, taxas de readmissão e custos com saúde.[176] Além disso, a padronização das vias clínicas permitiu diminuir a incidência de complicações perioperatórias, morbidade e mortalidade.[177]

Pacientes em tratamento crônico com opioides antes da artroplastia representam um grande desafio ao anestesiologista. Esses pacientes experimentam maiores necessidades de opioides no hospital, maior intensidade da dor pós-operatória e maior risco de complicações quando comparados a pacientes que não usam opioides.[178] Esses achados se devem tanto ao desenvolvimento de tolerância aos opioides (com consequente subtratamento da dor aguda), quanto pela presença de hiperalgesia induzida por opioides. Nguyen e cols.[179] relataram que pacientes submetidos a um protocolo pré-operatório de desmame de opioides apresentaram desempenho significativamente melhor em desfechos específicos do que pacientes que não participaram do protocolo, e foram semelhantes a pacientes que não usavam opioides. Assim, a imple-

mentação de um serviço de dor transicional pré-operatório multidisciplinar permitirá identificar pacientes sob risco de dor pós-operatória persistente crônica e adequar um programa de desmame dos opioides.[180]

A ATJ pode ser realizada sob anestesia neuroaxial, anestesia geral ou ambas em combinação. Atualmente, as evidências ainda são inconsistentes sobre o impacto das técnicas anestésicas e analgésicas sobre os resultados pós-operatórios na ATJ. Anestesia regional ou geral promove melhores desfechos? Quais combinações de BNP e anestésicos locais devem ser incorporadas em estratégias multimodais para alívio da dor pós-operatória? Cada uma dessas escolhas tem o potencial de melhorar os resultados, mas nenhuma é isenta de controvérsia.[181]

Existem riscos inerentes relacionados à anestesia geral, como complicações das vias aéreas e maior risco de náuseas e vômitos pós-operatórios. A anestesia neuroaxial também não é isenta de riscos, incluindo falha técnica, retenção urinária, hematoma espinhal, e a interação com o *status* da coagulação e o momento da anticoagulação perioperatória. É provável que a maioria dos pacientes esteja apta a ambas as técnicas, ficando a cargo do anestesiologista escolher a "melhor" técnica anestésica para a ATJ.

Em uma revisão sistemática, a análise de subgrupo na população de ATJ não confirmou influência da técnica anestésica sobre duração da cirurgia, perda sanguínea, mortalidade, tempo de internação ou doença tromboembólica (quando os pacientes receberam anticoagulantes profiláticos) após artroplastias articulares.[182] Mais tarde, duas revisões sistemáticas associaram a anestesia neuroaxial à redução da dor pós-operatória, menor tempo de internação e facilitação da reabilitação após a ATJ.[85,183] Entretanto, essas metanálises não evidenciaram diferenças entre as técnicas em outros desfechos importantes, como mortalidade, infecção cirúrgica ou eventos tromboembólicos (quando os pacientes receberam tromboprofilaxia).

Uma série de estudos a partir de pesquisas em grandes bancos de dados, incluindo centenas de hospitais e milhares de pacientes submetidos a ATJ, estabeleceu os benefícios da anestesia neuroaxial. A mortalidade em trinta dias, as taxas de infecções e transfusões, complicações em geral, pulmonares e renais foram menores em pacientes submetidos a anestesia neuroaxial.[116,184,185] Também foram evidenciadas reduções de custos devido a menor tempo de internação e menor necessidade de ventilação mecânica e UTI em pacientes que receberam anestesia neuroaxial isoladamente ou em combinação com anestesia geral.[117,186,187] Hospitais que utilizam a técnica neuroaxial com maior frequência para a realização de artroplastias dos membros inferiores observaram uma diminuição dos custos de internação da ordem de 14,1% e 15,6% em ATJ e ATQ, respectivamente.[188] Os benefícios da anestesia neuroaxial foram mais pronunciados com o aumento da idade e do número de comorbidades.[123]

Apesar dos dados mais recentes poderem sugerir que o pêndulo parece estar oscilando em direção a uma vantagem para a anestesia neuroaxial, vale ressaltar que a maioria dos estudos não especifica a técnica de anestesia geral (anestesia venosa ou inalatória), o tipo de dispositivos de via aérea (supraglóticos e endotraqueais) ou o uso adjuvante de

BNPs. Esses são todos fatores que podem interferir no perfil de recuperação após a artroplastia. Somente como exemplo, quando a anestesia geral com infusão alvo-controlada de propofol e remifentanil foi comparada com a raquianestesia em um estudo prospectivo, os pacientes que receberam anestesia geral apresentaram tempo de internação mais curto, apresentaram deambulação mais precoce e menos náuseas, vômitos e tontura.[189] Esses resultados sugerem que as técnicas de anestesia geral podem diferir entre si e uma atenção aos princípios ERAS e *fast-track* pode reduzir algumas das diferenças tradicionalmente vistas entre as técnicas anestésicas.

Compreender quais técnicas anestésicas e analgésicas levam a melhores resultados, controlar a dor perioperatória e minimizar o uso de opioides e seus efeitos colaterais são princípios básicos que norteiam a eficácia do cuidado segundo protocolos de recuperação rápida para ATJ.[190-193] Esses objetivos podem ser facilitados por técnicas de anestesia regional e analgesia multimodal. Por outro lado, requerem a adaptação das instituições com o desenvolvimento de *expertise* em bloqueios guiados por ultrassom e constituição de um serviço de dor.

A ATJ está associada a dor pós-operatória intensa e de difícil tratamento. No entanto, o controle da dor é essencial para a reabilitação e para melhorar a recuperação. Abordagens anteriores de tratamento da dor incluíam ACP e opioides neuroaxiais.[194,195] Todas foram associadas a uma série de efeitos adversos, como prurido, náuseas e vômitos, constipação, retenção urinária, depressão respiratória e sedação. Os opioides neuroaxiais promovem alívio da dor nas primeiras 6 a 12 horas após ATJ, mas particularmente a morfina intratecal, podem levar à depressão respiratória tardia.[196,197] A eficácia da analgesia peridural foi demonstrada em duas metanálises.[148,198] A analgesia peridural com a combinação de anestésicos locais e opioides é mais efetiva e permite reabilitação funcional mais precoce e com escores de dor menores do que com a ACP venosa.[195] Uma desvantagem importante da analgesia peridural é o risco de bloqueio motor ou sensitivo que podem retardar a deambulação e fisioterapia.

A abordagem moderna do tratamento da dor após ATJ deve ser multimodal e englobar modalidades não opioides, bem como estratégias locais e regionais que preservem a motricidade.[199] A analgesia multimodal promove deambulação e alta precoces após ATJ.[200]

A combinação de abordagens locais e regionais, como infiltração periarticular e bloqueios de nervos sensitivos distais, fornece analgesia adequada, reduz o consumo de opioides e seus efeitos adversos, ao mesmo tempo que promove fisioterapia ativa no período pós-operatório imediato.

O Grupo de Trabalho PROSPECT (PROcedure SPEcific Postoperative Pain Management), na ATJ, recomenda o uso pré-operatório ou intraoperatório de paracetamol e AINH ou inibidores específicos da cicloxigenase-2, combinado a um bloqueio do canal adutor com injeção única e analgesia por infiltração local periarticular, juntamente com uma dose única intraoperatória de dexametasona intravenosa.[201] Segundo o PROSPECT, morfina intratecal (100 μg) pode ser considerada em pacientes hospitalizados apenas em situações raras, quando tanto o bloqueio do canal adutor, quanto a analgesia por infiltração local não são possíveis. Os opioides devem ser reservados como analgésicos de resgate no pós-operatório.

A eficácia das modalidades de analgesia com preservação motora está bem estabelecida. Os BNPs distais podem permitir a preservação da força motora do quadríceps e analgesia comparável às técnicas tradicionais. Assim, a escolha das técnicas de anestesia e analgesia regional devem se pautar na preservação da força motora e cobertura dos aspectos anterior e posterior do joelho.[202,203] Os BNPs, incluindo bloqueio do canal adutor, IPACK (espaço entre a artéria poplítea e a cápsula posterior do joelho) e bloqueios de nervos geniculares, são bloqueios sensitivos puros, enquanto a injeção periarticular é mais eficaz do que a simples infiltração da ferida devido à sua cobertura mais ampla das faces anterior e posterior do joelho.

Evidências sugerem que o bloqueio do nervo isquiático ou a infiltração de anestésico local na cápsula posterior do joelho podem otimizar a analgesia, com escores de dor menores em repouso e dinâmicos, e menor consumo de opioides após ATJ.[204,205] Quando comparado à infiltração da cápsula posterior do joelho, o bloqueio isquiático resultou em efeito poupador de opioides durante e após as primeiras 8 horas de pós-operatório, mas também pode retardar a reabilitação após a ATJ devido ao bloqueio motor da panturrilha, tornozelo e pé que dificultam a deambulação.[206]

Para ATJ, na ausência de infiltração periarticular, evidências recentes sugerem que a combinação dos bloqueios do canal adutor, mais IPACK ou bloqueios de nervos geniculares, pode equilibrar o controle da dor e a deambulação precoce.[161]

Apesar da potente analgesia, a principal desvantagem do BNF é a consequente fraqueza motora do quadríceps. Por outro lado, o bloqueio do canal adutor, quando comparado ao BNF, não demonstrou diferença em termos de controle da dor, consumo de opioides ou alta mais precoce.[207] Metanálises sugerem que o bloqueio do canal adutor, comparado ao BNF, fornece analgesia pelo menos igual, melhores condições de deambulação e recuperação mais rápida após a ATJ.[202,207]

Uma revisão sistemática avaliou se a analgesia promovida pelo bloqueio do canal adutor após ATJ seria otimizada e prolongada com técnica contínua com cateter e infusão anestésica contínua.[208] Em comparação com o bloqueio em injeção única, o bloqueio contínuo do canal adutor não proporcionou diferenças na intensidade da dor em repouso ou no consumo cumulativo de opioides até 48 horas de pós-operatório. Além disso, não foram observadas diferenças na recuperação funcional e nos efeitos colaterais relacionados aos opioides. Além disso, foram observadas menos complicações relacionadas ao bloqueio com dose única.

Quando combinada com o bloqueio do canal adutor, a infiltração anestésica local entre a artéria poplítea e a cápsula do joelho (IPACK) tem como objetivo melhorar a analgesia após ATJ. Dessa forma, o papel da adição do bloqueio IPACK a um protocolo de analgesia multimodal com bloqueio do canal adutor para ATJ foi avaliado em uma metanálise de ensaios clínicos randomizados. O IPACK se associou a menores escores de dor ao deambular com os benefícios se prolongando para além de uma semana.[209] O IPACK também reduziu significativamente os escores de dor em repouso, o consumo geral de morfina e a taxa de distúrbios do sono. A combinação do IPACK ao bloqueio do canal adutor também melhorou resultados funcionais, como distâncias de deambulação, força muscular do quadríceps, amplitude de movimento e teste *time up to go*.[210]

Outro cenário estudado foi se a combinação de IPACK ao bloqueio do canal adutor promove melhora da analgesia pós-operatória em ATJ quando é realizada infiltração periarticular pelo cirurgião. Uma revisão sistemática não conseguiu demonstrar melhoria da analgesia pós-operatória até 6 horas com a adição do IPACK nesse contexto.[211] No entanto, na ausência de infiltração periarticular, a adição de IPACK reduziu a dor até 24 horas após ATJ e também melhorou a recuperação funcional.

Cirurgias do Pé e Tornozelo

As cirurgias do pé e tornozelo são classificadas como procedimentos de pequeno porte. No entanto, os riscos e benefícios devem ser cuidadosamente ponderados ao elaborar o plano anestésico. Não raro, pacientes de alto risco com infecções (até sepse), imunocomprometidos, diabéticos, vasculopatas e cardiopatas são submetidos a esse tipo de procedimento.

As técnicas de anestesia geral, com intubação traqueal ou máscara laríngea, anestesia neuroaxial (raquianestesia ou peridural) e anestesia regional com BNPs são possíveis e podem ser usadas combinadas entre si. A duração da cirurgia, o posicionamento do paciente e as preferências do cirurgião e do anestesiologista devem ser consideradas na escolha da técnica anestésica. Fraturas complexas da tíbia distal podem exigir cirurgias de longa duração.

No pós-operatório, cirurgias complexas do pé e tornozelo estão frequentemente associadas a dor intensa. A analgesia multimodal, combinando técnicas de anestesia regional, proporciona excelente alívio da dor e menor necessidade de opioides com menos efeitos colaterais relacionados a esses fármacos, melhorando a satisfação do paciente, a segurança e o retorno da função.[212]

A anestesia regional é bastante benéfica e pode ser usada como técnica anestésica primária ou para analgesia pós-operatória. Como a maioria dos pacientes submetidos a cirurgias complexas do pé/tornozelo é orientada a evitar carga no membro operado após a cirurgia, a persistência de bloqueio motor no pós-operatório não deverá ser um problema. Por outro lado, em cirurgias ambulatoriais, como na correção de hálux valgo, deve-se priorizar a manutenção da função motora por meio de técnicas que evitem o bloqueio motor.

Procedimentos que envolvem o pé e o tornozelo, bem como a tíbia e a fíbula, podem ser cobertos por um bloqueio do nervo isquiático, geralmente ao nível poplíteo alto para garantir anestesia nos territórios dos nervos tibial e fibular. A complementação com o bloqueio do nervo safeno pode ser necessária, seja pela localização da incisão cirúrgica em território inervado pelo ramo do femoral (aspecto medial da perna) ou pela necessidade de torniquete. O nervo safeno pode ser bloqueado no canal dos adutores ou por uma abordagem direta distal do próprio nervo.[213]

O bloqueio do nervo isquiático poplíteo demonstrou reduzir a dor pós-operatória e as necessidades de opioides após cirurgias do pé e tornozelo, tanto quando realizado como uma injeção única pré-operatória, quanto quando administrada infusão contínua por cateter. O bloqueio do tornozelo dos cinco nervos terminais (pentabloqueio) fornece anestesia completa do pé e proporciona analgesia prolongada. Pode ser usado para procedimentos cirúrgicos no pé que não exigem o uso de torniquetes na coxa ou panturrilha, embora possa ser usado um torniquete com faixa de Esmarch ao nível do tornozelo. Exemplos desses procedimentos são amputações dos dedos dos pés e cirurgia de joanetes.[214]

Em um painel multidisciplinar de especialistas foi apresentado um consenso para o tratamento padronizado da dor em pacientes submetidos a cirurgia eletiva complexa do pé e tornozelo.[215] Enquanto a anestesia regional foi fortemente recomendada como padrão de cuidado intraoperatório, não houve consenso quanto à abordagem mais adequada. Dessa forma, considerando a anestesia regional para grandes cirurgias do retropé, 42% dos especialistas consideraram como a abordagem mais adequada o bloqueio contínuo com cateter do nervo isquiático poplíteo, combinado ao bloqueio do nervo safeno em dose única. Vinte e seis por cento dos especialistas consideraram não ser necessária a técnica contínua de bloqueio do nervo isquiático poplíteo. Por outro lado, 19% deles consideram a necessidade de as duas técnicas de bloqueio combinadas serem contínuas com cateter. E apenas 6% dos especialistas recomendam pentabloqueio do tornozelo ou infiltração incisional com anestésico local.

Quando gerenciada de forma inadequada, a dor intensa pós-operatória associada a essas cirurgias pode resultar em dor pós-operatória crônica e uso prolongado de opioides em até 21% dos pacientes. Apesar de ser uma complicação que pode afetar a qualidade de vida do paciente, limitando sua função física e impactando negativamente seu estado psicológico, a evidência científica atual é pobre acerca da efetividade das estratégias de analgesia para sua prevenção. Poucos estudos avaliam a dor após 48 horas da cirurgia. Em um deles, os autores avaliaram a dor 2 semanas após a cirurgia e não verificaram diferença na intensidade da dor e no consumo de opioides quando foi usado bloqueio perineural. Em outro estudo, avaliaram a dor com 6 meses de pós-operatório. A dor em atividade foi reduzida significativamente quando foi usada a combinação do bloqueio isquiático poplíteo contínuo com o bloqueio contínuo do nervo femoral para analgesia pós-operatória.[216]

Outro ponto de atenção é a ocorrência de complicações neurológicas associadas a cirurgias sobre o pé e tornozelo. Muitos anestesiologistas não estão familiarizados com a taxa de complicações neurológicas nesses procedimentos eletivos para os quais administram bloqueios regionais. A taxa de lesão nervosa iatrogênica diretamente atribuível à cirurgia pode ser semelhante ou até exceder aquela tradicionalmente associada às técnicas de anestesia regional. Cabe ao anestesiologista entender o risco que a própria cirurgia pode desempenhar na evolução da lesão nervosa perioperatória, bem como o mecanismo potencial da lesão.[217] O Quadro 170.6 apresenta as principais lesões nervosas associadas aos procedimentos cirúrgicos mais comumente realizados sobre o pé e o tornozelo.

ANALGESIA PÓS-OPERATÓRIA E REABILITAÇÃO FUNCIONAL

Um dos objetivos mais importantes na cirurgia ortopédica dos membros inferiores é a mobilização precoce do paciente. O início breve dos exercícios é fator fundamental para acelerar a reabilitação e reduzir o tempo de internação. A limitação da mobilização precoce da articulação pela dor poderá resultar em adesões, contratura capsular e atrofia muscular que, em conjunto, retardarão, ou até impedirão, a recuperação funcional da articulação. Em uma coorte de 8.653 pacientes submetidos a cirurgias eletivas de grande porte, houve uma associação significativa e proporcional entre a mobilização pós-operatória e a menor ocorrência de um conjunto de complicações pós-operatórias, bem como menor tempo de internação hospitalar.[218]

Em última análise, a reabilitação funcional tem como objetivos recuperar a função da articulação que sofreu a artroplastia e reinserir esse paciente na sociedade de forma que ele seja funcionalmente capaz e independente. A reabilitação pós-operatória é um momento complexo e delicado, no qual o paciente deve ser capaz de participar ativamente das atividades de fisioterapia. Assim, é preciso que o paciente esteja em boas condições clínicas, com a dor pós-operatória bem controlada e se alimentando bem, em bom estado nutricional para suportar os exercícios sem fadiga.

Dor e comprometimento cognitivo agudo/crônico estão consistentemente associados a piores resultados de reabilitação. Tanto a dor como o *delirium* também podem atrasar a mobilização e prejudicar a comunicação, reduzindo a participação dos pacientes no seu processo de reabilitação.

A dor pós-operatória, quando inadequadamente tratada, poderá limitar de forma determinante a participação ativa, e mesmo passiva, do paciente nas atividades de reabilitação e retardar a sua recuperação funcional ao impedir o início precoce da terapia funcional pós-operatória, prolongando seu tempo de internação e aumentando custos.[195,219] Por dificultar a mobilização precoce e adequada, o controle insuficiente da dor permite ainda a ocorrência de complicações secundárias à imobilidade, como TVP, retenção urinária, íleo paralítico e problemas respiratórios, como atelectasia e infecções.[220]

A anestesia regional, quando inserida no contexto de uma abordagem multimodal, poderá, ao facilitar a analgesia, promover recuperação mais rápida, melhorar o resultado funcional e a qualidade de vida.[195,221] Os escores de reabilitação perioperatória e o tempo de permanência no centro de reabilitação foram significativamente menores nos pacientes que receberam analgesia pós-operatória com uma técnica regional contínua (BNF ou analgesia peridural) após ATJ.[195,221] O impacto funcional favorável se mostrou mais prolongado que o efeito analgésico insinuando que a analgesia efetiva é importante, mas outros efeitos benéficos também são obtidos com as técnicas regionais.

Apesar de alguns estudos terem demonstrado que as técnicas de analgesia regional foram superiores à analgesia sistêmica com opioides, promovendo melhor controle

Quadro 170.6 Complicações neurológicas associadas a cirurgias sobre o pé e o tornozelo.			
Cirurgia	**Taxa de lesão nervosa**	**Nervos lesionados**	**Observações**
Artroscopia do tornozelo – via anterior	0 a 8,6%	n. fibular superficial (até 5,7%) n. fibular profundo (até 2,5%) n. sural (até 2,3%) n. safeno (até 0,8%)	
Artroscopia do tornozelo – via anterior e posterior	2,4% a 6,7%	n. tibial (6,7%) n. sural (1,6% a 6,7%) n. calcâneo medial (0,7%)	
Artroplastia do tornozelo via anterior	1,3% (0 a 28,6%)	n. fibular superficial (0 a 17,1%) n. fibular profundo (0 a 12,9%) n. tibial (< 5%)	Lesões combinadas dos nn. fibulares pelo uso de torniquete
Artroplastia do tornozelo via lateral		n. fibular superficial (~ 21%)	Abordagem desenvolvida recentemente com poucos estudos sobre ocorrência de lesão nervosa
Artrodese do tornozelo	até 2,6%	n. fibular (0 a 2,3%)	Abordagem cirúrgica semelhante à artroplastia do tornozelo
Artrodese tríplice do tarso		n. fibular superficial (%?) n. sural	
Hálux valgus	0,5% a 30,5%	n. cutâneo dorsomedial n. cutâneo dorsolateral (0,5%)	

Fonte: Adaptado de Veljkovic A, *et al.*, 2015.[217]

da dor e, com isso, atingindo maior proficiência nos parâmetros de reabilitação e tempo mais curto de internação, a maioria dos estudos não foi capaz de demonstrar superioridade de uma técnica analgésica sobre outra e o efeito sobre a reabilitação funcional parece ser semelhante. É possível que o alívio da dor pós-operatória, isoladamente, seja apenas um fator dentro de um contexto multifatorial que influencia o prognóstico funcional de pacientes submetidos a artroplastias.

Atualmente, a partir de estratégias de ERAS, a necessidade do início da reabilitação funcional no mesmo dia da cirurgia se impôs. Assim, bloqueios como bloqueio do canal adutor e IPACK surgiram com o objetivo de minimizar a fraqueza muscular, minimizar o risco de quedas e permitir o paciente permanecer de pé, girar e caminhar em segurança. Metanálises indicam que o uso do bloqueio do canal adutor se associa a melhores condições de deambulação e recuperação mais rápida após a ATJ.[202] Quando combinado ao BCA, o IPACK facilitou o desempenho na fisioterapia (amplitude média de movimento do joelho e distância de deambulação) após ATJ.[210]

■ CONSIDERAÇÕES ESPECIAIS – FATORES RELACIONADOS À CIRURGIA ORTOPÉDICA

Cirurgias ortopédicas estão associadas a riscos e complicações únicos relacionados às lesões ósseas e da musculatura dos membros inferiores, à imobilização do paciente e ao uso de implantes e do cimento ósseo. Com isso, o reconhecimento e manejo de síndromes específicas, como TEV, embolia gordurosa, síndrome de implantação do cimento ósseo (SICO) e síndrome compartimental se faz necessário.

Torniquetes

O uso do torniquete é uma prática comum em cirurgias ortopédicas. São dispositivos compressivos que ocluem o fluxo sanguíneo venoso e arterial ao membro de forma temporária a fim de criar um campo cirúrgico exangue e diminuir a perda sanguínea perioperatória.

Os torniquetes podem ser infláveis e não infláveis. Os torniquetes não infláveis feitos de tecido elástico ou látex, atualmente, têm uso limitado e estão sendo substituídos pelos torniquetes infláveis. Torniquetes pneumáticos usam ar para insuflar um *cuff* que oclui o fluxo sanguíneo e permitem controlar a pressão exercida no membro.

A largura e o comprimento do *cuff* do torniquete devem ser individualizados para cada paciente a fim de evitar sobrepressão e pinçamento do tecido subjacente (comprimento excessivo) ou constricção inadequada e liberação inesperada (*cuff* curto). *Cuffs* mais largos minimizam o risco de lesão do tecido subjacente por distribuir a pressão por uma área maior e permitem ocluir o fluxo sanguíneo a pressões menores.[222]

A pressão de insuflação do torniquete depende de diferentes variáveis como idade e pressão arterial do paciente, formato e tamanho da extremidade e dimensões do *cuff*. A pressão de oclusão do membro (POM) é definida como a mínima pressão necessária para interromper o fluxo sanguí-

neo arterial. A pressão de insuflação do *cuff* deve ser ajustada com base na pressão sistólica do paciente ou somando uma margem de segurança à POM:[222]

- Somar 40 mmHg à POM < 130 mmHg
- Somar 60 mmHg à POM entre 131 e 190 mmHg
- Somar 80 mmHg à POM > 190 mmHg.

A exsanguinação do membro antes da insuflação do torniquete melhora a qualidade do campo cirúrgico e minimiza a dor associada ao uso do torniquete. Normalmente é feita pela elevação do membro ou pelo uso de uma faixa elástica (faixa de Esmarch). A insuflação do torniquete deve se seguir rapidamente já que a insuflação rápida oclui artérias e veias quase simultaneamente e previne o enchimento das veias superficiais antes da oclusão do fluxo arterial.

O tempo recomendado de garroteamento varia conforme a idade do paciente, estado físico e presença de doença vascular periférica na extremidade. O tempo de insuflação deve ser o menor possível, com um limite de 2 horas em pacientes sadios, apesar do tempo seguro de insuflação não ter sido determinado. Caso a duração da cirurgia seja prolongada, recomenda-se que, após 2 horas de garroteamento, o torniquete seja desinsuflado por 10 minutos e novos períodos de desinsuflação sejam realizados a intervalos subsequentes de 1 hora.[222] Esse período de reperfusão permite a eliminação de produtos do metabolismo anaeróbio e a regeneração dos estoques de adenosina trifosfato (ATP) no membro, facilitando a recuperação tecidual após a conclusão da cirurgia e minimizando a extensão da lesão muscular.

As complicações relacionadas ao uso do torniquete podem ser classificadas como locais ou sistêmicas.

Complicações locais

Lesões nervosas

Lesões nervosas relacionadas ao torniquete podem variar desde parestesia até a paralisia e resultam da combinação de compressão e isquemia. São menos frequentes nos membros inferiores do que nos superiores, sendo o nervo fibular comum o mais comumente acometido.[223]

A compressão do nervo determina anormalidades microvasculares intraneurais em porções adjacentes ao *cuff* do torniquete. Resulta em edema e leva ao comprometimento da nutrição tecidual e degeneração axonal.[222] Mesmo uma compressão de curta duração (4 a 13 min) já é suficiente para alterar a transmissão dos estímulos e aferentes cutâneos.[224]

A pressão aplicada pelo torniquete é o fator de risco mais significativo para lesão nervosa após garroteamento. A faixa de Esmarch pode produzir pressões tão altas quanto 1.000 mmHg e está associada a incidência muito maior de lesão nervosa que o garrote pneumático. Muitos autores não recomendam seu uso nem mesmo para exsanguinação do membro. *Cuffs* mais largos e cônicos (ao invés de retangulares) permitem oclusão arterial a pressões mais baixas e, consequentemente, com menor comprometimento tecidual.

O prognóstico das lesões nervosas induzidas pelo torniquete é geralmente bom e déficits permanentes são raros. A maioria das lesões se resolve espontaneamente em 6 meses.[223]

Lesão muscular

A lesão muscular que se segue à aplicação do torniquete se deve à combinação dos efeitos da isquemia e deformação mecânica dos tecidos. Ocorrem alterações metabólicas e microvasculares que se tornam mais profundas com a maior duração do garroteamento. As concentrações intracelulares de creatinofosfoquinase (CPK), glicogênio, oxigênio e ATP se exaurem em 3 horas.[222] A isquemia e, depois, a reperfusão geram peróxido de hidrogênio e aumentam a atividade da enzima xantina oxidase, local e sistemicamente, contribuindo para a lesão de músculo esquelético, miocárdio, rins e pulmões após isquemia e reperfusão.

Apesar de casos relatados de rabdomiólise, as lesões musculares induzidas pelo torniquete são comumente reversíveis.

Lesão da pele

Lesões da pele são incomuns, mas o tempo excessivo de garroteamento ou a colocação inadequada do torniquete poderão resultar em abrasões cutâneas, bolhas e até necrose cutânea por pressão. Pacientes obesos, idosos ou com doença vascular periférica estão sob especial risco. Usar uma malha tubular e algodão sob o *cuff*, evitando dobras, e não manipular o *cuff* após sua aplicação à extremidade são medidas que auxiliam na prevenção de lesões da pele.

Complicações sistêmicas

As alterações hemodinâmicas associadas ao torniquete são mínimas em pacientes hígidos, mas podem não ser toleradas por pacientes com anormalidades da função cardíaca.

A exsanguinação e a insuflação do torniquete aumentam o volume sanguíneo central e a resistência vascular sistêmica. Frequência cardíaca e pressão arterial (sistólica e diastólica) se elevam após 30 a 60 minutos de torniquete devido a isquemia e dor do torniquete. É a chamada "hipertensão do torniquete" que ocorre mais frequentemente no garroteamento dos membros inferiores, com tempo prolongado de isquemia e sob anestesia geral. Essas alterações persistem até a desinsuflação e respondem mal a opioides e aumento da profundidade da anestesia.[222]

A desinsuflação do torniquete é uma etapa crítica. Ocorre a liberação de metabólitos anaeróbios na circulação sistêmica causando hipotensão, acidose metabólica, hipercalemia, mioglobulinemia, mioglobinúria, e até falência renal.[222] PVC e PAM podem ser reduzidas subitamente devido a uma combinação entre o desvio do sangue do compartimento central para a extremidade e efeito vasodilatador dos metabólitos lavados do membro isquêmico.[224] A gravidade da síndrome (elevação do lactato, $PaCO_2$ e potássio, e diminuição do pH e PaO_2) será proporcional à massa da extremidade garroteada, duração do garroteamento, e condição clínica do paciente.[224]

Pacientes com a complacência intracraniana diminuída, como as vítimas de trauma, poderão estar em risco.[222] A elevação transitória na $PaCO_2$ devido ao efluxo de sangue rico em CO_2 e metabólitos na circulação sistêmica pode determinar aumento do fluxo sanguíneo cerebral e pressão intracraniana após a liberação do torniquete.[224]

Durante o uso do torniquete, desenvolve-se um estado hipercoagulável devido ao aumento da agregação plaquetária e ativação de fatores de coagulação causados pela lesão tecidual e liberação de catecolaminas em resposta à dor da cirurgia e aplicação do torniquete. Após a liberação do torniquete, existe um breve período de aumento da atividade fibrinolítica devido a liberação de ativador do plasminogênio tecidual, ativação da antitrombina III e sistema trombomodulina-proteína C. Esse efeito é um dos fatores contribuintes para o sangramento pós-torniquete.[222]

A insuflação e a liberação do torniquete causam alterações na temperatura corporal. A temperatura central aumenta gradualmente após a insuflação uma vez que a superfície corporal para perda de calor é menor resultando em menor transferência de calor do compartimento central para o periférico. Por outro lado, a desinsuflação leva a uma diminuição transitória na temperatura central devido a redistribuição de calor do compartimento central para o periférico, e à mistura de sangue hipotérmico proveniente do membro isquêmico.

Dor do torniquete

Com o paciente acordado ou sedado, a dor do torniquete é descrita como uma sensação de desconforto mal localizada, fastidiosa, crescente, em aperto na localização do torniquete. Durante a anestesia geral, se manifesta como elevações na pressão arterial e FC.

A etiologia é incerta, mas parece se dever a um mecanismo cutâneo-neural mediado por fibras C amielínicas (fibras finas) de condução lenta que são geralmente inibidas por fibras A-delta (fibras espessas).[225] As fibras A-delta de condução rápida são responsáveis pela localização da dor. As fibras C de condução lenta são responsáveis pela sensação dolorosa mal localizada, contínua, intensa, surda, e acompanhada de manifestações neurovegetativas (sudorese, taquicardia, hipertensão). Foi descrito bloqueio de condução diferencial durante a aplicação do torniquete. Dessa forma, as fibras A-delta são bloqueadas após cerca de 30 minutos da compressão pelo torniquete, enquanto as fibras C mantêm sua função.

Além de mecanismos locais, a isquemia do membro garroteado causa sensibilização central, via receptores NMDA, devido a *inputs* aferentes nociceptivos repetitivos originários daquele membro resultando em fenômeno de hiperalgesia. Um estudo mostrou que a compressão e isquemia do nervo causa bloqueio da aferência a neurônios mecanoceptores de baixo limiar no corno dorsal da medula que possuem campos receptores distais ao ponto de aplicação do garrote.[225] Existe aumento da atividade espontânea de neurônios nociceptores de alto limiar, especialmente aqueles com campo receptor localizados proximais ao torniquete. O aumento da atividade de disparos espontâneos e expansão dos campos receptores dos neurônios do corno posterior da medula com campo receptor proximal ao torniquete explicam o mecanismo neurofisiológico da dor do garrote.

Assim, a dor do torniquete deve ocorrer a partir da perda progressiva do efeito inibitório tônico da aferência de fibras espessas em neurônios do corno posterior da medula combinada à estimulação e disparo repetitivo de fibras nociceptivas aferentes finas causados pela compressão e isquemia do segmento de nervo subjacente ao torniquete.

Diversas estratégias (aplicação de mistura eutética de anestésicos locais sob o *cuff*, infiltração de anestésicos locais, uso de *cuffs* mais largos com pressões mais baixas, adição de opioides, clonidina e epinefrina ao anestésico local na raquianestesia) foram usadas na tentativa de diminuir a incidência e a gravidade da dor do torniquete, mas nenhuma obteve sucesso completo.[222] Fármacos venosos, como cetamina, dexmedetomidina, sulfato de magnésio, clonidina e remifentanil também foram tentados, mas a única solução definitiva é a desinsuflação do torniquete.

Trombose Venosa Profunda (TVP)

As cirurgias de grande porte se associam a um estado hipercoagulável e pró-inflamatório que se inicia durante a cirurgia e se estende pelo período pós-operatório favorecendo a ocorrência de eventos tromboembólicos. Um dos principais fatores contribuintes para esse estado pró-trombótico é a ativação do sistema simpático que causa grande aumento na formação de fator VIII e fator de von Willebrand, inibe a fibrinólise por meio do aumento do inibidor do ativador do plasminogênio (PAI-1), diminui a antitrombina III, e ativa a agregação plaquetária.[226]

A ATQ e a ATJ se associam a elevado risco de doença tromboembólica venosa e EP. Eventos tromboembólicos são a principal causa de complicações perioperatórias em pacientes submetidos a artroplastias dos membros inferiores. A TVP ocorre em aproximadamente 40 a 70% dos pacientes submetidos à artroplastia dos membros inferiores que não fazem uso de medidas profiláticas.[227] Por isso, existe grande concordância que esses pacientes requerem profilaxia perioperatória contra TVP.

No cuidado do paciente que será submetido a artroplastia de uma grande articulação ou apresenta fratura do quadril, além da idade acima de 70 anos ser um fator de risco para doença tromboembólica, devem-se identificar comorbidades que aumentam o risco de TVP (ICC, insuficiência renal, linfoma, câncer metastático, obesidade, artrite, terapia de reposição de estrogênio).[228] Em pacientes idosos com fratura do quadril, a presença de anemia pré-operatória foi identificada como fator de risco independente para ocorrência de TVP pré-operatória.[229] Tromboprofilaxia farmacológica está indicada e deve ser iniciada no período pré-operatório. No pós-operatório, deve-se buscar mobilização precoce.[228] A seleção do fármaco para profilaxia deve ponderar sua eficácia e o risco de sangramento em uma terapia que precisa ser individualizada.

As anestesias espinhal e peridural podem conferir proteção contra complicações tromboembólicas por atenuarem a hipercoagulabilidade perioperatória.[171] Os mecanismos responsáveis por esses efeitos não são totalmente conhecidos, mas incluem o bloqueio da resposta simpática, inibição do aumento das proteínas da coagulação e ativação plaquetá-

ria, preservação da atividade fibrinolítica e o aumento do fluxo sanguíneo nas extremidades inferiores. Além disso, a absorção sistêmica do anestésico local (bloqueia a sinalização da tromboxana A_2 e inibe a agregação plaquetária), o controle da dor, e a mobilidade precoce do paciente também são fatores contribuintes e inibem o estado hipercoagulável.

Em pacientes sem nenhuma tromboprofilaxia, de fato, a anestesia regional exerce um papel protetor reduzindo a ocorrência de doença tromboembólica. Por outro lado, quando o paciente já está na vigência de tromboprofilaxia farmacológica, esse efeito benéfico da anestesia regional é superado e desaparece.[85] A prática atual inclui o uso de, ao menos, uma forma de tromboprofilaxia e revisões sistemáticas indicam que essas intervenções reduzem o risco de TVP e EP em 50% a 80%. Assim, é provável que a incidência atual de TVP e EP no pós-operatório seja significativamente menor do que aquela relatada em estudos mais antigos.

Idealmente, a abordagem deve ser multimodal com a combinação de medidas mecânicas (meias elásticas e dispositivos de compressão intermitente) e farmacológicas (mais comumente com heparinas não-fracionada e heparina de baixo peso molecular, mas também anticoagulantes orais), juntamente com a opção de uma técnica de anestesia regional, e com a mobilização precoce do paciente com fisioterapia ativa.[227,228]

Com mais e mais pacientes usando anticoagulantes, seja cronicamente devido a comorbidades, seja como tromboprofilaxia no período perioperatório, revisões da literatura permitiram entender o risco de complicações hemorrágicas gerando recomendações acerca das melhores práticas sobre o gerenciamento eficaz de antitrombóticos, anticoagulantes orais e anestesia regional, especialmente em situações clínicas específicas, como pacientes submetidos a cirurgias ortopédicas de grande porte com alto risco de eventos tromboembólicos ou pacientes com alto risco de sangramento.[230] Diversas diretrizes promovidas por diferentes sociedades foram publicadas para orientar o uso de anestesia regional no paciente em uso de medicações que alteram a coagulação. Nos EUA e no Brasil, os *guidelines* da ASRA são muito usados.[81]

Síndrome de Embolia Gordurosa

Graças à evolução das técnicas de imagem (ecocardiografia transesofágica e transtorácica) e histológicas, é amplamente aceito que os êmbolos gordurosos, definidos como macroglóbulos circulantes de gordura amarela presentes na microvasculatura sistêmica e pulmonar, ocorrem em praticamente todos os pacientes com fraturas de ossos longos, fraturas múltiplas, ou submetidos a fresagem intramedular, como na fratura do fêmur e na ATQ. Apesar disso, a embolia gordurosa ocorre habitualmente com mínima ou nenhuma manifestação clínica.

A síndrome de embolia gordurosa (SEG) é composta por uma constelação de distúrbios clínicos, incluindo insuficiências cerebrovascular e pulmonar, bem como alterações hematológicas, secundárias a uma resposta inflamatória sistêmica, e ocorre em até 30% desses pacientes.[231]

Diferentes fatores de risco estão associados ao desenvolvimento da SEG, tais como paciente jovem, fraturas fechadas, múltiplas fraturas e tratamento conservador prolongado de fraturas de ossos longos. A técnica de inserção da haste intramedular também pode contribuir para aumentar o risco de embolia gordurosa.[232]

O aumento da pressão intramedular e a lesão dos sinusoides venosos nos ossos longos após fratura ou fresagem cirúrgica poderão resultar na entrada de gordura e medula óssea na circulação venosa. As gotículas de gordura se impactarão na microvasculatura pulmonar, levando a uma obstrução mecânica, elevação da pressão da artéria pulmonar e desacoplamento da relação ventilação-perfusão com prejuízo à oxigenação.[233] Mas, além do efeito mecânico, também desencadearão uma resposta inflamatória sistêmica a partir de uma reação hormonal. A hidrólise dos glóbulos de gordura acaba por liberar ácidos graxos livres (AGL) que induzem lesão ao endotélio pulmonar com consequente extravasamento capilar e aumento da adesão plaquetária e formação de coágulos na microvasculatura.[234] De acordo com esta teoria, acredita-se que as manifestações pulmonares de dispneia, hipóxia e insuficiência respiratória resultem de inflamação pulmonar, de forma semelhante à síndrome do desconforto respiratório agudo.

AGL hidrolizados nos pneumócitos migram para outros órgãos e causam disfunções orgânicas múltiplas. Na presença de shunts intracardíacos ou pulmonares, bem como pela habilidade das gotículas de gordura se deformarem e atravessarem a vasculatura pulmonar, também podem entrar na circulação sistêmica, levando a manifestações embólicas cerebrais, oculares e cutâneas.

Uma terceira teoria – a teoria da coagulação – afirma que a tromboplastina e a medula óssea liberadas após fraturas ativam o sistema complemento e a via extrínseca da cascata de coagulação, através do fator VII. Isto resulta em coagulação intravascular pela fibrina e produtos de degradação da fibrina. As plaquetas, então, aderem aos êmbolos gordurosos circulantes, levando a um evento tromboembólico. Esta teoria ajuda a explicar por que anemia e trombocitopenia são achados comuns em pacientes com SEG.

Assim, a SEG é uma doença multiorgânica que pode atingir rins, coração, pele, cérebro e pulmões.[231] Os sintomas são inespecíficos e incluem cefaleia, náuseas e dispneia. Sinais clínicos incluem taquipneia, taquicardia, hipoxemia, alcalose respiratória, alterações do estado mental, agitação, convulsões, rash petequial (na conjuntiva, mucosa oral e dobras cutâneas do pescoço e axila), hemorragia retiniana, trombocitopenia e microglobulinemia gordurosa.

A manifestação da síndrome pode ser gradual, desenvolvendo-se entre 12 e 72 horas após o trauma ou cirurgia, ou pode se apresentar como colapso cardiovascular no intraoperatório após fresagem de ossos longos, inserção intramedular de prótese cimentada ou após liberação do torniquete.[231]

A gasometria arterial é útil para determinar o grau de hipoxemia.[231] Um gradiente alvéolo-arterial aumentado é comum na SEG, secundário ao desacoplamento ventilação-perfusão. As radiografias de tórax geralmente mostram infiltrados difusos bilaterais, principalmente nos lobos superior e médio do pulmão. A ressonância magnética do cérebro de pacientes com alterações significativas do estado mental pode revelar edema e múltiplas lesões hiperintensas resultantes de edema vasogênico pelos AGL que são muito neurotóxicos.

O diagnóstico da SEG pode ser desafiador devido a inespecificidade dos sinais e sintomas.[235] A realização de lavado broncoalveolar para o diagnóstico da SEG em busca de inclusões lipídicas nos macrófagos, além de inespecífica, é invasiva. O desenvolvimento de marcadores biológicos tem sido decepcionante devido sua baixa especificidade. Lipase, AGL e fosfolipase A2 se elevam na SEG, mas também apresentam esse comportamento em outras condições pulmonares.

Como o diagnóstico é de exclusão, foram sugeridos critérios específicos para auxiliar o seu reconhecimento e tratar com precisão o seu desenvolvimento. Gurd e Wilson propuseram critérios diagnósticos maiores e menores. A presença de dois critérios maiores ou de um critério maior e, pelo menos, quatro critérios menores traria elevada predição do diagnóstico (Quadro 170.7).[236]

Quadro 170.7 Critérios diagnósticos da síndrome de embolia gordurosa segundo Gurd e Wilson.

Critérios maiores

- Rash petequial
- Insuficiência respiratória
- Envolvimento cerebral em paciente sem trauma craniano

Critérios menores

- Febre > 38,5 °C
- Taquicardia > 110 bpm
- Envolvimento retiniano
- Icterícia
- Sinais renais
- Anemia
- Trombocitopenia
- Velocidade de hemossedimentação aumentada
- Macroglobulinemia gordurosa

Schonfeld e cols.[237] propuseram uma estratégia quantitativa para o diagnóstico da SEG. Um escore acumulado maior que 5 é necessário para o diagnóstico (Quadro 170.8).

Quadro 170.8 Critérios diagnósticos da síndrome de embolia gordurosa segundo Schoenfeld.

5 Pontos	Rash petequial
4 Pontos	Infiltrado difuso na radiografia do tórax
3 Pontos	Hipoxemia
1 Ponto	Febre Taquicardia Confusão mental

A mortalidade geral permanece elevada (até 20%). A melhor estratégia para prevenção da SEG é a redução cirúrgica precoce da fratura com fixação interna.[238] Uma metanálise mostrou redução de 77% no risco de SEG com o uso de profilaxia com corticosteroides em pacientes com fraturas de ossos longos.[239] Todavia, não houve diferença na mortalidade, taxa de infecção ou necrose avascular. Além disso, não há evidências que indiquem benefícios dos corticosteroides administrados após diagnóstico de SEG. Por isso, o uso de corticosteroides ainda é muito controverso, e sua dosagem e duração do tratamento recomendadas variam entre os estudos.

O tratamento da SEG, por outro lado, é de suporte e inclui oxigenioterapia suplementar e, se necessária, ventilação mecânica para corrigir a hipoxemia. Além disso, a depender da gravidade, manejo cuidadoso de fluidos guiado pela monitorização hemodinâmica é importante para evitar a piora do extravazamento capilar e garantir a perfusão e oxigenação dos tecidos. A embolia gordurosa pode causar hipertensão pulmonar e falência ventricular direita e suporte inotrópico pode ser necessário. Não há evidências que apoiem o uso de heparina ou dextran no tratamento da SEG.

Polimetilmetacrilato e Síndrome da Implantação do Cimento Ósseo

O polimetilmetacrilato (PMMA), também conhecido como cimento ósseo, atua como preenchedor de espaços, pressionando e mantendo o implante contra o osso. Portanto, o cimento ósseo carece de propriedades adesivas inerentes e, ao invés disso, age interligando a superfície óssea irregular e a prótese.[240]

Apesar de representar importante causa de morbidade e mortalidade intraoperatória em pacientes submetidos a artroplastias cimentadas, a SICO ainda é pouco entendida. Sua incidência é desconhecida devido à grande variação e ambiguidade de seus sintomas. Apesar de não ser restrita, ocorre mais frequentemente na hemiartroplastia de quadril e ATQ.

O espectro de apresentação clínica da SICO é muito variado que pode incluir hipóxia, broncoconstricção, hipotensão, arritmias cardíacas, aumento da resistência vascular pulmonar (RVP) com insuficiência ventricular direita, até choque e parada cardíaca no momento da cimentação, Inserção da prótese, redução da articulação ou, raramente, na desinsuflação do torniquete.[241]

Muitos pacientes submetidos a artroplastia cimentada desenvolvem uma forma não fulminante da SICO caracterizada por redução significativa transitória da saturação arterial de oxigênio (SpO$_2$) e da pressão arterial no período pericimentação. Pequena proporção de pacientes desenvolve uma forma fulminante da síndrome com profundas alterações cardiovasculares intraoperatórias que podem se seguir por arritmias, choque e parada cardíaca. O achado universal é a hipoxemia, enquanto as alterações cardiovasculares são mais variáveis.[241] O grau de embolia tem uma correlação fraca com o grau de hipotensão ou hipoxemia. A ecocardiografia transesofágica mostrou que, embora eventos embólicos sejam frequentemente observados, a maioria dos pacientes os tolera bem.[240]

Em 2009, Donaldson e cols.[241] propuseram o primeiro sistema de classificação da SICO de acordo com sua gravidade:

- **Grau 1:** Hipóxia (SpO$_2$ < 94%) ou hipotensão (redução PA sistólica > 20%) moderadas.

- **Grau 2:** Hipóxia (SpO$_2$ < 88%) ou hipotensão (redução PA sistólica > 40%) graves ou perda inesperada de consciência.
- **Grau 3:** Colapso cardiovascular que requer reanimação cardiopulmonar.

Além da redução da PAM, são amplamente descritas diminuições do volume sistólico e DC. A RVP e a pressão de artéria pulmonar podem se elevar e resultar em prejuízo à fração de ejeção do ventrículo direito (VD).[242] Havendo grande aumento da RVP, o VD se distende e causa abaulamento do septo interventricular para dentro do ventrículo esquerdo causando maior prejuízo ao seu enchimento e maior queda do DC. Os efeitos sobre a vasculatura pulmonar são transitórios, mas podem persistir por até 48 horas após a cirurgia.[241]

Vários mecanismos fisiopatológicos foram propostos para a síndrome com a possibilidade da combinação de diferentes mecanismos, entre eles: pressurização e expansão do cimento, liberação de monômeros de PMMA, reação de hipersensibilidade, e ativação do complemento, culminando em alterações na RVP e sistêmica e consequente instabilidade hemodinâmica.

Inicialmente, as teorias focaram no efeito da liberação de monômeros de PMMA na circulação durante a cimentação. A teoria da toxicidade e vasodilatação induzida por monômeros de PMMA, entretanto, não foi suportada em uma série de modelos animais, nos quais as concentrações plasmáticas encontradas dos monômeros seriam insuficientes para causar os efeitos pulmonares e cardiovasculares.[241] Assim, a pesquisa recente se focou no papel da embolização para justificar as alterações hemodinâmicas.

Durante a cimentação e inserção da prótese, ocorre grande aumento da pressão intramedular que pode atingir mais de 300 mmHg, em comparação com menos de 100 mmHg nas artroplastias não cimentadas. O cimento se expande a partir de uma reação exotérmica e força a saída de ar e debris sob pressão para a circulação. O material embolizado inclui gordura, medula ossea, ar, partículas de cimento e de osso, e êmbolos de fibrina e plaquetas.

A elevação vista na RVP é resultado tanto do efeito mecânico de obstrução da vasculatura pulmonar quanto da liberação de mediadores pró-inflamatórios a partir do endotélio pulmonar que resulta em vasoconstricção.[243] Os êmbolos podem causar dano ao endotélio dos vasos pulmonares que leva à liberação do fator 1 da endotelina e subsequente vasoconstrição, ou podem estimular mecanicamente a vasculatura pulmonar resultando em vasoconstrição reflexa. Além disso, existe a teoria de que o próprio material embólico pode liberar mediadores vasoativos ou pró-inflamatórios, como trombina e tromboplastina tecidual, que aumentam diretamente a RVP ou agem indiretamente promovendo a liberação de mediadores adicionais que aumentam a RVP.[240] A vasoconstricção pulmonar, mediador-induzida ou mecânica, resulta em um efeito *shunt* que é a causa da hipoxemia observada na SICO.[241]

Outros mediadores causam redução da resistência vascular sistêmica (RVS), como o 6-ceto PGF-1α e a tromboplastina tecidual, através de mecanismo de liberação de mediadores secundários, como os nucleotídeos de adenina.

O aumento da RVP na presença de diminuição da pré-carga do VD, devido à redução da RVS, resulta em redução significativa do DC. À medida que o DC diminui, a hipotensão arterial piora.[240]

Diferentes fatores de risco foram identificados para a ocorrência da SICO, tais como: paciente idoso, baixa reserva funcional pré-operatória, hipertensão pulmonar preexistente e falência ventricular direita, osteoporose, doença óssea maligna ou metastática e fratura do quadril concomitante. Nas três últimas condições citadas, a existência de canais vasculares aumentados ou anormais facilitaria a embolização do material da medula óssea.[241] Além disso, existem fatores de risco para SICO associados à técnica cirúrgica, tais como canal femoral sem instrumentação prévia, prótese de haste longa e utilização de grande quantidade de cimento. O canal femoral sem instrumentação prévia apresentaria maior quantidade de material medular sujeito a embolização, enquanto, no canal previamente instrumentado e cimentado, a superfície interna do fêmur se torna lisa e esclerótica, e, portanto, menos permeável. O uso de próteses não cimentadas deve ser considerado em pacientes de alto risco.

As consequências hemodinâmicas da embolização da medula óssea podem ser atenuadas com o uso de prótese de haste curta e cimento de baixa viscosidade, bem como através de lavagem pulsátil vigorosa do canal medular e através da realização de perfuração de orifícios de ventilação distais nos ossos longos antes da inserção da prótese.[240] O uso de aplicadores de cimento com inserção retrógrada, apesar de produzir pressões intramedulares mais elevadas, se associou a menor incidência de SICO, uma vez que resultam em distribuição mais uniforme da pressão na cavidade medular.[241] O método de preparação do cimento ósseo também é relevante. Misturar o cimento, utilizando uma técnica a vácuo, em vez de misturá-lo à pressão atmosférica, reduz a porosidade do cimento o que diminui a carga embólica, tanto de partículas mecânicas quanto daquelas ativadas por mediadores.[240]

Enquanto a melhor técnica anestésica ainda não foi definida, as diretrizes de segurança enfatizam a identificação de indivíduos de alto risco, vigilância durante a cimentação, reanimação agressiva em caso de SICO e boa comunicação entre cirurgião e anestesista. A SICO é um fenômeno reversível e limitado no tempo, de acordo com vários estudos. A pressão da artéria pulmonar pode voltar ao normal dentro de 24 horas, e corações não doentes podem se recuperar em minutos a horas. Isso significa que a detecção precoce da SICO, combinada com terapia de suporte agressiva, é fundamental para prevenir as complicações dessa síndrome.

O tratamento da SICO é basicamente de suporte. O aumento da concentração inspirada de oxigênio deve ser considerado em todos os pacientes no momento da cimentação, especialmente nos pacientes de alto risco, e mantido no pós-operatório caso a ocorrência de SICO seja suspeita. Monitorização invasiva deverá ser usada durante a artroplastia cimentada em pacientes de alto risco. A monitorização do DC, da responsividade a fluidos e da PVC (para auxiliar a medida da RVS) em pacientes de alto risco poderá direcionar a terapia de fluidos, vasopressores e inotrópicos caso a SICO se desenvolva.[241,244]

Síndrome Compartimental

A síndrome compartimental aguda (SCA) é uma emergência ortopédica que pode ter consequências devastadoras quando o diagnóstico é tardio. Normalmente ocorre quando a pressão em um compartimento osteofascial fechado aumenta acima da pressão de perfusão capilar, comprometendo a circulação e a função tecidual. Esse aumento de pressão leva à isquemia e, em última análise, à necrose tecidual, perda de membros ou até à morte, se não for tratada. Os tecidos nervoso e muscular começam a sofrer lesões irreparáveis em horas, tornando o diagnóstico imediato uma alta prioridade.[245]

A SCA normalmente ocorre no contexto de uma fratura de ossos longos, com mais de um terço dos casos associado à fratura da tíbia. Mais raramente, a SCA pode resultar de lesões por esmagamento ou reperfusão, lesão arterial, curativos inadequadamente apertados e mau posicionamento durante a cirurgia. Fatores de risco incluem homens mais jovens (< 35 anos), pacientes com distúrbios hemorrágicos ou em uso de medicamentos anticoagulantes.[246]

A fisiopatologia da SCA é complexa e baseada em diversos mecanismos. Várias causas traumáticas e não traumáticas levam à lesão tecidual com subsequente isquemia e reperfusão tecidual.[247] Mecanismos microvasculares levam a um aumento da filtração líquida e elevação da pressão intersticial nos tecidos traumatizados. Consequentemente a perfusão dos tecidos diminui e surge hipóxia tecidual. Hipóxia, estresse oxidativo, hipoglicemia local e desequilíbrio osmótico celular causam edema e necrose celular. A próxima etapa fisiopatológica da síndrome é a lesão de reperfusão com prejuízo da homeostase intracelular. Todos os mecanismos celulares levam à hipercalemia e acidose facilitando a falência sistêmica de órgãos.

O diagnóstico de SCA é em grande parte clínico e pode ser difícil. Os sinais e sintomas clínicos podem ser facilmente imputados à própria cirurgia ou trauma. Critérios clínicos específicos usados para o diagnóstico incluem a tensão do compartimento envolvido, fraqueza motora, dor e perda de sensibilidade numa distribuição neuronal específica para determinado compartimento (exemplo: nervo fibular profundo para o compartimento anterior da perna).

Tradicionalmente, o diagnóstico baseia-se na presença de dor crescente e desproporcional à lesão e/ou com intensidade crescente.[247] No entanto, pode ser um critério diagnóstico difícil de adotar devido a sua característica subjetiva e por ser difícil distinguir a dor somática relacionada à lesão da dor isquêmica que anuncia o desenvolvimento de SCA.[245] A palpação dos compartimentos e o alongamento passivo dos músculos e tendões dentro do compartimento aumentam as pressões intracompartimentais, causando aumento da dor.

O aumento progressivo da pressão compartimental afeta sequencialmente tecidos, vasos e nervos. Enquanto a dor é o principal sintoma, com elevada especificidade e único sinal precoce da SCA, parestesia e paresia são sinais clínicos posteriores de isquemia nervosa. Em particular, os nervos motores apresentam resistência à isquemia, de forma que o início da paralisia motora é um sinal tardio da SCA.[247] O aumento sustentado na pressão compartimental sem tratamento leva à necrose isquêmica dos músculos e nervos com uma contratura do membro, chamada contratura de Volkmann. Os casos graves também podem levar à insuficiência renal devido à rabdomiólise e à liberação de mioglobina.[246]

Recomenda-se avaliação clínica frequente dos pacientes sob risco observando-se edema, dor e função neurológica. Quando o paciente está inconsciente ou não é capaz de ser avaliado clinicamente, deve-se utilizar a medida contínua da pressão intracompartimental.

A medida da pressão intracompartimental sempre foi considerada o padrão-ouro para o diagnóstico de SCA. *Delta pressure* (diferença entre pressão diastólica e pressão muscular) entre 10 a 30 mmHg indica perfusão inadequada e isquemia relativa do membro afetado. Pressão intracompartimental > 30 mmHg ou *delta pressure* < 30 mmHg por 2 horas têm elevado valor preditivo positivo e confirma o diagnóstico de SCA, indicando a necessidade de fasciotomia.[248]

A fasciotomia de emergência para restaurar a perfusão muscular dentro de 6 horas é o tratamento definitivo.[246] Em casos graves, amputação pode ser necessária. A literatura demonstra que, quando a síndrome compartimental é iminente, a fasciotomia precoce pode evitar a mionecrose e a neuropatia isquêmica. O tratamento cirúrgico, entretanto, não elimina o risco de disfunção nervosa e muscular.[248]

Todos os regimes analgésicos pós-operatórios foram responsabilizados por mascarar os sinais precoces da SCA, incluindo os opioides. Com frequência, as técnicas de anestesia regional são desencorajadas em situações em que há o risco de desenvolvimento de SCA. Apesar dos BNPs serem muito úteis para o controle da dor, questiona-se sua utilização pois o bloqueio dos nervos sensitivos e motores poderia mascarar sinais e sintomas de SCA e retardar seu diagnóstico.

No entanto, não existe consenso na literatura sobre essa prática. Apesar de extremamente rara, a SCA é devastadora. Enquanto há relatos que os BNPs não mascaram a dor muito intensa da síndrome compatimental, outros autores chamam a atenção para a importância da dor como sintoma predominante para o diagnóstico.[249] Há relatos na literatura em que a SCA foi adequadamente diagnosticada e tratada com sucesso na presença de BNPs em injeção única ou contínuos com cateter. A literatura disponível sobre o papel da anestesia regional no desenvolvimento de SCA é limitada, tanto em qualidade quanto em quantidade, com pouca evidência da ligação entre BNPs e atrasos no diagnóstico da SCA.

A dor associada à SCA envolve as vias de dor isquêmica e inflamatória. Como os mecanismos subjacentes à transmissão da dor isquêmica são mais complexos do que os da dor somática, estes podem ajudar a explicar o porquê da dificuldade de os BNPs mascararem a dor isquêmica.[245] A interrupção da transmissão da dor ao cérebro promovida pelos BNPs afeta a percepção central final da dor sem afetar o processo inflamatório em curso na periferia. O aumento da produção de mediadores inflamatórios devido ao dano tecidual isquêmico na SCA leva à hipersensibilização dos nociceptores. A hiperalgesia resultante promove aumento da demanda analgésica, mesmo na presença de bloqueio nervoso efetivo antes do desenvolvimento da SCA permitindo diagnóstico com segurança.[246]

De acordo com a literatura, os BNPs, por si sós, não atrasam o diagnóstico da SCA e seu tratamento cirúrgico. Apenas em quatro casos clínicos a analgesia peridural esteve associada ao atraso no diagnóstico de SCA.[250] É evidente que a vigilância e a manutenção de um elevado nível de suspeita são muito mais importantes do que o regime analgésico na identificação da SCA.[245] As características mais consistentes nos casos relatados de SCA foram sensação alterada no membro afetado, dor desproporcional na presença de bloqueio nervoso funcional e necessidade crescente de analgésicos.[246] A presença de dor que não alivia com BNP ou outras medicações analgésicas deve alertar o cirurgião e o anestesiologista para a possibilidade de SCA.[249]

A estratificação apropriada do risco de SCA permitiria a utilização liberal de BNPs nos pacientes de baixo risco, com consideração cuidadosa em pacientes de alto risco. Uma vez utilizados no paciente sob risco, o anestesiologista deverá lançar mão de estratégias, tais como soluções anestésicas diluídas a fim de minimizar o bloqueio motor e permitir repetidas avaliações neurológicas; usar infusões contínuas que podem ser pausadas, e o usar técnicas de bloqueio de nervos sensitivos. A transmissão nociceptiva continua a ocorrer mesmo com concentrações baixas do anestésico local o que permite que uma amplificação da dor decorrente de uma condição isquêmica em desenvolvimento seja reconhecida.[245] Para o manejo personalizado desses pacientes, a disponibilidade de um serviço dedicado de anestesia regional e dor aguda será de enorme valor. A utilização de BNPs em ambientes bastante controlados e com alta vigilância aumentará sua segurança. O acompanhamento e exame do paciente deve ser frequente em busca de padrões não esperados de dor e anormalidades na função sensitiva e motora.

■ CUIDADOS PÓS-OPERATÓRIOS

Os idosos, em particular os idosos frágeis, apresentam maior taxa de complicações no período pós-operatório. Por isso, o cuidado pós-operatório desses pacientes é desafiador. Uma cirurgia ortopédica pode ser, muitas vezes, um evento sentinela para esses pacientes devido à sua baixa reserva fisiológica e funcional, e que poderá resultar no desenvolvimento de uma nova incapacidade.

O objetivo principal dos cuidados médicos no pós-operatório é a prevenção e/ou detecção precoce de complicações para reduzir a morbimortalidade. Complicações pós-operatórias, como *delirium*, infecção do trato urinário, pneumonia e lesões por pressão, podem prolongar o tempo de hospitalização, atrasar a recuperação física, impactar a reabilitação e aumentar a morbidade e mortalidade.

Em uma grande coorte (N = 528.495) de pacientes submetidos a ATQ e ATJ entre 2006 e 2010, 3% dessa população necessitou de internação em unidade de cuidados críticos.[186] De forma geral, os pacientes eram mais velhos e apresentavam perfil de maior gravidade/comorbidade. Nesses pacientes, a taxa de mortalidade foi mais elevada, tanto intra-hospitalar (2,2% *vs.* 0,1%) quanto em 30 dias (2,5% *vs.* 0,1%), o tempo de internação foi mais prolongado, houve maior necessidade de ventilação mecânica (11% *vs.* 0,4%) e de transfusões sanguíneas (33% *vs.* 19%), os custos foram mais elevados, e demonstraram menor probabilidade de receberem alta para casa (40% *vs.* 63%). A ocorrência de complicações foi significativamente maior nos pacientes que utilizaram unidades de cuidado crítico (complicações da ferida operatória, hemorragia, complicações gastrointestinais, EP, insuficiência renal aguda, IAM, outras complicações cardíacas, pneumonia, choque, sepse e AVC). Os fatores de risco identificados pelos autores para a necessidade de internação em unidades de cuidados críticos incluíram idade avançada, cirurgias de urgência, presença de patologias como AR, trauma e infecção, uso de anestesia geral e ocorrência de complicações cardiopulmonares.

A grande maioria dos pacientes pode ser tratada por geriatras em enfermarias. Ocasionalmente, os pacientes podem necessitar de um período de monitorização/intervenção na UTI. A identificação e estratificação dos pacientes que mais se beneficiarão da admissão na UTI no pós-operatório serão estratégias fundamentais. Os recursos da UTI são limitados e caros incorrendo em custos significativos, sem necessariamente melhorar os resultados em todos os pacientes. Portanto, a identificação de fatores de risco relacionados ao paciente e à cirurgia permitirá direcionar pacientes com maior probabilidade de se beneficiar da admissão na UTI no pós-operatório, e ajudará a desenvolver protocolos direcionados a pacientes de alto risco e estratégias para o melhor gerenciamento de leitos no pós-operatório.[251]

Critérios de alta específicos, desenvolvidos numa base institucional, podem ser usados para direcionar onde o paciente será atendido ao sair da sala de recuperação e para comunicar os cuidados intraoperatórios aos colegas geriatras e à equipe da enfermaria. Assim como a padronização da monitorização no paciente de alto risco, a criação e seguimento de uma linha de cuidado horizontal, com padronização institucional, gera segurança e resultados melhores.

Outra grande preocupação em pacientes submetidos a artroplastias de grandes articulações ou fraturas do fêmur é a reabilitação pós-operatória. Todavia, não existem protocolos padronizados recomendados por diretrizes para reabilitação aguda ou subaguda após cirurgia e poucos estudos investigaram caminhos de reabilitação pós-operatória. Cada instituição deve desenvolver um plano de cuidados clínicos, que deve ser adaptável e individualizado para o paciente com base nas suas características e de acordo com a disponibilidade de recursos. Vários fatores devem ser considerados para o protocolo de reabilitação, incluindo mobilização precoce, controle da dor, e manejo de medicamentos e comorbidades.[252]

A mobilização precoce pode contornar muitas complicações pós-operatórias, incluindo úlceras de pressão, complicações pulmonares e declínio funcional. Pode melhorar o apetite, ajudar a manter a força muscular e o equilíbrio, e evitar o *delirium* pós-operatório. Foi demonstrado que a mobilização precoce está associada a uma melhor recuperação funcional, menor tempo de internação hospitalar, maior probabilidade de alta para casa, menor risco de complicações decorrentes da imobilização e menor mortalidade em 6 meses.[252] Em pacientes com fratura do quadril, a mobilização deve ocorrer, o mais tardar, no dia seguinte à cirurgia, salvo indicação em contrário.

Aproximadamente 20% dos pacientes com fratura do quadril não atingem a meta de mobilização precoce devido à dor e/ou hipotensão.[15] *Delirium* e anemia também são fatores impeditivos. Por outro lado, dor e hipotensão são fatores que podem ser antecipados por protocolos perioperatórios e comunicação próxima entre a equipe multidisciplinar.

A recapacitação descreve o processo de retomada das atividades de vida diária, geralmente entre o 2º e o 5º dia após a cirurgia. Pode ser interrompida ou retardada por dor e hipotensão contínuas, mas também pelo intestino (constipação, náuseas, vômitos, má alimentação), retenção urinária e problemas cognitivos (*delirium*, fadiga), todos fatores que podem ser influenciados pelo manejo anestésico.[15]

Em conclusão, avanços tecnológicos, alavancados na medicina pela inteligência artificial, permitiram a evolução em algoritmos a um nível de sofisticação denominado Deep Learning. Nesse estágio, temos grandes domínios de informações organizadas em uma estrutura complexa formada por muitas camadas não lineares e interconectadas, de forma que suas redes neurais permitem a interação de variáveis resultando em novas variáveis. Dessa forma, pode-se melhorar a detecção de fraturas, encurtar o tempo de programação cirúrgica, customizar algoritmos de risco pré-operatório, determinar com maior precisão custos de internação, viabilizar perspectivas cirúrgicas e impactar no tempo e resultado cirúrgicos.[253] Na anestesia, poderemos refinar a profundidade anestésica, o controle da infusão de fármacos, a detecção mais precoce de eventos clínicos, o uso do ultrassom, o controle da dor, e a ergonomia e gestão de sala cirúrgica.[254]

REFERÊNCIAS BIBLIOGRÁFICAS

1. Memtsoudis SG, Cozowicz C, Bekeris J, et al. Anaesthetic care of patients undergoing primary hip and knee arthroplasty: consensus recommendations from the International Consensus on Anaesthesia-Related Outcomes after Surgery group (ICAROS) based on a systematic review and meta-analysis. Br J Anaesth. 2019;123(3):269-287.
2. Kurtz S, Ong K, Lau E, et al. Projections of primary and revision hip and knee arthroplasty in the United States from 2005 to 2030. J Bone Joint Surg Am. 2007;89(4):780-5.
3. Katz JN, Arant KR, Loeser RF. Diagnosis and treatment of hip and knee osteoarthritis: A review. JAMA. 2021;325(6):568-578.
4. Bovonratwet P, Malpani R, Ottesen TD, et al. Aseptic revision total hip arthroplasty in the elderly: Quantifying the risks for patients over 80 years old. Bone Joint J. 2018;100-B(2):143-51.
5. Pandya S, Le T, Demissie S, et al. The Association of Gender and Mortality in Geriatric Trauma Patients. Healthcare. 2022;10:1472-77.
6. De Vincentis A, Behr AU, Bellelli G, et al. Orthogeriatric co-management for the care of older subjects with hip fracture: recommendations from an Italian intersociety consensus. Aging Clin Exp Res. 2021;33(9):2405-2443.
7. Kristensen SD, Knuuti J, Saraste A, et al. 2014 ESC/ESA Guidelines on non-cardiac surgery: Cardiovascular assessment and management: The Joint Task Force on non-cardiac surgery: Cardiovascular assessment and management of the European Society of Cardiology (ESC) and the European Society of Anaesthesiology (ESA). Eur J Anaesthesiol. 2014;31(10):517-73.
8. Liu JB, Liu Y, Cohen ME, et al. Defining the intrinsic cardiac risks of operations to improve preoperative cardiac risk assessments. Anesthesiology. 2018;128(2):283-92.
9. Jorgensen CC, Kehlet H. Time course and reasons for 90-day mortality in fast-track hip and knee arthroplasty. Acta Anaesthesiol Scand 2017;61(4):436-44.

10. Visnjevac O, Davari-Farid S, Lee J, et al. The effect of adding functional classification to ASA status for predicting 30-day mortality. Anesth Analg. 2015;121:110-6.

11. Khuri SF, Henderson WG, DePalma RG, et al. Determinants of long-term survival after major surgery and adverse effect of postoperative complications. Ann Surg. 2005;242(3):326-341.

12. Lasocki S, Krauspe R, von Heymann C, et al. PREPARE: the prevalence of perioperative anaemia and need for patient blood management in elective orthopaedic surgery. A multicentre, observational study. Eur J Anaesthesiol. 2015;32:1601-67.

13. Ackermann L, Schwenk ES, Lev Y, et al. Update on medical management of acute hip fracture. Cleve Clin J Med. 2021;88(4):237-247.

14. Kamath AF, Nelson CL, Elkassabany N, et al. Low albumin is a risk factor for complications after revision total knee arthroplasty. J Knee Surg. 2017;30(3):269-75.

15. Griffiths R, Babu S, Dixon P, et al. Guideline for the management of hip fractures 2020. Guideline by the Association of Anaesthetists. Anaesthesia 2021;76(2):225-237.

16. Nidadavolu LS, Ehrlich AL, Sieber FE, et al. Preoperative evaluation of the frail patient. Anesth Analg. 2020;130:1493-503.

17. Chan SP, Ip KY, Irwin MG. Peri-operative optimization of elderly and frail patients: a narrative review. Anaesthesia. 2019;74(Suppl. 1):80–89.

18. Shah R, Attwood K, Arya S, et al. Association of frailty with failure to rescue after low-risk and high-risk inpatient surgery. JAMA Surg. 2018;153:e180214.

19. Kua J, Ramason R, Rajamoney G, et al. Which frailty measure is a good predictor of early post-operative complications in elderly hip fracture patients? Arch Ortop Trauma Surg. 2016;136(5):639-47.

20. McIsaac DI, MacDonald DB, Aucoin SD. Frailty for Perioperative Clinicians: A Narrative Review. Anesth Analg. 2020;130(6):1450-1460.

21. Aucoin SD, Hao M, Sohi R, et al. Accuracy and Feasibility of Clinically Applied Frailty Instruments before Surgery. A Systematic Review and Meta-analysis. Anesthesiology. 2020;133:78-95.

22. Pilotto A, Cella A, Pilotto A, et al. Three decades of comprehensive geriatric assessment: Evidence coming from different healthcare settings and specific clinical conditions. J Am Med Dir Assoc. 2017;18(2):192.e1-192.e11.

23. Peer MA, Rush R, Gallacher PD, et al. Pre-surgery exercise and post-operative physical function of people undergoing knee replacement surgery: a systematic review and meta-analysis of randomized controlled trials. J Rehabil Med. 2017;49(4):304-15.

24. Varley PR, Buchanan D, Bilderback A, et al. Association of Routine Preoperative Frailty Assessment With 1-Year Postoperative Mortality. JAMA Surg. 2023;158(5):475-483.

25. White SM, Foss NB, Griffiths R. Anaesthetic aspects in the treatment of fragility fracture patients. Injury. 2018;49(8):1403-8.

26. Vieira EM, Goodman S, Tanaka PP. Anesthesia and rheumatoid arthritis. Rev Bras Anestesiol. 2011;61(3):367-75.

27. del Rincón ID, Williams K, Stern MP, et al. High incidence of cardiovascular events in a rheumatoid arthritis cohort not explained by traditional cardiac risk factors. Arthritis Rheum. 2001;44(12):2737-2745.

28. Gualtierotti R, Parisi M, Ingegnoli F. Perioperative Management of Patients with Inflammatory Rheumatic Diseases Undergoing Major Orthopaedic Surgery: A Practical Overview. Adv Ther. 2018; 35(4):439-456.

29. Goodman SM, Springer BD, Chen AF, Davis M, Fernandez DR, Figgie M, et al. 2022 American College of Rheumatology/American Association of Hip and Knee Surgeons Guideline for the Perioperative Management of Antirheumatic Medication in Patients with Rheumatic Diseases Undergoing Elective Total Hip or Total Knee Arthroplasty. Arthritis Care Res (Hoboken) 2022;74(9):1399-1408.

30. Woodward LJ, Kam PCA. Ankylosing spondylitis: Recent developments and anaesthetic implications. Anaesthesia. 2009;64(5):540-8.

31. Papagoras C, Voulgari PV, Drosos AA. Atherosclerosis and cardiovascular disease in the spondyloarthritides, particularly ankylosing spondylitis and psoriatic arthritis. Clin Exp Rheumatol 2013;31(4):612–620.

32. Patel R. Periprosthetic Joint Infection. N Engl J Med. 2023;388:251-62.

33. Iannotti F, Prati P, Fidanza A, et al. Prevention of periprosthetic joint infection (PJI): A clinical practice protocol in high-risk patients. Trop Med Infect Dis. 2020;5(4):186.

34. Prokuski L. Prophylatic antibiotics in orthopaedic surgery. J Am Acad Orthop Surg. 2008;16:283-93.

35. Spangehl M. Preoperative Prophylactic Antibiotics in Total Hip and Knee Arthroplasty: What, When, and How. J Arthroplasty. 2022;37(8):1432-1434.

36. Johnson DP. Antibiotic prophylaxis with cefuroxime in arthroplasty of the knee. J Bone Joint Surg Br. 1987;69:787-789.

37. Fischer HB, Simanski CJ. A procedure-specific systematic review and consensus recommendations for analgesia after total hip replacement. Anaesthesia. 2005;60:1189-202.

38. Cook DJ, Rooke GA. Priorities in perioperative geriatrics. Anesth Analg. 2003;96:1823-36.

39. Inouye SK, Blaum C, Busby-Whitehead J, et al. Postoperative delirium in older adults: Best practice statement from the American Geriatrics Society. J Am Coll Surg. 2015;220(2):136-48.

40. Wong CL, Holroyd-Leduc J, Simel DL, et al. Does this patient have delirium?: value of bedside instruments. JAMA. 2010;304:779-786.

41. Moller JT, Cluitmans P, Rasmussen LS, et al. Long-term postoperative cognitive dysfunction in the elderly. Lancet. 1998;351:857-61.

42. Steiner LA. Postoperative delirium. Part 2: Detection, prevention and treatment. Eur J Anaesthesiol. 2011;28(10):723-32.

43. Kalisvaart KJ, Vreeswijk R, de Jonghe JFM, et al. Risk factors and prediction of postoperative delirium in elderly hip-surgery patients: Implementation and validation of a medical risk factor model. J Am Geriatr Soc. 2006;54(5):817-22.

44. Freter SH, Dunbar MJ, MacLeod H, et al. Predicting post-operative delirium in elective orthopaedic patients: The delirium elderly at-risk (DEAR) instrument. Age Ageing. 2005;34(2):169-171.

45. Culley DJ, Flaherty D, Fahey MC, et al. Poor performance on a preoperative cognitive screening test predicts postoperative complications in older orthopedic surgical patients. Anesthesiology. 2017;127(5):765-74.

46. Kapoor P, Chen L, Saripella A, et al. Prevalence of preoperative cognitive impairment in older surgical patients.: A systematic review and meta-analysis. J Clin Anesth. 2022;76:110574.

47. Smith TO, Cooper A, Peryer G, et al. Factors predicting incidence of post operative delirium in older people following hip fracture surgery: a systematic review and meta-analysis. Int J Geriatr Psychiatry. 2017;32(4):386-96.

48. Albanese AM, Ramazani N, Greene N, et al. Review of Postoperative Delirium in Geriatric Patients After Hip Fracture Treatment. Geriatr Orthop Surg Rehabil. 2022;13:21514593211058947.

49. Wu J, Yin Y, Jin M, et al. The risk factors for postoperative delirium in adult patients after hip fracture surgery: a systematic review and meta-analysis. Int J Geriatr Psychiatry. 2021;36(1):3-14.

50. Sadeghirad B, Dodsworth BT, Gelsomino NS, et al. Perioperative Factors Associated with Postoperative Delirium in Patients Undergoing Noncardiac Surgery. An Individual Patient Data Meta-Analysis. JAMA Netw Open. 2023;6(10):e2337239.

51. Rasmussen LS, Johnson T, Kuipers HM, et al. Does anaesthesia cause postoperative cognitive dysfunction? A randomised study of regional versus general anaesthesia in 438 elderly patients. Acta Anaesthesiol Scand. 2003;47(3):260-6.

52. Chan MT, Cheng BC, Lee TM, et al. BIS-guided anesthesia decreases postoperative delirium and cognitive decline. J Neurosurg Anesthesiol. 2013; 25:33-42.

53. Sieber FE, Zakriya KJ, Gottschalk A, et al. Sedation depth during spinal anesthesia and the development of postoperative delirium in elderly patients undergoing hip fracture repair. Mayo Clin Proc. 2010;85:18-26.

54. Sieber FE, Neufeld KJ, Gottschalk A, et al. Effect of depth of sedation in older patients undergoing hip fracture repair on postoperative delirium. The STRIDE randomized clinical trial. JAMA Surg. 2018;153(11):987-95.

55. Gruber-Baldini AL, Marcantonio E, Orwig D, et al. Delirium outcomes in a randomized trial of blood transfusion thresholds among hospitalized older patients with hip fracture. J Am Geriatr Soc. 2013;61(8):1286-95.

56. Williams-Russo P, Sharrock NE, Mattis S, et al. Randomized trial of hypotensive epidural anesthesia in older adults. Anesthesiology. 1999;91(4):926-35.

57. Yocum GT, Gaudet JG, Teverbaugh LA, et al. Neurocognitive performance in hypertensive patients after spine surgery. Anesthesiology. 2009;110(2):254-61.

58. Siddiqi N, Harrison JK, Clegg A, et al. Interventions for preventing delirium in hospitalized non-ICU patients. Cochrane Database Syst Rev. 2016;3:CD005563.

59. Inouye SK, Bogardus ST, Charpentier PA, et al. A multicomponent intervention to prevent delirium in hospitalized older patients. N Engl J Med. 1999;340(9):669-76.

60. Pollmann CT, Mellingsæter MR, Neerland BE, et al. Orthogeriatric co-management reduces incidence of delirium in hip fracture patients. Osteopos Int. 2021;32:2225–2233.

61. Kalisvaart KJ, de Jonghe JFM, Bogaards MJ, et al. Haloperidol prophylaxis for elderly hip-surgery patients at risk for delirium: A randomized placebo-controlled study. J Am Geriatr Soc. 2005;53(10):1658-66.

62. Silva ED, Perrinod AC, Teruya A, Sweitzerh BJ, Gattoi CST, Simões CM, et al. Consenso Brasileiro sobre Terapia Hemodinâmica Perioperatória Guiada por Objetivos em pacientes submetidos a cirurgias não cardíacas: estratégia de gerenciamento de fluidos – produzido pela Sociedade de Anestesiologia do Estado de São Paulo (SAESP). [Brazilian Consensus on perioperative hemodynamic therapy goal guided in patients undergoing noncardiac surgery: fluid management strategy - produced by the São Paulo State Society of Anesthesiology (Sociedade de Anestesiologia do Estado de São Paulo – SAESP)]. Rev Bras Anestesiol. 2016;66(6):557-71.

63. Pearse R, Dawson D, Fawcett J, et al. Early goal-directed therapy after major surgery reduces complications and duration of hospital stay. A randomized, controlled trial. Crit Care. 2005;9(6):R687-93.

64. Cecconi M, Corredor C, Arulkumaran N, et al. Clinical review: Goal-directed therapy – what is the evidence in surgical patients? The effect on different risk groups. Crit Care. 2013;17(2):209.

65. Benes J, Giglio M, Brienza N, et al. The effects of goal-directed fluid therapy based on dynamic parameters on post-surgical outcome: a meta-analysis of randomized controlled trials. Crit Care. 2014;18(5):584.

66. Perel A, Habicher M, Sander M. Bench-to-bedside review: Functional hemodynamics during surgery – should it be used for all high-risk cases? Crit Care. 2013;17(1):203.

67. Moppett IK, Rowlands M, Mannings A, et al. LiDCO-based fluid management in patients undergoing hip fracture surgery under spinal anaesthesia: a randomized trial and systematic review. Br J Anaesth. 2015;114(3):444-59.

68. Lewis SR. Perioperative fluid volume optimization following proximal femoral fracture. Cochrane Database of Systematic Reviews. 2016;3:CD003004.

69. Fischer MO, Lemoine S, Tavernier B, et al. Individualized fluid management using the pleth variability index: a randomized clinical trial. Anesthesiology. 2020;133(1):31-40.

70. Kunze L. Issues in geriatric orthopedic anesthesia. Int Anesthesiol Clin. 2014;52(4):126-39.

71. Sharma R, Huang Y, Dizdarevic A. Blood Conservation Techniques and Strategies in Orthopedic Anesthesia Practice. Anesthesiology Clin. 2022;40: 511-527.

72. Althoff FC, Neb H, Herrmann E, et al. Multimodal patient blood management program based on a three-pillar strategy: a systematic review and meta-analysis. Ann Surg. 2019;269(5):794-804.

73. Salido JA, Marín LA, Gómez LA, et al. Preoperative hemoglobin levels and the need for transfusion after prosthetic hip and knee surgery: analysis of predictive factors. J Bone Joint Surg Am. 2002;84:216-220.

74. Borghi B, Casati A. Incidence and risk factors for allogenic blood transfusion during major joint replacement using an integrated autotransfusion regimen. The Rizzoli Study Group on Orthopaedic Anaesthesia. Eur J Anaesthesiol. 2000;17:411-417.

75. Spahn DR. Anemia and patient blood management in hip and knee surgery. Anesthesiology. 2010;113:482-95.

76. Bierbaum BE, Callagham JJ, Galante JO, et al. An analysis of blood management in patients having a total hip or knee arthroplasty. J Bone Joint Surg Am. 1999;81:2-10.

77. Rosencher N, Kerkkamp HE, Macheras G, et al. Orthopedic Surgery Transfusion Hemoglobin European Overview (OSTHEO) study: blood management in elective knee and hip arthroplasty in Europe. Transfusion. 2003;43:459-469.

78. Hébert PC, Wells G, Blajchman MA, et al. A multicenter, randomized, controlled clinical trial of transfusion requirements in critical care. Transfusion Requirements in Critical Care Investigators, Canadian Critical Care Trials Group. N Engl J Med. 1999;340(6):409-17.

79. Carson JL, Terrin ML, Noveck H, et al. Liberal or restrictive transfusion in high-risk patients after hip surgery. N Engl J Med. 2011;365(26):2453-2462.

80. Müller U, Exadaktylos A, Roeder C, et al. Effect of a flow chart on use of blood transfusions in primary total hip and knee replacement: prospective before and after study. BMJ. 2004;328:934-938.

81. Horlocker TT, Vandermeulen E, Kopp SL, et al. Regional anesthesia in the patient receiving antithrombotic or thrombolytic therapy: American Society of Regional Anesthesia and Pain Medicine Evidence-Based Guidelines (fourth edition). Reg Anesth Pain Med. 2018;43(3):263-309.

82. Wall PV, Mitchell BC, Ta CN, et al. Review of perioperative outcomes and management of hip fracture patients on direct oral anticoagulants. EFORT Open Reviews. 2023;8:561-571.

83. Henry DA, Carless PA, Moxey AJ, et al. Pre-operative autologous donation for minimising perioperative allogeneic blood transfusion. Cochrane Database Syst Rev. 2002;CD003602.

84. Kanter MH, van Maanen D, Anders KH, et al. Preoperative autologous blood donations before elective hysterectomy. JAMA. 1996;276:798-801.

85. Macfarlane AJ, Prasad GA, Chan WV, et al. Does Regional Anesthesia Improve Outcome after total hip arthroplasty? A Systematic Review. Br J Anaesth. 2009;103(3):335-45.

86. Guay JJ. The effect of neuraxial blocks on surgical blood loss and blood transfusion requirements: a meta-analysis. Clin Anesth. 2006; 18(2): 124-8.

87. Richman JM, Rowlingson AJ, Maine DN, et al. Does neuraxial anesthesia reduce intraoperative blood loss? A meta-analysis. J Clin Anesth. 2006;18(6):427-35.

88. Paul JE, Ling E, Lalonde C, et al. Deliberate hypotension in orthopedic surgery reduces blood loss and transfusion requirements: a meta-analysis of randomized controlled trials. Can J Anaesth. 2007;54(10):799-810.

89. Jiang J, Zhou R, Li B, et al. Is deliberate hypotension a safe technique for orthopedic surgery?: a systematic review and meta-analysis of parallel randomized controlled trials. J Orthop Surg Res. 2019;14(1):409.

90. Henry DA, Carless PA, Moxey AJ, et al. Anti-fibrinolytic use for minimizing perioperative allogenic blood transfusion. Cochrane Database Syst Rev. 2011:CD001886.

91. Zufferey P, et al. Do antifibrinolytics reduce allogeneic blood transfusion in orthopedic surgery? Anesthesiology. 2006;105:1034-46.

92. Kagoma YK, Crowther MA, Douketis J, et al. Use of antifibrinolytic therapy to reduce transfusion in patients undergoing orthopedic surgery: A systematic review of randomized trials. Thromb Res. 2009;123(5):687-696.

93. Patel PA, Wyrobek JA, Butwick AJ, et al. Update on Applications and Limitations of Perioperative Tranexamic Acid. Anesth Analg. 2022;135:460-73.

94. Taeuber I, Weibel S, Herrmann E, et al. Association of Intravenous Tranexamic Acid with Thromboembolic Events and Mortality. A Systematic Review, Meta-analysis, and Meta regression. JAMA Surg. 2021;156(6):e210884.

95. Qi YM, Wang HP, Li YJ, et al. The efficacy and safety of intravenous tranexamic acid in hip fracture surgery: a systematic review and meta-analysis. J Orthop Translat. 2019;19:1-11.

96. Zak SG, Tang A, Sharan M, et al. Tranexamic acid is safe in patients with a history of coronary artery disease undergoing total joint arthroplasty. J Bone Joint Surg Am. 2021;103:900-904.

97. Whiting DR, Gillette BP, Duncan C, et al. Preliminary results suggest tranexamic acid is safe and effective in arthroplasty patients with severe comorbidities. Clin Orthop Relat Res. 2014;472(1):66-72.

98. Wei Z, Liu M. The effectiveness and safety of tranexamic acid in total hip or knee arthroplasty: A meta-analysis of 2720 cases. Transfus Med. 2015;25(3):151-162.

99. Maniar RN, Kumar G, Singhi T, et al. Most effective regimen of tranexamic acid in knee arthroplasty: a prospective randomized controlled study in 240 patients. Clin Orthop Relat Res. 2012;470(9):2605-12.

100. Desborough MJ, Oakland K, Brierley C, et al. Desmopressin use for minimizing perioperative blood transfusion. Cochrane Database Syst Rev. 2017;7:CD001884.

101. Voorn VM, van der Hout A, So-Osman C, et al. Erythropoietin to reduce allogeneic red blood cell transfusion in patients undergoing total hip or knee arthroplasty. Vox Sang. 2016;111:219-225.

102. Couvret C, Laffon M, Baud A, et al. A restrictive use of both autologous donation and recombinant human erythropoietin is an efficient policy for primary total hip or knee arthroplasty. Anesth Analg. 2004;99:262-271.

103. Weber EW, Slappendel R, Hemon Y, et al. Effects of epoetin alfa on blood transfusions and postoperative recovery in orthopaedic surgery: the European Epoetin Alfa Surgery Trial (EEST). Eur J Anaesthesiol. 2005;22:249-257.

104. Kaufner L, von Heymann C, Henkelmann A, et al. Erythropoietin plus iron versus control treatment including placebo or iron for preoperative anaemic adults undergoing non--cardiac surgery. Cochrane Database ofSystematic Reviews. 2020;8:CD012451.

105. Fantoni DT. Hemodilution in experimental setting. Minerva Anestesiol. 2001;67:351-354.

106. Carless PA, Henry DA, Moxey AJ, et al. Cell salvage for minimising perioperative allogeneic blood transfusion. Cochrane Database Syst Rev. 2010;4:CD001888.

107. van Bodegom-Vos L, Voorn VM, So-Osman C, et al. Cell salvage in hip and knee arthroplasty: a meta-analysis of randomized controlled trials. J Bone Joint Surg Am. 2015;97(12):1012-21.

108. Bridgens JP, Evans CR, Dobson PMS, et al. Intraoperative red blood-cell salvage in revision hip surgery: A case-matched study. J Bone Joint Surg Am. 2007;270-275.

109. Conway A, Now J, Ralph N, et al. Implementing a thermal care bundle for inadvertent perioperative hypothermia: A cost-effectiveness analysis. Int J Nurs Stud. 2019;97:21-27.

110. Winkler M, Akça O, Birkenberg B, et al. Aggressive warming reduces blood loss during hip arthroplasty. Anesth Analg. 2000;91(4):978-984.

111. Kay AB, Klavas DM, Hirase T, et al. Preoperative warming reduces intraoperative hypothermia in total joint arthroplasty patients. J Am Acad Orthop Surg. 2020;28:e255-e262.

112. Gerner P, Cozowicz C, Memtsoudis SG. Outcomes After Orthopedic Trauma Surgery - What is the Role of the Anesthesia Choice? Anesthesiol Clin. 2022;40(3):433-444.

113. Hebl JR, Dilger JA, Byer DE, et al. A pre-emptive multimodal pathway featuring peripheral nerve block improves perioperative outcomes after major orthopedic surgery. Reg Anesth Pain Med. 2008;33:510-7.

114. Rodgers A, Walker N, Schug S, et al. Reduction of postoperative mortality and morbidity with epidural or spinal anaesthesia: results from overview of randomised trials. BMJ. 2000;321:1493-504.

115. Kunutsor SK, Hamal PB, Tomassini S, et al. Clinical effectiveness and safety of spinal anaesthesia compared with general anaesthesia in patients undergoing hip fracture surgery using a consensus-based core outcome set and patient-and public-informed outcomes: a systematic review and meta-analysis of randomised controlled trials. Br J Anaesth. 2022;129(5):788-800.

116. Memtsoudis SG, Sun X, Chiu YL, et al. Perioperative comparative effectiveness of anesthetic technique in orthopedic patients. Anesthesiology. 2013;118:1046-58.

117. Perlas A, Chan VW, Beattie S. Anesthesia Technique and Mortality after Total Hip or Knee Arthroplasty: A Retrospective, Propensity Score-matched Cohort Study. Anesthesiology. 2016;125(4):724-31.

118. Guay J, Choi P, Suresh S, et al. Neuraxial blockade for the prevention of postoperative mortality and major morbidity: an overview of Cochrane systematic reviews. Cochrane Database Syst Rev. 2014:CD010108.

119. Chen WH, Hung KC, Tan PH, et al. Neuraxial anesthesia improves long-term survival after total joint replacement: a retrospective nationwide population-based study in Taiwan. Can J Anaesth. 2015;62:369-76.

120. Neuman MD, Feng R, Carson JL, et al. Spinal Anesthesia or General Anesthesia for Hip Surgery in Older Adults. N Engl J Med. 2021;385(22):2025–35.

121. Memtsoudis SG, Cozowicz C, Bekeris J, et al. Peripheral nerve block anesthesia/ analgesia for patients undergoing primary hip and knee arthroplasty: recommendations from the International Consensus on Anesthesia-Related Outcomes after Surgery (ICAROS) group based on a systematic review and meta-analysis of current literature. Reg Anesth Pain Med. 2021;46(11):971-85.

122. Patel V, Champaneria R, Dretzke J, et al. Effect of regional versus general anaesthesia on postoperative delirium in elderly patients undergoing surgery for hip fracture: a systematic review. BMJ Open. 2018;8:e020757.

123. Memtsoudis SG, Rasul R, Suzuki S, et al. Does the impact of the type of anesthesia on outcomes differ by patient age and comorbidity burden? Reg Anesth Pain Med. 2014;39:112-9.

124. Bailey JG, Miller A, Richardson G, et al. Cost comparison between spinal versus general anesthesia for hip and knee arthroplasty: an incremental cost study. Can J Anesth. 2022;69:1349-1359.

125. Bhushan S, Huang X, Duan Y, et al. The impact of regional versus general anesthesia on postoperative neurocognitive outcomes in elderly patients undergoing hip fracture surgery: A systematic review and meta-analysis. Int J Surg. 2022; 105:106854.

126. Li T, Li J, Yuan L, et al. Effect of Regional vs General Anesthesia on Incidence of Postoperative Delirium in Older Patients Undergoing Hip Fracture Surgery. The RAGA Randomized Trial. JAMA. 2022;327(1):50-58.

127. Sun M, chen W-M, Wu S-Y, et al. Dementia risk amongst older adultos with hip fracture receiving general anaesthesia or regional anaesthesia: a propensity-score-matched population-based cohort stydy. Br J Anaesth. 2023;130(3):305-313.

128. Neuman MD, Sieber F, Dillane D. Comparative effectiveness research on spinal versus general anesthesia for surgery in older adults. Anesthesiology. 2023;139(2):211-223.

129. Johnson RL, Kopp SL, Hebl JR, et al. Falls and major orthopaedic surgery with peripheral nerve blockade: a systematic review and meta-analysis. Br J Anaesth. 2013;110:518-28.

130. Memtsoudis SG, Danninger T, Rasul R, et al. Inpatient falls after total knee arthroplasty: the role of anesthesia type and peripheral nerve blocks. Anesthesiology. 2014;120:551-63.

131. McIsaac DI, McCartney CJ, Walraven CV. Peripheral Nerve Blockade for Primary Total Knee Arthroplasty: A Population-based Cohort Study of Outcomes and Resource Utilization. Anesthesiology. 2017;126:312-20.

132. Guay J, Kopp S. Peripheral nerve blocks for hip fractures in adults. Cochrane Database Syst Rev. 2020;11:CD001159.

133. Kim C-H, Yang JY, Min CH, et al. The effect of regional nerve block on perioperative delirium in hip fracture surgery for the elderly: A systematic review and meta-analysis of randomized controlled trials. Orthop Traumatol Surg Res. 2022;108(1):103151.

134. Liu SS, Strodtbeck WM, Richman JM, et al. A comparison of regional versus general anesthesia for ambulatory anesthesia: A meta-analysis of randomized controlled trials. Anesth Analg. 2005;101:1634-42.

135. Abdallah FW, Whelan DB, Chan VW, et al. Adductor canal block provides noninferior analgesia and superior quadriceps strength compared with femoral nerve block in anterior cruciate ligament reconstruction. Anesthesiology. 2016;124(5):1053-1064.

136. Kim E, Shin WC, Lee SM, et al. Peripheral nerve block for hip arthroscopy does not have any clinical advantage compared with local anesthetic regarding pain management: A meta-analysis of randomized controlled trials. Arthroscopy. 2022;38(6):2007-17.

137. Baratta JL, Schwenk ES. Regional versus general anestesia for ambulatory total hip and knee arthroplasty. Curr Opin Anaesthesiol. 2022;35(5):621-625.

138. Osman BM, Tieu TG, Caceres YG, et al. Current trends and future directions for outpatient total joint arthroplasty: A review of the anesthesia choices and analgesic options. JAAOS. 2023;7(9):e22.00259.

139. Hoaglund FT, Steinbach LS. Primary osteoarthritis of the hip: etiology and epidemiology. J Am Acad Orthop Surg. 2001;9(5):320-7.

140. Yeager MP, Glass DD, Neff RK, et al. Epidural anesthesia and analgesia in high-risk surgical patients. Anesthesiology. 1987;66:729-36.

141. Dauphin A, Raymer KE, Stanton EB, et al. Comparison of general anesthesia with and without lumbar epidural for total hip arthroplasty: effects of epidural block on hip arthroplasty. J Clin Anesth. 1997;9:200-3.

142. Sharrock NE, Ranawat CS, Urquhart B, et al. Factors influencing deep vein thrombosis following total hip arthroplasty under epidural anesthesia. Anesth Analg. 1993;76:765-71.

143. Hunt LP, Ben-Shlomo Y, Clark EM, et al. 90-day mortality after 409096 total hip replacements for osteoarthritis, from the National Joint Registry for England and Wales: a retrospective analysis. Lancet. 2013;382:1097-104.

144. Basques BA, Toy JO, Bohl DD, et al. General compared with spinal anesthesia for total hip arthroplasty. J Bone Joint Surg Am. 2015;97(6):455-61.

145. Wulf H, Biscoping J, Beland B, et al. Ropivacaine epidural anesthesia and analgesia versus general anesthesia and intravenous patient-controlled analgesia with morphine in the perioperative management of hip replacement. Anesth Analg. 1999;89:111-6.

146. Keita H, Geachan N, Dahmani S, et al. Comparison between patient-controlled analgesia and subcutaneous morphine in elderly patients after total hip replacement. Br J Anaesth. 2003;90:53-7.

147. Souron V, Delaunay L, Schifrine P. Intrathecal morphine provides better postoperative analgesia than psoas compartment block after primary hip arthroplasty. Can J Anesth 2003;50:574-9.

148. Choi PT, Bhandari M, Scott J, et al. Epidural analgesia for pain relief following hip or knee replacement. Cochrane Database Syst Rev. 2003;CD003071.

149. Duarte LT, Paes FC, Fernandes MC, et al. Posterior lumbar plexus block in postoperative analgesia for total hip arthroplasty: a comparative study between 0.5% bupivacaine with epinephine and 0.5% ropivacaine. Rev Bras Anestesiol. 2009;59(3):273-85.

150. Duarte LT, Beraldo PS, Saraiva RA. Effects of epidural analgesia and continuous lumbar plexus block on functional rehabilitation after total hip arthroplasty. Rev Bras Anestesiol. 2009;59(5):531-44.

151. Tsinaslanidis G, Tsinaslanidis P, Mahajan RH. Perioperative Pain Management in Patients Undergoing Total Hip Arthroplasty: Where Do We Currently Stand? Cureus. 2020;12(7):e9049.

152. Sinatra RS, Torres J, Bustos AM: Pain management after major orthopaedic surgery: current strategies and new concepts. J Am Acad Orthop Surg. 2002;10:117-29.

153. Horlocker TT. Peripheral nerve blocks - regional anesthesia for the new millennium. Reg Anesth Pain Med 1998;23:237-40.

154. Fournier R, Van Gessel E, Gaggero G, et al. Postoperative analgesia with 3-in-1 femoral nerve block after prosthetic hip surgery. Can J Anaesth. 1998;45:34-8.

155. Singelyn FJ, Gouverneur JM. Postoperative analgesia after total hip arthroplasty: i.v. PCA with morphine, patient-controlled epidural analgesia, or continuous "3-in-1" block?: a prospective evaluation by our acute pain service in more than 1,300 patients. J Clin Anesth. 1999;11:550-4.

156. Stevens R, Van Gessel E, Flory N, et al. Lumbar plexus block reduces pain and blood loss associated with total hip arthroplasty. Anesthesiology. 2000;93:115-21.

157. Capdevila X, Macaire P, Dadure C, et al. Continuous psoas compartment block for postoperative analgesia after total hip arthroplasty: new landmarks, technical guidelines, and clinical evaluation. Anesth Analg. 2002;94:1606-13.

158. Singelyn FJ, Deyaert M, Joris D, et al. Effects of intravenous patient-controlled analgesia with morphine, continuous epidural analgesia, and continuous three-in-one block on postoperative pain and knee rehabilitation after unilateral total knee arthroplasty. Anesth Analg. 1998;87:88-92.

159. Biboulet P, Morau D, Aubas P, et al. Postoperative analgesia after total-hip arthroplasty: comparison of intravenous patient-controlled analgesia with morphine and single injection of femoral nerve or psoas compartment block. A prospective, randomized, duble-blind study. Reg Anesth Pain Med. 2004;29:102-9.

160. Morau D, Lopez S, Biboulet P, et al. Comparison of continuous 3-in-1 and fascia iliaca compartment blocks for postoperative analgesia: Feasibility, catheter migration, distribution of sensory block, and analgesic efficacy. Reg Anesth Pain Med. 2003;28:309-14.

161. Restrepo-Holguin M, Kopp SL, Johnson RL. Motor-sparing peripheral nerve blocks for hip and knee surgery. Curr Opin Anaesthesiol 2023;36(5):541-546.

162. Girón-Arango L, Peng PWH, Chin KJ, et al. Pericapsular nerve group (PENG) block for hip fracture. Reg Anesth Pain Med. 2018;43(8):859-863.

163. Morrison C, Brown B, Lin D-Y, et al. Analgesia and anesthesia using the pericapsular nerve group block in hip surgery and hip fracture: a scoping review. Reg Anesth Pain Med. 2021;46:169-175.

164. Kukreja P, Uppal V, Kofskey AM, et al. Quality of recovery after pericapsular nerve group (PENG) block for primary total hip arthroplasty under spinal anaesthesia: a randomised controlled observer-blinded trial. Br J Anaesth. 2023;130(6):773-9.

165. Aliste J, Layera S, Bravo D, et al. Randomized comparison between pericapsular nerve group (PENG) block and suprainguinal fascia iliaca block for total hip arthroplasty. Reg Anesth Pain Med. 2021;46(10):874-878.

166. Moran CG, Wenn RT, Sikand M, et al. Early mortality after hip fracture: Is delay before surgery important? J Bone Joint Surg Am. 2005;87(3):483-489.

167. Boddaert J., Raux, M, Khiami, F, et al. Perioperative Management of Elderly Patients with Hip Fracture. Anesthesiology. 2014:121:1336-41.

168. Khan S, Kalra, S, Khanna A, et al. Timing of surgery for hip fractures: A systematic review of 52 published studies involving 291,413 patients. Injury. 2009;40(7):692-7.

169. Siow WS, Tay L, Mah CL. Quality improvement initiative: how the setting up of an anaesthesia consultant-led perioperative outreach service addressed anaesthesiaspecific issues to improve anaesthesia consult and surgery timings for hip fracture patients. BMJ Open Quality. 2022;11:e001738.

170. Urwin SC, Parker MJ, Griffiths R. General versus regional anaesthesia for hip fracture surgery: a meta-analysis of randomized trials. Br J Anaesth. 2000;84:450-5.

171. Parker MJ, Handoll HH, Griffiths R. Anaesthesia for hip fracture surgery in adults. Cochrane Database Syst Rev. 2004;CD000521.

172. White SM, Moppett IK, Griffiths R. Outcome by mode of anaesthesia for hip fracture surgery. An observational audit of 65535 patients in a national dataset. Anaesthesia. 2014;69:224-30.

173. Patorno E, Neuman MD, Schneeweiss S, et al. Comparative safety of anesthetic type for hip fracture surgery in adults: retrospective cohort study. BMJ 2014;348:g4022.

174. Brown CH, Azman AS, Gottschalk A, et al. Sedation depth during anesthesia and survival in elderly patients undergoing hip fracture repair. Anesth Analg. 2014;118(5):977-80.

175. Garip L, Balocco AL, Van Boxstael S. From emergency department to operating room: interventional analgesia techniques for hip fractures. Curr Opin Anaesthesiol. 2021;34(5):641-647.

176. Larsen K, Hvass KE, Hansen TB, et al. Effectiveness of accelerated perioperative care and rehabilitation intervention compared to current intervention after hip and knee arthroplasty. A before-after trial of 247 patients with a 3-month follow-up. BMC Musculoskelet Disord. 2008;9:59.

177. Malviya A, Martin K, Harper I, et al. Enhanced recovery program for hip and knee replacement reduces death rate. Acta Orthop. 2011;82(5):577-81.

178. Chapman CR, Davis J, Donaldson GW, et al. Postoperative pain trajectories in chronic pain patients undergoing surgery: the effects of chronic opioid pharmacotherapy on acute pain. J Pain. 2011;12(12):1240-6.

179. Nguyen LC, Sing DC, Bozic KJ. Preoperative reduction of opioid use before total joint arthroplasty. J Arthroplasty 2016;31(9 Suppl):282–7.

180. Katz J, Weinrib A, Fashler SR, et al. The Toronto General Hospital Transitional Pain Service: development and implementation of a multidisciplinary program to prevent chronic postsurgical pain. J Pain Res. 2015;8:695-702.

181. Soffin EM, Memtsoudis G. Anesthesia and analgesia for total knee arthroplasty. Minerva Anestesiol. 2018;84(12):1406-12.

182. Hu S, Zhang ZY, Hua YQ, et al. A comparison of regional and general anaesthesia for total replacement of the hip or knee: a meta-analysis. J Bone Joint Surg Br. 2009;91:935-42.

183. Johnson RL, Kopp SL, Burkle CM, et al. Neuraxial vs general anaesthesia for total hip and total knee arthroplasty: a systematic review of comparative-effectiveness research. Br J Anaesth. 2016;116:163-76.

184. Liu J, Ma C, Elkassabany N, et al. Neuraxial anesthesia decreases postoperative systemic infection risk compared with general anesthesia in knee arthroplasty. Anesth Analg. 2013;117:1010-6.

185. Pugely AJ, Martin CT, Gao Y, et al. Differences in short-term complications between spinal and general anesthesia for primary total knee arthroplasty. J Bone Joint Surg Am. 2013;95:193-9.

186. Memtsoudis SG, Sun X, Chiu YL, et al. Utilization of critical care services among patients undergoing total hip and knee arthroplasty: epidemiology and risk factors. Anesthesiology. 2012;117:107-16.

187. Saied NN, Helwani MA, Weavind LM, et al. Effect of anaesthesia type on postoperative mortality and morbidities: a matched analysis of the NSQIP database. Br J Anaesth. 2017;118(1):105-11.

188. Memtsoudis SG, Poeran J, Zubizarreta N, et al. Do Hospitals Performing Frequent Neuraxial Anesthesia for Hip and Knee Replacements Have Better Outcomes? Anesthesiology 2018;129(3):428-39.

189. Harsten A, Kehlet H, Toksvig-Larsen S. Recovery after total intravenous general anaesthesia or spinal anaesthesia for total knee arthroplasty: a randomized trial. Br J Anaesth. 2013;111(3):391-9.

190. Soffin EM, YaDeau JT. Enhanced recovery after surgery for primary hip and knee arthroplasty: a review of the evidence. Br J Anaesth. 2016;117(suppl 3):iii62-iii72.

191. Vetter TR, Barman J, Hunter JM Jr, et al. The effect of implementation of preoperative and postoperative care elements of a perioperative surgical home model on outcomes in patients undergoing hip arthroplasty or knee arthroplasty. Anesth Analg. 2017;124:1450-8.

192. Khan SK, Malviya A, Müller SD, et al. Reduced short-term complications and mortality following Enhanced Recovery primary hip and knee arthroplasty: results from 6,000 consecutive procedures. Acta Orthop. 2014;85:26-31.

193. Zhu S, Qian W, Jiang C, et al. Enhanced recovery after surgery for hip and knee arthroplasty: a systematic review and meta-analysis. Postgrad Med J. 2017;93:736-42.

194. Terkawi AS, Mavridis D, Sessler DI, et al. Pain management modalities after total knee arthroplasty: A network meta-analysis of 170 randomized controlled trials. Anesthesiology. 2017;126:923-937.

195. Capdevila X, Barthelet Y, Biboulet P, et al. Effects of perioperative analgesic technique on the surgical outcome and duration of rehabilitation after major knee surgery. Anesthesiology 1999;91:8-15.

196. Biswas A, Perlas A, Ghosh M, et al. Relative contributions of adductor canal block and intrathecal morphine to analgesia and functional recovery after total knee arthroplasty: A randomized controlled trial. Reg Anesth Pain Med. 2018;43:154-160.

197. Kılıçkaya R, Orak Y, Balcı MA, et al. Comparison of the effects of intrathecal fentanyl and intrathecal morphine on pain in elective total knee replacement surgery. Pain Res Manag. 2016;2016:3256583.

198. Block BM, Liu SS, Rowlingson AJ, et al. Efficacy of postoperative epidural analgesia: a meta-analysis. JAMA. 2003;290:2455-63.

199. Chou R, Gordon DB, de Leon-Casasola OA, et al. Management of Postoperative Pain: A Clinical Practice Guideline From the American Pain Society, the American Society of Regional Anesthesia and Pain Medicine, and the American Society of Anesthesiologists' Committee on Regional Anesthesia, Executive Committee, and Administrative Council. J Pain. 2016;17:131-57.

200. Sikachi RR, Campbell B, Kassin E, et al. Analgesic Trends in the Management of Pain Following Total Knee Arthroplasty. A Comparison of Peri-Articular Infiltration, Adductor Canal Block, and Adjuvant Treatment for Posterior Knee Pain. Orthop Clin N Am. 2023;54:369-376.

201. Lavand'homme PM, Kehlet H, Rawal N, et al. Pain management after total knee arthroplasty. PROcedure SPEcific Postoperative Pain Management recommendations. Eur J Anaesthesiol. 2022; 39:743-757.

202. Li D, Yang Z, Xie X, et al. Adductor canal block provides better performance after total knee arthroplasty compared with femoral nerve block: a systematic review and meta-analysis. Int Orthop. 2016;40:925-33.

203. Jaeger P, Zaric D, Fomsgaard JS, et al. Adductor canal block versus femoral nerve block for analgesia after total knee arthroplasty: a randomized, doubleblind study. Reg Anesth Pain Med. 2013;38(6):526-32.

204. Zhang Z, Yang Q, Xin W, et al. Comparison of local infiltration analgesia and sciatic nerve block as an adjunct to femoral nerve block for pain control after total knee arthroplasty: A systematic review and meta-analysis. Medicine (Baltimore). 2017;96:e6829.

205. Ma LP, Qi YM, Zhao DX. Comparison of local infiltration analgesia and sciatic nerve block for pain control after total knee arthroplasty: a systematic review and meta-analysis. J Orthop Surg Res. 2017;12:85.

206. Safa B, Gollish J, Haslam L, et al. Comparing the effects of single shot sciatic nerve block versus posterior capsule local anesthetic infiltration on analgesia and functional outcome after total knee arthroplasty: a prospective, randomized, double-blinded, controlled trial. J Arthroplasty. 2014;29:1149-1153.

207. Gao F, Ma J, Sun W, et al. Adductor canal block versus femoral nerve block for analgesia after total knee arthroplasty: A systematic review and meta-analysis. Clin J Pain. 2017;33:356-68.

208. Hussain N, Brull R, Zhou S, et al. Analgesic benefits of single-shot versus continuous adductor canal block for total knee arthroplasty: a systemic review and meta-analysis of randomized trials. Reg Anesth Pain Med. 2023;48:49-60.

209. Tang X, Lai Y, Du S, et al. Analgesic eficacy of adding the IPACK block to multimodal analgesia protocol for primary total knee arthroplasty: a meta-analysis of randomized controlled trials. J Orthop Surg Res. 2022;17(1):429.

210. Sankineani SR, Reddy ARC, Eachempati KK, et al. Comparison of adductor canal block and IPACK block (interspace between the popliteal artery and the capsule of the posterior knee) with adductor canal block alone after total knee arthroplasty: a prospective control trial on pain and knee function in immediate postoperative period. Eur J Orthop Surg Traumatol. 2018;28(7):1391-5.

211. Hussain N, Brull R, Sheehy B, et al. Does the addition of iPACK to adductor canal block in the presence or absence of periarticular local anesthetic infiltration improve analgesic and functional outcomes following total knee arthroplasty? A systematic review and meta-analysis. Reg Anesth Pain Med. 2021;46(8):713-721.

212. Kohring JM, Orgain NG. Multimodal analgesia in foot and ankle surgery. Orthop Clin North. Am 2017;48(4):495-505.

213. Benzon HT, Sharma S, Calimaran A. Comparison of the different approaches to saphenous nerve block. Anesthesiology. 2005;102(3):633-638.

214. Lopez AM, Sala-Blanch X, Magaldi M, et al. Ultrasound-guided ankle block for forefoot surgery: the contribution of the saphenous nerve. Reg Anesth Pain Med. 2012;37(5):554-557.

215. Dillane D, Ramadi A, Nathanail S, et al. Elective surgery in ankle and foot disorders – best practices for management of pain: a guideline for clinicians. Can J Anesth. 2022;69:10531067.

216. Stiegelmar C, Li Y, Beaupre LA, et al. Perioperative pain management and chronic p-ain after elective foot and ankle surgery: A scoping review. Can J Anaesth. 2019;66(8):953-65.

217. Veljkovic A, Dwyer T, Lau JT, et al. Neurological Complications Related to Elective Orthopedic Surgery. Reg Anesth Pain Med. 2015;40(5):455-466.
218. Turan A, Khanna AK, Brooker J, et al. Association Between Mobilization and Composite Postoperative Complications Following Major Elective Surgery. JAMA Surg. 2023;158(8):825-830.
219. Singelyn FJ, Ferrant T, Malisse MF, et al. Effects of intravenous patient-controlled analgesia with morphine, continuous epidural analgesia, and continuous femoral nerve sheath block on rehabilitation after unilateral total-hip arthroplasty. Reg Anesth Pain Med. 2005;30:452-7.
220. Aubrun F. Management of postoperative analgesia in elderly patients. Reg Anesth Pain Med. 2005;30:363-79.
221. Chelly JE, Greger J, Gebhard R, et al. Continuous femoral blocks improve recovery and outcome of patients undergoing total knee arthroplasty. J Arthroplasty. 2001;16:436-45.
222. Kumar K, Railton C, Tawfic Q. Tourniquet application during anesthesia: "What we need to know?". J Anaesthesiol Clin Pharmacol. 2016;32:424-30.
223. Mingo-Robinet J, Castañeda-Cabrero C, Alvarez V, et al. Tourniquet-related iatrogenic femoral nerve palsy after knee surgery: Case report and review of the literature. Case Rep Orthop. 2013;2013:368290.
224. Estebe JP, Davies JM, Richebe P. The pneumatic tourniquet: Mechanical, ischaemia-reperfusion and systemic effects. Eur J Anaesthesiol. 2011;28:404-11.
225. Crews JC, Cahall MA. An investigation of the neurophysiologic mechanisms of tourniquet-related pain: Changes in spontaneous activity and receptive field size in spinal dorsal horn neurons. Reg Anesth Pain Med. 1999;24:102-9.
226. Modig J, Borg T, Bagge L, et al. Role of extradural and of general anaesthesia in fibrinolysis and coagulation after total hip replacement. Br J Anaesth. 1983;55:625-9.
227. Kearon C, Akl EA, Comerota AJ, et al. Antithrombotic Therapy and Prevention of Thrombosis, 9th ed: American College of Chest Physicians Evidence-Based Clinical Practice Guidelines. Chest. 2012;141(2):e419S-e494S.
228. Kozek-Langenecker S, Fenger-Eriksen C, Thienpont E, et al. European guidelines on perioperative venous thromboembolism prophylaxis. Surgery in the elderly. Eur J Anaesthesiol. 2017;34:1-7.
229. Feng L, Xu L, Yuan W, et al. Preoperative anemia and total hospitalization time are the independent factors of preoperative deep venous thromboembolism in Chinese elderly undergoing hip surgery. BMC Anesthesiology. 2020;20:72-77.
230. Cappelleri G, Fanelli A. Use of direct oral anticoagulants with regional anesthesia in orthopedic patients. J Clin Anesth. 2016;32:224-35.
231. Akhtar S. Fat embolism. Anesthesiol Clin. 2009;27(3):533-550.
232. Volgas DA, Burch T, Stannard JP, Ellis T, Bilotta J, Alonso JE. Fat embolus in femur fractures: a comparison of two reaming systems. Injury. 2010;41 (suppl 2):S90-593.
233. Gossling HR, Donohue TA. The fat embolism syndrome. JAMA. 1979;241:2740-2.
234. Baker SP, O'Neill B, Haddon W, et al. The injury severity score: a method for describing patients with multiple injuries and evaluating emergency care. J Trauma. 1974;14(3):187-96.
235. Shaikh N, Mahmood Z, Ghuori SI, et al. Correlation of clinical parameters with imaging findings to confirm the diagnosis of fat embolism syndrome. Int J Burns Trauma. 2018;8(5):135-144.
236. Gurd AR, Wilson RI. The fat embolism syndrome. J Bone Joint Surg Br. 1974;56B(3):408-416.
237. Schonfeld SA, Ploysongsang Y, DiLisio R, et al. Fat embolism prophylaxis with corticosteroids. A prospective study in high-risk patients. Ann Intern Med. 1983;99(4):438-443.
238. Blokhuis TJ, Pape HC, Frölke JP. Timing of definitive fixation of major long bone fractures: Can fat embolism syndrome be prevented? Injury. 2017;48(Suppl 1):S3-S6.
239. Cavallazzi R, Cavallazzi AC. The effect of corticosteroids on the prevention of fat embolism after long bone fractures of lower limbs: a systematic review and meta-analysis. J Bras Pneumol. 2008;34(1):34-41.
240. Al-Husinat L, Jouryyeh B, Al Sharie S, et al. Bone Cement and Its Anesthetic Complications: A Narrative Review. J Clin Med. 2023;12:2105.
241. Donaldson AJ, Thomson HE, Harper NJ, et al. Bone cement implantation syndrome. Br J Anaesth. 2009;102(1):12-22.
242. Kotyra M, Houltz E, Ricksten S-E. Pulmonary haemodynamics and right ventricular function during cemented hemiarthroplasty for femoral neck fracture. Acta Anaesthesiol Scand. 2010;54(10):1210-1216.
243. Fallon KM, Fuller JG, Morley-Forster P. Fat embolization and fatal cardiac arrest during hip arthroplasty with methylmethacrylate. Can J Anaesth. 2001;48(7):626-9.
244. Griffiths R, White SM, Moppett IK, et al. Safety guideline: reducing the risk from cemented hemiarthroplasty for hip fracture 2015. Anaesthesia. 2015;70:623-626.
245. Jones Jr J, Lee K, Jones M, et al. Lower Extremity Peripheral Nerve Blocks for Patients at Risk for Acute Compartment Syndrome. Orthop Clin North Am. 2023;54(4):417-425.
246. Sonawane K, Dhamotharan P, Dixit H, et al. Coping with the Fear of Compartment Syndrome Without Compromising Analgesia: A Narrative Review. Cureus. 2022;14(10):e30776.
247. Marhofer P, Halm J, Feigl GC, et al. Regional Anesthesia and Compartment Syndrome. Anesth Analg. 2021;133(5):1348-1352.
248. Schmidt AH. Acute compartment syndrome. Orthop Clin North Am. 2016;47(3):517-25.
249. Fraser TW, Doty JF. Peripheral Nerve Blocks in Foot and Ankle Surgery. Orthop Clin North Am. 2017;48(4):507-515.
250. Aguirre JA, Wolmarans M, Borgeat A. Acute Extremity Compartment Syndrome and (Regional): Anesthesia: The Monster Under the Bed. Anesthesiol Clin. 2022;40(3):491-509.
251. Bruceta M, Souza L, Carr ZJ, et al. Postoperative intensive care unit admission after elective non-cardiac surgery: A single-center analysis of the NSQIP Database. Acta Anaesthesiol Scand. 2020;64(3):319-28.
252. Unnanuntana A, Kuptniratsaikul V, Srinonprasert V, et al. A multidisciplinary approach to post-operative fragility hip fracture care in Thailand – a narrative review. Injury. 2023;54:111039.
253. Fontana MA, Lyman S, Sarker GK, et al. Can machine learning algorithms predict which patients will achieve minimally clinically important differences from Total joint arthroplasty? Clin Orthop Relat Res. 2019;477(6):1267-79.
254. Hashimoto DA, Witkowski E, Gao L, et al. Artificial Intelligence in Anesthesiology. Current Techniques, Clinical Applications, and Limitations. Anesthesiology. 2020;132:379-94.

171

Anestesia para Cirurgias da Coluna

Leonardo Teixeira Domingues Duarte ▪ Joel Gianelli Paschoal Filho

INTRODUÇÃO

Nas últimas duas décadas, houve um aumento significativo no número de procedimentos cirúrgicos sobre a coluna vertebral realizados em todo o mundo. Esse tipo de cirurgia, entretanto, inclui uma grande variedade de procedimentos, desde discectomias minimamente invasivas até artrodese vertebral multinível e osteotomias. Além disso, diferentes abordagens cirúrgicas são descritas em diferentes níveis da coluna vertebral.[1]

O tratamento de pacientes submetidos a cirurgias da coluna varia com a localização e o tipo do procedimento planejado. A compreensão da patologia da coluna apresentada pelo paciente, do procedimento planejado e de outras comorbidades é fundamental para a prestação de cuidados perioperatórios ideais. A demanda por cirurgias da coluna de grande porte está aumentando e há grandes variações no tempo de internação, taxas de complicações, dor pós operatória e recuperação funcional. Agrava ainda mais essa situação a tendência ao aumento da prevalência de sobrepeso e da expectativa de vida na população.

Cirurgias para hérnia de disco são comuns na população mais jovem, enquanto pacientes com mais de 60 anos de idade são mais comumente submetidos a cirurgia de coluna por doença degenerativa e estenose espinal. Pacientes idosos têm sido cada vez mais submetidos a cirurgias descompressivas da coluna. Estudos recentes mostram que esses pacientes, com média de três a quatro comorbidades, beneficiam-se bastante com a cirurgia, apresentam grande melhora dos sintomas e da qualidade de vida, com baixa incidência de morbidade perioperatória e tempo médio de internação de dois a quatro dias.[2]

Em termos econômicos, as taxas de cirurgias de artrodese lombar estão aumentando rapidamente. As despesas hospitalares também aumentaram em 40% nessa população mais idosa, possivelmente indicando maior complexidade cirúrgica (p. ex., doença mais extensa/mais níveis artrodesados) ou tempo mais prolongado de internação.

Os avanços técnicos contínuos em cirurgia e melhorias nos cuidados perioperatórios e no campo dos exames de imagem, a introdução do microscópio cirúrgico e a evolução dos instrumentais cirúrgicos ocorridos nas duas últimas décadas elevaram consideravelmente o número de procedimentos na coluna vertebral. O envolvimento de um time multidisciplinar, incluindo cirurgiões, anestesiologistas, neurofisiologistas, profissionais da dor e neurorradiologistas permitiu elevar a complexidade das intervenções sobre a coluna.

A conduta anestésica na cirurgia da coluna vertebral é desafiadora, tendo-se em vista diversos fatores como a potencial e significativa perda de sangue, a duração prolongada dos procedimentos, as complicações relacionadas com o posicionamento e o controle complexo da dor. A busca e o desenvolvimento de protocolos de recuperação avançada após a cirurgia (ERAS) para esse tipo de cirurgia já são uma realidade. Tornou-se obrigatório que os anestesiologistas se mantenham atualizados, permitindo-lhes tratar um grupo cada vez maior de pacientes com patologia da coluna vertebral.

▪ CUIDADOS PRÉ-OPERATÓRIOS

O processo de avaliação clínica pré-operatória de pacientes submetidos a procedimentos cirúrgicos da coluna varia, principalmente, dependendo do local e da invasividade do procedimento, do diagnóstico subjacente, da idade e das condições clínicas (comorbidades) do paciente.

"Cirurgias da coluna vertebral" podem variar desde uma discectomia percutânea realizada sob anestesia local até extensa dissecção e artrodese de vários níveis vertebrais, da cervical ao sacral, com grande perda sanguínea e anestesia geral. Da mesma forma, existe uma grande variedade de indicações e, consequentemente, diferentes processos incluídos quando se fala de "cirurgia da coluna de grande porte". Grandes intervenções podem ser planejadas eletivamente durante meses ou mesmo ocorrer em caráter de urgência, como após um trauma.

Os procedimentos cirúrgicos sobre a coluna vertebral podem ser classificados em três grupos, confirme mostra a Tabela 171.1.[3]

A adoção de estratégias baseadas em evidências com foco na otimização dos processos clínicos perioperatórios (educação pré-operatória do paciente, gestão multimodal da dor, técnicas de abordagem cirúrgica, controle da perda de sangue e reposição volêmica e de hemoderivados, nutrição, mobilização precoce e fisioterapia e reabilitação pós-alta) possibilita que os pacientes se recuperem mais rapidamente e com menores taxas de morbidade, reduzindo, assim, o tempo de internação e os custos hospitalares, melhorando os resultados em longo prazo e aumentando os níveis de satisfação.[4]

A depender do segmento da coluna vertebral abordado na cirurgia, bem como a partir da patologia de base da coluna e das comorbidades apresentadas pelo paciente, algumas considerações perioperatórias deverão ser levadas em conta no preparo pré-operatório, na abordagem ao paciente e no cuidado perioperatório. Um resumo pode ser observado no Quadro 171.1.

Tabela 171.1 Características das cirurgias de coluna vertebral.

Cirurgia pequena	Cirurgia grande	Cirurgia complexa
Sangramento < 100 mL	**Sangramento 100 a 1.000 mL**	**Sangramento > 1.000 mL**
1. DFCA de 1 ou 2 níveis 2. Descompressão ou microdiscectomia sem instrumentação de até dois níveis	1. DFCA ou DFCP de 3 a 4 níveis 2. FILA ou FILE de 1 a 3 níveis 3. FILT de 1 a 2 níveis	1. Instrumentação de 6 a 18 níveis 2. Fusão anterior ou posterior de 3 ou mais níveis 3. Osteotomia de subtração pedicular 4. Ressecção de coluna vertebral 5. Corpectomia por tumor 6. *Debulking* de tumor
1. Acesso venoso periférico 20 G ou 18 G 2. Recomendação de linha arterial a depender da condição clínica do paciente	1. Dois acessos venosos periféricos 16 G e 20 G ou 18 G 2. Linha arterial recomendada	1. Dois acessos venosos periféricos calibrosos 16 G ou 14 G 2. Acesso venoso central opcional 3. Linha arterial

DFCA: discectomia e fusão cervical anterior; DFCP: discectomia e fusão cervical posterior; FILA: fusão intervertebral lombar anterior; FILE: fusão intervertebral lateral extrema; FILT: fusão intervertebral lombar transforaminal.

Quadro 171.1 Considerações anestésicas e necessidades de posicionamento associadas a diferentes abordagens cirúrgicas da coluna vertebral.

Segmento da coluna e patologia	Considerações
Coluna cervical – estenose, trauma, artrite reumatoide	1. Manter posição neutra do pescoço 2. Manter pressão de perfusão próxima aos níveis pré-operatórios, se compressão medular 3. Risco de hipotensão no choque medular após lesão medular cervical 4. Risco de insuficiência respiratória pós-operatória na lesão medular cervical 5. Embolia aérea, se posicionamento sentado
Discectomia cervical anterior	1. Possibilidade de compressão da via respiratória por afastadores 2. Edema e compressão da via respiratória no pós-operatório 3. Disfunção de nervo craniano no pós-operatório
Instabilidade cervical	1. Intubação traqueal acordada 2. Posicionamento com o paciente acordado 3. Estabilização manual em linha para intubação
Coluna toracolombar – estenose, trauma, doença degenerativa	1. Mudanças de posicionamento para atender a diferentes tempos da cirurgia 2. Intubação e posicionamento com paciente acordado, se coluna instável 3. Riscos de sangramento volumoso e de lesão aortoilíaca oculta ou de grandes veias 4. Embolia aérea é evento raro 5. Perda visual pós-operatória
Metástases e tumores vertebrais	1. Grandes perdas sanguíneas 2. Ventilação monopulmonar em lesões acima de L1
Tumores medulares	1. Manter a pressão de perfusão medular durante a compressão
Procedimentos com risco neurológico	1. Monitorização neurofisiológica de respostas evocadas motoras e somatossensitivas 2. Restrições a determinados anestésicos e bloqueadores neuromusculares 3. *Wake-up test* (raro atualmente)

Os procedimentos dos níveis cervicais superiores são frequentemente realizados para tratar condições como tumores, siringomielia, malformações de Arnold-Chiari ou instabilidade atlantoaxial, que podem estar associadas a anormalidades genéticas, apontando a necessidade de investigação e avaliação de patologias concomitantes à patologia de base.[1]

Procedimentos sobre a coluna torácica são frequentemente realizados para tratamento da escoliose. Casos mais complexos exigirão a avaliação pré-operatória da função pulmonar para permitir a estratificação de risco. O plano perioperatório poderá incluir fisioterapia respiratória antes e depois da cirurgia, bem como necessidade de ventilação mecânica pós-operatória.[1] A avaliação cardíaca também deve ser realizada.

Outras indicações para cirurgia da coluna vertebral ao nível torácico incluem descompressão da medula espinal e estabilização de tumores primários ou metastáticos. Nesses casos, o paciente pode ter sido submetido a quimioterapia e radioterapia e seus efeitos sobre o sistema neurológico e outros órgãos precisam ser considerados.

Cirurgias ao nível lombar incluem procedimentos minimamente invasivos para discectomias endoscópicas, bem como fusão espinal multinível e instrumentação para patologias mais complexas, como estenose espinal e espondilolistese. Frequentemente, esses pacientes apresentam obesidade em associação a doença arterial coronariana, apneia do sono e outros distúrbios associados à síndrome metabólica, necessitando, portanto, de uma avaliação mais aprofundada.[1]

O potencial de dificuldade no manuseio da via respiratória deve sempre ser considerado em pacientes com doença da coluna cervical e torácica.[3] Além disso, a presença de mielopatia cervical, osteoartrite, artrite reumatoide, espondilite anquilosante, distúrbios neuromusculares e radiação prévia de cabeça ou pescoço torna a situação mais difícil. A estabilidade da coluna cervical e sua amplitude de movimento devem ser avaliadas e documentadas. Videolaringoscopia ou intubação com fibra óptica podem ser necessárias e, se a intubação acordada for considerada, é importante avaliar a capacidade de cooperação do paciente.[3]

Desordens cardiovasculares, respiratórias ou neurológicas subjacentes em combinação com o estresse fisiológico imposto por cirurgias de grande porte sobre a coluna vertebral colocam o paciente em maior risco de complicações perioperatórias. Os sistemas respiratório e cardiovascular são particularmente estressados por fatores como posicionamento intraoperatório, abordagem cirúrgica, que pode ser intratorácica, e por grande perda de sangue.[1] Assim, a otimização pré-operatória das doenças subjacentes e os cuidados perioperatórios que envolvem as equipes cirúrgica, anestésica e de reabilitação podem minimizar o risco de complicações e melhorar o desfecho final.

A maioria das cirurgias da coluna é realizada em decúbito ventral, o que causa redução do índice cardíaco em 12% a 24% em comparação com a posição supina. Assim, a presença de disfunção cardíaca preexistente torna o cenário mais complexo. Tanto os fatores relacionados com o paciente quanto a extensão da cirurgia proposta devem ser levados em consideração para orientar a avaliação cardíaca pré-operatória.[3]

Deformidades significativas da coluna resultam em distúrbios respiratórios restritivos, com redução da capacidade vital e da capacidade pulmonar total, que podem evoluir e ser acompanhadas de hipertensão pulmonar e *cor pulmonale*.[3] Também pode ocorrer deslocamento ou rotação significativa da traqueia ou dos brônquios principais, levando à obstrução mecânica das vias respiratórias. Clinicamente, a alteração mais significativa é a troca gasosa anormal, secundária ao desacoplamento ventilação-perfusão. Assim, avaliação respiratória pré-operatória de rotina por meio de testes de função pulmonar, radiografia de tórax e gasometria arterial em ar ambiente são necessárias antes de procedimentos complexos da coluna vertebral nesses pacientes.[3]

Cirurgias de escoliose apresentam taxa de complicações variável, porém elevada, com relato de lesão neurológica em 0,5% a 7,5% dos casos.[5] A identificação e a documentação de déficits neurológicos sensitivos e/ou motores preexistentes são essenciais, uma vez que haverá impacto na monitorização neurofisiológica, e orientam o diagnóstico de novos déficits pós-operatórios.[3]

As comorbidades preexistentes e a extensão do procedimento cirúrgico determinam a avaliação laboratorial pré-operatória. Dosagens de hemoglobina, contagem de plaquetas, creatinina sérica e eletrólitos e prova cruzada de grupo sanguíneo estão indicadas a cirurgias que envolvam mais de dois níveis vertebrais.[3]

Durante a consulta pré-anestésica, a interação entre o anestesiologista, o paciente e a sua família é fundamental para minimizar a ansiedade e o medo que cercam tanto a cirurgia quanto à anestesia. A explicação detalhada dos procedimentos anestésico e cirúrgico, bem como da monitorização neurofisiológica, é importante para aliviar a ansiedade. Se é planejado *wake up test* intraoperatório, é imperativo que o anestesiologista explique como funciona o procedimento e a sua importância, o que reduzirá a ansiedade e aumentará a cooperação durante a avaliação.

A obtenção do termo de consentimento informado é fundamental e o paciente e seus familiares devem ter suas dúvidas devidamente abordadas e compreender todas as possíveis complicações. A cirurgia da coluna não raramente é associada a complicações importantes, portanto uma discussão completa deve abordar questões específicas, como perda de sangue maciça com necessidade de transfusões e complicações neurológicas, incluindo o risco de cegueira pós-operatória e outras lesões nervosas periféricas associadas ao posicionamento. A intubação com fibra óptica acordado ou a indicação de traqueostomia, bem como a necessidade de ventilação mecânica no pós-operatório imediato, devem ser discutidas antes da cirurgia. De igual importância será o debate sobre o plano analgésico pós-operatório, que pode incluir técnicas de anestesia regional.

Escoliose

A escoliose pode apresentar diferentes etiologias, desde a idiopática (forma mais comum, representando 70% de todos os casos) até as congênitas (anomalias ósseas, como na mielomeningocele, espinha bífida oculta, hemivértebra), neuromusculares (poliomielite, paralisia cerebral, distrofias musculares), distúrbios do tecido conjuntivo e síndromes genéticas, como Ehlers-Danlos, Charcot-Marie-Tooth, Prader-Willi e Marfan, neurofibromatose, distúrbios mesenquimais (congênitos ou adquiridos) e trauma.[1,6] Cirurgia é comumente indicada quando o ângulo de Cobb é superior a 40º na coluna lombar ou a 50º na coluna torácica, ou quando a curvatura mantém a progressão apesar do uso de colete.[6]

A cirurgia tem como objetivos o realinhamento, a correção tridimensional da curvatura, a descompressão de elementos neurais, a estabilização da coluna e a interrupção da progressão da deformidade, que causa restrição pulmonar e outras complicações de longo prazo.[7] As deformidades toracolombares são mais desafiadoras, pois envolvem manipulação e instrumentação de múltiplos níveis vertebrais, o que aumenta o tempo operatório, o sangramento e o risco de complicações neurológicas. As abordagens combinadas podem ser realizadas em um mesmo ato operatório ou em procedimentos diferentes separados por intervalo de uma a duas semanas.

Pacientes submetidos a fusão espinal para correção da escoliose requerem um preparo pré-operatório bastante meticuloso. O foco da avaliação clínica deve estar sobre a presença e a extensão de comprometimento cardíaco e pulmonar.

Alterações da função respiratória estão relacionadas com a gravidade da deformidade e a sua localização, etiologia e idade em que a patologia se instala. Curvaturas torácicas afetam mais gravemente a mecânica do gradil costal, produzindo diminuição da complacência pulmonar e uma doença pulmonar restritiva. O agravo da deformidade se associa a progressiva diminuição da capacidade inspiratória, com fluxo expiratório normal. O resultado é a diminuição da capacidade vital forçada (CVF), do volume expiratório forçado no primeiro segundo (VEF_1) e da pressão parcial de oxigênio no sangue arterial (PaO_2).[6]

A hipoxemia é o resultado do desequilíbrio entre a distribuição da ventilação e da perfusão pulmonar de forma que áreas em que há efeito *shunt* determinam a queda da PaO_2. A diferença alveolocapilar de oxigênio está aumentada. Em fases avançadas da doença, apesar da hipoxemia, a pressão parcial de dióxido de carbono ($PaCO_2$) permanece normal. À medida que a deformidade progride, com a perda de mecanismos compensatórios da ventilação, ocorrerá hipercarbia.[6] A correção cirúrgica da deformidade da coluna não reverte a disfunção pulmonar, mas interrompe sua progressão.

Pacientes com grandes deformidades estão sob risco de desenvolver *cor pulmonale*. A hipoxemia causa o surgimento de vasoconstricção pulmonar hipóxica. Se a vasoconstricção for sustentada, haverá hipertrofia da musculatura lisa vascular do pulmão e a resistência vascular pulmonar se elevará irreversivelmente. A hipertensão pulmonar é transmitida para o ventrículo direito, que, incialmente, hipertrofia-se, mas, com o tempo, entra em falência.[6]

A avaliação da função respiratória deve incluir radiografia de tórax e testes de função pulmonar, como a espirometria. A radiografia de tórax pode fornecer informações sobre desvios das vias respiratórias ou sinais de aspiração recorrente de conteúdo gástrico no caso de doenças neuro-

musculares. A espirometria é realizada de rotina para determinar a extensão do comprometimento restritivo pulmonar. Doença pulmonar restritiva grave (capacidade vital forçada < 50% dos valores normais em pacientes com fraqueza muscular e sintomas de hipoventilação, ou capacidade vital forçada < 30% dos valores normais sem fraqueza muscular) prediz um risco maior de complicações respiratórias ou necessidade de ventilação mecânica pós-operatória.[8]

O eletrocardiograma é importante para documentar desvios de eixo e avaliar o ritmo cardíaco em crianças com cardiopatia. O ecocardiograma pode ser realizado para determinar a função cardíaca, avaliar a gravidade da hipertensão pulmonar e afastar lesões estruturais, e será obrigatório em pacientes com doença neuromuscular, nos quais cardiomiopatia complica o curso da doença. Pacientes com comprometimento cardíaco conhecido devem ser avaliados por um cardiologista antes da cirurgia.

A administração de medicação pré-anestésica deve ser considerada individualmente, em especial em pacientes com distúrbios neuromusculares. Não há dados precisos sobre restrição de dose, o que deve ser decidido de acordo com o estado neurológico e outros aspectos associados, como, por exemplo, a gravidade da doença pulmonar.[8]

■ MANUSEIO DA VIA RESPIRATÓRIA

Há maior incidência de via respiratória difícil em cirurgias na coluna cervical e torácica alta. O manuseio das vias respiratórias na a maioria das cirurgias de coluna segue princípios comumente utilizados para anestesia geral com a inclusão, conforme indicado, de algoritmos padronizados de via respiratória difícil. Pacientes com patologia da coluna cervical, no entanto, exigem atenção especial no manuseio das vias respiratórias, visto que apresentam maior incidência de intubação difícil, em particular aqueles com doença reumatoide, fraturas cervicais ou tumores, e doença ou fixação envolvendo a coluna cervical superior.[9] Além disso, a presença de mielopatia ou instabilidade cervical demanda técnicas que combinarão a manutenção de uma posição neutra do pescoço, sua estabilização ou outros métodos de imobilização cervical. Vários artigos de revisão fornecem visões gerais abrangentes da mecânica e do manuseio das vias respiratórias em lesões da coluna cervical. Deformidades significativas ou síndromes hereditárias, como espondilite anquilosante, podem levar a grave limitação da mobilidade cervical e da abertura da boca e exigir técnicas especializadas, como intubação com fibra óptica acordado e, em algumas ocasiões, traqueostomias pré-operatórias, se for prevista ventilação pós-operatória prolongada.[1]

Estudo do banco de dados do projeto Closed Claims da Sociedade Americana de Anestesiologistas (ASA) avaliou os mecanismos de lesão cervical.[10] Na ausência de instabilidade, a espondilose cervical foi o fator de risco mais comumente associado à lesão da medula. Na presença de espondilose cervical e estreitamento do canal medular cervical, a extensão cervical durante as manobras de intubação traqueal determinará maior compressão medular.

Se instabilidade da coluna cervical for reconhecida previamente, a intubação traqueal não estará associada a aumento do risco de deterioração neurológica em comparação com casos em que não se exige a intubação (1% a 2%).[11] Por outro lado, se a instabilidade passar desapercebida, o risco de lesão neurológica com a intubação será de aproximadamente 10%. A técnica deve ser individualizada e determinar a menor movimentação possível da coluna cervical.

Como aproximadamente 40% das lesões da coluna cervical são consideradas instáveis, existe a preocupação com a possibilidade de a intubação traqueal piorar um déficit neurológico existente ou provocar uma nova lesão na medula espinal. As lesões secundárias na cirurgia da coluna cervical são raras, mas potencialmente devastadoras. Um conceito fundamental é o de que todas as intervenções nas vias respiratórias estão associadas a algum grau de movimento da coluna cervical. Embora muito pequenos, não está claro se esses movimentos são clinicamente significativos em termos de compressão da medula espinal.[12]

O risco de lesão medular durante a intubação traqueal parece ser mínimo, mesmo na presença de grande instabilidade da coluna cervical, no entanto, além da preocupação com o risco imposto pela escolha da técnica de intubação, existe também o potencial de outras intervenções (p. ex., aplicação de pressão cricoide, ventilação com máscara facial etc.) influenciarem o alinhamento da coluna cervical. A técnica ideal para intubação traqueal que minimizará qualquer movimento associado da coluna cervical permanece controversa. Historicamente, a intubação traqueal acordada com broncoscópio flexível era a técnica preferida, contudo o advento e a disponibilidade da videolaringoscopia possibilitaram que essa se tornasse mais comum e seu uso fosse incentivado em diferentes diretrizes.[12] Dependendo da situação clínica, os profissionais devem escolher a técnica de intubação traqueal com a qual são mais proficientes e com maior probabilidade de minimizar o movimento da coluna cervical.

Manobras Sobre a Via Respiratória

Em cadáveres, a tração da mandíbula (*jaw thrust*) produziu menor angulação do segmento cervical do que a elevação do queixo, embora ainda tenha sido maior do que o observado durante a intubação traqueal usando-se laringoscopia direta.[12] Também em cadáveres com lesão em C5-C6, a elevação do queixo e a tração da mandíbula reduziram o espaço do canal medular em maior grau do que a intubação traqueal com um laringoscópio Macintosh. Essa redução do canal medular foi, todavia, muito pequena e de significado clínico incerto. O efeito da ventilação com máscara facial foi investigado em outro estudo em cadáveres sem lesão da coluna cervical. As colunas cervicais dos cadáveres foram imobilizadas durante a ventilação com máscara facial, o que causou um deslocamento anteroposterior cervical significativamente maior do que o observado na intubação traqueal com laringoscópio Macintosh. Por outro lado, entretanto, não foi avaliado o significado desse deslocamento sobre a compressão da medula espinal. Dessa forma, o anestesiologista deve ter muito cuidado ao realizar essas manobras antes da intubação.

O uso da pressão cricoide é comum em pacientes submetidos à intubação traqueal de emergência, apesar de a

sua eficácia em minimizar o risco de aspiração pulmonar permanecer controversa.[13] Diante da falta de evidências que apoiem seu uso, é fundamental garantir que a aplicação da pressão cricoide não tenha efeitos adversos sobre a coluna cervical. No geral, há evidências muito limitadas (estudos em pequeno número de cadáveres nos quais apenas um único nível de fratura cervical foi estudado) que apoiam a segurança da pressão cricoide em pacientes com lesão da coluna cervical. Dessa forma, os anestesistas devem considerar os riscos e benefícios de sua aplicação durante o planejamento do manuseio das vias respiratórias.

Estabilização Manual em Linha

A estabilização manual em linha (MILS) continua a ser utilizada comumente durante a intubação traqueal na tentativa de estabilizar a coluna cervical e minimizar o risco de lesão medular secundária. Uma revisão recente avaliou a eficácia da MILS na proteção da medula espinal cervical.[14] Há poucas evidências de que a MILS reduza o movimento do segmento cervical, podendo ainda, de fato, aumentar a subluxação de segmentos lesionados. Além disso, a aplicação de MILS dificulta a laringoscopia com maior incidência de visão glótica de grau 3/4 de Cormack-Lehane e aumenta o risco de falha na intubação traqueal.[15]

O uso de diferentes dispositivos de intubação traqueal (incluindo videolaringoscopia) em pacientes com imobilização cervical foi investigado em metanálise com 8.039 pacientes.[16] Os videolaringoscópios McGrath™, C-MAC D Blade™, Airtraq™, King Vision™ e C-MAC™ apresentaram maior probabilidade de sucesso na primeira tentativa de intubação traqueal em comparação com o laringoscópio Macintosh. Isso também foi verdadeiro para o GlideScope™ quando um guia de tubo foi usado. Quando, no entanto, os estudos que usaram MILS foram analisados separadamente, apenas o Pentax AirWay Scope™ foi considerado superior ao laringoscópio Macintosh em termos de sucesso de primeira passagem. O uso de um *bougie*, em comparação com um estilete de intubação, resultou em taxa mais alta de sucesso de intubação traqueal na primeira tentativa, na presença de imobilização cervical.[12]

A estabilização manual em linha não imobiliza efetivamente a coluna cervical e aumenta a probabilidade de intubação traqueal difícil e malsucedida.

Laringoscopias Direta e Indireta

Poucos estudos relevantes avaliaram o impacto das técnicas de intubação nas mudanças no espaço do canal medular. A laringoscopia direta é técnica que resulta em extensão máxima das articulações C0-C1 e C1-C2 e flexão das vértebras cervicais inferiores. O posicionamento do tubo traqueal também pode ser obtido por meio de máscaras laríngeas de segunda geração, no entanto, à semelhança da laringoscopia direta, também ocorrem movimentos cervicais durante o posicionamento da máscara laríngea e a intubação traqueal, recomendando-se cautela em casos de coluna cervical instável devido à pressão exercida contra as vértebras cervicais durante sua inserção.[17]

Inan et al.[18] compararam a intubação traqueal usando laringoscópio Macintosh com as máscaras laríngeas intubatórias LMA Fastrach™ e LMA CTrach™ em pacientes submetidos a cirurgia eletiva da coluna cervical. A angulação cervical em C1-C2 foi semelhante com todos os dispositivos, mas a LMA CTrach™ reduziu a extensão da coluna cervical em C3 em comparação com a LMA Fastrach™ e a lâmina Macintosh. Houve, entretanto, casos de falha na intubação com LMA Fastrach™ e LMA CTrach™. De fato, em uma metanálise, a intubação cega por meio da LMA Fastrach™ foi associada a menor probabilidade de sucesso de primeira passagem, maior tempo de intubação e maior risco de complicações locais.[16]

Todas as técnicas de imobilização cervical pioram a visualização da glote durante a laringoscopia. A taxa média de falhas de intubação na primeira tentativa é de mais de 20% ao se usar laringoscopia convencional quando a coluna cervical é imobilizada.[19] Revisão recente da Cochrane demonstrou que todos os tipos de videolaringoscópio provavelmente reduzem o risco de falha na intubação traqueal e aumentam a chance de sucesso na primeira tentativa em comparação com a laringoscopia direta.[20] Embora 25 dos 222 estudos incluídos na revisão tenham usado colar cervical ou MILS para simular uma via aérea difícil, eles não foram analisados separadamente, portanto é difícil extrapolar os achados para pacientes com lesão da coluna cervical.

A videolaringoscopia requer menos força para a visão laringoscópica devido à sua angulação e à natureza indireta. Em um ensaio clínico com 20 pacientes com a coluna cervical imobilizada por um colar semirrígido, o videolaringoscópio C-MAC D-Blade™ produziu menos movimento da coluna cervical em C0–C1 em comparação com a laringoscopia direta usando lâmina Macintosh.[21] O movimento foi semelhante para ambos os dispositivos em C1–C2 e C2–C5.

Romito et al.,[22] usando um modelo cadavérico com instabilidade máxima da coluna cervical criada cirurgicamente e com imobilização cervical realizada com Mayfield, compararam quatro dispositivos: lâmina Macintosh, GlideScope™, C-MAC D-Blade™ e McGrath MAC X-Blade™. Todos os videolaringoscópios causaram grau semelhante de deslocamento em todos os segmentos da coluna cervical (C1-C6), mas significativamente menor do que o observado com o laringoscópio Macintosh. Todas as visualizações glóticas obtidas com a lâmina Macintosh foram Cormack-Lehane grau 3 ou 4.

Outro estudo em cadáveres com luxação atlanto-occipital criada cirurgicamente avaliou alterações na largura do saco dural usando mielografia durante a intubação traqueal com lâmina Macintosh ou videolaringoscópio King Vision aBlade™ sem a aplicação de imobilização cervical.[23] A laringoscopia direta reduziu mais a largura do saco dural do que o King Vision aBlade™, sem diferença em outras medidas de movimento da coluna cervical.

Dessa forma, a videolaringoscopia pode substituir a laringoscopia direta como técnica padrão para intubação endotraqueal em pacientes com suspeita ou confirmação de instabilidade da coluna vertebral; entretanto, apesar de a laringoscopia direta causar um grau ligeiramente maior de movimento da coluna cervical do que a videolaringoscopia, não há dados consistentes para afirmar que aumente o risco de compressão da medula espinal.[12]

Intubação Guiada por Broncoscopia Flexível

Historicamente, a intubação traqueal guiada por broncoscopia flexível foi considerada o padrão ouro para pacientes com lesões da coluna cervical devido, em parte, à possibilidade de ser realizada com o paciente acordado, possibilitando, assim, a avaliação neurológica após a intubação traqueal e antes da indução da anestesia geral. Essa técnica, todavia, necessita de pacientes cooperativos e estáveis e um operador qualificado, bem como maior tempo para assegurar a via respiratória.[17]

Em estudo randomizado controlado recente, a intubação traqueal acordada em pacientes com instabilidade da coluna cervical superior com broncoscopia flexível foi comparada com o videolaringoscópio McGrath™.[24] Medidas laterais de angulação avaliadas radiograficamente sofreram alterações maiores em C1-C2 com a videolaringoscopia. Em C3, o movimento foi semelhante e em nenhum paciente houve novos déficits motores após a intubação traqueal. Em outro ensaio clínico, comparou-se a intubação traqueal guiada por broncoscopia flexível durante o sono com o videolaringoscópio Airtraq™ em 40 pacientes com fratura traumática da coluna cervical, e potenciais evocados somatossensitivos (PESSs) foram monitorizados para avaliar diretamente o impacto da intubação na função medular.[25] Apenas um paciente em cada grupo apresentou alterações significativas nos PESSs, sem, entretanto, haver deterioração neurológica no pós-operatório. O posicionamento do paciente foi associado a incidência muito maior de alterações nos PESSs em comparação com a intubação traqueal.

Dessa forma, não há evidências claras de benefício das técnicas de intubação traqueal acordada com broncoscopia flexível em termos de prevenção de lesão medular secundária. A videolaringoscopia parece causar um grau semelhante de deslocamento da coluna cervical na intubação traqueal guiada por broncoscopia flexível, sendo uma abordagem alternativa apropriada.[12]

A habilidade do anestesiologista em realizar intubações determina as taxas de sucesso e de complicações e, assim, o objetivo principal de minimizar o movimento cervical passa por escolher a técnica de intubação com a qual se tem mais habilidade.[17] Na presença de instabilidade reconhecida da coluna cervical, uma grande variedade de técnicas de intubação traqueal tem sido consistentemente demonstrada como seguras em mãos experientes. No planejamento da abordagem à via respiratória, reconhecer o maior risco de via respiratória difícil, ter consciência do risco de lesão medular secundária à intubação e minimizar a movimentação da coluna cervical são mais importantes do que a escolha de uma técnica particular.[26] A Tabela 171.2 apresenta uma compilação das técnicas de intubação nesse cenário.

■ POSICIONAMENTO

O posicionamento do paciente é essencial para procedimentos complexos sobre a coluna vertebral em função do risco de comprometimento neurovascular da medula espinal, neuropraxias periféricas, instabilidade hemodinâmica, aumento do sangramento operatório e lesões oculares e de

Tabela 171.2 Comparação das técnicas de intubação traqueal no paciente com risco de lesão cervical.				
Técnica de intubação	Visualização da glote	Estabilidade da coluna cervical	Taxa de sucesso na primeira tentativa	Tempo para concluir a intubação
Laringoscopia direta	+ (diminuída com MILS)	+	+++	+
Videolaringoscopia	++	++	++	+
Broncoscopia flexível	+++	+++	++	+++

MILS: estabilização em linha da coluna.

Fonte: adaptada de Furlan D et al, 2021.[17]

outras partes do corpo.[1] O posicionamento adequado dependerá do segmento anatômico da coluna abordado na cirurgia (cervical, torácico, lombar e sacral) e da via de acesso cirúrgico (vias anterior, posterior ou lateral) exigida pelo caso.

Apesar das diferenças entre os procedimentos, existem aspectos comuns a todas as cirurgias de coluna. Deve haver um plano para desconectar e recolocar monitores de maneira ordenada para evitar uma janela excessiva sem monitoramento. O anestesiologista deve tomar cuidado para garantir que o circuito anestésico e as linhas intravenosas e arterial não corram risco de serem deslocados ou sujeitos a obstrução do fluxo, evitar pressão direta nos olhos e compressão ou estiramento das estruturas neurovasculares. Apesar de difíceis de realizar devido ao acesso limitado ao paciente, recomendam-se verificações frequentes do posicionamento durante a cirurgia.

O posicionamento do paciente é responsabilidade da equipe assistente e deve ser comandado pelo anestesiologista e registrado na ficha de anestesia. Independentemente do decúbito, o objetivo do posicionamento deve ser prevenir lesões neurológicas e otimizar a ventilação pulmonar e o retorno venoso.

No acesso posterior à coluna cervical, os pacientes podem ser posicionados sentados ou em decúbito ventral. Devido às elevadas taxas de complicação (embolia gasosa, isquemia cerebral, instabilidade hemodinâmica e tetraplegia), a posição sentada tem sido menos usada, estando mais indicada a casos de obesidade mórbida e de restrição respiratória grave. A fim de assegurar que a cabeça permaneça completamente imóvel durante a cirurgia e para evitar a pressão sobre os olhos, é comum a utilização de pinos de fixação no crânio.

Os acessos cirúrgicos dos segmentos torácico e lombar da coluna vertebral pela via posterior são realizados com o paciente em posição ventral (ou prona), que está associada a grandes alterações fisiológicas. A compreensão dessas alterações minimiza a ocorrência de complicações associadas à posição prona.

Estudos que utilizaram ecocardiografia transesofágica e cateteres de artéria pulmonar identificaram que a posição em decúbito ventral provocou diminuição do volume e da complacência do ventrículo esquerdo. Essas alterações foram atribuídas à diminuição do retorno venoso devido à compressão da veia cava inferior e ao aumento da pressão intratorácica durante a posição ventral em que há deslocamento do diafragma e diminuição da complacência pulmonar.

A compressão abdominal determina grande elevação das pressões na veia cava inferior e, em algum grau, sua obstrução, impedindo a drenagem das veias peridurais, as quais tornam-se ingurgitadas, aumentando o sangramento no campo cirúrgico.[1,6] A elevação da pressão venosa não só aumentará o sangramento durante a cirurgia, mas também poderá prejudicar a perfusão da medula espinal, especialmente quando combinada com hipotensão.

Existem vários dispositivos de posicionamento e métodos de preenchimento para garantir um posicionamento seguro e o abdome livre de compressão: dispositivos gelatinosos de apoio de gel e silicone (Figura 171.1), apoio de Relton-Hall (Figura 171.2), mesa de Jackson (Figura 171.3) e apoio cirúrgico de Wilson (Figura 171.4).

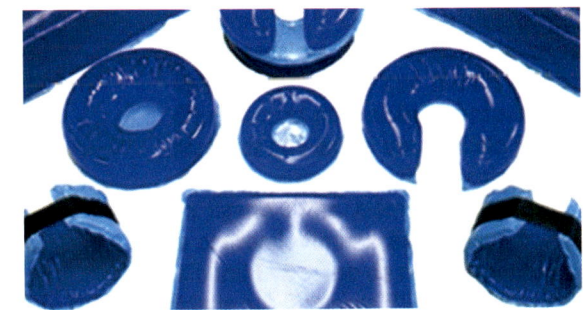

▲ **Figura 171.1** Dispositivos gelatinosos de apoio de gel e silicone.

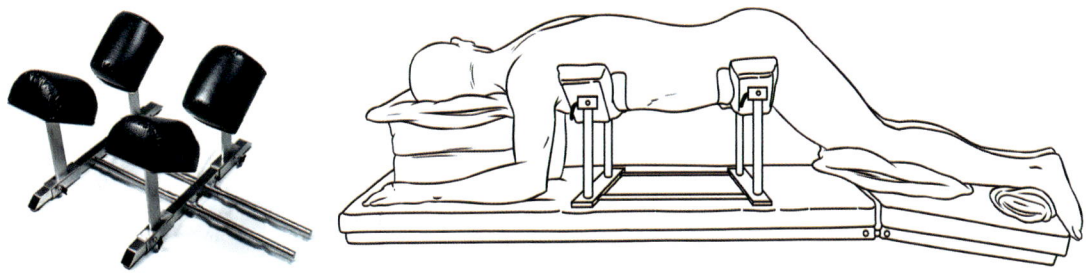

▲ **Figura 171.2** Apoio de Relton-Hall.

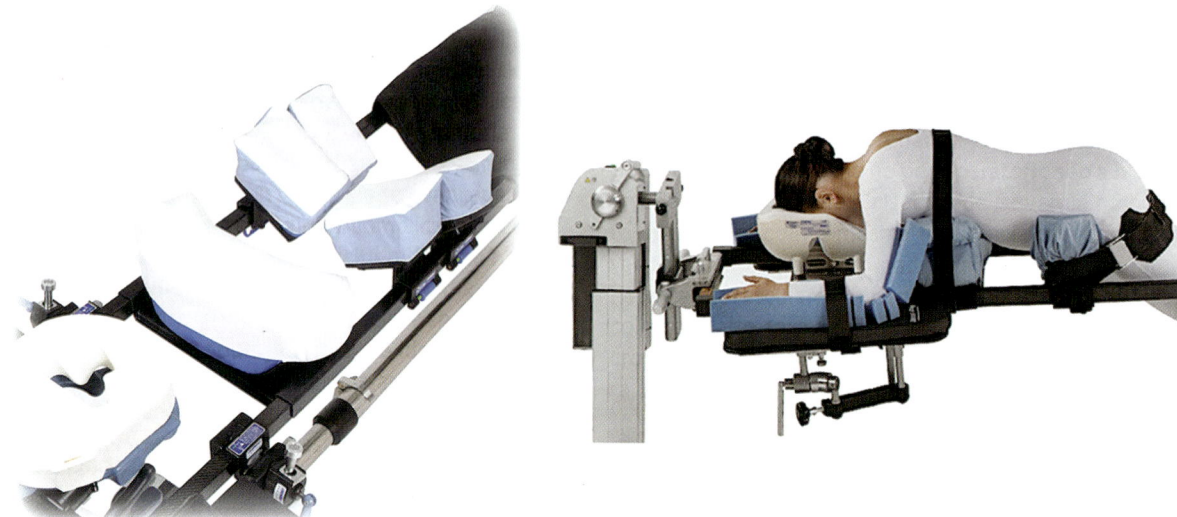

▲ **Figura 171.3.** Mesa de Jackson.

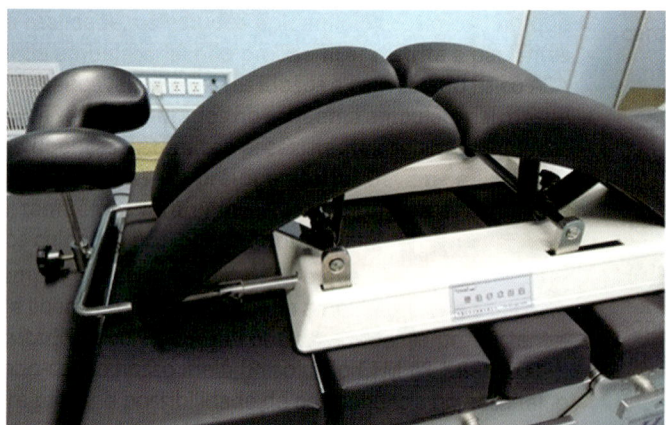

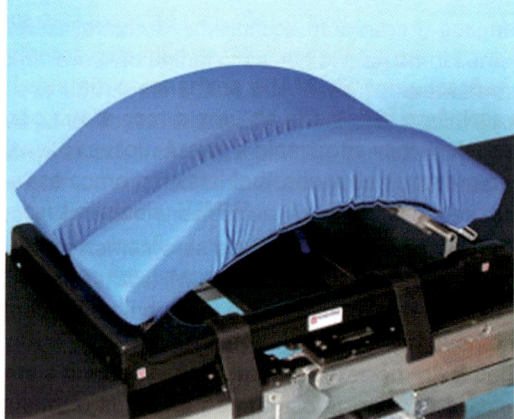

▲ **Figura 171.4** Apoio cirúrgico de Wilson.

O posicionamento da cabeça pode ser feito por meio de um fixador de Mayfield aplicado antes da posição ventral ou por meio de um apoio de cabeça de espuma/silicone. Os olhos devem estar lubrificados, ocluídos e livres de qualquer pressão. Durante a cirurgia e depois de qualquer movimento da cabeça relacionado com a cirurgia, é necessário confirmar com frequência a ausência de pressão nos olhos. Deve-se ter cautela a fim de evitar rotação excessiva da cabeça, o que poderá determinar obstrução da carótida e agravamento de doenças prévias da coluna cervical. Além disso, uma posição não neutra da cabeça facilita a formação de edema, aumentando o risco de complicações após a extubação. Idealmente, a cabeça deve ser mantida em posição neutra, de modo a possibilitar a inspeção regular dos olhos (Figura 171.5).

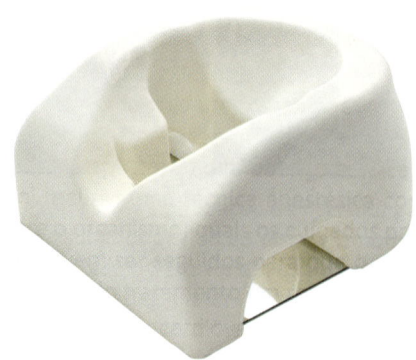

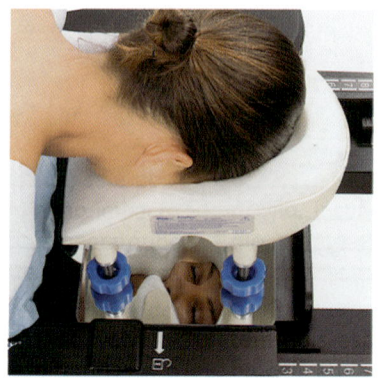

◄ **Figura 171.5** Apoio de cabeça mantém a posição neutra e possibilita a inspeção regular dos olhos.

A abdução ou a flexão dos braços não deve exceder 90º, evitando-se a compressão da axila, do nervo ulnar ao nível do cotovelo e do nervo cutâneo lateral na face superior da coxa. Estruturas pendulares livres (mamas e genitália masculina) devem ser posicionadas medialmente aos coxins de posicionamento. Pacientes com implantes mamários correm risco de ruptura e necrose mamária devido à compressão torácica na posição prona.

Complicações Associadas ao Posicionamento

Apesar do melhor esforço, as lesões relacionadas com a posição são bastante frequentes, variando desde pequenas lesões cutâneas e tecidos moles até perda visual pós-operatória (que será apresentada mais adiante), lesão de nervo periférico, lesão medular e rabdomiólise.[3]

A abordagem integrada da equipe, a seleção criteriosa dos materiais e equipamentos, a utilização de *checklists* para posicionamento cuidadoso, o uso de proteções e a avaliação periódica reduzem as complicações relacionadas com o posicionamento.

Lesões cutâneas

Lesões associadas a pressão ocorrem com frequência e habitualmente envolvem a pele e os tecidos moles. A pressão direta pode resultar em vários graus de necrose em testa, maxilas e queixo, especialmente em procedimentos prolongados. Outros pontos de pressão a serem verificados incluem axilas, mamas, cristas ilíacas, canais femorais, genitália, joelhos e pés. A duração da cirurgia, obesidade, idade avançada e uso de esteroides são fatores de risco para o desenvolvimento de lesões associadas à pressão.[17] Recomenda-se proteger e acolchoar as regiões de contato passíveis de hipoperfusão e lesão dérmica.

Pacientes com doenças neuromusculares eventualmente sofrem contraturas articulares e musculares, e algumas síndromes podem estar associadas à baixa densidade óssea com risco potencial de lesão iatrogênica.[8] O posicionamento cuidadoso, respeitando-se a mobilidade articular e a distribuição da pressão no tórax e na pelve, diminui a taxa de complicações.

Neuropatias periféricas

Lesões de nervos periféricos por posicionamento constituíram 22% das reclamações colhidas no projeto Closed Claims da ASA e apresentam incidência entre 0,03% e 0,11%. Assim, são complicações relativamente infrequentes, mas que representam fonte de prejuízo funcional duradouro ao paciente.

O mecanismo de lesão secundário ao posicionamento ainda não está bem estabelecido. Um único fator responsável raramente é identificado e a causa é frequentemente multifatorial. Fatores de risco incluem hipertensão arterial sistêmica, diabetes melito tipo 2, tabagismo, extremos de idade, cirurgias prolongadas e posição prona.[27] Acredita-se que tração, isquemia e compressão do nervo sejam as principais causadoras. Aumentos nas pressões intra e extraneu-rais, juntamente com a redução da pressão de perfusão na *vasa nervorum*, podem levar à isquemia neural com prejuízo do transporte axonal e da condução nervosa.

Lesão do nervo pode ser secundária à sua compressão em superfície desprotegida da mesa cirúrgica. Meralgia parestésica (lesão do nervo cutâneo lateral femoral) tem sido objeto de estudo e parece haver relação causal com a posição prona que determina compressão anterior.

A lesão do nervo ulnar é a mais comum (28%), seguida da lesão do plexo braquial (20%).[17,28] Em posição prona, a abdução do braço superior a 90º causa compressão nervosa e de vasos subclávios no espaço costoclavicular e estiramento do plexo pelo processo coracoide e pela articulação glenoumeral. Assim, devem-se garantir, durante o posicionamento ventral, abdução dos braços e extensão dos cotovelos, ambas em não mais que 90º, cuidando para que os cotovelos estejam anteriores aos ombros.

A monitorização intraoperatória com PESS e potenciais evocados motores (PEM) tem sido cada vez mais utilizada para auxiliar no posicionamento inicial. Até 15% dos pacientes desenvolvem sinais incomuns devido ao mau posicionamento.[3] Em uma revisão retrospectiva de 1.000 cirurgias de coluna, manobras simples de correção de posições extremas de membros propiciaram a resolução de 92% das alterações dos PESSs.[27] Alterações nos sinais do PESS ou do PEM no intraoperatório devem levar à reavaliação do posicionamento do membro, além da avaliação do próprio sítio cirúrgico.

Rabdomiólise

Em cirurgias prolongadas, a ocorrência de rabdomiólise está associada, principalmente, à isquemia muscular causada por compressão. Cirurgias com duração superior a 4 horas e pacientes com índice de massa corporal superior a 40 kg/m² são fatores de risco. A necrose de células musculares e a liberação de mioglobina pode promover mioglobinúria e insuficiência renal aguda, além de ser fator contribuinte para o desenvolvimento de coagulação intravascular disseminada.

Pancreatite pós-operatória e síndrome da artéria mesentérica superior

Mais comuns na população pediátrica, trata-se de complicações relacionadas com a correção de escoliose. A incidência varia de 9% a 14% nessa faixa etária, podendo chegar a 30% entre pacientes com paralisia cerebral. A etiologia ainda é desconhecida, mas diferentes fatores de risco foram reconhecidos: hipoperfusão, infecção, anormalidades de ductos pancreáticos, hipercalcemia, hipercolesterolemia, posição prona, grau de correção da escoliose e grande perda sanguínea com ativação do complemento.

▪ PERDA VISUAL APÓS CIRURGIA DA COLUNA

A perda visual pós-operatória (PVPO) é complicação rara associada a cirurgias de coluna realizadas na posição de decúbito ventral, com incidência variável de centro para centro, mas bastante grave e que resulta em elevada morbidade.[29] Entre as causas perioperatórias mais comuns de perda visual estão a oclusão da artéria central da retina (OACR), a neuropatia óptica isquêmica anterior (NOIA), a neuropatia óptica isquêmica posterior (NOIP) e a cegueira cortical.

De acordo com o Registro de Perda Visual Pós-operatória da ASA, a cirurgia da coluna é responsável pelo maior número de casos de PVPO após cirurgia não oftálmica, com incidência de cerca de 0,1%.[3] Segundo o estudo, o tipo mais comum de PVPO após cirurgias da coluna é a neuropatia óptica isquêmica (NOI), a qual pode ocorrer na ausência de pressão sobre o globo ocular e mesmo quando a cabeça é suspensa em pinos de Mayfield.[30] Dos 93 casos registrados, 87% foram diagnosticados como NOI (23% NOIA, 67% NOIP e 10% inespecíficos). OACR foi diagnosticada em apenas 11% dos casos e não houve casos de cegueira cortical. Apesar de a abrasão da córnea ser a lesão ocular mais comum após cirurgias da coluna, raramente determina perda visual permanente.

Com a grande popularização da cirurgia de artrodese da coluna, a incidência de PVPO pode aumentar. Assim, anestesistas que cuidam dessa população de pacientes devem estar alertas para a possibilidade dessa complicação. Também devem informar aos pacientes de alto risco que há um risco pequeno, porém imprevisível, de perda visual perioperatória.

Oclusão da Artéria Central da Retina

Na cirurgia de coluna, a causa mais comum de OACR é a compressão externa inadvertida do globo ocular pelo apoio de cabeça ou outro objeto (p. ex., óculos de proteção), produzindo elevação suficiente da pressão intraocular (PIO), a ponto de interromper o fluxo sanguíneo na artéria central da retina. Geralmente unilateral, resulta na isquemia da retina.[31] Muitos dos relatos de casos de OACR descritos no passado ocorreram com o uso de apoios de cabeça do tipo "ferradura", apesar de essa complicação também ser possível com o uso de apoios de espuma macia. Causa embólica também já foi descrita, mas um *shunt* cardíaco direita-esquerda tem que estar presente para originar embolia paradoxal.

Uma combinação de aumento da PIO e diminuição da perfusão pode provocar isquemia retiniana. A PIO se eleva durante a posição de decúbito ventral, e aumentos maiores ocorrem com a associação de cefalodeclive. A hipotensão arterial isoladamente não deverá, entretanto, ser causa de oclusão vascular retiniana. Apesar de a perfusão retiniana diminuir durante a hipotensão arterial, há autorregulação eficiente compensatória nas circulações retiniana e coroidal. A retina tem circulação dupla, com a circulação coroidal podendo suprir a oferta de oxigênio por difusão.

Os sintomas comumente surgem logo após o despertar ou dentro de 24 horas após a cirurgia. Além de isquemia retiniana, forças de compressão externas podem acarretar isquemia dos músculos extraoculares e da câmara anterior, e sinais e sintomas típicos da OACR incluem perda visual indolor e unilateral, ausência de percepção da luz, ausência de reflexo pupilar, edema periorbitário e/ou palpebral, quemose, proptose, ptose, parestesias supraorbitárias, córnea opaca e abrasão corneana.[32] A extensão do envolvimento da retina depende dos ramos vasculares envolvidos. A OACR pode ocasionar isquemia de toda a retina e perda visual completa, enquanto a oclusão de ramo da artéria retiniana poderá acometer apenas uma porção da retina com defeito limitado do campo visual ou visão turva. Edema macular/retiniano, mancha vermelho cereja na mácula, vasos retinianos atenuados ou estreitados e retina pálida e edematosa são achados na fundoscopia. Tomografia computadorizada (TC) e ressonância magnética (RM) da órbita mostram proptose e edema da musculatura extraocular.[32]

Cegueira Cortical

A cegueira cortical é a perda parcial ou completa da visão em virtude de lesões na via retrogeniculada do cérebro e representa a terceira causa principal de PVPO após cirurgia não ocular.[33] Dependendo da localização da lesão, a maioria dos casos resulta em hemianopsia. O reflexo pupilar à luz intacto e o exame fundoscópico normal distinguem a cegueira cortical de outras causas de PVPO. A TC ou a RM podem ser utilizadas para identificar a localização da lesão.

A etiologia mais comumente associada à cegueira cortical perioperatória se deve a focos isquêmicos associados a microêmbolos e, raramente, a hipoperfusão global do lobo occipital. O córtex visual tem uma demanda de oxigênio consideravelmente alta, tornando essa área suscetível a hipoperfusão e lesões isquêmicas, em especial em pacientes com fatores de risco cardiovasculares.[33] Curiosamente, a literatura apresenta diversos casos de perda de visão pós-operatória subsequente a cirurgia de coluna causados exclusivamente por cegueira cortical na população pediátrica.

Como as opções de tratamento são limitadas, o foco reside na prevenção do início e na progressão da lesão cortical.

Neuropatia Óptica Isquêmica

A NOI é a principal causa de perda visual súbita em adultos após a quinta década e a etiologia mais comum em cirurgias de coluna na posição prona. De forma encorajadora, contudo, parece que a ocorrência de NOI vem diminuindo nos últimos anos. Um grande estudo fez o levantamento de uma base de dados nacional nos EUA – a Amostra Nacional de Pacientes Internados – de 1998 a 2012 e verificou incidência de um caso em 10.000 pacientes, com a frequência de NOI perioperatória na fusão espinal diminuindo significativamente em cerca de 2,7 vezes entre nesse período.[34]

A NOI é classificada como anterior (NOIA) quando afeta o disco óptico, e posterior (NOIP), quando afeta os tecidos retrobulbares (Figura 171.6).

A perda de visão na NOIA ocorre como consequência de um infarto nas redes vasculares supridas pelos pequenos ramos das artérias ciliares posteriores curtas. Os fatores de risco para NOIA incluem anemia, hipotensão, doença aterosclerótica, ativação do complemento e vasoespasmo secundário a catecolaminas circulantes e outros vasoconstritores.[33] A apresentação clínica pode ser variada. Os pacientes apresentam perda de visão bilateral, indolor, central ou periférica e associada a diminuição ou ausência da visão

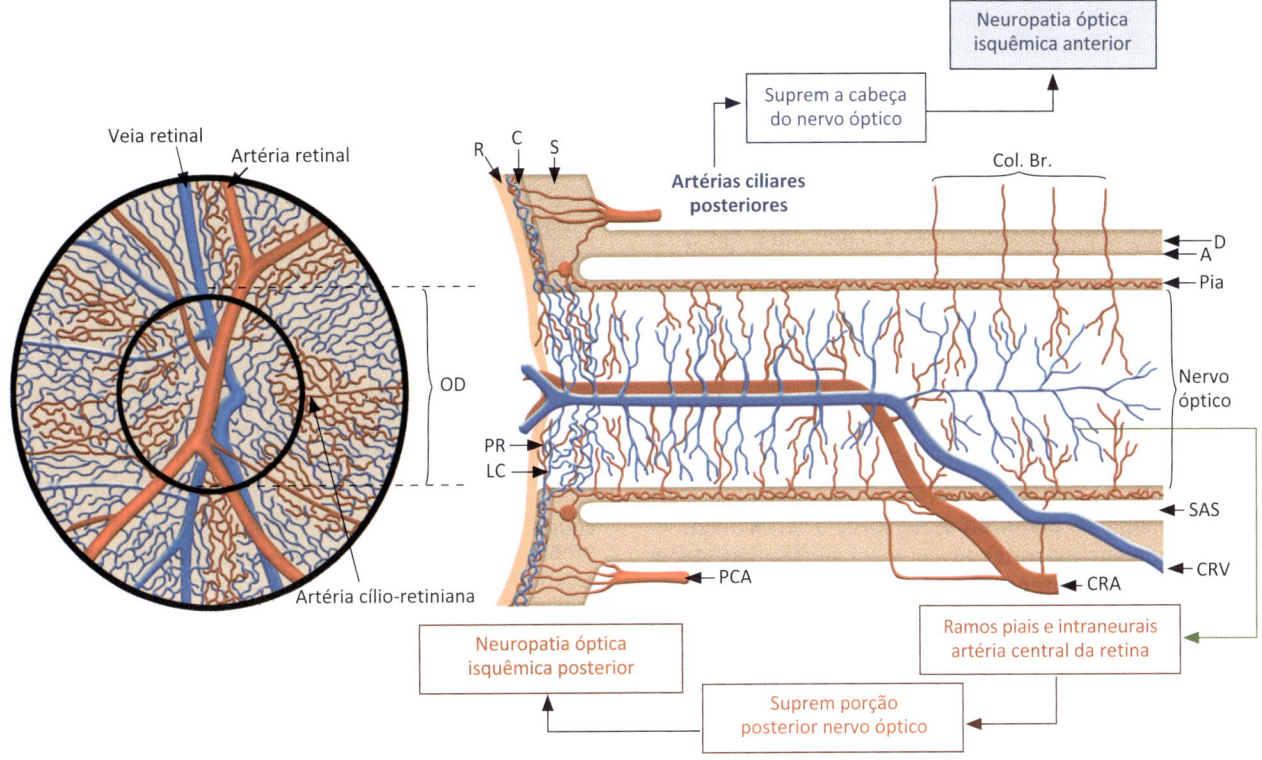

▲ **Figura 171.6** Representação da vascularização do nervo óptico.

OD: disco óptico; PCA: artérias ciliares posteriores; Col. Br.: ramos contribuintes; CRA: artéria central da retina; CRV: veia central da retina; SAS: espaço subaracnóideo; D: dura-máter; A: aracnoide.

das cores. Alguns sofrem perda de visão unilateral ou assimétrica. Na fundoscopia, edema do disco óptico, atenuação vascular e hemorragias peripapilares em forma de "chama" são observados após o início dos sintomas. O edema e as hemorragias são substituídos semanas a meses mais tarde por um disco óptico pálido. O exame de RM da maioria dos pacientes que apresentam perda de visão mostra um nervo óptico retrobulbar normal, no entanto, em alguns pacientes, observam-se edema e realce perineural do nervo óptico, juntamente com potenciais evocados visuais anormais.[33]

A maioria dos casos de NOI após cirurgia da coluna é de NOIP. Stevens et al.[35] relataram incidência de 0,087% de perda visual perioperatória por NOIP após cirurgias da coluna vertebral. A NOIP é causada por infarto da porção intraorbitária do nervo óptico decorrente da redução do fornecimento de oxigênio como consequência de distúrbios hemodinâmicos perioperatórios, como hipotensão prolongada, anemia, posição de cefalodeclive, pressão elevada do líquido cefalorraquidiano (LCR), compressão ocular e fenômeno embólico.[33] A NOIP também pode ser motivada pelo aumento da pressão venosa orbital, como no posicionamento prolongado de Trendelenburg, que pode, por sua vez, diminuir a pressão de perfusão arterial. O início da perda visual ocorre tipicamente nas primeiras 24 a 48 horas depois da cirurgia, mas é frequentemente notado logo após o despertar.[30,36] Achados típicos no exame físico são a perda visual completa ou parcial, mas indolor e acompanhada de ausência de reflexo pupilar. A lesão pode ser unilateral ou bilateral, embora, tipicamente, o acometimento seja bila-

teral, o que é consistente com insulto sistêmico. Na NOIP, a fundoscopia precoce é completamente normal e o disco óptico está saudável após o início dos sintomas,[37] no entanto atrofia óptica também se desenvolve semanas a meses após a lesão. A RM da órbita em geral não contribui para o diagnóstico diferencial.

Pode ser difícil distinguir NOIA e NOIP devido às diferenças sutis na fundoscopia precoce e pelo fato de as alterações tardias serem semelhantes semanas a meses após a lesão. É possível que essas duas lesões representem um *continuum* da mesma doença quando associadas à cirurgia de coluna. A NOIP está mais associada a cirurgias de coluna e dissecções bilaterais de cabeça e pescoço, enquanto a NOIA está comumente relacionada com o *by-pass* cardíaco e outras cirurgias em posição supina. Ambas, porém, têm prognóstico ruim de recuperação da visão. Pequena recuperação ocorreu em cerca de 40% dos pacientes com NOI, mas a visão raramente retorna ao normal.[30]

O Quadro 171.2 apresenta o resumo das causas mais comuns de perda visual pós-operatória.

Fisiopatologia

A NOI resulta da diminuição da oferta de oxigênio à porção do nervo óptico anterior à lâmina crivosa (NOIA) ou à porção intraorbitária do nervo (porção posterior à lâmina crivosa) (NOIP). O suprimento sanguíneo difere nessas duas porções do nervo óptico (Figura 171.6). A porção anterior é suprida pelas artérias ciliares posteriores e o círculo de Zinn

Quadro 171.2 Causas mais comuns de perda visual pós-operatória.		
Tipo de lesão	Apresentação clínica	Tratamento/prognóstico
NOIA	▪ Pode apresentar período de alguns dias de visão normal antes dos sintomas ▪ Perda progressiva e indolor da visão por vários dias ▪ Uni ou bilateral ▪ DPAR com doença assimétrica ou unilateral ou ausência de reflexo ▪ Escotomas, perda de campo visual, ausência de percepção da luz ▪ *Fundoscopia inicial:* edema DO, hemorragias peripapilares em forma de chama, vasos atenuados ▪ *Fundoscopia tardia:* nervo óptico pálido, resolução do edema, vasos normais	▪ Nenhum tratamento comprovado ▪ Resultados inconsistentes com normalização da PA e correção da anemia, altas doses de corticoides e oxigênio hiperbárico ▪ Prognóstico ruim com nenhuma ou pequena recuperação da visão
NOIP	▪ Perda da visão imediata ao despertar ▪ Indolor e geralmente bilateral ▪ DPAR com doença assimétrica ou unilateral ou ausência de reflexo ▪ Escotomas, perda de campo visual, ausência de percepção da luz ▪ *Fundoscopia inicial:* normal ▪ *Fundoscopia tardia:* nervo óptico pálido	▪ Nenhum tratamento comprovado ▪ Resultados inconsistentes com normalização da PA e correção da anemia, altas doses de corticoides e oxigênio hiperbárico ▪ Prognóstico ruim com nenhuma ou pequena recuperação da visão
OACR	▪ Perda da visão imediata ao despertar ▪ Sinais de compressão ocular: trauma periorbitário ipsilateral, oftalmoplegia, abrasão corneana, parestesia supraorbitária, ptose ▪ DPAR ou ausência de reflexo pupilar ▪ *Fundoscopia inicial:* retina esbranquiçada isquêmica, com manchas vermelho cereja na mácula ▪ *Fundoscopia tardia:* nervo óptico pálido, retina reperfundida	▪ Nenhum tratamento comprovado ▪ Prognóstico ruim com nenhuma ou pequena recuperação da visão

NOIA: neuropatia óptica isquêmica anterior; NOIP: neuropatia óptica isquêmica posterior; OACR: oclusão da artéria central da retina; DPAR: defeito pupilar aferente relativo; DO: disco óptico.

Fonte: Adaptado de Kla KM, *et al.*, 2016.[37]

Haller, e a porção posterior é perfundida por dois sistemas principais. O primeiro é o sistema vascular centrípeto periférico, formado por ramos recorrentes da coroide peripapilar e pelo círculo de Zinn Haller, encontrado em todos os nervos ópticos, e é responsável pelo suprimento principal. Ramos piais da artéria central da retina e outras artérias orbitárias também contribuem. O outro sistema vascular é o centrífugo axial, formado por pequenos ramos originados da parte intraneural da artéria central da retina, e não está presente em todos os nervos ópticos. Esses pacientes poderão ser mais sensíveis aos efeitos da diminuição da perfusão e da oferta de oxigênio à porção posterior do nervo óptico. A NOI pode resultar da redução do fluxo sanguíneo pelas artérias ciliares posteriores, que são artérias terminais. A porção posterior do nervo óptico é mais vulnerável a isquemia devido ao mínimo suprimento sanguíneo colateral nessa área suprida por finíssimos vasos piais.[38]

Os mecanismos envolvidos na NOI são multifatoriais e incluem hipotensão arterial, sangramento, anemia ou hemodiluição, aumento da PIO ou da pressão venosa intraorbitária (secundárias ao posicionamento e à reposição volêmica perioperatória), autorregulação anormal do nervo óptico, variações anatômicas do fluxo sanguíneo do nervo óptico, uso de vasopressores, presença de fatores de risco para vasculopatias (hipertensão, diabetes, dislipidemia, ate-

rosclerose e tabagismo), cirurgia prolongada (> 6 horas) e outras condições preexistentes (apneia do sono e hipercoagulabilidade).[36] A resultante dos diferentes fatores de risco envolvidos será a diminuição da pressão de perfusão ocular, com menor suprimento sanguíneo e oxigenação do nervo óptico. Compressão externa sobre o olho, apesar de poder ser um fator contribuinte, não parece ser causa isolada de NOI, uma vez que a compressão externa não exerce pressão sobre a porção posterior do nervo óptico.

A maioria dos casos no Registro de PVPO da ASA era de pacientes ASA 1-2 com idade média de 50 ± 14 anos.[30] Hipotensão, sangramento, cirurgia prolongada e grandes volumes administrados de líquidos venosos foram frequentes nesses pacientes.[36,38] Dessa forma, é possível que combinações desses diferentes fatores, provavelmente junto com autorregulação anormal na circulação da porção posterior do nervo óptico, tendências pró-trombóticas e outros fatores específicos ao paciente (hipertensão, obesidade, tabagismo, aterosclerose etc.), levem a suficiente diminuição da oferta de oxigênio ao nervo para causar lesão isquêmica.

No Registro de PVPO da ASA, verificou-se grande variação nos graus de hipotensão associados à ocorrência de perda visual. A pressão arterial sistólica (PAS) mais baixa foi > 90 mmHg em 33% dos casos e, em 20% deles, a menor PAS foi ≤ 80 mm Hg. Cerca de 57% dos pacientes tiveram

PAS ou PAM 20% a 39% abaixo do valor basal, e, em 25% dos pacientes, a PA permaneceu 40%a a 49% abaixo do basal. Hipotensão deliberada foi usada em cerca de 25% dos pacientes e a PAM mais baixa foi mantida dentro da variação de 20% do basal em 6% dos casos, indicando que a NOI pode ocorrer na ausência de hipotensão. Quase todos os casos ocorreram em cirurgias com mais de 6 horas de duração, primariamente cirurgias com instrumentação de múltiplos níveis na região lombossacral. A maioria dos casos de NOI (82%) apresentou sangramento > 1 L, com mediana de 2 L, e o hematócrito médio mais baixo foi de 26%; todavia 17% dos casos de NOI mostraram hematócrito mínimo acima de 30%. A maioria dos casos de NOI ocorreu em homens (72%). Ressuscitação volêmica volumosa foi típica entre os casos com administração média de 10 L de cristaloides.[30]

O Registro de PVPO da ASA, entretanto, não conta com um grupo controle de comparação. Outros autores realizaram estudos comparativos em pacientes com perda visual após cirurgia da coluna. Patil *et al.*[39] avaliaram retrospectivamente as associações existentes entre PVPO e fatores perioperatórios na cirurgia de artrodese da coluna. Os autores identificaram a hipotensão (razão de chances [RC] = 10,1), a doença vascular periférica (RC = 6,1) e a anemia (RC = 5,9) como os principais fatores de risco para a ocorrência de NOI. No estudo de Shen *et al.*,[29] os autores identificaram um risco muito aumentado de PVPO em crianças submetidas a cirurgias de coluna (RC = 18,3).

Apesar de ainda faltarem evidências definitivas acerca da fisiopatologia precisa da NOI após cirurgias da coluna, estudo caso-controle multicêntrico em que grande número de casos de NOI foi estudado resultou na identificação de seis fatores de risco independentes associados ao desenvolvimento de NOI após cirurgia da coluna: gênero masculino (RC = 2,53), obesidade (RC = 2,83), uso do apoio cirúrgico de Wilson (RC = 4,3), duração prolongada da cirurgia (RC = 1,39 por hora), sangramento importante (RC = 1,34 por litro) e reposição volêmica feita com pequeno percentual de solução coloide (ou predomínio de cristaloides).[40] Esses fatores de risco estão em linha com a teoria mais popular para a fisiopatologia dessa complicação, em que congestão venosa e formação de edema intersticial, com o desenvolvimento de uma síndrome semelhante à compartimental no espaço retrobulbar, contribuem para a isquemia do nervo óptico. Nesse processo multifatorial, a elevação prolongada da pressão venosa na cabeça, secundária à posição ventral com a cabeça na posição dependente e reposição volêmica vigorosa, seria o fator contribuidor primário que provoca formação de edema intersticial e comprometimento da oferta de oxigênio ao nervo óptico.[37]

A etiologia multifatorial e os fatores específicos ao paciente que não são prontamente detectáveis, como variações anatômicas e fisiológicas no suprimento de sangue ao nervo óptico, explicam por que, diante dessas diferenças interpacientes, condutas perioperatórias semelhantes resultam em desfechos diferentes.

Tratamento

O prognóstico dessas complicações é ruim e o tratamento tem resultados pobres. Cerca de 40% dos casos apresenta alguma melhora espontânea, de variada intensidade, mas ainda permanecendo algum déficit.[30] Assim, a ênfase deve estar na prevenção.

Pacientes com perda visual ou visão borrada no pós-operatório devem ser avaliados imediatamente por um oftalmologista. Na suspeita de NOI, manitol e furosemida reduzem o edema, mas não têm eficácia clínica comprovada.[38] Altas doses de corticosteroides podem reduzir o edema axonal e, em alguns casos, restaurar parcialmente a função do nervo óptico. Acetazolamida venosa e inalação de CO_2 a 5% em oxigênio podem promover vasodilatação do suprimento sanguíneo da retina, diminuir a PIO e melhorar a oferta de oxigênio pelos vasos coroidais e retinianos.[38] Poucos relatos descreveram reversão da NOI pela elevação da pressão arterial ou da dosagem de hemoglobina.

Terapia fibrinolítica seletiva na OACR se mostrou ineficaz, e RM ou TC estão indicadas precocemente para afastar a possibilidade de acidente vascular encefálico (AVE).

Prevenção

Como a perda visual devida à OACR ainda ocorre secundária à compressão ocular extrínseca, verificações cuidadosas e frequentes dos olhos durante o posicionamento em decúbito ventral, com sua devida documentação, são altamente recomendadas. Idealmente, a verificação dos olhos deve ser feita a cada 20 minutos. A fixação da cabeça com pinos de Mayfield é uma alternativa ao apoio de cabeça do tipo "ferradura" quando não é possível proteger adequadamente os olhos nem vigiá-los frequentemente durante a cirurgia . É preciso ter-se em mente, todavia, que essa estratégia é mais invasiva, não impede a ocorrência de perda visual decorrente da NOI e, por isso, requer julgamento clínico.

A detecção de lesão perioperatória das vias visuais pode ser feita por meio da monitorização dos potenciais evocados visuais, contudo, como essa técnica de monitorização envolve a estimulação visual com o uso de óculos, poderá ser impraticável na cirurgia de coluna em decúbito ventral. Além disso, os anestésicos, inalatórios e venosos, podem interferir nos registros.

Como não é possível conhecer o estado da circulação do nervo óptico no pré-operatório e o método de monitorização do nervo óptico no intraoperatório não é prático, recomendações gerais devem ser seguidas com o intuito de prevenir ou minimizar a ocorrência de NOI. A ASA, por meio de uma força-tarefa, atualizou seu aconselhamento prático para perda visual perioperatória associada à cirurgia de coluna e incluiu controle rígido da pressão arterial, uso de coloides juntamente com cristaloides na reposição volêmica, manutenção da cabeça em posição neutra ao nível, ou acima, do coração e considerar estagiar procedimentos de alto risco.[36] Apesar de o aconselhamento prático não fazer recomendação acerca de evitar tipos específicos de apoio cirúrgico (p. ex., de Wilson), é necessário ter cautela quando o paciente é posicionado nesses dispositivos para que a cabeça não fique demasiadamente pendente abaixo do nível do coração.

Apoios de cabeça de espuma macia, de perfil alto e com aberturas para os olhos propiciam apoio adequado para a maioria dos pacientes. Alguns apoios incorporam um espelho, o que facilita e permite a visualização direta dos olhos (Figura 171.5). Muito cuidado deve ser tomado com o uso de óculos de proteção na posição prona, uma vez que poderão se deslocar e comprimir os olhos.[31] Além disso, os óculos não permitirão avaliação tátil dos olhos durante a cirurgia.

Particularmente em pacientes com hipertensão mal controlada ou com aterosclerose importante, e devido ao papel imputado à hipotensão na NOI, recomenda-se a manutenção da PA sistêmica o mais próximo possível dos valores basais. O risco de hipotensão controlada em pacientes hipertensos ou em idosos demanda julgamento clínico e não parece haver benefício adicional com grandes graus de hipotensão (p. ex., PAM < 55 mmHg).

Em procedimentos com grandes perdas sanguíneas, para evitar a administração de grandes volumes de fluidos cristaloides e o possível edema do nervo óptico, uso de coloides, transfusão mais precoce ou vasopressores serão necessários. Apesar de uma série de casos de NOI em pacientes internados na UTI ter levantado a suspeita, o impacto do uso repetido ou prolongado de vasopressores sobre a microvasculatura do nervo óptico é desconhecido. Também não há consenso quanto ao valor de hematócrito que deve ser mantido durante a cirurgia e qual gatilho de transfusão eliminaria o risco de PVPO devida à anemia. Parece prudente, então, evitar a combinação de hipotensão e hemodiluição com valores de hematócrito inferiores a 25%.

■ REPOSIÇÃO VOLÊMICA E MONITORIZAÇÃO VOLÊMICA E MONITORIZAÇÃO

A cirurgia de artrodese da coluna está entre os procedimentos que mais frequentemente se associam à necessidade de transfusão sanguínea, com incidência que alcançar 30%. As perdas sanguíneas durante cirurgias em um único nível da coluna, especialmente na doença do disco intervertebral, não costumam ser excessivas. Por outro lado, cirurgias que envolvem extensa instrumentação óssea em múltiplos níveis nas regiões torácica e lombar, tratamentos da escoliose, fraturas traumáticas, tumores, osteotomias, osteotomias de subtração pedicular ou ressecções da coluna vertebral e na presença de doença neuromuscular podem se associar a grandes perdas sanguíneas intraoperatórias, tipicamente 10 ± 30 mL.kg^{-1}.[41] Na cirurgia lombar, fatores de risco associados à necessidade de transfusão sanguínea incluem idade acima de 50 anos, gênero feminino, estado físico da ASA ≥ 3, dosagem de hemoglobina pré-operatória inferior a 12 g.dL^{-1}, fusão de mais de dois níveis e osteotomia transpedicular.[42] A perda sanguínea pós-operatória nas primeiras 24 horas pode chegar a cerca de 200 mL por segmento fusionado e está associada a número de vértebras artrodesadas, peso corporal, cirurgias de tumores, duração da cirurgia e retirada de enxerto ósseo do ilíaco.[43]

Nas cirurgias mais complexas, são necessários acessos venosos periféricos calibrosos para garantir reposição adequada e rápida de grandes volumes, inclusive sangue, com aquecedores de líquidos. Acesso venoso central estará indicado quando grandes perdas sanguíneas são antecipadas, para pacientes que poderão necessitar de su-porte inotrópico e vasopressor e para aqueles submetidos a procedimentos combinados complexos.

O controle de fluidos em grandes cirurgias da coluna vertebral permanece uma questão em debate. O objetivo do anestesiologista continua sendo evitar tanto a hipovolemia intraoperatória, que leva à hipotensão com subsequente isquemia medular, quanto a hipervolemia intraoperatória associada à extubação difícil, à ventilação mecânica prolongada e ao risco de perda visual perioperatória.[17]

Não há consenso quanto ao tipo de fluido e à quantidade de líquidos venosos utilizada na reposição volêmica, que, habitualmente, é realizada com a infusão de soluções cristaloides e coloides. O debate é de longa data e os dados disponíveis não fornecem evidências conclusivas para se estabelecerem diretrizes universalmente aceitas. O uso de soluções balanceadas resulta em melhores desfechos clínicos (em particular, disfunção renal e coagulopatia) quando em comparação com a solução salina.[44] Os dados clínicos disponíveis sobre morbimortalidade não demonstram evidência de que cristaloides ou coloides sejam superiores entre si.[44]

Mais importante que os tipos de fluidos administrados é a discussão de estratégias individualizadas de controle de fluidos (terapia guiada por metas), especialmente com a combinação da administração de cristaloides e coloides.[45] Nos últimos anos, a administração de fluidos durante cirurgias de coluna tem mudado substancialmente, de forma a se adotarem estratégias mais restritivas. Autores demonstraram que a administração de mais de 4 litros de fluidos no intraoperatório associava-se a complicações pulmonares pós-operatórias, retardo da extubação e maior tempo de internação do paciente.[17] A infusão de grandes volumes de cristaloides deve ser evitada. Caso contrário, o fluido se acumulará por ação da gravidade nos tecidos dependentes, causando edema da face, periorbitário e da via respiratória. Também poderá haver elevação da pressão abdominal secundária ao edema de alças intestinais e que leva a diminuição do débito urinário, ingurgitamento do plexo venoso peridural e aumento do sangramento.

A manutenção de fluidos tende a ser realizada de forma mais parcimoniosa, com o objetivo de atingir um "saldo zero" ao final da cirurgia. Por outro lado, quando ocorre perda sanguínea perioperatória aguda, uma resposta imediata para restaurar o débito cardíaco é necessária. Para manter a euvolemia, é razoável incluir coloides e cristaloides em pacientes com perda sanguínea substancial. A albumina (5%) é o coloide mais comumente usado durante sangramentos maciços devido à sua capacidade de persistir por mais tempo no espaço intravascular e proteger o glicocálice até que hemácias e outros componentes do sangue estejam disponíveis. A infusão intraoperatória de hidroxietilamido balanceado a 6% (130/0,4) pode resultar em alterações clinicamente insignificantes na perda sanguínea pós-operatória e na coagulação em comparação com cristaloide.[45]

A terapia guiada por metas demonstrou ser superior à estratégia liberal, mas não às abordagens restritivas ou de equilíbrio zero. O ecocardiograma transesofágico e os monitores minimamente invasivos são alguns exemplos de ferramentas que podem individualizar a administração de fluidos para otimizar o fluxo sanguíneo, sendo mais fidedignos na avaliação do débito cardíaco e da responsividade aos fluidos administrados.[46] A monitorização hemodinâmica invasiva/minimamente invasiva e a fluidoterapia direcionada por objetivos em pacientes de alto risco submetidos a cirurgias complexas da coluna, de longa duração e com grandes perdas sanguíneas otimizam o volume circulatório com benefícios potenciais, incluindo redução do risco de hipotensão intraoperatória, prevenção de sobrecarga de fluido intersticial, otimização do débito cardíaco, redução da perda sanguínea e taxa de transfusão intraoperatória, taxas mais baixas de ventilação mecânica pós-operatória, retorno mais rápido da função intestinal e tempo de permanência na UTI reduzido.[45]

É necessário proceder à avaliação cuidadosa das perdas sanguíneas intraoperatórias. A mensuração do volume de sangue aspirado do campo operatório e a pesagem de compressas auxiliam nessa avaliação. A análise contínua de dados clínicos (pressão arterial, frequência cardíaca, débito urinário, formato das ondas de oximetria e pressão), laboratoriais (lactato, saturação venosa de oxigênio (SvO_2), *base excess*, dosagens seriadas de hematócrito e hemoglobina) e derivados da monitorização hemodinâmica (pressão venosa central [PVC], variação do volume sistólico, delta-PP) deve ser feita em conjunto. Dosagens seriadas da hemoglobina do sangue arterial ou venoso central orientam a tomada de decisão para reposição volêmica e transfusão. Apesar de monitores *point-of-care* estarem disponíveis para medida contínua da hemoglobina por meio de co-oximetria, estudo mostrou haver pequena a moderada concordância entre a medida laboratorial da dosagem de hemoglobina e valores obtidos por co-oximetria dentro de uma faixa de valores de hemoglobina entre 7 e 10 g.dL^{-1} e os valores não podem ser usados de forma intercambiável no tratamento do paciente com grandes perdas sanguíneas durante cirurgias complexas da coluna.[47]

▪ CONSERVAÇÃO DO SANGUE

Os efeitos adversos da transfusão de sangue alogênico são amplamente conhecidos, de forma que medidas para reduzir a necessidade de transfusões são essenciais. A partir daí, o preparo e a alocação de recursos para transfusão devem ser considerados para os seguintes grupos de alto risco: idade superior a 50 anos, anemia pré-operatória, cirurgias multinível/de revisão/tumor/deformidade/trauma e cirurgias que envolvam osteotomia transpedicular.

Uma análise da incidência e do custo da transfusão de hemácias em pacientes submetidos a quase 2.000 cirurgias eletivas para fusão da coluna vertebral foi realizada em um centro de alto volume de cirurgias da coluna na Itália.[48] No geral, 5% dos pacientes (*n* = 103) necessitaram de transfusão de hemácias. As fusões cervicais foram os procedimentos com menor necessidade de transfusão. Por outro lado, as artrodeses dorsais e lombares, pela via anterior, bem como cirurgias de revisão, representaram os procedimentos com maior taxa de transfusão (> 25%). Mais de 60% das unidades de hemácias transfundidas foram empregados em cirurgias de fusão lombar posterior (mais da metade dos procedimentos foi de fusões lombares posteriores). O custo dos procedimentos em pacientes transfundidos foi quase o dobro em comparação com o de outros procedimentos em função do maior número de unidades de hemácias transfundidas a cada um desses pacientes.

Técnicas Poupadoras de Sangue Na Cirurgia de Coluna

A conservação de sangue na cirurgia de coluna é estratégia multidisciplinar. Os programas de gestão de sangue dos pacientes incorporam esforços para otimizar a anemia pré-operatória, desenvolver protocolos de transfusão e gatilhos restritivos de hemoglobina, avançar nas práticas cirúrgica e anestésica e usar terapias antifibrinolíticas. O controle perioperatório de terapias anticoagulantes deve pesar os riscos e benefícios do risco tromboembólico e do sangramento cirúrgico, além de ser individualizado ao paciente e à cirurgia realizada.

Diversos e diferentes esforços têm sido empreendidos para aumentar a massa pré-operatória de hemácias, reduzir a perda sanguínea intraoperatória e usar gatilhos transfusionais mais restritivos para minimizar ou evitar transfusões.[49] Medidas para reduzir a perda sanguínea intraoperatória incluem novas técnicas cirúrgicas, uso de recuperação de células (*cell saver*), sempre que possível, controle da coagulação à beira do leito com dispositivos *point-of-care*, substituição e reposição de fatores da coagulação, agentes antifibrinolíticos e desmopressina, hipotensão induzida e prevenção de hipotermia.

Doação autóloga pré-operatória, hemodiluição normovolêmica aguda e recuperação perioperatória de hemácias têm sido utilizadas em cirurgias de coluna para diminuir as necessidades de transfusão. Cada uma dessas técnicas mostrou ser similarmente efetiva quando usadas isoladamente, todavia, na maioria dos casos, a combinação de mais de uma delas não promove maior redução das necessidades de transfusão alogênica quando em comparação com as técnicas usadas isoladamente.[50] Uma metanálise comparou as técnicas utilizadas para diminuir as necessidades de transfusão e demonstrou haver boa evidência para encorajar o uso de antifibrinolíticos, enquanto há pouca evidência para recomendar fator VII recombinante, hipotensão induzida, estagiamento de cirurgias prolongadas, hemodiluição normovolêmica ou recuperação intraoperatória de hemácias.[51] A administração de eritropoietina e a doação autóloga pré-operatória não foram avaliadas nessa metanálise.

Evitar anemia pré-operatória

Anemia pré-operatória é fator de risco para taxas elevadas de mortalidade e morbidade pós-operatórias. Em um grande estudo com mais de 6.000 pacientes, 33,9% apresentavam anemia antes da cirurgia e 84,1% tinham anemia pós-operatória. Assim, anemia preexistente deve ser investigada antes da cirurgia e seu tratamento é um aspecto importante do controle sanguíneo, a fim de reduzir as consequências da perda sanguínea intra e pós-operatória.

Quando anemia pré-operatória é identificada, o uso da eritropoietina recombinante mostrou diminuir as necessidades de transfusão em alguns estudos, tanto quando usada isoladamente quanto em combinação com doação pré-operatória autóloga. Há relatos do uso de eritropoietina antes da cirurgia para aumentar, em alguns casos, a hemoglobina já normal, sem eventos adversos, todavia, em pacientes com alto risco de apresentar grandes perdas sanguíneas intraoperatórias, como na correção da escoliose neuromuscular, a eritropoietina não foi eficaz em reduzir as necessidades de transfusão quando usada isoladamente.[52]

Essa estratégia simples, entretanto, necessita de grande colaboração entre o cirurgião, o anestesiologista e o clínico do paciente. Apesar de o custo dessa estratégia não ser pequeno, é muito menor que o de uma unidade de hemácias transfundida e tratamento dos possíveis efeitos adversos associados. Por outro lado, quando a eritropoietina é utilizada, o risco de trombose e reologia de baixo fluxo devido à viscosidade deve ser considerado cuidadosamente.

Antifibrinolíticos

Evidências de que o ácido tranexâmico previne o sangramento cirúrgico, reduzindo a necessidade de transfusão de sangue e de reoperação decorrentes do sangramento, estão disponíveis há uma década, mas a incerteza sobre o risco de eventos tromboembólicos limitou seu uso.[45]

Grandes ensaios demonstraram que o ácido tranexâmico, em comparação com o placebo, está associado a menor risco de morte subsequente a sangramento, sem aumentar o risco de trombose, entre pacientes com hemorragia pós-parto ou vítimas de trauma. Pequenos ensaios sugerem que o ácido tranexâmico reduz o risco de sangramento entre pacientes submetidos a cirurgias não cardíacas, inclusive cirurgias ortopédicas.[53] Embora uma metanálise recente, que incluiu ensaios em diversos ambientes, não tenha mostrado risco aumentado de eventos tromboembólicos com o uso do ácido tranexâmico, os estudos incluídos foram pequenos, o que limita sua confiabilidade.[54] Outra metanálise recente não demonstrou relação dose-resposta com ácido tranexâmico em comparação com o controle para eventos trombóticos, no entanto houve uma relação dose-resposta para convulsões.[55] Doses de ácido tranexâmico superiores a 2 g por dia, em comparação com o controle, foram associadas a risco aumentado de convulsão.

O estudo POISE-3 incluiu pacientes submetidos a cirurgias não cardíacas que preenchiam critérios para risco aumentado de sangramento e eventos cardiovasculares e que foram designados para receber ácido tranexâmico (bólus intravenoso de 1 g) ou placebo no início e no final da cirurgia.[56] Nesse estudo, apesar de eventos hemorrágicos (sangramento com risco de morte, sangramento grave e sangramento em um órgão crítico) terem se mostrado comuns, a probabilidade de sua ocorrência foi menor com ácido tranexâmico do que com placebo. O ácido tranexâmico reduziu consistentemente o risco relativo em aproximadamente 25%, de forma semelhante em cirurgias ortopédicas e não ortopédicas, contudo a não inferioridade do ácido tranexâmico em relação a eventos cardiovasculares (desfecho primário de segurança) não foi demonstrada. Dessa forma, os autores concluem que se deve pesar, caso a caso, uma clara redução benéfica na incidência de eventos hemorrágicos contra a baixa probabilidade de um pequeno aumento

na incidência de eventos cardiovasculares.[56] De forma geral, como a frequência de sangramento é comum enquanto os eventos tromboembólicos são comparativamente raros, o equilíbrio entre benefícios e riscos tende a favorecer o uso do ácido tranexâmico.[57]

A dosagem de antifibrinolíticos usada em cirurgias de coluna ainda é controversa e o regime posológico ideal (bólus vs. bólus + infusão) ainda não foi determinado. Faltam evidências definitivas que apoiem diferentes estratégias de dosagem de ácido tranexâmico em cirurgia da coluna e, se houver preocupações quanto a convulsões ou insuficiência renal, uma dosagem mais baixa deve ser considerada. A dose em bólus varia de 10 a 15 mg.kg^{-1}, enquanto a dose de manutenção em infusão, de 1 a 10 mg.kg^{-1}.h^{-1}.[8]

Na cirurgia de coluna, a administração profilática de altas doses de ácido tranexâmico (dose de ataque de 1 g seguido de 100 mg.h^{-1} até o final da cirurgia) diminuiu a perda sanguínea e a transfusão de sangue autólogo sem diferenças significativas na ocorrência de complicações intra e pós-operatórias relacionadas com a hipercoagulabilidade.[58] Grant et al.[59] demonstraram um efeito dependente da dose do ácido tranexâmico em que doses mais elevadas (20 mg.kg^{-1} + infusão 10 mg.kg^{-1}.h^{-1}) diminuíram em 53% a necessidade de transfusão quando em comparação com doses menores (10 mg.kg^{-1} + infusão 1 mg.kg^{-1}.h^{-1}). Estudo de Farrokhi et al.[60] mostrou que baixa dose de ácido tranexâmico (10 mg.kg^{-1}) não foi capaz de reduzir o sangramento e necessidades de transfusão em cirurgias de fixação espinal. Por outro lado, uma metanálise demonstrou que a dose total de 1 g parece ser suficiente para a maioria dos pacientes adultos.[53]

Hipotensão controlada

A hipotensão controlada é técnica comumente usada na cirurgia ortopédica para reduzir o sangramento operatório. Na cirurgia de coluna, é utilizada mais comumente em procedimentos torácicos ou lombares de múltiplos níveis em pacientes relativamente hígidos. Há, no entanto, pouca evidência de que graus leves de hipotensão arterial, como é mais comumente usada nesses procedimentos, sejam efetivos para diminuir de forma significativa o sangramento perioperatório e as necessidades de transfusão. Mesmo em estudos nos quais houve diminuição do sangramento, a probabilidade de transfusão não foi diminuída.

Na cirurgia de coluna, os principais determinantes do sangramento, quando há decorticação óssea, são a pressão do plexo venoso peridural e a pressão intraóssea, que independem da pressão arterial.[61] Dessa forma, o mecanismo exato e o valor da técnica de hipotensão controlada permanecem desconhecidos, uma vez que complicações potenciais, como perda visual pós-operatória e hipoperfusão de órgãos alvo (medula, rins, coração, cérebro), podem se sobrepor aos benefícios. É importante adotar uma abordagem individualizada para as metas de pressão arterial média (PAM) durante a cirurgia da coluna. A hipotensão não deve ser combinada com hemodiluição intensa. Pacientes com trauma e aqueles com mielopatia significativa, hipertensão ou doença vascular provavelmente se beneficiam de alvos de PAM mais elevados ou ajustados com base na monitorização neurofisiológica dos potenciais evocados medulares.[1] Monitorização invasiva da pressão arterial é indicada, juntamente com medidas frequentes da dosagem de hemoglobina.

Regulação da temperatura

A hipotermia afeta a coagulação primariamente via função plaquetária e, secundariamente, por meio da atividade enzimática da cascata da coagulação. Hipotermia leve pode aumentar o sangramento e as necessidades de transfusão. Redução de 1°C está associada a aumento médio de 20% no volume de sangramento e de 22% no risco de transfusão em diferentes tipos de cirurgia.[62]

Posicionamento do paciente

Na posição prona, o aumento da pressão abdominal pode determinar compressão da veia cava inferior, que, por sua vez, determina aumento da pressão no plexo venoso peridural e do sangramento cirúrgico, já que as veias peridurais estão conectadas à veia cava inferior por meio de um sistema venoso avalvular.[63]

Adoção de novos gatilhos transfusionais

Apesar de todos os cuidados de correção da anemia pré-operatória e prevenção do sangramento, grandes perdas sanguíneas agudas podem ocorrer durante a cirurgia. A anemia pode ser bem tolerada e a adoção de gatilhos de transfusão mais restritivos (7 a 9 g.dL^{-1}) parece adequada.

Foi demonstrado que políticas transfusionais restritivas reduzem as unidades transfundidas sem aumento subsequente de morbidade ou mortalidade. O sistema hematopoiético apresenta grande reserva, de forma que o indivíduo saudável pode tolerar reduções significativas da concentração de hemoglobina desde que a volemia e a perfusão tecidual estejam mantidas, garantindo, assim, o aporte de oxigênio aos tecidos. A decisão de transfundir deve se basear na avaliação da condição clínica do paciente e no entendimento da fisiologia do transporte de oxigênio.

No lugar de usar gatilhos arbitrários, deve-se avaliar e conhecer o risco de cada paciente para a anemia. Os gatilhos adotados dependerão das comorbidades apresentadas pelo paciente. Se o paciente apresenta doença cardiovascular ou pulmonar, gatilho transfusional maior deve ser adotado.

Pré-doação autóloga

A doação pré-operatória de sangue autólogo é técnica que pode ser considerada para reduzir as necessidades de transfusão de sangue alogênico em pacientes selecionados submetidos a procedimentos complexos da coluna.[45]

Pouco utilizada na atualidade, pacientes que fizeram a pré-doação apresentaram perdas sanguíneas semelhantes àquelas que não a realizaram, não tendo havido diferença significativa nas taxas de transfusão alogênica.[64] Além disso, a técnica apresenta desvantagens, como taxa elevada de descarte do sangue coletado, alto custo e problemas relacionados com o sangue estocado, além de dificuldades de usar a técnica em crianças com menos de 30 kg e em adultos com anemia pré-operatória ou doença cardiovascular.[9] Na verdade, o programa de doação autóloga pré-operatória

pode fazer que o paciente chegue anemiado para a cirurgia, elevando o risco de transfusão.[65] Por outro lado, pacientes com grupos sanguíneos raros ou com anticorpos específicos poderão se beneficiar da técnica de pré-doação autóloga.

Hemodiluição normovolêmica aguda

A hemodiluição normovolêmica aguda mostrou reduzir de forma segura e efetiva a necessidade de transfusão alogênica em cirurgias de artrodese da coluna e correção de escoliose.[66] Além de reduzir a pressão arterial, a diluição da hemoglobina diminui a massa eritrocitária perdida durante o sangramento cirúrgico e aumenta a reologia do fluxo sanguíneo. A hemodiluição aguda também induz um estado de leve hipercoagulabilidade que auxilia na redução do sangramento operatório.[67] Por outro lado, após a hemodiluição, é importante limitar a administração total de fluidos durante a cirurgia, tendo-se em conta que a administração de cristaloides pode promover uma coagulopatia dilucional que foi demonstrada em cirurgia de escoliose pediátrica.[62]

Recuperação intraoperatória de hemácias

Não está claro o benefício das técnicas de recuperação de hemácias sobre as taxas de transfusão e o número de unidades de sangue transfundidas.[45] Enquanto diferentes estudos retrospectivos,[68] revisões sistemáticas e metanálises[69] mostraram a efetividade da recuperação intraoperatória de hemácias em laminectomias, artrodeses e instrumentações da coluna, Gause et al.[70] demonstraram que a coleta intraoperatória de células em cirurgias eletivas da coluna lombar com instrumentação não apenas não reduziu as necessidades de transfusão, como também se associou a substancial aumento do sangramento. Esses autores justificaram esse aparente paradoxo pela diminuição do cuidado do cirurgião com a hemostasia cirúrgica na presença de recuperação de hemácias e pelo fato de o sangue recuperado e reinfundido poder conter anticoagulante residual.

Metanálise recente mostrou que a técnica reduz o número de unidades transfundidas no intraoperatório,[71] no entanto seus efeitos nas necessidades de transfusão pós-operatória foram menos consistentes e as taxas globais de transfusão e o número total de unidades transfundidas foram semelhantes entre os dois grupos. Além disso, seu custo é motivo de controvérsia e pode exceder os benefícios em pacientes submetidos a correção de escoliose idiopática.[72] Quando comparada com a hemodiluição normovolêmica aguda, a recuperação intraoperatória de hemácias é menos custo-efetiva se uma quantidade inferior a duas unidades de sangue é recuperada. Alguns autores recomendam o uso da técnica de recuperação de células quando a perda sanguínea operatória esperada for maior que 15 mL.kg^{-1}, uma vez que apenas aproximadamente metade do sangue recuperado é reinfundido.[9]

■ MONITORIZAÇÃO DA FUNÇÃO MEDULAR

Com a evolução dos sistemas de fixação com hastes e parafusos, o tratamento moderno das deformidades da coluna possibilita maior grau de correção graças à aplicação de forças de distração e compressão, rotação e translação. A partir daí, no entanto, grandes forças corretivas, especialmente de distração e de rotação, são aplicadas às deformidades da coluna e originam riscos potenciais de lesão da medula espinal e déficits neurológicos. Além disso, deformidades rotacionais podem tornar a colocação do parafuso pedicular mais difícil, com o risco de lesão neurológica aumentando à medida que porção mais cefálica da coluna é abordada.

A incidência de déficit motor grave após cirurgia de escoliose na ausência de monitorização da função da medula espinal foi estimada entre 4% e 7%. Com a introdução de técnicas de monitoramento multimodal usando-se PESS e PEM, esse número diminuiu para 0,5%.[73] Apesar da incidência relativamente pequena, as suas consequências podem ser catastróficas.

Os mecanismos de lesão neurológica podem ser variados e incluem o trauma nervoso direto pelos materiais de síntese e a distração ou compressão da coluna, causando isquemia secundária à tensão sobre a vasculatura ou ao estiramento ou compressão do tecido nervoso.[74] Como o fluxo sanguíneo medular é dependente de tributárias de uma rede colateral segmentar, a isquemia regional mais provavelmente se manifesta em uma distribuição segmentar, especialmente em regiões da medula toracolombar ou se a abordagem de múltiplos corpos vertebrais exige o sacrifício de artérias segmentares, como nas cirurgias pela via anterior.[75] O problema é mais grave quando as artrodeses anterior e posterior são realizadas no mesmo procedimento. Hipotensão prolongada, sangramento, anemia intraoperatória, efeito de agentes anestésicos e outras alterações fisiológicas, ao causarem desacoplamento entre a oferta e a demanda de oxigênio, podem ser outros mecanismos secundários de lesão.

Por todas as razões mencionadas, a monitorização neurológica da medula espinal se tornou padrão durante a cirurgia da coluna vertebral de grande porte. Historicamente, o *wake-up test* era o método usado para avaliar a integridade funcional dos tratos motores da medula. No teste do despertar intraoperatório, a anestesia e o bloqueio neuromuscular são revertidos durante a cirurgia e o paciente é solicitado a mobilizar ativamente os membros. O método requer a orientação e o consentimento pré-operatórios de um paciente cooperativo e que entenda os objetivos e comandos, todavia o achado de uma resposta motora normal não afasta a possibilidade de lesão devido à baixa sensibilidade do exame neurológico realizado durante o despertar. Na verdade, o despertar pode exercer um efeito terapêutico ao elevar a pressão arterial e melhorar a perfusão medular.

A principal limitação do *wake-up test* é a avaliação apenas pontual da função medular durante a cirurgia, de forma que não permite correlação temporal da perda de função com os eventos cirúrgicos. Se há perda da função, a lesão já pode ser irreversível. Além disso, o teste possibilita apenas a avaliação global da função medular (é tudo ou nada), de modo que não faculta reconhecer disfunções tênues. O despertar da anestesia confere risco adicional, podendo ocorrer extubação traqueal acidental, perda do acesso venoso e/ou arterial, prolongamento do tempo cirúrgico, movimento brusco e lesão neurológica, dor e lembrança intraoperatória. Por esse motivo, atualmente o *wake-up test* é utilizado

como método de confirmação de alterações observadas na monitorização neurofisiológica. Em um estudo, os autores compararam a efetividade da monitorização neurológica com o *wake-up test* e a técnica combinada de potenciais evocados somatossensitivos e potenciais evocados motores transcranianos (PEM-tc). A sensibilidade e a especificidade da monitorização neurofisiológica combinada foram próximas a 100%. Por outro lado, a sensibilidade do *wake-up test* foi de apenas 57,1% e a especificidade, 100%. Assim, a monitorização combinada PESS/ PEM-tc é um método efetivo e eficaz, enquanto o *wake-up test* é útil, porém complementar, de monitorização devido à sua elevada especificidade.

A monitorização neurofisiológica da função medular facilita a avaliação contínua e em tempo real da função neurológica, melhorando a segurança de cirurgias da coluna não apenas por viabilizar a detecção precoce de estruturas neuronais comprometidas, mas por demonstrar, com igual importância, a preservação da função. A informação derivada é um marcador contínuo da homeostase e da integridade anatômica, de forma que alterações permanentes dos sinais podem se associar a novos déficits pós-operatórios. Assim, o estado neurológico pós-operatório pode ser inferido (mas não correlacionado com certeza) a partir de sinais intraoperatórios, e ação corretiva precoce pode ser tomada antes de a lesão se tornar permanente.[76]

A importância da monitorização neurofisiológica multimodal foi enfatizada em uma revisão de mais de 2.000 pacientes submetidos a cirurgias da coluna com monitorização com PESS, PEM e eletromiografia espontânea (sEMG) e estimulada (tEMG).[77] Eventos intraoperatórios ocorreram em 1,5% dos pacientes e, em cerca da metade desses casos, a monitorização determinou mudanças no curso da cirurgia e preveniu a ocorrência de possível déficit neurológico pós-operatório.

A importância da monitorização neurofisiológica intraoperatória (IONM) foi amplamente reconhecida e, em 1989, a Academia Americana de Neurologia (AAN) divulgou a declaração de que o uso de PESSs deveria ser o cuidado padrão durante a cirurgia da coluna vertebral. Em 2012, tanto a AAN quanto a Sociedade Americana de Neurofisiologia Clínica (ACNS) recomendaram que "a monitorização intraoperatória usando-se PESSs e PEMs transcranianos seja estabelecida como meio eficaz de prever um risco aumentado de resultados adversos, como paraparesia, paraplegia e quadriplegia em cirurgia de coluna".[78] Evidências classes 1 e 2 mostraram que a detecção de alterações na monitorização intraoperatória reduziu significativamente a ocorrência de paraparesia, paraplegia e tetraplegia. Todos os pacientes com alterações neurológicas novas no pós-operatório apresentaram alterações na monitorização.

Cada técnica de monitorização difere no que diz respeito ao seu nível de especificidade e sensibilidade. Com uma abordagem multimodal que combina PESSs, PEMs e sEMG com tEMG e ondas D, conforme apropriado, a sensibilidade e a especificidade podem ser maximizadas para o diagnóstico de insultos reversíveis a medula espinal, raízes nervosas e nervos periféricos.[79] A combinação de PESS, PEM e EMG fornece um nível de sensibilidade próximo a 100%, com especificidade de 92,2%.[17] Assim, a utilidade da monitorização neurofisiológica é pequena para melhorar o prognóstico quando o risco de lesão na cirurgia é baixo, no entanto o benefício é evidente quando este risco é elevado. Quando a probabilidade de lesão é pequena, a taxa de falso positivos da monitorização deve ser baixa para que os alertas produzidos tenham alta correlação com lesão verdadeira (Tabela 171.3).

Tabela 171.3 Taxas de lesão neurológica, sensibilidade, especificidade e valores preditivos positivo e negativo de diferentes modalidades de monitorização.				
Desfecho	PESS	PEM-tc	EMG	Multimodal
Novo déficit neurológico (%)	0,09-28,5	0,8-3,2	30,2	4,9-28,5
Sensibilidade	0-100	81-100	46	70-100
Especificidade	27-100	81-100	73	53-100
Valor preditivo positivo	15-100	17-96	3	5,2-100
Valor preditivo negativo	95-100	97-100	97	96-100

Técnicas de Monitorização

Embora toda cirurgia de correção de deformidade da coluna seja inerentemente perigosa, pacientes com cifose, escoliose congênita e/ou anormalidades neurológicas preexistentes apresentam risco aumentado para complicações neurológicas (1,3% a 3,6%). Além disso, o uso de osteotomia de subtração pedicular e de técnicas de ressecção de três colunas aumenta de forma independente esse risco (OR 3,06).[80] As modalidades de IONM atualmente empregadas para avaliar a integridade da medula espinal incluem PESS, PEM-tc e EMG, com as quais é possível avaliar de forma contínua e em tempo real a integridade funcional das vias espinais sensoriais dorsais e motoras ventrais, bem como a de raízes nervosas.[81]

Todo anestesiologista deve entender a função das diferentes modalidades de IONM e conhecer como os agentes anestésicos podem afetá-las.

Potencial evocado somatossensitivo

A eficácia da monitorização dos PESSs foi demonstrada em um grande estudo multicêntrico em que a ocorrência de lesões neurológicas foi reduzida significativamente em relação às cirurgias em que a monitorização não foi usada. O PESS é uma modalidade potente, confiável e sensível na identificação do comprometimento neuronal regional durante cirurgias da coluna. Os aspectos técnicos são mais simples, há pequena interferência da técnica anestésica e não requer interrupção da cirurgia quando em comparação com os potenciais motores.

Após estimulação de um nervo periférico (nervos mediano ou ulnar nos membros superiores e nervo tibial posterior nos membros inferiores), os impulsos sensitivos são conduzidos pelas colunas dorsais da medula espinal antes de chegarem ao córtex sensitivo. A estimulação ativa componentes tanto sensitivos quanto motores e resulta em contrações musculares visíveis da musculatura distal, enquanto a ativação dos componentes sensitivos resulta em respostas que viajam ao longo da via sensorial para o cérebro. A resposta central segue a via de propriocepção e vibração, a qual ascende pela coluna dorsal ipsilateral da medula espinal. Faz sua primeira sinapse e cruza a linha média perto da junção cervicomedular e sobe pelo tronco cerebral por intermédio do lemnisco medial contralateral; faz uma segunda sinapse no núcleo ventroposterolateral do tálamo e, então, continua para o córtex sensitivo contralateral, onde a resposta é comumente registrada.[81]

A resposta pode ser registrada e, depois de amplificada, produz ondas reprodutíveis que têm amplitude e latência características. Esses potenciais de ação compostos podem ser detectados em vários pontos em intervalos previsíveis no PESS do nervo mediano (ponto de Erb, bulbo e córtex em 9, 14 e 20 ms, respectivamente) e do nervo tibial (plexo lombar, medula e córtex em 13, 31 e 37 ms, respectivamente) (Figura 171.7 e Figura 171.8).[81]

Redução superior a 50% na amplitude da onda, aumento maior que 10% da latência em relação ao basal ou ambos são considerados indicativos de insulto neurológico e risco

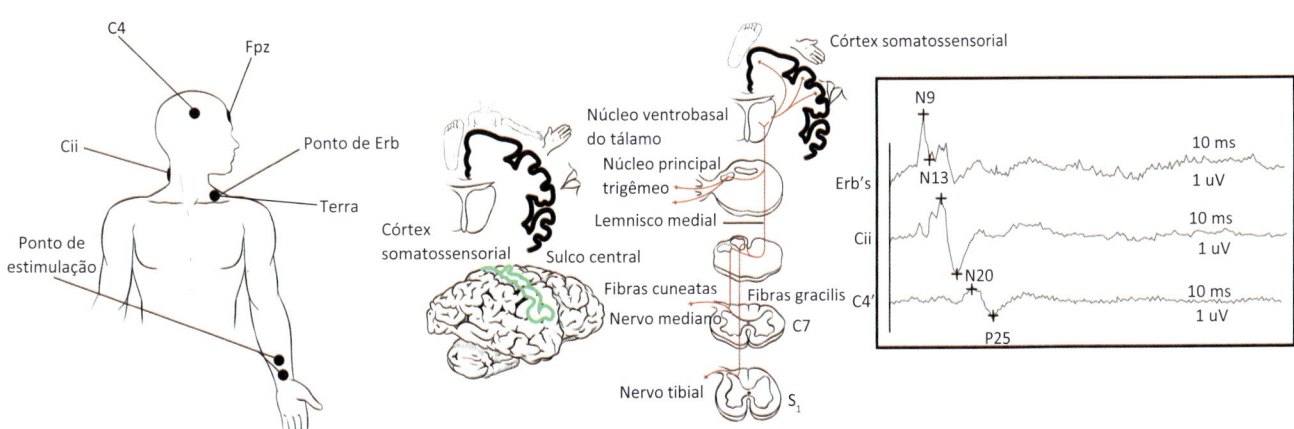

▲ **Figura 171.7** Potenciais evocados somatossensitivos do nervo mediano esquerdo podem ser detectados em diferentes pontos ao longo da via sensitiva. Potenciais com 9, 13 e 20 ms (N9, N13 e N20) são detectados por eletrodos posicionados sobre o ponto de Erb, tronco cerebral (Cii) e giro pré-central (C4') no lado direito, respectivamente.
Fonte: Adaptada de Rabai F et al., 2016.[81]

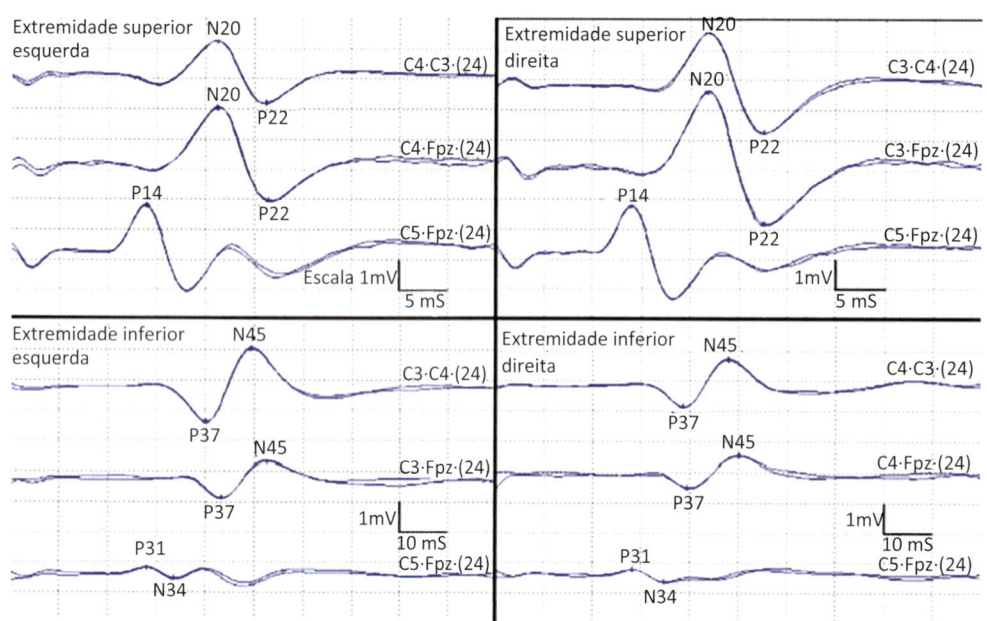

◀ **Figura 171.8** Representações normais dos PESSs obtidos a partir dos nervos mediano e tibial posterior.

de déficit pós-operatório, servindo de alerta especialmente se as alterações persistem além de dois ciclos.[82]

Os PESSs propiciam avaliar a resposta à estimulação em toda a via ascendente, e as diferentes ondas monitoradas ao longo da via neural possibilitam localizar onde a via neural está interrompida. O PESS é especialmente importante quando da passagem de fios sublaminares devido à possibilidade de lesão direta das colunas dorsais, o que pode não ser detectado pelos PEMs.

Estudos mostraram que a monitorização do PESS apresenta especificidade suficientemente alta para detectar a lesão neurológica, tanto sensitiva quanto motora, quando utilizado como modalidade única de monitorização.[83] Uma revisão sistemática demonstrou que alterações do PESS durante a cirurgia da coluna lombar são altamente específicas, mas pouco sensíveis para novos déficits neurológicos pós-operatórios.[84] Pacientes que apresentaram déficit neurológico pós-operatório tiveram 22 vezes mais chances de apresentar alterações no PESS intraoperatório. A explicação se baseia na proximidade das vias motora e sensitiva, de forma que uma agressão à medula espinal pode afetar ambas as vias, causando deterioração do PESS e alertando para a necessidade de intervenção. A ocorrência de déficit motor sem alteração do PESS, ou vice-versa, pode, no entanto, ocorrer, uma vez que pequenas agressões são capazes de lesar apenas uma ou outra via. Os PESSs são mediados pelas colunas dorsais, de forma que poderão estar preservados apesar da lesão das vias motoras descendentes localizadas ventral e lateralmente na medula. Além disso, uma limitação crítica do monitoramento do PESS é a exigência de soma temporal. Como a amplitude de um único potencial de ação composto não é suficientemente grande para ser detectada no ruidoso fundo de um eletroencefalograma (EEG), é necessário calcular a média dos sinais gerados por múltiplas estimulações. As leituras são baseadas em médias calculadas, portanto podem levar vários minutos para mudar após um insulto agudo que é evidenciado mais tardiamente do que com o PEM. Assim, uma grande preocupação da monitorização isolada do PESS é que, quando as alterações se tornarem aparentes, uma lesão neurológica irreversível já tenha ocorrido.

A monitorização dos PESSs pode ainda ser útil na prevenção da neuropatia periférica relacionada com o posicionamento do paciente.[85] O mau posicionamento dos membros superiores, provocando lesão do plexo braquial, pode se manifestar como perda de sinal no ponto de Erb. Além disso, o posicionamento em decúbito lateral eventualmente causa comprometimento vascular ou neurológico do membro dependente, levando a alterações de sinal. A flexão exagerada do pescoço é capaz de acarretar compressão mecânica de medula, nervos ou vasculatura, especialmente se essas estruturas já estiverem sob risco devido a comorbidades do paciente. Em pacientes com alto risco de lesão neurológica secundária ao posicionamento, pode ser desejável registrar os potenciais evocados antes e após o posicionamento, possibilitando ajustá-lo, caso necessário, antes do início da cirurgia.

Potencial evocado motor

Atualmente, a monitorização do PESS fornece, principalmente, uma avaliação seletiva da coluna dorsal para complementar a monitorização dos PEMs.[86] Devido à altíssima morbidade associada à lesão motora e ao temor de que o PESS não seja capaz de identificar essa lesão quando usado como técnica única de monitorização, a IONM deve ser idealmente multimodal como padrão do cuidado em cirurgias de coluna.[82] Dessa forma, os PEMs são meios de monitorizar diretamente os tratos motores. Estudos revelaram que as alterações no PEM surgem antes ou na ausência de mudanças no PESS, permitindo que o cirurgião associe mais facilmente a alteração à manobra operatória e corrija mais rapidamente a disfunção.[87]

As técnicas de monitorização são subdivididas de acordo com o local de estimulação (córtex motor, medula espinal), o método de estimulação (potencial elétrico, campo magnético) e o local de registro (medula, nervo periférico, músculo). Independente da variação da técnica, o princípio é o mesmo em que a estimulação é realizada cranialmente ao local da cirurgia e provoca estimulação prodrômica dos tratos motores na medula espinal e de nervos periféricos e músculos caudais ao local da cirurgia.

Perturbações da via motora pela cirurgia levarão à redução da amplitude e ao aumento da latência das respostas registradas. Diretrizes atuais recomendam que a diminuição de 50% a 90% na amplitude do PEM sirva como sinal de alerta para lesões na via motora descendente.[88] Outros autores, no entanto, sugerem que os verdadeiros critérios de alerta podem ser inferiores.[89]

Os PEMs são mais comumente obtidos usando-se estimulação elétrica transcraniana (PEM-tc) por meio de eletrodos posicionados no couro cabeludo sobre o córtex motor (Figura 171.9). O trato corticoespinal, principal via responsável pelo movimento voluntário, é ativado seletivamente, sendo o principal determinante do sinal obtido durante a monitorização do PEM-tc. A ativação polissináptica do trato corticoespinal é desafiadora e exige somação temporal e espacial, além de recrutamento axonal utilizando estimulação multipulso.[82,90] Com a administração de carga e contagem de pulsos adequadas, o córtex motor e o trato corticoespinal são ativados para recrutar número suficiente de neurônios motores inferiores via potenciais pós-sinápticos excitatórios para produzir a ativação do grupo muscular monitorado. Os PEMs musculares, também conhecidos como potenciais de ação musculares compostos (PAMC ou PEM-m), são registrados por meio de eletrodos de agulha intramusculares e têm formato de onda polifásica.[90] O abdutor breve do polegar, nas mãos, e o tibial anterior ou o abdutor do hálux, nos

membros inferiores, são locais de registro comuns (Figura 171.10). A latência para o surgimento dos potenciais é de cerca de 20 ms na mão e 45 ms no pé, mas é influenciada por uma variedade de fatores, como a altura do paciente, temperatura e presença de patologia neuromuscular preexistente.[82,90]

Os PEMs também podem ser registrados na medula espinal usando-se eletrodos peridurais (acesso à medula espinal ou, pelo menos, ao espaço peridural é necessário) para monitorar impulsos que se propagam ao longo do trato corticoespinal (onda D ou direta).[82,90] As ondas D são mais consistentes, uma vez que não demandam a ativação dos neurônios motores inferiores e são consideradas o padrão ouro para monitorização em cirurgias de tumores intramedulares. A amplitude das ondas D é altamente preditiva de um eventual retorno da função motora. Mesmo nos casos em que a amplitude do PEM diminuiu mais de 80% ou foi completamente perdida, a presença de ondas D com amplitude de pelo menos 50% da linha de base é preditiva do retorno da função motora.[79] O registro das ondas D tem as vantagens de baixa variabilidade, alta reprodutibilidade e interpretação confiável. Por outro lado, pode apresentar problemas como a não identificação de déficits distais de condução e a migração de eletrodos peridurais interferindo na interpretação do sinal.[90]

O tempo para a obtenção da resposta evocada motora é bastante breve e pode ser repetido várias vezes durante momentos críticos da cirurgia. Ao possibilitarem a monitorização quase em tempo real da integridade funcional do sistema motor, os PEMs adicionaram segurança à cirurgia da coluna de grande porte.[78,90]

O registro dos PEMs tem morfologia variável e é suscetível à influência de diferentes fatores, o que torna sua interpretação difícil em comparação com o PESS. Existem significativa variabilidade intrínseca, fadiga gradual do sinal e aumento dos limiares ao longo do tempo enquanto sob anestesia.[82,90] Os PEMs são sensíveis a doenças neuromusculares subjacentes e apresentam grande sensibilidade à maioria dos anestésicos e bloqueadores neuromusculares. Apesar do risco real de movimento do paciente (o cirurgião

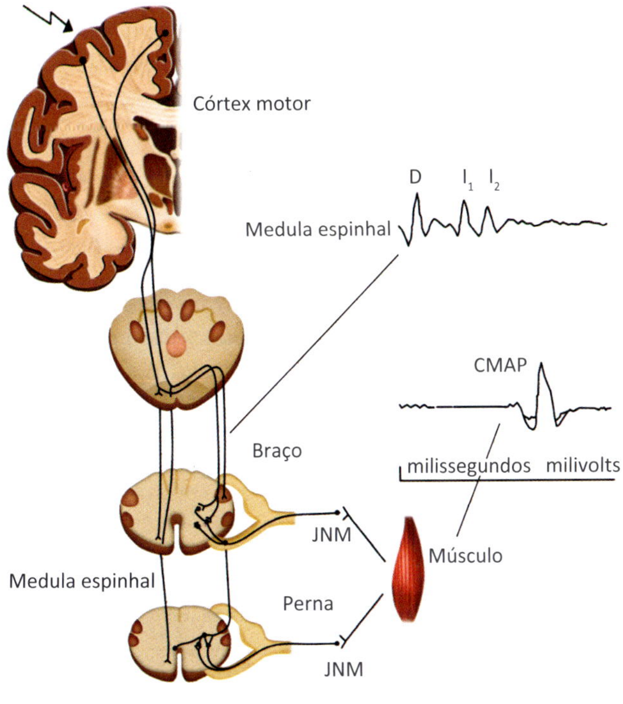

▲**Figura 171.9** Técnicas de estimulação e registro do potencial evocado motor (PEM).

JNM: junção neuromuscular; CMAP: potencial de ação motor composto.

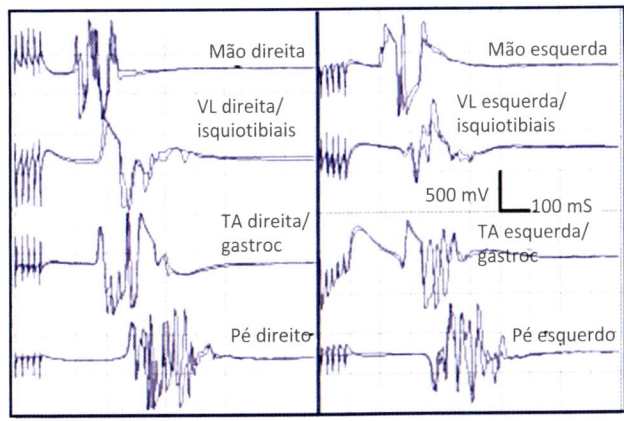

▲**Figura 171.10** Representações normais dos PEMs a partir dos músculos intrínsecos da mão, vasto lateral (VL), isquiotibial, tibial anterior (TA) e gastrocnêmio (Gastroc) e plantares

deve ser avisado), de lesão da língua e fratura mandibular (recomenda-se o uso de protetores da língua e bloqueadores da mordedura), indução de arritmia cardíaca e convulsões, a monitorização do PEM-tc tem se mostrado segura.[91] Devido à alta voltagem e à alta corrente liberadas durante a estimulação, existe o risco de choque elétrico caso haja contato inadvertido com o eletrodo estimulador. Contraindicações incluem epilepsia, hipertensão intracraniana e presença de desfibrilador implantável, eletrodos intracranianos e clipes vasculares.

Eletromiografia

As raízes nervosas estão sob risco de lesão direta nas cirurgias que envolvem a inserção de parafusos pediculares ou em pacientes com estreitamento foraminal e/ou do canal medular. Embora a monitorização do PEM forneça informações sobre a integridade ao longo da via motora, os testes têm amostragem limitada e podem não ser sensíveis para lesões radiculares específicas nas áreas de sobreposição da monitorização.[92] Além disso, a monitorização do PESS também será limitada e pouco específica, já que o estímulo entra na medula espinal por meio de várias raízes nervosas, sem permitir uma avaliação individual. Nesses casos, são usados eletrodos intramusculares para avaliar a EMG de músculos inervados pelas raízes nervosas e pelos nervos periféricos sob risco.[93]

EMG espontânea

A sEMG é usada para detectar a irritação das raízes espinais. O insulto cirúrgico se manifesta como espículas ou rajadas dessas descargas, a depender da força e da duração do insulto, que representam sequências de potenciais motores nos músculos inervados pela raiz sob risco. É técnica útil em procedimentos em que as raízes nervosas estão sob maior risco, como nas abordagens lombares. Por outro lado, sua utilidade estará limitada se a transmissão neuromuscular estiver alterada (p. ex., distrofia muscular), se os limiares estiverem aumentados no sítio cirúrgico em decorrência da irritação crônica ou se forem utilizados bloqueadores neuromusculares (BNMs).

Trata-se de modalidade que propicia a avaliação contínua em tempo real, muito sensível, mas com baixa especificidade e taxa potencialmente elevada de falso positivos, levando a interrupções desnecessárias da cirurgia.[93]

EMG estimulada

Modalidade de tEMG utiliza respostas evocadas para identificar a proximidade de nervos e raízes espinais por meio do uso de correntes de baixa intensidade.[93]

A indicação mais comum para a monitorização por tEMG é facilitar o posicionamento preciso de parafusos pediculares e iliossacrais.[93]

Aberturas no córtex do pedículo vertebral pela broca ou pelo parafuso podem resultar em trauma direto à dura-máter, às raízes nervosas ou à medula espinal. A verificação do canal feito no pedículo para inserção do parafuso por meio de um eletrodo estimulante possibilita a identificação de aberturas no pedículo. Após a colocação do parafuso pe-

dicular, a estimulação direta da "cabeça" do parafuso pode ajudar a confirmar o posicionamento seguro. Se a parede do pedículo estiver intacta, servirá de barreira isolante à transmissão da corrente de baixa intensidade à raiz nervosa subjacente e não será registrada a resposta motora evocada. Por outro lado, se o parafuso estiver próximo à raiz ou houver abertura na parede do pedículo, haverá ativação e registro na EMG referente àquela raiz nervosa testada.

Uma revisão sistemática recente buscou esclarecer o valor diagnóstico da tEMG e comparou diferentes limiares de estimulação. A aplicação mais útil da tEMG, como ferramenta de alerta para o mau posicionamento do parafuso pedicular lombar ocorreu na presença de estimulação positiva em um limiar de < 8 mA.[94] Cautela, entretanto, deve ser observada, visto que baixas doses de BNM podem elevar o limiar de estimulação. Como os sinais de sEMG não dependem da transmissão sináptica na junção neuromuscular, são relativamente consistentes na presença de anestésicos inalatórios e intravenosos. Semelhante aos PEMs, no entanto, podem ser completamente eliminados na presença de BNM.[95]

Monitorização Neurofisiológica e a Anestesia

A IONM idealmente combina o PESS com o PEM. Como são mediados por vias nervosas distintas, as diferentes modalidades de monitorização devem ser consideradas no planejamento do ato anestésico. O conhecimento dos métodos de monitorização é importante, posto que a técnica anestésica pode ter efeitos profundos sobre o sucesso da monitorização neurofisiológica.[96] Compreender os efeitos dos agentes anestésicos, técnicas de analgesia pós-operatória e alterações fisiológicas que ocorrem durante a cirurgia sobre os potenciais evocados permitirá aumentar a aplicabilidade dessas modalidades de monitorização e garantirá a sua especificidade na identificação intraoperatória de lesões neurológicas.[96]

Todos os agentes anestésicos deprimem a função sináptica no cérebro e na medula espinal, reduzindo a amplitude do sinal e aumentando sua latência. Consequentemente, diminuem a especificidade dos potenciais evocados para detecção da lesão neurológica. Embora novas técnicas de estimulação estejam ampliando o leque de anestésicos que podem ser usados, determinados agentes continuam a apresentar efeitos dependentes da dose- sobre a confiabilidade dos potenciais. A partir dos relatos de paralisia pós-operatória, a despeito de ausência de alterações na monitorização do PESS e da consequente associação dos PEMs-tc na rotina da IONM em cirurgia da coluna vertebral, o importante efeito depressor dependente da dose dos anestésicos inalatórios sobre os PEMs-tc definiu a anestesia venosa total como técnica anestésica de escolha.

Efeitos neurofisiológicos dos anestésicos

Os agentes anestésicos inalatórios e venosos exercem efeitos sobre as funções sinápticas e axonais. Dessa forma, alterando a excitabilidade neuronal, o impacto dos agentes anestésicos sobre a monitorização neurofisiológica aumenta com o número de sinapses envolvidas na via monitorada.[81] Por essa razão, potenciais evocados corticais são mais sensíveis aos anestésicos do que sinais subcorticais, como P14, N18/P31 e N34. Apesar de potencias subcorticais serem mais resistentes aos efeitos anestésicos, como apresentam razão sinal-ruído (RSR) mais baixa, levam mais tempo para serem obtidos e atualizados, de forma que poderão ter aplicação clínica limitada.[97]

Assim, o registro de PESSs corticais e PEMs miogênicos (que envolvem vias com maior número de sinapses) requer escolha e administração cuidadosas dos anestésicos. Essas diferenças são especialmente importantes quando há perda de sinais corticais sem alterações nos seus homólogos subcorticais (Figura 171.11). Do mesmo modo, a maioria dos agentes anestésicos interage com vários receptores em numerosas vias, de tal modo que o efeito anestésico sobre as respostas evocadas varia provavelmente com o espectro de receptores e vias específicas afetadas. Os efeitos dos agentes anestésicos são, portanto, o resultado da inibição direta de vias sinápticas e/ou a consequência de ação indireta sobre as vias, alterando o equilíbrio entre influências inibitórias e excitatórias.

Os PESSs corticais são suscetíveis aos anestésicos, em especial os inalatórios, mas em grau bem menor que os potenciais motores. Em virtude da ausência de sinapses até a junção cervicomedular, as respostas registradas até esse ponto são minimamente alteradas pela anestesia. Os principais efeitos dos anestésicos, no entanto, são observados em sinais registrados acima do nível do tálamo, a duas ou três sinapses de distância do estímulo, geralmente sobre o córtex sensorial primário.[96] A administração de BNM diminui o ruído de fundo, salientando e melhorando o registro dos PESSs. O efeito dos anestésicos e de alterações na homeostase sobre o PESS, entretanto, é de diminuição gradual dos potenciais em todos os locais de registro, enquanto a redução da resposta decorrente de lesão é mais abrupta e não é observada nos demais locais de registro. Daí a importância de se usarem múltiplos locais de registro para controle.[85]

As vias motoras e os PEMs são suscetíveis aos agentes anestésicos em três locais. O primeiro é o córtex motor.

A estimulação de neurônios motores, como as células piramidais, dá-se pela ativação direta dessas células, levando à produção de "ondas D", ou pela ativação indireta por meio de neurônios internunciais, o que leva à produção de "ondas I". As ondas D são relativamente pouco afetadas pelos anestésicos porque não há sinapses envolvidas na sua gênese ou propagação para a medula espinal. As ondas I exigem atividade sináptica para a sua produção, portanto são significativamente afetadas pelos anestésicos. O segundo local é a célula do corno anterior da medula. Nesse local, as ondas D e I se somam e, se forem capazes de atingir o limiar de excitabilidade, a célula do corno anterior se despolariza, produzindo um potencial de ação no nervo periférico. A estimulação de múltiplos neurônios produz um PAMC. Os anestésicos induzem um bloqueio sináptico parcial na célula do corno anterior, tornando mais difícil atingir o limiar de despolarização. O efeito combinado dos anestésicos ao bloquearem a geração de ondas I no córtex e a transmissão sináptica na célula do corno anterior da medula reduzem a probabilidade de criação do PAMC. O terceiro local está na junção neuromuscular (JNM). Com exceção dos BNMs, agentes anestésicos têm pouco efeito na JNM.

Efeitos dos anestésicos sobre a monitorização

A escolha da técnica anestésica durante o procedimento cirúrgico em que a monitorização neurofisiológica é realizada depende de diferentes fatores. Em primeiro lugar devem estar a segurança e o conforto do paciente. Assim, a escolha dos anestésicos dependerá das condições clínicas e comorbidades apresentadas pelo paciente, além das necessidades cirúrgicas específicas.

Dependendo das modalidades de monitorização neurofisiológica, pode haver restrições na escolha de agentes anestésicos ou de suas doses, porém a compatibilidade de um determinado protocolo anestésico com a monitorização do PESS ou do PEM não é "tudo ou nada", ou seja, o mesmo protocolo anestésico pode não funcionar com todos os pacientes.

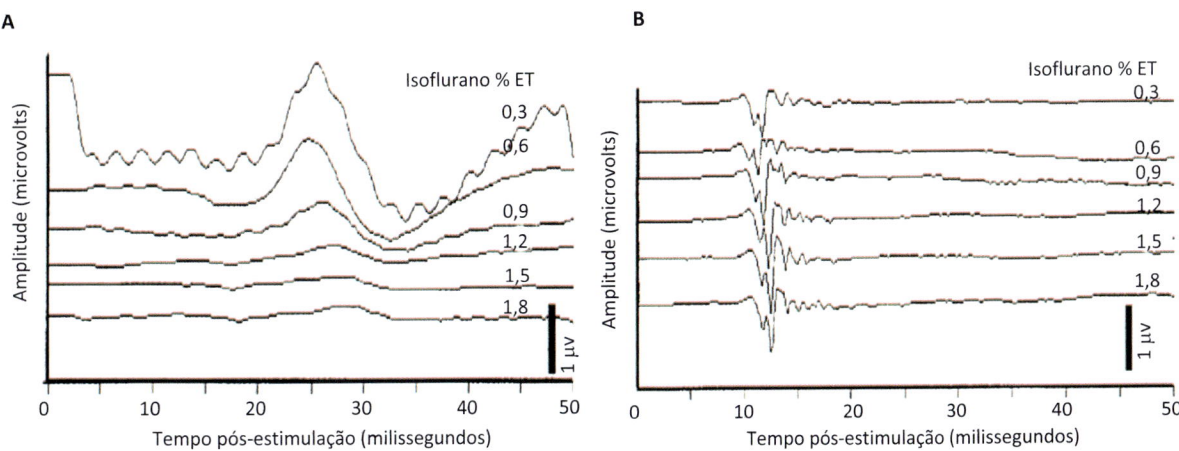

▲ **Figura 171.11** Efeitos de concentrações crescentes de isoflurano sobre PESSs corticais **(A)** e peridurais **(B)**. Ocorrem marcante redução da amplitude e aumento da latência dos registros corticais à medida que se eleva a dose anestésica. Por outro lado, os registros peridurais obtidos ao mesmo tempo que os corticais não se alteram com o aumento da dose anestésica.

Quando as respostas são consistentes e estáveis, dosagens mais altas de anestésicos podem ser toleráveis. Em contrapartida, quando são de baixa amplitude, fármacos e suas dosagens habitualmente recomendadas na anestesia e analgesia de procedimentos com monitorização neurofisiológica eventualmente resultarão em depressão dos potenciais.[98]

O cuidado anestésico deverá ser um processo contínuo e que pode se modificar durante a monitorização. O controle do meio fisiológico também é importante, pois o fluxo sanguíneo do sistema nervoso central, a pressão intracraniana, a reologia do sangue, a temperatura e a pressão parcial de CO_2 arterial produzem alterações nas respostas evocadas consistentes com o funcionamento neural.[98]

Uma estreita relação de trabalho com comunicação adequada entre a equipe de monitoramento neurofisiológico, o anestesiologista e o cirurgião é a chave para a condução e a interpretação bem-sucedidas da IONM, reduzindo a chance de alertas falsos de comprometimento neurológico e promovendo a rápida implementação de medidas corretivas no caso de detecção de possíveis lesões neurológicas.

Anestésicos inalatórios

Enquanto a técnica de anestesia venosa total proporciona boas condições de registro dos PESSs e PEMs, sendo a técnica recomendada para monitorização neurofisiológica, a adição de anestésicos inalatórios pode trazer prejuízo ao registro dos potenciais.

Todos os anestésicos inalatórios halogenados produzem aumento da latência e redução da amplitude dos PESSs corticais de forma dependente da dose. O efeito, entretanto, varia de acordo com o agente, sendo o isoflurano mais potente, o enflurano, intermediário, e o halotano, menos potente.[81] Estudos com sevoflurano e desflurano sugerem que esses agentes são semelhantes ao isoflurano no estado de equilíbrio, todavia outros estudos preconizam que desflurano e o sevoflurano podem ser os agentes mais desejáveis porque sua insolubilidade possibilita atingir o estado de equilíbrio mais rapidamente.[99]

Doses elevadas de anestésicos voláteis (> 1 CAM com ou sem óxido nitroso) deprimem intensamente o PESS, com grande redução da sua amplitude, e causam desaparecimento do PEM. É descrito na literatura que concentrações alveolares mínimas inferiores a 1 podem ser usadas com PESS, e inferiores a 0,5, durante a realização do PEM.[1] Se, no entanto, existirem déficits neurológicos preexistentes, esses limiares podem ser grandemente reduzidos. Apesar dos PESSs serem menos afetados e poderem ser registrados mesmo em 0,5-1 CAM em pacientes sem patologia neurológica pré-operatória, a administração de doses menores (< 0,5 CAM) propicia condições apenas regulares de registro do PESS cortical e também pode tornar o registro do PEM-tc impossível, e mesmo a estimulação multipulso pode não superar a supressão anestésica.[17] Assim, o melhor plano anestésico é evitar agentes inalatórios para otimizar a monitorização dos PEMs, mesmo quando se utiliza técnica de estimulação de alta frequência.

O óxido nitroso reduz a amplitude do PESS cortical e aumenta sua latência quando utilizado isoladamente ou combinado com agentes inalatórios halogenados, anestésicos venosos ou opioides. Quando comparado com concentrações anestésicas equipotentes, o óxido nitroso produz mudanças mais profundas no PESS cortical e tcPEM do que qualquer outro agente anestésico inalatório.[81] Não deve ser combinado com halogenados na monitorização do PEM-tc ou PESS cortical devido a seus efeitos aditivos imprevisíveis.

Apesar de existirem algumas evidências de que é possível o registro do PEM na presença de baixas doses de agentes halogenados, a questão clínica relativa à sua utilização durante a IONM é: "Quando há mudança no PEM durante a cirurgia, o neurofisiologista conseguirá ter certeza de que não é devida aos efeitos da anestesia?". Essa é uma questão complexa, visto que os efeitos dos anestésicos inalatórios sobre os potenciais evocados não estão simplesmente relacionados com suas pressões parciais nos alvéolos, mas também com outros fatores, como a duração da administração do anestésico e a presença prévia ou suscetibilidade a lesão do sistema nervoso, como em pacientes vasculopatas (hipertensos, diabéticos, dislipidêmicos) ou com doenças medulares compressivas. É muito mais prudente não perder um tempo precioso para responder a essa questão quando ocorre mudança intraoperatória dos potenciais evocados, evitando-se o uso de anestésicos halogenados e do óxido nitroso.

Opioides

Os opioides produzem alterações mínimas nos registros dos PESS espinais e subcorticais. Estudos do PEM com estimulação elétrica e magnética mostraram pequena diminuição da amplitude e aumento da latência com os opioides que não afetam significativamente a IONM.[45] Na verdade, o fentanil pode reduzir contrações musculares espontâneas de fundo e potenciais de unidade motora associados de forma a melhorar as respostas miogênicas.

A combinação da infusão de remifentanil diminui as necessidades hipnóticas e a dose administrada de propofol durante a anestesia intravenosa total (TIVA), e, subsequentemente, seu impacto sobre os potenciais evocados. A dose máxima recomendada de infusão de remifentanil, entretanto, deve ser inferior a 0,8 μg.kg^{-1}.min^{-1}.[45] Altas doses de remifentanil (> 0,8 μg.kg^{-1}.min^{-1}) foram associadas a redução da amplitude dos potenciais corticais do PESS.

Tal como acontece com opioides sistêmicos, a administração espinal de morfina ou fentanil para analgesia pós-operatória produz alterações mínimas no PESS.

De forma geral, os efeitos sobre a monitorização neurofisiológica são mínimos e os opioides podem ser administrados em bólus ou em infusão contínua ou alvocontrolada, sendo importantes componentes da técnica anestésica para monitorização dos potenciais evocados.[100]

Propofol

Entre os anestésicos venosos, o propofol tornou-se um agente popular e componente central da TIVA. Conhecido por seu perfil farmacocinético favorável e sua titulabilidade, o propofol permite ajuste fino da profundidade da anestesia e de seus efeitos sobre as respostas evocadas. Suprime PESSs e PEMs de modo dependente da dose, mas em extensão muito menor que anestésicos inalatórios, possibilitando registros adequados com as doses usadas comumente na prática clínica. A sua infusão alvocontrolada impede acúmulo e depressão dos potenciais ao longo do tempo. Como componentes da TIVA, infusões de propofol combinadas a opioides produziram boas condições de monitorização dos PESSs corticais e do PEM, mantendo um ambiente neurofisiológico mais estável do que com os anestésicos inalatórios.[101] É considerado o agente anestésico de escolha para facilitar a monitorização intraoperatória, principalmente quando PEMs são registrados.

A indução com propofol produz depressão da amplitude do PESS cortical com rápida recuperação após o término da infusão.[102] Estudos com PEM demonstraram um efeito depressor dependente da dose sobre a amplitude de resposta consistente com um efeito cortical.[102] Lieberman *et al.*[103] verificaram, em um modelo em porcos com hemorragia, que a redução da amplitude do PEM-tc verificada durante cirurgia da coluna complicada por grande sangramento se deveu ao aumento dos níveis plasmáticos de propofol. A análise multivariada revelou que a alteração do PEM-tc estava "primariamente associada" ao aumento do nível de propofol, mas também à redução do débito cardíaco. Os autores destacam que a administração do propofol durante cirurgia da coluna complicada após sangramento importante pode levar a alterações falso positivas do PEM-tc.

Cetamina

Embora a maioria dos anestésicos deprima a amplitude da resposta evocada e aumente a sua latência, alguns agentes, como o etomidato e a cetamina, melhoram as amplitudes de PESS e PEM por meio da atenuação da inibição.

Quando administrada durante a IONM, a cetamina aumenta as amplitudes do PESS cortical e do PEM em respostas musculares e espinais registradas após estimulação espinal. O efeito ocorre quando usada em bólus ou em infusão em baixa dose, tornando-a um agente vantajoso durante a monitorização dos potenciais. Os efeitos nas respostas dos PESS subcorticais e periféricos, no entanto, são mínimos, assim como aqueles nos PEMs miogênicos.[104] Devido a esses efeitos, a cetamina é um agente muito útil durante a monitorização de respostas que são normalmente difíceis de registrar sob anestesia (p. ex., PEMs miogênicos) ou secundárias a mielopatias ou neuropatias.

Uma série de casos observacionais descreveu o impacto da cetamina na monitorização do PEM durante a cirurgia pediátrica da coluna vertebral. Frei *et al.*[105] relataram que a inclusão de uma dose inicial de 2-3 mg.kg^{-1} de cetamina seguida por uma infusão contínua de 4 mg.kg^{-1}.h^{-1} melhorou a atenuação gradual do sinal relacionada com a infusão de propofol. Em todos os cenários, exceto em um, os PEMs retornaram. No caso em que os PEMs não retornaram, houve déficit motor persistente após a cirurgia.

Hipnóticos sedativos

O tiopental é um fármaco que pode ser usado para indução da anestesia, embora diminuições transitórias da amplitude e aumento na latência das respostas corticais dos PESSs possam ocorrer imediatamente após a sua administração. Efeitos mínimos são observados nas respostas subcorticais e periféricas. Por outro lado, barbitúricos não são usados comumente durante o registro de PEMs porque os PAMCs são bastante sensíveis. Além disso, esse efeito parece ser muito prolongado. Em um estudo, a dose em bólus de indução eliminou os PAMCs por um período de 45 a 60 minutos.[104]

Os benzodiazepínicos usados como medicação pré-anestésica não suprimiram os PESSs e os PEMs. Em contrapartida, em doses de indução da anestesia (0,2 mg.kg^{-1}), o midazolam, na ausência de outros agentes, produz depressão leve do PESS cortical e efeitos mínimos sobre componentes subcorticais e periféricos.[106] Tal como acontece com o tiopental e outros barbitúricos, o midazolam administrado para indução da anestesia é capaz de produzir depressão intensa e prolongada do PEM, o que sugere que também seja um agente de indução ruim quando do registro do PEM.

Quando combinado com o fentanil, o droperidol parece ter efeitos mínimos sobre os PEMs miogênicos.

Como a cetamina, o etomidato aumenta a amplitude do PESS cortical sem alterações das respostas subcorticais e periféricas. Esse aumento da amplitude coincide com as mioclonias observadas após a administração do fármaco, sugerindo elevação da excitabilidade cortical. Aumento mantido da amplitude e otimização do registro dos PESS corticais, os quais de outra forma não poderiam ser obtidos, e a melhora da amplitude dos PEMs foram possíveis com a infusão contínua de etomidato.[107] Estudos com PEMs sugeriram que o etomidato é excelente agente para indução da anestesia e, entre vários agentes intravenosos estudados, é o que apresenta o menor grau de depressão da amplitude dos PAMCs, embora seus efeitos adversos possam limitar seu uso clínico. Dessa forma, o uso de etomidato está limitado à indução da anestesia, uma vez que a infusão de etomidato tem sido associada à supressão adrenocortical.

A dexmedetomidina não parece afetar os PESSs. Os resultados sobre os PEMs, por outro lado, são heterogêneos. Em baixas doses de infusão (0,2-0,5 µg.kg^{-1}.h^{-1}), tem efeitos mínimos sobre os PEMs, mas pode atenuá-los significativamente em taxas de infusão mais altas.[108] Uma dose de 0,8 µg.kg^{-1}.h^{-1} não deve ser excedida quando os PEMs são monitorizados.

Em uma revisão retrospectiva, Tobias *et al.*[109] avaliaram os efeitos da dexmedetomidina sobre os PESSs e PEMs em uma coorte de pacientes pediátricos entre 12 e 17 anos submetidos a artrodese posterior da coluna. Os potenciais foram avaliados antes e após a administração de 1 µg.kg^{-1} de dexmedetomidina durante 20 minutos seguido de infusão a 0,5 µg.kg^{-1}.h^{-1} como adjuvante de TIVA, com propofol e remifentanil em doses ajustadas para manter o índice biespectral constante entre 45 e 60. As necessidades de propofol foram reduzidas e não houve diferença estatisticamente significativa nos PEMs e PESSs obtidos antes e ao final da dose de ataque de dexmedetomidina.

Por outro lado, em ensaio clínico prospectivo que incluiu 40 crianças e utilizou um desenho fatorial, o registro dos PEMs foi impactado negativamente por diferentes concentrações sanguíneas de dexmedetomidina e propofol.[108] O estudo demonstrou que a adição de dexmedetomidina motivou uma atenuação significativa nas amplitudes dos PEMs.

De forma semelhante à dexmedetomidina, a administração de clonidina também demonstrou deprimir significativamente os PEMs, mas não os PESSs.[110]

Assim, os agonistas alfa-2-adrenérgicos devem ser utilizados com cautela sempre que as vias motoras estiverem sendo monitoradas. Podem ser usados como adjuvantes analgésicos úteis durante a TIVA para reduzir a dosagem de outros agentes hipnóticos e opioides. Têm mínimos efeitos sobre os PESSs, porém, se os PEMs forem monitorados, os efeitos serão dependentes da dose e a dexmedetomidina deve ser usada nas menores doses possíveis ($0,2$–$0,5$ $\mu g.kg^{-1}.h^{-1}$) e, obrigatoriamente, inferiores a $0,8$ $\mu g.kg^{-1}.h^{-1}$ para evitar interferência sobre os PEMs.[45,100]

Lidocaína

A lidocaína pode ser usada como adjuvante durante a anestesia com o objetivo de poupar a administração de opioides e/ou auxiliar na analgesia pós-operatória em cirurgias da coluna. Também possibilita reduzir a dose total de propofol durante a TIVA sem alterar significativamente a monitorização do PESS ou do PEM, podendo ser usada com segurança durante a IONM.[111]

Bloqueadores neuromusculares

Os BNMs não afetam os PESSs. Na verdade, os registros dos PESSs podem ser mais facilmente obtidos na presença de relaxamento muscular, uma vez que suprimem a atividade eletromiográfica de fundo. Como o principal local de ação dos BNMs é a JNM têm o seu, eles têm pouco efeito sobre os registros eletrofisiológicos, como os PESS, que não derivam de atividade muscular.

Quando, no entanto, é necessária a obtenção de EMG ou PEMs miogênicos, os BNMs eventualmente estarão contraindicados. Os BNMs diminuem a amplitude das respostas do PEM e da EMG até aboli-las completamente. O bloqueio neuromuscular profundo impedirá o registro do PAMC durante a monitorização do PEM.

Alguns autores, todavia, afirmam que o bloqueio neuromuscular parcial é possível para a segurança do paciente. Algum relaxamento muscular pode ser necessário para facilitar a manipulação cirúrgica e minimizar o movimento do paciente durante a estimulação transcraniana. Monitorização aceitável do PAMC foi possível com a manutenção de bloqueio neuromuscular parcial mediante infusão contínua de BNM adespolarizante titulada para manter duas de quatro respostas na sequência de quatro estímulos (TOF).[96] Por outro lado, embora o registro do PEM miogênico seja possível com bloqueio neuromuscular parcial, a amplitude do PAMC estará reduzida. Nesses casos, controle rígido do bloqueio neuromuscular é necessário para que o bloqueio excessivo não elimine a capacidade de registro dos PEMs, mascarando eventual lesão neurológica.

Outro aspecto a se considerar quando BNMs são administrados durante monitorização do PEM é que a relação entre PEM e TOF é imprevisível e não linear. Essa ausência de linearidade pode ser explicada pela observação de que os mecanismos de ativação muscular diferem entre a resposta M obtida com a estimulação supramáxima do nervo periférico (usada para medida do bloqueio neuromuscular) e a resposta do PEM a partir da estimulação transcraniana. A resposta do PEM é muito maior e mais consistente que a resposta M, porque pulsos elétricos aplicados centralmente levam à ativação repetitiva de motoneurônios espinais com somação temporal.

Como consequência da redução da amplitude de resposta determinada pelo bloqueio neuromuscular, a capacidade de registro do PEM com bloqueio neuromuscular parcial será dependente da interação com outros fatores que também podem reduzir a amplitude da resposta miogênica, como os agentes anestésicos usados ou a presença de doença neurológica prévia. A diminuição da amplitude de respostas já inicialmente reduzidas devido à neuropatia ou a escolha e administração de anestésicos que reduzam a amplitude dos potenciais poderão tornar a utilização do BNM mais difícil, com grave prejuízo à monitorização. Assim, muitos autores são favoráveis à ausência completa de bloqueio neuromuscular, porquanto a variabilidade individual do bloqueio servirá como confundidor que não pode ser controlado na interpretação das respostas motoras evocadas.

Habitualmente, a administração de uma subdose de BNM adespolarizante, como o rocurônio ou o cisatracúrio, na indução facilita a intubação e a preparação do paciente, e seu efeito se resolve em tempo suficiente para o teste dos PEMs iniciais . Além disso, com o advento do sugamadex, o anestesista pode usar o rocurônio criteriosamente ao mesmo tempo em que proporciona reversão imediata e completa do bloqueio neuromuscular no caso de persistência da diminuição da amplitude dos PEMs.

Na monitorização da EMG espontânea e estimulação do parafuso pedicular, bloqueio neuromuscular residual ou parcial impede o registro das respostas secundárias a irritação mecânica ou estimulação elétrica de raízes nervosas. Nesses casos, a estimulação cirúrgica mecânica da raiz nervosa pode ser um estímulo fraco e a paralisia parcial reduzir a capacidade de registro dessas respostas. Dessa forma, muitas equipes de monitorização elegem evitar os BNMs.

Magnésio

Estudos acerca do impacto de infusões intraoperatórias de magnésio sobre a IONM são escassos. Como resultado de seus mecanismos de ação, o sulfato de magnésio potencializa os efeitos dos anestésicos inalatórios sobre os potenciais evocados e o efeito residual de BNM sobre a JNM. O resultado final é a potencialização dos já conhecidos e anteriormente comentados efeitos desses anestésicos e BNMs sobre a IONM.

Em um ensaio clínico com adolescentes submetidos a artrodese de coluna para correção de escoliose idiopática, a adição de magnésio (bólus de 50 $mg.kg^{-1}$ em 30 min seguido de infusão a 10 $mg.kg^{-1}.h^{-1}$) a um protocolo anestésico baseado em desflurano e remifentanil não alterou significativamente os registros dos PESSs (amplitude e latência) e PEMs (limiar de estimulação).[112] Outro ensaio clínico também não evidenciou prejuízo à monitorização neurofisiológica em um protocolo de TIVA com propofol em infusão alvocontrolada e remifentanil.[113]

Condução da anestesia na monitorização neurofisiológica

Durante a administração dos anestésicos, o objetivo deve ser criar um nível anestésico constante durante a obtenção dos registros de base e que será mantido durante toda a cirurgia. Uma vez iniciada a monitorização e registrados os PESSs basais, devem-se evitar doses em bólus de propofol para evitar resultados falso positivos e fatores confundidores da lesão cirúrgica da medula espinal.[114] Há evidências de que a administração de bólus de anestésicos pode causar redução de longa duração (15-20 min) ou perda das respostas do PEM.[115] Se houver necessidade de aprofundar a anestesia, pode-se administrar pequena dose de agente que apresente

rápido início de ação e que não esteja associado a depressão dos potenciais, como opioides ou cetamina.

Em geral, as modalidades de monitorização podem ser divididas em quatro grupos, a depender de se as respostas registradas são sensíveis ou insensíveis à anestesia (primariamente aos agentes inalatórios) e se são melhoradas ou prejudicadas pelos BNMs (Quadro 171.3). Como frequentemente diferentes modalidades de monitorização são combinadas durante a cirurgia, as principais restrições de cada uma definirão a conduta anestésica inicial. A Tabela 171.4 resume as principais recomendações para o uso de anestésicos em cirurgias de coluna com IONM.

O grupo I representa o PESS cortical, modalidade de monitorização sensível aos agentes anestésicos, mas insen-

Quadro 171.3 Matriz de sensibilidade da monitorização neurofisiológica aos anestésicos.		
	Sensível aos anestésicos	**Insensível aos anestésicos**
Insensível aos BNMs	PESS cortical	PESS e PEM peridural PESS subcortical PE auditivo do tronco cerebral
Sensível aos BNMs	PEM transcraniano	Estimulação parafuso pedicular Nervo craniano motor (p. ex., facial) PEM espinal

BNMs: bloqueadores neuromusculares; PESS: potencial evocado somatossensitivo; PEM: potencial evocado motor.

Tabela 171.4 Recomendações para o uso de anestésicos em cirurgias de coluna com monitorização neurofisiológica.			
Anestésicos	**PESS**	**PEM**	**Observações**
Inalatórios			
Halogenados	≤ 0,5 CAM	Não usar	
Isoflurano	↓↓	↓↓↓	
Sevoflurano	↓↓	↓↓	
Desflurano	↓↓	↓↓	
Óxido nitroso	Não usar ↓↓	Não usar ↓↓	
Venosos			
Propofol	↓ Indução/manutenção	↓ Indução/manutenção	Componente básico da AVT
Barbitúricos	Indução	Indução	
Benzodiazepínicos	↓ Pré-Operatório	– Pré-Operatório	
Etomidato	↑↑ Indução/manutenção	– Indução/manutenção	Uso limitado pelo risco de supressão adrenal
Cetamina	↑ Indução/manutenção	–/↓ Indução/manutenção	Risco de efeitos psicomiméticos
Opioides	Indução/manutenção	Indução/manutenção	Componente básico da AVT
Fentanil	–/↓	↓	
Remifentanil	–/↓	–/↓	
Sufentanil	–/↓	↓	
Bloqueadores neuromusculares	Indução/manutenção	Indução	Agentes de ação curta
Despolarizantes	–	↓↓↓	
Adespolarizantes	–	↓↓↓	
Dexmedetomidina	–/↓	–/↓	Adjuvante na AVT – Doses de 0,2 a 0,6 µg.kg^{-1}.h^{-1}

PESS: potencial evocado somatossensitivo; PEM: potencial evocado motor; AVT: anestesia venosa total.

síveis aos BNMs. Os agentes inalatórios, se utilizados, são geralmente restritos a menos de 0,5 CAM. As respostas do grupo I são menos afetadas por agentes anestésicos intravenosos. Vias menos dependentes da função sináptica, em que os efeitos de agentes anestésicos são muito menos acentuados, em geral caracterizam as respostas do grupo II. Assim, a maioria dos anestésicos inalatórios e intravenosos pode ser utilizada. O grupo III é claramente o mais desafiador para o anestesiologista em função da necessidade de evitar o relaxamento muscular e agentes inalatórios. A grande dificuldade da monitorização do PEM-tc tem sido os efeitos da anestesia e, por isso, requer anestesia intravenosa total. Por fim, as respostas do grupo IV habitualmente são registradas com facilidade, embora o relaxamento muscular deva ser limitado, com a liberdade de se usarem agentes inalatórios.

Além dos agentes anestésicos e BNMs, diferentes fatores podem interferir e dificultar a obtenção dos PEMs. Um estudo identificou a presença de diabetes, hipertensão arterial e a técnica anestésica como fatores independentes e aditivos associados à falha na obtenção do registro.[116] A presença de mais de uma patologia ou o uso de agentes anestésicos voláteis aumentou essa taxa de insucesso.[116]

Hipotensão arterial, anemia, hipocapnia e hipotermia são capazes de alterar a função eletrofisiológica e prejudicar a monitorização neurofisiológica (diminuem a amplitude e alargam a latência do potencial de forma direta), além de imporem risco de eventual agravamento de lesão neurológica. A manutenção da homeostase e a função medular são primariamente determinadas por adequados fluxo sanguíneo e oferta de oxigênio. Assim, o fluxo sanguíneo para o sistema nervoso central, a pressão intracraniana, a reologia sanguínea, a temperatura e a pressão parcial de CO_2 ($PaCO_2$) produzem alterações nas respostas consistentes com o funcionamento neural. O controle da pressão arterial, do hematócrito, da $PaCO_2$ e da temperatura corporal durante a anestesia são tão importantes para o sucesso da monitorização neurofisiológica quanto a escolha adequada dos fármacos anestésicos.[95] A correção desses fatores será decisiva para a interpretação de eventuais anormalidades identificadas na monitorização.

O limite inferior crítico da autorregulação medular, abaixo do qual o fluxo sanguíneo se torna dependente da pressão, apresenta grande variabilidade intra e interindividual e é influenciado por comorbidades e fatores cirúrgicos e anestésicos. Pacientes hipertensos crônicos ou com comprometimento neurológico preexistente secundário a mielopatia ou diabetes podem apresentar alterações dos potenciais evocados quando a perfusão nervosa cai abaixo dos valores basais.[98] Além disso, áreas da medula cronicamente comprimidas podem apresentar um suprimento sanguíneo mais tênue. Nesses casos, ocorrer é possível que ocorram reduções regionais do fluxo sanguíneo que não seriam, a princípio, compatíveis com as variações na pressão arterial.[95] Valores "normais" de pressão podem ser "inadequados" sem a informação da monitorização neurofisiológica.[98] Assim, quando o anestesiologista é solicitado a fornecer hipotensão deliberada para minimizar a perda de sangue na cirurgia da coluna, a IONM poderá orientar e determinar um limite inferior seguro da pressão arterial. De forma semelhante, no caso de diminuição ou desaparecimento do sinal durante a IONM, o anestesista deverá elevar a pressão arterial, por vezes, acima dos valores basais do paciente.

O nível exato de hemoglobina necessário para manter os sinais da IONM não é claro e provavelmente depende do paciente, devendo ser individualizado; no entanto dados em animais sugerem que um nível de hemoglobina de 10 g.dL^{-1} possibilita a monitorização ideal dos PESSs.[79]

Da mesma forma que os anestésicos e a isquemia, as alterações determinadas pela hipotermia são mais proeminentes em componentes de respostas associadas a vários elementos sinápticos, por isso PESSs registrados a partir de nervos periféricos são afetados minimamente, enquanto aqueles produzidos por estruturas corticais são bastante afetados. Com a hipotermia, o PEM demonstra aumento gradual da latência à medida que a temperatura esofágica diminui de 38°C para 32°C em decorrência da condução lentificada. Aumento do limiar de estimulação também foi observado em temperaturas mais baixas, achado que é consistente com o efeito da diminuição da temperatura tanto sobre a iniciação cortical quanto na condução.[117]

Enquanto os mecanismos descritos ocorrem em como consequência da hipotermia acidental, alterações da monitorização também podem se suceder em função de causas locais. Assim, a aplicação de soro frio na coluna/medula poderá lentificar a condução do estímulo nervoso. Do mesmo modo, o resfriamento da extremidade alterará o PESS proveniente de estimulação de um nervo desse membro.

Os potenciais se alteraram. O que fazer?

Os potenciais evocados devem ser monitorizados continuamente durante toda a cirurgia, com especial atenção para os momentos de instrumentação e correção da deformidade da coluna. Apesar de o neurofisiologista ser o responsável pela vigilância dos traçados obtidos, o sucesso da monitorização dependerá de uma estreita relação de trabalho, comunicação e entendimento entre o anestesiologista, o neurofisiologista e o cirurgião.

Qualquer alteração na monitorização deve ser valorizada. Aumento superior a 10% da latência ou diminuição de 50% da amplitude dos potenciais presumem alterações elétricas na medula.

Quando a alteração dos potenciais ocorre repentinamente, os seguintes fatores devem ser verificados: procedimento cirúrgico, lesão acidental da medula espinal, distração excessiva, problemas técnicos relacionados com a monitorização neurofisiológica e alterações nas doses dos agentes anestésicos ou administração de BNM.

Quando o padrão da monitorização se altera gradualmente, fatores causais podem incluir: compressão lenta, gradual e sustentada durante a cirurgia; distúrbios fisiológicos secundários, como hipotensão e isquemia, hipovolemia, hipoxemia e hipotermia; alterações na profundidade da anestesia; comprometimento dos nervos periféricos secundário ao posicionamento; alterações de impedância nos eletrodos de estimulação e registro, causando mudanças no padrão do artefato.

A depressão do sinal a partir da anestesia costuma ter natureza global, enquanto a verdadeira lesão ocorre em uma área anatômica específica. alteração localizada do sinal pode, no entanto, ocorrer em outras situações. Por exemplo, um membro que apresentara dificuldade basal de obtenção dos potenciais poderá ser mais sensível à técnica anestésica. Com isso, possivelmente será mais difícil distinguir a lesão do efeito da técnica anestésica, que poderá mascarar uma lesão verdadeira. A recuperação dos sinais após lesão ou interferência da anestesia pode ser demorada (30 minutos ou mais) e depender do anestésico administrado.

Checklists institucionais devem ser criados com o objetivo de identificar e corrigir situações de crise em que há diminuição ou desaparecimento dos potenciais evocados. Os itens do *checklist* podem, por exemplo, ser agrupados em considerações ambientais (eliminar estímulos estranhos, como conversas e música ambiente), fatores anestésicos/sistêmicos (otimizar a pressão arterial média e o hematócrito), variáveis técnicas/neurofisiológicas (discutir o *status* dos agentes anestésicos e verificar eletrodos e conexões) e detalhes cirúrgicos (eventos e ações imediatamente antes da perda de sinal, considerando-se reverter ações).[118] Nesses algoritmos, o anestesiologista tem papel determinante ao identificar e eliminar qualquer contribuição anestésica para a perda dos traçados, além de otimizar a perfusão medular (Figura 171.12).

Os primeiros passos são avisar ao cirurgião, determinar o momento da cirurgia e interromper toda e qualquer manipulação e compressão da medula espinal e das raízes nervosas. Manobras cirúrgicas, como distração, discectomia e colocação de enxerto, são causas comuns de alertas relacionados com a cirurgia.

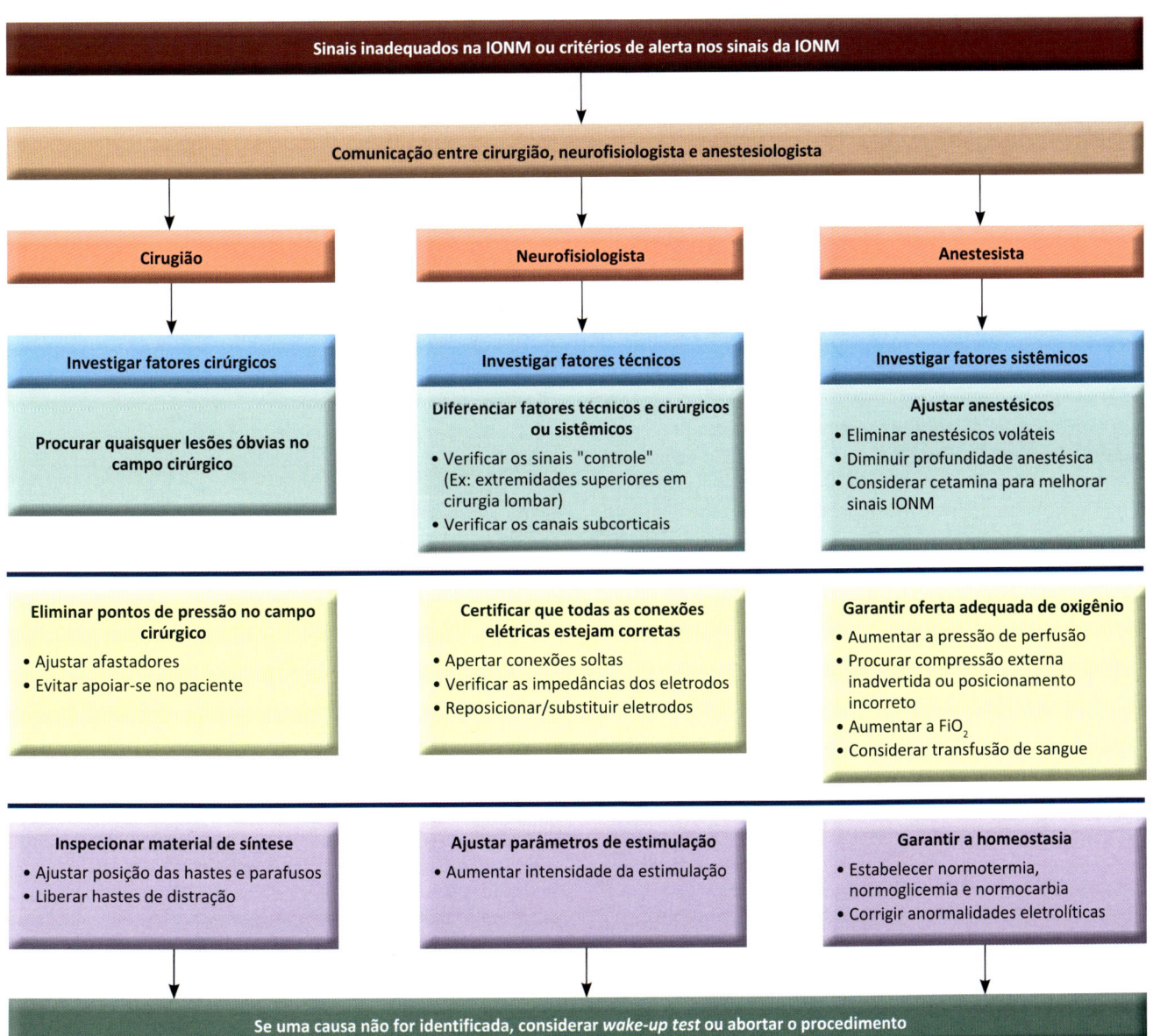

▲ **Figura 171.12** Protocolo para ocorrência de alterações intraoperatórias nos potenciais evocados.

IONM: monitorização neurofisiológica intraoperatória.

Fonte: Adaptada de Buhl LK *et al.*, 2[79]

Se fatores cirúrgicos e técnicos da monitorização são excluídos, é responsabilidade do anestesiologista descartar hipotensão, hipotermia, anemia, hipoxemia e efeitos anestésicos como fatores causais. O controle da pressão arterial é essencial para manter a pressão de perfusão da medula espinal, especialmente durante manobras como descompressão ou enxertia. A maioria dos autores concorda que os potenciais evocados devem ser registrados com pressão arterial média de 60-70 mmHg.[115] Se a pressão arterial já se encontra nesse limiar, estudos mostraram melhora, ou mesmo reversão, da depressão da amplitude dos potenciais quando a pressão arterial é aumentada 20% a 30% acima dos valores basais pré-operatórios. Outra opção é alterar o regime anestésico para uma técnica menos supressiva, como cetamina-propofol em baixa dose. Embora controverso, alguns centros administram esteroides para proteção medular.

Não havendo melhora na monitorização, o que pode não ser imediato, ou permanecendo dúvidas acerca da monitorização, realiza-se o *wake up test* até a liberação da correção da deformidade da coluna.

■ CIRURGIA MINIMAMENTE INVASIVA

Vertebroblastia e Cifoplastia

Fraturas compressivas de corpos vertebrais secundárias à osteoporose são muito comuns na população idosa e se associam a importantes sintomas dolorosos e disfunção. A maioria dos casos evolui com melhora da dor depois de meses com tratamento conservador, todavia, idosos mais fragilizados ou pacientes com numerosas comorbidades estarão mais sujeitos a apresentar complicações durante sua convalescença, enquanto outros poderão apresentar sintomas dolorosos persistentes, caracterizando refratariedade ao tratamento conservador. Nesses pacientes, procedimentos minimamente invasivos, como a vertebroplastia e a cifoplastia, surgem como opção de tratamento e, além de promoverem grande alívio da dor, contribuem para melhores desfechos funcionais na recuperação do paciente.[119]

A vertebroplastia percutânea como é a técnica de primeira linha para fraturas vertebrais em idosos e demonstra melhorar os sintomas de dor, viabiliza a restauração precoce da mobilidade funcional e reduz o risco de lesões vertebrais adicionais. A cifoplastia percutânea com balão aparece como tratamento de segunda linha nas fraturas vertebrais por osteoporose, com indicação ideal para fraturas vertebrais traumáticas agudas (menos de 7 a 10 dias) em pacientes mais jovens.

Uma metanálise recente com mais de 2 milhões de pacientes e outro estudo com dados do Medicare dos EUA demonstraram que pacientes com fratura vertebral por osteoporose tratados com vertebroplastia ou cifoplastia com balão tiveram menor chance de morrer até 10 anos após o tratamento em comparação com aqueles que receberam tratamento conservador não cirúrgico.[120]

Enquanto a vertebroplastia visa a estabilizar as fraturas vertebrais mediante a injeção percutânea de cimento ósseo diretamente no osso esponjoso do corpo vertebral, a cifoplastia não apenas estabiliza o corpo vertebral, mas também restaura a altura do corpo (Figura 171.13). A cifoplastia representa a evolução da vertebroplastia, em que um balão é primeiramente inserido no corpo vertebral para criar uma cavidade e reduzir a fratura seguido por uma injeção de cimento ósseo.

A injeção intraóssea de cimento promove analgesia por meio da estabilização de microfraturas e destruição de terminações nervosas secundária à reação hipertérmica produzida com o cimento ósseo. É contraindicada a casos associados a abscesso peridural, osteomielite, discite, coagulopatia e compressão medular e das raízes nervosas por fragmento ósseo, bem como alergia ao cimento ósseo.[121]

Efeitos adversos e complicações associados a esses procedimentos incluem danos a órgãos toracoabdominais ou sangramento devido à inserção inadequada da agulha de punção, compressão ou dano à medula espinal ou às raízes nervosas, extravasamento local do cimento, trombose venosa ou embolização cardiopulmonar de cimento, surgimento de novas fraturas adjacentes à vertebra expandida, broncoespasmo e choque devidos a reações alérgicas, infecção e piora da dor vertebral.[120,122]

O vazamento local de cimento é a complicação mais comum, e embolia pulmonar assintomática do cimento ocorre em 4,6% a 6,8% dos pacientes, dependendo da viscosidade do cimento (maior na cifoplastia), da pressão de injeção (maior na vertebroplastia) e do número de vértebras tratadas,[122] sendo mais frequente na vertebroplastia do que na cifoplastia.[123] Já foram relatados casos de extravasamento de cimento com embolia paradoxal cerebral e compressão medular, bem como embolia pulmonar fatal do cimento e de embolia gordurosa.[123] A viscosidade do cimento na injeção é provavelmente o fator mais importante para o vazamento do cimento. Embora vazamentos locais sejam menos frequentes na cifoplastia, a incidência de vazamentos intravenosos e embolização sistêmica é semelhante entre as técnicas.[122] Recomenda-se não exceder 25 mL de cimento ou tratamento de seis vértebras.[122] Dessa forma, o aneste-

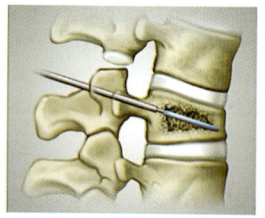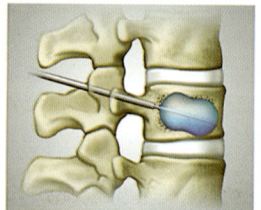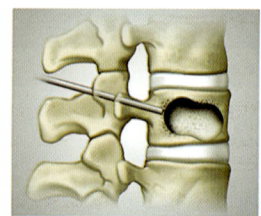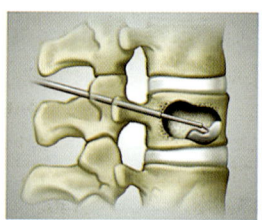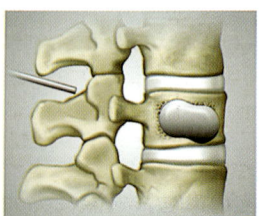

▲ **Figura 171.13** Técnica de cifoplastia.

siologista deverá estar ciente da possibilidade da ocorrência dessas graves complicações e preparado para tratá-las.

A anestesia para esses procedimentos difere sobremaneira das técnicas utilizadas em procedimentos convencionais sobre a coluna vertebral e apresenta peculiaridades no cuidado perioperatório e no risco de complicações. Sua administração pode ser sob sedação ou anestesia geral, todavia há, na literatura médica, relatos de casos em que a anestesia neuroaxial foi usada. O paciente é posicionado em decúbito ventral com o objetivo de causar lordose, facilitando a redução da fratura responsável pela deformidade cifótica. A injeção do cimento ósseo, composto de sulfato de bário, antibiótico e polimetilmetacrilato, é aplicada guiada por radioscopia. As perdas sanguíneas são mínimas.

Objetivos específicos da técnica anestésica escolhida devem ser a manutenção da imobilidade durante o procedimento associada a analgesia adequada e pronto despertar, a fim de proporcionar avaliação neurológica precoce.[122] A anestesia geral, enquanto garante a imobilidade e assegura o controle da via respiratória, tem a desvantagem de mascarar eventual lesão de raiz nervosa ou medular, já que o paciente não poderá referir dor durante o procedimento. Por outro lado, a sedação permite a comunicação com o paciente, o qual poderá referir dor ou parestesias por ocasião de dano neural intraoperatório, e a identificação precoce de embolia pulmonar, porém apresenta como desvantagem principal a falta de controle das vias aéreas.

A distração e a redução das fraturas vertebrais recentes pelo posicionamento e pela distração ativa ou insuflação do balão (cifoplastia) são, em geral, muito dolorosas e demandam anestesia geral. A vertebroplastia simples é menos dolorosa, portanto realizada principalmente sob anestesia local e sedação consciente, desde que o número de segmentos injetados seja pequeno.[122] Para a seleção da técnica anestésica – anestesia geral ou anestesia local com sedação consciente – três questões são importantes: tipo de procedimento (vertebroplastia vs. cifoplastia), número de segmentos a serem aumentados e as comorbidades do paciente.[122]

Enquanto as comorbidades e a idade avançada do paciente favorecem a anestesia local e a sedação consciente, o tratamento multinível, a forte dor nas costas (que torna difícil até mesmo o posicionamento), a potencial depressão respiratória e o conforto do paciente favorecem a anestesia geral com intubação e ventilação controlada. Dependendo do número de segmentos tratados, a PaO_2 pode diminuir significativamente devido a embolia de cimento, gordura ou medula óssea. Aliada a isso, a depressão respiratória durante a sedação pode piorar a oxigenação e aumentar ainda mais a pós-carga do ventrículo direito devido à hipercapnia e à vasoconstrição pulmonar.

Cirurgia Endoscópica Percutânea

Com o progresso tecnológico em estereotaxia, navegação, endoscopia, robótica e instrumentação percutânea, a cirurgia da coluna minimamente invasiva emergiu como uma mudança de paradigma. Atualmente, existem diversas técnicas e abordagens endoscópicas que podem ser utilizadas no tratamento de doenças da coluna vertebral. Essa abordagem moderna reduziria o tamanho da incisão cirúrgica e a dissecção dos tecidos, além de se associar a menor tempo operatório e menos perda sanguínea, complicações e dor pós-operatória. As técnicas minimamente invasivas também são capazes de diminuir o tempo de internação e melhorar os resultados pós-operatórios, reduzindo os custos de saúde e possibilitando que os pacientes retornem às atividades diárias mais precocemente do que as técnicas abertas convencionais.[3,124] Existe, no entanto, uma curva de aprendizado significativa associada à sua adoção pelo cirurgião.

A cirurgia endoscópica da coluna foi desenvolvida, inicialmente, como uma técnica de cirurgia minimamente invasiva para descompressão em pacientes com hérnia de disco lombar e estenose lombar. Mais tarde, foi descrita técnica endoscópica em cirurgias de fusão, especificamente para procedimentos de fusão intersomática lombar transforaminal (TLIF). Com os refinamentos técnicos e o desenvolvimento de um afastador tubular, a primeira TLIF minimamente invasiva foi realizada como uma combinação de menor trauma tecidual e menor tempo de recuperação, resultando em redução da dor pós-operatória, melhores resultados clínicos e custos mais baixos.[125,126]

As três técnicas de endoscopia mais comumente usadas para tratar distúrbios da coluna são a endoscopia total, a microendoscopia e a endoscopia biportal.[126] A endoscopia completa envolve a utilização de um único canal de trabalho, o qual conta com o endoscópio e um instrumento cirúrgico no mesmo dispositivo tubular. A microendoscopia também utiliza um único canal de trabalho, maior que na endoscopia completa, que permite o uso simultâneo de vários instrumentos e o controle independente do endoscópio. Na endoscopia biportal, são usados dois canais de trabalho (um para o endoscópio e outro para instrumentos), o que proporciona o controle independente do endoscópio e dos instrumentos.

Enquanto numerosos ensaios clínicos randomizados mostraram escores de dor e resultados funcionais semelhantes quando as técnicas endoscópicas foram comparadas com a microdiscectomia (procedimento padrão ouro) no tratamento da hérnia discal lombar, mais ensaios clínicos e outras técnicas de estabilização/fusão minimamente invasivas são necessários para considerar as técnicas endoscópicas eficazes em procedimentos TLIF.[126]

Embora se possam realizar as técnicas minimamente invasivas sob anestesia local/regional, ainda há escassez de estudos controlados comparando a anestesia local com a anestesia geral.

Enquanto a anestesia geral é a técnica anestésica mais comumente usada durante cirurgias minimamente invasivas da coluna vertebral, a anestesia regional (p. ex., raquianestesia na cirurgia lombar), combinada ou não com anestesia local, juntamente com sedação consciente, vem ganhando popularidade como método alternativo. As vantagens teóricas da anestesia local/regional incluem redução da morbidade da anestesia (especialmente em pacientes idosos que não tolerariam a anestesia geral devido ao mau estado clínico) e melhora da comunicação cirurgião-paciente, minimizando a manipulação da raiz nervosa. Além disso, em comparação com a anestesia geral, diminui a incidência de náuseas e vômitos pós-operatórios, promove melhor controle da dor pós-operatória e a permanência do paciente na sala de recuperação é reduzida. Por outro lado, fatores como a duração variável da anestesia regional e a ansiedade dos pacientes deverão ser considerados limitantes da técnica e avaliados caso a caso.

Alguns autores sugeriram que a técnica anestésica pode impactar os resultados cirúrgicos. É possível que, no paciente sedado sob anestesia local/regional, a técnica anestésica influencie a tomada de decisão intraoperatória do cirurgião devido ao desejo de reduzir o tempo operatório com base no desconforto do paciente. Esses fatores poderiam influenciar a extensão da discectomia, resultando em maiores taxas de recorrência, durotomia e reoperação.

■ ANALGESIA PÓS-OPERATÓRIA EM CIRURGIA DE COLUNA

Estudos relatam que praticamente todos os pacientes submetidos a cirurgias complexas da coluna vertebral apresentam dor aguda no pós-operatório e que 80% deles descrevem sua dor como intensa. A dor pós-operatória mal controlada contribui para o aumento da morbidade, do tempo de internação e do risco de desenvolvimento de dor pós-cirúrgica persistente e uso crônico de opioides.[127] Por esse razão, a analgesia é um componente crítico dos cuidados perioperatórios desses pacientes.

A redução da dor após essas cirurgias é desafiadora e pode ser de difícil controle. As cirurgias de coluna estão associadas a elevados escores de dor e necessidade de opioides no pós-operatório.[100,127] Como a dor pós-operatória não é causada apenas por lesão tecidual, mas também se associa a componentes inflamatórios, neuropáticos e viscerais, dor neuropática preexistente secundária à compressão de raízes nervosas é comum antes da cirurgia e sensibilização periférica e central contribui para a dor.[128] Muitos desses pacientes apresentam, antes da cirurgia, dor crônica tratada com terapia opioide de longa data;[129] com isso, a tolerância pré-operatória aos opioides tornará a analgesia pós-operatória mais desafiadora.

Revisões sistemáticas relatam grande variabilidade nas estratégias de analgesia pós-operatória em cirurgias da coluna devido à insuficiente evidência quantitativa na literatura.[100,127] Recomenda-se uma abordagem multimodal para analgesia, usando-se uma combinação de analgésicos primários simples, anti-inflamatórios não hormonais, opioides, analgésicos não opioides e técnicas de anestesia regional, quando apropriado. Uma revisão sistemática avaliou os efeitos de estratégia analgésica multimodal com, pelo menos, três agentes analgésicos em cirurgia da coluna vertebral e mostrou haver melhora consistente nos escores de dor no pós-operatório imediato e diminuição significativa do tempo de internação hospitalar.[130]

Diferentes estratégias, farmacológicas ou com auxílio de bloqueios regionais ou neuroaxiais, podem ser utilizadas em combinação, desde o pré-operatório até o pós-operatório, para o controle da dor pós-operatória em cirurgias complexas sobre a coluna vertebral.[45] Técnicas multimodais, particularmente quando instituídas já no pré-operatório, oferecem vantagens sobre regimes de medicação única.[131]

O uso de múltiplos agentes e estratégias para analgesia, visando a modular diferentes partes da via da dor, é eficaz para aliviar o sintoma em diferentes cenários e reduzir a dose individual de cada medicamento e, por consequência, seus efeitos adversos. Em cirurgias da coluna, todavia, as evidências não demonstram a melhor combinação de fármacos e técnicas para produzir a analgesia mais efetiva e com menos efeitos adversos.

Inibidores da Ciclo-oxigenase

Analgésicos simples, como paracetamol, dipirona e anti-inflamatórios não esteroidais (AINEs), podem ser usados para tratar a dor aguda pós-operatória e reduzir a necessidade de opioides e seus efeitos adversos.[132] Metanálise com 400 pacientes submetidos a discectomia lombar ou laminectomia e artrodese demonstrou que AINEs (inibidores da ciclo-oxigenase [COX-2] seletivos ou não seletivos), em combinação com opioides, reduziram os escores de dor e o consumo de opioides 2, 6, 24 e 48 horas após a cirurgia quando em comparação com o tratamento isolado com opioides.[133]

Historicamente, os AINEs foram evitados em muitas cirurgias da coluna vertebral devido a preocupações com o aumento dos riscos de sangramento no pós-operatório e piores resultados da fusão da coluna vertebral, no entanto uma metanálise mostrou não haver associação estatística entre uso de AINEs e falha da fusão óssea.[134] Estudo recente sugeriu que os efeitos dos AINEs nas taxas de fusão dependem da dose administrada e da duração do tratamento, e um curso curto imediatamente após a cirurgia não tem efeito nas taxas de fusão espinal.[135] A literatura acerca do impacto dos AINEs sobre o aumento do sangramento intraoperatório ou de complicações hemorrágicas pós-operatórias é controversa, com dados mais recentes sugerindo que a continuação dos AINEs parece segura.[1]

De forma semelhante, o cetorolaco é comumente evitado na fusão espinal em virtude de preocupações com o sangramento secundário à inibição da agregação plaquetária e com o aumento do risco de falha na fusão espinal, especialmente em pacientes tabagistas. Um ensaio clínico randomizado com 246 pacientes submetidos a fusão lombar minimamente invasiva demonstrou que o uso do cetorolaco por um curto período se associou a diminuição significativa do consumo de opioides nas primeiras 48 horas de pós-operatório, sem aumento significativo no risco de sangramento, hematoma peridural, lesão renal aguda ou complicações do trato gastrointestinal.[136] A taxa de fusão espinal foi comparável após 6 meses e 1 ano de acompanhamento. Ainda está por se definir se esses achados são generalizáveis para todas as cirurgias complexas da coluna.

Opioides Venosos

A base do tratamento da dor durante e após a cirurgia da coluna tem sido, tradicionalmente, a recomendação de uma variedade de opioides como a primeira escolha para o tratamento da dor pós-operatória. Podem ser administrados em bólus, em infusões contínuas, bem como analgesia controlada pelo paciente (ACP), contudo efeitos adversos, como náusea e vômito, limitam seu uso.

Metadona

Entre os opioides administrados para analgesia pós-operatória em cirurgias de coluna, a metadona é um agente que vem recebendo muito destaque. Pode ser administrada via oral no pré-operatório (0,2-0,3 mg.kg^{-1}) ou em bólus por via endovenosa (0,1-0,2 mg.kg^{-1}).[45]

Além de ser um opioide de baixo custo e com potente ação agonista sobre o receptor opioide μ, seu perfil farmacocinético único com longa meia-vida de eliminação, seu início de ação rápido, a ausência de metabólitos ativos e sua ação adicional como potente antagonista do receptor n-metil-D-aspartato (NMDA) e inibidor da recaptação de serotonina e noradrenalina adicionaram grande interesse ao seu uso como adjuvante útil para reduzir a dor e a necessidade de opioides, bem como o risco de desenvolvimento de dor crônica pós-operatória e aumentar a satisfação dos pacientes em cirurgias de artrodese da coluna.[137]

Um estudo recente que utilizou um protocolo de analgesia multimodal baseado em metadona, cetorolaco, paracetamol e oxicodona em adolescentes submetidos a correção de escoliose idiopática demonstrou significativa melhora da recuperação, com menos tempo de permanência hospitalar, menores escores de dor pós-operatória e necessidade de opioides, bem como menos efeitos colaterais associados a opioides.[138]

Outro benefício que parece associado ao uso da metadona foi apresentado em um estudo de seguimento de dois ensaios clínicos randomizados que compararam o efeito da metadona administrada no intraoperatório como da hidromorfona em cirurgias de coluna (frequência e intensidade de dor 1, 3, 6 e 12 meses).[137] Pacientes tratados com metadona relataram menos episódios de dor e menor intensidade da dor três meses após a cirurgia, sugerindo potencial efeito da metadona para atenuar o desenvolvimento de dor pós-cirúrgica persistente. Menos pacientes receberam opioides três meses após a cirurgia, sugerindo uma possível redução no uso crônico de opioides. Não houve diferença estatisticamente significativa após três meses de pós-operatório.

Cetamina

A cetamina, um antagonista NMDA amplamente utilizado em cirurgias da coluna, pode ser administrada tanto no intraoperatório quanto como uma infusão pós-operatória para melhorar a dor e reduzir o consumo de opioides e seus efeitos colaterais.[139]

Os benefícios potenciais da cetamina incluem a redução do consumo cumulativo de morfina e dos escores de dor até 24 horas após a cirurgia da coluna, bem como a diminuição da necessidade de opioides 6 a 12 meses após a cirurgia.[139,140] Loftus *et al.*[141] estudaram pacientes dependentes de opioides submetidos a cirurgia da coluna lombar e compararam o efeito analgésico da cetamina (bólus de 0,5 mg.kg^{-1} na indução seguido de infusão intraoperatória de 10 μg.kg^{-1}.min^{-1} até o final da cirurgia) com o placebo. O consumo total de morfina foi reduzido em 30% 24 horas após a cirurgia e 37% nas 48 horas pós-operatórias, sem diferença na ocorrência de efeitos adversos como náuseas, vômitos

e alucinações. O efeito analgésico se estendeu até seis semanas após a cirurgia, com redução de 71% do consumo de morfina. Outro estudo, no entanto, não encontrou benefício nos escores de qualidade de recuperação pós-operatória nas primeiras 48 horas após o uso da cetamina.

Agentes antagonistas do receptor NMDA podem fornecer benefício analgésico particular nessa população de pacientes por meio de inibição da sensibilização das vias nociceptivas, prevenção da ativação relacionada com opioides de sistemas pró-nociceptivos e atenuação da tolerância a opioides e hiperalgesia.[100] De fato, os efeitos analgésicos são mais evidentes quando a cetamina é combinada com a metadona em comparação com a metadona isoladamente. Um ensaio clínico avaliou o efeito antinociceptivo resultante da combinação de agentes que atuam tanto como antagonistas NMDA quanto como agonistas dos receptores opioides μ.[142] Pacientes submetidos a cirurgia da coluna vertebral foram randomizados para receber 0,2 mg.kg^{-1} de metadona no intraoperatório e dextrose a 5% em infusão por 48 horas no pós-operatório (grupo metadona), ou 0,2 mg.kg^{-1} de metadona no intraoperatório e uma infusão de 0,3 mg.kg^{-1}.h^{-1} de cetamina no intraoperatório, e, em seguida, 0,1 mg.kg^{-1}.h^{-1} nas 48 horas seguintes (grupo metadona/cetamina). A adição de cetamina racêmica à metadona mostrou redução significativa nos escores de dor em repouso, com tosse e em movimento, e reduziu em 50% o consumo total de hidromorfona no pós-operatório em três dias. Além disso, o tempo até a primeira dose de resgate de hidromorfona na sala de recuperação pós-anestésica (SRPA) foi maior no grupo metadona/cetamina do que no grupo controle. Apesar dos melhores resultados analgésicos por até 72 horas depois da cirurgia, esses benefícios não se traduziram em menor tempo de internação na SRPA ou no hospital. O perfil de eventos adversos, incluindo sedação, náuseas e vômitos pós-operatórios (NVPO), alucinações e coceira, não foi significativamente diferente entre os grupos. Os escores de satisfação relatados pelos pacientes foram altos em ambos os grupos de estudo.

Dessa forma, para reduzir o consumo de opioides no pós-operatório imediato, e considerando o potencial de efeitos analgésicos duradouros, a infusão de cetamina no perioperatório (iniciada no intraoperatório e continuada no pós-operatório) pode ser uma escolha razoável.[45] Existem diferentes regimes de dosagem descritos, e o fármaco pode ser administrado por meio de uma dose em bólus de 0,1 a 1 mg.kg^{-1} após a intubação seguida por infusão de 0,1 a 0,25 mg.kg^{-1}.h^{-1}.[139,140] Taxas de infusão inferiores a 0,1 mg.kg^{-1}.h^{-1} não demonstraram reduzir efetivamente as necessidades de opioides no pós-operatório, especialmente em pacientes virgens de opioides.[143]

A eficácia da S-cetamina no tratamento da dor em cirurgias complexas da coluna vertebral não foi bem demonstrada. Um ensaio clínico randomizado recente com 189 pacientes virgens em opioides submetidos à artrodese lombar posterior encontrou que não houve redução significativa na necessidade cumulativa de oxicodona em 48 horas quando a S-cetamina foi administrada em bólus intraoperatório de 0,5 mg.kg^{-1} seguido de infusão a 0,6 ou 0,12 mg.kg^{-1}.h^{-1}.[144] Os escores de dor, expressos como média ponderada pelo tempo durante as primeiras 48 horas, também não foram melhores nos dois grupos de cetamina.

Gabapentinoides

A gabapentina é um análogo estrutural do ácido gama-aminobutírico (GABA) que, entretanto, não apresenta ação agonista GABAérgica e atua ligando-se a canais de cálcio dependentes de voltagem, modulando, assim, a liberação de neurotransmissores excitatórios.

A dose sugerida de gabapentina varia entre 600 e 900 mg.[145] Os benefícios potenciais dos gabapentinoides incluem redução dos escores de dor e do consumo de morfina em 12 e 24 horas após a cirurgia,[146] da ansiedade pré-operatória,[147] dos efeitos sinérgicos com a clonidina e dos efeitos aditivos com a dexametasona.[45]

Estudo retrospectivo recente com adolescentes submetidos a fusão espinal posterior demonstrou que a adição perioperatória de gabapentina oral à morfina intratecal se associou à diminuição do uso de opioides quando em comparação com a morfina intratecal isoladamente.[148] Os escores de dor pós-operatória não foram significativamente diferentes, enquanto as taxas de NVPO e prurido foram substancialmente menores no grupo gabapentina.

Benefícios pouco claros nas dores aguda, subaguda e crônica também foram relatados quando se incluíram os gabapentinoides em um regime de analgesia multimodal.[149] Alguns estudos relataram nenhum efeito analgésico clinicamente relevante e tampouco efeito na prevenção de dor crônica pós-operatória. Em 2020, uma metanálise não deu suporte ao uso rotineiro de gabapentinoides no tratamento da dor pós-operatória em pacientes adultos, pois o efeito analgésico não foi clinicamente significativo.[149] Os autores também observaram aumento na incidência de efeitos adversos, incluindo tontura e distúrbios visuais.

De fato, existe grande preocupação quanto à segurança da gabapentina. Os gabapentinoides têm sido associados ao risco de depressão respiratória com o uso concomitante de opioides e outros depressores do sistema nervoso central em pacientes de alto risco, como aqueles com doença pulmonar obstrutiva crônica e idade avançada.

Essa classe de fármacos deve, portanto, ser utilizada com cautela em pacientes submetidos a cirurgia complexa da coluna.[100] A utilidade do uso rotineiro de gabapentinoides perioperatórios em esquema analgésico multimodal não está bem estabelecida.[45]

Lidocaína Intravenosa

A lidocaína é um fármaco que pode ser usado durante a cirurgia de coluna, sendo administrada habitualmente em uma dose em bólus inicial de 1-1,5 mg.kg^{-1} seguida de infusão contínua a 1-2 mg.kg^{-1}.h^{-1} durante a cirurgia. Sua administração sistêmica tem efeitos anti-inflamatórios, analgésicos e anti-hiperálgicos, e os benefícios potenciais da infusão incluem redução nos escores verbais de dor e das necessidades de opioides até 48 horas após a cirurgia.[150] Quando comparada com o placebo, a administração de 2 mg.kg^{-1}.h^{-1} de lidocaína venosa durante a cirurgia e mantida até 8 horas de pós-operatório reduziu de forma significativa os escores de dor e o consumo de opioides no pós-operatório e melhorou a qualidade de vida avaliada um mês e três

meses após a cirurgia sem que houvesse mudança no perfil e na frequência de efeitos adversos.[150]

Uma revisão sistemática mostrou que a infusão intravenosa de lidocaína se associou à redução da intensidade da dor em 6, 24 e 48 horas após a cirurgia da coluna vertebral e à diminuição da necessidade de opioides no pós-operatório.[151] Houve, entretanto, uma grande heterogeneidade entre os ensaios incluídos na revisão em relação ao impacto sobre a necessidade de opioides. A heterogeneidade foi reduzida significativamente com a remoção de um estudo que utilizou uma dose de infusão mais baixa (1,5 mg.kg^{-1}.h^{-1}) em comparação com a usada em outros estudos (2 mg.kg^{-1}.h^{-1}), sugerindo um efeito dependente da dose.

Posteriormente, uma nova metanálise, apesar de demonstrar que a infusão perioperatória de lidocaína reduziu os escores de dor pós-operatória, não encontrou diferença significativa na necessidade de opioides após a cirurgia.[152] A infusão de lidocaína também não demonstrou ter efeito sobre o tempo de permanência hospitalar e escores de dor 72 horas após a cirurgia.[153]

Dessa forma, conclui-se que a lidocaína pode ser considerada com segurança no intraoperatório e no pós-operatório de pacientes submetidos a cirurgia de coluna para reduzir os escores verbais de dor e a necessidade de opioides em 48 horas. Seu uso parece ser promissor, mas ainda são necessários mais estudos para definir dosagens, a duração e seus efeitos sobre os escores de dor pós-operatória e necessidade de opioides.[45,100]

Magnésio

O sulfato de magnésio é um antagonista fisiológico não competitivo dos canais acoplados ao NMDA dependentes de voltagem que bloqueia o influxo de cálcio, inibindo a sensibilização central e diminuindo a hipersensibilidade à dor. Essas propriedades estimularam a pesquisa do magnésio como agente adjuvante nas analgesias intraoperatória e pós-operatória. Em contrapartida, a literatura é escassa em ensaios clínicos de qualidade para demonstrar o papel do magnésio e sua importância no controle da dor nociceptiva pós-operatória, bem como na evolução da dor crônica pós-operatória.

Habitualmente, o sulfato de magnésio é administrado em bólus de 30-50 mg.kg^{-1} em 30 minutos seguido de infusão contínua a 10-20 mg.kg^{-1}.h^{-1} durante a cirurgia.

Estudos mostram que o magnésio reduz a necessidade de analgésicos no pós-operatório de cirurgias da coluna. A administração de bólus de 30 mg.kg^{-1} de magnésio seguido de infusão de 10 mg.kg^{-1}.h^{-1} reduziu de forma significativa os escores de dor e as necessidades de opioides durante as primeiras 24 horas de pós-operatório e melhorou a satisfação dos pacientes após cirurgias da coluna lombar.[154] Dois ensaios clínicos randomizados demonstraram que a necessidade cumulativa de morfina e analgésicos foi consideravelmente menor em 48 horas após a cirurgia e os escores de dor, mais baixos no grupo de pacientes tratados com magnésio em comparação com o grupo controle.[155,156] Uma revisão sistemática recente em cirurgias da coluna mostrou que o uso intraoperatório de magnésio reduz as necessidades intraoperatórias de remifentanil e de morfina por até 24 horas no pós-operatório.[157] Em relação aos eventos adversos, houve menos NVPO, mas os tempos de despertar e de recuperação foram mais longos.

Agonistas Alfa-2-adrenérgicos

Os agonistas alfa-2-adrenérgicos comumente usados na prática clínica em cirurgias de coluna são a clonidina e a dexmedetomidina. Enquanto a clonidina é administrada na dose de 1-2 μg.kg^{-1}, a dexmedetomidina é administrada, inicialmente, com uma dose de carga de 0,5-1 μg.kg^{-1} em 30 minutos seguida de infusão contínua a 0,1-0,8 g.kg^{-1}.h^{-1}.

Esses agentes reduzem o estresse perioperatório e as respostas inflamatórias, bem como a fadiga pós-operatória,[158] e são úteis como adjuvantes para reduzir as doses de hipnóticos e opioides no intraoperatório. Além disso, associam-se a menos necessidade de analgésicos, escores de dor menores no pós-operatório e menos incidência de NVPO.[159]

As evidências atuais demonstram a utilidade do uso da dexmedetomidina no cenário da cirurgia complexa da coluna vertebral. Um ensaio clínico randomizado recente comparou infusões intraoperatórias de baixa dose de dexmedetomidina (0,2 μg.kg^{-1}.h^{-1}), cetamina e controle.[160] Os pacientes que receberam infusão de cetamina ou dexmedetomidina apresentaram, em comparação com o grupo controle, escores de dor e necessidades de opioides no pós-operatório significativamente menores. Não houve diferença significativa entre os grupos cetamina e dexmedetomidina, tanto em relação à analgesia quanto à ocorrência de hipotensão e bradicardia durante a cirurgia.

Quando usada no pós-operatório, a dexmedetomidina se associou a menores necessidades de opioides.[161] Após cirurgias de tumor espinal, a combinação da administração de dexmedetomidina com ACP de sufentanil promoveu demanda significativamente menor de sufentanil e escores de dor mais baixos em 24 e 48 horas após a cirurgia. Além disso, a qualidade do sono foi melhor e a ocorrência de NVPO, menor.[162] Outro ensaio clínico comparou as infusões de cetamina (bólus de 0,25 mg.kg^{-1} seguido de infusão 0,25 mg.kg^{-1}.h^{-1}), dexmedetomidina (bólus de 0,5 μg.kg^{-1} seguido de infusão 0,3 μg.kg^{-1}.h^{-1}) e solução fisiológica, iniciadas no período pós-operatório e mantidas por 24 horas.[163] As duas terapêuticas prolongaram o tempo sem dor nas primeiras 48 horas após a cirurgia e reduziram as necessidades de morfina de resgate em 24 e 48 horas.

Anestesia Regional

A anestesia regional envolve diferentes técnicas e pode ser usada durante a cirurgia de coluna. Resumidamente, as técnicas mais conhecidas e utilizadas são as abordagens do neuroeixo com a administração de anestésicos locais e/ou opioides por via peridural ou intratecal. Entre as técnicas regionais não neuroaxiais elegíveis para cirurgias de coluna, destacam-se os bloqueios periféricos de planos fasciais, como o bloqueio do Plano Eretor da Espinha (ESP), bloqueio do Plano Interfascial Toracolombar (TLIP), bloqueio do Plano

Transverso Abdominal (TAP) e bloqueio do ponto médio do processo transverso.

Infiltração da ferida operatória

O uso de infusões contínuas de anestésicos locais por meio de cateteres inseridos na ferida operatória mostrou-se efetivo no alívio da dor e diminuiu a incidência de disestesias crônicas.[164] Revisão sistemática avaliou o efeito da infiltração da ferida operatória com anestésicos locais sobre a dor pós-operatória.[165] Em comparação com o placebo, a significância clínica foi questionável, com poucos estudos revelando pequena redução na intensidade da dor pós-operatória e com o efeito restrito ao período imediatamente após à cirurgia. Diminuição não significativa no consumo de opioides e, provavelmente, sem relevância clínica, foi demonstrada.

Técnicas neuroaxiais

Nenhuma técnica neuroaxial intraoperatória com a administração de anestésicos locais deve ser usada em cirurgias com IONM. A administração de anestésico local resultará no bloqueio das vias de condução somatossensitivas e motoras, provocando o desaparecimento dos potenciais evocados. O uso de anestésicos locais deverá ficar restrito ao período pós-monitorização neurofisiológica, mais comumente no pós-operatório. Por outro lado, a administração isolada de opioides no neuroeixo não demonstrou alterar a IONM.[166]

No que se refere à analgesia pós-operatória, com seleção cuidadosa do paciente e monitoramentos neurológico e respiratório pós-operatórios apropriados, técnicas neuroaxiais são consideradas adjuvantes, visto que reduzem o uso de opioides no pós-operatório e melhoram a satisfação do paciente.[45,100] São técnicas efetivas e não estão associadas a maior incidência ou retardo no diagnóstico de lesão neurológica quando o tratamento é planejado para possibilitar avaliação neurológica precoce após a cirurgia. Benefícios incluem retorno mais rápido da função intestinal, mobilização precoce, menor permanência hospitalar, melhor controle da dor em repouso e em movimento e menos ocorrência de náuseas, vômitos e prurido.[167]

Intratecal

O saco dural é facilmente acessível ao cirurgião durante os procedimentos cirúrgicos da coluna vertebral, e a medicação intratecal pode ser administrada sob visão direta antes do fechamento da ferida operatória.

A administração intratecal de morfina em diferentes dosagens mostrou reduzir os escores de dor até 36 horas após a cirurgia, o tempo para uso de doses de resgate e a dose total de opioides no período pós-operatório até 48 horas após a cirurgia.[168] Os pacientes que receberam morfina intratecal apresentaram mobilização mais precoce e menos tempo de internação.

Recentemente, um ensaio clínico randomizado analisou a eficácia da administração pré-operatória de morfina intratecal em baixa dose (0,2 mg) em pacientes submetidos a artrodese espinal multinível pela via posterior.[169] Os autores demonstraram escores de dor significativamente mais baixos 6, 12 e 24 horas após a cirurgia, tanto em repouso quanto em movimento, bem como necessidades reduzidas de opioides no intra e no pós-operatório.

O perfil de complicações é considerado seguro, mas os pacientes que recebem opioides intratecais experimentam mais prurido e devem ser monitorados no pós-operatório pelo risco de depressão respiratória tardia, especialmente com doses de morfina superiores a 0,3 mg.[170] Doses maiores melhoram a analgesia, mas são acompanhadas de mais efeitos adversos, maior risco de depressão respiratória e necessidade de admissão em unidade de terapia intensiva. Estudos mostraram que doses mais baixas permanecem eficazes no seu efeito analgésico.[171]

Como pode ocorrer dor significativa por até quatro dias após a cirurgia da coluna vertebral, os opioides intratecais, isoladamente, provavelmente serão insuficientes durante esse período e não devem ser a única terapia. Opioides parenterais, administrados em regime de ACP, por exemplo, fornecerão uma transição suave da analgesia em pacientes que receberam opioides intratecais.

Peridural

A analgesia pela via peridural pode fornecer benefícios potenciais, como maior satisfação do paciente com a diminuição da intensidade da dor, menos necessidade de opioides, mobilidade mais precoce, ocorrência reduzida de NVPO e redução dos marcadores inflamatórios no período pós-operatório.[172]

Em comparação com o uso da ACP venosa com fentanil, a infusão contínua de ropivacaína a 0,2% resultou em menores escores de dor em todos os momentos avaliados até o terceiro dia pós-operatório e menor consumo de opioides no pós-operatório, além de maiores níveis de satisfação após artrodese posterior lombar.[173] Uma revisão sistemática da Cochrane acerca da anestesia peridural em cirurgia toracolombar pediátrica demonstrou melhores escores de dor e retorno mais rápido da função intestinal do que com a analgesia sistêmica isoladamente.[174]

Outra metanálise avaliou o uso da analgesia peridural com infusão contínua de anestésicos locais associada à administração de opioides parenterais, em comparação com os opioides intravenosos isoladamente, no controle da dor pós-operatória da correção da escoliose idiopática em adolescentes.[175] Os escores médios de dor foram menores 24, 48 e 72 horas após a cirurgia no grupo tratado com infusão peridural.

Não se conhece ainda a melhor técnica peridural, seja no que se refere ao número de cateteres (um ou dois cateteres peridurais), seja em relação aos fármacos e doses administrados. Os resultados obtidos com a infusão peridural por meio de um único cateter parecem não ser ideais por não ser suficiente para cobrir toda a extensão da incisão cirúrgica e porque o alívio da dor não é completo devido às interrupções nos espaços peridural e paraespinal produzidas pela cirurgia. Um ensaio clínico comparou a ACP venosa com duas técnicas de analgesia peridural contínua em pacientes com escoliose idiopática submetidos a artrodese posterior.[176] Os pacientes tratados com analgesia peridural foram divididos em dois grupos. Em um deles, utilizou-se um único cateter peridural, enquanto no outro grupo a analgesia foi fornecida por dois cateteres. A intensidade da dor foi controlada de forma mais efetiva com a técnica de duplo cateter peridural quando em comparação com ACP e um único cateter peridural. Apesar de os efeitos adversos variarem entre as três estratégias de analgesia, não houve diferença significativa entre elas. Também não houve diferença entre as técnicas quanto ao tempo para atingir objetivos na fisioterapia e ao tempo de internação.

Preocupações com complicações como hematoma peridural e infecção associada aos cateteres, além de elevada ocorrência de deslocamento do cateter, dificultaram a popularização da técnica de analgesia peridural em cirurgias de coluna. Apesar de os riscos serem raros, mas potencialmente graves, a técnica tem pequena aceitação. Uma vez iniciada a infusão de anestésicos locais pelo cateter peridural, a avaliação neurológica poderá ser prejudicada no pós-operatório na eventualidade de complicações.

Bloqueios de planos fasciais

Enquanto a anestesia neuroaxial é raramente utilizada para grandes cirurgias da coluna vertebral, técnicas de anestesia regional periférica para analgesia intraoperatória e pós-operatória têm ganhado grande popularidade pelo seu papel potencial no alívio da dor pós-operatória, na qualidade da recuperação e na satisfação do paciente.[177]

As principais vantagens dos bloqueios de planos fasciais, quando comparados com as técnicas de anestesia neuroaxial, são sua facilidade de execução, melhor perfil de segurança e por possibilitarem precocemente o exame neurológico no pós-operatório imediato. Os bloqueios ESP e TLIP demonstraram bons resultados em estratégias multimodais de analgesia em cirurgias da coluna como alternativas às técnicas neuroaxiais e à analgesia infiltrativa.[177] Além disso, as técnicas regionais reduziram a ocorrência de complicações pós-operatórias, o consumo de opioides no perioperatório e, a perda sanguínea, além de propiciarem melhor controle hemodinâmico e melhora nos escores de satisfação do paciente.[177]

Embora os benefícios descritos estejam sendo rapidamente estabelecidos, na maioria dos estudos, os bloqueios regionais fasciais foram administrados antes da incisão cirúrgica e quase todos os relatos descrevem técnicas em dose única, o que limita a duração da analgesia. Possivelmente por essa razão, uma metanálise recente não confirmou efeito analgésico eficaz com bloqueios fasciais em dose única. Ainda não são conhecidos os perfis analgésico e de segurança de bloqueios contínuos com cateter.[178]

Os bloqueios ESP e TLIP foram considerados úteis como parte de uma estratégia multimodal de analgesia. Uma metanálise de ensaios clínicos randomizados comparando o ESP com nenhum bloqueio demonstrou melhora nos escores de dor, NVPO e consumo de opioides.[179] O bloqueio TLIP reduziu os escores de dor, o uso de fentanil e a dose analgésica administrada em ACP.[180] Uma revisão retrospectiva da utilização do bloqueio TAP mostrou redução no tempo de internação, NVPO e consumo de opioides na SRPA em pacientes submetidos a artrodeses pelas vias anterior e lateral.[181] Apesar dessas evidências, ainda não se sabe qual técnica de bloqueio fascial é superior ou se técnicas contínuas com cateter trarão melhores resultados analgésicos e funcionais.

Atualmente, o bloqueio ESP é a técnica de anestesia regional periférica mais comumente descrita na literatura em cirurgia da coluna. Embora o mecanismo de ação exato seja objeto de debate contínuo, acredita-se que seus efeitos analgésicos na cirurgia da coluna sejam derivados da dispersão do anestésico local para os ramos dorsais dos nervos espinais.[182] Dessa forma, a dispersão do anestésico local para o espaço paravertebral e o bloqueio dos ramos ventrais e dorsais poderão resultar em interferência no registro dos potenciais evocados e prejuízo à IONM, e o bloqueio ESP não deverá ser usado antes da cirurgia de coluna com IONM. Essa técnica de analgesia deverá ficar restrita, nesses casos, ao período pós-operatório, ao final da IONM.

Quando usado o bloqueio ESP para analgesia pós-operatória, diferentes ensaios clínicos randomizados pequenos indicaram benefícios em reduzir os escores de dor precoce em repouso e ao movimento (até aproximadamente 12 horas) e o consumo de opioides até aproximadamente 24 horas após a cirurgia, encurtando o tempo de internação e melhorando a satisfação do paciente após cirurgias da coluna lombar.[178] Outros ensaios clínicos demonstraram também reduções significativas nas necessidades totais de opioides intraoperatórios quando o bloqueio ESP foi realizado antes da incisão cirúrgica. A maioria dos estudos concluiu que o bloqueio ESP reduz a ocorrência de NVPO, possivelmente como um resultado secundário à capacidade poupadora de opioides.[178]

Questiona-se, todavia, a magnitude global dos efeitos do ESP sobre a analgesia pós-operatória e o consumo de opioides. Ademais, não se sabe ainda se há benefícios clínicos significativos.[45] Uma grande série retrospectiva que avaliou pacientes que receberam o bloqueio ESP em uma estratégia de recuperação acelerada em cirurgias de artrodese de coluna lombar demonstrou diferenças estatísticas significativas, mas de pequena importância clínica, nos escores de dor, consumo de opioides e tempo de internação.[183] Os efeitos demonstrados sobre o tempo de internação foram mistos, com vários estudos associando os bloqueios ESP a reduções no tempo de internação, enquanto outros falharam em encontrar diferenças significativas.[178]

■ CUIDADOS PÓS-OPERATÓRIOS

As complicações perioperatórias graves mais comumente associadas a cirurgias de correção de deformidades da coluna são sangramento excessivo, reoperação devido a infecção profunda, trombose venosa profunda e tromboembolismo pulmonar, tendo ocorrido mais frequentemente em procedimentos combinados com abordagens anterior e posterior. Sangramento maciço (> 4 L) foi associado a cirurgias de revisão e/ou tempo operatório prolongado.[184] A prevalência de complicações pulmonares é especialmente elevada nas cirurgias de correção da escoliose não idiopática e quando o ângulo da curvatura é superior a 60º.[6] Entre

os fatores de risco para complicações pulmonares pós-operatórias, destacam-se cirurgia de revisão (RC = 2,3), doença respiratória pré-operatória (RC = 14,3), ângulo de Cobb pré-operatório > 75° (RC = 1,7) e toracoplastia (RC = 4,1).[185]

Vários fatores podem afetar o encaminhamento pós-operatório dos pacientes submetidos a cirurgia complexa da coluna vertebral. Deve ser feita avaliação criteriosa da relação risco-benefício da admissão pós-operatória em UTI *versus* a admissão para cuidados gerais em enfermaria ou apartamento. Devido à heterogeneidade dos pacientes e à ampla variedade de intervenções cirúrgicas realizadas sobre a coluna vertebral, é difícil protocolar um fluxograma de cuidados pós-operatórios em UTI. Fatores institucionais, como a disponibilidade de recursos, podem influenciar essas práticas. Os fatores que podem influenciar a admissão em UTI incluem comorbidades cardiopulmonares pré-operatórias, idade avançada, estado físico ASA mais grave, fusão de múltiplos segmentos vertebrais, cirurgias prolongadas em posição ventral com perda sanguínea superior a 500 mL, edema de vias respiratórias, exigência de intubação traqueal e ventilação mecânica no pós-operatório e necessidade de vasopressores.[45]

Após o despertar da anestesia, monitorização rigorosa do paciente facilitará a detecção precoce de obstrução das vias respiratórias, hipoxemia e hipoventilação. Isso é uma preocupação especialmente presente no despertar de cirurgias de longa duração, bem como após cirurgias da coluna cervical, as quais, por vezes, impactam as vias respiratórias.[1] Nesse contexto, pacientes submetidos a cirurgias da coluna cervical pela via anterior com abordagem de múltiplos níveis podem estar sob risco de apresentar edema cervical e das vias respiratórias, bem como expansão de hematoma cervical no pós-operatório. Fatores de risco preditivos de comprometimento da via respiratória após cirurgia cervical incluem exposição cirúrgica maior que três níveis vertebrais com inclusão de C2, C3 ou C4, perda sanguínea ≥ 300 mL, tempo de cirurgia (> 5 horas) e abordagens combinadas pelas vias anterior e posterior.[186,187] Outros fatores de risco são obesidade mórbida, apneia obstrutiva do sono ou pneumopatia, presença de mielopatia cervical, visualização subótima da glote na laringoscopia (Cormack-Lehane graus 3 ou 4) e múltiplas tentativas de intubação.

Edema da via respiratória frequentemente está presente em cirurgias prolongadas, especialmente na posição ventral e após vigorosa fluidoterapia. A língua também pode se edemaciar e obstruir a via respiratória. Nos procedimentos cervicais altos e da fossa posterior, é frequentemente necessário flexionar substancialmente o pescoço, o que reduz a dimensão anteroposterior da orofaringe, e pode ocorrer isquemia por compressão da base da língua por corpos estranhos (tubo endotraqueal, estetoscópio esofágico, via respiratória). A consequência pode ser macroglossia após a reperfusão do tecido isquêmico.

Complicações das vias respiratórias ocorrem em até 6% dos casos, com necessidade de reintubação em aproximadamente 2% e mortalidade de 0,3%. O uso de corticoides, apesar de amplamente difundido, não tem efetividade clínica evidenciada. O teste de vazamento do balonete do tubo traqueal auxilia na identificação de edema e possível obstrução da via respiratória após extubação.

A decisão de manter ventilação mecânica pós-operatória deve levar em conta fatores inerentes ao paciente e à cirurgia, como a presença de doença neuromuscular preexistente, doença pulmonar restritiva grave (CVF < 35% do previsto), defeitos cardíacos congênitos, insuficiência ventricular direita, obesidade, cirurgias prolongadas, acesso à cavidade torácica e perda sanguínea vultosa. Frequentemente, é necessário manter a ventilação mecânica apenas por algumas horas na UTI até que a hipotermia e os distúrbios metabólicos possam ser corrigidos, ou para viabilizar a resolução do edema cervical e/ou da face, minimizando o risco de reintubação de urgência.

O uso de protocolos ERAS pode se associar à redução de internações na UTI e ao tempo de permanência nessas unidades após cirurgias de coluna. De acordo com uma revisão sistemática, o *fast-track* parece ser uma ferramenta bem-sucedida para encurtar o tempo de internação, acelerar o retorno da função, minimizar a dor pós-operatória e reduzir custos.[188] Os estudos atuais incluídos são, no entanto, principalmente acerca de doenças degenerativas da coluna e, em grande parte, retrospectivos com dados não randomizados. Os principais componentes envolvidos na otimização dos resultados são estratégias de analgesia preemptiva, conservação de sangue (uso de antifibrinolíticos), preparo do sítio cirúrgico e profilaxia antibiótica.[189] Nível moderado de evidência existe para a implementação de programa pré-operatório de habilitação, cirurgia minimamente invasiva, estratégias de analgesia multimodal, bem como mobilização precoce.

REFERÊNCIAS

1. Singleton M, Ghisi D, Memtsoudis S. Perioperative management in complex spine surgery. Minerva Anestesiol. 2022;88:396-406.
2. Shabat S, Arinzon Z, Folman Y, Leitner J, David R, Pevzner EVet al. Long-term outcome of decompressive surgery for lumbar spinal stenosis in octogenarians. Eur Spine J. 2008;17:193-198.
3. Khanna P, Sarkar S, Garg B. Anesthetic considerations in spine surgery: What orthopaedic surgeon should know! J Clin Orthop Trauma. 2020;11: 742-748.
4. Wainwright TW, Immins T, Middleton RG. Enhanced Recovery after Surgery (ERAS) and its applicability for major spine surgery. Best Pract Res Clin Anaesthesiol. 2016;30(1):91-102.
5. Bartley CE, Yaszay B, Bastrom TP, Shah SA, Lonner BS, Asghar J et al. Perioperative and Delayed Major Complications Following Surgical Treatment of Adolescent Idiopathic Scoliosis. J Bone Joint Surg Am. 2017;99(14):1206-1212.
6. Gibson PRJ. Anaesthesia for Correction of Scoliosis in Children. Anaesth Intensive Care. 2004;32(4):548-559.
7. Ailon T, Sure DR, Smith JS, Shaffrey CI. Surgical Considerations for Major Deformity Correction Spine Surgery. Best Pract Res Clin Anaesthesiol. 2016;30(1):3-11.
8. Hudec J, Prokopová T, Kosinová M, Gál R. Anesthesia and Perioperative Management for Surgical Correction of Neuromuscular Scoliosis in Children: A Narrative Review. J Clin Med. 2023;12:3651.
9. Raw DA, Beattie JK, Hunter JM. Anaesthesia for spinal surgery in adults. Br J Anaesth. 2003;91(6):886-904.
10. Hindman BJ, Palecek JP, Posner KL, Traynelis VC, Lee LA, Sawin PD, et al. Cervical spinal cord, root, and bony spine injuries. A closed claims analysis. Anesthesiology. 2011;114:782-95.
11. Aziz M. Airway management in neuroanesthesiology. Anesthesiol Clin. 2012;30(2):229-40.
12. Wiles MD. Airway management in patients with suspected or confirmed traumatic spinal cord injury: a narrative review of current evidence. Anaesthesia. 2022;77:1120-1128.
13. Zdravkovic M, Rice MJ, Brull SJ. The clinical use of cricoid pressure: first, do no harm. Anesth Analg. 2021;132:261-7.
14. Wiles MD. Manual in-line stabilisation during tracheal intubation: effective protection or harmful dogma? Anaesthesia. 2021;76:850-3.
15. Thiboutot F, Nicole PC, Trepanier CA, Turgeon AF, Lessard MR. Effect of manual in-line stabilization of the cervical spine in adults on the rate of difficult orotracheal intubation by direct laryngoscopy: a randomized controlled trial. Can J Anesth. 2009;56:412-8.
16. Singleton BN, Morris FK, Yet B, Buggy DJ, Perkins ZB. Effectiveness of intubation devices in patients with cervical spine immobilisation: a systematic review and network meta-analysis. Br J Anaesth. 2021;126(5):1055-1066.
17. Furlan D, Deana C, Orso D, Licari M, Cappelletto B, Monte A et al. Perioperative management of spinal cord injury: the anesthesiologist's point of view. Minerva Anestesiologica. 2021;87(12):1347-58.
18. Inan G, Bedirli N, Ozkose SZ. Radiographic comparison of cervical spine motion using LMA Fastrach, LMA Ctrach, and the Macintosh laryngoscope. Turkish Journal of Medical Sciences. 2019;49:1681-6.
19. Suppan L, Tramèr MR, Niquille M, Grosgurin O, Marti C. Alternative intubation techniques vs Macintosh laryngoscopy in patients with cervical spine immobilization: systematic review and meta-analysis of randomized controlled trials. Br J Anaesth. 2016;116(1):27-36.
20. Hansel J, Rogers AM, Lewis SR, Cook TM, Smith AF. Videolaryngoscopy versus direct laryngoscopy for adults undergoing tracheal intubation. Cochrane Database Syst Rev. 2022 Apr 4;4(4):CD011136.
21. Paik H, Park H-P. Randomized crossover trial comparing cervical spine motion during tracheal intubation with a Macintosh laryngoscope versus a C-MAC D-blade videolaryngoscope in a simulated immobilized cervical spine. BMC Anesthesiology. 2020;20:201.
22. Romito JW, Riccio CA, Bagley CA, Minhajuddin A, Barden CB, Michael MM et al. Cervical spinemovement in a cadaveric model of severe spinal instability: a study comparing tracheal intubation with 4 different laryngoscopes. J Neurosurg Anesthesiol. 2020;32:57-62.
23. Liao S, Schneider NRE, Weilbacher F, Stehr A, Matschke S, Grützner PA et al. Spinal movementand dural sac compression during airway management in acadaveric model with atlanto-occipital instability. Eur Spine J. 2018;27:1295-302.
24. Dutta K, Sriganesh K, Chakrabarti D, Pruthi N, Reddy M. Cervical spine movement during awake orotracheal intubationwithfiberoptic scope and McGrath videolaryngoscope in patients undergoing surgery for cervical spine instability: a randomized control trial. J Neurosurg Anesthesiol. 2020;32:249-55.
25. Schoettker P, Arias AP, Pralong E, Duff JM. Airtraq® vs. fibreoptic intubation in patients with an unstable cervical spine fracture: a neurophysiological study. Trends Anaesth Crit Care. 2020;31:28-34.
26. Robitaille A, Williams SR, Tremblay MH, Guilbert F, Thériault M, Drolet P. Cervical spine motion during tracheal intubation with manual in-line stabilization: direct laryngoscopy versus GlideScope videolaryngoscopy. Anesth Analg. 2008;106(3):935-41.
27. Kamel I, Barnette R. Positioning patients for spine surgery: Avoiding uncommon position-related complications. World J Orthop. 2014;5(4):425-43.
28. Welch MB, Brummett CM, Welch TD, Tremper KK, Shanks AM, Guglani P et al. Perioperative peripheral nerve injuries: a retrospective study of 380,680 cases during a 10-year period at a single institution. Anesthesiology. 2009;111(3):490-7.
29. Warner ME, Warner MA, Garrity J, MacKenzie RA, Warner DO. The frequency of perioperative vision loss. Anesth Analg. 2001;93:1417-21.
30. Lee LA, Roth S, Posner KL, Cheney FW, Caplan RA, Newman NJ et al. The American Society of Anesthesiologists' Postoperative Visual Loss Registry: Analysis of 93 Spine Surgery Cases with Postoperative Visual Loss. Anesthesiology. 2006;105:652-9.
31. Roth S, Tung A, Ksiazek S. Visual loss in a prone-positioned spine surgery patient with the head on a foam headrest and goggles covering the eyes: an old complication with a new mechanism. Anesth Analg. 2007;104:1185-7.
32. Kumar N, Jivan S, Topping N, Morrell AJ. Blindness and rectus muscle damage following spine surgery. Am J Ophthalmol. 2004;138:889-91.
33. Singh RB, Khera T, Ly V, Saini C, Cho W, Shergill S et al. Ocular complications of perioperative anesthesia: a review. Graefes Arch Clin Exp Ophthalmol. 2021;259(8):2069-2083.
34. Rubin DS, Parakati I, Lee LA, Moss HE, Joslin CE, Roth S. Perioperative visual loss in spine fusion surgery. Ischemic optic neuropathy in the United States from 1998 to 2012 in the Nationwide Inpatient Sample. Anesthesiology. 2016;125:457-464.
35. Stevens WR, Glazer PA, Kelley SD, Lietman TM, Bradford DS. Ophthalmic complications after spinal surgery. Spine (Phila Pa 1976). 1997;22:1319-1324.
36. American Society of Anesthesiologists Task Force on Perioperative Visual Loss; North American Neuro-Ophthalmology Society; Society for Neuroscience in Anesthesiology and Critical Care. Practice advisory for perioperative visual loss associated with spine surgery 2019: an updated report by de American Society of Anesthesiologists Task

Force on Perioperative Visual Loss, the North American Neuro-Ophthalmology Society, and the Society for Neuroscience in Anesthesiology and Critical Care. Anethesiology. 2019;130:12-30.

37. Kla KM, Lee LA. Perioperative visual loss. Best Pract Res Clin Anaesthesiol. 2016;30(1):69-77.
38. Gill B, Heavner JE. Postoperative visual loss associated with spine surgery. Eur Spine J. 2006;15:479-84.
39. Patil CG, Lad EM, Lad SP, Ho C, Boakye M. Visual loss after spine surgery: a population- based study. Spine. 2008;33:1491-6.
40. Holy SE, Tsai JH, McAllister RK, Smith KH. Perioperative ischemic optic neuropathy: a case control analysis of 126,666 surgical procedures at a single institution. Anesthesiology. 2009;110:246-53.
41. Nuttall GA, Horlocker TT, Santrach PJ, Oliver WC Jr, Dekutoski MB, Bryant S. Predictors of blood transfusions in spinal instrumentation and fusion surgery. Spine. 2000;25:596-601.
42. Torres-Claramunt R, Ramírez M, López-Soques M, Saló G, Molina-Ros A, Lladó A et al. Predictors of blood transfusion in patients undergoing elective surgery for degenerative conditions of the spine. Arch Orthop Trauma Surg. 2012;132(10):1393-8.
43. Calder I. Anaesthesia for spinal surgery. Baillieres Best Pract Res Clin Anaesthesiology. 1999;13(4):629-642.
44. Grocott MP, Mythen MG, Gan TJ. Perioperative fluid management and clinical outcomes in adults. Anesth Analg. 2005;100(4):1093-106.
45. Blacker SN, Vincent A, Burbridge M, Bustillo M, Bustillo M, Hazard SW, Heller BJ et al. Perioperative Care of Patients Undergoing Major Complex Spinal Instrumentation Surgery: Clinical Practice Guidelines From the Society for Neuroscience in Anesthesiology and Critical Care. J Neurosurg Anesthesiol. 2022;34(3):257-276.
46. Soliman DE, Maslow AD, Bokesch PM, Strafford M, Karlin L, Rhodes J et al. Transoesophageal echocardiography during scoliosis repair: comparison with CVP monitoring. Can J Anaesth. 1998;45:925-32.
47. Carabini LM, Navarre WJ, Ault ML, Bebawy JF, Gupta DK. A Comparison of Hemoglobin Measured by Co-Oximetry and Central Laboratory During Major Spine Fusion Surgery. Anesth Analg. 2015;120:60-5.
48. Ristagno G, Beluffi S, Menasce G, Tanzi D, Pastore JC, D'Aviri G et al. Incidence and cost of perioperative red blood cell transfusion for elective spine fusion in a high-volume center for spine surgery. BMC Anesthesiol. 2018;18(1):121.
49. Shander A, Hofmann A, Isbister J, Van Aken H. Patient blood management – the new frontier. Best Pract Res Clin Anaesthesiol. 2013;27(1):5-10.
50. Blais RE, Hadjipavlou AG, Shulman G. Efficacy of autotransfusion in spine surgery: comparison of autotransfusion alone and with hemodilution and apheresis. Spine. 1996;21(23):2795-800.
51. Elgafy H, Bransford RJ, McGuire RA, Dettori JR, Fischer D. Blood loss in major spine surgery: are there effective measures to decrease massive hemorrhage in major spine fusion surgery? Spine. 2010;35(9 Suppl):S47-56.
52. Vitlae MG, Privitera DM, Matsumoto H, Gomez JA, Waters LM, Hyman JE et al. Efficacy of preoperative erythropoietin administration in pediatric neuromuscular scoliosis. Spine. 2007;32:2662-7.
53. Ker K, Edwards P, Perel P, Shakur H, Roberts I. Effect of tranexamic acid on surgical bleeding: systematic review and cumulative meta-analysis. BMJ. 2012;344:e3054.
54. Taeuber I, Weibel S, Herrmann E, Neef V, Schlesinger T, Kranke P et al. Association of intravenous tranexamic acid with thromboembolic events and mortality: a systematic review, meta-analysis, and meta-regression. JAMA Surg. 2021; 156(6):e210884.
55. Murao S, Nakata H, Roberts I, Yamakawa K. Effect of tranexamic acid on thrombotic events and seizures in bleeding patients: a systematic review and meta-analysis. Crit Care. 2021;25:380.
56. Devereaux PJ, Marcucci M, Painter TW, Conen D, et al for the POISE-3 Investigators. Tranexamic Acid in Patients Undergoing Noncardiac Surgery. N Engl J Med. 2022;386:1986-97.
57. UK Royal Colleges Tranexamic Acid in Surgery Implementation Group; Grocott MPW, Murphy M, Roberts I, Sayers R, Toh CH. Tranexamic acid for safer surgery: the time is now. Br J Anaesth. 2022;129(4):459e461.
58. Yagi M, Hasegawa J, Nagoshi N, Iizuka S, Kaneko S, Fukuda K et al. Does the intraoperative tranexamic acid decrease operative blood loss during posterior spinal fusion for treatment of adolescent idiopathic scoliosis? Spine (Phila Pa 1976). 2012;37(21):E1336-42.
59. Grant JA, Howard J, Luntley J, Harder J, Aleissa S, Parsons D. Perioperative blood transfusion requirements in pediatric scoliosis surgery: the efficacy of tranexamic acid. J Pediatr Orthop. 2009;29(3):300-4.
60. Farrokhi MR, Kazemi AP, Eftekharian HR, Akbari K. Efficacy of prophylactic low dose of tranexamic acid in spinal fixation surgery: a randomized clinical trial. J Neurosurg Anesthesiol. 2011;23(4):290-6.
61. Kakiuchi M. Intraoperative blood loss during cervical laminoplasty correlates with the vertebral intraosseous pressure. J Bone Joint Surg Br. 2002;84(4):518-20.
62. McVey MJ, Lau W, Naraine N, Zaaroor C, Zeller R. Perioperative blood conservation strategies for pediatric scoliosis surgery. Spine Deformity. 2021;9(5):1289-1302.
63. Fleege C, Almajali A, Rauschmann M, Rickert M. Improvement of surgical outcomes in spinal fusion surgery. Evidence based peri- and intra-operative aspects to reduce complications and earlier recovery. Orthopade. 2014b;43:1070-78.
64. Brookfield KF, Brown MD, Henriques SM, Buttacavoli FA, Seitz AP. Allogeneic transfusion after predonation of blood for elective spine surgery. Clin Orthop Relat Res. 2008;466(8):1949-53.
65. Solves P, Carpio, Moscardo F, Bas T, Cañigral C, Salazar C et al. Results of a preoperative autologous blood donation program for patients undergoing elective major spine surgery. Transfus Apher Sci. 2013;49:345-9.
66. Epstein NE, Peller A, Korsh J, DeCrosta D, Boutros A, Schmigelski C et al. Impact of intraoperative normovolemic hemodilution on transfusion requirements for 68 patients undergoing lumbar laminectomies with instrumented posterolateral fusion. Spine (Phila Pa 1976). 2006;31(19):2227-31.
67. Ng KF, Lam CC, Chan LC. In vivo effect of haemodilution with saline on coagulation: a randomized controlled trial. Br J Anaesth. 2002;88(4):475-80
68. Behrman MJ, Keim HA. Perioperative red blood cell salvage in spine surgery. A prospective analysis. Clin Orthop Relat Res. 1992;278:51-57.
69. Carless PA, Henry DA, Moxey AJ, O'Connell D, Brown T, Fergusson DA. Cell salvage for minimising perioperative allogeneic blood transfusion. Cochrane Database Syst Rev. 2006(4):CD001888.
70. Gause PR, Siska PA, Westrick ER, Zavatsky J, Irrgang JJ, Kang JD. Efficacy of intraoperative cell saver in decreasing postoperative blood transfusions in instrumented posterior lumbar fusion patients. Spine (Phila Pa 1976). 2008;33(5):571- 5.
71. Cheriyan J, Cheriyan T, Dua A, Goldstein JA, Errico TJ, Kumar V. Efficacy of intraoperative cell salvage in spine surgery: a meta-analysis. J Neurosurg Spine. 2020;3:1-9.
72. Copley LA, Richards BS, Safavi FZ, Newton PO. Hemodilution as a method to reduce transfusion requirements in adolescent spine fusion surgery. Spine (Phila Pa 1976). 1999;24(3):219-24.
73. Stecker MM. A review of intraoperative monitoring for spinal surgery. Surg Neurol Int. 2012;3(Suppl 3):S174-S187.
74. Jarvis JG, Strantzas S, Lipkus M, Holmes LM, Dear T, Magana S et al. Responding to neuromonitoring changes in 3-column posterior spinal osteotomies for rigid pediatric spinal deformities. Spine. 2013;38:E493-503.
75. Bosmia AN, Hogan E, Loukas M, Tubbs RS, Cohen-Gadol AA. Blood supply to the human spinal cord. I. Anatomy and hemodynamics. Clin Anat. 2013;64:52-64.
76. Holdefer RN, MacDonald DB, Skinner SA. Somatosensory and motor evoked potentials as biomarkers for post-operative neurological status. Clin Neurophysiol. 2015;126:857-65.
77. Eager M, Shimer A, Jahangiri FR, Shen F, Arlet V. Intraoperative neurophysiological monitoring (IONM): lessons learned from 32 case events in 2069 spine cases. Am J Electroneurodiagnostic Technol. 2011;51(4):247-63.
78. Nuwer MR, Emerson RG, Galloway G, Legatt AD, Lopez J, Minahan R et al. Evidence-based guideline update: intraoperative spinal monitoring with somatosensory and transcranial electric motor evoked potentials. J Clin Neurophysiol. 2012;29 (1):101-8.
79. Buhl LK, Bastos AB, Pollard RJ, Arle JE, Arle JE, Thomas P, Song Y et al. Neurophysiologic Intraoperative Monitoring for Spine Surgery: A Practical Guide From Past to Present. J Intensive Care Med. 2021;36(11):1237-1249.
80. Boachie-Adjei O, Yagi M, Nemani VM, Sacramento-Dominguez C, Akoto H, Cunningham ME et al. Incidence and risk factors for major surgical complications in patients with complex spinal deformity: a report from an SRS GOP Site. Spine Deform. 2015;3:57-64.
81. Rabai F, Sessions R, Seubert CN. Neurophysiological Monitoring and Spinal Cord Integrity. Best Pract Res Clin Anaesthesiol. 2016;30(1):53-68.
82. Gonzalez AA, Jeyanandarajan D, Hansen C, Zada G, Hsieh PC Intraoperative neurophysiological monitoring during spine surgery: a review. Neurosurg Focus. 2009;27(4): E6.
83. Thirumala PD, Bodily L, Tint D, Ward WT, Deeney VF, Crammond DJ et al. Somatosensory-evoked potential monitoring during instrumented scoliosis corrective procedures: validity revisited. Spine J. 2014;14:1572-80.
84. Chang R, Reddy RP, Coutinho DV, Chang Y-F, Anetakis KM, Crammond DJ et al. Diagnostic Accuracy of SSEP Changes During Lumbar Spine Surgery for Predicting Postoperative Neurological Deficit: A Systematic Review and Meta-Analysis. Spine (Phila Pa 1976). 2021;46(24):E1343-E1352.
85. MacDonald DB, Al Z, Al Saddigi A. Four-limb muscle motor evoked potential and optimized somatosensory evoked potential monitoring with decussation assessment: results in 206 thoracolumbar spine surgeries. Eur Spine J. 2007;16:171-87.

86. MacDonald DB, Dong C, Quatrale R, Sala F, Skinner S, Soto F et al. Recommendations of the International Society of Intraoperative Neurophysiology for intraoperative somatosensory evoked potentials. Clin Neurophysiol. 2019;130:161-179.
87. Mendiratta A, Emerson RG. Neurophysiologic intraoperative monitoring of scoliosis surgery. J Clin Neurophysiol. 2009;26(2):62-9.
88. Angelliaume A, Alhada T-I, Parent H-F, Royer J, Harper L. Intraoperative neurophysiological monitoring in scoliosis surgery: literature review of the last 10 years. Eur Spine J. 2023 Sep;32(9):3072-3076.
89. Liu Q, Wang Q, Liu H, Chan MTV. Warning criteria for intraoperative neurophysiologic monitoring. Curr Opin Anaesthesiol. 2017;30(5):557-562.
90. MacDonald DB, Skinner S, Shils J, Yingling C; American Society of Neurophysiological Monitoring. Intraoperative motor evoked potential monitoring: a position statement by the American Society of Neurophysiological Monitoring. Clin Neurophysiol. 2013;124:2291-316.
91. MacDonald DB. Safety of intraoperative transcranial electrical stimulation motor evoked potential monitoring. J Clin Neurophysiol. 2002;19:416-29.
92. MacDonald DB, Stigsby B, Al Homoud I, Abalkhail T, Mokeem A. Utility of motor evoked potentials for intraoperative nerve root monitoring. J Clin Neurophysiol. 2012;29:118-25.
93. Isley MR, Zhang X-F, Balzer JR, Leppanen RE. Current trends in pedicle screw stimulation techniques: lumbosacral, thoracic, and cervical levels. Neurodiagn J. 2012;52:100-75.
94. Fonseca P, Goethel M, Vilas-Boas JP, Gutierres M, Correia MV. A systematic review with meta-analysis of the diagnostic test accuracy of pedicle screw electrical stimulation. Eur Spine J. 2022; 31(7):1599-1610.
95. Pajewski TN, Arlet V, Phillips LH. Current approach on spinal cord monitoring: the point of view of the neurologist, the anesthesiologist and the spine surgeon. Eur Spine J. 2007;16(Suppl 2):S115-S129.
96. Sloan TB, Heyer EJ. Anesthesia for intraoperative neurophysiologic monitoring of the spinal cord. J Clin Neurophysiol. 2002;19:430-43.
97. MacDonald DB, Al Zayed Z, Stigsby B. Tibial somatosensory evoked potential intraoperative monitoring: recommendations based on signal to noise ratio analysis of popliteal fossa, optimized P37, standard P37, and P31 potentials. Clin Neurophysiol. 2005;116:1858-69.
98. Banoub M, Tetzlaff JE, Schubert A. Pharmacologic and physiologic influences affecting sensory evoked potentials: implications for perioperative monitoring. Anesthesiology. 2003;99(3):716-37.
99. Chong C, Manninen P, Sivanaser V, Subramanyam R, Lu N, Venkatraghavan L. Direct comparison of the effect of desflurane and sevoflurane on intraoperative motor-evoked potentials monitoring. J Neurosurg Anesth. 2014;26:306-312.
100. Koh WS, Leslie K. Postoperative analgesia for complex spinal surgery. Curr Opin Anesthesiol. 2022;35:543-48.
101. Scheufler KM, Zentner J. Motor-evoked potential facilitation during progressive cortical suppression by propofol. Anesth Analg. 2002;94(4):907-912.
102. Kalkman CJ, Drummond JC, Kennelly NA, Patel PM, Partridge BL. Intraoperative monitoring of tibialis anterior muscle motor evoked responses to transcranial electrical stimulation during partial neuromuscular blockade. Anesth Analg. 1992;75:584-9.
103. Lieberman JA, Feiner J, Rollins M, Lyon R. Changes in transcranial motor evoked potentials during hemorrhage are associated with increased serum propofol concentrations. J Clin Monit Comput. 2018;32:541-8.
104. Glassman SD, Shields CB, Linden RD. Anesthetic effects on motor evoked potentials in dogs. Spine. 1993;18:1083-9.
105. Frei FJ, Ryhult SE, Duitmann E, Hasler CC, Luetschg J, Erb TO. Intraoperative monitoring of motor-evoked potentials in children undergoing spinal surgery. Spine. 2007;32:911e7.
106. Sloan TB, Fugina ML, Toleikis JR. Effects of midazolam on median nerve somatosensory evoked potentials. Br J Anaesth. 1990;64:590-3.
107. Sloan TB, Ronai AK, Toleikis JR, Toleikis JR, Koht A. Improvement of intraoperative somatosensory evoked potentials by etomidate. Anesth Analg. 1988;67:582-5.
108. Mahmoud M, Sadhasivam S, Salisbury S, Nick TG, Schnell B, Sestokas AK et al. Susceptibility of transcranial electric motor-evoked potentials to varying targeted blood levels of dexmedetomidine during spine surgery. Anesthesiology. 2010;112(6):1364-1373.
109. Tobias JD, Goble TJ, Bates G, Anderson JT, Hoernschemeyer DG. Effects of dexmedetomidine on intraoperative motor and somatosensory evoked potential monitoring during spinal surgery in adolescents. Paediatr Anaesth. 2008;18(11):1082-8.
110. Calderon P, Deltenre P, Stany I, Kaleeta Maalu JP, Stevens M, Lamoureux J et al. Clonidine administration during intraoperative monitoring for pediatric scoliosis surgery: effects on central and peripheral motor responses. Neurophysiol Clin. 2018; 48:93-102.
111. Urban MK, Fields K, Donegan SW, Beathe JC, Pinter DW, Boachie-Adjei O et al. A randomized crossover study of the effects of lidocaine on motor- and sensory-evoked potentials during spinal surgery. Spine J. 2017;17:1889-1896.
112. Martin DP, Samora 3rd WP, Beebe AC, Klamar J, Gill L, Bhalla T et al. Analgesic effects of methadone and magnesium following posterior spinal fusion for idiopathic scoliosis in adolescents: a randomized controlled trial. J Anesth. 2018;32(5):702-708.
113. Sohn HM, Kim BY, Bae YK, Seo WS, Jeon YT. Magnesium sulfate enables patient immobilization during moderate block and ameliorates the pain and analgesic requirements in spine surgery, which can not be achieved with opioid-only protocol: A randomized double-blind placebo-controlled study. J Clin Med. 2021;10(19):4289.
114. Glover CD, Carling NP. Neuromonitoring for scoliosis surgery. Anesthesiol Clin. 2014;32:101-14.
115. Lotto ML, Banoub M, Schubert A. Effects of anesthetic agents and physiologic changes on intraoperative motor evoked potentials. J Neurosurg Anesthesiol. 2004;16(1):32-42.
116. Deiner SG, Kwatra SG, Lin HM, Lin HM, Weisz DJ. Patient characteristics and anesthetic technique are additive but not synergistic predictors of successful motor evoked potential monitoring. Anesth Analg. 2010;111(2):421-5.
117. Seyal M, Mull B. Mechanisms of signal change during intraoperative somatosensory evoked potential monitoring of the spinal cord. J Clin Neurophysiol. 2002;19:409-15.
118. Vitale MG, Skaggs DL, Pace GI, Wright ML, Matsumoto H, Anderson RC et al. Best Practices in Intraoperative Neuromonitoring in Spine Deformity Surgery: Development of an Intraoperative Checklist to Optimize Response. Spine Deform. 2014;2(5):333-339.
119. Asenjo JF, Rossel F. Vertebroplasty and kyphoplasty: new evidence adds heat to the debate. Curr Opin Anaesthesiol. 2012;25(5):577-83.
120. Noguchi T, Yamashita K, Kamei R, Maehara J. Current status and challenges of percutaneous vertebroplasty (PVP). Jpn J Radiol. 2023;41:1-13.
121. Stallmeyer MJ, Zoarski GH, Obuchowski AM. Optimizing patient selection in percutaneous vertebroplasty. J Vasc Interv Radiol. 2003;14(6):683-96.
122. Luginbühl M. Percutaneous vertebroplasty, kyphoplasty and lordoplasty: implications for the anesthesiologist. Curr Opin Anaesthesiol. 2008;21(4):504-13.
123. Eck JC, Nachtigall D, Humphreys SC, Hodges SD. Comparison of vertebroplasty and balloon kyphoplasty for treatment of vertebral compression fractures: a meta-analysis of the literature. Spine J. 2008;8(3):488-97.
124. Kolcun JPG, Brusko GD, Wang MY. Endoscopic transforaminal lumbar interbody fusion without general anesthesia: technical innovations and outcomes. Ann Transl Med. 2019;7(5):S167.
125. Simpson AK, Lightsey HM, Xiong GX, Crawford AM, Minamide A, Schoenfeld AJ. Spinal endoscopy: evidence, techniques, global trends, and future projections. The Spine J. 2022;22:64-74.
126. Tang K, Goldman S, Avrumova F, Lebl DR. Background, techniques, applications, current trends, and future directions of minimally invasive endoscopic spine surgery: A review of literature. World J Orthop. 2023;14(4):197-206.
127. Waelkens P, Alsabbagh E, Sauter A, et al; PROSPECT Working group. Pain management after complex spine surgery: A systematic review and procedure-specific postoperative pain management recommendations. Eur J Anaesthesiol. 2021;38(9):985-994.
128. Sharma S, Balireddy RK, Vorenkamp KE, Durieux ME. Beyond opioid patient-controlled analgesia: a systematic review of analgesia after major spine surgery. Reg Anesth Pain Med. 2012;37(1):79-98.
129. Taylor-Stokes G, Lobosco S, Pike J, Sadosky AB, Ross E. Relationship between patient-reported chronic low back pain severity and medication resources. Clin Ther. 2011;33(11):1739-48.
130. Licina A, Silvers A. Perioperative multimodal analgesia for adults undergoing surgery of the spine – A systematic review and meta-analysis of three or more modalities. World Neurosug. 2022;163:11-23.
131. Lee BH, Park JO, Suk KS, Kim TH, Lee HM, Park MS et al. Pre-emptive and multi-modal perioperative paind management may improve quality of live in patients undergoing spinal surgery. Pain Physician. 2013;16:E217-E226.
132. Akbas S, Ozkan AS, Durak MA, Yologlu S. Efficacy of intravenous paracetamol and ibuprofen on postoperative pain and morphine consumption in lumbar disc surgery: prospective, randomized, double-blind, placebo-controlled clinical trial. Neurochirurgie. 2021;67(6):533-539.
133. Jirarattanaphochai K, Jung S. Nonsteroidal antiinflammatory drugs for postoperative pain management after lumbar spine surgery: a meta-analysis of randomized controlled trials. J Neurosurg Spine. 2008;9(1):22-31.
134. Dodwell ER, Latorre JG, Parisini E, Zwettler E, Chandra D, Mulpuri K et al. NSAID exposure and risk of nonunion: a metaanalysis of case-control and cohort studies. Calcif Tissue Int. 2010;87(3):193-202.
135. Sivaganesan A, Chotai S, White-Dzuro G, McGirt MJ, Devin CJ. The effect of NSAIDs on spinal fusion: a cross-disciplinary review of biochemical, animal, and human studies. Eur Spine J. 2017;26:2719-28.
136. Claus CF, Lytle E, Lawless M, Tong D, Sigler D, Garmo L et al. The effect of ketorolac on posterior minimally invasive transforaminal lumbar interbody fusion: an interim analysis from a randomized, double-blinded, placebo-controlled trial. Spine J. 2022; 22:8-18.

137. Murphy GS, Avram MJ, Greenberg SB, Shear TD, Deshur MA, Dickerson D et al. Postoperative pain and analgesic requirements in the first year after intraoperative methadone for complex spine and cardiac surgery. Anesthesiology. 2020;132:330-342.

138. Ye J, Myung K, Packiasabapathy S, Yu JS, Jacobson JE, Whittaker SC et al. Methadone-based multimodal analgesia provides the best-in-class acute surgical pain control and functional outcomes with lower opioid use following major posterior fusion surgery in adolescents with idiopathic scoliosis. Pediatr Qual Saf. 2020; 5:e336.

139. Pendi A, Field R, Farhan SD, Eichler M, Bederman SS. Perioperative Ketamine for Analgesia in Spine Surgery: A Meta-analysis of Randomized Controlled Trials. Spine. 2018;43:E299-307.

140. Nielsen RV, Fomsgaard JS, Nikolajsen L, Dahl JB, Mathiesen O. Intraoperative S-ketamine for the reduction of opioid consumption and pain one year after spine surgery: a randomized clinical trial of opioid-dependent patients. Eur J Pain. 2019;23:455-460.

141. Loftus RW, Yeager MP, Clark JA, Brown JR, Abdu WA, Sengupta DK et al. Intraoperative ketamine reduces perioperative opiate consumption in opiate-dependent patients with chronic back pain undergoing back surgery. Anesthesiology. 2010;113(3):639-46.

142. Murphy GS, Avram MJ, Greenberg SB, Benson J, Bilimoria S, Maher CE et al. Perioperative methadone and ketamine for postoperative pain control in spinal surgical patients: a randomized, double-blind, placebo-controlled trial. Anesthesiology. 2021; 134:697-708.

143. Boenigk K, Echevarria GC, Nisimov E, von Bergen Granell AE, Cuff GE, Wang J et al. Low-dose ketamine infusion reduces postoperative hydromorphone requirements in opioid-tolerant patients following spinal fusion: a randomised controlled trial. Eur J Anaesthesiol. 2019;36:8-15.

144. Brinck ECV, Maisniemi K, Kankare J, Tielinen L, Tarkkila P, Kontinen VK. Analgesic effect of intraoperative intravenous s-ketamine in opioid-naïve patients after major lumbar fusion surgery is temporary and not dose-dependent: a randomized, double-blind, placebo-controlled clinical trial. Anesth Analg. 2021; 132:69-79.

145. Yu L, Ran B, Li M, Shi Z. Gabapentin and pregabalin in the management of postoperative pain after lumbar spinal surgery: a systematic review and meta-analysis. Spine (Phila Pa 1976). 2013;38(22):1947-52.

146. Jiang HL, Huang S, Song J, Wang X, Cao ZS. Preoperative use of pregabalin for acute pain in spine surgery: a meta-analysis of randomized controlled trials. Medicine (Baltimore). 2017 Mar;96(11):e6129.

147. Chauhan V, Yadav R, Chaturvedi A, et al. Effect of pregabalin on preoperative anxiety and postoperative pain in spine surgery: a randomized controlled study. J Neuroanesthesiol Crit Care. 2017;5:8-14.

148. Li Y, Swallow J, Robbins C, Caird MS, Leis A, Hong RA. Gabapentin and intrathecal morphine combination therapy results in decreased oral narcotic use and more consistent pain scores after posterior spinal fusion for adolescent idiopathic scoliosis. J Orthop Surg. 2021;16:672.

149. Verret M, Lauzier F, Zarychanski R, Perron C, Savard X, Pinard AM et al. Perioperative use of gabapentinoids for the management of postoperative acute pain: a systematic review and meta-analysis. Anesthesiology. 2020;133:265-279.

150. Farag E, Ghobrial M, Sessler DI, Dalton JE, Liu J, Lee JH et al. Effect of perioperative intravenous lidocaine administration on pain, opioid consumption, and quality of life after complex spine surgery. Anesthesiology. 2013;119(4):932-40.

151. Bi Y, Ye Y, Ma J, Tian Z, Zhang X, Liu B. Effect of perioperative intravenous lidocaine for patients undergoing spine surgery: a meta-analysis and systematic review. Medicine (Baltimore). 2020;99:e23332.

152. Tsai SHL, Yolcu YU, Hung S-W, Kurian SJ, Alvi MA, Fu TS et al. The analgesic effect of intravenous lidocaine versus intrawound or epidural bupivacaine for postoperative opioid reduction in spine surgery: a systematic review and meta-analysis. Clin Neurol Neurosurg. 2021; 201:106438.

153. Dewinter G, Moens P, Fieuws S, Vanaudenaerde B, Van de Velde M, Rex S. Systemic lidocaine fails to improve postoperative morphine consumption, postoperative recovery and quality of life in patients undergoing posterior spinal arthrodesis. A double-blind, randomized, placebo-controlled trial. Br J Anaesth. 2017;118:576-585.

154. Levaux C, Bonhomme V, Dewandre PY, Brichant JF, Hans P. Effect of intra-operative magnesium sulphate on pain relief and patient comfort after major lumbar orthopaedic surgery. Anaesthesia. 2003;58(2):131-5.

155. Dehkordy ME, Tavanaei R, Younesi E, Younesi E, Khorasanizade S, Farsani HA et al. Effects of perioperative magnesium sulfate infusion on intraoperative blood loss and postoperative analgesia in patients undergoing posterior lumbar spinal fusion surgery: a randomized controlled trial. Clin Neurol Neurosurg. 2020; 196:105983.

156. Tsaousi G, Nikopoulou A, Pezikoglou I, Birba V, Grosomanidis V. Implementation of magnesium sulphate as an adjunct to multimodal analgesic approach for perioperative pain control in lumbar laminectomy surgery: a randomized placebo-controlled clinical trial. Clin Neurol Neurosurg. 2020;197:106091.

157. Yue L, Lin Z-M, Mu G-Z, Sun HL. Impact of intraoperative intravenous magnesium on spine surgery: a systematic review and meta-analysis of randomized controlled trials. eClinicalMedicine. 2022;43:101246.

158. Kim MH, Lee KY, Bae SJ, Jo M, Cho JS. Intraoperative dexmedetomidine attenuates stress responses in patients undergoing major spine surgery. Minerva Anestesiol 2019;85(5):468-477.

159. Demuro JP, Botros D, Nedeau E, Hanna AF. Use of dexmedetomidine for postoperative analgesia in spine patients. J Neurosurg Sci. 2013;57:171-174.

160. Nikoubakht N, Alimian M, Faiz SHR, Derakhshan P, Sadri MS. Effects of ketamine versus dexmedetomidine maintenance infusion in posterior spinal fusion surgery on acute postoperative pain. Surg Neurol Int. 2021;12:192.

161. Hwang W, Lee J, Park J, Joo J. Dexmedetomidine versus remifentanil in postoperative pain control after spinal surgery: a randomized controlled study. BMC Anesthesiol. 2015;15:21.

162. Wang J, Cui L, Fan L, Wang J. Clinical effect of different drugs and infusion techniques for patient-controlled analgesia after spinal tumor surgery: a prospective, randomized, controlled clinical trial. Clin Ther. 2021;43:1020-1028.

163. Garg N, Panda NB, Gandhi KA, Bhagat H, Batra YK, Grover VK et al. Comparison of Small Dose Ketamine and Dexmedetomidine Infusion for Postoperative Analgesia in Spine Surgery-A Prospective Randomized Double-blind Placebo Controlled Study. J Neurosurg Anesthesiol. 2016;28(1):27-31.

164. Bianconi M, Ferraro L, Ricci R, Zanoli G, Antonelli T, Giulia D et al. The pharmacokinetics and efficacy of ropivacaine continuous wound instillation after spine fusion surgery. Anesth Analg. 2004;98:166-72.

165. Kjaergaard M, Moiniche S, Olsen KS. Wound infiltration with local anesthetics for post-operative pain relief in lumbar spine surgery: a systematic review. Acta Anaesthesiol Scand. 2012;56:282-90.

166. Stricker PA, Sestokas AK, Schwartz D, Bhalodia V, Pahwa A, Dormans JP et al. Effects of intrathecal morphine on transcranial electric motor evoked potentials in adolescents undergoing posterior spinal fusion. Anesth Analg. 2012; 115: 160e9.

167. Tobias JD. A review of intrathecal and epidural analgesia after spine surgery in children. Anesth Analg. 2004;98:956-65.

168. De Bie A, Siboni R, Smati MF, Ohl X, Bredin S. Intrathecal morphine injections in lumbar fusion surgery: case-control study. Orthop Traumatol Surg Res. 2020;106:1187-1190.

169. Wang Y, Guo X, Guo Z, Xu M. Preemptive analgesia with a single low dose of intrathecal morphine in multilevel posterior lumbar interbody fusion surgery: a double-blind, randomized, controlled trial. Spine. J 2020; 20:989-997.

170. Gehling M, Tryba M. Risks and side-effects of intrathecal morphine combined with spinal anaesthesia: a meta-analysis. Anaesthesia. 2009; 64:643-651.

171. Boezaart AP, Eksteen JA, Spuy GV, Rossouw P, Knipe M. Intrathecal morphine. Double-blind evaluation of optimal dosage for analgesia after major lumbar spinal surgery. Spine (Phila Pa 1976). 1999;24(11):1131-7.

172. Ezhevskaya AA, Mlyavykh SG, Anderson DG. Effects of continuous epidural anesthesia and postoperative epidural analgesia on pain management and stress response in patients undergoing major spinal surgery. Spine (Phila Pa 1976). 2013;38:1324-1330.

173. Park SY, An HS, Lee SH, Suh SW, Kim JL, Yoon SJ. A prospective randomized comparative study of postoperative pain control using an epidural catheter in patients undergoing posterior lumbar interbody fusion. Eur Spine J. 2016;25(5):1601-7.

174. Guay J, Suresh S, Kopp S, Johnson RL. Postoperative epidural analgesia versus systemic analgesia for thoraco-lumbar spine surgery in children. Cochrane Database Syst Rev. 2019;1(1):CD012819.

175. Taenzer AH, Clark C. Efficacy of postoperative epidural analgesia in adolescent scoliosis surgery: a meta-analysis. Paediatr Anaesth. 2010;20(2):135-43.

176. Klatt JW, Mickelson J, Hung M, Durcan S, Miller C, Smith JT. A randomized prospective evaluation of 3 techniques of postoperative pain management after posterior spinal instrumentation and fusion. Spine (Phila Pa 1976). 2013;38(19):1626-31.

177. Eochagáin NA, Singleton BN, Moorthy A, Buggy DJ. Regional and neuraxial anaesthesia techniques for spinal surgery: a scoping review. Br J Anaesth. 2022;129(4):598-611.

178. McCracken G, Lauzadis J, Soffin EM. Ultrasound-guided fascial plane blocks for spine surgery. Curr Opin Anesthesiol. 2022,35:626-33.

179. Ma J, Bi Y, Zhang Y, Zhu Y, Wu Y, Ye Y et al. Erector spinae plane block for postoperative analgesia in spine surgery: a systematic review and meta-analysis. Eur Spine J 2021;30(11):3137-3149.

180. Ueshima H, Hara E, Otake H. Thoracolumbar interfascial plane block provides effective perioperative pain relief for patients undergoing lumbar spinal surgery; a prospective, randomized and double blinded trial. J Clin Anesth. 2019;58:12-17.

181. Reisener MJ, Hughes AP, Okano I, Zhu J, Lu S, Salzmann SN. The association of transversus abdominis plane block with length of stay, pain and opioid consumption after anterior or lateral lumbar fusion: a retrospective study. Eur Spine J. 2021;30(12):3738-45.

182. Chin KJ, El-Boghdadly K. Mechanisms of action of the erector spinae plane (ESP) block: a narrative review. Can J Anaesth. 2021;68:387-408.

183. Soffin EM, Okano I, Oezel L, et al. Impact of ultrasound-guided erector spinae plane block on outcomes after lumbar spinal fusion: a retrospective propensity score matched study of 242 patients. Reg Anesth Pain Med. 2022;47:79-86.

184. Schwab FJ, Hawkinson N, Lafage V, Smith JS, Hart R, Mundis G et al.; International Spine Study Group. Risk factors for major peri-operative complications in adult spinal deformity surgery: a multi-center review of 953 consecutive patients. Eur Spine J. 2012;21(12):2603-10.

185. Wang Y, Hai Y, Liu Y, Guan L, Liu T. Risk factors for postoperative complications in the treatment of non-degenerative scoliosis by posterior instrumentation and fusion. Eur Spine J. 2019;28(6):1356-62.

186. Sagi HC, Beutler W, Carroll E, Connolly PJ. Airway complications associated with surgery on the anterior cervical spine. Spine (Phila Pa 1976). 2002;27(9):949-53.

187. Wang MC, Chan L, Maiman DJ, Kreuter W, Deyo RA. Complications and mortality associated with cervical spine surgery for degenerative disease in the United States. Spine (Phila Pa 1976). 2007;32(3):342-7.

188. Contartese D, Salamanna F, Brogini S, Martikos K, Griffoni C, Ricci A et al. Fast-track protocols for patients undergoing spine surgery: a systematic review. BMC Musculoskelet Disord. 2023;24(1):57.

189. Licina A, Silvers A, Laughlin H, Russell J, Wan C. Pathway for enhanced recovery after spinal surgery-a systematic review of evidence for use of individual components. BMC Anesthesiol. 2021;21(1):74.

Parte 23

Anestesia Para Neurocirurgia

Fatores Determinantes das Pressões Intracranianas e de Perfusão Encefálica

Salomón Soriano Ordinola Rojas ■ Amanda Ayako Minemura Ordinola

INTRODUÇÃO

A pressão intracraniana (PIC) é determinada pelos volumes do cérebro, sangue e fluído cerebroespinhal em um volume fixo em equilíbrio. Manter a PIC constante é essencial para a perfusão cerebral e consequentemente para a entrega de oxigênio para o tecido cerebral. Manter a pressão de perfusão cerebral (PPC) adequada diante de patologias intracranianas com alteração de PIC ou condições de instabilidade hemodinâmica reduz o risco de lesões isquêmicas cerebrais.

Nesse capítulo iremos discorrer sobre conceitos que podem influenciar na PIC e na PPC para o melhor entendimento da fisiopatologia da hipertensão intracraniana e suas consequências caso não haja manejo adequado.

■ RELAÇÃO ENTRE PRESSÃO INTRACRANIANA E VOLUME

O entendimento moderno sobre edema cerebral e pressão intracraniana (PIC) iniciou-se com a doutrina de Monro-Kellie. Segundo os autores, a PIC é composta por três componentes em equilíbrio: parênquima cerebral (80% a 85%), volume sanguíneo cerebral (7% a 11%) e líquido cefalorraquidiano (LCR) (5% a 10%) alojados em uma caixa craniana semirrígida (Figura 172.1).[1-3]

O neurocirurgião americano Harvey Cushing formulou a doutrina como conhecemos hoje de que, em um crânio intacto, o volume de cérebro, LCR e sangue é constante (Tabela 172.1). O aumento em algum dos componentes causará a diminuição em outro.[4,5]

Consequentemente, existe uma reserva compensatória ou um espaço de compensação. Em adultos, é de 60 a 80 mL; e em idosos, de 100 a 140 mL, em razão da atrofia cerebral.[6]

Dado o mecanismo de compensação entre os três compartimentos intracranianos, a expansão volumétrica, seja por lesões com efeito de massa, seja aumento de um dos

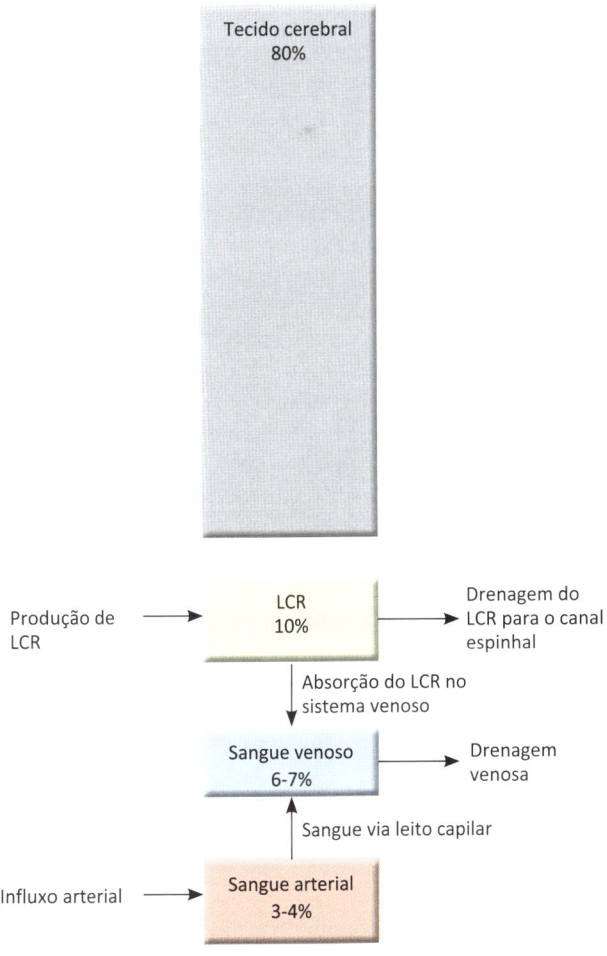

▲ **Figura 172.1** Componentes da pressão intracraniana.
Fonte: Haray M, *et. al.*, 2018.

compartimentos, pode ser bem tolerada pelo deslocamento de LCR para o espaço subaracnóideo ou pela redução do volume intravascular cerebral conforme Figura 172.2.[1,7]

No Gráfico 172.1, observa-se que a primeira parte da curva se caracteriza por um aumento limitado na pressão apesar de a elevação de volume decorrente do espaço compensatório ser capaz de acomodar o volume extra. Com persistência da elevação volumétrica, o mecanismo se exaure, porém, e ocorrem elevação linear no volume e aumento exponencial na PIC.[6]

Tabela 172.1 Características dos componentes da pressão intracraniana.

Cérebro	Líquido cefalorraquidiano	Sangue
Massa: 1.400 g	Ocupa o espaço entre membrana aracnoide e pia-máter	Irrigação pela artéria carótida interna e vertebrais
Composto por neurônios e células da glia)	Produzido pelo plexo coroide em uma taxa de 500 mL/dia	Drenagem pelas veias jugulares
	Seu volume (150 mL) é reposto três vezes em 24 horas	Volume sanguíneo total: 150 mL
	Absorvido nas granulações aracnóideas	FSC: 50 mL/100 g/min FSC global: 700 mL/min (15% do débito cardíaco)

Fluxo sanguíneo cerebral (FSC).
Fonte: Partington T, *et al.*, 2014.

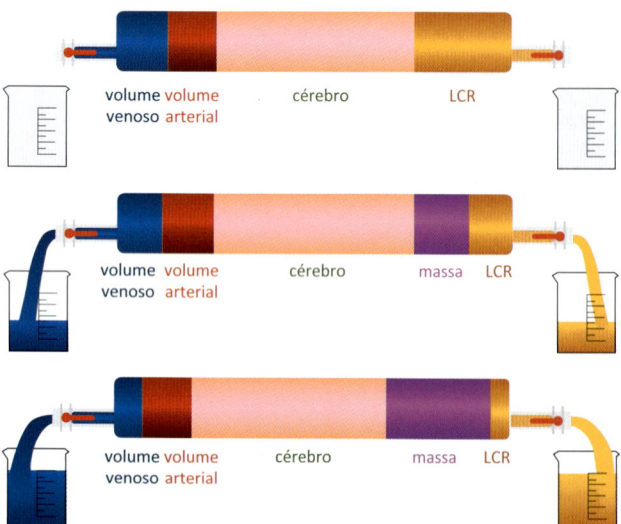

▲**Figura 172.2** Relação entre os três compartimentos cerebrais: Parênquima cerebral, volume sanguíneo cerebral e LCR. Quando ocorre efeito de massa ou aumento de um dos compartimentos, o mecanismo compensatório tenta manter a PIC em equilíbrio por meio da drenagem de LCR ou sangue.
Fonte: https://www.shutterstock.com/pt/image-illustration/intracranial--pressure-cerebral-haemodynamics-monrokellie-doctrine-2044990850.

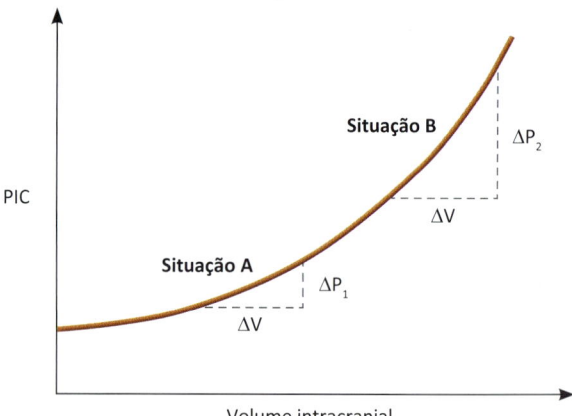

▲**Gráfico 172.1** Relação de PIC e volume. Note que, na primeira parte da curva (A), o acréscimo de volume em algum compartimento craniano gera pequeno aumento na pressão de forma linear. No entanto, na região B, o mecanismo compensatório está esgotado e o mesmo aumento volumétrico gera aumento exponencial na PIC.
Fonte: Doyle DJ, *et al.*, 1992.

Mudanças no volume intracraniano podem ocorrer por várias rotas, algumas condições patológicas, como traumatismo cranioencefálico (TCE), lesões neoplásicas, hemorragia intracraniana, acidente vascular isquêmico (AVCi) e hemorragia subaracnoide (HSA), podem gerar aumento de volume no compartimento craniano e consequentemente na PIC (Tabela 172.2).[1]

Os valores de normalidade da PIC estão discriminados na Tabela 172.3.[1,8] Apesar de a elevação da PIC não ser um

Tabela 172.2 Causas de aumento da pressão intracraniana.

Categoria	Causa de elevação da pressão intracraniana
Aumento volumétrico por novo componente intracraniano	1. Hemorragia intracraniana 2. Tumor 3. Abscesso 4. Infecção parasitária
Alteração no LCR	1. Oclusão da drenagem liquórica: tumoração, hemorragia intraventricular 2. Má absorção do LCR: inflamação, HSA 3. Aumento da produção de LCR
Edema cerebral	1. Lesão direta 2. Alteração na oferta sanguínea 3. Inflamação 4. Insuficiência hepática 5. Redução da resistência vascular: anestésicos inalatórios ou hipercapnia

Pressão intracraniana (PIC); líquido cefalorraquidiano (LCR); hemorragia subaracnoide (HSA).
Fonte: Doyle DJ, *et al.*, 1992.

Tabela 172.3 Valor de pressão intracraniana conforme faixa etária.

Grupo etário	Valor de pressão intracraniana (mmHg)
Adultos	5 a 15
Crianças	3 a 7

Fonte: Nag DS, *et al.*, 2019.

marcador de gravidade da lesão, a hipertensão intracraniana (HIC) aguda pode ser fatal e, quando refratária a tratamento, está associada a piores desfechos em 6 meses e aumento de mortalidade.[7]

■ FORMA DE ONDA DA PRESSÃO INTRACRANIANA

A curva pressórica intracraniana é pulsátil e relaciona-se com os ciclos cardíacos e respiratórios. É formada por três picos, com redução progressiva da amplitude, refletindo a propagação do pulso arterial, sendo P1 a onda de percussão que representa o pulso arterial da carótida no LCR; P2 a onda secundária ao pulso arterial refletido no parênquima cerebral; e P3, correspondente ao fechamento da válvula dicrótica (Figura 172.3).[1] Mudanças na curva de PIC decorrentes da ventilação podem estar presentes, porém são sutis.[8]

O formato da onda de PIC está relacionada com a PIC média. Quando a PIC é normal, P1 é um pico distinto, porém, quando os valores pressóricos se elevam, a taxa de aumento de P2 é maior que de P1, gerando uma relação P2 > P1 com arredondamento da forma de onda (Figura 172.4). Essa relação indica uma exaustão do mecanismo de reserva compensatória e perda da complacência intracraniana, sendo um alerta a equipe para iniciar medidas de controle da PIC.[8]

O aumento da PIC pode gerar ondas caracterizadas por Lundberg como A, B e C. A onda A ou platô são flutuações rápidas e irregulares na pressão de 50 a 100 mmHg com duração de 5 a 20 minutos. Indicam herniação cerebral ou alto grau de isquemia. Já as ondas B têm duração mais curta de 0,5 a 2 minutos e podem indicar alteração na complacência cerebral e elevação de PIC progressiva (Figura 172.5). São ondas rítmicas e de 20 a 30 mmHg. As ondas C são relacionadas com flutuações na pressão sanguínea em resposta aos reflexos dos baro e quimiorreceptores e não têm relevância clínica.[1,9]

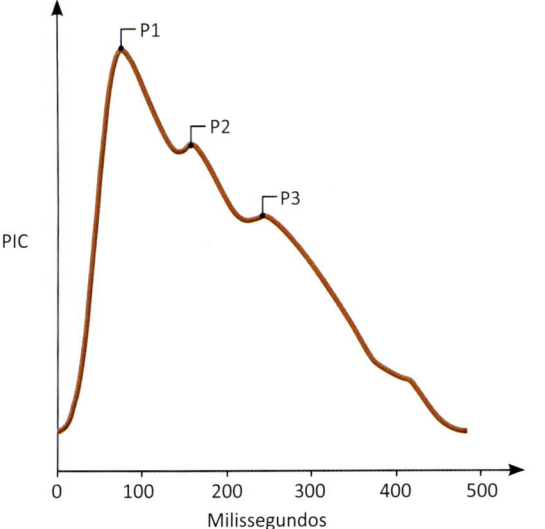

▲ **Figura 172.3** Curva de onda de pressão intracraniana mostrando os três picos.
Fonte: Raboel PH, *et al.*, 2012.

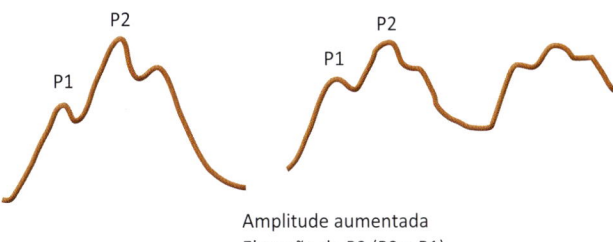

Forma de onda da PIC na hipertensão intracraniana

Amplitude aumentada
Elevação de P2 (P2 > P1)
Arredondamento do formato de onda

▲ **Figura 172.4** Diagrama esquemático mostrando P2 > P1 em vigência de aumento de pressão intracraniana.
Fonte: Nag DS, *et al.*, 2019.

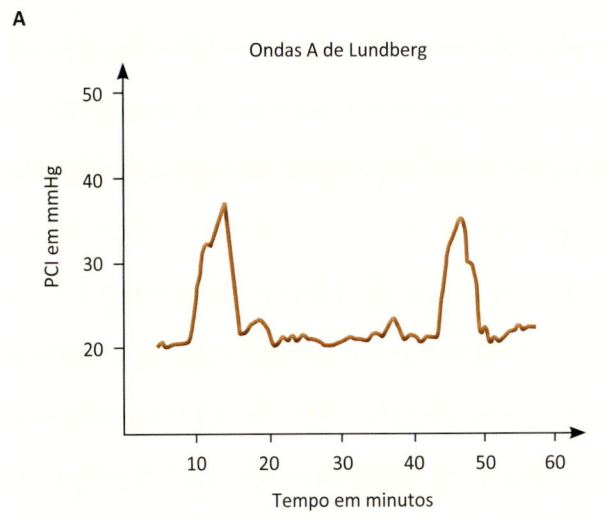

A

Ondas A de Lundberg

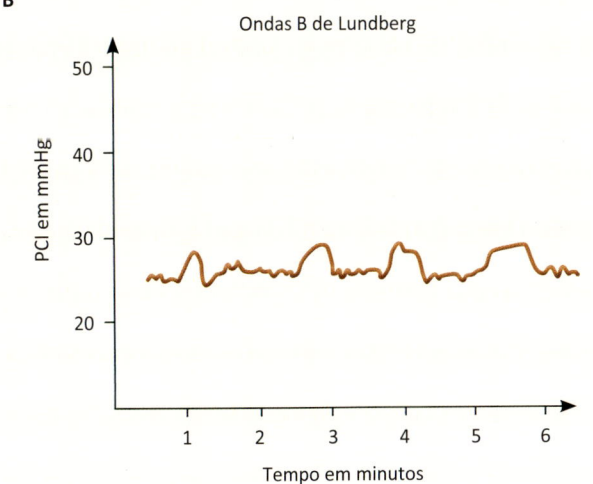

B

Ondas B de Lundberg

▲ **Figura 172.5** Ondas **A** e **B** de Lundberg.
Fonte: Nag DS, *et al.*, 2019.

■ DETERMINAÇÃO DA PRESSÃO DE PERFUSÃO CEREBRAL

O resultado direto da elevação da PIC é a redução da pressão de perfusão cerebral (PPC), levando à isquemia ou à herniação cerebral. A PPC é resultado do valor da PIC subtraído da pressão arterial média (PAM) (Figura 172.6).[6] Com a evidência de que isquemia cerebral tem papel central no mecanismo de lesão secundária, a manutenção da PPC deve ser considerada no manejo de pacientes neurocríticos,[1] e seus valores mantidos entre 60 e 70 mmHg.[10]

Quando a autorregulação cerebral está preservada, um fluxo sanguíneo cerebral (FSC) constante é mantido por meio do mecanismo de vasodilatação e vasoconstrição arteriolar. O FSC é definido pela PPC e pela resistência vascular cerebral (RVC) (Figura 172.7).[11]

Em pacientes cuja autorregulação está intacta, à medida que a PIC aumenta, ocorre uma cascata de mecanismos para manter o FSC e a PPC estáveis. Primeiramente, há vasodilatação das arteríolas distais, a fim de reduzir a RVC.[11]

Se esse mecanismo não é suficiente, ocorre aumento concomitante da PAM por meio da elevação do débito cardíaco.[2]

No entanto, medidas pressóricas mais altas que os valores de autorregulação podem estar relacionadas com hiperemia e edema vasogênico, pois qualquer aumento na PPC pode romper a barreira hematoencefálica. Em pacientes com hipertensão arterial crônica, a curva autorregulatória se desloca para uma faixa pressórica mais alta.[12]

Valores abaixo dos níveis preconizados geram redução de fluxo e isquemia cerebral com consequente edema.[6] Nesses valores de pressão extremamente baixos, o volume sanguíneo cerebral cai pelo colapso dos vasos.[12]

Outro componente que interfere na PPC é a taxa metabólica de O_2 ($CMRO_2$), a qual corresponde a 3,5 mL/100 g/min em condições de normalidade (corresponde a 20% do consumo total de O_2 do corpo e 25% da demanda de glicose do metabolismo basal). A fim de assegurar que a perfusão cerebral será mantida, a vasculatura cerebral é capaz de se modificar em resposta a mudanças na atividade neuronal e demanda de O_2 e glicose. O aumento dinâmico no fluxo sanguíneo regional em resposta à atividade neuronal local é chamado de hiperemia funcional.[12]

Além disso, a capacidade de autorregulação também depende da pressão arterial de CO_2 ($PaCO_2$), uma vez que hipercapnia gera vasodilatação dos vasos cerebrais, o que contribui para edema cerebral e aumento do fluxo sanguíneo cerebral. Ao mesmo tempo que hipocapnia causa vasoconstrição, favorecendo isquemia (Tabela 172.4).[2] Os valores de $PaCO_2$ devem ser mantidos entre 35 e 38 mmHg, de acordo com a conferência internacional de manejo de TCE de Seattle (Seattle International Severe Traumatic Brain Injury Consensus Conference – SIBICC).[13]

$$PPC = PAM - PIC$$

▲**Figura 172.6** Fórmula de cálculo da pressão de perfusão cerebral.

$$FSC = (PAM - PIC) / RVC$$

▲**Figura 172.7** Fórmula de cálculo do fluxo sanguíneo cerebral.
Fonte: Canac, et al., 2020.

Tabela 172.4 Efeitos de PaO_2 e $PaCO_2$ no fluxo sanguíneo cerebral.

PaO_2	$PaCO_2$	Resposta	Fluxo sanguíneo cerebral constante
Hiperoxia	Hipocapnia	Vasoconstrição	Redução
Hipoxia	Hipercapnia	Vasodilatação	Aumento

A resposta vascular à $PaCO_2$ pode ser usada como estratégia terapêutica. Em casos de suspeita de herniação cerebral, hiperventilação e redução de $PaCO_2$ causam vasoconstrição e redução do volume sanguíneo cerebral com consequente diminuição da PIC. No entanto, vasoconstrição excessiva pode levar à isquemia, devendo essa conduta ser feita em casos de emergência e transitoriamente.[12] Recomenda-se, portanto, a hiperventilação leve com um alvo de $PaCO_2$ de 32 a 35 mmHg como tratamento de resgate. Não se recomenda hiperventilação de rotina e valores inferiores a 30 mmHg.[13]

A inervação da vasculatura cerebral é feita pelos sistemas nervosos simpático e parassimpático. A estimulação simpática resulta em vasoconstrição, e a parassimpática tem efeito vasodilatador.[12]

Nota-se que os mecanismos compensatórios podem elevar o volume sanguíneo e a PIC em uma perda de *feedback* em *loop* até completa cessação FSC e isquemia, causando lesão secundária (Figuras 172.8 e 171.11).[11]

O esquema da Figura 172.9 ilustra a cascata de vasodilatação. A redução na PPC como consequência da queda de pressão arterial sistólica (PAS) estimula a vasodilatação com consequente aumento no volume cerebral e PIC. Se ocorrer manutenção na queda da PAS, o ciclo se perpetua com vasodilatação. A cascata pode se iniciar em qualquer ponto, por exemplo com hipoxia, desidratação, ajuste ventilatório ou hipercapnia.[10]

A cascata de vasoconstrição (Figura 172.10) demonstra o papel da PPC alta como estímulo para redução da PIC. Em nível sistêmico, a cascata pode ser iniciada da transfusão de hemácias, por exemplo, ou do aumento do volume intravascular pela realização de manitol. Manitol pode estimular a cascata em nível cerebral por meio da redução da viscosidade sanguínea, melhora da entrega de O_2 e permite vasoconstrição. Esse modelo explica o modo de ação dos

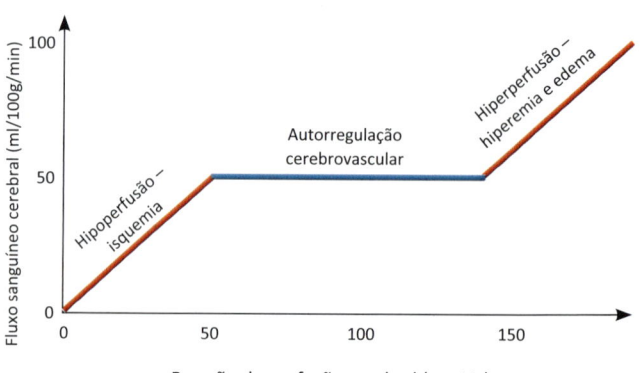

▲**Figura 172.8** Curva de autorregulação cerebral.
Fonte: Haray M, et al., 2018.

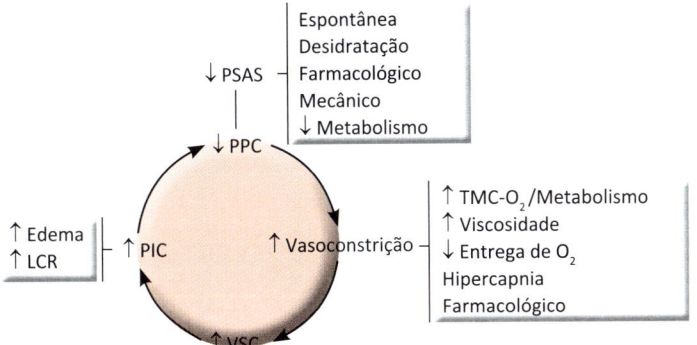

◀ **Figura 172.9** Cascata de vasodilatação.
Cerebrospinal fluid (CSF); cerebral metabolic rate for oxygen (CMR-O$_2$); Systolic arterial blood pressure (SABP); PIC: pressão intracraniana; PPC: pressão de perfusão cerebral; PSAS: pressão sanguínea arterial sistêmica; TMC-O$_2$: taxa metabolismo cerebral de O$_2$; VSC: volume sanguíneo cerebral.
Fonte: Rosner MJ, *et al.*, 1995.

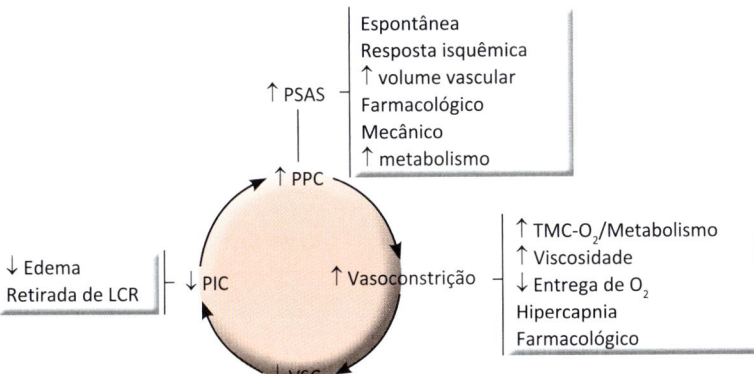

◀ **Figura 172.10** Cascata de vasoconstrição.
PIC: pressão intracraniana; PPC: pressão de perfusão cerebral; PSAS: pressão sanguínea arterial sistêmica; TMC-O$_2$: taxa metabolismo cerebral de O$_2$; VSC: volume sanguíneo cerebral.
Fonte: Rosner MJ, *et al.*, 1995.

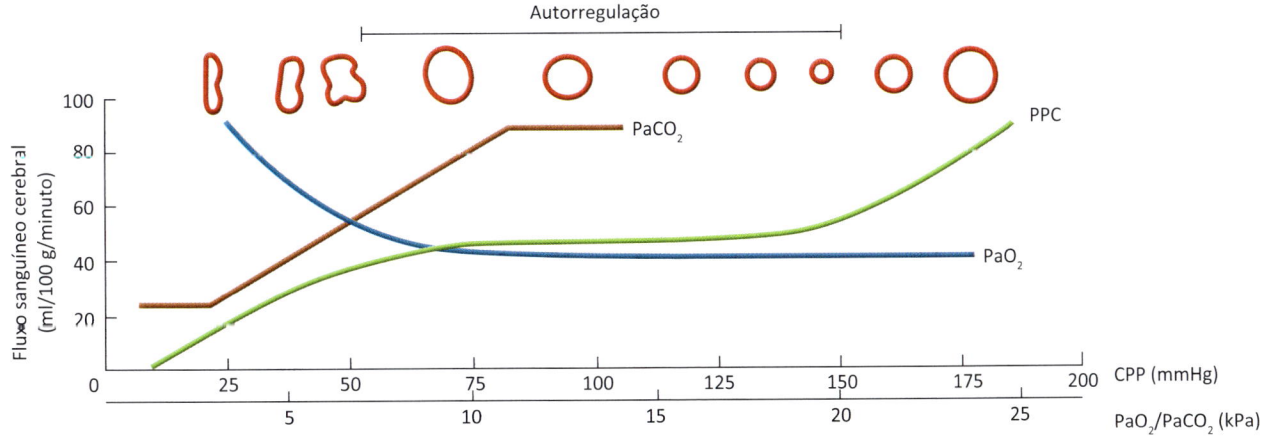

PPC, pressão de perfusão cerebral: pressão parcial PaO$_2$/PaCO$_2$ de oxigênio/dióxido de carbono no sangue arterial.

▲ **Figura 172.11** Autorregulação cerebral. Nota-se que, quando a autorregulação está preservada e há redução da PPC, ocorre vasodilatação arteriolar a fim de aumentar o volume sanguíneo. A hipercapnia relaciona-se com a resposta de vasodilatação. O contrário quando há aumento da PPC, há vasoconstrição para reduzir o FSC.
Fonte: Partington T, *et al.*, 2014.

barbitúricos como o fenobarbital, o qual reduz a taxa metabólica de O$_2$ e gera vasoconstrição com consequente redução na PIC. O fenobarbital pode, porém, reduzir a PAS, por gerar desidratação ou hemoconcentração, com aumento da viscosidade e abaixar a PPC.[10]

■ VOLUME CEREBRAL E TAXA METABÓLICA DE CONSUMO DE OXIGÊNIO

O fluxo sanguíneo cerebral está diretamente relacionado com a CMRO$_2$. Dessa maneira, ao reduzir a taxa metabó-

lica, ocorre redução do volume cerebral. Em pacientes com HIC, a analgossedação deve ser primariamente utilizada para conforto do paciente e prevenção de dor. Em casos de refratariedade, a analgossedação passa, porém, a ser tratamento de primeira linha para controle da PIC, a fim de reduzir a CMRO$_2$, prevenir hipertensão e em casos de manejo de temperatura e *status epilepticus*.[13,14]

Crises convulsivas são deletérias nos pacientes vítimas de TCE, uma vez que aumentam a CMRO$_2$. Com o objetivo de minimizar o conteúdo metabólico, a SIBICC orienta manter terapia anticonvulsivante por até 7 dias após a lesão traumática, caso não haja indicação de estender a terapia. Em casos de elevação de PIC refratária, recomenda-se ainda, como terapia de primeira linha, manter o paciente monitorizado com eletroencefalograma contínuo.[13]

A temperatura exerce grande influência na CMRO₂, uma vez que febre está relacionada com vasodilatação e aumento do FSC com consequente elevação da PIC. Preconiza-se realizar o controle de temperatura com termômetro central e tratar com antipiréticos ou resfriamento a temperatura acima de 38 ºC. A cada grau de resfriamento, a CMRO₂ reduz em 6% a 7%.[13,14]

A hipotermia tem efeitos neuroprotetores e reduz PIC. Pode, porém, levar a coagulopatia, imunossupressão e arritmias. Dessa maneira, de acordo com a quarta edição da Brain Trauma Foundation, a hipotermia precoce e profilática não é recomendada.[15] O uso da hipotermia terapêutica é recomendado nos casos de HIC refratária como terapia de terceira linha, sendo preconizada uma hipotermia leve de 35 ºC a 36 ºC com resfriamento ativo.[13]

O volume cerebral é responsivo a mudanças no conteúdo de água cerebral, por isso medicações hiperosmolares podem reduzir a PIC. Em casos de HIC, o uso de manitol na dose de 0,25 a 1,0 g/kg ou de solução salina hipertônica de forma intermitente constitui tratamento de primeira linha. A SIBICC recomenda Na de 155 mEq/L e osmolaridade de 320 mEq/L como limites para administração de ambas as soluções.[13]

O coma barbitúrico com base na administração de fenobarbital é considerado um tratamento de terceira linha para redução de HIC. É uma terapia utilizada em casos de refratariedade, haja vista os efeitos colaterais de hipotensão, hipocalemia, complicações respiratórias e infecciosas, disfunções hepática e renal. A dose de ataque é de 10 mg/kg durante 30 minutos, seguida de 5 mg/kg a cada hora, por três doses, e mantida em manutenção em 1 mg/kg/h.[14]

Outro tratamento que pode ser instituído em casos de HIC refratária é a craniectomia descompressiva, a qual permite expansão do parênquima para fora do crânio, normalizando a PIC e prevenindo lesão secundária.[13]

■ EFEITOS DA VENTILAÇÃO MECÂNICA NA PRESSÃO INTRACRANIANA E PRESSÃO DE PERFUSÃO CEREBRAL

A ventilação mecânica (VM) invasiva permite a regulação dos valores PaO₂ e PaCO₂ em valores fisiológicos. Dessa forma, a entrega de O₂ ao cérebro ocorre de maneira efetiva, além de permitir ajuste indireto da perfusão cerebral.[16]

Apesar de a ventilação mecânica em pacientes com insuficiência respiratória aguda ser extensivamente estudada, o uso de VM com estratégias protetoras reduz morbimortalidade nessa população. Havia o questionamento se o emprego de PEEP (*positive end-expiratory pressure*) teria algum efeito na PIC e PPC. Estudo retrospectivo realizado com 341 pacientes internados por TCE grave mostrou que o uso de PEEP não apresentou efeitos tanto na PIC quanto na PPC, apesar de o estudo não ter sido capaz de medir outras covariáveis como autorregulação cerebral, complacência cerebral ou velocidade de fluxo.[17]

De acordo com o consenso europeu de VM em pacientes com TCE grave, a ventilação deve priorizar as estratégias de ventilação protetora, a fim de reduzir a lesão induzida por ventilação. Pacientes sem elevação de PIC devem receber PEEP, assim como outros pacientes críticos. Deve-se evitar hiper ou hipoxia pelos motivos pormenorizados anteriormente. O consenso orienta manter a PaO₂ entre 80 e 120 mmHg e a normocapnia.[16]

■ AGENTES ANESTÉSICOS E PRESSÃO INTRACRANIANA

A anestesia dos pacientes neurocríticos é de extrema importância, uma vez que garante estabilidade hemodinâmica, PPC entre 60 e 70 mmHg, redução do consumo de O₂ e redução da PIC. Existem duas modalidades disponíveis: a inalatória e a intravenosa. No entanto, ainda é incerto sobre qual das duas estratégias traria mais benefícios.[18]

Os agentes inalatórios reduzem a CMRO₂ e a RVC, em razão do efeito vasodilatador. Por conta disso, podem muitas vezes aumentar o FSC e elevar a PIC. A anestesia intravenosa total contorna os efeitos vasodilatadores da inalatória, sendo o propofol o fármaco mais amplamente utilizado, pois seus efeitos de vasoconstrição cerebral reduzem o FSC e a CMRO₂, assim como a PIC. No entanto, o propofol pode causar hipotensão, além de ser de difícil titulação.[18]

Um estudo realizado com 90 pacientes submetidos a craniectomia de emergência para drenagem de hematoma subdural agudo mostrou menor PIC durante a abertura da dura-máter (*p* = 0,01) e melhor relaxamento cerebral (*p* = 0,04) nos pacientes que receberam propofol em relação à anestesia inalatória.[18]

Além disso, quando comparado o propofol com midazolam em pacientes críticos, propofol esteve associado a melhora da qualidade de sedação e retorno da consciência mais rapidamente quando da descontinuidade da sedação. Deve-se atentar, no entanto, para a síndrome de infusão do propofol especialmente com doses de 3 a 5 mg/kg/hora por mais de 48 horas, caracterizada por ácido lático, rabdomiólise, disfunção renal e cardíaca com alterações eletrográficas que podem culminar em arritmia. Outro efeito complicador do uso do propofol é a possibilidade de elevação de enzimas pancreáticas e pancreatite.

Os benzodiazepínicos são agentes sedativos, depressores do sistema nervoso central com ação agonista gabaérgica. O midazolam é um dos fármacos mais utilizados para sedação em pacientes com TCE. É de metabolização hepática e apresenta rápido término de ação, porém alguns metabólitos ativos se acumulam com infusões prolongadas, o que pode estender a sedação mesmo após interrupção da medicação. Os benzodiazepínicos reduzem FSC, CMRO₂ e PIC. A profundidade da redução da CMRO₂ não é, porém, tanta quanto com o uso de barbitúricos, fazendo com que, muitas vezes, a surto-supressão não seja alcançada. Além disso, seu uso é um fator de risco para *delirium*, o qual está associado a piores desfechos.[19]

Outro anestésico amplamente estudado em pacientes neurocríticos é a cetamina. O fármaco é um antagonista não competitivo do receptor N-metil-aspartato e não tem efeito cronotrópico negativo, não induz vasodilatação e hipotensão, sendo um anestésico com potencial atrativo para anestesia de pacientes hipotensos e instáveis. Em 1990, o fármaco passou a não ser utilizado em pacientes neurocríticos, dada a suspeita de efeitos adversos na PIC. Uma revisão sistemática inclui a análise de 11 estudos. Em apenas dois deles, houve relato de elevação de PIC com uso da medicação, sendo que, em um dos estudos, a elevação ocorreu durante o procedimento de sucção, o que pode elevar PIC mesmo em pacientes saudáveis, e em outro, foi registrado uma elevação mínima e não relevante clinicamente. Não houve relato de alteração na PPC durante o emprego da cetamina em nenhum estudo. A maioria dos estudos usou fármacos concomitantes, como fentanil, midazolam ou propofol, que podem mascarar o efeito simpático provocado pela cetamina.[20]

Os barbitúricos são agentes estimulantes dos receptores GABA (ácido aminobutírico). O tiopental é comumente utilizado em casos de elevação de PIC refratária e em *status epilepticus*. Apresenta efeito hipotensor causado por depressão miocárdica e no sistema vasomotor. Por esse motivo, os barbitúricos não são indicados como agente sedativo de manutenção de maneira profilática, sendo seu uso associado em casos de HIC refratária ou de *status epilepticus*.[19]

O dextemedetomidine, por sua vez, é um agente alfa 2-agonista seletivo com efeito sedativo e ansiolítico de rápida eliminação após descontinuidade de seu uso. Está associado a menor incidência de *delirium* em unidade de terapia intensiva (UTI). Não causa depressão respiratória, sendo seu emprego associado a hipotensão e bradicardia. Os efeitos da dextemedetomidine na PIC e PPC ainda carecem de estudos na literatura.[19]

■ CONCLUSÃO

Identificar e tratar PIC elevada é mandatório no tratamento de pacientes neurocríticos e é essencial para melhorar os desfechos. A compreensão dos componentes da PIC e da neurofisiologia são essenciais para o manejo adequado.

REFERÊNCIAS

1. Nag DS, Sahu S, Swain A, et al. Intracranial pressure monitoring: gold standard and recent innovations. World J Clin Cases. 2019 July 6;7(13):1535-1553. doi: 10.12998/wjcc.v7.i13.1535 ISSN 2307-8960 (online)
2. Haray M, Dolmans RGF, Gormley WB. Intracranial Pressure Monitoring – Review and Avenues for Development. Sensors. 2018,18(2):465. doi: 10.3390/s18020465
3. Marmarou A, Tabaddor K. Intracranial pressure: physiology and pathophysiology. In: Cooper PR (Ed.). Head injury. 3rd ed. Baltimore: Willians & Wilkins; 1993.
4. Langfitt TW, Weinstein JD, Kassell NF. Cerebral vasomotor paralysis produced by intracranial hypertension. Neurology. 1965;15:622-641.
5. Miller JD, Sullivan HG. Severe intracranial hypertension. Int Anesthesiol Clin. 1979;17:19-75.
6. Raboel PH, Bartek Jr. J, Andresen M, et al. Review Article Intracranial Pressure Monitoring: Invasive versus Non-Invasive Methods – A Review. Critical Care Research and Practice. Volume 2012, Article ID 950393, 14 pages.
7. Hawryliuk GWJ, Citerio G, Hutchinson P, et al. Intracranial pressure: current perspectives on physiology and monitoring. Intensive Care Med. 2022;48:1471-1481. -doi: 10.1007/s00134-022-06786-y
8. Doyle DJ, Mark PW. Analysis of intracranial pressure. J Clin Monit. 1992;8(1):81-90. doi:10.1007/BF01618093
9. Kawoos U, McCarron RM, Auker CR, et al. Review Advances in Intracranial Pressure Monitoring and Its Significance in Managing Traumatic Brain Injury Int J Mol Sci. 2015 Dec;16(12):28979-28997.
10. Rosner MJ, Rosner S, Johnson AH, et al. Cerebral perfusion pressure: management protocol and clinical results. J Neurosurg. 1995;83:949-962.
11. Canac N, Jalaleddini K, Thorpe SG, et al. Review: pathophysiology of intracranial hypertension and noninvasive intracranial pressure monitoring. Fluids Barriers CNS. 2020;17(1):40. doi: 10.1186/s12987-020-00201-8
12. Partington T, Farmery A. Intracranial pressure and cerebral blood flow. Anaesthesia & Intensive Care Medicine. 2014;15(4):189-194. doi: 10.1016/j.mpaic.2014.02.002
13. Hawryluk GWJ, Aguilera S, Buki A, et al. A management algorithm for patients with intracranial pressure monitoring: the Seattle International Severe Traumatic Brain Injury Consensus Conference (SIBICC). Intensive Care Med. 2019;45(12):1783-1794. doi: 10.1007/s00134-019-05805-9.
14. Shrestha GS, Pradhan S. Management of intracranial hypertension: Recent advances and future directions Bangladesh Crit Care J. March 2017;5 (1):53-62.
15. Carney N, Totten AM, O'Reilly C, et al. Guidelines for the Management of Severe Traumatic Brain Injury 4th Edition. Neurosurgery. 2017 Jan 1;80(1):6-15. doi: 10.1227/NEU.0000000000001432.PMID: 27654000.
16. Robba C, Poole D, McNett M, et al. Mechanical ventilation in patients with acute brain injury: recommendations of the European Society of Intensive Care Medicine consensus. Intensive Care Med. 2020;46:2397-2410. doi: 10.1007/s00134-020-06283-0
17. Boone MD, Jinadasa SP, Mueller A, et al. The Effect of Positive End-Expiratory Pressure on Intracranial Pressure and Cerebral Hemodynamics. Neurocrit Care. 2017;26:174-181. doi: 10.1007/s12028-016-0328-9
18. Preethi J., Bidkar P.U., Cherian A, et al. Comparison of total intravenous anesthesia vs. inhalational anesthesia on brain relaxation, intracranial pressure, and hemodynamics in patients with acute subdural hematoma undergoing emergency craniotomy: a randomized control trial. Eur J Trauma Emerg Surg. 2021;47:831-837. doi: 10.1007/s00068-019-01249-4
19. Flower O, Hellings S. Sedation in Traumatic Brain Injury. Emergency Medicine International; 2012, 637171, 11 pages. doi: 10.1155/2012/637171
20. Gregers MCT, Mikkelsen S, Lindvig KP, et al. Ketamine as an Anesthetic for Patients with Acute Brain Injury: A Systematic Review. Neurocrit Care. 2020;33;273-282. doi: 10.1007/s12028-020-00975-7

173

Anestesia para Cirurgia de Tumores Cerebrais

Christiano dos Santos e Santos

INTRODUÇÃO

A abordagem cirúrgica do Sistema Nervoso Central (SNC) é desafiadora devido não apenas pela complexidade estrutural do encéfalo e sua fisiologia, mas pela estrutura que exige para atender todas as necessidades do paciente neurocirúrgico. O caráter multidisciplinar que envolve o cuidado do doente neurológico exige um comprometimento intenso dos que se empenham em desenvolver suas funções na abordagem a um tecido incapaz de regenerar-se. O resultado final alcançado na jornada enfrentada pelo doente desde o diagnóstico, passando pelo tratamento inicial, abordagem cirúrgica, recuperação em unidade de terapia intensiva, e pelos diversos meios de recondicionamento funcional para o retorno às atividades diárias básicas, requer um empenho hercúleo e dedicação de todos, inclusive do próprio paciente. A história da neurocirurgia é longa, começando nos tempos primitivos do império Inca e do antigo Egito, passando por Hipócrates e suas descobertas, pelos questionamentos científicos do Renascimento e todos os tempos que precederam até que, em 1900, Harvey William Cushing trouxe ao mundo as bases da neurocirurgia moderna.[1-3] E para que tal façanha fosse presenteada à humanidade, a dor, que até então era um abismo intransponível que se colocava como entrave, precisava ser anulada. E a conquista desse "monstro" veio através das mãos de William Thomas Green Morton, na cidade de Boston, Massachusetts, em 16 de outubro de 1846.[4] O controle do estímulo nociceptivo e domínio do Sistema Nervoso Autônomo, aliados aos grandes avanços da técnica neurocirúrgica e dos exames complementares de imagem, permitiram que alcançássemos elevado grau de resolutividade cirúrgica para lesões inabordáveis até então.

EPIDEMIOLOGIA DOS TUMORES DO SNC

A maior central nacional de registro dos tumores do SNC dos Estados Unidos da América (EUA) é uma colaboração entre os *Centers for Disease Control and Prevention* (CDC) e *National Cancer Institute* (NCI), conhecida como *Central Brain Tumor Registry of the United States* (CBTRUS). Este último representa o banco de dados mais atualizado, completo e acurado disponível da população americana inteira. O mais recente relatório do CBTRUS estima que 93.470 novos casos de tumores malignos e benignos do SNC foram diagnosticados em 2022, dentre os quais 66.806 (71,5%) foram benignos, contra 26.670 (28,5%) casos de malignidade.[5] O relatório salienta, ainda, que a incidência geral dos tumores do SNC é mais observada em pessoas do sexo feminino do que masculino e que dentre as tumorações, a mais comum é o meningioma, correspondendo a 39,7% do total geral e 55,4% do total de tumores benignos.[5] Cabe ressaltar que os meningiomas foram mais observados em pessoas do sexo feminino enquanto os glioblastomas acometeram mais indivíduos do sexo masculino.[5] Entre as lesões primárias malignas, o glioblastoma foi a forma mais prevalente (14,2% entre todos os tumores e 50,1% dos tumores malignos).[5] Não se sabe ao certo o número de lesões metastáticas ao SNC, mas certamente é subestimado. Aproximadamente 25% dos pacientes que morrem em decorrência de malignidades apresentam lesões metastáticas no SNC, sendo as mais comuns oriundas de neoplasias de mama, cólon e reto, rim, pulmão e melanoma.[6] A mesma central de dados informou que existiram 84.264 mortes atribuídas aos tumores do SNC entre 2015 e 2019, o que corresponde a uma mortalidade média anual de 4,41 por 100.000 habitantes ou 16.853 mortes por ano.[5] A taxa de sobrevivência em cinco anos após o diagnóstico de malignidade foi de 35,7%, comparada a 91,8% das lesões benignas.[5]

DISTRIBUIÇÃO DOS GLIOMAS

Os gliomas [e.g.: astrocitomas (pilocítico, anaplásico e glioblastoma), oligodendrogliomas, oligoastrocitomas, ependimomas] merecem atenção especial não apenas por serem os mais comuns tumores malignos do SNC em adultos, mas devido à sua baixa sobrevida média em cinco anos.[7] Apesar de poder ocorrer em qualquer área do SNC onde exista uma célula glial, aproximadamente 61,8% dos gliomas surgem no compartimento supratentorial (englobando os lobos frontal, temporal, parietal e occipital).[8] A classificação mais comumente utilizada para os diferentes espectros dos gliomas é a da Organização Mundial de Saúde (World Health Organization – WHO), que baseia-se no comportamento biológico agressivo da lesão para distingui-los em graus diferentes (de I a IV), indicando que quanto menor o grau menos invasivo será a doença e vice-versa. [9,10] Tais lesões são capazes de apresentar recorrência mesmo após serem devidamente tratadas através de ressecção cirúrgica e repetidas sessões de quimioterapia e/ou radioterapia.[11] Infelizmente, esses tumores ao reincidirem, o fazem geralmente com um comportamento biológico mais agressivo, o que aumenta seu grau na escala WHO e piora as funções neurológicas, reduzindo qualidade de vida e sobrevida.[12] Apesar de serem alvos de classificações distintas baseadas em diferentes marcadores moleculares e de imunohisto-química, não existe, até o momento da publicação deste capítulo, nenhum indício de que tais distinções histopato-lógicas e moleculares possam sugerir qualquer alteração no manejo anestésico desses pacientes. Uma diferente sessão desta obra literária abordará em profundidade os tumores do SNC em crianças e seu manejo anestésico específico para tal população.

■ CONSIDERAÇÕES GERAIS

O SNC é definitivamente a mais complexa estrutura do organismo humano. Muito embora o objetivo desse capitulo não seja uma abordagem aprofundada de sua histologia, anatomia e fisiologia, algumas considerações são fundamentais para o completo entendimento de sua fisiopatologia. Somente através da compreensão da doença neurológica em suas minúcias, que o anestesiologista será capaz de utilizar seus conhecimentos de neurofarmacologia em benefício da redução ao dano secundário ao arcabouço neuronal. A modulação da fisiologia cerebral que atenda às demandas metabólicas do tecido nervoso é crucial para um melhor resultado cognitivo e funcional pós-operatório.

De uma forma simplificada, o conteúdo intracraniano pode ser dividido em dois compartimentos pela prega de dura-máter denominada tentório ou tenda do cerebelo, que se estende desde o osso occipital até a porção petrosa do osso temporal.[13] A sua porção que não se insere em estrutura óssea, conhecida como borda livre da tenda do cerebelo, é o espaço pelo qual o cérebro se estende caudalmente às demais estruturas do SNC (tronco encefálico, cerebelo e medula espinhal). Dessa forma, a divisão intracraniana gerada pelo tentório são os espaços acima e abaixo do mesmo, conhecidos respectivamente como supratentorial e infratentorial.

O conteúdo desses espaços são o tecido nervoso (neurônios e células gliais), o líquido cefalorraquidiano (LCR) ou líquor, e o volume sanguíneo intracraniano (venoso e arterial). Essas estruturas ocupam completamente esses espa-

ços, que são inteiramente fechados para o meio externo. Assim, a distribuição anatomo-funcional desses compartimentos gera uma pressão de ocupação de espaço denominada pressão intracraniana (PIC). Como o crânio é um arcabouço ósseo fechado e não distensível (após o fechamento das suturas cranianas), as variações de seu conteúdo precisam ser compensadas entre si para que não haja grandes oscilações da PIC. Tal mecanismo homeostático de equalização da PIC foi descrito através do que ficou conhecido como a doutrina de Monro-Kellie.[14,15] Essa teoria afirma que o surgimento de um processo expansivo intracraniano (e.g.: glioma, meningioma, neurinoma, etc) é compensado com o extravazamento de LCR e sangue venoso para a manutenção normal da PIC, até que seja exaurida a sua capacidade de acomodação.[14-17] A partir desse momento, pequenas variações de volumes corresponderão a grandes variações de PIC com consequente redução da pressão de perfusão cerebral (PPC).

Duas variáveis são importantes nessa análise: volume e velocidade de crescimento do processo expansivo. Obviamente, quanto maior o volume do processo expansivo, maior será a repercussão da lesão sobre a PIC. Com relação à velocidade de crescimento do tumor, observam-se duas situações distintas: as de crescimento lento e rápido. O crescimento lento permite que o fenômeno homeostático de manutenção da PIC seja compensado através do mecanismo acima descrito. Nos casos de velocidade rápida de crescimento, o SNC não consegue equalizar a PIC de forma tão eficiente.[18] Mesmo com pequenos volumes, há uma elevação maior da PIC, como mostra o coeficiente angular registrado no gráfico entre o volume e a pressão intracraniana-nos (Figura 173.1).[19] Tumores cuja biologia apresenta crescimento lento, tais como os meningiomas e os Schwanomas, são tardios na apresentação de sinais neurológicos e sintomas, além de apresentarem uma curva de descompensação da PIC mais tardia. Por sua vez, os tumores de crescimento mais rápido, ou cujas células tumorais produzem citocinas vasodilatadoras e disruptivas da barreira hematoencefálica (magnificando o edema perilesional), mostram deflexões

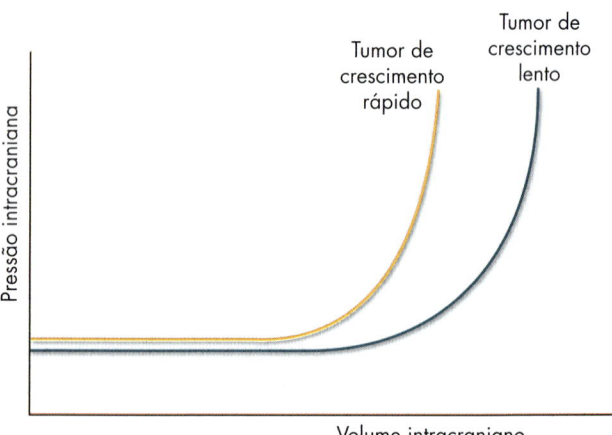

▲ **Figura 173.1** Curvas de complacência intracraniana: tumor de crescimento rápido, a curva entra em falência com menor volume intracraniano; tumor de crescimento lento, a pressão intracraniana começa a aumentar com volume maior.

mais rápidas da curva de pressão intracraniana. Consequentemente, apresentam quadros mais agudos de comprometimento da função neurológica.

Complacência cerebral é a capacidade do SNC de acomodar um processo expansivo intracraniano, com consequente equalização da PIC, para que se mantenha uma PPC capaz de suprir a atividade neuronal em suas demandas mínimas. O entendimento desse conceito é essencial para implementação das medidas de proteção neuronal durante o procedimento anestésico-cirúrgico do neuroeixo.

O objetivo primordial do anestesiologista que trabalha com neurocirurgia é a manutenção da perfusão do SNC. O funcionamento neuronal normal depende única e exclusivamente da combustão aeróbica da glicose.[20] O consumo de oxigênio necessário para a combustão das moléculas de glicose pelas células do SNC é chamado de taxa metabólica cerebral de oxigênio (CMRO$_2$).[21] Como o grupo celular em questão é desprovido da capacidade de armazenamento de ambos, a manutenção ininterrupta do fluxo arterial cerebral torna-se crucial para a normal fisiologia e sobrevivência neuronal, assim como a desobstruída drenagem venosa encefálica.[22] A pressão normal de perfusão do SNC é denominada pressão de perfusão cerebral (PPC), muito embora ela se aplique a todo o encéfalo e por muitos seja denominada pressão de perfusão encefálica. Ela é calculada como a diferença entre a pressão arterial média (PAM)[23] e a PIC (PPC = PAM – PIC).[24] Qualquer fator que reduza a PAM e/ou eleve a PIC são deletérios ao SNC, pois reduzem a PPC. O fluxo sanguíneo cerebral (FSC) é fator influenciador importante da PIC, com uma relação diretamente proporcional à mesma. Qualquer elevação do FSC gera aumento da PIC e consequente redução da PPC.[25] O completo domínio desses conceitos e sua aplicação à neuroanestesiologia são fatores determinantes no resultado final do procedimento neurocirúrgico. Muito embora os maiores estudos clínicos dedicados à PPC ideal sejam relacionados aos casos de traumatismo cranioencefálico, é comumente aceita a extrapolação de seus alvos (PPC entre 50 e 70 mmHg) como parâmetro clínico relevante.[26]

É de extrema importância a análise dos exames de imagens disponíveis na preparação do plano anestésico individualizado, detalhadamente discutido com o paciente e/ou familiar responsável no período que antecede à cirurgia. A identificação da localização da lesão (fator que implicará diretamente no posicionamento do paciente na mesa cirúrgica), proximidade do tumor de áreas eloquentes (a documentação de déficits que já estejam presentes no pré-operatório), presença ou não de edema perilesional, presença ou não de obstrução ao fluxo liquórico (hidrocefalia) e a adjacência a estruturas vasculares importantes, com possibilidade de perda volêmica significativa e em curto espaço de tempo, são pontos que precisam ser obrigatoriamente endereçados antes de levar o paciente ao centro cirúrgico.[27] A utilização de agentes anestésicos, que levem à redução do fluxo sanguíneo cerebral, é benéfica não apenas por eles promoverem redução da PIC, mas também por gerarem o aumento da PPC. Por outro lado, a desastrosa opção por agentes que façam o oposto, é capaz de impactar não apenas o relaxamento cerebral intraoperatório, mas também no resultado clínico-funcional final.

■ BARREIRAS DE PROTEÇÃO DO SNC

Existem três importantes interfaces entre a corrente sanguínea e o encéfalo: a barreira hematoencefálica (BHE), a barreira sangue-líquido cefalorraquidiano e a barreira aracnoide, sendo as duas primeiras as mais relevantes.[28]

A BHE é indubitavelmente o maior e mais importante meio de comunicação e de trocas entre o SNC e a corrente sanguínea.[28] Estima-se que o encéfalo adulto apresente uma área de superfície de BHE entre 12 e 18 m^2 de extensão.[29] Em condições normais, a BHE é impermeável a grandes e/ou polarizadas moléculas, controlando de forma estrita tanto o influxo quanto o efluxo de substâncias essenciais à função neuronal e à atividade metabólica cerebral.[30,31] Por outro lado, as moléculas de pequeno tamanho e não polarizadas apresentam maior lipossolubilidade, atravessando mais facilmente a BHE e, por consequência, atingindo concentrações maiores tanto no parênquima cerebral quanto no LCR.[32] A histologia da unidade neurovascular (UNV) que forma a BHE, é basicamente constituída pela unidade capilar cerebral e suas células endoteliais em conjunto com os astrócitos e micróglia, os quais formam junções oclusivas altamente seletivas.[33] Dentre todos os tipos celulares envolvidos na formação da UNV, os astrócitos ostentam uma importância relevante, uma vez que seus prolongamentos citoplasmáticos, denominados "pés vasculares", proporcionam uma barreira física ao livre movimento molecular que distingue o SNC dos demais tecidos do organismo.[34]

A barreira sangue-líquido cefalorraquidiano é formada pelas células epiteliais dos plexos coróides encontrados dentro dos ventrículos cerebrais (laterais, terceiro e quarto ventrículos).[35] Esse enovelado vascular é responsável pela formação do LCR, o qual apresenta diversas funções tais como proteção hidromecânica do neuroeixo, veículo de nutrição celular, homeostasia da pressão intracraniana, entre outras.[36]

■ PROCESSO EXPANSIVO INTRACRANIANO E HERNIAÇÕES DO CONTEÚDO ENCEFÁLICO

O processo expansivo tumoral primário, decorrente da proliferação anárquica e desenfreada das células tumorais, é o mecanismo primário de ocupação patológica de espaço intracraniano. A esse processo patológico inicial, soma-se o extravazamento de líquido nas áreas adjacentes ao tumor, conhecido como edema cerebral perilesional. A essas duas alterações, podem associar-se outras complicações que pioram ainda mais a função neurológica, tais como a dilatação do sistema ventricular, o insulto isquêmico adjacente e possível infarto da área afetada, e hemorragia cerebral. Quando essas variações fisiopatológicas se associam (não necessariamente em sua totalidade ou nessa ordem) ocorre um reajuste do espaço intracraniano, capaz de deslocar estruturas cerebrais dentro da caixa craniana fechada. Esses deslocamentos de conteúdo encefálico são denominados herniações cerebrais (Figura 173.2). Tais herniações são situações clínicas emergenciais, uma vez que exauridos foram os mecanismos de compensação da PIC. As hérnias encefálicas mais comumente observadas são:

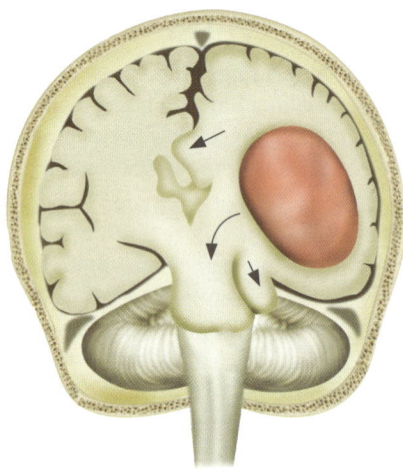

▲ **Figura 173.2** Herniações subfalcinas e transtentoriais. O deslocamento de parte do encéfalo causa isquemia por compressão, pode causar repercussões neurológicas e cardiovasculares.

1. **Subfalcina**: ocorre quando o giro do cíngulo se projeta para o lado contralateral por baixo da foice do cérebro, gerando o que é classicamente conhecido como desvio da linha média (Figura 173.3).
2. **Transtentorial**: ocorre quando o conteúdo do encéfalo se desloca através da borda livre do tentório. Tal movimento de estruturas encefálicas pode ocorrer tanto com deslocamento inferior de conteúdo supratentorial (geralmente herniação do úncus do lobo temporal), quanto de estruturas da fossa posterior (geralmente vermis e/ou hemisfério cerebelar), ascendendo ao compartimento supratentorial. Este último é denominado herniação ascendente, para ser diferenciado do primeiro.
3. **Tonsilar**: ocorre com a herniação caudal das tonsilas cerebelares através do forame Magnum.

Como esse deslocamento de estruturas do encéfalo ocorre quando os mecanismos homeostáticos de controle e equalização da PIC se esgotam, já existe instalada uma restrição limítrofe da PPC na área afetada e seu arredor. Isso pode ser ainda mais agravado com compressões de estruturas vasculares circunvizinhas, resultando em isquemia, e nos casos mais severos, infarto do tecido encefálico envolvido. Além de vasos sanguíneos relevantes (arteriais e venosos), o processo expansivo pode gerar obstrução do fluxo liquórico normal, gerando dilatação "à montante" do sistema ventricular, conhecido como hidrocefalia. Esse fator eleva ainda mais a PIC e, consequentemente, reduz a PPC. Outro fator agravante, geralmente de consequências terríveis, é a hemorragia intratumoral.[37] Tal complicação apresenta caráter devastador por seu comportamento agudo, sobre um encéfalo que já pode estar em seu limite de acomodação ou tendo sido o mesmo já ultrapassado.

■ EDEMA CEREBRAL

Os diferentes tipos de edema cerebral serão descritos a seguir. Dos três tipos abordados nesse capitulo, citotóxico, intersticial e vasogênico, o último é o mais comumente observado nos tumores do encéfalo, sendo muitas vezes descrito como edema peritumoral ou perilesional. Uma vez que o tumor que afeta o encéfalo pode apresentar complicações inerentes ao curso natural da doença (e.g.: hidrocefalia, isquemia/infarto e/ou hemorragia), outras formas de edema cerebral precisam obrigatoriamente ser abordadas aqui.

Para saber como manusear o volume do encéfalo durante o procedimento anestésico é necessário definir qual é a etiologia deste aumento de volume. Se é por inchaço cerebral que ocorre com a perda da capacidade de contração das artérias cerebrais, ou seja, perda da reatividade vascular, consequente à agressão encefálica como ocorre no trauma craniano; ou se o aumento do volume ocorre com a presença de edema encefálico peritumoral (Figura 173.4).

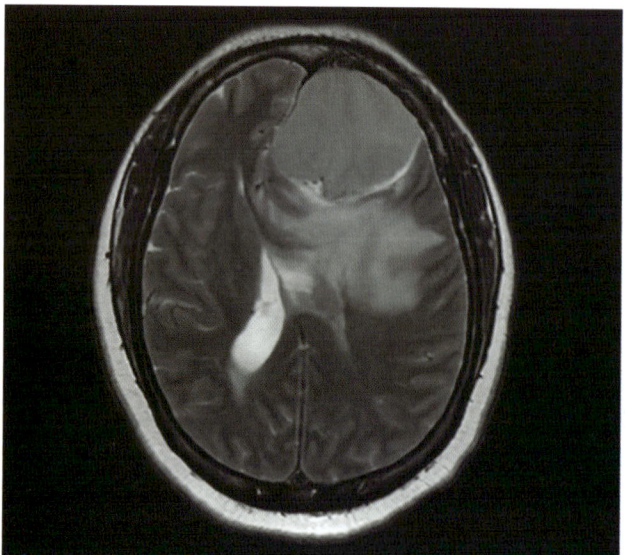

▲ **Figura 173.3** Corte axial de imagem de ressonância magnética (IRM), T2 flair, evidenciando processo expansivo tumoral frontal esquerdo, com edema perilesional e herniação subfalcina (desvio de linha média).

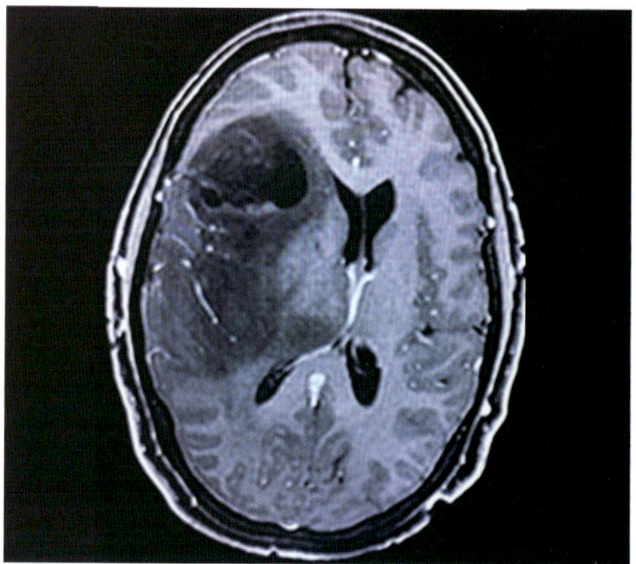

▲ **Figura 173.4** Edema cerebral extenso, com apagamento de sulcos, desvio de linha média grave e compressão de ventrículos cerebrais. Ocorre deslocamento dos tractos cerebrais, dificultando o reconhecimento da anatomia, para a ressecção cirúrgica.

1. **Edema citotóxico:** gerado pelo acúmulo de água dentro das células, como resultado de agressões tais quais isquemia, hipóxia ou fatores tóxicos à células. A falta de energia, para a manutenção da bomba de sódio-potássio na membrana celular, causa perda da permeabilidade seletiva da célula, possibilitando o deslocamento de fluido do espaço intersticial para o intracelular. Na fase inicial não ocorre aumento do volume encefálico neste edema, apenas na fase mais tardia. A hipo-osmolaridade plasmática que ocorre com a reposição volêmica agrava, de forma inadequada, este edema citotóxico.

2. **Edema intersticial:** observado na região periventricular. A obstrução na via normal de drenagem do líquor causa hidrocefalia e força a migração do líquor através das paredes dos ventrículos (Figura 173.5).

3. **Edema vasogênico:** regularmente observado nos casos de abscessos, tumores cerebrais, hemorragia e trauma, é decorrente da disfunção da BHE. Com a quebra da BHE ocorre a passagem de água, eletrólitos e grandes moléculas hidrofílicas para o espaço extravascular, causando o edema vasogênico (Figura 173.6). Caracteristicamente descrito como perilesional, esse tipo de edema é um fator contribuidor para o aumento do efeito de massa imposto pela lesão principal, quer seja primária ou metastática.[38] A alteração fisiopatológica primariamente identificada é o aumento da permeabilidade vascular no nível capilar, com consequente extravazamento do conteúdo plasmático.[39] Como o encéfalo é desprovido de sistema linfático, o líquido extravasado não sofre reabsorção eficiente e se acumula no espaço extravascular.[40] A descontinuidade ou ruptura da integridade da BHE, acontece tanto em decorrência da incapacidade de proliferação dos astrócitos, na mesma velocidade da replicação das células tumorais, e/ou por ação vasoplégica direta das citocinas liberadas pelo tumor.[41-43] Este

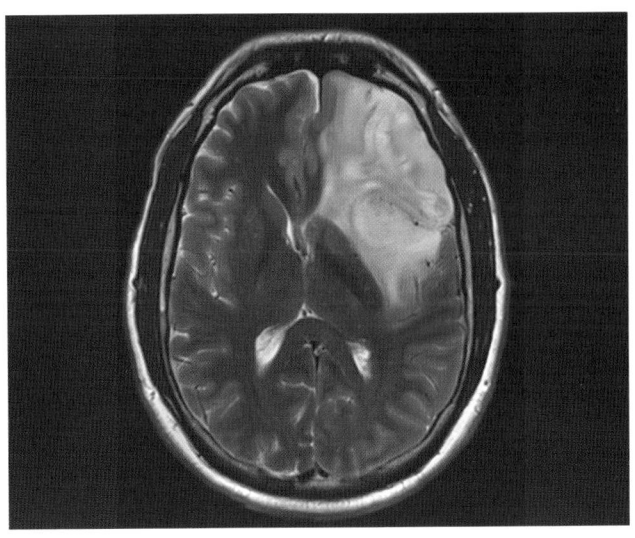

▲**Figura 173.6** Edema vasogênico perilesional/peritumoral evidenciado no lobo frontal esquerdo (corte axial de IRM, T2 flair).

deslocamento líquido extravascular é diretamente proporcional à pressão de perfusão, quando existe quebra da BHE e é agravado pela hipertensão arterial. Diferentemente de quando a BHE está íntegra, o extravazamento pode ocorrer como consequência da redução da osmolaridade plasmática resultante da infusão de soluções intravenosas hipotônicas.

Os exames de imagem são instrumentos fundamentais na identificação, localização e determinação da extensão do edema cerebral. Muito embora esses achados possam ser facilmente visualizados através da tomografia computadorizada do crânio, a imagem por ressonância magnética (IRM) é mais rica em detalhes, principalmente por usar, em sua essência, o estudo da movimentação dos átomos de hidrogenio, principal componente da molécula da água.[44 45]

A osmolaridade de uma solução está relacionada ao número de partículas contidas num solvente por unidade de volume. Ela determina a passagem de água através de membrana semi-permeável, por causa da pressão osmótica gerada quando existe diferentes osmolaridades nos dois lados desta membrana. Este processo de passagem de água através da membrana continua até que ocorra o equilíbrio das osmolaridades entre os dois lados da membrana, ou até que a pressão hidrostática gerada no compartimento que recebe o fluxo de água possa impedir a entrada adicional de água. A diferença de 1 miliOsmol através da BHE pode gerar um gradiente de pressão hidrostática de 19 mmHg, causando edema cerebral. A administração de soluções hipotônicas (e.g.: ringer lactato, solução glucosada a 5%,) pode resultar em piora do edema cerebral e elevação da hipertensão intracraniana.[46]

A redução da reatividade vascular encefálica leva ao aumento de volume sanguíneo intravascular (inchaço cerebral) e, portanto, ao aumento da volemia intracraniana e pressão intracraniana. Este aumento da PIC reduz a pressão de perfusão encefálica (PPE) e agrava a isquemia cerebral local ou global.

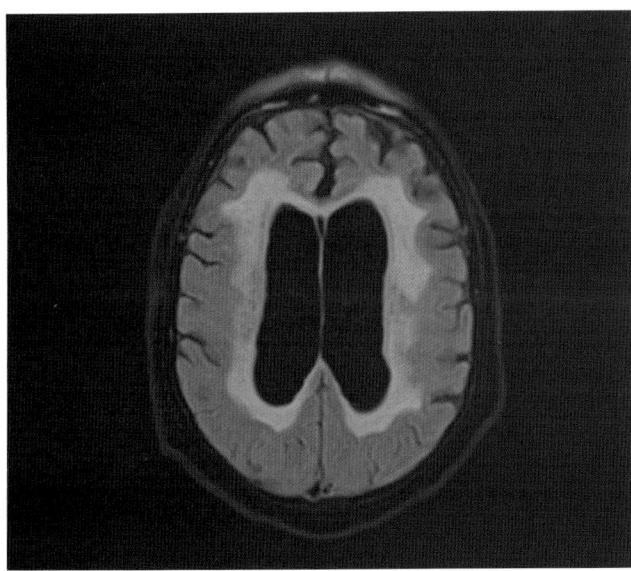

▲**Figura 173.5** Corte axial de IRM (T2 flair) evidenciando edema intersticial periventricular em decorrência de obstrução do sistema ventricular.

Em condições fisiológicas, a autorregulação do FSC ocorre com a variação da pressão arterial no nível das arteríolas cerebrais e depende do gradiente de pressão através da parede do vaso. Apesar da variação da pressão arterial, o FSC é mantido constante entre os limites de 50 mmHg e 150 mmHg em condições fisiológicas sistêmicas e encefálicas normais.[47]

Caso a PPE seja reduzida para valores abaixo de 50 mmHg, ocorrerá queda da perfusão tissular e, apesar da dilatação das arteríolas do encéfalo, o fluxo não se mantém, pois não tem pressão de enchimento suficiente. Se a pressão atinge valores acima de 150 mmHg, a capacidade da reatividade vascular começa a se esgotar, e quanto maior for a hipertensão arterial maior será o diâmetro da artéria cerebral, aumentando o volume encefálico e a PIC (Figura 173.7).[47] Esse mecanismo de autorregulação pode ser alterado nas seguintes condições: (a) presença de disfunções sistêmicas crônicas (e.g.: hipertensão arterial sistêmica, insuficiência renal crônica, cirrose hepática), (b) administração de fármacos vasodilatadores cerebrais (e.g.: anestésicos halogenados, nitroglicerina, nitroprussiato de sódio), ou (c) presença de processo patológico intracraniano (e.g.: tumor, hemorragia, inchaço cerebral).[48-50] A elevação acentuada da PIC gera redução da PPC e, consequentemente, isquemia e relaxamento dos músculos lisos arteriolares do encéfalo. Nesta condição se, simultaneamente, a pressão arterial sistêmica aumenta devido à resposta autonômica, ocorre aumento do volume sanguíneo cerebral, pois os vasos encefálicos estão dilatados devido à perda da homeostase, gerando um ciclo vicioso que aumenta mais a PIC (cascata vasodilatadora).[51] Devido a este mecanismo que leva ao aumento do volume encefálico e da PIC, a pressão arterial deve permanecer o mais estável possível durante a anestesia, quando existe perda da reatividade peritumoral. Por outro lado, a hipotensão arterial sistêmica, associada ao aumento da PIC, agrava a isquemia encefálica. Deve-se manter

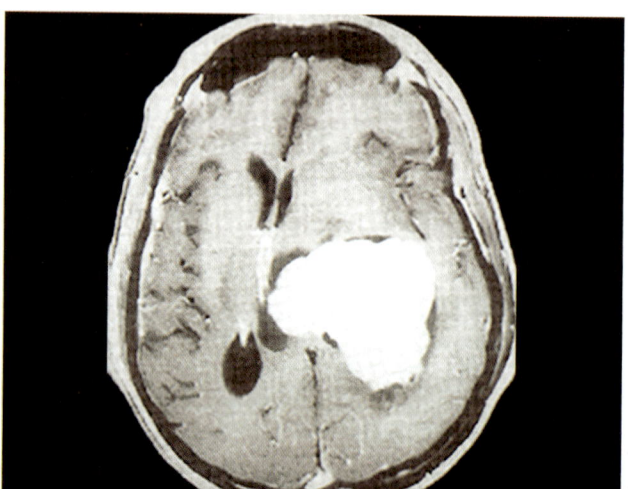

▲ **Figura 173.7** Tumor ocupando todo o espaço do líquor aumentando a pressão intracraniana, com apagamento de sulcos e cisternas, com desvio da linha média denotando deslocamento de estruturas cerebrais que podem trazer alterações hemodinâmicas. Ocorre aumento da pressão intracraniana.

em mente que, se existe ruptura da BHE, a hipertensão arterial sistêmica passa a ser também um dos determinantes em aumentar o edema cerebral vasogênico, junto com a redução da osmolaridade plasmática.

A neuroanestesiologia tem como essência uma prática incessante de se utilizar agentes anestésicos capazes de promover diminuição do FSC, reduzindo assim o volume encefálico, e otimização da PPC. Por outro lado, a administração de agentes capazes de gerar vasodilatação cerebral levam ao aumento do FSC e do volume intracraniano. Dessa forma, elevam a PIC e reduzem a PPC.

Todos os esforços são feitos para evitar o insulto secundário a um tecido nervoso já comprometido pela lesão primária. Os danos secundários são divididos em dois tipos: (a) devidos a alterações intracranianas e (b) devidos a alterações sistêmicas com repercussões intracranianas.[52]

- Alterações intracranianas: elevação da pressão intracraniana; desvio de linha média (que ocasiona compressão vascular e ruptura de vasos sanguíneos, herniações parenquimatosas (já discutidas acima), epilepsia e vasoespasmo.[52]
- Alterações sistêmicas: hipoxemia, hipercapnia, instabilidade hemodinâmica (hipo ou hipertensão arterial), hipo ou hiperglicemia, débito cardíaco reduzido, hipo ou hipertermia, discrasias sanguíneas e distúrbios da osmolaridade plasmática.[52]

■ CONSIDERAÇÕES SOBRE A LOCALIZAÇÃO DO TUMOR

Indubitavelmente, a anatomia do SNC é a mais complexa dentre todos os aparelhos e sistemas que constituem o corpo humano. Além disso, sua organização celular é tão diversa e intimamente ligada à função que as mesmas desempenham, que é muito comum a nomenclatura *neuroanatomia funcional*. Nenhum outro tecido apresenta como proteção um invólucro ósseo que o protege do meio externo como o encéfalo. Dessa forma, a abordagem do SNC e suas doenças é realizada através da abertura do crânio e das meninges que o envolvem, quer seja através de uma pequena trepanação ou por uma extensa craniotomia.

A avaliação individual de cada caso deve considerar a localização do tumor dentro do crânio e sua relação com as estruturas adjacentes. Abaixo alguns exemplos ilustrativos:

A) O tumor localizado na base do crânio com difícil acesso cirúrgico requer que o encéfalo tenha seu volume reduzido para facilitar a abordagem cirúrgica transcraniana, evitando lesão secundária com o deslocamento e a retração da córtex cerebral. Se a via de abordagem para este tumor de base de crânio for transnasal, os nervos ópticos (II par craniano) e os grandes vasos da base craniana estão muito próximos da via de acesso (Figura 173.8). A lesão destas artérias e plexos venosos pode causar hemorragia de difícil controle. A hemorragia por lesão de artéria pode necessitar de compressão da mesma para estancar o sangramento, ou a hipotensão arterial induzida pode ser necessária para facilitar a visualização da artéria lesada e realizar a hemostasia. Ambas situações podem causar isquemia focal ou global, respectivamente. Na lesão do sistema de drenagem

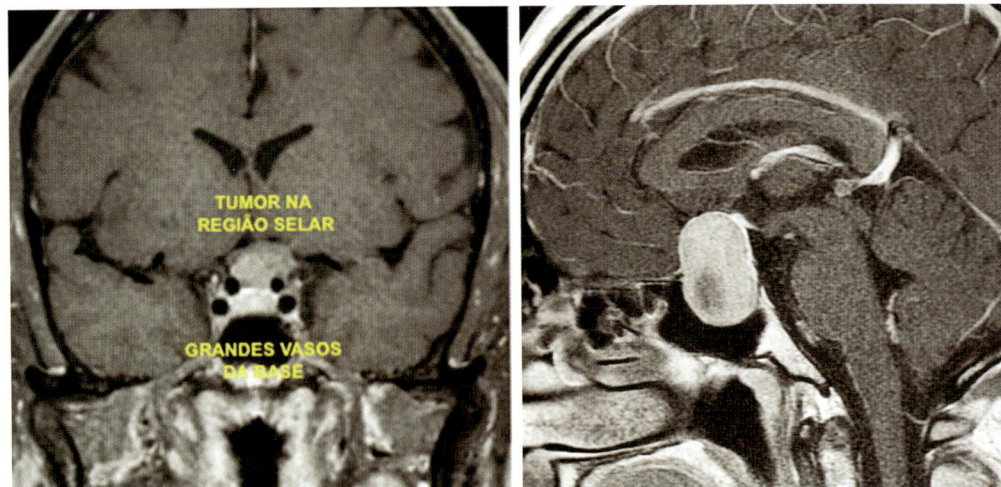

▲ **Figura 173.8** A lesão dos grandes vasos da base do crânio, na região selar, causa hemorragia de difícil controle. A isquemia de estruturas desta região pode ocorrer com o manuseio cirúrgico. Manuseio cirúrgico do hipotálamo causa alterações cardiovasculares, diabetes insípidus, e alteração no despertar.

venoso (seios venosos) torna-se iminente o risco de embolia aérea venosa, com todas as repercussões cardiopulmonares e, devido a isso, todas as medidas de prevenção da mesma e seu tratamento imediato precisam ser implementados para a segurança do paciente.[53,54]

B) Se o tumor intraventricular estiver obstruindo a comunicação entre os ventrículos cerebrais, pode dificultar a passagem do líquor e cursar com hidrocefalia, hipertensão intracraniana e redução da PPC. A partir do momento que o neurocirurgião tem acesso ao tumor quando entra dentro da cavidade ventricular, o líquor é aspirado, possibilitando espaço para o manuseio cirúrgico. Entretanto, a drenagem demasiada do líquor pode retirar a sustentação da córtex cerebral e se afastadores neurocirúrgicos não derem esta sustentação, o desabamento da córtex cerebral pode causar roturas de veias pontes que saem da córtex e conectam-se à dura-máter, ocasionando hematoma subdural e com potencial risco de embolia aérea venosa. Estímulos causado pelo manuseio mecânico ou térmico (perfusão com soluções não aquecidas) do tálamo e hipotálamo, adjacentes ao tumor, podem causar arritmias e alterações hemodinâmicas.

C) Tumores da região selar que estão relacionadas ao neuroeixo hipotálamo-hipofisário podem causar alterações endócrinas, como ocorre no diabetes *insipidus*, doença de Cushing, acromegalia e pan-hipopituitarismo, os quais repercutem sobre a anestesia, devido às modificações que trazem na anatomia e fisiologia do corpo e a sensibilidade aos fármacos alterada.

O neuroeixo é constituído de estruturas do hipotálamo que controlam a liberação ou inibição de hormônios para a hipófise (neuro-hipófise e adeno-hipófise).[55,56] Os núcleos paraventricular e supraóptico do hipotálamo produzem vasopressina e hormônio antidiurético (HAD),[57,58] em resposta ao aumento da osmolaridade na área ao redor desses núcleos hipotalâmicos.[59] O HAD aumenta a permeabilidade do tubo contornado distal do néfron e promove a

reabsorção renal de água além de seu efeito vasopressor. Ele atua nas fibras musculares lisas das arteríolas e aumenta a resistência ao fluxo através das mesmas. A lesão do neuroeixo hipotálamo-hipofisário pode ocorrer em decorrência de manuseio cirúrgico.[58,60] Ao reduzir a produção ou liberação de HAD, ocorre diabetes insípidus (DI), que causa perda de água livre pelos rins, eclodindo em hipovolemia, hipernatremia, hiperosmolaridade, hemoconcentração e acidose metabólica. Confirmando-se o diagnóstico de DI, a administração precoce de vasopressina sintética (DDAVP) evita maiores alterações na homeostase hidroeletrolítica.[61] A infusão de volume hipossódico e correção de acidose metabólica pode se fazer necessária. O quadro clínico de diabetes insípidus é caracterizado por perda de água livre com diurese de 15 a 20 mL.kg−1.h−1, o que torna o paciente hipovolêmico e hipernatrêmico, com sódio plasmático entre 155 e 160 mEq.L−1, e com aumento de osmolaridade plasmática para 310 a 315 mEq.L−1.

C.1) Na doença de Cushing, tumor produtor de hormônio adrenocorticotrófico (ACTH), as alterações sistêmicas requisitam planejamento anestésico adequado. Cuidado na mobilização do paciente, sujeito a fraturas pela hipocalcificação óssea, embora o valor de cálcio plasmático possa estar normal, uma vez que é eliminado pelos rins. Na doença de Cushing a filtração glomerular pode estar reduzida e a eliminação do cálcio pela diurese, associada à hipertensão arterial, pode levar à nefrolitíase.[62-64] O ACTH elevado também pode causar atrofia muscular e um ajuste à dosagem dos bloqueadores neuromusculares se faz necessário.[65] Por transformar a proteína da fibra muscular em glicose, faz-se necessário realizar um controle rigoroso de glicemia.[65] Na doença de Cushing o uso de betabloqueadores e/ou alfabloqueadores para controle de hipertensão arterial e alterações cardíacas pode ser necessário devido aos efeitos do cortisol sobre o sistema cardiovascular, evitando o uso desnecessário de grandes quantidades de agentes anestésicos para tratar hipertensão arterial.[66-69]

C.2) O tumor produtor de GH (*Growth Hormone* ou hormônio do crescimento), que causa acromegalia, também traz alterações anatômicas e fisiológicas que interferem no manejo anestésico. O aumento da mandíbula e a macroglossia dificultam a instrumentação da via aérea, além da obstrução das vias aéreas no despertar da anestesia. É necessário reavaliar a quantidade de relaxante muscular devido ao aumento da massa muscular.[70,71] Arritmias cardíacas ocorrem devido às alterações no músculo cardíaco e no sistema de condução do impulso elétrico que atravessa o miocárdio causadas pelo excesso GH.[72,73] A resistência à insulina, comumente observada na doença, também leva à hiperglicemia e o uso de insulina pode ser necessário.[74,75] O crescimento tumoral pode ser tal, que o mesmo pode se estender além da sela túrcica, protundindo além do diafragma selar, culminando com a compressão extrínseca do segundo par de nervos cranianos (óptico) e sua consequente desmielinização, isquemia e insulto traumático, o que resulta em déficit visual.[76,77] Inicialmente, as fibras comprometidas do nervo óptico são as que cruzam o plano mediano, na altura do quiasma óptico. Como a parte central dessas fibras são oriundas das retinas nasais (as quais enxergam os campos visuais temporais de cada lado), o quadro clínico típico é o da hemianopsia bitemporal.[78] Os tumores gigantes de hipófise podem gerar lesão completa dos nervos ópticos, culminando em irreversível perda visual bilateral.[79] O aumento de tamanho do tumor pode, em casos extremos, comprimir o neuroeixo hipotálamo-hipofisário e causar pan-hipopituitarismo, ou seja déficit de diversos ou todos os hormônios produzidos neste neuroeixo.[72,80]

C.3) Os tumores não funcionantes na região da sela túrcica, assim chamados por não produzirem hormônios, acabam não acarretando em alterações anatomofisiológicas relacionadas à produção em excesso de hormônios do neuroeixo, como ocorre na doença de Cushing, na acromegalia e no prolactinoma. Entretanto, ao crescerem e atingirem determinado tamanho que possa comprimir a haste hipofisária, ou até mesmo o neuroeixo hipotálamo-hipofisário, esses tumores não funcionantes (meningeoma, craniofaringeoma) também podem ocasionar pan-hipopituitarismo e cegueira (Figura 173.9). O pan-hipopituitarismo durante a anestesia cursa com: **a**) aumento da sensibilidade a fármacos anestésicos, e dificuldade no despertar da anestesia; **b**) hipotensão arterial após a indução anestésica, necessitando correção com volume, administração de vasopressores e *stress dose* de hidrocortisona nos casos de depleção de ACTH (hormônio adrenocorticotrópico) e consequente supressão adrenal; **c**) menor necessidade

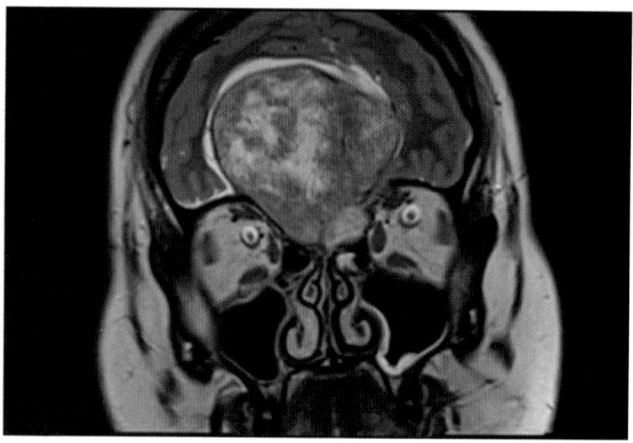

▲ **Figura 173.9** Corte coronal (IRM T2 flair) evidenciando massa suprasselar com compressão extrínseca do parênquima cerebral e estruturas adjacentes.

de relaxantes musculares, pela atrofia de massa muscular; **d**) maior incidência de hipotermia, o que dificulta o despertar e leva a distúrbios das cascatas de coagulação; **e**) em situações mais graves há ocorrência de diabetes insipidus.

Tumores localizados na região da fossa posterior, além de requerer que o anestesiologista facilite o acesso cirúrgico e minimize o trauma ao sistema nervoso, requer que auxilie a manter a estabilidade cardiovascular e respiratória. Pois o deslocamento e compressão dos centros respiratório e cardiovascular localizados no bulbo ou medula oblonga causam alterações do padrão respiratório e cardiovascular, como bradicardia, taquicardia, extrassístoles e até mesmo assistolia.[81-83] Na eventualidade do tumor de fossa posterior obstruir a drenagem liquórica, a hidrocefalia resultante elevará a PIC e causará prejuízos à PPC, o que precisa ser obrigatoriamente corrigido e otimizado pelo anestesiologista.[84-86] O sistema reticular ativador ascendente (SRAA), responsável pela manutenção do estado de vigília, também pode ser comprometido. Pode ocorrer também perda de sensibilidade e motricidade da orofaringe e traqueia ao lesar os pares de nervos cranianos: glossofaríngeo (IX) e hipoglosso (XII), nervos sensitivos e motores da faringe e da língua, vago (X), nervo sensitivo da laringe, faringe e traqueia e motor dos brônquios. Durante a cirurgia, a lesão de pares cranianos baixos dificulta a deglutição e favorece a aspiração para os pulmões de fluidos na cavidade oral no período pós-operatório. Assim, antes da remoção do tubo traqueal, deve ser realizada uma avaliação criteriosa quanto à sensibilidade, aos reflexos e à motricidade da língua, cordas vocais, e capacidade de deglutição do paciente. Toda essa logística envolve a avaliação da fonoaudiologia e deve ser realizada a bom tempo na unidade de terapia intensiva neurocirúrgica, o que impedirá o despertar imediato na sala de cirurgia, postergando o exame neurológico do pós-operatório imediato.[87] A via de abordagem cirúrgica pode lesar veias de músculos, intraósseas (diploicos), ou seios venosos, e caso a pressão venosa esteja negativa, o ar ambiente pode ser aspirado para dentro do sistema venoso e resultar em embolia aérea venosa (EAV) e todos os esforços precisam ser feitos para o seu diagnóstico precoce e tratamento imediato. por apresentar consequências devastadoras ao aparelho cardiovascular.[88,89] Muitos desses procedimentos de abordagem de lesões na fossa posterior são realizados com o paciente em posição sentada. Além da detecção de EAV, outros cuidados devem ser tomados antes de colocar o paciente em posição sentada, tais como: (a) a checagem de possível *shunt* intra-cardíaco, devido patência do forâmen oval, através de ecocardiografia transesofágica; (b) a checagem de possível intubação seletiva acidental causada pela hiperflexão cervical necessária para exposição cirúrgica, com consequente hipoxemia, hipercarbia e seus efeitos deletérios à PIC e PPC; (c) a instalação de catéter venoso central para possível aspiração do ar aprisionado no sistema venoso e reversão do colapso do coração direito; e (d) colocação do transdutor de pressão arterial invasiva no nível do meato acústico interno, que corresponde à pressão de perfusão no nível do polígono de Willis, para assegurar medição da perfusão cerebral onde realmente necessita ser feita.[89-91]

■ POSICIONAMENTO DO PACIENTE NA MESA CIRÚRGICA E SUAS REPERCUSSÕES

O posicionamento do paciente é de responsabilidade tanto do anestesiologista quanto da equipe cirúrgica e visa obter a melhor exposição do campo cirúrgico para ressecção do tumor, além de proteger o paciente contra possíveis lesões, as quais são, em sua esmagadora maioria, preveníveis. Como estes procedimentos são geralmente de longa duração, o anestesiologista deve estar atento para evitar escaras de decúbito e lesões por compressão de nervos e/ou plexos nervosos. Cada posição tem suas características próprias que repercutem sobre sobre o sistema musculoesquelético, nervos periféricos, bem como nos sistemas cardiovascular e respiratório. Em cirurgia com o paciente desperto, esta posição deve ser o mais confortável possível, para que o paciente não se mobilize com o desconforto gerado por horas de imobilidade. As posições mais comumente utilizadas em neurocirurgia são as seguintes:

A) **Posição supina:** utilizada com o dorso com certa elevação, em cirurgias por via transnasal ou transesfenoidal, para tumores da região supratentorial, região selar na base do crânio, ou em tumores localizados na face anterior do tronco encefálico. Devido a esta elevação do dorso, a pressão venosa torna-se negativa em relação ao átrio direito, pois o sítio cirúrgico está acima do mesmo.[53,92] A EAV pode ocorrer com a aberturas de veias que propiciem a entrada de ar ambiente na circulação. O catéter central deve estar inserido para tratamento ao aspirar as bolhas de ar. Na abordagem de tumores da fossa posterior através da via retromastoídea, pode se utilizar a posição supina com rotação da coluna cervical. Nesta posição, um coxim colocado sob o ombro ipsilateral à via de abordagem evita distensão do plexo braquial deste lado e reduz a compressão exagerada da veia jugular interna pelo músculo esternocleidomastoídeo do mesmo lado, possibilitando a drenagem venosa pela veia jugular interna.

B) **Posição prona:** utilizada na cirurgia de fossa posterior, tem menor incidência de EAV que a posição sentada, porém apresenta maior sangramento intraoperatório.[93,94] Coxins colocados sob a porção lateral do tórax/axilas permite que parte anterior do tórax se mova com a ventilação mecânica, expandindo os pulmões, não apenas melhorando a ventilação mas reduzindo também o risco de atelectasias. O coxim sob a face anterior do quadril favorece a movimentação do diafragma. Após o posicionamento, os pulmões são auscultados, descartando a intubação seletiva ou perda da via aérea. A face e os olhos devem estar protegidos da compressão por apoio. Com a elevação do dorso (posição de concorde) o risco de embolia aérea existe. Há a necessidade de se proteger pontos de maior pressão de contato como cristas ilíacas e joelhos. A reposição volêmica em cirurgias prolongadas em posição prona apresenta uma peculiaridade. O edema de laringe que ocorre nessa posição é devido à ação da gravidade, que propicia o acúmulo de fluidos no local. Antes da retirada do tubo traqueal, há a necessidade de se avaliar a extensão desse edema, reduzindo assim o risco de reintubação imediata devido à obstrução de via aérea. A realização do teste de vazamento do cuff (*cuff leak test*) mostrou-se preciso em prever quais pacientes estariam mais propensos a desenvolver tal complicação e, por isso, é altamente recomendada a sua realização.[95]

C) **Decúbito lateral:** pode ser utilizado na abordagem de tumor na fossa posterior. A flexão e a rotação demasiada para exposição do sítio cirúrgico dificulta o retorno venoso do encéfalo e aumenta a PIC, afetando assim a PPC. Após o posicionamento do paciente na mesa operatória, deve-se checar a intubação traqueal para que não se tenha tornado seletiva ou perdida a via aérea, e certificar a ventilação pulmonar bilateral. Este decúbito modifica a relação ventilação/perfusão, com pulmão de cima sendo mais ventilado e o pulmão de baixo mais perfundido. Por isso, o anestesiologista precisa estar atento na relação entre o $PaCO_2$ e o $P_{ET}CO_2$. O coxim sob a porção lateral do tórax, próximo à axila, protege de eventual lesão vascular e do plexo nervoso axilar. Uma forma eficaz e simples de checar a perfusão dos dedos é a utilização do oxímetro de pulso deste lado. Apoiadores laterais para o dorso e face anterior do tórax não devem dificultar a mecânica ventilatória. Apoiadores fixos à mesa cirúrgica podem ser utilizados para os membros superiores (*park bench position*). Semiflexão de um dos joelhos estabiliza o quadril. Na cirurgia com paciente desperto, é imprescindível a colocação de almofadas nos pontos de maior pressão de contato.

A **posição sentada** permite a visualização das estruturas da fossa posterior de forma mais anatômica ao ser comparada com o decúbito lateral, além de proporcionar menor hemorragia cirúrgica e facilitar a dissecção cirúrgica.[93,94] Neste decúbito, é menor a pressão necessária nas vias aéreas para expandir os pulmões, além de melhor acesso à sonda de intubação traqueal e visualiza-se a musculatura da face durante o estímulo do potencial evocado motor. Porém, inúmeras alterações fisiológicas ocorrem. Os ápices dos pulmões são mais ventilados e as bases mais perfundidas, modificando a relação ventilação/perfusão pulmonar, o que reduz a oxigenação sanguínea na presença de hipovolemia, e aumenta o gradiente entre os valores da $PaCO_2$ e $P_{ET}CO_2$.[96,97] No paciente sob anestesia geral, a mudança de decúbito para posição sentada resulta em represamento de sangue nos membros inferiores, reduzindo o retorno venoso para o átrio direito, consequente queda do débito cardíaco e hipotensão arterial, e aumento da resistência vascular sistêmica e pulmonar.[83,96,97] O aumento da frequência cardíaca pode contribuir para manutenção do débito cardíaco e prevenir hipotensão acentuada.[98] No paciente sentado e anestesiado sob ventilação mecânica com pressão positiva, a pressão do átrio direito pode se tornar maior que a pressão do capilar pulmonar e inverter o gradiente de pressão entre os dois átrios.[99] Antes de se sentar o paciente, visando a manutenção da pré-carga e, consequentemente, da pressão arterial média, deve-se administrar entre 700 a 1.000 mL de solução salina fisiológica e, se necessário for, subsequente dose de vasopressor de forma titulada.[100,101] Meias elásticas ou sistema de compressão pneumático intermitente dos membros inferiores são colocados para melhorar o retorno venoso e como profilaxia mecânica de trombose venosa profunda.[102] Para facilitar o retorno venoso e otimizar a pré-carga, a posição semissentada (posição de poltrona) pode ser utilizada. Nesta posição, a elevação do dorso é menor (30° a 45°) que a posição sentada (90°), os joelhos discretamente fletidos ficam ao nível do coração para reduzir a estase venosa e melhorar o retorno venoso. Porém, a posição semissentada requer maior flexão da coluna cervical para boa exposição da fossa posterior. O excesso de flexão cervical pode causar dificuldade de drenagem linfática da língua, que evolui com edema e possível obstrução das vias aéreas.[103,104] A quadriplegia pode acontecer em decorrência da flexão exagerada da coluna cervical na posição sentada (Figura 173.10).[103] No paciente idoso com concomitante estreitamento do diâmetro ante-

roposterior do canal medular cervical, a flexão demasiada pode causar isquemia de medula cervical por compressão das artérias espinhais (anterior e posteriores), resultando em quadriplegia.[105,106] Para reduzir o risco dessa trágica complicação, a manutenção de uma distância mínima de 2 cm deve ser mantida entre o manúbrio do esterno e o mento. Os cotovelos devem estar bem acolchoados e protegidos do contato com a mesa cirúrgica. Evitar a tração para baixo dos membros superiores para que não ocorra distensão do plexo braquial.[103] Evitar compressão de posição nas pernas e joelhos no nível do nervo fibular.[107]

Embora, a densidade do sangue seja de 1,043 a 1,060 $g.mL^{-1}$ e dependa da quantidade de hemácias e proteínas nele contido, pode-se considerar a densidade do sangue praticamente igual ao da água.[108-110] Assim, para avaliar a pressão de perfusão cerebral, o transdutor de pressão deve estar sempre no nível do meato acústico externo, pois para cada elevação de 1,25 cm de deslocamento vertical, ocorre a redução de 1 mmHg na mensuração da pressão arterial.[111] Se a distância vertical entre o coração e o ponto médio da cabeça for de 37,5 cm, a pressão de perfusão cerebral será aproximadamente 30 mmHg menor do que a pressão arterial medida no nível do coração. Esta distância vertical entre o sítio cirúrgico e o átrio direito, gera pressão negativa no sistema de drenagem venosa, caso ocorra a abertura de veias ou seios venosos, e a entrada de ar causa embolia aérea venosa, como descrito em detalhes acima.

Na eventualidade da presença de hidrocefalia causada pelo tumor na fossa posterior, pode-se fazer necessário a realização de derivação ventricular externa antes de abordar o tumor.[84,85] Uma força tarefa da Sociedade para Neurociência em Anestesiologia e Terapia Intensiva (SNACC) publicou *guideline* para o melhor manuseio das derivações ventriculares externas (DVE) e drenos intratecais lombares, o qual deve servir de protocolo para as instituições que ainda não o seguem.[112] Durante o procedimento de instalação da DVE, deve-se ter cuidado para evitar a entrada de

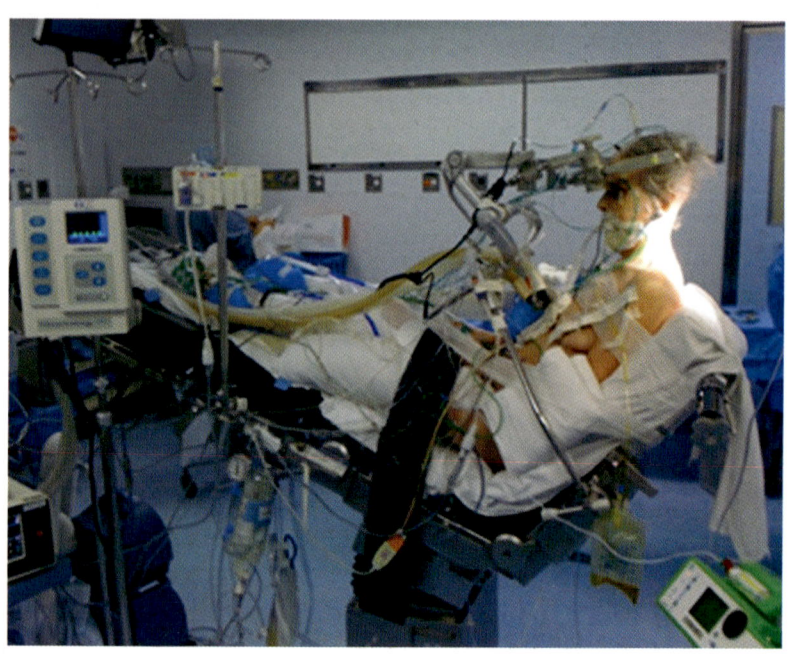

◀ **Figura 173.10** Características da posição sentada: A) Posicionamento – proteção de olhos e nariz. A flexão demasiada da coluna cervical pode causar: edema de língua, dificuldade do retorno venoso encefálico e isquemia de medula cervical (tetraplegia), proteger cotovelos e punhos, haste do fixador pode lesar MMII se houver flexão do dorso, fixador deve estar preso no dorso da mesa cirúrgica, assim a movimentação do dorso não causa lesão cervical. B) Manter transdutor de PAM no nível do encéfalo pois PPE = PAM – PIC pois cada 13 cm de coluna de H_2O corresponde a 10 mmHg, o registro da PAM ao nível do coração traduz o plano anestésico. Otimizar o retorno venoso com os membros inferiores elevados e com massageadores e infusão de 700-1000 ml de solução cristalóide antes de sentar o paciente. Nesta imagem o paciente está sob monitorização neurofisiologica e também com cateter intraventricular para monitorização da PIC e drenagem de liquor se necessário.

ar atmosférico nos ventrículos cerebrais (pneumoencéfalo), o qual pode apresentar graus variados de compressão do parênquima cerebral.[113,114] O pneumoencéfalo pode se expandir e transformar-se em hipertensivo se o óxido nitroso (N_2O) estiver inadvertidamente sendo utilizado, uma vez que aumenta o FSC, aumentando a PIC e reduzindo a PPC e, assim sendo, deve ser evitado em neuroanestesiologia.[115]

■ EMBOLIA AÉREA VENOSA – PREVENÇÃO, DIAGNÓSTICO E TRATAMENTO

Durante o procedimento neurocirúrgico, a abertura de estruturas venosas (veias, lagos diplóicos ou seios durais venosos), geralmente nas vias de acesso ou nas dissecções mais profundas, pode propiciar a entrada de ar na circulação, fenômeno conhecido como EAV.[116,117] Tal evento pode ocorrer após a retirada dos pinos do fixador de cabeça (Mayfield) ao término da cirurgia, se o crânio estiver mais elevado que o átrio direito.[118,119] Além dos joelhos mais elevados na posição semissentada (posição de poltrona) que melhora o retorno venoso dos membros inferiores, a distância entre o átrio cardíaco e o sítio cirúrgico é menor, o que reduz a incidência de EAV.[120,121]

Desde que exista gradiente de pressão negativo na luz da veia, é suficiente para a entrada ar.[94] As pequenas bolhas de ar entram na circulação venosa de forma contínua, e podem, em volume maior, obstruírem a circulação pulmonar e produzir hipoxemia local e vasoconstrição reflexa das arteríolas pulmonares.[53] Pode ocorrer hipertensão pulmonar, com consequente disfunção do ventrículo direito, aumento do espaço morto pulmonar, redução da troca de gases na unidade alveolocapilar, resultando em mais hipoxemia e retenção de CO_2, com redução do $PETCO_2$. A pressão das vias aéreas aumenta devido à broncoconstrição concomitante. A queda do retorno venoso leva à redução do débito cardíaco e hipotensão arterial sistêmica.[122] Quando a EAV aumenta, o ar dilata o ventrículo direito, bloqueia a circulação pulmonar, cursa com arritmias, isquemia miocárdica e cerebral, e na forma mais grave, termina com colapso cardiovascular.[122] A embolia arterial paradoxal ocorre se pequenas bolhas de ar conseguirem atravessar a circulação pulmonar ou através de patência do forâmen oval, com maior risco de terminarem nos tecidos mais ricamente vascularizados, como encéfalo e miocárdio.[123,124] Algumas horas após o bloqueio da circulação pulmonar pelas bolhas de ar, ocorre o aumento da permeabilidade dos capilares perialveolares, perde-se a integridade da barreira alveolocapilar, surgindo o edema agudo pulmonar, agravando o quadro respiratório.[53,125,126] A morbidade e a mortalidade estão diretamente relacionadas à quantidade de ar que entra no sistema venoso.[127]

A existência de comunicação patente entre as câmaras direitas e esquerdas do coração (persistência do forame oval, doenças do septo atrial e/ou ventricular) apresenta uma incidência entre 20% e 30% na população geral.[128,129] Normalmente, a hipóxia não se manifesta porque a pressão do átrio esquerdo é maior que a pressão do átrio direito (*shunt* da esquerda para direita), assim o sangue venoso sempre passa pela circulação pulmonar. Durante a anestesia, com ventilação mecânica e na posição sentada, a pressão do átrio direito pode aumentar e se tornar maior que a pressão do capilar pulmonar, revertendo o fluxo entre as câmaras cardíacas, se houver comunicação entre elas (shunt da direita para esquerda).[99,130] O uso de pressão expiratória final positiva (PEEP) no ventilador não reduz a incidência de embolia aérea venosa, mas aumenta a pressão do átrio direito em relação à pressão do átrio esquerdo, embora alguns autores não tenham encontrado essa diferença pressórica interatrial.[131-134] A PEEP eleva a pressão intratorácica e, por consequência, reduz a pré-carga, o débito cardíaco e a pressão arterial média.[132] A realização de ecocardiografia cardíaca (principalmente transesofágica) é necessária para detectar a comunicação entre as câmaras direita e esquerda do coração, e descartar a utilização da posição sentada, pois na presença de forâmen oval patente, ou doença septal cardíaca (atrial ou ventricular) a EAV pode resultar em embolia arterial paradoxal.[135,136]

O diagnóstico para EAV é feito através de monitorização dos parâmetros que são alterados em vigência da entrada de ar:

A) A pressão arterial invasiva apresenta queda do débito cardíaco (DC), consequente à redução do retorno venoso para o ventrículo esquerdo, o qual é desencadeado devido à obstrução do fluxo de saída do ventrículo direito. Na fase inicial, o aumento da frequência cardíaca (FC) pode manter a pressão arterial estável, por compensar o débito cardíaco (DC = volume sistólico X FC).[53] Na eventualidade de não interrupção da entrada de ar no sistema venoso (e.g.: inundação do campo cirúrgico com solução salina), o volume de ar na circulação pode ser tamanho que gerará um *cor pulmonale* agudo, com falência do ventrículo direito e consequente colapso cardiovascular.[122]

B) A frequência cardíaca na fase inicial é aumentada para compensar a redução do DC. Devido à obstrução da pequena circulação (cujo grau dependerá do volume de ar que adentrou a circulação), ocorrerá distensão da câmara atrial direita. Uma vez que o ventrículo direito não tem massa muscular suficiente para desempenhar sua função contrátil contra um gradiente pressórico maior (a pressão na artéria pulmonar é fisiologicamente baixa), ocorre a disfunção sistólica ventricular direita. A distensão atrial é detectada eletrocardiograficamente através da observação do aumento da onda P. Outras alterações do ritmo cardíaco podem ser detectadas. Se as bolhas de ar alcançam o ventrículo esquerdo, quer através da circulação pulmonar, quer pelo forâmen oval patente, elas tenderão a se deslocar em maior número para os tecidos que recebem maiores fatias do débito cardíaco, principalmente as coronárias e os vasos da circulação cerebral (anterior e posterior). O traçado eletrocardiográfico isquêmico que surge subsequentemente ao fenômeno de EAV é altamente sugestivo de obstrução aérea coronariana.[119,123]

C) A queda da saturação de oxigênio ($SatO_2$) é reflexo do prejuízo às trocas gasosas alveolares que ocorrem em consequência da obstrução/oclusão das artérias, arteríolas e capilares pulmonares.[125] A hipoxemia consequentemente instalada apresenta caráter arritmogênico e pode agravar a já instalada disfunção cardíaca.[137]

D) Com a EAV, ocorre queda do gás carbônico exalado (PET-CO$_2$) pelo aumento do espaço morto fisiológico, uma vez que os alvéolos são ventilados mas não são perfundidos adequadamente, e o CO$_2$ não é totalmente eliminado.[125] Aumenta o gradiente entre o PaCO$_2$ e o PETCO$_2$.[126] O PETCO$_2$ é um monitor sensível para detectar a embolia aérea, além de ser possível ter uma noção quantitativa da embolia, ao observar a curva de capnografia.[127]

E) O Doppler precordial é o monitor mais sensível que o PETCO$_2$ para diagnosticar a entrada de bolhas de ar no átrio direito, sendo capaz de detectar 0,25 a 0,5 mL de gás.[94,138] Entretanto, ele é mais qualitativo que quantitativo. Assim, pequenas bolhas de ar evidenciam dramaticamente a entrada de ar, mesmo que ainda não tenham causado repercussões cardiopulmonares. Por ser de fácil utilização e de menor custo (comparado ao ecocardiógrafo com probe esofagiano), sugere-se que o Doppler seja a primeira linha de monitorização para detecção de EAV.

F) Ecocardiograma transesofágico: o sensor é colocado no esôfago atrás do coração, produz uma imagem bidimensional, é mais sensível do que o Doppler para detectar bolha no átrio direito (0,05 mL.kg−1), nas câmaras esquerda do coração e na aorta (0.001 mL.kg−1).[139,140] A ecocardiografia transesofágica é um monitor mais qualitativo e quantitativo, quando comparado ao Doppler precordial.

G) Cateter no átrio direito é utilizado de forma terapêutica ao retirar ar acumulado no átrio, através de sua aspiração. Seu valor diagnóstico, quando aspiramos ar do cateter central, é fundamental no momento em que o Doppler apresenta chiados decorrentes do uso de bisturi elétrico. O melhor posicionamento do cateter se dá quando os orifícios da ponta do cateter estão situados próximos à interface entre o sangue e o ar, ou seja 2 cm abaixo da desembocadura da veia cava no átrio direito e dentro do átrio direito.[141,142] Na posição sentada, as bolhas menores de ar tendem a ficar no átrio direito se movimentando em turbilhão, porque o ar é mais leve que o sangue.[143] Quando mais e mais bolhas se acumulam no átrio direito, elas se unem e formam bolhas maiores mais facilmente carregadas pelo fluxo sanguíneo e caminham para o ventrículo direito e para a artéria pulmonar.

H) Catéter na artéria pulmonar detecta a hipertensão pulmonar consequente à obstrução mecânica da circulação pulmonar pela bolha de ar e pela vasoconstrição hipóxica reflexa.[144] A detecção de embolia aérea através do cateter na artéria pulmonar é discretamente mais precoce do que o ETCO$_2$, entretanto é mais invasivo, pois sua ponta precisa estar dentro da circulação arterial pulmonar.[145] Existe certa dificuldade de aspirar grandes volumes de ar da artéria pulmonar devido à limitação do seu calibre.

Sob o aspecto cirúrgico, a prevenção da ocorrência da EAV consiste na dissecção das estruturas anatômicas com cuidado, para que não seja aberto algum compartimento venoso de forma inadvertida. Solução fisiológica irrigada continuamente no sítio cirúrgico minimiza a entrada de ar na veia aberta e o tamponamento com algodão molhado para obstruir vasos abertos, até que se faça a hemostasia. A utilização de cera óssea para obstruir as veias diploicas, à medida que se realiza a craniotomia, é de grande valia para impedir a absorção diploica de ar. Do ponto de vista anestésico, a prevenção se realiza quando reduzimos os fatores que causam pressão negativa dentro do sistema venoso, quer seja, diminuir a distância vertical do sítio cirúrgico em relação ao átrio direito, reduzir o continente venoso nos membros inferiores com meias e sistemas pneumáticos de compressão dos membros inferiores, realizar hidratação adequada, e evitar anemia profunda. Em relação à incidência de EAV, o uso de PPEP permanece controverso. Com relação ao uso de N$_2$O, já discutiu-se acima que seu uso é desaconselhado em neuroanestesia. Entretanto, uma vez que ocorra a EAV, é aconselhável elevar a fração inspirada de oxigênio (FiO$_2$) para 100%. Em relação à PEEP, se existir forâmen oval patente, o seu uso aumenta a possibilidade de *shunt* direita-esquerda, com possível embolia arterial paradoxal.

Se a EAV ocorre, as seguintes medidas terapêuticas devem ser realizadas:

a) Avisar o neurocirurgião imediatamente, para que irrigue com solução salina o campo cirúrgico, reduzindo a possibilidade de entrar mais ar. Começar a procurar o local de entrada de ar.

b) Aumentar a FiO$_2$ para 100%.

c) Se estiver utilizando halogenado, mudar para anestesia geral endovenosa total.

d) Comprimir as veias jugulares para aumentar a estase venosa no campo cirúrgico e facilitar o cirurgião par que encontre as veias abertas. A compressão exagerada pode causar isquemia cerebral ao reduzir o fluxo das carótidas internas.

e) Se surgir hipotensão arterial, dar suporte cardiovascular com infusão rápida de volume (700 a 1.000 mL) e vasopressores, se necessário.

f) Aspirar o catéter venoso central para retirar o máximo possível de ar.

g) Se mesmo com a compressão das jugulares, o ar continuar entrando, considere que o ar pode estar percorrendo o sistema venoso posterior. Neste caso, a instalação de pressão positiva, mantida durante todo o ciclo respiratório, pode auxiliar a achar o local de entrada de ar, porém com o potencial de aumentar o risco de embolia arterial paradoxal.

h) Em última instância, mudar a posição do paciente, deixando a cabeça no mesmo nível do coração, até que se realize a hemostasia adequada e se alcance a estabilidade hemodinâmica.

i) A realização de ecocardiografia transesofágica, se possível, pode auxiliar não apenas na quantificação da EAV, mas também para direcionar as medidas terapêuticas.

No pós-operatório imediato, avaliação feita através de eletrocardiograma (ECG), ausculta pulmonar, gasometria arterial, radiografia e tomografia do tórax se faz necessária logo após a EAV, pois como as alterações cardiopulmonares da EAV são dinâmicas, estes exames servem como controle basal para comparação com os subsequentes no auxílio à terapia.

■ AGENTES ANESTÉSICOS

A estratégia anestésica para um dado procedimento neurocirúrgico depende de múltiplos fatores. O entendimento da fisiopatologia da doença, estratificação do dano da lesão primária, comprometimento de áreas circunvizinhas, com potencial risco de lesão secundária, avaliação do estado geral do paciente e suas comorbidades, e a antecipação de possíveis intercorrências, são apenas alguns exemplos de proposição de plano anestésico-cirúrgico, o qual deve ser minuciosamente discutido com o paciente e/ou seus representantes legais. Todos os esforços são destinados à manutenção da pressão de perfusão cerebral. O entendimento da interação da mesma com a PIC e a pressão arterial média são fatores determinantes do resultado final. Deve-se manter de modo adequado a PPC, ou seja, a PIC não deve aumentar e a pressão arterial sistêmica não deve diminuir com a indução e manutenção da anestesia, ou com o posicionamento do paciente. Considere que a PIC é resultante de diversos fatores como o volume do tumor, o edema perilesional e a presença de hidrocefalia, se existir obstrução da drenagem de líquor pelo tumor. Assim, a neuroimagem junto com o quadro neurológico auxilia a inferir as condições do encéfalo, bem como a existência de hipertensão intracraniana. Os opioides mantêm melhor a pressão de perfusão cerebral e a reatividade vascular encefálica, quando comparados a anestésicos halogenados que causam vasodilatação periférica e vasodilatação cerebral.[51,130] Entretanto, o opioide necessita estar associado à anestésico que forneça hipnose. Assim sendo, deve-se considerar a ação do anestésico coadjuvante em relação à estabilidade hemodinâmica, a PIC e a PPC. Propofol, isoflurano, desflurano e sevoflurano preservam a reatividade cerebrovascular à variação do CO_2.[146,147] O propofol tem maior $DAVO_2$ cerebral quando comparado ao isoflurano e sevoflurano.[146] O tempo de despertar e a função cognitiva não têm diferença significativa quando sevoflurano é comparado ao propofol.[148,149] O propofol, quando comparado aos halogenados, mantém melhor a PPC e não aumenta a PIC, pois não aumenta o volume sanguíneo cerebral, e em razão desses conceitos, é a droga de eleição para indução e manutenção anestésicas quando existe hipertensão intracraniana.[146,147,150,151] Isoflurano, desflurano e sevoflurano reduzem o metabolismo cerebral, mas como têm efeito vasodilatador cerebral, concentração-dependente, desacoplam a relação entre o fluxo sanguíneo cerebral e a taxa metabólica, diferente do propofol, que mantém esse acoplamento.[147] Em condições de PIC normal, o isoflurano, desflurano ou sevoflurano fornecem condição de relaxamento do cérebro aceitável para realizar a cirurgia.[152] Em altas concentrações o desflurano é aquele que possui maior efeito vasodilatador no cérebro, causando maior aumento da PIC, e o sevoflurano é aquele que apresenta menor efeito vasodilatador (desflurano>isoflurano>sevoflurano).[147] Em concentrações

elevadas (1,5 CAM), sevoflurano e desflurano mantêm a reatividade ao CO_2, entretanto, a reatividade à variação da pressão arterial (autorregulação) é mantida no sevoflurano, mas começa a perder eficácia com desflurano.[153] Assim, devido à reatividade vascular cerebral mantida, o sevoflurano é a melhor alternativa quando não se utiliza o propofol, apesar do desflurano permitir despertar mais precoce e melhor recuperação cognitiva que o sevoflurano.[150,154,155] Não existem diferenças significativas na PPE, PIC, $DAVO_2$ entre isoflurano ou desflurano.[156]

Na posição sentada, com risco de EAV, alguns autores indicam o uso de anestesia geral intravenosa total, pois no caso de ocorrer EAV, as bolhas atingem menos a microcirculação pulmonar e com menor ocorrência de embolia arterial paradoxal.[157,158] Os anestésicos halogenados, que são vasodilatadores, aumentam a possibilidade de bolhas de ar atingirem maior extensão na circulação pulmonar; quanto maior a concentração utilizada do halogenado maior é a extensão da circulação pulmonar atingida.[157]

O óxido nitroso (coeficiente de partição = 0,46) é 34-35 vezes mais solúvel no sangue do que o nitrogênio (coeficiente de partição = 0,013), e esta maior difusibilidade possibilita a expansão da bolha de ar quando o N_2O ocupa o lugar do nitrogênio,[159,160] sendo que essa passagem do ar do lado venoso para o arterial, através do pulmão, é tanto maior quando se aumenta a concentração do anestésico.[161] Apesar do N_2O expandir a bolha de ar que já entrou na circulação, o uso de N_2O *per si* não parece aumentar a incidência de entrada de ar no sistema venoso aberto.[162,163]

■ MONITORIZAÇÃO INTRAOPERATÓRIA

À monitorização obrigatória mínima (ECG, oximetria de pulso, capnografia, temperatura e pressão arterial) somam-se outras formas de monitorização, tais como a ecocardiografia transesofagiana, canulação arterial (tanto para mensuração da pressão arterial quanto para a realização de gasometrias arteriais seriadas), neuromonitoramento multimodal (diversas formas de potencial evocado – somatossensorial, motor, visual, auditivo ou de tronco encefálico, eletromiografia, etc), monitorização do sistema de coagulação (e.g.: tromboelastograma), etc. A Figura 173.10 demonstra alguns desses monitores, nesse caso específico numa posição sentada. Dependendo da localização do tumor cerebral, a manipulação cirúrgica pode comprometer áreas motoras e eloquentes importantes. A ressecção destas áreas próximas ao tumor pode acarretar em déficit motor ou eloquente, transitório ou permanente ao paciente, piorando a sua qualidade de vida. Portanto, o planejamento cirúrgico deve considerar a localização espacial do tumor em relação às essas áreas nobres. Além de um certo grau de variabilidade na anatomia dos girus e sulcos na anatomia cerebral, a presença de tumor extenso pode modificar a localização original das áreas funcionais devido à plasticidade cerebral, e causar lesões ao determinar os limites de ressecção do tumor baseado apenas na anatomia topográfica do encéfalo.[164-166]

A monitorização neurofisiológica intraoperatória possibilita detectar condições fisiológicas e cirúrgicas que modificam as funções neuronais, embora não forneça parâmetros neurológicos mais específicos como os que obtemos na avaliação com o paciente desperto. Essa monitorização neurofisiológica auxilia na decisão quanto à extensão da área a ser ressecada, reduzindo a morbidade e, por consequência, melhora de qualidade de vida do paciente.[167,168] Em determinados tumores, como o neurinoma, a monitorização com potencial evocado é imprescindível para minimizar a lesão do nervo envolvido durante a ressecção.

A eletrocorticografia (ECoG) registra a atividade espontânea do córtex cerebral. A maioria dos anestésicos afeta a transmissão neural e tem efeitos inibitórios ou excitatórios no córtex cerebral. O efeito final é resultante da proporção entre a quantidade de neurônios excitatórios e inibitórios, nas camadas corticais e subcorticais, afetados com a profundidade do plano anestésico.[169] A atividade ECoG pode ser modificada conforme a profundidade do plano anestésico. Durante a anestesia superficial, o predomínio é de ondas de alta frequência e baixa amplitude; à medida que se aprofunda a anestesia as ondas passam a ter baixa frequência e alta amplitude. O ideal é que se mantenha a anestesia no nível superficial o suficiente para que se possa obter atividade ECoG para aferir a atividade encefálica com certo grau de precisão.

Por sua vez, o potencial evocado registra os potenciais elétricos produzidos após a estimulação de um trato nervoso específico, ou seja, o registro de ondas no potencial evocado e consequência de estímulo produzido no sistema nervoso.[170] No potencial evocado somatossensitivo (PESS) é produzido um estímulo no sistema sensitivo na periferia que percorre em direção ao córtex cerebral e é medido em diversos locais ao longo do trato nervoso envolvido.[171] O registro é medido por meio da voltagem *versus* o tempo, que representa a estimulação do trato e sua resposta neuronal, documentada em gráfico com picos e vales. Esse gráfico é onstituído de: a) amplitude determinada pelos picos e vales; b) latência, que é o tempo medido entre o estímulo dado e a geração do pico; c) além disso, existe o tempo medido entre dois picos que é denominado tempo de condução. Quando surgem alterações nesta resposta evocada, deve-se determinar qual é o fator etiológico, se é decorrente de alterações fisiológicas, efeito do anestésico ou manuseio cirúrgico. Concluindo-se que a alteração ocorre por manuseio cirúrgico, este estímulo deve ser imediatamente minimizado ou cessado. Portanto, fatores como alterações fisiológicas (e.g.: hipotensão, hipotermia, acidose metabólica e/ou respiratória, etc) e a ação de anestésicos não devem dificultar o diagnóstico etiológico. A monitorização através do potencial evocado sensitivo também pode ser realizado para avaliar a resposta auditiva do tronco cerebral. No potencial evocado auditivo, os estímulos auditivos são produzidos na porção externa e média do ouvido, que produz vibrações que ativam as células cocleares, cujo estímulos trafegam para o tronco cerebral através do VIII par craniano.[172] A partir deste local o estímulo ativa o córtex auditivo.[172] Este potencial evocado auditivo é indicado em cirurgias realizadas para doenças localizadas na fossa posterior (e.g.: tumor e aneurisma), monitorizando a integridade do tronco cerebral.[172]

Os registros do potencial evocado motor (PEM) durante a cirurgia tem melhor correlação com os resultados motores no pós-operatório.[173] Em parte, esse fato se deve à maior sensibilidade no diagnóstico às agressões que causam isquemia, que pode ocorrer tanto por hipotensão arterial ou por compressão mecânico-cirúrgica. Para se obter o PEM, estímulos elétricos transcranianos são realizados através de eletrodos colocados no couro cabeludo na região correspondente à atividade motora no córtex cerebral ou colocados diretamente sobre a área motora após a craniotomia e exposição do córtex cerebral. A estimulação das células piramidais do córtex motor gera uma onda de despolarização que desce através do trato corticoespinhal. Quando essa onda de despolarização é medida através de eletrodos colocados no espaço peridural no nível da medula espinhal, detecta-se esta onda que é denominada onda D (direta). A ativação transináptica adicional de vias internuciais no córtex resulta numa série de pequenas ondas denominadas onda I (indiretas) que surgem na sequência da onda D. Este estímulo elétrico, ao atingir os nervos periféricos, produz os potenciais de ação muscular compostos (PAMC). Desta forma, a monitorização pode ser realizada avaliando-se a onda D no espaço peridural e na resposta muscular através do PAMC.

Assim, a monitorização com potencial evocado ao mapear o encéfalo, delimita áreas que podem ser ressecadas, de modo a preservar o córtex cerebral que mantém certo grau de funcionalidade. O anestesiologista, ao entrar em sinergismo com neurocirurgião e o neurofisiologista, para mapear o encéfalo, determina o sucesso do procedimento cirúrgico. A técnica anestésica deve prover as melhores condições para a execução da monitorização, o que é um desafio para a habilidade do anestesiologista, pois ao tentar obter redução do volume encefálico, com a anestesia profunda demais para reduzir a taxa metabólica do encéfalo, a interpretação do potencial evocado pode ser dificultada, comprometendo a latência e a amplitude do potencial evocado. Por outro lado, manter a anestesia superficial para que as ondas do potencial evocado sejam fáceis de detectar, pode significar a possibilidade de aumento do volume encefálico, quer seja por não reduzir adequadamente a taxa metabólica, por hipertensão arterial ou crise convulsiva devido ao plano anestésico muito superficial. Além disso, se já existe edema extenso ao redor do tumor, torna-se mais difícil evitar a protrusão do encéfalo se o paciente despertar e aumentar o volume encefálico. Observe que devido à necessidade de estímulos corticais para evocar atividade motora, o paciente não pode ser mantido sob a ação de bloqueadores neuromusculares, o que torna ainda mais crítica a manutenção em plano anestésico adequado para manter a imobilidade do paciente.

Diversos fatores, fisiológicos e farmacológicos, podem alterar as respostas da monitorização do Sistema Nervoso Central. Estas alterações devem ser evitadas para que não prejudiquem a interpretação da integridade do SNC durante o manuseio cirúrgico. Condições como hipoxemia, hipotensão arterial, hipertensão intracraniana, isquemia regional, anemia, acidose, hipotermia, hipoglicemia e alterações hidroeletrolíticas podem prejudicar o registro do potencial evocado. Aumento ou redução da temperatura corpórea podem modificar a latência e velocidade de condução dos potenciais evocados. A hipotermia não é prejudicial ao encéfalo, mas ao reduzir a taxa metabólica de forma global do neurônio, aumenta a latência e reduz a amplitude das respostas evocadas, o que se confunde com a agressão ao neurônio pelo manuseio cirúrgico.[174,175] Embora a hipotensão arterial possa amenizar a hemorragia cirúrgica, é aconselhável que se mantenha a pressão de perfusão em níveis fisiológicos, pois a menor perfusão para célula nervosa é um dos fatores que se confunde com a agressão do manuseio cirúrgico.[176] A redução da oferta de oxigênio no nível tissular, que ocorre na anemia aguda após a hemorragia, também altera a avaliação da viabilidade da célula nervosa.[177,178]

A técnica anestésica deve considerar a interferência que determinado anestésico causa sobre as células nervosas e que dificulta a interpretação de sua atividade, além do efeito que a instabilidade do plano anestésico pode causar sobre a interpretação do potencial evocado. Se a administração de bolus de anestésicos for necessária para aprofundar o plano anestésico, deve-se avisar o neurofisiologista desta ação e qual foi o anestésico administrado, para que não ocorra erro de interpretação.

O efeito dos anestésicos inalatórios na monitorização neurofisiológica é proporcional ao número de sinapses na via monitorizada. Portanto, o efeito destes anestésicos são mais proeminentes na excitabilidade do córtex cerebral, onde existe maior número de transmissões sinápticas, quando se compara às áreas subcorticais onde o número de sinapses é menor.[179] De modo geral, os anestésicos inalatórios atuam em diversos tipos de sinapses. O isoflurano é o mais potente, o enflurano tem potência intermediária e o halotano o menos potente. O sevoflurano e o desflurano são semelhantes ao isoflurano.[180]

Na monitorização do potencial evocado somatossensitivo (PESS), o agente anestésico pode atuar através de dois mecanismos: a) reduzir a transmissão sináptica, principalmente no núcleo cuneiforme no tronco cerebral, b) controlar a informação sensitiva no nível do tálamo através de mecanismos ativados no tronco cerebral.[181] Anestésicos inalatórios causam aumento na latência e redução na amplitude das respostas sensitivas corticais, dificultando a interpretação confiável na monitorização do PESS, conforme se aumenta a concentração. O óxido nitroso (N_2O) também reduz a amplitude e aumenta a latência nas respostas sensitivas corticais.

Os anestésicos também atuam no potencial evocado motor (PEM). Neste método de monitorização, a despolarização que gera a onda D (direta) é registrada com a colocação de eletrodos no espaço peridural. O registro desta onda D tem pouca alteração com anestésicos, pois não existe sinapses envolvidas na sua produção. Por sua vez, a onda I (indireta), resultante da ativação de mecanismos sinápticos das vias internuciais no córtex, sofre alterações com aumento da concentração de anestésicos.[182,183] Os anestésicos inalatórios trazem pouca alteração na onda D. A integridade funcional de um nervo também pode ser avaliada com a estimulação direta sobre este nervo, método denominado potencial de ação muscular composto (PAMC). Os anestésicos inalatórios também alteram a resposta obtida com PAMC.[184,185]

Os opioides causam pouca alteração na resposta evocada sensitiva ou motora.[186-189] A cetamina tem pouco efeito nas respostas subcortical e periférica, mas aumenta a amplitude

no PESS cortical e a resposta no PEM.[190,191] Tiopental e midazolam causam depressão leve no potencial sensitivo cortical e depressão prolongada no potencial evocado motor.[192]

O etomidato aumenta a amplitude do potencial sensitivo cortical.[193] Droperidol e dexmedetomidina têm pouco efeito.[194] Propofol produz depressão do PESS, mas em menor intensidade que os anestésicos inalatórios.[195] Bloqueadores neuromusculares que atuam na junção neuromuscular reduzem a amplitude da atividade registrada no PEM, não sendo aconselhável a sua utilização. Considerando o menor efeito dos anestésicos venosos sobre o potencial evocado, parece prudente que a técnica geral intravenosa total seja mais apropriada, e de preferência com anestésicos de curta duração, que possibilitam a superficialização mais rápida do plano anestésico, caso seja necessário.

■ CRANIOTOMIA COM O PACIENTE ACORDADO

Quando o tumor cerebral ou foco epilético estão localizados próximos de área cortical eloquente, motora, visual ou sensitiva, é necessário fazer o mapeamento cerebral durante a cirurgia, que possibilita maximizar a extensão da área de tumor a ser ressecada e minimizar os danos neurológicos.[196,197] Estimula-se as áreas ao redor do tumor com concomitante solicitação de respostas, que mapeiam e identificam com confiabilidade áreas corticais e vias subcorticais envolvidas em funções cognitivas, de linguagem, sensitivas e motoras, e determinam a área a ser ressecada.[198,199] Entretanto, para este mapeamento, que requer cooperação e lucidez do paciente, é melhor este não estar sob efeito de anestésicos ou sedativos em doses que interfiram no grau de avaliação neurológica. Assim, é imprescindível que o paciente esteja bem desperto neste momento de mapeamento cortical. Durante este mapeamento, o paciente pode se sentir desconfortável e ansioso devido à experimentação dos movimentos involuntários evocados pelos estímulos ou pela dificuldade de elaborar a linguagem. A profundidade da sedação neste momento deve ser equilibrada para manter o paciente confortável e ainda assim manter a lucidez para a avaliação neurológica.

A seleção de pacientes para serem submetidos a esta técnica baseia-se na exclusão daqueles com dificuldade anatômica de intubação, apneia do sono, usuário de fármacos que causam dependência, crianças pequenas que ainda não compreendem adequadamente, pacientes com hipertensão arterial de difícil controle, rebaixamento mental ou com distúrbio de personalidade e problema comportamental (ansiedade).[200,201]

Deve-se criar um elo de confiança entre o paciente e o anestesiologista, que começa a ser construído no momento da avaliação pré-anestésica. Esclarecer como será o procedimento anestésico-cirúrgico, as diversas experiências que passará e que, a qualquer instante, o anestesiologista estará ao seu lado para auxiliá-lo e confortá-lo. Alertar sobre a cooperação necessária e das tarefas que terá que executar, essenciais para a avaliação da fala, memória, cognição, sensibilidade e motricidade. Em relação à motricidade, avisar dos movimentos musculares que ocorrem com a estimulação da área motora, que isto é para o mapeamento da área motora e, portanto, que ele não deve se incomodar com estes movimentos involuntários. Avisar sobre o desconforto que poderá surgir com o posicionamento demorado. A mesa cirúrgica deverá estar bem acolchoada, travesseiros ou almofadas devem auxiliar no apoio lateral para evitar pontos de apoio no corpo que causem desconforto. O paciente deve ser avisado dos sons que ouvirá durante o procedimento, tais como alarmes de monitores, bisturi elétrico, trepanação, que estes fazem parte do procedimento e que não deve ficar apreensivo. A equipe médica em sala deve se comunicar estritamente o necessário, em tom de voz suave e sem estresse, pois o paciente também poderá ouvir.

O principal objetivo do anestesiologista, neste tipo de procedimento, é tornar a cirurgia segura e eficaz ao reduzir o estresse do paciente, que estará com o crânio aberto e o encéfalo sendo manuseado. Para realizar a ressecção do tumor cerebral em paciente desperto, deve-se ter condições de: a) transição rápida e sem conturbações do estado de anestesia profunda para o despertar, b) manutenção da estabilidade hemodinâmica e cardiopulmonar, c) manuseio adequado de alterações indesejáveis (agitação, crise convulsiva, depressão respiratória) que possam ocorrer enquanto ele estiver desperto. A realização do procedimento com o paciente consciente possibilita redução da morbidade e alta hospitalar precoce.[202,203]

A medicação pré-anestésica com anticolinérgicos e sedativos, se indicada, deve considerar as condições clínicas do paciente e não deve atrapalhar a técnica anestésica e/ou o neuromonitoramento. Fármacos antieméticos devem ser administrados para que náuseas e vômitos não prejudiquem o procedimento. Diversas técnicas podem ser utilizadas, todas associadas à anestesia local infiltrativa e/ou bloqueio anestésico do couro cabeludo. De modo geral, todas as técnicas devem manter o paciente desperto, lúcido e cooperativo o suficiente para o momento da avaliação neurológica interativa:

a) sedação consciente, com leve sedação no qual a ansiedade e a dor são controladas;
b) sem sedação, mantendo o paciente desperto durante todo o procedimento (*awake-awake-awake*), discreta analgesia endovenosa pode ser administrada, mas o suporte psicológico do anestesiologista é imprescindível;
c) dormindo-acordado-dormindo (*asleep-awake-asleep*), inicia com anestesia superficial e dispositivo que permite assistência ventilatória (intubação traqueal ou máscara laríngea), cessa-se o sedativo e hipnótico, desperta-se o paciente, retira-se a intubação ou máscara laríngea. Realiza-se o mapeamento com o paciente desperto e a ressecção do tumor. Ao terminar a ressecção induz-se novamente a anestesia e recoloca-se a máscara laríngea ou sonda de intubação até o término do procedimento;
d) dormindo-acordado (*asleep-awake*), realiza-se do mesmo modo que a técnica anterior (asleep-awake-asleep), mas após despertar o paciente para o mapeamento este mantém-se desperto até o fim da cirurgia.

No passado, a técnica anestésica utilizando anestésicos de longa duração consistia em manter o paciente discre-

tamente sedado durante o procedimento cirúrgico, com complementação da anestesia do couro cabeludo com anestésico local, que às vezes causava intoxicação pelo excesso de anestésico local.[204] Porém, a permanência do paciente no mesmo decúbito por longo período acaba por se tornar incômodo, então na procura de posição mais confortável, o paciente começa a se movimentar prejudicando o procedimento cirúrgico. Aumenta-se a sedação com o intuito de manter o paciente imóvel, mas acaba causando depressão respiratória e retenção de CO_2, com consequente aumento do volume encefálico. Além disso, sedativo (droperidol) e hipnoanalgésico (fentanil), de efeito prolongado, prejudicam a avaliação durante o mapeamento, pois as respostas não são tão claras.[199] A ocorrência de crise convulsiva com o cérebro exposto é extremamente danosa, pois aumenta o volume encefálico. Ocorrência de náuseas e vômitos, além do paciente se mexer, deixa o encéfalo entumecido. O desconforto da posição junto com a ansiedade provoca hipertensão arterial, que deve ser tratada com anti-hipertensivos, pois pode levar ao aumento do volume encefálico se a reatividade vascular encefálica estiver ineficaz.

Com o advento de fármacos analgésicos e sedativos de curta duração e rápida eliminação ou metabolização, associado a dispositivo que possibilita melhor assistência ventilatória, como a máscara laríngea e a intubação traqueal com videolaringoscópio, é possível realizar outra técnica anestésica.[205-208] Esta consiste em manter o paciente em sedação profunda durante o tempo da craniotomia e exposição do cérebro, pois a assistência ventilatória é possível com intubação traqueal ou uso de máscara laríngea.[209,210] Minutos antes do mapeamento cortical, cessa-se a infusão do sedativo (propofol ou dexmedetomidina) e do hipnoanalgésico (remifentanil ou fentanil).[211-213] Esta técnica denominada *asleep-awake-asleep* (adormecido-acordado-adormecido), possibilitou realizar o procedimento com menor intercorrências, provendo assistência ventilatória na fase de anestesiada, e sem depressão respiratória durante o período desperto, melhor lucidez e cooperação do paciente para a avaliação da área de eloquência, além de menor incidência de náuseas e vômito.[212,214] Em geral, o relaxante muscular não é utilizado, devido à avaliação neurofisiológica através do potencial evocado motor. Ao despertar o paciente, a máscara laríngea é retirada e, se necessário, mantém-se certo grau de analgesia com baixa dose de hipnoanalgésico. Quando o paciente recupera a consciência e lucidez, o mapeamento cortical e os teste de eloquência são realizados. Uma vez delimitado e ressecado o tumor, o paciente pode ser sedado e a intubação traqueal ou a máscara laríngea é introduzida novamente para manter a assistência ventilatória até o término da cirurgia.[205]

Como esta técnica, basicamente uma sedação profunda com assistência ventilatória, é imprescindível que a anestesia regional seja eficaz. Antes da incisão cirúrgica, a anestesia do couro cabeludo deve ser realizada com bloqueio utilizando anestésico local de longa duração nos nervos supraorbital, supratroclear, auriculotemporal, zigomaticotemporal, occipital menor e occipital maior.[215,216] Após a craniotomia, é necessário realizar infiltração com anestésico local na dura-máter, para que ao tracioná-la não ocorra resposta reflexa com extrassístoles, hipotensão arterial ou bradicardia.[217] A dura-máter é ricamente inervada por fibras aferentes, a maioria originada no gânglio trigeminal ipsilateral e por fibras simpáticas originárias do gânglio cervical superior ipsilateral. [218] A monitorização da profundidade da anestesia pode ser melhor avaliada com o uso de BIS, o que facilita a condução no momento de despertar e a retirada da máscara laríngea.[219] O grau de profundidade obtido com o BIS tem correlação melhor do que o valor preditivo da bomba de infusão alvo-controlada no momento da avaliação com o paciente desperto.[220] O uso de máscara laríngea, que permite a introdução de sonda gástrica, auxilia no esvaziar o estômago de ar e suco gástrico, minimizando a incidência de vômitos durante a cirurgia. A sonda gástrica deve ser aspirada e retirada antes de despertar, momentos antes de retirar a máscara laríngea, para a avaliação e mapeamento cortical.

As complicações que pode surgir durante a cirurgia são:

a) **Depressão respiratória e obstrução de vias aéreas pelo excesso de sedação:** nesta ocorrência, reduzir a sedação, desobstruir as vias aéreas e reintroduzir a máscara laríngea, se necessário. Evitar hipóxia e hipercarbia.

b) **Perda de cooperação em decorrência de sedação profunda:** se os anestésicos utilizados são de curta duração, reduzir a sedação e aguardar mais tempo para avaliação, logo o paciente será cooperativo. O uso de antagonista pode provocar agitação psicomotora pela perda da analgesia e pelo despertar abrupto. Se for impossível continuar o procedimento cirúrgico com o paciente desperto, pode-se optar, em última instância, por converter em anestesia geral. Neste caso perde-se a possibilidade de avaliação neurológica com o paciente desperto.

c) **Crise convulsiva:** administrar anticonvulsivante que não deprima o nível de consciência do paciente é primordial. Irrigar o cérebro com solução salina gelada para diminuir a atividade neuronal é capaz de cessar a crise convulsiva. Se necessário administrar pequenos bolus de propofol (1 a 30 mg). Administrar midazolam ou lorazepam pode auxiliar em cessar a crise convulsiva, mas interfere na eletrocorticografia.

d) **Inchaço cerebral e edema:** evitar hipóxia e hipercarbia que aumentam o volume sanguíneo cerebral. Manter a pressão arterial dentro dos limites da autorregulação cerebral. Usar diuréticos, se necessário. Manter rígido o controle do equilíbrio hidroeletrolítico e ácido-básico. Evitar anemia aguda profunda. Favorecer a drenagem venosa encefálica para reduzir o volume sanguíneo venoso intracraniano, evitando rotação, extensão e flexão demasiada do pescoço. Manter a cabeça acima do nível do coração pode favorecer a drenagem venosa, entretanto, lembrar da possibilidade de ocorrer embolia aérea venosa.

e) **Hipertensão arterial:** prover analgesia adequada com anestésico local de longa duração. Fornecer conforto, tranquilidade e segurança ao paciente. Conferir adequação do decúbito depois de longa permanência. Se necessário aumentar um pouco a sedação, sem perder a lucidez (opioides) e uso de anti-hipertensivos.

f) **Agitação psicomotora:** fornecer conforto e tranquilidade, discreta sedação. Pacientes com distúrbio de personalidade e comportamento devem ser previamente excluídos desta técnica.

g) **Náuseas e vômitos:** uso de antiemético profilático e terapêutico. Suporte psicológico. Para sedação escolher propofol que tem características antieméticas. [221,222]

h) **Reflexo trigeminocardíaco:** avisar o neurocirurgião para reduzir o estímulo. Aprofundar a analgesia e a sedação sem perder a capacidade de resposta à avaliação.

A escolha do anestésico depende muito da avaliação durante o mapeamento da atividade funcional do cérebro e da eletrocorticografia, pois determinados anestésicos afetam demais esta avaliação. E uma vez cessada a infusão do agente anestésico, o paciente deve despertar em breve e com consciência e lucidez para cooperar com a avaliação através das tarefas que deve realizar. Os agentes anestésicos devem prover sedação e analgesia, que podem ser obtidas com o uso de propofol associado à remifentanil, fentanil, alfentanil ou sulfentanil, sendo que o menor tempo de despertar ocorre com o remifentanil.[223-225] A dexmedetomidina (α2 agonista pré-sináptico) com propriedade ansiolítica, sedativa, analgésica, simpatolítica e sem efeito de depressão respiratória, também é utilizada nesta técnica.[226]

Embora o despertar com o uso de dexmedetomidina possa ser mais demorado, uma vez desperto, o paciente coopera bem com a avaliação.[227] A dexmedetomidina pode ser associada à baixa dose de fentanil ou remifentanil. O alfentanil tem sido relacionado a descargas de atividade epileptiformes no hipocampo, portanto deve ser utilizado com cautela no paciente com crise convulsiva prévia.[228] Anestésico inalatório de rápida eliminação pode ser utilizado em baixa concentração, associado ao endovenoso durante a fase inconsciente se existe dispositivo que forneça assistência ventilatória; cessa-se a administração do halogenado antes de despertar o paciente.[229] Considerar que o desflurano é, entre os halogenados, o de mais rápido despertar, mas é o que mais aumenta a PIC entre os novos agentes halogenados; entretanto, a associação com anestésico endovenosos reduz a concentração alveolar necessária, minimizando o efeito sobre a PIC.[230,231]

Anestesia local e/ou bloqueio de nervos do couro cabeludo devem ser feitos com anestésicos de longa duração, ropivacaína 4,5 mg.kg^{-1} ou levopubivacaína 2,5 mg.kg^{-1}.[215,232]

A sedação ou anestesia pode ser obtida com diferentes fármacos. O objetivo é fornecer conforto, imobilidade e analgesia, e durante a avaliação obter também consciência e lucidez para realizar as tarefas requisitadas, para que junto com a estimulação das áreas corticais mapeadas, poder definir a extensão da ressecção, com a mínima morbidade possível. Os fármacos tituláveis, de infusão contínua e que têm curto período de ação, são os mais apropriados para esta técnica anestésica. Considerando que a quantidade infundida varia conforme a necessidade da profundidade da sedação ou da anestesia, podemos utilizar como sedativo o propofol com infusão contínua de 75 a 250 μg.kg^{-1}.min^{-1}.[210,170] Como hipnoanalgésicos: a) remifentanil infusão contínua na dose de 0,03-0,05 μg.kg^{-1}.min^{-1}, com despertar de 9 minutos após cessar a infusão.[233] b) fentanil bolus de 0,05 a 0,1 mg.kg^{-1} e infusão contínua de 0,001 mg.kg. min[-1].[221] c) alfentanil bolus de 0,75 mg.kg[-1] e infusão de 0,05 mg.kg.min[-1].[221] d) sufentanil bolus de 0,0075 mg.kg[-1] e infusão de 0,00015 mg.kg.min[-1].[221] A dexmedetomidina na dose de indução de 0,03 a 0,1 mg.kg[-1] em 10 a 15 minutos e dose de infusão contínua de 0,02 a 0,07 mg.kg.h[-1], durante o mapeamento 0,01 a 0,02 mg.kg.h-1.[213,234] A dexmedetomidina associada a hipnoanalgésicos pode ter o despertar demorado.[227]

■ BLOQUEIO DE COURO CABELUDO (*SCALP BLOCK*)

Inicialmente descrito em 1986 para procedimentos de craniotomia em paciente acordado, o bloqueio do couro cabeludo para craniotomias foi ganhar popularidade apenas anos mais tarde.[235]

O bloqueio de couro cabeludo é pedra angular nos procedimentos de craniotomia com o paciente acordado, qualquer que seja a técnica escolhida. O uso de anestesia combinada em craniotomias (anestesia regional associada à anestesia geral) apresenta o potencial de atenuar não apenas a resposta simpática ao insulto cirúrgico, mas de reduzir a necessidade da administração de agentes anestésicos. A isso soma-se a necessidade de um exame neurológico pós-operatório o quanto antes possível.

O nervo trigêmeo (quinto par de nervo craniano) é o principal responsável pela inervação sensitiva tanto da cabeça quanto da face. Ele apresenta três divisões denominadas ramificações trigeminais. Seus ramos são os nervos oftálmico, maxilar e mandibular (V1, V2 e V3, respectivamente).[13] A primeira divisão de fibras trigeminais é a menor dos três ramos. Tais fibras formam o nervo oftálmico, um nervo puramente sensitivo, trazendo informação aferente ipsilateral da área da pálpebra superior, córnea, íris, corpo ciliar, área cutânea frontal, sobrancelhas e área cutânea nasal.[216] O maior ramo do nervo oftálmico é o **nervo frontal**, que adentra a órbita através da fissura orbital superior e logo depois se divide em seus ramos principais, os nervos supraorbital e supratroclear.[13] Esse ramos terminais são responsáveis pela inervação sensitiva da fronte e da região anterior do couro cabeludo.[13] O nervo supraorbital deixa a órbita através do forâmen supraorbital ou incisura supraorbital, e logo se divide em ramos superficial e profundo.[13] O nervo supratroclear, além de inervar a pálpebra superior, apresenta ramos (medial e lateral) inervando o músculo frontal e a gálea aponeurótica da mesma região.[13] A segunda porção do nervo trigêmeo, chamada **maxilar**, apresenta como ramo significante para o bloqueio do couro cabeludo o nervo zigomático temporal.[13] A terceira porção trigeminal, denominada **mandibular**, apresenta como ramo o nervo auriculotemporal, responsável pela inervação sensitiva da área de couro cabeludo localizada à frente e acima do pavilhão auricular ipsilateral.[13] Devido à sua localização muito próxima à área de emersão do nervo facial, seu bloqueio deve ser realizado num ponto acima da articulação temporomandibular, evitando assim o bloqueio inadvertido das fibras do sétimo par do nervo craniano, o que interferiria na monitorização da motricidade facial ipsilateral.

A inervação da parte posterior do couro cabeludo é provida pelo ramo do segundo nervo cervical (C2) denominado nervo occipital maior.[13] Ele ascende na região cervical posterior e torna-se mais superficial quando passa pela linha nucal superior, onde é facilmente visualizado através de ultrassonografia por estar imediatamente medial à arterial occipital. O outro nervo responsável pela inervação do couro cabeludo é o nervo occipital menor, formado por fibras tanto de C2 quanto de C3.[13] Ele está imediatamente atrás do pavilhão auricular na área facilmente identificada como processo mastoide do osso temporal.

Assim, o nervo supraorbital pode ser bloqueado logo quando emerge de dentro da órbita, pela incisura orbital, facilmente palpada no limite superior da órbita. Uma agulha comum (21G) deve ser inserida aproximadamente 1 cm medial à incisura orbital, em ângulo reto com a pele, e com a agulha sempre voltada para a parte exterior da órbita, por medida de proteção da integridade do globo ocular.[216] O nervo supratroclear emerge também da órbita no seu ângulo superomedial, logo acima da sobrancelha.[13] A mesma agulha descrita acima deve ser utilizada, também em ângulo perpendicular à pele. O nervo auriculotemporal pode ser bloqueado pela infiltração sobre o processo zigomático, aproximadamente 1,5 cm anterior ao pavilhão auricular, no nível do tragus.[216] O nervo zigomático temporal é bloqueado com a administração de anestésico local desde a margem supraorbital até a parte posterior do arco zigomático, recomendando-se que o mesmo seja realizado tanto de forma superficial quanto profunda, em decorrência de variações anatômicas na ramificação desse nervo.[216] O nervo occipital maior é bloqueado pela infiltração com anestésico local no ponto médio entre o processo mastoide do osso temporal e a protuberância occipital, a 2,5 cm lateral à linha mediana.[216] Uma excelente forma de ter sucesso nesse bloqueio é a palpação da artéria occipital. A injeção deve ser feita medial ao vaso em questão, precedida de aspiração negativa de sangue para prevenir injeção intra-arterial acidental. O nervo occipital menor é bloqueado através da injeção de anestésico local ao longo da linha nucal superior, aproximadamente 2,5 cm lateral do ponto de injeção do nervo occipital maior.[216]

O volume de anestésico local varia entre 2 a 5 ml em cada ponto mencionado acima e sugere-se que para as craniotomias anteriores, os nervos supraorbital, supratroclear, auriculotemporal e zigomático temporal sejam bloqueados, enquanto que para as craniotomias posteriores os nervos zigomático temporal, occipital maior e occipital menor sejam bloqueados.[216] Além desses pontos, a infiltração dos pontos de pressão do segurador de cabeça (Mayfield) é definitivamente necessária. Além desses pontos, seguindo a craniotomia, a anestesia local ao longo da linha de incisão na dura-máter também se faz necessária, devido a sua rica inervação sensitiva.

Os anestésicos locais descritos são os de maior meia-vida de eliminação, por promoverem maior tempo de bloqueio. Tanto a bupivacaína 0,5% com epinefrina como a ropivacaína 0,5% têm demonstrado resultados satisfatórios. O uso de bupivacaína lipossomal para o bloqueio de couro cabeludo ainda depende de aprovação dos órgãos competentes. Entretanto, pela meia-vida de até 72 horas, grandes expectativas são criadas com a liberação do fármaco.[236]

■ CRANIOTOMIA ERAS

O conceito de "recuperação aprimorada após cirurgia" (do inglês ERAS *Enhanced Recovery After Surgery*) foi inicialmente introduzido em 1997 em procedimentos de cirurgia colorretal, demonstrando melhora da capacidade funcional e redução de morbidade pós-operatória.[237] Devido ao irrefutável sucesso obtido em tais procedimentos, reduzindo consideravelmente as complicações cirúrgicas, e consequentemente o número de dias de internação e custo, a ideia inicial foi aos poucos extrapoladas para as demais clínicas cirúrgicas. Não foi diferente com a neurocirurgia. Não há nenhuma dúvida que a alta precoce do paciente agiliza o processo de terapias adjuvantes, tais como quimioterapia e/ou radioterapia, melhorando o resultado funcional desses pacientes, além de reduzir o tempo entre o procedimento cirúrgico e o retorno às atividades diárias normais.[238] As craniotomias para ressecção de tumores cerebrais apresentam como complicações mais comuns, em 30 dias, as seguintes: infarto agudo do miocárdio (1,3%), acidente vascular cerebral (2,1%), infecção (2,4%), óbito (2,7%) e necessidade de reintervenção cirúrgica (6,6%).[239]

Muito embora os níveis de evidência para as recomendações abaixo sejam variados, o cuidado multimodal do paciente oferece benefícios inequívocos. É altamente recomendado que o paciente:

1. Receba aconselhamento pré-operatório rotineiramente, e seja informando o que se espera por parte tanto da equipe anestésico-cirúrgica quanto do próprio paciente.
2. Se abstenha de ingestão alcoólica e uso de tabaco por pelo menos 1 mês antes da cirurgia.
3. Receba nutrição enteral precocemente.
4. Ingira bebida isotônica enriquecida com hidratos de carbono (podem ser ingeridos até 2 horas antes da cirurgia) no pré operatório.
5. Use meias de compressão gradual e/ou sistema pneumático intermitente de compressão de membros inferiores para prevenção de trombose venosa profunda.
6. Minimize a área de raspagem de couro cabeludo.
7. Receba rotineiramente antibiótico profilático num período inferior a uma hora que anteceda a incisão cirúrgica.
8. Receba bloqueio regional de couro cabeludo (*scalp block*) e infiltração local dos pontos onde serão aplicados os pinos do segurador de cabeça (Mayfield).
9. Receba analgesia não opiácea coadjuvante (analgesia multimodal).
10. Receba agentes antieméticos, como dexametasona e ondansetrona. Devido ao elevado custo dos inibidores dos receptores neurocinina-1 (NK-1 antagonistas), estes devem ser administrados aos pacientes com maiores riscos de náusea e vômitos no pós-operatório.
11. Seja submetido à craniotomia minimamente invasiva sempre que possível.
12. Receba medidas que previnam hipotermia.
13. Seja monitorizado com monitores não invasivos de débito cardíaco para, acuradamente, acessar seu estado volêmico.
14. Tenha removida a sonda vesical de demora o quanto antes, idealmente no primeiro dia do pós-operatório.
15. Seja encorajado a movimentar-se o mais precocemente possível.

Essas 15 recomendações[238] devem ser encorajadas em todas as craniotomias eletivas, onde quer que sejam realizadas. Devido à natureza dos procedimentos de urgência e emergência, deve-se tentar seguir o máximo de recomendações possíveis, desde que não retardem os cuidados necessários.

Muito ainda se tem a fazer no que concerne a ERAS para craniotomia em ressecção de tumores cerebrais. Diversos centros de pesquisa pelo mundo trabalham intensamente para que tenhamos níveis mais elevados de evidência e que novas recomendações possam ser adicionadas às acima.

REFERÊNCIAS

1. Marino R Jr, Gonzales-Portillo M. Preconquest Peruvian neurosurgeons: a study of Inca and pre-Columbian trephination and the art of medicine in ancient Peru. Neurosurgery. 2000;47(4):940-50.
2. Ormond DR, Hadjipanayis CG. The history of neurosurgery and its relation to the development and refinement of the frontotemporal craniotomy. Neurosurgical Focus. 2014;36(4):E12.
3. Bhattacharyya KB. Harvey William Cushing: The father of modern Neurosurgery (1869-1939). Neurology India. 2016;64(6):1125-8.
4. Robinson DH, Toledo AH. Historical development of modern anesthesia. J Invest Surg. 2012;25(3):141-9.
5. Ostrom QT, Price M, Neff C, Cioffi G, Waite KA, Kruchko C, et al. CBTRUS Statistical Report: Primary Brain and Other Central Nervous System Tumors Diagnosed in the United States in 2015-2019. Neuro Oncology. 2022;24(Suppl 5):v1-95.
6. Gavrilovic IT, Posner JB. Brain metastases: epidemiology and pathophysiology. J Neurooncol. 2005;75(1):5-14.
7. Ostrom QT, Gittleman H, Stetson L, Virk SM, Barnholtz-Sloan JS. Epidemiology of gliomas. Cancer Treat Res. 2015;163:1-14.
8. Ostrom QT, Bauchet L, Davis FG, Deltour I, Fisher JL, Langer CE, et al. The epidemiology of glioma in adults: a "state of the science" review. Neuro Oncology. 2014;16(7):896-913.
9. Louis DN, Ohgaki H, Wiestler OD, Cavenee WK, Burger PC, Jouvet A, et al. The 2007 WHO classification of tumours of the central nervous system. Acta Neuropathol. 2007;114(2):97-109.
10. Louis DN, Perry A, Wesseling P, Brat DJ, Cree IA, Figarella-Branger D, et al. The 2021 WHO Classification of Tumors of the Central Nervous System: a summary. Neuro Oncology. 2021;23(8):1231-51.
11. Alexiou GA, Tsiouris S, Kyritsis AP, Voulgaris S, Argyropoulou MI, Fotopoulos AD. Glioma recurrence versus radiation necrosis: accuracy of current imaging modalities. J Neurooncol. 2009;95(1):1-11.
12. Kumthekar P, Raizer J, Singh S. Low-grade glioma. Cancer Treat Res. 2015;163:75-87.
13. Gray H. Anatomy of the human body. Philadelphia: Lea & Febiger; 1918.
14. Monro A. Observations on the structure and functions of the nervous system. Lond Med J. 1783; 4(2):113-35.
15. Kellie G. An account of the appearances observed in the dissection of two of three individuals presumed to have perished in the storm of the 3d, and whose bodies were discovered in the vicinity of leith on the morning of the 4th, november 1821; with some reflections on the pathology of the brain: part I. Trans Med Chir Soc Edinb. 1824;1:84-122.

16. On disorders of the cerebral circulation, and on the connection between affections of the brain and diseases of the heart. Med Chir Rev. 1846;4(7):34-48.
17. Cushing H. Studies in intracranial physiology & surgery: the third circulation, the hypophysics, the gliomas. London: Oxford University Press; 1926.
18. Lundenberg N. Continuous recording and control of ventricular fluid pressure in neurosurgical practice. Acta Psychiatr Scand Suppl. 1960;36(149):1-193.
19. Langfitt TW, Weinstein JD, Kassell NF. Cerebral vasomotor paralysis produced by intracranial hypertension. Neurology. 1965;15:622-41.
20. Sokoloff L. The metabolism of the central nervous system in vivo. In: Field J, Magoun HE, Hall VE (eds.). Handbook of physiology – Neurophysiology. Washington: American Physiological Society; 1960.
21. Nemoto EM, Klementavicius R, Melick JA, Yonas H. Suppression of cerebral metabolic rate for oxygen (CMRO2) by mild hypothermia compared with thiopental. J Neurosurg Anesthesiol. 1996;8(1):52-9.
22. Lassen NA. Cerebral blood flow and oxygen consumption in man. Physiol Rev. 1959;39(2):183-238.
23. DeMers D, Wachs D. Physiology, mean arterial pressure. Treasure Island: StatPearls Publishing; 2023.
24. Smith M. Cerebral perfusion pressure. Brit J Anaesthesia. 2015;115(4):488-90.
25. Johnston IH, Rowan JO, Harper AM, Jennett WB. Raised intracranial pressure and cerebral blood flow. I. Cisterna magna infusion in primates. J Neurol Neurosurg Psychiatry. 1972;35(3):285-96.
26. Bratton SL, Chestnut RM, Ghajar J, McConnell Hammond FF, Harris OA, Hartl R, et al. Guidelines for the management of severe traumatic brain injury. IX. Cerebral perfusion thresholds. J Neurotrauma. 2007;24(Suppl 1):S59-64.
27. Chivukula S, Grandhi R, Friedlander RM. A brief history of early neuroanesthesia. Neurosurg Focus. 2014;36(4):E2.
28. Abbott NJ, Patabendige AA, Dolman DE, Yusof SR, Begley DJ. Structure and function of the blood-brain barrier. Neurobiol Dis. 2010;37(1):13-25.
29. Nag S, David JB. Blood brain barrier, exchange of metabolites and gases. In: Kalimo H. Pathology and genetics: cerebrovascular diseases. Basel: ISN Neuropath Press; 2005.
30. Pandey PK, Sharma AK, Gupta U. Blood brain barrier: an overview on strategies in drug delivery, realistic in vitro modeling and in vivo live tracking. Tissue Barriers. 2015;4(1):e1129476.
31. Kadry H, Noorani B, Cucullo L. A blood-brain barrier overview on structure, function, impairment, and biomarkers of integrity. Fluids Barriers. 2020;17(1):69.
32. Zhao Y, Gan L, Ren L, Lin Y, Ma C, Lin X. Factors influencing the blood-brain barrier permeability. Brain Res. 2022;1788:147937.
33. Stewart PA, Wiley MJ. Developing nervous tissue induces formation of blood-brain barrier characteristics in invading endothelial cells: a study using quail--chick transplantation chimeras. Dev Biol. 1981;84(1):183-92.
34. Ballabh P, Braun A, Nedergaard M. The blood-brain barrier: an overview: structure, regulation, and clinical implications. Neurobiol Dis. 2004;16(1):1-13.
35. Mortazavi MM, Griessenauer CJ, Adeeb N, Deep A, Bavarsad Shahripour R, Loukas M, et al. The choroid plexus: a comprehensive review of its history, anatomy, function, histology, embryology, and surgical considerations. Childs Nerv Syst. 2014;30(2):205-14.
36. Sakka L, Coll G, Chazal J. Anatomy and physiology of cerebrospinal fluid. Eur Ann Otorhinolaryngol Head Neck Dis. 2011;128(6):309-16.
37. Kondziolka D, Bernstein M, Resch L, Tator CH, Fleming JF, Vanderlinden RG, et al. Significance of hemorrhage into brain tumors: clinicopathological study. J Neurosurg. 1987;67(6):852-7.
38. Criscuolo GR. The genesis of peritumoral vasogenic brain edema and tumor cysts: a hypothetical role for tumor-derived vascular permeability factor. Yale J Biol Med. 1993;66(4):277-314.
39. Marmarou A, Portella G, Barzo P, Signoretti S, Fatouros P, Beaumont A, et al. Distinguishing between cellular and vasogenic edema in head injured patients with focal lesions using magnetic resonance imaging. Acta Neurochir Suppl. 2000;76:349-51.
40. Stummer W. Mechanisms of tumor-related brain edema. Neurosurg Focus. 2007;22(5):E8.
41. Esquenazi Y, Lo VP, Lee K. Critical care management of cerebral edema in brain tumors. J Intens Care Med. 2017;32(1):15-24.
42. Cook AM, Morgan Jones G, Hawryluk GWJ, Mailloux P, McLaughlin D, Papangelou A, et al. Guidelines for the acute treatment of cerebral edema in neurocritical care patients. Neurocrit Care. 2020;32(3):647-66.
43. Kimelberg HK. Water homeostasis in the brain: basic concepts. Neuroscience. 2004;129(4):851-60.
44. Castillo M. History and evolution of brain tumor imaging: insights through radiology. Radiology. 2014;273(2 Suppl):S111-25.
45. Bronen RA, Sze G. Magnetic resonance imaging contrast agents: theory and application to the central nervous system. J Neurosurg. 1990;73(6):820-39.
46. Dodge PR, Crawford JD, Probst TH. Studies in experimental water intoxication. Arch Neurol. 1960;3:513-29.
47. Barry DI, Lassen NA. Cerebral blood flow autoregulation in hypertension and effects of antihypertensive drugs. J Hypertens Suppl. 1984;2(3):S519-26.
48. Barry DI. Cerebral blood flow in hypertension. J Cardiovasc Pharmacol. 1985;7(Suppl 2):S94-8.
49. Tietjen CS, Hurn PD, Ulatowski JA, Kirsch JR. Treatment modalities for hypertensive patients with intracranial pathology: options and risks. Crit Care Med. 1996;24(2):311-22.
50. Strandgaard S, Paulson OB. Cerebral blood flow in untreated and treated hypertension. Neth J Med. 1995;47(4):180-4.
51. Baker KZ, Ostapkovich N, Sisti MB, Warner DS, Young WL. Intact cerebral blood flow reactivity during remifentanil/nitrous oxide anesthesia. J Neurosurg Anesthesiol. 1997;9(2):134-40.
52. Lazaridis C, Rusin CG, Robertson CS. Secondary brain injury: predicting and preventing insults. Neuropharmacology. 2019;145(Pt B):145-52.
53. Arora R, Chablani D, Rath GP, Prabhakar H. Pulmonary oedema following venous air embolism during transsphenoidal pituitary surgery. Acta Neurochir (Wien). 2007;149(11):1177-8.
54. Santos CDSE, Grayson BE. Venous air embolism detection in neurosurgical procedures. What is necessary to be done before placing the patient in a sitting position?. Braz J Anesthesiol. 2020;70(4):448-9.
55. Reichlin S. Regulation of the hypophysiotropic secretions of the brain. Arch Intern Med. 1975;135(10):1350-61.
56. Fink G. The development of the releasing factor concept. Clin Endocrinol. 1976;(5 Suppl):45S-260S.
57. Harris GW. Neural control of the pituitary gland. I. The neurohypophysis. Brit Med J. 1951;2(4731):559-64.
58. Wilson Y, Nag N, Davern P, Oldfield BJ, McKinley MJ, Greferath U, et al. Visualization of functionally activated circuitry in the brain. Proc Nat Acad Sci USA. 2002;99(5):3252-7.
59. Bourque CW, Ciura S, Trudel E, Stachniak TJ, Sharif-Naeini R. Neurophysiological characterization of mammalian osmosensitive neurones. Exp Physiol. 2007;92(3):499-505.
60. Kurschel S, Leber KA, Scarpatetti M, Roll P. Rare fatal vascular complication of transsphenoidal surgery. Acta Neurochir (Wien). 2005;147(3):321-5.
61. Nemergut EC, Zuo Z, Jane Jr JA, Laws Jr ER. Predictors of diabetes insipidus after transsphenoidal surgery: a review of 881 patients. J Neurosurg. 2005;103(3), doi:10.3171/jns.2005.103.3.0448
62. Haentjens P, De Meirleir L, Abs R, Verhelst J, Poppe K, Velkeniers B. Glomerular filtration rate in patients with Cushing's disease: a matched case-control study. Eur J Endocrinol. 2005;153(6):819-29.
63. Smets P, Meyer E, Maddens B, Daminet S. Cushing's syndrome, glucocorticoids and the kidney. Gen Comp Endocrinol. 2010;169(1):1-10.
64. Faggiano A, Pivonello R, Melis D, Filippella M, Di Somma C, Petretta M, et al. Nephrolithiasis in Cushing's disease: prevalence, etiopathogenesis, and modification after disease cure. J Clin Endocrinol Metab. 2003;88(5):2076-80.
65. Minetto MA, Lanfranco F, Botter A, Motta G, Mengozzi G, Giordano R, et al. Do muscle fiber conduction slowing and decreased levels of circulating muscle proteins represent sensitive markers of steroid myopathy? A pilot study in Cushing's disease. Eur J Endocrinol. 2011;164(6):985-93.
66. Newell-Price J, Bertagna X, Grossman AB, Nieman LK. Cushing's syndrome. Lancet. 2006;367(9522):1605-17.
67. Muiesan ML, Lupia M, Salvetti M, Grigoletto C, Sonino N, Boscaro M, et al. Left ventricular structural and functional characteristics in Cushing's syndrome. J Am Coll Cardiol. 2003;41(12):2275-9.
68. Sugihara N, Shimizu M, Kita Y, Shimizu K, Ino H, Miyamori I, et al. Cardiac characteristics and postoperative courses in Cushing's syndrome. Am J Cardiol. 1992;69(17):1475-80.
69. Kamenický P, Redheuil A, Roux C, Salenave S, Kachenoura N, Raissouni Z, et al. Cardiac structure and function in Cushing's syndrome: a cardiac magnetic resonance imaging study. J Clin Endocrinol Metab. 2014;99(11):E2144-53.
70. Nagulesparen M, Trickey R, Davies MJ, Jenkins JS. Muscle changes in acromegaly. Brit Med J. 1976;2(6041):914-5.
71. Khaleeli AA, Levy RD, Edwards RH, McPhail G, Mills KR, Round JM, et al. The neuromuscular features of acromegaly: a clinical and pathological study. J Neurol Neurosurg Psychiatry. 1984;47(9):1009-15.
72. Bruch C, Herrmann B, Schmermund A, Bartel T, Mann K, Erbel R. Impact of disease activity on left ventricular performance in patients with acromegaly. Am Heart J. 2002;144(3):538-43.
73. Vitale G, Pivonello R, Lombardi G, Colao A. Cardiovascular complications in acromegaly. Minerva Endocrinol. 2004;29(3):77-88.
74. Adelman DT, Liebert KJ, Nachtigall LB, Lamerson M, Bakker B. Acromegaly: the disease, its impact on patients, and managing the burden of long-term treatment. Int J Gen Med. 2013;6:31-8.
75. Edo N, Morita K, Suzuki H, Takeshita A, Miyakawa M, Fukuhara N, et al. Low insulin resistance after surgery predicts poor GH suppression one year after complete resection for acromegaly: a retrospective study. Endocr J. 2016;63(5):469-77.
76. Rodriguez-Beato FY, De Jesus O. Compressive optic neuropathy. Treasure Island: StatPearls Publishing; 2024.

77. Bastakis GG, Ktena N, Karagogeos D, Savvaki M. Models and treatments for traumatic optic neuropathy and demyelinating optic neuritis. Dev Neurobiol. 2019;79(8):819-36.
78. Diaz RD, Quencer RM. Bitemporal hemianopsia. J Clin Neuroophthalmol. 1982;2(2):133-9.
79. Abouaf L, Vighetto A, Lebas M. Neuro-ophthalmologic exploration in non-functioning pituitary adenoma. Ann Endocrinol (Paris). 2015;76(3):210-9.
80. Semple PL, Webb MK, de Villiers JC, Laws Jr ER. Pituitary apoplexy. Neurosurgery. 2005;56(1):65-72.
81. McNealy DE, Plum F. Brainstem dysfunction with supratentorial mass lesions. Arch Neurol. 1962;7(1):10-32.
82. Whitby JD. Electrocardiography during posterior fossa operations. Brit J Anaesth. 1963;35:64.
83. Slbin MS, Babinski M, Maroon JC, Jannetta PJ. Anesthetic management of posterior fossa surgery in the sitting position. Acta Anaesthesiol Scand. 1976;20(2):117-28.
84. Ruggiero C, Cinalli G, Spennato P, Aliberti F, Cianciulli E, Trischitta V, et al. Endoscopic third ventriculostomy in the treatment of hydrocephalus in posterior fossa tumors in children. Child's Nervous Syst. 2004;20(11-12):828-33.
85. Fritsch MJ, Doerner L, Kienke S, Mehdorn HM. Hydrocephalus in children with posterior fossa tumors: role of endoscopic third ventriculostomy. J Neurosurg. 2005;103(1 Suppl):40-2.
86. Dos Santos E Santos C, Dos S E Santos G, Araujo Tuma Santos C. Anesthetic management for resection of a cerebellar hemangioblastoma leading to brainstem compression in a patient with von hippel-lindau disease. Cureus. 2021;13(12):e20608.
87. Rajendran S, Antonios J, Solomon B, Kim HJ, Wu T, Smirniotopoulos J, et al. A prospective evaluation of swallowing and speech in patients with neurofibromatosis type 2. J Neurolog Surg B Skull Base. 2021;82(2):244-50.
88. Sakamoto T, Kawaguchi M, Furuya H, Ohnishi H, Karasawa J. Preoperative evaluation for risk of venous air embolism in the sitting position. J Neurosurg Anesthesiol. 1995;7(2):124-6.
89. Santos C, Grayson BE. Venous air embolism detection in neurosurgical procedures. What is necessary to be done before placing the patient in a sitting position? Braz J Anesthesiol. 2020;70(4):448-9.
90. Rosner J, Reddy V, Lui F. Neuroanatomy, Circle of Willis. Treasure Islands: StatPerals; 2022.
91. Hamada SR, Mantz J. Patent foramen ovale, bubble test, and major spine surgery. Anesthesiology. 2010;113(2):463.
92. Newfield P, Albin MS, Chestnut JS, Maroon J. Air embolism during trans-sphenoidal pituitary operations. Neurosurgery. 1978;2(1):39-42.
93. Black S, Ockert DB, Oliver Jr WC, Cucchiara RF. Outcome following posterior fossa craniectomy in patients in the sitting or horizontal positions. Anesthesiology. 1988;69(1):49-56.
94. Albin MS, Carroll RG, Maroon JC. Clinical considerations concerning detection of venous air embolism. Neurosurgery. 1978;3(3):380-4.
95. Zhou T, Zhang HP, Chen WW, Xiong ZY, Fan T, Fu JJ, et al. Cuff-leak test for predicting postextubation airway complications: a systematic review. J Evid Med. 2011;4(4):242-54.
96. Coonan TJ, Hope CE. Cardio-respiratory effects of change of body position. Can Anaesth Soc J. 1983;30(4):424-38.
97. Dalrymple DG, MacGowan SW, MacLeod GF. Cardiorespiratory effects of the sitting position in neurosurgery. Brit J Aanaesth. 1979;51(11):1079-82.
98. Ward RJ, Danziger F, Bonica JJ, Allen GD, Tolas AG. Cardiovascular effects of change of posture. Aerosp Med. 1966;37(3):257-9.
99. Perkins-Pearson NA, Marshall WK, Bedford RF. Atrial pressures in the seated position: implication for paradoxical air embolism. Anesthesiology. 1982;57(6):493-7.
100. Draganov J, Scheeren TW. Incidental detection of paradoxical embolism with a transoesophageal Doppler- probe inserted for measuring descending aortic blood flow. Brit J Anaesth. 2003;90(4):520-2.
101. Bithal PK, Pandia MP, Dash HH, Chouhan RS, Mohanty B, Padhy N. Comparative incidence of venous air embolism and associated hypotension in adults and children operated for neurosurgery in the sitting position. Eur J Anaesthesiol. 2004;21(7):517-22.
102. Chibbaro S, Cebula H, Todeschi J, Fricia M, Vigouroux D, Abid H, et al. Evolution of prophylaxis protocols for venous thromboembolism in neurosurgery: results from a prospective comparative study on low-molecular-weight heparin, elastic stockings, and intermittent pneumatic compression devices. World Neurosurg. 2018;109:e510-6.
103. Chowdhury T, Gupta N, Rath GP. Macroglossia in a child undergoing posterior fossa surgery in sitting position. Saudi J Anaesth. 2012;6(1):85-6.
104. Wilder BL. Hypothesis: the etiology of midcervical quadriplegia after operation with the patient in the sitting position. Neurosurgery. 1982;11(4):530-1.
105. Haisa T, Kondo T. Midcervical flexion myelopathy after posterior fossa surgery in the sitting position: case report. Neurosurgery 1996;38(4):819-21.
106. Al-Shaikh RH, Czervionke L, Eidelman B, Dredla BK. Spinal cord infarction. Treasure Island: StatPearls Publishing; 2024.
107. Diskina D, Pai B H P, Chen J, Lai YH. Peroneal nerve palsy following shoulder surgery. J Clin Anesth. 2020;61:109660.
108. Johar RS, Smith RP. Assessing gravimetric estimation of intraoperative blood loss. J Gynecol Surg. 1993;9(3):151-4.
109. Kenner T. The measurement of blood density and its meaning. Basic Res Cardiol. 1989;84(2):111-24.
110. Vitello DJ, Ripper RM, Fettiplace MR, Weinberg GL, Vitello JM. Blood density is nearly equal to water density: a validation study of the gravimetric method of measuring intraoperative blood loss. J Vet Med. 2015;2015:152730.
111. Enderby GE. Postural ischaemia and blood-pressure. Lancet. 1954;266(6804):185-7
112. Lele AV, Hoetnagel AL, Schloemerkemper N, Wyler DA, Chaikittisilpa N, Vavilala MS, et al. Perioperative management of adult patients with external ventricular and lumbar drains: guidelines from the Society for Neuroscience in Anesthesiology and Critical Care. J Neurosurg Anesthesiology. 2017;29(3):191-210.
113. Radhziah S, Lee CK, Ng I. Tension pneumoventricle. J Clin Neurosci. 2006;13(8):881-3.
114. Gupta N, Rath GP, Mahajan C, Dube SK, Sharma S. Tension pneumoventricle after excision of third ventricular tumor in sitting position. J Anaesthesiol Clin Pharmacol. 2011;27(3):409-11.
115. Field LM, Dorrance DE, Krzeminska EK, Barsoum LZ. Effect of nitrous oxide on cerebral blood flow in normal humans. Brit J Anaesth. 1993;70(2):154-9.
116. Edelman JD, Wingard DW. Air embolism arising from burr holes. Anesthesiology. 1980;53(2):167-8.
117. Wilkins RH, Albin MS. An unusual entrance site of venous air embolism during operations in the sitting position. Surg Neurol. 1977;7(2):71-2.
118. Cabezudo JM, Gilsanz F, Vaquero J, Areitio E, Martinez R. Air embolism from wounds from a pin-type head-holder as a complication of posterior fossa surgery in the sitting position. Case report. J Neurosurg. 1981;55(1):147-8.
119. Grinberg F, Slaughter TF, McGrath BJ. Probable venous air embolism associated with removal of the Mayfield skull clamp. Anesth Analg. 1995;80(5):1049-50.
120. Gracia I, Fabregas N. Craniotomy in sitting position: anesthesiology management. Curr Opin Anaesth. 2014;27(5):474-83.
121. Feigl GC, Decker K, Wurms M, Krischek B, Ritz R, Unertl K, et al. Neurosurgical procedures in the semisitting position: evaluation of the risk of paradoxical venous air embolism in patients with a patent foramen ovale. World Neurosurg. 2014;81(1):159-64.
122. Adornato DC, Gildenberg PL, Ferrario CM, Smart J, Frost EA. Pathophysiology of intravenous air embolism in dogs. Anesthesiology. 1978;49(2):120-7.
123. Durant TM, Iong J, oppenheimer MJ. Pulmonary (venous) air embolism. Am Heart J. 1947;33(3):269-81.
124. Mammoto T, Hayashi Y, Ohnishi Y, Kuro M. Incidence of venous and paradoxical air embolism in neurosurgical patients in the sitting position: detection by transesophageal echocardiography. Acta Anaesthesiol Scand. 1998;42(6):643-7.
125. Frim DM, Wollman L, Evans AB, Ojemann RG. Acute pulmonary edema after low-level air embolism during craniotomy. Case report. J Neurosurg. 1996;85(5):937-40.
126. Lam KK, Hutchinson RC, Gin T. Severe pulmonary oedema after venous air embolism. Can J Anaesth. 1993;40(10):964-7.
127. Mirski MA, Lele AV, Fitzsimmons L, Toung TJ. Diagnosis and treatment of vascular air embolism. Anesthesiology. 2007;106(1):164-77.
128. Hagen PT, Scholz DG, Edwards WD. Incidence and size of patent foramen ovale during the first 10 decades of life: an autopsy study of 965 normal hearts. Mayo Clin Proc. 1984;59(1):17-20.
129. Black S, Muzzi DA, Nishimura RA, Cucchiara RF. Preoperative and intraoperative echocardiography to detect right-to-left shunt in patients undergoing neurosurgical procedures in the sitting position. Anesthesiology. 1990;72(3):436-8.
130. Marshall WK, Bedford RF, Miller ED. Cardiovascular responses in the seated position--impact of four anesthetic techniques. Anesth Analg. 1983;62(7):468-53.
131. Giebler R, Kollenberg B, Pohlen G, Peters J. Effect of positive end-expiratory pressure on the incidence of venous air embolism and on the cardiovascular response to the sitting position during neurosurgery. Brit J Anaesth. 1998;80(1):30-5.
132. Perkins NA, Bedford RF. Hemodynamic consequences of PEEP in seated neurological patients--implications for paradoxical air embolism. Anesth Analg. 1984;63(4):429-32.
133. Pearl RG, Larson Jr CP. Hemodynamic effects of positive end-expiratory pressure during continuous venous air embolism in the dog. Anesthesiology. 1986;64(6):724-9.
134. Zasslow MA, Pearl RG, Larson CP, Silverberg G, Shuer LF. PEEP does not affect left atrial-right atrial pressure difference in neurosurgical patients. Anesthesiology. 1988;68(5):760-3.
135. Fathi AR, Eshtehardi P, Meier B. Patent foramen ovale and neurosurgery in sitting position: a systematic review. Brit J Anaesth. 2009;102(5):588-96.
136. Jadik S, Wissing H, Friedrich K, Beck J, Seifert V, Raabe A. A standardized protocol for the prevention of clinically relevant venous air embolism during neurosurgical interventions in the semisitting position. Neurosurgery. 2009;64(3):533-8.
137. Park JH, Jegal Y, Shim TS, Lim CM, Lee SD, Koh Y, et al. Hypoxemia and arrhythmia during daily activities and six-minute walk test in fibrotic interstitial lung diseases. J Korean Med Sci. 2011;26(3):372-8.
138. Maroon JC, Albin MS. Air embolism diagnosed by Doppler ultrasound. Anesth Analg. 1974;53(3):399-402.
139. Furuya H, Suzuki T, Okumura F, Kishi Y, Uefuji T. Detection of air embolism by transesophageal echocardiography. Anesthesiology. 1983;58(2):124-9.

140. Sato S, Toya S, Ohira T, Mine T, Greig NH. Echocardiographic detection and treatment of intraoperative air embolism. J Neurosurg. 1986;64(3):440-4.
141. Bunegin L, Albin MS, Helsel PE, Hoffman A, Hung TK. Positioning the right atrial catheter: a model for reappraisal. Anesthesiology. 1981;55(4):343-8.
142. Roth S, Aronson S. Placement of a right atrial air aspiration catheter guided by transesophageal echocardiography. Anesthesiology. 1995;83(6):1359-61.
143. Harrison EA, Mackersie A, McEwan A, Facer E. The sitting position for neurosurgery in children: a review of 16 years' experience. Brit J Anaesth. 2002;88(1):12-7.
144. Munson ES, Paul WL, Perry JC, De Padua CB, Rhoton AL. Early detection of venous air embolism using a Swan-Ganz catheter. Anesthesiology. 1975;42(2):223-6.
145. Drummond JC, Prutow RJ, Scheller MS. A comparison of the sensitivity of pulmonary artery pressure, end-tidal carbon dioxide, and end-tidal nitrogen in the detection of venous air embolism in the dog. Anesth Analg. 1985;64(7):688-92.
146. Petersen KD, Landsfeldt U, Cold GE, Petersen CB, Mau S, Hauerberg J, et al. Intracranial pressure and cerebral hemodynamic in patients with cerebral tumors: a randomized prospective study of patients subjected to craniotomy in propofol-fentanyl, isoflurane-fentanyl, or sevoflurane-fentanyl anesthesia. Anesthesiology. 2003;98(2):329-36.
147. Dahyot-Fizelier C, Frasca D, Debaene B. Inhaled agents in neuroanaesthesia for intracranial surgery: pro or con. Ann Fran Anesth Reanim. 2012;31(10):e229-34.
148. Magni G, Baisi F, La Rosa I, Imperiale C, Fabbrini V, Pennacchiotti ML, et al. No difference in emergence time and early cognitive function between sevoflurane-fentanyl and propofol-remifentanil in patients undergoing craniotomy for supratentorial intracranial surgery. J Neurosurg Anesthesiol. 2005;17(3):134-8.
149. Lauta E, Abbinante C, Del Gaudio A, Aloj F, Fanelli M, de Vivo P, et al. Emergence times are similar with sevoflurane and total intravenous anesthesia: results of a multicenter RCT of patients scheduled for elective supratentorial craniotomy. J Neurosurg Anesthesiol. 2010;22(2):110-8.
150. Engelhard K, Werner C. Inhalational or intravenous anesthetics for craniotomies? Pro inhalational. Curr Opin Anaesthesiol. 2006;19(5):504-8.
151. Hans P, Bonhomme V. Why we still use intravenous drugs as the basic regimen for neurosurgical anaesthesia. Curr Opin Anaesthesiol. 2006;19(5):498-53.
152. Chui J, Mariappan R, Mehta J, Manninen P, Venkatraghavan L. Comparison of propofol and volatile agents for maintenance of anesthesia during elective craniotomy procedures: systematic review and meta-analysis. Can J Anaesth. 2014;61(4):347-56.
153. De Deyne C, Joly LM, Ravussin P. Newer inhalation anaesthetics and neuro-anaesthesia: what is the place for sevoflurane or desflurane?. Ann Fr Anesth Reanim. 2004;23(4):367-74.
154. Magni G, Rosa IL, Melillo G, Savio A, Rosa G. A comparison between sevoflurane and desflurane anesthesia in patients undergoing craniotomy for supratentorial intracranial surgery. Anesth Analg. 2009;109(2):567-71.
155. Badenes R, Gruenbaum SE, Bilotta F. Cerebral protection during neurosurgery and stroke. Curr Opin Anaesthesiol. 2015;28(5):532-6.
156. Fraga M, Rama-Maceiras P, Rodiño S, Aymerich H, Pose P, Belda J. The effects of isoflurane and desflurane on intracranial pressure, cerebral perfusion pressure, and cerebral arteriovenous oxygen content difference in normocapnic patients with supratentorial brain tumors. Anesthesiology. 2003;98(5):1085-90.
157. Yahagi N, Furuya H. The effects of halothane and pentobarbital on the threshold of transpulmonary passage of venous air emboli in dogs. Anesthesiology. 1987;67(6):905-9.
158. Yahagi N, Furuya H, Sai Y, Amakata Y. Effect of halothane, fentanyl, and ketamine on the threshold for transpulmonary passage of venous air emboli in dogs. Anesth Analg. 1992;75(5):720-3.
159. Munson ES. Transfer of nitrous oxide into body air cavities. Brit J Anaesth. 1974;46(3):202-9.
160. Munson ES. Effect of nitrous oxide on the pulmonary circulation during venous air embolism. Anesth Analg. 1971;50(5):785-93.
161. Katz J, Leiman BC, Butler BD. Effects of inhalation anaesthetics on filtration of venous gas emboli by the pulmonary vasculature. Brit J Anaesth. 1988;61(2):200-5.
162. Losasso TJ, Muzzi DA, Dietz NM, Cucchiara RF. Fifty percent nitrous oxide does not increase the risk of venous air embolism in neurosurgical patients operated upon in the sitting position. Anesthesiology. 1992;77(1):21-30.
163. Knüttgen D, Stölzle U, Köning W, Müller MR, Doehn M. Air embolism in the sitting position. Oxygen/nitrogen versus oxygen/laughing gas. Der Anaesthesist. 1989;38(9):490-7.
164. Caulo M, Briganti C, Mattei PA, Perfetti B, Ferretti A, Romani GL, et al. New morphologic variants of the hand motor cortex as seen with MR imaging in a large study population. AJNR Am J Neuroradiol. 2007;28(8):1480-5.
165. Campanella M, Ius T, Skrap M, Fadiga L. Alterations in fiber pathways reveal brain tumor typology: a diffusion tractography study. PeerJ 2014;2(doi:10.7717/peerj.497
166. Schonberg T, Pianka P, Hendler T, Pasternak O, Assaf Y. Characterization of displaced white matter by brain tumors using combined DTI and fMRI. Neuroimage. 2006;30(4):1100-11.
167. Neuloh G, Pechstein U, Cedzich C, Schramm J. Motor evoked potential monitoring with supratentorial surgery. Neurosurgery. 2004;54(5):1061-70.
168. Sala F, Palandri G, Basso E, Lanteri P, Deletis V, Faccioli F, et al. Motor evoked potential monitoring improves outcome after surgery for intramedullary spinal cord tumors: a historical control study. Neurosurgery. 2006;58(6):1129-43.
169. Voss LJ, Sleigh JW, Barnard JP, Kirsch HE. The howling cortex: seizures and general anesthetic drugs. Anesth Analg. 2008;107(5):1689-703.
170. Lam AM, Manninen PH, Ferguson GG, Nantau W. Monitoring electrophysiologic function during carotid endarterectomy: a comparison of somatosensory evoked potentials and conventional electroencephalogram. Anesthesiology. 1991;75(1):15-21.
171. Grundy BL. Intraoperative monitoring of sensory-evoked potentials. Anesthesiology. 1983;58(1):72-87.
172. Aravabhumi S, Izzo KL, Bakst BL. Brainstem auditory evoked potentials: intraoperative monitoring technique in surgery of posterior fossa tumors. Arch Phys Medicine Rehabil. 1987;68(3):142-6.
173. Cheng JS, Ivan ME, Stapleton CJ, Quinones-Hinojosa A, Gupta N, Auguste KI. Intraoperative changes in transcranial motor evoked potentials and somatosensory evoked potentials predicting outcome in children with intramedullary spinal cord tumors. J Neurosurg Pediatr. 2014;13(6):591-9.
174. Huang B, Liang F, Zhong L, Lin M, Yang J, Yan L, et al. Latency of auditory evoked potential monitoring the effects of general anesthetics on nerve fibers and synapses. Sci Rep. 2015;5:12730.
175. Zanatta P, Bosco E, Comin A, Mazzarolo AP, Di Pasquale P, Forti A, et al. Effect of mild hypothermic cardiopulmonary bypass on the amplitude of somatosensory-evoked potentials. J Neurosurg Anesthesiol. 2014;26(2):161-6.
176. Edmonds Jr HL, Rodriguez RA, Audenaert SM, Austin EH, Pollock SB Jr, Ganzel BL. The role of neuromonitoring in cardiovascular surgery. J Cardiothorac Vasc Anesth. 1996;10(1):15-23.
177. Weiskopf RB, Toy P, Hopf HW, Feiner J, Finlay HE, Takahashi M, et al. Acute isovolemic anemia impairs central processing as determined by P300 latency. Clin Neurophysiol. 2005;116(5):1028-32.
178. Roberson RS, Bennett-Guerrero E. Impact of red blood cell transfusion on global and regional measures of oxygenation. Mt Sinai J Med. 2012;79(1):66-74.
179. Richards CD. Actions of general anaesthetics on synaptic transmission in the CNS. Brit J Anaesth. 1983;55(3):201-7.
180. Sloan TB. Anesthetic effects on electrophysiologic recordings. J Clin Neurophysiol. 1998;15(3):217-26.
181. John ER, Prichep LS. The anesthetic cascade: a theory of how anesthesia suppresses consciousness. Anesthesiology. 2005;102(2):447-71.
182. Hicks RG, Woodforth IJ, Crawford MR, Stephen JP, Burke DJ. Some effects of isoflurane on I waves of the motor evoked potential. Brit J Anaesth. 1992;69(2):130-6.
183. Taniguchi M, Cedzich C, Schramm J. Modification of cortical stimulation for motor evoked potentials under general anesthesia: technical description. Neurosurgery. 1993;32(2):219-26.
184. Chen Z. The effects of isoflurane and propofol on intraoperative neurophysiological monitoring during spinal surgery. J Clin Monit Comput. 2004;18(4):303-8.
185. Lo YL, Dan YF, Tan YE, Nurjannah S, Tan SB, Tan CT, et al. Intraoperative motor-evoked potential monitoring in scoliosis surgery: comparison of desflurane/nitrous oxide with propofol total intravenous anesthetic regimens. J Neurosurg Anesthesiol. 2006;18(3):211-4.
186. Thees C, Scheufler KM, Nadstawek J, Pechstein U, Hanisch M, Juntke R, et al. Influence of fentanyl, alfentanil, and sufentanil on motor evoked potentials. J Neurosurg Anesthesiol. 1999;11(2):112-8.
187. Langeron O, Vivien B, Paqueron X, Saillant G, Riou B, Coriat P, et al. Effects of propofol, propofol-nitrous oxide and midazolam on cortical somatosensory evoked potentials during sufentanil anaesthesia for major spinal surgery. Brit J Anaesth. 1999;82(3):340-5.
188. Scheufler KM, Zentner J.Total intravenous anesthesia for intraoperative monitoring of the motor pathways: an integral view combining clinical and experimental data. J Neurosurg. 2002;96(3):571-9.
189. Hargreaves SJ, Watt JW. Intravenous anaesthesia and repetitive transcranial magnetic stimulation monitoring in spinal column surgery. Brit J Anaesth. 2005;94(1):70-3.
190. Schubert A, Licina MG, Lineberry PJ. The effect of ketamine on human somatosensory evoked potentials and its modification by nitrous oxide. Anesthesiology. 1990;72(1):33-9.
191. Kano T, Shimoji K. The effects of ketamine and neuroleptanalgesia on the evoked electrospinogram and electromyogram in man. Anesthesiology. 1974;40(3):241-6.
192. Glassman SD, Shields CB, Linden RD, Zhang YP, Nixon AR, Johnson JR. Anesthetic effects on motor evoked potentials in dogs. Spine. 1993;18(8):1083-9.
193. Kochs E, Treede RD, Schulte am Esch J. Increase in somatosensory evoked potentials during anesthesia induction with etomidate. Der Anaesthesist. 1986;35(6):359-64.
194. Mahmoud M, Sadhasivam S, Sestokas AK, Samuels P, McAuliffe J. Loss of transcranial electric motor evoked potentials during pediatric spine surgery with dexmedetomidine. Anesthesiology. 2007;106(2):393-6.
195. Kalkman CJ, Drummond JC, Ribberink AA, Patel PM, Sano T, Bickford RG. Effects of propofol, etomidate, midazolam, and fentanyl on motor evoked responses to transcranial electrical or magnetic stimulation in humans. Anesthesiology. 1992;76(4):502-9.
196. Sanai N, Mirzadeh Z, Berger MS. Functional outcome after language mapping for glioma resection. New Eng J Med. 2008;358(1):18-27.

197. Brown T, Shah AH, Bregy A, Shah NH, Thambuswamy M, Barbarite E, et al. Awake craniotomy for brain tumor resection: the rule rather than the exception? J Neurosurg Anesthesiol. 2013;25(3):240-7.
198. Nguyen HS, Sundaram SV, Mosier KM, Cohen-Gadol AA. A method to map the visual cortex during an awake craniotomy. J Neurosurg. 2011;114(4):922-6.
199. Chui J, Manninen P, Valiante T, Venkatraghavan L. The anesthetic considerations of intraoperative electrocorticography during epilepsy surgery. Anesth Analg. 2013;117(2):479-86.
200. Erickson KM, Cole DJ. Anesthetic considerations for awake craniotomy for epilepsy and functional neurosurgery. Anesthesiol Clini. 2012;30(2):241-68.
201. Klimek M, Verbrugge SJ, Roubos S, van der Most E, Vincent AJ, Klein J. Awake craniotomy for glioblastoma in a 9-year-old child. Anaesthesia. 2004;59(6):607-9.
202. Blanshard HJ, Chung F, Manninen PH, Taylor MD, Bernstein M. Awake craniotomy for removal of intracranial tumor: considerations for early discharge. Anesth Analg. 2001;92(1):89-94.
203. Manninen PH, Balki M, Lukitto K, Bernstein M. Patient satisfaction with awake craniotomy for tumor surgery: a comparison of remifentanil and fentanyl in conjunction with propofol. Anesth Analg. 2006;102(1):237-42.
204. Archer DP, McKenna JM, Morin L, Ravussin P. Conscious-sedation analgesia during craniotomy for intractable epilepsy: a review of 354 consecutive cases. Can J Anaesth. 1988;35(4):338-44.
205. Sarang A, Dinsmore J. Anaesthesia for awake craniotomy--evolution of a technique that facilitates awake neurological testing. Brit J Anaesth. 2003;90(2):161-5.
206. Fukaya C, Katayama Y, Yoshino A, Kobayashi K, Kasai M, Yamamoto T. Intraoperative wake-up procedure with propofol and laryngeal mask for optimal excision of brain tumour in eloquent areas. J Clin Neurosci. 2001;8(3):253-5.
207. Hagberg CA, Gollas A, Berry JM. The laryngeal mask airway for awake craniotomy in the pediatric patient: report of three cases. J Clin Anesth. 2004;16(1):43-7.
208. Gadhinglajkar S, Sreedhar R, Abraham M. Anesthesia management of awake craniotomy performed under asleep-awake-asleep technique using laryngeal mask airway: report of two cases. Neurology India. 2008;56(1):488.
09. July J, Manninen P, Lai J, Yao Z, Bernstein M. The history of awake craniotomy for brain tumor and its spread into Asia. Surg Neurol. 2009;71(5):621-4.
210. Skucas AP, Artru AA. Anesthetic complications of awake craniotomies for epilepsy surgery. Anesth Analg. 2006;102(3):882-7.
211. Silbergeld DL, Mueller WM, Colley PS, Ojemann GA, Lettich E. Use of propofol (Diprivan) for awake craniotomies: technical note. Surg Neurol. 1992;38(4):271-2.
212. Olsen KS. The asleep-awake technique using propofol-remifentanil anaesthesia for awake craniotomy for cerebral tumours. Eur J Anaesthesiol. 2008;25(8):662-9.
213. Souter MJ, Rozet I, Ojemann JG, Souter KJ, Holmes MD, Lee L, et al. Dexmedetomidine sedation during awake craniotomy for seizure resection: effects on electrocorticography. J Neurosurg Anesthesiol. 2007;19(1):38-44.
214. Dilmen OK, Akcil EF, Oguz A, Vehid H, Tunali Y. Comparison of conscious sedation and asleep-awake-asleep techniques for awake craniotomy. J Clin Neurosci. 2017;35:30-4.
215. Costello TG, Cormack JR, Mather LE, LaFerlita B, Murphy MA, Harris K. Plasma levobupivacaine concentrations following scalp block in patients undergoing awake craniotomy. Brit J Anaesth. 2005;94(6):848-51.
216. Osborn I, Sebeo J. "Scalp block" during craniotomy: a classic technique revisited. J Neurosurg Anesthesiol. 2010;22(3):187-94.
217. Kemp WJ, Tubbs RS, Cohen-Gadol AA. The innervation of the cranial dura mater: neurosurgical case correlates and a review of the literature. World Neurosurg. 2012;78(5):505-10.
218. Lv X, Wu Z, Li Y. Innervation of the cerebral dura mater. Neuroradiol J. 2014;27(3):293-8.
219. Conte V, L'Acqua C, Rotelli S, Stocchetti N. Bispectral index during asleep-awake craniotomies. J Neurosurg Anesthesiol. 2013;25(3):279-84.
220. Hans P, Bonhomme V, Born JD, Maertens de Noordhoudt A, Brichant JF, Dewandre PY. Target-controlled infusion of propofol and remifentanil combined with bispectral index monitoring for awake craniotomy. Anaesthesia. 2000;55(3):255-9.
221. Ewalenko P, Janny S, Dejonckheere M, Andry G, Wyns C. Antiemetic effect of subhypnotic doses of propofol after thyroidectomy. Brit J Anaesth. 1996;77(4):463-7.
222. Tramèr M, Moore A, McQuay H. Propofol anaesthesia and postoperative nausea and vomiting: quantitative systematic review of randomized controlled studies. Brit J Anaesth. 1997;78(3):247-55.
223. Gignac E, Manninen PH, Gelb AW. Comparison of fentanyl, sufentanil and alfentanil during awake craniotomy for epilepsy. Can J Anaesth. 1993;40(5 Pt 1):421-4.
224. Soriano SG, Eldredge EA, Wang FK, Kull L, Madsen JR, Black PM, et al. The effect of propofol on intraoperative electrocorticography and cortical stimulation during awake craniotomies in children. Paediatric Anaesth. 2000;10(1):29-34.
225. Keifer JC, Dentchev D, Little K, Warner DS, Friedman AH, et al. A retrospective analysis of a remifentanil/propofol general anesthetic for craniotomy before awake functional brain mapping. Anesth Analg. 2005;101(2):502-8.
226. Bekker AY, Kaufman B, Samir H, Doyle W. The use of dexmedetomidine infusion for awake craniotomy. Anesth Analg. 2001;92(5):1251-3.
227. Bustillo MA, Lazar RM, Finck AD, Fitzsimmons B, Berman MF, Pile-Spellman J, et al. Dexmedetomidine may impair cognitive testing during endovascular embolization of cerebral arteriovenous malformations: a retrospective case report series. J Neurosurg Anesthesiol. 2002;14(3):209-12.
228. Keene DL, Roberts D, Splinter WM, Higgins N, Ventureyra E. Alfentanil mediated activation of epileptiform activity in the electrocorticogram during resection of epileptogenic foci. Can J Neurological Sci. 1997;24(1):37-9.
229. Dreier JD, Williams B, Mangar D, Camporesi EM. Patients selection for awake neurosurgery. HSR Proc Intensive Care Cardiovasc Anesth. 2009;1(4):19-27.
230. Holmström A, Akeson J. Cerebral blood flow at 0.5 and 1.0 minimal alveolar concentrations of desflurane or sevoflurane compared with isoflurane in normoventilated pigs. J Neurosurg Anesthesiol. 2003;15(2):90-7.
231. Holmström A, Akeson J. Desflurane increases intracranial pressure more and sevoflurane less than isoflurane in pigs subjected to intracranial hypertension. J Neurosurg Anesthesiol. 2004;16(2):136-43.
232. Costello TG, Cormack JR, Hoy C, Wyss A, Braniff V, Martin K, et al. Plasma ropivacaine levels following scalp block for awake craniotomy. J Neurosurg Anesthesiol. 2004;16(2):147-50.
233. Berkenstadt H, Perel A, Hadani M, Unofrievich I, Ram Z. Monitored anesthesia care using remifentanil and propofol for awake craniotomy. J Neurosurg Anesthesiol. 2001;13(3):246-9.
234. Moore TA, Markert JM, Knowlton RC. Dexmedetomidine as rescue drug during awake craniotomy for cortical motor mapping and tumor resection. Anesth Analg. 2006;102(5):1556-8.
235. Girvin JP. Neurosurgical considerations and general methods for craniotomy under local anesthesia. Int Anesthesiol Clin. 1986;24(3):89-114.
236. Ilfeld BM, Eisenach JC, Gabriel RA. Clinical effectiveness of liposomal bupivacaine administered by infiltration or peripheral nerve block to treat postoperative pain. Anesthesiology. 2021;134(2):283-344.
237. Kehlet H. Multimodal approach to control postoperative pathophysiology and rehabilitation. Brit J Anaesth. 1997;78(5):606-17.
238. Hagan KB, Bhavsar S, Raza SM, Arnold B, Arunkumar R, Dang A, et al. Enhanced recovery after surgery for oncological craniotomies. J Clin Neurosci. 2016;24:10-6.
239. Bekelis K, Bakhoum SF, Desai A, Mackenzie TA, Roberts DW. Outcome prediction in intracranial tumor surgery: the National Surgical Quality Improvement Program 2005-2010. J Neurooncol. 2013;113(1):57-64.

174

Anestesia para Neurocirurgia Vascular

Bruna Bastiani dos Santos

INTRODUÇÃO

Na especialidade neurocirúrgica cada vez mais o individualismo tem cedido lugar à multidisciplinaridade, com o objetivo único de fornecer a melhor assistência possível ao paciente.

■ ANESTESIA PARA ANEURISMA CEREBRAL

Epidemiologia e Etiologia

Acidentes vasculares encefálicos são a segunda causa de morte e a terceira causa mais comum de incapacidade no mundo; nos últimos 25 anos houve um aumento da incidência da doença, principalmente em países desenvolvidos.[1] Os acidentes vasculares podem ser classificados em isquêmicos ou hemorrágicos; o segundo tipo pode ser causado por hemorragia subaracnoidea ou hemorragia intracerebral.[2]

A hemorragia subaracnoidea (HSA) acomete 2 a 16 pessoas a cada 100.000 anualmente,[2] e a taxa de mortalidade é de cerca de 50%. Em torno de 10% a 15% dos pacientes evoluem a óbito antes da chegada ao hospital, e o restante em cerca de 3 semanas do evento, devido a complicações como ressangramento e/ou vasoespasmo.[5] As mulheres apresentam um risco 1,24 vezes maior de HSA que os homens.[2]

A maioria dos aneurismas são encontrados na circulação anterior do polígono de Willis (89%), na região de bifurcação dos vasos, e cerca de metade dos pacientes apresenta fatores de risco como hipertensão e tabagismo.[2,3,5] Os aneurismas não rotos podem ser assintomáticos, ou apresentar-se com sintomas como cefaleia, convulsões, alteração de pares cranianos, e até eventos isquêmicos decorrentes de êmbolos distais ao aneurisma.[4]

A detecção de aneurismas saculares não rotos cresceu com o maior acesso a exames de imagem, como tomografia e ressonância magnética. Eles acometem de 1% a 2% da população mundial, e, quando rotos, representam cerca de 80% a 85% das hemorragias intracranianas não traumáticas.[3] O anestesiologista deve ter conhecimento de que existem algumas condições patológicas que predispõe a um aumento na incidência dos aneurismas, como: doença renal policística autossômica dominante, com uma prevalência de aneurismas em torno de 10%; outras condições incluem neoplasia endócrina tipo I, síndrome de Ehlers-Danlos tipo IV, síndrome de Marfan e neurofibromatose tipo I.[3] Além disso, ocorre predisposição familiar: cerca de 7% a 20% dos portadores possuem um familiar de primeiro ou segundo grau com aneurisma intracraniano.[2]

Fisiopatologia

O aneurisma sacular resulta do estresse hemodinâmico e do fluxo sanguíneo turbilhonar na parede do vaso sanguíneo, levando a danos na lâmina interna, especialmente em regiões da bifurcação do polígono de Willis.[3,5] Pacientes com padrões de fluxo hiperdinâmico parecem estar mais dispostos a formação aneurismática, e fatores de risco modificáveis conhecidos são hipertensão e tabagismo; além disso, distúrbios do tecido conjuntivo também estão envolvidos no desenvolvimento da doença.[2]

A HSA resulta da ruptura de um aneurisma e é uma emergência neurológica, cujo tratamento definitivo ocorre por meio de craniotomia para clipagem do aneurisma ou pela intervenção endovascular com uso de *coils* ou *stents*, com a oclusão aneurismática.[2]

Após a ruptura do aneurisma pode ocorrer perda da consciência, com o sangue invadindo as cisternas e o espaço subaracnoideo; rapidamente ocorre aumento da pressão intracraniana (PIC) e redução da pressão de perfusão cerebral (PPC), com consequente redução do fluxo sanguíneo cerebral, predispondo a um desfecho isquêmico secundário. O aumento agudo na resistência cerebrovascular é traduzido pela redução da pressão diastólica na análise do fluxo sanguíneo cerebral por meio do Doppler transcraniano, além disso, observa-se redução na oxigenação cerebral pela análise de cateter de jugular. Quando presente, o sangramento intraventricular pode levar a hidrocefalia aguda.[2]

Em resposta a essas alterações ocorre ativação do sistema simpático com consequente hipertensão, ao mesmo tempo em que a liberação de mediadores inflamatórios promove vasoconstrição microcirculatória. A cascata tromboinflamatória se desencadeia, ocorrendo quebra da barreira hematoencefálica e edema cerebral. A perda da autorregulação cerebral, associada ao vasoespasmo cerebral, trombose microvascular, neuroinflamação e despolarização cortical difusa podem resultar em isquemia cerebral tardia.[2]

Durante o tratamento é importante não normalizar rapidamente a PIC, pois a elevação da pressão transmural no aneurisma pode levar ao ressangramento. Valores de PPC entre 60 a 80 mmHg são razoáveis. O vasoespasmo instalado contribui para o aumento da PIC, pois a redução do FSC nos vasos de grande condutância ocorre concomitantemente com a vasodilatação dos vasos distais, e consequentemente há aumento do volume sanguíneo cerebral.[6]

Apresentação Clínica

A manifestação clássica da ruptura de um aneurisma é por meio da queixa de "pior dor de cabeça da minha vida". Aproximadamente metade dos pacientes cursam com perda de consciência; para os demais, sintomas comuns são meningismo, confusão mental, agitação e déficits focais.[2,5]

A gravidade da hemorragia subaracnoidea pode ser avaliada por meio da classificação do paciente de acordo com o exame físico neurológico – que devem fazer parte do conhecimento do anestesiologista, pois implicam diretamente em taxas de morbimortalidade; são elas: classificação de Hunt e Hess – Tabela 174.1 – e escala da World Federation of Neurological Surgeons (WFNS) – Tabela 174.2.[23,24] A mais utilizada é a de Hunt e Hess; o grau V nessa escala corresponde a uma mortalidade em torno de 40% – Tabela 174.3; além disso, pacientes com graduações mais elevadas tem uma tendência a estarem hipovolêmicos e hiponatrêmicos.[2,5,6]

Tabela 174.1 Classificação de Hunt e Hess.

Category*	Criteria
Grade I	Asymptomatic, or minimal headache and slight nuchal rigidity.
Grade II	Moderate to severe headache, nuchal rigidity, no neurological deficit other than cranial nerve palsy.
Grade III	Drowsiness, confusion, or mild focal deficit.
Grade IV	Stupor, moderate to severe hemiparesis, possibly early decrebrae rigidity and vegetative disturbances.
Grade V	Deep coma, decerebrate rigidity, moribund appearance.

* Serious systemic disease such as hypertension, diabetes, severe arteriosclerosis, chronic pulmonary disease, and severe basospasm seen on arteriography, result in placement of the patient in the nest less favorable category.

Fonte: Hunt WE, Hess RM.[23]

Tabela 174.2 Escala de Grau de Hemorragia Subaracnoide da World Federation of Neurological Societies.

Grade	GCS	Motor deficit
I	15	–
II	14-13	–
III	14-13	+
IV	12-7	±
V	6-3	±

Fonte: Teasdale GM, Drake CG, Hunt W, Kassell N, Sano K, Pertuiset B, et. al.[24]

Tabela 174.3 Mortalidade cirúrgica e morbimortalidade em pacientes com hemorragia subaracnoidea de acordo com a classificação clínica.

Grade (Hunt and Hess)	Mortality (%)	Morbidity (%)
0	0–2	0–2
I	2–5	0–2
II	5–10	7
III	5–10	25
IV	20–30	25
V	30–40	35–40

* Pooled from the liberature and experience in the author's (A.M.L.) institution.

Fonte: Cottrell JE, Patel P.[6]

Na escala da WFNS o marcador mais importante para desfechos é o grau da Escala de Coma de Glasgow, ou seja, o nível de consciência pré-operatório.

A escala de Fisher – Tabela 174.4 – é útil para avaliar o risco de evolução para vasoespasmo, e baseia-se na quantidade de sangue presente no sistema nervoso central por meio da avaliação tomográfica.[2]

Tabela 174.4 Escala de Fischer.

Group/Grade	Fisher grade
0	
1	No blood detected
2	Diffuse deposition or thin layer with all vertyical layers (in interhemi-spheric fissure, insular cistern, ambient cistern) < 1 mm thick
3	Localized clot and/or vertical layers 1 mm or more in thickness
4	Intracerebral or intraventricular clot with diffuse or no subarachnoid blood

Fonte: Sharma D.[2]

Nos pacientes com HSA existem diversas alterações clínicas de órgão e sistemas que o anestesiologista deve ter conhecimento. Complicações pulmonares, como edema pulmonar neurogênico, embolia pulmonar e broncoaspiração, podem ocorrer em até 22% dos pacientes; o edema pulmonar neurogênico é mais comum em pacientes com ruptura de aneurisma da circulação posterior, devido a estímulo simpático e liberação de mediadores inflamatórios.[2]

Em relação ao sistema cardiovascular, os pacientes com HSA estão sob risco elevado do desenvolvimento de arritmias e cardiomiopatias. Disfunção miocárdica devido estímulo simpático também pode ser esperada em pacientes com elevadas graduações na escala de Hunt e Hess. Anormalidades eletrocardiográficas são encontrados em 40% a 100% dos pacientes com HSA, e apresentam-se por meio de taquicardia, bradicardia, depressão do segmento ST, inversão de onda T, presença de ondas U e prolongamento do intervalo QT. Outra condição rara, mas possível, é o desenvolvimento de cardiomiopatia de Takotsubo, em que ocorre acinesia apical do ventrículo esquerdo simulando síndrome coronariana aguda.[2]

O sistema endócrino frequentemente pode ser afetado em pacientes com HSA manifestando-se pela hiperglicemia com necessidade de insulinoterapia. Pode-se desenvolver a síndrome cerebral perdedora de sal, levando a hiponatremia, consequente ao aumento da secreção de peptídeo natriurético atrial e supressão da síntese de aldosterona. Quando o aneurisma é proveniente da circulação anterior, mais comumente a síndrome da secreção inapropriada de hormônio antidiurético é encontrada.[2]

Manejo Anestésico

O objetivo inicial é estabilizar o paciente e tratar a doença, a fim de reduzir o risco de injúrias neurológicas. Isso é possível por meio da manutenção da oxigenação e ventilação associada à tentativa de restaurar o fluxo sanguíneo cerebral, bem como prevenir o ressangramento, realizar profilaxia de convulsões e iniciar terapia com nimodipino.[2] As maiores complicações após a HSA são vasoespasmo, hidrocefalia e ressangramento.[5]

É sabido que a hipóxia piora a injúria cerebral e deve ser ativamente evitada. Sabe-se que tanto hipocapnia quanto hipercapnia, no cenário da HSA, levam a piores desfechos. A hipocapnia leva a vasoconstrição cerebral, podendo causar piora da isquemia, enquanto a hipercapnia aumenta o FSC e também a PIC, causando redução da perfusão cerebral. Existem situações em que intubação orotraqueal será necessária, como em pacientes comatosos, em casos de hipóxia e em pacientes com instabilidade hemodinâmica.[2]

Crises convulsivas podem ocorrer em até 20% dos pacientes pós HSA, sendo mais comum nas primeiras 24 horas; geralmente está associado com hemorragia intracerebral, hipertensão, e aneurismas de artérias cerebral média e comunicante anterior.[9] Apesar do conhecimento de que crises convulsivas pioram o desfecho no contexto de pacientes com HSA, não há consenso sobre o uso rotineiro de anticonvulsivantes; o uso profilático pode ser considerado no período imediato pós-hemorragia, mas não há evidências para manutenção da profilaxia a longo prazo.[2,9]

Monitorização intraoperatória

Em cirurgias para HSA é mandatória a monitorização da pressão arterial invasiva – que deve ser instalada preferencialmente antes da indução anestésica[5,6] e o transdutor deve ser posicionado ao nível do meato acústico externo.[2] Além da monitorização básica recomendada pela ASA (cardioscopia, oximetria e capnografia), após a indução anestésica, devem ser monitorizados a temperatura, a diurese (por meio de sonda vesical de demora), e obter um acesso venoso central.[2,5,6] O acesso venoso central pode ser puncionado em veias jugular e subclávia, sem dados na literatura que recomendem prioritariamente um sítio em relação ao outro. Alguns autores não recomendam realizar a posição de Trendelemburg no momento da punção venosa central em pacientes que já estejam sabidamente com a PIC elevada.[6]

Se o paciente já possuir uma derivação ventricular externa (DVE) prévia, ela deve ser posicionada ao nível do meato acústico externo e regulada a fim de drenar o liquor se a PIC estiver acima de 20 mmHg.[2] O uso de oximetria jugular pode ser útil na individualização de parâmetros fisiológicos que promovam oxigenação cerebral ideal, mas não há evidência suficiente para recomendar seu uso rotineiro.[2,5]

O uso de eletroencefalograma (EEG) processado pode ser realizado pelo anestesiologista sem a necessidade de um neurofisiologista, e pode auxiliar a guiar o uso racional de agentes anestésicos. Em alguns casos, pode ser realizada monitorização de potenciais evocados sensitivos e motores por um neurofisiologista com o objetivo de detectar isquemia cerebral no período intraoperatório, guiando a clipagem do aneurisma – pode ser necessário reposicionamento do clipe pelo neurocirurgião quando isquemia é detectada após sua instalação.[2]

Monitorização com cateter de artéria pulmonar pode ser considerada em pacientes portadores de doença arterial coronariana, quando apresenta-se com vasoespasmo instalado, necessitando de terapia hipertensiva, ou no planejamento de hipervolemia em pacientes com alto risco de desenvolvimento de vasoespasmo no período pós-operatório; entretanto, é pouco utilizado na prática, devido aos riscos inerentes e a menor disponibilidade do que o ecocardiograma transesofágico; a avaliação *point of care* beira-leito por ultrassonografia também pode auxiliar a terapêutica nesses casos.[6] O uso de *Near Infrared Spectroscopy* (NIRS) – que monitoriza a oxigenação regional do tecido cerebral – ainda não está validado de rotina e não está amplamente disponível no Brasil, além da suas limitações, de não ser capaz de medir a oxigenação cerebral global e a possibilidade de contaminação. Outro método auxiliar na avaliação peri e pós-operatória é o Doppler Transcraniano, que pode auxiliar na detecção de vasoespasmo, por meio de forma não invasiva e à beira-leito, guiando terapêutica apropriada.[6,27]

Intubação orotraqueal

A intubação é um momento delicado para esses pacientes, pois o estímulo da laringoscopia pode levar a um aumento na pressão arterial e na pressão transmural do aneurisma, culminando em ressangramento.

Alguns autores recomendam, para uma indução sem repercussões hemodinâmicas desfavoráveis, a administração de altas doses de opioides (fentanil 5 a 10 mcg/kg, sufentanil 0,5 a 1,0 mcg/kg), uso de betabloqueadores como esmolol (500 mcg/kg) e a administração de lidocaína endovenosa (1.500 a 2.000 mcg/kg). Entre os agentes hipnóticos, o propofol parece ser uma boa opção, desde que titulado de forma adequada, a fim de não comprometer a perfusão cerebral.[2,5,6] Em relação ao bloqueador neuromuscular, diversos autores relatam que a succinilcolina pode ser usada com segurança, desde que o paciente esteja em uma profundidade anestésica adequada, porém muitos anestesiologistas preferem o uso de bloqueadores neuromusculares adespolarizantes, como rocurônio e cisatracúrio. Além disso, recomenda-se o uso de monitor de bloqueio neuromuscular durante a indução anestésica para evitar tosse após a intubação, e consequente aumento da PIC.

Outra preocupação deve ser com os pacientes considerados estômago cheio, onde deve ser realizada indução em sequência rápida. Previamente à indução devem ser disponibilizados agentes vasopressores caso ocorra hipotensão; para evitar hipertensão, devem ser tomadas as medidas citadas previamente.[2,6]

Manutenção da anestesia

Durante a manutenção da anestesia o anestesiologista deve se preocupar em manter um relaxamento cerebral adequado – para facilitar a clipagem do aneurisma –, garantir perfusão cerebral evitando isquemia, utilizar medidas e medicações necessárias de acordo com cada caso (transfusão sanguínea, tratamento de convulsões, normotermia, hipotensão induzida e até parada cardíaca transitória), e, antecipadamente, saber em quais casos irá ser possível extubação ao final do procedimento para avaliação neurológica pós operatória. De acordo com Cottrel e Patel, pacientes com HSA de graus I a III submetidos a clipagem de aneurisma em um procedimento sem intercorrências devem ser extubados ao final do procedimento.[6]

O agente anestésico ideal no cenário do paciente com HSA deve ser aquele capaz de reduzir a taxa metabólica cerebral, não aumentar a PIC, manter fluxo sanguíneo cerebral adequado e estabilidade hemodinâmica, promover neuroproteção, não interferir na monitorização neurofisiológica e ter a habilidade de promover rápido aprofundamento do plano anestésico em situações de emergência. Ainda não existe um anestésico que cumpra todas essas demandas.

Anestésico venosos e inalatórios podem ser utilizados em pacientes com HSA. A escolha baseia-se de acordo com o procedimento proposto (craniotomia ou procedimento endovascular), doenças prévias, presença de monitorização neurofisiológica e condição cerebral antes do procedimento (elevação de PIC preexistente).[2,6] O propofol mantém o acoplamento entre o fluxo sanguíneo cerebral e a taxa metabólica cerebral, enquanto os inalatórios tem efeito dose-dependente no fluxo sanguíneo cerebral, com aumento do fluxo sanguíneo cerebral em doses maiores que 1.0 CAM. Tanto anestesia venosa quanto inalatória podem fornecer condições operatórias ideais, principalmente em pacientes com baixa graduação de HSA. Entretanto, para compensar o edema cerebral e evitar vasodilatação, o propofol parece ser a melhor alternativa em pacientes com HSA de alto grau e PIC elevada.[2]

É importante o anestesiologista ter conhecimento dos estímulos nociceptivos durante o procedimento, evitando picos hipertensivos. Os estímulos cirúrgicos iniciam com a instalação do *Mayfield* e dos pinos no crânio do paciente; para evitar estímulo simpático intenso pode ser realizado antecipadamente *Scalp Block*, ou, se não houver tempo devido a emergência do caso, garantir um plano anestésico profundo, com altas doses de opióides. Após a instalação do *Mayfield*,

durante a incisão, craniotomia e abertura da dura, também há estímulo álgico intenso; após aberta a dura-máter, o estímulo praticamente cessa. É importante saber que em aneurismas de fossa posterior podem ocorrer alterações súbitas da pressão arterial e da frequência cardíaca, devido a tração de nervos cranianos e do tronco encefálico, e nesses garantir desde o início um plano anestésico mais profundo.[6]

Reposição volêmica e metas hemodinâmicas

A reposição volêmica deve ocorrer de acordo com as necessidades, bem como por meio da análise da perda sanguínea, do débito urinário e outras medidas de índice cardíaco disponíveis.[6] O objetivo é manter normovolemia antes da clipagem, e hipervolemia após a clipagem do aneurisma. Soluções contendo glicose não devem ser administradas, pois a hiperglicemia pode piorar a isquemia cerebral, e evidências sugerem declínio da cognição e da função neurológica a longo prazo.[9] O Ringer Lactato é hipo-osmolar em relação ao plasma, então deve-se optar por soluções mais fisiológicas, como *Plasma-Lyte* ou cloreto de sódio.[6]

Em pacientes submetidos a cirurgia eletiva de aneurisma não roto, a hipotensão foi utilizada por muitos anos com objetivo de prevenir a ruptura; porém dados sugerem que isso pode ser danoso e aumentar o risco de déficits neurológicos.[9] Em pacientes com HSA, em que a autorregulação pode estar comprometida, há aumento do risco de vasoespasmo, portanto, hipotensão deliberada também não está recomendada nesses casos.[6]

As recomendações atuais são de manter a pressão sistólica abaixo de 160 mmHg. A PPC abaixo de 70 mmHg eleva o risco de isquemia cerebral em pacientes com alta graduação de HSA. Em contrapartida, a hipertensão pode levar ao ressangramento; portanto, a profundidade anestésica adequada e até mesmo o uso de anti-hipertensivos (como esmolol), além de *Scalp Block* antes da instalação do *Mayfield*, são estratégias válidas para evitar picos hipertensivos.[2]

Relaxamento cerebral

A monitorização da PIC estará indicada em pacientes com piores graduações nas escalas de HSA ou naqueles com hidrocefalia conhecida.[2] Existem diversas manobras que podemos lançar mão, durante a anestesia, para promover relaxamento cerebral adequado, e elas correlacionam-se diretamente com a manipulação dos componentes intracranianos: volume de tecido cerebral, volume de liquor e volume de sangue.[6]

Por meio do uso de uma derivação ventricular externa (DVE), podemos drenar o liquor se houver aumento da PIC; entretanto, drenagens de grandes volumes podem levar a redução abrupta da PIC, e causar instabilidade cardiovascular com aumento da pressão transmural da parede do aneurisma, e, consequentemente, aumento do risco de ruptura.[2,5,6] Além do uso da DVE, outra ferramenta é a abertura das cisternas da base com aspiração do liquor pelo neurocirurgião. A manipulação farmacológica da PIC ocorre por meio do emprego de soluções hiperosmolares. Segundo Al-Rawi, *et. al.*, a solução salina hipertônica eleva o fluxo sanguíneo cerebral em pacientes com HSA de baixo grau, melhorando a oxigenação;[7] metanálises comparando solução salina com manitol para várias indicações neurocirúrgicas, incluindo HSA, demonstraram melhor relaxamento cerebral com salina hipertônica.[2] Metanálise de 2022 realizada por Lamperti, *et. al.* demonstrou que em pacientes com lesão cerebral traumática, a solução salina se mostrou superior ao uso de manitol na redução da PIC, porém sem diferença em relação ao desfecho;[8] a literatura necessita de maiores estudos para recomendar com forte nível de evidência a superioridade de uma solução em detrimento de outra no contexto de pacientes com HSA, portanto, ambas as soluções podem ser utilizadas, com a ressalva de que em pacientes com lesão cerebral instalada, o manitol pode levar à piora do edema cerebral.[5]

O manitol é frequentemente administrado na dose de 1.000.000 mcg/kg – ou 1 grama por quilograma de peso – em 30 minutos; seu mecanismo de ação baseia-se no movimento de água livre por meio do gradiente osmótico. Quando administrado muito rapidamente pode ocorrer queda abrupta da resistência vascular sistêmica, resultando em hipotensão. O manitol reduz transitoriamente o hematócrito, aumenta a osmolaridade sérica, causa hiponatremia, hipocloremia e, em altas doses, pode levar a hipercalemia.[6]

A reatividade ao CO_2 geralmente encontra-se preservada em pacientes com graduações baixas de HSA e prejudicada naqueles de grau elevado. O uso de hipocapnia deve sempre ser individualizado e não é rotineiramente recomendado, devido ao risco do desenvolvimento de isquemia cerebral secundária.[6]

O posicionamento tem papel relevante no relaxamento cerebral, e após o neurocirurgião posicionar o paciente é extremamente importante que seja realizada uma checagem final da cabeça em relação ao pescoço, bem como grau de rotação da cabeça, para garantir que não ocorra obstrução da veia jugular interna, comprometendo a drenagem venosa cerebral.[6] A elevação acentuada do dorso eleva o risco de embolia aérea, e deve ser cuidadosamente titulada em conjunto com a equipe neurocirúrgica.

Clipagem temporária

A clipagem temporária baseia-se em instalar um clipe temporário no vaso principal nutridor do aneurisma, reduzindo seu fluxo e facilitando a clipagem permanente. Entretanto, essa medida predispõe o tecido cerebral à injúria isquêmica. Algumas medidas podem ser instituídas a fim de reduzir esse risco, como: evitar tempo prolongado de clipagem temporária (há divergências na literatura em relação ao tempo, entre no máximo 10 a 20 minutos), monitorização neurofisiológica intraoperatória indicando sofrimento cerebral e necessidade de reperfusão, reduzir a demanda cerebral durante o período de isquemia através de supressão farmacológica, e induzir hipertensão com o objetivo de aumentar o fluxo sanguíneo na circulação colateral.[2,6]

Para induzir supressão metabólica podem ser utilizadas medicações como propofol, etomidato e, menos comumente, tiopental. O uso de um desses agentes, antes da instalação do clipe temporário, visa atingir supressão eletroencefalografica, em 2 a 3 minutos; entretanto, essa possível medida neuroprotetora não está totalmente esclarecida e fundamentada.[2,6]

Durante a clipagem temporária a pressão arterial média deve ser elevada em 10% a 20% em relação ao valor basal antes da indução anestésica, a fim de aumentar o fluxo sanguíneo colateral no território cerebral sob risco de desenvolvimento de isquemia.[2,26]

Hipotermia induzida com o objetivo de neuroproteção não demonstrou vantagem em relação a normotermia em um grande ensaio clínico IHAST (*Intraoperative Hypothermia for Aneurysm Surgery Trial*), portanto, não há nível de evidência que suplante essa recomendação. O que deve ser evitado a qualquer custo, por piorar os desfechos neurológicos, é a hipertermia.[2,10]

Parada cardíaca transitória induzida por adenosina

Para evitar o risco de ruptura no momento da clipagem, parada cardíaca transitória pode ser induzida pela administração de bólus de adenosina; segundo estudos, assitolia de 30 segundos pode ser estabelecida com administração de 30 a 36 mg de adenosina; outras referências sugerem que uma dose de 290 a 440 mcg/kg causa parada cardíaca transitória por cerca de 57 segundos. O retorno ao ritmo cardíaco regular geralmente ocorre espontaneamente, e cursa com taquicardia, hipertensão, e em alguns casos, arritmias – como fibrilação atrial e *flutter*. Pacientes portadores de asma e doença coronariana conhecida não são candidatos a essa terapia.[2,6]

Existem serviços que utilizam a instalação de marca-passo transcutâneo previamente ao procedimento, para serem utilizados nos casos em que os pacientes não retornem espontaneamente ao ritmo cardíaco normal.

Ruptura de aneurisma em cirurgia eletiva

A maioria dos aneurismas são encontrados na circulação anterior do polígono de Willis (89%), acometem de 1% a 2% da população mundial, e representam cerca de 80% a 85% das hemorragias intracranianas não traumáticas.[2,3,5]

Em cirurgias eletivas, os aneurismas mais predispostos a ruptura intraoperatória são os localizados nas artérias cerebelares póstero-inferiores e nas comunicantes anterior e posterior.[6] A ruptura pode ocorrer em qualquer momento da cirurgia, e correlaciona-se com aumento abrupto na pressão transmural no aneurisma. A ruptura geralmente cursa com grande perda sanguínea, e o ponto principal para o condução do caso é uma boa comunicação entre neurocirurgião e anestesiologista.[6] Uma alternativa nesses casos é o controle do sangramento pelo neurocirurgião por meio da clipagem temporária das artérias proximal e distal do aneurisma; entretanto, quando isso não é possível e opta-se pela localização e clipagem direta do aneurisma, pode ser necessária redução da pressão arterial, para facilitar a localização a colocação do clipe – transitoriamente a pressão arterial média deve ser mantida próxima a 50 mmHg.[2,6]

Quando ocorre clipagem temporária, pode ocorrer comprometimento da perfusão cerebral, portanto, deve ser a última alternativa para resolução da ruptura. A perda sanguínea deve ser reposta, e medidas para neuroproteção instituídas.[2,5]

Anestesia para tratamento endovascular de aneurisma

A terapia endovascular teve início nos anos 90 com o advento da embolização por *coils*, e o maior desafio desde o início dessa terapia permaneceu em como evitar a recanalização após a embolização endovascular.[11] Além disso, duas principais complicações podem ocorrer durante o procedimento: ruptura do aneurisma e eventos tromboembólicos.[12]

O *The International Subarachnoid Aneurysm Trial* foi um divisor de águas no tratamento do aneurisma cerebral, pois evidenciou melhores resultados clínicos em um ano para pacientes com HSA tratados com terapia endovascular ao invés de clipagem cirúrgica.[13]

Os princípios aplicados para tratamento cirúrgico de aneurisma também se aplicam no tratamento endovascular, as técnicas anestésicas mais comumente utilizadas são anestesia geral e sedação; como a imobilidade do paciente é um fator extremamente importante nesse procedimento, geralmente opta-se por anestesia geral.[9]

Quando ocorre ruptura do aneurisma durante o procedimento endovascular deve-se esperar um aumento abrupto da pressão arterial associada a bradicardia, devido ao aumento da pressão intracraniana. O tratamento após essa complicação será por meio de craniotomia para clipagem aberta do aneurisma. O anestesiologista deve ter muito cuidado na redução abrupta da pressão arterial, pelo risco de injúria isquêmica secundária. Nos procedimentos endovasculares geralmente é administrada heparina, que deve ser revertida com protamina antes do início da cirurgia aberta; quando são utilizados *stents* ao invés de *coils*, os pacientes podem estar sob o uso de algum antiplaquetário, e sua reversão deve ser realizada de acordo com a medicação utilizada.[9]

◾ ANESTESIA PARA MALFORMAÇÕES ARTERIOVENOSAS

As malformações arteriovenosas (MAVs) compreendem uma doença de baixa incidência na população, porém com altas taxas de morbimortalidade.[6] A prevalência de MAVs em ressonâncias magnéticas de pacientes assintomáticos é de 0,05%, e na população geral acometem 10 a 18 adultos a cada 100.000 pessoas.[16] A MAV morfologicamente é formada por uma massa vascular, denominada nidus, que são *shunts* arteriovenosos sem um leito capilar verdadeiro.[6,14] As artérias são alimentadas por alto fluxo sanguíneo e ocorre hipertensão venosa associada.[6] O manejo cirúrgico dessa doença é um dos mais desafiadores em neurocirurgia, e o anestesiologista deve estar familiarizado com as possíveis complicações durante o período intra e pós-operatório imediato.[6]

Uma característica das MAVs é que podem haver regiões cerebrais normais nas quais ocorre hipotensão arterial cerebral, abaixo da faixa de autorregulação normal, porém sem o desenvolvimento de eventos cerebrais isquêmicos, indicando que nesses pacientes deve ocorrer alguma alteração adaptativa na resistência cerebrovascular total; estudos sugerem que a reatividade vascular ao CO_2 está preservada em portadores da doença.[6,25]

A fisiopatologia das MAVs conta com outra característica importante: desenvolvimento de sangramento difuso e edema cerebral que pode ocorrer desde o período intra, até o período pós-operatório. Isso ocorre devido a redistribuição do fluxo sanguíneo para uma vasculatura que estava acostumada com hipotensão crônica, após a eliminação do *shunt*.[25]

Clinicamente pode manifestar-se por meio de diversos mecanismos, como efeito massa, crises convulsivas, e a forma mais comum de apresentação, associada a alta morbimortalidade, é hemorragia intracraniana espontânea, que ocorre em cerca de metade dos pacientes.[6,16] A forma hemorrágica associa-se à presença de aneurismas intranidais e obstrução da drenagem venosa profunda.[16] Metanálise avaliando o risco de hemorragia intracraniana espontânea em pacientes não tratados encontrou um risco de ruptura de 2,3% por ano em 10 anos.[16,17]

Diversas classificações foram propostas, e uma das mais utilizadas é a de Spetzler e Martin (Tabela 174.5). Diversos tratamentos estão disponíveis atualmente, como tratamento conservador, ressecção cirúrgica, cirurgia estereotáxica, embolização endovascular, ou terapia multimodal, por meio da combinação dessas modalidades.[16] Segundo alguns autores, o tratamento das MAVs de baixo grau é cirúrgico, enquanto as de alto grau necessitam de abordagem multidisciplinar.[15]

Tabela 174.5 Classificação de Spetzler-Martin e graduação das MAVs.

Graded feature	Points assigned
Size of AVM	
small (< 3 cm)	1
medium (3–6 cm)	2
large (> 6 cm)	3
Eloquence of adjacent brain	
non-eloquent	0
eloquente	1
Pattern of venous drainage	
superficial only	0
deep	1

*Grade = [size] + [eloquence] + [venous drainage]; that is (1, 2, or 3) + (0 or 1) + (0 or 1).

Fonte: Spetzler RF, Martin NA.[28]

Manejo Anestésico

Pacientes portadores de MAVs frequentemente são submetidos a diversos procedimentos diagnósticos e terapêuticos que necessitam de anestesia. Entre os objetivos anestésicos estão a manutenção de pressão de perfusão cerebral adequada e a prevenção de aumentos da PIC.[6]

Fatores relevantes no planejamento anestésico incluem o tamanho da MAV, a possibilidade de localização em áreas eloquentes – como área da fala –, risco de perda sanguínea significativa e monitorização neurofisiológica intraoperatória.[6]

Durante intervenção aberta, além da monitorização básica por meio de cardioscopia, oximetria de pulso, capnografia, é mandatória a instalação de cateter venoso central e cateter de pressão arterial invasiva; como a ruptura das MAVs geralmente não se correlaciona a episódios de hipertensão, o cateter de pressão arterial invasiva pode ser puncionado após a indução anestésica; entretanto, se juntamente com a MAV o paciente apresentar aneurismas, pode ser prudente realizar a punção previamente à indução, e realizar controle rigoroso da pressão arterial durante a indução, a fim de evitar ruptura aneurismática. É prudente garantir acessos venosos calibrosos para a administração rápida de sangue, que pode ser necessária durante ruptura intraoperatória da MAV.[6,25] Além disso, durante o período intraoperatório, o anestesiologista deve se preocupar em reduzir o volume cerebral a fim de minimizar o risco de isquemia secundária ao uso de retratores pelo neurocirurgião.[6]

Em relação à escolha dos anestésicos utilizados, parece ser razoável optar por medicações que não promovam vasodilatação cerebral, visto que esses pacientes podem ter redução da complacência cerebral associada a hipertensão venosa. Pacientes sem déficits neurológicos prévios podem ser pré-medicados com midazolam; geralmente na indução anestésica o propofol é utilizado – não excluindo o uso de etomidato ou tiopental. A manutenção anestésica pode ser realizada por meio de anestesia venosa total, anestesia inalatória, ou a combinação das duas. Não existem evidências na literatura que comprovem piores desfechos com uso de anestésicos inalatórios em doses baixas. Porém, nos casos que contêm com monitorização neurofisiológica intraoperatória, a escolha das drogas utilizadas deve priorizar anestésicos venosos que não interfiram com a neuromonitorização, como acontece com o uso de inalatórios.[6,25]

Os mesmos mecanismos de proteção cerebral citados no manejo anestésico de cirurgias para aneurisma cerebrais de aplicam em MAVs; devendo-se evitar hipotensão e hipertensão sistêmicas, redução do conteúdo de oxigênio, hipo-osmolaridade plasmática e hiperglicemia. Além disso, a técnica escolhida deve permitir um rápido despertar sem episódios de hipertensão, taquicardia e tosse. Diante disso, deve-se evitar a administração deliberada de soluções cristaloides hipotônicas, como Ringer Lactato, por predispor ao desenvolvimento de edema cerebral associado a redução da tonicidade plasmática, e também evitar a administração de soluções glicosadas, pelo risco de injúria cerebral associada a hiperglicemia.[6,25]

Hipotensão induzida a fim de minimizar a perda sanguínea deve ser utilizada com cautela, pois uma queda adicional de pressão em uma área cronicamente hipoperfundida pode levar à injúria isquêmica. Em contrapartida, pode ser benéfico evitar e tratar o aumento da pressão arterial acima dos valores iniciais, a fim de evitar hiperemia cerebral. O uso de vasodilatadores puros pode ter desvantagens: durante período de oclusão vascular intracraniana a fim de conter a hemorragia, as áreas distais à oclusão terão dificuldade em recrutar fluxo sanguíneo das regiões colaterais que estão dilatadas, podendo predispor essas regiões à isquemia, por isso essas medicações devem ser utilizadas com cautela nesse cenário.[6,25]

Os objetivos no despertar dos pacientes submetidos à correção de MAVs baseiam-se em estabilidade hemodinâmica, alterações mínimas na PIC que possam ser causadas por tosse e vômitos, além de nível de consciência adequa-do que permita exame neurológico antes da extubação, por meio da avaliação do tamanho das pupilas, reflexo do vômito, função motora preservada e habilidade de responder a comandos. O paciente deve estar normotérmico e sem distúrbios eletrolíticos.[25]

As embolizações endovasculares em MAVs tem duas indicações principais: tratamento definitivo ou como arsenal no preparo pré-operatório, a fim de reduzir o sangramento intraoperatório e o edema cerebral no período pós-operatório. A maioria das instituições realiza anestesia geral, pois dessa forma o paciente permanece imóvel, com adequada PPC, e planeja-se extubação imediata ao término do procedimento para realizar avaliação neurológica. Durante as embolizações recomenda-se o uso de pressão arterial invasiva.[6,25]

Após a ressecção do fluxo arterial das MAVs ocorre redistribuição do fluxo sanguíneo para os tecidos adjacentes, e edema cerebral e sangramento difuso podem ocorrer por dois mecanismos: fenômeno de *breackthrough* (ou hiperemia com pressão de perfusão normal) e hiperemia oclusiva; no primeiro há redistribuição do fluxo sanguíneo para áreas que viviam sob regime de hipotensão crônica, podendo culminar em edema, enquanto no segundo mecanismo o edema cerebral ocorre por ingurgitamento venoso consequente à oclusão da drenagem venosa normal do tecido adjacente à MAV, durante a cirurgia.[26]

Algumas complicações podem ocorrer durante os períodos intra e pós-operatórios, e devem ser do conhecimento do anestesiologista: síndrome de reperfusão, trombose venosa e embolia aérea.[25]

Considerações especiais

Assim como os tumores em áreas eloquentes – regiões envolvidas na função motora, visual ou da linguagem –, as MAVs também podem se localizar nessas regiões, e podemos realizar algumas associações em relação a realização da anestesia em cirurgias com o paciente acordado para a ressecção dessas lesões. Com o paciente acordado pode ser realizado em tempo real o mapeamento do cérebro, evitando lesão vascular irreversível, comprometendo a área eloquente a ser preservada. Entre o preparo pré-operatório deve-se incluir avaliação psicológica, bem como realizar a escolha e preparação adequadas do paciente a ser submetido a esse tipo de técnica cirúrgica.[6,27]

Em geral, a craniotomia com o paciente acordado pode ser divida em 3 fases distintas: craniotomia, ressecção da lesão e fechamento. A técnica *asleep-awake-asleep* durante essas etapas é a mais utilizada; a realização do *asleep* pode ser através de sedação ou anestesia geral. Quando optado por anestesia geral a via aérea pode ser controlada através de tubo orotraqueal ou máscara laríngea.[6,27]

Previamente à incisão e à instalação do suporte de crânio tipo *Mayfield* deve ser realizado *Scalp Block* e infiltração local, lembrando-se de não ultrapassar a dose tóxica de anestésico local utilizado. Se a opção for sedação em detrimento da anestesia geral podem ser utilizados a infusão de dexmedetomidina associado ao propofol; remifentanil constitui uma opção a ser adicionada, bem como o uso de bólus intermitente de outros opioides – fentanil e sufentanil.[6,27]

Dentre as complicações relacionadas à técnica, podemos citar: crises convulsivas, depressão respiratória, náuseas e vômitos, crise de ansiedade, agitação, entre outras. O anestesiologista deve estar preparado para tratar as complicações que podem ocorrer durante essa técnica, bem como ter um arsenal preparado para os casos em que seja necessária a instalação de via aérea avançada.[6]

ANESTESIA PARA BYPASS

A cirurgia de revascularização cerebral foi introduzida em 1967 pelo professor Yasargil, que realizou o primeiro *bypass* em paciente com doença cerebral oclusiva. Devido suas raras indicações e necessidade de equipe multidisciplinar altamente específica, essas cirurgias acontecem em um pequeno número de centros especializados no mundo; além disso, com o avanço de técnicas endovasculares, no futuro, as indicações cirúrgicas de *bypass* tendem a se reduzir ainda mais.[18,19,21,26]

O objetivo dessa cirurgia é aumentar ou substituir o fluxo sanguíneo cerebral por meio de uma única artéria em pacientes com risco de desenvolvimento de isquemia cerebral. Sua indicação em pacientes com doença aterosclerótica ainda é discutível, porém portadores da doença de Moyamoya parecem se beneficiar da técnica. Em alguns casos esta cirurgia é altamente indicada, como em pacientes com lesões vasculares complexas – aneurismas complexos de artéria cerebral média – e tumores de base de crânio que necessitam do sacrifício do vaso proximal para permitir sua completa ressecção.[18,20,21]

A técnica cirúrgica mais comum é a anastomose de um vaso extracraniano com vaso intracraniano (ECIC), como ocorre quando é realizada a anastomose da artéria temporal superficial com a artéria cerebral média.[18] Porém os dois vasos utilizados no *bypass* podem ser intracranianos (ICIC), no caso da artéria cerebelar póstero-inferior.[21]

O *bypass* ainda pode ser classificado em alto fluxo e baixo fluxo. No alto fluxo, o fluxo sanguíneo no enxerto pode chegar a 100 mL/min, enquanto no baixo fluxo se mantém entre 10 a 30 mL/min. A doença de Moyamoya é uma indicação típica de *bypass* de alto fluxo.[21]

Bypass para Aumento do Fluxo Sanguíneo

Cirurgia de *bypass* para aumento de fluxo sanguíneo terá duas principais indicações: doença cerebrovascular oclusiva e doença de Moyamoya. O *bypass* estará indicado nos pacientes submetidos a exames de imagem e de metabolismo que demonstrem redução do fluxo sanguíneo cerebral associado a baixa reserva vascular cerebral.

A doença cerebrovascular oclusiva é causada devido aterosclerose, e divide-se entre intracraniana e extracraniana: a primeira mais comum na população asiática, e a segunda mais comum em caucasianos.

Já a doença de Moyamoya é causada por oclusões espontâneas e/ou estenoses da parte distal da carótida interna bilateralmente, culminando com oclusão progressiva dos vasos do polígono de Willis. A incidência é maior na primeira década de vida (50% em idade pré-escolar), e tem frequência aumentada no sexo feminino. A origem do nome é japonesa, e refere-se a fumaça, ou nuvem de fumaça, baseado nos achados angiográficos encontrados.[21,22]

Pacientes pediátricos com doença de Moyamoya geralmente apresentam-se clinicamente com acidente vascular encefálico isquêmico, acidente vascular isquêmico transitório (AIT), fraqueza muscular, paralisia ou crises convulsivas.[21]

Manejo anestésico

A literatura tem muitas informações sobre o manejo anestésico em pacientes com doença de Moyamoya, em contrapartida é escassa em pacientes com doença cerebral oclusiva. Porém, o manejo de pacientes com doença cerebral oclusiva assemelha-se àquele de pacientes submetidos a endarterectomia de carótida.[21]

A idade dos pacientes que se apresentam para cirurgia ECIC varia da população pediátrica à adulta. Hipertensão pode estar presentes como mecanismo adaptativo ao hipofluxo cerebral; além disso, pacientes com doença cerebral oclusiva podem apresentar doença cardíaca coexistente. É frequente que esses pacientes estejam em uso de drogas antiplaquetárias como aspirina.[21]

Em relação à técnica cirúrgica, deve-se considerar que antes do início da dissecção do vaso que será anastomosado para cirurgias de aumento de fluxo, é administrada heparina (50 a 100 UI/kg), e indica-se, após o término da anastomose e retirada dos clipes, a reversão total ou parcial com protamina (500 a 1.000 mcg/kg).[21]

Monitorização padrão deve ser realizada – cardioscopia, oximetria de pulso, capnografia – associada a punção de pressão arterial invasiva para o período intra e pós-operatório. O risco de isquemia cerebral é alto durante o procedimento, e se eleva se houver oclusão temporária dos vasos. Além da monitorização padrão, pode ser utilizada a monitorização da função cerebral por meio de eletroencefalograma e a monitorização dos potenciais evocados somatossensoriais. Outras técnicas de monitorização como oximetria cerebral, oximetria de bulbo jugular podem ser utilizadas, mas não há evidências para recomendar seu uso rotineiro.[21]

A indução anestésica deve ser realizada com titulação adequada das drogas, bom controle pressórico, oxigenação, e manutenção adequada dos níveis de CO_2 (normocarbia). A hiperventilação durante a indução, e durante o procedimento, podem levar a vasoconstrição cerebral e consequente isquemia, principalmente em regiões previamente com baixo fluxo sanguíneo cerebral. A manutenção da anestesia pode ser realizada por meio de anestesia venosa total, porém inalatórios também podem ser utilizados.[21]

Um dos maiores desafios para o anestesiologista nesse procedimento é obter um controle hemodinâmico adequado, pois tanto hipertensão quanto hipotensão podem levar a desfechos desfavoráveis: hipertensão se associa a maior sangramento durante a cirurgia, e pode levar a sangramento pós-operatório; em contrapartida a hipotensão pode levar a isquemia durante o procedimento, e no período pós-operatório se associar a trombose do *bypass*. A recomendação é manter o paciente normotenso e permitir uma variação de apenas 10% a 20% dos valores basais. Qualquer episódio de hipotensão, com valores sistêmicos abaixo de 100 mmHg, deve ser tratado agressivamente com drogas vasoativas (efedrina ou fenilefrina). Já nos casos de hipertensão com necessidade de intervenção farmacológica, podem ser utilizados hidralazina ou esmolol.[21]

Outro ponto importante é manter normotermia para evitar *shivering* pós-operatório, evitando aumento do metabolismo cerebral e consumo de oxigênio. Se indicada a extubação imediata após o procedimento, o paciente deve ser despertado da anestesia de forma cautelosa e suave, para evitar episódios de alteração brusca dos níveis de CO_2 e de pressão arterial. Assim que possível, exame neurológico deve ser realizado. Após desperto, os níveis recomendados de pressão arterial sistólica são abaixo de 120 mmHg em pacientes previamente normotensos, e abaixo de 140 mmHg em paciente hipertensos, durante uma semana no período pós-operatório.[21]

Uma possível complicação que deve ser do conhecimento do anestesiologista é a síndrome de reperfusão, que está bem descrita em pacientes submetidos a endarterectomia de carótida, e que aumenta a morbimortalidade por elevar o risco de hemorragia intracraniana. Isso corrobora a recomendação de controle agressivo da pressão arterial no período pós-operatório.[21]

Bypass para Substituição do Fluxo Sanguíneo

São procedimentos geralmente associados a altas taxas de morbimortalidade. Uma consideração importante é em relação à escolha do vaso para o enxerto: veia safena ou artéria radial. A sequência dos eventos cirúrgicos durante esse procedimento se iniciam com a dissecção do pescoço para expor a carótida comum ou carótida externa, craniotomia para expor a lesão, tunelização pré-auricular, por onde o enxerto irá transitar, construção das anastomoses distais e proximais, e então, o tratamento definitivo do tumor ou aneurisma.[21]

Durante a anastomose ocorre heparinização do paciente, devido oclusão temporária dos vasos; é esperado que a oclusão temporária dure menos de 20 minutos, e durante esse período deve ser realizado bom controle hemodinâmico; pode-se considerar o emprego de medidas para proteção cerebral.[21]

Manejo anestésico

Cada paciente tem suas particularidades, mas a anestesia para aneurismas gigantes é muito desafiadora, assim como nos pacientes que já se apresentam com HSA. A hipotensão sistêmica pode levar a hipoperfusão e injúria isquemia secundária. Outra complicação catastrófica é a oclusão do enxerto, que pode ocorrer por torção do vaso ou devido a formação de trombos. O espasmo intraoperatório do enxerto pode ser tratado com papaverina, e no período pós-operatório pode ser utilizada angioplastia ou nitroglicerina intra-arterial.

A monitorização neurofisiológica intraoperatória fornece informações valiosas sobre a perfusão cerebral adequada, e é capaz de identificar sinais precoces de isquemia. Outras técnicas como o uso do *NIRS* e oximetria de bulbo jugular ainda não foram investigadas para uso específico em procedimento de *bypass* cerebral.

Em relação à proteção cerebral ainda há pouca evidência na literatura sobre desfechos. Algumas técnicas foram descritas, como uso de barbitúricos e propofol, uso de eletroencefalograma intraoperatório, bem como hipotermia leve. Porém, não há dados suficientes na literatura para recomendar seu uso rotineiro.[21]

O despertar cirúrgico precoce continua sendo útil para avaliar o estado neurológico, e consequentemente, a perfusão cerebral. Recomenda-se, no período pós-operatório, manter a pressão arterial de acordo com a pressão inicial do paciente previamente à cirurgia; de modo geral, a pressão arterial sistólica deve manter-se inferior a 140 mmHg por 2 a 3 dias no período pós-operatório. O paciente será heparinizado, ou iniciará terapia antiplaquetária imediatamente após a cirurgia.[21]

REFERÊNCIAS

1. Feigin VL, Norrving B, Mensah GA. Global Burden of Stroke. Circulation Research. 2017 Feb 3;120(3):439–48.
2. Sharma D. Perioperative Management of Aneurysmal Subarachnoid Hemorrhage. Anesthesiology. 2020 Sep 28;
3. Brown RD, Broderick JP. Unruptured intracranial aneurysms: epidemiology, natural history, management options, and familial screening. The Lancet Neurology [Internet]. 2014 Apr;13(4):393–404. Available from: https://www.thelancet.com/journals/laneur/article/PIIS1474-4422%2814%2970015-8/fulltext.
4. Williams LN, Brown RD. Management of unruptured intracranial aneurysms. Neurology: Clinical Practice [Internet]. 2013 Apr 1 [cited 2019 May 12];3(2):99–108. Available from: https://www.ncbi.nlm.nih.gov/pmc/articles/PMC3721237/.
5. Managememt of Subarachnoid Haemorrhage [Internet]. WFSA Resource Library. [cited 2023 Aug 28]. Available from: https://resources.wfsahq.org/atotw/managememt-of--subarachnoid-haemorrhage-anaesthesia-tutorial-of-the-week-163/.
6. Cottrell JE, Patel P. Cottrell and Patel's neuroanesthesia. Edinburgh: Elsevier; 2017.
7. Al-Rawi PG, Tseng MY, Richards HK, Nortje J, Timofeev I, Matta BF, et al. Hypertonic saline in patients with poor-grade subarachnoid hemorrhage improves cerebral blood flow, brain tissue oxygen, and pH. Stroke [Internet]. 2010 Jan 1 [cited 2023 May 21];41(1):122–8. Available from: https://pubmed.ncbi.nlm.nih.gov/19910550/.
8. Lamperti M, Lobo FA, Tufegdzic B. Salted or sweet? Hypertonic saline or mannitol for treatment of intracranial hypertension. Current Opinion in Anaesthesiology. 2022 Jul 5;35(5):555–61.
9. Connolly ES, Rabinstein AA, Carhuapoma JR, Derdeyn CP, Dion J, Higashida RT, et al. Guidelines for the Management of Aneurysmal Subarachnoid Hemorrhage. Stroke [Internet]. 2012 Jun [cited 2018 Dec 16];43(6):1711–37. Available from: http://neurocriticalcare.ucsd.edu/wp-content/uploads/2012/11/AHA-SAH-guideline-2012.pdf.
10. Todd MM, Hindman BJ, Clarke WR, Torner JC. Mild Intraoperative Hypothermia during Surgery for Intracranial Aneurysm. New England Journal of Medicine. 2005 Jan 13;352(2):135–45.
11. Jiang B, Paff M, Colby GP, Coon AL, Lin LM. Cerebral aneurysm treatment: modern neurovascular techniques. BMJ. 2016 Aug 17;1(3):93–100.
12. Ihn YK, Shin SH, Baik SK, Choi IS. Complications of endovascular treatment for intracranial aneurysms: management and prevention. Interventional Neuroradiology. 2018 Feb 21;24(3):237–45.
13. Chung DY, Abdalkader M, Nguyen TN. Aneurysmal Subarachnoid Hemorrhage. Neurologic Clinics. 2021 May;39(2):419–42.
14. Caranfa JT, Baldwin MT, Rutter CE, Bulsara KR. Synchronous cerebral arteriovenous malformation and lung adenocarcinoma carcinoma brain metastases: A case study and literature review. Neurochirurgie. 2019 Feb;65(1):36–9.
15. Dellaretti M, Ronconi D, Matheus de Melo. Surgical Resection of a Sylvian Arteriovenous Malformation. World Neurosurgery. 2022 Oct 1;166:168–8.

16. Derdeyn CP, Zipfel GJ, Albuquerque FC, Cooke DL, Feldmann E, Sheehan JP, et al. Management of Brain Arteriovenous Malformations: A Scientific Statement for Healthcare Professionals from the American Heart Association/American Stroke Association. Stroke. 2017 Aug;48(8).

17. Kim H, Al-Shahi Salman R, McCulloch CE, Stapf C, Young WL. Untreated brain arteriovenous malformation: Patient-level meta-analysis of hemorrhage predictors. Neurology. 2014 Jul 11;83(7):590–7.

18. Wessels L, Hecht N, Vajkoczy P. Bypass in neurosurgery: indications and techniques. Neurosurgical Review. 2018 Mar 13;42(2):389–93.

19. Hafez A, Raj R, Lawton M, Niemelä M. Simple training tricks for mastering and taming bypass procedures in neurosurgery. Surgical Neurology International. 2017;8(1):295.

20. Tayebi Meybodi A, Huang W, Benet A, Kola O, Lawton MT. Bypass surgery for complex middle cerebral artery aneurysms: an algorithmic approach to revascularization. Journal of Neurosurgery. 2017 Sep;127(3):463–79.

21. Chui J, Manninen P, Sacho RH, Venkatraghavan L. Anesthetic Management of Patients Undergoing Intracranial Bypass Procedures. Anesthesia & Analgesia. 2015 Jan;120(1):193–203.

22. Adamo Junior J, Paradela MVDH, Horigushi M. Doença cerebrovascular oclusiva crônica (moyamoya): relato de caso. Arquivos de NeuroPsiquiatria. 2001 Jun;59(2B):435–9.

23. Hunt WE, Hess RM. Surgical Risk as Related to Time of Intervention in the Repair of Intracranial Aneurysms. Journal of Neurosurgery. 1968 Jan;28(1):14–20.

24. Teasdale GM, Drake CG, Hunt W, Kassell N, Sano K, Pertuiset B, et al. A universal subarachnoid hemorrhage scale: report of a committee of the World Federation of Neurosurgical Societies. Journal of Neurology, Neurosurgery & Psychiatry. 1988 Nov 1;51(11):1457–7.

25. Miller C, Mirski MA. Anesthesia Considerations and Intraoperative Monitoring During Surgery for Arteriovenous Malformations and Dural Arteriovenous Fistulas. 2012 Jan 1;23(1):153–64.

26. Siqueira M, editor. Tratado de Neurocirurgia. 1. ed. 2016.

27. Prabhakar H, Ali Z. Textbook of neuroanesthesia and neurocritical care. Singapore: Springer; 2019. Volume II, Neurocritical Care.

28. Spetzler RF, Martin NA. A proposed grading system for arteriovenous malformations. Journal of Neurosurgery. 1986 Oct;65(4):476–83.

175

Anestesia para Neurocirurgia na Criança

Joana Lily Dwan ■ Margarita Hoppe Rocha Gama

INTRODUÇÃO

É uma tarefa desafiadora para um neuroanestesiologista manter a homeostase do bebê pequeno e, ao mesmo tempo, atender às demandas da cirurgia e do cirurgião. A era em que os anestesistas evitavam essas crianças acabou. Hoje estamos dispostos a enfrentar as crianças com as patologias mais complicadas e não as privar dos benefícios de tratamentos mais avançados.[1]

Para atingir nosso objetivo, precisamos primeiro nos aprofundar meticulosamente na anatomia detalhada, na fisiologia e na complexidade da patologia da criança. Só então teremos o direito de lidar com eles. Qualquer lapso será invariavelmente catastrófico. Nenhuma criança deve ser tratada por um anestesista que não tenha pleno conhecimento da patologia da criança. Esta é a primeira e mais importante palavra de cautela para a neuroanestesia pediátrica. Uma criança não é um adulto em miniatura. Ela é uma entidade em si mesmo ou ela mesma. Portanto, todos os parâmetros devem ser disponibilizados ao anestesista. As variações notáveis no contexto da neurocirurgia serão abordadas a seguir.

■ COMPARTIMENTOS INTRACRANIANOS

O crânio pode ser comparado a um recipiente rígido com conteúdo quase incompressível. Em condições normais, o espaço intracraniano é ocupado pelo cérebro e seu líquido intersticial (80%), líquido cefalorraquidiano (LCR, 10%) e sangue (10%). Nos estados patológicos, lesões que ocupam espaço, como edema, tumores, hematomas ou abscessos, alteram essas proporções. A hipótese Monro Kellie, elaborada no século XIX, afirma que a soma de todos os volumes intracranianos é constante. Um aumento no volume de um compartimento deve ser acompanhado por uma diminuição aproximadamente igual no volume dos outros compartimentos, exceto quando o crânio puder expandir-se para acomodar um volume maior. Aumentos graduais nos volumes intracranianos, como um tumor de crescimento lento ou hidrocefalia, podem ser compensados pela natureza complacente das fontanelas abertas e das suturas em crianças pequenas e resultar em aumento do perímetro cefálico.[2] No lactente, antes da fusão da sutura craniana, a descompressão pode ocorrer através de um aumento no tamanho do crânio. A fontanela posterior fecha por volta dos 6 meses de idade, a fontanela anterior por volta de 1 ano a 18 meses, e o fechamento final da sutura craniana pode ocorrer até os 10 anos de idade. Aumentos no volume intracraniano só podem ser acomodados se a mudança for gradual. Aumentos agudos, como após lesão cerebral traumática, ainda resultarão em aumento da PIC, como em adultos.[3] A hérnia pode ocorrer mesmo em crianças com fontanelas abertas se grandes aumentos na pressão intracraniana (PIC) se desenvolverem de forma aguda. Na situação não aguda, o cérebro pode compensar aumentos patológicos na pressão intracraniana por desidratação intracelular e redução do líquido intersticial.[2]

■ PRESSÃO INTRACRANIANA (PIC)

O aumento da PIC causa lesão cerebral secundária, produzindo isquemia cerebral e, por fim, causando hérnia. A isquemia ocorre quando a PIC aumenta e a pressão de perfusão cerebral (PPC) diminui. À medida que o fluxo sanguíneo cerebral (FSC) e o fornecimento de nutrientes são reduzidos, ocorrem danos e morte celular, levando ao aumento da água intracelular e extracelular, e a aumentos adicionais da PIC. Portanto, quando a PIC aumenta, a PPC diminui, o cérebro torna-se isquêmico e pode ocorrer morte celular (Figura 175.1).

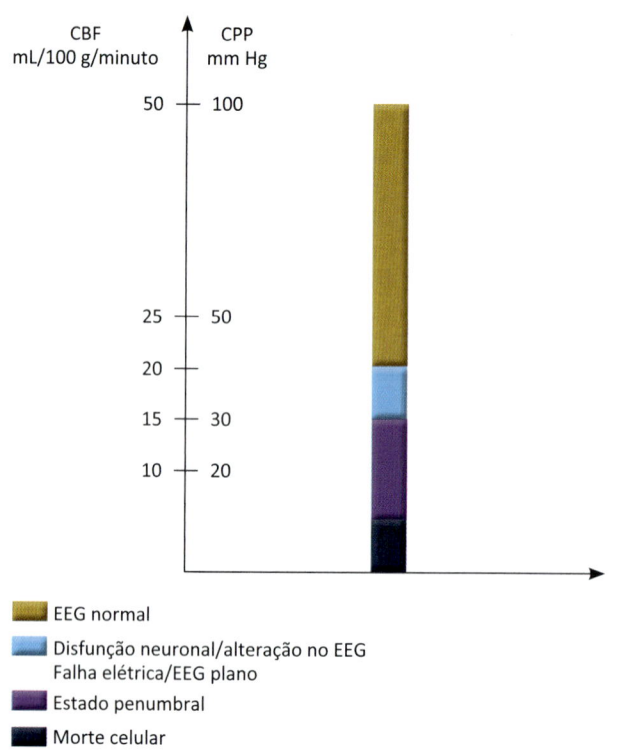

■ EEG normal

■ Disfunção neuronal/alteração no EEG
Falha elétrica/EEG plano

■ Estado penumbral

■ Morte celular

▲**Figura 175.1** Fluxo sanguíneo cerebral (CBF), pressão de perfusão cerebral (CPP) e isquemia cerebral. Mudanças no CBF e na CPP afetam a função sináptica neuronal e a integridade celular. Quando o CBF diminui para 20 a 15 mL/100 g por minuto, há disfunção neuronal distinta no eletroencefalograma (EEG). A 15 mL/100 g por minuto, o EEG fica essencialmente plano e a atividade elétrica deixa de funcionar. De 15 a 6 mL/100 g por minuto, ocorre um estado penumbral no qual há energia para a integridade celular, mas não energia suficiente para a função sináptica. A sobrevivência neuronal é improvável se este baixo CBF persistir por mais tempo. A menos de 6 mL/100 g por minuto, não há energia para a integridade da membrana celular. O infarto ocorre nesta fase, a menos que a reperfusão seja realizada imediatamente.

Fonte: Craig D. McClain, 2019.[2]

Complacência Intracraniana

Estados patológicos podem estar presentes em situação de PIC normal. No entanto, se a PIC aumentar significativamente, os mecanismos compensatórios falharão. A complacência intracraniana (isto é, a capacidade de adaptar o volume mantendo a pressão constante) é um conceito valioso. A Figura 175.2 é um diagrama esquemático da relação entre a adição de volume aos compartimentos intracranianos e a PIC. A forma da curva depende do tempo durante o qual o volume aumenta e do tamanho relativo dos compartimentos. Em volumes intracranianos normais (ponto 1 na figura), a PIC é baixa, mas a complacência é elevada e permanece assim apesar dos pequenos aumentos no volume. Se o volume aumentar rapidamente, as capacidades compensatórias serão ultrapassadas e aumentos adicionais no volume serão refletidos como aumentos na pressão. Isto pode ocorrer quando a PIC ainda está dentro dos limites normais, mas a complacência é baixa (ponto 2). Se a PIC já

estiver aumentada, uma expansão adicional do volume causa um rápido aumento no PIC (ponto 3). Na prática clínica, a complacência pode ser avaliada com cateter de ventriculostomia ou pela observação da resposta da PIC à estimulação externa (por exemplo, sucção traqueal, tosse, agitação).[2]

As crianças podem ter um risco aumentado de hérnia em comparação com adultos quando ocorrem aumentos relativos semelhantes na PIC. No entanto, os bebês que enfrentam um aumento lento da PIC podem ter uma maior tolerância devido às fontanelas e suturas abertas.

Volume Sanguíneo Encefálico (VSE) e Fluxo Sanguíneo Encefálico (FSE)

O FSE está fortemente acoplado à demanda metabólica e ambos aumentam proporcionalmente imediatamente após o nascimento. No adulto normal, o FSE é de aproximadamente 55 mL/100 g de tecido cerebral por minuto. Isto representa quase 15% do débito cardíaco de um órgão que representa apenas 2% do peso corporal. As estimativas do FSE são menos uniformes para as crianças. O FSE normal em crianças saudáveis e acordadas é de aproximadamente 100 mL/100 g de tecido cerebral por minuto, o que representa até 25% do débito cardíaco.[2]

O FSE em neonatos e bebês prematuros (aproximadamente 40 mL/100 g de tecido cerebral por minuto) é menor do que em crianças e adultos. Entretanto, se comparado com o peso do encéfalo do neonato (335 g), proporcionalmente é maior que o adulto. Isso é resultado de uma resistência vascular encefálica menor e à imaturidade da autorregulação.

Classicamente, o ensino da neurofisiologia tem se concentrado em uma variedade de fatores subjacentes à manutenção e autorregulação do FSE – pressão arterial média (PAM), PaCO$_2$ e assim por diante. Embora esses conceitos continuem sendo a base crítica da neurofisiologia, também cabe aos anestesistas ter uma compreensão e abordagem mais amplas da ideia do FSE. A regulação do FSE é melhor compreendida como o nexo de diferentes sistemas fisiológicos. Esses sistemas incluem os sistemas respiratório, car-

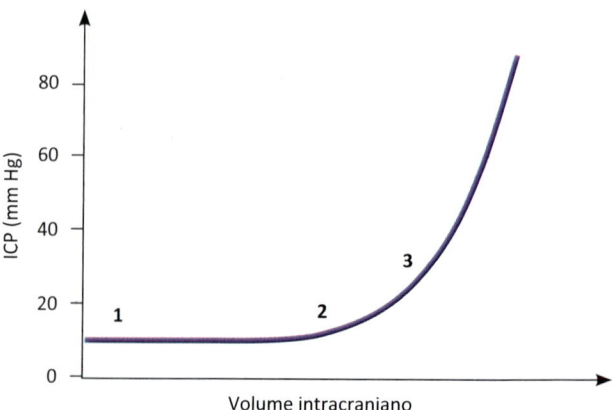

▲**Figura 175.2** Curva de complacência intracraniana para pressão intracraniana (PIC) em relação ao volume intracraniano.

Fonte: Craig D. McClain, 2019.[2]

diovascular autonômico, nervoso e endócrino, processos metabólicos e o próprio ambiente intracraniano. À luz dessa abordagem, o FSE é regulado por processos integrativos que envolvem trocas gasosas respiratórias, parâmetros hemodinâmicos e seus consequentes efeitos sobre resistência cerebrovascular.

Em adultos, a taxa metabólica cerebral para consumo de oxigênio (CMRO$_2$) é de 3,5 a 4,5 mL O$_2$/100 g por minuto; em crianças, é maior. A anestesia geral reduz o CMRO$_2$ em até 50%. O acoplamento do FSE e do CMRO$_2$ é provavelmente mediado pelo efeito da concentração local de íons hidrogênio nos vasos cerebrais.

Condições que causam acidose (por exemplo, hipoxemia, hipercapnia, isquemia) dilatam a vasculatura cerebral, o que aumenta o FSE e o VSE. Uma redução no metabolismo cerebral (isto é, CMRO$_2$) reduz de forma semelhante o FSE e o VSE.

Pressão de Perfusão Encefálica (PPE)

A PPE é uma estimativa útil e prática da adequação da circulação cerebral, porque o FSE não é fácil de ser mensurado. Definida como o gradiente de pressão através do cérebro, a PPE é a diferença entre a PAM sistêmica na entrada do cérebro e a pressão média de saída (isto é, pressão venosa central [PVC]). Quando a PIC ultrapassa o PVC, ele substitui o PVC no cálculo do PPE.

Em crianças em posição supina, a PPC média é a diferença entre a PAM e a PIC média (PPe = PAM − PIC).

Autorregulação cerebrovascular

Podemos ver a autorregulação como um mecanismo que permite que a perfusão cerebral permaneça relativamente estável, apesar das alterações na PAM ou na PIC. Há evidências recentes de que esta relação entre PAM e FSe é provavelmente mais passiva à pressão do que se pensava originalmente. Na verdade, parece que ocorre uma autorregulação mais rigorosa em valores maiores de PAM do que em valores menores. A autorregulação é mediada pelo controle autonômico e miogênico da resistência vascular, em-

bora ainda haja um debate considerável sobre o mecanismo exato e a localização exata dessa modulação.[2]

Quando a PPC diminui, os vasos cerebrais dilatam-se para manter o FSE, aumentando assim o VSC. Quando a PPE aumenta, ocorre vasoconstrição cerebral, mantendo o FSC com VSC reduzido. Quando a PIC e a PVC estão baixas, a PAM normalmente se aproxima da PPC. Além da faixa de autorregulação, o FSE torna-se mais dependente da pressão. Em crianças com hipertensão crônica, os limites superior e inferior de autorregulação estão aumentados. A autorregulação cerebral pode ser abolida por acidose, medicamentos, tumores, edema cerebral e malformações vasculares, mesmo em locais distantes de uma lesão.

Dados de animais e estudos com neonatos humanos de alto risco postulam que o limite inferior para a autorregulação é uma PAM de 20–40 mmHg. Essa faixa de autorregulação é estreita, em um recém-nascido normal, em comparação com o de um adulto, na faixa de 50–150 mmHg. A hipotensão e a hipertensão repentinas em qualquer extremidade da curva colocam o neonato em risco de isquemia cerebral e hemorragia intraventricular.[3]

Com base no exposto, a manutenção do FSE normal, da normocapnia e da normóxia é essencial na neuroanestesia pediátrica. Os efeitos dos agentes anestésicos mais comumente utilizados na fisiologia cerebral estão resumidos na Tabela 175.1.[4]

▪ NEUROTOXICIDADE ANESTÉSICA PEDIÁTRICA

Um crescente conjunto de evidências apoia a ideia de que alguns agentes anestésicos são prejudiciais ao cérebro em desenvolvimento em várias espécies de animais. Acredita-se que os anestésicos possam causar apoptose neuronal e alterações morfológicas nas células dendríticas e gliais, resultando em função neurocognitiva prejudicada em alguns modelos não humanos.[5] Entretanto, devemos levar em consideração que a maioria das cirurgias neonatais e infantis é de urgência e os cuidados anestésicos são essenciais para prosseguir com segurança. E também que não está claro se

Tabela 175.1 Efeitos dos agentes anestésicos mais utilizados na fisiologia cerebral.

Agente	RMC	CBF	CBV	PIC
Isofurano	↓↓↓	↑	↑↑	↑↑
Desfurano	↓↓↓	↑	↑	↑
Sevofurano	↓↓↓	↑	↑	↑
Óxido nitroso	↓	↑	→	↑
Propofol	↓↓↓	↓↓↓↓	↓↓	↓↓
Benzodiazepínicos	↓↓	↓	↓	↓
Cetamina	→	↑↑	↑↑	↑↑*
Etomidato	↓↓↓	↓↓	↓↓	↓↓
Opioides	→	→	→	→
Barbitúricos	↓↓↓↓	↓↓↓	↓↓	↓↓↓

↑ aumento, ↓ diminuição, → nenhuma ou pouca alteração, taxa metabólica cerebral *CMR*, fluxo sanguíneo cerebral *CBF*, volume sanguíneo cerebral *CBV*, *PIC* pressão intracraniana.

Fonte: Szántó, 2022.[4]

as crianças que necessitaram de mais de um procedimento cirúrgico, quando tinham menos de 4 anos de idade, poderiam ter tido problemas de desenvolvimento neurocognitivo associados à patologia cirúrgica.[2]

Assim, os resultados do efeito neurocognitivo de exposições múltiplas ou os efeitos moduladores de doenças multissistêmicas graves, permanecem obscuros. Dito isto, esta questão está longe de ser respondida e continua sendo uma área de grande interesse e pesquisa.

AVALIAÇÃO PRÉ-ANESTÉSICA

A avaliação deve incluir história e exame físico. A avaliação do estado neurológico deve incluir evidências de pressão intracraniana (PIC) elevada, uma escala de coma de Glasgow específica para a idade e paralisias de nervos cranianos.[1]

Os sinais clínicos de aumento da PIC variam em crianças. Papiledema, dilatação pupilar, hipertensão e bradicardia podem estar ausentes apesar da hipertensão intracraniana, ou esses sinais podem ocorrer com PIC normal. Quando associados ao aumento da PIC, geralmente são sinais tardios e perigosos. Aumentos crônicos da PIC são frequentemente manifestados por queixas de dor de cabeça, irritabilidade e vômitos, principalmente pela manhã.[2]

O exame do sistema cardiovascular (incluindo um ecocardiograma para detectar sopros) é importante para identificar defeitos do septo cardíaco; o deslocamento intracardíaco de uma embolia gasosa venosa inadvertida (VAE) pode ser fatal.[3] Outras doenças coexistentes que podem alterar a conduta da anestesia estão listadas na Tabela 175.2.

O exame neurológico completo talvez fuja do escopo do anestesiologista, mas a avaliação do nível de consciência e a observação de déficits focais são obrigatórios para estimar a gravidade do quadro clínico e planejar a técnica anestésica do paciente neurocirúrgico.

Há várias escalas para avaliar o nível de consciência da criança, e as mais simples provavelmente são a AVDI, utilizado no PALS (*Pediatric Advanced Life Support*), e a escala de coma de Glasgow (GCS, em inglês *Glasgow Coma Scale*), sendo que há uma correspondência entre as duas escalas.

AVDI indica o nível de resposta ou de atenção da criança: A para alerta, ativa; V para criança que responde a estímulo de voz; D para resposta apenas a estímulos dolorosos; I para a criança inconsciente (Tabela 175.3).

A GCS foi modificada para aplicação em crianças pré--verbais e, por ser amplamente difundida, facilita a comunicação com os outros profissionais da equipe (Tabela 175.4).

As imagens radiológicas fornecem detalhes sobre o tamanho e a localização de qualquer lesão, a presença de hidrocefalia e quaisquer efeitos de pressão cerebral.[3]

Uma história de alergias alimentares ou medicamentosas, eczema ou asma pode alertar sobre uma reação adversa a agentes de contraste frequentemente usados em procedimentos neurorradiológicos. Atenção especial deve ser dada aos sintomas de alergia a produtos de látex, porque foi relatada em algumas crianças submetidas a múltiplas operações, especialmente aquelas com meningomielocele. E pode também ter relação com alergias a frutas (por exemplo, kiwi, banana, abacate, morango e outros).[2]

Vômitos prolongados, enurese e anorexia relacionados a lesões intracranianas devem levar à avaliação da hidratação e dos eletrólitos. Diabetes insipidus ou secreção inadequada de hormônio antidiurético são comuns. Uma história de uso de aspirina ou de remédios contendo aspirina para dores de cabeça ou infecções do trato respiratório é relevantee geralmente não está disponível, mas pode ter implicações importantes para sangramento operatório e pós-operatório. Os corticosteroides são frequentemente iniciados no momento do diag-

Tabela 175.2 Preocupações perioperatórias para bebês e crianças com doenças neurológicas.	
Doença	**Implicações anestésicas**
Doença cardíaca congênita	Hipóxia e colapso cardiovascular
Prematuridade	Apneia pós-operatória
Infecção do trato respiratório superior	Laringoespasmo e hipóxia/pneumonia pós-operatória
Anormalidade craniofacial	Dificuldade com o manejo das vias aéreas
Lesões de desnervação	Hipercalemia após succinicolina Resistência a relaxantes musculares não despolarizantes
Terapia anticonvulsivante crônica para epilepsia	Anormalidades hepáticas e hematológicas Aumento do metabolismo dos agentes anestésicos
Malformação arteriovenosa	Potencial insuficiência cardíaca congestiva
Doença neuromuscular	Hipertemia maligna Parada respiratória Morte cardíaca súbita
Malformação de Chiari	Apneia Pneumonite por aspiração
Lesões hipotalâmicas/hipofisárias	Diabetes insípido Hipotireoidismo Insuficiência adrenal

Fonte: Craig D. McClain, 2019.[2]

Tabela 175.3 Avaliação neurológica AVDI (Alerta, Voz, Dor e Inconsciência).

Resposta AVDI	Pontos GCS
Alerta	15
Verbal	13
Estimulo doloroso	8
Não responde a estímulos dolorosos	6

Fonte: adaptada de Manual de Suporte Avançado de Vida em Pediatria, 2021, American Heart Association.

nóstico de tumores intracranianos, devem ser continuados, e uma dose pulsada administrada durante o período perioperatório. As concentrações terapêuticas de anticonvulsivantes devem ser verificadas no pré-operatório e mantidas no perioperatório. As crianças que recebem anticonvulsivantes por um período prolongado podem desenvolver toxicidade, especialmente se as convulsões forem difíceis de controlar; isso se manifesta frequentemente como anormalidades na função hematológica ou hepática, ou ambas. As crianças que recebem terapia anticonvulsivante de longo prazo também podem necessitar de maiores quantidades de sedativos, relaxantes musculares não despolarizantes e opioides devido ao metabolismo aumentado desses medicamentos.[2]

A avaliação respiratória pré-operatória deve incluir os efeitos de fraqueza motora, comprometimento dos mecanismos de engasgo e deglutição e evidência de doença pulmonar ativa, como pneumonia por broncoaspiração.[2]

▪ MANEJO INTRAOPERATÓRIO

Jejum Pré-operatório

A *American Society of Anesthesiologists* recomenda períodos de jejum de 2 h para líquidos claros (água, sucos sem polpa, bebidas contendo carboidratos, chás); de 4 h para leite

materno; de 6 h para leites de fórmula, leites não humanos e refeições leves (torradas com líquidos claros); e de 8 h para alimentos gordurosas ou frituras.[5]

A vigência de HIC torna mais lento o esvaziamento gástrico, mas a própria HIC indica a necessidade de cirurgia de urgência.

Pré-medicação

A ansiedade pré-operatória precisa ser abordada em pacientes pediátricos. A sedação se for superficial demais, pode desorientar a criança e excitá-la, dificultando o manejo pré-operatório.[6] Sedativos e narcóticos devem ser evitados em todos os pacientes com suspeita de aumento da PIC.

Reposição Volêmica

O objetivo do manejo intraoperatório de fluidos deve ser manter a normovolemia, evitando a hipervolemia para minimizar o inchaço, o edema e a hemodiluição.[7]

A solução salina normal é comumente usada como manutenção em procedimentos neurocirúrgicos intracranianos, pois é levemente hiperosmolar (308 mOsm) e, portanto, pode minimizar o edema cerebral. Contudo, se administrado em grandes volumes (> 60 ml/kg), pode levar à acidose metabólica hiperclorêmica. Ringer lactato (273 mOsm) e Plasma Lyte (Baxter, Deerfield, IL, EUA) (294 mOsm) são preferidos especialmente quando usados em procedimentos extracranianos, como cirurgia craniofacial, pois estão menos associados à acidose grave. A utilização de cristaloides para reposição inicial da perda sanguínea pode ser na proporção de 2:1 ou 3:1, sendo que essa prática varia de serviço a serviço.[7]

Notavelmente, embora existam alguns dados publicados que demonstrem o uso bem sucedido e seguro de coloides na faixa etária pediátrica, nenhum ensaio clínico randomi-

Tabela 175.4 Escala de coma de Glasgow (GDS).	Bebê	Criança	Pontos
Abertura ocular	Espontâneo	Espontâneo	4
	Resposta a grito ou fala	Resposta a comando verbal	3
	Resposta a dor	Resposta a dor	2
	Sem resposta	Sem resposta	1
Melhor resposta motora	Movimentos espontâneos	Obedece a comandos	6
	Retira ao toque	Localiza a dor	5
	Retira em flexão	Retira em flexão	4
	Flexão anormal	Flexão anormal	3
	Extensão anormal	Extensão anormal	2
	Sem resposta	Sem resposta	1
Melhor resposta verbal	Sorri, murmura	Orientado, conversa	5
	Chora, consolável	Desorientado, confuso	4
	Choro/gritos persistentes	Palavras inapropriadas	3
	Gemidos a dor	Sons incompreensíveis	2
	Sem resposta	Sem resposta	1

Fonte: adaptada de Manual de Suporte Avançado de Vida em Pediatria, 2021, American Heart Association.

zado descreveu dados convincentes sobre a superioridade dos coloides sobre os cristaloides no manejo de fluidos perioperatórios.

A reposição de fluidos na perspectiva do potencial hemostático é uma faca de dois gumes: é necessária para reposição de perdas, mas com potencial para desenvolver coagulopatia dilucional, anemia e trombocitopenia. Um tratamento à base de coloide pode aumentar os efeitos do volume intravascular e beneficiar a microcirculação, mas pode prejudicar significativamente a hemostasia em comparação com a ressuscitação com fluidos usando cristaloides. Esses efeitos negativos em todo o processo de coagulação são mais pronunciados após a administração de hidroxietilamido (HES), de alto peso molecular, e dextranos, mas também podem ser observados após quantidades moderadas de gelatina, albumina ou HES de baixa substituição molar. Em uma metanálise mais recente, concluiu-se que coloides e cristaloides podem ser usados de forma semelhante para reanimação com fluidos.[7]

Assim, as oscilações hemodinâmicas devem ser corrigidas conforme o fator etiológico. A hipotensão arterial por hipovolemia é corrigida com administração de volume que permaneça no espaço intravascular, considerando o hematócrito ideal desejado e as características osmolares e hidroeletrolíticas de cada fluido.[6]

Na prática, podemos aplicar a regra tradicional para necessidades hídricas horárias de manutenção:

- 0 a 10 kg: 4 ml/kg
- 10 a 20 kg: 2 ml/kg
- > 20 kg: 1 ml/kg

Exemplo:

- Criança de 21 kg receberá 61 ml de reposição por hora (40 ml + 20 ml + 1 ml = 61 ml)

Assim, o esquema ideal de reposição eletrolítica deve ser simples, prático e objetivo. Alterações do volume necessitam de reavaliações e readaptações frequentes na dependência dos dados de monitorização da resposta do paciente e, principalmente, da experiência pessoal do anestesiologista. Em situações de maiores perdas, as taxas podem ser aumentadas com a necessidade, podendo chegar até a 15 ou 20 ml/Kg/h.[6]

A reposição de hemoderivados baseia-se na perda de sangue estimada, através da volemia do paciente; do hematócrito inicial antes da incisão cirúrgica e do hematócrito encontrado em determinado momento, considerando que a reposição hidroeletrolítica esteja correta.

Primeiramente, temos que ter em mente a volemia de cada faixa etária.

Volemia por Idade em ml/Kg:

- Adulto: 75
- > 6 anos: 65 – 70
- 1 a 6 anos: 70 – 75
- 3 a 12 meses: 75 – 80
- Neonato a termo: 80 – 90
- Prematuro: 90 – 100

Assim, um paciente com 21 kg terá um volume sanguíneo de 1.470 ml. Com hematócrito inicial de 38%, o volume de hemácias inicial será de 558 ml, ou seja, 1.470 ml x 0,38. Se for mantida a mesma volemia de 1.470 ml, às custas de reposição de soluções eletrolíticas e coloides, quando o hematócrito cair para 30 g/%, o volume de hemácias aceitável para manter o hematócrito em 30 g/% será de 558 ml–441 ml = 117 ml de hemácias. Mas para manter o hematócrito em 30 g/%, aceita-se perda por hemorragia do volume de três vezes a quantidade de hemácias calculadas, ou seja, 117 ml x 3 = 351 ml de sangue.[6]

Como regra geral, a transfusão necessária de volume de hemácias em crianças pode ser calculada da seguinte forma: peso corporal (kg) x incremento desejado de Hb (g/dl).[7]

A PIC elevada devido ao edema cerebral pode ser tratada inicialmente com elevação da cabeça e hiperventilação. Se essas manobras falharem, o manitol pode ser administrado na dose de 0,25–1,0 g/kg IV. Este agente ajuda a aumentar a osmolaridade sérica em 10–20 mOsm/kg. A furosemida na dose de 0,1 mg/kg pode ser usada para diminuir a PIC.[1]

A glicose pode ser indicada quando a hipoglicemia é uma preocupação, como em crianças diabéticas, crianças que recebem hiperalimentação, recém-nascidos prematuros e a termo, e crianças desnutridas ou debilitadas;[2] deve-se ter em mente o perigo da hipoglicemia e a glicemia deve ser monitorada de perto juntamente com uma infusão de glicose de 5–6 mg/kg/min.[1] Em geral, a hiperglicemia piora a lesão de reperfusão, portanto, líquidos contendo glicose são evitados.

Indução Anestésica

Para crianças com hipertensão intracraniana, os objetivos principais durante a indução são minimizar aumentos graves da PIC e diminuições da pressão arterial. A maioria dos medicamentos intravenosos diminui o $CMRO_2$ e o FSC, o que consequentemente diminui a PIC.

Historicamente, o tiopental sódico (4–8 mg/kg) foi o agente de indução padrão para casos neurocirúrgicos.[2] Atualmente, o propofol tornou-se o agente de indução IV de escolha para a maioria das crianças. O propofol (2–4 mg/Kg) parece ter propriedades cerebrais semelhantes e efeito antiemético; entretanto, seu efeito antiemético geralmente não é relevante para procedimentos mais prolongados.

O etomidato, um possível agente neuroprotetor, pode ser usado se a estabilidade hemodinâmica for uma preocupação. A cetamina deve ser evitada devido à sua capacidade conhecida de aumentar o metabolismo cerebral, o FSE e a PIC. Aumentos repentinos na PIC foram relatados após a administração de cetamina, especialmente em bebês e crianças com hidrocefalia. Outras medidas para reduzir a PIC durante a indução incluem hiperventilação controlada e administração de opioides (por exemplo, fentanil, remifentanil ou sufentanil) e hipnóticos suplementares antes da laringoscopia e intubação.

No entanto, se a criança estiver angustiada ou apresentar dificuldade na obtenção do acesso venoso, uma indução suave de gases pode ser melhor do que a PIC elevada associada ao choro ou à luta.[2] O sevoflurano confere benefícios em relação a outros agentes voláteis, pois seu odor é bem tolerado e a probabilidade de irritação das vias aéreas, de laringoespasmo e retenção da respiração é reduzida. Semelhante ao isoflurano em seus efeitos fisiológicos cerebrais, o sevoflurano com hiperventilação parece atenuar o aumento da PIC relacionado à vasodilatação cerebral. O sevoflurano oferece uma vantagem adicional porque causa menos depressão miocárdica em comparação com o halotano.[3] A anestesia com sevoflurano, embora diminua a PAM, também pode levar a um aumento na oxigenação cerebral regional.[2]

Caso seja necessária uma indução em sequência rápida, o pequeno aumento da PIC, associado ao uso de succinilcolina, pode ser atenuado pelo uso de opioides ou doses desfasciculantes prévias de bloqueadores neuromusculares não despolarizantes. A dose da succinilcolina para intubação é de 1 a 2 mg/kg, administrada por via intravenosa, ou 4 a 5 mg/kg, administrada por via intramuscular. Em crianças, a succinilcolina deve ser precedida de atropina (0,01–0,02 mg/kg) para prevenir bradicardia. A succinilcolina é contraindicada quando poder induzir hipercalemia com risco de vida na presença de lesões de desenervação relacionadas a diversas causas, incluindo traumatismo cranioencefálico grave, lesão por esmagamento, queimaduras, disfunção da medula espinhal, encefalite, esclerose múltipla, distrofias musculares, acidente vascular cerebral ou tétano, mas não tem impacto na concentração sérica de potássio em crianças com paralisia cerebral.[2]

Alternativamente, relaxantes musculares não despolarizantes, como rocurônio, cisatracúrio ou vecurônio, podem ser usados, mas todos têm início de ação mais lento que a succinilcolina. No entanto, quando o rocurônio é administrado em doses maiores (1,2 mg/kg), o início de ação se aproxima ao da succinilcolina, com condições de intubação equivalentes alcançadas em cerca de 1 minuto.

Manutenção da Anestesia

A manutenção da anestesia geral pode ser realizada com anestésicos inalatórios, infusões intravenosas ou uma combinação dos dois. Os anestésicos que diminuem a PIC e a $CMRO_2$ e mantêm a PPC são os mais desejáveis (Tabela 175.1). Os agentes inalatórios comumente usados desacoplam o FSE e o $CMRO_2$ de modo que o FSE aumenta enquanto o $CMRO_2$ diminui. Todos os agentes inalatórios potentes são vasodilatadores cerebrais, que aumentam tanto o FSE quanto a PIC. Baixas concentrações de isoflurano, sevoflurano ou desflurano, combinadas com ventilação para manter a normocarbia, afetam minimamente o FSE e a PIC.[2]

O uso rotineiro de óxido nitroso para procedimentos neurocirúrgicos intracranianos é debatível. O risco aumentado de náuseas e vômitos pós-operatórios (NVPO) com óxido nitroso é controverso e óxido nitroso pode aumentar o FSE em humanos de uma forma dependente da dose através da vasodilatação cerebral. Este aumento no FSE pode levar a um aumento na PIC, que pode ser deletério se a criança já tiver complacência intracraniana reduzida. O óxido nitroso também pode suprimir potenciais evocados somatossensoriais e motores,

especialmente quando as concentrações inspiradas excedem 50%. Muitas vezes é de grande interesse clínico obter uma avaliação neurológica imediatamente após a conclusão de um procedimento intracraniano, e alguns médicos preferem o uso de óxido nitroso para ajudar a atingir esse objetivo. Estudos demonstraram a segurança do uso de óxido nitroso em uma variedade de combinações com outros agentes durante procedimentos intracranianos. No entanto, o óxido nitroso é relativamente contraindicado se a criança tiver sido submetida a uma craniotomia nas últimas semanas porque o ar pode permanecer na cabeça mantendo pneumoencéfalo por períodos prolongados após neurocirurgia anterior.[2]

O fentanil é frequentemente administrado como parte de uma técnica baseada em opioides porque é facilmente titulável e com efeitos adversos mínimos. Uma dose de ataque comum é de 5 a 10 μg/kg, com uma dose 2 a 5 μg/kg por h, geralmente adequada para manutenção, reconhecendo que a meia-vida do fentanil sensível ao contexto aumenta dramaticamente após 2 horas em adultos. Efeitos adversos, incluindo hipotensão, podem ser evitados administrando a dose de ataque de forma incremental. Geralmente outros opioides, como remifentanil e sufentanil, são exelentes escolhas. Observe que a meia-vida sensível ao contexto do propofol aumenta com o tempo, mas é particularmente acentuada em bebês e crianças em idades mais jovens; em contraste, a meia-vida sensível ao contexto do remifentanil permanece inalterada com o tempo ou a idade da criança, incluindo os recém-nascidos.[2]

A dexmedetomidina, um sedativo α2-agonista, também tem sido usada em crianças durante cirurgias com monitoramento neurofisiológico, para craniotomias acordadas, para facilitar despertares suaves após procedimentos neurocirúrgicos e para neuroproteção.

Posicionamento

O posicionamento do paciente para cirurgia requer um planejamento pré-operatório cuidadoso para permitir acesso adequado ao paciente tanto para o neurocirurgião quanto para o anestesista. A Tabela 175.2 descreve diversas posições cirúrgicas e suas sequelas fisiológicas. O pescoço não deve estar rodado e flexionado demais e, se possível, a cabeça deve permanecer no nível do átrio direito para não dificultar o retorno venoso.[8]

A posição prona é comumente usada para cirurgia da fossa posterior e da medula espinhal, embora a posição sentada (Figura 175.5) possa ser mais apropriada para pacientes obesos que podem ter dificuldade para ventilar na posição prona.[8]

Além das sequelas fisiológicas desta posição, todo um espectro de lesões por compressão e estiramento foi relatado. O acolchoamento sob o peito e a pélvis pode apoiar o tronco. É importante garantir o movimento livre da parede abdominal porque o aumento da pressão intra-abdominal pode prejudicar a ventilação, causar compressão e aumentar a pressão venosa epidural e o sangramento.

O posicionamento adequado para esses pacientes inclui rolos macios usados para elevar e apoiar a parede torácica lateral e os quadris para minimizar o aumento da pressão abdominal e torácica. Além disso, deve permitir que uma sonda Doppler fique no tórax sem pressão.[8]

Tabela 175.5 Efeitos fisiológicos do posicionamento do paciente.	
Posição	**Efeito fisiológico**
Cabeça elevada	Melhor drenagem venosa cerebral
	Diminuição do fluxo sanguíneo cerebral
	Aumento do acúmulo venoso nas extremidades inferiores
	Hipotensão postural
Cabeça baixa	Aumento da pressão venosa cerebral e intracraniana
	Diminuição da capacidade residual funcional (função pulmonar)
	Diminuição da complacência pulmonar
Prona	Congestão venosa da face, língua e pescoço
	Diminuição da complacência pulmonar
	O auto da pressão abdominal pode levar à compressão venocava
Decúbito lateral	Diminuição da complacência do pulmão inferior

Fonte: Soriano, 2002.[8]

Todas as crianças, exceto as muito pequenas, são fixadas em pinos de um suporte de cabeça Mayfield. Recém-nascidos e bebês pequenos têm crânio fino, por isso os sistemas de fixação da cabeça são frequentemente evitados. Nessa situação, a criança repousa sobre uma estrutura de cabeça bem acolchoada e os olhos ficam livres no centro de um suporte em forma de ferradura (Figura 175.3).[2]

Muitos procedimentos neurocirúrgicos são realizados com a cabeça ligeiramente elevada para facilitar a drenagem venosa e do líquido cefalorraquidiano (LCR) do local da cirurgia. No entanto, as pressões sagitais superiores diminuem com o aumento da elevação da cabeça, e isso aumenta a probabilidade de embolia aérea venosa (VAE).[8]

Embolia Aérea Venosa

A embolia aérea venosa (VAE) é um perigo potencial durante procedimentos intracranianos. Quanto maior o gradiente de pressão entre o local da operação e o coração, maior o potencial de entrada de ar clinicamente significativa na circulação central. Por exemplo, quando o local da operação está muito acima do coração (por exemplo, em uma craniotomia sentada) ou quando a PVC está baixa (por exemplo, perda aguda de sangue durante procedimentos craniofaciais), cria-se um ambiente para um VAE. Os procedimentos intracranianos são uma preocupação particular porque os seios venosos intracranianos têm inserções durais que impedem a sua capacidade de colabamento.[2]

Pacientes com *shunts* cardíacos correm risco de êmbolos gasosos paradoxais e mesmo pequenas quantidades de ar são significativas. A análise de CO_2 expirado e o cateterismo arterial (ou Doppler precordial) detectam VAE. Ambos os traçados demonstrarão uma diminuição instantânea em suas formas de onda, como resultado da diminuição repentina do débito cardíaco. Se a VAE for diagnosticada, o cirurgião deve ocluir imediatamente os pontos de entrada e inundar o campo cirúrgico com solução salina. Outras manobras incluem aplicação de compressão venosa jugular, inclinação da cabeça para baixo e aspiração de ar pelo acesso venoso central. A base do tratamento é fornecer suporte cardiorrespiratório.[3]

Gestão Pós-operatória

Proteger o cérebro é uma grande preocupação durante procedimentos neurocirúrgicos (Tabela 175.6).[2]

A extubação deve ser suave e controlada para evitar flutuações na PIC e nas pressões venosas e arteriais. A observação cuidadosa em uma unidade de terapia intensiva, com exames neurológicos seriados e monitoramento hemodinâmico invasivo, é útil para a prevenção e detecção precoce de problemas pós-operatórios. A disfunção respiratória é a principal complicação após craniotomias da fossa posterior. O edema das vias aéreas geralmente é autolimitado e pode exigir intubação endotraqueal.

Ocasionalmente, isquemia ou edema dos centros respiratórios do tronco cerebral interferem no controle respiratório e levam à apneia pós-operatória. Crianças com

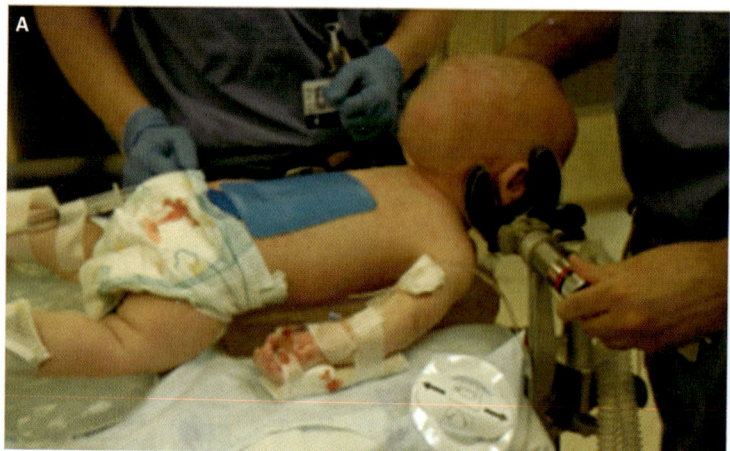
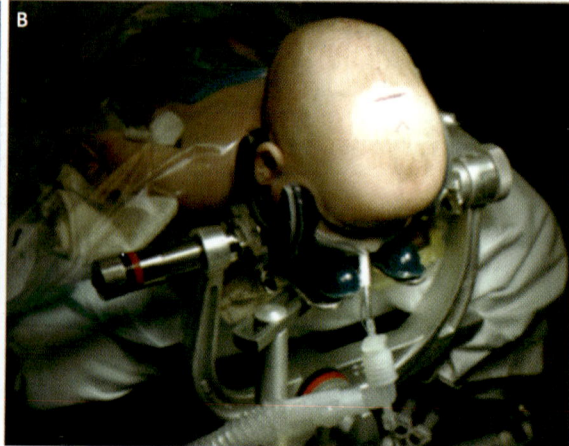

▲**Figura 175.3 (A)** criança é posicionada em decúbito ventral antes da cirurgia. Foi necessária a extensão extrema da cabeça para correção da cranioestenose, mas o equipamento para fixar a cabeça foi o mesmo usado para uma craniotomia em prona. **(B)** esta fixação específica usa almofadas de gel para apoiar o queixo, as orelhas e a face.
Fonte: Craig D. McClain, 2019.[2]

malformações de Chiari podem ser mais propensas à depressão respiratória. O diabetes insípido pode ocorrer após cirurgia na região do hipotálamo e da glândula pituitária e pode ser tratado de forma aguda com infusão intravenosa de vasopressina.[8]

A hipotermia leve (34°C-35,8°C) estimula uma diminuição do $CMRO_2$ e pode ajudar a atenuar o aumento da PIC. Contudo, é essencial avaliar as complicações da hipotermia (por exemplo, distúrbios da coagulação).[3]

A atenção deve ser focada na manutenção da temperatura normal desde o momento em que a criança é levada à sala de cirurgia, embora a hipotermia moderada durante a neurocirurgia possa ser útil para diminuir a $CMRO_2$. Importante não esquecer da normotermia para uma saída adequada da anestesia e o tempo necessário para reaquecer mesmo uma criança ligeiramente hipotérmica. São necessários aquecedores de fluidos, dispositivos de ar quente e colchões aquecidos.[2]

A extubação precoce ou manutenção da intubação após a cirurgia depende:

a) da hemostasia após recessecção do tumor;
b) da estabilidade no pós-operatório imediato;
c) da manutenção da ventilação controlada mecânica no POI (pós-operatório imediato), para reduzir a $PaCO_2$ ou sedação para controle da PIC.
d) do grau de déficit neurológico significativo;
e) do efeito residual do anestésico ou manuseio cirúrgico dos centros respiratórios.[6]

A hipertensão arterial no POI é tratada com analgesia adequada se for dor ou associada a anti-hipertensivos. O labetalol, um agente bloqueador α e β-adrenérgico, pode ser administrado de forma incremental para o controle da pressão arterial durante o período agudo do despertar, mas isso raramente é necessário em crianças que receberam doses adequadas de opioides durante a cirurgia. Para adolescentes, labetalol intravenoso (0,1–0,4 mg/kg, administrado a cada 5 a 10 minutos até que o efeito desejado seja alcançado) pode ser necessário, mas geralmente não precisa ser repetido no período pós-operatório.[2]

Lembrar que a hipertensão arterial pode ser evocada pelo Sistema Nervoso Central, em resposta à isquemia que ocorre no centro vasomotor no tronco e bulbo. Se for essa a condição, o tratamento deve considerar uma pressão arterial acima dos valores prévios de enfermaria.[6]

■ ABORDAGENS CLÍNICAS

Trauma

Entre as crianças, o trauma é a principal causa de morte. Os ferimentos na cabeça produzem a maior parte desta mortalidade e causam grande parte da morbidade nos sobreviventes. Crianças com traumatismo cranioencefálico (TCE) podem apresentar anormalidades neurológicas mínimas no momento da avaliação inicial. No entanto, o aumento da PIC e os défices neurológicos podem desenvolver-se progressivamente.[2] Isso porque os contribuintes para o TCE incluem dano focal devido à lesão tecidual direta e lesão difusa devido à aceleração/desaceleração, resultando em edema cerebral e lesão axonal difusa. O TCE ocorre em duas fases: lesão primária, que é o dano tecidual ou mecânico ocorrido no momento do trauma, e lesão secundária ou

Tabela 175.6 Manobras de neuroproteção.

Metas	Evite edema cerebral
	Evite hipóxia cerebral
	Evite hipoperfusão cerebral
	Evite o hipermetabolismo cerebral
	Evite danos à membrana neuronal
Manobras	
Cabeceira da cama aos 30 graus na linha média	Aumenta a drenagem venosa cerebral enquanto mantém a PPC
Corticosteróides	Pode melhorar o resultado da lesão medular
	Diminuir o edema cerebral vasogênico em crianças com tumores
	Estabilizar membranas neuronais
	Eliminadores de radicais livres
Ventilação controlada	Manter a $PaCO_2$ em níveis normais a ligeiramente baixos evita a vasodilatação cerebral e o aumento da PIC
Paralisia muscular	Evita tosse, esforço, movimento da criança e outras causas de aumento da PIC
Drenagem ventricular	Diminui a PIC
Anti-hipertensivos	Prevenir mais edema cerebral, isquemia e hemorragia cerebral. A hipotensão grave pode diminuir significativamente a PPC.
Anticonvulsivantes	Prevenir atividade convulsiva e aumento da PIC
Hipotermia	Diminui o consumo de CMRO2 e CMRglu
Coma barbitúrico	Efeito estabilizar de membrana
	Diminui CBF e CMRO2

FSC: fluxo sanguíneo cerebral; CMRglu: taxa metabólica cerebral de glicose; CMRO2: taxa metabólica cerebral de oxigênio; PPC: pressão de perfusão cerebral; PIC: pressão intracraniana; $PaCO_2$: pressão paretal de dióxido de carbono arterial.

dano tardio, causado por processos inflamatórios e excitotóxicos, levando a edema cerebral e elevação da pressão intracraniana (PIC). A lesão secundária também é causada por insultos fisiológicos, mais comumente devido à hipoxemia e hipotensão. Outros contribuintes incluem hipo ou hipercarbia e hipo ou hiperglicemia. Quando os pacientes com TCE chegam ao hospital, a lesão primária não é tratável. No entanto, a lesão secundária é tratável, evitando-se a hipoxemia, a hipotensão e outros fatores. Assim o edema cerebral e as intervenções da PIC são os alvos terapêuticos.[9]

Diferente do adulto, a maior complacência do crânio da criança dificulta a ocorrência de fraturas ósseas e lesões vasculares intracranianas.[6] Por isso, existem diferenças significativas entre crianças e adultos no padrão de lesões do SNC (Sistema Nervoso Central). Embora os hematomas intracranianos (ou seja, epidurais, subdurais ou intraparenquimatosos) sejam comuns em adultos, eles são menos comuns em crianças. Em contraste, o edema cerebral difuso, após traumatismo cranioencefálico contuso, ocorre com mais frequência em crianças do que em adultos.[2]

A autorregulação cerebral pode ser interrompida em pacientes pediátricos com TCE. Como a PPE é determinada pela diferença entre a PAM e a PIC, o suporte hemodinâmico para manter a PAM e a PPE é fundamental no TCE, a fim de prevenir lesões secundárias.[9]

A hipotensão que ocorre durante as primeiras 6 horas após a lesão tem a maior previsão de má prognóstico. A PPE ideal exata no paciente pediátrico é desconhecida. De acordo com estudos recentes, nenhum paciente com PPE inferior a 40 mmHg sobreviveu. A relação exata entre idade e PPE ideal também é desconhecida. Na ausência de monitorização da PIC e suspeita de hipertensão intracraniana (HIC), não se deve permitir que a pressão arterial média sistêmica diminua abaixo dos valores normais para a idade. Manter a PPC > 50 mmHg em crianças de 6 a 17 anos e > 40 mmHg em crianças de 0 a 5 anos são metas apropriadas. A manutenção da pressão arterial sistólica adequada à idade, maior ou igual ao percentil 75, também pode estar associada a melhores resultados.[9]

Algoritmos de suporte básico de vida devem ser aplicados imediatamente para garantir vias aéreas desobstruídas, respiração espontânea e circulação adequada.[1] A imobilização da coluna cervical é essencial para evitar lesões secundárias com manipulação das vias aéreas do paciente até que a liberação radiológica seja confirmada. Trauma abdominal fechado e fraturas de ossos longos ocorrem frequentemente com traumatismo cranioencefálico e podem ser importantes fontes de perda de sangue. Para garantir a perfusão tecidual durante o período operatório, a volemia do paciente deve ser restaurada com soluções cristaloides e/ou hemoderivados.[8]

Evidências para infusões de solução salina hipertônica vêm de vários estudos. Possíveis preocupações com o seu uso inclui natriurese, desidratação, mielinólise pontina central e rebote na PIC. Recomenda-se terapia em bolus com solução salina a 3% e infusão contínua de solução salina a 3% para tratamento de HIC em pacientes pediátricos. Doses eficazes para faixa de terapia em bolus de 6,5 a 10 ml/kg para pacientes pediátricos com PIC elevada após TCE.[9]

Há evidências clínicas limitadas para apoiar o uso de manitol para o tratamento da PIC. As possíveis complicações incluem natriurese e desidratação, possível preocupação com insuficiência renal aguda e efeito osmótico reverso no tecido lesionado cerebral, onde o acúmulo de manitol no tecido causa movimento de água para o parênquima cerebral, possivelmente aumentando a PIC.[9]

Estudos mostram que uma duração mais longa de hipotermia (continuado por >24 h) e um reaquecimento mais lento (0,5°C por hora) produziram resultados mais seguros e favoráveis, sem aumento de arritmia, coagulopatia ou infecção, e uma tendência à diminuição da mortalidade e PIC mais baixas.[9]

Tumores

Os tumores cerebrais são os tumores sólidos mais comuns em crianças, superados apenas pelas leucemias como a malignidade pediátrica mais comum. Ao contrário dos adultos, a maioria dos tumores cerebrais em crianças é infratentorial na fossa posterior. Eles incluem meduloblastomas, astrocitomas cerebelares, gliomas do tronco cerebral e ependimomas do quarto ventrículo. Como os tumores da fossa posterior geralmente obstruem o fluxo do LCR, o aumento da PIC ocorre precocemente.[2]

Os sinais e sintomas apresentados incluem vômitos matinais e irritabilidade ou letargia. Paralisias de nervos cranianos e ataxia também são achados comuns, com irregularidades respiratórias e cardíacas geralmente ocorrendo tardiamente.

A ressecção cirúrgica de um tumor da fossa posterior apresenta vários desafios anestésicos (Figura 175.4). As crianças geralmente são posicionadas em decúbito ventral, embora as posições lateral ou sentada sejam utilizadas por alguns neurocirurgiões. Em qualquer caso, a cabeça fica flexionada, a posição e patência do tubo traqueal devem ser meticulosamente garantidas. Os pulmões são auscutados após o posicinamento, para averiguar possível extubação, intubação seletiva ou dobra da sonda.

Arritmias e alterações agudas da pressão arterial podem ocorrer durante a exploração cirúrgica, especialmente quando o tronco cerebral é manipulado ou irrigado. O eletrocardiograma e a forma de onda arterial devem ser monitorados de perto. O controle respiratório alterado pode ser mascarado por medicamentos bloqueadores neuromusculares (NMBDs) e ventilação mecânica.[2]

Mesmo quando a PIC aumenta apenas marginalmente, presume-se que a complacência intracraniana tenha diminuído. Isto justifica precauções contra novos aumentos na PIC. Se a PIC estiver acentuadamente aumentada ou piorar de forma aguda, um cateter ventricular pode ser inserido antes da ressecção do tumor.

VAE é uma complicação potencialmente grave que não é eliminada pela abordagem prona ou lateral.

Os tumores supratentoriais no mesencéfalo incluem giomas craniofaríngeos, gliomas ópticos, adenomas hipofisários e tumores hipotalâmicos, e são responsáveis por aproximadamente 15% dos tumores intracranianos. Os tumores hipotalâmicos (ou seja, hamartomas, gliomas e teratomas) manifestam-se frequentemente com puberdade precoce em crianças. Os craniofaringiomas são os tumores parasselares mais comuns em crianças e adolescentes e podem estar associados à disfunção hipotalâmica e hipofisária. Os sintomas geralmente incluem deficiência de crescimento, deficiência visual e anormalidades endócrinas. O diabetes insipidus pode ocorrer no pré-operatório e é um problema pós-operatório comum.

Gliomas das vias ópticas ocorrem com frequência aumentada em crianças com neurofibromatose. Os sintomas apresentados incluem alterações visuais e proptose; aumento da PIC e disfunção hipotalâmica são geralmente achados tardios. Os neurofibromas tendem a ser altamente vasculares e o anestesista deve estar preparado para perdas sanguíneas consideráveis.

Aproximadamente 25% dos tumores intracranianos em crianças envolvem os hemisférios cerebrais. Eles são principalmente astrocitomas, oligodendrogliomas, ependimomas e glioblastomas. Os sintomas neurológicos têm maior probabilidade de incluir um distúrbio convulsivo ou déficits focais. Os papilomas do plexo coroide são raros, mas ocorrem com mais frequência em crianças menores de 3 anos de idade. Eles geralmente surgem do plexo coroide do ventrículo lateral e produzem hidrocefalia precoce como resultado do aumento da produção de LCR e da obstrução do fluxo do LCR. A hidrocefalia geralmente se resolve com ressecção cirúrgica. Se a estimulação cortical for planejada para ajudar a identificar áreas motoras, deve-se permitir que os BNMs desapareçam e a técnica anestésica seja ajustada para conseguir imobilização sem paralisia.[2]

No POI, a intubação traqueal é mantida nas seguintes situações:

a) excesso de anestésico;
b) quando os centros que controlam o sistema cardiovascular, respiratório e estado de vigília (SRAA),

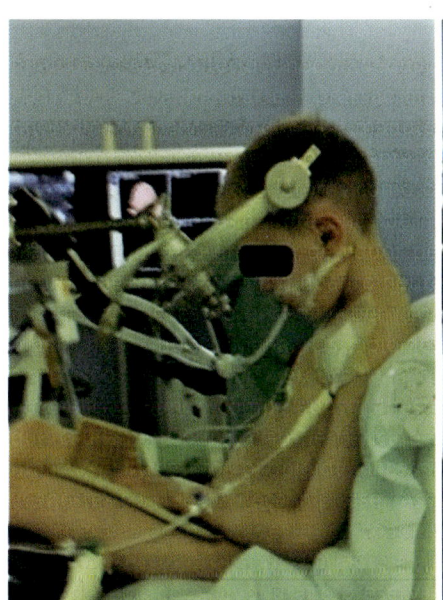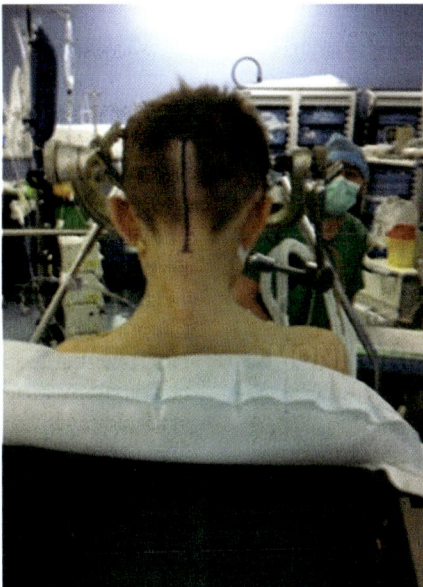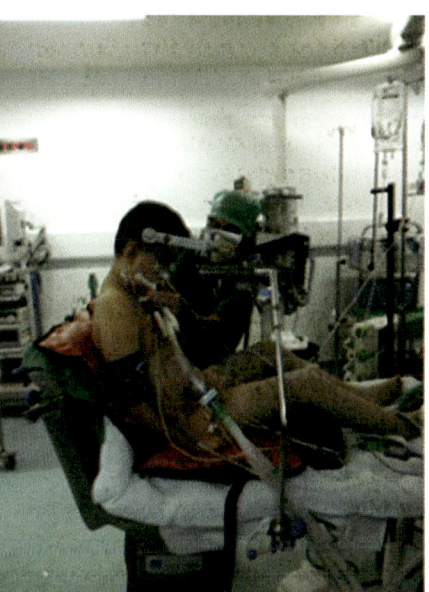

▲ **Figura 175.4** Posição sentada para cirurgia da fossa posterior.
Fonte: Klein O, 2020.[10]

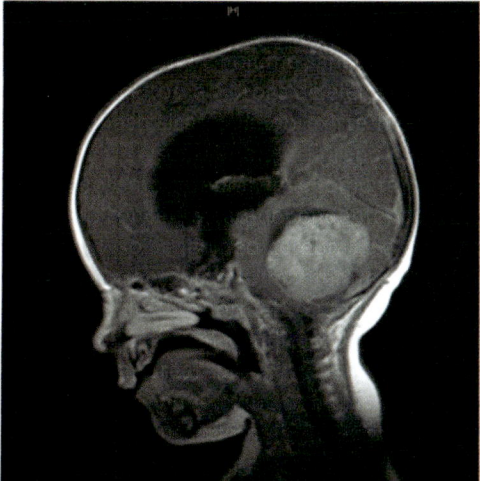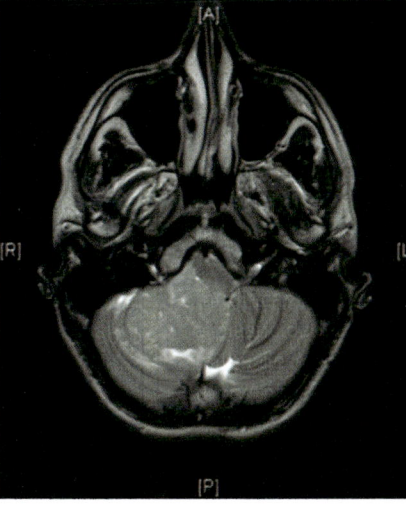

◄ **Figura 175.5** Ressonância magnética craniana, onde se pode ver um meduloblastoma cerebelar em corte sagital e coronal. Observa-se, no corte sagital, um meduloblastoma na linha média da fossa posterior, com uma intensidade de sinal intermédia. Existe obstrução ao fluxo do LCR, hidrocefalia e edema. No corte coronal observa-se um meduloblastoma com realce homogêneo, que surge do hemisfério cerebelar direito com deslocamento do vérmis.

Fonte: Pediatric medulloblastoma – update on molecular classification driving targeted therapies. DeSouza RM, Jones BR, Lowis SP, Kurian KM. License: CC BY 3.0.

localizados no tronco, bulbo e mesencéfalo, foram manipulados durante a ressecção do tumor;

c) no manuseiao de pares cranianos: glossofaríngeo (IX par craniano) e hipoglosso (XII par craniano), nervos sensitivos e motores da faringe e da língua, vago (X par craniano), nervo sensitivo da laringe, faringe e traqueia, e motor dos brônquios;

d) na possibilidade de hemorragia no leito cirúrgico;

e) no edema localizado que obstrui a drenagem do LCR e causa hidrocefalia.[6]

ANOMALIAS VASCULARES

Malformações arteriovenosas

As malformações arteriovenosas (MAV) surgem com o desenvolvimento anormal da rede arterial, composta de grandes artérias que não se ramificam normalmente até o nível de capilar, desembocam diretamente em veias calibrosas, cujas paredes adquirem características semelhantes às artérias devido à elevada pressão e fluxo. A resistência vascular cerebral é baixa e o alto fluxo sanguíneo que passa pela MAV causa vasodilatação das veias. Como o fluxo sanguíneo é muito rápido e não existe ramificação até o nível dos capilares, local onde ocorreria a troca de nutrientes, as células nervosas entre a trama da MAV sofrem isquemia. Estas células tornam-se doentes e propensas a desencadear atividade convulsiva. Além disso, as fibras musculares das artérias da MAV não têm a atividade contrátil normal, ou seja, na MAV não tem nenhum mecanismo de autorregulação, quer seja ao PACO$_2$, à variação de pressão arterial ou à redução da taxa metabólica. O fluxo sanguíneo é totalmente dependente da pressão arterial e existe a possibilidade de ruptura de vasos da MAV, causando hematomas extensos intracerebrais. Como as artérias são patológicas, a vasodi-

latação causa inchaço cerebral e perda de fluido através da parede destas artérias.[6]

Grandes malformações, especialmente aquelas que envolvem a artéria cerebral posterior e a veia de Galeno, podem manifestar-se como insuficiência cardíaca congestiva (ou seja, insuficiência cardíaca de alto débito, frequentemente com hipertensão pulmonar) no neonato. O consumo de fatores de coagulação e a destruição plaquetária podem complicar ainda mais o quadro clínico. O prognóstico para esses tipos de malformações arteriovenosas é bastante ruim.[2]

A anestesia visa reduzir a taxa metabólica das áreas do cérebro que não estão comprometidas pela MAV, que em conjunto com hipocapnia, reduz o volume encefálico e facilita o manuseio do encéfalo. A hipertensão arterial deve ser evitada em qualquer momento. A ligadura de uma MAV pode causar hipertensão súbita com edema cerebral hiperêmico. Vasodilatadores como labetalol ou nitroprussiato podem ser usados para controlar uma crise hipertensiva.[8]

O tratamento inicial de MAVs grandes geralmente consiste em embolização intravascular no conjunto radiológico. O anestesiologista deve ter conhecimento sobre os tipos de agentes embólicos que podem ser utilizados e suas potenciais complicações. A terapia anticonvulsivante é rotina. A sobrecarga de líquidos pode resultar da grande quantidade de agentes de contraste administrados, especialmente em crianças pequenas que já podem estar com insuficiência cardíaca de alto débito.[2]

Aneurismas

Os aneurismas intracranianos resultam mais frequentemente de uma malformação congênita na parede arterial. Crianças com coarctação da aorta ou doença renal policística apresentam incidência aumentada desses aneurismas.

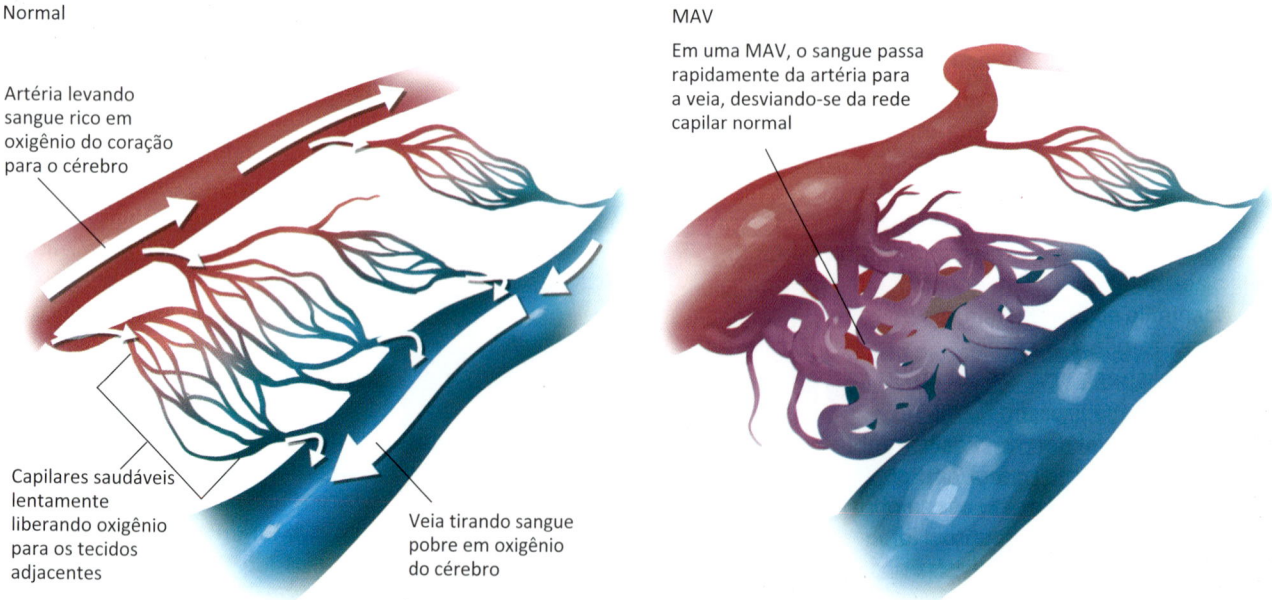

Normal

Artéria levando sangue rico em oxigênio do coração para o cérebro

Capilares saudáveis lentamente liberando oxigênio para os tecidos adjacentes

Veia tirando sangue pobre em oxigênio do cérebro

MAV

Em uma MAV, o sangue passa rapidamente da artéria para a veia, desviando-se da rede capilar normal

▲ **Figura 175.6** Fisiopatologia da MAV.

Geralmente permanecem assintomáticos durante a infância; a maioria das rupturas que ocorre na infância são fatais.[2]

Os sintomas de hemorragia subaracnoídea ou intracerebral muitas vezes aparecem de forma súbita em um adulto jovem previamente saudável. Quando tecnicamente viável, a ligadura cirúrgica (ou clipagem) constitui o tratamento de escolha.

A hipotensão controlada pode ser valiosa em algumas situações, durante breves períodos, para reduzir a tensão nos vasos sanguíneos anormais e melhorar a segurança da manipulação cirúrgica. Não está claro, contudo, se os benefícios da hipotensão controlada compensam os riscos, especialmente em crianças pequenas. A hipotensão controlada não deve ser usada em crianças com PIC aumentada devido ao risco de diminuição da PPE, com isquemia resultante e aumento adicional da PIC. Embora os limites absolutos de hipotensão aceitável sejam desconhecidos, uma média superior a 40 mmHg para bebês ou 50 mmHg para crianças mais velhas parece ser segura; os adolescentes devem ter uma PAM-alvo não inferior a 55 mmHg. Ao final do procedimento, a pressão arterial volta ao normal, mas antes de fechar a dura-máter, o local da operação deve ser inspecionado quanto a sangramento.

A hipertensão excessiva pode resultar em sangramento pós-operatório, embora na maioria dos casos de clipagem de aneurisma um ligeiro aumento da pressão arterial possa ser desejável no pós-operatório para minimizar o risco de vasoespasmo.

Em todos os procedimentos vasculares, o foco deve estar na manutenção da normocapnia, euvolemia e pressão arterial normal, para manter a adequada perfusão encefálica.

Doença de Moyamoya

A doença de Moyamoya é uma anomalia que resulta da oclusão progressiva dos vasos intracranianos e com ris-

co de vida, principalmente das artérias carótidas internas próximas ao círculo de Willis. Uma rede vascular anormal de artérias colaterais se desenvolve na base do cérebro e o aparecimento de muitos pequenos vasos na angiografia foram originalmente descritos pelo nome japonês ´Moyamoya`, que pode ser traduzido aproximadamente como "sopro de fumaça". A variedade adquirida (isto é, síndrome de Moyamoya) pode estar associada a meningite, neurofibromatose, inflamação crônica, doenças do tecido conjuntivo, certos distúrbios hematológicos, síndrome de Down ou radiação intracraniana prévia. Algumas crianças com sintomas neurológicos de doença falciforme também podem ter Moyamoya.[2]

Geralmente se manifesta como ataques isquêmicos transitórios que progridem para acidentes vasculares cerebrais e déficits neurológicos fixos em crianças. O tratamento médico consiste em terapia antiplaquetária ou administração de bloqueadores dos canais de cálcio. A operação cirúrgica mais comum para correção em crianças é a sinangiose pial, que envolve a sutura de uma artéria do couro cabeludo (geralmente a artéria temporal superficial), diretamente na superfície pial do cérebro para aumentar a angiogênese (Figura 175.8).

O monitoramento cuidadoso e contínuo do $ETCO_2$ é essencial no manejo da anestesia. Crianças com doença de Moyamoya apresentam redução do fluxo sanguíneo hemisférico bilateralmente, e a hiperventilação pode reduzir ainda mais o fluxo sanguíneo regional e causar alterações no EEG e neurológicas. A normocapnia deve ser mantida durante todas as fases do procedimento, incluindo a indução de anestesia. Assim, evita-se qualquer fator que leve à isquemia, como vasoconstrição pela hipocapnia e hipotensão arterial (Figura 175.9).

Epilepsia

O tratamento cirúrgico tornou-se uma opção viável para muitos pacientes com epilepsia clinicamente intratável. Duas considerações principais devem ser mantidas em mente. A administração crônica de medicamentos anticonvulsivantes, fenitoína e carbamazepina, induz o metabolismo rápido e a depuração de várias classes de agentes anestésicos, incluindo bloqueadores neuromusculares e opioides. Portanto, as necessidades anestésicas para estes medicamentos são aumentadas e requerem monitorização cuidadosa do seu efeito e redoses frequentes. Monitores neurofisiológicos intraoperatórios podem ser usados para orientar a ressecção do foco epileptogênico, e os anestésicos gerais podem comprometer a sensibilidade desses dispositivos.[8]

Como alguns focos epileptogênicos estão próximos de áreas corticais que controlam a fala, a memória e a função motora ou sensorial, o monitoramento das respostas eletrofisiológicas e do paciente é frequentemente utilizado para minimizar lesões iatrogênicas nessas áreas. A estimulação cortical da faixa motora em uma criança sob anestesia geral exigirá eletroencefalografia (EEG) ou visualização direta do movimento muscular. O bloqueio neuromuscular não deve ser utilizado nesta situação.[8]

A estimulação cortical direta é necessária quando o foco epileptogênico estiver próximo das áreas eloquentes do cé-

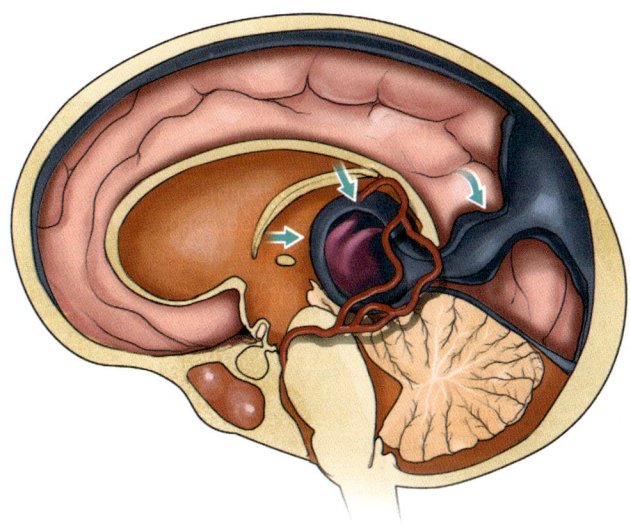

▲ **Figura 175.7** Malformação da veia de Galeno.
Fonte: Encéfalo de Osborn, 2014, p 155.

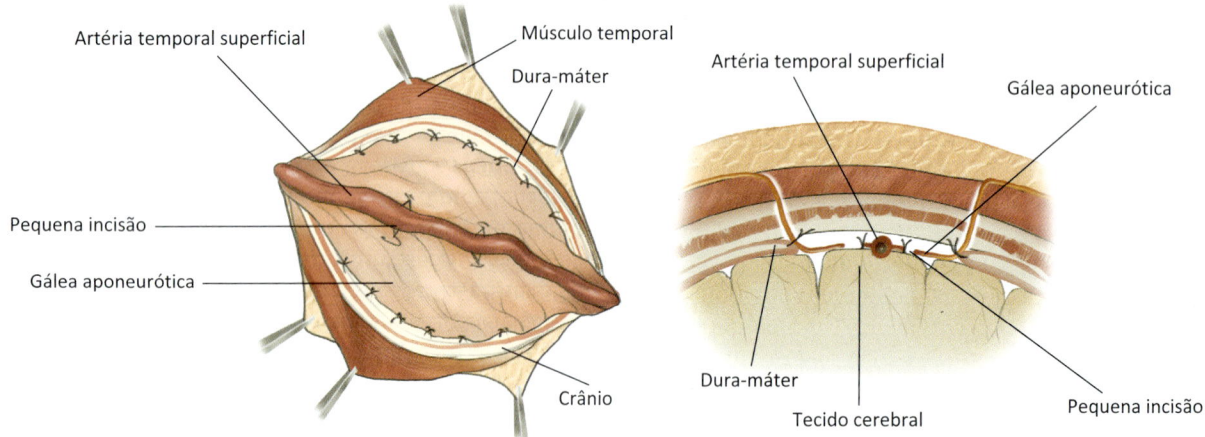

▲ **Figura 175.8** Sinangiose Pial.

Fonte: Chuan Chen, Hui Wang, Bo Hou, Lun Luo, Ying Guo, Surgical Revascularization for Children with Moyamoya Disease: A New Modification to the Pial Synangiosis. World Neurosurgery. 2018;110:e203-e211, ISSN 1878-8750. Disponível em: https://www.sciencedirect.com/science/article/pii/S187887501731865X.

rebro, e quando o foco estiver próximo dos centros de fala é necessária a craniotomia em estado de vigília. Craniotomias acordadas em crianças podem ser realizadas com anestesia local e propofol e fentanil para sedação e analgesia, respectivamente. A dexmedetomidina tem efeito mínimo na eletrocorticografia (ECoG), por isso é particularmente útil para sedação durante exames não dolorosos. O óxido nitroso atenua a atividade epiléptica.[4]

É importante evitar o óxido nitroso até que a dura-máter seja aberta, porque o ar intracraniano pode persistir até 3 semanas após uma craniotomia.[8]

O posicionamento do paciente é fundamental para o sucesso desta técnica. O paciente deve estar em posição semilateral para permitir tanto o conforto do paciente quanto o acesso cirúrgico e das vias aéreas ao paciente. O propofol não interfere na ECoG, se for interrompido 20 minutos antes da monitorização. Crianças altamente motivadas, acima de 10 anos de idade, conseguem resistir ao procedimento sem incidentes. No entanto, é imperativo que os candidatos a uma craniotomia acordados estejam maduros e psicologicamente preparados para participar deste procedimento. Portanto, pacientes com atraso no desenvolvimento ou com histórico de ansiedade grave ou distúrbios psiquiátricos não devem ser considerados adequados para uma craniotomia acordados. Não se pode esperar que pacientes muito jovens cooperem com esses procedimentos e geralmente necessitam de anestesia geral com monitoramento neurofisiológico extenso para minimizar a ressecção inadvertida da faixa motora e do córtex eloquente.

Hidrocefalia

O procedimento neurocirúrgico mais comum realizado nos principais centros pediátricos é para o tratamento da hidrocefalia. Independentemente da etiologia, seja superprodução de LCR devido a papilomas do plexo coroide ou obstrução do fluxo do LCR secundária a um tumor ou mal-

formação de Chiari, o diagnóstico e o alívio da hipertensão intracraniana com risco de vida devem ser realizados rapidamente.[8]

Esses pacientes correm o risco de desenvolver hipertensão intracraniana e de apresentar prejuízos resultantes na hemodinâmica cerebral e no metabolismo. Os pacientes geralmente necessitam de colocação neurocirúrgica de um sistema de derivação do LCR, como derivação ventrículo-subgaleal, dispositivos de acesso ventricular (VAD) ou derivação ventrículo-peritoneal (Figura 175.10).[4]

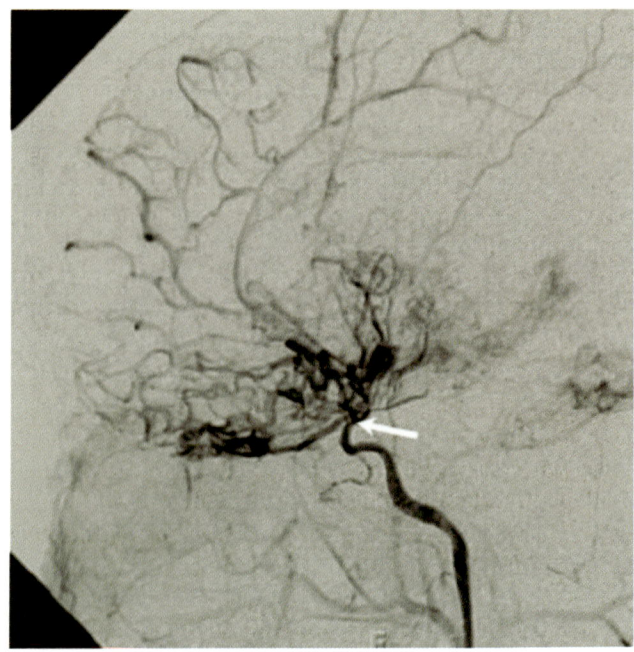

▲ **Figura 175.9** Angiografia cerebral de uma criança com doença de Moyamoya.

Fonte: Ibrahimi, David & Tamargo, Rafael & Ahn, Edward. Moyamoya disease in children. Child's nervous system: ChNS : Official Journal of the International Society for Pediatric Neurosurgery. 2010;26:1297-308. 10.1007/s00381-010-1209-8.

O plano anestésico para uma criança com hidrocefalia deve ser direcionado ao controle da PIC e ao alívio da obstrução o mais rápido possível.

Durante a punção ventricular, é necessário estar atento às alterações cardiovasculares que podem ocorrer, pois a descompressão brusca da hipertensão dos ventrículos laterais pode levar ao deslocamento de estruturas cerebrais e herniação.[6]

Os anestesiologistas devem estar cientes da condição conhecida como síndrome da fenda ventricular (Figura 175.8). Essa situação se desenvolve em 5% a 10% das crianças com *shunts* de LCR e está associada à drenagem excessiva do LCR e a pequenos espaços ventriculares laterais em forma de fenda. Crianças com essa condição não apresentam a quantidade normal de LCR intracraniano para compensar alterações no volume cerebral ou sanguí-

neo intracraniano. Atenção especial deve ser dada quando a tomografia computadorizada identificar esta condição. É mais seguro evitar a administração de soluções intravenosas em excesso ou hipotônicas nessas situações, nos períodos intra e pós-operatório, para minimizar o potencial de inchaço cerebral.[2]

Cranioestenose

A cranioestenose é uma condição caracterizada pela fusão prematura da(s) sutura(s) craniana(s). Em 80% dos casos a fusão prematura acomete apenas uma sutura, também conhecida como cranioestenose isolada. Essas crianças são saudáveis, sem qualquer comorbidade. Em 20% dos casos, a cranioestenose está associada a anomalias como Crouzon, Apert, Pfeifer ou outras síndromes e suas consequências.[4]

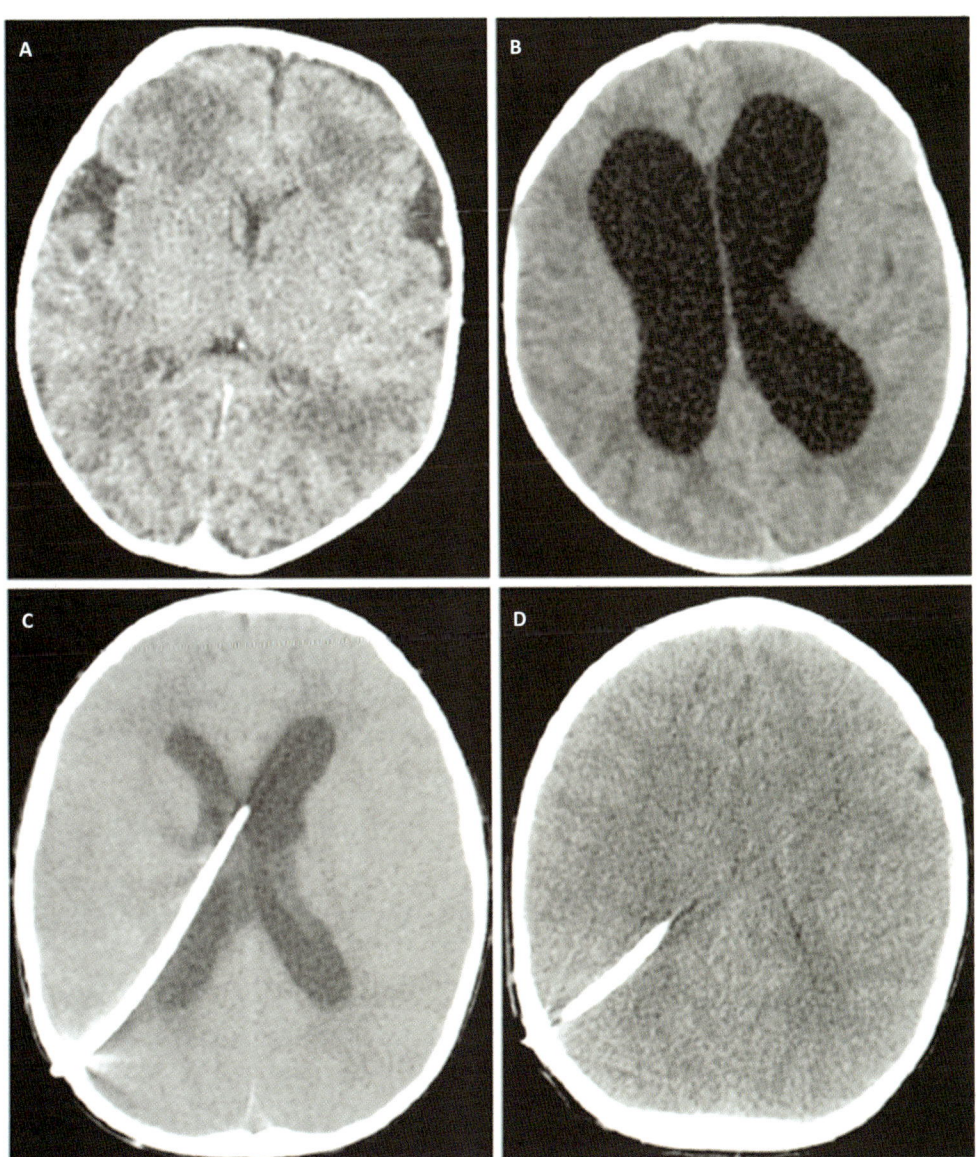

▲ **Figura 175.10** Tomografias computadorizadas de crianças com ventrículos de tamanho normal **(A)**, hidrocefalia não tratada **(B)**, hidrocefalia tratada com derivação ventricular **(C)** e hidrocefalia tratada com derivação ventricular, resultando em ventrículos em fenda **(D)**.

Fonte: Cortesia Ellen Grant, MD.

A pressão intracraniana elevada e a hidrocefalia são mais frequentes no caso de cranioestenose sindrômica. O momento da cirurgia eletiva é controverso, mas geralmente é realizado aos 3–6 meses de idade. Neste período da vida, os ossos ficam macios e fáceis de remodelar. Se a cirurgia for feita mais tarde, entre 6 e 12 meses de idade, o aumento da volemia é uma vantagem e haverá menor necessidade de transfusão.

No caso de cranioestenose sindrômica, o estado cardíaco deve ser avaliado. As técnicas cirúrgicas podem variar desde a craniectomia em tira até a remodelação total da abóbada craniana. A redução do movimento da articulação temporomandibular, a fusão da coluna cervical ou anormalidades faciais podem dificultar o manejo das vias aéreas. A apneia obstrutiva do sono (AOS) pode ocorrer em 50% dos casos multissuturais e sindrômicos, o que leva à dificuldade de intubação e extubação.

Os pacientes são frequentemente operados em posição prona ou posição prona modificada ou, ainda, em posição supina. Os principais riscos são hipotermia intraoperatória, sangramento maciço e embolia gasosa venosa (EAV).

A temperatura central baixa pode levar à coagulopatia, exigindo transfusão maciça. É um desafio estimar a perda exata de sangue, porque a maior parte da perda sanguínea vai para os campos cirúrgicos e áreas adjacentes. Um estudo recente mostrou que a reposição precoce de fibrinogênio, de acordo com o controle tromboelastométrico, diminui significativamente a necessidade de transfusão nos cenários de cirurgia de cranioestenose. De acordo com esses dados, preconiza-se o controle dos níveis de fibrinogênio antes da cirurgia. O ácido tranexâmico (TXA) é frequentemente usado para diminuir a perda sanguínea intraoperatória durante a neurocirurgia pediátrica. Esses estudos mostraram que a dose de ataque de 10 mg/kg, seguida de 5–10 mg/kg/h, pode reduzir a necessidade de transfusão em dois terços, sem quaisquer efeitos colaterais.[4]

Em bebês, avaliar a dor é um desafio e o manejo da dor é um problema subestimado. O bloqueio dos nervos do couro cabeludo com levobupivacaína a 0,25% (1 ml/kg) e epinefrina, pode reduzir a dor pós-operatória principalmente nas primeiras 24 horas. O uso de anti-inflamatórios não esteroidais (AINEs) é controverso, pois podem facilitar o sangramento pós-operatório.

Anomalias Congênitas

A falha no fechamento do tubo neural durante o primeiro trimestre resulta em um espectro de doenças que varia de espinha bífida até anencefalia.[3]

As condições mais comuns apresentadas para correção neurocirúrgica são as meningoceles, que resultam de hérnia dos elementos durais contendo LCR sem tecido espinhal (Figura 175.11).

Quando o tecido neural também está presente na lesão, o defeito é denominado meningomielocele. O tecido neural aberto é conhecido como raquísquise. A hidrocefalia geralmente está presente e a função neurológica distal costuma ser gravemente prejudicada. Esses defeitos requerem correção nos primeiros dias de vida para minimizar a contami-

nação bacteriana e a sepse.[2] As implicações anestésicas da cirurgia para defeitos do tubo neural são as seguintes:

A) **Recém-nascidos:** aplicam-se os princípios gerais para anestesia nesta população. Se for necessário enxerto de pele, pode haver necessidade de reposição sanguínea.

B) **Posicionamento:** deve-se tomar cuidado para minimizar a pressão sobre a estrutura herniada, levando a maiores danos ou ruptura. A indução da anestesia pode ser realizada em decúbito lateral ou mais comumente em decúbito dorsal, com coxis para apoiar e aliviar a pressão da herniação. A cirurgia é realizada em posição prona e é necessário cuidado especial para evitar compressão abdominal e congestão venosa do local da operação.

C) **Látex:** crianças com mielodisplasia apresentam risco aumentado a alergias ao látex (Figura 175.12).[3]

A flexão extrema da cabeça pode causar compressão do tronco cerebral. A succinilcolina raramente é necessária para intubação traqueal, embora não esteja associada à hipercalemia porque o defeito se desenvolve no início da gestação e não está associado à denervação muscular.

A maioria dos casos de meningomielocele apresenta malformação de Arnold Chiari associada (Tabela 175.7).[2]

A malformação de Chiari é uma herniação da porção posterior do cerebelo e do tronco cerebral através do forame magno; algumas partes do cérebro podem alcançar o canal medular comprimindo. As estruturas da fossa posterior ficam alongadas e a saída de líquor para o quarto ventrículo está obstruída. Ocasionalmente, nesta doença pode existir estridor laríngeo e obstrução das vias aéreas devido à paralisia dos nervos cranianos baixos situados na fossa posterior.

As malformações de Chiari tipo I podem ocorrer em crianças saudáveis sem mielodisplasia. Esses defeitos também envolvem deslocamento caudal das tonsilas cerebelares abaixo do forame magno, mas as crianças geralmente apresentam sintomas muito mais leves, às vezes manifestando-se apenas como dor de cabeça ou dor cervical. O tratamento cirúrgico, em geral, envolve uma craniectomia suboccipital descompressiva com laminectomias cervicais (Figura 175.13).

■ DISTÚRBIOS NEUROMUSCULARES

Os distúrbios neuromusculares pediátricos abrangem síndromes miastênicas, miotonias, distrofias e miopatias mitocondriais. Nas síndromes miastênicas, é prudente cautela durante a administração de relaxantes musculares; além disso, o sistema respiratório pode ser altamente sensível ao efeito depressor dos anestésicos. Nos casos conhecidos, a adaptação dos anestésicos pode ser feita, mas em um paciente não diagnosticado, o manejo desse paciente pode ser difícil. A vigilância é essencial e em todos os pacientes uma história familiar de doença neuromuscular ou reação adversa à anestesia deve provocar suspeita. Os marcos do desenvolvimento devem ser avaliados e o exame deve avaliar o tônus e distrofias musculares. Se surgir alguma suspeita, o rastreio da creatina quinase pode orientar o tratamento. A ausência de história familiar em

TIPOS DE DISRAFISMOS ESPINHAIS

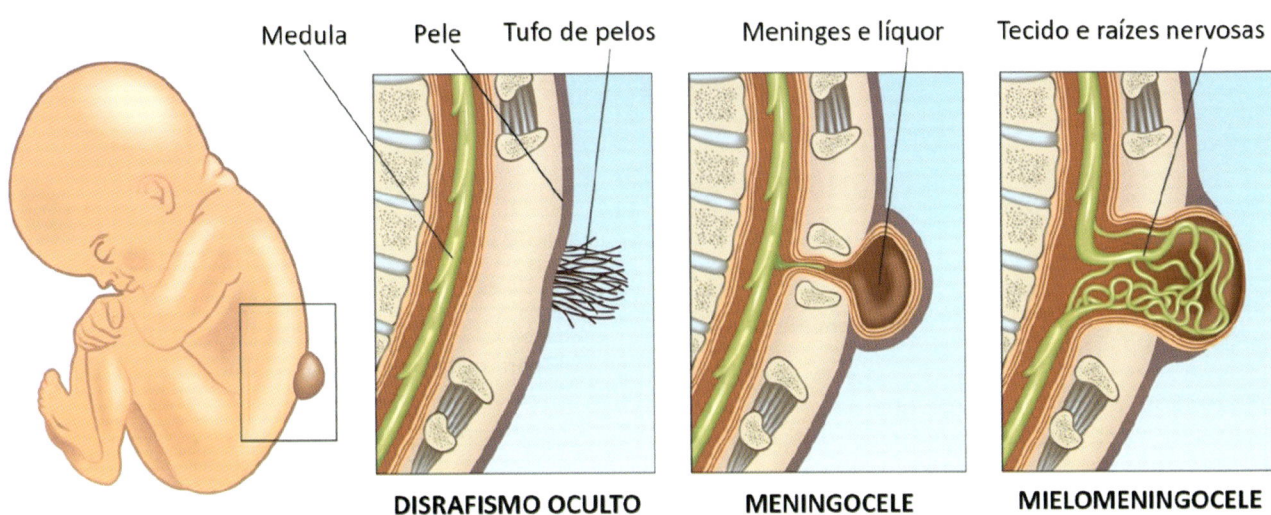

Medula   **Pele**   **Tufo de pelos**   **Meninges e líquor**   **Tecido e raízes nervosas**

DISRAFISMO OCULTO   **MENINGOCELE**   **MIELOMENINGOCELE**

▲ **Figura 175.11** Tipos de disrafismos espinhais.

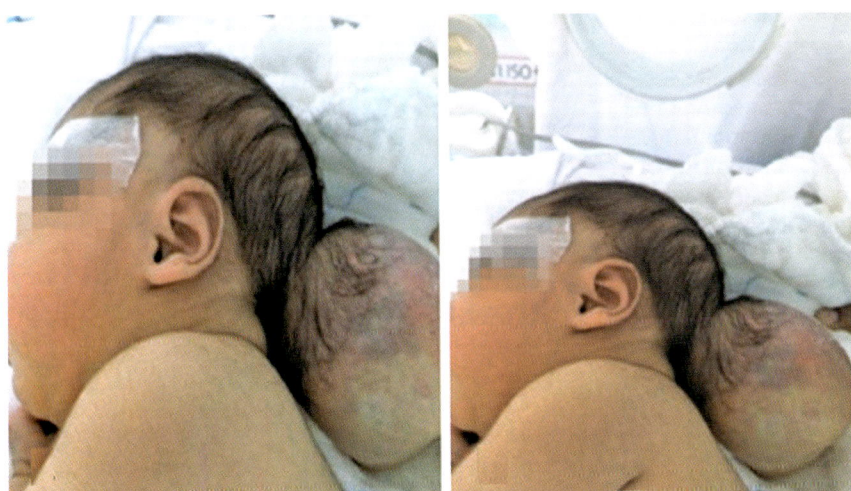

◀ **Figura 175.12** Mielocele.
Fonte: https://doi.org/10.1590/S1679-45082001-8AI4123

Tabela 175.7 Tipos de malformação de Chiari	
Tipo I	Deslocamento caudal das tonsilas cerebelares abaixo do plano do forame magno
Tipo II (Arnold-Chiari; associado à mielomeningocele)	Deslocamento do vermis cerebelar, quarto ventrículo e parte inferior do tronco cerebral abaixo do plano do forame magno
	Tronco cerebral displásico com torção característica, alongamento do quarto ventrículo, bico da placa quadrigeminal, tentório hipoplásico com pequena fossa posterior, polimicrogiria, alargamento da massa intermediária
Tipo III	Deslocamento caudal do cerebelo e tronco cerebral em uma meningocele cervical alta
Tipo IV	Hipoplasia cerebelar

uma criança hipotônica, com envolvimento de outros órgãos e sistemas, deve provocar suspeita de miopatia mitocondrial, caso em que os níveis de lactato pré-operatórios podem ser úteis. É possível que o maior desafio resida no manejo do paciente não diagnosticado, que pode desenvolver uma reação catastrófica a um anestésico escolhido.[1]

■ ANESTESIA PARA CIRURGIA DE ESCOLIOSE

A escoliose é uma condição de curvatura lateral anormal da coluna vertebral. O objetivo da cirurgia é prevenir incapacidades em longo prazo e corrigir deformidades.

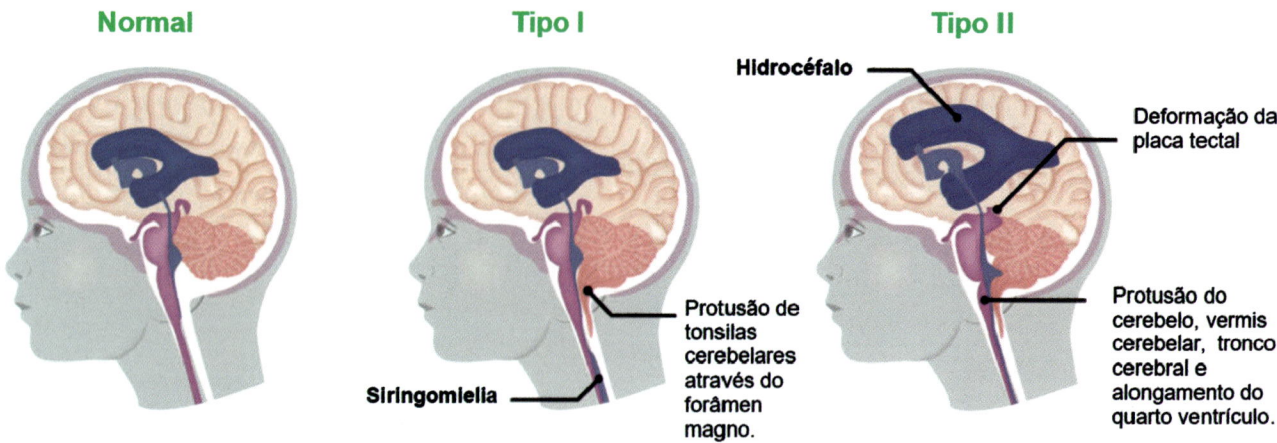

▲ **Figura 175.13** Chiari tipo I e II.
Fonte: imagem adaptada de: https://www.lecturio.com/pt/concepts/malformacoes-de-chiari/.

As cirurgias de escoliose levam várias horas enquanto o paciente está em decúbito ventral. Ao posicionar o paciente, todos os pontos de pressão devem ser acolchoados cuidadosamente. O pescoço deve ser mantido na posição neutra para a frente, usando um capacete especial almofadado.[4]

O neuromonitoramento espinhal intraoperatório é um método eficaz para prever um risco aumentado de sequelas neurológicas adversas e é considerado tratamento padrão durante a cirurgia de escoliose. Os métodos contemporâneos para monitorar a função espinhal são os potenciais evocados somatossensoriais e motores que fornecem informações sobre a integridade das vias neurais. O potencial evocado somatossensorial (PESS) reflete a ativação do córtex sensorial após a estimulação elétrica dos nervos periféricos nas extremidades inferiores e é considerado menos sensível na detecção de novos déficits motores. O potencial evocado magnético (PEM) é mais sensível na identificação de lesões na coluna vertebral, porém altamente vulnerável a todos os anestésicos inalatórios. A anestesia é comumente realizada com anestesia intravenosa total à base de propofol ou infusão alvo-controlada, e a profundidade da anestesia é monitorada com encefalograma. Relaxantes musculares não são utilizados após a intubação para não comprometer a transmissão mioneural da PE$_{máx}$. Além disso, fatores como hipóxia, hipercapnia, hipotermia e hipotensão também podem influenciar negativamente a transdução de sinal.

As cirurgias de escoliose são comumente associadas à perda maciça de sangue. A administração de TXA diminui a necessidade de transfusão. A dose mais utilizada é de 10–30 mg/kg, em bolus, seguida de 1–5 mg/kg/h; no entanto, foi demonstrado que doses mais elevadas de TXA (dose de ataque: 30–50 mg/kg, dose de manutenção: 1–5 mg/kg) reduzem mais efetivamente a perda sanguínea intraoperatória.[4]

A cirurgia de escoliose está associada à dor intensa no pós-operatório. O tratamento da dor é tipicamente analgesia controlada pelo paciente à base de opioides. Associação de analgésicos, anti-inflamatórios e PCA (*Patient-Controlled Analgesia*) são geralmente empregados.

Foi demonstrado que a administração pré e pós-operatória de gabapentina diminui o uso de opioides. A dexametasona, administrada no momento da indução da anestesia, também demonstrou reduzir o consumo de opioides. Um bolus de 0,5 mg/kg de cetamina, administrado antes da incisão, seguido por uma infusão intraoperatória de 0,2 mg/kg/h, também é um regime eficaz para reduzir a dor pós-operatória.[4]

▪ NEUROENDOSCOPIA

A cirurgia endoscópica minimamente invasiva entrou na área da neurocirurgia pediátrica. As considerações anestésicas são as mesmas de outros procedimentos neurocirúrgicos.

Em procedimentos como a terceira ventriculostomia endoscópica e a coagulação do plexo coroide para tratamento da hidrocefalia obstrutiva, podem ocorrer complicações como arritmias e edema pulmonar neurogênico. Isto se deve à manipulação do assoalho do terceiro ventrículo.[1]

As técnicas neuroendoscópicas estão se tornando a norma, projetadas para minimizar a incisão cirúrgica, a dissecção e a perda de sangue, tornando a reposição volêmica menos agressiva, e auxiliando no monitoramento hemodinâmico.[6]

Ainda são necessárias investigações multicêntricas para determinar a segurança global e o impacto em longo prazo destas técnicas em evolução.[11]

REFERÊNCIAS

1. N Kalita et al. Making Pediatric Neuroanesthesia Safer. J Pediatr Neurosci (2017) Volume 12 (4): 305-311
2. CRAIG D. MCCLAIN AND SULPICIO G. SORIANO. A Practice of Anesthesia for Infants and Children - 26 Pediatric Neurosurgical Anesthesia. (2019): 604-627.
3. Catherine Furay MRCP FRCA & Tanya Howell FRCA. Paediatric Neuroanaesthesia. Continuing Education in Anaesthesia, Critical Care & Pain (2010) Volume 10 (6): 172-175.
4. Dorottya Szanto et al. Pediatric Neuroanesthesia – a review of the recent literature. Current Anesthesiology Reports (2022), Página 468-469.
5. Practice Guidelines for Preoperative Fasting and the Use of Pharmacologic Agents to Reduce the Risk of Pulmonary Aspiration: Application to Healthy Patients Undergoing Elective Procedures: An Updated Report by the American Society of Anesthesiologists Task Force on Preoperative Fasting and the Use of Pharmacologic Agents to Reduce the Risk of Pulmonary Aspiration (2017), Volume 126: 376-393.

6.   Mizumoto Nelson et al. Tratado de Anestesiologia SAESP 7 ed.: 25 Anestesia para Neurocirurgia na Criança (2011) página 1847.
7.   Susan M. Goobie & Thorsten Haas. Pediatric Anesthesia - REVIEW ARTICLE: Bleeding management for pediatric craniotomies and craniofacial surgery 24 (2014): Página 681.
8.   Soriano, Sulpicio G et al. Pediatric Neuroanesthesia. Anesthesiology Clinics of North America, (2002) 20: Página 395-401.
9.   Nina Hardcastle, Hubert A. Benzon & Monica S. Vavilala. Pediatric Anesthesia - REVIEW ARTICLE: Update on the 2012 guidelines for the management of pediatric traumatic brain injury – information for the anesthesiologist 24 (2014): Página 703.
10. Klein Olivier et al. Elsevie - RAPPORT 2017 Article – MEDULLOBLASTOMES (2020): Figura 3 Posterior fossa craniotomy for medulloblastoma.
11   Petra M. Meier, Raphael Guzman & Thomas O. Erb. Pediatric Anesthesia - REVIEW ARTICLE: Endoscopic pediatric neurosurgery: implications for anesthesia 24 (2014): Página 675.

176

Anestesia no Trauma Cranioencefálico

Cristiane Tavares ▪ **Tais Martinez Quadros**

INTRODUÇÃO

O manejo anestésico de pacientes com traumatismo cranioencefálico (TCE) apresenta uma série de desafios. As complexidades inerentes a essas lesões demandam uma compreensão aprofundada da fisiologia cerebral e dos mecanismos de autorregulação do fluxo sanguíneo cerebral. A estabilidade hemodinâmica, a manutenção da homeostase metabólica e a prevenção de lesões secundárias são elementos cruciais para melhorar os desfechos clínicos nesses pacientes.

As recentes descobertas e os avanços tecnológicos têm proporcionado novas perspectivas e ferramentas para o tratamento de pacientes com TCE. Técnicas avançadas de monitorização e estratégias personalizadas de ventilação e controle hemodinâmico são essenciais para otimizar a função cerebral e prevenir complicações. A integração desses métodos no manejo clínico diário representa um passo significativo na melhoria do cuidado e na redução da mortalidade e morbidade associadas ao TCE.

Neste contexto, é imperativo que os profissionais de saúde envolvidos no cuidado de pacientes com TCE estejam atualizados e preparados para aplicar as melhores práticas e abordagens baseadas em evidências. A evolução contínua do conhecimento e da tecnologia exige um compromisso com a educação e a adaptação às novas técnicas e recomendações, assegurando, assim, o melhor suporte possível para esses pacientes críticos.

Este capítulo aborda alguns dos temas essenciais para o manejo anestésico de pacientes com traumatismo cranioencefálico (TCE). Entre os tópicos discutidos, estão a pressão intracraniana, a autorregulação cerebral, a ventilação protetora pulmonar, o controle de temperatura e glicemia e o manejo da coagulopatia. Além disso, apresentamos técnicas avançadas de monitorização multimodal e estratégias personalizadas de tratamento para otimizar o cuidado desses pacientes críticos.

EPIDEMIOLOGIA

A prevalência do traumatismo cranioencefálico (TCE) continua a representar um desafio significativo para a saúde global. Nos Estados Unidos, ocorrem anualmente 1,5 milhão de casos, resultando em aproximadamente 80 mil pessoas com incapacidades permanentes a cada ano. Um relatório recente da Organização Mundial da Saúde (OMS) indica que, globalmente, as taxas de mortalidade por TCE variam de 36% a 42%, destacando a gravidade desse problema de saúde pública.[1]

Os grupos mais acometidos são adultos jovens e idosos. Sendo os homens duas vezes mais acometidos que as mulheres.

As principais causas são quedas, acidentes automobilísticos e acidentes com arma de fogo.[1]

Epidemiologia Brasileira

No Brasil, os números também são elevados. Dados do Sistema de Informações Hospitalares (SIH) mostrou que no período entre 2014 e 2023, houve um total de 1.050.730 casos de TCE, sendo só em 2023 um total de 111.722 notificações. A região com maior número de casos foi a região Sudeste, ocorreu em sua grande maioria homens na faixa etária de 20 a 29 anos. A taxa de mortalidade no ano de 2023 foi de 9,52 (por mil habitantes).[2]

FISIOPATOLOGIA

A lesão encefálica definitiva que se estabelece após o TCE é o resultado de mecanismos fisiopatológicos que se iniciam com o acidente e se estendem por dias a semanas. Sendo assim, lesões primárias são aquelas que ocorrem em virtude do trauma direto ao parênquima cerebral, e lesões secundárias, as decorrentes da evolução do processo inflamatório.[3]

Lesões Primárias

Seja por ferimentos que penetram diretamente o crânio, seja nos traumatismos fechados, as lesões primárias resultam na danificação do tecido cerebral ocasionada pelo impacto ou pelas forças de aceleração/desaceleração ou rotação, resultando em fratura do crânio, contusão cerebral, hematoma intracraniano ou lesão difusa axonal. Nas lesões decorrentes de forças de aceleração e desaceleração, não é necessário o impacto do crânio contra estruturas externas, pois, como o encéfalo e a caixa craniana possuem densidades diferentes, quando submetidos às mesmas forças inerciais, respondem de forma desigual. Esse descompasso de movimentos pode promover a ruptura de veias cerebrais que desembocam nos seios durais, bem como impacto e laceração do parênquima contra as estruturas rígidas do crânio.[4]

Lesões Secundárias

As lesões secundárias decorrem de agressões que se iniciam após o momento do acidente, resultantes da interação de fatores intra e extracerebrais, que se somam para inviabilizar a sobrevivência de células encefálicas poupadas pelo trauma inicial. No local do acidente, intercorrências clínicas, como hipotensão arterial, hipoglicemia, hipercarbia, hipóxia respiratória, hipóxia anêmica e distúrbios hidroeletrolíticos são os principais fatores de lesão secundária. Posteriormente, são somados outros distúrbios metabólicos e infecciosos sistêmicos, assim como a presença de substâncias neurotóxicas, hidrocefalia e alterações hemodinâmicas no espaço intracraniano.

Por fim, existem ainda os mecanismos de morte celular, neuronal, endotelial e glial por distúrbios iônicos e bioquímicos que estão relacionados tanto à lesão primária como à secundária (Quadro 176.1).[4]

Quadro 176.1 Tipos de lesões decorrentes do TCE.	
Primárias	**Secundárias**
▪ Contusão	▪ Hipóxia
▪ Concussão	▪ Isquemia
▪ Laceração	
▪ Hematoma	

▪ CLASSIFICAÇÃO

Clinicamente, analisando alterações neurológicas, podemos classificar o TCE em leve, moderado e grave. Lançando mão da Escala de Coma de Glasgow (ECG) (Tabela 176.1) conseguimos avaliar consciência, expressão verbal, função motora, déficits sensoriais e também integridade do tronco cerebral. Ela nos fornece um resultado rápido, permitindo correlação com sua gravidade, seu prognóstico e até mesmo o desfecho.[5]

Quando existe a utilização de drogas anestésicas (pacientes sob sedação ou em IOT), a ECG perde sua aplicabilidade. Devido a isso, outras classificações foram desenvolvidas, que baseiam a evolução, o prognóstico e o desfecho em critérios de imagem da tomografia computadorizada, como as escalas de Marshall (Tabela 176.2) e Rotterdam (Tabela 176.3).

Tabela 176.1 Escala de Coma de Glasgow.		
Parâmetros	**Resposta obtida**	**Pontuação**
Abertura ocular	Espontânea	4
	Ao estímulo sonoro	3
	Ao estímulo de pressão	2
	Nenhuma	1
Resposta verbal	Orientada	5
	Confusa	4
	Verbaliza palavras soltas	3
	Verbaliza sons	2
	Nenhuma	1
Resposta motora	Obedece comandos	6
	Localiza estímulo	5
	Flexão normal	4
	Flexão anormal	3
	Extensão anormal	2
	Nenhuma	1

Trauma leve	**Trauma moderado**	**Trauma grave**
13–15	9–12	3–8
Reativar pupilar		
Inexistente	**Unilateral**	**Bilateral**
–2	–1	0

Tabela 176.2 Escala de Marshall.	
Categoria	**Definição**
Lesão difusa I	Sem lesão visível
Lesão difusa II	Cisternas permeáveis com desvio da linha média entre 0-5 mm e/ou lesões densas presentes. Ausência de lesão de densidade alta ou mista > 25 mL. Podem existir fragmentos ósseos ou corpos estranhos
Lesão difusa III	Cisternas comprimidas ou ausentes, com desvio da linha média entre 0-5 mm. Ausência de densidade alta ou mista > 25 mL
Lesão difusa IV	Desvio da linha média > 5 mm. Ausência de lesão de densidade alta ou mista 25 mL
Lesão ocupando espaço, já retirada	Qualquer lesão retirada cirurgicamente
Lesão ocupando espaço, não retirada	Lesão de densidade alta ou mista > 25 mL, não retirada cirurgicamente

A escala de Marshall possui seis categorias, o que de certa forma dificulta a avaliação rápida e objetiva, além de ter pouca reprodutibilidade em pacientes com múltiplas lesões. Porém, ainda assim, é amplamente utilizada nos centros de neurotrauma, especialmente para predição de risco de aumento da pressão intracraniana (PIC).[6]

A escala de Rotterdam foi desenvolvida para superar as limitações da escala de Marshall. Os achados recebem pontuação que varia de 1 a 6, e o risco de morte é predito conforme pontuação. (61% no score 6, 53% no score 5, 26% no score 4, 16% no score 3 e 7% no score 2).[7]

Tabela 176.3 Escala de Rotterdam.	
Valor preditivo	**Escore**
Cisternas da base	
Normais	0
Comprimidas	1
Ausentes	2
Desvios da linha média	
≤ 5 mm	0
> 5 mm	1
Lesão extradural	
Ausente	0
Presente	1
Hemorragia intraventricular ou hemorragia subaracnoide traumática	
Ausente	0
Presente	1

Anatomicamente as lesões do TCE podem ser classificadas em Focais e Difusas (Quadro 176.2).

Esses dois mecanismos costumam estar associados em um mesmo paciente, embora, geralmente, exista o predomínio de um ou de outro.

Quadro 176.2 Classificação anatômica das lesões do TCE.	
Lesões focais	**Lesões difusas**
■ Contusão ■ Hematoma extradural ■ Hematoma subdural ■ Hematoma Intraparenquimatoso	■ Lesão axonal difusa ■ Hemorragia Subaracnoideo (HSA) ■ Hemorragia Intraventricular

A) Lesões difusas

As lesões difusas são aquelas que acometem o cérebro como um todo e, usualmente, decorrem de forças cinéticas que levam à rotação do encéfalo dentro da caixa craniana. Podem ser encontradas disfunções por estiramento ou ruptura tanto de axônios como de estruturas vasculares em regiões distintas do encéfalo.

Dentre as lesões difusas, o termo concussão cerebral é utilizado atualmente para se referir à perda temporária da consciência associada ao TCE. Nas lesões difusas, a tumefação cerebral deve-se a uma combinação de edema celular e vasogênico, e frequentemente associa-se a lesões focais, como o hematoma subdural agudo (HSDA).[3]

B) Lesões focais

As lesões focais são compostas por hematomas (intra ou extracerebrais) ou áreas isquêmicas delimitadas que acometem apenas uma região do cérebro. Nas lesões puramente focais, presume-se que o restante do encéfalo mantenha suas propriedades de complacência tecidual e vascular preservadas.

Dentre as lesões focais, as fraturas cranianas podem estar associadas a lesões de estruturas vasculares que causam complicações potencialmente fatais, como os hematomas extradurais.[3]

O hematoma extradural (HED), na maioria dos casos, resulta de impacto craniano com baixa energia cinética. Para que o sangramento ocorra, é necessário o rompimento de estruturas vasculares localizadas no espaço epidural, o que normalmente ocorre junto às linhas de fratura. Embora as fraturas cranianas ocorram em até 90% dos pacientes com HED, sua ausência não exclui a presença do sangramento. Quando o HED ocorre na fossa posterior esse risco é ainda maior.[8]

Já o hematoma subdural agudo (HSDA) está associado a mecanismos de aceleração e desaceleração dos traumas com grande energia cinética e, do mesmo modo das lesões difusas cerebrais, não necessita do contato do crânio com estruturas externas para ser gerado. Devido a essas semelhanças, pacientes com HSDA também apresentam, frequentemente, lesões cerebrais difusas, o que piora de maneira significativa seu prognóstico. Nos HSDA, ao contrário das lesões difusas puras, veias corticais rompem e sangram durante o movimento de rotação cerebral. A presença de sangue no espaço subdural, em íntimo contato com o córtex, pode desencadear lesões secundárias associadas à excitotoxicidade.[9]

A contusão cerebral é composta de áreas hemorrágicas ao redor de pequenos vasos e tecido cerebral necrótico. Geralmente, a hemorragia inicia-se na superfície dos giros, que é onde ocorre o maior atrito entre o cérebro e as estruturas rígidas do crânio. Os mecanismos de formação das contusões podem ser decorrentes da agressão direta do parênquima, como no caso das fraturas com afundamento craniano, ou pelo movimento do encéfalo dentro da caixa craniana, que pode levar ao esmagamento do parênquima contra a base do crânio ou outras estruturas rígidas. Quando ocorre a ruptura da pia-máter, a contusão passa a ser chamada de laceração. Uma vez estabelecida a lesão, forma-se uma área de edema ao seu redor, que pode crescer durante vários dias e gerar importante efeito de massa. O pico do edema costuma ocorrer em torno do terceiro dia após o trauma. Depois disso, a tendência da lesão é ser absorvida, resultando em uma cicatriz atrófica local.[9,10]

■ NEUROIMAGEM

A tomografia computadorizada (TC)é a melhor escolha para imagem inicial, pois detecta hematomas, contusões, fraturas cranianas, incluindo fraturas basilares suspeitas e lesão axonal difusa.

A TC pode mostrar:

■ Contusões e sangramento agudo aparecem opacos (densos) em comparação com o tecido cerebral;

■ Hematomas epidurais arteriais classicamente aparecem como opacidades em formato lenticular acima do tecido cerebral, frequentemente no território da artéria meníngea média;

■ Hematomas subdurais classicamente aparecem como opacidades em formato de lua crescente que se sobrepõem ao tecido cerebral.

Além disso, a Angiotomografia oferece insights críticos sobre a viabilidade do tecido, identificando áreas de hipoperfusão e distinguindo tecido cerebral recuperável de regiões irreversivelmente danificadas.[5]

O Quadro 176.3 resume os achados clínicos e de neuroimagem das principais lesões decorrentes de TCE.

A RM pode ser útil mais tarde no curso clínico para detectar contusões mais sutis, lesão axonal difusa e lesão do tronco cerebral. RM normalmente é mais sensível que TC para o diagnóstico de hematomas agudos muito pequenos, subagudos subdurais e isodensos crônicos.

Angiografia, angiotomografia e angiografia por ressonância magnética ajudam na avaliação da lesão vascular.

■ ATENDIMENTO MULTIDISCIPLINAR

O atendimento pré-hospitalar de um paciente com TCE que contemple intubação traqueal, início da ventilação mecânica, ressuscitação hidreletrolítica e manutenção de um regime de normovolemia é fundamental para estabelecer impacto sobre mortalidade. O objetivo primário da equipe hospitalar, ao receber o paciente, deve ser sempre estabilizar as lesões presentes e prevenir as lesões adicionais, secundárias. Para isso, é indispensável monitorizar adequadamente o paciente,

conforme descrito no Quadro 176.4. Tanto a hipoxemia como a hipo ou hipercapnia devem ser rigorosamente evitadas e controladas. A hipoxemia é definida como $SaO_2 < 90\%$ e $PaO_2 < 60$ mmHg, o que aumenta a morbimortalidade no paciente com trauma cranioencefálico. A PaO_2 ideal no curso de um TCE deve ser de 98%. Se o paciente estiver sendo ventilado mecanicamente, pode ser necessário utilizar PEEP, tornando-se fundamental o adequado controle da circulação, para que não ocorra hipotensão arterial. Embora isso possa levar ao aumento da PIC, o efeito da hipoxemia, neste momento, será mais deletério na evolução do paciente e no desfecho do seu tratamento. A hipercapnia provoca o aumento do fluxo sanguíneo cerebral, promovendo elevação da PIC. Por outro lado, a hipocapnia, embora diminuindo a PIC, também reduz a perfusão cerebral e pode agravar a isquemia. Para alcançar a adequada perfusão cerebral, sem aumentar significativamente a PIC, a $PaCO_2$ deve ser estabilizada entre 34 mmHg e 38 mmHg. Pode ser instituída modesta hiperventilação no paciente com evidência clínica ou radiológica de hipertensão intracraniana, mas mantendo a $PaCO_2$ sempre acima de 30 a 32 mmHg. A circulação adequada deve ter como alvo evitar a hipotensão arterial, que aumenta a morbimortalidade no trauma craniano grave. O objetivo final deverá ser sempre a manutenção da pressão de perfusão cerebral entre 60 mmHg

Quadro 176.3 Achados clínicos e diagnóstico por neuroimagem.		
Distúrbio	**Achados clínicos**	**Diagnóstico**
Hematoma subdural agudo	Tipicamente, disfunção neurológica aguda, a qual pode ser focal, não focal ou ambas Com pequenos hematomas, possível função normal	TC: hiperdensidade no espaço subdural, classicamente em formato crescente Grau de importante desvio da linha média
Fratura de base de crânio	Vazamento de líquido cefalorraquidiano pelo nariz ou orelhas Sangue atrás da membrana timpânica (hemotímpano) ou da orelha externa Equimose atrás da orelha (sinal de Battle) ou ao redor dos olhos (olhos de guaxinim)	TC: geralmente visível
Contusão cerebral	Graus amplamente variáveis de disfunção neurológica ou função normal	TC: hiperdensidades resultantes de hemorragias pontuadas de tamanhos variados
Concussão	Alteração no estado mental transiente (p. ex., perda da consciência ou memória) com duração de < 6 horas	Baseado nos achados clínicos TC: por definição, não há hemorragia intracraniana aguda, lesões ou contusão; pode haver fraturas cranianas lineares sem deslocamento ou minimamente deslocadas
Hematoma subdural crônico	Cefaleia gradual, sonolência, confusão, às vezes com déficits focais ou convulsões	TC: hipodensidade no espaço subdural (anormalidade é isodensa durante transição subaguda de hiperdenso para hipodenso)
Lesão axonal difusa	Perda de consciência por mais de 6 horas, mas ausência de déficits focais ou postura motora	Baseado nos achados clínicos TC: no início pode ser normal ou mostrar pequenas hiperdensidades (microhemorragias) em corpo caloso, centro semioval, gânglio basal ou tronco encefálico RM: múltiplas micro-hemorragias na substância branca profunda ou nas regiões subcorticais e no tronco encefálico
Hematoma epidural	Cefaleia, consciência debilitada em poucas horas, às vezes com um intervalo de lucidez Hérnia geralmente causando hemiparesia contralateral e dilatação pupilar ipsolateral	TC: hiperdensidade no espaço epidural, classicamente em formato lenticular e localizada acima da artéria meníngea média (fossa temporal) devido à fratura óssea temporal
Hemorragia subaracnoidea	Em geral, exame neurológico normal Ocasionalmente, disfunção neurológica aguda	TC: hiperdensidade dentro do espaço subaracnoideo na superfície do cérebro; frequentemente delineando os sulcos

e 70 mmHg. Nos pacientes em que não há controle direto da PIC, mas suspeita-se que esta esteja aumentada, a pressão arterial média deve ser mantida acima de 80 mmHg, para assegurar uma perfusão cerebral adequada. A manutenção de um padrão de normovolemia é fundamental para o controle satisfatório da circulação. A utilização de drogas vasoativas pode ser necessária para a manutenção da pressão arterial nos níveis benéficos ao paciente, principalmente se estão sendo utilizados fármacos sedativos ou mesmo anestésicos. Para a manutenção da volemia, o fluido mais bem indicado é o soro fisiológico a 0,9%, que possui característica isotônica, com atenção para evitar acidose hiperclorêmica. Fluidos hipotônicos, como o soro Ringer com lactato, discretamente hipotônico, assim como a solução de glicose a 5%, mais hipotônica, devem ser evitados.[11] Um resumo dos alvos no manejo do TCE grave é apresentado no Quadro 176.5.

A manutenção da PAS em ≥100 mmHg para pacientes de 50 a 69 anos de idade ou em ≥110 mmHg ou mais para pacientes de 15 a 49 ou >70 anos de idade.

- O tratamento da PIC >22 mm Hg é recomendado porque valores acima desse nível estão associados ao aumento da mortalidade;

- Uma combinação de valores de PIC e achados clínicos e de TC cerebral pode ser usada para a tomada de decisões;
- Se 60 ou 70 mm Hg é o limiar mínimo ideal de PPC, não está claro e pode depender do estado autorregulatório do paciente;
- Evitar tentativas agressivas de manter PPC >70 mmHg com fluidos, e pressores podem ser considerados devido ao risco de insuficiência respiratória em adultos;
- A saturação venosa jugular <50% pode ser um limite a ser evitado para reduzir a mortalidade e melhorar os resultados.[12]

AVALIAÇÃO PRÉ-ANESTÉSICA

Um quesito crucial na avaliação pré-anestésica do paciente com TCE é estimar a extensão e a gravidade das lesões, além da busca de informações sobre os mecanismos do trauma e a identificação da presença de condições de agravamento, como intoxicações e comorbidades. É importante conhecer como o paciente foi tratado antes de chegar ao hospital, principalmente no que diz respeito ao manuseio de vias aéreas, à oxigenação e à manutenção da pressão arterial.

Quadro 176.4 Indicações de monitorização em pacientes com TCE grave.

Monitorização	Indicações
Pressão arterial, SpO_2, $EtCO_2$, ECG	Monitorização mínima em anestesia geral
Temperatura central	Sempre, pelo risco de hipotermia em consequência do trauma e da anestesia geral
Linha arterial	Em TCE grave ou moderado, se o paciente for operado
Linha venosa central	Em TCE grave ou moderado, se o paciente permanecer intubado ou em presença de sangramento relevante clinicamente
Cateterismo de artéria pulmonar	Em situações muito específicas, quando há possibilidade de falência cardíaca
Glicemia	Sempre, ao receber o paciente e a cada hora, se o paciente está com glicemia instável e será operado
Monitorização da pressão intracraniana	TCE grave com tomografia anormal
Saturação jugular de oxigênio	TCE grave com PIC elevada e suspeita de isquemia cerebral
Gasometria arterial	Sempre, para manter ventilação pulmonar adequada e equilíbrio ácido-base
Sódio, potássio, cloro, magnésio séricos	Sempre, ao receber o paciente e de 4/4 h, se houver anormalidade
Hemoglobina e hematócrito	Sempre, ao receber o paciente e após transfusões sanguíneas e de derivados
Contagem de plaquetas	Sempre, ao receber o paciente e após transfusões
Avaliação da coagulação: PT, PTT, tromboelastografia	Sempre, ao receber o paciente e após transfusões sanguíneas, de derivados e reposições volêmicas de grandes volumes

Quadro 185.5 Resumo dos alvos no manejo do TCE grave.

Resumo dos alvos no manejo do TCE grave

- PaO_2 > 98 mmHg
- $PaCO_2$ entre 34 e 38 mmHg
- PAS ≥100 mmHg para pacientes de 50 a 69 anos de idade ou em ≥110 mmHg ou mais para pacientes de 15 a 49 ou >70 anos de idade
- PIC deve ser mantida < 20 mmHg
- PPC deve ser mantida > 70 mmHg
- Glicemia deve ser mantida abaixo de 180 mg.dL^{-1}
- Temperatura central deve ser mantida < 37° C

PAS: PA sistólica; PIC: pressão intracraniana; PPC: pressão de perfusão cerebral.

Exames de imagem nos ajudarão a classificar a gravidade do TCE, que por sua vez nos alerta para a tomada de decisões e condutas. A tomografia computadorizada (TC) é o exame de imagem preferido na fase aguda do TCE. Ela detectará a presença de hemorragia intracraniana aguda, fraturas cranianas e edema cerebral. Hematoma subdural e/ou peridural pode exigir craniotomia e drenagem emergencial, além de poder estar associado à hipertensão intracraniana. A hemorragia subaracnoidea traumática também pode estar associada ao vasoespasmo cerebral. O aumento da PIC pode ser evidente na neuroimagem, mesmo na ausência de hematoma, o que é comum nos momentos iniciais. Por isso, exames de imagem devem ser valorizados e interpretados em conjunto com neurocirurgiões.

Deve-se ter cuidado ao manusear a cabeça quando existe fratura da superfície externa do crânio, a fim de evitar maiores danos cerebrais. Pacientes com ou em investigação de fratura basilar do crânio não devem ter materiais colocados na cavidade nasal. Além disso, os pacientes com fratura craniana apresentam maior risco de pneumocefalia e infecção do sistema nervoso central posterior.

A avaliação laboratorial deve ser completa, objetivando a análise de volemia, hematócritos e hemoglobina, eletrólitos, glicemia e possíveis danos já existentes em outros órgãos e sistemas, como alterações no funcionamento hepático e renal, lesões medulares decorrentes do próprio trauma ou preexistentes e alterações na coagulação. A observação do funcionamento miocárdico é importante, com a identificação de isquemia recente ou antiga, assim como alterações no ritmo cardíaco, que também podem ser antigos, preexistentes ou associados ao próprio trauma encefálico e à hemorragia subaracnoidea.

Deve ser bem estabelecido o histórico de doenças prévias, medicações em uso, possíveis alergias e presença de asma ou enfisema, uso de fármacos não prescritos, fitoterápicos, adição a drogas não lícitas, hábito de fumar, assim como realização de cirurgias e complicações relacionadas com essas.

Se o paciente já não estiver intubado, a avaliação dos preditores de via aérea difícil deve ser cuidadosa e completa. Paralelamente, a observação de acessos venosos, periféricos e profundos, da capacidade circulatória e respiratória deve ser criteriosa, para evitar dificuldades, com perda de tempo e complicações na sala de operação.

■ MANEJO ANESTÉSICO

Conceitos Fundamentais

Pressão intracraniana, Autorregulação Cerebral e Pressão de Perfusão Cerebral Ideal

Dentro da caixa craniana, seus três principais componentes conferem volumes e pressões específicas. São eles: Volume encefálico, volume liquórico e volume sanguíneo. A somatória dessas pressões parciais forma a pressão intracraniana (PIC). Dentro dos ventrículos, a pressão intracraniana normalmente deve ser menor que 15 mmHg. Após o TCE, o tecido cerebral edemaciado, limitado pelo arcabouço ósseo, não encontrará espaço para se expandir, acarretando aumento das pressões e da PPC, levando a uma diminuição do fluxo sanguíneo cerebral. Nesse momento, um mecanismo compensatório faz com que haja uma redução no volume de líquor, que é desviado do crânio para dentro do saco espinhal e posteriormente o sangue é drenado dos seios. Quando este mecanismo de compensação é exaurido, qualquer aumento maior de volume intracraniano irá causar um rápido aumento da PIC.[1]

A autorregulação refere-se à capacidade cerebral de alterar o diâmetro dos seus vasos sanguíneos para manter um fluxo sanguíneo constante durante mudanças na pressão arterial e consequentemente na pressão de perfusão cerebral. Assim, é por meio da constrição e de dilatação das artérias cerebrais aferentes que é mantido fluxo sanguíneo cerebral adequado. Estes ajustes são regulados principalmente pela demanda metabólica, pela inervação simpática e parassimpática e pela concentração de substâncias como adenosina, óxido nítrico, PaO_2 e $PaCO_2$. Normalmente, a autorregulação mantém o fluxo sanguíneo normal entre uma PAM de 60 a 140 mmHg.[13]

A reatividade vascular prejudicada e a perda da complacência intracraniana levam a alterações da PIC conforme a flutuação da PAM, conceito refletido pelo índice de reatividade pressórica cerebrovascular (PRx). Se ocorre um PRx positivo, isso significa que há uma relação linear positiva entre a variação da PAM e a PIC, evidenciando mecanismos de autorregulação cerebrovasculares prejudicados. O PRx consiste na aferição de 40 medidas (a cada 6 a 10 segundos) de valores de pressão arterial média e pressão intracraniana estabelecendo uma correlação de Pearson entre estas variáveis. Valores menores que -0,2 representam boa reatividade cerebrovascular, enquanto valores maiores que 0,2 refletem uma reatividade cerebrovascular comprometida.[14]

O fluxo sanguíneo cerebral é proporcional à pressão de perfusão cerebral (PPC), e esta consiste na diferença entre pressão arterial média (PAM) e pressão intracraniana (PIC). Seu valor normal é de cerca de 80 mmHg. O CPP ideal representa um alvo alternativo para otimização hemodinâmica cerebral após TCE grave. Estudos recentes sugerem melhores resultados neurológicos em pacientes cujo gerenciamento individualizado ocorreu por meio de limites próprios personalizados.[15]

■ MONITORIZAÇÃO MULTIMODAL

O foco principal dos cuidados neurocríticos é a detecção precoce e a prevenção de lesões cerebrais secundárias, uma vez que as consequências da lesão primária são muitas vezes irreversíveis. O papel do neuromonitoramento invasivo e não invasivo em pacientes com lesão cerebral é crucial para avaliar o estado neurológico, orientar decisões de tratamento e prever resultados. Nesse cenário, o monitoramento cerebral multimodal tem sido recomendado como uma ferramenta importante para o manejo de lesão traumática cerebral grave. Trata-se de uma avaliação da função cerebral de acordo com múltiplas modalidades, proporcionando uma interpretação integrada de quaisquer insultos secundários que o paciente possa sofrer.

Os parâmetros avaliados da Monitorização cerebral multimodal são:

- Pressão intracraniana (PIC)
- Pressão de perfusão cerebral (PPC)
- Oximetria cerebral por espectroscopia de infravermelho (NIRS)
- Pressão parcial de oxigênio intersticial cerebral ($pbtO_2$)
- Fluxo sanguíneo cerebral (FSC) avaliado por Doppler transcraniano
- Fluxometria de difusão térmica (FSC-TDF)
- Microdiálise cerebral
- Eletroencefalograma contínua (cEEG)
- Avaliação da autorregulação pelo índice de reatividade pressórica (PRx)

Notavelmente, o monitoramento da pressão intracraniana (PIC), a oxigenação cerebral e o monitoramento metabó-

lico são essenciais a esse respeito. O monitoramento da PIC serve como um guia valioso para determinar a necessidade de intervenções como gerenciamento de sedação, ajustes de nível de sódio, controle de temperatura, otimização da PAM e regulação do pH por meio da manipulação de $PaCO_2$. Da mesma forma, o monitoramento da oxigenação cerebral desempenha um papel crucial na individualização de faixas-alvo para parâmetros incluindo níveis de oxigênio, PAM, pH, concentração de hemoglobina e temperatura. [16]

■ EFEITOS DOS ANESTÉSICOS NA FISIOLOGIA CEREBRAL

Diante das características gerais e, principalmente, pelas ações na circulação cerebral, pode-se aferir que existem importantes diferenças farmacodinâmicas e farmacocinéticas entre os vários anestésicos inalatórios e venosos que podem ser utilizados na anestesia para o paciente com trauma encefálico.

Estão bem determinadas as ações vasoconstritoras cerebrais do propofol e do etomidato, que, com isso, reduzem o fluxo sanguíneo cerebral, o volume sanguíneo cerebral, o consumo metabólico de oxigênio e a pressão intracraniana.

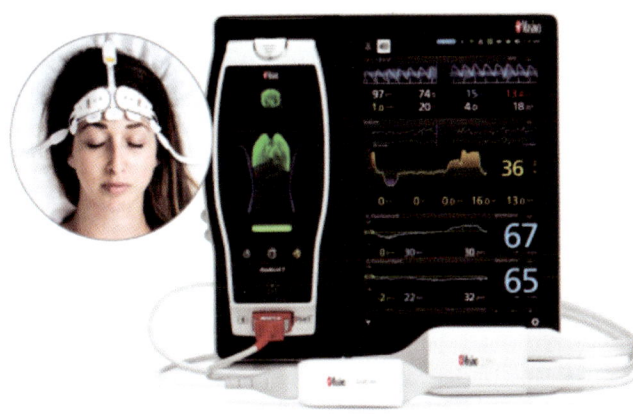

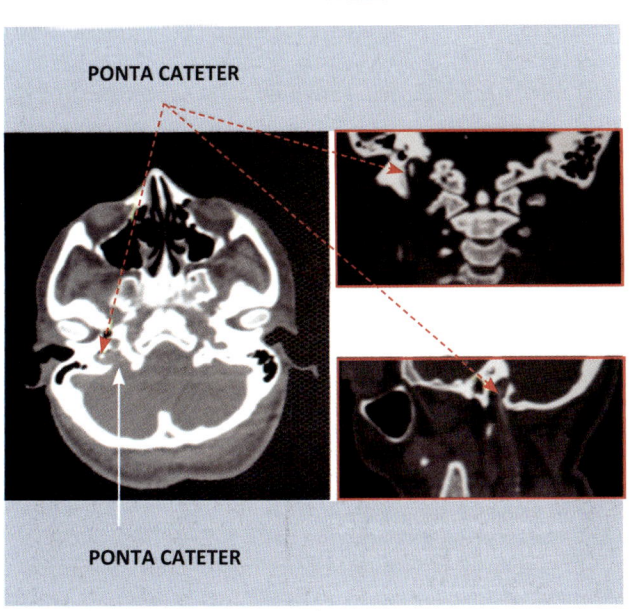

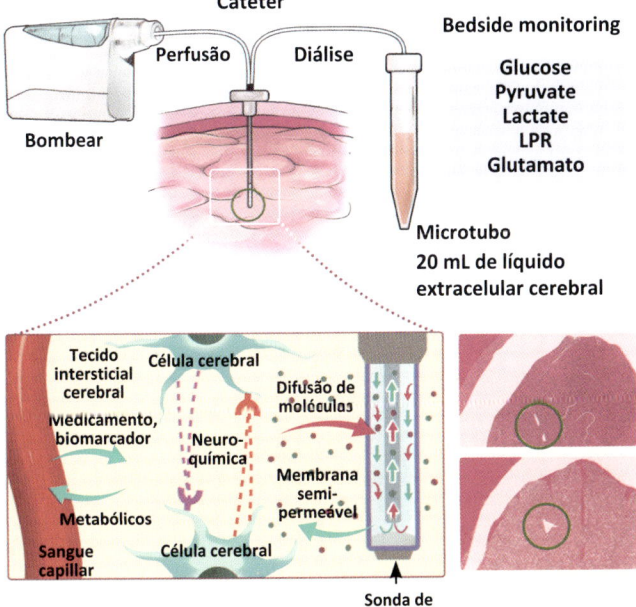

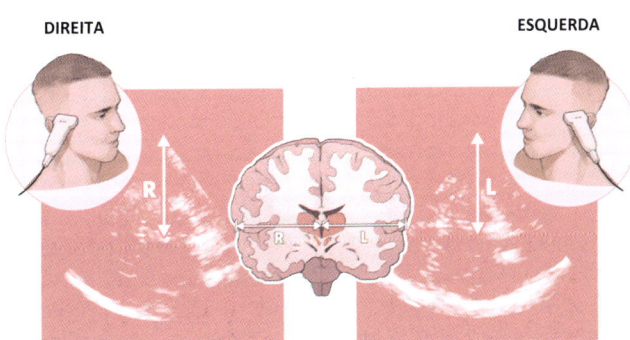

▲ **Figura 176.1**

De forma semelhante, os conhecimentos atuais apontam que opioides não possuem efeitos diretos relevantes sobre a hemodinâmica cerebral, quando está sendo utilizada ventilação controlada, e que todos os anestésicos inalatórios diminuem o consumo metabólico de oxigênio pelo tecido cerebral, podendo causar uma vasodilatação que provocará aumento do fluxo sanguíneo cerebral e aumento da pressão intracraniana. Porém, com ventilação controlada e, principalmente, com concentrações inferiores ou pouco acima de uma concentração alveolar mínima (CAM), os efeitos de vasodilatação sobre a vasculatura cerebral são mínimos, e, portanto, esses fármacos podem ser utilizados nessas concentrações nos pacientes com TCE.

Isoflurano, sevoflurano e desflurano diminuem a taxa metabólica cerebral de oxigênio, causando vasodilatação cerebral em concentrações acima de 0,6 CAM. Até 0,5 CAM, a diminuição do metabolismo cerebral neutraliza a vasodilatação de modo que o fluxo sanguíneo cerebral não se altere significativamente. Em concentrações superiores a 1 CAM, predominam os efeitos vasodilatadores, e o fluxo sanguíneo cerebral aumenta, especialmente se a pressão arterial sistêmica for mantida em níveis mais altos. Todos os anestésicos voláteis e óxido nitroso deprimem a amplitude e aumentam a latência dos potenciais evocados somatossensoriais de maneira dependente da dose. Também causam alterações características dependentes da dose no EEG. O aumento da profundidade da anestesia a partir do estado de vigília é caracterizado pelo aumento da amplitude e sincronia. Períodos de silêncio elétrico começam a ocupar uma proporção maior do tempo à medida que a profundidade aumenta. Esse padrão isoelétrico predomina no EEG na faixa de 1,5 a 2,0 MAC. O sevoflurano e o enflurano podem estar associados à atividade epileptiforme no EEG, especialmente em concentrações mais altas ou quando a hiperventilação controlada é instituída.[17]

■ VENTILAÇÃO PULMONAR

O conceito de ventilação protetora pulmonar é desafiador em pacientes com lesão cerebral. Na verdade, a combinação de baixo volume corrente (para manter baixa pressão de platô e pressão motriz) com altas pressões intratorácicas e redução do fluxo venoso induzido pela pressão expiratória final positiva (PEEP) pode favorecer um aumento no valor de dióxido de carbono. Por estas razões, otimizar as estratégias do ventilador mecânico significa otimizar a função pulmonar e a oxigenação sistêmica e cerebral, mas ao mesmo tempo reduzir o risco de hipóxia isquêmica secundária à vasoconstrição (hipocapnia) e hipertensão intracraniana por vasodilatação (hipercapnia).[18]

De acordo com as evidências disponíveis, parece prudente iniciar ventilação protetora pulmonar com modo controlado, volumes correntes entre 6 e 8 mL.kg^{-1}, frequências respiratórias mínimas para garantir níveis de $PaCO_2$ entre 35 e 45 mmHg, e FiO_2 e PEEP necessárias para atingir níveis sistêmicos. Para prevenir lesões pulmonares induzidas pela ventilação mecânica (barotrauma, biotrauma, volutrauma), a pressão de platô deve ser mantida < 2 cmH_2O, pressão de condução < 13 cm H_2O e potência mecânica abaixo de 17 J.min^{-1}. Recomenda-se não usar hiperventilação rotineiramente e manter os níveis de $PaCO_2$ entre 35 e 45 mmHg.

Metas mais baixas podem ser usadas como estratégias para controlar a hipertensão intracraniana. Em situações de risco de vida, como síndromes de hérnia, ondas de platô tipo A ou hipertensão intracraniana secundária à hiperemia pode-se utilizar hiperventilação moderada e controlada.[19,20]

■ FLUIDOTERAPIA

As evidências disponíveis sugerem que o volume de fluido administrado desempenha um papel mais importante do que a escolha do fluido em si, nos resultados após TCE.[21] A solução salina é a solução cristaloide mais comumente usada em pacientes com TCE, mas o Ringer Lactato pode ser usado como uma alternativa. As soluções cristaloides geralmente não se expandem bem, e cerca de 70–80% do seu volume infundido atinge o espaço intersticial dentro de 20 minutos da infusão, contribuindo para o edema tecidual sistêmico geral. Durante a violação da barreira hematoencefálica (BHE), pode ocorrer a disseminação passiva significativa da solução cristaloide para o interstício do cérebro e isso, por sua vez, pode exacerbar o edema cerebral e aumentar a pressão intracraniana, especialmente ao usar soluções hipotônicas. Além disso, a infusão de grandes volumes de solução salina pode levar à acidose metabólica hiperclorêmica desfavorável, o que é perigoso no TCE.[22]

Soluções cristaloides hipertônicas, como solução salina hipertônica, sorbitol e manitol, são frequentemente usadas para reduzir o inchaço cerebral no TCE. As soluções hipertônicas diminuem a pressão intracraniana e promovem o encolhimento do tecido cerebral ao estabelecer um forte gradiente osmótico transepitelial e direcionar o fluxo de água do tecido cerebral para o compartimento intravascular. No entanto, algumas das soluções acima têm efeitos colaterais significativos. Sorbitol e glicerol são frequentemente associados a um aumento significativo nos níveis de glicose no sangue, o que pode ser adicionalmente prejudicial aos pacientes com TCE.[23] A solução salina hipertônica tem sido amplamente usada para o tratamento de TCE desde 1919.[24] A solução está disponível em diferentes concentrações (3,0–23,4%); no entanto, não há nenhuma conclusão sobre a eficácia e segurança de concentrações específicas no tratamento de TCE. A solução salina hipertônica na faixa de 3,0–7,5% pode ser infundida sem diluição ou em combinação com cristaloides isotônicos ou coloides para ressuscitação de choque hipovolêmico.[25] O manitol parece ser eficaz na reversão do inchaço cerebral agudo; no entanto, sua eficácia no tratamento contínuo de TCE permanece incerta. O uso de manitol tem sido associado à hipotensão, ao aumento de rebote na pressão intracraniana e à toxicidade renal.[26] No geral, o tratamento com manitol foi relatado como associado a um efeito prejudicial na mortalidade quando comparado à solução salina hipertônica.[27]

As soluções coloides não parecem fornecer benefícios adicionais, e o estudo *Saline versus Albumin Fluid Evaluation* (SAFE) encontrou aumento da mortalidade em pacientes tratados com albumina em comparação com solução salina.[28] Em muitos pacientes (9–23%), o TCE está associado à lesão renal aguda e frequentemente resulta em aumento da mortalidade. Além disso, foi descoberto que a administração de coloides aumenta o risco de lesão renal aguda e aumenta a necessidade de tratamento de substituição renal em TCE grave. De acordo com uma avaliação recente, os coloides não são mais eficazes do que os cristaloides em termos de mortalidade geral, particularmente quando se trata de pacientes que passaram por cirurgia, trauma ou queimaduras. No entanto, a administração de coloides em pacientes com função renal preservada pode ser considerada.[29]

CONTROLE DE TEMPERATURA

A atividade cerebral tem uma íntima relação com a temperatura cerebral. O consumo de oxigênio cerebral aumenta exponencialmente com o aumento da temperatura, e este aumento está relacionado com elevação dos níveis de aminoácidos excitatórios, elevação dos radicais livres, ácido lático e piruvato, aumento da despolarização isquêmica, quebra da barreira hematoencefálica e prejuízo das funções enzimáticas cerebrais.Por fim, a hipertermia também pode resultar em hipóxia cerebral devido ao aumento do metabolismo e da área isquêmica em regiões vulneráveis.[30]

Há muito tempo existe um interesse na aplicação de hipotermia para reduzir o dano tecidual associado ao trauma do sistema nervoso central. A hipotermia pode ser administrada logo após a lesão e antes da elevação da pressão intracraniana, caso em que é denominada "profilática", ou como tratamento para elevação refratária da pressão intracraniana, normalmente referida como "terapêutica".

Apesar de seus efeitos neuroprotetores por diminuir metabolismo cerebral, ela apresenta riscos, incluindo coagulopatia e imunossupressão. Sendo incluído na hipotermia profunda, risco adicional de disritmia cardíaca e morte.

O estudo clínico randomizado controlado multicêntrico e não cego Eurotherm 3235 (2015)[30] é o maior estudo de hipotermia em pacientes com hipertensão intracraniana (> 20 mmHg) após TCE. Este estudo demonstrou que a hipotermia terapêutica leve (32–35 °C), combinada com terapia padrão para reduzir a PIC, resultou em uma taxa de mortalidade ligeiramente aumentada e resultados funcionais ruins em comparação com pacientes que receberam apenas terapia padrão. Além disso, uma associação desfavorável entre a hipotermia e a progressão da falência múltipla de órgãos foi observada.[21]

Até o momento, não existe estudo defendendo o uso da hipotermia profilática com nível de evidência alto, sendo, então, essa prática desaconselhada.[12] É desejável, portanto, níveis de temperatura central entre 36 e 37°C.[19]

CONTROLE GLICÊMICO

A glicose é um nutriente essencial e substrato energético para manter a funcionalidade mitocondrial de em cérebro lesionado que por sua vez aumenta sua avidez por glicose. Como não há armazenamento de glicose, poucos minutos em privação desta são o suficiente para esgotar suas escassas reservas, e as consequências da pouca disponibilidade de glicose para o cérebro são os principais motivos do comprometimento do metabolismo. Estudos recentes mostram que existe um aumento da mortalidade tanto no controle

estrito quanto na hiperglicemia. Níveis de glicemia < 110 mg.dL[-1] podem causar crises metabólicas não isquêmicas. Em contrapartida, a hiperglicemia > 180 mg.dL[-1] causa cascatas neurotóxicas (inflamação, microtrombose e edema) e perturba a homeostase do ambiente interno (hiperosmolaridade e desidratação) comprometendo o estado imunológico, entre outras alterações. Portanto, as recomendações atuais incluem manter a glicemia abaixo de 180 mg.dL[-1].[19]

CORTICOIDES

Os corticosteroides reduzem a produção de LCR e exercem efeitos antiedematosos e anti-inflamatórios no TCE. A utilização de corticosteroides não mostra melhora nos prognósticos ou desfechos relativos à diminuição da PIC no trauma cranioencefálico. De fato, o que mostrou um estudo multicêntrico, aleatório, sobre os efeitos dos corticosteroides (*MRC CRASH TRAIL*) foi que a administração de metilprednisolona no período de oito horas a partir do TCE estava associada a maior risco de morte e de sequelas graves, quando comparada com o placebo. Portanto, o uso de metilprednisolona é contraindicado em pacientes com TCE moderados ou graves.[31]

EQUILÍBRIO FISIOLÓGICO

A homeostase do ambiente externo celular é um fator chave para garantir a fisiologia do transporte de O_2 às células. Isso desempenha um papel essencial para evitar mudanças na curva de dissociação da hemoglobina. Tanto o aumento da temperatura e do dióxido de carbono (CO_2) quanto a acidose tecidual, produto do metabolismo celular, facilitam a transferência de O_2 para os tecidos, deslocando a curva de dissociação O_2/Hgb para a direita. Em contraste, a hipotermia, a hipocapnia e a alcalose aumentam a afinidade da hemoglobina pelo O_2 (desvio para a esquerda), o que torna mais difícil a transferência do O_2 necessário para a célula. Acidose, hipercapnia e hipertermia dilatam os vasos sanguíneos de resistência cerebral, aumentando o volume sanguíneo cerebral e a pressão intracraniana, enquanto a hipocapnia, por causar vasoconstrição, facilita a isquemia cerebral. Para garantir que a curva de dissociação da hemoglobinapermaneça dentro dos limites funcionais (26-28 mmHg), e para reduzir o risco de isquemia cerebral e hipertensão intracraniana, os seguintes objetivos devem ser alcançados:

- pH: 7,35 – 7,45;
- Normocapnia;
- Temperatura central: 36 – 37,5 °C

Para minimizar ou tratar o edema cerebral, é crucial manter um leve estado hiperosmolar (Na[+] sérico 140-150 mEq.L[-1]) e evitar fluidos hipotônicos.[19]

METABOLISMO CEREBRAL

O metabolismo cerebral é o principal determinante da taxa de consumo cerebral de O_2. Em alguns casos de hipóxia, as demandas de O_2 excedem a oferta. Por esse motivo, todas aquelas situações que aumentam a demanda neuronal de O$_2$, como nível inadequado de sedação e analgesia (dor, agitação), convulsões, febre, sepse e síndrome de hiperatividade simpática paroxística, devem ser investigadas e rapidamente corrigidas.

As metas de oxigenação cerebral a serem alcançadas dependem dos recursos disponíveis e da técnica empregada. A pressão de oxigênio do parênquima cerebral reflete localmente o equilíbrio entre a oferta e o consumo de O$_2$ e deve ser mantida em valores acima de 18 mmHg. A saturação venosa de oxigênio obtida do bulbo jugular (SvjO$_2$), representa globalmente o O$_2$ que retorna à circulação geral após ser consumido pelas células cerebrais e deve ser mantida em valores > 55%. Ambas as variáveis dependem de um FSC adequado, que por sua vez requer uma PPC adequada.

Quando houver tecnologia avançada e especializada disponível, como microdiálise ou *software* específico para avaliação contínua do fenômeno autorregulatório, recomenda-se manter a relação lactato/piruvato < 25 e índice de reatividade à pressão (PRx) < 0,2.[19]

Coagulopatia Induzida por Lesão Traumática Cerebral

Causas comuns de coagulopatia após trauma grave incluem choque hemorrágico, hemodiluição e hipotermia devido à ressuscitação com fluidos, acidose metabólica sistêmica, coagulação disfuncional e hiperfibrinólise. No entanto, pacientes com TCE isolado não sofrem perda significativa de sangue e são abordados de forma restrita na ressuscitação com fluidos, visando prevenção de edema cerebral e aumento de pressão intracraniana, sugerindo que a coagulopatia ocorrida nesses pacientes é distinta da coagulopatia deficiente e dilucional que surge no choque hemorrágico, sendo esta de natureza consumptiva e desenvolvida por meio de uma rápida transição de um estado hipercoagulável induzido por trauma para um estado hipocoagulável.

Coagulopatia induzida por lesão traumática cerebral é bastante prevalente; podendo iniciar minutos a horas após o TCE e, embora a maioria o desenvolva nas primeiras 24 horas, pode ocorrer até o quinto dia pós-lesão e se estender por mais de 72 horas. Devemos nos atentar aos estados de coagulopatia presentes previamente à lesão. Como o uso de antiplaquetários ou anticoagulantes, consumo agudo ou crônico de álcool, doenças hematológicas ou oncológicas, bem como o uso de AINE ou inibidores da recaptação de serotonina. No início do TCE, os pacientes podem apresentar disfunção plaquetária e/ou coagulopatia, seja como resultado de lesões traumáticas ou da administração pré-lesão de agentes antiplaquetários ou anticoagulantes para problemas crônicos de saúde.[32]

Reposição guiada por metas pode ser feita a partir do débito cardíaco, lactato, saturação venosa central de oxigênio, gradiente venoarterial de CO$_2$ e diurese. Diferentes limiares de transfusão podem ser aplicados a pacientes com TCE. Quando a dosagem de hemoglobina estiver abaixo de 7 g.dL^{-1}, sugere-se transfundir concentrado de hemácias. Quando a dosagem de hemoglobina estiver entre 7 e 9 g.dL^{-1}, aconselha-se individualizar conduta frente ao status clínico e às condições do encéfalo.[33]

Agentes antifibrinolíticos, como o ácido tranexâmico (TXA), devem ser administrados ao paciente traumatizado que esteja sangrando ou em risco de sangramento significativo rapidamente, se possível, a caminho do hospital, e dentro de três horas após a lesão.[34]

■ ANALGESIA PÓS-OPERATÓRIA

O bloqueio do couro cabeludo é uma técnica anestésica regional que visa atenuar a resposta dolorosa a aplicação de pinos cirúrgicos e à incisão do couro cabeludo. Os nervos envolvidos são supraorbital, supratroclear, zigomático-temporal, auriculotemporal, occipital maior e occipital menor. Anestésicos locais (AL) de ação prolongada (0,25% de bupivacaína, 0,75% de ropivacaína ou 0,25% de levobupivacaína) são administrados com ou sem epinefrina nos pontos ilustrados na Figura 176.2. O volume de AL administrado em cada local de injeção pode variar de 2 a 4 mL. Aditivos como clonidina ou dexmedetomidina também foram descritos.[35,36]

As vantagens de bloqueio desses nervos são, inicialmente, a diminuição da necessidade de fármacos anestésicos no perioperatório e a possibilidade de realização da avaliação neurológica precisa no pós-operatório imediato, sem interferências sedativas ou cognitivas. Com a realização de bloqueios observa-se, também, diminuição na frequência da solicitação de analgésicos de resgate, aumento do tempo da solicitação da primeira dose de analgésico e diminuição dos escores nas avaliações da dor pós-operatória. A infiltração das bordas cirúrgicas, ou mesmo a infiltração da área a ser incisada no couro cabeludo antes da craniotomia, é uma boa opção para a analgesia, porém com características inferiores aos bloqueios, oferecendo analgesia de menor duração, apesar de estar envolvida favoravelmente contra o processo de sensibilização que irá proporcionar o surgimento de dor crônica. Por utilizar doses maiores de anestésicos, essa técnica requer titulação atenciosa e monitorização constan-

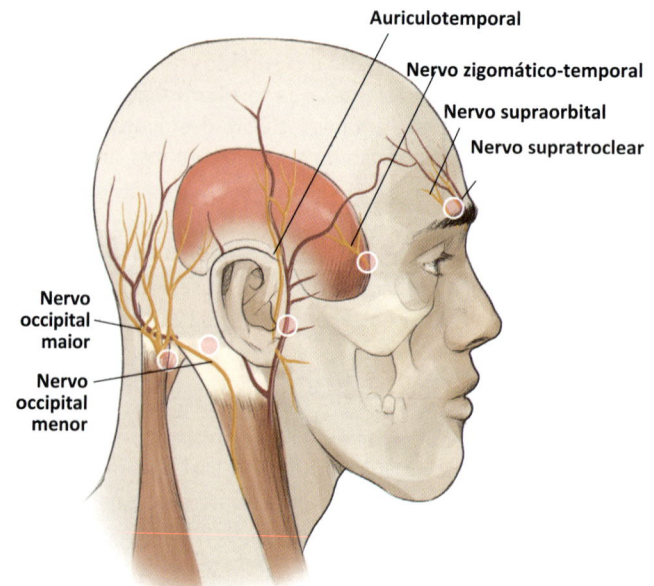

▲ **Figura 176.2** Locais de injeção de anestésico local para realização de bloqueio de couro cabeludo.

te, devido ao risco potencial de intoxicação pelo anestésico local. A técnica ainda pode ser responsável, mesmo que raramente, por sangramentos e hematomas, além de não oferecer a possibilidade de novas injeções, pela presença de um curativo estéril no pós-operatório.

■ PROGNÓSTICO DE DESFECHO

Apesar de estudos de coorte sugerirem que pacientes com traumatismo cranioencefálico grave (escala de coma de Glasgow [GCS] menor que 9) tenham aproximadamente 30% de risco de morte, pelo menos um estudo de coorte verificou que os sobreviventes de TCE continuam a ter um risco substancialmente aumentado de mortalidade por pelo menos 13 anos após o trauma.[37] Múltiplos estudos indicam, no entanto, que proporções significativas de 30% a 65% de pacientes com TCE grave recuperarão a independência e que a recuperação funcional após TCE grave pode ocorrer muito lentamente, estendendo-se além de 6 a 12 meses.[38] Em um estudo australiano, um quarto dos doentes gravemente incapacitados ou vegetativos aos seis meses seguintes à craniectomia descompressiva para o TCE melhorou para um estado de incapacidade moderada ou melhor após 18 meses.[39]

Aproximadamente 5% a 15% dos pacientes com TCE grave recebem alta em estado vegetativo. Apenas metade desses pacientes recuperam a consciência no próximo ano e praticamente todos permanecem gravemente incapacitados. Os resultados são um pouco melhores para aqueles em estado minimamente consciente. Os estados vegetativo e minimamente consciente persistentes são descritos em separado. O uso de indicadores prognósticos para esses desfechos é mais bem definido para lesão cerebral hipóxico--isquêmica do que para o TCE.[40]

O desfecho do traumatismo cranioencefálico grave é dependente de uma série de fatores, incluindo características basais do paciente, gravidade do TCE, ocorrência de complicações médicas e lesões cerebrais secundárias. Embora tenham sido identificados muitos indicadores de resultados negativos individuais, cada um deles está associado a uma taxa de falsos positivos significativamente alta e não deve ser usado isoladamente para estimar um prognóstico. Dentre esses fatores, considerando-se sempre as particularidades de cada paciente e a relatividade de cada um destes fatores, podem ser mencionados: escore da escala de coma de Glasgow, responsividade e nível de consciência, presença de anormalidades graves na TC (desvios importantes da linha média cerebral, hemorragia subaracnoideamaciça, apagamento de cisternas e leucoarraiose), função pupilar, idade, lesões extracranianas associadas, hipotensão e/ou hipoxemia mantidas, hipertermia, aumento da pressão intracraniana (principalmente de difícil controle), redução na pressão de perfusão cerebral e hemorragia com contagem de plaquetas baixa e parâmetros anormais de coagulação.[41]

■ CONCLUSÃO

O manejo anestésico de pacientes com traumatismo cranioencefálico (TCE) requer uma abordagem detalhada e integrada, que abrange desde a compreensão dos conceitos fundamentais até a aplicação de técnicas avançadas de monitorização e tratamento. Seguem alguns pontos-chave discutidos neste capítulo:

- Manter a PIC abaixo de 22 mmHg e a PPC entre 55-70 mmHg é crucial para garantir a adequada perfusão cerebral e evitar danos secundários. Compreender os mecanismos de compensação e os limites da autorregulação cerebral ajuda a orientar o tratamento;
- Utilizar ferramentas como PIC, PPC, oximetria cerebral e outras técnicas avançadas permite uma avaliação contínua e integrada do estado neurológico do paciente, facilitando a personalização do tratamento e a detecção precoce de complicações;
- Anestésicos venosos, como propofol e etomidato, reduzem o fluxo sanguíneo cerebral e a PIC; enquanto anestésicos inalatórios causam um desacoplamento do fluxo e metabolismo cerebral, devendo ser utilizados com cautela, principalmente nos pacientes com hipertensão intracraniana ou quando for realizada neuromonitorização fisiológica intraoperatória;
- A ventilação protetora é essencial para equilibrar a oxigenação adequada sem aumentar a PIC;
- Manter a temperatura central entre 36-37,5 °C e níveis de glicemia adequados (evitando hiperglicemia > 180 mg.dL$_{-1}$) é vital para reduzir o metabolismo cerebral e prevenir complicações metabólicas e inflamatórias.
- Monitorar e tratar a coagulopatia é crucial para prevenir hemorragias e garantir a hemostasia. Protocolos específicos para transfusões e uso de agentes antifibrinolíticos, como o ácido tranexâmico, devem ser seguidos.
- Garantir a normocapnia, normotermia e níveis adequados de sódio e hemoglobina (7-9 g.dL^{-1}) é essencial para minimizar o edema cerebral e manter a qualidade do transporte de oxigênio.

Esses princípios e práticas proporcionam uma base sólida para o manejo anestésico de pacientes com TCE, permitindo uma abordagem personalizada e eficaz que melhora significativamente os desfechos clínicos dos pacientes. A evolução contínua no campo da neuroanestesia e a aplicação de conhecimentos atualizados são fundamentais para oferecer o melhor cuidado possível a esses pacientes críticos.

REFERÊNCIAS

1. Gedeno K, Neme D, Jemal B, Aweke Z, Achule A, Geremu K, et al. Evidence-based management of adult traumatic brain injury with raised intracranial pressure in intensive critical care unit at resource-limited settings: a literature review. Ann Med Surg (Lond). 2023 Dec;85(12):5983–6000.
2. Carteri RBK, Silva RA da. Traumatic brain injury hospital incidence in Brazil: an analysis of the past 10 years. RevBras Ter Intensiva. 2021 Apr-Jun;33(2):282–9.
3. McCrory PR, Berkovic SF. Concussion: the history of clinical and pathophysiological concepts and misconceptions. Neurology. 2001 Dec 26;57(12):2283–9.
4. Raghupathi R. Cell death mechanisms following traumatic brain injury. Brain Pathol. 2004 Apr;14(2):215–22.

5. Rodriguez EE, Zaccarelli M, Sterchele ED, Taccone FS. "NeuroVanguard": a contemporary strategy in neuromonitoring for severe adult brain injury patients. Crit Care. 2024 Apr 1;28(1):104.

6. Marshall LF, Marshall SB, Klauber MR, Van Berkum Clark M, Eisenberg H, Jane JA, et al. The diagnosis of head injury requires a classification based on computed axial tomography. J Neurotrauma. 1992 Mar;9Suppl 1:S287–92.

7. Maas AIR, Hukkelhoven CWPM, Marshall LF, Steyerberg EW. Prediction of outcome in traumatic brain injury with computed tomographic characteristics: a comparison between the computed tomographic classification and combinations of computed tomographic predictors. Neurosurgery. 2005 Dec;57(6):1173–82; discussion 1173–82.

8. Baykaner K, Alp H, Ceviker N, Keskil S, Seçkin Z. Observation of 95 patients with extradural hematoma and review of the literature. Surg Neurol. 1988 Nov;30(5):339–41.

9. Lobato RD, Rivas JJ, Cordobes F, Alted E, Perez C, Sarabia R, et al. Acute epidural hematoma: an analysis of factors influencing the outcome of patients undergoing surgery in coma. J Neurosurg. 1988 Jan;68(1):48–57.

10. Sawauchi S, Murakami S, Ogawa T, Abe T. [Mechanism of injury in acute subdural hematoma and diffuse brain injury: analysis of 587 cases in the Japan Neurotrauma Data Bank]. No ShinkeiGeka. 2007 Jul;35(7):665–71.

11. Moppett IK. Traumatic brain injury: assessment, resuscitation and early management. Br J Anaesth. 2007 Jul;99(1):18–31.

12. Dickerman R, Reynolds A, Williamson J, Winters K. Letter: Guidelines for the Management of Severe Traumatic Brain Injury, Fourth Edition. Neurosurgery. 2017 Oct 1;81(4):E50.

13. Budohoski KP, Reinhard M, Aries MJH, Czosnyka Z, Smielewski P, Pickard JD, et al. Monitoring cerebral autoregulationafterheadinjury. Which component of transcranial Doppler flow velocity is optimal? Neurocrit Care. 2012 Oct;17(2):211–8.

14. Roh D, Park S. Brain Multimodality Monitoring: Updated Perspectives. CurrNeurolNeurosci Rep. 2016 Jun;16(6):56.

15. Tsigaras ZA, Weeden M, McNamara R, Jeffcote T, Udy AA, PRECISION-TBI Investigators. The pressure reactivity index as a measure of cerebral autoregulation and its application in traumatic brain injury management. CritCareResusc. 2023 Dec;25(4):229–36.

16. Monteiro E, Ferreira A, Mendes ER, Silva SRE, Maia I, Dias CC, et al. Neurocritical care management supported by multimodal brain monitoring after acute brain injury. Crit Care Sci. 2023 Apr-Jun;35(2):196–202.

17. Preethi J, Bidkar PU, Cherian A, Dey A, Srinivasan S, Adinarayanan S, et al. Comparison of total intravenous anesthesia vs. inhalational anesthesia on brain relaxation, intracranial pressure, and hemodynamics in patients with acute subdural hematoma undergoing emergency craniotomy: a randomized control trial. Eur J Trauma Emerg Surg. 2021 Jun;47(3):831–7.

18. Robba C, Poole D, McNett M, Asehnoune K, Bösel J, Bruder N, et al. Mechanical ventilation in patients with acute brain injury: recommendations of the European Society of Intensive Care Medicine consensus. Intensive Care Med. 2020 Dec;46(12):2397–410.

19. Godoy DA, Murillo-Cabezas F, Suarez JI, Badenes R, Pelosi P, Robba C. "THE MANTLE" bundle for minimizing cerebral hypoxia in severe traumatic brain injury. Crit Care. 2023 Jan 12;27(1):13.

20. Tejerina EE, Pelosi P, Robba C, Peñuelas O, Muriel A, Barrios D, et al. Evolution Over Time of Ventilatory Management and Outcome of Patients With Neurologic Disease. Crit Care Med. 2021 Jul 1;49(7):1095–106.

21. Syzdykbayev M, Kazymov M, Aubakirov M, Kurmangazina A, Kairkhanov E, Kazangapov R, et al. A Modern Approach to the Treatment of Traumatic Brain Injury. Medicines (Basel) [Internet]. 2024 Apr 30;11(5). Available from: http://dx.doi.org/10.3390/medicines11050010

22. Dash HH, Chavali S. Management of traumatic brain injury patients. Korean J Anesthesiol. 2018 Feb;71(1):12–21.

23. White H, Cook D, Venkatesh B. The use of hypertonic saline for treating intracranial hypertension after traumatic brain injury. AnesthAnalg. 2006 Jun;102(6):1836–46.

24. Weed LH, McKibben PS. Experimental alteration of brain bulk. Am J Physiol. 1919 May 1;48(4):531–58.

25. Rudloff E, Hopper K. Crystalloid and Colloid Compositions and Their Impact. Front Vet Sci. 2021 Mar 31;8:639848.

26. Roberts I, Schierhout G, Wakai A. Mannitol for acute traumatic brain injury. Cochrane Database Syst Rev. 2003;(2):CD001049.

27. Wakai A, McCabe A, Roberts I, Schierhout G. Mannitol for acute traumatic brain injury. Cochrane Database Syst Rev. 2013 Aug 5;2013(8):CD001049.

28. SAFE Study Investigators, Australian and New Zealand Intensive Care Society Clinical Trials Group, Australian Red Cross Blood Service, George Institute for International Health, Myburgh J, Cooper DJ, et al. Saline or albumin for fluid resuscitation in patients with traumatic brain injury. N Engl J Med. 2007 Aug 30;357(9):874–84.

29. Alderson P, Schierhout G, Roberts I, Bunn F. Colloids versus crystalloids for fluid resuscitation in critically ill patients. Cochrane Database Syst Rev. 2000;(2):CD000567.

30. Andrews PJ, Sinclair HL, Rodríguez A, Harris B, Rhodes J, Watson H, et al. Therapeutic hypothermia to reduce intracranial pressure after traumatic brain injury: the Eurotherm3235 RCT. Health Technol Assess. 2018 Aug;22(45):1–134.

31. Edwards P, Arango M, Balica L, Cottingham R, El-Sayed H, Farrell B, et al. Final results of MRC CRASH, a randomised placebo-controlled trial of intravenous corticosteroid in adults with head injury-outcomes at 6 months. Lancet. 2005;365(9475):1957–9.

32. Lustenberger T, Talving P, Kobayashi L, Inaba K, Lam L, Plurad D, et al. Time course of coagulopathy in isolated severe traumatic brain injury. Injury. 2010 Sep;41(9):924–8.

33. Dong JF, Zhang F, Zhang J. Detecting traumatic brain injury-induced coagulopathy: What we are testing and what we are not. J Trauma Acute Care Surg. 2023 Jan 1;94(1S Suppl 1):S50–5.

34. Roberts I, Shakur-Still H, Aeron-Thomas A, Beaumont D, Belli A, Brenner A, et al. Tranexamic acid to reduce head injury death in people with traumatic brain injury: the CRASH-3 international RCT. Health Technol Assess. 2021 Apr;25(26):1–76.

35. Pinosky ML, Fishman RL, Reeves ST, Harvey SC, Patel S, Palesch Y, et al. The effect of bupivacaine skull block on the hemodynamic response to craniotomy. AnesthAnalg. 1996 Dec;83(6):1256–61.

36. Vallapu S, Panda NB, Samagh N, Bharti N. Efficacy of Dexmedetomidine as an Adjuvant to Local Anesthetic Agent in Scalp Block and Scalp Infiltration to Control Postcraniotomy Pain: A Double-Blind Randomized Trial. J Neurosci Rural Pract. 2018 Jan-Mar;9(1):73–9.

37. McMillan TM, Teasdale GM, Weir CJ, Stewart E. Death after head injury: the 13 year outcome of a case control study. J NeurolNeurosurg Psychiatry. 2011 Aug;82(8):931–5.

38. Andelic N, Hammergren N, Bautz-Holter E, Sveen U, Brunborg C, Røe C. Functional outcome and health-related quality of life 10 years after moderate-to-severe traumatic brain injury. ActaNeurol Scand. 2009 Jul;120(1):16–23.

39. Ho KM, Honeybul S, Litton E. Delayed neurological recovery after decompressive craniectomy for severe nonpenetrating traumatic brain injury. Crit Care Med. 2011 Nov;39(11):2495–500.

40. Xu W, Jiang G, Chen Y, Wang X, Jiang X. Prediction of minimally conscious state with somatosensory evoked potentials in long-term unconscious patients after traumatic brain injury. J Trauma Acute Care Surg. 2012 Apr;72(4):1024–9.

41. Behzadnia MJ, Anbarlouei M, Hosseini SM, Boroumand AB. Prognostic factors in traumatic brain injuries in emergency department. J Res Med Sci. 2022 Nov 25;27:83.

177

Proteção Cerebral em Neuroanestesia

Cristiane Tavares

INTRODUÇÃO

A neuroproteção é um conceito fundamental na medicina moderna, especialmente no campo das cirurgias neurológicas. Refere-se ao conjunto de estratégias e intervenções destinadas a preservar a função e a viabilidade do tecido cerebral, minimizando os danos neuronais que podem ocorrer durante e após procedimentos cirúrgicos.[1] Essa abordagem é crucial, pois o cérebro é um órgão altamente sensível e complexo, cujo dano pode resultar em consequências graves e duradouras para o paciente.

As cirurgias neurológicas, que incluem procedimentos na coluna vertebral e no cérebro, apresentam desafios únicos devido à delicada natureza do tecido neural envolvido. Durante essas operações, o tecido cerebral pode ser exposto a uma variedade de insultos, incluindo isquemia (redução do fluxo sanguíneo), excitotoxicidade (danos causados por neurotransmissores excitatórios), inflamação e estresse oxidativo.[2] Esses eventos podem levar à morte celular, comprometimento funcional e piora dos resultados clínicos.

Dada a complexidade dos mecanismos de dano neuronal, as estratégias de neuroproteção são diversas e abrangem tanto métodos farmacológicos quanto não farmacológicos. Elas visam intervir em diferentes pontos da cascata de eventos que levam ao dano neuronal, desde a prevenção da inicialização do processo até a minimização dos efeitos de insultos já ocorridos. Entre as abordagens não farmacológicas, destacam-se a hipotermia terapêutica, a manutenção da pressão de perfusão cerebral e o controle glicêmico.[3] Já as estratégias farmacológicas incluem o uso de inibidores de canais iônicos, antagonistas de receptores NMDA, anti-inflamatórios, antioxidantes, estabilizadores de membrana e anticonvulsivantes.[4]

A implementação bem-sucedida de estratégias de neuroproteção requer uma compreensão profunda da fisiopatologia do dano neuronal, bem como uma abordagem individualizada que considere as condições específicas do paciente e as particularidades do procedimento cirúrgico.

Nesse capítulo, discutiremos os principais mecanismos de dano neuronal em cirurgias neurológicas e as diversas estratégias de neuroproteção disponíveis, destacando sua aplicação clínica, desafios e perspectivas futuras.

■ MECANISMOS DE DANO NEURONAL EM CIRURGIAS

O entendimento dos mecanismos subjacentes ao dano neuronal em cirurgias neurológicas é fundamental para o desenvolvimento e a aplicação de estratégias de neuroproteção eficazes. Durante e após procedimentos cirúrgicos, o tecido cerebral pode ser exposto a uma série de insultos que desencadeiam processos fisiopatológicos complexos, resultando em dano neuronal.[1] Os principais mecanismos envolvidos incluem isquemia, excitotoxicidade, inflamação e estresse oxidativo.[2]

Isquemia

A isquemia ocorre quando o fluxo sanguíneo para o tecido cerebral é reduzido ou interrompido, levando à insuficiência de oxigênio e nutrientes essenciais. Em cirurgias neurológicas, a isquemia pode ser causada por oclusão vascular temporária, compressão de vasos sanguíneos ou hipotensão sistêmica.[3] A falta de oxigênio resulta na diminuição da produção de trifosfato de adenosina (ATP), comprometendo a função celular e levando à despolarização neuronal, com subsequente liberação de neurotransmissores excitatórios.

Excitotoxicidade

A excitotoxicidade é um processo pelo qual a liberação excessiva de neurotransmissores excitatórios, como o glutamato, resulta em uma sobrecarga de íons cálcio (Ca2+) intracelulares. A entrada excessiva de Ca2+ nas células neuronais ativa enzimas que degradam proteínas, lipídios e ácidos nucleicos, levando à disfunção e morte celular. Esse mecanismo é frequentemente desencadeado em resposta à isquemia e é um componente crítico do dano neuronal.[5,6]

Inflamação

A resposta inflamatória é uma reação natural do organismo à lesão tecidual, mas pode contribuir para o dano neuronal se não for adequadamente regulada. Em cirurgias neurológicas, a manipulação do tecido cerebral pode desencadear uma resposta inflamatória que envolve a ativação de células gliais, a liberação de citocinas pró-inflamatórias e o recrutamento de células imunes. Essa resposta inflamatória exacerbada pode agravar o dano neuronal e comprometer a recuperação.[7]

Estresse Oxidativo

O estresse oxidativo refere-se ao desequilíbrio entre a produção de espécies reativas de oxigênio (ROS) e a capacidade do organismo de neutralizá-las. Durante cirurgias neurológicas, a reperfusão do tecido cerebral após períodos de isquemia pode levar à formação excessiva de ROS, que danificam componentes celulares, incluindo lipídios, proteínas e DNA.[8] O estresse oxidativo desempenha um papel crucial no processo de dano neuronal e está intimamente relacionado aos outros mecanismos mencionados.

A compreensão desses mecanismos de dano neuronal é essencial para o desenvolvimento de estratégias de neuroproteção que visem minimizar os efeitos adversos das cirurgias neurológicas. Ao intervir em diferentes pontos dessas vias fisiopatológicas, é possível reduzir o risco de complicações e melhorar os resultados para os pacientes.

▪ ESTRATÉGIAS DE NEUROPROTEÇÃO NÃO FARMACOLÓGICAS

As estratégias de neuroproteção não farmacológicas são intervenções que visam minimizar o dano neuronal sem o uso de medicamentos. Essas abordagens são fundamentais em cirurgias neurológicas, pois podem ser implementadas de maneira segura e eficaz para proteger o tecido cerebral. As principais estratégias incluem:

Hipotermia

A hipotermia terapêutica, ou o resfriamento controlado do corpo, é uma das estratégias de neuroproteção mais estudadas. A redução da temperatura corporal diminui a taxa metabólica do cérebro, reduzindo a demanda por oxigênio e nutrientes. Isso pode ser particularmente benéfico durante períodos de isquemia.[9] Além disso, a hipotermia pode retardar a cascata de eventos que levam à morte celular, incluindo a redução da excitotoxicidade e a modulação da resposta inflamatória.[10]

Manutenção da Pressão de Perfusão Cerebral

A pressão de perfusão cerebral (PPC) é a diferença entre a pressão arterial média e a pressão intracraniana. Manter a PPC dentro de limites ótimos é crucial para garantir um fluxo sanguíneo cerebral adequado durante e após a cirurgia.[11,12] Isso pode ser alcançado através do monitoramento contínuo da pressão arterial e da pressão intracraniana, bem como da administração de fluidos e fármacos vasoativos conforme necessário.[13,14]

Controle Glicêmico

Níveis elevados de glicose no sangue podem exacerbar o dano cerebral em situações de isquemia. Portanto, o controle glicêmico é uma estratégia importante para reduzir o risco de complicações neurológicas.[15-17] Isso geralmente envolve o monitoramento regular dos níveis de glicose e a administração de insulina para manter a glicemia dentro de uma faixa alvo estabelecida.[18,19]

Manutenção da Capacidade de Transporte e Entrega de Oxigênio

Garantir que o cérebro receba oxigênio suficiente é essencial para a sua função e sobrevivência. Isso pode ser alcançado através da manutenção de níveis adequados de hemoglobina[20-22] e da otimização da ventilação para garantir uma oxigenação arterial adequada. Em casos de anemia ou perda sanguínea significativa, a transfusão de concentrado de hemácias pode ser necessária.[23-25]

Controle dos Níveis de $PaCO_2$

O dióxido de carbono ($PaCO_2$) tem um papel importante na regulação do fluxo sanguíneo cerebral.[25] Níveis elevados de $PaCO_2$ podem causar vasodilatação cerebral e aumentar a pressão intracraniana, enquanto níveis baixos podem levar à vasoconstrição e reduzir o fluxo sanguíneo.[26,27] Portanto, o controle da ventilação para manter os níveis de $PaCO_2$ dentro de uma faixa normal é uma estratégia chave para a proteção cerebral.[28-30]

Pré-condicionamento Isquêmico e Atividade Física

O pré-condicionamento isquêmico é uma técnica que envolve a exposição intencional do cérebro a episódios curtos e controlados de isquemia para induzir mecanismos de proteção.[30,31] Além disso, evidências sugerem que a atividade física regular antes da cirurgia pode melhorar a resiliência do cérebro a insultos isquêmicos.[32]

A Tabela 177.1 resume as principais estratégias de neuroproteção não farmacológicas utilizadas em neuroanestesia.

As estratégias de neuroproteção não farmacológicas desempenham um papel crucial na minimização do dano neuronal em cirurgias neurológicas. A implementação dessas abordagens requer uma avaliação cuidadosa das condições do paciente e uma coordenação multidisciplinar para garantir a eficácia e a segurança do tratamento

Tabela 177.1 Estratégias de neuroproteção não farmacológicas.		
Estratégia	**Descrição**	**Benefícios Potenciais**
Hipotermia	Redução controlada da temperatura corporal para diminuir a taxa metabólica do cérebro	Reduz a demanda por oxigênio e nutrientes. Retarda a cascata de eventos que levam à morte celular
Manutenção da Pressão de Perfusão Cerebral	Monitoramento e ajuste da pressão arterial e da pressão intracraniana para garantir um fluxo sanguíneo cerebral adequado	Garante a perfusão cerebral adequada. Previne a isquemia cerebral
Controle Glicêmico	Monitoramento e controle dos níveis de glicose no sangue para evitar hiperglicemia	Reduz o risco de complicações neurológicas. Minimiza o agravamento do dano cerebral em situações de isquemia
Manutenção da Capacidade de Transporte e Entrega de Oxigênio	Otimização da ventilação e manutenção de níveis adequados de hemoglobina para garantir a oxigenação cerebral	Previne a hipóxia cerebral. Garante a entrega de oxigênio suficiente ao cérebro
Controle dos Níveis de $PaCO_2$	Regulação da ventilação para manter os níveis de dióxido de carbono ($PaCO_2$) dentro de uma faixa normal	Mantém a vasculatura cerebral em equilíbrio. Evita alterações no fluxo sanguíneo cerebral devido a variações nos níveis de $PaCO_2$
Pré-condicionamento Isquêmico e Atividade Física	Exposição do cérebro a episódios controlados de isquemia e promoção de atividade física regular antes da cirurgia	Induz mecanismos de proteção cerebral. Melhora a resiliência do cérebro a insultos isquêmicos

ESTRATÉGIAS DE NEUROPROTEÇÃO FARMACOLÓGICAS

Além das abordagens não farmacológicas, existem várias estratégias farmacológicas que visam proteger o tecido cerebral durante e após cirurgias neurológicas. Essas estratégias envolvem o uso de medicamentos que atuam em diferentes pontos da cascata de eventos que levam ao dano neuronal.[33]

Há mais de um século, estudos vêm sendo conduzidos sobre o possível efeito neuroprotetor de diversos anestésicos. No entanto, os resultados obtidos *in vitro* e em animais ainda não foram comprovados em ensaios clínicos em humanos. A Stroke Therapy Academic Industry Roundtable X (STAIR X) sugere que os efeitos dos anestésicos sejam estudados de forma sistematizada em pacientes submetidos à trombectomia endovascular, pois a hemodinâmica desses pacientes é semelhante aos modelos de isquemia-reperfusão usados em pesquisas básicas, e a escolha dos anestésicos geralmente é baseada na preferência individual do médico anestesiologista. Atualmente, não há consenso sobre a melhor abordagem anestésica para esse tipo de procedimento, se anestesia geral ou sedação consciente.[34]

A cetamina nas doses de 1,5 a 5 mg/kg quando utilizada junto com o propofol, parece diminuir a pressão intracraniana (PIC) em pacientes com traumatismo cranioencefálico (TCE).[35] Doses subanestésicas de cetamina parecem aumentar o fluxo sanguíneo cerebral no córtex frontal sem alterar a taxa metabólica regional de O_2 (rCMRO2).[36] Uma meta-nálise de 2020 incluindo onze estudos e um total de 334 pacientes mostrou que não existe nenhuma evidência de que o uso de cetamina tenha piorado a condição cerebral desses pacientes.[37] Entretanto, nenhum desses estudos avaliou o uso e a segurança da cetamina em pacientes submetidos a trombectomia endovascular, que seria o modelo mais apropriado para explorar seu potencial neuroprotetor, conforme mencionado anteriormente. Entre os mecanismos de neuroproteção propostos para a cetamina, parecem estar

relacionados a múltiplas vias e mecanismos, desde a inibição NMDA, supressão das ondas patológicas denominadas *spreading depolarization* (SD), que ocorrem após injúria cerebral aguda e inibição da neuroinflamação e da lesão isquemia-reperfusão.[34]

O propofol é frequentemente o anestésico de escolha em neurocirurgias, pois reduz tanto a taxa metabólica regional de oxigênio (rCMRO2), quanto o fluxo sanguíneo cerebral, mantendo a proporção entre essas duas variáveis em níveis regionais. No entanto, um efeito colateral comum é a hipotensão, que pode ser um fator de risco independente para um pior resultado neurológico.[38] As mudanças hemodinâmicas provocadas pelo propofol precisam ser avaliadas com mais detalhes, já que parecem não ocorrer de maneira uniforme em todas as regiões do cérebro durante o procedimento.[39] Além disso, o propofol parece ter propriedades anti-inflamatórias e anti-apoptóticas no cérebro, além de inibir a produção de radicais livres e neutralizá-los, reduzir a peroxidação lipídica e proteger o cérebro contra danos oxidativos.[40]

Anestésicos inalatórios, como sevoflurano e isoflurano, em concentrações acima de 1 CAM podem aumentar o fluxo sanguíneo cerebral enquanto reduzem o metabolismo cerebral. Esse efeito pode ser vantajoso para áreas isquêmicas ou de penumbra após trombectomias endovasculares. Um estudo de coorte retrospectivo que envolveu 314.932 pacientes submetidos a anestesia geral para trombectomia endovascular revelou que os pacientes anestesiados com agentes inalatórios apresentaram um menor risco de isquemia pós-operatória em comparação ao grupo que recebeu anestesia endovenosa com propofol.[41] Por outro lado, estudos experimentais indicam que os anestésicos inalatórios podem prejudicar a autorregulação cerebral tanto em animais quanto em humanos.[42]

Recentemente, diversos estudos sugerem um possível efeito neuroprotetor da dexmedetomidina em situações de injúria cerebral, tais como traumatismo cranioencefálico, hemorragia subaracnóidea, lesões isquêmicas e de isquemia-reperfusão. Os mecanismos envolvidos seriam inibição da neuroinflamação, redução da apoptose e da autofagia e proteção da barreira hematoencefálica (BHE), aumentando a expressão de proteínas que mantém a integridade da BHE, evitando ou atenuando o edema cerebral.[43]

Em uma revisão de 2013, que incluiu o Registro Central Cochrane e o Medline, Bilotta e col. levantaram 5.904 estudos, dos quais selecionaram 25 ensaios clínicos randomizados sobre neuroproteção farmacológica durante o intraoperatório.[44] As terapias testadas nas revisões selecionadas usaram: lidocaína, tiopental, S (+) cetamina, propofol, nimodipina, gangliosídeo GM1, lexipafant, glutamato/aspartato, xenônio, remacemida, atorvastatina, sulfato de magnésio, eritropoetina, piracetam, rivastigmina, pegorgoteína e 17 betaestradiol. Dentre todos os avaliados, apenas a atorvastatina e o magnésio se associaram a uma menor incidência de novos déficits neurológicos, porém, sem efeitos na mortalidade.

Recentemente, tem sido estudada a importância da via de metabolização as SUMO (*small, ubiquitin-like modifier*), com particular interesse nos seus efeitos neuroprotetores após isquemia cerebral aguda, regulando as respostas neuronais, mantendo os gradientes iônicos e promovendo um pré-condicionamento das células tronco neurais. A SUMO é uma proteína intrinsicamente envolvida na orquestração das respostas fisiológicas à hipóxia, hipotermia e dano ao DNA. Diversos compostos envolvidos na SUMOylation, como o diazóxido, que é antagonista das miRNA-182/183, que são inibidoras da SUMO, ou as SENP-2, inibidoras das SUMOylating proteases, como a quercetina e ebselen, têm sido estudados como possíveis neuroprotetores.[45]

A Tabela 177.2 resume os medicamentos discutidos no texto, seus mecanismos de ação e seus potenciais efeitos neuroprotetores.

No momento, não existem diretrizes estabelecidas para a administração de fármacos neuroprotetores em termos de protocolos, posologias ou indicações específicas. A definição de estratégias terapêuticas baseadas em evidências para a neuroproteção depende de avanços na medicina translacional. Essa disciplina atua como um elo entre pesquisas laboratoriais e a aplicação clínica, facilitando o desenvolvimento de estudos que possam traduzir achados experimentais em práticas clínicas eficazes.[46]

▪ APLICAÇÃO CLÍNICA DAS ESTRATÉGIAS DE NEUROPROTEÇÃO

A aplicação clínica das estratégias de neuroproteção em cirurgias neurológicas envolve uma abordagem individualizada que considera as condições específicas do paciente,

Tabela 177.2 Estratégias de neuroproteção farmacológicas.

Medicamento	Mecanismo de ação	Potencial neuroprotetor
Cetamina	Inibição NMDA. Supressão das ondas patológicas SD Inibição da neuroinflamação e da lesão isquemia-reperfusão	Diminuição da PIC em pacientes com TCE Aumento do fluxo sanguíneo cerebral no córtex frontal Não piora a condição cerebral em pacientes com TCE Potencial neuroprotetor a ser explorado em trombectomia endovascular
Propofol	Redução da taxa metabólica regional de oxigênio (rCMRO2) Redução do fluxo sanguíneo cerebral Propriedades anti-inflamatórias e anti-apoptóticas Inibição da produção de radicais livres Neutralização de radicais livres Redução da peroxidação lipídica	Redução da PIC Proteção contra danos oxidativos Hipotensão como efeito colateral
Anestésicos inalatórios (ex.: sevoflurano, isoflurano)	Aumento do fluxo sanguíneo cerebral Redução do metabolismo cerebral	Vantajoso para áreas isquêmicas ou de penumbra Menor risco de isquemia pós-operatória em comparação com propofol em trombectomia endovascular Possível prejuízo na autorregulação cerebral.
Dexmedetomidina	Inibição da neuroinflamação Redução da apoptose e da autofagia Proteção da barreira hematoencefálica (BHE)	Possível efeito neuroprotetor em situações de injúria cerebral Aumento da expressão de proteínas que mantêm a integridade da BHE Possível redução do edema cerebral
Atorvastatina, sulfato de magnésio, e outros	Mecanismos específicos variados.	Atorvastatina e magnésio associados a menor incidência de novos déficits neurológicos; - Não afeta a mortalidade.
Diazoxido, quercetina, ebselen, e outros	Regulação das respostas neuronais Manutenção dos gradientes iônicos Promoção de pré-condicionamento das células tronco neurais	Estudados como possíveis neuroprotetores Envolvimento na via de metabolização das SUMO Atuam como antagonistas das miRNA-182/183 e das SENP-2

o tipo de cirurgia e os riscos associados. A implementação bem-sucedida dessas estratégias visa minimizar o dano neuronal e melhorar os resultados pós-operatórios. Abaixo, discutimos a aplicação de algumas das principais estratégias de neuroproteção em diferentes contextos cirúrgicos.

Hipotermia em Cirurgia Cerebral

A hipotermia terapêutica é frequentemente utilizada em cirurgias cerebrais para proteger o tecido cerebral durante procedimentos que envolvem risco de isquemia, como a remoção de tumores cerebrais ou a clipagem de aneurismas.[47] A temperatura corporal do paciente é cuidadosamente reduzida e monitorada para minimizar o metabolismo cerebral e reduzir o risco de lesões isquêmicas.

Manutenção da Pressão de Perfusão Cerebral em Cirurgia de Aneurisma

Durante a cirurgia para tratamento de aneurismas cerebrais, a manutenção da pressão de perfusão cerebral é crucial para prevenir o comprometimento do fluxo sanguíneo cerebral. Isso pode ser alcançado através do monitoramento contínuo da pressão arterial e da administração de fluidos e fármacos vasoativos conforme necessário.[48]

Controle Glicêmico em Cirurgia de Tumor Cerebral

O controle dos níveis de glicose no sangue é importante em cirurgias de tumor cerebral para reduzir o risco de complicações neurológicas. A monitorização frequente da glicemia e a administração de insulina são utilizadas para manter os níveis de glicose dentro de uma faixa alvo estabelecida.[49]

Manutenção da Capacidade de Transporte e Entrega de Oxigênio em Cirurgia Espinhal

Em cirurgias da coluna vertebral, a manutenção da capacidade de transporte e entrega de oxigênio é essencial para proteger o tecido nervoso espinhal. Isso pode envolver a monitorização dos níveis de hemoglobina e a administração de oxigênio suplementar ou transfusões de sangue, se necessário.[50]

Controle dos Níveis de $PaCO_2$ em Cirurgia de Trauma Craniano

O controle adequado dos níveis de $PaCO_2$ é particularmente importante em cirurgias de trauma craniano, em que a regulação do fluxo sanguíneo cerebral é crucial para prevenir o aumento da pressão intracraniana.[51] A ventilação mecânica pode ser ajustada para manter os níveis de PaCO dentro de uma faixa ótima.

A aplicação clínica das estratégias de neuroproteção requer uma abordagem multidisciplinar e individualizada, com base nas características específicas do paciente e do procedimento cirúrgico. A integração dessas estratégias no plano de cuidados perioperatórios é fundamental para otimizar os resultados e minimizar o risco de complicações neurológicas.

■ DESAFIOS E PERSPECTIVAS FUTURAS

A neuroproteção em cirurgias neurológicas enfrenta diversos desafios que impactam sua eficácia e implementação. No entanto, avanços contínuos na pesquisa e no desenvolvimento tecnológico oferecem perspectivas promissoras para o futuro. Abaixo, discutimos alguns dos principais desafios e as tendências emergentes no campo da neuroproteção.

Desafios na Neuroproteção

■ **Complexidade dos Mecanismos de Dano Neuronal:** a diversidade e complexidade dos mecanismos envolvidos no dano neuronal dificultam o desenvolvimento de estratégias de neuroproteção abrangentes e eficazes;

■ **Variabilidade Individual:** as diferenças individuais nos pacientes, incluindo fatores genéticos, condições pré-existentes e respostas fisiológicas, podem influenciar a eficácia das intervenções de neuroproteção;

■ **Limitações dos Modelos Experimentais:** os modelos experimentais utilizados na pesquisa de neuroproteção nem sempre replicam com precisão a complexidade do cérebro humano e as condições clínicas, o que pode limitar a aplicabilidade dos resultados à prática clínica;

■ **Desafios na Tradução de Pesquisas para a Prática Clínica:** a tradução bem-sucedida de descobertas científicas em intervenções clínicas eficazes é um processo demorado e complexo, com muitas pesquisas promissoras não alcançando a aplicação clínica.

Perspectivas Futuras

■ **Desenvolvimento de Biomarcadores:** o avanço na identificação de biomarcadores específicos para o dano neuronal pode permitir uma detecção mais precoce e precisa, bem como a personalização das estratégias de neuroproteção;

■ **Terapias Direcionadas:** a pesquisa está focada no desenvolvimento de terapias mais direcionadas que possam intervir de forma precisa nos mecanismos específicos do dano neuronal, reduzindo os efeitos colaterais e aumentando a eficácia;

■ **Tecnologias de Monitoramento Avançado:** o aprimoramento das tecnologias de monitoramento intraoperatório, como a imagem cerebral em tempo real e a monitorização neurofisiológica, pode fornecer informações valiosas para guiar as estratégias de neuroproteção durante a cirurgia;

■ **Abordagens Combinadas:** a combinação de diferentes estratégias de neuroproteção, tanto farmacológicas quanto não farmacológicas, pode oferecer uma abordagem mais holística e eficaz para minimizar o dano neuronal.

Apesar dos desafios existentes, o campo da neuroproteção em cirurgias neurológicas está em constante evolução. O progresso na compreensão dos mecanismos de dano neuronal, juntamente com avanços tecnológicos e terapêuticos, oferece esperança para o desenvolvimento de estratégias de neuroproteção mais eficazes e personalizadas no futuro.

A neuroproteção em neurocirurgias é uma área crítica que busca mitigar os danos cerebrais potencialmente causados por procedimentos cirúrgicos e anestésicos. O estudo das desordens neurocognitivas perioperatórias, como *delirium* e declínio cognitivo pós-operatório, pode ser utilizado como uma mediata substituta (*surrogate measure*) para o desenvolvimento de drogas neuroprotetoras contra a doença de Alzheimer, por exemplo. Isso se deve ao fato de que, nas cirurgias eletivas, o estresse anestésico-cirúrgico com consequente neuroinflamação e hipoperfusão, seja um evento programado e, portanto, previsível, oferecendo uma janela de oportunidade para intervir com medicamentos neuroprotetores. Nesse contexto, pacientes poderiam se beneficiar do uso desses medicamentos para reduzir o risco de complicações neurocognitivas. Esse enfoque não apenas aprimora o cuidado ao paciente, mas também facilita a avaliação direta do impacto de intervenções neuroprotetoras em um ambiente controlado.

■ CONCLUSÃO

Ao longo das últimas décadas, a neuroproteção emergiu como um campo crucial na medicina neurológica, especialmente no contexto de cirurgias neurológicas. O objetivo principal dessas estratégias é preservar a integridade e a funcionalidade do tecido cerebral, minimizando os danos causados por uma variedade de insultos intra e pós-operatórios. Através da implementação de abordagens farmacológicas e não farmacológicas, os profissionais de saúde buscam otimizar os resultados cirúrgicos e melhorar a qualidade de vida dos pacientes.

A aplicação clínica das estratégias de neuroproteção requer uma compreensão profunda dos mecanismos de dano neuronal e uma abordagem multidisciplinar que engloba a avaliação individualizada do paciente, o planejamento cuidadoso do procedimento cirúrgico e o monitoramento rigoroso durante o período perioperatório. Além disso, a pesquisa contínua e o desenvolvimento de novas tecnologias e terapias são essenciais para aprimorar as práticas de neuroproteção e expandir as opções disponíveis para os profissionais de saúde.

Apesar dos desafios enfrentados na tradução de pesquisas para a prática clínica e na complexidade dos mecanismos envolvidos no dano neuronal, as perspectivas futuras são promissoras. O avanço na identificação de biomarcadores, o desenvolvimento de terapias direcionadas e o aprimoramento das tecnologias de monitoramento têm o potencial de revolucionar o campo da neuroproteção, permitindo intervenções mais precisas, eficazes e personalizadas.

Em conclusão, embora haja um crescente interesse nos mecanismos neuroprotetores, tanto farmacológicos como não farmacológicos, para preservar a função neurológica durante e após procedimentos cirúrgicos, até o momento, nenhuma estratégia farmacológica se estabeleceu como eficaz de forma conclusiva.[52] Drogas como a dexmedetomidina, os antagonistas dos receptores NMDA e inibidores do estresse oxidativo têm sido exploradas, mas ainda não demonstraram eficácia consistente em ensaios clínicos de grande escala. Em contraste, métodos não farmacológicos, como controle meticuloso da temperatura corporal, manu-tenção de níveis adequados de pressão arterial e técnicas de anestesia otimizadas, incluindo o uso do EEG,[53] mostraram resultados mais promissores na minimização do dano cerebral.

Portanto, a necessidade de pesquisa contínua é imperativa, especialmente no desenvolvimento e validação de novas abordagens farmacológicas, enquanto estratégias não farmacológicas continuam a ser uma parte vital na prática clínica para a neuroproteção em ambientes perioperatórios. A colaboração interdisciplinar para refinar essas técnicas e desenvolver novos tratamentos é crucial para avançar na proteção efetiva do cérebro e melhorar os resultados dos pacientes submetidos a neurocirurgias.

Em conclusão, a neuroproteção em cirurgias neurológicas é um componente vital para a preservação da saúde cerebral e a melhoria dos resultados cirúrgicos. A integração de estratégias de neuroproteção no cuidado perioperatório, juntamente com avanços contínuos em pesquisa e tecnologia, representa uma abordagem promissora para enfrentar os desafios da medicina neurológica moderna.

PONTOS-CHAVE

- **Falta de Evidência de Eficácia:** não há evidências sólidas que comprovem a eficácia de estratégias farmacológicas específicas para prevenir alterações neurocognitivas perioperatórias;
- **Necessidade de Pesquisa:** existe uma necessidade premente de conduzir pesquisas para desenvolver medicamentos neuroprotetores, com foco em estudar as alterações neurocognitivas perioperatórias como medidas substitutas;
- **Desafios na Avaliação:** os desafios incluem a variabilidade individual na resposta neurocognitiva, a necessidade de padronização dos métodos de avaliação e a identificação de limitações potenciais na mensuração dessas alterações;
- **Implicações Clínicas:** o desenvolvimento de medicamentos neuroprotetores pode levar a melhorias significativas nos resultados clínicos para pacientes submetidos a procedimentos cirúrgicos, reduzindo o ônus da doença em termos de morbidade e custos associados ao tratamento;
- **Necessidade de Colaboração Interdisciplinar:** a colaboração entre especialidades como neurociência, farmacologia e pesquisa clínica é crucial para avançar na pesquisa de medicamentos neuroprotetores e traduzir descobertas científicas em benefícios clínicos tangíveis;
- **Desenvolvimento de Protocolos Padronizados:** é essencial estabelecer protocolos padronizados para avaliação das alterações neurocognitivas perioperatórias, garantindo a consistência e comparabilidade dos dados;
- **Consideração da Variabilidade Individual:** deve-se considerar a variabilidade na resposta neurocognitiva entre os pacientes ao interpretar os resultados da pesquisa;
- **Abordagem Multidimensional:** uma abordagem holística no desenvolvimento de terapias neuroprotetoras, que leve em conta não apenas os aspectos farmacológicos, mas também os contextos clínicos e individuais, é necessária para maximizar os benefícios terapêuticos.

REFERÊNCIAS

1. Martin RL, Lloyd HG, Cowan AI. The early events of oxygen and glucose deprivation: setting the scene for neuronal death? Trends Neurosci 1994; 17(6):251-7.
2. Katsura K, Kristian T, Siesjö BK. Energy metabolism, ion homeostasis, and cell damage in the brain. Biochem Soc Trans 1994;22(4):991-6.
3. Park CK, Nehls DG, Teasdale GM, McCulloch J. Effect of the NMDA antagonist MK-801 on local cerebral blood flow in focal cerebral ischaemia in the rat. J Cereb Blood Flow Metab. 1989; 9(5):617-22.
4. Furukawa K, Fu W, Li Y, Witke W, Kwiatkowski DJ, Mattson MP. The actin-severing protein gelsolin modulates calcium channel and NMDA receptor activities and vulnerability to excitotoxicity in hippocampal neurons. J Neurosci 1997;17(21):8178-86.
5. Chen ZL, Strickland S. Neuronal death in the hippocampus is promoted by plasmin-catalyzed degradation of laminin. Cell 1997;91(7):917-25.
6. Zhao Q, Pahlmark K, Smith M, Siesjö BK. Delayed treatment with the spin trap alpha-phenyl-N-tert-butyl nitrone (PBN) reduces infarct size following transient middle cerebral artery occlusion in rats. Acta Physiol Scand 1994; 152(3):349-50.
7. Dugan LL, Choi DW. Excitotoxicity, free radicals, and cell membrane change. Ann Neurol 1994; 35 Suppl:S17-S21.
8. Kristian T, Siesjö BK. Calcium in ischemic cell death. Stroke 1998; 29(3):705-18.
9. Todd MM, Hindman BJ, Clarke WR, Torner JC; Intraoperative Hypothermia for Aneurysm Surgery Trial (IHAST) Investigators. Mild intraoperative hypothermia during surgery for intracranial aneurysm. N Engl J Med 2005; 352(2):135-45.
10. Milani WR, Antibas PL, Prado GF. Cooling for cerebral protection during brain surgery. Cochrane Database Sys Rev 2011;10:CD006638.
11. El Beheiry H. Protecting the brain during neurosurgical procedures: strategies that can work. Curr Opin Anesthesiol 2012; 25(5):548-55.
12. Moore LE, Sharifpour M, Shanks A, Kheterpal S, Tremper KK, Mashour GA. Cerebral perfusion pressure below 60mmHg is common in the intraoperative setting. J Neurosurg Anesthesiol 2012; 24(1):58-62.
13. Ng JL, Chan MT, Gelb AW. Perioperative stroke in noncardiac, nonneurosurgical surgery. Anesthesiology 2011; 115(4):879-90.
14. Garg RK, Liebling SM, Mass MB, Nemeth AJ, Russell EJ, Naidech AM, et al. Blood pressure reduction, decreased diffusion on MRI, and outcomes after intracerebral haemorrhage. Stroke 2012; 43(1):67-71.
15. Lipshutz AKM, Copper MA. Perioperative glycemic control: an evidencebased review. Anesthesiology 2009;110(2):408-21.
16. Pasternak JJ, McGregor DG, Schroeder DR, Lanier WL, Shi Q, Hindman BJ, et al. Hyperglycemia in patients undergoing cerebral aneurysm surgery: its association with long--term gross neurologic and neurophysiological function. Mayo Clin Proc 2008; 83(4):406-17.
17. NICE-SUGAR Study Investigators; Finfer S, Chittock DR, Su SY, Blair D, Foster D, Intensive versus conventional glucose control in critically ill patients. N Engl J Med 2009;360(13):1283-97.
18. Oddo M, Schmidt JM, Carrera E, Badjatia N, Connolly ES, Presciutti M, et al. Impact of tight glycemic control on cerebral glucose metabolism after severe brain injury: a micro-dialysis study. Crit Care Med 2008;36(12):3233-8.
19. Moghissi ES, Korytkowski MT, DiNardo M, Einhorn D, Hellman R, Hirsch IB, et al. American association of clinical endocrinologists and American diabetes association consensus statement on inpatient glycemic control. Diabetes Care 2009; 32(6):1119-31.
20. Diedler J, Sykora M, Hahn P, Heerlein K, Schölzke MN, Kellert L, et al. Low haemoglobin is associated with poor functional outcome after nontraumatic, supratentorial intracerebral haemorrhage. Crit Care 2010;14(2):R63.
21. Kumar MA, Rost NS, Snider RW, Chanderraj R, Greenberg SM, Smith EE, et al. Anemia and hematoma volume in acute intracerebral hemorrhage. Crit Care Med 2009;37(4):1442-7.
22. Sheth KN, Gilson AJ, Chang Y, Kumar MA, Rahman RM, Rost NS, et al. Packed red blood cell transfusion and decreased mortality in intracerebral hemorrhage. Neurosurgery 2011;68(5):1286-92.
23. Tsui AK, Marsden PA, Mazer CD, Adamson SL, Henkelman RM, Ho JJ, et al. Priming of hypoxia-inducible factor by neuronal nitric oxide synthase is essential for adaptive responses to severe anemia. Proc Natl Acad Sci 2011;108(42):17544-9.
24. Shander A, Javidroozi M, Ozawa S, Hare GM. What is really dangerous: anaemia or transfusion? Br J Anaesth 2011;107 Suppl 1:i41-i59.
25. McEwen J, Huttunen KH. Transfusion practice in neuroanesthesia. Curr Opin Anaesthesiol 2009;22(5):566-71.
26. Zhou Q, Cao B, Niu L, Cui X, Yu H, Liu J, et al. Effects of permissive hypercapnia on transient global cerebral ischemia-reperfusion injury in rats. Anesthesiology 2010; 112(2):288-97.
27. Vaahersalo J, Bendel S, Reinikainen M, Kurola J, Tiainen M, Raj R, et al. Arterial blood gas tensions after resuscitation from out-of-hospital cardiac arrest: associations with long-term neurological outcome. Crit Care Med 2014; 42(6):1463-70.
28. Vannucci RC, Brucklacher RM, Vanucci SJ. Effect of carbon dioxide on cerebral metabolism during hypoxic-ischemia in the immature rat. Pediatr Res 1997;42(1):24-9.
29. Vannucci RC, Towfighi J, Heitjan DF, Brucklacher RM. Carbon dioxide protects the perinatal brain from hypoxic-ischemic damage: An experimental study in the immature rat. Pediatrics 1995; 95(6):868-74.
30. Bilotta F, Gelb AW, Stazi L, Titi L, Paoloni FP, Rosa G. Pharmacological perioperative brain protection: a qualitative review of randomized clinical trials. Br J Anaesth 2013;110 Suppl 1:i113-i20.
31. Deng J, Lei C, Chen Y, Fang Z, Yang Q, Zhang H, et al. Neuroprotective gases – fantasy or reality for clinical use? Prog Neurobiol 2014;115:210-45.
32. Zhang F, Wu Y, Jia J. Exercise preconditioning and brain ischemic tolerance. Neuroscience 2011;177:170-6.
33. Hougaard KD, Hjort N, Zeidler D, Sørensen L, Nørgaard A, Hansen TM, et al. Remote ischemic perconditioning as an adjunct therapy to thrombolysis in patients with acute ischemic stroke: a randomized trial. Stroke 2014; 45(1):159-67.
34. Zhang T, Deng D, Huang S, Fu D, Wang T, Xu F, et al. A retrospecto and outlook on the neuroprotective effects of anesthetics in the era of endovascular therapy. Front Neurosci 2023; 17:1140275.
35. Albanese J, Arnaud S, Rey M, Thomachot L, Alliez B, Martin C. Ketamine decreases intracranial pressure and electroencephalographic activity in traumatic brain injury patients during propofol sedation. Anesthesiology 1997; 87(6):1328-1334.
36 Långsjö JW, Kaisti KK, Aalto S, Hinkka S, Aantaa R, Oikonen V, et al. Effects of subanesthetic doses of ketamine on regional cerebral blood flow, oxygen consumption, and blood volume in humans. Anesthesiology 2003; 99(3):614-23.
37. Gregers MCT, Mikkelsen S, Lindvig KP, Brøchner AC. Ketamine as an Anesthetic for Patients with Acute Brain Injury: A Systematic Review. Neurocrit Care. 2020; 33(1):273-282.
38. Phillips AT, Deiner S, Mo Lin H, Andreopoulos E, Silverstein J, Levin MA. Propofol Use in the Elderly Population: Prevalence of Overdose and Association With 30-Day Mortality. Clin Ther. 2015; 37(12):2676-85.
39. Manquat E, Ravaux H, Kindermans M, Joachim J, Serrano J, Touchard C, et al. Impact of impaired cerebral blood flow autoregulation on electroencephalogram signals in adults undergoing propofol anaesthesia: a pilot study. BJA Open. 2022;1:100004.
40. Ulbrich F, Eisert L, Buerkle H, Goebel U, Schallner N. Propofol, but not ketamine or midazolam, exerts neuroprotection after ischaemic injury by inhibition of Toll-like receptor 4 and nuclear factor kappa-light-chain-enhancer of activated B-cell signalling: A combined in vitro and animal study. Eur J Anaesthesiol. 2016; 33(9):670-80.
41. Raub D, Platzbecker K, Grabitz SD, Xu X, Wongtangman K, Pham SB, et al. Effects of Volatile Anesthetics on Postoperative Ischemic Stroke Incidence. J Am Heart Assoc. 2021; 10(5):e018952.
42. Neag MA, Mitre AO, Catinean A, Mitre CI. An Overview on the Mechanisms of Neuroprotection and Neurotoxicity of Isoflurane and Sevoflurane in Experimental Studies. Brain Res Bull. 2020; 165:281-289.
43. Hu Y, Zhou H, Zhang H, Sui Y, Zhang Z, Zou Y, et al. The neuroprotective effect of dexmedetomidine and its mechanism. Front Pharmacol. 2022;13:965661.
44. Bilotta F, Gelb AW, Stazi E, Titi L, Paoloni FP, Rosa G. Pharmacological perioperative brain neuroprotection: a qualitative review of randomized clinical trials. Br J Anaesth. 2013; 110 Suppl 1:i113-20.
45. Karandikar P, Gerstl JVE, Kappel AD, Won SY, Dubinski D, Garcia-Segura ME, et al. SUMOtherapeutics for Ischemic Stroke. Pharmaceuticals (Basel). 2023; 16(5):673.
46. Zhang F, Wu Y, Jia J. Exercise preconditioning and brain inchemic tolerance. Neuroscience 2011;177:170-6.
47. Inoue S. Temperature management for deliberate mild hypothermia during neurosurgical procedures. Fukushima J Med Sci. 2022; 68(3):143-151.
48. Lakshmegowda M, Muthuchellapan R, Sharma M, Ganne SUR, Chakrabarti D, Muthukalai S. The Effect of Pharmacologically Induced Blood Pressure Manipulation on Cardiac Output and Cerebral Blood Flow Velocity in Patients with Aneurysmal Subarachnoid Hemorrhage. Indian J Crit Care Med. 2023; 27(4):254-259.
49. Gruenbaum SE, Guay CS, Gruenbaum BF, Konkayev A, Falegnami A, Qeva E, et al. Perioperative Glycemia Management in Patients Undergoing Craniotomy for Brain Tumor Resection: A Global Survey of Neuroanesthesiologists' Perceptions and Practices. World Neurosurg. 2021; 155:e548-e563.
50. De la Garza Ramos R, Gelfand Y, Benton JA, Longo M, Echt M, Yanamadala V, et al. Rates, Risk Factors, and Complications of Red Blood Cell Transfusion in Metastatic Spinal Tumor Surgery: An Analysis of a Prospective Multicenter Surgical Database. World Neurosurg. 2020; 139:e308-e315.
51. Salasky VR, Chang WW. Neurotrauma Update. Emerg Med Clin North Am. 2023; 41(1):19-33.
52. Badenes R, Gruenbaum SE, Bilotta F. Cerebral protection during neurosurgery and stroke. Curr Opin Anaesthesiol. 2015; 28(5):532-6.
53. Lobo FA, Vacas S, Rossetti AO, Robba C, Taccone FS. Does electroencephalographic burst suppression still play a role in the perioperative setting? Best Pract Res Clin Anaesthesiol. 2021; 35(2):159-169.

Parte 24

Anestesia para Cirurgia Bucomaxilofacial e Cirurgia Plástica

178

Anestesia para Cirurgia Bucomaxilofacial

Tailur Alberto Grando ▪ **Edela Puricelli**

INTRODUÇÃO

A Odontologia é a área da saúde humana que estuda e atua clínica e cirurgicamente no sistema estomatognático — unidade morfofuncional que engloba parte do crânio, face, pescoço e cavidade bucal. Essas estruturas sustentam a via aérea superior e, somadas aos músculos, vasos, nervos, glândulas e cartilagens, atuam diretamente na funcionalidade da mastigação, deglutição, sucção, fala e respiração.[1]

Procedimentos odontológicos podem se tornar extremamente incômodos e dolorosos, gerando ansiedade, medo, fobias e importantes alterações autonômicas com modificações sistêmicas e psíquicas. Embora técnicas eficientes de anestesia local sejam de domínio dos cirurgiões-dentistas, é crescente a indicação de técnicas de sedação e anestesia geral para o manejo e abordagens complexas nas terapêuticas odontológicas, em pacientes pediátricos e adultos, com ou sem alterações sistêmicas ou com deficiências.[1,2]

A cirurgia e traumatologia bucomaxilofaciais (CTB-MF) apresenta vários desafios ao anestesiologista. Os principais desafios incluem trabalhar com vários profissionais; gerenciar uma via aérea compartilhada; garantir um bom acesso cirúrgico; identificar uma via aérea difícil e escolher uma técnica adequada do manejo da via aérea no perioperatório; usar medidas para diminuir o sangramento e o edema tecidual. Para vencer estes desafios, de forma eficaz e segura, é essencial uma boa comunicação entre os anestesiologistas, cirurgiões e outros membros da equipe.[2]

Implementada nos hospitais brasileiros desde a década de 1960, a especialidade de Cirurgia e Traumatologia Bucomaxilofaciais viu-se fortemente viabilizada no sistema de saúde suplementar, a partir da publicação da Lei nº 9.656/98 (Lei dos Planos de Saúde). Para tanto, as técnicas de intubação e de manejo dos pacientes, sob anestesia geral, passaram a exigir qualificação e treinamento no manejo para o acesso nasotraqueal, especialmente nos procedimentos de exodontias complexas, trauma bucomaxilofacial, nas artroscopias da articulação temporomandibular (ATM), reconstruções ósseo-alveolares, dos maxilares e das estruturas da ATM, com enxertos ósseos ou biomateriais, entre outras. Para realização de cirurgias dentárias e dos procedimentos clínicos odontológicos, cujo imperativo clínico exija anestesia geral e estrutura hospitalar, outras especialidades odontológicas passaram a integrar a rotina assistencial, em regime Day Clinic ou internação, tais como a Estomatologia, a Odontogeriatria, Implantodontia, Odontopediatria e Odontologia para pacientes com necessidades especiais. Com a atuação odontológica expandindo-se nos hospitais brasileiros, na esteira dos avanços das políticas sociais, o Conselho Federal de Odontologia (CFO) ampliou o quadro de especialidades e habilitações. Um exemplo é a Odontologia Hospitalar, especialidade criada em agosto de 2023, resultado do fortalecimento da assistência integral, das evidências clínicas, da forte evolução das técnicas anestésicas, da cultura da segurança no cuidado dos pacientes, de legislações assegurando a cobertura dos procedimentos clínicos e cirúrgicos odontológicos pelas operadoras de saúde, no ambiente hospitalar – ambulatório, leito/UTI e centro cirúrgico, e da formação de Cirurgiões-dentistas com perfil para a assistência aos pacientes com alterações sistêmicas de saúde.

A cavidade bucal é considerada um reservatório de microrganismos, que após 48 horas de internação pode ser colonizada por patógenos respiratórios. A atenção bucal ao paciente hospitalizado, em sua grande maioria, ocorre com o emprego de anestesia local (desbridamento de feridas, sutura, biópsia, exodontia simples, abertura coronária, entre outros). Porém, nos casos em que há limitação de abertura bucal, seja por alterações neuromotoras, disfunções temporomandibulares, risco de mordidas por movimento reflexo, trismo ou pelo porte das abordagens odontológicas; várias exodontias; dificuldade no controle da dor e de sangramento; risco de aspiração de dentes e ou materiais dentários; presença de tubo ou de sonda nasogástrica na cavidade bucal, e contraindicação de movimentos de cabeceira, o paciente será deslocado para o centro cirúrgico para atendimento sob local assistido ou sedações ou anestesia geral.[1,2]

A duração da cirurgia, a abordagem da área, a potencial perda volêmica e as alterações hemodinâmicas implicam a magnitude do procedimento. Com finalidade didática, organizamos os procedimentos odontológicos, realizados com sedação ou anestesia geral, em pequeno, médio e grande porte.[2]

Como exemplos de procedimentos de pequeno e médio porte, citamos biópsias de tecidos moles e ósseos; drenagem de abscessos bucais; cirurgias das retenções dentárias – radical ou conservadoras, de lesões paraendodônticas, de cistos e tumores benignos, de luxações e fraturas dentoalveolares e pré-protéticas –; extrações múltiplas com alveoloplastia, enxertos ósseo-alveolares, reabilitação com implantes osseointegrados.[3] Dentre os procedimentos de grande porte, citamos o tratamento de infecções odontogênicas e maxilofaciais, fraturas dentomaxilofaciais, assoalho de órbita e zigomático, fendas alveolopalatinas, ressecções e/ou reconstrução dos maxilares e anexos, reconstruções da ATM, cirurgias das deformidades dentomusculoesqueléticas, entre outras.[1,4,5,6-8]

■ AVALIAÇÃO PRÉ-ANESTÉSICA

Nas cirurgias bucomaxilofaciais (BMF) eletivas, os pacientes podem ser avaliados em consultório ou remotamente por teleconsulta. A consulta pré-anestésica permite o conhecimento do paciente, suas comorbidades, seus receios e ansiedades, visando otimizar o preparo e controlar os preditores de risco, principalmente em cirurgias complexas, visando diminuir a morbimortalidade.

Em sua grande maioria, as cirurgias de pequeno e médio porte ocorrem em pacientes jovens e sem grande comorbidade. As cirurgias de médio e grande porte, com comorbidades avançadas e preditores de risco elevado, (associados às cirurgias complexas estado físico, idade, obesidade, história de doença cardíaca, magnitude e gravidade da intervenção cirúrgica, entre outros), necessitam de uma criteriosa avaliação. Além dos pacientes com necessidades especiais (PNE), também os pacientes que necessitam de controle da ansiedade, de realização de exames complementares, se ainda necessários, consultas interprofissionais e/ou estabelecimento da rotina terapêutica e medicamentosa, planejando um menor risco cirúrgico.[1,2]

Pacientes de cirurgias complexas, não eletivas, atendidos em regime de urgência/emergência ou internados em UTIs por trauma e infecções, poderão ser avaliados pre-

viamente com ênfase na indicação da intervenção, melhor momento e/ou abordagem técnica, reduzindo riscos de óbito ou sequelas graves. Os objetivos da avaliação pré-anestésica são:

1. conhecer o paciente, a patologia cirúrgica, as patologias concomitantes, seus limites fisiológicos e emocionais e a proposta terapêutica;
2. avaliar se o paciente se encontra em sua melhor condição clínica, ou seja, se existe alguma terapêutica a ser realizada antes da cirurgia que possa diminuir os riscos anestésico-cirúrgicos;
3. estabelecer a presença de fatores de risco isolados ou associados, para as complicações peroperatórias;
4. planejar as condutas e intervenções peroperatórias de acordo com os dados obtidos;
5. informar ao paciente ou familiar/responsável sobre a realização do procedimento e os riscos inerentes e obter o Termo de Consentimento Livre e Esclarecido (TCLE);
6. indicar a medicação pré-anestésica, se necessário.

Nos diversos sistemas, devem ser priorizados os aspectos relacionados à doença de base e/ou doenças coexistentes e os fatores de risco, com especial atenção aos sistemas cardiovascular e respiratório.

No sistema cardiovascular, a história de infarto do miocárdio, hipertensão arterial, restrição da atividade física, desmaios, arritmias, implante de marca-passo cardíaco, ressincronização ou implante de desfibrilador, deve alertar para a solicitação de uma avaliação cardiológica e/ou uma nova programação para o aparelho implantado.

Na história clínica, para melhor avaliar isquemia cardíaca, devem ser considerados os dados sobre a capacidade de exercício físico e a presença de dor anginosa. A tolerância ao exercício é o maior determinante do risco cardíaco. A capacidade funcional pode ser expressa em níveis de equivalente metabólico (Mets). O índice de atividade de Duke permite avaliar a capacidade funcional dos pacientes. Por exemplo, gasto de 1 MET (uso do banheiro, comer, caminhar dentro de casa), 4 Mets (lavar louça, correr pequenas distâncias, subir escadas devagar, dançar), 7 a 10 Mets (praticar exercícios mais extenuantes). O risco peroperatório cardíaco está aumentado quando os pacientes não conseguem suportar 4 Mets em suas atividades diárias. A história de implante valvular, cardiopatias congênitas ou lesão valvular indica a profilaxia de antibióticos. A presença de dispneia aos esforços e atividade física exercida nos orienta para a situação cardiológica do paciente. Nos pacientes com HAS, diabetes e obesos é importante determinar a presença de doenças em órgãos como coração, pulmão, rim e disfunção cerebral.[5] A avaliação do sistema venoso periférico visa confirmar ou não as dificuldades de cateterização venosa. A palpação e comparação dos pulsos arteriais permitem detectar alterações de fluxo.

Complicações pulmonares são as maiores causas de morbimortalidade para pacientes em cirurgia e anestesia. No sistema respiratório as complicações são uma parte significativa do risco anestésico-cirúrgico. A complicação pulmonar mais frequente tem início com a atelectasia, com evolução para uma pneumonia que pode causar insuficiência respiratória. A idade acima dos 60 anos é um importante fator de risco para complicações pulmonares. O tabagismo produz um índice aumentado de complicações pulmonares em geral, como infecções respiratórias, levando muitas vezes ao uso de ventilação mecânica. A apneia obstrutiva do sono aumenta o risco de dificuldade no manejo da via aérea no período pós-operatório, mas sua influência em complicações pulmonares não está bem estabelecida.

No paciente obeso e na obesidade mórbida, as complicações pulmonares não foram clinicamente significativas e capazes de apresentar maior risco respiratório. Estudos sugerem que a asma não é um fator de risco para complicações pulmonares peroperatórias. As cirurgias implicadas em maior risco respiratório são as torácicas, vasculares (principalmente aneurisma da aorta), as abdominais superiores, as neurocirurgias e da cabeça e pescoço. O tempo cirúrgico prolongado, acima de três horas, é um fator independente de risco para complicações pulmonares peroperatórias. Warner demonstrou que fumantes até o dia da cirurgia tinham uma incidência de complicações respiratórias de 48%, comparada com uma abstinência de oito semanas ou mais, cuja taxa era de 17%.[9] A obesidade pode estar associada à síndrome da apneia obstrutiva do sono (SAOS). Trata-se de uma condição multifatorial e seu diagnóstico e tratamento devem ser individualizados, com manejo multidisciplinar. É necessário que sejam avaliadas as possíveis comorbidades associadas a esta síndrome (DM, IAM, AVC, HAS, IC, arritmias).[1,10-12]

Recomenda-se suspender o fumo pelo menos quatro semanas antes do procedimento eletivo. Não fumar em um intervalo de 48 horas diminui os níveis de carboxihemoglobina, abolindo os efeitos da nicotina sobre o sistema cardiovascular, o que aumenta a expectoração e diminui a reatividade da árvore pulmonar e seus paraefeitos, como vasoconstricção, aumento do tônus simpático e desvio da curva de dissociação da hemoglobina para a esquerda. Tosse seca como paraefeito de fármacos, mucoide produtiva ou purulenta devem ser mais bem investigadas e, na vigência de outros sinais clínicos, são fatores de suspensão da cirurgia eletiva.

A anamnese deve investigar também os pacientes que contraíram Covid-19, pois quase três anos após contraírem a doença, alguns pacientes ainda relatam sequelas. A chamada Covid-19 longa afeta entre 10% a 20% de pacientes infectados, especialmente os pacientes com quadros graves ou com comorbidades. Após a fase aguda da Covid-19, o paciente pode apresentar condições clinicas variáveis em nível de complexidade e comprometimento sistêmico, de leve a potencialmente fatais, por exemplo, embolia pulmonar tardia. Assim, além do exame clínico deve ser considerada uma avaliação multidisciplinar. Neste período, de reabilitação, a saúde mental do paciente deve ser considerada, pois manifestações clinicas orais podem ocorrer (úlceras, vesículas, sangramentos, candidíase envolvendo língua, palato, lábios, gengivas e regiões jugais.[13] Doenças gastrintestinais podem produzir grandes alterações nos volumes líquidos, nos eletrólitos e na nutrição dos pacientes. No sistema gastrintestinal, a presença de diarreia, dor epigástrica, sangramento, náusea e/ou vômito são sinais ou sintomas de comorbidades. As doenças hepáticas estão associadas com grande morbimortalidade, e as hepatites virais transitam com quadros muito variáveis de sintomas e sinais. O quadro de icterícia ocorre em 50% dos casos da hepatite viral aguda.

A anamnese do sistema urinário deve orientar pela presença de dor, frequência e volume urinários, noctúria e hematúria. Na presença destes sintomas e sinais deve-se pensar na possibilidade de infecção urinária, tumores ou insuficiência renal.

No sistema endócrino, as alterações hormonais ocorrem com maior frequência nas doenças da tireoide, paratireoide, pâncreas e suprarrenais. A diabete melito é a endocrinopatia mais comum encontrada na prática clínica do anestesiologista. Na anamnese devem ser avaliados principalmente os sistemas nervoso central, cardiovascular e renal. A maioria dos pacientes sabe de suas patologias, de sua dieta e tem grande conhecimento de sua medicação.

Nos idosos a ingesta inadequada de calorias e proteínas pode ocasionar sarcopenia, que se evidencia por perda de massa e força muscular. Muitos idosos com sarcopenia apresentam uma síndrome de fragilidade que se caracteriza por fadiga, redução de força, perda de peso, baixo nível de atividade física, redução da velocidade de marcha e, em alguns pacientes, delírio cognitivo. Três ou mais destes componentes diagnosticam o idoso como frágil. A polifarmácia é uma realidade entre os idosos: estima-se que 40% destes pacientes usam, pelo menos, 5 fármacos por dia, e 12% a 19% utilizem no mínimo 10 fármacos.

O uso de fármacos envolve a grande maioria dos tratamento de patologias. Os fármacos podem interagir, somar, potencializar ou apresentar riscos durante o procedimento anestésico-cirúrgico. O critério atual prevê a manutenção da medicação, com exceção de inibidores da monoaminaoxidase (IMAO), hipoglicemiantes orais, inibidores do apetite, anticoagulantes, fibrinolíticos e alguns fitoterápicos com ação na coagulação (ginseng, ginkgobiloba e compostos de alho). Pacientes em tratamento de doenças do metabolismo ósseo e oncológico, deverão informar o uso de medicamentos. Segundo a *American Association of Oral and Maxillofacial Surgeons* (AAOMS), para ser diagnosticado com osteonecrose dos maxilares associado a medicamentos (OMAN) o paciente deve apresentar características como tratamento prévio/atual com bisfosfanatos, antirreabsortivos ou agentes antiangiogênicos. Enquanto os antiangiogênicos impedem o crescimento de novos vasos sanguíneos, os antirreabsortivos caracterizam-se por atuar inibindo a reabsorção óssea, e, em geral, são indicados para o tratamento da osteoporose inibindo a reabsorção óssea, doença de Paget, prevenção de metástases decorrente de mieloma múltiplos e outros tumores. Entretanto, esses medicamentos têm como efeito colateral a Osteonecrose dos maxilares – *medication related osteonecrosis of the jaw* (MROMJ) – é uma complicação em que se observa uma região de osso exposto na maxila ou mandíbula, de evolução progressiva associada à lesão traumática da gengiva e/ou da mucosa oral, implicando na contaminação óssea. Fica evidente a forte relação dos fármacos antirreabsortivos e antiangiogênicos com a osteonecrose dos maxilares, mesmo que a fisiopatologia não seja completamente compreendida e não apresente cura (Figura 178.1 A e B). Alerta-se os anestesiologistas sobre lesões na gengiva por manipulação local, luxações dentárias acidentais e exodontias durante a intubação. Na progressão do quadro clínico, além da dor, a disseminação de infecções com drenagens purulentas e sequestros ósseos poderão oportunizar fraturas patológicas e degeneração infecciosa das ATMs. A possibilidade de fraturas indeseja-

das, durante a intubação, principalmente na mandíbula, não deve ser desprezada. Apesar das controvérsias, quanto ao risco/benefício do uso de bisfosfonatos, sua indicação (Figura 178.2) e manutenção de uso deve ser orientada pelo médico assistente, caso a caso (Figura 178.1 A e B).[1,2,4,14]

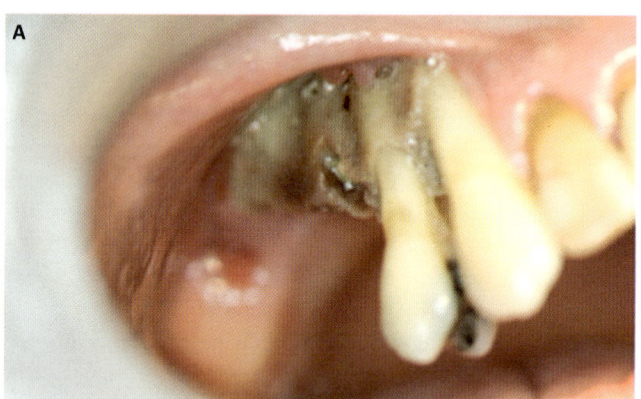 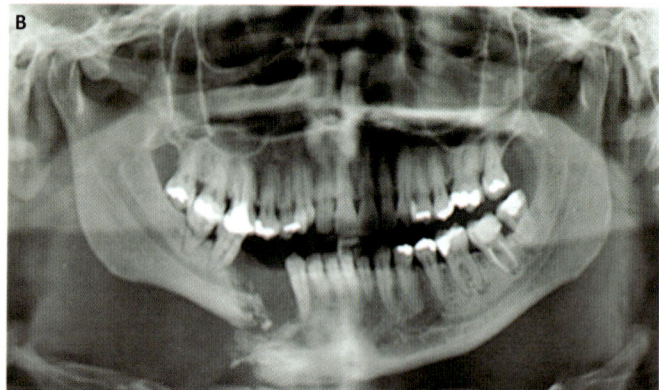

▲**Figura 178.1** Osteonecrose associada ao uso de bifosfonato. **(A)** Aspecto intrabucal: exposição óssea com áreas necróticas infectadas e comprometimento da estabilidade dos elementos dentários. **(B)** Radiografia panorâmica de fratura patológica da mandíbula: pode ocorrer de modo espontâneo, por exemplo, durante a mastigação, ou mesmo durante o manejo para intubação ou extubação.

■ ANAMNESE E EXAME FÍSICO DE INTERESSE DO ANESTESIOLOGISTA

Para o anestesiologista, há um interesse direto nas condições da cavidade bucal e de seus anexos. Associado ao diagnóstico e ao plano de tratamento, as condições intrabucais podem determinar complicações trans e pós-operatórias. Processos inflamatórios/infecciosos possivelmente presentes nos dentes, periodonto e tonsilas determinam más condições de assepsia, possibilitando contaminação e disseminação bacteriana no sistema respiratório durante a intubação. Recomenda-se obter informações sobre a data da última revisão odontológica, histórico de doenças dentárias (cáries) e periodontais (dentes luxados, abcessos, fístulas), reabilitação por próteses dentárias fixa ou móvel sobre dentes ou implantes osseointegrado, presença de prótese obturadora do palato (pacientes fissurados, maxilectomizados), aparelhos ortodônticos ou procedimentos cirúrgicos anteriores ao que estará realizando (Figura 178.2 A, B, C, D e E).

A permeabilidade das fossas nasais, na CTBMF, é uma condição que assume grande importância, pois a intubação nasotraqueal é predominante. A avaliação da intubação difícil deve ser realizada em todos os pacientes, independentemente da via a ser utilizada.

A história de obstrução nasal, roncos, apneia do sono, com o uso ou não de CPAP e dispositivos protéticos intrabucais, chama a atenção para um exame mais detalhado da permeabilidade das fossas nasais, por meio de visão direta, ou de avaliações da patência nasal por rinomanometrias. Os exames odontológicos de imagem (radiografia, tomografia computadorizada cone beam-TCCB, tomografia computadorizada *fan beam*-TCFB), solicitados pelo cirurgião-dentista, poderão ser associados ao exame físico para prever a fossa nasal mais indicada no momento da intubação.[1,15,16]

As restrições na cavidade bucal podem ser reais, devido ao hipodesenvolvimento maxilomandibular (síndromes), ou virtuais, como movimentos de abertura bucal limitados (disfunções das ATM), postura labial deficiente, dentes anteriores superiores/inferiores projetados (má oclusão) e presença de aparelhos ortodônticos. São achados do exame físico que sinalizam para maior dificuldade nas manobras de laringoscopia e intubação. As anomalias linguais (macroglossia), a conformação do palato (côncavo, raso, fenda) e os tumores na orofaringe podem mimetizar alterações do tipo III e IV da classificação de Mallampati. Características anatômicas, como pescoço curto e musculoso, confirmadas pelas distâncias tiromentoniana (< 6 cm) e externo-mento (< 12,5 cm) ou sequelas de radioterapia (cabeça e pescoço), associadas à menor mobilidade da mandíbula e da cabeça, alertam para a dificuldade de obtenção da via aérea.[15]

Pacientes retrognatas poderão apresentar desde respiração bucal até apneia obstrutiva do sono (AOS) ou serem portadores da síndrome (SAOS). Os sinais e sintomas desta patologia são caracterizados por sonolência, alterações intelectuais e da personalidade, impotência sexual, hipertensão sistêmica e pulmonar. O exame físico pode confirmar uma desproporcionalidade anatomofuncional, envolvendo a língua, os palatos duro e mole, os arcos dentários, o esqueleto maxilomandibular e o pescoço.[1,8,11,16]

O paciente aparentemente ortognata pode ter deficiências maxilomandibulares complexas por conjugar anomalias sagitais, verticais e transversais nas relações esqueléticas. Tais características revelam assimetrias e disfunções faciais somadas a distúrbios respiratórios, registrados de moderado a grave pela polissonografia. O tratamento cirúrgico eletivo envolve a correção da má relação dentomusculoesquelética, devolvendo o equilíbrio e a funcionalidade ao sistema estomatognático (Figura 178.3 A, B, C e D).[8,11,16]

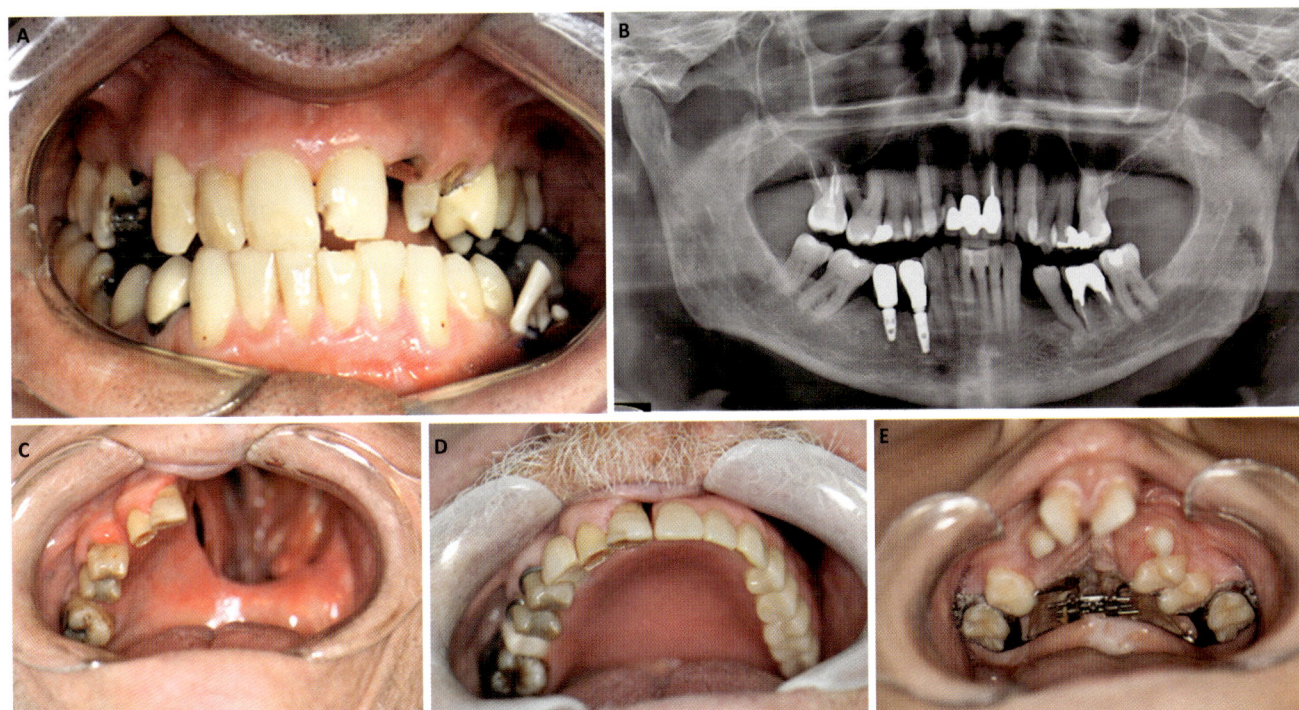

▲ **Figura 178.2** Anamnese – Saúde bucal. **(A)** Aspecto clínico da cavidade bucal: má oclusão dentária, alterações de rebordo ósseo-alveolar, doença periodontal, restos radiculares, presença de prótese unitária, coroas dentárias fraturadas e presença de dreno Pen Rose, o que sugere infecção odontogênica em tratamento. **(B)** Radiografia panorâmica: oferece ampla visão do estado geral das estruturas dentárias, ósseas maxilomandibulares e côndilos. A imagem ainda pode contribuir para o diagnóstico de sinusite maxilar. **(C)** Defeito oromaxilar: comunicação antronasobucal como sequela de ressecção de tumor maxilar (cirurgia de cabeça e pescoço). **(D)** Prótese obturadora: vedamento do palato e da comunicação antronasobucal com adaptação de prótese intrabucal. **(E)** Aparato ortodôntico: paciente portador de fissura nasoalveolopalatina bilateral, com aparelho ortodôntico fixo customizado para expansão transversa da maxila.

As alterações dos movimentos mandibulares (abertura bucal > 40 mm), somadas às queixas de ruído e à hipermobilidade, podem implicar uma luxação da ATM aguda ou crônica recidivante, podendo esta ocorrer na manobra de intubação traqueal. O paciente deve ser alertado previamente a respeito dos riscos de lesões sobre as estruturas articulares.[1]

A anquilose da ATM é uma fibrose entre o disco e a cabeça da mandíbula com a superfície do osso temporal, com progressiva ossificação, limitação de abertura bucal e perda da função. Na avaliação clínica haverá uma importante restrição dos movimentos mandibulares, criando uma limitação grave que impede o acesso à cavidade bucal. As imagens radiográficas e/ou por tomografia computadorizada (TC) e ressonância magnética (RM), nas patologias avançadas, revelam superfícies irregulares na cabeça da mandíbula e na fossa glenoidea temporal.[7] A indicação da fibroscopia para intubação nasotraqueal, nestes casos, é uma conduta atual e constante, em crianças e adultos (Figura 178.4).[1,2]

Nas reabilitações dentoesqueléticas, frente à demanda crescente, tanto de reabilitações dentárias sobre implantes (Figura 178.5 A, B) quanto de reconstruções de estruturas articulares temporomandibulares (prótese metálica ou artroplastia biconvexa), traumas e cirurgias para correções de defeitos da face, recomenda-se que o anestesiologista conheça técnicas, OPME e biomateriais empregados, bem como suas características, uma vez que portadores destas soluções estarão, cada vez mais, presentes na sua rotina. A manipulação de pacientes com áreas reconstruídas (ATM com material aloplástico, mandíbula com enxerto livre vascularizado de fíbula e cirurgia ortognática, por exemplo – Figura 178.5 C, D, E, F), quando submetidos a intervenções cirúrgicas diversas, exigirá maior cuidado nas intubações/extubações, pois, em caso de danos, o provável tratamento de acidentes ou de sequelas envolverá custos e tempo expressivos.[1,6-8,12,14]

As malformações que ocorrem na área bucomaxilofacial apresentam diferentes níveis de comprometimento respiratório das vias aéreas superiores, em parte devido à dismorfologia da face média e da mandíbula. A presença adicional de outras anomalias determina as síndromes craniofaciais e compreende mais de um terço de todos os defeitos congênitos. As síndromes como Crouzon e Appert (craniostenoses), Goldenhar (displasia oculoauriculovertebral), Treacher-Collins (disostose mandibulofacial), Freeman-Sheldon (displasia craniocarpotarsal), Down (trissomia do cromossoma 21); Klippel-Feil (disostose cervical congênita) e a sequência de Pierre-Robin (micrognatia, glossoptose, fenda palatina) sinalizam importantes limitações mecânicas e funcionais do sistema estomatognático e do pescoço.[17-21,22]

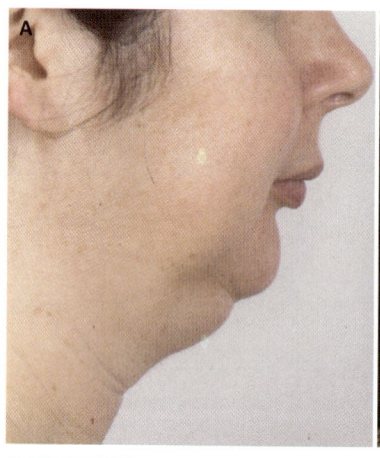
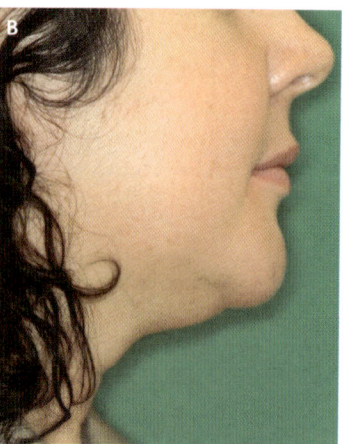
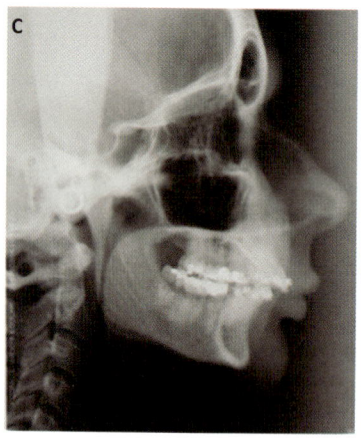
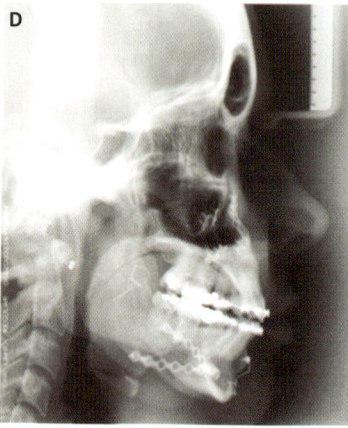

◀ **Figura 178.3** Interações anatômicas que dificultam a intubação: retrognatia/micrognatia. **(A)** Retrognatia/micrognatia – perfil da paciente: anomalia dentomusculoesquelética com diagnóstico de síndrome da apneia obstrutiva do sono (SAOS). Pré-operatório: discrepância sagital (retrognatia) e vertical (face curta); mordida profunda tipo classe II; postura labial deficiente; encurtamento das distâncias tiromentoniana e esternomentoniana. Alto risco de luxação da ATM, quando em abertura máxima. Risco de lesão de ATM como sequela de manobras para intubação. **(B)** Pós-operatório cirurgia ortognática: avanço maxilomandibular com emprego da técnica de Osteotomia Mandibular de Puricelli.[8] Equilíbrio das estruturas dentoesqueléticas e tracionamento da musculatura supra-hioidea. **(C)** Radiografia cefalométrica lateral pré-operatória: mandíbula pouco desenvolvida (sentido sagital); dimensão vertical restrita da face (mordida profunda); projeção dos dentes anteriores superiores; oclusão tipo Classe II de Angle; lábios hipofuncionais; perda do espaço na área retroglossal; configuração atrésica da naso-orohipofaringe. **(D)** Radiografia cefalométrica lateral pós-operatória: mandíbula posicionada em padrões métricos de normalidade (sentido sagital); aumento da dimensão vertical da face; correção das inclinações dentárias; normoclusão; lábios normofuncionais; reposicionamento funcional da língua; ampliação do espaço faríngeo; presença de osteossíntese (fixação interna rígida – FIR) metálica.

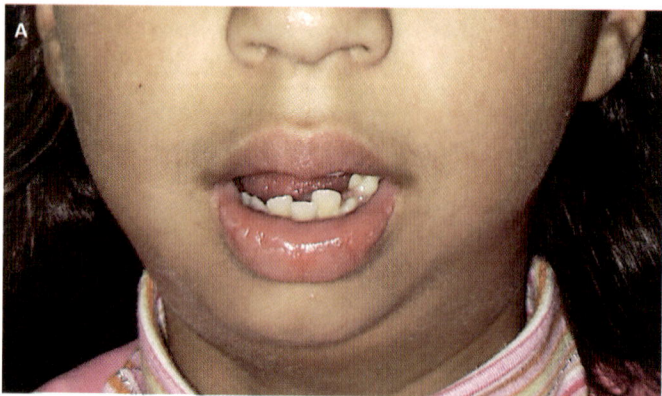
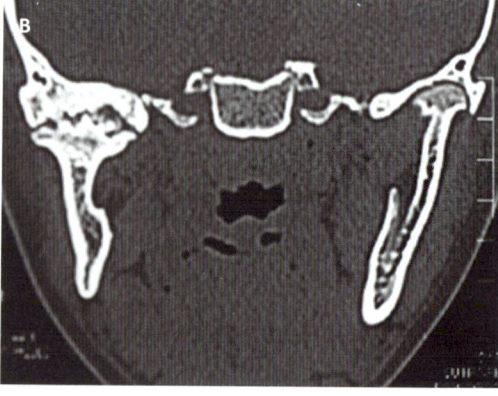

▲ **Figura 178.4** Anquilose da ATM. **(A)** Vista frontal de paciente com anquilose de ATM: grave restrição de movimentos mandibulares. Observa-se a paciente em esforço de abertura bucal máxima (0,1 cm interincisivos). Discrepância dentomusculoesquelética (laterodesvio da mandíbula para a direita, retrognatia, projeção dos dentes anteriores superiores e má oclusão). **(B)** Tomografia computadorizada em corte coronal: visualiza-se ATM direita com irregularidades ósseas na cabeça da mandíbula e fossa glenoidea temporal, caracterizando grave anquilose. Notada assimetria vertical entre os ramos mandibulares.

Um somatório de tratamentos poderá ser indicado desde o nascimento até a idade adulta. A grande variedade de anormalidades, com diferentes gravidades dos sintomas, representa um desafio nos tratamentos cirúrgico e odontológico. Os resultados dependerão da idade, da presença de fatores comórbidos, da condição física e mental, da habilidade e do conhecimento dos cirurgiões e anestesiologistas que compõem a equipe multiprofissional, dos familiares bem informados e solidários e dos pacientes cooperativos. O exame cuidadoso das estruturas faríngeas externa e interna (pilares faciais, palato mole e úvula), como proposto por Mallampati, quando possível, pode não apontar todos os casos de intubação difícil. Nos pacientes pediátricos, a patência da via aérea apresenta-se mais dificultada, implicando maior incidência de complicações.[18-24]

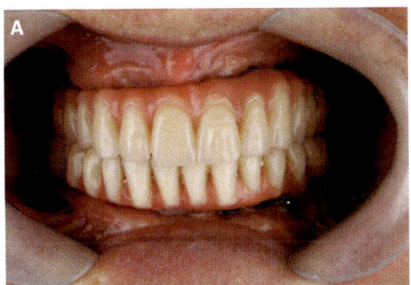

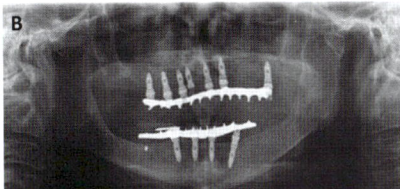

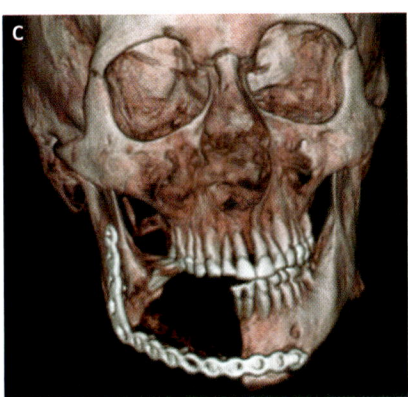

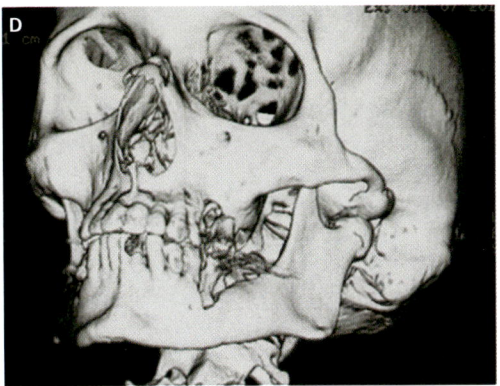

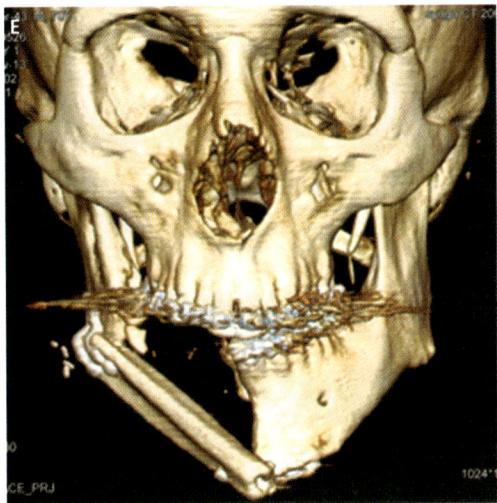

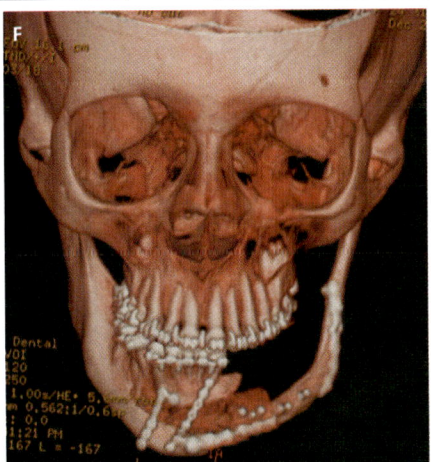

▲ **Figura 178.5** Estruturas dentoesqueléticas reconstruídas com riscos de danos durante o manejo. **(A)** Reabilitação bucal: próteses dentárias (superior e inferior) sobre implantes osseointegrados (Protocolo Branemark). Recomenda-se planejar o manejo da intubação e extubação com o cirurgião-dentista executor do tratamento. **(B)** Radiografia Panorâmica – componentes osseointegrados: estruturas de suporte do Protocolo Branemark. Quando houver presença conjugada de dentes naturais e de próteses, a distribuição das forças sobre essas estruturas deve ser projetada, pois há maior risco de dano nos dentes adjacentes aos implantes. **(C)** TC de Face em 3D: presença de placas metálicas de reconstrução em região mandibular. Os movimentos mandibulares podem estar limitados. **(D)** TC de Face em 3D: reconstrução aloplástica (polimetilmetacrilato autopolimerizável) das estruturas ósseas da articulação temporomandibular (ATM) pela Técnica de Artroplastia Biconvexa de Puricelli (ABiP). Amplitude forçada de abertura bucal ou lateralidade mandibular pode comprometer as estruturas reconstruídas. **(E)** TC de Face em 3D – Reconstrução do corpo mandibular – enxerto vascularizado de fíbula: o segmento ósseo é fixado na área receptora com o uso de FIR nas duas extremidades. Até o efetivo processo de neoformação e remodelamento ósseo, estas áreas estarão fragilizadas, com risco de fratura durante o manejo de intubação/extubação. **(F)** TC de Face em 3D – Reconstrução de hemimandíbula – enxertia mista autógena: composta por segmento vascularizado (fíbula) e não vascularizado (crista ilíaca). Apresenta complexidade técnica e biológica com fragilidade e mobilidade limitada das estruturas reconstruídas, na fase inicial do processo cicatricial e de remodelamento.

As diversas indicações propostas para ventilação e intubação são do domínio do anestesiologista. Entretanto, a experiência deve ser considerada quando há indicação de laringoscopia direta, máscara facial, laríngea, videolaringoscopia ou fibroscopia (Figura 178.6 A, B e C).[23]

■ EXAMES LABORATORIAIS

Apenas 43% dos pacientes avaliados no pré-operatório, necessitaram de exames laboratoriais. Alguns trabalhos evidenciaram que o número de exames pode ser diminuído sem modificar a qualidade do tratamento.[1]

Na solicitação de exames deve-se considerar:

1. relevância – algumas doenças podem interferir na escolha da técnica anestésica e na evolução do paciente;
2. prevalência de determinadas doenças, em pacientes assintomáticos, mostram a pouca utilidade do exame, na diminuição da morbidade;
3. sensibilidade e especificidade – exames com baixa sensibilidade podem levar a resultados falso-negativos com maior frequência e, com isso, pacientes com risco para morbidades específicas, avaliadas por esses exames, são indicados para a cirurgia sem o devido cuidado pré-operatório. Exames com baixa especificidade apresentam com maior frequência resultados falso-positivos, o que leva à realização de novos exames com aumento da morbidade e custos.[25]

A tendência atual, na solicitação de exames, segue os critérios:

1. dados sugestivos encontrados na história e/ou no exame físico de possíveis alterações a ser confirmadas;
2. necessidade dos cirurgiões ou clínicos que acompanham o paciente;

3. monitorização de exames que podem sofrer modificações durante a cirurgia ou em procedimentos associados.

As troponinas cardíacas, em especial a troponina I, são proteínas que funcionam como marcadores de lesão miocárdica, sendo altamente específicas e seletivas no sistema cardiovascular. A dosagem pré-operatória servirá como referência em sua modificação posterior. A solicitação de exames de rotina produz discreto ou nenhum benefício em pacientes aparentemente saudáveis. A dúvida ainda permanece em pacientes assintomáticos, porém, é de maior risco para complicações intraoperatórias, como nos idosos.

A força tarefa da ASA e a *Health Tecnology Assessment*, divisão da *National Health Service*, concluíram que a literatura científica disponível não contém informações estritamente rigorosas sobre exames pré-operatórios de rotina que permitam recomendações que não sejam ambíguas. Elas propõem que as indicações devem ser baseadas nas informações obtidas no prontuário, na história clínica, no exame físico, no tipo e porte do procedimento cirúrgico. Quanto ao teste de gravidez a sugestão é que seja solicitado em todas as mulheres em idade fértil e com história duvidosa de gravidez.[26]

Estudos realizados na Europa mostraram, por meio de amostras urinárias colhidas de pacientes com traumatismo facial, que entre 35% a 80% dos casos, apresentaram teste positivo para drogas ilícitas. Entre as drogas mais frequentes estavam o álcool, benzodiazepínicos, carabinoides, cocaína e anfetamina. A ingestão de álcool ou anfetaminas potencializam o uso dos anestésicos. As drogas simpaticomiméticas, como a cocaína, requerem maior concentração de anestésicos, podendo ocasionar arritmias.[27]

■ MEDICAÇÃO PRÉ-ANESTÉSICA

A finalidade da medicação pré-anestésica é proporcionar ao paciente diminuição da ansiedade, dor e potencialização do

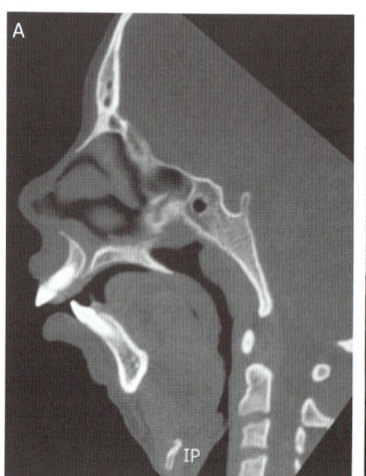
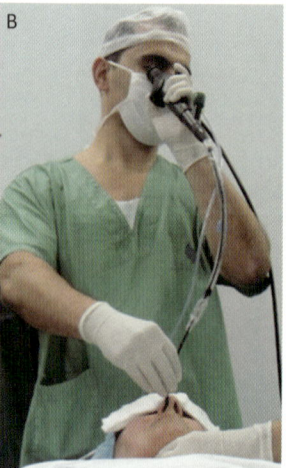
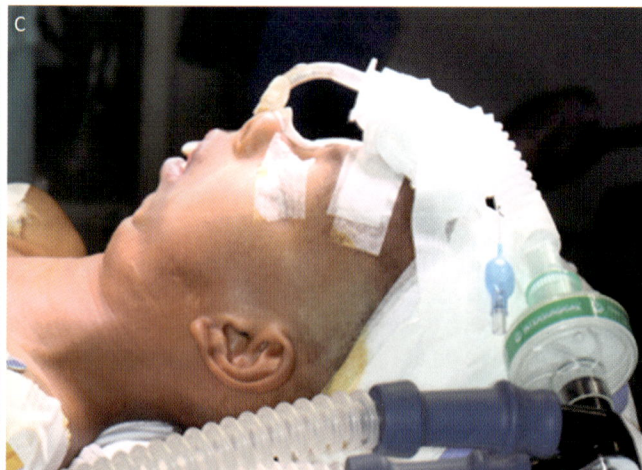

▲ **Figura 178.6** Intubação de paciente pediátrico com dismorfismo da face. **(A)** TC de Face – perfil: importante obstrução da via área superior devido ao dismorfismo mandibular, consequente da anquilose bilateral das ATMs. **(B)** Fibroscópio de intubação: empregado para casos em que o laringoscópio não consegue a visão da fenda glótica desejada. **(C)** Anquilose bilateral das ATMs: as variações na anatomia das estruturas ósseas e dos tecidos moles do pescoço e craniofacial, nestas malformações, exigem planejamento multiprofissional prévio para intubação.

efeito dos fármacos no transoperatório. Determinados fármacos acrescentam amnésia retrógrada, o que diminui o conhecimento dos fatores desagradáveis inerentes ao procedimento.

Os benzodiazepínicos são os fármacos mais usados como medicação pré-anestésica, tanto na véspera quanto no dia da cirurgia. Pode ser utilizado o lorazepam na véspera da cirurgia no paciente hospitalizado, por apresentar uma ação mais prolongada e com amnésia semelhante. No dia da cirurgia pode ser usada a clonidina em doses de 3 a 5 $\mu g.kg^{-1}$ (teto de 300 μg), de forma isolada ou combinada com o midazolam na dose de 7,5 mg uma hora antes do procedimento. Esta associação deve ser considerada nos pacientes idosos, pois pode ocorrer dessaturação, despersonalização e distúrbios cognitivos. Nos pacientes com dor os opiáceos são os fármacos de escolha. A clonidina potencializa os fármacos no transoperatório, promove estabilidade hemodinâmica e tem efeito sedativo sem depressão respiratória. Nos pacientes ambulatoriais a decisão do uso de fármacos depende da visita pré-anestésica e da necessidade de sedação avaliada pelo caráter de ansiedade do paciente. O paciente é encaminhado ao hospital conforme normas internas, com a medicação prescrita e dirigida à enfermagem. Após o uso do fármaco por via oral, acompanhado de água para ingestão (10 mL, se necessário), o paciente permanece no leito até seu ingresso na sala de cirurgia. Rotineiramente devem ser fornecidas ao paciente e/ou acompanhante instruções pré e pós-operatórias.[2]

Procedimentos clínicos odontológicos (restaurações dentárias, endodontia, periodontia, exodontia, profilaxia dentária, entre outros) para adequação da cavidade bucal, sob anestesia geral, devem prever sequência terapêutica, preferentemente em um único tempo anestésico. Entretanto, muitas vezes, devido à impossibilidade de uma oroscopia prévia completa, com exames de imagem, os tempos anestésicos podem se estender, uma vez que somente após o paciente estar anestesiado é que o cirurgião-dentista poderá concluir o exame e determinar todas as intervenções para aquele momento. Dentes que antes não se conseguia acessar, devido às dificuldades de abertura bucal, passam a exigir restaurações de coroas, tratamentos endodônticos, raspagens gengivais ou, ao contrário, outros, ao se constatar a gravidade das destruições das coroas e fratura de raiz, por exemplo, serão removidos. Em pacientes com necessidades especiais (PNE), a indicação da anestesia geral está baseada nas suas condições sistêmicas, bucais e comportamentais.[1]

Os pacientes com necessidades especiais devem ser melhor avaliados, pois os que realizaram radioterapia podem apresentar osteoradionecrose ou limitação da abertura bucal, dificultando a intubação traqueal. Os pacientes com autismo, muitas vezes, podem não ser colaborativos e até agressivos, com recusas no ingresso do centro cirúrgico, necessitando de medicação pré-anestésica (às vezes pesada), contenção com auxílio de familiares, além de planejamento prévio com a equipe de enfermagem durante a permanência hospitalar.[12,14]

■ JEJUM PRÉ-OPERATÓRIO

Os pacientes adultos devem observar um jejum absoluto de 6 a 8 horas. O tempo longo de jejum está sendo questionado, com tendência a diminui-lo (2 horas) com o uso de líquidos isotônicos. O jejum prolongado diminui os níveis de insulina e aumenta os níveis de glucagon, a secreção de ACTH e do cortisol, usando a reserva de glicogênio com ativação da gliconeogênese e utilização da proteína muscular.

Obesos e grávidas têm um tempo de esvaziamento gástrico aumentado e devem observar um tempo maior de jejum.

■ PREPARO PARA A INDUÇÃO ANESTÉSICA

Na mesa de cirurgia, o posicionamento do paciente será em decúbito dorsal, com a cabeça alinhada em continuidade ao longo eixo do corpo, prevendo o acesso de manipulação intra/extrabucal, associada às movimentações de extensão/flexão e inclinação lateral da cabeça.

A presença de condições ortopédicas limitantes e/ou deformidades associadas exigirão um posicionamento distinto da cabeça (estabilização das ATMs nos movimentos de intubação e extubação, prevenção de danos às estruturas dentárias e aos tecidos bucais) e do tronco (alterações da coluna vertebral), com uso de apoios anatômicos específicos (coxins) que devem ser conferidos pelas equipes de anestesia, cirurgia e enfermagem (Figura 178.7).[1,28]

Deve-se evitar o posicionamento incorreto dos braços junto ao corpo ou a excessiva abertura do membro superior com distensão do plexo braquial. O anestesiologista deve se posicionar à esquerda do paciente, junto à cabeceira, permitindo um trânsito livre da equipe cirúrgica.[1,2,28]

A escolha da cateterização de veias e/ou artéria depende da magnitude do procedimento cirúrgico. Nas cirurgias de pequeno e médio porte pode-se utilizar cateter de 20 G ou 18 G e, nas de grande porte, 16 G ou 14 G, precedidos por uma anestesia local com lidocaína 1%. Nas cirurgias de médio porte (dependendo do tempo cirúrgico e estado físico do paciente) e grande porte, rotineiramente deve-se cateterizar uma artéria (geralmente radial E) com cateter de

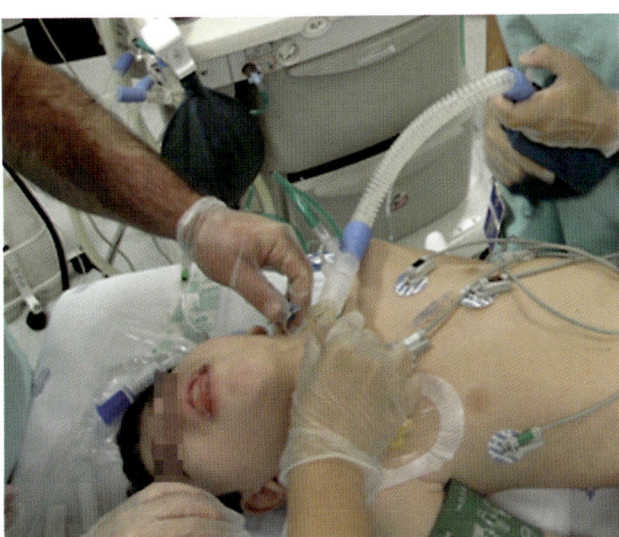

▲**Figura 178.7** Posicionamento do PNE na mesa cirúrgica. Adaptação para posicionamento e proteção do paciente com coxins distribuídos em áreas críticas.

22 G ou 20 G munidos ou não de guia com prévia anestesia local. Após a cateterização dos vasos segue-se a monitorização do paciente, dependendo da magnitude cirúrgica. Para pequenos procedimentos, monitorizar: pressão arterial não invasiva, ECG, oximetria, capnografia, termometria (manta térmica) e sonda nasogástrica. Nas cirurgias de grande porte, em pacientes com muitas comorbidades, acrescenta-se sonda vesical, pressão arterial contínua, termometria, pressão venosa central, cateterização de veia profunda (preferência pela subclávia D, por estar mais afastada do campo cirúrgico e causar menor desconforto no PO), a bomba de retorno venoso e a avaliação das perdas transoperatórias. O BIS é um monitor útil, porém, devido à não disponibilidade em todos os hospitais e interferência no campo cirúrgico, não é de uso rotineiro.

■ TÉCNICA ANESTÉSICA

As técnicas diferem de acordo com os procedimentos e com a experiência do anestesiologista. Pode-se usar técnicas venosas totais ou combinadas, com bons resultados.[2] Os fármacos diferem de acordo com o paciente, podendo ser utilizado: como indutores propofol (1 a 1,5 mg.kg^{-1}) ou midazolam (0,1 mg.kg^{-1}); pode-se associar dois indutores; como bloqueadores neuromusculares atracúrio (0,5 mg.kg^{-1}) ou rocurônio (0,5 mg.kg^{-1}); como analgésicos fentanil (0,3 a 0,5 μg.kg^{-1}), remifentanil contínuo (0,3 a 0,6 μg.kg^{-1}); e halogenado (sevoflurano) em doses e concentrações adequadas. A dexmedetomidina, um A2 agonista usado na dose de 0,2 a 0,7 μg.kg^{-1}, é um bom coadjuvante, reduzindo a CAM dos halogenados e produzindo sedação sem depressão respiratória.

O manejo da via aérea difícil e as medidas para reduzir o edema tecidual, tanto no intra como no pós-operatório, representam um desejo único para o anestesiologista.

Na quase totalidade dos casos de cirurgias BMF, a intubação nasotraqueal é a mais utilizada, por oferecer melhor campo cirúrgico, permitir procedimentos intrabucais e a fixação intermaxilar com normoclusão. Geralmente são utilizados tubos aramados descartáveis siliconizados, com balonete de baixa pressão e grande volume, pela sua maior flexibilidade e manutenção do seu diâmetro interno, sempre precedidos de vasoconstritor nasal e lubrificados com lidocaína 2%. O calibre do tubo nasotraqueal deve ser adequado a cada paciente, porém, não é recomendado um diâmetro maior que 7,5 mm, pelo aumento do traumatismo nasal com tendência a maior sangramento. Os tubos pré--moldados de RAE (*Ring, Adair and Elwyn*), por sua forma, permitem que as conexões ao sistema respiratório facilitem o acesso e a manipulação na cavidade bucal e nas áreas circunvizinhas. A escolha da fossa nasal para a intubação pode ser baseada em dados obtidos na anamnese, no exame físico e nos exames da face por imagem. Mesmo raros, os acidentes em grau de emergência podem estar relacionados com a morfologia da fossa nasal.

O tubo nasotraqueal é fixado à pirâmide nasal e à região frontal, apoiado por um coxim com adesivo e conectado ao aparelho de anestesia por meio de uma extensão, intercalada por um filtro bacteriano. Os tubos aramados com balonetes de grande volume e baixa pressão possuem maior fragilidade e podem ser danificados na passagem pela nasofaringe, ocasionando vazamento e necessidade de troca. A técnica do uso de um dedo de luva estéril e lubrificado envolvendo o balonete pode evitar sua perfuração (retirar o dedo de luva na orofaringe), diminuindo o risco de infecção respiratória por bactérias ou secreções no trajeto do tubo pela nasofaringe. Na suspeita de intubação difícil pode-se usar a intubação às cegas, retrógrada ou por meio da fibroscopia, que é a técnica de escolha caso se tenha experiência ou um profissional da área, disponível no hospital.[29]

Intubação traqueal pode causar isquemia focal, lesão e edema da mucosa laríngea, com sérias complicações como paralisia da corda vocal, úlceras e granulomas.[30]

Nas cirurgias com acesso intrabucal, na proteção ocular para prevenir úlcera de córnea pode-se usar pomada oftálmica e oclusão das pálpebras com fita adesiva. As conclusões divergem quanto à hiperemia conjuntival causada por pomadas ou por protetor, sem qualquer coadjuvante.[23]

Devido à maior proximidade dos olhos nas intervenções com acessos extrabucais, pode-se optar pela sutura das pálpebras e sua umidificação temporal com soro fisiológico.

O risco de sangramento peroperatório *versus* trombose venosa na suspensão de anticoagulantes deve ser estratificado, consequentemente descontinuado ou compensado com heparina preferentemente não fracionada ou de baixo peso molecular antes da cirurgia eletiva.

A trombose venosa profunda (TVP) deve ser prevenida, pois o aparecimento de embolia pulmonar pode ocorrer como primeira manifestação, ocasionando mortalidade entre 5% a 10% dos pacientes clínicos ou cirúrgicos. Nas grandes cirurgias, costuma-se usar uma bomba de retorno venoso ou heparina não fracionada subcutânea. É recomendado o uso de coxim sob os joelhos e tornozelos, visando à diminuição de trombose venosa e de dores pós-operatórias pelo mau posicionamento. Uma alternativa como profilaxia é a movimentação dos membros inferiores em tempos intercalados durante a cirurgia. O uso do colchão piramidal no trans e pós-operatório minimiza o trauma musculoesquelético em cirurgias de grande duração. O estudo Endorse, que avaliou 358 hospitais em 32 países não concluiu qual a melhor profilaxia para TVP, mas recomenda o uso de heparina na dose de 5000 UI subcutânea de 12/12 horas, com deambulação precoce e heparina de baixo peso molecular em cirurgias do quadril. Fármacos com antifator Xa podem ser indicados.

Em pacientes usuários de terapia medicamentosa antitrombótica, quando necessário o procedimento odontológico clínico ou cirúrgico sob anestesia local ou geral, deve-se considerar a prevenção primária ou secundária de eventos tromboembólicos com anticoagulantes/antiagregantes plaquetários de uso oral. Os anticoagulantes como a varfarina sódica e os inibidores do fator Xa (rivaroxabana, apixabana e edoxabana), atuando diretamente na cascata de coagulação, previnem a formação e expansão do coágulo, fazendo com que as monitorizações laboratoriais sejam menos frequentes. Os antiagregantes plaquetários, além de inibir a formação do trombo induzido por plaquetas, são usados frente a eventos primários de desenvolvimento de tromboembolismo. Entre os mais indicados estão o ácido acetilsalicílico (AAS), o clopidogrel e a ticlopidina. Deve-se incluir uma avaliação médica completa da condição sistêmica do paciente no pré-operatório, com monitorização do nível de coagulação por exames laboratoriais, prevendo um direcionamento sobre o atendimento clínico-cirúrgico em relação à medicação em uso e às possibilidades de aplicação de hemostáticos locais. Para monitorizar os pacientes em uso de medicação oral, a razão normalizada internacional (RNI) é considerada como índice aceitável de avaliação da atividade da anticoagulação.[31]

Na diversidade de conceitos e consequentes buscas de condutas seguras em pacientes com medicações anticoagulantes, os tratamentos clínicos odontológicos (restaurações, necropulpectomias e raspagem supragengival) podem ser realizados sem recomendações específicas. Entretanto, a profilaxia antibiótica, segundo a *American Heart Association* (AHA), deve ser indicada quando necessária.

As exodontias (extrações dentárias) classificam-se como um procedimento cirúrgico de pequeno porte, com baixo índice de trauma e sangramento. Entretanto, nos pacientes sob terapia anticoagulante/antiagregante, o risco de sangramento trans e pós-operatórios pode aumentar, associando complicações adversas. A presença de doenças periodontais alerta para o agravamento do quadro local. No planejamento deve ser considerado menor tempo operatório, técnica pouco invasiva (segmentares ósseas, extrações múltiplas e rotações de retalhos) e organização da ferida cirúrgica, com suturas a pontos isolados e sem tensão.

O comprometimento dos mecanismos fisiológicos da coagulação passa a exigir uma hemostasia localmente controlada, por meio da compressão óssea alveolar e da aplicação de tampões de gaze. Esta manobra física orienta e estabiliza o coágulo, opondo-se à pressão hidrostática do vaso ou aos capilares no espaço alveolar. Entre os meios químicos, a aplicação tópica de curativos intra-alveolares, como de celulose oxidada regenerada, esponja de colágeno hidrolisado e esponjas de gelatina, associados ou não à cola de fibrina, cola biológica de fibrina associada ao adesivo e ácido tranexâmico, podem ser métodos eficientes no controle local da hemorragia pós-operatória. Uma pressão local mantida por tampão de gaze, favorecida pela oclusão dos dentes, pode potencializar o efeito químico aplicado para controle do sangramento da ferida cirúrgica.[25]

Para procedimentos invasivos considera-se aceitável o valor do RNI inferior a 2,0. Entretanto, as possíveis variações entre os pacientes, suas enfermidades e necessidades medicamentosas devem ser observadas, visando seu cuidado integral. Há uma tendência à conduta de manutenção da terapia anticoagulante por via oral, se associada ao uso dos princípios de técnica cirúrgica atraumática e ao uso de medidas hemostáticas locais para reduzir o risco de acidentes hemorrágicos.

Em cirurgias de longa duração, a pressão arterial verificada por meio do manguito, em períodos curtos, pode ocasionar lesão muscular temporária com dor intensa no pós-operatório. A proteção do braço com malha tubular e medidas com intervalos mais longos, diminuem as lesões da pele e a dor.

No transoperatório utiliza-se ventilação mecânica com mistura de ar/O_2 com volume-corrente de 6 a 10 mL.kg^{-1}, aferido-se a adequação pela gasometria ou capnografia.

Os avanços em ressuscitação ou reposição volêmica têm incluído o uso de soluções balanceadas, albumina ou coloides sintéticos. A reposição de volume continua sendo controversa devido aos inúmeros *trials* associados com administração de fluidos e resultados adversos. A escolha de soluções em doses apropriadas e o tipo de fluidos têm implicações significativas em seus resultados.

O rim é um órgão dinâmico que regula a osmolaridade plasmática e a excreção de água nas alterações da resposta aos fluidos administrados. Em pacientes críticos o modelo clássico de compartimento vascular é menos aplicável pelo aumento da permeabilidade e pela lesão do glicocálix.

O excesso ou insuficiência de volume são deletérios. A infusão liberal pode impactar negativamente na função renal pelo aumento de edema capilar, impedindo as trocas e contribuindo para alterações no equilíbrio ácido-base. A terapia restritiva moderada é associada com melhores desfechos renais.[25,33]

Pacientes que receberam grandes volumes de solução salina desenvolveram acidose metabólica hiperclorêmica e insuficiencia renal, com diminuição do fluxo sanguíneo renal, vasoconstrição arteriolar aferente, inflamação e edema, comparada com soluções balanceadas. As soluções balanceadas substituem o ânion cloro por ânions orgânicos (acetato, lactato ou gluconato), diminuindo os paraefeitos. A reposição volêmica transoperatória é realizada com soro fisiológico, Ringer com lactato ou PlasmaLyte® 1 mL.kg^{-1}, mais 1 mL.kg^{-1} que exceder 20 kg, para um total de 6 horas, para repor as perdas, pelo jejum, e 4 mL.kg^{-1} para repor perdas insensíveis e translocação nas pequenas e médias cirurgias. O PlasmaLyte® é uma solução cristaloide balanceada que mimetiza o plasma humano no conteúdo de eletrólitos, osmolaridade e pH. Apresenta diferentes formulações que contêm ânions como acetato, gluconato e lactato, convertidos em bicarbonato, CO_2 e água. Apresenta os mesmos problemas de outros cristaloides, como sobrecarga de volume, edema, aumento de peso e da pressão intracraniana. Não existe evidência que seja superior aos outros cristaloides no manejo da hipovolemia traumática.[32] Nas cirurgias de grande porte substituímos a perda urinária e a sanguínea com cristaloides balanceados. A transfusão sanguínea raramente tem sido usada. Atualmente adota-se o gatilho de hemoglobina de < 7 g% para repor as perdas peroperatórias associadas aos sinais clínicos ou laboratoriais (lactato, saturação venosa) que indiquem a necessidade de uma transfusão alogênica. As perdas sanguíneas são avaliadas pela pesagem de sangue aspirado, gases e compressas usadas no transoperatório e pela perda aferida por meio de hematócrito comparado do pré-operatório com o peroperatório.[33]

■ HIPOTENSÃO ARTERIAL INDUZIDA

Os procedimentos cirúrgicos na cabeça e no pescoço têm uma propensão de maior sangramento pela intensa vascularização. As cirurgias de grande porte, como as ortognáticas envolvendo a mandíbula, a maxila e a língua, assim como o tempo cirúrgico prolongado, tendem a maior sangramento. A dificuldade na hemostasia de vasos retromaxilares e da medula óssea recomenda ao anestesista o uso de técnicas e fármacos visando diminuir a perda sanguínea. Estudos cirúrgicos mostram que a hipertensão peroperatória com pressão arterial sistólica maior que 150 mmHg e pressão arterial diastólica maior que 90 mmHg como sendo um marcador principal da formação de hematoma pós-operatório nas cirurgias de face.[34]

As três principais estratégias para obter anestesia hipotensiva são: profundidade da anestesia, uso de fármacos hipotensores e métodos físicos (posição do paciente) e alterações na ventilação.

Os fármacos hipotensores podem ser únicos ou combinados. Existe um número elevado de fármacos que podem produzir queda tensional, entre eles, nitroprussiato de sódio, nitroglicerina, bloqueadores dos canais de cálcio, betabloqueadores, inibidores da ECA, alfa-2 agonistas, fenoldopam, adenosina e alprostadil, juntamente com técnicas de ventilação e posicionamento do paciente. Atualmente, com os modernos fármacos usados em anestesia, a hipotensão arterial induzida é obtida com halogenados ou fármacos venosos (propofol) e uso contínuo de remifentanil, associados com alterações da ventilação e da posição do paciente.[1]

Estas técnicas apresentam riscos, devendo sua relação risco-benefício ser avaliada caso a caso. Em pacientes jovens e hígidos, as complicações são raras, mas o risco aumenta em pacientes idosos com doenças associadas. As complicações geralmente ocorrem no sistema nervoso central (sono prolongado, isquemia e trombose cerebral), no sistema cardiovascular (isquemia) e no sistema renal (anúria).

A associação de fármacos, levando à hipotensão excessiva, dificulta o manejo do sistema cardiovascular, por comprometer os mecanismos de compensação. As contraindicações de hipotensão arterial induzida têm diminuído nos últimos anos. Novos fármacos, adequada monitorização e maior experiência dos anestesiologistas permitem que um maior número de pacientes seja submetido à hipotensão arterial induzida com menores riscos.

Em pacientes hígidos existe uma autorregulação do fluxo sanguíneo cerebral com pressões de 50 a 150 mmHg, o que não ocorre em pacientes ateroscleróticos e hipertensos. Nestes últimos, o risco de trombose cerebral, trombose da retina, isquemia cerebral, alterações do segmento ST e insuficiência renal aguda pode aumentar com técnicas de hipotensão controlada. O metabolismo cerebral é mantido com fluxo cerebral de 18 mL/100g/min, que ocorre com pressão arterial mínima de 30 a 40 mmHg; entretanto, nesses limites, os riscos aumentam.

A hipotensão arterial induzida pode ser obtida por redução do débito cardíaco (DC), da resistência vascular sistêmica (RVS) ou ambos. O DC depende de vários fatores, como a pré-carga, a pós-carga, a contratilidade miocárdica e a frequência cardíaca (FC). Assim, pode-se atuar nestes fatores por meio de fármacos, posicionamento do paciente e padrões de ventilação.

Os mecanismos de ação envolvendo betabloqueadores e hipotensão arterial se baseiam no bloqueio de receptores β_1, inibindo a contratilidade e diminuindo a FC, parâmetros que interferem na pressão arterial. A estimulação de receptores β_1 parece aumentar os níveis de renina e noradrenali-

na plasmática, e o seu bloqueio diminuiria a pressão arterial. O metoprolol foi o primeiro betabloqueador cardiosseletivo usado clinicamente, sendo sua afinidade β_1 30 vezes maior do que β_2.[35] Os alfa-2 agonistas foram introduzidos na clínica cardiológica há mais de 50 anos como drogas anti-hipertensivas, sendo mais recente sua utilização na prática da anestesia. Agem ativando a proteína G, inibindo a adenilciclase, diminuindo o cAMP e modificando a mobilização de íons cloro, potássio, cálcio, assim como a liberação de neurotransmissores. Reduzem o tônus simpático, produzem sedação, diminuem a FC, a pressão arterial (PA) e a resposta metabólica do estresse peroperatório. As alterações na FC e PA ocorrem por depressão simpática central e vasodilatação periférica (pequenas doses causam vasoconstrição). Induzem diurese por inibição do HAD e seus efeitos nos túbulos renais. Agem nas células beta pancreáticas, reduzindo a secreção de insulina e aumentando a glicemia. A dexmedetomidine é usada por via venosa contínua, sendo oito vezes mais potente que a clonidine, não causando depressão respiratória e podendo reduzir o uso de opioides em até 66%. Os alfa-2 agonistas são facilmente absorvidos por via oral e seu pico de ação ocorre entre 60 a 90 minutos. A sedação é um dos efeitos mais consistentes dos alfa-2 agonistas, sendo potencializado pelos benzodiazepínicos. A clonidina tem ação sedativa e analgésica, reduz as doses anestésicas por ação no sistema nervoso central e diminui os reflexos laríngeos no momento da intubação traqueal. Atuam no sistema cardiovascular central e periférico, inibindo a liberação de noradrenalina pré-juncional, podendo ocasionar bradicardia. Produzem discreta hipotensão, quando usados em doses intermediárias de 300 µg.[36]

As técnicas de anestesia em cirurgias com hipotensão arterial induzida baseiam-se em doses relacionadas com o peso do paciente, visando diminuir o sangramento em níveis variáveis de pressão arterial, sem prejuízo dos sistemas orgânicos. As alterações hemodinâmicas, medidas continuamente, determinam a necessidade de fármacos e as complicações são analisadas e tratadas no momento da ocorrência. Os trabalhos nesta área apresentam resultados diversos, de acordo com as amostras estudadas, e os níveis pressóricos são determinados pelos resultados obtidos no campo cirúrgico. Os níveis da pressão arterial a serem obtidos e as indicações de hipotensão arterial induzida devem avaliar a relação risco-benefício para o paciente; os resultados continuam sendo discutidos.

Atualmente, com a introdução do remifentanil de maneira contínua, a necessidade do uso de outros fármacos, visando a hipotensão arterial induzida, tornou-se uma exceção.

■ PERDA SANGUÍNEA

A perda sanguínea em cirurgias de pequeno e médio porte é pequena e sua aferição não é rotina. A infiltração da cavidade oral de anestésicos locais com vasopressores diminui as perdas sanguíneas. Nas cirurgias maxilofaciais a perda sanguínea era significativa, atingindo em média 1.200 a 1.400 mL, no entanto, a evolução de técnicas cirúrgicas menos invasivas e conservadoras, associadas a técnicas anestésicas, fármacos e tempos cirúrgicos menores tem contribuído para um melhor controle volêmico.

No início das grandes cirurgias podemos usar o ácido tranexâmico na dose de 10 mg.kg^{-1} com repetição da dose duas horas após a fórmula de Gross é utilizada para calcular a perda admissível ou como base para a reposição dos volumes a ser perdidos no peroperatório, que, juntamente com os sinais clínicos e laboratoriais, são orientadores da reposição sanguínea.

A administração de sangue alogênico tem sido associada com morbimortalidade. Transfusões são associadas com transmissão de infecções, exacerbação de tumores, alterações pulmonares, disfunção renal, insuficiência de múltiplos órgãos, aumento da permanência hospitalar e mortalidade tardia.[2,37,38,39]

Com a finalidade de evitar a transfusão de sangue alogênico, são utilizadas as técnicas de hipotensão arterial induzida e gatilhos menores em pacientes jovens (hemoglobina < 7 g%).

Raramente temos usado reposições volêmicas com sangue ou derivados.[40]

As diretrizes atuais nos orientam na transfusão racional apenas quando incorporadas às informações clínicas individualizadas dos pacientes. Há espaço para pesquisas para descobrir o melhor método de otimizar a entrega de oxigênio aos tecidos além de melhorar a concentração de glóbulos vermelhos. A natureza dinâmica do processo de coagulação requer interpretação dos testes dinâmicos de coagulação e não apenas confiar nos números dos testes estáticos. A maioria das reações transfusionais é evitável e a ênfase deve ser a redução a zero dos erros humanos contribuintes.[41]

■ RECUPERAÇÃO DA ANESTESIA

Os pacientes das cirurgias de pequeno e médio porte são extubados no final do procedimento, na sala de cirurgia.

A sonda nasogástrica é retirada com prévia aspiração e a cavidade bucal é lavada com soro fisiológico ou água destilada sob visão direta, com a finalidade de remover coágulos, partículas ou detectar sangramento ativo. No paciente com risco de edema e hematoma importantes, decorrentes do ato cirúrgico ou em cirurgias de longa duração, o tubo permanece por um tempo não inferior a 6 ou 8 horas. Nos pacientes que permanecem intubados é recomendada a ventilação mecânica controlada, com sedação e analgesia.

Concluídos os procedimentos de pequeno e médio porte, os pacientes são acompanhados pelo anestesiologista até a sala de recuperação, relatando as condições do paciente ao médico de plantão, cabendo a este estabelecer os critérios de alta. Nas cirurgias de grande porte, combinando diferentes osteotomias com dimensionamentos de movimentos esqueléticos, associando glossotomia ou não, com ou sem imobilização intermaxilar elástica, poderá haver o comprometimento da via aérea superior, devido às alterações na sua configuração e no seu comprimento, bem como volume do edema e ou hematoma (Figura 178.8 A, B, C, D e E).

Os pacientes permanecerão na SR/UTI, intubados em ventilação mecânica controlada, sedados e com adequada analgesia (Figura 178.8 E).[2,42]

A extubação é realizada com o paciente acordado, com sinais vitais estáveis, monitorizado, respirando espontaneamente e com ausência de sangramento. Dependendo da magnitude da cirurgia ortográfica e das condições do paciente a tendência atual é de extubalos na sala de cirurgia. Nos pacientes que permanecem intubados, podemos usar a fibroscopia no momento da extubação para detectar a presença de secreção e coágulos e realizar a lavagem da árvore traqueal. Após a extubação o paciente permanece na SR/UTI por um período maior do que 5 horas, quando são retirados a sonda vesical, o cateter periférico e o cateter arterial, com a manutenção do cateter central e posterior alta da SR/UTI.

A dor no período pós-operatório é de pequena ou média intensidade nas cirurgias de pequeno ou médio porte, sendo tratada com o uso de paracetamol ou dipirona na dose fixa de 20 a 30 mg.kg^{-1} a cada 4 horas e o resgate com morfina, se necessário.

Nas cirurgias de grande porte a analgesia é realizada com dextomeditomidina, morfina ou fentanil e midazolam (em bólus ou contínuo), de acordo com as necessidades de cada paciente. A dextomedetomidina é um fármaco que pode ser utilizado na analgesia trans e pós-operatória.[39]

Produz sedação que possibilita aos pacientes responder aos comandos verbais. A associação deste fármaco pode diminuir a ocorrência de agitação que pode comprometer o bloqueio intermaxilar. A dextomeditomidina é um alfa-2 agonista que, em geral, é utilizada na dose de 0,1 a 0,3 ug.kg^{-1}.h^{-1}, cuja ação antinociceptiva ocorre predominantemente na medula espinal e no *locus ceruleus* e é dose-dependente. A ação anestésica ocorre inibindo a transmissão central de noradrenalina. Um fator adicional que tem sido sugerido é uma inibição pré-sináptica do receptor das vias noradrenérgicas. São mantidos em doses fixas para manter uma concentração plasmática constante e diminuir a dose total de fármacos.

■ COMPLICAÇÕES E INTERCORRÊNCIAS

A laceração do balonete durante a osteotomia/fratura da maxila é uma intercorrência possível e tecnicamente complicada, obrigando o tamponamento ou a troca do tubo no intraoperatório. A experiência e a tranquilidade do anestesiologista nesta complicação é de grande importância. Na sequência deve-se solicitar ao cirurgião que mantenha uma aspiração adequada no campo cirúrgico, possibilitando a aspiração no tubo traqueal, a reoxigenação do paciente e troca do tubo com auxílio da guia trocadora. Edema e hematoma de menor volume ocorre em quase todos os pacientes e não são considerados complicações, mas decorrência da técnica cirúrgica.

Com a entrada do ondansetron no mercado, a incidência de náuseas e vômitos diminuiu na nossa casuística.[31] Na busca de novos antieméticos surgiu a polanosetrona, um antagonista dos receptores 5HT3 com meia-vida prolongada (37 a 40 horas), que compete diretamente com a serotonina na ligação com os receptores. Resumindo, ele possui meia-vida mais longa, maior afinidade de ligação, um mecanismo alostérico de inibição da serotonina e a internalização do receptor, quando da ligação ao fármaco. A intubação traqueal traumática e prolongada pode ser responsável pela formação de pólipos nas cordas vocais.[30]

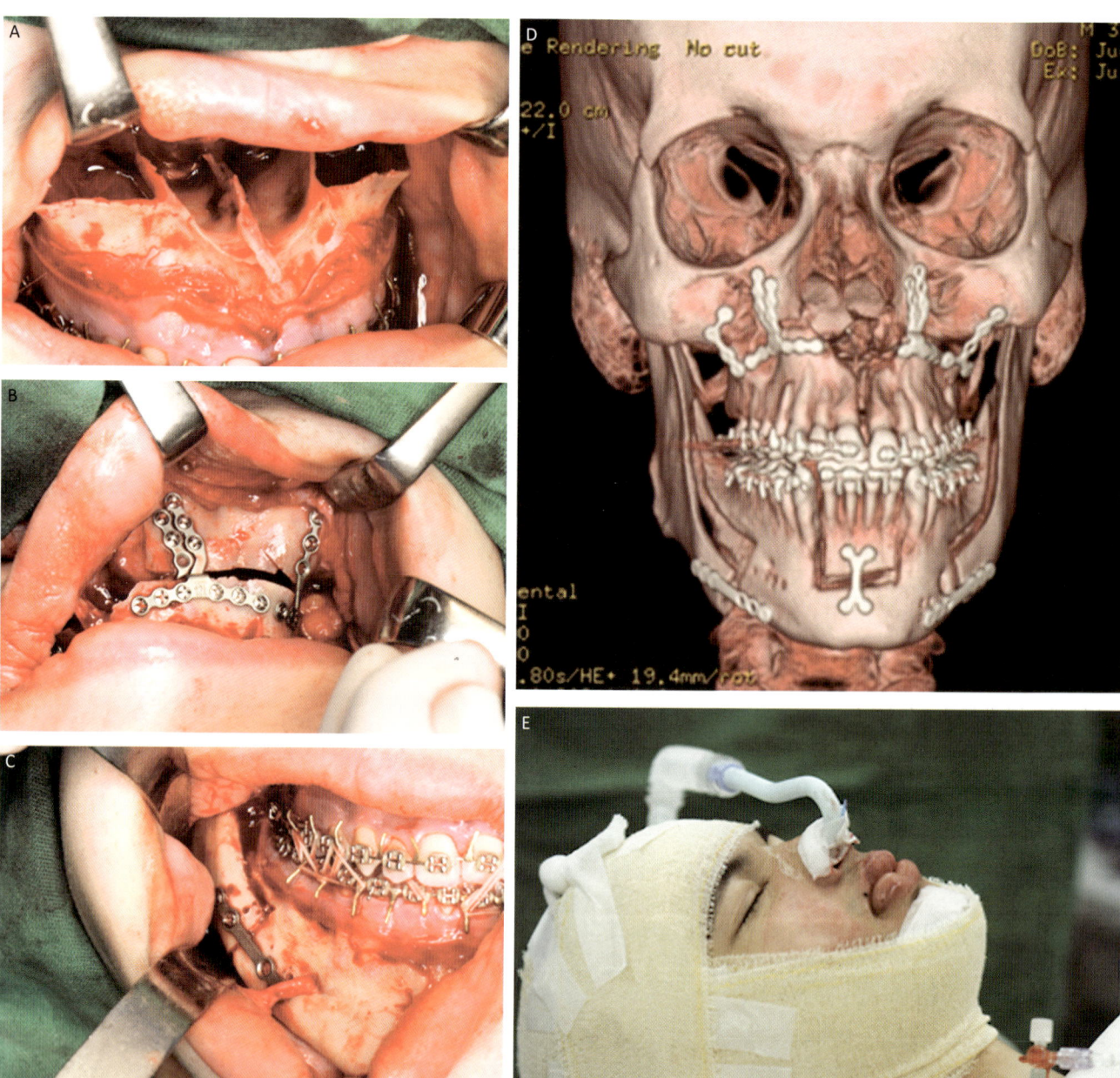

▲ **Figura 178.8** Cirurgia ortognática. **(A)** Osteotomia de maxila – Le Fort I: fratura cirúrgica guiada da maxila, que poderá ser mobilizada para a posição determinada no estudo cefalométrico. **(B)** Fixação interna rígida (FIR) da maxila: emprego de osteossíntese (placas e parafusos). **(C)** Osteotomia de mandíbula – técnica de Puricelli: observa-se que o traço da osteotomia é mais anteriorizado, fora da zona de maior tensão oclusal (método de Von Mises). Iniciada pela intervenção na mandíbula, a cirurgia se encerra com a aplicação da imobilização intermaxilar elástica, empregada para controlar ou inibir movimentos da mandíbula, quando necessário. **(D)** TC de Face em 3D – pós-operatório de cirurgia ortognática: osteotomia dentoalveolar anterior inferior; osteotomia de Puricelli bilateral na mandíbula; osteotomia total de maxila com segmentação na linha média (expansão transversa maxilonasal). **(E)** Pós-operatório imediato de cirurgia ortognática: paciente com intubação nasotraqueal (tubo RAE); presença de edema compatível com a manipulação cirúrgica; compressão dos tecidos moles pela bandagem craniofacial. Na extubação, em SR ou UTI, o anestesiologista deverá prever possíveis intercorrências, como vômitos (cortar a imobilização elástica), sangramentos, reação extrapiramidal e claustrofobia. Para o diagnóstico diferencial de edema angioneurótico, atentar para a associação de edemas palpebrais.

Entretanto, os sintomas fonatórios são predominantemente autolimitados, com resolução entre 24 a 48 horas após a retirada do tubo. A transfusão de sangue alogênico ocorreu em cinco pacientes (1,20%) nos primeiros 131 casos, por menor experiência com a técnica e por usar gatilhos de transfusão com 10 g de hemoglobina. Atualmente, já existem trabalhos comprovados de que, em pacientes jovens e hígidos e usando gatilhos de transfusão em torno de 6 a 7 g de hemoglobina, diminuíram os índices tranfusionais relacionados com os sinais clínicos do paciente.

A incidência de dor em pequenas e médias cirurgias é bem controlada com uso de paracetamol ou dipirona. Atualmente o uso rotineiro de anti-inflamatórios não hormonais no início da cirurgia tem contribuído para aumentar a analgesia peroperatória, juntamente com a morfina no final da cirurgia. Nas grandes cirurgias obtém-se melhor controle, pois os pacientes permanecem hospitalizados, permitindo a análise da dor pela escala verbal (0 a 10) e a escolha do uso de morfina ou fentanil, dextomedetomidina e midazolam.[2]

A úlcera por pressão (UP) instalada durante o intraoperatório pode ser observada imediatamente após a cirurgia ou, em média, até o quinto dia pós-operatório. Deve-se considerar a anestesia geral como um fator predisponente à ocorrência de UP, em virtude da imobilização e ausência de sensibilidade, além de alterações da pressão sanguínea, da perfusão tissular, da resposta do paciente à pressão e à dor e da troca de oxigênio e gás carbônico.[1,4,12,14,28] Nas posições de decúbito dorsal a maior frequência de UP será nas regiões sacral e coccígea. Considera-se que todos os pacientes cirúrgicos devam ser sistematicamente avaliados durante o período peroperatório, para detectar os fatores de risco e implementar as medidas preventivas. Os apoios em lençóis dobrados ou em coxins duros, impedindo o contato com a superfície do colchão, favorecem maior pressão tissular. A presença de umidade na região glútea, decorrente da assepsia para sondagem vesical, e a manutenção da temperatura corpórea com uso da manta/colchão térmico podem ser somatórios no aparecimento dessas lesões. Quanto maior a intensidade desses fatores, a duração do procedimento e o dano tissular, maiores serão o estágio de desenvolvimento da úlcera e o custo de seu tratamento.

Nas cirurgias ablativas e reconstrutivas e nos traumas, as infecções dos espaços faciais superficiais até os profundos da cabeça e do pescoço podem evoluir a partir da faringe, das tonsilas e das glândulas salivares maiores. A angina de Ludwig (AL), já descrita por W. F. Von Ludwig (1836), ainda hoje é considerada o exemplo clássico de uma celulite infecciosa aeróbica grave, com considerável índice de morbimortalidade. Decorre basicamente de lesões primárias ou secundárias advindas do dente e do periodonto mandibulares. A partir do espaço submandibular pode evoluir até os espaços contíguos, incluindo os pararretrofaríngeos. O deslocamento posterossuperior da língua (glossoedema), o volume do asoalho da boca, a sialorreia, a imobilidade mandibular e o trismo somam-se aos sintomas típicos de dor, disfagia, odinofagia e dispneia. A rápida progressão desta celulite pode provocar asfixia e morte em 8% a 10% dos pacientes.[1,43,44]

Por se tratar de um processo inflamatório agudo, além de exigir um diagnóstico rápido em concomitância ao atendimento de emergência (antibióticoterapia empírica inicial e drenagem cirúrgica), soma-se o desafio de estabelecer uma via aérea pérvia em um paciente de alto risco. Na realização da intubação deve-se estar alerta à distorção e obstrução das vias aérea respiratórias e às rupturas mecânicas acidentais dos tecidos moles da cavidade bucal e regiões pararretrolingual, com exposição do exudato purulento e possível aspiração. A indicação da via de acesso traqueal e a traqueostomia permanecem inconclusivas. A escolha da via de intubação mais segura deve ser embasada no qua-

dro clínico, nas condições técnicas disponíveis e na necessidade premente de preservação da vida do paciente.[11] Nos pacientes pediátricos, mesmo que menos frequente, a AL apresenta alto risco de obstrução das vias aéreas devido ao posicionamento mais cefálico da laringe, tornando a distância menor entre a língua, o hioide e a epiglote.[45]

No paciente imunocomprometido os riscos de difusão infecciosa podem ser de moderado a grave, possivelmente apresentando recrudescimentos com evolução letal.[4] A tomografia computadorizada é útil na avaliação da extensão retrofaríngea do abscesso, auxiliando na decisão de uma via cirúrgica (Figura 178.9 A, B, C e D).

Os pacientes já tratados de traumas de face, cirurgias ortognáticas e outras com emprego de meios de osteossíntese metálicas, envolvendo especialmente a maxila, impõem uma atenção especial do anestesista no planejamento da abordagem de intubação/extubação e de posicionamento do laringoscópio. Recomenda-se atenção para o histórico de saúde do paciente e sobre a funcionalidade da mandíbula. A solicitação de imagem radiológica (panorâmica) permite a visualização do posicionamento e design dos meios de osteossíntese empregados (Figura 178.10 A e B). As manobras durante a intubação, com apoio e impacção da maxila ou abertura bucal forçada (excessiva) poderão não só implicar em flexões, deslocamentos e/ou fraturas de placas/parafusos, mas comprometer a estabilidade das estruturas ósseas nos seus processos de neoformação e remodelamento, como o próprio resultado cirúrgico bucomaxilofacial, mesmo em período tardio.[46]

O trauma dentoalveolar, decorrente do manejo da via aérea, pode ocorrer sem detecção precoce. Nos arcos dentários, as lesões comprometem, principalmente, a relação dos dentes com seus tecidos de suporte. Seus fatores causais mais comuns são má dentição, laringoscopia agressiva, anestesia e curarização ineficiente, intervenções de emergência e falta de treinamento do anestesista.

A luxação é a lesão dentária de maior frequência durante a anestesia, caracterizando-se pelo deslocamento do dente em seu próprio alvéolo. Nos pacientes portadores de doença periodontal ativa ou controlada, as lesões iatrogênicas dificilmente permitirão o reimplante e a conservação do dente extraído. Nas crianças com dentição temporária, a luxação intrusiva poderá alterar o dente permanente em formação. Recomenda-se não manipular a área, abandonando, neste momento, o dente ao seu curso. Em avulsões (exarticulações) dentárias, o dente permanente deve ser higienizado com solução fisiológica e rapidamente reimplantado em seu alvéolo. O prognóstico piora em reimplantes a partir de 30 minutos do dente fora do alvéolo. A fixação deve ser procedida pelo cirurgião-dentista, preferentemente especialista em CTBMF, durante o mesmo ato anestésico ou o mais breve possível. O paciente ou responsáveis devem ser comunicados e encaminhados ao tratamento odontológico, visto as medidas imediatas e mediatas a ser tomadas para o tratamento deste tipo de lesão.[1,2,4,12,14]

Na hipermobilidade mandibular o paciente apresenta abertura de boca maior que 45 mm, podendo ocasionar uma luxação crônica do côndilo mandibular. Nestes pacientes pode ocorrer luxação da ATM durante as manobras de intubação,

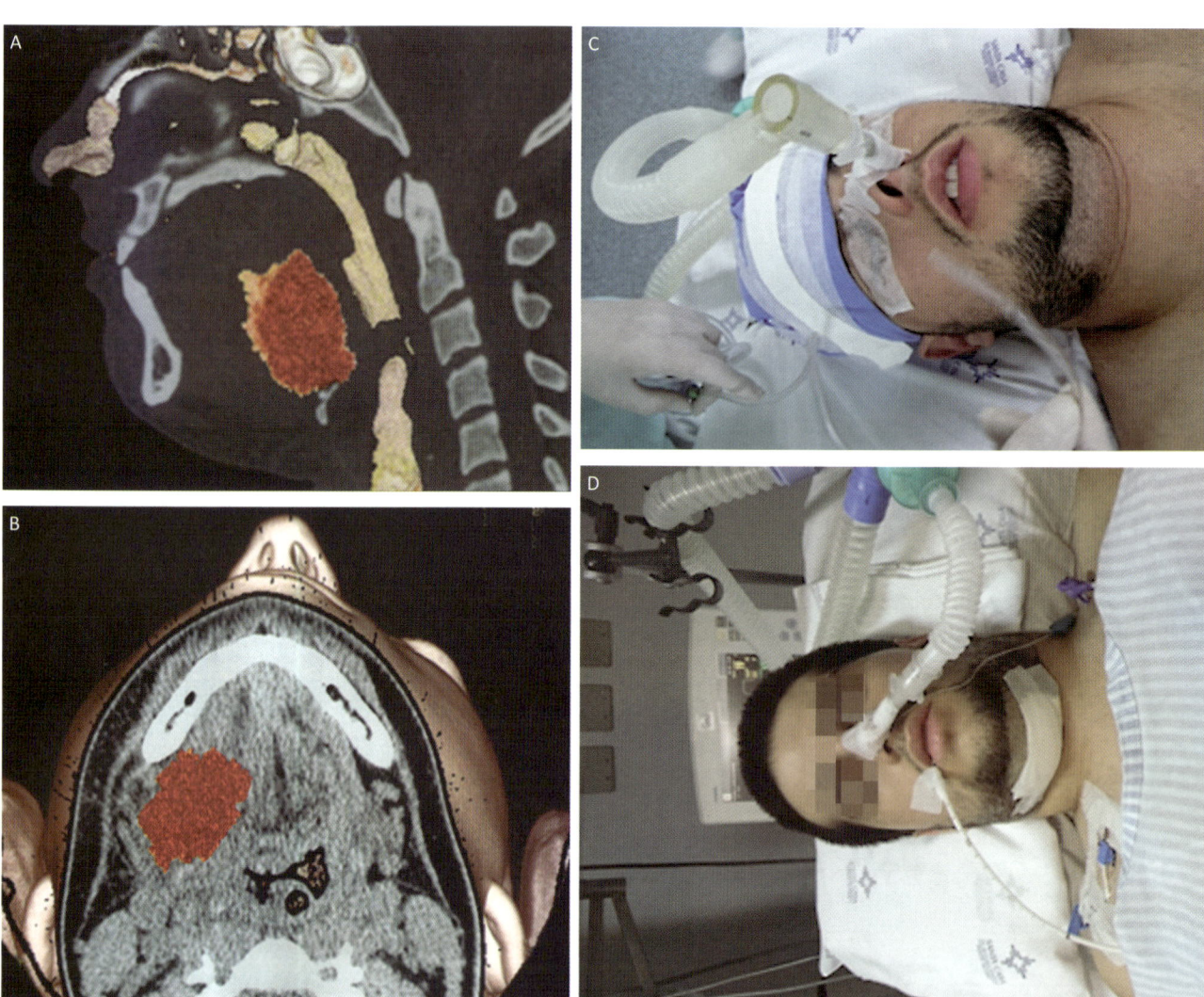

▲**Figura 178.9** Infecção odontogênica. **(A)** Imagem TC 3D sagital: observa-se processo inflamatório agudo odontogênico (cor vermelha – área da concentração do processo) em evolução para espaços retrolingual, envolvendo a região submandibular, o espaço mastigador, as glândulas submandibulares e comprometendo o tubo faríngeo (cor rósea) interrompido por edema dos tecidos moles. **(B)** Imagem TC 3D axial: processo agudo (cor vermelha) evoluindo a partir da área do terceiro molar inferior direito, após a extração cirúrgica. Salienta-se a visão da faringe em processo de obstrução na região retrolingual. **(C)** Paciente preparado em regime de urgência: observa-se o aumento de volume na região submandibular e cervical. A intubação deve ser por fibroscópio, para drenagem cirúrgica com acessos extra e intrabucais. **(D)** Recuperação pós-operatória em UTI: paciente sedado, intubado, em ventilação mecânica. Pode-se observar o acesso da subclávia e da sonda nasoentérica. Para extubação, recomenda-se o uso de fibroscopia na observação da permeabilidade da faringe.

cujo manejo deve ser imediato por meio da redução manual. Devem ser prescritas bandagem craniofacial elástica, mesmo que paliativa, e dieta líquida por 48 horas. Tendo havido esta intercorrência, o paciente deve ser avisado e referenciado para o cirurgião bucomaxilofacial ou cirurgião-dentista especialista em disfunção temporomandibular.[1]

▪ TRAUMA BUCOMAXILOFACIAL

O trauma é uma doença multissistêmica, de caráter endêmico e que pode e deve ser prevenida e evitada. Nos países ocidentais, o trauma é a terceira causa de morte, após as doenças cardiovasculares e neoplasias malignas.

Os dados epidemiológicos, dependentes de fatores culturais locais e regionais, destacam violência interpessoal, ferimentos por armas, acidentes domésticos e desportivos como os traumas mais reconhecidos, entretanto, os acidentes de trânsito são os de maior frequência. A cada ano morrem no mundo cerca de 1,35 milhões de pessoas vítimas do trânsito, das quais os mais vulneráveis são os pedestres, ciclistas e motociclistas. Dentre estes, as principais vítimas são os adultos jovens do sexo masculino em fase produtiva, com menos de 45 anos de idade. Na população pediátrica mundial, as mortes por acidentes de trânsito representam 27,3% das causas externas de lesões.[47]

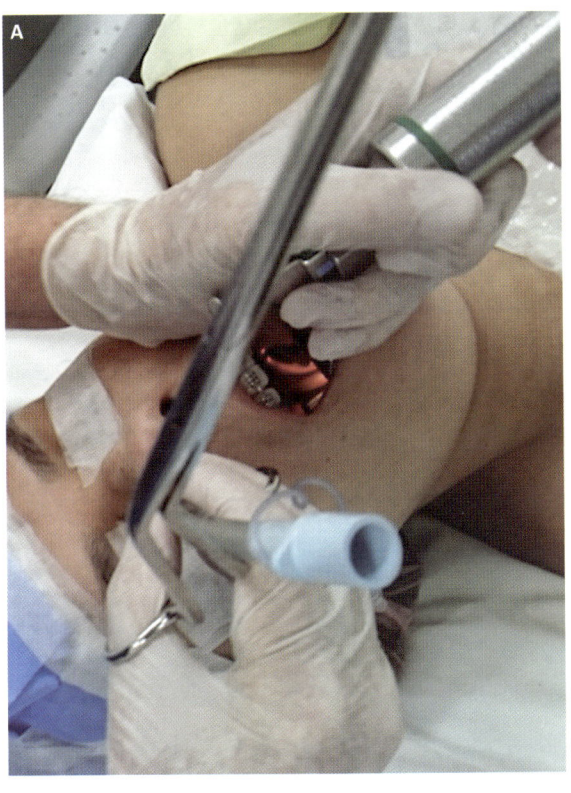

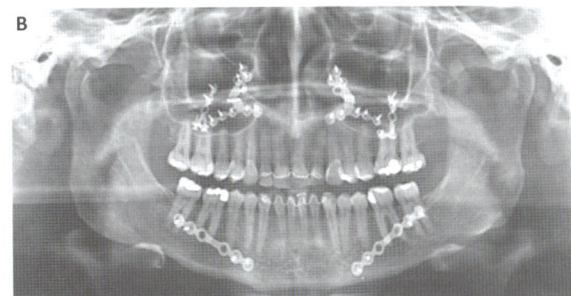

◄ **Figura 178.10** Intubação com laringoscópio – cuidados com dentes e meios de osteossíntese na maxila. **(A)** Laringoscopia direta: técnica rotineira para a passagem do tubo traqueal, visando manter o paciente em ventilação mecânica. O apoio do laringoscópio nos dentes superiores poderá implicar em luxações, danos às coroas dentárias ou de próteses, impacção da maxila ou fratura dos meios de osteossíntese empregados em cirurgias bucomaxilofaciais anteriores ou, ainda, recém-fixados na maxila. Atenção especial deve ser dada à preservação dos meios de osteossíntese já existentes, quando o paciente for posicionado em decúbito ventral na mesa cirúrgica. **(B)** Radiografia panorâmica – presença de OPME nas regiões osteotomizadas: observa-se a localização das miniplacas e dos parafusos de fixação interna rígida (FIR). Nesta imagem, podemos visualizar a fratura bilateral das placas tipo Le Fort na maxila.

Entre os idosos, os registros são de 11,65% vítimas no trânsito, sendo 28,2% por atropelamento.

Os acidentes de trânsito custam, à maioria dos países ocidentais, 3% de seu produto interno bruto e impagáveis dívidas às vidas humanas.

Nos traumatismos com resultados fatais, 24% tiveram lesões cranianas; acima de 50% apresentaram lesões torácicas e 24% sofreram fraturas de face.[17]

No trauma bucomaxilofacial com múltiplos traumatismos, sem morte, 11% dos pacientes apresentaram fraturas de face, associadas com injúrias cranianas (34%). Nas fraturas isoladas dos ossos da face, em ordem decrescente, estão envolvidos a mandíbula (61%), maxila (46%,) o zigoma (27%) e os ossos nasais (19,5%) dos casos.[17]

A anatomia cirúrgica do trauma no esqueleto facial compreende o terço superior (osso frontal) e o terço médio e inferior (mandíbula). Quando as fraturas de face envolvem o osso frontal (componente cranial), o cérebro pode sofrer lesão direta ou indireta (secundária à hemorragia no lado da fratura ou ruptura da dura-máter com perda do líquido cefalorraquidiano – LCR). O terço médio, composto por seis ossos pares (maxila, malar, lacrimal, palatino, corneto inferior e ossos próprios do nariz) e um ímpar (vômer), por sua estruturação esquelética complexa, estreitamente ligado ao maciço ósseo da base do crânio, raramente apresenta fraturas isoladas. Devido à sua relativa fragilidade, atua como uma proteção para o trauma direto, dirigido para o crânio, no sentido anteroposterior ou anterolateral. As fraturas denominadas Le Fort estão baseadas na simetria bilateral e no nível de caudal para cranial, da localização do traço de fratura, envolvendo as vias aéreas superiores em graus variados. Resultantes de impactos de baixa energia, são clas-

sificadas como: Le Fort I (fratura horizontal da maxila com envolvimento funcional do palato); Le Fort II (piramidal) em descenso envolve estrutura nasal, saco lacrimal e assoalho orbitário, estendendo-se até a apófise ptirogoidea), e Le Fort III (disjunção craniofacial). Entretanto, a alta energia dos fatores traumáticos pode produzir lesões assimétricas, com vários traços de fratura até a comunicação com a caixa craniana, agravando os prognósticos.[2]

A mandíbula (terço inferior da face) projeta-se para baixo e para frente da base do crânio, sendo o componente mais forte e rígido do esqueleto facial. A tração dos músculos, inseridos no osso mandibular, é o fator de maior influência no grau de instabilidade e deslocamento dos segmentos fraturados. As fraturas do côndilo, ramo, corpo e mento, quando unilaterais, podem provocar desvios laterais, comprometendo a estabilidade mandibular. Quando bilaterais, favorecidas pelos músculos depressor-retrator, deslizam no sentido inferodistal (retrógrado).[1]

A inervação da face é realizada pelos nervos cranianos: trigêmio (V) sensitivo, com seus três ramos oftálmico, maxilar e mandibular; facial (VII) misto, que supre a função motora e sensitiva (com fibras vegetativas agregadas); hipoglosso (XII), exclusivamente motor, que inerva os músculos da língua.

A face é dotada de uma rede vascular ampla, por meio das artérias temporais e faciais, com exceção da artéria oftálmica originária da carótida interna. A maioria dos vasos cruzam a linha média para formar anastomoses contralaterais, fazendo com que a hemostasia unilateral possa não coibir sangramentos.

Na área bucomaxilofacial, os traumatismos por contusão, abrasão e laceração envolvendo pele e músculos podem estar associados às fraturas ósseas, expostas ou não. Assimetrias laterolaterais (verticais e horizontais) e/ou sagitais, hematoma e edema somados aos sintomas de obstrução nasal e diplopia, juntamente com as limitações funcionais por dor, trismo, deslocamento/deslizamento de fragmentos ósseos e maloclusão dentária, devem ser avaliados como limitadores da intubação.

No trauma bucomaxilofacial agudo, o protocolo de atendimento ao paciente prevê medidas de emergência para assegurar a via respiratória; tratamento imediato sobre injúrias oftalmológicas; tratamento precoce das lesões de tecidos moles; planejamento e tratamento das fraturas ósseas.[4,10] O anestesiologista tem uma relação direta na CTBMF, pelo envolvimento das vias aéreas nos traumatismos BMF; inicialmente pela perda aguda e, posteriormente, pelo edema causado pelo trauma.[1,2]

Manejo da via aérea no paciente com trauma bucomaxilofacial

De acordo com o ATLS (*Advanced Trauma Life Support*), as recomendações para o manejo das lesões, que atentam contra a vida, preconizam que a obtenção da via aérea é prioritária (lesões da via aérea são a maior causa precoce de morte no trauma).[22]

O trauma facial, envolvendo também lesões cervicais e da laringe, torna-se altamente complexo e implica a obtenção da via aérea como de extrema importância. Inicialmente deve-se realizar um exame da face, da boca e da garganta orofaringe, para a identificação de corpos estranhos, lacerações e fraturas que possam estar alterando a permeabilidade da via aérea. Obstruções podem ocorrer de maneira aguda ou lentamente por edemas, secreções, corpos estranhos e/ou sangramentos. Durante a inconsciência existe a perda do tônus dos músculos, os quais sustentam a língua na parede da faringe, obstruindo a entrada da laringe. A intubação não traumática é vital, pois pode ocasionar um aumento da pressão intracraniana. A intubação nasotraqueal é discutível em pacientes com lesão de base do crânio e, sendo indispensável, deve-se manter a estabilidade da coluna cervical.[48]

No trauma bucomaxilofacial a liberação da via aérea é fundamental, além de ser um processo desafiador, complexo e que envolve muita controvérsia. Portanto, o conhecimento, a habilidade e a experiência podem definir a sobrevida do paciente.[22]

No traumatismo craniano e/ou BMF, o comprometimento do nível de consciência é um indicador de atenção com a via aérea. A escala de coma de Glasgow deve ser utilizada e a intubação da via aérea deve ser obtida quando o escore atingir oito pontos.

Dados recentes informam que a laringoscopia e a intubação não requerem grande movimento do pescoço e, se necessário, emprega-se o colar cervical. Lesões traumáticas do trato respiratório que envolvem a laringe e a árvore traqueobrônquica são potencialmente mortais (26% a 30%) e ocorrem em 1% a 2,8% dos pacientes. Sua maior frequência acontece em acidente automotor, com trauma traqueobrônquico entre 2 a 2,5 cm acima da carina. Os sinais e sintomas, como dispneia, enfisema subcutâneo, tosse e hemoptise devem alertar para o diagnóstico.

O trauma bucomaxilofacial pode ocasionar problemas locais, os quais também afetam a via aérea, como hematoma, edema, corpos estranhos (dentes, prótese), vômito, deslocamentos e deslizamentos ósseos e lesões da língua.[49]

Embora os sistemas de escore e regras de predição para identificar as dificuldades de acesso à via aérea são disponíveis, estes métodos são de moderado sucesso.

No planejamento da obtenção da via aérea, deve-se considerar vários aspectos:

1. natureza do trauma e seus efeitos na via aérea;
2. dificuldade potencial da ventilação sob máscara ou intubação traqueal;
3. possível trauma na coluna cervical;
4. risco de regurgitação e aspiração do conteúdo gástrico;
5. sangramento que dificulta a visualização da via aérea e as alterações circulatórias decorrentes;
6. tipo de intervenção a ser realizada.

O comprometimento da via aérea pode ocorrer a partir de fraturas simples, sendo agravado com a perda da consciência e intoxicação por drogas e fármacos, com alteração dos reflexos faríngeos e laríngeos e risco de aspiração. Esta situação pode ser agravada pela presença de corpos estranhos, sangue, edema, náuseas e vômito na via aérea.

A presença de náusea e vômito aumenta a pressão intracraniana, que ocasiona maior sangramento e salivação, o que pode ocluir a via aérea. O deslocamento ósseo posterior, na fratura da maxila e mandíbula, pode também aumentar o risco de obstrução da via aérea. As lesões da laringe e da traqueia são menos frequentes, porém, quando ocorrem, comprometem a respiração.

O manejo da via aérea, apesar dos avanços médicos, têm seus fundamentos básicos inalterados. A obstrução da via aérea alta, devido ao trauma craniomaxilofacial, resulta como ameaça à respiração, assim como a lesão de outros órgãos na presença de trauma cervical. Na emergência, a qualidade e experiência do operador são de grande importância. A possibilidade da obstrução da via aérea e a de uma possível intervenção cirúrgica devem ser lembradas. O comprometimento da traqueia deve ser investigado e o desvio ou colapso pode ser diagnosticado pela palpação. A presença de sibilos à ausculta podem auxiliar no diagnóstico parcial da lesão da traqueia. Neste caso, todo o equipamento para intubação difícil deve ser solicitado e um cirurgião deve estar presente. Medidas como oxigenação do paciente, sob máscara ou cateter, devem ser instituídas e a monitorização com oximetria de pulso.

A colocação de um colar cervical deve ser realizada para evitar o risco de compressão medular e um aspirador rígido, e com pressão negativa adequada, deve estar disponível. Na suspeita de obstrução da via aérea pela língua, deve ser colocada uma cânula de Guedel. Na ausência de reflexos protetores, a intubação traqueal é regra. Em pacientes com via aérea permeável sem respiração espontânea, a técnica recomendada é a ventilação sob máscara. Aos pacientes obesos, em que a ventilação é mais difícil, recomenda-se a presença de dois profissionais: o primeiro adaptando a máscara à face e, o segundo, comprimindo a bolsa. A decisão do momento de intubar o paciente e a maneira a ser realizada deve ser decidida pelo grupo de atendimento. O insucesso da intubação ocorre entre 10,3% a 12% dos pacientes.[16]

A intubação orotraqueal com laringoscópio tradicional ainda é a técnica de escolha. Embora possa ocorrer algum movimento cervical, isto não contraindica esta técnica, quando realizada por profissionais experientes. A intubação nasotraqueal com fibrobroncoscópio é uma técnica de difícil execução na presença de sangramento, de secreção e de tecidos lacerados. O uso de máscara laríngea, de combitube e cricotireotomia são alternativas temporárias, na dificuldade de intubação ou estando fora do ambiente hospitalar. O guia Bougie tem sido usado frequentemente, quando a laringoscopia direta da glote está prejudicada, com sucesso na maioria dos casos.

Inúmeras são as vantagens dos dispositivos supraglóticos (DSG). Têm primariamente função ventilatória e alguns servem ainda como conduto facilitador para intubação traqueal (IT). Entre as desvantagens figura a broncoaspiração minimizada com o advento de novos modelos, providos de conduto para a despressurização e o esvaziamento do conteúdo gástrico (LMA, Proseal, LMA Supreme, i-gel, tubo laríngeo, LTS II).

Menos de 2% das laringoscopias apresentam visão difícil. Logo, uma pequena parcela de pacientes necessitará de um recurso óptico para uma adequada ventilação (fibroscópio flexível, videolaringoscópio ou estilete óptico) ou de uma técnica às cegas (intubação retrógrada, máscara laríngea – ML, estilete luminoso ou IT às cegas). O uso de fibroscópio requer um paciente cooperativo, uma via aérea livre de secreções, sangramento ou edema com adequada anestesia local associada ou não à sedação.

Outras alternativas são as técnicas cirúrgicas (cricotireotomia e traqueostomia). A obtenção cirúrgica da via aérea deve ser utilizada, quando as outras opções não foram viáveis. Para o acesso (nasal ou oral) e a progressão mecânica da intubação (faringe e laringe) deve-se atentar às fraturas maxilomandibulares que interferem na estabilidade e obstrução da via aérea superior. Fragmentos ósseos e ou dentários, hemorragias, trismo e vômito, além do edema, o qual pode evoluir para asfixia, ampliam as dificuldades e riscos da intubação. Nos casos complexos de fraturas do terço médio da face, como a Le Fort III (disjunção craniofacial) e a Le Fort II (fratura piramidal), a possibilidade de intubação por falsa via não deve ser negligenciada.

Na fratura da mandíbula é importante considerar a ação muscular no espaço hioideo, onde se inserem os músculos da mandíbula, da língua, da faringe e da laringe, que, de forma direta ou indireta, passam a atuar na estabilidade e continuidade funcional de toda a via aérea superior. Dificuldades anatômicas, nesta área, poderão indicar a realização de traqueostomia.

Uma opção técnica é a intubação orotraqueal de Puricelli, com trajeto submandibular, a qual também pode ser uma opção frente à indicação de traqueostomia.[48] Inicia-se a anestesia geral pela obtenção da via orotraqueal,

com tubo aramado. Após o preparo por incisão na pele, no lado esquerdo, anterior à loja da glândula submandibular, e divulsão dos planos musculares entre o conduto de Wharton e a cortical lingual do corpo mandibular, sem descolamento periosteal, o tubo anestésico é exposto pela via transcutânea na região submandibular, imediatamente anterior à glândula submandibular. Sua fixação se dá por meio de sutura da pele. Durante esta manobra, o tubo será desconectado do equipamento e sua extremidade deve ser protegida (dedo de luva), evitando a entrada de fluidos contaminados. Alojado no assoalho bucal, sob o bordo lateral da língua, mantém-se estável para sua remoção ou permanência como via orotraqueal. Para sua retirada, em um trajeto inverso, sua extremidade retorna para a cavidade bucal, sendo imediatamente exposta pela boca para reconectar-se ao equipamento de anestesia. Apresentando baixa morbidade, esta alternativa proporciona um campo para grandes manipulações cirúrgicas, as quais investem em todo o esqueleto fixo da face e mandíbula. Essa característica da técnica, de liberar as duas vias de intubação (oro e nasotraqueal) da presença do tubo na posição interoclusal, favorece o manejo das áreas polifraturadas da face e a obtenção de uma relação oclusal favorável.[1,2,48]

A intubação orotraqueal de Puricelli, com trajeto submandibular, também está indicada nas cirurgias eletivas de grandes ressecções e ou reconstruções maxilomandibulares. Ao contrário da intubação submentoniana, a técnica com lateralização do tubo facilita os movimentos mandibulares e favorece os deslocamentos da cabeça, além de oferecer maior aproximação do anestesista à mesa cirúrgica (Figura 178.11 A e B).[1,2,48]

Manejo da via aérea no trauma bucomaxilofacial

- Antecipar e reconhecer a obstrução da via aérea;
- Posicionar o paciente para melhorar a respiração;
- Confirmar a permeabilidade oral e nasal para o uso da assistência ventilatória;
- Realizar a ventilação do paciente sob máscara com um ou dois profissionais;
- Realizar a intubação;
- Caso a intubação não obtenha sucesso ou se ocorrer a condição de "não ventila, não intuba", deve-se realizar o procedimento cirúrgico de emergência.

Controvérsias e lacunas

No manejo da via aérea é muito importante ter uma via aérea livre de sangue, secreção e corpos estranhos. Um grande edema da glote ou um importante hematoma retrofaríngeo por fratura de vértebras cervicais dificulta a intubação traqueal. A intubação nasotraqueal é contraindicação relativa em pacientes com fratura cominutiva da porção média da face, pela possibilidade de penetração iatrogênica do tubo na base do crânio, sendo preferida em pacientes conscientes sem sedação e sem relaxamento neuromuscular.[47]

Coluna Cervical no Trauma Bucomaxilofacial

No cenário da fratura bucomaxilofacial as lesões das vértebras cervicais devem ser sempre consideradas, principalmente em pacientes inconscientes. O exame clínico em pacientes conscientes, juntamente com exames de imagem, descartam a possibilidade de fraturas cervicais. Na impossibilidade destes exames, pode-se considerar o paciente livre de lesões se: as condições neurológicas forem normais (Gasglow normal), livre de intoxicação por álcool e drogas, ausência de dor na região cervical e movimentação cervical espontânea indolor.

Controle Hemorrágico

Após garantir a obtenção da via aérea deve-se dirigir a atenção para a circulação, pois as hemorragias nas fraturas faciais ocorrem entre 1,4% a 11% dos casos, envolvendo as artérias carótidas, maxilar, mandibular, oftálmica e etmoidal.[22] A maioria dos casos são de fácil resolução por

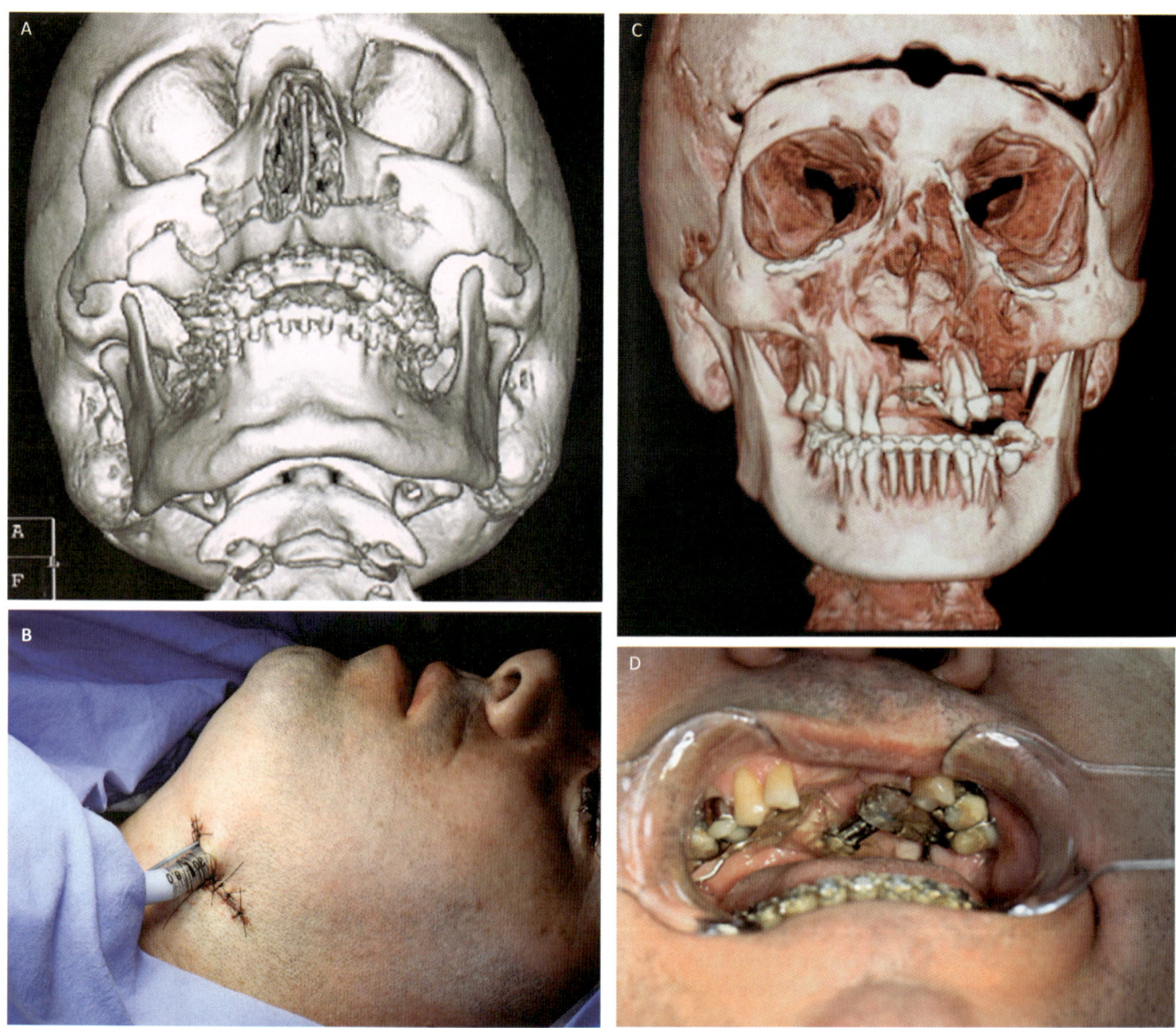

▲ **Figura 178.11** Trauma bucomaxilofacial. **(A)** Imagem TC 3D da face com fraturas Le Fort I e II: presença de traços de fratura com os segmentos ósseos desorganizados na área medial das cavidades orbitárias, na região nasal, frontal e maxilar, e mordida aberta total. **(B)** Intubação submandibular: após a intubação orotraqueal é realizada a incisão na pele para divulsão dos tecidos moles, seguida da exposição do tubo na região anterior à glândula submandibular. O lado esquerdo, preferentemente, é para as cirurgias bucomaxilofaciais. O campo operatório deve ser liberado para as manobras cirúrgicas e a imobilização intermaxilar. **(C)** Imagem TC 3D de face e crânio com sequela de trauma: observa-se craniotomia, fraturas de face com perdas ósseas envolvendo o terço médio e presença de miniplacas para fixação rígida nas regiões infraorbitárias, aplicadas no tratamento cirúrgico imediato. Fratura no ramo mandibular direito consolidado. **(D)** Aparato ortodôntico para osteodistração pós-trauma bucomaxilofacial: tratamento tardio determinando abordagens reconstrutivas, cujos aparatos implicam a redução dos acessos oral e nasal para intubação.

compressão direta, redução manual das fraturas, tamponamento por balão, embolização arterial e/ou resfriamento da região, mas devem ser diferenciadas de fraturas da base do crânio ou por lacerações do faringe e lacrimejamento.

Manejo da via áerea-conclusão

O manejo da via aérea no paciente com trauma facial é desafiador. O estado clínico e o tipo de trauma determinam o planejamento da abordagem da via aérea e a sequência de passos. O conhecimento da dificuldade de abordagem da via aérea difícil e a experiência do profissional, além da familiaridade dos vários instrumentos disponíveis são os principais fatores para a condição da obtenção da via aérea no trauma facial. A equipe de trauma deve ser composta por vários profissionais (anestesiologista, intensivista, cirurgião, técnicos e enfermeiros), cada um contribuindo com seu conhecimento e experiência no manejo da via aérea no trauma. Na obtenção e manutenção da via aérea permeável deve ser considerada a oxigenação com manutenção da via aérea permeável e imobilização cervical; deve-se solicitar material de via aérea difícil, liberar a cavidade oral de corpos estranhos e aspirar secreções e sangue; intubar, se necessário, decidir, de acordo com o trauma, a via de acesso oro ou nasotraqueal; avaliar os sistemas neurológico (Glasgow), respiratório e cardiovascular; realizar cateterismo venoso, reposição volêmica e aquecer o paciente.[50]

A indicação dos tratamentos cirúrgicos imediatos, mediatos ou tardios (reconstruções) segue os protocolos do atendimento multidisciplinar ao paciente vítima de trauma (Figura 178.11 C e D).

Técnicas cirúrgicas minimamente invasivas (MIS), como cirurgia ortognática (*Minimally invasive orthognathic surgery*-MIOS) e cirurgias para reanatomização e ou reconstrução das estruturas da ATM,[51,52] estão fortemente inseridas na rotina assistencial do Cirurgião-dentista. A indicação da melhor técnica anestésica, seja sedação, associada ou não a infiltrações locais, ou anestesia geral, ainda necessita de evidências mais robustas na área da cirurgia bucomaxilofacial. A técnica endoscópica de ATM por vídeo, com auxílio de artroscópio, é relativamente recente, visando o diagnóstico ou a intervenção nas estruturas articulares. O Cirurgião e o Médico Anestesista, frente ao diagnóstico e plano de tratamento, farão a avaliação das condições sistêmicas do paciente para indicação da melhor técnica anestésica, local da realização do procedimento, além do posicionamento do paciente para manejo transoperatório das tecnologias necessárias, bem como incisões para inserção da câmera e dos instrumentais, priorizando sua segurança.

REFERÊNCIAS

1. Grando TA, Puricelli E. Anestesia em cirurgia e traumatologia bucomaxilofaciais. In: Manica, J, organizador. Anestesiologia: princípios e técnicas. 4. ed. Porto Alegre: Artmed; 2018. p. 1104-20.
2. Grando TA, Puricelli E. Tratado de Anestesiologia. SAESP. 9. ed. São Paulo: Editora dos Editores; 2021. p. 3511-3535.
3. Puricelli E. Técnica anestésica, exodontia e cirurgia dentoalveolar. In: Kriger L, Moysés SJ, Moysés ST, organizador. 1. ed. São Paulo: Artes Médicas; 2014. 160p. Coordenação Morita, M C. Odontologia Essencial: parte clínica. Série ABENO.
4. Puricelli E, Ponzoni D, Munaretto JC, et al. Infecções na cavidade bucal. In: Morais TMN, Silva AA, organizador. Fundamentos da Odontologia em Ambiente Hospitalar/UTI. 1. ed. Rio de Janeiro: Elsevier; 2015. p. 33-48.
5. Kovacs G, Sowers N. Airway Management in Trauma. Emerg Med Clin North Am. 2018 Feb;36(1):61-84. doi: 10.1016/j.emc.2017.08.006.
6. Puricelli E, Chem RC. Thirty-eight-year follow-up of the first patient of mandibular reconstruction with free vascularized fibula flap. Head Face Med. 2021 Oct 28;17(1):46. doi: 10.1186/s13005-021-00293-z.
7. Puricelli E. Puricelli biconvex arthroplasty as an alternative for temporomandibular joint reconstruction: description of the technique and long-term case report. Head Face Med. 2022 Jul 29;18(1):27. doi: 10.1186/s13005-022-00331-4.
8. Puricelli E. A new technique for mandibular osteotomy. Head Face Med. 2007 Mar 13;3:15. doi: 10.1186/1746-160X-3-15.
9. Larochelle P, Tobe SW, Lacourcière Y. β-Blockers in hypertension: studies and meta-analyses over the years. Can J Cardiol. 2014 May;30(5 Suppl):S16-22. doi: 10.1016/j.cjca.2014.02.012. Epub 2014 Feb 25.
10. Fagondes SC, Moreira GA. Apneia obstrutiva do sono em crianças [Obstructive sleep apnea in children]. J Bras Pneumol. 2010 Jun;36 (Suppl 2):57-61. Portuguese. doi: 10.1590/s180637132010001400015.
11. Puricelli E, Gonçalves T, Morganti MA et al. Tratamento cirúrgico bucomaxilofacial. In: Maahs MAP, Almeida ST, organizador. Respiração oral e apneia obstrutiva do sono. 1. ed. Rio de Janeiro: Thieme Revinter; 2017. 28:351-374.
12. Morais TMN, Souza AF, Puricelli E. Aspectos odontológicos. In: Knobel E, organizador. Condutas no paciente grave. 4. ed. Rio de Janeiro: Atheneu; 2016. p. 3093-108.
13. Campos MR, Schramm JMA, Emmerick ICM, et al. Burdin of disease from Covid-19 and its acute and chronic complications: reflections on measurement (DALYs) and prospects for the Brazilian Unified National Health System. Cad Saúde Pública. 2020 Oct 30;36(11):e00148920. English, Portuguese. doi: 10.1590/0102-311X00148920..
14. Fogaça ACM, Morais TMN. Osteonecrose dos maxilares e estratégias utilizadas em seu manejo odontológico. In: Wannacher L, Rosing CK, organizador. Terapia medicamentosa em odontologia: fundamentos e aplicabilidade. 1. ed. Rio de Janeiro: Guanabara Koogan; 2023. p. 210-214.
15. Hondjeu ARM, Chung F, Wong J. Perioperative management of patients with obstructive sleep apnea. Can J Gen Int Med. 2022;17(SP1):1-16.
16. Barak M, Yoav L, Naja I. Hypotensive anesthesia versus normotensive anesthesia during major maxillofacial surgery: a review of the literature. Scientific World Journal. 2015;2015:480728.
17. Jose A, Nagori SA, Agarwal B, et al. Management of maxillofacial trauma in emergency: an update of challenges and controversies. J Emerg Trauma Shock. 2016;9:73-80.
18. Bogusiak K, Puch A, Arkuszewski P. Goldenhar syndrome: current perspectives. World J Pediatr. 2017;13(5):405-15.
19. Twigg SRF, Wilkie AOM. New insights into craniofacial malformations. Hum Mol Genet. 2015;24(R1):R50-9.
20. Sinkueakunkit A, Chowchuen B, Kantanabat C, et al. Outcome of anesthetic management for children with craniofacial deformities Pediatr Int. 2013;55(3):360-5.
21. Hosking J, Zoanetti D, Carlyle A, Anderson P, Costi D. Anesthesia for Treacher Collins syndrome: a review of airway management in 240 pediatric cases. Paediatr Anaesth. 2012 Aug;22(8):752-8. doi: 10.1111/j.1460-9592.2012.03829.x.
22. Sahni N, Bhatia N. Successful management of difficult airway in an adult patient of Goldenhar syndrome. Saudi J Anaesth. 2014;8(Suppl 1):S98-S100.
23. Yang SC, Lee HY, Chen CL, et al. Eye Protection in Liver Transplantation Patients Under General Anesthesia. Transplant Proc. 2018;50(9):2651-3.
24. Grando TA, Puricelli E, Bagatini A, et al. Alterações pós-anestésicas do hematócrito em cirurgias ortognáticas. Rev Bras Anestesiol. 2005;55:55-63.
25. Souza AF, Rocha AL, Castro W H, et al. Dental care before cardiac valve surgery: is it important to prevent infective endocarditis? Int J Cardiol Heart Vasc. 2016;12:57–62.
26. Mathias LAST, Bernardis RCG, Carlos RV, Pinheiro PF, Silva MP Avaliação Pré-anestésica – Visão Geral. In: Tratado de Anestesiologia: SAESP – 9ª Ed – São Paulo: Editora dos Editores, Eireli, 2021. v.1; cap.81:p.1271-1288.
27. Mc Allister P, Jenner S, Laverick S. Toxicology screening in oral and maxillofacial trauma patients. J Oral MaxillofacSurg. 2013;51:773-8.
28. Puricelli E, Corsetti A, Thome EGR, et al. Cuidados do atendimento odontológico do paciente com necessidades especiais em centro cirúrgico hospitalar. In: Morais TMN, Silva A, organizador. Fundamentos da Odontologia em Ambiente Hospitalar/UTI. 1. ed. Rio de Janeiro: Elsevier; 2015. p.279-299.
29. Gold M, Pearlman A, Boyack I. Middle turbinectomy after nasotracheal intubation. EmergRadiol. 2016;23(2):203-5.
30. Song JG, Cho W, Ji SM et al. Laryngeal granulomas in patients after two-jaw surgery. Anest Pain Med. 2019;14:499-93.
31. Pesse MS. Protocolo de atendimento odontológico a pacientes usuários de terapia antitrombótica. RFO UPF. Passo Fundo. 2018;23(2):229-35

32. Ghandi AA. Intraoperative fluid management past and future, where is the evidence? Saudi J Anaesth. 2018;12:311-8.

33. Culley DJ. Choice of fluid therapy for major surgery. Anaesthesiology. 2019;130:825-32.

34. Meng L, McDonagh DL, Berger MS, Gelb AW. Anesthesia for awake craniotomy: a how-to guide for the occasional practitioner. Can J Anaesth. 2017;64(5):517-29. Available from: http://dx.doi.org/10.1007/s12630-017-0840-1.

35. Gupta S, Fernandes RJ, Rao JS, Dhanpal R. Perioperative risk factors for pulmonary complications after non-cardiac surgery. J Anaesthesia Clin Pharmacol. 2020;36:88-93.

36. Barak M, Bahouth H, Leiser Y, et al. Airway management of the patient with maxillofacial trauma: review of the literature and suggested clinical approach. Biomed Res Internat. 2015:1-9.

37. Hajjar LA, Fukusima JT, Almeida JP, et al. Strategies to reduce blood transfusion: a Latin-American perspective. Crurr Opin Anesthesiol. 2015;28:81.

38. Clifford L, Jia Q, Yadav H, Subramanian A, et al. Characterizing the epidemiology of perioperative transfusion-associated circulatory overload. Anesthesiology. 2015;122(1):21-8. doi: 10.1097/ALN.0000000000000513.

39. Ding L, Zhang H, Mi W, et al. Effects of dexmedetomidine on anesthesia recovery period and postoperative cognitive function of patients after robot-assisted laparoscopic radical cystectomy. Int J Clin Exp Med. 2015;15;8(7):11388-95.

40. McLean DJ, Shaw AD. Intravenous fluids: effects on renal outcomes. Br J Anaesth. 2018 Feb;120(2):397-402. doi: 10.1016/j.bja.2017.11.090.

41. Krishna HM, Prasad MK, Mitragotri MV, et al. Recent advances in perioperative blood management. Indian J Anaesth. 2023 Jan;67(1):130-138. doi: 10.4103/ija.ija_1043_22.

42. Eftekharian H, Zamiri B, Ahzan S, et al. Orthognathic Surgery Patients (Maxillary Impaction and Setback plus Mandibular Advancement plus Genioplasty) Need More Intensive Care Unit (ICU) Admission after Surgery.J Dent (Shiraz). 2015;16(1 Suppl):43-9.

43. Scarlatti KC, Michel JLM, Gamba MA, et al. Úlcera por pressão em pacientes submetidos à cirurgia: incidência e fatores associados. Rev Esc Enferm. 2011;45(6):1372-9.

44. Fellini RT, Volquind D, Schnor OH, et al. Airway management in Ludwig's angina - a challenge: case report. Rev Bras Anestesiol. 2017;67(6):637-40.

45. Pandley M, Kaur, M, Sanwal M, et al. Ludwig's angina in children anesthesiologist's nightmare: case series and review of literature. J Anaesthesiol Clin Pharmacol. 2017;33(3):406–9.

46. Yang HJ, Hwang SJ. Relapse related to pushing and rebounding action in maxillary anterior downgraft with mandibular setback surgery. J Craniomaxillofac Surg. 2018;46(8):1336-42.

47. Eom KS. Epidemiology and Outcomes of Traumatic Brain Injury in Elderly Population: a multicenter analysis using korean neuro-trauma data bank system 2010-2014. J Korean Neurosurg Soc. 2019;62(2):243-55.

48. Puricelli E, Ponzoni D. Submandibular approach for orotracheal intubation in oral and maxillofacial surgery and traumatology. Research, society and development. 2021;10:e49101220158.

49. De Angelis AF, Barrowman RA, Harrod R. Review article: maxillofacial trauma – A retrospective study of 177 cases. Saudi J Anaesth. 2014;26:530-7. doi: https://doi.org/10.1111/17426723.12267.

50. Jain U, McCunn M, Smith CE, et al. Management of the Traumatized Airway. Anesthesiology. 2016;124(1):199-206. doi: 10.1097/ALN.0000000000000903.

51. AlAsseri N, Swennen G. Minimally invasive orthognathic surgery: a systematic review. Int J Oral Maxillofac Surg. 2018;47:1299–310. doi.org/10.1016/j.ijom.2018.04.017.

52. Pushkar M, Varun A. Temporomandibular Joint Arthrocentesis: Outcomes Under Intravenous Sedation Versus General Anesthesia. Journal of Oral and Maxillofacial Surgery. 2015;73(5):834-842. doi.org/10.1016/j.joms.2014.11.018.

179

Anestesia para Cirurgia Plástica Estética e Lipoaspiração

Paulo Sergio Mateus Marcelino Serzedo ■ **Carlos André Cagnolati** ■ **Leandro Criscuolo Miksche** ■ **Roberto Ballaben Carloni**

INTRODUÇÃO

Desde a década de 1960, em virtude da crescente busca da população por melhorias estéticas, o Brasil é conhecido como referência em cirurgia plástica. A *American Society of Plastic Surgeons* através de seus dados consolidados em 2023 indica que 18,3 milhões de procedimentos estéticos foram realizados neste ano[1] a nivel mundial, e como desde a década de 1960 no Brasil existe uma crescente busca da população por melhorias estéticas e sendo o Brasil reconhecidamente uma referência na cirurgia plástica isso demonstra a grande magnitude do assunto.

Isso já demonstra a grande magnitude desse assunto, que ganha ainda mais importância graças a várias particularidades, como apelo pelas mídias, comodidade do cirurgião e questões econômicas – há relatos, com base em dados de 2016, de que 72% dos procedimentos estéticos foram realizados em consultórios ou clínicas particulares adaptadas, 19% em centros cirúrgicos ambulatoriais e 9% em unidades hospitalares.[2] A quantidade, a variedade e a complexidade dos pacientes e casos têm a otimização dos resultados e principalmente o aspecto da segurança do paciente permanece na vanguarda da cirurgia estética como pilar para uma prática contínua e bem-sucedida.

■ AVALIAÇÃO E PREPARO PRÉ-ANESTÉSICO

A avaliação pré-operatória realizada por anestesiologista e com a necessária antecedência em consultório é um passo inicial fundamental para reduzir a ansiedade natural antes de procedimentos puramente estéticos. É o momento de esclarecer todas as dúvidas do paciente e de fornecer orientações sobre a rotina que antecederá o procedimento, além de estabelecer um laço de confiança entre as partes, com a assinatura do termo de consentimento livre e esclarecido.[3] Esta avaliação é obrigatória na forma da lei e permite ao anestesiologista estratificar o risco pré-operatório a partir da análise do conjunto de conhecimento sobre estado físico, medicações utilizadas e doenças preexistentes, bem como solicitar algum exame que julgue necessário para o melhor planejamento do ato anestésico. É necessário que fique bem sedimentado que todos os requisitos de segurança estão sendo obedecidos, mesmo que o paciente seja jovem e se submeta a um simples procedimento estético. As complicações em cirurgia plástica podem ser graves e dramáticas, e sempre se questionará o que poderia ter sido feito para evitá-las.

Toda comorbidade deve ser conhecida e estar compensada no seu ponto ideal, pois não é raro deparar-se com hipertensão arterial, doença coronariana, arritmias, asma brônquica, diabete melito, refluxo gastresofágico, insuficiência renal, cirrose hepática, anemias e alergias, e a estratificação de risco envolve avaliação e compensação adequadas da patologia. Sem esse claro posicionamento, o paciente estará invariavelmente exposto a um risco anestésico cirúrgico aumentado. Os anestesiologistas, sobretudo os mais jovens, não podem nem devem guiar-se por falas de procedimentos rápidos, sob sedação leve e com anestesia local no campo; muitos pacientes são jovens e saudáveis, mas a parcela mais idosa vem aumentando enormemente e a anestesia em cirurgia plástica estética pode esconder muitas armadilhas.

Grandes problemas podem advir do uso do análogo do *glucagon-like peptide-1* (GLP-1; todas as glutidas) que, na última década, vem sendo utilizado muitas vezes sem prescrição médica e com indicação *off label* para controle do peso corporal, tratamento da resistência insulínica ou mesmo em regimes de emagrecimento. Como esses pacientes procuram a cirurgia plástica para melhorias do contorno corporal, não é raro encontrá-los na prática clínica, devendo-se ficar muito atento, uma vez que já existem diversos relatos na literatura associando essas medicações a retardo do trânsito gastrintestinal, com possibilidade de vômito, regurgitação e até aspiração broncopulmonar. Já é consenso, inclusive, que mesmo com tempo de jejum estendido e uso de ultrassom para visualizar conteúdo gástrico, sempre existe possibilidade aumentada dessas intercorrências.[4]

Os inibidores do cotransportador de sódio-glicose-2 (SGLT2) também inibem a reabsorção da glicose no túbulo contorcido proximal, o que induz a glicosúria, redução dos níveis glicêmicos e perda ponderal, e devem ser considerados graças a complicações como hipoglicemia e cetoacidose diabética.[5]

Recentemente lançaao no mercado nacional, a conhecida associação naltrexona-bupropiona (Contrave®) também desperta muito receio nos anestesiologistas em decorrência de suas propriedades antagonistas dos receptores opioides potencializadas pelo antidepressivo noradrenérgico bupropiona. Durante seu uso haver uma resistência muito exagerada aos opioides, e na fase da retirada, um efeito inverso perigoso com extrema sensibilidade aos opioides.

Outra classe de medicação que permanece com grande parte de seus efeitos carecendo de estudos robustos que comprovem sua ação são as preparações de canabidiol medicinal, sendo ainda considerada por alguns autores uma incursão a cegas em terreno desconhecido quanto às interações do sistema endocanabinoide com as medicações utilizadas na anestesia, com o agravante de muitas vezes não se comprovar a procedência e o tipo de canabidiol medicinal.[6]

Por fim, uma medicação utilizada para controle do transtorno do déficit de atenção vem sendo largamente utilizada de forma totalmente *off label*, a lisdexanfetamina (Venvanse®), que, por sua ação no hipotálamo, reduz o apetite e aumenta a saciedade, mas carrega consigo um potencial de abuso e, muitas vezes, utilização recreativa. Essa prescrição vem sendo considerada exagerada e altamente questionável, já que não se dispõe de estudos consistentes que comprovem sua utilidade no tratamento da obesidade. Se a lisdexanfetamina não for suspensa no dia da cirurgia, quadros de taquicardia, hipertensão arterial e arritmias cardíacas podem acontecer em alguns pacientes. (Tabela 179.1).[7]

É muito importante investigar história de náuseas e vômitos em procedimentos cirúrgicos anteriores, correlacionando-os com fatores de risco apresentados pelo paciente, a fim de instituir a terapêutica apropriada para a prevenção desse desconfortável problema no pós-operatório, que pode retardar ou mesmo impedir a alta hospitalar do paciente.

Outro ponto de acurada observação deverá ser a detecção do paciente com sinais de apneia obstrutiva do sono e ronco noturno. Para tanto, o questionário Stop-bang fornece valiosos indícios dessa situação, que se revestirá de grande importância em casos de anestesia infiltrativa local ou mesmo anestesia regional associada à sedação, já que pacientes com altos *scores* no questionário são especialmente sensíveis mesmo com a sedação dita consciente, com frequentes problemas ventilatórios.

Por fim, não se deve esquecer de planejar a analgesia pós-operatória, já que o paciente de cirurgia plástica estética apresenta um perfil psicológico que não tolera graus de desconforto e dor um pouco mais acentuada no pós-operatório, sem mencionar que alguns procedimentos, como a lipoaspiração, especialmente aquela realizada no dorso ou aquelas associadas à utilização de *laser* ou radiofrequência, costumam ter potencial mais elevado para dor pós-operatória. Todos os outros cuidados no pré-operatório devem seguir a rotina como em quaisquer os outros procedimentos e jamais se deve subestimar o potencial de complicações que pode advir mesmo de pequenos procedimentos sob anestesia local e sedações ditas leves. Prudência e ciência sempre.

■ AVALIAÇÃO DO AMBIENTE AMBULATORIAL E SELEÇÃO DO PACIENTE

Segundo a Sociedade Americana de Cirurgia Plástica, estima-se a realização de 17,5 milhões de casos de procedimentos estéticos somente em 2022, sendo 72% deles executados em consultórios ou clínicas particulares e 19% em unidades ambulatoriais anexas a hospitais. Tal realidade, guardadas as devidas proporções, deve também ocorrer no Brasil, e isso levanta muitas preocupações, uma vez que o

Tabela 179.1 Orientações e manejo de medicamentos perioperatórios.

Nome farmacológico	Classe	Nome comercial (®)	Tempo de interrupção
Semaglutida	Análogo GLP-1	Ozempic, Wegovy	21 dias antes
Dulaglutida	Análogo GLP-1	Trulicity	15 dias antes
Liraglutida	Análogo GLP-1	Saxenda	3 dias antes
Semaglutida	Análogo GLP-1	Victoza	14 dias antes
Liraglutida/INS. Degludega	Análogo GLP-1/Análogo ultralongo	Xultohy	3 dias antes
Dapaglifozina	Inibidor SGTL-2	Forxiga	3 dias antes
Emaglifozina	Inibidor SGTL-2	Jardiance	3 dias antes
Canaglifozina	Inibidor SGTL-2	Invokana	3 dias antes
Glibeenclamida	Sulfonilureia	Daonil	1 dia antes
Repaglinifa	Metiglinida	Novonorm	1 dia antes
Nateflinida	D-fenilalanuna	Starform	1 dia antes
Metformina	Biguanida	Glifage	1 dia antes
Naltrexona + bupropiona	Antagonista opioide +inibidor da recaptação de noradrenalina	Contrave	2 dias antes
Canabidiol medicinal	Endocanabinoide	Canabidiol medicinal	3 dias antes
Lisdexanfetamina	Anfetamina	Venvanse	1 dia antes

Conselho Federal de Medicina, por meio da resolução CFM Nº 2.174/2017, publicada em fevereiro de 2018 no Diário Oficial da União, estabeleceu regras claras e rígidas definindo critérios mínimos para a realização do ato anestésico.[8] É imprescindível que o anestesiologista conheça e cumpra toda essa legislação para poder oferecer a segurança necessária ao paciente. Além disso, o nível de exigência e expectativa dos pacientes por melhores resultados aumenta a cada dia, envolvendo assim toda a equipe.[1]

O desenvolvimento de melhores anestésicos e novas técnicas cirúrgicas, somado ao envelhecimento da população (muitas vezes com várias comorbidades), obriga os médicos a seguirem critérios de seleção dos pacientes e a estabelecerem barreiras para algumas situações que levariam à exposição desnecessária no quesito segurança. Alguns fatores considerados de risco precisam ser bem avaliados, como sobrepeso, obesidade, tempo prolongado de cirurgia, doença pulmonar obstrutiva crônica (DPOC), hipertensão arterial não tratada ou com controle inadequado, cirurgia cardíaca ou doença coronariana tratada com *stent* em pacientes com sintomatologia e desempenho inferior a 4 mets, ataque isquêmico transitório ou acidente vascular cerebral com tempo inferior a um ano, bem como quantidade de volume a ser lipoaspirado. A quantificação precisa ser individual, uma vez que cada paciente é um caso e cada equipe cirúrgica tem um desempenho, e se o conjunto desses fatores não for bem avaliado, invariavelmente a morbimortalidade aumentará.[9]

▪ PARTICULARIDADES NAS TÉCNICAS ANESTÉSICAS

Existem muitos pontos em comum entre praticamente todas as técnicas, nos mais variados tipos de procedimentos estéticos. O sucesso dependerá do conhecimento e da aplicação de cada um deles por parte do anestesiologista, levando a um desfecho extremamente positivo e com entrega de alta qualidade em todos os pontos, entre os quais se destacam os apresentados a seguir.

Cirurgias Superficiais

Nessas cirurgias geralmente não se atinge o plano intracavitário, sendo necessária uma menor concentração de anestésico local, como no bloqueio peridural, por exemplo. Isso permite tanto utilizar maior volume e injeções repetidas com boa segurança quanto não atingir doses tóxicas.

No caso de anestesia geral também são necessárias menores doses de relaxantes musculares, ou pode-se até mesmo dispensar seu uso, com consequentemente benefício no momento da reversão do bloqueio neuromuscular.

Náuseas e Vômitos

Devem ser prevenidos e combatidos com vigor após avaliação individual com critérios de risco. Apesar de a etiologia exata não ser conhecida, sabe-se que existem gatilhos importantes para o aparecimento dessas condições, como anestésicos inalatórios e opioides que podem deflagrar o problema; portanto, o primeiro passo é evitar ou reduzir a exposição a eles.

Pode ser utilizado rotineiramente um *score* simplificado com preditores independentes que permite empregar uma profilaxia proporcional ao risco da linha de base do paciente, certamente evitando sub ou supertratamentos. Apesar da infinidade de artigos publicados, é sabido que, muitas vezes, a eficácia dos antieméticos é limitada, mas são as ferramentas das quais se dispõe, ainda que evitar os gatilhos que provocam náuseas e vômitos seja a medida mais eficaz[10] (Tabela 179.2).

Tabela 179.2 Chances de náuseas e vômitos associados aos fatores de risco (modelo de regressão multivariada).

Fatores de risco do paciente	Proporção da probabilidade	Preditores fortes
Sexo feminino	3,6	Sim
História de náuseas e vômitos pós-operatórios	4,5	Sim
Estado não fumante	4,6	Sim
Idade (por década)	1,1	Não
IMC	1,6	Não
ASA	1,7	Não
História de Cinetose	2,1	Sim
História de enxaqueca	2,2	Não
Fatores relacionados com a anestesia		
Duração (por hora)	2,1	Sim
Anestésicos voláteis	10,1	Sim
Óxido nitroso	2,2	Sim
Opioides intraoperatórios	4,2	Sim
Opioides pós-operatórios	4,8	Sim
Cirurgia associada		
Otorrinolaringológica	4,4	Não
Ginecológica	9,3	Sim
Oftalmológica	5,9	Não
Abdominal	5,8	Sim
Laparoscópica	3,2	Sim
Ortopédica	3,4	Não
Plástica	6,7	Não

IMC: índice de massa corporal; ASA: *American Society of Anesthesiologists*.

Comumente são utilizados antieméticos com diferentes mecanismos de ação no intuito de minimizar os efeitos colaterais de um único antiemético em dose maior, esperando que a associação possa ampliar o poder preventivo de náuseas e vômitos pós-operatórios (NVPO). Assim, a dexametasona agindo por inibição central do trato solitário, pode ser administrada na dose de 4,0 mg a 8,0 mg logo após a indução, enquanto a ondansetrona, um antagonista serotoninérgico do receptor 5-Ht3, na dose de 4,0 mg, é considerada um eficaz – doses maiores não aumentam sua eficácia e podem ocasionar problemas como a síndrome do intervalo QT.

Já a palanosetrona na dose de 0,075 mg é considerada a mais efetiva, com meia-vida prolongada e sem interferências no intervalo QT, enquanto o droperidol, um antagonista de D2 muito potente, mesmo em doses consideradas baixas de 0,625 a 1,25 mg, deve ser administrado ao final do procedimento, por ter meia-vida de apenas três a quatro horas. Apesar de sua eficiência, o droperidol pode aumentar a sedação ou mesmo causar ansiedade, acatisia, agitação e arritmias cardíacas por prolongamento do intervalo QT (torsade de pointes). Em pacientes com cinetose, pode-se lançar mão de antagonistas da histamina tipo dimenidrato em doses endovenosas de 30 mg a 60 mg, com aumento da sedação como efeito colateral.[11,12]

Várias combinações e descrições de terapia multimodal estão disponíveis e foram demonstradas no ensaio randomizado IMPACT;[11,12] contudo, a eficácia mostra-se sempre limitada e os estudos apresentam muitos vieses de publicação, levando à conclusão de que a melhor conduta ainda é quantificar a necessidade de prevenção, modificar a técnica anestésica de acordo com a necessidade do paciente e acompanhá-lo na recuperação pós-anestésica, intervindo precocemente com medicações ainda não utilizadas[13] (Tabela 179.3).

Despertar Rápido

É sempre desejado, mas em paciente calmo e sem dor. Tanto na anestesia geral quanto em técnicas de sedação associadas à técnica de anestesia regional, a escolha dos agentes deve recair sobre fármacos com propriedades de baixa meia-vida de eliminação plasmática; assim, agentes como remifentanil, dexmedetomidina e propofol são boas escolhas para infusão contínua, mesmo que prolongada, por terem sua meia-vida contexto-dependente pouco alterada nessas situações.

Entre os agentes inalatórios, a escolha recai sobre sevoflurano e desflurano, os quais, em decorrência de sua baixa lipossolubilidade, apresentam perfil farmacológico de rápida eliminação e são também pouco influenciados pelo tempo de administração.

O uso de bombas de infusão alvo-controlada, analisador de gás expirado com medida da fração de agente inalatório e utilização de monitor de profundidade anestésica, otimiza ainda mais o despertar mais rápido, prevenindo o excesso de profundidade anestésica. É claro que essa eliminação rápida, tanto de agentes venosos quanto de agentes inalatórios, impõe a necessidade de uma estratégia para analge-

sia pós-operatória, obtendo-se resultados muito favoráveis quando se associam anestesia locorregional e anti-inflamatórios não esteroidais, derivados pirazolônicos e, se necessário, pequenas doses de opioides.

Atualmente, os opioides vêm sendo substituídos com grande vantagem por vários bloqueios de parede realizados com guia ultrassônico, proporcionando grande conforto ao paciente, com menor índice de náuseas e vômitos, e abreviando a alta hospitalar. Como estratégia poupadora de opioides, utiliza-se lidocaína sem vasoconstritor na dose de 1,0 mg a 2,0 mg/kg^{-1}, e para procedimentos mais prolongados, cetamina na dose de 0,1 mg/kg^{-1} em bólus, seguida de infusão contínua de 1,0 mg/kg^{-1}/h^{-1}.

Técnicas de anestesia venosa total associada a infiltração locoegional, bloqueios de parede ou peridural contínua com anestésico em baixa concentração, sempre com monitorização de profundidade anestésica, garantem redução de náuseas e vômitos, estabilidade cardiovascular e redução de custo em relação à anestesia inalatória.

Despertar Suave

Deve ser sinônimo de segurança para cirurgia plástica com qualidade. Não se deseja um paciente despertando agitado, com náuseas ou vômitos e queixando-se de dor, pois essa agitação provoca aumentos indesejados da pressão arterial e da frequência cardíaca (FC), com possibilidade de formação de hematomas, principalmente após ritidoplastias além de forçar suturas, em especial as plicaturas da abdominoplastia.

O despertar suave está intimamente ligado ao uso de baixas doses de inalatórios, principalmente o sevoflurano,[12] à analgesia residual de opioides, aos bloqueios nervosos e ao emprego de dexmedetomidina.[10]

Hipotermia

O combate à hipotermia é de grande importância porque, muitas vezes, há grande exposição corporal, infiltração de soluções hipotérmicas e de baixa temperatura da sala cirúrgicas, o que influencia muito em procedimentos mais prolongados. A hipotermia leve, mesmo que de −1,5°C a −2,0°C, causa uma série de efeitos deletérios no paciente, podendo alterar a coagulação em virtude de a alterações da tromboplastina parcial ativada e do tempo de sangramento;[14] a vasoconstrição periférica torna-se intensa, com piora do padrão de perfusão.

Na reversão da anestesia, é comum observar uma situação de tremor incontrolável do paciente, mas, na realidade,

Nº de preditores	Chance de NVPO	1 antiemético	2 antieméticos	3 antieméticos	4 antieméticos
0	↑ 10%	↓ 7%	↓ 5%	↓ 4%	↓ 3%
1	↑ 20%	↓ 15%	↓ 11%	↓ 8%	↓ 6%
2	↑ 40%	↓ 29%	↓ 22%	↓ 16%	↓ 12%
3	↑ 60%	↓ 44%	↓ 33%	↓24%	↓ 18%
4	↑80%	↓59%	↓ 44%	↓ 32%	↓ 24%

Tabela 179.3 Incidência de náuseas e vômitos frente a preditores com antieméticos.

trata-se de um quadro denominado *shivering*, uma síndrome em que o sistema nervoso autônomo inicia um aumento exagerado da FC, da pressão arterial e do consumo de oxigênio por todos os tecidos, principalmente o miocárdio; assim, a resistência vascular sistêmica aumenta, com produção de ácido lático e de CO_2, instalando-se progressivamente um quadro de acidose metabólica.

A profilaxia da hipotermia é fundamental, já que existem muitas dificuldades com o reaquecimento. Colchões térmicos, aquecimento de todas as soluções e manutenção da temperatura da sala o mais elevada possível são pontos importantes. Deve-se monitorar a temperatura do paciente e da sala cirúrgica e anotar tudo.

A utilização de dexmedetomidina reduz de maneira eficaz o tremor no pós-operatório.[15]

Posicionamento do Paciente

O posicionamento é de especial interesse tanto para o cirurgião plástico quanto para o anestesiologista. Diversas posições apresentam risco mais elevado de lesão do paciente, em decorrência do tempo mais prolongado de alguns procedimentos, da necessidade de mudanças de posição no transoperatório ou mesmo por necessitarem de cefaloaclive. Assim, é importante negociar com o cirurgião plástico os limites toleráveis pelo paciente.[16]

São esperadas alterações hemodinâmicas e respiratórias, além de possíveis lesões nervosas por compressão ou estiramento e de isquemia devido à compressão e ao longo tempo cirúrgico. Rotineiramente, utiliza-se colchão de silicone, para substituir a espuma original das mesas cirúrgicas, e toda sorte de posicionadores e protetores em silicone. Deve-se observar o paciente e os excessos de posicionamento, acolchoar as áreas de maior pressão com espuma tipo caixa de ovo, fixar adequadamente os membros para que não se se desloquem com as alterações de posição não esperadas no transoperatório e enfaixar os membros inferiores ou usar meias elásticas de compressão e botas pneumáticas por cima – tudo isso, além de melhorar o retorno venoso, diminui a chance de trombose no plexo venoso dos membros inferiores.[17]

É necessário contornar a elevação da complacência pulmonar e da capacidade residual funcional com evidente aumento do espaço morto e da resistência vascular pulmonar. Muitas vezes não se tem acesso à via aérea do paciente, sendo importante a utilização de sonda traqueal aramada com conexões firmes e fixas. O uso de máscara laríngea só é aceito para tempos cirúrgicos menores e nos casos em que não haverá manipulação cefálica nem mudanças de decúbito.[17]

O cefaloaclive pode causar grandes variações hemodinâmicas no paciente, com destaque para ativação reflexa do tônus simpático e queda do parassimpático. O sistema renina-angiotensina-aldosterona sofre ativação, tudo tentando compensar a queda do débito cardíaco, que pode chegar até 40%. Mesmo com toda essa ativação simpática, invariavelmente ocorre queda do fluxo sanguíneo cerebral, que será proporcional à queda da pressão arterial média (PAM). Esta é uma questão extremamente delicada, pois a pressão de perfusão cerebral (PPC) é igual à PAM menos a pressão venosa cerebral (PVCr).

Existe um mecanismo de autorregulação do fluxo sanguíneo cerebral que manteria um fluxo cerebral constante com PAM entre valores de 50 mmHg até 150 mmHg, mas não se sabe até que ponto esse mecanismo é confiável, já que o paciente precisaria ter reserva para tolerar uma PAM de 50 mmHg e que anestésicos, sobretudo os inalatórios alteram, esse mecanismo de compensação. É melhor, portanto, utilizar vasoconstritores para aumentar a resistência vascular periférica, corrigir adequadamente a volemia (já que os átrios tendem a ficar mais vazios) e, sobretudo, elevar o dorso devagar, calibrando a pressão arterial sistólica (PAS) e altura da elevação, uma vez que, para cada centímetro de elevação do tórax, a PAS cai 0,8 mmHg[16] no segmento cefálico (Figura 179.1).

É um grande desafio manter a perfusão cerebral com um campo operatório sem sangramento exagerado e não expondo o paciente a riscos desnecessários. O mais prudente, conhecendo a fisiologia, é garantir a via aérea, controlar a ventilação, evitar hipoxia e hiperoxia, manter o CO_2 expirado entre 35 mmHg e 40 mmHg e, em especial, evitar técnica anestésica e agentes anestésicos que induzam hi-

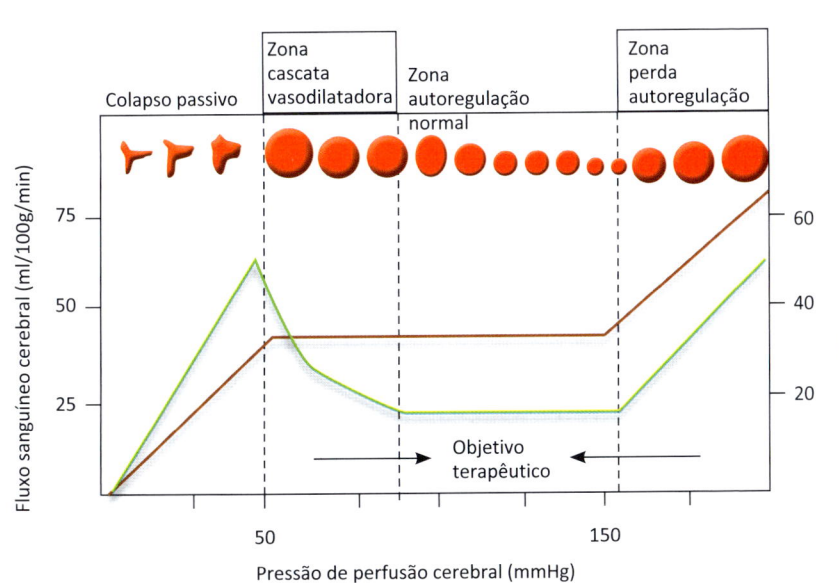

◀ **Figura 179.1** Fluxo sanguíneo cerebral.
PPC = PAM – PVCr.
Fonte: Adaptada de Miller's anesthesia. 9ª edition. Philadelphia: Elsevier; 2020.

potensão arterial e hipóxia. Sempre que possível, deve-se utilizar um monitor de profundidade anestésica, sobretudo para impedir a profundidade excessiva do plano anestésico, com surtos de supressão, e evitar a superficialização na tentativa de corrigir a hipotensão arterial.[18,19] O ideal é utilizar um *doppler* transcraniano, para monitorizar a velocidade de fluxo nas artérias cerebrais, ou monitores para detecção de hipóxia, como o *near-infrared spectroscopy* (NIRS).[19]

Anestésico Local

Basicamente três anestésicos locais podem ser utilizados na anestesia para cirurgia plástica: lidocaína, bupivacaína e ropivacaína a respeito de lipoaspiração e a bupivacaina por seu potencial cardiotóxico praticamente não é utilizada, já a ropivacaína, que desde 1997 teve seu uso clínico liberado, e graças ao seu perfil com menores efeitos cardiodepressores em virtude de mudanças estruturais em sua fórmula química, vem sendo muito utilizada em anestesia para cirurgia plástica, pois permite o uso seguro de largos volumes de soluções menos concentradas em bloqueios peridurais e periféricos. Também apresenta menores efeitos inotrópicos negativos quando comparada à bupivacaína racêmica ou à levobupivacaína.[20] Obtém-se analgesia de boa qualidade, extensa e segura com essas soluções de ropivacaína diluídas (0,125% a 0,5%), sempre respeitando a massa tóxica de 2,0 mg/kg^{-1} a 3,0 mg/kg^{-1}, administradas lenta e preferencialmente de maneira fracionada. Quando se utiliza anestesia peridural contínua, a titulação do volume é uma constante.

Como o anestésico local está muito presente na prática diária, deve-se ter sempre em mente os sinais de intoxicação aguda e terapia lipídica de resgate.[21] A escolha da concentração envolve considerações individuais sobre o paciente, o tipo de cirurgia, a habilidade do cirurgião e o tipo de complementação da anestesia, desde sedação consciente até anestesia geral.

■ CIRURGIAS PLÁSTICAS COMBINADAS

A combinação de procedimentos de cirurgia plástica estética é extremamente atraente. Existe um forte apelo social sobre essa questão, no sentido de haver somente um período de recuperação, com redução de custos cirúrgicos e melhoria do resultado em decorrência da melhor adequação estética de áreas subjacentes. Os anestesiologistas têm recebido um grande aumento de solicitações por procedimentos múltiplos e mais extensos, mas estes não são recomendados para todos. Nem mesmo os avanços em técnicas anestésicas e cirúrgicas, na prevenção de trombose e infecções e na diminuição de transfusão sanguínea foram capazes de diminuir a chance do aparecimento de complicações chamadas aditivas – e muitas vezes mais que aditivas, como no caso do tromboembolismo venoso (TEV).[22]

A equação não é fácil de ser solucionada: a equipe cirúrgica precisa estar treinada e entrosada, para que o tempo cirúrgico não seja perigosamente prolongado, e o anestesiologista precisa ter conhecimento e treinamento para enfrentar as verdadeiras armadilhas que encontrará, com atenção para comorbidades como diabete, doenças cardiovasculares, distúrbios pulmonares, apneia do sono, obesidade mórbida, condições autoimunes e uso de tabaco ou *vaper* eletrônico, que pioram ainda mais a situação.

Pode haver qualquer associação de procedimentos, mas a abdominoplastia parece ser a porta de entrada para o consultório do cirurgião, podendo ser associada a lipoaspiração, plástica mamaria, ritidoplastia, dorsoplastia circunferencial, injeção de gordura em glúteos, entre outras. Este é um ponto-chave porque as complicações podem se somar, sendo o problema da trombose venosa profunda o de maior destaque, visto que pode ser fatal. O sucesso dependerá de seleção e preparo adequados dos pacientes.

Quanto à técnica anestésica, devem-se associar condições ideais para as cirurgias serem realizadas, com medidas efetivas para diminuição e controle de possíveis eventos adversos com o máximo de eficiência e conforto para o paciente.[1]

Tromboembolismo Venoso

O TEV ainda é uma das complicações mais temidas da cirurgia plástica estética, e a embolia pulmonar é uma das principais causas de mortalidade hospitalar. A cirurgia de abdominoplastia, seguida do aumento de glúteos e das cirurgias com procedimentos combinados (incluindo a cirurgia de face), é a que apresenta maior incidência de TEV, por associar fatores de risco específicos do paciente a uma gama de situações que provocam estase venosa nos membros inferiores. É preciso identificar estados de hipercoagulabilidade, otimizar fatores de risco pré-operatórios e utilizar dispositivos mecânicos e quimioprofilaxia segundo estratificação[23] (Tabela 179.4). Cuidados também devem ser tomados quanto às injeções de gordura, principalmente na região abaixo da musculatura glútea. Muitos casos de embolia gordurosa já foram descritos e, hoje, essas injeções restringem-se praticamente ao subcutâneo para melhoria do contorno corporal.[22]

A escala proposta por Caprini, com modelos fixos de dosagem de anticoagulantes, vem sendo substituida após inumeros estudos que determinaram com rigorosa precisão as dosagens de anticoagulantes individualizadas. Atualmente, é aceito que, em vez de 40 mg/dia de enoxaparina, utilize-se 0,5 mg/kg^{-1} a cada 12 horas.[22,24]

Sangramento

Deve-se pesar gazes, compressas e campos operatórios e medir o volume do aspirador, e ainda que esse método seja pouco preciso, quando associado à observação clínica do paciente, pode ser de grande valia, principalmente em procedimentos grandes, múltiplos e nos quais a lipoaspiração estiver presente. Um paciente anêmico no pós-operatório apresenta dificuldades para alta hospitalar e, sem dúvida, terá uma recuperação mais complicada.

Apneia Obstrutiva do Sono

Os pacientes com apneia obstrutiva do sono (AOS) são considerados mais susceptíveis à ação depressora respiratória de muitos medicamentos, apresentando maior propensão à obstrução das vias aéreas superiores, especialmente se permanecerem na posição supina. Dessa forma, um princípio geral é utilizar uma técnica anestésica que minimize

Tabela 179.4 Escore de Caprini.				
Características dos pacientes	**Escore**	**Características dos pacientes**		**Escore**
( ) Acidente vascular cerebral (< 1 mês)	5	( ) Restrição ao leito (> 72 h)		2
( ) Atroplastia de joelho ou quadril	5	( ) Idade entre 41 e 60 anos		1
( ) Fratura de quadril/pelve	5	( ) Cirurgia de grande porte prévia (< 1 mês)		1
( ) Politrauma	5	( ) Doença inflamatória intestinal		1
( ) Trauma raquimedular	5	( ) Doença pulmonar grave		1
( ) Idade > 75 anos	5	( ) Doença pulmonar obstrutiva crônica		1
( ) Anticoagulante lúpico	3	( ) Edema de membros inferiores		1
( ) Anticorpos anticardiolipina	3	( ) Gravidez e pós-parto (< 1 mês)		1
( ) Fator V de Leiden	3	( ) Contraceptivo ou terapia de reposição hormonal		1
( ) História familiar de tromboembolismo venoso	3	( ) Infarto agudo do miocárdio		1
( ) Homocisteína elevada	3	( ) Insuficiência cardíaca congestiva		1
( ) Protrombina 200210A	3	( ) Obesidade (IMC > 30)		1
( ) THI	2	( ) Perda fetal/aborto		1
( ) Idade entre 61 e 74 anos	2	( ) Restrição ao leito		1
( ) Atroscopia	2	( ) Sepse		1
( ) Câncer	2	( ) Varizes		1
( ) Cateter venoso central	2			
( ) Cirurgia de grande porte	2			
		Escore total:		

0: muito baixo   1 a 2: baixo risco   3 a 4: risco moderado   > 5: risco alto

THI: trombocitopenia induzida por heparina.
Fonte: Adaptada de Caprini, 2005.[23]

a depressão respiratória tanto no intra quanto no pós-operatório. Como são intolerantes à sedação mais profunda, se esta for necessária, é mais seguro estabelecer uma via aérea definitiva – a insistência em manter o paciente mais sedado sem dispositivos que garantam sua ventilação gera situações difíceis e é um risco desnecessário. Devem ser utilizados agentes com tempo de ação mais curto, como remifentanil, propofol e sevoflurano em baixas concentrações. A monitorização da profundidade anestésica aliada a bombas de infusão alvo-controladas é de grande valia nesses momentos. Podem ocorrer dificuldades na laringoscopia e na intubação traqueal, de modo que é preciso estar atento e preparar-se previamente.[25]

Devido ao aumento da incidência de complicações, especialmente respiratórias, os pacientes com AOS normalmente necessitarão de monitoramento mais rigoroso no pós-operatório, com oxigenioterapia e, possivelmente, com dispositivo de terapia domiciliar para apneia. Esses pacientes não devem receber alta da recuperação pós-anestésica para ambientes não monitorados enquanto não apresentarem mais riscos de depressão respiratória – isso pode ser feito facilmente retirando-se a fonte de oxigênio suplementar e deixando-o respirar ar ambiente sem estímulos que o despertem; se apresentar hipoxemia, ainda não pode ser liberado.[25]

Nesses pacientes, as técnicas poupadoras de opioides, seja durante a anestesia, seja no pós-operatório, associadas a bloqueios de nervos periféricos, infiltração de campo ou bloqueios de parede melhoram muito a situação. Deve-se também evitar deixá-los na posição supina, o que piora a mecânica ventilatória.

Sedação com Anestesia Local

A anestesia locorregional é muito utilizada em cirurgia plástica, existindo mesmo uma ilusão de que seria um procedimento mais seguro. Contudo, a sedação pode existir desde o grau mais leve (a chamada sedação consciente) até a sedação mais profunda, com perda de reflexos palpebral, corneano e das vias aéreas. O sucesso da escolha correta da anestesia reside na experiencia do anestesiologista e da equipe cirurgica frente ao tipo de cirurgia proposta e criteriosa analise de comorbidades do paciente, que muitas vezes impoe seria limitações a alguns métodos. Procedimentos longos, associados ou complexos. A sedação associada à anestesia locorregional realmente não é para todos os pacientes nem para todos os cirurgiões; é preciso estar habituado à técnica e, em primeiro lugar, respeitar os limites de segurança, admitindo que conhecimento e treino são fundamentais.[26]

Algumas cirurgias podem ser realizadas sob sedação e anestesia local, e normalmente o cirurgião faz uma infiltração dos tecidos com soluções contendo um anestésico local, em geral lidocaína associada a um vasoconstritor, como adrenalina. Basicamente, a lidocaína promoveria analgesia e a adrenalina, graças à sua vasoconstrição, aumentaria a duração anestésica e diminuiria o sangramento por vasoconstrição. É possível que, quando o cirurgião infiltra essa solução utilizando a técnica tumescente, ocorra um verdadeiro colapso da rede vascular devido à ação mecânica do infiltrado, de modo que a pele assume um aspecto de casca de laranja com áreas de moteamento, semelhante a um livedo reticular. A ação sinérgica da adrenalina e dessa tumescência altera drasticamente a absorção da lidocaína, diminuindo seus níveis plasmáticos, o que permite exceder em muito a dose tóxica do anestésico local, conforme descrito por Klein.[22] No entanto, esse tipo de infiltração tumescente é utilizado preferencialmente em procedimentos de lipoaspiração.[27]

As infiltrações de campo geralmente utilizam lidocaína a 0,2% com adição de adrenalina a 1/200.000. Em rinoplastias, porém, a concentração média de lidocaína é elevada para 0,8%, com adrenalina a 1/50.000; na blefaroplastia, lidocaína a 0,8% com adrenalina a 1/120.000. Essas concentrações mais elevadas só são permitidas graças aos pequenos volumes utilizados, cerca de 10 mL nas pálpebras e 14 mL no nariz, e, ainda assim, muitas vezes ocorre ação sistêmica da absorção de parte da adrenalina, provocando efeitos indesejáveis como taquicardia e hipertensão arterial, que precisam ser contornados com pequenas doses de alfa e betabloqueadores. Comumente, doses de 0,05 mg/kg[-1] a 0,10 mg/kg[-1] de metoprolol contornam a situação, pois já está sendo utiliza um alfabloqueador na sedação anestésica (dexmedetomidina). Sempre que possível, deve haver bloqueios nervosos, como supraorbitário, supratroclear, zigomático e infraorbitário, para complementação da infiltração do campo.

A infiltração provoca desconforto e, portanto, é comum que a sedação seja iniciada primeiro. Isso já exige do cirurgião destreza no sentido de, mais à frente, caso o paciente reaja, não confundir sedação insuficiente com falhas na infiltração e nos bloqueios. O paciente reagir à dor é diferente de superficializar e acordar.

É necessário controlar a profundidade da sedação, pois muitos pacientes passam do grau de sedação consciente para uma sedação mais profunda, o que pode levar a problemas nas vias aéreas e insuficiência ventilatória, embora muitas vezes com saturação adequada em razão da oferta oxigênio, mas com progressiva e perigosa retenção de CO_2. Sempre que possível, deve-se utilizar monitores de profundidade anestésica e bombas de infusão, sobretudo as alvo-controlados, de modo que os algoritmos possam corrigir infusões mais prolongadas, evitando sobredose e aprofundamento do plano anestésico.[28]

Quanto às medicações utilizadas, não existe uma receita infalível, e a escolha recai sobre o conhecimento científico do anestesiologista associado à sua prática clínica.

Midazolam seria o benzodiazepínico de escolha graças a sua meia vida de eliminação (T1/2β = 1,7 - 2,6 horas), mas não deve ser utilizado em pacientes obesos e cirróticos e exige cautela em idosos. Atualmente tem sido cada vez menos utilizado e, para casos de ansiólise no início do procedimento, tolera-se 30 μg/kg[-1] a 50 μg/kg[-1]. Problemas cognitivos, principalmente em idosos no pós-operatório, têm sido relatados.[29]

Propofol apresenta um perfil farmacocinético muito favorável nessas situações, com meia vida de eliminação (T1/2β = 30 - 90 minutos), com meia vida contexto-dependente mais adequada. Oferece início de ação e recuperação rápidos e menor índice de NVPO; a depender da dose, pode-se observar ansiólise, amnésia e até hipnose. Na infusão contínua em bomba alvo-controlada, qualquer que seja o protocolo utilizado, existe um reajuste na infusão para evitar acúmulo do fármaco, o que pode acontecer em infusões mais prolongadas. Em infusão contínua por bombas sem alvo, a dose de propofol gira em torno de 25 μg/kg[-1] a 75 μg/kg[-1].min[-1], podendo haver a transição não desejada de um grau de sedação leve para sedação profunda.[29]

Opioides são muito úteis para complementar a analgesia da anestesia local ou regional, ou mesmo para amenizar o desconforto do posicionamento do paciente na mesa cirúrgica. Vários opioides podem ser utilizados, em múltiplas doses e combinações, e por serem usados em associação com outros sedativos, a possibilidade de depressão ventilatória também é potencializada.

O fentanil é o opioide mais utilizado, e sua titulação em pequenas doses é fácil, já que a resposta é muito variável. A dose inicial sempre deve ser de 0,5 μg/kg[-1] a 1,0 μg/kg[-1] por via venosa, podendo ser repetida após avaliação inicial. Seu uso não está bem indicado em infusão contínua porque acumula-se facilmente graças ao seu grande volume de distribuição, gerando excessiva sedação e depressão no pós-operatório.

O alfentanil, apesar de apresentar menor volume de distribuição e meia-vida de eliminação, conta com alguns inconvenientes, como possibilidade de tórax rígido e mais náuseas e vômitos quando se utilizam doses de 5 μg/kg[-1] a 10 μg/kg[-1].

A infusão contínua em doses de 0,03 μg/kg–1 a 0,1 μg/kg–1 no sitio plasmatico ou de concentrações de 2,0 ng/mL–1 a 3,0 ng/mL–1 no sítio efetor por meio de bombas alvo-controladas resulta em uma analgesia basal que complementa a infiltração de campo ou bloqueios nervosos. Doses em bólus de remifentanil não devem ser utilizados por estarem associados ao aparecimento de tórax rígido, bradicardia e hipotensão arterial. Este é o nível máximo de analgesia que se obtém com unicamente opioides. Se for necessária analgesia suplementar, muitas vezes a técnica anestésica precisa ser modificada, sob risco de expor o paciente a níveis perigosos de depressão respiratória.[29]

Cetamina em baixas doses mostra-se um bom fármaco com ação antagonista não competitiva do receptor n-metil-d-aspartato (NMDA), e pequenas ações monoaminérgicas e em receptores opioides, mesmo em baixas doses, promovem um sinergismo aditivo com potencialização de analgesia e amnesia sem depressão do sistema cardiovascular e respiratório. Também se observa ligeira broncodilatação, interessante em pacientes com disfunção respiratória, mas, como desvantagem, produz grande sialorreia, muitas vezes provocando tosse no paciente. Por isso, uma estratégia interessante é usá-la somente após o emprego de agentes agonistas alfa-2-adrenérgicos que contrapõem esse efeito. A dose é de 0,1 mg/kg[-1] a 0,2 mg/kg[-1] e, quando necessário, pode-se fazer uma infusão contínua de 0,1 mg/kg[-1]/h[-1]. As doses são baixas pois não se busca uma anestesia dissociativa, somente uma potencialização multimodal.[29]

Agonistas alfa-2-adrenérgicos têm se mostrado ótimas medicações na prática clínica diária, com um efeito poupador de todos os outros fármacos anestésicos, visto que promovem sedação, analgesia, hipnose e redução da liberação de catecolaminas, além de boa redução da resposta neuroendócrina, metabólica e imunológica ao trauma, bem como diminuição da FC, da pressão arterial e da resposta adrenérgica intraoperatória, podendo ser utilizados sozinhos ou nas variadas combinações com outros agentes, sem provocar depressão respiratória.

Utiliza-se a clonidina em torno de 1 $\mu g/kg^{-1}$ a 5 $\mu g/kg^{-1}$, e a dexmedetomidina normalmente é utilizada na faixa de 0,3 $\mu g/kg^{-1}$ a 0,9 $\mu g/kg^{-1}/h^{-1}$. Administrando-se a dexmedetomidina logo no início não há necessidade da dose inicial de saturação de 1,0 $\mu g/kg^{-1}$ em 10 minutos, e graças ao seu perfil farmacocinético, infusões prolongadas não apresentam efeitos residuais cumulativos que suplantem seus benefícios nesses procedimentos. A sedação tem caráter leve a moderado, dose-dependente, com a vantagem de diminuição significativa de opioides e manutenção de função ventilatória e tônus hipofaríngeo. A estabilidade cardiovascular é muito boa, e se o limite de dosagem máxima for ultrapassado, é comum o aparecimento de hipertensão arterial e bradicardia reflexa por conta da ação excessiva dos receptores alfa-2 agonistas tipo B. A utilização da dexmedetomidina tem sido estudada em pacientes com problemas cognitivos tanto no desencadeamento quanto no agravamento dos quadros.[29]

Dependendo do tipo de paciente, da cirurgia e das habilidades técnicas de toda a equipe, pode-se calibrar a sedação em três basicamente níveis: sedação, em que o paciente desperta ao simples chamado; sedação moderada com analgesia (sedação consciente), em que ele desperta com chamado verbal ou a leve estímulo tátil; e sedação profunda, na qual o paciente não desperta ao chamado nem ao estímulo tátil, respondendo somente a estímulos dolorosos. Na sedação profunda com analgesia pode ocorrer comprometimento da função ventilatória dependendo da combinação de fármacos e da susceptibilidade individual, sendo necessároa a suplementação de oxigênio por meio de cânula de Guedel, cânula nasofaríngea e máscaras com ou sem reservatório, e quase invariavelmente poderá hsvrt retenção de CO_2. Na sedação profunda, deve-se levar em consideração todos os alertas apresentados anteriormente.

Anestesia Regional

A anestesia peridural simples ou contínua, especialmente em nível toracolombar, é uma técnica que pode ser utilizada em cirurgias envolvendo tórax, abdome e membros inferiores tanto em procedimentos simples quanto naqueles associados e complementados por lipoescultura de refinamento corporal, e pode ser associada à sedação ou à anestesia geral com intubação traqueal. Os resultados dessa técnica apresentam grande satisfação por parte do cirurgião e, principalmente, do paciente, com um pós-operatório tranquilo, com analgesia bastante satisfatória, deambulação precoce e controle adequado de náuseas, vômitos e hipotermia. A técnica é segura desde que sejam respeitadas as normas e os limites impostos pelas alterações fisiológicas de cada caso. Monitorização é indispensável e deve ser o mais completa possível, incluindo PAS, pressão arterial diastólica (PAD), PAM, FC, eletrocardiograma (ECG), frequência respiratória (FR), saturação de oxigênio (SpO_2), pressão expiratória final de dióxido de carbono ($P_{ET}CO_2$), temperatura e monitor de entropia. O anestesiologista precisa ser mui-

to bem treinado na execução dessa técnica, a qual exige o entendimento dos fatores que afetam a distribuição do bloqueio neural e as repercussões respiratórias e hemodinâmicas.[30]

A anestesia peridural promove diminuição da pré-carga e da resistência vascular sistêmica; e, no caso do bloqueio torácico, há queda da contratilidade miocárdica e da FC devido ao bloqueio das fibras simpáticas para o coração. Como o bloqueio é metamérico e influenciado pelo volume anestésico e por sua concentração, existirão áreas não totalmente bloqueadas, compensando parcialmente essas alterações.[30] A colocação do cateter epidural em nível torácico baixo (T_9-T_{10}, T_{10}-T_{11} ou T_{11}-T_{12}) mostra-se suficiente, e a escolha do anestésico local e de seus adjuvantes depende da preferência e da experiência do anestesiologista.

A utilização da ropivacaína, mesmo sendo menos potente, entrega bloqueio sensitivo muito bom, especialmente se associada a um opioide lipofílico, como o sufentanil na dose de 2,5 μg a 5,0 μg, contribuindo para analgesia pós-operatória com toxicidade cardíaca menor em relação à bupivacaína e à levopuvivacaína.[31]

Através do cateter deve-se titular a ropivacaína com sufentanil em concentrações de 0,3% a 0,5%, permitindo facilmente o emprego de volumes maiores mantendo-se dentro do limite de massa tóxica. A concentração de 0,3% é reservada aos casos em que será associada uma anestesia geral com intubação orotraqueal, e a 0,5% àqueles em que será utilizada somente uma sedação para promover bem-estar ao paciente. O volume de anestésico diluído vai sendo administrado em doses incrementais pelo cateter epidural de acordo com a altura onde este foi posicionado e a relação dos metâmeros a serem bloqueados – lembrando que a dispersão é centrifuga e igualmente distribuída quando feita na região torácica. A idade aumenta a dispersão, mas altura, peso e posição parecem não ter influência nesse sentido. Assim, a opção por injeções lentas e tituladas está mais ligada a fatores de segurança do que à melhoria da qualidade do bloqueio.

O sistema respiratório sofre uma pequena queda dos volumes pulmonares, já que a função diafragmática (C3-C5) está preservada. Em pacientes saudáveis essas repercussões não se traduzem clinicamente em problemas, porém pacientes obesos, asmáticos ou com DPOC podem não tolerar a técnica.

Pacientes com bloqueio epidural necessitam de correção da volemia e do uso de vasoconstrictores para controle da resistência vascular sistêmica. Além disso, devem ser mudados de posição de maneira cuidadosa e podem não tolerar posições de cefaloaclive, precisando que sua pressão arterial seja corrigida para a manutenção do fluxo sanguíneo cerebral.

A sedação durante a anestesia peridural é mantida basicamente com propofol em infusão contínua, com doses no efetor em torno de 1,5 mg/kg^{-1} a 2,0 mg/kg^{-1}, associado a pequenas doses de cetamina (0,1 mg/kg^{-1} a 0,2 mg/kg^{-1}) e fentanil (0,5 $\mu g/kg^{-1}$).

Quando se opta por anestesia geral, as técnicas venosas totais com propofol e remifentail em bomba alvo-controlada merecem destaque

Anestesia Geral

A anestesia geral dispõe de um vasto arsenal de medicamentos e monitorizações. A anestesia venosa total com bombas alvo-controladas, associada a monitor de profundidade anestésica, permite uma anestesia geral segura e eficaz, com riscos calculados e pós-operatório confortável. Os bloqueios nervosos e de parede, muitas vezes guiados por ultrassom, potencializam ainda mais toda a qualidade que se pode e deve entregar.[2,32]

■ LIPOASPIRAÇÃO

A busca da sociedade por padrões ideais de beleza e jovialidade tem aumentado notavelmente. Observa-se uma alta exponencial da realização de procedimentos cirúrgicos estético-corporais, especialmente após o final da pandemia de covid-19. De acordo com a Sociedade Internacional de Cirurgia Plástica Estética, no mundo todo, entre 2021 e 2023, houve um aumento de 41% em cirurgias plásticas, chegando a 12,8 milhões de procedimentos em 2022, dos quais quase 9% são realizados no Brasil. O destaque é para a cirurgia de lipoaspiração, que figura como a mais prevalente, com 2,3 milhões de procedimentos no mundo e 250 mil no Brasil, ultrapassando, em 2021, a colocação de próteses de silicone.[2]

A lipoaspiração foi inicialmente introduzida por Arpad e Giorgio Fischer, em 1976, e posteriormente refinada e popularizada por Illouz, que introduziu o conceito da técnica úmida. Esse procedimento cirúrgico foi originalmente destinado à remoção de depósitos localizados de gordura, com uma diretriz geral de limitar a aspiração a no máximo 1,5 litros, a fim de minimizar o risco de perda excessiva de sangue.

A transição para anestesia local tumescente marcou um ponto de virada na história da anestesia para lipoaspiração. Introduzida pelo dermatologista Jeffrey Klein na década de 1980, essa abordagem envolvia a infiltração de grandes volumes de solução anestésica juntamente com agentes vasoconstritores na área a ser tratada. Esse método não apenas proporcionava anestesia local eficaz, reduzindo a necessidade de anestesia geral, como também minimizava a perda de sangue, facilitando a remoção das células de gordura e diminuindo o risco de complicações.

A história da anestesia para lipoaspiração é um testemunho da evolução contínua das práticas médicas e cirúrgicas em busca de procedimentos mais seguros e eficazes para atender às demandas crescentes da estética corporal. No final do século XX, a lipoaspiração emergiu como uma técnica revolucionária para a remodelação do contorno corporal, proporcionando aos pacientes uma solução menos invasiva para a remoção de depósitos de gordura localizada. No entanto, a busca por métodos anestésicos igualmente avançados era necessária para garantir não apenas os resultados estéticos desejados, mas também a segurança e o conforto do paciente durante o procedimento.

No início, procedimentos de contorno corporal eram frequentemente realizados sob anestesia geral, mas essa abordagem carregava consigo riscos significativos, incluindo complicações respiratórias e cardiovasculares associadas à intubação e à sedação profunda. Na medida em que esse tipo de cirurgia se popularizou e a demanda por resultados precisos e menos invasivos aumentou, a anestesia para esse procedimento continuou a evoluir, e foi então que a anestesia peridural ganhou destaque, permitindo um equilíbrio entre o controle da dor e a preservação da função cardiovascular e respiratória. Além disso, avanços na monitorização contínua do paciente, como a oximetria de pulso e a capnografia, contribuíram para a detecção precoce de complicações potenciais, promovendo um ambiente mais seguro.

Atualmente, a anestesia para lipoaspiração continua sendo refinada à medida que novas técnicas e tecnologias emergem. A vigilância de temperatura, consciência, fluído-responsividade e junção neuromuscular é mandatória. A individualização dos planos anestésicos, a consideração das comorbidades do paciente e a participação da equipe multidisciplinar no plano cirúrgico têm papel fundamental na promoção de resultados aprimorados em segurança e qualidade.[30]

Inicialmente concebida para tratar áreas específicas, essa técnica evoluiu com o tempo, permitindo a lipoaspiração de áreas corporais mais extensas. Com esses avanços, surgiram preocupações relacionadas a alterações no sangue e no metabolismo, o que levou a adaptações na abordagem. Hoje é um procedimento de escopo variável, abrangendo desde intervenções cirúrgicas menores, realizadas em consultórios médicos, até outros mais abrangentes, conduzidos em ambientes hospitalares com suporte completo.

Vale destacar que a lipoaspiração ainda é um dos procedimentos mais amplamente realizados por cirurgiões plásticos, devido à sua crescente segurança, ao aprimoramento técnico e ao alto grau de satisfação dos pacientes. No entanto, essa popularidade também gerou uma preocupação crescente, tanto na comunidade médica quanto na mídia, que não se limita apenas aos resultados estéticos obtidos. Ela abrange, igualmente, a segurança dos pacientes, exigindo atenção minuciosa às mudanças nos parâmetros sanguíneos e metabólicos, bem como às possíveis complicações associadas a essas alterações.[2]

Técnicas de Lipoaspiração e Tecnologia Associada

Lipoaspiração tradicional (ou lipoaspiração tumescente)

A lipoaspiração tumescente é a técnica clássica de lipoaspiração. Envolve a infusão de uma solução tumescente (uma mistura de anestésico local, solução salina e epinefrina) na área a ser tratada para anestesiar, enrijecer e diminuir o sangramento. A gordura é, então, aspirada através de cânulas inseridas na pele.

Lipoaspiração a laser (laser lipólise)

Utiliza um laser para quebrar as células de gordura antes da aspiração. Pode ajudar a estimular a produção de colágeno e a retração da pele.

Exemplos incluem SmartLipo® e SlimLipo®.

Lipoaspiração ultrassônica (assistida por vibrolipo)

Utiliza ondas ultrassônicas para liquefazer as células de gordura, tornando a aspiração mais fácil. É especialmente eficaz em áreas de gordura densa.

Exemplos incluem VASER® Lipo e LipoSelection®.

Lipoaspiração a jato de água (assistida por jato de água)

Utiliza um jato de água de alta pressão para soltar as células de gordura antes da aspiração, o que minimiza o trauma nos tecidos.

Exemplos incluem Body-Jet® e AquaShape®.

Lipoaspiração por radiofrequência (assistida por radiofrequência)

A radiofrequência é uma tecnologia frequentemente utilizada em procedimentos de lipoaspiração assistida por radiofrequência (RFAL). Essa técnica envolve a aplicação de energia de radiofrequência para aquecer e liquefazer as células de gordura antes da aspiração. Embora a RFAL possa proporcionar resultados satisfatórios e possível melhoria na contração da pele, é importante reconhecer seu impacto no tempo cirúrgico e nas complicações potenciais.

Exemplos incluem BodyTite®, ThermiTight® e Renuvion.

Resposta do organismo à radiofrequência

Quando a radiofrequência é aplicada durante a lipoaspiração, ocorrem respostas fisiológicas no organismo do paciente. A saber:

- **Aquecimento tecidual.** A energia de radiofrequência gera calor nas camadas de gordura e no tecido conjuntivo. Esse aquecimento é projetado para facilitar a quebra das células de gordura.
- **Estímulo de colágeno.** Além da remoção de gordura, a radiofrequência também pode estimular a produção de colágeno nas camadas profundas da pele. Isso pode ser benéfico para melhorar a firmeza da pele.
- **Resposta inflamatória local.** O processo de aquecimento e destruição das células de gordura pode desencadear uma resposta inflamatória localizada no organismo.

Impacto no tempo cirúrgico

A aplicação da radiofrequência, embora potencialmente benéfica, pode aumentar significativamente o tempo cirúrgico em comparação com técnicas de lipoaspiração convencionais. Isso ocorre devido à necessidade de tratar áreas maiores e garantir que a energia de radiofrequência seja aplicada de maneira uniforme. O aumento do tempo cirúrgico pode ser uma preocupação para os anestesistas, uma vez que prolongar a duração da cirurgia aumenta o risco de complicações anestésicas, como variações na pressão arterial, nos níveis de oxigênio e na estabilidade do paciente.

Lipoenxertia (enxerto de gordura)

Envolve a remoção de gordura de uma área e sua reinjeção em outra para aumento de volume ou melhoria do contorno. Pode ser realizada em conjunto com outros tipos de lipoaspiração.

Alterações Metabólicas da Lipoaspiração

Lipoaspiração e lesões teciduais

Durante a lipoaspiração, ocorre a remoção de depósitos de gordura subcutânea por meio de cânulas de aspiração. Esse processo pode causar lesões nos tecidos, incluindo o adiposo e o conjuntivo adjacente.

Resposta inflamatória e reparo tecidual

Lesões nos tecidos desencadeiam uma resposta inflamatória local. Células do sistema imunológico, como macrófagos, são ativadas para limpar os resíduos celulares e iniciar o processo de reparo tecidual. Estudos recentes ligaram o metabolismo lipídico dos adipócitos à manutenção de um estado inflamatório sistêmico de baixo grau, por meio de vários mediadores.

A tradicional relação entre a quantidade de gordura corporal e as chamadas doenças metabólicas tem instigado a pesquisa dos fatores envolvidos nesse processo, bem como de tratamentos para seu controle.

Outros estudos também destacaram uma correlação positiva entre maior quantidade de gordura corporal e os níveis circulantes de proteína C-reativa (PCR), que está associada a maior risco de desenvolvimento de diabetes em indivíduos com excesso de peso. Em medições realizadas antes da lipoaspiração, observou que pacientes obesos apresentavam níveis mais elevados de PCR em comparação com aqueles que não apresentavam essa condição. No entanto, após o procedimento, houve uma redução significativa desse marcador em ambos os grupos. Em contrapartida, não observou alterações nos níveis de PCR após três meses de lipoaspiração em 15 pacientes obesos.[24]

Níveis elevados de fator de necrose tumoral alfa (TNF-alfa) também estão implicados no desenvolvimento da resistência à insulina em pacientes com câncer, sepse, trauma e, mais recentemente, em indivíduos obesos. Acredita-se que isso ocorra, entre outras razões, devido a uma interferência na transdução do sinal que regula a entrada de glicose nas células. Ademais, foi observada uma relação direta entre os níveis de TNF-alfa e os níveis de leptina, o que pode amplificar o efeito anorexígeno e adipostático desse último fator.

Notou uma redução nos níveis desse marcador em pacientes obesos submetidos à lipoaspiração. Sendo demonstrado uma correlação positiva entre o índice de massa corporal (IMC) e os níveis de TNF-alfa antes da cirurgia, bem como uma diminuição nos níveis pós-operatórios em pacientes submetidos à dermolipectomia.[22,24]

A obesidade tem sido associada à manutenção de um estado inflamatório subclínico, e diversos estudos apontaram uma relação positiva entre o IMC e a contagem de leucócitos. Os mecanismos subjacentes a essa associação são complexos e ainda não completamente compreendidos. No entanto, pode-se considerar que o tecido adiposo libera citocinas pró-inflamatórias, como a interleucina 6 (IL-6) e o TNF-alfa, como possíveis contribuintes para esse fenômeno.

Além disso, foi observado que a redução de peso, seja por meio de dietas, seja pela prática de exercícios, está associada à diminuição da contagem de neutrófilos e outros marcadores inflamatórios, o que sugere que a remoção cirúrgica de gordura corporal também pode ter benefícios metabólicos.

Essas descobertas destacam a complexa interação entre a cirurgia plástica, as mudanças nos níveis de adiposidade e os marcadores inflamatórios, ressaltando a importância da pesquisa contínua nessa área.[24]

Ativação do sistema adrenérgico, fibrose e cicatrização anormal

Durante a lipoaspiração, soluções tumescentes contendo epinefrina são frequentemente infiltradas no tecido adiposo. A epinefrina é um agente vasoconstritor que ajuda a reduzir o sangramento durante o procedimento. No entanto, seu uso também pode levar à ativação do sistema adrenérgico.

Como um processo complexo e dinâmico, a cicatrização de feridas desempenha um papel crucial na restauração da função de barreira protetora da pele. Esse processo envolve aspectos relacionados à inflamação, formação de tecido e à remodelação tecidual. Parte desses aspectos é influenciada por agentes adrenérgicos, que afetam queratinócitos, fibroblastos e células do sistema imunológico. Portanto, os receptores adrenérgicos representam potenciais alvos farmacológicos para melhorar os resultados adversos na resolução de feridas, como cicatrização tardia e formação de cicatrizes hipertróficas.

Os níveis elevados de catecolaminas que ocorrem após uma lesão têm sido associados a efeitos adversos na função dos queratinócitos e fibroblastos; estes, por sua vez, são potenciais contribuintes relevantes para o prejuízo da cicatrização relacionada ao estresse. A produção de catecolaminas a partir de queratinócitos lesionados pode influenciar a atividade local dos fibroblastos por meio da ativação dos receptores beta.

Para o anestesista, é essencial discernir a interconexão entre a amplificação do sistema adrenérgico e múltiplos elementos que podem impactar adversamente o processo de cicatrização e o desfecho pós-operatório de um paciente. Aqui pontua-se a total relevância do tempo cirúrgico, do *status* inflamatório, da hipotermia, do estresse, da dor e do uso prévio de substâncias ativadoras do sistema nervoso autônomo (SNA) como fatores a serem manejados para desfechos favoráveis.

A fibrose é caracterizada pela deposição excessiva de tecido conjuntivo (colágeno) no local da lesão. Em procedimentos de lipoaspiração, pode levar a complicações estéticas, como irregularidades na superfície da pele, ondulações ou áreas endurecidas.

Avaliação Pré-anestésica na Lipoaspiração

A avaliação pré-anestésica é uma etapa obrigatória em procedimentos sob anestesia, conforme a Resolução n. 2174 de 14/12/2017 do Conselho Federal de Medicina. Ela desempenha papel crucial na obtenção de informações essenciais sobre o estado de saúde do paciente, abrangendo aspectos médicos, cirúrgicos, uso de medicamentos, alergias, histórico familiar e estilo de vida. Além disso, permite a realização de um exame físico direcionado e a solicitação de exames laboratoriais relevantes.[8]

Essa avaliação é um componente fundamental para garantir a segurança do paciente, especialmente em contextos específicos, como a pesquisa aprofundada sobre o risco de tromboembolismo, a consideração cuidadosa dos perfis individuais dos pacientes, a abordagem proativa para prevenir NVPO, a análise crítica do uso de medicamentos para emagrecimento e a estimativa precisa do tempo necessário para o procedimento anestésico.

A aplicação obtenção do Termo de Consentimento Livre e Esclarecido (TCLE) deve ocorrer no momento da avaliação. Esse termo é uma forma de garantir que os pacientes estejam devidamente esclarecidos sobre o procedimento e tenham a capacidade de tomar uma decisão baseada nas informações fornecidas pelo profissional, com os riscos elencados de acordo com o tipo de anestesia, seja ela regional, geral ou combinações.[8]

Elementos da avaliação pré-anestésica e pontos de atenção

Tipos de pacientes e personalização da abordagem

Cada paciente é único, com diferentes condições médicas adicionais e características. A avaliação pré-anestésica direcionada deve considerar se o paciente tem condições clínicas para realizar uma lipoaspiração. Pacientes com IMC elevado (maior que 30 kg/m^2) ou perda massiva de peso (20% do peso ou dez pontos no IMC em menos de seis meses), com condições médicas preexistentes, como diabetes melito, idade avançada (maior que 65 anos), doenças pulmonares eou cardíacas descompensadas, podem exigir uma abordagem anestésica mais conservadora.[8] A colaboração interdisciplinar com o cirurgião plástico é crucial para compreender as metas cirúrgicas e individualizar a técnica anestésica, maximizando os resultados e minimizando riscos.

Medicamentos e alergias

Deve-se registrar todos os medicamentos, suplementos e alergias do paciente, incluindo reações adversas anteriores. É comum que pacientes que se submetem a procedimentos estéticos estejam em regime de emagrecimento, frequentemente inclusos em esquemas com múltiplos medicamentos, como análogos do GLP1, antidepressivos, inibidores de apetite, antagonistas opioides, fitoterápicos, esteroides, entre outros. Nesse sentido, o médico anestesiologista deve estar atento e atualizado, pois há interferência direta desses medicamentos na anestesia e na recuperação pós-operatória, cada um com suas interações farmacológicas e seus tempos de suspensão adequados.

Náuseas e vômitos pós-operatórios

A maioria da população candidata a cirurgias estéticas continua ainda é do sexo feminino e jovem; portanto, é senso comum que crescem as chances para NVPO, cabendo ao anestesiologista identificar e estratificar o risco desse evento adverso para pacientes candidatos à lipoaspiração. Para isso, além dos critérios de Apfel, deve-se estar embasado em *guidelines* recentes a fim de indicar terapias farmacológicas ideais para cada paciente.

Hábitos de vida e histórico social

O avaliador deverá investigar fatores como tabagismo, consumo de álcool e uso de drogas, bem como o suporte social disponível para a recuperação pós-operatória. Indicar a cessação do tabagismo, quando possível, é importante, bem como fazer-se claro nas explicações sobre as expectativas do paciente em relação à anestesia.

Abordagem interdisciplinar

A avaliação pré-anestésica deve ser conduzida de forma colaborativa, envolvendo o cirurgião plástico e outros membros da equipe médica. Isso permite uma compreensão completa das metas cirúrgicas, o que influencia a abordagem anestésica. Ademais, a colaboração interdisciplinar facilita a troca de informações sobre a anatomia do local a ser tratado, a identificação de áreas de preocupação e a discussão de possíveis complicações.

Anemia e sangramento

Cirurgias para lipoaspiração e contorno corporal, com ou sem tecnologias associadas, tendem a causar algum grau de perda sanguínea; portanto, um hemograma deverá ser obtido no período que antecede a cirurgia e, se houver anemia, esta deverá ser manejada adequadamente, pois pode ser proveniente de má alimentação, emagrecimento massivo e déficit de vitaminas e nutrientes, como cálcio, ferro, vitamina B_{12}, ácido fólico e proteínas. Obter o estado nutricional do paciente é importante para o manejo do sangramento e dos fluidos intraoperatórios.

Decisões de planejamento

Com base na avaliação pré-anestésica, o anestesiologista pode tomar decisões informadas sobre a técnica mais apropriada. Em casos de pacientes com patologias associadas, por exemplo, pode ser necessário optar por uma abordagem mais conservadora. Além disso, a avaliação pré-anestésica pode revelar contraindicações para determinados medicamentos anestésicos, permitindo a escolha de alternativas mais seguras.

Anestesia para Lipoaspiração

A decisão sobre qual tipo de anestesia usar na lipoaspiração depende de diversos fatores, incluindo as preferências do paciente, as áreas a serem tratadas e a quantidade de gordura a ser removida. Não existe uma técnica única que seja a melhor em todos os casos, e a escolha deve ser feita considerando as características individuais de cada pa-

ciente e as recomendações do cirurgião e do anestesiologista. Além disso, a decisão de realizar o procedimento como cirurgia ambulatorial ou com internação também é influenciada por esses mesmos fatores, visando sempre a segurança e o conforto do paciente.

Sedação consciente

Durante a lipoaspiração, pode melhorar o conforto do paciente e facilitar o procedimento. Vários agentes sedativos podem ser utilizados, incluindo midazolam, propofol, cetamina, clonidina e dexmedetomidina. No entanto, é importante lembrar que a principal fonte de analgesia durante o procedimento é a infiltração da solução de anestesia tumescente. A escolha do agente sedativo e sua dosagem devem ser cuidadosamente ajustadas para garantir que o paciente permaneça confortável e cooperativo durante a cirurgia, mas também para evitar efeitos colaterais indesejados. A sedação consciente pode proporcionar uma recuperação mais rápida, com menos desconforto pós-operatório para o paciente.[9]

A lipoaspiração já foi realizada sob anestesia raquidiana, epidural e anestesia combinada raquidiana-peridural. A qualidade da analgesia alcançada é superior ao uso apenas da infiltração.

Técnicas neuroaxiais

Serão determinadas pelo sítio cirúrgico e pela duração da cirurgia. Os agentes anestésicos locais usados para técnicas neuroaxiais incluem lidocaína, ropivacaína, levobupivacaína e bupivacaína, com ou sem aditivos (opioides ou agonistas alfa-2).

Para técnicas neuroaxiais que utilizam infusões de agentes anestésicos locais, as doses cumulativas em relação às usadas na solução de infiltração devem ser consideradas para evitar a toxicidade. A anestesia peridural tem a vantagem adicional de causar menos tromboembolismo.

Anestesia geral

É recomendada para procedimentos de lipoaspiração de grande volume e é preferida em alguns centros médicos. Pode ser realizada com agentes venosos ou inalatórios. A via aérea do paciente pode ser mantida por meio de um dispositivo supraglótico ou um tubo traqueal, dependendo da duração da cirurgia e da posição do paciente. Embora o relaxamento muscular não seja essencial para a cirurgia, pode ser necessário para facilitar a intubação.

A infiltração da solução é suficiente para proporcionar analgesia durante o procedimento cirúrgico. Em cirurgias combinadas de longa duração (acima de seis horas), dependendo das condições do paciente, como doenças sistêmicas ou alterações morfológicas, a anestesia geral prova-se mais segura e bem indicada.

Técnicas de infiltração

A Tabela 179.5 mostra o método de infiltração, a relação entre volume infiltrado e volume aspirado e a faixa de sangramento.

Tabela 179.5 Técnicas de infiltração.			
Método de infiltração	Descrição	Relação volume infiltrado: volume aspirado	Faixa de sangramento
Método seco	Nenhuma infiltração é utilizada	0:1	20% a 50% do líquido aspirado
Infiltração úmida	Infiltração com solução de soro fisiológico e adrenalina	Menor que 1:1	4% a 30% do volume aspirado
Infiltração superúmida	Utiliza Ringer lactato e epinefrina	1:1	1% a 2% do volume aspirado
Infiltração tumescente	Utiliza soro fisiológico, epinefrina, bicarbonato de sódio e lidocaína	Igual ou maior que 2-3:	Próximo de 1%

Fonte: Modificada de Beidas OE, Gusenoff JA. 2021.[13]

Um estudo clínico publicado na revista *Plastic and Reconstructive Surgery* avaliou a absorção de solução tumescente ao longo do tempo e relatou que:

- Nas primeiras duas horas após a infiltração tumescente, cerca de 50% a 70% da solução foi absorvida pelo organismo;
- Nas seis horas seguintes, a absorção foi estimada em cerca de 20% a 30% do volume infundido;
- Após oito horas, a absorção foi relatada como sendo mínima, com uma absorção residual que geralmente não ultrapassou 5% do volume total infundido;
- O volume intravascular pode continuar a ser reduzido pelos próximos dois a quatro dias.

O CFM determinou que o volume aspirado não deve exceder 7% do peso corporal ao utilizar a técnica infiltrativa ou 5% ao usar a técnica não infiltrativa (seca). A mesma resolução também estabeleceu que a área total de lipoaspiração não deve ultrapassar 40% da área da superfície corporal, independentemente da técnica utilizada.

A cirurgia é considerada mais invasiva quando há aspiração de mais de 3.000 mL de gordura, e menos invasiva quando abaixo de 1.500 mL.

Técnica tumescente

Foi desenvolvida pelo dermatologista Dr. Jeffrey Klein na década de 1980 e revolucionou a lipoaspiração. Envolve a infiltração de uma solução tumescente no tecido adiposo, que cria um ambiente ideal para a remoção da gordura com cânulas de lipoaspiração (Figura 179.2). Essa solução é composta principalmente por:

1. **Lidocaína:** anestésico local que ajuda a minimizar a dor durante e após o procedimento (concentração de 0,5% a 1%);
2. **Epinefrina:** vasoconstritor que reduz o sangramento ao contrair os vasos sanguíneos na área tratada. (1:100.000, ou seja, $0.25 - 1.5$ mg/mL^{-1})
3. **Soro fisiológico:** atua como um agente de diluição e mantém a integridade dos tecidos, preferencialmente aquecido a 38 °C;
4. **Bicarbonato de sódio a 8,4% (opcional):** diminui a dor à infiltração e facilita a redução da latência e o prolongamento da duração do anestésico local ao aumentar o pH da solução. (10 mEq a cada 1 L de solução);
5. **Tempo de espera:** deverá ser de 30 minutos para instalação da tumescência e efeito farmacológico otimizado.

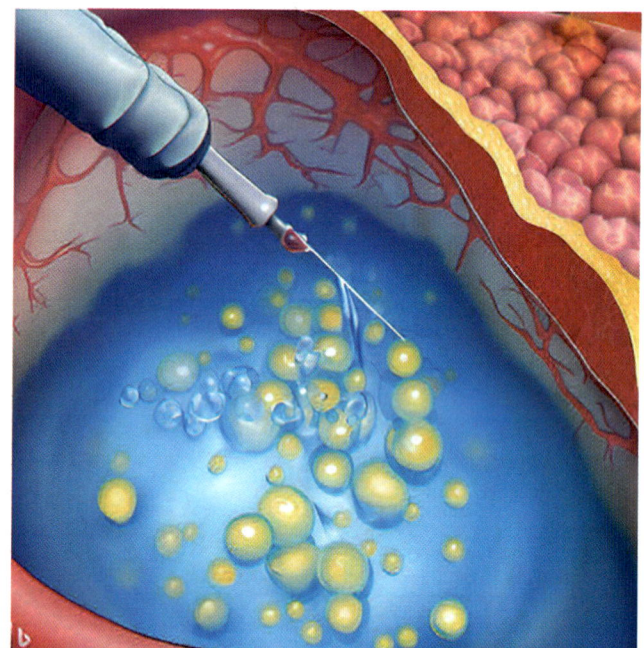

▲**Figura 179.2** Infiltração tumescente. Compartimentalização do espaço infiltrado e deslocamento dos vasos adjacentes.

Relação com os anestésicos locais

A lidocaína é um componente fundamental da solução tumescente e desempenha papel crucial na minimização da dor associada à lipoaspiração. Os anestésicos locais, como este, funcionam bloqueando a condução dos sinais de dor nos nervos periféricos. Ao infiltrar uma quantidade significativa de lidocaína diretamente no tecido adiposo, a técnica tumescente proporciona uma anestesia local eficaz, além de altamente segura, podendo-se aumentar a dose nesse contexto específico para 35 mg/kg^{-1} a 40 mg/kg^{-1}.

Alguns cirurgiões utilizam-se de adição ou substituição da lidocaína por bupivacaína, levobupivacaína ou ropivacaína – esta última, apesar de ter maior tempo de duração, apresenta menor citotoxicidade local em culturas de células mesenquimais, porém não demonstrou o mesmo resultado *in vivo* quando comparada à lidocaína, e pode estar associada ao surgimento de metemoglobinemia. Ainda faltam estudos que esmiúcem o uso de ropivacaína nesse tipo de solução.

Tumefação

A tumefação refere-se ao inchaço ou distensão do tecido causado pela infiltração da solução tumescente na área a ser tratada. Existem várias razões pelas quais essa tumefação é importante para aumentar a segurança do anestésico local:

- **Distribuição uniforme:** a infiltração da solução tumescente cria uma distribuição uniforme do anestésico local na área a ser tratada. Isso significa que a lidocaína se espalha de maneira eficaz por todo o tecido adiposo, garantindo que todos os nervos periféricos estejam adequadamente anestesiados. Assim, minimiza a possibilidade de áreas insensíveis ou com dor durante o procedimento;
- **Redução da difusão sistêmica:** a tumefação do tecido cria uma barreira física que limita a difusão do anestésico local para o sistema circulatório. Isso ajuda a prevenir a absorção rápida e excessiva da lidocaína, reduzindo o risco de toxicidade sistêmica. Os picos de níveis plasmáticos de lidocaína serão percebidos apenas oito horas após a infiltração, devido à absorção lenta e controlada do anestésico local, o que mantém sua concentração dentro de níveis seguros;
- **Diminuição da dor:** a infiltração da solução tumescente é frequentemente acompanhada de uma injeção lenta e gradual. Isso proporciona alívio imediato da dor durante o procedimento, tornando-o mais confortável para o paciente. Além disso, a tumefação ajuda a manter a lidocaína ativa por um período prolongado, garantindo que a dor seja controlada nas horas seguintes à cirurgia;
- **Redução do sangramento:** a tumefação causada pela solução tumescente também ajuda a reduzir o sangramento durante a lipoaspiração. O componente vasoconstritor, geralmente a epinefrina, contrai os vasos sanguíneos na área, minimizando o risco de hemorragia excessiva. Menos sangramento significa um campo cirúrgico mais claro e, portanto, maior segurança durante o procedimento;
- **Melhoria na precisão:** a tumefação do tecido ajuda a separar as células de gordura do tecido adjacente, facilitando a aspiração da gordura de maneira mais precisa e uniforme. Isso contribui para resultados estéticos superiores e reduz a possibilidade de irregularidades na superfície da pele.

A analgesia para lipoaspiração pode ser abordada de forma multimodal, combinando diversas estratégias para proporcionar um controle eficaz da dor no pós-operatório. A utilização de analgesia peridural é uma opção a se considerar nesse contexto, juntamente com outras abordagens analgésicas.

Algumas estratégias que podem ser implementadas incluem:

- **Analgesia peridural:** a administração de anestésicos locais e opioides por meio de uma peridural pode fornecer um bloqueio eficaz da dor durante e após o procedimento cirúrgico, mas deve-se ter muito com a concentração das soluções, o número de dermátomos a serem cobertos e o posicionamento ideal do cateter. A eficácia desse regime de analgesia é obtida a partir de treinamento e experiência multidisciplinar, e apenas um profissional treinado, preferencialmente o anestesiologista, deverá manipular o cateter peridural, seja ele em esquema de analgesia controlada pelo paciente (PCA), infusão contínua ou bólus intermitentes. A evolução em prontuário precisará ser regularmente preenchida e o planejamento terapêutico deve ser mandatoriamente seguido desde a saída do paciente do centro cirúrgico até a alta hospitalar;
- **Medicamentos analgésicos:** para um controle eficaz da dor no pós-operatório, o anestesiologista deve adotar uma abordagem multifacetada, combinando diferentes tipos de medicamentos, como opioides, anestésicos locais e adjuvantes, como o magnésio e a cetamina, juntamente com estratégias de administração de anti-inflamatórios não esteroides (AINEs) e gabapentinoides. Isso permite reduzir a dependência de uma única classe de medicamentos, proporcionando um controle personalizado da dor, minimizando efeitos colaterais e atendendo às necessidades individuais de cada paciente;
- **Bloqueios de campo:** em algumas cirurgias de lipoaspiração, os bloqueios de campo local podem ser aplicados para fornecer alívio adicional da dor no pós-operatório;
- **Instruções para o paciente:** fornecer orientações claras ao paciente sobre o manejo da dor no pós-operatório, incluindo a programação de medicamentos e a importância do repouso e da mobilização precoce;
- **Avaliação da dor:** escalas de avaliação da dor podem ser utilizadas para monitorar a intensidade da dor do paciente e ajustar o tratamento de acordo com a resposta individual.

Reposição Volêmica

Uma das questões mais críticas e controversas da lipoaspiração, especialmente da lipoaspiração de grande volume, é o gerenciamento de fluidos perioperatórios. O médico anestesiologista deverá estar atento à possibilidade de sobrecarga hídrica e, quando possível, tomar decisões baseadas em estimativa de fluidorresponsividade a partir de monitorização adequada para tal fim.

Determinar a reposição ideal de fluidos durante a lipoaspiração de grande volume pode ser extremamente desafiador. Para a manutenção, um homem saudável típico de 60 kg geralmente requer 1 mL/kg^{-1}/h^{-1} a 2 mL/kg^{-1}/h^{-1} ou cerca de 100 mL a 200 mL por hora para repor as perdas de água metabólica sensível e insensível – isso pode abranger o período de jejum, caso o paciente esteja há mais de dez horas nesse estado e/ou apresente sinais clínicos de desidratação.

Além do déficit de fluidos, a indução da anestesia geral é habitualmente acompanhada por vasodilatação, o que requer administração compensatória de fluidos intravenosos de aproximadamente 0,5 mL/kg^{-1} ou 300 mL.

Outra maneira seria limitar a reposição venosa à diferença entre o dobro do volume do total aspirado e a soma do líquido já administrado, por via venosa, e do líquido tumescente. Essa fórmula de reposição presume uma proporção de líquido infundido para aspirado de mais de 2:1. Se a proporção for inferior a um, pode ser necessária uma reposição de líquidos mais generosa, a fim de prevenir hipovolemia.

Uma estratégia interessante discutida na literatura médica é a chamada "fórmula de Rohrich" ou "estratégia de Rohrich". Esta não é uma fórmula matemática específica, mas sim uma abordagem revisada para o gerenciamento de fluidos durante a lipoaspiração, proposta por Rod Rohrich e outros cirurgiões plásticos.

Atenção contínua

Durante a lipoaspiração, o monitoramento contínuo da quantidade de líquido aspirado, da resposta do paciente e das necessidades individuais é fundamental. O anestesiologista e a equipe cirúrgica devem estar em comunicação constante para garantir que a reposição de fluidos seja adequada, e tudo deverá constar no registro anestésico.

Proporção de reposição

Em procedimentos de lipoaspiração de alto volume, a reposição por via venosa pode ser reduzida para evitar a sobrecarga de fluidos. A estratégia de gerenciamento de fluidos pode envolver uma proporção específica de reposição de fluidos com base na quantidade de líquido aspirado.

Fórmula de Rohrich

Proporção de líquido intraoperatório = (volume da solução superúmida + volume de líquido intravenoso)/volume aspirado.

Para lipoaspirações com menos de 5.000 L, utilizando a proporção 2:1, e para lipoaspirações de grande volume acima de 5.000 mL, utilizando a proporção 1:2, essa fórmula resultou em um gerenciamento satisfatório de líquidos, sem quaisquer sequelas cardiopulmonares adversas. Concluindo-se que mesmo em lipoaspirações de grande volume, não deve ser administrada nenhuma quantidade adicional de líquidos intravenosos.

Profilaxias Durante a Lipoaspiração

Avaliação e prevenção de tromboembolismo venoso

O risco de TEV merece uma atenção especial em procedimentos como a lipoaspiração. Apesar de seu risco em cirurgias plásticas estética ser de apenas 0,09%, pode chegar a até 6% em cirurgias de lipoaspiração – uma metanálise mostrou que 23% das mortes relacionadas à lipoaspiração foram atribuídas a TEV,[23] com maior prevalência em pacientes submetidos a cirurgias combinadas.

A avaliação pré-anestésica deve incluir uma análise minuciosa dos fatores de risco individuais, como história de trombose venosa profunda, uso de contraceptivos hormonais e obesidade. O médico, então, procede na investigação utilizando estimativa de risco e escalas validadas, sendo as mais utilizadas a Caprini modificada e a de Sandri. A primeira é mais conhecida e aplicada de forma geral, enquanto a segunda é específica para cirurgia plástica estética e consegue prever profilaxia com mais especificidade nesses casos. (Tabela 179.6) Essa avaliação permite a identificação dos pacientes que se beneficiariam de medidas preventivas, como a profilaxia de anticoagulação perioperatória e a utilização de dispositivos de compressão pneumática intermitente.

Medidas profiláticas gerais para TEV

Mobilização precoce

Incentivar a mobilização precoce é fundamental. Os pacientes devem ser incentivados a levantar-se e caminhar logo após a cirurgia, respeitando as individualidades de cada um.

Meias de compressão

O uso de meias de compressão graduada pode ser recomendado. Essas meias ajudam a melhorar o fluxo sanguíneo nas pernas e a reduzir o risco de formação de coágulos.

Hidratação adequada

Manter o paciente bem hidratado é importante para evitar a viscosidade do sangue, o que pode contribuir para a formação de coágulos. A hidratação adequada também é importante para a cicatrização e recuperação.

Exercícios de pés e tornozelos

Os pacientes podem ser orientados a realizar exercícios de flexão e extensão dos pés e tornozelos enquanto estão deitados, a fim de promover a circulação sanguínea.

Educação do paciente

É importante que os pacientes estejam cientes dos sintomas de TEV, como dor súbita e inchaço nas pernas, falta de ar e dor no peito, e que saibam como relatar esses sintomas à equipe médica imediatamente.

Profilaxia medicamentosa

Somente em casos de risco risco moderado (Sandri) ou alto (Caprini) o cirurgião prescreverá medicamentos anticoagulantes, como heparina de baixo peso molecular, para serem administrados antes e após a cirurgia. Em geral, apenas 10% dos pacientes serão submetidos à terapia medicamentosa, mas é importante identificar e gerenciar esses casos tão cedo quanto na avaliação pré-anestésica.[11]

Sangramento

Volume aspirado

A quantidade de gordura aspirada está diretamente relacionada ao risco de sangramento. Quanto maior o volume aspirado, maior a probabilidade de ocorrer sangramento significativo. Portanto, é fundamental monitorar cuidadosamente o volume aspirado durante o procedimento.

Áreas anatomicamente complexas

A lipoaspiração em áreas anatomicamente complexas, como abdome superior, costas e flancos, pode aumentar o risco de lesões vasculares e, consequentemente, de sangramento. O cirurgião deve ser especialmente cuidadoso ao realizar lipoaspiração nessas regiões.

Tabela 179.6 Avaliação de risco para TVP.

Acrescente 1 ponto para cada situação que se aplique		Acrescente 2 pontos para cada situação que se aplique
Idade entre 41 e 60 anos	Infarto agudo do miocárdio	Idade entre 61 e 70 anos
Edema de membros inferiores	Insuficiência cardíaca congestiva	Câncer atual ou no passado
Veias varicosas visíveis	Cirurgia maior planejada realizada no último mês	Cirurgia maior planejada estimada em mais de 45 min (incluindo laparoscopia)
Cirurgia menor planejada	História de doença inflamatória intestinal	Bota gessada ou algum dispositivo não removível (< 1 mês)
Sepse (< 1 mês)	Função pulmonar anormal (DPOC)	Cateter venoso central
Sobrepeso ou obesidade (IMC > 25)	Doença pulmonar grave como pneumonia	Artroscopia
Uso de pílula anticoncepcional ou terapia de reposição hormonal	Paciente acamado ou com restrição mobilidade, incluindo órtese imobilizadora de membro inferior por menos de 72 h	Acamado ou com restrição de mobilidade por mais de 72 h
Gravidez ou parto no último mês	História de bebê prematuro, aborto espontâneo recorrente (mais de 3), bebê prematuro com toxemia ou bebê com restrição de crescimento	

Acrescente 5 pontos para cada situação que se aplique	Acrescente 3 pontos para cada situação que se aplique
Acidente vascular cerebral (< 1 mês)	Idade de 75 anos ou mais
Politraumatismo (< 1mês)	Trombose prévia (TVP ou embolia pulmonar)
Artroplastia de membros inferiores	História familiar de trombose
Fratura de quadril, fêmur e perna (< 1 mês)	Fator V de Leiden positivo
Trauma raquimedular (paralisia) (< 1 mês)	Protrombina
	Anticoagulante lúpico positivo
	Trombocitopenia induzida por heparina
	Homocisteína sérica elevada
	Anticorpos anticardiolipina elevados
	Outra trombofilia adquirida ou congênita

TVP: trombose venosa profunda; DPOC: doença pulmonar obstrutiva crônica; IMC: índice de massa corporal.
Fonte: Adaptada de White AJ, Kanapathy M, Nikkhah D, et al., 2021.[33]

Uso de medicamentos anticoagulantes

Pacientes que fazem uso de medicamentos anticoagulantes, como varfarina ou aspirina, apresentam maior risco de sangramento. Portanto, a suspensão temporária desses medicamentos, quando apropriada, é uma consideração importante.

Histórico de distúrbios de coagulação

Pacientes com histórico de distúrbios de coagulação, como hemofilia ou trombocitopenia, apresentam maior risco de sangramento. A avaliação pré-operatória minuciosa desses casos é fundamental.

Técnica cirúrgica e habilidade do cirurgião

A técnica cirúrgica utilizada e a habilidade do cirurgião desempenham papel crucial na minimização do risco de sangramento. A utilização adequada de cânulas e a realização precisa do procedimento são essenciais.

Antifibrinolíticos

Atuam farmacologicamente inibindo a ativação do plasminogênio e, portanto, diminuindo a degradação de fibrina, uma proteína envolvida na formação de coágulos sanguíneos. Sua principal função é prevenir ou reduzir a dissolução prematura de coágulos – entre todos, o mais estudado em cirurgia plástica estética é o ácido tranexâmico, que tem atividade como análogo da lisina. Uma revisão sistemática mostrou redução de aproximadamente 30% na perda sanguínea em pacientes submetidos à lipoaspiração com uso de 10 mg/kg de ácido tranexâmico em duas doses, uma inicial e uma ao fim da cirurgia. Não houve associação com maior índice de TEV ou demais eventos adversos e ainda pode apresentar efeito anti-inflamatório, reduzindo a interação da plasmina e o próprio sangramento.

O ácido tranexâmico deverá ser manejado cuidadosamente em pacientes com histórico familiar ou próprio de trombose, embora não tenha havido nenhum caso de trombose relacionada ao seu uso em cirurgias de lipoaspiração, pacientes nefropatas e epiléticos (pode inibir o mecanismo inibitório GABAérgico). A utilização tópica ou infiltrativa pela equipe cirúrgica é opcional e pode apresentar resultados satisfatórios. Seu regime de preparo é de 0,5 g/L a 1 g/L de solução.

Hipotermia

A manutenção da temperatura corporal é de grande importância na cirurgia da lipoaspiração, porém a normotermia (temperatura acima de 36 °C) tem sido um alvo cada vez mais distante para o anestesiologista. A incidência de hipotermia inadvertida durante a cirurgia plástica pode chegar a 70% dos pacientes, e atualmente os fatores de risco nesses casos são os altos volumes infiltrados, procedimentos com tempos cirúrgicos cada vez maiores, técnicas anestésicas e cirúrgicas combinadas, emprego de tecnologias, grandes áreas lipoaspiradas e lipoesculturas de alta e altíssima definição. Os efeitos da hipotermia, nesse contexto, são gravemente prejudiciais ao paciente e à sua recuperação, devendo ser evitados a todo custo (Tabela 179.7).

Tabela 179.7 Hipotermia.

Efeitos	Consequências
Tremores	■ Insatisfação ■ Atraso na alta anestésica ■ Aumento do consumo de oxigênio
Vasoconstrição cerebral e alterações neurológicas	■ Queda do fluxo sanguíneo cerebral ■ Atraso no despertar ■ Confusão e *delirium*
Comprometimento imunológico	■ Aumento de infecções
Coagulopatia	■ Aumento de chance de trombose ■ Perda sanguínea aumentada
Redução do metabolismo	■ Metabolização errática de fármacos ■ Oligúria ■ Piora na cicatrização

Fonte: Adaptada de Akers JL, Dupnick AC, Hillman EL, *et al.*, 2019.[34]

Os métodos para evitar hipotermia são diversos, porém alguns apresentam maior robustez científica para justificar sua aplicação mandatória, e estão descritos a seguir.

Aquecimento ativo

Deve-se manter ar quente forçado através de mantas nas áreas onde não está ocorrendo a cirurgia, ou por meio de dispositivos locados abaixo do corpo (*underbody*), mesmo antes da entrada do paciente em sala e principalmente naqueles com alto risco para hipotermia, além de aquecimento de soluções infiltradas e intravenosas (38 °C a 40 °C).

Aquecimento passivo

Aumento da temperatura da sala (aproximadamente 24 °C), colocação de cobertores e bandagem dos membros com faixas, quando possível.

Cuidados com o Posicionamento de Pacientes Submetidos à Lipoaspiração

O posicionamento cirúrgico adequado é essencial para o sucesso e a segurança de qualquer procedimento cirúrgico, incluindo a lipoaspiração. Garantir que o paciente esteja posicionado corretamente não apenas facilita o acesso às áreas a serem tratadas, como também ajuda a minimizar o risco de complicações durante o procedimento.

Posicionamento

Nos Estados Unidos, 18% das ações de responsabilidade médica contra anestesistas são relacionadas a lesões nos nervos periféricos ocorridas no período perioperatório. Portanto, atenção meticulosa ao posicionamento do paciente durante a anestesia é crucial, especialmente em casos prolongados sob anestesia geral. Cotovelos, joelhos e pés devem ser cuidadosamente acolchoados, e os membros devem ser colocados em uma posição neutra, evitando extensões, flexões ou abduções extremas que possam causar tração nos nervos periféricos. Colocar um travesseiro sob os joelhos, quando o paciente estiver na posição supina, pode reduzir a pressão sobre a região lombar e evitar dores nas costas pós-operatórias. A imobilização prolongada da cabeça pode resultar em áreas de calvície localizada devido à pressão nos folículos capilares. Manter a cabeça do paciente em posição neutra, especialmente durante a laringoscopia, pode reduzir a ocorrência de dor no pescoço após a cirurgia.

Além disso, é importante proteger os olhos do paciente contra contatos inadvertidos a fim de evitar lesões oculares, como abrasões na córnea. Isso demonstra a importância do cuidado e da atenção aos detalhes na prevenção de complicações perioperatórias.

Documentar adequadamente o posicionamento e realizar verificações frequentes do posicionamento do paciente pode ser útil como defesa no caso de uma ação legal devido a uma lesão nervosa perioperatória não esperada.

Monitorização Intraoperatória

A adoção de um protocolo padronizado de monitoramento perioperatório resultou em um salto significativo na segurança do paciente durante esse período. As normas para o monitoramento perioperatório básico foram aprovadas pela Sociedade Brasileira de Anestesiologia.

O monitoramento contínuo e vigilante, juntamente com a documentação rigorosa, facilita o reconhecimento precoce de eventos e tendências fisiológicas prejudiciais, que, se não forem reconhecidos prontamente, podem levar a espirais patológicas irreversíveis, colocando em risco a vida do paciente.

A avaliação da ventilação adequada inclui observação da cor da pele, movimento da parede torácica e ausculta frequente dos sons respiratórios. Durante a anestesia geral, com ou sem ventilação mecânica, um alarme de desconexão no circuito de anestesia é crucial.

A capnografia, uma medição do CO_2 expirado, é necessária não apenas quando o paciente está sob sedação moderada, profunda ou anestesia geral, mas também durante o período de recuperação pós-operatória. A capnografia fornece o primeiro alerta em caso de obstrução das vias aéreas, hipoventilação ou desconexão acidental do circuito de anestesia, mesmo antes da queda da saturação de oxigênio. O uso da capnografia também deve ser considerado aos pacientes em recuperação da sedação-analgésica ou anestesia, devido ao potencial de parada respiratória durante a recuperação.

Todos os pacientes devem ter monitoramento contínuo do ECG e determinação intermitente da pressão arterial e da frequência cardíaca em intervalos mínimos de cinco minutos. A temperatura corporal superficial ou central também deve ser monitorada continuamente.

Eventos Adversos

O aumento do volume do lipoaspirado tem sido associado a um aumento paralelo nas taxas de complicações (Tabela 179.8). Uma metanálise com 104 artigos incluindo infiltração superúmida, tumescente ou ambas elencou algumas das complicações mais comuns e, nesses casos, o aspirado sempre foi superior a 3.500 mL.

Tabela 179.8 Eventos adversos relevantes para anestesia.	
Eventos adversos	**Taxa**
Perda sanguínea com necessidade de transfusão	2,89%
Sobrecarga hídrica	0,95%
Infecção do sítio cirúrgico	0,23%
Hematoma	0,29%
Embolia pulmonar	0,18%
Hematoma	0,16%
Dor prolongada	0,14%
Fasciíte necrotizante	0,13%
Trombose venosa profunda	0,12%

Intervalos de confiança de 95% para cada uma deles, conforme apresentados na pesquisa.
Fonte: Muholan Kanapathy, Pacifico MD, Yassin AM, et al., 2020.[42]

Foi demonstrada uma variação de 0 a 0,55 mortes a cada 1.000 procedimentos.[35] Por outro lado, quando se analisa a lipoaspiração combinada com abdominoplastia, dois estudos observacionais em 2018 e 2019 indicaram 0,01% de mortes em 1.000 e 0,06% em 9.638 pacientes, respectivamente.

Toxicidade aos Anestésicos Locais: Causas e Fatores de Risco

A toxicidade aos anestésicos locais ocorre quando uma quantidade excessiva de anestésico é absorvida pela corrente sanguínea, levando a uma reação adversa. As causas dessa toxicidade podem incluir:

- Infusão rápida ou excessiva de anestésicos;
- Doses excessivas de anestésicos locais;

- Uso inadequado da técnica de lipoaspiração;
- Combinação de técnicas que utilizam anestésicos locais;
- Condições médicas subjacentes do paciente;
- Reabsorção tardia.

Incidência

A taxa de incidência de toxicidade aos anestésicos locais em lipoaspiração costuma ser baixa e variar conforme diversos fatores. Em geral, a lipoaspiração é considerada um procedimento seguro quando realizada por cirurgiões experientes e em conformidade com as diretrizes de segurança.

Sinais e sintomas de toxicidade aos anestésicos locais

Reconhecer os sinais precoces de toxicidade aos anestésicos locais é crucial para uma intervenção rápida e eficaz. Contudo, o reconhecimento pode ser difícil em caso de pacientes sedados ou sob anestesia geral, o que deve levar o anestesista a suspeitar de intoxicação se houver apresentação atípica dos sintomas.

Os sintomas mais comuns podem incluir:

- Agitação ou confusão;
- Tremores musculares;
- Batimento cardíaco acelerado;
- Sensação de formigamento ao redor da boca;
- Convulsões (em até 60% dos casos);
- Coma (concentração sérica de lidocaína acima de 15 μg/mL^{-1});
- Parada cardíaca (concentração sérica de lidocaína acima de 20 μ/gmL^{-1}).

Tratamento em caso de toxicidade

Em caso de suspeita de toxicidade, é vital seguir protocolos de tratamento específicos, os quais podem incluir:

- Interrupção da administração do anestésico local;
- Garantia de ventilação e oxigenação;
- Controle de convulsões;
- Solicitação da solução lipídica;
- Ressuscitação cardiopulmonar, se necessário.

Prevenção e mitigação de riscos

A prevenção da toxicidade aos anestésicos locais é essencial. Estratégias para isso incluem:

- Infusão lenta e controlada dos anestésicos;
- Observância da soma de efeitos;
- Monitoramento rigoroso durante o procedimento;
- Administração de doses seguras e adequadas;
- Dose-teste no repique de analgesia por cateteres.

Falha humana

Uma abordagem descuidada quanto à segurança é perigosa, especialmente quando paciente e cirurgião se aventuram em lipoaspirações muito extensas, utilizando grande volume de solução tumescente, o que é particularmente arriscado. Falha no cálculo da dosagem da solução anestésica local tumescente pode ocorrer durante sua preparação quando as diretrizes de segurança da técnica não são rigorosamente seguidas. Comunicação deficiente entre a equipe médica e registros inadequados podem resultar em erros na administração de medicamentos, destacando a importância de o cirurgião fornecer ordens escritas legíveis para as soluções tumescentes antes da preparação. É fundamental que apenas profissionais médicos devidamente licenciados preparem essas soluções, no centro cirúrgico, imediatamente antes da cirurgia.

Embolia Gordurosa

Durante a lipoaspiração e o enxerto de gordura, ocorre a ruptura de pequenos vasos sanguíneos e danos aos adipócitos, produzindo microfragmentos lipídicos que alcançam a circulação venosa e, consequentemente, causam lesões pulmonares. Os êmbolos de gordura também podem atingir a circulação sistêmica, afetando outros órgãos devido à permeabilidade do forame oval no septo interatrial, à existência de microfístulas arteriovenosas pulmonares e à deformação das microglobulinas de gordura que atravessam os capilares pulmonares

A teoria bioquímica ajuda a explicar eventos embólicos de gordura não traumáticos tardios, pois sugere que as manifestações clínicas da síndrome da embolia de gordura (SEG) estão associadas a um ambiente pró-inflamatório. Durante a lipoaspiração, ocorrem ruptura de pequenos vasos sanguíneos e liberação de globulinas de gordura nos capilares pulmonares. Essas globulinas de gordura são hidrolisadas pelas lipases produzidas pelos pneumócitos, resultando em altas concentrações de glicerol e ácidos graxos livres. Essas substâncias são tóxicas para os alvéolos e as células endoteliais, causando lesões locais. A lesão local, por sua vez, desencadeia uma resposta inflamatória, incluindo a liberação de aminas vasoativas e prostaglandinas, o recrutamento de neutrófilos e o desenvolvimento de hemorragia, edema intersticial e alveolar.

A SEG induzida pela lipoaspiração geralmente ocorre de 12 a 72 horas após a cirurgia, e a mortalidade geral após a lipoaspiração é de aproximadamente 10% a 15%, estando relacionada à gravidade da insuficiência respiratória.

O diagnóstico é feito a partir dos critérios Gurd e Wilson, sendo necessários dois critérios maiores e um menor ou ou um maior e quatro menores para caracterizar a condição (Tabela 179.9).

Diagnóstico diferencial

A insuficiência respiratória isolada deve levantar suspeitas de tromboembolismo pulmonar pós-cirúrgico, pneumonia, atelectasia, edema pulmonar agudo, reação a medicamentos e edema pulmonar de origem cardíaca. Geralmente, exames de imagem são úteis para diferenciar tromboembolismo pulmonar de embolia gordurosa.

Tratamento

O tratamento é principalmente de suporte, pois não existe terapia direcionada. Portanto, a prevenção, a detecção precoce e a terapia de suporte imediata são cruciais. O diagnóstico precoce não apenas limita a morbidade e a mortalidade, como também reduz os custos adicionais de investigação.

A pressão positiva contínua nas vias respiratórias geralmente é o tratamento de primeira linha para insuficiência respiratória. No entanto, muitas vezes falha esse tratamento rapidamente, devendo-se realizar a transição rápida para intubação com ventilação mecânica e pressão expiratória positiva.

Tabela 179.9 Critérios maiores e menores para embolia gordurosa.

Critérios maiores	Critérios menores
1. Insuficiência respiratória	1. Febre (tipicamente acima de 38,58 °C)
2. Envolvimento cerebral	2. Taquicardia (> 110 bpm)
	3. Icterícia: coloração amarelada da pele e dos olhos
3. Erupção/petéquias	4. Alterações retinianas
	5. Alterações renais
	6. Anemia
	7. Trombocitopenia
	8. Taxa de sedimentação de eritrócitos elevada
	9. Presença de macroglobulinas de gordura no sangue

Fonte: Adaptada de Cantu CA, Pavlisko EN. 2018.[36]

REFERÊNCIAS

1. Williams S. Procedural statistics realease. Message from teh American of Plastic Surgeons president. 2023.
2. American Society of Plastic Surgeons. 2016 Cosmetic plastic surgery statistics. Disponível em: https://www.plasticsurgery.org/documents/News/Statistics/2016/plastic-surgery-statistics-full-report-2016.pdf. Acesso em: 21 mar 2024.
3. CFM. Resolução 2174/2017.
4. Resolução constante circular SBA 2055/2023, comite de educação continuada, https://www.sbahq.org/wp-content/uploads/2024/03/C2055_23-3-2.pdf
5. Marino EC, Negretto L, Ribeiro RS, Momesso D, Feitosa ACR. Rastreio e controle da hiperglicemia no perioperatório. Disponível em: https://diretriz.diabetes.org.br/rastreio-e-controle-da-hiperglicemia-no-perioperatorio/. Acesso em: 21 mar 2024.
6. Shah S, Schwenk ES, Sondekoppam RV, Clarke H, Zakowski M, Rzasa-Lynn RS, et al. ASRA Pain Medicine consensus guidelines on the management of the perioperative patient on cannabis and cannabinoids. Reg Anesth Pain Med. 2023;48(3):97-117.
7. Ushakumari DS, Sladen RN. ASA consensus-based guidance on preoperative management of patients (adults and children) on glucagon-like peptide-1 (GLP-1) receptor agonists. Anesthesiology. 2024;140(2):346-348.
8. Conselho Federal de Medicina. Resolução 2.174, de 14 de dezembro de 2017. Diário Oficial da União. 2018;75-76.

9. Rohrich RJ, Mendez BM, Afrooz PN. An update on the safety and efficacy of outpatient plastic surgery: a review of 26,032 consecutive cases. Plast Reconstr Surg. 2018;141(4):902-8.
10. Ibacache ME, Muñoz HR, Brandes V, Morales AL. Single-dose dexmedetomidine reduces agitation after sevoflurane anesthesia in childrenth. Anesth Analg. 2004;98(1):60.
11. Apfel CC, Kortilla K, Abdalla M, Kerger H, Turan A, Vedder I, et al. A factorial trial of six interventions for the prevention of postoperative nausea and vomiting. N Engl J Med. 2004;350:2441-51.
12. Keaney A, Diviney D, Harte S, Lyons B. Postoperative behavioral changes following anesthesia with sevoflurane. Paediatr Anaesth. 2004;14(10):866.
13. Beidas OE, Gusenoff JA. Update on liposuction: what all plastic surgeons should know. Plastic Reconst Surg. 2021;147(4):658e668e.
14. Cavallinim, Baruffaldi Preis FW, Casati A. Effects of mild hypotermia on blood coagulation in pacientes undergoing elective plastic surgery. Plastic Reconstr Surg. 2005;116:316-21.
15. Sin JCK, Tabah A, Campher MJJ, Laupland KB, Eley VA. The effect of dexmedetomidine on postanesthesia care unit discharge and recovery: a sistematic review and meta--analysis. Anesth Analg. 2022;134(6):1229-44.
16. Patel PM, Drummond JC, Lemkuil BP. Cerebral physiology and the effects of anesthetic drugs. In: Gropper MA, Eriksson LI, Fleisher LA, Wiener-Kronish JP, Cohen NH, Leslie K. Miller's anesthesia. 9. edition. Philadelphia: Elsevier; 2020.
17. Breyer EW, Roth S. Patient positioning and associated risks. In: Gropper MA, Eriksson LI, Fleisher LA, Wiener-Kronish JP, Cohen NH, Leslie K. Miller's anesthesia. 9. edition. Philadelphia: Elsevier; 2020.
18. Oliveira CRD, Bernardo WM, Nunes VM. Benefit of general anesthesia monitored by bispectral index compared with monitoring guided only by clinical parameters. Systematic review and meta-analysis. Braz J Anesthesiol. 2017;67(1):72-84.
19. Cheung A, Tu L, Macnab A, Kwon BK, Shadgan B. Detection of hypoxia by near-infrared spectroscopy and pulse oximetry: a comparative study. J Biomed Opt. 2022;27(7):077001.
20. Graf BM, Abraham T, Eberbach N, Kunst G, Stowe DF, Martin E. Differences in cardiotoxicity of bupivacaine and ropivacaine are the result of physicochemical and stereoselective properties. Anesthesiology. 2002;96:1427-34.
21. Lirk P, Berde CB. Local anesthetics. In: Gropper MA, Eriksson LI, Fleisher LA, Wiener-Kronish JP, Cohen NH, Leslie K. Miller's anesthesia. 9. edition. Philadelphia: Elsevier; 2020.
22. Shermak MA. Abdominoplasty with combined surgery. Clini Plastic Surg. 2020;47:365-77.
24. Rohrich RJ, Avashia YJ, Savetsky IL. Cosmetic Surgery Safety: Putting the Scientific Data into Perspective. Plast Reconstr Surg. 2020;146(2):295-99.
23. Caprini JA. Thrombosis risk assessment as a guide to quality patient care. Dis Mon. 2005;51(2-3):70-8.
25. American Society of Anesthesiologists Task Force on Perioperative Management of patients with obstructive sleep apnea. Practice guidelines for the perioperative management of patients with obstructive sleep apnea: an updated report by the American Society of Anesthesiologists Task Force on Perioperative Management of patients with obstructive sleep apnea. Anesthesiology. 2014;120(2):268.
26. Facque AR, Taub PJ. Ambulatory anesthesia in plastic surgery: opportunities and challenges. Ambulatory Anesthesia. 2015;2:91-102.
27. Rosenberg PH, Veering B, Urmey WF. Maximum recommended doses of local anesthetics: a multifactorial concept. Reg Anesth Pain Med. 2004;29:564-75.
28. Hasen KV, Samartzis D, Casas LA, Mustoe TA. An outcome study comparing intravenous sedation with midazolam/fentanyl (conscioussedation) versus propofol infusion (deep sedation) for anesthetic surgery. Plast Reconstr Surg. 2003;112:1683-89.
29. Vuik J, Sitsen E, Reekers M. Intravenous anesthetics. In: Gropper MA, Eriksson LI, Fleisher LA, Wiener-Kronish JP, Cohen NH, Leslie K. Miller's anesthesia. 9. ed. Philadelphia: Elsevier; 2020.
30. Carli F, Klubien K. Thoracic epidurals: is analgesia all we want? Can J Anaesth 1999; 46:409-14.
31. Finucane BT. Ropivacaine cardiac toxicity – not as troublesome as bupivacaine. Can J Anaesth. 2005;52:449-53.
32. Nimmo AF, Absalom AR, Bagshaw O, Biswas A, Cook TM, Costello A, et al. Guidelines for the safe practice of total intravenous anaesthesia (TIVA): Joint Guidelines from the Association of Anaesthetists and the Society for Intravenous Anaesthesia. Anaesthesia. 2019;74(2):211-24.
33. White AJ, Kanapathy M, Nikkhah D, Akhavani M. Systematic review of the venous thromboembolism risk assessment models used in aesthetic plastic surgery. JPRAS Open. 2021.
34. Akers JL, Dupnick AC, Hillman EL, Bauer AG, Kinker LM, Wonder AH. Inadvertent perioperative hypothermia risks and postoperative complications: a retrospective study. AORN J. 2019;109(6):741-7.
35. Muholan Kanapathy, Pacifico MD, Yassin AM, Edward L.E.M. Bollen, Afshin Mosahebi.   Safety of Large-Volume Liposuction in Aesthetic Surgery: A Systematic Review and Meta-Analysis. Aesthetic Surgery Journal. 2020 Nov 30;41(9):1040–53.
36. Cantu CA, Pavlisko EN. Liposuction-Induced Fat Embolism Syndrome: A Brief Review and Postmortem Diagnostic Approach. Archives of Pathology & Laboratory Medicine. 2018 Jul 1;142(7):871–5

180

Anestesia para Cirurgia Plástica Reparadora

Waynice Neiva de Paula Garcia

INTRODUÇÃO

A cirurgia plástica reparadora visa restaurar a anatomia e funcionalidade de deformidades congênitas ou adquiridas após destruição tecidual por trauma, ressecção de neoplasias, queimaduras, infecção, entre outras causas.

As técnicas reconstrutivas dependem da complexidade do defeito ou lesão, de modo a se atingir resultados funcionais e estéticos ideais. Os retalhos microcirúrgicos livres se somam a outras técnicas cirúrgicas (cicatrização por segunda intenção, fechamento primário, enxertos, retalhos cutâneos pediculados regionais ou locais) como uma nova opção na tentativa de atingir esse objetivo. A Figura 180.1 ilustra os passos da escada reconstrutiva e em ordem crescente de complexidade.

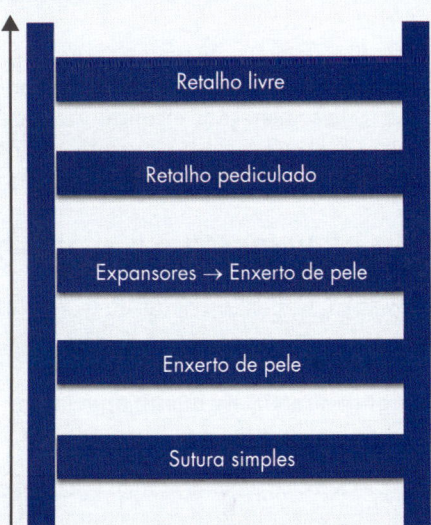

▲ **Figura 180.1** Escada Reconstrutiva.

Desde a introdução da transferência de tecido livre nos anos 60, a taxa de sucesso melhorou substancialmente e atualmente é elevada, 95% a 99%, entre os cirurgiões experientes.[1] Esta técnica permite o transplante de tecido vascularizado livre utilizando técnicas microcirúrgicas que apresentam as seguintes vantagens:

- permite a excisão de lesões, antes não passíveis de reconstrução;
- melhor prognóstico funcional;
- possibilidade de duas equipes trabalharem simultaneamente (uma responsável por extirpar o retalho e outra pela reconstrução);
- grande variedade de tecidos disponíveis, tecidos compostos;
- uso de enxertos projetados para o defeito e melhor aproveitamento do tecido coletado;
- potencial para inervação sensorial ou motora;
- melhor taxa de vascularização e cicatrização;
- baixa taxa de reabsorção;
- favorece a reconstrução imediata.

As limitações da técnica são a necessidade de equipe cirúrgica treinada e o tempo cirúrgico prolongado, que eleva o risco anestésico-cirúrgico. Outro aspecto a ser considerado é a presença de comorbidades capazes de influenciar o sucesso do retalho, como por exemplo: anemia, hipercoagulabilidade, diabetes melito, mau estado nutricional, doença cardiovascular, doença vascular periférica, doenças do colágeno, entre outras.[1] De fato, apesar das técnicas cirúrgicas aperfeiçoadas, a hipoperfusão e a subsequente "falha" do retalho permanecem preocupantes.[3]

A anestesia é fator importante e determinante no sucesso desta técnica devido ao seu papel na estabilidade hemodinâmica e na adequação do fluxo sanguíneo para o retalho. A anestesia regional, alterações no volume sanguíneo, temperatura, dor e fármacos vasoativos podem influenciar o fluxo sanguíneo no retalho. Assim, a técnica anestésica nesses procedimentos é frequentemente inspirada em considerações fisiopatológicas.[2]

Este capítulo se dedica, portanto, a revisar os pontos relevantes no manejo anestésico de pacientes submetidos a cirurgia plástica reparadora envolvendo o uso de retalho microcirúrgico. Serão discutidos a abordagem e otimização pré-operatória de fatores modificáveis, bem como os principais aspectos da prática anestésica intra e pós-operatória nesses casos.

■ RETALHO MICROCIRÚRGICO

Existem dois tipos clássicos de retalho: a) Retalho pediculado, que é liberado e torcido ao redor do pedículo neurovascular e, portanto, sem interrupção do fluxo sanguíneo (FS); b) Retalho livre, no qual o pedículo neurovascular é removido do local doador e transplantado por anastomose microvascular para um novo local.

Os retalhos são usados para reconstruir um defeito primário, mas dão origem a um defeito secundário, que será reparado por sutura direta ou enxerto de pele. Exemplos de cirurgias com o uso de retalhos são: a reconstrução da membros após amputação traumática, fraturas com perda óssea, queimaduras e exérese de lesão neoplásica.

Exemplos de retalhos incluem o antebraço (radial e ulnar), grande dorsal e reto abdominal.[6]

A técnica microvascular do retalho livre inclui diversas etapas:

1) Retirada do retalho e pinçamento do feixe vascular levando à isquemia primária;
2) Reperfusão após anastomoses arterial e venosa e desclampeamento;
3) Isquemia secundária, resultado da hipoperfusão do retalho (minimizada com abordagem anestésica adequada).

Isquemia Primária

A isquemia primária do retalho ocorre quando o fluxo sanguíneo cessa durante a transferência do retalho, o que induz o metabolismo celular anaeróbico. Isto leva a redução do pH intracelular, elevação do Ca^{+2} e acúmulo de lactato e de mediadores pró-inflamatórios séricos. A gravidade do dano causado é proporcional à duração da isquemia. O consumo de oxigênio da pele é cinco vezes menor que o do músculo em repouso (0,2 e 1 ml min – 1 por 100 g de tecido, respectivamente). Consequentemente, os retalhos que incluem o músculo esquelético, são mais sensíveis à isquemia.[2]

Reperfusão

A reperfusão começa após a conclusão das anastomoses microvasculares e liberação do fluxo sanguíneo pelo retalho. Normalmente, essa restauração do fluxo reverte as alterações transitórias fisiológicas desencadeadas pela isquemia

primária. No entanto, uma lesão de isquemia/reperfusão pode ocorrer se alguns fatores não forem favoráveis, como isquemia prolongada ou pressão de perfusão inadequada. Nesse caso, a lesão de reperfusão ocorre quando o fluxo sanguíneo permite o influxo de substâncias inflamatórias que podem comprometer o retalho.[2]

Isquemia Secundária

O fluxo sanguíneo através da microcirculação é crucial para a viabilidade de um retalho livre. A isquemia secundária ocorre após a transferência e reperfusão do retalho e é mais prejudicial ao retalho do que a isquemia primária, ocasionando trombose intravascular maciça e edema intersticial significativo. A microcirculação é uma série de ramos sucessivos de arteríolas, capilares e vênulas dos vasos centrais. A regulação do fluxo sanguíneo e da distribuição de oxigênio é realizada por essas três porções funcionalmente distintas da microcirculação. O tecido vascular dissecado é desnervado e, portanto, perde o tônus simpático intrínseco. No entanto, a artéria de alimentação e a veia de drenagem no local do receptor ainda respondem a estímulos físicos, humorais e químicos tais como frio, catecolaminas circulantes frias e agentes farmacológicos. A ausência de drenagem linfática aumenta o risco de edema intersticial.

Causas da Falha do Retalho[4]

- **Isquemia Arterial:** trombose e vasoespasmo;
- **Drenagem Venosa prejudicada:** trombose, vasoespasmo, compressão mecânica (curativos, posicionamento);
- **Edema:** uso excessivo de cristaloides, hemodiluição excessiva, isquemia prolongada, liberação de histamina (por anestésicos, antibióticos etc.), manipulação excessiva;
- **Vasoconstrição generalizada:** hipovolemia, hipotermia, dor, alcalose respiratória (por exemplo, débito cardíaco diminuído);
- **Hipotensão:** hipovolemia, fármacos depressores do miocárdio (por exemplo, anestésicos, bloqueadores dos canais do Ca^{+2}), vasodilatação, insuficiência cardíaca (por exemplo, isquemia, sobrecarga de volume, acidose);
- Isquemia prolongada do retalho.

■ SELEÇÃO DE PACIENTES E AVALIAÇÃO PRÉ-ANESTÉSICA

A seleção adequada de pacientes é um preditor de bom resultado em microcirurgia e todos os pacientes devem ser avaliados antes da cirurgia. Há quatro populações típicas de pacientes que se apresentam para a cirurgia reparadora:

1. reconstrução após cirurgia oncológica (por exemplo, esvaziamento cervical radical e mastectomia);
2. após trauma, geralmente com defeitos nos membros superiores ou inferiores;
3. vítimas de queimaduras;
4. portadores de defeitos congênitos.

Em geral, esses pacientes devem apresentar poucos problemas para o anestesiologista. Entretanto, especialmente em portadores de lesão congênita, é prudente procurar evidências de doença arterial coronariana (DAC), deformidades musculoesqueléticas e problemas nas vias aéreas. O manejo das vias aéreas no intra e pós-operatório também pode ser uma preocupação quando há queimaduras graves na face e no pescoço, e em cirurgias reconstrutivas nessa região. Na presença de lesão das vias aéreas superiores, a anatomia pode estar distorcida e aumentar o risco de via aérea difícil. Um planejamento adequado do manejo de vias aéreas deve ser formulado, podendo incluir intubação acordada por fibra óptica ou mesmo traqueostomia eletiva. Da mesma forma, atenção detalhada deve ser direcionada à extubação e à adequada ventilação espontânea no pós-operatório, particularmente presença de edema ou fixação intermaxilar.[3] Esses detalhes devem ser adequadamente discutidos com o paciente e equipe cirúrgica no pré-operatório.

Em cada caso, deve-se que realizar uma avaliação pré-anestésica cuidadosa, pois a presença de comorbidades não compensadas impactam negativamente no sucesso do procedimento e as complicações médicas peroperatórias elevam os custos econômicos da microcirurgia de modo mais significativo que complicações cirúrgicas. Evidências relativas ao risco associado à idade avançada, hipercoagulação e outras comorbidades serão discutidas a seguir.

A idade cronológica avançada associada a uma boa condição geral, apesar de ter sido associada a maior duração da internação não é considerada uma contraindicação para a cirurgia reparadora e não parece ser um fator de risco significativo para a falha do retalho desde que as comorbidades e a saúde geral permitam que o paciente seja submetido a uma cirurgia longa e extensa.[4] A incidência de complicações está diretamente relacionada à condição médica pré-operatória de um paciente individual, elevado *status* da Sociedade Americana de Anestesiologistas (ASA), desnutrição, esclerose vascular periférica e danos renais, além de tempo cirúrgico prolongado têm maior influência negativa no sucesso da reconstrução.[4] É válido lembrar que o paciente idoso por vezes apresenta importante comprometimento cardiovascular, acompanhado de baixo índice cardíaco, que pode não fornecer a pressão de perfusão adequada ao retalho, ocasionando a perda do tecido transferido. Portanto a realização de reconstruções complexas nessa população é acompanhada de riscos elevados e potencialmente fatais, os quais podem ser reduzidos por avaliação cardíaca meticulosa no pré-operatório, tratamento de condições cardíacas recuperáveis antes de procedimentos microcirúrgicos e redução do tempo cirúrgico. Talvez pacientes com doença cardíaca significativa devam ser submetidos a cirurgias menos ambiciosas, embora esteticamente menos satisfatórias.

Alterações vasculares ateroscleróticas, como a DAC, também aumentam o risco de perda de transplante de tecido livre, especialmente por trombose, independentemente da idade do paciente. Um estudo prévio reforça a ausência de aterosclerose como uma vantagem para a realização de retalhos livres em pacientes pediátricos em relação aos adultos. Outros autores[19] até sugerem uma abordagem combinada de revascularização endovascular pré-operatória e transferência de retalho livre como alternativa a ser considerada em portadores de Doença Arterial Obstrutiva.[6]

A anemia pré-operatória (concentração de hemoglobina (Hb) < 12 g.dL⁻¹ em mulheres e < 13 g.dL⁻¹ em homens), é prevalente e considerada fator de risco independente para pior desfecho pós-operatório de forma geral.[7] Um aumento na taxa de perda de transplantes de retalhos, no entanto, parece não existir associado à anemia leve. O aumento significativo na perda de enxerto é observado a partir de concentração de hemoglobina (Hb) inferior a 10 g·dL⁻¹ no pré-operatório e pacientes anêmicos apresentaram condição geral pior no pós-operatório imediato.[8] Esses achados sugerem o tratamento da anemia tão precoce quanto possível.

O diabetes melito, assim como a anemia, afeta uma substancial porcentagem da população e aumenta as complicações pós-operatórias gerais. Em análises retrospectivas, o diabetes melito, por causar micro e macroangiopatias, foi também associado a aumento de complicações em enxertos de tecidos livres para a reconstrução da região da cabeça e do pescoço[9] e de mama.[10] Bollig e col. avaliaram os efeitos da hiperglicemia peroperatória sobre complicações e desfechos na reconstrução microvascular e concluíram que os valores elevados de glicemia estão associados a taxas mais altas de complicações, independentemente do diagnóstico preexistente de diabetes melito. Scalia e col. verificaram que a hiperglicemia (aguda e crônica) está associada à infiltração vascular, podendo causar edema tecidual, o qual pode aumentar a pressão extravascular, com efeito negativo no diâmetro vascular do retalho. Entretanto, os resultados de um estudo sugerem que o diabetes não está associado ao aumento das taxas de falha do retalho, apesar de os pacientes diabéticos apresentarem um risco significativamente maior de complicações relacionadas à ferida e ao tempo de internação mais longo. Esses achados fornecem evidências em apoio à reconstrução com retalho livre em pacientes diabéticos, mas destacam a necessidade de maior vigilância clínica, bem como monitoramento rigoroso da glicemia para minimizar os distúrbios metabólicos e otimizar o fluxo sanguíneo do retalho para melhores resultados. Mais pesquisas são necessárias para definir o alvo glicêmico ideal nessa população, porém é prudente manter a normoglicemia peroperatória .

A obesidade é também fator de risco para complicações dessa cirurgia. Os obesos, por apresentarem uma maior incidência de complicações médicas, devem ser aconselhados a métodos de redução de peso antes da cirurgia para melhorar o resultado. Uma análise retrospectiva durante um período de 10 anos envolvendo reconstruções mamárias[11] mostrou aumento significativo na incidência de insuficiência do retalho, hérnia e necrose em pacientes com IMC > 30 kg·m⁻². Uma metanálise[12] demonstrou que pacientes obesas apresentam não apenas mais comorbidades como também taxa mais elevada de complicações associadas à reconstrução mamária, levando à perda parcial ou total do enxerto microcirúrgico. Nesse estudo, as complicações foram significativamente maiores com um IMC > 40 kg.m⁻². Para outros procedimentos microcirúrgicos não mamários, ainda não foi demonstrada ligação entre o IMC e as complicações, sendo até considerada a possibilidade de a obesidade ser protetora em alguns casos de reconstruções com retalho livre em cabeça e pescoço, quando comparada ao abaixo do peso ou à perda de peso recente nesses pacientes.

O consumo de nicotina eleva a probabilidade de necrose e infecções na ferida cirúrgica.[13]

Uma revisão da literatura associou, inclusive, o tabagismo a maior incidência de complicações pós-operatórias, incluindo deiscência de ferida, retalho ou necrose do enxerto, tempo de cicatrização prolongado e infecções.[13] Isso também foi demonstrado para operações microcirúrgicas em mama. A vasoconstrição induzida pela nicotina, a hipóxia tecidual relacionada ao monóxido de carbono e a hipercoagulabilidade sanguínea causada pelo aumento da agregação plaquetária podem causar problemas na vascularização do retalho cutâneo e na morbidade do sítio doador, sendo taxa de complicações globais, falha reconstrutiva, necrose do retalho de mastectomia e complicações infecciosas significativamente maiores em fumantes em comparação com não fumantes.[11] Os pacientes que mantiveram a abstinência de nicotina por pelo menos três semanas no pré-operatório não apresentaram aumento da taxa de complicações em comparação aos não fumantes e apresentaram menor incidência de cicatrização prejudicada quando submetidos à cirurgia reconstrutiva da cabeça e do pescoço.[14] No contexto do planejamento cirúrgico, portanto, é aconselhável recomendar aos pacientes a suspensão do tabagismo o mais precocemente possível e apoiá-los na implementação da abstinência de nicotina.

Contraindicações absolutas à cirurgia são estados de hipercoagulabilidade, como anemia falciforme e policitemia, por elevarem muito o risco de trombose anastomótica. Em alguns casos, a trombose pode se desenvolver apenas na presença de um fator adicional, como contracepção oral, cirurgia ou presença de neoplasia. Mutações genéticas, como o fator V Leiden, níveis de fator VIII,[44] mutações da AT III, diminuição dos níveis de proteínas C e S e hiper-homocisteinemia,[46] foram demonstradas como possíveis razões de falha do retalho livre em vários tipos de reconstrução. Distúrbios de coagulação hereditária ou adquirida pós-traumática podem levar não só a uma maior incidência de trombose do retalho mas também a piores resultados em caso de reexploração. A transferência de tecido livre nesses casos ainda é possível, porém a taxa de sucesso é de apenas 80%. Consequentemente, uma atenção especial deve ser dada à avaliação da trombofilia durante a avaliação pré-operatória, sendo até recomendado por algumas instituições mudar o plano cirúrgico e realizar a reconstrução com um retalho pediculado em vez do livre, visto que as medidas antitrombóticas são limitadas.

A avaliação completa e individualizada é, portanto, essencial antes da microcirurgia e deve seguir os princípios gerais, incluindo o planejamento adequado da anestesia e cuidados pós-operatórios. A investigação complementar recomendada é hemograma, coagulação, ionograma e função renal, glicemia, radiografia de tórax e eletrocardiograma. Outros testes (p. ex.: ecocardiografia, testes de função pulmonar, gasometria arterial) devem ser considerados se a doença associada os justificar. Todos os pacientes devem ter tipagem sanguínea e reservas de sangue.[4]

■ ANESTESIA PARA RECONSTRUÇÃO COM RETALHO LIVRE

Há surpreendentemente poucos ensaios controlados randomizados de qualidade sobre o melhor manejo anestésico para pacientes submetidos à cirurgia de retalho livre. Entretanto, uma boa compreensão da fisiologia do fluxo sanguíneo tanto na circulação sistêmica quanto por meio do retalho livre nos auxilia a tomar decisões de manejo sensatas.

Objetivos Fisiológicos

A sobrevida do retalho livre depende de um fluxo sanguíneo adequado e, embora o sangue não seja um fluido newtoniano e os vasos não sejam rígidos, a equação de Hagen-Pouiselle inclui vários parâmetros que são passíveis de manipulação para melhorar a sobrevida do retalho. A cirurgia é tipicamente longa (6 a 8 horas) com múltiplos locais de trauma tecidual, o que resulta em perdas consideráveis de líquidos, sangue e calor. Vasoconstrição hipovolêmica e hipotermia, se não corrigidas, comprometem a viabilidade do tecido transferido.[2]

Assumindo que o Fluxo Sanguíneo (FS) é laminar, seus determinantes são definidos pela equação de Hagen-Poiseuille:

$$Q = \pi \cdot \Delta P \cdot r^4 / 8 \cdot \eta \cdot l$$

Q: fluxo laminar; ΔP: variação de pressão; η: viscosidade; r: raio; l: comprimento; 8 e π: constantes de integração.

A implicação prática da equação de Hagen-Poiseuille para os anestesiologistas é que o FS, no pedículo e no retalho livre, pode ser otimizado, mantendo boa pressão de perfusão, reduzindo a viscosidade e aumentando o diâmetro do vaso (vasodilatação).

Embora o comprimento (l) seja fixo, manipular o gradiente de pressão (ΔP) por meio do tecido transplantado (pressão arterial sistêmica menos pressão venosa), do raio do vaso (r) e da viscosidade do sangue (η) pode melhorar drasticamente o fluxo pelo retalho. A tensão arterial é importante determinante do gradiente de pressão no tecido transplantado, sendo a profundidade anestésica adequada e ressuscitação fluida, associada ou não ao uso de vasopressores, as principais medidas a serem tomadas para atingir os valores de perfusão ideais. Igualmente importante, no entanto, é o calibre do vaso sanguíneo. Portanto possíveis causas de vasoconstrição como a hipovolemia, hipocapnia, hipotermia e dor, devem ser evitados ou tratados prontamente. A viscosidade do sangue também inflencia o FS e é determinada pelo hematócrito, no qual o equilíbrio é atingido entre a capacidade de transporte de oxigênio e o fluxo sanguíneo. Essa relação entre a viscosidade e o hematócrito (Ht) não é linear, ocorrendo um aumento significativo com valores de Ht acima de 40%, aumentando o risco de trombose. Assim, o Ht de cerca de 30% parece ser aquele que oferece o melhor equilíbrio entre a viscosidade e a capacidade de transporte de O_2.

$$DO_2 = CO(Hb \times Sat\ O_2 \times 1,34) + (PaO_2 \times 0,003)$$

Novas reduções no hematócrito não resultaram em maior benefício, e o benefício pode até ser superado pela diminuição da capacidade de transporte de O_2:

Garantir que o paciente esteja normotérmico e normovolêmico resultará em vasodilatação, baixa resistência vascular sistêmica e boa perfusão periférica, tanto para o retalho livre quanto para o restante do paciente.

Técnica Anestésica

É objetivo da anestesia reduzir a resposta ao estresse e a liberação de catecolaminas em resposta ao ato cirúrgico. Devido à longa duração da cirurgia, frequentemente superior a seis horas, os pacientes são comumente intubados e ventilados mecanicamente. A anestesia pode ser mantida usando um anestésico volátil em ar enriquecido com oxigênio ou com infusão de propofol associado a opioide. O sevoflurano e o desflurano são escolhas possíveis, pois ambos fornecem estabilidade cardiovascular associada ao rápido despertar após longas cirurgias. Foi demonstrado que o sevoflurano, comparado a anestésicos venosos como o propofol, pode ter efeitos benéficos sobre a microcirculação, reduzindo o extravasamento de plasma no espaço intersticial e, portanto, diminuindo o edema.[16] Alguns autores relataram que esse fármaco também apresenta efeito protetor sobre as células endoteliais contra a isquemia-reperfusão,[51,52] com possível ação no pré-condicionamento isquêmico.[17] O uso de remifentanil proporciona adequada analgesia peroperatória, controle rápido da pressão arterial, vasodilatação, menor necessidade de bloqueio neuromuscular peroperatório e despertar suave, permitindo, assim, excelentes condições na cirurgia microvascular. Bloqueadores neuromusculares são necessários por razões cirúrgicas (reduzir a contração muscular durante a dissecção do pedículo vascular). Ademais, infusão contínua (TIVA) ou alvo-controlada com propofol e remifentanil (TCI) é outra técnica popular, embora o despertar possa ser prolongado após uma infusão longa. Ao usar TIVA/TCI, recomenda-se o uso do monitor de profundidade anestésica. A aplicação de óxido nitroso deve ser evitada, especialmente em cirurgias longas, pois está associada a distensão gástrica, náusea e vômito após a cirurgia. Além disso, parece haver um risco maior de isquemia cardíaca pós-operatória.[18] A succinilcolina também deve ser evitada em pacientes com hipercalemia preexistente, vítimas de queimaduras ou traumas maciços. Nestes últimos, ocorre proliferação de receptores intra e extrajuncionais (*up-regulation*) entre 48 horas e 1 ano após a lesão, e a despolarização induzida pela succinilcolina está associada a hipercalemia e arritmias potencialmente letais. São necessários mais estudos para comparar a anestesia inalatória com a venosa na cirurgia microvascular.[2]

Se apropriado, o bloqueio regional pode ser realizado, preferencialmente para a retirada do retalho, aproveitando o bloqueio simpático.[2] Em combinação com a anestesia geral, a anestesia regional pode reduzir a necessidade de fármacos anestésicos, o tempo de permanência na sala de recuperação e o uso de analgésicos. Além disso, considera-se que a simpatólise causada pela anestesia regional apresenta efeito positivo na perfusão do enxerto ou transplante e na prevenção de vasoespasmo.[19] A introdução de cateteres regionais periféricos também permite analgesia adequada no pós-operatório por vários dias e, se necessário, imobilização do membro por bloqueio motor.[58]

A anestesia peridural na microcirurgia com o objetivo de otimizar a analgesia pós-operatória e a perfusão do retalho, entretanto, é controversa. Segundo Lou e col.,[20] a combinação de anestesia peridural e anestesia geral melhora a dor pós-operatória e os efeitos colaterais sem aumentar o risco de trombose do retalho. Por outro lado, Erni e col.[21] relatam que o bloqueio peridural causou redução significativa na pressão arterial média e poderia causar a redução do fluxo sanguíneo da microcirculação em retalhos livres na extremidade inferior, desviando o fluxo do retalho para tecidos normais intactos. Isso foi atribuído a um "fenômeno de roubo", uma vez que a inervação simpática do enxerto é abolida após a separação do sítio doador. Atualmente, nenhuma recomendação pode ser feita para o uso-padrão da anestesia peridural na microcirurgia. Em pacientes com alta demanda analgésica no pós-operatório ou aspectos da própria cirurgia (p. ex.: ressecção simultânea da parede torácica), a aplicação pode ser considerada. Alternativamente, bloqueios de nervos periféricos associados a cateteres podem ser utilizados para analgesia pós-operatória.

Ventilação adequada para garantir PO_2 e PCO_2 arterial normais é essencial. A hipóxia produzirá liberação de catecolaminas e vasoconstrição. A hipocapnia igualmente leva à vasoconstrição, aumentando a resistência vascular periférica e diminuindo o débito cardíaco, enquanto a hipercapnia causa estimulação simpática e reduz a deformidade eritrocitária.[6] Quando o microscópio é utilizado para a preparação de anastomoses no tórax ou no abdome, o volume-corrente deve ser reduzido para minimizar os movimentos. A frequência respiratória deve ser elevada para manter o volume-minuto.

A hipotensão arterial controlada é frequentemente indicada durante a dissecção inicial de pacientes hígidos, especialmente em cirurgias extensas de tumores malignos com dissecção de linfonodos ou retalhos musculocutâneos livres de grandes dimensões.[2] Quando o retalho é reperfundido, o paciente deve estar normotérmico, bem preenchido e simpaticamente bloqueado com alto débito cardíaco.[6]

Tosse e náuseas aumentam a pressão venosa e reduzem o fluxo do retalho; portanto, o despertar suave e a extubação são desejáveis. As técnicas para suavizar a extubação incluem a infusão de remifentanil em baixas doses para auxiliar na tolerância ao tubo traqueal, extubação sob anestesia profunda, ou troca do tubo traqueal por um dispositivo supraglótico.

Posicionamento

O preparo pré-operatório e o posicionamento do paciente podem ser demorados e é importante prevenir a hipotermia durante essa fase de exposição. O posicionamento cuidadoso é imperativo para evitar problemas bem reconhecidos como danos a nervos periféricos e úlceras de pressão. Almofadas de gel são particularmente úteis para áreas de maior risco como calcanhares e cotovelos. O posicionamento pode ser reajustado várias vezes durante a cirurgia, exigindo uma reavaliação das zonas de pressão. Em geral, o cirurgião reconstrutor opera em conjunto com o cirurgião que extrai o retalho para minimizar o tempo da cirurgia, o que pode exigir o reposicionamento do paciente à medida que o caso progride e, como o procedimento cirúrgico é duradouro, os pacientes correm o risco de articulações rígidas e doloridas após a cirurgia. Como medida profilática destes eventos, é aconselhável, se possível, mover passivamente as articulações durante e ao finalizar o procedimento. Os olhos também devem ser protegidos para reduzir a incidência de ressecamento e úlceras nas córneas.

Acessos e monitorização

Linhas periféricas, centrais e arteriais devem ser inseridas apenas após discussão do local ideal com a equipe cirúrgica pela possibilidade de lesar o retalho proposto. Como grandes mobilizações de fluidos podem ocorrer durante o procedimento, é essencial a punção de acesso venoso calibroso. Em pacientes submetidos à quimioterapia, isso pode ser desafiador e o acesso venoso central pode ser necessário. O acesso venoso central também pode ser realizado dependendo do estado cardiovascular do paciente e da necessidade antecipada de vasopressor para suporte inotrópico.

Além do monitoramento básico com oximetria de pulso, cardioscopia e pressão arterial não invasiva, recomenda-se uma linha arterial que permitirá não apenas um monitoramento preciso e contínuo do Pressão Arterial, como também a avaliação seriada dos gases sanguíneos e do hematócrito. O monitoramento da temperatura central (via nasofaríngeo ou tubo retal/da bexiga) também é essencial ao realizar o aquecimento ativo. A temperatura periférica também deve ser medida, pois a diminuição da temperatura da pele pode refletir hipovolemia e vasoconstrição. Uma diferença inferior a 2°C entre a temperatura central e a periférica indica um paciente aquecido e normovolêmico.[6] A produção de urina é outro indicador do preenchimento vascular e a colocação da sonda vesical além de monitorar a diurese previne a distensão da bexiga. Diurese de 1 a 2 mL.kg^{-1} deve ser mantida nos períodos intra e pós-operatório por meio de uma fluidoterapia apropriada. Os diuréticos devem ser evitados, pois a depleção de volume compromete o sucesso do retalho.[6] A monitorização do débito cardíaco pode ser considerada para auxiliar no manejo de fluidos intraoperatório guiado por metas e uso de fármacos vasoativos. Esta monitorização pode ser feita por meio do Ecocardiograma Transesofágico (ETTE) ou a partir de monitores da análise de contorno de pulso, estes especialmente úteis em cirurgias de cabeça e pescoço devido a interferência com o local da abordagem cirúrgica tornar o ETTE pouco viável.

Controle da Temperatura

Além da vasoconstrição, a hipotermia também é responsável pelo aumento da viscosidade e do hematócrito, pela agregação de plaquetas e de hemácias, o que pode reduzir a microcirculação no retalho. Se medidas preventivas não estiverem em vigor, a hipotermia pode ocorrer em até 50% a 90% dos pacientes cirúrgicos.[22] Procedimentos microvasculares, em especial, carregam importante risco de hipotermia, mas estudos limitados avaliaram o impacto global da temperatura central na morbidade do paciente e do retalho. Embora a hipotermia possa contribuir para complicações, as medidas de aquecimento são desafiadas por rela-

tos conflitantes de hipotermia intraoperatória, melhorando a patência da anastomose. A manutenção da normotermia pode ser difícil, com grandes áreas expostas por períodos prolongados durante a cirurgia, predispondo os pacientes à hipotermia. Além disso, a anestesia altera os mecanismos de termorregulação. A maioria dos relatos em humanos associa a hipotermia a complicações peroperatórias.[23] Um estudo retrospectivo de retalhos livres demonstrou correlação entre hipotermia intraoperatória (temperatura central média < 35,0°C) e infecções no sítio receptor, concluindo que ela levou a risco significativo de infecção do retalho sem benefício para a patência da anastomose na transferência de tecido livre. Entretanto, a hipotermia leve no intraoperatório, temperaturas entre 36,0°C e 36,4°C, já foi associada a menores taxas de trombose de retalho.[24] Temperaturas intraoperatórias mais altas foram associadas a piores desfechos. Uma hipotermia leve parece melhorar os resultados do retalho. Como a maior parte dos estudos relaciona a hipotermia a complicações peroperatórias e tendo em vista o provável malefício da hipertermia na promoção do fluxo sanguíneo do retalho, torna-se mandatório o monitoramento da temperatura corporal, bem como manter o paciente normotérmico na sala de cirurgia e no pós-operatório. Isso é possível ao se aumentar a temperatura ambiente, aquecer fluidos e usar o aquecedor de ar forçado. O aquecimento ativo deve começar antes do início da anestesia, pois o paciente rapidamente esfria após a indução.[2]

Terapia com fluidos

Circulação hiperdinâmica com alto débito cardíaco, vasodilatação periférica e pressão de pulso elevada é ideal para manter a perfusão microcirculatória adequada. Na cirurgia microvascular, a diminuição no débito cardíaco deve-se principalmente à redução da pré-carga, seja pela perda de volume circulante, seja pela vasodilatação farmacológica. Qualquer redução no débito cardíaco induz vasoconstrição mediada pelo sistema nervoso simpático, sistema renina-angiotensina-aldosterona e reflexo barorreceptor. Portanto, a manutenção de um débito cardíaco adequado é muito importante para a cirurgia de retalho livre.

Como os retalhos livres são submetidos a edema intersticial, a administração excessiva de líquidos também é prejudicial.[67] Já foi demonstrada correlação entre elevados volumes de infusões cristaloides peroperatórias com complicações gerais relacionadas ao retalho.[68-70] A taxa ideal de infusões de cristaloides sugerida na literatura é entre 3,5 e 6,0 mL.kg^{-1}.h^{-1} em um período peroperatório de 24 horas.[26] Apenas alguns estudos examinaram o papel dos coloides para substituir a perda de sangue intraoperatória, sem fornecer informação negativa sobre os hidroxietilamidos modernos.[27] Entretanto, em relação ao uso de dextrano, em contraste a estudos mais antigos que o sugeriram devido a suas propriedades reológicas, uma revisão de 1.351 retalhos livres demonstrou que esse agente aumentou significativamente a taxa de falha do retalho em pacientes oncológicos de alto risco.[28] O benefício das infusões de dextrano em termos de sobrevida do retalho ainda não foi clinicamente demonstrado. Além disso, a administração de dextrano foi associada a maior incidência de complicações sistêmicas.

A terapia de infusão intraoperatória adequada é essencial para o resultado peroperatório de um paciente. Tanto a hipovolemia quanto a hipervolemia podem levar a um aumento na taxa de complicações peroperatórias e a um pior desfecho. A terapia de infusão no peroperatório deve, portanto, ser baseada nas necessidades momento a momento do peroperatório.[29]

Fármacos Vasoativos

Durante os estágios de dissecção da cirurgia, a hipotensão controlada pode ser solicitada pela equipe cirúrgica. Isso geralmente é obtido pela alteração das concentrações dos fármacos anestésicos. Os vasodilatadores são normalmente evitados, pois podem ser prejudiciais devido ao risco de reduzir o fluxo sanguíneo para o retalho. Durante a anastomose do retalho, a normotensão é, na maior parte das vezes, suficiente para garantir adequada pressão de perfusão através do tecido. O uso de vasoconstritores é uma questão contenciosa na anestesia com retalho livre, em grande parte, devido ao receio de que a vasoconstrição sistêmica leve à redução da perfusão do retalho. Esse conceito é contrastado pelos resultados de vários estudos que propõem o uso intraoperatório de substâncias vasoativas como seguras e sem qualquer influência na taxa de sucesso ou complicação. O uso intraoperatório de fenilefrina e efedrina também não afetou adversamente o resultado de mais de 250 reconstruções mamárias microcirúrgicas.[25] Eley e col.[30] demonstraram que a dobutamina e a noradrenalina melhoram o fluxo sanguíneo da pele do retalho, apresentando melhor efeito a noradrenalina.

Foi demonstrado que o uso peroperatório de noradrenalina tampouco afetou adversamente a sobrevida do retalho livre em pacientes submetidos a cirurgias reconstrutivas microvasculares, embora a taxa de reexploração tenha aumentado marginalmente e que uma taxa de infusão de dobutamina inferior a 5 μg·kg⁻¹.min⁻¹ promove melhora do fluxo sanguíneo para o retalho tecidual, minimizando os efeitos colaterais cardiovasculares. É válido ressaltar ainda que o uso criterioso de catecolaminas também evita a administração excessiva de fluido, que eleva a morbidade.[25,30]

Em resumo, o uso de agentes vasoativos pode ser recomendado para o tratamento da hipotensão intraoperatória, assumindo um estado equilibrado de fluido e volume. Mais estudos são necessários para avaliar e comparar completamente o efeito de diferentes vasopressores na microcirculação do retalho livre. No entanto, o uso de fenilefrina, efedrina, noradrenalina e dobutamina em baixas doses para manter a normotensão em pacientes adequadamente preenchidos parece ser seguro.

Gerenciamento Transfusional

O hematócrito adequado permite equilíbrio ideal entre a viscosidade, o fluxo sanguíneo e a capacidade adequada de transporte de oxigênio, acreditando-se que esse valor seja entre 30% e 35%. Além da questão da necessidade de administração pré-operatória de concentrados de eritrócitos (CE) em pacientes anêmicos, o regime de transfusão intraoperatória é frequentemente objeto de discussões interdisciplinares. Semelhante a muitas outras cirurgias, a transfusão sanguínea parece estar associada a um aumento da incidência de complicações, inclusive na intervenção microcirúrgica. Muitas vezes é difícil, a partir de estudos retrospectivos, definir se as complicações foram efeitos da transfusão ou causadas por um mau estado de saúde pré-operatório do paciente. Assim, a transfusão de cada unidade de hemoderivados deve ser pesada individualmente de acordo com o risco e o benefício para o paciente. Um estudo retrospectivo de 398 enxertos de retalho livre[32] sugere um escore, representado na Tabela 180.1, para avaliar a necessidade de transfusão de CE em intervenção microcirúrgica, calculado usando um sistema de pontuação que considera idade, contagem de plaquetas, Hb pré-operatório, tipo de enxerto, local da cirurgia e presença de insuficiência cardíaca ou renal. Com uma pontuação final de 0 a 2, a probabilidade de transfusão é inferior a 25%, enquanto em uma pontuação de 4, a chance se eleva para 55,2%. Já em uma pontuação acima de 6, mais de 80% da probabilidade de transfusão deve ser esperada, com uma transfusão média de 2 CE.

Tabela 180.1 Cálculo da probabilidade de transfusões com concentrados de eritrócitos.

Fatores	Pontuação
Idade > 60 anos	1
Contagem de plaquetas > 400/nl	2
Incisão nas extremidades proximais, cabeça e pescoço, parede torácica	2
Uso de retalhos miocutâneos	2
Hemoglobina pré-operatória < 11 mg·dL⁻¹	3
Insuficiência cardíaca	3
Insuficiência renal	7
Total	20

Fonte: Adaptada de Kolbenschlag J *et al.*, 2016.[32]

Tradicionalmente, a hemodiluição hipervolêmica tem sido usada durante a anestesia para esse tipo de cirurgia, evitando-se, em muitos casos, a transfusão de hemoderivados. Kanayama e col.[33] observaram que a congestão promoveu necrose no retalho e a hemodiluição reduziu a oclusão da microcirculação, aumentando o fluxo sanguíneo e a oxigenação dos retalhos cutâneos, sugerindo que a hemodiluição peroperatória é superior à transfusão de sangue em cirurgia que envolve retalho microcirúrgico, a menos que exista uma necessidade sistêmica crítica de transfusão de sangue.

A combinação de soluções cristaloides e coloides é geralmente apropriada, guiada pelo débito urinário de pelo menos 0,5 mL·kg⁻¹.h⁻¹. A perda sanguínea pode ser considerável durante cirurgias extensas e longas, porém uma política de transfusão "liberal" está associada a aumento da morbidade e a transfusão sanguínea é recomendada apenas se os valores de hemoglobina forem inferiores a 7-8 g.dL⁻¹.[34] A administração de plaquetas e fatores de coagulação podem ser necessários em caso de sangramento significativo.[4]

Anticoagulação

A profilaxia de eventos tromboembólicos (ETE) deve ser realizada de forma individualizada de acordo com os fatores de risco do paciente e procedimento cirúrgico proposto. A profilaxia empregada envolve medidas não farmacológicas, como uso de meia elástica e compressão pneumática intermitente durante o intraoperatório, e medidas farmacológicas com o uso de heparina de baixo peso molecular subcutânea (HBPM) ou venosa.

Em um grande estudo de cirurgia de retalho livre, a administração subcutânea de heparina foi associada com melhora significativa na sobrevida do retalho.[89] No entanto, a anticoagulação peroperatória com heparina intravenosa não mostrou benefício clínico, segundo Numajiri e col.,[90] e ainda aumentou a formação de hematomas. A aspirina parece ser tão eficaz quanto a heparina subcutânea na cirurgia de retalho livre[91] e o clopidogrel reduziu a trombose microvascular em ratos, mas não tem sido usado em grande número na prática clínica.[92] Agentes trombolíticos (como estreptoquinase e uroquinase) são administrados diretamente na trombose de vasos pelo cirurgião.[93]

A perda do retalho ocorre mais frequentemente por causa da trombose do pedículo microvascular, o que é secundário a danos vasculares, causados por lesão da camada íntima, torção ou anastomoses inadequadas. No entanto, mesmo com a técnica cirúrgica e o acompanhamento adequados, as falhas do retalho podem ocorrer devido a presença de distúrbios de coagulação, como um estado hipercoagulável pós-traumático.[14] A hipercoagulabilidade é uma propensão para a formação inadequada ou patológica de trombos. Estima-se que cerca de 5% a 10% da população tenham uma condição de hipercoagulabilidade, que frequentemente não é reconhecida ou não é detectada por testes de rotina.[35] Alguns autores avaliaram o uso de tromboelastometria rotacional (TER) para detecção de hipercoagulabilidade em cirurgia de retalho livre. A análise de TER é baseada em um processo de coagulação *in vitro* que gera uma imagem em tempo real da formação do coágulo, demonstrando a interação entre os componentes plasmáticos da coagulação e elementos celulares. O TER foi considerado uma ferramenta valiosa para uma avaliação mais dinâmica da mudança do estado de coagulação em pacientes submetidos a reconstrução mamária microcirúrgica, para a triagem do equilíbrio da coagulação e para a predição de complicações tromboembólicas em pacientes submetidos à cirurgia de transferência de retalho livre.[36]

■ PÓS-OPERATÓRIO

O adequado manejo no pós-operatório inclui controle álgico adequado, manutenção de normotermia, pressão arterial normal, hematócrito ~30% e débito urinário satisfatório. Em particular, os tremores devem ser evitados, pois podem aumentar o consumo de oxigênio, aumentar as catecolaminas circulantes e causar vasoconstrição periférica. Aquecimento externo, petidina, alfa-2 agonistas ou sedação podem ser necessários para tratar os tremores.[37]

É prática comum admitir todos os pacientes submetidos a reconstrução com retalho livre intubados e sedados na Unidade de Terapia Intensiva (UTI) devido à extensão e duração dos procedimentos e para observação da viabilidade do retalho. Entretanto, estudos retrospectivos demonstram que a extubação no pós-operatório imediato pode reduzir a permanência na UTI, bem como o uso de fármacos ansiolíticos, o uso de contenção e a incidência de pneumonia, sem aumento nas complicações relacionadas ao retalho ou à ferida.[38] Mesmo para pacientes traqueotomizados no intraoperatório, foi observada menor taxa de complicações quando a respiração espontânea foi instituída no pós-operatório imediato. Portanto, a extubação precoce deve ser considerada, ponderando-se o risco potencial de complicações pulmonares contra o risco de falha catastrófica do retalho devido a excessiva movimentação do paciente.

O despertar do paciente e a extubação podem ser um desafio, mesmo para anestesiologistas experientes. É desejável ter um paciente acordado e cooperativo, mas também é importante evitar grandes variações de pressão associadas à tosse e agitação. Isso é particularmente importante em cirurgias de cabeça e pescoço, sendo mandatório garantir adequada analgesia antes do despertar. Nesses pacientes, o edema e consequente obstrução da via aérea também é preocupante, podendo ser considerado um período de ventilação mecânica após cirurgia eletiva, ponderando-se o risco de redução da pressão arterial e, por sua vez, da perfusão do retalho, secundária à sedação.

Analgesia

A analgesia pós-operatória geralmente consiste em analgésicos simples (paracetamol e dipirona), anti-inflamatórios não esteroides, se apropriados, opioides, que podem ser administrados por meio de analgesia controlada pelo paciente ou por via oral.

Analgesia excelente e continuada no pós-operatório é necessária não apenas para garantir o conforto do paciente, mas também para evitar aumento na atividade simpática, com consequente liberação de catecolaminas, que possa comprometer a sobrevida do retalho livre. Isso pode ser alcançado por meio de abordagem multimodal, associando analgésicos simples, anti-inflamatórios, anestésicos locais em bloqueios regionais, a exemplo do bloqueio paravertebral, e analgesia endovenosa controlada pelo paciente. Quando os opioides são prescritos, antiemético profilático deve ser associado. Estratégias de otimização pós-operatória (ERAS) têm sido cada vez mais utilizadas em cirurgias reconstrutivas, em especial em cirurgias mamárias.

Olds e col.,[39] avaliaram a prevalência de uso de opioides no pós-operatório imediato e a longo prazo após cirurgia plástica e reconstrutiva e encontraram que os fatores de risco independentes para uso persistente e prolongado de opioides incluíram: uso opioide peroperatório, tipo de procedimento e saúde mental (depressão e ansiedade) no ano anterior à cirurgia e históricos de abuso de substâncias. Portanto, é imperativo desenvolver diretrizes de melhores práticas para as práticas de prescrição de opioides no pós-operatório nessa população.

No pós-operatório, o paciente dever ser monitorizado em uma unidade especializada com equipe treinada na avaliação de retalhos microcirúrgicos, a fim de detectar prontamente possível comprometimento do tecido transferido, permitindo assim imediata reexploração. É essencial que todas as medidas tomadas para garantir a pressão de perfusão adequada durante a cirurgia sejam mantidas no período pós-operatório. A pressão arterial (PA) deve ser monitorada de perto e a hipovolemia deve ser tratada. A fluidoterapia deve permitir débito urinário de 0,5-1 mL.kg^{-1}h^{-1}. Vasopressores geralmente não são necessários. Entretanto, em pacientes ventilados e sedados, eles podem ser necessários para manter uma pressão arterial média (PAM) apropriada. Não há consenso sobre o protocolo recomendado para anticoagulação pós-operatória. A aspirina e a heparina de baixo peso molecular parecem ser uma escolha adequada especialmente no pós-operatório de cirurgia de reconstrução do retalho livre de cabeça e pescoço.

A falha do retalho na reconstrução microvascular é uma complicação dispendiosa, sendo a perda total do retalho o pior cenário possível. O índice de falha é de aproximadamente 4% com uma taxa de reexploração de cerca de 10%.[89] Um estudo retrospectivo de 1.142 retalhos livres apresentou uma taxa de reexploração de 9,9%, com 82% desses retalhos apresentando problemas circulatórios dentro de 24 horas. As causas mais comuns de perda do retalho são: distúrbios circulatórios devido a obstrução do fluxo de entrada ou saída, vasospasmos, tromboses, torção de anastomose, compactação por hematomas, infecção e abscessos. Outras causas incluem edema devido a hemodiluição excessiva, trauma de manipulação (por exemplo, curativos) e tempo de isquemia prolongado. O monitoramento clínico (cor, retorno capilar, temperatura) tem valor limitado mas ainda é o padrão-ouro com o qual outras técnicas são comparadas. A fluxometria por *laser* Doppler e a espectroscopia no infravermelho próximo têm sido relatadas para identificar problemas circulatórios precoces, mas ambas as técnicas não são adequadas para os retalhos enterrados. Nesses casos, apesar de suas limitações, o recomendado é utilizar Doppler implantável, acoplador de fluxo, pressão parcial de oxigênio no tecido e microdiálise como métodos de monitoramento.

■ PERSPECTIVAS FUTURAS

A última década foi uma jornada fantástica de avanço tecnológico e inovação. Pode-se antever que em breve ocorrerão avanços na cirurgia reconstrutiva e nos cuidados anestésicos, incluindo aqueles que atualmente parecem impossíveis.[40] A cirurgia plástica aborda muitas questões reconstrutivas, e a supermicrocirurgia pode desempenhar um papel em fronteiras cirúrgicas ainda menores. A cirurgia robótica, a nomedicina e a biomimética permitem a engenharia de tecidos moles e duros, nervos e vasos, avançando a cirurgia reconstrutiva.

Os robôs cirúrgicos coletam o retalho cutâneo com maior precisão, resultando em menos trauma tecidual, menor tempo cirúrgico e cicatrizes estéticas (incisões menores). Também permitem anastomoses microvasculares precisas com menor edema tecidual e abordagens em vários ângulos.[41]

Os materiais em nanoescala melhoraram os processos biológicos de cicatrização de feridas, identificação de tumores e previsão de tecidos, que são importantes na cirurgia plástica. Eles se preparam para implantes ou otimização específica de tecido para melhorar a biocompatibilidade e a integração do tecido. Amin e col. analisaram essas tecnologias e encontraram áreas de progresso que os cirurgiões reconstrutivos não conseguem, que poderiam ser utilizadas em nosso arsenal em breve.[42]

Nos últimos anos, também tem sido investigada a aplicação de organoides em cirurgia plástica reparadora. Tratam-se de estruturas 3D geradas a partir de células-tronco. Suas funções e características fisiológicas são semelhantes às dos órgãos normais. Uma revisão da literatura traz uma visão otimista para o uso desta tecnologia no futuro.[43]

Os avanços da cirurgia reconstrutiva também tiveram um impacto significativo na evolução da cirurgia de afirmação de gênero, que teve um crescimento significativo na última década.[44] Durante esse período, o número de opções cirúrgicas disponíveis, bem como a variedade e combinação de retalhos utilizados para faloplastia, cresceram juntamente com os avanços na cirurgia reconstrutiva. Uma revisão detalhada dos tratamentos hormonais e cirúrgicos para pacientes transexuais descobriu que metade dos pacientes transexuais tratados clinicamente procuram procedimentos cirúrgicos, e as opções cirúrgicas e abordagem anestésica devem ser adaptadas aos objetivos do paciente.[45]

■ EVIDÊNCIAS E CONSIDERAÇÕES FINAIS

Apesar das práticas atuais permanecem extremamente diversas, Motakef e col.[26] publicaram em 2015 diretrizes baseadas em evidências (Tabela 180.2) que visam melhorar os resultados dos pacientes submetidos a microcirurgia com colocação de retalho microcirúrgico.

Tabela 180.2 Diretrizes baseadas em evidências.

Recomendação	Nível de evidência
A normotermia deve ser mantida no peroperatório para melhorar os resultados	2b
A reposição de volume deve ser mantida entre 3,5 e 6,0 mL.kg^{-1}.h^{-1}	2b
Os vasopressores não prejudicam os resultados e podem melhorar o fluxo do retalho	1b
A maioria das evidências apoia o uso de noradrenalina sobre outros vasopressores	1b
O dextrano deve ser evitado	1b
Os sistemas de bomba para infusão de anestésico local são benéficos após a reconstrução da mama com retalho livre	1b

Fonte: Adaptada de Motakef S e col., 2015.[26]

A Tabela 180.3 apresenta as principais intervenções anestésicas na cirurgia com transferência de retalho livre.

Anestesia para cirurgia de retalho microvascular é desafiadora. O papel do anestesiologista inclui otimizar as condições fisiológicas para a sobrevivência do retalho sem aumentar a morbidade não cirúrgica e, quando possível, otimizar condições preexistentes. O conhecimento da fisiopatologia e das etapas da cirurgia, assim como estreita comunicação com a equipe cirúrgica e com demais envolvidos no cuidado do paciente, são necessários para garantir um resultado favorável na cirurgia plástica reparadora. Anestesiologistas, cirurgiões plásticos, intensivistas e administradores hospitalares devem continuar trabalhando juntos para garantir que esse tão importante procedimento seja realizado de maneira satisfatória, eficiente e econômica.

Uma equipe multidisciplinar deve continuar envolvida na otimização do paciente e na avaliação pré-operatória, desde a dieta até a sua saúde mental. O controle da pressão arterial média, administração de fluidos, temperatura e oxigenação são essenciais durante a anestesia, assim como uma compreensão completa da fisiologia e anatomia do retalho. Pacientes submetidos a cirurgia da cabeça e do pescoço, em particular, geralmente apresentam vias aéreas difíceis, o que requer os serviços de um anestesiologista especializado em técnicas avançadas de vias aéreas. A ERAS (*Enhanced Recovery after Surgery Society e a Society*) emitiu recomendações de consenso delineando as melhores práticas atuais[46] e a espectrometria de infravermelho próximo (NIRS) para pré-habilitação e monitoramento pós-operatório de retalhos é uma dessas técnicas emergentes que promete melhores resultados no futuro.[47]

No pós-operatório, o paciente dever ser monitorizado em uma unidade especializada com equipe treinada na avaliação de retalhos microcirúrgicos, a fim de detectar prontamente possível comprometimento do tecido transferido, permitindo assim imediata reexploração. É essencial que todas as medidas tomadas para garantir a pressão de perfusão adequada durante a cirurgia sejam mantidas no período pós-operatório. A pressão arterial (PA) deve ser monitorada de perto e a hipovolemia deve ser tratada. A fluidoterapia deve permitir débito urinário de 0,5-1 mL.kg^{-1}h^{-1}. Vasopressores geralmente não são necessários. Entretanto, em pacientes ventilados e sedados, eles podem ser necessários para manter uma pressão arterial média (PAM) apropriada. Não há consenso sobre o protocolo recomendado para anticoagulação pós-operatória.

A falha do retalho na reconstrução microvascular é uma complicação dispendiosa, sendo a perda total do retalho o pior cenário possível. Um estudo retrospectivo de 1.142 retalhos livres apresentou uma taxa de reexploração de 9,9%, com 82% desses retalhos apresentando problemas circulatórios dentro de 24 horas.[48] As causas mais comuns de perda do retalho são: distúrbios circulatórios devido a obstrução do fluxo de entrada ou saída, vasospasmos, tromboses, torção de anastomose, compactação por hematomas, infecção e abscessos. Outras causas incluem edema devido a hemodiluição excessiva, trauma de manipulação (por exemplo, curativos) e tempo de isquemia prolongado. O monitoramento clínico (cor, retorno capilar, temperatura) tem valor limitado, mas ainda é o padrão-ouro com o qual outras técnicas são comparadas. A fluxometria por *laser* Doppler e a espectroscopia no infravermelho próximo têm sido relatadas para identificar problemas circulatórios precoces, mas ambas as técnicas não são adequadas para os retalhos enterrados. Nesses casos, apesar de suas limitações, o recomendado é utilizar Doppler implantável, acoplador de fluxo, pressão parcial de oxigênio no tecido e microdiálise como métodos de monitoramento.[49]

Tabela 180.3 Resumo das intervenções anestésicas.

Momento	Problema	Intervenções anestésicas
Pré-operatório	Avaliação das condições clínicas	Preparo habitual anestésico Controle da PA e normoglicemia Parar de fumar
Admissão	Avaliar risco de ETE	Considerar a profilaxia para ETE
Intraoperatório	Escolha da técnica anestésica	Adequada infusão de fluidos e hemoderivados, normoglicemia, normotermia
Indução	Anestesia geral: vasodilatação periférica – perda de calor e hipovolemia relativa	Monitoramento da temperatura Reposição de fluido
Ressecção do tecido	Grande sítio cirúrgico, potencial perda de calor e sangramento	Uso de dispositivo de aquecimento ativo/reposição volêmica/hipotensão controlada?
Reperfusão	Possível lesão de isquemia-reperfusão/risco de edema do retalho	Manter PA adequada (vasoconstritor/ inotrópicos, se necessário) ↓Viscosidade: Ht-alvo: ~30%)
Despertar	Tosse e esforço respiratório aumentam a pressão venosa	Planejar despertar suave
Pós-operatório	Hipotermia, calafrios e dor podem causar vasoconstrição	Garantir normotermia, boa analgesia
Cuidados pós-operatórios	Maior risco de falha do retalho nos primeiros três dias	Continuar as estratégias para adequada perfusão e evitar edema Analgesia multimodal Monitoramento para detectar sinais de falha do retalho precocemente

REFERÊNCIAS

1. Nahabedian MY, Schwartz J. Autologous breast reconstruction following mastectomy. Handchir Mikrochir Plast Chir. 2008 Aug;40(4):248-54. doi: 10.1055/s-2008-1038754. Epub 2008 Aug 20. PMID: 18716988

2. Quinlan J. Anaesthesia for reconstructive surgery. Anaesth Intensive Care. 2006;7:31-5.

3. Cooper RM, O'Sullivan E, Popat M, et al. Difficult Airway Society guidelines for the management of tracheal extubation. Anaesthesia. 2013;68:217.

4. Fukui K, Fujioka M, Yamasaki K, et al. Risk factors for postoperative complications among the elderly after plastic surgery procedures performed under general anesthesia. Plast Surg Int. 2018 Jul 8;2018:7053839.

5. Hand WR, McSwain JR, McEvoy MD, et al. Characteristics and intraoperative treatments associated with head and neck free tissue transfer complications and failures. Otolaryngol Head Neck Surg. 2015;152:480-7.

6. Hahn HM, Jeong YS, Hong YS, et al. Use of revascularized artery as a recipient in microvascular reconstruction of the lower leg: an analysis of 62 consecutive free flap transfers. J Plast Reconstr Aesthet Surg. 2017 May;70(5):606-17.

7. Baron DM, Hochrieser H, Posch M, et al. Preoperative anaemia is associated with poor clinical outcome in non-cardiac surgery patients. Br J Anaesth. 2014;113:416-23.

8. Hill JB, Patel A, Del Corral GA, et al. Preoperative anemia predicts thrombosis and free flap failure in microvascular reconstruction. Ann Plast Surg. 2012;69:364-7.

9. Lo SL, Yen YH, Lee PJ, et al. Factors influencing postoperative complications in reconstructive microsurgery for head and neck cancer. J Oral Maxillofac Surg. 2017;75:867-73.

10. Moon KC, Baek SO, Yoon ES, et al. Predictors affecting complications and aesthetic outcomes in autologous breast reconstruction with free muscle-sparing transverse rectus abdominis myocutaneous flaps. Microsurgery. 2019:22.

11. Chang DW, Wang B, Robb GL, et al. Effect of obesity on flap and donor-site complications in free transverse rectus abdominis myocutaneous flap breast reconstruction. Plast Reconstr Surg. 2000;105:1640.

12. Mehrara BJ, Santoro TD, Arcilla E, et al. Complications after microvascular breast reconstruction: experience with 1195 flaps. Plast Reconstr Surg. 2006;118:1100-9.

13. Sørensen LT. Wound healing and infection in surgery: the clinical impact of smoking and smoking cessation: a systematic review and meta-analysis. Arch Surg. 2012;147(4):373.

14. Kuri M, Nakagawa M, Tanaka H, et al. Determination of the duration of preoperative smoking cessation to improve wound healing after head and neck surgery. Anesthesiology 2005;102(5):892-6.

15. Wang, TY, Serletti JM, Cuker A, et al. Free tissue transfer in the hypercoagulable patient: a review of 58 flaps. Plast Reconstr Surg. 2012;129(2):443-53.

16. Chappell D, Heindl B, Jacob M, et al. Sevoflurane reduces leukocyte and platelet adhesion after ischemia-reperfusion by protecting the endothelial glycocalyx. Anesthesiology. 2011;115:483-91.

17. Claroni C, Torregiani G, Covotta M, et al. Protective effect of sevoflurane preconditioning on ischemia-reperfusion injury in patients undergoing reconstructive plastic surgery with microsurgical flap, a randomized controlled trial. BMC Anesthesiol. 2016;16(1):66.

18. Myles PS, Leslie K, Chan MT, et al. Avoidance of nitrous oxide for patients undergoing major surgery: a randomized controlled trial. Anesthesiology. 2007;107:221-31.

19. Gadsden J, Warlick A. Regional anesthesia for the trauma patient: improving patient outcomes. Local Reg Anesth. 2015;8:45-55.

20. Lou F, Sun Z, Huang N, et al. Epidural combined with general anesthesia versus general anesthesia alone in patients undergoing free flap breast reconstruction. Plast Reconstr Surg. 2016;137:502e-9e.

21. Erni D, Banic A, Signer C, et al. Effects of epidural anaesthesia on microcirculatory blood flow in free flaps in patients under general anaesthesia. Eur J Anaesthesiol. 1999;16:692-8.

22. Young VL, Watson ME. Prevention of perioperative hypothermia in plastic surgery. Aesth Surg J. 2006;26(5):551-71.

23. Hill JB, Sexton KW, Bartlett E, et al. The clinical role of intraoperative core temperature in free tissue transfer. Ann Plastic Surg. 2015 Dec;75(6):620-4.

24. J Liu YJ, Hirsch BP, Shah AA, et al. Mild intraoperative hypothermia reduces free tissue transfer thrombosis. Reconstr Microsurg. 2011 Feb;27(2):121-6. doi: 10.1055/s-0030-1268211. Epub 2010 Oct 27.

25. Booi DI. Perioperative fluid overload increases anastomosis thrombosis in the free TRAM flap used for breast reconstruction. Eur J Plast Surg. 2011;34:81-6.

26. Motakef S, Mountziaris PM, Ismail IK, et al. Emerging paradigms in perioperative management for microsurgical free tissue transfer: review of the literature and evidence-based guidelines. Plast Reconstr Surg. 2015;135:290-9.

27. Arellano R, Gan BS, Salpeter MJ, et al. A triple-blinded randomized trial comparing the hemostatic effects of large-dose 10% hydroxyethyl starch 264/0.45 versus 5% albumin during major reconstructive surgery. Anesth Analg. 2015;100 (6):1846-53.

28. Riva FMG, Chen Y, Tan N, et al. The outcome of prostaglandin-E1 and dextran-40 compared to no antithrombotic therapy in head and neck free tissue transfer: analysis of 1,351 cases in a single center. Microsurgery. 2012;32(5):339-43.

29. Rehm M, Hulde N, Kammerer T, Meidert AS, Hofmann-Kiefer K. State of the art in fluid and volume therapy: a user-friendly staged concept. English version. Anaesthesist. 2019 Feb;68(Suppl 1):1-14.

30. Eley KA, Young JD, Watt-Smith SR. Epinephrine, norepinephrine, dobutamine, and dopexamine effects on free flap skin blood flow. Plast Reconstr Surg. 2012;130:564-70.

31. Fischer JP, Nelson JA, Sieber B, et al. Transfusions in autologous breast reconstructions: an analysis of risk factors, complications, and cost. Ann Plast Surg. 2014;72:566-71.

32. Kolbenschlag J, Schneider J, Harati K, et al. Predictors of intraoperative blood transfusion in free tissue transfer. J Reconstr Microsurg. 2016;32:706-11.

33. Kanayama K, Mineda K, Mashiko T, et al. Blood congestion can be rescued by hemodilution in a random-pattern skin flap. Plast Reconstr Surg. 2017 Feb;139(2):365-74.

34. Abt NB, Puram SV, Sinha S, et al. Transfusion in head and neck cancer patients undergoing pedicled flap reconstruction. Laryngoscope. 2018 Dec;128(12):E409-15.

35. Kitchens, C. Concept of hypercoagulability: a review of its development, clinical application, and recent progress. Seminars Thromb Hemostasis. 2008;11(03):293-315.

36. Zavlin D, Chegireddy V, Iubhal KT, et al. Management of microsurgical patients using intraoperative unfractionated heparin and thromboelastography. J Reconstr Microsurg. 2019 Mar;35(3):198-208.

37. Lopez MB. Postanaesthetic shivering – from pathophysiology to prevention. Rom J Anaesth Intensive Care. 2018 Apr;25(1):73-81.

38. A Ilak A, Nguyen TN, Shonka DC Jr, et al. Immediate postoperative extubation in patients undergoing free tissue transfer. Laryngoscope. 2011 Apr;121(4):763-8.

39. Olds C, Spataro E, Li K, et al. Assessment of persistent and prolonged postoperative opioid use among patients undergoing plastic and reconstructive surgery. JAMA Facial Plast Surg. 2019 Mar 7. doi: 10.1001/jamafacial.2018.2035.

40. Schaverien MV, Butler CE. Hot Topics in Reconstructive Surgery. Plastic and Reconstructive Surgery 147(5):1245-1247, May 2021. DOI: 10.1097/PRS.0000000000007904.

41. Wang P, Su YJ, Jia CY. Current surgical practices of robotic-assisted tissue repair and reconstruction. Chin J Traumatol. 2019 Apr;22(2):88-92. doi: 10.1016/j.cjtee.2019.01.003. Epub 2019 Feb 27.

42. Amin K, Moscalu R, Imere A, Murphy R, Barr S, Tan Y, Wong R, Sorooshian P, Zhang F, Stone J, Fildes J, Reid A, Wong J. The future application of nanomedicine and biomimicry in plastic and reconstructive surgery. Nanomedicine(Lond). 2019 Oct;14(20):2679 2696.

43. Chung KC. Continuing the Culture of Excellence of Plastic and Reconstructive Surgery. Plast Reconstr Surg. 2022 Jan;149(1):279-280. DOI: 10.1097/PRS.0000000000008638.

44. Al-Tamimi M, Pigot GL, Elfering L, et al. Genital gender-affirming surgery in transgender men in The Netherlands from 1989 to 2018: The evolution of surgical care. Plast Reconstr Surg. 2020;145:153–161.

45. Tollinche LE, Rosa WE, van Rooyen CD. Perioperative Considerations for Person-Centered Gender-Affirming Surgery. Adv Anesth. 2021 Dec;39:77-96. doi: 10.1016/j.aan.2021.07.005. Epub 2021 Sep 29. PMID: 34715982; PMCID: PMC8562883.

46. Linder S, Walle L, Loucas M, Loucas R, Frerichs O, Fansa H. Enhanced Recovery after Surgery (ERAS) in DIEP-Flap Breast Reconstructions-A Comparison of Two Reconstructive Centers with and without ERAS-Protocol. J Pers Med. 2022 Feb 25;12(3):347. doi: 10.3390/jpm12030347. PMID: 35330347; PMCID: PMC8954560.

47. Duggan E, McCauley P, Moore M. Anestesia para cirurgia de reconstrução de retalho livre para câncer de cabeça e pescoço. British Journal of Hospital Medicine. 2022;83(5). Lond. Epub 17 de maio de 2022. PMID: 35653311 DOI: 10.12968/hmed.2021.0668.

48. Chen KT, Mardini S, Chuang DC, et al. Timing of presentation of the first signs of vascular compromise dictates the salvage outcome of free flap transfers. Plast Reconstr Surg. 2007;120:187-95.

49. Kääriäinen M, Halme E, Laranne J. Modern postoperative monitoring of free flaps. Curr Opin Otolaryngol Head Neck Surg. 2018 Aug;26(4):248-53.

Parte 25

Anestesia Para Oftalmologia

Anestesia em Oftalmologia: Fisiologia Ocular e Técnicas Anestésicas

Luiz Fernando Alencar Vanetti

INTRODUÇÃO

Para o sucesso da cirurgia oftalmológica, em especial da cirurgia intraocular, a anestesia deve preencher alguns requisitos que constam da Tabela 181.1. Atualmente, com a evolução tanto da anestesia geral quanto da regional, estes requisitos podem ser preenchidos, satisfatoriamente, por ambas as técnicas. A escolha de uma delas deve ser feita respeitando-se as contraindicações de cada uma e vendo, caso a caso, a que melhor se ajusta à situação.

Este capítulo tece considerações sobre a anestesia para a cirurgia intraocular e extraocular e detalha alguns problemas específicos de casos representativos.

Tabela 181.1 Requisitos para a cirurgia ocular.

- Controle do reflexo oculocardíaco
- Controle da pressão intraocular
- Controle do reflexo óculo-emético
- Imobilidade do olho
- Baixo sangramento
- Despertar tranquilo
- Controle de náuseas e vômitos
- Controle da dor pós-operatória

■ REFLEXO OCULOCARDÍACO

O reflexo oculocardíaco (ROC) tem sido muito estudado desde que Aschner[1] e Dagnini[2] o relataram em 1908, descrevendo a bradicardia que ocorria quando se aplicava uma pressão digital sobre o globo ocular.

Os impulsos aferentes originam-se no conteúdo orbitário, seguem pelos nervos ciliares curtos, passam pelo gânglio ciliar, divisão oftálmica do nervo trigêmeo, gânglio trigêmeo, indo terminar no núcleo sensorial do trigêmeo, próximo ao quarto ventrículo. Os impulsos eferentes são conduzidos através do nervo vago ao coração.

Esse arco reflexo pode ser ativado por vários fatores, tais como: pressão sobre o globo ocular, tração dos músculos extraoculares, tração da conjuntiva, injeção intraconal e peribulbar, hematoma intraorbitário, enfim, nos pacientes mais sensíveis, por qualquer manipulação sobre o globo ocular, conteúdo orbitário, conjuntiva ou pálpebras.

Vê-se, portanto, que o ROC pode ocorrer em qualquer cirurgia oftalmológica e é mais frequente e tem efeitos mais intensos nas cirurgias para correção do estrabismo, tanto pelo tipo de tração exercida sobre os músculos extraoculares quanto pelo fato de essa cirurgia ser realizada principalmente em crianças, faixa etária em que o nível do tônus vagal é elevado.[3] É aceito que o reto medial é mais reflexogênico do que os outros músculos extraoculares, embora alguns autores coloquem em dúvida essa afirmação.[4]

A manifestação mais comum do ROC é a bradicardia, sendo descritos também: bloqueio atrioventricular, bigeminismo, ritmo idioventricular, ritmo juncional e assistolia.

A incidência do ROC em cirurgias de estrabismo, nos vários trabalhos publicados, é muito variável, podendo atingir 80% dos casos, em função do método utilizado e do critério de avaliação escolhido.[5] O ROC pode ocorrer no paciente acordado e no paciente sob anestesia geral e, neste, a incidência é maior, principalmente quando o plano de anestesia é superficial. A febre e a hipercarbia também aumentam a incidência do ROC e a hipoxemia aumenta a intensidade dos efeitos do reflexo. Blanc e col.[4] demonstraram que uma tração abrupta e mantida sobre o músculo extraocular é, significativamente, mais reflexogênica do que uma tração suave e progressiva.

Várias técnicas têm sido propostas para abolir ou diminuir a incidência do ROC, uma vez que ele pode colocar em risco a vida do paciente. No entanto, nenhuma delas provou ser inteiramente efetiva e livre de riscos. O bloqueio intraconal é controverso. Há estudos que demonstram sua grande eficácia em bloquear o ROC, por meio de uma interrupção da sua via aferente pelo anestésico local.[6] Entretanto, tal eficácia não é confirmada por outros autores, que apontam uma incidência significativa de falhas na interrupção desse arco reflexo. O fato é que o bloqueio retrobulbar diminui grandemente a incidência do ROC, mas não o abole. O mesmo ocorre com o uso do bloqueio peribulbar.[7]

A atropina, por via muscular, nas doses habituais utilizadas na medicação pré-anestésica, reduz, mas não abole o ROC. Quando utilizada por via venosa, imediatamente antes do início da cirurgia, abole ou diminui acentuadamente a sua incidência e intensidade. No entanto, por via venosa, pode, por si só, produzir arritmias cardíacas mesmo em pacientes sem alterações anteriores do ritmo cardíaco. Blanc,[4] entre outros autores, propõe os seguintes cuidados para prevenir o ROC na cirurgia de estrabismo: atropina, por via intramuscular na pré-medicação, hoje pouco utilizada dessa forma; monitorização contínua do coração e manipulação delicada dos músculos extraoculares pelo cirurgião, com tração mínima e progressiva. Ocorrendo o reflexo, o cirurgião deve soltar o músculo, voltando a tracioná-lo quando o ritmo cardíaco normal estiver restabelecido. Se, após algumas tentativas, não ocorrer fadiga[8] do reflexo ou se ele for muito intenso inicialmente, está indicado o uso da atropina por via venosa. Em todos os casos, é fundamental um plano adequado de anestesia, manter o paciente bem oxigenado e também evitar a hipercarbia, obtida por meio de ventilação controlada ou assistida.

Se as condições oferecidas ao anestesiologista não forem adequadas (boa monitorização cardíaca e perfeito entrosamento com a equipe cirúrgica), o mais aconselhável é utilizar a atropina, 0,01 a 0,02 mg.kg^{-1} de peso corporal, por via venosa, no início da anestesia, porque os efeitos do ROC podem colocar o paciente em risco de morte.

Atualmente, no paciente adulto, poucos anestesiologistas utilizam rotineiramente a atropina para prevenir o ROC, embora seja preciso observar todos os outros cuidados já citados. Os pacientes idosos, principalmente se forem cardiopatas, e crianças portadoras de cardiopatias congênitas, em especial aquelas com lesões obstrutivas (estenose aórtica, estenose pulmonar), podem não tolerar bem a taquicardia resultante do uso da atropina, que deve ser judicioso.

■ PRESSÃO INTRAOCULAR

A pressão intraocular (PIO) normal pode variar de 10 a 20 mmHg e é determinada, fisiologicamente, por uma complicada interação de vários processos dinâmicos.

Evitar a elevação da PIO ou mesmo produzir sua redução controlada é, há longo tempo, reconhecido como parte essencial de uma boa anestesia para cirurgia intraocular. Pode-se manipular quatro variáveis para atingir esse objetivo, a saber: 1) volume do humor aquoso; 2) volume sanguíneo intraocular; 3) volume do humor vítreo; e 4) compressões externas:

1. **Volume de humor aquoso**: Cerca de dois terços do humor aquoso são secretados ativamente pelo epitélio do corpo ciliar para dentro da câmara posterior do olho. Daí ele passa, através da abertura pupilar, à câmara anterior, onde se une ao um terço restante, produzido por filtração passiva a partir dos vasos da superfície anterior da íris. Da câmara anterior, o humor aquoso deixa o olho, passando através da malha trabecular, canal de Schlemm, indo, através das veias esclerais e episclerais, cair nos vasos sanguíneos orbitários, chegando, posteriormente, à veia cava superior e átrio direito.

O aumento na produção de humor aquoso, em olhos normais, geralmente pouco altera a PIO, pois é acompanhado, imediatamente, de um aumento na sua drenagem. Contudo, uma diminuição na drenagem do aquoso é sempre acompanhada de aumento significativo da PIO. Durante uma anestesia, isso pode ocorrer pela presença de qualquer fator que dificulte a drenagem venosa do olho (ver adiante, neste capítulo) que, como já foi dito, está ligada diretamente à drenagem do humor aquoso.

A diminuição na produção do humor aquoso promove uma diminuição na PIO. Atuam nesse sentido, entre outros, a acetazolamida, provavelmente o colírio de timolol e a hipotensão arterial.

A facilitação na drenagem do humor aquoso reduz a PIO, e este é um dos mecanismos prováveis pelos quais os anestésicos gerais atuam nesse sentido. Também os fármacos colinérgicos, como a pilocarpina, atuam dessa forma.

2. **Volume sanguíneo intraocular**: Este volume é determinado, basicamente, pela dilatação ou constrição dos vasos do plexo coroide e influencia, significativamente, a pressão intraocular. O calibre dos vasos sanguíneos coroidianos pode variar sob a influência de vários fatores como: pressão arterial, pressão venosa, $PaCO_2$, PaO_2, fármacos etc., que veremos a seguir.

As variações da pressão arterial dentro de limites fisiológicos alteram pouco a PIO. Já um aumento súbito da pressão arterial pode acarretar aumento do volume sanguíneo coroidal que, em condições normais, é logo compensado por uma diminuição do volume do aquoso, o que reestabiliza a PIO. No entanto, se esse aumento do volume sanguíneo coroidal, mesmo que transitório, ocorrer durante uma cirurgia intraocular, poderá produzir prolapso da íris ou mesmo perda vítrea. É o que pode acontecer se for utilizado um vasopressor, em excesso, para corrigir a hipotensão arterial durante uma cirurgia intraocular.[9]

A diminuição discreta da pressão arterial produz pouca alteração na PIO. Contudo, uma diminuição pronunciada dessa pressão leva à diminuição quase paralela da PIO, podendo esta atingir valores muito baixos, quando a pressão arterial sistólica é reduzida para 60 mmHg.[10] Isso se explica tanto pela diminuição do volume sanguíneo coroidal, devido à diminuição do aporte de sangue ao olho, quanto pela provável diminuição na produção do humor aquoso.

O volume sanguíneo intraocular, como já foi dito, influi diretamente na PIO. Se o retorno venoso do olho for dificultado em qualquer ponto entre o sistema venoso episcleral e o átrio direito, ocorrerá distensão dos vasos sanguíneos coroidais e aumento importante da pressão intraocular. A drenagem do humor aquoso também ficará prejudicada, elevando ainda mais a PIO.

Na prática, essa obstrução ao retorno venoso pode ser ocasionada por: 1) aumento na pressão venosa central decorrente de tosse, espirro, vômitos, esforços, esforço para expirar, estímulo simpático e manobra de Valsalva; 2) posicionamento do paciente com a cabeça em nível mais baixo do que o átrio direito; e 3) compressão sobre o pescoço.

Todas essas situações devem ser evitadas, principalmente na cirurgia intraocular. Só para se ter uma ideia, o aumento na pressão venosa central, devido à tosse, eleva a PIO de 34 a 40 mmHg.[9] Se o olho estiver sendo operado (aberto) nesse momento, poderá ocorrer extrusão do seu conteúdo. Quanto ao posicionamento, para facilitar a drenagem venosa do olho, o paciente deve ser colocado, preferencialmente, na posição de proclive a 15°.

A PaCO$_2$ influi diretamente na pressão intraocular. A hipercarbia eleva a PIO devido a uma ação dilatadora direta sobre os vasos sanguíneos da coroide e, provavelmente, a um aumento na pressão venosa central, o que dificulta a drenagem tanto do sangue quanto do humor aquoso. A hipocarbia reduz, significativamente, a PIO por produzir constrição dos vasos sanguíneos coroidais e por ocasionar uma diminuição na produção do humor aquoso.

A hipóxia induz à vasodilatação coroidal, o que aumenta o volume sanguíneo intraocular, aumentando a PIO.

A manipulação das vias aéreas e a intubação traqueal são dois dos estímulos mais potentes para elevação da PIO que decorre, provavelmente, da elevação súbita da pressão arterial com aumento do fluxo sanguíneo coroidal ou de esforço por parte do paciente.[11]

Outra hipótese levantada é que a ativação simpática decorrente do estímulo doloroso da intubação traqueal aumente a pressão venosa central, dificultando a drenagem venosa do olho com consequente aumento da PIO.

3. **Volume do humor vítreo**: O vítreo é um gel constituído, em sua maior parte, de água e, apesar de sua aparente inércia, tem seu conteúdo hídrico continuamente modificado. A idade, a uveíte, o trauma e a miopia resultam em uma liquefação do humor vítreo com consequente aumento da água livre. Parte dessa água pode ser removida, utilizando-se substâncias que aumentam a pressão osmótica do plasma, como o manitol e a ureia, levando a uma desidratação do vítreo, o que diminui o seu volume, reduzindo, assim, a PIO. Das substâncias citadas, é o manitol a 20% o mais utilizado em nosso meio, na dose de 1,0 a 1,5 g.kg^{-1} peso, infundido, por via venosa, em 20 a 45 minutos.[12] A sua ação máxima inicia-se após 30 a 60 minutos, dependendo da velocidade de infusão, e a duração total do efeito é em torno de seis horas. Portanto, em uma cirurgia eletiva, a infusão do manitol deverá começar 60 minutos antes da operação. Uma resposta mais rápida pode ser obtida pela injeção venosa, em bólus, de 1 g.kg^{-1} de manitol.

Antes do uso do manitol, é necessário que o paciente seja examinado, sobretudo do ponto de vista do seu sistema cardiovascular e renal. A infusão do manitol, principalmente de forma rápida, pode ocasionar hipertensão arterial, aumento transitório da PIO nos primeiros minutos da administração, insuficiência cardíaca, edema agudo de pulmão e isquemia do miocárdio. O paciente que recebeu manitol deve ser acompanhado também no pós-operatório, quando pode ocorrer um desequilíbrio hidroeletrolítico, hipotensão arterial e distensão vesical, esta levando à hipertensão arterial. No paciente inconsciente, pode ser necessário cateterismo vesical para esvaziamento da bexiga.

4. **Compressões externas**: A pressão exercida pelo músculo orbicular das pálpebras sobre o globo, a contração dos músculos extraoculares, as compressões produzidas pelos afastadores de pálpebras, as suturas de fixação do olho excessivamente tracionadas e as manobras cirúrgicas intempestivas podem deformar o globo e levar a um aumento da PIO. Durante uma cirurgia intraocular, essas forças externas podem ser causa de perda vítrea. Às vezes, a injeção intra ou extraconal causam sangramento dentro da órbita, o que pode também comprimir o olho. O mesmo pode ocorrer naqueles casos em que se utilizam grandes volumes de anestésico local nesses bloqueios.

Se a parede escleral possuir rigidez diminuída, grandes incisões cirúrgicas podem produzir o seu desabamento com perda do conteúdo ocular. Nesses casos, a prevenção é a utilização, pelo cirurgião, de técnicas que mantenham a esclera em sua posição correta, por exemplo, o uso do anel de Flieringa.

■ FÁRMACOS UTILIZADOS EM ANESTESIA E SEUS EFEITOS NA PRESSÃO INTRAOCULAR

Vários fármacos usados rotineiramente em anestesia reduzem a pressão intraocular, mas a razão pela qual isso ocorre não está bem estabelecida. Entre as hipóteses levantadas, têm-se: 1) depressão dos centros que controlam a PIO, provavelmente localizados no diencéfalo, mesencéfalo e hipotálamo;[13] 2) facilitação do escoamento do humor aquoso; 3) redução do tônus da musculatura extrínseca do olho; e 4) indiretamente, por meio de diminuição acentuada da pressão arterial. Os fármacos usados em anestesia podem diminuir a PIO por meio de um ou mais desses mecanismos.

Tem sido relatado que o diazepam diminui a PIO, tanto por via muscular quanto venosa, mas que isso não ocorre quando por via oral. O midazolam, por via venosa, diminui a PIO rapidamente.[14]

A meperidina, bem como a associação meperidina-diazepam, por via muscular, diminui, na maioria das vezes, a PIO. O inoval, o fentanil, o alfentanil, o sufentanil e o remifentanil, por via venosa, também diminuem a PIO, mas de forma moderada. O tiopental, o etomidato e o propofol produzem acentuada diminuição na pressão ocular.

A lidocaína, por via venosa, no adulto, baixa a PIO; já em crianças, existem controvérsias a respeito.[11,15] No entanto, por via venosa na dose de 1,5 a 2 mg.kg^{-1}, a lidocaína atenua a elevação da PIO decorrente da intubação traqueal, tanto em adultos quanto em crianças.[11,15]

O efeito da cetamina sobre a PIO é bastante discutido. Yoshikawa e Murai,[16] em estudo realizado em crianças sem medicação pré-anestésica, utilizando cetamina por via muscular, demonstraram que ela aumenta significativamente a PIO. Posteriormente, em outro estudo também realizado em crianças, Ausinsch e col.[17] concluíram que a cetamina não aumenta a PIO nos pacientes que receberam pré-medicação com atropina, pentobarbital e meperidina, nem naqueles que receberam somente atropina. Peuler, Glass e Aren[18] demonstraram que, em pacientes adultos pré-medicados com meperidina, diazepam e atropina, a cetamina, na dose de 2 mg.kg^{-1} por via venosa, não altera significativamente a PIO. De qualquer forma, a possibilidade de ocorrer nistagmo e elevação da pressão arterial torna esse fármaco inadequado para cirurgia ocular.

Quanto aos anestésicos inalatórios, com exceção do óxido nitroso,[19] numerosos estudos demonstraram que eles diminuem a PIO. Entre eles, estão o metoxiflurano, o halotano, o enflurano, o isoflurano, o sevoflurano e o desflurano.

A succinilcolina, um agente bloqueador neuromuscular despolarizante, reconhecidamente, eleva a pressão intraocular. No primeiro minuto após a injeção desse fármaco, há um aumento da PIO, que só retorna aos seus valores iniciais após cerca de seis minutos.[20] As fasciculações dos músculos extraoculares e do orbicular das pálpebras podem contribuir para a elevação inicial da pressão intraocular. Já o efeito hipertensor ocular prolongado (seis minutos) produzido pela succinilcolina deve-se, provavelmente, à soma de outros fatores, como a vasodilatação coroidal; à dificuldade na drenagem venosa, o que aumenta o volume sanguíneo intraocular; à sua ação cicloplégica, que diminui a drenagem do humor aquoso; e à contração tônica lenta da estrutura histológica especial (*Felderstruktur*), encontrada nos músculos extraoculares.[20] A participação desses músculos no aumento prolongado da PIO é contestada por Kelly e col.,[21] que constataram aumento semelhante da PIO, devido à succinilcolina, nos olhos em que esses músculos foram previamente seccionados.[22]

Várias técnicas têm sido propostas com o objetivo de prevenir a elevação da PIO, causada pela succinilcolina. Algumas delas, como o pré-tratamento com pequenas doses, tanto de relaxante muscular adespolarizante[22,23] quanto de succinilcolina,[37] isoladamente, antes da dose total de succinilcolina, mostraram-se ineficazes. Outras, como o uso do diazepam, do fentanil (2,5 µg.kg^{-1}), do alfentanil (10 µg.kg^{-1}), da lidocaína (1,5 a 2,0 mg.kg^{-1}) e do tiopental antes da injeção da succinilcolina, têm-se mostrado capazes de prevenir ou atenuar a elevação da PIO decorrente tanto do uso da succinilcolina quanto da laringoscopia e intubação traqueal, o que é especialmente importante no paciente com lesão penetrante do globo ocular e estômago cheio, situação que será discutida adiante.

Os bloqueadores neuromusculares adespolarizantes, de maneira geral, reduzem, embora discretamente, a PIO. Isso ocorre devido ao relaxamento da musculatura extrínseca do olho e do músculo orbicular das pálpebras. Já o pancurônio é considerado, por alguns autores, capaz de reduzir a PIO nos primeiros oito minutos após a sua injeção, independentemente de sua ação como relaxante muscular,[24] o que não é confirmado por outros autores.[25]

A atropina, nas doses habituais, usada na medicação pré-anestésica, não produz alterações significativas no tamanho da pupila nem na PIO. A atropina e a neostigmina, por via venosa, usadas para descurarizar o paciente ao final de uma anestesia, ocasionam mínimos efeitos no tamanho da pupila. Apesar disso, no paciente com glaucoma, deve-se instilar, por precaução, de uma a duas gotas de pilocarpina no saco conjuntival, o que assegura uma pupila pequena, mesmo que seja preciso utilizar doses maiores de atropina por via venosa.

Apesar de a associação neostigmina-atropina não elevarem a PIO, a neostigmina ocasiona uma incidência maior de náuseas e vômitos no pós-operatório do que o Sugamadex.[26]

O sugamadex é uma alternativa à associação neostigmina-atropina na reversão do bloqueio neuromuscular pelo rocurônio. Como foi relatado que a reversão do bloqueio neuromuscular com o sugamadex não afeta, significativamente, a PIO[26] e que a incidência de náuseas e vômitos com ele é menor, o que é muito importante no pós-operatório de cirurgia oftalmológica, ele se torna uma escolha melhor na reversão do bloqueio neuromuscular nessas cirurgias.[27]

■ AVALIAÇÃO PRÉ-OPERATÓRIA

Este tema é tratado de forma mais ampla em outro capítulo deste livro. Neste capítulo, só serão abordados alguns detalhes referentes ao paciente de cirurgia ocular.

Uma história clínica e exame físico completo devem ser realizados no paciente. Deve ser dada uma atenção especial a doenças preexistentes, como o diabetes, a hipertensão arterial, as doenças coronarianas, pulmonares e cerebrovasculares. Na criança, deve-se estar atento às doenças sistêmicas congênitas, uma vez que a doença ocular pode representar uma das manifestações de uma síndrome. Na avaliação pré-operatória, é o momento de otimizar as condições clínicas do paciente (controle da glicemia, da pressão arterial etc.).

Informado das condições do paciente, o anestesiologista deve colher os dados a mais que se fizerem necessários, como: medicamentos que o paciente vem usando, experiência anterior com anestesia, problemas na família com anestésicos (o estrabismo congênito já foi associado à hipertermia maligna) e reações anormais a fármacos.

Também é importante verificar se o paciente está em uso de anticoagulantes e/ou antiagregantes plaquetários, o que pode influenciar a escolha da anestesia (ver adiante).

Entre os medicamentos usados em Oftalmologia e que podem influir na anestesia, tem-se:

- **Acetazolamida:** é um inibidor da anidrase carbônica usada no tratamento do glaucoma. Reduz a pressão intraocular pela diminuição da secreção do humor aquoso. O uso prolongado pode levar à acidose metabólica, hipopotassemia, hiponatremia e desidratação. É importante, nesses casos, dosar os eletrólitos antes da operação e, se for o caso, repô-los. A hipopotassemia e a hiponatremia acentuadas podem levar a uma instabilidade cardiovascular importante, aumentando o risco da anestesia.

- **Manitol:** aumenta a pressão osmótica do plasma, desidratando o vítreo e diminuindo a PIO. É utilizado no glaucoma agudo e, em alguns casos, no pré-operatório de cirurgias intraoculares. Usado em maior quantidade leva, de modo inicial, a uma hipervolemia que pode, eventualmente, descompensar o coração de um paciente com doença cardiovascular. Depois, pelo seu efeito diurético, pode levar a uma hipovolemia importante que, quando não corrigida, pode determinar diminuição acentuada da pressão arterial durante a indução da anestesia. Usado imediatamente antes ou durante a cirurgia, pode produzir distensão vesical intraoperatória com grande desconforto para o paciente. Nesses casos, deve-se avaliar a indicação de sonda vesical antes de iniciar um procedimento cirúrgico de maior duração.

- **Iodeto de ecotiofato:** é um composto organofosforado e um potente anticolinesterásico. É usado sob a forma de colírio no tratamento do glaucoma. Ele inibe a pseudocolinesterase plasmática, prolongando o efeito bloqueador neuromuscular da succinilcolina. Deve-se lembrar que são necessárias cerca de seis semanas após a interrupção do uso do colírio para que a atividade da pseudocolinesterase seja recuperada. A succinilcolina, se necessária, deve ser usada com cautela nesses casos.

- **Pilocarpina:** é um fármaco parassimpaticomimético de ação direta, usado como miótico e no tratamento do glaucoma. O uso crônico ou exagerado pode produzir bradicardia, hipotensão arterial, aumento da salivação, aumento de secreções brônquicas e broncoespasmo. Esses efeitos são antagonizados pelo uso de atropina, por via venosa.

- **Timolol:** é um agente bloqueador beta-adrenérgico, usado, sob a forma de colírio, no tratamento do glaucoma crônico de ângulo aberto. Esse fármaco é absorvido e, em uso prolongado, apresenta ações sistêmicas. O paciente deve ser considerado, do ponto de vista da anestesia, como se estivesse em uso sistêmico de beta-bloqueador. Esse colírio oferece riscos em pacientes portadores de bloqueio atrioventricular de 2º e 3º graus, doenças broncoespásticas, bradicardia sinusal e insuficiência cardíaca.[28] Já foram relatados casos de apneia pós-operatória em neonatos pelo uso desse colírio.[29]

- **Acetilcolina:** é usada sob a forma de colírio para produzir miose. Os efeitos sistêmicos são semelhantes aos da pilocarpina, mas, usada nas doses corretas, eles raramente ocorrem.

- **Fenilefrina:** é um agonista alfa-adrenérgico potente, usado sob a forma de colírio ou em pequenas compressas sobre a conjuntiva para produzir dilatação pupilar. Em pacientes sensíveis, naqueles com a conjuntiva já aberta – o que aumenta sua absorção – ou se usada incorretamente, a fenilefrina produz efeitos sistêmicos importantes, que incluem: hipertensão arterial grave com bradicardia reflexa, edema agudo de pulmão, hemorragia subaracnoidea, disritmias cardíacas, isquemia miocárdica e parada cardíaca. Para se ter uma ideia, a solução a 10% contém 5 mg de fenilefrina por gota. Para maior segurança, recomenda-se o uso da solução a 2,5%, utilizando a menor dose possível para se obter o efeito necessário. As crianças são especialmente suscetíveis aos seus efeitos tóxicos.

- **Atropina:** é usada sob a forma de colírio a 0,5% e a 1% para produzir dilatação pupilar. Cada gota de colírio a 1% possui 0,5 mg de sulfato de atropina e, em crianças, a dose tóxica é facilmente atingida. Não é raro crianças apresentarem taquicardia, vermelhidão da face e febre pelo uso de colírio de atropina.

A absorção sistêmica dos colírios ocorre na conjuntiva, mas, principalmente, no duto nasolacrimal e na mucosa nasofaríngea. Portanto, pode-se diminuir a absorção sistêmica dos colírios, comprimindo-se o saco lacrimal, enquanto eles são instilados e remover o excesso com uma gaze. Deve-se estar ciente de que as gotas do colírio são prontamente absorvidas por uma conjuntiva hiperemiada e pelos vasos abertos na conjuntiva pela incisão cirúrgica.

De posse de todos esses dados, o anestesiologista terá condições de avaliar o paciente, prescrever a medicação pré-anestésica e, conhecendo a cirurgia que será realizada, explicar-lhe o tipo de anestesia que será feita, bem como os eventos pré, per e pós-operatórios, que possam interessar-lhe e ao ato anestésico-cirúrgico. É fundamental permitir que o paciente exponha seus temores e que estes sejam discutidos. Quando se conquista a confiança do paciente durante a visita pré-anestésica, seu temor e apreensão diminuem, levando à menor necessidade de sedativos.

MEDICAÇÃO PRÉ-ANESTÉSICA

Quanto à medicação pré-anestésica, existe um grande número de fármacos disponíveis para este fim, que incluem: hipnóticos, opioides, anticolinérgicos e tranquilizantes. Desse grupo, os benzodiazepínicos são os mais utilizados por seus efeitos ansiolíticos e sedativos, por não aumentarem a incidência de náuseas e vômitos e por não produzirem hipotensão arterial.

Em pacientes pediátricos programados para cirurgia de correção do estrabismo, a atropina, por via muscular, é recomendada por alguns autores[4] na medicação pré-anestésica, por contribuir, embora isso não seja assegurado, na prevenção do ROC.

ESCOLHA DA ANESTESIA

Existem, basicamente, três tipos de anestesia disponíveis para procedimentos oftalmológicos: geral, regional e tópica, sendo esta última, geralmente, realizada pelo oftalmologista. A escolha de uma delas deverá levar em conta as condições físicas e psíquicas do paciente, o tipo e o tempo de duração do procedimento, o seu regime, o uso de fármacos anticoagulantes e/ou antiplaquetários e algumas características do cirurgião. Também se deve levar em conta a familiaridade tanto do cirurgião quanto do anestesiologista em relação às várias técnicas cirúrgicas e anestésicas existentes.

Nos pacientes em uso de fármacos anticoagulantes e/ou antiplaquetários, a continuidade do seu uso deve ser discutida entre o clínico do paciente, o cirurgião e o anestesiologista. Caso o paciente não possa suspender essas medicações, deve-se discutir com ele o risco/benefício do(s) procedimento(s) a ser(em) realizado(s), sempre em benefício do paciente. De todo modo, alguns cuidados podem ser tomados. Nas cirurgias de catarata, pode-se optar pela anestesia tópica mais sedação ou pela anestesia geral se o paciente tiver condições clínicas. O bloqueio subtenoniano[30] viria na sequência, seguido do bloqueio extraconal e do intraconal. (Mais detalhes no capítulo 200, no item "Pacientes em uso de terapia anticoagulante").

Em pacientes em uso de anticoagulantes, deve-se solicitar o coagulograma na véspera da cirurgia para verificar se o RNI está na faixa terapêutica recomendada.

Vários estudos comparativos têm sido feitos para determinar o grau de segurança da anestesia geral em relação à regional em procedimentos oftalmológicos. Quigley,[31] em estudo retrospectivo de 20 anos, concluiu que a mortalidade por procedimento é quase igual em pacientes que receberam anestesia regional ou geral para cirurgia oftalmológica, mas que a comparação está intimamente ligada à seleção do paciente e que, nos idosos, a anestesia regional parece ser mais segura. Em pacientes idosos com fatores de risco para doença arterial coronariana ou doença isquêmica do coração, submetidos à cirurgia de catarata, os episódios isquêmicos pós-operatórios são mais frequentes quando se utiliza a anestesia geral.[32]

Existem algumas situações em que as condições do paciente o exporiam a risco excessivo se submetido a uma anestesia geral. Por esse motivo e considerando-se a boa alternativa da anestesia regional, nos casos enumerados a seguir, a geral estaria contraindicada: infecções do trato respiratório, anemia grave, patologia pulmonar grave, insuficiência miocárdica grave, algumas distrofias musculares, infarto recente do miocárdio, disritmias cardíacas graves etc. Há, além disso, situações em que a anestesia regional estaria indicada, seja por exigência do paciente, seja nos casos em que é necessária a colaboração do paciente durante o procedimento oftalmológico.

A anestesia regional, por outro lado, estaria contraindicada nos seguintes casos: 1) recusa do paciente; 2) infecção da pele no local da injeção; e 3) hipersensibilidade aos anestésicos locais. Há situações em que o paciente não tem condições de colaborar durante o ato anestésico-cirúrgico, por exemplo, as crianças, os com deficiência mental, surdos e aqueles excessivamente nervosos, situações estas em que a anestesia geral é mais bem indicada.

■ MONITORIZAÇÃO

Qualquer que seja a técnica utilizada, é fundamental a monitorização adequada desses pacientes, que inclui: pressão arterial, frequência de pulso, eletrocardiograma, medida da saturação de oxigênio (oximetria) e capnografia.

■ ANESTESIA GERAL EM OFTALMOLOGIA

Cirurgias Intraoculares

As cirurgias intraoculares, que em sua maioria são realizadas para extração de catarata, no tratamento de glaucoma, na retirada de corpo estranho, em sutura de lesão penetrante do globo ocular e nas cirurgias de retina e vítreo,

permitem várias técnicas de anestesia geral. A escolha do método e dos fármacos depende das condições do paciente, da duração da cirurgia, da disponibilidade de equipamentos, do regime do procedimento e da experiência do anestesiologista. A seguir, serão discutidos alguns problemas específicos da anestesia geral para cirurgia oftalmológica.

Uso da succinilcolina e a intubação traqueal: uma vez que esses dois fatores elevam acentuadamente a PIO, é de esperar que se evitasse usá-los em anestesia para cirurgias intraoculares. No entanto, a intubação traqueal, com o uso da succinilcolina, é, algumas vezes, bem e precisamente indicada. Desse modo, tem-se procurado superar as limitações com a adoção de algumas medidas complementares.

Em pacientes normais, estando o globo ocular íntegro, o efeito hipertensor ocular da succinilcolina não deve preocupar, uma vez que não traz problemas para a função do olho[30,33] e a PIO retorna aos valores iniciais em mais ou menos seis minutos, permitindo que a cirurgia se inicie depois de transcorrido esse tempo.

Em pacientes cujo globo ocular encontra-se aberto previamente, seja por lesão penetrante de córnea e/ou esclera, ou ainda por cirurgia intraocular recente e nos casos de anestesia superficializada durante cirurgia intraocular, a succinilcolina não deve ser usada pelo risco de ocorrer extrusão do conteúdo ocular. Portanto, recomenda-se que, em pacientes com lesão penetrante do globo ocular e estômago vazio, a intubação seja feita com auxílio de bloqueador neuromuscular adespolarizante. É importante ressaltar que, também nesses casos, a indução da anestesia deve ser generosa para abolir ou minimizar o efeito hipertensor ocular da laringoscopia e intubação traqueal ou da passagem da máscara laríngea.

Como já foi visto, vários fármacos, entre eles, a lidocaína (1,5 a 2,0 mg. kg^{-1}),[31] o fentanil e o alfentanil, juntamente com o hipnótico, atuam nesse sentido. Também a dose do bloqueador neuromuscular tem de ser eficiente, pois o ato de tossir aumenta em até 40 mmHg a PIO.[9]

Cirurgia de retina e vítreo

Geralmente, são procedimentos de média duração, podendo ser realizados, perfeitamente, com bloqueios, utilizando-se anestésicos locais de longa duração de ação. No entanto, nas cirurgias mais prolongadas, acima de 2 horas, não havendo contraindicações, a anestesia geral é mais aconselhável, principalmente em pacientes com problemas para permanecer deitados e imóveis por tempo prolongado.

Sob anestesia geral, esses procedimentos estão associados a uma maior incidência de reflexo oculocardíaco (ROC) no peroperatório e dor, náuseas e vômitos no pós-operatório. Nesses casos, a associação de um bloqueio com um anestésico de longa duração é benéfica para reduzir o consumo de anestésicos e o custo da anestesia, produzir uma anestesia geral mais estável, diminuir a incidência do ROC durante a operação e, também, para reduzir a incidência de dor, náuseas e vômitos no pós-operatório.

É interessante, qualquer que seja a técnica utilizada, que o cirurgião, ao final do procedimento, injete anestésico local de longa duração no espaço subtenoniano para aumentar o tempo de analgesia pós-operatória. Esse espaço encontra-se exposto durante as cirurgias de descolamento da retina, o que torna fácil para o cirurgião acessá-lo.

Além do bloqueio, não havendo contraindicações, deve-se associar um fármaco anti-inflamatório não hormonal no início da anestesia.

O uso do bloqueio intraconal (retrobulbar) nas cirurgias de retina e vítreo, na opinião do autor, é bem indicado por produzir uma anestesia mais consistente e duradoura quando comparada com a de outros bloqueios disponíveis. Obviamente, devem ser respeitadas as contraindicações desse bloqueio.

Quando realizados sob anestesia geral, a incidência de náuseas e vômitos no pós-operatório desses procedimentos é elevada e prejudicial ao olho operado, devendo-se, portanto, atuar na sua prevenção. Os métodos que parecem ser mais eficazes são a associação de antagonista do receptor 5-HT$_3$ à dexametasona e/ou ao droperidol,[34] e a associação de bloqueio regional à anestesia geral para bloquear o reflexo óculo-hemético. A anestesia geral com infusão contínua de propofol também contribui para uma menor incidência de náuseas e vômitos no pós-operatório.

Injeção intraocular de gás: ao final de cirurgias de descolamento da retina, o cirurgião geralmente injeta certa quantidade de gás na cavidade vítrea para manter a retina em posição. A escolha do gás pode recair tanto no SF$_6$ quanto no C$_3$F$_8$ por apresentarem baixíssima difusibilidade, permanecendo no olho por vários dias ou meses.

O óxido nitroso usado na anestesia, por outro lado, é altamente difusível – 117 vezes mais que o SF$_6$. Se o uso de N$_2$O não for interrompido previamente à injeção do gás, o volume da bolha do gás intraocular aumentará substancialmente – até três vezes para o SF$_6$ – com a passagem do N$_2$O para dentro da cavidade vítrea, aumentando a pressão intraocular, o que pode reduzir ou interromper o fluxo sanguíneo retiniano, com risco de perda definitiva da visão. Se, por outro lado, o cirurgião reajustar a pressão intraocular após a entrada do N$_2$O para o olho, ele removerá parte da mistura de gases (N$_2$O mais SF$_6$ ou C$_3$F$_8$) e, ao término da anestesia, com a remoção do N$_2$O do organismo, ocorrerá uma grande redução no volume da bolha de gás intraocular, permitindo o deslocamento da retina de sua posição correta, prejudicando o resultado da cirurgia. Por essa razão, é fundamental interromper a administração do óxido nitroso pelo menos 15 minutos antes da utilização do gás intraocular, caso ele seja utilizado.

O tempo de permanência do gás no olho de um paciente é muito variável e depende de inúmeros fatores, como: peso molecular do gás, seu coeficiente de difusão, sua solubilidade, concentração inicial, volume da bolha de gás injetado, volume da cavidade vítrea e se o olho é fáscico ou afáscico.[35] Os gases habitualmente utilizados na cirurgia de retina e vítreo permanecem por longos períodos no olho humano – hexafluoreto de enxofre (SF$_6$) até 14 dias,[36] perfluorpropano (C$_3$F$_8$) até 97 dias[36] e o octafluorociclobutano (C$_4$F$_{10}$), possivelmente até mais do que isso.[37] Por essa razão, o óxido nitroso não deve ser utilizado para anestesiar esses pacientes, qualquer que seja o procedimento cirúrgico nesses períodos – salvo se, por meio de exame oftalmológico, for determinado que não existe mais gás intraocular – pelo risco de ocorrer expansão dos gases intraoculares pelo óxi-

do nitroso, o que aumentaria a PIO, podendo levar à interrupção do fluxo sanguíneo pela artéria central da retina, atrofia do nervo óptico e perda da visão.[38,39]

Cirurgias Extraoculares

Cirurgia para correção do estrabismo

A maioria das cirurgias para correção do estrabismo é realizada em crianças, sob anestesia geral. Os aspectos mais relevantes na anestesia para esse procedimento são: controle do reflexo oculocardíaco (ver no início deste capítulo); dor, náuseas e vômitos no pós-operatório; risco de hipertermia maligna; e o uso do "teste de ducção forçada" pelo cirurgião.

Com relação à hipertermia maligna (HM), foi estabelecida uma associação entre espasmo de masseter após succinilcolina e risco aumentado de ocorrência de hipertermia maligna. Como é sabido que a incidência de espasmo de masseter, após succinilcolina, é maior no paciente portador de estrabismo, torna-se necessária uma investigação mais minuciosa, em relação à ocorrência de complicações anestésicas anteriores com o paciente e/ou com seus familiares – por ser doença de caráter hereditário – que possam sugerir a ocorrência de hipertermia maligna. De todo modo, mesmo não existindo nenhuma evidência de hipertermia maligna, a succinilcolina deve ser reservada somente para situações específicas.

As cirurgias de estrabismo apresentam grande incidência de náuseas e vômitos no pós-operatório, devendo-se atuar na sua prevenção. A associação de um bloqueio regional à anestesia geral atua, decisivamente, nesse sentido por bloquear a via aferente do reflexo óculo-hemético. Esse efeito também pode ser obtido com o bloqueio subtenoniano, que pode ser realizado, de maneira muito simples e segura, no início da cirurgia, bastando para isso o cirurgião injetar um pequeno volume de anestésico local (3 a 4 mL) no espaço subtenoniano, tão logo ele crie o acesso ao primeiro músculo a ser operado. Esse bloqueio subtenoniano reduz o reflexo oculocardíaco, o reflexo óculo-emético, o consumo de anestésicos, a dor pós-operatória e a incidência de náuseas e vômitos no pós-operatório.

O uso do droperidol (75 µg.kg^{-1}),[40,41] inibidores da 5-HT$_3$,[42] da dexametasona e, especialmente, da associação de inibidores da 5-HT$_3$ e dexametasona, e/ou droperidol, reduzem, significativamente, a incidência de náuseas e vômitos no pós-operatório.

A dor pós-operatória em crianças operadas com anestesia geral, como já foi dito, pode ser prevenida com a associação de um bloqueio regional ou pela injeção subtenoniana de anestésico local de longa duração, pelo cirurgião, no início ou ao final[34] da cirurgia e prescrever paracetamol ou dipirona. Não havendo contraindicações, é interessante associar um anti-inflamatório não hormonal, no início da cirurgia.

O "teste de ducção passiva" é utilizado pelo cirurgião para identificar forças que produzem restrição mecânica ao movimento do globo ocular. Sabe-se que a succinilcolina prejudica a interpretação desse teste, dificultando a movimentação do globo ocular por "endurecimento" dos músculos extraoculares, efeito este que permanece, por cerca de 15 minutos, após o uso desse fármaco.[43] A recomendação, portanto, é de só realizar o teste 20 minutos após o uso da succinilcolina ou, melhor ainda, não usar bloqueador neuromuscular despolarizante para intubação traqueal, substituindo-o por um agente adespolarizante.

Cirurgias das estruturas anexas ao olho sob anestesia geral

Neste grupo, estão incluídas as cirurgias das pálpebras, do sistema de drenagem lacrimal e da órbita. Também, nesses casos, deve-se estar atento ao reflexo oculocardíaco. Outro aspecto importante é o sangramento que, na dacriocistorrinostomia, prejudica o andamento da operação, podendo comprometer o resultado cirúrgico. Nesse caso, deve ser avaliado o uso da hipotensão arterial induzida para reduzir o sangramento e, assim, facilitar a operação. Também nessa cirurgia, o sangue pode descer pela rinofaringe e atingir os pulmões e o estômago. Portanto, para proteger as vias aéreas, ou se faz anestesia local pura ou anestesia geral com o paciente intubado e, para evitar que o sangue possa chegar ao estômago no paciente sob anestesia geral, deve-se fazer o tamponamento do cavum. Pelo risco de sangramento per e pós-operatório, a dacriocistorrinostomia muitas vezes não é realizada em regime ambulatorial.

Procedimentos Diagnósticos sob Anestesia Geral

Estes procedimentos incluem: exame de fundo de olho, ecografia, refração, tonometria e sondagem das vias lacrimais. Em crianças, na maioria das vezes, esses procedimentos podem ser realizados com anestesia inalatória sob máscara, utilizando-se o sevoflurano. Os procedimentos a seguir exigem cuidados específicos para serem realizados.

A tonometria é utilizada no diagnóstico e no acompanhamento do glaucoma. Nesses exames, deve-se tomar os cuidados descritos a seguir, no sentido de obter valores confiáveis da PIO: o paciente deve ser colocado na horizontal e a respiração deve realizar-se da forma mais livre possível; se for utilizado anestésico inalatório sob máscara, deve-se evitar o contato desta com o globo ocular ou com a cavidade orbitária; a medida da PIO deve ser feita no plano de anestesia o mais superficial possível, ou seja, tão logo o globo fique centrado ou se aproxime dessa posição, pois a anestesia profunda, pelos halogenados, reduz acentuadamente a PIO, prejudicando o resultado do exame; as anestesias repetidas para tonometrias, no acompanhamento do glaucoma, devem ser feitas sempre com o mesmo anestésico para que os valores sejam comparáveis; contudo, sabe-se que os agentes anestésicos podem causar alterações na PIO, dificultando a obtenção de resultados confiáveis.[44]

Por serem anestesias repetidas, o halotano apresenta o risco, embora remoto, de induzir à lesão hepática, não devendo ser usado para esse fim. O sevoflurano é o halogenado de eleição para esses casos. Alguns autores preferem utilizar a cetamina na anestesia para tonometria, porque esse fármaco parece alterar menos os valores da PIO quando comparado com os halogenados. Os inconvenientes do uso da cetamina incluem alucinações e a possibilidade de ocorrer nistagmo e movimentos palpebrais que prejudicam o exame.

A anestesia para sondagem do canal da lágrima, em crianças, pode ser feita com anestésico inalatório sob máscara. Nesse caso, a solução fisiológica associada a um corante, algumas vezes injetada para testar a perviabilidade do canal lacrimal, pode atingir a laringe, produzindo laringoespasmo ou ser aspirada para os pulmões. Para evitar esses problemas, no momento da injeção do soro, introduz-se um fluxo alto de oxigênio (3 a 10 L.min⁻¹) pela narina contralateral e fecha-se a boca da criança por cerca de um segundo. Parte desse fluxo de oxigênio sairá pela narina do lado sondado, empurrando o soro para fora, o que protege as vias aéreas da criança e comprova o diagnóstico de vias lacrimais desobstruídas.[45] Esse teste, usando fluxo de oxigênio, só pode ser realizado se as vias aéreas altas da criança estiverem desobstruídas, caso contrário, existe o risco de ocorrer barotrauma.

■ EMERGÊNCIA: LESÃO PENETRANTE DO OLHO – ESTÔMAGO CHEIO

A principal preocupação do anestesiologista em relação ao paciente de estômago cheio, que se apresenta para cirurgia de emergência, sob anestesia geral, é com a proteção das vias aéreas, no sentido de evitar a aspiração do conteúdo gástrico, que pode levar a uma pneumonite aspirativa ou a uma obstrução das vias aéreas, que revelam alta taxa de mortalidade. Essa proteção é feita pela intubação traqueal. No entanto, pode ocorrer regurgitação e aspiração do conteúdo gástrico pela atenuação dos reflexos protetores laríngeos e faríngeos que ocorre na indução da anestesia, antes que a traqueia seja intubada.

Existem basicamente três técnicas para se intubar o paciente de estômago cheio:

1. Intubação com o paciente acordado;
2. Intubação após succinilcolina;
3. Intubação após bloqueio neuromuscular adespolarizante.

Se esse paciente, além do estômago cheio, apresentar lesão penetrante do globo ocular, o problema torna-se mais complexo. Como já foi visto, a tosse, o esforço e o vômito aumentam significativamente a PIO, o mesmo ocorrendo com a laringoscopia e a intubação traqueal, especialmente quando o paciente está acordado. Portanto, considerando-se a lesão do globo ocular, fica afastada a possibilidade **(1)** referida, pelo risco da perda do olho por extrusão do seu conteúdo.

A opção **(2)** é bastante utilizada no paciente com estômago cheio devido ao rápido início de ação e às boas condições de intubação traqueal proporcionada pela succinilcolina. Existe, contudo, alguma controvérsia quanto ao seu uso em paciente com lesão penetrante do globo ocular, pelo fato de a succinilcolina elevar a PIO. Para minimizar esse problema, podem-se utilizar alguns métodos descritos anteriormente neste capítulo (veja "Fármacos usados em anestesia e seus efeitos na PIO"). Nenhum deles provou ser totalmente eficaz, mas alguns podem ser utilizados para minimizar o problema. Uma técnica sugerida é a seguinte: inicialmente, o paciente é colocado na mesa operatória em posição de proclive a 20° ou 30°. Essa posição, pela ação da gravidade, facilita a drenagem venosa do olho e também dificulta a regurgitação. Se as condições gerais do paciente o permitirem, deve-se utilizar, antes da injeção do hipnótico, fármacos que contribuam para prevenir ou minimizar os efeitos da succinilcolina e da laringoscopia, e intubação traqueal sobre a PIO. Esses fármacos incluem: bloqueador neuromuscular adespolarizante (em dose suficiente apenas para reduzir as fasciculações produzidas pela succinilcolina), midazolam, fentanil ou alfentanil e lidocaína,[10] em doses que não cheguem a abolir a consciência e/ou os reflexos faríngeos e laríngeos. Simultaneamente, é ministrado ao paciente oxigênio a 100%, sob máscara, durante cinco minutos, tomando-se o cuidado de não comprimir o olho lesado. Logo após, injeta-se o hipnótico, juntamente com o restante da dose indutora do opioide, em dose suficiente para o paciente dormir profundamente, acompanhado da succinilcolina (1,5 mg.kg^{-1}). É fundamental que, tão logo o paciente comece a dormir, um auxiliar pressione com os dedos a cartilagem cricoide contra a coluna cervical – manobra de Sellick – para ajudar na prevenção da regurgitação do conteúdo gástrico. A manobra de Sellick deve ser realizada com cuidado para não comprimir as jugulares e, com isso, dificultar o retorno venoso do olho. Tão logo o paciente esteja totalmente relaxado, é feita a intubação traqueal, com rapidez e suavidade, e o balonete é inflado.

O fato de não se utilizar a succinilcolina – opção **(3)** – não reduz as necessidades de fármacos antes da intubação traqueal, posto que a laringoscopia e a intubação traqueal em plano superficial aumentam a PIO mais do que a succinilcolina. As desvantagens dessa técnica são: 1) maior tempo para se obter relaxamento muscular adequado para intubação traqueal, em relação à succinilcolina, mesmo com altas doses do bloqueador neuromuscular adespolarizante. Durante esse tempo, a via aérea estará desprotegida; 2) o risco de ocorrer tosse e esforço durante a intubação que, como já mencionado, pode elevar a PIO em até 40 mmHg; e 3) paciente difícil de intubar, não reconhecido previamente. Para a opção **(3)**, o relaxante neuromuscular adespolarizante de escolha é o brometo de rocurônio. Esse fármaco é o agente adespolarizante que possui início de ação mais rápido – na dose de 1 mg.kg^{-1} – e possui antagonista específico.

É importante salientar que o risco de aspiração existe também no momento da extubação do paciente. Portanto, é necessário que o cirurgião faça uma boa sutura da ferida ocular, pois a extubação, em razão do estômago cheio, só deverá ser feita com os reflexos laríngeos e faríngeos presentes.

O uso da anestesia regional está indicado quando o paciente for considerado de alto risco para anestesia geral[46] ou apresentar algum problema que aumente o risco de aspiração do conteúdo gástrico, caso, por exemplo, de pacientes com estômago cheio em que se preveem dificuldades para intubar. Essa dificuldade confere um risco elevado de regurgitação e aspiração do conteúdo gástrico e, também, agravamento das condições do olho lesado, tornando, em muitos casos, a anestesia regional uma alternativa mais segura.

Scott e col.,[47] do Departamento de Oftalmologia do *Bascon Palmer Eye Institute*, vão mais além, relatando que, em um período de cinco anos, de 220 pacientes com lesão penetrante do globo ocular, 140 foram operados com anestesia regional (bloqueios intraconal e extraconal) e 80 com anestesia geral, não tendo sido identificada nenhuma complicação peroperatória atribuível à escolha da técnica anestésica. Os autores concluem dizendo que, tomando-se os devidos cuidados, a anestesia regional com sedação e monitorização é uma alternativa razoável à anestesia geral, para pacientes selecionados, com lesão penetrante do globo ocular. Em trabalho posterior, a mesma autora reforça essa conclusão.[48]

Em estudo retrospectivo, ainda mais recente, realizado na mesma instituição, McClellan AJ e col.[49] também concluem que a anestesia regional é uma alternativa razoável para o reparo de lesões oculares abertas em pacientes adultos selecionados. Nesse estudo, a anestesia regional foi selecionada, com mais frequência, nos pacientes com feridas oculares de comprimento menor, localizadas mais anteriormente e nos casos com tempo cirúrgico menor. Nos olhos com feridas mais posteriores houve uma taxa de seleção igual para a anestesia regional e para a anestesia geral.

A anestesia regional foi realizada com um bloqueio extraconal ou intraconal com uma mistura de um para um de bupivacaína a 0,75% e lidocaína a 2% a 4%, com até 75 unidades de hialuronidase. O bloqueio foi realizado em sala própria, antes de o paciente ser levado para a sala de cirurgia. Os volumes foram variáveis, começando com um volume baixo e depois complementando com volumes adicionais até que a anestesia fosse alcançada. A injeção titulada do anestésico local, com visualização direta do globo ocular, permite monitorar a estabilidade da lesão ocular durante o bloqueio, indicando o volume correto que deve ser utilizado. De acordo com as necessidades do paciente, casos selecionados receberam bloqueio suplementar que foi administrado, durante o procedimento cirúrgico, com uma cânula de ponta romba (cânula de irrigação) após peritomia conjuntival.

Observa-se que é preciso considerar, na escolha da anestesia, que a prioridade é a vida do paciente e não o risco teórico de lesão funcional do olho. Muitas vezes, a vida do paciente é colocada em risco quando, de antemão, já se sabe que as chances de sucesso do tratamento do olho são mínimas, ou pelo grau de lesão ou por um risco elevado de infecção, por exemplo.[50]

Por fim, o uso prévio de metoclopramida nos pacientes de estômago cheio, que serão submetidos a uma anestesia geral, é recomendável, pois esse fármaco acelera o esvaziamento gástrico e aumenta o tônus do esfíncter esofágico inferior, o que ajuda a prevenir a regurgitação do conteúdo gástrico. Do mesmo modo, está indicado o uso de bloqueador dos receptores H_2 da histamina, com o objetivo de reduzir a secreção de ácido e, consequentemente, elevar o pH do conteúdo gástrico, associado a um antiácido não particulado para neutralizar a acidez do suco gástrico.

REFERÊNCIAS

1. Aschner B. Uber bisher noch nicht beschribenen Reflex von Auge auf Krieslauf und Atmung: Verschinden des Radialispulses bei Druk auf das Auge. Wien Klin Wochenschr. 1908;1:1529-30.
2. Dagnini G. Intorno ad un riflesso provocato in alcuni emiplegici collo stimolo della cornea e colla pressione sul bulbo oculare. Boll Sci Med. 1908;8:380-81.
3. Meyers EF, Tomeldan SA. Glycopyrrolate compared with atropine in prevention of the oculocardiac reflex during eye-muscle surgery. Anesthesiology. 1979;51(4):350-2.
4. Blanc VF, Hardy JF, Milot J, et al. The oculocardiac reflex: a graphic and statistical analysis in infants and children. Can Anaesth Soc J. 1983;30(4):360-9.
5. Morrow WFK, Morrison JD. Anaesthesia for eye, ear, nose and throat surgery. Edinburgh London and New York: Churchill Livingstone; 1975. p. 117-8.
6. Kirsch RE, Samet P, Kugel V, et al. Eletrocardiographic changes ocular surgery and their prevention by retrobulbar injection. AMA Arch Ophthalmol. 1957;58(3):348-56.
7. Grover VK, Bhardwaj N, Shobana N, et al. Oculocardiac reflex during retinal surgery using peribulbar block and nitrous narcotic anesthesia. Ophthalmic Surg Lasers. 1958;29(3):207-12.
8. Moonie GT, Rees DL, Elton D. The oculocardiac reflex during strabismus surgery. Can Anaesth Soc J. 1964;11:621-32.
9. Macri FJ. Vascular pressure relationship and intraocular pressure. Arch Ophthalmol. 1961;65:571-6.
10. Alexander JP. Reflex disturbances of cardiac rhythm during ophthalmic surgery. Br J Ophthalmol. 1975;59(9):518-24.
11. Drenger B, Pe'er J, BenEzra D, et al. The effect of intravenous lidocaine on the increase in intraocular pressure induced by tracheal intubation. Anaesth Analg. 1985;64(12):1211-3.
12. Kilickan L, Baykara N, Gurkan Y, et al. The effect on intraocular of endotracheal intubation or laryngeal mask airway use during TIVA without the use of musclerelaxants. Acta Anaesthesiol Scand. 1999;43:343-346.
13. Grimes PA, Macri FJ, Von Sallmann L et al. Some mechanisms of centrally induced eye pressure responses. Am J Ophthalmol. 1956;42(4 Part 2):130-47.
14. Gobeaux D, Sardnal F. Midazolam and flumazenil in ophthalmology. Acta Anaesthesiol Scand. 1990;92(Suppl):35-8.
15. Warner LO, Bremer DL, Davidson PJ, et al. Effects of lidocaine, succinylcholine, and tracheal intubation on intraocular pressure in children anesthetized with halothane-nitrous oxide. Anesth Analg. 1989;69(5):687-90.
16. Yoshikawa K, Murai Y. The effect of ketamine on intraocular pressure in children. Anesth Analg. 1971;50(2):199-202.
17. Ausinsch B, Rayburn RL, Munson ES, et al. Ketamine and intraocular pressure in children. Anesth Analg. 1976;55(6):773-5.
18. Peuler M, Glass DD, Arens JF. Ketamine and intraocular pressure. Anesthesiology. 1975;43(5):575-8.
19. Holloway KB. Control of the eye during general anaesthesia for intraocular surgery. Br J Anaesth. 1980;52(7):671-9.
20. Pandey K, Badola RP, Kumar S. Time course of intraocular hypertension produced by suxamethonium. Br J Anaesth. 1972;44(2):191-6.
21. Kelly RE, Dinner M, Turner LS, et al. Succnylcholine increases intraocular pressure in the human eye with the extraocular muscles detached. Anesthesiology. 1993;79(5):948-52.
22. Meyers EF, Krupin T, Johnson M et al. Failure of nondepolarizing neuromuscular blockers to inhibit succinylcholine-induced increased intraocular pressure, a controlled study. Anaesthesiology. 1978;48(2):149-51.
23. Meyers EF, Ramirez RC, Boniuk I. Grand mal seizures after retrobulbar block. Arch Ophthalmol. 1978;96(5):847.
24. Litwiller RW, DiFazio CA, Rushia EL. Pancuronium and intraocular pressure. Anesthesiology. 1975;42(6):750-2.
25. Al-Abrak MH, Samuel JR. Effects of general anaesthesia in the intraocular pressure in man. Comparison of tubocurarine and pancuronium in nitrous oxide and oxygen. Br J Ophthalmol. 1974;58(9):806-10.
26. Hakimoğlu S, Tuzcu K, Davarcı I, et al. Comparison of sugammadex and neostigmine-atropine on intraocular Pressure and postoperative effects. Kaohsiung J Med Sci. 2016:32(2):80-5.
27. T. Ledowski, L. Falke, F. Johnston, E. Gillies, M.Greenaway, A. De Mel, et al. Retrospective investigation of postoperative outcome after reversal of residual neuromuscular blockade: sugammadex, neostigmine or no reversal. Eur J Anaesthesiol. 2014;31:423-429.
28. Kosman ME. Timolol in the treatment of open angle glaucoma. JAMA. 1979;241(21):2301-3.
29. Bailey PL. Timolol and postoperative apnea in neonates and young infants. Anesthesiology. 1984;61(6):622.
30. Taylor TH, Mulcahy M, Nightingale DA. Suxamethonium chloride in intraocular surgery. Br J Anaesth. 1968;40(2):113-8.
31. Quigley HA. Mortality associated with ophthalmic surgery. A 20-year experience at the Wilmer Institute. Am J Ophthalmol. 1974;77(4):517-24.
32. Glantz L, Drenger B, Gozal Y. Perioperative myocardial ischemia in cataract surgery patients: general versus local anesthesia. Anesth Analg. 2000;91(6):1415-9.
33. Craythorne NW, Rottenstein HS, Dripps RD. The effect of succinylcholine on intraocular pressure in adults, infants and children during general anesthesia. Anesthesiology. 1960;21:59-63.
34. Iwamoto K, Schwartz H. Antiemetic effect of droperidol after ophthalmic surgery. Arch Ophthalmol. 1978;96(8):1378-9.
35. Michels RG, Wilkinson CP, Rice TA. Retinal detachment. 1th ed. St. Louis: CV Mosby Company. 1990:422.
36. Chang S, Lincoff HA, Coleman DJ et al. Perfluorcarbon gases in vitreous surgery. Ophthalmology. 1985;92(5):651-6.
37. Lincoff A, Lincoff H, Iwamoto T, et al. Perfluoro-n-butane. A gas for a maximum duration retinal tamponade. Arch Ophthalmol. 1983;101(3):460-2.
38. Fu AD, McDonald HR, Eliott D, et al. Complications of general anesthesia using nitrous oxide in eyes with preexisting gas bubbles. Retina. 2002;22(5):569-74.
39. Vote BJ, Hart RH, Worsley DR, et al. Visual loss after use of nitrous oxide gas with general anesthetic in patients with intraocular gas still persistent up to 30 days after vitrectomy Anesthesiology. 2002;97(5):1305-8.
40. Abramowitz MD, Oh TH, Epstein BS, et al. The antiemetic effect of droperidol following outpatient strabismus surgery in children. Anesthesiology. 1983;59(6):579-83.
41. Lerman J, Eustis S, Smith D. The effect of pretreatment with droperidol in children undergoing strabismus surgery Anesthesiology. 1985;63:A473.
42. Rose JB, Martin TM, Corddry DH, et al. Ondansetron reduces the incidence and severity of poststrabismus repair vomiting in children. Anesth Analg. 1994;79(3):486-9.
43. France NK, France TD, Woodburn JD Jr, et al. Succinylcholine alteration of the force induction test. Ophthalmology. 1980;87(12):1282-7.
44. Blumberg D, Congdon N, Jampel H, et al. The effects of sevoflurane and ketamine on intraocular pressure in children during examination under anesthesia. Am J Ophthalmol. 2007;143:494-499.
45. Ferreira AA. Teste de perviabilidade dos canais lacrimais. Arq Bras Oftalmol. 1975;38:183-4.
46. Lo MW, Chalfin S. Retrobulbar anesthesia for repair of ruptured globes. Am J Ophthalmol. 1997;123(6):833-5.
47. Scott IU, Mccabe CM, Flynn HW et al. Local anesthesia with intravenous sedation for surgical repair of selected open globe injuries. Am J Ophthalmol. 2002;134(5):707-11.
48. Scott IU, Gayer S, Voo I, et al. Regional anesthesia with monitored anesthesia care for surgical repair of selected open globe injuries. Ophthalmic Surg Lasers Imaging. 2005;36(2):122-8.
49. McClellan AJ, Daubert JL, Relhan N et al. Comparison of regional vs. general anesthesia for surgical repair of open-globe injuries at a university referral center. Ophthalmol Retina. 2017 May-Jun;1(3):188-91.
50. Niemi-Murola L, Immonen I, Kallio H et al. Preliminary experience of combined peri and retrobulbar block in surgery for penetrating eye injuries. Eur J Anaesthesiol. 2003;20(6)478-81.

Bloqueios Oculares:
Técnicas, Indicações e Eventos Adversos

Luiz Fernando Alencar Vanetti ▪ Thaís Khouri Vanetti

INTRODUÇÃO

Para a realização de bloqueios oftalmológicos, é fundamental conhecer a anatomia e a fisiologia orbitárias envolvidas, a técnica anestésica a ser utilizada, bem como as suas indicações, contraindicações e seus efeitos adversos. Este capítulo tece considerações sobre esses aspectos.

▪ ANATOMIA DA ÓRBITA E DE SEU CONTEÚDO — ASPECTOS RELEVANTES

Cavidade Orbitária

A cavidade orbitária é formada por paredes ósseas que se dispõem na forma de uma pirâmide quadrangular, irregular, que progride, posteriormente, afunilando-se até o seu ápice, que é deslocado medialmente em relação à sua abertura anterior (Figura 182.1)

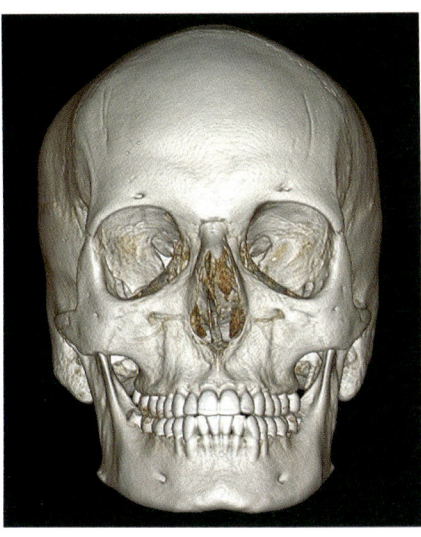

◀ **Figura 182.1** Formato da cavidade orbitária.

Esse afunilamento ocorre à custa da inclinação da parede lateral, do assoalho e do teto da cavidade orbitária. A exceção fica por conta da parede medial, que permanece paralela ao eixo visual e à parede medial contralateral, portanto não contribuindo para o estreitamento da cavidade[2] (Figura 182.2).

Esse aspecto (parede medial paralela ao eixo visual) é importante de ser observado, especialmente, quando realizamos o *bloqueio periconal medial da órbita (cantal)*,

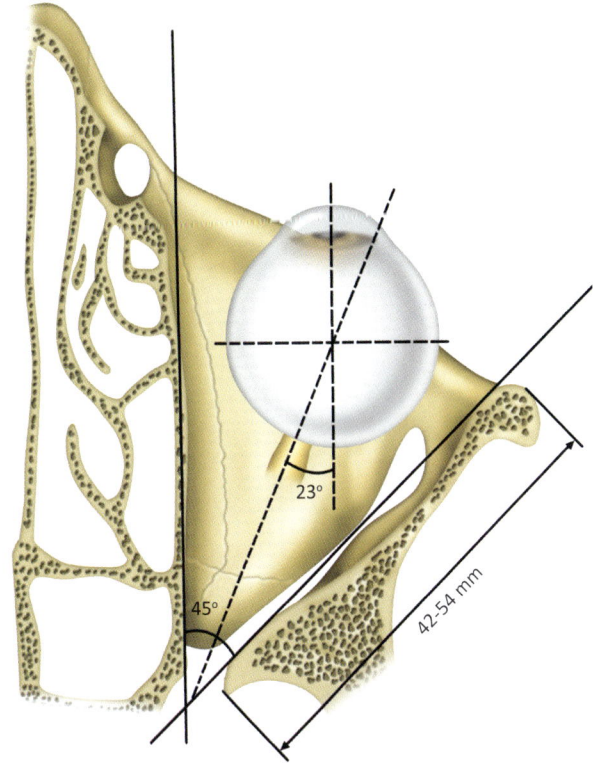

▲ **Figura 182.2** Afunilamento da cavidade orbitária.

que será descrito adiante. É importante destacar também que parte da cavidade orbitária, em sua porção medial, é separada do seio etmoidal pela fina lâmina orbital, portanto facilmente perfurável pelas agulhas de bloqueio, possibilitando a injeção acidental do anestésico local (AL) dentro do seio etmoidal quando realizamos o *bloqueio periconal medial da órbita*, levando ao insucesso do bloqueio. Além disso, essa perfuração acidental pode resultar em celulite orbitária.

A cavidade orbitária é preenchida, em sua maior parte, por tecido gorduroso, além de músculos, vasos, nervos, membranas intermusculares (que não impedem a difusão dos anestésicos locais) e tecido conjuntivo de sustentação (em sua porção anterior), que mantém o olho em posição.

Músculos Extraoculares

Os músculos extraoculares inserem-se próximo ao equador do globo ocular, mais anteriormente a ele, para permitir as diferentes movimentações do olho, quando acionados. Posteriormente, perto do ápice da órbita, esses músculos, com exceção do oblíquo inferior, encontram-se em uma estrutura tendinosa comum denominada anel tendíneo comum (anel de Zinn) (Figura 182.3). Com esse posicionamento, os músculos, partindo do equador do globo e encontrando-se próximos ao ápice da órbita, formam uma estrutura com a formato de um cone (Figura 182.4). Para efeitos práticos, as estruturas contidas nesse cone são denominadas intraconais, e as encontradas fora desse cone são as extraconais.

O músculo elevador da pálpebra superior situa-se logo acima do músculo reto superior e é inervado pelo n. oculomotor.

O músculo orbicular das pálpebras, responsável pelo fechamento das pálpebras é a única estrutura anexa ao

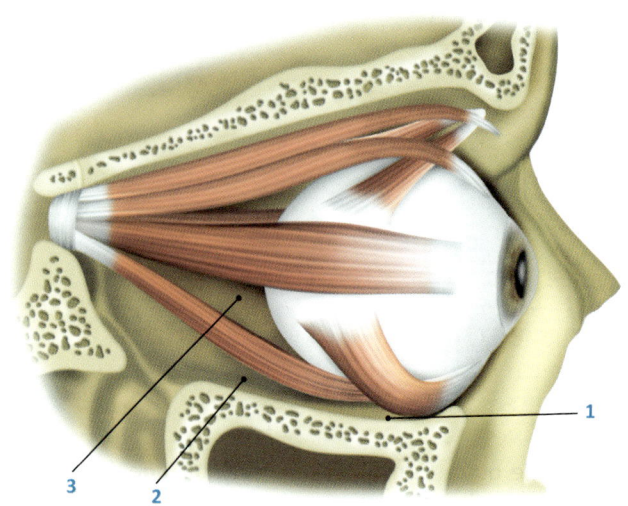

▲ **Figura 182.4** Cone formado pela disposição espacial dos músculos extraoculares. Espaços: **(1)** Extraconal peribulbar; **(2)** Extraconal periconal; **(3)** Intraconal.

olho não inervada por nervos provenientes da cavidade orbitária, é inervado por um ramo do nervo facial, mais especificamente pelo temporofacial. Na cirurgia intraocular, é conveniente produzir a sua acinesia para evitar que o paciente aperte as pálpebras durante o procedimento cirúrgico.

Inervação

Pelo anel de Zinn, penetram na cavidade orbitária os nervos: óptico (sensorial); nasociliar, ramo do nervo oftálmico (sensitivo); oculomotor e abducente (motores); e as fibras parassimpáticas, as quais são responsáveis, entre outros, por conduzir os estímulos aferentes que redundarão

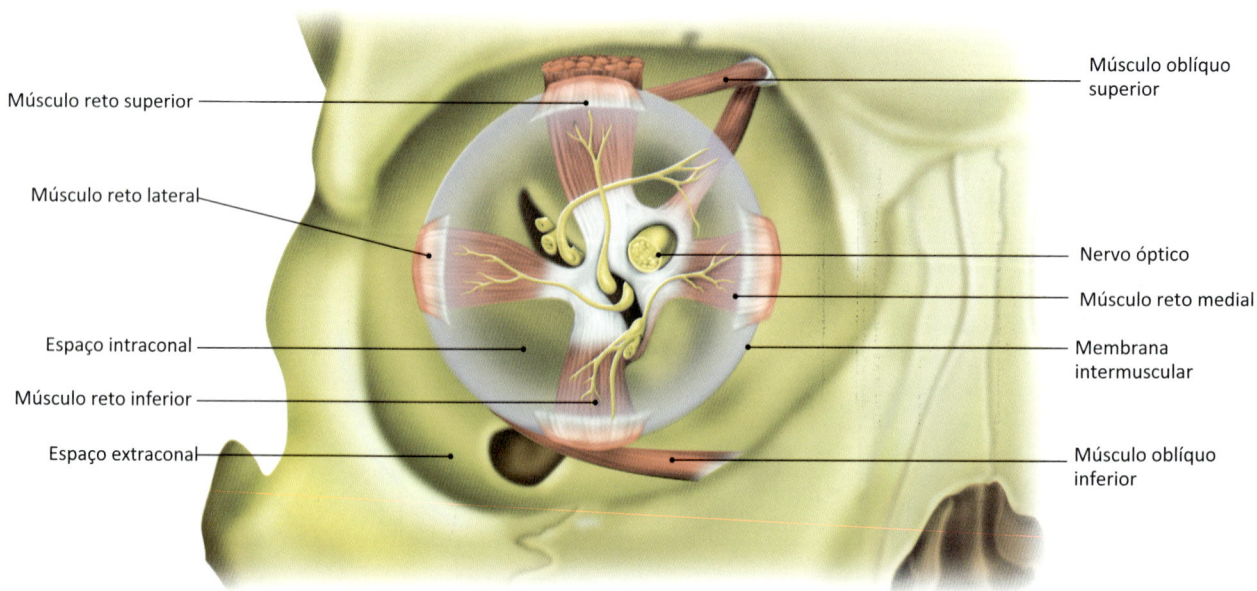

Músculo reto superior

Músculo reto lateral

Espaço intraconal

Músculo reto inferior

Espaço extraconal

Músculo oblíquo superior

Nervo óptico

Músculo reto medial

Membrana intermuscular

Músculo oblíquo inferior

▲ **Figura 182.3** Anel tendíneo comum (anel de Zinn). Ponto de encontro dos músculos extraoculares no ápice da cavidade orbitária.

no reflexo oculocardíaco. Também pelo anel de Zinn passa a artéria oftálmica. Todas essas estruturas são denominadas *intraconais* por terem, pelo menos, parte de seu trajeto dentro do cone formado pelos músculos retos (Figura 182.5).

É necessário também destacar a importância do nervo nasociliar e seus ramos (ciliares curtos e longos) nos bloqueios oftálmicos, visto serem os responsáveis por toda a sensibilidade intraocular, da córnea e da região perilimbar da conjuntiva. Assim, torna-se indispensável o bloqueio do n. nasociliar ou dos seus ramos para a realização de procedimentos cirúrgicos sobre o globo ocular. A sensibilidade de uma pequena parte tanto da conjuntiva quanto das pálpebras, em suas porções mediais, é também de responsabilidade de um ramo do nervo nasociliar, o infratroclear.

Dito de outra forma, pode-se concluir que é indispensável a chegada do AL *dentro do cone muscular* para que tenhamos anestesia e acinesia do globo ocular, bloqueio do reflexo oculocardíaco e, ainda, conforto para o paciente em relação ao foco de luz do microscópio cirúrgico.

Os nervos sensitivos – frontal (ramo do nervo oftálmico), que se divide em supraorbitário e supratroclear ao deixar a cavidade orbitária, zigomático, lacrimal e infraorbitário (ramos do nervo maxilar) – responsáveis pela inervação da maioria das estruturas anexas ao olho, o que inclui as pálpebras e a maior parte da conjuntiva, são *extraconais*.

A distribuição do AL pelo espaço *extraconal* bloqueia os nervos que por ali passam, o que provê conforto para o paciente nas cirurgias de catarata por anestesiar as pálpebras e o restante da conjuntiva, possibilitando, também, se for o caso, cirurgias que envolvam essas estruturas.

Quanto aos nervos motores, com exceção do músculo reto lateral, que é inervado pelo n. abducente, e do músculo oblíquo superior, que é inervado pelo nervo troclear, todos os outros músculos extraoculares são inervados pelo n. oculomotor, inclusive o músculo elevador da pálpebra superior. Todos esses nervos têm pelo menos parte do seu trajeto dentro do cone muscular. O único nervo motor ocular que não passa pelo interior do cone muscular é o troclear, que inerva o músculo oblíquo superior. A localização superomedial desse nervo explica por que esse músculo nem sempre fica adequadamente paralisado quando realizamos bloqueios inferolaterais (ponto A).

O nervo óptico deixa o globo ocular medialmente ao eixo visual e segue, também medialmente e discretamente, para cima, em direção ao canal óptico. Por essa razão, estará sujeito a lesões nos bloqueios *profundos* na região medial da órbita (Figura 182.2).

Vasos Sanguíneos

A artéria oftálmica é ramo da artéria carótida interna e a principal artéria da órbita. Ela entra na órbita junto ao nervo óptico e atravessa o anel de Zinn. Um de seus ramos é a artéria central da retina, que, próximo ao olho, penetra no nervo óptico e cujo trajeto inicial é junto ao nervo óptico, em sua face lateral.

Os vasos intraorbitários não têm distribuição fixa e, como regra geral, tornam-se mais calibrosos à medida que se aproximam do vértice da órbita. Também nessa região, em decorrência do afunilamento da cavidade orbitária, ocorre o adensamento de outras estruturas nobres, como

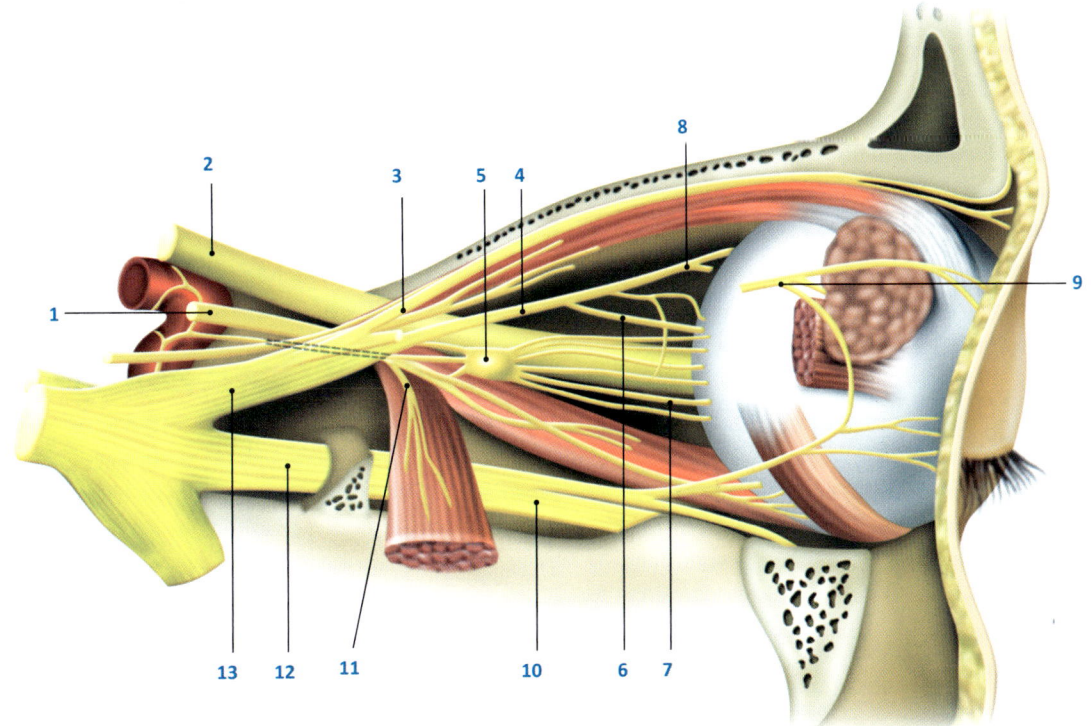

▲ **Figura 182.5** Nervos intra e extraconais: **(1)** Oculomotor; **(2)** Óptico; **(3)** Frontal; **(4)** Nasociliar; **(5)** Gânglio ciliar; **(6)** Nervo ciliar longo; **(7)** Nervo ciliar curto; **(8)** Infratroclear; **(9)** Lacrimal; **(10)** Infraorbitário; **(11)** Abducente; **(12)** Maxilar; **(13)** Oftálmico.

os nervos sensitivos e motores, o nervo óptico e os múscu-los. Esse adensamento aumenta o risco de essas estruturas serem lesionadas pela agulha em injeções mais profundas.

Outro aspecto anatômico a ser considerado é que a re-gião mais vascularizada da órbita se situa na porção anterior da região superointerna da órbita, na região do *ponto B*, o qual é utilizado em uma das técnicas de bloqueio extraco-nal e deve ser preterido em pacientes com maior risco de sangramento.

Globo Ocular

Com formato esférico e comprimento axial de 20 a 25 mm, o globo ocular tem, em sua porção anterior, a córnea, que, por conter um raio de curvatura menor que o do res-tante do globo, projeta-se discretamente para fora. O olho fica situado na parte anterior da cavidade orbitária, mas essa posição varia bastante tanto no paciente saudável quanto em patologias oculares. Em geral, boa parte do olho fica para fora da cavidade orbitária, principalmente quando é abordado pela sua porção inferolateral (ponto A de intro-dução da agulha), onde, mesmo em pacientes normais, aci-ma de 40% do seu comprimento axial podem estar externos à reborda inferolateral da órbita, o que possibilita, nesses casos, como veremos adiante, a utilização de agulhas mais *curtas*, tanto para bloqueios extra quanto intraconais. Di-ferentemente, em pacientes com enoftalmia (olho situado profundamente na órbita), a realização do bloqueio intraco-nal torna-se difícil e arriscada, não sendo essa técnica uma boa indicação.

A posição do olho na cavidade orbitária é excêntrica, situando-se mais próximo do teto e da parede lateral da ór-bita e oferecendo, portanto, mais espaço para os bloqueios realizados próximo ao assoalho e na região medial da cavi-dade orbitária (pontos A e C, que serão vistos adiante).

As dimensões do globo ocular e da órbita variam na saú-de e na doença, devendo, portanto, serem analisadas cuida-dosamente antes de qualquer bloqueio.[1]

A fim de que sejam atingidas condições cirúrgicas ade-quadas, a anestesia regional deve produzir uma série de efeitos – alguns indispensáveis, outros desejáveis –, que podem ser obtidos pela anestesia de nervos de diferentes funções em seu trajeto intraorbitário.

Entre esses efeitos têm-se:

▪ **Anestesia intraocular, da córnea e de parte da conjun-tiva:** a anestesia do corpo ciliar e da íris (estruturas in-traoculares cuja estimulação provoca dor), da córnea e da conjuntiva perilimbar ocorre pelo bloqueio das fibras sen-sitivas que saem do globo ocular em sua face posterior. São as fibras *intraconais* que compõem os nervos ciliares longos e as fibras sensitivas dos nervos ciliares curtos, as quais não fazem sinapse no gânglio ciliar. Todas elas per-tencem ao nervo nasociliar. Daí se deduz a importância do bloqueio desse nervo ou de seus ramos na anestesia para cirurgias oculares, em especial as intraoculares e também de o anestésico local *chegar ao espaço intraconal*;

▪ **Anestesia do restante da conjuntiva e das pálpebras:** obtida pelo bloqueio dos nervos *extraconais* frontal, com seus ramos supraorbitário e supratroclear, lacrimal, in-fraorbitário e zigomático. O nervo infratroclear, ramo do nasociliar, é responsável pela inervação de parte das pál-pebras em sua porção medial e da conjuntiva na região correspondente. Ele pode ser bloqueado no espaço *intra-conal* ou após sair do cone muscular;

Com a utilização de volumes maiores de anestésico lo-cal, principalmente se associado à hialuronidase, ocorrerá difusão do anestésico local dentro da cavidade orbitária, atingindo e anestesiando todos esses nervos;

▪ **Acinesia dos músculos extrínsecos do olho:** dá-se pelo bloqueio, dentro da cavidade orbitária, do III nervo cra-niano (oculomotor), responsável pela inervação dos músculos reto superior, reto medial e reto inferior; do IV nervo (troclear), que inerva o oblíquo superior; e do VI nervo (abducente), que inerva o músculo reto lateral. O bloqueio desses nervos impede que o paciente movi-mente o globo ocular durante a cirurgia. Todos esses ner-vos têm trajeto intraconal, com exceção do troclear, que é extraconal;

▪ **Acinesia do músculo elevador das pálpebras:** ocorre pelo bloqueio do III nervo craniano (oculomotor) em seu tra-jeto intraorbitário. O bloqueio desse nervo não impede o fechamento da pálpebra superior, somente sim a sua abertura. O fechamento das pálpebras é de responsabili-dade do nervo facial, descrito mais à frente;

▪ **Perda temporária da visão:** ocorre pela anestesia do II nervo craniano (óptico), também intraconal, o que evita que o paciente perceba o incômodo foco de luz do mi-croscópio utilizado na cirurgia;

▪ **Bloqueio do reflexo oculocardíaco:** esse efeito deve-se à interrupção da via aferente desse reflexo por meio do bloqueio das fibras dos nervos ciliares curtos que fazem sinapse no gânglio ciliar e/ou da anestesia do próprio gân-glio ciliar;

▪ **Acinesia do músculo orbicular das pálpebras:** o trajeto do nervo facial (VII nervo craniano), ao contrário dos ou-tros descritos, não é intraorbitário, mas o AL, por difusão anterógrada, geralmente atinge as suas terminações jun-to ao músculo orbicular das pálpebras, paralisando-o.

É importante ressaltar que os bloqueios anestésicos nem sempre produzem todos os efeitos aqui citados.

▪ TÉCNICAS DE ANESTESIA REGIONAL PARA CIRURGIA OFTÁLMICA

Basicamente, existem três técnicas de anestesia regional para cirurgia oftálmica:

▪ Bloqueio intraconal (retrobulbar clássico);
▪ Bloqueio extraconal (peribulbar e periconal);
▪ Bloqueio episcleral (subtenoniano).

Nesses bloqueios são utilizados os mais variados tipos de anestésicos, como: lidocaína, bupivacaína, ropivacaína, levobupivacaína e a mistura de lidocaína com outro desses anestésicos locais. A escolha do anestésico baseia-se, prin-cipalmente, na duração do procedimento cirúrgico a ser realizado.

A associação de *adrenalina* ao AL, por seu efeito vaso-constritor, reduz a pressão intraocular (PIO) e aumenta a duração e a qualidade do bloqueio, entretanto, por contribuir para a queda da pressão de perfusão ocular,[2] seu uso não é recomendável a pacientes com doenças vasculares ou hematológicas por predispor à oclusão da artéria central da retina, como ocorre na insuficiência carotídea, no diabetes melito avançado e na anemia falciforme.

A adrenalina deve ser evitada também em pacientes com glaucoma, doença que se caracteriza por lesão progressiva do nervo óptico decorrente de má perfusão desse nervo, geralmente por aumento da PIO. Parece lógico, portanto, que não se devem adicionar substâncias vasoconstritoras ao anestésico local, visto que, potencialmente, podem reduzir ainda mais o fluxo de sangue para o nervo. Nos pacientes com glaucoma, também é preciso ter um cuidado especial com os volumes injetados na cavidade orbitária a fim de se evitar o aumento inadequado da pressão em torno do nervo ótico, o que poderia, potencialmente, contribuir para a isquemia desse nervo.[3]

A **hialuronidase**, na maioria das vezes, é adicionada ao anestésico local (AL). Essa enzima facilita, grandemente, a difusão do AL, o que diminui o período de latência da anestesia, reduz a proptose, amplia a área anestesiada, minimiza a pressão intraorbitária e melhora a qualidade da anestesia. Foi sugerido que a associação de hialuronidase ao anestésico local, por facilitar a dispersão do AL, quando injetado, acidentalmente, dentro de um músculo extraocular, reduz o tempo de contato de concentrações elevadas do AL com esse músculo, reduzindo a miotoxicidade e, com isso, contribuindo para diminuir a incidência de diplopia relacionada aos bloqueios anestésicos.[4]

No entanto, a hialuronidase também reduz o tempo de ação do anestésico local, o que pode ser parcialmente compensado pela adição de adrenalina.

Na literatura, observa-se adição de hialuronidase ao anestésico local em quantidades que variam de 3,75 UI.mL^{-1} a 150 UI.mL^{-1}.

Por ser uma enzima derivada, na maioria das vezes, de ovelhas e bois, ela pode também provocar reação alérgica, embora isso seja muito raro. As manifestações alérgicas mais comuns incluem edema conjuntival com quemose, edema periorbitário, prurido, dor e restrição da mobilidade da musculatura extraocular.[5]

Pensando nas reações indesejadas à essa substância, duas medidas dignas de consideração são: usar a hialuronidase em concentrações reduzidas (5 a 15 UI.mL^{-1}) e abandonar o uso de preparações de origem ovina e bovina em favor da hialuronidase recombinante, quando disponível, o que reduz as reações tóxicas e alérgicas porque ela elimina o gatilho imunológico da enzima extraída de animais.

Bloqueio Retrobulbar Intraconal

O objetivo desse bloqueio é depositar o AL no interior do cone formado pelos músculos extrínsecos do olho. O ideal é conhecer, antes da execução do bloqueio, o formato e a medida do diâmetro anteroposterior do globo ocular, pois sabe-se que a miopia, principalmente quando associada à

presença de estafilomas (protuberâncias de paredes finas da esclera), apresenta maior risco de perfuração do olho quando se utiliza essa técnica. Felizmente, para determinar a lente apropriada a ser implantada nas cirurgias de catarata, o oftalmologista faz a biometria do olho, o que possibilita que se conheçam as suas medidas previamente ao bloqueio. Na ausência da medida do comprimento axial do olho, deve-se considerar o paciente míope inadequado para o bloqueio intraconal.

Os olhos apropriados para o bloqueio intraconal têm diâmetro anteroposterior (AP) *menor que 26 mm* e não apresentam estafiloma.[6]

Por questões de segurança, recomenda-se, durante a realização do bloqueio intraconal, *manter o olho na sua posição primária*, ou seja, o paciente olhando para frente. Essa posição passou a ser recomendada após o estudo de Unsöld e cols.,[7] que, usando tomografia computadorizada em órbitas de cadáveres enquanto introduziam a agulha retrobulbar, demonstraram que, na posição descrita por Atkinson – paciente olhando para cima e para dentro –, o nervo óptico, a artéria oftálmica e seus ramos, a veia orbitária superior e o polo posterior do globo ocular são deslocados para baixo e para fora, aproximando, perigosamente, essas estruturas do trajeto da agulha. Além disso, como nessa posição o nervo óptico é estirado, ele pode tornar-se mais suscetível a uma perfuração pela agulha, uma vez que perde parte da sua mobilidade.

Técnica

O bloqueio intraconal inicia-se pela localização do *ponto A*, o qual está situado na reborda infraorbitária, próximo à parede lateral da cavidade orbitária (Figura 182.6).[8] Trata-se de uma nova posição que, além de permitir maior distância do globo ocular, passou a ser recomendada em decorrência de ter sido verificado, em estudos anatômicos, que o músculo oblíquo inferior, o feixe vasculonervoso do músculo

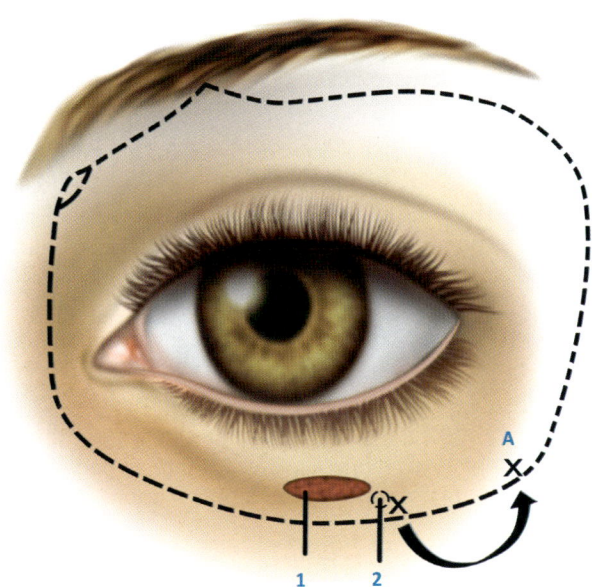

▲**Figura 182.6** Bloqueio intraconal. Ponto de introdução da agulha **(A)**. **(1)** Músculo reto inferior; **(2)** Feixe vasculonervoso do músculo oblíquo inferior.

oblíquo inferior e o músculo reto inferior encontram-se muito próximos ao ponto de entrada anteriormente utilizado, o qual está localizado entre o terço lateral e os dois terços mediais da reborda infraorbitária, o que colocava essas estruturas em risco de serem lesionadas pela agulha. Esse tipo de lesão aumenta o risco potencial de diplopia e hematoma orbitário. Sabe-se que a maior parte dos casos de diplopia é oriunda da lesão do músculo reto inferior, cujas causas prováveis incluem: lesão muscular direta pela agulha, síndrome compartimental e/ou efeito miotóxico do anestésico local, ambos decorrentes da injeção do AL dentro do músculo.[9]

Com o paciente olhando para frente (posição neutra), portanto, é feito um botão intradérmico com anestésico local e é introduzida uma agulha, inicialmente, junto ao assoalho da órbita (agulha na posição I), com a abertura do bisel voltada para o olho, até atingir o plano próximo ao fundo do globo ocular (Figura 182.7). Essa profundidade da ponta da agulha pode ser determinada considerando dois fatores: o comprimento da agulha e o diâmetro anteroposterior do globo ocular, descontando a porção do olho que se projeta para fora da reborda orbitária na região do ponto A de introdução da agulha.

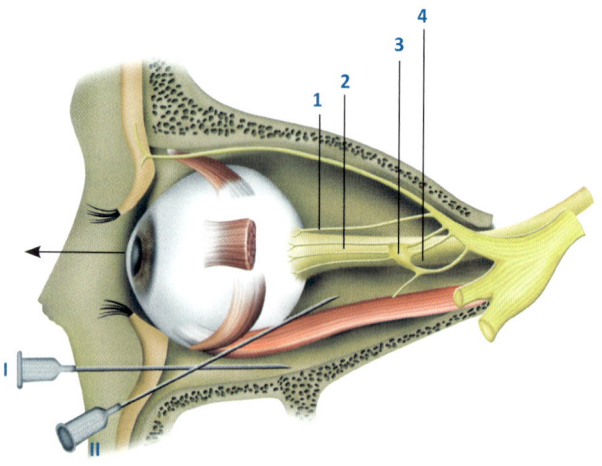

▲ **Figura 182.7** Bloqueio intraconal. Posições da agulha **(I e II)**. **(1)** Nervo ciliar longo; **(2)** Nervo ciliar curto; **(3)** Gânglio ciliar e **(4)** Nervo óptico.

Em seguida, a agulha é inclinada para cima e medialmente *em direção ao ápice da órbita*, que fica na base da fissura orbitária superior, e é suavemente avançada cerca de 0,5 cm. Com isso, a ponta da agulha estará posicionada posteriormente ao globo ocular e lateralmente ao nervo óptico (agulha na posição II), *sem cruzar o plano sagital que passa pelo eixo visual* (Figura 182.8), e mantida no quadrante inferolateral da órbita. Observar, também na Figura 182.8 que o nervo óptico emerge do globo ocular medialmente ao eixo visual.

Nesse momento, a ponta da agulha estará posicionada anteriormente ao gânglio ciliar, lateralmente ao nervo óptico, medialmente ao músculo reto lateral e a uma distância segura do canal óptico.

Depois de aspiração cuidadosa para checar se a agulha não está dentro de um vaso, a solução anestésica é injetada. **Essa técnica pode ser realizada com agulhas curtas** (20 mm × 0,55), cujas vantagens seriam ter menor comprimento, o que diminuiria a possibilidade de a agulha ser

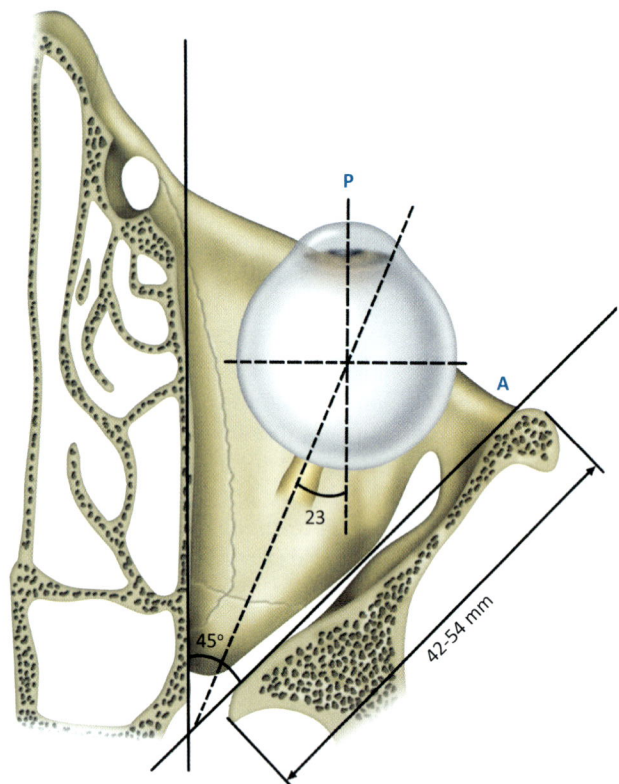

▲ **Figura 182.8** Ponto A de introdução da agulha em relação à posição do olho na cavidade orbitária (olho normal).

introduzida inadvertidamente de forma mais profunda que o necessário, e apresentar diâmetro e bisel menores, que reduziriam as lesões teciduais. Como já salientado, à medida que se aprofundam na cavidade orbitária, os vasos sanguíneos são mais calibrosos (facilitando, portanto, que sejam puncionadas acidentalmente) e, em razão do formato piramidal da cavidade orbitária, também conforme nos aproximamos do seu ápice, o afunilamento da órbita produz o adensamento de estruturas nobres, como os nervos sensitivos e motores, o nervo óptico e os músculos, tornando-as mais sujeitas de serem lesionadas à proporção que as injeções se tornam mais profundas.

Considerando que muitos pacientes candidatos potenciais ao bloqueio intraconal tem boa parte do globo ocular projetado para fora da cavidade orbitária na região do ponto A de introdução da agulha (Figura 182.8), a distância percorrida entre esse ponto e a periferia do espaço intraconal se torna bem reduzida, possibilitando o uso de agulhas curtas.

Cada paciente deverá, portanto, ser avaliado para determinarmos quanto da agulha será introduzida para termos um bloqueio seguro.

Seguem, adiante, alguns exemplos.

■ Olho normal; diâmetro AP de 23 mm; projetado 10 mm para fora da reborda orbitária no ponto A; agulha de 20 mm.

Isso significa que teremos apenas 13 mm de globo ocular desse ponto da reborda orbitária até o seu polo posterior, portanto, se introduzirmos 13 mm da agulha a partir do *ponto A*, acompanhando o assoalho da órbita e paralelamente à sua parede lateral, a ponta da agulha estará próxima ao plano do fundo do olho (Figura 182.9)

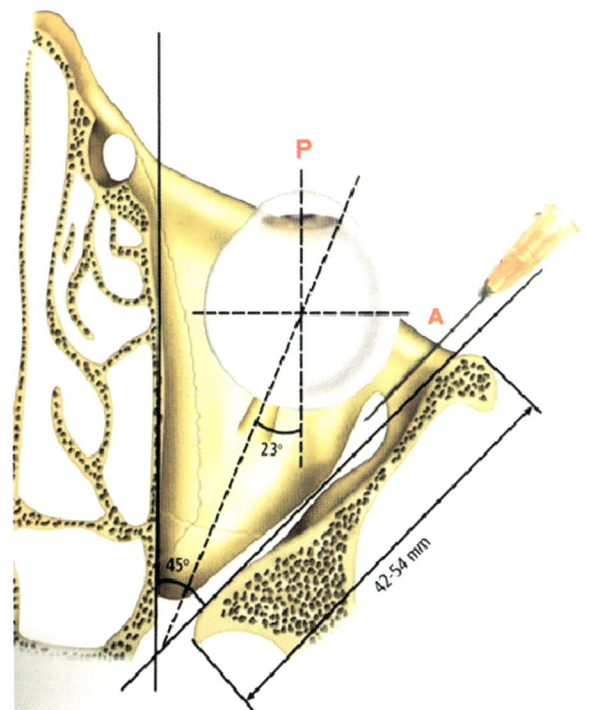

▲ **Figura 182.9** Progressão da agulha de 20 mm junto ao assoalho da órbita e paralela à parede lateral. A ponta já posicionada ao nível do fundo do olho. Visão superior.

e poderemos direcioná-la para cima e medialmente com segurança, apontando-a para o ápice da órbita (Figura 182.10), e, a seguir, introduzir mais 5 mm. Com isso, a ponta da agulha estará situada dentro do espaço intraconal, em seu quadrante inferoexterno, lateralmente ao plano sagital (P), que passa pelo eixo visual, e a cerca de 5 mm além do fundo do olho, tendo-se usado apenas 18 mm da agulha (Figura 182.11).

- Olho de diâmetro AP um pouco maior, aproximadamente 25 mm; projetado 8 mm para fora da reborda orbitária na região do ponto A; agulha de 20 mm; o raciocínio é semelhante.

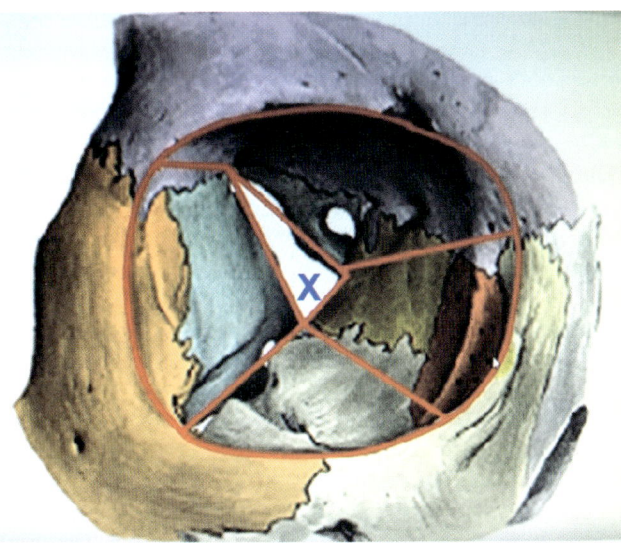

▲ **Figura 182.10** Ápice da órbita (X).

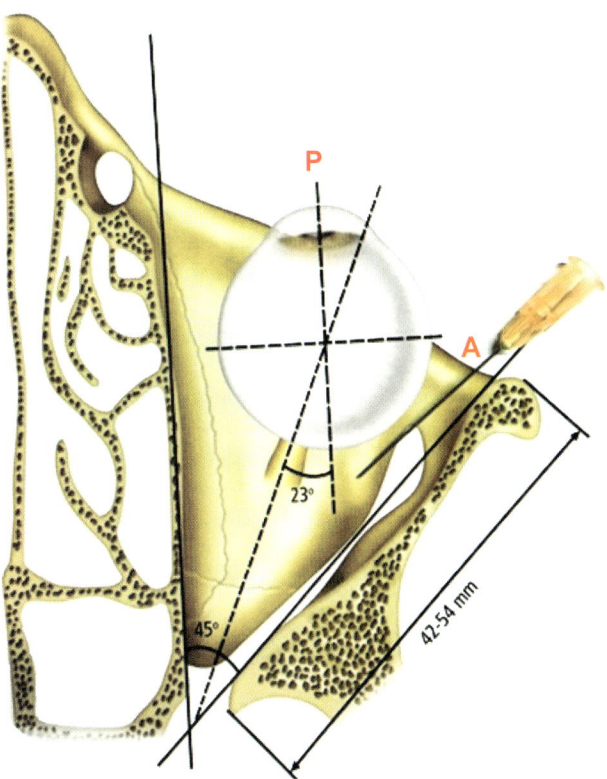

▲ **Figura 182.11** Bloqueio intraconal com agulha de 20 mm de comprimento. Visão superior. A agulha não cruza o plano sagital (P) que passa pelo eixo visual.

Nesse caso, teremos 17 mm de olho a partir do ponto A até o seu polo posterior, portanto teremos de introduzir 17 mm da agulha, a partir do ponto A, para que sua ponta se situe, em relação ao globo ocular, à mesma profundidade descrita no exemplo anterior. Assim, poderemos virar a sua ponta para cima e para dentro com segurança, apontando-a para o ápice da órbita e, a seguir, introduzir o restante dela (3 mm). Para que a agulha fique a uma profundidade semelhante à do exemplo anterior, ou seja, cerca de 5 mm além do polo posterior do olho, basta empurrar o ombro da agulha contra a pálpebra do paciente, deprimindo-a cerca de 2 mm. Essa pressão do ombro da agulha contra a pálpebra inferior, além de aprofundar a agulha esses 2 mm a mais, cria uma pressão nesse ponto, contribuindo para que o AL siga para diante.

Para um bloqueio intraconal seguro, é fundamental conhecer-se o *diâmetro anteroposterior* do olho, que deverá ser *inferior a 26 mm*, e avaliar quanto dessa medida se situa *para fora* da cavidade orbitária para que possamos calcular o comprimento de agulha que teremos de introduzir a cada passo do processo.

Em alguns pacientes, mais de 50% do olho está para fora da órbita no *ponto A* e, em outros, o diâmetro anteroposterior é pequeno. Em ambos é necessária a introdução de menor comprimento da agulha para a realização do bloqueio.

Há, também, os pacientes com olhos anatomicamente normais, porém com enoftalmia acentuada (olho situado profundamente na cavidade orbitária), que, por isso, não são candidatos ao bloqueio intraconal.

As dimensões do globo ocular e da órbita variam na saúde e na doença, devendo, portanto, serem analisadas cuidadosamente antes de qualquer bloqueio.[1]

O volume do anestésico a ser injetado é variável e leva em conta a capacidade da cavidade orbitária e o objetivo do bloqueio. A injeção deve ser lenta e acompanhada de verificação, por palpação, da tensão produzida na pálpebra superior e do grau de mobilidade do globo ocular para evitar quantidades excessivas de anestésico local. Há cavidades orbitárias que aceitam grandes volumes (10 a 12 mL) de solução anestésica sem que ocorra aumento significativo da tensão palpebral e da pressão sobre o globo ocular, enquanto outras não comportam mais do que 3 mL. Geralmente, são utilizados em torno de 4 a 6 mL de anestésico local associado à hialuronidase no bloqueio intraconal para cirurgias intraoculares.

Após o bloqueio intraconal, devem-se usar compressas de gaze para comprimir, com suavidade, o entorno do globo ocular, em especial sobre a região de entrada da agulha e, dessa forma, aumentar a rapidez de difusão do anestésico local, reduzindo-se, assim, a pressão sobre o olho. O balão de Honan também pode ser utilizado com a mesma finalidade, seguindo-se as normas do seu uso.

Eventos adversos do bloqueio intraconal

Quando o bloqueio é corretamente indicado e aplicado, as raras complicações incluem:

- **Hemorragia intraorbitária:** decorrente da punção inadvertida de um vaso orbitário, tem como fatores predisponentes a vascularização no local da punção, o uso de agulhas calibrosas e muito cortantes para o bloqueio, a fragilidade arterial que ocorre em pacientes com ateromas e em diabéticos graves, pacientes portadores de coagulopatias e aqueles em uso de anticoagulantes e/ou antiagregantes plaquetários. A punção acidental de uma veia raramente obriga o adiamento da cirurgia. Em geral, uma leve pressão com uma compressa de gaze sobre o entorno do olho fechado interrompe o sangramento e evita a elevação da PIO, permitindo a realização da cirurgia. Já a *punção arterial acidental* exige mais cuidados, pois, além de implicar no adiamento da cirurgia, pode desenvolver-se um hematoma intraorbitário compressivo que, em alguns casos, interrompe o fluxo sanguíneo retiniano, o que é diagnosticado pela ausência de pulso na artéria retiniana. Nessa ocorrência, torna-se necessário reduzir a pressão intraocular, devendo o oftalmologista fazer uma paracentese e, se necessário, uma cantotomia para aliviar a pressão e restabelecer a circulação retiniana. Quando houver suspeita de hemorragia de origem arterial caracterizada por equimose, proptose, pálpebras tensas e apertadas e aumento da PIO de rápida progressão, deve-se iniciar, imediatamente, a compressão ocular com o objetivo de limitar o sangramento e informar, também imediatamente, ao oftalmologista para que ele monitore a circulação retiniana.
- **Reações tóxicas:** a injeção intravenosa acidental do anestésico local pode produzir reações tóxicas sistêmicas, mas isso é raro, pois a dose habitualmente empregada é pequena. Se, no entanto, o anestésico local estiver associado à adrenalina, esta, por via endovenosa, pode provocar algumas reações sistêmicas importantes, principalmente em pacientes hipertensos e coronariopatas. Já a *injeção intra-arterial acidental* do anestésico local, mesmo em pequenas doses, pela possibilidade de ocorrer o fluxo retrógrado para a carótida interna, atingindo altas concentrações nas estruturas do mesencéfalo, é capaz de causar efeitos tóxicos graves.
- **Penetração/perfuração do globo ocular:** embora sejam termos semelhantes, penetração (um orifício) se refere à introdução da agulha no olho, enquanto perfuração (dois orifícios) é a transfixação do globo ocular.

Ambas são complicações graves, mas, felizmente, de baixa incidência, sendo descritas mais frequentemente em pacientes com elevado grau de miopia, nos quais os diâmetros AP e equatorial do globo ocular estão aumentados e a esclera é mais delgada, tornando-a mais vulnerável à perfuração, principalmente quando a agulha avança para cima e medialmente, como ocorre no bloqueio intraconal.

Felizmente, o diâmetro AP do olho é uma informação que podemos obter de todos os pacientes que irão se submeter à cirurgia de catarata, pois é necessária a realização da biometria, seja por *laser* ou por ultrassom, para calcular o grau da lente intraocular a ser implantada. Olhos com diâmetro AP menor que 26 mm e sem estafiloma são adequados para o bloqueio intraconal.[6] Já os pacientes com alto grau de miopia, além de terem diâmetro AP muito grande, superior a 27 mm, têm a possibilidade de apresentar estafiloma (protuberâncias da parede escleral) que modificam a forma do globo ocular, invadindo, por vezes, o espaço utilizado para a passagem da agulha e tornando mais fácil a perfuração do olho. A localização preferencial dos estafilomas é a parte posteroinferior do globo ocular,[10] o que os torna especialmente vulneráveis à penetração pela agulha no bloqueio intraconal.

Nos pacientes com cirurgia prévia de descolamento da retina, com introflexão da esclera por cinta de silicone, ocorrem uma alteração da forma do olho e aumento do seu diâmetro anteroposterior, o que eleva o risco potencial de perfuração da esclera quando se realiza o bloqueio intraconal e exige mais cuidado nos outros bloqueios.

Segundo levantamento realizado por Hamilton,[11] a incidência de penetração ou perfuração do globo ocular publicada na literatura é muito variável: zero em 2.000 bloqueios peribulbares (extraconais); um em 12.000 bloqueios peribulbares e retrobulbares (intraconais), três em uma série de 4.000 retrobulbares e um em uma série de 1.000 procedimentos retrobulbares. Ainda conforme esse autor,[11] em pacientes *míopes*, a incidência pode ser bastante alta, um em 140 procedimentos.[12] Também na literatura, tem-se um estudo sobre porcentagem de perfurações oculares com anestesia peribulbar em que os autores relatam cinco perfurações de esclera, utilizando a técnica de duas punções (superonasal e inferotemporal), em 666 bloqueios, o que nos dá uma incidência de uma perfuração a cada 133 bloqueios. Os mesmos autores, utilizando punção única, obtiveram a incidência de uma perfuração em 972 bloqueios.[13] Esse alto índice de perfurações oculares em alguns trabalhos sugere inexperiência profissional ou problemas específicos.

Outros fatores que também fazem aumentar o risco de penetração/perfuração do globo ocular estão descritos na Tabela 182.1.

Os sinais e os sintomas que sugerem perfuração do globo ocular incluem: sensação tátil de ultrapassar uma resistência, dor à injeção, perda súbita da visão, hipotonia ocular e hemorragia vítrea.[14]

A movimentação do olho em direção à agulha durante o seu avanço pode indicar contato dela com o globo ocular ou com um músculo extraocular, caso em que a agulha precisa ser retirada e reposicionada.

Na Tabela 182.1 são apresentados fatores que predispõem à perfuração do globo ocular.

Tabela 182.1 Perfuração do globo ocular: fatores predisponentes.

- Paciente não cooperativo
- Inexperiência do profissional
- Injeções múltiplas
- Enoftalmia
- Miopia
- Presença de estafiloma no trajeto da agulha[14]
- Introflexão escleral prévia (alonga e deforma o globo ocular)

O evento adverso mais temido pelo anestesiologista que faz anestesia regional orbitária é a penetração acidental do olho com a agulha. À parte do resultado potencialmente devastador da cegueira, essa é uma complicação em que é necessário contar com outros profissionais para diagnosticar e tratar.

- **Diplopia:**[15] entre suas prováveis causas encontram-se lesão muscular direta pela agulha, isquemia e necrose muscular decorrente da injeção do AL dentro da bainha muscular (síndrome de compartimento) e efeito miotóxico do AL quando injetado dentro do músculo.[9] Sabe-se que a maior parte dos casos de diplopia decorrente de bloqueios é causada por lesão do músculo reto inferior.[15,16] O deslocamento lateral do *ponto A* de introdução da agulha afasta-a do músculo reto inferior, o que certamente contribui para a redução desses casos de diplopia. Foi sugerido que a associação de hialuronidase ao anestésico local, por facilitar a dispersão do AL, reduz o tempo de contato de suas concentrações elevadas com os músculos extraoculares, reduzindo a miotoxicidade e, com isso, contribuindo para diminuir a incidência de diplopia relacionada aos bloqueios anestésicos.[4]

- **Dispersão central do anestésico local:** há controvérsias quanto ao mecanismo exato da chegada do anestésico local ao sistema nervoso central.[17] Uma das possibilidades é que seja procedente da perfuração acidental, pela agulha, da bainha do nervo óptico (formada pelas meninges dura-máter, aracnoide e pia-máter), com injeção do anestésico local no espaço subaracnóideo, possibilitando a sua chegada ao líquido cefalorraquidiano. Na dependência do tipo e da dose do AL que alcançar o SNC, pode haver problemas de maior ou menor gravidade, como: confusão mental, sonolência, tontura, convulsões, perda da consciência, apneia e déficits neurológicos. Essa dispersão central do anestésico local também é capaz de provocar alterações cardiovasculares importantes, inclusive

arritmias e parada cardíaca.[18] A apneia, quando ocorre, é transitória, tem início, em geral, entre 2 e 10 minutos após a injeção e apresenta duração variável (de minutos a horas), sendo necessários, em alguns casos, a intubação do paciente e o controle da ventilação.

Já foi demonstrado radiologicamente, em estudo experimental, que um corante radiopaco injetado no espaço subdural intraorbitário é capaz de difundir-se para o espaço subaracnóideo, portanto, se injetado ali o anestésico local, potencialmente podem ocorrer os efeitos descritos.[19]

- **Amaurose contralateral transitória:** provavelmente ocasionada pela injeção do anestésico local na bainha do nervo óptico, no espaço subdural[20] ou no espaço subaracnóideo,[21] progredindo até o quiasma óptico, com consequente bloqueio do nervo óptico contralateral.

- **Lesão do nervo óptico:** dá-se por lesão direta do nervo pela agulha ou pela injeção de anestésico local dentro da bainha do nervo, produzindo compressão dos *vasa nervorum*, com consequente isquemia do nervo. Tensões intraorbitárias elevadas, produzidas por volume excessivo de AL injetado dentro da cavidade orbitária, potencialmente poderiam, também, promover compressão dos *vasa nervorum*. Hematoma intraneural produzido pela agulha também pode lesionar o nervo por compressão.

- **Isquemia retiniana:** decorre de lesão da artéria e/ou veia centrais da retina, com produção de hematoma intraneural, o qual comprime esses vasos e compromete a circulação intraocular. O hematoma compressivo intraorbitário também pode levar à isquemia retiniana.

- **Reflexo oculocardíaco:** pode ser desencadeado pela palpação do globo ocular, pelo estímulo mecânico da agulha ou pela "bola" de anestésico que, durante a injeção, empurra e comprime as estruturas intraorbitárias.

- **Quemose:** deriva-se da dispersão anterógrada do anestésico local pelo espaço episcleral (subtenoniano). Foi demonstrado que o AL injetado durante o bloqueio pode penetrar no espaço episcleral (subtenoniano), junto à entrada do nervo óptico no globo ocular, dissecando esse plano e seguindo, anteriormente, para produzir o edema subconjuntival na superfície anterior do globo.[22] Volumes altos de AL favorecem a ocorrência da quemose.

- **Equimose:** sangramento conjuntival originado de lesão de vasos sanguíneos superficiais que pode ocorrer durante a introdução da agulha ou a injeção do AL.

- **Infecção:** embora se trate de uma rara complicação decorrente dos bloqueios, é passível de acontecer.

- **Ptose palpebral:** a ptose pós-cirurgia de catarata foi definida como a diminuição da abertura palpebral igual ou superior a 2 mm que permanece por mais de seis meses.[23] A essa definição inicial acrescentou-se que a medida da abertura palpebral deve considerar não apenas o valor da medição anterior à cirurgia, mas também a comparação das possíveis alterações de abertura do olho não operado, que deve ser medida e comparada com a do olho operado para excluir situações como fotofobia, o que pode fazer que o paciente permaneça com os dois olhos mais fechados, sugerindo, erroneamente, a ocorrência de ptose. Acredita-se que a ptose se deva a uma deiscência ou desinserção da aponeurose do músculo elevador da pálpebra e que alguns pacientes possam ser mais suscetíveis a essa complicação. As causas sugeridas para esse problema são: injeção de anestésico local na pálpebra superior, volume ou miotoxicidade do anestésico local nos bloqueios intra e extraconais, compressão ou massagem sobre o globo ocular, utilização de espéculo palpebral, aplicação de rédea no músculo reto superior, criação de grande *flap* conjuntival e curativo ocular com compressão e mantido por período prolongado no pós-operatório. É importante ressaltar que a ptose palpebral ocorreu em 10% dos casos de pacientes submetidos à ceratotomia radial sob anestesia tópica (colírio), sendo atribuída, nesses casos, ao uso de espéculo rígido.[24] Também já foram relatados inúmeros casos de ptose em cirurgias oculares com anestesia geral, sem qualquer tipo de bloqueio anestésico.[25]

Com a finalidade de minimizar a ocorrência de ptose palpebral decorrente dos bloqueios intraconal e extraconal, algumas medidas podem ser tomadas: não introduzir a agulha sobre ou próximo ao complexo músculo reto superior/músculo elevador da pálpebra; evitar tensão excessiva na pálpebra superior pelo uso de volumes inadequados de anestésico local; associar hialuronidase ao anestésico local, o que facilita a sua dispersão, reduzindo a tensão na pálpebra; a compressão do globo ocular, após a injeção do AL, deve ser feita com delicadeza.

- **Dilatação pupilar:** embora não seja considerada uma complicação, pode ser indesejável quando se requer uma pupila fechada, como na cirurgia do glaucoma. Para manter a pupila fechada, basta utilizar colírio de pilocarpina antes do bloqueio.
- É importante ressaltar que algumas das complicações citadas são mais frequentes quando são utilizadas *agulhas de maior comprimento* para aplicação da anestesia intraconal. Nesses casos, o bloqueio, chamado de posterior – próximo ao ápice da órbita –, apesar de mais eficiente, oferece maior risco de lesão vascular, nervosa e muscular, pois, nesse ponto, essas estruturas estão adensadas e apresentam menos mobilidade.

Em mãos experientes, o bloqueio intraconal oferece anestesia consistente, com rápido início de ação, de boa qualidade e baixo índice de complicações,[26] e grande parte delas não traz consequências graves ou são facilmente tratadas quando está presente um profissional habilitado. Observa-se, na prática e pela literatura, que, tomando-se alguns cuidados, a incidência de complicações pode tornar-se ainda menor (Tabela 182.2).

Contraindicações do bloqueio intraconal

A Tabela 182.3 mostra as contraindicações do bloqueio intraconal.

Bloqueio Extraconal

Tipos de bloqueio extraconal

- **Bloqueio peribulbar:** para reduzir os riscos de lesão do nervo óptico e a possibilidade de injetar-se anestésico local no espaço subaracnóideo em decorrência de punção da bainha do nervo óptico, foram propostos métodos de

Tabela 182.2 Medidas que aumentam a segurança do bloqueio intraconal.
■ Verificar o comprimento axial do olho (todos os pacientes de cirurgia de catarata têm essa medida usada para calcular o grau da lente). Nas outras cirurgias, pode-se obter essa informação com o cirurgião. Olhos com diâmetro anteroposterior inferior a 26 mm e sem estafiloma são adequados para o bloqueio intraconal
■ Manter o olho na posição primária durante a execução do bloqueio
■ Introduzir a agulha suavemente
■ Não cruzar, com a agulha, o plano sagital que passa pelo eixo visual, mantendo-a no quadrante inferior externo
■ Aferir a profundidade da ponta da agulha antes de incliná-la para cima e medialmente (ver texto)
■ Dar preferência a agulhas mais curtas e finas (ver texto)
■ Reposicionar a agulha se houver resistência ou movimentação do olho em direção a ela durante sua introdução
■ Aspirar cuidadosamente antes de injetar a solução anestésica
■ Utilizar volumes e concentrações adequados de anestésico local
■ Respeitar as contraindicações desse bloqueio

Tabela 182.3 Contraindicações do bloqueio intraconal (retrobulbar).
■ Recusa do paciente
■ Paciente que não colabora
■ Infecção no local
■ Alergia aos anestésicos locais
■ Paciente não cooperativo
■ Olhos com diâmetro anteroposterior ≥26 mm
■ Presença de estafiloma
■ Enoftalmia importante
■ Presença de explante de silicone

anestesiar o conteúdo orbitário, depositando-se o AL fora do cone muscular.

Vários são os métodos utilizados para o bloqueio peribulbar. A técnica descrita por Bloomberg[27] utiliza duas punções: uma junto à margem inferoexterna da órbita (Figura 182.12 – ponto A), onde são injetados 5 mL da solução anestésica a 18 mm de profundidade, e a outra junto à borda superointerna da órbita, entre a incisura frontal e a tróclea, mais próximo à incisura frontal, (Figura 182.12 – ponto B), onde é injetado o mesmo volume à mesma profundidade. É importante ressaltar que, anatomicamente, no quadrante superomedial (ponto B), ocorre maior proximidade entre o globo ocular e o teto da cavidade orbitária, exigindo mais cuidado na execução do bloqueio para evitar a perfuração do globo ocular. A Figura 182.13 mostra a posição final das agulhas.

Depois do bloqueio peribulbar, deve-se usar compressas de gaze para comprimir, com suavidade, o entorno do globo ocular, em especial as regiões de entrada da agulha, a fim de aumentar a rapidez de difusão do anestésico local. Aguardam-se 5 a 10 minutos. O anestésico local difunde-se, na maioria das vezes, do sítio da injeção para dentro do cone muscular, anestesiando os nervos ali contidos. O balão de Honan também pode ser utilizado com a mesma finalidade.

Devido à maior distância entre o ponto de deposição do anestésico local e os nervos fundamentais a serem bloqueados

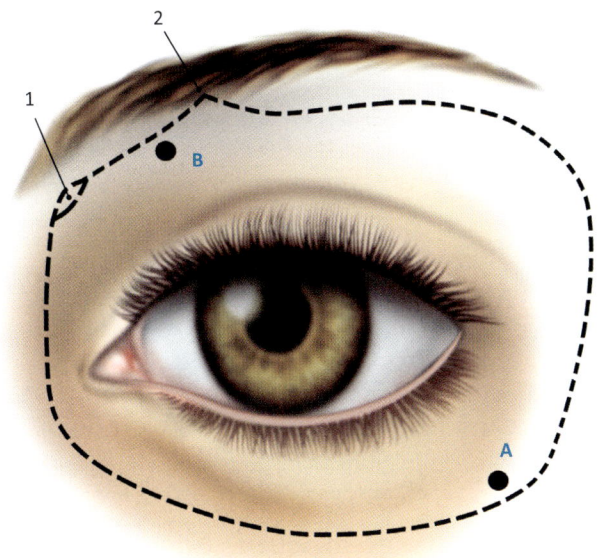

▲ **Figura 182.12** Bloqueio peribulbar. Pontos de introdução da agulha **(pontos A e B)**. **(1)** Tróclea; **(2)** Incisura frontal.

conal periconal –, em que a solução anestésica é depositada com uma agulha mais longa (25 mm), posteriormente ao globo ocular e fora do cone muscular. Essa técnica pode ser realizada com duas punções nos mesmos pontos descritos para a peribulbar (Figura 182.12), técnica descrita por Loots e Venter[29] (Figura 182.14), ou com uma punção no ponto A, técnica descrita por Davis e O'Connor[30] (Figura 182.15).

Essa última técnica é muito efetiva, e uma segunda punção (no ponto B) só seria feita para complementação no caso de o bloqueio ficar incompleto. Aqui também, como já foi descrito para os bloqueios intraconal e peribulbar, recomenda-se deslocar o ponto A mais externamente (Figura 182.6). É importante ressaltar que a profundidade máxima de introdução da agulha no ponto B, em olhos normais, não deve ultrapassar 25 mm *em relação ao plano da íris* pelo risco de lesão do nervo óptico, que, como já citado, tem o

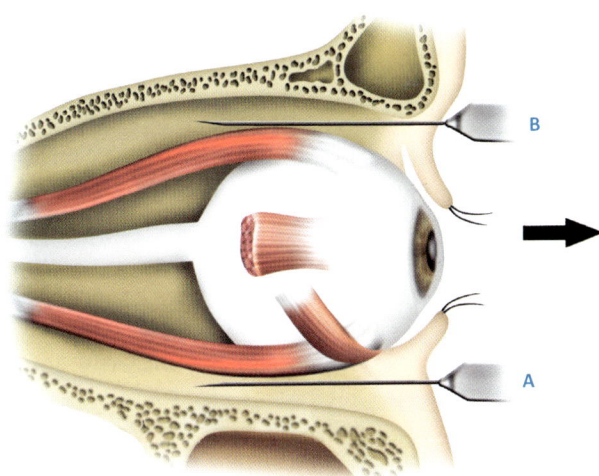

▲ **Figura 182.14** Bloqueio extraconal periconal. Desenho esquemático mostrando a posição final das agulhas no ponto **A** e ponto **B** (técnica utilizando duas punções).

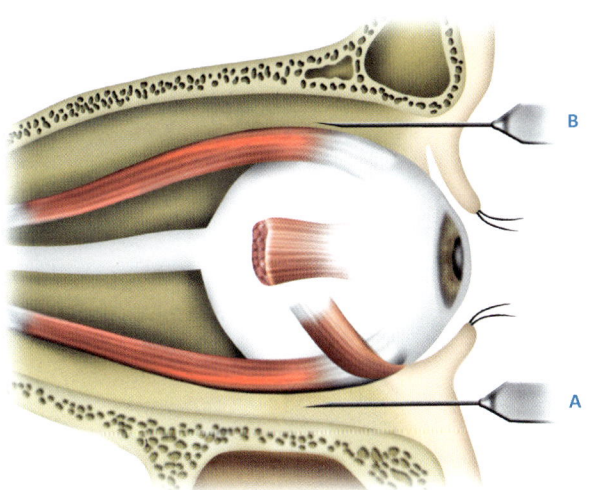

▲ **Figura 182.13** Bloqueio peribulbar. Posição final das agulhas **(A e B)**.

e, portanto, à necessidade de maior difusão para atingi-los, o bloqueio extraconal *peribulbar* exige mais volume de anestésico local e também apresenta maior latência para se obterem os efeitos desejados quando em comparação com os bloqueios *intraconal* (retrobulbar) e extraconal *periconal* (Figura 182.4).

Assim como na técnica intraconal (retrobulbar), descrita anteriormente, recomenda-se deslocar o ponto A externamente, ou seja, para mais próximo do canto externo da órbita.

Antes do bloqueio, é recomendável fazer um botão intradérmico de anestésico local para permitir a introdução da agulha sem provocar dor.

▪ **Bloqueio extraconal periconal:** de acordo com Van Den Berg,[28] uma variação mais eficiente da peribulbar é a peribulbar posterior – mais adequadamente chamada de extra-

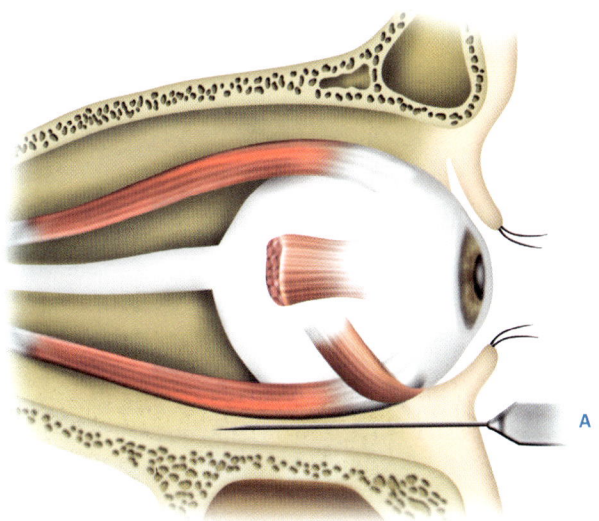

▲ **Figura 182.15** Bloqueio extraconal periconal. Desenho esquemático mostrando a posição final da agulha (técnica com punção única).

seu percurso no sentido medial e ascendente dentro da cavidade orbitária.

Nessa mesma técnica, é possível utilizar-se uma agulha de 20 mm. Ao se considerar que a maioria dos olhos tem diâmetro AP normal, em torno de 23 mm, e que, geralmente, grande parte do seu comprimento se encontra fora da cavidade orbitária no ponto A, deduz-se que, com uma *agulha de 20 mm de comprimento* introduzida na sua totalidade, pode-se ultrapassar o fundo do olho dos pacientes, atingindo a profundidade necessária para, nesses olhos, a ponta da agulha se situar numa profundidade adequada para se produzir o *bloqueio extraconal posterior*. Essa profundidade da ponta da agulha pode ser aferida levando-se em conta o diâmetro anteroposterior do globo ocular descontada a porção do olho que está projetada para fora da reborda orbitária, na região do ponto A de introdução da agulha.

Pressionar o ombro da agulha contra a pálpebra inferior do paciente, deprimindo-a de 2 a 3 mm, além de aprofundar a ponta da agulha nesse comprimento, cria uma pressão nesse ponto, contribuindo para que o anestésico local siga para frente, aparentemente melhorando o resultado.

Olhos maiores (míopes) ou localizados mais profundamente na cavidade orbitária (enoftalmia) podem requerer agulhas mais compridas (25 mm) para que se produza o bloqueio extraconal posterior ao globo ocular.

A profundidade a ser atingida pela ponta da agulha deve ser sempre calibrada, levando-se em conta o diâmetro AP do olho e a sua posição na cavidade orbitária. Da mesma forma, é essencial observar atentamente a possibilidade de estafiloma no trajeto da agulha, especialmente em pacientes com alto grau de miopia, o que contraindicaria esses bloqueios.

Do mesmo modo que no bloqueio peribulbar, é importante ressaltar que, anatomicamente, no quadrante superomedial (ponto B), ocorre maior proximidade entre o globo ocular e o teto da cavidade orbitária, exigindo cuidado maior na execução desse bloqueio para evitar a perfuração do olho quando em comparação com a punção medial (ponto C), que será descrita adiante.

O que existe em comum nas várias técnicas descritas é a utilização de hialuronidase e a compressão do globo ocular após a injeção, ambas medidas visando a promover a difusão da solução anestésica.

Eventos adversos dos bloqueios extraconais

Os bloqueios peribulbar e periconal, exceto pela maior incidência de quemose, oferecem, potencialmente, menos riscos de complicações, embora já tenham sido descritos vários casos de perfuração do globo ocular, ruptura ocular, parada respiratória (periconal), convulsão, diplopia, hematoma orbitário, ptose palpebral, oclusão da artéria central da retina por vasoespasmo e síndrome de Brown. Uma descrição mais detalhada dessas complicações pode ser verificada no tópico "Eventos adversos do bloqueio intraconal".

Observa-se, na prática e pela literatura, que, tomando-se alguns cuidados, a incidência de complicações torna-se ainda menor (Tabela 182.4).

Tabela 182.4 Medidas que aumentam a segurança dos bloqueios peribulbar e periconal.

- Verificar o comprimento axial do olho (em todos os pacientes de cirurgia de catarata obtêm essa medida, que é usada para se calcular o grau da lente). Nas outras cirurgias, pode-se obter essa informação com o cirurgião
- Verificar se o paciente é portador de estafiloma e, caso seja, qual a sua localização
- Manter o olho na posição primária (olhando para frente) durante a execução do bloqueio
- Introduzir a agulha suavemente
- Reposicionar a agulha se houver resistência ou movimentação do olho em direção a ela durante sua introdução ou dor importante durante a injeção
- Aspirar cuidadosamente antes de injetar a solução anestésica
- Utilizar volumes e concentrações adequados de anestésico local
- Respeitar as contraindicações desses bloqueios

Contraindicações dos bloqueios extraconais

São contraindicações dos bloqueios extraconais:

- Recusa do paciente;
- Pacientes que não colaboram;
- Infecção no local;
- Alergia aos anestésicos locais;
  - Pacientes não cooperativos.

Devem ser avaliados o risco e o benefício de se realizar o bloqueio em olhos com lesão penetrante (ver Capítulo 188 – Emergência: Lesão penetrante do olho – Estômago cheio) e em pacientes com distúrbios da coagulação ou em uso de fármacos anticoagulantes e/ou antiplaquetários (ver adiante).

Alto grau de miopia não é contraindicação para o bloqueio peribulbar, no entanto o risco de perfuração do globo ocular, nesses casos, também é maior porque o aumento no diâmetro anteroposterior do olho é acompanhado de aumento também do diâmetro equatorial, que, embora em menor proporção, reduz o espaço para a introdução da agulha. Além disso, como já dito anteriormente, a esclera nesses pacientes é mais delgada, ou seja, mais fácil de ser perfurada.

Nos pacientes com cirurgia prévia de descolamento da retina, com introflexão da esclera por cinta de silicone, ocorre uma alteração no formato do olho, o que aumenta o risco potencial de perfuração da esclera, necessitando de mais cautela quando se realiza o bloqueio.

Bloqueio Periconal Medial da Órbita

Argumentando que a punção no ponto B oferece maior risco de hematoma – por ser esse quadrante (superomedial) a região mais vascularizada da órbita anterior – e também de por aí passarem o tendão e o corpo do músculo reto superior, além da presença da tróclea, passíveis de serem lesionados pela agulha de bloqueio, Hustead, Hamilton e Loken[31] postulam substituir a punção no ponto B pela do ponto C (Figura 182.16), tanto nos bloqueios peribulbar e periconal com dupla punção quanto na complementação do bloqueio intraconal em que a anestesia resultou incompleta. Esse bloqueio,

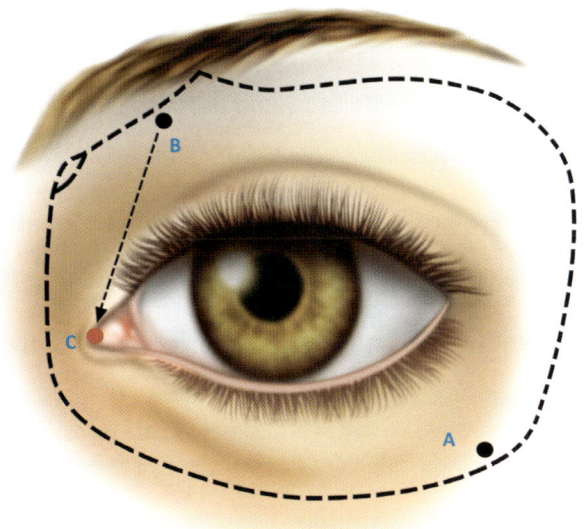

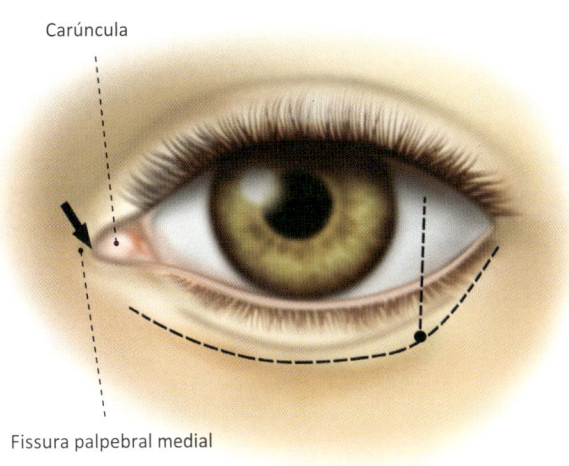

Carúncula

Fissura palpebral medial

▲ **Figura 182.17**　Bloqueio periconal medial da órbita **(ponto C)**.

▲ **Figura 182.16**　Bloqueio periconal medial da órbita **(ponto C)**.

denominado periconal medial da órbita, é feito posicionan-do-se a agulha entre o músculo reto medial e a parede orbi-tária medial, uma região pouco vascularizada.[32]

Técnica

Após anestesia tópica da conjuntiva, a ponta da agulha é introduzida transconjuntivalmente através da pequena de-pressão do lado nasal da carúncula, entre esta e a fissura palpebral medial (Figuras 182.17 e 182.18). A agulha é, en-tão, avançada no plano transverso, em direção à linha média do crânio. Essa discreta inclinação medial da agulha – em direção à parede medial da órbita – tem por objetivo evitar a penetração do músculo reto medial ou de sua bainha pela agulha, o que levaria a uma injeção intramuscular de anes-tésico local e poderia lesioná-lo, com resultante paresia ou paralisia prolongada (Figuras 182.19 a 182.21).

Se, durante sua introdução, a agulha tocar a parede ós-sea medial da órbita, ela deverá ser recuada levemente e re-direcionada com menos inclinação medial. Como já sabido, nessa região, a cavidade orbitária é separada do seio etmoi-dal pela fina *lâmina orbital*, sendo, portanto facilmente per-furável pelas agulhas de bloqueio e possibilitando a injeção acidental do AL dentro do seio etmoidal quando realizamos o *bloqueio periconal medial da órbita (cantal)*, o que leva ao insucesso do bloqueio. Além disso, essa perfuração aciden-tal pode resultar em celulite orbitária.

Manter a abertura do bisel da agulha voltada para a pare-de medial da órbita torna mais fácil sentir, pelo tato, quando a agulha a estiver tocando, o que indicará a necessidade do seu redirecionamento.

Nunca se deve introduzir uma agulha maior que 25 mm nesse ponto, pois agulhas mais longas podem atingir o ner-vo óptico, que, como dito anteriormente, caminha para cima e medialmente, podendo ser alcançado em injeções profundas. Reforçando: a profundidade da ponta da agulha deve sempre ser aferida, levando-se em conta o diâmetro

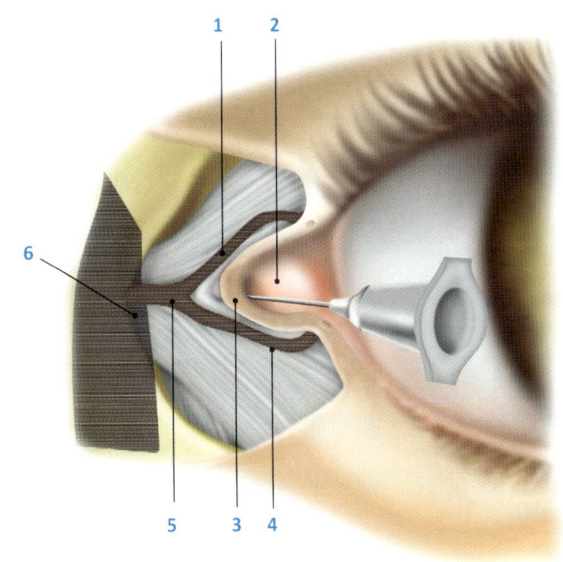

▲ **Figura 182.18**　Bloqueio periconal medial da órbita. **(1)** Ca-nalículo superior; **(2)** Carúncula; **(3)** Fissura palpebral medial; **(4)** Canalículo inferior; **(5)** Canal lacrimal; **(6)** Saco lacrimal.

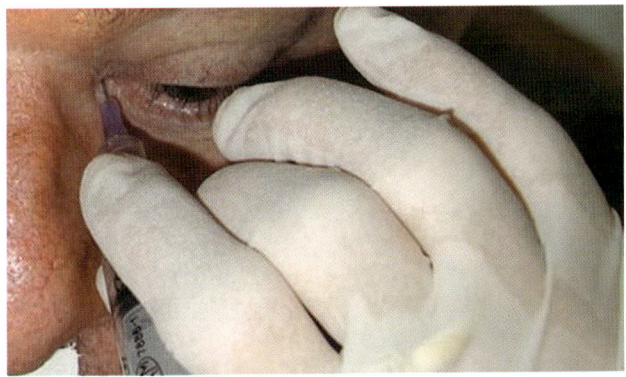

▲ **Figura 182.19**　Bloqueio periconal medial da órbita. Agulha discretamente desviada medialmente em direção à linha mé-dia do crânio.

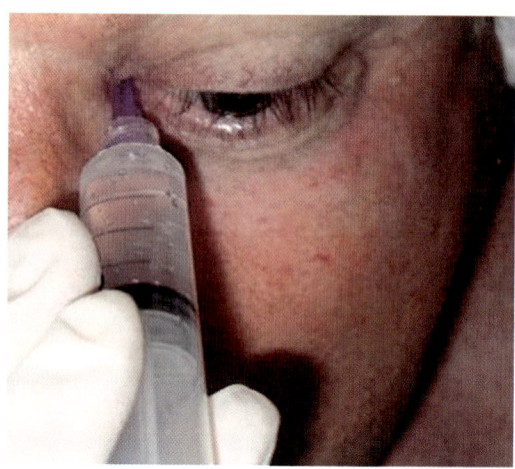

▲ **Figura 182.20** Bloqueio periconal medial da órbita. Posição final da agulha.

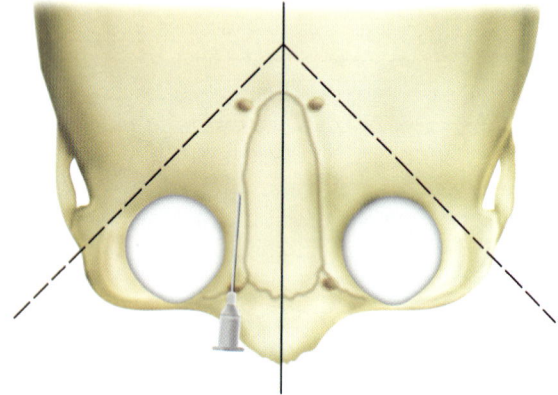

▲ **Figura 182.21** Bloqueio periconal medial da órbita. Corte coronal do crânio mostrando a posição final da agulha no compartimento medial da órbita. Notar que a agulha está levemente voltada para a parede medial da órbita a fim de evitar a punção do músculo reto medial.

anteroposterior do globo ocular e descontando-se a sua porção que está projetada para fora da reborda orbitária, na região de introdução da agulha.

Pode-se utilizar, para esse bloqueio, uma *agulha de 20 mm* e aprofundá-la até encostar o seu ombro na carúncula, o que oferece maior segurança em relação à lesão do nervo óptico e mantém a eficácia do bloqueio. Com esse comprimento de agulha, o anestésico será depositado além do fundo do olho, considerando-se um olho de diâmetro anteroposterior normal, em que uma parte do globo ocular (parte anterior) se projeta anteriormente em relação ao ponto de introdução da agulha.

Em particular, quando o bloqueio no *ponto A* é insuficiente, permitindo que o paciente movimente o olho em direção medial, o que indica que está faltando AL nessa região – que é próxima ao nervo nasociliar, portanto fundamental para produzir a anestesia intraocular –, a minha primeira escolha é complementar no *ponto C*.

Embora não seja de uso comum, esse bloqueio se presta também a bloqueio único, sendo uma opção bem interessante para casos de contraindicação específica de bloqueio no *ponto A*.

Eventos adversos do bloqueio periconal medial da órbita

Os eventos adversos incluem paresia ou paralisia do músculo reto medial e, potencialmente, todas as complicações dos bloqueios peribulbar/periconal, exceto a síndrome de Brown e a lesão do músculo reto inferior.

Contraindicações do bloqueio periconal medial da órbita

São as mesmas descritas previamente para os bloqueios extraconais.

Bloqueio Subtenoniano (Episcleral)

O bloqueio subtenoniano[33] é um procedimento anestésico que vem ganhando popularidade por ser considerado seguro e eficaz, sendo uma alternativa aos bloqueios intra e extraconais. Além disso, há trabalhos sugerindo ser ele uma escolha mais segura do que os bloqueios com agulha em pacientes em uso de fármacos anticoagulantes e antiplaquetários.[34]

Anatomia

A cápsula de Tenon é uma membrana fibrosa de tecido conectivo, em forma de cúpula, que envolve a esclera do globo ocular e as fáscias dos músculos extraoculares, nestes, como dedos de luvas. Em sua parte anterior, ela é fundida à conjuntiva, a cerca de 3 mm do limbo, e segue, posteriormente, envolvendo os músculos extraoculares e terminando como um anel na emergência do nervo óptico.

O anestésico local injetado no espaço virtual existente entre essa cápsula e a esclera percorre livremente todo esse espaço, banhando os nervos que a atravessam em direção ao globo ocular, produzindo anestesia, bloqueio do reflexo oculocardíaco (ROC) e, com volumes um pouco maiores de AL, banha também a fáscia dos músculos extraoculares, bloqueando as fibras nervosas motoras e produzindo, com isso, a acinesia, às vezes incompleta, do globo ocular.

Foi demonstrado que o AL pode sair do espaço subtenoniano, no anel junto à emergência do nervo óptico, atingir os espaços intra e extraconal e, na dependência do volume utilizado, anestesiar os nervos ali contidos, o que possibilitaria a realização de cirurgias oculares de maior porte,[35] porém grandes volumes não são recomendados.

Indicações

O bloqueio subtenoniano é indicado para cirurgias de catarata, estrabismo, evisceração, enucleação, cirurgia de retina e vítreo e, também, na complementação intraoperatória da anestesia de uma cirurgia que se prolongou, como as retina e vítreo em que esse espaço está exposto, bastando para isso a utilização de um cateter de punção venosa como cânula. Esse método é usado também para prover analgesia pós-operatória.

Técnica

Classicamente, consiste na dissecção cirúrgica do espaço virtual existente entre a cápsula de Tenon e a esclera, onde é introduzida uma cânula de ponta romba para administrar o agente anestésico local.[36]

O local de acesso ao espaço subtenoniano varia nas tantas técnicas descritas, contudo o mais utilizado é o quadrante nasal inferior por ser um local de fácil acesso, não interferir no local da incisão do cirurgião e por evitar lesionar as veias vorticosas.[37]

Em 2008, Allman e col. propuseram uma nova técnica de bloqueio subtenoniano que não requer incisão cirúrgica.[38] Essa técnica consiste em introduzir uma cânula curva, "ponta de lápis", romba, através da conjuntiva, sem incisão prévia, para acessar o espaço subtenoniano. Uma de suas vantagens é a reduzida lesão conjuntival.

Depois da antissepsia e da anestesia tópica da conjuntiva, é colocado um espéculo palpebral. Solicita-se ao paciente que olhar para cima e para fora e, com uma pinça, eleva-se uma pequena tenda de conjuntiva no quadrante nasal inferior, 3 a 5 mm do limbo. Nessa tenda, insere-se a cânula curva, que acessa o espaço subtenoniano e é avançada contornando o olho. Após aspiração, são injetados 3 a 4 mL de anestésico local.

Entre as deficiências relatadas dos bloqueios subtenonianos incluem-se: acinesia incompleta do músculo orbicular das pálpebras quando se utilizam volumes convencionais de AL – o que pode ser obtido por meio do bloqueio do nervo facial (ver adiante) – e acinesia incompleta do globo ocular, que também pode ser melhorada, injetando-se *lentamente* um volume pouco maior de anestésico local.[35] Grandes volumes não são recomendados.

Eventos adversos dos bloqueios subtenonianos

Com exceção da alta incidência de quemose e de hemorragia subconjuntival, outras complicações são raras, mas já foram descritos casos de perfuração do globo ocular, lesao do nervo óptico, hemorragia intraocular (hifema), diplopia, oclusão da artéria central da retina, perda da consciência, hemorragia orbitária, neuropatia óptica e óbito.

Contraindicações dos bloqueios subtenonianos

As contraindicações da anestesia subtenoniana incluem: recusa e/ou falta de cooperação do paciente, infecção no local, alergia aos anestésicos locais e alterações conjuntivais, esclerais ou da cápsula de Tenon. Pacientes com cirurgia anterior de descolamento da retina podem apresentar deformações do bulbo e/ou sinéquias da conjuntiva ou da cápsula de Tenon, impedindo a dissecção cirúrgica do espaço subtenoniano ou a dispersão uniforme do anestésico local. Essas condições também podem predispor à perfuração do globo ocular quando presentes no quadrante dissecado.

Embora não seja uma contraindicação para o bloqueio subtenoniano, o paciente com alta miopia é mais vulnerável à perfuração da esclera em razão de seu globo ocular ser alongado e a esclera, mais delgada. Cirurgia de estrabismo prévia, bloqueio subtenoniano anterior no mesmo quadrante ou trauma ocular podem significar limitação para a realização do bloqueio.[39]

O bloqueio subtenoniano também pode ser realizado sem abertura cirúrgica da cápsula de Tenon, utilizando-se agulha e seringa,[40] contudo é necessário um grupo maior de pacientes para que se possa avaliar definitivamente a sua segurança.[41]

■ PACIENTES EM USO DE TERAPIA ANTICOAGULANTE

Uma grande preocupação dos anestesiologistas é com o tratamento dos pacientes que se apresentam para avaliação pré-operatória referindo o uso de antitrombóticos e/ou anticoagulantes. Essas medicações são prescritas, na maioria das vezes, para prevenir eventos cardiovasculares graves, e a sua suspensão, mesmo que temporária, pode colocar a saúde do paciente em risco. Por outro lado, nos procedimentos relacionados com os bloqueios regionais com agulha, existe a preocupação com o sangramento orbitário e suas possíveis consequências para o olho do paciente.

Em alguns casos, é possível suspender, temporariamente, essas medicações para a realização do procedimento, obviamente com o aval do paciente e do médico que as prescreveu. Caso o paciente não as possa suspender, avaliam-se três tipos de anestesia: tópica, geral e regional. O risco-benefício da técnica escolhida deve ser discutido com o paciente e com o oftalmologista.

No caso de uma operação de catarata, por exemplo, não havendo contraindicação específica, a técnica anestésica recomendada é a tópica, mas, para isso, o cirurgião precisa estar habituado a operar com essa técnica. Caso contrário, a escolha seguinte pode ser a anestesia geral, caso o paciente apresente boas condições clínicas. Outra opção é o bloqueio subtenoniano,[34] mas, para tanto, o anestesiologista precisa dominar essa técnica anestésica.

Os bloqueios orbitários com agulha (extraconal e intraconal) seriam as opções na sequência. Estudos recentes demonstram boa segurança no uso dos bloqueios extraconais e intraconais nos pacientes em terapia anticoagulante, no entanto, em relação à hemorragia *intraconal*, embora não esteja comprovado, é de se esperar maior incidência desse evento no bloqueio intraconal, visto que, nessa técnica, a agulha penetrar esse espaço. Palte[42] analisou várias publicações e verificou que não houve caso de hemorragia grave em todos esses grupos estudados e que, em alguns, houve apenas aumento nas hemorragias subconjuntivais, o que demonstra um baixo risco de hemorragias orbitárias de maior gravidade com esses bloqueios.

Em uma revisão sistemática de estudos sobre anestesia orbitária com agulha em pacientes em uso de aspirina, clopidogrel ou inibidores da vitamina K, Takashima e col. não encontraram evidências de risco aumentado para complicações hemorrágicas relacionadas com os bloqueios periconal e intraconal.[43]

Sendo assim, embora não sejam a primeira escolha, os bloqueios regionais com agulha mantêm-se como boa opção para pacientes em uso de terapia anticoagulante.

EMERGÊNCIA: LESÃO PENETRANTE DO OLHO – ESTÔMAGO CHEIO

O uso da anestesia regional está indicado quando o paciente for considerado de alto risco para anestesia geral[43] ou apresentar algum problema que aumente o risco de aspiração do conteúdo gástrico, caso, por exemplo, de paciente com estômago cheio em que se prevê dificuldade para intubar, o que confere um risco elevado de regurgitação e aspiração do conteúdo gástrico e, também, agravamento das condições do olho lesado, tornando, em muitos casos, a anestesia regional uma alternativa mais segura.

Scott e col.,[44] do Departamento de Oftalmologia do Bascon Palmer Eye Institute, vão mais além, relatando que, num período de cinco anos, de 220 pacientes com lesão penetrante do globo ocular, 140 foram operados com anestesia regional (bloqueios intraconal e extraconal) e 80 com anestesia geral, não tendo sido identificada qualquer complicação perioperatória atribuível à escolha da técnica anestésica. Os autores concluem dizendo que, tomando-se os devidos cuidados, a anestesia regional com sedação e monitorização é uma alternativa razoável **à** anestesia geral, *para pacientes selecionados* com lesão penetrante do globo ocular. Em trabalho posterior, a mesma autora reforça essa conclusão.[45]

Em estudo retrospectivo, ainda mais recente, realizado na mesma instituição, McClellan A J e col.[46] também concluem que a anestesia regional é uma alternativa plausível para o reparo de lesões oculares abertas em pacientes adultos selecionados. Nesse estudo, a anestesia regional foi selecionada, com mais frequência, para os pacientes com feridas oculares de menor comprimento localizadas mais anteriormente e os casos com tempo cirúrgico menor. Nos olhos com feridas mais posteriores houve uma taxa de seleção igual para as anestesias regional e geral.

A anestesia regional foi realizada com bloqueio extraconal ou intraconal numa mistura de um para um de bupivacaína a 0,75% e lidocaína a 2%-4% com até 75 unidades de hialuronidase. O bloqueio foi realizado em sala própria, antes de o paciente ser levado para a sala do centro cirúrgico. Os volumes foram variáveis, começando com um volume baixo e, depois, complementando com volumes adicionais até que a anestesia fosse alcançada. A injeção titulada do anestésico local com visualização direta do globo ocular permite monitorar a estabilidade da lesão ocular durante o bloqueio, indicando o volume correto que deve ser utilizado. De acordo com as necessidades do paciente, casos selecionados receberam bloqueio suplementar que foi administrado, durante o procedimento cirúrgico, com uma cânula de ponta romba (cânula de irrigação) após peritomia conjuntival.

Observa-se que é preciso considerar, *na escolha da anestesia*, que a prioridade é a vida do paciente, e não o risco teórico de lesão funcional do olho. Muitas vezes, a vida do paciente é colocada em risco quando, de antemão, já se sabe que as chances de sucesso do tratamento do olho são mínimas, ou pelo grau de lesão ou por um risco elevado de infecção, por exemplo.[47]

Por fim, o uso prévio de metoclopramida nos pacientes com estômago cheio que serão submetidos a uma anestesia é recomendável, pois esse fármaco acelera o esvaziamento gástrico e aumenta o tônus do esfíncter esofágico inferior, o que ajuda a prevenir a regurgitação do conteúdo gástrico. Do mesmo modo, está indicado o uso de bloqueador dos receptores H_2 da histamina com o objetivo de reduzir a secreção de ácido e, consequentemente, elevar o pH do conteúdo gástrico, em associação a um antiácido não particulado para neutralizar a acidez do suco gástrico.

ACINESIA DO MÚSCULO ORBICULAR DAS PÁLPEBRAS

A acinesia do músculo orbicular, produzida mediante o bloqueio do nervo facial ou de seus ramos, tem o objetivo de evitar que o paciente seja capaz de apertar as pálpebras, o que, durante algumas cirurgias intraoculares, provoca a extrusão do conteúdo do olho. Também pode ser utilizada previamente aos bloqueios anestésicos do olho para facilitar e aumentar a segurança na sua execução.

São várias as técnicas descritas para se obter essa acinesia e as mais utilizadas são as de O'Brien e a de Van Lint, descritas a seguir.

Técnica de O'Brien

O bloqueio do ramo temporofacial do nervo facial é realizado no ponto em que ele passa anteriormente ao colo do côndilo da mandíbula, localizado imediatamente à frente do meato auditivo externo. Esse ponto pode ser facilmente identificado por palpação ao instruir o paciente a abrir e fechar a boca. **(Figura 182.22)**.

Localizado o côndilo, introduz-se uma agulha, perpendicularmente à pele, em sua direção até tocar levemente o seu periósteo, que fica a cerca de 0,5 a 1 cm de profundidade. Nesse ponto, são injetados 2 a 3 mL de anestésico local.

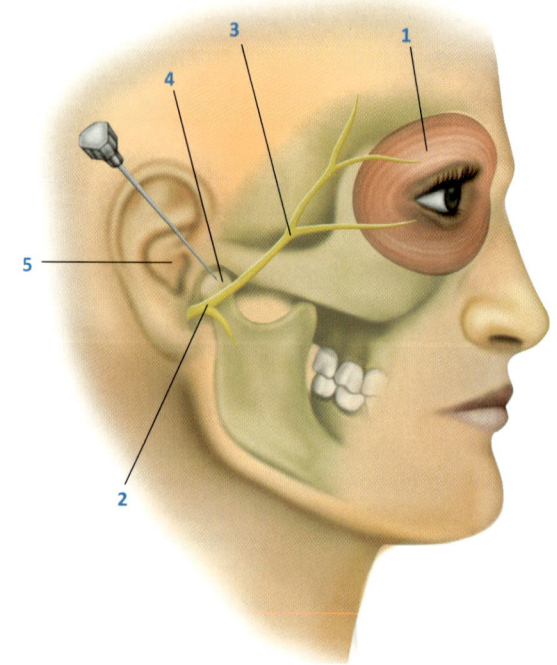

▲ **Figura 182.22** Cinesia do músculo orbicular das pálpebras (técnica descrita por O'Brien) **(1)** Músculo orbicular das pálpebras; **(2)** Nervo facial; **(3)** Ramo temporofacial; **(4)** Côndilo da mandíbula; **(5)** Meato auditivo externo.

Em seguida, retira-se a agulha e massageia-se a região para aumentar a velocidade de difusão do anestésico local. Esse é um bloqueio eficiente, com baixo índice de complicações e com rápido início de ação.

Técnica de Van Lint

O objetivo desta técnica é anestesiar os ramos terminais do nervo facial, próximo ao músculo orbicular das pálpebras, o que pode ser obtido pela infiltração subcutânea de anestésico local, acompanhando as rebordas orbitárias laterais e inferiores (cerca de 1 cm da reborda orbitária). Para isso, após fazer um botão anestésico na pele próximo à reborda orbitária inferoexterna, introduz-se uma agulha de 2,5 a 3 cm de comprimento, acompanhando a reborda orbitária lateral e, enquanto se retira a agulha, são injetados cerca de 2,5 mL de anestésico local. Repete-se o mesmo procedimento na reborda orbitária inferior.

■ SEDAÇÃO PARA REALIZAÇÃO DO BLOQUEIO ANESTÉSICO

Em alguns casos, a execução da anestesia regional submete o paciente a uma grande tensão, o que já foi determinado por meio da constatação do aumento dos níveis de catecolaminas circulantes.[48] Além disso, durante a cirurgia, o receio de sentir dor, o rosto coberto e a expectativa do resultado cirúrgico podem levar o paciente a um estado de ansiedade tal, que, nos portadores de patologias cardiocirculatórias importantes, pode resultar em aumento da pressão arterial, angina *pectoris*, disritmias cardíacas etc., por isso é recomendável a sedação tanto antes de realizar o bloqueio anestésico como durante o ato operatório.

Alguns aspectos importantes devem ser considerados quanto à sedação : a maioria dos pacientes realiza a cirurgia em regime ambulatorial; o anestesiologista não tem controle das vias aéreas do paciente durante a cirurgia; durante a cirurgia, o paciente deverá estar calmo, cooperativo, mas não dormindo; caso contrário, poderão ocorrer graus variados de obstrução respiratória, movimentos da cabeça ao respirar e, até mesmo, um despertar desorientado que induza o paciente a movimentar fortemente a cabeça.

O ideal é uma sedação leve (ansiólise), com algum grau de analgesia, para facilitar a realização do bloqueio e dar conforto ao paciente, permanecendo este em ventilação espontânea, sem obstrução das vias aéreas, respondendo à estimulação física ou verbal e posterior amnésia em relação ao bloqueio. Como a sensibilidade de cada paciente aos fármacos sedativos é muito variável, a titulação da sua dose é o melhor modo de se obterem essas condições.

São vários os fármacos utilizados com essa finalidade, sendo as associações do midazolam com o fentanil ou com o alfentanil[49] as mais descritas.

Quando em comparação com outros benzodiazepínicos, o midazolam é um ansiolítico eficaz que produz amnésia anterógrada e apresenta início de ação e recuperação rápidos. A associação com um opioide potencializa seu efeito sedativo e obtém-se uma mistura com certo grau de poder analgésico.

Geralmente, colocam-se 50 μg de fentanil ou 0,5 mg de alfentanil associados a 3 mg de midazolam e dilui-se para 5 mL. Em incrementos de 1 mL, vai-se titulando a dose, levando-se em conta a idade, as condições clínicas e a sensibilidade de cada paciente, sempre atento a uma possível depressão respiratória. A seguir, é feito um botão anestésico no local da introdução da agulha, possibilitando a realização do bloqueio com conforto para o paciente.

Alguns autores preferem utilizar o propofol isoladamente, titulado em pequenos "bolos", dose total entre 15 e 70 mg, para a realização do bloqueio.[50] A vantagem seria em relação a suas propriedades anti-heméticas, rápido início de ação e menor tempo de recuperação, além de produzir amnésia; porém não apresenta o benefício da ansiólise, que, no caso do midazolam, persiste durante a cirurgia. Ademais, não tem poder analgésico.

As cirurgias de catarata realizadas com anestesia tópica eventualmente demandam um pouco mais de sedação, a sedação consciente, que é aquela em que ocorre algum grau de depressão da consciência, induzida por fármacos, mas que o paciente responde a comandos verbais por si só ou após leve estimulação tátil. Nesse nível de sedação, não deve ser necessária alguma intervenção para manter as vias aéreas patentes, e a ventilação espontânea também deverá permanecer adequada. A função cardiovascular é usualmente mantida.

Em cirurgia oftalmológica, tanto com anestesia tópica quanto com bloqueios, é importante que o paciente permaneça em condições de atender às solicitações do cirurgião ou do anestesista.

Releva salientar que o uso de qualquer grau de sedação implica fornecer ao paciente oxigênio suplementar que, de forma ideal, deve ocorrer com fluxo suficiente para remover o CO_2 expirado pelo paciente da tenda formada pelos campos cirúrgicos colocados sobre o seu rosto, permitindo uma baixa fração inspirada de CO_2 (por ex.: O_2: 2 L.min[1] e ar: 8 L.min[-1]).

■ MONITORIZAÇÃO

Para se detectar imediatamente a ocorrência de reflexo oculocardíaco, depressão respiratória ou alterações da pressão arterial durante a realização do bloqueio e a cirurgia, o paciente deve estar monitorizado com oxímetro de pulso, eletrocardiografia e pressão arterial. Recomenda-se a monitorização do CO_2 expirado por meio de cateter nasal.

REFERÊNCIAS

1. Johnson RW – Anatomy For Ophthalmic Anaesthesia, em: Br J Anaesth. 1995; 75: 80-87.
2. Hørven I. Ophthalmic artery pressure during retrobulbar anaesthesia. Acta Ophtalmol. 1978; 56(4): 574-86.
3. Eke T. Anesthesia for glaucoma surgery. Ophthalmol Clin North Am. 2006; 19(2): 245-55.
4. Brown SM, Brooks SE, Mazow ML et al. Cluster of diplopia cases after periocular anesthesia without hyaluronidase. J Cataract Refract Surg 1999; 25(9): 1245-9.
5. Palte HD – Ophthalmic regional blocks: management, challenges, and solutions, em: Local Reg Anesth. 2015; 8: 57-70.
6. Gayer S. Ophthalmic anesthesia: more than meet the eye. ASA Refresher Courses Anesthesiology. 2006; 34(1): 55-63.
7. Unsöld R, Stanley JA, DeGroot J. The CT-topography of retrobulbar anesthesia: Anatomic-clinical correlation of complications and suggestion of a modified technique. Albrecht Von Graefes Arch Klin Exp Ophthalmol. 1981; 217(2): 125-36.
8. Kumar CM, Fanning GL. Orbital regional anesthesia. In: Kumar CM, Dodds C, Fanning GL. Ophthalmic anaesthesia. Lisse: Swets & Zeitlinger Publishers. 2002; 61-88.
9. Carlson BM, Emerick S, Komorowski TE et al. Extraocular muscle regeneration in primates. Local anesthetic-induced lesions. Ophthalmology. 1992; 99(4): 582-9.
10. Vohra SB, Good PA. Altered globe dimensions of axial myopia as risk factors for penetrating ocular injury during peribulbar anaesthesia. Br J Anaesth. 2000; 85(2): 242-5.
11. Hamilton RC. A discource on the complications of retrobulbar and peribulbar blockade. Can J Ophthalmol. 2000; 35(7): 363-72.
12. Duker JS, Belmont JB, Benson WE et al. Inadvertent globe perforation during retrobulbar and peribulbar anesthesia. Patient characteristics, surgical management, and visual outcome. Ophtalmology. 1991; 98(4): 519-26.
13. Mount AM, Seward HC. Scleral perforations during peribul bar anaesthesia. Eye. 1993; 7(Pt 6): 766-7.
14. Schneider ME, Milstein DE, Oyakawa RT et al. Ocular perfuration from a retrobulbar injection. Am J Ophthalmol. 1988; 106(1): 35-40.
15. Gómez-Arnau JI, Yangüela J, Gonzalez A et al. Anaesthesia-related diplopia after cataract surgery. Br J Anaesth. 2003; 90(2): 189-93.
16. Hamilton SM, Elsas FJ, Dawson TL. A cluster of patients with inferior rectus restriction following local anesthesia for cataract surgery. J Pediatr Ophthalmol Strabismus. 1993; 30: 288-291.
17. Brookshire GL, Gleitsmann KY, Schenk EC. Life-threatening complication of retrobulbar block. A hypothesis. Ophtalmology. 1986; 93(11): 1476-8.
18. Rosenblatt RM, May DR, Barsoumian K. Cardiopulmonar arrest after retrobulbar block. Am J Ophthalmol. 1980; 90(3): 425-7.
19. Drysdale DB. Experimental subdural retrobulbar injection of anesthetic. Ann Ophthalmol 1984; 16(8): 716-8.
20. Antoszyk AN, Buckley EG. Contralateral decreased visual acuity and extraocular muscle palsies following retrobulbar anesthesia. Ophthalmology. 1986; 93(4): 462-5.
21. Ahn JC, Stanley JA. Subarachnoid injection as a complication of retrobulbar anesthesia. Am J Ophthalmol. 1987; 103(2): 225-30.
22. Palte HD. Chemosis Secondary to Anterograde Episcleral (Sub-Tenon) Spread of Local Anesthetic during Retrobulbar Eye Block. Anesthesiology. 2014; 121(10): 877.
23. Feibel MR, Custer PL, Gordon MO. Postcataract ptosis. A randomized, double-masked comparison of peribulbar and retrobulbar anesthesia. Ophthalmology. 1993; 100(5): 660-5.
24. Linberg JV, McDonald MB, Safir A et al. Ptosis following radial keratotomy. Performed using a rigid eyelid speculum. Ophthalmology. 1986; 93(12): 1509-12.
25. Ropo A, Ruusuvaara P, Nikki P. Ptosis following periocular or general anaesthesia in cataract surgery. Acta Ophthalmol (Copenh). 1992; 70: 262-5.
26. Cangiani LM, Ferreira AA, Vanetti LFA. Incidência de complicações do bloqueio retrobulbar: análise de 5000 casos. Rev Bras Anestesiol. 1995; 9: C-SBA.
27. Bloomberg LB. Administration of periocular anesthesia. J Cataract Retract Surg. 1986; 12(6): 677-9.
28. Van Den Berg AA. An audit of peribulbar blockade using 15 mm, 25 mm and 37.5 mm needles, and sub-Tenon's injection. Anaesthesia. 2004; 59(8): 775-80.
29. Loots JH, Venter JA. Posterior peribulbar anaesthesia for intraocular surgery. S Afr Med J. 1988; 74(10): 507-9.
30. Davis PL, O'Connor JP. Peribulbar block for cataract surgery: a prospective double-blind study of two local anesthetics. Can J Ophthalmol. 1989; 24(4): 155-8.
31. Hustead RF, Hamilton RC, Loken RG. Periocular local anesthesia: medial orbital as an alternative to superior nasal injection. J Cataract Refract Surg. 1994; 20(2): 197-201.
32. Hamilton RC. Regional anesthesia of the eye. Curr Opin Anaesth. 1990; 3: 740-4.
33. Gise Philip. Sub-Tenon's anesthesia: an update. Local Reg Anesth. 2012; 5: 35-46.
34. Kumar N, Jivan S, Thomas P, McLure H. Sub-Tenon's anesthesia with aspirin, warfarin, and clopidogrel. J Cataract Refract Surg. 2006; 32(6): 1022-1025.
35. Lin S, Ling RH, Allman KG. Real-time visualization of anaesthetic fluid localization following incisionless sub-Tenon's block. Eye (Lond) 2014; 28(4): 497-498.
36. Kumar CM, McNeela BJ. Ultrasonic localization of anesthetic fluid using sub-Tenon's cannulae of three different lengths. Eye. 2003; 17(9): 1003-1007.
37. Kumar CM. How to do a sub-tenon's block. CPD Anaesthesia. 2001; 3(2): 56-61.
38. Allman KG, Theron AD, Byles DB. A new technique of incisionless minimally invasive sub-Tenon's anaesthesia. Anaesthesia. 2008; 63(7): 782-783.
39. Kumar CM, Williamson S, Manickam B. A review of sub-Tenon's block: current practice and recent development. Eur J Anaesthesiol. 2005; 22(8): 567-77.
40. Ripart J, Lefrant JY, Vivien B et al. Ophthalmic regional anesthesia: medial canthus episcleral (sub-tenon) anesthesia is more efficient than peribulbar anesthesia: A double blind randomized study. Anesthesiology. 2000; 92(5): 1278-85.
41. Nouvellon E, L'Hermite J, Chaumeron A et al. Ophthalmic regional anesthesia: medial canthus episcleral (sub-tenon) single injection block. Anesthesiology. 2004; 100(2): 370-4.
42. Howard D Palte. Ophthalmic regional blocks: management, challenges, and solutions. Local Reg Anesth.2015; 8: 57-7.
43. Augusto Takaschima, Patricia Marchioro, Thiago M. Sakae, André L. Porporatti, Luis André Mezzomo, Graziela De Luca Canto. Risk of Hemorrhage during Needle-Based Ophthalmic Regional Anesthesia in Patients Taking Antithrombotics: A Systematic Review. PLoS ONE. 2016;| DOI:10.1371/journal.pone.0147227 January 22, 2016.
44. Scott IU, Mccabe CM, Flynn HW et al. Local anesthesia with intravenous sedation for surgical repair of selected open globe injuries. Am J Ophthalmol. 2002;134(5):707-11
45. Scott IU, Gayer S, Voo I et al. Regional anesthesia with monitored anesthesia care of surgical repair of selected open globe injuries. Ophthalmol Surg Lasers Imaging. 2005;36(2):122-8
46. McClellean AJ, Daubert JL, Relhan N et al. Comparison of regional vs. general anesthesia for surgical repair of open-globe injuries at a university referral center. Ophthalmol Retina. 2017; May-Jun; 1(3):188-191.
47. Niemi-Murola L, Immonen I, Kallio H et al. Preliminary experience of combined peri and retrobulbar block in sugery for penetrating eye injuries. Eur J Anaesthesiol.2003;20(6)478-81.
48. Donlon JV Jr, Moss J. Plasma catecholamine levels during local anesthesia for cataract operations. Anesthesiology. 1979; 51(5): 471-3.
49. McHardy FE, Fortier J, Chung F et al. A comparison of midazolam, alfentanil and propofol for sedation in outpatient intraocular surgery. Can J Anaesth. 2000; 47(3): 211-4.
50. Habib NE, Balmer HG, Hocking G. Efficacy and safety of sedation with propofol in peribulbar anaesthesia Eye. 2002; 16(1): 60-2.

Parte 26

Anestesia para Otorrinolaringologia

Anestesia para Cirurgias Orais, Nasais, Seios da Face e Ouvidos

Carlos Eduardo Esqueapatti Sandrin ■ Martin Affonso Ferreira

INTRODUÇÃO

Embora a Otorrinolaringologia englobe procedimentos afins realizados nas cavidades oral e nasal, nos ouvidos e nos seios da face, eles, individualmente, apresentam características próprias não só por suas peculiaridades, mas também no que diz respeito às técnicas anestésicas e aos cuidados perioperatórios. Na maioria das vezes, a anestesia para cirurgias de ouvidos, nariz e garganta é realizada de maneira eletiva em pacientes saudáveis, no entanto, além das comorbidades, existem emergências decorrentes de sangramentos (epistaxe, pós-adenoamigdalectomia, trauma nasal), de distúrbios respiratórios (tumores) ou da retirada de corpos estranhos.

Normalmente, são intervenções de pequeno e médio portes que podem ser realizadas em regime ambulatorial, mas envolvem também as cirurgias de pescoço e laringe, as quais podem ser de maiores porte e risco, muitas vezes em pacientes debilitados e com histórico de tabagismo e etilismo e que eventualmente apresentam comprometimento da anatomia das vias aéreas, fato que pode dificultar seu manuseio, ou seja, aumentar a dificuldade de ventilação e/ou intubação traqueal. As cirurgias dos ouvidos que envolvem a mastoide merecem igualmente atenção especial, com observação mais prolongada.

Alguns exames diagnósticos específicos, principalmente em crianças, são realizados sob anestesia geral, como as laringoscopias e a pesquisa dos potenciais evocados do tronco cerebral.

A Tabela 183.1 mostra alguns procedimentos otorrinolaringológicos agrupados de acordo com as regiões envolvidas. As microcirurgias da laringe e o uso do *laser* serão abordados no Capítulo 191.

Tabela 183.1 Procedimentos otorrinolaringológicos.

Faringe e boca
- Adenoamigdalectomia
- Tumores
- Cálculo salivar
- Uvulopalatoplastia
- Freio lingual
- Drenagem de abscessos

Nariz e seios da face
- Rinosseptoplastia
- Polipose nasal
- Sinusectomia
- Fratura nasal
- Turbinectomia
- Epistaxe

Laringe
- Microcirurgia da laringe
- Aritenoidopexia
- Laringectomia parcial ou total

Ouvidos
- Timpanotomia
- Timpanoplastia
- Mastoidectomia e timpanoplastia
- Miringoplastia
- Estapedectomia
- Implante coclear
- Retirada de corpo estranho
- Neurinoma do nervo acústico

Pescoço
- Cisto branquial
- Exérese de nódulos
- Laringectomia

Exames diagnósticos
- Laringoscopia
- Biópsia
- Potenciais evocados do tronco cerebral

ASPECTOS GERAIS

Com exceção das cirurgias dos ouvidos, existem algumas características comuns importantes para a escolha da técnica anestésica (Tabela 183.2).[1]

Tabela 183.2 Aspectos gerais dos procedimentos.
■ Atuação do cirurgião em área de acesso às vias aéreas
■ Presença de sangramento, secreções e edema das vias aéreas
■ Limitação da visualização da fixação e conexões do tubo traqueal
■ Opções de intubação orotraqueal ou nasotraqueal
■ Risco de extubação inadvertida
■ Deglutição de sangue
■ Náusea e vômitos pós-operatórios
■ Uso de adrenalina
■ Uso de vasoconstritores – oximetazolina, fenilefrina
■ Manipulação de áreas reflexógenas
■ Posicionamento do paciente
■ Hemorragia pós-operatória
■ Agitação pós-operatória

Especialmente nas cirurgias orais, que é o campo de atuação do cirurgião, o acesso às vias aéreas é complexo e limitado. Acrescenta-se o fato de que pode haver comprometimento da cavidade oral em virtude de sangramento, secreções e edema. Nessa situação, é imperativa a intubação traqueal com perfeita fixação das conexões e do tubo traqueal para evitar desconexões e acotovelamentos. O tubo traqueal e as conexões quase sempre estão encobertos pelos campos cirúrgicos, portanto a monitorização das vias aéreas precisa ser rigorosa, devendo-se observar a excursão torácica por visualização direta, por palpação e com o uso de estetoscópio durante as ventilações. A pressão intratraqueal (PIT) é importante para prever pequenas variações do diâmetro do tubo traqueal decorrentes da compressão pelo abridor de boca ou acotovelamento do tubo traqueal. Mudanças de posicionamento do abridor de boca podem ocorrer e, nesse momento, a atenção deve ser redobrada.

Constantes manipulações e alterações na posição da cabeça também são fatores de risco para hipoventilação e extubação inadvertida. É necessário lembrar que a intubação traqueal é realizada na posição olfativa e o posicionamento da cabeça posterior à intubação é feito, especialmente, em adenoamigdalectomias e uvulopalatoplastias, em hiperextensão, o que pode ocasionar deslocamento do tubo traqueal para fora da traqueia, mesmo após a fixação.

É importante destacar que a manipulação de áreas potencialmente desencadeadoras de reflexos, como pescoço, faringe e laringe, pode provocar arritmias cardíacas.

ANESTESIA PARA CIRURGIAS ORAIS

Na Tabela 183.1, estão listadas as cirurgias mais frequentemente realizadas na cavidade oral com maior dificuldade de acesso às vias aéreas. Como cada uma contém distintas particularidades, serão abordadas individualmente.

Adenoidectomia e Amigdalectomia

Com muita frequência, a amigdalectomia é realizada em associação à adenoidectomia e, embora seja um procedimento relativamente simples, de curta duração e, na maior parte das vezes, em crianças ou pacientes jovens saudáveis, com estado físico ASA I, exige grande cuidado do anestesiologista pelos problemas que envolvem.

A amigdalectomia corresponde a 15% das cirurgias realizadas em crianças.[2] Nos EUA, cerca de 500 mil são registradas anualmente.[3] A maioria das indicações para adenoamigdalectomia (cerca de 80%) se deve à síndrome da apneia obstrutiva do sono (SAOS), sendo o restante devido aos casos de infecções recorrentes. É necessário que a presença de SAOS seja muito bem avaliada no pré-operatório.[4,5] Os problemas decorrentes dessa síndrome incluem: sonolência diurna, respiração bucal, deformidades orofaciais, estreitamento de vias aéreas superiores, *cor pulmonale*, hipertensão pulmonar, hipertrofia ventricular direita e cardiomegalia.[1]

Na avaliação pré-anestésica, além dos cuidados gerais, devem-se levar em consideração alguns aspectos importantes, como os litados na Tabela 183.3.

Tabela 183.3 Avaliação pré-anestésica.
■ IVAS recente
■ Amigdalite recente
■ Fármacos de uso contínuo
■ História compatível com apneia do sono
■ Avaliação da coagulação
■ Perfil biofísico
■ Obesidade
■ Retrações intercostais
■ Deformidades orofaciais

IVAS: infecção das vias aéreas superiores.

Deve-se ter cautela com infecção de vias aéreas superiores (IVAS), pois crianças saudáveis podem apresentar-se no dia da cirurgia com coriza ou tosse leve sem febre, alterando o seu estado físico. Na realidade, trata-se de sintomatologia de um processo viral agudo de vias aéreas, podendo levar a eventos adversos respiratórios na indução, na manutenção ou na recuperação da anestesia.[6]

Os processos infecciosos virais tornam as vias aéreas hiper-reativas, propiciando fácil resposta brônquica (espasmo) decorrente da estimulação de tubos traqueais e gases anestésicos.[6] Essa condição é diferente daquela de crianças que apresentam condição infecciosa benigna, como rinite sazonal ou vasomotora. Há necessidade de avaliar corretamente a presença de coriza, pois pode ser um pródromo de doença ou processo infeccioso efetivo, tornando necessária a suspensão do ato anestésico-cirúrgico.[6] Essa conduta também deve ser seguida quando o paciente tem história recente de febre ou tosse produtiva,[1] problema frequente no período do inverno, sobretudo em regiões onde o frio é mais intenso.

As vegetações adenoidianas, além de obstruírem parcial ou totalmente a via aérea nasal, frequentemente apresentam secreção mucosa espessa abundante. Especial importância tem esse fato quando se opta por intubação traqueal por via nasal.

Considerando que esses procedimentos cada vez mais têm sido feitos em regime ambulatorial, algumas recomendações devem ser seguidas:

- Deve haver cautelosa seleção, com especial atenção à história pregressa dos pacientes;
- Em pacientes pediátricos, o fornecimento prévio de informações completas e detalhadas aos pais ajudará na segurança do pós-operatório;
- Hemostasia meticulosa durante a cirurgia é essencial, atentando-se à loja amigdaliana;
- Aspiração cuidadosa da orofaringe;
- Prover meios que possibilitem uma emergência suave;
- Observação rigorosa durante pelo menos 6 horas de pós-operatório.[1]

No preparo pré-operatório, devem ser pesquisados uso recente de aspirina e história prévia de discrasias sanguíneas, realizando-se, em caso de suspeita, análise laboratorial completa. Dentes soltos, comuns em crianças de 4 a 7 anos, podem cair durante a laringoscopia ou a colocação do abridor de boca e ser aspirados para a árvore traqueobrônquica, por esse motivo a extração prévia deve ser considerada.

Um dos objetivos da medicação pré-anestésica é manter o paciente calmo e cooperativo, evitando a sedação excessiva. Como os procedimentos são de curta duração e o paciente precisa estar rapidamente acordado no pós-operatório com os reflexos das vias aéreas presentes, não há interesse em medicação de ação prolongada. O midazolam, um benzodiazepínico de rápido início de ação e curta duração, apesar de seus efeitos irregulares, pode ser administrado a crianças por via oral,[5] obtendo-se algum grau de sedação. Pode ser administrado a crianças com mais de 1 ano e deve ser evitado, sempre que possível, em pacientes com história de apneia do sono e obstrução intermitente das vias aéreas superiores, bem como naqueles com amígdalas muito grandes. A presença dos pais durante a indução da anestesia é estimulada por vários autores e deve ser adotada sempre que possível.[7]

Embora alguns adultos possam ter preferência pela anestesia local com sedação, a anestesia geral é preferida. A técnica mais utilizada inclui anestésicos halogenado, óxido nitroso, opioides e bloqueador neuromuscular, evitando-se, porém, qualquer agente de longa duração. O propofol, na indução ou manutenção da anestesia, tem sido recomendado por seu efeito antiemético; entretanto, estudos têm demonstrado que esse efeito não reduz a incidência geral de vômitos quando em comparação com os anestésicos inalatórios, mas apresenta efeito antiemético nas 2 primeiras horas após a cirurgia.[8] Um fato positivo mostra que, em crianças submetidas à amigdalectomia, o propofol reduziu a incidência de agitação ao despertar, independentemente da faixa etária.

A indução inalatória em crianças é utilizada com muita frequência. A inalação de concentrações crescentes de sevoflurano associado ou não ao óxido nitroso tem se mostrado eficiente na indução da anestesia. Depois de a criança adormecer, torna-se mais fácil a venopunção para posterior injeção de propofol, opioides, como o fentanil, e bloqueador neuromuscular, que deve ter a dose reduzida em pacientes pediátricos devido à maior sensibilidade.

Na indução inalatória, a primeira dificuldade pode ser observada nas crianças com vegetações adenoidianas volumosas, que impedem a passagem do fluxo de gazes pelo nariz. Assim, é necessário manter a boca aberta e utilizar

cânula orofaríngea, porém deve-se lembrar de que a cânula introduzida com o paciente em plano muito superficial pode provocar tosse e laringoespasmo.

A intubação traqueal é imperativa e pode ser realizada por via oral ou nasal. Muitos preferem a intubação orotraqueal; outros, a via nasotraqueal. Os que advogam a intubação nasotraqueal entendem que o campo cirúrgico fica melhor, a fixação do tubo é mais segura e a possibilidade de extubação por manipulação é menor.

A opção por intubação naso ou orotraqueal vai depender da prática de cada anestesiologista e de como o cirurgião está habituado a operar. Há vantagens e desvantagens em cada uma. A intubação orotraqueal é mais facilmente realizada e menos traumática, mas a fixação do tubo é difícil, pois o cirurgião poderá mudar o tubo de lado várias vezes durante a cirurgia. Alguns abridores de boca têm, na sua estrutura, um local apropriado que fixa o tubo, mas, como esse instrumento será manuseado repetidamente durante a cirurgia, persiste o risco de extubação acidental intraoperatória. Há, ainda, a possibilidade de obstrução do tubo traqueal por acotovelamento ou compressão pelo abridor de boca.

A intubação nasotraqueal é tecnicamente mais difícil de se realizar, não sendo raro ocorrerem traumatismos, falso trajeto e sangramento. Nos pacientes com hipertrofia das vegetações adenoidianas, essas ocorrências são bastante comuns e, frequentemente, fragmentos da adenoide podem permanecer alojados na luz do tubo traqueal, assim como sangue e secreções. É necessário limpar o tubo com jatos de O_2 antes de progredir para a traqueia. Além disso, com frequência, a colocação do tubo na traqueia exige o uso da pinça de Magill. Por todas essas dificuldades, muitas vezes um tubo de diâmetro inadequado é introduzido. O amolecimento em água morna e sua lubrificação facilitam a introdução do tubo pelo nariz. As grandes vantagens da intubação nasotraqueal são a fácil fixação do tubo, com reduzida possibilidade de extubação, e a menor chance de ser comprimido ou dobrado pelo abridor de boca. A Figura 183.1 mostra o trajeto do tubo nasotraqueal.

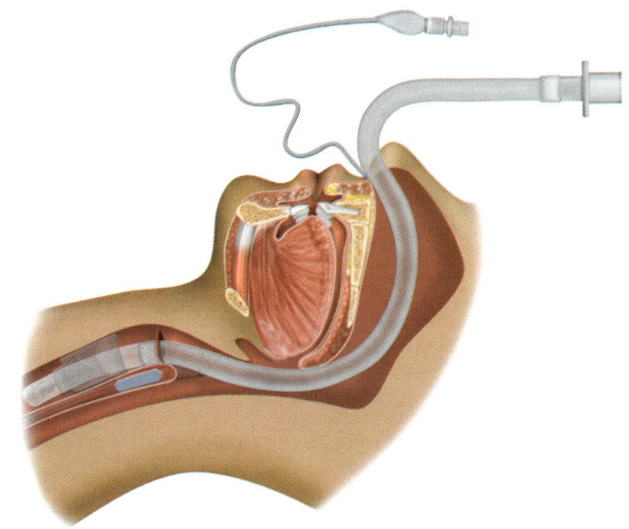

▲**Figura 183.1** Intubação nasotraqueal.

Na adenoidectomia por vídeo com utilização de *shaver*, a intubação oral é necessária. A Figura 183.2 mostra o número de instrumentos necessários para a realização do procedimento e a Figura 183.3, a visualização do *cavum* com vegetação adenoidiana e o *shaver*.

O uso de *spray* de lidocaína nas amígdalas no momento da intubação diminui o estímulo cirúrgico e a necessidade de anestésico geral. Não é aconselhável, entretanto, sua instilação na traqueia, pois o reflexo da tosse ficará deprimido no pós-operatório.

Outra técnica que tem sido bastante estimulada é aquela em que, associada à anestesia geral, o cirurgião faz uma infiltração de anestésico local com adrenalina na cápsula, no pilar e nos polos superior e inferior da amígdala.[9] Diversos aspectos devem ser observados. Inicialmente, conseguem-se um bom plano de dissecção das amígdalas, redução da ne-

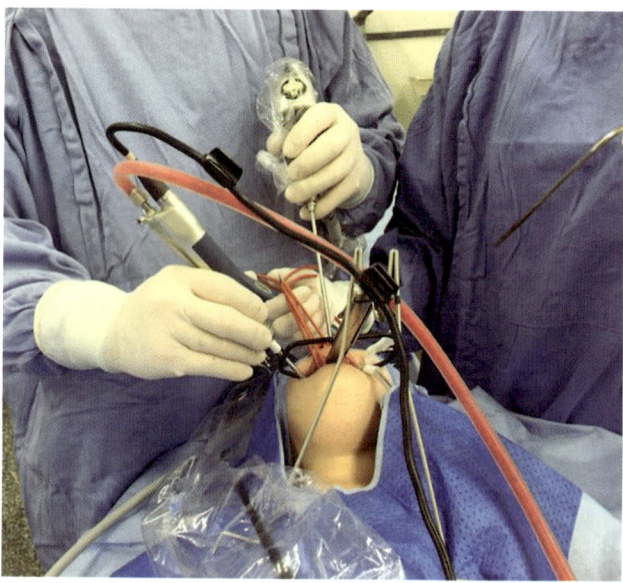

▲**Figura 183.2** Instrumentação para realização de adenoidectomia por vídeo.

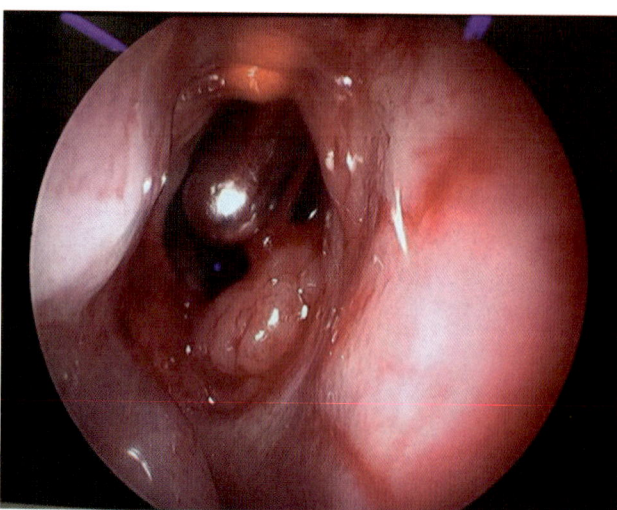

▲**Figura 183.3** Visão endoscópica do cavum mostrando vegetação adenoidiana e o *shaver*.

cessidade de anestésicos gerais e significativa diminuição do sangramento intraoperatório.[10] Deve-se considerar a analgesia preemptiva, visto que o bloqueio neural impede que os impulsos nociceptivos entrem no sistema nervoso central durante e imediatamente após a cirurgia, portanto suprime a formação de um estado de hiperexcitabilidade sustentada, responsável pela manutenção da dor pós-operatória.[11] Diversos trabalhos apresentam comparações da injeção do anestésico local antes e depois da ressecção da amígdala,[12] associação do anestésico local a analgésicos (petidina)[13] e comparação entre a injeção e o *spray* de anestésico local. Os resultados são conflitantes,[14] mas a maioria mostra que há melhor analgesia com a injeção de anestésico local na loja amigdaliana, alguns com marcada diminuição da dor, outros com pequena e transitória redução e, ainda, alguns sem correlação com o momento da injeção – antes ou depois da ressecção da amígdala. Hão que se considerar, inclusive, os riscos de sua utilização na loja amigdaliana, que inclui injeção intravascular ou intra-arterial (carótidas), levando a toxicidade do sistema nervoso central ou cardiovascular, hemorragia, obstrução de vias aéreas, reações alérgicas e paralisia de cordas vocais. Com o bloqueio dos nervos palatinos, é possível prover analgesia da loja amigdaliana com mínima possibilidade de eventos adversos. As Figuras 183.4, 183.5 e 183.6 mostram os aspectos anatômicos e o local da injeção da solução de anestésico.[15] Outra técnica preconiza a injeção de anestésico local em três pontos periamigdalianos (Figura 183.7).

A extubação dependerá de alguns fatores. Na presença de estômago cheio ou em se tratando de pacientes com intubação difícil, a extubação deve ser feita com o paciente acordado, reflexos presentes e capacidade de manter espontaneamente uma ventilação adequada. Nos pacientes asmáticos, por exemplo, pode ser desejável uma extubação em plano profundo, de forma que o *bucking* e a tosse sejam evitados. De todo modo, devem imperar sempre o bom senso e, principalmente, a prática do anestesiologista.[14,16] De maneira geral, a extubação deve ser realizada somente após aspiração da faringe, com o paciente respirando espontaneamente, acordado e com a certeza de que não há sangramento ativo na área da cirurgia. Não se recomenda a aspiração das lojas amigdalianas, pois coágulos que estão tamponando vasos podem ser deslocados e dar início a uma hemorragia.

Depois da extubação, os pacientes devem ser colocados na "posição de amígdala" ou de Sims: decúbito lateral, em cefalodeclive, perna que está em cima fletida, cabeça em extensão e com a mão superior sob o queixo. Nessa posição, secreções e sangue drenam pelas narinas e pela boca, tornando-as visíveis e não irritando a área de epiglote e cordas vocais. Os pacientes devem ser rigorosamente observados na sala de recuperação pós-anestésica por, no mínimo, 60 minutos, com especial atenção para sangramentos e obstrução de vias aéreas. A maioria das complicações ocorre no pós-operatório imediato em decorrência do sangramento contínuo e da insuficiência respiratória.

Alguns autores mostraram que a incidência de laringoespasmo pós-amigdalectomia associada ou não à adenoidectomia é de 21% a 26%.[17,18] Algumas técnicas, como dose sub-hipnótica de propofol (0,5 mg.kg⁻¹), quando a criança começa a reagir, ou a técnica da extubação do "não toque", em que a criança é colocada na "posição de amígdala", cuidadosamente aspiradas as secreções ainda em plano anestésico para, então, não a tocar mais até que acorde espontaneamente, são sugeridas a fim de reduzir essa complicação.[19] Na

realidade, a incidência de laringoespasmo é maior quando existe IVAS, especialmente em crianças. Estudos mostram a ocorrência de complicações respiratórias no período perianestésico em crianças com sintomas de afecções respiratórias.[6] Mesmo com sintomas leves, as vias aéreas podem se tornar hiper-reativas, com sensibilização dos receptores ner-

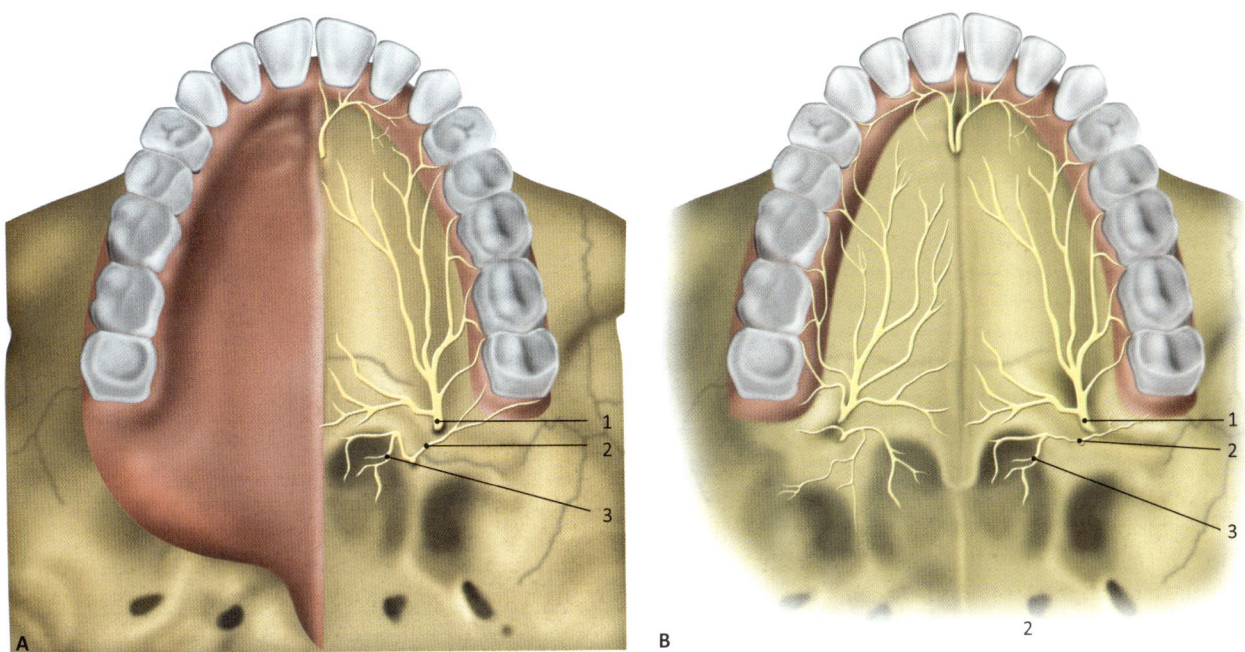

▲ **Figura 183.4** **(A** e **B)** Nervos palatinos: (1) maior; (2) médio; (3) menor.

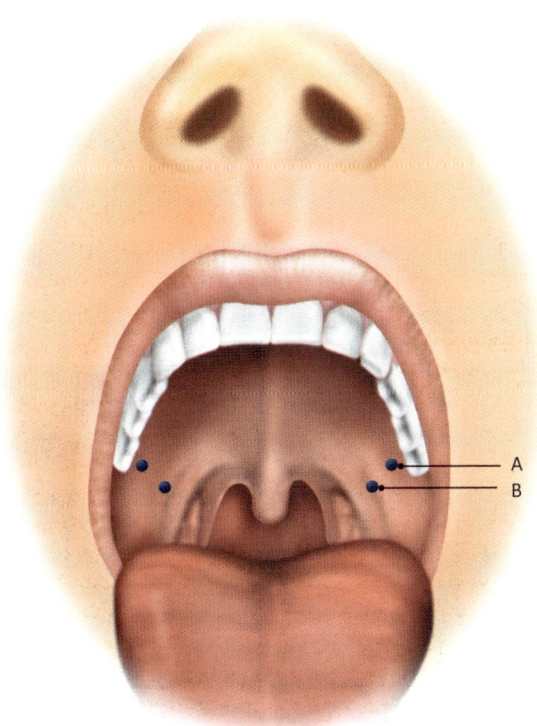

▲ **Figura 183.5** Pontos de punção para o bloqueio dos nervos palatinos: **(A)** palatino maior; **(B)** palatino menor.

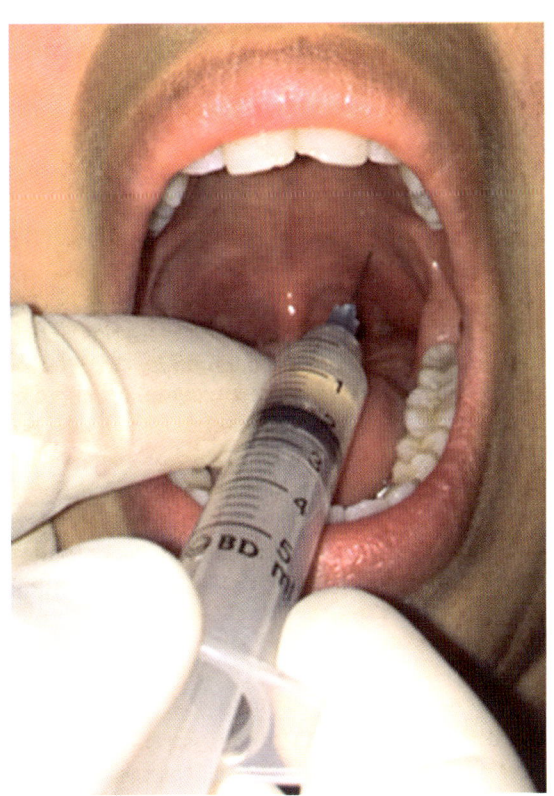

▲ **Figura 183.6** Bloqueio dos nervos palatinos.

vosos, facilitando as respostas laríngea e brônquica à estimulação.[6] A mucosa respiratória pode levar duas a seis semanas para se recuperar das alterações provocadas por infecção, dependendo da intensidade da agressão.[6]

A maior incidência de complicações respiratórias ocorre em crianças com idade inferior a 12 meses devido ao menor diâmetro das vias aéreas, à fadiga da musculatura respiratória e à imaturidade dos pulmões.[6]

Os eventos adversos mais frequentes em adenoamigdalectomia são náusea, vômitos, dor, hemorragia e prostração. Estudos mostraram incidência de náuseas e vômitos variando de 30,5% a 65%.[4,19] A causa é multifatorial e pode envolver os fármacos anestésicos, a presença de sangue deglutido no estômago, que é muito irritante para a mucosa gástrica, ou a interferência no reflexo do vômito provocada por edema e processo inflamatório no local da cirurgia.[4] Alguns autores conseguiram reduzir a incidência de náuseas e vômitos pós-operatórios de 70% para 47% usando uma dose de 0,15 mg.kg^{-1} de metoclopramida administrada imediatamente após a chegada à sala de recuperação pós-anestésica, sem aparecimento de qualquer efeito colateral.[20] Outro autor utilizou ondansetrona, 0,15 mg.kg^{-1}, logo após a indução e encontrou uma redução na incidência de náuseas e vômitos de 73% para 23%.[21,22] O uso do propofol tem sido recomendado também por sua ação antiemética, mas um autor concluiu que não houve diminuição da incidência de náuseas e vômitos nas primeiras 24 horas pós-operatórias.[23]

Quanto à hemorragia, um estudo mostrou que sua incidência após amigdalectomia é de 3,5% em crianças com menos de 12 anos; 2,5% naquelas com idades entre 12 e 15 anos; e 10,8% nas com mais de 15 anos. Independentemente dos percentuais, o conceito é de que adultos sempre apresentam maior incidência.

A pouca ingestão hídrica por crianças que estão em jejum pode levar à desidratação, cuja incidência é de 1,1% e deve ser prevenida com hidratação adequada no perioperatório.[24] Acrescenta-se que a hidratação também é importante para evitar náusea e vômitos no pós-operatório.

Hemorragia das amígdalas

A hemorragia das amígdalas que necessita de reintervenção cirúrgica tem incidência de 0,1% a 8,1% e, mais frequentemente, apresenta-se como sangramento persistente, em vez de hemorragia franca e abundante.[3,25] Ocorre com maior incidência (75%) dentro das primeiras 6 horas de pós-operatório, e 25%, nas primeiras 24 horas, apesar de ocasionalmente se observar sangramento até o sexto dia pós-operatório.[24]

A avaliação da perda sanguínea é dificultada pela deglutição de sangue, sendo geralmente subestimada. Sinais de hipovolemia (taquicardia e hipotensão postural) precisam ser pesquisados antes da indução anestésica. A hidratação deve ser previamente realizada por meio de uma veia de grosso calibre. Esses pacientes serão considerados com estômago cheio (sangue) e alto risco de aspiração pulmonar. A indução deve ser realizada com sequência rápida e manobra de Sellik com leve cefalodeclive para evitar que sangue vivo entre na traqueia. Alguns estudos atuais relatam que uma alternativa viável para pacientes nessas condições seria a ventilação controlada com pressão inferior a 12 cmH$_2$O, uma vez que o risco de aspiração é menor que o de hipóxia. Além disso, observa-se que o fornecimento contínuo de oxigênio suplementar ao paciente, inclusive durante a laringoscopia, é uma tendência.[26] Independentemente, é necessária a presença de outro profissional apto e preparado para auxiliar na laringoscopia e na aspiração.

Atualmente, devido à sua segurança e aos mínimos efeitos colaterais, além de seu possível benefício na redução de sangramentos em procedimentos de outras especialidades, tem-se usado bastante o ácido tranexâmico em cirurgias otorrinolaringológicas. A maioria dos estudos demonstrou redução estatisticamente significativa do sangramento durante o intraoperatório nas amigdalectomias, porém esse benefício é questionável em função da pouca quantidade de sangue perdido. Quanto a hemorragias pós--amigdalectomias, ainda são necessários mais estudos para avaliar seus potenciais benefícios, levando-se em consideração a farmacologia da medicação e seu uso único na indução anestésica.[25]

Após a indução e a intubação traqueal, uma sonda gástrica de grosso calibre deve ser utilizada para aspiração, retirando-a em seguida. A extubação e a recuperação são realizadas da mesma forma que nas cirurgias eletivas.

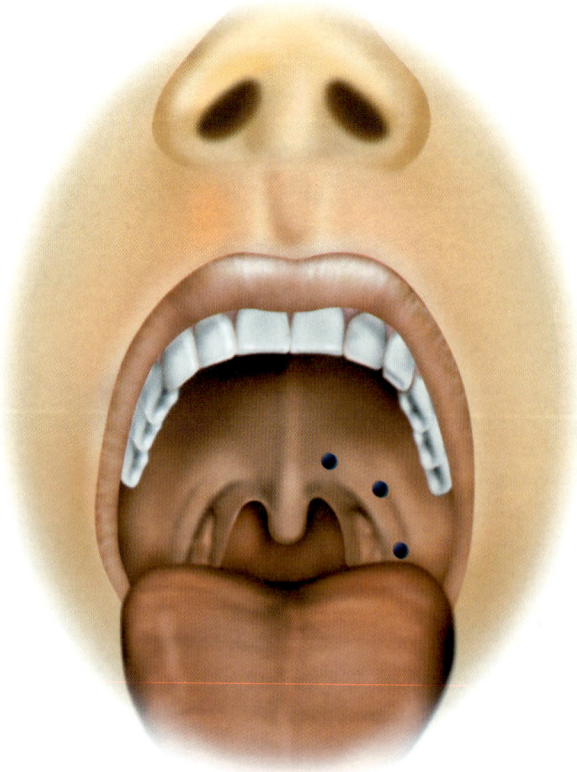

▲ **Figura 183.7** Pontos para realização de bloqueio que envolve a loja amigdaliana.

Drenagem de abscesso

Os abscessos periamigdalianos, assim como os que se estendem ao palato mole, provocam dor intensa, trismo, disfagia e obstrução respiratória. Com frequência, esses abscessos podem ser drenados ou descomprimidos por punção e aspiração, sob infiltração local.

Os riscos que envolvem uma anestesia geral nesses casos são a possibilidade de obstrução respiratória após relaxamento do paciente, dificuldade de intubação traqueal por causa do trismo e da alteração anatômica e a ruptura do abscesso, com drenagem do pus para as vias aéreas desprotegidas.

Quando se planeja anestesia geral para drenagem desses abscessos, a descompressão por punção com agulha faz parte do preparo pré-operatório, pois, além de reduzir a dor e o volume, diminui o trismo e o risco de ruptura durante as manobras de intubação.[27] O trismo, nessas condições, apesar de ser uma causa conhecida de dificuldade de intubação, está associado à dor e ao espasmo muscular e não deve ser visto com a mesma gravidade do trismo de outras causas (p. ex.: doença da articulação temporomandibular e infiltração tumoral); geralmente desaparece após a indução da anestesia.[27] Deve-se considerar a possibilidade de traqueostomia prévia ou mesmo após tentativa de intubação sem sucesso.

Uvulopalatofaringoplastia

Dos distúrbios do sono, a síndrome da apneia e hipopneia obstrutiva do sono (SAHOS) é a de maior interesse para a anestesiologia. Nela, ocorrem repetidos episódios de obstrução das vias aéreas superiores (VAS) durante o sono, com períodos de apneia de mais de 10 segundos, ou diminuição da ventilação em até 50% do volume respiratório, podendo durar mais que 10 segundos, com dessaturação da hemoglobina.[1,5]

Embora a uvulopalatofaringoplastia possa ser indicada a pacientes com bom estado físico, a Tabela 183.4 mostra algumas características que eventualmente estão presentes em outros pacientes.

Clinicamente, o paciente com SAHOS apresenta roncos, pausas respiratórias longas durante o sono, cansaço, sonolência excessiva diurna, despertar frequente, falar durante o sono, obesidade, circunferências cervical e abdominal aumentadas.

Alguns pacientes com apneia obstrutiva do sono apresentam alterações de origem anatômica ou funcional das vias aéreas. Estreitamento ou fechamento das VAS podem estar presentes em qualquer região entre a faringe e a laringe em virtude da ausência de sustentação óssea ou cartilaginosa, porém, na maior parte dos casos, não existe alguma alteração anatômica visível. O tônus neuromuscular, a sincronia dos músculos da via aérea e o estágio do sono no qual se encontra o paciente são aspectos importantes que, associados a uma alteração anatômica, provocam a obstrução das vias aéreas e a apneia obstrutiva. Entre as anomalias anatômicas, podem-se citar: obstrução nasal, hipertrofia adenoamigdaliana, hipoplasia da mandíbula, macroglossia e anomalias laríngeas.

Importante é avaliar a possibilidade de via aérea difícil e ter todos os equipamentos necessários para a conduta nesse tipo de via aérea (Capítulo 73 – Manejo da Via Aérea).

Tabela 183.4 Características de pacientes candidatos a cirurgia.

- Hipoxemia e hipercarbia crônica
- Episódios de apneia ou hipopneia crônica
- Número de episódios de apneia à noite superior a 30
- Cirurgia indicada quando não há resultados com outros tratamentos, como redução de peso, CPAP ou BIPAP
- Presença de doenças associadas, como diabetes melito, síndrome plurimetabólica, doença coronariana e cor pulmonale
- Deformidades anatômicas

CPAP: sistema de pressão positiva contínua das vias aéreas; BIPAP: ventilação com pressão positiva contínua bifásica.

A cirurgia habitualmente envolve a amputação da úvula, de parte dos pilares e do palato mole e amigdalectomia. A Figura 183.8 mostra, em A, antes da cirurgia e, em B, após a cirurgia. Anestesia geral é técnica de escolha, podendo ser venosa total ou combinada – venosa e inalatória. O pós-operatório é muito doloroso e o bloqueio dos nervos palatinos deve ser sempre considerado (Figuras 183.4 e 183.5). Esse tipo de cirurgia implica administrar anti-inflamatórios e corticosteroides no perioperatório e, geralmente, opioides

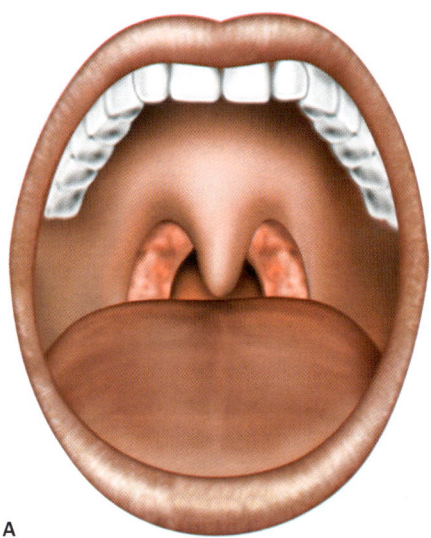
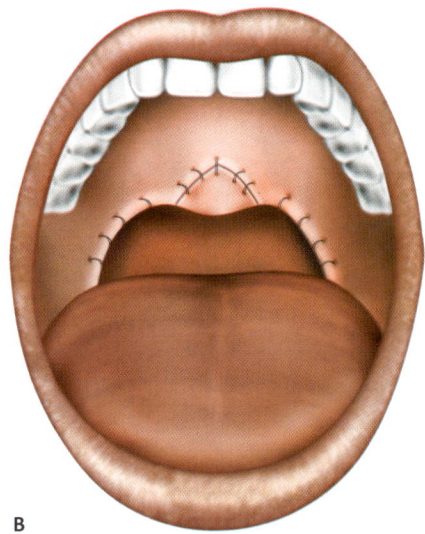

A   B

▲ **Figura 183.8** Uvulopalatofaringoplastia: **(A)** antes da cirurgia; **(B)** após a cirurgia.

no pós-operatório. Medidas de prevenção e tratamento de náuseas e vômitos pós-operatórios (NVPO) são necessárias.

Exérese de Tumores da Cavidade Oral

A maioria dos tumores da cavidade oral diagnosticados precocemente é de pequeno tamanho e os procedimentos são rápidos, porém existem situações em que, dependendo da evolução, os tumores apresentam-se como massas tumorais. Nas cirurgias da boca, como em outros procedimentos de laringe e faringe, o anestesiologista disputa com o cirurgião o acesso às vias aéreas e, ao mesmo tempo, necessita mantê-las livres de sangue e secreções. Uma boa opção nesses casos é a intubação nasotraqueal.

Tumores da faringe podem causar obstrução respiratória grave quando o paciente está em decúbito dorsal. Nessa circunstância, mesmo uma simples biópsia deve ser precedida de traqueostomia definitiva, pois, dependendo do diagnóstico anatomopatológico, a solução poderá ser uma cirurgia mais radical ou radioterapia associada à quimioterapia. Em ambas as situações, e de acordo com a extensão do procedimento, poderá haver a necessidade de alimentação por meio de sonda nasogástrica.

Artigo publicado no *Brazilian Journal of Anesthesiology*[28] mostra um caso de grande tumor do palato com clara dificuldade para intubação traqueal (Figura 183.9). Tratava-se de um angiossarcoma de crescimento rápido que ocupava a porção superior do palato duro, envolvendo a face posterior dos dentes superiores da face lateral direita da maxila, desde os dentes incisivos superiores centrais, e o espaço entre a arcada dentária superior e o lábio. O paciente, que era idoso, não apresentou sinais de insuficiência respiratória ou de obstrução das vias aéreas. A intubação por fibroscopia por via nasal foi descartada, pois toda a maxila seria manipulada. Restaram duas opções: fibroscopia oral ou videolaringoscopia. Optou-se pela utilização do videolaringoscópio McGRATH® e a intubação foi realizada com sucesso.

Revisão sistemática publicada pela Cochrane em 2017 foi realizada para comparar a laringoscopia direta com a videolaringoscopia para a intubação traqueal. A conclusão mostrou que a intubação traqueal mediante videolaringos-

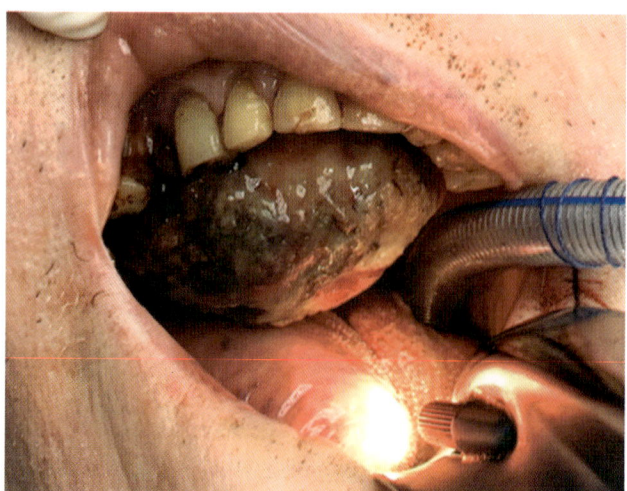

▲ **Figura 183.9** Grande tumor de palato.

cópio reduziu a incidência de falha, com moderado nível de evidência e dados favoráveis à utilização do videolaringoscópio com relação à laringoscopia direta. Nos casos com fatores preditivos de via aérea difícil, os dados também foram favoráveis à utilização do videolaringoscópio. Houve tanto menor trauma de laringe e das vias aéreas quanto menor rouquidão com o uso de videolaringoscópio do que com a laringoscopia direta. Em relação à ocorrência de hipoxemia e das demais variáveis estudadas, não houve diferença estatisticamente significativa entre os dispositivos comparados.[1]

Um estudo avaliou a capacidade de se realizar a intubação traqueal por videolaringoscópio com o paciente acordado, mostrando a eficácia do método.[29]

De acordo com a literatura, o uso de videolaringoscópio está associado a taxas altamente significativas de sucesso na intubação traqueal.[30] Na realidade, o videolaringoscópio é um dispositivo de utilização simples, até mesmo mais fácil do que a laringoscopia direta, não necessitando de longo treinamento, e tem custo mais acessível quando em comparação com o fibroscópio.

Nas cirurgias para tumores da boca, a recuperação da anestesia segue as mesmas regras da cirurgia de laringe e faringe, ou seja, na extubação, o paciente deve estar bem acordado e com reflexos protetores das vias aéreas presentes.

Analgesia pós-operatória

A eficácia da analgesia pós-operatória depende de um esquema terapêutico multimodal que inclui analgésicos não opioides, anti-inflamatórios não hormonais, opioides, corticosteroides, infiltração local e bloqueios dos nervos periféricos. A farmacologia dos medicamentos utilizados em analgesia está abordada nos Capítulos 46, 47 e 122 (Agonistas e Antagonistas Opióides; Analgésicos Não Opióides; e Avaliação e tratamento da dor aguda).

Quanto às cirurgias orais, além da dor pela própria incisão cirúrgica, existem aquelas decorrentes da mastigação, da deglutição e da ingestão de alimentos. O edema das vias aéreas pode causar não apenas dor, mas também algum grau de dificuldade respiratória. O alívio da dor e o controle do edema são as metas.[31-37]

Nos últimos anos, os bloqueios de nervos periféricos ganharam muita ênfase no controle da dor pós-operatória. Os bloqueios dos nervos palatinos, já citados anteriormente nas adenoamigdalectomias e nas uvulopalatofaringoplastias, além de proporcionarem analgesia prolongada, diminuem consideravelmente o consumo de fármacos anestésicos para a manutenção da anestesia.

O uso de corticosteroides é de grande valia nas cirurgias otorrinolaringológicas. A dexametasona tanto melhora a dor no pós-operatório quanto diminui a incidência de NVPO.[35,37] A dexametasona e betametasona são os corticosteroides de eleição.

Os corticosteroides inibem todos os efeitos das ciclo-oxigenases e das lipo-oxigenases, incluindo leucotrienos, prostaglandinas e tromboxano A_2. Uma metanálise mostrou que, além do efeito antiemético, a administração de dexametasona por via venosa na dose de 0,1 mg.k^{-1} reduz a intensidade da dor e do consumo de opioides no pós-operatório. Doses de dexametasona de 4 a 10 mg ou 0,15 mg/kg têm sido preconizadas. A betametasona de depósito, cujo efeito pode durar 14 dias, é administrada pela via muscular em dose única de 3 mg a adultos e doses menores a crianças. Estudo de coorte com 6.149 casos mostrou que não existe relação entre o uso de corticosteroides e a reoperação por sangramento.[34]

Analgésicos não opioides, como paracetamol e dipirona, podem ser utilizados para o alívio de dor de pequena intensidade, observando-se as doses adequadas. Um estudo demonstrou que a associação de prednisona e paracetamol foi mais eficaz do que a associação de paracetamol e ibuprofeno. Outro estudo revelou que pacientes adultos que fizeram uso de pregabalina (300 mg) no pré-operatório tiveram escore de dor menor no pós-operatório do que aqueles que receberam somente midazolam como medicação pré-anestésica.[35]

Entre os opioides, o tramadol tem eficácia analgésica, porém aumenta a incidência de NVPO em 40%. A codeína tem metabolização muito variável, ação do citocromo CYP2A6 e é transformada em morfina· Seu uso pode causar depressão respiratória, especialmente em crianças com SAHOS. A Food and Drug Administration (FDA) contraindica a sua utilização em crianças após adenoamigdalectomia. Existem relatos de óbito por depressão respiratória no pós-operatório. A morfina não é recomendável.

Os anti-inflamatórios não hormonais diminuem o escore de dor no pós-operatório. A relação risco-benefício é favorável ao emprego do ibuprofeno. A possibilidade de aumento do sangramento no pós-operatório deve ser considerada, embora um estudo tenha mostrado que isso não ocorreu em crianças com menos de 9 anos. Os fatores de risco para o aumento do sangramento seriam idade e amigdalites recorrentes. Outro estudo mostrou que o uso de cetorolaco é eficaz no controle da dor pós-operatória, porém aumenta o sangramento pós-amigdalectomias em adultos.[32]

De acordo com o conceito de que a analgesia deve ser multimodal, vários estudos comparam a associação de fármacos. Um deles mostra a eficácia da associação de prednisolona e paracetamol com relação à associação de ibuprofeno e paracetamol.[31] Houve menor incidência de dor ao repouso (sem falar ou engolir), melhor aceitação da dieta, menor incidência de sangramento com necessidade de reoperações e NVPO.

Realmente, a analgesia multimodal deve ser considerada observando-se o número necessário para tratar (NNT) e as indicações, aspectos abordados no Capítulo 192 sobre Anestesia Ambulatorial.

▪ ANESTESIA PARA CIRURGIAS NASAIS

Os tipos de procedimentos nasais, listados anteriormente na Tabela 183.1, têm características próprias cujos problemas estão apresentados na Tabela 183.5.

Embora habitualmente não se inicie a abordagem técnica de determinado procedimento pelos eventos adversos, os apresentados na Tabela 183.5 são muito importantes para a escolha da técnica anestésica.

Nas rinoplastias e septoplastias, defronta-se com problemas relacionados com sangramento intraoperatório e uso de adrenalina pelo cirurgião, podendo esta, ao ser absorvida, causar alterações eletrocardiográficas.

Tabela 183.5 Eventos adversos em cirurgias nasais.

- Possibilidade de sangramento abundante
- Eventos decorrentes do uso de adrenalina
- Deglutição de sangue
- Náusea e vômitos
- Agitação pós-operatória

A associação de anestesia geral com bloqueios (nasociliar e infraorbitário) e infiltração do septo nasal dispensa, na maior parte das vezes, o uso de fármacos adjuvantes para o controle do sangramento no campo operatório. A abolição do estímulo doloroso com diminuição da liberação de catecolaminas obtida com os bloqueios propicia a ação dos fármacos venosos e inalatórios, proporcionando a diminuição da pressão arterial em níveis aceitáveis e seguros e mantendo uniformidade durante o ato anestésico-cirúrgico. Em alguns momentos, a pressão arterial e a frequência cardíaca podem aumentar quando o cirurgião atua em áreas que não foram infiltradas adequadamente ou com a simples movimentação da cabeça e o consequente estímulo do tubo traqueal. Um exemplo típico de variações da pressão arterial é a rinoplastia com fratura óssea. Nessas situações, se ocorrer descarga adrenérgica, betabloqueadores poderão ser utilizados, ou o aprofundamento da anestesia pode ser feito, aguardando-se o tempo necessário para o retorno à estabilização. Deve-se lembrar de que a manipulação do tubo traqueal pode causar bradicardia por estímulo vagal em anestesia geral superficial. Outra utilidade dos betabloqueadores é quando há absorção de adrenalina, qual, quando maciça, é capaz de provocar taquicardia intensa e arritmias cardíacas, situações que podem ser contornadas com o uso de betabloqueadores, desde que não haja contraindicação.

Do mesmo modo que nas cirurgias dos seios paranasais, do nariz e septo nasal, a intubação traqueal é essencial em razão da possibilidade de sangramento abundante. Alguns cirurgiões, entretanto, preferem realizar o procedimento mediante anestesia local com sedação, devendo a atenção ser redobrada pela possibilidade de aspiração de sangue. Na anestesia locorregional, deve-se considerar o bloqueio dos seguintes nervos, nasociliar, que inerva todo o dorso do nariz e a parte anterior do septo nasal, e infraorbitário, que provê inervação sensitiva para a asa do nariz (ver detalhes técnicos no Capítulo 113 – Bloqueios Periféricos de Crânio e da Face). Além disso, deve ser inserido tampão embebido em anestésico local (lidocaína) com adrenalina na região dos cornetos.

É importante fazer adequada profilaxia de NVPO. O esforço para vomitar pode aumentar a pressão intratorácica, o que acarreta o fenômeno de Valsalva, levando à possibilidade de hematoma e sangramento. O vômito pode projetar-se pelo nariz, acometendo as lesões provocadas pela rinosseptoplastia e comprometendo o resultado da cirurgia.

Mesmo nas reduções de fratura nasal, geralmente simples e rápidas, há grande possibilidade de hemorragia franca. Pelo mesmo motivo, está indicado o uso de tampão faríngeo. A anestesia local para esse procedimento é comum em alguns serviços e foi considerada adequada pelos pacientes, apesar haja relatos de que a parte mais dolorosa do procedimento foi a injeção intranasal.[38]

A extubação desses pacientes deve ser bastante cuidadosa e realizada após a retirada do tampão e a aspiração da faringe, com o paciente respirando espontaneamente e apresentando reflexos protetores das vias aéreas. Cuidado especial deve ser tomado quanto à coleção de sangue que eventualmente se encontra atrás do palato mole, pois grandes coágulos podem se mover para a glote e levar à completa obstrução das vias aéreas.[1]

O paciente precisa ser prevenido no pré-operatório, uma vez que acordará com tampão nasal e estará impedido de respirar pelo nariz. Esses inconvenientes podem levar à agitação pós-operatória e desencadear o reflexo de Kratschmer, que, por irritação da mucosa nasal, ocasiona broncoespasmo, principalmente em pacientes jovens e portadores de asma brônquica.

No tratamento da epistaxe, alguns detalhes devem ser observados. Na maior parte das vezes, o problema é resolvido por via endonasal. Em alguns casos extremos, a manipulação cirúrgica envolve a ligadura da artéria esfenopalatina ou da artéria maxilar interna, que são ramos da carótida externa. A ligadura é sempre realizada o mais próximo possível do local de sangramento, mas, como nem sempre é possível a localização desse ponto, há casos em que se faz necessária a ligadura da carótida externa. Existe ainda a epistaxe proveniente das artérias etmoidais anterior e posterior, que são ramos da artéria oftálmica, ramo da carótida interna. Nesse caso, torna-se essencial a ligadura dessas artérias.

Muitos dos pacientes com epistaxe que serão tratados cirurgicamente já foram submetidos, nas 48 a 72 horas prévias, a várias tentativas, sem sucesso, de conter a hemorragia com tampão nasal ou tampão posterior, portanto estarão ansiosos, hipertensos, taquicárdicos e hipovolêmicos. É muito difícil avaliar a perda sanguínea desses pacientes, mas deve-se assumir que estão hipovolêmicos e com o estômago cheio de sangue.

A maioria desses pacientes tem epistaxe posterior, por isso deverão estar com tampão nasal posterior. Esse tipo de tamponamento é muito desconfortável e provoca grande ansiedade e hipertensão. Em pacientes idosos, com problemas cardíacos ou pulmonares, o tampão nasal posterior pode provocar hipoventilação, hipercarbia e arritmia, com risco de evoluir para isquemia, infarto agudo do miocárdio ou acidente vascular encefálico.[38]

Deve-se instalar linha venosa de grosso calibre para hidratação rápida ou hemotransfusão. Manobras de intubação traqueal precisam ser realizadas após pré-oxigenação e sequência rápida de indução, com compressão da cartilagem cricoide (manobra de Sellick).

As polipectomias e turbinectomias seguem os mesmos princípios das outras cirurgias do nariz.

ANESTESIA PARA CIRURGIAS DOS SEIOS DA FACE

Nas cirurgias dos seios paranasais, que incluem os seios maxilar, etmoidal, esfenoidal e frontal, deve-se estar preparado para grandes sangramentos; a intubação traqueal é, portanto, exigida na prevenção da aspiração de sangue para os pulmões. Aconselha-se também o uso de tampão faríngeo, para que não haja escoamento de sangue para o estômago, com consequentes irritação gástrica e NVPO.

Atualmente, as técnicas endoscópicas são utilizadas nesses procedimentos, razão pela qual há grande necessidade de se controlar o sangramento. Dependendo de quantos seios serão abordados, o procedimento poderá ser demorado. O problema maior é quanto à visualização e, por conseguinte, condutas e técnicas anestésicas devem objetivar a diminuição do sangramento no campo operatório. O posicionamento do paciente na mesa operatória deve ser em cefaloaclive, o que facilita o retorno venoso, e, desde que não haja contraindicação, deve-se cogitar a hipotensão arterial induzida. Técnicas anestésicas que proporcionam um campo operatório razoavelmente exangue devem ser escolhidas. Embora os seios paranasais sejam cavidades aéreas em que ocorre rápida difusão do óxido nitroso, não há contraindicações ao seu uso. A anestesia venosa total proporcionou melhores condições cirúrgicas quando em comparação com a anestesia balanceada.[37,38]

Uma revisão sistemática da literatura comparando anestesia venosa total (AVT) com inalatória objetivou verificar a qualidade do campo cirúrgico em cirurgia endoscópica. Nessa revisão, alguns estudos indicaram melhora na visualização do campo cirúrgico, enquanto outros não conseguiram demonstrar a diferença. Devido, no entanto, ao seu potencial teórico para melhorar a visualização do campo cirúrgico, a preferência pela AVT tem sido crescente nos últimos anos.

Alguns autores reforçaram essa conduta mostrando que a AVT é significativamente melhor que a anestesia combinada (venosa e inalatória) para as cirurgias do seio da face.[39,40]

Outra conduta, demonstrada por recente metanálise, que visa à melhora da qualidade de visualização do campo cirúrgico em cirurgias dos seios nasais é a utilização do ácido tranexâmico, o qual promove diminuição do sangramento intraoperatório e de edemas e equimoses.[41]

A extubação desses pacientes deve seguir os mesmos passos do que já foi descrito em anestesia para cirurgias nasais, sempre considerando o sangramento, o despertar suave e a presença de tampão nasal. Nas reoperações, considerar a possibilidade de o estômago estar cheio.

ANESTESIA PARA CIRURGIAS DOS OUVIDOS

As cirurgias comumente realizadas nos ouvidos são as timpanotomias para colocação de drenos, a reconstrução ossicular, a estapedectomia, a timpanoplastia, a mastoidectomia, o implante de prótese auditiva, a descompressão do nervo facial e a remoção de neurinoma do nervo acústico.

A timpanotomia para colocação de dreno de ventilação na membrana timpânica é um procedimento de pequeno porte, rápido e realizado em caráter ambulatorial. Em crianças, a anestesia geral é a melhor escolha e, de preferência, inalatória com halogenado sob máscara. O sevoflurano, agente de indução e recuperação rápidas, tem sido utilizado com bons resultados. O procedimento é rápido e com baixos valores na escala de dor, menos necessidade de analgésicos, menor tempo na sala de cirurgia e na recuperação da fase 2 da anestesia, bem como maior satisfação dos pais. É comum a realização da timpanotomia juntamente com a adenoidectomia. Nesses casos, todos os cuidados e aspectos da anestesia já foram abordados no item sobre cirurgias orais.

Nas cirurgias dos ouvidos, alguns detalhes são importantes na escolha da técnica anestésica (Tabela 183.6).

Tabela 183.6 Detalhes importantes nas cirurgias dos ouvidos.
▪ Sangramento no campo operatório
▪ Posicionamento do paciente na mesa operatória
▪ Uso de adrenalina
▪ Uso de óxido nitroso
▪ Preservação do nervo facial – monitorização

As microcirurgias dos ouvidos demandam um campo operatório relativamente exangue, o que pode ser conseguido com aplicação tópica ou infiltração de adrenalina durante anestesia geral ou com uso de técnicas de hipotensão arterial induzida e controlada.

Como o objetivo é um campo cirúrgico com pouco sangramento, a hipotensão controlada para manter a pressão arterial média entre 50 e 60 mmHg pode ser necessária e contribuir para aumentar o risco anestésico-cirúrgico. Várias técnicas foram descritas para a hipotensão induzida,[42-44] e cada uma está associada a alguma desvantagem, como taquicardia reflexa, hipertensão reativa, taquifilaxia, intoxicação pelo cianeto durante a administração de nitroprussiato de sódio e possibilidade de depressão miocárdica com o uso de esmolol. Altas doses de isoflurano prolongam a recuperação da anestesia e podem retardar a alta do paciente. Além disso, a pressão arterial e o sangramento no campo cirúrgico não são necessariamente correlatos. Existem evidências de que a pressão arterial média abaixo de 70 mmHg pode aumentar o sangramento por vasodilatação local.

Condições satisfatórias para microcirurgia do ouvido são possíveis com o posicionamento adequado do paciente (cefaloaclive de 10° a 15°) e pressão sistólica por volta de 80 mmHg, utilizando-se anestésico inalatório com ventilação controlada e adrenalina tópica ou por infiltração.

Quase todas as cirurgias de ouvido são realizadas com o paciente em decúbito dorsal com leve cefaloaclive, rotação e extensão da cabeça. Cuidados devem ser tomados para evitar hiperextensões e torções que provoquem lesão no plexo braquial (estiramento) ou na coluna cervical. Em crianças, a elasticidade dos ligamentos da coluna cervical e a imaturidade do processo odontoide tornam-nas suscetíveis à subluxação de C_1 e C_2. Pacientes com síndrome de Down e com acondroplasia até 31% podem ter instabilidade atlantoaxial.[24] A rotação exagerada do pescoço pode causar redução do fluxo sanguíneo da carótida.

Em pacientes sob anestesia geral e bem ventilados, a adrenalina tópica ou por infiltração, para reduzir o sangramento no campo operatório, pode empregada com uma solução 1:100.000 e, se necessário, repetida a cada 20 minutos com segurança.[7] A associação com sevoflurano ou isoflurano não sensibiliza o miocárdio às catecolaminas na mesma extensão que o halotano. Concentrações maiores que 1:50.000, além de perigosas, não oferecem efeito vasoconstritor superior.[38]

O ouvido médio é uma cavidade aérea ventilada intermitentemente por meio da trompa de Eustáquio, quando ela se abre. Quando se ventila um paciente com óxido nitroso,

esse gás, muito pouco solúvel no sangue, passa para o ouvido médio mais rapidamente que o nitrogênio sai, o que causa expansão dessa cavidade. Normalmente, a abertura das trompas de Eustáquio ocorre com pressões de 200 a 300 mmH$_2$O. Quando essas estruturas estão comprometidas por trauma cirúrgico, doença ou edema, a pressão no ouvido médio pode atingir 375 mmH$_2$O 30 minutos depois da administração do óxido nitroso.[38,45]

Por outro lado, quando se interrompe a administração do óxido nitroso, há rápida saída do gás da cavidade, com formação de pressão negativa no ouvido médio. Quando as trompas de Eustáquio não estão funcionando normalmente, pode haver formação de pressões de até 285 mmH$_2$O. Antes da incisão timpânica, isso pode até ser desejável, pois o abaulamento do tímpano facilita a incisão, porém, no final, quando a membrana timpânica estiver reconstruída, essas variações de pressão poderão favorecer o aparecimento de otites serosas, desarticulação do estribo, hemotímpano e baixa de audição.[38,46] Alguns autores consideram arriscado o uso de óxido nitroso em pacientes que foram submetidos a cirurgias prévias do ouvido médio, portadores de otite média aguda ou crônica, sinusites, infecção do trato respiratório superior, hipertrofia de adenoides e alterações patológicas da nasofaringe.[3,35] Outros autores recomendam a descontinuação do óxido nitroso, ou passar para uma concentração de, no máximo, 50% previamente à colocação do enxerto nas cirurgias de timpanoplastia.[4] Katayama e col. concluíram que o óxido nitroso pode ser utilizado nas timpanoplastias simples e mastoidectomias conservadoras sem qualquer interferência no resultado cirúrgico.[46]

Nas cirurgias de ouvido, frequentemente é necessário o isolamento do nervo facial, cujas identificação e verificação de função são obtidas por monitorização com estimulação elétrica. Nesse sentido, é importante que o paciente permaneça com pelo menos 30% de resposta motora, caso seja utilizado um bloqueador muscular.[45] Há evidências, entretanto, de que a atividade do nervo facial, quando estimulado eletricamente, permanece mesmo quando não se observa uma resposta dos músculos tênares após estimulação elétrica. Esse fato sugere não ser fundamental evitar o uso de bloqueadores musculares quando se vai monitorizar eletricamente o nervo facial; no entanto, se puder evitar, é melhor.

Alguns procedimentos não complicados e com duração inferior a 90 minutos, como timpanotomia, estapedectomia e timpanoplastia, podem ser realizados com infiltração de anestésico local e sedação consciente em pacientes previamente selecionados.

Alguns autores preconizam o uso de anestesia local e sedação para estapedectomias, concluindo que a técnica é bem aceita pelos pacientes e tem como principal vantagem o fato de se poder falar com o paciente, testando de imediato o resultado da cirurgia.[45-48] Embora defendam que a anestesia local seja melhor, outros autores concluíram que não existe diferença significativa entre a anestesia local e a geral quanto ao resultado da cirurgia.[47]

A inervação da concha acústica, do conduto auditivo externo e do tímpano é bastante complexa:

▪ **Ramos do plexo cervical:** nervo auricular maior que inerva as porções posterior e anterior do pavilhão das orelhas, e nervo occipital menor, que supre parte da hélice.

- **Ramo auricular do vago:** também supre o meato auditivo externo.
- **Nervo auriculotemporal:** ramo do nervo mandibular do trigêmeo, inerva o conduto auditivo externo e a membrana timpânica.
- **Ramo timpânico do glossofaríngeo:** responsável pela inervação sensitiva da face interna do tímpano, mucosa que reveste a caixa timpânica e células da mastoide.

O bloqueio pode ser realizado de duas formas:[49]

1. **Via endaural:** é a escolhida pelos cirurgiões, que a realizam com o auxílio do microscópio. São feitas quatro injeções de ± 1 mL de anestésico local nos pontos cardinais, na junção das porções óssea e cartilaginosa do meato (Figura 183.10).
2. **Via externa:** injetam-se 2 a 3 mL de anestésico local anteriormente à orelha, próximo ao trágus e paralelamente ao canal auditivo, e o mesmo volume posteriormente entre a mastoide e o canal auditivo (Figuras 183.11 e 183.12).

O bloqueio do conduto auditivo externo com sedação consciente é particularmente indicado nas estapedectomias, em que há remoção do estribo e sua substituição por uma prótese adequada. Nesses casos, a ocorrência de tosse após a extubação traqueal pode deslocar a prótese e comprometer o resultado da cirurgia.

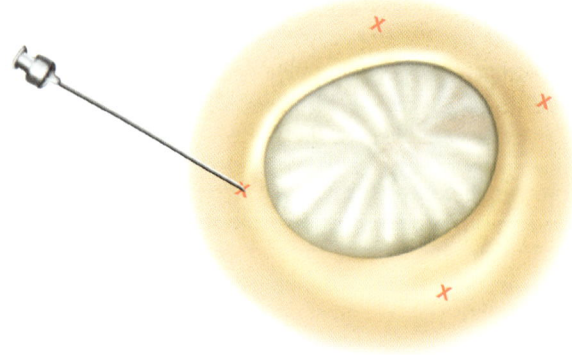

▲ **Figura 183.10** Pontos para bloqueio da orelha média.

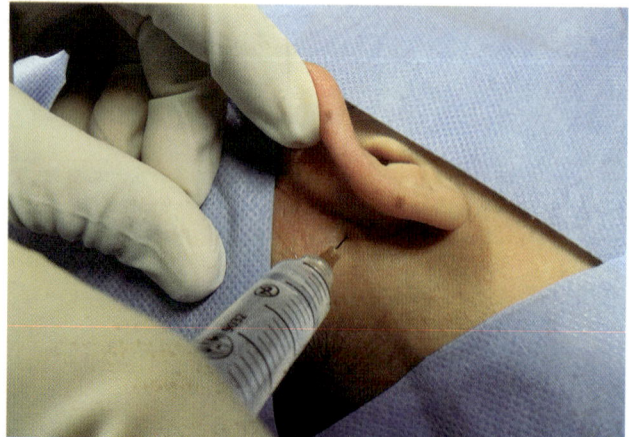

▲ **Figura 183.11** Técnica posterior externa de bloqueio do conduto auditivo externo.

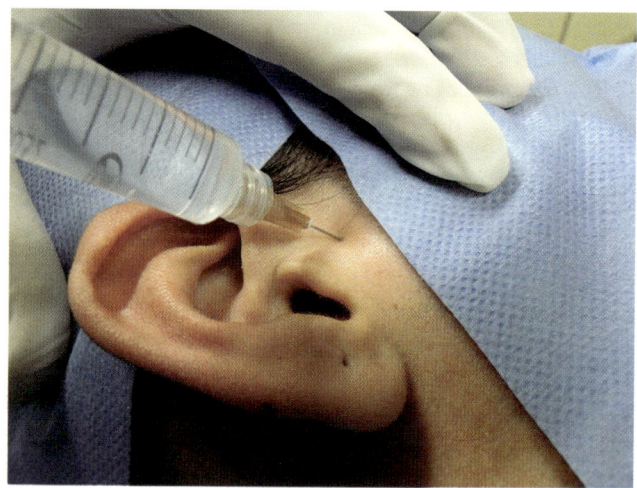

▲ **Figura 183.12** Técnica anterior externa (nervo auriculotemporal) de bloqueio do conduto auditivo externo.

Nos adultos, o bloqueio do conduto auditivo externo e da membrana timpânica é uma boa opção, mas, como a face interna da membrana timpânica tem inervação proveniente do nervo glossofaríngeo, o bloqueio não é completo. Em geral, a sedação com benzodiazepínico (midazolam) e opioide (fentanil ou alfentanil) é suficiente para realizar o procedimento. Outras opções são a iontoforese, que utiliza uma pequena corrente elétrica para que haja difusão do anestésico local colocado no conduto auditivo externo, e as misturas eutéticas de anestésicos locais, em que se combinam altas concentrações de bases de anestésico local (lidocaína e prilocaína a 5%) com uma grande quantidade de água, utilizando-se uma emulsão óleo em água.[50] Essa mistura aumenta a eficácia do anestésico local, que atinge altas concentrações de substância ativa (aproximadamente 80%),[50,51] a qual é comercializada com o nome de EMLA®.

Um dos problemas das cirurgias dos ouvidos é a ocorrência de NVPO. O esforço para vomitar aumenta a pressão no ouvido médio e pode comprometer o resultado da cirurgia. A profilaxia de NVPOs imediatos e tardios deve ser feita rotineiramente (Capítulo 88 – Profilaxia de Náuseas e Vômitos). Alguns autores mostraram que a AVT com propofol e remifentanil foi superior à associação de sevoflurano e remifentanil quanto à incidência de NVPO.

Nas cirurgias para implantes cocleares, geralmente em crianças, a anestesia geral é a técnica de escolha e a monitorização do nervo facial é importante.

Nos procedimentos sobre os ouvidos sob anestesia geral com intubação traqueal, o plano da anestesia deve ser mantido até a finalização do curativo, o que, muitas vezes, implica colocação de faixa com manipulação da cabeça.

A extubação desses pacientes deve ser cuidadosa, procurando-se evitar tosse e *bucking*, ou seja, o despertar deve ser suave.

EXAMES DIAGNÓSTICOS

A laringoscopia direta e a rinossinoscopia exigem a administração de anestesia geral a algumas crianças e adultos nos quais o exame seja muito difícil.

O exame de potenciais evocados do tronco cerebral (BERA) é específico para a avaliação da audição e a pesquisa de surdez neurossensorial. Para a sua realização, especialmente em crianças de pouca idade, é necessário o uso de anestesia geral inalatória, a qual interfere muito pouco nos potenciais evocados e oferece resultado fidedigno.

O tempo do exame é variável e dependente do grau de acometimento da audição neurossensorial. Quando não há resposta ao estímulo inicial, o diagnóstico de surdez é confirmado e o procedimento é encerrado, enquanto, se houver respostas, todos os núcleos são pesquisados e o exame é mais demorado. O exame é indolor, mas o estímulo auditivo é alto, podendo chegar a 100 dB.

REFERÊNCIAS

1. Doyle J. Anesthesia for ear, nose and throat surgery. In: Miller RD, editor. 18ª ed. Philadelphia: Elsevier; 2015. p. 2523-49.
2. Baugh RF, Archer SM, Mitchell RB, e col.; American Academy of Otolaryngology-Head and Neck Surgery Foundation. Clinical practice guideline: tonsillectomy in children. Otolaryngol Head Neck Surg. 2011; 144(1 suppl): s1-s30.
3. Boss EF, Marsteller JA, Simon AE. Outpatient tonsillectomy in children: demographic and geographic variation in the United States, 2006. J Pediatr. 2012; 160(5): 814-9.
4. Harounian JA, Schaefer E, Schubart J, e col. Pediatric post tonsillectomy hemorrhage. Otolaryngol Head Neck Surg. 2016; 155: 289-94.
5. Gotta AW, Ferrari LR, Sullivan CA. Anestesia para cirurgia otorr. ed. Barueri: Manole; 2004. 989-1004.
6. Ganem EM, Módolo NSP, Castiglia YMMC. Paciente com infecção de vias aéreas superiores. Quando anestesiar? Rev Bras Anestesiol. 2003; 53(3): 396-400.
7. Mitchel V, Grange C, Black A, e col. A comparison of midazolam with trimeprazine as an oral premedication for children. Anaesthesia. 1997; 52: 416-21.
8. Habre W, Sims C. Propofol anaesthesia and vomiting after myringoplasty in children. Anaesthesia. 1997; 52: 416-21.
9. Molliex S, Haond P, Baylot D, e col. Effect of pre- vs postoperative tonsillar infiltration with local anesthetics on postoperative pain after tonsillectomy. Acta Anaesthesiol Scand. 1996; 40: 1210-5.
10. Broadman LM, Patel RI, Feldman BA, e col. The effects of peritonsillar infiltration of intraoperative blood loss and post-tonsillectomy pain in children. Laryngoscope. 1989; 99: 578-81.
11. Jebels JA, Reilly JS, Gutierrez JF, e col. The effect of pre-incisional infiltration of tonsils with bupivacaine on the pain following tonsillectomy under general anesthesia. Pain. 1991; 47: 305-8.
12. Elhakim M, Abdul Salam AY, Eid A, e col. Inclusion of pethidine in lidocaine for infiltration improves analgesia following tonsillectomy in children. Acta Anaesthesiol Scand. 1997; 41: 214-7.
13. Park AH, Pappas AL, Fluder E, e col. Effect of perioperative administration of ropivacaine with epinephrine on postoperative pediatric adenotonsillectomy recovery. Arch Otolaryngol Head Neck Surg. 2004; 130: 459-62.
14. Carpenter P, Hall D, Meill SD. Postoperative care after tonsillectomy: what's the evidence? Curr Opin. 2017 Dec; 25(6): 498-505.
15. Cangiani LH. Bloqueio dos nervos palatinos. In: Cangiani LM, Nakashima ER, Gonçalves TAM, e col.. Atlas de técnicas de bloqueios regionais. Rio de Janeiro: SBA; 2013. 131-7.
16. Patel RI, Hannallah RS, Norden J, e col. Emergence airway complications in children: a comparison of tracheal extubation in awake and deeply anesthetized patients. Anesth Analg. 1991; 73: 266-70.
17. Batra YK, Ivanova M, Ali SS, e col. The efficacy of a subhypnotic dose of propofol in preventing laryngospasm following tonsillectomy and adenoidectomy in children. Pediatric Aneshesia. 2005; 15: 1094-7.
18. Tsui BCH, Wagner A, Cave D, e col. The incidence of laryngospasm with a "no touch" extubation technique after tonsillectomy and adenoidectomy. Anesth Analg. 2004; 98: 327-9.
19. August DA, Evertt LL. Pediatric ambulatory anesthesia. Anesthesiology Clin. 2014; 32: 411-29.
20. Ferrari LN, Donlon JV. Metoclopramide reduces the incidence of vomiting after tonsillectomy in children. Anesth Analg. 1992; 75: 351-6.
21. Litman RS, Wu CL, Catanzaro FA. Ondansetron decreases emesis after tonsillectomy in children. Anesth Analg. 1994; 78: 478-84.
22. Furst SR, Rodarte A. Prophylactic antiemetic treatment with ondansetron in children undergoing tonsillectomy. Anesthesiology. 1994; 81: 799-810.
23. August DA, Evertt LL. Pediatric ambulatory anesthesia. Anesthesiology Clin. 2014; 32: 411-29.
24. Gotta AW, Ferrari LR, Sullivan CA. Anestesia para cirurgia otorrinolaringológica. In: Barash PG, Cullen BF, Stoelting RK. Manual de Anestesiologia Clínica. 4. ed. Barueri: Manole; 2004. 989-1004.
25. Fuzi J, Budiono GR, Meller C, Jacobson I. Tranexamic acid in otorhinolaryngology – A contemporary review. World Journal of Otorhinolaryngology – Head and Neck Surgery. 2021; 7(4): 328-337.
26. Lee AC, Haché M. Manejo de Anestesia Pediátrica para Sangramento Pós-Amigdalectomia: Situação Atual e Direções Futuras. Int J Gen Med. 2022; 15: 63-69.
27. Cariters JS, Gebarth DE, Willians JA. Postoperative risks of pediatrics tonsilloadenoidectomy. Laryngoscope. 1987; 97: 422-9.
28. Cangiani LH, Vicensotti E, Ramos GC, e colS. Uso de videolaringoscópio para intubação traqueal em paciente com grande tumor na cavidade oral: relato de caso. Ver Bras Anesthesiol. 2020; 70(4): 434-439.
29. Markova L, Stopar-Pintaric T, Luzar T, e col. A feasibility study of awake videolaryngoscope-assited intubation in patients with periglottic tumor using the channeled King Vision videolaryngoscope. Anaesthesia. 2017, 72(4). 512-518..
30. Aziz MF, Brambrik A, Healy DW, e col. Success of intubation rescue techniques after failed direct laryngoscopy in adults. Anesthesiology. 2016; 125: 656-66.
31. Attia TM. Effect of paracetamol/prednisolone versus paracetamol/ibuprofen on post-operative recovery after adult tonsillectomy. Am J Otolaryngol. 2018 Sep-Oct; 39(5): 476-480.
32. Chan DK, Parikh SR. Perioperative ketorolac increases post-tonsillectomy hemorrhage in adults but not children. Laryngoscope. 2014 Aug; 124(8): 1789-93.
33. Tan GX, Tunkel DE. Control of pain after tonsillectomy in children a review. Jama Otolaryngol Head Neck Surg. 2017; 143(19): 937-42.
34. Miyamoto Y, Shinzawa M, Tanaka S, e col. Perioperative steroid use for tonsillectomy and its association with reoperation for posttonsillectomy hemorrhage: a retrospective cohort study. Anesth Analg. 2018 Mar; 126(3): 806-14.
35. Park S, Kim D. The effectiveness of pregabalin for post-tonsillectomy pain control: a randomized controlled trial. PLoS One. 2015; 10(2): e0117161.
36. Redmann AJ, Maksimoski M; Brumbaugh C. The effect of postoperative steroids on post-tonsillectomy pain and need for postoperative physician contact the laryngoscope. Laryngoscope. 2018 Sep; 128(9): 2187-92.
37. Elhaikim M, Ali NM, Rashed I, e col. Dexamethasone reduces postoperative vomiting and pain after pediatric tonsillectomy. Can J Anesth. 2003; 50: 392-7.
38. Rajapakse Y, Courney M, Bialostocki A, e col. Nasal fractures: a study comparing local and general anaesthesia techniques. ANZ J Surg. 2003; 73: 396-9.
39. Liu T-C, Lai H-C, Lu C-H, e col. Analysis of anesthesia-controlled operating room time after propofol-based total intravenous anesthesia compared with desflurane anesthesia in functional endoscopic sinus surgery. Medicine (Baltimore). 2018 Feb; 97(5): e9805.
40. Liu T, Gu Y, Chen K, e col. Quality of recovery in patients undergoing endoscopic sinus surgery after general anesthesia: total intravenous anesthesia vs desflurane anesthesia. Int Forum Allergy e Rhinol. 2019 Mar; 9(3): 248-254.
41. Ping WD, Zhao QM, Sun HF, e col. Role of tranexamic acid in nasal surgery: A systemic review and meta-analysis of randomized control trial. Medicine (Baltimore). 2019 Apr; 98(16): e15202.
42. Degoute CS, Dubreuil C, Ray MJ, e colEffects of posture, hypotension and locally applied vasoconstrictor on the middle ear microcirculation in anaesthetized humans. Eur J Appl Physiol. 1994; 64: 414-20.
43. Degoute CS, Ray MJ, Manchon M, e col. Remifentanil and controlled hypotension: comparison with nitroprusside or esmolol during tympanoplasty. Can J Anaesth. 2001; 48:20-7.
44. Boezaart AP, van der MJ, Coetzee AR. Comparison of sodium nitroprusside and esmolol induced controlled hypotension for endoscopic surgery. Can J Anaesth. 1995; 42: 373-6.
45. Vital V, Konstantinidis I, Vital I, Triaridis S. Minimizing the dead ear in otosclerosis surgery. Auris Nasus Larynx. 2008; 35: 475-479.
46. Katayama M, Bernarde GEC, Paschoal JR, e col. O óxido nitroso e o ouvido médio. Rev Bras Anestesiol. 1991; 41:83-90.
47. Loewenthal M, Jowett N, Busch C-J, e col. A comparison of hearing results following stapedotomy under local versus general anesthesia. Eur Arch Otorhinolaryngol. 2015 Sep; 272(9): 2121-7.
48. Rouf C-E, Bakhos D, Riou J-B, e col. Otosclerosis surgery: assessment of patient comfort. Eur Ann Otorhinolaryngol Head Neck Dis. 2020 May; 137(3): 183-8.
49. Porto AM. Bloqueio das orelhas externas e médias. In: Cangiani LM, Nakashima ER, Gonçalves TAM, e col. Atlas de técnicas de bloqueios regionais. Rio de Janeiro: SBA, 2013. 121-5.
50. Sirimanna KS, Madden GJ, Miles S. Anaesthesia for the tympanic membrane: comparison of EMLA® cream and Iontophoresis. J Laryngol Otol. 1990; 109: 195-6.
51. Gajraj NM, Pennant JH, Watcha MF. Eutectic mixture of local anesthetics (EMLA®) cream. Anesth Analg. 1994; 78: 574-83.

184

Anestesia para Microcirurgia da Laringe

Luis Henrique Cangiani

INTRODUÇÃO

As cirurgias da laringe e da traqueia representam um grande desafio para o anestesiologista, uma vez que a via aérea do paciente será manipulada continuamente. Nessa situação, fica estabelecida uma disputa pela via aérea do paciente. No período perioperatório de cirurgias sob anestesia geral, na maioria das vezes, a via aérea está garantida com a intubação traqueal, que provê adequada oxigenação e hematose ao paciente, porém, nas cirurgias otorrinolaringológicas, a disputa pelo acesso e pela manipulação da via aérea é uma característica constante. Nesse aspecto, já se torna claro que uma das premissas mais importantes para que o ato anestésico-cirúrgico sobre a laringe tenha sucesso é de que exista um ótimo entrosamento entre as equipes de anestesia e de otorrinolaringologia. É fundamental que os profissionais envolvidos sejam habilitados e planejem os momentos e a forma de acesso à via aérea do paciente, tentando estabelecer, juntos, as decisões mais acertadas para cada caso. Nas cirurgias realizadas sobre a via aérea, o momento da tomada de decisões durante a cirurgia é crucial e deve ocorrer sempre em acordo mútuo entre os profissionais envolvidos.

As microcirurgias de laringe são, normalmente, procedimentos de curta duração, porém sofisticados, que utilizam equipamentos de alta tecnologia e necessitam de alguns cuidados especiais, como o adequado manejo da via aérea, um ótimo relaxamento muscular para proporcionar boa visualização do campo cirúrgico e analgesia adequada. O relaxamento muscular profundo é necessário para que toda a musculatura mastigadora, os músculos cervicais e os responsáveis pela ventilação fiquem paralisados para proporcionar boas condições de exposição da laringe e o correto acoplamento do paciente à ventilação mecânica. Além disso, auxilia na correta visualização da laringe e das cordas vocais, bem como evita lesões inadvertidas de mucosas que podem ser muito prejudiciais ao paciente.[1]

Entre as cirurgias otorrinolaringológicas existem outras peculiaridades, como presença de sangramento, necessidade de se realizar a intubação traqueal por via nasal, risco aumentado de náuseas e vômitos no período pós-operatório imediato, edema das vias aéreas e extubação inadvertida. Especificamente nas cirurgias de microcirurgia para ressecção de lesões localizadas nas cordas vocais ou nas estruturas adjacentes, é essencial proporcionar ao cirurgião um campo cirúrgico amplo e imóvel. Para isso, é fundamental que seja administrada a anestesia geral e, se necessário, intubação traqueal com tubos de calibre mais fino.

Neste capítulo, serão apresentados os aspectos relevantes para que a anestesia para cirurgia sobre a laringe seja realizada de forma planejada e segura. Assim sendo, serão abordadas algumas cirurgias laríngeas específicas, como estenose de laringe e/ou traqueia, ressecção de lesões granulomatosas das cordas vocais e exame diagnóstico da laringe e da traqueia. Considerando-se a habilidade dos otorrinolaringologistas em endoscopia respiratória perioral, será referida também a anestesia para retirada de corpo estranho das vias aéreas.

▪ AVALIAÇÃO PRÉ-ANESTÉSICA

Nos pacientes que serão submetidos a microcirurgias da laringe, um dos pontos-chave para que todo o procedimento anestésico-cirúrgico seja realizado com tranquilidade e segurança é uma boa avaliação das vias aéreas utilizando-se os vários índices de quantificação de dificuldade de intubação, análise das narinas, valorização da história de antecedentes cirúrgicos e eventual dificuldade de intubação. Devem-se verificar as medidas de distâncias entre o mento e o esterno e entre o mento e a cartilagem tireoide, a abertura bucal e a flexibilidade da coluna cervical, a circunferência do pescoço, história de roncos ou de sono agitado, principalmente nos pacientes obesos, e uma boa avaliação da arcada dentária do paciente. Somados, esses dados poderão ser utilizados na programação da intubação traqueal por via oral ou por via nasal, lembrando-se de que, na maioria das vezes, a intubação orotraqueal é necessária. Uma condição que sempre deve ser valorizada é a presença de retrações de pele na região cervical provocadas por tratamento radioterápico. Nesses casos, pacientes que já foram submetidos a algum tipo de cirurgia ou tratamento oncológico prévio devido a tumores da laringe podem ser reoperados em razão da recidiva tumoral ou para algum tipo de exame diagnóstico da região acometida anteriormente e que esteja dentro dos protocolos de seguimento oncológico.

A classificação de Mallampati é amplamente divulgada e utilizada rotineiramente. É útil como preditora de via aérea difícil, ainda que não ofereça grande fidedignidade, e deve continuar a ser usada porque seu achado pode ser somado aos demais dados preditores de via aérea difícil com o objetivo de detectar uma possível dificuldade de intubação. A abertura bucal inferior a 4 cm e a distância tireomentoniana inferior a 6 cm são fatores preditivos importantes, e a presença de retrações cicatriciais na região do pescoço, secundárias à aplicação de radioterapia, é indicativa de via aérea difícil.[2]

Partindo-se desse pressuposto, uma boa avaliação e a abordagem adequada da via aérea podem até mesmo antecipar ao cirurgião alguma dificuldade de exposição da laringe com os equipamentos disponíveis. Muitas vezes o cirurgião utiliza o laringoscópio de suspensão, que é um instrumento rígido e exige que o paciente esteja em posição máxima de extensão da coluna cervical para que seja introduzido e conduzido até se apoiar diretamente sobre as estruturas adjacentes à laringe. Se houver dificuldade para a intubação, é provável que também ao cirurgião seja difícil a visualização correta da laringe com o laringoscópio de suspensão. Na Figura 184.1, está demonstrada a colocação do laringoscópio de suspensão durante uma microcirurgia da laringe.

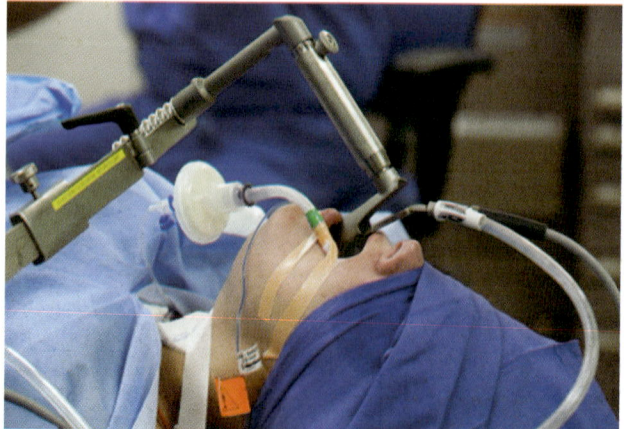

▲ **Figura 184.1** Colocação do laringoscópio de suspensão durante microcirurgia da laringe.

Nos pacientes obesos, a dificuldade de intubação, de ventilação sob máscara facial iniciada após a indução da anestesia geral e de ventilação mecânica é desafiadora para o anestesiologista. O perfil biofísico dos pacientes torna seu manuseio durante a microcirurgia de laringe mais difícil, uma vez que tubos traqueais de fino calibre serão utilizados. Isso provocará aumento da pressão de pico e do tempo expiratório do ciclo ventilatório. Outra característica que acompanha os pacientes obesos é a síndrome da apneia ou hipopneia do sono, que pode complicar ainda mais o período perioperatório dos obesos que são submetidos à microcirurgia da laringe, principalmente nos casos mais graves, em que já estão estabelecidas hipertrofia ventricular, hipertensão pulmonar ou falência ventricular decorrente da hipercapnia crônica. A história de roncos durante o sono, que é mais bem avaliada quando questionada ao acompanhante do paciente, já justifica a hipótese de apneia obstrutiva do sono ainda não diagnosticada e a obstrução da via aérea quando o paciente permanece em decúbito dorsal.

Os pacientes idosos, quando submetidos a cirurgias sob anestesia geral, correm risco de apresentar disfunção cognitiva pós-operatória e agitação psicomotora.

As doenças crônicas que comumente acompanham os pacientes devem estar bem controladas e a maioria dos fármacos utilizados por eles deve ser mantida até o dia da cirurgia. É necessário que os pacientes estejam bem controlados clinicamente para que possam ser submetidos à microcirurgia da laringe, uma vez que, normalmente, trata-se de cirurgias eletivas. Nas situações de urgência e/ou emergência, como sangramentos pós-operatórios, hematomas cervicais extensos ou obstruções laringotraqueais, há necessidade de tratar a situação clínica que impõe risco à vida do paciente. Nesse momento, são necessárias medidas clínicas importantes, lembrando que, dependendo da situação clínica apresentada, deve-se considerar que o paciente está com o estômago cheio e tomar as medidas profiláticas recomendadas.

A análise da flexibilidade da coluna cervical na avaliação clínica pré-operatória é muito importante. Pacientes diabéticos, idosos, submetidos previamente a cirurgias na coluna cervical e os portadores de espondilite anquilosante certamente exigirão maior habilidade não apenas do anestesiologista na abordagem da via aérea, mas também do cirurgião no momento da exposição da glote. Nessas situações, é recomendado que materiais citados no algoritmo de abordagem da via aérea difícil estejam disponíveis na sala cirúrgica.

As neoplasias de cabeça e pescoço são mais comuns em pacientes tabagistas e etilistas crônicos,[3] os quais podem ter doenças associadas como doença pulmonar obstrutiva crônica, cirrose hepática, entre outras. Por esse motivo, é necessário que sejam avaliados com muita atenção, e os exames complementares devem ser solicitados à medida que essas doenças associadas agravarem a condição clínica do paciente.

Diante da microcirurgia da laringe e, especialmente, de situações em que não só a cirurgia exija experiência do anestesiologista, mas também que os fatores preditivos de via aérea difícil estejam presentes, é fundamental que haja o auxílio de outros profissionais habilitados no manuseio dos equipamentos para acesso à via aérea, como o videolaringoscópio, por exemplo. Nos momentos de dificuldade durante o acesso à via aérea, é sempre recomendado solicitar ajuda, preferencialmente, a outro anestesiologista ou ao próprio cirurgião. Eventualmente, se a intubação não for realizada com sucesso, será necessária a realização de acesso emergencial à via aérea com cricotireostomia ou traqueostomia.

Nos pacientes em que já há traqueostomia prévia, o acesso à via aérea fica facilitado. Importante ressaltar que cânulas atraumáticas não têm balonete e, muitas vezes, não são acopladas perfeitamente às conexões do ventilador mecânico. Nessa situação, a solução é trocar a cânula atraumática por uma convencional com balonete ou por um tubo traqueal compatível com o orifício da traqueostomia presente na região anterior do pescoço. Quando se utilizar o tubo traqueal, é importante averiguar se a ventilação está correta nos dois pulmões, evitando a intubação endobrônquica inadvertida.

Os exames de imagem, como a tomografia computadorizada ou a ressonância magnética de pescoço, são muito úteis para identificar pacientes portadores de tumores periglóticos grandes e que podem levar ao desvio da glote, laringe e traqueia para a direita ou a esquerda, além de provocar colabamento parcial da via aérea do paciente. Nesses casos, é recomendado que o exame de imagem seja avaliado juntamente com a equipe cirúrgica para se planejar corretamente a abordagem da via aérea daquele paciente. Os pacientes poderão ser submetidos à anestesia geral para que sejam realizadas biópsias ou ressecção de massas tumorais. Na Figura 184.2, pode-se observar a imagem tomográfica de um paciente portador de tumor periglótico que desvia a traqueia para a direita com colabamento parcial da via aérea. Alguns pacientes com tumores avançados apresentam-se dispneicos, com retração da fúrcula esternal e estridor laríngeo. Nessa situação, pode-se considerar o planejamento para a abordagem da via aérea com o paciente acordado ou mesmo um acesso cirúrgico à via aérea (traqueostomia) sob anestesia local.

Outro dado importante a ser observado na avaliação pré-anestésica de pacientes que serão submetidos à microcirurgia de laringe é a arcada dentária superior. Nesse tipo de cirurgia, pode ocorrer avulsão ou mesmo extirpação dos dentes incisivos superiores durante as manobras realizadas para obter a melhor visualização da glote e das estruturas da laringe. Os pacientes devem tanto ser alertados sobre esse risco quanto estar de acordo com a realização do procedimento. Para isso, precisam concordar e assinar todos os termos de consentimento livre e esclarecido, os quais lhes deverão ser explicados no momento da avaliação pré-anestésica.

Avaliação das Vias Aéreas

A avaliação rigorosa das vias aéreas é um ponto-chave para o sucesso do procedimento cirúrgico, especialmente nos pacientes que serão submetidos à ressecção de tumores, cistos na laringe ou nas cordas vocais. A avaliação correta e criteriosa facilita a abordagem da via aérea e aumenta a segurança do procedimento.

Nesses pacientes, pode haver alguma condição que leve à obstrução das vias aéreas, como tumores, epiglotite, corpo estranho, laringoespasmo, hematomas, granulomas, trauma de via aérea, edema de via aérea, radioterapia cervical, entre outras causas.

Nos pacientes portadores de tumores de laringe tratados por radioterapia e submetidos a procedimentos sucessivos para coleta de biópsias ou avaliações após o tratamento, é importante ressaltar que, na região onde é aplicada a radioterapia, é comum observar-se o enrijecimento dos tecidos. Muitas vezes, toda a laringe fica desviada, comprometendo a visualização correta da glote. Diante dessas situações, é válido avaliar, com maior cuidado, as vias aéreas e estabelecer um plano seguro de abordagem. Na Figura 184.2, um paciente que foi submetido a tratamento radioterápico

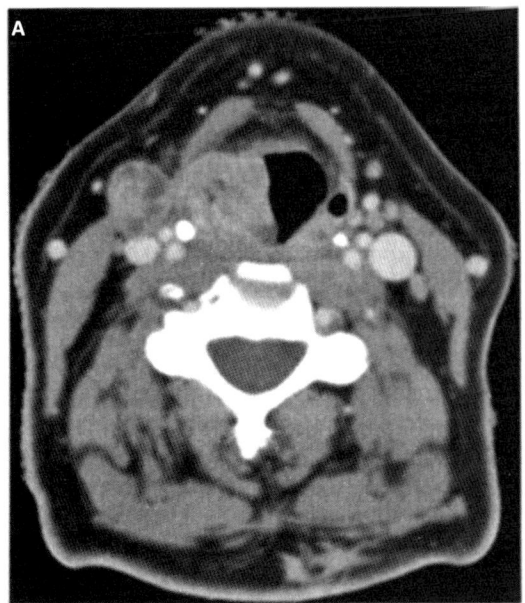
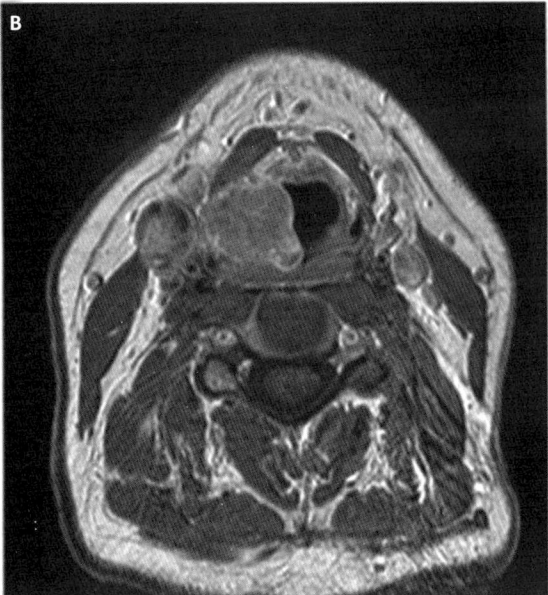

▲**Figura 184.2** Imagem de tomografia computadorizada (A) e ressonância magnética (B) mostrando desvio de traqueia para o lado esquerdo e que pode levar à dificuldade de intubação.

prévio na região cervical. Pode-se notar o desvio da laringe e da traqueia para a esquerda.

Em 2003, foi desenvolvida, por Adnet e col., a escala de intubação difícil (IDS). Trata-se de uma escala numérica que envolve sete descritores relacionados com a dificuldade de intubação: número de tentativas de intubação; número de operadores dos dispositivos de intubação, além do primeiro a atender o paciente; técnicas alternativas utilizadas; avaliação da laringoscopia (classificação de Cormack-Lehane); força para levantar a mandíbula; manipulação externa da laringe; e características das cordas vocais.[3] É um escore útil e que deve ser somado a todos os outros dados que podem ser preditivos positivos ou negativos para a dificuldade de intubação traqueal.

Quando existe algum fator preditivo positivo que indique dificuldade de acesso à via aérea, já está indicada a utilização de dispositivos ópticos como o videolaringoscópio ou a fibroscopia. Outra decisão a ser tomada à beira do leito é se a via aérea será abordada antes ou depois da indução da anestesia geral e quais dispositivos poderão ser usados para a sua abordagem. Entende-se, portanto, que, em pacientes com alguma alteração anatômica ou funcional das vias aéreas, "planejamento" é a palavra-chave do manejo da via aérea. Havendo bom planejamento e experiência, certamente o procedimento será feito de modo mais seguro. A visualização prévia da cavidade oral e das estruturas laríngeas com o laringoscópio convencional, mantendo-se o paciente levemente sedado, deve ser realizada e somada aos valores e aos índices que foram descritos na avaliação pré-anestésica. Essa técnica, referida como visualização *as you go*, pressupõe que o paciente esteja sob estado de sedação consciente e suficientemente calmo para que o laringoscópio convencional seja posicionado nas porções mais anteriores, seguindo as regiões mais profundas da cavidade oral e proporcionando ao anestesiologista uma previsão da dificuldade real para realizar a intubação traqueal e para visualizar a posição das estruturas anatômicas na cavidade oral.

Nos pacientes em que, por meio da avaliação correta da via aérea, há suspeita de que a laringe tem localização anteriorizada, a utilização de videolaringoscópios tem sido particularmente valiosa, principalmente nos casos em que a intubação traqueal será realizada depois da indução da anestesia geral. Nos casos cujo planejamento do acesso à via aérea indica a intubação traqueal com o paciente acordado ou levemente sedado, a fibroscopia tem amplo uso. Trata-se de um procedimento que exige mais tempo, maior experiência e treinamento do anestesiologista, além da cooperação do paciente. A intubação acordada por fibroscopia, quando bem indicada, tem altos índices de sucesso. Na técnica de intubação acordada por fibroscopia, é fundamental uma boa anestesia tópica da laringe com lidocaína. A fibroscopia ou o videolaringoscópio podem ser utilizados após a indução da anestesia geral. Nesse cenário, é válido lembrar que a decisão de manter o paciente em ventilação espontânea ou em apneia já foi tomada e, nesse momento, ele precisa ser oxigenado, por isso o tempo para se fazer a intubação traqueal será mais curto. Em um estudo de coorte prospectivo publicado por El-Boghdadly e col. sobre realização de intubação com o paciente acordado por fibroscopia em um hospital terciário do Reino Unido, a maior parte dos

600 pacientes em que a fibroscopia foi realizada incluía cirurgias de cabeça e pescoço, e as indicações mais comuns da fibroscopia foram abertura bucal pequena seguida de cirurgia prévia nas vias aéreas e de radioterapia na região cervical (22% dos pacientes). A incidência de falha de intubação foi de apenas 1% dos casos e em 11% houve alguma complicação. As complicações mais frequentes foram número de tentativas > 1 (4,2% dos casos), sedação excessiva (2,2%) e dessaturação de oxigênio (1,5%).[4] Esse estudo demonstra que o planejamento adequado da avaliação da via aérea para cirurgias é fundamental.

Normalmente, pacientes nos quais há dificuldade de intubação representam maior esforço do cirurgião para expor e visualizar a laringe. O estudo de Nerurkar NK e col. estabelece uma graduação comparativa entre pacientes cuja previsão de intubação é complexa e exposição laríngea difícil diante de variáveis preditivas, como circunferência do pescoço, classificação de Malampatti, mobilidade do pescoço e capacidade de alcançar o lábio superior com os dentes da arcada inferior. O estudo observou que, na população, a correlação de dificuldade de intubação e de exposição da laringe para a cirurgia é de 85%, e dos testes avaliados, o que apresentou melhor desempenho estatístico foi a capacidade de alcançar o lábio superior com os dentes inferiores.[5] Esse estudo comprova a pergunta muitas vezes feita pelo cirurgião aos anestesiologistas para tentar saber e antever se houve ou não dificuldade de visualização da laringe. Diante da resposta, o cirurgião pode se preparar para um desafio maior, caso a visualização seja ruim, ou menor, caso a laringe tenha sido bem visualizada.

■ TÉCNICA ANESTÉSICA

Seleção de Fármacos

Os atuais conceitos de farmacocinética permitem que o planejamento da técnica anestésica envolva a escolha de fármacos adequados às características dos procedimentos cirúrgicos.

Nas cirurgias realizadas sobre a laringe, cordas vocais e estruturas adjacentes à laringe sob anestesia geral em ventilação controlada ou sedação com ventilação espontânea, é importante que os fármacos selecionados tenham rápido início de ação e curta meia-vida, uma vez que, ao final da cirurgia, o paciente deve estar desperto, com os reflexos protetores das vias aéreas presentes e capacidade de tossir e de responder aos comandos verbais. Diante dessas características, os fármacos que têm meia-vida de eliminação mais longa ou com duração prolongada não são os de primeira escolha para serem utilizados nas cirurgias da laringe.

Entendendo que o perfil farmacocinético dos fármacos venosos é explicado mediante um modelo tricompartimental, com constantes de transferência intercompartimental e para a biofase quando os são utilizados em infusão contínua ou em *bolus*, o propofol e o remifentanil têm amplo uso nos procedimentos em que o despertar rápido é desejável. Em relação aos agentes inalatórios, conceito semelhante deve ser aplicado. Os agentes menos solúveis, como o sevoflurano e o desflurano, são os mais indicados para promover o despertar rápido, preservando os reflexos protetores das vias aéreas.

Durante os procedimentos realizados com o laringoscópio de suspensão, um estudo publicado por Bharti e col. comparou as alterações hemodinâmicas nos pacientes que receberam propofol e naqueles em que a anestesia foi feita com sevoflurano. Os resultados mostraram que, nos pacientes em que a indução e a manutenção da anestesia foram realizadas com sevoflurano, houve mens alterações da pressão arterial do que naqueles em que a manutenção da anestesia foi realizada com propofol. Também foi observado que, no grupo dos pacientes em que foi administrado propofol, ocorreu mais hipotensão arterial nos momentos iniciais, antes da colocação do laringoscópio de suspensão, e de hipertensão após a inserção do dispositivo. Não foram observadas alterações significativas da frequência cardíaca entre os dois grupos. É válido esclarecer que, em ambos os grupos, os pacientes receberam a mesma dose total de opioide e que os tempos de recuperação entre os dois grupos foram semelhantes.[6] Por esse estudo, pode-se notar que não há uma única alternativa para se fazer a anestesia para microcirurgia da laringe.

As respostas hemodinâmicas que ocorrem em virtude da colocação do laringoscópio de suspensão podem ser bem controladas com a administração de fármacos α_2-agonistas, já que o estímulo doloroso permanece por tempo mais prolongado do que durante uma manobra de intubação orotraqueal. É sabido que, durante a manipulação das vias aéreas, podem ocorrer taquicardia e hipertensão arterial, além de isquemia miocárdica, arritmias cardíacas e eventos isquêmicos cerebrais, principalmente em pacientes idosos com baixa reserva cardiopulmonar. Diante disso, o objetivo é preservar a homeostasia com a utilização de fármacos que conseguem suprimir o estímulo doloroso, possibilitando a realização das cirurgias sobre as cordas vocais, e manter o paciente em plano anestésico adequado.

A dexmedetomidina, fármaco altamente seletivo, específico agonista dos receptores α_2, produz efeito ansiolítico e redutor do tônus simpático e tem grande utilidade para amenizar as alterações hemodinâmicas desencadeadas pelas manobras de intubação e manipulação das vias aéreas. Segundo o estudo publicado por Basantwani e col., a capacidade de supressão das alterações hemodinâmicas ocorridas durante a microcirurgia da laringe foi avaliada. Nesse estudo, o desfecho primário analisado foi a capacidade de a dexmedetomidina manter as variáveis hemodinâmicas até 20% acima dos valores iniciais durante a laringoscopia, a intubação traqueal e a microcirurgia da laringe sob anestesia geral. Já o desfecho secundário estudado foi a necessidade de administração de fentanil e propofol como agentes de resgate, em doses adicionais, a fim de manter o paciente dentro da faixa de variação hemodinâmica aceita de 20%. Nesse estudo prospectivo aleatório e duplamente encoberto, foram incluídos 60 pacientes adultos previamente sadios do ponto de vista cardiocirculatório, os quais foram divididos em dois grupos: D e P. Os do grupo D receberam dexmedetomidina na dose de 1 $\mu g.kg^{-1}$ em 10 minutos seguida de infusão contínua na dose de 0,5 $\mu g.kg^{-1}.h^{-1}$. O grupo P, por sua vez, recebeu solução salina na mesma taxa de infusão. Os pacientes de ambos os grupos foram anestesiados sob a mesma técnica de anestesia geral com fentanil, propofol e atracúrio seguida de manutenção da anestesia com sevoflurano. Os desfechos primários (frequência cardíaca e pressão arterial média [PAM]) e secundários foram avaliados em momentos específicos e predeterminados, iniciados 2 minutos após o início da infusão da dexmedetomidina no grupo D e da solução salina no grupo P. Os dados foram registrados durante a laringoscopia e a intubação traqueal e, depois, em intervalos de 5 minutos no decorrer da cirurgia. Os resultados do estudo mostram que os dados hemodinâmicos iniciais entre os grupos foram semelhantes. Os pacientes do grupo dexmedetomidina apresentaram significativa redução da frequência cardíaca, sendo de 5,3% durante a intubação e de 8,8% 10 minutos após o início da infusão. Nos pacientes do grupo controle, houve significativo aumento da frequência cardíaca, que permaneceu alta durante a cirurgia. Em relação à PAM, no início da infusão do grupo D, houve aumento seguido de queda até o final da dose de indução em 10 minutos. No momento da intubação traqueal, houve aumento da PAM nos dois grupos, 16,7% no grupo P e 5,2% no grupo D. Valores maiores de PAM foram observados no grupo P durante toda a microcirurgia da laringe. No grupo D, alguns pacientes apresentaram bradicardia sinusal, que foi revertida com atropina. As doses adicionais de fentanil e de propofol necessárias para manter os pacientes na faixa desejada de variação de até 20% em relação aos valores basais foram significativamente reduzidas pela utilização da dexmedetomidina. Foram usadas em apenas dois pacientes no grupo D e em 11 pacientes no grupo P, e não houve atraso no tempo de alta da sala de recuperação pós-anestésica no grupo em que foi utilizada a dexmedetomidina. Esse estudo mostra que os fármacos α_2-agonistas são úteis em microcirurgia da laringe, visto promoverem bom controle hemodinâmico.[7] Vários outros estudos mostram a efetividade da dexmedetomidina no controle da resposta endocrinometabólica ao estresse cirúrgico e no controle hemodinâmico perioperatório, além de propriedade de redução do consumo de opioides. Essas propriedades tornam a dexmedetomidina um fármaco de ampla utilização e seguro.

Existem algumas alternativas que podem e devem ser comparadas entre si quanto ao uso de fármacos. É importante observar que essas opções devem ser adequadas ao perfil específico de cada paciente, à equipe cirúrgica e ao tipo de procedimento que está sendo realizado sobre as vias aéreas. Em pacientes, até mesmo em crianças, que são submetidos a cirurgias de reconstrução da laringe e traqueia em que é feita ressecção de anéis traqueais em previamente traqueostomizados, em vários momentos da cirurgia o tubo traqueal, introduzido pelo orifício da traqueostomia, é retirado e, em seguida, recolocado. Nesses momentos, a oxigenação pode ficar prejudicada, porém, se a manutenção da anestesia for realizada por via inalatória, torna-se mais difícil manter o plano anestésico adequado. Nesse cenário, é recomendado que a manutenção da anestesia seja feita por via venosa. Essa é mais uma situação em que é fundamental o entrosamento da equipe que assiste o paciente para que a escolha dos fármacos e da técnica anestésica seja adequada.

No estudo publicado por Besch e col., pacientes foram submetidos a procedimento endoscópico para avaliação das vias aéreas superiores. O estudo controlado, duplamente encoberto, foi realizado em 218 pacientes adultos divididos em dois grupos. No grupo controle, foi utilizado propofol em infusão alvo-controlada, segundo o modelo farmacocinético de Schneider, e placebo, enquanto, no outro grupo, foram administrados propofol e remifentanil em infusão alvo-controlada com concentração-efeito de 1,5 ng·mL^{-1}. Em ambos os grupos, foi usado o índice bispectral e, se houvesse hipoxemia e/ou apneia por mais de 60 segundos, a infusão e o procedimento cirúrgico eram interrompidos para que o paciente fosse oxigenado e iniciasse a ventilação espontânea. Nesse estudo, o desfecho primário analisado foi a avaliação do percentual de pacientes que apresentaram boas condições e aceitação do exame endoscópico utilizando um critério de cinco pontos. Para isso, os critérios determinados foram: facilidade na execução da laringoscopia, posição e movimentação das cordas vocais, tosse e movimentação dos membros durante a realização do exame. Os desfechos secundários avaliados foram as alterações hemodinâmicas. Os resultados mostram que as condições para a realização dos exames foram semelhantes entre os grupos, sem diferenças estatísticas (valor de p = 0,39), porém as repercussões hemodinâmicas foram menores no grupo em que foi utilizado o remifentanil.[8]

As técnicas de anestesia venosa total e anestesia inalatória são amplamente utilizadas para microcirurgias da laringe. Estudo publicado por Wang e col. compara dois grupos de 30 pacientes adultos com idade entre 18 e 60 anos que foram submetidos à microcirurgia da laringe. Em um dos grupos, 30 pacientes foram anestesiados com anestesia venosa total alvo-controlada com propofol e remifentanil. No outro grupo, 30 pacientes receberam fentanil em *bolus* e manutenção da anestesia com desflurano. Os resultados mostraram que, no grupo fentanil/desflurano, houve maior valor de pressão arterial do que no grupo da anestesia venosa total no momento da laringoscopia e intubação e extubação traqueal. Outro resultado importante é que o tempo gasto para que o paciente fosse capaz de assumir a ventilação espontânea, responder ao comando de abrir os olhos, para a extubação e para conseguir falar seu nome foi significativamente menor no grupo em que foi feita a anestesia venosa total. Além disso, a incidência de náuseas e vômitos no grupo da anestesia venosa total foi menor.[9]

No planejamento da técnica anestésica, a escolha de fármacos adequados às características da microcirurgia da laringe pode produzir melhores desfecho e condições clínicas no pós-operatório imediato. É importante utilizar fármacos de meia-vida curta para que o término de sua ação seja previsível. O despertar e a extubação de pacientes submetidos à microcirurgia da laringe sempre são ocasiões em que se exige a atenção do anestesiologista e devem ocorrer na ausência de efeitos sedativos excessivos ou residuais de fármacos que potencialmente alteram a ventilação.

■ ANESTESIA PARA RESSECÇÃO DE GRANULOMAS, CISTOS E TUMORES DA LARINGE

Nas cirurgias da laringe, algumas técnicas e alternativas de manuseio das vias aéreas podem ser necessárias. Existem algumas formas de se realizar a anestesia geral para esses tipos de procedimentos, lembrando que sempre há

necessidade de avaliar a via aérea de cada paciente de modo muito cauteloso. Mesmo diante de uma variedade de métodos e fármacos disponíveis para o uso clínico, a técnica mais segura e utilizada é, sem dúvida, a anestesia geral sob intubação traqueal.

Para que o campo cirúrgico fique exposto de modo suficiente e satisfatório, há necessidade de tubos traqueais de fino calibre. Os tubos traqueais usados nas microcirurgias da laringe são diferentes dos convencionais. Nos pacientes adultos, são de calibre fino, normalmente 4 ou 5 mm, com balonete de alto volume e baixa pressão. Ventilar pacientes por meio de tubos traqueais finos é mais difícil porque, segundo a Lei de Poiseuille, a resistência é inversamente proporcional ao raio da luz do tubo traqueal elevada à quarta potência, ou seja, fica claro que haverá pressões de pico mais elevadas. Mais adiante, neste capítulo, será abordada a ventilação mecânica em pacientes submetidos à microcirurgia da laringe.

Outra característica peculiar das cirurgias para ressecção de tumores ou granulomas das vias aéreas é a utilização de *laser* para ressecções das lesões. O *laser* cauteriza os tecidos de modo preciso, com menos elevação de temperatura e menor lesão aos tecidos adjacentes.

As microcirurgias da laringe, utilizando ou não o *laser*, requerem um bom relaxamento muscular. Se o paciente se movimentar durante o procedimento ou se as cordas vocais não estiverem completamente paradas, pode ocorrer laceração da mucosa ou trauma das cordas vocais. Nessas cirurgias, qualquer lesão ou laceração das mucosas ou dos tecidos adjacentes pode comprometer o desfecho dos pacientes, com consequências graves.

O *laser* em cirurgias de laringe tem algumas peculiaridades. Quando usado, todas as estruturas anatômicas adjacentes à lesão devem ser recobertas com gaze umidificada, inclusive o tubo traqueal e o balonete. O *laser* é absorvido pela água e, consequentemente, não é propagado para regiões onde não deve ser aplicado. Existem várias maneiras de proteger o tubo traqueal e o balonete de eventuais acidentes provocados pelo *laser*. A utilização de fitas metálicas já foi recomendada, mas ainda pode ser indicada. Trata-se de uma fita metálica adesiva que pode ser colada na face externa do tubo traqueal para protegê-la da ação do *laser* (Figura 184.3). A ocorrência de qualquer furo no tubo traqueal ou no balonete pode provocar o incêndio das vias aéreas, já que a fração inspirada de oxigênio dentro da luz do tubo traqueal ou abaixo do balonete é mais alta. A fita metálica não se ajusta perfeitamente à face externa do tubo, deixando algumas arestas pontiagudas, por isso não deve ser usada por via nasotraqueal. Tubos protegidos por fita metálica adesiva devem ser utilizados apenas por via oral. Existem tubos dedicados à realização de microcirurgia da laringe com a utilização de *laser* que têm balonete duplo. Caso um dos balonetes seja furado pelo *laser*, ainda há um segundo balonete distal. São dispositivos mais caros e mais espessos do que os tubos habituais e têm balonete de alto volume e baixa pressão, por isso não são mais usados.

Em uma revisão narrativa publicada recentemente, os autores afirmam que, em 34% dos casos de incêndio de vias aéreas em cirurgias realizadas com *laser*, o incêndio foi localizado nas vias aéreas, sendo que 28% provocaram queimaduras na face e no pescoço. As indicações para o uso de *laser* nas vias aéreas são tratamento de estenose subglótica e ressecção de papilomas na glote. Importante observar que, por conta da anatomia das vias aéreas e das estruturas adjacentes, não há muito espaço ou margem significativa para erros durante esses procedimentos. As vias aéreas são estreitas, passíveis de dificuldade de acesso e cuja visualização da lesão pode não ser fácil, havendo necessidade de ventilar o paciente com oxigênio e outros gases inflamáveis.

Os *lasers* podem ser de dois tipos: CO_2 e Nd:YAG. O *laser* de CO_2 tem maior precisão e provoca menos danos aos tecidos adjacentes. O Nd:YAG utiliza um material cristalino que emite radiação infravermelha dentro do espectro eletromagnético. Esse equipamento produz maior efeito hemostático do que o *laser* de CO_2, porém provoca maior dano tecidual adjacente.[10]

O incêndio das vias aéreas é uma das complicações mais temidas nas microcirurgias da laringe a *laser*. Ocorre devido à combustão iniciada pela maior concentração de oxigênio exposta na via aérea do paciente. Por esse motivo, é recomendado que a fração inspirada de oxigênio seja inferior a 50%, desde que a oxigenação adequada seja mantida. Conforme um estudo publicado por Akhtar e col., a incidência de incêndio das vias aéreas têm diminuído ao longo dos últimos 100 anos. A explicação para esse declínio é que os agentes anestésicos são menos inflamáveis, porém permanece sempre a busca pela segurança do paciente. Os casos de incêndio das vias aéreas são mais comuns em pacientes submetidos a cirurgias de cabeça e pescoço, como amigdalectomias, traqueostomias ou cirurgias da cavidade oral ou laringe, mas também podem ocorrer em outros tipos de cirurgias, como oftalmológicas, por exemplo. Ainda segundo o estudo de Akhtar e col., nos EUA, são reportados 650 casos de incêndio das vias aéreas por ano, no entanto muitos eventos não são reportados. No estudo, foi relatado o caso de um paciente de 8 anos submetido a adenoamigdalectomia sob anestesia geral, em ventilação espontânea, com fração inspirada de oxigênio de 50% e intubação orotraqueal com tubo 5,5 sem balonete. No final da cirurgia, para que fosse realizada a cauterização de um sangramento na fossa nasal, foi utilizado o eletrocautério. Como havia vazamento de fluxo aéreo ao redor do tubo traqueal, iniciou-se o incêndio da via aérea, que foi prontamente apagado com solução salina, substituindo-se o tubo traqueal e reintubando-se o paciente em seguida. O oxigênio e o óxido nitroso usados durante a anestesia geral sob ventilação controlada são combustíveis e rapidamente iniciam a ignição, mesmo na presença de baixas fontes de energia. Esses gases estão presentes abaixo do balonete do tubo traqueal nas vias aéreas ou nas regiões ao redor do tubo traqueal, desde que haja algum vazamento. Os materiais plásticos dos tubos traqueais, cateteres ou de alguns materiais cirúrgicos são inflamáveis e perpetuam o incêndio iniciado pela ignição do oxigênio, principalmente.[11]

As complicações em microcirurgia da laringe foram relacionadas e divididas de acordo com a localização das lesões em um estudo publicado por Chiesa-Estomba e col., que mostram que as complicações ocorreram em 14,8% dos pacientes analisados. Em números absolutos, as complicações afetaram 19 dos 128 pacientes examinados e incluíram: bradicardia grave, sangramento oral decorrente da intubação traqueal, dispneia após a extubação, enfisema cervical, lesão dentária provocada pela laringoscopia, sangramento da cavidade oral, sangramento da parede faríngea, perfuração do balonete do tubo traqueal pelo *laser* e lesão do lábio inferior. De acordo com cada complicação, um tratamento foi realizado. Para as complicações menores, como sangramentos da cavidade oral decorrentes de intubação, lesão dentária, lesão labial e sangramento da parede faríngea, foram realizadas manobras de compressão local para estancar o sangramento, colocar próteses dentárias e substituir o tubo traqueal. Para as complicações denominadas maiores, como bradicardia grave, dispneia e enfisema cervical, foram realizadas, respectivamente, liberação do laringoscópio de suspensão para aliviar o estímulo que provocou a bradicardia, traqueostomia nos dois pacientes que apresentaram dispneia no pós-operatório e conduta expectante naqueles em que ocorreu enfisema subcutâneo.[12]

Durante a manobra de intubação traqueal, é muito importante que o anestesiologista tente visualizar a lesão da corda vocal. Muitas vezes, a equipe cirúrgica questiona a qualidade da visualização proporcionada pela laringoscopia e, com isso, tenta antever maior ou menor dificuldade para a exposição adequada da região que será operada. A maior parte das lesões granulomatosas ou císticas das cordas vocais está localizada no terço superior das cordas. Muitas vezes, com a laringoscopia convencional, não é possível visualizar totalmente as lesões ou mesmo as cordas vocais. O tubo traqueal fica apoiado na porção inferior da glote. No momento da introdução do tubo traqueal, deve-se tomar cuidado para não tocar, ferir ou mesmo retirar as lesões inadvertidamente e deslocá-las para as regiões inferiores das vias aéreas.

Nas Figuras 184.3 a 184.5, estão ilustrados alguns tipos de lesões das cordas vocais que podem ser tratados por microcirurgia da laringe. Na Figura 184.3, pode ser visualizado um pólipo na corda vocal direita; na Figura 184.4, há uma lesão polipoide que envolve as duas cordas vocais e toda a comissura anterior da glote; e, na Figura 184.5, uma lesão papilomatosa nas porções anterior e média da glote.[12]

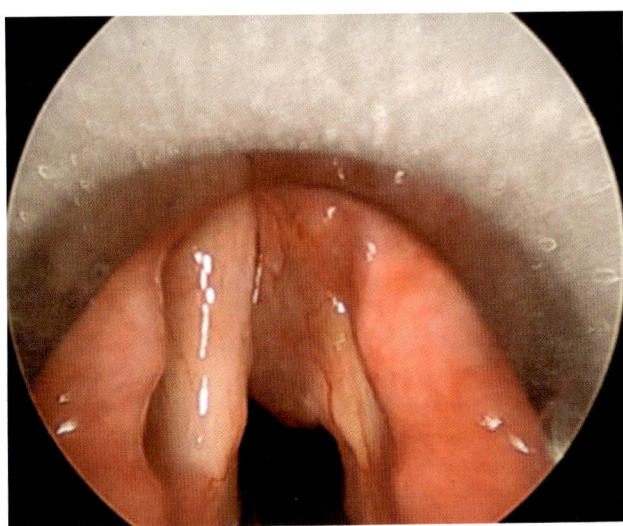

▲ **Figura 184.3** Pólipo na corda vocal direita.

Vários tipos de lesões, decorrentes de variadas causas, podem surgir na laringe e ser tratadas com a microcirurgia da laringe. As lesões benignas, como cistos ou nódulos de cordas vocais, surgem por uso excessivo da voz. Podem provocar edema, congestão e produção de algumas membranas sobre as cordas vocais. É comum surgirem lesões bilaterais que passam a ocupar a comissura anterior da glote e, muitas vezes, necessitam de tratamento cirúrgico. Os pólipos das cordas vocais são lesões normalmente unilaterais (Figura 184.3). A rouquidão é o sintoma mais frequente e sua etiologia é desconhecida. Acredita-se que podem surgir após pequena hemorragia e formação de hematoma. Os fatores de risco para seu aparecimento são o uso excessivo da voz e a administração de fármacos anticoagulantes. Os pólipos são tratados, inicialmente, com terapia clínica ou cirúrgica. Os cistos de cordas vocais que são lesões unilaterais e provocam rouquidão, podem ser de origem congênita, secundários ao excesso de uso da voz ou decorrentes da obstrução da secreção de glândulas mucosas, e seu tratamento é cirúrgico. O edema de Reinke, ou papilomatose bilateral difusa, é típico de mulheres e pacientes tabagistas por longos períodos. O aspecto é de uma bola de água decorrente da hiperplasia da mucosa. Muitas vezes, leva à alteração da voz e é tratado com cirurgia para que o tamanho das lesões seja reduzido (Figura 184.4). Os papilomas, neoplasias benignas mais comuns que acometem a laringe, são causados pelo vírus HPV tipos 6 e 11. Têm crescimento rápido e agressivo, principalmente em crianças, e o tratamento é feito por ressecção cirúrgica das lesões (Figura 184.5). As lesões malignas são avaliadas no período pré-operatório. Nesse momento, o cirurgião deve fazer uma avaliação criteriosa da glote, da mobilidade das cordas vocais, da presença ou não de alguma lesão obstrutiva e do posicionamento da lesão por meio de nasofibroscopia. Diante disso, o planejamento do acesso à via aérea poderá ser feito de modo cauteloso. O método escolhido para acessar a via aérea não deve alterar ou mexer na lesão ou prejudicar a visão do cirurgião, provocar sangramento, ou seja, muito cuidado no momento de manipulação da via aérea de pacientes com lesões neoplásicas da laringe, como já descrito anteriormente.[13]

Na anestesia para microcirurgia da laringe, o bloqueio neuromuscular adequado auxilia na exposição do campo cirúrgico que será manipulado e produz relaxamento do diafragma. A monitorização do bloqueio neuromuscular mediante a sequência de quatro estímulos realizada no músculo adutor do polegar relaciona-se com o estado de bloqueio muscular do diafragma e dos músculos adutores da laringe, que são os músculos mais resistentes diante do bloqueio adespolarizante. O desaparecimento das respostas aos estímulos na sequência de quatro estímulos não garante o adequado relaxamento e o aparecimento de tosse ou de movimentos das cordas vocais, por isso é necessário que o paciente seja mantido sob bloqueio neuromuscular profundo e adequado durante o procedimento. O efeito clínico dos bloqueadores neuromusculares adespolarizantes é comparado com o efeito da succinilcolina. No estudo publicado por Huh e col., foram comparados dois grupos de pacientes submetidos à microcirurgia da laringe com a utilização de *laser*. A um grupo foi administrada succinilcolina 1 mg.kg⁻¹ seguido de cisatracúrio 0,08 mg.kg⁻¹, e, no outro grupo, foi utilizado rocurônio 1 mg.kg⁻¹. A hipótese formulada pelos autores é, nos pacientes que receberam rocurônio, as condições cirúrgicas seriam as mesmas em relação ao outro grupo. Ao final da cirurgia, o bloqueio neuromuscular foi revertido com atropina e piridostigmina no grupo do cisatracúrio, enquanto, no grupo do rocurônio, a reversão foi feita com sugamadex. Os desfechos secundários avaliaram as condições de recuperação entre os dois grupos. Foram incluídos, no estudo, 80 pacientes com idade superior a 18 anos, os quais foram divididos aleatoriamente em dois grupos e as condições cirúrgicas (visualização das estruturas e movimentação) foram avaliadas em uma escala de 1 a 5, sendo 1 condição muito ruim e 5 designada como condição cirúrgica ótima. Os resultados mostram que o tempo para a primeira resposta da sequência de quatro estímulos ser zero foi similar entre os grupos. Doses adicionais de bloqueador neuromuscular foram mais necessárias no grupo em que se utilizaram succinilcolina e cisatracúrio. Os tempos para reversão do bloqueio neuromuscular, início da ventilação

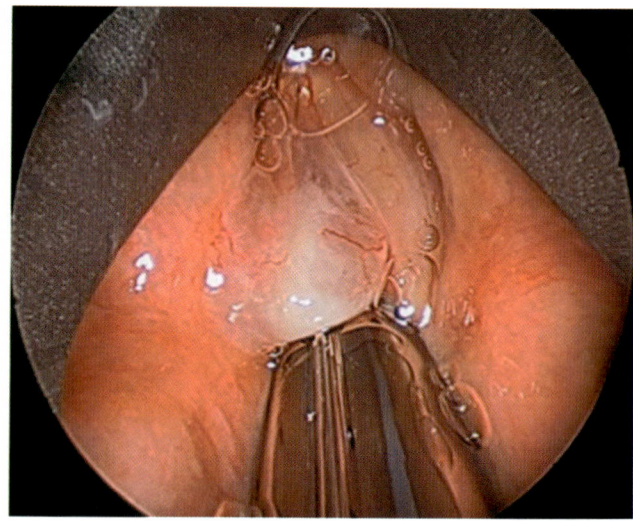

▲ **Figura 184.4** Papilomatose difusa bilateral (edema de Reinke) localizada na comissura anterior da glote.

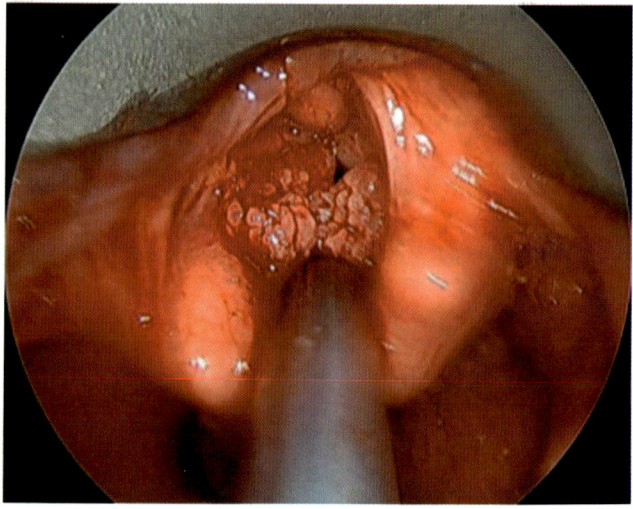

▲ **Figura 184.5** Lesão papilomatosa nas comissuras anterior e média da glote.

espontânea, abertura ocular e extubação foram semelhantes entre os grupos. Em relação às condições cirúrgicas, os escores anotados foram maiores e, portanto, melhores no grupo ao qual foi administrado rocurônio. Os autores concluíram que doses de 1 mg.kg^{-1} de rocurônio e reversão com 2 mg.kg^{-1} de sugamadex produziram melhores condições para as cirurgias do que quando foram usados succinilcolina e cisatracúrio.[1]

A reversão do bloqueio muscular em microcirurgias da laringe é muito importante, haja vista que são pacientes com alto risco de complicações como laringoespasmo, edema de cordas vocais, tosse, entre outras.[14] Importante monitorizar o bloqueio neuromuscular e saber se o paciente não apresenta bloqueio residual no momento da extubação. No estudo de Capellini e col., foram compradas as reversões de bloqueio neuromuscular realizadas com sugamadex ou neostigmina em 59 pacientes submetidos a microcirurgia da laringe. A reversão do bloqueio for avaliada medindo-se a variação da espessura do diafragma dos pacientes com ultrassonografia em três momentos: imediatamente, 10 e 30 minutos após a extubação, sendo que havia bom padrão ventilatório e resposta aos comandos verbais. O estudo tomou como hipótese que valores ≤ 0,36 seriam considerados diagnóstico de bloqueio neuromuscular residual. As medidas da espessura do diafragma foram obtidas no final da inspiração (TEI) e da expiração (TEE). Os resultados do estudo mostram que só houve diferença estatística na medida realizada imediatamente após a extubação, ou seja, valor da relação TEI/TEE < 0,36. Esse fato não ocorreu no 1º e 3º minutos após a extubação, seja nos pacientes em que foi utilizado sugamadex, seja naqueles em que foi utilizada neostigmina. Outro dado interessante do estudo é que, na avaliação da espessura do diafragma no momento inicial e após 30 minutos, apenas no grupo do sugamadex os valores se aproximaram. No grupo neostigmina, embora apresentasse função normal, o diafragma permanecia mais delgado quando comparado com o valor inicial.[15] Esse estudo faz um alerta e chama a atenção para a necessidade de o paciente estar totalmente sem bloqueio residual para que as complicações precoces relacionadas com a via aérea não ocorram.

Estratégias de Ventilação e de Oxigenação nas Microcirurgias da Laringe

As cirurgias realizadas na laringe exigem maior atenção e cuidados para que a ventilação do paciente seja adequada.

Nos casos de anestesia geral sob intubação orotraqueal ou nasotraqueal, há necessidade de tubos mais finos, o que prejudica o fluxo aéreo, impõe maior resistência e resulta em pressão de pico das vias aéreas mais elevada. Basta lembrar, novamente, que a resistência ao fluxo aéreo varia de modo inversamente proporcional à quarta potência do raio da luz do tubo, segundo a Lei de Poiseuille. O paciente passa a ter padrão obstrutivo, já que os volumes pulmonares permanecem normais, porém os fluxos inspiratório e, principalmente, expiratório, que é passivo, terão suas velocidades reduzidas.

As estratégias de ventilação mecânica serão semelhantes às utilizadas para ventilar e oxigenar pacientes portadores de doença pulmonar obstrutiva crônica ou asmáticos em crise aguda de broncoespasmo. Adicionalmente à dificuldade imposta pelo diâmetro do tubo traqueal, ainda se deve atentar para a redução da fração inspirada de oxigênio em cirurgias em que será usado o *laser*. Vale ressaltar que o perfil físico dos pacientes pode, inclusive, oferecer mais dificuldades para a ventilação. No caso de indivíduos obesos, tratados como pacientes restritivos durante a ventilação mecânica, quando são submetidos à cirurgia com tubos de fino calibre, passam a apresentar também obstrução ao fluxo aéreo, dificultando ainda mais sua ventilação e oxigenação. Nessa situação, mesmo que o paciente não seja obeso, a resultante da ventilação mecânica em pacientes ventilados com tubos traqueais mais finos será a pressão de pico mais alta. Para que a elevação da pressão de pico seja amenizada, uma alternativa é aumentar o tempo inspiratório para que o fluxo inspiratório seja reduzido, já que tempo e fluxo inspiratórios se relacionam de modo inversamente proporcional. À medida que o tempo inspiratório aumenta, é possível que o volume-corrente determinado seja insuflado nos pulmões de maneira mais lenta. Obviamente, aumentando o tempo inspiratório, com relação entre tempo inspiratório e tempo expiratório em 1:1, ocorre redução do tempo expiratório. Isso é muito importante e deve ser observado durante todo o tempo em que a pressão expiratória final retornar sempre aos valores predeterminados de Pressão expiratória final positiva (PEEP) para que não ocorra aumento da pressão expiratória final intrínseca (auto-PEEP). No estudo observacional publicado por Gemma e col., avaliou-se a segurança da ventilação mecânica em microcirurgias da laringe a *laser*, tomando-se por base que a utilização de tubos de fino diâmetro proporcionou altas pressões de pico das vias aéreas e que não haveria alta incidência de dessaturação de oxigênio. Os autores tomaram como hipótese que a alta resistência das vias aéreas provoca aumento da auto-PEEP, denominada de PEEP intrínseca (PEEPi), e, por isso, haveria menor risco de atelectasias. Nesse estudo, portanto, o desfecho primário foi avaliar a segurança e a efetividade da PEEPi em promover melhora da saturação periférica de hemoglobina em microcirurgias da laringe a *laser*.

Outro desfecho avaliado foi tentar encontrar uma forma de avaliar ou identificar um indicador da ocorrência de PEEPi. Para esse estudo, foram selecionados 52 pacientes, os quais foram submetidos à anestesia venosa total, da mesma maneira, e os seguintes parâmetros ventilatórios foram avaliados: relação inspiração/expiração 1:2; tempo de pausa inspiratória de 10%, fração inspirada de oxigênio de 21% a 25%; volume-corrente de 6 a 8 mL.kg^{-1}, segundo o peso corporal corrigido e a frequência respiratória ajustada para manter a capnometria entre 28 e 32 mmHg. Não foi aplicada PEEP aos pacientes e o limite de pressão da via aérea estabelecido foi de 40 cmH$_2$O. A PEEPi foi avaliada por meio do método de oclusão, logo antes do início do próximo ciclo respiratório, e medida em três momentos: após a intubação traqueal, no início e no final da cirurgia. Nesses momentos do estudo, os valores das pressões de pico e pressão de platô foram adotados e a complacência pulmonar foi calculada. Depois da realização das medidas do estudo nos primeiros 23 pacientes, nos pacientes seguintes foram adicionadas mais medidas de pressão de pico, pressão de platô e de saturação periférica de oxigênio, que foram feitas após o início da cirurgia. A diferença é que essas novas medidas foram realizadas colocando-se PEEP do mesmo valor que o da medida da PEEPi nos primeiros pacientes. Logo após a realização das medidas, a PEEP foi posta em zero novamente. Os resultados do estudo mostram pequena redução da saturação periférica de oxigênio, clinicamente pouco significativa, desde o momento da intubação traqueal até o final da cirurgia. Os valores da PEEPi foram de 4 (2 a 6) cmH_2O depois da intubação e 3 (2 a 6) cmH_2O no início e no final da cirurgia. O maior valor de PEEPi medido logo após a intubação traqueal, foi de 15 cmH_2O em apenas um paciente. A ocorrência de PEEP $\geq$ 5 cmH_2O ocorreu em 14 pacientes (27% dos casos) depois da intubação, em 16 pacientes (30%) no início da cirurgia e em 14 (27,3%) no final da cirurgia. Dos participantes avaliados, 59,7% (31 pacientes) apresentaram valores de PEEPi $\geq$ 5 cmH_2O em pelo menos um momento em que as medidas foram feitas. Outro dado interessante é que, no grupo dos pacientes que tiveram PEEPi $\geq$ 5 cmH_2O no início da cirurgia, houve maior índice de massa corporal (IMC) e pressão de platô de via aérea mais elevada. O aparecimento da PEEPi no início da cirurgia mostrou forte correlação com a pressão de platô, o volume-corrente, a complacência pulmonar e o IMC. O volume-corrente apresentou variação proporcional ao diâmetro do tubo traqueal e não foi possível estabelecer uma relação significativa entre a ocorrência de PEEPi e o diâmetro do tubo traqueal. O estudo afirma que existe uma correlação positiva entre o índice de massa corporal e a ocorrência de PEEPi e caracteriza o IMC como uma variável preditiva para o aparecimento de PEEP intrínseca. A curva de sensibilidade e especificidade que correlacionou os valores de pressão de platô como preditores de PEEPi $\geq$ 5 cmH_2O exibe uma área de 0,85 com valores que variaram de 0,7445 a 0,9638. Isso significa que, com valor de corte de 15,5 cmH_2O, a sensibilidade é de 88,9% e a especificidade, 75% para predizer que o valor da pressão de platô é um indicativo da ocorrência de PEEPi. Naqueles em que foi aplicada PEEP (23 pacientes), o valor total da PEEP foi exatamente a somatória da PEEP intrínseca com a PEEP e resultou em queda da saturação periférica de oxigênio de modo estatisticamente significativo ($p < 0,05$). O problema relacionado com o surgimento da PEEPi é a possibilidade da ocorrência de alterações hemodinâmicas ou barotrauma, o que, muitas vezes, não é observado, ou não é detectado, pelo anestesiologista ou pelo próprio ventilador. Para que não haja PEEPi inadequada, as recomendações são que se utilize o maior tempo expiratório possível e não se faça pausa inspiratória, porque, quanto maior for o tempo com pausa inspiratória, maior será o fluxo inspiratório e, por consequência, mais elevada será a pressão de pico das vias aéreas. No estudo descrito, apesar de haver o aparecimento de PEEPi em valores potencialmente danosos aos pacientes, não foram observadas alterações hemodinâmicas significativas.

A conclusão do estudo chegou às seguintes considerações: o índice de massa corporal tem relação direta com o surgimento da PEEPi e com a escolha do diâmetro do tubo traqueal; a pressão de platô medida no final da inspiração é um bom preditor da ocorrência de PEEPi > 5 cmH_2O e a PEEPi é mais dependente da hiperinsuflação pulmonar do que da limitação do fluxo aéreo imposta pelo tubo traqueal de fino calibre, mesmo na ausência de PEEP estabelecida no ventilador. Não há dados suficientes que permitam concluir que a PEEP utilizada no ventilador não deva ser usada. Em algumas situações, pode-se utilizá-la desde que, somada à PEEPi, não provoque alterações hemodinâmicas.[16]

Existem outras maneiras de garantir a oxigenação nas microcirurgias da laringe em que os pacientes não estão intubados. A utilização de dispositivos de ventilação a jato (*jet ventilation*) é um exemplo dessa técnica. As características, os fatores de risco e as complicações da ventilação a jato foram analisados e avaliados em um estudo prospectivo observacional publicado por Altum e col. Nesse estudo, foram incluídos 222 pacientes submetidos a cirurgias laríngeas sob ventilação a jato de alta frequência. Todos receberam anestesia geral com bloqueio neuromuscular, tendo sido utilizado material de ventilação a jato de alta frequência com uma cânula de 4 mm de diâmetro e 40 cm de comprimento. Esse dispositivo foi introduzido até a região infraglótica dos pacientes por meio de laringoscopia direta. Os parâmetros da ventilação a jato utilizando-se gases umedecidos e aquecidos foram os seguintes: pressão equivalente a 1.3 bar, tempo inspiratório de 0,8 com fração inspirada de oxigênio de 50%, frequência de 130 jatos/minuto e o dispositivo de segurança do ventilador, segundo o valor de pressão da via aérea. Para interromper a ventilação, foi estabelecido o valor de 30 cmH_2O para que o risco de barotrauma fosse diminuído. Nos casos em que o *laser* foi usado, maiores cuidados foram tomados para que não ocorresse incêndio das vias aéreas. Esses cuidados incluíram a redução da fração inspirada de CO_2 para 35% e os tecidos adjacentes foram umedecidos. A anestesia foi realizada com propofol e remifentanil em infusão contínua, de modo que o valor do índice bispectral (BIS) foi mantido entre 45 e 55. Dados hemodinâmicos e respiratórios e as complicações ocorridas foram avaliados e documentados 5, 10 e 15 minutos após a colocação do dispositivo e no final da cirurgia. A partir do total de pacientes avaliados, 58 (26,1%) foram submetidos a laringoscopia e biópsia, 97 (43,7%) o foram a ressecção de lesões mediante microcirurgia e 67 (30,2%) submeteram-se a cordectomias, ressecções ou dilatação da glote ou laringe. Os tempos cirúrgicos foram menores nos procedimentos em que apenas a laringoscopia e as biópsias foram realizadas. Dentro da população estudada, ocorreram hipoxemia, hipercapnia e necessidade de intubação traqueal em 20 (9%), 4 (1,8%) e 10 (4,5%) pacientes, respectivamente. Dos 10 pacientes em que a intubação traqueal foi feita, quatro foram intubados com tubos de grande calibre para que as cartilagens aritenoides ficassem mais separadas. Nenhuma das possíveis complicações mecânicas, como barotrauma, enfisema subcutâneo, pneumotórax, sangramento que escorre para dentro da árvore brônquica, aspiração de pequenos fragmentos (debris), incêndio das vias aéreas ou laringoespasmo, ocorreu nos participantes do estudo. No final das cirurgias, apenas cinco pacientes foram ventilados com auxílio da máscara laríngea, que foi inserida para facilitar a oxigenação no período de recuperação da anestesia. Existem complicações relacionadas com a técnica de ventilação a jato de alta frequência quando utilizada para a realização de microcirurgia da laringe. Essas complicações estão associadas a alguns fatores de risco, como estado físico ASA III ou IV, saturação periférica de oxigênio basal inferior a 95%, pacientes idosos ou com história de cardiopatia grave, sexo masculino, obesos, aqueles com história de cirurgia laríngea prévia, cirurgias de longa duração e quando o *laser* for usado.[17] No estudo citado anteriormente, mesmo que não tenha havido complicações graves, é importante estar atento a elas, e os materiais de intubação devem estar sempre preparados e disponíveis para serem utilizados rapidamente, caso necessário.

O *transnasal humidified rapid insuflation ventilatory exchange* (THRIVE) é um instrumento de alto fluxo aplicado por via nasal que mantém a oxigenação apneica. Essa técnica tem sido utilizada em microcirurgias da laringe para ressecção de pólipos, laringoscopia direta, traqueostomias e procedimentos para dilatação traqueal. No estudo de Bharathu MB e col., 32 pacientes foram operados utilizando-se esse dispositivo, que se mostrou seguro e eficaz para esse tipo de procedimento. O fluxo utilizado foi de 60 a 70 L.min^{-1}, umidificado e aquecido a 37°C e administrado por meio de cânula nasal. Trata-se de um método de oxigenação utilizado em cirurgias de laringe que não exige intubação traqueal, sendo semelhante à técnica com ventilação intermitente ou *jet ventilation*. Pode-se considerar, entretanto, que segue um princípio de movimentação de massa que leva à oxigenação apneica. O fato de não se intubar o paciente proporciona um bom campo operatório, reduz o trauma sobre a via aérea, mantém a pressão positiva na via aérea e a troca gasosa e a umidificação mantêm a atividade mucociliar das células epiteliais da via aérea.[18] A utilização do THRIVE tem bons resultados, já que é capaz de promover menor tempo de recuperação do paciente sem que ocorra queda significativa da saturação periférica de oxigênio; porém é importante ressaltar que é comum a ocorrência de hipercapnia e que é preciso ter cautela em cirurgias com tempo prolongado e com pacientes portadores de múltiplas lesões.[19]

O estudo de Syamal e col., que comparou técnicas com intubação traqueal, intubação intermitente e apneicas, concluiu que ocorreram maiores quedas da oxigenação no grupo da intubação intermitente do que grupo da técnica apneica e nos pacientes intubados. Em relação aos valores de CO_2 expirado, houve maior queda no grupo dos pacientes apneicos quando em comparação com os que foram intubados intermitentemente ou que permaneceram intubados. Nos pacientes que foram intubados de modo intermitente, a colocação do dispositivo THRIVE por cânula nasal de alto fluxo provocou aumento considerável da apneia, ou seja, o paciente tolerou mais tempo para que a oxigenação atingisse o menor valor possível.[20]

É possível, portanto, concluir que as técnicas apneicas podem ser indicadas e realizadas, mas contêm limitações em cirurgias prolongadas, em que a hipercapnia pode ser prejudicial ao paciente. Além disso, exige que o entrosamento entre as equipes de anestesia e cirurgia seja ideal.

Eventos Adversos Pós-operatórios

Apesar do cuidado empenhado, eventualmente há complicações no período pós-operatório, como aumento da secreção salivar e alteração da voz ou da respiração.

Edema das cordas vocais e laringoespasmo são os eventos adversos mais frequentes no pós-operatório imediato das microcirurgias da laringe. Até 86% dos pacientes apresentam tosse e estridor laríngeo que se manter por dias após a cirurgia. Os cirurgiões recomendam que os pacientes "descansem" sua voz por 72 horas após a cirurgia, que evitem tossir e prescrevem fármacos antirrefluxo. Uma alternativa para diminuir a incidência de tosse no pós-operatório imediato das microcirurgias da laringe é o bloqueio dos nervos laríngeos superiores. Existe uma técnica de bloqueio desse nervo guiado por ultrassonografia, além de outros modos de produzir a diminuição do reflexo da tosse, como administração tópica de anestésico local sobre a mucosa da laringe, lidocaína por via venosa, opioides de ação curta, fármacos beta-agonistas e corticosteroides.[14]

Nas situações mais graves ou com alterações mais intensas da respiração, é recomendado que seja solicitada a avaliação do cirurgião para avaliar as possíveis causas da dispneia. Pode ser necessária fibroscopia para identificar causas como paralisia de cordas vocais, hematoma ou formação de granuloma de cordas vocais. A paralisia de cordas vocais tem incidência de 0,07% e pode ser causada pelo posicionamento muito alto do balonete do tubo traqueal na região subglótica, resultando em compressão do nervo laríngeo recorrente. Os fatores de risco para a ocorrência de paralisia de cordas vocais subsequente à cirurgia de laringe são: idade superior a 50 anos, duração prolongada da cirurgia, pacientes diabéticos, portadores de hipertensão arterial e luxação da cartilagem aritenoide. A incidência da luxação aritenoide é de 0,1% e pode levar à rouquidão persistente após a extubação, bem como à paralisia unilateral das cordas vocais, sendo possível, ao exame endoscópico, observar assimetria da glote. Nessa situação, o tratamento recomendado inclui observação, estabilização do paciente e até reposicionamento ou reparo cirúrgico da articulação aritenoide. Outras complicações graves que podem ocorrer secundariamente às microcirurgias da laringe são granulomas e estenose subglótica ou traqueal.

Os granulomas surgem após trauma direto de estruturas localizadas na parede posterior da laringe revestidas por mucosa e por tecido pericartilaginoso. Os granulomas podem surgir no pós-operatório ou ser caudados por refluxo gastresofágico. Agressões repetidas no mesmo local podem ser a causa do aparecimento do granuloma. O tratamento é realizado com administração de corticosteroides por via inalatória ou sistêmica, fonoaudiologia e fármacos contra o refluxo gastresofágico.

A estenose subglótica ou traqueal é a complicação mais grave decorrente da intubação traqueal. Apesar de a maioria dos casos de estenose subglótica ou traqueal ser decorrente de intubação prolongada, as lesões microscópicas têm sido descritas em pacientes que permaneceram intubados por menos de 1 hora, muitas vezes provocadas por isquemia da mucosa traqueal devido ao excesso de pressão do balonete do tubo traqueal (> 20 mmHg). A isquemia da mucosa traqueal leva à ulceração da mucosa e à exposição da matriz cartilaginosa subjacente, causando a pericondrite, o que estimula a proliferação de fibroblastos e a produção de colágeno, que é o componente primário da estenose das vias aéreas. O tratamento para pacientes com estenose de traqueia é feito com dilatações repetidas e até ressecções traqueais, dependendo de cada caso e da localização da estenose.[12]

A paralisia do nervo hipoglosso pode ocorrer após a cirurgia de laringe em que é utilizada a laringoscopia de suspensão. Trata-se de um evento muito raro, mas que pode ser provocado pela compressão direta da base da língua pela lâmina do laringoscópio de suspensão. A compressão da base da língua faz que o tecido conjuntivo adjacente seja comprimido contra o osso hioide. Outra possível causa é a hiperextensão exagerada da região cervical, o que pode levar a tração e estiramento do nervo hipoglosso no seu trajeto próximo ao processo transverso de C1. O estiramento do nervo provoca danos às células de Schwann e consequente desmielinização ou perda neuronal por degeneração walleriana. Essa complicação é considerada um evento adverso leve, já que a paresia do hipoglosso leva a desvio da língua com preservação da sensibilidade e, normalmente, é transitória e com tratamento conservador. No caso relatado por Yusof e col., o paciente recuperou a movimentação da língua após três meses. Para evitar essa complicação, recomenda-se evitar a inserção muito profunda da lâmina do laringoscópio de suspensão e reduzir o tempo cirúrgico o mais possível.[21]

■ ANESTESIA PARA RETIRADA DE CORPO ESTRANHO DAS VIAS AÉREAS

A presença de corpo estranho no nariz, na orelha ou na garganta é uma ocorrência relativamente comum em serviços que atendem a casos de urgência ou emergência em Otorrinolaringologia e tem grande potencial (até 22%) de complicações graves. O sucesso na remoção do corpo estranho depende da sua localização, do material de que é constituído, da experiência do cirurgião, do equipamento disponível e da cooperação do paciente. Outro dado importante é que o atraso para a retirada do corpo estranho também é um fator capaz de aumentar as chances de complicações. Em uma revisão realizada em um hospital terciário no Brasil atendido por um serviço de Otorrinolaringologia, os materiais mais encontrados foram ossos de frango ou espinhas de peixe localizados na cavidade oral e na laringe.[22]

A aspiração de corpo estranho é mais comum em crianças, fato explicado por vários fatores, inclusive socioculturais, e é um problema relativamente comum. Em um estudo, relatam-se a experiência e os aspectos relevantes das condutas tomadas para a retirada do corpo estranho em 2.624 crianças.[22] Na chegada à unidade hospitalar, as crianças apresentam sinais ou sintomas sugestivos de aspiração de corpo estranho. O sintoma mais comum é a tosse, que ocorreu em 70% das crianças, seguida de dispneia (63%), sibilos (60%), redução do murmúrio vesicular (69%) e sinais laríngeos, como estridor (7%), sendo possível também a ausência de sinal ou sintoma (13%). Interessante observar que, em alguns casos, exames de imagem, como a radiografia do tórax, não mostram alteração ou presença do corpo estranho, porém pode haver achados radiológicos compatíveis com broncoaspiração de corpo estranho. Segundo esse estudo, a radiografia de tórax foi normal em 11,83% dos casos, mas mostrou alterações como> enfisema obstrutivo em 34,26%, atelectasias em 20,35%, pneumonia em 9,48%, distensão bilateral em 6,44%,

enfisema subcutâneo em 0,41%, efusão pleural em 2,57% e abscesso pulmonar em 0,6%. O corpo estranho foi identificado na radiografia do tórax em 16,02% dos casos.

Entre os materiais aspirados encontrados no estudo, 66,7% eram orgânicos, e, desses, o amendoim constava em mais da metade dos casos. Materiais não orgânicos, como objetos de plástico, como tampa de caneta, ou metálicos também foram encontrados. Fato comum a todos os pacientes é que sempre há inflamação da mucosa brônquica localizada ao redor do corpo estranho e, às vezes, pode haver, inclusive, hemorragia, especialmente quando o corpo estranho é um feijão ou semente. A demora no atendimento e na resolução do problema pode levar ao aparecimento de granulomas quando o corpo estranho permanece no local por oito dias ou mais. Nesses casos, o corpo estranho pode se aderir à mucosa, dificultando sua remoção. Entre os casos relatados nessa série, 97% obtiveram êxito. Desses casos, houve sucesso na primeira tentativa em 86%. Nas crianças que aspiraram corpo estranho de origem orgânica, a broncoscopia flexível foi utilizada, e os casos de aspiração de corpo estranho metálico ou plástico foram encaminhados para a equipe de cirurgia torácica.[23]

Os métodos de imagem auxiliam no diagnóstico de aspiração de corpo estranho. A radiografia do tórax pode ser feita com o paciente em inspiração e, depois, em expiração nos casos em que o corpo estranho não é visível e em que há suspeita de aspiração. Na Figura 184.6, visualiza-se uma situação clínica em que o diagnóstico de aspiração de corpo estranho foi feito por meio da radiografia de tórax. Nesse caso, uma criança de 9 anos havia aspirado a peça de um brinquedo de plástico. Chegou ao hospital no dia seguinte ao episódio apresentando-se afebril, sem sintomas respiratórios e com poucos roncos auscultados durante a inspiração profunda. A radiografia do tórax em inspiração não mostrou alteração (Figura 184.6A), mas a em expiração (Figura 184.6B) mostra grande redução do pulmão esquerdo e aumento da densidade no lobo superior direito, que são achados normais aos raios X em expiração. Os lobos médio e inferior direito, entretanto, permaneceram com a mesma característica que na radiografia em inspiração, o que caracteriza o aprisionamento de ar provocado pelo mecanismo valvular imposto pela peça de plástico que foi aspirada e está localizada no lobo médio direito.[17]

A Figura 184.7 mostra a radiografia do tórax de uma criança de 1 ano e 8 meses cujos pais presenciaram um episódio de asfixia enquanto comiam pistache. A criança estava inicialmente bem, mas evoluiu com febre, tosse, dispneia e hipoxemia leve no dia seguinte. A Figura 184.7A, em inspiração, mostra que o lobo superior esquerdo está hiperinsuflado, com imagem triangular e borramento da hemicúpula diafragmática esquerda. Por sua vez, a Figura 184.7B, em expiração, mostra um pequeno aumento da densidade do pulmão direito, porém a imagem do hemitórax esquerdo permanece normal. O corpo estranho estava localizado no brônquio principal esquerdo.[24]

Na Figura 184.8, está ilustrada a situação clínica em que uma criança de 8 anos de idade aspirou a tampa de uma caneta há três meses. Desde então, começou a apresentar tosse sem outros sintomas respiratórios. Durante os três meses, foi tratada como paciente asmático com a utilização de bronco-

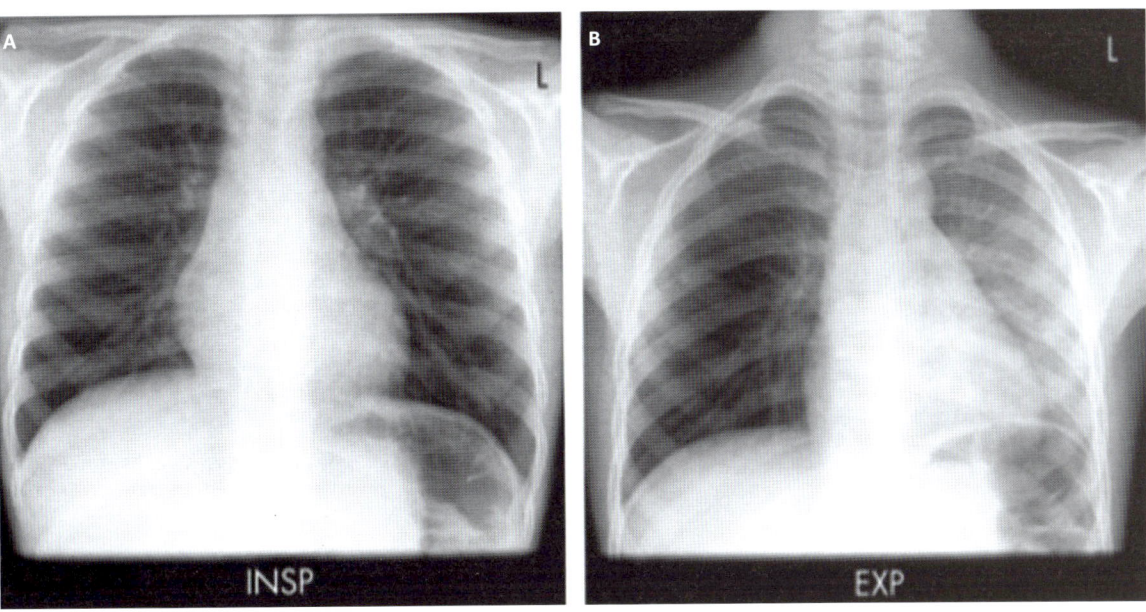

▲ **Figura 184.6** Radiografia de tórax de criança de 9 anos em inspiração **(A)** e em expiração **(B)**.

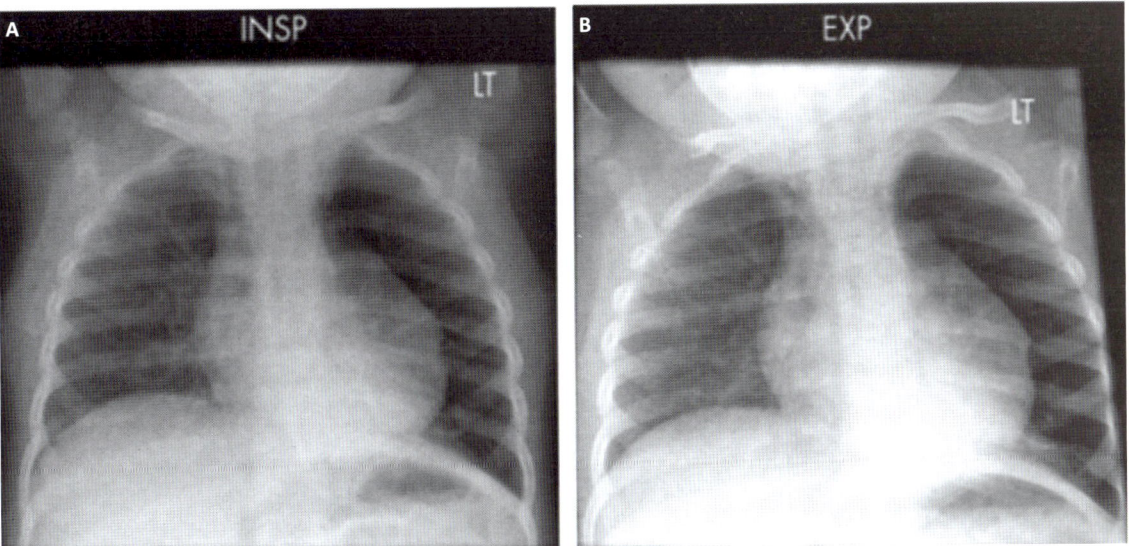

▲ **Figura 184.7** Radiografia do tórax de criança de 1 ano e 8 meses em inspiração **(A)** e em expiração **(B)**.

dilatadores, porém sem evoluir par melhora clínica. Foi levada ao hospital porque começou a apresentar dor torácica e febre. A radiografia do tórax (Figura 184.8A) mostrou a presença de um corpo estranho metálico no lobo médio direito e o colabamento do lobo inferior direito e de parte do lobo médio direito. O corpo estranho foi retirado com broncoscopia rígida. Sete meses depois da retirada do corpo estranho, ainda permanecia o colabamento do lobo inferior direito e havia sinais radiológicos de bronquiectasias, as quais foram evidenciadas pela tomografia de tórax (Figura 184.8B).

A broncoaspiração de um corpo estranho é um evento grave e de risco iminente à vida. Técnicas de broncoscopia rígida ou flexível podem ser utilizadas para remover o objeto aspirado, sendo um dos grandes desafios que o anestesiologista pode enfrentar, visto que terá que dividir a via aérea com a equipe cirúrgica. Em todos os procedimentos

cirúrgicos realizados sobre as vias aéreas, talvez a anestesia para a remoção de corpo estranho dos brônquios seja a situação mais delicada, exigindo grande entrosamento entre os profissionais envolvidos. Existem estudos indicando que a mortalidade por asfixia após a broncoaspiração de um corpo estranho é de 45%.[19] Nas técnicas de anestesia para cirurgia de laringe, como descrito anteriormente, não há como prever qual a melhor e tampouco existem guias ou recomendações que garantam que determinada escolha seja certamente melhor que outra. Nas situações de broncoaspiração de corpo estranho, mais do que qualquer guia ou recomendação, é fundamental estar em um ambiente preparado, com material adequado e contar com ajuda e com a experiência do anestesiologista e da equipe cirúrgica.

Nessa situação, há três formas de ventilação para os pacientes, muitas vezes crianças, que serão anestesiados para

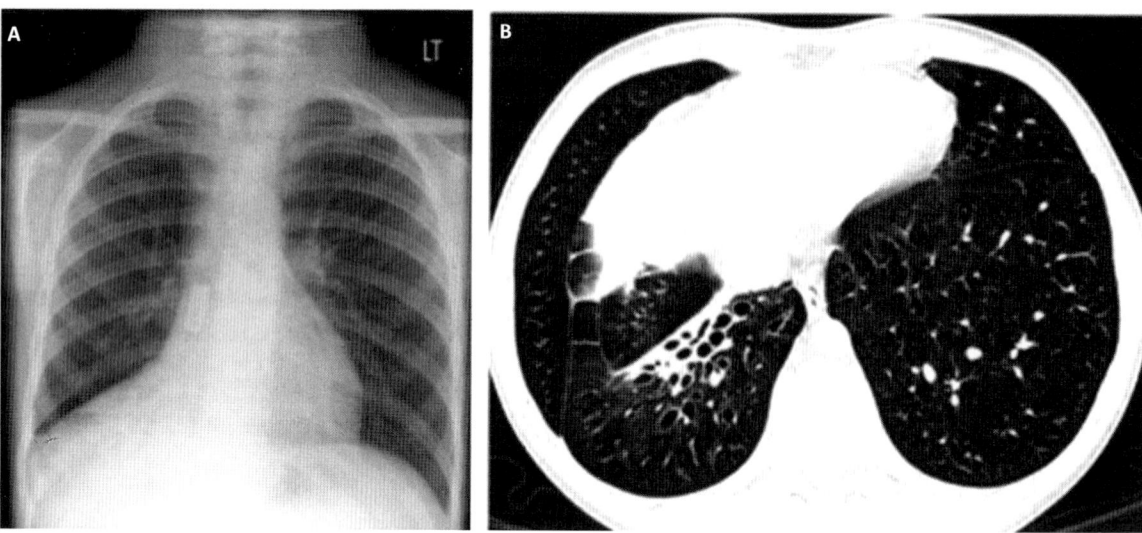

▲ **Figura 184.8** Criança de 8 anos com corpo estranho localizado no brônquio intermediário do pulmão direito.

que o corpo estranho seja removido. A primeira opção é a manutenção do paciente em ventilação espontânea utilizando técnicas inalatórias ou de anestesia venosa total; a segunda é ventilar o paciente com ventilação controlada; e a terceira opção é ventilar o paciente mediante ventilação a jato por meio de cateteres finos. Obviamente, é indesejável que o objeto aspirado se desloque distalmente por conta da ventilação realizada, porque, a cada vez que o objeto se aprofunda dentro da árvore traqueobrônquica, mais difícil fica sua remoção. Por esse motivo, a manutenção do paciente em ventilação espontânea tem vantagens sobre as outras alternativas citadas anteriormente. Além disso, a ventilação espontânea diminui o risco de ocorrer obstrução completa da via aérea e mantém a oxigenação do paciente enquanto a via aérea está sendo manipulada, sem que haja interrupções do procedimento a fim de que a oxigenação seja restabelecida. Nessa técnica, o maior problema é encontrar o plano anestésico adequado e suficiente para que haja ventilação alveolar, estabilidade hemodinâmica e manipulação da via aérea. Se a opção for por manter o paciente em ventilação mecânica, poderá haver mais facilidade para se examinarem a traqueia e os brônquios, já que essas estruturas estarão sem movimentação, bem como será possível ofertar maior quantidade de oxigênio antes do início do procedimento. A manutenção da anestesia em plano adequado sob bloqueio neuromuscular é mais fácil, entretanto há um grande risco de hiperinsuflação pulmonar mediante mecanismo valvular. O ar entra na árvore traqueobrônquica quando insuflado sob pressão positiva e não consegue sair devido à obstrução causada pelo corpo estranho, uma vez que a expiração é passiva e depende do recolhimento elástico pulmonar. A hiperinsuflação pulmonar pode levar à ruptura pulmonar na região distal à obstrução.

Uma metanálise publicada por Liu e col. reúne os estudos que se relacionam com a escolha das técnicas utilizadas para ventilar pacientes submetidos a procedimentos para remoção de corpo estranho e identifica em quais condições há evidências que ratifiquem a escolha da ventilação espontânea ou da ventilação controlada.[16] Os dados apresentados nos resultados da revisão sistemática e da metanálise re-

sultam dos cinco estudos selecionados envolvendo 423 pacientes em que o procedimento foi realizado sob ventilação controlada e 441 mantidos em ventilação espontânea. Os resultados mostram que houve queda da saturação periférica de oxigênio em ambos os grupos, sem diferenças estatísticas. Em relação à incidência de laringoespasmo, os pacientes mantidos sob ventilação controlada apresentaram menos episódios que os mantidos em ventilação espontânea. Do mesmo modo, pacientes mantidos sob ventilação mecânica apresentaram menos episódios de edema laríngeo, de tosse e de deslocamento do corpo estranho, apesar de não haver resultados com significância estatística. Outros desfechos estudados, como tempo de anestesia e broncoespasmo, não mostraram incidências diferentes entre os grupos analisados. O estudo concluiu que as evidências sugerem que não há diferenças de dessaturação entre os grupos estudados e que a chance de ocorrer laringoespasmo é menor nos pacientes nos quais o procedimento para retirada de corpo estranho dos brônquios foi realizado sob ventilação mecânica.[17] Embora o resultado seja aparentemente favorável à realização da anestesia geral sob ventilação mecânica controlada para a remoção de corpo estranho localizado nas vias aéreas, não se pode inferir que essa é técnica eleita e que sempre deve ser realizada em todos os pacientes. Na literatura, existem muitos relatos de que técnicas anestésicas variadas foram realizadas para a remoção de corpo estranho das vias aéreas mantendo o paciente em ventilação espontânea. No estudo retrospectivo publicado por Chai e col., avaliou-se a experiência dos autores no manuseio anestésico para a remoção de corpo estranho da via aérea em crianças, relacionando as técnicas anestésicas utilizadas em um período de quatro anos. No estudo, foram incluídas, na análise retrospectiva, 435 crianças submetidas à remoção de corpo estranho das vias aéreas por meio de broncoscopia rígida. Em todos os pacientes, foi feita indução da anestesia, por via inalatória, com sevoflurano. Do total de pacientes analisados, 197 tiveram a manutenção da anestesia com propofol 100 a 150 $\mu g.kg^{-1}.kg^{-1}$ e remifentanil 0,1 a 0,2 $\mu g.kg^{-1}.kg^{-1}$. Os 238 pacientes restantes foram anestesiados com propofol e sevoflurano, e nesse grupo a dose de manutenção do propofol foi a mesma que no outro grupo analisado. A diferença entre os grupos foi a utilização ou não de remifentanil na manutenção da anestesia. A todas as crianças, após atingido o plano adequado de anestesia, foi administrada anestesia tópica da glote e das estruturas adjacentes com lidocaína a 1% até a dose máxima de 2 mg.kg^{-1}. Os resultados do estudo mostraram que o corpo estranho foi encontrado em 93,1% dos pacientes (405 crianças) e retirado com sucesso em 99,3% (402 crianças). Das três crianças nas quais não foi possível retirar o corpo estranho, uma sofreu parada cardiorrespiratória e foi a óbito e nas duas restantes foi necessária a realização de traqueostomia para a remoção do corpo estranho. Os efeitos adversos analisados e comparados entre os grupos estudados foram: tosse, paralisação da respiração, deslocamento do corpo estranho, broncoespasmo e laringoespasmo. Todos eles ocorreram mais no grupo em que foram administrados propofol e remifentanil do que no grupo de sevoflurano. Não houve diferenças em relação a complicações graves, como sangramento da via aérea, pneumotórax, pneumomediastino ou necessidade de toracotomia para a remoção do corpo estranho. Nesse estudo, portanto, a combinação de indução inalatória com sevoflurano seguida de manutenção da anestesia com propofol e sevoflurano resultou em menor incidência de eventos adversos do que quando aplicadas técnicas de anestesia venosa total com remifentanil e propofol para a remoção de corpo estranho das vias aéreas.[25]

Atualmente, não existem critérios que indiquem a realização de determinada técnica anestésica ou modo de ventilação que garanta melhor desfecho diante de pacientes, normalmente crianças, que serão submetidos a procedimentos para a remoção de corpo estranho dos brônquios. Trata-se de uma situação muito difícil, em que a experiência do anestesiologista e da equipe cirúrgica é fundamental para o sucesso.

■ CONCLUSÃO

As cirurgias da laringe são complexas e exigem muito entrosamento com a equipe cirúrgica e experiência do anestesiologista. Importante ressaltar que, muitas vezes, é necessária a presença de mais de um anestesiologista nos casos mais difíceis, como na remoção de corpo estranho das vias aéreas ou nas cirurgias realizadas com o paciente em ventilação espontânea.

Trata-se de um procedimento aparentemente simples, mas que manipula a via aérea, da qual a vida do paciente é totalmente dependente. Em diversos momentos, não há muito tempo para que materiais que ainda não estavam disponíveis na sala cirúrgica fiquem prontos para serem utilizados, por isso, na microcirurgia da laringe, como em todos os procedimentos realizados sob anestesia, o planejamento da técnica e a seleção de materiais e fármacos são fundamentais para o sucesso.

REFERÊNCIAS

1. Huh H, Park SJ, Lim HH, Jung KY, Baek SK, Yoon SZ, et al. Optimal anesthetic regimen for ambulatory laser microlaryngeal surgery. Laryngoscope. 2017; 127(5): 1135-9.
2. Zhang X, Cavus O, Zhou Y, Dusitkasem S. Airway Management During Anesthetic Induction of Secondary Laryngectomy for Recurrent Laryngeal Cancer: Three Cases of Report and Analysis. Front Med (Lausanne). 2018; 5: 264.
3. Doyle JD. Anesthesia for ear, nose and throat surgery. In: Miller RD, editor. Miller's Anesthesia. 8 ed. Philadelphia: Elsevier; 2015. p. 2523-49.
4. El-Boghdadly K, Onwochei DN, Cuddihy J, Ahmad I. A prospective cohort study of awake fibreoptic intubation practice at a tertiary centre. Anaesthesia. 2017; 72(6): 694-703.
5. Nerurkar NK, Hajela A, Sarkar A, Kulkarni P. A Prospective Study to Correlate Difficult Intubation with Difficult Laryngeal Exposure for Microlaryngeal Surgery using Various Grading Scales of Difficult Intubation. Indian J Otolaryngol Head Neck Surg. 2022; 74(3): 427-33.
6. Bharti N, Chari P, Kumar P. Effect of sevoflurane versus propofol-based anesthesia on the hemodynamic response and recovery characteristics in patients undergoing microlaryngeal surgery. Saudi J Anaesth. 2012; 6(4): 380-4.
7. Basantwani S, Patil M, Govardhane B, Magar J, Tendolkar B. Effect of dexmedetomidine infusion on hemodynamic responses in microsurgery of larynx. J Anaesthesiol Clin Pharmacol. 2018; 34(1): 51-7.
8. Desch G C-GA, Chopard-Guillemin A, Monnet E, Causeret A, Jurine A, Baudry G, Lasry B, et al. Propofol-remifentanil anesthesia for upper airway endoscopy in spontaneous breathing patients: the ENDOTANIL Randomized Trial. Minerva Anestesiologica. 2016; 81(11): 1138-48.
9. Wang Y, Yan M, He JG, Zhu YM, Hu XS, et al. A randomized comparison of target-controlled infusion of remifentanil and propofol with desflurane and fentanyl for laryngeal surgery. ORL J Otorhinolaryngol Relat Spec. 2011; 73(1): 47-52.
10. Ford DA. Safety considerations for laser surgery of the airway. AORN J. 2018;107:47-52.
11. Akhtar N, Ansar F, Baig MS, Abbas A. Airway fires during surgery: Management and prevention. J Anaesthesiol Clin Pharmacol. 2016; 32(1): 109-11.
12. Chiesa-Estomba CM, Sistiaga-Suarez JA, Gonzalez-Garcia JA, Larruscain E, Altuna-Mariezcurrena X. Intraoperative Surgical Complications in Transoral Laser CO(2) Microsurgery of the Larynx: An Observational, Prospective, Single-Center Study. Ear Nose Throat J. 2021; 100(5 suppl): 456S-61S.
13. Hsu J, Tan M. Anesthesia Considerations in Laryngeal Surgery. Int Anesthesiol Clin. 2017; 55(1): 11-32.
14. Sagdeo GD, Kumar A, Sinha C, Kumar A, Kumari P, Bhavana K. Ultrasound-guided bilateral internal laryngeal nerve block for suppression of postoperative cough in endoscopic micro-laryngeal laser surgery. J Clin Anesth. 2021; 75: 110552.
15. Cappellini I, Ostento D, Loriga B, Tofani L, De Gaudio AR, Adembri C. Comparison of neostigmine vs. sugammadex for recovery of muscle function after neuromuscular block by means of diaphragm ultrasonography in microlaryngeal surgery: A randomised controlled trial. Eur J Anaesthesiol. 2020; 37(1): 44-51.
16. Gemma M, Nicelli E, Corti D, De Vitis A, Patroniti N, Foti G, et al. Intrinsic positive end-expiratory pressure during ventilation through small endotracheal tubes during general anesthesia: incidence, mechanism, and predictive factors. J Clin Anesth. 2016; 31: 124-30.
17. Altun D, Camci E, Orhan-Sungur M, Sivrikoz N, Basaran B, Ozkan-Seyhan T. High frequency jet ventilation during endolaryngeal surgery: Risk factors for complications. Auris Nasus Larynx. 2018; 45(5): 1047-52.
18. Bharathi MB, Kumar MRA, Prakash BG, Shetty S, Sivapuram K, Madhan S. New Visionary in Upper Airway Surgeries-THRIVE, a Tubeless Ventilation. Indian J Otolaryngol Head Neck Surg. 2021; 73(2): 246-51.
19. Huh G, Min S, Cho SD, Cho YJ, Kwon SK. Application and Efficiency of Transnasal Humidified Rapid-Insufflation Ventilatory Exchange in Laryngeal Microsurgery. Laryngoscope. 2022; 132(5): 1061-8.
20. Syamal MN, Hanisak J, Macfarlan J, Ortega B, Sataloff RT, Benninger MS. To Tube, or Not to Tube: Comparing Ventilation Techniques in Microlaryngeal Surgery. Laryngoscope. 2021; 131(12): 2773-81.
21. Mohd Yusof J, Abu Dahari KAS, Kaur N, Azman M. Iatrogenic hypoglossal nerve palsy, a rare complication post suspension laryngoscopy. J Taibah Univ Med Sci. 2022; 17(4): 623-5.
22. Mangussi-Gomes J, Andrade JS, Matos RC, Kosugi EM, Penido Nde O. ENT foreign bodies: profile of the cases seen at a tertiary hospital emergency care unit. Braz J Otorhinolaryngol. 2013; 79(6): 699-703.
23. Boufersaoui A, Smati L, Benhalla KN, Boukari R, Smail S, Anik K, et al. Foreign body aspiration in children: experience from 2624 patients. Int J Pediatr Otorhinolaryngol. 2013; 77(10): 1683-8.
24. Liu Y, Chen L, Li S. Controlled ventilation or spontaneous respiration in anesthesia for tracheobronchial foreign body removal: a meta-analysis. Paediatr Anaesth. 2014; 24(10): 1023-30.
25. Chai J, Wu XY, Han N, Wang LY, Chen WM. A retrospective study of anesthesia during rigid bronchoscopy for airway foreign body removal in children: propofol and sevoflurane with spontaneous ventilation. Paediatr Anaesth. 2014; 24(10): 1031-6.

Parte 27

Anestesia Ambulatorial e Anestesias Fora do Centro Cirúrgico

185

Anestesia Ambulatorial

Luiz Marciano Cangiani ▪ Luis Henrique Cangiani

INTRODUÇÃO – CONCEITO

No Brasil, a anestesia ambulatorial é conceituada como o atendimento a pacientes sob anestesia geral, locorregional ou combinada com indicações de intervenção cirúrgica, exames diagnósticos ou procedimentos terapêuticos que permanecem sob controle médico até a plena recuperação das funções físicas e psíquicas, recebendo alta para casa sem pernoitar no hospital.[1,2]

De acordo com essa definição, muitas intervenções cirúrgicas e exames diagnósticos podem ser enquadrados no regime ambulatorial. O conceito é aceito universalmente, porém, nos EUA, o atendimento é considerado ambulatorial se o paciente não permanecer no hospital mais do que 23 horas. Assim, ao analisar um trabalho sobre anestesia ambulatorial, é necessário verificar a sua origem, especialmente no que se refere aos tipos de procedimento e aos critérios de alta.[3]

A anestesia ambulatorial já recebeu outras denominações, como: anestesia para pacientes externos, anestesia de curta duração e anestesia para pacientes de curta permanência hospitalar, no entanto o termo anestesia ambulatorial é mais simples e já está universalmente consagrado, além do que os procedimentos ambulatoriais não são realizados exclusivamente em hospitais.[1,2]

▪ EVOLUÇÃO

A grande evolução da Anestesiologia no que diz respeito às técnicas, aos agentes anestésicos, aos fármacos adjuvantes e à monitorização adequada e eficiente, permitindo a condução do ato anestésico com segurança,[3] faz que ela não seja, isoladamente, um fator limitante para cirurgias, exames diagnósticos ou procedimentos terapêuticos em regime ambulatorial.

No Brasil, as discussões profundas sobre o tema tiveram início em 1982, durante o Congresso Brasileiro de Anestesiologia, realizado na cidade de Curitiba-PR, cujo tema central foi "Anestesia Ambulatorial". Em 1983, Oliva Filho, publicou trabalho de revisão sobre o tema, dando ênfase, de forma muito didática, a todas as premissas, vantagens e desvantagens que nortearam o desenvolvimento da anestesia ambulatorial no nosso meio.[2] A partir daquela data, nos congressos e nas jornadas de anestesiologia realizados pela Sociedade Brasileira de Anestesiologia (SBA) ou suas regionais, o tema anestesia ambulatorial sempre esteve presente, resultando na consolidação do conceito e das diretrizes iniciais, que envolveram as partes científica, técnica, legal, social e econômica. Muitos fatores que, agregados, contribuíram para a evolução da anestesia ambulatorial. A Tabela 185.1 mostra alguns fatores que contribuíram para o aumento de procedimentos em regime ambulatorial.

Tabela 185.1 Fatores que proporcionaram o aumento dos procedimentos ambulatoriais.

- Segurança do ato anestésico
- Monitoramento adequado
- Evolução das técnicas cirúrgicas
- Evolução dos equipamentos cirúrgicos
- Evolução dos equipamentos para exames diagnósticos
- Evolução de conceitos
- Surgimento de fármacos
- Analgesia pós-operatória
- Adequação dos hospitais
- Integração da equipe anestésico-cirúrgica
- Educação de parte da população
- Possibilidade de diminuição de custos
- Possibilidade de maior rotatividade do centro cirúrgico

O atendimento em regime ambulatorial apresenta características próprias e exige o estabelecimento de condutas criteriosas na seleção de pacientes, dos procedimentos, dos fármacos, das técnicas anestésicas, do fluxograma da unidade ambulatorial e de critérios rígidos de alta, levando, com isso, ao aproveitamento de todas as vantagens desse tipo de atendimento. Além disso, é necessário observar as normas vigentes para o atendimento em regime ambulatorial, nas quais se incluem também as condições do ambiente em que se pratica a anestesia ambulatorial.[4]

VANTAGENS E DESVANTAGENS DO REGIME AMBULATORIAL

Foi explorando as vantagens que, observadas as limitações, a anestesia ambulatorial ganhou um grande impulso e, atualmente, representa, para muitas entidades, a maior parte de suas atividades.

Ao discorrer sobre as vantagens e desvantagens da anestesia ambulatorial, devem-se considerar alguns fatores ligados ao paciente e outros ligados à unidade de atendimento ambulatorial.

Entre as vantagens dos procedimentos ambulatoriais podem ser enumeradas as seguintes:

1. Permite breve retorno ao lar;
2. Oferece mais conforto ao paciente e ao acompanhante;
3. Possibilita, em alguns casos, retorno precoce do paciente e dos acompanhantes ao trabalho;
4. Há menos risco de infecção hospitalar;
5. Libera leitos hospitalares;
6. Permite maior rotatividade do centro cirúrgico;
7. Diminui o custo para o hospital;
8. Melhora a relação médico-paciente.

O retorno precoce ao lar é um fato particularmente importante para crianças, idosos e deficientes físicos e mentais, para os quais a agressão e o desconforto hospitalar tornam-se angustiantes. É necessário, no entanto, considerar que, na dependência das condições socioeconômicas do paciente, o retorno à residência pode não significar melhor cuidado, menor risco de infecção, menor custo e melhor conforto.

É necessário que o paciente tenha fácil comunicação com a unidade ambulatorial e facilidade de transporte até ela para o atendimento de eventuais intercorrências.

O nível intelectual é importante, porque, longe do hospital, é necessário que o paciente ou o responsável possam cumprir as recomendações pós-operatórias, assim como saber transmitir informações a respeito da sua evolução ou relatar intercorrências.

O paciente ambulatorial, seja adulto ou criança, deve sempre estar **acompanhado de uma pessoa adulta, responsável e idônea**. A alta da unidade ambulatorial inclui informações ao paciente e ao acompanhante. A alta para os pacientes que se submeteram a sedação, ou anestesia, nas unidades ambulatoriais tipos II, III e IV não deve ser permitida se não estiverem acompanhados de uma pessoa adulta.

A volta ao trabalho ficará na dependência do ato anestésico-cirúrgico realizado e do tipo de atividade do paciente. É necessário alertar o paciente sobre o risco e enfatizar os cuidados pós-operatórios. Não pode haver abusos.

Sem dúvida, o atendimento ambulatorial libera leitos hospitalares para os pacientes que necessitam permanecer internados e promove maior rotatividade do centro cirúrgico, aumentando, assim, o desempenho econômico, já que é um setor de alto custo, porém particularmente lucrativo para entidades particulares.

A unidade ambulatorial deve dispor de dependências apropriadas para obedecer ao fluxograma traçado para o atendimento do paciente, de condições para o pronto atendimento de intercorrências ou de complicações e segurança nos critérios de seleção e de alta.

A unidade ambulatorial, seja ela autônoma, anexa ao hospital ou integrada à atividade interna do hospital, deve obedecer a todas as normas de segurança e às resoluções que regulamentam a matéria.[4]

Em relação ao custo para o paciente, ele poderá ser muito diminuído se for calculado o custo real do fluxograma da unidade ambulatorial e do procedimento sem inseri-lo no custo geral do hospital.

A devida orientação ao paciente em relação ao procedimento e aos cuidados pré e pós-operatórios propicia melhor relação médico-paciente. Sem dúvida, o esclarecimento ao paciente estabelecerá uma relação melhor de confiança e envolvimento entre as partes.

No sentido de propiciar um bom fluxo pela unidade ambulatorial, não atrasando o início das cirurgias, é desejável que o paciente seja avaliado nos dias que precedem o procedimento (um a sete dias), e, para isso, é necessário que o anestesiologista o atenda em local apropriado (consultório), quer seja no próprio hospital ou fora dele. A avaliação pré-anestésica é importante para identificar riscos que possam contraindicar o procedimento ambulatorial.[5,6] Esse contato também certamente irá melhorar a relação médico-paciente, aumentará a confiança e, consequentemente, reduzirá o estresse.[6-9] Pacientes em uso de anticoagulantes devem ser programados para avaliação pré-anestésica com maior antecedência, de preferência 15 dias.

As desvantagens, no pós-operatório, decorrem do fato de os pacientes estarem distantes do ambiente hospitalar. Assim, perdem-se alguns controles relativos à evolução pós-operatória, como:

1. Dor;
2. Náuseas e vômitos;
3. Hemorragia;
4. Inflamação;
5. Infecção;
6. Febre.

A revisão obrigatória, em alguns casos, do curativo cirúrgico 24 horas após a realização da cirurgia obrigará o deslocamento do paciente ao consultório do médico.

Outro aspecto a ser considerado é a perda total de controle sobre os pacientes com relação à sua atividade física e intelectual após a alta. O paciente deve ser alertado e muito bem orientado sobre isso.

Há necessidade de perfeita sintonia entre o anestesiologista, o cirurgião e, eventualmente, outros especialistas.

Devem ser observados os aspectos legais,[4] as condições de segurança e o fluxograma da unidade ambulatorial, procedendo-se, assim, à seleção de pacientes, dos procedimentos, de fármacos e técnicas anestésicas, assim como a obediência rigorosa aos critérios de alta. Indicadores do desempenho do fluxograma da unidade ambulatorial serão úteis para promover modificações que visem a melhorar o desempenho da unidade ambulatorial com alto índice de satisfação dos pacientes e da equipe médica que lhes presta atendimento.

■ ASPECTOS LEGAIS

A primeira revisão sobre anestesia ambulatorial, publicada na *Revista Brasileira de Anestesiologia*, data de 1983,[1] porém, no Brasil, somente em 1994 a prática foi regulamentada pelo Conselho Federal de Medicina por meio da Resolução CFM nº 1.409/1994. Posteriormente, em novembro de 2008, foi editada a Resolução nº 1.886/2008, cuja implantação foi consolidada em 13 de novembro de 2009 e que trata o assunto de forma mais abrangente e o regulamenta, tomando por base ponderações da SBA. Além dessa, editaram-se a Resolução nº 169/1996, da Secretaria da Saúde do Estado de São Paulo, e a Resolução nº 180/2001, do Conselho Regional de Medicina do Estado do Rio de Janeiro, revogando-se a Resolução nº 1.409/1994.[4] A normatização contemplou também a Resolução nº 1.802/2006, que dispõe sobre as Condições Mínimas de Segurança para a prática do ato anestésico e a norma elaborada pela Comissão de Normas Técnicas da Sociedade Brasileira de Anestesiologia, que trata do uso de anestésicos locais. A Resolução nº 1.802/2006 precedeu a atual Resolução nº 2.174/2017.

A Resolução do Conselho Federal de Medicina nº 1.886/2008[5] dispõe sobre as normas mínimas para o funcionamento de consultórios médicos e dos complexos cirúrgicos para procedimentos com internação de curta permanência. Assim, o Conselho Federal de Medicina, no uso de suas atribuições, resolveu que:

1. Ficaram aprovadas as "Normas Mínimas para o Funcionamento de consultórios médicos e dos complexos cirúrgicos para procedimentos com internação de curta permanência";
2. Os estabelecimentos públicos, privados, filantrópicos ou de qualquer natureza que se proponham a prestar internação de curta permanência deverão estar estruturados de acordo com a presente norma;
3. As unidades de saúde referidas são hospitais, clínicas, casas de saúde, institutos, consultórios, ambulatórios isolados, centros e postos de saúde e outras em que se executem procedimentos clínico-cirúrgicos de curta permanência;
4. As áreas físicas e instalações das unidades classificadas por essa resolução deverão obedecer às normas gerais e específicas do Ministério da Saúde e da Vigilância Sanitária;
5. Os diretores técnicos das unidades de saúde são responsáveis pelo cumprimento das normas estabelecidas, bem como pela provisão dos recursos físicos, humanos e materiais exigidos para a sua fiel execução;
6. Essa resolução entrou em vigor na data de sua publicação (13/11/2008), revogadas as disposições em contrário, em especial a Resolução CFM nº 1.409/94.

■ RESOLUÇÃO Nº1.886/2008 – NORMAS MÍNIMAS PARA FUNCIONAMENTO DE CONSULTÓRIOS E DOS COMPLEXOS CIRÚRGICOS PARA PROCEDIMENTOS COM INTERNAÇÃO DE CURTA PERMANÊNCIA[5]

Como a Resolução nº 1.886/2008 é bem abrangente, aqui serão destacados apenas alguns itens, que incluem definições, classificação dos estabelecimentos, critérios de seleção dos pacientes e responsabilidade médica, no entanto, ela apresenta importantes informações nos demais itens que tratam de equipamentos, materiais, recursos humanos, organização e funcionamento de uma unidade ambulatorial. É importante tomar conhecimento de tudo para verificar se a unidade ambulatorial está legalmente constituída para a prática do procedimento proposto.

Definições

■ **Cirurgias com internação de curta permanência:** incluem todos os procedimentos clínico-cirúrgicos (com exceção daqueles que acompanham os partos) que, pelo seu porte, dispensam o pernoite do paciente. Eventualmente, o pernoite do paciente poderá ocorrer, sendo que o seu tempo de permanência no estabelecimento não deverá ser superior a 24 horas.

■ **Anestesias para cirurgias com internação de curta permanência:** são todos os procedimentos anestésicos que permitem pronta ou rápida recuperação do paciente, sem necessidade de pernoite, exceto em casos eventuais. Os tipos de anestesia que permitem rápida recuperação do paciente são: anestesia locorregional, com ou sem sedação, e anestesia geral, com fármacos anestésicos de eliminação rápida.

Classificação dos Estabelecimentos

Os estabelecimentos de saúde que realizam procedimentos clínico-cirúrgicos de curta permanência, com ou sem internação, deverão ser classificados em:

a) Unidade tipo I;
b) Unidade tipo II;
c) Unidade tipo III;
d) Unidade tipo IV.

Unidade tipo I

É o consultório médico, independente de um hospital, destinado à realização de procedimentos clínicos ou diagnósticos, sob **anestesia local, sem sedação,** em dose inferior a 3,5 mg.kg^{-1} de lidocaína (ou dose equipotente de outros anestésicos locais), sem necessidade de internação.

Unidade tipo II

a) Estabelecimento de saúde, independente de um hospital, destinado à realização de procedimentos clínico-cirúrgicos de pequeno e médio portes em salas cirúrgicas adequadas a essa finalidade, com condições para internações de curta permanência;

b) Deverá contar com salas de recuperação ou de observação de pacientes;

c) Realiza cirurgias/procedimentos de pequeno e médio portes sob anestesia locorregional (com exceção dos bloqueios subaracnóideo e peridural), com ou sem sedação;

d) O pernoite, quando necessário, será feito em hospital de apoio;

e) É obrigatório garantir a referência para um hospital de apoio.

Unidade tipo III

a) Estabelecimento de saúde, independente de um hospital, destinado à realização de procedimentos clínico-cirúrgicos em salas cirúrgicas adequadas para essa finalidade, com internação de curta permanência;

b) Deverá contar com equipamentos de apoio e infraestrutura adequada para o atendimento do paciente;

c) Realiza cirurgias de pequeno e médio portes sob anestesia locorregional, com ou sem sedação, e anestesia geral com agentes anestésicos de eliminação rápida;

d) Corresponde a uma previsão de internação por, no máximo, 24 horas, podendo ocorrer alta antes desse período, a critério médico;

e) A internação prolongada do paciente, quando necessária, deverá ser feita no hospital de apoio;

f) Essas unidades obrigatoriamente terão que garantir a referência para um hospital de apoio.

Unidade tipo IV

a) É a unidade anexada a um hospital geral ou especializado que realiza procedimentos clínico-cirúrgicos com internação de curta permanência em salas cirúrgicas da unidade ambulatorial ou do centro cirúrgico do hospital e que pode utilizar a estrutura de apoio do hospital (serviço de nutrição e dietética, centro de esterilização de material e lavanderia) e equipamentos de infraestrutura (central de gases, central de vácuo, central de ar comprimido, central de ar-condicionado, sistema de coleta de lixo etc.);

b) Realiza cirurgias com anestesia locorregional, com ou sem sedação, e anestesia geral com agentes anestésicos de eliminação rápida;

c) Não está prevista a internação do paciente nessa unidade por mais de 24 horas. Nesse caso, a internação ocorrerá no hospital e somente na presença de complicações.

Critérios de Seleção dos Pacientes

1. Os critérios estabelecidos para a seleção dos pacientes são os seguintes:

   a) Estado físico: os pacientes que podem ser submetidos a cirurgia/procedimento com internação de curta permanência são os classificados nas categorias ASA-I e ASA-II da *American Society of Anesthesiologists* (1962), ou seja:

     i. ASA I: pacientes sem transtornos orgânicos, fisiológicos, bioquímicos ou psicológicos. A enfermidade que necessita de intervenção é localizada e não gera transtornos sistêmicos;

     ii. ASA II: o paciente apresenta pequenos ou moderados transtornos gerais, seja pela doença sob intervenção ou outra (ex.: doença cardíaca leve, diabetes leve ou moderado, anemia, hipertensão compensada, idades extremas e obesidade);

   b) A extensão e a localização do procedimento a ser realizado permitem o tratamento com internação de curta permanência;

   c) Não há necessidade de procedimentos especializados e controles estritos no pós-operatório;

   d) Nas unidades tipos II, III e IV, o paciente deverá estar acompanhado de pessoa adulta, lúcida e responsável;

   e) Aceitação, pelo paciente, do tratamento proposto.

2. A cirurgia/procedimento com internação de curta permanência é contraindicada quando:

   a) Os pacientes são portadores de distúrbios orgânicos de certa gravidade, avaliados a critério do médico assistente;

   b) Os procedimentos a serem realizados são extensos;

   c) Há grande risco de sangramento ou outras perdas de volume que necessitem de reposição importante;

   d) Há necessidade de imobilização prolongada no pós-operatório;

   e) Os procedimentos estão associados a dores que exigem a aplicação de narcóticos com efeito por tempo superior à permanência do paciente no estabelecimento.

3. A cirurgia/procedimento deverá ser suspensa se o paciente se apresentar ao serviço sem a companhia de uma pessoa que se responsabilize por acompanhá-lo durante todo o tempo da intervenção cirúrgica e no retorno ao lar.

4. A cirurgia/procedimento também deverá ser suspensa se o estabelecimento não apresentar as condições exigidas, como, por exemplo: falta de luz, de material e roupa esterilizada; ausência de pessoal de enfermagem no centro cirúrgico ou outros fatores que coloquem em risco a segurança do paciente.

Responsabilidades Médicas

A indicação da cirurgia/procedimento com internação de curta permanência no estabelecimento apontado é de inteira responsabilidade do médico executante.

Toda a investigação pré-operatória/pré-procedimento do paciente (realização de exames laboratoriais, radiológicos, consultas a outros especialistas etc.) para diagnóstico da condição pré-operatória/pré-procedimento do paciente é de responsabilidade do médico e/ou da equipe médica executante.

A avaliação pré-operatória/pré-procedimento dos pacientes a serem selecionados para a cirurgia/procedimento de curta permanência exige, no mínimo:

a. **ASA I**: história clínica, exame físico e exames complementares;

b. **ASA II**: história clínica, exame físico e exames complementares habituais e especiais que cada caso exija.

O médico deverá orientar o paciente ou o seu acompanhante, por escrito, quanto aos cuidados pré e pós-operatórios/procedimentos necessários e às possíveis complicações, bem como à determinação da unidade para atendimento das eventuais ocorrências.

Após a realização da cirurgia/procedimento, o médico anestesiologista é o responsável pela liberação do paciente da sala de cirurgia e da sala de recuperação pós-anestésica. A alta do serviço será dada por um dos membros da equipe médica responsável. As condições de alta do paciente serão as estabelecidas pelos seguintes parâmetros:

a) Orientação no tempo e espaço;
b) Estabilidade dos sinais vitais há pelo menos 60 minutos;
c) Ausência de náusea e vômitos;
d) Ausência de dificuldade respiratória;
e) Capacidade de ingerir líquidos;
f) Capacidade de locomoção como antes, se a cirurgia o permitir;
g) Sangramento ausente ou mínimo;
h) Ausência de dor importante;
i) Sem retenção urinária.

A responsabilidade do acompanhamento do paciente após a realização da cirurgia/procedimento até a alta definitiva é do médico e/ou da equipe médica que realizou a cirurgia/procedimento.

De acordo com a resolução, torna-se claro que:

1. As unidades dos tipos II, III e IV estarão obrigadas a garantir, durante todo o período de permanência do paciente em suas dependências, supervisão contínua realizada por pessoal de enfermagem e médico capacitado para atendimento de urgências e emergências;
2. Os estabelecimentos classificados como unidades tipos II, III e IV deverão contar com apoio hospitalar, incluindo laboratório, radiologia, banco de sangue e outros recursos que venham a ser necessários para o tratamento de complicações que porventura ocorram durante a realização de cirurgia/procedimento;
3. O hospital deverá estar localizado à distância compatível com o atendimento emergencial ao doente que estará sendo removido;
4. Os estabelecimentos classificados como unidades tipos II, III e IV deverão garantir condições para efetuar a remoção de pacientes que necessitem de internação sem agravar suas condições clínicas.

▪ SELEÇÃO DE PACIENTES

Existe consenso quanto a que pacientes com estado físico ASA I ou II podem ser enquadrados no esquema de atendimento ambulatorial, ficando o ato cirúrgico como fator limitante. É necessário, no entanto, saber qual o estado mórbido e suas possíveis complicações que levaram o paciente a ser classificado como ASA II. Essa verificação é especialmente importante em crianças e idosos. Outro fato a ser ressaltado é que a resolução CFM nº 1.886/2008 diz que os pacientes ASA I e II podem ser liberados para o atendimento em regime ambulatorial. Quanto ao paciente ASA III, ela não diz que pode, porém também não diz que não pode.

Os fatores que determinam a seleção de pacientes para o regime ambulatorial podem ser classificados em gerais e específicos, como idade e estado físico.[7,8] Assim, serão abordados os critérios gerais de seleção e a avaliação pré-anestésica propriamente dita, com destaque para crianças, idosos, obesos e aqueles com apneia obstrutiva do sono.

Critérios Gerais de Seleção

As Tabelas 185.2 e 185.3 mostram, respectivamente, os critérios gerais para a inclusão de paciente adulto e de crianças no regime ambulatorial.[8]

A presença de acompanhante adulto, responsável e idôneo é imprescindível. No caso de crianças, recomendam-se dois acompanhantes. De preferência, a mesma pessoa que acompanhará o paciente na data do procedimento deverá acompanhá-lo no dia da consulta.

A fácil comunicação com a unidade ambulatorial e a fácil locomoção até ela são importantes para os casos de complicações ou simples esclarecimentos de dúvidas no pós-operatório.

É necessário que o paciente seja capaz de cumprir todos os cuidados pós-operatórios para não haver complicações. Assim, sua capacidade cognitiva e suas condições socioeconômicas são importantes. para que compreenda e execute corretamente as instruções pré e pós-operatórias que o procedimento exige e para que disponha de material e medicamentos necessários ao tratamento.

Dentro da multiplicidade de fatores que envolvem o procedimento, a recusa do paciente também é um aspecto que deve ser considerado, portanto pais incapazes de dar continuidade aos cuidados no lar, ou relutantes a eles, limitam o atendimento em regime ambulatorial. A Tabela 185.4 mostra alguns critérios gerais de exclusão de crianças do regime ambulatorial.

Tabela 185.2 Critérios gerais de inclusão de adultos.
Acompanhante adulto
▪ Fácil comunicação com a unidade ambulatorial
▪ Fácil locomoção até a unidade ambulatorial
▪ Condições de efetuar os cuidados pós-operatórios
▪ Condições socioeconômicas

Tabela 185.3 Critérios gerais de inclusão de crianças.
Acompanhante(s) adulto(s)
▪ Fácil comunicação com a unidade ambulatorial
▪ Fácil locomoção até a unidade ambulatorial
▪ Condições de realizar os cuidados pós-operatórios
▪ Nível intelectual dos pais
▪ Condições socioeconômicas

Tabela 185.4 Critérios gerais de exclusão de crianças.

- Pais incapazes ou relutantes em cuidar da criança
- Inadequadas condições da residência
- Não tem telefone
- Inadequado meio de transporte
- Longa distância da unidade ambulatorial

Idade e Estado Físico

Entre os critérios de seleção de pacientes para o regime ambulatorial, o estado físico é o mais importante, constituindo-se na grande variável entre os critérios de seleção. Existem particularidades das comorbidades em crianças, adultos, idosos e obesos.

Crianças

Cerca de 70% dos procedimentos cirúrgicos e diagnósticos em crianças podem ser feitos em regime ambulatorial. Os fatores que contribuem para isso são: estado físico, cirurgias de pequeno e médio portes, menor possibilidade de infecção em crianças imunodeprimidas e poucas alterações na rotina de vida. A internação sempre envolve algum grau de agressão, podendo ocorrer apatia, mudança de comportamento, alterações do sono, enurese noturna e até regressão no desenvolvimento.

O atendimento de crianças em regime ambulatorial tem vantagens, porém é necessária a existência de um fluxograma que dê toda a atenção aos pais e à criança. O ideal é que, no plano integrado, seja incluída uma pré-admissão, que a admissão e o acompanhamento sejam feitos por pessoal qualificado, que a unidade ambulatorial esteja no contexto da criança e exista uma organização com alta prevista para o mesmo dia. Mesmo nas unidades ambulatoriais multidisciplinares, onde existem pacientes de várias idades para variados tipos de procedimentos, a atenção à criança deve ser individualizada.

Com relação ao estado físico, deve ser dada atenção especial a alguns aspectos, como: infecção de vias aéreas superiores, risco de apneia, cardiopatias e miopatias.[9]

Criança saudável que no dia da cirurgia se apresenta com coriza ou tosse leve sem febre passará a ter seu estado físico alterado levemente, no entanto trata-se de sintomatologia de um processo agudo de vias aéreas que pode levar a complicações respiratórias na indução, manutenção ou recuperação pós-anestésica.[9,10]

Alguns estudos mostram claramente a ocorrência de complicações respiratórias no período perianestésico em crianças com sintomas de afecções respiratórias, ainda que leves. Os processos infecciosos virais tornam as vias aéreas hiper-reativas, com sensibilização dos receptores nervosos, propiciando fácil resposta brônquica (espasmo) pela estimulação de tubos traqueais e gases anestésicos.[9,10] Assim, criança que apresenta coriza pode ser portadora de condição infecciosa benigna, como rinite sazonal ou vasomotora, contudo a coriza pode ser pródromo de doença ou processo infeccioso efetivo que torna necessária a suspensão do ato anestésico-cirúrgico.[10]

Deve-se considerar que, na dependência da intensidade da agressão, a mucosa respiratória leva de duas a seis semanas para se recuperar das alterações provocadas por infecção.[10]

A maior incidência de complicações ocorre em crianças com menos de 12 meses de idade, fato atribuído ao menor diâmetro das vias aéreas, à fadiga da musculatura respiratória e à imaturidade dos pulmões.[10]

Considerando a possibilidade de complicações respiratórias, especialmente com intubação traqueal, crianças com sintomas decorrentes de infecção viral do trato superior não devem ser submetidas à cirurgia eletiva em regime ambulatorial.[11,12]

Outro aspecto a ser considerado são crianças, e mesmo pacientes adultos, com história pregressa de crises asmáticas. Pacientes com histórico de asma e crise recente apresentam maior propensão a crise de broncoespasmo no período perianestésico. A ocorrência de broncoespasmo pode modificar o planejamento da cirurgia e do tempo de permanência hospitalar devido à resposta imprevisível ao tratamento e à possibilidade de interação medicamentosa.

Pacientes prematuros eventualmente apresentam apneia pós-operatória, exigindo vigilância constante.

A definição mais comum para apneia neonatal é: pausa ventilatória por 15 segundos seguida de dessaturação e bradicardia.[13] A apneia pode ser classificada em central, obstrutiva e mista. Em 20% dos casos, é do tipo central, com cessação total dos movimentos respiratórios e da entrada de ar nas vias respiratórias. Em 20% dos casos, é do tipo obstrutiva, com cessação da entrada de ar nas vias respiratórias, na vigência de movimentos respiratórios ativos. Em 60% dos casos, é mista, em que o episódio de apneia central é seguido pelo obstrutivo, ou o episódio obstrutivo é seguido pelo central. São apontados como fatores predisponentes: imaturidade do centro respiratório, maior incidência do sono tipo REM e fadiga muscular. A incidência de apneia é tanto maior quanto mais prematuro for o recém-nascido.[14] A Tabela 185.5 mostra essa incidência, e a Tabela 185.6 aponta a incidência de apneia em lactentes com idade conceptual entre 45 e 60 semanas.[13]

Tabela 185.5 Prematuros (semanas) e incidência de apneia.

Semanas	Incidência de apneia
34-35	7%
32-33	14%
30-31	54%
< 30	83%

Tabela 185.6 Idade conceptual de prematuros e incidência de apneia.

Idade conceptual	Incidência de apneia
45 semanas	5%
46 semanas	5%
60 semanas	< 5%

Existem condições associadas que aumentam a possibilidade de apneia, como refluxo gastroesofágico, lesão do sistema nervoso central, infecção, flutuações da temperatura, anormalidades cardíacas, alterações metabólicas, administração de fármacos, anemia, disfunção respiratória, distensão abdominal e doença pulmonar crônica do prematuro,[11] na qual se destaca a displasia broncopulmonar. Lactentes com história de prematuridade, displasia broncopulmonar, apneia ou respiração irregular durante a indução anestésica têm maior risco de desenvolver complicações respiratórias no pós-operatório.[10]

Dessa forma, embora na faixa de 45 a 60 semanas de idade conceptual muitos procedimentos possam ser feitos em regime ambulatorial, há a necessidade de se estudar cada caso individualmente. História, exame físico e a opinião dos pais são importantes para a inclusão do paciente no regime ambulatorial. É preciso que se verifique a idade conceptual, a ocorrência de apneia no lar, a existência de doença pulmonar crônica e morbidade do sistema nervoso central, a existência de anemia e se a cafeína está sendo utilizada como estimulante respiratório. Deve ser avaliado também o risco-benefício da intervenção precoce.[10]

Liberados para o regime ambulatorial, prematuros saudáveis devem seguir sob vigilância pelo período de 6 horas. Aqueles com história de apneia recorrente, doença neurológica ou anemia permanecem sob observação pelo período de 12 horas.[10]

Quanto às técnicas anestésicas, admitem-se anestésicos voláteis com baixa solubilidade e anestesia regional sem sedação, técnicas que apresentam baixa incidência de apneia no pós-operatório.[14] Um estudo incluiu 144 recém-nascidos pré-termo com hérnia inguinal, decidindo-se pela realização da hernioplastia antes da alta da unidade neonatal. Na realidade, esse estudo foi realizado aproveitando-se o fato de os pacientes já estarem internados na unidade de terapia intensiva, o que possibilitaria sua observação direta no pós-operatório. Foi realizado bloqueio subaracnóideo como técnica anestésica única. A realimentação foi instituída com sucesso em 84% dos pacientes nas primeiras 6 horas e 83% tiveram alta no período de 30 horas. As únicas variáveis com efeito independente sobre o risco do desfecho desfavorável foram displasia broncopulmonar e leucomalacia periventricular, reforçando a gravidade dessas entidades mórbidas.[12] Ficou ressaltado que a displasia broncopulmonar é um fator de risco, que se deve considerar a possibilidade de toxicidade dos anestésicos e que é necessário avaliar o risco-benefício da intervenção precoce.[14]

Outros fatores limitantes na seleção para procedimentos ambulatoriais são: lactentes com menos de 6 meses de idade que tenham irmãos com história de morte súbita na infância; lactentes que tiveram síndrome da angústia respiratória cuja remissão dos sintomas tenha ocorrido menos de seis meses antes da cirurgia; disritmias cardíacas; cardiopatias congênitas; doenças neuromusculares.

O conceito de cardiopatia congênita inclui não somente os defeitos anatômicos, mas também arritmias cardíacas congênitas, como as síndromes de QT longo, Brugada e Wolf-Parkinson-White, e sequelas adquiridas, como a doença de Kawasaki.[15] Atresia tricúspide, atresia pulmonar, tetralogia de Fallot, transposição de grandes artérias, *truncus arteriosus*, disfunção ventricular, hipertensão pulmonar, obstrução da saída do ventrículo e ventrículo único são cardiopatias congênitas com defeito anatômico.

As crianças com cardiopatias congênitas podem ser divididas em quatro categorias:[15] sem correção anatômica, aquelas submetidas a correção anatômica, crianças com reparos anatômicos paliativos e pequeno subgrupo de crianças que são chamadas de fisiologicamente reparadas. Cada uma das cardiopatias já referidas proporciona um tipo de conduta e uma evolução clínica que é observada, podendo haver desfechos favoráveis ou desfavoráveis na dependência da gravidade de cada uma. *Admite-se que podem ser incluídas, no regime ambulatorial, crianças com cardiopatia congênita cuja doença esteja bem controlada, com desenvolvimento normal, em que não existam restrições a exercícios físicos e que passam por avaliações periódicas com cardiologista.* Nessa situação, o risco é normal e o estado físico pode ser classificado como ASA I ou II.

Em relação às miopatias, há a necessidade de se verificar se a doença está incluída nos grupos de risco para o desenvolvimento de hipertermia maligna. Algumas doenças estão fortemente associadas à hipertermia maligna, como a síndrome King-Denbough, miopatia de Brody, doença do *central core* e miopatia multiminicore, porém é necessária atenção especial aos pacientes hipotônicos pela possibilidade de hipercalemia.[16] A avaliação clínica dos pacientes com miopatias e os cuidados pré-anestésicos estão abordados no Capítulo 89.

Idosos e estado físico ASA III

Sem dúvida, cresceu muito o número de idosos na população, assim como o de idosos que se submetem a procedimentos anestésico-cirúrgicos em regime ambulatorial.[17] Entre os potenciais benefícios do regime ambulatorial no idoso, podem-se ressaltar: evita a interrupção de rotinas diárias e diminui o impacto emocional da internação, a incidência de disfunção cognitiva, a infecção hospitalar e as complicações pós-operatórias.[17] O controle das comorbidades, a evolução das técnicas anestésicas e as cirurgias minimamente invasivas possibilitam que muitos idosos se beneficiem do regime de curta permanência hospitalar,[17] no entanto importa ressaltar que existe um declínio funcional de órgãos como coração, sistema cardiovascular, sistema nervoso autônomo, fígado e rins. Além disso, ocorrem aumento da gordura corporal, diminuição da água corporal, propensão a hipoalbuminemia, uso de medicamentos e aumento da sensibilidade aos fármacos.[17]

Pacientes com doenças cardíacas e respiratórias e apneia obstrutiva do sono com mais de 85 anos apresentam risco anestésico-cirúrgico maior.[18] Cerca de 50% dos idosos portam alguma doença crônica. O índice ASA III em idosos varia de 2,3% a 12%, e a polipatologia, a polimedicação e a vulnerabilidade reduzem a sua capacidade de reação ao estresse e a agressões cirúrgicas.[18] Na faixa etária de 65 a 80 anos, os pacientes utilizam 3,9 medicações por dia; acima de 80 anos, esse número passa para 4,4.[18]

Realmente, a discussão quanto aos critérios de inclusão gira em torno dos pacientes nos extremos de idade e daqueles com estado físico ASA III. De acordo com a Resolução do CFM antes apresentada,[4] os pacientes com estado físico ASA III não estão incluídos no regime ambulatorial.

Alguns estudos mostram a evolução e as complicações perioperatórias em pacientes com estado físico ASA III em regime ambulatorial.[18-20] Certos autores relatam que doenças preexistentes contribuíram para alguma complicação cardiovascular, pulmonar ou neurológica. A maioria dos eventos ocorreu 48 horas após o ato anestésico-cirúrgico, mostrando relação com a doença e a idade avançada. Outros dados demonstram que as maiores complicações, como infarto agudo do miocárdio (IAM), déficit do sistema nervoso central e embolia pulmonar, ocorridas até 30 dias depois do pós-operatório, apresentaram incidência menor quando em comparação com a população geral de idosos que não se submeteu à cirurgia ambulatorial. Os autores atribuem esse fato à adequada seleção e ao preparo pré-operatório dos pacientes submetidos à anestesia e à cirurgia ambulatorial, em que os critérios de exclusão foram rigorosamente seguidos.[17,18]

Outros estudos mostram relação entre a idade e a duração da recuperação ou a incidência de complicações pós-operatórias, todavia essa incidência é pequena em relação aos pacientes saudáveis e à população geral.[18]

Na realidade, os estudos epidemiológicos mostram que a cirurgia ambulatorial não precisa ficar restrita a pacientes jovens e saudáveis. Pacientes idosos e com estado físico ASA III podem ser enquadrados no esquema ambulatorial, desde que as doenças sistêmicas preexistentes sejam adequadamente controladas no pré-operatório. Devem-se levar em conta, também, o caráter invasivo da cirurgia e as condições para os cuidados pós-operatórios no lar.[19,20]

Sempre é preciso lembrar-se de que não é possível assegurar a liberação, dentro da rotina ambulatorial, de pacientes cujo estado físico é ASA III com grave doença preexistente, devendo-se, no nosso meio (Resolução CFM nº 1.886/2008), sempre prever a possibilidade de permanência no hospital, o que equivale a dizer que esses pacientes devem ser programados preferencialmente para estabelecimentos cuja unidade ambulatorial é do tipo IV (Tabela 185.7).

Tabela 185.7 Paciente ASA III e o regime ambulatorial.

- Doenças sistêmicas devem estar adequadamente controladas
- Verificar o caráter invasivo do procedimento
- Técnica anestésica com mínimo impacto sobre o organismo
- Condições para os cuidados pós-operatórios no lar
- Prever sempre a possibilidade de permanência hospitalar
- Realizar o procedimento em unidade ambulatorial tipo IV

A liberação do paciente para cirurgia ambulatorial depende de uma eficiente avaliação pré-operatória, que inclui história, exame físico e relevantes exames laboratoriais.

Ao liberar o paciente para a cirurgia ambulatorial com importante doença preexistente, é necessário saber: se ele está nas melhores condições para submeter-se ao procedimento proposto; se sua doença está controlada; se é possível realizar uma técnica anestésica com mínimo impacto sobre o organismo; quais os cuidados pré e pós-operatórios que devem ser seguidos para que o paciente realmente se beneficie do tratamento em regime ambulatorial.[18]

As doenças cardiovasculares (isquemia, IAM, valvulopatias, hipertensão arterial), as doenças respiratórias e o diabetes melito, por suas frequência e morbimortalidade, merecem atenção especial.

Está demonstrado que o IAM perioperatório está associado a fenômenos isquêmicos pré-operatórios em pacientes com doença da artéria coronária. As causas mais frequentes de isquemia coronariana no perioperatório são a hipertensão arterial e a taquicardia. Episódios de isquemia no perioperatório ocorrem com a mesma frequência que aqueles observados em pacientes com padrão anginoso.[21] São fatores de risco cardiovasculares: hipertensão arterial, idade, diabetes, colesterol alto, taxa de filtração glomerular < 60 mL.min^{-1}, microalbuminúria, história de doença cardiovascular prematura, obesidade, sedentarismo e tabagismo.[17,18]

Ao se detectar o fenômeno isquêmico, é necessário manter o paciente em observação mais prolongada no pós-operatório. Se houver mudanças no traçado eletrocardiográfico ou episódios isquêmicos prolongados que necessitem de intervenção, o paciente deverá pernoitar no hospital.

A liberação de pacientes com lesões valvulares cardíacas depende da localização da lesão, de sua gravidade e do estado funcional dos ventrículos. História de insuficiência cardíaca está associada a lesões graves.

Pacientes com hipertensão arterial apresentam alto risco de isquemia coronariana e IAM. As complicações estão em razão direta com o grau de alterações orgânicas que a hipertensão causou. Assim, a hipertrofia ventricular esquerda aparece como principal indicadora de aumento da morbidade cardiovascular.[17,18,21,22]

O comportamento da pressão arterial é variável nos pacientes hipertensos. Muitos a mantêm normal durante o sono (natural ou induzido) e apresentam hipertensão quando acordados. O estresse pré-operatório frequentemente aumenta a pressão arterial, muitas vezes em nível perigoso. É frequente o aumento da pressão arterial do paciente no pré-operatório, retornando ao nível normal ou habitual após a saída do ambiente hospitalar.

Alguns pacientes, mesmo em tratamento, mantêm níveis pressóricos acima do normal, e a redução em 20% da pressão diastólica pode resultar em isquemia tecidual. Investigação adequada do comportamento pressórico desses pacientes deve ser realizada. O adiamento da cirurgia e uma avaliação minuciosa são recomendáveis sempre que a pressão diastólica for ≥ 115 mmHg e a sistólica, ≥ 200 mmHg.[21]

Na avaliação pré-operatória, é necessário colher dados importantes, como duração da hipertensão, tratamento que vem sendo realizado e acometimento de órgãos alvo, definindo o grau de malignidade da hipertensão arterial. Devem-se também investigar os fatores de risco, nos quais estão incluídos: tabagismo, dislipidemia, diabetes melito, idade > 60 anos e história familiar de doença cardiovascular. Entre as doenças clínicas e lesões de órgãos alvo estão incluídos: hipertrofia ventricular esquerda, angina ou IAM prévio, insuficiência cardíaca, revascularização do miocárdio, nefropatia, acidente vascular encefálico (AVE) transitório, doença arterial periférica e retinopatia hipertensiva.[22]

Quanto aos pacientes diabéticos, em princípio, existem dois aspectos que devem ser considerados: uso de hipoglicemiantes e manifestação sistêmica da doença.

No que se refere ao uso de hipoglicemiantes orais ou insulina, é perfeitamente possível programar o ato anestésico-cirúrgico ambulatorial, geralmente de pequeno porte, sem interferir no atual esquema de tratamento.

O grande problema do paciente diabético é a repercussão orgânica da doença, como aterosclerose, coronariopatia, hipertensão arterial, cardiomiopatia, neuropatia autonômica e nefropatia. Sua seleção para cirurgia ambulatorial dependerá do grau de comprometimento orgânico que apresenta. A neuropatia autonômica com instabilidade hemodinâmica, hipotensão postural e síncope contraindica procedimentos em regime ambulatorial.

Concernente às doenças respiratórias, aquelas que manifestadas por hiper-reatividade das vias aéreas, como asma, bronquite crônica e enfisema, são as que necessitam de cuidados especiais.[18] É necessário que o paciente esteja na melhor de suas condições ventilatórias. Sabe-se que, mesmo com os devidos cuidados na indicação da técnica anestésica e na sua execução, existe a possibilidade do desenvolvimento de broncoespasmo, que certamente prolongará o tempo de permanência hospitalar, exigindo, algumas vezes, internação.

Além das situações que foram mais detalhadas, é necessário assinalar que toda doença e os dados da história familiar devem ser investigados no sentido de conhecer suas complicações, que podem constituir um fator limitante na realização do procedimento ambulatorial.

Nesse sentido, a avaliação pré-operatória feita com antecedência é importante para o planejamento do ato anestésico-cirúrgico, e o consultório do anestesiologista passa a ser parte integrante do esquema, com certeza acrescentando um fator de qualidade ao atendimento do paciente ambulatorial.[7,22]

Pacientes obesos

A liberação de pacientes obesos para o regime ambulatorial continua sendo um assunto controverso. O índice de massa corporal (IMC) não apresenta, isoladamente, um valor definitivo para exclusão nem fator de risco para complicações pós-operatórias.[23] Ao longo desses anos, o IMC tem passado por aumentos graduais. Consenso antigo recomendava exclusão de pacientes com IMC $\geq$ 30 kg/m^2,[23] porém outras publicações mostram que, na faixa de IMC de 35 a 45 kg/m^2, muitos obesos podem ser incluídos no regime ambulatorial.[23] O problema realmente é o obeso mórbido, que em apresentando comorbidades, acrescenta mais fatores de risco. Comorbidades cardiovasculares e respiratórias sempre provocam, inicialmente, um estado de expectativa quando o paciente é liberado para o regime ambulatorial, porém não existem evidências de que aqueles que têm suas comorbidades controladas possam ter maior incidência de morbidade. Na realidade, cada caso deverá ser estudado individualmente, levando-se em consideração o IMC, a presença e o controle das comorbidades, a dificuldade de obtenção da via aérea, o tipo de procedimento e a presença de apneia obstrutiva do sono (AOS), pois cerca de 70% dos obesos a apresentam, sendo que em 70% dos casos ela não é diagnosticada.[23]

Pacientes com apneia obstrutiva do sono

O diagnóstico de AOS é extremamente importante para a liberação ou não do paciente para a cirurgia ambulatorial. Devem-se considerar também a presença de comorbidades e algumas características clínicas e anatômicas dos pacientes com AOS.

Na ausência de diagnóstico confirmado por polissonografia, um exame dispendioso, admite-se que dois tipos de questionários podem ser aplicados com resultados consistentes quanto à sensibilidade para diagnosticar AOS, assim como para determinar o seu nível de gravidade:[23] trata-se dos questionários STOP e STOP-Bang (Tabelas 185.8 e 185.9).[24]

Tabela 185.8 Questionário STOP.[24]

Perguntas	Respostas	Interpretação
1. Você ronca alto (tão alto quanto fala ou tão alto que pode ser ouvido com portas fechadas)?	Sim ou não	Alto risco de AOS: respostas Sim $\geq$ 2 perguntas
2. Você frequentemente sente-se cansado, fatigado, ou dorme durante o dia?		Baixo risco de AOS: resposta Sim < 2 perguntas
3. Alguém já observou parada da sua respiração durante o sono?		
4. Você faz ou está iniciando tratamento para hipertensão arterial?		

STOP: S – *snoring*, T – *tired*, O = *observed*, P = *pressure*.

Tabela 185.9 Questionário STOP-Bang.[24]

Perguntas	Respostas	Interpretação
1. Você ronca alto (tão alto quanto fala ou tão alto que pode ser ouvido com as portas fechadas)?	Sim ou não	Alto risco de AOS: respostas SIM > 3 itens
2. Você frequentemente sente-se cansado, fatigado ou dorme durante o dia?		Baixo risco de AOS: respostas SIM < 3 itens
3. Alguém já observou parada da sua respiração durante o seu sono?		
4. Você faz ou está iniciando tratamento para hipertensão arterial?		
5. IMC $\geq$ 35 kg/m^2?		
6. Idade $\geq$ 50 anos?		
7. Circunferência do pescoço $\geq$ 40 cm?		
8. Sexo masculino?		

STOP-Bang: S = *snoring*, T = *tired*, O = *observed*, P = *pressure*, B = *body mass index*, A = *Age*, N = *neck size*, G = *gender*.

Baseando-se nas evidências, a Society for Ambulatory Anesthesia desenvolveu uma diretriz para a seleção de pacientes com AOS para o regime de curta permanência hospitalar (Figura 185.1).[25] De acordo com essa diretriz, três aspectos ficam evidentes:

- Pacientes com diagnóstico conhecido de AOS e cujas comorbidades encontram-se controladas podem ser liberados para o regime ambulatorial desde que sejam capazes de utilizar sistema de pressão positiva contínua das vias aéreas (CPAP) no pós-operatório;
- Pacientes com presumido diagnóstico de AOS, com base no questionário STOP-Band, que tenham suas comorbidades controladas e cuja dor pós-operatória pode ser controlada com analgésicos não opioides podem ser escalados para cirurgia ambulatorial;
- Pacientes com AOS ou diagnóstico presumido de AOS que não tenham suas comorbidades compensadas não podem ser incluídos no regime ambulatorial.[23,25]

Exames Complementares

No passado, os exames pré-operatórios eram realizados de modo padronizado, e muitos deles eram solicitados objetivando, também, a detecção de doenças associadas e não diagnosticadas.

Atualmente, a tendência é a realização de exames somente nas seguintes situações:

a) Presença de dados positivos da história clínica ou exame físico;
b) Necessidade de se obterem valores pré-operatórios de alguns exames passíveis de sofrer alterações durante a realização do ato anestésico-cirúrgico ou procedimentos diagnósticos ou terapêuticos;
c) Condição específica que inclua o paciente em grupo de risco, ainda que sem dados positivos de história clínica ou exame físico.

Assim sendo, os exames complementares só devem ser solicitados quando necessário.[5,6]

Na verdade, a realização rotineira de uma bateria de exames pré-operatórios não substitui uma avaliação pré-operatória bem realizada e só fará aumentar o custo sem oferecer benefício para o paciente e, muitas vezes, sem modificar o planejamento anestésico-cirúrgico.[26]

O paciente com estado físico ASA I sem antecedente mórbido a ser submetido à cirurgia de pequeno porte ou procedimento diagnóstico com mínimo trauma não necessita, a rigor, de exames complementares. Existe, no entanto, um temor em relação a problemas legais ante um evento adverso, por isso admite-se uma rotina embasada no estado físico do paciente. A Tabela 185.10 mostra a rotina de exames pré-operatórios em um serviço universitário que, segundo os autores, diminui sensivelmente o número de exames solicitados, apesar de todos os pacientes serem submetidos a pelo menos um exame.[6]

Outro aspecto a ser considerado na rotina proposta é que não se está levando em conta o tipo de procedimento ao qual paciente irá se submeter.

Considerando que somente são liberados para cirurgia pacientes com estado físico ASA I e ASA II que tenham suas doenças compensadas, a rotina proposta pode ser revista na dependência das condições clínicas do paciente e do tipo de procedimento. Assim, a pacientes com estado físico ASA I, a verificação do hematócrito e da hemoglobina em pacientes jovens e saudáveis, o eletrocardiograma em pacientes de até 60 anos, a dosagem da creatinina e, principalmente, a radiografia de tórax podem ser solicitados.

Alguns estudos têm mostrado que a radiografia de tórax não é útil para identificar doenças pulmonares ou cardiovasculares em pacientes clinicamente normais.

Para pacientes com estado físico ASA II, mais importantes do que exames rotineiros são os exames complementares diagnósticos para verificar o estado atual da doença, sua evolução ou a repercussão da terapêutica atual.[26] Assim, o quadro apresentado indica os exames que podem se constituir em uma rotina com base em dados que indicam maior incidência de certas doenças em determinada faixa etária e determinado

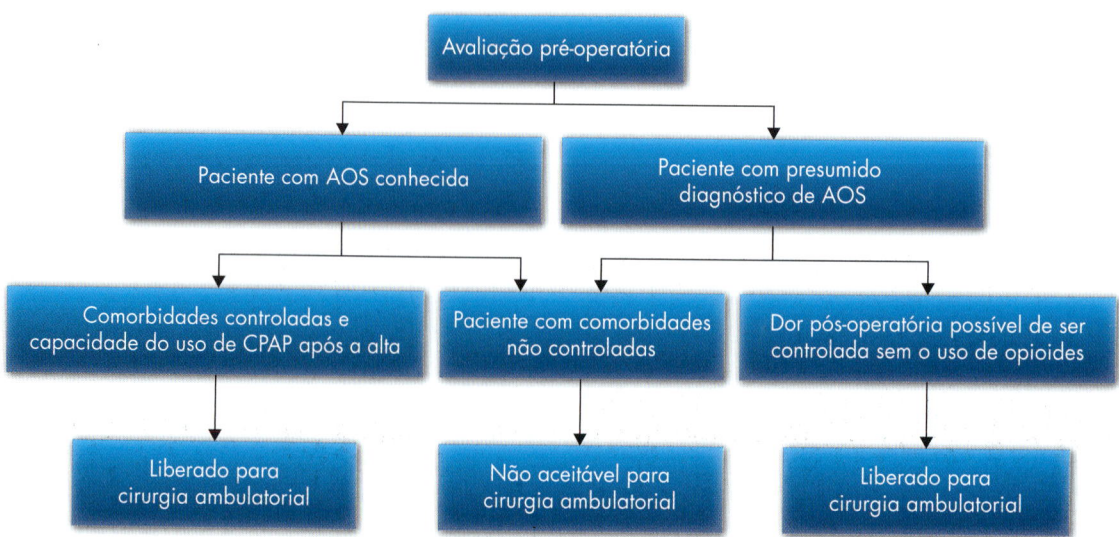

▲ **Figura 185.1** *Guideline* desenvolvido pela *Society for Ambulatory Anesthesia* para seleção de pacientes com AOS escalados para o regime de curta permanência hospitalar.

Tabela 185.10 Exames pré-anestésicos.		
Estado físico	**Idade**	**Exames**
ASA I	< 50 anos	Hb Ht
	51 a 60 anos	Hb, Ht, ECG
	> 60 anos	Hb, ECG, creatinina, glicemia
	> 75 anos	Hb, Ht, ECG, creatinina, glicemia, radiografia de tórax
ASA II	Qualquer idade	Hb, Ht e exames de acordo com a doença
ASA II (com doença cardiovascular)	Qualquer idade	Hb, Ht, ECG, radiografia do de tórax, creatinina, Na^+, K^+ (se em uso se diurético)
ASA II (com diabetes)	Qualquer idade	Hb, ECG, creatinina, glicemia, Na^+, K^+
ASA III, IV e V	Qualquer idade	Hb, Ht, ECG, creatinina, glicemia, Na^+, K^+, radiografia de tórax e exames de acordo com a doença

ASA: American Society of Anesthesiologists; Hb: hemoglobina; Ht: hematócrito; ECG: eletrocardiograma; Na^+: sódio; K^+: potássio.

estado físico. A avaliação pré-operatória pode suprimir alguns deles, assim como acrescentar ou priorizar outros.

Critérios Específicos de Inclusão

Critérios específicos, como idade e estado físico, já abordados, evidenciam que a prematuridade e a concomitância de algumas doenças aumentam o risco. A coexistência de doenças respiratórias associadas a doenças cardiovasculares constitui um grande fator limitante para o regime ambulatorial.

Considerando que, para procedimentos minimamente invasivos, a grande variável é o paciente, podem-se estabelecer critérios de inclusão e exclusão no regime ambulatorial de acordo com o estado físico, como os que se seguem:

- Os pacientes com estado físico ASA I podem ser liberados, devendo-se observar se existem pródromos de afecções agudas, ainda que leves, especialmente as respiratórias;
- Os pacientes com estado físico ASA II também podem ser liberados com as mesmas recomendações anteriores e a certeza de que a doença esteja realmente sob controle e de que o ato anestésico-cirúrgico não interferirá nela;
- A internação deve ser sempre prevista para os pacientes com estado físico ASA III, os quais poderão ser liberados somente se o procedimento anestésico-cirúrgico for de pequeno impacto para o organismo, se suas doenças estiverem controladas e se realmente houver benefício. Assim, os procedimentos devem ser feitos, preferencialmente, em unidades ambulatoriais tipo IV.

A seleção de pacientes deve ser muito criteriosa, envolvendo todos os aspectos clínicos, cirúrgicos, sociais e as condições do ambiente em que se pratica o ato anestésico-cirúrgico de curta permanência hospitalar.[2]

■ SELEÇÃO DE PROCEDIMENTOS AMBULATORIAIS

Desde a primeira publicação abrangente sobre anestesia ambulatorial em nosso meio[1,2] até os dias de hoje, cresceu muito a lista de procedimentos que podem ser realizados em regime ambulatorial, sendo que muitos fatores contribuíram para isso (Tabela 185.1).

Realmente, o surgimento de novos equipamentos, de monitores adequados e novos fármacos melhorou muito a segurança do ato anestésico, a ponto de, na atualidade, a anestesia não ser um forte fator limitante para a realização de procedimentos cirúrgicos, diagnósticos e terapêuticos em regime ambulatorial. A adequação e a seleção de pacientes, de fármacos e de técnicas, a disponibilidade de monitores e um ambiente propício, somados à qualificação profissional do pessoal que atende ao paciente, possibilitam realizar o ato anestésico com segurança e qualidade.[26,27]

Outro aspecto importante é a evolução de conceito em Anestesiologia, que inclui a programação de um estado ótimo de alívio da dor no pós-operatório.[28] O surgimento de novos fármacos e de condutas rotineiras com essa finalidade também contribuiu para enquadrar muitos procedimentos em regime de curta permanência hospitalar.

A evolução dos equipamentos propicia realizar procedimentos cirúrgicos e diagnósticos minimamente invasivos, com consequente diminuição da morbidade.

Os cuidados da equipe que atende ao paciente e a responsabilidade de liberá-lo aos seus próprios cuidados para a residência exigem excelente relacionamento da equipe anestésico-cirúrgica e uma perfeita adequação dos hospitais para o cumprimento do fluxograma e das exigências das normas de segurança. Com esse trabalho, haverá a possibilidade de maior rotatividade do centro cirúrgico e diminuição dos custos.

Alguns fatores são limitantes na seleção de procedimentos ambulatoriais, como a extensão, a duração ou a presença de dor, hemorragia e infecção.

Extensão do Procedimento

A extensão do procedimento é um fator importante para que ele seja liberado para o regime ambulatorial, portanto ele deve ser minimamente invasivo.

O conceito de procedimento minimamente invasivo surgiu com o desenvolvimento de equipamentos e técnicas que viabilizaram sua realização com mínimo trauma local e para o organismo como um todo. Exemplos são algumas videocirurgias, cujo acesso é feito por pequenas incisões e mínima manipulação dos tecidos, as endoscopias e o diagnóstico por imagem, como a tomografia computadorizada e a ressonância nuclear magnética.

Duração do Procedimento

A duração do procedimento pode ser um fator limitante para os procedimentos ambulatoriais. No entanto, se o prolongamento do tempo não implicar maior trauma, perda sanguínea, modificação de técnicas ou maior cuidado pós-operatório, ele poderá ser mais prolongado, ficando a alta hospitalar na dependência da recuperação plena do paciente.[29] Exemplo disso é o tratamento dentário (restaurações múltiplas), que pode demandar tempo com mínimo trauma. Essa condição é especialmente importante em pacientes com *déficit* mental, especialmente em crianças.[29] Crianças com síndrome de Down, por exemplo, submetem-se a tratamento dentário sob anestesia geral em uma única sessão. Mesmo aquelas cuja estimulação é precoce e são acompanhadas por esquema multidisciplinar, ou seja, que estão perfeitamente integradas à sociedade, certamente beneficiar-se-ão muito mais retornando ao lar do que permanecendo em ambiente agressivo e estranho como um quarto hospitalar.

De qualquer forma é necessário verificar por que o tempo se prolongou. Se foi causado por algum evento adverso, a permanência no hospital deve ser sempre considerada.[17]

Outro aspecto importante diz respeito à rotina e ao treinamento das equipes. Em hospitais multidisciplinares, ou de ensino e treinamento, são frequentes as diferenças de tempo para determinado procedimento. Assim, não se pode rotular um procedimento como ambulatorial simplesmente porque ele é aceito universalmente como tal. É necessário analisar as variáveis, e o tempo é uma delas.

Dor

A presença de dor forte, não controlável com analgésicos comuns, é um dos fatores mais importantes e que limita a alta do paciente. Quando for necessário o uso de opioides, de sedação ou outras formas mais complexas para o alívio da dor, o paciente deverá ficar internado.

A rapidez de um procedimento não significa necessariamente que ele provoque dor menos intensa. Um exemplo disso é a manipulação de joelho operado e que não apresenta movimento de flexão adequado por fibrose e aderência. O movimento de flexão forçada na tentativa de desfazer as aderências é extremamente doloroso tanto durante como após o procedimento. Nesses pacientes, também é desejável instituir tratamento fisioterápico após a manipulação e manter o joelho em flexão. Assim, é necessário programar um esquema de analgesia, que nem sempre se consegue com analgésicos comuns e em regime ambulatorial.

O controle da dor é fundamental para a inclusão do paciente no regime ambulatorial. Hoje cresceu muito o número de procedimentos nos quais algum tipo de bloqueio de nervo periférico é realizado a fim prover analgesia prolongada no pós-operatório, seja em crianças, adultos jovens ou idosos. O controle adequado da dor é, sem dúvida, um dos fatores que abreviam o tempo de alta hospitalar.

Na seleção de uma cirurgia para o regime ambulatorial, é preciso saber se é possível controlar a dor no pós-operatório com analgésicos não opioides e, de preferência, por via oral.

Hemorragia

A possibilidade de hemorragia é mais um fator limitante de relevância na seleção de cirurgias ambulatoriais.

Grande hemorragia durante a cirurgia e a perspectiva de sangramento no pós-operatório exigirão vigilância continuada e controles rigorosos, implicando a permanência hospitalar. Um exemplo típico dessa situação é a adenoamigdalectomia, cirurgia muito frequente em crianças e que apresenta risco potencial de hemorragia tanto no intra como no pós-operatório imediato. Mesmo em uma situação na qual a recuperação foi rápida, a realimentação foi precoce e o controle da dor está ótimo, a observação deve se prolongar na recuperação 2 da unidade ambulatorial. O tempo de alta torna-se, assim, imprevisível.[18]

Infecção

A drenagem de pequenos abscessos em pacientes afebris pode ser realizada em regime ambulatorial depois de adequada observação do estado geral do paciente, no entanto situações que envolvam observação continuada dos fenômenos flogísticos, administração de antibióticos por via venosa, hidratação e troca frequente de curativos necessitarão de maior tempo de permanência hospitalar.

Na verdade, aqui não se trata apenas de drenar o abscesso, mas de cuidar do estado físico do paciente. Os abscessos periamigdalianos, que causam febre e dor, impedem a adequada alimentação e levam muitas vezes à prostração são bons exemplos.

Procedimentos Cirúrgicos, Exames Diagnósticos e Procedimentos Terapêuticos em Regime Ambulatorial

Em quase todas as especialidades cirúrgicas, existem procedimentos que podem ser realizados em regime ambulatorial.

Cirurgias de pequeno e médio portes realizadas em crianças por cirurgiões pediátricos ou por especialistas constituem campo fértil para a inclusão no regime ambulatorial. Cerca de 70% das cirurgias pediátricas são realizadas ambulatorialmente devido ao porte e às alterações psicológicas que podem acarretar no regime de internação. Cirurgias pediátricas feitas em regime ambulatorial são, em geral, de pequeno porte, normalmente de curta duração, em que técnicas com fármacos de eliminação rápida são utilizadas. A associação com anestesia locorregional é importante para um despertar tranquilo, abreviando consideravelmente o tempo de alta da unidade ambulatorial.[30]

A maioria das cirurgias oftalmológicas é realizada em regime ambulatorial. As características dos procedimentos e o caráter minimamente invasivo têm feito proliferar as clínicas autônomas, que, na realidade, são unidades ambulatoriais tipo II voltadas inteiramente ao atendimento desses pacientes. Anestesia tópica e bloqueios oculares com sedação por via endovenosa são técnicas muito utilizadas que causam mínimo impacto no organismo e possibilitam a alta precoce, especialmente de pacientes idosos.

Em Otorrinolaringologia, a limitação fica por conta das hemorragias no pós-operatório, assim como a incidência de náuseas e vômitos. As adenoamigdalectomias em crianças merecem cuidados especiais. Deve ser levado consideração que as cirurgias orais, além de hemorragias, podem levar a retardo da realimentação, vômitos e prostração. Assim, a possibilidade de internação deve ser sempre considerada. Deve-se estabelecer um período mínimo de permanência hospitalar. Cirurgias endoscópicas dos seios da face e microcirurgia da laringe merecem atenção especial pela possibilidade de sangramento. Nas cirurgias dos ouvidos, tonturas e vômitos muitas vezes são aspectos que limitam a alta hospitalar precoce.

Nas cirurgias ortopédicas, a presença de dor e a possibilidade de isquemia no pós-operatório são fatores limitantes. Artroscopia de ombro com cirurgia também pode ser realizada em regime de curta permanência hospitalar, assim como o reparo de ligamento do joelho. A alta ficará na dependência da hora em que a cirurgia foi feita e do controle da dor. O tempo de permanência hospitalar é maior, porém é possível, após longo período de observação e controle ótimo da dor, conceder alta sem pernoite no hospital. Um fator que possibilita a alta precoce em procedimentos ortopédicos é o controle da dor. Esquemas de analgesia multimodal com inclusão de bloqueios de nervos periféricos devem ser sempre considerados.[28]

Algumas pequenas cirurgias de mama, vulva, períneo, colo uterino, vagina, histeroscopia cirúrgica e algumas cirurgias videolaparoscópicas ginecológicas podem ser realizadas em regime ambulatorial. Nas curetagens uterinas, devem-se avaliar o risco de infecção no pós-operatório e a necessidade de antibioticoterapia por via endovenosa, quando então a paciente deverá ficar internada.

Nas cirurgias urológicas realizadas em regime ambulatorial, deve ser sempre considerado que a instrumentação das vias urinárias pode causar bacteremia. O número de ureterolitotripsia por vídeo, com ou sem o emprego do *laser*, cresceu muito e, na dependência da evolução intraoperatória, os procedimentos podem ser feitos em regime ambulatorial.

Entre as cirurgias gerais e proctológicas, ressaltam-se os problemas decorrentes das cirurgias orificiais, como dor e hemorragia. Deve ser levado em conta que o problema da dor não fica restrito ao pós-operatório imediato, como também ao primeiro curativo e à primeira evacuação. A extensão do procedimento deve ser sempre considerada. As hérnias inguinais abertas apresentam a dor como fator limitante para a alta em regime ambulatorial, no entanto, quando realizadas por videolaparoscopia, a alta no mesmo dia é possível e previsível.

As cirurgias plásticas minimamente invasivas também podem ser enquadradas no regime ambulatorial. Muitas cirurgias estéticas são de pequeno impacto para o organismo, enquadrando-se, portanto, muito bem no regime ambulatorial. As cirurgias combinadas, pela extensão e pelo tempo cirúrgico, geralmente demandam internação e observação prolongada. Muito cuidado deve ser tomado em relação às lipoaspirações por causa das repercussões sistêmicas dos procedimentos, quer seja pela hidratação, quer pela absorção de soluções contendo anestésico local.

Os procedimentos odontológicos são rotineiramente realizados em consultórios. Em situações especiais, principalmente em crianças, os pacientes são conduzidos ao hospital para serem submetidos ao procedimento sob anestesia geral. Atualmente é frequente a realização de implante dentário com anestesia locorregional e sedação por via endovenosa.

A maioria dos procedimentos diagnósticos e terapêuticos é feita em regime ambulatorial e fora do centro cirúrgico. Os capítulos subsequentes desta Parte 27 mostram os problemas e as soluções inerentes a cada um deles.

▪ SELEÇÃO DE FÁRMACOS

Dentro do conceito de anestesia ambulatorial, muitos fármacos disponíveis no arsenal terapêutico do anestesiologista podem ser utilizados.

A escolha dependerá da técnica anestésica, do procedimento e da presença ou não de dor no pós-operatório. Em princípio, a preferência deve ser dada aos fármacos que propiciam rápida recuperação da anestesia, não retardando a alta.

Na Parte 4 deste tratado, estão todos os capítulos que abordam a farmacologia dos agentes utilizados em anestesia e suas respectivas referências. Assim, neste capítulo serão mostradas somente algumas características dos fármacos empregados em anestesia ambulatorial.

Benzodiazepínicos

Os benzodiazepínicos (midazolam e diazepam) são muito empregados em anestesia ambulatorial como medicação pré-anestésica ou sedativos em anestesia locorregional.

O midazolam apresenta vantagens em relação ao diazepam para o uso ambulatorial, visto ser um potente ansiolítico cuja injeção, por via intramuscular, é menos dolorosa, não é irritante para os vasos, apresenta metabolização e eliminação mais rápidas e produz metabólitos com mínima atividade. Apenas no que diz respeito à administração por via oral apresenta desvantagens em relação ao diazepam, pois até 60% da dose podem sofrer o efeito da primeira passagem pelo fígado, diminuindo sua biodisponibilidade, por isso é necessário ajustar a dose para se conseguir um bom efeito.[30]

O diazepam, tanto por via oral como por via sistêmica, apresenta efeito prolongado, retardando muitas vezes a alta hospitalar. Sua curva de eliminação bifásica limita o seu emprego em anestesia ambulatorial, porém não o contraindica.

O midazolam provoca amnésia anterógrada, cujo tempo é dependente da dose. Raramente provoca amnésia retrógrada. O efeito deve ser observado na alta para verificar se o paciente não se esqueceu das orientações pré-operatórias.

Propofol

O propofol é um hipnótico com ótimas características para o emprego em anestesia ambulatorial. Induz rapidamente o sono, tem curto tempo de ação e não apresenta o fenômeno da *ressaca*. Com propriedades antieméticas, é baixa a incidência de náuseas e vômitos no pós-operatório. Tem pouco efeito cumulativo quando administrado em infusão contínua, não retardando sua notável propriedade de plena recuperação da psicomotricidade. Potencializa o relaxamento muscular proporcionado pelos agentes inalatórios, constituindo-se um excelente coadjuvante quando se deseja proceder à intubação traqueal sem o concurso de bloqueadores neuromusculares. Essa propriedade é particularmente importante em crianças, ressalvados os efeitos hemodinâmicos em lactentes. Constitui-se também um bom agente quando em associação com opioides ou anestésicos inalatórios para a inserção da máscara laríngea. Uma característica importante do propofol é o seu sinergismo com opioides, cujos efeitos individuais são maiores do que o esperado até atingir o efeito teto (ver Capítulo 44).

Deve ser salientado, entretanto, que o propofol produz significativa diminuição da pressão arterial por vasodilatação e depressão direta do miocárdio, efeito que é dependente da dose e limita o seu emprego em pacientes com estado físico ASA III e portadores de doença cardiovascular.

O propofol tem sido utilizado em anestesia ambulatorial como agente indutor na anestesia venosa total associado a opioides e como sedativo para a realização de bloqueios periféricos.

Etomidato

O etomidato, que também apresenta início de ação e recuperação rápidos, tem sido utilizado em associação a opioides para procedimentos de curta duração. Com relação ao tiopental e ao propofol, tem a vantagem de não produzir significativa depressão miocárdica, estando indicado para aqueles pacientes com estado físico ASA III com doenças cardiovasculares.

Apresenta como complicações dor à injeção, mioclonias e, especialmente quando associado a opioides, maior incidência de náuseas e vômitos no pós-operatório.

Cetamina

A cetamina tem como vantagem a possibilidade de ser empregada como agente único, tanto por via endovenosa quanto intramuscular. Apresenta rápido início de ação e também rápido despertar sem efeitos residuais. Existem duas formas: a R- cetamina e a S+ cetamina.

Os problemas da R- cetamina, que limitam o seu emprego, ficam por conta de seus efeitos colaterais, que incluem hipertensão arterial, taquicardia, alucinações, delírios, hipersialorreia e hipertonia.

A S+ cetamina apresenta melhores efeitos farmacodinâmicos do que a R- cetamina: sua potência analgésica é maior, a depuração é mais rápida, menos efeitos alucinógenos, melhor efeito protetor miocárdico e cerebral. Essas características a colocam como opção na anestesia venosa.[31]

A ocorrência de alucinações pode ser diminuída ou abolida pela administração prévia de um benzodiazepínico (midazolam ou diazepam).

Clonidina e Dexmedetomidina

A clonidina e a dexmedetomidina, fármacos alfa-2 agonistas utilizados como sedativos em anestesia locorregional, promovem sedação, analgesia, diminuição da necessidade de outros anestésicos, redução da liberação de catecolaminas e mínima interferência na respiração. Alguns autores admitem que, em doses baixas, podem causar depressão respiratória equivalente ao do sono fisiológico,[32] Outro aspecto é que não potencializam a depressão respiratória causada por opioides, porém casos foram relatados como resultantes de obstrução das vias aéreas na dependência da profundidade da sedação.

A clonidina tem sido utilizada em alguns casos como medicação pré-anestésica, como adjuvante em anestesia geral, em alguns bloqueios periféricos e no neuroeixo, no entanto é necessário conhecer suas características farmacológicas para sua escolha no regime ambulatorial, especialmente seus efeitos sobre o sistema cardiovascular e sua eliminação. Sua meia-vida de eliminação pode variar de 6 a 23 horas.[33]

A dexmedetomidina pode ser usada como sedativo único em doses de 0,3 a 1 $\mu g.kg^{-1}.h^{-1}$, sem a necessidade de infusões altas nos primeiros 10 minutos. Baixa dose administrada inicialmente necessita de 15 a 20 minutos para atingir concentrações plasmáticas suficientes. Uma das vantagens da dexmedetomidina é que, mesmo em infusões prolongadas, não apresenta efeitos cumulativos significativos. Embora tenha efeito similar ao da clonidina como medicação pré-anestésica, quando administrada por via intramuscular, seus efeitos podem se prolongar por até 4 horas após a sua aplicação, retardando a alta hospitalar de pacientes ambulatoriais.

Opioides

Os opioides têm grande utilidade na anestesia ambulatorial, tanto na indução como na manutenção e na analgesia pós-operatória.

Na indução e na manutenção, são utilizados com o intento de abolir as respostas cardiovasculares aos estímulos nociceptivos e diminuir a necessidade de altas concentrações de agente inalatório ou venoso.

O efeito analgésico residual dos opioides propicia despertar mais tranquilo, sem agitação pós-operatória.

Embora tenha propriedades úteis, apresentam alguns efeitos adversos, como aumento da incidência de náuseas e vômitos, depressão ventilatória, retenção urinária, prostração e prurido.

Os efeitos colaterais pós-operatórios mais importantes são prostração, náuseas e vômitos, que, quando presentes, prolongam o tempo de permanência hospitalar.

Alfentanil, fentanil e sufentanil também podem ser usados para a anestesia ambulatorial. Quando administrados em doses equipotentes e em *bolus*, têm demonstrado boas condições no perioperatório, assim como na recuperação da anestesia. É necessário considerar o tempo de ação de cada um deles e o tempo do procedimento cirúrgico para a escolha de um desses agentes. Assim sendo, o alfentanil estaria indicado nos procedimentos de curta duração e o sufentanil, nos de longa duração. Nenhum deles apresenta vantagens em relação à incidência de náuseas e vômitos no pós-operatório.

O remifentanil é muito utilizado em associação ao propofol nas técnicas de anestesia venosa total e em infusão contínua controlada manualmente ou por alvo. Não apresenta efeito residual analgésico, portanto rotineiramente deve-se fazer a profilaxia da dor antes do despertar. Aliás, o que se deseja é que o paciente tenha rápido despertar e receba alta com o mínimo de resíduo de fármacos anestésicos, independente do opioide empregado, o que significa que a profilaxia da dor deve ser sempre instituída.

Bloqueadores Neuromusculares

Todos os bloqueadores neuromusculares de ação curta ou intermediária, sempre que necessários, podem ser empregados como adjuvantes da anestesia ambulatorial.[34]

A succinilcolina tem como inconveniente a presença de miofasciculações que levam à dor muscular no pós-operatório, fato particularmente importante nos pacientes ambulatoriais que deambulam precocemente. A incidência e o grau de miofasciculações podem ser diminuídos por indução anestésica adequada ou por pré-curarização com um bloqueador neuromuscular adespolarizante.

O atracúrio é um bloqueador neuromuscular de curta duração útil como adjuvante em anestesia ambulatorial. Seu inconveniente é a liberação de histamina, que depende da dose e da velocidade de injeção. Qualquer história de atopia contraindica seu uso.

O vecurônio, um bloqueador neuromuscular de ação intermediária que depende de metabolização hepática para sua eliminação, não apresenta efeitos sistêmicos indesejáveis, entretanto tem seu efeito prolongado em idosos e crianças, para os quais a dose deve ser diminuída.

O rocurônio tem perfil semelhante ao do vecurônio, ou seja, metabolização hepática, ação intermediária e efeito prolongado em idosos e crianças.

Com as opções apresentadas, é importante escolher um bloqueador neuromuscular cuja duração do efeito seja compatível com o tempo da cirurgia, buscando-se evitar a descurarização ao final da mesma. A associação de atropina e neostigmina causa taquicardia e aumento da incidência de náuseas e vômitos.

Anestésicos Locais

Os anestésicos locais são agentes especialmente úteis para a anestesia ambulatorial. A proparacaína, a lidocaína, a bupivacaína e a ropivacaína são os mais utilizados na prática anestesiológica.

A proparacaína, que é usada na forma de colírio e empregada para analgesia da córnea e da conjuntiva ocular, apresenta curto tempo de ação e, assim, é utilizada apenas para pequenos e rápidos procedimentos.

A lidocaína é aplicada por todas as vias e sua apresentação pode ser em solução a 1% ou 5% ou gel a 2% para uso tópico.

A bupivacaína racêmica (0,25%, 07,5% e 0,75%) tem sido amplamente empregada em todos os bloqueios anestésicos. É especialmente útil quando se deseja analgesia prolongada no pós-operatório. O seu problema é a sua cardiotoxicidade. A forma levógira é menos cardiotóxica, entretanto, em concentrações de até 0,5%, causa menos bloqueio motor do que a forma racêmica. A levobupivacaína, com excesso enantiomérico levógiro (S75-R25), tem efeito analgésico potente com bloqueio motor e menor cardiotoxicidade.

A ropivacaína (0,2%, 0,75% e 1%) é menos cardiotóxica do que a bupivacaína, e, por esse motivo, seu emprego tem aumentado. Ela causa vasoconstrição, propriedade que pode ser útil em vários tipos de bloqueios, porém está contraindicada nas infiltrações de extremidades. O seu tempo de ação prolongado também é útil para a analgesia pós-operatória.

▪ SELEÇÃO DE TÉCNICAS ANESTÉSICAS

Ao se analisarem detalhadamente todas as técnicas de anestesia e o conceito de anestesia ambulatorial, nota-se que muitas podem perfeitamente ser enquadradas no esquema ambulatorial. Existem entre essas técnicas vantagens e desvantagens no que diz respeito à morbidade, ao tempo de permanência hospitalar, às atividades do paciente no pós-operatório, assim como à analgesia pós-operatória conferida. Na escolha da técnica anestésica, obrigatoriamente deve ser programada alguma forma de analgesia pós-operatória, pelo menos para o pós-operatório imediato.

Medicação Pré-anestésica

Ansiedade e medo são os problemas mais enfrentados com mais frequência no pré-operatório, portanto combatê-los passa ser o principal objetivo do seu uso.

A ansiedade pode provocar eventos adversos psíquicos e orgânicos, como insônia, inquietação, irritabilidade, hipertensão arterial, disritmias cardíacas e crises de angina. A hipertensão arterial pode ser desencadeada pela ansiedade mesmo em indivíduos que tenham a pressão arterial controlada por fármacos.

O midazolam e o diazepam são os benzodiazepínicos mais utilizados como medicação pré-anestésica. Pelas características farmacocinéticas e farmacodinâmicas, a preferência, em anestesia ambulatorial, tem recaído sobre o midazolam, tanto para crianças como para adultos. A via oral é a de preferência, ficando a via intramuscular como alternativa. Um estudo mostrou sua utilização em 75% dos casos.[35]

As formulações de xaropes contendo midazolam são bem aceitas pelas crianças, tendo sido demonstrado que 95% das crianças as aceitaram, produzindo efeito satisfatório em 95% dos casos. Outro estudo mostrou que a dose de 0,5 mg.kg⁻¹ administrada por via oral entre 20 e 30 minutos antes do procedimento foi efetiva no controle da ansiedade em crianças, permitindo sua separação dos pais e a posterior indução da anestesia.[36]

Sedação

Muitos procedimentos ambulatoriais são feitos com anestesia locorregional. A sedação por via endovenosa ou inalatória é desejável, não só para aliviar o desconforto durante a realização do bloqueio ou da infiltração local, como para manter o paciente calmo ou até mesmo dormindo durante o perioperatório. Assim, a sedação pode ser leve, preservando a consciência, ou profunda, com depressão da consciência.[37]

Na sedação leve, a depressão do nível de consciência é mínima, permanecendo preservada a capacidade do paciente em manter a ventilação, sem obstrução das vias aéreas, e as respostas à estimulação física ou verbal.

Na sedação profunda, a consciência fica abolida, com consequente incapacidade do paciente em responder aos estímulos físicos e ao comando verbal. Esse estado pode vir acompanhado de perda parcial ou total da capacidade de manter as vias aéreas livres e o padrão ventilatório normal.

De acordo com o tipo e a dose do agente empregado, ou da associação deles, a sedação apresentará graus de leve a profundo. A sensibilidade individual também deve ser considerada. Assim, é necessário titular a sedação, procurando com mínimas doses buscar o efeito desejado para cada caso.[35] A monitorização dos sinais vitais e da saturação da hemoglobina pelo oxigênio (SpO$_2$) é fundamental.

Com a titulação da dose, pode-se obter um ótimo estado de sedação, no qual a ansiólise, a hipnose e a amnésia surgem com baixa incidência de efeitos colaterais, como depressão respiratória, náuseas e vômitos.

Os benzodiazepínicos são os fármacos mais utilizados para a sedação de pacientes ambulatoriais.

O midazolam apresenta vantagens sobre o diazepam no que diz respeito a comportamento do paciente, amnésia, facilidade de titulação e tempo de recuperação.

Um estudo mostrou que a medicação pré-anestésica com midazolam (0,1 mg.kg^{-1}) por via intramuscular torna a sedação ótima em 80% dos casos e muito boa em 20%. Com diazepam (0,2 mg.kg^{-1}), pela mesma via, somente 4% foram considerados ótimos, 20% muito bons e 40%, suficientes.[38] Vale lembrar que essas doses são consideradas máximas como medicação pré-anestésica em adultos, podendo, especialmente quanto ao midazolam, ocasionar sedação profunda.

Com a injeção venosa de 5 mg de midazolam em adultos, observa-se o efeito máximo em 3 a 5 minutos, provocando amnésia total na maioria dos pacientes.[39]

Na realidade, as doses dependem do tipo de procedimento, considerando sempre a possibilidade, ou não, de se ter fácil acesso à via aérea. Quando o acesso for difícil, doses menores devem ser administradas.

A associação de midazolam com fentanil (50 a 75 µg) ou alfentanil (0,5 a 1 mg), administrados de forma titulada, tem se mostrado eficaz.[40,41] Com essas associações, tanto a quantidade de midazolam quanto a dos opioides ficam diminuídas, reduzindo o tempo de recuperação; no entanto o efeito depressor sobre a ventilação se acentua.

A associação de midazolam (0,05 mg.kg^{-1}) e fentanil (2 µg.kg^{-1}), injetada em *bolus*, provoca depressão respiratória, com apneia transitória. As mesmas doses injetadas isoladamente não causam apneia. Dessa forma, é necessário sempre, ao se utilizar essa associação, observar atentamente a ventilação e administrar oxigênio por cateter nasal ou máscara facial.

O propofol tem sido utilizado para sedação tanto em *bolus*, antes da realização de bloqueios ou infiltração local, como em infusão contínua para manter sedação no intraoperatório. Seu emprego ganhou popularidade devido a seu incontestável menor tempo de recuperação em comparação com outros agentes, além das propriedades antieméticas e o desprezível efeito residual.

Embora o propofol apresente as propriedades valiosas já apontadas, alguns aspectos devem ser levados em consideração na programação do seu uso como sedativo. Em doses sub-hipnóticas, ele produz euforia. Em doses maiores, pode causar supressão dos reflexos das vias aéreas e prolongado tempo de apneia. Nesse aspecto, a infusão contínua se apresenta melhor do que a administração em *bolus*.[36]

Doses crescentes de propofol em infusão contínua aumentam progressivamente o nível de sedação e, consequentemente, a possibilidade de depressão respiratória e apneia, todavia é possível ajustar uma dose ideal para cada caso.

A associação de propofol, em infusão contínua, a opioides (fentanil e alfentanil) promove boa sedação com analgesia, podendo, em alguns casos, constituir a técnica principal para alguns procedimentos em que a dor não é o fator importante no prolongamento do tempo de permanência hospitalar.

Um estudo comparou o uso de midazolam e dexmedetomidina em sedação consciente para cirurgia dentária, mostrando alto grau de satisfação dos pacientes, constituindo-se, assim, em boa alternativa.

Os anestésicos inalatórios podem ser utilizados para sedação em doses subanestésicas. São utilizados com essa finalidade o óxido nitroso e o sevoflurano. A principal vantagem do emprego desses agentes é a rápida recuperação, proporcionando diminuição considerável do tempo de permanência hospitalar quando em comparação com o midazolam.

Anestesia Venosa

Considerando a farmacocinética dos agentes venosos, especialmente o propofol e os opioides (alfentanil, fentanil, sufentanil e remifentanil), a anestesia venosa total é, hoje, muito utilizada para pacientes em regime ambulatorial.

O hipnótico de escolha é o propofol, pelas características já apresentadas e pela possibilidade de manutenção em infusão contínua sem efeito cumulativo. As características antieméticas do propofol podem diminuir as náuseas e os vômitos provocados pelos opioides.

A anestesia venosa total implica necessariamente o uso combinado de analgésicos potentes, como alfentanil, fentanil, sufentanil e remifentanil. O efeito sinérgico do propofol com os opioides apresenta variações de acordo com o opioide utilizado. O propofol apresenta um fator determinante para o seu emprego em anestesia venosa total e favorável à infusão contínua, que é sua meia-vida dependente do contexto.

Todas as técnicas de anestesia venosa total com o uso de propofol e opioides podem ser empregadas em anestesia ambulatorial. Assim, existem as técnicas de "picos e vales", infusão manualmente controlada e controlada por alvo (ver Capítulo 107).

Além do rápido despertar, a analgesia no pós-operatório imediato conferida pelos opioides, exceto o remifentanil, pode ser de grande valia na dependência do procedimento realizado.

Anestesia Inalatória

Todos os agentes anestésicos inalatórios podem ser empregados em anestesia ambulatorial. As diferenças nos tempos de recuperação não influenciam a alta hospitalar.

O óxido nitroso, por seu rápido equilíbrio no organismo e por diminuir a concentração alveolar mínima (CAM) dos agentes halogenados, é muito empregado em anestesia ambulatorial. Nesse aspecto, existe um fato importante com relação à associação de óxido nitroso e sevoflurano. Em adultos (a 60% em oxigênio), ele diminui a CAM em até 60%; em crianças, essa redução é menor, ficando em torno de 23%.[42] De qualquer forma, diminui o consumo de sevoflurano, o que representa economia.

Alguns estudos têm demonstrado que o óxido nitroso aumenta a incidência de náuseas e vômitos no pós-operatório. O assunto é controverso, visto que o óxido nitroso é sempre administrado em associação com outros agentes. Se, por um lado, parece que ele aumenta a incidência de vômitos quando combinado com anestésicos inalatórios, essa incidência é significativamente maior quando associado a opioides.

O sevoflurano é um anestésico inalatório que definitivamente ocupou o lugar do halotano na anestesia ambulatorial pediátrica, como também na indução inalatória em adultos. Apresenta indução e recuperação rápidas, com boa estabilidade cardiovascular. Tem odor menos desagradável, não é irritante para as vias aéreas, apresentando menor incidência de laringoespasmo e tosse quando em plano superficial. Também demonstra pequena incidência de náuseas e vômitos no pós-operatório.[44]

Os tempos de emergência, de resposta ao comando e de orientação são curtos com o sevoflurano, no entanto é necessário ressaltar que o rápido despertar leva precocemente à percepção da dor, com consequente agitação no pós-operatório imediato, por isso o controle da dor deve ser sempre feito para que o despertar seja suave e tranquilo.

Com o uso do desflurano a recuperação da consciência é mais rápida e completa, em se considerando a avaliação detalhada do nível de consciência, quando comparado com sevoflurano, assim como com relação ao isoflurano.

Adultos submetidos a vários tipos de procedimentos cirúrgicos videolaparoscópicos apresentam tempo de despertar menor quando anestesiados com sevoflurano em comparação com os anestesiados com isoflurano, porém sem diferença no tempo necessário para alcançar as condições ideais de alta hospitalar. Em comparação, pacientes adultos anestesiados com desflurano despertam e são liberados do hospital mais rápido que os anestesiados com isoflurano, notadamente quando o tempo anestésico-cirúrgico é prolongado.[39]

Os problemas relativos ao sevoflurano são seu alto custo, a ausência de analgesia pós-operatória e, quando utilizado como agente único, o fato de dispor de curto tempo para a intubação traqueal (o paciente sai rapidamente do plano anestésico). A injeção de propofol (1 mg.kg^{-1}) ou de lidocaína (1 mg.kg^{-1}) melhora o tempo e as condições para a intubação traqueal. A associação a anestesia locorregional não só proporcionará analgesia pós-operatória como o despertar tranquilo, diminuição da concentração para manutenção da anestesia e consequente redução do consumo e do custo.[37]

Na realidade, qualquer que seja o agente anestésico inalatório empregado, alguma forma de analgesia pós-operatória deve ser utilizada, pois o tempo de analgesia pós-operatória

conferido por esses agentes é curto e, na maioria das vezes, ineficaz, levando invariavelmente os pacientes à agitação.

O isoflurano apresenta também boa estabilidade cardiovascular, é pouco metabolizado e tem baixa incidência de disritmias cardíacas. Apresenta tempo de despertar mais prolongado do que os outros agentes inalatórios, o que não inviabiliza seu uso em anestesia ambulatorial. seu cheiro forte, pungente e a irritabilidade para as vias aéreas limitam, no entanto, seu emprego na indução inalatória pura, especialmente em crianças.

O desflurano também tem sido muito empregado em anestesia ambulatorial devido à sua rápida eliminação, porém apresenta alto custo, necessita de vaporizador especial e também provoca irritabilidade nas vias aéreas, limitando o seu emprego em indução inalatória pura.

Estudo comparativo mostrou que não existe diferença significativa entre sevoflurano e desflurano quanto à incidência de disfunção cognitiva em idosos.

Um artigo de revisão não mostrou que a incidência de náusea e vômitos tardios é maior com o uso de sevoflurano e desflurano com relação ao propofol quando utilizados para manutenção da anestesia em regime ambulatorial.[40]

Anestesia Subaracnóidea

Sem dúvida, a anestesia subaracnóidea é muito utilizada para procedimentos ambulatoriais desde a época em que estudos demonstraram significativa diminuição da incidência de cefaleia pós-punção da dura-máter com o uso de agulhas de fino calibre (25 G, 27 G, 29 G). Por conseguinte, a prática da anestesia subaracnóidea em regime ambulatorial aumentou em nosso meio desde que os primeiros estudos publicados demonstraram sua viabilidade e transmitiram confiança aos especialistas.

Alguns estudos mostraram incidência de cefaleia de 1% a 2%, em sua maioria leve ou moderada, incidência maior com as agulhas de calibre 25 G do que com as de 27 G ou 29 G e a não existência de diferença significativa entre a incidência com as agulhas 27 G e 29 G. Quando se emprega a agulha 29 G, existe maior número de falhas e de tentativas de punção.[41,42] Considerando esses aspectos, a agulha de calibre 27 G parece ser a melhor escolha para a prática da anestesia subaracnóidea ambulatorial, especialmente em pacientes jovens, reservando as de calibre 25 G para aqueles com 60 anos, em que sabidamente a incidência de cefaleia é menor, mesmo com agulhas de calibres maiores.

Alguns autores defendem o uso da agulha de Quincke, outros preconizam o emprego da agulha Whitacre, cujo bisel é em ponta de lápis. Alguns artigos mostram que não existe diferença significativa na incidência de cefaleia com o uso das duas agulhas; outros evidenciam claramente menor incidência com a agulha de Whitacre. À vista disso, a agulha 27 G com ponta de Whitacre (ponta de lápis) tem sido preferida para as anestesias subaracnóideas em regime ambulatorial, podendo a incidência de cefaleia cair para o nível de 0,4% (ver Capítulo 111).

Na realidade, não só a incidência de cefaleia diminuiu, como sua intensidade nem sempre é grave e incapacitante. Cefaleias leves e moderadas podem ser tratadas clinicamente (repouso no leito, analgésicos, anti-inflamatórios e hidratação), reservando-se para os casos graves o emprego de tampão sanguíneo peridural, em que o volume empregado não precisa ultrapassar 10 mL.[41]

Os pacientes em regime ambulatorial devem ser orientados quanto à ocorrência de cefaleia, devendo retornar ao hospital para serem examinados e a conduta terapêutica instituída. Um estudo mostrou que pacientes com cefaleia intensa, aos quais foi indicado o tampão sanguíneo peridural (injeção de 10 mL de sangue autólogo), permaneceram em repouso pelo período de 4 horas e tiveram remissão total dos sintomas, podendo armazenamento dos fármacos, adequada escolha da dose e da baricidade do anestésico deambular após esse período.

A anestesia subaracnóidea tem várias vantagens: é uma técnica simples, exige menor dose de anestésico local, é de fácil controle, tem baixo custo e curto tempo de latência, bom relaxamento muscular, pequeno volume de solução, baixa incidência de náuseas e vômitos e menor morbidade.

Tanto a lidocaína como a bupivacaína têm sido empregadas para o bloqueio subaracnóideo em regime ambulatorial. A lidocaína a 5%, hiperbárica, foi utilizada inicialmente, entretanto não conseguiu manter a popularidade em decorrência da "síndrome radicular transitória", complicação com incidência significativa que não costuma causar deficiência neurológica, mas desconforto ao paciente. Alguns autores admitiam que a concentração a 5% era a causa, contudo estudos com lidocaína a 1% ou 2% mostraram também a ocorrência da síndrome radicular transitória. Foi sugerido que a glicose adicionada à solução de lidocaína, tornando-a hiperbárica, poderia ser a causa, porém os resultados não comprovam essa hipótese.

Diante das controvérsias quanto ao emprego da lidocaína, a bupivacaína passou a ser utilizada na anestesia subaracnóidea em regime ambulatorial. A despeito, porém, da sua eficácia, o tempo de permanência hospitalar aumenta. Assim, alguns autores sugeriram o uso de doses menores, variando de 7,5 mg a 12 mg de bupivacaína a 0,5% com ou sem glicose, devendo-se sempre considerar o tempo previsto de cirurgia e a necessidade de bloqueio motor. Doses menores aumentam a incidência de anestesia insuficiente, problema que pode ser contornado com a associação de fentanil (10 a 20 mg). Uma metanálise mostrou claramente, entretanto, que é possível reduzir consideravelmente a dose de bupivacaína hiperbárica (5 mg) injetada no espaço subaracnóideo para se obter anestesia unilateral para artroscopia de joelho, desde que o paciente seja mantido em decúbito lateral tempo suficiente para que a anestesia se instale. Nessa metanálise, foram verificadas doses de 5 a 7,5 mg de bupivacaína hiperbárica, tendo sido demonstrado que a dose de 7,5 mg aumentou em 40 minutos o tempo até a alta. O objetivo é diminuir a dose e, consequentemente, o tempo de permanência hospitalar, no entanto, segundo essa metanálise, se, ao se empregarem baixas doses, o paciente for rapidamente posicionado em decúbito dorsal, o número de falhas, ou de anestesia insuficiente, aumentará significativamente, podendo chegar a 25%, expressando a importância do detalhe técnico.[43] Também foi revelado que a adição de 10 a 25 µg de fentanil melhora a qualidade do

bloqueio sem alterar significativamente o tempo até a alta. Embora a incidência de retenção urinária fique abaixo de 1%, a ocorrência de prurido variou de 48% a 75%.[43]

Admite-se que as falhas da anestesia subaracnóidea são provenientes de fatores técnicos. Para minimizar esse problema, recomendam-se: adequada avaliação anatômica, criteriosa escolha da agulha e do local da punção, local apropriado, posicionamento correto do paciente antes e após a injeção da solução anestésica, verificação correta dos objetivos da cirurgia[43] (ver Capítulo 111).

Na realidade, a anestesia subaracnóidea é bem aceita para o regime ambulatorial, sendo necessário apenas observar suas indicações e contraindicações e ter condições de observação do paciente na recuperação pós-anestésica, mantendo-o na mesma posição até a completa recuperação, que inclui deambulação, micção e volta da sensibilidade à região perineal.

Anestesia Peridural

A anestesia peridural pode ser realizada em regime ambulatorial. Em comparação com a anestesia subaracnóidea, apresenta maior tempo de latência, menor relaxamento muscular, com baixas concentrações de solução anestésica, e maiores volumes e dose de anestésico local. O problema é a possibilidade de perfuração acidental da dura-máter, quando então o paciente deverá ficar internado, em repouso e convenientemente hidratado. O emprego de tampão sanguíneo peridural profilático é controverso, até porque nem todos os pacientes apresentam cefaleia pós-punção da dura-máter.

Outra desvantagem é o tempo de permanência hospitalar, pois a reversão do bloqueio, especialmente com soluções de bupivacaína e ropivacaína, é irregular, tornando-se difícil fazer a previsão de alta. Por esse motivo, a preferência recai sobre a lidocaína, salientando-se que a analgesia pós-operatória também ficará prejudicada.

A anestesia peridural sacra, em associação com a anestesia geral ou a sedação, por via endovenosa, está indicada, especialmente a crianças, para cirurgias ortopédicas, urológicas e abdominais superficiais. O bloqueio motor prolongado e a retenção urinária aumentam o tempo de permanência na unidade ambulatorial, sendo esse o motivo da limitação do seu emprego em anestesia ambulatorial. Assim, seu uso é recomendado com baixas concentrações de anestésico local.

Bloqueios de Nervos Periféricos

Observadas as indicações, as contraindicações e as características técnicas, todos os bloqueios periféricos podem ser realizados para pacientes em regime ambulatorial. Todas as técnicas de bloqueios de nervos periféricos estão apresentadas no *Atlas de Técnicas de Bloqueios Regionais*, publicação oficial da Sociedade Brasileira de Anestesiologia.

Os bloqueios de nervos periféricos (BNP) podem ser utilizados como técnica principal ou como adjuvantes da anestesia geral com o propósito de prover analgesia intra e pós-operatória. Na cirurgia ambulatorial, os BNPs têm como benefício a redução da dor pós-operatória, da necessidade de opioides, da incidência de náuseas e vômitos e do tempo de recuperação.[30] Técnicas com punção e injeção única observando apenas referências anatômicas, técnicas contínuas ou guiadas por ultrassom são utilizadas em bloqueios dos nervos periféricos em regime ambulatorial. Assim, bloqueios dos nervos de cabeça, pescoço, membros superiores e inferiores, paredes torácica e abdominal e genitália podem ser utilizados (ver parte que trata da anestesia locorregional).

É importante verificar a região da intervenção cirúrgica e a área de analgesia determinada pelo bloqueio para saber-se quais nervos devem ser bloqueados. A bupivacaína ou a ropivacaína podem ser utilizadas quando se deseja duração mais prolongada. O paciente deve ser instruído quanto à provável duração da analgesia e, principalmente, do bloqueio motor para não provocar angústia no pós-operatório. Se não for possível aliviar a dor ou se o procedimento necessitar de observação constante, a internação deve ser providenciada.

A anestesia intravenosa regional voltou a ganhar grande impulso com o aumento dos procedimentos em regime ambulatorial. Ela tem como vantagem o baixo índice de complicações e como desvantagem a ausência de analgesia pós-operatória 20 minutos após a soltura do garrote. Esse problema pode ser contornado se, ao final da cirurgia, a ferida operatória for infiltrada entre os pontos da sutura. Bloqueios de nervos periféricos específicos da região operada também podem contornar o problema.

Bloqueios de nervos periféricos também estão indicados para analgesia pós-operatória quando a técnica principal for uma anestesia no neuroeixo.

A realização de bloqueios de nervos periféricos em regime ambulatorial cresceu muito mundialmente. Estudos apontam a eficácia e preconizam seu uso sempre que estiver bem indicado. Uma série de 13.897 casos que incluem cirurgias de ombro, clavícula, escápula, cotovelo, mão, joelho, pé, cabeça, tórax e abdômen mostra aspectos importantes: a) na maioria das vezes, foram realizados bloqueios de nervos periféricos; b) em 80% dos casos, foi utilizado o ultrassom; c) o índice de sucesso foi de 97% na amostra global; d) o índice de satisfação foi excelente (75,6%), muito bom (19,6%) e bom (3,7%); o índice de náuseas foi de 12% e de vômitos, 3,2%.[30]

Bloqueios de nervos periféricos são bastante recomendados para a cirurgia pediátrica, sendo que o seu uso aumentou e os bloqueios no neuroeixo diminuíram.[29] Além de proporcionarem significativa diminuição de fármacos no intraoperatório, diminuem a necessidade de analgésicos no pós-operatório.

Para o idoso, a anestesia regional também é boa indicação, lembrando que o bloqueio motor é um problema para o idoso no pó-operatório.[46]

Técnicas Anestésicas Combinadas

As associações de técnicas de anestesia condutiva com a anestesia venosa, ou inalatória, ou ambas, constituem boas indicações para muitos procedimentos ambulatoriais.

A analgesia de base conferida pelos bloqueios anestésicos, pela infiltração da ferida operatória, ou tópica em caso de mucosas, além de propiciar diminuição do consumo de agentes venosos e inalatórios, confere analgesia no pós-operatório imediato. Assim, é possível manter a anestesia de modo uniforme e proporcionar despertar tranquilo, o que constitui um fator importante na evolução pós-operatória.

A anestesia infiltrativa, a tópica e os bloqueios de nervos periféricos não retardam a alta da unidade ambulatorial, no entanto os bloqueios subaracnóideo e peridural determinarão o tempo de permanência na unidade, visto que os agentes venosos e inalatórios, administrados em baixas concentrações, não prolongariam esse tempo.

■ RECUPERAÇÃO DA ANESTESIA

O termo *recuperação da anestesia* significa retornar ao estado pré-anestésico, contudo, para o sucesso da recuperação de pacientes que se submetem à anestesia ambulatorial, interessam tanto a recuperação física quanto a velocidade e a suavidade com que ela se processa.[43] Assim, na prática da anestesia ambulatorial, o anestesiologista precisa ter uma visão diferente quanto ao planejamento anestésico, objetivando cumprir duas metas: segurança e conforto para o paciente e recuperação da anestesia com alta para casa no menor tempo possível. O tempo de permanência após o término da operação fica na dependência do tipo de procedimento e da técnica anestésica utilizada.[44-49]

Efeitos colaterais como sonolência, mal-estar, escotomas, confusão, náuseas, vômitos, dor muscular e cefaleia, que podem ser considerados aceitáveis nos pacientes internados, não são bem aceitos nos procedimentos ambulatoriais.

Nem todos os efeitos colaterais são residuais dos fármacos. A cirurgia também pode provocar alterações funcionais que eventualmente retardarão o processo de alta hospitalar.

Estágios da Recuperação

Nos procedimentos realizados sob anestesia geral, o anestesiologista deve considerar quatro estágios de recuperação.

O **estágio I**, que ocorre na sala de operação alguns minutos após o final da cirurgia, é caracterizado pelo despertar do paciente, o qual deve responder a comandos verbais, ser capaz de manter as vias aéreas desobstruídas, ter as funções hemodinâmicas e respiratórias estáveis e manter a SpO$_2$ normal, com ou sem a administração de oxigênio suplementar. Obedecidos esses critérios, o paciente pode ser encaminhado para a sala de recuperação pós-anestésica (SRPA1).

O **estágio II** (recuperação precoce ou imediata) se inicia quando o paciente está acordado e alerta, sendo capaz de se comunicar com a enfermagem da SRPA1, suas funções vitais estão próximas às do período pré-operatório, as vias aéreas estão pérvias, os reflexos de proteção (tosse e deglutição) estão normais, a SpO$_2$ está normal (ar ambiente) e os efeitos colaterais são mínimos (sonolência, tontura, dor, náuseas, vômitos e sangramento).

Ao final da recuperação do estágio II, o paciente está apto para ter alta da SRPA1, podendo ser encaminhado para a ala ambulatorial, onde ficará mais confortável e na companhia de seu acompanhante para a recuperação (SRPA2).

O paciente pode ter alta da SRPA assim que os critérios clínicos forem alcançados. Nos casos de pequenos procedimentos com anestesia geral, cirurgias com anestesia local, alguns tipos de bloqueios periféricos, estando os critérios clínicos já preenchidos na sala de operação, o paciente pode ser transferido diretamente para a SRPA2 sem passar pela SRPA1.

A recuperação do **estágio III** dá-se na SRPA2 e termina quando o paciente encontrar-se apto a levantar-se e deambular sem auxílio. Os efeitos colaterais devem estar ausentes e a realimentação, já instituída com sucesso. No fim desse período, o paciente pode ter alta para casa acompanhado de um adulto.

A decisão da alta deve ser tomada quando os pacientes preencherem os critérios de estabelecidos pelos médicos responsáveis pela unidade ambulatorial. Cada hospital deve obedecer aos critérios gerais, adicionando-se os específicos com base nos hábitos locais, de modo a manter a segurança do paciente.

O **estágio IV** (recuperação completa) demanda mais tempo e se completará em casa. Nessa fase, o organismo eliminará os resíduos anestésicos. As funções psicológicas e psicomotoras voltam ao padrão normal, podendo o paciente retornar às suas atividades diárias normais.

A avaliação da recuperação é feita antes de liberar o paciente para casa, onde alguns problemas podem ocorrer, como dor, sonolência, fadiga, náuseas, vômitos, dor de garganta, cefaleia, sangramento e constipação. Alguns pacientes que se submeteram à anestesia subaracnóidea apresentam cefaleia pós-punção da dura-máter, interferindo, assim, na sua recuperação.

Os pacientes precisam estar cientes dos efeitos colaterais, e as informações sobre os cuidados gerais devem, preferencialmente, ser dadas por escrito a fim de evitar esquecimento.

Os quatro estágios da recuperação estão apresentados na Tabela 185.11.

É necessário observar a recuperação específica dos bloqueios espinhais. Assim, a capacidade de deambular, a recuperação da sensibilidade perineal e a micção espontânea são fatores importantes.

■ CRITÉRIOS DE ALTA

O tempo de recuperação e da alta hospitalar é variável de acordo com o tipo de procedimento (possibilidade de dor ou hemorragia) e com a técnica anestésica empregada. Dessa maneira, unidades ambulatoriais multidisciplinares devem estabelecer critérios de altas gerais e específicos para cada tipo de procedimento. Pode-se citar como exemplo o caso de uma criança que, ao ser submetida à anestesia geral com sevoflurano e infiltração local para postectomia, permanecerá na unidade ambulatorial por menos tempo que aquela que se submeteu à adenoamigdalectomia com a mesma técnica. Nas adenoamigdalectomias, a possibilidade de sangramento, a realimentação tardia e a dor são fatores que implicam maior tempo de permanência na unidade ambulatorial.

Critérios de alta devem ser obedecidos e rigorosamente cumpridos. Entre os critérios gerais é necessário avaliar a recuperação física, a recuperação da psicomotricidade, a ocorrência de complicações, a prescrição de medicamentos para o pós-operatório e orientar adequadamente o paciente ou seu responsável.

Avaliação da Recuperação Física

Este item não difere muito dos critérios de recuperação para todos os pacientes que se submetem a um ato anestésico-cirúrgico, no entanto, como se trata de paciente ambulatorial, a pontuação máxima de recuperação, que corresponde às condições de maior estabilidade, é a ideal.

A tabela de Aldrete e Kroulik é um guia extremamente útil na avaliação da recuperação física. Ao se atingir 9 ou 10 pontos nessa tabela, deve-se proceder à avaliação final com o paciente em posição sentada e em pé, verificando-se as condições cardiocirculatórias e ventilatórias.

Deve ser iniciada a realimentação, verificando-se a capacidade de ingestão e a ausência de náuseas e vômitos depois dela.

A realimentação inicial é feita com substância líquida como chá, suco de maçã ou simplesmente água. Sucos de frutas ácidas podem provocar vômitos. Não é desejável forçar a realimentação, especialmente em se tratando de crianças, pois isso pode precipitar episódios de vômitos.

Tabela 185.11 Estágios da recuperação da anestesia.	
Estágios da recuperação	**Estado clínico**
Estágio I Despertar da anestesia	■ Responde a comandos verbais ■ Mantém as vias aéreas pérvias ■ $SpO_2 > 94\%$ com ou sem suplemento de O_2 ■ Complicações anestésicas ou cirúrgicas mínimas ou ausentes
Estágio II Recuperação precoce	■ Sinais vitais estáveis (PA, FR, FC) ■ SpO_2 normal em ar ambiente ■ Retorno dos reflexos de proteção (tosse e deglutição) ■ Acordado e alerta ■ Sem complicações cirúrgicas (sangramento) ■ Índice de Aldrete com pontuação mínima de 9
Estágio III Recuperação intermediária Alta hospitalar	■ Preenche os critérios de alta estabelecidos ■ Levanta e anda sem auxílio ■ Ausência de complicações ou efeitos colaterais
Estágio IV Recuperação tardia	■ Funções psicomotoras voltam ao estado pré-operatório ■ Retorno da memória e das funções cognitivas ■ Retorno da concentração, discriminação e razão ■ Volta às atividades normais diárias

PA: pressão arterial; FR: frequência respiratória; FC: frequência cardíaca.

A volta à alimentação normal deve ser gradativa e de acordo com o próprio hábito e a vontade do paciente, observadas as recomendações referentes ao ato cirúrgico. É necessário que o paciente se abstenha de ingerir álcool nas primeiras 24 horas.

A Tabela 185.12 mostra os cuidados para a alta hospitalar de pacientes operados em regime ambulatorial, e Tabela 185.13 exibe os critérios para a alta hospitalar segura após procedimentos ambulatoriais.

Tabela 185.12 Cuidados para a alta hospitalar.[45]

- Sinais vitais estáveis por pelo menos 1 hora
- Sem sinais de depressão respiratória
- Boa orientação no tempo e no espaço, aceitando bem a administração de líquidos e apto a urinar, vestir-se e andar sem auxílio
- Não deve apresentar: dor excessiva, náuseas e vômitos de difícil controle ou sangramento
- A alta deve ser dada pelo anestesiologista ou pelo cirurgião ou por médicos por eles designados
- Instruções por escrito para o período pós-operatório, incluindo local e pessoa para contato
- O paciente deve estar acompanhado por adulto responsável e permanecer em casa na companhia desse

Tabela 185.13 Cuidados para a alta hospitalar segura após procedimento ambulatorial.[47]

1. **Sinais vitais estáveis:** incluindo temperatura, pulso, respiração e pressão arterial. Os sinais vitais devem estar estáveis por pelo menos 1 hora e ser condizentes com a idade e os níveis pré-operatórios

2. **Capacidade para deglutição e tosse:** o paciente deve se mostrar apto a ingerir líquidos e tossir

3. **Capacidade de andar:** o paciente deve demonstrar capacidade para realizar movimentos condizentes com sua idade e capacidade mental (sentar-se, levantar-se, andar)

4. Mínimas náuseas, vômitos ou tonturas:
   a) **Mínimas náuseas:** ausência de náuseas, mas, se nauseado, o paciente deve ser capaz de engolir e reter algum líquido
   b) **Mínimos vômitos:** vômitos ausentes; se presentes, que não necessitem de tratamento. Após vômitos que necessitem de tratamento, o paciente deve ser capaz de engolir e de manter fluidos por via oral
   c) **Mínima tontura:** tonturas também estão ausentes, ou presentes apenas ao levantar-se, e o paciente está apto a realizar movimentos condizentes com a sua idade

5. **Ausência de sofrimento respiratório:** o paciente não apresenta sinais de ruídos, obstrução, estridor, retrações ou tosse produtiva

6. **Alerta e orientado:** o paciente está ciente do local onde se encontra, do que está acontecendo e está desejando voltar para casa.

Em 1991, Chung (Tabela 185.14) criou uma tabela para avaliar a recuperação física dos pacientes submetidos à cirurgia em regime ambulatorial, e, desde então, essa tabela vem sendo reeditada e bem aceita. Na pontuação ≥ 9, o paciente tem condições de alta.[43,44]

Considerando estudos que mostram maior incidência de vômitos em crianças que foram obrigadas a ingerir líquidos e evidências de que os pacientes sem alto risco de reten-

ção urinária podem ter alta sem a possibilidade de complicações, Chung idealizou outra tabela eliminando esses dois fatores[45,47,48] (Tabela 185.15). Quando, no entanto, são realizados bloqueios no neuroeixo, há necessidade de que o paciente urine espontaneamente, mostrando, assim, que não está ocorrendo retenção urinária. Nos pacientes submetidos aos bloqueios no neuroeixo, é necessário verificar sua capacidade de deambular e se houve retorno da sensibilidade na região perineal, que está relacionada com capacidade de urinar espontaneamente.

Tabela 185.14 Definição das condições de alta para pacientes submetidos a cirurgias em regime ambulatorial.[48]

	Pontos
Sinais vitais	
Até 20% dos valores pré-operatórios	2
20% a 40% dos valores pré-operatórios	1
Mais de 40% dos valores pré-operatórios	0
Deambulação e condição mental	
Bem orientado e com andar firme	2
Bem orientado ou com andar firme	1
Nenhum	0
Dor, náuseas e vômitos	
Mínimos	2
Moderados	1
Intensos	0
Alimentação e diurese	
Já ingeriu líquido e urinou	2
Já ingeriu líquido ou urinou	1
Nenhum	0
Sangramento cirúrgico	
Mínimo	2
Moderado	1
Grave	0

Tabela 185.15 Sistema de pontuação para alta pós-anestésica modificada.[46]

	Pontos
Sinais vitais	
Até 20% dos valores pré-operatórios	2
20% a 40% dos valores pré-operatórios	1
Mais de 40% dos valores pré-operatórios	0
Deambulação e condição mental	
Bem orientado e com andar firme	2
Bem orientado ou com andar firme	1
Nenhum	0
Náuseas e vômitos	
Mínimos	2
Moderados	1
Intensos	0
Dor	
Mínima	2
Moderada	1
Intensa	0
Sangramento cirúrgico	
Mínimo	2
Moderado	1
Grave	0

Avaliação da Recuperação da Psicomotricidade

Na avaliação da recuperação da psicomotricidade, é fundamental a verificação do retorno da coordenação motora grosseira, da coordenação motora fina, do equilíbrio, da memória, da fixação da atenção, da capacidade de concentração, das acuidades visual e auditiva e do nível intelectual.

Vários testes têm sido preconizados com a finalidade de avaliar a recuperação da psicomotricidade. Existe consenso de que eles devem ter as seguintes características: rapidez, facilidade de aplicação e de execução, dificuldade de memorização, condições de registro legal e baixo custo.

O teste não deve ser demorado para não prolongar o tempo de permanência hospitalar; de fácil aplicação para não complicar a rotina da unidade ambulatorial e não necessitar de pessoa treinada especificamente para esse fim, ou de aparelhagem sofisticada; de fácil execução, possibilitando que pacientes com diferentes níveis de inteligência possam executá-lo; não pode ser tão simples que permita a memorização do resultado; e ter condições de registro gráfico para que possa ser anexado ao prontuário médico, passando a ter valor legal. Nesse aspecto, o teste deve ser consagrado, tendo seu valor comprovado.

Um fator a ser lembrado é que a maioria das longas permanências na recuperação está relacionada com náuseas e vômitos, e não com a sedação.

Existem vários testes psicomotores capazes de determinar quando o paciente atingiu o ponto ideal para retornar às mesmas funções de antes da cirurgia, desde os simples, realizados com lápis e papel, até os mais sofisticados, sem papel, para os quais são necessários equipamentos. Há outros testes psicomotores que avaliam diferentes parâmetros de recuperação, por isso nenhum teste isoladamente é adequado.

Outras limitações dos testes psicomotores são a interpretação dos resultados e sua relação com a função psicomotora na vida real. Embora os resultados de vários testes sejam utilizados para determinar condições de alta hospitalar após cirurgia ambulatorial, eles são insuficientes para autorizar a volta ao trabalho industrial, voar, dirigir automóvel ou andar pelas ruas.

Os testes para avaliação da psicomotricidade podem ser divididos em dois grupos: aqueles em que se utilizam lápis e papel e os sem papel. Entre aqueles que utilizam lápis e papel têm-se: teste do liga-pontos (*trigger test*), teste da substituição de dígito por símbolo, teste da avaliação da velocidade de percepção e teste de riscar a letra P. Entre os testes sem papel: teste de contar moedas, teste da tábua de bater, teste de reação visual e auditiva, medida do tônus do músculo reto medial, teste do balanço corporal computadorizado e teste de simulação de dirigir.[4]

Devido à praticidade, ao baixo custo e à efetividade, o teste de substituição de dígito por símbolo, o de ligar pontos e o da avaliação da velocidade de percepção são os mais utilizados, porém não rotineiramente.

Os testes, quando aplicados, devem ser realizados antes e após a realização do ato anestésico-cirúrgico para que possa ser feita uma comparação.

Internação

Quando os pacientes e os procedimentos são bem selecionados, a mudança do plano ambulatorial para o de internação passa a ser rara, no entanto somente a evolução na recuperação pós-anestésica é que definirá se haverá alta hospitalar ou não. Consequentemente, complicações como dor, náuseas, vômitos, prostração, hipertermia e hemorragia implicarão uma observação mais demorada e, na dependência da evolução e do horário de atendimento da unidade ambulatorial, o paciente deverá permanecer internado.

A presença de vômitos e de prostração resulta, muitas vezes, na manutenção de linha venosa e hidratação.

Náusea e vômitos, os eventos adversos mais frequentes no pós-operatório de cirurgia ambulatorial, são desagradáveis, provocam retardo na realimentação e na ingestão de analgésicos e anti-inflamatórios[48] e podem ocorrer até o sétimo dia de pós-operatório. Segundo relatos de pacientes, eles ocupam o primeiro lugar no *ranking* de fenômenos desagradáveis, superando inclusive a presença de dor.

A presença de hipertermia é sempre preocupante, não só nos casos em que a cirurgia é infectada, mas especialmente naqueles pacientes que estavam afebris no pré-operatório. Presença de hemorragia, mesmo que não implique reintervenção, passa a ser objeto de observação continuada.

Pacientes submetidos a pequenas cirurgias de urgência devem passar por um período de observação mais prolongado para a verificação de manifestações tardias de algum trauma. Qualquer dúvida nesse sentido importará em internação.

Observando-se rigorosamente os critérios de alta, será pouco provável que o paciente tenha que retornar à unidade ambulatorial, no entanto existe a possibilidade de eventos adversos após a alta.

A prescrição de medicamentos para uso pós-operatório precisa ser feita com o conhecimento do anestesiologista, devendo-se evitar o uso de fármacos que potencializam os efeitos residuais dos agentes anestésicos, como benzodiazepínicos e opioides.

Ao paciente ou ao seu responsável é necessário dar orientação para o pós-operatório em relação às medicações, complicações, atividades físicas e intelectuais, alimentação, assim quanto ao modo mais ágil de comunicação com a unidade ambulatorial.

■ ANALGESIA PÓS-OPERATÓRIA

A dor é fator limitante para a alta dos pacientes em regime ambulatorial, portanto alguma forma de analgesia deve ser programada para o pós-operatório, especialmente o imediato.[51]

Na realidade, a seleção dos procedimentos para o regime ambulatorial deve estar voltada especialmente para aqueles pacientes cuja dor pode ser controlada com analgésicos por via oral.

Os bloqueios periféricos com anestésicos locais de longa duração são empregados com a finalidade de abolir a dor no pós-operatório, contudo, cessado o efeito do bloqueio, é importante que o paciente possa controlar eventuais manifestações dolorosas com o uso de analgésicos comuns.

Analgésicos como dipirona, paracetamol e anti-inflamatórios como tenoxicam, cetoprofeno e cetorolaco são úteis para o controle da dor no pós-operatório e devem ser utilizados com posologia adequada (ver Capítulo 47).

A programação da analgesia para o pós-operatório começa no pré-operatório, observando-se as condições e características psicológicas do paciente e conhecendo-se as características invasivas da cirurgia.

Ao tratamento da dor pós-operatória deve ser dado enfoque multimodal, apoiando-se no fato de que a associação de fármacos com efeitos analgésicos, que atuam por diferentes mecanismos, propicia boa analgesia com a diminuição da dose de cada um deles, com consequente redução de efeitos colaterais causados isoladamente. A associação de anti-inflamatórios não hormonais (AINHs) com opioides é um exemplo. Estudos mostram redução da dor e da necessidade de opioides quando AINHs são administrados no intra ou no pós-operatório imediato.

A utilização de bloqueios periféricos associados a AINHs é outro exemplo de analgesia multimodal eficaz, mostrando uma ação sinérgica.

Assim, as associações de opioides, anti-inflamatórios e bloqueio de nervos periféricos devem estar incluídas entre as associações de fármacos e técnicas que propiciam despertar tranquilo e sem dor.

No pós-operatório, devem-se administrar analgésicos, observando-se horário rigoroso para prevenir manifestações dolorosas, não se devendo esperar o fenômeno doloroso surgir para iniciar a administração de analgésicos.

O controle da dor pós-operatória constitui um dos fatores principais para o desenvolvimento da anestesia ambulatorial, propiciando aos pacientes segurança, conforto e credibilidade.

◾ TIPOS DE UNIDADES AMBULATORIAIS. ORGANIZAÇÃO E FLUXOGRAMA

Tipos de Unidades Ambulatoriais

Conforme já apresentado, muitos procedimentos cirúrgicos, diagnósticos e terapêuticos podem ser realizados em regime ambulatorial. Isoladamente, os procedimentos caracterizam a possibilidade de serem realizados em regime ambulatorial, no entanto, além dos critérios rígidos de seleção, é necessário um ambiente adequado para praticá-los, onde se possa prestar o atendimento com qualidade e segurança.[52]

Sabe-se que, na realidade, o número de procedimentos ambulatoriais é extenso. Sendo assim, mesmo os hospitais privados preparados para aqueles de alta complexidade não podem prescindir desse tipo de atendimento, que movimenta sua estrutura, evita a ociosidade do centro cirúrgico e proporciona retorno econômico perfeitamente previsível.

É possível criar, na própria planta física atual, condições para o atendimento em regime ambulatorial, lembrando sempre que é necessário que a equipe anestésico-cirúrgica, a administração e o pessoal paramédico conheçam detalhes que envolvam o fluxograma do atendimento, desde a admissão até a alta. Nesse aspecto, o anestesiologista tem im-

portante função no planejamento do trabalho, observando os aspectos legais, a segurança e a qualidade.

O atendimento implantado dessa forma integrará o centro cirúrgico ao esquema, aproveitando suas dependências seguras e espaçosas. A modificação ficará por conta de uma região adequada para a admissão e a alta dos pacientes, que não devem ter contato com pacientes internados e, especialmente, aqueles criticamente doentes.

O volume do atendimento e as necessidades específicas de cada especialidade cirúrgica cultivada no hospital certamente implicarão modificações ou criação de uma unidade ambulatorial adequada.

Do ponto de vista funcional, basicamente há três variedades de unidades ambulatoriais hospitalares: aquelas que são integradas ao hospital, as independentes do hospital e as mistas. Qualquer uma delas deve obedecer às resoluções dos órgãos competentes que regulamentam a matéria.

Unidade ambulatorial integrada ao hospital

Esse tipo de estrutura utiliza o centro cirúrgico do hospital, logo é uma área física que deve conter recepção, sala de espera, sala de preparo, posto de enfermagem, consultórios e sala para recuperação do estágio III.

Os procedimentos cirúrgicos, diagnósticos ou terapêuticos são realizados fora da unidade, e os pacientes são a ela encaminhados para recuperação final, aplicação dos testes de avaliação da psicomotricidade, observação em repouso, realimentação e orientações quanto ao pós-operatório.

Nessa concepção, toda a infraestrutura do hospital é utilizada, destinando-se somente uma área para o cumprimento do fluxograma do paciente ambulatorial.

Unidade ambulatorial independente

Nese tipo de unidade, dispõe-se de um bloco fisicamente independente do hospital. Ela é apropriada para hospitais com grande volume de procedimentos ambulatoriais e que tenham condições de construí-la, procurando absorver a maioria dos procedimentos realizados fora do centro cirúrgico. Assim, de preferência, o setor de imagens também deverá ficar acoplado à unidade.

A unidade ambulatorial independente deverá ter gerenciamento próprio e ser constituída de recepção, sala de espera, secretaria, consultórios, sala de preparo, centro cirúrgico, salas de recuperação 1 e 2, área de expurgo, lavagem e antissepsia, dispensário de medicamentos, empacotamento de material, arsenal e setor de arquivo médico.

São consideradas unidades ambulatoriais independentes as de tipo II e III construídas distante dos hospitais e que cumpram aas determinações da resolução CFM nº 1.886/2008

Qualquer que seja o tipo de unidade ambulatorial que venha a ser implantada, é necessário que ela permita seguir um fluxograma que considere as particularidades de cada procedimento. Pontualidade, previsão, integração e informação são pré-requisitos.

Deve-se lembrar de que os procedimentos não são isentos de complicações, sendo necessário estar preparado para preveni-las ou tratá-las. Áreas adequadas para a admissão e para os acompanhantes dos pacientes são fundamentais.

A área física deve permitir facilidade no atendimento ao paciente desde sua admissão até a alta. Assim, ao planejar uma unidade ambulatorial, é necessário ter em mente as etapas que devem ser cumpridas pelo paciente, pelo acompanhante e pelos prestadores dos serviços.

Unidade ambulatorial mista

Nesse tipo de unidade ambulatorial, existem salas de cirurgia para procedimentos sem complexidade, realizados sob anestesia local, com ou sem sedação, alguns tipos de bloqueios periféricos e anestesia geral nos casos em que haja previsão de rápida recuperação pós-anestésica do estágio II na sala de operação.

Alguns pacientes que se submetem a procedimentos de baixa complexidade não têm o benefício amplo do esquema ambulatorial quando devem ser encaminhados para o centro cirúrgico do hospital. Da mesma forma, podem não se beneficiar os médicos, enfermeiros e a própria administração.

Exemplos disso são as cirurgias oftalmológicas do segmento anterior do globo ocular. Aliás, as cirurgias oftalmológicas têm sido realizadas em clínicas autônomas, onde o fluxograma poderá até ser mais ágil. Assim sendo, é possível equipar uma sala da unidade ambulatorial para esses procedimentos.

Muitos procedimentos podem ser feitos nas salas das unidades ambulatoriais e a opção poderá ser feita por especialidade ou por um esquema multidisciplinar, desde que sejam observados os fatores que agilizem o fluxograma e diminuam o custo sem perder qualidade e comprometer a segurança.

O centro cirúrgico do hospital será utilizado para os procedimentos que exijam salas maiores devido aos equipamentos que, de preferência, não devem ser constantemente transportados, como os para videocirurgia.

Muitos procedimentos, apesar de minimamente invasivos, exigem equipamentos sofisticados, de grande porte e caros, que o hospital não pode adquirir em duplicata. Assim, é preferível mantê-los dentro do centro cirúrgico.

O Fluxograma e as Instruções aos Pacientes

O fluxograma deve ser fixado de comum acordo entre os médicos, a enfermagem e a instituição. A Figura 185.2 mostra as etapas que devem ser cumpridas em caso de pacientes cirúrgicos.[1,49,52]

O fluxograma de uma unidade ambulatorial deverá obedecer a alguns aspectos gerais e a outros que serão específicos de acordo com o tipo de organização da unidade.

As seguintes etapas devem ser cumpridas:

1. **Avaliação pelo cirurgião**

   O cirurgião deve selecionar o tipo de procedimento, levando em conta o tempo, a extensão, o estado físico do paciente e suas condições socioeconômicas.

2. **Instruções do cirurgião**

   O cirurgião deve informar ao paciente acerca do procedimento em regime ambulatorial e dos cuidados que deverá ter no pós-operatório, assim como da necessidade de um **acompanhante adulto** e da possibilidade de internação em caso de complicações. Deverá verificar também se o paciente tem condições de cumprir as exigências do regime ambulatorial.

3. **Agendamento**

   O cirurgião deve proceder à marcação da cirurgia, obedecendo a critérios preestabelecidos pela unidade ambulatorial, e encaminhar o paciente para avaliação pré-anestésica. Cabe ao cirurgião antever dificuldades e encaminhar o paciente com tempo suficiente para avaliação e preparo pré-operatório.

4. **Avaliação pelo anestesiologista**

   O paciente deverá comparecer ao consultório do anestesiologista munido da carta de encaminhamento e dos exames que foram solicitados pelo cirurgião.

   Após a avaliação, o anestesiologista deverá certificar-se de que: a) o procedimento poderá ser realizado em regime ambulatorial na data marcada ou se será necessário mais tempo para o preparo do paciente; b) o paciente poderá cumprir as exigências do esquema ambulatorial; c) existe necessidade de interconsultas com

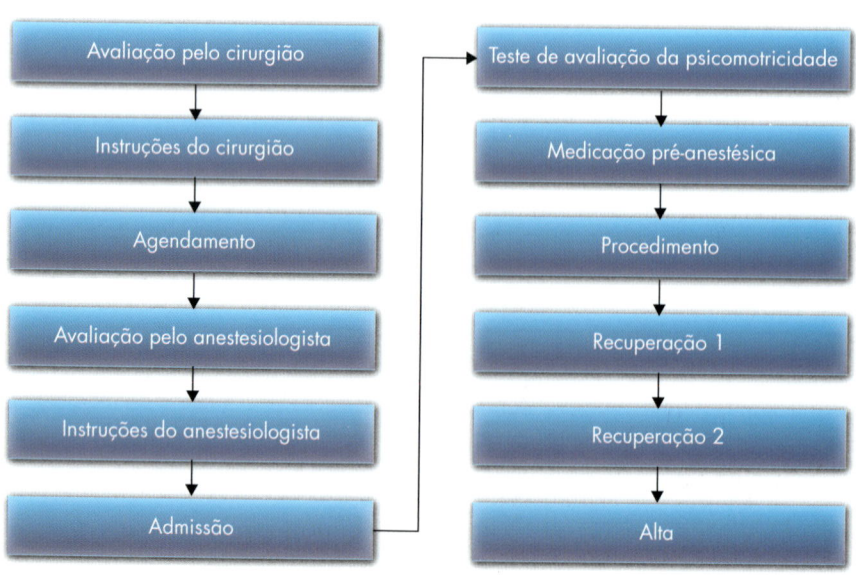

◄ **Figura 185.2** Fluxograma de atendimento ambulatorial.

áreas especializadas; d) será ou não necessária a solicitação de exames complementares fora da rotina.

5. **Instruções do anestesiologista**

Após verificação de que o procedimento poderá ser realizado em regime ambulatorial, o anestesiologista deverá informar ao paciente o tempo de jejum, o horário e a data de chegada à unidade ambulatorial, a necessidade de acompanhamento por pessoa adulta e antecipar informações com respeito aos critérios de alta.

6. **Admissão**

Devem ser realizados o registro do paciente e, na sequência, a admissão pela enfermagem.

No dia da cirurgia, o prontuário do paciente deverá estar pronto com as informações obtidas na avaliação pré-operatória.

O paciente deverá se apresentar à unidade ambulatorial na data e hora marcadas. Após a admissão, ele será encaminhado para a sala de preparo para que se processem a rotina pré-operatória e a verificação dos sinais vitais.

O anestesiologista deverá proceder à revisão dos dados obtidos durante a consulta e verificar se foi cumprido o tempo de jejum. Nesse momento, poderão ser aplicados os testes de avaliação da psicomotricidade.

7. **Testes de avaliação da psicomotricidade**

Caso façam parte da rotina, devem ser feitos após a admissão e antes da medicação pré-anestésica.

8. **Medicação pré-anestésica**

Se for prescrita, deverá ser administrada com o paciente já preparado e em repouso na maca de transporte.

9. **Procedimento**

Após a realização do ato cirúrgico e obedecidos os critérios de recuperação, o paciente é encaminhado para a SRPA do centro cirúrgico ou da unidade ambulatorial.

10. **Recuperação 1**

Na SRPA 1, processa-se a recuperação do estágio II da recuperação da anestesia.

Essa sala pode ser a SRPA do centro cirúrgico ou da unidade ambulatorial, quando ela for do tipo independente. Nessa sala, permanecem os pacientes que ainda necessitam de vigilância constante por parte da enfermagem e dos médicos.

Algumas técnicas anestésicas e procedimentos permitem a recuperação do estágio II na sala de cirurgia e, assim, o paciente poderá passar direto para a recuperação 2.

Essa conduta de agilização recebe hoje o nome de *via rápida*, ou *caminho rápido* ou simplesmente *atalho*, expressão proveniente do termo em inglês *fast track*.

11. **Recuperação 2**

Deve estar localizada na ala ambulatorial, onde a presença de acompanhante pode ser permitida.

12. **Alta**

Depois de observados os critérios de alta, devem-se aplicar os testes de recuperação da psicomotricidade e as orientações devem ser fornecidas por escrito ao paciente ou a seu representante legal.

Aos pacientes, ou ao seu responsável, é necessário dar as seguintes orientações:

1. Reafirmar a necessidade de o paciente ser acompanhado por uma pessoa adulta até sua residência. Nos casos de crianças, quando o transporte for feito em condução própria do acompanhante, uma segunda pessoa adulta é necessária para cuidar do paciente durante o trajeto;

2. Nas primeiras 24 horas do ato anestésico, os pacientes devem ser proibidos de conduzir veículos, operar máquinas ou instrumentos que exijam atenção e coordenação motora, assinar documentos importantes e andar na rua;

3. Nas primeiras 24 horas, deve ser observado repouso, salvo em situações em que algum método fisioterápico leve esteja indicado para início precoce;

4. Manter abstinência de bebidas alcoólicas até a liberação pelo médico responsável;

5. Observar rigorosamente os horários das medicações e as recomendações quanto ao procedimento realizado;

6. Comunicar-se imediatamente com a unidade ambulatorial, com o médico responsável ou seu substituto, ou com o anestesiologista, caso ocorram náuseas, vômitos, prostração, febre, dor ou hemorragia;

7. Estar preparado para voltar à unidade ambulatorial caso ocorram complicações.

Para os procedimentos diagnósticos e terapêuticos em regime ambulatorial, o fluxograma poderá ser alterado, adequando cada procedimento de acordo com suas peculiaridades. Devem ser considerados os casos de procedimentos fora do centro cirúrgico, no entanto os critérios de seleção e de alta são os mesmos.

Todo o fluxograma do paciente pode ser desenvolvido na unidade ambulatorial ou incluir o centro cirúrgico e a SRPA do hospital de acordo com o tipo de unidade.

As Figuras 185.3 e 185.4 mostram as duas situações.

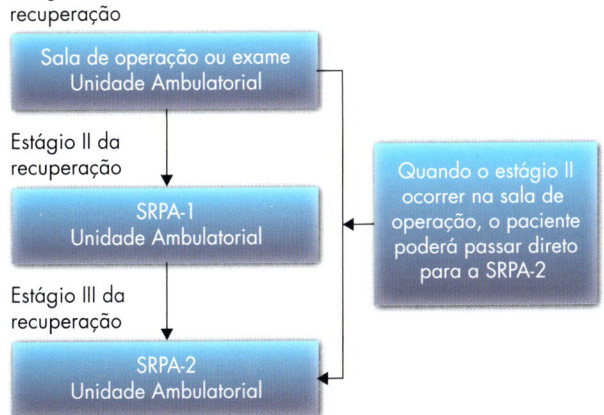

▲ **Figura 185.3** Recuperação pós-anestésica em unidade ambulatorial independente.

Estágio I da
recuperação

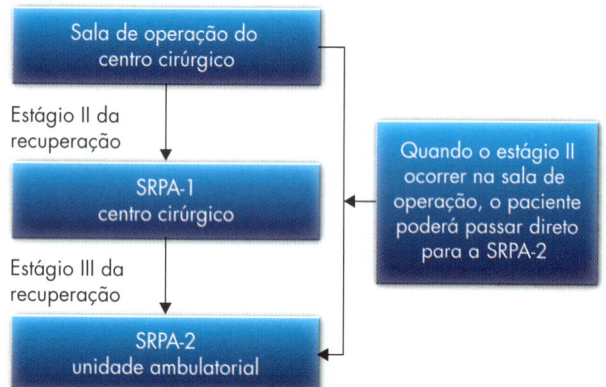

Estágio II da
recuperação

Estágio III da
recuperação

◀ **Figura 185.4** Recuperação pós-anestésica em unidade ambulatorial integrada ao hospital ou mista.

REFERÊNCIAS

1. Oliva Filho AL. Anestesia para pacientes de curta permanência hospitalar. Rev Bras Anestesiol. 1983; 33(1): 51-62.
2. Cangiani LM. Anestesia ambulatorial: conceitos e aspectos gerais. In: Cangiani LM. Anestesia Ambulatorial. São Paulo: Atheneu, 2001. p.3-26.
3. White PF. Ambulatory anesthesia and surgery: past, present and future. In: White PF. Ambulatory anesthesia and surgery. 1. ed. Philadelphia: WB Saunders, 1997. p. 3-34.
4. Brasil. Resolução nº 1.886, de 21 de novembro de 2008. Dispõe sobre as "Normas Mínimas para o Funcionamento de consultórios médicos e dos complexos cirúrgicos para procedimentos com internação de curta permanência". Conselho Federal de Medicina. 2008; 271..
5. Hofer J, Chung E, Sweitzer B. Preanesthesia evaluation for ambulatory surgery: do we make a difference. Curr Opin Anesthesi. 2013; 26;6: 669-76.
6. Mathis MR, Naugthton NN, Shanks AM, et al. Patient selection for day-case eligible. Idendifying those at high risk major complications. Anesthesiology. 2013; 119: 1310-21.
7. Mathias LAST, Mathias RS. Avaliação pré-operatória: um fator de qualidade. Rev Bras Anestesiol. 1997; 47(4): 335-49.
8. Cangiani LM. Seleção de pacientes para procedimentos ambulatoriais. In: Cangiani LM. Anestesia Ambulatorial. São Paulo: Atheneu, 2001. 55-98.
9. August DA, Evertt LL. Pediatric ambulatory anesthesia. Anesthesiology Clin. 2014; 32: 411-29.
10. Ganem EM, Módolo NSP, Castiglia YMMC. Paciente com infecção de vias aéreas superiores. Quando anestesiar? Rev Bras Anestesiol. 2003; 53(3): 396-400.
11. Sale SM. Neonatal apnoea. Best Prac Res Clin Anesthesiology. 2010; 24:3 23-36.
12. Lopes JMA. Apneia neonatal. J Ped. 2001; 77;(Supp I): 97-103.
13. Shenkman Z, Erez I, Freud E, et al. Risk factors for spinal anestesia in preterm infants undergoing inguinal hernia repair. J Pediatr. 2012; 88(3): 222-6.
14. Marlow N. Anesthesia and long-term outcomes after neonatal intensive care. Ped Anesth. 2014; 24: 60-7.
15. Veyckemans F, Momeni M. The patient with history of congenital heart disease who is to undergo ambulatory surgery. Curr Opin Anesthesiol. 2013; 26(6):685-91.
16. Cutter TW. Patient selection for ambulatory surgery. In: White PF. Ambulatory anesthesia and surgery. 1. ed. Philadelphia: WB Saunders, 1997. 133-7.
17. Aurini L, White PF. Anesthesia for the elderly outpatient. Curr Opin Anesthesiol. 2014; 27(6):563-75.
18. Bettelli G. High risk patienets in day surgery. Minerva Anesthesiol. 2009; 75: 259-68.
19. Teja B, Raub D, Freiedrich S, et al. Incidence, prediction, and causes of unplanned 30-day hospital sdmission after ambulatory procedures. Anest Analg 2020; 131: 497-507.
20. Budera TF, RosenbergMedical disease and ambulatory surgery, new insights in patient selection based on medical disease. Curr Opin Anesthesiol. 2022; 35: 385-391.
21. Roberts JD, Sweitzer B. Perioperative evaluation and management of cardiac disease in ambulatory surgery setting. Anesthsiol Clin. 2014; 32: 309-20.
22. Macuco MV, Macuco OC, Bedin A, et al. Efeito de um consultório de anestesiologia sobre as preocupações, percepções e preferências relacionadas à anestesia. Comparação entre o sexo masculino e feminino. Rev Bras Anestesiol. 1999; 49(3): 179-89.
23. Ogunnaike B. The morbidly obese patient undergoing outpatient surgery. Int Anesthesiol Clin. 2013; 31(3): 113-35.
24. Abrishami A, Khajehdehi A, Chung F, et al. A systematic review of screening questionnary for obstructive sleep apnea. Can J Anesth. 2010; 57: 423-38.
25. Joshi GP, Ankichetty SP, Gan TJ, et al. Society for Ambulatory Anesthesia Consensus Statement on preoperative seletion of adult patients with obstructive sleep apnea acheduled for ambulatory surgery. Anest Analg. 2012; 115: 1060-8.
26. Maciejewski D. Guidelines for system and anaesthesia organisation in short stay surgery (ambulatory anaesthesia, anestesia in day case surgery. Anesthesiol Int Ther. 2013; 45(4): 190-9.
27. The Committee on Quality and Safety of Anesthesia of the Polish society of anesthesiology and Intensive Therapy. The consensus statement on ambulatory anaesthesia of the committee on quality and safety in anesthesia. Polish society o anesthesiology and Intesive Therapy Guidelines for ambulatory anaesthesia. 2013; 45(4):183-9.
28. Lermitte J, Chung F. Patient seletion in ambulatory surgery. Cur Opin Anesthesiol. 2005; 18: 598-602.
29. Deer JD, Sawardekat A, Suresh S. Day surgery regional anestesia in children: safety and improving outcomes, do they make a difference? Cur Opin Anesthesiol, 2016; 29:6 91-695.
30. Malchow RJ, Gupta RK, Shi Y et al. Comprehensive analysis of 13,897 consecutive regional anesthetics at an ambulatory surgery center. Pain Medicine. 2018 Feb 1;19(2):368-384.
31. Rosow CE. Opioid and non-opioid analgesics. In: White P. Ambulatory anesthesia and surgery. 1. ed. Philadelphia: WB Saunders, 1997. 380-94.
32. Belleville JP, Ward DS, Bloor BC, et al. Effects of intravenous dexmedetomidine in humans. Sedation, ventilation, and metabolic rate. Anesthesiology. 1992; 77: 1125-33.
33. Khan ZP, Ferguson CN, Jones RM. alpha-2 and imidazoline receptor agonists. Their pharmacology and therapeutic role. Anaesthesia. 1999; 54(2): 146-65.
34. Kaplan RF. Sedation and analgesia for children undergoing procedures outside the operating room. ASA. 2010; 7: 69-79.
35. Coté Cj, Cohen IT, Suresh S, et al. A comparison of threedoses ofa commercially prepared oral midazolam syrup in children. Anesth Analg. 2002; 94(1): 37-43.
36. Reinhart K, Dallinger-Stiller G, Denhardt R, et al. Comparison of midazolam, and diazepam and placebo i.m. as premedication for regional anesthesia. A randomized double-blind study. Br J Anaesth. 1985; 57(3): 294-9.
37. Tardelli MA. Anestesia inalatória. In: Cangiani LM. Anestesia ambulatorial. São Paulo: Atheneu, 2001. 215-30.
38. Bisinotto FMB, Oliveira MCM, Abud TMV, et al. Comparação clínica do sevoflurano e isoflurano para laparoscopia ginecológica ambulatorial. Rev Bras Anestesiol. 1998; 48(6): 447-54.
39. Philip BK, Kallar SK, Bogetz MS, et al. A multicenter comparison of maintenance and recovery with sevoflurane or isoflurane for adults ambulatory anesthesia. Anesth Analg. 1996; 83(2): 314-9.
40. Kumar G, Stendall C, Mistry R, et al. A comparison of total intravenous anaesthesia using propofol with sevoflurane or desflurane in ambulatory surgery: systematic review and meta-analysis. Anesthesia. 2014; 69: 1138-50.
41. Imbelloni LE, Carneiro ANG. Cefaleia pós-raquianestesia: causas, prevenção e tratamento. Rev Bras Anestesiol. 1997; 47: 453-64.
42. Imbelloni LE, Carneiro ANG. Estudo comparativo entre lidocaína 1,5% e 2% com glicose para raquianestesia. Rev Bras Anestesiol. 1999; 49(1): 9-13.
43. Nair GS, Abrishami A, Lermite J, et al. Systematic review of spinal anaesthesia using bupivacaine for ambulatory knee arthoscopy. Br J Anaesth. 2009; 102(3): 307-15.
44. Pandit VA. Phases of recovery periods. In: White PF. Ambulatory anesthesia and surgery. 1. ed. Philadelphia: WB Saunders, 1997. 457-64.
45. Chung FF. Discharge requirements. In: White PF. Ambulatory anesthesia and surgery. 1. ed. Philadelphia: WB Saunders, 1997. 518-25.
46. Cao X, Elvir-Lazo OL, White PF et al. Na update pain management for elderly patients undergoing ambulatory surgery. Crr OPin Anesthesiol. 2016; 29: 674-682.
47. Chung F, Ong D, Seyone C, et al. PADS-A discriminative discharge index for ambulatory surgery. Anesthesiology. 1991; 75: 1105.
48. Chung F. Are discharge criteria changing? J Clin Anesth. 1993; 5(1): 64-8.
49. Cangiani LM, Porto AM. Anestesia ambulatorial. Rev Bras Anestesiol. 2000; 50(1): 68-85.
50. Odom-Forren J, Jalota L, Moser DK, et al. Incidence and predictors of posdischarge nausea and vomiting in a 7-day population. J Clin Anesth. 2013; 25: 551-9.
51. Kaye AD, Urman RD, Rappaport Y, et al. Multimodal analgesia as an essential part of enhanced recovery protocols in the ambulatory settiing. J Anaesthesiology Clin Pharmacol. 2019 Apr; 35(Suppl 1): S40-S45.
52. Cangiani LM. Unidade ambulatorial: organização e fluxograma. In: Cangiani LM. Anestesia ambulatorial. São Paulo: Atheneu, 2001. 29-36.

186

Anestesia para Radiodiagnóstico

Antônio Márcio de Sanfim Arantes Pereira

INTRODUÇÃO

A participação do anestesiologista em procedimentos diagnósticos e terapêuticos fora do centro cirúrgico tem se expandido progressivamente, sendo que grande parte dessa demanda provém do setor de Radiodiagnóstico. O desenvolvimento dos métodos de imaginologia tem determinado nossa presença crescente em grande número de procedimentos, invasivos ou não. Pacientes a serem submetidos a angiografias, tomografias computadorizadas, ressonâncias magnéticas, emissão de pósitrons, colângio-pancreatografias, biópsias, drenagens e ablações guiadas por ultrassom e vários outros procedimentos radiológicos intervencionistas podem necessitar de algum grau de sedação ou até mesmo anestesia geral. Apesar de, em várias circunstâncias, a sedação e a monitorização serem feitas pelo próprio radiologista, por vezes o anestesiologista é chamado para garantir a imobilidade e a segurança de pacientes agitados, não cooperativos, instáveis ou crianças.

Nem sempre é necessária a abordagem farmacológica para esses pacientes. Por vezes obtém-se condições satisfatórias mediante boa orientação, explicações claras sobre o procedimento a ser realizado e palavras de tranquilização, associadas a anestesias locais para eventuais punções cutâneas. Algumas técnicas de sedação podem ser empregadas em pacientes mais ansiosos ou durante procedimentos particularmente desconfortáveis, em geral envolvendo doses tituladas de benzodiazepínicos e opioides, e mais raramente a infusão de propofol. Assistência anestésica é necessária ainda em pacientes com problemas de comunicação, movimentos involuntários, história de reações a contrastes radiológicos e naqueles em mau estado geral ou condições críticas.

Em procedimentos menores realizados sob sedação em regime ambulatorial, os pacientes cada vez mais querem estar envolvidos nas decisões quanto à sua terapia, especialmente sabendo que serão liberados para casa na sequência para cuidarem de si próprios. Quando são informados sobre as opções de sedação e lhes sendo permitida a escolha, a maioria dos pacientes opta por anestesia local ou sedação leve, com alto índice de satisfação.

Como veremos adiante, crianças sadias programadas para exames de imagem muitas vezes recebem cloral hidratado por via oral administrado pela própria equipe do departamento de Radiodiagnóstico. Em procedimentos de maior duração ou mais invasivos, e ainda em crianças sindrômicas ou com problemas clínicos, o concurso de um anestesiologista costuma ser solicitado, sendo elas geralmente conduzidas sob sedação profunda ou anestesia geral. Uma boa estratégia para o pessoal da Radiologia seria estabelecer critérios para triagem de pacientes pediátricos que devam ser referidas ao departamento de Anestesiologia previamente ao exame, como aqueles com menos de 1 mês de vida, história de apneia e outros distúrbios respiratórios, presença de algumas síndromes (Pierre Robin, Apert, Crouzon), alergia a sedativos e analgésicos, refluxo gastroesofágico importante, doença cardíaca, metabólica, mitocondrial ou qualquer outra de aparecimento recente. Atrasos, cancelamentos e adiamentos podem ser evitados com essa rotina. De qualquer maneira, é fundamental o conhecimento prévio por parte do anestesiologista das particularidades do procedimento a ser realizado, como a duração, posição do paciente, necessidade de punções, períodos de apneia etc. Desse modo, a melhor abordagem sedativa/anestésica poderá ser escolhida e conduzida, com canal de comunicação sempre aberto com o radiologista para adequar sua conduta a possíveis mudanças de rumo do exame.

Na verdade, a comunicação livre e cooperação entre os dois departamentos é fundamental, não apenas na condução dos procedimentos, mas também no projeto de novas unidades – atendendo às necessidades para a realização da sedação/anestesia – e na rotina diária de marcação e atendimento, no sentido de se prestar um serviço pontual, seguro e de qualidade.

Dificuldade com vias aéreas, antecipada ou não, é sempre problemática em locais remotos. Quando prevista, a entubação traqueal difícil deve ser realizada de preferência na sala de cirurgia, onde se dispõe de ajuda especializada e equipamentos para técnicas alternativas. O paciente é depois encaminhado anestesiado ao local do exame, se este não puder ser feito no centro cirúrgico. Quando essa abordagem não for possível, as melhores condições devem ser providenciadas na sala de exames, como o conhecimento do algoritmo da via aérea difícil, a disponibilidade de materiais e equipamentos para estabelecimento de acesso de emergência e assistência especializada.

O emprego relativamente frequente de meios de contraste iodados hiperosmolares está associado a quadros de diurese osmótica, alterações da pressão arterial e até edema pulmonar, bem como reações alérgicas de gravidade variável. Por essa razão, a presença do anestesiologista em exames contrastados é muitas vezes requisitada, tendo em vista seu treinamento com vias aéreas, distúrbios hemodinâmicos e reanimação cardiorrespiratória. Havendo história positiva de hipersensibilidade ao iodo ou reações prévias com radiocontrastes, a indicação do exame deverá ser criteriosamente discutida e medidas profiláticas adotadas.

Uma análise de mais de 26 milhões de registros de anestesias nos Estados Unidos aponta um aumento de procedimentos realizados fora do centro cirúrgico de 28,3% em 2010 para 35,9% em 2014. Constatou-se paralelamente um aumento na proporção de pacientes em regime ambulatorial, da idade média dos pacientes, de paciente estado físico ASA III ou superior e dos casos ocorridos fora do horário regular.[1] Estima-se que, em uma década, teremos mais da metade de nossas anestesias realizadas fora do centro cirúrgico. Na medida em que o número de procedimentos diagnósticos e terapêuticos realizados em locais remotos aumenta continuamente, os anestesiologistas estão se deparando com desafios crescentes de prover seus cuidados a pacientes e situações cada vez mais complexos e contando com recursos muitas vezes escassos. Como consequência dos maiores riscos enfrentados, constata-se que as complicações e a mortalidade nestes cenários têm sido maiores.[2-4] A taxa de mortalidade em procedimentos cardiológicos e radiológicos intervencionistas quase que dobrou, já superando aquela encontrada na sala operatória convencional.[5]

Os procedimentos de radiodiagnóstico abordados neste capítulo incluem as angiografias, a tomografia computadorizada e por emissão de pósitrons e a ressonância magnética (RM). Os procedimentos de radiologia intervencionista têm crescido em número e complexidade, merecendo, portanto, capítulo próprio neste tratado.

■ AS DIFICULDADES FORA DO CENTRO CIRÚRGICO

As dificuldades enfrentadas na prática da anestesia fora do centro cirúrgico são diversas, e estão resumidas na Tabela 186.1.

Tabela 186.1 Dificuldades da Anestesia Fora do Centro Cirúrgico.
■ Disposição física do ambiente inadequada
■ Deficiência de equipamentos, monitores e medicamentos
■ Preparo e avaliação pré-operatórios incompletos
■ Acesso limitado ao paciente
■ Exposição à radiação e ao campo magnético
■ Pessoal não familiarizado com a anestesia
■ Ajuda especializada não disponível
■ Necessidade de rápida recuperação
■ Transporte do paciente

Os **ambientes físicos** para procedimentos fora do centro cirúrgico são em geral estruturados para atender às necessidades da equipe que está prestando o serviço primário, e não do anestesiologista. Portanto, eles são, com frequência, inapropriados para nossa atividade. Muitos itens básicos das salas de operação podem não estar presentes, como fonte central de oxigênio, vácuo, focos de teto e sistemas de evacuação de gases. O número, tipo e localização de tomadas podem ser inadequados. Por vezes, o meio é hostil ao funcionamento de monitores eletrônicos.

Os centros radiológicos estão em geral apinhados de equipamentos estacionários, prejudicando a nossa movimentação, posicionamento de materiais, monitores, bem como o acesso ao paciente. Tubos de raio X e braços móveis criam uma zona de inacessibilidade em torno da cabeça do paciente e limitam o posicionamento do carrinho de anestesia. Isso obriga muitas vezes o uso de extensões em circuitos de ventilação e linhas venosas, aumentando o risco de oclusões e desconexões. Equipamentos móveis determinam também o posicionamento à distância de monitores, bombas de infusão e aquecedores. Os sofisticados equipamentos computadorizados destes setores demandam baixa temperatura ambiental, o que pode ser problemático para pacientes em extremos etários. A sala de RM expõe o paciente, profissionais e equipamentos a um intenso campo magnético, com implicações que serão discutidas a frente. Os pacientes submetidos à radioterapia permanecem isolados em ambiente à prova de radiação, de modo que o anestesiologista poderá vê-los apenas através de uma câmera de vigilância.

Aqueles locais onde regularmente são realizados procedimentos sob anestesia, como o departamento de Radiologia, litotripsia extracorpórea e RM, estão, em geral, bem aparelhados com monitores, equipamentos de reanimação e fonte de gases encanados. Todavia, naqueles onde estes procedimentos são esporádicos, os equipamentos que lá existem geralmente são pouco usados e, portanto, pouco verificados, por vezes precisando ser momentaneamente emprestados de outro setor. Existe também a tendência de se "empurrar" para esses locais máquinas e equipamentos mais antigos, não mais utilizados no centro cirúrgico. Este tipo de aparelhagem está mais sujeito a falhas pela idade e falta de manutenção, e não costumam apresentar dispositivos de segurança mais modernos (p. ex. alarmes, servomáticos), além de estar o anestesiologista menos habituado a seu uso. É comum depararmo-nos com tal contrassenso: justamente no local onde o acesso ao paciente e a iluminação são limitados, os equipamentos de monitorização remota, de ventilação e de administração da anestesia podem ser os menos confiáveis. Por conseguinte, até prova em contrário, devemos esperar que muitas unidades externas não disponham de equipamentos, monitores e arsenal farmacológico necessários para a realização da anestesia. Constitui prática recomendável, portanto, a realização de vistorias nesses locais antes de o anestesiologista concordar em prestar seus serviços, já que a responsabilidade pela segurança do paciente será toda dele. O momento dessas vistorias dependerá da natureza, periodicidade e grau de urgência dos procedimentos a serem realizados. Recomendável também é a elaboração de uma lista de checagem a ser revista antes de cada ato anestésico, como a sugerida na **Tabela 186.2**.[6] É imperativo que se faça a verificação prévia de todo o material, medicamentos e equipamentos, incluindo aqueles itens para os quais não haja previsão de uso. À semelhança do que ocorre no centro cirúrgico, devemos realizar fora dele também um *time out checklist* antes de iniciar a anestesia, focando em 4 componentes principais: o time, o paciente, o procedimento e as possíveis respostas a emergências.[7]

Tabela 186.2 Lista de Verificação para Anestesia Fora do Centro Cirúrgico.[6]
▪ Oxigênio e aspirador disponíveis? Mangueiras alcançam o paciente?
▪ Iluminação adequada?
▪ Tomadas suficientes e acessíveis?
▪ Disponho das drogas necessárias?
▪ Monitores disponíveis e funcionando?
▪ Carrinho de emergência?
▪ Pessoal familiarizado com o carrinho de emergência?
▪ Local adequado para indução de anestesia geral?
▪ Haverá transporte do paciente anestesiado, com equipamentos e drogas?
▪ Pessoal familiarizado com urgências anestésicas? Planos alternativos?
▪ Riscos ambientais específicos (radiação etc.)?
▪ Recuperação pós-anestésica?

Como mencionado anteriormente, o anestesiologista encontra com frequência acesso limitado ao paciente, tendo que dividir com outros profissionais e com diversos equipamentos um espaço exíguo para atuar. Aqui, mais do que em qualquer outra situação, eventos adversos devem ser antecipados. Isso é especialmente verdadeiro levando-se em consideração que quase sempre ele se verá sozinho, já que o pessoal com quem está trabalhando provavelmente não conhece nossos equipamentos nem tampouco está treinado para compreender a complexidade do ato anestésico. No momento das dificuldades, principalmente quando itens pouco utilizados são rapidamente necessários, ele não poderá contar com ajuda especializada.

Outro problema frequente, especialmente encontrado em instalações mais antigas, é a ausência de gases, ar comprimido e fonte de vácuo encanados. É provável que o anestesiologista não mais esteja habituado ao uso de cilin-

dros, e, por conseguinte, pouco familiarizado com os riscos inerentes a eles. O esgotamento de um cilindro durante a anestesia pode gerar consequências no mínimo angustiantes. No caso do óxido nitroso, o manômetro acoplado ao cabeçote não dá qualquer indicação quanto à quantidade disponível do agente, já que ele vem apresentado na forma líquida. Apenas através do peso pode-se ter ideia da quantidade remanescente em seu interior. Portanto, é necessário que se disponha de dois cilindros de cada gás (um sendo mantido de reserva), com o cuidado óbvio para que ambos não estejam abertos e sendo consumidos em paralelo. A anestesia geral com baixo fluxo de gases ajudaria a reduzir o consumo quando cilindros estão sendo utilizados. Contudo, a necessidade de monitores equipados com analisadores de gases, bem como a dificuldade adicional introduzida pela maior quantidade de tubos do sistema ventilatório, em pacientes que não raro estarão sobre mesas deslizantes, limita seu emprego.

Nem sempre é necessário um carrinho de anestesia para procedimentos externos. Muitos casos são conduzidos com sedação ou com anestesia venosa, ainda que algum método para suporte ventilatório total deva estar disponível (p. ex. sistema Mapleson-D com bolsa inflada com O_2). O carrinho deverá estar disponível, no entanto, em locais onde a nossa participação é frequente ou diária, ou quando se administra anestesia inalatória. O serviço deve reservar para essas circunstâncias um equipamento compacto, considerando que a limitação de espaço costuma ser crítica.

Certos locais, especialmente em instituições de menor porte, podem não contar com alguns ou muitos dos equipamentos e materiais necessários para a realização da anestesia, obrigando o anestesiologista a transportá-los cada vez que lá for atuar. Por essa razão, recomenda-se que o departamento disponha de um carrinho de materiais e equipamentos para anestesia fora do centro cirúrgico, sempre pronto e disponível para atender a estes chamados.

A **exposição à radiação** é outra séria consideração para o anestesiologista, e diversos cuidados devem ser tomados para minimizá-la. Vários procedimentos nos quais o anestesista está envolvido são longos, complexos e envolvem exposição significativa à radiação eletromagnética. A exposição ao raio X pelo anestesiologista pode ser alta, frequentemente até maior que a do radiologista devido à sua posição na sala. A radiação se atenua com base no inverso do quadrado da distância da fonte ($1/d^2$). Por conseguinte, as três maneiras de se reduzir a exposição são aumentar a distância da fonte, reduzir o tempo de contato e utilizar barreiras protetoras. É fundamental, portanto, que sejam utilizados aventais, óculos e protetores de tireoide de chumbo de tamanhos adequados, assim como verificadores de radiação, que devem ser monitorados mensalmente.

Em decorrência do acima exposto, existe por parte dos anestesiologistas uma clara percepção de que a anestesia em locais remotos envolve maior carga de trabalho, maiores níveis de ansiedade e estresse, bem como menos segurança.[8] Todos esses fatores contribuem, naturalmente, para maiores chances de erros e complicações.

Dada a multiplicidade de ambientes e procedimentos diagnósticos e terapêuticos realizados no departamento de

Radiologia, praticamente todos os problemas encontrados na prática da anestesia fora do centro cirúrgico podem ser vivenciados aqui. Como decorrência, evidências indicam que nesse setor, as chances de complicações e até mesmo mortes são maiores que em qualquer outro local remoto.[4]

■ OS MEIOS DE CONTRASTE

Quando W. C. Röntgen descobriu o raio X em 1895, iniciava-se a era do diagnóstico por imagem. Como esse tipo de radiação eletromagnética é mal absorvido pelas partes moles, desenvolveram-se meios de contraste para se destacar tecidos ou patologias. Já em 1927, em Berlim, se sintetizou uma molécula orgânica iodada que mais tarde seria usada em urografias. No entanto, os produtos usados a partir de então apresentavam alta osmolaridade e toxicidade. No início da década de 50, surge uma nova geração de agentes iodados mais bem tolerados, alguns em uso até hoje. Marcantes avanços a partir dos anos 70 se deram com o aparecimento de compostos diméricos iônicos de menor osmolaridade (o dobro da sanguínea) e os contrastes não iônicos. Mais recentemente surgiram os contrastes não iônicos iso-osmolares, com queda ainda mais acentuada na incidência e gravidade das reações adversas. Infelizmente, devido ao custo mais elevado, esses compostos encontram ainda restrições ao seu uso, de modo que todo anestesiologista deve estar familiarizado com a natureza dos meios de contraste radiológico (MCR) e as possíveis reações que podem provocar, bem como as bases da prevenção e do tratamento. À medida que nossa participação em procedimentos diagnósticos e terapêuticos no setor de Radiologia se amplia, certamente vamos nos deparar com – ou seremos chamados a prestar assistência a – reações adversas aos MCR. Apesar do risco de uma reação a essas substâncias após uma injeção única ser baixo, elas figuram certamente entre os compostos que originam maior número de casos de exantemas e anafilaxia, na medida em que são administradas em mais de 75 milhões de procedimentos em todo o mundo anualmente.[9]

Os MCR são sais formados por ânions contendo iodo, ligados a diferentes cátions, como magnésio, cálcio ou metilglucamina. Essa ligação, de natureza covalente, é muito estável, de modo que quase nenhum iodo iônico é encontrado nas soluções. Os compostos tradicionais são hipertônicos em relação ao plasma, com osmolaridade acima de 1.500 mOsm.L^{-1}. A Tabela 186.3 apresenta algumas características dos MCR.

Os MCR são quase que totalmente eliminados pelos rins, sofrendo praticamente nenhuma metabolização (menos de 1%). Não há reabsorção tubular e 75% da dose total administrada é excretada na urina em 4 horas. A meia-vida de eliminação se encontra alargada, portanto, em pacientes com disfunção renal.

A incidência geral de reações aos MCR situa-se entre 3% e 15% dos exames que os utilizam, independentemente do tipo. Estão em geral relacionadas ao aumento transitório da osmolaridade ou outros efeitos tóxicos dos contrastes, porém ocasionalmente traduzem uma resposta anafilactoide – e mais raramente anafilática – aos sais de iodo. Considerando-se apenas essas reações do tipo alérgico, extensas

análises retrospectivas abrangendo mais de 570.000 administrações de MCR não iônicos encontraram uma incidência de 0,2-0,7% de reações, sendo a maioria leve e apenas 0,002-0,01% grave.[10,11] Fatalidades ocorreram com taxa abaixo de 1:30.000 casos. Os autores concordam que essas reações são quase sempre autolimitadas, requerendo tratamento sintomático apenas, sendo que muito raramente deixam sequelas a longo prazo.

Em 12.500 crianças e adolescentes, a incidência de reações encontradas por Callahan e cols. foi de 0,46% (0,38% leve, 0,08% moderada e nenhuma com gravidade), corroborando conceito anterior de que esse tipo de reação é ainda menos frequente nas crianças, com a incidência aumentando progressivamente com a idade.[12] Náuseas e vômitos são as manifestações mais comuns nos pacientes pediátricos, especialmente quando se emprega contrastes de alta osmolaridade. Respostas adversas do tipo alérgico em crianças são predominantemente cutâneas e respiratórias, com raros eventos cardiovasculares.

Reações agudas surgem mais frequentemente em indivíduos entre 20-50 anos de idade, mas seus efeitos são mais severos em pacientes idosos, particularmente quando manifestações cardiopulmonares ocorrem. O principal fator de risco para reações imediatas (< 1 hora da administração) e não imediatas (> 1 hora da administração) é a existência de reação prévia grave. Outros fatores predisponentes incluem a história de alergias a medicamentos e alimentos – especialmente quando múltiplas –, atopias e asma brônquica. Pacientes com esses achados apresentam risco 4-5 vezes maior de reações aos MCR que a população geral. Exposições repetidas aos MCR podem aumentar o risco de reações do tipo alérgico imediatas, mas muitos pacientes apresentam reação no primeiro contato com esses agentes. Paralelamente, indivíduos que exibiram uma reação anteriormente podem não repetir essas reações em próximas exposições, mesmo sem tratamento profilático. Reação imediata prévia não constitui fator de risco para desenvolvimento de reações não imediatas, e vice-versa. Essas últimas se apresentam tipicamente entre 1 hora e 1 semana da administração do MCR sob a forma de exantema cutâneo maculopapular. São reações tipo IV mediadas por linfócitos T, em geral leves ou moderadas quanto à intensidade.

Tabela 186.3 Osmolaridade e meia-vida de alguns MCR.

	mOsm.L^{-1}	t$_{1/2}$ min.
Iônicos		
Ioxitalamate (Telebrix®)	1.710	120
Diatrizoate (Hypaque®)	1.570	101
Ioxaglate (Hexabrix®)	560	92
Não iônicos		
Iobitridol (Henetix®)	695	108
Iohexol (Omnipaque®)	690	121
Iopamidol (Opamiron®)	616	128
Iotrol* (Isovist®)	360	
Iodixanol* (Visipaque®)	290	126

*dímero não iônico iso-osmolar

A alergia ao iodo ou soluções antissépticas contendo iodo não constitui fator determinante para a hipersensibilidade aos MCR. As reações anafilactoides por eles produzidas são primariamente causadas pela molécula do contraste, e não pelo iodo. Da mesma forma, existe o conceito errôneo, e muito difundido, de que alergias a frutos do mar aumentam o risco de reações aos meios de contraste. Os principais alérgenos dos frutos do mar são as tropomiosinas, e não o iodo que eles contêm. No entanto, pacientes que trazem essa história não raro apresentam outras alergias e atopias, que podem predispô-los a reações aos MCR.

A ocorrência de reações é influenciada pelo tipo de MCR, via de administração, velocidade de injeção e dose total infundida. Angiografias cerebrais ou coronarianas estão associadas a maiores risco de complicações. De uma maneira geral, as arteriografias cursam com uma frequência de reações similar à encontrada com a administração venosa de contraste. Na medida em que os MCR podem ser absorvidos a partir de qualquer membrana no organismo – gastrointestinal, geniturinária, sinovial etc. – existem relatos ocasionais de reações com administração não vascular de contrastes hidrossolúveis. Reações graves, contudo, são muito raras, mas já foram descritas por qualquer dessas vias. Por conseguinte, os mesmos procedimentos de avaliação de risco, pré-medicação e cuidados dispensados à administração vascular de MCR devem ser seguidos. A presença de doença cardíaca aumenta em 4-5 vezes a propensão a reações graves. Os agentes de menor osmolaridade (600 a 700 mOsm.L^{-1}), tais como o ioxaglate, o iohexol e o iobitridol, apresentam menor incidência de efeitos adversos. Reações fatais com esses contrastes têm ocorrido em apenas 1:100.000 procedimentos. Dentre os compostos não iônicos de baixa osmolaridade, o ioversol, iohexol e o iopamidol parecem estar relacionados a menor incidência de reações adversas que os outros dessa classe. Mais além, os agentes não iônicos iso-osmolares (iotrol, iodixanol) constituem no momento os MCR mais modernos e mais seguros, porém de alto custo. A Tabela 186.4 apresenta uma classificação das reações adversas aos MCR quanto à gravidade, assim como a incidência aproximada de cada tipo.

A análise da Tabela 186.4 nos dá uma ideia da multiplicidade de reações e manifestações clínicas que podem ocorrer com os MCR, indicando a existência de diversos **mecanismos fisiopatológicos** envolvidos. O aumento transitório da osmolaridade sanguínea responde por alguns dos achados clínicos, mas os quadros mais sérios parecem ser secundários a respostas anafilactoides aos MCR. A liberação de histamina já está muito bem documentada após a injeção desses compostos. Reações genuinamente anafiláticas, mediadas por IgE, são mais raras, mas já foram demonstradas por teste de ativação de basófilos e testes cutâneos bem conduzidos. Nesses casos, as reações costumam ser mais severas, cursando frequentemente com colapso circulatório. O contato prévio com o agente desencadeante ou similares nem sempre pode ser evidenciado, mostrando que a sensibilização ocorreu por outros meios. De qualquer maneira, o quadro clínico – em especial os sinais cutâneos e respiratórios – não permite diferenciar entre os mecanismos alérgico e pseudoalérgico. A elevação do nível plasmático da **triptase**, que indica ativação

dos mastócitos, sugere uma origem anafilática, quando muito intensa, o que pode ser confirmado por testes cutâneos após 1-6 meses. É importante lembrar, contudo, que devido ao baixo peso molecular desses compostos, a haptenização é teoricamente necessária para que se tornem alergênicos, fato que pode explicar a ocorrência de testes cutâneos falso-negativos. Com efeito, tais testes são tidos como de baixa sensibilidade, porém com especificidade de 95%. Não são úteis, portanto, como *screening* populacional, e sim para investigação de pacientes de risco que necessitarão de novo exame contrastado, especialmente aqueles com passado de reação de hipersensibilidade a um MCR. Nesses indivíduos, um conjunto de substâncias deve ser testado para se identificar alguma com teste cutâneo negativo que possa ser utilizada em exame futuro, se muito necessário. Em pacientes com reação cutânea não imediata prévia, **testes provocativos** com doses crescentes ao longo de dias de um MCR podem ser úteis para confirmar um teste cutâneo negativo. O mesmo procedimento já foi adotado para pacientes com história de reações imediatas não severas, mas é altamente recomendável que tal prática seja realizada apenas em centros com experiência em realizar e monitorar esses testes, bem como atender eventuais emergências.

Tabela 186.4 Reações aos MCR.[13]		
	Alta Osmolaridade	**Baixa Osmolaridade**
Leves	15%	3%

- Sensação de calor
- Náuseas e vômitos
- Urticária, rubor facial
- Febre, calafrios
- Cefaleia

Moderadas	0,22%	0,04%

- Urticária importante
- Edema tecidual
- Hipotensão
- Broncoespasmo
- Convulsão
- Arritmias
- Dor torácica
- Dor abdominal, diarreia

Graves (risco de vida)	0,04%	0,004%

- Edema de glote, broncoespasmo
- Cianose, anóxia
- Hipotensão prolongada
- Edema pulmonar
- Arritmias graves, angina
- Convulsão, inconsciência

Os MCR são capazes de ativar a **cascata do complemento**, aparentemente pela via alternativa (C_3), gerando anafilatoxinas (C_{3a} e C_{5a}) e posterior degranulação de basófilos e mastócitos. À semelhança do mecanismo anafilático – IgE dependente –, segue-se a liberação de diversos mediadores, como a histamina, bradicinina, serotonina, leucotrienos, fatores quimiotáxicos etc., com consequente vasodilatação, aumento da permeabilidade vascular, broncoespasmo, lesão celular, liberação de tromboplastina e estímulo à fagocitose. Esse mecanismo explica também reações anafilactoides aos MCR sem exposição prévia, podendo ocorrer no primeiro exame. Contrastes iodados estimulam ainda o Fator XII (Hageman), levando à ativação do sistema das cininas e produção ainda maior de bradicinina, que por sua vez induz à maior ativação do Fator XII, com autoamplificação do estímulo inicial. Como mencionado anteriormente, o relato de acidente alérgico prévio a compostos iodados iônicos permite esperar uma probabilidade de 20-60% de nova complicação, sendo este o principal fator de risco para reações. No entanto, se tais pacientes receberem um agente não iônico no exame subsequente, esta probabilidade é reduzida em 10 vezes. Calafrios, rubor e hiperemia são relativamente frequentes e não indicam progressão para quadros mais sérios. Já as náuseas e vômitos aparecem como sinais prodrômicos em 20% das reações anafilactoides aos MCR.

A administração de **substâncias hiperosmolares** traz alterações hemodinâmicas, tais como hipervolemia e hipertensão transitórias, acompanhadas de aumento da pressão venosa central, pressão de artéria pulmonar, pressão de átrios direito e esquerdo, pressão diastólica final de ventrículo esquerdo (VE) e do débito cardíaco. Todas essas alterações contribuem naturalmente para o desenvolvimento de edema pulmonar. A resistência vascular periférica se reduz, bem como o hematócrito. A diurese induzida pela hiperosmolaridade pode reverter o aumento do volume circulante em 15 a 20 minutos, seguindo-se de hipovolemia e hipotensão leve. Não só o aumento importante da osmolaridade plasmática, mas também alterações na disponibilidade de cálcio causada pelo contraste respondem pelos efeitos deletérios cardiovasculares, na medida em que muitos deles se apresentam formulados com EDTA ou citrato. As repercussões clínicas de tais fenômenos dependem das doenças preexistentes de cada paciente. Distúrbios cardiovasculares podem se deteriorar. Muitos pacientes submetidos a exames contrastados são cardiopatas e/ou valvulopatas, nos quais essas alterações hemodinâmicas podem provocar a descompensação. A toxicidade dos glicosídeos cardíacos parece ser potencializada pelos MCR. Pacientes com hemoglobina SS devem ser adequadamente hidratados, já que crises falciformes são possíveis. Doses superiores a 2 mL.kg^{-1} provocam sintomas desagradáveis. Mais de 4 mL.kg^{-1} administrados em menos de 30 minutos podem ser acompanhados de tremores, taquicardia e irritabilidade, sinais de intolerância ligados à hiperosmolaridade, podendo chegar ao edema pulmonar.

Os MCR atravessam a barreira hematoencefálica mesmo em doses clínicas, e já foi postulado que seus efeitos tóxicos centrais poderiam explicar muitos dos achados clínicos presentes nas reações adversas por eles provocadas. Com efeito, quando administrados por via intratecal, os MCR são 1.000 vezes mais letais que por via venosa, podendo provocar convulsões, edema pulmonar e parada cardíaca, dependendo da dose.

A função renal é afetada pelos compostos iodados, com elevação transitória da creatinina em até 10% dos indivíduos sadios. O mecanismo subjacente não está bem claro, mas envolveria a redução da perfusão renal e toxicidade tubular. A incidência de nefropatia induzida pelos MCR varia de 0-5%, passando a 12-27% se algum grau de comprometimento da função renal já existir previamente (em especial de origem diabética), ainda que subclínico. Nesse caso, os MCR mais novos, de baixa osmolaridade ou iso-osmolares, devem ser os escolhidos, bem como hidratação generosa antes, durante e depois do procedimento. Outras medidas preventivas incluem a interrupção de qualquer droga nefrotóxica nas 24 horas prévias ao exame e o uso da N-acetilcisteina antes e após o procedimento, por seu efeito antioxidante.

Existem vários meios de contraste a base do íon paramagnético **gadolínio** para ressaltar a imagem de tecidos, vasos sanguíneos e órgãos na RM. Eles se apresentam acoplados a diversos tipos de quelantes, na forma de agentes iônicos e não iônicos, e com diferentes osmolaridades. Estruturalmente se dividem em compostos lineares (gadopentato, gadobenato) e macrocíclicos (gadoteridol, gadoterato). Esses produtos são essencialmente diferentes dos MCR, apresentado muito menor incidência de efeitos colaterais e reações adversas (2,4%). Os problemas mais comuns consistem em cefaleia, ardência à injeção (flebite), náuseas, vômitos e hipotensão. Considerando-se vários compostos com gadolínio empregados com mais frequência, a incidência geral de reações anafilactoides em grandes levantamentos na literatura vária de 0,07 a 0,2%, a maioria de pouca gravidade e mais comumente vistas com agentes macrocíclicos. Existem, no entanto, relatos de reações graves, ocorrendo numa frequência de 1:10.000-1:20.000 casos.[14,15] Em 35-50% dos pacientes que exibiram reação a esses agentes, pode-se identificar a presença de algum fator de risco, como reações prévias a compostos com gadolínio ou contrastes iodados, sexo feminino, história de múltiplas alergias a drogas ou alimentos e asma brônquica. As recomendações para o manuseio desses pacientes são semelhantes àquelas discutidas a frente para pacientes de risco para compostos iodados: evitar o uso de gadolínio ou, se realmente necessário, escolher um composto estruturalmente diferente do que provocou uma reação, testes cutâneos para se identificar contrastes não reativos e emprego de medicações profiláticas.

Em 2006 surgiu o primeiro relato da possível associação desses contrastes com o aparecimento da fibrose sistêmica nefrogênica (FSN), condição semelhante à esclerodermia que atinge inicialmente as extremidades, com o rosto tipicamente poupado. Evolui com fibrose disseminada, fraqueza muscular, dores generalizadas e incapacitação, sendo potencialmente fatal.[16] Não há tratamento específico ou cura até o momento. Os compostos quelados de gadolínio são rapidamente eliminados pelos rins. Mas na presença de função renal reduzida e baixa depuração, aumenta a quantidade de gadolínio livre, que pode resultar na FSN. Como o desencadeamento dessa desordem – apesar da raridade – está relacionado à pré-existência de doença renal, a administração do contraste nesses pacientes deve ser evitada ou ter sua dose reduzida. Em 2007 o FDA americano incluiu nas advertências ao uso de compostos com gadolínio os seguintes itens:

■ O risco de FSN existe para pacientes com insuficiência renal aguda ou crônica severa ou com insuficiência renal aguda de qualquer gravidade devida à síndrome hepato-renal ou no perioperatório de transplante hepático;

■ Em pacientes que se encaixam nos critérios anteriores, evitar o uso dessa classe de contraste, a menos que seja essencial para o diagnóstico;

■ Todos os pacientes devem ser previamente investigados quanto à possível doença renal.[17]

Mais recentemente foi demonstrado que o gadolínio se deposita em vários tecidos orgânicos, incluindo nos neurônios, de maneira dose-dependente, isto é, cumulativamente com múltiplas administrações. O risco potencial ou prejuízos provocados por esses depósitos ainda permanecem incertos, não existindo até agora qualquer evidência científica a respeito.[18]

O **tratamento** das reações aos MCR depende do tipo e da gravidade destas, bem como das condições clínicas do paciente. Recursos de monitorização devem estar sempre disponíveis, assim como fonte de oxigênio, medicamentos e materiais de emergência. O paciente nunca poderá ser deixado sozinho após receber MCR por no mínimo 20 minutos. A maioria das reações não demanda medidas agressivas, sendo autolimitada. Quadros leves necessitam apenas de suporte, acesso venoso e hidratação adequada. A assistência de um anestesiologista é necessária, entretanto, nas reações graves, de natureza anafilactoide. As etapas do tratamento de reações desse tipo encontram-se resumidas nas Tabelas 186.5 e 186.6, sendo mais detalhadamente discutidas em capítulo próprio deste tratado. Reações anafilactoides obrigam à interrupção imediata da administração do MCR. A fluidoterapia deve ser vigorosa, com 1-3 litros de cristaloides. Sendo a hipoxemia a principal causa de morte, o suporte ventilatório é imperioso, com oxigênio a 100% sob máscara ou entubação traqueal sem relutância, se o quadro dá sinais de deterioração. Ainda como medida inicial inclui-se o uso de titulado de adrenalina (20-200 µg) por via venosa ou subcutânea, dependendo da gravidade do caso. Na impossibilidade de acesso venoso imediato, a via intramuscular também pode ser utilizada como terapia inicial, na dose de 500 µg (1/2 ampola) injetados na face lateral da coxa. A adrenalina pode ser considerada o antagonista natural da histamina, por seu efeito inibidor da degranulação celular (β-adrenérgico) e pelo combate ao broncoespasmo (β), à vasodilatação e à hipotensão (α). A demora e o uso inadequado da adrenalina estão relacionados a quadros de pior evolução. Se necessário, ela pode ser mantida em infusão contínua na dose de 0,02-0,2 $\mu g.kg^{-1}.min^{-1}$. Se a resposta a essas primeiras medidas não forem satisfatórias, a terapia medicamentosa adicional resumida na Tabela 186.6 está indicada, de acordo com os sinais e sintomas que persistirem.

Pacientes com fatores de risco maiores para reações adversas aos MCR (Tabela 186.7) devem ser submetidos a **medidas farmacológicas preventivas** prévias ao exame, que quase sempre envolvem a administração de corticosteroides e bloqueadores histamínicos, ainda que esta prática continue controversa. A partir da recomendação de Greenberger de que pacientes com história de reações prévias a contrastes de alta osmolaridade deveriam receber prednisona e difenildramina via oral (VO) antes de uma nova exposição,[19] vários regimes profiláticos surgiram envolvendo basicamente essas duas classes de drogas. No estudo original, o esquema de pré-medicação em pacientes de risco resultou em redução na incidência de reações dos clássicos 17-30% para 11%. Mervak e cols. pré-medicaram 1.051 pacientes com o esquema abaixo descrito previamente à administração de MCR de baixa osmolaridade. Desses, 60% haviam tido reações prévias e 40% demandavam profilaxia por outros motivos. Os primeiros apresentaram reações sem gravidade numa incidência de 2,1%, 3-4 vezes maior que a da população geral, mas inferior ao esperado sem pré-medicação (3,5%). Os restantes não exibiram reações.[20] Acredita-se, portanto, que os regimes profiláticos sejam capazes de atenuar a sintomatologia de reações que porventura tornem a ocorrer e reduzir o risco de reações anafilactoides graves. Mas qualquer que seja o esquema adotado, não há garantia que reações importantes não ocorrerão. Recomenda-se que os profissionais responsáveis pelo paciente não devam depositar muita confiança nesse tipo de medida profilática. Em indivíduos com reações prévias a MCR que repetem um exame contrastado após pré-medicação, se novas reações ocorrem, estas em geral exibem intensidade equivalente à da primeira, dificilmente superior. Já foi também demonstrado que a repetição de reações ocorridas com contrastes iônicos e de alta osmolaridade são melhor prevenidas com o emprego dos MCR não iônicos e de baixa osmolaridade do que com corticoides,[21] sendo esses, portanto, indicados nos pacientes de risco. Os corticosteroides administrados previamente ao exame são mais efetivos em reduzir a ocorrência de reações leves e moderadas, o mesmo não podendo ser assumido em relação a reações graves. Portanto, o risco/benefício da administração dos MCR a pacientes de risco deve ser cuidadosamente pesado, mesmo com medicações profiláticas.

Tabela 186.5 Medidas Iniciais No Tratamento de Reações Anafilactoides aos MCR.

■ Interrupção da administração de MCR
■ Oxigênio sob máscara ou entubação traqueal
■ Fluidoterapia vigorosa endovenosa com cristaloides
■ Monitorização
■ Adrenalina injetável

Tabela 186.6 Terapia Farmacológica Adicional nas Reações Anafilactoides aos MCR.

1. Anti-histamínicos	Difenidramina 0,5-1,0 $mg.kg^{-1}$ EV
2. Aminofilina (broncoespasmo persistente)	5-6 $mg.kg^{-1}$ em 20 min 1 $mg.kg^{-1}.h^{-1}$ manutenção
3. Simpaticomiméticos	Adrenalina 3-5 $\mu g.kg^{-1}$ em *bolus* Adrenalina – 0,02-0,2 $\mu g.kg^{-1}.min^{-1}$ EV Noradrenalina – 0,02 – 0,2 $\mu g.kg^{-1}.min^{-1}$ Isoproterenol – 0,5-1,0 $mg.min^{-1}$
4. Corticosteroides	Hidrocortisona – 0,5-1,0 g EV Metilprednisolona – 1,0 g EV
5. Anticolinérgicos	Atropina – 1,0 mg EV
6. Bicarbonato de sódio	0,5-1,0 $mEq.kg^{-1}$ se necessário

A pré-medicação indiscriminada em todos os pacientes que serão submetidos a exames com contraste também não é indicada considerando-se a incidência muito baixa de reações moderadas e severas. Análises sistemáticas demonstram que um número muito grande de paciente tem que ser pré-medicados para que se evite uma reação grave.[22] Portanto, os esquemas abaixo descritos devem ficar restritos a pacientes com reações prévias a MCR, alergias múltiplas a alimentos e/ou medicamentos, história de reação grave a uma substância qualquer e portadores de asma brônquica moderada ou severa. Prednisona ou prednisolona (50 mg) por via oral a cada 6 horas na véspera (13, 7 e 1 hora antes) e difenidramina (50 mg) por via venosa ou muscular uma hora antes é o exemplo clássico de regime profilático muito difundido. Exceto em pacientes cardiopatas ou hipertensos, a efedrina (25 mg), por via oral ou muscular, 30 minutos antes, pode ser acrescentada ao protocolo acima. A metilprednisolona (32 mg VO) também pode ser usada, em duas tomadas, 12 e 2 horas antes.

Por último, é importante salientar que, em pacientes que tenham história prévia de reação importante, com testes negativos, e que não tenham alternativas razoáveis para um novo exame radiológico com contraste, a presença do intensivista ou anestesiologista é mandatória durante o procedimento, mesmo adotando-se medidas farmacológicas profiláticas.

Tabela 186.7 Fatores de Risco para Reações Adversas aos MCR.[13]

- Reações adversas anteriores*
- História de múltiplas alergias, atopia, asma ativa*
- Extremos etários
- Cardiopatia, nefropatia
- Anemia falciforme, feocromocitoma, mieloma, trombofilias
- Uso de AINHs, ß-bloqueadores e aspirina
- Desidratação
- Ansiedade

*fatores mais significativos

ANGIOGRAFIAS

Com auxílio dos MCR, as angiografias são utilizadas na investigação de doenças vasculares periféricas, no exame das circulações cerebral e coronariana e no detalhamento de malformações vasculares e tumores. Após o acesso vascular periférico sob infiltração local, um cateter é introduzido e avança até a área a ser estudada, geralmente de maneira indolor. A injeção do MCR provoca sensação de calor e às vezes algum desconforto. Reações mais sérias são pouco frequentes, e serão discutidas adiante. A maioria dos estudos angiográficos são realizados apenas com anestesia local ou sob sedação leve.

Cuidados com o Paciente

A partir da introdução da angiografia por subtração digital, o tempo dos procedimentos encurtou. Ainda assim, pacientes ansiosos ou exames de maior duração necessitam de graus variados de sedação. Procedimentos radioangiográficos intervencionistas ou pacientes em más condições clínicas podem precisar de assistência anestésica monitorizada ou mesmo anestesia geral. Esquemas para sedação de adultos são os mais variados, incluindo doses tituladas de midazolam e fentanil ou alfentanil, bem como propofol em bólus seguido de infusão. Alguns exames demandam que o paciente permaneça consciente e cooperativo, respondendo a comandos como parar de respirar e não engolir. Nesse caso, a sedação deve ser mínima, e o propofol contraindicado. Angiografias em crianças são bem menos frequentes que em adultos, e quase sempre demandam sedação profunda ou anestesia geral, cujas opções técnicas serão discutidas adiante neste capítulo.

É importante que se observe a acomodação adequada da cabeça e dos membros. A hidratação deve levar em conta o tempo de jejum e o uso de contrastes hiperosmolares. Em procedimentos mais prolongados, o uso de cateter vesical pode ser necessário devido à diurese osmótica. A posição do carrinho de anestesia e monitores deve ser previamente estudada, bem como extensões apropriadas para cabos elétricos, tubos de ventilação e suprimentos de gases. Quando sedados, os pacientes devem receber suplementação de oxigênio via cateter nasal. A anestesia geral sob ventilação controlada permite promover-se apneias temporárias durante as radiografias, com melhora na qualidade da imagem obtida em certos exames.

A **angiografia cerebral** envolve sempre maiores riscos, considerando-se as frequentes doenças pré-existentes (diabetes, hipertensão arterial, doença cardiovascular e vascular cerebral) bem como as complicações próprias do procedimento, como convulsões – passagem do MCR pela barreira hematoencefálica –, embolização por placas de ateroma descoladas e a ocorrência de hipotensão e bradicardia, entre outras. A atropina não deve fazer parte da medicação pré-anestésica, mas sim administrada na sala de exame quando necessária, já que antecedentes cardiovasculares são frequentes. Em casos em que seja necessária a cooperação do paciente ou seu acompanhamento neurológico durante o exame, a sedação deve ser suave, com fármacos de curta duração administradas tituladamente. Por outro lado, a anestesia geral será necessária em pacientes que não cooperem, que precisem de cuidados com as vias aéreas e naqueles com hipertensão intracraniana exigindo atuação mais vigorosa, com hiperventilação e diminuição da $PaCO_2$. A redução do fluxo sanguíneo cerebral que ela provoca melhora inclusive a qualidade do exame, por lentificar a remoção do MCR dos vasos intracranianos. Importante salientar que o posicionamento inadequado do paciente (cefalodeclive), com consequente prejuízo do retorno venoso cerebral, e a manobra de intubação traqueal em plano superficial de anestesia provocam elevação adicional da pressão intracraniana (PIC), com possível comprometimento das condições neurológicas do paciente.

TOMOGRAFIA COMPUTADORIZADA E EMISSÃO DE PÓSITRONS

A tomografia computadorizada (TC) produz imagens radiográficas de corte sequenciais do corpo, durante as quais é necessária a imobilidade do paciente em prol da qualidade destas. Pequena movimentação entre as exposições é aceitável, contanto que não se altere o alinhamento do paciente com o tomógrafo. Os modernos tomógrafos computadorizados helicoidais são capazes de formar imagens de corte em alguns segundos, tendo, desta maneira, reduzido a necessidade de imobilidade prolongada do paciente durante o procedimento. Um exame típico compreende aproximadamente 20 cortes, sendo que alguns são realizados em menos de 10 minutos, na dependência da região a ser estudada e do uso de contraste. Portanto, muitos adultos não mais necessitam assistência anestésica para esse procedimento.

O equipamento de tomografia está contido no interior de um gabinete circular que forma um túnel, dentro do qual o paciente vai progressivamente deslizando (Figura 186.1). O processo produz ainda um pouco de ruído e aquecimento. Alguns pacientes experimentam sensação de claustrofobia dentro do tomógrafo. Graus variados de sedação ou mesmo anestesia geral continuam sendo necessários em pacientes pediátricos, em adultos ansiosos, confusos, incapazes de manterem-se imóveis ou naqueles que demandam cuidados intensivos por seu estado crítico. Tomografias invasivas para biópsias, ablações, drenagens, posicionamento de agulhas para radioterapia e cirurgias estereotáxicas orientadas por TC também exigem estados de sedação profunda ou anestesia geral. Para a maioria desses procedimentos, é interessante para o radiologista que o nível de sedação seja mais ou menos constante durante todo o procedimento para que não ocorra mudança de posição do alvo oriunda de variações na ventilação espontânea. Isso pode significar um desafio a mais para o anestesiologista visto que a intensidade do estímulo pode variar bastante. Pacientes programados para alguns procedimentos cirúrgicos guiados por TC (p. ex. ablação de metástases) podem se beneficiar de bloqueios regionais, tanto no per quanto no pós-operatório. O mesmo é válido para aquele paciente em condição clínica que cursa com dor ou onde a TC ou RM estará associada a um procedimento doloroso. Nesse caso, o bloqueio – ou passagem de um cateter – deve ser realizado em sala anexa ou previamente no centro cirúrgico, sendo o paciente transportado uma vez estabilizado. As preocupações habituais com as quais o anestesiologista se defronta prestando assistência à TC são a necessidade de imobilidade do paciente, a falta de acesso direto a ele e a presença constante de raio X. Interferência com equipamentos e monitores não costuma ser problema, como ocorre na RM, devendo, porém, seus posicionamentos e disposições serem cuidadosamente planejados.

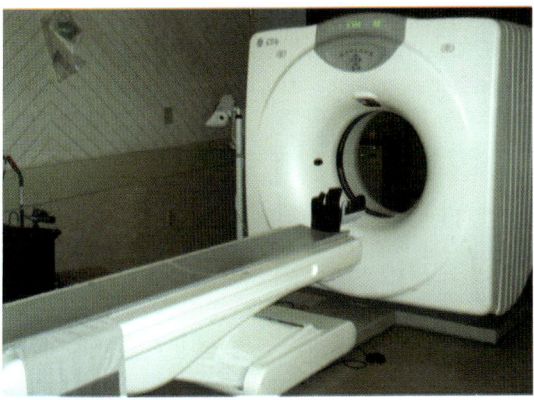

▲ **Figura 186.1** A tomografia computadorizada helicoidal.

A tomografia por emissão de pósitrons (PET) é uma técnica de imagem que mede a captação da glicose pelos tecidos, permitindo a formação de imagens funcionais e metabólicas que são úteis principalmente para o diagnóstico, estadiamento e acompanhamento de lesões malignas. Ela se utiliza de radioisótopos que emitem pósitrons em sua desintegração. O pósitron rapidamente se aniquila com um elétron produzindo raios gama (dois fótons em direções opostas), que por sua vez são captados pelo tomógrafo que determina o ponto da reação e gera a imagem tridimensional. Em geral, o paciente recebe por via venosa glicose ligada ao flúor radioativo (F-FDG),[18] que é captada por células malignas preferencialmente e não é metabolizada. O oxigênio $(O)^{15}$ é usado para medida de fluxo sanguíneo e consumo tecidual de O_2. Com base no fato de que células neoplásicas apresentam metabolismo aumentado, a PET é empregada predominantemente para se diferenciar lesões benignas de malignas, identificar regiões metabolicamente ativas de tumores necróticos e monitorar a resposta ao tratamento. A combinação da PET com a tomografia computadorizada (PET/TC) proporciona informações funcionais e anatômicas mais precisas, e novos procedimentos intervencionistas estão se desenvolvendo com essa técnica. Tipicamente, uma PET/TC toma cerca de 1 hora para ser concluída, sendo que os cuidados anestésicos, preocupações e prioridades são muito semelhantes aos dispensados a um exame de TC estrutural.

Sedação e Anestesia Geral

Como veremos adiante em discussão mais detalhada sobre sedação de crianças para RM, em muitos centros este procedimento é realizado por não anestesiologistas (enfermeira ou o próprio radiologista), sendo que mais da metade das crianças são mantidas em níveis superficiais com o emprego de cloral hidratado via oral, e menos frequentemente barbitúricos e opioides. Dez por cento delas, no entanto, necessitaram de sedação profunda, e mais raramente, anestesia geral.

Barbitúricos por via retal têm sido usados ocasionalmente também nessa faixa etária. Todavia, a absorção irregular e a imprevisibilidade do efeito sedativo (ora insuficiente, ora em excesso) reduziu a popularidade desses hipnóticos para tal propósito.

O midazolam venoso (0,2 mg.kg^{-1}) como agente sedativo único para TC produziu crianças adequadamente sedadas em 90% de 516 casos, com efeitos indesejáveis presentes em 9,1% dos pacientes sob a forma de dessaturação de oxigênio (7%), agitação (0,8%) e soluços (1,3%), com alta da recuperação após 1 hora de observação.[23]

A anestesia inalatória em crianças tem se mostrado superior a outras técnicas por garantir a hipnose, analgesia e permitir bom controle de plano em diversas fases do exame. Ela pode ser induzida em sala anexa na presença dos pais, na tentativa de minimizar seu grau de ansiedade. O sevoflurano constitui boa indicação como agente inalatório por sua rapidez de indução e recuperação. Se o acesso venoso já estiver disponível ou puder ser obtido, bólus de propofol seguido de infusão contínua constitui também boa opção, garantindo imobilidade e rápida recuperação.

Na maioria dos exames, a ventilação espontânea é satisfatoriamente mantida através de cânula faríngea, onde se acopla cateter de oxigênio com o agente halogenado. O mento pode ser fixado com fita adesiva ao suporte de cabeça, ajudando na desobstrução das vias aéreas superiores. Para tomografias de crânio em flexão do pescoço, tais expedientes podem não ser suficientes para se obter vias aéreas livres, sendo necessária a passagem de máscara laríngea (ML) ou intubação traqueal.

Em exames de abdome com administração prévia de contraste por via oral, a intubação traqueal é indispensável pelo risco de regurgitação e aspiração do conteúdo gástrico. O número de exames de RM para enterografias em crianças na investigação de doenças inflamatórias intestinais tem crescido. A sincronização da administração oral do contraste com a indução da anestesia e entubação traqueal deve ser planejada junto com o radiologista, e a aspiração gástrica por sonda é mandatória antes da extubação.

Tomografias de tórax que exigem aquisição de imagens em inspiração e/ou expiração pausadas constituem outro grande desafio. Em crianças, a anestesia geral com intubação traqueal é geralmente necessária nesses casos. Por outro lado, elas são propensas a desenvolver atelectasias mais fácil e rapidamente que adultos após a indução da anestesia. Por sua vez, atelectasias tendem a dificultar a interpretação das imagens, comprometendo a qualidade do exame e o próprio diagnóstico. O radiologista se vê então frente ao dilema de repetir a sequência e expôr o paciente a mais radiação ou aceitar aquelas imagens e tirar a melhor interpretação possível delas. Newman e cols. demonstraram que a anestesia geral em crianças com intubação traqueal e ventilação controlada, utilizando 12 manobras de recrutamento alveolar (até 40 cmH$_2$O) e PEEP (5 cmH$_2$O) constitui procedimento seguro e efetivo em reverter atelectasias e permitir a obtenção de imagens tomográficas de tórax de alta qualidade.[24]

Crianças menores devem ter a temperatura monitorizada durante exames prolongados, visto que o ambiente do tomógrafo é refrigerado. Como as necessidades e particularidades da sedação e anestesia para TC e RM são semelhantes (apesar da segunda ser um procedimento bem mais demorado), o leitor encontrará na próxima seção deste capítulo discussões adicionais sobre esse tópico.

Em virtude do deslizamento da mesa para o interior do aparelho, linhas venosas, tubos de ventilação e cabos de monitores podem ser acotovelados, prensados ou desconectados. Tal fato é ainda mais verdadeiro para o PET. Portanto, este material deverá ser corretamente disposto de maneira a permitir livre movimentação do tampo ao longo dos diversos cortes tomográficos. Monitor cardíaco e oxímetro de pulso são recursos indispensáveis para o paciente anestesiado. A capnografia será útil, especialmente na vigência de hipertensão intracraniana. Aqui, como em qualquer procedimento de sedação fora do centro cirúrgico, a monitorização da ventilação é de vital importância, já que o comprometimento da ventilação sempre precede o comprometimento da respiração, isto é, da oxigenação tecidual.

Uma vez iniciado o exame, o anestesiologista permanece fora da sala, devendo ter acesso visual a todos os monitores. Circuitos fechados de TV e áudio podem ser necessários, dependendo das características de cada instalação. Se as condições do paciente assim o exigirem, o anestesiologista deverá permanecer próximo a ele, protegido por avental de chumbo com protetor de tireoide e óculos. O emprego de MCR obriga também que ele se mantenha em estado de alerta para possíveis complicações abordadas acima. Artefatos metálicos devem ser removidos das proximidades da área examinada a fim de não interferirem na qualidade da imagem. Pacientes admitidos para exames de urgência e aqueles que receberam contraste por via oral ou sonda gástrica serão considerados de estômago cheio, devendo ser extubados apenas após a segura recuperação de seus reflexos.

Anteriormente, havia grande preocupação quanto à possibilidade de desenvolvimento de câncer e outras doenças degenerativas devido à exposição à radiação ionizante liberada pelos tomógrafos, especialmente em crianças, a ponto de se dar preferência a outros métodos de imagem ou de se restringir a realização da TC. Discussões foram travadas em relação ao risco da radiação em comparação àquele associado à anestesia para RM, ambos difíceis de quantificar. Recentes desenvolvimentos tecnológicos, no entanto, alteraram drasticamente essa equação. Modernos *scanners* permitem a aquisição de imagens com extrema rapidez, reduzindo a necessidade de sedação/anestesia. Além disso, novos softwares de reconstrução iterativa permitem o emprego de quantidades bem menores de raio X, compensando a piora da relação sinal/ruído. De qualquer maneira, o anestesiologista deve estar sempre envolvido no planejamento de exames ou intervenções radiológicas em pacientes pediátricos complexos, explorando opções que levem em consideração todos os aspectos da exposição a riscos.

■ RESSONÂNCIA MAGNÉTICA

Para o anestesiologista, o ambiente da ressonância magnética (RM) impõe condições únicas, talvez mais complexas que em qualquer outro local fora do centro cirúrgico, e que, associadas aos cuidados dispensados ao paciente, podem criar situações desafiadoras. Nossa participação e *expertise* podem, em última análise, significar a diferença entre uma imagem final de boa qualidade ou aquela repleta de artefatos secundários a movimentos do paciente.

Assim como a TC, o exame é igualmente não invasivo, mas definitivamente superior por não envolver radiação ionizante e prover melhor definição de imagem para lesões de partes moles, encéfalo e medula espinhal, além de por si só estabelecer bom contraste vascular. A segurança da RM tem sido examinada por muitos anos. Nenhum efeito danoso às células humanas pelo campo magnético da RM pôde ser demonstrado. Os riscos deste método estão quase sempre relacionados à presença de objetos metálicos ferromagnéticos e itens do equipamento, que serão abordados adiante.

O paciente é posicionado no interior do estreito túnel cilíndrico do magneto, onde um poderoso campo magnético é mantido continuamente, mesmo quando nenhum exame está sendo realizado **(Figura 186.2)**. O processo de desligamento do aparelho é demorado, difícil e de altíssimo custo (dezenas de milhares de dólares, dependendo do tipo); mesmo em emergências, temos que considerar que ele não pode ser desligado. Envolve a drenagem do hélio ou nitrogê-

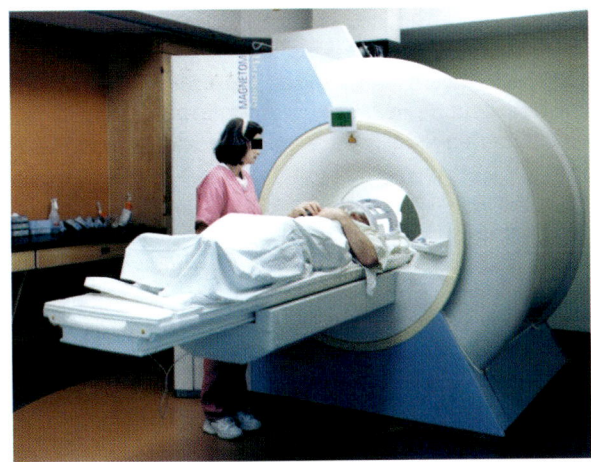

▲ **Figura 186.2** A ressonância magnética convencional.

nio líquidos que mantém o supercondutor resfriado. Se tal fato ocorrer acidentalmente ou propositadamente (para p. ex. livrar um paciente preso ao magneto por um objeto ferromagnético), o paciente e os atendentes devem evacuar a sala imediatamente para evitar a asfixia e lesões criogênicas, na medida em que esses gases tomam o lugar do oxigênio. A faixa habitual de intensidade do campo magnético situa-se entre 0,15 Tesla (T) a 3,0 T (1 T = 10.000 Gauss). Para que o leitor tenha uma ideia da intensidade desse magnetismo, 1 T equivale a aproximadamente 20.000 vezes a densidade de fluxo magnético da Terra, que é de 0,5 Gauss, em média.

A qualidade da imagem gerada se relaciona diretamente com a intensidade do campo magnético. Os átomos com números ímpares de prótons em seus núcleos – em especial o hidrogênio, elemento mais abundante em nossos tecidos – se comportam nessas condições como magnetos, se alinhando com o campo magnético. Pulsos de radiofrequência (RF) são então emitidos, defletindo a orientação dos átomos previamente alinhados. Cessados os pulsos, os prótons "relaxam", ou seja, voltam ao estado de repouso no alinhamento inicial, liberando a energia da RF previamente absorvida durante certo período (tempo de relaxamento). A imagem tomográfica é obtida pela energia liberada dos núcleos atômicos, sendo os tecidos diferenciados por seus diferentes tempos de relaxamento. O contraste entre diversos constituintes teciduais e estruturas é definido pelos tipos de pulso de RF emitidos, e as sequências de formação das imagens podem ser manipuladas para destacar características dos tecidos, como vascularização, conteúdo de água, gordura e presença de hemosiderina, entre outras.

Foi demonstrado que a administração de concentrações elevadas de oxigênio produz uma hiperintensidade de sinal do fluido cérebro-espinhal na rotina FLAIR da RM, podendo induzir erros de diagnóstico. O radiologista deve ser informado se oxigênio a 100% estiver sendo utilizado na anestesia, e a simples redução da FiO_2 para 50% garante a não geração de artefatos nessa fase do exame.

Objetos Ferromagnéticos

A existência de tão potente campo magnético traz diversas implicações. Objetos metálicos ferromagnéticos (isto é,

contendo ferro, níquel ou cobalto, entre outros) presentes na sala de RM podem provocar deterioração da imagem produzida. O mais grave em relação a esses objetos, no entanto, é o fato de sofrerem intensa atração pelo magneto, podendo se deslocar violentamente e produzir lesões – e mesmo fatalidades – no paciente e seus atendentes, bem como danos ao equipamento (Figura 186.3). Impressionantes relatos na literatura de lesões e mortes envolvendo cilindros de oxigênio, vaporizadores e monitores, ilustram a gravidade de tais ocorrências. Pequenos objetos metálicos como chaves, canetas, tesouras, pilhas e estetoscópios, são terminantemente proibidos nas imediações, pois se comportarão como projéteis, podendo ser acelerados a mais de 50 km.h^{-1} através do túnel magnético. Acidentes e incidentes são muito frequentes envolvendo pessoas não familiarizadas com o ambiente e as rotinas da RM, tais como enfermeiras de outros setores ou hospitais acompanhando crianças. Portanto, antes de entrar no ambiente do *scanner*, qualquer paciente, acompanhante ou *staff* de outro setor deve atender a todas as normas de segurança, incluindo a resposta cuidadosa a questionários e a passagem por equipamentos detectores de metais, atualmente recomendados. Potentes magnetos portáteis têm sido utilizados no escaneamento de pessoas antes de prosseguirem para a sala da RM na tentativa de se identificar qualquer eventual ferromagnetismo, ainda que a garantia oferecida por tal procedimento não seja completa. Metais sabidamente seguros incluem o aço inoxidável (pouco magnético), alumínio, cobre, titânio, prata e ouro, bem como algumas ligas. Equipamentos feitos de plástico são sempre preferíveis nas proximidades do magneto da RM. Cartões magnéticos, calculadoras, relógios, telefones celulares e computadores pessoais podem ser danificados.

Pacientes com materiais ferromagnéticos implantados devem ser excluídos desse procedimento, na medida em que eles podem se deslocar e aquecer sob ação do campo magnético. Além da força de tração sofrida por esses im-

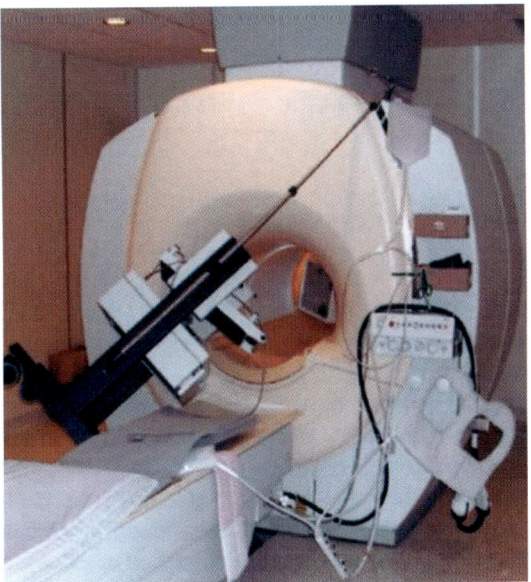

▲ **Figura 186.3** Pedestal de soro com bomba de infusão voa contra o magneto. Se houvesse paciente sendo examinado, ele poderia ter sofrido séria lesão.

plantes, eles sofrem também importante torque rotacional ao tentar se alinhar com o campo magnético. É o caso dos *clips* vasculares, válvulas cardíacas e marca-passos. Esses últimos podem ainda ser dessincronizados ou inativados, levando à parada cardíaca ou fibrilação ventricular, quando o marca-passo é revertido para o modo fixo, provocando o fenômeno R (espícula) sobre T. Vários acidentes e até fatalidades são descritos na literatura, como roturas vasculares. Outros dispositivos implantáveis sob risco incluem os cardioversores, desfibriladores e bombas de infusão de medicamentos. Implantes cocleares podem também funcionar inadequadamente, embora a maioria seja construída em aço inoxidável. Cada vez mais tem se disponibilizado próteses ortopédicas, válvulas cardíacas e *clips* vasculares não ferromagnéticos, permitindo a realização do exame nos pacientes que os portam. Mas mesmo os metais não ferromagnéticos, quando muito próximos da região estudada, podem alterar a regularidade do campo magnético e degradar a imagem. Incluem-se aqui tatuagens e cosméticos que contenham metais. Esses últimos, com frequência, determinam irritação cutânea local. Os pulsos de radiofrequência provocam também aquecimento de qualquer tipo de metal, podendo causar queimaduras. Próteses ortopédicas metálicas podem também sofrer certo aquecimento. A Tabela 186.8 resume alguns critérios de exclusão de pacientes para RM.

Tabela 186.8 Critérios de Exclusão para RM.
■ Marca-passo cardíaco permanente ou temporário
■ Desfibrilador cardíaco interno automático
■ *Clips* vasculares ferrosos
■ Corpo estranho ferroso intraocular
■ Endopróteses ferrosas
■ Equipamentos de suporte vital incompatíveis com RM (balão intra-aórtico, oxigenador extracorpóreo etc.)
■ Sinais vitais excessivamente lábeis, incluindo elevação instável da pressão intracraniana

Equipamentos e Monitores

O campo magnético não fica restrito ao túnel do magneto, mas se estende por muitos metros além, na dependência da potência do aparelho e do grau de isolamento ou blindagem magnética (gaiola farádica). Esse campo periférico, ou franja magnética, decresce em intensidade com a distância ao magneto, e é responsável pelo mau funcionamento ou dano a diversos tipos de equipamentos eletroeletrônicos, além da atração sobre objetos ferromagnéticos. Magnetos com grande blindagem exibem uma franja de alto gradiente espacial, isto é, que decresce em intensidade mais rapidamente com o distanciamento. Em princípio eles são preferíveis, visto que objetos ferromagnéticos na vizinhança parecem não ser afetados até chegarem mais próximos ao magneto, quando então sofrem força de atração rapidamente progressiva. Se a franja magnética decresce mais gradualmente com a distância (baixo gradiente espacial), a área de interferência é maior. A atração de objetos pode ser sentida de mais longe, ainda que mais leve, e de certo modo permite que o pessoal que carregue ou vista qualquer material ferroso perceba e se afaste antes que um acidente ocorra. É fundamental, portanto, que o anestesiologista esteja a par da extensão do campo periférico da RM onde trabalha para a escolha segura da localização do seu equipamento.

As linhas de intensidade magnética de 50 e de 5 Gauss (5 e 0,5 mT) devem ser conhecidas. A região além da linha de 5 Gauss é aceita como segura para a presença de metais ferromagnéticos e de indivíduos com marca-passo. Essa linha deve ser demarcada, já que sua posição varia tremendamente na dependência da potência do magneto e da blindagem magnética. Em alguns casos, ela poderá se encontrar bem longe do túnel, até mesmo fora da sala. Sabemos, no entanto, que a atração sobre objetos ferromagnéticos tende a ser pouco significativa além de 20-40 Gauss. Cilindros de gases podem ser estacionados a partir desse ponto. Mas é importante salientar que, mesmo monitores e equipamentos atestados como RM compatíveis, podem sofrer atração dentro do campo de 40 mT (400 Gauss). E à medida que magnetos mais poderosos se tornam disponíveis comercialmente, a compatibilidade dos equipamentos tem que ser revista para se evitar acidentes.

Duas estratégias podem ser seguidas no posicionamento dos equipamentos e monitores da anestesia: na primeira, eles ocuparão qualquer local além da linha de 5 mT, onde via de regra funcionarão satisfatoriamente e sem prejuízo da imagem da RM. Nesse caso, longos tubos corrugados são usados como extensão do sistema ventilatório. Em crianças, o diâmetro e a complacência dessas extensões devem ser adequados para permitir o correto ajuste do volume corrente administrado. Em adultos, o sistema de Bain com vários metros de comprimento e válvulas *pop-off* de plástico pode ser utilizado (Figura 186.4), permitindo o acompanhamento visual da ventilação espontânea, quando for o caso. Cabos de monitores e linhas venosas também necessitam de extensões, aumentando o risco de desconexões e acotovelamentos.

Na segunda opção, presente na maioria das instalações modernas, o aparelho de anestesia e os monitores ficarão situados adjacentes ao magneto. Diversos estudos revisaram a compatibilidade destes equipamentos com o ambiente da ressonância, bem como possíveis modificações a serem introduzidas. Tanto quanto possível, eles devem ser construídos em alumínio, aço não magnético, plástico ou latão. Fontes de eletricidade não filtradas provocam interferência. Transformadores de corrente alternada em corrente contínua de diversos monitores podem quebrar. A opção é trabalhar com baterias de longa duração (de lítio preferencialmente), que por serem altamente magnéticas, deverão ser posicionadas com segurança. **Vaporizadores** convencionais parecem funcionar corretamente durante a RM e

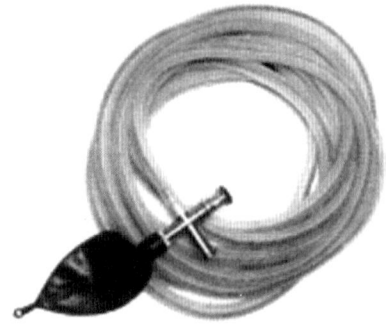

▲ **Figura 186.4** Sistema coaxial de Bain com tubo corrugado de 10 m de comprimento.

costumam vir fixados ao carrinho de anestesia sem possibilidade de remoção. O vaporizador de desflurano, contudo, não é seguro para o ambiente da RM. Já os manômetros de **aparelhos de pressão** tornam-se inoperantes na presença do campo magnético. Vários transdutores não ferrosos têm surgido, podendo ser usados no ambiente da RM. Aparelhos não invasivos automáticos têm também se mostrado úteis.

Eletrocardiógrafos são particularmente sensíveis ao ruído elétrico produzido pelos pulsos de RF e pelos gradientes magnéticos alternantes, ruído esse captado por seus cabos que agem como antenas. Diversos tipos de artefatos e interferências podem ocorrer, como o espessamento da linha de base do traçado, mascarando virtualmente todos os detalhes das ondas e dificultando a identificação de arritmias e sinais de isquemia. Muitos monitores dispõem de filtros que minimizam o ruído, mantendo o máximo de informação possível do ritmo do eletrocardiograma (ECG). Além disso, em aparelhos de maior potência, um fenômeno chamado de hidromagnetismo pode ocorrer, onde o fluxo sanguíneo em um grande vaso, na presença de campo elétrico ou magnético, gera voltagem perpendicular a ele, distorcendo o sinal do ECG. Essa distorção é proporcional ao volume e ao fluxo de sangue, bem como à sua orientação em relação ao campo magnético. Desse modo, é comum que o fluxo na aorta ascendente e em sua crossa produza um aumento na amplitude da onda T, por exemplo. Uma maneira de atenuar essa distorção é posicionar os eletrodos precordiais próximos uns dos outros. Correntes induzidas no próprio miocárdio também participam nas interferências no ECG. Sistemas equipados com telemetria ou dotados de fibras ópticas para transmitir o sinal são fornecidos pelo fabricante da RM. Eletrodos de cardioscópio e cabos elétricos de monitores sobre o paciente estão sujeitos a sofrer indução de corrente e aquecimento pela energia da radiofrequência alternante, com risco de choques e queimaduras. Essa complicação é mais provável quando alças são formadas em seu trajeto, que devem ser sempre procuradas e desfeitas, além de se interpor uma pequena toalha entre os cabos e a pele do paciente. Os novos sistemas de ECG dispõem de eletrodos de carbono grafite, com menor resistência, sem ferromagnetismo e mínima interferência na frequência alternante.

O campo magnético produzido pelo *scanner* causa mau funcionamento e mesmo desativação de **oxímetros de pulso**. Aqueles que não disponham de filtro de radiofrequência ou isolamento do sensor apresentam interferência e sinal de baixa amplitude. Os próprios filtros podem provocar leituras errôneas da SaO_2. Já foram também descritas queimaduras por aquecimento do transdutor digital. Sensores de fibra óptica minimizaram esses dois problemas (Figura 186.5). Recomenda-se a colocação do transdutor digital na extremidade distal mais afastada possível do magneto da RM. É igualmente importante que se evite a formação de alças com o cabo do oxímetro e seu contato com a pele do paciente, que pode sofrer aquecimento e queimaduras pela corrente induzida. Os mesmos cuidados tomados com os cabos de cardioscópios são válidos aqui. Atenção deve ser dada também na detecção de cabos mal isolados e na remoção daqueles desnecessários.

Capnógrafos *side-stream* que não degradam a imagem foram desenvolvidos, permitindo a monitorização da ventilação do paciente e a concentração de gases, bem como a detecção de possíveis desconexões. A longa linha de coleta da amostra de gás produz um maior lapso de tempo entre

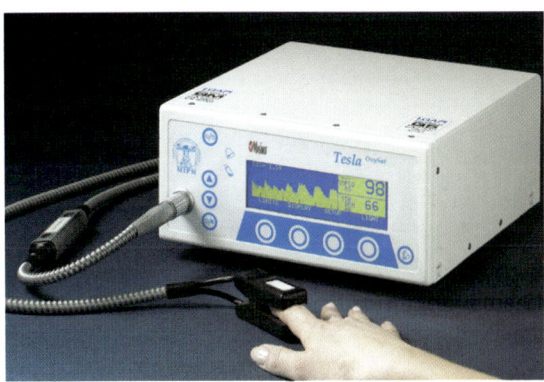

▲ **Figura 186.5** Oxímetro compatível com RM. Sensor de fibra ótica, posicionado a 1,5 metro do magneto.

a ocorrência de algum evento e sua detecção, além de prolongar a fase ascendente da curva de CO_2, gerando também certa perda de precisão.

Atualmente, um grande número de implantes, produtos, dispositivos e equipamentos vêm rotulados como seguros ou compatíveis com a RM, e é importante que se entenda a diferença entre os dois termos: um item seguro para RM significa que ele não contém metal ferromagnético que possa causar problemas na vizinhança do magneto, mas não há garantia que vá funcionar apropriadamente nesse ambiente; o dispositivo compatível, além de seguro, não terá seu desempenho significativamente afetado pelas condições da RM. Alguns equipamentos trazem o rótulo de seguro ou compatível "enquanto presos a algum objeto estacionário" ou "enquanto mantidos a uma distância mínima do magneto", distância essa a ser estabelecida pelo pessoal técnico. Tal rótulo é conhecido como "condicional". A Figura 186.6 ilustra um multimonitor compatível com modernos sistemas de RM.

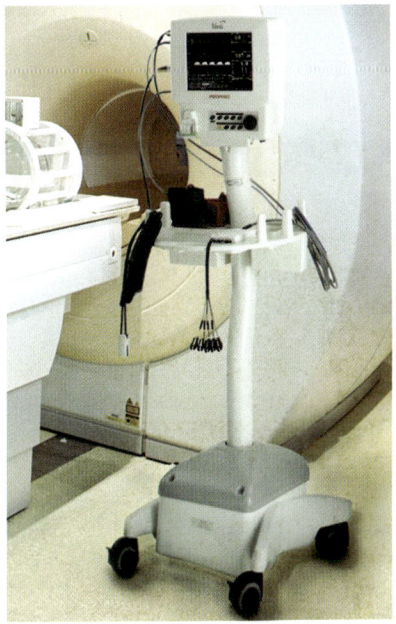

▲ **Figura 186.6** Multimonitor compatível com RM. Inclui ECG, oxímetro e temperatura por fibras óticas. Analisador de gases *side-stream*. Bateria para 10 horas. Compatível com sistemas até 3,0 T.

Sedação e anestesia geral

A geração das imagens é um processo lento, tomando o procedimento um tempo médio de 30 a 60 minutos, durante o qual o paciente deve permanecer absolutamente imóvel. O túnel do magneto dos *scanners* convencionais é mais longo e mais estreito que o da TC, acarretando incidência de claustrofobia e ansiedade que chega a 30% dos pacientes. Além disso, a bobina geradora dos pulsos de RF deve envolver a área examinada, impactando ainda mais as dificuldades com posicionamento e acesso ao paciente, além de aumentar a sensação de claustrofobia e o risco de compressões e desconexões de itens de nosso equipamento. Os rápidos gradientes de pulso eletromagnético são acompanhados de ruído elevado e mal tolerado pelo paciente ansioso. A intensidade do ruído é proporcional ao nível do campo magnético estático e dos gradientes de RF, de acordo com a sequência em curso no momento. Em equipamentos de 3 T, picos sonoros podem atingir 140 dB, podendo produzir lesões auditivas e perda da audição após a RM. Tampões de ouvido ou *earplugs* devem estar disponíveis, mesmo para pacientes inconscientes, assim como para membros do *staff* que porventura necessitem permanecer na sala de exame.

À semelhança da TC, o anestesiologista é regularmente requisitado na RM em exames de crianças. Menos frequentemente, adultos com problemas de movimentação, comunicação, ansiedade ou em condições críticas requerem também assistência anestésica. Grandes obesos não podem ser examinados, exceto nos modernos aparelhos de campo aberto ou ampliado. O controle da temperatura do paciente pode ser uma dificuldade à parte. O ambiente é refrigerado para evitar o aquecimento de computadores e outros equipamentos. Por outro lado, os pulsos de radiofrequência produzem calor e podem aumentar a temperatura corporal. Some-se a isso o fato de que as sondas térmicas também estão sujeitas a sofrer aquecimento e provocar queimaduras. É desejável, portanto, que a temperatura corporal seja monitorada, especialmente em crianças.[25] A Tabela 186.9 resume os possíveis problemas relacionados ao paciente durante a RM.

Tabela 186.9 Possíveis Problemas com o Paciente Durante a RM.

- Inacessibilidade
- Ruído intenso
- Risco de queimaduras
- Ansiedade e claustrofobia
- Alteração da temperatura
- Meios de contraste (reações adversas)

Uma boa **técnica anestésica** para RM deve atender a objetivos básicos, os mesmos já descritos para a TC e resumidos na Tabela 186.10. A habilidade em se permitir um exame acurado é fundamental, evitando-se assim repetições desnecessárias do procedimento. Portanto, a imobilidade do paciente é crucial, além dos cuidados com os equipamentos que possam provocar deterioração da imagem. A segurança é uma preocupação constante, considerando-se que o acesso ao paciente é restrito uma vez dentro do túnel magnético. Essa inacessibilidade cria problemas com o manuseio de vias aéreas e com a própria visualização do paciente. Pode ser necessária, por exemplo, a interrupção do exame e sua

remoção para fora do *scanner* caso ele se torne apneico. Em se tratando de crianças, esses problemas se magnificam. Por último, por estarmos fora do centro cirúrgico e lidando na maioria das vezes com pacientes em regime ambulatorial, a recuperação rápida e com mínimos para-efeitos é de grande importância.

Tabela 186.10 Objetivos da Anestesia para RM e TC.

- Imobilidade – qualidade das imagens
- Segurança – dificuldade de acesso
- Rápida recuperação – pacientes ambulatoriais

A estratégia anestésica vai da sedação leve à anestesia geral. Até o momento, não existem dados que indiquem que um esquema específico de sedação ou técnica de anestesia geral seja superior a outros para RM ou TC. Os principais problemas da sedação/anestesia para esses procedimentos se relacionam à sua insuficiência ou seu excesso. Sedação insuficiente acarreta movimentos do paciente, repetição de sequências e interrupção precoce do exame, com comprometimento da qualidade das imagens e do próprio diagnóstico. Sedação em excesso, entretanto, é mais preocupante, determinando depressão respiratória e obstrução de vias aéreas, ambos exigindo intervenção.

A decisão pela sedação ou pela anestesia geral está calcada em diversos fatores, mas é a disponibilidade de um *staff* apropriado que vai ditar que tipo de abordagem será a mais conveniente. Muitas instituições não podem contar com um serviço de Anestesiologia disponível rotineiramente atendendo à RM. Países como os Estados Unidos, Canadá, Austrália e Nova Zelândia – e vários outros em menor escala – tem-se utilizado rotineiramente de profissionais não anestesiologistas (radiologista, pediatra, intensivista, enfermeira treinada) para prover sedação para o paciente pediátrico,[26-28] sendo o anestesiologista chamado quando esta falha, acarretando na impossibilidade de se obter um exame de qualidade pela movimentação do paciente ou por complicações oriundas da depressão respiratória ou comprometimento das vias aéreas. Sedações realizadas por não anestesiologistas são em geral seguras, mas apresentam limitações originadas do maior índice de falhas, menor rotatividade de exames e maiores custos.[28] Portanto, a identificação prévia dos pacientes mais propensos a apresentarem dificuldades para sedação pode ajudar na seleção daqueles onde a anestesia geral certamente representará a alternativa mais segura e eficaz. Sammons e cols. relatam altos índices de satisfação dos pais com suas técnicas de sedação e anestesia geral para exames de imagem em crianças, mas ressaltam a baixa previsibilidade e confiabilidade da sedação.[29] Os níveis de sedação são frequentemente definidos como um **contínuo**, que vai da leve (ansiólise), passando pela moderada (consciente) à profunda, onde o paciente só pode ser acordado com estímulo doloroso. Além desse ponto, o paciente encontra-se em estado de anestesia, cursando frequentemente com algum grau de depressão cardiorrespiratória e/ou obstrução de vias aéreas. A passagem de um nível de sedação para outro pode ocorrer sem aviso, e o profissional que a administra tem que estar preparado para intervir em alterações circulatórias ou respiratórias que porventura advenham.

Já o modelo europeu envolve na maioria das vezes a participação do anestesiologista pediátrico, como ilustra a interessante enquete por e-mail realizada junto a 28 hospitais universitários franceses: 80% dessas instituições se utilizam de anestesiologistas para a condução da sedação/anestesia em crianças na RM, com via aérea garantida por tubo traqueal ou ML. A anestesia é mantida com sevoflurano (62% das vezes), isoflurano (22%) ou propofol (16%).[30] Paralelamente, Usher e cols. conduziram um levantamento em 11 centros médicos canadenses que reportaram o uso de anestesia venosa total com propofol em mais de 50% das RM em pacientes pediátricos.[31] Naturalmente que a participação do serviço de Anestesiologia envolve maiores custos – até 4 vezes em comparação com o paciente não anestesiado – e toma mais tempo na agenda do setor de Radiodiagnóstico, além de simplesmente não estar disponível em muitas instituições.

Como mencionado anteriormente, muitos adultos sofrem de ansiedade e claustrofobia durante a RM, necessitando de sedação. Importante salientar que a claustrofobia é uma sensação de origem basicamente visual, e que a simples prática de se evitar que o paciente olhe previamente para o *scanner* e o uso de tampões oculares pode reduzir muito a necessidade de sedação em vários casos. O midazolam, na dose de 2 a 5 mg por via venosa associado ou não a pequenas doses de opioides (fentanil ou alfentanil), permite recuperação rápida e segura. Ocasionalmente pode ser necessária sedação profunda ou anestesia geral, quando várias técnicas discutidas a seguir para as crianças são também válidas aqui, particularmente a infusão contínua de propofol.

Nas crianças, os esquemas de sedação encontrados na literatura para RM são os mais diversos, como o cloral hidratado na dose de 25-100 mg.kg^{-1} VO para exames com duração de até 1 hora, metohexital 20-30 mg.kg^{-1} VO em procedimentos mais curtos (30 minutos), ketamina 5-7 mg.kg^{-1} IM na falta de acesso venoso, pentobarbital 4-8 mg.kg^{-1} retal, VO ou 1-6 mg.kg^{-1} EV, propofol 0,5-1,0 mg.kg^{-1} em bólus seguido de infusão na taxa de 100-200 µg.kg^{-1}.min^{-1}, midazolam oral (0,25-0,75 mg kg^{-1}) ou venoso (0,025-0,15 mg.kg^{-1}) e a dexmedetomidina (bólus de 2 µg.kg^{-1} por 10 minutos seguido de infusão de 1-1,5 µg.kg^{-1}.h^{-1}), bem como várias associações desses agentes.[32,33]

Muitos centros têm larga experiência com o uso de **cloral hidratado** em crianças por via oral e retal, com bons resultados e poucas complicações.[33,34] Este fármaco parece ser mais eficiente em pacientes com menos de 3 anos de idade. Pode levar à obstrução de vias aéreas, especialmente se administrado em associação a outros sedativos. Apresenta ainda metabólitos ativos de longa meia-vida (10 horas em lactentes e 18 horas em neonatos), obrigando a uma vigilância mais prolongada, na medida em que a ressedação pode ocorrer uma vez cessados os estímulos. Beebe e cols. avaliaram 488 pacientes pediátricos submetidos à RM com sedação administrada por enfermeiras sob a supervisão do radiologista. O cloral hidratado (80-100 mg.kg^{-1} VO) mostrou-se superior aos barbitúricos (pentobarbital 1-6 mg.kg^{-1} EV ou thionembutal 25 mg.kg^{-1} retal), tomando-se como parâmetro o percentual de falhas de sedação (3,5% contra 10%), sendo o índice geral de sucesso igual a 92% dos procedimentos.[35] Já Cortellazzi e cols. obtiveram índice de sucesso de apenas 80,4% com dose semelhante VO, demonstrando tempo de latência médio de 39 minutos, sedação perdurando por 164 minutos e poucos efeitos indesejáveis.[34] Outro estudo com mais de 300 crianças que receberam cloral para RM demonstrou bom índice de sucesso, porém com recuperação prolongada e vários efeitos indesejáveis pós-exame, como sonolência, desequilíbrio, agitação e sintomas gastrointestinais.[36] Esses dados confirmam a baixa confiabilidade do cloral se usado isoladamente, e perfil de efeito não muito adequado para um serviço de RM eficiente.

Para exames de curta duração, o **metohexital** retal tem se mostrado uma boa opção para crianças de até 6 anos de idade. No entanto, sua absorção por esta via pode ser um tanto errática, tornando imprevisível o tempo para início de ação. Já o **pentobarbital** tem sua eficácia bem estabelecida,[37,38] permitindo inclusive procedimentos mais demorados (30-60 minutos). Determina, porém, recuperação também prolongada, o que obriga a um maior período de vigilância após o exame. Alguns pacientes podem ainda apresentar agitação severa durante esse período.[38] Kienstra e cols. obtiveram uma taxa de sucesso para sedação com 5 mg.kg^{-1} de pentobarbital significativamente maior do que com 0,3-0,4 mg.kg^{-1} de etomidato, apesar do maior tempo para o início do exame, mais efeitos adversos e pior recuperação.[39] Tanto o pentobarbital quanto o propofol produziram índices elevados de boa sedação (96,4 vs 96,8%) em 707 crianças de diversas instituições submetidas à RM; o primeiro, no entanto, esteve associado à recuperação mais prolongada, vômitos, complicações alérgicas e internações não programadas.[40] O pentobarbital oral se mostrou tão efetivo quanto o venoso e com menor incidência de complicações respiratórias.[37]

O α$_2$ agonista seletivo **dexmedetomidina** tem sido empregado com segurança para sedação pediátrica com clara vantagem sobre os barbitúricos e hipnóticos devido a sua menor meia-vida (1,5-3 horas[41]) após bólus e infusão venosa, seguida de rápida recuperação (25-35 min).[42-44] Tem ainda a vantagem de preservar a ventilação e produzir um estado de sedação semelhante ao sono natural. As alterações hemodinâmicas observadas com as doses comumente utilizadas são a bradicardia e redução da pressão arterial média, independentes da faixa etária, porém dificilmente ultrapassando variações de 20% dos valores basais e que não requerem intervenção.[43,45] Com efeito, a dexmedetomidina já foi também empregada em paciente pediátrico cardiopata, produzindo excelentes condições de exame, estabilidade hemodinâmica e boa recuperação.[46] Tendo em vista o tempo prolongado, ruído intenso e vibrações presentes no ambiente da RM, doses convencionais de dexmedetomidina cursam com falhas no exame (movimento) que variam de 16-20%, taxa equivalente a outros esquemas sedativos, porém superior à infusão de propofol (10%) ou anestesia geral.[42,47] A associação com midazolam venoso (0,1 mg.kg^{-1}) pode reduzir substancialmente a incidência de falhas, mas prolonga o tempo de recuperação em até 50%, quando comparada à infusão de propofol.[48] Mason e cols. propõem que a dose de dexmedetomidina em crianças em RM deve ser aumentada para bólus de 3 µg.kg^{-1} e infusão de 2,0 µg.kg^{-1}.h^{-1}, tendo obtido alto índice sucesso e qualidade de exame (97,6%), redução significativa do uso de pentobarbital de resgate, com consequente melhora na média do tempo de recuperação e poucos efeitos hemodinâmicos.[43,49] Esse agente tem se mostrado também superior ao pentobarbital tanto para RM quanto para TC, especialmente no tocante à maior rapidez na recuperação.[50,51] Apesar de seus benefícios, a dexmedetomidina não é ainda largamente utilizada fora do centro cirúrgico, primariamente por seus efeitos hemodinâmicos e pela recuperação mais prolongada quando comparada com o propofol e o sevoflurano.[52,53]

O **midazolam** não tem se mostrado eficiente para sedar crianças submetidas à RM. Sedação insuficiente e movimentos durante o exame são frequentes, além da possibilidade de agitação paradoxal em maiores doses.[54] É muito útil, no entanto, quando associado à ketamina nesse tipo de paciente, tanto na RM quanto na TC, reduzindo a dose e os para-efeitos dessa última.

A **ketamina** apresenta características úteis principalmente como coadjuvante em procedimentos dolorosos, com mínima interferência respiratória e estabilidade hemodinâmica. Entretanto, seus inconvenientes são bem conhecidos, como o aumento de secreções de vias aéreas, da pressão intracraniana, náuseas, movimentos involuntários e alucinações na recuperação. Portanto, seu uso na RM fica limitado àqueles pacientes pediátricos sem acesso venoso previamente à anestesia geral, ou eventualmente em pequenas doses EV (0,5-1,0 mg.kg^{-1}) em associação ao propofol objetivando a melhor estabilidade circulatória e menos eventos adversos respiratórios. Essa associação (ketofol) tem se mostrado superior a outros esquemas sedativos, tanto em adultos quanto em crianças, mas ainda requer maiores investigações.[52]

As vantagens da infusão de **propofol** para sedar crianças submetidas à RM e TC derivam de seu rápido metabolismo, pronta recuperação, potencial antiemético e alto índice de sucesso na realização do procedimento com qualidade.[55-57] Porém, esse fármaco é bem conhecido por induzir à depressão respiratória, apneia transitória e hipotensão, sendo ainda muito controverso seu uso por não anestesiologistas. A taxa de infusão de 5 mg.kg^{-1}.h^{-1} tem se mostrado adequada em RM de crianças mantendo boa da saturação de O$_2$, poucos artefatos por movimentação e rápida recuperação. Pershad e col. compararam a infusão de 6-15 mg.kg^{-1}.h^{-1} de propofol com a associação midazolam-pentobarbital-fenta-

nil para sedação profunda de crianças na RM, encontrando com o primeiro os tempos de indução, procedimento e recuperação significativamente menores, além da maior satisfação dos profissionais envolvidos.[58] Quando se comparou o propofol com o pentobarbital EV e o cloral hidratado VO em 258 crianças, o primeiro promoveu os menores tempos de indução (9,1 vs. 12,7 vs. 23,5 minutos respectivamente) e alta (54 vs. 80 vs. 61 minutos), além da menor taxa de interrupção do exame (1,4 vs. 12,2 vs. 22,5%), apresentando, porém, mais eventos cardiorrespiratórios (13,6 vs. 13,4 vs. 2,9%).[59] Uma análise retrospectiva de 1.649 sedações com propofol por não anestesiologistas para exames de imagem em crianças mostrou eventos respiratórios frequentes, mas em apenas 11 casos houve necessidade de intervenção urgente de um anestesiologista.[60] Os autores enfatizaram que o treinamento dos profissionais, especialmente no suporte ventilatório, é crucial para a segurança. À semelhança do interesse crescente pela associação propofol/ketamina mencionada anteriormente, tem se observado nos últimos anos em revisões e *guidelines* uma tendência à associação da dexmedetomidina com a infusão do propofol em crianças para RM, objetivando-se reduzir as doses do hipnótico e, portanto, seus efeitos depressores cardiovasculares e ventilatórios.[28,61]

Em recente revisão sistemática de literatura com metanálises abordando métodos não parenterais de sedação em crianças para RM, os autores apontam para a grande variabilidade de fármacos, doses e vias de administração encontradas, mas elegem a associação de dexmedetomidina 3 μg.kg^{-1} e midazolam 0,3 mg.kg^{-1} por via nasal como a que obteve um dos maiores índices de sucesso na realização do exame (94%) com baixa incidência de efeitos adversos.[62] Por essa via, o pico plasmático do α$_2$ agonista é verificado em torno de 35 minutos, com efeito clínico máximo aos 45 minutos.[63] A ocorrência de bradicardia é pouco frequente (2,3%) e dose-dependente.[64]

A Tabela 186.11 resume as características de alguns sedativos e hipnóticos comumente utilizados na sedação pediátrica para TC e RM.[32,52]

Tabela 186.11 Agentes Sedativos/Hipnóticos para Exames de Imagem em Crianças.[32,52]			
Agente	**Dosagem**	**Latência**	**Observação**
Cloral hidratado	VO: 25-100 mg.kg^{-1} após 30 minutos pode repetir 25-50 mg.kg^{-1}, máx. 2 g	30-40 minutos	melhores resultado em crianças pequenas, efeito prolongado
Dexmedetomidina	EV: 2 μg.kg^{-1} por 10 minutos e infusão 1 μg.kg^{-1}.h^{-1} bólus pode ser repetido 1 X	10-15 minutos	redução da PA, FC e possível arritmia sinusal; demora na recuperação
Midazolam	VO: 0,5 mg.kg^{-1} EV: 0,05-0,1 mg.kg^{-1} titular para máx. 0,4 mg.kg^{-1}	1-2 minutos	possível efeito paradoxal, sinergismo com outros sedativos e opioides
Pentobarbital	EV: 1-6 mg.kg^{-1}, titular 1-2 mg.kg^{-1} a cada 3-5 min.	5-10 minutos	possível efeito paradoxal, recuperação prolongada
Propofol	EV: bólus 0,5-1 mg.kg^{-1} Infusão 100-200 μg.kg^{-1}.min^{-1}	< 1 minutos.	antiemético, rápida recuperação, queda PA, depressão respiratória
Ketamina	EV: bólus 1-2 mg.kg^{-1} IM: 5-7 mg.kg^{-1}	< 1 minutos	poucos efeitos respiratórios, boa estabilidade hemodinâmica; alucinações, náuseas e secreções

Muitos autores advogam o uso da **anestesia geral** com entubação traqueal, especialmente em crianças com menos de 6 anos de idade, pela garantia das vias aéreas seguras, tendo em vista o acesso limitado ao paciente. Em um serviço bem-organizado e adequadamente equipado, o procedimento é seguro, atraumático e garante excelente qualidade de imagens. Pacientes pediátricos mais suscetíveis à depressão respiratória ou obstrução de vias aéreas, como os neonatos pré-termo, crianças com apneia obstrutiva do sono, hipertrofia adenoamigdaliana e outras anormalidades de vias aéreas superiores, definitivamente devem ser consideradas para anestesia geral. A Tabela 186.12 traça um paralelo entre a sedação e a anestesia geral para crianças a serem submetidas à RM.

A infusão contínua de **propofol**, alvo-controlada ou não, mantendo-se a criança em respiração espontânea, tem sido uma técnica de AG muito bem-sucedida para RM.[56,65,66] Se não existir acesso venoso prévio, a indução inalatória com sevoflurano pode preceder a infusão do propofol. Essa técnica permite recuperação rápida e suave, mas estaria relacionada a um percentual maior de interrupções do exame por movimento do paciente (17%).[67]

Não havendo ressalvas à **anestesia inalatória**, como a elevada incidência de vômitos em crianças com lesões infratentoriais, esta pode ser empregada com alto índice de sucesso, rápida recuperação e poucos efeitos indesejáveis. A anestesia inalatória com sevoflurano é segura e confere excelentes condições para o exame, porém cursa com maior incidência de agitação na emergência, quando comparada com a infusão de propofol (9-60% contra 4%).[67,68] A dexmedetomidina e o próprio propofol têm sido empregados em baixas doses previamente à interrupção do sevoflurano na tentativa de se prevenir esse efeito deletério, mas com resultados conflitantes.[68-70]

Novos e promissores agentes estão no horizonte para uso tanto em sedação quanto como coadjuvantes da anestesia geral, com perfil muito apropriado para procedimentos ambulatoriais e fora do centro cirúrgico. O **remimazolam** é o benzodiazepínico de lançamento mais recente, com curta latência, rápido metabolismo e efeito ultracurto. A recuperação é pronta, e comparado ao propofol, apresenta menos efeitos adversos hemodinâmicos e respiratórios. Não existem ainda estudos de seu uso em procedimentos no radiodiagnóstico. Recentemente aprovado pelo Food and Drug Administration (FDA), o novo opioide **oliceridina** exibe seletividade pela via da proteína G, e em tese, produz menos efeitos adversos como náuseas, vômitos e depressão respiratória quando comparado à morfina. Carece também de investigação mais completa sobre todo o seu potencial, incluindo análises comparativas com outros opioides de efeito curto (fentanil, alfentanil) e sua utilização em locais remotos.[71]

Se a opção for pela anestesia venosa em respiração espontânea, e na dependência do posicionamento do paciente e de sua cabeça, nenhuma intervenção em **vias aéreas** pode ser necessária, desde que se obtenha boa ventilação. Quando isso não ocorre, uma cânula oro ou nasofaríngea, intubação traqueal ou a passagem de ML são necessárias, garantindo as vias aéreas e permitindo a manutenção inalatória da anestesia, se for o caso. A ML tem se mostrado muito eficiente com tal propósito, mas a mola da válvula do balonete de alguns modelos e o espiral metálico presente em seu tubo flexível (e nos tubos traqueais aramados) afetam a qualidade da imagem obtida. Conexões metálicas também estão proibidas. Laringoscópios não funcionam nas proximidades do túnel magnético devido à interferência com suas pilhas. A anestesia geral muitas vezes deve ser induzida em sala anexa. Existem disponíveis lâminas e cabos de laringoscópio de plástico com pilhas de lítio para emergências, quando o tampo da mesa de exame será deslizado para fora do cilindro magnético (Figura 186.7). Em tais situações, é preferível que se remova rapidamente o paciente para fora da sala de RM do que entrar com materiais e equipamentos de urgência, com risco de graves acidentes.

Em alguns casos deve ser indicada a ventilação controlada. Pacientes com hipertensão intracraniana se beneficiarão de uma redução forçada da $PaCO_2$. Aqueles com dificuldades respiratórias que ocasionem movimentos do pescoço e da cabeça serão mais bem conduzidos com bloqueio neuromuscular e ventilação controlada, permitindo boa formação da imagem. Se for então necessário um ventilador mecânico, um circuito extralongo deve estar disponível, de preferência com mangueiras de baixa complacência para minimizar a perda de volume por compressão.

Pacientes levemente sedados podem ser acompanhados de fora da sala de RM pela janela de vidro e interfone. Uma vez dentro do magneto, o acesso a ele se torna difícil. Estetoscópios precordiais ou esofágicos apresentam pouca utilidade devido ao prolongamento necessário e ao ruído presente durante a radiofrequência alternante. É importante que se incorpore algum tipo de alarme de desconexão ao sistema (pressão de vias aéreas ou $P_{ET}CO_2$) pelo perigo constante dessa ocorrência.

Como a RM e a TC são procedimentos não dolorosos, a administração de anestésicos deve ser gradualmente reduzida para se evitar um longo período de emergência. Nesse sentido, é muito importante o contato constante com o radiologista em relação à provável duração do exame e à

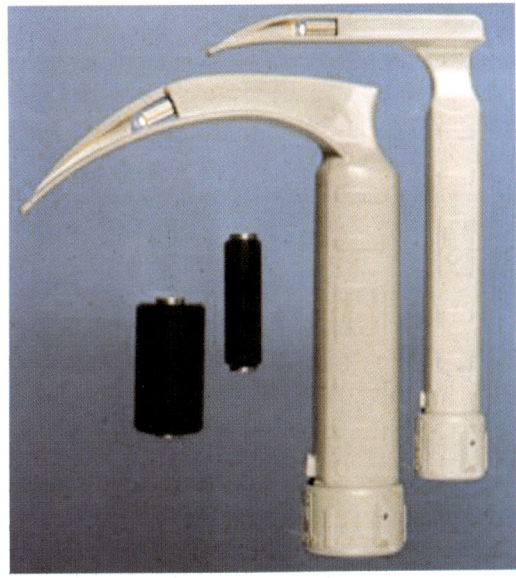

▲**Figura 186.7** Laringoscópios de plástico com pilhas de lítio.

possível necessidade de estudos adicionais. A recuperação pode se dar em salas anexas equipadas para tal fim ou na SRPA do centro cirúrgico, tendo-se sempre a segurança do paciente como prioridade.

Por vezes, pacientes em estado crítico necessitam da participação do anestesiologista. Apesar de o exame continuar sendo indolor e requerer apenas imobilidade, a monitorização é fundamental. Além dos possíveis riscos descritos acima, acrescentam-se problemas relacionados à descontinuidade de fármacos vasoativos e ao eventual mau funcionamento de monitores. A necessidade da manutenção de parâmetros de ventilação mecânica específicos e do uso de bombas de infusão dentro da sala da RM são desafios adicionais nesses pacientes.

Considerando que a sedação/anestesia em crianças envolve aumento de riscos, tempo de procedimento e custos, diversas alternativas a elas têm sido empregadas, como administrar solução oral de sacarose (1-2 ml a 25%) 2 minutos antes, envolver e imobilizar neonatos com cueiros, alimentação antes do exame, manipulação prévia do sono, preparo do ambiente, da criança e dos pais e diversas técnicas de distração. Uma prática muito comum com crianças abaixo de 6 meses consiste em mantê-las em jejum por 4 horas e amamentá-las imediatamente antes do exame. Em seguida elas são bem envoltas e imobilizadas em cueiros e deitadas no magneto. O índice de sucesso de tal prática é superior a 90%.[72] Se houver necessidade de administração de contraste, a venopunção vai promover ainda maior sono pós-estresse. O inconveniente dessa técnica é que se ela não funcionar, o procedimento terá que ser reagendado, pois a criança estará de estômago cheio. Em lactentes maiores e crianças até 6 anos a sedação ou anestesia geral são mais comumente indicadas, e acima dessa idade, técnicas de preparo prévio da criança e distração audiovisual ou realidade virtual podem funcionar.[71,73] Diversos outros fatores, além da idade, devem pesar também na decisão por alternativas, sedação ou anestesia geral: o tempo do procedimento, área do corpo a ser examinada (p. ex. necessidade de apneia), grau de urgência e comprometimento de vias aéreas são alguns exemplos. Além disso, várias condições especiais devem ser levadas em conta, como a paralisia cerebral, movimentos involuntários, convulsões, retardo mental etc. As vantagens e desvantagens da sedação e anestesia para a RM pediátrica bem como suas alternativas podem ser aprofundadas em excelente revisão de Fonseca.[28]

Tabela 186.12 Anestesia geral *vs.* sedação para crianças submetidas à RM.[74]

	Anestesia Geral	Sedação
Profissional necessário	anestesiologista	enfermagem/radiologista*
Custo	maior	menor
Tempo para início exame	menor	maior
Exames falhos	mínimos	3,7%
Eventos indesejáveis	mínimos	20%

*possibilidade

CONSIDERAÇÕES

Os modernos métodos de imaginologia estão em contínua evolução. Novas dificuldades e desafios surgem e devem ser equacionados para se levar o serviço de Anestesiologia para pacientes a serem submetidos a procedimentos no departamento de Radiodiagnóstico. O anestesiologista precisa estar familiarizado com as potenciais complicações e os problemas tecnológicos que vai enfrentar nesses ambientes únicos.

Poderosos *softwares* de processamento de sinais têm sido desenvolvidos, permitindo que aparelhos de RM de menor potência produzam imagens de ótima qualidade, atenuando assim muitos dos problemas relacionados a altos campos magnéticos descritos acima. Equipamentos de ressonância de campo ampliado e campo aberto auxiliam na realização de certas intervenções durante o exame, tendo melhorado o acesso ao paciente, reduzido a ansiedade e a interferência com outros dispositivos. Esses aparelhos possuem a área interna do tubo bastante alargada ou aberta, com grande benefício aos pacientes obesos e claustrofóbicos. Entretanto, a limitada potência e menor uniformidade do campo magnético por eles gerados não permitem a aquisição de imagens de mesma qualidade (Figuras 186.8 e 186.9).

Desenvolvimentos recentes de métodos de correção de movimentos na imagem da RM são promissores na melhora dos índices de sucesso de técnicas alternativas no manuseio de crianças e na necessidade de sedação.[75]

Novos monitores respiratórios têm sido miniaturizados e testados, com boas perspectivas de incorporação ao nosso arsenal de vigilância do paciente, principalmente no ambiente da RM onde o acesso ao paciente é limitado e o nível de ruído elevado. Entre eles, destacam-se o monitor de fluxo de ar por temperatura e humidade, de CO_2 transcutâneo, de mudanças de volume torácico, fotopletismógrafos e monitores de ruído ventilatório.[76,77]

A RM tem sido usada para guiar biópsias de mama, próstata e diversos tumores mal visualizados por outros métodos de imagem, assim como para a crioablação dessas lesões. Em grandes centros, a RM intraoperatória já é uma realidade, como por exemplo, na realização de neurocirurgias funcionais com neuronavegação. No sistema original, a sala cirúrgica com isolamento farádico total abriga o equipamento de ressonância de alta potência, sendo exclusiva

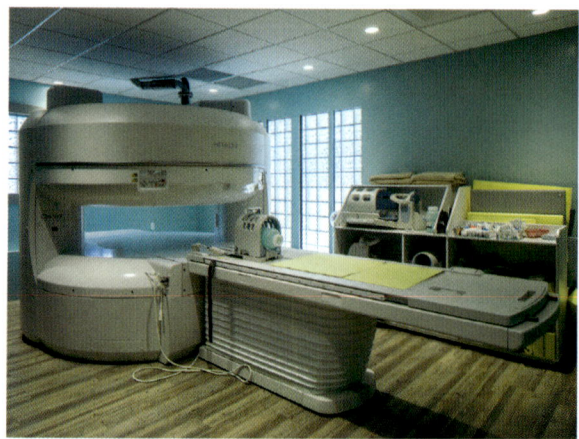

▲ **Figura 186.8** A ressonância magnética de campo ampliado.

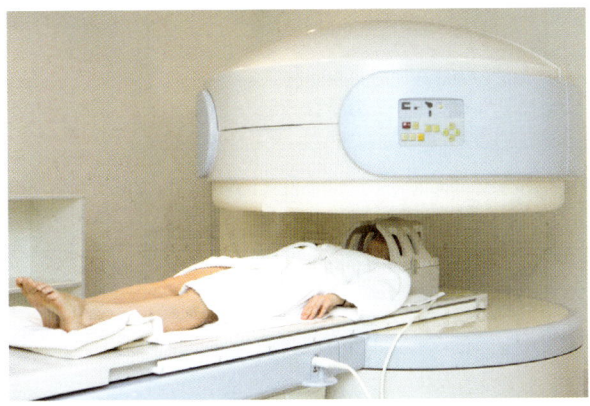

▲ **Figura 186.9** A ressonância magnética de campo aberto.

para esses procedimentos. Esse esquema permite a aquisição de imagens frequentes e em tempo real, mas envolve desvantagens significativas, como o precário acesso ao paciente – tanto pelo anestesiologista quanto pelo cirurgião – e a necessidade de todos os instrumentais e equipamentos serem seguros e compatíveis com a ressonância. Uma segunda modalidade tem se tornado mais popular, onde equipamentos menores ficam confinados dentro de gaiolas farádicas portáteis e retráteis, podendo ser utilizados em salas quase comuns (com isolamento no piso, apenas) e sendo removidos delas quando fora de uso. O equipamento tem que ser trazido para junto do paciente estacionário quando se precisa produzir uma imagem, o que envolve aumento de tempo e risco de contaminação. A qualidade da imagem produzida é também inferior, mas esse sistema permite acesso normal ao paciente, utiliza instrumental cirúrgico comum e requer investimento muito menor da instituição.[78] Seja como for, o tempo para o completo preparo do teatro de operações pode chegar a 3 horas, sendo um procedimento que demanda uma tremenda adaptabilidade do serviço de Anestesiologia frente à alta complexidade dos problemas que se apresentam. Diversos protocolos de segurança devem ser desenvolvidos, a par da disponibilidade de materiais, equipamentos e monitores seguros e compatíveis com o ambiente da RM. Até o presente, alguns itens de nosso uso ainda não se encontram compatíveis com a RM, como estimuladores de nervo periférico, equipamento de ultrassom, aquecedores de fluidos e de ar, desfibriladores e sondas de temperatura central. Alternativas devem ser criadas para o emprego seguro desses equipamentos.

Por último, nunca é demais salientar que o treinamento adequado na administração de sedativos e anestésicos, no manuseio de vias aéreas e a disponibilidade de medicamentos, equipamentos e dispositivos para emergência são fundamentais para garantir a segurança e o conforto do paciente. A capacidade de levar uma anestesia segura e eficaz ao departamento de Radiologia depende muito em se estar preparado para eventualidades.

REFERÊNCIAS

1. Nagrebetsky A, Gabriel RA, Dutton RP, et al. Growth of Nonoperating Room Anesthesia Care in the United States: A Contemporary Trends Analysis. Anesth Analg. 2017;124(4).1261-1267.
2. Herman AD, Jaruzel CB, Lawton S, et al. Morbidity, mortality, and systems safety in non–operating room anaesthesia: a narrative review. British J Anaesth. 2021;127(5):729-744.
3. Hardman B, Karamchandani K. Management of anesthetic complications outside the operating room. Curr Opin Anesthesiol. 2023;36(4):435-440.
4. Woodward ZG, Urman RD, Domino KB. Safety of Non-Operating Room Anesthesia: A Closed Claims Update. Anesthesiol Clin. 2017;35(4):569-581.
5. Chang B, Kaye AD, Diaz JH, et al. Interventional procedures outside of the operating room: results from the National Anesthesia Clinical Outcomes Registry. J Patient Safety. 2018;14(1):9-16.
6. Kotob F, Twersky RS. Anesthesia outside the operating room: general overview and monitoring standards. Int Anesthesiol Clin. 2003;41(2):1-15.
7. Latzman JA, Castellanos JG, Arica D. Using checklists to improve care in the nonoperating room environment. Curr Opin Anaesthesiol. 2022;35(4):479-484.
8. Schroeck H, Whitty MA, Martinez-Camblor P, et al. Anaesthesia clinicians' perception of safety, workload, anxiety, and stress in a remote hybrid suite compared with the operating room. British J Anaesth. 2023;131(3):598-606.
9. Brockow K. Immediate and delayed cutaneous reactions to radiocontrast media. Chem Immunol Allergy. 2012;97:180-190.
10. Hunt CH, Hartman RP, Hesley GK. Frequency and severity of adverse effects of iodinated and gadolinium contrast materials: retrospective review of 456,930 doses. Am J Roentgenol. 2009;193(4):1124-1127.
11. Mortelé KJ, Oliva MR, Ondategui S, et al. Universal use of nonionic iodinated contrast medium for CT: evaluation of safety in a large urban teaching hospital. Am J Roentgenol. 2005;184(1):31-34.
12. Callahan MJ, Poznauskis L, Zurakowski D, et al. Nonionic iodinated intravenous contrast material-related reactions: incidence in large urban children's hospital – retrospective analysis of data in 12494 patients. Radiology. 2009;250(3):674-681.
13. Morcos SK, Thomsen HS. Adverse reactions to iodinated contrast media. Eur Radiol. 2001;11(7):1267-1275.
14. Li A, Wong CS, Wong MK, et al. Acute adverse reactions to magnetic resonance contrast media - gadolinium chelates. British J Radiol. 2006;79(941):368-371.
15. Dillman JR, Ellis JH, Cohan RH, et al. Frequency and severity of acute allergic-like reactions to gadolinium-containing IV contrast media in children and adults. AJR Am J Roentgenol. 2007;189(6):1533-1538.
16. Marckmann P, Skov L, Rossen K, et al. Nephrogenic systemic fibrosis: suspected etiological role of gadodiamide used for contrast-enhanced magnetic resonance imaging. J Am Soc Nephrol. 2006;17(9):2359-2362.
17. FDA Requests Boxed Warning for Contrast Agents Used to Improve MRI Images. Food and Drug Administration, 2007.
18. McDonald JS, McDonald RJ, Jentoft ME, et al. Intracranial gadolinium deposition following gadodiamide-enhanced magnetic resonance imaging in pediatric patients: a case--control study. JAMA Pediatrics. 2017;171(7):705-707.
19. Greenberger PA, Patterson R, Tapio CM. Prophylaxis against repeated radiocontrast media reactions in 857 cases. Arch Intern Med. 1985;145(12):2197-2200.
20. Mervak BM, Davenport MS, Ellis JH, et al. Rates of breakthrough reactions in inpatients at high risk receiving premedication before contrast-enhanced CT. Am J Roentgenol. 2015;205(1):77-84.
21. Abe S, Fukuda H, Tobe K, et al. Protective effect against repeat adverse reactions to iodinated contrast medium: premedication vs. changing the constrast medium. Eur Radiol. 2016;26(7):2148-2154.
22. Tramèr MR, von Elm E, Loubeyre P, et al. Pharmacological prevention of serious anaphylactic reactions due to iodinated contrast media: systematic review. BMJ. 2006;333(7570):675-681.
23. Singh R, Kumar N, Vajifdar H. Midazolam as a sole sedative for computed tomography imaging in pediatric patients. Paediatr Anaesth. 2009;19(9):899-904.
24. Newman B, Krane EJ, Gawande R, et al. Chest CT in children: anesthesia and atelectasis. Pediatr Radiol. 2014;44(2):164-172.
25. Machata AM, Willschke H, Kabon B, et al. Effect of brain magnetic resonance imaging on body core temperature in sedated infants and children. Br J Anaesth. 2009;102(3):385-389.
26. Hertzog JH, Havidich JE. Nonanaesthesiologists-provided pediatric procedural sedation: an update. Curr Opin Anaesthesiol. 2007;20(4):365-372.
27. Krauss B, Green SM. Training and credentialing in procedural sedation and analgesia in children: lessons from the United States model. Pediatr Anesth. 2008;18(1):30-35.

28. Fonseca LGF, Garbin M, Bertolizio G. Anesthesia for pediatric magnetic resonance imaging: a review of practices and current pathways. Curr Opin Anaesthesiol. 2023;36(4):428-434.
29. Sammons HM, Edwards J, Rushby R, et al. General anaesthesia or sedation for paediatric neuroimaging: current practice in a teaching hospital. Arch Dis Child. 2011;96(1):114.
30. Bordes M, Semjen F, Sautereau A, et al. Which anaesthesia for children undergoing MRI? An internet survey in the French university hospitals. Ann Fr Anesth Réanim. 2007;26(4):287-291.
31. Usher AG, Kearney RA. Anesthesia for magnetic resonance imaging in children: a survey of Canadian pediatric centres. Can J Anaesth. 2003;50(4):425.
32. Gooden CK. The child in MRI and CT – Considerations and techniques. Int Anesthesiol Clin. 2009;47(3):15-23.
33. Levati A, Paccagnella F, Pietrini D, et al. Guidelines for sedation in pediatric neuroradiology. Minerva Anestesiol. 2004;70(10):675-715.
34. Cortellazzi P, Lamperti M, Minati L, et al. Sedation of neurologically impaired children undergoing MRI: a sequential approach. Pediatr Anesth. 2007;17(7):630-636.
35. Beebe DS, Tran P, Bragg M, et al. Trained nurses can provide safe and effective sedation for MRI in pediatric patients. Can J Anaesth. 2000;47(3):205-210.
36. Malviya S, Voepel-Lewis T, Prochaska G, et al. Prolonged recovery and delayed side effects of sedation for diagnostic imaging studies in children. Pediatrics. 2000;105(E42):1-5.
37. Mason KP, Zurakowski D, Connor L, et al. Infant sedation for MR imaging and CT: oral versus intravenous pentobarbital. Radiology. 2004;233(3):723-728.
38. Malviya S, Voepel-Lewis T, Tait AR, et al. Pentobarbital vs chloral hydrate for sedation of children undergoing MRI: efficacy and recovery characteristics. Pediatr Anaesth. 2004;14(7):589-595.
39. Kienstra AJ, Ward MA, Sasan F, et al. Etomidate versus pentobarbital for sedation of children for head and neck CT imaging. Pediatr Emerg Care. 2004;20(8):499-506.
40. Mallory MD, Baxter AL, Kost SI. Propofol vs pentobarbital for sedation of children undergoing magnetic resonance imaging: results from the Pediatric Sedation Research Consortium. Paediatr Anaesth. 2009;19(6):601-611.
41. Petroz GC, Sikich N, James M, et al. A phase 1, two-center study of the pharmacokinetics and pharmacodynamics of dexmedetomidine in children. Anesthesiology. 2006;105(6):1098-1110.
42. Koroglu A, Teksan H, Sagir O, et al. A comparison of the sedative, hemodynamic and respiratory effects of dexmedetomidine and propofol in children undergoing magnetic resonance imaging. Anesth Analg. 2006;103(1):63-67.
43. Mason KP, Zurakowski D, Zgleszewski SE, et al. High dose dexmedetomidine as the sole sedative for pediatric MRI. Pediatr Anesth. 2008;18(5):403-411.
44. Heard CM, Joshi P, Johnson K. Dexmedetomidine for pediatric MRI sedation: a review of a series of cases. Paediatr Anaesth. 2007;17(9):888-892.
45. Siddappa R, Riggins J, Kariyanna S, et al. High-dose dexmedetomidine sedation for pediatric MRI. Paediatr Anaesth. 2011;21(2):153-158.
46. Young ET. Dexmedetomidine sedation in a pediatric cardiac patient scheduled for MRI. Can J Anaesth. 2005;52(7):730-732.
47. Koroglu A, Demirbilek S, Teksan H, et al. Sedative, haemodynamic and respiratory effects of dexmedetomidine in children undergoing magnetic resonance imaging examination: preliminary results. Br J Anaesth. 2005;94(6):821-824.
48. Heard C, Burrows F, Johnson K, et al. A comparison of dexmedetomidine-midazolam with propofol for maintenance of anesthesia in children undergoing magnetic resonance imaging. Anesth Analg. 2008;107(6):1832-1839.
49. Mason KP, Fontaine PJ, Robinson F, et al. Pediatric sedation in a community hospital-based outpatient MRI center. Am J Roentgenol. 2012;198(2):448-452.
50. Mason KP, Prescilla R, Fontaine PJ, et al. Pediatric CT sedation: comparison of dexmedetomidine and pentobarbital. Am J Roentgenol. 2011;196(2):194-198.
51. Teshome G, Belani K, Braun JL, et al. Comparison of dexmedetomidine with pentobarbital for pediatric MRI sedation. Hosp Pediatr. 2014;4(6):360-365.
52. Khorsand S, Karamchandani K, Joshi GP. Sedation-analgesia techniques for nonoperating room anesthesia: an update. Curr Opin Anaesthesiol. 2022;35(4):450-456.
53. Fonseca FJ, Ferreira L, Rouxinol-Dias AL, et al. Effects of dexmedetomidine in nonoperating room anesthesia in adults: a systematic review with meta-analysis. Braz J Anesthesiol. 2023;73(5):641-664.
54. Osborn IP. Magnetic resonance imaging anesthesia: new challenges and techniques. Curr Opin Anaesthesiol. 2002;15(4):443-448.
55. Hasan RA, Shayevitz JR, Patel V. Deep sedation with propofol for children undergoing ambulatory magnetic resonance imaging of the brain: experience from a pediatric intensive care unit. Pediatr Crit Care Med. 2003;4(4):454-458.
56. Usher AG, Kearney RA, Tsui BC. Propofol total intravenous anesthesia for MRI in children. Paediatr Anaesth. 2005;15(1):23-28.
57. Gutmann A, Pessenbacher K, Gschanes A, et al. Propofol anesthesia in spontaneous breathing children undergoing magnetic resonance imaging: comparison of two propofol emulsions. Pediatr Anaesth. 2006;16(3):266-274.
58. Pershad J, Wan J, Anghelescu DL. Comparison of propofol with pentobarbital/midazolam/fentanyl sedation for magnetic resonance imaging of the brain in children. Pediatrics. 2007;120(3):e629-e636.
59. Dalal PG, Murray D, Cox T, et al. Sedation and anesthesia protocols used for magnetic resonance imaging studies in infants: provider and pharmacologic considerations. Anesth Analg. 2006;103(4):863-868.
60. Srinivasan M, Turmelle M, Depalma LM, et al. Procedural sedation for diagnostic imaging in children by pediatric hospitalists using propofol: analysis of the nature, frequency, and predictors of adverse events and interventions. J Pediatr. 2012;160(5):801-806.
61. Vinson AE, Peyton J, Kordun A, et al. Trends in Pediatric MRI sedation/anesthesia at a tertiary medical center over time. Paediatr Anaesth. 2021;31(9):953-961.
62. Rover I, Wylleman J, Dogger JJ, et al. Needle-free pharmacological sedation techniques in paediatric patients for imaging procedures: a systematic review and meta-analysis. British J Anaesth. 2023;130(1):51-73.
63. Li BL, Guan YP, Yuen VM, et al. Population Pharmacokinetics of Intranasal Dexmedetomidine in Infants and Young Children. Anesthesiology. 2022;137(2):163-175.
64. Lei H, Chao L, Miao T, et al. Incidence and risk factors of bradycardia in pediatric patients undergoing intranasal dexmedetomidine sedation. Acta Anaesthesiol Scand. 2020;64(4):464-471.
65. Tsui BC, Wagner A, Usher AG, et al. Combined propofol and remifentanil intravenous anesthesia for pediatric patients undergoing magnetic resonance imaging. Paediatr Anaesth. 2005;15(5):397-401.
66. Christopher H, Harutunians M, Houck J, et al. Propofol anesthesia for children undergoing magnetic resonance imaging: a comparison with isoflurane, nitrous oxide, and a laryngeal mask airway. Anesth Analg. 2015;120(1):157-164.
67. Bryan YF, Hoke LK, Taghon TA, et al. A randomized trial comparing sevoflurane and propofol in children undergoing MRI scans. Pediatr Anesth. 2009;19(7):672-681.
68. Bong CL, Lim E, Allen JC, et al. A comparison of single-dose dexmedetomidine or propofol on the incidence of emergence delirium in children undergoing general anaesthesia for magnetic resonance imaging. Anaesthesia. 2015;70(4):393-399.
69. Isik B, Arslan M, Tunga AD, et al. Dexmedetomidine decreases emergence agitation in pediatric patients after sevoflurane anesthesia without surgery. Pediatr Anaesth. 2006;16(7):748-753.
70. Aouad MT, Yazbeck-Karam VG, Nasr VG, et al. A single dose of propofol at the end of surgery for the prevention of emergence agitation in children undergoing strabismus surgery during sevoflurane anesthesia. Anesthesiology. 2007;107(5):733-738.
71. Finlay JE, Leslie K. Sedation/analgesia techniques for nonoperating room anesthesia: new drugs and devices. Curr Opin Anaesthesiol. 2021;34(6):678-682.
72. Templeton LB, Norton MJ, Goenaga-Díaz EJ, et al. Experience with a 'Feed and Swaddle' program in infants up to six months of age. Acta Anaesthesiol Scand. 2020;64(1):63-68.
73. Eijlers R, Utens EMWJ, Staals LM, et al. Systematic review and meta-analysis of virtual reality in pediatrics: effects on pain and anxiety. Anesth Analg. 2019;129(5):1344-1353.
74. Gooden CK, Dilos B. Anesthesia for magnetic resonance imaging. Int Anesthesiol Clin. 2003;41(2):29-37.
75. Otto RK, Friedman SD, Martin LD. Pediatric sedation and magnetic resonance imaging: the potential for motion correction. Paediatr Anaesth. 2014;24(4):459-461.
76. Olsen F, Suyderhoud JP, Khanna AK. Respiratory monitoring of nonintubated patients in nonoperating room settings: old and new technologies. Curr Opin Anaesthesiol. 2022;35(4):521-527.
77. Mandel JE. Recent advances in respiratory monitory in nonoperating room anesthesia. Curr Opin Anaesthesiol. 2018;31(4):448-452.
78. McClain CD, Rockoff MA, Soriano SG. Anesthetic concerns for pediatric patients in an intraoperative MRI suite. Curr Opin Anaesthesiol. 2011;24(5):480-486.

187

Anestesia para Radiologia Intervencionista

Ricardo Antonio Guimarães Barbosa

INTRODUÇÃO

A atuação do anestesiologista nos procedimentos radiológicos vem aumentando nos últimos anos e está relacionada ao desenvolvimento dos métodos de imagens que necessitam cada vez mais da sua participação. Dentre os procedimentos radiológicos, vem se destacando nos últimos anos a presença do anestesiologista na radiologia intervencionista, que pode ser dividida didaticamente em neurorradiologia e radiologia vascular intervencionista. pois esses procedimentos necessitam muitas vezes de anestesia geral, além de monitorização contínua dos pacientes durante as intervenções.

Pacientes que são submetidos a diversos procedimentos, como angiografias cerebrais, embolizações de aneurismas, embolizações de malformações arteriovenosas, angioplastias de carótidas, colangiografias, drenagens biliares, angioplastias ilíacas e femorais, endopróteses e outros procedimentos radiológicos intervencionistas, podem necessitar de algum grau de sedação ou até mesmo de anestesia geral. Embora em muitas ocasiões o acompanhamento do paciente seja feito por um radiologista, muitas vezes o anestesiologista é chamado para garantir imobilidade e segurança dos pacientes não cooperativos, agitados ou crianças.[1]

Em algumas situações não é necessário a utilização de fármacos para a realização dos procedimentos, sendo estes realizados com anestesia local. Porém, em alguns casos, a sedação é necessária. Em crianças, na maior parte dos casos, a anestesia geral é realizada mesmo em procedimentos não dolorosos, pois muitas vezes é necessária a imobilidade dos pacientes.[2]

A utilização relativamente frequente de meios de contraste radiológico (contrastes iodados que podem ser iônicos ou não iônicos), que na maior parte das vezes são hiperosmolares, está associada a quadros de diurese osmótica, alterações de pressão arterial e até edema pulmonar, bem como o aparecimento de reações alérgicas (reações anafilactoides com ativação da via alternativa do complemento C3, na maior parte dos casos, e, com menor incidência, reações anafiláticas clássicas) de gravidade variável (incidência de 0,6% a 3%).

Por essa razão a presença do anestesiologista é solicitada tendo em vista seu treinamento com vias aéreas, distúrbios hemodinâmicos e ressuscitação cardiorrespiratória e cerebral. Se o paciente tiver histórico de reação alérgica anterior ao contraste iodado, a indicação do exame deve ser discutida e medidas profiláticas devem ser tomadas.

A presença do anestesiologista será necessária em pacientes com problemas de comunicação, movimentos involuntários, história de reações ao meio de contraste radiológico e naqueles em mau estado geral ou condições críticas.[3]

ESPAÇO FÍSICO, MONITORIZAÇÃO E EQUIPAMENTOS

O primeiro fator a ser considerado ao pensar na realização de anestesia para procedimentos na Radiologia Intervencionista é o ambiente e o espaço físico. Nas áreas externas ao centro cirúrgico, o anestesiologista muitas vezes enfrentará uma série de adversidades que devem ser conhecidas e previstas antecipadamente à realização do procedimento anestésico. O conhecimento do espaço físico é essencial, pois o acesso ao paciente é frequentemente limitado. A disposição dos materiais e equipamentos é diferente, quando comparado ao centro cirúrgico.[4] Todos os equipamentos devem ser testados e as distâncias devem ser mensuradas para providenciar extensões, tanto elétricas quanto de aspiradores e extensões dos circuitos respiratórios (Figura 187.1). Deve-se ressaltar que os pacientes que realizam procedimentos nessa área muitas vezes pos-

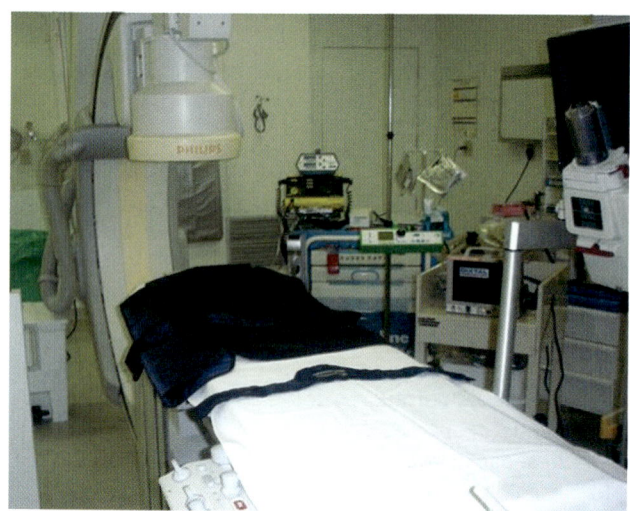

▲**Figura 187.1** Espaço físico da sala.

suem condições clínicas piores que os pacientes do centro cirúrgico, e deve-se ter monitorização adequada disponível e aparelhos de anestesia compatíveis com a complexidade dos pacientes e dos procedimentos que serão realizados.

■ RADIOLOGIA INTERVENCIONISTA

Como já explicado anteriormente, a Radiologia Intervencionista pode ser dividida didaticamente em duas principais áreas: neurorradiologia e radiologia vascular intervencionista. A seguir serão discutidos os principais procedimentos realizados nessas áreas.

■ NEURORRADIOLOGIA

Os primeiros procedimentos intervencionistas realizados no sistema nervoso central sob auxílio radiológico ocorreram há quase 30 anos,[5] porém foi somente a partir do ano de 1980 que a neurorradiologia intervencionista obteve um enorme progresso no tratamento, via endovascular, de doenças do sistema nervoso central. Esse avanço pode ser atribuído ao surgimento de novas técnicas e materiais, que atualmente permitem acesso sem precedente à circulação cerebral e medular, ampliando cada vez mais o número de opções diagnósticas ou terapêuticas. Esses procedimentos incluem: angiografias cerebrais; angiografias medulares; angioplastias; oclusão de fístulas cerebrais e medulares; embolizações de tumores cerebrais; embolizações de aneurismas cerebrais; embolizações de malformações arteriovenosas (MAVs); teste de oclusão na carótida ou na artéria vertebral.

A embolização de tumores antes do procedimento cirúrgico, visando à diminuição do sangramento intraoperatório, é realizada nos tumores do sistema nervoso central (meningiomas), tumores de cabeça e pescoço, glomus carotídeo e nasoangiofibromas. O acesso arterial geralmente se faz por via transfemoral, porém, em determinadas circunstâncias, procede-se à punção direta da artéria braquial ou carótida. A colocação de cateteres de diferentes tamanhos, a partir do ponto de punção, permite o exame da rede vascular do pescoço, da cabeça e da medula espinhal.[6]

O equipamento utilizado tanto na radiologia vascular intervencionista quanto na neurorradiologia consiste em um aparelho de fluoroscopia de alta resolução acoplado a um de angiografia digital por subtração capaz de captar 12 a 30 imagens por segundo. As sombras ósseas e outras estruturas não vasculares são removidas da imagem, permanecendo quase que apenas a vasculatura contrastada (processo de subtração).

Apesar do aprimoramento técnico e do material utilizado, a neurorradiologia intervencionista continua sendo uma especialidade com taxas de morbimortalidade relativamente altas. Dion e col. registraram 1,3% de complicações neurológicas nas primeiras 24 horas e 1,8% de eventos isquêmicos tardios entre 24 a 72 horas após 1.002 angiografias.[7] Muitos riscos apresentados se assemelham aos observados em uma neurocirurgia, ou seja, ruptura de aneurisma ou MAV e isquemia cerebral. Portanto, todos os cuidados referentes à montagem de sala e preparo de material devem seguir os mesmos padrões para uma neuroanestesia.

Avaliação Pré-anestésica

A avaliação pré-anestésica muitas vezes é realizada no dia do procedimento, pois na maioria das ocasiões a paciente interna no mesmo dia, ou realiza o procedimento em regime ambulatorial. Essa situação se aplica aos procedimentos diagnósticos como as angiografias cerebrais. Já nos procedimentos terapêuticos, como a embolização de aneurismas e MAVs, os pacientes necessitam de internação em Unidade de Terapia Intensiva após o procedimento.

Deve ser feita uma avaliação neurológica cuidadosa, pois podem ocorrer complicações durante os procedimentos na neurorradiologia intervencionista com prejuízo das funções neurológicas dos pacientes.

História de utilização anterior de contraste, utilização de anticoagulantes, distúrbios de coagulação, alergia à protamina e reações ao contraste iodado devem fazer parte da avaliação.

Com relação ao exame físico, deve-se dar importância à avaliação das vias aéreas, principalmente nos tumores de cabeça e pescoço, nos glomus carotídeos e nos nasoangiofibromas, que podem ocasionar dificuldade na intubação traqueal. Deve-se observar também lesões envolvendo as vias aéreas (tumores ou malformações vasculares), que podem edemaciar e comprometer a permeabilidade das vias aéreas após serem embolizadas. Os exames laboratoriais devem ser avaliados no pré-operatório e devem incluir testes de coagulação.[6]

Preparo do Paciente

Em razão dos frequentes e longos procedimentos, é vital que o paciente se sinta o mais confortável possível na mesa de exame. Para isso ocorrer, são necessários colchões de espuma ou ar e suportes para cabeça e pescoço. As utilizações de faixas apertadas sobre a cabeça não devem ser utilizadas, pois podem aumentar a incidência de aspiração caso o paciente vomite.[6]

O acesso venoso será de acordo com o procedimento realizado, lembrando que nos procedimentos mais complexos (embolizações de aneurismas e de malformações arteriovenosas) poderá ser necessário mais de um acesso venoso. Em alguns procedimentos, dependendo da condição clínica do paciente, pressão arterial invasiva também será necessária. Toda linha venosa deve ser montada com uma extensão longa para evitar que o anestesiologista, ao utilizar fármacos durante o exame, fique muito próximo à unidade de fluoroscopia, pois a intensidade da radiação é inversamente proporcional ao quadrado da distância. Os equipos longos também permitem o livre deslocamento da mesa sem que haja risco de desconexões acidentais.

Como em todo exame onde ocorre radiação ionizante, as pessoas envolvidas devem se proteger com aventais, colares de chumbo, proteção de tireoide e proteção ocular.

Nos equipamentos de imagem, existem três fontes de exposição à radiação: direta (a partir do tubo de raio X), vazamento pela blindagem do colimador e reflexão a partir do paciente e áreas vizinhas.[6] Durante a angiografia digital, a quantidade de radiação liberada é muito maior. O pessoal na sala deve sair ou se proteger com proteções de chumbo.

Na radiologia intervencionista, bem como em todos os procedimentos anestésicos na radiologia, a monitorização dos pacientes é de vital importância, pois o anestesiologista fica longe do paciente e muitas vezes não consegue ter uma visão adequada dele. A monitorização básica durante o procedimento é realizada por eletrocardiografia contínua, medida de pressão arterial não invasiva, oximetria de pulso e capnografia. Nos procedimentos mais complexos, acrescenta-se monitorização de pressão arterial invasiva e da temperatura.

O sensor do oxímetro, quando posicionado na extremidade distal do membro cateterizado, pode alertar para possíveis alterações como tromboembolismo e obstrução arterial. A medida direta da pressão arterial está indicada quando o procedimento envolver a fossa posterior ou a região da medula cervical, ou o paciente estiver com utilização de fármacos vasoativos ou instabilidade hemodinâmica. A medida da pressão arterial pode ser obtida pela punção da artéria radial ou pelo próprio introdutor da artéria femoral.[6]

A avaliação da integridade do sistema nervoso central é primordial em determinados procedimentos, e pode ser feita pelo exame neurológico, especificamente com o paciente acordado ou levemente sedado, eletroencefalograma, potencial evocado somatossensitivo e motor e *doppler* transcraniano, entre outros. A utilização do Índice Bispectral (BIS) pode ser utilizada para avaliação do grau de consciência.[6]

A utilização de sonda vesical está indicada nos procedimentos longos ou nos procedimentos complexos, visando ao conforto do paciente, como também para monitorizar diurese e balanço hídrico, pois grandes volumes de contraste e solução de irrigação são administrados durante os procedimentos. As indicações de medida de pressão venosa central ou da pressão de artéria pulmonar estão na dependência das condições clínicas do paciente ou de doenças coexistentes.[6]

Monitorização

A monitorização dos procedimentos na Neurorradiologia é feita com eletrocardioscopia contínua, oximetria de pulso, pressão arterial não-invasiva, capnografia, índice bispectral (BIS) e temperatura. Nos pacientes com instabilidade hemodinâmica e de maior risco de sangramento utilizamos também pressão arterial invasiva, pressão venosa central e diurese.

Técnicas Anestésicas

Nas angiografias cerebrais diagnósticas geralmente não há necessidade de anestesia, visto que esse procedimento não é doloroso; exceto nas crianças, que, na maioria dos casos, utiliza-se anestesia geral, bem como nos pacientes que não colaboram, como os pacientes com diminuição do nível de consciência e portadores de tremores involuntários, por exemplo, na doença de Parkinson. Em alguns casos pode-se fazer sedação leve com benzodiazepínicos associados ou não a opioides, visto que, em exames de longa duração, a injeção de contraste pode se manifestar como queimação durante sua utilização.[8,9] Os fármacos escolhidos para essa finalidade devem promover sedação, ansiólise, imobilidade e analgesia, além de proporcionar rápido despertar.[6]

Nas embolizações de aneurismas, de malformações arteriovenosas e de tumores (nasoangiofibromas, meningiomas e tumores de cabeça e pescoço), bem como nas angiografias medulares, a anestesia geral está indicada, visto que o paciente nesses procedimentos deve ficar imóvel, além de serem procedimentos com estímulos dolorosos. Deve ser ressaltado que, nos procedimentos diagnósticos ou terapêuticos da medula espinhal, os movimentos respiratórios prejudicam a qualidade das imagens. Para contornar esse problema, o paciente deve estar sob intubação traqueal e curarizado, com baixos volumes pulmonares por meio de mudança no padrão ventilatório (baixos volumes com alta frequência), períodos de apneia durante a aquisição das imagens ou uso de alta frequência.

A opção por um determinado tipo de anestesia geral varia de acordo com a idade e o estado físico do paciente, tipo e duração do procedimento, caráter do procedimento (ambulatorial ou não), preferência e experiência do anestesiologista.

Os principais objetivos da anestesia para procedimentos na neurorradiologia são: imobilidade; despertar rápido e suave para permitir rápida avaliação neurológica; anticoagulação (Heparina 70 a 100 UI.kg⁻¹); tratamento das complicações (sangramento, oclusão arterial aguda e vasoespasmo); manutenção dos parâmetros hemodinâmicos; evitar a diminuição da pressão de perfusão cerebral; e controle da temperatura.[6,10,11]

As principais complicações dos procedimentos na neurorradiologia são: hemorragia subaracnóidea (HSA) (2%); oclusão arterial aguda (3,5%); e vasoespasmo (2,5%).[6,10,11]

Anticoagulação

O cateter vascular, por ser um corpo estranho na circulação, pode predispor à formação de trombos. Além disso, durante sua progressão podem ocorrer lesões nas paredes vasculares que resultam na liberação de grandes quantidades de substâncias trombogênicas, que elevam os riscos de trombose. Esses dois fatores justificam a profilaxia sistêmica de fenômenos tromboembólicos preconizados para alguns procedimentos, como teste de oclusão, embolizações (MAVs, aneurismas e tumores) e angioplastia de carótida. Para alguns autores, a anticoagulação deve ser utilizada para todos os procedimentos que usam cateteres superseletivos.[6] A heparina por via venosa é o fármaco de escolha, sendo administrada na dose de 70 a 100 UI.k^{-1} após a medida do tempo de coagulação ativada (TCA) inicial. A meta é elevar de duas a três vezes o TCA em relação ao TCA inicial. A manutenção pode ser feita com injeção em bólus, de 1.000 a 2.000 UI de heparina por hora ou em infusão contínua. Em alguns casos mantém-se o paciente anticoagulado durante a noite.[12] Pode-se utilizar o Argatroban como anticoagulante que tem a propriedade de ser um inibidor direto da trombina, e que nos Estados Unidos é utilizado nos cateterismos cardíacos.[13] Na maioria dos casos reverte-se a heparina utilizada com o uso de protamina, que pode ocasionar hipotensão arterial. Sempre perguntar ao colega da neurorradiologia se a heparina deve ser revertida ou não, pois em alguns casos ela não é revertida.

Principais Cuidados da Anestesia nos Procedimentos na Neurorradiologia

- Imobilidade a fim de evitar hipotensão arterial;
- Despertar rápido e suave para permitir rápida avaliação neurológica;
- Anticoagulação (Heparina 70 a 100 µg.kg) e reversão da anticoagulação (Protamina);
- Tratamento das complicações (sangramento, oclusão arterial aguda e vasoespasmo);
- Manutenção dos parâmetros hemodinâmicos e controle da glicemia (menor ou igual a 180 mg.DL^{-1});
- Evitar a diminuição da pressão arterial e da perfusão cerebral;
- Controle da temperatura.

Tipos de Procedimentos em Neurorradiologia

Angioplastia de carótida

Os pacientes submetidos à angioplastia de carótida são mantidos acordados durante o procedimento e devem ser avaliados clinicamente durante a intervenção, pois, na hora de se realizar a angioplastia, eles podem apresentar quadro clínico de isquemia cerebral, o que facilita o diagnóstico se estiverem acordados. As principais complicações encontradas na angioplastia de carótida são: bradicardia, hipertensão, perda da consciência, obstruções dos vasos, tromboembolismo, perfuração, ruptura, dissecção, espasmo, acidente vascular cerebral isquêmico (AVCI) e hemorragia cerebral.[14]

Durante a angioplastia, o paciente pode apresentar bradicardia intensa, pois, ao insuflar o balão para realizar a angioplastia, os barorreceptores carotídeos são estimulados. O paciente, em alguns casos, pode apresentar também hipertensão arterial. Muitas vezes é necessário o uso de atropina de 0,5 a 1 mg para reverter a bradicardia.

Na maioria das vezes os pacientes submetidos à angioplastia de carótida são idosos e podem apresentar doenças associadas, como hipertensão arterial, diabetes e coronariopatias. Assim sendo, é necessária uma boa avaliação desses pacientes. A Figura 187.2 mostra angioplastia de carótida antes e após o tratamento endovascular.

Embolização de malformações arteriovenosas intracranianas

As malformações arteriovenosas são lesões vasculares congênitas que podem surgir em qualquer lugar do corpo. As intracranianas se manifestam por meio de múltiplos sinais e sintomas, que incluem hemorragia intracerebral (cerca de 50% dos casos), convulsão, hidrocefalia e insuficiência cardíaca congestiva, particularmente em neonatos.[15,16] A idade com que a sintomatologia aparece é variada, ocorrendo maior incidência entre 20 e 45 anos, com discreto predomínio no sexo masculino.[15] A mortalidade anual, incluindo crianças e adultos, é estimada em 1% a 2%. Grande parte das MAVs tem localização supratentorial, dentro dos hemisférios cerebrais, e somente 24% situam-se no cerebelo e no tronco cerebral.[17] Os sangramentos das MAVs podem ser arteriais ou venosos e 25% das MAVs estão associadas à presença de aneurismas. O volume da lesão, a origem das artérias nutridoras, a velocidade do fluxo no *shunt* e a presença do sistema profundo de drenagem interferem no risco, na operabilidade, na morbidade e na mortalidade da MAV [10,11,18] (Figura 187.3).

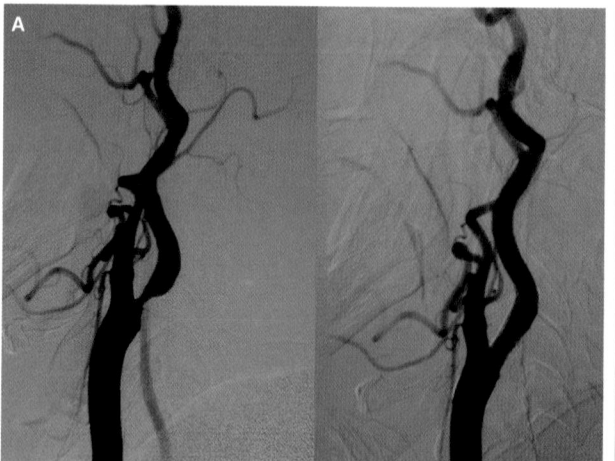
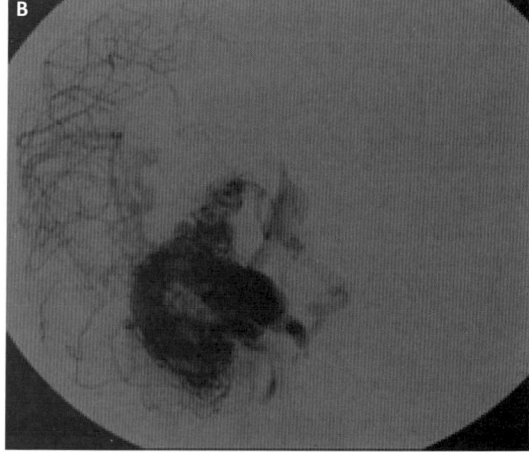

▲ **Figura 187.2** Angioplastia de carótida, antes do tratamento **(A)** e após o tratamento **(B)**.

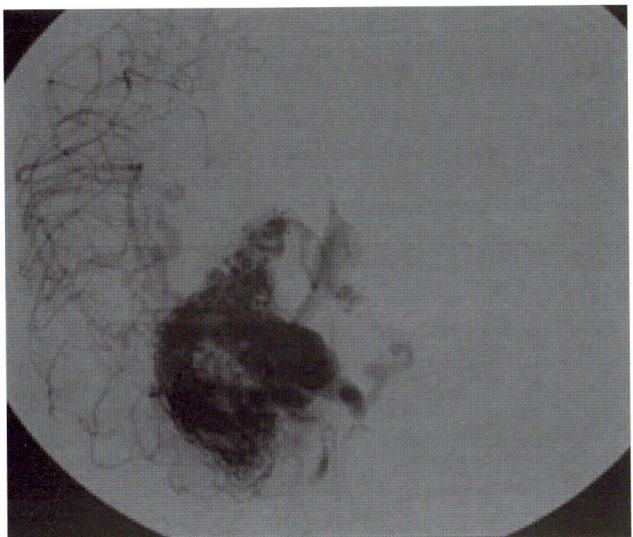

▲ **Figura 187.3** Malformação arteriovenosa antes da embolização.

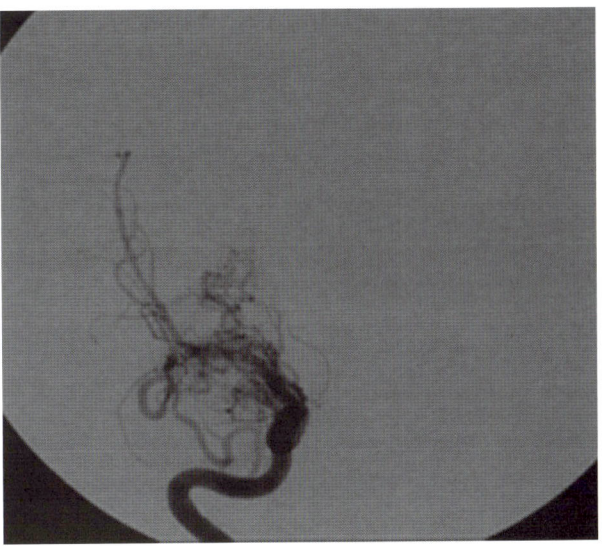

▲ **Figura 187.4** Malformação arteriovenosa após a embolização.

O objetivo da embolização é obliterar a maior quantidade possível de fístulas e suas respectivas artérias nutridoras. A embolização geralmente é indicada como terapia coadjuvante da cirurgia ou da radioterapia. Partículas de polivinil alcoólico (PVA), molas de titânio, fio de seda e cola (N-butil-cianocrialato) são materiais usados para embolizar.[6] Essas substâncias, excluindo-se a cola, se recanalizam dentro de dias a semanas e deve ser somente utilizada como tratamento auxiliar de cirurgias planejadas para acontecer dentro desse intervalo de tempo. A indução de hipotensão no momento da injeção intravascular do material embólico diminui o fluxo pela fístula, permitindo assim melhor controle de sua distribuição. O grau de hipotensão a ser induzido varia de paciente para paciente. Não existe uma relação direta entre a pressão arterial sistêmica e a pressão na malformação arteriovenosa (MAV); a melhor forma de se chegar ao nível pressórico ideal é reduzir gradualmente a pressão enquanto se observa o fluxo pela MAV.[19] A embolização da MAV, antes um leito vascular de baixa pressão, faz com que as artérias nutridoras, que também irrigam território vascular normal, aumentem abruptamente a pressão. Esse novo regime pressórico pode ultrapassar a capacidade de autorregulação desses vasos, aumentando os riscos de sangramento e edema cerebral. Por essa razão, é prudente manter a pressão 10% a 20% abaixo dos níveis basais durante o procedimento.[6,10,11]

As complicações relacionadas ao uso da cola incluem adesão do cateter a parede dos vasos, deposição de restos de cola na parte proximal da artéria ocluída e passagem de cola para a circulação pulmonar. Pequenas quantidades de cola que passam para a circulação pulmonar não têm significância clínica. Porém, quantidades maiores que 0,5 mL podem resultar em embolia pulmonar, pois a cola é extremamente trombogênica. Crianças pequenas, portadoras de grandes MAVs, são mais propensas a esse tipo de complicação.[6]

A anestesia geral tanto venosa quanto balanceada (em pacientes com pressão intracraniana aumentada, deve-se optar por anestesia venosa), dependendo das condições clínicas do paciente, pode ser utilizada, lembrando que o paciente deve-se manter imóvel durante todo o procedimento.

As principais complicações das MAVs são: hemorragia subaracnóidea (HSA) (2%); oclusão arterial aguda (3,5%) e vasoespasmo (2,5%).[6,10,11] Se possível, o paciente deve ser extubado para que o neurorradiologista avalie as condições neurológicas. Posteriormente, o paciente deve ser encaminhado para a Unidade de Terapia Intensiva para acompanhamento dos parâmetros hemodinâmicos, avaliação neurológica continuada e controle adequado da pressão arterial.[6,10,11] A Figura 187.4 mostra uma malformação arteriovenosa após embolização.

Embolização de aneurisma cerebral

Os aneurismas podem ser classificados como: pequenos, menores que 12 mm de diâmetro; grandes, entre 12 mm e 24 mm de diâmetro; e gigantes, maiores que 24 mm de diâmetro. Outra classificação mostra que os aneurismas podem ser saculares ou fusiformes. O tratamento endovascular de aneurismas intracranianos está indicado em determinados tipos de aneurismas de difícil abordagem cirúrgica, como os gigantes ou fusiformes, ou naqueles pacientes cujas condições clínicas contraindicam a cirurgia (Figuras 187.5 e 187.6).

Com o desenvolvimento de novos materiais, tornou-se possível o tratamento de muitos aneurismas que antes não permitiam o tratamento endovascular, fazendo com que a neurorradiologia venha se expandindo cada vez mais. Basicamente, o procedimento consiste na oclusão, via balão, da artéria proximal ao aneurisma ou obliteração do saco aneurismático. A obliteração do saco aneurismático pode ser feita por balão ou por molas destacáveis. A mola destacável de Guglielmi[20] consiste em uma mola de platina ligada a um fio de aço inoxidável. Por meio do cateter superseletivo, a mola atinge o saco do aneurisma onde é progressivamente enovelada até oclui-la completamente. Dependendo do tamanho do aneurisma, são necessárias várias molas. Obliterando o aneurisma, aplica-se uma corrente elétrica pelo fio de aço para que a mola se destaque dele por meio de eletrólise (Figura 187.7).

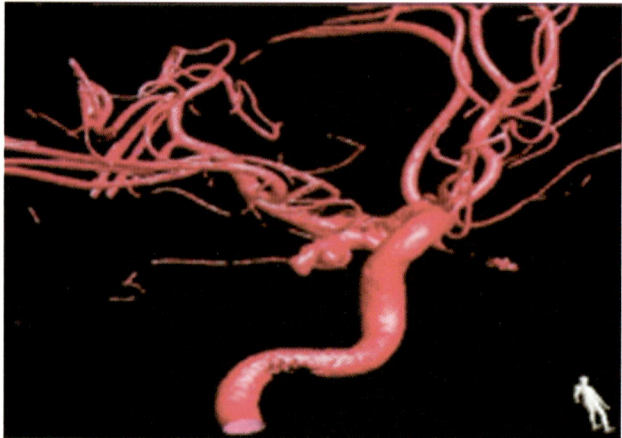

▲**Figura 187.5** Aneurisma cerebral antes da embolização.

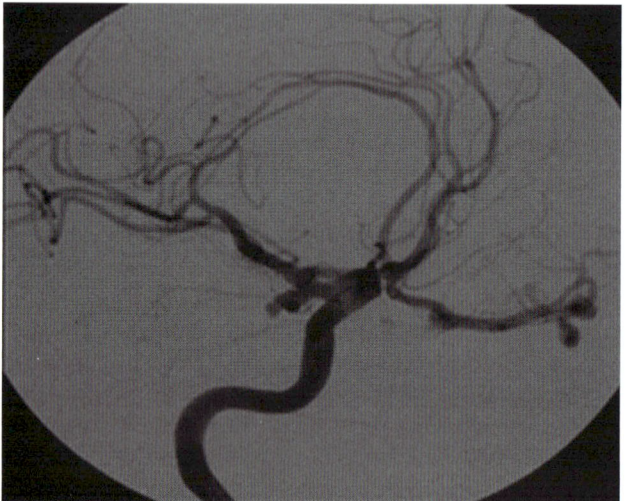

▲**Figura 187.6** Aneurisma cerebral antes da embolização.

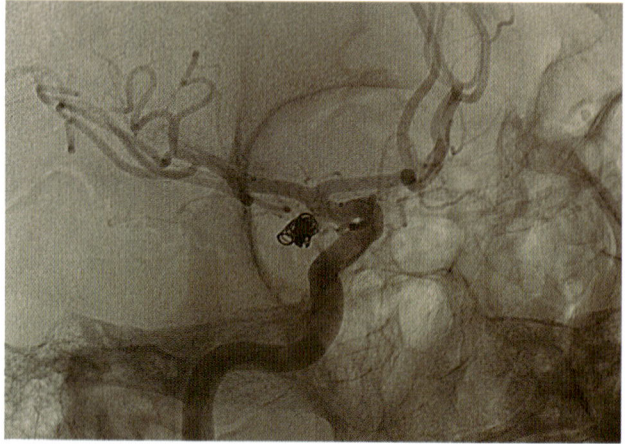

▲**Figura 187.7** Aneurisma cerebral após a embolização.

A manipulação do aneurisma pode causar tromboembolismo distal e ruptura. Se houver ruptura do aneurisma, a heparinização do paciente muitas vezes deve ser revertida imediatamente com a utilização de protamina. O anestesiologista deve estar alerta para essas complicações que exigem intervenção imediata.

Se ocorrer ruptura dos aneurismas durante o procedimento, as seguintes medidas deverão ser adotadas: reversão da anticoagulação com uso de protamina, conter o sangramento, começando pela redução da pressão arterial, e, posteriormente, a manutenção da pressão de perfusão cerebral com aumento da pressão arterial. Como ainda podem existir áreas de contato da parede do aneurisma com o sangue arterial, a pressão arterial do paciente deve ser controlada após a embolização.[21,22]

A utilização de Onyx, material utilizado para embolização de aneurismas e MAVS, pode causar queda da saturação de oxigênio transitória durante sua colocação.

A técnica anestésica indicada é a anestesia geral com intubação traqueal, podendo ser utilizada anestesia geral venosa ou balanceada dependendo das condições clínicas do paciente. Utilizar anestesia venosa nos pacientes com pressão intracraniana aumentada. As principais complicações das embolizações dos aneurismas são: hemorragia subaracnóidea (HSA) (2%); oclusão arterial aguda (3,5%) e vasoespasmo. Os sangramentos de aneurisma são arteriais e podem ser hemorragia subaracnoidea (HSA), hemorragia intraparenquimatosa ou intraventricular. 25% das MAVs possuem aneurismas associados.[6,10,11]

Deve-se lembrar que 50% dos pacientes que sofrem hemorragia subaracnoidea aguda vão a óbito, portanto os pacientes com aneurisma devem ser tratados o mais rápido possível.

Quando viável, o paciente deve ser extubado para que o neurorradiologista avalie as condições neurológicas. Posteriormente, o paciente deve ser encaminhado para a Unidade de Terapia Intensiva para acompanhamento dos parâmetros hemodinâmicos, avaliação neurológica continuada e controle adequado da pressão arterial.[6,10,11]

Embolização da veia de Galeno

As malformações arteriovenosas (MAV) aparecem durante o período embrionário por um defeito do desenvolvimento dos capilares que unem as artérias às veias. A malformação arteriovenosa da veia de Galeno (MAVG) se origina ao conectarem-se diretamente ramos da artéria carótida ou das artérias vertebrais com a veia de Galeno, e dá lugar a uma complexa rede de vasos arteriais e venosos que originam uma derivação de sangue desde o parênquima cerebral até a malformação com repercussões hemodinâmicas. É uma lesão vascular embrionária que ocorre predominantemente nas crianças. Trata-se de uma malformação arteriovenosa na região do terceiro ventrículo, em sua região mais posterior, próximo à glândula pineal.[23]

As manifestações clínicas e da idade de início dos sintomas dependem do volume de sangue que atravessa a malformação. É possível o diagnóstico pré-natal mediante técnicas de imagem. A maioria dos casos (40% a 50% dos casos) é diagnosticada durante o período neonatal, e a insuficiência cardíaca congestiva é a forma de apresentação em quase todos os casos. Alguns pacientes apresentam hidrocefalia, hemorragia subaracnoidea ou intraventricular, mas as convulsões ou outros sinais neurológicos ocorrem raramente no período neonatal. Os sintomas relacionados são devido à congestão venosa cerebral e à má circulação liquórica, bem como à insuficiência cardíaca congestiva devido ao *shunt* arteriovenoso que provoca sobrecarga cardíaca. Por essas razões podem ocorrer sinais e sintomas de hidrocefalia, retardo no desenvolvimento neuropsicomotor, e nos neonatos, sintomas de insuficiência cardíaca.[23] O tratamento é feito principalmente com embolização, objetivando a resolução da insuficiência cardíaca e da hidrocefalia. Os pacientes portadores da fístula arteriovenosa de Galeno, também conhecida como MAV de Galeno (Figura 187.8), que geralmente é congênita, apresentam ICC grave, hidrocefalia, hipertensão pulmonar e retardo no desenvolvimento neurológico.[23]

Nesses pacientes, deve-se realizar anestesia geral para evitar hipotensão e bradicardia, e a monitorização poderá ser invasiva, dependendo das condições clínicas do paciente. As principais complicações são: isquemia cerebral, hemorragia intracerebral, insuficiência cardíaca e embolia pulmonar. Posteriormente, o paciente deve ser encaminhado para a Unidade de Terapia Intensiva para acompanhamento dos parâmetros hemodinâmicos, avaliação neurológica continuada e controle adequado da pressão arterial.

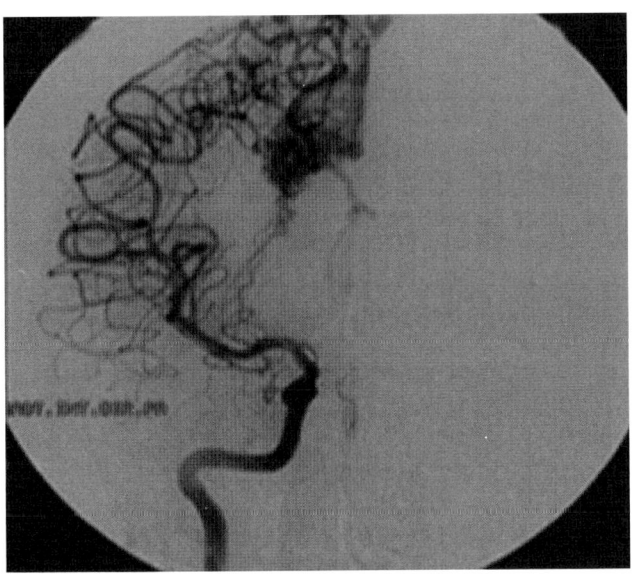

▲ **Figura 187.8** MAV de Galeno.

Trombectomia cerebral

O acidente vascular cerebral isquêmico (AVCI) agudo é uma condição com risco de vida, devastadora e incapacitante, e é a segunda maior causa de morte no mundo, com custo estimado de £3 bilhões por ano ao serviço de saúde britânico, com um custo adicional estimado de £4 bilhões perdidos na economia em produtividade, incapacidade e cuidados informais

Entre os acidentes vasculares cerebrais, 85% são isquêmicos, em oposição aos hemorrágicos. A oclusão de vasos reduz a perfusão e o suprimento de nutrientes e causa hipóxia, levando à morte celular. O tratamento visa a atingir a reperfusão recanalizando o vaso ocluído. Terapias baseadas em evidências incluem a trombólise intravenosa até 4,5 horas, terapia com aspirina até 48 horas, hemicraniectomia em casos de infarto maligno, e manejo dedicado em uma unidade de acidente vascular cerebral agudo.

Evidências mais recentes demonstram a eficácia e estabelece a trombectomia endovascular mecânica (por *stent* e/ou por aspiração) em até 6 horas após o AVCI, como o padrão de cuidado para o AVCI agudo que cause oclusão de grandes vasos na circulação anterior. Uma metanálise mostrou proporções de pacientes que alcançavam um resultado funcional independente: 46% daqueles que receberam trombectomia mecânica, contra 26% daqueles que receberam o melhor tratamento médico. Avanços na tecnologia de *stents* recolhíveis, o uso universal de imagens vasculares (angiografia por tomografia computadorizada), melhorias na seleção dos pacientes e do fluxo de trabalho levam a maior rapidez para realização do procedimento, que podem ser responsáveis por esta melhoria.

Pacientes com oclusão proximal da carótida interna ou artéria cerebral média vão provavelmente se beneficiar da trombectomia endovascular. A cada cinco pacientes com oclusão na circulação cerebral anterior que se submetem à trombectomia endovascular, um a mais vai funcionar independentemente três meses depois do que se eles tivessem recebido apenas a trombólise intravenosa. Além disso, um a cada três ficarão menos incapacitados, definidos como sendo um ponto a menos na escala modificada de classificação de incapacidade.

Indicações: as indicações para a trombectomia endovascular provavelmente se ampliarão no futuro. As diretrizes internacionais recomendam o tratamento endovascular como o padrão de cuidado para pacientes com acidente vascular cerebral isquêmico agudo causado por oclusão intracraniana de grandes vasos identificados por exames de imagem vasculares.

Os exames de imagem vascular intracraniana na forma de angiotomografia são recomendados para a tomada de decisões, e são úteis para se avaliar o fluxo colateral. Oclusões simultâneas, como a oclusão da carótida interna extracranial, são geralmente identificadas. Embora não haja recomendações explícitas para seu manejo, os radiologistas intervencionistas podem optar por realizar uma angioplastia ou usar *stents* nelas no momento da trombectomia para tratar a lesão primária. A ressonância magnética pode desempenhar um papel futuro na avaliação do volume isquêmico e de tecidos aproveitáveis.

Contraindicações absolutas à trombectomia aguda incluem os seguintes: alergia grave conhecida ao contraste iodado, coagulopatia grave, suspeita de hemorragia subaracnoidea e dificuldade técnica, conforme determinada pelo neurorradiologista intervencionista (p. ex.: vasos sinuosos, incapacidade de se acessar o coágulo, localização do coágulo, oclusão da carótida crônica).

Avaliação pré-anestésica: a trombectomia é um procedimento de emergência, exigindo rápida comunicação e coordenação fluida entre neurologista, neurorradiologista intervencionista e anestesista. As considerações anestésicas antes da realização do procedimento incluem o seguinte: avaliação pré-operatória rápida e relevante, incluindo o nível de consciência, estado do jejum, alergias, avaliação de via aérea e estabilidade hemodinâmica; planejamento prévio em caso de complicação intraoperatória, que pode exigir intubação e/ou transferência para a sala de cirurgia; avaliação hemodinâmica e suporte vasopressor para se atingir metas de pressão arterial.

A monitorização para o procedimento é a seguinte: eletrocardiografia contínua, pressão arterial não invasiva ou invasiva (dependendo das condições clínicas), oximetria de pulso, capnografia (se for realizada anestesia geral), temperatura e diurese.

Acessos vasculares: o acesso venoso periférico deve ser obtido para infusão de medicamentos e ressuscitação hemodinâmica no caso de intercorrência intraoperatória. Sua via deve ser estendida devido à distância entre o anestesista e o paciente. O acesso venoso central deve ser puncionado caso o paciente apresente instabilidade hemodinâmica ou necessite de uso contínuo de drogas vasoativas.

O objetivo da manutenção da pressão arterial do monitoramento invasivo da pressão arterial para se atingir as metas hemodinâmicas é útil, mas a colocação não pode atrasar o procedimento de trombectomia. Sessenta por cento dos pacientes apresentam pressão arterial elevada. Isso pode ser devido à hipertensão essencial, existente a resposta de estresse neuroendócrino, ou a um reflexo de Cushing associado ao edema cerebral ou à isquemia.

Tanto a pressão arterial alta quanto a baixa estão associadas a taxas mais altas de morte e dependência. Existe um equilíbrio entre a hipertensão excessiva, que contribui para um maior risco de hemorragia intracraniana e edema cerebral, e uma perfusão cerebral comprometida até a penumbra isquêmica com uma pressão arterial média inadequadamente baixa. As metas hemodinâmicas iniciais visam manter a pressão arterial sistólica do paciente acima de 140 mmHg com fluido e vasopressores. A pressão diastólica deve ser mantida abaixo de 105 mmHg. Após a recanalização, as metas de pressão arterial podem ser ajustadas para se evitar transformação hemorrágica. Se o procedimento não for bem-sucedido, a pressão arterial sistólica deve ser mantida acima de 140 mmHg. A glicemia deve ser mantida em até 180 mg.dL^{-1}.

Escolha da técnica anestésica: a trombectomia mecânica é o tratamento padrão para pacientes com acidente vascular cerebral isquêmico agudo causado por oclusão de grandes vasos na circulação anterior. A questão não resolvida é se a escolha da estratégia anestésica afeta o resultado funcional. Vantagens propostas de anestesia geral são: imobilização do paciente, controle da dor e proteção das vias aéreas. As desvantagens da anestesia geral são comprometimentos potenciais na hemodinâmica cerebral e atraso da intervenção. Benefícios propostos de procedimentos de sedação incluem monitoramento clínico, hemodinâmica estável e um procedimento potencialmente mais curto. Pode ter problemas relacionados às vias aéreas desprotegidas e a movimentação de pacientes, que pode prolongar o procedimento. Estudos retrospectivos e metanálises sugeriram pior resultado funcional e maior mortalidade em pacientes que recebem anestesia geral do que a sedação. Diferenças nos agentes sedativos, como tipo e dose, foram sugeridas como fatores associados a diferenças no resultado funcional. No entanto, esses estudos têm limitação pelo viés de seleção. Isto ocorre porque pacientes com acidente vascular cerebral mais grave e pior apresentação eram mais propensos a receber anestesia geral.

O tratamento endovascular (EVT) combinado com trombólise intravenosa para AVC isquêmico agudo (AIS) demonstrou ser superior à trombólise intravenosa isolada. Durante a EVT, é necessário que o paciente esteja imóvel e geralmente seja necessário algum tipo de anestesia/sedação.

As duas principais alternativas são:

1. Anestesia geral (GA) com intubação que proporciona controle total das vias aéreas, ventilação e movimentos do paciente;
2. Sedação consciente (SC) com o paciente em respiração espontânea e, até certo ponto, comunicável e hemodinamicamente mais estável. A questão de saber se a escolha da técnica de anestesia tem impacto no resultado neurológico após o debate sobre a EVT para AIS.

As indicações para anestesia geral são: nível reduzido de consciência, inabilidade de proteger a via aérea, evidência de aspiração ou hipóxia; sinais de disfunção do tronco cerebral, paralisia bulbar e agitação ou inabilidade de se deitar reto devido à doença cardíaca ou respiratória.[35-37]

Técnica anestésica: o procedimento pode ser realizado com anestesia geral ou sedação consciente que são descritos a seguir:

1. **Anestesia geral:** sequência rápida de intubação com suxametônio (bólus: 0,5 a 1 mg.kg^{-1}), alfentanil (bólus: 0,02 a 0,03 mg.kg^{-1}) e propofol (bólus: 1 a 2,5 mg.kg^{-1} seguido de infusão de 2 a10 mg.kg^{-1}.h^{-1}). A intubação traqueal é seguida por ventilação mecânica com tentativa de normoventilação. Anestesia é mantida com propofol e remifentanil de acordo com a necessidade do paciente e do procedimento. Dosagem e taxa de infusão de medicamentos anestésicos estão sob o critério do anestesiologista que considera a idade, o estado geral do paciente, comorbilidades, pressão arterial e necessidades do neurorradiologista. Em caso de contraindicação ao propofol, o sevoflurano será usado;
2. **Sedação consciente:** o objetivo geral é reduzir a agitação, ansiedade e movimentos e ainda ser capaz de se comunicar com o paciente. Além disso, é um objetivo evitar a utilização de anestesia geral. Todos os pacientes com sedação consciente receberão:
   - Fentanil em bólus 25 a 50 mg. Esta dose pode ser repetida;
   - Infusão de propofol. 1 a 2 mg.kg^{-1}.h^{-1} Se considerado necessário pelo anestesiologista, a taxa de infusão pode ser aumentada ou reduzida.

O paciente é monitorizado continuamente durante o procedimento EVT. Os motivos da conversão de sedação consciente para anestesia geral podem incluir: movimento do paciente, insuficiência respiratória devido à hipóxia e ventilação inadequada, vômitos ou convulsões.

Após o procedimento de EVT, todos os pacientes são levados para a unidade de terapia intensiva neurológica ou unidade de AVC após trombectomia mecânica e tratados de acordo com os procedimentos operacionais padrão. A imagem de acompanhamento (tomografia computadorizada ou ressonância magnética) é realizada rotineiramente entre 20 a 36 horas após o tratamento ou mais cedo se ocorrer uma deterioração neurológica. A escala de AVC do NIHSS (Nacional Institute of Health Stroke Scale) é um instrumento que tem como objetivo avaliar os déficits neurológicos relacionados com o Acidente Vascular (AVC) agudo. O NIHSS pós-convencional e os escores modificados da Escala de Rankin são avaliados por exames físicos detalhados. A duração da estadia é dependente dos critérios ABC e desempenho neurológico. [44,45,46]

Complicações: Hemorragia subaracnoidea, AVCI, edema cerebral, vasoespamo, embolia e lesão da artéria femoral.

As Figuras 187.9, 187.10 e 187.11 ilustram o procedimento:

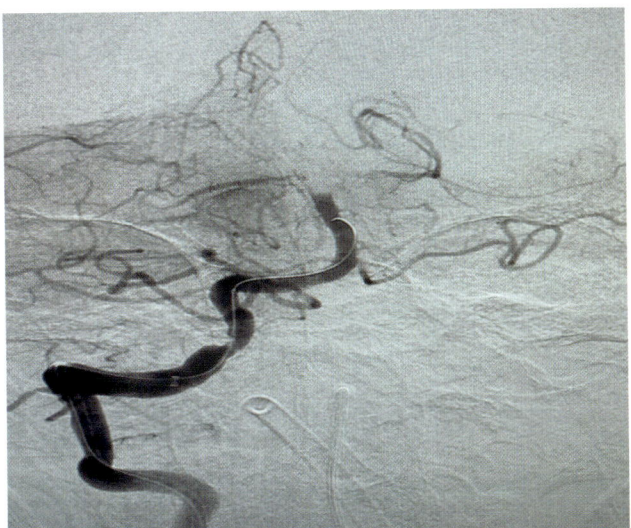

▲ **Figura 187.9**   Diagnóstico de trombo na artéria basilar.

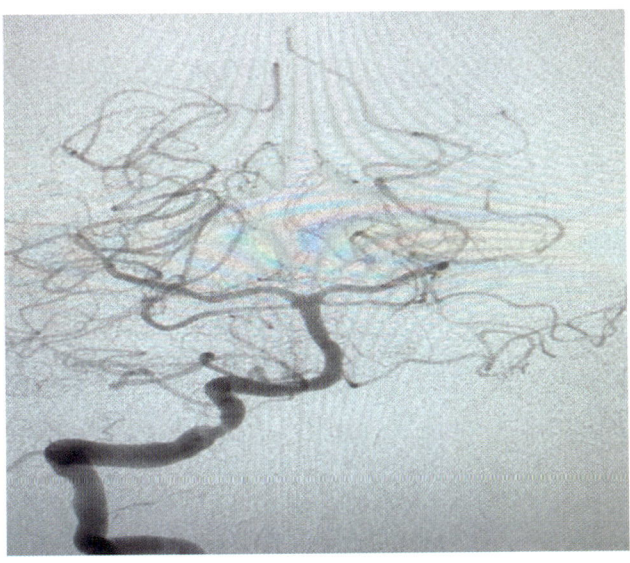

▲ **Figura 187.10**   Após trombectomia.

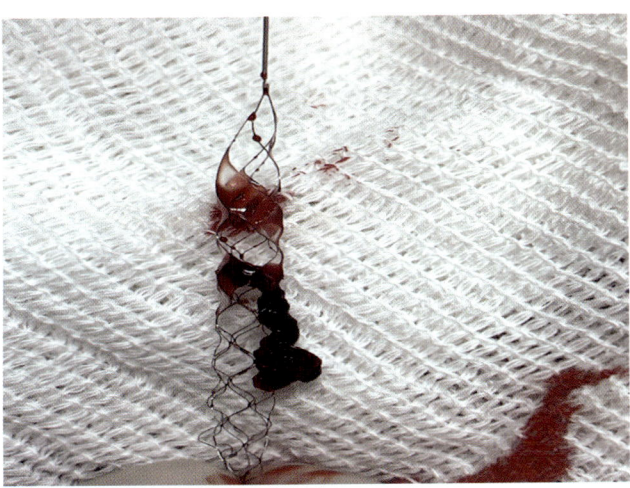

▲ **Figura 187.11**   Trombo retirado da artéria basilar.

Considerações Finais Sobre a Neurorradiologia

A circulação cerebral normal é capaz de manter o fluxo sanguíneo constante num intervalo que varia de 50 mmHg a 150 mmHg de pressão arterial média; porém, na presença de lesões vasculares, pode haver perda desse mecanismo de autorregulação.[12] O limite aceitável para pressão arterial média é de 50 mmHg, tanto para adultos como para crianças.

As duas complicações graves ligadas ao procedimento neurorradiológico invasivo são hemorragia e obstrução vascular. O anestesiologista precisa saber exatamente o tipo e a extensão da complicação para adotar a terapêutica apropriada. Em ambas as complicações, a primeira medida é garantir a permeabilidade das vias aéreas e as trocas gasosas. Na obstrução vascular, a meta é aumentar a circulação distal por meio do aumento da pressão arterial com ou sem trombólise.

Se o problema é hemorrágico, a primeira providência é antagonizar imediatamente a heparina com sulfato de protamina (1 mg para cada 100 UI de heparina). Nesse período, a pressão deve ser mantida o mais baixo possível. Uma vez controlado o sangramento, a pressão deve ser elevada lentamente e mantida em níveis mais altos.[6,10,11]

Nos pacientes com nasoangiofibromas, Figura 187.12, deve-se avaliar as vias aéreas antes da realização do procedimento, se possível com imagem de tomografia ou de ressonância magnética, pois muitas vezes esses tumores invadem a região do palato e da nasofaringe, causando sangramentos e dificuldades na visualização da glote, e dificultando a intubação traqueal. Nesses pacientes a melhor conduta é a intubação traqueal com a utilização de fibroscópio.[4]

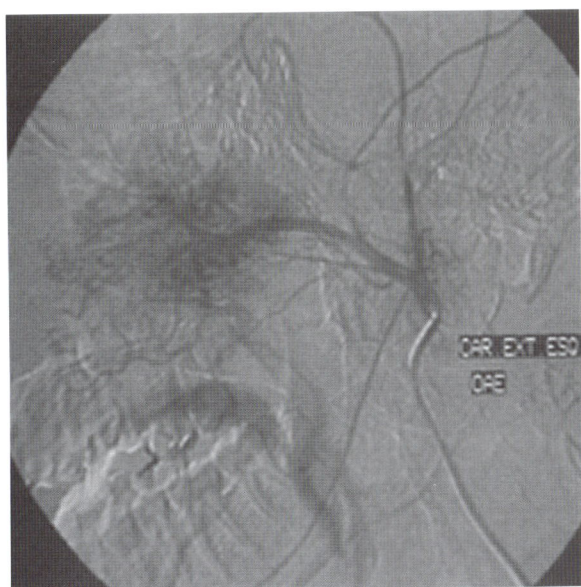

▲ **Figura 187.12**   Nasoangiofibroma.

Nos pacientes com tumor Glomus Jugular, Figura 187.13, deve-se avaliar as vias aéreas antes da realização do procedimento, se possível com imagem de tomografia ou de ressonância magnética, pois muitas vezes esses tumores alteram a

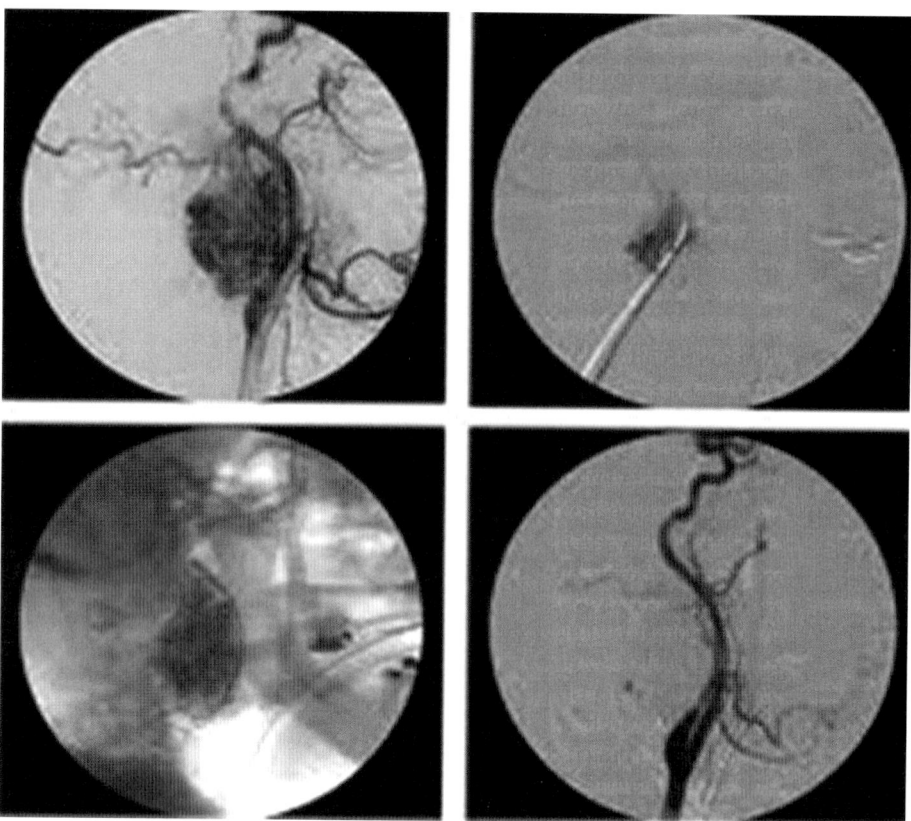

▲ **Figura 187.13** Glomus jugular.

anatomia das vias aéreas por deslocarem as estruturas anatômicas, dificultando a intubação traqueal. Nesses pacientes a melhor conduta, dependendo do tamanho do tumor, é a intubação traqueal com a utilização de fibroscópio.[4]

Radiologia Vascular Intervencionista

Os procedimentos realizados na radiologia vascular intervencionista vêm aumentando nos últimos anos em razão do surgimento de novos materiais, do aperfeiçoamento das técnicas e de novas abordagens para o tratamento de algumas patologias. Entre os procedimentos, destacam-se: arteriografia diagnóstica; angioplastia femoral e ilíaca; angioplastia de artéria hepática; as trocas de dreno biliar, a drenagem transparieto-hepática; *shunt* portossistêmico intra-hepático transjugular (TIPS); a quimioembolização; angioplastia renal; embolização de mioma; colocação de balão na artéria ilíaca interna para gestantes com acretismo placentário; embolização nos traumas abdominais (traumas hepáticos) e ortopédicos (fraturas de pelve). Nesses procedimentos, os valores de INR superiores a 1,5 e plaquetas menores que 50 mil devem ser corrigidos antes do procedimento.[24]

A avaliação pré-anestésica é semelhante a que foi mencionada anteriormente para os pacientes da neurorradiologia. Deve-se lembrar que os pacientes provenientes de cirurgia vascular que serão submetidos à angioplastia femoral e ilíaca na maioria das vezes são pacientes portadores de coronariopatias, diabetes e hipertensão arterial, o que necessita de uma avaliação pré-anestésica cuidadosa por parte do anestesiologista. Quanto ao preparo do paciente para procedimentos na radiologia vascular intervencionista, este é muito semelhante ao dos pacientes da neurorradiologia. Em relação à anticoagulação dos pacientes da radiologia vascular intervencionista, nem sempre os pacientes são anticoagulados, dependendo muito do tipo de procedimento que será realizado. As técnicas anestésicas utilizadas serão discutidas em cada tipo de procedimento.

Shunt portossistêmico Intra-hepático transjugular (TIPS)

TIPS consiste na colocação de uma prótese metálica dentro do parênquima hepático, via jugular interna, entre os ramos da veia porta e a circulação sistêmica, objetivando o alívio da pressão no sistema porta, Figura 187.14. Essa técnica foi tentada pela primeira vez em humanos por Colapinto e col. em 1983.[25] Posteriormente, o TIPS sofreu modificações técnicas, e na atualidade consiste numa opção terapêutica provisória até que o transplante hepático seja realizado, prevenindo sangramento gastresofágico e reduzindo ascites refratárias em pacientes portadores de insuficiência hepática terminal. As principais indicações para a realização de TIPS são: ascites refratárias, ascites com hidrotórax, hemorragias digestivas altas recorrentes, síndrome de Budd-Chiari e síndrome hepatorrenal.[26,34]

A avaliação pré-anestésica deve incluir avaliação cardiológica com realização de ecocardiograma e avaliação da função hepática. Deve-se ter reserva de sangue e hemoderivados. As contraindicações absolutas para a realização do

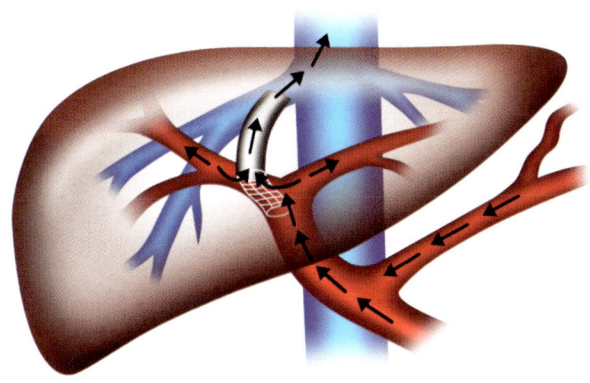

▲ **Figura 187.14** TIPS.

TIPS são: insuficiência cardíaca congestiva, cistos hepáticos múltiplos, hepatomas, sepse e hipertensão pulmonar grave (PAP > 55 mmHg; nesses pacientes o TIPS poderá piorar a insuficiência cardíaca).[26]

Entre as complicações relativas ao procedimento incluem encefalopatia hepática, oclusão ou estenose da prótese, bacteremia, trombose da veia porta, embolia pulmonar, migração da prótese, hemólise, insuficiência renal aguda, laceração da vesícula biliar e hemorragia intraperitoneal.[27] As mais comuns são encefalopatia hepática e obstrução da prótese.[26]

O TIPS em relação à derivação portossistêmica cirúrgica está associado à menor morbimortalidade,[28] Figura 187.15).

Não existe consenso quanto à melhor técnica anestésica, sedação ou anestesia geral com intubação traqueal. Aqueles que defendem a sedação monitorizada alegam que: a taxa de complicações é baixa; é um procedimento não operatório; e os estímulos dolorosos se limitam à punção venosa cervical e ao leve desconforto causado pela dilatação da prótese Intra-hepática. Já os adeptos da anestesia geral ressaltam a probabilidade que esses pacientes têm de risco aumentado de aspiração do conteúdo gástrico, as dificuldades em acessar as vias aéreas após a canulação da veia jugular interna, a maior incidência de sangramento profuso quando as vias aéreas são manipuladas na emergência, e o conforto

que a anestesia geral proporciona em relação à sedação.[27] A despeito da técnica escolhida, é fundamental a avaliação criteriosa do estado físico do paciente. O acesso venoso deve ser garantido por dois cateteres periféricos de grosso calibre. O tipo de monitorização, mais ou menos invasiva, está na dependência das condições clínicas do paciente. Todas as considerações e cuidados anestésicos dispensados à cirurgia do paciente portador de insuficiência hepática avançada também se aplicam a esse tipo de procedimento. Lembrar que os pacientes que realizam esse processo apresentam episódios de sangramentos, distúrbios de coagulação, e que a avaliação de coagulograma, hemograma e função hepática faz-se necessária. Valor de INR superior a 1,5, plaquetas menores que 50 mil devem ser corrigidos antes do procedimento.[24] Alguns autores defendem a realização de anestesia venosa total para os procedimentos de TIPS.[29]

Drenagem transparieto-hepática

As drenagens transparieto-hepáticas e as trocas de dreno são comuns em pacientes com tumores hepáticos e de vias biliares que cursam com colestase e, em alguns casos, com colangite. Esses pacientes muitas vezes estão debilitados, em condições clínicas precárias, e necessitam desses procedimentos que são paliativos e podem ser realizados com sedação ou anestesia geral, dependendo do quadro clínico do paciente. Lembrar que muitos desses pacientes possuem ascite importante e que, nesses casos, a anestesia geral com intubação traqueal é mais segura, Figura 187.16.

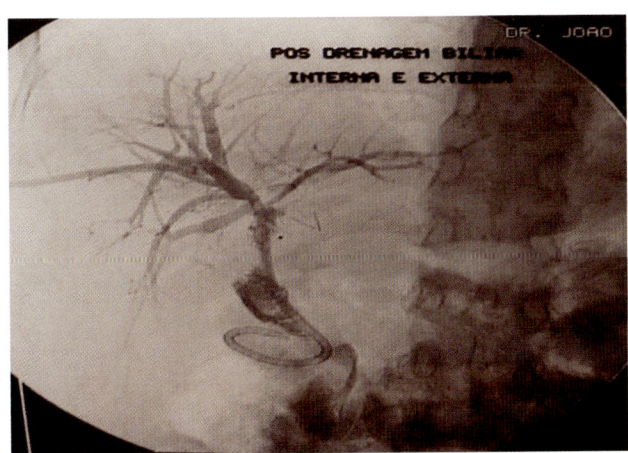

▲ **Figura 187.16** Drenagem biliar.

Embolizações de mioma uterino

O tratamento de miomas uterinos por via endovascular vem aumentando nos últimos anos, Figuras 187.17 e 187.18. Os miomas uterinos podem ser submucosos, intramurais e subserosos. Atualmente os miomas uterinos intramurais e submucosos possuem melhor indicação para o tratamento endovascular, podendo também o subseroso ser tratado por essa via. A embolização dos miomas uterinos é realizada com embosferas ou partículas de PVA, e os melhores resultados são com as embosferas.[30,31,32] Logo após o procedimento, o paciente apresenta dor pós-

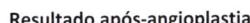

Resultado após-angioplastia

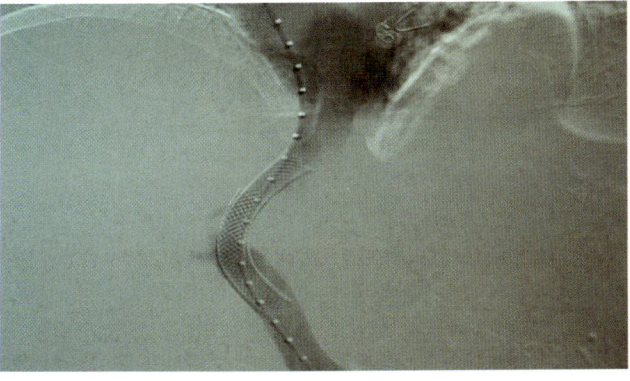

▲ **Figura 187.15** TIPS, colocação do *stent* porto-cava.

-operatória intensa relacionada com o tamanho dos miomas uterinos devido à isquemia. A realização de bloqueio subaracnoideo ou bloqueio peridural com passagem de cateter peridural podem ser boas escolhas nesse procedimento. Nesses dois tipos de bloqueio associa-se morfina para analgesia pós-operatória. Pode relacionar também oxicodona (10 mg) VO de cada 12 horas, cetoprofeno (100 mg) IV cada 12 horas, dipirona (2 g) IV cada 6 horas e difenidramina (50 mg) IV cada 6 horas se o paciente apresentar prurido. Pode-se utilizar também PCA venoso com morfina 0,1%, se o paciente apresentar dor pós-operatória recorrente.

Nos pacientes em que os bloqueios espinais não estão indicados, realiza-se anestesia geral ou sedação com analgesia pós-operatória obrigatória. A complicação mais comum do procedimento é a dor pós-operatória intensa.

Nas pacientes com acretismo placentário, poderá ser colocado balão na artéria ilíaca interna, por via endovascular, para diminuir o sangramento naquelas submetidas a procedimentos cirúrgicos como histerectomias. Nelas, opta-se por fazer duplo bloqueio.

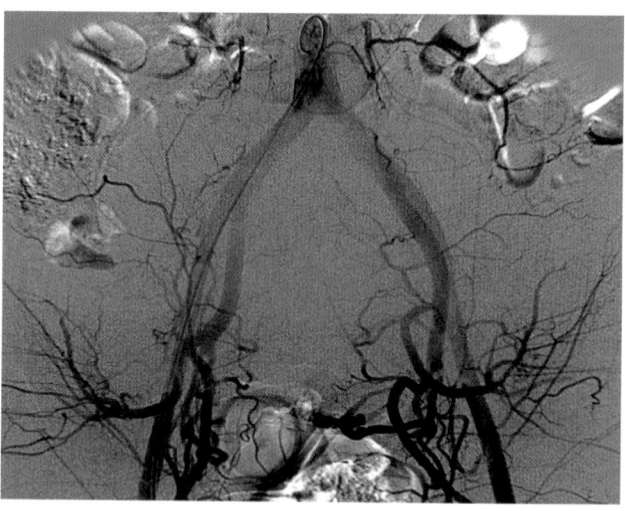

▲ **Figura 187.17** Antes da embolização de mioma.

Arteriografias diagnósticas de membros inferiores e angioplastias Ilíacas e femorais

As arteriografias diagnósticas de membros inferiores, Figura 187.19, e as angioplastias ilíaca e femoral, na maior parte dos casos, são de pacientes provenientes da cirurgia vascular. Isso ocorre para esclarecimento da circulação e do planejamento de enxertos vasculares, para a definição do nível de amputação, bem como no tratamento de obstruções feitas pelas angioplastias que utilizam balão ou *stents* para correção de estenoses ou obstruções vasculares. Geralmente os procedimentos diagnósticos são realizados com anestesia local,[33] porém, em alguns casos de dor em repouso, necessita-se realizar anestesia, visto que o paciente não pode se movimentar durante o procedimento. Já os procedimentos terapêuticos podem ser realizados com anestesia geral ou bloqueios, dependendo da condição clínica do paciente.

Deve-se lembrar que os pacientes provenientes de cirurgia vascular que serão submetidos à arteriografia diagnóstica e às angioplastias femoral e ilíaca, na maioria das vezes, são pacientes portadores de coronariopatias, diabetes e hipertensão arterial, o que necessita de uma avaliação cuidadosa por parte do anestesiologista.[23]

Nos últimos anos, o advento de procedimentos minimamente invasivos para o tratamento de doenças vasculares alterou significativamente as práticas cirúrgicas e anestésicas. As técnicas endovasculares que incluem implante de *stent* ou endoprótese, angioplastia por balão, trombectomia e aterectomia têm sido cada vez mais utilizadas para procedimentos terapêuticos e diagnósticos. Essas técnicas de abordagem intraluminal não se restringem a artérias centrais como a aorta. Há a possibilidade de utilização periférica da técnica em carótidas, renais, subclávias, ilíacas, femorais e poplíteas.

As vantagens das técnicas endovasculares são: menor repercussão hemodinâmica, tendo em vista a ausência de clampeamento de vasos, apresentam perda sanguínea reduzida, menor morbidade perioperatória, menor período de hospitalização e possibilidade de mobilização mais precoce. As desvantagens das técnicas endovasculares são:

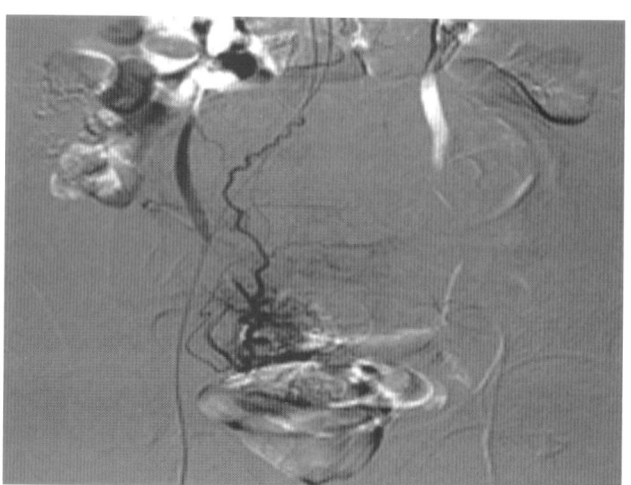

▲ **Figura 187.18** Após a embolização de mioma.

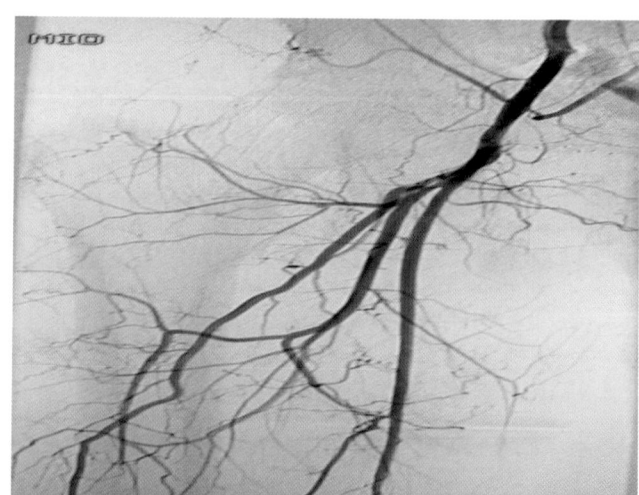

▲ **Figura 187.19** Arteriografia de membros inferiores.

maior custo, maior utilização de contraste iodado e maior risco de trombose distal.

No preparo pré-operatório dos pacientes, deve ser implementadas medidas preventivas e estratégicas com a finalidade de reduzir complicações cardiovasculares e pulmonares, uma vez que são pacientes com alta prevalência de fatores de risco para aterosclerose, além de história de tabagismo.

Na avaliação de risco cardiovascular, deve ser solicitado ECG de 12 derivações e avaliação cardiológica adicional para aqueles com doença cardíaca (infarto agudo do miocardio recente, angina instável, ICC descompensada, arritmias ou valvopatias). O uso de betabloqueadores, estatinas e outros anti-hipertensivos como profilaxia secundária não deve ser interrompido, e a adição de outras medicações não deve ser realizada.

Na avaliação de risco renal, deve se atentar à função renal prévia, visto que há grande possibilidade de evolução para disfunção renal em graus variados, pelo uso de contraste. A principal recomendação é manter a hidratação adequada para proteção renal. No caso de disfunção prévia, é recomendado postergar o procedimento para reestabelecimento da função renal, se possível.

Na avaliação de risco de tromboembolismo, é importante salientar o moderado-alto risco de ocorrerem eventos tromboembólicos em pacientes submetidos à correção de aneurisma ou estenoses. Por este motivo, a trombo profilaxia está indicada.

A monitorização da anestesia é realizada por eletrocardiografia contínua, oximetria de pulso, capnografia, pressão arterial não invasiva e temperatura. A pressão arterial invasiva deve ser reservada aos pacientes que apresentem doenças cardiovasculares ou instabilidade hemodinâmica. Utiliza-se acesso venoso central e periférico.

A pressão arterial invasiva geralmente é utilizada pelo fato de que a hipertensão pode ocasionar ruptura aneurismática. A hipotensão pode levar à hipoperfusão coronariana e cerebral, uma vez que a arteriopatia é prevalente nestes pacientes. Além do que, manter a pressão sistólica < 90 mmHg ou < 40% dos níveis pré-operatórios, por 10 minutos, pode favorecer a disfunção renal pós-operatória.

Técnica anestésica: a anestesia geral é utilizada, e o objetivo principal é evitar grandes flutuações de pressão arterial. A indução anestésica deve ser realizada com opioides de como fentanil ou remifentanil; hipnóticos, como etomidato, infundidos de maneira lenta, com avaliação do plano anestésico de forma contínua; lidocaína para diminuir resposta ao estímulo simpático da intubação orotraqueal; e bloqueadores neuromusculares como cisatracúrio ou rocurônio. A manutenção anestésica pode ser realizada com anestesia balanceada. O objetivo principal é manter a estabilidade hemodinâmica. Complicações: trombose, sangramento, pseudoaneurisma, dissecção, fístula arteriovenosa, embolia distal e relacionadas ao *stent*: migração, expansão inadequada, ruptura arterial. Há ainda a possibilidade de haver reação adversa ao contraste iodado e ainda, mais tardiamente, de insuficiência renal após o procedimento em pacientes mais suscetíveis e expostos a grande quantidade de contraste.

Procedimentos Guiados por Tomografia e Ultrassonografia (Radiologia NÃO Vascular Intervencionista)

Anestesia para biópsias e ablações pulmonares guiadas por tomografia computadorizada

A biópsia pulmonar guiada por tomografia computadorizada é realizada nos pacientes com lesões pulmonares suspeitas de neoplasia. Já a ablação por radiofrequência (RFA) guiada por tomogarafia é feita para tratamento de tumores pulmonares. A ablação causa necrose de coagulação focal no tecido. Sua primeira aplicação clínica foi relatada no ano de 2000, e a RFA tem sido usada comumente em câncer de pulmão primário e metastático.[38,39]

O procedimento é realizado usando orientação por tomografia computadorizada, e as técnicas para introdução do eletrodo no tumor são simples e se assemelham àquelas usadas na biópsia pulmonar percutânea. A complicação mais comum é o pneumotórax, que ocorre em até 50% dos procedimentos. A colocação de dreno torácico para o pneumotórax é necessária em até 25% dos procedimentos. Outras complicações graves, como o derrame pleural que exige a colocação do dreno torácico, infecção e lesão nervosa, são raras.

A eficácia local depende do tamanho do tumor e a progressão local após a RFA não é rara, ocorrendo em 10% ou mais dos pacientes. A taxa de progressão local é particularmente alta para tumores maiores que 3 cm. A RFA pode ser usado para tratar a progressão local.

As vantagens notáveis da RFA são que ela é simples e minimamente invasiva; preserva a função pulmonar; pode ser repetida; e é aplicável independentemente dos tratamentos anteriores. Sua limitação mais substancial é a eficácia local limitada. Embora a cirurgia ainda seja o método de escolha para o tratamento com intenção curativa.

As principais indicações são: tumores pulmonares e metástases pulmonares.

Na avaliação pré-anestésica, deve se avaliar a coagulação sanguínea (tempo de protrombina, tempo de tromboplastina parcial ativada, contagem de plaquetas). Na avaliação, deve se suspender o clopidogrel 5 dias antes do procedimento, e o ácido acetil salicílico (AAS) pode ser mantido. Em pacientes que utilizam anticoagulantes orais, o INR deve ser menor que 1,5, e a heparina de baixo peso molecular deve ser suspensa antes do procedimento. A avaliação da função pulmonar e a avaliação cardiológica com ecocardiografia devem ser feitas nos casos de suspeita de hipertensão pulmonar.

As contraindicações absolutas para os procedimentos são: coagulopatia significativa que não possa ser corrigida adequadamente, insuficiência respiratória grave com baixa tolerância a pneumotórax (VEF1< 35%), inexistência de acesso percutâneo seguro a lesão e hipertensão pulmonar grave.

A monitorização da anestesia é realizada por eletrocardiografia contínua, oximetria de pulso, capnografia, pressão arterial não invasiva e temperatura. O acesso venoso a ser garantido é periférico de calibre suficiente para permitir a injeção de contraste em casos selecionados.

O procedimento deve ser realizado com anestesia geral com intubação traqueal pelo risco de complicações hemorrágicas. Dependendo do tipo de lesão pulmonar pode ser necessária a intubação seletiva com ventilação monopulmonar, devido ao grande risco de sangramento durante o procedimento. Os pacientes de maior risco para o tratamento de ablação guiada por tomografia são: pacientes com baixa imunidade, coagulopatia, disfunção pulmonar, infecção fúngica e lesões de difícil acesso (Figura 187.20).

Muitos procedimentos são realizados em posição pronada, o que indica o uso de tubos aramados nestes casos. Os fármacos usados na anestesia são: fentanil, propofol ou etomidato associado ao cisatracúrio. A manutenção da anestesia pode ser feita com sevoflurano associado ou não ao fentanil.

Para controle da dor pós-operatória utiliza-se: dipirona, anti-inflamatórios não esteroidais (cetoprofeno quando não há contraindicação) e opioides (morfina, dose variável) se necessário. Para controle de náuseas e vômitos pode ser feito dexametasona e ondansetrona. Para proteção gástrica, a ranitidina.

As complicações mais frequentes (tomar cuidado com pacientes com lesões cavitárias, maior incidência de complicações) são: sangramento no local da punção, hemoptise, hemorragia alveolar, pneumotórax e dor pós-operatória. As complicações mais raras são hemotórax e embolia aérea.

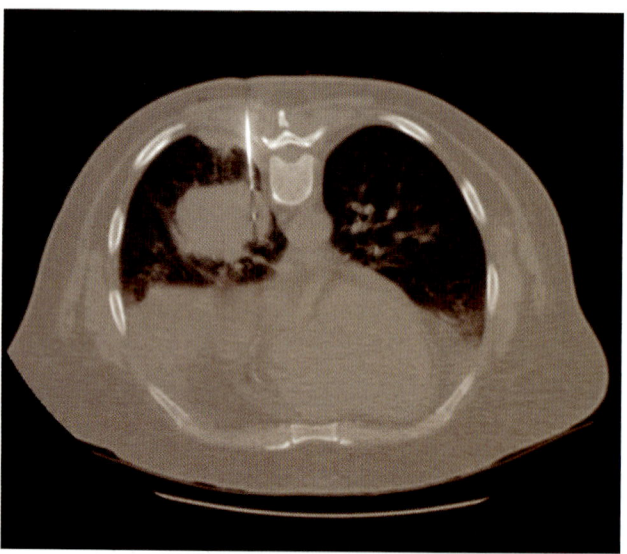

▲ **Figura 187.20** Biópsia pulmonar guiada por tomografia computadorizada.

Anestesia para biópsias e ablações renais guiadas por tomografia computadorizada

A biópsia renal é realizada nos pacientes com lesões renais suspeitas de neoplasia. A nefrectomia parcial é o tratamento padrão para a maioria dos pacientes que apresentam carcinomas de células renais pequenos. No entanto, o porte cirúrgico e a ressecção de parênquima renal limitam seu uso em determinados grupos de pacientes, que se beneficiam de procedimentos menos invasivos, tais como a ablação por

radiofrequência ou crioablação. Estes consistem em uma punção percutânea guiada por tomografia, nas quais se utilizam, respectivamente, o calor e frio para induzir morte celular e necrose tecidual na área tumoral.

As indicações são: comorbidades graves, que contraindicam a cirurgia, disfunção renal, idade > 80 anos, rim único e carcinoma de células renais multifocal, como na doença de Von Hippel-Lindal ou carcinoma familiar. As contraindicações são: proximidade do tumor ao sistema coletor central (junção ureteropélvica ou ureter) e alterações de coagulação.

Na avaliação pré-anestésica é importante atentar-se ao fato de que os pacientes com indicação de ablação podem ser idosos ou possuírem diversas comorbidades, que os impediram de ser submetidos a uma abordagem cirúrgica. Portanto, faz-se necessária uma avaliação cardiológica, além de função renal, já que é comum que esses pacientes sejam indicados à ablação por disfunção renal ou rim único. A reserva de sangue e hemoderivados geralmente não é necessária, já que o risco de sangramento importante no intraoperatório é baixo.

A monitorização da anestesia é realizada por eletrocardiografia contínua, oximetria de pulso, capnografia, pressão arterial não invasiva e temperatura. A pressão arterial invasiva deve ser reservada aos pacientes que apresentem doenças cardiovasculares ou instabilidade hemodinâmica. Utiliza-se acesso venoso periférico.

O posicionamento do paciente na maior parte dos procedimentos é realizado na posição prona, exigindo intubação traqueal com tubo aramado, além de atenção às possíveis lesões decorrentes dessa posição (Figura 187.21).

A técnica anestésica utilizada é a anestesia geral com intubação traqueal. A indução da anestesia deverá se adaptar às características clínicas do paciente. Deve-se considerar indução em sequência rápida para pacientes em insuficiência renal ou urêmicos, dada a gastroparesia associada a estas condições. O manejo das drogas de indução deve se

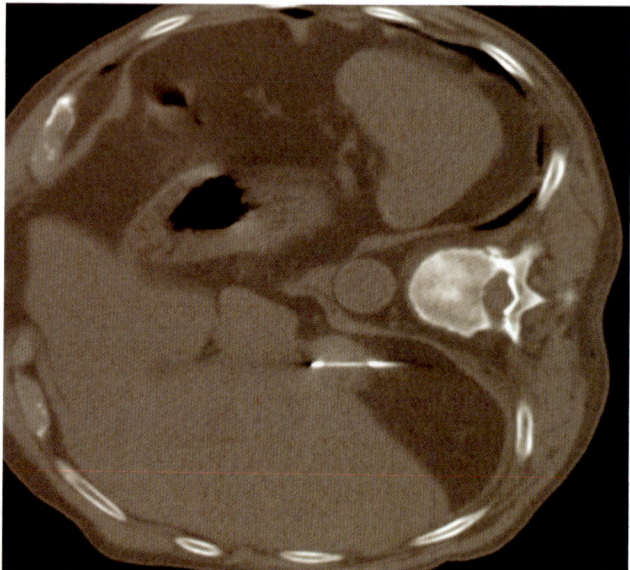

▲ **Figura 187.21** Biópsia renal guiada por tomografia computadorizada.

adaptar às condições hemodinâmicas do paciente.[40] Fármacos comumente utilizados são: fentanil, propofol ou etomidato, associado ao cisatracúrio. A manutenção da anestesia pode ser feita com sevoflurano associado ou não ao fentanil. Além disso, é possível optar também pela manutenção com anestesia venosa total, podendo-se utilizar propofol e remifentanil em infusão contínua.

Para controle da dor pós-operatória utiliza-se: dipirona, anti-inflamatórios não esteroidais (cetoprofeno quando não há contraindicação) e opioides (morfina, dose variável) se necessário. Para controle de náuseas e vômitos pode ser feito dexametasona e ondansetrona. Para proteção gástrica, a ranitidina.

As complicações relacionadas ao acesso percutâneo incluem dor, parestesia e pneumotórax no local de punção. Sangramento após o procedimento é incomum, ocorrendo em menos de 2% dos pacientes. Grandes sangramentos perirrenais se manifestam com dor em flanco, queda de hemoglobina e instabilidade hemodinâmica. Raramente transfusão sanguínea é necessária e, em casos refratários, embolização pode ser indicada.

Eventualmente, coágulos podem obstruir o ureter, causando disfunção renal em pacientes com rim único ou mesmo necessidade de diálise, se não resolvido rapidamente. Lesões de alça intestinal, sistema coletor renal ou outras estruturas adjacentes ao rim são eventos raros e podem ser minimizados se forem evitados procedimentos em massas renais que estão localizadas a menos de 1 cm de tais estruturas. Embora raro, pode ocorrer crise hipertensiva grave em caso de lesão acidental de tecido de glândula adrenal. Psoíte, com lesão do músculo psoas, pode acontecer, levando a dor pós-operatória importante. Pode ocorrer a formação de abcesso.

Anestesia para biópsia e ablação hepática guiadas por tomografia computadorizada

A biópsia percutânea do fígado guiada por tomografia ou por ultrassonografia consiste na introdução de uma agulha no interior de lesões presentes no parênquima hepático para obter material para análise histológica, citológica, microbiológica ou química. O objetivo final da técnica é a obtenção de material suficiente para conseguir diagnosticar a etiologia de uma lesão, o que serve para definir o manejo terapêutico e o prognóstico do paciente. Existem duas técnicas de biópsia hepática guiada por tomografia: punção com agulha fina, usa agulhas de calibre fino (menores a 20 G) para obter amostras por aspiração, e punção com agulha grossa, com agulhas de calibre maior a 20 G para obter amostras de tecido. Em alguns casos, o procedimento de biópsia hepática pode ser guiado por ultrassonografia (Figura 187.22).

As indicações são: determinar malignidade de uma lesão, determinar sua etiologia, estadiamento tumoral, obter material para análise e determinar o grau de lesão orgânica. As contraindicações são: falta de visualização adequada do órgão e da lesão, coagulopatia, instabilidade hemodinâmica e falta de acesso seguro à lesão.

Os tumores hepáticos podem ser considerados primários (hepatocarcinoma) ou secundários (p. ex.: metástase de câncer colorretal). O tratamento curativo consiste em ressecção primária do tumor, entretanto em situações es-

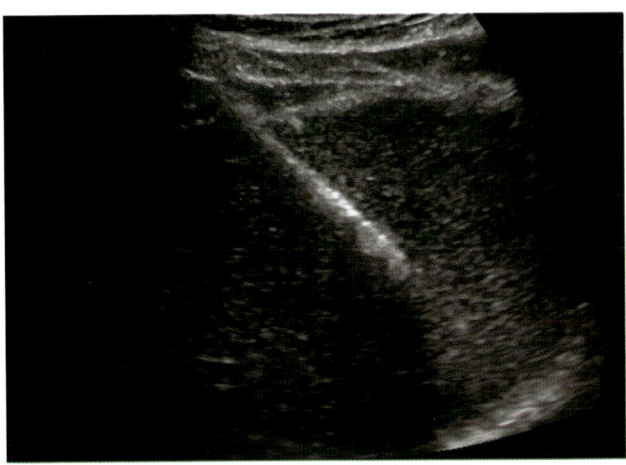

▲ **Figura 187.22** Biópsia hepática guiada por ultrassonografia.

peciais, considerando a condição clínica do paciente e fatores tumorais (p. ex.: localização, tamanho e quantidade de lesões), terapêuticas alternativas são utilizadas. Nos tumores hepáticos, podemos realizar ablação, que pode ser feita por radiofrequência ou por crioablação. Esse procedimento consiste em destruir os tumores hepáticos sem removê-los. Indicada para tumores pequenos (< 3 cm), podendo associar-se com embolização para tratamento de tumores maiores (3 a 5 cm). Existem algumas modalidades para este tratamento que são descritas abaixo:

- **Ablação por radiofrequência:** ondas de rádio de alta energia são utilizadas através de uma sonda inserida na pele até o tumor, guiada por ultrassom ou tomografia. Uma corrente de alta energia é passada pela sonda, aquecendo o tumor e destruindo as células cancerígenas;
- **Ablação por etanol:** técnica também conhecida como injeção percutânea de etanol. Neste procedimento, o álcool concentrado é injetado diretamente no tumor para destruir as células cancerígenas;
- **Termoterapia por micro-ondas:** é usada para aquecer e destruir o tecido anormal;
- **Crioterapia:** destruição do tumor por congelamento, utilizando uma sonda de metal fina, guiada por ultrassom ou tomografia até o tumor, onde gases frios serão inseridos, congelando e consequentemente destruindo as células cancerígenas;
- ***Microwave:*** a ablação por micro-ondas é uma terapia ablativa térmica que consiste na produção de um campo eletromagnético por um gerador, que é transmitido por uma antena, que provoca agitação e fricção entre moléculas de água e determina aumento da temperatura tecidual entre 60°C e 150°C, provocando necrose tecidual coagulativa. As vantagens da ablação por micro-ondas, em comparção com a ablação por radiofrequência, são: temperaturas mais elevadas com áreas abladas maiores em menos tempo de tratamento; menor interferência de *heat sink*; não ser afetada pela alta impedância de determinados tecidos. Esta modalidade terapêutica tem relatos de uso clínico desde a década de 1990, com aumento exponencial de seu uso em diferentes sítios, principalmente fígado, pulmão, rim

e osso, tendo sido autorizada no Brasil apenas no final de 2018. Os dois primeiros casos de ablação por micro-ondas no Brasil, sendo um de lesão pulmonar e outro de lesão hepática, foram realizados em maio de 2019 no Instituto do Câncer do Estado de São Paulo;

- **Eletroporação:** consiste na aplicação de pulsos elétricos curtos de alta tensão que aumentam o potencial de transporte da membrana, promovendo uma formação transitória de poros aquosos, permitindo que macromoléculas migrem por meio desses poros. Para entender isso melhor, é necessário lembrar que a membrana celular é a camada protetora da célula e funciona como um porteiro, controlando o que entra nessa célula, mas, se por algum motivo queremos inserir alguma coisa dentro dessa célula, por exemplo um medicamento, precisamos que a membrana fique menos seletiva. Para isso, usamos a eletroporação, a fim de permitir que as "portas" se abram. A eficácia do transporte depende dos parâmetros elétricos (frequência de pulso, formato de onda, intensidade do campo elétrico e outros) e das propriedades físico-químicas das drogas. A eletroporação reversível de tecidos vivos é hoje utilizada clinicamente ou em estudos terapêuticos. Como exemplo temos: transferência de moléculas de DNA ou eletrogenoterapia, introdução de fármacos anticâncer em células tumorais (eletroquimioterapia)e entre outros. A eletroporação irreversível se mostrou uma grande promessa na ablação não térmica de tumores, com uso de fármacos adjuvantes. Mais recentemente desenvolveu-se seu uso em tecidos, com procedimento cirúrgico minimamente invasivo na ablação de tecidos tumorais sem o uso de fármacos. Pode ser usada para tratamento de diversos tumores.

Dentre as técnicas acima expostas, a que possui melhores resultados é a ablação por radiofrequência, com estudos prospectivos e retrospectivos demonstrando que completa necrose pode ser alcançada em 90% dos tumores medindo até 3 cm em até duas sessões. A taxa de sucesso cai marcadamente em tumores medindo mais de 3,5 cm, com completa necrose de apenas 50% dos tumores em duas sessões. O acesso para o procedimento, dependendo do local da lesão, pode ser transpleural, utilizado para lesões próximas do diafragma, sendo possível ocasionar: pneumotórax e hemorragia alveolar.

A avaliação pré-anestésica desses procedimentos deve ser feita com atenção especial ao coagulograma e plaquetas. O uso de antiagregantes e anticoagulantes deve ser ativamente pesquisado. De forma geral, recomenda-se, para intervenção em vias biliares: INR deve ser corrigido para < 1,5 e transfusão de plaquetas, se contagem < 50.000/uL.

A monitorização da anestesia é realizada por eletrocardiografia contínua, oximetria de pulso, capnografia, pressão arterial não invasiva e temperatura.

O procedimento de biópsia hepática guiada por tomografia ou de ablação hepática, dependendo da condição clínica do paciente, é realizado com sedação (biópsias) ou anestesia geral (ablações) com intubação traqueal para proteção de vias aéreas e conforto do paciente.

O acesso à via aérea fica restrito durante todo o procedimento e os cuidados necessários devem ser tomados para assegurar a permeabilidade da via aérea durante todo o procedimento. A anestesia geral com intubação traqueal é adequada pelo nível de estimulação álgica repetida pela injúria a capsula de Glisson e a necessidade de apneias durante o procedimento. Outro tipo de monitorização pode ser necessário dependendo das comorbidades do paciente.

O posicionamento durante o procedimento pode significar um desafio, pois dependendo do segmento afetado, poderá ser realizada em decúbito supino ou em posição ligeiramente oblíqua. Massas em relação com o retroperitônio podem necessitar decúbito lateral ou posição ventral.

Anestesia geral: a indução da anestesia é realizada com fentanil, propofol ou etomidato e cisatracúrio. A manutenção poderá ser realizada com sevoflurano ou a associação de propofol e remifentanil. Em alguns casos, a indução da anestesia deve ser feita com intubação traqueal em sequência rápida pelo risco de aspiração do conteúdo gástrico, pois muitos pacientes apresentam ascites refratárias e tumores obstrutivos do trato gastrintestinal.

Considerações intraoperatórias: as intervenções executadas na sala de tomografia têm o inconveniente da exposição à radiação, além disso, alguns pacientes obesos possuem dificuldade no posicionamento, sendo necessário material especial para a realização do procedimento, por exemplo, agulhas mais longas.

O acesso para o procedimento, dependendo do local da lesão, pode ser transpleural, que é utilizado para lesões próximas do diafragma, ocasionando pneumotórax e hemorragia alveolar. Cuidados após o procedimento: no procedimento que foi realizado sem intercorrências, é conveniente que o paciente permaneça em repouso sobre o ponto de punção, com monitorização contínua dos sinais vitais na recuperação pós-anestésica e analgesia adequada. A alta hospitalar em procedimentos ambulatoriais deve responder aos critérios habituais, clínicos e anestésicos.

As principais complicações são: dor pós-operatória, hemorragia hepática, pneumotórax, abscesso hepático, hemorragia peritoneal, lesão de ducto biliar e perfuração intestinal.[41,42]

Anestesia para biópsias ósseas guiadas por tomografia computadorizada

Biópsias percutâneas de lesões ósseas podem ser guiadas por diversas modalidades de exames de imagem, sendo a tomografia computadorizada (TC) capaz de mostrar mais precisamente a posição da agulha e assim permitir maior segurança para o procedimento, tornando a técnica mais segura e diminuindo o risco de lesões adjacentes ao local a ser biopsiado. A TC tem sido a técnica de escolha para guiar biopsias de lesões espinhais, além de outras lesões ósseas a serem diagnosticadas. Um bom planejamento e execução da biópsia *é essencial* para um diagnóstico mais preciso. Pode ser feito o tratamento de osteoma osteoide guiado por tomografia.

As indicações *são:* confirmação ou exclusão de metástase em pacientes com tumor primário conhecido, determinar a natureza de uma lesão óssea solitária com achados de imagem não específicos, excluir malignidade de uma compressão de corpo vertebral, especialmente metástases ou mieloma, avaliação de recidiva tumoral e investigação de infecção para confirmação de diagnóstico e coleta de amostra do organismo, podendo ser indicado em suspeita de discite ou osteomielite (Figura 187.23).

Na avaliação pré-anestésica, os pacientes a serem submetidos à biopsia óssea e aos procedimentos intervencionistas guiados por tomografia sempre devem fazer exame de coagulograma (TP e TTPA) e contagem de plaquetas antes do procedimento. Caso o paciente faça algum tratamento com medicação anticoagulante ou antiplaquetária, ele deve ser suspenso antes do procedimento, de acordo com a orientação do hematologista e/ou cardiologista.

As contraindicações *são*: alterações de coagulação, contagem de plaquetas < 50.000/mm3, suspeita de lesões vasculares, por risco de hemorragia e infecção próxima ao local da biópsia.

A monitorização da anestesia é realizada por eletrocardiografia contínua, oximetria de pulso, capnografia, pressão arterial não invasiva e temperatura. Utiliza-se acesso venoso periférico.

Técnica anestésica: as biopsias ósseas guiadas por TC podem ser realizadas utilizando-se anestesia local com ou sem sedação, bloqueios regionais e anestesia geral.

Para maior conforto do paciente, bem como maior facilidade para realização do procedimento, a anestesia regional ou a anestesia geral são as técnicas de escolha. Para os procedimentos relacionados ao tratamento do osteoma osteoide, a anestesia local com sedação não é feita, pois o procedimento é muito doloroso. Cuidado no posicionamento dos pacientes em decúbito ventral.

Indução e manutenção da anestesia: para pacientes que serão submetidos à sedação podemos utilizar fentanil, associado ao midazolam ou ao propofol. Pode ser feito em infusão alvo-controlada.

Para pacientes submetidos à anestesia geral, a indução pode ser feita com fentanil, propofol e um bloqueador neuromuscular. A manutenção pode ser realizada tanto com anestésico inalatório e/ou venoso.

Os bloqueios regionais podem ser utilizados nos procedimentos em membros inferiores. Na maioria dos casos, utiliza-se raquianestesia com bupivacaína a 0,5% associada à morfina 80 a 100 µg. Nos membros superiores, poderemos realizar bloqueios com utilização de ropivacaína de 0,375% a 0,5%.

Para controle da dor pós-operatória utiliza-se dipirona, anti-inflamatórios não esteroidais, cetoprofeno quando não há contraindicação, e opioides (morfina, dose variável) se necessário. Para controle de náuseas e vômitos pode ser feito dexametasona e ondansetrona. Para proteção gástrica, a ranitidina.

As complicações do procedimento são sangramento com necessidade de transfusão sanguínea, quebra da agulha, infecção, sintomas neurológicos como parestesia ou paralisia, compressão medular raramente ocorre após biópsia de lesão espinhal hipervascularizada (carcinoma de célula renal metastática ou hemangioma) e pneumotórax.

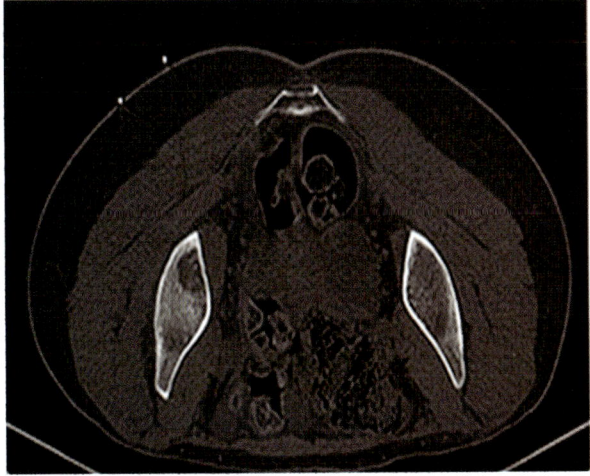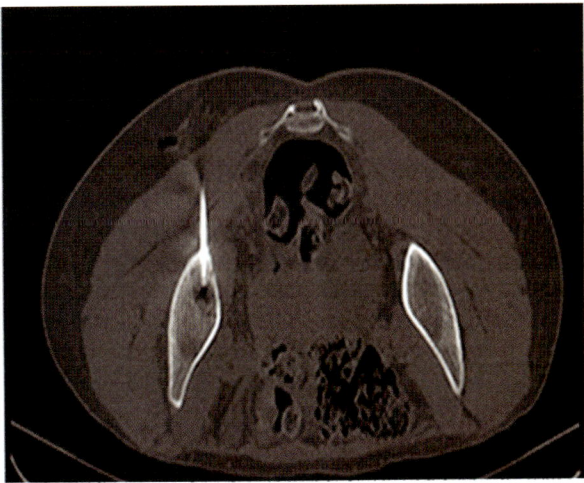

▲ **Figura 187.23** Biópsia óssea guiada por tomografia computadorizada.

REFERÊNCIAS

1. Maminen PH. Anaesthesia outside the opearating room. Can J Anaesth. 1991;38:126-9.
2. Smith I, McCulloch DA. Anesthesia outsidethe operating room. In: White PF, Ambulatory Anesthesia and Surgery. 1º ed. Philadelphia: WB Saunders, 1997. p.220-32.
3. Messite Jr JM, Mackenzie RA, Nugent M. Anestesia em Locais Remotos. In: Miller RD. Anestesia. 3º ed. São Paulo: Artes Médicas, 1993. p.2061-88.
4. Varma MK, Price K, Jayakrishnan V, Manickam B, Kessell G. Anaesthetic considerations for interventional neuroradiology. Br J Anaesth. 2007;99:75-85.
5. Luessenhop AJ, Spence WT. Artificial embolization of cerebral arteries: Reporto f use in a case of arteriovenous malformation. JAMA. 1960;172:1153-5.
6. Biebuyck JF, Pile-Spellman J, Young WL. Anesthetic considerations for interventional neuroradiology. Anesthesiology. 1994;80:427-56.
7. Dion JE, Gates PC, Fox AJ, et al. Clinical events following neuroangiography: A prospective study. Stroke. 1987;18:997-1004.
8. Goldberg M. Systemic reactions to intravascular contrast media. A guide for the anesthesiologists. Anesthesiology. 1984;60:46.
9. Frankville DD, Spear RM, Dyck JB. The dose of propofol required to prevent children from moving during magnetic resonance imaging. Anesthesiology. 1993;79:953-8.
10. Lee CZ, Young WL. Anesthesia for Endovascular Neurosurgery and Interventional Neuroradiology. Anesthesiology Clinics. 2012;30(2):127-47.
11. Van de Velde M. Interventional neuroradiology. Curr Opin Anaesthesiol. 2003;16:417-20.

12. Lassen NA, Christensen MS. Phisiology of cerebral blood flow. Br J Anaesth. 1976;48:719-34.
13. Cetta F, Graham LC, Wrona LL, Arruda MJ, Walenga JM. Argatroban use during pediatric interventional cardiac catheterization. Catheterization and Cardiovascular Interventions. 2004;61:147-9.
14. Chamczuk AJ, Ogilvy CS, Snyder KV, et al. Elective stenting for intracranial stenosis under conscious sedation. Neurosurgery. 2010;67(5):1189-93.
15. Millar C, Bissonnette B, Humphreys RP. Cerebral arteriovenous malformations in childrem. Can J Anaesth. 1994;41:321-31.
16. Michelsen WJ. Natural history and pathophysiology of arteriovenous malformations. Clin Neurosurg. 1979;26:307-13.
17. Kondziolka D, Humphreys RP, et al. Arteriovenous malformations of the brain in children: a forty year experience. Can J Neurol SciAnaesth. 1992;19:40-5.
18. Pasqualin A, Barone G, Cioffe F, et al. The relevance of anatomic and hemodynamic factors to a classification of cerebral arteriovenous malformations. Neurosurgery. 1991;28:370-9.
19. O'Mahony BJ, Bolsin SNC. Anaesthesia for closed embolisation of cerebral arteriovenous malformations. Anaesth Intensivr Care. 1988;16:318-23.
20. Gugliemi G, Vinuela F, Dion J, et al. Electrothrombosis of saccular aneurysms via endovascular approach. J Neurosurg. 1991;75:8-14.
21. See JJ, Manninen PH. Anesthesia for neuroradiology. Curr Opin Anaesthesiol. 2005;18:437-41.
22. Doerfler A, Wanke I, Egelhof T, et al. Aneurysmal rupture during embolization with Guglielmi detachable coils: causes, management, and outcome. AJNR Am J Neuroradiol. 2001;22:1825-32
23. Cognard C, Januel AC, Silva NA Jr, Tall P. Endovascular treatment of intracranial dural arteriovenous fistulas with cortical venous drainage: new management using Onyx. AJNR Am J Neuroradiol. 2008;29:235-41.
24. Malloy PC,Grassi JC, kundu S, Gervais DA. Consensus guidelines for periprocedural management of coagulation status and hemostasis risk in percutaneous image-guided interventions. J Vasc Interv Radiol. 2009;1-10.
25. Colapinto RF, Stronell RD, Gildiner M, et al. Formation of intrahepatic portosystemic shunts using a balloon dilatation catheter. Am J Radiol. 1983;140:709-14.
26. Steib A, Collange O. Anesthesia for other endovascular stenting. Curr Opin Anesthesiol. 2008;21:519-22.
27. Conn HO. Transjugular intrahepatic porto-systemic shunts; The state of the art. Hepatology. 1993;17:148-58.
28. Pivalizza EG, Gottschalk LI, Cohen A, et al. Anesthesia for transjugular intrahepatic porto-systemic shunt placement. Anesthesiology. 1996;85:946-7.
29. De Gasperi A, Corti A, Corso R, Rampoldi A, Roselli E, et al. Transjugular intrahepatic portosystemic shunt (TIPS): the anesthesiological point of view after 150 procedures managed under total intravenous anesthesia. Journal of Clinical Monitoring and Computing. 2009;23:341-6.
30. Zupi E, Pocek M, Dauri M, Marconi D, Sbracia M, Piccioni E, et al. Selective uterine artery embolization in the management of uterine myomas. Fertil Steril. 2004;79:107-11.
31. Simonetti G, Romanini C, Piccione E, Guazzaroni M, Zupi E, Gandini R, et al. Embolization of the uterine in artery in the treatment of uterine myoma. Radiol Med. 2001;101:157-64.
32. Kim MD, Kim NK, Kim HJ, Lee MH. Pregnancy following uterine artery embolization with polyvinyl alcohol particles for patients with uterine fibroid or adenomyosis. Cardiovasc Intervent Radiol. 2005;28:611-5.
33. Lachat M, Pfammatter T, Turina M. Transfemoral endografting of thoracic aortic aneurysm under local anesthesia: a simple, safe and fast track procedure. Vasa. 1999;28:204-6.
34. Colombato L. The role of transjugular intrahepatic portosystemic shunt (TIPS) in the management. 2007;41(suppl 3):S344–S351.
35. Schünenberger S, et al. Association of General Anesthesia vs Procedural Sedation With Functional Outcome Among Patients With Acute Ischemic Stroke Undergoing Thrombectomy. A Systematic Review and Meta-analysisComplications of embolization.. Jama 2019, 322(13):1283-1293.
36. Claus Z. Simonsen, et al. Effect of General Anesthesia and Conscious Sedation During Endovascular Therapy on Infarct Growth and Clinical Outcomes in Acute Ischemic Stroke. A Randomized Clinical Trial. JAMA Neurol. 2018;75(4):470-477.
37. Berkhemer OA, Fransen PS, Beumer D, et al. Investigators. A randomized trial of intraarterial treatment for acute ischemic stroke.N Engl J Med. 2015;372(1):11-20.
38. Cronin CG, et al. Percutaneous Lung Biopsy After Pneumonectomy: Factors for Improving Success in the Care of Patients at High Risk. AJR. 2011;196:929-934.
39. Margerie-Mellon C, et al. Image-guided biopsy in primary lung cancer: Why, when and how. Diagnostic and Interventional Imaging. 2016;97;965-972.
40. Gervais DB, McGovern FJ, Arellano RS, McDougal WS, Mueller PR. Radiofrequency Ablation of Renal Cell Carcinoma: Part 1, Indications, Results, and Role in Patient Management over a 6-Year Period and Ablation of 100 Tumors. AJR:185, July 2005
41. Regier M, Chun F. Thermal Ablation of Renal Tumors: Indications, Techniques and Results. Dtsch Arztebl Int. 2015 Jun; 112(24): 412–418.
42. Lai R, et al. The effects of anesthetic technique on câncer recurrence in percutaneous radiofrquency ablation of small hepatocellular carcinoma. Anesth Analg. 2012; 114:290e6.
43. Yuan-Hung K, et al. The impact of general anesthesia on radiofrequency ablation of hepatocellular carcinoma. Kaohsiung Journal of Medical Sciences. 2014;30; 559-565.
44. Monfardini, L, Preda, L, Aurilio, G. Ct-guided bone biopsy in cancer patients with suspected bone metastases: retrospective review of 308 procedures. Radiol med. 2014; 119: 852.
45. Brian S. Sou, Linda S. Aglio, and Jie Zhou. Anesthetic Management of Acute Ischemic Stroke in the Interventional Neuro-Radiology Suite: State of the Art. Curr Opin Anesthesiol 2021, 34:476–481.
46. Kimon Bekelis, MD; Symeon Missios, MD; Todd A. MacKenzie, PhD; Stavropoula Tjoumakaris, MD; Pascal Jabbour, MD. Anesthesia Technique and Outcomes of Mechanical Thrombectomy in Patients With Acute Ischemic Stroke. (Stroke. 2017;48:361-366.
47. Pia Löwhagen Hendén, MD*; Alexandros Rentzos, MD*; Jan-Erik Karlsson, MD, PhD; Lars Rosengren, MD, PhD; Birgitta Leiram, MD; Henrik Sundeman, MD, PhD; Dennis Dunker, MD; Kunigunde Schnabel, MD†; Gunnar Wikholm, MD, PhD; Mikael Hellström, MD, PhD; Sven-Erik Ricksten, MD, PhD. General Anesthesia Versus Conscious Sedation for Endovascular Treatment of Acute Ischemic Stroke The AnStroke Trial (Anesthesia During Stroke). Stroke. 2017;48:1601-1607.

188

Anestesia para Endoscopia Digestiva

Fernando Cássio do Prado Silva

INTRODUÇÃO

Endoscopias digestivas são procedimentos rotineiramente realizados sob sedação. Na maior parte dessas sedações, utilizam-se agentes hipnóticos, benzodiazepínicos e opioides que têm como objetivo final, proporcionar conforto e segurança aos pacientes. Apesar de serem procedimentos invasivos, as endoscopias digestivas comumente têm curta duração, não produzem um desconforto maior aos pacientes e permitem recuperação rápida das funções psicomotoras, tendo o anestesiologista um papel fundamental.[1]

No entanto, embora a sedação seja a técnica anestésica mais utilizada no mundo todo, em alguns países, a maior parte dos procedimentos de endoscopia digestiva é realizada sem qualquer administração de sedativos. Em diversos países europeus, como Holanda,[2] Suíça[3] e Finlândia,[4] a maioria das endoscopias digestivas é realizada com o paciente desperto, sem aplicação de sedativos.[5] No Reino Unido, cerca de 25% das endoscopias digestivas altas (EDA) também são realizadas sem nenhuma sedação.[6] No Brasil, não há dados publicados, mas acredita-se que, em quase todas as endoscopias digestivas, é administrado algum sedativo, observando-se aqui um aspecto cultural que pode envolver a realização desse procedimento médico. Nos Estados Unidos, assim como comumente se observa no Brasil, somente uma pequena parte das EDA não é realizada sob sedação (cerca de 2,2%).[7]

▪ LEGISLAÇÃO E SEGURANÇA

Diariamente, milhares de pacientes são submetidos aos mais diversos procedimentos de endoscopia digestiva, porém são raras as complicações que envolvem esses exames invasivos. Perfurações do trato digestivo, sangramentos, infecções e reações alérgicas ocorrem em menos de 1% dos casos e, quando surgem, geralmente estão associadas a procedimentos terapêuticos mais complexos. A passagem do endoscópio pode produzir queixa frequente de desconforto leve, transitório e sem sinais de gravidade.

A baixa ocorrência de desfechos adversos, dentre outros fatores, contribui para que esses procedimentos sejam rotulados como um "simples exame", muitos deles sendo realizados em locações remotas, como clínicas e consultórios médicos, motivados por questões econômicas e conveniência. De fato, tais questões socioeconômicas são importantes. Todavia, a segurança do paciente deve ser pensada antes (*primum non nocere*). Tais consultórios e clínicas devem seguir as atuais recomendações de segurança para a realização desses procedimentos. A seguir, serão apresentadas as normativas mais recentes.

A maior parte dos procedimentos realizados no setor de endoscopia digestiva ocorre em regime ambulatorial. No Brasil, entende-se que o cuidado a esses pacientes ambulatoriais dispensa a pernoite e segue regulamentação específica.

A legislação que orienta a realização de procedimentos médicos em regime ambulatorial está bem estabelecida e pode ser encontrada com detalhes em outro capítulo que aborda o tema Anestesia Ambulatorial. Aqui, destaca-se a Resolução CFM 1.670, de 11/07/2003, que estabelece que a sedação é um ato médico e indica, entre outros, quais os equipamentos e as estruturas fundamentais para sua realização.[8]

No estado de São Paulo, recomenda-se ainda que o anestesiologista esteja inteirado sobre a Portaria CVS 10, de 09/08/2005, que revogou a Resolução SS 169, de 19/06/1996. Tal portaria atualizou e aprovou norma técnica que disciplina as exigências para o funcionamento de estabelecimentos que realizam procedimentos médico-cirúrgicos ambulatoriais.[9]

A RDC 6, de 01/03/2013, da Agência Nacional de Vigilância Sanitária (Anvisa) também deve ser de conhecimento do anestesiologista que atua no setor de endoscopia digestiva. Ela "dispõe sobre os requisitos de boas práticas de funcionamento para os serviços de endoscopia com via de acesso ao organismo por orifícios exclusivamente naturais". Essa resolução classificou os serviços de endoscopia digestiva, conforme pode ser visto na Tabela 188.1.[10]

Tabela 188.1 Classificação dos serviços de endoscopia digestiva.	
Tipo I	É aquele que realiza procedimentos de endoscopia digestiva sem sedação, com ou sem anestesia tópica.
Tipo II	É aquele que, além dos procedimentos classificados como tipo I, submete os pacientes à sedação consciente (sedação moderada) com medicação passível de reversão com uso de antagonistas.
Tipo III	É aquele que, além dos procedimentos classificados como tipo I e II, realiza procedimentos de endoscopia digestiva sob qualquer tipo de sedação ou outra técnica anestésica.

Segundo essa resolução da Anvisa, o serviço de endoscopia digestiva deve possuir, no mínimo, quatro ambientes: sala de recepção, sala de procedimento, sala de recuperação e sala para processamento de equipamentos, acessórios e outros produtos para a saúde. Os serviços classificados como tipo I estão dispensados dessas duas últimas salas citadas.[10]

Como mencionado anteriormente, sedação é um ato médico, e isso está bem descrito na Resolução CFM 1.670, de 11/07/2003. Nesse sentido, qual médico é o mais recomendado para a realização de sedações ou qualquer outra técnica anestésica para procedimentos de endoscopia digestiva? Embora a resposta dessa questão tenha sido conflituosa por um longo período, a Resolução CFM 2.174, de 27/02/2018, que dispõe sobre a prática do ato anestésico, traz um novo e mais seguro direcionamento. Em seu artigo 5, destaca que a sedação deva ser realizada "preferencialmente por anestesistas", ficando o procedimento de endoscopia digestiva a cargo de outro profissional médico, devidamente habilitado e exclusivamente dedicado para realizar o exame endoscópico.

Logo, o médico que realiza o procedimento de endoscopia digestiva não pode ser o mesmo médico que faz a sedação ou qualquer outra técnica anestésica. Um médico anestesiologista é quem deve fazer a sedação/anestesia e outro médico, o endoscopista, realiza o procedimento de endoscopia digestiva. Enfatiza-se aqui que os planos de sedação não são estáticos e o médico anestesista é o mais capacitado para avaliar a profundidade da perda farmacológica de consciência e a depressão cardiorrespiratória provocada pelos sedativos.

Outra orientação que também vai direto a esse ponto diz respeito ao mérito do Parecer 4.270, de 25/02/2011, emitido pelo Conselho Regional de Medicina do Estado de Minas Gerais (CRM-MG). Em sua ementa final, afirma que "os médicos anestesiologistas, por terem a sua formação direcionada a atos anestésicos, são os mais indicados para realização de sedação em pacientes que serão submetidos a procedimentos endoscópicos do sistema gastrintestinal".

Por fim, em relação aos procedimentos de endoscopia digestiva realizados em crianças, deve-se dar atenção ao Parecer CFM nº 14 de 04/11/2021. Em suas conclusões, estabelece que não é necessária a presença do pediatra durante a realização de endoscopias digestivas. No entanto, torna-se obrigatória a presença de um médico anestesiologista durante todo o procedimento para não só realizar a anestesia da criança, como também monitorizar e dar o suporte necessário para manutenção das vias aéreas. Nesse mesmo parecer, são mencionados os diâmetros dos endoscópios que devem ser usados nos exames pediátricos, a saber: em crianças com menos de 2,5 kg devem ser usados endoscópicos com diâmetro externo de 5 a 6 mm. Em crianças com entre 2,5 e 10 kg deve-se usar aparelhos de 7 mm de diâmetro externo. Em crianças com mais de 10 kg podem ser usados os endoscópicos de adulto, que possuem 9,8 mm de diâmetro externo.

■ PROCEDIMENTOS DE ENDOSCOPIA DIGESTIVA

Quando se fala em endoscopia digestiva, uma grande variedade de procedimentos está envolvida. Estes podem ser tanto diagnósticos como terapêuticos e são realizados com a introdução de um endoscópio flexível por orifícios do trato digestivo superior (boca) ou inferior (ânus). Em geral, são exames realizados com auxílio de sistema de vídeo que permite melhor visualização das imagens, bem como o arquivamento e a tomada de fotografias que podem ser disponibilizadas em laudos médicos. Os principais procedimentos de endoscopia digestiva estão descritos na Tabela 188.2.

Tabela 188.2 Principais procedimentos realizados em endoscopia digestiva.	
Esofagogastroduodenoscopia	Também chamada simplesmente de endoscopia digestiva alta (EDA), permite a avaliação e o tratamento de doenças do tubo digestivo superior (esôfago, estômago e porção inicial do duodeno). É o procedimento de endoscopia digestiva mais realizado, com duração média de até 20 minutos. Biópsias endoscópicas são frequentes (como para o teste de urease utilizado no diagnóstico de *H. pylori*).
Colonoscopia	Permite visualização e tratamento do colo até o íleo terminal. Muito indicada para investigação e diagnóstico precoce de tumores intestinais. Algumas lesões podem ser tratadas por polipectomia ou mucosectomia.
Colangiopancreatografia retrógrada endoscópica (CPRE)	Indicada para o diagnóstico e tratamento das doenças que comprometem as vias biliares intra e extra-hepáticas (ducto cístico e colédoco), o canal pancreático principal (ducto de Wirsung) e a papila duodenal (papila de Vater). Permite a instalação e remoção de próteses biliares. Imagens radiológicas com contraste radiopaco contribuem para a realização do procedimento.

(Continua)

Tabela 188.2 Principais procedimentos realizados em endoscopia digestiva.	*(Continuação)*
Enteroscopia assistida por balão	Permite o diagnóstico e tratamento de lesões do intestino delgado. É utilizado um endoscópio introduzido pela boca (via anterógrada) ou pelo ânus (via retrógrada).
Ecoendoscopia digestiva	É um procedimento que combina endoscopia digestiva (alta ou baixa) com uma sonda de ultrassom acoplada à extremidade do endoscópio. Permite a avaliação das camadas da parede do tubo digestivo e de estruturas vizinhas. Podem ser realizadas biópsias e drenagens com punção por agulha.
Gastrostomia endoscópica	É um procedimento de endoscopia digestiva alta utilizado para posicionar uma sonda gástrica de alimentação através da parede abdominal. É frequentemente indicado para pacientes com dificuldades de deglutição.

■ AVALIAÇÃO E PREPARO PRÉ-ANESTÉSICO

As endoscopias digestivas são, em geral, procedimentos rápidos, não levando mais do que 20 minutos para a realização total dos procedimentos mais comuns. Mesmo sendo um procedimento rápido, a consulta de avaliação e preparo pré-anestésico desses pacientes é essencial, obrigatória e regulamentada pela legislação brasileira.

A avaliação desses pacientes deve ser sempre encorajada, não sendo diferente da estabelecida para qualquer paciente que será submetido a, por exemplo, uma cirurgia mais invasiva. Pode ser realizada uma avaliação que tenha como foco a história clínica atual completa, envolvendo um exame físico sumário que permita estabelecer um planejamento anestésico adequado e identificar os pacientes mais suscetíveis às complicações. Destacam-se aqui os pacientes com algum comprometimento da via aérea, uma vez que esse espaço será "dividido" com o endoscópio nos procedimentos realizados no trato digestivo superior. Assim, é imperativo que a avaliação das vias aéreas seja detalhada, buscando identificar os mais variados preditores de dificuldade para se manter a oxigenação adequada por meio de ventilação manual ou intubação orotraqueal.

A documentação da consulta de avaliação e preparo pré-anestésico para a realização de anestesia para endoscopia deve ser uma rotina. Além disso, ao final dessa avaliação, antecedendo a realização do exame, o anestesiologista não deve deixar de obter o Consentimento Livre e Informado do paciente ou de seu responsável legal. Esse documento torna-se ainda mais importante quando ocorre um acionamento jurídico que se segue a alguma complicação.

O uso de medicação pré-anestésica não é rotineiro, mas deve ser considerado para alguns pacientes que serão submetidos a endoscopias. São indicados especialmente para crianças e pacientes muito ansiosos ou sob acompanhamento psiquiátrico. Os benzodiazepínicos continuam sendo os fármacos de eleição.

As recomendações de jejum e uso de medicamentos seguem as orientações estabelecidas para qualquer cirurgia. O mesmo cabe quanto ao uso de anticoagulantes, uma vez que biópsias podem ser realizadas e traumatismos provocados pela passagem do endoscópio podem ocorrer. O risco de sangramento digestivo deve ser considerado antes de se realizar o procedimento.

Fosfosoda e manitol, entre outras substâncias, são os principais agentes utilizados para o preparo de colo para realização de colonoscopias. São substâncias hiperosmolares administradas por via oral que produzem diarreia osmótica. Com a eliminação do conteúdo intestinal, o endoscopista poderá examinar as paredes internas do trato digestivo inferior. A broncoaspiração dessas substâncias hiperosmolares pode proporcionar um efeito osmótico similar e catastrófico sobre a árvore respiratória. Em geral, a ingestão dessas substâncias é acompanhada pela administração oral de laxantes, como o bisacodil, que estimula o peristaltismo intestinal e a eliminação de fezes.

Uma questão relevante e ainda sem orientação precisa se refere ao tempo de jejum dos pacientes submetidos a esse preparo de colo com ingestão de soluções hiperosmolares. Ainda não há consenso sobre o tempo mínimo de jejum necessário para que o conteúdo gástrico seja totalmente eliminado e o risco de broncoaspiração seja totalmente descartado. O fato é que, devido às suas propriedades hiperosmolares, a ingestão de manitol e fosfosoda não segue as orientações para jejum de líquidos claros. Tampouco se conhece uma recomendação atual que estabeleça que fosfosoda e manitol estejam incluídos na orientação de jejum de alimentos sólidos. Em alguns serviços de endoscopia digestiva, a recomendação é a de se aguardar, no mínimo, quatro horas após o momento da última ingestão de manitol ou fosfosoda para a realização do procedimento, sob qualquer técnica anestésica e independentemente da ingestão concomitante de outros laxativos ou agentes procinéticos, antiácidos, antieméticos e bloqueadores da produção acidogástrica. A condição clínica do paciente deve ser sempre levada em consideração, assim como qualquer dificuldade prevista para realizar o procedimento. Nesses casos, um tempo seguro de jejum de pelo menos seis horas ou maior deve ser necessário para trazer segurança contra episódios graves de broncoaspiração dessas soluções hiperosmolares.

■ SELEÇÃO DOS PACIENTES SOB REGIME AMBULATORIAL

A maior parte dos procedimentos de endoscopia digestiva são realizados em regime ambulatorial (ou seja, sem necessidade de internação para pernoitar na unidade de saúde). No entanto, somente após a avaliação e o preparo pré-anestésico, são identificados os pacientes que podem ser submetidos à endoscopia digestiva em regime ambulatorial e aqueles pacientes que devem necessitar de internação hospitalar para cuidados prévios ou que se seguem à realização do procedimento endoscópico (necessidade de pernoite). Aqui, o tipo de intervenção endoscópica e as condições clínicas do paciente são os principais determinantes.[11]

Com o avanço das técnicas de endoscopia digestiva, esses procedimentos vêm sendo cada vez mais realizados em pacientes com maior suscetibilidade de desenvolverem alguma complicação. Os procedimentos endoscópicos terapêuticos e mais invasivos podem indicar a necessidade de internação para cuidados específicos. Ligaduras e cauterizações vasculares são alguns exemplos. Outros pacientes que necessitam de algum preparo para realizar o procedimento podem precisar de internação na véspera, como aqueles com questões clínicas limitantes (como cardiopatas e pacientes com insuficiência renal) que irão fazer preparo de colo para colonoscopias. De fato, não há uma orientação específica, mas pacientes de extremos de idade, especialmente os idosos frágeis, são fortes candidatos a pernoitar na unidade assistencial após a realização de procedimentos de endoscopia digestiva.

A avaliação inicial do anestesiologista é fundamental para se determinar a segurança para a realização do procedimento sob anestesia ambulatorial. Algumas classificações de risco dos pacientes podem ser empregadas como direcionadores para essa decisão que, às vezes, não é fácil e exige bom senso de toda a equipe. Trabalhar com protocolos que descrevem tais necessidades de pernoitar são excelentes recomendações para o cuidado desses pacientes.[12]

■ MONITORIZAÇÃO

A monitorização dos pacientes submetidos à endoscopia digestiva segue a recomendação comum de cuidados para um paciente submetido a qualquer técnica anestésica. Parte-se da monitorização mínima em anestesia, documentada e entendida como eletrocardioscopia contínua, oximetria de pulso e aferição da pressão arterial não invasiva a cada cinco minutos.[13,14] Se a intervenção endoscópica for realizada sob anestesia geral, acrescenta-se o uso de dispositivo de capnografia para medida do CO_2 expirado.[15]

A utilização de outros recursos de monitorização deve ser incentivada, principalmente o uso de termômetros e de monitorização da consciência e do bloqueio neuromuscular. Os novos monitores que avaliam aspectos hemodinâmicos também podem ser indicados. São especialmente utilizados com base nas condições clínicas limitadas de alguns pacientes submetidos aos procedimentos de endoscopia digestiva ou àqueles procedimentos terapêuticos mais invasivos ao organismo.[16]

■ REPOSIÇÃO HÍDRICA E ELETROLÍTICA

As perdas hídricas e eletrolíticas durante o preparo para a intervenção endoscópica são preocupações que devem ser consideradas pelos anestesiologistas que lidam com esses pacientes. Distúrbios acidobásicos podem ser associados e agravam uma condição clínica limítrofe. As manifestações clínicas de distúrbios hidroeletrolíticos podem ocorrer no período de preparo para o procedimento, durante a sua realização, ou, ainda, na sala de recuperação pós-anestésica, ou tardiamente.

Hipovolemia e desidratação são as manifestações mais comuns. Ocorrem principalmente após um jejum prolongado inadvertido ou uma espoliação hídrica decorrente de um período longo de preparo de colo. Soluções cristaloides endovenosas são comumente utilizadas para correção das perdas hídricas. Reforça-se aqui a necessidade de não só manter como também de se estimular a hidratação oral com água e líquidos sem resíduos até 2 a 3 horas antes da realização do procedimento para aqueles pacientes sem contraindicações. Alguns preparados que também repõem eletrólitos e calorias podem evitar as manifestações de uma concomitante hipoglicemia. Estão disponíveis no mercado ou podem ser produzidos com baixo custo em casa.

A hipocalemia é a principal alteração eletrolítica observada. Relaciona-se, principalmente, a manifestações eletrocardiográficas que acometem o segmento ST e a onda T (onda T achatada). Os casos mais comuns surgem após um preparo prolongado de colo que é acompanhado por vômitos. A reposição de potássio deve ser criteriosa e guiada por parâmetros laboratoriais, uma vez que a reposição rápida desse íon pode ser tão ou mais deletéria que as manifestações da própria hipocalemia.

A acidose metabólica pode acompanhar uma hipocalemia. É um fator complicador para esses pacientes. Em geral, a melhora da hipocalemia está associada à correção dessa alteração acidobásica.

Muita atenção deve ser dada para os vômitos dos pacientes. Essa manifestação é comum, especialmente vista entre os pacientes que ingerem algum produto para preparo de colo, como manitol e fosfosoda. Náuseas e vômitos são, por si, muito deletérios, desagradáveis e podem precipitar problemas clínicos preexistentes. Crianças também podem ser afetadas e, assim como os idosos, são os mais vulneráveis às repercussões clínicas provocadas por vômitos. Nesses pacientes, a profilaxia farmacológica rotineira para náuseas e vômitos pode estar bem indicada.

■ POSICIONAMENTO DO PACIENTE

Na maior parte das vezes, os procedimentos de endoscopia digestiva alta e baixa são realizados com o paciente em decúbito lateral, comumente esquerdo. Tal posição se mostra confortável para os pacientes e deve ser ajustada, preferencialmente, com o paciente ainda acordado e colaborativo. Apesar disso, alguns cuidados devem ser observados.

Nos procedimentos mais prolongados, recomenda-se a colocação de um coxim macio (p. ex.: um travesseiro) entre os joelhos. A compressão nervosa decorrente desse posicionamento inadequado pode se relacionar a um grande prejuízo para os pacientes. O membro de baixo (esquerdo) deve ficar em extensão, enquanto o membro de cima (direito) deve ser colocado em uma leve flexão que permita o apoio do joelho de cima sobre o colchão, logo à frente do outro membro.

Outros coxins podem ser necessários para estabilização do paciente em decúbito lateral, assim como ser colocados especialmente para o apoio do dorso.

Lesões relacionadas às mamas femininas e à genitália masculina são raras e podem ser evitadas quando os pacientes, ainda acordados, assumem uma posição lateral confortável para o procedimento.

Um apoio para a cabeça também é fundamental. Deve proporcionar estabilização da coluna cervical e possibilitar uma leve extensão do pescoço para permitir que as vias aéreas se mantenham pérvias.

Um bocal deve ser ajustado. Idealmente, é locado com o paciente ainda consciente para que lesões orais sejam evitadas. Uma fita elástica que circunda o pescoço contribui para manter o bocal em sua topografia. Existem vários modelos disponíveis que permitem que o endoscópio seja introduzido e conferem segurança contra possíveis e catastróficas mordeduras capazes de provocar danos irreparáveis ao aparelho. Próteses dentárias podem se deslocar durante a manipulação oral, podendo-se optar por sua retirada antes do ajuste do bocal.

A posição dos ombros é outra preocupação importante. O ombro inferior deve ser posicionado de maneira que o braço não seja comprimido. Um coxim macio colocado sob o tórax e próximo à axila pode contribuir para reduzir o surgimento de lesões de plexo braquial no membro superior esquerdo. O ombro superior (direito) deve permitir que o braço direito venha para a frente do paciente, uma vez que manter o membro livre para o dorso do paciente pode produzir lesão nervosa do plexo braquial.

Muitos procedimentos de endoscopia digestiva são realizados em macas. Para se evitar quedas de pacientes, recomenda-se manter erguidas as grades de proteção lateral da maca durante todo o procedimento. Isso deve ser observado especialmente nos exames realizados com o paciente em decúbito lateral, nos quais o tronco e membros podem ficar instáveis e o paciente pode girar o tronco inesperadamente. Quando as grades de proteção lateral não estão disponíveis, como em diversas mesas cirúrgicas, cintas de fixação podem ser ajustadas.

Alguns procedimentos, como a colangiopancreatografia endoscópica retrógrada (CPRE), são realizados com o paciente em decúbito lateral esquerdo ou, mais frequentemente, em posição ventral. Esse procedimento pode levar mais de 30 minutos para sua execução, produz um desconforto maior e, nesses casos, muitos anestesiologistas concordam em ser mais prudente a indicação de anestesia geral com intubação orotraqueal. Devido às possíveis complicações relacionadas ao posicionamento para esse tipo de procedimento, muitos optam pela indução anestésica e intubação traqueal com o paciente em decúbito lateral esquerdo, já em posição adequada para o procedimento, sendo esse posicionamento realizado com o paciente ainda acordado.

Muito cuidado deve ser tomado quanto ao posicionamento em decúbito ventral do paciente anestesiado. Diversos coxins macios devem ser empregados. A rotação da cabeça deve ser a menor possível e a proteção ocular deve ser rigorosa, documentada e revisada pelo menos a cada 20 ou 30 minutos durante o procedimento.[17] Algumas tecnologias que auxiliam na proteção ocular foram desenvolvidas e podem ser encontradas no mercado brasileiro com adequado registro na Anvisa. Uma delas é um protetor ocular parecido com um óculos de natação, com tamanhos adulto e infantil. Ele possui uma espuma macia dupla com uma das faces adesivada para aderir à pele ao redor dos olhos, permitindo fixação e reduzindo as chances de compressão ocular dos pacientes colocados em decúbito ventral (Figura 188.1).

▲ **Figura 188.1** Protetor Ocular IGuard®.
Fonte: SunMed LLC, Grand Rapids, Michigan, EUA.

▪ TÉCNICAS ANESTÉSICAS

A escolha da técnica anestésica adequada para procedimentos de endoscopia digestiva deve levar em consideração diversos fatores. Os principais envolvem a condição clínica do paciente e o tipo e a duração do procedimento. A Tabela 188.3 apresenta algumas possíveis indicações de anestesia geral com intubação traqueal para procedimentos de endoscopia digestiva.[18]

A técnica amplamente escolhida para adultos é a sedação moderada, também chamada de sedação consciente. É empregada para a maioria das videoendoscopias digestivas altas (esofagogastroduodenoscopias) e baixas (colonoscopias), que são os procedimentos mais comuns. Nesse tipo de técnica anestésica, o paciente perde parcialmente a consciência, mas reponde a estímulo verbal e/ou tátil leve. A respiração adequada é mantida, mas com reflexos diminuídos, necessitando-se apenas de suplementação de oxigênio (por cateter nasal, por exemplo) para manter uma oximetria de pulso normal. O aparelho cardiovascular não é comprometido.[19-21]

Os fármacos mais usados são aqueles que promovem hipnose e analgesia, como benzodiazepínicos, opioides e propofol, em bólus titulados de doses sedativas, devendo-se ter o cuidado em relação ao efeito sinérgico produzido pela associação dessas substâncias. Entre os benzodiazepínicos, midazolam e diazepam são os mais utilizados, com reversão ou não por flumazenil.[22-27] O uso de remimazolam também já foi descrito.[28] Baixas doses de fentanil e propofol são comumente associadas. Técnicas de infusão alvo-controlada com propofol, apesar de incomuns devido ao custo, podem ser utilizadas na anestesia para diversos procedimentos de endoscopia digestiva, inclusive nas sedações.[29-33]

Para as crianças até a idade escolar, é comum a indução inalatória com sevoflurano. Após venóclise periférica, a manutenção da anestesia pode ser realizada de duas maneiras: com anestésicos venosos (propofol, fentanil e/ou midazolam) ou, mais comumente, mantendo-se a administração inalatória de sevoflurano (em cateter nasal ou orofaríngeo), associando-se pequenas doses em bólus titulados de propofol conforme a necessidade.[29-33]

Em geral, devido ao desconforto e à duração prolongada, indica-se anestesia geral para CPRE e enteroscopia assistida por balão. Alguns procedimentos realizados por ecoendoscopia digestiva também podem ser realizados com maior segurança e conforto com o paciente intubado sob anestesia geral. Destacam-se aqui os casos de ecoendoscopias em que se torna necessário injetar algum líquido condutor das ondas acústicas no interior do trato digestivo superior (soro fisiológico, na maioria das vezes), o que aumentaria o risco de broncoaspiração.[34,35]

Tabela 188.3 Possíveis indicações de anestesia geral com intubação traqueal para procedimentos de endoscopia digestiva.

A – Fatores relacionados à condição clínica do paciente

- Pacientes em mau estado geral (estado físico ASA > P2).
- Condições relacionadas a "estômago cheio", retardo de esvaziamento gástrico, com ou sem alteração do trânsito intestinal: jejum inadequado, hemorragia digestiva alta, melena, abdome agudo, divertículo esofágico, estenose ou obstrução do trato digestivo, acalasia e megaesôfago, hérnia de hiato, fístulas gastresofágicas, visualização de resíduo gastresofágico, modificação cirúrgica do trânsito gastrintestinal, obesidade, diabetes, uremia, ascite e distensão abdominal.
- Crianças pequenas (idade menor que 2 anos).
- Apneia do sono moderada ou grave.
- Ansiedade ou outros problemas psiquiátricos e cognitivos que limitem as técnicas de sedação.

B – Fatores relacionados ao tipo e à duração do procedimento endoscópico

- Ligaduras e/ou esclerose de varizes gastresofágicas ativas ou silentes.
- Dilatação de estruturas do trato digestivo superior.
- Mucosectomias com previsão de dificuldade técnica.
- Videoenteroscopia assistida por balão (anterógrada ou retrógrada).
- Colangiopancreatografia endoscópica retrógrada.
- Ingestão, colocação ou retirada de corpo estranho gastresofágico (balão intragástrico, balão esofágico, moedas, próteses dentárias, parafusos etc.).
- Ecoendoscopia digestiva alta: quando há injeção de líquidos para condução acústica, procedimentos prolongados, diagnóstico e punções de lesões esofágicas, mediastinais, pulmonares ou peri-hepáticas, biópsias múltiplas de estruturas sólidas, punção e/ou drenagem de cistos volumosos, necessidade de realização de apneia etc.
- Colonoscopias de duração prolongada: quando há polipose intestinal, indicação de esvaziamento de intestino grosso, dificuldade técnica prevista para "subida" do colonoscópio como em casos de colo redundante, doença intestinal inflamatória, chagásicos, pacientes muito emagrecidos, submetidos a dermolipectomia abdominal, cirurgia abdominal ou ginecológica, colo de difícil preparo ou preparo inadequado, massa abdominal etc.
- Hemorragia digestiva e perfurações do trato gastrintestinal (iatrogênicas ou não) com necessidade de tratamento endoscópico ou cirurgia de urgência.
- Procedimentos de endoscopia digestiva complexos, associados/combinados ou recém-homologados (como os protocolos clínicos experimentais de pesquisa), realizados por profissionais médicos experientes ou em treinamento (como a gastroplastia endoscópica por endossutura gástrica, fulguração endoscópica de anastomose gastrojejunal por plasma de argônio, tratamento endoscópico de divertículo de Zenker etc.).

Nos últimos anos, vem sendo disponibilizada uma máscara facial que permite, ao mesmo tempo, a realização do procedimento de endoscopia do trato digestivo superior e a ventilação assistida do paciente, com ou sem o emprego de anestésico halogenado. Ela é comumente denominada "máscara de endoscopia", possui um orifício de ventilação e uma membrana com selo (diafragma elástico) para a passagem do endoscópio. Por ser fabricada em material transparente, permite a visualização constante da saída de secreções orais e nasais. Vários tamanhos foram fabricados, permitindo sua utilização em pacientes adultos e pediátricos. Tal máscara parece reduzir episódios de hipoxemia, uma vez que permite oferecer frações inspiradas de 100% de oxigênio, além de possibilitar a ventilação com pressão positiva. As Figuras 188.2 e 188.3 apresentam a máscara de endoscopia.

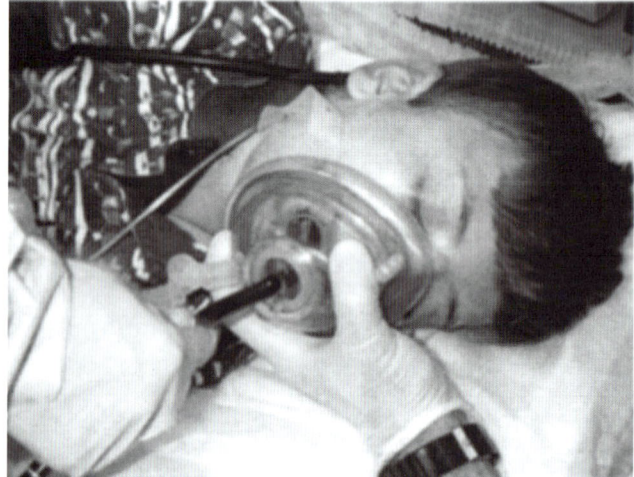

▲**Figura 188.3** Utilização clínica da máscara de endoscopia em paciente pediátrico.

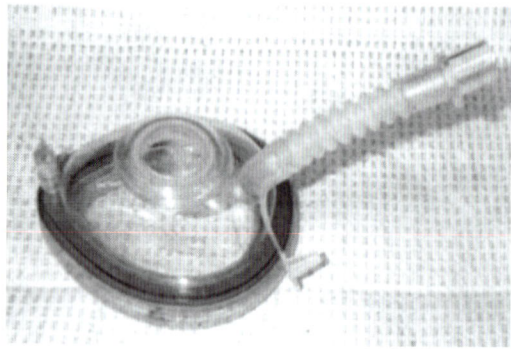

▲**Figura 188.2** Máscara de endoscopia.
Fonte: International Medical Development Inc., Park City, Utah, EUA.

■ FÁRMACOS ADJUVANTES

Alguns fármacos não anestésicos/sedativos podem ser usados pelo anestesiologista ou endoscopista para a realização dos procedimentos de endoscopia digestiva. O anestesiologista deve estar bem relacionado com o manuseio e as repercussões clínicas desses medicamentos. A Tabela 188.4 apresenta os principais fármacos adjuvantes utilizados em endoscopia digestiva e algumas considerações.

Tabela 188.4 Principais fármacos adjuvantes utilizados em endoscopia digestiva.	
Fármaco adjuvante	**Considerações**
Atropina	Anticolinérgico que reduz a salivação e o peristaltismo, além de relaxar temporariamente o esfíncter de Oddi. Taquicardia e alterações cognitivas são efeitos adversos que devem ser considerados antes de sua administração, especialmente em cardiopatas e idosos.
Escopolamina	Anticolinérgico mais eficaz que a atropina para a redução do peristaltismo e relaxamento do esfíncter de Oddi. Relaciona-se a efeitos colaterais comuns aos da atropina, além da síndrome colinérgica central quando doses maiores são empregadas.
Metoclopramida	Utilizada preferencialmente antes da realização do procedimento para acelerar o esvaziamento gástrico e prevenir refluxo gastresofágico. Relaxa o piloro e aumenta o peristaltismo e a pressão do esfíncter esofagiano inferior.
Glucagon	Indicado para promover relaxamento da musculatura intestinal e do esfíncter de Oddi por cerca de 15 minutos. Taquicardia, hiperglicemia, náuseas e vômitos são observados após sua administração.
Dimeticona	Administrada por via oral minutos antes da realização do procedimento, reduz a tensão superficial dos líquidos digestivos, levando ao rompimento de bolhas e facilitando a visualização das paredes internas do trato digestivo superior.
Lidocaína	Comumente empregada na forma de *spray*, é administrada na cavidade oral para reduzir o reflexo de vômito e o desconforto da introdução do endoscópio. O número de borrifadas deve ser sempre considerado, uma vez que a apresentação clínica usual é de 100 mg/mL^{-1} e a absorção pelas mucosas é significativa. A anestesia das mucosas orais se inicia em até 3 minutos, com duração de cerca de 15 min e aumenta o risco de lesões por mordedura. Prejudica a deglutição e não deve ser usada se houver risco de aspiração pulmonar de conteúdo do trato digestivo.

▪ EVENTOS ADVERSOS

As endoscopias digestivas podem se relacionar a alguns eventos adversos apresentados na Tabela 188.5. Recomenda-se que o Termo de Consentimento Livre e Esclarecido para anestesia deva contemplar essas preocupações. Antever tais problemas é sempre uma preocupação do anestesiologista e de toda a equipe envolvida.[36]

As condutas, as rotinas e os treinamentos para se abordar cada uma dessas complicações devem estar bem estabelecidos. Treinamentos seriados (ao menos uma ou duas vezes ao ano) devem ser bem trabalhados e documentados por toda a equipe. Um manual de condutas pode ser redigido e irá orientar a equipe diante de situações difíceis e inesperadas. Uma questão fundamental que se coloca é o fato de que muitas vezes só há um único anestesiologista traba-

Tabela 188.5 Eventos adversos relacionados à endoscopia digestiva.	
Odinofagia	É uma queixa de muitos pacientes. Em geral, resolve-se após ingestão de bebidas frias e alimentação, nas primeiras horas que se seguem à realização do procedimento. Pastilhas anestésicas podem ser oferecidas para o alívio da dor à deglutição.
Náusea e vômitos	Podem ocorrer em pacientes predispostos e especialmente após procedimentos que envolvem o trato digestivo superior. Profilaxia não deve ser realizada de rotina. Esses sintomas também são comuns durante a ingestão de soluções hiperosmolares para preparo de colo. O tratamento pode ser realizado com ondansetrona ou outros antieméticos, além de hidratação adequada.
Dor abdominal	Comumente associada à distensão gasosa relacionada à insuflação do tubo digestivo. Dimeticona, antiespasmódicos e analgésicos comuns podem ser utilizados para alívio do sintoma. Um tempo maior de observação pós-anestésica pode ser necessário. Perfuração de alças é um diagnóstico diferencial e perigoso.
Hipoxemia	Muitas vezes observada quando o procedimento é realizado sob técnicas de sedação. Recomenda-se como rotina ofertar oxigênio sob cateter nasal ou outro dispositivo. Qualquer hipoxemia sem rápida recuperação deve indicar a imediata retirada do endoscópio, devendo-se aguardar a estabilização da oxigenação do paciente para dar continuidade ao procedimento. Não se deve hesitar em despertar o paciente.
Hipotensão arterial	Relacionada principalmente com a administração de anestésicos cardiodepressores em pacientes desidratados e hipovolêmicos. Vasopressores devem estar prontamente disponíveis (efedrina, metaraminol, etilefrina). Expansão volêmica com cristaloides também é uma boa opção.
Lesão dentoalveolar	A desarticulação total ou parcial de dentes permanentes ou decíduos pode acometer principalmente os pacientes de extremos de idade. Dentes permanentes devem ser imediatamente recolocados em seu alvéolo dentário. Dentes decíduos devem ser entregues aos pais da criança. Um dentista deve ser recomendado para pronta avaliação desses pacientes.
Luxação da articulação temporomandibular	É comumente notada ao final de procedimentos do trato digestivo superior, quando o paciente mantém a boca aberta após a retirada do bocal. O anestesista ou o endoscopista devem realizar a redução da luxação imediatamente para que sejam evitadas outras lesões articulares e luxações espontâneas. Um cirurgião bucomaxilofacial pode ser sugerido para o acompanhamento desses pacientes.

(Continua)

Tabela 188.5 Eventos adversos relacionados à endoscopia digestiva.	*(Continuação)*
Aspiração de conteúdo gástrico	Pode ocorrer mesmo entre pacientes que seguiram a recomendação habitualmente preconizada de jejum para qualquer procedimento sob anestesia. Muitas vezes, o tempo de jejum foi insuficiente para promover segurança a esses pacientes. Logo, um tempo de jejum mais prolongado (maior que oito horas) pode ser indicado, especialmente para aqueles pacientes com preditores de retardo do esvaziamento gástrico (como os obesos, diabéticos, urêmicos, gestantes, idosos extremos, portadores de patologias obstrutivas, pacientes com alimentação por sondas, portadores de via aérea difícil, entre outros). Cuidados em unidade de tratamento intensivo podem ser necessários.
Lesão ocular	A abrasão de córnea é a lesão mais comum. Acomete principalmente o olho que fica mais próximo ao travesseiro quando o paciente está em decúbito lateral (olho esquerdo) ou ventral durante a realização do procedimento. Oclusão ocular adequada e repetidas verificações são fundamentais.
Lesões nervosas relacionadas ao posicionamento	As principais lesões nervosas acometem os membros superiores e inferiores. Posicionar o paciente com conforto enquanto ainda está consciente pode evitar esse tipo de complicação.
Quedas	São complicações evitáveis e potencialmente gravíssimas. Podem gerar acionamentos jurídicos dispendiosos para todos os envolvidos. Deve-se manter as grades laterais levantadas enquanto o paciente estiver sobre a maca, durante a realização de qualquer etapa do procedimento (isso é mandatório). Vigilância contínua é outra orientação fundamental.

lhando no setor de endoscopia digestiva, tornando remota a possibilidade de ajuda por outro colega dessa especialidade. Os endoscopistas podem contribuir e são estimulados pela Sociedade Brasileira de Endoscopia Digestiva (SOBED) a realizarem treinamentos para atuarem diante de situações adversas que envolvem a sua especialidade.[37]

Uma questão prevalente envolve a manipulação das vias aéreas superiores durante os procedimentos de endoscopia digestiva.[38] Merecem maior atenção os pacientes obesos, com preditores de dificuldade de intubação traqueal e ventilação com máscara facial e aqueles com antecedentes de apneia e hipopneia do sono. Dispositivos para abordagem de uma via aérea difícil devem estar disponíveis e preparados, assim como toda a equipe deve estar alerta para uma possível dificuldade de manutenção da oxigenação. Destaca-se aqui a presença de dispositivos supraglóticos (como cânulas orofaríngeas e máscaras laríngeas) e de bolsa ventilatória auto-inflável, entre outros itens que podem ser indicados nos algoritmos de abordagem de uma via aérea difícil. Diante de uma dificuldade para se manter a oxigenação adequada, em nenhum momento se deve hesitar em despertar o paciente por meio da administração de agentes antagonistas farmacológicos dos sedativos administrados (flumazenil e naloxona).[39,40]

RISCO OCUPACIONAL DO ANESTESIOLOGISTA

A anestesia para procedimentos de endoscopia digestiva envolve riscos biológicos, químicos, físicos e ergonômicos que podem afetar a atividade laborativa do anestesiologista. Atuar em locações remotas, sem apoio de outros colegas anestesiologistas e com recursos limitados de estrutura e equipamentos, adiciona estresse e insatisfação, que podem gerar grande ansiedade. O estresse contínuo do trabalho em setores hospitalares remotos ou clínicas externas, muitos deles com ambiente insalubre, quando associado ao surgimento de uma situação de grave risco para o paciente, facilita o aparecimento de sintomas da síndrome de Burnout.

Equipamentos de proteção individual reduzem a exposição a alguns riscos envolvidos e devem ser fornecidos não apenas aos anestesiologistas, mas também aos demais profissionais. Luvas, máscaras, óculos de proteção e vestimenta adequada são alguns itens importantes para que sejam evitados acidentes com materiais biológicos. Os riscos químicos relacionam-se principalmente à exposição a agentes anestésicos halogenados e à inalação de produtos voláteis tóxicos utilizados no processamento dos endoscópios. Avental de chumbo, dosímetros, óculos e capacetes especiais devem ser disponibilizados quando há exposição à radiação ionizante (como em colangiografias).

O risco ergonômico é um item importante do trabalho do anestesiologista no setor de endoscopia digestiva. As lesões provocadas geralmente se cronificam e trazem enorme prejuízo ao exercício profissional. Muitas horas de trabalho em pé e pouca ergonomia em salas apertadas e sem cadeiras ou mesas adequadas de trabalho são aspectos rotineiramente vistos e que devem ser considerados com muita seriedade. Medidas devem ser tomadas para se evitar esse tipo de exposição desnecessária. Os responsáveis técnicos pelo serviço de endoscopia digestiva devem ser informados por escrito quanto a essas possíveis questões insalubres que interferem sobremaneira no trabalho do anestesiologista.

RECUPERAÇÃO ANESTÉSICA E CRITÉRIOS DE ALTA

Após a realização de uma endoscopia digestiva sob anestesia (sedação ou anestesia geral), os pacientes devem ser acompanhados pelo anestesiologista até a sala de recuperação pós-anestésica (SRPA). Nesse ambiente, os pacientes devem receber os mesmos cuidados oferecidos aos pacientes cirúrgicos. A Escala de Aldrete e Kroulik Modificada geralmente é empregada.[41]

A alta da SRPA também segue a orientação comum para os demais pacientes cirúrgicos. Em procedimentos ambulatoriais, no momento da alta da SRPA para o domicílio, todos os pacientes devem estar acompanhados de um adulto responsável.[42] Orientações devem ser fornecidas por escrito e o acompanhante pode documentar (assinar) que recebeu tais recomendações e está ciente dos cuidados necessários até a recuperação completa do paciente.[43]

■ CONSIDERAÇÕES FINAIS

Avaliar a satisfação dos pacientes submetidos à endoscopia digestiva pode ser muito interessante.[44] O escore de satisfação com o procedimento como um todo, que envolve assistência médica (anestesista e endoscopista), enferma-gem e outros profissionais, geralmente é alto. Pode variar conforme a idade dos pacientes, com escores menores entre os mais jovens.[45]

Além disso, indicadores de qualidade que envolvem o atendimento e a segurança dos pacientes devem ser rotineiramente coletados e analisados. Isso deve fazer parte da rotina de qualquer serviço de endoscopia digestiva.[46,47] Os resultados, algumas vezes, podem ser surpreendentes e motivam discussões e mudanças de paradigmas, alguns deles seguidos por anos sem que tivessem despertado uma reflexão maior sobre o que é mais seguro e adequado para o paciente e a equipe assistencial.[48]

REFERÊNCIAS

1. Lazzaroni M, Bianchi Porro G. Preparation, premedication, and surveillance. Endoscopy. 2005; 37(2):101-9.
2. Nagengast FM. Sedation and monitoring in gastrointestinal endoscopy. Scand J Gastroenterol Suppl. 1993; 200:28-32.
3. Froehlich F, Gonvers JJ, Fried M. Conscious sedation, clinically relevant complications and monitoring of endoscopy: results of a nationwide survey in Switzerland. Endoscopy. 1994; 26(2):231-4.
4. Ristikankare MK, Julkunen RJ. Premedication for gastrointestinal endoscopy is a rare practice in Finland: a nationwide survey. Gastrointest Endosc. 1988; 47(2):204-7.
5. Keeffe EB, O'Conner KW. 1989 ASGE survey of endoscopic sedation and monitoring practices. Gastrointest Endosc. 1990; 36(3 Suppl):S13-8.
6. Daneshmend TK, Bell GD, Logan RFA. Sedation for upper gastrointestinal endoscopy: result of a nationwide survey. Gut. 1991; 32(1):12-5.
7. Lin OS, Schembre DB, Ayub K, Gluck M, McCormick SE, Patterson DJ, et al. Patient satisfaction scores for endoscopic procedures: impact of a survey-collection method. Gastrointest Endosc. 2007; 65(6):775-81.
8. Conselho Federal de Medicina (Brasil). Resolução 1.670, de 11 de julho de 2003. Diário Oficial da União, Poder Executivo, Brasília, DF, 14 jul. 2003, Seção 1, p. 78.
9. Diário Oficial do Estado de São Paulo. Portaria CVS-10, de 09 de agosto de 2005. Poder Executivo, Seção I, p. 115-50.
10. Diretoria Colegiada da Agência Nacional de Vigilância Sanitária. RDC 6, de 1 de março de 2013. Diário Oficial da União, Brasília, DF, Seção I, 42, p. 44.
11. Warner ME, Warner MA. The value of sedation by anesthesia teams for complex endoscopy: perhaps not what you'd think (editorial). Anesth Analg. 2014; 119(2):222-3.
12. Tetzlaff JE, Vargo JJ, Maurer W. Nonoperating room anesthesia for the gastrointestinal endoscopy suite. Anesthesiol Clin. 2014; 32(2):387-394.
13. Radaelli F, Terruzzi V, Minoli G. Extended/advanced monitoring techniques in gastrointestinal endoscopy. Gastrointest Endosc Clin N Am. 2004; 14(2):335-52.
14. Fanti L, Agostoni M, Gemma M, Radaelli F, Conigliaro R, Beretta L, et al. Sedation and monitoring for gastrointestinal endoscopy: a nationwide web survey in Italy. Dig Liver Dis. 2011; 43(9):726-30.
15. Gerstenberger PD. Capnographic monitoring for endoscopic sedation: coming soon to an endoscopy unit near you? ASGE News. 2011; 18:1-4.
16. Alados-Arboledas FJ, Millán-Bueno MP, Expósito-Montes MF, Santiago-Gutierrez C, Arévalo-Garrido A, Pérez-Parras A, et al. Utilidad de la monitorización anestésica con el índice biespectral en endoscopias digestivas altas en respiración espontánea. An Pediatr (Barc). 2013; 79(2):83-7.
17. Martindale SJ. Anesthetic considerations during endoscopic retrograde cholangiopancreatography. Anaesth Intensive Care. 2006; 34(4):475-80.
18. Bonta PI, Kok MF, Bergman JJGHM, Van den Brink GR, Lemkes JS, Tytgat GN, et al. Conscious sedation for EUS of the esophagus and stomach: a double-blind, randomized, controlled trial comparing midazolam with placebo. Gastrointest Endosc. 2003; 57(7):842-7.
19. Aisenberg J, Cohen LB. Sedation in endoscopic practice. Gastrointest Endosc Clin N Am. 2006; 16(4):695-708.
20. Melton MS, Nielsen KC, Tucker M, Klein SM, Gan TJ. New medications and techniques in ambulatory anesthesia. Anesthesiol Clin. 2014; 32(2):463-85.
21. Cohen LB. Sedation issues in quality colonoscopy. Gastrointest Endosc. 2010; 20(4):615-27.
22. Ristikankare M, Hartikainen J, Heikkinen M, Julkunen R. Is routine sedation or topical pharyngeal anesthesia beneficial during upper endoscopy? Gastrointest Endosc. 2004; 60(5):686-94.
23. Jiménez-Puente G, Hidalgo-Isla M. Anestesia tópica faríngea en endoscopia digestiva para pacientes no sedados. Enferm Clin. 2011; 21(1):30-4.
24. LaLuna L, Allen ML, DiMarino Jr AJ. The comparison of midazolam and topical lidocaine spray versus the combination of midazolam, meperidine, and topical lidocaine spray to sedate patients for upper endoscopy. Gastrointest Endosc. 2001; 53(3):289-93.
25. Chelazzi C, Consales G, Bonifsegni P, Bonanomi GA, Castiglione G, De Gaudio AR, et al. Propofol sedation in a colorectal cancer screening outpatient cohort. Minerva Anestesiol. 2009; 75(12):677-83.
26. Kazama T, Takeuchi K, Ikeda K, Ikeda T, Kikura M, Iida T, et al. Optimal propofol plasma concentration during upper gastrointestinal endoscopy in young, middle-aged, and elderly patients. Anesthesiology. 2000; 93(3):662-9.
27. Hayee B, Dunn J, Loganayagam A, Wong M, Saxena V, Rowbotham D, et al. Midazolam with meperidine or fentanyl for colonoscopy: results of a randomized trial. Gastrointest Endosc. 2009; 69(3 Pt 2):681-7.
28. Borkett K, Riff DS, Schwartz HI, Winkle PJ, Pambianco DJ, Lees JP, et al. A phase IIa, randomized, double-blind study of remimazolam (CNS 7056) versus midazolam for sedation in upper gastrointestinal endoscopy. Anesth Analg. 2015; 120(4):771-80.
29. Fanti L, Agostoni M, Arcidiacono PG, Albertin A, Strini G, Carrara S, et al. Target-controlled infusion during monitored anesthesia care in patients undergoing EUS: propofol alone versus midazolam plus propofol. A prospective double-blind randomised controlled trial. Dig Liver Dis. 2007; 39(1):81-6.
30. Chan WH, Chang SL, Lin CS, Chen MJ, Fan SZ, et al. Target-controlled infusion of propofol versus intermittent bólus of a sedative cocktail regimen in deep sedation for gastrointestinal endoscopy: comparison of cardiovascular and respiratory parameters. J Dig Dis. 2014; 15(1):18-26.
31. Imagawa A, Hata H, Nakatsu M, Matsumi A, Ueta E, Suto K, et al. A target-controlled infusion system with bispectral index monitoring of propofol sedation during endoscopic submucosal dissection. Endosc Int Open. 2015; 3(1):E2-6.
32. Atkins JH, Mandel JE, Rosanova G. Safety and efficacy of drug-induced sleep endoscopy using a probability ramp propofol infusion system in patients with severe obstructive sleep apnea. Anesth Analg. 2014; 119(4):805-10.
33. Borrat X, Valencia JF, Magrans R, Gimenez-Mila M, Mellado R, Sendino O, et al. Sedation-analgesia with propofol and remifentanil: concentrations required to avoid gag reflex in upper gastrointestinal endoscopy. Anesth Analg. 2015; 121(1):90-6.
34. Rauch RY, Brener CE. Airway management for pediatric esophagogastroduodenoscopy using an endoscopy mask. Anesth Analg. 2003; 96(1):303-4.
35. Ootaki C, Stevens T, Vargo J, You J, Shiba A, Foss J, et al. Does general anesthesia increase the diagnostic yield of endoscopic ultrasound-guided fine needle aspiration of pancreatic masses? Anesthesiology. 2012; 117(5):1044-50.
36. Agostoni M, Fanti L, Gemma M, Pasculli N, Beretta L, Testoni PA. Adverse events during monitored anesthesia care for GI endoscopy: an 8-year experience. Gastrointest Endosc. 2011; 74(2):266-75.
37. Vargo JJ 2nd. Sedation-related complications in gastrointestinal endoscopy. Gastrointest Endosc. 2015; 25(1):147-58.
38. Arrowsmith JB, Gerstman BB, Fleischer DE, Benjamin SB, et al. Results from the American Society for Gastrointestinal Endoscopy/U.S. Food and Drug Administration collaborative study on complication rates and drug use during gastrointestinal endoscopy. Gastrointest Endosc. 1991; 37(4):421-7.
39. Chavalitdhamrong D, Adler DG, Draganov PV. Complications of enteroscopy: how to avoid them and manage them when they arise. Gastrointest Endosc. 2015; 25(1):83-95.
40. Ho S. Risks of endoscopic ultrasound and endoscopic ultrasound-guided fine-needle aspiration. Tech Gastrointest Endosc. 2008; 10(1):22-24.
41. Willey J, Vargo JJ, Connor JT, Dumot JA, Conwell DL, Zuccaro G, et al. Quantitative assessment of psychomotor recovery after sedation and analgesia for outpatient EGD. Gastrointest Endosc. 2002; 56(6):810-6.
42. Awad IT, Chung F. Factors affecting recovery and discharge following ambulatory surgery. Can J Anaesth. 2006; 53(9):858-72.

43. Apfelbaum J, Silverstein J, Chung F, Connis RT, Fillmore RB, Hunt SE, et al. Practice guidelines for postanesthetic care: an updated report by the American Society of Anesthesiologists task force on postanesthetic care. Anesthesiology. 2013; 118(2):291-307.

44. Lin OS, Schembre DB, Ayub K, Gluck M, McCormick SE, Patterson DJ, et al. Patient satisfaction scores for endoscopic procedures: impact of a survey-collection method. Gastrointest Endosc. 2007; 65(6):775-81.

45. Berzin TM, Sanaka S, Barnett SR, Sundar E, Sepe PS, Jakubowski M, et al. A prospective assessment of sedation-related adverse events and patient and endoscopist satisfaction in ERCP with anesthesiologist-administered sedation. Gastrointest Endosc. 2011; 73(4):710-7.

46. Urman RD, Philip BK. Accreditation of ambulatory facilities. Anesthesiol Clin. 2014; 32(2):551-7.

47. Gottlieb O. Anesthesia information management systems in the ambulatory setting: benefits and challenges. Anesthesiol Clin. 2014; 32(2):559-76.

48. Dutton R. Quality management and registries. Anesthesiol Clin. 2014; 32(2):577-86.

189

Anestesia para Radioterapia

Josyanne Balarotti Pedrazzi ▪ Taís Tavares Barlera
Michael Jenwei Chen ▪ Ricardo Antonio Guimarães Barbosa

INTRODUÇÃO

Os experimentos pioneiros envolvendo a aplicação de radiação ionizante no tratamento de um paciente com câncer ocorreram em meados de 1896, apenas um ano após a descoberta do raio X por W. C. Röentgen, com os primeiros resultados positivos documentados em 1899.[1-3] Desde então, o uso de radiação ionizante no contexto médico, definido classicamente como radioterapia (RT), tem se mostrado um método terapêutico eficaz, especialmente quando o alvo são células neoplásicas. Com o advento da utilização do cobalto na década de 1950 e, mais notavelmente, com o desenvolvimento de aceleradores lineares (ALs) na década de 1960, capazes de atingir células tumorais localizadas profundamente no corpo, a RT firmou-se como uma das principais abordagens no tratamento do câncer.[4] Atualmente, a prática clínica da RT oferece diversas opções de técnicas e equipamentos, permitindo ao médico radio-oncologista selecionar a forma de irradiação, o isótopo e o equipamento.

Essa evolução técnica possibilitou a segmentação do tratamento irradiante, primariamente, de acordo com a localização da fonte de radiação: externa (radioterapia de feixe externo), quando esta encontra-se externamente e à distância do corpo do paciente, emitindo o feixe de radiação em direção a um "campo" de irradiação previamente definido; ou em proximidade (braquiterapia), quando a fonte de radiação encontra-se em contato direto com o alvo terapêutico, através do implante de dispositivo irradiante, muitas vezes internamente no corpo do paciente.[4]

▪ TIPOS DE TRATAMENTO IRRADIANTE

Radioterapia de Feixe Externo

Radioterapia convencional (Bi-dimensional)

Nesse método, o planejamento se baseia na delimitação da região de tratamento por meio de radiografias ortogonais simples e é realizada com base no conhecimento aprimorado da anatomia topográfica por parte do médico. Devido à limitação na visualização do volume-alvo e dos tecidos normais, os "campos" de tratamento necessitam ser relativamente grandes, o que pode aumentar o potencial de efeitos adversos, restringir a possibilidade de se aumentar a dose de radiação, ou mesmo aumentar o risco de "falha geográfica" pela imprecisão na localização dos alvos terapêuticos.

A radioterapia convencional pode ser considerada, atualmente, uma forma arcaica de RT, assim como os aparelhos de radioterapia com fontes de cobalto-60 e césio-137.

Radioterapia conformada (Tri-dimensional)

Nessa abordagem, o planejamento é realizado com base em exames de imagem tomográfica do paciente, permitindo a visualização do volume-alvo e dos tecidos normais circunjacentes. As imagens adquiridas da região de interesse são importadas para um sistema de planejamento computadorizado que, além de permitir essa definição precisa da localização e do volume dessas estruturas, possibilita a prescrição da administração da dose de radiação por meio da combinação de múltiplos "campos" de tratamento, aumentando-se a conformação do tratamento em volta dos alvos terapêuticos, o que reduz o potencial de efeitos adversos. Permite eventualmente aumentar a dose de radiação, e reduz o risco de "falha geográfica", em comparação à radioterapia convencional (Figura 189.1A).[5]

A radioterapia conformada pode ser considerada, atualmente, uma técnica minimamente adequada de radioterapia externa, assim como os aparelhos de radioterapia com fontes de raio X, os ALs.

Radioterapia de intensidade modulada de feixe

A radioterapia de intensidade modulada de feixe (IMRT), do inglês, *intensity-modulated radiotherapy*, engloba todas as técnicas que permitem modular a intensidade da radiação, inclusive sua variante mais sofisticada VMAT, do inglês, *volumetric modulated arc therapy*, que, ao invés de "campos" de tratamento, irradia o paciente de forma circunferencial, utilizando-se de "arcos" de tratamento.

A modulação do feixe de radiação da IMRT se baseia no uso de diferentes subcampos para cada "campo" de tratamento, que é feito com o auxílio dos colimadores secundários dos ALs, chamados MLCs, do inglês, *multi-leaf colimators,* cujas lâminas, de espessura milimétrica, movimentam-se ativamente durante a emissão do feixe de radiação, determinando o bloqueio parcial do feixe em termos espaciais e conformando diversos formatos de subcampos. Portanto, as estruturas anatômicas são atravessadas pelo feixe de radiação para que se atinja com maior precisão os alvos de interesse, poupando os tecidos sadios. A combinação de vários "campos" de IMRT (ou "arcos" de VMAT) possibilita uma distribuição de dose altamente controlada no paciente, seguindo premissas estabelecidas previamente, durante a fase de planejamento e com a utilização de sistemas de planejamento computadorizados de tratamento, quando se objetiva a conformação das doses de radiações em volta do alvo terapêutico e a redução das mesmas doses nos tecidos circunjacentes. (Figura 189.1B) Por exemplo, no tratamento do câncer de próstata, mesmo estando um determinado órgão ou tecido (bexiga ou reto) em íntimo contato com o alvo terapêutico (por exemplo, "abraçando" ou sendo "abraçado" pela próstata), a IMRT potencialmente reduz os riscos de efeitos adversos, permitindo eventualmente melhor conformar o tratamento, e mesmo aumentar a dose de radiação terapêutica sobre a próstata, pela menor exposição proporcional da bexiga ou do reto aos efeitos deletérios da radiação.[5,6]

A IMRT, comercialmente disponível desde fins do século XX e popularizada no Brasil desde o início do século XXI, infelizmente ainda não atingiu a capilaridade esperada, muito em parte pela sua parcial incorporação ao "rol" da Agência Nacional de Saúde (ANS) e ausência de estímulo à incorporação ao Sistema Único de Saúde (SUS).

Radioterapia guiada por imagem

A radioterapia guiada por imagens (IGRT), do inglês *image-guided radiotherapy*, não é exatamente uma técnica de tratamento irradiante, mas uma série de aprimoramentos tecnológicos e procedimentos que objetivam aperfeiçoar a precisão da emissão dos feixes de radiação, por meio de imagens obtidas em tempo (quase) real, antes ou durante a aplicação da radiação. Isso possibilita a redução das margens de segurança ao redor do alvo terapêutico, pela estimativa mais precisa de sua localização no interior do paciente, abrindo caminho para novas abordagens clínicas, como o hipofracionamento e o ultra-hipofracionamento com escalonamento de dose, em alguns sítios anatômicos e para tumores de volume diminuto.

Existem várias tecnologias integradas tanto ao AL quanto à sala de tratamento, que permitem a realização de IGRT com maior ou menor precisão espacial e temporal. As mais comuns incluem:[7]

- Imagem volumétrica de feixe cônico (cone-beam CT) (Figura 189. 2) ou imagem planar com raio X (ionizante);
- Ultrassom, *transponders* de radiofrequência ou detectores/*scanners* de superfície (não ionizantes).

Radioterapia estereotática de dose única (radiocirurgia) ou de dose fracionada craniana

Essa abordagem consiste na administração de doses únicas ou múltiplas e elevadas de radiação com alta precisão direcionada para tumores intracranianos, malignos ou benignos, e algumas doenças funcionais, com margens de segurança mínimas ao redor do alvo terapêutico. A característica distintiva dessa técnica é a extrema precisão no posicionamento, alcançada por meio da imobilização adequada da cabeça do paciente na mesa do AL. Historicamente, a imobilização para procedimentos de radiocirurgia era realizada com a ajuda de um dispositivo fixado na calota craniana do paciente, chamado anel de estereotaxia. Recentemente, com o uso de IGRT, tem sido possível substituir esses anéis, que eram fixados por meio de parafusos, por máscaras de fixação menos invasivas e que não

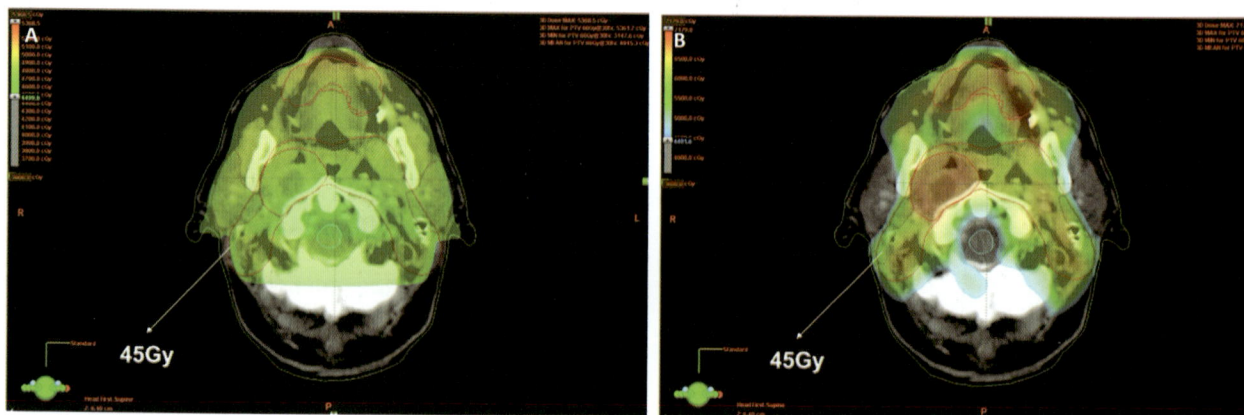

▲**Figura 189.1** Distribuição de dose em planejamento terapêutico de tratamento irradiante de neoplasia maligna da região de cabeça e pescoço, utilizando-se técnicas de **(A)** 3D-CRT e **(B)** IMRT. Nota-se que, com a técnica de IMRT, a dose de radiação se distribui nos tecidos de modo que estruturas críticas (por exemplo: medula espinal [em azul] e parótidas [em marrom]) não recebam a dose de 45 Gy (ou maior).

IMRT: *Intensity – modulated Radiotherapy*; 3D – CRT: 3D *Conformal Radiation Therapy*.

Fonte: Acervo do autor.

requerem anestesia. (Figura 189.3) A radiocirurgia também é executada por equipamentos dedicados, como o Gammaknife®, além dos ALs devidamente equipados com IGRT de alta precisão espacial.

A radioterapia estereotática fracionada craniana segue os mesmos preceitos da radiocirurgia, porém, utilizando-se de doses menores de radiação por fração (≥ 5 Gy *versus* em torno de 18 Gy, para a radiocirurgia) e em múltiplas frações. Desta forma, a imobilização é realizada de forma não invasiva, sem fixação com anéis de estereotaxia, associada a IGRT e necessitando de margens de segurança reduzidas ao redor do alvo terapêutico.[6]

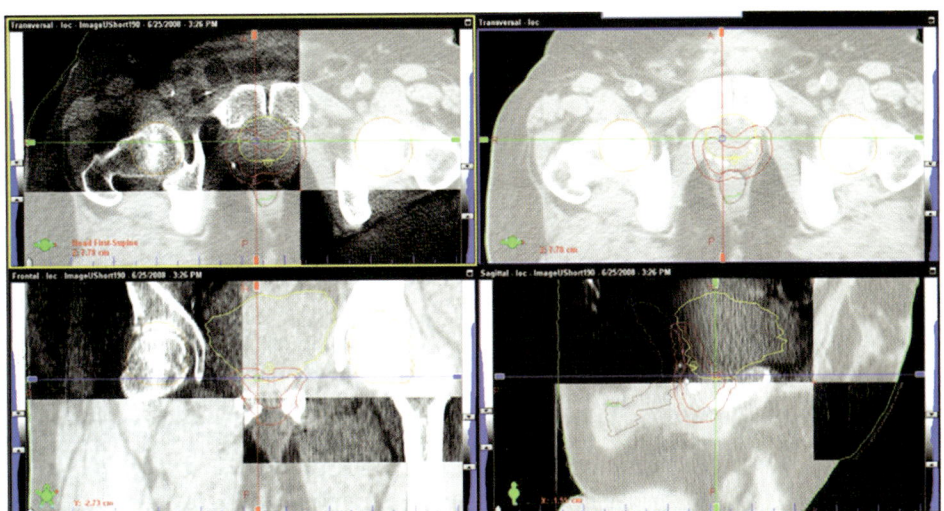

▲ **Figura 189.2** Sobreposição de imagem tipo cone-beam CT sobre imagem tomográfica de planejamento de radioterapia para IGRT tratamento irradiante de neoplasia maligna da região de próstata e vesículas seminais. Nota-se que o cone-beam CT se apresenta com mais ruído e janela (*windowing*) mais estreita, ao passo que a imagem tomográfica de referência, se apresenta com janela mais larga.

Fonte: Acervo do autor.

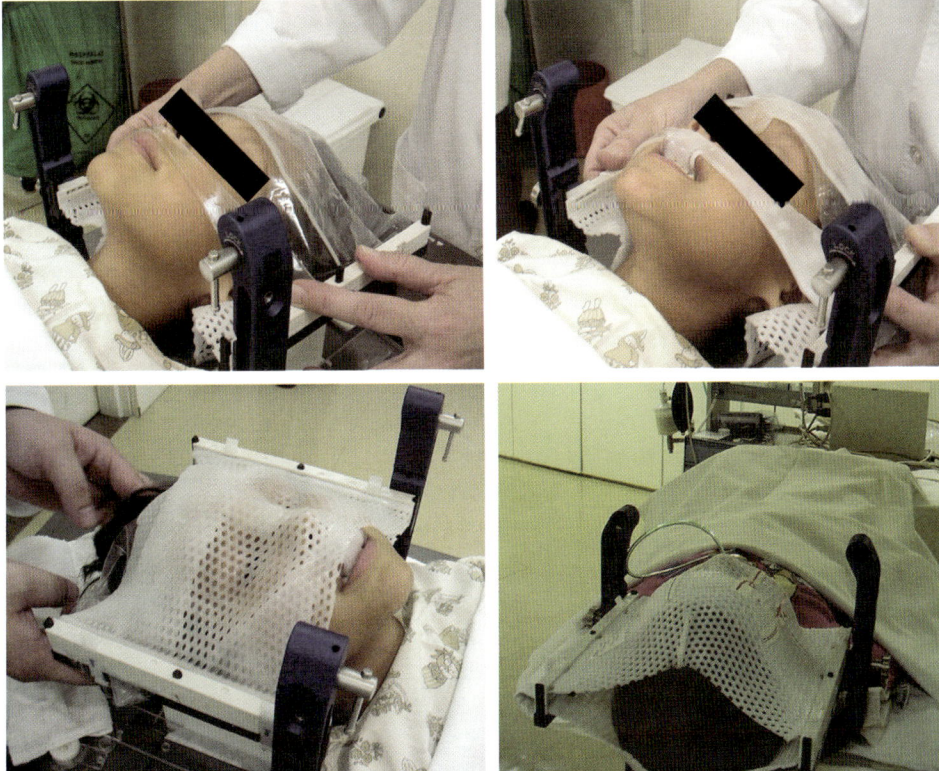

▲ **Figura 189.3** Processo de confecção de máscara termoplástica reforçada em paciente pediátrico para realização de sessão de radiocirurgia sob anestesia.

Fonte: Acervo do autor.

Radioterapia estereotática corporal ou extracraniana

A radioterapia estereotática corporal ou extracraniana (SBRT), do inglês, *stereotactic body radiation therapy* ou (SABR) do inglês, *stereotactic ablative body radiotherapy* é caracterizada pelo uso intensivo de IGRT juntamente com métodos de imobilização adequados para o corpo do paciente, fora da região craniana. A combinação de IGRT com uma imobilização precisa e reprodutível do paciente, visa minimizar incertezas de localização do alvo terapêutico durante a emissão do feixe de radiação, considerando-se, que fora da região craniana, os alvos de tratamento podem naturalmente movimentar-se como consequência, por exemplo, da movimentação diafragmática (respiração) ou do peristaltismo das alças intestinais. Essa abordagem envolve a administração de doses múltiplas e elevadíssimas, ultra-hipofracionadas, de radiação (de 7 a 18 Gy por fração, com 2 a 10 frações) com alta precisão direcionada para tumores malignos, primários ou metastáticos, de volumes bem definidos e diminutos, e com margens de segurança restritas ao redor do alvo terapêutico.[8,9]

Eventualmente são utilizadas soluções adicionais para melhor lidar com as incertezas de localização dos alvos terapêuticos, além da imobilização do paciente e do uso de IGRT, como:

- Monitorização dos movimentos respiratórios do paciente, com ou sem restrição física de tais movimentos, com ou sem acoplagem da emissão de radiação terapêutica (*gating*);
- Implantação cirúrgica de fiduciais ou *transponders* de radiofrequência nos tecidos circunvizinhos ao alvo terapêutico para monitorização de movimentos.

Na Tabela 189.1 são descritas as principais etapas dos tratamentos com radioterapia externa, após ter sua indicação clínica determinada.

▪ BRAQUITERAPIA

À semelhança da radioterapia externa, tradicionalmente a braquiterapia pode ser realizada de maneira convencional, baseada em parâmetros geométricos e por meio de radiografias ortogonais simples, sem que variações anatômicas sejam levadas em consideração.[10] A braquiterapia tri-dimensional ou mesmo a braquiterapia guiada por imagem, por outro lado, tem amadurecido com a disseminação do uso de modalidades de imagem médica como a tomografia computadorizada (TC) ou a ressonância nuclear magnética (RNM), permitindo melhor conformação das doses de radiação nos alvos de tratamento (p.ex. próstata e colo uterino), bem como o melhor manejo e limitação de doses em OARs (do inglês, *organs at risk*). Os órgãos e tecidos em risco devem ser protegidos da exposição à radiação, por exemplo, bexiga e reto. Suas vantagens clínicas podem ser observadas em estudos retrospectivos e prospectivos, inclusive com sugestão de ganho de sobrevida quando os pacientes são planejados com esta técnica, frente à braquiterapia convencional, ou mesmo à outras modalidades terapêuticas, como a radioterapia externa.[10] Sua desvantagem mais evidente é o alto custo associado, não só pela realização de maior número de procedimentos associados (p. ex. TC e/ou RNM de planejamento), mas também pela maior carga de trabalho, dado a maior complexidade do procedimento.

Igualmente, a braquiterapia pode ser classificada de diversas formas, como pela técnica de inserção, tipo de fonte de radiação, taxa de dose de radiação, duração do implante, entre outras.[11-13]

Técnicas de Inserção da Braquiterapia

Braquiterapia intracavitária

É usualmente indicada para tumores malignos ginecológicos, em concomitância ou não com o tratamento com radioterapia externa, por exemplo, para o câncer de colo uterino. Nestes casos, nos tratamentos adjuvantes à ressecção cirúrgica, a fonte radioativa (aplicadores) é inserida por via vaginal para irradiação do fundo vaginal. Nos tratamentos primários, (em substituição à ressecção cirúrgica), a fonte radioativa é inserida por via vaginal tanto na cavidade uterina quanto em contato direto com o colo uterino acometido pela neoplasia para irradiação do fundo vaginal,

Tabela 189.1 Principais etapas dos tratamentos com radioterapia externa.	
Etapa	**Procedimentos**
Simulação	Confecção de dispositivo de imobilização (p. ex.: máscara termoplástica, colchão moldável à vácuo, [*vac-fix*]) e posicionamento do paciente. Aquisição de imagem para planejamento (tomografia computadorizada de planejamento) e determinação de centro geométrico de referência para o tratamento (isocentro)
Planejamento	Delineamento de alvos de tratamento (GTV, CTV, PTV) e órgãos de risco (OARs).* Planejamento da administração de dose (p. ex.: disposição dos feixes de tratamento e avaliação do plano terapêutico proposto). Cálculo de dose e controle de qualidade
Tratamento	Verificação do posicionamento do paciente e dos parâmetros técnicos do planejamento ("*set-up*", ao início do tratamento). Verificação do posicionamento e precisão da administração do feixe de tratamento em relação ao isocentro e/ou alvos de tratamento (regularmente, p. ex. com uso de IGRT, e no transcorrer das sessões de tratamento). Administração da dose (tratamento)

*GTV: *gross tumor volume*, equivalente ao leito tumoral ou tumor, se presente; CTV: *clinical target volume*, equivalente a região de doença microscópica que necessita ser tratada; PTV: *planning target volume*, equivalente a uma margem técnica em volta dos alvos, considerando-se incertezas (p. ex.: desvios de posicionamento) associadas ao tratamento diário; OARs: *organs at risk* (órgãos e tecidos que potencialmente devem ser protegidos da exposição à radiação).

IGRT: Image Guided Radiotherapy

colo uterino e útero. Nesse último caso, recomenda-se geralmente, a realização do procedimento de inserção sob analgesia ou mesmo anestesia, a depender principalmente da tolerância da paciente à dor.

Braquiterapia intersticial

É marcada pela colocação precisa de fontes radioativas diretamente no tecido alvo como, por exemplo, a próstata, no tratamento primário do câncer de próstata. As fontes radioativas, nesse caso, ora de uso único (sementes individuais, de uso permanente), ora de uso múltiplo (de uso temporário), são inseridas através de implante transperineal, sob anestesia ou mesmo, eventualmente, sob analgesia apenas (Figura 189.4).

Braquiterapia intraluminal e de contato

Formas de inserção contemporaneamente menos usuais incluem a braquiterapia intraluminal, empregada no passado para o tratamento curativo ou paliativo de câncer de esôfago, e a braquiterapia de contato, muito utilizada ainda no tratamento de câncer de pele não melanoma e no tratamento de neoplasias malignas intraoculares. Nesse caso, para o melanoma maligno da coroide, uma fonte radioativa em formato de placa esférica é inserida cirurgicamente entre a conjuntiva e a esclera, imediatamente acima e na superfície externa do globo ocular, em proximidade do alvo terapêutico. O tratamento de neoplasias malignas intraoculares com braquiterapia ocular também inclui, além da inserção, uma retirada cirúrgica da mesma fonte radioativa sob anestesia, após um período planejado de exposição terapêutica à radiação, em ambiente controlado de internação hospitalar.

Tipo fonte e taxa de dose de radiação da braquiterapia

Fontes de radiação podem ser radioisótopos como o iodo-125, rutenio-106 ou irídio-192, e a escolha da fonte mais adequada para cada indicação clínica depende de diversos fatores, incluindo dimensões físicas (geralmente milimétricas), características da radiação desejada (fótons ou elétrons), meia-vida (duração da emissão), alcance terapêutico (profundidade/distância da fonte em que a emissão radioativa é clinicamente relevante), entre outros.

Quanto à taxa de dose, fontes de baixa taxa de dose são usadas em sessões de tratamento com duração de horas ou dias e fontes de alta taxa de dose geralmente são usadas em sessões muito curtas e controladas para liberar doses elevadas de radiação, ao longo de minutos. A braquiterapia de alta taxa de dose também tem como vantagem a menor exposição à radiação da equipe assistencial e dos acompanhantes do paciente, à medida que é realizada em ambiente controlado hospitalar, com inserção remota da fonte de radiação: aplicadores específicos são inseridos e retirados sem fonte radioativa e o tratamento só ocorre após planejamento minucioso da duração da exposição terapêutica e efetiva introdução automatizada (inserção remota) da fonte no interior dos aplicadores.

Duração do Tratamento com Braquiterapia

Temporário

A fonte de radiação é inserida temporariamente no paciente por um período específico e depois removida. A grande maioria dos procedimentos contemporâneos envolvendo a braquiterapia se utiliza de implantes temporários.

Permanente

A fonte de radiação é deixada permanentemente no corpo do paciente, como na braquiterapia dc próstata com sementes de iodo-125, na qual, embora a meia-vida da fonte seja relativamente longa (meses), o próprio corpo do paciente funciona como blindagem à exposição ambiental à radiação que praticamente inexiste após a inserção das sementes no paciente.

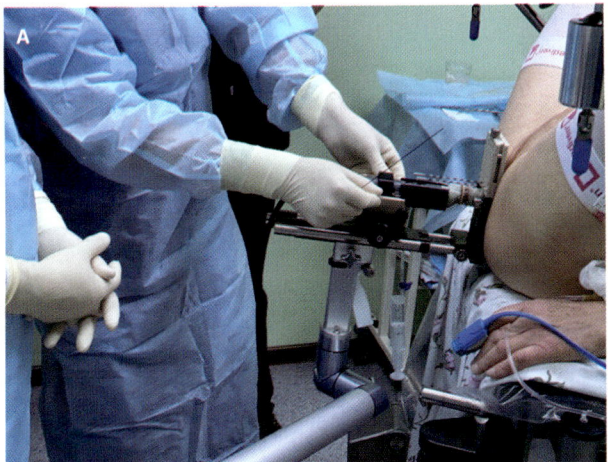
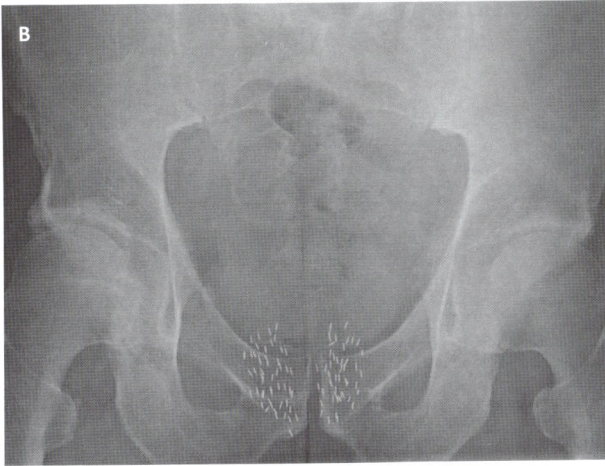

▲ **Figura 189.4** Imagem ilustrativa de procedimento de inserção transperineal de agulhas de braquiterapia de próstata, através das quais são inseridas sementes radioativas. No detalhe, distribuição das sementes radioativas no interior do tecido prostático visto em radiografia simples de próstata.

Fonte: figura **A:** https://commons.wikimedia.org/wiki/File:Brachytherapy.jpg, figura B: https://commons.wikimedia.org/wiki/File:Brachytherapybeads No.png.

Na Tabela 189.2 são descritas as principais etapas dos tratamentos com braquiterapia, após ter sua indicação clínica determinada.

Tabela 189.2 Principais etapas dos tratamentos com braquiterapia.

Etapa	Procedimentos	
Inserção de fontes radioativas	Posicionamento e imobilização do paciente (p. ex.: em posição de litotomia para inserção de sementes de iodo-125 na próstata ou de aplicadores intra-cavitários, por via vaginal). Inserção de fontes radioativas ou pré-inserção de aplicadores específicos	
Planejamento*	Na braquiterapia convencional: planejamento da administração de dose (p. ex.: disposição das fontes e avaliação do plano terapêutico proposto), em radiografias simples ortogonais	Na braquiterapia tri-dimensional: delineamento de alvos de tratamento e OARs e planejamento da administração de dose, em exames de imagem (p. ex.: TC, RNM ou mesmo ultrassom) para planejamento
Tratamento	Administração de dose	
Retirada de fontes radioativas	Posicionamento e imobilização do paciente. Retirada de fontes radioativas de aplicadores específicos	

*Eventualmente pode ocorrer previamente ao tratamento, isto é também definido como pré-planejamento.

◼ O ANESTESIOLOGISTA NO SERVIÇO DE RADIOTERAPIA

Cada vez mais, os anestesiologistas estão sendo chamados a participar de procedimentos radioterápicos, considerando-se a crescente complexidade dos tratamentos irradiantes e demandas específicas, e pacientes pediátricos,[14,15] mas principalmente também pelo envelhecimento populacional e a provável sobreposição de comorbidades clínicas às neoplasias malignas em pacientes idosos.[16,17] As principais razões para solicitar a presença de anestesiologistas nos serviços de radioterapia estão listadas na Tabela 189.3.

Tabela 189.3 Indicações mais usais de anestesia em radioterapia.

- Maturidade emocional insuficiente (p. ex.: crianças com 4 anos ou menos)
- Distúrbios cognitivos e motores (p. ex.: sequelas terapêuticas ou da própria doença)
- Transtornos ansiosos (p. ex.: agorafobia)
- Dor (p. ex.: braquiterapia com implante de sementes de iodo-125 em câncer de próstata)
- Manutenção da permeabilidade da via aérea

Na radioterapia externa, a anestesia é necessária para manter certos grupos de pacientes imóveis durante o tratamento, como crianças ainda sem maturidade emocional suficiente e pessoas de qualquer idade que apresentem distúrbios cognitivos e motores, que as impeçam de compreender adequadamente o requisito mais importante, para a satisfatória realização de uma sessão de radioterapia, a imobilidade. Isso é crucial tanto pelo binômio menor acerto de tecido tumoral e maior irradiação de tecidos saudáveis ("falha geográfica") causada por excessiva movimentação do paciente durante a exposição ao feixe de radiação, quanto pelo risco de acidentes no transcorrer da mesma, visto que o paciente sempre permanece isolado "em sala" por período relevante (de alguns poucos ou até mais de uma dezena de minutos), sendo monitorado apenas remotamente, durante a sessão de tratamento.

Faz-se mister entender que praticamente todas as crianças com menos de 4 anos de idade requerem anestesia, juntamente com cerca de 50% das crianças com 4 a 6 anos de idade e, em alguns casos, até mesmo crianças com 10 anos ou mais.[18,19] As crianças mais velhas podem requerer anestesia devido ao estado neurológico (p. ex. transtornos de movimento ou comprometimento cognitivo) ou angústia psicológica (p. ex. afastamento dos pais).

Alguns estudos descrevem técnicas de ansiólise não farmacológicas que afetam na proporção de crianças capazes de suportar o tratamento sem sedação profunda, resultando na redução da demanda por anestesia em até 40% dos casos inicialmente "sob risco" (mais propensas a necessitar de anestesia) antes de avaliação psicológica.[18] Exemplos de intervenções não farmacológicas incluem: integração calorosa de toda a equipe assistencial, disponibilização de maior tempo de tratamento para permitir uma experiência lúdica, manutenção de vínculos sensoriais e afetivos, uso de recursos audiovisuais dedicados, entre outros[20-22] que ajudam as crianças a sentirem segurança suficiente para aceitar o tratamento acordadas.

Da mesma forma, pacientes em qualquer idade podem apresentar-se para tratamento irradiante necessitando de anestesia, devido aos distúrbios cognitivos e sequelas motoras à própria doença (p. ex. tumores cerebrais localizados em áreas eloquentes) ou à tratamentos previamente realizados (p. ex. ressecções de fossa posterior evoluindo com síndrome de mutismo cerebelar) e, eventualmente, apresentado disfunções anatomofisiológicas (p. ex. por pneumectomias mais extensas) que dificultam o indispensável posicionamento em decúbito para imobilização e tratamento.

A agorafobia e outros transtornos ansiosos, por sua vez, podem ocorrer ou mesmo se intensificar ao longo do tratamento oncológico. Em especial, na radioterapia, ela se evidencia já nos momentos iniciais do tratamento, na fase de simulação e confecção de máscara de imobilização, dispositivo este usado para tratamentos da região do segmento cefálico e pescoço e que restringe de forma bastante intensa a movimentação do paciente, imputando sensação de aprisionamento e claustrofobia. Anestesiar o paciente acaba sendo uma escolha quando medidas farmacológicas para ansiólise não são eficazes no tempo desejado (sessões de radioterapia diárias ao longo de várias semanas). Considerando-se também que outras formas de manejo do paciente, como a terapia cognitivo comportamental foram ineficazes. As técnicas anestésicas empregadas nessas situações visam principalmente à indução de um estado de hipnose profunda e imobilidade, já que não há dor envolvida no momento da exposição à radiação ionizante.[23,24]

Por fim, o arquétipo do uso de anestesia para o manejo de dor em radioterapia são os procedimentos de braquiterapia, pois esta pode estar associada a efeitos agudos que afetam o bem-estar do paciente durante e imediatamente após o procedimento. Dependendo da localização da inserção das fontes radioativas e da sensibilidade do paciente, dor e desconforto podem variar de leves a moderados ou intensos. A anestesia local ou regional pode ser usada para bloquear a sensação de dor na área de tratamento, tornando a experiência mais tolerável para o paciente.[24,25] A sedação/anestesia tem por objetivos diminuir a ansiedade e estresse, proporcionar maior cooperação durante procedimentos mais invasivos e demasiadamente prolongados (dependendo do tipo de braquiterapia, durando até horas), algo desafiador quando o paciente permanece acordado e consciente durante todo esse tempo.

PRINCIPAIS TÉCNICAS ANESTÉSICAS PARA RADIOTERAPIA PEDIÁTRICA

A anestesia geral ou sedação profunda para a radioterapia pediátrica e nos adultos tem por objetivo prevenir a ansiedade e a movimentação do paciente. No entanto, pode ocorrer eventos adversos como óbito, hipotermia, obstrução de vias aéreas altas, hipoventilação, broncoaspiração, hipovolemia, anafilaxia, aumento da pressão intracraniana (tumores no sistema nervoso central) e as complicações relacionadas a radiação ionizante.[26]

Ademais, o estresse gerado pela indução anestésica pode causar distúrbios de comportamento pós-operatório como agitação após o procedimento, ansiedade, pesadelos e fobia do hospital e da equipe assistencial, comprometendo a qualidade de vida do paciente e familiares.[27,28] Pode ocasionar também náuseas, vômitos e diminuição no apetite.

Outros desafios na realização da anestesia/sedação são os efeitos adversos da quimioterapia (QT)/imunoterapia concomitantes e a localização distante da sala de radioterapia em relação ao centro cirúrgico e unidade de tratamento intensivo,[29] resultando atraso em obter ajuda para o tratamento de uma condição crítica em anestesia. Por estes motivos, a técnica anestésica a ser escolhida precisa ser a mais segura para a criança submetida a irradiação diariamente.[29]

Para garantir a segurança e efetividade da anestesia/sedação, o paciente é monitorado por um sistema de câmeras e áudio de uma área próxima à sala de radioterapia, denominada sala de comando[29,30] (Figura 189.5). Na configuração básica desse sistema há uma câmera direcionada ao paciente para observar movimentação corporal e incursões respiratórias[29,30] e outra câmera está focada na tela dos monitores fisiológicos e no aparelho de anestesia/ventilador. O foco e o zoom são controlados individualmente a partir da sala de comando.[28] A monitorização hemodinâmica e ventilatória do paciente inclui eletrocardiografia, pressão arterial não invasiva, oximetria de pulso, capnografia e temperatura, pois as salas são frias.[29,30]

Esta observação clínica à distância pode dificultar a titulação das doses de agentes anestésicos venosos adminis-

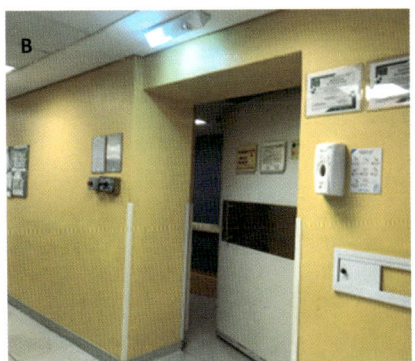
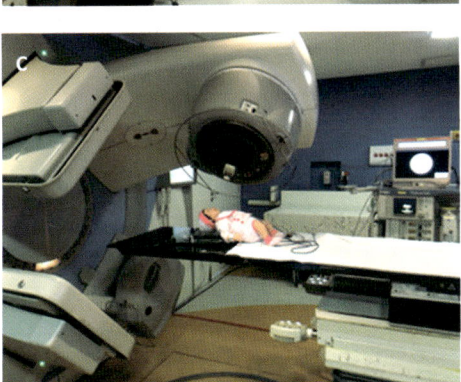

▲ **Figura 189.5 (A)** Imagem da sala de comando. **(B)** Imagem da entrada da sala de radioterapia. **(C)** Imagem do paciente monitorizado na mesa do acelerador linear (no interior da sala de radioterapia). **(D)** Imagens do paciente, aparelho de anestesia e monitor multiparamétrico observadas pela equipe assistencial da radioterapia presente na sala de comando.

Fonte: Acervo do autor.

trados em bólus,[29] portanto na manutenção da anestesia/sedação podem ser usados as bombas de infusão e/ou anestésicos inalatórios.

A via intravenosa (IV) é o método preferido para iniciar a anestesia/sedação.[28] A maioria das crianças recebem tratamento quimioterápico concomitante a radioterapia diária. Por este motivo o dispositivo intravenoso é fixado por curativo e mantido pérvio pela administração de *flush* de solução salina ao término de cada sessão de RT.[28] Geralmente o mesmo dispositivo intravenoso é mantido salinizado durante a semana, mas retirado na sexta-feira.[28,30] Portanto, é fundamental manusear fármacos e o cateter vascular (periférico ou central permanente) com técnica asséptica.[28]

Na série de casos publicada por Yildirim e col. o acesso venoso periférico foi a via de administração preferida, pois dos 133 pacientes anestesiados para TC de planejamento/RT apenas 10 eram portadores de *port-a-cath* (via endovenosa central permanente). Esses autores determinaram como critério de uso da via central a presença de obstrução da via periférica no meio da semana de tratamento. Nesse estudo não ocorreu infecção de corrente sanguínea.[30]

As recomendações de jejum prévio a RT são as mesmas seguidas para as cirurgias ambulatoriais, sendo permitido o consumo de alimentos sólidos e leite materno até 4 horas antes do procedimento e líquidos sem resíduos até 2 horas.[28,31,32] Embora outros centros de RT optem por orientações menos liberais, permitindo o consumo de alimentos sólidos, leite não materno e fórmula até 6 horas antes da anestesia/sedação.[30]

No entanto, nas situações que lentificam o esvaziamento gástrico (opioides, anticolinérgicos, câncer do trato gastrintestinal, hipotireoidismo etc.) o tempo de jejum não pode ser abreviado, nenhuma ingesta de alimentos e líquidos é permitida no período de 6 horas antes do procedimento. A condição de estômago vazio pode ser confirmada por ultrassonografia *point-of-care* que permite ao anestesiologista avaliar o conteúdo/volume gástrico à beira leito e definir o manejo anestésico e das vias aéreas.[28,33-35]

O midazolam por via venosa é o fármaco de primeira escolha para a sedação pediátrica na RT, realizada por médico não anestesiologista.[28] Uma dose inicial de 0,05 mg.kg[-1] IV promove ansiólise e amnesia permitindo a colocação dos monitores hemodinâmicos não invasivos e o posicionamento do paciente em decúbito dorsal para as sessões mais breves. Nessas condições muitos pacientes completam todas as sessões recebendo apenas o midazolam.[28]

O midazolam pode ser repetido até a dose cumulativa de 0,2 mg.kg[-1] IV para que seja colocado os dispositivos de restrição, os blocos de proteção e para as sessões mais longas de RT.[28] Quando o midazolam é insuficiente para combater a agitação, a dextrocetamina pode ser usada e a presença do anestesiologista torna-se desejável.[28] Porém, muitas instituições de saúde padronizam o uso da associação dextrocetamina/propofol para que médicos não anestesiologistas realizem a sedação na RT.[28]

A dextrocetamina é frequentemente usada na sedação moderada/ansiólise de pacientes pediátricos na RT, a dose inicial é variável entre 0,5 e 0,75 mg.kg[-1]. Uma dose suplementar de 0,25 mg.kg[-1] pode ser repetida para obter a cooperação do paciente até o término da sessão. Ocorre taquifilaxia para a

dextrocetamina, porém o tempo de despertar não se torna progressivamente aumentado na fase final do tratamento.[28]

O propofol é o hipnótico preferido pelos anestesiologistas para anestesia/sedação profunda das crianças na TC de planejamento/RT[30,36] porque é um fármaco de rápido início de ação, fácil titulação das doses, rápido término de efeito após infusão contínua e por prevenir náuseas e vômitos.[19,37,38]

Nas crianças previamente sedadas com midazolam, a dose inicial de propofol é variável entre 0,5 e 0,8 mg.kg[-1] IV bólus, permitindo a ventilação espontânea e o controle das vias aéreas.[39] Segue a infusão IV na taxa de 7,4 a 10 mg.kg.[-1]h[-1].[40] A abertura espontânea dos olhos ocorre após 4 minutos da interrupção desta infusão.[41] A combinação de midazolam e propofol promove condições excelentes de sedação/anestesia para as sessões de radioterapia e não ocorre taquifilaxia do propofol.[42-46] O propofol, também pode ser administrado sem a medicação pré-anestésica com benzodiazepínicos.[28]

Observa-se que na literatura os hipnóticos mais recomendados para anestesia/sedação por anestesiologista na RT pediátrica são os agentes inalatórios ou propofol por via venosa.[30,47] A indução anestésica pediátrica é feita na presença dos responsáveis legais do paciente, sendo recomendável que a criança esteja com seu brinquedo favorito enquanto estiver acordada.[30] A dose venosa inicial de propofol é 1 mg.kg[-1]. Doses incrementais são administradas até obter a perda do reflexo palpebral e imobilidade.[30] Quando a criança apresenta uma movimentação durante a RT, a irradiação é interrompida para que o anestesiologista administre dose adicional de propofol ou associe a dextrocetamina (dose única de 0,12 mg.kg[-1]) ou midazolam na dose de 0,08 mg.kg[-1].[30]

Outros autores recomendam o uso exclusivo do propofol em bomba de infusão na fase da manutenção anestésica para minimizar o risco da depressão respiratória[19,41,45] e a necessidade de instrumentar a via aérea superior.[45]

É recomendável a profilaxia antiemética com ondansetrona 0,1 mg.kg[-1] no início de cada sessão, pois o estresse e a QT adjuvante exacerbam o efeito emético da RT.[28]

Ao final da sessão de RT, esses pacientes são transferidos para a unidade de recuperação pós-anestésica (RPA) e recebem alta anestésica após alcançarem nota igual ou superior a 9 na avaliação clínica pela Escala de Aldrete-Kroulick.[28,30] A alta hospitalar ocorre em 60 minutos após a recuperação anestésica e a ingestão de alimentos.[30]

■ PRINCIPAIS INDICAÇÕES DA RADIOTERAPIA

Atualmente, a RT é umas das principais modalidades de tratamento do câncer, sendo utilizada em mais de 50% de todos os pacientes, geralmente combinado com cirurgia e QT para tratar uma ampla gama de tumores.[48]

A RT pode ser a principal intervenção no câncer, mostrando seu papel adjuvante na terapia curativa (prevenindo a falha de órgãos) ou ter propósito paliativo.[26] O procedimento consiste em administrar doses altas de radiação ionizante sobre o tecido maligno e poupar ao máximo o tecido normal.[26]

Na oncologia pediátrica, o papel da RT depende da idade da criança, tipo histológico, estágio e localização anatômica do tumor, sendo sempre combinada com QT e ou cirurgia,[48] sendo uma opção terapêutica importante quando a cirurgia não é possível devido a inacessibilidade operatória do tumor.[49]

As indicações e técnicas de RT pediátrica evoluíram ao longo dos anos para praticamente todos os tipos de tumores, resultando em melhores taxas de cura, com diminuição da morbidade e mortalidade relacionadas ao tratamento.[50]

Nos tumores oncológicos pediátricos as principais indicações de RT são para tumores do sistema nervoso central (SNC) (p. ex. meduloblastoma, ependimoma e glioma), linfoma de Hodgkin, sarcoma de Ewing, tumor de Wilms, neuroblastoma, rabdomiossarcoma e não rabdomiossarcoma de tecido mole.[51] No tratamento de tumores sólidos do SNC, ossos e tecidos moles a RT continua ser importante na estratégia multimodal. Para outros tumores, como linfomas, tumor de Wilms e neuroblastomas a RT é indicada para pacientes de alto risco.[49]

Outra indicação importante da RT em crianças é o transplante de medula óssea (TMO) no qual ela é submetida a irradiação total do corpo antes de ser transplantada. Essa modalidade de terapia é conhecida por TBI (do inglês, *total body irradiation*) e existem dois tipos de protocolos terapêuticos. Um deles consiste em uma sessão única de RT, enquanto o outro é realizado em 3 dias com 2 sessões diárias de RT. Aguarda-se o intervalo de 6 horas entre as duas aplicações diárias.

As principais indicações para RT em adultos são: linfoma difuso de grandes células B, linfoma folicular, GIST (do inglês *gastrointestinal stromal tumors*), câncer gástrico, câncer de reto, câncer de pulmão, melanoma cutâneo, carcinoma de células renais, carcinoma de esôfago, carcinoma de mama.[52] Outras indicações da RT externa seriam na(s) metástase(s) óssea(s) dolorosa(s), em que o alívio da dor é o maior benefício obtido, e metástase(s) em área(s) crítica(s) ou sujeita(s) a fratura ou fenômeno compressivo, em que a cirurgia não é possível.[52]

Nos adultos a RT é indicada para tumores benignos como terapia adjuvante para adenoma pituitário, craniofaringioma, neuroma acústico e meningiomas e para tumores malignos cerebrais como tumores de células germinativas (germinomas) e tumores de células embrionárias por exemplo, meduloblastoma, ependimoma, tumores neuroectodérmicos, tumor teratoide rabdoide atípico.[53]

A RT é indicada em vários tumores raros em adultos, como melanomas de mucosa, para diminuir taxas de recorrência local, tumores de traqueia como tratamento adjuvante ou resgate para doença inoperável, para tumores neuroectodérmicos primitivos (PNET), envolvendo SNC, ossos e tecidos moles, pós-cirúrgico para doença inoperável/limítrofe e nas malignidades hepatobiliares e ovarianas é uma abordagem promissora.[54] No entanto, nos casos de tumores neuroendócrinos pulmonares a RT tem papel incerto como tratamento adjuvante.[54]

▪ EFEITOS COLATERAIS DA RADIOTERAPIA

Os efeitos colaterais da radioterapia podem ser generalizados ou específicos da região do corpo a ser tratada; assim como agudos, durante o período de tratamento; subagudos, por algumas semanas ou meses após; ou tardios, após

meses e anos do seu término (Tabela 189.4) e, especificamente, os danos em tecidos normais são particularmente nocivos nas crianças devido aos seus tecidos e órgãos imaturos e em desenvolvimento.[55]

Ressalta-se que existe associação entre doença de base, comorbidades e repetições diárias e prolongadas de intervenções anestésicas, na dinâmica dos efeitos colaterais agudos, considerando-se então, certa fluidez do estado de saúde geral durante todo o curso da radioterapia. Por exemplo, alterações na regulação central do sistema cardiovascular e nos centros respiratórios no tronco cerebral são encontradas com mais frequência em tumores pediátricos do SNC[56] e os efeitos citotóxicos da radiação (lesão do DNA celular, tanto tumoral quanto de células normais), assim como a própria progressão tumoral podem tornar tais alterações mais ou menos aparentes no transcorrer das sessões de tratamento. Da mesma forma, terapias concomitantes (e até mesmo intensificadas, como para o meduloblastoma, com irradiação crânio espinal e QT diárias, adjuvantes à cirurgia), podem alterar abruptamente as condições fisiológicas dos pacientes pela indução de pancitopenia e aumento do risco de hemorragias ou infecções,[57] inclusive potencializados pelo jejum diário para a anestesia.

Algumas patologias podem requerer cuidados adicionais, como por exemplo, os tumores de tronco cerebral podem promover a depressão respiratória e aspiração de conteúdo gástrico. Pacientes com tumor de Wilms podem ter em associação a tetralogia de Fallot, persistência do canal arterial (PCA), forame oval patente (FOP), estenose aórtica e/ou tumores de cabeça/pescoço.

Tabela 189.4 Exemplos de efeitos colaterais em radioterapia.

Agudos	Tardios
Fadiga	Atraso do desenvolvimento neuropsicomotor
Náusea e vômito	Disfunção hormonal
Cefaleia	Infertilidade
Diarreia	Desenvolvimento ósseo anormal
Alopecia	Telangectasia
Dermatite	Fibrose tecidual
Mucosite	Vasculopatia
Citopenia	Indução de segundas neoplasias

▪ PREPARO CLÍNICO DO PACIENTE PARA A RADIOTERAPIA

No Brasil de acordo com a Lei nº 12.732, de 2012, 60 dias são o tempo máximo que um paciente deve esperar até fazer cirurgia ou iniciar QT ou RT no SUS. A RT, tanto em associação à QT quanto isoladamente, foi a modalidade com menor prevalência de casos tratados oportunamente, isto é, em até 60 dias, como regulamenta a lei. Já que essa terapêutica depende de encaminhamentos para centros de referência, os quais, geralmente, apresentam grande volume de atendimentos e procedimentos a serem realizados, gerando atrasos no início da terapia.[58]

O atraso em iniciar o tratamento e as interrupções não planejadas durante a RT podem afetar negativamente o controle local da doença e as taxas de cura dos pacientes, por isso é importante que eles sejam acompanhados por radioncologistas, oncologistas (clínicos e cirúrgicos), nutricionistas, dentistas e psicólogos desde o início da indicação de RT.

A RT causa lesão do DNA e apoptose celular observada dentro e fora do tumor, provocando sinais e sintomas de toxicidade, como por exemplo, a ativação da resposta pro-inflamatória do sistema imunológico e a lesão de células endoteliais. Portanto, este mecanismo de ação da RT promove imunossupressão,[59] aumento da permeabilidade vascular, da agregação plaquetária, do risco de trombose e fibrose.[60]

Na fase aguda da lesão tumoral e das áreas vizinhas ao câncer de cabeça e pescoço (primeiras semanas do início da RT) podem ocorrer mucosite, xerostomia, alteração do paladar, dermatite, celulite, osteonecrose, trismo, disfagia, hipotireoidismo e dificuldade de manejo da via aérea.[60,61] O anestesiologista pode ser desafiado pelo acoplamento inadequado da máscara facial e ventilação ineficaz devido a osteonecrose, mucosite, falha dentária, rigidez do pescoço, abertura restrita da boca e menor mobilidade da língua.[60] O edema da glote/epiglote dificulta a visibilidade das cordas vocais na laringoscopia direta convencional.[60] Sendo assim, é necessário ter habilidade para realizar a intubação traqueal sob anestesia inalatória ou acordada, bem como manejar os equipamentos de videolaringoscopia e fibrolaringoscopia flexível.

É importante encaminhar os pacientes portadores de câncer na região de cabeça e pescoço para uma avaliação odontológica antes do início da RT para ajudar a diminuir sequelas tardias e melhorar a qualidade de vida. Esses pacientes podem apresentar durante o tratamento várias sequelas de longo prazo, como cáries e perda de peso.[61]

Na vigência de suspeita do quadro de má nutrição o paciente deve submeter-se a exames laboratoriais como a dosagem de albumina sérica, função renal e eletrólitos para que as anormalidades sejam corrigidas pela dieta balanceada. As ferramentas de medida da desnutrição são NRS-2002 e a Escala do Risco Nutricional de Riley que apresentaram correlação com morbimortalidade pós-operatória.[60]

O diagnóstico da desnutrição no início do tratamento oncológico é importante para instituir precocemente medidas nutricionais, com objetivos de evitar a necessidade de reduzir as doses dos fármacos, impedir o atraso dos ciclos de QT, RT ou procedimentos cirúrgicos e promover a redução do risco de toxicidade, infecções e morte.[62]

No estudo de Lemos e col., foram avaliados 1.154 pacientes oncológicos submetidos a RT, e reportada uma prevalência de desnutrição de 30,1%, quase três vezes maior do que na população geral do Brasil, sem diferença entre os tumores malignos sólidos e neoplasias malignas linfo proliferativas.[62]

Não obstante, deve ser considerado que alguns tumores são radio resistentes e um dos fatores aparentemente envolvidos em tal resistência é o grau de oxigenação do tumor. Vaupel e col. descreveram que as células tumorais em ambientes com valores de PO_2 abaixo daqueles encontrados no sangue venoso são 2 vezes mais resistentes à irradiação em comparação com tecidos bem oxigenados.[63]

Portanto, a radiossensibilidade do tumor depende da disponibilidade de oxigênio livre nas células tumorais, em particular quando é aplicada a RT externa com fótons, elétrons ou prótons.[64] Uma explicação para esse mecanismo é que os danos no DNA são causados pela reação dos radicais livres com o oxigênio tecidual livre.[64]

Em um estudo experimental *in vivo*, com células tumorais em ratos, demonstrou-se que as alterações nos níveis séricos de hemoglobina (Hb) se correlacionavam de forma linear com as alterações no uso total de oxigênio pelo tumor, ou seja, níveis baixos de hemoglobina ou hematócrito corresponderam com diminuição da pressão parcial de oxigênio (PO_2) no tumor, sendo a concentração de Hb diretamente relacionada a PO_2 no tumor.[65] No entanto, ao ser analisada a relação entre anemia e toxicidade em pacientes submetidos a RT, demonstrou-se que o nível de hemoglobina não apresenta influência significativa nos efeitos colaterais observados durante o tratamento.[66]

Sendo assim, cabe a cada instituição de saúde definir os gatilhos transfusionais para os pacientes em RT e as situações que determinam sua interrupção temporária. O pesquisador Camargo B., orientou que a RT deve ser interrompida nas seguintes condições:[67]

- Hemoglobina < 10 g.dL^{-1} durante a RT, necessitando de correção por transfusão;
- Contagem de neutrófilos < 500 mm³, e não deve ser reiniciada até que a contagem seja de pelo menos 1.000 mm³, devido ao risco de infecção. O Filgrastim pode ser usado na correção da neutropenia;
- Número de plaquetas < 25.000 mm³, não deve ser reiniciado até que a contagem seja pelo menos 50.000 mm³, devido ao risco de sangramento.

A toxicidade da RT para o sistema cardiovascular e pulmonar resulta da combinação entre estresse oxidativo por lesão do DNA mitocondrial e lesão endotelial nas artérias coronárias, capilares, valvas cardíacas, miocárdio, pericárdio, sistema de condução e pneumócitos alveolares tipo 1.[60] Na fase aguda da RT (dentro de horas a dias do início das sessões com radiação ionizante) podem ser observados variações do ritmo cardíaco, como por exemplo, o bloqueio atrioventricular, prolongamento do segmento QT, arritmia supraventricular e taquicardia ventricular.[60]

Na fase subaguda (2 a 6 meses do início da RT) podem ocorrer pneumonite não infecciosa, associada a tosse seca, dispneia e febre baixa.[60] Frequentemente são prescritos os glicocorticoides para amenizar esses sintomas.[60] Após 9 a 12 meses da RT (fase tardia de toxicidade) podem ocorrer coronariopatia e fibrose pulmonar.[60]

REFERÊNCIAS

1. Milestones in Cancer Research and Discovery. Disponível em: https://www.cancer.gov/research/progress/250-years-milestones#:~:text=1899%3A%20The%20First%20Use%20of,cured%20by%20X%2Dray%20therapy. Acesso em 24/09/2023.
2. Case JT. History of radiation therapy. In: Buschke F. ed. Progress in radiation therapy. New York: Grune & Stratton, 1958. p. 13-41.
3. Lederman M. The early history of radiotherapy: 1895-1939. Int J Radiat Oncol Biol Phys. 1981;7(5):639-648.

4.   Kaplan HS. Historic milestones in radiobiology and radiation therapy. Semin Oncol. 1979;6(4):479-489.
5.   Smith RP, Heron DE, Huq MS, Yue NJ. Modern radiation treatment planning and delivery – from Röntgen to real time. Hematol Oncol Clin North Am. 2006;20(1):45-62.
6.   Veldeman L, Madani I, Hulstaert F, De Meerleer G, Mareel M, De Neve W. Evidence behind use of intensity-modulated radiotherapy: a systematic review of comparative clinical studies. Lancet Oncol. 2008;9(4):367-375.
7.   Bertholet J, Vinogradskiy Y, Hu Y, Carlson DJ. Advances in Image-Guided Adaptive Radiation Therapy. Int J Radiat Oncol Biol Phys. 2021;110(3):625-628.
8.   Kirkpatrick JP, Kelsey CR, Palta M, Cabrera AR, Salama JK, Patel P, et al. Stereotactic body radiotherapy: a critical review for nonradiation oncologists. Cancer. 2014;120(7):942-954.
9.   Rubio C, Morera R, Hernando O, Leroy T, Lartigau SE. Extracranial stereotactic body radiotherapy. Review of main SBRT features and indications in primary tumors. Rep Pract Oncol Radiother. 2013;18(6):387-396.
10. Hande V, Chopra S, Kalra B, Abdel-Wahab M, Kannan S, Tanderup K, et al. Point-A vs. volume-based brachytherapy for the treatment of cervix cancer: A meta-analysis. Radiother Oncol. 2022;170:70-78.
11. Chargari C, Deutsch E, Blanchard P, Gouy S, Martelli H, Guérin F, et al. Brachytherapy: An overview for clinicians. CA Cancer J Clin. 2019;69(5):386-401.
12. Otter SJ, Stewart AJ, Devlin PM. Modern Brachytherapy. Hematol Oncol Clin North Am. 2019;33(6):1011-1025.
13. Song WY, Robar JL, Morén B, Larsson T, Carlsson Tedgren Å, Jia X. Emerging technologies in brachytherapy. Phys Med Biol. 2021;66(23).
14. Janssens GO, Timmermann B, Laprie A, Mandeville H, Padovani L, Chargari C, et al. Recommendations for the organisation of care in paediatric radiation oncology across Europe: a SIOPE-ESTRO-PROS-CCI-Europe collaborative project in the framework of the JARC. Eur J Cancer. 2019;114:47-54.
15. Anacak Y, Zubizarreta E, Zaghloul M, Laskar S, Alert J, Gondhowiardjo S, et al. Practice of Paediatric Radiation Oncology in Low- and Middle-income Countries: Outcomes of an International Atomic Energy Agency Study. Clin Oncol (R Coll Radiol). 2021;33(4):e211-e220.
16. Ethun CG, Bilen MA, Jani AB, Maithel SK, Ogan K, Master VA. Flay and cancer: Implications for oncology surgery, medical oncology, and radiation oncology. CA Cancer J Clin. 2017;67(5):362-377.
17. Colloca G, Tagliaferri L, Capua BD, Gambacorta MA, Lanzotti V, Bellieni A, et al. Management of The Elderly Cancer Patients Complexity: The Radiation Oncology Potential. Aging Dis. 2020;11(3):649-657.
18. Viana LC, Cortez LS, Antunes NJ, et al. Psychologist intervention in radiotherapy treatment for patients with or without anesthesia/sedation: Report of a Brazilian experience in a radiotherapy unit in pediatric oncology. XXIX Congress of SLAOP – Sociedad Latinoamericana de Oncología Pediátrica, São Paulo, 2018. [Portuguese].
19. Anghelescu DL, Burgoyne LL, Liu W, Hankins GM, Cheng C, Beckham PA, et al. Safe anesthesia for radiotherapy in pediatric oncology: St. Jude Children's research hospital experience, 2004-2006. International Journal of Radiation Oncology Biology Physics. 2008;71(2):491-497.
20. Gutkin PM, Skinner L, Jiang A, Donaldson SS, Loo BW Jr, Oh J, et al. Feasibility of the Audio-Visual Assisted Therapeutic Ambience in Radiotherapy (AVATAR) System for anesthesia avoidance in pediatric patients: a multicenter trial. Int J Radiat Oncol Biol Phys. 2023;117(1):96-104.
21. Ntoukas SM, Ritchie T, Awrey S, Hodgson DC, Laperriere N, Yee R, et al. Minimizing General Anesthetic Use in Pediatric Radiation Therapy. Pract Radiat Oncol. 2020;10(3):e159-e165.
22. Claude L, Morelle M, Mancini S, Duncan A, Sebban H, Carrie C, et al. [Use of hypnosis in radiotherapy as an alternative to general anesthesia in pediatric radiation oncology]. Bull Cancer. 2016;103(11):921-927.
23. Chapet O, Udrescu C, Horn S, Ruffion A, Lorchel F, Gaudioz S, et al. Prostate brachytherapy under hypnosedation: A prospective evaluation. Brachytherapy. 2019;18(1):22-28.
24. Humphrey P, Bennett C, Cramp F. The experiences of women receiving brachytherapy for cervical cancer: A systematic literature review. Radiography (Lond). 2018;24(4):396-403.
25. Wallner K, Simpson C, Roof J, Arthurs S, Korssjoen T, Sutlief S. Local anesthesia for prostate brachytherapy. Int J Radiat Oncol Biol Phys. 1999;45(2):401-406.
26. Sane S, Sinaei B, Golabi P Talebi H, Rahmani N, Foruhar R, et al. The neurologic complications associated with anesthesia in pediatrics treated with radiotherapy under anesthesia. Iranian Journal of Pediatrics. 2022;32(1).
27. Kain ZN, Wang SM, Mayes LC, Caramico LA, Hofstadter MB. Distress during the induction of anesthesia and postoperative behavioral outcomes. Anesth Analg. 1999;88(5):1042-1047.
28. Harris EA. Sedation and anesthesia options for pediatric patients in the radiation oncology suite. Int J Pediatr. 2010:2010:870921.
29. Davies GJ. Anesthesia and monitoring for pediatric radiation therapy. Anesthesiology. 1986;64(3): 406-407.
30. Yildirim I, I Çelik A, B Bay S, Pasin Ö, Tütüncü AÇ. Propofol-based balanced anesthesia is safer in pediatric radiotherapy. J Oncol Pharm Pract. 2019;25(8):1891-1896.
31. Schreiner MS, Triebwasser A, Keon TP. Ingestion of liquids compared with preoperative fasting in pediatric outpatients. Anesthesiology. 1990;72(4):593-597.
32. Nicolson SC, Schreiner MS. Feed the Babies. Anesth Analg. 1994;79(3): 407-409.
33. Van de Putte P, Perlas A. Ultrasound assessment of gastric content and volume. Br J Anaesth. 2014;113(1):12 22.
34. Alakkad H, Kruisselbrink R, Chin KJ, Niazi AU, Abbas S, Chan VW, et al. Point-of-care ultrasound defines gastric content and changes the anesthetic management of elective surgical patients who have not followed fasting instructions: a prospective case series. Can J Anesth. 2015;62(11):1188-1195.
35. Zhou L, Yang Y, Yang L, Cao W, Jing H, Xu Y, et al. Point-of-care ultrasound defines gastric content in elective surgical patients with type2 diabetes mellitus: a propective chort study. BMC Anesthesiol. 2019;19(1):179.
36. Vigneron C, Schwartz É, Trojé C, Niederst C, Meyer P, Lutz P, et al. Anesthésie générale en radiothérapie pédiatrique [General anesthesia in pediatric radiotherapy]. Cancer Radiother. 2013;17(5-6):534-537. French.
37. Seiler G, De Vol E, Khafaga Y, Gregory B, Al-Shabanah M, Valmores A, et al. Evaluation of the safety and efficacy of repeated sedations for the radiotherapy of young children with cancer: a prospective study of 1033 consecutive sedations. Int J Radiat Oncol Biol Phys. 2001;49(3):771-783.
38. Wojcieszek E, Rembielak A, Bialas B, Wojcieszek A. Anesthesia for radiation therapy – Gliwice experience. Neoplasma. 2010;57(2):155-160.
39. Weiss M, Frei M, Buehrer S, Feurer R, Goitein G, Timmermann B. Deep propofol sedation for vacuum-assisted bite-block immobilization in children undergoing proton radiation therapy of cranial tumors. Pediatr Anesth. 2007;17(9):867-873.
40. Buehrer S, Immos S, Frei M, Timmermann B, Weiss M. Evaluation of propofol for repeated prolonged deep sedation in children undergoing proton radiation therapy. Br J Anaesth. 2007;99(4):559-560.
41. Scheiber G, Ribeiro FC, Karpienski H, Strehl K. Deep sedation with propofol in preschool children undergoing radiation therapy. Pediatr Anesth. 1996;6(3), 209-213.
42. Martin LD, Pasternak LR, Pudimat MA. Total intravenous anesthesia with propofol in pediatric patients outside the operating room. Anesth Analg. 1992;74(4):609-612.
43. Setlock MA, Palmisano BW, Berens RJ, Rosner DR, Troshynski TJ, Murray KJ. Tolerance to propofol generally does not develop in pediatric patients undergoing radiation therapy. Anesthesiology. 1996;85(1):207-209.
44. Keidan I, Perel A, Shabtai EL, Pfeffer RM. Children undergoing repeated exposures for radiation therapy do not develop tolerance to propofol: clinical and bispectral index data. Anesthesiology. 2004;100(2):251-254.
45. Owusu-Agyemang P, Grosshans D, Arunkumar R, Rebello E, Popovich S, Zavala A, et al. Non-invasive anesthesia for children undergoing proton radiation therapy. Radiother Oncol. 2014;111(1):30-34.
46. Kang R, Shin BS, Shin YH, Gil NS, Oh YN, Jeong JS. Incidence of tolerance in children undergoing repeated administration of propofol for proton radiation therapy: a retrospective study. BMC Anesthesiol. 2018;18(1):125.
47. Stackhouse C. The use of general anaesthesia in paediatric radiotherapy. Radiography. 2013;19(4):302-305.
48. Allen C, Her S, Jaffray DA. Radiotherapy for Cancer: Present and Future. Adv Drug Deliv Rev. 2017;109:1-2.
49. Steinmeier T, Schleithoff S, Timmermann B. Evolving Radiotherapy Techniques in Paediatric Oncology. Clin Oncol (R Coll Radiol). 2019;31(3):142-150.
50. Laprie A, Bernier V, Padovani L, Martin V, Chargari C, Supiot S, et al. Guide for paediatric radiotherapy procedures. Cancer Radiother. 2022;26(1-2):356-367.
51. Breneman JC, Donaldson SS, Constine L, Merchant T, Marcus K, Paulino AC, et al. The Children's Oncology Group Radiation Oncology Discipline: 15 Years of Contributions to the Treatment of Childhood Cancer. Int J Radiat Oncol Biol Phys. 2018;101(4):860-874.
52. Brasil. Ministério da Saúde. Secretaria de Atenção à Saúde. Protocolos Clínicos e Diretrizes Terapêuticas em Oncologia. Brasília: Ministério da Saúde, 2014.
53. Minniti G, Goldsmith C, Brada M. Radiotherapy. Handb Clin Neurol. 2012;104:215-228.
54. Fiorentino A, Gregucci F, Desideri I, Fiore M, Marino L, Errico A, et al. Radiation treatment for adult rare cancers: Oldest and newest indication. Crit Rev Oncol Hematol. 2021;159:103228.
55. Vassantachart A, Olch AJ, Jones M, Marques C, Ronckers C, Constine LS, et al. A comprehensive review of 30 years of pediatric clinical trial radiotherapy dose constraints. Pediatr Blood Cancer. 2023;70(5):e30270.
56. Bindra R, Wolden S. Advances in radiation therapy in pediatric neuro-oncology. J Child Neurol 2016;31(4):506-516.
57. Verma V, Beethe A, LeRiger M, Kulkarni RR, Zhang M, Lin C. Anesthesia complications of pediatric radiation therapy. Pr Radiat Oncol 2016;6(3):143-154.
58. Sobral GS, Araújo YB, Kameo SY, Silva GM, Santos DKC, Carvalho LLM. Análise do Tempo para Início do Tratamento Oncológico no Brasil: Fatores Demográficos e Relacionados à Neoplasia. Rev Bras Cancerol. 2022;68(3).

59. Echeverry G, Fischer GW, Mead E. Next Generation of Cancer Treatments: CAR-T Cell Therapy and its Related Toxicities, a Review for Perioperative Physicians. Anesth Analg. 2019; 129(2):434-441.
60. Groenewold MD, Olthof CG, Bosch DJ. Anaesthesia after neoadjuvant chemotherapy, immunotherapy or radiotherapy. BJA Educ. 2022;22(1):12-19.
61. Jawad H, Hodson NA, Nixon PJ. A review of dental treatment of head and neck cancer patients, before, during and after radiotherapy: part 1. Br Dent J. 2015;218(2):65-68.
62. Lemos PSM, de Oliveira FL, Caran EM. Nutritional status of children and adolescents at diagnosis of hematological and solid malignancies. Rev Bras Hematol Hemoter. 2014;36(6):420-423.
63. Vaupel P, Kallinowski F, Okunieff P. Blood flow, oxygen and nutrient supply, and metabolic microenvironment of human tumors: a review. Cancer Res. 1989;49(23):6449-6465.
64. Svensson H, Möller TR; SBU Survey Group. Developments in radiotherapy. Acta Oncol. 2003;42(5-6):430-442.
65. Gullino PM, Grantham FH, Courtney AH. Utilization of oxygen by transplanted tumors in vivo. Cancer Res. 1967;27(6):1020-1030.
66. Escó Barón R, Valencia Julve J, Polo Jaime S, Bascón Santaló N, Velilla Millán C, López Mata M. Hemoglobin levels and acute radiotherapy-induced toxicity. Tumori. 2005;91(1):40-45.
67. Camargo, B. Protocolo Clínico para Tumores Renais siop-rtsg-gbtr 2016 Versão 2.0. 2016.

190

Anestesia para Eletroconvulsoterapia

Julio Cesar Mercador de Freitas

INTRODUÇÃO

A eletroconvulsoterapia (ECT) é uma modalidade de tratamento biológico não farmacológico indicada para algumas doenças psiquiátricas, especialmente em depressão psicótica e psicose resistente. Consiste na colocação de eletrodos sobre a caixa craniana para emissão de corrente elétrica, a um ou a ambos os hemisférios cerebrais do paciente, sob anestesia geral e relaxamento muscular, visando induzir convulsões generalizadas de duração limitada com finalidades terapêuticas.[1]

■ HISTÓRICO

No início da década de 1930, alguns psiquiatras da Europa Central, que estudavam a relação entre a esquizofrenia e a epilepsia, concluíram que a associação dos dois quadros era rara e que esquizofrênicos que passavam a ter convulsões tinham mais probabilidade de melhorar. Seguindo essa linha de raciocínio, o psiquiatra húngaro Ladislas von Meduna formulou o conceito de possível antagonismo biológico entre essas duas entidades clínicas e sugeriu que convulsões alteravam beneficamente o metabolismo cerebral dos esquizofrênicos. Com base nesse pressuposto, von Meduna passou a induzir convulsões, inicialmente com cânfora e mais tarde com pentilenotetrazol. Em 1937, já contabilizava 54 remissões completas de um total de 110 pacientes assim tratados.

Em abril de 1938, os psiquiatras italianos Ugo Cerletti e Lucio Bini relataram a primeira aplicação de "eletrochoqueterapia" em um paciente com alucinações; o novo tratamento foi mais tarde denominado "eletroconvulsoterapia". Logo recebeu grande aceitação, e, nas décadas de 1940 e de 1950, foi utilizada nas mais diversas patologias psiquiátricas.[2] Geralmente aplicada sem anestesia, era a chamada de "ECT 'não modificada'", que, embora efetiva, estava associada a um intenso desconforto vivenciado pelos pacientes.

Sua utilização declinou nas décadas seguintes com a introdução de fármacos de ação antipsicótica e antidepressiva, coincidindo com intensa campanha negativa da mídia que, na época, considerava a ECT uma prática punitiva e brutal.[2]

A partir dos anos 1960, a introdução da anestesia geral associada a bloqueadores neuromusculares anulou os principais problemas da ECT "não modificada" e trouxe mais segurança à técnica, eliminando algumas de suas complicações, como desconforto geral dos pacientes e lesões decorrentes da atividade motora durante a convulsão.[2]

Em 1978, a Associação Americana de Psiquiatria publicou o primeiro relatório do grupo de trabalho criado com o objetivo de estabelecer normas técnicas e clínicas para a realização da ECT.[3]

No Brasil, era utilizada desde a década de 1960, fora da rede pública de saúde. Somente em 2002 recebeu descrição e porte na Classificação Brasileira Hierarquizada de Procedimentos Médicos (CBHPM); no mesmo ano, a Resolução nº 1.640/2002, do Conselho Federal de Medicina (CFM) determinou a obrigatoriedade da utilização de anestesia geral para a realização da ECT. No ano seguinte, a Associação Médica Brasileira publica suas diretrizes e recomendações.[4,5]

Atualmente, com o aperfeiçoamento da técnica, desenvolvimento de novos aparelhos de ECT, novos agentes anestésicos e relaxantes musculares, a ECT aumentou a eficácia, segurança e tolerabilidade pelos pacientes, sendo utilizada em todos os continentes.

■ MECANISMO DE AÇÃO DA ELETROCONVULSOTERAPIA

Existem diversos estudos e teorias que reforçam a ideia da complexidade e variabilidade do mecanismo de ação da ECT. Apesar das diversas teorias propostas o mecanismo de ação da ECT ainda não está totalmente demonstrado.

As três teorias atualmente mais aceitas são:

- **1ª** A teoria da crise convulsiva generalizada apoiada em evidências clínicas de estudos comparativos da eficácia da ECT "real" em relação aos métodos não convulsivos como a ECT simulada e a estimulação magnética transcraniana. Entretanto, a manifestação motora da convulsão nem sempre se associa à eficácia do tratamento sendo suplantada pela manifestação central da convulsão registrada no EEG (eletroencefalograma).
- **2ª** A teoria neuroendócrina sugere que a ECT induziria a liberação de hormônios hipotalâmicos e hipofisários (hormônio estimulador da tireoide [*thyroid-stimulating hormone*, TSH], hormônio adrenocorticotrópico [*adrenocorticotropic hormone*, ACTH], prolactina e endorfinas), corrigindo as disfunções do eixo e resultando em efeito antidepressivo, que explicaria o bom desfecho nos casos de depressão grave.
- **3ª** A teoria anatômico-ictal propõe que a convulsão induzida pela ECT atuaria no sistema límbico, promovendo aumento do BDNF (fator neurotrófico derivado do cérebro), que proporciona aumento de novas sinapses e neurônios, revertendo anomalias estruturais observadas em pacientes com depressão severa.

Em resumo, a ECT produziria diversos eventos neurobiológicos que vão interagir e determinar a melhora clínica.[6,7-9]

Sequência de Eventos Neurofisiológicos da Eletroconvulsoterapia

Logo após a aplicação transcutânea do estímulo elétrico no crânio, ocorrem alterações sistêmicas profundas e potencialmente perigosas, especialmente em decorrência da estimulação do sistema nervoso autônomo (SNA), que é responsável por alterações no aparelho cardiovascular. De imediato, ocorre estimulação do sistema parassimpático de curta duração, de 10 a 15 segundos, resultando em bradicardia com ou sem hipotensão, contrabalançada logo em seguida pela ativação do sistema simpático. Quando o estímulo é subconvulsivante, não ocorre estimulação simpática; na repetição desses estímulos, usualmente na titulação do limiar convulsivo, podendo haver bradicardia grave, arritmias atriais e até assistolia.[10,11]

Com o desencadear da convulsão, o sistema simpático passa a ser estimulado, resultando no aparecimento de taquicardia, hipertensão arterial, arritmias e alterações do segmento ST, o que aumenta significativamente o consumo de oxigênio pelo miocárdio, podendo ocorrer isquemia miocárdica nos pacientes com cardiopatia isquêmica.[10] Essas alterações na circulação sistêmica são em parte responsáveis pelas alterações hemodinâmicas no sistema nervoso central (SNC), onde há aumentos da permeabilidade da barreira hematoencefálica, do fluxo sanguíneo cerebral, da pressão intracraniana e da taxa metabólica. Ocorrem também alterações na atividade elétrica cerebral, mostrando inicialmente um padrão de EEG similar ao da crise epiléptica do tipo grande mal e terminando com um período de silêncio elétrico (supressão pós-ictal).

A supressão pós-ictal é seguida por ondas delta e teta com retorno ao padrão eletroencefalográfico pré-convulsivo em 20 a 30 minutos. É importante observar que o EEG interictal tende a mostrar um padrão mais lento e de baixa amplitude, aumentando a amplitude, à medida que sessões adicionais de ECT são realizadas. O EEG volta ao padrão normal dentro de alguns meses após o término do tratamento.

A principal preocupação para pacientes e familiares são as alterações cognitivas, na maioria das vezes temporárias. A amnésia anterógrada, relacionada com a formação de novas memórias, normalmente é solucionada em algumas semanas após a conclusão do tratamento. Já a amnésia retrógrada, associada ao passado recente ou remoto, tende a levar um pouco mais de tempo para se resolver.[6] Diversos estudos de neuroimagem demonstram não haver evidências de que a ECT produza dano cerebral; ao contrário, estudos adicionais de neuroimagem funcional revelaram que a ECT melhora a eficiência do cérebro no que diz respeito à conectividade entre as áreas cerebrais.[12,13]

No sistema respiratório, a adequação da ventilação é fundamental, já que, durante a convulsão ocorre grande consumo de oxigênio acompanhado por elevação na produção de CO_2. A hipoxia e a hipercapnia, ocasionadas por ventilação inadequada, agravarão a hipertensão e a taquicardia que ocorrem após a convulsão.[10,13] Outros sistemas são alterados transitoriamente: a pressão intraocular e a pressão intragástrica aumentam após a convulsão. Queixas somáticas gerais, como cefaleias, náuseas e dores musculares, são comuns após a ECT.[1,10]

A Tabela 190.1 mostra os efeitos fisiológicos da ECT.

Tabela 190.1 Efeitos fisiológicos da ECT.
Efeitos cardiovasculares
Fase inicial:
• Bradicardia • Hipotensão
Fase subsequente:
• Taquicardia • Hipertensão • Arritmia • Aumento do consumo de oxigênio miocárdico
Efeitos cerebrais:
• Fluxo sanguíneo cerebral aumentado • Pressão intracraniana elevada • Consumo de oxigênio aumentado
Outros efeitos:
• Pressão intraocular aumentada • Pressão intragástrica aumentada

■ INDICAÇÕES

- A depressão psicótica grave constitui-se na principal indicação da ECT, sendo o tratamento de escolha na gestante deprimida com risco de suicídio.[3,14]
- Quando há necessidade de resposta terapêutica imediata, por risco de suicídio ou por extrema agitação, inani-

ção ou estupor, um pequeno número de sessões de ECT muitas vezes reverte a catatonia, sendo esse, então, o tratamento de escolha nos casos de síndrome de catatonia letal.[15]

■ Estudos recentes demonstraram uma subutilização da ECT no tratamento de pacientes esquizofrênicos com quadro psicótico grave. A ECT vem sendo indicada em pacientes com episódios de reagudização dos sintomas após longo período de remissão e em quadros de catatonia letal.[16-18]

■ A ECT está indicada como tratamento de segunda escolha nas seguintes situações: ausência de resposta terapêutica adequada ao tratamento farmacológico; intensos efeitos colaterais inevitáveis ou maiores do que aqueles provocados pela ECT; e deterioração do quadro psiquiátrico.[4,14]

■ Ela também pode ser uma alternativa no tratamento dos sintomas motores da doença de Parkinson, no tratamento da síndrome neuroléptica maligna e nas convulsões refratárias ao tratamento (Tabela 190.2).[19]

Tabela 190.2 Critérios para indicação de ECT como tratamento de primeira escolha (de acordo com a força-tarefa da Associação Americana de Psiquiatria).[12]

1.	Para pacientes com quadros psicóticos graves que necessitem de uma resposta terapêutica mais rápida do que a obtida com o tratamento convencional.
2.	Nos casos em que os riscos de outros tratamentos são maiores do que os riscos da ECT e/ou para pacientes que não tolerem a farmacoterapia.
3.	Para pacientes com história prévia de resposta pobre à farmacoterapia e/ou boa resposta à ECT, em episódios anteriores.
4.	Para o paciente que prefira esse tipo de tratamento.

■ CONTRAINDICAÇÕES

A maioria dos autores não estabelece contraindicações absolutas para a realização da ECT.[1,10] Os riscos e benefícios do procedimento devem ser cuidadosamente considerados para cada paciente. Nos casos de doenças cardíacas e cardiovasculares, como infarto agudo do miocárdio recente, insuficiência cardíaca congestiva, valvulopatias e aneurismas torácicos, deve ser realizada uma avaliação cardiológica que oriente quanto à relação risco-benefício do procedimento e à conduta terapêutica a ser instituída.

Embora a incidência de complicações graves (como parada cardíaca, infarto do miocárdio e ruptura miocárdica) seja rara, o anestesiologista deve estar sempre preparado, pois as alterações hemodinâmicas durante a ECT são drásticas, mas previsíveis.

Pacientes hipertensos que fazem uso crônico de betabloqueadores devem ser monitorizados atentamente, pois podem apresentar bradicardia importante ou até assistolia durante o procedimento, devendo ser considerado o uso de atropina previamente ao estímulo elétrico. Outros anti-hipertensivos, como nitratos, diazóxido, hidralazina, clonidina, nifedipina, diltiazem e nicardipina, podem e devem ser usados, tanto para o tratamento como para a profilaxia da hipertensão.

É aconselhável aguardar 3 meses após um episódio de infarto para a realização do procedimento. Já os pacientes com feocromocitoma apresentam risco muito aumentado de crise hipertensiva, e, portanto, questiona-se se devem ou não se submeter a uma ECT.[20,22]

Algumas doenças neurológicas também demandam cuidados, como as lesões com aumento de massa intracraniana (tumores e hematomas), as malformações vasculares e os aumentos da pressão intracraniana de qualquer origem. No acidente cerebrovascular recente, é recomendado um intervalo de, pelo menos, 3 meses. Kant e col. publicaram um trabalho, em 1999, em que foi realizada ECT em pacientes com história de trauma craniano, com boa resposta ao tratamento, sem relato de alterações nos testes cognitivos feitos posteriormente. As sessões foram realizadas cerca de 7 a 48 meses após o trauma.[22,23]

Pacientes com descolamento de retina também apresentam risco elevado em razão do aumento da pressão intraocular na ECT.[19,20]

O uso de ECT durante a gravidez não é contraindicado; ao contrário, revisões sistemáticas sugerem que os riscos ao feto associados ao procedimento e a anestesia seriam menores do que aqueles resultantes do tratamento com psicofármacos, ou mesmo, se nenhum tratamento fosse realizado na gestante psicótica.[13,24]

Na consulta pré-anestésica, uma avaliação obstétrica poderá ser solicitada, assim como, durante a realização das sessões de ECT, será importante a presença do obstetra monitorando a cardiotocografia.[13,23]

A ECT pode ser administrada em todos os três trimestres e, também, no pós-parto, sendo uma boa opção no tratamento da psicose puerperal e na depressão pós-parto, pois a boa tolerância e a rapidez da resposta permitirão a manutenção da amamentação.[24,25]

São complicações possíveis: aumento do risco de aborto, descolamento ou insuficiência placentária geralmente nos dois primeiros trimestres da gravidez. No 3º trimestre, o risco de refluxo gástrico aumenta, sendo recomendada a adoção de um tempo maior de jejum, pré-oxigenação por 5 minutos com O_2 a 100%, evitando a hiperventilação. Recomenda-se deslocar o útero para a esquerda, quando a gestante estiver em decúbito dorsal. A complicação mais frequente para o feto logo após a realização da ECT é a bradiarritmia já para a gestante é o trabalho de parto prematuro.[13,23]

Na idade avançada, a ECT também não é contraindicada; pelo contrário, para os pacientes idosos com doença depressiva, é uma das melhores indicações, visto que eles geralmente pouco toleram o uso de antidepressivos.[26]

Em pacientes jovens, há pouca literatura disponível, sendo mais comum em casos de esquizofrenia, transtornos depressivos, catatonia e mania. Deve-se ter o cuidado de adequar a intensidade do estímulo, já que o limiar convulsivo é menor para essa faixa etária. Convulsões prolongadas são mais comuns neste grupo etário; portanto, é recomendado evitar agentes anestésicos como o etomidato e a cetamina.

A utilização da ECT em crianças e adolescentes foi aprovada pela American Academy of Child and Adolescent Psychiatry. No Brasil a Resolução 1.640/2002, do CFM, também autoriza sua utilização em crianças e adolescentes, devendo um responsável legal tomar a decisão pelo paciente.[13,23,27]

■ PROCEDIMENTO

O Aparelho

Para execução da ECT, é necessário equipamento específico que idealmente libera estímulos elétricos de corrente alternada constante e de baixa energia. Os aparelhos para aplicação da ECT inicialmente emitiam estímulos elétricos do tipo onda senoidal, que posteriormente foi substituída por ondas de tipo quadrado. A principal vantagem da onda quadrada em relação à onda senoidal é a facilidade em suplantar o limiar convulsivo, com uso de menos energia, o que seria vantajoso, por produzir menos efeitos adversos.[28,29]

A carga elétrica (dosagem da ECT) não é uma medida linear, mas uma combinação de vários parâmetros elétricos. A carga total é medida em coulombs, e a energia, em joules.[27,30]

As máquinas modernas de ECT produzem pulsos elétricos breves (0,5 a 2 ms) e ultrabreves (menores que 0,5ms), ao contrário das máquinas mais antigas, que emitiam pulsos sinusoidais de longa duração. O equipamento permite o ajuste de diferentes parâmetros de impulso: largura do pulso (milissegundos), frequência dos pulsos (hertz), duração do estímulo (segundos) e corrente (miliamperes).[31,32]

A carga aplicada é atenuada em seu trajeto através de cabelos, pele, subcutâneo e ossos, ou seja, pela resistência variável de cada uma dessas estruturas, resultando em carga final no cérebro diferente da liberada pela máquina.[28] O cérebro tem baixa impedância, porém no crânio ela é alta. A impedância é de extrema importância para a determinação da carga elétrica administrada ao paciente e para a segurança do procedimento, pois a alta impedância provoca transformação de energia elétrica em térmica, podendo causar queimaduras na pele e até lesões no tecido subcutâneo.[28,30]

A máquina deve possuir uma ampla variedade de dosagens de estímulo programáveis, permitindo um tratamento de acordo com o limiar convulsivo individual e monitoramento de EEG e eletrocardiograma (ECG).[30,33] No Brasil, estão disponíveis os aparelhos Thymatron® System IV (Figura 190.1), da Somatics, LLC., e Mecta 5000Q®, da Mecta Corporation, ambas nos EUA.

Posicionamento dos Eletrodos

A colocação dos eletrodos pode ser bilateral, unilateral ou bifrontal. Na posição bilateral, os eletrodos são colocados na região bifrontotemporal. Na unilateral, os dois eletrodos são colocados no mesmo hemisfério, preferencialmente no não dominante, geralmente o direito (Figura 190.2).[9]

Na ECT unilateral, o manguito, que vai monitorizar a atividade motora da convulsão, deve ser colocado no membro ipsilateral (mesmo lado) ao do eletrodo. A posição unilateral direita com estímulo ultrabreve está associada a uma menor intensidade de distúrbios cognitivos quando comparada com o posicionamento bilateral, porém com menor taxa de resposta, necessitando de maior número de sessões e maior carga total (cerca do dobro de carga da bilateral). Por último, o posicionamento bifrontal tem sido proposto, visando-se obter melhor relação entre os efeitos terapêuticos e cognitivos.[15,31,34]

Dosagem Elétrica

A intensidade da corrente contribui para o grau de amnésia e confusão pós-ECT; por outro lado, está relacionada com a eficácia do tratamento. A dosagem elétrica deve ser calculada individualmente e deve ser aquela necessária para desencadear uma crise convulsiva tônico-clônica que dure idealmente entre 15 e 30 segundos. O limiar convulsivo (carga mínima capaz de provocar resposta clínica) varia muito entre os pacientes, aumenta durante o curso do tratamento e é influenciado pela posição dos eletrodos, pela idade, pelo sexo e pelas medicações utilizadas.[11]

Sackeim, avaliando os efeitos da intensidade do estímulo (níveis de energia) na eficácia do tratamento, demonstrou que, utilizando estímulo igual e superior ao limiar (duas vezes e meia) em posição bilateral e (seis vezes) em posição unilateral, obtinha uma indução de convulsão equivalente nos pacientes, porém a resposta terapêutica era melhor naqueles que haviam recebido estímulos acima do limiar. Com base nesses achados, a maioria dos autores recomenda que o limiar de convulsão seja rotineiramente detectado na primeira sessão, pela administração repetida de estímulos elétricos, gradativamente maiores, até que seja desencadeada uma convulsão satisfatória.[34,35]

A convulsão é monitorizada clinicamente por meio da observação de um membro isolado por garroteamento prévio e administração do relaxante muscular em associação à monitorização da atividade cerebral por EEG.

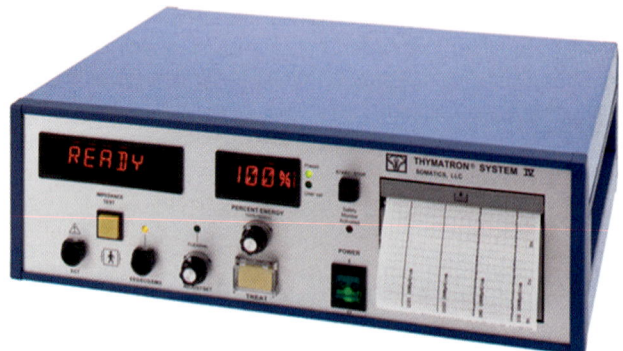

▲ **Figura 190.1** Thymatron System IV da Somatics, LLC.[61]

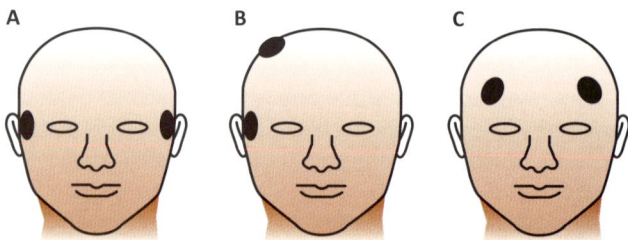

▲ **Figura 190.2** Posicionamento dos eletrodos: **(A)** bilateral (bitemporal); **(B)** unilateral direito; e **(C)** bifrontal.

Tradicionalmente, a duração adequada da crise convulsiva motora era definida como acima de 20 segundos e abaixo de 75 segundos. Nos dias atuais, considera-se a análise do traçado do EEG um critério mais apropriado para definir a eficácia da crise convulsiva.[35]

Número de Sessões de Eletroconvulsoterapia

O número de sessões de ECT necessário para produzir remissão terapêutica varia consideravelmente entre os pacientes, portanto a duração do tratamento deverá ser individualizada baseando-se na resposta clínica. Pode ser aplicada com segurança em nível ambulatorial, sendo vantajoso para o paciente permanecer em seu ambiente familiar e com custos menores, reservando-se, assim, a internação para os pacientes em situações de maior risco.[14]

Geralmente, a maioria dos pacientes recebe de seis a doze sessões de tratamento, mas esses números devem servir apenas como referenciais gerais. Além da resposta clínica, os efeitos colaterais cognitivos, por serem cumulativos, também ajudarão na decisão de interromper o tratamento. A rapidez da resposta e a gravidade dos efeitos adversos é que determinarão a frequência das sessões de ECT.

O esquema de duas vezes por semana produz menos déficit cognitivo, porém aumenta o tempo de tratamento. No esquema de três vezes por semana (geralmente segundas, quartas e sextas-feiras, pela manhã), a melhora é mais rápida, com um déficit cognitivo maior, em um menor período. Em estudo recente realizado por Rasmussen e col., foram tratados 20 pacientes com depressão utilizando-se pulso ultrabreve com posicionamento unilateral direito (*right unilateral ultrabrief*, RUL-UB) numa frequência de cinco sessões por semana, de segunda a sexta-feira. Foram comparados grupos semelhantes nas frequências de duas e três vezes por semana, não tendo sido encontrada diferença nas alterações cognitivas nem na resposta clínica ao tratamento. Como benefício, verificou-se diminuição do tempo de internação com consequente diminuição de custos.[25]

Extensão e Manutenção do Tratamento

Alguns pacientes necessitam de extensão do tratamento após a remissão do quadro agudo (Tabela 190.3). Outros necessitam de manutenção da ECT, especialmente aqueles pacientes que não respondem ao tratamento farmacológico ou que preferem ECT.

Tabela 190.3 Indicações para ECT de manutenção.

1.	Rápida recaída após uma série efetiva de ECT.
2.	Doença grave.
3.	Transtorno depressivo maior com sintomas psicóticos.
4.	Doença de Parkinson.
5.	Recaída, apesar de medicação adequada de manutenção.
6.	Incapacidade de tolerar medicação de manutenção.
7.	Falta de adesão ao regime farmacológico.
8.	Histórico de melhor resposta à ECT do que aos medicamentos.

Após a remissão, as sessões de ECT são espaçadas; inicialmente com administração semanal, reduzindo-se a frequência gradualmente até cerca de uma vez por mês. Em pacientes com alto risco de recidiva ou em casos selecionados, a ECT profilática pode ser administrada por até 6 meses após a manutenção. No entanto, alguns pacientes podem necessitar de manutenção indefinidamente.[1,14,16]

▪ ANESTESIA

A anestesia visa primordialmente prover a segurança e o conforto do paciente. Os objetivos da anestesia para ECT são: produzir inconsciência, por um curto período, por meio de fármacos indutores; propiciar relaxamento muscular com o objetivo de prevenir lesões ósseas, articulares e musculares durante a convulsão; atenuar os efeitos fisiológicos da ECT (controle da resposta hemodinâmica); proporcionar recuperação rápida e segura do paciente; provocar mínima interferência no início, e na duração da convulsão, mínimos efeitos adversos; e ser compatível com os medicamentos em uso pelo paciente.

O paciente deve estar em jejum pré-operatório (*nil per os* –NPO) para o procedimento. O tempo de jejum é o mesmo daquele indicado para outros procedimentos cirúrgicos. É importante lembrar que muitos desses pacientes são pouco ou nada cooperativos, portanto se deve ter cuidado especial com essa questão. Na maioria das vezes, as sessões são realizadas na primeira hora da manhã, minimizando, assim, o risco de ingestão de alimentos pelo paciente.[10,20]

Em muitos locais, é dada pouca atenção ao espaço físico destinado à realização da ECT e à recuperação após o procedimento. No entanto, o ambiente é relevante no contexto global de realização da ECT, pois é importante que o procedimento seja realizado em um local tranquilo, espaçoso e, quando possível, longe do fluxo normal de outros pacientes, principalmente na sala de recuperação. A privacidade e a tranquilidade são importantes na recuperação desses pacientes. O número de pessoas presentes na sala de ECT deve ser limitado, tanto em respeito ao espaço, quanto para minimizar a ansiedade do paciente.

Assim que chegar, o paciente deve ser encaminhado diretamente para a sala onde será realizado o procedimento, evitando que ele aguarde na sala de preparo com outros pacientes. Deve ser lembrado que a amnésia apresentada por esses pacientes no curso do tratamento pode fazê-los encarar a situação como uma nova experiência ao entrarem na sala. Algumas vezes, são necessárias explicações simples, a fim de prepará-los para o procedimento, diminuindo-lhes a ansiedade.[13,20]

Na sala de ECT, deve estar disponível todo o material de rotina necessário para a aplicação da anestesia geral: medicações anestésicas e de urgência, material de manejo da via aérea e intubação traqueal, equipamento para ventilação (sistema respiratório do aparelho de anestesia ou dispositivo bolsa-máscara) e monitores.

É fundamental a completa documentação do procedimento. Uma ficha de anestesia detalhada e fidedigna tornará possível identificar problemas ou alterações, com a anestesia ou com a descarga elétrica, que deverão ser considerados para o manuseio do paciente nas próximas sessões do tratamento. É ainda essencial, para o sucesso do tratamento, a cooperação estreita entre o psiquiatra e o anestesiologista. A falta de experiência e de entrosamento da equipe pode pôr em risco o resultado terapêutico

Avaliação Pré-anestésica

A avaliação pré-anestésica necessária para a ECT é semelhante à realizada para qualquer paciente que será submetido a uma anestesia geral. Revisão do prontuário do paciente é fundamental, pois complementa as informações clínicas atuais do paciente com as doenças, as medicações em uso, os tratamentos e as anestesias prévias. Devem ser realizados anamnese, exame físico e exames pré-operatórios de rotina: hemograma completo, testes de coagulação, exame qualitativo de urina, dosagem de eletrólitos, glicemia, creatinina, radiografia de tórax e ECG.[13,20]

No exame físico, é importante enfatizar a avaliação da via aérea, registrando o estado dos dentes, da articulação temporomandibular e da rede venosa periférica. A solicitação de exames de imagem mais específicos, como radiografia da coluna, tomografia computadorizada e ressonância magnética, estará indicada de acordo com a história clínica do paciente e será útil na condução da técnica anestésica e na documentação de lesões prévias.[13]

Se necessário, a avaliação médica inicial deve ser complementada com a de outras especialidades. Deve-se dar atenção à presença de doenças cardíacas, doenças neurológicas, diabetes melito, feocromocitoma e às medicações utilizadas pelo paciente. Todos esses fatores podem apresentar interações importantes com os efeitos da ECT.[36,37] Nos pacientes com marca-passo, é importante a avaliação cardiológica prévia, bem como a realização de exames complementares (ECG, eletrólitos e radiografia). Nos modelos atuais, a blindagem é suficiente para bloquear a interferência dos estímulos eletromagnéticos.[33] Em pacientes com desfibrilador implantado, o dispositivo deve ser desativado antes do estímulo elétrico e reativado logo após o período de recuperação; o anestesista, no entanto, deverá estar alerta para a ocorrência de arritmias graves.[38]

Deve-se considerar que a ECT quase sempre é um procedimento eletivo; portanto, os pacientes sem condições clínicas adequadas devem ser avaliados e compensados antes de iniciarem o tratamento. Em virtude da natureza do procedimento, muitos pacientes têm medo e sentem ansiedade antes da primeira sessão de ECT, não devendo ser abordadas com eles questões referentes à sua doença psiquiátrica. Alguns deles estão infelizes, apáticos, anoréticos, desnutridos e desidratados.[31]

É essencial, ainda, a obtenção de consentimento informado antes da ECT. Devem ser dadas ao paciente todas as informações possíveis sobre o procedimento, assim como as alternativas de tratamento. O paciente ou o responsável devem compreender perfeitamente no que consiste o procedimento; para isso, deve ser utilizada uma linguagem simples, sem termos técnicos, de modo que facilite o entendimento.

É importante lembrar que o paciente pode desistir do tratamento em qualquer momento, mesmo que ele tenha dado o consentimento em um momento anterior. Se isso ocorrer, a equipe deve avaliar as possíveis consequências dessa decisão na evolução da doença do paciente e programar um tratamento alternativo, informando-o sobre as decisões tomadas do modo mais abrangente possível.[20]

Medicações Concomitantes

Muitos pacientes candidatos à ECT estão em uso de medicamentos que deverão ser revisados antes do início do tratamento: vários deles com possíveis implicações relacionadas com o procedimento. Os sete grupos de fármacos mais relevantes são:

1. **Benzodiazepínicos:** devem ter seu uso preferencialmente suspenso antes do início das sessões de ECT, pois aumentam o limiar convulsivo e diminuem a duração das convulsões.[37]

2. **Anticonvulsivantes:** esses medicamentos devem ter seu uso descontinuado antes do início do tratamento, pois tendem a aumentar o limiar convulsivo e diminuir a duração das convulsões.[37]

3. **Antidepressivos tricíclicos (ADTs):** bloqueiam a recaptação da norepinefrina e da serotonina. A resposta pressórica aos simpaticomiméticos de ação direta está aumentada. Deve ser evitada a associação de fármacos simpaticomiméticos, como fenilefrina e efedrina.[18,37] Pacientes em uso crônico de ADTs têm menor resposta de interação com simpaticomiméticos do que aqueles que iniciaram a administração de ADTs há pouco tempo.[18,32]

4. **Inibidores da monoamina oxidase (IMAOs):** bloqueiam a ação da monoamina oxidase, causando acúmulo de aminas neurotransmissoras nos terminais nervosos. Opioides (meperidina e tramadol), assim como fármacos simpaticomiméticos de ação direta e indireta, podem desencadear reações graves. É controversa a necessidade de descontinuação do uso 2 semanas antes de iniciar o tratamento. Desse modo, o anestesiologista deve estar preparado para o manejo de possíveis complicações decorrentes desses fármacos. Os IMAOs também aumentam o efeito dos barbitúricos, prolongando o sono e a duração da anestesia. Doses menores de barbitúricos devem ser utilizadas nesses pacientes.[37]

5. **Lítio:** esse medicamento deve ser preferencialmente suspenso, em particular se de uso recente, pois, além da interação importante com os bloqueadores neuromusculares, também está associado a uma recuperação prolongada quando utilizado com barbitúricos. Pode provocar delírio e convulsão prolongada. No caso de uso crônico, a suspensão pode ser prejudicial em razão do risco de agravamento do quadro.[39]

6. **Diuréticos:** associados a incontinência urinária e, mais raramente, ruptura da bexiga, devem ser suspensos durante a vigência da ECT.[13,23]

7. **Teofilina:** na eventualidade de estar sendo utilizada, deverá ser suspensa, pois aumenta a duração da convulsão e pode desencadear estado de mal epiléptico.[40]

Fármacos Utilizados na Anestesia

A seleção das medicações anestésicas e a determinação das doses adequadas são cruciais no manejo da ECT, porque esses fatores têm um potente impacto na indução da convulsão, nos efeitos hemodinâmicos do procedimento e na recuperação pós-ECT e anestésica do paciente. Outro aspecto importante é a ocorrência de tolerância com o uso repetido dessas medicações.

É importante salientar que os limiares de convulsão costumam ser extremamente altos em alguns pacientes, principalmente nos idosos.

Devem ser revisadas as medicações em uso, com o objetivo de suspender aquelas que poderiam elevar o limiar convulsivo.[26]

Hipnóticos

- **Benzodiazepínicos (midazolam, lorazepam):** atuam estimulando os receptores GABA-A, produzindo ação inibitória no SNC, aumentam o limiar convulsivo e diminuem a duração das convulsões, sendo necessária a avaliação judiciosa de sua utilização. Também aumentam o tempo de recuperação. Alguns autores sugerem que, se forem de uso prévio, sejam suspensos; caso não seja possível, que sejam revertidos com flumazenil antes da anestesia.[41]
- **Barbitúricos:** atuam estimulando os receptores GABA-A, produzindo ação inibitória no SNC, aumentam o limiar convulsivo e diminuem a duração da convulsão em relação aos outros agentes. São contraindicados na porfiria.[13,23]
- **Metoexital (0,75 a 1,5 mg.kg⁻¹):** é considerado pela maioria dos autores, pelo seu perfil, o hipnótico de escolha para a realização da ECT, porém não está disponível no Brasil.[31]
- **Tiopental (3 a 5 mg.kg⁻¹):** tem início de ação mais lento e maior tempo de recuperação quando comparado ao metoexital. Tem menor incidência de soluços, tremores musculares e salivação excessiva, quando comparado à cetamina e ao etomidato, porém com maior incidência de alterações hemodinâmicas, quando comparado ao etomidato.[41] Apresenta menor interferência no desencadear e na duração da convulsão quando comparado ao propofol.[41,42]
- **Propofol (1 a 1,5 mg.kg⁻¹):** metanálise comparando propofol com metoexital concluiu que o propofol está associado a uma significativa redução na duração da convulsão. Na prática, a duração da convulsão é utilizada como um marcador da efetividade do tratamento, porém não foi possível estabelecer se isso afetaria a eficácia do resultado final do tratamento.[43,44] Apresenta melhor perfil hemodinâmico quando relacionado com os barbitúricos, sendo uma opção para pacientes cardiopatas. Também está associado à dor durante a injeção venosa. Proporciona um despertar mais tranquilo e mais rápido, além de menor incidência de náuseas e vômitos pós-ECT. A Associação Americana de Psiquiatria sugere que o propofol seria indicado especialmente em pacientes jovens com baixo limiar convulsivante ou com convulsões de longa duração. Para alguns autores, o propofol em doses menores que 1 mg.kg-1 não reduz a duração das convulsões, porém o nível de hipnose do paciente pode ser insuficiente.[44,45]

- **Cetamina (0,75 a 2 mg.kg⁻¹):** aumenta a duração das convulsões, mas também produz alterações hemodinâmicas mais pronunciadas, devendo ser evitada na síndrome do QT longo.[46,47] Eleva a incidência de náuseas e de retardo no despertar e está associada a maior agitação pós-ictal.[48,49] Por via intramuscular, pode ser útil nos pacientes que não permitem a instalação de acesso venoso. Após injeção em *bolus* de 1 mg.kg⁻¹, por via venosa, o paciente deverá estar inconsciente dentro de 60 a 90 segundos, geralmente não respondendo aos comandos de voz.[31] Alguns autores estudaram o efeito antidepressivo produzido pela cetamina; quando, porém, essa foi utilizada na ECT, o resultado foi limitado pela curta duração do efeito antidepressivo.[45] A cetamina apresenta vantagem em relação ao tiopental quanto à "qualidade" da convulsão, por isso é considerada uma opção nos pacientes com limiar convulsivo alto ou com convulsões de curta duração.[49] A associação de cetamina em baixas doses a propofol também em baixas doses, que visa aproveitar os efeitos positivos de cada fármaco e diminuir os efeitos adversos, está sendo utilizada em algumas situações, mas merece ser mais estudada.[48]
- **Etomidato (0,15 a 0,30 mg.kg⁻¹):** aumenta a duração das convulsões, porém prolonga a recuperação anestésica e eleva o tônus muscular. Pode ser uma opção para pacientes com convulsão de curta duração. Apresenta maior estabilidade cardiovascular, sendo uma boa opção para pacientes com instabilidade hemodinâmica, porém está ligado à ocorrência de supressão adrenal. Está associado a maior incidência de náuseas, vômitos e mioclonias, além de produzir dor durante a injeção.[51]
- **Dexmedetomidina:** recentemente foram realizados estudos com o uso de dexmedetomidina como pré-anestesia em pacientes submetidos à ECT. Os dados coletados mostraram, em relação ao grupo de controle, atenuação da resposta hiperdinâmica e diminuição da agitação pós-ECT. Não ocorreram alterações significativas na duração da crise convulsiva, porém houve aumento no tempo de permanência na sala de recuperação.[13,52]

Opioides

- **Alfentanil (10 a 25 μg.kg⁻¹):** também não produz amnésia se usado isoladamente, mas pode ser associado aos barbitúricos, a fim de diminuir a dose dos hipnóticos, reduzindo as alterações hemodinâmicas, inclusive aumentando a duração das convulsões, quando comparado ao uso de hipnóticos isoladamente. Pode provocar náuseas e retarda a recuperação do paciente.[53]
- **Remifentanil:** sua farmacocinética tem o perfil adequado para utilização na ECT, também apresenta baixo efeito anticonvulsivante. Pode ser associado ao agente indutor, diminuindo sua dose, aumentando a duração da convulsão e atenuando os efeitos hemodinâmicos.[54]

Anestésicos inalatórios

- **Sevoflurano (1,7% com N₂O 50% e 3,4% sem N₂O)** tem demonstrado efetiva estabilidade hemodinâmica na ECT, porém não é recomendado na síndrome do QT longo.[46] Apresenta tempo de indução lento e diminui a duração da convulsão. Alguns autores referem que a duração da convulsão e o tempo de recuperação são similares ao que se observa com uso de tiopental. Uma vantagem sobre os agentes endovenosos seria nos estágios avançados da gravidez, pois pode reduzir as contrações uterinas pós--ECT.[55] O sevoflurano também seria uma opção para indução sob máscara em pacientes agitados, com fobia de agulha e obesos, nos quais a punção venosa é difícil de ser realizada.[13,56]

Os efeitos hemodinâmicos das medicações anestésicas rotineiramente utilizadas, bem como sua influência sobre a convulsão, são apresentados na Tabela 190.4.

Bloqueadores Neuromusculares

O objetivo dessas medicações é obter um relaxamento muscular que proteja o paciente de lesões, com mínima interferência na atividade convulsiva e rápida recuperação da ventilação espontânea sem paralisia residual. O relaxamento muscular mais profundo é extremamente importante nos pacientes com lesões na coluna vertebral, osteoporose ou fraturas prévias nos membros.

Bloqueadores neuromusculares despolarizantes

A succinilcolina, por ter rápido início de ação, curta duração e rápida recuperação, é considerada o fármaco relaxante muscular de escolha na anestesia para a ECT. A dose recomendada dependerá do grau de relaxamento que se deseja obter, e varia de 0,5 a 1,5 mg.kg⁻¹. Na primeira sessão do tratamento, momento em que se avalia o limiar elétrico para produção da convulsão, recomenda-se a dose de 1 mg.kg⁻¹, devendo ser ajustada para as próximas sessões de acordo com a resposta do paciente.[57,58]

Dos efeitos adversos da succinilcolina, o aumento dos níveis de potássio pode redundar em arritmias cardíacas, gerando instabilidade cardiovascular. Esse risco deve ser levado em consideração nos pacientes idosos e catatônicos que se encontrem imobilizados por mais tempo e, também,

naqueles com níveis previamente elevados de potássio.[58,59] A utilização da succinilcolina está contraindicada nos pacientes suscetíveis à hipertermia maligna e ainda quando haja relato prévio de deficiência de pseudocolinesterase; nesses casos, pode-se optar pelo uso de bloqueadores neuromusculares não despolarizantes.[50,51]

Bloqueadores neuromusculares não despolarizantes

São indicados aos pacientes em que a succinilcolina não posse ser utilizada. Poderiam também ser uma alternativa aos pacientes que apresentem severa mialgia secundária ao uso da succinilcolina. Entre as opções disponíveis estão:

- **Mivacúrio:** relaxante de curta duração, com tempo de recuperação superior ao da succinilcolina, porém não tão eficiente na prevenção das contrações musculares geradas pela ECT; libera histamina e apresenta maior incidência de broncospasmo, além de ser também metabolizado pela pseudocolinesterase;[57]
- **Rocurônio:** um bloqueador neuromuscular de duração intermediária que apresenta um antagonista específico, o sugamadex, que, quando administrado logo após o término da crise convulsiva, promove nas doses recomendadas uma rápida e total reversão do bloqueio muscular; a utilização de rocurônio na dose de 0,6 mg.kg⁻¹ com reversão do bloqueio com sugamadex parece ser a melhor opção para aquelas situações em que a succinilcolina não pode ser utilizada.[57,58]

Passos para Realização da Anestesia

A realização da anestesia para a ECT segue estes passos:

1. Monitorização básica do paciente: cardioscópio, oxímetro de pulso, medida da pressão arterial não invasiva, capnógrafo, estimulador de nervo periférico (simples ou sequência de quatro estímulos [SQE]) e EEG (realizado

Tabela 190.4 Efeitos dos Anestésicos durante a ECT.[13,35]

Medicação	FC	PA	FSC	C	Outros
Metoexital	→/↑	↓/↑↑	Ø	→	Anestésico padrão.
Tiopental	↑/↑	↓/↑↑	↓/↑↑	↓	Liberação de histamina.
Propofol	↓/↑→	↓/↑	↓/↑	↓	Injeção dolorida.
Cetamina	↑/↑	↑/↑↑	↑/↑↑	↑↓	Ação psicótica.
Etomidato	→/↑	→/↑↑	Ø	↑	Injeção dolorida, recuperação lenta.
Sevoflurano	↑/↑	???↓/↑	↑/↑↑	↓↓	Indução lenta.
Alfentanil	Ø	Ø	Ø	?↑	Efeito poupador de anestésico.
Remifentanil	Ø	Ø	Ø	↑	Efeito poupador de anestésico.
Fentanil	Ø	Ø	Ø	↑	Efeito poupador de anestésico.
Lorazepam	Ø	Ø	Ø	↓↓	–
Midazolam	Ø	Ø	Ø	↓↓	–
Diazepam	→/↑	↓/↑	Ø	↓↓	Longa ação.
Lidocaína	Ø	Ø	Ø	↓↓	Redução da dor da injeção de propofol.

FC: Frequência cardíaca; PA: pressão arterial; FSC: fluxo sanguíneo cerebral; C: duração da convulsão; Ø: não avaliado; efeitos dos anestésicos antes e depois da estimulação elétrica (antes/depois).

pelo psiquiatra). O índice biespectral (BIS) não parece ser importante; alguns estudos referem que a medida em situações especiais, como após o estímulo elétrico, é incerta, entretanto, a consciência antes do estímulo elétrico pode ser monitorizada. O índice pode ajudar a titular as doses de metoexital, tiopental e propofol na ECT. Um estudo avaliou o BIS imediatamente antes do estímulo elétrico; e a duração da convulsão não foi capaz de demonstrar sua correlação.[59]

2. Obtenção de acesso venoso.

3. Colocação de um segundo manguito de pressão ou garrote pneumático em um dos membros (superior ou inferior): possibilita isolar o membro dos efeitos do relaxante muscular e propicia a visualização clínica da duração da convulsão. Movimentos convulsivos não modificados distais ao manguito caracterizam presença de convulsão.

4. Pré-oxigenação com oxigênio a 100% aumenta a reserva de oxigênio e reduz o risco de hipoxemia e disritmias.

5. Administração da medicação hipnótica.

6. Insuflação do segundo manguito, que vai monitorizar a atividade motora da convulsão, com valores 30% a 40% acima da pressão arterial sistólica. Na ECT unilateral, a colocação do manguito no membro deve ser do mesmo lado da do eletrodo.

7. Administração do bloqueador neuromuscular.

8. Ventilação manual, preferencialmente com hiperventilação: a hipocapnia diminui o limiar da convulsão, aumentando sua duração.

9. Proteção da cavidade oral com cânula orofaríngea (Guedel) envolta em gaze ou com bloqueador de mordida: a contratura do masseter secundária ao estímulo elétrico pode causar lesões de língua, dentes e mucosa oral.

10. Avaliação do grau de relaxamento muscular, preferencialmente pelo estimulador de nervo periférico. Se esse não estiver disponível, aguardar o término das fasciculações musculares e realizar o teste de Babinski na região plantar do membro não garroteado.[10,16]

11. Aplicação do estímulo elétrico pelo psiquiatra: nesse momento, deve-se cessar a ventilação do paciente e todos devem afastar-se da mesa cirúrgica. Se após alguns segundos houver falha (ausência de convulsão), é preciso verificar rapidamente a colocação dos eletrodos no crânio, os cabos e as conexões elétricas, e aguardar cerca de 60 segundos (para minimizar o efeito do período refratário). Depois, hiperventilar o paciente e aplicar novo estímulo com carga maior (25% a 100%).[1,10]

12. Oferecer ao paciente suporte ventilatório e tratamento para as possíveis intercorrências até a recuperação dos movimentos ventilatórios e da capacidade de manutenção da via aérea prévia. Devem-se aspirar as secreções e revisar a cavidade oral para a possível presença de traumas secundários após a convulsão.

13. Após a estabilização dos sinais vitais, o paciente poderá ser encaminhado para a sala de recuperação. A administração de altas concentrações de oxigênio nesse período parece reduzir os efeitos adversos na cognição e na memória.[50]

EVENTOS ADVERSOS

As complicações da ECT estão diretamente associadas às alterações sistêmicas induzidas pelo estímulo elétrico, às doenças concomitantes e às interações entre as múltiplas medicações utilizadas pelo paciente. No passado, mais de 40% dos pacientes sofriam complicações, sendo a mais comum a fratura de vértebras. Com as técnicas atuais, esse risco foi praticamente eliminado.

Acredita-se que a mortalidade relacionada com a ECT seja muito baixa, variando entre 1 para 10.000 e 1 para 50.000 tratamentos; em apenas 1 para 10.000 casos, são vistas complicações severas que necessitem de atenção especial. O risco de morte relacionado com a anestesia, embora pequeno, deve ser considerado na avaliação da resposta à ECT. As causas mais frequentes de morte são disritmias cardíacas, infarto agudo do miocárdio, insuficiência cardíaca congestiva e acidente vascular cerebral.

A pronunciada atividade autonômica também é responsável pelo aumento do fluxo sanguíneo cerebral, da pressão intracraniana, da pressão intraocular e da pressão intragástrica.[53]

Como a resposta aguda cardiovascular secundária à ECT pode produzir sérias complicações, diversos fármacos têm sido utilizados para amenizar as reações parassimpática e simpática. Os efeitos parassimpáticos (aumento da salivação, bradicardia, hipotensão e assistolia transitória) são geralmente bloqueados por fármacos anticolinérgicos. Os efeitos simpáticos (hipertensão, taquicardia, isquemia miocárdica, infarto, disritmias, anormalidades da onda T e aumento global do consumo de oxigênio) são amenizados por betabloqueadores, bloqueadores dos canais de cálcio, agonistas α_2, vasodilatadores diretos, opioides e outros (Tabela 190.5). A administração rotineira de tais medicações ainda é controversa, pois alguns estudos têm observado que, apesar dos benefícios, que variam segundo o estado físico do paciente, podem ocorrer alguns efeitos adversos sobre o resultado do tratamento (diminuição da duração da convulsão) e o perfil hemodinâmico (hipotensões refratárias, bradicardias acentuadas e assistolia). Os fármacos que têm apresentado melhores resultados são o esmolol e a clonidina.[20,60,61]

O uso de agentes anticolinérgicos antes do procedimento é controverso. A utilização desses agentes reduz a estimulação vagal provocada pelo estímulo e, consequentemente, a incidência de bradicardia e salivação excessiva, mas também provoca taquicardia reflexa, o que pode ser indesejável, principalmente em pacientes com doenças cardiovasculares preexistentes. O uso desses agentes é indicado, por exemplo, para pacientes em uso prévio de betabloqueadores, preferencialmente na primeira sessão do tratamento, na qual a definição do limiar convulsivo produz frequentemente limiares subconvulsivantes.[13,20,23]

O glicopirrolato (não comercializado no Brasil) parece apresentar melhor perfil do que a atropina, por causar menos taquicardia e não cruzar a barreira hematoencefálica, não provocando efeitos adversos cognitivos indesejados.[19]

Efeitos Adversos Imediatos

Os efeitos imediatos (no despertar da anestesia) consistem em:

Tabela 190.5 Fármacos estudados, sua ação na atenuação dos efeitos autonômicos e a influência na duração das convulsões.

Fármaco	Mecanismo de ação	Doses	Atenuação de efeitos	Influência na convulsão
Atropina	Antimuscarínico	0,4 mg-1 mg 0,15 µg.kg^{-1}	–	–
Glicopirrolato	Antimuscarínico	0,1 mg-0,4 mg	–	–
Labetalol	α- e β-bloqueador adrenérgico	20 mg-30 mg ou 10 mg-50 mg EV 0,1 mg-0,3 mg.kg^{-1}	++	↓ ou ∅
Esmolol	β-bloqueador adrenérgico	1 mg-1,3 mg.kg^{-1} ou 40 mg-80 mg EV		
		Bolus de 500 µg.kg^{-1} + infusão contínua de 100 µg.kg^{-1}min^{-1} [28]	++	∅
		100 mg		
		4,4 mg.kg^{-1} ou 200 mg	++	↓
Fentanil	Opioide	1,5 µg.kg^{-1}	∅ ou +	∅
Alfentanil	Opioide	10 µg-25 µg.kg^{-1} EV	∅	↑*
Remifentanil	Opioide	1 µg.kg^{-1} EV	∅	↑*
Clonidina	Bloqueador adrenérgico central (α$_2$ agonista)	0,05-0,3, via oral, 60-90 minutos antes	++	∅
Dexmedetomidina	α$_2$ agonista	0,5-1 µg.kg^{-1} EV, 10-30 minutos antes	∅	∅
Fenoxibenzamina	α-bloqueador	–	–	–
Trimetafan	Bloqueador ganglionar	5 mg-15 mg EV em *bolus*	++	–
Lidocaína	Anestésico local	1 mg.kg^{-1} 50 mg-200 mg	©	©
Nifedipina	Bloqueador de canal de cálcio	10 mg, via oral ou sublingual, 20 minutos antes	–	–
Verapamil	Bloqueador de canal de cálcio	5 mg	–	©
Diltiazem	Bloqueador de canal de cálcio	10 mg	++	↓
Nicardipina	Bloqueador de canal de cálcio	5 mg EV	++	∅
Nitroprussiato de sódio	Vasodilatador direto	–	–	–
Diazóxido	Vasodilatador direto	–	–	–
Nitroglicerina	Vasodilatador direto	3 µg-5 µg.kg^{-1} EV 0,4 em *spray* SL Creme 2%	++	–

EV: via endovenosa; ++: atenuação importante; +: atenuação moderada; ∅: sem efeito; –: sem referência; ↓: diminuição; ©: controverso.
* Associada a doses menores de metoexital (efeito poupador de anestésico).

- Agitação psicomotora ou *delirium*: pode-se tratar apenas com orientação ao paciente ou uso de medicações como diazepínicos, barbitúricos ou neurolépticos;[21,22]
- Apneia prolongada: aventar a possibilidade de pseudocolinesterase atípica
- Náuseas: têm boa resposta a antieméticos;
- Tonturas;
- Fraqueza;
- Aspiração de conteúdo gástrico;
- Trauma dentário e lacerações da língua: prevenida com o protetor bucal;
- Estado epiléptico: é raro e pode ser tratado com barbitúricos, benzodiazepínicos e fenitoína;[10]
- Ruptura de baço: rara;[62]
- Fratura de ossos longos e vértebras: rara, após a introdução dos bloqueadores neuromusculares na técnica anestésica.[10]

Efeitos Adversos Tardios

- **Mialgias:** secundárias ao uso de succinilcolina, respondem bem a analgésicos não opioides e anti-inflamatórios não esteroidais (AINEs).
- **Cefaleias transitórias:** em até 45% dos pacientes; também respondem bem a analgésicos não opioides e AINEs.[53]
- **Náuseas:** tratáveis com as medicações usuais.
- **Distúrbios de memória (amnésia anterógrada e retrógrada):** em até 30% dos casos.

A gravidade da deficiência de memória deve ser valorizada como um efeito adverso importante e está associada ao número de tratamentos, ao tipo de colocação dos eletrodos e à natureza do estímulo elétrico, sendo mais comum nos casos de ECT bilateral e com uso de altas cargas.[1] Alguns pacientes referem que suas capacidades de memorizar jamais retornaram às condições prévias ao tratamento. A perda de memória, como é subjetiva, pode gerar grande ansiedade em alguns pacientes e não ter nenhuma repercussão em outros, devendo ser examinada com cuidado, se mantida por muito tempo, pois pode ser indicativa de início de quadro demencial (não relacionado com a ECT). A capacidade para reter novas informações pode ser afetada temporariamente após a ECT.

As percepções em relação à ECT podem variar enormemente entre os pacientes. Relatos de vergonha, em razão do estigma social criado pela necessidade desse tratamento, e sentimentos de invasão da autonomia pessoal contrapõem-se à opinião de outros, que reconhecem os efeitos benéficos da ECT e a consideram uma medida que salvou suas vidas. Existe a necessidade de estudos bem delineados para pesquisa dos efeitos em longo prazo da ECT no curso da doença afetiva e nas funções cognitivas.[53]

■ RECUPERAÇÃO E CRITÉRIOS DE ALTA

O manejo imediato após a aplicação do estímulo elétrico da ECT deve ser feito em uma sala de recuperação adequadamente equipada, com presença de enfermeiro e médico treinados em recuperação pós-anestésica (RPA). Nos pacientes com história de síndromes paranoides, mania ou abuso de álcool, pode haver um despertar mais agitado, inclusive com comportamento violento, sendo adequada a disponibilidade de fármacos de controle, como neurolépticos injetáveis.[13,23]

O tempo que o paciente leva para recuperar integralmente a consciência, que pode ser de minutos a horas, varia na dependência das diferenças individuais de resposta, do tipo de estímulo administrado, do espaço e do número de tratamentos realizados e da idade do paciente.

Os cuidados em relação à recuperação e os critérios de alta dos pacientes submetidos à ECT seguem as rotinas padrão estabelecidas para procedimentos realizados com anestesia, descritas nos capítulos anteriores, respeitando-se as individualidades de cada paciente.

■ CONCLUSÃO

A ECT é um método não farmacológico que tem provado ser de grande eficiência no tratamento predominantemente da depressão e, também, de vários outros distúrbios mentais (esquizofrenia, ideação suicida grave e outros). Também vem sendo utilizada para a prevenção das recaídas durante a terapia de manutenção. Além disso, sua segurança e tolerabilidade têm aumentado, em razão do uso de técnicas de estimulação modificadas e de anestesia. Dessa forma, é possível administrar um tratamento seguro a pacientes com altos riscos clínicos.[14]

A ECT não deve ser considerada o último recurso terapêutico a ser empregado quando todos os demais tratamentos falharam, mas uma importante opção no tratamento da depressão em todos os seus estágios e ainda na resistência à medicação.[1] Observados seus critérios de indicação, constitui uma excelente conduta terapêutica com rápida resposta e pequena incidência de complicações graves.

Informações corretas fornecidas pelas instituições de saúde, de educação e sociedades médicas, e pela mídia em geral, podem contribuir para a redução do preconceito e do estigma decorrentes de má informação sobre doenças psiquiátricas e terapias específicas, como a ECT, contribuindo para a maior redução da morbimortalidade de doenças mentais e para o maior acesso a serviços de saúde de alta resolubilidade.

REFERÊNCIAS

1. Husain MM, McClintock SM, Croarkin PE. Eletroconvulsive therapy and other neurostimulation treatments. In: Sadock BJ, editor. Kaplan & Sadock's comprehensive textbook of psychiatry. 9th ed. Baltimore: Lippincott, Williams & Wilkins; 2009. p. 4130-43.
2. Roitman A, Cataldo Neto A. Eletroconvulsoterapia: história e atualidade. Acta Med (Porto Alegre). 1995;594-606.
3. American Psychiatric Association. The practice of electroconvulsive therapy: recommendations for treatment, training and privileging. Washington: American Psychiatric Press; 2001.
4. Fleck MP. Guidelines of the Brazilian Medical Association for the treatment of depression. Rev Bras Psiquiatr. 2003;25(2):114-22.
5. Brasil. Conselho Federal de Medicina. Resolução CFM n. 1.640 de 2002.Dispõe sobre a eletroconvulsoterapia e dá outras providências. Brasília, DF: Diário Oficial da União; 9 ago. 2002
6. Sanchez R, Alcoveno O, Pagerols J, et al. Mecanismos de accionelectrofisiologicas de la terapia electroconvulsiva.Actas Esp Psiquiat. 2009; 37 (6): 343-351.
7. Estevão G, Porto JE. Teorias sobre o mecanismo de ação. In: Rosa MA, Rosa MO. Fundamentos de eletroconvulsoterapia. Porto Alegre: ArtMed; 2015. p. 159-70.
8. Baldinger P, Lotan A, Frey R, Kasper S, et al. Neurotransmitters and electroconvulsive therapy. J ECT. 2014;30(2):116-21.
9. Blowing TG. How does Electroconvulsive Therapy Works? Theories on Its Mechanism. CanJ Psychiatry. 2011; 56(1); 13-18
10. Saito S. Anesthesia management for electroconvulsive therapy: hemodynamic and respiratory management. J Anesth. 2005;19:142-9.
11. Bueno CR. Titulação do limiar convulsígeno e segurança cardiovascular [tese de mestrado]. São Paulo: Faculdade de Medicina da Universidade de São Paulo; 2009.
12. Fink M, Taylor MA. Electroconvulsive therapy: evidence and challenges. JAMA. 2007;298:330-2.
13. Joung KW, Yang HS, et al. Anesthetic Care for Elecroconvulsive Therapy. Anesth Pain med. 2022; 17: 145-156.
14. Antunes PB, Rosa MA, Belmonte-de-Abreu PS, et al. Eletroconvulsoterapia na depressão maior: aspectos atuais. Bras J Psiquiatr. 2009;31:S26-33.
15. Lisanby SH. Electroconvulsive therapy for depression. N Eng J Med. 2007;357:1939-45
16. Suzuki K, Awata S, Matsuoka H. Short-term effect of ECT in middle –aged and elderly patients with intractable catatonic schizophrenia. J ECT. 2003:19(2);73-80
17. Tor PC, Ying J, Ho NF, et al. Effectiveness of electoconvulsive therapy and associated cognitive change in schizophrenia: a naturalistic, comparative study of treating schizophrenia with electroconvulsive therapy. J ECT. 2017;33(4):272-7.
18. Sanghani SN, Petrides G, Kellner CH. Electroconvulsive therapy in schizophrenia: a review of recent literature. Curr Opinion Psych. 2018;31(3):213-22.
19. Baghai TC, Moller HJ. Electroconvulsive therapy and its different indications. Dialogues Clin Neurosci. 2008;10:105-17.
20. Walker S, Bowley C, Walker H. Anaesthesia for ECT. In: Waite J, Easton A, editors. The ECT handbook. 3rd ed. London: Royal College of Psychiatrists Publications; 2013. p. 14-27.
21. Rasmussen KG, Rummans TA, Richardson JW. Electroconvulsive therapy in the medically ill. Psychiatr Clin North Am. 2002;25:177-93.
22. Tess AV, Smetana GW. Medical evaluation of patients undergoing electroconvulsive therapy. N Engl J Med. 2009;360:1437-44.
23. Fernandez-Candel J, et al. Anaesthesia in electroconvulsive therapy. Special   Conditions. Ver Psiquiatr Salud Ment(Barc). 2020; 3(1): 36-46
24. Bozkurt A, Karlidere T, Isintas M. O. Acute and maintenance electroconvulsive therapy for treatment of psychotic depression in a pregnant patient. J ECT. 2007;23:185-7.
25. Gressier F, Rotenberg S, Cazas O, et al. P. Postpartum electroconvulsive therapy: a systematic review and case report. Gen Hosp Psychiatry. 2015;37(4):310-4.

26. Kerner N, Prudic J. Current electroconvulsive therapy practice and research in the geriatric population. Neuropsychiatry (London). 2014 Feb;4(1):33-54.
27. Lima NR, Nascimento VB, Peixoto JA, et al. Electroconvulsive therapy use in adolescents: a systematic review. Ann Gen Psychiatry. 2013;12(1):17-23
28. Sackeim HA, Long J, Luber B, Moeller JR, et al. Physical properties and quantification of the ECT stimulus: I. Basic principles. Convuls Ther. 1994;10(2):93-123.
29. Rasmussen KG, Johnson EK, Kung S, Farrow SL, et al. An open-label, pilot study of daily right unilateral ultrabrief pulse electroconvulsive therapy. J ECT. 2016;32(1):33-7.
30. Rosa MA, Rosa MO. Bases físicas. In: Rosa & Rosa. Fundamentos de Eletroconvulsoterapia. Porto Alegre: ArtMed; 2015. p. 32-46.
31. Tor PC, Bautovich A, Wang MJ, et al. A systematic review and meta-analysis of brief versus ultrabrief right unilateral electroconvulsive therapy for depression. J Clin Psychiatry. 2015;76(9):1092-2008.
32. Sackeim HA, Long J, Luber B, et al. Physical properties and quantification of the ECT stimulus: I. Basic principles. Convuls Ther. 1994;10(2):93-123.
33. Somatics – User's Manual for Thymatron System IV. 2021; in Somatics Llc. Disponível em htpp://www.thymatron.com
34. Rosa MA, Rosa MO. Fundamentos Técnicos. In : Rosa & Rosa. Fundamentos da Electroconvulsoterapia. Porto alegre: ArtMed;2015. P47-70.
35. Krystal AD, Weiner RD, Coffey CE. The ictal EEG as a marker of adequate stimulus intesity with unilateral ECT. Neuropsychiatrry Clin Neuroscience. 1995; 7: 295-304.
36. Sackeim HA, Devanand DP, Prudic J. Stimulus intensity, seizure threshold, and seizure duration: impact on the efficacy and safety of electroconvulsive therapy. Psychiatr Clin North Am. 1991;14:803-43.
37. Sackeim HA, Dillingham EM, Prudic J, et al. Effect of concomitant pharmacotherapy on electroconvulsive therapy outcomes: short-term efficacy and adverse effects. Arch Gen Psychiatry. 2009;66:729-37.
38. MacPherson RD, Loo CK, Barrett N. Electroconvulsive therapy in patients with cardiac pacemakes. Anaesth Intensive Care. 2006;34:470-4.
39. Dolenc TJ, Ramussen KG. The safety of electroconvulsive therapy and lithium in a combination: a case series and review of the literature. J ECT. 2005;21:165-79.
40. Zorumski CF, Ramussen KG. Electroconvulsive therapy in patients taking theophylline. J Clin Psychiatry. 1993;54:427-32.
41. Krystal AD, Watts BV, Weiner RD, et al. The use of flumazenil in the anxious and benzodiazepine-dependent ECT patient. J ECT. 1998;14(1):5-14.
42. Zahavi GS, Dannon P. Comparision of anesthetics in electroconvulsive therapy: an effective treatment with the use of propofol, etomidate and thiopental. Neuropsychiatr Dis Treat. 2014;10:383-9.
43. Cohen Y, Feldinger E, Ogorek D, et al. Increased propofol requirements during succeeding administrations for electroconvulsive therapy. J Clin Anesth. 2004;16(6):282-5.
44. Rasmussen KG. Propofol for ECT anesthesia: a review of the literature. J ECT. 2014;30(3):210-5.
45. Okamoto N, Nakai T, Sakamoto K, et al. Rapid antidepressant effect of ketamine anesthesia during electroconvulsive therapy of treatment-resistant depression: comparing ketamine and propofol anesthesia. J ECT. 2010;26:223-7.
46. Fazio G, Vernuccio F, Grutta G, Lo Re G. Drugs to be avoided in patients with long QT syndrome: focus on the anaesthesiological management. World J Cardiol. 2013;5(4):87-93.
47. Mayo C, Kaye AD, Conrad E, Baluch A, Frost E. Update on anesthesia considerations for electroconvulsive therapy. Middle East J Anesthesiol. 2010;20:493-8.
48. Erdogan GK, Yucel A, Colak YZ, et al. Ketofol (mixture of ketamine and propofol) administration in electroconvulsive therapy. Anaesth Intensive Care. 2012;40(2):305-10.
49. Rasmussen KG, Kung S, Lapid MI, et al. A randomized comparision of ketamine versus methohexital anesthesia in electroconvulsive therapy. Psychiatry Res. 2014;215:362-5.
50. Uppal V, Dourish J, Macfarlane A. Anaesthesia for electroconvulsive therapy. Cont Educ Anaesth Crit Care Pain. 2010;10(6):192-6.
51. Patel JD, Upadhyaya R, Shah H, et al. Comparison of thiopentone sodium and propofol for anaesthesia in modified ECT. Int J Biomed Res. 2015;6(1):29-34.
52. Shams T, El Masry R. Ketofol-dexmedetomidine combination in ECT: a punch for depression and agitation. Indian J Anaesth. 2014;58(3):275-80.
53. Martin S, Bochen J. Anesthesia for electroconvulsive therapy. Curr Opinion Anesth. 2018;31(5):501-5.
54. Akcaboy ZN, Akcaboy EY, Yigitibal B, et al. Effects of remifentanil and alfentanil on seizure duration, stimulus amplitudes and recovery parameters during ECT. Acta Anaesthesiol Scand. 2005;49(8):1068-77.
55. Rasmussen KG, Laurila DR, Brady BM, et al. Anesthesia outcomes in a randomized double-blind trial sevoflurane and thiopental for induction of general anesthesia in electroconvulsive therapy. J ECT. 2007;23(4):236-48.
56. Andrade C. Anesthesia for Electroconvulsive Therapy: A Niche Role for Sevoflurane. J Clin Psychiatry. 2021;82(4): 21f14173.
57. Mirzakhani H, Welch CA, Eikermann M, Nozari A. Neuromuscular blocking agents for electroconvulsive therapy: a systematic review. Acta Anaesthesiol Scand. 2012;56:3-16.
58. Hoshi H, Kadoi Y, Kamiyama J, et al. Use of rocoronium-sugammadex, an alternative to succinylcoline, as a muscle relaxant during electroconvulsive therapy. J Anesth. 2011;25:286-90.
59. Lemmens HJM, Levi DC, Debattista C, et al. The timing of ECT and bispectral index after anesthesia induction using different drugs does not affect seizure duration. J Clin Anesth. 2003;15(2):29-32.
60. Boere E, Birkenhager TK, Groenland THN, van den Broek WW. Beta-blocking agents during electroconvulsive therapy: a review. Br J Anaesth. 2014;113(1):43-51.
61. Fu W, Stool LA, White PF, Husain MM. Is oral clonidine effective in modifying the acute hemodynamic response during electroconvulsive therapy? Anesth Analg. 1998;86:1127-30.
62. Gitlin MC, O'Neill PT, Barber MJ, Jahr JS. Splenic rupture after electroconvulsive therapy. Anesth Analg. 1993;76:1363-4.

191

Procedimentos Diagnósticos e Terapêuticos Cardiológicos

Paulo de Oliveira Vasconcelos Filho ▪ Giovanne Santana de Oliveira ▪ Cristiano Faria Pisani

INTRODUÇÃO

O início da cardiologia intervencionista remonta a 1953, no México, quando Rubio-Alvarez e colaboradores[1] improvisaram um valvótomo adaptado a uma sonda uretral e dilataram as primeiras valvas pulmonares estenóticas. Em 1966, Rashkind[2] publicou os primeiros casos de ampliações de comunicações interatriais por via percutânea, e, em 1971, Galeano[3] deu o grande impulso para a ocupação definitiva dentro da moderna cardiologia com o advento da angioplastia (Figura 191.1). Desde então é possível observar uma revolução na cardiologia intervencionista, o que permitiu um enorme avanço em diagnósticos, acompanhamento e terapêutica de pacientes cardiopatas. Com o aprimoramento tecnológico de cateteres, aparelhos radiológicos e monitores, com as novas práticas e com o entendimento da evolução de cardiopatias, podem ser pro-

postos diagnósticos mais detalhados (Figura 191.2) e tratamentos mais individualizados e menos invasivos. Atualmente, angioplastias, valvoplastias, colocação de *stents* ou próteses e oclusão de pertuitos vasculares ou comunicações intracavitárias cardíacas podem ser realizadas por via percutânea vascular. O desenvolvimento de um suporte adequado para assistência dos pacientes também proporcionou um avanço da anestesiologia para procedimentos cardiológicos percutâneos.

Com a utilização de aparelhos de imagem mais sofisticados (ecocardiograma, ressonância magnética cardíaca, tomografia cardíaca computadorizada) foi possível observar redução no número de cateterismos cardíacos diagnósticos, com concomitante aumento de procedimentos terapêuticos ou intervencionistas. A crescente realização de cateterismos intervencionistas tem exigido um maior nível de especialização nos cuidados, quando feita anestesia. Práticas institucionais variam de um serviço para outro, mas a prestação do

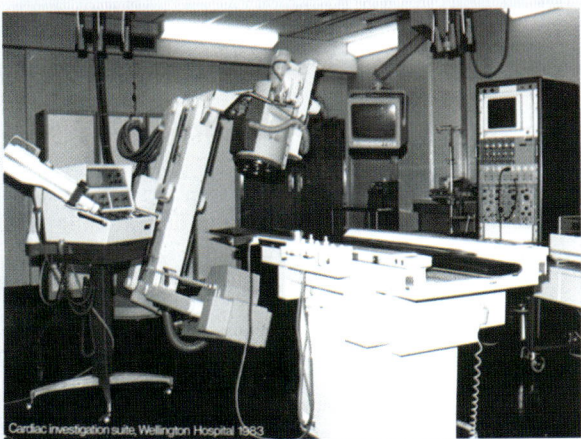

▲ **Figura 191.1** Antiga sala de hemodinâmica do Wellington Hospital, Reino Unido, em 1983.

Fonte: Cedido gentilmente pelo Dr. Ron Easthorpe (acervo próprio).

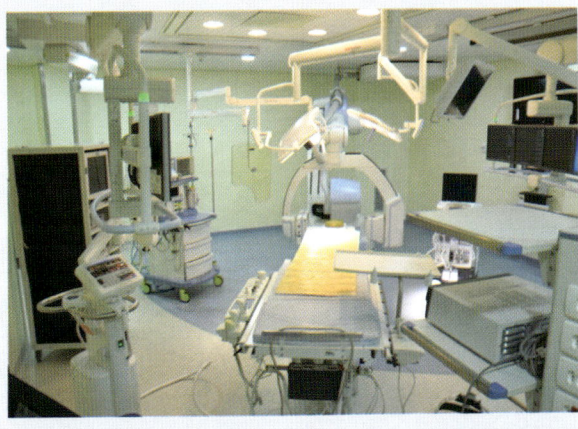

▲ **Figura 191.2** Sala híbrida para procedimentos intervencionistas e cirúrgicos.

cuidado deve ser crescente, conforme a complexidade da intervenção.[4-6]

Entre as vantagens das intervenções cardiológicas percutâneas está a diminuição de toracotomias e de cirurgias com circulação extracorpórea (CEC). Procedimentos que normalmente exigem imagens radiológicas, como persistência do canal arterial, de comunicação interatrial e de forame oval patente, geralmente são realizados em um centro de hemodinâmica, em vez de, uma sala de cirurgia. Há outros procedimentos recentes na hemodinâmica, como a substituição da valva aórtica percutânea (*transcatheter aortic valve replacement* – TAVR), que ganham cada vez mais espaço sobre cirurgias convencionais, uma vez que a morbidade da CEC pode ser evitada.

Muitos procedimentos na cardiologia intervencionista podem ser feitos sem o envolvimento direto do anestesiologista. Cateterismos diagnósticos, intervenções coronárias percutâneas e valvoplastia mitral são exemplos de intervenções realizadas apenas com infiltração de anestésico local, com o paciente mantido consciente.

Por outro lado, quando uma anestesia é solicitada, o anestesiologista deve ser parte integrante e fundamental do todo o processo, seja na avaliação pré-anestésica, na adequada atenção intraoperatória, na indicação da monitorização invasiva e no correto encaminhamento pós-operatório. A expansão do cateterismo intervencionista tem aumentado a população de crianças e adultos com cardiopatias complexas. Esses pacientes são submetidos a múltiplos cateterismos, ablações por radiofrequência e procedimentos intracardíacos, e uma atenção individualizada garante uma baixa incidência de efeitos adverso, aos procedimentos.[6,7]

Este capítulo, além de evidenciar as considerações clínicas e anestésicas relativas aos pacientes submetidos à cardiologia intervencionista em ambiente de hemodinâmica, também vai mostrar alternativas disponíveis ao anestesiologista para lidar com as intervenções.

▪ CUIDADOS PEROPERATÓRIOS

Os procedimentos diagnósticos e terapêuticos em cardiologia possuem um amplo espectro quanto ao grau de complexidade. Além disso, os pacientes podem ser praticamente hígidos a gravemente enfermos; uma avaliação pormenorizada e individualizada da condição clínica promoverá o direcionamento do cuidado global peroperatório. Cuidados gerais como jejum, monitorização básica, equipamentos e sala cirúrgica checada devem ser padronizados, mesmo para procedimentos diagnósticos simples, que não tenham necessidade de sedação. Caso ocorra algum tipo de complicação, o anestesiologista poderá intervir caso seja necessário.

Os desafios são semelhantes aos dos demais pacientes cirúrgicos. A análise de comorbidades, medicações de uso diário, condições associadas, estratificação da classe funcional e do estado geral do paciente, além da análise de exames laboratoriais e de imagem, é essencial em qualquer avaliação pré-operatória.[8] Entretanto, para procedimentos terapêuticos em cardiologia, o conhecimento irrestrito da cardiopatia em questão é essencial; exames que a qualifiquem e quantifiquem são requisitos básicos para prover a adequação do manejo peroperatório no que concerne à monitorização a ser utilizada, à técnica anestésica e aos cuidados pós-operatórios ofertados.

Nos procedimentos cardiológicos, o cateter venoso central raramente é colocado por um anestesiologista. Optando-se pela colocação, deve-se ficar atento à entrada de ar no cateter em pacientes com ventilação espontânea. Ocorre pressão negativa intratorácica com inspiração, e não se pode deixar uma saída aberta para o ar ambiente, o que permitiria o arrastamento de ar para o circuito venoso.

Vale salientar que, em muitos dos ambientes fora do centro cirúrgico em que são realizados procedimentos diagnósticos e terapêuticos, pode-se não dispor de uma sala de recuperação pós-anestésica, tampouco de monitorização e equipamentos que possam dar suporte adequado aos pacientes.[9] Embora os procedimentos sejam pouco invasivos (percutâneos), há grande manipulação do miocárdio por meio do cateter de hemodinâmica, podendo predispor a risco de arritmias. Boa parte dos pacientes que se submetem a tais procedimentos tem doença cardiovascular significativa. Portanto, os cuidados de recuperação pós-anestésica não devem ser negligenciados sob hipótese alguma.

▪ QUALIDADE E SEGURANÇA

Muitos procedimentos diagnósticos e terapêuticos em cardiologia podem ser realizados fora do centro cirúrgico. Geralmente são ambientes construídos em áreas remotas e com conformação espacial ergonomicamente imprópria à presença do médico anestesiologista, o que se torna um desafio para a prática profissional.

A verificação dos materiais deve ser minuciosa no ambiente fora do centro cirúrgico, e isso inclui monitores, cabos, equipamentos, material de via aérea, fluxômetros, aspirador, fármacos, desfibrilador portátil e outros dispositivos que eventualmente sejam utilizados. A disponibilidade desses dispositivos deve ser garantida com antecedência razoável.

Pacientes que estejam hemodinamicamente instáveis, sob ventilação mecânica e/ou sedados, devem seguir todos os cuidados de transporte intra-hospitalar da unidade de origem para a sala de procedimentos. Diante do aumento do grau de complexidade dos procedimentos e de pacientes cada vez mais enfermos, deve ser feito um planejamento operacional consistente quanto ao treinamento de toda a equipe por meio de simulações realísticas, protocolos de conduta e gerenciamento adequado.[10]

Segurança Profissional

A exposição à radiação em procedimentos guiados por imagem é uma dura realidade da prática diária em procedimentos diagnósticos e terapêuticos em cardiologia. A utilização de equipamentos de proteção individual é de extrema importância para o anestesiologista. Devem-se seguir as normas de regulamentação quanto às atividades e operações insalubres (NR-15) do Ministério do Trabalho e Emprego. Exames laboratoriais, utilização de dosímetros e consultas periódicas com o médico do trabalho devem ser instituídos como rotina a qualquer profissional que implemente contato com radiação ionizante em seu exercício profissional.[11]

■ PROCEDIMENTOS EM CARDIOLOGIA INTERVENCIONISTA PERCUTÂNEA

Com o aumento do número e da complexidade dos procedimentos, a presença do anestesiologista vem-se tornando indispensável também nos procedimentos em adultos. Além disso, trata-se de uma população heterogênea no que concerne à condição clínica, portanto, a individualização de condutas e o conhecimento específico quanto ao procedimento em questão são fundamentais no planejamento anestésico. Dividem-se, sob aspecto didático, procedimentos diagnósticos e terapêuticos listados nas Tabelas 191.1 e 191.2.

Tabela 191.1 Principais procedimentos diagnósticos em cardiologia.
1. Cateterismo
2. Biópsia miocárdica
3. Avaliações hemodinâmicas
4. Diagnósticos em cardiopatia
5. Estudos eletrofisiológicos

Tabela 191.2 Principais procedimentos terapêuticos em cardiologia.
1. Angioplastias
2. Implante de cardiodesfibrilador interno (CDI)
3. Implante de ressincronizador
4. Implante de marca-passo
5. Correção de cardiopatias
6. Endopróteses vasculares (*stents*)
7. Valvoplastias ou valvotomias (aórtica, mitral, tricúspide e pulmonar)
8. Implante de prótese valvar
9. Fechamento de comunicações cardiovasculares
10. Criação de um defeito septo atrial
11. Pericardiocentese
12. Ablação de focos arritmogênicos

Inicialmente, para a realização desses procedimentos, havia a necessidade de toracotomia. Os dispositivos eram grandes, pesados e pouco eficientes. Com o avanço das técnicas e de tecnologias, os procedimentos tornaram-se seguros e eficazes.

■ CATETERISMO EM CARDIOPATIAS CONGÊNITAS

Apesar de a maioria dos anestesiologistas possivelmente não estar familiarizada com a história natural de cada malformação congênita cardiovascular, pode-se desenvol-

ver uma abordagem sistematizada para a prática anestésica. As consequências da fisiopatologia da cardiopatia vão necessariamente interferir no risco peroperatório, e o anestesiologista deve estar apto a prestar a assistência.

O cateterismo cardíaco congênito estará indicado nas seguintes situações: as características anatômicas são mal visualizadas pelos exames de imagem; para medições fisiológicas precisas; nos estudos eletrofisiológicos; e quando já há um planejamento para o cateterismo terapêutico.[7] Angiografia é sempre realizada para visualização de detalhes vasculares. Os cateterismos podem ser executados por via percutânea pelos vasos femorais ou vasos umbilicais (recém-nascidos). Subclávia, jugular interna e veias hepáticas (abordagem trans-hepática) poderão ser utilizadas em pacientes com oclusão da veia femoral, ou para determinadas situações anatômicas. A Tabela 191.3 mostra os valores normais de pressões em pediatria.

Tabela 191.3 Valores normais de pressões em pediatria.	
Pressão atrial direita (PAD)	3-5 mmHg 20-30 mmHg (sistólica)
Pressão ventricular direita (PVD)	3-5 mmHg (diastólica final)
Pressão na artéria pulmonar (PAP)	12-15 mmHg
Pressão de oclusão de artéria pulmonar (POAP)	8 mmHg
Pressão atrial esquerda (PAE)	5-8 mmHg
Pressão ventricular esquerda (PVE)	65-110 mmHg (sistólica) 3-8 mmHg (diastólica final)
Pressão aórtica	65-110 mmHg (sistólica) 35-75 mmHg (diastólica final)
Resistência vascular pulmonar (RVP)	< 2
Resistência vascular sistêmica (RVS)	15-20

Fisiopatologia das Alterações em Cardiopatias Congênitas

Hipoxemia e cianose

Hipoxemia e cianose estão associadas a um fluxo sanguíneo pulmonar diminuído ou a lesões intracardíacas que misturam os fluxos sanguíneos (*shunts*), ou à junção dos dois fatores. Lesões cianóticas com redução de fluxo pulmonar incluem atresia tricúspide, atresia pulmonar, tetralogia de Fallot (Figura 191.3) e transposição de grandes artérias. No *truncus arteriosus* ocorre cianose com aumento do fluxo pulmonar. A cianose também pode ser encontrada no cenário de débito cardíaco muito baixo, em aumentos na diferença arteriovenosa de oxigênio e na doença respiratória.

A hipoxemia leva a aumento na viscosidade do sangue e nas resistências vasculares, sistêmica e pulmonar. Anormalidades hemostáticas que podem resultar de cianose e policitemia incluem trombocitopenia, disfunção plaquetária, curta sobrevivência plaquetária, coagulação intravascular disseminada (CIVD), diminuição da produção de fatores de coagulação e fibrinólise primária.[12]

O anestesiologista deve estar atento à manipulação de cateteres dentro de estenoses pulmonares e infundibulares (Figura 191.3). Mesmo com a fração inspirada de oxigênio

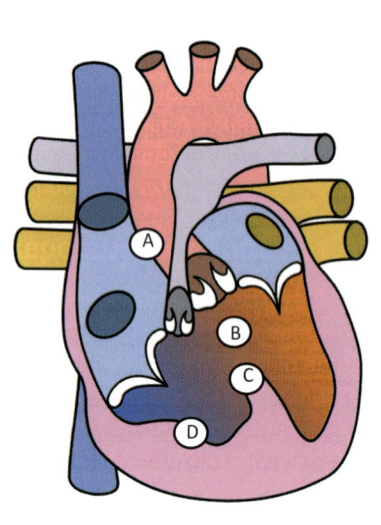

A: Estenose pulmonar	Uma diminuição de diâmetro do trato de saída do ventrículo direito pode ocorrer na valva pulmonar (estenose valvular) ou abaixo da valva pulmonar (estenose infundibular). A estenose infundibular pulmonar é geralmente causada por supercrescimento da parede muscular cardíaca (hipertrofia das trabéculas septoparietais),[13] muito embora se acredite que os eventos que levam à formação da aorta que se sobrepõe ao DSV também possam ser a causa. A estenose pulmonar é a maior causa de malformações, com as outras malformações associadas agindo como mecanismos compensatórios.[14] O grau de estenose varia nos indivíduos com a tetralogia de Fallot, e é o principal determinante dos sintomas e de sua gravidade. Essa malformação também pode ser denominada "estenose subpulmonar" ou "obstrução subpulmonar".[15]
B: Aorta que se sobrepõe ao defeito septal ventricular	A valva aórtica tem conexão biventricular. Ela está situada no defeito septal ventricular e conectada com os dois ventrículos. A raiz da aorta pode estar deslocada para frente (anteriormente) ou diretamente acima do defeito septal, mas está sempre anormalmente deslocada para a direita da raiz da artéria pulmonar. O grau de deslocamento para o ventrículo direito é variável, com 5%-95% de chance de a válvula estar conectada ao ventrículo direito.[13]
C: Defeito septal ventricular (DSV)	Uma fenda entre os dois ventrículos do coração. O defeito é centralizado na região mais superior do septo ventricular, e na maioria dos casos é única e grande. Em alguns casos, a hipertrofia septal pode diminuir as margens do defeito.[13]
D: Hipertrofia do ventrículo direito	O ventrículo direito tem mais músculo que o normal, o que causa uma aparência característica em forma de bota (*coeur-en-sabot*), que é visível por um raio X de tórax. Devido ao desarranjo do septo ventricular externo, a parede do ventrículo direito aumenta de tamanho para compensar a crescente obstrução de fluxo da câmara direita.[16]

▲ **Figura 191.3** Alterações anatômicas da tetralogia de Fallot.

Reprodução de figura autorizada por Eric Pierce.
Fonte: https://commons.wikimedia.org/wiki/File:Heart_tetralogy_fallot.svg.

alta, a diminuição do fluxo sanguíneo pulmonar levará a uma queda abrupta na saturação de oxigênio, com possibilidade de parada cardíaca.

Shunts

Os *shunts* ocorrem quando há uma comunicação anormal entre a circulação pulmonar e a sistêmica. Possibilitam a passagem do sangue de um sistema circulatório para o outro. Um *shunt* da esquerda para a direita permite que o sangue venoso oxigenado vindo de vasos pulmonares retorne para os pulmões, em vez de ser bombeado para o corpo. Já um *shunt* da direita para a esquerda permite que o sangue venoso sistêmico (pobre em oxigênio) retorne para o corpo sem passar pelos pulmões.[17]

Quanto maior o trabalho ventricular, maiores serão o grau de troca (volume) e a gravidade dos sintomas. Fatores que influenciam a troca e a direção do fluxo incluem: o tamanho do orifício do *shunt*, o gradiente de pressão entre as câmaras ou artérias envolvidas no *shunt*, a conformidade relativa dos ventrículos direito e esquerdo, a resistência vascular pulmonar (RVP), a resistência vascular sistêmica (RVS) e a viscosidade sanguínea (hematócrito). As lesões e consequências do aumento do *shunt* da esquerda para a direita estão descritas na Tabela 191.4.

Shunts da direita para a esquerda resultam em diminuição do conteúdo de oxigênio do sangue arterial sistêmico. Mesmo com débito cardíaco normal, a diminuição da oferta de oxigênio a tecidos periféricos diminui a tolerância ao exercício.[17] A Tabela 191.5 mostra considerações anestésicas nos *shunts*.

Tabela 191.4 Lesões cardíacas que aumentam o shunt da esquerda para a direita.

1. Incluem:
   a) persistência do canal arterial (PCA)
   b) defeito do septo ventricular (DSV)
   c) defeitos em canais atrioventriculares
   d) pacientes submetidos à cirurgia de Blalock-Taussig modificada (estágio I do reparo da síndrome do coração esquerdo hipoplásico) com um *shunt* largo e desobstruído
 	
 2. Resultam em:
   a) aumento da resistência vascular pulmonar (RVP)
   b) aumento da pressão de artéria pulmonar (PAP)
   c) aumento do volume e da pressão do átrio esquerdo (PAE)
   d) edema pulmonar
   e) sobrecarga de volume de ambos os ventrículos (insuficiência biventricular)
   f) hipoperfusão tecidual por baixa pressão diastólica da aorta nos grandes *shunts* sistêmico-pulmonares (isquemias – intestinal, miocárdica)
   g) aumento do fluxo sanguíneo pulmonar: diminuição da complacência pulmonar, resistência aumentada das vias aéreas e compressão das vias aéreas[18] alterações na função pulmonar levam a maior trabalho da respiração (com gasto de energia aumentado), atelectasia, ar prendendo e infecções respiratórias
   h) desenvolvimento de doença vascular pulmonar oclusiva (DVPO) com reversão do *shunt* (da direita para a esquerda)
   i) síndrome de Eisenmenger: caracterizada por irreversível DVPO e cianose relacionada à reversão do *shunt* da esquerda para a direita[19]

Tabela 191.5 Considerações anestésicas nos *shunts*.

1. Evitar presença de ar em cateteres intravenosos para prevenir embolização sistêmica

2. Observar os fatores que influenciam o aumento da resistência vascular pulmonar (RVP), que podem gerar hipertensão pulmonar

3. Evitar depressão miocárdica ou limitar a queda na RVP. Tais diminuições (por exemplo, aquelas que podem ser produzidas por hiperventilação ou hiperóxia) podem levar a um fenômeno de roubo de fluxo com aumento do fluxo sanguíneo pulmonar. A principal consequência aguda será um maior risco de hipotensão sistêmica significativa e hipoperfusão

4. A saturação de oxigênio arterial resultante será afetada pela magnitude dos shunts da direita para a esquerda e pela saturação do sangue desviado (essencialmente do retorno venoso sistêmico).

Disfunção ventricular

Sobrecarga de volume ventricular ocorre com *shunts* da esquerda para a direita intracardíacos ou extracardíacos, regurgitação valvular e lesões no ventrículo único. O curso de tempo no qual a disfunção ventricular irreversível se desenvolve é variável, mas, se a intervenção cirúrgica para correção da sobrecarga de volume for realizada dentro do primeiro ano de vida, disfunção residual é incomum.[20] Sobrecarga de pressão ventricular resulta da obstrução de saída ventricular residual/recorrente ou da elevada pressão de artéria pulmonar (PAP) ou RVP.

Cianose e hipoxemia crônica diminuem o suprimento de oxigênio ventricular e aumentam a demanda de oxigênio por causa do maior trabalho relacionado a um aumento da RVP e da RVS com policitemia associada. Isquemia miocárdica resultante de anomalias de artérias coronárias também pode causar disfunção ventricular (Tabela 191.6).

Tabela 191.6 Considerações anestésicas na disfunção ventricular.

1. É aconselhável integrar cuidadosamente históricos, exames físicos, testes diagnósticos e informações referentes ao desempenho miocárdico para se chegar a uma avaliação integrada do grau de disfunção ventricular

2. Hidratação de forma parcimoniosa, mas que garanta uma pequena elevação na pré-carga, para diminuição do risco de baixo débito na indução anestésica e durante o procedimento

3. Ventilação de pressão positiva é suscetível de melhorar a função de um ventrículo sistêmico disfuncional de acordo com a lei de Laplace, pelo efeito do aumento intratorácico

4. Na disfunção ventricular já constatada, a administração profilática de inotrópicos antes ou logo depois da indução e durante o procedimento pode ser benéfica

Hipertensão pulmonar

Hipertensão pulmonar está presente quando a pressão de artéria pulmonar média (PAPm) está acima de 25 mmHg. O aumento da PAP ou da RVP pode ser reativo, fixo ou uma combinação dos dois modos. Durante um cateterismo cardíaco, é possível determinar a reatividade do leito pulmonar por mudanças de PAP e RVP em resposta aos vasodilatadores, tais como oxigênio e óxido nítrico. Fatores que aumentam a RVP são: hipoxemia, hipercarbia, acidemia, hipotermia e estimulação simpática associada a estresse ou anestesia leve.

Pela significativa morbidade e mortalidade da anestesia e da cirurgia para o paciente com hipertensão pulmonar grave, é essencial uma análise da relação risco-benefício, envolvendo cardiologista e anestesista, antes de procedimentos eletivos. PAP suprassistêmica é um preditor significativo de complicações maiores em crianças com hipertensão pulmonar.[21]

O conhecimento pré-operatório de grau de reatividade vascular pulmonar, hipertensão pulmonar, disfunção ventricular direita e presença de uma comunicação intracardíaca é imperativo. Pacientes com hipertensão arterial pulmonar grave, disfunção significativa de ventrículo direito (VD) e nenhuma comunicação tipo *shunt* da direita para a esquerda são provavelmente os mais perigosos.

Disfunção ventricular direita aguda e resultante baixo débito cardíaco sistêmico são as principais consequências fisiopatológicas de exacerbações agudas na PAP. O objetivo global da anestesia é, portanto, fornecer uma adequada analgesia e anestesia, minimizando os aumentos na RVP e a depressão da função miocárdica.[22]

Embora permita um melhor controle da ventilação e da oxigenação, a ventilação com pressão positiva aumenta a pós-carga e diminui o enchimento de VD. Assim, a pressão inspiratória e a pressão expiratória final positiva (*positive end-expiratory pressure* – PEEP) excessivas devem ser evitadas. É fundamental que a terapia de vasodilatador pulmonar não seja interrompida, particularmente infusões de prostaciclina, cuja interrupção pode resultar em hipertensão pulmonar rebote grave dentro de 10 a 15 minutos.

Obstrução de saída ventricular

A obstrução de saída ventricular pode ser subvalvar, valvar ou supravalvar (ou uma combinação delas), isolada ou parte de malformações mais complexas (residuais ou recorrentes e fixas ou dinâmicas). Os resultados do aumento da pressão da vazão ventricular são: sobrecarga no ventrículo, hipertrofia ventricular e disfunção diastólica (ventrículo "duro") e sistólica.

Obstrução de saída ventricular esquerda pode ocorrer com estenose aórtica, coarctação da aorta, aorta interrompida e variantes da síndrome hipoplásica do coração esquerdo (*hypoplasic left heart syndrome*, HLHS) e da anomalia de Shone.[12] A obstrução de saída de VD é vista com estenose pulmonar, tetralogia de Fallot, hipoplasia de artérias pulmonares (APs), pertuitos cirúrgicos do VD para APs (realizados para tratamento de atresia pulmonar, *truncus arteriosus*, cirurgia de Rastelli anterior) e hipertensão pulmonar.

O objetivo geral da indução e manutenção anestésicas é manter os principais determinantes da função ventricular em face do débito fixo de uma obstrução e também de algum grau de disfunção diastólica ou sistólica. Assim, há grande dependência do ritmo sinusal e da pré-carga para manter o débito cardíaco (Tabelas 191.7 e 191.8).

Tabela 191.7 Considerações anestésicas na hipertensão pulmonar.

1. Sedação pré-operatória adequada, se possível
2. Elevado oxigênio inspirado
3. Hiperventilação (alcalose respiratória)
4. Óxido nítrico disponível
5. Adequada profundidade da anestesia
6. Manutenção de uma pré-carga normal ou aumentada
7. Inotrópicos

Tabela 191.8 Considerações anestésicas nas obstruções de saída ventricular.

1. Hidratação pré-operatória criteriosa
2. Evitar hiper-hidratação para impedir aumento da pressão de átrio esquerdo (PAE) e consequente edema agudo de pulmão (EAP)
3. Utiliza agentes anestésicos com pouca repercussão na pressão arterial, como opioides, e relaxantes musculares para diminuição de dose de inalatórios

Procedimentos

Valvoplastia pulmonar

A estenose pulmonar valvar representa cerca de 10% de todas as cardiopatias congênitas. O processo é decorrente de espessamento dos folhetos valvares e fusão comissural, o que confere à valva uma configuração cônica ou em forma de cúpula, com saída estreita em seu ápice. Menos comum, a estenose pulmonar pode ser causada por uma valva displásica, quando associada com uma forma familiar ou com a síndrome de Noonan.[12] Na valva displásica, há acentuado espessamento dos três folhetos sem fusão das comissuras. Muitas vezes os folhetos são alongados e estendem-se até o tronco pulmonar, onde causam obstrução adicional. A tentativa na valvoplastia pulmonar é aumentar o fluxo sanguíneo que passa pela estenose.[3]

Valvoplastia aórtica

A estenose valvar aórtica responde por aproximadamente 3% a 6% de todas as cardiopatias congênitas, ou 60% a 75% dos casos de estenose aórtica. Uma valva aórtica bicúspide é a alteração congênita mais comum a coexistir com a estenose aórtica. Gira em torno de 2% a incidência de valva aórtica bicúspide na população geral. Nesse tipo de situação, verificam-se comissura única, central ou excêntrica e graus variáveis de fusão de suas bordas. A estenose aórtica pode ser valvar, supravalvar e subvalvar.[23]

A modalidade supravalvar correlaciona-se com estenose da artéria pulmonar e de seus ramos ou pode fazer parte da síndrome de Williams.[12] Apresenta-se sob a forma de membrana, estreitamento em ampulheta ou sob a forma de hipoplasia da aorta ascendente. Na modalidade subvalvar, o defeito assume forma de membrana, anel fibroso, túnel fibromuscular e de aspecto hipertrófico. Ocasionalmente, pode ocorrer por inserção anômala de cordas da valva mitral no septo interventricular.[24] Na primeira valvoplastia aórtica percutânea em um menino de 8 anos, com diagnóstico clínico e ecocardiográfico de estenose aórtica grave, após a intervenção, houve significativa redução do gradiente transaórtico (85 para 28 mmHg), na ausência de complicações.[23] Desde então, o procedimento vem sendo realizado com taxas de sucesso que variam de acordo com sua indicação nas mais diversas partes do mundo.

Valvoplastia mitral

A estenose mitral como sequela clínica da febre reumática infelizmente ainda é muito prevalente nas nações em desenvolvimento, constituindo verdadeira questão de saúde pública nesses países. Já a estenose mitral congênita ocorre em 0,2% a 0,5% dos pacientes com defeitos congênitos e pode ser responsável por profundas alterações hemodinâmicas na criança. A comissurotomia mitral cirúrgica, realizada pela primeira vez por Souttar, em 1925, se mantém como método eficaz para o tratamento da estenose mitral. No entanto, como um notável progresso da cardiologia intervencionista, Inoue *et al.* realizaram no Japão, em 1984, a primeira comissurotomia mitral percutânea com balão único, técnica que nos dias de hoje leva o mesmo nome. Em 1986, na Arábia Saudita, Al Zaibag *et al.* foram os primeiros a relatar uma valvoplastia mitral empregando a técnica do duplo balão. Essas duas técnicas rapidamente se difundiram e são amplamente praticadas[3] hoje em dia.

Valvoplastia tricúspide

A estenose da valva tricúspide, de infrequente diagnóstico clínico, tem como causas síndrome carcinoide, febre reumática, anormalidades congênitas e endocardite infecciosa. A estenose congênita resulta de defeitos de um ou mais dos elementos do aparelho valvar (folhetos, cordas tendíneas e músculos papilares), a exemplo do que ocorre com a estenose mitral congênita. A estenose tricúspide encontra-se presente no exame anatomopatológico de 5% a 10% dos pacientes com cardiopatia reumática, quase sempre associada a envolvimento das valvas mitral e aórtica. A comissurotomia tricúspide foi pioneiramente realizada por Alvarez e Lason em 1955, no México. Já a valvoplastia tricúspide por cateter balão vem sendo praticada desde 1987, com a experiência inicial de Al Zaibag *et. al.*[3,12]

Aortoplastia na coarctação da aorta

A coarctação da aorta representa aproximadamente 6% das cardiopatias congênitas. Há nítida associação com valva aórtica bicúspide, anomalias congênitas da valva mitral, fibroelastose endocárdica, canal arterial pérvio, defeito septal ventricular, além de relação com a síndrome de Turner e com o complexo de Shone. Caracteriza-se por estreitamento situado na aorta descendente, após a crossa aórtica, e pode ser classificada em pré-ductal, justaductal e pós-ductal, conforme sua posição em relação ao canal arterial. A zona de coarctação localiza-se, amiúde, adiante da artéria subclávia esquerda, cuja porção proximal acha-se dilatada. As primeiras tentativas de dilatação da aorta tiveram início em 1982, quando Lock *et. al.* demonstraram os efeitos do balão sobre segmentos excisados de aorta.[3,7]

Atriosseptostomia

A atriosseptostomia por balão teve início em 1962 com Rashkind,[2] com o objetivo de ampliar as comunicações interatriais existentes em algumas malformações cardíacas para assim proporcionar maior mistura entre as circulações pulmonar e sistêmica, com o consequente aumento da saturação sanguínea de oxigênio. Paralelamente, o incremento do fluxo interatrial eleva o débito sistêmico e diminui a carga pressórica sobre o leito venoso pulmonar, o que constitui o outro pilar fisiopatológico que sustenta a indicação desse procedimento paliativo nas cardiopatias congênitas. Com similar intento, passou-se a utilizar cateter com lâmina para atriosseptostomia de crianças fora do período neonatal (idade > 1 mês de vida) e em outras situações nas quais é maior a rigidez do septo atrial, a partir de trabalho pioneiro de Garcia *et. al.*, em 1973.[25]

Abertura da valva pulmonar atrésica

A atresia pulmonar com septo ventricular íntegro corresponde a aproximadamente 2,5% de todas as cardiopatias congênitas, sendo a segunda causa de grave hipoxemia no primeiro mês de vida, superada apenas pela transposição das grandes artérias. Como não se trata de anomalia isolada, pois o VD e a valva tricúspide são geralmente acometidos, o tratamento cirúrgico continua a ser um desafio, em face da hipoplasia do ventrículo direito, presente em graus variáveis. Se o VD é bem desenvolvido, opta-se pela abertura cirúrgica (técnica de Brock), seguida de um *shunt* sistêmico-pulmonar do tipo Blalock-Taussig. Por outro lado, se o VD é moderadamente desenvolvido, a opção preferencial tem sido a cirurgia de Glenn bidirecional. Já nos casos que se acompanham de hipoplasia extrema do VD, a escolha deve recair sobre a cirurgia de Fontan. Métodos percutâneos podem ser auxiliares durante a execução de cirurgias híbridas.[3]

Oclusão do canal arterial pérvio

O canal arterial, fundamental na circulação fetal, normalmente se fecha após o nascimento, e sua oclusão funcional pode ser verificada nas primeiras 10 a 15 horas de vida, com oclusão anatômica entre a segunda e terceira semanas de vida. Ocorre como defeito isolado em 0,01% a 0,08% de todos os nascidos vivos, representando cerca de 6% a 11% do total das cardiopatias congênitas. Foi a primeira cardiopatia congênita a ser corrigida cirurgicamente, em 1938, por Gross *et. al.*, além de ter sido também a primeira a ser ocluída por método percutâneo, em 1967, por Porstmann.[3]

Oclusão percutânea da comunicação interatrial

A comunicação interatrial responde por aproximadamente 7% a 11% de todas as cardiopatias congênitas. Pode ser da variedade *ostium secundum* (a mais comum), *ostium primum* (quase sempre associada a fendas na cúspide anterior da valva mitral) e seio venoso, relacionada à drenagem anômala parcial das veias pulmonares.[24] A depender do tamanho da comunicação, o índice de fechamento espontâneo da comunicação interatrial exibe enorme variação, com publicações na literatura relatando percentuais que oscilam entre 0% e 66%. Com efeito, apesar de o primeiro relato de oclusão percutânea de uma comunicação interatrial datar de 1974, com a experiência inicial de King e Mills, ainda nos dias atuais a cirurgia convencional tem sido o principal instrumento de correção do defeito. Entretanto, o expressivo avanço dos recursos tecnológicos, aliado aos resultados alcançados pela cardiologia intervencionista no tratamento de várias outras cardiopatias congênitas, vem revigorando as atenções pela correção não cirúrgica dessa afecção congênita.[3]

Oclusão da comunicação interventricular

De acordo com sua localização no septo ventricular, a comunicação interventricular pode ser perimembranosa (a mais frequente), muscular, de via de entrada e de via de saída. Excluída a valva aórtica bicúspide, trata-se do defeito congênito de maior ocorrência na população geral, responsável por cerca de 20% do total das cardiopatias congênitas, com incidência de 1,5% a 2,5% por 1.000 nascidos vivos. A exemplo do que acontece com o canal arterial pérvio, a correção cirúrgica no primeiro ano de vida deve restringir-se aos casos de grandes comunicações, que cursam com insuficiência cardíaca congestiva, infecções pulmonares repetitivas, hipertensão arterial pulmonar e importante déficit pôndero-estatural. Excetuadas essas situações, levam-se em conta as altas taxas de fechamento espontâneo, especialmente nos pequenos defeitos, que podem alcançar o percentual de quase 70% no primeiro ano de vida, com fechamento espontâneo de moderados ou mesmo de grandes defeitos até que a criança complete 8 a 10 anos de idade. A partir dessa fase, são controversas as opiniões sobre a melhor conduta a ser adotada. Em 1988, Lock *et. al.* publicaram os primeiros relatos de oclusão percutânea de comunicação interventricular; Infere-se que o procedimento é eficaz, seguro e que, doravante, poderá surgir como alternativa para o tratamento não cirúrgico de comunicação interventricular, em casos selecionados.[3,7]

Técnica Anestésica

A escolha da técnica anestésica, a seleção de fármacos e a exigência de monitoramento invasivo serão determinadas pelo estado do paciente e da enfermidade cardíaca subjacente, pelo tipo de procedimento e pela familiaridade do anestesiologista com uma técnica específica. Embora a anestesia geral, com intubação traqueal, ventilação pulmonar controlada e paralisia muscular, seja a regra pela complexidade dos casos, alguns procedimentos (como a biópsia cardíaca) podem ser realizados com máscara laríngea ou sedação e utilização da máscara facial de oxigênio.

Não existe técnica que garanta a preservação da função miocárdica e da estabilidade hemodinâmica durante a indução anestésica. Pacientes com lesões cianóticas resultantes de derivações da direita para a esquerda têm uma indução inalatória mais lenta pela queda do fluxo pulmonar.[26] O sevoflurano está mais indicado que o halotano, por estar associado a menor depressão miocárdica e melhor estabilidade hemodinâmica.[27] Uso da associação opioide-benzodiazepínicos em baixas doses é adequado para manutenção, particularmente se a ventilação mecânica pulmonar persistir no pós-operatório.[28]

Se o acesso vascular foi conseguido antes da indução, há possibilidade do uso de hipnóticos endovenosos. Como escolha, é possível a utilização de etomidato, que não possui efeitos hemodinâmicos significativos em doses clínicas, e de cetamina, que proporciona estabilidade hemodinâmica por meio de aumentos em mediadores simpáticos. Uso de propofol provavelmente ficará limitado a pacientes com reserva cardiovascular adequada que podem tolerar de leve a moderada diminuição em RVS, contratilidade e frequência cardíaca.[29]

Para pacientes com reserva cardíaca limitada ou hipertensão pulmonar, recomenda-se indução por via venosa cautelosa, devido ao risco de diminuição acentuada no débito cardíaco ou de instabilidade circulatória. Em extremos de disfunção ventricular (por exemplo, fase final grave de cardiomiopatia dilatada), obstrução valvar ou hipertensão pulmonar, o aumento da impedância da aorta diante da ausência de reserva do miocárdio levará, consequentemente, a um baixo débito e choque cardiogênico. O tratamento pré-operatório com inotrópicos deve ser considerado. Devem-se verificar, com o cardiologista, a administração anterior e a quantidade de heparina utilizada no procedimento.[12]

O anestesiologista deve sempre ficar atento à presença de bolhas de ar em infusões, principalmente nos pacientes que tenham *shunt* da direita para a esquerda, para evitar a formação de êmbolos aéreos. Certificar-se de que todos os pontos de injeção e tubulação sejam livres de ar. Se a infusão intravenosa for preparada e deixada em ambiente frio, deve ser verificada novamente antes do uso, para saber se existem bolhas de ar no sistema de infusão. As bolhas de ar da seringa aderem ao êmbolo e devem ser removidas antes do bólus da medicação. Sugere-se evitar o uso de 1 mL da última metade da medicação de uma seringa, justamente para que as microbolhas de ar não fiquem aderidas ao êmbolo.

Ao conectar a seringa de uma torneira de passagem para administrar um medicamento, é preciso verificar se existe ar no conector da torneira e na ponta da seringa. O ar deve ser expelido antes de conectar os dois para administração de medicação. Deve-se aspirar meio mililitro da infusão venosa pela seringa para assegurar que nenhum ar esteja presente antes de injetar o medicamento.

A utilização rotineira de manta térmica garante a manutenção da temperatura corpórea dos pacientes pediátricos, sem os efeitos adversos da hipotermia, como piora do tempo de coagulação e maior tempo de recuperação anestésica.

■ IMPLANTE DE MARCA-PASSO, CARDIODESFIBRILADORES E RESSINCRONIZADORES

As indicações de implante de marca-passo, cardiodesfibriladores (CDI) e ressincronizadores estão listadas nas Tabelas 191.9, 191.10 e 191.11.

Tabela 191.9 Principais indicações de cardiodesfibrilador interno (CDI).

1.	Prevenção primária de morte súbita
2.	Síndrome do QT longo
3.	Histórico familiar de morte súbita
4.	Arritmias ventriculares

Tabela 191.10 Principais indicações de marca-passo.

1.	Bradicardia sintomática
2.	Distúrbios da condução atrioventricular
3.	Cardiomiopatia hipertrófica
4.	Síndrome vasovagal maligna

Tabela 191.11 Principais indicações de ressincronizador.

1.	Atraso na condução atrioventricular
2.	Disfunção sistólica do ventrículo esquerdo

Utiliza-se a técnica de implante peitoral do gerador (subcutâneo ou submuscular) associada com punção e/ou dissecção venosa da subclávia/cefálica para a introdução do eletrodo no miocárdio. Geralmente são procedimentos bem tolerados por meio de anestesia local e sedação, com monitorização básica (eletrocardiograma, pressão arterial não invasiva e oximetria).[30] Entretanto, no implante de CDI, há a necessidade de testá-lo, o que pode ser feito com identificação do limiar de desfibrilação. Aplica-se uma corrente elétrica de 15 a 30 joules, que proporciona uma repolarização miocárdica coordenada e possibilita que o sistema de condução assuma o ritmo cardíaco. Além disso, para a acomodação do gerador no dispositivo, é confeccionada uma loja usualmente submuscular. Esses procedimentos podem gerar desconforto e dor ao paciente, com necessidade de uma sedação profunda ou até mesmo anestesia geral.[31] A escolha da monitorização e do tipo de anestesia a ser utilizado deve levar em consideração a condição clínica do paciente e o grau da doença cardíaca que o acomete, sendo, portanto, criteriosamente individualizada.[31]

Infelizmente, em algumas circunstâncias, é necessário fazer a extração dos eletrodos (Tabela 191.12). O procedimento é realizado por meio de eletrocautério no local de inserção do cateter.[32] Podem ocorrer efeitos adversos, como ruptura miocárdica, tamponamento e fratura do eletrodo, que podem ser ameaçadores à vida. Monitorização invasiva de pressão arterial, acesso venoso de grande calibre e anestesia geral são condutas apropriadas nesse tipo de intervenção.

Tabela 191.12 Principais indicações de extração de eletrodos.

1.	Relacionadas ao paciente: a) infecção b) perfuração c) migração d) embolização/trombose
2.	Relacionadas ao dispositivo: a) falha da terapêutica b) indução de arritmias c) substituição

■ IMPLANTE DE VALVA AÓRTICA TRANSCATETER

A estenose aórtica degenerativa é a causa mais frequente de doença valvar. Apresenta prevalência de cerca de 5% nos indivíduos acima de 75 anos. Pacientes que apresentam sintomas graves são candidatos à cirurgia de troca valvar.

O procedimento cirúrgico clássico caracteriza-se por sua invasividade, bem como por necessidade de esternotomia, utilização de CEC e cardioplegia. Cerca de 30% dos pacientes mostram-se inelegíveis ao procedimento convencional devido a condições clínicas frágeis, graves comorbidades e escores de estratificação de risco elevados, tais como EuroSCORE e STF (Society of Thoracic Surgeons).[33]

Nos últimos anos, o implante de valva aórtica transcateter (*transcatheter aortic valve implantation*, TAVI) tem-se mostrado uma alternativa terapêutica intervencionista menos invasiva aos pacientes com estenose aórtica sintomática, que são inelegíveis à cirurgia aberta, e tem como indicação classe I e nível de evidência B de acordo com o estudo Partner.[34] Mostra-se pioneiro na abordagem de doenças valvares transcateter em adultos.

O TAVI consiste basicamente na plastia da valva aórtica seguida da implantação de uma prótese valvular biológica, associada a um *stent* metálico acoplado a um cateter. A implantação é realizada ao lado da valva natural, com compressão dos folhetos nativos entre o *stent* e as paredes. Pode ser feito por dois tipos de abordagens diferentes: retrógrada e anterógrada.

A via de acesso retrógrada é a mais utilizada. O acesso percutâneo por via transfemoral é realizado em 80% dos casos, sendo geralmente a técnica de eleição. Outros sítios de acesso dessa abordagem são transaxilar e transaórtica, que são menos utilizadas. Já na via anterógrada, o acesso é transapical, com punção no ápice do ventrículo esquerdo por meio de toracotomia, realizada quando há dificuldades técnicas ou anatômicas da via de acesso transfemoral, tais como tortuosidades vasculares, tromboses, calcificações ou diâmetros vasculares pequenos (< 6 mm).[35]

Um aspecto negativo é que o TAVI aumenta o risco de eventos vasculares em relação à cirurgia convencional ou ao tratamento conservador, como evidenciou o estudo Partner. Também há uma série de complicações que podem aumentar a morbidade e a mortalidade de forma substancial (Tabela 191.13). Em geral apresentam-se agudamente até as primeiras 24 horas após o procedimento. Por esses motivos, é de extrema importância que o médico anestesiologista esteja atento para o diagnóstico precoce e para as intervenções cabíveis a cada caso.

Tabela 191.13   Principais complicações relacionadas ao TAVI.
1.   Regurgitação aórtica
2.   Infarto agudo do miocárdio
3.   Embolização da prótese
4.   Ruptura da valva mitral
5.   Hemorragia
6.   Tamponamento cardíaco
7.   Acidente vascular cerebral
8.   Arritmias
9.   Parada cardiorrespiratória

Cuidados Anestésicos

Anestesia local associada à sedação pode ser utilizada em alguns casos de TAVI com acesso retrógrado via transfemoral. Entretanto, a anestesia geral é uma boa escolha, uma vez que: a condição clínica dos pacientes não é a ideal; existe a possibilidade de o procedimento ser convertido em acesso transapical; provê condições de conforto e monitorização adequadas.[36]

Pela própria indicação de TAVI, os pacientes são essencialmente graves e inelegíveis à cirurgia convencional. Apresentam sintomas cardiovasculares exuberantes, elevado escore de risco e significativas comorbidades. A indicação de monitorização invasiva (pressão arterial, acesso venoso central e medidas do débito cardíaco) se faz necessária. Pacientes com disfunção grave do ventrículo esquerdo ou hipertensão pulmonar significativa podem beneficiar-se da utilização do cateter de Swan-Ganz para monitorização da PAP. A monitorização de anticoagulação, temperatura, profundidade anestésica e relaxamento muscular complementa de forma categórica a boa atenção ao doente.[37]

No momento da implantação da prótese valvar, há a necessidade de se fazer uma taquicardia induzida por um marca-passo previamente instalado para otimização da técnica cirúrgica. Solicita-se que, em momento apropriado, a frequência cardíaca permaneça por alguns instantes entre 160 e 220 bpm. Durante esse período há uma instabilidade hemodinâmica transitória, que cursa com redução abrupta do débito cardíaco, hipotensão acentuada e, algumas vezes, arritmias graves. Deve-se estar preparado para essas intercorrências antecipadamente, o que possibilita a instauração precoce de medidas que restabeleçam as condições hemodinâmicas prévias à intervenção. Deve-se também assegurar o posicionamento correto das placas adesivas de desfibrilação no momento do preparo, bem como a otimização da volemia, principalmente em pacientes que apresentam ventrículo hipertrófico, e a pronta correção da hipotensão arterial com administração de fármacos vasoativos.[38]

A ecocardiografia transesofágica (ETE) apresenta papel de protagonista nos TAVIs. Há uma preferência pela utilização do equipamento de ecocardiografia em três dimensões. Com ele, a equipe médica pode avaliar em tempo real a doença valvar, medir o tamanho adequado da prótese e guiar o cateter até o local exato de implantação da prótese valvar. Além disso, imediatamente após o procedimento, consegue-se avaliar a qualidade da intervenção com base em medidas de fluxo estimadas pela ETE (por exemplo, o escape paravalvar, que é uma complicação temida quando de grau moderado a importante, estando presente em 85% dos casos). O intervencionista terá de tomar condutas emergenciais. E o anestesiologista pode beneficiar-se desse equipamento realizando medidas hemodinâmicas adicionais, como: avaliação da volemia, contratilidade miocárdica e função valvar.[39]

A expectativa habitual é que ocorra a extubação ao término da anestesia, e o ajuste do plano anestésico contribuirá para esse desfecho. Entretanto, cuidados pós-operatórios intensivos são essenciais. A maioria das complicações mais temidas ocorre geralmente nas primeiras 24 horas após o procedimento. Anticoagulação, manutenção da normotensão arterial e do ritmo sinusal, profilaxia de tromboembolismo venoso, avaliação de complicações cerebrovasculares, disfunção renal pelo uso de contrastes iodados e controle da dor (quando se trata de TAVI por via transapical) estão entre as medidas mais importantes nessa fase.[40]

OUTROS PROCEDIMENTOS VIA TRANSCATETER

Como citado anteriormente, o TAVI foi pioneiro no tratamento das doenças valvares transcateter em adultos. Após seu advento, uma série de novas terapias transcateter, principalmente para regurgitação mitral, está em desenvolvimento. Entre elas se podem citar os procedimentos Valve-in-Valve e MitraClip, esse último aprovado em 24 de outubro de 2013 nos Estados Unidos.[41] Tais técnicas seguem preceitos similares aos do TAVI no que concerne a: utilização preferencial de sala híbrida (Figura 191.2), pela qualidade das imagens que são fornecidas; equipamento de ETE em três dimensões, para guiar em tempo real o direcionamento do cateter vascular; equipe multidisciplinar que apresente habilidades distintas e aditivas; equipe cirúrgica apta a intervir prontamente em caso de complicações ameaçadoras à vida.

De uma forma geral, todas as técnicas visam pacientes com doenças valvares graves que são inelegíveis aos procedimentos cirúrgicos convencionais de correção ou troca da valva acometida – um grupo de doentes que cresce em razão de proporcionalidade direta ao aumento da expectativa de vida observado de uma forma global. Muitos pesquisadores, sociedades e centros de referência estão em colaboração intensa no aperfeiçoamento de novas técnicas menos invasivas.

Os desafios do anestesiologista permanecem similares aos descritos para TAVI. Por serem doentes com altos escores de risco e inaptos a grandes cirurgias, a atenção merece ser redobrada. O conhecimento da doença de base, dos sintomas apresentados, da estratificação do risco cirúrgico, das comorbidades associadas e da condição clínica do doente se faz necessário para a definição das metas de monitorização e da técnica anestésica a ser empregada.[42]

O controle do ritmo cardíaco sinusal e da normotensão arterial é de extrema importância para garantir a manutenção do débito cardíaco adequado e para evitar complicações cerebrovasculares, muito comuns nesses procedimentos. Há uma intensa manipulação do miocárdio propiciada pela introdução do cateter, o que pode gerar arritmias. A utilização de fármacos antiarrítmicos e vasoativos e, quando necessárias, a cardioversão ou a desfibrilação devem ser medidas instituídas o mais brevemente possível, no intuito de evitar momentos prolongados de instabilidade hemodinâmica.[39-42]

Os procedimentos costumam ser demorados e realizados em salas com baixas temperaturas, como é o caso das salas híbridas. Atenção especial à manutenção da normotermia do doente, uso de protocolos de profilaxia do tromboembolismo venoso e plano anestésico adequado são condições *sine quibus non*.

Devido à introdução e à permanência do cateter, é necessária a anticoagulação do paciente com uso de heparina não fracionada, além do controle por meio do tempo de coagulação ativado (TCA). Geralmente se preconiza um TCA > 300 segundos para assegurar a anticoagulação desejável.

Muitos dos pacientes com insuficiência mitral selecionados para esses procedimentos apresentam hipertensão pulmonar importante. A utilização do cateter de Swan-Ganz para mensurar PAP e demais medidas hemodinâmicas podem ser implementadas com o intuito de prover informações diagnósticas extras, caso ocorram complicações cirúrgicas ou descompensações clínicas importantes que necessitem de intervenções imediatas. Como no TAVI, caso o procedimento curse sem intercorrências, o plano anestésico deve ser programado para uma extubação precoce. Cuidados intensivos pós-operatórios permanecem fundamentais, tais como o exposto.

ESTUDO ELETROFISIOLÓGICO E ABLAÇÃO DE ARRITMIAS

No laboratório de eletrofisiologia, são realizados procedimentos para diagnosticar e tratar os ritmos cardíacos anormais (Tabela 191.14) de forma menos invasiva e mais segura do que grandes procedimentos cirúrgicos realizados no passado, especialmente para pacientes de alto risco, mais velhos e mais doentes.

Tabela 191.14 Taquiarritmias cardíacas passíveis de ablação por cateter.	
Taquicardia supraventricular (TSV): a) flutter atrial típico (istmo cavo-tricuspídeo) b) taquicardia atrial (TA) c) síndrome de Wolff-Parkinson-White (WPW) d) taquicardia por reentrada nodal e) taquicardia paroxística supraventricular (TPSV)	Prevalência: baixa Procedimento rápido (1-2 horas) Baixa complicação Taxa de sucesso: 95%-100%
Fibrilação atrial (FA) Flutter atípico	Prevalência: alta (0,3 M-Brasil) Procedimentos longos (3-5 horas) Complicação alta Taxa de sucesso: 60-80%
Extrassístoles ventriculares Taquicardia ventricular (TV)	Prevalência: média Procedimentos longos (3-5 horas) Complicação média/alta Taxa de sucesso: 60-90%

Para identificar a fonte da disritmia e especificar o local exato para ablação, esses procedimentos requerem mapeamento complexo do coração. Algumas das técnicas utilizadas incluem mapeamento de ativação, mapeamento de ritmo, mapeamento de arrastamento, mapeamento intracardíaco eletroanatômico (Figura 191.4), ecocardiografia guiada e mapeamento anatômico baseado em fluoroscopia tridimensional.

Antes de um estudo eletrofisiológico (EEF), além dos exames laboratoriais, alguns exames são imprescindíveis para a realização dos procedimentos. O eletrocardiograma (ECG) de base deve evidenciar o ritmo e qualquer alteração isquêmica existente. Durante o processo de ablação, as artérias coronárias, particularmente no lado direito, podem ser comprometidas. Uma linha de base do ECG para comparação é útil para determinar a causa de uma queda súbita de pressão arterial. Alterações eletrolíticas e testes de função da tireoide podem ajudar a diagnosticar uma causa subjacente de algumas das anormalidades do ritmo cardíaco.

Uma radiografia de tórax pode ser útil para demonstrar cardiomegalia, insuficiência cardíaca, dispositivos implantados e condição pulmonar preexistente. O ecocardiograma

A   B

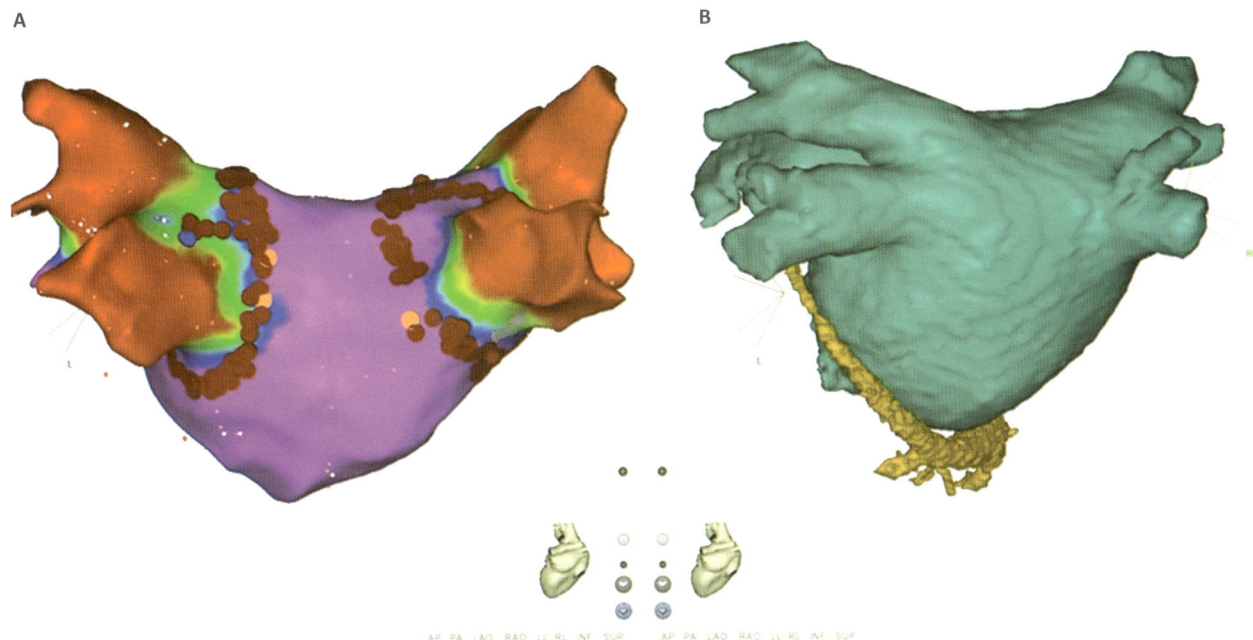

▲ **Figura 191.4** Mapeamento eletroanatômico do átrio esquerdo em um paciente submetido à ablação de fibrilação atrial. Esse sistema permite a construção tridimensional da anatomia da estrutura mapeada, por meio do contato do cateter, que é localizado tridimensionalmente como um sistema de GPS, com a parede da estrutura mapeada, permitindo ao computador reconstruir a anatomia. **(A)** Além da anatomia, foi realizado mapa de voltagem, por meio da análise dos eletrogramas locais. O mapa anatômico é colorido, sendo marcado em roxo o tecido saudável e em vermelho o tecido cicatricial. Os pontos em vermelho demonstram o local em que a ablação foi realizada. **(B)** Foi realizada construção tridimensional da anatomia do átrio esquerdo e do seio coronário utilizando-se tomografia previamente adquirida. Esse sistema permite a visualização em tempo real do cateter na câmara adquirida pela tomografia.

transesofágico, que é mais sensível à determinação da presença de trombos, fornece informações importantes para o planejamento da anestesia, como a função ventricular esquerda e a quantidade de fluidos que poderá ser infundida no paciente. O *status* renal é especialmente importante pela quantidade significativa de fluidos e contrastes intravenosos administrados. Alguns procedimentos são realizados com cateteres irrigados, com infusão constante de solução fisiológica no paciente. Esse volume adicional deve ser computado no balanço hídrico final do exame e considerado para prevenir sobrecarga de volume vascular circulante e hemodiluição. Estudos de coagulação devem ser realizados no pré-operatório, porque muitos pacientes submetidos a um procedimento de eletrofisiologia são medicados com anticoagulantes na tentativa de reduzir o risco para um evento tromboembólico.[43]

O tipo de anestesia em eletrofisiologia dependerá da natureza do procedimento e das considerações específicas do paciente. Embora os procedimentos não sejam propriamente dolorosos, algumas partes deles são associadas à dor, particularmente quando o encapsulamento é necessário. O paciente sente queimação associada com ablação ou cardioversão/desfibrilação. Instabilidade hemodinâmica potencial ou duração de um procedimento podem ser indicações para anestesia geral com uma via aérea segura. Pacientes com lesões musculoesqueléticas preexistentes, especialmente problemas de coluna, podem ter dor significativa após a permanência na mesma posição por um período prolongado.[44]

Em procedimentos de ablação de arritmias cardíacas, principalmente em ablação de fibrilação atrial, a utilização do termômetro esofágico é importantíssima para evitar queimaduras e lesões pericárdicas devido às grandes energias despendidas pelos cateteres de ablação.

Pesquisas clínicas têm sido realizadas para avaliar os efeitos cardíacos de anestésicos. Difícil é estabelecer o que consiste em efeito próprio da medicação e o que são efeitos secundários. A medicação ideal não deve alterar o tônus autonômico geral ou a refratariedade do coração. Também não deve impedir a recorrência ou o desencadeamento de arritmias reentrantes, necessários para o direcionamento do sítio arritmogênico ativo durante o procedimento ablativo. Ao mesmo tempo, os agentes ideais devem ser rapidamente reversíveis e têm efeito residual mínimo. O efeito de cada anestésico será discutido adiante.

O anestesiologista deve conhecer o efeito de medicações que são frequentemente utilizadas em EEF, tanto medicações que atuem na estimulação cardíaca quanto fármacos antiarrítmicos (Tabelas 191.15 e 191.16).

Tabela 191.15 Medicações vasoativas utilizadas em estudos eletrofisiológicos.

Otimização do procedimento	Cardioversão química
Isoproterenol: β-agonista puro	Propafenona
Atropina: antagonista colinérgico	Adenosina
Dobutamina: β-agonista	Verapamil/diltiazem
Dopamina: catecolamina monoaminérgica	Amiodarona
Noradrenalina: α-agonista	Metoprolol

Tabela 191.16 Classificação dos antiarrítmicos.

Classe I Retardam a condução mediada pelos canais rápidos de sódio	Classe II Bloqueadores β-adrenérgicos	Classe III Prolongam a repolarização	Classe IV Antagonistas do cálcio
Deprimem a fase 0	Acebutolol	Amiodarona	Diltiazem
Retardam a condução	Bisoprolol	Azimilida	Verapamil
Prologam a repolarização	Carvedilol	Bretílio	
Disopiramida	Esmolol	Dofetilida	
Procainamida	Metoprolol	Ibutilida	
Quinidina	Nadolol	Sotalol	
	Propranolol		
	Timolol		
Pouco efeito na fase 0 ou normais			
Deprimem a fase 0 em tecidos anormais			
Encurtam ou têm pouco efeito na repolarização			
Difenil-hidantoína			
Lidocaína			
Mexiletina			
Deprimem acentuadamente a fase 0			
Retardam a condução acentuadamente			
Discreto efeito na repolarização			
Flecainida			
Propafenona			

Marca-passos existentes devem ser verificados no período pré-operatório, e precauções adequadas devem ser tomadas para pacientes com bloqueio atrioventricular. Existe a necessidade de avaliação pré-operatória e redefinição temporária de marca-passos e desfibriladores cardioversores implantáveis, bem como *backup* de estimulação (estimulação nervosa transcutânea) em caso de alterações no funcionamento do marca-passo.[45]

Efeito do Isoproterenol

Isoproterenol é um β-agonista puro. O eletrofisiologista utiliza isoproterenol para induzir taquiarritmias, com aumento progressivo da dose. Com o aumento da frequência e do débito cardíacos, há maior propensão para a indução de disritmias. O eletrofisiologista está interessado em induzir e mapear a arritmia, além de verificar o foco de origem. Entretanto, o isoproterenol pode desencadear taquicardia ou fibrilação ventricular, e o anestesiologista deve estar atento a esse efeito adverso.

O "desafio de isoproterenol" acontece quando a eletrofisiologista pretende avaliar a indução de uma taquiarritmia com esse fármaco. É iniciado em uma dose de base de 3 µg.min⁻¹ e aumentado até o efeito desejado ser alcançado. Há aumento concomitante das frequências cardíaca e respiratória, com inspirações mais profundas. Ocasionalmente, infusão de isoproterenol pode chegar a mais de 40 µg.min⁻¹.

Outro importante efeito fisiológico da estimulação beta associado com isoproterenol é uma queda na resistência vascular periférica. Como a dose de isoproterenol é aumen-

tada, a pressão arterial pode diminuir vertiginosamente. Essa queda da pressão arterial pode ser antecipada, por meio da infusão de vasopressor, para evitar uma posterior queda íngreme na pressão arterial.[44]

Efeitos dos Agentes Anestésicos

Anestésicos inalatórios

Existem vários mecanismos pelos quais agentes inalatórios podem alterar a condução do impulso através do coração. Foi encontrado que halotano, enflurano e isoflurano estimulam a ativação errante do marca-passo atrial, bem como possibilitam a indução de ritmo atrial ectópico, por meio do reforço da automaticidade no marca-passo atrial secundário.[43] Todos os agentes inalatórios têm vários efeitos sobre o nó atrioventricular (NAV) e o sistema His-Purkinje. Em geral, os agentes voláteis causam tanto uma redução dependente de dose na contratilidade miocárdica quanto um prolongamento do intervalo QT.[46]

O halotano, embora pouco disponível na prática atual, é conhecido por seu efeito depressivo significativo na formação do impulso do nó sinoatrial (NSA). Essa depressão pode resultar no desenvolvimento de um marca-passo juncional ou atrial errante. O halotano tem um efeito central de supressão da liberação de catecolaminas das glândulas suprarrenais. Essa supressão de atividade humoral leva à predominância parassimpática, que, por sua vez, pode provocar a ocorrência de bradicardia sinusal ou ritmos juncionais. Outros efeitos do halotano são mediados pela redução de automaticidade. Finalmente, ao diminuir a liberação de catecolaminas humorais, o halotano também sensibiliza o coração às catecolaminas. Esse aumento da sensibilidade, combinado com a diminuição observada da automaticidade, pode facilitar a arritmia por reentrada nodal atrioventricular. O potencial de reentrada nodal atrioventricular pode ser o mecanismo primário pelo qual o halotano produz taquidisritmias.[47,48]

O isoflurano tem a capacidade de manter uma frequência cardíaca relativamente constante pela pouca interferência no impulso que percorre o NAV. Difere do halotano por não induzir bradicardia. Comparado ao propofol intravenoso, permite que a condução nodal atrioventricular aumente. Usados conjuntamente, suprimem a taquicardia supraventricular (*supraventricular tachycardia*, SVT).[49]

O sevoflurano tem mínimos efeitos diretos sobre a geração de impulso ou condução no NSA, no NAV ou sobre a condução de vias acessórias. São encontrados apenas efeitos secundários na supressão do sistema autonômico.

Óxido nitroso provoca suave ativação simpática, que, por sua vez, pode sensibilizar o miocárdio em risco para estimulação de catecolaminas e para desenvolvimento de arritmia. Apesar do potencial para induzir uma arritmia, estudos clínicos indicam que o óxido nitroso raramente é um problema.[50]

Quanto à refratariedade do NAV com vias acessórias, foi demonstrado que o enflurano tem o maior efeito, seguido do isoflurano e do halotano. Portanto, se um desses anestésicos for utilizado, a avaliação dos sítios de *trigger* da reentrada pode ser prejudicada, uma vez que há interferência direta. A única exceção pode ser o sevoflurano, entretanto mais estudos precisam ser feitos antes da recomendação rotineira. Além disso, um estudo encontrou que tanto sevoflurano quanto desflurano têm um efeito supressivo sobre arritmias pós-infarto, fato que pode interferir na localização dos alvos de ablação durante o exame.[51]

Para ablação de taquicardia ventricular em pacientes com síndrome de pré-excitação que requerem anestesia geral, todos os agentes voláteis devem ser evitados, pelo efeito da refratariedade.[44]

Propofol

Pelo efeito reduzido que exerce na condução do impulso elétrico cardíaco, o propofol é amplamente utilizado em muitos EEFs. Outra vantagem é o rápido despertar, ideal tanto para procedimentos curtos, como uma rápida cardioversão, quanto longos, como ablações atriais. A maioria dos estudos não encontrou nenhum efeito do propofol na condução cardíaca. Outros estudos observaram que o propofol está associado com indução de bradicardia, pois provoca atrasos de condução ou depressão dos nós sinoatrial e atrioventricular, e do sistema His-Purkinje, de forma dependente de dose.[52] Em cães foi observado que o propofol realça arritmias induzidas pela adrenalina, também de forma dependente de dose. De importância para EEF, as infusões de propofol parecem ter pouco ou nenhum efeito direto na condução da via acessória, nem na condução de via nodal ou acessória atrioventricular normal na síndrome Wolff-Parkinson-White (WPW). O propofol não parece estimular o aparecimento de SVT ou taquiarritmias ventriculares em

EEF. No entanto, deve-se ficar atento ao uso de propofol na presença da síndrome do QT longo, pois pode resultar em parada cardíaca.[44]

Opioides

Os opioides geralmente produzem bradicardia, especialmente em grandes doses. A bradicardia é resultado de um efeito vagotônico central, por prolongar o potencial de ação, com alteração de potássio e de cálcio nos canais iônicos cardíacos. O potencial de ação prolongado é semelhante à ação de agentes antiarrítmicos classe 3 (como amiodarona). Os opioides prolongam o intervalo QT, mas não foi demonstrado se isso é devido a um efeito direto sobre a membrana miocárdica ou às ações de receptores opioides no miocárdio. Deve ser discutido com o cardiologista o quanto o opioide pode interferir em cada um. Por causa de seu perfil único, remifentanil é uma escolha razoável de anestesia para uso em adultos. Em crianças, o remifentanil parece lentificar a função do NSA e do NAV em pacientes submetidos à ablação da SVT. Também não induz a taquicardia ventricular que resulta de doença cardíaca estrutural. Por esses motivos, deve ser evitado em procedimentos de EEF em crianças.[53,54]

Benzodiazepínicos

Todos os benzodiazepínicos reduzem a pressão arterial por diminuírem a contratilidade cardíaca e a resistência vascular periférica. Em consequência da diminuição do inotropismo e da vasodilatação, podem provocar uma taquicardia reflexa. Esses efeitos são dependentes de dose e similares a todos os benzodiazepínicos, com variação somente na velocidade do início e na duração da ação. A não ser pelas respostas hemodinâmicas, os benzodiazepínicos não têm efeitos diretos específicos na condução cardíaca, sem também alterar o intervalo QT. O contraponto para a utilização de benzodiazepínicos é a utilização de doses elevadas. Em procedimentos nos quais os pacientes precisam ser acordados no decorrer do exame, não é uma escolha adequada.[44]

Etomidato

Etomidato tem um início rápido e uma recuperação rápida. São as duas características altamente desejáveis para a prestação de sedação nos EEFs. A capacidade de manter a pressão arterial também o torna desejável para pacientes com algum comprometimento do débito cardíaco ou com fração de ejeção ventricular esquerda baixa. O etomidato serve como um excelente substituto para o propofol como um agente de indução de anestesia na presença de instabilidade cardiovascular.[55]

Quase 40% dos pacientes podem experimentar mioclonias após a administração, e foi manifestada preocupação de que isso poderia interferir na interpretação do ECG durante cardioversão eletiva, mas, na prática, isso raramente é um problema. Embora relativamente livre de efeitos adversos hemodinâmicos, o etomidato tem sido usado para suprimir a tempestade elétrica nos pacientes, mas a contribuição nos efeitos eletrofisiológicos diretos e secundários do sistema nervoso ainda não foi determinada.[56]

Dexmedetomidina

Dexmedetomidina foi considerada um possível agente anestésico para EEF. Tem propriedades atraentes, como curta duração e preservação da função respiratória. No entanto, a bradicardia resultante do seu uso não é desejável em pacientes pediátricos. Em adultos, bradicardia ocorre em 9% a 40% dos pacientes; ela é observada em adultos com alterações hemodinamicamente significativas raras, sendo geralmente bem tolerada.[57]

Bloqueadores neuromusculares

Os bloqueadores neuromusculares (BNMs) podem afetar a condução do impulso cardíaco por meio de vários mecanismos. Como outros agentes anestésicos, sedativos e hipnóticos, os BNMs podem ter efeitos indiretos sobre os sistemas autonômicos simpático e parassimpático, e, dependendo do agente, esse efeito pode ser estimulante ou depressivo na condução do impulso cardíaco.

A succinilcolina tem atividade de acetilcolina nos receptores mediados pela neurotransmissão colinérgica. A curta duração de ação é de grande valor em EEF. A avaliação do nervo frênico durante o procedimento de ablação requer um paciente sem paralisia muscular. Nos pacientes submetidos à anestesia geral, a vantagem do uso de succinilcolina para intubação e indução da anestesia torna-se óbvia.

O vecurônio e o atracúrio podem produzir bradicardia, especialmente quando outros fármacos vagotônicos, como propofol e opioides, são utilizados. O mivacúrio e o rocurônio são essencialmente livres de efeitos de condução cardíaca.

O pancurônio aumenta a frequência cardíaca por suas propriedades vagolíticas e pela liberação de noradrenalina nos terminais do nervo simpático cardíaco. Outros BNMs podem atuar diretamente nos terminais do nervo simpático e, consequentemente, aumentar a frequência cardíaca. O aumento na frequência cardíaca também pode ser uma taquicardia reflexa, efeito indireto da vasodilatação causada pela histamina.[43]

Eventos adversos

Os riscos dos procedimentos diagnósticos e terapêuticos em cardiologia são muitos e ainda pouco estudados quanto à incidência/prevalência de casos e a complicações posteriores. Vão desde rupturas vasculares, pseudoaneurismas ou aneurismas vasculares no sítio da punção a tromboses ou perfurações cardíacas em vasos ou cavidades cardíacas. O anestesiologista deve estar constantemente atento e apto a atuar de forma imediata na reversão de complicações, quando necessário.[58] A Tabela 191.17 mostra complicações relacionadas ao cateterismo cardíaco.

A própria inserção e manipulação direta de cateteres e de dispositivos dentro do coração adiciona um risco de arritmias constantes, perfuração e rupturas, condições que podem levar a alterações hemodinâmicas repentinas e a risco de vida ao paciente. São fatos que por si já indicam a presença de outro médico assistente na sala.[5]

É importante ter cuidado com o movimento e o posicionamento extremo do aparelho de raio X, o que é um perigo

Tabela 191.17 Complicações relacionadas ao cateterismo cardíaco.
1. Perda sanguínea
2. Arritmias
3. Baixo débito cardíaco
4. Lesão vascular
5. Perfuração, tamponamento cardíaco
6. Embolismo (ar, trombo e dispositivos) ou trombose arterial ou venosa
7. Edema pulmonar
8. Toxicidade ao contraste
9. Hipotermia
10. Parada cardíaca
11. Lesões de posicionamento por imobilidade prolongada
12. Lembrança intraoperatória
13. Queimaduras

para o paciente e para o próprio profissional. Pode haver danos físicos (por posicionamento ou por compressão) ao paciente ou ao equipamento de anestesia, com deslocamento do circuito de anestesia, do tubo endotraqueal, da máscara laríngea ou dos cateteres intravenosos.[6]

Outro ponto muito importante de ser salientado é a existência de médicos intervencionistas que tratam alguns procedimentos sem o devido cuidado. Subestima-se toda a medicina peroperatória quando não são observadas, cuidadosamente, as atuais normas de qualidade e segurança na prática médica. Não raro o anestesiologista é solicitado de forma emergencial, sem programação prévia, para atender uma intercorrência não dimensionada ("apagar um incêndio") que pode assumir dimensões catastróficas.

▪ CONCLUSÃO

Nas últimas décadas, foi grande o desenvolvimento de técnicas para a realização de procedimentos baseados em cateter para diagnóstico e tratamento de cardiopatias. Novos dispositivos seguem em investigação, e eles estão cada vez mais propícios para a realização por método percutâneo.

Quanto maiores a gravidade da cardiopatia e a complexidade do paciente, mais requisitado será o anestesiologista para acompanhamento e indução de anestesias.

Se, na avaliação inicial, a anestesia geral estiver indicada, a expectativa habitual é que ocorra a extubação ao término da anestesia, e o ajuste do plano anestésico contribuirá para esse desfecho. Deve-se redobrar o cuidado em procedimentos demorados quanto à profundidade anestésica. Como na maioria dos casos os procedimentos são por via percutânea, há muito pouco estímulo doloroso. A utilização de monitores que avaliam o nível de consciência intraoperatória é fundamental para evitar o despertar intraoperatório. Alguns procedimentos hemodinâmicos necessitam de completa imobilidade do paciente, como é o caso de alguns EEFs. Nesses casos, a monitorização do bloqueio neuromuscular é fundamental para dar boas condições operatórias.

Há procedimentos em que a ETE pode ser utilizada para orientar o intervencionista e ajudar na avaliação de resultados. Muitos centros já consideram que a necessidade de ETE durante um procedimento é uma indicação para anestesia geral com intubação endotraqueal, pela proteção das vias aéreas durante a manipulação da sonda da ETE. Se ETE é necessária para guiar o procedimento, ela também pode ser usada como monitorização adicional. Em pacientes em que a anestesia geral já foi indicada, a ETE pode ser usada como um monitor, mesmo que não seja necessária para orientar a intervenção.[59]

Todos os cuidados anestésicos prévios descritos são necessários para antever eventuais intercorrências durante os exames, com gerenciamento de riscos e minimização de danos ao paciente.

REFERÊNCIAS

1. Rubio-Alvarez V, Limon-Lason R, Soni J. Valvulotomias intracardiacas por medio de un cateter. Arch Inst Cardiol Méx. 1953;23:83-192.
2. Rashkind WJ, Miller WW. Creation of an atrial septal defect without thoracotomy: a palliative approach to complete transposition of the great arteries. JAMA. 1966;196:991-2.
3. Costa FA, Kajita LJ, Martinez Filho EE. Intervenções percutâneas em cardiopatias congênitas. Arq Bras Cardiol [online]. 2002;78(6):608-17.
4. Andropoulos DB, Stayer SA. An anesthesiologist for all pediatric cardiac catheterizations: luxury or necessity? J Cardiothorac Vasc Anesth. 2003;17:683-5.
5. American Academy of Pediatrics, American Academy of Pediatric Dentistry, Coté CJ, Wilson S, Work Group on Sedation. Guidelines for monitoring and management of pediatric patients during and after sedation for diagnostic and therapeutic procedures: an update. Pediatrics. 2006;118(6):2587-602.
6. American Society of Anesthesiologists Task Force on Sedation and Analgesia by Non-Anesthesiologists. Practice guidelines for sedation and analgesia by non-anesthesiologists. Anesthesiology. 2002;96:1004-17.
7. Lock JE. Cardiac catheterization. In: Keane JF, Lock JE, Fyler DC. Nadas' pediatric cardiology. Philadelphia: Saunders Elsevier; 2006. p. 213-50.
8. Price DJ, Kluger MT, Fletcher T. The management of patients with ischaemic heart disease undergoing non-cardiac elective surgery: a survey of Australian and New Zealand clinical practice. Anaesthesia. 2004;59:428-34.
9. Guidelines on perioperative cardiovascular evaluation and care for non-cardiac surgery: a report of the American College of Cardiology Foundation/American Heart Association. Circulation. 2009;120(21).
10. Alspach D, Falleroni M. Monitoring patients during procedures conducted outside the operating room. Int Anesthesiol Clin. 2004;42:95-111.
11. Brasil. Ministério do Trabalho e Emprego. Norma Regulamentadora NR-15: atividades e operações insalubres. Brasília: Ministério do Trabalho e Emprego; 2009.
12. Kussman BD, McGowan FX. Congenital cardiac anesthesia. In: Smith's anesthesia for infants and children. 8th ed. Philadelphia: Mosby Elsevier; 2011. p. 674-712.
13. Gatzoulis MA. Tetralogy of Fallot. In: Gatzoulis MA, Webb GD, Daubeney PEF. Diagnosis and management of adult congenital heart disease. Edinburgh: Churchill Livingstone; 2003. p. 315-26.
14. Bartelings M, Gittenberger-de Groot A. Morphogenetic considerations on congenital malformations of the outflow tract. Part 1: Common arterial trunk and tetralogy of Fallot. Int J Cardiol. 1991;32(2):213-30.
15. Anderson RH, Weinberg N. The clinical anatomy of tetralogy of Fallot. Cardiol Young. 2005;15:38-47.
16. Anderson RH, Tynan M. Tetralogy of Fallot: a centennial review. Int J Cardiol. 1988;21:219-32.
17. Sommer RJ, Hijazi ZM, Rhodes JF. Pathophysiology of congenital heart disease in the adult. Part I: Shunt lesions. Circulation. 2008;117:1090-9.
18. Berlinger NT, Long C, Foker J, Lucas Jr RV. Tracheobronchial compression in acyanotic congenital heart disease. Ann Otol Rhinol Laryngol. 1983;92(4 Pt 1):387-90.
19. Gorenflo M, Ullmann M, Sebening C, Brockmeier K, Hagl S, Ulmer HE, et al. The index of pulmonary vascular disease in children with congenital heart disease: relationship to clinical and haemodynamic findings. Virchows Arch. 2002;441:264-70.
20. Cordell D, Graham TP, Atwood GF, Boerth RC, Boucek RJ, Bender HW. Left heart volume characteristics following ventricular septal defect closure in infancy. Circulation. 1976;54:294-8.
21. Carmosino MJ, Friesen RH, Doran A, Ivy DD. Perioperative complications in children with pulmonary hypertension undergoing noncardiac surgery or cardiac catheterization. Anesth Analg. 2007;104:521-7.
22. Friesen RH, Williams GD. Anesthetic management of children with pulmonary arterial hypertension. Paediatr Anaesth. 2008;18:208-16.
23. Lababidi Z, Wu J, Walls J. Percutaneous balloon valvuloplasty: results in 23 patients. Am J Cardiol. 1984;53:194-7.
24. Ebaid M, Azeka E, Ikari NM, Atik E. Classificação e aproximação diagnóstica. Rev Soc Cardiol Estado de São Paulo. 1993;3:9-16.
25. Garcia DP, Macruz R, Constatino CF, Silva SS, Marcial MB. Técnica para septostomia interatrial através do cateterismo cardíaco. Arq Bras Cardiol. 1973;26:515-7.
26. Tanner GE, Angers DG, Barash PG, Mulla A, Miller PL, Rothstein P. Effect of left-to-right, mixed left-to-right, and right-to-left shunts on inhalational anesthetic induction in children: a computer model. Anesth Analg. 1985;64:101-7.
27. Laird TH, Stayer SA, Rivenes SM, Lewin MB, McKenzie ED, Fraser CD, et al. Pulmonary-to-systemic blood flow ratio effects of sevoflurane, isoflurane, halothane, and fentanyl/midazolam with 100% oxygen in children with congenital heart disease. Anesth Analg. 2002;95:1200-6.
28. Hansen DD, Hickey PR. Anesthesia for hypoplastic left heart syndrome: use of high-dose fentanyl in 30 neonates. Anesth Analg. 1986;65:127-32.
29. Williams GD, Jones TK, Hanson KA, Morray JP. The hemodynamic effects of propofol in children with congenital heart disease. Anesth Analg. 1999;89:1411-6.
30. Veve I, Melo LF. Anesthesia for pacemaker insertion. J Cardiothorac Vasc Anesth. 2000;3:122-37.
31. St. John Sutton MG, Plappert T, Abraham WT, Smith AL, DeLurgio DB, Leon AR, et al. Effect of cardiac resynchronization therapy on left ventricular size and function in chronic heart failure. Circulation. 2003;107:1985-90.
32. Chua JD, Wilkoff BL, Lee I, Juratli N, Longworth DL, Gordon SM. Diagnosis and management of infections involving implantable electrophysiologic cardiac devices. Ann Intern Med. 2000;133:604-8.
33. Billings FT, Kodalisk SK, Shanewise JS. Transcatheter aortic valve implantation: anesthetic considerations. Anesth Analg. 2009;108:1453-62.
34. Leon MB, Smith CR, Mack M, Miller C, Moses JW, Svensson LG, et al. Transcatheter aortic-valve implantation for aortic stenosis in patients who cannot undergo surgery. N Engl J Med. 2010;363:1597-607.
35. Seiffert M, Sinning JM, Meyer A, Wilde S, Conradi L, Vasa-Nicotera M, et al. Development of a risk score for outcome after transcatheter aortic valve implantation. Clin Res Cardiol. 2014;103:631-40.
36. Balanika M, Smyrli A, Samanidis G, Spargias K, Stavridis G, Karavolias G, et al. Anesthetic management of patients undergoing transcatheter aortic valve implantation. J Cardiothoracic Vasc Anesth. 2014;28(2):285-9.
37. Rex S. Anesthesia for transcatheter aortic valve implantation: um update. Curr Opin Anesthesiol. 2013;26:456-66.
38. Onorati F, D'Errigo P, Grossi C, Barbanti M, Ranucci M, Covello DR, et al. Effect of severe left ventricular systolic dysfunction on hospital outcome after transcatheter aortic valve implantation or surgical aortic valve replacement: results from a propensity-matched population of the Italian observant multicenter study. J Thorac Cardiovasc Surg. 2014;147:568-75.
39. Feltes G, Nunez-Gil IJ. Practical update on imaging and transcatheter aortic valve implantation. World J Cardiol. 2015;26(7):178-86.
40. Panchal HB, Ladia V, Desai S, Shah T, Ramu V. A meta-analysis of mortality and major adverse cardiovascular and cerebrovascular events following transcatheter aortic valve implantation versus surgical aortic valve replacement for severe aortic stenosis. Am J Cardiol. 2013;112:850-60.
41. Melisurgo G, Ajello S, Pappalardo F, Guidotti A, Agricola E, Kawaguchi M. Afterload mismatch after MitraClip insertion for functional mitral regurgitation. Am J Cardiol. 2014;113(11):1844-50.
42. O'Gara PT, Calhoon JH, Moon MR, Tommaso CL. Transcatheter therapies for mitral regurgitation: a professional society overview from the American College of Cardiology, the American Association of Thoracic Surgery, Society for Cardiovascular Angiography and Interventions Foundation, and the Society of Thoracic Surgeons. J Am Coll Cardiol. 2014;63(8):840-52.
43. Renwick J, Kerr C, McTaggart R, Yeung J. Cardiac electrophysiology and conduction pathway ablation. Can J Anaesth. 1993;40:1053-64.
44. Tanner JW, Moore RA, Weiss MS. Anesthesia for electrophysiology procedures. In: Weiss MS, Fleisher LA. Non-operating room anesthesia. Philadelphia: Saunders Elsevier; 2015. p. 91-112.
45. Schmitt C, Montero M, Melichercik J. Significance of supraventricular tachyarrhythmias in patients with implanted pacing cardioverter defibrillators. Pacing Clin Electrophysiol. 1994;17(3 Pt 1):295-302.

46. Riley DC, Schmeling WT, Al-Wathiqui MH, Kampine JP, Warltier DC. Prolongation of the QT interval by volatile anesthetics in chronically instrumented dog. Anesth Analg. 1988;67:741-9.

47. Reynolds AK. On the mechanism of myocardial sensitization to catecholamines by hydrocarbon anesthetics. Can J Physiol Pharmacol. 1984;62:183-98.

48. Polic S, Atlee JL, Laslo A, Kampine JP, Bosnjak ZJ. Anesthetics and automaticity in latent pacemaker fibers. II. Effects of halothane and epinephrine or norepinephrine on automaticity of dominant and subsidiary atrial pacemakers in the canine heart. Anesthesiology. 1991;75:298-304.

49. Erb TO, Kanter RJ, Hall JM, Gan TJ, Kern FH, Schulman SR. Comparison of electrophysiologic effects of propofol and isoflurane-based anesthetics in children undergoing radiofrequency catheter ablation for supraventricular tachycardia. Anesthesiology. 2002;96:1386-94.

50. Eisele JH, Smith NT. Cardiovascular effects of 40 percent nitrous oxide in man. Anesth Analg. 1972;51:956-63.

51. Novalija E, Hogan QH, Kulier AH, Turner LH, Bosnjak ZJ. Effects of desflurane, sevoflurane and halothane on postinfarction spontaneous dysrhythmias in dogs. Acta Anaesthesiol Scand. 1998;42:353-7.

52. Colson P, Barlet H, Roquefeuill B, Eledjam JJ. Mechanism of propofol bradycardia. Anesth Analg. 1988;67:906-7.

53. Pruett JK, Blair JR, Adams RJ. Cellular and subcellular actions of opioids in the heart. In: Estafanous FG. Opioids in anesthesia. Boston: Butterworth-Heinemann; 1991.

54. Sharpe MD, Dobkowski WB, Murkin JM, Klein G, Guiraudon G, Yee R. The electrophysiologic effects of volatile anesthetics and sufentanil on the normal atrioventricular conduction system and accessory pathways in Wolff-Parkinson-White syndrome. Anesthesiology. 1994;80:63-70.

55. Ebert TJ, Muzi M, Berens R, Goff D, Kampine JP. Sympathetic responses to induction of anesthesia in humans with propofol or etomidate. Anesthesiology. 1992;76:725-33.

56. King S, Banker D. Etomidate as an antiarrhythmic. Br J Anesth. 2005;95:425.

57. Bhana N, Goa KL, McClellan KJ. Dexmedetomidine. Drugs. 2000;59:263-8.

58. Bennet D, Marcus R, Strokes M. Incidents and complications during pediatric cardiac catheterization. Pediatr Anesth. 2005;15:1083-8.

59. Schulmeyer MC, Santelices E, Vega R, Schmied S. Impact of intraoperative transesophageal echocardiography during non-cardiac surgery. J Cardiothorac Vasc Anesth. 2006;20:768.

Parte
28

ANESTESIA PARA
TRANSPLANTES DE ÓRGÃOS

Diagnóstico de Morte Encefálica e Cuidados Perioperatório no Doador de Órgãos

Autora: **Sâmia Yasin Wayhs**

INTRODUÇÃO

A prova clínica e instrumental da perda irreversível de todas as funções cerebrais humanas é definida como a confirmação da morte encefálica (ME). Do ponto de vista médico e científico, ME é a perda total das funções do cérebro, cerebelo e tronco encefálico, enquanto os sistemas respiratório e cardiovascular são mantidos. Esses critérios são necessários para estimar o prognóstico, independentemente de ser ou não um possível doador de órgãos ou tecidos. A determinação da ME é definida por protocolos, aplicados a todas as idades,[1] exceto recém-nascidos até o 7º dia de vida e prematuros no Brasil, conforme Resolução do Conselho Federal de Medicina (CFM) de 2017 (ver Anexo). A primeira resolução do Brasil foi publicada em 1997, e a de 2017 incorporou avanços de melhores práticas para a determinação da ME.[2]

■ CAUSAS

O processo de morte ocorre de maneira progressiva, e a ordem como se dá depende de sua causa. As causas mais comuns de ME no Brasil são acidente vascular cerebral (AVC isquêmico ou hemorrágico), seguido por traumatismo cranioencefálico e encefalopatia hipóxico-isquêmica.[2] As causas de falência irreversível do cérebro humano são diversas, mas caracterizadas pelo aumento da pressão intracraniana acima da pressão arterial média, levando à interrupção da perfusão cerebral. Podem ser primárias – supra e infratentoriais – e secundárias. As primárias incluem traumatismo cranioencefálico grave, AVC maligno, hemorragia intracraniana, tumores cerebrais (metástases ou primários) e hidrocefalia obstrutiva aguda. A encefalopatia hipóxico-isquêmica é o exemplo de causa secundária.[1]

O paciente com ME pode se apresentar com múltiplas disfunções orgânicas, a depender da causa. Vários processos fisiopatológicos costumam ocorrer concomitantemente, com síndrome da resposta inflamatória sistêmica (SIRS) e doenças multissistêmicas.[2] A evolução para ME geralmente segue uma deterioração rostrocaudal, que envolve uma sequência característica.

É fundamental ter uma causa conhecida para a ME. Sem que haja um diagnóstico da causa do coma não se deve iniciar com protocolo de ME. A confirmação por imagem é fundamental e obrigatória, assim como a ausência de fatores tratáveis que possam confundir o diagnóstico de ME. A tomografia computadorizada (TC) de crânio deve demonstrar lesões estruturais catastróficas, compatíveis com a evolução para ME. Nos casos de encefalopatia hipóxico-isquêmica, sugere-se realizar a TC após algumas horas do insulto isquêmico, quando é possível identificar edema cerebral difuso ou pseudo-hemorragia subaracnoide, pois, logo após uma parada cardiorrespiratória, a TC pode ser normal.[2] Enquanto não houver segurança no diagnóstico etiológico, o tratamento pleno do paciente deve prosseguir, com ênfase na prevenção e correção de situações que possam interferir na elucidação da causa e profundidade do coma (sedação, hipotermia, hipotensão arterial etc.). Dentre os fatores tratáveis, atentar especialmente aos quadros de hipernatremia, que não é um fator proibitivo para a abertura do protocolo de ME, quando consequente à lesão cerebral (*diabetes insipidus*), mas idealmente buscar controle clínico e metabólico *a priori*, com sódio sérico < 160 mEq/L.

Quando houver fatores tratáveis, a equipe deverá registrar em prontuário sua análise justificada da situação e tomar medidas adequadas para correção das alterações antes de iniciar a determinação de ME. Seguem os principais exemplos de fatores clínicos que podem agravar ou ocasionar coma:

1. Distúrbio hidreletrolítico, acidobásico/endócrino e intoxicação exógena graves: na presença ou suspeita de

alguma dessas condições, caberá à equipe responsável pela determinação da ME definir se essas anormalidades são capazes de causar ou agravar o quadro clínico, a consequência da ME ou somática. A hipernatremia grave refratária ao tratamento não inviabiliza determinação de ME, exceto quando é a única causa do coma.

2. Hipotermia (temperatura retal, vesical ou esofagiana inferior a 35 °C): hipotermia grave é fator de confusão na determinação de ME, pois reflexos de tronco encefálico podem desaparecer quando a temperatura corporal central é menor ou igual a 32 °C. É essencial que seja corrigida a hipotermia até alcançar temperatura corporal (esofagiana, vesical ou retal) superior a 35 °C, antes de se iniciar a determinação de ME. Temperatura axilar maior que 35 °C garante temperatura central suficiente e segura.

3. Fármacos com ação depressora do sistema nervoso central (FDSNC) e bloqueadores neuromusculares (BNM): quando FDSNC (fenobarbital, clonidina, dexmedetomidina, morfina e outros) e BNM forem utilizados nas condições a seguir especificadas, deverão ser tomados os seguintes cuidados antes de iniciar a determinação de ME:

   a) Quando utilizados em doses terapêuticas usuais, não provocam coma não perceptivo; os fármacos anticrises em doses terapêuticas diárias são exemplos, não interferindo nos procedimentos para determinação de ME. Se uso de algum FDSNC em *bolus*, sugere-se que aguardem três meias-vidas entre a infusão de uma desses fármacos e o início da determinação da ME.[2]

   b) Quando utilizados em infusão contínua, em pacientes com funções renal e hepática normais e que não foram submetidos à hipotermia terapêutica, nas doses usuais para analgesia e sedação, será necessário aguardar um intervalo mínimo de cinco meias-vidas após a suspensão dos fármacos, antes de iniciar procedimentos para determinação de ME.

   c) Quando os FDSNC e BNM forem utilizados na presença de insuficiências hepática e renal, bem como utilização de hipotermia terapêutica, ou quando há suspeita de intoxicação por uso em doses maiores que as terapêuticas usuais, ou por metabolização/eliminação comprometida, deve-se aguardar tempo maior que cinco meias-vidas do fármaco. Esse tempo deverá ser definido de acordo com a gravidade das disfunções hepáticas e renais, as doses utilizadas e o tempo de uso, para que haja certeza de que ocorreu a eliminação/metabolização dos fármacos ou pela constatação de que seu nível sérico se encontre na faixa terapêutica ou abaixo dela. Como regra geral, recomenda-se esperar em torno de 24 horas para a maioria dos sedativos, exceto tiopental.[2]

   d) Nas condições em que a dose dos depressores possa alterar o exame complementar, deve ser dada preferência a exames complementares que avaliem o fluxo sanguíneo cerebral, pois o eletroencefalograma (EEG) sofre significativa influência desses agentes nessas situações.

A Tabela 192.1 mostra as características dos fármacos, adaptada das "Diretrizes para avaliação e validação do potencial doador de órgãos em ME".[3] Nos casos de insuficiência hepática ou renal, individualizar, podendo seguir orientação de especialistas (gastro/hepatologistas ou nefrologistas, respectivamente).

A ausência do uso de fármacos BNM deve ser certificada, assim como a exclusão de lesões medulares, para a correta pesquisa de resposta aos estímulos dolorosos. Lesões cervicais altas impedem a realização do diagnóstico de ME, pois impossibilitam avaliação do coma arreativo e do teste de apneia. A presença de doenças que alterem a função da junção mioneural também deve ser excluída. Deve-se lem-

Tabela 192.1 Características dos fármacos depressores do sistema nervoso central.[3]

Medicamento	meia-vida	intervalo (se dose única ou intermitente)	intervalo (se infusão contínua)
Midazolam	2 h	6 h	10 h
Fentanil	2 h	6 h	10 h
Tiopental	12 h	36 h	60 h
Halotano	15 min	45 min	1 h e 15 min
Isoflurano	10 min	30 min	50 min
Sevoflurano	12 min	36 min	1 h
Succinilcolina	10 min	30 min	50 min
Pancurônio	2 h	6 h	10 h
Atracúrio	20 min	1 h	1 h e 40 min
Cisatracúrio	22 min	1 h e 6 min	1 h e 50 min
Vecurônio	1 h e 5 min	3 h e 15 min	5 h e 25 min
Rocurônio	1 h	3 h	5 h
Etomidato	3 h	9 h	15 h
Cetamina	2 h e 30 min	7 h e 30 min	12 h e 30 min
Propofol	2 h	6 h	10 h

brar da polineuropatia do doente crítico, que afeta muitos pacientes que permaneçam por tempo prolongado em unidade de terapia intensiva (UTI) e que desenvolvam fraqueza muscular, atrofias e dificuldade ventilatória. Esses aspectos devem sempre ser considerados na avaliação das respostas aos estímulos dolorosos e ao teste de apneia.

DIAGNÓSTICO CLÍNICO

De acordo com a última resolução brasileira de ME, são necessários os seguintes pré-requisitos básicos para abertura do protocolo de ME, a saber: (1) tempo de observação e tratamento intra-hospitalar de, pelo menos, 6 horas (24 horas em casos de encefalopatia hipóxico-isquêmica, o tempo mais prolongado é necessário em razão da possibilidade de perda transitória de reflexos de tronco que posteriormente são recuperados nessa condição); (2) causa conhecida do coma, compatível com ME e confirmada por exame complementar (TC de crânio geralmente); (3) exclusão de fatores de confusão; e (4) sinais vitais estáveis para realização do diagnóstico. Esse último pré-requisito é denominado critérios fisiológicos, que devem ser registrados em todas as etapas do processo de determinação da ME. Deve-se assegurar que o paciente esteja estável hemodinamicamente, do ponto de vista respiratório e normotérmico, com temperatura central > 35 °C. Nos locais que não dispõem de termômetro central, a temperatura periférica > 35 °C é considerada adequada, pois não pode ser mais alta do que a temperatura central. A pressão arterial deve estar adequada (PAS ≥ 100 mmHg ou PAM ≥ 65 mmHg) e a oxigenação também (SpO_2 > 94%) no momento da realização dos testes. É importante realizar o exame clínico de modo contínuo, passo a passo, sem pular etapas.

Coma Aperceptivo

Estado de inconsciência permanente com ausência de resposta motora supraespinhal a qualquer estimulação, particularmente dolorosa intensa em região supraorbitária bilateral, trapézio e leito ungueal dos quatro membros. A presença de atitude de descerebração ou decorticação invalida o diagnóstico de ME. O estímulo doloroso na articulação temporomandibular pode ser utilizado, entretanto o esternal deve ser evitado. Poderão ser observados reflexos tendinosos profundos, movimentos de membros, atitude em opistótono ou flexão do tronco, adução/elevação de ombros, sudorese, rubor ou taquicardia, ocorrendo espontaneamente ou durante a estimulação. A presença desses sinais clínicos significa apenas persistência de atividade medular e não invalida a determinação de ME. Esses reflexos, bem como outros movimentos eventualmente bruscos, conhecidos também como "sinal de Lázaro", devem ser corretamente reconhecidos e não impedem o diagnóstico de ME.[4]

Pesquisa de Reflexos do Tronco Encefálico[5]

Ausência de reflexo fotomotor ou pupilar

Sua pesquisa deve ser realizada em local com mínimo de luminosidade possível, com estímulo luminoso vigoroso direcionado a cada um dos olhos do paciente a uma distân-

cia de cerca de 25 a 30 centímetros. Um tempo de estímulo mínimo de, pelo menos, 10 segundos é recomendado para afastar a possibilidade de pupilotonia (latência aumentada na resposta ao estímulo). A ausência de resposta fotomotora direta (ausência de contração pupilar ipsilateral ao estímulo luminoso) e indireta (contração pupilar contralateral ao estímulo luminoso) é imprescindível para o diagnóstico de ME. Não há necessidade de isocoria (pupilas do mesmo tamanho) ou midríase bilateral para o diagnóstico de ME. O achado mais típico é de pupilas de tamanho médio (midríase média), simétricas e fixas (sem resposta à luz), mas podem estar anisocóricas. Pupilas mióticas não são compatíveis com ME.

A pesquisa do reflexo fotomotor avalia a integridade dos meios transparentes do olho, bem como a função da retina e a condução do estímulo aferente (sensorial) pelo nervo óptico (segundo nervo craniano), sua integração mesencefálica e a resposta eferente constritora da pupila, por meio do nervo oculomotor (terceiro nervo craniano). A ausência de resposta em pacientes com trauma grave da face e órbitas, ou outras situações que comprometam as vias envolvidas no reflexo, deve ser cuidadosamente considerada pelos médicos avaliadores.

Ausência de reflexo corneopalpebral

A córnea é ricamente inervada pela porção sensorial da primeira divisão (nervo oftálmico) do nervo trigêmeo (quinto nervo craniano), que integra, na região mediana do tronco encefálico (ponte), o reflexo corneopalpebral pelo nervo facial, seu eferente motor (sétimo nervo craniano). Mediante estímulos leves e cuidadosos (com gaze ou algodão), ou mesmo com a utilização de soro fisiológico, sobre a superfície corneana (no limbo corneoescleral inferolateral), avalia-se esse reflexo, um dos últimos a desaparecer nos quadros de depressão do SNC. A ausência da contração da musculatura orbicular dos olhos e do piscamento protetor indica disfunção dessa via reflexógena, sendo necessária para o diagnóstico de ME. Ressalta-se atentar para prevenção de lesões corneanas, desde cuidados ao exame desse reflexo, até a oclusão e a umidificação constantes dos olhos.

Ausência de reflexo oculocefálico

No paciente inconsciente, com a cabeceira elevada a 30 graus, ao se realizar rotação da cabeça subitamente para os lados, observa-se o desvio conjugado contralateral dos olhos. Esse reflexo, conhecido como "olhos de boneca", é integrado em todas as partes do tronco cerebral (mesencéfalo, ponte e bulbo). Tem como aferências as vias vestibulares, provenientes do nervo vestibulococlear (oitavo nervo craniano), e as vias proprioceptivas do pescoço. O desvio compensatório dos olhos se realiza pelos nervos oculomotor, troclear e abducente (respectivamente terceiro, quarto e sexto nervos cranianos). Esse reflexo faz parte de complexos mecanismos multissegmentares intrínsecos do tronco encefálico para a conservação e correção do equilíbrio. A ausência de movimentação dos olhos após rotação da cabeça indica disfunção das referidas vias. Lesões da coluna cervical devem ser previamente afastadas.

Ausência de reflexo vestíbulo-coclear (prova calórica)

O estímulo térmico dos condutos auditivos internos provoca o movimento da endolinfa nos canais semicirculares do ouvido interno. Esse movimento simula situações de aceleração do segmento cefálico, desencadeando reflexos de manutenção e correção do equilíbrio, semelhantes ao reflexo oculocefálico já citado. Dessa forma, em pacientes inconscientes, o estímulo com água ou soro fisiológico frio em um dos condutos auditivos externos provoca desvio conjugado dos olhos para o lado do estímulo. A realização desse exame deve ser precedida de otoscopia para exclusão de lesões timpânicas e do conduto auditivo externo, que contraindicam o exame. O exame deve ser realizado com o paciente com a cabeceira elevada a 30 graus (para sensibilização da resposta dos canais semicirculares). Através de um cateter plástico fino introduzido no conduto auditivo externo, procede-se à irrigação da membrana timpânica com 50 mL de soro fisiológico gelado (a 4 °C). A ausência de desvios dos olhos, após a irrigação de ambos os condutos auditivos externos, após até 1 minuto, demonstra a ausência de função das vias integradoras do reflexo no tronco cerebral.

Conforme o Anexo da Resolução CFM nº 2.173/2017:

Art. 6º Na presença de alterações morfológicas ou orgânicas, congênitas ou adquiridas, que impossibilitam a avaliação bilateral dos reflexos fotomotor, córneo-palpebral, oculocefálico ou vestíbulo calórico, sendo possível o exame em um dos lados e constatada ausência de reflexos do lado sem alterações morfológicas, orgânicas, congênitas ou adquiridas, dar-se-á prosseguimento às demais etapas para determinação de morte encefálica.

Parágrafo único. A causa dessa impossibilidade deverá ser fundamentada no prontuário.

Nos casos de lesões unilaterais, como perfuração ocular unilateral, perfuração timpânica unilateral, não se impede o diagnóstico de ME e esse deverá ser anotado no Diagnóstico de ME (DME) e no prontuário do paciente.

Ausência de reflexo de tosse

Mediante manobra de estimulação da carina traqueal com um cateter de aspiração traqueal introduzido até este nível, avalia-se a função integradora do tronco encefálico baixo (bulbo) e suas aferências sensoriais e eferências motoras por meio dos nervos cranianos glossofaríngeo (nono par craniano), vago (décimo par) e hipoglosso (décimo segundo par). Quaisquer respostas reflexas de tosse e deglutição devem estar abolidas para o diagnóstico de ME.

Teste de Apneia

A respiração espontânea é uma das provas mais evidentes de vida. A ausência da capacidade de respirar espontaneamente demonstra disfunção grave das porções bulbares do tronco cerebral. Como o CO_2 é o maior fator estimulante do centro respiratório localizado nesses níveis, o teste de apneia tem por objetivo a elevação da $PaCO_2$ a níveis de estímulo máximo, sem levar à hipóxia significativa e a riscos de lesões adicionais. São recomendados para a realização do teste o uso da oximetria de pulso e a monitorização cardíaca, preferencialmente com um cateter arterial instalado para coleta de gasometria e monitorização da pressão arterial durante o teste.

Na primeira fase do teste (fase de pré-oxigenação), o paciente deve ser ventilado com oxigênio a 100% por 10 minutos, sendo necessária a normoventilação com frequência respiratória de 8 a 10, para a obtenção de $PaCO_2$ idealmente entre 35 e 45 mmHg. No fim dessa fase, é obrigatória a coleta de uma gasometria arterial para a confirmação de níveis de PaO_2 pré-apneia idealmente acima de 200 mmHg, para prevenção da hipóxia durante o teste. Apesar de variações individuais, a $PaCO_2$ nesses pacientes eleva-se em torno de 3 mmHg/min e o conhecimento dos níveis prévios desse gás pode ser importante para a melhor programação do tempo de apneia necessário.[6] Segue-se a desconexão do ventilador mecânico (fase de apneia) por 10 minutos, mantendo-se um cateter de O_2, a 6 L/min, no interior do tubo traqueal durante todo o tempo da apneia (oxigenação difusional).

Durante todo o teste, o paciente deve ser observado rigorosamente. Caso ocorram movimentos respiratórios (teste negativo), hipoxemia – saturação abaixo de 90%, ou bradicardia e arritmia cardíaca levando a instabilidade e hipotensão arterial com PAS < 90 mmHg, o teste deve ser interrompido. É importante sempre coletar gasometria arterial antes da reconexão ao respirador. Se obtida $PaCO_2$ > 55 mmHg, o exame será considerado positivo. A ausência de movimentos respiratórios com $PaCO_2$ acima de 55 mmHg demonstra lesão do centro respiratório e incapacidade de respiração fora do ventilador mecânico. A documentação gasométrica do nível de CO_2 alcançado é obrigatória para o diagnóstico de ME. A Resolução do CFM não refere tempo mínimo para realização do teste de apneia, apenas a elevação da $PaCO_2$. Sugere-se um tempo mínimo de 3 minutos para que o teste seja considerado em caso de interrupção precoce; embora muito provavelmente isso não seja o suficiente para que a $PaCO_2$ suba além de 55 mmHg, o que geralmente ocorre em, pelo menos, 5 minutos.[2]

Quando o teste for interrompido precocemente e a $PaCO_2$ final for menor do que 56 mmHg, o teste será considerado inconclusivo. Nessa situação, deve-se otimizar a condição cardiorrespiratória do paciente antes de repetir o teste; neste caso, sugere-se que o próximo teste seja feito em CPAP com O_2 a 100% para evitar a interrupção precoce por hipoxemia.

Repetição do Exame Clínico

A realização de, pelo menos, dois exames clínicos completos é necessária para o diagnóstico de ME. O intervalo de tempo mínimo recomendado entre os exames varia conforme a faixa etária (Resolução CFM nº 2.173/2017). Houve modificação do tempo mínimo entre os dois exames clínicos de apenas 1 hora em pacientes com idade superior a 2 anos.

O parágrafo 4º do artigo 3º dessa Resolução descreve que:

[...] § 4º Em crianças com menos de 2 (dois) anos o intervalo mínimo de tempo entre os dois exames clínicos variará conforme a faixa etária: dos sete dias completos (recém-nato a termo) até dois meses incompletos será de 24 horas; de dois a 24 meses incompletos será de doze horas. Acima de 2 (dois) anos de idade o intervalo mínimo será de 1 (uma) hora.

A ausência de respostas aos exames clínicos, respeitados os intervalos de tempo mínimos entre eles, demonstra a irreversibilidade das lesões encefálicas do quadro de ME.

■ EXAME COMPLEMENTAR

Uma vez realizados os dois exames clínicos por dois médicos, com o intervalo de tempo mínimo recomendado e documentada a ausência de respostas em todos os testes já referidos, existe a obrigatoriedade da realização de um teste auxiliar para a complementação diagnóstica, podendo ser feito previamente ao exame clínico. Esses exames, muito mais que confirmatórios, devem ter um caráter documental, complementando o diagnóstico clínico prévio com segurança. A realização desses exames tem dupla função protetora: para o paciente, dando segurança adicional ao diagnóstico clínico de ME, e para a equipe médica, respaldando e documentando os procedimentos realizados.

Os exames complementares devem demonstrar, de maneira inequívoca, a ausência de fluxo sanguíneo, atividade elétrica ou atividade metabólica intracranianos. Os principais exames utilizados para documentação da ME, de acordo com a Resolução do CFM, são:

- Eletroencefalograma;
- Angiografia convencional;
- Cintilografia cerebral;
- *Doppler* transcraniano.

Exames que Avaliam a Atividade Elétrica Encefálica

Eletroencefalograma (EEG)

Não deve haver atividade elétrica cerebral demonstrável (potenciais acima de 2 microvolts) ao eletroencefalograma (EEG), realizado com sua sensibilidade máxima, em, no mínimo, dois registros de, pelo menos, 30 minutos. A sua realização e interpretação exigem a presença de um neurologista habilitado. Os maiores problemas relacionados com a utilização do EEG são os artefatos elétricos secundários ao grande número de equipamentos presentes em UTI. Entre as causas mais comuns encontram-se: vibração do tubo traqueal, artefatos da ventilação mecânica, eletrocardiografia, medidas de pressão arterial, aspiração orotraqueal, bombas de infusão e gotejamento de medicações etc.[7] Nos casos de uso de tiopental em infusão contínua, o eletroencefalograma não deve ser utilizado.[2]

Exames que Avaliam o Fluxo Sanguíneo Encefálico

Angiografia cerebral

A angiografia contrastada dos vasos intracranianos tem sido um método tradicional empregado para a demonstração da ausência de fluxo sanguíneo intracraniano que se instala no quadro de ME.[7-9] A técnica de Seldinger, por meio da cateterização da artéria femoral, radial, ou a punção direta das artérias no pescoço possibilitam a injeção de contraste e a constatação da ausência de preenchimento de vasos acima da base do crânio. A não visualização dos segmentos intracranianos das artérias carótidas internas e artérias cerebrais, além da artéria basilar, possibilita a demonstração da parada da circulação intracraniana (*stop* arteriográfico). É recomendado o estudo completo dos vasos carotídeos e vertebrais (panangiografia ou angiografia com subtração digital), com um tempo de análise da progressão do contraste de, pelo menos, 10 minutos. A angiotomografia de crânio não foi validada para esse fim até o momento no Brasil.[2]

Cintilografia de perfusão cerebral

O exame convencional em gamacâmara com tecnécio (pertecnetato ^{99m}Tc) pode também ser utilizado para documentar a ausência de fluxo sanguíneo intracraniano na ME. Após a injeção de 20 a 30 mCi do marcador, é realizada a avaliação nos próximos 60 segundos. Observa-se a ausência de fluxo sanguíneo acima do tronco encefálico, com perfusão apenas de couro cabeludo e face.[6,7]

Doppler transcraniano

Aparelhos com frequências mais baixas (2 MHz), além de outras melhorias técnicas, atualmente possibilitam a avaliação da velocidade do fluxo sanguíneo das artérias intracranianas, pelas regiões mais finas dos ossos cranianos ("janelas"). O achado de picos sistólicos com ondas diastólicas em espelho configura ausência de fluxo sanguíneo efetivo na artéria examinada (padrão reverberante não progressivo). Esse achado em artérias cerebrais de ambos os hemisférios e na artéria basilar é compatível com ausência de fluxo sanguíneo intracraniano e considerado suficiente para documentar o diagnóstico clínico de ME. Esse exame tem como vantagens a não invasibilidade, o baixo custo e a possibilidade de ser realizado à beira do leito. Apresenta especificidade de 100% e sensibilidade acima de 90% para o diagnóstico de ME. Em contrapartida, necessita de profissional experiente para sua realização e interpretação.[7,10,11]

Outro método igualmente utilizado no diagnóstico de ME é o SPECT (*single-photon emission computed tomography*), ou tomografia por emissão de fóton único, que associa técnicas similares às da tomografia computadorizada para melhorar a análise dos marcadores radioativos. O marcador mais usado é o 99 mTc – HMPAO (hexametilpropilenoaminaoxima), e a técnica aumenta a sensibilidade da avaliação das estruturas da fossa posterior.[6,7]

■ COMUNICAÇÃO, DOCUMENTAÇÃO E NOTIFICAÇÃO DA MORTE ENCEFÁLICA

Todo processo diagnóstico da ME deve ser cuidadosamente documentado tanto no prontuário do paciente quanto no Termo de Declaração de Morte Encefálica (ver Anexo I). Os dispositivos legais vigentes no Brasil determinam a comunicação aos responsáveis legais do paciente e à Central de Notificação, Captação e Distribuição de Órgãos a que estiver vinculada a unidade hospitalar onde o paciente estiver internado (Lei Federal nº 9.435/2017 e Resolução CFM nº 2.173/2017). Talvez esta seja uma das principais funções e responsabilidade do anestesista: a verificação da documentação do doador efetivo, assim como dos pacientes receptores, no momento da implantação dos órgãos doados.

A documentação do doador efetivo deve obrigatoriamente incluir o Protocolo de Morte Encefálica, o termo de autorização de doação de órgãos e tecidos, quais desses a família autoriza e quais não autoriza, e os responsáveis pelos exames clínicos e exames complementares. É de suma importância e segurança para o profissional conferir se todos os documentos estão em ordem. Da mesma forma, deve-se realizar a verificação dos documentos no momento do implante, mas também sobre o tempo de isquemia e o local onde o órgão ou tecido foi retirado.

A comunicação com a família precisa ser clara, empática e honesta, a priori, desde a admissão, para estabelecer um vínculo satisfatório também durante a realização do processo do protocolo de ME. Sempre é de suma importância o registro adequado em prontuário, desde o início dos testes para o diagnóstico. Nesse momento, é fundamental esclarecer que o paciente ainda não está morto e não deverá ser falado ou cogitado sobre doação de órgãos. Após o diagnóstico de ME, a família deve ser informada da morte e não deverá ser iniciado o assunto sobre doação antes de se ter certeza de que os familiares entenderam que o paciente morreu. Outra equipe, no geral designada institucionalmente, que não esteve envolvida na assistência ao paciente durante a internação, deverá realizar a abordagem sobre possibilidade de doação. Após, se o paciente for **não doador** em vida ou a família não quiser a doação de órgãos e tecidos, é importante não julgar as decisões da família e respeitá-las sempre. Nesse momento, conforme o Decreto nº 9.175/2017, a legislação regulamenta a retirada do suporte:

Art. 19. Após a declaração da morte encefálica, a família do falecido deverá ser consultada sobre a possibilidade de doação de órgãos, tecidos, células e partes do corpo humano para transplante, atendido o disposto na Seção II do Capítulo III.

Parágrafo único. Nos casos em que a doação não for viável, por quaisquer motivos, o suporte terapêutico artificial ao funcionamento dos órgãos será descontinuado, hipótese em que o corpo será entregue aos familiares ou à instituição responsável pela necropsia, nos casos em que se aplique.

Se o paciente **não for doador de órgãos** e os familiares não aceitarem desligar os aparelhos: nesse momento, entrar em conflito com os familiares não será a melhor opção. Orienta-se dar um tempo aos familiares para que eles tentem entender a perda, e reinicia-se nova conversa questionando o que eles têm de dúvida com relação à morte do paciente. É preciso ter paciência e empatia para colocar-se em seus lugares e auxiliá-los nessa fase tão difícil de suas vidas.

Se o paciente **for doador de órgãos**, a organização de procura de órgãos assumirá a conduta de viabilidade da doação dos órgãos, e deverão ser realizados cuidados de manejo do potencial doador de órgãos.

■ DIREÇÕES FUTURAS

O conhecimento dos médicos sobre o diagnóstico de ME e os protocolos de doação de órgãos muitas vezes é baixo entre médicos trabalhando em UTI.[12] Além disso, detalhes na realização e interpretação dos exames complementares variam muito mundo afora.[13] Por isso, existem iniciativas mundiais – The World Brain Death Project –, para otimizar e homogeneizar o diagnóstico de ME, na tentativa de realizar um consenso mundial.[13]

Realizar o teste de apneia para o diagnóstico de ME nos pacientes em ECMO (extracorporeal membrane oxygenation) costuma ser desafiador. Os testes variam especialmente nos métodos de manutenção da oxigenação,[14] mas, no geral, implica a realização do teste da apneia sob CPAP (até 10 cmH_2O). Para isso, é fundamental realizar a pré-oxigenação com parâmetros de ECMO basais para atingir a PaO_2 igual ou maior que 200 mmHg, e $PaCO_2$ entre 35 e 45 mmHg, antes da realização do teste de apneia.

Algumas vezes, pacientes submetidos a craniectomia descompressiva (CD) evoluem para ME, podendo trazer dificuldade no diagnóstico, a depender do exame complementar. Ishiyama e col. avaliaram o impacto da CD no resultado de cintilografia perfusional em 138 pacientes com suspeita de ME, em um estudo retrospectivo. Concluíram que a CD não afetou o resultado da cintilografia de perfusão cerebral de maneira significativa.[15]

Estudos iniciais têm avaliado o uso de NIRS (near-infrared spectroscopy) como uma técnica promissora para complementar o protocolo de ME. Essa ferramenta não invasiva, custo-efetiva e segura demonstrou elevação acima de 1,4 a 1,5 nas taxas de concentração de oxi-hemoglobina comparado a indivíduos saudáveis. Isso poderá agilizar o processo de diagnóstico de ME, para obtenção de doações de órgãos em melhores condições.[16]

ANEXO

RESOLUÇÃO CFM Nº 2.173/2017[17]

Define os critérios do diagnóstico de morte encefálica.

O CONSELHO FEDERAL DE MEDICINA, no uso das atribuições conferidas pela Lei nº 3.268, de 30 de setembro de 1957, regulamentada pelo Decreto nº 44.045, de 19 de julho de 1958, e,

CONSIDERANDO que a Lei nº 9.434, de 4 de fevereiro de 1997, que dispõe sobre a retirada de órgãos, tecidos e partes do corpo humano para fins de transplante e tratamento, determina em seu artigo 3º que compete ao Conselho Federal de Medicina definir os critérios para diagnóstico de morte encefálica (ME);

CONSIDERANDO o Decreto nº 9.175, de 18 de outubro de 2017, que regulamenta a Lei nº 9.434, de 4 de fevereiro de 1997, para tratar da disposição de órgãos, tecidos, células e partes do corpo humano para fins de transplante e tratamento;

CONSIDERANDO que o artigo 13 da Lei nº 9.434/1997 determina ser obrigatório para todos os estabelecimentos de saúde informar as centrais de notificação, captação e distribuição de órgãos das unidades federadas onde ocorrer diagnóstico de morte encefálica feito em pacientes por eles atendidos;

CONSIDERANDO que a perda completa e irreversível das funções encefálicas, definida pela cessação das atividades corticais e de tronco encefálico, caracteriza a morte encefálica e, portanto, a morte da pessoa;

CONSIDERANDO que a Resolução CFM nº 1.826/2007 dispõe sobre a legalidade e o caráter ético da suspensão dos procedimentos de suporte terapêutico quando da determinação de morte encefálica de indivíduo não doador de órgãos;

CONSIDERANDO que a comprovação da ME deve ser realizada utilizando critérios precisos, bem estabelecidos, padronizados e passíveis de ser executados por médicos em todo território nacional;

CONSIDERANDO, finalmente, o decidido na reunião plenária de 23 de novembro de 2017;

RESOLVE:

Art. 1º Os procedimentos para determinação de morte encefálica (ME) devem ser iniciados em todos os pacientes que apresentem coma não perceptivo, ausência de reatividade supraespinhal e apneia persistente, e que atendam a todos os seguintes pré-requisitos:

a) presença de lesão encefálica de causa conhecida, irreversível e capaz de causar morte encefálica;

b) ausência de fatores tratáveis que possam confundir o diagnóstico de morte encefálica;

c) tratamento e observação em hospital pelo período mínimo de seis horas. Quando a causa primária do quadro for encefalopatia hipóxico-isquêmica, esse período de tratamento e observação deverá ser de, no mínimo, 24 horas;

d) temperatura corporal (esofagiana, vesical ou retal) superior a 35°C, saturação arterial de oxigênio acima de 94% e pressão arterial sistólica maior ou igual a 100 mmHg ou pressão arterial média maior ou igual a 65 mmHg para adultos, ou conforme a tabela a seguir para menores de 16 anos:

Pressão arterial		
Idade	Sistólica (mmHg)	PAM (mmHg)
Até 5 meses incompletos	60	43
De 5 meses a 2 anos incompletos	80	60
De 2 anos a 7 anos incompletos	85	62
De 7 a 15 anos	90	65

Art. 2º É obrigatória a realização mínima dos seguintes procedimentos para determinação da morte encefálica:

a) dois exames clínicos que confirmem coma não perceptivo e ausência de função do tronco encefálico;

b) teste de apneia que confirme ausência de movimentos respiratórios após estimulação máxima dos centros respiratórios;

c) exame complementar que comprove ausência de atividade encefálica.

Art. 3º O exame clínico deve demonstrar de forma inequívoca a existência das seguintes condições:

a) coma não perceptivo;

b) ausência de reatividade supraespinhal manifestada pela ausência dos reflexos fotomotor, córneo-palpebral, oculocefálico, vestíbulo-calórico e de tosse.

§ 1º Serão realizados dois exames clínicos, cada um deles por um médico diferente, especificamente capacitado a realizar esses procedimentos para a determinação de morte encefálica.

§ 2º Serão considerados especificamente capacitados médicos com no mínimo um ano de experiência no atendimento de pacientes em coma e que tenham acompanhado ou realizado pelo menos dez determinações de ME ou curso de capacitação para determinação em ME, conforme anexo III desta Resolução.

§ 3º Um dos médicos especificamente capacitados deverá ser especialista em uma das seguintes especialidades: medicina intensiva, medicina intensiva pediátrica, neurologia, neurologia pediátrica, neurocirurgia ou medicina de emergência. Na indisponibilidade de qualquer um dos especialistas anteriormente citados, o procedimento deverá ser concluído por outro médico especificamente capacitado.

§ 4º Em crianças com menos de 2 (dois) anos o intervalo mínimo de tempo entre os dois exames clínicos variará conforme a faixa etária: dos sete dias completos (recém-nato a termo) até dois meses incompletos será de 24 horas; de dois a 24 meses incompletos será de doze horas. Acima de 2 (dois) anos de idade o intervalo mínimo será de 1 (uma) hora.

Art. 4º O teste de apneia deverá ser realizado uma única vez por um dos médicos responsáveis pelo exame clínico e deverá comprovar ausência de movimentos respiratórios na presença de hipercapnia (PaCO$_2$ superior a 55 mmHg).

Parágrafo único. Nas situações clínicas que cursam com ausência de movimentos respiratórios de causas extracranianas ou farmacológicas é vedada a realização do teste de apneia, até a reversão da situação.

Art. 5º O exame complementar deve comprovar de forma inequívoca uma das condições:

a) ausência de perfusão sanguínea encefálica ou

b) ausência de atividade metabólica encefálica ou

c) ausência de atividade elétrica encefálica.

§ 1º A escolha do exame complementar levará em consideração situação clínica e disponibilidades locais.

§ 2º Na realização do exame complementar escolhido deverá ser utilizada a metodologia específica para determinação de morte encefálica.

§ 3º O laudo do exame complementar deverá ser elaborado e assinado por médico especialista no método em situações de morte encefálica.

Art. 6º Na presença de alterações morfológicas ou orgânicas, congênitas ou adquiridas, que impossibilitam a avaliação bilateral dos reflexos fotomotor, córneo-palpebral, oculocefálico ou vestíbulo-calórico, sendo possível o exame em um dos lados e constatada ausência de reflexos do lado sem alterações morfológicas, orgânicas, congênitas ou adquiridas, dar-se-á prosseguimento às demais etapas para determinação de morte encefálica.

Parágrafo único. A causa dessa impossibilidade deverá ser fundamentada no prontuário.

Art. 7º As conclusões do exame clínico e o resultado do exame complementar deverão ser registrados pelos médicos examinadores no Termo de Declaração de Morte Encefálica (Anexo II) e no prontuário do paciente ao final de cada etapa.

Art. 8º O médico assistente do paciente ou seu substituto deverá esclarecer aos familiares do paciente sobre o processo de diagnóstico de ME e os resultados de cada etapa, registrando no prontuário do paciente essas comunicações.

Art. 9º Os médicos que determinaram o diagnóstico de ME ou médicos assistentes ou seus substitutos deverão preencher a DECLARAÇÃO DE ÓBITO definindo como data e hora da morte aquela que corresponde ao momento da conclusão do último procedimento para determinação da ME.

Parágrafo único. Nos casos de morte por causas externas a DECLARAÇÃO DE ÓBITO será de responsabilidade do médico legista, que deverá receber o relatório de encaminhamento médico e uma cópia do TERMO DE DECLARAÇÃO DE MORTE ENCEFÁLICA.

Art. 10. A direção técnica do hospital onde ocorrerá a determinação de ME deverá indicar os médicos especificamente capacitados para realização dos exames clínicos e complementares.

§ 1º Nenhum desses médicos poderá participar de equipe de remoção e transplante, conforme estabelecido no art. 3o da Lei no 9.434/1997 e no Código de Ética Médica.

§ 2º Essas indicações e suas atualizações deverão ser encaminhadas para a Central Estadual de Transplantes (CET).

Art. 11. Na realização dos procedimentos para determinação de ME deverá ser utilizada a metodologia e as orientações especificadas no ANEXO I (MANUAL DE PROCEDIMENTOS PARA DETERMINAÇÃO DA

MORTE ENCEFÁLICA), no ANEXO II (TERMO DE DECLARAÇÃO DE MORTE ENCEFÁLICA) e no ANEXO III (CAPACITAÇÃO PARA DETERMINAÇÃO EM MORTE ENCEFÁLICA) elaborados e atualizados quando necessários pelo Conselho Federal de Medicina.

ANEXO I DA RESOLUÇÃO CFM Nº 2.173/2017

MANUAL DE PROCEDIMENTOS PARA DETERMINAÇÃO DE MORTE ENCEFÁLICA

METODOLOGIA

A morte encefálica (ME) é estabelecida pela perda definitiva e irreversível das funções do encéfalo por causa conhecida, comprovada e capaz de provocar o quadro clínico.

O diagnóstico de ME é de certeza absoluta. A determinação da ME deverá ser realizada de forma padronizada, com especificidade de 100% (nenhum falso diagnóstico de ME). Qualquer dúvida na determinação de ME impossibilita esse diagnóstico.

Os procedimentos para determinação da ME deverão ser realizados em todos os pacientes em coma não perceptivo e apneia, independentemente da condição de doador ou não de órgãos e tecidos.

Para o diagnóstico de ME é essencial que todas as seguintes condições sejam observadas:

1) Pré-requisitos

a) Presença de lesão encefálica de causa conhecida, irreversível e capaz de causar a ME;

b) Ausência de fatores tratáveis que possam confundir o diagnóstico de ME;

c) Tratamento e observação em ambiente hospitalar pelo período mínimo de seis horas. Quando a causa primária do quadro for encefalopatia hipóxico-isquêmica, esse período de tratamento e observação deverá ser de, no mínimo, 24 horas;

d) Temperatura corporal (esofagiana, vesical ou retal) superior a 35 °C, saturação arterial de oxigênio acima de 94% e pressão arterial sistólica maior ou igual a 100 mmHg ou pressão arterial média maior ou igual a 65 mmHg para adultos, ou conforme a tabela a seguir para menores de 16 anos:

Pressão arterial		
Idade	Sistólica (mmHg)	PAM (mmHg)
Até 5 meses incompletos	60	43
De 5 meses a 2 anos incompletos	80	60
De 2 anos a 7 anos incompletos	85	62
De 7 a 15 anos	90	65

2) Dois exames clínicos – para confirmar a presença do coma e a ausência de função do tronco encefálico em todos os seus níveis, com intervalo mínimo de acordo com a Resolução.

3) Teste de apneia – para confirmar a ausência de movimentos respiratórios após estimulação máxima dos centros respiratórios em presença de $PaCO_2$ superior a 55 mmHg.

4) Exames complementares – para confirmar a ausência de atividade encefálica, caracterizada pela falta de perfusão sanguínea encefálica, de atividade metabólica encefálica ou de atividade elétrica encefálica.

PRÉ-REQUISITOS

A. Presença de lesão encefálica de causa conhecida, irreversível e capaz de provocar quadro

O diagnóstico da lesão causadora do coma deve ser estabelecido pela avaliação clínica e confirmada por exames de neuroimagem ou por outros métodos diagnósticos. A incerteza da presença de uma lesão irreversível, ou da sua causa, impossibilita a determinação de

ME. Um período mínimo de observação e tratamento intensivo em ambiente hospitalar de seis horas após o estabelecimento do coma, deverá ser respeitado. Quando a encefalopatia hipóxico-isquêmica for a causa primária do quadro, deverá ser aguardado um período mínimo de 24 horas após a parada cardiorrespiratória ou reaquecimento na hipotermia terapêutica, antes de iniciar a determinação de ME.

B. Ausência de fatores que possam confundir o quadro clínico

Os fatores listados a seguir, quando graves e não corrigidos, podem agravar ou ocasionar coma. A equipe deverá registrar no prontuário do paciente sua análise justificada da situação e tomar medidas adequadas para correção das alterações antes de iniciar determinação de ME.

1) Distúrbio hidroeletrolítico, ácido-básico/endócrino e intoxicação exógena graves

Na presença ou suspeita de alguma dessas condições, caberá à equipe responsável pela determinação da ME definir se essas anormalidades são capazes de causar ou agravar o quadro clínico, a consequência da ME ou somática. A hipernatremia grave refratária ao tratamento não inviabiliza determinação de ME, exceto quando é a única causa do coma.

2) Hipotermia (temperatura retal, vesical ou esofagiana inferior a 35°C)

A hipotermia grave é fator confundidor na determinação de ME, pois reflexos de tronco encefálico podem desaparecer quando a temperatura corporal central é menor ou igual a 32 °C.

É essencial que seja corrigida a hipotermia até alcançar temperatura corporal (esofagiana, vesical ou retal) superior a 35 °C antes de iniciar-se a determinação de ME.

3) Fármacos com ação depressora do Sistema Nervoso Central (FDSNC) e bloqueadores neuromusculares (BNM)

Quando os FDSNC (fenobarbital, clonidina, dexmedetomidina, morfina e outros) e BNM forem utilizados nas condições a seguir especificadas, deverão ser tomados os seguintes cuidados antes de iniciar a determinação de ME:

a) Quando utilizados em doses terapêuticas usuais não provocam coma não perceptivo, não interferindo nos procedimentos para determinação de ME;

b) Quando utilizados em infusão contínua em pacientes com função renal e hepática normais e que não foram submetidos à hipotermia terapêutica, nas doses usuais para sedação e analgesia, será necessário aguardar um intervalo mínimo de quatro a cinco meias-vidas após a suspensão dos fármacos, antes de iniciar procedimentos para determinação de ME;

c) Quando os FDSNC e BNM forem utilizados na presença de insuficiência hepática, de insuficiência renal, e utilização de hipotermia terapêutica, ou quando há suspeita de intoxicação por uso em doses maiores que as terapêuticas usuais, ou por metabolização/ eliminação comprometida, deve-se aguardar tempo maior que cinco meias-vidas do fármaco. Esse tempo deverá ser definido de acordo com a gravidade das disfunções hepáticas e renais, das doses utilizadas e do tempo de uso, para que haja certeza que ocorreu a eliminação/metabolização dos fármacos ou pela constatação que seu nível sérico se encontra na faixa terapêutica ou abaixo dela.

d) Nas condições anteriormente citadas deverá ser dada preferência a exames complementares que avaliam o fluxo sanguíneo cerebral, pois o EEG sofre significativa influência desses agentes nessas situações.

EXAME CLÍNICO

A. Coma não perceptivo

Estado de inconsciência permanente com ausência de resposta motora supraespinhal a qualquer estimulação, particularmente dolorosa intensa em região supraorbitária, trapézio e leito ungueal dos quatro membros. A presença de atitude de descerebração ou decorticação invalida o diagnóstico de ME. Poderão ser observados reflexos

Art. 12. Esta Resolução entrará em vigor na data de sua publicação e revoga a Resolução CFM nº 1.480, publicada no Diário Oficial da União, seção I, p. 18227-18228, em 21 de agosto de 1997.

tendinosos profundos, movimentos de membros, atitude em opistótono ou flexão do tronco, adução/elevação de ombros, sudorese, rubor ou taquicardia, ocorrendo espontaneamente ou durante a estimulação. A presença desses sinais clínicos significa apenas a persistência de atividade medular e não invalida a determinação de ME.

B. Ausência de reflexos de tronco cerebral

1) *Ausência do reflexo fotomotor* – as pupilas deverão estar fixas e sem resposta à estimulação luminosa intensa (lanterna), podendo ter contorno irregular, diâmetros variáveis ou assimétricos.

2) *Ausência de reflexo córneo-palpebral* – ausência de resposta de piscamento à estimulação direta do canto lateral inferior da córnea com gotejamento de soro fisiológico gelado ou algodão embebido em soro fisiológico ou água destilada.

3) *Ausência do reflexo oculocefálico* – ausência de desvio do(s) olho(s) durante a movimentação rápida da cabeça no sentido lateral e vertical. Não realizar em pacientes com lesão de coluna cervical suspeitada ou confirmada.

4) *Ausência do reflexo vestíbulo-calórico* – ausência de desvio do(s) olho(s) durante um minuto de observação, após irrigação do conduto auditivo externo com 50 a 100 ml de água fria (± 5 °C), com a cabeça colocada em posição supina e a 30°. O intervalo mínimo do exame entre ambos os lados deve ser de três minutos. Realizar otoscopia prévia para constatar a ausência de perfuração timpânica ou oclusão do conduto auditivo externo por cerume.

5) *Ausência do reflexo de tosse* – ausência de tosse ou bradicardia reflexa à estimulação traqueal com uma cânula de aspiração.

Na presença de alterações morfológicas ou orgânicas, congênitas ou adquiridas, que impossibilitam a avaliação bilateral dos reflexos fotomotor, córneo-palpebral, oculocefálico ou vestíbulo-calórico, sendo possível exame em um dos lados, e constatada ausência de reflexos do lado sem alterações morfológicas, orgânicas, congênitas ou adquiridas, dar-se-á prosseguimento às demais etapas para determinação de ME. A causa dessa impossibilidade deverá ser fundamentada no prontuário.

TESTE DE APNEIA

A realização do teste de apneia é obrigatória na determinação da ME. A apneia é definida pela ausência de movimentos respiratórios espontâneos, após a estimulação máxima do centro respiratório pela hipercapnia (PaCO$_2$ superior a 55 mmHg). A metodologia proposta permite a obtenção dessa estimulação máxima, prevenindo a ocorrência de hipóxia concomitante e minimizando o risco de intercorrências.

Na realização dos procedimentos de determinação de ME os pacientes devem apresentar temperatura corporal (esofagiana, vesical ou retal) superior a 35 °C, saturação arterial de oxigênio acima de 94% e pressão arterial sistólica maior ou igual a 100 mmHg ou pressão arterial média maior ou igual a 65 mmHg para adultos, ou conforme a tabela para menores de 16 anos:

Pressão arterial		
Idade	Sistólica (mmHg)	PAM (mmHg)
Até 5 meses incompletos	60	43
De 5 meses a 2 anos incompletos	80	60
De 2 anos a 7 anos incompletos	85	62
De 7 a 15 anos	90	65

A. Técnica.

1) Ventilação com FiO$_2$ de 100% por, no mínimo, 10 minutos para atingir PaO$_2$ igual ou maior a 200 mmHg e PaCO$_2$ entre 35 e 45 mmHg.

2) Instalar oxímetro digital e colher gasometria arterial inicial (idealmente por cateterismo arterial).

3) Desconectar ventilação mecânica.

4) Estabelecer fluxo contínuo de O2 por um cateter intratraqueal ao nível da carina (6 L/min), ou tubo T (12 L/min) ou CPAP (até 12 L/min + até 10 cm H$_2$O).

5) Observar a presença de qualquer movimento respiratório por oito a dez minutos. Prever elevação da PaCO$_2$ de 3 mmHg/min em adultos e de 5 mmHg/min em crianças para estimar o tempo de desconexão necessário.

6) Colher gasometria arterial final.

7) Reconectar ventilação mecânica.

B. Interrupção do teste.

Caso ocorra hipotensão (PA sistólica < 100 mmHg ou PA média < que 65 mmHg), hipoxemia significativa ou arritmia cardíaca, deverá ser colhida uma gasometria arterial e reconectado o respirador, interrompendo-se o teste. Se o PaCO$_2$ final for inferior a 56 mmHg, após a melhora da instabilidade hemodinâmica, deve-se refazer o teste.

C. Interpretação dos resultados.

1) Teste positivo (presença de apneia) – PaCO$_2$ final superior a 55 mmHg, sem movimentos respiratórios, mesmo que o teste tenha sido interrompido antes dos dez minutos previstos.

2) Teste inconclusivo – PaCO$_2$ final menor que 56 mmHg, sem movimentos respiratórios.

3) Teste negativo (ausência de apneia) – presença de movimentos respiratórios, mesmo débeis, com qualquer valor de PaCO$_2$. Atentar para o fato de que em pacientes magros ou crianças os batimentos cardíacos podem mimetizar movimentos respiratórios débeis.

D. Formas alternativas de realização do teste de apneia.

Em alguns pacientes as condições respiratórias não permitem a obtenção de uma persistente elevação da PaCO$_2$, sem hipóxia concomitante. Nessas situações, pode-se realizar teste de apneia utilizando a seguinte metodologia, que considera as alternativas para pacientes que não toleraram a desconexão do ventilador:

1) Conectar ao tubo orotraqueal uma "peça em T" acoplada a uma válvula de pressão positiva contínua em vias aéreas (CPAP – *continuous positive airway pressure*) com 10 cmH$_2$O e fluxo de oxigênio a 12 L/minuto.

2) Realizar teste de apneia em equipamento específico para ventilação não invasiva, que permita conexão com fluxo de oxigênio suplementar, colocar em modo CPAP a 10 cmH$_2$O e fluxo de oxigênio entre 10-12 L/minuto. O teste de apneia não deve ser realizado em ventiladores que não garantam fluxo de oxigênio no modo CPAP, o que resulta em hipoxemia.

EXAMES COMPLEMENTARES

O diagnóstico de ME é fundamentado na ausência de função do tronco encefálico confirmado pela falta de seus reflexos ao exame clínico e de movimentos respiratórios ao teste de apneia. É obrigatória a realização de exames complementares para demonstrar, de forma inequívoca, a ausência de perfusão sanguínea ou de atividade elétrica ou metabólica encefálica e obtenção de confirmação documental dessa situação. A escolha do exame complementar levará em consideração a situação clínica e as disponibilidades locais, devendo ser justificada no prontuário. Os principais exames a ser executados em nosso meio são os seguintes:

1) Angiografia cerebral – após cumpridos os critérios clínicos de ME, a angiografia cerebral deverá demonstrar ausência de fluxo intracraniano. Na angiografia com estudo das artérias carótidas internas e vertebrais, essa ausência de fluxo é definida por ausência de opacificação das artérias carótidas internas, no mínimo, acima da artéria oftálmica e da artéria basilar, conforme as normas técnicas do Colégio Brasileiro de Radiologia.

2) Eletroencefalograma – constatar a presença de inatividade elétrica ou silêncio elétrico cerebral (ausência de atividade elétrica cerebral com potencial superior a 2μV) conforme as normas técnicas da Sociedade Brasileira de Neurofisiologia Clínica.

3) Doppler Transcraniano – constatar a ausência de fluxo sanguíneo intracraniano pela presença de fluxo diastólico reverberante e pequenos picos sistólicos na fase inicial da sístole, conforme estabelecido pelo Departamento Científico de Neurossonologia da Academia Brasileira de Neurologia.

4) Cintilografia, SPECT Cerebral – ausência de perfusão ou metabolismo encefálico, conforme as normas técnicas da Sociedade Brasileira Medicina Nuclear.

A metodologia a ser utilizada na realização do exame deverá ser específica para determinação de ME e o laudo deverá ser elaborado por escrito e assinado por profissional com comprovada experiência e capacitado no exame nessa situação clínica.

Em geral, exames que detectam a presença de perfusão cerebral, como angiografia cerebral e doppler transcraniano, não são afetados pelo uso de drogas depressoras do sistema nervoso central ou distúrbios metabólicos, sendo os mais indicados quando essas situações estão presentes. A presença de perfusão sanguínea ou atividade elétrica cerebral significa a existência de atividade cerebral focal residual. Em situações de ME, a repetição desses exames após horas ou dias constatará inexoravelmente o desaparecimento dessa atividade residual. Em crianças lactentes, especialmente com fontanelas abertas e/ou suturas patentes, na encefalopatia hipóxico-isquêmica ou após craniotomias descompressivas, pode ocorrer persistência de fluxo sanguíneo intracraniano, mesmo na presença de ME, sendo eletroencefalograma o exame mais adequado para determinação de ME.

Um exame complementar compatível com ME realizado na presença de coma não perceptivo, previamente ao exame clínico e teste de apneia para determinação da ME, poderá ser utilizado como único exame complementar para essa determinação.

Outras metodologias além das citadas não têm ainda comprovação científica da sua efetividade na determinação de ME.

REPETIÇÃO DO EXAME CLÍNICO (2º EXAME)

Na repetição do exame clínico (segundo exame) por outro médico será utilizada a mesma técnica do primeiro exame. Não é necessário repetir o teste de apneia quando o resultado do primeiro teste for positivo (ausência de movimentos respiratórios na vigência de hipercapnia documentada).

O intervalo mínimo de tempo a ser observado entre 1º e 2º exame clínico é de uma hora nos pacientes com idade igual ou maior a dois anos de idade.

Nas demais faixas etárias, esse intervalo é variável, devendo ser observada a seguinte tabela:

Faixa etária	Intervalo mínimo (horas)
7 dias (recém-nato a termo) até 2 meses incompletos	24
De 2 a 24 meses incompletos	12
Mais de 24 meses	1

A EQUIPE MÉDICA

Nenhum médico responsável por realizar procedimentos de determinação da ME poderá participar de equipe de retirada e transplante, conforme estabelecido no artigo 3º da Lei nº 9.434/1997 e no Código de Ética Médica.

A Direção Técnica de cada hospital deverá indicar os médicos capacitados a realizar e interpretar os procedimentos e exames complementares para determinação de ME em seu hospital, conforme estabelecido no art. 3o da Resolução. Essas indicações e suas atualizações deverão ser encaminhadas para a CET.

São considerados capacitados médicos com no mínimo um ano de experiência no atendimento de pacientes em coma, que tenham acompanhado ou realizado pelo menos dez determinações de ME e realizado treinamento específico para esse fim em programa que atenda as normas determinadas pelo Conselho Federal de Medicina.

Na ausência de médico indicado pela Direção Técnica do Hospital, caberá à CET de sua Unidade Federativa indicar esse profissional e à Direção Técnica do Hospital, disponibilizar as condições necessárias para sua atuação.

COMUNICAÇÃO AOS FAMILIARES OU RESPONSÁVEL LEGAL

Os familiares do paciente ou seu responsável legal deverão ser adequadamente esclarecidos, de forma clara e inequívoca, sobre a situação crítica do paciente, o significado da ME, o modo de determiná-la e também sobre os resultados de cada uma das etapas de sua determinação. Esse esclarecimento é de responsabilidade da equipe médica assistente do paciente ou, na sua impossibilidade, da equipe de determinação da ME.

Será admitida a presença de médico de confiança da família do paciente para acompanhar os procedimentos de determinação de ME, desde que a demora no comparecimento desse profissional não inviabilize o diagnóstico. Os contatos com o médico escolhido serão de responsabilidade dos familiares ou do responsável legal. O profissional indicado deverá comparecer nos horários estabelecidos pela equipe de determinação da ME.

A decisão quanto à doação de órgãos somente deverá ser solicitada aos familiares ou responsáveis legais do paciente após o diagnóstico da ME e a comunicação da situação a eles.

FUNDAMENTOS LEGAIS

A metodologia de determinação de morte encefálica é fundamentada nas normas legais discriminadas a seguir:

1) Lei nº 9.434, de 4 de fevereiro de 1997.
2) Lei nº 11.521, de 18 de setembro de 2007.
3) Decreto nº 9.175, de 18 de outubro de 2017.
4) Resolução CFM nº 1.826, de 6 de dezembro de 2007.

REFERÊNCIAS BIBLIOGRÁFICAS (DO ANEXO)

1. Lucas FJC, Braga NIO, Silvado CES. Recomendações técnicas para o registro do eletrencefalograma na suspeita da morte encefálica. Arq Neuropsiquiatr. 1998;56(3b):697-702. doi: 10.1590/S0004-282X1998000400030.

2. Lange MC, Zétola VHF, Miranda-Alves M, Moro CHC, Silvado CE, Rodrigues DLG, et al. Diretrizes brasileiras para o uso do ultrassom transcraniano como teste diagnóstico de confirmação de morte cerebral. Arq Neuropsiquiatr. 2012 May;70(5):373-80. doi: 10.1590/ S0004-282X2012000500012.

3. Lang CJ, Heckmann JG. Apnea testing for the diagnosis of brain death. Acta Neurol Scand. 2005 Dec;112(6):358-69. doi: 10.1111/j.1600-0404.2005.00527.x.

ANEXO II DA RESOLUÇÃO CFM Nº 2.173/2017

TERMO DE DECLARAÇÃO DE MORTE ENCEFÁLICA

A equipe médica que determinou a morte encefálica (ME) deverá registrar as conclusões dos exames clínicos e os resultados dos exames complementares no Termo de Declaração de Morte Encefálica (DME) ao término de cada etapa e comunicá-la ao médico assistente do paciente ou a seu substituto.

Esse termo deverá ser preenchido em duas vias.

A 1ª via deverá ser arquivada no prontuário do paciente, junto com o(s) laudo(s) de exame(s) complementar(es) utilizados na sua determinação.

A 2ª via ou cópia deverá ser encaminhada à Central Estadual de Transplantes (CET), complementarmente à notificação da ME, nos termos da Lei nº 9.434/1997, art. 13.

Nos casos de morte por causa externa, uma cópia da declaração será necessariamente encaminhada ao Instituto Médico Legal (IML).

A Comissão Intra-Hospitalar de Transplantes (CIHDOTT), a Organização de Procura de Órgãos (OPO) ou a CET deverão ser obrigatoriamente comunicadas nas seguintes situações:

a) possível morte encefálica (início do procedimento de determinação de ME);

b) após constatação da provável ME (1º exame clínico e teste de apneia compatíveis) e;

c) após confirmação da ME (término da determinação com o 2º exame clínico e exame complementar confirmatórios).

A Declaração de Óbito (DO) deverá ser preenchida pelo médico legista nos casos de morte por causas externas (acidente, suicídio ou homicídio), confirmada ou suspeita. Nas demais situações caberá aos médicos que determinaram o diagnóstico de ME ou aos médicos assistentes ou seus substitutos preenchê-la. A data e a hora da morte a serem registradas na DO deverão ser as do último procedimento de determinação da ME, registradas no Termo de Declaração de Morte Encefálica (DME).

Constatada a ME, o médico tem autoridade ética e legal para suspender procedimentos de suporte terapêutico em uso e assim deverá proceder, exceto se doador de órgãos, tecidos ou partes do corpo humano para transplante, quando deverá aguardar a retirada dos mesmos ou a recusa à doação (Resolução CFM nº 1.826/2007). Essa decisão deverá ser precedida de comunicação e esclarecimento sobre a ME aos familiares do paciente ou seu representante legal, fundamentada e registrada no prontuário.

ANEXO III DA RESOLUÇÃO CFM Nº 2.173/2017

CAPACITAÇÃO PARA DETERMINAÇÃO DE MORTE ENCEFÁLICA

A. Pré-requisitos médicos para ser capacitado, atendendo ao art. 3º § 2º desta Resolução:

1. Mínimo de um ano de experiência no atendimento de pacientes em coma.

B. Programação mínima do curso de capacitação:

1. Conceito de morte encefálica.
2. Fundamentos éticos e legais da determinação da morte encefálica:
   a. Lei nº 9.434/1997;
   b. Decreto nº 9.175/2017;
   c. Resolução CFM nº 2.173/2017;
   d. Resolução CFM nº 1.826/2007.
3. Metodologia da determinação:
   a. Pré-requisitos:
      i. lesão encefálica;
      ii. causas reversíveis de coma;
      iii. diagnóstico diferencial.
   b. Exame clínico:
      i. metodologia para realização e interpretação;
      ii. conduta nas exceções.
   c. Teste de apneia:
      i. preparo para o teste;
      ii. metodologia para realização e interpretação;
      iii. métodos alternativos.
   d. Exame complementar:
      i. escolha do método mais adequado;
      ii. Doppler transcraniano;
      iii. eletroencefalografia;
      iv. arteriografia cerebral.
   e. Conclusão da determinação:
      i. Declaração de morte encefálica;
      ii. Declaração de óbito.
4. Conduta pós-determinação:
   a. Comunicação da morte encefálica aos familiares:
      i. como informar aos familiares da situação de ME, dos resultados de cada etapa e da confirmação.
   b. Retirada do suporte vital:
      i. como informar aos familiares sobre a possibilidade de doação de órgãos e de retirada do suporte vital;
      ii. como proceder na retirada do suporte vital aos não doadores de órgãos.

C. Metodologia de ensino:
1. Teórico-prático.
2. Duração mínima de oito horas, sendo quatro de discussão de casos clínicos.
3. Mínimo de um instrutor para cada oito alunos nas aulas práticas.
4. Suporte remoto para esclarecimentos de dúvidas por, no mínimo, três meses.

D. Instrutores:
1. Capacitação comprovada em determinação de morte encefálica há pelo menos dois anos.
2. Residência médica ou título de especialista em neurologia, neurologia pediátrica, medicina intensiva, medicina intensiva pediátrica, neurocirurgia ou medicina de emergência.

E. Coordenador:
1. Capacitação comprovada em determinação de morte encefálica há pelo menos cinco anos.
2. Residência médica ou título de especialista em neurologia, neurologia pediátrica, medicina intensiva, medicina intensiva pediátrica, neurocirurgia ou medicina de emergência.

F. Responsáveis pelo curso:
1. Gestores públicos.
2. Hospitais.

REFERÊNCIAS

1. Haussmann A, Yilmaz U. Brain death confirmation. Radiologe. 2020 Nov;60(Suppl 1):17-25.
2. Besen BAMP, Westphal GA. Morte encefálica e manejo do potencial doador. In: Azevedo LCP, Taniguchi LU, Ladeira JP, et al. Medicina Intensiva: Abordagem Prática. 5ª ed. Santana de Parnaíba: Manole; 2022. cap. 31, p. 544-562.
3. Westphal GA, Garcia VD, Souza RL, et al. Diretrizes para avaliação e validação do potencial doador de órgãos em morte encefálica. Rev Bras Ter Intensiva. 2016;28(3):220-255.
4. Heytens L, Verlooy J, Gheuens J, et al. Lazarus sign and extensor posturing in a brain-dead patient. J Neurosurg. 1989;71(3):449-451.
5. Sardinha LAC, Dantas Filho VP. Morte encefálica. In: Cruz J. Neuroemergências. São Paulo: Atheneu; 2005.
6. Schaefer JA, Caronna JJ. Duration of apnea needed to confirm brain death. Neurology. 1978;28(7):61-66.
7. Pallis C, Harley DH. ABC of brainstem death. 2nd ed. London: BMJ Publishing Group; 1996.
8. Lindsay KW, Bone I, Kallander R. Neurology and neurosurgery illustrated. 3rd ed. Edinburgh: Churchill Livingstone; 1997.
9. Obrist WD, Marion DW. Xenon techniques for CBF measurement in clinical head injury. In: Narayan RK, Wilberger Jr JE, Povlishock JT, editors. Neurotrauma. New York: McGraw-Hill; 1996.
10. Petty GW, Mohr JP, Pedley TA, et al. The role of transcranial Doppler in confirming brain death: sensitivity, specificity and suggestions for performance and interpretation. Neurology. 1990;40:300-303.
11. Sardinha LAC, Araújo S, Dantas Filho VP, et al. Brain death and transcranial doppler ultrasonography as a confirmatory test and its applicability in potential organ donors. Organs and Tissues and Cells. 2007;3:171-174.
12. Fernandes Vasconcelos T; Gonçalves Menegueti M; Corsi CAC, et al. Assessment of physicians' knowledge about brain death and organ donation and associated factors. Medicine. 2022;101(38): pp. e30793.
13. Lewis A; Liebman J; Kreiger-Benson E; et al. Ancillary Testing for Determination of Death by Neurologic Criteria Around the World. Neurocritical care. 2021;34(2):473-484.
14. Busl KM; Lewis A; Varelas PN. Apnea Testing for the Determination of Brain Death: A Systematic Scoping Review. Neurocritical care. 2021;34(2):608-620.
15. Ishiyama M, Relyea-Chew A, Longstreth WT, et al. Annals of nuclear medicine. 2019;33(11):842-847.
16. Pan B, Pu J, Li T, et al. Online Noninvasive Assessment of Human Brain Death by Near-Infrared Spectroscopy with Protocol of O2 Inspiration. Advances in experimental medicine and biology. 2021;1269:347-352.
17. BRASIL. Resolução do Conselho Federal de Medicina no 2.173, de 23 de novembro de 2017. Diário Oficial da União. 15 dez. 2017.

193

Cuidados Perioperatórios com o Doador de Órgãos

Autor: Alex Madeira Vieira
Coautora: Mirian Gomes Barcelos

INTRODUÇÃO

O primeiro transplante realizado no mundo foi em Paris, na França, em 1953, quando uma mãe doou um rim ao seu filho. O uso de imunossupressores como adjuvante no tratamento, ainda não protocolado na época, levou o enxerto alográfico à rejeição em apenas 3 semanas.[1] A técnica cirúrgica, essencialmente a mesma até hoje, foi desenvolvida por Rene Kuss.[2] O primeiro transplante intervivos bem-sucedido foi em 1954, entre os gêmeos idênticos Murray e Merril.[3] Naquele tempo, o conceito de morte encefálica (ME) ainda não existia, tendo sido estabelecido e aceito somente no fim da década de 1960.[4] Os transplantes, então realizados, utilizavam órgãos provenientes de doadores falecidos após colapsos circulatórios irreversíveis, sendo os órgãos transplantados bastante comprometidos por lesão isquêmica. Esses primeiros resultados foram muito ruins, levando à realização de transplantes de órgãos de doadores falecidos a um impasse, tanto para o tratamento quanto para a sistemática de estudos. É provável que a era moderna dos transplantes tivesse evoluído consideravelmente com os avanços alcançados, porém, sem o altruísmo de doadores vivos que se submeteram a riscos de uma nova modalidade terapêutica, cujos resultados e complicações a curto e longo prazos ainda não eram tão bem conhecidos. O embasamento científico que apoiava a realização de nefrectomias vinha da observação de soldados nefrectomizados na guerra do Vietnã, cuja estatística de complicações e desenvolvimento de insuficiência renal era baixa.

A doação voluntária viola um conceito profundo da tradição da prática médica, *primum non nocere* (tradução livre: antes de tudo, não causar dano), por causa dos riscos imputados a uma pessoa saudável.[5]

Havia uma necessidade intensa por um embasamento ético – legal na realização de transplantes a ser validado para prática, por parte de líderes religiosos, de agências do governo, da população e, principalmente, para agregar apoio dentro da profissão médica. Esse embasamento foi estabelecido no início dos anos 1970,[6,7] (em uma série de conferências sobre ética médica e discussões em tribunais de justiça. O cerne da questão era a relação médico-paciente, na qual o médico se responsabiliza por tratar os males de seus pacientes, a despeito de todos os envolvimentos filosóficos, religiosos e legais, objetivando o bem-estar deles. Como justificar o fato de submeter uma pessoa saudável a uma cirurgia de grande porte para benefício de outra? O argumento aceito foi de que a felicidade do doador dependeria de um estado equivalente ou paralelo do receptor.

A aceitação desse conceito foi de grande alívio às equipes de transplantes, cujas contribuições a esse novo campo dependeram enormemente dos doadores voluntários, os quais, junto com as equipes médicas assumiram todos os riscos a serem enfrentados futuramente.

TRANSPLANTE DE ÓRGÃOS

O transplante de órgãos é considerado um tratamento de escolha para algumas disfunções orgânicas em estágio final de evolução.

Estima-se que 715.482 pacientes foram submetidos a transplante de órgão, de 1988 a 2017, como medida salvadora da vida.[8] Embora o número de órgãos disponibilizados para transplante venha aumentando ano após ano, é grande a discrepância em relação à demanda.[9,10] Durante a pandemia de covid-19, a quantidade de doações caiu vertiginosamente, chegando quase a zero, pelas próprias condições de isolamento e pela situação mundial em lidar com uma doença cuja transmissibilidade era extremamente alta e com riscos desconhecidos tanto para os doadores, quanto para os recepotores.

Essa deficiência resulta em um aumento anual do número de mortes nas listas de espera de transplantes. Na última década, nos EUA, a lista de espera aumentou 229%, enquanto o número de doadores falecidos aumentou apenas 32%[9]. Ainda nos EUA, no ano de 2012, 15.967 transplantes renais foram realizados, e a fila de espera somava 92.885 pacientes. No mesmo ano, foram realizados 5.468 transplantes hepáticos, enquanto havia 15.308 pacientes em lista de espera. Neste ano, 2.187 pacientes morreram na fila de espera para transplante hepático.[11]

Apesar dos avanços da medicina, da tecnologia e do aumento da consciência para doação de órgãos, a distância entre a oferta e a demanda continua aumentando.

Atualmente, a maioria dos órgãos disponibilizados para transplantes provém de doadores com diagnóstico neurológico de ME.

Com o intuito de se aumentar o número de órgãos para suprir a demanda das filas de espera, tem havido expansão dos critérios de inclusão para órgãos provenientes de doadores falecidos após o diagnóstico de colapso circulatório, assim como critérios estendidos para doadores vivos.[12] Várias têm sido as abordagens para a otimização do número de potenciais doadores, a saber:[13] investimentos em campanhas de conscientização da importância da doação de órgãos; treinamento do corpo clínico diminuindo a não notificação de potenciais doadores por desconhecimento do conceito de ME; falta de credibilidade dos reais benefícios da doação; dificuldades logísticas para a manutenção do potencial doador e realização do diagnóstico de ME; criação de centros de coordenação de captação; redistribuição de órgãos doados interligados entre si, visando a um processo mais rápido e resolutivo da questão; abordagem mais esclarecedora e eficaz da família do doador, diminuindo o número de recusas e encurtando o tempo no processo de autorização para a doação de órgãos; ampliação de critérios de doação: como a utilização de órgãos provenientes de doadores marginais, com idade superior a 55 anos, pacientes com vírus de hepatites B e C, alguns tumores circunscritos ao sistema nervoso central (SNC), esteatose hepática, hipertensão arterial sistêmica (HAS) leve e controlada, história de tabagismo > 20 anos/maço , trauma torácico grave, ventilação mecânica > 4 dias, uso de várias medicações controladas, hepatotóxica, nefrotóxica e/ou cardiotóxicas, entre outros; manuseio agressivo do doador de órgãos em ME;[14,15] divisão de órgãos (*split*) – privilegiando dois receptores com o mesmo órgão doado; uso de doadores pós-parada cardiocirculatória; e utilização de doadores vivos.

■ ORGANIZAÇÃO DO SISTEMA BRASILEIRO DE TRANSPLANTE DE ÓRGÃOS[16]

No Brasil, apenas em 1980 nos estados de São Paulo, do Rio de Janeiro e do Rio Grande do Sul, surgiram as primeiras organizações para notificação e alocação de órgãos e tecidos.

A partir de 1968, com a publicação da lei de transplantes, vigorou o consentimento informado, no qual a decisão sobre a doação pertence aos familiares do potencial doador, sendo aperfeiçoada em 1992, com a promulgação da Lei nº 8.489, de 18 de novembro de 1992.

Em 1997, com a Lei nº 9.434, de 4 de fevereiro de 1997, foram criados: o Sistema Nacional de Transplantes (SNT) e sua central, as Centrais de Notificação e Distribuição de Órgãos (CNCDOs) para cada estado brasileiro, e os cadastros técnicos (lista única) para a distribuição de órgãos e tecidos. Na maioria dos estados, o processo de identificação e efetivação dos potenciais doadores é realizado pelas CNCDOs. No estado de São Paulo, o processo foi descentralizado com a criação das Organizações de Procura de Órgãos (OPOs).

Com essa lei, passou-se a adotar o consentimento presumido, no qual o cidadão é um potencial doador, a não ser que tenha deixado definida sua decisão contrária.

Em virtude do não respaldo da sociedade brasileira, em 2001, por meio da Lei nº 10.211, de 23 de março de 2001, voltou-se a utilizar o consentimento informado.

■ PROCESSO DE DOAÇÃO – TRANSPLANTE

Avaliando as equipes de transplante atuantes em 2014, observou-se que há um número mais que suficiente de equipes de rim (1 para cada 1,4 milhão de população – necessidade de 1 para 1,5 a 3 milhões) e de fígado (1 para 3 milhões – necessidade de 1 para 3 a 5 milhões), talvez mal distribuídas. Um número, aparentemente, adequado de equipes de transplante de coração (1 para 6,2 milhões), de pâncreas (1 para 9,1 milhões) e insuficiente de pulmão (1 para 31,8 milhões). A necessidade prevista é de 1 para cada 5 a 10 milhões de habitantes para esses órgãos.

Segundo a Associação Brasileira de Transplantes de órgãos (ABTO. www.abto.org.br), foram realizados 4.257 transplantes de órgãos sólidos no 1º semestre de 2018. Houve leve queda (2,4%) na taxa de doadores efetivos do 1º trimestre e alcançaram-se 17 doadores por milhão de população (pmp), mas com possibilidade de se aproximar da meta para o ano queé fr 18 pmp. Em comparação com o ano de 2017, o aumento da taxa de doadores efetivos de 2,4% foi decorrente do incremento da taxa de efetivação de 3,1%, alcançando 33% (1 doador para cada 3 notificações), apesar da diminuição de 1,1% na taxa de notificação dos potenciais doadores. A ABTO publica atualizações semestrais sobre as estatísticas dos transplantes realizados, de órgãos sólidos, tecidos e medula óssea, com dados específicos para cada região do país, potenciais doadores, doadores efetivos, número por milhão de população, números absolutos, análises comparativas sobre notificações, efetivações de transplantes realizados, causas de não concretizações, pacientes ativos em lista de espera.[16]

A taxa de não autorização familiar ainda é elevada (46%), e uma meta plausível é diminuir 2% por ano, até alcançar 30%. A taxa de parada cardíaca de 14,5% é difícil de analisar, pois pode estar relacionada a várias condições, como dificuldades na manutenção e/ou demora na notificação ou no diagnóstico da ME. A taxa de contraindicação médica de 14,5% não é muito elevada e pode estar relacionada com o envio de órgãos não utilizados em alguns estados para outros com critérios mais liberais, e uma meta em torno de 10% poderia ser prevista para os próximos 3 anos.

Entre 1997 e junho de 2018, foram realizados 90.581 transplantes renais, 25.191 transplantes de fígado, 4.650 transplantes de coração, 2.886 transplantes de pâncreas e 1.192 transplantes de pulmão, perfazendo um total de 90.581 pacientes transplantados.[16]

A Figura 193.1 mostra o processo de captação para múltiplos órgãos e tecidos; e a Figura 193.2, a necessidade estimada e o número de transplantes realizados no Brasil em 2014.

■ CLASSIFICAÇÃO DOS DOADORES

Doador Falecido por Morte Encefálica

O diagnóstico neurológico de morte encefálica (ME) é a perda total e irreversível das funções encefálicas definida

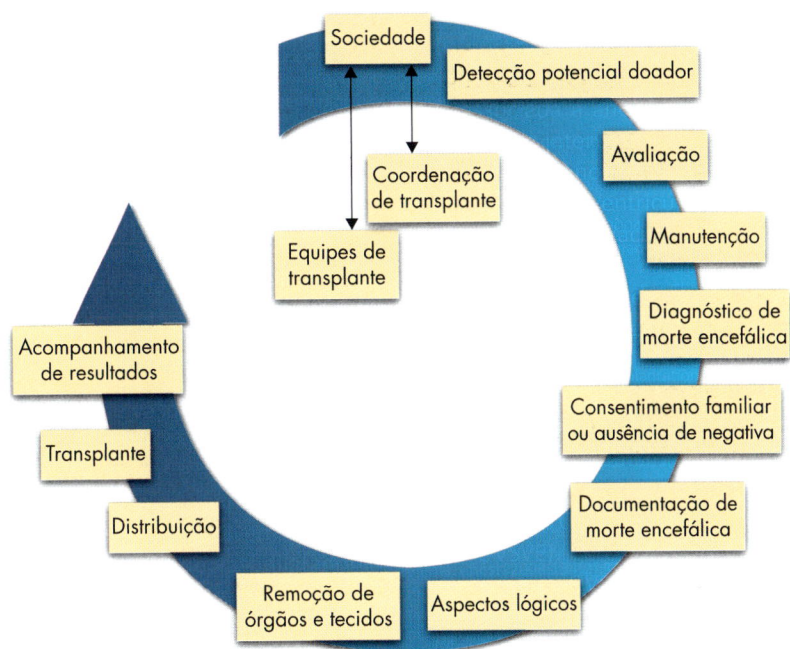

▲ **Figura 193.1** Processo para captação e transplante de múltiplos órgãos e tecidos.
Fonte: ABTO, 2009.[14]

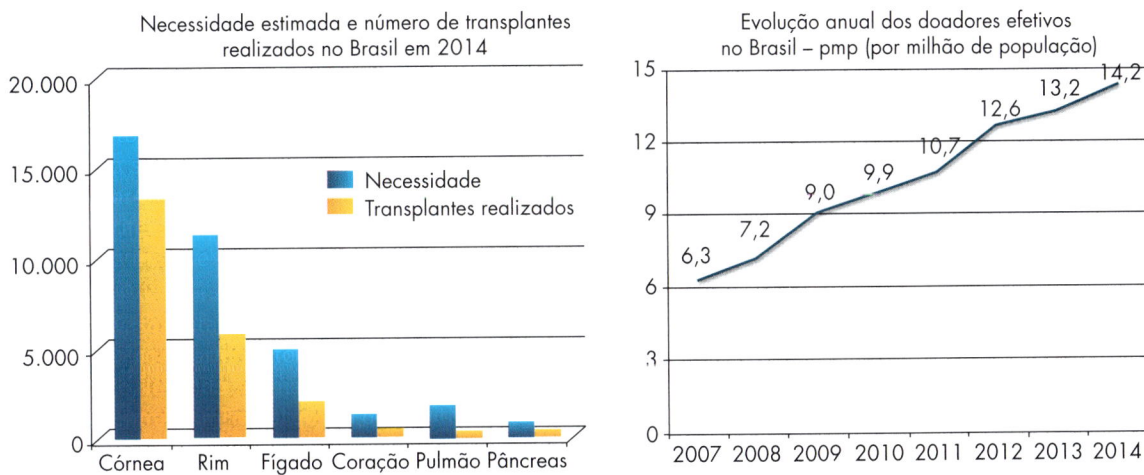

▲ **Figura 193.2** Necessidade estimada e número de transplantes realizados no Brasil em 2014.
Fonte: http://www.abto.org.br/abtov03/Upload/file/RBT/2014/rbt2014-lib.pdf

pela cessação das atividades corticais e do tronco encefálico, que caracteriza a ME e, por conseguinte, a morte da pessoa.[17] A função dos demais órgãos é mantida por aparelhos, medicações e cuidados intensivos. Constitui a maior parcela dos doadores de órgãos no Brasil. Nos EUA, representam aproximadamente 60% do total de órgãos transplantados.[18] Nesses doadores, o quadro clínico é decorrente de alterações hemodinâmicas, pulmonares, endócrino-metabólicas e de coagulação. Relaciona-se a uma resposta inflamatória sistêmica resultante da ME, por fenômenos precedentes e/ou sucessórios.[19] É fato que a gravidade dessas alterações determina a viabilidade do doador em potencial, bem como a qualidade do enxerto e a incidência de rejeição, determinando, assim, a sobrevida do enxerto no receptor.[20,21]

Doador Falecido por Parada Cardíaca[22,23]

Paciente que apresentou parada cardiorrespiratória (PCR) irreversível e ausência de atividade elétrica cerebral.

PCR irreversível é aquela definida como > 30 minutos, na ausência de fármacos depressores e/ou hipotermia. Nos EUA, esses doadores são classificados como "controlados" (pacientes de prognóstico terminal aguardando PCR) e "não controlados" (pacientes com PCR inesperada), e lá contribuem com cerca de 7% do total de órgãos transplantados. No Brasil, essa prática é pouco utilizada. Nos EUA, em Canadá e em alguns países da Europa (Reino Unido, inclusive), há uma legislação específica que permite o uso dos órgãos desse tipo de doador; muito embora seja assunto de extrema polêmica, em razão dos aspectos éticos e morais quanto à assistência médica do paciente com doença terminal. Os órgãos provenientes desse tipo de doador não são ideais, pois normalmente são submetidos a um tempo prolongado de isquemia quente.

Tempo de isquemia: quente e fria

- **Isquemia quente:** é o período que compreende o momento da parada circulatória em temperatura fisiológica até o início do resfriamento e perfusão com solução de preservação gelada.
- **Isquemia fria:** é o período que compreende o término da perfusão com solução de preservação resfriada, até o momento da liberação das pinças após a confecção das anastomoses, e reperfusão e o restabelecimento do fluxo sanguíneo do órgão em temperatura fisiológica no receptor. O aquecimento do órgão ou tecido já transplantado, aumenta sua taxa de metabolismo anaeróbico e, consequentemente, a produção de radicais livres.

Doador Vivo[18,22]

Esse é o doador mais comum para transplantes de rim, fígado e medula óssea; principalmente, quando a gravidade do caso clínico impossibilita o paciente de aguardar na lista de espera, podendo o transplante ser entre aparentados ou não. É bastante aceito no Japão e em outros países do Oriente, em razão das diferenças culturais com relação ao uso de órgãos de doadores falecidos.[21,24,25]

Tão logo os transplantes se firmaram como tratamento viável, persiste uma situação de desequilíbrio crescente entre a oferta e a demanda, dada a escassez de órgãos.

Aparentemente, o caminho mais promissor para aumentar a oferta de órgãos é pela otimização de sua principal fonte: o doador falecido por ME, que pode oferecer simultaneamente oito órgãos para transplantes, além de córneas, ossos e pele.

Embora a realização de transplantes venha se ampliando no mundo, ainda não há o mesmo grau interesse sobre cuidados com doadores dentro da comunidade de anestesiologistas como a que existe entre os cirurgiões. Há escassez de dados na literatura, e estas são compostas predominantemente de revisões, com poucas explorações científicas.[26,27]

Objetivando avanços na área, o Organ Donation and Transplant Alliance (uma colaboração entre os centros de notificação e centros de realização de transplantes), junto com a Sociedade Americana de Anestesiologistas (American Society of Anesthesiologists – ASA)) (comitês de anestesia para transplantes de órgãos e medicina intensiva), vem estabelecendo uma colaboração para otimizar uma abordagem para doadores falecidos baseada em evidências e de consenso de *experts*, tanto para anestesistas quanto para intensivistas, visando otimizar cuidados para melhor preservação dos órgãos destes doadores.[8]

Embora não haja um conceito definido universalmente aceito para padronização de cuidados, há evidências clínicas de que o momento de transferência do potencial doador da unidade de terapia intensiva (UTI) para a equipe de captação e, subsequentemente, para a equipe de anestesia, pode, em alguns casos, resultar em desaceleração dos cuidados.[28]

Em 2016, um recorde foi alcançado, com 33.600 transplantes de órgãos sólidos foram feitos nos EUA. E a maioria desses órgãos vieram de doadores falecidos por ME (https://optn.transplant.hrsa.gov). Os doadores falecidos, em sua vasta parte, foram declarados mortos por critérios neurológicos — compatível com a cessação completa e irreversível de todas as funções cerebrais.

O adequado conhecimento da complexa fisiopatologia da ME é de fundamental importância para que se implemente um manuseio agressivo do potencial doador, que resultará em aumento do número de órgãos captados por doador, além de redução de taxas de disfunção primária dos enxertos transplantados.[29]

Os cuidados com pacientes em UTI estabelecem a otimização do fluxo sanguíneo cerebral, além da manutenção da homeostase dos sitemas, e, consequentemente, as chances de sobrevivência. Uma vez declarada a ME, o objetivo do manejo clínico volta-se, então, para a proteção e perfusão dos órgãos, viabilizando as possíveis captações e futuros transplantes.

O centro de notificações de transplantes deve ser notificado em até 1 hora após declarado o diagnóstico de ME.

Como há múltiplas equipes de transplantes, a cirurgia de captação será realizada pela equipe para onde o órgão será alocado, ficando sob a responsabilidade das equipes de recuperação de órgãos checar a identidade do doador, revisar a documentação de ME e termos de autorização, verificar o tipo sanguíneo e o estado clínico geral do doador.[30,31]

Os critérios diagnósticos de ME foram atualizados pelo Conselho Federal de Medicina (CFM), em 2017, na Resolução nº 2.173/2017. Até então, vigorava a Resolução nº 1.480/1997. Dentre as principais diferenças encontradas, estão: a possibilidade de diagnóstico por médicos de outras especialidades que não neurologistas, intervalo mínimo entre duas avaliações clínicas reduzidas e a inclusão de tempo de observação para que seja iniciado o diagnóstico.

O diagnóstico tem de ser firmado por dois médicos. Um dos médicos deve ser especialista em medicina intensiva (adulta ou pediátrica), neurocirurgia ou medicina de emergência (este profissional não deve fazer parte das equipes de transporte e remoção), e o outro médico deve ser qualificado, tendo, pelo menos, 1 ano de experiência no atendimento de pacientes em coma ou que tenha acompanhado 10 declarações de ME. Devem ser feitos dois fluxos de exames complementares para garantir ausência de fluxo sanguíneo cerebral, de atividade elétrica ou metabólica do cérebro.[17]

■ FISIOPATOLOGIA DA MORTE ENCEFÁLICA

A ME representa o processo final da progressão da isquemia cerebral, que evolui no sentido rostrocaudal, até envolver regiões do tronco cerebral (mesencéfalo, ponte e bulbo), culminando com edema vasogênico e citotóxico e herniação cerebral através do forâmen magno (Figura 193.3).

A fase que antecede a herniação cerebral é caracterizada por elevações da pressão intracraniana (PIC), manifestadas clinicamente pela tríade de Cushing (bradicardia, hipertensão arterial e padrão respiratório irregular), representando o esforço final do organismo em manter a perfusão cerebral. A falência desse mecanismo promove a progressão da isquemia, que, ao atingir a medula espinhal, interrompe a atividade vagal, levando a uma descarga maciça do sistema nervoso autônomo (SNA) simpático, conhecida por "tempestade autonômica".[25,26]

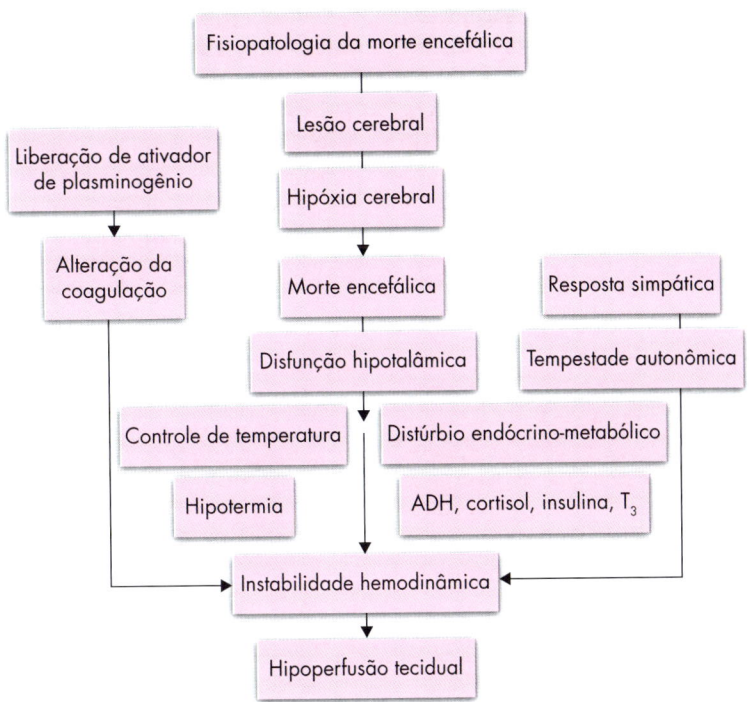

▲ **Figura 193.3** Esquema demonstrando os múltiplos processos envolvendo a fisiopatologia da ME.
Fonte: D'Imperio. Morte encefálica, cuidados ao doador de órgãos e transplante de pulmão. RBTI, 2007; 19:74.

Essa estimulação simpática desenfreada tem duração variável de 30 minutos a 6 horas (média de 1,2 hora) e se caracteriza pela presença de taquicardia, hipertensão arterial, hipertermia, aumento do débito cardíaco. A gravidade dessas alterações é diretamente proporcional à rapidez na instalação da hipertensão intracraniana (HIC). Após a "tempestade autonômica", quando cessa a atividade do SNA simpático, ocorrem importante vasodilatação, queda de pressão arterial (PA) e frequência cardíaca (FC), que progridem para falência cardíaca em até 72 horas, se não forem tratadas.[32]

Repercussões Cardiovasculares

O cérebro morto libera citocinas, entre outros mediadores químicos, que passam para a circulação sistêmica, desencadeando uma resposta inflamatória, que amplifica as alterações induzidas pelo insulto inicial. Ocorre intensa ativação das superfícies endoteliais, ativando um sistema de dupla agressão, que leva a disfunções cardíacas e pulmonares, além do estresse adicional causado pelos extremos de hiperativação autonômica que acompanha a herniação cerebral e cerebelar.[33]

O momento que precede a herniação cerebral é marcado por extremas elevações da PIC, acompanhado da tríade de Cushing, que representa o esforço final do organismo na tentativa de manter a perfusão cerebral. A liberação maciça de catecolaminas na circulação periférica após uma catástrofe neurológica ocasiona uma resposta hemodinâmica que mimetiza as crises hipertensivas do feocromocitoma.[34]

A herniação cerebral pode acarretar instabilidade hemodinâmica refratária no doador (doador instável). Este quadro dependerá da fisiopatologia subjacente e do padrão do tratamento, mas geralmente resulta da "tempestade autonômica" com períodos de taquicardia/bradicardia alternados com hiper e hipotensão. A morte cerebral é marcada por severa hipertensão, extremos de temperatura corporal e arritmias, sendo a taquicardia mais frequente que a bradicardia, o que seria esperado pela tríade de Cushing, além de grande aumento do consumo de oxigênio.

É importante citar que as bradicardias nessas situações são irresponsivas a atropina, cujo mecanismo depende da função vagal, a qual está ausente no cérebro morto.[33]

Diante disso, podem ocorrer isquemia, necrose miocárdica e arritmias cardíacas.[35-37]

Várias alterações eletrocardiográficas podem ser vistas: alterações do segmento ST, ondas T invertidas, alargamentos do complexo QRS e prolongamento do intervalo QT.[38,39] Nas avaliações ecocardiográficas, 43% dos pacientes doadores falecidos têm algum grau de disfunção miocárdica de contratilidade ou relaxamento, diminuição de fração de ejeção e movimentos paradoxais. Pequenas alterações segmentares não podem ser consideradas irreversíveis, tampouco predizerem a ocorrência de disfunção miocárdica emreceptores de transplante cardíaco.[40]

Repercussões Pulmonares

A injúria pulmonar é comumente encontrada em pacientes com ME. O aumento da permeabilidade vascular ocorre também nos pulmões como resposta às alterações inflamatórias presentes nesses pacientes. A estimulação simpática maciça pode levar a extremos de venoconstrição, acarretando aumento da pressão hidrostática e escape capilar de fluidos ricos em proteínas e edema. A venoconstrição intensa interfere nas forças de Starling no pulmão e não é detectável em mensurações da pressão ocluída da artéria pulmonar (POAP).[41]

A atividade simpática desencadeia resposta inflamatória sistêmica, que acarretará infiltração por neutrófilos, levando à injúria pulmonar. A instabilidade hormonal reduz *clearence* dos fluidos alveolares, resultando em significante acúmulo de líquido pulmonar extravascular, o que ocasiona injúria adicional.

Repercussões Endócrino-metabólicas

A falência progressiva do eixo hipotálamo-hipofisário evolui para um declínio gradual das concentrações hormonais; principalmente do hormônio antidiurético (ADH). O *diabetes insipudus* caracteriza-se por diurese hiperosmolar volumosa, somado a um quadro de hipovolemia, hipernatremia e hiperosmolaridade sérica secundárias, que acarreta hipotensão e hipoperfusão tecidual, além de provocar distúrbios hidroeletrolíticos, que agravam arritmias e depressão miocárdica.[42]

É mais frequente nas pacientes vítimas do efeito de massa, como sangramentos ou traumas, sendo menos comuns em vítimas de processos difusos, como meningoencefalites e isquemia global, pois o lobo posterior da hipófise recebe sangue das artérias hipofisárias anteriores, que apresentam trajeto extradural. Como o lobo anterior da hipófise se localiza compartimentalizado na sela túrcica, permanece poupado nas lesões cerebrais, o que explica a função hipofisária normal em alguns pacientes com ME.[43]

Logo após a ME ocorre, habitualmente, queda importante nos níveis de T3 e T4 com manutenção dos níveis de TSH. Isso implica redução de contratilidade miocárdica por depleção de ATP e mudança do metabolismo aeróbico para anaeróbico, contribuindo para a piora da acidose metabólica e da perfusão tecidual dos órgãos do doador.[42]

Níveis baixos de cortisol são encontrados em 76% dos pacientes após a ME,[44] pela diminuição de liberação de ACTH pela adeno-hipófise. A somatória da falta de cortisol e de hormônios tireoideanos contribui, fortemente, para a instabilidade hemodinâmica do doador.

A secreção de insulina também está comprometida, além de coexistir uma resistência periférica de sua ação.[9,24]

A regulação hipotalâmica da temperatura corporal também é perdida na ME. A associação de vários fatores, como vasodilatação, perda da capacidade de produção de calor (tremores), infusões de fluidos de reposição não aquecidos e perda de calor para o ambiente expõe o paciente à hipotermia. Alguns dos efeitos deletérios dessa hipotermia são: disfunção cardíaca, coagulopatia, desvio da curva de Hb para a esquerda e diurese induzida pelo frio.[45]

A poliúria e as alterações na homeostase podem causar rápidas alterações dos níveis sérios de potássio, magnésio, e cálcio, levando a arritmias. A hipernatremia é encontrada comumente e associa-se a um mau resultado em transplantes de fígado.[9,10]

Repercussões Renais

A vasoconstrição renal é comum em estados de hipotensão. Uma vasoconstrição prolongada pode levar a insuficiência renal aguda e falência renal. O *diabetes insipidus*, que pode ocorrer em 80% dos pacientes com ME, acarreta poliúria e contribui para a ocorrência de hipotensão.

Repercussões Hepáticas e Coagulação

Ocorrem depleção dos estoques de glicogênio no fígado e redução da perfusão sinusoidal hepática. Alterações das transaminases e das bilirrubinas são incomuns. A coagulopatia é bastante frequente. A ME libera tromboplastina tecidual e substratos ricos em plasminogênio. Sangramentos, transfusões, diluição de fatores de coagulação, acidose e hipotermia favorecem o aparecimento de coagulação intravascular disseminada (CIVD).[46,47]

Repercussões Imunológicas

A ME induz à resposta inflamatória sistêmica (RIS) por meio de vários mecanismos:[40,42] (Figura 193.4).

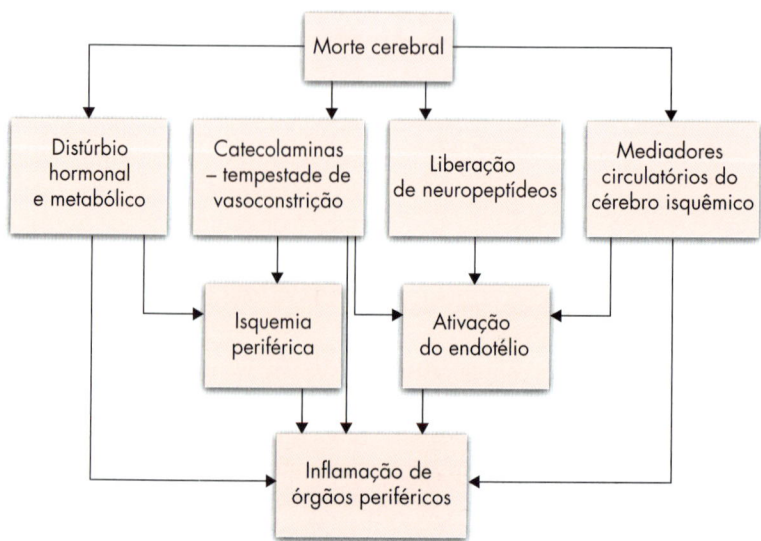

▲ **Figura 193.4** Possíveis mecanismos pelos quais a ME pode induzir uma RIS.[48]

- Liberação de mediadores químicos do cérebro isquêmico na circulação;
- Liberação de neuropeptídeos;
- Liberação de catecolaminas;
- Redução da produção dos hormônios e alterações
- metabólicas.

A ativação de mediadores inflamatórios, como TNF, IL-1, IL-6, complementos, tromboxanos e fatores leucocitários migram do espaço intravascular para o parênquima de órgãos sólidos, permeando os eventos da ME. Quanto maior o período *post mortem* encefálica até o evento do transplante efetivo do órgão, maior a imunogenicidade dos enxertos. Citocinas pró-inflamatórias em diversos órgãos, desencadeiam e amplificam a resposta imunológica aguda do receptor. Comparações entre resultados de órgãos transplantados de doadores vivos e cadáveres mostram menor incidência e menor gravidade na rejeição aguda dos transplantes provenientes de doadores vivos.

A manutenção da normoglicemia com insulinoterapia é fundamental para controlar a ativação endotelial e preservar o fluxo na microcirculação; evitando, assim, a liberação excessiva de NO-sintetase com o consequente aumento de NO (óxido nítrico), o que piora ainda mais a resposta inflamatória (Tabela 193.2).

Tabela 193.2 Incidência das alterações fisiopatológicas após a morte encefálica.[20,21,49]

Hipotensão arterial	Vasoplegia, hipovolemia, diminuição da circulação coronariana, disfunção miocárdica	81% a 97%
Diabetes *insipidus*	Lesão hipófise posterior	46% a 78%
CIVD	Liberação do fator tecidual, coagulopatia	29% a 55%
Arritmias	"Tempestade de catecolaminas", disfunção miocárdica, redução do fluxo coronariano	25% a 32%
Edema pulmonar	Lesão capilar, redistribuição de volume	13% a 18%
Hipotermia	Lesão hipotalâmica, diminuição da taxa metabólica, vasodilatação e perda de calor	Inevitável, se não for prevenido

CUIDADOS INTENSIVOS COM O POTENCIAL DOADOR POR MORTE ENCEFÁLICA

O momento da declaração da ME é crucial, pois determina mudanças drásticas nas prioridades de tratamento. O corpo clínico atuante na UTI e no centro cirúrgico deve estar ciente de que os esforços, até então voltados para a otimização da perfusão cerebral, agora priorizarão a perfusão e a oferta de oxigênio aos tecidos dos órgãos destinados à captação. Esse manejo, no mínimo, deve ser tão rigoroso quanto o anterior, porque serão exatamente esses cuidados

que determinarão a qualidade dos enxertos e indiretamente a sobrevida do receptor.[15]

Dos pacientes que preenchem critérios de doação por ME (potenciais doadores), apenas 15% a 20% se tornam doadores efetivos. Há vários motivos que contribuem para essa discrepância, como a recusa de consentimento, a ausência de um grupo coordenador experiente para solucionar problemas logísticos e o manuseio terapêutico inadequado dos potenciais doadores.

O manuseio agressivo consiste em: identificação precoce do potencial doador, cuidados intensivos, ressuscitação volêmica, uso de fármacos vasoativos e reposição hormonal. Essa otimização do manuseio visa diminuir a instabilidade hemodinâmica, corrigir as alterações hidroeletrolíticas e de coagulação, reduzir o impacto da resposta inflamatória sistêmica do doador e amenizar a lesão por injúria de reperfusão no receptor.[22,25]

Um estudo realizado nos EUA por um período de 8 anos (entre 1995 e 2002), comparando resultados de sucesso de doação antes e depois de instituído o protocolo de manuseio agressivo do doador, mostra que o número de pacientes indicados às OPOs aumentou em 57%, elevando em 19% o número de potenciais doadores. O número de doadores efetivos elevou em 82%, principalmente porque os doadores perdidos anteriormente por colapso cardiovascular diminuíram em 87%. O resultado final foi uma captação efetiva de órgãos 71% maior.[15]

Outro estudo retrospectivo realizado nos EUA entre 2000 e 2001, comparando o uso das medicações do protocolo, demonstrou que a estabilização hemodinâmica resultou em um aumento estatisticamente significativo na quantidade de doadores efetivos (22,5%) e de transplantes de rim (7,3%), de coração (4,7%), de fígado (4,9%), de pulmão (2,8%) e de pâncreas (6%).[13]

A padronização dos cuidados com o doador, com critérios preestabelecidos específicos, vem sendo recomendada por diversas organizações internacionais. As evidências têm demonstrado que a padronização aumenta o número de órgãos transplantados por doador e a qualidade dos órgãos doados. Esses cuidados objetivam manter o *status* hemodinâmico adequado, o volume intravascular, o débito cardíaco, a oxigenação e ventilação, o equilíbrio hidroeletrolítico e, também o equilíbrio ácido-básico, além dos parâmetros de coagulação dentro da faixa de normalidade, e, por último, porém não menos importante, a normotermia de forma ativa.[9,10]

DOADOR ADULTO POR MORTE ENCEFÁLICA[2,50]

Cuidados Gerais

- Suspensão de anticonvulsivantes, analgésicos, antitérmicos e diuréticos osmóticos;
- Antibioticoprofilaxia ou antibioticoterapia, se presente, deve ser mantida;
- Mudanças de decúbito dorsal para lateral a cada 2 horas, para evitar o acúmulo de edema pulmonar;
- Aspirações frequentes com sistema estéril fechado; cuidados com contaminação de cateteres;

- Uso de mantas térmicas e fluidos aquecidos para prevenção de hipotermia.

Cuidados Específicos

- Monitoração básica: cardioscopia, oximetria de pulso, controle de sinais vitais rigoroso, sonda vesical de demora – controle de diurese a cada hora; e sonda nasogástrica – drenagem de conteúdo;
- Cateter venoso central: monitorização de pressão venosa central (PVC) e pressão arterial invasiva;
- Indicações de cateter de artéria pulmonar: dois exames de ecocardiografia bidimensional com FE ≤ 40%;
- Fármacos vasoativos em doses altas e necessidade progressiva de associação de fármacos.

A Tabela 193.3 mostra os efeitos da morte cerebral e o manejo por órgãos e sistemas, e os efeitos da ME e o manejo anestésico por órgãos e sistemas.[51]

Suporte cardiovascular

Tratamento da HAS sem inotrópicos e/ou vasopressores somente se PAS > 160 mmHg ou PAM > 90 mmHg, com:

- nitroprussiato 0,5 a 5,0 µg. kg^{-1}. min^{-1} EV; e/ou esmolol 100 a 500 µg. kg^{-1} EV *in bolus* seguido de 100 a 300 µg. kg^{-1}.min^{-1};
- EV de manutenção.

Tratamento de instabilidade hemodinâmica com fármacos vasoativos

A prioridade no tratamento do paciente com vasoplegia e hipotensão é manter um volume intravascular adequado. Não há evidência de que uma solução específica apresente vantagem em relação a outra quando se trata de cristaloides ou coloides. É notório, entretanto, que evi-

tar a sobrecarga de volume aumenta o número de captações pulmonares.[52]

Em relação aos vasopressores, dopamina e outras catecolaminas são comumente utilizadas para o suporte cardiovascular. O *guideline* canadense e a American College of Cardiology preconizam o uso de vasopressina como agente de primeira linha.[44,50] Em um estudo de Venkateswaran e col. com 80 doadores, houve redução da infusão de noradrenalina em 22 deles e a eliminação da utilização desta (em 26) com o uso de vasopressina.[45] Sabe-se que o uso de altas doses de noradrenalina (> 0,05 µg.kg^{-1}.min^{-1}) está associado ao aumento de disfunção cardíaca.

A utilidade de baixas doses de vasopressina para o tratamento do *diabetes insipidus*, o auxílio na restauração do tônus vascular e a redução da necessidade de noradrenalina foi identificada primariamente em pacientes com ME em suporte prolongado.[46]

Condutas

- Dopamina ≤ 10 µg.kg^{-1}.min^{-1} EV
- Vasopressina 0,3 a 0,7 mg.kg^{-1}.min^{-1} EV ou 0,01 a 0,04

Tabela 193.4 Objetivos hemodinâmicos.[47]	
FC	60-120 bpm
PAM	60-70 mmHg
IC	> 2,4 L/min/m^2
RVS	800-1.200 dinas/s/cm^5
IVS	30 a 70 mL/m^2
FE	> 45%

FC: frequência cardíaca; PAM: pressão arterial média; IC: índice cardíaco; RVS: resistência vascular pulmonar; IVS: indice de volume sistolico; FE: fração de ejeção.

Tabela 193.3 Efeitos da morte cerebral e manejo anestésico por órgãos e sistemas.[51]		
Sistema	**Efeitos da morte cerebral**	**Manejo anestésico**
Cardíaco	Lesão miocárdica Perda do tônus vascular Instabilidade hemodinâmica Hipovolemia	Restaurar o volume intravascular, repondo as perdas insensíveis e urinárias por DI. Usar vasopressores para manutenção da perfusão adequada. Manter PAS > 110 mmHg, PAM > 60, FC de 60-120 bpm, FE do VE > 45%.
Pulmonar	Aumento da permeabilidade capilar pulmonar Edema pulmonar	Ventilação mecânica protetora: VC de 6-8 mL.kg^{-1} do peso ideal, PEEP de 8-10 cmH$_2$O. Uso criterioso de fluidos por via endovenosa. PVC de 4-8 (< 10) mmHg. Manter PaO$_2$/FiO$_2$ > 300.
Endócrino	Isquemia hipofisária que pode levar a diabetes *insipidus* e bloqueio do eixo tireoidiano Hiperglicemia Hipernatremia	Vasopressina para suporte hemodinâmico e controle da poliúria. Infusão de insulina para manter glicemia < 180 mg.dL^{-1}. Considerar reposição hormonal (tiroxina ou T3, corticosteroides).
Hematológico	Coagulopatia que pode evoluir com coagulação intravascular disseminada (CIVD)	Transfusão se Hb < 7 ou 8 g.dL^{-1} para otimizar a oxigenação dos órgãos. Corrigir coagulopatia com fatores de coagulação ou plaquetas, se houver evidência de sangramento.
Musculoesquelético	Movimentos somáticos via arcorreflexo	Uso de bloqueadores neuromusculares.

PAS: pressão arterial sistólica; PAM: pressão arterial média; FC: frequência cardíaca; FE: fração de ejeção; VE: ventrículo esquerdo; PEEP: pressão expiratória final positiva; PVC: pressão venosa central.

U.min^{-1} EV (dose máxima: 2,4 U.h^{-1} EV) – depleta menor quantidade de catecolaminas endógenas e já trata o *diabetes insipidus* do doador.

- Noradrenalina, adrenalina e fenilefrina – cuidado com doses > 0,2 µg.kg^{-1}.min^{-1}, pois podem ser arritmogênicas

Exames complementares:

- Tipagem sanguínea, radiografia de tórax e ECG imediatos. Gasometria arterial, gasometria venosa mista, eletrólitos e glicemia e lactato cada 4 horas.
- U e C, TGO, TGP, BT e frações TAP ou RNI e TTPA a cada 6 horas.
- HMG completo cada 8 horas. glicemia, nutrição e temperatura Manter infusões basais de glicose.
- Aquecimento ativo para manter a temperatura > 35 °C antes e durante a captação.
- Manter nutrição enteral e parenteral – parece melhorar a função dos enxertos nos receptores de fígado e intestino. Equilíbrio hidroeletrolítico
- Ressuscitação volêmica com cristaloides (RL) e/ou coloides – não há consenso sobre qual é a melhor solução.
- Embora o regime liberal de administração de fluidos possa beneficiar os enxertos renais, *guidelines* recentes recomendam euvolemia em doadores multiorgãos.[9,10]
- Manter SvO$_2$ ≥ 70% e SVO$_2$ ≥ 65%
- Manter diurese = 0,5 – 33 mL.kg^{-1}.h^{-1} Manter Na = 130 – 150 mEq.L^{-1}
- Manter níveis normais de K, Ca, Mg, fosfato
- Hematologia
- Manter Hb = 9 a 10 mg. dL^{-1} para doadores instáveis, Hb ≤ 7 mg.dL^{-1} é o menor valor aceitável.

Não há níveis fixos para transfundir outros hemocomponentes; estes devem ser indicados se houver evidência de sangramento ativo.

Diabetes insipidus

- Poliúria (diurese > 3 mL.kg^{-1}.h^{-1}) associada a:
- Na ≥ 145 mEq.L^{-1} – hipernatremia e/ou;
- Osm plasmática ≥ 300 mOsm – hiperosmolaridade plasmática e/ou;
- Osm urinária ≤ 200 mOsm – hiposmolaridade urinária. Tratamento

Vasopressina

- Adultos ≤ 2,4 U.h^{-1} EV
- Crianças 0,3 a 0,7 mg.kg^{-1} EV

Tem duração de efeito de 15 minutos e produz efeito fisiológico em três receptores diferentes:[52]

- **V1:** localizado nas paredes dos vasos – media efeito vasoconstritor;
- **V2:** localizado no epitélio dos ductos coletores renais – media efeito ADH;
- **V3:** localizado na adeno-hipófise – estimula secreção de ACTH.

> ■ **Observação:** doses mais altas do que as recomendadas podem causar vasoconstrição coronariana, renal e esplâncnica, potencializando o risco de disfunção cardíaca, renal e hepática dos enxertos.

Desmopressina (DDAVP):

- Adultos 1 a 4 mcg EV a cada 6 horas;
- Crianças 0,25 a 1 mcg EV a cada 6 horas;
- Tem duração de efeito de 6 a 20 horas, o efeito fisiológico é altamente específico para receptores V2 e não há dose máxima;
- Objetivo: diurese ≤ 3 mL.kg^{-1}.h^{-1}.

Protocolo de Reposição Hormonal

A Tabela 193.5 mostra o protocolo de reposição hormonal:

Tabela 193.5　Reposição hormonal.

Vasopressina	1 U EV *in bolus* e 0,5-2,4 U/h de manutenção
T4 (tetraiodotironina ou tiroxina)	20 ug EV *in bolus* e 10 µg.h^{-1} EV de manutenção ou
Ou T3 (triiodotironina)	100 ug EV *in bolus* e 50 µg EV a cada 12 h ou 4 ug EV *in bolus* e 3 µg.h^{-1} EV de manutenção
Metilprednisolona	15 mg.kg^{-1} EV *in bolus*
Insulina regular	1UI/h EV titulado para manter glicemia < 200 mg.dL^{-1}

Indicações:

- Dois exames de ecocardiografia bidimensional com FE ≤ 40%; e/ou
- Instabilidade hemodinâmica;
- Deve ser considerado em todos os doadores.

> ■ **Observação:** a transformação periférica de T4 (pró-hormônio) em T3 (hormônio ativo) no doador cadáver pode estar prejudicada em decorrência da má perfusão visceral. Alguns autores advogam o uso de T3, em vez de T4, em razão de uma previsibilidade maior de dose na reversão do comprometimento hemodinâmico na ME.
> A metilprednisolona está associada à melhora da oxigenação, à redução na água extravascular pulmonar e ao aumento do rendimento pulmonar. A resposta inflamatória no fígado, no coração e nos rins também é diminuída. O uso de metilprednisolona está associado a um aumento na captação de T3, e sua administração deve ser a mais breve possível.[52]

■ DOADOR INFANTIL POR MORTE ENCEFÁLICA

A criança tem uma taxa de metabolização e de eliminação de fármacos sedativos e analgésicas maior, além de uma capacidade de recuperação de lesão cerebral maior que no adulto.

Exames neurológicos clínicos devem ter intervalos mínimos respeitados entre o primeiro e o segundo exames, conforme a idade, para um correto diagnóstico de ME[15] (Tabela 193.6).

Tabela 193.6 Intervalos mínimos entre exames neurológicos clínicos no doador infantil em morte encefálica.

Idade	Intervalo
7 dias de vida a 2 meses incompletos	48h
2 meses a 1 ano incompleto	24h
1 ano a 2 anos incompletos	12h
> 2 anos	6h

O diagnóstico de ME deve ser, apesar disso, obrigatoriamente confirmado por exame de Cage (arteriografia cerebral) ou PET-TC.

Suporte Hemodinâmico

Cuidados que se aplicam de recém-nascido a 18 anos de idade com peso < 60 kg (Tabela 193.7).

Tabela 193.7 Objetivos hemodinâmicos no doador infantil em morte encefálica.

Idade	FC (bpm)	PAS (mmHg)	PAD (mmHg)
0-3 m	100-150	65-85	45-55
3-6 m	90-120	70-90	50-65
6-12 m	80-120	80-100	55-65
1-3 a	70-110	90-105	55-70
3-6 a	65-110	95-110	60-75
6-12a	60-95	100-120	60 -75
> 12 a	55-85	110-135	65-85

Fonte: adaptada de: Mathers LH, Frankel LR. Stabilization of Critically Ill Child. In: Behrman RE, Kliegman RM, Jenson HB. *Nelson textbook of pediatrics*. 17th ed. Philadelphia: Saunders; 2004.

Manter níveis hemodinâmicos preferencialmente nos limites superiores da normalidade segundo as diferentes faixas etárias. Os demais cuidados são iguais aos do adulto.

■ ASPECTOS TÉCNICOS DA CIRURGIA DO DOADOR

Antes do início da cirurgia de captação de órgãos, as equipes captadoras devem verificar:

- Provas documentais de morte encefálica – duas provas clínicas e um exame complementar;
- Termo de doação assinado pela família;
- Tipo sanguíneo;
- Parâmetros clínicos e exames mínimos.

A Tabela 193.8 mostra os exames mínimos necessários no potencial doador.

Tabela 193.8 Exames mínimos necessários no potencial doador.

Avaliar	Exame
Tipagem sanguínea	Grupo ABO
Sorologia	Anti-HIV, HTLV 1 e 2, HBsAG, Anti-HBc, AntiHBs, Anti-HCV, CMV, Chagas, Toxoplasmose, Lues
Hematologia	Hemograma, Plaquetas
Eletrólitos	Na, K
Doador de pulmão	Gasometria arterial, Raio X de tórax e medida de circunferência torácica
Doador de coração	CPK, CKMB, ECG, Cateterismo
Doador de rim	Ureia, Creatinina, Urina tipo 1
Doador de fígado	TGO, TGP, Gama GT, Bilirrubinas
Doador de pâncreas	Amilase, Glicemia
Infecções	Culturas deverão ser colhidas no local de origem.

■ CONTRAINDICAÇÕES ABSOLUTAS DA DOAÇÃO DE ÓRGÃOS

- Sepse com insuficiência de múltiplos órgãos. sorologia positiva para HIV e HTLV 1 e 2;
- Tumores malignos com potencial comprometimento extracraniano como glioblastoma multiforme, astrocitomas de alto grau, meduloblastomas, qualquer tumor de SNC que tenha sido tratado com derivação ventrículo peritoneal, coriocarcinomas, melanomas, linfomas, carcinomas de pulmão, cólon, mama, rim e tireoide.[53-55]

■ TÉCNICAS CIRÚRGICAS DE CAPTAÇÃO DE MÚLTIPLOS ÓRGÃOS[10]

As técnicas cirúrgicas de captação podem variar conforme o número de órgãos a serem captados e, também, quanto à experiência cirúrgica das equipes envolvidas no processo.

No doador de múltiplos órgãos, geralmente a incisão é longitudinal mediana da região supraesternal até a sínfise púbica, incluindo esternotomia mediana com exposição ampla de todos os órgãos.[56] Os grandes vasos são dissecados e canulados, e é ministrada uma dose de heparina de 400 UI/kg IV *in bolus*. Se for antecipada a retirada do coração, os cateteres de PVC e de artéria pulmonar devem ser retirados antes do pinçamento dos grandes vasos. O baço e os linfonodos são retirados para estudos histológicos e imunológicos. Os grandes vasos, como os ilíacos, são retirados para serem usados como enxertos, sempre que necessário.

Os órgãos devem ser resfriados com gelo no campo cirúrgico. A retirada normalmente é em monobloco, sendo o coração perfundido com solução cardioplégica e os demais órgãos com solução de preservação gelada a 4 °C. A sequência da retirada dos órgãos deve respeitar a suscetibilidade à isquemia de cada órgão, sendo, consecutivamente, de:[57]

- Coração e pulmões;
- Fígado;
- Pâncreas;
- Intestino delgado;
- Rins;
- Enxertos vasculares (artérias e veias);
- Córnea, pele e outros tecidos.

Quando antecipada a retirada dos pulmões, a cânula de intubação deve ser colocada em posição alta para não dificultar a dissecção nem o pinçamento da traqueia.

Alguns vasodilatadores como fentolamina ou alprostadil (captação de pulmão) podem ser administrados na captação dos pulmões durante o clampeamento dos grandes vasos e das vias aéreas, com o objetivo de diminuir a resistência vascular pulmonar.

Faz-se necessário o uso de bloqueadores neuromusculares de longa duração para bloquear movimentos involuntários originados por eventuais reflexos espinais e otimizar as condições de abertura e investigação das cavidades torácica e abdominal durante o período de captação dos órgãos.

Parece não haver necessidade de nenhum hipnótico ou analgésico, havendo, inclusive, evidências de que o uso desses medicamentos não bloqueia a resposta simpático--reflexa, podendo até agravar a instabilidade hemodinâmica desses pacientes.[58]

■ TEMPO DE ISQUEMIA FRIA

Como comentado, o tempo de isquemia fria compreende o período entre o pinçamento dos grandes vasos da base, na vigência de uma armazenagem fria com gelo intracavitário e soluções de preservação geladas a 4 °C, até o momento que se iniciam as anastomoses cirúrgicas no receptor (Tabela 193.9). Esse período varia de órgão para órgão e determina o tempo-limite de uso do órgão para transplante, pois, após esse período, já se observa piora de prognóstico e resultados por grave lesão de injúria de reperfusão deste.

Tabela 193.9 Tempo de isquemia fria ideal de cada órgão.	
Órgão	**Tempo de isquemia fria**
Coração	4h
Pulmão	4 a 6h
Fígado	12h
Pâncreas	20h
Intestino	6 a 8h
Rins	até 24h (Solução Euro Collins) e 36h (Solução UW)
Vasos	até 10 dias (Solução UW)

■ MANEJO ANESTÉSICO

Algumas evidências sugerem que o uso de anestésicos voláteis pode produzir efeitos em modular a isquemia de reperfusão dos órgãos, embora mais estudos sejam necessários para que haja recomendações neste sentido.[8] Outras abordagens para modular a isquemia de reperfusão incluem a infusão de N-acetilcisteína durante a cirurgia de captação.

A possibilidade de ocorrer respostas neuromusculares reflexas, também chamadas de reflexo em massa causada pela vasoconstrição neurogênica e estímulo da medula adrenal por arco reflexo espinhal, que pode se manifestar como taquicardia, hipertensão e sudorese. Todos esses efeitos podem ocorrer espontaneamente ou decorrer de estímulo cirúrgico, e requer a utilização de agentes anestésicos e bloqueadores neuromusculares.

Os anestésicos voláteis induzem a vasodilatação em doadores por ação direta no nível espinhal, independentemente de qualquer efeito no SNC. Por outro lado, os agentes opioides inibem a transmissão do estímulo nocivo pela ativação das fibras descendentes originadas na substância cinzenta periaquedutal no SNC e núcleo da rafe espinhal. Em outras palavras, os opioides têm que ser absorvidos pelo SNC, o que não ocorre na ME. Pode haver vasodilatação com o uso da morfina pela liberação periférica de histamina. Os opioides têm papel limitado em controlar as respostas hemodinâmicas nesses pacientes. Um estudo retrospectivo recente demonstrou que doadores de órgãos que receberam agentes anestésicos apresentaram níveis pressóricos mais baixos e necessitaram de maior volume de reposição volêmica. Consequentemente, é necessário cuidado com o uso de anestésicos nos doadores hemodinamicamente instáveis.[8]

A indicação para reposição de hemoderivados para doadores de orgãos deve ser guiada pelos *guidelines* do ASA para transfusão perioperatória. Recomenda-se que níveis de hemoglobina de 6 g/dL podem ser tolerados e a reposição ser feita quando os níveis de hemoglobina estiverem abaixo desse valor. A reposição de plasma, plaquetas e outros fatores de coagulação deve ser guiada por critérios clínicos, laboratoriais e medidas de tromboelastometria ou tromboelastografia.[8]

Em situações de parada cardíaca, o objetivo das manobras de ressuscitação deve ser antes a manutenção da perfusão dos órgãos que o retorno da circulação espontânea ou estabilização hemodinâmica. A administração de heparina deve ser imediata frente a esta situação.[8]

■ DOADOR FALECIDO DE CORAÇÃO

- ECG de 12 derivações;
- Troponina I ou T cada 12 horas;
- Duas ecocardiografias bidimensionais após ressuscitação volêmica, otimização de fármacos e passagem de cateter pulmonar, quando indicado.

Cateterismo cardíaco deve ser realizado quando:

- Há uso de cocaína;
- Homens > 55 anos e mulheres > 60 anos;
- Homens > 40 anos e mulheres > 45 anos na presença de dois ou mais fatores de risco;
- Qualquer idade na presença de três ou mais fatores de risco.

Os fatores de risco são: fumo, HAS, *diabetes mellitus*, dislipidemia, IMC > 32, história familiar de doença cardiovascular, coronariopatia, anormalidades eletrocardiográficas de movimentação de parede anterolateral e FE ≤ 40%.

As precauções na realização do cateterismo cardíaco são:

- Manter normovolemia;
- Administrar profilaticamente N-acetilcisteína 600 a 1.000 mg via enteral 2×/dia (primeira dose antes de o exame ser indicado) ou 150 mg.kg^{-1} diluídos em SF 500 mL EV 30 minutos imediatamente antes da injeção de contraste seguidos de 50 mg.kg^{-1} diluídos em SF 500 mL EV em 4 horas;
- Usar contraste venoso radiopaco de baixo risco (não iônico, iso-osmolar) com menor volume possível.

■ DOADOR FALECIDO DE PULMÃO

- Raios X de tórax cada 24 h e/ou sempre que necessário. Broncoscopia com cultura e bacterioscópico de lavado brônquico.
- Ventilação mecânica: VC = 4 a 8 mL.kg^{-1}; PEEP = 5 a 10 cmH$_2$O; Pmáx ≤ 30 cmH$_2$O, FiO$_2$ < 40%.
- Gasometria arterial: pH = 7,35 a 7,45; paCO$_2$ = 35 a 45 mmHg; PaO$_2$ ≥ 80 mmHg; SaO$_2$ ≥ 95%.
- Manobras de recrutamento alveolar para melhora da oxigenação: aumentos periódicos do PEEP até 15 cmH$_2$O, insuflações pulmonares de Pmáx até 30 cmH$_2$O por 30 a 60 s.
- Manter normovolemia.
- Reposição volêmica baseada na medida das perdas sempre que possível com coloides, pois o excesso de cristaloides acentua o edema pulmonar impedindo a utilização do pulmão.

■ DOADOR FALECIDO DE FÍGADO

Uma vez ditas as contraindicações absolutas para transplantes de órgãos, restam algumas situações especiais que ficam a critério da equipe de captação decidir se serão fatores determinantes ou não para a utilização específica do órgão. No caso do fígado, a recusa do órgão deverá ser comunicada imediatamente à CNDCO, e esta dará a orientação específica. São os seguintes os fatores relacionados passíveis de recusa:

- Sorologias positivas;
- Peritonites e colangites;
- Trauma hepático com lesão hepática (depende do grau);
- PCR perioperatória;
- Instabilidade hemodinâmica (Nor > 1 mg.kg^{-1}.min^{-1} e/ou Dopamina>10 mg.kg^{-1}.min^{-1});
- Esteatose;
- Ureia/creatinina, sódio, potássio, transaminases e/ou bilirrubinas elevadas;
- Idade;
- Tempo de intubação.

Quanto aos cuidados intraoperatórios, caso não esteja sendo usado antibiótico específico, sugere-se antibioticoprofilaxia com cefalotina ou cefazolina e metilprednisolona 20 mg.kg^{-1}. Os cuidados na investigação da cavidade são importantes quanto à verificação da presença de tumores, cirrose, malformações e variações anatômicas, que são bastante comuns nesse órgão. Deve-se pesquisar presença de:

- Ramo arterial para lobo hepático E da artéria gástrica esquerda – presente em 20% a 30% dos casos;
- Ramo arterial da artéria hepática D proveniente da artéria mesentérica superior – presente em 19% dos casos;
- Tronco da artéria hepática comum proveniente da artéria mesentérica superior (tronco hepatomesentérico) – presente em até 2% dos casos.

■ DOADOR FALECIDO DE PÂNCREAS

A indicação mais aceita para transplante de pâncreas é o *diabetes mellitus* insulino dependente grave, com insuficiência renal crônica associada.

Além das medidas de manutenção do doador comuns a todos os órgãos, é necessário:

- Expansão volêmica, preferencialmente com coloides;
- Realização de glicemia capilar de 2 em 2 horas, repondo insulina regular endovenosa visando a níveis glicêmicos inferiores a 150 mg.dL^{-1}.

■ DOADOR FALECIDO DE INTESTINO

Os critérios de seleção dos doadores são os mesmos considerados para os doadores de fígado, com atenção especial às alterações hemodinâmicas e à sorologia para citomegalovírus.

Para descontaminação intestinal do doador: usar solução com SF 0,9% – 250 mL com anfotericina B 500 mg, metronidazol 400 mg e amicacina 500 mg. Infundir essa solução por sonda nasogástrica.

■ DOADOR FALECIDO DE RIM

As contraindicações absolutas para a doação renal são semelhantes às de outros órgãos. As seguintes situações especiais podem ser consideradas:

- Não há limite de idade se a creatinina for normal. No entanto, a maioria dos centros de transplante tem considerado o ideal de idade entre 5 e 55 anos;
- Doença prévia (arterioesclerose, HAS, *diabetes mellitus* e doenças renais);
- Instabilidade hemodinâmica grave (choque, anúria, creatinina terminal elevada: 3 mg.dL^{-1});
- Tempo de isquemia fria prolongado (> 36 horas).

As medidas de manutenção para os doadores de rim são idênticas às dos doadores de fígado.

■ DOADORES VIVOS

A doação voluntária de órgãos é a única situação, dentro da prática da medicina, na qual uma pessoa saudável é submetida a uma cirurgia de grande porte para o benefício de outra. O processo de doação envolve uma avaliação multiprofissional extensa para mensurar e informar os possíveis danos aos quais o doador estará sujeito, que podem ser de ordem psicológica, física e social.[59,60] Tradicionalmente, parentes muito próximos têm composto a

população de doadores vivos de órgãos. Independentemente do órgão a ser doado, o doador potencial ideal é o
paciente com estado físico 1 (ASA I), com idades entre 18 e
55 anos, antecedentes médicos pouco significativos e peso
próximo do ideal. A defasagem que existe, porém, entre o
número de pacientes em lista de espera e as dificuldades
em se obter órgãos de doadores falecidos têm levado a
maioria dos centros de transplantes a estender os critérios
de inclusão.

Pessoas com doenças leves, bem controladas, não relacionadas com os órgãos a serem doados, são atualmente
aceitas, quando há 1 década seriam rejeitadas.

Comparando-se os resultados dos transplantes intervivos e com doadores falecidos, em relação aos receptores,
as estatísticas de sobrevida e funcionalidade dos enxertos
são semelhantes. Isso é verdade para transplantes de fígado, pulmão, intestino e pâncreas. Então, os esforços para
equiparar a lista de espera têm se voltado em melhorar os
cuidados com os doadores falecidos.

O transplante intervivos é um processo multiprofissional. Por conseguinte, esta sequência das etapas de avaliações deve ser respeitada:

1. O pretenso doador deve, voluntariamente, procurar o
   centro de transplante.
2. A entrevista inicial deve evidenciar critérios sociais, psicológicos e médicos que contraindiquem a doação.

   Os critérios de exclusão são:
   - Idade abaixo de 18 anos;
   - Indivíduo mentalmente incapaz de tomar uma deci-
     são informada;
   - História de hipertensão de difícil controle, com evi-
     dência de lesão em órgão-alvo;
   - Diabetes mellitus;
   - História de trombose ou embolismo;
   - Distúrbios de coagulação;
   - Doenças psiquiátricas;
   - Obesidade (IMC > 30);
   - Doença coronariana e valvular;
   - Doença arterial vascular periférica;
   - Doença pulmonar com prejuízo da oxigenação ou
     ventilação;
   - Patologia neoplásica recente, recorrente e/ou metas-
     tática;
   - História de melanoma;
   - Insuficiência renal crônica;
   - HIV
   - HCV;
   - HBV em atividade.

3. **Fase de informações:** caso não haja contraindicações
   conhecidas, o doador deve ser amplamente informado sobre todas as fases e os protocolos dos centros de
   transplantes, riscos transoperatórios, estatísticas de resultados, complicações, inclusive a possibilidade de perda funcional do órgão remanescente.

   Os riscos envolvidos durante a fase de avaliação incluem:

   - Reações alérgicas a contrastes utilizados em exames
     de imagem;
   - Descoberta de infecções ou malignidades desconhe-
     cidas;
   - Testes de compatibilidades HLA podem revelar ver-
     dades sobre identidades familiares e criar situações
     com as quais os membros da família não gostariam
     de expor.

4. **Avaliação médica**

   O objetivo é minimizar riscos aos doadores e receptores.
   Essa avaliação pré-operatória difere de outras quando
   o histórico clínico negativo dispensa a exigência de exa-
   mes adicionais. Deverão ser confirmadas:
   - Condições clínicas para cirurgia de grande porte;
   - Reserva funcional do órgão a ser doado;
   - Presença de doenças malignas e infecciosas, que
     possam ser transmitidas do doador ao receptor;
   - Compatibilidades imunológicas que propiciem bom
     acoplamento biológico;
   - Compreensão plena do doador quanto aos riscos en-
     volvidos.

5. **Componentes da avaliação médica**
   a) Histórico médico:
      - Antecedentes de doenças: HAS, diabetes, de ori-
        gem pulmonar, gastrintestinal, neurológica, au-
        toimune, geniturinária, histórico de neoplasia,
        infecções, distúrbios da coagulação;
      - Uso de álcool, drogas, tabagismo, comportamen-
        to de risco;
      - Medicamentos de uso regular;
      - Alergias.
   b) História familiar (doenças coronarianas, câncer e ou-
      tras).
   c) História social: embora faça parte da avaliação psi-
      cossocial, a avaliação médica deverá conter infor-
      mações sobre situação de emprego, seguro saúde,
      estabilidade social, doenças psiquiátricas, depres-
      são, tentativas de suicídio.
   d) Exame físico completo.
   e) Exames:
      - Laboratoriais: hemograma completo, coagulogra-
        ma completo, eletrólitos (sódio, potássio, cálcio,
        magnésio, fósforo, cloro), glicemia, transamina-
        ses, proteínas totais, fosfatase alcalina, bilirrubi-
        nas, ureia e creatinina.
      - Rastreamento para câncer, compatível com a fai-
        xa etária, sexo e história familiar (como recomen-
        dado pela Sociedade Americana de Câncer: colo
        de útero, mama, próstata, cólon, pele);
      - Raios X de tórax;
      - ECG;
      - Avaliação de existência de doença coronariana.
        Prova de função pulmonar para pacientes com
        história de tabagismo;
      - Testes imunológicos;
      - Tipagem ABO;

- Tipagem antígeno leucocitário (HLA);
- Provas cruzadas;
- Rastreamento de doenças transmissíveis: CMV (citomegalovirus), EBV (vírus Epstein Barr), HIV 1,2 (vírus da imunodeficiência humana); HTLV I (vírus linfotrópico para células T); HBsAg (antígeno de superfície da hepatite B); HBcAB (anticorpo para núcleo da hapatite B); HBSAB (anticorpo antisssuperfície para hapatite B); HCV (vírus da hepatite C); sífilis; tuberculose, doença de Chagas, toxoplasmose.

f) Determinação da reserva funcional do órgão a ser doado:
  - Provas de função específica do órgão a ser doado;
  - Avaliação da anatomia do órgão a ser doado;
  - Deve-se determinar a adequabilidade cirúrgica para a implantação do órgão e avaliar as dimensões dele, o número de artérias e veias, a presença de cistos e cálculos e as variações anatômicas;
  - Os testes de imagem incluem angiogramas por tomografia computadorizada (TC) ou ressonância nuclear magnética (RNM).

g) Avaliação pré-anestésica.

h) Obtenção de termo de consentimento livre e esclarecido (TCLE): o potencial doador e o receptor, após passarem por todas essas fases, deverão assinar a aceitação dos termos do consentimento informado.

Os doadores que preencherem os critérios estendidos deverão estar cientes de fazerem parte de um grupo de risco diferente da população saudável e de estarem sujeitos a riscos maiores de complicações transoperatórias e a longo prazo.

■ DOADOR VIVO DE RIM

O tempo de espera para receber um rim de doador cadáver varia de 3 a 6 anos, e a tendência é aumentar. Atualmente, 7% desses pacientes morrem anualmente enquanto esperam pelo órgão.[62] Há fortes evidências de que, quanto maior o tempo de permanência em regime de diálise, maior a incidência de complicações funcionais do enxerto e de morte pós-transplante,[61] e os melhores resultados são obtidos quando o transplante é realizado na fase pré-dialítica. O transplante renal intervivos propicia a redução do tempo de espera na fila (órgão de doador falecido) de anos para cerca de três meses.[63,65]

Atualmente, os transplantes intervivos de rim compreendem mais de 50% dos transplantes renais realizados nos EUA e 31% no Reino Unido.[64,66]

As Tabelas 193.10 a 193.12 mostram aspectos da avaliação da reserva funcional renal, exames específicos de função renal e critérios de extensão para doação de rim.

Até alguns anos atrás, havia uma argumentação majoritária de que os doadores vivos de rins estavam sob os mesmos riscos de morbimortalidade cardiovascular que a população

Tabela 193.10 Avaliação da reserva funcional renal.[61,67]	
Antecedentes pessoais	Doenças renais (doença policística dos rins, litíase renal)
	Diabetes *mellitus*/diabetes gestacional
	Infecções crônicas do trato urinário
	Gota
Antecedentes familiares	Doenças renais
	Diabetes melito
	Hipertensão arterial sistêmica (HAS)
	Refluxo de junção ureteropélvica (JUP)

Tabela 193.11 Exames específicos de função renal.

Urina 1 e urocultura

Clearance da creatinina de 24 horas:
- RFG > 80 mL.min⁻¹, como critério de função renal normal, estimado por meio da taxa de depuração da creatinina.

Proteinúria de 24 horas:
- Considerado o marcador mais precoce de doença renal.

Creatinina sérica

Ácido úrico sérico:
- Associado à síndrome metabólica e fator indicador independente de lesão renal.

Avaliação estrutural:
- USG renal, TC ou RNM.

Avaliação da anatomia vascular renal:
- Angiogramas por TC ou RNM.

RFG: ritmo de filtração glomerular; USG: ultrassonografia; TC: tomografia computadorizada; RNM: ressonância nuclear magnética.

Tabela 193.12 Critérios de extensão para doação de rim.	
Idade	A função renal diminui aproximadamente 10% a cada década após os 30 anos, porém 30% da população não apresenta declínio da função renal. Pacientes > 55 anos podem ser aceitos, se função renal normal e ausência de comorbidades.[62,68]
Hipertensão arterial sistêmica (HAS)	Morbidade frequente e associada à diminuição da função renal. São aceitos doadores com hipertensão leve a moderada, controlada com um ou dois anti-hipertensivos, além de função renal normal.[69-72]
Obesidade	Doadores com IMC > 30 kg/m² deverão ser orientados a perder peso. A obesidade é uma das causas de diabetes melito, que é o principal fator relacionado ao desenvolvimento de síndrome metabólica (SM). Pacientes com obesidade central, HAS (135/85), glicemia de jejum > 100 mg.dL⁻¹, HDL < 40 (homens) e < 50 (mulheres) estarão sob risco de desenvolver SM e doença renal no futuro.[61]

em geral. Entretanto, existem alguns estudos recentes demonstrando que os doadores de rins estão sob riscos mais elevados na morbimortalidade cardiovascular que a população em geral.[67] A magnitude da recuperação da função renal após a doação difere em doadores com diferentes antecedentes. Por conseguinte, discernir quem está sujeito à compensação renal desfavorável pós-doação torna-se mandatório para que seja dada permissão para doação.

Análises de regressões multivariáveis revelaram que fatores de riscos conhecidos, tais como idade acima 70 anos, obesidade, HAS, albuminúria e função renal limítrofe, não se confirmaram como fatores preditores independentes de compensação renal desfavorável. S relação entre o índice de massa corporal ou área corporal total e o volume renal preservado tem se mostrado, porém, útil para identificar candidatos com potencial para má evolução.[75]

Cuidados Intraoperatórios para Nefrectomia

- O posicionamento do paciente na mesa cirúrgica e a duração do procedimento operatório determinam que a anestesia geral seja realizada, combinada ou não a bloqueio de neuroeixo.[60]
- As particularidades da técnica anestésica requerida envolvem: manuseio hídrico cuidadoso, proteção do rim remanescente, otimização da oferta de oxigênio, controle da dor pós-operatória, rápido despertar e extubação ao fim do procedimento cirúrgico.[73] A escolha dos agentes de indução, manutenção, assim como relaxantes musculares, fica a critério dos anestesiologistas, excluindo-se aqueles com potencial nefrotóxico e com alta fração de eliminação renal.
- Vem sendo demonstrado o papel de agentes inalatórios, como sevoflurano e isoflurano, em produzir condicionamento renal e reduzir a injúria de isquemia e reperfusão. Estudos comparativos com uso de anestésicos inalatórios e propofol utilizando-se biomarcadores urinários de injuria renal, N-GAL e H-FABP, demonstraram aumento transitório de biomarcadores no 2º dia de pós-operatório no grupo do sevoflurano e uma redução da taxa de rejeição nos dois primeiros anos, o que dificulta tanto interpretações quanto conclusões clínicas.[76]
- A monitorização invasiva com cateter venoso central e arterial não é preconizada. A orientação da leitura da PVC, para a administração de fluidos, pode ser prejudicada pelo posicionamento lateral do corpo e da cabeça; e as complicações relacionadas com a inserção do cateter central podem suplantar os potenciais benefícios.[74]
- As técnicas cirúrgicas são: com cavidade aberta (abordagem retroperitoneal com ressecção da 12ª costela, abordagem retroperitoneal pélvica sem ressecção costal e abordagem anterior transperitoneal) e com cavidade fechada, assistidas por laparoscopia ou robô.[60] A técnica de nefrectomia videolaparoscópica retroperitoneal vem ganhando aceitação em alguns centros.
- Para as cirurgias com abertura de cavidade, o bloqueio epidural poderá ser combinado à anestesia geral.
- A longa incisão próxima ao rebordo costal causa dor pós-operatória intensa, que poderá restringir a respiração e a tosse. Na impossibilidade da realização do procedimento, atenção especial deverá ser reservada ao controle da dor. O controle da dor inadequado no pós-operatório é um dos fatores que pode levar à ocorrência de dor crônica em 5,7% dos pacientes submetidos à nefrectomia videolaparoscopica, além da existência de cirurgia abdominal prévia e dor lombar preexistente.[77] A utilização de pregabalina pré-operatória associada a cetorolaco intraoperatório demonstrou ser efetivo em reduzir a utilização de opioides no pós-operatório.[78]
- Muitos centros consideram desnecessária a profilaxia com antibióticos, por se tratar de uma cirurgia limpa.[79]
- Há risco moderado para ocorrência de trombose venosa profunda (TVP), e os doadores devem receber profilaxia para TVP e compressão pneumática intermitente dos membros inferiores.[76]
- No manuseio hídrico, a remoção dos rins de um paciente com prejuízo da função renal terá pouco impacto na taxa de filtração glomerular e débito urinário. Contudo, no paciente saudável, a função renal é reduzida agudamente à metade, no momento do pinçamento vascular. A oferta de líquidos deverá objetivar um balanço hídrico positivo que assegure um débito urinário de 100 a 200 mL.h⁻¹, utilizando-se coloides e cristaloides 10 mL.kg⁻¹.h⁻¹, além das perdas e do uso de diuréticos de alça (furosemida) e osmóticos (manitol 0,5 g/kg), antes do pinçamento e subsequente retirada do órgão. A proteção renal deve ser agressiva, e alguns centros preconizam que seja feita uma pré-hidratação com 2 L de cristaloides na noite anterior à cirurgia.
- Os doadores geralmente apresentam um período transitório de aumento do valor de creatinina sérica e de uma

queda pela metade da *clearance* de creatinina, no 1º dia de pós-operatório. Esses parâmetros retornam ao normal dentro de 1 mês.

- Uma microalbuminúria clinicamente assintomática pode persistir, sendo evidenciada em 1 a cada 5 doadores.[60,74]

Na anestesia para nefrectomia laparoscópica, as vantagens sobre as técnicas abertas são mostradas na Tabela 193.13.

Tabela 193.13 Vantagens e desvantagens da nefrectomia videolaparoscópicas.

Vantagens	Desvantagens
Menor sangramento	Possibilidade de conversão em 13% dos casos.
Redução do trauma tissular	
Menor necessidade de analgésicos	
Redução nos tempos para início de realimentação, permanência hospitalar, retorno às funções diárias normais	Tempo cirúrgico duas vezes maior e consequente aumento do tempo de isquemia quente.
Melhor resultado estético	
Menos dor no PO, causado por cólica ureteral e pneumoperitônio residual, não sendo tratadas por analgesia peridural.	Recuperação renal mais lentificada (receptor) por: isquemia quente prolongada e pressão abdominal elevada (pneumoperitônio).[60,80]

A técnica nefrectomia manual assistida por vídeo tem sido desenvolvida para minimizar os efeitos adversos da técnica laparoscópica sobre a função do enxerto.[81]

Na nefrectomia assistida por robô:

- **Vantagens:** precisão cirúrgica, menor trauma tissular, menos dor no pós-operatório e tempo de internação reduzido;
- **Desvatagens:** tempo cirúrgico prolongado (quatro vezes maior que uma nefrectomia aberta).[82]

Riscos Perioperatórios

A mortalidade perioperatória relacionada com doadores de rim é estimada em 0,03% a 0,04%, tanto para técnicas abertas quanto fechadas.[81,83] As principais causas são embolia pulmonar, infarto agudo do miocárdio e sangramento intraoperatório. As complicações podem ser divididas entre maiores e menores. As complicações maiores correspondem a hemorragia, sepse, embolia pulmonar; e suas incidências estão entre 1,4% e 3%.[80,81] A incidência de complicações menores está entre 13,8% e 38%.[81-83] Dentre as complicações menores, as mais comuns são infecção do trato urinário: 5%; pneumotórax: 13%;[84,85] e infecção de ferida operatória: 4%. Também podem ocorrer: febre, dor, náusea, complicações tromboembólicas, atelectasia, congestão pulmonar, confusão mental, arritmias benignas, edemas facial e conjuntival transitórios, deterioração da função renal com retorno em 6 meses. Como complicações tardias, estão a dor incisional persistente em 5% dos casos[74] e a hérnia incisional.

Complicações a Longo Prazo

Entre as complicações a longo prazo, está a nefrectomia unilateral.

Até alguns anos atrás, havia uma argumentação majoritária de que os pacientes nefrectomizados estavam sob os mesmos riscos de desenvolver morbidades cardiovasculares e mortalidade que a população geral.[75] No entanto, está comprovado que a diminuição da função renal aumenta o risco de mortalidade geral, assim como de morbidades cardiovasculares. A nefrectomia para doação inevitavelmente leva à diminuição da massa renal e redução da função renal. Pacientes nefrectomizados apresentam aumento de proteinuria e níveis pressóricos quando comparados aos demais com a mesma faixa etária.

Em 7 dias, ocorre aumento do fluxo sanguíneo renal (FSR) e do ritmo de filtração glomerular (RFG) no rim remanescente em 70% dos valores pré-nefrectomia. Segue-se, então, uma hipertrofia glomerular compensatória (um único néfron pode aumentar sua capacidade de filtração em até 85%). Esses efeitos, inicialmente benéficos, podem tornar-se deletérios, levando ao desenvolvimento de glomeruloesclerose ou fibrose intersticial.[85,86] Todos os doadores perdem mais de 20% da função renal e apresentam proteinúria após a doação.[82]

Entre janeiro de 1996 e fevereiro de 2008, havia 172 pacientes na fila de espera, identificados como doadores de rim, com uma média de tempo pós-doação de 19 anos.

Dados da United Network Organ Sharing (UNOS) estimam o risco de falência renal entre 0,10% e 0,52%.[61]

As causas de morte de doadores geralmente não se relacionam com complicações da cirurgia e sim com o desenvolvimento de outras morbidades, como câncer ou doenças cardiovasculares. Há também uma alta incidência de suicídios, homicídios e acidentes.[79]

DOADOR VIVO DE FÍGADO

Hepatectomia para Doação em Transplante Hepático

O primeiro transplante hepático com doador vivo (THDV) foi realizado no Brasil em 1988,[83] sua realização foi planejada em razão da escassez de doadores falecidos. Desde então, a ressecção do lobo hepático esquerdo ou do segmento lateral esquerdo têm sido alternativas seguras e efetivas ao transplante hepático com doadores falecidos. A necessidade de se achar meios alternativos para aumentar o número de enxertos hepáticos para a população adulta resultou no primeiro transplante intervivos com lobo hepático direito em 1993,[87] sendo hoje uma técnica altamente aceita no transplante hepático.

A maior vantagem do THDV sobre o doador falecido parece ser a boa viabilidade do enxerto hepático, pois o menor tempo de isquemia fria tem impacto favorável sobre a resolução do enxerto. Outra vantagem do transplante hepático intervivos é sua utilização em pacientes com insuficiência hepática fulminante, em que o transplante deve ser realizado no menor tempo possível e a possibilidade de doador falecido pode estar limitada.

A seleção do doador é guiada por dois pontos-chave: maximizar a segurança do doador reduzindo a morbidade e evitando a mortalidade; e identificar o enxerto hepático ótimo para melhor sobrevida do implante e, consequentemente do receptor, e que essas sejam, pelo menos, equivalentes àquelas encontradas no doador falecido. Os prováveis doadores devem ter entendimento completo sobre os riscos envolvidos, não somente seu próprio, bem como os riscos inerentes relacionados com o receptor, recebendo todas as informações por meio de orientações educacionais.

A avaliação de um candidato à hepatectomia para doação hepática atravessa três etapas distintas, a saber:[92]

1. **Primeira etapa:** envolve um breve questionário para a descoberta de contraindicações médicas e psicossociais. Havendo a aceitação do doador, serão realizados os primeiros exames subsidiários: laboratoriais (tipagem sanguínea, hemograma, exame bioquímico, teste de tolerância à glicose, coagulograma e testes de função tireoidiana), sorológicos (hepatites A, B e C), e de imagem (raios X de tórax e ultrassonografia abdominal). O exame sanguíneo de rotina é obtido para análise de testes de função hepática para possíveis doenças hepáticas subclínicas ou outras condições que possam contraindicar a doação. A tipagem sanguínea também é realizada nessa etapa para assegurar a compatibilidade com o receptor.

2. **Segunda etapa:** o paciente passa por exame médico para determinar a elegibilidade para a cirurgia, sendo realizada uma extensa avaliação psicossocial e psiquiátrica, bem como a assinatura do termo de consentimento livre e esclarecido (TCLE) para o procedimento. Após essa fase, novos testes laboratoriais (prova cruzada, tipagem HLA, alfa-1-antitripsina, transferrina, ferritina, ceruloplasmina, marcadores tumorais, urinálise e teste de gravidez); sorológicos (CMV, EBV, VDRL e HIV); e de imagem (TC, para assegurar tamanho do fígado e sua anatomia vascular). Caso tenha indicação, nesse momento, também são realizados os seguintes exames complementares da ingestigação: prova de função pulmonar, eletrocardiograma, ecocardiografia e teste de estresse cardíaco.

3. **Terceira etapa:** trata-se da última etapa na qual são realizados: a biópsia hepática (quando indicada) e o planejamento final da cirurgia, com evolução clínica do paciente, reserva da data da cirurgia e de reserva de leito em terapia intensiva e doação de sangue autólogo. Nesse momento, é obtido um segundo termo consentimento livre e esclarecido (TCLE) para a cirurgia e a reposição de hemoderivados. Nessa fase final de avaliação, o doador é encaminhado para o ambulatório de avaliação pré-anestésica, sendo orientado sobre o procedimento anestésico a ser realizado.

Os critérios específicos para exclusão para doação de fígado incluem: incompatibilidade ABO, sinais de doença hepática crônica (esteatose > 20% por meio de biopsia hepática) e tamanho inadequado do enxerto. A sorologia positiva para hepatites B e C ou para HIV são contraindicações absolutas para a doação hepática, mesmo quando se considera que os receptores possam ter sorologia positiva. Os estados de hipercoagulação são contraindicações relativas à doação hepática em razão do risco potencial de embolia pulmonar no pós-operatório.

Cuidados Intraoperatórios

Os pacientes submetidos à hepatectomia para doação devem ter cuidados similares àqueles submetidos à cirurgia hepática por outras causas. O paciente é posicionado em DDH com os braços junto ao corpo. Uma SNG é colocada para descompressão do estômago e melhoria do campo cirúrgico, principalmente quando é realizada hepatectomia E. A utilização de manta térmica e a monitorização de temperatura são práticas de rotina em razão do risco de desenvolvimento de hipotermia acidental com suas consequências.

A monitorização de pressão arterial invasiva e o uso de dois cateteres venosos de grosso calibre são realizados em muitos centros. Alguns autores advogam a monitorização contínua da PVC, pois uma PVC alta é determinante primário de sangramento hepático durante a transecção hepática. Nos centros com larga experiência nesta população altamente seletiva, discute-se a indicação da instalação de pressão venosa central, e alguns centros já abandonaram essa monitorização.[93] Com a evolução da monitorização, os monitores de débito cardíaco (DC) e índice cardíaco (IC) minimamente invasivos podem auxiliar na avaliação intraoperatória com medidas de variação de volume sistólico (VVS) e índice de resistência vascular sistêmica (IRVS) e a saturação venosa central (SvO$_2$).

O procedimento cirúrgico pode ser dividido em três etapas: mobilização do fígado e identificação de estruturas vasculares; transecção do fígado; e hemostasia e fechamento. Durante o primeiro estágio da cirurgia, a manipulação hepática pode resultar em diminuição do retorno venoso com episódios de hipotensão. Durante a transecção hepática, momento em que pode acontecer sangramento, os vasos sanguíneos são pinçados e divididos, e, ao fim, o enxerto hepático é removido, momento que a administração fluídica é liberada.

O sistema de autotransfusão é utilizado em muitos centros, e frequentemente os pacientes doam de 1 U a 2 U de sangue autólogo pré-operatório. Nos centros em que esse procedimento é realizado de rotina, a perda sanguínea geralmente é menor que 1 L.[92] Entretanto, em razão da natureza particular do procedimento, é sempre necessário preparo e vigilância para perda súbita e excessiva de sangue. A instalação cuidadosa de cateter peridural, previamente ao ato cirúrgico, parece ser segura, independentemente do tipo de hepatectomia a ser realizada, a despeito dos desarranjos de coagulação no pós-operatório. A analgesia pós-operatória por meio de medicação peridural tem sido o modo primário da terapia antálgica,[95] mesmo em caso de hepatectomia D, já que tem demonstrado diminuir as complicações pulmonares no pós-operatório. O *status* de coagulação deve ser monitorizado regularmente, principalmente nos primeiros 4 dias após a intervenção cirúrgica, e deve estar em níveis aceitáveis para a retirada do cateter epidural.[91-92] Existe, no entanto, a possibilidade de se utilizar analgesia contínua com opioides por bomba de PCA (*pacient controlled analgesia*) com bons resultados e poucos efeitos colaterais.

Em casos não complicados, o paciente pode ser desintubado na SO e transferido para a UTI.

A extensão da morbimortalidade da hepatectomia para transplante hepático é subestimada. A dor nos ombros no pós-operatório tem sido observada em, aproximadamente, 5% dos casos e está possivelmente relacionada com a hiperextensão do braço durante a cirurgia ou por irritação diafragmática ou por drenos subdiafragmáticos, e, geralmente, reverte-se em até 1 semana. Em uma revisão sistemática, Middleton estimou de 12 a 13 óbitos em 6 mil doações hepáticas (0,2%), sendo a mortalidade em hepatectomia D potencialmente mais alta do que a de lobo E. Em 10 mortes precoces, as causas de morte do doador foram: sepse (três casos), sangramento maciço, embolismo pulmonar em um fumante, complicação anestésica, insuficiência múltipla de órgãos, inespecífica, insuficiência hepática e por lipodistrofia congênita não reconhecida previamente.[93-97]

▪ DOADOR VIVO DE PULMÃO

Técnica criada pela crescente frustração do aumento do número de pacientes na lista de espera e dificuldades logísticas na obtenção de doador de pulmão cadáver (Tabela 193.14).

Tabela 193.14 Indicações de doadores vivos de pulmão.

- Indicações de doadores vivos de pulmão
- Fibrose cística – mais de 90% dos casos
- Fibrose pulmonar
- Broncodisplasia pulmonar
- Bronquiolite obliterante
- Hipertensão pulmonar primária

São necessários dois doadores, pois cada um doa o lobo inferior de um dos lados, correspondendo ao lado que será implantado no receptor.[98] Em média, 75% dos potenciais doadores são rejeitados, havendo necessidade de cerca de oito avaliações de doadores para cada receptor. As avaliações incluem: exame clínico, radiografia, TC e RNM de tórax, prova de função pulmonar, avaliação cardiovascular e prova de avaliação da relação ventilação/perfusão.

Os motivos para exclusão de doadores incluem: fluxo expiratório diminuído, comorbidades clínicas e cirúrgicas, obesidade e idade. A maioria dos doadores vivos de pulmão é um parente próximo. O doador adulto deve ser de altura aproximada à do receptor para adequação de volume pulmonar.

Cuidados Intraoperatórios

Além da monitorização básica, é necessária uma venóclise calibrosa para infusão de volume, no entanto, não é necessário acesso venoso central. Normalmente, a técnica anestésica preconizada é anestesia geral associada à anestesia epidural continua em nível tarácico, visando ao bloqueio neurovegetativo intraoperatório e à analgesia pós-operatória.

Após a indução anestésica e a intubação endotraqueal simples, deve ser realizada broncofibroscopia para confirmar ausência de qualquer alteração de anatomia ou lesão de mucosa endotraqueal não diagnosticadas previamente. Deve ser realizada, sob esse exame, a troca de cânula simples por cânula de duplo lúmen, bem como seu exato posicionamento. A prostaglandina E1 (PGE1) EV deve ser administrada de maneira titulada, objetivando PA sistólica de 90 a 100 mmHg.

O posicionamento do paciente deve ser cuidadoso, realizado em decúbito lateral utilizando-se coxins de apoio de silicone sob o tórax, os ombros, os braços e os quadris.

Em razão do rearranjo do débito cardíaco em relação a um volume pulmonar menor, recommenda-se sedação e ventilação controlada com pressão positiva e pressão expiratória final positiva (PEEP) de 5 cm a 10 cmH_2O nas primeiras 48 horas de pós-operatória.

Não há relatos de mortalidade, mas a frequência de complicações varia de 15% a 61%. As mais comuns são fístulas aéreas e tromboembolismo. É utilizada heparina de baixo peso molecular profilaticamente, apesar do risco de complicações do cateter peridural.[98]

▪ DOADOR VIVO DE PÂNCREAS

Realizado pela primeira vez nos EUA, em 1979, com doador vivo, em uma época em que havia uma rejeição ao doador cadáver. Mais recentemente, tem-se realizado transplante simultâneo rim-pâncreas, entretanto, mesmo sendo utilizado um pequeno segmento do pâncreas, a rejeição ainda é um problema que exige imunossupressão perene. Dos transplantes de pâncreas, menos de 1% é realizado com doadores vivos.

Os critérios de doação não são uniformes nos diferentes centros. Geralmente, os doadores devem ter os critérios apresentados na Tabela 193.15.

Tabela 193.15 Critérios de doação de pâncreas.

- Idade < de 40 até 60 anos
- Índice de massa corporal (IMC) em relação à população geral
- Glicemia < 150 $mg.dL^{-1}$ em teste oral de tolerância à glicose
- Insulina sérica > que 300% acima da linha de base com administração de glicose (arginina por via endovenosa)
- Ausência de história pregressa de diabetes gestacional, alcoolismo e pancreatite

Cuidados Intraoperatórios

A retirada do pâncreas ou de pâncreas e rim pode ser realizada por técnica aberta (laparotomia mediana) ou laparoscópica. A preservação do baço do doador é de preocupação primordial. A administração intra e pós-operatória de octreoide (polipeptídeo sintético relacionado com a somatostatina) inibe a secreção pancreática, reduzindo o número de complicações como fístulas, coleções e vazamentos de anastomoses.[99] O octreoide tem sido dado logo após a indução e antes do início do procedimento cirúrgico e mantido via SC a cada 8 horas por 5 dias.[100] As funções endócrina e exócrina são monitorizadas por dosagens seriadas de glicemia e amilase.

■ DOADOR VIVO DE INTESTINO

Trata-se do último recurso para pacientes que não consigam mais se manter com NPP total. Necessita normalmente de altas doses de imunossupressores.Infecções de ferida operatória, alteração de flora intestinal, presença de citomegalovirus e doença linfoproliferativa, distúrbios de drenagem linfática e alterações de motilidade intestinal são comuns nesses pacientes.

Foi realizado pela primeira vez sem sucesso em 1964, somente na metade dos anos 1980, com o advento da ciclosporina, foi possível transplantar com sucesso um segmento de jejuno e parte do íleo de um paciente HLA (antígeno leucocitário humano) idêntico para outro. Cerca de 200 a 250 cm de comprimento são efetivos para o receptor e seguros para o doador. A preservação de aproximadamente 20 cm do íleo terminal no doador parece assegurar uma absorção normal de vitamina B12 (cianocobalamina). Não é uma técnica muito utilizada, pois nem todas as equipes transplantadoras concordam que seja necessária. A técnica anestésica preconizada também é a associação de anestesia geral com peridural, para melhor controle analgésico no pós-operatório.

■ DOADOR VIVO DE MEDULA ÓSSEA

O transplante de medula óssea pode ser de três tipos, classificados quanto à origem da medula óssea:

1. **Autólogo:** quando o próprio paciente tem sua medula estimulada à hipercelularidade, por exemplo, antes de uma QT de ablação para leucemia ou linfoma. Essa MO será tratada e congelada, e num segundo tempo será reinfundida no próprio paciente.
2. **Singênico:** quando o doador e o receptor são gêmeos idênticos (HLAs idênticos).
3. **Alogênico:** quando o doador e o receptor são aparentados ou não (HLAs semelhantes e compatíveis).

A coleta pode ser realizada por cateter venoso próprio, procedimento indolor ou por punção de crista ilíaca posterior em DV , procedimento extremamente doloroso para o doador.

No segundo caso, faz-se necessário, portanto, um planejamento anestésico que permita analgesia adequada e manutenção de estabilidade hemodinâmica, uma vez que alguns pacientes podem apresentar hipotensão arterial na retirada do material, em razão de estímulo vagal e/ou hipovolemia. O volume máximo permitido de coleta é de 20 mL.kg⁻¹, para minimizar os efeitos colaterais e priorizar o bem-estar do doador.

As técnicas anestésicas mais aceitas são: anestesia geral combinada com peridural ou com subaracnóidea, com uso de anestésicos locais associados a opioides. Além da monitorização básica, é recomendável o uso de, pelo menos, duas venóclises periféricas calibrosas para a adequada reposição volêmica, normalmente recomendada com cristaloides e coloides.

■ NOVAS ESTRATÉGIAS PARA MANUTENÇÃO DE ORGÃOS DE DOADORES FALECIDOS[101]

O padrão de preservação de órgãos sólidos ainda está baseado na perfusão desses órgãos com soluções congeladas e manutenção em gelo para minimizar as lesões por autólise. Entretanto, essa estratégia não diminui as lesões desses órgãos por injúria de isquemia-reperfusão (IRI). Com o advento de novos aparatos tecnológicos, novos horizontes estão sendo alcançados com a chamada *ex vivo machine perfusion* (EVMP).[101] Esta constitui uma interface para a perfusão de órgãos sólidos torácicos e abdominais de doadores falecidos com soluções enriquecidas com oxigênio, óxido nítrico e argônio, bem como de alguns nutrientes em condições de hipotermia e/ou normotermia associadas. Através da canulação dos vasos do órgão sólido a uma bomba de fluxo pulsátil ou contínuo e acondicionado em uma câmara, em que alguns aspectos podem ser elencados, como filtro de leucócitos e utilização de substâncias que aumentam a vasodilatação do explante, fazem imunossupressão e diminuição de formação de radicais livres (antioxidantes). Alem disso, é possível associar as terapias celulares à utilização de células-tronco (*stem-cells*).

Todas essas possibilidades aumentam a qualidade e a sobrevida do explante e consequentemente, melhora a sobrevida do receptor. Essas e outras tecnologias, em um futuro bem próximo, devem estar disponíveis no dia a dia de todas as equipes de transplantes de órgãos e, assim, aumentarão o número de transplantes, além de promoverem a utilização de órgãos que seriam desprezados por serem marginais ou apresentarem poucas possibilidades de uso. (Figura 193.5)

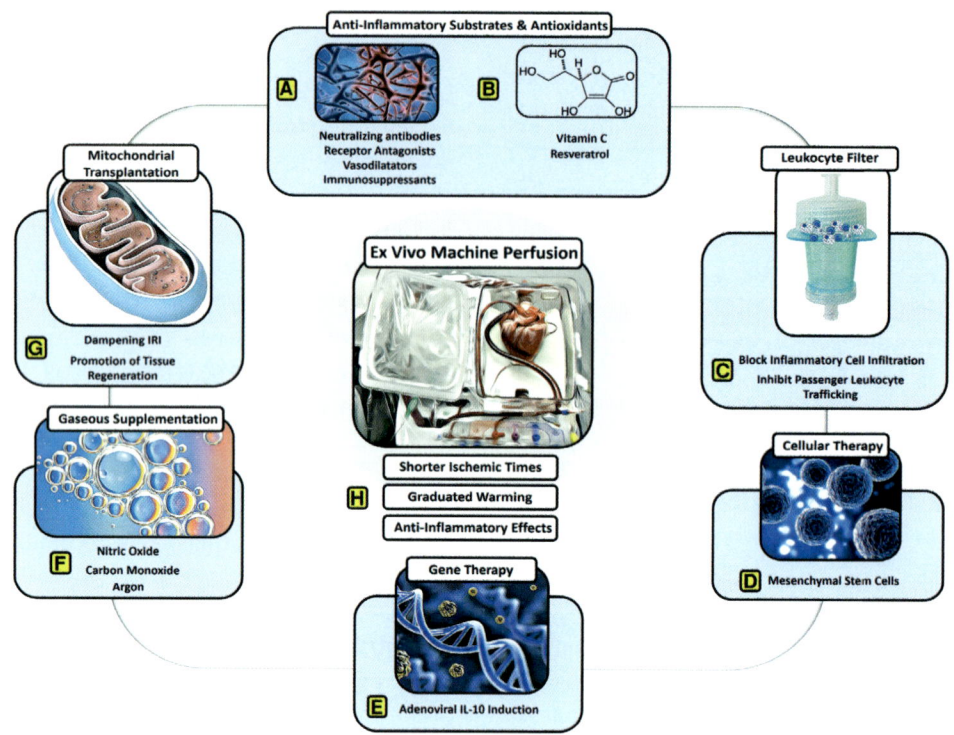

▲ **Figura 193.5** Efeitos protetores da *ex-vivo machine perfusion* (EVMP) contra a injúria de isquemia-reperfusão (IRI).
Fonte: Iske J, *et al.*, 2023.[100]

REFERÊNCIAS

1. Michon L, Hamburger J, Oeconomos N, et al. Une tentative de transplantation renale chez l' homme. Aspects Medicaux et Biologiques. Press Med. 1953;61:1419-1423.
2. Kuss R, Teinturier J, Milliez P. Quelques essays de greffe rein chez l'homme. Mem Acad Chir. 1951;77:755-764.
3. Merril JP, Murray JE, Harrison JH, et al Successful homotransplantations of the human kidney between identical twins. JAMA. 1956;160:277-282.
4. Starzl TE. History of Clinical Transplantation. World J Surg. 2000;24:759-782.
5. Thomas E, Starzl, Amadeo M. Live – Donor Organ Transplantation: Then and Now. Living Donor Transplantation. In: Tan HP, Marcos A, Shapiro R. published in 2007 by Informa Healthcare USA, Inc.
6. Elkinton JR, Huth EJ. The changing mores of biomedical research. A colloquium on ethical dilemmas from medical advances. Ann Inter Med. 1967;67(suppl 7):1-83.
7. Starzl TE. Experience in Renal Transplantation. Philadelphia: WB Saunders Company, 19164.
8. Souter MJ, Eidbo E, Findlay JY et al. Organ Donor Management: Part 1. Toward a Consensus to Guide Anesthesia Services During Donation After Brain Death. Semin Cardiothorac Vasc Anesth. 2018 jun;22 (2):211-222.
9. Kotoff RM, Blosser S, Fulda GJ, et al. Management of the potential organ donor in ICU: Society of Critical Care Medicine/American College of Chest Physicians/Association of Organ Procurement Organizations consensus statement. Criticismos Care Med. 2015; 43(6):1291-1325.
10. Malinoski DJ, Patel MS, Daly MC, et al. The impact of meeting donor management goals on the number of organs transplanted per donor: results from the United Network for Organ Sharing Region 5 prospective donor management goals study. Critical Care Med. 2012;40(10):2773-2780.
11. U.S. Department of Health & Human Resourses.Organ Procurement and transplantation Network. OPTN/SRTR 2012 Annual Data Report: Liver. Available from URL:http://srtr.transplant.hrsa.gov/annual reports/2012/ Default.aspx.
12. Xia VW, Braunfeld M. Anesthesia Management of Organ Donors. Anesthesiology Clinics. 2017;35(3):395-406.
13. Mascia I, Mastromauro I, Verbeti S, et al. Management to optimize organ procurement in brain dead donors. Minerva Anestesiol. 2009;75:125-133.
14. O'Connor KJ, Wood KE, Lord K. Intensive management of organ donors to maximize transplantation. Crit Care Nurse. 2006; 26:94-100.
15. Rosendale JD, Kauffman HM, McBridge MA, et al. Aggressive Pharmacologic donor management results in more transplanted organs. Transplantation. 2003;75:482-487.
16. Salim A, Velmahos GC, Brown C, et al. Agressive Organ Donor Management Significantly Increases the Number of Organs Available for Transplantation. J Trauma. 2005;58:991-994.
17. Associação Brasileira de Transplante de órgãos. [Internet] [Acesso em maio de 2019]. Disponível em: www.abto.org.br.
18. Resolução nº 2.173, de 23 de novembro de 2017, Publicada em 15/12/2017, Edição: 240, Seção; 1 Página: 50-275.
19. Organ Procurement and Transplantation Network Website (OPTN), 2015. [Internet]. Disponível em: www.optn.org. [Acesso em 29 mar 2016].
20. Salim A, Martin M, Brown C, et al. The effect of a protocol of aggressive donor management – Implications for the national organ donor shortage. J Trauma. 2006;61:429-433.
21. Csete M. Gender Issues in transplantation. Anesth Analg. 2008;107(1):232-238.
22. Kutsogiannis DJ, Pagliarello G, Doig C, et al. Medical management to optimize donor organ potential: review of the literature. Can J Anesth. 2006;53(8):820-830.
23. Rady MY, Verheijde JL, McGregor J. Organ donation after circulatory death: the forgotten donor? Crit Care. 2003;10:166.
24. Verheijdr JL, Rady MY, McGregor J. Recovery of transplantable organs after cardiac or circulatory death: transforming the paradigm for the ethics of organ donation. Philos Ethics Humanit Med. 2007;2:8.
25. Wood KE, McCartney J. Management of the potencial organ donor. Transplantation Rev. 2007;21:204-207.
26. Rech TH, Filho EMR. Manuseio do potencial doador de múltiplos órgãos. Rev Bras Ter Intensiva. Abril/Jun 2007;19(2).
27. Anderson TA, Bekker P, Vageli PA, Anesthetic considerations in organ procurement surgery: a narrative review. Can J Anaesth. 2015;62:529-539.
28. Bugge JF, Brain death and its implications for management of the potential organ donor. Acta Anaesthesiol Stand. 2009;53:1239-1250
29. Rech TH, Moraes RB, Crispim D, et al. Management of the brain-death organ donor: a systematic review and meta-analysis. Transplantation. 2013;95:966-974.
30. Gasser M, Wagga AM, Laskowski IA, et al. The influence of donor brain death on short and long-term outcome of solid organ allografts. Ann Transplant, 2000;5:61-67.
31. Starzl TE, Miller C, Broznick B, Makowka L. An improved technique for multiple organ harvesting. Sure Gynecol Obstet. 1987;165:343-348.
32. Randell TT. Medical and legal considerations of brain death. Acta Anaesthesiol Scand. 2004;48:139-144.
33. Jiang JP, Downing SE. Catecolamine cardiomyopathy: review and analysis of pathogenetic mechanism. Yale J Biol Med. 1990;63:581-91.
34. Arbour R. Clinical management of the organ donor. AACN Cain Issues. 2005;16:551-580.
35. Jiang JP, Downing SE. Catecholamine cardiomyopathy: review and analysis of pathogenetic mechanisms. Yale J Biol Med, 1990; 63:581-591.

36. Chen EP, Bittner HB, Kendal SW, et al. Hormonal and hemodynamica changes in a validated animal model of brain death. Crit Care Med. 1996;24:1352-9.
37. Novitzky D, Rhodin J, Cooper DK, et al. Ultrastructure changes associated with brain death in the human donor heart. Transplant Int. 1997;10:24-32.
38. Talving P, Benfield R, Hadjizacharia P, et al. Coagulopathy in severe traumatic brain injury: a prospective study. J Trauma. 2009;66:55-61. Discussion 61-2.
39. de Oliveira Manoel AL, Neto AC, Veigas PV, et al. Traumatic brain injury associated coagulopathy. Neurocrit Care. 2014. doi: 10.1007/s12028-014-0026-4
40. Novitzky D, Horak A, Cooper DK, et al. Electrocardiographic and histopathologic changes developing during experimental brain death in the baboon. Transplant Proc. 1989; 21(1 Pt 3):2567-2569.
41. McKeating EG, Andrews PJ, Signorini DF, et al. Transcranial cytokine gradients in patients requiring intensive care after acute brain injury. Br J Anaesth. 1997;78(5):520-523.
42. Kostulas N, Pelidou SH, Kivisakk P, et al. Increased IL-1beta, IL-8 and17 m RNA expression in blood mononuclear cells observed in a prospective isquemic stoke study. Stroke. 1999;30(10):2174-9.
43. Barklin A. Systemic inflammation in the brain – dead organ donor. Acta Anaesthesiol Scand. 2009;53:425-435.
44. Howlett TA, Keogh AM, Perry L, et al. Anterior and posterior pituitary function in brain-stem-dead donors. A possible role for hormonal replacement therapy. Transplantation, 1989;47:828-834.
45. Truog RD, Fackler JC. Rethinking brain death. Crit Care Med. 1992;20:1705-1713.
46. Powner DJ, Reich HS. Regulation of coagulation abnormalities and temperature in organ donors. Prog Transplant. 2000;10:146-151.
47. Anderson TA, Bekker P, Vagefi PA. Anesthetic considerations in organ procurement surgery: a narrative review. Can J Anesth. 2015;62:529-539.
48. Powner DJ, Crommett JW. Advanced assessmentof hemodynamic paramenters during donor care. Prog Transplantation. 2000:53:425-435.
49. Barklin A, et al. Systemic inflammation in the brain – dead organ donor. Acta Anaesthesiol Scand. 2009;53:425-435.
50. Hunt SA, Baldwin J, Baumgartner W, et al. Cardiovascular manegement of a potential herat donor: A statement from the transplantation commitee of the American College of Cardiology. Crit Care Med. 1996;24:1599-1601.
51. Venkateswaran RV, Steeds RP, Quinn DW, et al.The haemodynamic effects of adjuntive hormone therapy in potential heart donors: a prospective randomized double-blind factorially designed controlled trial. Eur Heart J. 2009;30:1771-1780.
52. Yoshida T, Sugimoto H, Uenishi M, et al. Prolonged hemodynamic maintenance by the combined administration of vasopressin and epinephrine in brain death: a clinicla study. Neurosurgery. 1986;18:565-567
53. Rostron AJ, Avlonitis VS, et al. Hemodynamic ressucitation of the brian-dead organ dono rand the potential role of vasopressin. Transplant Rev. 2007; 21:34-42. United Network of Organ Sharing – UNOS – Donor management. [Internet]. Disponível em: www.UNOS.org. [Acesso em 29 mar 2016].
54. Myron Kauffman H, McBride MA, Cherikh WS, et al. Transplant tumor registry donor related malignancies. Transplant. 2002 Aug 15;74(3):358-362.
55. Donor related malignancies. Transplant Rev. 2002;16:177-191.
56. Klintmalm GB, Marlon FL. Organ Procurement and Preservation. Austin, TX, Landes Bioscience, 1999.
57. Lindop MJ. Management of the organ donor. Anesthesia and Intensive Care for Organ Transplantation. In: Klinck JR, Lindop MJ, published in 1998 by Chapman and Hall.
58. Fitzgerald RD, Hieber C, Schweitzer E, et al. Intraoperative cathecolamine release in brain – dead organ donors is not supressed by administration of fentanyl. Eur J Anesthesiology. 2003;20:952-956.
59. Jankovic Z. Anaesthesia for living-donor renal transplant. Curr Anaesth Critical Care. 2008;19:175-180.
60. The Organ Procurement and Transplantation Network. Guidance for the Development of Program-Specific Living Kidney Donor Medical Evaluation Protocols. [Internet]. Disponível em: http://wwwoptn.org. [Acesso em 29 mar 2016].
61. McCauley J, Shaw-Stiffel T, Tan HP. General Medical Evaluation on the Living Donor: Living Donor Transplantation. In Tan HP, Marcos A, Shapiro R. Published in 2007 by Informa Healthcare USA, Inc.
62. Ojo AO, Hanson JA, Meier-Kreische H, et al. Survival in recipients of marginal cadaveric donor kidneys compared with other recipients and wait-listed transplant patients. J Am Soc Nephrol. 2001;12(3):589-597United Network Organ Sharing. [Internet]. Disponível em: http://www.optn.org. [Acesso em 29 mar 2016].
63. Tan HP, Maley WR, Kavoussi LR, et al. Laparoscopic live donor nephrectomy: evolution of a new standard. Curr Opin Transplant. 2000;12:312-318.
64. Tan HP, Orloff M, Marcos A, et al. Laparoscopic live-donor nephrectomy: development of a new standard in renal transplantation. Graft. 2002;5:405-416.
65. Ojo AO, Hanson JA, Meier-Kreische H, et al. Survival in recipients of marginal cadaveric donor kidneys compared with other recipients and wait-listed transplant pacients. J Am Soc Nephrol. 2001;12(3):589-597.
66. Unruh M, Wu C, Tan HP, et al. Evaluation: specific issues for living donor kidney transplantation. Living Donor transplantation. In: Tan HP, Marcos A, Shapiro R. published in 2007 by Informa healthcare USA, Inc.
67. Fehrman-Ekhom I, Duner F, Brink B, et al. No evidence of accelerated loss of kidney function in living kidney donors: results from a cross-sectional follow-up. Transplantation. 2001;72:444-449.
68. Ramcharam T, Matas AJ. Long-term (20-37years) follow-up of living kidney donors. Am J Transplant. 2002;2:959-964.
69. Saran R, Marshall SM, Madsen R, et al. Long-term follow-up of kidney donors: a longitudinal study. Nephrol Dial Transplant. 1997;12:1615-1621.
70. Torres VE, Offord KP, Anderson CF, et al. Blood pressure determinants in living-related renal allograft donors and their recipients. Kidney Int. 1987;31(6):1383-1390.
71. Anderson CF, Velosa JA, Frohnert PP, et al. The risk of unilateral nephrectomy: status of kidney donors 10 to 20 years postoperatively. Mayo Clin Proc. 1985;60(6):367-374.
72. Planinsic RM. Anesthesia for living-donor transplantation. Living Donor Transplantation. In: Tan HP, Marcos A, Shapiro R, published in 2007 by Informa Healthcare USA, Inc.
73. Feldman LS, Anidjar M, Metrakos P, et al. Donor nephrectomy: a preliminary study of central venous pressure versus esophageal Doppler monitoring. Surg Endosc. 2004;18(3):412-416.
74. Shinoda K, Morita S, Akita H et al. BMC Nefrology. Pre-donation BMI and preserved Kidney volume can predict the cohort with unfavorable renal functional compensation at 1-year after kidney donation. 2019;20:46.
75. Nieuwenhuijs-Moeke GJ, Nieuwenhuijs VB, Seelen MAJ et al. Propofol-based anaesthesia versus sevoflurane-based anesthesia for living donor kidney transplantation: results of the VAPOR-1 randomized controlled trial. British J Anaesth 2017;118(5):720-732.
76. Bruintjes MHD, van Helden EV, Vries M et al. Chronic pain following laparoscopic living-donor nephrectomy: Prevalence and impact on quality of life. American J Transplantation. 2019;19:10
77. Campsen J, Call T, Allen CM et al. Prospective, double-blind, randomized clinical trial comparing an ERAS pathway with ketorolac and pregabalin versus standard of care plus placebo during live donor nephrectomy for kidney transplant. American J Transplantation. 2018;19:6.
78. United Kingdom guidelines for living donor kidney transplantation, 2nd ed. British Transplantation Society/The Renal Association; 2005. [Internet]. Disponível em: www.bts. org.uk/Forms/ Guidelines_complete_dec10.pdf. [Acesso em 29 mar 2016].
79. Schostak M, Wloch H, Muller M, et al. Optimizing open live-donor nephrectomy-long-term donor outcome. Clin Transplant. 2004;18(3):301-315.
80. Renoult E, Hubert J, Ladrieri M, et al Robot-assisted laparoscopic and open live-donor nephrectomy: a comparison of donor morbidity and early renal allograft outcomes. Nephrol Dial Transplant. 2006;21(2):472-677.
81. Najarian JS, Chavers BM, Mchugh LE, et al. 20 years or more of follow-up of living kidney donors. Lancet. 1992;340:807-810.
82. Matas AJ, Bartlett ST, Leichtman AB, et al. Morbidity and mortality after living kidney donation, 1999-2001: Survey of United States transplant centers. Am J Transplant. 2003;3:830-834.
83. Blohme I, Fehrman I, Norden G. Living donor nephrectomy. Complications rates in 490 consecutive cases. Scand J Urol Nephrol. 1992;26:149-153.
84. Yasumura T, Nakai I, Oka T, et al. Experience with 247 living-related donor nephrectomy cases at a single institution in Japan. Jpn J Surg. 1988;18:252-258.
85. Brenner BM, Meyer TW, Hostetter TH. Dietary protein intake and the progressive nature of kidney desease: the role of hemodynamically mediated glomerular injury in the pathogenesis of progressive glomerular sclerosis in aging, renal ablation, and intrinsic renal desease. N Engl J Med. 1982;307(11):652-659.
86. Raia S, Nery J R, Mies S. Liver transplantation from live donors. Lancet. 1989;2:497.
87. Waples MJ, Belzer FO, Uehling DT. Living donor nephrectomy: A 20-year experience. Urology. 1995;45:207-210.
88. Shimamura T, Morrison AB. A progressive glomerulosclerosis occurring in partial five-sixths nephrectomized rats. Am J Pathol. 1975;79(1):95-106.
89. Hostetter TH, Olson JL, Rennke HG, et al. Hyperfiltration in remnant nephrons: a potentially adverse resppose to renal ablation. Am J Physiol. 1981;241(1):F85-F93.
90. Hashikura Y, Makuuichi M, Kawasaki S, et al. Successfull living-related partial liver transplantation to an adult patient. Lancet. 1994;343:1233.
91. Sharma V, Tan HP, Marsh JW, et al. Technical Aspects of Live-Donor Hepatectomy. In: Tan HP, Marcos A, Shapiro R. Living donor transplantation, Informa Healthcare USA, Inc., 2007.
92. Niemann CU, Feiner J, Behrends M, et al. Central venous pressure monitoring during living right donor hepatectomy. Liver Transpl. 2007;13:266-271.
93. Chhibber A, Dziak J, Kolano J, et al. Anesthesia Care for Adult Live Donor Hepatectomy: Our Experiences with 100 cases. Liver Transplantation. 2007;13:537.
94. Choi SO. The Changes in Coagulation Profile and Epidural Catheter Safety for Living Liver Donors: a Report on 6 Years of Our Experience. Liver Transplantation. 2007;13:62
95. Merritt WT, et al. Living donor surgery: overview of surgical and anesthesia issues. Aneshesiol Clin of N Am. 2004;22:633-650.
96. Middleton PF, Duffield M, Lynch SV, et al. Living donor liver transplantation – adult donor outcomes: a systematic review. Liver Transpl. 2006;12(1):24-30.
97. Bowdish ME, Barr ML, Starnes VA. Living lobar transplantation. Chest Surg Clin N Am. 2003;13:504-524.
98. Berberat PO, Friess H, Uhl W, et al. The role of octreoide in the prevention of complications following pancreas resection. Digestion. 1999;21:15-22.
99. Benedetti E, Coady NT, Asolati M, et al. A prospective randomized clinical trial of perioperative treatment with octreoide in pancreas transplantation. Am J Surg. 1998;175:14-17.
100. Iske J, Wiegmann B, et al. Pushuing the bouderies of innovation: the potencial of ex vivo organ perfusion from an interdisciplinar point of view. Front Cardiovascular Med. 2023 oct 12;10:1272945(1-20).

194

Anestesia para Transplante Renal

Roberta Figueiredo Vieira

INTRODUÇÃO

O primeiro transplante de rim foi realizado em gêmeos univitelinos na década de 1950 nos Estados Unidos. Entretanto, a sobrevida dos pacientes transplantados nesta época era limitada e apenas na década de 1980, com o advento da ciclosporina, houve redução da rejeição aguda e melhora da sobrevida.[1]

Desde então, a maioria dos rins transplantados advém de doadores em morte encefálica. Porém, a crescente demanda por órgãos para transplantes acarretou a inclusão de doadores considerados marginais, que são aqueles provenientes de doadores idosos, hipertensos, diabéticos ou em parada cardíaca.[2] A doação em vida é outra fonte de órgãos e o transplante intervivos é considerado o padrão ouro de transplante renal. No Brasil, em 2022, foram realizados 5.306 transplantes renais, sendo 733 provenientes de doadores vivos e 4.573 de doadores falecidos.[3]

Com o avanço cirúrgico e da imunossupressão, o transplante renal hoje é considerado o melhor método de terapia de reposição renal. É o tratamento de escolha se o paciente é saudável o suficiente para ser submetido à cirurgia e à imunossupressão, apresentando menor mortalidade e melhor qualidade de vida, quando comparado à diálise.[4] A sobrevida em cinco anos de pacientes em terapia dialítica, comparada à população geral, é de cerca de 30%, enquanto a de pacientes transplantados é de 45% a 85%.[5]

O Brasil é o quarto país em número absoluto de transplantes renais, porém ao considerar o número de transplantes em relação ao número de habitantes, o Brasil ocupa a 28ª posição, o que reflete a necessidade de expansão dos programas de transplantes para melhor atender à demanda da população brasileira.[3]

Em dezembro de 2022, no Brasil, mais de 29 mil pacientes aguardavam um transplante de rim.[3] A pandemia do coronavírus prejudicou a logística dos transplantes de órgãos, provocando um aumento na lista de espera e uma redução na sobrevida dos pacientes após o transplante.[6,7]

O longo tempo de espera por um rim viável acarretou uma mudança no perfil do paciente candidato ao transplante. Há uma tendência ao envelhecimento gradativo dos candidatos ao transplante, resultando em receptores com complicações mais graves da doença renal crônica, o que impõe um desafio à equipe do transplante.[8]

■ INDICAÇÃO

Os critérios adotados para listar um paciente para o transplante renal variam entre os centros, porém, é consenso que o paciente seja listado após seis meses em terapia de reposição renal. Ainda que o paciente apresente alguma contraindicação ao transplante, deve-se comparar o risco inerente ao transplante com o risco da manutenção da terapia de substituição renal, que está associada à maior morbimortalidade. A sobrevida do enxerto em três anos atinge 88%, no caso de doador cadáver.[8,9]

Nas últimas décadas, as contraindicações ao transplante renal diminuíram e situações antes consideradas incompatíveis com o transplante hoje são aceitas, como no caso de pacientes acima de 65 anos, portadores de HIV, hepatite C ou insuficiência cardíaca congestiva. Os pacientes com histórico de sensibilização por transplante anterior, transfusão de hemocomponentes ou gravidez devem ser avaliados individualmente, apesar de apresentarem maior morbimortalidade.[4,10]

Embora as indicações ao transplante tenham ampliado, há situações em que o transplante permanece contraindicado (Tabela 194.1), como na infecção ativa, dependência química, neoplasia sistêmica, impossibilidade técnica ao transplante (trombose das veias ilíacas ou veia cava inferior) e nos pacientes com expectativa de vida reduzida. Os pacientes com *deficit* cognitivo podem ser considerados candidatos, caso haja um cuidador responsável pela administração das medicações. É essencial avaliar a capacidade de aderir ao tratamento medicamentoso após o transplante.[4,11]

Se o transplante intervivos for uma opção, este deve ser programado sem demora, uma vez que o transplante preemptivo é o tratamento de escolha se há disponibilidade de um doador vivo. O potencial doador é extensivamente avaliado com o objetivo de determinar a sua elegibilidade e assegurar a manutenção da sua qualidade de vida após a doação. São realizados exames laboratoriais, incluindo os tipos sanguíneos: A, B, O e AB e compatibilidade de antígeno leucocitário humano (HLA), além de exames de imagem do sistema urinário.[9,12,13]

Tabela 194.1 Contraindicações ao transplante renal.
1 Infecção ativa
2 Dependência química
3 Neoplasia sistêmica
4 Impossibilidade técnica: trombose de vasos ilíacos/VCI
5 Expectativa de vida < 5 anos
6 Risco de perda do enxerto > 50% em 1 ano
7 Risco de não adesão ao tratamento imunossupressor

■ COMPATIBILIDADE E IMUNOSSUPRESÃO

A compatibilidade entre o doador e o receptor é testada em etapas: (1) Tipagem ABO; (2) Tipagem do HLA (antígeno leucocitário humano) nos leucócitos do receptor e doador; (3) Prova cruzada que objetiva identificar anticorpos do receptor que reagem aos antígenos do doador.[13,14]

O sistema HLA, denominado MHC (Complexo Principal de Histocompatibilidade) em seres humanos, codifica os receptores das células que apresentam antígenos aos linfócitos T. As moléculas do MHC dividem-se em classes I e II, que correspondem aos antígenos relacionados à rejeição. Destes, o HLA-DR, seguido pelo HLA-B e HLA–A, são os principais a serem avaliados.[14,15] Há vários graus de compatibilidade tecidual e, quanto maior a compatibilidade entre doador e receptor, melhor o resultado do transplante. Porém, nas situações em que a compatibilidade não é ideal, os fármacos imunossupressores viabilizam um desfecho satisfatório.[1,14]

Os fármacos imunossupressores são usados para diminuir a resposta imune ao enxerto, otimizando a função do órgão transplantado. As principais classes de fármacos usados são: glicocorticóides; fármacos antimetabólicos (micofenolato de mofetila), inibidores da calcineurina (tacrolimus, ciclosporina), inibidores seletivos de mTOR (sirolimus, everolimus), anticorpos policlonais (ATG, globulina antitimócito) e anticorpos monoclonais (basiliximabe, rituximabe).[1,15]

Os protocolos de imunossupressão consistem na associação do inibidor da calcineurina com glicocorticóide e um fármaco antimetabólico, porém, há variação entre os centros. Outra opção inclui a utilização de anticorpo associado às medicações convencionais em menor dose, o que demonstrou melhores resultados. O anestesiologista deve estar familiarizado com possíveis efeitos colaterais destes fármacos (Tabela 194.2).[14,15]

Tabela 194.2 Efeito colateral dos fármacos imunossupressores.	
Fármaco imunossupressor	**Efeito colateral**
Glicocorticóides	HAS
	DLP
	DM
	Distúrbios do sono e do humor
	Osteoporose
Micofenolato de mofetila	DLP
	DM
	Supressão da medula óssea
	Sintomas gastrintestinais
Tacrolimus	HAS
Ciclosporina	DLP
	DM
	Supressão da medula óssea
	Nefrotoxicidade
	Neurotoxicidade
	Hiperplasia da gengiva
Sirolimus	DLP
	DM
	Supressão da medula óssea
	Mimetiza sintomas gripais
ATG	Supressão da medula óssea
Globulina Antitimócito	Síndrome de liberação de citocina: febre, hipotensão, edema pulmonar, linfopenia
Basiliximabe	Supressão da medula óssea
	Reação de hipersensibilidade

*Hipertensão arterial sistêmica (HAS), Diabetes Melito (DM), Dislipidemia (DLP).

■ INSUFICIÊNCIA RENAL CRÔNICA E AVALIAÇÃO CLÍNICA

Os candidatos ao transplante renal apresentam insuficiência renal crônica (IRC) e usualmente são dependentes de diálise regular. Esses pacientes apresentam comorbidades associadas à doença primária que provocou a IRC, como hipertensão ou diabetes melito, assim como complicações sistêmicas da diálise e da doença renal, como doença cardiovascular, anemia e distúrbios da coagulação.[9] Essas disfunções devem ser consideradas pela equipe do transplante durante a avaliação em lista e pelo anestesista no perioperatório.[11]

As principais causas de IRC variam conforme o grau de desenvolvimento da região. Em países desenvolvidos, a hipertensão arterial sistêmica e o diabetes melito são responsáveis por até 20% dos casos. Convém ressaltar que, em pacientes diabéticos, a prevalência de doença renal crônica varia entre 30% a 40%. Nas localidades com menor desenvolvimento, as principais causas de IRC são as glomerulonefrites e o uso de fármacos nefrotóxicos, como os antibióticos aminoglicosídeos e os anti-inflamatórios não esteroidais.[16,17]

A IRC é o estágio final de progressão da doença renal, em que há perda irreversível da função renal. É definida por uma taxa de filtração glomerular menor que 15 mL/min/1,73 m^2

ou pela dependência de terapia de reposição renal para a sobrevivência.[9,11]

A redução significativa da taxa de filtração glomerular cursa com uremia e anúria, que promovem o aumento do volume extracelular, provocando hipertensão arterial e sinais clínicos de sobrecarga hídrica. A uremia é um estado inflamatório sistêmico que contribui para o agravamento de desnutrição, sarcopenia, osteoporose e doença cardio--vascular, decorrentes da IRC.[9,18]

A acidose metabólica é comum e decorre da menor reabsorção renal de bicarbonato de sódio e da menor excreção de amônia e ácidos tituláveis, principalmente fosfato. A acidose crônica está associada à desmineralização óssea e à desnutrição.[11,18]

As alterações eletrolíticas são frequentes e podem cursar com alterações crônicas do metabolismo ósseo, hiperparatireoidismo e calcificação vascular. A hipercalemia é a alteração eletrolítica mais temida, devido ao seu potencial cardiotóxico. O acúmulo de potássio decorre da diminuição da filtração glomerular, o que provoca uma menor disponibilidade de sódio no túbulo contornado distal para ser trocado com o potássio, impedindo a sua excreção. Vale ressaltar que as consequências fisiopatológicas da IRC não ficam restritas aos rins, afetam todo o organismo (Tabela 194.3).[9,11,18]

Sistema Hematológico

A IRC afeta o sistema hematológico provocando anemia, cuja etiologia é multifatorial. Pode estar associada à produção insuficiente de eritropoetina, à menor meia-vida das hemácias ou à repetida perda sanguínea provocada pela hemodiálise. Outros fatores que contribuem para anemia são supressão da medula óssea provocada pela uremia e deficiência de ferro, folato, vitamina B6 ou B12.[11,18]

A anemia é frequentemente normocítica e normocrômica. Entretanto, a ocorrência de microcitose pode resultar da deficiência de ferro ou do excesso de alumínio, e a macrocitose pode ser secundária à deficiência de folato ou vitamina B12.[8] A anemia é bem tolerada em razão dos mecanismos de compensação, como aumento do débito cardíaco, do 2,3-Difosfoglicerato (DPG) e do desvio à direita da curva de dissociação da hemoglobina, o que favorece a oxigenação tecidual. Apesar de bem tolerada, a anemia está associada à piora da qualidade de vida e complicações cardíacas.[9,18]

O tratamento com eritropoetina corrige a redução da eritropoese, reduz a frequência cardíaca, o débito cardíaco e a hipertrofia do ventrículo esquerdo, além de melhorar a tolerância ao exercício e a qualidade de vida.[8,20]

Alterações da hemostasia são frequentes e estão associadas à redução dos fatores VIII e de Von Willebrand, além da disfunção plaquetária. Pode haver predominância de um estado de hipo ou hipercoagulação, reversível após o transplante.[11,20]

Sistema Cardiovascular

A doença renal crônica provoca profundas alterações no sistema cardiovascular. Por exemplo, a doença cardiovascular é vinte vezes mais frequente no paciente urêmico que na população geral. A IRC aumenta o risco de desenvolver aterosclerose, doença vascular periférica, infarto agudo do miocárdio e insuficiência cardíaca congestiva.[11,21] Ademais, a diálise está associada a episódios de isquemia cardíaca transitória e a maior morbimortalidade.[18,21] Estes pacientes constituem um

Tabela 194.3 Fisiopatologia da irc e considerações anestésicas.	
Fisiopatologia IRC	**Considerações anestésicas**
Sobrecarga volêmica Diálise	Avaliar esquema dialítico e data da última diálise, assim como questionar o uso de anticoagulação Avaliar o acesso vascular da diálise (se cateter ou FAV) Peso seco *versus* atual Avaliar presença de debito urinário residual?
HAS Arritmias Coronariopatia Insuficiência cardíaca Hipertensão pulmonar	Verificar indicação de UTI pós-operatória Verificar medicações anti-hipertensivas pré-transplante: evitar IECA e AAng2 Avaliação de monitorização invasiva Avaliação da necessidade de DVA e marca-passo transcutâneo ou transvenoso
Anemia Coagulopatia Transfusão prévia	Amostra de sangue para banco de sangue (avaliar presença de anticorpos) Disponibilidade de hemoderivados irradiados Equipo de transfusão com filtro leucorredutor
Gastroparesia	Avaliar uso de pró-cinéticos e antiácidos Intubação de sequência rápida ou acordado
Hipercalemia Hipocalcemia Acidose metabólica	Se o potássio for maior que 5,5 mmol.L^{-1}, avaliar diálise ou medidas corretivas Corrigir níveis de cálcio
DM Hiperparatireoidismo secundário	Checar glicemia durante todo perioperatório Checar níveis de cálcio Avaliar possível dificuldade de intubação
Osteodistrofia renal Miopatia	Avaliar envolvimento cervical e possível dificuldade de intubação
Neuropatia periférica/autonômica Encefalopatia urêmica Convulsão	Avaliar contraindicação de anestésico inalatório (avaliar presença de edema cerebral)

*Inibidor da enzima conversora de angiotensina (IECA), antagonista da angiotensina II (AAng2), fármacos vasoativas (DVA).
Fonte: Adaptada de Karmarkar S, col., 2012.[4]

grupo de alto risco para anestesia e, portanto, devem ser extensivamente avaliados antes do transplante.[22,23]

Embora a doença arterial coronariana seja prevalente nos pacientes com IRC, a avaliação cardíaca deve ser ampla, analisando também a presença de disfunção ventricular, arritmias (fibrilação atrial é a mais comum), doença valvular e hipertensão pulmonar.[23,24] Os pacientes dependentes de diálise apresentam alto risco de desenvolverem hipertensão pulmonar, o que está associado a maior mortalidade e disfunção primária do enxerto.[25,26] Portanto, o Colégio Americano de Cardiologia e a Sociedade Americana de Cardiologia (ACC/AHA) preconizam a realização de ecocardiograma em todos os candidatos ao transplante renal.[27] Nos casos em que a medida estimada da pressão sistólica do ventrículo direito (VD) for maior que 50 mmHg ou quando houver evidências de sobrecarga pressórica do VD, o cateterismo cardíaco deve ser solicitado.[26,27]

A avaliação cardiovascular tem a finalidade de examinar o risco de um evento cardíaco durante e após o transplante renal, além de permitir a otimização clínica antes da cirurgia.[28,29] Até o momento, não há evidência na literatura de que a investigação da doença coronariana em pacientes assintomáticos possa evitar um evento coronariano ou reduzir a mortalidade no transplante.[30] Entretanto, em pacientes sintomáticos, a investigação é fundamental para decidir entre a exclusão do paciente ou a necessidade de intervenção cardiológica. Vale ressaltar que a doença cardiovascular é a principal causa de complicação e morte após o transplante renal, sendo o pós-operatório imediato o período de maior risco.[21,28,29]

Os candidatos ao transplante são avaliados pelo cardiologista da equipe de transplante e submetidos ao exame de ecocardiografia em repouso, preferencialmente após a diálise, e a um teste de esforço, que pode ser a cintilografia de perfusão miocárdica com dipiridamol ou a ecocardiografia sob estresse com dobutamina.[30-33] Os achados ecocardiográficos precoces mais frequentes são hipertrofia concêntrica do ventrículo esquerdo e disfunção diastólica.[22,23] Quando há fatores de risco associados, como: idade maior que 50 anos, hipertensão arterial, diabetes melito, doença arterial coronariana estabelecida ou doença vascular periférica, hipertrofia ventricular esquerda e duração da diálise maior que um ano, a avaliação cardiovascular deve ser repetida a cada um ou dois anos.[23,27]

Sistema Respiratório

Alterações pulmonares secundárias à IRC são decorrentes da sobrecarga volêmica, que resulta em hipoxemia e hipercapnia. A diálise peritoneal está associada ao deslocamento cefálico do diafragma, o que provoca atelectasias basais e possível *shunt* arteriovenoso. Uma investigação adicional é necessária apenas se houver histórico de comorbidades pulmonares ou de tabagismo vigoroso.[9,11,32]

Sistema Gastrintestinal

A uremia provoca gastroparesia e, portanto, devem ser aplicadas as precauções envolvendo o paciente com estômago cheio. A infecção pelo vírus da hepatite C é comum e está associada à nefropatia membranosa, glomerulonefrite membranoproliferativa e à hemodiálise.[9,13]

Sistema Nervoso Central

A uremia pode provocar fadiga, depressão, convulsão e coma. Entretanto, a diálise regular reduz a prevalência destes sintomas. A ocorrência de neuropatia periférica ou autonômica pode cursar com hipotensão ortostática e isquemia miocárdica assintomática.[11,19,32]

Sistema Endócrino

O diabetes melito é a comorbidade mais frequente nesta população e está associado a maior risco cardiovascular, pela prevalência aumentada de coronariopatia. O controle glicêmico adequado em todas as etapas do transplante cursa com redução da mortalidade.[10,11]

A hiperfosfatemia (menor excreção renal) e a hipocalcemia (menor absorção intestinal e deficiência de vitamina D) provocam hiperparatireoidismo secundário e desmineralização óssea, o que favorece a ocorrência de fraturas patológicas.[10,18]

■ AVALIAÇÃO PRÉ-ANESTÉSICA

O transplante renal de doador vivo é um procedimento eletivo, havendo tempo suficiente para otimização clínica do receptor. Em contrapartida, o transplante de doador falecido é uma cirurgia de urgência, devido ao tempo de isquemia fria do enxerto renal, que idealmente deve ser menor que 24 horas.[4,19]

A avaliação anestésica realizada no dia do transplante deve ser objetiva, considerando-se comorbidades, exames complementares e avaliação dos fatores que oscilam na IRC, como volemia, níveis de hemoglobina, potássio e pH, que devem estar equilibrados antes do procedimento. No dia do transplante, é desejável obter hemograma e bioquímica recentes.[4,11]

O receptor é submetido a diálise regular ambulatorialmente e, no dia do transplante, a equipe da Nefrologia analisa se há indicação de diálise antes da cirurgia, o que ocorre se houver: acidose metabólica, hipercalemia acentuada (acima de 6 mg/dL^{-1} ou acompanhada de alteração eletrocardiográfica) ou hipervolemia. A diálise pré-transplante é realizada sem heparina e sem a remoção excessiva de fluidos, mantendo o paciente 1 a 2 kg acima do seu peso seco, com o objetivo de evitar hipotensão intraoperatória. O anestesiologista deve obter informações sobre a última diálise, o peso seco e atual do paciente.[18,19]

■ ANESTESIA

O planejamento da anestesia para o transplante renal deve considerar a gravidade da doença renal crônica e as comorbidades apresentadas pelo paciente. O principal objetivo hemodinâmico é manter o fluxo sanguíneo renal adequado durante a cirurgia e evitar o uso de fármacos nefrotóxicos.[11,19]

A anestesia geral é considerada a técnica de escolha, mas como o transplante é um procedimento extraperitoneal, o duplo bloqueio pode ser uma opção alternativa em pacientes selecionados, como aqueles com alto risco pulmonar. Na verdade, os primeiros transplantes eram realizados sob raquianestesia. Porém, a preocupação com o uso rotineiro da anestesia regional nestes pacientes é o risco aumentado de hematoma peridural, secundário à disfunção plaquetária, uremia e possível ação residual do anticoagulante utilizado na diálise. A infecção é uma preocupação constante devido à administração de fármacos imunossupressores.[11,19]

A obtenção do acesso venoso periférico é geralmente difícil e evita-se o membro com fístula arteriovenosa funcionante. O uso do cateter de diálise, embora desencorajado, pode ser necessário, uma vez que alguns pacientes apresentam falência de acesso vascular. Neste caso, a manipulação do cateter deve ser com máxima assepsia, preocupando-se em desprezar o volume de solução de heparina contido na via antes do seu uso e em retornar o mesmo volume da solução após o uso, seguido de aplicação de curativo adequado.[11,19]

Na sala cirúrgica, obtém-se amostra de sangue do receptor para retipagem ABO e duas unidades de concentrado de hemácias são rotineiramente preparadas. O sangramento no transplante é estimado em apenas 150 mL, porém, a manipulação cirúrgica de vasos calibrosos justifica a rotina.[11,19]

A profilaxia antibiótica deve ser administrada 30 minutos antes da incisão cirúrgica, com o objetivo de garantir níveis plasmáticos adequados. São preconizadas as cefalosporinas de primeira geração, como a cefazolina (dose de 2 g se < 120 kg ou 3 g se > 120 kg, a cada quatro horas). Nos casos de alergia à penicilina ou cefalosporina, administra-se vancomicina na dose de 1 g. Vale ressaltar que a vancomicina deve ser infundida lentamente para evitar rubor, eritema e hipotensão, que são os sintomas da síndrome do homem vermelho.[4,11] É aconselhável verificar o esquema de imunossupressão prescrito pela nefrologia e atentar para os possíveis efeitos colaterais, além das interações medicamentosas destes fármacos.

Indução Anestésica

Os pacientes apresentam risco aumentado de broncoaspiração pela presença de gastroparesia ou neuropatia autonômica, portanto, devem ser tratados como estômago cheio. Recomenda-se a utilização de fármacos antiácidos e pró-cinéticos, assim como a intubação em sequência rápida ou com o paciente acordado.[4,19]

Fármacos Anestésicos

A IRC afeta a metabolização de todos os fármacos, uma vez que altera a ligação proteica, a volemia, o pH e o metabolismo hepático (por meio da indução ou inibição enzimática, alteração do fluxo sanguíneo hepático e excreção de metabólitos). Os anestesiologistas devem estar familiarizados com as alterações no metabolismo de todos os anestésicos utilizados no perioperatório.[33,34]

Hipnóticos

A farmacocinética e farmacodinâmica dos agentes hipnóticos sofre pouca alteração. O propofol apresenta metabolismo hepático e seus metabólicos não apresentam atividade farmacológica. As doses de indução e manutenção são semelhantes à população geral, embora haja relatos de

menores tempos de despertar. O tiopental também apresenta metabolismo hepático predominante, com metabólitos excretados pelos rins e trato gastrintestinal.[33,35]

Anestésicos inalatórios

Todos os anestésicos inalatórios provocam redução do fluxo sanguíneo renal e diminuição da taxa de filtração glomerular (TFG) de forma dose-dependente. Alguns agentes, como o isoflurano, produzem fluoreto durante o seu metabolismo, que é associado à lesão renal. Entretanto, a proporção de fluoreto metabolizado é insuficiente para provocar injúria renal, e o isoflurano é considerado seguro no transplante renal. O sevoflurano, ao ser exposto ao absorvedor de CO_2, é degradado em composto A, que é considerado nefrotóxico em ratos. Porém, o composto A nunca foi relacionado à disfunção renal em humanos, mesmo em condições de baixo fluxo. Portanto, o sevoflurano é um agente seguro no transplante renal, assim como o desflurano.[35,36]

Opioides

Os opioides devem ser usados com cautela na IRC, visto que alguns fármacos apresentam metabólitos ativos, dependentes da excreção renal, que tendem a acumular nesses pacientes. O efeito da morfina é prolongado pela presença do metabólito ativo morfina-6-glucoronídeo. Do mesmo modo, a meperidina é metabolizada em normoperidina, cuja excreção é renal e seu acúmulo pode provocar crises convulsivas. A farmacocinética do fentanil, sufentanil e alfentanil permanece inalterada, pois não há formação de metabólitos ativos, portanto, são seguros na IRC. O remifentanil apresenta discreto aumento do volume de distribuição e *clearance* total, o que não interfere na sua dosagem ou efeito.[11,33]

Benzodiazepínicos

O midazolam apresenta elevada ligação proteica e metabolismo hepático predominante. Há formação de metabólito com 20% a 30% de atividade residual e dependente de excreção renal. O aumento da sua fração plasmática livre confere maior sensibilidade aos seus efeitos. Assim, é aconselhável redução da dose nos pacientes com IRC.[11,34]

Bloqueadores neuromusculares

O uso da succinilcolina é seguro com níveis de potássio menores que 5,5 mmol.L^{-1}. Se estiver acima deste valor, deve-se tratar a hipercalemia antes da sua administração. Outra opção é a utilização do rocurônio e posterior reversão com o Sugammadex.[4,13] Ele promove a reversão completa e efetiva do bloqueio neuromuscular promovido pelo rocurônio em pacientes renais crônicos. Entretanto, mais estudos são necessários para garantir a segurança e eficácia deste fármaco nesta população.[33,34] O vecurônio e o rocurônio sofrem metabolização hepática e os metabólitos resultantes são excretados pelo rim e fígado. Assim, são associados à maior duração do bloqueio neuromuscular e tendem a acumular em doses repetidas.[4,13]

Os bloqueadores neuromusculares de escolha são o cisa-tracúrio e o atracúrio, pois eles apresentam degradação plasmática (degradação de Hoffmann e hidrólise por estearases). Pode haver formação do metabólito laudanosina, que apresenta certo grau de excreção renal e tende ao acúmulo, mas não prolonga a duração do bloqueio neuromuscular.[13,34] Os monitores da junção neuromuscular são aconselháveis, uma vez que a doença renal reduz a eliminação dos bloqueadores neuromusculares, favorecendo o acúmulo.[4,13]

Monitorização Hemodinâmica

A escolha da monitorização hemodinâmica deve considerar as comorbidades do paciente e o seu estado volêmico. Ainda não há um monitor que avalie a perfusão renal diretamente, o que seria ideal. Assim, a preservação da perfusão renal é limitada a medidas indiretas e ao manejo cuidadoso do volume intravascular (pré-carga), da contratilidade cardíaca e da perfusão sistêmica (PAM).[4,11,13]

O cardioscópio de cinco vias é essencial para a monitorização do segmento ST e para o diagnóstico de arritmias. A monitorização não invasiva da PA deve ser preferida, sempre que possível, pois é aconselhável preservar a integridade vascular periférica do paciente, caso seja necessário confeccionar nova fístula arterio-venosa (FAV). É importante proteger futuros acessos vasculares que podem ser usados para diálise. Entretanto, na maioria dos casos, há indicação de monitorização invasiva da pressão arterial pelo risco de instabilidade cardiovascular, secundário ao elevado risco cardíaco do receptor.[4,11,13]

O acesso venoso central deve ser guiado por ultrassonografia, uma vez que é comum haver distorção anatômica secundária à hipovolemia e a cateteres prévios. É aconselhável evitar as veias femorais, já que o enxerto é anastomosado às veias ilíacas externas. A necessidade de acesso venoso central é frequente pela ausência de acesso venoso periférico calibroso e pelo risco de instabilidade hemodinâmica.[4,11,13]

A necessidade de monitorização invasiva deve ser individualizada segundo a estratificação do risco cardiovascular realizada no pré-operatório. A monitorização invasiva da pressão venosa central e da pressão de oclusão da artéria pulmonar não predizem o estado volêmico do paciente com acurácia e, portanto, não auxiliam no manejo volêmico perioperatório. Além disso, a monitorização intermitente ou contínua da SvO_2 (por meio de cateteres equipados com infravermelho) apresenta valor duvidoso, principalmente nos pacientes com FAV.[8,37-39]

Os monitores que avaliam de forma indireta a pré-carga e o débito cardíaco (DC) apresentam limitações em pacientes com IRC. A pletismografia ou a bioimpedância elétrica transtorácica determinam a variação da pressão sistólica (VPS) ou a variação do volume sistólico (VVS), que estimam a pré-carga em pacientes curarizados sob ventilação mecânica. O *doppler* esofágico permite a avaliação da pré-carga e do débito cardíaco por meio da medida do tempo do fluxo corrigido (FTc). Porém, há pouca literatura sobre a acurácia desses monitores no transplante renal.[8,40,41]

Os monitores de DC não calibrados, como o LiDCO (LiDCO *System, London*, UK), apresentam pouca acurácia em pacientes com FAV, enquanto os monitores de DC calibrados,

como o Vigileo (*Edwards Lifesciences Irvine, CA,* EUA) e o PiCCO (*Pulsion Medical System, Munich, Alemanha*), exigem monitorização invasiva da PA para determinar a fluidorresponsividade do paciente. Entretanto, as variáveis medidas por esses monitores ainda não foram validadas nos pacientes com IRC. Assim, ainda não há evidência científica que justifique o uso rotineiro desses monitores.[42,43,44]

Otimização do Enxerto e Fluidos

O manejo adequado da volemia durante a cirurgia é essencial para preservar o fluxo sanguíneo renal e otimizar a função imediata do enxerto, que está associada a melhor sobrevida do enxerto. Para tanto, há serviços que estabelecem alvos hemodinâmicos, como pressão arterial média entre 70 a 80 mmHg e pressão venosa central (PVC) entre 10 a 12 mmHg.[11,13]

Apesar de a pressão venosa central não predizer a pré-carga de forma adequada,[44] baixos valores de PVC são associados à disfunção do enxerto. O final da cirurgia e o pós-operatório imediato são os períodos em que há maior redução da PVC, o que é atribuído à alteração do tônus e ao aumento da permeabilidade vascular. Os episódios de hipotensão devem ser tratados com expansão volêmica, principalmente nestes períodos.[45]

No Consenso da Sociedade Americana de Anestesiologia sobre o manejo de fluidos no transplante renal, a administração de grande volume de cristaloides para atingir PVC elevada não é recomendada. Entretanto, não há recomendação de estratégia volemica ou alvo hemodinâmico especifico.[44]

O soro fisiológico 0,9% foi o cristaloide de escolha por décadas. Entretanto, o grande aporte de sódio contido nessa solução sobrecarrega o enxerto renal, que é incapaz de eliminá-lo. Ademais, a acidose hiperclorêmica resultante provoca vasoconstrição renal e hipercalemia, pela troca celular de cloro por potássio.[45-53] Assim, as soluções balanceadas, como o Ringer Lactato e o Plasma Lyte, devem ser preferidos nos transplantes renais.[44-49]

O uso de coloides no transplante é incomum, mas pode ser uma alternativa quando há hipovolemia importante. A albumina é o coloide de escolha, devido à sua segurança, mas vale ressaltar que ensaios clínicos randomizados e metanálises não demonstraram benefício da albumina em relação aos cristaloides em outros cenários clínicos. No transplante renal, os cristaloides são as soluções de escolha para a expansão volêmica no perioperatório.[44,50-53]

Antes da revascularização do enxerto, administra-se diuréticos com o objetivo de estimular a diurese após a reperfusão. O manitol é um diurético osmótico que também neutraliza radicais livres e está associado à menor necrose tubular aguda do enxerto. A furosemida, um diurético de alça, diminui a reabsorção tubular de sódio, o que auxilia a eliminação dos resíduos isquêmicos presentes nos túbulos renais. Vale ressaltar que as evidências científicas que justificam o uso destes diuréticos no transplante são retrospectivas e baseadas em um reduzido número de pacientes, portanto, a relevância destes fármacos na prática clínica não é clara, embora sejam amplamente adotados.[8,54,55]

CIRURGIA

O tempo de isquemia fria (TIF) ideal do enxerto deve ser menor que 24 horas. O TIF inicia quando o rim é resfriado durante a captação e termina quando o órgão atinge a temperatura fisiológica na implantação. Quanto mais longo o TIF, maior a probabilidade de disfunção precoce do enxerto, que é definido pela necessidade de hemodiálise na primeira semana após o transplante.[56,57]

O enxerto renal é preparado na sala cirúrgica antes do início do procedimento no receptor. Durante o *back-table* confirma-se a anatomia dos vasos e realiza-se reconstrução vascular, se necessário. O enxerto, após ser perfundido com solução de preservação, é armazenado em gelo até o momento da implantação.[4,10]

O transplante renal é realizado com o paciente em posição supina e apresenta duração média de três a quatro horas. O procedimento inicia com a sondagem vesical em campo cirúrgico, seguido pela incisão da pele, da espinha ilíaca anterossuperior à sínfise púbica. Há criação de uma loja extraperitoneal, onde os vasos ilíacos são expostos. Quando não há contraindicações, prefere-se o lado direito devido à anatomia favorável da veia ilíaca comum direita, que é mais superficial e vertical. É necessário utilizar um afastador cirúrgico para otimizar a exposição vascular, o que pode comprimir o nervo femoral ou o nervo cutâneo lateral da coxa.[10,19]

O enxerto é posicionado nesse espaço e, em seguida, procede-se à anastomose da veia renal com a veia ilíaca externa e, posteriormente, da artéria renal com a artéria ilíaca interna ou externa. O local da anastomose varia conforme a anatomia vascular, tanto do receptor como do doador, e evita-se áreas com doença aterosclerótica evidente. Durante o preparo vascular, há dissecção e ligação cuidadosa do tecido linfático hilar para reduzir a incidência de linfocele no pós-operatório. Os vasos ilíacos são clampeados transitoriamente para a realização das anastomoses e alguns centros administram heparina antes da manipulação vascular. Um ponto crítico da cirurgia é a liberação dos *clamps* vasculares e a reperfusão do enxerto, momento em que a volemia do paciente deve estar otimizada. Em seguida, o ureter é anastomosado à bexiga e alguns centros preferem utilizar o cateter duplo J na anastomose ureterovesical com o objetivo de reduzir o risco de estenose ou fístula. Neste caso, o cateter "duplo J" é retirado via citoscópica após quatro a seis semanas. Ao final das anastomoses, avalia-se a aparência do enxerto renal, realiza-se a hemostasia e o fechamento da parede abdominal.[10,19]

PÓS-OPERATÓRIO

Ao final da cirurgia, o paciente é extubado e encaminhado à unidade de transplante renal ou à unidade de terapia intensiva, quando houver indicação. Neste período, o débito urinário é monitorizado e o volume eliminado é reposto com solução cristaloide. As causas de redução da diurese variam desde hipovolemia, obstrução ureteral, sangramento ou trombose vascular.[4,19]

A analgesia é obtida com o uso intermitente ou contínuo de opioides de curta ação, cuja farmacocinética não é alterada pela insuficiência renal. A morfina deve ser usada com cautela e os fármacos anti-inflamatórios não hormonais são evitados pelo risco de lesão renal e hipercalemia. Os bloqueios regionais, como o bloqueio do plano transverso abdominal, (TAP – *transversus abdominis plane*) e do quadrado lombar, podem ser utilizados com bons resultados.[11,13]

TRANSPLANTE RENAL PEDIÁTRICO

No Brasil, em 2022, foram transplantadas 265 crianças, enquanto 384 aguardavam um rim em lista.[3] A importância do transplante pediátrico advém do fato de que crianças transplantadas apresentam melhor desenvolvimento neurocognitivo, maior crescimento linear e menor mortalidade do que aquelas em terapia de reposição renal.[58,59]

O manejo anestésico de crianças maiores e adolescentes é semelhante ao descrito para os adultos, enquanto a cirurgia e o manejo anestésico de crianças menores de dois anos apresentam particularidades às quais o anestesiologista deve estar familiarizado.[58,59]

As crianças recebem rins de doadores adultos, uma vez que órgãos provenientes de doadores pediátricos estão associados à maior incidência de trombose vascular. Porém, rins adultos apresentam maior tamanho, precisando ser anastomosados na aorta e na veia cava inferior e não nos vasos ilíacos, como ocorre nos adultos e nas crianças maiores. O pinçamento aórtico temporário provoca isquemia dos membros inferiores e o enxerto adulto sequestra até 300 mL da volemia do receptor, o que pode provocar instabilidade hemodinâmica e hipotermia no momento da reperfusão. No pós-operatório, o débito urinário pode ultrapassar a volemia da criança, exigindo cuidado com a reposição volêmica do paciente.[58,59]

O objetivo anestésico de manter a perfusão renal adequada é semelhante. Entretanto, devido às diferenças cirúrgicas descritas, a monitorização invasiva é quase sempre indicada e a reposição volêmica é ainda mais agressiva, com a administração de coloide e hemocomponentes, quando necessário. Assim, estes pacientes apresentam maior risco de edema pulmonar no pós-operatório imediato e alguns precisam de suporte ventilatório ao final da cirurgia.[58,59]

TRANSPLANTE RENAL INTERVIVOS

O transplante de doador vivo apresenta benefícios em relação ao doador falecido, como, por exemplo, menor tempo de espera pelo transplante, menor incidência de disfunção primária do enxerto, melhor sobrevida do paciente e do enxerto, além de permitir melhor estado clínico perioperatório do receptor, uma vez que a cirurgia é eletiva. O transplante preemptivo, ou seja, realizado antes do início do programa de diálise, é possível apenas quando há um doador vivo disponível.[4,12,13,39]

Não há necessidade de semelhança genética com o receptor para o sucesso do transplante. O doador pode apresentar relação genética (pais, filhos, irmãos), emocional (marido, esposa, amigos) ou nenhuma relação com o receptor, o que ocorre no caso de doação pareada. Em todos os casos, a doação deve ser voluntária, oficialmente informada e a desistência assegurada em qualquer etapa do processo.[4,12]

O potencial doador é avaliado clinicamente por meio de uma equipe médica independente, não relacionada à equipe do transplante. Há necessidade de garantir que a nefrectomia unilateral não provocará prejuízo à função renal a longo prazo, o que é realizado pela análise da TFG estimada por idade, para garantir uma TFG mínima de 37,5 mL/min/1,73 m² aos 80 anos. Além disso, avalia-se a presença de contraindicações à doação como: diabetes melito, proteinúria significativa, anemia falciforme, neoplasia, hipertensão arterial sistêmica com lesão de órgão-alvo, obesidade (IMC > 35 kg/m²) e infecção ativa por HIV, HTLV, VHB ou VHC.[4,39]

A nefrectomia e o transplante renal podem ocorrer de forma simultânea ou sequencial, sem prejuízo à função do enxerto. A nefrectomia pode ser realizada por meio de laparotomia ou laparoscopia, sendo a última associada à menor dor pós-operatória e ao menor tempo de internação, embora apresente maior tempo cirúrgico.[13,39]

O objetivo anestésico é manter a perfusão renal e o débito urinário adequados durante toda a cirurgia, para otimizar a função do enxerto após o transplante. A hidratação generosa com solução cristaloide balanceada é preconizada durante toda a ressecção, para compensar os efeitos deletérios do pneumoperitônio na perfusão renal. Os vasopressores de ação direta devem ser evitados pelo risco de vasoconstrição do enxerto, mas doses baixas de efedrina podem ser usadas, se necessário.[13,39]

Além de estabelecer um alvo de reposição volêmica (10 a 20 mL.kg^{-1}.h^{-1}), alguns centros utilizam diuréticos como furosemida e/ou manitol para otimizar o débito urinário. A heparina pode ser administrada na dose de 3000 a 5000 U antes da manipulação vascular, para evitar a trombose do enxerto, sendo revertida no final da ressecção. Vale ressaltar que durante a manipulação vascular preconiza-se bloqueio neuromuscular adequado para evitar lesões.[4,12,13]

A nefrectomia laparoscópica é bem tolerada pelo paciente com o uso de opioides ou dos bloqueios regionais, como o bloqueio do plano transverso abdominal ou o bloqueio do quadrado lombar. Quando a nefrectomia é realizada por laparotomia, é aconselhável a inserção de cateter peridural.[12,13,60]

REFERÊNCIAS

1. Van Sandwijk MS, Bemelman FJ, Ten Berge IJM. Immunosuppressive drugs after solid organ transplantation. The Netherlands Journal of Medicine. 71(6):281-9. 2013.
2. Dupuis S, Amiel JA, Desgroseilliers M, Williamson D, Thiboutot Z, Serri K, Perreault M, Marsolais P, Frenette J. Corticosteroids in the management of brain-dead potential organ donors: a systematic review. Br J Anaesth. 113(3):346-59. 2014.
3. Associação Brasileira de Transplante de Órgãos (ABTO). São Paulo-SP: Registro Brasileiro de Transplantes, 2022.Disponível em: http://www.abto.org.br/abtov03/Upload/file/RBT/2022/Lv_RBT-2022.pdf
4. Karmarkar S, Natarajan A. Kidney transplantation. Anaesthesia and intensive care medicine. 13(6): 285-291, 2012.
5. Saran R et al. US Renal Data System 2016 Annual Data Report: epidemiology of kidney disease in the United States. Am. J Kidney Dis. 69(S1):A7-A8. 2017.
6. Khairallah P, Aggarwal N, Awan AA, et al. The impact of COVID-19 on kidney transplantation and the kidney transplant recipient One year into the pandemic. Transpl Int. 34(4):612-621. 2021.
7. United Network for Organ sharing (UNOS): https://unos.org/data/transplant-trends/. Disponível em: https://optn.transplant. hrsa.gov/data/view-data-reports/national-data.
8. Morkane CM, Fabes J, Banga NR, Berry PD, Kirwan CJ. Perioperative management of adult cadaveric and live donor renal transplantation in the UK: a survey of national practice. Clinical Kidney Journal. 12(6):880–887, 2019.
9. Romagnani P, Remuzzi G, Glassock R, Levin A, Jager KJ , Tonelli M, Massy Z, Wanner C, Anders HJ. Chronic kidney disease. Nat Rev Dis Primers. 23(3):17088.2017.
10. Wray CL. Advances in the Anesthetic Management of Solid Organ Transplantation. Adv Anesth. 35(1):95-11, 2017.
11. Martinez BS, Gasanova I, Adesanya AO. Anesthesia for kidney transplantation – A Review. J Anesth Clin Res. 4(1):270. 2013.
12. Lam NN, Lentine KL, Garg AX. Renal and cardiac assessment of living kidney donor candidates. Nat Rev Nephrol.13(7):420-428. 2017.
13. Spiro MD, Eilers H. Intraoperative care of the transplant patient. Anesthesiology Clin. 31:705-721, 2013.
14. Sá H, Leal R, Rosa MS. Renal transplant immunology in the last 20 years: A revolution towards graft and patient survival improvement. Int Rev Immunol. 4;36(3):182-203. 2017
15. Augustine J. Kidney transplant: New opportunities and challenges. Cleve Clin J Med. 85 (2):138-144, 2018.
16. Jha V et al. Chronic Kidney disease: global dimension and perspectives. Lancet. 382:260-72. 2013.
17. Stanifer JW et al. Traditional medicines and kidney disease in lowand middle-income countries: opportunities and challenges. Semin Nephrol. 37:245-59. 2017.
18. Tam CW, Kumar SR, Chow J. Acute Kidney Injury and Renal Replacement Therapy: A Review and Update for the Perioperative Physician. Anesthesiol Clin. 41(1):211-230. 2023
19. Mittel AM, Wagener G. Anesthesia for Kidney and Pancreas Transplantation. Anesthesiol Clin. 35(3):439-452, 2017.
20. Parajuli S, Lockridge JB, Langewisch ED, et al. Hypercoagulability in Kidney Transplant Recipients. Transplantation.100: 719– 726. 2016.
21. Seoane-Pillado MT, Pita-Fernández S, Valdés-Cañedo F, et al. Incidence of cardiovascular events and associated risk factors in kidney transplant patients: a competing risks survival analysis. BMC Cardiovasc Disord. 7;17 (1):72. 2017.
22. Palepu S, Prasad GV. Screening for cardiovascular disease before kidney transplantation. World J Transplant. 24;5(4):27686, 2015.
23. Hart A, Weir M, Kasiske L. Cardiovascular risk assessment in kidney transplantation. Kidney International, 87: 527–534, 2015.
24. Glicklich D, Vohra P. Cardiovascular risk assessment before and after kidney transplantation. Cardiol Rev. 22(4):153-62. 2014.
25. Lentine KL, Villines TC, Axelrod D, Kaviratne S, Weir MR, Costa SP. Evaluation and Management of Pulmonary Hypertension in Kidney Transplant Candidates and Recipients: Concepts and Controversies. Transplantation.101(1):166-181. 2017.
26. Jarmi T, Doumit E, Makdisi G, Mhaskar R, Miladinovic B, Wadei H, Rumbak M, Aslam S. Pulmonary Artery Systolic Pressure Measured Intraoperatively by Right Heart Catheterization Is a Predictor of Kidney Transplant Recipient Survival. Ann Transplant. 18;23:867-873, 2018.
27. Lentine KL, Costa SP, Weir MR et al. Cardiac disease evaluation and management among kidney and liver transplantation candidates: a scientific statement from the American Heart Association and the American College of Cardiology Foundation. J Am Coll Cardiol. 60: 434. 2012.
28. Neale, J, Smith AC. Cardiovascular risk factors following renal transplant. World J transplant. 5:183-195. 2015.
29. Stoumpos S, Jardine AG, Mark PB. Cardiovascular morbidity and mortality after kidney transplantation. Transplant International. 10-22. 2015.
30. Lingel JM, Srivastava MC, Gupta A. Management of coronary artery disease and acute coronary syndrome in the chronic kidney disease population-A review of the current literature. Hemodial Int. 21(4):472-482, 2017.
31. Wang LW, Masson P, Turner RM, Lord SW, Baines LA, Craig JC, Webster AC. Prognostic value of cardiac tests in potential kidney transplant recipients: a systematic review. Transplantation. 99(4):731-45, 2015.
32. Hoftmana N, Pruneana A, Dhillona A, et al. The Revised Cardiac Risk Index (RCRI) is a Useful Tool for Evaluation of Perioperative Cardiac Morbidity in Kidney Transplant Recipients. Transplantation. 96(7), 2013.
33. Motayagheni N, Phan S, Eshraghi C, Nozari A, Atala A. A Review of Anesthetic Effects on Renal Function: Potential Organ Protection. Am J Nephrol. 46(5):380-389, 2017.
34. Aniskevich S, Pai SL, Shine TS. Anesthetic Pharmacology for Kidney Transplantation. Current Clinical Pharmacology. 10, 47-53 47, 2015.

35. Aditianingsih D, Sukmono B, Tjues A, et al. Comparison of the Effects of Target-Controlled Infusion of Propofol and Sevoflurane as Maintenance of Anesthesia on Hemodynamic Profile in Kidney Transplantation. Anesthesiology Research and Practice. 2019.

36. Nieuwenhuijs-Moeke GH, Nieuwenhuijs VB, Seelen MAJ, et al. Propofol-based anaesthesia versus sevoflurane-based anaesthesia for living donor kidney transplantation: results of the VAPOR-1 randomized controlled trial. British Journal of Anaesthesia, 118 (5): 720–32. 2017.

37. Giglio M, Dalfino L, Puntillo F, Brienza N. Hemodynamic goal-directed therapy and postoperative kidney injury: an updated meta-analysis with trial sequential analysis. Critical Care. 23:232, 2019.

38. Campos L, Parada B, Furriel F et al. Do intraoperative hemodynamic factors of the recipient influence renal graft function. Transplant Proc. 44:1800–1803. 2012

39. Adelman D, Bicknell L, Niemann CU, et al. Central venous pressure monitoring in living donor kidney recipients does not affect immediate graft function: A propensity score analysis. Clinical Transplantation. 32: e13238. 2018.

40. Srivastava D, Sahu S, Chandra A, et al. Effect of intraoperative transesophageal Doppler-guided fluid therapy versus central venous pressure-guided fluid therapy on renal allograft outcome in patients undergoing living donor renal transplant surgery: a comparative study. J Anesth. 29:842–849. 2015

41. Cavaleri M, Veroux M, Palermo F, Vasile F, Mineri M, et al. Perioperative Goal-Directed Therapy during Kidney Transplantation: An Impact Evaluation on the Major Postoperative Complication. J. Clin. Med. 8: 80, 2019.

42. Corbella D, Toppin PJ, Ghanekar A, Ayach N, Schiff J, Van Rensburg A, McCluskey SA. Cardiac output-based fluid optimization for kidney transplant recipients: a proof-of--concept trial. Can J Anaesth.65(8):873-883, 2018.

43. Fayad A, Shillcutt SK. Perioperative transesophageal echocardiography for non-cardiac surgery. Can J Anaesth. 2018.

44. Wagener G, Bezinover D, Wang C, et al. Fluid management during Kidney Transplantation: A Consensus Statement of the Committee on Transplant Anesthesia of the American Society of Anesthesiologists. Transplantation. 1; 105(8):1677-1684. 2021.

45. Ferris RL, Kittur DS, Wilasrusmee C, et al. Early hemodynamic changes after renal transplantation: determinants of low central venous pressure in the recipients and correlation with acute renal dysfunction. Med Sci Monit. 9(2):61-6. 2003.

46. Calixto Fernandes MH, Schricker T, Magder S, Hatzakorzian R. Perioperative fluid management in kidney transplantation: a black box. Crit Care. 25;22(1):14, 2018.

47. O'Malley CM, Frumento RJ, Hardy MA. A randomized, double-blind comparison of lactated Ringer's solution and 0.9% NaCl during renal transplantation. Anesth Analg. 100:1518–1524. 2005

48. Adwaney A, Randall DW, Blunden MJ et al. Perioperative plasma-lyte use reduces the incidence of renal replacement therapy and hyperkalaemia following renal transplantation when compared with 0.9% saline: a retrospective cohort study. Clin Kidney J. 10:838–844. 2017

49. Wan S, Roberts MA, Mount P. Normal saline versus lower-chloride solutions for kidney transplantation. Cochrane Database Syst Rev. 9;(8):10741, 2016.

50. Hadimioglu N, Saadawy I, Saglam T, et al. The effect of different crystalloid solutions on acid-base balance and early kidney function after kidney transplantation. Anesth Analg.107:264–9, 2008.

51. Hoorn, EJ. Intravenous fluids: balancing solutions. J Nephrol 30:485–492, 2017.

52. Gonzalez-Castro A, Ortiz-Lasa M, Peñasco Y, et al. Choice of fluids in the perioperative period of kidney transplantation. Nefrologia. 37(6): 572-78, 2017.

53. Finfer S, Bellomo R, Boyce N, et al. A comparison of albumin and saline for fluid resuscitation in the intensive care unit. N Engl J Med. 350: 2247. 2004.

54. Sandal S, Bansalb P, Cantarovicha, M. The evidence and rationale for the perioperative use of loop diuretics during kidney transplantation: A comprehensive review. Transplantation Reviews. 3292–10, 2018.

55. Ho KM, Sheridan DJ. Meta-analysis of furosemide to prevent or treat acute renal failure. Br Med J. 333:420. 2006.

56. Debout A, Foucher Y, Tre K, et al. Each additional hour of cold ischemia time significantly increases the risk of graft failure and mortality following renal transplantation. Kidney International. 87: 343–349. 2015.

57. Perico N, Cattaneo D, Sayegh MH, et al. Delayed graft function in kidney transplantation. Lancet. 364: 1814–27, 2004.

58. Dharnidharka V, Fiorina P, Harmon W. Kidney Transplantation in Children. N Engl J Med 371 (6): 549-558, 2014.

59. Wasson NR, Deer JD, Suresh S. Anesthetic management of pediatric liver and kidney transplantation. Anesthesiology Clin. 35: 421438. 2017.

60. Parikh BK, Waghmare VT, Shah VR, et al. The analgesic efficacy of ultrasound-guided transversus abdominis plane block for retroperitoneoscopic donor nephrectomy: a randomized controlled study. Saudi J Anaesth. 7(1):43-7. 2013.

195

Anestesia para Transplante Hepático

Joel Avancini Rocha Filho ▪ Lívia Pereira Miranda Prado ▪ Rui Carlos Detsch Junior

INTRODUÇÃO

O primeiro Transplante de Fígado (TF) do mundo foi realizado pelo Professor Starzl na Universidade do Colorado em 1963 nos EUA. Uma criança de 3 anos com atresia de vias biliares foi submetida ao TF e faleceu na sala de cirurgia por coagulopatia e hemorragia maciça.[1] Após algumas tentativas, em 1967, o Professor realiza o primeiro TF com sucesso.[2] Paralelamente, na América Latina, o primeiro TF foi realizado pelo Professor Marcel Machado em 1968, no Hospital das Clínicas da Faculdade de Medicina da Universidade de São Paulo (HCFMUSP).[3] Em 1988, o Professor Silvano Raia, junto aos anestesistas Joel Rocha Filho e Plinio Souza Rocha, realizou o primeiro transplante intervivos de fígado do mundo no HCFMUSP.[4,5]

O Brasil é o quarto país que mais realiza TF no mundo. No ano de 2022, foram realizados 2.118 TF em território nacional, sendo 92% com doadores falecidos. São 16 estados transplantadores com 78 equipes atuantes. Neste período, os três estados que mais realizaram TF foram: São Paulo, com 620 casos (29,2%), Paraná, com 312 casos (14,7%) e Rio de Janeiro, com 289 casos (13,6%).[6]

Embora tenha ocorrido aprofundamento do conhecimento das hepatopatias, dos avanços tecnológicos, do aprimoramento das técnicas operatórias e dos cuidados intensivos, o TF ainda continua bastante complexo e com vários desafios. Nos últimos anos, com o aumento da sobrevida, a indicação do TF expandiu-se para maiores extremos de idade, de peso e incluindo pacientes com mais comorbidades e maior gravidade clínica. Houve um uso crescente de doadores limítrofes, de doadores vivos, de doadores com coração parado (ainda não legalizado no Brasil), de enxertos divididos e/ou reduzidos, impondo novos riscos e desafios para o procedimento anestésico, que ainda é acompanhado de alta morbidade, instabilidade cardiovascular, e alterações graves do equilíbrio hidreletrolítico, metabólico e hemostático.[7] Essa tendência tornou o processo de avaliação e planejamento pré-operatório, o manejo intraoperatório e o manejo pós-operatório ainda mais cruciais para o sucesso dos programas de TF.[8,9]

As principais indicações de TF adulto são a cirrose pelo vírus da hepatite C (com tendência à regressão pela descoberta de novos fármacos antivirais eficazes no tratamento); a cirrose por álcool; a Esteatoepatite não Alcoólica (EHNA) ou *Nonalcoholic Steatohepatitis* (NASH), com tendência à progressão, pelo aumento dos casos de obesidade na sociedade moderna); doenças colestáticas (cirrose biliar, colangite esclerosante); hepatite autoimune; cirrose pelo vírus da hepatite B; hepatite fulminante; hepatocarcinoma e doenças metabólicas. As indicações mais frequentes de retransplantes de fígado são disfunção primária do enxerto, rejeição e trombose de artéria hepática, e recidiva da doença de base. O TF pediátrico é considerado aquele realizado em pacientes abaixo de 18 anos de idade. O maior problema enfrentado pelas crianças é a escassez de doadores pediátricos, principalmente com idade < 5 anos. Na última década, o número de TF pediátricos realizados no mundo duplicou em decorrência do aumento na utilização de doadores vivos. As indicações mais frequentes nas crianças são atresia de vias biliares extra-hepática, hepatite fulminante e doenças metabólicas.

Os receptores hepáticos adultos apresentam taxas de sobrevida de 90% em um 1 ano e de 70% a 75% em cinco anos,[10] enquanto as crianças apresentam taxas de sobrevida maiores, chegando até 95% em um ano e 85% em cinco anos.[11,12]

■ AVALIAÇÃO PRÉ-ANESTÉSICA

A Avaliação Pré-anestésica (APA) é realizada em dois momentos, inicialmente integrando o processo de preparo pré-operatório ambulatorial, e posteriormente na internação do paciente para o transplante. A APA fundamenta-se em cinco aspectos: estabelecer a relação médico-paciente; avaliar a gravidade da doença hepática e comorbidades; identificar os preditores de situações críticas em anestesia; planejar a incorporação de estratégias protetoras intraoperatórias aos eventos cirúrgicos e auxiliar a equipe multiprofissional a otimizar as condições clínicas do paciente para a cirurgia. A APA deve esclarecer o paciente quanto aos riscos dos procedimentos, dirimir dúvidas e dar orientação a respeito dos processos desde o momento da internação, passando pelos eventos de sala de operação, até o ambiente da terapia intensiva.

Constituem fatores de risco operatório aumentado e devem ser pesquisados: doença hepática aguda, hepatopatia descompensada (encefalopatia, insuficiência renal, sangramento e aumento de enzimas hepáticas), cardiomiopatia, hipertensão portopulmonar com PAPm > 35 mmHg, síndrome hepatopulmonar com PaO_2 ≤50mmHg, RNI >1,7, bilirrubina >3 mg/dl, creatinina >1,4 mg/dl, albumina sérica <2,8 mg/dl, leucocitose e ASA > III.

Avaliação da Doença Hepática

A avaliação da gravidade da doença hepática é feita pelo escore de *Child-Turcotte-Pugh* (CTP, Tabela 195.1)[13] e pelo escore do Modelo para Doença Hepática Terminal (*Model for End-Stage Liver Disease*, MELD, Tabela 195.2).[14] Nos pacientes menores de 12 anos, a avaliação é feita pelo escore do modelo Pediátrico Doença Hepática Terminal (*Pediatric End-Stage Liver Disease*, PELD, Tabela 195.2).[15] O escore de CTP é um teste simples e, embora tenha sido usado originalmente para predizer a mortalidade durante a cirurgia, a escala é usada atualmente para determinar o prognóstico, assim como na indicação de transplante hepático.

O CTP baseia-se em três parâmetros laboratoriais: albumina, bilirrubina, RNI (razão normalizada internacional do tempo de protrombina) e dois parâmetros clínicos: ascite e grau de encefalopatia. Os pacientes são categorizados em três classes (A, B e C), segundo a somatória de pontos; sendo A o grau mais leve da doença, e C o mais avançado. A sobrevida pré-operatória, em 1 ano e 2 anos, é, respectivamente, na classe A, 100% a 85%, na classe B, 81% a 57% e, na classe C, 45% a 35%.

O escore MELD é um sistema de pontuação para avaliar a gravidade da doença hepática crônica. Ele é calculado pela fórmula matemática utilizando três parâmetros laboratoriais: RNI, Bilirrubina Total (BT) e creatinina, que avaliam, respectivamente, as funções de síntese e excreção hepáticas e o comprometimento renal. O MELD é diretamente proporcional à gravidade da doença hepática, determinando prognóstico da doença hepática crônica, e mantém relação direta com a mortalidade do paciente em fila de espera para o TF.

Adicionar o sódio sérico (MELD-Na) aumentou a precisão do escore na previsão da mortalidade na lista de espera, complementando assim o escore MELD original como um modelo prognóstico na alocação nesta fila.[18] O cálculo se faz pela equação: MELD Na = MELD calculado - Na sérico - [0.025 × MELD calculado × (140 - Na sérico)] + 140, devendo-se arredondar para valor inteiro. Atualmente, é o critério utilizado pelo Sistema Nacional de Transplantes para ordenar os pacientes na lista de espera e, dessa forma, priorizar a cirurgia de TF aos pacientes mais graves (Portaria Ministério Saúde Nº 2.049, de 9 de agosto de 2019), com exceção dos casos de urgência, como na hepatite fulminante e no retransplante por não funcionamento do enxerto. O Escore PELD, que é utilizado para crianças <12 anos, baseia-se nas dosagens de albumina, RNI, BT, idade e estatura. A existência de uma lista única de receptores, exigiu a criação de um escore ajustado para haver equiparação de pontuação entre PELD e MELD. Este cálculo multiplica o valor de PELD por três, criando um escore chamado PELD ajustado. No caso de

Tabela 195.1 Pontuação do escore de *Child-Turcotte-Pugh*.[16]

Parâmetros	1 ponto	2 pontos	3 pontos
Albumina sérica (g . dL⁻¹)	> 3,5	2,8-3,5	< 2,8
Bilirrubina total (mg . dL⁻¹)	< 2,0	2,0-3,0	> 3,0
RNI (razão normalizada internacional)	< 1,7	1,7-2,3	> 2,3
Ascite	ausente	Leve	moderada
Encefalopatia (graus)	nenhuma	I e II	III e IV
Classes (somatória de pontos)	A (5-6)	B (7-9)	C (10-15)

Tabela 195.2 Fórmulas do escore MELD e PELD.[17]

MELD	9,57 x [Ln creatinina (mg/dL)] + 3,78 x [Ln bilirrubina (mg /dL)] + 11,20 x [Ln (RNI) + 6,43
PELD	4,80 x { Ln bilirrubina (mg/dL)} + 18,57 x Ln (RNI) – 6,87 x { Ln albumina (g /dL)} + 4,36 x (<1a idade) + 6,67 se atraso de crescimento for < - 2 desvios padrões

MELD: *model for end-stage liver disease*; PELD: *pediatric end-stage liver disease*; Ln: logaritmo natural.

Observação: Na fórmula MELD, o valor de creatinina pode se no mínimo igual a um e no máximo igual quatro. Na fórmula PELD, valores < 1 serão considerados igual a um. Em ambas as fórmulas valores decimais serão arredondados para o número inteiro mais próximo.

valores de escore iguais, é utilizado o critério de tempo na fila de espera, para fins de desempate.

Distúrbio Cardiovascular

A alteração cardiovascular característica da doença hepática aguda ou crônica é o hiperdinamismo circulatório. A circulação hiperdinâmica está presente em até 70% dos pacientes com hepatopatia avançada, sendo o quadro diretamente proporcional à gravidade da doença hepática. O hiperdinamismo circulatório é caracterizado por diminuição da resistência vascular sistêmica e da pressão arterial sistêmica, e aumento do índice cardíaco e da frequência cardíaca.[19,20] Esse quadro é decorrente de vasodilatação sistêmica e esplâncnica secundária à redução da capacidade hepática para metabolizar substâncias vasoativas e ao desvio de sangue do fígado, causado pela presença de *shunt* portossistêmico. Os mecanismos da vasodilatação envolvem aumento da produção endotelial e da circulação de vasodilatadores locais: Óxido Nítrico (NO), Mmonofosfato Cíclico de Guanosina (GMP_c), glucagon, Peptídeo Vasoativo Intestinal (VIP), Prostaciclina (PGI_2), colecistoquinina, amônia, ácidos biliares, adrenomedulina, Monóxido de Carbono (CO), endocanabinóides, Fator de Crescimento Vascular (VEGF), estrógeno e ferritina, além da diminuição da sensibilidade a vasoconstritores endógenos (vasopressina, noradrenalina, angiotensina e endotelina-1).[21] A diminuição da resistência vascular sistêmica é, em grande parte, decorrente da redução da resistência vascular esplâncnica, que é secundária à produção massiva de NO pelo endotélio esplâncnico. A vasodilatação no leito vascular esplâncnico resulta em grande aumento do fluxo sanguíneo esplâncnico e portal. A vasodilatação arteriolar sistêmica resulta em aumento do *shunt* arteriovenoso periférico, elevação da saturação de oxigênio no sangue venoso misto e diminuição da diferença arteriovenosa de oxigênio.[22]

O quadro de vasodilatação arteriolar sistêmica desvia a volemia efetiva do compartimento central para o compartimento esplâncnico, levando a uma hipovolemia relativa do compartimento central com inicial queda de débito cardíaco. Essas alterações desencadeiam respostas dos sistemas de estresse do organismo com ativação compensatória do sistema nervoso autônomo simpático, do Hormônio Arginina-Vasopressina (ADH) e do sistema Renina-Angiotensina-Aldosterona (SRAA). Esses mecanismos compensatórios resultam em vasoconstrição renal e retenção de água e sal. Dessa forma, o volume sanguíneo total aumenta progressivamente, porém, em decorrência de sua redistribuição a favor da circulação esplâncnica, a volemia central encontra-se diminuída. Apesar do aumento do débito cardíaco e da estimulação simpática, esses pacientes tipicamente apresentam comprometimento da resposta ao estresse cardiovascular. Caracteristicamente, com a progressão da doença hepática, ou em situações de descompensação da doença (infecção, sangramento, hipovolemia, insuficiência renal), os mecanismos compensatórios tornam-se insuficientes para prover aumentos maiores do débito cardíaco, levando precocemente ao choque, queda da perfusão tecidual, disfunção múltipla de órgãos e óbito.[23]

A doença cardíaca frequentemente acompanha a doença hepática e sua ocorrência está associada ao pior resultado do TF. A cardiomiopatia cirrótica é definida como uma disfunção cardíaca em cirróticos, caracterizada por piora da resposta contrátil ao estresse, disfunção diastólica e sistólica associada a anormalidades eletrofisiológicas (prolongamento do intervalo QT, desacoplamento eletromecânico), disfunção cronotrópica, aumento do Átrio Direito (AD) e hipertrofia do Ventrículo Esquerdo (VE), elevação de Biomarcadores Cardíacos como Peptídeo Natriurético Tipo B (BNP) e troponina, na ausência de doença cardíaca subjacente.[23] As alterações cardíacas incluem hipertrofia, fibrose e edema subendotelial. As causas mais comuns de doença cardíaca nos pacientes com doença hepática terminal são: cirrose alcoólica, paramiloidose familiar, doença de Wilson e cardiopatia isquêmica.

A Cardiomiopatia Hipertrófica Obstrutiva (CHO) é uma cardiomiopatia grave que, após a reperfusão no TF, pode evoluir com Obstrução da Via de Saída do Ventrículo Esquerdo (OVSVE). Cerca de dois tercos dos pacientes com CHO apresentam OVSVE. Essa obstrução é resultado da impedância mecânica da saída do VE durante a sístole devido ao Movimento Anterior Sistólico (MAS) da valva mitral. Durante esse processo de MAS, a valva mitral e o aparelho valvar são sugados pela via de saída do VE devido ao fluxo de alta velocidade, resultando em obstrução do fluxo e diminuição do débito cardíaco, podendo até ocorrer regurgitação mitral. Essa obstrução e regurgitação valvular contribuem para desenvolvimento dos sintomas de insuficiência cardíaca. Pacientes com CHO sintomáticos no pré-operatório devem ser devidamente avaliados e tratados pela cardiologia antes do TF, e no intraoperatório devem ser monitorizados adicionalmente com Ecocardiografia Transesofágica (ETE). Em muitos casos, a cardiomiopatia cirrótica apresenta evolução subclínica, sendo diagnosticada inicialmente no intraoperatório e/ou no pós-operatório do TF. As alterações hemodinâmicas que acompanham o TF, como alterações na pré e pós-carga cardíaca, aumentam o risco de disfunção grave cardiovascular perioperatória nesses pacientes, impondo investigação pré-operatória cardíaca detalhada e monitorização hemodinâmica com ETE.[24]

Na avaliação cardiovascular pré-operatória, pacientes com menos de 45 anos, sem fator de risco cardiovascular, com capacidade funcional acima de 4 equivalente metabólico da tarefa (METs), a eletrocardiografia de 12 derivações e ecocardiograma transtorácico com triagem de hipertensão portopulmonar são suficientes. A avaliação para presença de Doença Aarterial Coronariana (DAC) deve ser feita em todo paciente candidato ao TF. Nos pacientes com ≥ 3 fatores de risco (idade ≥ 45 anos, hipertensão arterial, diabetes, dislipidemia, tabagismo, obesidade, insuficiência renal, antecedente familiar de doença arterial coronariana) ou naqueles com doença hepática NASH, que é um fator de risco independente para DAC devido à associação com síndrome metabólica,[23] devem indicar a cintilografia de perfusão miocárdica. A cintilografia de perfusão miocárdica e a ecocardiografia sob estresse farmacológico são os testes não invasivos mais frequentemente indicados para rastreamento de DAC e avaliação da função ventricular esquerda. Na vigência de alterações nos testes ou dúvidas diagnósticas, deve-se realizar a angiografia coronariana.

A Síndrome de Budd-Chiari é uma condição que pode causar distúrbio cardiovascular grave no TF. É uma doença rara caracterizada pela obstrução do fluxo de saída venosa hepática e pela presença de trombos que se desenvolveram em qualquer lugar entre as veias intra-hepáticas, veia cava inferior e átrio direito. A obstrução a drenagem hepática leva a hipertensão portal e sangramento durante a cirurgia. No caso de Síndrome de Budd-Chiari associada à obstrução de saída do ventrículo, há um aumento da incidência de insuficiência cardíaca direita após a reperfusão do enxerto, sendo importante evitar a hipervolemia.[25] É importante avaliar pela ecocardiografia se existem coágulos no átrio direito e a extensão dos coágulos originários de veia cava inferior. A ETE tem papel fundamental na monitorização hemodinâmica durante todas as fases da cirurgia nestes pacientes. Como se trata de um estado de hipercoagubilidade, a administração de anticoagulantes pode estar indicada e a realização da tromboelastometria deve ser realizada a cada hora no TF.[25,26]

Em cirróticos, a cintilografia de perfusão miocárdica com dipiridamol é de valor duvidoso devido à presença de uma circulação hiperdinâmica, o que leva à rápida remoção do fármaco radioativo. A Ecocardiografia sob Estresse com Dobutamina (ESD) fornece informações importantes sobre a função contrátil do VE, movimentação regional de paredes miocárdicas, função valvar, hipertrofia septal assimétrica, derrame pericárdico, hipertensão pulmonar e síndrome hepatopulmonar, sendo o teste não invasivo mais utilizado para avaliação cardíaca no hepatopata. O valor preditivo positivo do exame é de cerca de 35%, porém a especificidade é de 87%, a sensibilidade de 85% e o valor preditivo negativo é de cerca de 85%, portanto um ESD negativo é fortemente preditivo de ausência de DAC.[27] Na vigência de alterações nos testes, sintomas de DAC ou dúvidas diagnósticas, esses pacientes devem ser submetidos a cateterismo cardíaco. Nas lesões críticas assintomáticas está indicado, preferencialmente, o uso de *stents* não farmacológicos, pelo menor risco de sangramento e menor tempo de dupla antiagregação plaquetária pós-procedimento. Nas lesões críticas sintomáticas, a análise individualizada deve ser realizada, optando-se por revascularização miocárdica sem Circulação Extracorpórea (CEC), sempre que possível, pelo alto risco de insuficiência hepática pós-CEC. Aparentemente, nos casos em que a CEC for imprescindível, a cirurgia cardíaca deve ocorrer simultaneamente ao TF, podendo a CEC ser um fator protetor miocárdico na fase da reperfusão hepática, por permitir recuperação gradual do músculo cardíaco, maior estabilidade hemodinâmica e melhor controle metabólico. No entanto, ainda há discussão em relação a melhor conduta cirúrgica no hepatopata crônico portador de coronariopatia.[28]

Distúrbio Pulmonar

A doença hepática avançada pode ser complicada pelo desenvolvimento de doenças vasculares pulmonares: a síndrome hepatopulmonar e a hipertensão portopulmonar. Outras causas de distúrbio pulmonar são ascite e hidrotórax hepático, definido como derrame pleural em pacientes com cirrose. Em 85% dos casos, ocorre no hemitórax direito, decorrendo de defeitos microscópicos diafragmáticos, que se desenvolvem pela hiperdistensão do diafragma secundária a ascites volumosas. Esses defeitos permitem a passagem de líquido ascítico da cavidade peritoneal para a cavidade pleural.

Síndrome hepatopulmonar (SHP)

A SHP tem incidência de 15% a 20% em adultos, e 8% em crianças. É caracterizada pela tríade de hipertensão portal, hipoxemia e vasodilatação intrapulmonar. A hipertensão portal é definida como aumento da pressão da veia porta em pelo menos 5 mmHg acima da PVC. Os achados clínicos mais comuns são hipóxia ($PaO_2 < 70$ mmHg em ar ambiente), gradiente alvéolo-arterial de oxigênio [P(A-a) O2] $\geq$ 15 mmHg ou $\geq$ 20 mmHg em pacientes > 65 anos, cianose central, baqueteamento digital, unhas em "vidro de relógio", platipneia e ortodeoxia (respectivamente dispneia e hipóxia em pé, que melhoram quando deitado). A SHP decorre de grande vasodilatação capilar e pré-capilar pulmonar, predominando nas bases pulmonares, o que explica a hipoxemia mais grave na posição ortostática. O diâmetro normal do capilar pulmonar de 7 a 15 nm e pode alcançar valores de 100 nm, o que dificulta a transferência de oxigênio do alvéolo para o capilar pulmonar. Em geral, a hipoxemia se comporta como um defeito difusional que melhora com a administração de oxigênio. A SHP é reversível com o TF, e o seu diagnóstico no pré-operatório aumenta a pontuação no MELD do paciente em lista de espera. Na SHP grave com $PaO_2 \leq 50$ mmHg, sem resposta à administração de oxigênio a 100% ($PaO_2 \leq 150$ mmHg), a indicação do transplante deve ser reavaliada pela alta taxa de mortalidade.[29]

Na ecocardiografia transtorácica, o aparecimento de microbolhas no átrio esquerdo, em três a seis ciclos cardíacos, após a administração de contraste ecogênico (solução salina agitada) em veia periférica, indica passagem anormal de microbolhas no leito vascular pulmonar e *shunt* intrapulmonar (microbolhas não passam pela circulação pulmonar normal).[30] O diagnóstico é realizado por meio da prova de hiperóxia com ecocardiografia transtorácica utilizando contraste por microbolhas para rastreamento, e cintilografia pulmonar com albumina marcada com Tc-99 para quantificação do *shunt* pulmonar. PaO2 $\leq$ 50 mmHg e *shunt* $\geq$ 20% (MAA[99mTc]) são fortes preditores de mortalidade perioperatória.

No intraoperatório, a monitorização hemodinâmica deve incorporar a ETE. Recomenda-se intensificar os cuidados relativos à embolização cerebral e sistêmica desses pacientes. Fatores como a reposição fluida agressiva, politransfusão, longo tempo de isquemia do enxerto e uso de enxerto não ideal podem agravar a hipoxemia desses doentes após a reperfusão do enxerto. Há uma maior incidência de complicações biliares e vasculares nos pacientes com SHP, provavelmente pela hipoxemia acentuada. Altos níveis de pressão expiratória final positiva (PEEP) nesses pacientes são desaconselhados, pois não melhoram a hipoxemia. Em caso de agravamento da hipoxemia intraoperatória, é recomendado suspender os anestésicos inalatórios, administrar azul de metileno e bloqueador beta-adrenérgico. Na ocorrência de hipoxemia refratária perioperatória, pode ser necessário o suporte de Oxigenador de Membrana Extracorpórea (ECMO).

Hipertensão portopulmonar (HPP)

A HPP tem uma incidência de 2% a 10% em adultos com hipertensão portal no contexto do TF, tendo alto impacto prognóstico antes, durante e após o TF.[31] O critério para diagnóstico da HPP é definido por: pressão média de artéria pulmonar (PAPm) > 20 mmHg, associada à Pressão de Oclusão da Artéria Pulmonar (POAP) ≤15 mmHg e Resistência Vascular Pulmonar (RVP) > 240 dynes/s/cm^{-5}, ou 3 unidades Wood (UW) (sendo 1 unidade Wood = 80 dynes/s/cm^{-5}). A fisiopatologia da HPP não está totalmente esclarecida, e vários fatores estão envolvidos, sendo os principais responsáveis: (1) a circulação hiperdinâmica da doença hepática, levando ao estresse de cisalhamento do endotélio da circulação pulmonar; e (2) ao *shunt* portosistêmico, secundário a hipertensão portal, que leva a circulação pulmonar substâncias e mediadores vasoativos que se evadiram do metabolismo hepático.[32,33]

Nos pacientes com HPP, a PAPm pode estar elevada decorrente de aumento da RVP, do aumento do DC, pela circulação hiperdinâmica, ou por hipervolemia, ou ainda por estes três fatores agindo concomitantemente. As recomendações atuais não suportam que a conduta na HPP seja orientada somente pela PAPm, mas também pelo nível da RVP, pela função ventricular direita, e estado hemodinâmico e volêmico do paciente. Vários estudos mostram que a RVP pode estar mais fortemente associada ao pior desfecho que a PAPm.[34] A ecocardiografia transtorácica é recomendada a todo candidato ao TF para triagem de HPP.[35,36] Segundo as recomendações da *International Liver Transplantation Society* (ILTS), paciente com ecocardiografia transtorácica de avaliação pré-operatória, em lista para TF, apresentando pressão sistólica estimada de VD maior que 50 mmHg ou sinais de disfunção de VD, deve ser submetido ao Cateterismo Cardíaco Direito (CCD).[35] No CCD são avaliadas as pressões intracardíacas e pulmonares, a RVP e a função cardíaca para melhor definição da estratégia terapêutica.

As evidências atuais consideram o TF seguro em pacientes com PAPm < 35 mmHg, e também naqueles com PAPm entre 35 a 45 mmHg, desde que a RVP < 3 UW e haja boa função ventricular direita.[37] Os pacientes com PAPm entre 35 a 45 mmHg com RVP > 3 UW ou disfunção de VD, e também aqueles com PAPm > 45 a 50 mmHg, o TF é considerado de alto risco, devendo ser suspenso e o paciente encaminhado a terapia farmacológica especifica para Hipertensão Arterial Pulmonar (HAP), pois alguns destes pacientes apresentam um componente de vasoconstrição ativo na vasculatura pulmonar que pode ser farmacologicamente modulável.

As principais estratégias farmacológicas pré-operatórias para reduzir a PAPm e a RVP, são as terapias que modulam as vias do oxido nítrico, da endotelina e da prostaciclina. Na via do oxido nítrico, destacam-se os inibidores da fosfodiesterase-5 (sildenafil e o tadalafil); na via da endotelina, os antagonistas seletivos da endotelina-1 (bosentana, ambrisentana e a macitentana); na via da prostaciclina, os análogos parenterais (epoprostenol, treprotinil e o iloprost), os inalados (iloprost e treprostinil) e oral (selexipague).[37] Essas terapêuticas têm se mostrado úteis na melhoria da hemodinâmica pulmonar (redução da RVP e da PAPm) e melhora na classe

funcional destes pacientes, servindo como uma ponte para o TF. Sem o TF, o prognostico desses pacientes é péssimo, por isso o esforço é concentrado em realocá-los na lista para TF o mais precoce possível. Pacientes com HPP em tratamento direcionado a HAP, devem ter avaliação cardiovascular pelo cateterismo direito a cada três meses.[34]

A SHP é outra complicação vascular pulmonar da hipertensão portal que pode coexistir e estar mascarada pela presença da HPP.[38,39] Desta forma, paciente em terapia farmacológica para HPP, pode, com o restabelecimento de sua função cardíaca, apresentar SHP, manifestada por hipoxemia e piora da dispneia.[38] Avaliação de coexistente SHP é imprescindível nos pacientes com HPP.[39]

No intraoperatório, as condutas são orientadas pela monitorização hemodinâmica do cateter de Swan-Ganz e da ETE As terapias para o controle da hipertensão arterial pulmonar (HAP), como o uso de óxido nítrico (NO) inalado, devem ser instituídas no início da anestesia, juntamente com medidas para otimização da função do Ventrículo Direito (VD), como a administração de milrinona.[37,40] Devem ser evitados fatores que comprometem o desempenho do VD, como a hipervolemia, acidose, hipocalcemia, hipoxemia, hipercarbia e hipotermia. A administração do NO inalado deve ser feita pela porção distal do ramo inspiratório do circuito de ventilação, o mais próximo do paciente, começando-se com 20 ppm (até o máximo de 40 ppm), respeitando-se intervalos superiores a 20 minutos para alteração da dose. Como regra, deve-se usar a mínima dose efetiva no menor tempo, e dosar a metemoglobina a cada hora. O desmame gradual deve ser iniciado quando a RVP estiver menor que 3 UW.

A reperfusão do fígado transplantado é um dos momentos mais críticos nestes pacientes, pois este é frequentemente acompanhado de elevações críticas da PAPm e risco de disfunção de VD.[37] A exacerbação da PAPm na reperfusão, causada pelo aumento abrupto do retorno venoso, contendo substâncias cardiodepressoras do enxerto e microêmbolos, além de hipotermia, pode desencadear insuficiência ventricular direita aguda. Constituem sinais de falência cardíaca na ETE: insuficiência tricúspide, dilatação do VD e desvio do septo Interventricular. Recentemente, em casos selecionados de alto risco, tem sido utilizado a Oxigenação por Membrana Extracorpórea Venoarterial (ECMO-VA) para suporte cardíaco intraoperatório no TF.[41]

Distúrbio da Hemostasia

Nos hepatopatas, os testes padrões da coagulação comumente indicam um estado hipocoagulante, porém deve ser salientado que, tanto os fatores pró-coagulantes como os anticoagulantes estão comprometidos, e que tempo de protrombina, tempo de tromboplastina parcial ativada e tempo de trombina podem não avaliar de forma apropriada o risco de sangramento ou de trombose nesses pacientes. Deve-se salientar que o tempo de protrombina (TP) é preditor de gravidade e prognóstico na doença hepática aguda e crônica, pois avalia a função hepática de síntese proteica de forma rápida e sensível, porém não reflete a hemostasia que ocorre *in vivo*, não é preditor de sangramento nem trombose, e não deve ser utilizado para orientar estratégias terapêuticas sobre a coagulação no perioperatório.[42-44]

O fígado é o órgão responsável pela síntese de fatores pró-coagulantes e anticoagulantes. Com exceção do fator VIII, fator de Von Willebrand (FvW), Ativador Tecidual do Plasminogênio (t-PA) e do inibidor primário do Ativador do Plasminogênio Tipo 1 (PAI-1), todos os outros fatores são produzidos no fígado. O fígado é o maior sítio de depuração de fatores de coagulação ativados, do ativador tecidual do plasminogênio e dos Produtos de Degradação da Fibrina (PDFs). O desarranjo da homeostasia na doença hepática é multifatorial, sendo que na doença hepática compensada ocorre um "rebalanceamento hemostático", no qual a geração de trombina é preservada até graus avançados da doença.[45] A cirurgia, a insuficiência renal e a infecção são os fatores que, mais frequentemente, comprometem esse equilíbrio, o que explica a ambiguidade, ou seja, a ocorrência de complicações trombóticas e de sangramento que podem ocorrer inclusive de forma simultânea no paciente cirrótico. Situações consideradas pró-coagulantes incluem a síndrome de Budd-Chiari, neoplasias, trombose de veia porta, cirrose biliar primária, colangite esclerosante, trombose venosa ativa e a Doença de Leiden.

O distúrbio da hemostasia primária é causada pela trombocitopenia decorrente do hiperesplenismo e pela trombocitopatia decorrente da elevação dos níveis de amônia, ureia, creatinina, PDFs e fenóis.[46] A hemostasia primária se reequilibra com aumento reacional da síntese do FvW e redução dos níveis de ADAMTS-13 (protease que cliva a molécula do FvW).[43] Com relação à hemostasia secundária, ocorre redução dos fatores pró-coagulantes (FII, FV, FVII, FIX, FX, FXI, FXII e FXIII), exceto do FvW e do FVIII; redução dos fatores anticoagulantes (proteína S, proteína C e antitrombina); redução dos fatores inibidores da fibrinólise [alfa 2-antiplasmina e do inibidor da fibrinólise ativada pela trombina (TAFI)]. O resultado dessas alterações é a diminuição da síntese de fibrinogênio e o aumento do estado fibrinolítico. Pacientes pediátricos com hepatopatia crônica em geral apresentam menor grau de coagulopatia e de fibrinólise, em relação ao adulto. Fisiologicamente, os fatores FII, FVII, FIX, FX, FXI e FXII encontram-se reduzidos até seis meses de vida.[47]

Distúrbio Renal

O comprometimento renal, frequente na doença hepática, é um forte preditor de gravidade, de insuficiência renal pós-transplante, de sepse e de mortalidade. A creatinina é uma das variáveis do cálculo do MELD, porém não é bom indicador de função renal no cirrótico, em decorrência de vários fatores: massa muscular diminuída, secreção tubular de creatinina aumentada, efeito diluicional proporcionado pela presença de um volume de distribuição aumentado e uma dosagem da creatinina sérica inadequada pela interferência de altos níveis de bilirrubina nos pacientes ictéricos.[48] A disfunção renal inicia-se devido à diminuição do fluxo sanguíneo renal secundária à vasoconstrição, que é causada pela ativação compensatória do sistema nervoso simpático, do hormônio arginina-vasopressina, do SRAA e do aumento da circulação de endotelina-1 que acompanham o desenvolvimento da doença hepática. No perioperatório, a disfunção renal pode ser agravada por hipovolemia, necrose tubular aguda, nefrotoxicidade, uso de anti-inflamatórios não esteroidais e Síndrome Hepatorrenal (SHR).

A SHR é um quadro potencialmente reversível que se caracteriza pelo desenvolvimento de insuficiência renal em pacientes com insuficiência hepática crônica sem evidência de hipovolemia ou doença renal preexistente. A SHR incide em até 20% dos pacientes cirróticos com ascite refratária,[49] sendo preditora de sepse e mortalidade no perioperatório. A patogênese da SHR parece decorrer da intensa vasodilatação esplâncnica com piora da hipovolemia central. A estratégia terapêutica da SHR inclui expansão volêmica com albumina, medidas de redução da pressão venosa portal com o uso de betabloqueadores não seletivos (propranolol), instalação de TIPS (*shunt* transjugular portossistêmico) e o uso de vasoconstritores esplâncnicos (terlipressina, vasopressina, midodrina, octreotrida, noradrenalina) associados à expansão volêmica com albumina. A SHR descompensada com acidose metabólica, distúrbio eletrolítico, ou sobrecarga de volume, deve ser tratada com terapia de substituição renal, preferencialmente hemodiálise venovenosa contínua, que acarreta menor comprometimento hemodinâmico. O TF é o tratamento de eleição, e no caso de SHR com duração maior que 8 a 12 semanas, o transplante combinado fígado-rim pode estar indicado.

Distúrbio Neurológico

A encefalopatia hepática é uma síndrome neuropsiquiátrica frequente na cirrose e indica doença hepática grave e descompensada. A encefalopatia hepática ocorre tanto na doença crônica como na doença hepática aguda.

Na doença hepática, a amônia produzida pelas bactérias intestinais deixa de ser convertida em ureia, resultando em hiperamonemia e redução dos níveis séricos de ureia. Em situação de hiperamonemia, o astrócito converte amônia em glutamina, aminoácido com potente efeito osmótico, gerando edema glial e alteração da comunicação interneural e potencializando as vias de neuroinibição Gama-Aminobutíruca (GABA). As evidências atuais demonstram que o edema cerebral é o centro do processo responsável pela encefalopatia hepática na hepatite fulminante.[50] A amônia sérica acima de 200 μg.dL^{-1} está associada à herniação cerebral em 24 horas. A intensidade do edema cerebral e hipertensão intracraniana se correlacionam com o grau de encefalopatia hepática e, de um modo geral, o quadro é potencialmente revertido com o restabelecimento da função hepática (Tabela 195.3). A repercussão clínica do edema cerebral depende da velocidade do aumento da amonemia e da capacidade adaptativa do sistema nervoso central. Os sinais clássicos de elevação da Pressão Intracraniana (PIC) são hipertensão arterial sistêmica, bradicardia e irregularidade da respiração (tríade de Cushing). As manifestações neurológicas incluem aumento do tônus muscular, hiper-reflexia e alteração da resposta pupilar. A tomografia de crânio deve ser realizada para excluir outras causas de encefalopatia, como hemorragia intracraniana.

Tabela 195.3 Graduação clínica da encefalopatia hepática – escala de West Haven.

Grau	Estado mental	Sinais neurológicos
I	Confusão leve, euforia ou depressão	Incoordenação motora; tremor leve
II	Sonolência e letargia	Asterix (*flapping*); ataxia; disartria
III	Torpor responsivo a estímulos externos	Hiper-reflexia; rigidez muscular; fasciculações; sinal de Babinski
IV	Coma	Perda dos reflexos oculovestibulares; perda de resposta a estímulos dolorosos; postura de descerebração

O tratamento inclui lactulose oral, enema de lactitol, antibióticos orais de pouca absorção, como a neomicina e a rifaximina, para diminuir a flora bacteriana. Na encefalopatia hepática graus III e IV por hepatite fulminante, o TF de urgência é a única terapêutica eficaz. Nesses pacientes, vários centros recomendam a instalação de cateter para monitorização da PIC, objetivando-se manter, no adulto, PIC < 25 mmHg, com pressão arterial média (PAM) > 75 mmHg e Pressão de Perfusão Cerebral (PPC) > 50 mmHg (PPC = PAM – PIC). Medidas de suporte até o TF incluem cefaloaclive de 30°, intubação orotraqueal, ventilação mecânica, paralisia muscular, e controle metabólico. Os fatores que aumentam a PIC devem ser evitados. A hipotermia moderada de 34° C não é mais recomendada profilaticamente para neuroproteção devido ao seu potencial de agravar coagulopatias e aumentar o risco de infecções. Recomenda-se manter a temperatura central em cerca de 36°C.[51]

■ PERÍODO INTRAOPERATÓRIO

Anestesia

Antes da cirurgia, a anamnese deve ser precisa. São revisados os exames laboratoriais e de imagens, estado de consciência, grau de ascite, uso de medicamentos, classe Child, pontuação Meld, achados da ecocardiografia, intervalo QT, presença de varizes de esôfago e trombose de veia porta. Neste momento, deve-se pesquisar sinais de descompensação da doença hepática que constituem fatores independentes de prognóstico no TF, os quais incluem: doença hepática aguda, encefalopatia, insuficiência renal aguda, sangramentos, cardiomiopatias, HPP com PAPm > 35 mmHg, SHP com $PaO2 \leq 50$ mmHg, RNI > 1,7, bilirrubina total > 3 mg . dL^{-1}, creatinina sérica > 1,4 mg.dL^{-1}, albumina sérica < 2,8 g.dL^{-1} e presença de leucocitose. Em decorrência do risco de sangramento intraoperatório, é imprescindível confirmar a tipagem sanguínea e a reserva de hemocomponentes com o Banco de Sangue. É recomendado disponibilizar 10 unidades de cada hemocomponente para o início da cirurgia.

A indução anestésica é realizada geralmente com monitorização não invasiva convencional, eletrocardioscopia em D2 e CM5 com análise do segmento ST, oximetria de pulso, oximetria cerebral, pressão arterial não invasiva, profundidade anestésica (Índice Biespectral - BIS) e posicionamento

dos eletrodos de desfibrilador transcutâneo. A anestesia em neuroeixo não é indicada pelas alterações na hemostasia, entretanto outras técnicas anestésicas regionais, como o bloqueio do plano transverso abdominal guiado por ultrassonografia, podem fazer parte de uma estratégia multimodal para controle da dor pós-operatória.[52] Os cuidados com o paciente na sala de operação incluem: a sondagem vesical para monitorização do débito urinário, a monitorização da temperatura para manutenção da temperatura corporal com a utilização de mantas térmicas e sistema de infusão de fluidos aquecidos, a proteção mecânica de saliências ósseas para profilaxia de úlceras de calcâneo, sacrococcígea e occipital, e a profilaxia de eventos trombóticos perioperatórios com a utilização de meias elásticas e sistema de compressão pneumática intermitente. O sistema de infusão rápida de fluidos e de autotransfusão por recuperação intraoperatória (*Cell Saver*) são equipamentos que devem estar disponíveis para casos selecionados, isto é, pacientes com risco aumentado de sangramento operatório. Deve-se realizar leve alteração no posicionamento da cabeça a cada 40 minuto para se evitar alopecia de pressão.

Em decorrência do risco de aspiração pulmonar de conteúdo gástrico, a anestesia do hepatopata deve ser induzida com sequência rápida de fármacos após administração de propofol associado à opioide e bloqueador neuromuscular (succinilcolina ou rocurônio). A anestesia é mantida com anestésico inalatório (sevoflurano), exceto na hepatite fulminante. A anestesia é complementada com opioide (fentanil, sufentanil ou remifentanil) e bloqueador neuromuscular (cisatracúrio ou rocurônio). O uso de sevoflurano no TF está associado à diminuição das complicações graves e diminuição da incidência de disfunção precoce do enxerto, nos pacientes que receberam fígados não ideais.[53] A ventilação mecânica deve visar à proteção pulmonar, mantendo-se baixos picos de pressão, baixos volumes correntes (6 a 8 mL/kg), frequência respiratória ajustada para $PaCO_2$ de 35 a 40 mmHg, PEEP 5 cmH20, e FiO_2 ajustada para a melhor relação de PaO_2/FiO_2, evitando-se longos períodos de fração inspirada alta de oxigênio.[28]

A extubação na sala de operação (SO) tem sido descrita como benéfica desde que o paciente mantenha SpO2 < 99% nas primeiras 24 horas. Os critérios para sua execução incluem: presença dos sinais de bom funcionamento do enxerto, ausência de encefalopatia pré-operatória, ausência de cardiomiopatia pré-operatória, ausência da necessidade de suporte hemodinâmico farmacológico pós-operatório, gradiente alvéolo arterial de oxigênio $[P(A-a)O_2] < 10$ mmHg, transfusão operatória menor que uma volemia, normotermia e idade < 50 anos.

Monitorização e acessos vasculares

A monitorização invasiva deve incluir linha arterial invasiva. Em no nosso serviço, preconizamos a monitorização por duas linhas arteriais, artéria radial e artéria femoral. A Pressão Arterial (PA) monitorizada pela artéria radial subestima os valores da PA obtida pela leitura na artéria femoral.[54,55] A PA monitorizada pela artéria femoral tem sido cada vez mais recomendada para melhor interpretação do *status* hemodinâmico e estimativa do volume sanguíneo circulante, proporcionando o uso mais apropriado de vasopressores e da terapia fluida, principalmente, nas cirurgias com grandes alterações hemodinâmicas, perdas sanguíneas maciças e no uso de múltiplos vasopressores, como no caso do TF.[55-57] Recomenda-se, quando em uso da artéria radial para monitorização da pressão arterial, que a terapêutica fluida e o uso de vasopressores não seja orientada pela medida da pressão arterial sistólica, mas sim pela pressão arterial média.[56]

Acesso venoso periférico de grande calibre, acesso venoso central multilúmen e acesso central para o Cateter de Artéria Pulmonar (CAP) devem ser rotineiramente obtidos. Nos casos com dificuldade de acesso periférico de grosso calibre, um cateter >9 Fr deve ser instalado em veia central. Se o valor da creatinina for >1,6, passar o cateter de dialise. Se houver planejamento do uso do *by-pass* venovenoso, um cateter 12 Fr deve ser instalado em veia jugular interna ou veia subclávia. Nos acessos periféricos, higienizar as mãos, usar máscara cirúrgica e luvas estéreis. Nos acessos vasculares centrais ou aqueles com o uso de fios-guia, é obrigatório o uso de barreiras estéreis máximas de proteção (campo, luva e avental estéreis). Deve-se utilizar a ultrassonografia para localização e verificação da patência dos acessos venosos centrais. Recomenda-se o uso de radioscopia na verificação do posicionamento adequado dos cateteres centrais, principalmente em crianças.

A complacência cardíaca varia durante a cirurgia em decorrência de alterações na pré e pós-cargas metabólicas, perfusionais e térmicas. Desse modo, o valor da PVC, como indicador de pré-carga cardíaca e de volemia, tem sido questionado, e vários estudos demonstram baixa acurácia para orientar a reposição volêmica.[58] O CAP continua sendo a monitorização de escolha para os casos mais graves, tendo indicação precisa nos pacientes maiores de 12 anos com hipertensão pulmonar e/ou disfunção cardíaca. Nesse sentido, o CAP modificado com leitura contínua da saturação venosa mista de oxigênio, do volume diastólico final de VD e da fração de ejeção do VD são de grande valor para avaliação hemodinâmica no TF. Nos pacientes sem HPP, com doença hepática compensada, Child-Pugh A, com baixo risco de sangramento, outras modalidades de monitorização hemodinâmica menos invasivas têm sido empregadas. A monitorização do DC minimamente invasiva não dispensa a ETE. As evidências atuais mostram que no TF, nos pacientes Child-Pugh classes B ou C, naqueles com instabilidade hemodinâmica e em altas doses de vasopressores, a fisiologia do paciente ainda não está bem representada pela monitorização minimamente invasiva; portanto, o CAP juntamente com a ETE devem ser utilizados rotineiramente.

A ETE tem sido incorporada rotineiramente no TF, tendo indicação precisa, junto ao CAP, nos pacientes com cardiomiopatia e na hipertensão portopulmonar. A ETE tem se destacado como uma ferramenta bem-sucedida para diagnóstico precoce de situações como episódios de choque cardiogênico inesperado, na obstrução dinâmica na via de saída do ventrículo esquerdo com movimento sistólico anterior da valva mitral, na insuficiência isolada do ventrículo direito, na miocardiopatia de Takotsubo, no tamponamento cardíaco, na trombose intracardíaca, na embolia pulmonar, na estenose da veia cava inferior, no derrame pericárdico e nos quadros de hipovolemia. Condições estas não raras no

TF. Adicionalmente, salienta–se que a avaliação da pré-carga é fundamental para a manutenção do estado hiperdinâmico nos estados de vasodilatação periférica que acompanha o TF, e que somente a ETE consegue medir o volume diastólico final de VE.

A ETE é considerada segura e com baixa incidência de complicações.[59] Embora alguns protocolos têm contraindicado a ETE em pacientes com varizes esofágicas grau três (vasos calibrosos que ocupam mais que um terço da luz esofágica) ou em vigência de sangramento ativo, outros serviços liberam o seu uso a critério da situação clínica.[60] Alguns cuidados com a sonda da ETE diminuem o risco de sangramento durante sua utilização, como uma movimentação delicada do probe e restrição de seu avanço até o esôfago distal.[60] A avaliação pela ETE é normalmente feita pelo plano do Esôfago Médio Quatro Câmaras, pois os planos mais profundos ficam prejudicados devido à retração do estômago pelo cirurgião. As alterações mais frequentemente encontradas nos cirróticos com hiperdinamismo circulatório são: alargamento das quatro câmaras, fração de ejeção de normal a aumentada e turbulência na via de saída de VE.

Vários protocolos simplificados de avaliação pela ETE direcionados ao TF vêm sendo publicados. Os planos mais frequentemente utilizados nesta abordagem são: Esôfago Médio 4 Câmaras (EM 4C), Esôfago Médio Bicaval (EM B), Esôfago Médio Eixo Longo (EM EL), Esôfago Médio Ventrículo Direito vias de Entrada e Saída (EM VD E/S), Esôfago Médio Bicaval modificado Valva Tricúspide (EM BVT), Transgástrico Eixo Longo (TG EL) e o Transgástrico Eixo Curto (TG EC) (Tabela 195.4).[60-62]

Tabela 195.4 ETE planos.	
Plano	**Diagnostico**
EM 4C	Disfunção VD e VE, tamponamento, hipovolemia
EM B	EP, defeito septo atrial, FOP, VCS, VCI
EM EL	SAM, VSVE, VSVD
EM VD E/S	Disfunção VD, via de saída VD, trombo intracardíaco, EP
EM BVT	Átrio D e E, VCS, VCI, valva tricúspide
TG EL	Veia hepática, VD, VE, VSVD
TG EC	Hipovolemia, isquemia miocárdica

VD: ventrículo direito; VE: ventrículo esquerdo; VSVD: via saída VD; VSVE: via saída VE; E: embola pulmonar; FOP: forame oval patente; VCS: veia cava superior; VCI: veia cava inferior.

Reposição Volêmica

A reposição volêmica criteriosa em cada fase da operação é um dos pontos críticos para o sucesso da cirurgia, devendo-se evitar tanto a reposição fluida liberal como a hipovolemia. A reposição volêmica é direcionada pelas metas hemodinâmicas e perfusionais (Tabelas 195.4 e 195.5, respectivamente), orientada pela monitorização hemodinâmica invasiva. A reposição fluida de base é realizada com o uso de soluções cristaloides, devendo-se evitar soluções hipotônicas, como soro glicosado 5% e soluções hiperclorêmicas, como soro fisiológico 0,9% e a solução de Ringer simples, que, em situação de reposição maciça, podem produzir acidose metabólica hiperclorêmica. Com relação ao Ringer lactato, como o lactato é metabolizado no fígado e seu metabolismo fica comprometido no TF, a avaliação da perfusão pelo lactato sérico pode ficar comprometida. Os fluidos mais indicadas são as soluções cristaloides balanceadas e polieletrolíticas que contêm acetato e gluconato, no lugar do lactato.[63]

A suplementação com albumina está indicada para pacientes hipoalbuminêmicos, com ascite de difícil controle, ou naqueles que no intraoperatório apresentam produção de ascite exacerbada ou requerem administração de cristaloides em velocidade de infusão > 10 mL/kg /h. O excesso de fluido pode agravar a coagulopatia por hemodiluição e aumentar o edema de alças intestinais já vigente, causado pela estase venosa esplâncnica que ocorre durante a fase anepática e pela manipulação das vísceras. As análises séricas de gasometrias arteriais e venosas, sódio, potássio, magnésio, cálcio iônico, lactato, glicose, hemoglobina/hematócrito, são realizadas a cada hora. Dosagens séricas de cloro, fósforo, albumina e proteínas totais são realizadas pelo menos uma vez em cada fase da a cirurgia, após as correções ou quando a situação clínica indicar.

Hemostasia

O TF está associado a alterações complexas da hemostasia que cursam com aumento do risco, tanto de sangramento quanto de trombose. Além do rebalanceamento hemostático, o paciente está sujeito à coagulopatia secundária devido a períodos de hipoperfusão tecidual que podem ocorrer durante o TF, agravadas pela lesão de isquemia e reperfusão hepática. Os distúrbios da hemostasia são multifatoriais, destacando-se a etiologia e a gravidade da doença hepática, o grau de hipertensão portal, a presença de coagulopatia, e de cirurgias abdominais prévias. A profilaxia intraoperatória destes distúrbios deve ser aplicada a todos os pacientes, priorizando a manutenção da normotermia, do pH e a otimização da perfusão tecidual, de acordo com as metas hemodinâmicas e perfusionais descritas (Tabelas 195.5 e 195.6).

Tabela 195.5 Metas hemodinâmicas.

Pressão arterial média > 65mmHg

Índice de oferta de oxigênio (IDO$_2$) > 600 mL/min/m^{-2}

Índice Cardíaco (IC) > 3,0 L/min/m^{-2}

Resistência Vascular Sistêmica (RVS) > 600 dyn/seg/cm^{-5}

Resistência Vascular Pulmonar (RVP) < 240 dyn/seg/cm^{-5}

Volume diastólico final VD indexado ≥ 80 mL/m^2

Pressão capilar pulmonar (PCP) 8 -12mmHg

Pressão venosa central (PVC) 8 a 10mmHg

Variação de pressão de pulso (VPP) < 15%

A monitorização da hemostasia tem como objetivo principal identificar os pacientes com risco de sangramento excessivo ou aqueles com risco de desenvolver eventos

Tabela 195.6 Metas perfusionais.

Diurese ≥ 1mL/kg/h

pH ≥ 7,35

Lactato ≤ 4 mmol/L

Ca 1,1 – 1,3 mEq/L$^-$

Temperatura >36°C

ScvO$_2$ ≥ 70%

Gradiente veno-arterial de gás carbônico (ΔPCO$_2$) < 6mmHg

Gradiente alvéolo-arterial oxigênio [P(A-a)O$_2$] < 10mmHg

trombóticos, e orientar o tratamento das alterações complexas que ocorrem durante a cirurgia. A despeito do TP ser preditor da gravidade e prognóstico da doença hepática, esse teste não é preditor de sangramento e não se correlaciona com a necessidade transfusional. Os testes rotineiros da coagulação (TP, tempo de tromboplastina parcial ativada [TTPA], TT, contagem plaquetária e dosagem de fibrinogênio) não refletem a homeostasia perioperatória, e têm demonstrado aplicabilidade limitada no diagnóstico, monitorização e tratamento dos distúrbios da hemostasia no TF.[64] Por outro lado, os testes point-of-care que avaliam a cinética de formação e destruição do coágulo, como a Tromboelastografia (TEG®) e a Tromboelastometria (ROTEM®) são considerados os métodos mais adequados para o diagnóstico e orientação das estratégias terapêuticas sobre o controle da hemostasia.[65] As vantagens da tromboelastografia são: a análise da coagulação e da fibrinólise, o diagnóstico diferencial das coagulopatias e do estados de hipercoagualação, a avaliação da atividade plaquetária, a avaliação in vitro da terapêutica, a rapidez da avaliação, a facilidade de interpretação e a realização da avaliação da coagulação na temperatura real do paciente. Ela também documenta a interação dos fatores de coagulação com as plaquetas, formação inicial da fibrina, velocidade de endurecimento do coágulo, firmeza e estabilidade do coágulo e atividade plaquetária. O perfil da coagulação pode ser interpretado qualitativamente e quantitativamente identificando os estados de hipocoagulação, hiperfibrinólise ou hipercoagulação (Figura 195.1).

Embora não exista consenso dos algoritmos transfusionais, estudos têm demonstrado que a utilização racional do ROTEM® e da TEG®, dentro de protocolos transfusionais, otimiza o tratamento imediato dos distúrbios intraoperatórios da hemostasia, com diminuição do sangramento, das necessidades transfusionais de hemocomponentes, com redução da morbidade e da mortalidade geral.[65-68] Fenômenos tromboembólicos são a causa de 20% das mortes nas primeiras 24 horas de perioperatório. Clinicamente, se manifestam em 1% a 6% dos pacientes, mas podem ser flagrados pelo ETE em até 24% dos pacientes.[69] Os equipamentos ROTEM® e TEG® não são adequados para indicar ou monitorizar tromboprofilaxia.[70] Testes de dosagem de trombina são mais adequados para avaliação da hemostasia, porém, são de demorada execução e ainda de elevado custo. Devido à falta de testes adequados para predição de sangramento e de trombose, não há forte recomendação para a tromboprofilaxia química na literatura, particularmente nos pacien-

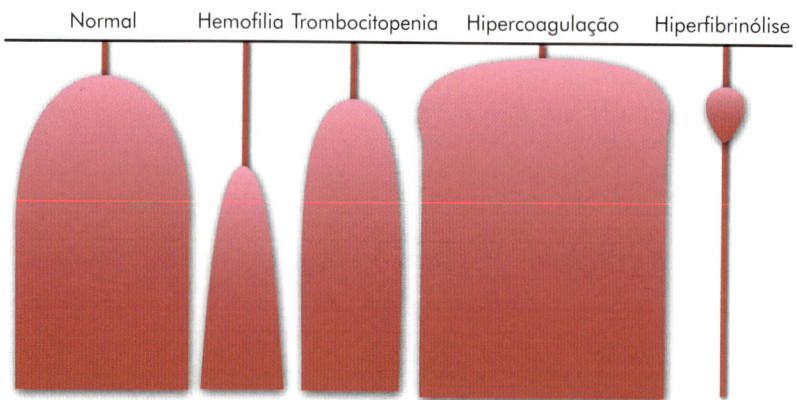

▲ Figura 195.1 Exemplos de estados anormais avaliados pelos testes viscoelásticos (TEG®, ROTEM®).
Fonte: Adaptada de Stein ML, *et al.*, 2020.[11]

tes com disfunção do enxerto. A tromboprofilaxia deve ser indicada conforme a doença de base e o risco de eventos tromboembólicos.[70]

O ROTEM® apresenta dois testes principais: o EXTEM, que avalia a via extrínseca (fatores I, II, VII, IX, X) ativada pelo fator tecidual; o INTEM, que avalia a via intrínseca (fatores VIII, IX, XI, XII) ativada pelo ácido elágico; e três testes suplementares, o FIBTEM, que utiliza a citocalasina como reagente para avaliar o fibrinogênio, o HEPTEM, que utiliza heparinase para detectar a presença de heparina, e o AP-TEM, que utiliza aprotinina para diagnosticar hiperfibrinólise. Na Tabela 195.7 estão listados os principais valores de comparativos de referência da TEG® e do ROTEM®, além dos principais parâmetros da coagulação avaliados. A descrição detalhada do método da TEG® e do ROTEM® encontra-se no capítulo Monitorização do Sistema Hematológico.

A administração de plasma fresco congelado, crioprecipitado e concentrado de plaquetas no intraoperatório está restrito ao tratamento de coagulopatias de acordo com protocolos transfusionais orientados pela tromboelastografia.

Isso segue uma política transfusional restritiva no uso de hemocomponentes e de agentes farmacológicos. A transfusão de concentrado de hemácias é raramente indicada quando a hemoglobina se encontra acima de 10 g/dL. A transfusão de crioprecipitado e/ou de concentrado de fibrinogênio deve ser administrada na vigência de sangramento ativo, sendo recomendado manter os níveis de fibrinogênio entre 150 e 200 mg/dL, cada 1U de Crioprecipitado = 300 mg de fibrinogênio. O uso de complexo pró-trombínico é também recomendado na vigência de sangramento ativo associado ao prolongamento do TC e TFC nos testes viscoelásticos ou TTPa e RNI aumentados em 50%. Recomenda-se manter os níveis de plaquetas ≥ 50.000/mm³, cada 10 U de plaquetas aumenta em 50.000/mm³. O uso de fator VIIa recombinante não é recomendado rotineiramente, pelo alto risco de eventos tromboembólicos graves.[65] Testes viscoelásticos associados à hematimetria e contagem plaquetária são realizados geralmente no início da cirurgia, para o planejamento da estratégia intraoperatória, antes do fechamento da parede abdominal no final da cirurgia, e em qualquer momento quando houver indicação clínica.

Tabela 195.7 Valores de referência do ROTEM® e da TEG® e significados.			
	TEG®	**ROTEM®**	**Significado**
Tempo coagulação (R, TC)	R 4-8 min	TC (INTEM) 137-246 seg	⮕Fatores VIII, IX, XI, XII
		TC (EXTEM) 42-74 seg	fatores I, II, VII, IX, X
Velocidade da polimerização da fibrina (*cross-link*)	K 1-4 min	TFC (INTEM) 40-100 seg	Fibrinogênio e/ ou plaquetas
		TFC (EXTEM) 46-148 seg	
	α 47-74°	α (INTEM) 71-82°	
		α (EXTEM) 63-81°	
Firmeza do coágulo (AM, MFC)	AM 55-73 mm	MFC (INTEM) 52-72 mm	Plaquetas ⮕ e/ou fibrinogênio
		MFC (EXTEM) 49-71 mm	
		MFC (FIBTEM) 9-25 mm	
Lise do coágulo (LC, LM, ILC)	LC30, LC60	LM, ILC30, ILC 60	Hiperfibrinólise

TEG®: valores normais sangue total nativo ou citratado recalcificado; R: tempo de reação; K: tempo K; AM: amplitude máxima; LC30 e LC60: lise do coágulo 30 e 60 minutos após AM; ROTEM®: valores normais; INTEM: ácido elágico; EXTEM: fator tecidual; FIBTEM: fator tecidual e citocalasina; TC: tempo de coagulação; TFC: tempo de formação do coágulo; MFC: máxima firmeza do coágulo; LM: lise máxima do coágulo em relação ao MFC; ILC30 e ILC60: índice de lise do coágulo aos 30 e 60 minutos após TC.

As Fases da Cirurgia

Classicamente, o procedimento do transplante é dividido em três fases: a fase um, ou hepatectomia, inicia-se na indução anestésica e finaliza com a exclusão vascular hepática e retirada do fígado nativo; a fase dois, ou anepática, estende-se da exclusão vascular do órgão nativo até a reperfusão do enxerto; a fase três, ou neo-hepática, inicia-se com a reperfusão do enxerto e finaliza com o fechamento da parede abdominal.

Fase um (hepatectomia)

Esta é a fase mais trabalhosa do procedimento anestésico cirúrgico. A intercorrência mais comum é o sangramento com todas as suas consequências, hipovolemia, hipotermia, hipocalcemia e complicações transfusionais. O sangramento é proporcional à gravidade da coagulopatia preexistente, ao grau da hipertensão portal do paciente, à presença de circulação venosa colateral mesentérica, à presença de aderências causadas por cirurgias abdominais prévias, peritonites e à complexidade técnica da hepatectomia. Nos pacientes com hipertensão portal e sangramento grave, pode ser indicado vasoconstrictor esplâncnico para diminuir o fluxo sanguíneo portal. A octreotida, análogo sintético da somatostatina, na dose de 50 mcg seguido da infusão de 50 mcg/h, pode ajudar a diminuir o sangramento operatório, devendo-se salientar que a infusão deve parar antes da revascularização do enxerto.[71] Octreotida pode, além de diminuir o sangramento, diminuir o risco de insuficiência renal aguda e aumentar a sensibilidade aos vasopressores. Como efeito colateral pode ocorrer bradicardia, hiper ou hipoglicemia e prolongamento do intervalo QT.[72]

A hipocalcemia ocorre frequentemente durante a administração de hemocomponentes, principalmente quando a velocidade de infusão for maior que 2 mL/kg/min.[73] O citrato, anticoagulante das bolsas de hemocomponentes, que é rapidamente metabolizado pelo fígado normal, tem sua depuração diminuída na doença hepática, o que torna esses pacientes suscetíveis à intoxicação pelo citrato durante a hemotransfusão. A intoxicação pelo citrato manifesta-se pelas alterações relacionadas à hipocalcemia e à hipomagnesemia. A hipocalcemia acarreta hipotensão arterial com aumento das pressões de enchimento cardíaco; na eletrocardioscopia, pode ser evidenciado alargamento do intervalo QT. O tratamento da hipocalcemia requer administração imediata de cloreto de cálcio na dose de 10 mg/kg. O magnésio iônico também tem seus níveis diminuídos durante a hemotransfusão, o que pode causar depressão miocárdica e arritmias ventriculares complexas,[74] requerendo reposição de magnésio na dose de 15 mg/kg. Arritmias ventriculares no TF podem decorrer de hipomagnesemia. A hipocalemia é comum nessa fase, porém habitualmente não é corrigida antes da reperfusão do enxerto, momento hipercalêmico da cirurgia. Nos pacientes oligúricos com hipercalemia, a hemodiálise intraoperatória deve ser considerada precocemente antes da reperfusão. A hiponatremia é outro distúrbio frequente nesses pacientes, que deve ser monitorado de forma intensiva, pois é comum o Sódio (Na) aumentar durante o intraoperatório. A elevação do Na > 12 mEq/L em 24 horas está associada a lesões neurológicas e à mielinólise central pontina.

A hipotermia é outra complicação frequente dessa fase que demanda enorme atenção. A hipotermia potencializa o risco de depressão cardíaca, arritmias, hipocoagulação e diminuição da função renal. A hipotermia leve não induz alterações graves na coagulação, porém abaixo de 34°C reduz a função plaquetária (adesão e agregação), e inibe as reações enzimáticas da cascata de coagulação e a síntese de fibrinogênio. A acidose diminui a geração de trombina, adicionando um efeito deletério à hemostasia, que é potencializado pela hipotermia. Há comprometimento progressivo da coagulação quando o pH sanguíneo < 7,2. O efeito depressor da combinação de acidose com hipotermia sobre a hemostasia é maior que os seus efeitos individuais, pois comprometem a coagulação por diferentes mecanismos. A homeostase térmica depende da atividade hepática, que fica prejudicada na fase anepática. Dessa forma, recomenda-se atenção máxima aos cuidados para conservação térmica nessa fase.

Fase dois (anepática)

A alteração hemodinâmica mais comum nesta fase é a hipotensão arterial decorrente do pinçamento da veia cava, e a alteração da hemostasia mais importante é a hiperfibrinólise. A hepatectomia geralmente é realizada com a técnica *piggyback*, isto é, com a preservação da veia cava do receptor. Desse modo, a fase anepática se inicia com a exclusão vascular do fígado nativo (veia porta, artéria hepática e veias hepáticas).[75] O retorno venoso fica até certo ponto preservado e as alterações hemodinâmicas desse momento são secundárias à diminuição do débito cardíaco causada, principalmente, pelo pinçamento da veia porta. A veia porta tem fluxo médio de 1 L/min, e seu pinçamento em alguns pacientes é acompanhado de queda do débito cardíaco e hipotensão arterial. Isso acontece principalmente nos pacientes que não têm circulação colateral.

A reposição fluida maciça para tratamento da hipotensão arterial nessa fase está associada à sobrecarga de volume na reperfusão do enxerto, com risco aumentado de insuficiência cardíaca e congestão hepática com prejuízo do enxerto. Nesta fase, o suporte hemodinâmico recomendado é a administração criteriosa de vasopressores, sendo a noradrenalina de eleição.[76] Em alguns pacientes, por motivos de dificuldade técnica operatória, pode ser necessário o pinçamento total de veia cava inferior para retirada do fígado. Nesses pacientes, a queda do débito cardíaco pode ser > 50% e o suporte hemodinâmico farmacológico nem sempre é suficiente para manutenção de PAM > 60mmHg. Nessa situação, pode ser indicado o emprego do *Bypass* Venovenoso (BVV).

O BVV é uma técnica que tem como objetivo drenar o sangue das veias porta e cava inferior para a veia axilar ou jugular interna, e dessa forma diminuir as consequências do pinçamento total da veia cava. As complicações do BVV incluem embolia aérea, tromboembolismo e lesão vascular. Atualmente o BVV tem indicação restrita e alguns serviços nunca o utilizam.[77]

Na fase anepática, a hipocalcemia, a hipomagnesemia, a hiperfibrinólise, a hipotermia e a hipoglicemia, pela ausência total do fígado, ocorrem de forma mais frequente e mais intensa. A hiperfibrinólise é a coagulopatia característica dessa fase. Em decorrência da ausência do fígado, ocorre aumento progressivo do Ativador do Plasminogênio Tecidual (t-PA), que não tem inibição de seu principal contrarregulador, o Inibidor do Ativador do Plasminogênio (PAI-1). Esse quadro de hiperfibrinólise é potencializado pela inibição da via Inibitória da Fibrinólise Ativada pela Trombina (TAFI).[78,79] Pacientes com doença hepática avançada ou pacientes com fases anepáticas prolongadas são os que mais frequentemente apresentam hiperfibrinólise com repercussão clínica de sangramento exacerbado. A hiperfibrinólise clínica nas fases um e dois do TF, confirmada por lise do coágulo > 15% em menos de 30 minutos na tromboelastografia, deve ser tratada com antifibrinolítico.

Fase três (neo-hepática)

Esta fase se inicia com a reperfusão do enxerto pela veia porta, sendo considerado classicamente o momento crítico da anestesia no TF e o período mais frequente de instabilidade hemodinâmica multifatorial da cirurgia.[80] A resposta hemodinâmica decorre da circulação de sangue frio, acidótico, hipercalêmico, rico em substâncias vasoativas e agentes tóxicos. Essas substâncias são liberadas tanto pelo enxerto como pela região esplâncnica que ficou congesta durante o pinçamento da veia porta. Do ponto de vista hemodinâmico, esse momento se caracteriza por queda da pressão arterial e da resistência vascular sistêmica.[81] Ocorre queda da temperatura após a reperfusão de cerca de 2°C, e a hipotermia aguda (<34 ºC) ocorre em 75% dos pacientes, estando diretamente relacionada ao peso do fígado implantado. A Síndrome Pós-Reperfusão (SPR) é um fenômeno hemodinâmico agudo e transitório de colapso cardiovascular caracterizado por queda da PAM em mais de 30% dos valores pré-reperfusão, com duração maior que 1 minuto, ocorrendo nos primeiros 5 minutos da reperfusão.[82]

A adrenalina em bólus é a forma mais efetiva de resgate hemodinâmico na SPR, podendo evoluir para arritmias complexas até parada cardíaca, nos casos mais graves. Doadores e enxertos não ideais (alto grau de esteatose, história de parada cardíaca, dependentes de altas doses de suporte farmacológico alfa-adrenérgico), enxertos grandes e tempo de isquemia prolongado constituem os fatores de risco para o desenvolvimento da SPR e de hipercalemia pós-reperfusão. A hiperpotassemia, nessa fase, é de potencial efeito adverso, e está associada à parada cardíaca, fazendo com que seja imprescindível medidas profiláticas para manter K < 4mEq/L. Níveis superiores a 5mEq/L, na fase anepática, constituem fator de risco para hipercalemia durante a reperfusão, e devem ser tratados de forma agressiva antes da reperfusão do enxerto com alcalinização do pH (hiperventilação e uso de bicarbonato de sódio), administração de furosemida, de glicose-insulina e de cálcio. No caso de hipercalemia refratária, pode ser necessária a realização de hemodiálise intraoperatória.

A coagulopatia da fase neo-hepática ocorre no momento da reperfusão do enxerto e é decorrente de um aumento exacerbado e transitório da atividade fibrinolítica, e da liberação de heparinoides endógenos e exógenos.[83,84] Essa coagulopatia. em geral. se restringe à primeira hora pós-reperfusão, e geralmente não necessita de terapêutica se o novo fígado funcionar adequadamente. O funcionamento adequado do enxerto é caracterizado pela autolimitação da duração das alterações hemodinâmicas, metabólicas, da coagulação,

eletrolíticas e acidobásicas (Tabela 195.8). A persistência de hiperfibrinólise grave, necessidade de suporte farmacológico hemodinâmico, hipocalcemia, acidose metabólica refratária, hiperlactatemia crescente, hipotermia, hipoglicemia e oligúria são sinais clássicos de disfunção do enxerto.

Tabela 195.8 Evidências de funcionamento adequado do enxerto.
▪ Normalização da coagulação
▪ Normalização do pH
▪ Clareamento do lactato
▪ Ausência de necessidade de reposição de cálcio
▪ Elevação de temperatura
▪ Diurese > 1 mL/kg/h
▪ Redução do suporte adrenérgico
▪ Produção de bile (cor, viscosidade e quantidade)
▪ Aspecto macroscópico do fígado

▪ SITUAÇÕES ESPECIAIS

Hepatite Fulminante

A Hepatite Fulminante (HF) é uma síndrome aguda de alta gravidade, caracterizada pelo desenvolvimento de encefalopatia hepática até oito semanas após o aparecimento de icterícia, em paciente sem hepatopatia prévia.[85] A única opção terapêutica para os quadros graves com pouca chance de remissão espontânea é o TF. No nosso meio, a indicação do TF baseia-se nos critérios de gravidade do *King's College Hospital*[86] (Tabela 195.9). No Serviço de Transplante do HC-FMUSP, a sobrevida é de 67% e 59% em 1 e 5 anos, respectivamente. Em crianças o prognóstico é mais benigno, e a sobrevida após um ano de TF é de aproximadamente 80%. As causas mais comuns da HF são medicamentos (alfametildopa, rifampicina, isoniazida, flutamida, carbamazepina, antitiroidianos, anti-inflamatórios não hormonais, sulfonamida, valproato, anorexígenos, paracetamol, halotano e *ecstasy*); vírus da hepatite A, B, Delta e E; e as intoxicações exógenas causadas pelo tricloroetileno, tetracloroetano ou ingestão do cogumelo *Amanita phalloides*. Até 50% dos casos não apresentam diagnóstico identificável.

A manifestação clínica da encefalopatia hepática varia de leve desorientação ao coma, além de manter relação direta com a intensidade do edema cerebral e da gravidade da

Tabela 195.9 Critérios para indicação de transplante de fígado na hepatite fulminante, de acordo com o King's College Hospital.	
Paracetamol	**Outras causas**
pH < 7,3 ou todos os critérios abaixo:	**RNI > 6,5 ou 3 dos 5 critérios abaixo:**
1) RNI > 6,5	1) Idade < 10 anos ou > 40 anos
2) Creatinina > 3,4 mg/dL	2) Hepatite soronegativa, reação idiossincrásica a fármacos
3) Encefalopatia grau III ou IV	3) Intervalo entre icterícia e encefalopatia > 7 dias
	4) RNI > 3,5
	5) Bilirrubina total > 17,5 mg/dL^{-1}

doença. O edema cerebral induz o desenvolvimento da Hipertensão Intracraniana (HIC), que é uma das principais causas de óbito nesses pacientes. As manifestações extra-hepáticas são caracterizadas pelo hiperdinamismo cardiocirculatório, coagulopatias, hipoglicemia, distúrbios metabólicos e insuficiência renal aguda, com progressão, sem o TF, para óbito por disfunção de múltiplos órgãos ou morte cerebral.[87]

Pacientes que desenvolvem encefalopatia grau III são geralmente submetidos à intubação orotraqueal (IOT) e ventilação mecânica com sedação e paralisia muscular. Nesses casos, a monitorização da PIC pode ser indicada para direcionar o tratamento da HIC. Em crianças menores de 2 anos, os sinais e sintomas da HIC podem não ocorrer pela maior plasticidade do crânio. As principais complicações da monitorização invasiva da PIC são relacionadas à infecção e sangramento, sendo que a maior taxa de complicações está associada à passagem de cateter intraparenquimatoso em comparação com o cateter peridural.[88] Outra possibilidade é o Doppler Transcraniano (DTC) que, além da avaliação não invasiva da PIC, faz uma avaliação da macro e microcirculação cerebral, dos índices de pulsatilidade e da pressão de perfusão cerebral.[89] A avaliação não invasiva da PIC pode ser realizada também pela ultrassonografia da bainha do nervo óptico com boa acurácia.[90]

Idealmente, a PIC deve ser mantida abaixo de 25 mmHg e a pressão de perfusão cerebral (PPC = PAM-PIC) acima de 50 mmHg, para evitar hipoperfusão cerebral, e menor que 65 mmHg, para evitar hiperemia cerebral. Os fatores que aumentam a PIC devem ser controlados: a infusão de fluidos deve ser criteriosa; deve-se manter cefaloaclive de 30° em adultos e em crianças > 2 anos, e de 10° a 20° em crianças ≤ 2 anos.

As fases da cirurgia, que mais frequentemente cursam com aumento de PIC e diminuição da PPC, são a fase um e a reperfusão do enxerto. Nos pacientes em coma hepático, a recomendação é de manter a temperatura em torno de 34°C. Na ausência de hiponatremia, a administração de NaCl 7,5% 4 mL/kg, em 30 minutos, antes da reperfusão, pode reduzir a PIC e evitar a diminuição da PPC. Quando a PIC exceder 25 mmHg em adultos ou 20 mmHg em crianças, recomenda-se administrar solução de manitol 20% (0,5 a 1 g/kg, em 20 minutos) e tiopental (4 a 8 mg/kg, em 15 minutos, e manutenção com 1 a 3 mg/kg^{-1}/h). Pacientes com Na < 130 mEq/L esta contraindicada a administração rápida de soluções hipertônica, pois podem acarretar o desenvolvimento de mielinólise central pontina. A manutenção ideal dos níveis de sódio, na HF é de 145 a 150 mEq/L. A hipoglicemia é uma manifestação comum no intraoperatório do paciente com HF, que pode agravar o prognóstico neurológico, por outro lado a hiperglicemia (glicemia > 200 mg/dL) pode levar à disfunção do enxerto, portanto, a glicemia deve ter monitorização intensiva durante o TF. São recomendadas estratégias de ventilação protetoras objetivando-se manter paCO2 entre 32 e 37mmHg. A terapia de reposição renal deve ser instalada precocemente, sempre que necessário. A reposição de hemocomponentes deve ser restritiva visando minimizar os riscos de sangramento e trombose.[51]

Nos casos de HF por intoxicação por paracetamol, deve-se administrar N-acetilcisteína na dose de 150 mg/kg, em 15 a 60 minutos, seguida de 12,5 mg/kg/h, pelo período de 4 horas, e após reduzir para 6,25 mg/kg/h ao longo de 16 horas.[91] O TF pode ser contraindicado nos pacientes com HIC refratária, que apresentam PIC > 50mmHg com PPC menor de 40mmHg por mais de 2 horas, sinais de herniação tonsilar, e necessidade de suporte hemodinâmico com noradrenalina em doses maiores que 1 µg/kg/min. As tecnologias visando o suporte e o tratamento da HF estão em constante aprimoramento, como sistemas de diálise hepática (MARS), o transplante auxiliar, transplante de hepatócitos, máquina de perfusão hepática, até o xenotransplante (transplante entre indivíduos de espécies diferentes), este último ainda fase experimental. Até o momento, nenhuma destas terapêuticas foi capaz de reduzir a mortalidade, portanto, a realização precoce do TF, ainda é a única opção terapêutica definitiva para esses pacientes.[51]

Transplante Hepático com Doador Vivo

O TF com Doador Vivo (TFDV) foi desenvolvido com o objetivo de contornar a escassez de órgãos, reduzindo o tempo de espera do paciente para o transplante. O TFDV é um procedimento eletivo, com enxerto de excelente qualidade e tempo de isquemia curto. Em algumas situações, como na hepatite fulminante, pode ser indicado em caráter de urgência. Os maiores desafios estão relacionados à segurança do doador. As taxas de morbidade e mortalidade globais são de 24% e 0,2%, respectivamente, sendo que a maior parte da morbimortalidade está relacionada aos doadores de lobo direito.[92] Os fatores mais importantes que influenciam a segurança do doador de lobo direito são idade, grau de esteatose e volume do fígado remanescente. Considera-se ideal idade do doador < 55 anos, esteatose hepática menor que 30%, e um volume remanescente de no mínimo 30% do volume hepático total.[93]

Cirurgia do doador

Na avaliação pré-operatória do doador, pacientes com menos de 45 anos, sem fator de risco cardiovascular, ou comorbidades, com capacidade funcional acima de 4 METs, a eletrocardiografia de 12 derivações e ecocardiograma transtorácico são suficientes. Exames laboratoriais de rotina incluem: hemograma completo, eletrólitos, função renal, função hepática e estudo da coagulação sanguínea.

Nos doadores do TFDV, a amplitude da ressecção deve ser avaliada em relação ao parênquima remanescente para diminuir o risco de Disfunção Hepática Pós-Hepatectomia (DHPH). A DHPH envolve um fígado remanescente pequeno para suportar o aumento do fluxo sanguíneo e da pressão portal, principalmente após as hepatectomias maiores.[94] Tanto a tomografia computadorizada quanto a ressonância nuclear magnética podem realizar a analise volumétrica com estimativa do Volume Hepático Residual (VHR), que é o fator que melhor se relaciona ao risco de DHPH. Atualmente, um VHR de 20% é considerado o volume mínimo seguro para pacientes com função hepática normal.[95,96-98]

A anestesia no doador do TFDV segue a mesma orientação de uma hepatectomia, e os cuidados se concentram no controle do sangramento. As principais medidas para diminuição do sangramento associam técnicas operatórias de controle vascular hepático, realizadas pelo cirurgião, junto com abordagens anestésicas. As abordagens anestésicas mais utilizadas são: (1) manutenção da PVC baixa (< 5 mmHg) durante a fase de transecção do parênquima; (2) posicionamento do paciente em anti-Trendelenburg 15º; (3) minimização das pressões de vias aéreas na ventilação mecânica.

A Manobra de Pringle (MP) é a técnica de controle vascular mais frequentemente realizada pelo cirurgião e consiste no pinçamento do hilo hepático. A MP é eficaz em conter o sangramento durante a transecção do parênquima hepático. Comumente, a MP é realizada de forma intermitente para evitar grandes períodos de isquemia hepática. Assim, períodos de isquemia de 15 minutos são intercalados com 5 minutos de reperfusão. A MP é acompanhada de alterações hemodinâmicas como: diminuição do retorno venoso, diminuição da pressão arterial sistêmica, diminuição de até 10% do DC, aumento compensatório da resistência vascular sistêmica e da pós-carga em 20% a 30%.[99,100] Deve-se salientar que as técnicas de controle do influxo vascular não impedem o sangramento retrógrado pelas veias hepáticas periféricas. Portanto, durante a secção do parênquima, é importante manter a PVC baixa, com intuito de diminuir a pressão nas veias hepáticas com consequente diminuição da pressão sinusoidal e diminuição do sangramento.[101-103]

A monitorização intraoperatória na cirurgia do doador inclui o Cateter Venoso Central (CVC), utilizado para manejo da PVC e das drogas vasoativas, e uma linha arterial. A linha arterial é utilizada para monitorização da PAM, monitorização minimamente invasiva do débito cardíaco pela curva da pressão arterial e monitorização dos parâmetros de fluido responsividade. Manter a PVC baixa e, consequentemente, a pressão venosa hepática baixa é crucial para reduzir a perda sanguínea durante a transeção do parênquima.[104-106] Diversos estudos demonstraram que a PVC > 5 mmHg, medida no átrio direito, aumenta significativamente o sangramento.[104] A restrição fluida e a administração de diuréticos e de nitroglicerina são estratégias para manter a PVC baixa. Deve-se estar atento ao aparecimento de instabilidade cardiovascular, principalmente quando o cirurgião mobiliza o fígado durante a transecção do parênquima.[107] A heparina não fracionada na dose de 5000 UI EV é administrada antes do pinçamento vascular hepático na hepatectomia do doador. Após a hepatectomia, a euvolemia deve ser prontamente restabelecida. Recomendamos a terapêutica fluida e o uso de vasopressores, na fase pós-transecção do parênquima, seja orientada pela medida da PAM, pela monitorização minimamente invasiva do debito cardíaco ou pela variação do volume sistólico.[95,108,109]

Os avanços nas técnicas anestésico-cirúrgicas e a inclusão de novas tecnologias permitiram que a cirurgia minimamente invasiva fosse incorporada na cirurgia de hepatectomia do doador vivo.[110] Atualmente, a Cirurgia Hepática Minimamente Invasiva (CHMI), que inclui a cirurgia laparoscópica e robótica, tem se demonstrado segura e efetiva em ressecções hepáticas cada vez mais complexas como no TFDV.[110] Quando comparada à cirurgia aberta, a CHMI oferece melhor visualização do campo operatório e reduz o sangramento venoso devido ao efeito tampão do pneumoperitônio, entretanto, na CHMI há maior dificuldade para obter o controle vascular em casos de sangramentos intensos inesperados. O sangramento de difícil controle é a principal causa de conversão da CHMI para cirurgia aberta. Quando a CHMI é empregada, as alterações hemodinâmicas secundárias ao pneumoperitônio devem ser contabilizadas. O pneumoperitônio promove aumento da atividade simpática, aumento da frequência cardíaca, da resistência vascular sistêmica, da PAM e da PVC.[111-113] O retorno venoso diminui proporcionalmente ao aumento da pressão intra-abdominal, contribuindo para o decréscimo da função cardíaca.[114] A redução do retorno venoso é agravada pela posição anti-Trendelenburg 15º comumente adotada nas CHMI. Salienta-se que o risco de embolia aérea aumenta com a diminuição da pressão de via aérea, aumento da pressão do pneumoperitônio e a redução da PVC.[115]

O controle da dor e a profilaxia de eventos tromboembólicos são pontos chaves para o sucesso do protocolo ERAS (*Enhanced Recovery After Surgery*). A adoção das recomendações do ERAS reduz a incidência de complicações cardiorrespiratórias, estimula o retorno da função intestinal, facilita a mobilização precoce e acelera a recuperação do paciente.[116,117] Em nosso serviço, a rotina de analgesia pós-operatória é a morfina intratecal, na dose de 150 a 200 mcg, combinada com anestésico local no bloqueio do Plano Transverso Abdominal (TAP). Outras opções seguras e efetivas nas abordagens analgésicas multimodais, que favorecem o sucesso do protocolo de otimização da recuperação pós-operatória, são a infusão contínua de anestésico local na ferida operatória ou no TAP, e a analgesia em bomba controlada pelo paciente (PCA) com fentanil.[118]

Cirurgia do receptor

No receptor, a anestesia segue o mesmo planejamento do transplante com doador falecido, e as principais complicações operatórias estão relacionadas à reconstrução da via biliar, complicações vasculares hepáticas e ao implante de um enxerto com massa relativa pequena para o receptor.[119] A síndrome *Small-For-Size* (SSFS) é uma complicação grave relacionada ao implante de um enxerto pequeno. A hipertensão e a hiperfusão do enxerto pela veia porta portal constituem os principais fatores geradores da SSFS, a qual pode ocorrer tanto nos enxertos provenientes de hepatectomias direitas como de hepatectomias esquerdas. A SSFS é caracterizada por hipertensão portal, ascite e colestase, e frequentemente indica o retransplante do fígado.[119] A massa mínima de 0,8% do peso do receptor é considerada limítrofe para manter boa função hepática e evitar a SSFS.[119]

REFERÊNCIAS

1. Starzl TE, Marchioro TL, Vonkaulla KN, et al. Homotransplantation of the Liver in Humans. *Surg Gynecol Obstet*. 1963; 117:659-76.
2. Starzl TE, Groth CG, Brettschneider L, et al. Orthotopic homotransplantation of the human liver. Ann Surg. 1968; 168(3):392-415.
3. Bacchella T, Machado MC. The first clinical liver transplantation of Brazil revisited. Transplant Proc. 2004; 36(4):929-30.
4. Raia S, Nery JR, Mies S. Liver transplantation from live donors. *Lancet*. 1989; 2(8661):497.

5. Rocha Filho JA. Transplante Hepático Ortotópico Intervivos. Rev Bras Anestesiol. 1989; 39.
6. ABTO. Dimensionammento dos Transplantes no Brasil e em cada estado (2015-2022). Associação Brasileira de Transplante de Órgãos, 2022.
7. Thakrar SV, Melikian CN. Anaesthesia for liver transplantation. *Br J Hosp Med (Lond)* 2017; 78(5):260-265.
8. Barjaktarevic I, Cortes Lopez R, Steadman R, et al. Perioperative Considerations in Liver Transplantation. Semin Respir Crit Care Med 2018; 39(5):609-624.
9. Neuberger J. An update on liver transplantation: A critical review. J Autoimmun. 2016; 66:51-9.
10. Trotter JF. Liver transplantation around the world. Curr Opin Organ Transplant. 2017; 22(2):123-127.
11. Kim JJ, Marks SD. Long-term outcomes of children after solid organ transplantation. Clinics (Sao Paulo). 2014; 69 Suppl 1:28-38.
12. Rawal N, Yazigi N. Pediatric Liver Transplantation. Pediatr Clin North Am. 2017; 64(3):677-684.
13. Davis J. Sudden death in the young. EMS Mag. 2009; 38(11):36, 38, 40-5.
14. Okumura M, Mester M. The coming of age of small bowel transplantation: a historical perspective. Transplant Proc. 1992; 24(3):1241-2.
15. Margreiter R, Konigsrainer A, Schmid T, et al. Successful multivisceral transplantation. Transplant Proc. 1992; 24(3):1226-7.
16. Kim WR, Poterucha JJ, Wiesner RH, et al. The relative role of the Child-Pugh classification and the Mayo natural history model in the assessment of survival in patients with primary sclerosing cholangitis. Hepatology. 1999; 29(6):1643-8.
17. Barshes NR, Lee TC, Udell IW, et al. The pediatric end-stage liver disease (PELD) model as a predictor of survival benefit and posttransplant survival in pediatric liver transplant recipients. Liver Transpl. 2006; 12(3):475-80.
18. Ruf A, Dirchwolf M, Freeman RB. From Child-Pugh to MELD score and beyond: Taking a walk down memory lane. Ann Hepatol. 2022; 27(1):100535.
19. Henriksen JH, Moller S. Cardiac and systemic haemodynamic complications of liver cirrhosis. Scand Cardiovasc J. 2009; 43(4):218-25.
20. Moller S, Danielsen KV, Wiese S, et al. An update on cirrhotic cardiomyopathy. Expert Rev Gastroenterol Hepatol. 2019; 13(5):497-505.
21. Shenoda B, Boselli J. Vascular syndromes in liver cirrhosis. Clin J Gastroenterol. 2019.
22. Mukhtar A, Dabbous H. Modulation of splanchnic circulation: Role in perioperative management of liver transplant patients. World J Gastroenterol. 2016; 22(4):1582-92.
23. Adelmann D, Kronish K, Ramsay MA. Anesthesia for Liver Transplantation. Anesthesiol Clin. 2017; 35(3):491-508.
24. Fayad A, Shillcutt SK. Perioperative transesophageal echocardiography for non-cardiac surgery. Can J Anaesth. 2018; 65(4):381-398.
25. Bonavia A, Pachuski J, Bezinover D. Perioperative Anesthetic Management of Patients Having Liver Transplantation for Uncommon Conditions. Semin Cardiothorac Vasc Anesth. 2018; 22(2):197-210.
26. Mentha G, Giostra E, Majno PE, et al. Liver transplantation for Budd-Chiari syndrome: A European study on 248 patients from 51 centres. J Hepatol. 2006; 44(3):520-8.
27. Dalal A. Anesthesia for liver transplantation. Transplant Rev (Orlando). 2016; 30(1):51-60.
28. Hall TH, Dhir A. Anesthesia for liver transplantation. Semin Cardiothorac Vasc Anesth. 2013; 17(3):180-94.
29. Soulaidopoulos S, Cholongitas E, Giannakoulas G, et al. Review article: Update on current and emergent data on hepatopulmonary syndrome. World J Gastroenterol. 2018; 24(12):1285-1298.
30. Gupta S, Castel H, Rao RV, et al. Improved survival after liver transplantation in patients with hepatopulmonary syndrome. Am J Transplant. 2010; 10(2):354-63.
31. Jasso-Baltazar EA, Pena-Arellano GA, Aguirre-Valadez J, et al. Portopulmonary Hypertension: An Updated Review. Transplant Direct. 2023; 9(8):e1517.
32. Thomas C, Glinskii V, de Jesus Perez V, et al. Portopulmonary Hypertension: From Bench to Bedside. Front Med (Lausanne). 2020; 7:569413.
33. Chhabria MS, Boppana LKT, Manek G, et al. Portopulmonary Hypertension: A focused review for the internist. Cleve Clin J Med. 2023; 90(10):632-639.
34. DuBrock HM, Del Valle KT, Krowka MJ. Mending the Model for End-Stage Liver Disease: An in-depth review of the past, present, and future portopulmonary hypertension Model for End-Stage Liver Disease exception. Liver Transpl. 2022; 28(7):1224-1230.
35. Krowka MJ, Fallon MB, Kawut SM, et al. International Liver Transplant Society Practice Guidelines: Diagnosis and Management of Hepatopulmonary Syndrome and Portopulmonary Hypertension. Transplantation. 2016; 100(7):1440-52.
36. Murray KF, Carithers RL, Jr., Aasld. AASLD practice guidelines: Evaluation of the patient for liver transplantation. Hepatology. 2005; 41(6):1407-32.
37. DuBrock HM. Portopulmonary Hypertension: Management and Liver Transplantation Evaluation. Chest. 2023; 164(1):206-214.
38. Chung S, Lee K, Chang SA, et al. Aggravation of hepatopulmonary syndrome after sildenafil treatment in a patient with coexisting portopulmonary hypertension. Korean Circ J. 2015; 45(1):77-80.
39. Jose A, Kopras EJ, Shah SA, et al. Portopulmonary hypertension practice patterns after liver transplantation. Liver Transpl. 2023; 29(4):365-376.
40. Fukazawa K, Poliac LC, Pretto EA. Rapid assessment and safe management of severe pulmonary hypertension with milrinone during orthotopic liver transplantation. Clin Transplant. 2010; 24(4):515-9.
41. Barbas AS, Schroder JN, Borle DP, et al. Planned Initiation of Venoarterial Extracorporeal Membrane Oxygenation Prior to Liver Transplantation in a Patient With Severe Portopulmonary Hypertension. Liver Transpl. 2021; 27(5):760-762.
42. Massicotte L, Beaulieu D, Thibeault L, et al. Coagulation defects do not predict blood product requirements during liver transplantation. Transplantation. 2008; 85(7):956-62.
43. Tripodi A, Mannucci PM. The coagulopathy of chronic liver disease. N Engl J Med. 2011; 365(2):147-56.
44. Lisman T, Caldwell SH, Burroughs AK, et al. Hemostasis and thrombosis in patients with liver disease: the ups and downs. J Hepatol. 2010; 53(2):362-71.
45. Lisman T, Porte RJ. Rebalanced hemostasis in patients with liver disease: evidence and clinical consequences. Blood. 2010; 116(6):878-85.
46. Argo CK, Balogun RA. Blood products, volume control, and renal support in the coagulopathy of liver disease. Clin Liver Dis. 2009; 13(1):73-85.
47. Guzzetta NA, Miller BE. Principles of hemostasis in children: models and maturation. Paediatr Anaesth. 2011; 21(1):3-9.
48. Acevedo JG, Cramp ME. Hepatorenal syndrome: Update on diagnosis and therapy. World J Hepatol. 2017; 9(6):293-299.
49. Baraldi O, Valentini C, Donati G, et al. Hepatorenal syndrome: Update on diagnosis and treatment. World J Nephrol. 2015; 4(5):511-20.
50. Donovan JP, Schafer DF, Shaw BW, Jr., et al. Cerebral oedema and increased intracranial pressure in chronic liver disease. Lancet. 1998; 351(9104):719-21.
51. Trovato FM, Rabinowich L, McPhail MJW. Update on the management of acute liver failure. Curr Opin Crit Care. 2019; 25(2):157-164.
52. Sharma A, Goel AD, Sharma PP, et al. The Effect of Transversus Abdominis Plane Block for Analgesia in Patients Undergoing Liver Transplantation: A Systematic Review and Meta-Analysis. Turk J Anaesthesiol Reanim. 2019; 47(5):359-366.
53. Beck-Schimmer B, Bonvini IM, Schadde E, et al. Conditioning With Sevoflurane in Liver Transplantation: Results of a Multicenter Randomized Controlled Trial. Transplantation. 2015; 99(8):1606-12.
54. Arnal D, Garutti I, Perez-Pena J, et al. Radial to femoral arterial blood pressure differences during liver transplantation. Anaesthesia. 2005; 60(8):766-71.
55. Kim UR, Wang AT, Garvanovic SH, et al. Central Versus Peripheral Invasive Arterial Blood Pressure Monitoring in Liver Transplant Surgery. Cureus. 2022; 14(12):e33095.
56. Lee M, Weinberg L, Pearce B, et al. Agreement in hemodynamic monitoring during orthotopic liver transplantation: a comparison of FloTrac/Vigileo at two monitoring sites with pulmonary artery catheter thermodilution. J Clin Monit Comput. 2017; 31(2):343-351.
57. Kim D, Ahn JH, Han S, et al. Femoral Pulse Pressure Variation Is Not Interchangeable with Radial Pulse Pressure Variation during Living Donor Liver Transplantation. J Pers Med. 2022; 12(8).
58. Feltracco P, Biancofiore G, Ori C, et al. Limits and pitfalls of haemodynamic monitoring systems in liver transplantation surgery. Minerva Anestesiol. 2012; 78(12):1372-84.
59. Pai SL, Aniskevich S, 3rd, Feinglass NG, et al. Complications related to intraoperative transesophageal echocardiography in liver transplantation. Springerplus. 2015; 4:480.
60. Hansebout C, Desai TV, Dhir A. Utility of transesophageal echocardiography during orthotopic liver transplantation: A narrative review. Ann Card Anaesth. 2023; 26(4):367-379.
61. Vanneman MW, Dalia AA, Crowley JC, et al. A Focused Transesophageal Echocardiography Protocol for Intraoperative Management During Orthotopic Liver Transplantation. J Cardiothorac Vasc Anesth. 2020; 34(7):1824-1832.
62. Dalia AA, Flores A, Chitilian H, et al. A Comprehensive Review of Transesophageal Echocardiography During Orthotopic Liver Transplantation. J Cardiothorac Vasc Anesth. 2018; 32(4):1815-1824.
63. Shin WJ, Kim YK, Bang JY, et al. Lactate and liver function tests after living donor right hepatectomy: a comparison of solutions with and without lactate. Acta Anaesthesiol Scand. 2011; 55(5):558-64.
64. Hartmann M, Szalai C, Saner FH. Hemostasis in liver transplantation: Pathophysiology, monitoring, and treatment. World J Gastroenterol. 2016; 22(4):1541-50.
65. Bezinover D, Dirkmann D, Findlay J, et al. Perioperative Coagulation Management in Liver Transplant Recipients. Transplantation. 2018; 102(4):578-592.
66. Dalmau A, Sabate A, Aparicio I. Hemostasis and coagulation monitoring and management during liver transplantation. Curr Opin Organ. Transplant 2009; 14(3):286-90.
67. Hunt H, Stanworth S, Curry N, et al. Thromboelastography (TEG) and rotational thromboelastometry (ROTEM) for trauma induced coagulopathy in adult trauma patients with bleeding. Cochrane Database Syst Rev. 2015(2):CD010438.
68. Wikkelso A, Wetterslev J, Moller AM, et al. Thromboelastography (TEG) or thromboelastometry (ROTEM) to monitor haemostatic treatment versus usual care in adults or children with bleeding. Cochrane Database Syst Rev. 2016(8):CD007871.
69. Markin NW, Ringenberg KJ, Kassel CA, et al. 2018 Clinical Update in Liver Transplantation. J Cardiothorac Vasc Anesth. 2019; 33(12):3239-3248.

70. De Pietri L, Montalti R, Nicolini D, et al. Perioperative thromboprophylaxis in liver transplant patients. World J Gastroenterol. 2018; 24(27):2931-2948.
71. Byram SW, Gupta RA, Ander M, et al. Effects of Continuous Octreotide Infusion on Intraoperative Transfusion Requirements During Orthotopic Liver Transplantation. Transplant Proc. 2015; 47(9):2712-4.
72. Fabes J, Ambler G, Shah B, et al. Protocol for a prospective double-blind, randomised, placebo-controlled feasibility trial of octreotide infusion during liver transplantation. BMJ Open. 2021; 11(12):e055864.
73. Gray TA, Buckley BM, Sealey MM, et al. Plasma ionized calcium monitoring during liver transplantation. Transplantation. 1986; 41(3):335-9.
74. Scott VL, De Wolf AM, Kang Y, et al. Ionized hypomagnesemia in patients undergoing orthotopic liver transplantation: a complication of citrate intoxication. Liver Transpl Surg. 1996; 2(5):343-7.
75. Hesse UJ, Berrevoet F, Troisi R, et al. Hepato-venous reconstruction in orthotopic liver transplantation with preservation of the recipients' inferior vena cava and veno-venous bypass. Langenbecks Arch Surg. 2000; 385(5):350-6.
76. Wu Y, Oyos TL, Chenhsu RY, et al. Vasopressor agents without volume expansion as a safe alternative to venovenous bypass during cavaplasty liver transplantation. Transplantation. 2003; 76(12):1724-8.
77. Chari RS, Gan TJ, Robertson KM, et al. Venovenous bypass in adult orthotopic liver transplantation: routine or selective use? J Am Coll Surg. 1998; 186(6):683-90.
78. Lisman T, Leebeek FW, Meijer K, et al. Recombinant factor VIIa improves clot formation but not fibrolytic potential in patients with cirrhosis and during liver transplantation. Hepatology. 2002; 35(3):616-21.
79. Colucci M, Binetti BM, Branca MG, et al. Deficiency of thrombin activatable fibrinolysis inhibitor in cirrhosis is associated with increased plasma fibrinolysis. Hepatology. 2003; 38(1):230-7.
80. Kang YG, Freeman JA, Aggarwal S, et al. Hemodynamic instability during liver transplantation. Transplant Proc. 1989; 21(3):3489-92.
81. Aggarwal S, Kang Y, Freeman JA, et al. Postreperfusion syndrome: cardiovascular collapse following hepatic reperfusion during liver transplantation. Transplant Proc. 1987; 19(4 Suppl 3):54-5.
82. Valentine E, Gregoritis M, Gutsche JT, et al. Clinical update in liver transplantation. J Cardiothorac Vasc Anesth. 2013; 27(4):809-15.
83. Xia VW, Steadman RH. Antifibrinolytics in orthotopic liver transplantation: current status and controversies. Liver Transpl. 2005; 11(1):10-8.
84. Senzolo M, Agarwal S, Zappoli P, et al. Heparin-like effect contributes to the coagulopathy in patients with acute liver failure undergoing liver transplantation. Liver Int. 2009; 29(5):754-9.
85. Trey C, Davidson CS. The management of fulminant hepatic failure. Prog Liver Dis. 1970; 3:282-98.
86. O'Grady JG, Alexander GJ, Hayllar KM, et al. Early indicators of prognosis in fulminant hepatic failure. Gastroenterology. 1989; 97(2):439-45.
87. O'Grady JG. Acute liver failure. Postgrad Med J. 2005; 81(953):148-54.
88. Blei AT, Olafsson S, Webster S, et al. Complications of intracranial pressure monitoring in fulminant hepatic failure. Lancet. 1993; 341(8838):157-8.
89. Strauss GI, Moller K, Holm S, et al. Transcranial Doppler sonography and internal jugular bulb saturation during hyperventilation in patients with fulminant hepatic failure. Liver Transpl. 2001; 7(4):352-8.
90. Dubourg J, Javouhey E, Geeraerts T, et al. Ultrasonography of optic nerve sheath diameter for detection of raised intracranial pressure: a systematic review and meta-analysis. Intensive Care Med. 2011; 37(1):1059-68.
91. Heard KJ. Acetylcysteine for acetaminophen poisoning. N Engl J Med. 2008; 359(3):285-92.
92. Cheah YL, Simpson MA, Pomposelli JJ, et al. Incidence of death and potentially life-threatening near-miss events in living donor hepatic lobectomy: a world-wide survey. Liver Transpl. 2013; 19(5):499-506.
93. Park GC, Song GW, Moon DB, et al. A review of current status of living donor liver transplantation. Hepatobiliary Surg Nutr. 2016; 5(2):107-17.
94. Sparrelid E, Olthof PB, Dasari BVM, et al. Current evidence on posthepatectomy liver failure: comprehensive review. BJS Open. 2022; 6(6).
95. van den Broek MA, Olde Damink SW, Dejong CH, et al. Liver failure after partial hepatic resection: definition, pathophysiology, risk factors and treatment. Liver Int. 2008; 28(6):767-80.
96. Jadaun SS, Saigal S. Surgical Risk Assessment in Patients with Chronic Liver Diseases. J Clin Exp Hepatol. 2022; 12(4):1175-1183.
97. Guglielmi A, Ruzzenente A, Conci S, et al. How much remnant is enough in liver resection? Dig Surg. 2012; 29(1):6-17.
98. Entezari P, Toskich BB, Kim E, et al. Promoting Surgical Resection through Future Liver Remnant Hypertrophy. Radiographics. 2022; 42(7):2166-2183.
99. Belghiti J, Noun R, Zante E, et al. Portal triad clamping or hepatic vascular exclusion for major liver resection. A controlled study. Ann Surg. 1996; 224(2):155-61.
100. Lentschener C, Ozier Y. Anaesthesia for elective liver resection: some points should be revisited. Eur J Anaesthesiol. 2002; 19(11):780-8.
101. Wang WD, Liang LJ, Huang XQ, et al. Low central venous pressure reduces blood loss in hepatectomy. World J Gastroenterol. 2006; 12(6):935-9.
102. Tympa A, Theodoraki K, Tsaroucha A, et al. Anesthetic Considerations in Hepatectomies under Hepatic Vascular Control. HPB Surg. 2012; 2012:720754.
103. Topaloglu S, Yesilcicek Calik K, Calik A, et al. Efficacy and safety of hepatectomy performed with intermittent portal triad clamping with low central venous pressure. Biomed Res Int. 2013; 2013:297971.
104. Yu L, Sun H, Jin H, et al. The effect of low central venous pressure on hepatic surgical field bleeding and serum lactate in patients undergoing partial hepatectomy: a prospective randomized controlled trial. BMC Surg. 2020; 20(1):25.
105. Serednicki WA, Holowko W, Major P, et al. Minimizing blood loss and transfusion rate in laparoscopic liver surgery: a review. Wideochir Inne Tech Maloinwazyjne. 2023; 18(2):213-223.
106. Hughes MJ, Ventham NT, Harrison EM, et al. Central venous pressure and liver resection: a systematic review and meta-analysis. HPB (Oxford). 2015; 17(10):863-71.
107. Patel J, Jones CN, Amoako D. Perioperative management for hepatic resection surgery. BJA Educ. 2022; 22(9):357-363.
108. Ratti F, Cipriani F, Reineke R, et al. Intraoperative monitoring of stroke volume variation versus central venous pressure in laparoscopic liver surgery: a randomized prospective comparative trial. HPB (Oxford). 2016; 18(2):136-144.
109. Krige A, Kelliher LJS. Anaesthesia for Hepatic Resection Surgery. Anesthesiol Clin. 2022; 40(1):91-105.
110. Kwon CHD, Choi GS, Kim JM, et al. Laparoscopic Donor Hepatectomy for Adult Living Donor Liver Transplantation Recipients. Liver Transpl. 2018; 24(11):1545-1553.
111. Sato N, Kawamoto M, Yuge O, et al. Effects of pneumoperitoneum on cardiac autonomic nervous activity evaluated by heart rate variability analysis during sevoflurane, isoflurane, or propofol anesthesia. Surg Endosc. 2000; 14(4):362-6.
112. Safran DB, Orlando R, 3rd. Physiologic effects of pneumoperitoneum. Am J Surg. 1994; 167(2):281-6.
113. Wahba RW, Beique F, Kleiman SJ. Cardiopulmonary function and laparoscopic cholecystectomy. Can J Anaesth. 1995; 42(1):51-63.
114. Egger ME, Gottumukkala V, Wilks JA, et al. Anesthetic and operative considerations for laparoscopic liver resection. Surgery. 2017; 161(5):1191-1202.
115. Kobayashi S, Honda G, Kurata M, et al. An Experimental Study on the Relationship Among Airway Pressure, Pneumoperitoneum Pressure, and Central Venous Pressure in Pure Laparoscopic Hepatectomy. Ann Surg. 2016; 263(6):1159-63.
116. Lillemoe HA, Marcus RK, Day RW, et al. Enhanced recovery in liver surgery decreases postoperative outpatient use of opioids. Surgery. 2019; 166(1):22-27.
117. Joshi GP, Kehlet H. Postoperative pain management in the era of ERAS: An overview. Best Pract Res Clin Anaesthesiol. 2019; 33(3):259-267.
118. Joliat GR, Kobayashi K, Hasegawa K, et al. Guidelines for Perioperative Care for Liver Surgery: Enhanced Recovery After Surgery (ERAS) Society Recommendations 2022. World J Surg. 2023; 47(1):11-34.
119. Masuda Y, Yoshizawa K, Ohno Y, et al. Small-for-size syndrome in liver transplantation: Definition, pathophysiology and management. Hepatobiliary Pancreat Dis Int. 2020; 19(4):334-341.

196

Anestesia Para Transplante Cardíaco

Douglas Vendramin ▪ Daniel Javaroni Machado Fonseca ▪ Maria José Carvalho Carmona

INTRODUÇÃO

A insuficiência cardíaca (IC) consiste em problema de saúde global afetando aproximadamente 26 milhões de pessoas no mundo. Nos Estados Unidos da América, a prevalência é de 5,7 milhões de pessoas, com 670.000 novos casos por ano (segundo dados da *American Heart Association* – AHA, em 2014).[1] Para o Brasil, as informações obtidas através da análise dos registros do DATA-SUS, com as limitações inerentes do banco de dados, no ano de 2012 houve 26.694 óbitos por IC e 1.137.572 internações por doenças do aparelho circulatório.[2] Na IC avançada, a mortalidade desses pacientes aproxima-se de 50% dentro dos primeiros 5 anos do diagnóstico.[3] Embora os avanços de terapias como a ressincronização cardíaca com estimulação biventricular e os dispositivos de assistência ventricular esquerda (*Left Ventricular Assist Device*, LVAD), tenham prolongado e melhorado a qualidade de vida dos pacientes com IC refratária em fase terminal, o transplante cardíaco destaca-se como terapia definitiva.

A IC avançada é definida por:

1. dispneia e/ou fadiga aos mínimos esforços, NYHA classe III ou IV (classificação funcional da *New York Heart Association*);
2. retenção de fluidos ou débito cardíaco reduzido em repouso, hipoperfusão periférica;
3. disfunção cardíaca grave, com pelo menos um dos seguintes parâmetros: fração de ejeção < 30%, padrão de entrada de fluxo restritivo ou pseudonormal na mitral, pressão de oclusão de artéria pulmonar > 16 mmHg e/ou pressão de átrio direito > 12 mmHg no cateter de artéria pulmonar e níveis elevados de BNP ou NT-proBNP (fração N-terminal do peptídeo natriurético do tipo B) na ausência de causas não cardíacas;
4. comprometimento da capacidade funcional como incapacidade de realizar exercícios, incapacidade de andar 300 m em 6 minutos e pico de VO_2 12 a 14 $mL.kg^{-1} min^{-1}$;
5. história de hospitalização por IC nos últimos 6 meses; e
6. presença dos sinais e sintomas anteriores apesar de terapias otimizadas).[4]

A Sociedade Internacional para Transplantes de Coração e Pulmão (*International Society for Heart and Lung Transplantation*, ISHLT) identifica 8 causas principais para transplante cardíaco em adultos: cardiomiopatia não isquêmica (49,1%), cardiomiopatia isquêmica (34,6%), cardiomiopatia restritiva (3,3%), cardiopatia congênita (3,2%), retransplante (3,0%), cardiomiopatia hipertrófica (3,0%), cardiomiopatia valvar (2,7%) e outros (1,1%). Os resultados do transplante cardíaco costumam ser melhores nos não isquêmicos, com maior sobrevida, e pior nos portadores de cardiopatias congênitas e retransplante.[5]

Na população pediátrica, a cardiomiopatia dilatada idiopática, as cardiopatias congênitas complexas e o retransplante são, respectivamente, as principais indicações de transplante de coração.[6]

HISTÓRICO

A busca da técnica cirúrgica e anestésica que permitisse o transplante cardíaco era a preocupação inicial dos primeiros pesquisadores do começo do século XX. Nessa época, em 1912, no Instituto Rockefeller, nos Estados Unidos, Carrel e col. desenvolveram as primeiras técnicas cirúrgicas, enquanto Samuel Meltzer a de intubação traqueal em cães. A técnica do experimento consistia em transplantar o coração de um pequeno cachorro no pescoço de outro maior.

Eles observaram que logo após o término da sutura havia distensão do ventrículo direito do receptor e os pulmões ficavam edemaciados. Embora para os padrões atuais de pesquisa este experimento pareça grosseiro e inútil, ele representou um grande avanço para a época, pois permitiu o desenvolvimento de técnicas de suturas de tecidos.

Foi possível observar também que, para o transplante cardíaco ser realizado com sucesso deveriam ser removidos dois obstáculos: primeiro, como desviar a circulação e manter o receptor vivo enquanto se operava e, segundo, o que era aquela "misteriosa" rejeição ao novo órgão. Carrel e col. receberam o Prêmio Nobel de Medicina por seus trabalhos.[7]

Os anos seguintes foram marcados por inúmeros progressos e estudos nas áreas cirúrgica, anestésica e imunológica, além da criação do *bypass* cardiopulmonar com circulação extracorpórea, que permitiram a Christian Barnard a concretização do primeiro transplante cardíaco em humanos em 3 de dezembro de 1967 no Hospital Groote Schuur, na Cidade do Cabo, África do Sul.[8]

Apesar da técnica cirúrgica estar bem definida, os primeiros pacientes tinham má evolução, porque a rejeição ao enxerto só podia ser detectada quando já se encontrava em estágio muito avançado.

A partir da década de 1970, novos avanços alavancaram esse terreno. A biópsia endomiocárdica por via transvenosa foi descrita por Caves e col. em 1973, na Universidade de Stanford.[9] Ela permitia o diagnóstico prematuro de rejeição do enxerto. Esta técnica é usada até hoje, porém naquela época nada ou pouco se podia fazer para impedir a agressão do organismo ao órgão transplantado.

Em 1976 Jean-François Borel descreveu os efeitos imunossupressores da ciclosporina A e, em 1983, com o anticorpo monoclonal OKT3, protocolos de imunossupressão puderam ser instituídos e elevaram muito a sobrevida dos pacientes transplantados.[7,10]

O campo do transplante cardíaco continua a evoluir, com grandes mudanças nos sistemas de alocação e o uso crescente de corações de doadores com critérios estendidos, incluindo corações de doadores após morte circulatória, corações com perfusão *ex-vivo* e corações de doadores com hepatite C, corações marginais (doadores mais velhos com comorbidades como diabetes e hipertensão, hipertrofia ventricular esquerda e disfunção ventricular esquerda) e uso de corações de doadores que morreram de overdose de fármacos . O uso de tais corações de doadores não tradicionais tornou o transplante disponível para um número maior de receptores, mas a demanda continua superando a oferta.[11]

O 36º relatório anual da Sociedade Internacional para Transplantes de Coração e Pulmão *(International Society for Heart and Lung Transplantation,* ISHLT*)*, documentou a realização de 146.975 transplantes cardíacos em receptores de todas as idades (incluindo 131.249 em adultos) até 30 de junho de 2018.[12] A sobrevida ao longo dos anos tem aumentado, com média de anos de vida após o transplante de 8,6 anos (1982 – 1991); 10,5 anos (1992 – 2001); 12,5 anos (2002 – 2009); e 14,8 anos (2010 – 2017).[11] Contudo, a rejeição primária do enxerto permanece como a principal causa de morte nos primeiros 30 dias após o transplante, respon-

sável por cerca de 40,2% dos óbitos, e permanece também como primeira causa cumulativamente. Ao longo dos anos, como efeito da terapia imunossupressora crônica, o órgão desenvolve vasculopatia coronariana do enxerto (CAV, *Coronary Allograft Vasculopathy*). CAV corresponde ao processo difuso de hiperplasia intimal longitudinal concêntrica de artérias coronarianas epicárdicas grandes e da microcirculação. De natureza multifatorial, acredita-se em etiologia autoimune. A prevalência de CAV é de 8% no primeiro ano e chega a 50% em 10 anos. Após 5 anos de transplante, ela é a terceira principal causa de óbito.[13]

TÉCNICAS CIRÚRGICAS DE TRANSPLANTE CARDÍACO

Existem duas classificações principais para o transplante cardíaco pela maneira como o enxerto é posicionado no tórax:[14]

- **Ortotópico:** o coração é substituído em sua posição anatômica.
- **Heterotópico**: o coração é transplantado no hemitórax direito, com a circulação em paralelo com o coração nativo. Permanecem os dois corações no paciente.

Técnicas

O transplante cardíaco ortotópico é realizado por meio de esternotomia mediana com abordagem semelhante à usada para a revascularização do miocárdio ou troca valvar. Com certa frequência, alguns pacientes apresentarão esternotomia mediana prévia. Nesses casos a região femoral deve ser preparada para fornecer via alternativa para a canulação da circulação extracorpórea (CEC em casos de lesão e sangramento importantes). Após a abertura do pericárdio, a aorta é canulada o mais distalmente possível e as veias cavas superior (VCS) e inferior (VCI) são canuladas individualmente através do átrio direito (AD). A manipulação do coração antes da instituição da CEC é limitada se algum trombo for detectado durante a ecocardiografia transesofágica (ETE). Após o início da CEC e clampeamento da aorta, o coração é parado e excisado. A aorta e o tronco pulmonar (TP) são separados e divididos logo acima do nível de suas respectivas válvulas, e os átrios são seccionados proximalmente (**técnica clássica** ou **biatrial**). Em uma variante desta abordagem clássica, ambos os átrios são excisados completamente (**técnica bicaval**) (Figura 196.1 A, B e C). Postula-se que a técnica bicaval pode reduzir a incidência de arritmias atriais, preservar melhor a função atrial por evitar regurgitação tricúspide e melhorar o débito cardíaco após o transplante. O enxerto é então implantado, começando-se pela anastomose do átrio esquerdo (AE). Se o forame oval estiver patente, ele é suturado e fechado. O átrio direito do doador é aberto por incisão da VCI até a base do apêndice atrial direito (para preservar o nó sinoatrial do doador), e a anastomose do apêndice é construída. Alternativamente, se a técnica bicaval for usada, anastomoses da VCI e da VCS individuais são realizadas. O tronco pulmonar do doador e do receptor são aproximados de ponta a ponta, seguido pela anastomose da aorta. Após a remoção do pinçamento aórtico, o coração é de-areado por meio de abertura na aorta ascendente. Pouco antes do desmame da CEC, uma das cânulas venosas é reposicionada para o átrio direito e a outra retirada. O paciente é então retirado de CEC da maneira habitual. Depois que a hemostasia é alcançada, o pericárdio é deixado aberto e um dreno mediano é posicionado. O resto do fechamento segue de maneira usual.

Alguns pacientes não são candidatos para a técnica ortotópica. Nestes utiliza-se técnica alternativa heterotópica, na qual o enxerto é posicionado no hemitórax direito e conectado à circulação em paralelo com o coração nativo (Figura 196.2 A, B e C). Trata-se de procedimento praticamente abandonado nos tempos atuais, que apresenta duas indicações principais: hipertensão pulmonar importante e irreversível, e desproporção de tamanho acima de 20% entre o receptor e o doador. A captação do enxerto segue da maneira habitual, com exceção da veia ázigos sendo ligada e dividida para aumentar o comprimento da VCS do doador; o tronco da pulmonar é extensivamente dissecado para se obter um ramo principal e pulmonar direito longos. A VCI e as veias pulmonares direitas são suturadas e as veias pulmonares esquerdas incisadas para criar um grande orifício. A operação é iniciada com esternotomia mediana, sendo a pleura direita incisada e aberta. A VCS do receptor é canulada através do apêndice do átrio direito e a VCI pelo átrio direito inferior. Após a parada do coração nativo, a anastomose do átrio esquerdo é construída através da incisão do átrio esquerdo do receptor próximo à veia pulmonar superior direita e estendendo esta incisão inferiormente e, em seguida, anastomosando os respectivos átrios esquerdos. A conexão AD-VCS do receptor é então incisada e anastomosada na conexão AD-VCS do doador, após o que a aorta do doador é unida à aorta do receptor de maneira terminolateral. Finalmente, o tronco pulmonar do doador é anastomosado ao tronco pulmonar principal do receptor de forma terminolateral se for suficientemente longo. Caso contrário, eles são unidos por meio de enxerto vascular interposto. A técnica heterotópica destaca-se por evitar o de-

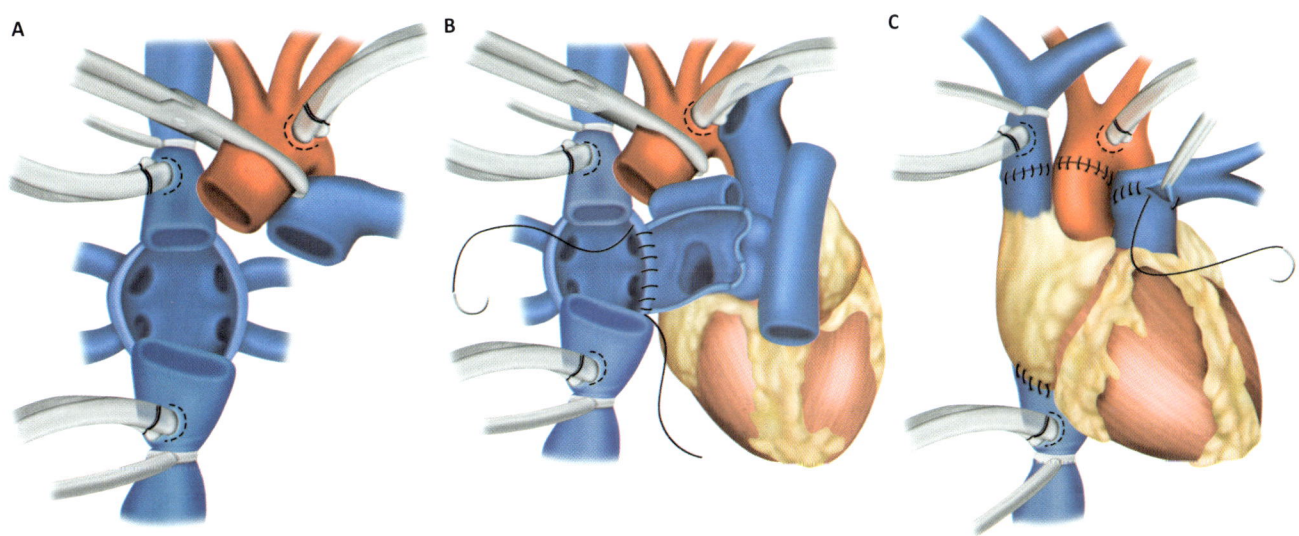

▲ **Figura 196.1** Técnica bicaval do transplante cardíaco ortotópico. (A) O átrio direito é dividido para criar um manguito de veia cava superior e inferior. (B) Começo da anastomose atrial esquerda. (C) Conclusão da técnica de transplante bicaval mostrando a veia cava inferior, a veia cava superior e a anastomose do tronco pulmonar.

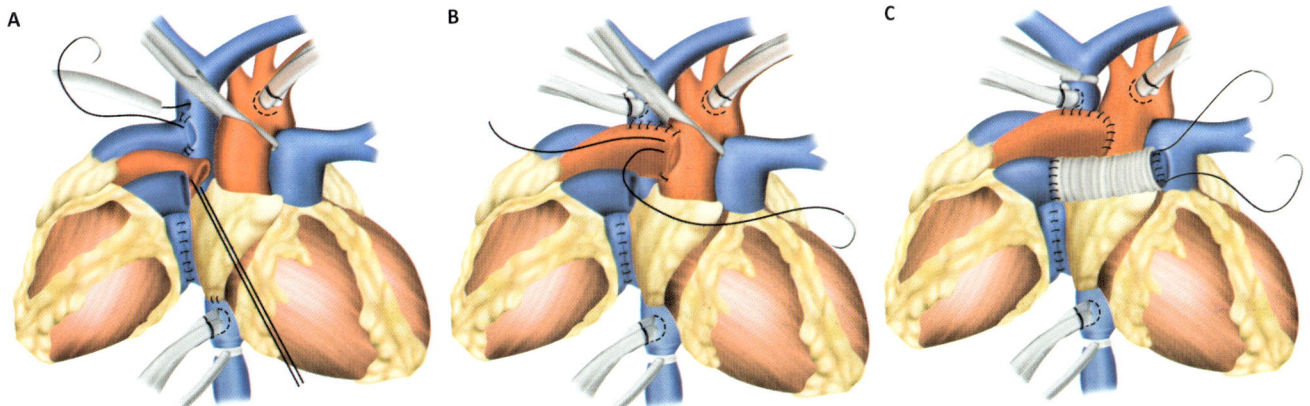

▲ **Figura 196.2** Transplante Cardíaco Heterotópico. (A) A veia cava do doador é anastomosada do lado final da via cava superior do receptor. Anastomose pode ser facilitada pela remoção transitória da cânula da veia cava superior. (B) Anastomose aórtica completa. (C) A conexão da artéria pulmonar necessita da interposição de enxerto de poliéster.

senvolvimento de disfunção ventricular direita no coração do doador não condicionado em face de aumento agudo da pós-carga. Com a introdução dos LVAD como ponte para o transplante, as indicações para transplante heterotópico ficaram ainda mais limitadas.

Resumidamente, a técnica clássica caracteriza-se por 4 anastomoses (as porções atriais esquerda e direita, artéria pulmonar e aorta), a bicaval por 5 anastomoses (porção atrial esquerda, VCS e VCI individualmente, artéria pulmonar e aorta) e, além destas, existe a **técnica de transplante total** com 8 anastomoses (4 veias pulmonares, VCS e VCI separadamente, artéria pulmonar e aorta). Essa terceira e última técnica, descrita por Yacoub e col., é pouco utilizada atualmente devido ao tempo de isquemia aumentado.

Seleção do doador

Devido à escassez de órgãos, os critérios para doadores de coração foram flexibilizados. O número de doadores começou a aumentar nos últimos anos, sendo de 3.241 em 2016. Este aumento deve-se em parte à adoção de critérios expandidos de doadores que foi inicialmente proposto em 2001.[15] Apesar da idade do doador ser um fator de risco independente para a mortalidade do receptor,[16] a idade média dos doadores aumentou de 32 anos entre 1992 e 2003, para 35 anos nos últimos anos. Aproximadamente 50% dos doadores em 2016 tinham entre 18 e 34 anos, e o transplante com coração de doador com mais de 60 anos ainda é raro. Ao aceitar doadores mais idosos, é importante minimizar riscos adicionais, como longos tempos de isquemia e comorbidades adicionais significativas.

As principais causas de morte de doadores são traumatismo craniano (50,2%) e acidente vascular cerebral (28,8%).[12] Os doadores devem atender aos critérios nacionais e/ou regionais para morte encefálica. Idade do doador, altura e peso, sexo, tipo de sangue ABO, radiografia de tórax, ECG, ecocardiografia e causa de morte são necessários. Os dados laboratoriais incluem CMV, status de HIV, hepatite B, hepatite C e resultados de gasometria arterial. As contraindicações do doador incluem arritmias ventriculares intratáveis, suporte inotrópico excessivo, anormalidades do movimento da parede regional, FEVE inferior a 40% apesar da otimização da hemodinâmica, doenças cardíacas congênitas, doenças transmissíveis e neoplasias sistêmicas.[17] Cineangiocoronariografia é recomendada para doadores do sexo masculino com mais de 45 anos e doadoras do sexo feminino com mais de 50 anos. Além desses dados, outro aspecto importante é a compatibilidade entre sexo e peso. Deve haver um tamanho e peso compatível com o provável receptor (para adultos o doador deve ter uma variação de aproximadamente 20% para mais ou para menos, com preferência para mais se o receptor for portador de elevada resistência vascular pulmonar). Existe melhora da sobrevida quando há concordância do sexo entre doador e receptor. Receptores masculinos de doadores femininos têm aumento da incidência e gravidade de rejeição do enxerto.[18]

A aceitação final do coração do doador é feita após inspeção visual e manual direta do órgão pelo cirurgião cardiotorácico da captação.

Captação e preservação do enxerto

A morte cerebral leva a alterações metabólicas e hemodinâmicas importantes. A morte encefálica aguda está associada à descarga vagal intensa com bradicardia e hipertensão seguida de tempestade de catecolaminas. Os níveis de adrenalina e noradrenalina aumentam mais de 100 vezes e a pressão arterial pode chegar a 400 mmHg, levando à isquemia endocárdica, necrose e depressão miocárdica com anormalidades da movimentação regional da parede ventricular. Segue-se vasodilatação pronunciada. A vasculatura se torna refratária ao suporte vasoconstritor e há perda do controle da temperatura.[19] Globalmente, a morte cerebral leva à disfunção do miocárdio e perda da termorregulação central, resultando em arritmias, diabetes insípido central com hipovolemia e desenvolvimento frequente de edema pulmonar neurogênico. Monitoramento invasivo e suporte inotrópico podem ser necessários para manter as pressões de enchimento, bem como a alta concentração de oxigênio inspirado e ventilação com pressão expiratória final positiva (PEEP).[20]

O tempo de isquemia do enxerto começa com o clampeamento aórtico durante a captação e termina com a liberação do clampe de aorta no receptor. Soluções cristaloides de preservação estática fria são o padrão ouro atual para a proteção do miocárdio do doador de coração. Elas permitem tempo de isquemia seguro de até 4 horas, com taxa de rejeição menor que 2%. Segundo dados da ISHLT 2010, há aumento estatisticamente significante da taxa de rejeição primária do enxerto, e aumento da mortalidade em 1 e 5 anos, com tempos de isquemia superior a 210 minutos.[21]

Vários estudos destacaram os efeitos favoráveis dos hormônios tireoidianos,[22] esteroides e arginina-vasopressina sobre o desempenho miocárdico em doadores com infarto do tronco cerebral. O manejo do coração do doador pode, portanto, exigir suporte hemodinâmico agressivo na forma de ressuscitação volêmica cuidadosa, suporte inotrópico e/ou vasopressor e reposição hormonal para otimizar a função cardíaca antes da captação.

Seleção do receptor

Embora exista número crescente de transplantes cardíacos realizados em todo o mundo, o número de pacientes adicionados à lista de espera continua a ultrapassar o de órgãos disponíveis.[11]

Os candidatos em potencial para o transplante cardíaco geralmente passam por avaliação multidisciplinar, incluindo história completa com exame físico, hemograma completo de rotina, análises químicas (para avaliar a função renal e hepática), sorologia viral, eletrocardiografia, radiografia de tórax, testes de função pulmonar e cateterismo cardíaco esquerdo e direito. Eletrocardiografia ambulatorial, ecocardiografia e exames de medicina nuclear são realizados, se necessário. Os objetivos desta avaliação são confirmar o diagnóstico de doença cardíaca em estágio terminal que não é passível de outras terapias e que provavelmente levará à morte dentro de 1 a 2 anos, bem como excluir disfunção orgânica extracardíaca que pode levar à morte logo após o transplante de coração.[23]

Dessa forma, são indicações primárias de transplante cardíaco:[24]

■ choque cardiogênico necessitando de suporte inotrópico contínuo ou suporte circulatório mecânico com um balão intra-aórtico;

■ IC NYHA classe IV com sintomas refratários e terapia medicamentosa otimizada (LVEF < 20%, pico de VO_2 < 12 $mL.kg^{-1}.min^{-1}$);

■ angina persistente e intratável, com doença arterial coronariana não amenizável à terapia percutânea ou revascularização do miocárdio;

■ arritmias graves intratáveis não responsivas à terapia medicamentosa, à ablação por cateter e/ou implante de CDI.

São contraindicações absolutas:

■ Doença sistêmica com expectativa de vida inferior a 2 anos apesar do transplante cardíaco (neoplasia ativa nos últimos 5 anos, AIDS com doenças oportunistas frequentes, disfunção hepática ou renal irreversível em pacientes considerados apenas para transplante de coração e DPOC grave com VEF_1 < 1L/min);

■ Hipertensão pulmonar fixa (pressão sistólica de artéria pulmonar > 60 mmHg, gradiente transpulmonar médio > 15 mmHg e resistência vascular pulmonar > 6 Woods).

Já as contraindicações relativas são muitas: idade superior a 72 anos, qualquer infecção ativa, úlcera péptica ativa, diabetes com danos terminais em órgãos-alvo, doença vascular periférica e cerebrovascular graves, obesidade mórbida (IMC > 35 kg/m^2) ou caquexia (IMC < 18 kg/m^2), creatinina > 2,5 $mg.dL^{-1}$ ou *clearance* de creatinina < 25 $mL.min^{-1}$, disfunção pulmonar grave com VEF_1 < 40% do predito, doença mental ativa ou instabilidade psicossocial, abuso de substâncias nos últimos 6 meses, infarto pulmonar recente (entre 6 e 8 semanas), desordem neurológica ou neuromuscular irreversível, entre outras.

Outro aspecto importante na seleção do receptor é a realização de painel imunológico. Ao incluir o paciente na fila de espera para transplante cardíaco, é fundamental a realização de testes imunológicos. O soro do paciente é testado contra um "kit" de linfócitos, que representa uma população aleatória. Quando se encontra porcentagem de anticorpos reativos entre 5% e 15%, vários centros prosseguem com o transplante baseando-se na compatibilidade ABO. Se esta porcentagem for maior que 15%, obrigatoriamente devemos esperar a prova cruzada (sangue do receptor contra gânglio ou baço do doador) no dia do transplante. Painel imunológico alto significa que os pacientes são muito sensibilizados, portanto com alto risco de apresentar rejeição humoral hiperaguda no pós-operatório imediato.

O esquema clássico de imunossupressão no transplante cardíaco se baseia fundamentalmente no esquema tríplice: corticoides (prednisona e metilprednisolona), inibidores da calcineurina (ciclosporina e tacrolimus), e antiproliferativos (azatioprina e micofenolato mofetil). Recentemente foram introduzidos inibidores do sinal de proliferação (*mammalian target of rapamycin inhibitors* ou inibidores mTOR), como o sirolimus e everolimus, com o intuito de melhorar a imunossupressão e diminuir os efeitos colaterais do esquema tríplice.[25]

Hipertensão Pulmonar

O aumento da resistência vascular pulmonar (RVP), levando à hipertensão pulmonar (HP), é um preditivo do aumento da mortalidade em transplante cardíaco ortotópico. A medida hemodinâmica da pressão da artéria pulmonar é procedimento de rotina em potenciais receptores, para poder avaliar a resposta à terapia com vasodilatadores. Tal rotina é importante para avaliação do risco de falência ventricular direita.[26]

A terapêutica com vasodilatadores venosos, como nitroprussiato e nitroglicerina, pode levar aos efeitos indesejados de hipotensão arterial sistêmica. Vasodilatadores pulmonares seletivos administrados por via inalatória, como o óxido nítrico (NO) e a prostaciclina PGI_2, são terapias mais direcionadas e com menos efeitos colaterais sistêmicos.[27]

O gás NO promove vasodilatação na circulação pulmonar. No entanto, sua administração deve seguir rigorosos padrões de segurança, pois em contato com o oxigênio produz dióxido de nitrogênio (NO_2), um gás altamente tóxico capaz de produzir lesão tecidual e morte. A ligação de NO com hemoglobina produz metahemoglobina, que em concentrações elevadas causa hipóxia tecidual.

Por ser uma molécula tóxica e instável, requer sistemas especializados de administração e monitorização. Devido à sua curtíssima meia-vida, o NO deve ser administrado continuamente, pois mesmo breves interrupções do fluxo, podem causar efeito rebote desencadeando pico hipertensivo pulmonar.

A fração inspirada de oxigênio (FiO_2) deve ser a menor possível para evitar a formação de NO_2. Os valores terapêuticos variam de 5 a 30 ppm (partes por milhão). O NO deve ser utilizado na menor dose eficaz, sendo que a titulação deve ser feita diariamente com redução progressiva.

$$\text{Volume de NO necessário (mL.min}^{-1}\text{)} = \left[\frac{\text{concentração desejada de NO (PPM)} \times \text{vazão do respirador (L.min}^{-1}\text{)}}{\text{concentração de NO no cilindro (PPM)}} \times 1000 \right]$$

Em dezembro de 2004, o órgão da vigilância sanitária americana (FDA), aprovou o uso de prostaglandina (PGI_2) para o tratamento da hipertensão pulmonar. O Iloprost (Ventavis®) é um composto sintético estruturalmente similar às prostaciclinas humanas, substâncias estas que induzem vasodilatação dos vasos sanguíneos pulmonares.

A PGI_2 administrada por aerossol tem mostrado vantagens sobre o NO, devido sua baixa toxicidade, pouca alteração hemodinâmica e meia-vida plasmática mais longa (20 a 30 minutos). Além disso, a vasodilatação pulmonar induzida pela PGI_2 persiste por 2 a 4 horas, o que protege o paciente de eventual hipertensão pulmonar rebote causada pela interrupção acidental do medicamento.

Em pacientes com hipertensão pulmonar primária, a prostaciclina tem se mostrado mais potente do que a inalação de NO.[27] Aparentemente este efeito não é bem descrito para hipertensão pulmonar de origem secundária, como a falência ventricular direita. A administração de Iloprost é feita diluindo 50 µg, em 3 mL de solução fisiológica isotônica e administrado por via inalatória no sistema respiratório.

Como o grau de hipertensão pulmonar é o principal determinante da disfunção ventricular direita no período pós-operatório, a reversibilidade da HP deve ser previamente avaliada através do uso de vasodilatadores pulmonares durante o cateterismo cardíaco, enquanto o paciente encontra-se ainda na fila de espera para receber o órgão. A maioria dos centros de transplante estabelece como limiar superior em adultos, resistência vascular pulmonar maior que 5 U Wood, sendo que em crianças este valor é tolerado até 6-7 U Wood (Wood = Média das Pressões de Pico da PAP – Média das Pressões de Oclusão de Artéria Pulmonar/Débito Cardíaco). Outro indicador de HP é o gradiente transpulmonar, que consiste na diferença entre a pressão média de artéria pulmonar e a pressão de oclusão de artéria pulmonar. Quando este valor é superior a 15 mmHg e com fraca resposta a vasodilatadores, há aumento significativo do risco cirúrgico. A presença de resistência vascular pulmonar > 480 dyn.s^{-1}.cm^5 também é contraindicação absoluta para o transplante cardíaco, pois quando o ventrículo direito do doador é exposto à elevada pressão pulmonar do receptor, ocorre falência ventricular direita aguda.

Dispositivos de Assistência Ventricular

Mais de 64% dos pacientes requerem suporte de vida como ponte para o transplante.[28] Exemplos de suporte incluem balão intra-aórtico (BIA), inotrópicos, ventilação mecânica e dispositivos de assistência ventricular esquerda (LVAD). O ISHLT (*International Society for Heart and Lung Transplantation*) relata que 45% dos receptores de transplante em 2013 tiveram um LVAD em comparação com 12% entre 1992 e 2000.[29] Benefícios dos LVAD, enquanto na fila de espera do transplante, incluem redução de 45% nas hospitalizações em unidades de terapia intensiva antes do transplante, sobrevida prolongada em comparação com inotrópicos e BIA, e maior taxa de remissão da IC estágio D (*American College of Cardiology*/AHA).[30] As indicações para LVAD incluem seu uso como uma ponte para o transplante, terapia de resgate e terapia de destino. Entre 2012 e 2016, 45% dos implantes foram para terapia de destino, enquanto 54% foram colocados para ponte para transplante. Entre 2009 e 2014, 43% dos candidatos de transplante cardíaco foram colocados em ponte para transplante com dispositivos de suporte circulatório mecânico. Inicialmente, havia preocupação se a esternotomia adicional necessária para a inserção do LVAD poderia piorar os resultados pós-transplante. Felizmente, foi demonstrado que não há diferença nos resultados pós-transplante entre os pacientes que realizaram transplante com LVAD em comparação com aqueles sem LVAD.[31] Além disso, a duração do uso de LVAD antes do transplante não parece adicionar risco.[32]

Em 2006 foi desenvolvido o Registro Interinstitucional de Suporte Circulatório Assistido Mecanicamente, ou do inglês INTERMACS. Dados INTERMACS, coletados entre 2006 e 2016, demonstraram que as taxas de sobrevida em 1 ano foram de 74% para bombas de fluxo contínuo *versus* 60% para bombas pulsáteis. Dada a melhoria nos resultados e avanços tecnológicos, as bombas não pulsáteis[33] passaram a ser os dispositivos de escolha, correspondendo a mais de 99% dos implantes de LVAD a partir de 2011.

Considerações Anestésicas

Avaliação pré-operatória

O período pré-operatório é marcado por importante restrição de tempo por causa da chegada iminente do coração do doador. Como o transplante cardíaco pode acontecer a qualquer hora, ele é considerado procedimento de urgência.

Os fatores que influenciam o momento do transplante incluem o tempo de cirurgia do doador, o transporte do órgão, a otimização pré-operatória potencial do receptor, o momento adequado para indução da anestesia e o tempo cirúrgico apropriado do receptor, tendo-se em vista minimizar o tempo de isquemia. Portanto, é imperativo que a equipe de captação, a equipe cirúrgica receptora e a equipe de anestesia se comuniquem claramente para minimizar quaisquer atrasos.

Nesse contexto, raramente o anestesiologista tem tempo hábil para fazer visita pré-anestésica satisfatória. Frequentemente, o primeiro contato se faz na sala de cirurgia, com o paciente tenso e sem medicação pré-anestésica. Nessas condições, deve o profissional conversar com o paciente, transmitindo-lhe calma e segurança. Verificar os exames pré-operatórios recentes como hemograma, coagulograma, função pulmonar, renal e hepática, radiografia de tórax e gasometria arterial em ar ambiente. Aproximadamente 64% dos pacientes que se apresentam para o transplante de coração possuem algum tipo de suporte cardiovascular (LVAD, BIA, inotrópicos).[28] O anestesiologista deve checar a presença de dispositivos antiarrítmicos, como CDI e ressincronizador, os quais devem ser interrogados e reprogramados para modo que não sofra interferência do eletrocautério (por exemplo, o modo assíncrono). Além disso, a função de cardioversão/desfibrilação deve ser inativada (também para evitar acidentes com o eletrocautério). Na impossibilidade de reprogramação, ímãs devem estar prontamente disponíveis.

Pacientes com esternotomia prévia são frequentes, tendo-se em vista a elevada prevalência de dispositivos de assistência ventricular nessa população. Assim, além dos estudos de coagulação, sangue deve estar prontamente disponível em sala operatória (alguns serviços preconizam a presença de duas unidades de concentrado de hemácias antes da incisão).[34]

Por se tratar de cirurgia de urgência, porcentagem elevada dos pacientes não estará em jejum. Lembrar que alguns imunossupressores são administrados por via oral, como o micofenolato mofetil, pouco antes do início da cirurgia, sendo necessária sua verificação. A seleção da profilaxia ou terapia antibiótica levará em consideração a rotina de cada serviço e os padrões de infecção do receptor e do doador (por exemplo, tempo de intubação orotraqueal e/ou a presença de cirurgias prévias antes da captação).

Monitorização

A monitorização realizada no intraoperatório deverá constar de eletrocardiograma de cinco derivações, com análise de segmento S-T de DII e V5, oximetria de pulso, cateter arterial invasivo para aferição da pressão arterial média (PAM) contínua, pelo menos um acesso venoso periférico de grande calibre (16G ou 14G), acesso venoso central de dupla ou tripla via (tanto para medida de pressão venosa central quanto linha para infusão de fármacos) e capnografia. Além dessa monitorização habitual, a depender da disponibilidade do serviço, ecocardiografia transesofágica (ETE) e a presença de um cateter de artéria pulmonar, Swan-Ganz, são de grande valia. Esse último deve vir acompanhado de uma longa bainha estéril, a qual após a introdução, permita o seu retrocesso até a porção proximal da VCS (e ao término do procedimento, seu posicionamento pulmonar). Um aparelho de ultrassom deve estar sempre disponível.[35]

A inserção desses dispositivos invasivos antes da indução anestésica, com auxílio de anestesia local, facilita a rápida e precisa resposta aos eventos hemodinâmicos que podem seguir (alguns serviços posicionam o cateter venoso central e o de artéria pulmonar após a indução anestésica). Outro ponto a se destacar é o posicionamento do cateter arterial em linha central (femoral) ao invés da radial, evitando discrepâncias frequentemente vistas após a saída de CEC. Contudo, também pode ser necessário a canulação da artéria femoral para o influxo arterial para CEC (nos casos de esternotomia prévia e elevado risco de lesão inadvertida durante a abertura), o que levaria a questionar seu uso como linha para aferição da PAM.[36,37]

Monitorização perioperatória da pressão ventricular direita[38]

A insuficiência cardíaca direita consiste em frequente e potencialmente grave complicação após transplante cardíaco e contribui significativamente para a morbidade e mortalidade. O diagnóstico precoce ainda permanece um desafio. A monitorização da pressão ventricular direita (PVD), com a utilização de cateter de artéria pulmonar, foi sugerida como ferramenta útil para facilitar o diagnóstico e tratamento da disfunção do ventrículo direito (VD), com foco particular no componente **diastólico** da forma de onda de pressão. Para esse fim é utilizado cateter de artéria pulmonar com porta locada a 19 cm da abertura distal. Esta abertura foi originalmente desenvolvida para introduzir cabo de eletrodo para o ventrículo direito, por isso o termo **cateter de artéria pulmonar** *paceport* ou **Swan-Ganz P**. Este método oferece muitas vantagens por ser simples, rápido e avaliar a função do VD de forma contínua. Consiste em complemento valio-

so à ecocardiografia transtorácica, à ecocardiografia transesofágica e a outros dispositivos de monitorização invasivos ou não invasivos no centro cirúrgico e na UTI.

A onda normal da pressão ventricular direita é mostrada na **Figura 196.3 A**, cujas características são:

1. inclinação sistólica rápida (<100 mseg após a onda Q) com mudança na pressão ao longo do tempo (dp/dt) de 200 a 500 mmHg/s;
2. diferença não significativa (<6 mmHg) entre o pico sistólico da pressão de ventrículo direito (PVD) e o pico sistólico da pressão de artéria pulmonar (PAP) e
3. inclinação horizontal da pressão diastólica inicial do VD para a diastólica final de 4 mmHg ou menos. Na prática atual, ambas as formas de onda, da pressão do ventrículo direito (PVD) e da pressão de artéria pulmonar (PAP) devem ser exibidas concomitantemente no monitor. Convém salientar que é importante exibir os valores sistólicos e diastólicos e não apenas os valores médios destas pressões.

Na fase de diástole do VD, a medida mais baixa de pressão ao monitor representa o valor inicial da pressão diastólica dessa câmara quando a inclinação da onda é horizontal (normal), e neste caso a pressão diastólica final do VD ou a pressão média da arterial pulmonar são confiáveis (**Figura 196.3, A**). Entretanto, a pressão diastólica exibida pode ser enganosa quando a inclinação diastólica da PVD é oblíqua ou com sinal de raiz quadrada (**Figura 196.3, B**). Nesses casos, o valor diastólico final será subestimado e, consequentemente, a pressão média da artéria pulmonar também. Isso pode levar ao manejo inadequado, como a administração de volume em paciente com pressão diastólica final do VD elevada, resultante de insuficiência grave dessa câmara. Nessas situações, para determinar o valor exato da pressão diastólica final do VD, a forma de onda da pressão ventricular direita exibida deve ser congelada e o cursor rolado manualmente para identificar o valor da pressão diastólica final que ocorre logo após a contração atrial e imediatamente antes do aumento da pressão sistólica do VD **(Figura 196.3, B)**.

A aplicação clínica da monitorização da pressão ventricular direita (PVD) utilizando cateter de artéria pulmonar *pa-*

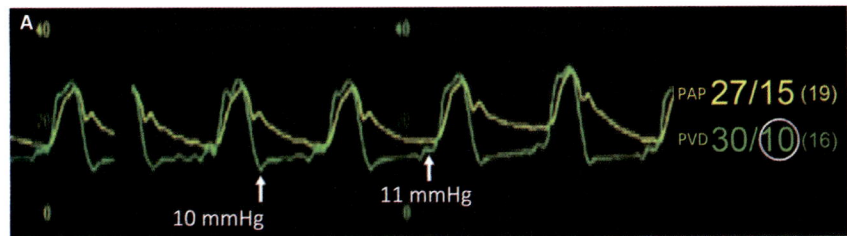

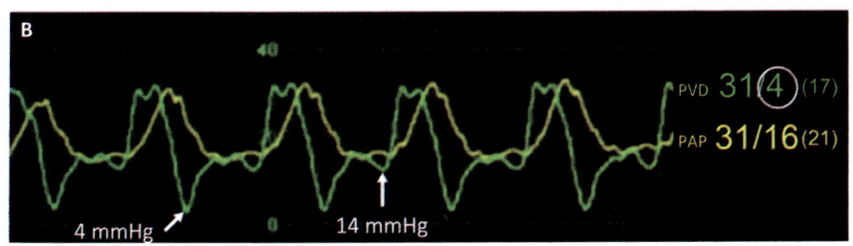

◄ Figura 196.3 **(A)** Pressão arterial pulmonar (PAP) e pressão ventricular direita (PVD) normais. Observe que a inclinação diastólica da PVD é horizontal. A pressão diastólica final é de 11 mmHg (seta), próxima do valor diastólico inicial exibido de 10 mmHg (seta). **(B)** Forma de onda da PVD anormal em padrão de raiz quadrada. Observe que o valor diastólico final de 14 mmHg (seta) obtido manualmente ao congelar o cursor é muito superior ao apresentado automaticamente de 4 mmHg pelo monitor (seta), que corresponde ao valor diastólico inicial.

ceport permite a detecção precoce da disfunção diastólica, a avaliação do acoplamento ventrículo-arterial direito e o diagnóstico instantâneo da obstrução da via de saída do VD.

▪ Disfunção diastólica do VD

Como mencionado anteriormente, a inclinação da onda diastólica normal do VD é tipicamente horizontal **(Figura 196.4, A)** consequente à complacência normal do VD ser muito maior que a complacência normal do ventrículo esquerdo (VE). Na disfunção diastólica inicial, o VD não consegue acomodar o volume de entrada decorrente da complacência reduzida. A forma de onda da PVD então mostrará **inclinação ascendente progressivamente oblíqua (Figura 196.4, B)**. À medida que a função do VD se deteriora, ela mudará para **forma de raiz quadrada (Figura 196.4, C)** seguida por equalização das pressões diastólicas do VD e da artéria pulmonar **(Figura 196.4, D),** muitas vezes com impulso sistólico ascendente tardio à medida que a PAP começa a cair devido à falha na função sistólica do VD **(Figura 196.4, E)**. Rápido aumento da pressão diastólica final do VD indica diminuição na complacência e o tratamento da disfunção do VD com óxido nítrico inalado ou milrinona intravenosa ou inalada muitas vezes resulta na reversão deste padrão.

▪ Acoplamento ventrículo-arterial direito

O conceito de adaptação do VD à hipertensão pulmonar ou acoplamento ventrículo-arterial descreve a correspondência entre a contratilidade e a pós-carga do VD. Em alguns pacientes, a hipertensão pulmonar crônica é bem tolerada e a adaptação do VD através da hipertrofia ventricular estará presente, e apesar da PAP estar elevada, a forma de onda da PVD será normal **(Figura 196.4, A)** e os indicadores de perfusão cerebral ou somático (lactato, oxigenação venosa mista e espectroscopia no infravermelho próximo [NIRS]) também serão normais. Em outros pacientes, como aqueles com elevação aguda da resistência vascular pulmonar, a hipertensão pulmonar não será tolerada porque o VD possui paredes finas, portanto muito sensível ao aumento da pós-carga. Consequentemente, a forma de onda da PVD será anormal **(Figura 196.4, B)**. A redução do débito cardíaco devido à disfunção do VD estará associada à redução da NIRS cerebral ou somática. Finalmente, à medida que a função ventricular direita se deteriora, a PAP será reduzida a valores pseudonormais. No entanto, a forma de onda da PVD permanecerá anormal, indicando falha no VD **(Figura 196.4, E)**.

▪ Obstrução da via de saída do VD

A obstrução da via de saída do ventrículo direito consiste em causa rara, mas significativa, de instabilidade hemodinâmica. Pode ser diagnosticada fácil e rapidamente com monitoramento da PVD com ou sem ETE **(Figura 196.5)**, na presença de gradiente de pressão sistólica anormal en-

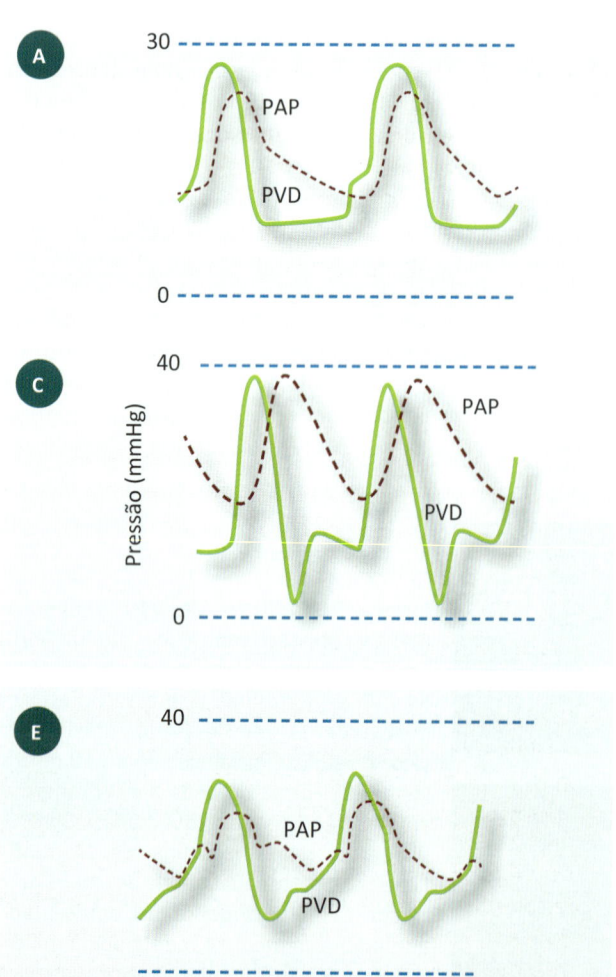

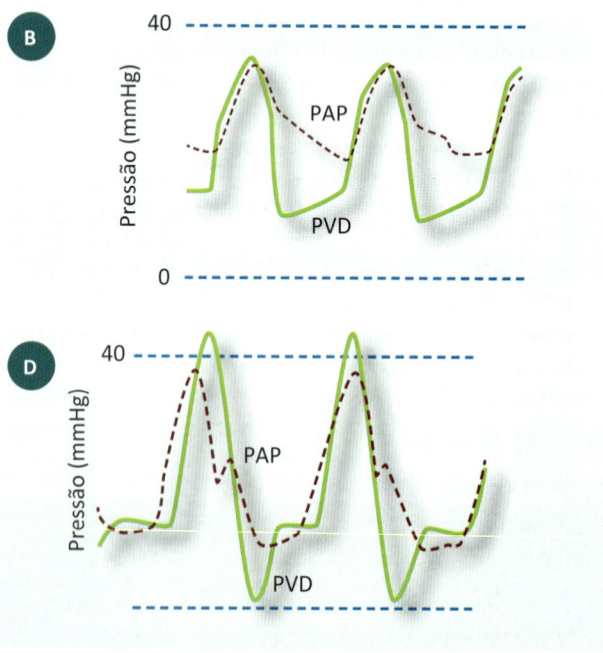

◄ **Figura 196.4** Tipos de formas de onda da pressão ventricular direita (PVD). **(A)** Normal. **(B)** Forma de onda de PVD levemente anormal com inclinação diastólica oblíqua >4 mmHg.). **(C)** PVD anormal com sinal de raiz quadrada. **(D)** À medida que a função ventricular direita se deteriora, o gradiente diastólico entre as formas de onda da PVD e da PAP será gradualmente reduzido e poderá se equalizar. **(E)** Estágio tardio da insuficiência sistólica e diastólica do ventrículo direito com redução dp/dt e pulso sistólico tardio da PVD, além do sinal da raiz quadrada e equalização das pressões diastólicas.

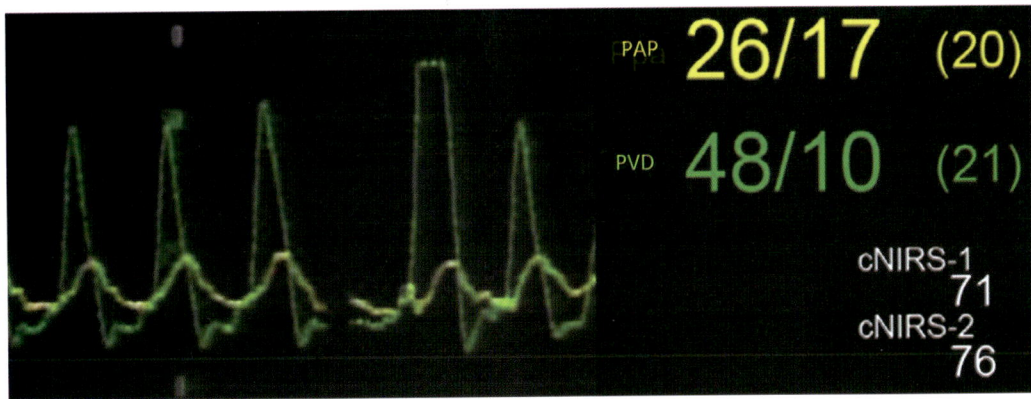

▲ **Figura 196.5** Gradiente de 22 mmHg entre as pressões sistólicas do ventrículo direito e da artéria pulmonar.

tre ventrículo direito e artéria pulmonar. O gradiente normal é menor que 6 mmHg. O gradiente de pico sistólico entre 6 e 25 mmHg é frequentemente considerado trivial ou moderado com base na literatura referente à obstrução crônica da via de saída do ventrículo direito. Em contraste, pico de gradiente sistólico superior a 25 mmHg é considerado significativo. A vantagem do monitoramento da PVD na obstrução da via de saída do ventrículo direito é que as pressões são exibidas instantaneamente no monitor, batimento a batimento, o que torna o diagnóstico mais rápido e a obstrução pode ser quantificada mais precisamente com as pressões exatas. Com o uso do ETE é possível diferenciar a obstrução da via de saída do ventrículo direito em fixa ou dinâmica. Na fixa ou não dinâmica não há alterações nas dimensões da via de saída do ventrículo direito durante o ciclo cardíaco e na obstrução dinâmica as dimensões aumentam significantemente na diástole. A obstrução fixa possui substrato anatômico ou mecânico e pode ocorrer na presença de pneumotórax anterior ou durante transplante pulmonar com pulmões superdimensionados na fase de inspiração com pressão positiva. A dinâmica pode ocorrer após transplante pulmonar ou em cirurgias cardíacas e é semelhante à obstrução da via de saída do VE, onde agentes inotrópicos são contraindicados, devendo-se utilizar betabloqueadores e fluidos venosos para corrigir a instabilidade.

Monitorização perioperatória da pressão ventricular direita e ecocardiografia transesofágica[38]

A insuficiência do VD foi classicamente descrita em 1994 como a combinação de hipotensão, pressão de átrio direito elevada (>15 mmHg) e pulmões limpos ou ausência de edema pulmonar. Porém, no período perioperatório, ainda não existem critérios bem estabelecidos para a definição de disfunção do VD na sala cirúrgica usando combinação de sistema de classificação hemodinâmica ou ecocardiográfica. Contudo, a análise da forma de onda de pressão do VD pode ajudar no reconhecimento da disfunção diastólica desta câmara e um sistema de classificação para a função do VD é proposta na Figura 196.4. Na experiência dos autores,[38] a disfunção e a falência do VD normalmente estão associadas a formas de ondas de PVD anormais como anteriormente

mencionadas (Figuras 196.4 B, C, D ou E). Quando há suspeita de disfunção do VD através da monitorização de suas pressões pelo cateter de artéria pulmonar *paceport*, seja no período peroperatório ou na UTI, tanto a ecocardiografia cardíaca como a ecocardiografia pulmonar utilizando ETT e ETE são fundamentais na determinação da etiologia.

Algumas vantagens da monitorização das pressões do VD pelo cateter de artéria pulmonar *paceport* são:

1. a hipertensão pulmonar é melhor diagnosticada do que com ETE porque a PAP é transmitida diretamente ao invés da medida indireta realizada através do jato regurgitante da válvula tricúspide;

2. a utilização do monitoramento da forma de onda da PVD constitui método rápido e contínuo de avaliação da função do VD. Está prontamente disponível na sala de cirurgia e também na UTI quando as janelas acústicas para ultrassom à beira do leito são difíceis de serem obtidas e não podem ser usadas para monitoramento contínuo;

3. o monitoramento da forma de onda da PVD pode ajudar a reconhecer alterações agudas na pré-carga e na função do VD durante a cirurgia cardíaca sob ventilação com pressão positiva, condições de tórax aberto, manipulação cardíaca e alterações agudas no status do volume, como perda de sangue;

4. a avaliação da função do VD pelo ETE é imprecisa devido a variações significativas entre observadores, e o TAPSE pode estar reduzido após cirurgia cardíaca e, consequentemente, nem sempre reflete a função do VD. A avaliação ecocardiográfica do volume e da fração de ejeção do VD é difícil devido à geometria complexa desta câmara, e muitos índices, como TAPSE por exemplo, são parâmetros vetoriais unidimensionais, o que os torna propensos a erros;

5. finalmente, o monitoramento da forma de onda do VD é exibido ao lado de outros parâmetros fisiológicos relevantes no monitor, como o eletrocardiograma, formas de onda de pressão arterial e venosa, saturação de oxigênio, NIRS e capnografia. O ETE e os sinais vitais normalmente não são exibidos no mesmo monitor. Portanto, pode tornar-se difícil a realização do ETE e ao mesmo tempo manter vigilância adequada dos sinais vitais e todas as variáveis hemodinâmicas.

Contudo, a importância do ETE se destaca pela monitorização em todos os momentos do intraoperatório. Antes da CEC pode-se avaliar a função biventricular, contratilidade, estado volêmico, efusões pleurais, aterosclerose aórtica e trombos intracardíacos. Durante a separação da CEC, destaca-se por analisar a presença de ar intracardíaco, função ventricular (principalmente a direita, tendo-se em vista o risco de HP), função valvular, ausência de *shunts* intracardíacos, além de ser o método mais precoce de detecção de alterações hemodinâmicas.[39]

Indução e manutenção

Equipamentos e medicamentos semelhantes aos normalmente usados para outras cirurgias com CEC devem ser preparados. Droga β-agonista, como a adrenalina, deve estar prontamente disponível tanto em *bolus* quanto em infusão contínua para tratar rapidamente a disfunção ventricular. Alfa-agonista como a noradrenalina é útil para compensar os efeitos vasodilatadores dos anestésicos porque mesmo pequenas diminuições na pré-carga e na pós-carga podem levar a alterações catastróficas no débito cardíaco e na perfusão coronariana desses pacientes. Pode-se deixar fármacos de emergência preparados e diluídos em seringas (adrenalina 5 ug.mL^{-1} e 50 ug.mL^{-1} e norepinefrina 5 ug.mL^{-1} e 50 ug.mL^{-1}) como também soluções inotrópicas de infusão contínua como dobutamina e milrinona, soluções de fármacos vasodilatadores como nitroglicerina e nitroprussiato preparados em bombas de infusão antes da indução anestésica. O balão intra-aórtico para suporte circulatório também deve ser testado e estar disponível na sala, como também a disponibilidade de marcapasso transitório.[36]

A maioria dos pacientes que se apresenta para o transplante cardíaco não está em jejum e todos devem ser considerados com o estômago cheio. Assim, a técnica de indução deve ter como objetivo permitir um rápido controle das vias aéreas, prevenindo a aspiração, e ao mesmo tempo evitando a depressão miocárdica.[37] Pacientes em IC refratária em fase terminal apresentam volume sistólico fixo e precisam de pré-carga adequada, manutenção da resistência vascular sistêmica elevada e frequência cardíaca adequada para manter o débito cardíaco. A pós-carga também não deve ser elevada (evitando-se hipertensão sistêmica com uma intubação orotraqueal em plano anestésico adequado) e não se esquecer do risco de crises agudas de hipertensão pulmonar com disfunção de VD (evitando-se hipercarbia, hipoxemia e acidose).

O regime combinando hipnóticos de curta duração com mínima depressão miocárdica, associados a pequenas ou moderadas doses de opioides (objetivando suprimir a resposta a laringoscopia) e bloqueador neuromuscular de curta duração, pode ser usado. Sugere-se o uso de midazolam (0,05 a 0,15 mg.kg^{-1}) e etomidato (0,2 mg.kg^{-1}) como hipnóticos. Geralmente propofol não é indicado na indução anestésica devido a seus significativos efeitos de depressão miocárdica e redução da resistência vascular sistêmica, ocasionando bradicardia e hipotensão que podem levar à PCR. Porém, após o implante do enxerto, pode ser usado em baixas doses em infusão contínua como coadjuvante para manter a hipnose. A alternativa para a indução anestésica

em pacientes com fração de ejeção < 15% é o uso de cetamina (2-5 mg.kg^{-1}). Os opioides normalmente utilizados são o fentanil (2 a 5 ug.kg^{-1}) ou sufentanil (0,2 a 0,5 ug.kg^{-1}). Em relação aos bloqueadores neuromusculares, destacam-se o rocurônio (0,6 mg.kg^{-1}) e o cisatracúrio (0,2 mg.kg^{-1}), embora não haja contraindicação formal a nenhum outro relaxante muscular. A discreta taquicardia causada pelo pancurônio pode ser contrabalançada pela bradicardia induzida pelos opioides. Se optado pelo uso de atracúrio, parcimônia e atentar para possível liberação de histamina, o que pode gerar broncoespasmo e hipotensão arterial.[35] Deve-se salientar que a indução desses pacientes é lenta por causa do baixo débito cardíaco e, portanto, deve-se administrar oxigênio enquanto se espera pela indução progressiva e suave (evitar administração excessiva de volume).

Ventilação

Após a intubação orotraqueal, a ventilação deve ser iniciada com alta concentração inspirada de oxigênio e pequenos volumes correntes inspiratórios (4 a 6 mL.kg^{-1}). O manejo ventilatório deve ser focado em seus efeitos na resistência vascular pulmonar (RVP) e na função do VD. A hipóxia alveolar e a hipercarbia são potentes vasoconstritores pulmonares, enquanto a hipocarbia promove vasodilatação pulmonar. A RVP é aumentada quando a capacidade residual funcional (CRF) é elevada acima da capacidade de fechamento (*closing capacity*, CC) secundária à compressão de pequenos vasos intra-alveolares. No entanto, a RVP também aumenta quando a CRF é reduzida abaixo da CC secundária ao aumento da resistência de grandes vasos na vasoconstrição pulmonar hipóxica. A PEEP melhora a oxigenação aumentando a capacidade residual funcional (CRF), reduzida na anestesia geral. No entanto, a administração de níveis mais elevados de PEEP também pode aumentar adversamente a CRF acima dos valores ideais. O uso intraoperatório de espirometria por meio de máquinas de anestesia modernas permite visualizar a PEEP necessária para otimizar a CRF do paciente. Especificamente, a identificação do ponto de inflexão inferior na curva de pressão e volume do paciente pode demonstrar a PEEP necessária para aumentar a CRF logo acima da CC. Portanto, a ventilação do receptor deve envolver altas concentrações de oxigênio, volumes correntes moderados e frequência respiratória que permita certa hipocarbia e níveis otimizados de PEEP.[39,40]

Manutenção antes da CEC

A manutenção da anestesia depende da condição hemodinâmica do paciente. Geralmente envolve agentes inalatórios junto com doses moderadas de opioides. Anestésicos inalatórios normalmente são bem tolerados em concentrações de até 1 CAM (Concentração Alveolar Mínima). Isoflurano e sevoflurano devem ser os halogenados de preferência, pois em baixas concentrações (CAM < 1) produzem diminuição da resistência vascular pulmonar e mínima depressão miocárdica. O óxido nitroso (N$_2$O) deve ser evitado devido a possíveis aumentos na RVP, além de ser um depressor do miocárdio quando associado com altas doses de opioides. O uso de terapia antifibrinolítica deve ser iniciado antes da

CEC na maioria dos casos. Antibióticos e agentes imunossupressores específicos devem ser administrados antes da incisão. Já a anestesia venosa total é indicada nas situações em que o paciente não tolera a hipotensão causada pela associação com agentes inalatórios. Como é padrão em outras cirurgias cardíacas com CEC, a heparina é administrada antes da canulação aórtica. É importante ressaltar que os pacientes com exposição recente à heparina estão em risco de trombocitopenia, com títulos de anticorpos diminuindo geralmente em 3 meses. Antes da canulação da veia cava superior, o cateter de artéria pulmonar deve ser retirado do coração para a VCS. Ainda antes do princípio da CEC administra-se metilprednisolona (30 mg.kg^{-1} até 1 g) e difenidramina (1.25 mg.kg^{-1} até 50 mg) com o objetivo de atenuar a resposta imune aguda. Omeprazol ou pantoprazol (40 mg) também podem ser usados como protetores gástricos.

O transplante cardíaco é realizado por meio de esternotomia mediana, utilizando a CEC da mesma forma que outros procedimentos cirúrgicos cardíacos comuns. A canulação da aorta costuma ser mais alta no arco aórtico em comparação com a cirurgia cardíaca tradicional e é seguida pela canulação individual da veia cava superior e inferior. Como discorrido anteriormente, o transplante ortotópico apresenta três abordagens cirúrgicas, sendo atualmente a técnica bicaval a mais comum. Com esta técnica tem se observado melhora na mortalidade perioperatória, na manutenção do ritmo sinusal, na função valvar, menor necessidade de marcapasso e pequena vantagem na sobrevida. No entanto, uma revisão retrospectiva recente entre as técnicas bicaval e biatrial não demonstrou diferença na sobrevida entre os grupos.[41]

Desmame da CEC

Como acontece em todos os procedimentos com circulação extracorpórea, a revisão protocolizada da "cabeça aos pés" deve ser realizada para preparar a separação da CEC. O paciente deve estar aquecido (em torno de 36,5°C) e com hipnose adequada, a ventilação deve ser iniciada com verificação da expansão pulmonar bilateral, a gasometria arterial deve ser revisada e os eletrólitos corrigidos. Se observada redução da resistência vascular sistêmica, agentes vasoconstritores devem ser considerados para manter a PAM acima de 60 mmHg. Na avaliação inicial com ETE, deve-se focar na retenção de ar nas áreas de anastomose, bem como ao longo do ápice do ventrículo esquerdo (VE). Após a remoção do clampeamento aórtico, agentes inotrópicos de ação direta devem ser iniciados, dada a ausência de resposta da frequência cardíaca mediada por reflexo (coração desnervado). O uso de agentes cronotrópicos, como o isoproterenol, é mais comum em comparação com outros procedimentos com CEC. O uso de estimulação atrial e ventricular também não é incomum, com 4% a 12% dos pacientes necessitando de marca-passo permanente devido à perda da função do nó sinusal. Durante o desmame da CEC, o volume do coração deve ser restaurado lentamente e o cateter de artéria pulmonar deve ser reposicionado.

O órgão transplantado está desnervado e perde, portanto, a sua resposta baro e cronorreceptora. É importante considerar as consequências eletrofisiológicas e hemodinâmicas da desnervação cardíaca. Na técnica clássica ou biatrial, tem-se o átrio do receptor e o do doador, separados eletricamente e com atividades independentes. O resquício de átrio do receptor é separado do átrio do doador por linha de sutura atrial, havendo também a separação elétrica, permanecendo os dois átrios com atividades independentes, o que pode ser muitas vezes observado na avaliação eletrocardiográfica pós-operatória. Também pode ocorrer bloqueio atrioventricular total ou distúrbios de condução após a CEC, cujas causas mais frequentes são alterações hemodinâmicas, isquemia do enxerto (tempo de isquemia prolongado) e rejeição hiperaguda. Contudo, reinervação parcial tem sido observada com a técnica bicaval. A frequência cardíaca tende ser mais alta que a do paciente não transplantado, porém não ocorre taquicardia reflexa em situações de hipovolemia ou uso de vasodilatadores devido à denervação do órgão implantado. Tal situação impede a contribuição da frequência cardíaca para variações necessárias do débito cardíaco. Fármacos com ação indireta, via sistema nervoso autônomo (ex. atropina), não agem no coração transplantado. Há resposta apenas a estímulos humorais como o nível de catecolaminas circulantes. Assim, o isoproterenol pode ser iniciado na saída de CEC para garantir frequência cardíaca adequada, garantindo cronotropismo, redução da resistência vascular pulmonar e melhora no relaxamento diastólico ventricular (dose de 0,01 a 0,05 µg.kg^{-1}.min^{-1} para manter a frequência cardíaca entre 90 e 110 bpm). Esse potente cronotrópico, em altas doses, pode causar arritmias, aumento do consumo de oxigênio pelo miocárdio, diminuição da pressão de enchimento diastólico e hipotensão, ocasionando isquemia miocárdica. Sua utilização tem caído em desuso na maioria dos centros de transplantes, sendo substituído pela associação de adrenalina, milrinone, dobutamina e marca-passo (quando necessário). Dobutamina na dose de 3 a 20 µg.kg^{-1}.min^{-1} ou adrenalina 0,01 a 0,1 µg.kg^{-1}.min^{-1} causam menos arritmias e permitem bom inotropismo e cronotropismo. Levosimendan, um sensibilizador de cálcio, demonstrou melhora da função do VD em pacientes com insuficiência biventricular.

De particular importância para o receptor é o manejo da RVP e da função do VD. A reposição volêmica no coração transplantado deve ser cuidadosa com monitoramento rigoroso da função do VD e das pressões da artéria pulmonar, visto que o "novo" VD pode entrar em falência aguda quando exposto à pós-carga muito elevada (pressões superiores a 45 mmHg). As estratégias de ventilação descritas anteriormente também auxiliam a reduzir a RVP e devem ser reiniciadas. Ainda para reduzir a pós-carga do VD, pode-se diminuir a RVP e melhorar a inotropismo com algumas medicações vistas acima. Entre elas, com efeitos na contratilidade ventricular e ação vasodilatadora, destaca-se o milrinone que pode ser administrado em dose de ataque de 50 a 75 µg.kg^{-1}, seguida de manutenção que pode variar de 0,25 a 0,75 µg.kg^{-1}.min^{-1}. Alguns serviços utilizam terapia com NO de rotina para maior controle da HP, no entanto atualmente não há nenhuma evidência clara de que este medicamento possa melhorar os resultados em longo prazo nos pacientes, e a relação custo/benefício é questionada. Recentemente foi sugerido, numa coorte retrospectiva de pacientes cirúrgicos cardíacos com hipertensão pulmonar ou insuficiência ventricular direita, que a combinação de 4 a 5 mg de milrinona e 60 a 75 mg de epoprostenol inalados sequencialmente ou em combinação, através de nebulizador de malha ultrassônica acoplado ao ramo inspiratório do ventilador e próximo ao tubo endotraqueal, com filtros no ramo expiratório, foi associada a efeitos benéficos na hemodinâmica. O tempo de administração de ambos os agentes foi de aproximadamente 15 minutos e ocorreu antes da entrada em CEC em pacientes com pressão média da artéria pulmonar (PMAP) ≥25 mmHg, pressão sistólica da artéria pulmonar (PSAP) >30 mmHg, relação pressão arterial média/pressão média da artéria pulmonar (PAM/PMAP) ≤4, disfunção do VD observada no ETE, gradiente de pressão diastólica do VD anormal > 4 mmHg através de cateter de Swan-Ganz Paceport ou hipertensão portal como resultado de disfunção do VD definida como pulsatilidade da veia porta ≥30%.[42]

A Sociedade Internacional de Transplante Cardíaco e Pulmonar recomenda a realização de teste de desafio vasodilatador pulmonar utilizando agentes vasoativos inalados (como óxido nítrico ou prostaciclinas) ou venosos (como nitroglicerina ou nitroprussiato) quando a pressão sistólica da artéria pulmonar for de pelo menos 50 mmHg ou mais, o gradiente transpulmonar atingir ou exceder 15 mmHg ou quando a resistência vascular pulmonar for superior a 3 unidades Wood. Preconiza também a manutenção da pressão arterial sistólica acima de 85 mmHg. O manejo da insuficiência cardíaca direita depende da preservação da perfusão coronariana através da manutenção de pressão arterial média adequada usando infusão de norepinefrina, otimização da pré-carga do ventrículo direito com monitoramento cuidadoso para evitar congestão, redução da pós-carga do ventrículo direito através da redução da resistência vascular pulmonar e limitação da vasoconstrição pulmonar através das configurações do ventilador anteriormente descritas (evitando hipóxia e hipercarbia).[42]

Finalmente, para dar suporte ao VD refratário à terapia medicamentosa, deve-se considerar o uso de um dispositivo de assistência ventricular.

A monitorização do componente diastólico da forma de onda da pressão ventricular direita, com a utilização de cateter de artéria pulmonar *paceport* durante o desmame da CEC, consiste em método rápido, contínuo e valioso na avaliação da função do VD, como anteriormente descrito. Novamente a ecografia transesofágica (ETE) apresenta papel de grande importância (principalmente no preparo para a saída de CEC). A avaliação completa deve ser realizada, com enfoque nas seguintes áreas de interesse: 1 - avaliação do tamanho e função do VD; 2 - avaliação da tricúspide, com atenção para regurgitação; 3 - avaliação de fluxo turbulento nas anastomoses; 4 - tamanho dos átrios; 5 - tamanho e função do VE; 6 - regurgitação mitral; 7 - presença de efusão pericárdica; e 8 - função diastólica. Após o desmame de CEC, a ETE deve ser usada para avaliação de instabilidade hemodinâmica, que pode ser secundária à rejeição, disfunção do VD, hipovolemia, vasodilatação, tamponamento e obstrução da via de saída do VD ou do VE.[37]

Na transição bem-sucedida da CEC e após a remoção das cânulas venosas e arterial, a protamina é administrada para reverter a heparina. A avaliação imediata da coagulopatia após *bypass* deve ser realizada para garantir a reversão adequada. Dessa forma, como recurso disponível destaca-se o uso de antifibrinolíticos, rotina em todos os centros de transplantes cardíacos. Os inibidores da lisina como o ácido épsilon-aminocaproico (Ipsilon®), e o ácido tranexâmico (Transamin®), são os antifibrinolíticos de escolha. Algumas dosagens sugeridas (podem variar segundo os serviços):

- **Ipsilon®:** 100-150 mg.kg^{-1} dose de ataque e 25-50 mg.kg^{-1}.h^{-1} de manutenção.
- **Transamin®:** 1 g dose de ataque e 5-10 mg.kg^{-1}.h^{-1} de manutenção.

Outras medicações que vieram a somar no tratamento da coagulopatia desses pacientes são os complexos pró-trombínicos (um exemplo é o Beriplex®), que pode ser usado na dose de 25 a 50 UI/kg, e o concentrado de fibrinogênio (ex. Haemocomplettan® P) na dose de 50-100 mg.kg^{-1}. Em casos extremos de sangramento incoercível, fator VIIa (ex. NovoSeven®) pode ser feito na dosagem de 80 µg.kg^{-1} (atentar para contagem de plaquetas normal antes de seu uso). Fatores limitantes ao seu uso rotineiro: alto custo e o elevado risco de trombose sistêmica. Adicionalmente, a utilidade de testes *point of care* (*POC*), tais como TEG e ROTEM, tem sido demonstrada em cirurgias cardíacas complexas.[43]

Pós-operatório Imediato e Transporte para a UTI

Frequentemente, a função sistólica do coração transplantado é muito boa tanto para o VE quanto o VD. No entanto, isso pode piorar nas próximas 12 horas, dependendo de vários fatores, como tempo de isquemia total, espessura da parede do VE do doador ou rejeição aguda. Como mencionado anteriormente, a função cardíaca direita pode piorar em minutos dependendo, por exemplo, de HP preexistente, edema pulmonar, sobrecarga de volume ou reação à protamina. Qualquer aumento patológico na pós-carga do VD pode ser prejudicial para um coração não condicionado, causando diminuição do débito cardíaco do lado direito com dilatação do VD, aumentando a regurgitação tricúspide e um VE vazio.

No transporte é necessário movimento coordenado e número de pessoas suficientes para prevenir acidentes, evitar desconexões e mudanças na posição de tubos, drenos, sondas, cateteres, etc. A monitorização durante o transporte deve ser basicamente a mesma usada na sala cirúrgica. Suprimentos adicionais de oxigênio e baterias extras devem estar facilmente disponíveis.

O manejo ao chegar na unidade de terapia intensiva pós-operatória pode exigir monitoramento rigoroso da RVP e das pressões pulmonares com cateter de artéria pulmonar ou ecocardiografia à beira do leito. Se ainda não estiverem em uso, inodilatadores, como milrinone, podem ser combinados com vasodilatadores pulmonares inalados (ex. NO) para maximizar a função e diminuir a pós-carga do VD. Em casos de falência ventricular direita, dispositivo de assistência ao VD pode ser necessário para suportar o débito cardíaco até que as adaptações fisiológicas sejam feitas. A oxigenação por membrana extracorpórea (*extracorporeal membrane oxigenation*, ECMO) também tem sido usada para dar suporte mecânico em casos de falência biventricular.[44]

A monitorização intraoperatória deve ser mantida no pós-operatório imediato. Segue-se um modelo:

- Oximetria de pulso;
- Capnografia – durante o período em que o paciente estiver com intubação traqueal;
- ECG contínuo;
- PA invasiva – monitorização contínua;
- PAP – monitorização contínua – cateter de Swan-Ganz;
- PAD – medidas intermitentes;
- PoAP – medidas intermitentes, evitando-se hiperinsuflação do balonete;
- Débito cardíaco/índice cardíaco – medidas intermitentes por termodiluição ou "contínua" quando foi introduzido cateter específico;
- Cálculos das resistências vasculares pulmonar e sistêmicas;
- Cálculos do índice do trabalho sistólico de VE e VD;
- Saturação venosa mista – para pacientes com cateter de Swan-Ganz com fibra óptica específica para medida da SvO$_2$.

A avaliação no pós-operatório imediato deve incluir radiografia de tórax, eletrocardiograma, exames laboratoriais como gasometria arterial e venosa, sódio, potássio, cloro, cálcio iônico, hemograma completo, função renal e hepática, coagulograma e avaliação da glicemia. A partir do primeiro dia de pós-operatório, em pacientes com boa evolução, a coleta de exames pode ser reduzida. Pacientes com complicações no pós-operatório podem necessitar da manutenção do esquema de coleta de exames do pós-operatório imediato. Idealmente a ecocardiografia transtorácica ou transesofágica deve ser realizada após 6 horas de admissão à unidade de recuperação cardíaca e repetida em dias alternados, ou em intervalos menores, conforme evolução do paciente.

A rotina de preparação de fármacos inotrópicos e vasoativos do Instituto do Coração do Hospital das Clínicas da Faculdade de Medicina da Universidade de São Paulo (HC-FMUSP) está na Tabela 196.1:

Sendo:

$$\text{velocidade de infusão (mL.h}^{-1}) = \frac{[\text{PESO (kg)} \times \text{DOSE (mg.kg}^{-1}.\text{min}^{-1})]}{\text{constante}}$$

Outro aspecto importante a ser considerado é o fato dos pacientes após o transplante poderem apresentar respostas diferentes aos fármacos cardiovasculares das observadas no período pré-transplante. A resposta aos betabloqueadores pode ser exacerbada sobre o coração desnervado. Os digitálicos podem ser ineficazes na diminuição da frequência cardíaca em casos de fibrilação atrial, embora o efeito inotrópico positivo e vasoconstritor periférico permaneça inalterado. Devido à desnervação parece haver aumento dos receptores beta, com aumento da sensibilidade às catecolaminas.

Tabela 196.1 Rotina de Preparação de Fármacos Inotrópicos.			
Fármaco	**Preparação da solução**	**Constante**	**Doses habituais**
DOPAMINA 1 amp=10 mL = 50 mg	SF ....80 mL Dopamina^R ....20 mL	1 microgota = 16,6 mg	1 a 20 mg.kg^{-1}.min^{-1}
DOBUTAMINA 1 amp=20 mL = 250 mg	SF ....80 mL Dobutrex^R.........................20 mL	1 microgota = 41,6 mg	2 a 20 mg.kg^{-1}.min^{-1}
ISOPROTERENOL 1:5000 1 amp = 1mL = 0,2 mg	SF ....95 mL Isuprel^R ....05 amp	1 microgota = 0,166 mg	0,01 a 0,05 mg.kg^{-1}.min^{-1}
AMRINONE 1 amp = 20 mL = 100 mg	SF ....80 mL Inocor^R..........................20 mL	1 microgota = 16,6 mg	5 a 10 mg.kg^{-1}.min^{-1} ataque = 0,75 mg.kg^{-1}
MILRINONE 1 fr = 10 mL = 20 mg	SF ....80 mL Primacor^R ....20 mL	1 microgota = 3,33 mg	0,3 a 0,75 mg.kg^{-1}.min^{-1} ataque = 0,30 mg.kg^{-1}
ADRENALINA 1:1000 1 amp = 1 mL = 1 mg	SF ....100 mL Adrenalina^R.....................4 amp	1 microgota = 0,666 mg	0,05 a 1 mg.kg^{-1}.min^{-1}
NORADRENALINA 1:1000 1 amp = 4 mL = 4 mg	SF ....100 mL Levophed^R ....4 mL	1 microgota = 0,666 mg	0,05 a 1 mg.kg^{-1}.min^{-1}
NITROPRUSSIATO 1 amp = 100 mg (sal)	SF ....250 mL Nipride^R ....100 mg	1 microgota = 3,3 mg	0,5 a 8 mg.kg^{-1}.min^{-1}
NITROGLICERINA 1 amp = 50 mg = mL	G5% ....250 mL Tridil^R............................50 mg	1 microgota = 3,3 mg	0,5 a 8 mg.kg^{-1}.min^{-1}
PROSTAGLANDINA E1 1 amp = 1 mL = 500 mg	SF ....100 mL Prostin^R ....1 mL	1 microgota = 0,083 mg	0,01 a 0,1 mg.kg^{-1}.min^{-1}
PROSTACICLINA 1 amp = 500 mg (sal)	SF ....90 mL Flolan^R ....10 mL	1 microgota = 0,083 mg	0,01 a 0,1 mg.kg^{-1}.min^{-1}
ÓXIDO NÍTRICO	Gás	–	5 a 30 p.p.m.

Transplante Cardíaco Infantil

O transplante cardíaco infantil obriga um capítulo à parte, visto as diferenças anatômicas e fisiológicas. Apenas a título de curiosidade, o primeiro ocorreu apenas três dias após o transplante realizado em Capetown, África do Sul, pelo Dr. Cristiaan Barnard. Em 6 de dezembro de 1967 no Brooklin, Nova York, Adrian Kantrowitz, transplantou o coração de recém-nascido anencéfalo na Filadélfia em criança de 19 dias de vida que apresentava severa anomalia de Ebstein. Infelizmente o receptor faleceu apenas 6 horas após a cirurgia, provavelmente devido à arritmia.

Passaram-se 16 anos até que Eric Rose[45] realizou, em 9 de junho de 1984, na Universidade de Columbia, o segundo transplante cardíaco infantil em criança de quatro anos. Já com o advento de imunossupressores, o transplante foi um sucesso. Este menino, chamado James Lovette, precisou somente ser retransplantado em 1989 e teve vida praticamente normal até seu falecimento em 2005.

Em crianças, como anteriormente citado, a cardiomiopatia dilatada idiopática e as anomalias congênitas complexas do coração são as duas maiores indicações de transplante cardíaco.

William Norwood, nas décadas de 1970 e 1980, propôs a abordagem cirúrgica para os neonatos com síndrome da hipoplasia do coração esquerdo, com a transformação do VD no ventrículo sistêmico e a confecção da "neoaorta" a partir do tronco da pulmonar (o qual é seccionado) e o fluxo para os pulmões se daria por *shunt* como o Blalock-Taussig Modificado. Assim a paliação desses pacientes é composta pelos seguintes estágios cirúrgicos em ordem cronológica: operação de Norwood, cirurgia de Glenn (uni ou bidirecional) e a cirurgia de Fontan. Essa abordagem tornou-se alternativa para este tipo de cardiopatia complexa, considerando-se a pouca oferta de doadores, principalmente em recém-nascidos.[46]

ACOMPANHAMENTO NO PÓS-OPERATÓRIO

O coração desnervado, se em bradicardia, pode ser estimulado por meio de fios de marca-passo epicárdico atriais e ventriculares temporários ou beta-agonistas diretos. A frequência de 80 a 100 batimentos por minuto ajuda a melhorar o débito cardíaco e a contratilidade após a CEC. Danos ao nó sinoatrial (SA) do doador por trauma cirúrgico também podem causar arritmias ou bradicardia, o que vai exigir a colocação de marca-passo definitivo. O tempo isquêmico prolongado também pode danificar o nó SA ou o nó atrioventricular, o que pode prolongar a necessidade de infusões cronotrópicas ou exigir estimulação permanente. A estimulação permanente é necessária em 4% a 12% dos corações transplantados devido à disfunção do nó sinusal.[47]

A rejeição precoce é dividida em aguda e hiperaguda, com base na patologia. A rejeição aguda ocorre nos primeiros 6 meses após o transplante. Ela se manifesta como disfunção geral, que pode variar de baixo débito cardíaco a arritmias e é causada pela resposta imunológica do receptor ao tecido novo. O teste inclui biópsias endomiocárdicas seriadas do coração transplantado, monitoramento invasivo e ecocardiografia frequente. O tratamento envolve terapia de imunossupressão mais agressiva. A rejeição hiperaguda ocorre dentro de minutos a horas e é rara. Anticorpos receptores pré-formados para HLA classe I no endotélio vascular do coração causam ativação e fixação do complemento, levando à morte celular, trombose, isquemia e falência ventricular. A única chance de sobrevivência é suporte mecânico (geralmente ECMO) até que outro coração possa ser transplantado. A falha primária do enxerto é definida pela maioria como disfunção uni ou biventricular nas primeiras 24 horas após o transplante, manifestando-se como instabilidade hemodinâmica grave que requer dois ou mais inotrópicos ou suporte mecânico. É a causa mais comum de mortalidade precoce nos primeiros 30 dias após o transplante. Acredita-se que a etiologia seja de lesão de isquemia-reperfusão com atordoamento miocárdico. Alguns fatores que contribuem são o aumento da idade ou disfunção cardíaca do doador, aumento do tempo de isquemia, incompatibilidade de tamanho doador-receptor e fatores do receptor (HP por exemplo). O tratamento é de suporte com agentes inotrópicos e/ou mecânicos até que o coração se recupere.[48]

Função pulmonar

Os pacientes são admitidos na UTI sob efeito anestésico e com intubação traqueal sendo, portanto, mantidos sob assistência ventilatória mecânica. A assistência ventilatória inicial é realizada no modo controlada mecânica, com FiO_2 0,4 a 0,6, FR=10-12 irpm, VC=4-6 mL.kg^{-1} e PEEP variável. Deve-se alterar o modo de ventilação de controlada para intermitente associada à pressão de suporte variável ao se iniciar a recuperação da anestesia. Ajustar FiO_2 para manter SaO_2 > 94%. Evitar pressão inspiratória elevada para evitar sobrecarga adicional ao ventrículo direito. O desmame do respirador deve ocorrer conforme as condições gerais e respiratórias. Deverão ser mantidos sob sedação os pacientes com instabilidade hemodinâmica, até que haja melhora do quadro e seja indicada a extubação traqueal. A indicação da extubação depende de: paciente aquecido, com correção de possíveis distúrbios eletrolíticos, adequada recuperação da anestesia, consciente, não agitado, com estabilidade hemodinâmica, ausência de sangramento que sugira necessidade de reoperação e função respiratória adequada (PaO_2/FiO_2 > 200 com $PaCO_2$ < 40 mmHg), sem sinais de congestão pulmonar ou de HP que possam levar à disfunção do VD.[49]

Função renal

A elevação perioperatória da creatinina sérica é geralmente observada em pacientes com disfunção renal pré-operatória, com hipertensão pulmonar ou com baixo débito cardíaco. O uso de ciclosporina e a circulação extracorpórea podem levar à lesão renal adicional. Esse aumento de creatinina, observado durante o tratamento com ciclosporina, em geral responde à diminuição da dose. O uso de manitol e de diuréticos é geralmente benéfico no período intraoperatório e no pós-operatório imediato para manter o débito urinário e eliminar o excesso de líquidos. A ciclosporina deve ser substituída por Atgam, ATS ou OKT3 se a creatinina pré ou pós-operatória exceder 2,0 mg.dL^{-1}. Nos casos de utilização de Atgam ou ATS, a monitorização da imunossupressão é feita pela porcentagem de linfócitos CD3 (citometria de fluxo).[49]

Doença Vascular do Enxerto

A doença vascular do enxerto (DVE) é a principal complicação tardia dos pacientes transplantados. A aterosclerose coronariana acelerada no pós-transplante é encontrada também em transplantados renais, hepáticos e pulmonares. Apesar dos avanços da imunologia e do controle da rejeição e infecções, a DVE é a principal causa da deterioração do órgão transplantado, sendo a maior causa de indicações de retransplantes.

Como discutido anteriormente, DVE também é referida como CAV. Sua causa é provavelmente multifatorial, com destaque para a imunológica. Bacal e cols. demonstraram que IMC elevado é o fator mais agravante da DVE.[48]

COMPLICAÇÕES PÓS-OPERATÓRIAS

As principais complicações referem-se a: infecções, rejeição, hipertensão arterial sistêmica, hiperlipidemia, doença vascular do enxerto, nefrotoxicidade, neoplasias, complicações dermatológicas, problemas gastrintestinais, osteoporose, alterações psicológicas, entre outras.

Esses pacientes estão mais sujeitos a infecções no período pós-operatório imediato em função do uso de fármacos imunossupressores. Os procedimentos de isolamento não são necessários após o transplante, mas os visitantes devem lavar as mãos e usar máscara sempre. Utiliza-se um período de 48 horas de antibioticoterapia profilática ou até a retirada dos drenos torácicos. Solicita-se sorologia para citomegalovírus e toxoplasmose (a doença pode ser transmitida pelo enxerto).

Já a biópsia endomiocárdica é realizada semanalmente no primeiro mês de transplante e depois em intervalos maiores. A ocorrência de arritmias atriais ou ventriculares ou síndrome do baixo débito cardíaco pode diminuir o intervalo das biópsias.

REFERÊNCIAS

1. Ambrosy AP, Fonarow GC, Butler J, Chioncel O, Greene SJ, Vaduganathan M, et al. The global health and economic burden of hospitalizations for heart failure: lessons learned from hospitalized heart failure registries. J Am Coll Cardiol. 1º de abril de 2014;63(12):1123–33.
2. Albuquerque DC de, Neto JD de S, Bacal F, Rohde LEP, Bernardez-Pereira S, Berwanger O, et al. I Brazilian Registry of Heart Failure - Clinical Aspects, Care Quality and Hospitalization Outcomes. Arq Bras Cardiol. junho de 2015;104(6):433–42.
3. Yancy CW, Jessup M, Bozkurt B, Butler J, Casey DE, Drazner MH, et al. 2013 ACCF/AHA guideline for the management of heart failure: a report of the American College of Cardiology Foundation/American Heart Association Task Force on Practice Guidelines. J Am Coll Cardiol. 15 de outubro de 2013;62(16):e147-239.
4. Metra M, Ponikowski P, Dickstein K, McMurray JJV, Gavazzi A, Bergh CH, et al. Advanced chronic heart failure: A position statement from the Study Group on Advanced Heart Failure of the Heart Failure Association of the European Society of Cardiology. Eur J Heart Fail. 2007;9(6–7):684–94.
5. Lund LH, Edwards LB, Dipchand AI, Goldfarb S, Kucheryavaya AY, Levvey BJ, et al. The Registry of the International Society for Heart and Lung Transplantation: Thirty-third Adult Heart Transplantation Report-2016; Focus Theme: Primary Diagnostic Indications for Transplant. J Heart Lung Transplant Off Publ Int Soc Heart Transplant. outubro de 2016;35(10):1158–69.
6. Voeller RK, Epstein DJ, Guthrie TJ, Gandhi SK, Canter CE, Huddleston CB. Trends in the indications and survival in pediatric heart transplants: a 24-year single-center experience in 307 patients. Ann Thorac Surg. setembro de 2012;94(3):807–15; discussion 815-816.
7. Shumway S - Basic immunologic concepts involved in organ transplantation. in: Baumgartner WA, Reitz BA, Achuff SC (eds): Heart and Heart-Lung Transplantation. Philadelphia, WB Saunders Company, 1990.
8. Reitz BA - The history of heart and heart-ling transplantation. In Baumgartner WA, Reitz BA, Achuff SC (eds): Heart and Heart-Lung Transplatation. Philadelphia, WB Saunders Company, 1990.
9. Caves PK, Stinson EB, Graham AF, Billingham ME, Grehl TM, Shumway NE. Percutaneous transvenous endomyocardial biopsy. JAMA. 16 de julho de 1973;225(3):288–91.
10. Wüthrich K, von Freyberg B, Weber C, Wider G, Traber R, Widmer H, et al. Receptor-induced conformation change of the immunosuppressant cyclosporin A. Science. 15 de novembro de 1991;254(5034):953–4.
11. Khush KK, Potena L, Cherikh WS, Chambers DC, Harhay MO, Hayes D, et al. The International Thoracic Organ Transplant Registry of the International Society for Heart and Lung Transplantation: 37th adult heart transplantation report-2020; focus on deceased donor characteristics. J Heart Lung Transplant Off Publ Int Soc Heart Transplant. outubro de 2020;39(10):1003–15.
12. Chambers DC, Cherikh WS, Harhay MO, Hayes D, Hsich E, Khush KK, et al. The International Thoracic Organ Transplant Registry of the International Society for Heart and Lung Transplantation: Thirty-sixth adult lung and heart-lung transplantation Report-2019; Focus theme: Donor and recipient size match. J Heart Lung Transplant Off Publ Int Soc Heart Transplant. outubro de 2019;38(10):1042–55.
13. Lund LH, Edwards LB, Kucheryavava AY, Benden C, Christie JD, Dipchand AI, et al. The registry of the International Society for Heart and Lung transplantation: thirty-first official adult heart transplant report--2014; focus theme: retransplantation. J Heart Lung Transplant Off Publ Int Soc Heart Transplant. outubro de 2014;33(10):996–1008.
14. Cooper DKC, Lanza LP. Heart Transplantation: The Present Status of Orthotopic and Heterotopic Heart Transplantation. Lancaster, United Kingdom: MTP Press; 1984. Em.
15. Zaroff JG, Rosengard BR, Armstrong WF, Babcock WD, D'Alessandro A, Dec GW, et al. Consensus conference report: maximizing use of organs recovered from the cadaver donor: cardiac recommendations, March 28-29, 2001, Crystal City, Va. Circulation. 13 de agosto de 2002;106(7):836–41.
16. Hong KN, Iribarne A, Worku B, Takayama H, Gelijns AC, Naka Y, et al. Who is the high-risk recipient? Predicting mortality after heart transplant using pretransplant donor and recipient risk factors. Ann Thorac Surg. agosto de 2011;92(2):520–7; discussion 527.
17. Kilic A, Emani S, Sai-Sudhakar CB, Higgins RSD, Whitson BA. Donor selection in heart transplantation. J Thorac Dis. agosto de 2014;6(8):1097–104.
18. Welp H, Spieker T, Erren M, Scheld HH, Baba HA, Stypmann J. Sex mismatch in heart transplantation is associated with increased number of severe rejection episodes and shorter long-term survival. Transplant Proc. 2009;41(6):2579–84.
19. Grauhan O. Screening and assessment of the donor heart. Appl Cardiopulm Pathophysiol 2011;15:191–7.
20. Ramakrishna H, Jaroszewski DE, Arabia FA. Adult cardiac transplantation: a review of perioperative management Part-I. Ann Card Anaesth. 2009;12(1):71–8.
21. Wagner FM. Donor heart preservation and perfusion. Appl Cardiopulm Pathophysiol 2011;15:198–206.
22. Salim A, Vassiliu P, Velmahos GC, Sava J, Murray JA, Belzberg H, et al. The role of thyroid hormone administration in potential organ donors. Arch Surg Chic Ill 1960. dezembro de 2001;136(12):1377–80.
23. Mehra MR, Kobashigawa J, Starling R, Russell S, Uber PA, Parameshwar J, et al. Listing criteria for heart transplantation: International Society for Heart and Lung Transplantation guidelines for the care of cardiac transplant candidates--2006. J Heart Lung Transplant Off Publ Int Soc Heart Transplant. setembro de 2006;25(9):1024–42.
24. Mancini D, Lietz K. Selection of cardiac transplantation candidates in 2010. Circulation. 13 de julho de 2010;122(2):173–83.
25. Manito N, Delgado JF, Crespo-Leiro MG, González-Vílchez F, Almenar L, Arizón JM, et al. Clinical recommendations for the use of everolimus in heart transplantation. Transplant Rev Orlando Fla. julho de 2010;24(3):129–42.
26. Chen JM, Levin HR, Michler RE, Prusmack CJ, Rose EA, Aaronson KD. Reevaluating the significance of pulmonary hypertension before cardiac transplantation: determination of optimal thresholds and quantification of the effect of reversibility on perioperative mortality. J Thorac Cardiovasc Surg. outubro de 1997;114(4):627–34.
27. Sablotzki A, Czeslick E, Gruenig E, Friedrich I, Schubert S, Börgermann J, et al. First experiences with the stable prostacyclin analog iloprost in the evaluation of heart transplant candidates with increased pulmonary vascular resistance. J Thorac Cardiovasc Surg. abril de 2003;125(4):960–2.
28. Vega JD, Moore J, Murray S, Chen JM, Johnson MR, Dyke DB. Heart transplantation in the United States, 1998-2007. Am J Transplant Off J Am Soc Transplant Am Soc Transpl Surg. abril de 2009;9(4 Pt 2):932–41.

29. Lund LH, Edwards LB, Kucheryavaya AY, Benden C, Dipchand AI, Goldfarb S, et al. The Registry of the International Society for Heart and Lung Transplantation: Thirty-second Official Adult Heart Transplantation Report--2015; Focus Theme: Early Graft Failure. J Heart Lung Transplant Off Publ Int Soc Heart Transplant. outubro de 2015;34(10):1244–54.

30. Ross HJ, Law Y, Book WM, Broberg CS, Burchill L, Cecchin F, et al. Transplantation and Mechanical Circulatory Support in Congenital Heart Disease: A Scientific Statement From the American Heart Association. Circulation. 23 de fevereiro de 2016;133(8):802–20.

31. Kamdar F, John R, Eckman P, Colvin-Adams M, Shumway SJ, Liao K. Postcardiac transplant survival in the current era in patients receiving continuous-flow left ventricular assist devices. J Thorac Cardiovasc Surg. fevereiro de 2013;145(2):575–81.

32. Netuka I, Schmitto JD, Zimpfer D, et al. HeartMate 3 fully magnetically levitated LVAD for the treatment of advanced heart failure: results from the CE Mark Trial. Presented at the 19th Annual Meeting of the Heart Failure Society of America (HFSA). Washington, DC, September 26-29, 2015.

33. INTERMACs Quarterly Statistical Report 2016 Q1. Disponível em: http://www.uab.edu/medicine/intermacs/images/Federal_Quarterly_Report/Federal_Partners_Report_2016_Q1.pdf.

34. Hillyer CD. Blood banking and transfusion medicine: basic principles & practice. 2nd ed. Philadelphia: Churchill Livingstone / Elsevier; 2007.

35. Fischer S, Glas KE. A review of cardiac transplantation. Anesthesiol Clin. junho de 2013;31(2):383–403.

36. Nguyen L, Banks DA. Anesthetic management of the patient undergoing heart transplantation. Best Pract Res Clin Anaesthesiol. junho de 2017;31(2):189–200.

37. Ramsingh D, Harvey R, Runyon A, Benggon M. Anesthesia for Heart Transplantation. Anesthesiol Clin. setembro de 2017;35(3):453–71.

38. Raymond M, Grønlykke L, Couture EJ, Desjardins G, Cogan J, Cloutier J, et al. Perioperative Right Ventricular Pressure Monitoring in Cardiac Surgery. J Cardiothorac Vasc Anesth. abril de 2019;33(4):1090–104.

39. Hill NS, Roberts KR, Preston IR. Postoperative pulmonary hypertension: etiology and treatment of a dangerous complication. Respir Care. julho de 2009;54(7):958–68.

40. Satoh D, Kurosawa S, Kirino W, Wagatsuma T, Ejima Y, Yoshida A, et al. Impact of changes of positive end-expiratory pressure on functional residual capacity at low tidal volume ventilation during general anesthesia. J Anesth. outubro de 2012;26(5):664–9.

41. Dell'Aquila AM, Mastrobuoni S, Bastarrika G, Praschker BL, Agüero PA, Castaño S, et al. Bicaval versus standard technique in orthotopic heart transplant: assessment of atrial performance at magnetic resonance and transthoracic echocardiography. Interact Cardiovasc Thorac Surg. abril de 2012;14(4):457–62.

42. Nesseler N, Mansour A, Cholley B, Coutance G, Bouglé A. Perioperative Management of Heart Transplantation: A Clinical Review. Anesthesiology. 1º de outubro de 2023;139(4):493–510.

43. Shore-Lesserson L, Manspeizer HE, DePerio M, Francis S, Vela-Cantos F, Ergin MA. Thromboelastography-guided transfusion algorithm reduces transfusions in complex cardiac surgery. Anesth Analg. fevereiro de 1999;88(2):312–9.

44. Listijono DR, Watson A, Pye R, Keogh AM, Kotlyar E, Spratt P, et al. Usefulness of extracorporeal membrane oxygenation for early cardiac allograft dysfunction. J Heart Lung Transplant Off Publ Int Soc Heart Transplant. julho de 2011;30(7):783–9.

45. Kobashigawa J, Zuckermann A, Macdonald P, Leprince P, Esmailian F, Luu M, et al. Report from a consensus conference on primary graft dysfunction after cardiac transplantation. J Heart Lung Transplant Off Publ Int Soc Heart Transplant. abril de 2014;33(4):327–40.

46. Twite MD, Ing RJ. Anesthetic considerations in infants with hypoplastic left heart syndrome. Semin Cardiothorac Vasc Anesth. junho de 2013;17(2):137–45.

47. Boilson BA, Raichlin E, Park SJ, Kushwaha SS. Device therapy and cardiac transplantation for end-stage heart failure. Curr Probl Cardiol. janeiro de 2010;35(1):8–64.

48. Bacal F, Veiga VC, Fiorelli AI, Bellotti G, Bocchi EA, Stolf NA, et al. Analysis of the risk factors for allograft vasculopathy in asymptomatic patients after cardiac transplantation. Arq Bras Cardiol. novembro de 2000;75(5):421–8.

49. Baiocchi M, Benedetto M, Agulli M, Frascaroli G -Anesthesia and Intensive Care Management for Cardiac Transplantation. In Lofoerte A, Montalbo A, Amarelli C (eds) - Heart Transplantation. London, United Kindon: Intechopen Limited; 2018. Em.

197

Anestesia no Paciente Transplantado Cardíaco

Douglas Vendramin ▪ Maria José Carvalho Carmona

INTRODUÇÃO

Os principais desafios na realização da anestesia em pacientes transplantados cardíacos estão relacionados às alterações fisiológicas do coração denervado (aloenxerto) e aos efeitos adversos decorrentes do uso de terapia imunossupressora. Os entendimentos da fisiologia e das respostas farmacológicas deste novo coração frente aos anestésicos e às drogas vasoativas, como também as alterações orgânicas do receptor consequentes ao uso da terapia imunossupressora, constituem os fundamentos básicos para que o anestesiologista conduza a anestesia com segurança.

No Brasil, entre 1997 e setembro de 2023, foram realizados 6.430 transplantes cardíacos com uma média de 1,7 por milhão de população (pmp) a partir de 2015. De janeiro a setembro de 2023, ocorreu aumento para 2,1 pmp, 5% superior à meta projetada. Destaca-se o Distrito Federal com 10,3 transplantes pmp, seguido por Pernambuco com 4,7 pmp. Deve-se assinalar que a taxa de pacientes em lista de espera e o ingresso em lista são menores do que a necessidade estimada de transplantes (8 pmp), sendo que em setembro de 2023 estavam cadastrados 414 pacientes, dos quais 83 eram pediátricos. Algumas possibilidades poderiam ser pelo menor encaminhamento dos pacientes para os centros de transplante cardíaco ou pelo encaminhamento tardio.[1] Nos Estados Unidos, foram realizados 3.827 transplantes cardíacos em 2021 *versus* 335 no Brasil, durante o mesmo período. Embora o número de transplantes tenha aumentado nos últimos anos, o maior limitador continua sendo a escassez de doadores de órgãos.[2]

Foram alcançados significativos avanços em técnicas cirúrgicas, manejo perioperatório e regimes de imunossupressão, visando prevenir tanto a rejeição precoce quanto tardia de órgãos transplantados. Esses progressos resultam em melhores desfechos a curto e longo prazo, permitindo que a maioria dos pacientes desfrute de uma vida relativamente normal. Além disso, os resultados após o retransplante do paciente, por rejeição ou falha do enxerto, melhoraram. Como resultado, é provável que os anestesiologistas não transplantadores estejam mais propensos a encontrar os receptores de transplante que se apresentam para a cirurgia eletiva no futuro. Os receptores de transplante têm maior probabilidade de precisar de cirurgias para tratar malignidades ou realizar procedimentos de emergência em comparação com a população em geral, especialmente para patologias gastrointestinais agudas. O aprimoramento do êxito nos transplantes de órgãos sólidos possibilitou o aumento da idade na população receptora, resultando em maior presença de comorbidades em comparação com o passado. A utilização de órgãos de doadores "marginais", devido à escassez relativa de órgãos, provavelmente tornará a gestão desses pacientes mais complexa. Em geral, os receptores com indicação de cirurgia de não transplante possuem evidências de doença crônica residual, seja imunocomprometimento ou função orgânica reduzida. Na situação de emergência, o efeito da doença aguda também pode complicar o manejo anestésico. A atenção cuidadosa aos detalhes do manejo anestésico desses pacientes permitirá a transição suave por meio do atual problema cirúrgico e também dos processos perioperatórios, evitando a necessidade de interrupção dos regimes imunossupressores complexos, com consequente minimização do risco de rejeição.[3]

■ FISIOLOGIA E FARMACOLOGIA PÓS-TRANSPLANTE CARDÍACO

Existem várias diferenças fisiológicas notáveis entre o coração nativo e o coração transplantado. A principal diferença e, sem dúvidas, com as implicações anestésicas mais importantes é a denervação.

A denervação eferente elimina o tônus parassimpático em repouso, responsável pela manutenção da frequência cardíaca basal. Como consequência, os pacientes transplantados geralmente têm frequência cardíaca basal aumentada de 90 a 100 batimentos por minuto.[4] A perda da inervação simpática direta, que é mediada pelas catecolaminas circulantes, tem como resultado a lentificação da resposta cardíaca aos estresses fisiológicos (exercício, hipovolemia, vasodilatação, dor, anestesia leve). Respostas predominantemente parassimpáticas (tração visceral, insuflação abdominal, reflexo oculocardíaco, bradicardia vasovagal, hipertensão induzida por bradicardia, resposta cardíaca à massagem carotídea ou manobra de Valsalva) estão ausentes.

A denervação aferente em pacientes transplantados cardíacos é notável por eliminar sintomas anginosos. Esses pacientes de alto risco não experimentarão de forma confiável ou não relatarão sintomas anginosos na isquemia cardíaca, prejudicando a avaliação pré-operatória e tomada de decisão. Contudo, há evidências de reinervação em pacientes meses a anos após o transplante, com relato de vários casos de pacientes transplantados que apresentaram sintomas anginosos anos após a cirurgia.[5]

Outras alterações fisiológicas no coração transplantado incluem leve diminuição na função ventricular (em três meses a maioria dos receptores retornaram à capacidade funcional classe I da *New York Heart Association*),[6] disfunção diastólica leve a moderada, dependência de pré-carga para manutenção do débito cardíaco e aumento do fluxo sanguíneo coronário em repouso, como resultado da perda do tônus adrenérgico. Surpreendentemente, vários fatores fisiológicos permanecem intactos ou inalterados; o metabolismo miocárdico é normal, a reserva contrátil é normal, a autorregulação do fluxo sanguíneo coronariano permanece intacta e o mecanismo de Frank-Starling é normal.[7] Portanto, o coração denervado é extremamente dependente do volume intravascular e pré-carga adequados. Embora a resposta taquicárdica simpática reflexa compensatória não possa ocorrer devido à denervação autonômica, a manutenção do efeito Starling intacto permite que o coração responda aos incrementos na pré-carga com aumentos no volume sistólico e no débito cardíaco. A administração de agente vasopressor de ação direta também é eficaz no tratamento da hipotensão.

Distúrbios significativos do ritmo podem ocorrer. A linha de sutura entre os átrios do doador e do receptor na técnica biatrial bloqueia a transmissão de impulsos elétricos. Duas ondas P separadas podem estar presentes no eletrocardiograma com esta técnica. A técnica bicaval preserva a integridade do átrio direito e do nó sinusal. Acredita-se que as bradiarritmias que requerem implantação de marca-passo ocorram como resultado de fatores cirúrgicos, lesão isquêmica do aloenxerto e rejeição crônica. A incidência global de implante de marca-passo é de 7% a 10%. Os fatores de risco para a necessidade de marca-passo pós-operatório são a técnica cirúrgica biatrial e a idade avançada do doador/receptor.[8]

Existem consequências farmacológicas decorrentes da denervação. O coração denervado não responde mais normalmente a medicamentos de ação indireta (aqueles cujos efeitos são mediados pelo sistema nervoso autônomo). Administração de medicamentos como neostigmina, fisostigmina, piridostigmina, edrofônio, glicopirrolato, atropina, digoxina e nifedipina não produzem os efeitos previstos na frequência cardíaca. A efedrina tem efeito diminuído ou ausente. Medicamentos de ação direta, como glucagon, norepinefrina, epinefrina, fenilefrina, isoproterenol, dopamina e betabloqueadores permanecem eficazes porque os receptores alfa e beta intrínsecos no coração enxertado estão intactos. Respostas reflexas, como a bradicardia esperada após a administração de fenilefrina, podem não estar presentes. Além disso, não há evidências de regulação positiva dos receptores alfa e beta ou hipersensibilidade à denervação após transplante cardíaco.[6] Diversos relatos de caso que sugerem reinervação meses a anos após o transplante cardíaco.[5] Casos raros de bloqueio cardíaco avançado e assistolia foram relatados após a administração de neostigmina a pacientes transplantados cardíacos,[9-14] presumivelmente devido a algum grau de reinervação parassimpática do coração transplantado após um período de tempo.[15] Portanto, recomenda-se a administração de antagonista muscarínico em conjunto com anticolinesterásico em todos os pacientes transplantados cardíacos. O agente de reversão mais recente, sugamadex, atua por meio de mecanismo diferente dos inibidores da acetilcolinesterase e não tem efeitos colinérgicos. No entanto, também deve ser usado com cautela em receptores de transplante cardíaco.[16]

Bradicardia hemodinamicamente significativa ainda responderá ao isoproterenol e estimulação transcutânea. As respostas a agentes vasodilatadores (p. ex.: nitroglicerina e hidralazina) e a agentes anestésicos com efeitos vasodilatadores (p. ex.: propofol) podem resultar em hipotensão profunda porque a resposta taquicárdica reflexa compensatória não está presente no coração transplantado. Para evitar ou minimizar a hipotensão, estes agentes são administrados em pequenas doses incrementais ou titulados muito gradualmente.

■ IMUNOSSUPRESSÃO

Os regimes imunossupressores constituem necessidade absoluta para o sucesso a longo prazo do transplante. O uso de regimes imunossupressores baseados principalmente em esteroides está sendo gradualmente substituído pelo desenvolvimento de novos agentes, que apresentam menos efeitos adversos generalizados. Como resultado, as complicações da sobredosagem de esteroides são menos comuns, e a síndrome de Cushing iatrogênica é rara. No entanto, regimes mais novos têm efeitos adversos significativos e requerem monitoramento cuidadoso. O maior risco de rejeição do enxerto ocorre no primeiro ano após o transplante, especialmente nos primeiros meses. Os regimes imunossupressores podem ser classificados como:

- **Terapias de indução**: para reduzir tanto os episódios de rejeição precoce como as complicações associadas a tratamentos de longo prazo, que utiliza agentes imunossupressores convencionais de alta dose ou anticorpos policlonais/monoclonais.
- **Tratamentos de manutenção**: para prevenir episódios de rejeição crônica com terapias de dose reduzida.

As características, os efeitos colaterais e as interações medicamentosas dos principais agentes imunossupressores são mostradas na Tabela 197.1.

O monitoramento de drogas plasmáticas geralmente é realizado por médicos especialistas em pacientes transplantados, e a maioria dos doentes que se apresentam para cirurgia eletiva está em regime estável de drogas imunossupressoras. Mesmo com tratamento crônico estável, esses pacientes permanecem em risco de:

- **Aumento do risco de infecção Tabela 197.2:** toda a equipe deve estar ciente dos riscos de infecções oportunistas e tomar as precauções apropriadas, incluindo técnicas assépticas e monitoramento microbiológico;
- **Redução da cicatrização de feridas**: a imunossupressão a longo prazo também reduz a resistência à tração dos tecidos e, portanto, pode prejudicar a cicatrização de feridas;
- **Interações medicamentosas**: medicamentos imunossupressores podem causar interações com uma série de medicamentos utilizados para anestesia ou para alívio da dor no pós-operatório;
- Danos causados a outros sistemas de órgãos.

Tabela 197.2 Organismos que causam infecções oportunistas em receptores de transplantes.[3]

CMV (citomegalovirus)

Fungos – *Aspergillus sp, Candida sp*

Pneumocystis sp

Legionela sp

Toxoplasma sp

Listeria sp

Fonte: Snowden C, 2013.[3]

A presença de doença aguda em combinação com o estresse cirúrgico provavelmente criará um período de instabilidade. A comunicação precoce com a equipe de transplante em relação à terapia imunossupressora é importante para evitar grandes alterações nas concentrações de drogas plasmáticas, no intuito de evitar:

- **Toxicidade de drogas**: causada pela redução da eliminação de drogas ou metabolismo;
- **Risco de rejeição**: níveis plasmáticos inadequados levam ao risco de rejeição. Esse risco é maior no período inicial após o transplante e durante períodos de rejeição aguda.[3]

Tabela 197.1 Imunossupressores: mecanismos de ação, efeitos colaterais e interações.[3,17]

Tipo de droga	Mecanismo de ação	Efeitos colaterais	Interações
Regimes de Manutenção			
Esteroides	Bloqueiam a ativação de células T e B por meio da inibição do gene de transcrição das Interleucinas e citocinas	Hipertensão, hiperlipidemia, diabetes, osteoporose	
Inibidores da calcineurina (p. ex.: ciclosporina A, tacrolimus)	Inibem ativação de células T mediada por Interleucina-2: depende do metabolismo do Citocromo P450	Ciclosoporina A – hipertensão, nefrotoxicidade, hipercalemia, disfunção neurológica. Tacrolimus: diabetes, nefrotoxicidade, neurotoxicidadade	Macrolídeos
Antiproliferativos (Micofenolato de mofetil – MMF, Azatioprina)	MMF – Inibidor da inosina monofosfato desidrogenase de células T e B. Azatioprina – Inibe a síntese de nucleotídeos de purina	Distúrbios gastrointestinais, supressão da medula (anemia, leucopenia, trombocitopenia)	Metronidazol, norfloxacino
Inibidor mTOR ou inibidores do alvo da rapamicina em mamíferos (p. ex.: Sirolimus)	Os inibidores de mTOR atuam tardiamente no ciclo celular, prevenindo a proliferação de células T mediada por Intrerleucina-2	Supressão medular (anemia, leucopenia), hipercolesterolemia	Antifúngicos, alguns antimicrobianos
Terapia de Indução			
Anticorpos policlonais (p. ex.: globulina antitimócito – ATG)	Anticorpos policlonais: atuam contra a maioria dos antígenos de células T	Resposta de citocinas (febre, anafilaxia)	
Anticorpos monoclonais (p. ex.: Daclizumabe, basiliximabe, Alemtuzumabe)	Anticorpos monoclonais: (1) OKT3 – Atua contra CD3 nas células T (2) Daclizumabe, basiliximabe – Bloqueia a ativação de células T mediada po Interleucina-2 (3) Alemtuzumabe – Ação específica contra o antígeno CD52 de linfócitos e monócitos: diminui os linfócitos sem reduzir os neutrófilos, etc.	Supressão hematológica, febre, náusea, edema pulmonar (SDRA). Alemtuzumabe – hipotensão, sangramento, reação alérgica	

Fonte: Snowden C, 2013[3]; Holt CD, 2017.[17]

CONSIDERAÇÕES ANESTÉSICAS

Múltiplas biópsias endomiocárdicas são normalmente realizadas após transplante cardíaco para detectar rejeição celular ou rejeição mediada por anticorpos. Elas são mais comumente realizadas por meio da veia jugular interna direita, e, por essa razão, diversos autores recomendam evitar a colocação de cateter venoso central neste local, devido à preocupação com a de dificuldade de biópsias posteriores. Porém, um estudo em grande escala não revelou casos de estenose da veia jugular interna.[18]

A vasculopatia do aloenxerto cardíaco é uma das principais causas de mortalidade, sendo responsável por 1 em cada 8 de todas as mortes após um ano. A incidência é de 29% em cinco anos[19] e é descrita como doença fibroproliferativa acelerada, como resultado de fatores imunes e não imunes, na qual desenvolve hiperplasia fibrosa concêntrica da íntima que se estende por toda a extensão das artérias coronárias, sendo a responsável pelo maior risco de disfunção do enxerto e rejeição crônica no período pós-transplante tardio. Como consequência da denervação aferente, os sintomas de isquemia miocárdica geralmente estão ausentes. Exames não invasivos não são os melhores indicados na detecção desta patologia.[20] A melhor forma de rastreamento ocorre com cateterismos cardíacos anuais. Com o aumento da demanda miocárdica de oxigênio, no período perioperatório, os pacientes transplantados cardíacos ficam predispostos à isquemia miocárdica.

AVALIAÇÃO PRÉ-ANESTÉSICA

A taxa de sobrevida no período de um ano após transplante cardíaco é de 90% e em cinco anos 70%. Entretanto, apenas 20% sobrevivem após 20 anos.[21] Em pacientes pediátricos, a taxa de sobrevida em um ano é de aproximadamente 80% a 90%, e a taxa de sobrevida em cinco anos é de 70% a 80%.[22] Vários estudos relataram que 15% a 47% dos receptores de transplante cardíaco são posteriormente submetidos a um ou mais procedimentos cirúrgicos não cardíacos.[23-25] Um estudo retrospectivo que incluiu 207 pacientes pós-transplante observou que 35% foram posteriormente submetidos à cirurgia não cardíaca e que os procedimentos urológicos foram os casos mais comumente realizados.[26] Tanto os pacientes adultos quanto os pediátricos submetidos a transplante cardíaco apresentam considerações médicas complexas que requerem avaliação detalhada antes da cirurgia não cardíaca planejada. As preocupações específicas normalmente diferem para os pacientes no período inicial (primeiros 6 a 12 meses após transplante) em comparação com o período posterior (após 12 meses).

- **Período de 6 a 12 meses após o transplante:** os procedimentos cirúrgicos eletivos devem ser adiados quando possível decorrentes do maior risco de complicações:
  - *Rejeição aguda:* disfunção aguda do enxerto secundária à rejeição e lesão isquêmica, muitas vezes manifestada como disfunção ventricular direita. Durante a avaliação pré-operatória, os testes de função do enxerto são revisados, incluindo eletrocardiogramas, ecocardiogramas, angiografias, resultados de biópsia endomiocárdica e/ou perfil de expressão gênica e biomarcadores de vigilância (como peptídeo natriurético tipo B);
  - *Complicações relacionadas à imunossupressão:* os medicamentos imunossupressores são geralmente direcionados a nível terapêutico mais elevado durante os primeiros três a seis meses após o transplante cardíaco, normalmente necessitando de profilaxia de supressão adrenal. Complicações relacionadas à imunossupressão, como disfunção renal causada por inibidores de calcineurina, diabetes e miopatia induzida por esteroides, leucopenia e infecção são mais prováveis durante este período pós-transplante inicial;[27]
  - *Infecção:* a terapia imunossupressora aumenta o risco de infecção. Quando possível a cirurgia deve ser adiada até que qualquer infecção ativa tenha sido tratada. Os pacientes devem ser monitorados com muita atenção no período pós-operatório. Infecções bacterianas da ferida cirúrgica, pneumonias e infecções do trato urinário apresentam risco significativo, principalmente no período pós-transplante inicial. O estudo retrospectivo que incluiu 116 operações não cardíacas realizadas após o transplante cardíaco observou que a infecção ocorreu em 7% destes pacientes e foi a complicação pós-operatória mais comum;[26]
  - *Exacerbação de comorbidades:* a insuficiência renal está frequentemente presente como consequência da hipoperfusão renal crônica decorrente da insuficiência cardíaca pré-transplante, do uso de imunossupressores nefrotóxicos pós-transplante e da exposição repetida a meios de contraste durante procedimentos de cateterismo cardíaco. Hepatopatia congestiva ocorre devido à insuficiência cardíaca pré-transplante, com melhora variável pós-transplante devido à melhora do débito cardíaco. A doença hepática após Cirurgia de Fontan seguida de transplante cardíaco pode ser agravada com hepatopatia congestiva e fibrose ou cirrose. Além disso, pacientes com arritmias podem estar tomando medicamentos hepatotóxicos, como a amiodarona. Estudos da função hepática devem ser solicitados durante a avaliação pré-operatória: tempo de protrombina e a razão normalizada internacional para avaliar potencial coagulopatia relacionada ao fígado, bem como bilirrubinas e transaminases.[27]
- **Período pós transplante tardio (após 12 meses):** um ano após o transplante, o risco de rejeição aguda diminuiu e o regime imunossupressor geralmente estabilizou. As principais preocupações durante este período incluem:
  - *Vasculopatia do aloenxerto:* disfunção ventricular direita e regurgitação tricúspide devido à dilatação ventricular direita e/ou disfunção diastólica e sistólica biventricular podem ser observadas na ecocardiografia. Pacientes com vasculopatia de aloenxerto correm risco de isquemia miocárdica, sobrecarga de volume intravascular ou arritmias durante procedimentos não cardíacos. Assim como no período pós-transplante inicial, os estudos cardíacos são revisados, incluindo ecocardiogramas, angiografias e os resultados do cateterismo cardíaco direito e da biópsia endomiocárdica;

- *Risco de malignidade (incluindo doença linfoproliferativa pós-transplante):* decorrente da imunossupressão em altas doses, as malignidades são comuns em crianças e adultos após o transplante. Uma vez que estes podem envolver as vias aéreas, se faz necessário exame cuidadoso em busca de possível dificuldade no manejo das mesmas.[27]

MANEJO ANESTÉSICO

O primeiro passo para o manejo adequado do paciente transplantado cardíaco é entender as alterações fisiológicas e farmacológicas anteriormente descritas.

- **Considerações sobre vias aéreas e ventilação:** pode existir risco aumentado de sangramento durante a intubação endotraqueal devido à hiperplasia gengival causada pela ciclosporina e quaisquer medicamentos anticoagulantes administrados cronicamente. Após a intubação, a hiperventilação é evitada porque os inibidores da calcineurina (ou seja, ciclosporina, tacrolimus) administrados como parte do regime de imunossupressão podem diminuir os limiares convulsivos;
- **Profilaxia cirúrgica de infecções:** a profilaxia antibiótica é administrada de acordo com protocolos institucionais. No entanto, aminoglicosídeos e eritromicina são evitados devido ao risco de lesão renal quando usados com inibidores de calcineurina;
- **Risco de isquemia miocárdica:** os pacientes correm risco de isquemia miocárdica devido à doença arterial coronariana relacionada ao transplante (isto é, vasculopatia do aloenxerto cardíaco). O manejo anestésico para pacientes com vasculopatia é semelhante ao de outros pacientes com doença cardíaca isquêmica;
- **Profilaxia de supressão adrenal:** a maioria dos pacientes receptores de transplante cardíaco apresentam alta probabilidade de supressão adrenal devido à administração crônica de prednisona. Glicocorticoides suplementares são administrados de acordo com a magnitude do estresse previsto para o procedimento;
- **Considerações sobre alterações no eletrocardiograma:** podem ocorrer ondas P duplas devido à presença de tecido atrial nativo e do átrio transplantado, cada um gerando atividade elétrica. O bloqueio do ramo direito devido a biópsias endomiocárdicas frequentes está presente em até 75% dos receptores de transplante. As arritmias atriais devido à falta de tônus vagal e aumento dos níveis endógenos de catecolaminas devem ser vigiadas;
- **Reposição volêmica e manejo hemodinâmico:** é muito importante evitar a hipovolemia perioperatória para que o coração transplantado tenha mecanismo para aumentar o débito cardíaco em resposta a perdas de volume ou vasodilatação. Qualquer perda de volume intravascular, como perda rápida de sangue ou grandes alterações de fluidos, deve ser imediatamente tratada com administração de volume para evitar diminuição da pré-carga e instabilidade hemodinâmica significativa. Além disso, pode ocorrer hipotensão grave devido à vasodilatação após a administração de certos agentes anestésicos venosos ou inalatórios ou de técnica anestésica neuroaxial. A administração de vasopressores de ação direta (fenilefrina, norepinefrina, vasopressina) é frequentemente necessária para tratar a hipotensão. Alguns centros transplantadores ajustam os imunossupressores quando o paciente é politransfundido no período transoperatório, como, por exemplo, a administração de metilprednisolona em dose pulsada durante o procedimento cirúrgico e no pós-operatório imediato;[28]
- **Anestesia neuroaxial:** as técnicas anestésicas neuroaxiais peridural ou subaracnoide também são aceitáveis quando apropriadas para o procedimento cirúrgico planejado. Entretanto, alguns autores não recomendam o bloqueio do neuroeixo pelo risco de causar hipotensão grave em paciente pós-transplante como consequência da perda do tônus simpático. O pré-tratamento com infusão de líquido cristaloide ou coloide (normalmente 500 a 1.000 mL) no momento da realização da anestesia ou colocação de cateter neuroaxial, em conjunto com a administração de vasopressor de ação direta, como a fenilefrina, pode manter a pré-carga e o tônus vascular para atenuar ou evitar hipotensão;
- **Anestesia geral:** quando a anestesia geral é selecionada, o risco de hipotensão durante a indução é minimizado ao garantir que o status do volume intravascular seja adequado antes da indução anestésica. A administração de um agente vasopressor de ação direta também pode ser necessária. Além disso, os anestésicos são administrados em pequenas doses incrementais em bólus ou cuidadosamente titulados por inalação ou infusão venosa contínua, particularmente aqueles agentes com propriedades vasodilatadoras conhecidas. Exemplos incluem propofol ou dexmedetomidina, ou os potentes anestésicos inalatórios sevoflurano ou isoflurano.[27]

REFERÊNCIAS

1. Registro Brasileiro de Transplantes (RBT). Disponível em:https://site.abto.org.br/wp-content/uploads/2023/12/rbt2023-3trim-naoassociados.pdf.
2. http://unos.org/data/ (Acessado em 14 de março de 2022).
3. Snowden C. Anaesthesia for the patient with a transplanted organ. in: Aitkenhead AR, Moppett LK, Thompson JP editors. Smith and Aitkenhead's Textbook of Anaesthesia, Sixth Edition. Elsevier, 2013: 39, 784-93.
4. Blasco L, Parameshwar J, Vuylsteke A. Anaesthesia for noncardiac surgery in the heart transplant recipient. Curr Opin Anaesthesiol 2009; 22:109–13.
5. Csete M, Glas K. Anesthesia for organ transplantation. In: Barash P, Cullen B, Stoelting R, editors. Clinical anesthesia. Philadelphia: Lippincott Williams & Wilkins; 2006. p. 1358–76.
6. Cheng D, Ong D. Anaesthesia for non-cardiac surgery in heart-transplanted patients. Can J Anaesth 1993; 40:981–6.
7. Ashary N, Kaye A, Hegazi A, et al. Anesthetic considerations in the patient with a hearttransplant. Heart Dis 2002; 4:191–8.
8. Cantillon DJ, Tarakji KG, Hu T, et al. Long-term outcomes and clinical predictors for pacemaker-requiring bradyarrhythmias after cardiac transplantation: analysis of the UNOS/OPTN cardiac transplant database. Heart Rhythm 2010; 7(11):1567–71).
9. Bjerke RJ, Mangione MP. Asystole after intravenous neostigmine in a heart transplant recipient. Can J Anaesth 2001; 48(3):305–7.
10. Nkemngu NJ. Asystole following neuromuscular blockade reversal in cardiac transplant patients. Ann Card Anaesth 2017; 20:385.

11. Backman SB, Stein RD, Ralley FE, Fox GS. Neostigmine-induced bradycardia following recent vs remote cardiac transplantation in the same patient. Can J Anaesth 1996; 43:394.
12. Bjerke RJ, Mangione MP. Asystole after intravenous neostigmine in a heart transplant recipient. Can J Anaesth 2001; 48:305.
13. Bertolizio G, Yuki K, Odegard K, et al. Cardiac arrest and neuromuscular blockade agents in the transplanted heart. J Cardiothorac Vasc Anesth 2013; 27:1374.
14. Beebe DS, Shumway SJ, Maddock R. Sinus arrest after intravenous neostigmine in two heart transplant recipients. Anesth Analg 1994; 78:779.
15. Bernardi L, Valenti C, Wdowczyck-Szulc J, et al. Influence of type of surgery on the occurrence of parasympathetic reinnervation after cardiac transplantation. Circulation 1998; 97:1368.
16. Yuki K, Scholl R. Should we Routinely Reverse Neuromuscular Blockade with Sugammadex in Patients with a History of Heart Transplantation? Transl Perioper Pain Med 2020; 7:185.
17. Holt CD. Overview of Immunosuppressive Therapy in Solid Organ Transplantation. Anesthesiology Clin 35 (2017) 365–380.27.
18. Awad M, Ruzza A, Soliman C, et al. Endomyocardial biopsy technique for orthotopic heart transplantation and cardiac stem-cell harvesting. Transplant Proc 2014; 46(10):3580–4.
19. Lund LH, Edwards LB, Kucheryavaya AY, et al. The registry of the international society for heart and lung transplantation: thirty-second official adult heart transplantation report–2015; focus theme: early graft failure. J Heart Lung Transplant 2015; 34(10):1244–54.
20. Sade LE, Ero glu S, Yu¨ce D, et al. Follow-up of heart transplant recipients with serial echocardiographic coronary flow reserve and dobutamine stress echocardiography to detect cardiac allograft vasculopathy. J Am Soc Echocardiogr 2014; 27(5):531–9.
21. Rossano JW, Dipchand AI, Edwards LB, et al. The Registry of the International Society for Heart and Lung Transplantation: Nineteenth Pediatric Heart TransplantationReport-2016; Focus Theme: Primary Diagnostic Indications for Transplant. J Heart Lung Transplant 2016; 35:1185.
22. Dipchand AI. Current state of pediatric cardiac transplantation. Ann Cardiothorac Surg 2018; 7:31.
23. Merhav H, Eisner S, Nakache R. Analysis of late operations in transplant patients. Transplant Proc 2004; 36:3083.
24. Bhatia DS, Bowen JC, Money SR, et al. The incidence, morbidity, and mortality of surgical procedures after orthotopic heart transplantation. Ann Surg 1997; 225:686.
25. Velanovich V, Ezzat W, Horn C, Bernabei A. Surgery in heart and lung transplant patients. Am J Surg 2004; 187:501.
26. Marzoa R, Crespo-Leiro MG, Paniagua MJ, et al. Late noncardiac surgery in heart transplant patients. Transplant Proc 2007; 39:2382.
27. Conte AH, Lubin LN. Anesthetic considerations after heart transplantation. Disponível em: https://www.uptodate.com/contents/anesthetic-considerations-after-heart-transplantation?search=HEART%20TRANSPALANTATION&source=search_result&selectedTitle=5~150&usage_type=default&display_rank=5. (Acessado em 02 de fevereiro de 2024).
28. Bachman SA, Chow VW, Kuwayama DP, et al. Management of Hemorrhage and Heart Transplant in Non-Cardiac Surgery. J Cardiothorac Vasc Anesth 2020; 34:3078.

198

Anestesia para Transplante Pulmonar

André Prato Schmidt

INTRODUÇÃO

Doença pulmonar em estágio avançado ou terminal está associada a taxas de mortalidade elevadas e é uma das principais causas de morte em adultos. Nas últimas décadas, o transplante pulmonar tornou-se uma opção viável de tratamento para pacientes com uma variedade de doenças pulmonares em estágio terminal. O transplante pulmonar é considerado o tratamento definitivo para esses pacientes. Aproximadamente 4.500 transplantes pulmonares são realizados anualmente no mundo e esse número está essencialmente limitado pela disponibilidade global de órgãos doados.[1]

A aceitação do transplante de pulmão como opção terapêutica a indivíduos com doença pulmonar terminal vem crescendo nos últimos anos. Para pacientes com limitação importante nas atividades diárias e reduzida expectativa de vida, o transplante pulmonar pode contribuir em termos de melhora da capacidade funcional e diminuição nas taxas de mortalidade. Entretanto, complicações são frequentes. Por uma série de peculiaridades (como maior sensibilidade à isquemia, maior suscetibilidade à rejeição e contato do enxerto com o meio externo), é o transplante de órgão sólido que apresenta as menores taxas de sucesso. Embora a sobrevida em um ano seja de aproximadamente 80% em alguns centros,[2] a disfunção primária do enxerto permanece como uma causa significativa de morbidade e mortalidade precoces.[3] De acordo com a *International Society for Heart and Lung Transplantation*, a sobrevida em cinco anos é de aproximadamente 50%,[4] permanecendo aquém dos aproximadamente 70% de sobrevida em cinco anos apresentado por pacientes pós-transplante hepático ou cardíaco. Os principais centros de atendimento e pesquisa têm buscado de forma incessante um aumento da taxa de sobrevida desses pacientes e, ao mesmo tempo, buscam reduzir a ampla disparidade entre a quantidade de potenciais receptores e o número de enxertos doados e disponíveis para transplante.

O primeiro transplante de pulmão humano foi realizado em 1963 e o receptor sobreviveu 18 dias, sucumbindo finalmente à insuficiência renal e desnutrição.[5] Apesar do desfecho negativo inicial, isso demonstrou que o transplante pulmonar era tecnicamente viável e que a rejeição poderia ser evitada com os agentes imunossupressores disponíveis, pelo menos por um curto período. Nos anos seguintes, poucos transplantes pulmonares foram realizados e a maioria dos receptores morreu no perioperatório devido a complicações predominantemente relacionadas às anastomoses brônquicas. No entanto, em 1981, o primeiro transplante cardiopulmonar bem-sucedido foi realizado para o tratamento de hipertensão arterial pulmonar idiopática.[6] Em 1983 foi realizado o primeiro transplante de pulmão único com sucesso no tratamento de fibrose pulmonar idiopática,[7] e, em 1986, o primeiro transplante de pulmão duplo para tratamento de enfisema pulmonar.[8] Esses sucessos foram atribuídos a técnicas cirúrgicas aprimoradas e ao advento da ciclosporina. Após esse período, as técnicas e o manejo perioperatório dos pacientes submetidos ao transplante pulmonar evoluíram significativamente e atualmente representam uma opção viável e efetiva para os pacientes portadores de doença pulmonar avançada e refratária aos tratamentos clínicos disponíveis. Historicamente, as principais limitações para o adequado desenvolvimento e aumento no número dos transplantes pulmonares têm sido a limitação no número de órgãos adequados disponíveis, dificuldades no manejo de disfunção primária do enxerto e o desenvolvimento de complicações tardias associadas à rejeição crônica do enxerto transplantado.[4] Felizmente, nos últimos anos, observou-se um significativo avanço no manejo e controle de tais complicações e na utilização e preparo dos enxertos disponíveis para doação.[9-11]

As indicações mais comuns para transplante pulmonar são doença pulmonar intersticial (incluindo fibrose pulmonar idiopática), doença pulmonar obstrutiva crônica (DPOC), fibrose cística, deficiência de alfa-1 antitripsina e hipertensão pulmonar idiopática.[1] Em análise de dados de mais de 60 mil pacientes publicada recentemente, as indicações mais comuns para transplante pulmonar foram doença pulmonar obstrutiva crônica (38%) e fibrose pulmonar idiopática (25%) em adultos, e fibrose cística (60%) e doença vascular pulmonar (17%) em crianças.[1] Pacientes portadores de fibrose pulmonar apresentam prognóstico mais reservado em relação aos pacientes portadores de DPOC, apresentando uma mortalidade mais elevada no período de permanência na lista de espera para o transplante.[12] As principais contraindicações absolutas e/ou relativas ao transplante pulmonar incluem condição clínica crítica e/ou instável, capacidade funcional gravemente limitada com baixo potencial para reabilitação, colonização com germes multirresistentes, obesidade grave (índice de massa corporal > 30 kg/m²), osteoporose grave ou sintomática, doenças oncológicas, disfunção avançada de outros órgãos, infecção extrapulmonar incurável, deformidades graves na parede torácica ou coluna vertebral, falta de adesão ao tratamento, abuso de substâncias ilícitas, ausência de sistema de apoio, entre outras. Entretanto, devido ao avanço da técnica cirúrgica e cuidados clínicos, potenciais contraindicações têm sido flexibilizadas mais recentemente.

Dependendo da fisiopatologia associada à doença de base, diversas técnicas cirúrgicas estão disponíveis e podem ser selecionadas com intuito de proporcionar melhores desfechos pós-operatórios: transplante simples ou unilateral; transplante bilateral sequencial; transplante cardíaco e pulmonar combinados, transplante lobar intervivos.

Os desafios do anestesiologista na realização do transplante pulmonar vão muito além da manutenção da estabilidade anestésica. Compreendem também o domínio de técnicas específicas e fundamentais para esses pacientes, tais como a realização de intubação endobrônquica ou seletiva, otimização da ventilação monopulmonar, manejo de hipertensão pulmonar, utilização do cateter de artéria pulmonar e da ecocardiografia transesofágica (ETE), tratamento de falência cardíaca direita e/ou esquerda, entre outros diversos desafios atípicos na maior parte dos demais procedimentos anestésicos.

O transplante pulmonar emergiu como uma intervenção terapêutica crucial para pacientes com doenças pulmonares avançadas, proporcionando a oportunidade de melhorar a qualidade de vida e a sobrevida. A colaboração harmônica entre a equipe cirúrgica, a equipe de anestesia e os especialistas em cuidados intensivos é fundamental para alcançar bons resultados e otimizar o prognóstico dos pacientes submetidos a esse procedimento complexo. Este capítulo visa abordar, de maneira abrangente, as principais recomendações e evidências para o preparo pré-operatório, indução, manejo intraoperatório e pós-operatório imediato de pacientes submetidos ao transplante pulmonar.

■ SELEÇÃO DE DOADORES E PREPARO DOS ÓRGÃOS

A seleção ideal e o cuidado adequado do doador para transplante pulmonar são fundamentais para aumentar o número de pulmões disponíveis e maximizar o resultado. Transplantes lobares de doadores vivos são raros em comparação com transplantes de pulmão de doadores falecidos. A avaliação dos doadores começa com a notificação da organização local de procura de órgãos (OPO) de um potencial doador e a obtenção do consentimento adequado da família após a determinação da morte cerebral.

Não existem dados controlados para determinar qual o candidato ideal para doação de pulmões para transplante. O consenso e a experiência identificaram algumas características de doadores ideais que têm sido "expandidas" ao longo do tempo, dependendo da experiência do centro envolvido e seus resultados. Como o doador de pulmão geralmente doará outros órgãos, a coordenação entre as equipes de transplante é fundamental, para que todas as equipes estejam prontas para recuperar os órgãos quase ao mesmo tempo.

O doador ideal normalmente apresenta características clínicas específicas relacionadas a melhores desfechos para o receptor. Esses critérios incluem: idade inferior a 55 anos, radiografia de tórax sem alterações significativas, ausência de infecção pulmonar suspeita, tempo reduzido de ventilação mecânica, relação PaO_2/FiO_2 maior do que 300 à pressão expiratória final positiva (PEEP) de aproximadamente 5 cmH_2O, história de abstinência ao tabaco ou tabagismo com menos de 20 maços-ano, ausência de trauma torácico, nenhuma evidência de aspiração ou sepse, nenhuma cirurgia cardiopulmonar prévia e ausência de secreções purulentas ou conteúdo gástrico na visualização broncoscópica antes da retirada dos pulmões. Os doadores devem ser excluídos se estiverem infectados com HIV ou outra infecção viral sistêmica ativa. Certas outras infecções também podem tornar a doação de órgãos menos desejável. Qualquer doador que satisfaça esses critérios ideais de inclusão e exclusão deve ser considerado para doação de pulmão.[13,14] Entretanto, a maioria dos doadores de órgãos em potencial não atende aos critérios ideais e muitos programas usam critérios expandidos para aumentar o *pool* de doadores. Com o avanço da técnica operatória, do manejo clínico e do desenvolvimento de novas abordagens de conservação pulmonar, observa-se atualmente grande flexibilização dos critérios determinantes para captação de pulmão para transplante nos principais centros. Quando um doador de critérios estendido está sendo considerado, é essencial uma comunicação eficaz entre o coordenador da OPO e as equipes de transplante. Cada equipe de transplante deve conhecer as condições originais e atuais do doador. Embora os resultados para critérios abaixo do ideal sejam adequados, o aceite final do órgão ainda é escolha da equipe cirúrgica. Alguns estudos retrospectivos têm avaliado os resultados desses critérios expandidos de doadores.[15]

A solução ideal para preservação pulmonar, temperatura de armazenamento, concentração de oxigênio e aditivos farmacológicos necessários para aumentar o sucesso do enxerto pulmonar continuam sendo amplamente investigados. No entanto, várias técnicas de preservação pulmonar foram desenvolvidas para proteger os pulmões doados adquiridos dos principais insultos, tais como isquemia, armazenamento prolongado e reperfusão, fatores que podem contribuir para a disfunção primária do enxerto e a mortalidade a longo prazo.[16] Geralmente, a preservação dos pulmões adquiridos é iniciada com uma infusão de uma solução conservante hipotérmica (aproximadamente 50 a 60 mL.kg^{-1}) por meio da artéria pulmonar associada à administração tópica de uma solução fria. A infusão resfria uniformemente o tecido pulmonar e remove o sangue do leito vascular pulmonar, evitando trombose e lesão endotelial. Posteriormente, os pulmões são transportados de 4 a 8ºC em um estado parcialmente insuflado.[17] Diversos estudos têm demonstrado que soluções de preservação extracelulares (p. ex.: Perfadex, Cambridge, Celsior e Papworth) estão associadas a melhores desfechos em comparação a soluções de preservação intracelulares (com alto teor de potássio, p. ex.: Euro-Collins e Wisconsin).[18] Atualmente, Perfadex é a solução de preservação usada na grande maioria dos programas de transplante de pulmão em todo o mundo.

As técnicas tradicionais e correntes de preservação de órgãos permitem um tempo ótimo de isquemia fria do pulmão estimado em até oito horas. Entretanto, os limites aceitáveis do tempo de isquemia não são completamente conhecidos, embora, com base em estudos experimentais, quanto maior o tempo de isquemia, maior o risco de disfunção grave por reperfusão. Tempo de isquemia prolongado predispõe a aumento na incidência de lesão de isquemia-reperfusão, disfunção primária do enxerto, ou retardo no funcionamento adequado do enxerto. Os riscos de disfunção primária do enxerto e mortalidade em 30 dias aumentam com mais de oito horas de isquemia. No entanto, tempos de isquemia de até 12 horas têm sido relatados com sucesso.[19] Portanto, a decisão de aceitar pulmões com tempos de isquemia mais longos é tomada considerando outros fatores de risco preditivos no doador de pulmão (p. ex.: idade, variáveis clínicas, histórico de tabagismo) e também a condição clínica do receptor. Evidências recentes demonstram que perfusão *ex-vivo* do órgão doado (EVLP – *ex--vivo lung perfusion*) pode substituir as técnicas de preservação tradicionais.[20] Essa técnica permite expandir a quantidade de órgãos doados, possibilitando a inclusão de órgãos previamente considerados inapropriados pelo uso das técnicas convencionais de conservação.[21]

O manejo anestésico do paciente doador de órgãos para transplante pode ser complexo, visto que tais pacientes usualmente apresentam-se instáveis do ponto de vista hemodinâmico, hipovolêmicos, apresentando distúrbios metabólicos, endócrinos e termorregulatórios. Portanto, tratamento de suporte deve ser instituído durante todo o processo de captação com intuito de manter a estabilidade do paciente durante o procedimento. Após a chegada do paciente em sala e a instalação da ventilação mecânica e da monitorização adequada, incluindo monitorização da pressão arterial invasiva, profilaxia antimicrobiana e corticosteroides (metilprednisolona 0,5 a 1 g) são administrados. Durante a retirada dos pulmões para doação, a reposição volêmica deve ser realizada com moderação. Em casos de instabilidade hemodinâmica, fármacos vasoativos e inotrópicos devem ser considerados. Durante o procedimento, estratégia ventilatória protetora baseada em baixos volumes correntes e baixas pressões de vias áreas devem ser instituídas. Prostaglandinas são administradas pelo cirurgião na artéria pulmonar imediatamente antes da pneumoplegia, objetivando aumentar a eficácia e distribuição da solução de pneumoplegia após a perfusão. Após a retirada, o enxerto é mantido em insuflação estática com pressão positiva contínua nas vias áreas, posicionado em solução cristaloide fria e imerso em gelo até o momento do transplante.[22]

■ SELEÇÃO E PREPARO DOS RECEPTORES

O transplante pulmonar engloba um número de diferentes procedimentos cirúrgicos, existindo cinco principais tipos de abordagem: transplante pulmonar simples ou unilateral; transplante pulmonar bilateral; transplante coração--pulmão; transplante lobar cadavérico; transplante lobar de doador vivo. A doença de base é o grande determinante da indicação entre eles.[23] Atualmente, transplante pulmonar bilateral permanece como a técnica mais frequentemente utilizada.[24,25] O transplante lobar, com doadores vivos, é opção principal para pacientes pediátricos, em que a dificuldade de obter órgãos compatíveis é ainda maior. O transplante lobar com doador cadavérico pode ser uma opção viável em pacientes com elevado escore de alocação para o transplante pulmonar (LAS – *lung allocation score*), em pacientes com baixa estatura ou portadores de doença pulmonar restritiva. Esses pacientes tipicamente apresentam tempo de espera em lista mais prolongado e aumento do risco de óbito, pois a maioria dos órgãos apresenta dimensões maiores do que as indicadas para tais casos.[26] Um estudo retrospectivo prévio, analisando o transplante lobar pulmonar, relatou desfechos de curto e longo prazo similares aos pacientes submetidos a técnicas convencionais.[27]

Pacientes com fibrose pulmonar idiopática foram considerados o grupo de pacientes com melhor indicação de transplante pulmonar simples, pois, no pós-operatório, tanto a ventilação quanto a perfusão seriam favorecidas no órgão transplantado.[23] Em indivíduos com doença pulmonar supurativa, como pacientes com fibrose cística ou bronquiectasias, indica-se a realização de transplante pulmonar bilateral, considerando o risco de contaminação do enxerto no caso de permanência do pulmão nativo. Os demais casos estão mais sujeitos a controvérsias, fatores individuais e preferências nos diferentes centros. Entretanto, dados recentes sugerem potencial benefício do transplante pulmonar bilateral sobre a sobrevida em diferentes categorias de pacientes submetidos ao transplante pulmonar, e há uma tendência crescente na utilização de transplante pulmonar bilateral, ainda que as indicações possam ser individualizadas.[28] A média de idade dos receptores tem crescido gradualmente e mais de 50% dos pacientes submetidos ao transplante pulmonar apresentam idade superior a 50 anos, sendo que aproximadamente 13% dos receptores possuem idade superior a 65 anos.[24,25]

Com objetivo de reduzir as elevadas taxas de mortalidade dos pacientes em lista para realização de transplante pulmonar, a *Organ Procurement and Transplantation Network* implementou o escore do LAS em 2005, em conceito similar ao modelo de doença hepática avançada utilizado para alocação de pacientes ao transplante hepático. O LAS varia de 0 a 100 e engloba uma combinação de fatores preditores de óbito no próximo ano e de sobrevida no primeiro ano após o transplante.[25] A implementação do LAS ocasionou a diminuição no tempo médio de espera em lista para transplantes, reduzindo o número de pacientes em lista que acabam indo a óbito.[12] Embora a mortalidade na lista de espera tenha diminuído inicialmente após a implementação do sistema LAS, ela aumentou nos últimos anos e continua sendo mais alta para pacientes com doença pulmonar intersticial.[29] Esse achado tem sido atribuído à listagem de pacientes cada vez mais doentes, como evidenciado pelo aumento do escore médio do LAS ao longo do tempo e pelo número limitado de doadores.[29] Consequentemente, o uso do LAS tem resultado em pacientes mais graves, sendo que pacientes internados em centro de cuidados intensivos, em ventilação mecânica ou em suporte mecânico hemodinâmico, são frequentemente submetidos ao transplante. É importante ressaltar que pacientes apresentando escores mais elevados nessa classificação usualmente requerem maior tempo de ventilação mecânica no pós-operatório, maior tempo de permanência na unidade de tratamento intensivo (UTI), aumento na incidência de reintubação e do uso de traqueostomia, assim como aumento significativo na incidência do uso perioperatório de oxigenação por membrana extracorpórea (ECMO).[30] Embora a sobrevida global em um ano após o transplante não tenha mudado em comparação à era anterior à implementação do LAS, os receptores com escores muito altos de LAS no transplante apresentam uma mortalidade significativamente maior em 90 dias e em um ano.[31]

O resultado após o transplante pulmonar pode ser avaliado com base em diversos critérios, incluindo a taxa de sobrevida e índices de qualidade de vida.[1] A sobrevida é a avaliação mais direta dos resultados, e grandes registros podem facilmente gerar estimativas de sobrevida com base em dados internacionais e multicêntricos. A Sociedade Internacional para Transplante de Coração e Pulmão (ISHLT) mantém um registro de mais de 60 mil receptores de mais de 200 centros de transplante em todo o mundo. De acordo com o relatório do registro publicado em 2023, a sobrevida média para todos os receptores adultos é de 6,3 anos, mas os receptores bilaterais de pulmão parecem ter uma sobrevida melhor do que os receptores únicos (7,6 *versus* 4,7 anos, respectivamente).[1]

■ AVALIAÇÃO PRÉ-ANESTÉSICA

A avaliação pré-operatória minuciosa é uma etapa crucial na preparação para o transplante pulmonar. Ela envolve a avaliação abrangente da função pulmonar, *status* cardiovascular e renal, identificação de comorbidades e avaliação da capacidade de suportar a cirurgia e a imunossupressão subsequente. A presença de doenças concomitantes, como hipertensão pulmonar, hipertensão arterial sistêmica e disfunção cardíaca, influencia a seleção do paciente, o planejamento cirúrgico e a estratégia anestésica. Além disso, a avaliação deve identificar qualquer risco potencial de complicações perioperatórias e permitir a otimização das condições clínicas antes da cirurgia.

Pacientes alocados para realização de transplante pulmonar podem estar na lista de espera por órgãos doados por meses a anos, e alterações significativas das condições clínicas podem ocorrer nos intervalos entre as avaliações de rotina. Geralmente há tempo adequado antes do procedimento para revisão cuidadosa do prontuário e das características clínicas do paciente, e os resultados dos exames complementares mais recentes (especialmente ecocardiografia e testes de função pulmonar) devem ser revisados rigorosamente. Deterioração aguda da capacidade funcional ou novos sintomas em repouso podem indicar necessidade de exames complementares adicionais. Avaliação cuidadosa das vias aéreas e do sistema cardiopulmonar são fundamentais nas avaliações clínicas periódicas e na avaliação pré-anestésica imediata ao transplante.

A maioria dos pacientes que se apresenta para a realização de transplante pulmonar foi submetido a avaliações exaustivas para definir sua condição clínica e permitir sua liberação para realização do transplante. Na maioria dos centros, a ecocardiografia é repetida a cada três a seis meses em candidatos a transplante de pulmão para avaliar a função ventricular direita e esquerda, enquanto o cateterismo cardíaco direito é realizado com menos frequência. Os pacientes são geralmente notificados do procedimento algumas horas antes do procedimento e nova coleta de alguns exames complementares pode ser realizada. Tipagem sanguínea e reserva de dois a quatro concentrados de hemácias devem ser realizados previamente ao procedimento.

A avaliação pré-anestésica deve incluir a rotina básica similar aos demais procedimentos em caráter de urgência como período de jejum, história prévia de procedimentos anestésicos e avaliação cardiopulmonar e de vias aéreas.[32-34] Discussão sobre o manejo anestésico e seus potenciais riscos, incluindo o de óbito, é apropriada. Muito centros utilizam rotineiramente a analgesia peridural ou o bloqueio paravertebral como técnicas adjuvantes no controle da dor pós-operatória em pacientes submetidos ao transplante pulmonar e às rotinas envolvidas no preparo para esse procedimento devem ser discutidas e instituídas.[35]

Indução farmacológica com imunossupressores pode ser iniciada no período pré-operatório por meio da utilização das primeiras doses por via oral. Medicações pré-anestésicas devem ser utilizadas com extrema cautela, pois fármacos como opioides e benzodiazepínicos podem exacerbar hipoxemia e hipercapnia preexistentes, particularmente em pacientes portadores de DPOC.

A captação do pulmão do doador e o preparo do paciente receptor são cuidadosamente coordenados para minimizar o tempo de isquemia do órgão transplantado. O receptor não segue para a sala cirúrgica até que os pulmões do doador sejam inicialmente avaliados e considerados de qualidade suficiente para serem adequados ao transplante. Durante o período pré-operatório, a comunicação regular entre o anestesiologista e o cirurgião é fundamental. Dependendo da distância ao local da captação de órgãos, a determinação final da viabilidade do órgão pode ocorrer após a indução da anestesia e preparo do paciente receptor. Neste caso, é necessária uma discussão pré-operatória com o paciente e sua família sobre a inspeção final dos pulmões do doador e possível cancelamento do procedimento em diferentes situações. Se os pulmões do doador não atenderem aos critérios mínimos em algum momento do processo de captação, o procedimento é abortado e a equipe anestésica é notificada de que o transplante foi cancelado.

■ MONITORAÇÃO, PREPARO E INDUÇÃO ANESTÉSICA

Acesso venoso periférico de grosso calibre, oximetria de pulso, eletrocardioscopia, pressão arterial não invasiva e cateter para monitorização da pressão arterial invasiva são posicionados antes da indução anestésica. Alguns pacientes são incapacitados de manter a posição supina durante o preparo pré-anestésico e, eventualmente, indução anestésica do paciente em posição semissentada pode ser necessária. Caso a avaliação pré-operatória sugira um baixo risco de utilização da circulação extracorpórea (CEC) ou ECMO, algumas instituições posicionam o cateter peridural antes da indução anestésica, objetivando um melhor controle da dor pós-operatória.[34] Parte significativa dos centros optam por não realizar o implante pré-operatório do cateter peridural de maneira rotineira nos pacientes submetidos ao transplante pulmonar e a técnica regional pode ser considerada ao final do procedimento ou no período pós-operatório.[35]

Durante a indução anestésica, o foco principal é a manutenção da oxigenação e ventilação adequadas para prevenir a hipoxemia. A estabilidade hemodinâmica é crucial, e a monitorização precisa da pressão arterial pulmonar pode ser utilizada para otimizar a perfusão pulmonar durante o procedimento. Durante a cirurgia, a equipe de anestesia deve estar atenta a flutuações hemodinâmicas e alterações na troca gasosa, ajustando a ventilação e a administração de fluidos conforme necessário. A administração de anestésicos e o início da ventilação mecânica podem causar hipotensão significativa ou mesmo colapso cardiovascular. Portanto, durante a realização da indução anestésica, estratégias que evitem complicações hemodinâmicas significativas devem ser instituídas. A maioria dos pacientes apresenta algum grau de hipertensão pulmonar, ocasionando risco elevado de aumento súbito na resistência vascular pulmonar e subsequente falência cardíaca direita durante e após a indução anestésica. Ventilação artificial, aumento da pressão parcial de CO_2 relacionado à apneia temporária e efeitos vasodilatadores e cardiodepressores dos anestésicos podem causar instabilidade hemodinâmica significativa.

Após a pré-oxigenação cuidadosa, a indução anestésica pode ser realizada utilizando-se fármacos selecionados com base no estado funcional do paciente. Indução em sequência rápida pode ser necessária dependendo do tempo de jejum disponível antes do procedimento. Fármacos vasoativos de suporte, equipe cirúrgica e equipe de perfusão devem estar disponíveis no momento da indução anestésica, intervindo imediatamente caso seja observado colapso cardiovascular grave e refratário durante o processo de indução anestésica.

Geralmente hipnóticos relacionados a maior estabilidade hemodinâmica e menor grau de vasodilatação são recomendados, como midazolam, etomidato ou tiopental. No entanto, indução segura com propofol ou cetamina também tem sido descrita.[34] É importante ressaltar que o fator mais importante durante a indução anestésica nesses pacientes é manter monitorização constante das alterações hemodinâmicas e titular cautelosamente as doses dos fármacos hipnóticos e narcóticos administrados.[19] Opioides com maior índice terapêutico como fentanil ou sufentanil são os adjuvantes mais utilizados para analgesia intraoperatória. Relaxantes musculares são rotineiramente utilizados para facilitar a intubação seletiva e para manutenção do relaxamento profundo no período intraoperatório, sendo que rocurônio e succinilcolina têm sido os fármacos mais utilizados na indução anestésica. A técnica anestésica balanceada para os pacientes submetidos ao transplante tem sido a mais utilizada, geralmente promovendo a manutenção anestésica por meio da utilização de fármacos inalatórios, mais frequentemente isoflurano ou sevoflurano, associados a adjuvantes intravenosos.[33,34]

Após a indução anestésica, as vias áreas devem ser rapidamente garantidas e a posição do tubo endotraqueal deve ser imediatamente confirmada. A ampla maioria dos transplantes pulmonares requer tubos de duplo lúmen seletivos à esquerda ou tubos simples com um bloqueador brônquico. Monitores invasivos, se ainda não estiverem posicionados, devem ser aplicados assim como o transdutor do ETE. Monitorização da temperatura deve ser instituída e hipotermia deve ser evitada, pois está relacionada à piora no controle da hipertensão pulmonar, nos parâmetros de coagulação, e pode ocasionar atraso na extubação.

Conforme previamente descrito, a manipulação das vias aéreas geralmente é realizada com a utilização de tubos de duplo lúmen. A utilização de intubação seletiva permite acesso direto e contínuo aos dois pulmões para realização de oxigenação, aspiração e avaliação das anastomoses brônquicas. A evolução no *design* dos tubos de duplo lúmen permitiu a utilização de tubos com segmentos endobrônquicos menores e a crescente experiência dos anestesiologistas com as técnicas de fibrobroncoscopia promoveram a otimização da intubação seletiva no transplante pulmonar. Portanto, conhecimento avançado sobre a anatomia da árvore traqueobrônquica é fundamental para o anestesiologista responsável pelo manejo das vias aéreas e instituição da ventilação monopulmonar com precisão.

No transplante pulmonar, a pressão arterial sistêmica e a pressão arterial pulmonar devem ser avaliadas de maneira contínua e por meio de dispositivos invasivos e acurados. Alguns centros indicam a utilização de duas linhas arteriais em casos mais complexos ou em transplantes pulmonares bilaterais, usando territórios de artéria radial e femoral para uma monitorização mais adequada e coleta seriada de exames. Adicionalmente, diversos monitores invasivos e minimamente invasivos têm sido descritos no contexto do transplante pulmonar, sendo que o cateter de artéria pulmonar e o ETE têm sido os mais indicados e utilizados. Os cateteres de artéria pulmonar com monitorização contínua de débito cardíaco e saturação venosa mista de oxigênio têm sido utilizados em alguns centros.[36] O uso de ETE está em franca elevação e seu uso intraoperatório para avaliação extensiva e acurada da função ventricular direita e esquerda tem sido amplamente recomendado.[37-39] O ETE também permite a avaliação constante do volume intravascular, guia o implante das cânulas do ECMO e permite avaliar as anastomoses das veias pulmonares após o transplante.[38,39] A utilização de ecocardiografia transtorácica no período pós-operatório também apresenta-se promissora. O uso de outros dispositivos minimamente invasivos também tem sido descrito e podem ser associados às medidas de monitorização tradicionais. A Tabela 198.1 descreve resumidamente a monitorização básica mais utilizada no transplante pulmonar.

Tabela 198.1 Monitorização básica no transplante pulmonar.

- Eletrocardioscopia (preferencialmente 2 derivações)
- Oximetria de pulso
- $P_{ET}CO_2$ (analisador de gases)
- Pressão arterial invasiva
- Cateter de artéria pulmonar ou Swan-Ganz (com SvO_2 e DC contínuos se disponível)
- Ecocardiografia transesofágica (ETE)
- Sondagem vesical de demora
- Opções adicionais: cateteres arteriais e/ou venosos para monitorização minimamente invasiva do DC e demais parâmetros hemodinâmicos avançados

* SvO_2: Saturação venosa mista de oxigênio; DC: débito cardíaco.

Como a maioria dos pacientes requer administração de vasopressores e/ou inotrópicos intravenosos e pode necessitar a utilização de ECMO ou mesmo CEC em casos determinados, deve-se considerar a utilização rotineira de cateter venoso central, geralmente puncionado após a indução da anestesia geral. Na maioria dos casos, um acesso de duplo ou triplo lúmen é posicionado na veia jugular interna ou veia subclávia, em associação ao cateter de artéria pulmonar. A veia jugular interna é normalmente o acesso preferencial, visto que no acesso subclávio há maior risco de pneumotórax durante a inserção e o cateter pode ficar obstruído durante a retração da parede torácica. Como parte significativa dos pacientes submetidos a transplante pulmonar poderá necessitar de ECMO, uma discussão pré-operatória cautelosa com a equipe cirúrgica deve ser realizada no sentido de definir os sítios adequados para a realização das punções venosas centrais e arteriais, preservando os locais planejados para as cânulas de ECMO.

CONSIDERAÇÕES ANESTÉSICA E INTRAOPERATÓRIAS

O transplante pulmonar apresenta desafios únicos devido à natureza do procedimento e à delicadeza do tecido pulmonar. A fase de reperfusão após a anastomose vascular é crítica e pode levar à liberação de citocinas inflamatórias e desencadear a resposta pulmonar aguda. Essa resposta inclui aumento da permeabilidade capilar, edema pulmonar e ativação de células inflamatórias, podendo comprometer a função do enxerto e contribuir para a disfunção pulmonar aguda. O anestesiologista desempenha um papel vital no suporte hemodinâmico durante essa fase, garantindo uma reperfusão gradual para minimizar essas complicações.

As complicações anestésicas intraoperatórias e seu manejo dependem fundamentalmente da doença pulmonar de base. Pacientes portadores de doença enfisematosa estão mais propensos a episódios de hipotensão na indução anestésica e na instituição de ventilação com pressão positiva. Os pacientes portadores de fibrose pulmonar geralmente apresentam baixa tolerância à ventilação monopulmonar e os pacientes com linfangioleiomiomatose apresentam risco significativamente aumentado de pneumotórax ou barotrauma. Pacientes portadores de fibrose cística podem apresentar secreções espessas em vias aéreas, impedindo que a troca de gases em nível alveolar se estabeleça com qualidade. Usualmente, pacientes portadores de fibrose cística são submetidos inicialmente a uma intubação com tubo endotraqueal simples para realização de fibrobroncoscopia e higiene local com retirada de parte da secreção abundante presente nas vias aéreas, para posteriormente ser realizada a intubação seletiva e o início do preparo para o procedimento.

A transição da respiração espontânea para a ventilação com pressão positiva durante a indução anestésica e subsequentemente para a ventilação monopulmonar pode ser um desafio em um paciente com doença pulmonar grave. Portanto, a ventilação mecânica deve ser instituída com critérios baseados na doença do paciente. Ventilação com pressão positiva pode ocasionar queda na pré-carga ventricular direita, causando hipotensão arterial sistêmica. Após a intubação, a ventilação com baixo volume-corrente deve ser iniciada em aproximadamente 6 a 8 mL.kg^{-1} (peso corporal predito). O objetivo é manter as pressões de platô inspiratórias abaixo de 30 cmH$_2$O. A PEEP geralmente é ajustada em torno de 5 a 8 cmH$_2$O. Níveis mais altos de PEEP podem causar diminuição significativa da pré-carga e hipotensão nesses pacientes. A fração inspirada de oxigênio (FiO$_2$) é ajustada, visando uma saturação de oxigênio de no mínimo 90% a 95%. Frequentemente, a oxigenação do pulmão único nativo é tão ruim que a titulação de FiO$_2$ abaixo de 100% não é possível. A frequência ventilatória é normalmente ajustada para manter o dióxido de carbono expirado (ETCO$_2$) e a PaCO$_2$ próximos ao basal do paciente. Ao alternar para a ventilação monopulmonar, o volume-corrente geralmente diminui para aproximadamente 4 a 6 mL.kg^{-1}. A gasometria arterial deve servir como um guia para adequar a ventilação.

Estratégias ventilatórias podem incluir hipercapnia permissiva com níveis mais elevados de PaCO$_2$, reduzindo o risco de barotrauma e hiperinsuflação dinâmica. Em alguns pacientes portadores de DPOC ou complacência pulmonar reduzida, o tempo inadequado de expiração leva ao aumento da pressão intratorácica e diminuição do retorno venoso, o que pode ocasionar a hipotensão significativa e colapso cardiovascular. A hipotensão relacionada a essa hiperinsuflação dinâmica (também denominada auto-PEEP) é tratada por meio da desconexão do ventilador, permitindo que o paciente exale completamente o ar aprisionado. Prolongar o tempo expiratório, alterando a proporção entre a inspiração e a expiração (relação I:E) para 1:3 ou 1:4 em pacientes com DPOC ou complacência pulmonar reduzida pode ajudar a reduzir a retenção de ar. Isso pode permitir tempo de expiração suficiente, embora o alto fluxo inspiratório (necessário para reduzir o tempo inspiratório) possa aumentar o pico de pressão inspiratória. Outros métodos com intuito de reduzir a hiperinsuflação incluem maximizar o tempo expiratório, reduzir o volume-corrente e a frequência ventilatória, ou mesmo desconectar o paciente periodicamente do circuito de ventilação. Assim que a ventilação monopulmonar é iniciada, o grau de *shunt* intrapulmonar aumenta, podendo ocasionar hipoxemia e instabilidade hemodinâmica. Técnicas usualmente utilizadas em outros procedimentos torácicos podem ser aplicadas, assim como o uso de fármacos vasoativos e inotrópicos, guiados por gasometrias seriadas[40] (Tabelas 198.2 e 198.3). Em diversos casos o ECMO pode ser utilizado para manutenção da oxigenação adequada.

Tabela 198.2 Manejo de situações específicas no transplante pulmonar (hipoxemia em ventilação monopulmonar).

1. FiO_2 100%

2. Ajustar ventilação

3. CPAP 5 cmH_2O no pulmão não dependente

4. PEEP 5 cmH_2O no pulmão dependente

5. Considerar clampeamento da artéria pulmonar (tracionar cateter de artéria pulmonar previamente) e suporte mecânico (ECMO)

CPAP: Pressão positiva contínua nas vias aéreas; PEEP: Pressão positiva expiratória final; ECMO: oxigenação por membrana extracorpórea.

Tabela 198.3 Manejo de situações específicas no transplante pulmonar (síndrome de hiperinsuflação pulmonar).

1. Ocorre principalmente em pacientes com enfisema bolhoso

2. Suspeita-se nos casos em que, após início da ventilação com pressão positiva, ocorrem: hiperexpansão torácica, turgência venosa, cianose cervical, dessaturação, hipotensão arterial e bradicardia

3. Manejo: desconexão do tubo e compressões torácicas cautelosas para o esvaziamento pulmonar

4. Restituição da ventilação com volumes pequenos e maior tempo expiratório

5. Abertura do tórax logo que possível

Pacientes com hipertensão pulmonar são extremamente graves e estão sob risco significativo de falência ventricular direita e colapso hemodinâmico, principalmente em situações de acidose, hipercapnia e estímulos dolorosos. Portanto, monitorização cautelosa da pressão arterial pulmonar e da pressão venosa central (PVC) deve ser realizada. A utilização do ETE e do cateter de artéria pulmonar promove avaliação em tempo real da função ventricular direita e da pressão da artéria pulmonar, fatores extremamente úteis para o manejo adequado da função cardiopulmonar e para a indicação urgente de suporte circulatório (ECMO na maioria dos casos). O ETE também pode ser utilizado para avaliar as anastomoses arteriais e venosas do enxerto, o que pode acrescentar informações relevantes na detecção precoce de complicações funcionais com necessidade de resolução cirúrgica imediata.

O paciente submetido ao transplante pulmonar está sob constante risco de complicações cardiovasculares, principalmente durante o pinçamento da artéria pulmonar, em que pode haver aumento significativo da pós-carga no ventrículo direito. Caso o paciente permaneça instável, mesmo com a utilização de suporte vasoativo e mecânico otimizado, a

instalação do suporte mecânico deve ser discutida e implementada. Apesar de haver incremento dos riscos relacionados à perda sanguínea aumentada, alterações significativas na relação ventilação-perfusão (V/Q) e aumento da incidência de disfunção do enxerto, estudos prévios não observaram um aumento significativo na mortalidade com o uso de suporte mecânico no transplante pulmonar.[41] É importante ressaltar que mesmo durante a dissecção e retirada do pulmão nativo, compressões do coração podem ocorrer, ocasionando alterações de ritmo e contratilidade cardíacas. Em casos de repercussão significativa, a dissecção deve ser postergada até que o paciente possa ser estabilizado adequadamente. Se o paciente permanece estável do ponto de vista ventilatório e hemodinâmico durante as fases críticas do transplante pulmonar, incluindo principalmente o pinçamento da artéria pulmonar, o suporte mecânico com CEC ou ECMO pode ser evitado (Tabela 198.4).

Tabela 198.4 Manejo de situações específicas no transplante pulmonar (hipertensão pulmonar e insuficiência de VD).

1. Prevenir vasoconstrição pulmonar: FiO_2 100%, evitar hipercapnia e acidose, evitar anestesia superficial

2. Evitar elevadas pressões ventilatórias

3. Manter fluidoterapia cautelosa e guiada por metas

4. Considerar o uso de óxido nítrico inalatório (10 a 40 ppm)

5. Considerar alternativamente o uso de vasodilatadores pulmonares se necessário (Nitroprussiato de sódio, Nitroglicerina)

6. Considerar terapia inotrópica se necessário (Dobutamina, Milrinona, Adrenalina)

7. Manter estável a pressão arterial diastólica sistêmica e a pressão de perfusão do VD (Noradrenalina, Vasopressina, Metaraminol/ Fenilefrina)

8. Se quadro clínico refratário, considerar suporte mecânico (ECMO/CEC)

VD: Ventrículo direito; ECMO: oxigenação por membrana extracorpórea; CEC: Circulação extracorpórea.

A utilização de ECMO ou CEC pode ser necessária durante a realização do transplante de pulmão e sua incidência varia de acordo com o centro transplantador. Sua necessidade pode ser antecipada e sua implantação realizada em caráter eletivo, como em pacientes com hipertensão pulmonar grave. Em outros casos, é realizada em caráter de urgência por dificuldade no manejo hemodinâmico ou ventilatório que se apresenta durante o procedimento. Muitas equipes relutam na utilização da CEC, pelo receio de sangramento excessivo (decorrente da necessidade de anticoagulação), e pela associação com desfechos desfavoráveis como lesão pulmonar aguda e intubação prolongada.[42] À medida que aumenta a experiência das equipes com o manejo desses pacientes, diminui a necessidade de utilização de CEC em detrimento de maior indicação dos pacientes em uso de ECMO.[43]

O transplante pulmonar simples é realizado em decúbito lateral, com toracotomia posterolateral convencional. Após a pneumonectomia do pulmão nativo, as anastomoses do átrio esquerdo (veias pulmonares), brônquio fonte e artéria pulmonar do enxerto são realizadas. A sequência de realização das anastomoses pode variar conforme preferências da equipe cirúrgica. Os momentos da instituição da ventilação monopulmonar, clampeamento da artéria pulmonar e reperfusão do enxerto, habitualmente, são os mais críticos. Se há desenvolvimento de hipoxemia refratária ou instabilidade hemodinâmica, nestes ou em quaisquer outros estágios, indica-se a utilização de suporte mecânico cardiorrespiratório.[43-45] Material e pessoal necessários à instalação da ECMO ou CEC devem estar disponíveis ao longo de todo o procedimento.

A canulação de vasos para eventual necessidade de instituição de ECMO ou CEC nessa posição pode apresentar algumas dificuldades. *A priori*, nas toracotomias direitas, tanto o átrio direito quanto a aorta descendente podem ser acessados, permitindo a canulação direta desses vasos. Nas toracotomias esquerdas, a canulação do átrio direito não é viável. Alguns grupos relatam canulação venosa diretamente nas artérias pulmonares nessa posição. Deve-se considerar em ambos os casos, entretanto, possibilidade de aumento da dificuldade técnica pela presença das cânulas no campo, bem como o risco de deslocamento inadvertido das cânulas pelas manobras cirúrgicas. A canulação de vasos femorais é sempre uma opção nessas condições. Limitações existem igualmente nessa abordagem, no que tange à qualidade da drenagem venosa nesse sítio, bem como na dissecção para acesso a esses vasos em decúbito lateral. É de suma importância a comunicação entre as equipes para a decisão conjunta quanto ao nível de preparo e prontidão necessários à instituição de suporte mecânico em cada caso (dissecção e canulação prévios à indução da anestesia, preparo da região inguinal, presença de todo pessoal necessário em sala).

O transplante pulmonar bilateral é realizado com uma toracoesternotomia transversa (incisão *clamshell*) em decúbito dorsal. O transplante é conduzido como dois transplantes simples realizados sequencialmente. Habitualmente, o pulmão nativo com pior função é removido primeiro.[45]

Assim que as anastomoses são finalizadas, a solução de pneumoplegia é eliminada usando fluxo retrógrado do enxerto. O pulmão é cuidadosamente inflado e o pinçamento da artéria pulmonar é liberado. Rápida expansão do enxerto pode ocasionar barotrauma ou pneumotórax, levando ao vazamento das anastomoses cirúrgicas ou mesmo edema do pulmão transplantado.[46] Queda pressórica significativa e arritmias podem ser desencadeadas pela reperfusão, principalmente pela absorção sistêmica da solução de pneumoplegia, metabólitos do enxerto submetido à isquemia e embolia aérea aos vasos coronarianos. Frequentemente, alterações hemodinâmicas significativas ou síndrome de reperfusão no transplante pulmonar requerem o uso de suporte farmacológico vasoativo e inotrópico.[28,44,45]

Lesão de isquemia-reperfusão é caracterizada por hipoxemia grave, edema pulmonar, aumento da permeabilidade capilar pulmonar e redução da capacidade de troca gasosa alveolar, podendo ser desencadeada nas primeiras 24 horas. Déficit na drenagem linfática, isquemia prolongada do enxerto, déficits de preservação do enxerto, mediadores inflamatórios e radicais livres de oxigênio estão entre os principais agentes etiológicos da lesão aguda de reperfusão. Ventilação cautelosa e níveis baixos de PEEP podem ocasionar um certo grau de recrutamento alveolar.[44,45] Óxido nítrico também pode ser utilizado, visto que demonstrou

resultados positivos na melhora funcional do enxerto no período pós-operatório.[47] A pressão de oclusão da artéria pulmonar deve ser mantida nos menores valores possíveis após a cirurgia, não comprometendo a pré-carga ventricular e o débito cardíaco.[45]

A reposição de fluidos deve ser cautelosa, devendo ser direcionada para a manutenção do débito cardíaco e minimizando o risco de edema pulmonar. Um estudo retrospectivo demonstrou que a administração de coloides é um fator de risco independente para disfunção precoce do enxerto e redução significativa da relação PaO_2/FiO_2.[48] Pressões de enchimento devem ser cuidadosamente monitorizadas, visto que hipertensão pulmonar persistente no pós-operatório imediato pode indicar disfunção aguda do enxerto com repercussão significativa sobre os desfechos pós-operatórios.[49]

Como a imunossupressão presente nos receptores de transplante pulmonar está relacionada ao alto risco de infecções bacterianas oportunistas, a profilaxia antibiótica de amplo espectro é iniciada antes da incisão cirúrgica, seguindo o protocolo institucional e considerando fatores de risco individuais. A adesão ao plano prescrito de imunossupressão é fundamental para prevenir a rejeição do enxerto e preservar a função pulmonar. Um bólus de metilprednisolona (0,5 a 1 g) é administrado no período intraoperatório imediatamente antes da reperfusão de cada enxerto, quando o pinçamento da artéria pulmonar é liberado. Terapia de imunossupressão de indução adicional pode ser administrada durante o período intraoperatório ou pós-operatório imediato de acordo com o protocolo institucional. Um exemplo de regime de imunossupressão adicional inclui basiliximabe (20 mg) administrado como infusão intravenosa durante 30 minutos, iniciado no início da cirurgia.

Ao final do procedimento, o tubo de duplo lúmen é substituído por um tubo endotraqueal simples, as vias aéreas são avaliadas por via endoscópica, e o paciente é transportado para a Unidade de Terapia Intensiva (UTI). Considera-se a manutenção do tubo endotraqueal de duplo lúmen quando se utiliza ou se antecipa a necessidade de ventilação pulmonar independente no pós-operatório.

■ CONSIDERAÇÕES ESPECÍFICAS: DISFUNÇÃO PRIMÁRIA DO ENXERTO

A disfunção aguda ou primária do enxerto apresenta um amplo espectro de gravidade, caracterizada por variados graus de dano à troca de gases, estando associada ao atraso no processo de desmame da ventilação mecânica e extubação, aumento do tempo de internação na UTI, no tempo de internação hospitalar, na mortalidade precoce e intra-hospitalar, e a piores desfechos em longo prazo nos pacientes sobreviventes.[50,51] A disfunção primária do enxerto ocorre em 15% a 30% dos pacientes nas primeiras 72 horas após o transplante pulmonar,[52] sendo a principal causa de mortalidade precoce após o procedimento.[53] Esse quadro é caracterizado por dano alveolar difuso e aumento da permeabilidade capilar pulmonar, sendo principalmente relacionado à lesão pulmonar após evento de isquemia-reperfusão. Os fatores de risco são diversos, incluindo variáveis do próprio enxerto e do doador, variáveis do receptor, fatores cirúrgicos e no manejo pós-operatório imediato.[54,55] Estudo prévio demonstrou que o uso intraoperatório de coloides estava associado à disfunção primária do enxerto, causando uma redução de 35% na taxa de extubação para cada litro administrado.[48]

O tratamento é essencialmente de suporte, utilizando técnicas protetoras de ventilação mecânica e manejo ótimo de fluidos no pós-operatório (Tabela 198.5). Uso de prostaciclina ou óxido nítrico inalatórios podem auxiliar a promover vasodilatação pulmonar, apesar de seu benefício nesse cenário ainda não ter sido completamente evidenciado.[56] Algumas estratégias estão sendo investigadas, incluindo o uso de gases terapêuticos (monóxido de carbono ou sulfato de hidrogênio), inibidores de fatores inflamatórios mediadores de lesão (TNF-α, xantina oxidase, interleucina tipo 1, entre outras), agentes hipoglicemiantes orais, terapia hiperbárica e terapia gênica.[56] Para pacientes apresentando hipoxemia crítica, a implementação de assistência circulatória com ECMO venovenosa dever ser considerada.[43] Se o paciente apresenta complicações hemodinâmicas relacionadas à hipoxemia e terapias prévias, a ECMO venoarterial pode ser necessária.[43] É importante ressaltar que a taxa de sucesso da ECMO é maior quando implementada dentro de 24 horas do início do quadro de disfunção primária do enxerto.[57]

Tabela 198.5 Estratégia protetora na ventilação mecânica pós-transplante.

- Edema pós-reperfusão no enxerto é comum
- Aspirações frequentes podem ser necessárias (cuidado com antissepsia)
- PEEP ± 5 cmH$_2$O
- FiO$_2$ 40% a 60%, assim que possível, para SpO$_2$ > 90% a 92%
- Tentar manter pressões de platô < 20 a 25 cmH$_2$O (pressões de pico < 30 a 35 mmHg)
- Hipercapnia permissiva se necessário
- Considerar necessidade de ventilação independente se diferença de complacência significativa (em especial em enfisema no pulmão nativo e lesão de reperfusão no enxerto) – discutir manutenção do tubo de duplo lúmen nesses casos para manter modo ventilatório na UTI
- Esvaziar o balonete brônquico assim que ventilação monopulmonar independente não for necessária
- Considerar o uso precoce de ECMO VV em situações refratárias

PEEP: Pressão positiva expiratória final; ECMO VV: oxigenação por membrana extracorpórea venovenosa.

■ CONSIDERAÇÕES ESPECÍFICAS: USO DE SUPORTE MECÂNICO CARDIORRESPIRATÓRIO (ECMO OU CEC) NO TRANSPLANTE PULMONAR

O uso de suporte mecânico por ECMO ou CEC é necessário para a realização de transplantes pulmonares em aproximadamente 20% a 40% dos pacientes, embora o uso varie amplamente entre os centros.[43,44] Os pacientes com maior probabilidade de necessidade de ECMO ou CEC são aqueles com hipertensão pulmonar primária grave com gradiente de pressão transpulmonar maior do que 20 mmHg, fibrose pulmonar ou disfunção ventricular direita com hipertrofia ou dilatação.[43,58-63] A maior parte dos centros de grande ex-

periência tem favorecido o uso da ECMO em detrimento da CEC, quando possível, com base em estudos observacionais, que indicam que o suporte à ECMO está associado a menores taxas de disfunção primária do enxerto, necessidade de diálise, traqueostomia ou transfusão de sangue e menor tempo de intubação e internação hospitalar.[64] No entanto, pacientes que necessitam de um procedimento cirúrgico cardíaco adicional geralmente precisam de CEC completa.[63]

Há crescente evidência na literatura sobre o benefício da utilização de ECMO no manejo perioperatório do transplante pulmonar.[58-65] Em pacientes críticos ou descompensados, a ECMO pode ser utilizada como ponte para o transplante, facilitando a extubação traqueal e reduzindo o risco de dano pulmonar ou a incidência de complicações infecciosas relacionadas à ventilação mecânica.[43,58,59] A ECMO pode também ser utilizada no intraoperatório em substituição a CEC e no pós-operatório pode promover suporte para tratamento da disfunção primária de enxerto, minimizando os riscos associados à ventilação mecânica.[60] O papel da ECMO no transplante pulmonar parece bem estabelecido, mas a relação risco-benefício deve ser sempre considerada, visto que os pacientes podem desenvolver complicações associadas à ECMO, como sangramento aumentado, infecções e disfunção de múltiplos órgãos.[43,58]

Duas modalidades de ECMO podem ser consideradas no contexto do transplante pulmonar: venoarterial (VA) e venovenosa (VV).[43] Pacientes com insuficiência respiratória refratária (p. ex.: PaO$_2$ < 60 mmHg, PaCO$_2$ > 60 mmHg, pH < 7,20) podem ser submetidos ao transplante com ECMO VV durante o período perioperatório. A ECMO VV pode ser utilizada eletivamente ou em caráter de urgência em pacientes com hipóxia refratária durante o estabelecimento inicial de uma ventilação monopulmonar, pinçamento da artéria pulmonar, quando o átrio esquerdo estiver parcialmente pinçado durante a anastomose com as veias pulmonares ou durante a reperfusão do enxerto. Quando o cirurgião planeja usar a ECMO VV, usualmente o anestesiologista evita a colocação de um cateter venoso central na veia jugular interna direita, que fica reservada a cânula de ECMO. Nesses casos, locais alternativos para a colocação do cateter venoso central incluem a veia jugular interna esquerda ou a veia subclávia esquerda.[43,58,59] A ECMO VA pode ser necessária quando há comprometimento hemodinâmico significativo durante o transplante ou mesmo considerada eletivamente em pacientes de alto risco cardiovascular, como nos pacientes portadores de hipertensão arterial pulmonar primária. O cirurgião pode utilizar a ponte entre a veia femoral e uma artéria femoral ou uma ECMO VA central (ponte do átrio direito para a aorta ascendente). Embora a ECMO VA periférica esteja associada a taxas aumentadas de complicações vasculares na região inguinal, é a técnica preferida quando o suporte venoarterial será mantido no pós-operatório.[66]

A ECMO requer usualmente algum nível de anticoagulação, embora seja significativamente menor do que o necessário para a CEC. Tipicamente, uma dose única de heparina 5000 UI é administrada por via intravenosa para iniciar a ECMO. O tempo de coagulação ativado (TCA) é mantido dentro de um intervalo de 180 a 210 segundos, mas existe significativa variação no regime de anticoagulação utilizado dependendo do centro de referência.[43] Em casos submetidos ao uso de CEC, é necessária anticoagulação sistêmica total tradicionalmente utilizada em cirurgias cardíacas. Normalmente, heparina intravenosa 300 a 400 UI.kg^{-1} é administrada, e o TCA é mantido acima de 480 segundos para evitar a formação de coágulos no circuito da CEC, embora não haja evidências que definam o TCA ideal.

■ CUIDADOS PÓS-OPERATÓRIOS

Após o transplante, a gestão pós-operatória abrange a dor, o suporte ventilatório e a prevenção de complicações. A dor pós-operatória deve ser controlada eficazmente para permitir uma expansão pulmonar adequada e facilitar a reabilitação respiratória. O suporte ventilatório deve ser adaptado para otimizar a oxigenação e ventilação, prevenindo complicações pulmonares. A imunossupressão pós-transplante também exige atenção especial, uma vez que pode interferir no metabolismo de fármacos anestésicos e aumentar o risco de infecções.

Disfunção primária do enxerto é a maior causa de morbidade no período pós-operatório.[66] Nos primeiros 30 dias do período pós-operatório, a mortalidade está principalmente relacionada à disfunção primária do enxerto, infecções não relacionadas a citomegalovírus, problemas técnicos e complicações cardiovasculares. Até um ano de evolução, as principais causas relacionadas à mortalidade de pacientes transplantados incluem bronquiolite obliterante e infecções tardias. Há suscetibilidade característica às infecções, principalmente por um decréscimo do reflexo de tosse, da atividade mucociliar e da vascularização e inervação da região anastomosada. Após um ano de sobrevida, as principais doenças relacionadas à mortalidade aumentada são as doenças linfoproliferativas, incluindo linfomas.[67,68]

Complicações relacionadas às anastomoses ocorrem em aproximadamente 20% dos pacientes após o transplante de pulmão e tendem a afetar significativamente a morbimortalidade.[69] Há pouca informação sobre fatores de risco modificáveis, mas há alguma evidência de que avaliações endoscópicas seriadas nos primeiros 21 dias após o transplante podem predizer a ocorrência tardia de complicações obstrutivas das vias aéreas inferiores.[70,71] Injúria aguda associada à síndrome de isquemia-reperfusão pode causar lesão pulmonar aguda grave e disfunção aguda do enxerto, atingindo uma taxa de mortalidade acima de 40%.[72] Diversos centros investigam fármacos e técnicas que possam reduzir a incidência de lesão aguda ao enxerto ou, pelo menos, melhorar o prognóstico quando tal complicação ocorre.[73] Finalmente, complicações pleurais são causas significativas de morbidade precoce pós-transplante, e empiema está particularmente associado a aumento da mortalidade.[74]

O controle da dor no perioperatório também constitui em componente importante do manejo clínico do paciente submetido ao transplante pulmonar e a equipe de anestesia também costuma estar envolvida no manejo da dor pós-operatória, em especial quando realizada por via peridural ou paravertebral. Muitos centros não utilizam rotineiramente cateteres peridurais devido aos riscos associados com a potencial anticoagulação sistêmica. Os cateteres podem ser colocados antes ou após o procedimento. Os centros que

advogam a colocação prévia observam os benefícios da possibilidade de utilização transoperatória e pós-operatória imediata, e consideram as dificuldades logísticas da punção peridural na UTI com paciente intubado, com drenos torácicos e sob sedação. Os grupos que preferem a colocação pós-operatória argumentam as vantagens de se realizar a punção com a segurança do estado de coagulação adequado, e de diminuir o retardo no início do procedimento, em que o tempo está nitidamente relacionado com o prognóstico. Quando utilizados, os cateteres peridurais geralmente são mantidos até a retirada dos drenos. A analgesia peridural nesse grupo de pacientes está relacionada à extubação mais precoce e, se extrapolados os resultados de estudos em outras cirurgias torácicas, há uma série de benefícios em outros desfechos clínicos.[75] Alternativamente, a utilização de analgesia contínua pelo cateter paravertebral posicionado ao final do procedimento tem sido relatada e parece uma alternativa promissora e segura no tratamento da dor pós-operatória nesses pacientes.[75] Um cateter paravertebral pode ser colocado pelo anestesiologista ou pelo cirurgião, e apresenta a vantagem de preservar a função dos músculos e nervos intercostais contralaterais em pacientes submetidos a transplante pulmonar unilateral. Finalmente, relatos de casos têm descrito o controle bem-sucedido da dor por meio de bloqueio contínuo do plano serrátil anterior pelos cateteres uni- ou bilaterais inseridos após transplante pulmonar bilateral.[76] De qualquer forma, em relação ao controle da dor no período pós-operatório, há indícios de uma incidência menor de dor moderada a intensa em pacientes transplantados quando comparados a pacientes submetidos a toracotomias por outras causas. Uma possível explicação está relacionada aos imunossupressores utilizados no período perioperatório pelos pacientes submetidos ao transplante pulmonar. Tais fármacos podem apresentar efeitos analgésicos e anti-inflamatórios indiretos, inibindo a ativação de astroglias e microglias.[77]

■ ANESTESIA PARA O PACIENTE TRANSPLANTADO PULMONAR

Muitos pacientes com história de transplante pulmonar necessitam de anestesias ou sedações para procedimentos cirúrgicos relacionados ao próprio transplante ou por causas não correlatas.[76] Podem ser causas relacionadas à imunossupressão (infecções, doenças linfoproliferativas, insuficiência renal) ou causas diretamente relacionadas ao procedimento cirúrgico inicial (estenose brônquica ou bronquiolite obliterante). A maioria dos pacientes deve ser tratada de acordo com a rotina anestésica tradicional relacionada ao procedimento, incluindo profilaxia antimicrobiana adequada e rigorosa, manutenção da terapia imunossupressora e manejo otimizado do cuidado ventilatório no perioperatório, minimizando os riscos potenciais do procedimento. Resultados de exames complementares como gasometrias e estudos de imagem torácicos são fundamentais para o planejamento adequado do procedimento anestésico-cirúrgico e do cuidado perioperatório. A maioria dos pacientes apresentará anastomoses brônquicas e a intubação endotraqueal tradicional não oferece risco adicional a esses pacientes. Entretanto, caso haja necessidade de intubação endobrônquica seletiva, avaliação endoscópica prévia à intubação deve ser realizada.

Alguns pacientes podem apresentar características clínicas ou funcionais que necessitem de condutas específicas. Por exemplo, pacientes portadores de doença enfisematosa pulmonar e submetidos ao transplante pulmonar simples ou unilateral podem apresentar um desequilíbrio significativo na complacência pulmonar entre os dois pulmões, sendo que o pulmão nativo apresenta usualmente alta complacência e o pulmão transplantado apresenta complacência normal ou até mesmo diminuída em casos de rejeição crônica. Devido a essas diferenças, as estratégias de ventilação com pressão positiva tradicional podem causar hiperinsuflação dinâmica no pulmão enfisematoso, fator que pode desencadear instabilidade hemodinâmica significativa e alterações na troca alveolar de gases. Esses pacientes podem excepcionalmente requerer intubação endobrônquica seletiva e técnicas de ventilação pulmonar independente, com intuito de reduzir as pressões em vias aéreas e o volume minuto no pulmão nativo.

É importante ressaltar que o pulmão transplantado também apresenta algumas características anatômicas e funcionais diferentes dos órgãos nativos. Por exemplo, o pulmão transplantado não apresenta drenagem linfática e circulação brônquica, fato que torna a drenagem do líquido intersticial significativamente mais lento. Além disso, há perda da inervação do órgão abaixo das linhas de sutura, fator prejudicial significativo para desencadear o reflexo protetor de tosse, principalmente nos primeiros meses após o transplante.[78,79] A ausência ou redução do reflexo de tosse pode aumentar de forma relevante os riscos de aspiração e infecção no perioperatório de pacientes transplantados prévios.

Adicionalmente, não se pode esquecer dos fármacos imunossupressores utilizados pelos pacientes transplantados. São fármacos fundamentais e que devem ser mantidos no perioperatório, mas que podem apresentar consequências e interações significativas com as rotinas e fármacos anestésicos. Por exemplo, a ciclosporina pode aumentar a duração dos bloqueadores neuromusculares, ocasionar atonia gástrica e aumentar o risco de regurgitação e aspiração pulmonar. O uso crônico de corticosteroides pode causar hipertensão e hiperglicemia, além de supressão adrenal, fato que deve ser levado em consideração no manejo perioperatório dos pacientes previamente transplantados.[80]

Finalmente, o consenso internacional publicado em 2021[81] estabeleceu recomendações formais para o manejo anestésico e perioperatório intensivo dos pacientes submetidos ao transplante pulmonar, com objetivo de padronizar condutas e melhorar desfechos pós-operatórios. Algumas das principais recomendações descritas incluem:

Avaliação pré-operatória

- Anestesiologistas e intensivistas devem ser membros integrantes da equipe multidisciplinar, avaliando a adequação de um paciente para transplante, com ênfase específica no perioperatório e riscos para o desenvolvimento de doenças disfunção do enxerto e complicações extrapulmonares.

- Pacientes com hipertensão pulmonar idiopática ou primária representam algumas das populações mais desafiadoras no período perioperatório. Insuficiência ventricular direita em qualquer fase da cirurgia é possível e requer a implementação de extensa monitorização hemodinâmica, manejo vasoativo agressivo e suporte mecânico.

- A ECMO profilática é cada vez mais empregada como estratégia para minimizar a descompensação cardiopulmonar durante a anestesia e para atenuar o risco de disfunção do enxerto em pacientes com hipertensão pulmonar grave.

- A avaliação cardiovascular pré-transplante deve incluir estratificação de risco clínico de acordo com os protocolos propostos por sociedades internacionais como a ACC/AHA (*American College of Cardiology* e *American Heart Association*) e a ESC/ESAIC (*European Society of Cardiology* e *European Society of Anaesthesiology and Intensive Care*).

- Como a pré-medicação é amplamente contraindicada, aliviar ansiedade do paciente no pré-operatório por meio de tranquilização e a construção de relacionamento por todos os membros da equipe multidisciplinar é essencial.

Monitorização

- Monitorização cardiorrespiratória e metabólica básica (eletrocardioscopia, pressão arterial não-invasiva, oximetria de pulso, capnografia, temperatura) devem ser usados para todos os pacientes submetidos ao transplante pulmonar. Na configuração da ECMO VA periférica, o membro superior direito, a orelha ou o nariz são os locais preferenciais para monitoramento contínuo da oximetria de pulso.

- Monitorização invasiva da pressão arterial deve ser usada em todos os pacientes submetidos ao transplante pulmonar, com o membro superior direito representando a opção preferencial para limitar o risco de hipóxia diferencial não reconhecida no cenário de ECMO VA periférica.

- O cateter de artéria pulmonar deve ser usado em pacientes submetidos ao transplante pulmonar para facilitar medição da pressão venosa central e pulmonar, além fornecer acesso venoso central no perioperatório.

- O uso rotineiro do ETE é recomendado em múltiplos estágios do manejo perioperatório do transplante pulmonar.

- Monitoramento frequente pela gasometria arterial e outros parâmetros bioquímicos como sódio, potássio, hemoglobina, glicemia e cálcio ionizado é recomendado para pacientes submetidos ao transplante pulmonar.

- A monitorização da profundidade anestésica no intraoperatório deve ser utilizada em pacientes submetidos ao transplante pulmonar. O monitoramento intraoperatório da oximetria cerebral pode ser útil em pacientes submetidos ao transplante pulmonar.

Suporte mecânico extracorpóreo para ponte no candidato a transplante pulmonar:

- O suporte por ECMO deve ser considerado para pacientes que apresentam uma rápida deterioração do estágio final da doença pulmonar com hipoxemia refratária à terapia e hipercapnia com acidose respiratória apesar do máximo suporte ventilatório.

Manejo anestésico intraoperatório

- Recomendação formal para mudança de paradigma no gerenciamento da anestesia, onde os objetivos do manejo intraoperatório devem focar na preservação da qualidade do enxerto, manutenção da estabilidade cardiovascular e prevenção de complicações extrapulmonares.
- Anestesia para transplante pulmonar requer monitorização intensa e disponibilidade imediata de intervenções terapêuticas, incluindo agentes vasoativos, vasodilatadores inalatórios e um repertório de medicamentos que afetam o sistema imunológico. Uma lista de verificação deve ser realizada para que todos os equipamentos e medicamentos estejam disponíveis e prontos para uso de acordo com os protocolos locais.
- Períodos críticos de manejo intraoperatório podem requerer reposição rápida de volume e hemocomponentes. A estratégia de transfusão deve ser acordada antes da indução, especialmente em receptores que estão sob terapia anticoagulante. A disponibilidade de hemocomponentes e hemoderivados deve ser confirmada e comunicada ao banco de sangue.
- Recomendações para indução anestésica: indução de anestesia em receptores de transplante pulmonar deve ser realizada com o objetivo de manter a estabilidade hemodinâmica, considerando o maior risco de colapso cardiovascular nestes pacientes. Cirurgião e perfusionista devem estar imediatamente disponíveis durante a indução e preparados para realizar a esternotomia com urgência, canulação e assistência cardiocirculatória.
- Existem vários benefícios do uso de tubos de duplo lúmen como a escolha primária de separação pulmonar, mas recomenda-se que os anestesiologistas de transplante pulmonar tenham treinamento com uso de bloqueadores brônquicos como um método alternativo, especialmente em cenários de intubação difícil.
- A noradrenalina e a vasopressina são os vasopressores de escolha para o tratamento da hipotensão, tratamento da hipertensão pulmonar perioperatória e disfunção ventricular direita. Os inotrópicos não devem ser usados como medida profilática, mas apenas em pacientes com insuficiência cardíaca e evidência de hipoperfusão de órgãos. Outras razões para deterioração de doenças cardiovasculares (p. ex.: hipovolemia, vasoplegia) devem ser excluídas e/ou tratadas antes de iniciar terapia inotrópica. Ao iniciar um inotrópico, as doses devem ser tituladas. Eficácia e efeitos adversos devem ser cuidadosamente monitorizados. Efeitos adversos típicos (p. ex.: hipotensão arterial após administração de um inodilatador) devem ser antecipados e imediatamente tratados.
- O óxido nítrico inalado (20 ppm) é o vasodilatador pulmonar de escolha na terapia de resgate da insuficiência ventricular direita. Alternativamente, podem ser utilizadas prostaciclinas inalatórias. Enquanto muitos médicos usam vasodilatadores pulmonares de forma profilática, isso ainda não foi associado a um benefício consistente no cenário do transplante pulmonar.
- Reposição volêmica em pacientes com hipertensão pulmonar e/ou disfunção e/ou insuficiência ventricular direita deve ser guiada por um monitoramento rigoroso da combinação de pressão venosa central, volumes sistólicos e ecocardiografia.

Recomendações para suporte mecânico intraoperatório:

- Suporte extracorpóreo intraoperatório não deve ser utilizado rotineiramente, mas apenas para pacientes selecionados.
- A ECMO VA intraoperatória pode ser preferencial em relação a CEC.
- A ECMO intraoperatória deve ser considerada em caso de: 1. Hipoxemia intraoperatória (índice de Horowitz < 80 mmHg), sob F_IO_2 1,0 e PIP > 35 cmH_2O; 2. Pressão arterial pulmonar supra-sistêmica; 3. Ventilação com estratégia de proteção pulmonar impraticável.
- A ETE é fundamental para auxiliar na indicação para suporte mecânico.

Gerenciamento pós-operatório e/ou cuidados intensivos:

- **Controle da dor:** uma abordagem multimodal para analgesia após transplante é recomendada para garantir melhores desfechos pós-operatórios. A analgesia peridural torácica é recomendada como técnica para alívio da dor após transplante pulmonar.
- **Recomendações para sedação e/ou extubação:** a sedação profunda na unidade de terapia intensiva deve ser evitada sempre que possível, pois está associada a ventilação mecânica prolongada e aumento de mortalidade. A extubação precoce na unidade de terapia intensiva é recomendada após um curso intraoperatório sem complicações, na ausência de disfunção do enxerto e se há estabilidade hemodinâmica, hemostasia adequada e controle apropriado da dor.

■ CONSIDERAÇÕES FINAIS

Apesar de o aumento da experiência e do avanço técnico e científico, o transplante pulmonar permanece como um procedimento de alto risco cirúrgico com grande número de potenciais complicações no perioperatório. Entretanto, o benefício do transplante é substancial e inequívoco para os pacientes com boa evolução após o procedimento. Modificações na população de pacientes candidatos à transplante pulmonar resultaram em mudanças no sistema de alocação de pacientes desde 2005. Pacientes mais graves e em faixas etárias mais elevadas ou dependentes de suporte ventilatório e hemodinâmico têm sido alocados para realização de transplante pulmonar. Alguns fatores de risco como diabetes, fibrilação atrial, baixo índice cardíaco e elevada pressão sistólica da artéria pulmonar têm sido relacionados a maiores taxas de mortalidade. O tratamento anestésico, particularmente no controle da hipertensão arterial pulmonar e na administração de fluidos, pode afetar os desfechos pós-operatórios. Avaliação perioperatória rigorosa da função cardiopulmonar, estratégias protetoras de ventilação, uso de monitores como o ETE e o cateter de artéria pulmonar, utilização adequada do suporte mecânico cardiorrespiratório (ECMO ou CEC) e implementação de terapia com prostaciclina ou óxido nítrico inalatórios podem otimizar o cuidado do paciente, minimizando os riscos envolvidos nesse procedimento altamente complexo. Na Tabela 198.6 podemos observar uma breve descrição dos principais passos envolvidos na preparação anestésica para

o transplante pulmonar. Atualmente, técnicas promissoras como a utilização da ECMO no perioperatório, a realização de transplantes lobares, o desenvolvimento de novos fármacos para tratamento de disfunção primária do enxerto e a utilização da EVLP podem promover um aumento significativo da sobrevida antes e após o transplante pulmonar.

Tabela 198.6 Sequência resumida de procedimentos para manejo anestésico no transplante pulmonar.[81,82]

1. Preparo da sala, fármacos e monitores.

2. Reavaliação do paciente: exames recentes, doença de base, tipo de transplante indicado, lado do procedimento, reserva de hemocomponentes/hemoderivados, administração de imunossupressores por via oral.

3. Monitorização básica: eletrocardioscopia, oximetria de pulso, pressão arterial não invasiva.

4. Punções: 1 ou 2 acessos venosos periféricos (#16-14 G) e monitorização invasiva da pressão arterial, preferencialmente na artéria radial no lado oposto ao da cirurgia (considerar uma segunda linha arterial em transplantes bilaterais).

5. Indução anestésica cautelosa e em sequência rápida clássica ou modificada quando requerido (considerar indução em posição ortostática, se necessário, por disfunção ventilatória).

6. Intubação com tubo de duplo lúmen: Carlens (aceitável em transplante de qualquer lado) ou Robertshaw (D ou E, de acordo com o lado do procedimento).

7. Manutenção com isoflurano ou sevoflurano (limitado a 1 CAM) em mistura com O_2 (FiO_2 até 100% se necessário) com administração intermitente ou contínua de opioides (fentanil) e rocurônio; outros fármacos podem ser utilizados.

8. Instituição da ventilação mecânica inicial:

    ■ DPOC: VC 8 mL.kg^{-1}, evitar PEEP elevada, relação I:E até 1:4 se necessário
    ■ Fibrose Pulmonar: aceitar volumes correntes menores, frequências ventilatórias maiores e relação 1:1 a 1,5 se necessário
    ■ Hipertensão Pulmonar: evitar hipoventilação, pressão de pico e PEEP elevadas

9. Coleta de gasometria arterial e tempo de coagulação ativado (TCA) iniciais.

10. Revisão de antibióticos e imunossupressores intravenosos.

11. Posicionamento adequado dos cateteres venosos centrais (discutir previamente com a equipe cirúrgica os sítios venosos adequados) e posicionamento do cateter de artéria pulmonar.

12. Posicionamento esofágico adequado do transdutor do ETE.

13. Medidas hemodinâmicas iniciais.

14. Considerar com equipe cirúrgica nível de preparo da região inguinal prévio ao posicionamento do paciente em decúbito lateral (em especial se transplante simples à esquerda).

15. Posicionamento em decúbito lateral (transplante unilateral) ou decúbito dorsal com posicionamento cauteloso dos membros superiores em abdução (transplante bilateral) e reavaliação do posicionamento do tubo de duplo lúmen.

16. Instituição de ventilação monopulmonar, quando solicitado pelo cirurgião.

17. Coletar gasometria (arterial e venosa mista) e medidas hemodinâmicas de forma intermitente.

18. Observar com cirurgião o momento do pinçamento da artéria pulmonar para prévia retração do cateter de artéria pulmonar e o seu reposicionamento para artéria contralateral com auxílio cirúrgico quando necessário.

19. Observar momento do pinçamento da artéria pulmonar, pressão arterial pulmonar pode aumentar abruptamente, causando insuficiência de VD; considerar uso de vasodilatadores pulmonares seletivos e inotrópicos positivos e manter estabilidade da pressão arterial sistêmica.

20. Decidir sobre necessidade da instalação de suporte mecânico quando não indicado eletivamente (PAPm > 50 mmHg; SpO_2 < 90%; Instabilidade Hemodinâmica – PAM < 55 a 60 mmHg, IC < 2 L/min/m²; Ph < 7,1).

21. Se necessidade de ECMO, administrar heparina 5000 UI; se necessidade da CEC, considerar uso de antifibrinolíticos (ácido tranexâmico), administrar heparina 300 a 500 UI.kg^{-1}; Medir TCA após 10 minutos da administração intravenosa de heparina.

22. Administrar imunossupressores indicados prévios à reperfusão.

23. Preparo para alterações hemodinâmicas na reperfusão. Favorecer o uso de fármacos vasoativos ao uso excessivo de fluidos. Atenção a potenciais alterações eletrolíticas.

24. Estabelecimento de ventilação protetora adequada pós-implante.

25. Coletar gasometria (arterial e venosa mista) e medidas hemodinâmicas finais.

26. Trocar para tubo endotraqueal simples ao término do procedimento (discutir previamente a necessidade de utilização o tubo de duplo lúmen na UTI).

27. Revisão e higiene endoscópica das vias aéreas e das anastomoses.

28. Transporte para UTI com ventilador de transporte e monitorização (não interromper abruptamente uso de óxido nítrico).

29. Registro em prontuário e relato detalhado do caso para o médico intensivista responsável pelo manejo pós-operatório.

30. Discussão e planejamento conjunto da analgesia pós-operatória.

REFERÊNCIAS

1. Singh TP, Cherikh WS, Hsich E, Lewis A, Perch M, Kian S, Hayes D Jr, Potena L, Stehlik J, Zuckermann A, Cogswell R; International Society for Heart and Lung Transplantation. Graft Survival in Primary Thoracic Organ Transplant Recipients A Special Report from the International Thoracic Organ Transplant Registry of the International Society for Heart and Lung Transplantation. J Heart Lung Transplant. 2023 ;42(10):1324-1333. Doi: 10.1016/j.healun.2023.07.017.
2. Okada Y, Kondo T. Preservation solution for lung transplantation. Gen Thorac Cardiovasc Surg. 2009;57:635-39. Doi: 10.1007/s11748-009-0492-3.
3. Christie JD, Kotloff RM, Pochettino A, et al. Clinical risk factors for primary graft failure following lung transplantation. Chest. 2003;124:1232-41.
4. Arcasoy SM, Kotloff RM. Lung transplantation. N Engl J Med.1999;340:1081-91.
5. Hardy JD, Webb WR, Dalton ML Jr, et al. Lung homotransplantation in man JAMA.1963 ;186:1065-74.
6. Reitz BA, Wallwork JL, Hunt SA, et al. Heart-lung transplantation: successful therapy for patients with pulmonary vascular disease. N Engl J Med.1982;306(10):557-64.
7. Toronto Lung Transplant Group. Unilateral lung transplantation for pulmonary fibrosis. N Engl J Med .1986 ; 314(18):1140-5.
8. Cooper JD, Patterson GA, Grossman R, et al. Double-lung transplant for advanced chronic obstructive lung disease. Am Rev Respir Dis .1989 ;139(2):303-7.
9. Meyer KC. Recent advances in lung transplantation 2018 ;7: F1000 Faculty Rev-1684.
10. Young KA, Dilling DF. The Future of Lung Transplantation. Chest. 2019 ; 155(3):465-473.
11. Costa J, Benvenuto LJ, Sonett JR. Long-term outcomes and management of lung transplant recipients. Best Pract Res Clin Anaesthesiol. 2017;31(2):285-297.
12. Kozower BD, Meyers BF, Smith MA, et al. The impact of the lung allocation score on short-term transplantation outcomes: a multicenter study. J Thorac Cardiovasc Surg. 2008;135:166–71.
13. Kotloff RM, Blosser S, Fulda GJ, Society of Critical Care Medicine/American College of Chest Physicians/Association of Organ Procurement Organizations Donor Management Task Force. Management of the Potential Organ Donor in the ICU: Society of Critical Care Medicine/American College of Chest Physicians/Association of Organ Procurement Organizations Consensus Statement. Crit Care Med. 2015 ;43(6):1291-325.
14. Chaney J, Suzuki Y, Cantu E 3rd, et al. Lung donor selection criteria. J Thorac Dis. 2014;6(8):1032-8.
15. Mulligan MJ, Sanchez PG, Evans CF, et al. The use of extended criteria donors decreases one-year survival in high-risk lung recipients: A review of the United Network of Organ Sharing Database. J Thorac Cardiovasc Surg. 2016;152(3):891-898.e2.
16. de Perrot M, Liu M, Waddell TK, et al. Ischemia-reperfusion-induced lung injury. Am J Respir Crit Care Med. 2003;167(4):490-511.
17. de Perrot M, Keshavjee S. Lung preservation. Semin Thorac Cardiovasc Surg. 2004 ;16(4):300-8.
18. Rega F, Verleden G, Vanhaecke J, et al. Switch from Euro-Collins to Perfadex for pulmonary graft preservation resulted in superior outcome in transplant recipients. J Heart Lung Transplant . 2003;22 Suppl 1:S111.
19. Thabut G, Mal H, Cerrina J, et al. Graft ischemic time and outcome of lung transplantation: a multicenter analysis. Am J Respir Crit Care Med. 2005;171(7):786-91.
20. Cypel M, Keshavjee S. Strategies for safe donor expansion: donor management, donations after cardiac death, ex-vivo lung perfusion. Curr Opin Organ Transplant. 2013;18(5):513-17.
21. Boffini M, Ricci D, Barbero C, et al. Ex Vivo lung perfusion increases the pool of lung grafts: analysis of its potential and real impact on a lung transplant program. Transplant Proc. 2013;45(7):2624-26.
22. Pierre AF, Sekine Y, Hutcheon MA, et al. Marginal donor lungs: a reassessment. J Thorac Cardiovasc Surg. 2002 ;123(3):421-7.
23. Miranda A, Zink R, McSweeney M. Anesthesia for lung transplantation. Semin Cardiothorac Vasc Anesth. 2005;9:205-12.
24. Flynn B, Hastie J, Sladen RN. Heart and lung transplantation. Curr Opin Anesthesiol . 2014 ;27:153-60.
25. Valapour M, Paulson K, Smith JM, et al. OPTN/SRTR 2011 Annual data report: lung. Am J Transplant. 2013;13(Suppl 1):149-77.
26. Shigemura N, D'Cunha J, Bhama JK, et al. Lobar lung transplantation: a relevant surgical option in the current era of lung allocation score. Ann Thorac Surg. 2013;96(2):451-56.
27. Inci I, Schuurmans MM, Kestenholz P, et al. Long-term outcomes of bilateral lobar lung transplantation. Eur J Cardiothorac Surg. 2013;43(6):1220-25.
28. Castillo M. Anesthetic management for lung transplantation. Curr Opin Anaesthesiol. 2011;24(1):32-6.
29. Valapour M, Skeans MA, Smith JM, et al. OPTN/SRTR 2015 Annual Data Report: Lung. Am J Transplant. 2017;17 Suppl 1:357-424.
30. Arnaoutakis GJ, Allen JG, Merlo CA, et al. Impact of the lung allocation score on resource utilization after lung transplantation in the United States. J Heart Lung Transplant. 2011;30(1):14-21.
31. Maxwell BG, Levitt JE, Goldstein BA, et al. Impact of the lung allocation score on survival beyond 1 year. Am J Transplant. 2014;14(10):2288-94.
32. Baez B, Castillo M. Anesthetic considerations for lung transplantation. Semin Cardiothorac Vasc Anesth. 2008 ;12:122-7.
33. Myles P. Aspects of anesthesia for lung transplantation. Semin Cardiothorac Vasc Anesth. 1998;2:140-54.
34. Myles PS, Weeks AM, Buckland MR, et al. Anesthesia for bilateral sequential lung transplantation: Experience of 64 cases. J Cardiothor Vasc Anesth.1997; 11(2):177-83.
35. Gelzinis TA . An Update on Postoperative Analgesia Following Lung Transplantation. J Cardiothorac Vasc Anesth. 2018;32(6):2662-64.
36. Rana M, Yusuff H, Zochios V. The Right Ventricle During Selective Lung Ventilation for Thoracic Surgery. J Cardiothorac Vasc Anesth. 2019;33(7):2007-16.
37. American Society of Anesthesiologists and Society of Cardiovascular Anesthesiologists Task Force on Transesophageal Echocardiography. Practice guidelines for perioperative transesophageal echocardiography. An updated report by the American Society of Anesthesiologists and the Society of Cardiovascular Anesthesiologists Task Force on Transesophageal Echocardiography. Anesthesiology. 2010;112(5):1084-96.
38. Evans A, Dwarakanath S, Hogue C, et al. Intraoperative echocardiography for patients undergoing lung transplantation. Anesth Analg. 2014;118(4):725-30.
39. Tan Z, Roscoe A, Rubino A. Transesophageal Echocardiography in Heart and Lung Transplantation. J Cardiothorac Vasc Anesth. 2019;33(6):1548-58.
40. Myles PS. Lessons from lung transplantation for everyday thoracic anesthesia. Anesthesiol Clin North America. 2001;19(3):581-90.
41. Gammie JS, Cheul Lee J, Pham SM, et al. Cardiopulmonary bypass is associated with early allograft dysfunction but not death ouble-lung transplantation. J Thorac Cardiovasc Surg .1998; 115(5):990-97..
42. Hlozek CC, Smedira NG, Kirby TJ, et al. Cardiopulmonary bypass (CPB) for lung transplantation. Perfusion. 1997;12(2):107-12.
43. Moreno Garijo J, Cypel M, McRae K, et al. The Evolving Role of Extracorporeal Membrane Oxygenation in Lung Transplantation: Implications for Anesthetic Management. J Cardiothorac Vasc Anesth. 2019;33(7):1995-2006.
44. Tomasi R, Betz D, Schlager S, et al. Intraoperative Anesthetic Management of Lung Transplantation: Center-Specific Practices and Geographic and Centers Size Differences. J Cardiothorac Vasc Anesth. 2018;32(1):62-69.
45. Myles PS, Snell GI, Westall GP. Lung transplantation. Curr Opin Anesthesiol 2007;20(1):21-6.
46. Trachiotis GD, Vricella LA, Aaron BL, Hix WR. Reexpansion pulmonary edema. Am J Respir Dis. 1998 ;137:1159-7.
47. Yerebakan C, Ugurlucan M, Bayraktar S, et al. Effects of inhaled nitric oxide following lung transplantation. J Card Surg. 2009;24(3):269-74.
48. McIlroy DR, Pilcher DV, Snell GI. Does anaesthetic management affect early outcomes after lung transplant? An exploratory analysis. Br J Anaesth. 2009;102(4):506-14.
49. Kucewicz-Czech E, Wojarski J, Zeglen S, et al. Pulmonary hypertension: intra and early postoperative management in patients undergoing lung transplantation. Kardiol Pol. 2009;67(9):989-94.
50. Christie JD, Van Raemdonck D, de Perrot M, et al. Report of the ISHLT working group on primary lung graft dysfunction part I: introduction and methods. J Heart Lung Transplant. 2005;24(10):1451-3.
51. Thabut G, Vinatier I, Stern J-B, et al. Primary graft failure following lung transplantation: predictive factors of mortality. Chest. 2002;121(6):1876-82.
52. Suzuki Y, Cantu E, Christie JD. Primary graft dysfunction. Semin Respir Crit Care Med. 2013; 34:305-19.
53. Christie JD, Bavaria JE, Palevsky HI, et al. Primary graft failure following lung transplantation. Chest. 1998;114(1):51-60.
54. de Perrot M, Bonser RS, Dark J, et al. Report of the ISHLT working group on primary lung graft dysfunction part III: donor related risk factors and markers. J Heart Lung Transplant. 2005;24(10):1460-7.
55. Pilcher DV, Scheinkestel CD, Snell GI, et al. High central venous pressure is associated with prolonged mechanical ventilation and increased mortality after lung transplantation. J Thorac Cardiovasc Surg. 2005;129(4):912-8.
56. Weyker PD, Webb CA, Kiamanesh D, Flynn BC. Lung ischemia reperfusion injury: a bench-to-bedside review. Semin Cardiothorac Vasc Anesth. 2013;17(1):28-43.
57. Shargall Y, Guenther G, Ahya VN, et al. Report of the ISHLT working group on primary lung graft dysfunction Part VI: Treatment. J Heart Lung Transplant. 2005;24(10):1489-1500.
58. Fuehner T, Kuehn C, Hadem J, et al. Extracorporeal membrane oxygenation in awake patients as bridge to lung transplantation. Am J Respir Crit Care Med. 2012;185(7):763-68.
59. Toyoda Y, Bhama JK, Shigemura N, et al. Efficacy of extracorporeal membrane oxygenation as a bridge to lung transplantation. J Thorac Cardiovasc Surg. 2013;145(4):1065-70.
60. Ius F, Kuehn C, Tudorache I, et al. Lung transplantation on cardiopulmonary support: venoarterial extracorporeal membrane oxygenation outperformed cardiopulmonary bypass. J Thorac Cardiovasc Surg. 2012;144(6):1510-16.
61. Bermudez CA, Shiose A, Esper SA, et al. Outcomes of intraoperative venoarterial extracorporeal membrane oxygenation versus cardiopulmonary bypass during lung transplantation. Ann Thorac Surg. 2014;98(6):1936-42.

62. Machuca TN, Collaud S, Mercier O, et al. Outcomes of intraoperative extracorporeal membrane oxygenation versus cardiopulmonary bypass for lung transplantation. J Thorac Cardiovasc Surg. 2015;149(4):1152-7.

63. Burdett C, Butt T, Lordan J, et al. Comparison of single lung transplant with and without the use of cardiopulmonary bypass. Interact Cardiovasc Thorac Surg. 2012; 15(3):432-6.

64. Magouliotis DE, Tasiopoulou VS, Svokos AA, et al. Extracorporeal membrane oxygenation versus cardiopulmonary bypass during lung transplantation: a meta-analysis. Gen Thorac Cardiovasc Surg. 2018;66(1):38-47.

65. Martin AK, Yalamuri SM, Wilkey BJ, Kolarczyk L, Fritz AV, Jayaraman A, Ramakrishna H. The Impact of Anesthetic Management on Perioperative Outcomes in Lung Transplantation. J Cardiothorac Vasc Anesth. 2020;34(6):1669-1680.

66. Glorion M, Mercier O, Mitilian D, et al. Central versus peripheral cannulation of extracorporeal membrane oxygenation support during double lung transplant for pulmonary hypertension. Eur J Cardiothorac Surg. 2018;54(2):341.

67. Rosenberg AL, Rao M, Benedict PE. Anesthetic implications for lung transplantation. Anesthesiology Clin N Am. 2004; 22:767-88.

68. Christie JD, Edwards LB, Kucheryavaya AY, et al. The Registry of the International Society for Heart and Lung Transplantation: twenty-seventh official adult lung and heart-lung transplant report – 2010. J Heart Lung Transplant. 2010;29(10):1104-18.

69. Murthy SC, Blackstone EH, Gildea TR, et al. Impact of anastomotic airway complications after lung transplantation. Ann Thorac Surg. 2007;84(2):401-9. Doi: 10.1016/j.athoracsur.2007.05.018.

70. Murthy SC, Gildea TR, Machuzak MS. Anastomotic airway complications after lung transplantation. Curr Opin Organ Transplant. 2010;15:582-87.

71. Fuehner T, Dierich M, Duesberg C, et al. Endoscopic indicators for obstructive airway complications after lung transplantation. Transplantation. 2010;90(11):1210-4.

72. Botha P, Jeyakanthan M, Rao JN, et al. Inhaled nitric oxide for modulation of ischemic-reperfusion injury in lung transplantation. J Heart Lung Transplant. 2007; 26(11):1199-205.

73. den Hengst WA, Gielis JF, Lin JY, et al. Lung ischemia/reperfusion-injury: a molecular and clinical view on a complex pathophysiological process. Am J Physiol Heart Circ Physiol. 2010;299(5):H1283-99.

74. Herridge MS, de Hoyos AL, Chaparro C, et al. Pleural complications in lung transplant recipients. J Thorac Cardiovasc Surg. 1995;110(1):22-6.

75. Gelzinis TA. An Update on Postoperative Analgesia Following Lung Transplantation. J Cardiothorac Vasc Anesth. 2018;32(6):2662-2664.

76. Anderson AJ, Marciniak D. Bilateral Serratus Anterior Plane (SAP) Catheters: A Novel Approach to Promote Postoperative Recovery After Bilateral Sequential Lung Transplantation. J Cardiothorac Vasc Anesth. 2019;33(5):1353-1355.

77. Wildgaard K, Iversen M, Kehlet H. Chronic pain after lung transplantation: a nationwide study. Clin J Pain. 2010; 26(3):217-22.

78. Haddow GR, Brock-Utne JG. A non-thoracic operation for a patient with single lung transplantation. Acta Anaesthesiol Scand.1999;43(9):960-3.

79. Duarte AG, Terminella L, Smith JT. Restoration of cough reflex in lung transplant recipients. Chest. 2008;134(2):310–6.

80. Haddow GR. Anesthesia for patients after lung transplantation. Can J Anaesth. 1997;44(2):182-97.

81. Marczin N, de Waal EEC, Hopkins PMA, Mulligan MS, Simon A, Shaw AD, Van Raemdonck D, Neyrinck A, Gries CJ, Algotsson L, Szegedi L, von Dossow V; Task force Chairs and Writing Group (exclusive of the consensus developing and coordinating group members): Consensus members (exclusive of the consensus developing and coordinating group or co-chairs and writing group members): Independent Reviewers:. International consensus recommendations for anesthetic and intensive care management of lung transplantation. An EACTAIC, SCA, ISHLT, ESOT, ESTS, and AST approved document. J Heart Lung Transplant. 2021;40(11):1327-1348.

82. Martin AK, Fritz AV, Wilkey BJ. Anesthetic management of lung transplantation: impact of presenting disease. Curr Opin Anaesthesiol. 2020;33(1):43-49.

199

Anestesia para Transplante de Pâncreas

Calim Neder Neto ▪ **Eduardo Motoyama de Almeida**

INTRODUÇÃO

O primeiro transplante de pâncreas (TP) foi feito por Willian D. Kelly na Universidade de Minnesota (Minneapolis, EUA) em 1966.[1] Alguns anos depois, o mesmo grupo publicou uma pequena série relatando sua experiência com mais 10 casos de maneira rica e detalhada.[2] Desde então, o transplante de pâncreas deixou de ser um tratamento experimental e passou a ser o único tratamento para o diabetes melito que é capaz de eliminar a necessidade de injeções diárias e frequentes de insulina, levando a um controle glicêmico duradouro e melhorando a morbimortalidade dos pacientes com diabetes.[3] A evolução e padronização da técnica cirúrgica e o início do uso de fármacos imunossupressores, como a ciclosporina (década de 1980) e tacrolimus e micofenolato (anos 1990-2000), assim como a terapia alvo dirigida (a partir de 2000) contribuiriam decisivamente no aumento do número de transplantes pancreáticos e na taxa de sobrevida do enxerto após o transplante.[3]

No mundo todo já foram realizados mis de 65 mil transplantes de pâncreas (Figura 199.1), de acordo com o Registro Internacional de Transplantes de Pâncreas baseado nos EUA, número provavelmente subestimado, uma vez que a notificação compulsória da realização desse tipo de transplante não é regara em todos os países.[4]

Segundo os dados da Associação Brasileira de Transplante de Órgãos (ABTO) e do Registro Brasileiro de Transplantes (RBT), até dezembro de 2022 haviam sido realizados 3.478 transplantes pancreáticos no Brasil.[5] O transplante de pâncreas é o quinto em frequência dentre os transplantes de órgãos sólidos no Brasil (atrás de córnea, rim, fígado e coração).[5] O estado de São Paulo foi o responsável por mais da metade dos transplantes de pâncreas realizados no ano de 2022, seguindo a tendência dos últimos anos (Tabela 199.1).[5]

Tabela 199.1 Número de transplantes de Pâncreas/Rim, Pâncreas após Rim e Pâncreras isolado no brasil no ano de 2022.[5]

Estado	Pâncreas/rim	Pâncreas após rim	Pâncreas isolado	Total
SP	67	0	16	83
MG	11	0	3	14
RJ	12	0	0	12
PR	8	0	0	8
SC	6	0	1	7
PE	6	0	0	6
CE	1	0	2	3
Brasil	111	0	22	133

Fonte: RBT, 2022.[5]

Neste capítulo, serão revistos os fundamentos da anestesia para o transplante de pâncreas e uma avaliação crítica dos novos estudos sobre o tema.

▪ DIABETES MELITO

Diabetes melito (DM) designa um grupo de doenças metabólicas caracterizadas pelo aumento da glicose sanguínea decorrente de defeitos na secreção de insulina, resistência à ação da insulina ou ambos.[6] Diversos processos patológicos estão envolvidos no desenvolvimento do diabetes, desde a destruição autoimune de células beta pancreáticas e a consequente deficiência na produção e secreção de insulina, até anormalidades que resultam em resistência aumentada à insulina.[6,7] Frequentemente as duas condições coexistem no mesmo paciente, tornando difícil determinar qual das duas contribui mais para o descontrole glicêmico.[6,7]

Os sintomas mais comuns decorrentes da hiperglicemia incluem poliúria, polidipsia, perda de peso, polifagia e visão

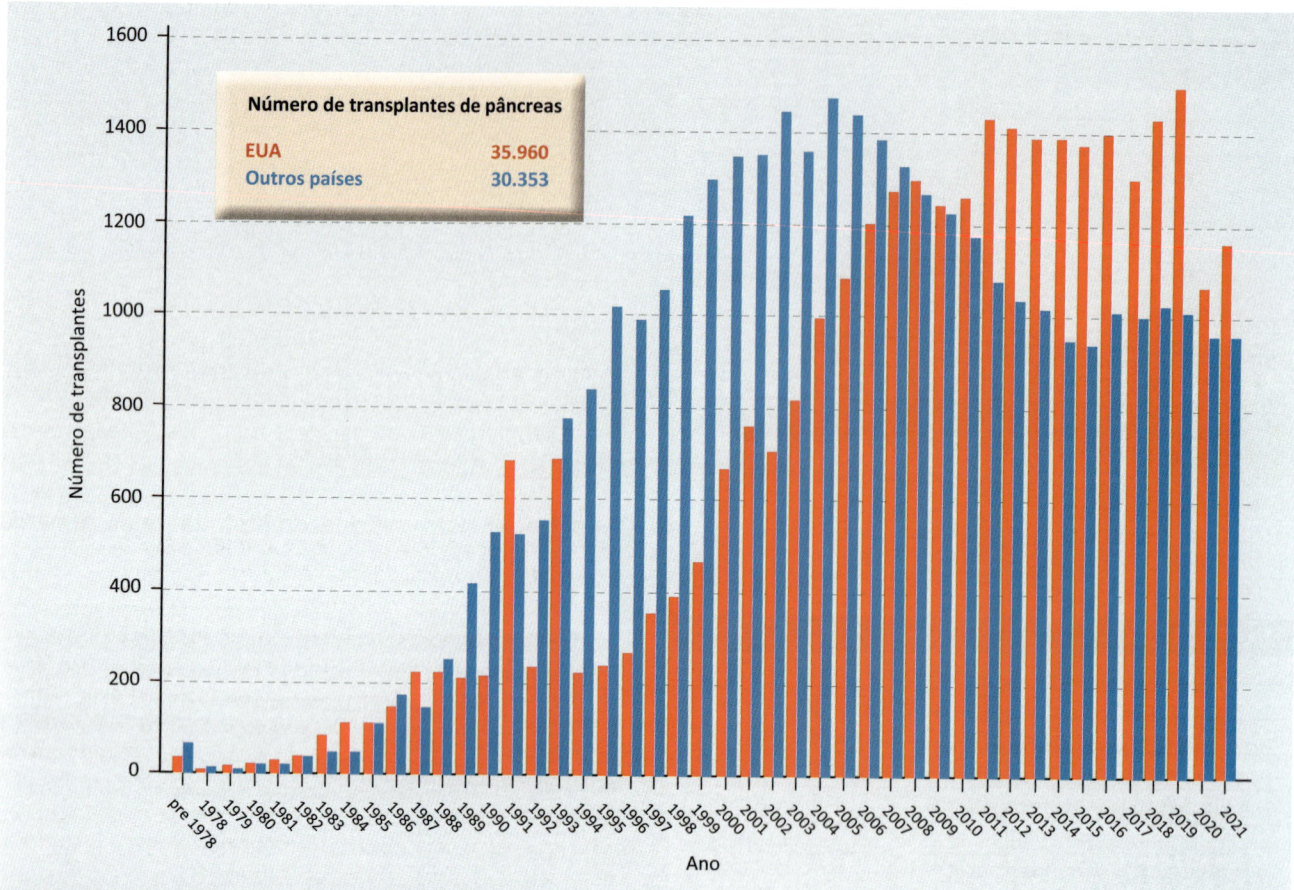

▲**Figura 199.1** Número de transplantes de pâncreas no mundo segundo o Registro Internacional de Transplantes de Pâncreas entre dezembro de 1966 e dezembro de 2021.

Fonte: Adaptada de Dean PG, e col., 2023.[4]

borrada.[6,7] Restrição de crescimento e suscetibilidade a determinadas infecções podem ocorrer devido à hiperglicemia crônica.[7] Quando não controlada, o diabetes pode levar a complicações agudas com risco à vida do paciente, como a cetoacidose diabética e o estado hiperglicêmico hiperosmolar.[6,7] A longo prazo, as complicações incluem a retinopatia diabética, que pode levar a amaurose; a nefropatia diabética, associada à doença renal dialítica; as neuropatias periféricas, predispondo a formação de úlceras e amputação de membros inferiores; além da disfunção autonômica, que desencadeia sintomas gastrintestinais, geniturinários e cardiovasculares.[7] A incidência de doenças ateroscleróticas é maior na população diabética, assim como a associação com hipertensão arterial e a dislipidemia.[7]

A maior parte dos casos de diabetes pode ser dividida em dois tipos.[6,7] No diabetes tipo 1, também conhecido como diabetes juvenil ou diabetes insulinodependente, ocorre a destruição de células beta pancreáticas por autoanticorpos, levando à deficiência absoluta de insulina.[6,7] O tipo 1 é responsável por 5% a 10% dos casos de diabetes.[6,7] A manifestação da doença ocorre geralmente na infância ou adolescência, mas pode ocorrer em qualquer faixa etária e até mesmo em idosos.[6,7] Estes pacientes também estão mais predispostos a apresentar outras doenças autoimunes.[7]

No diabetes tipo 2, também conhecido como do adulto ou insulinoindependente, existe uma resistência à ação da insulina e, portanto, uma deficiência relativa de insulina.[6,7] Compreende mais de 90% dos casos de diabetes e, geralmente, passam-se muitos anos até que seja diagnosticado, porque a glicemia aumenta de forma gradual e, no início, não é grave o suficiente para provocar sintomas exuberantes.[6,7] Devido ao caráter progressivo do diabetes melito tipo 2 e a deficiência relativa de insulina, um número substancial de pacientes necessitará de insulinoterapia em estágios mais avançados.[6,7]

Os outros tipos de diabetes melito incluem: gestacional, induzida por fármacos, alterações genéticas específicas e pós-pancreatectomia.[6,7] A Figura 199.2 sintetiza a classificação do diabetes melito.

Atualmente, os critérios diagnósticos aceitos pela Associação Americana de Diabetes (AAD), pela Organização Mundial de Saúde (OMS) e pela Sociedade Brasileira de Diabetes (SBD) estão sintetizados na Figura 199.3.

Em caso de discordância entre os exames realizados, os testes devem ser repetidos. Caso algum deles permaneça alterado, está feito o diagnóstico de DM.[6,7] Uma diferença significativa entre os testes deve levantar a suspeita de interferência nos resultados de hemoglobina glicada devido aos tipos variantes da hemoglobina.[7] As hemoglobinopatias, de forma geral, tendem a subestimar os valores de HbA1c.[6,7]

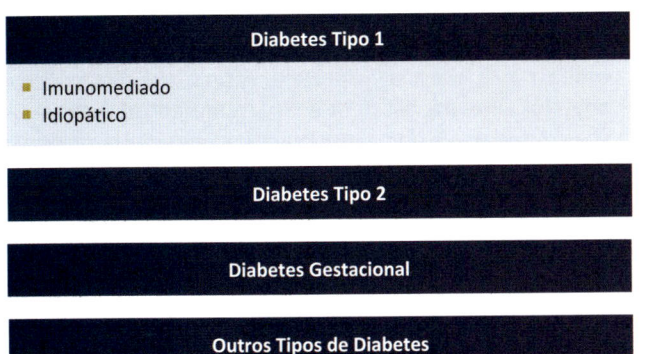

▲ **Figura 199.2** Classificação do diabetes.

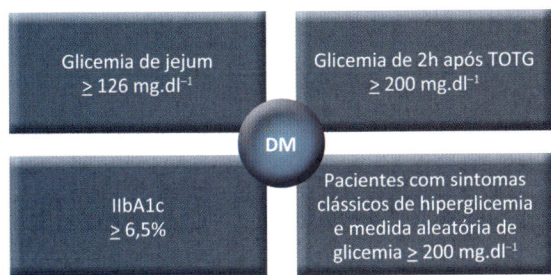

▲ **Figura 199.3** Critérios diagnósticos para diabetes melito. Na ausência de sintomas clássicos (p. ex.: polifagia, polidipsia, poliúria, emagrecimento), é necessário que dois exames estejam alterados. Se somente um exame estiver alterado, este deverá ser repetido para confirmação.

TOTG: teste de tolerância oral à glicose; HbA1c: hemoglobina glicada.

■ INDICAÇÃO DO TRANSPLANTE DE PÂNCREAS

O transplante de pâncreas é atualmente dividido em três categorias: transplante de pâncreas isolado, transplante simultâneo de pâncreas e rim e o transplante de pâncreas após rim.[3,4,8] Provavelmente devido a melhor relação custo/benefício do procedimento, o transplante simultâneo de pâncreas e rim é o mais realizado atualmente.[4,8]

■ **Transplante Simultâneo de Pâncreas e Rim:** tipo de transplante pancreático mais comum e que acontece em paciente diabético insulinodependente com doença renal crônica em estágio terminal.[3,4] Geralmente os dois órgãos são provenientes do mesmo doador cadáver, raramente podem vir de doadores falecidos diferentes.[3]

■ **Transplante de Pâncreas Após Rim:** a possível vantagem em se realizar essa modalidade, comparado ao simultâ-

neo, é minimizar a morbimortalidade do paciente.[3] O paciente diabético apresenta mortalidade de 33% nos primeiros cinco anos após o início da diálise,[9] dessa forma, realizando o transplante renal de doador vivo primeiro, tira-se o paciente da terapia dialítica, diminuindo a sua mortalidade quando for submetido ao transplante de pâncreas de doador falecido.[3] Além disso, o paciente se beneficia dessa modalidade quando tiver um doador vivo compatível, pois a fila para doação de pâncreas é menos que a fila para pâncreas e rim simultâneo.[8]

■ **Transplante de Pâncreas Isolado:** indicado em pacientes diabéticos com complicações graves e internações hospitalares frequentes a despeito do tratamento adequado com insulina.[3] A função renal desses pacientes deve estar estável, pois algumas medicações imunossupressoras podem ser nefrotóxicas.[8]

O principal objetivo do transplante de pâncreas é restabelecer de forma permanente a euglicemia do paciente, e o sucesso do procedimento determina melhora da sua qualidade de vida e diminui a evolução das complicações crônicas do diabetes.[3,8] A reposição de uma massa adequada de células beta pancreáticas restabelece a secreção fisiológica de insulina de acordo com a variação da glicemia, permitindo uma dieta mais flexível, sem a necessidade da monitorização diária e frequente da glicemia capilar ou administrações múltiplas de insulina exógena.[3,8,10] Juntamente com as células beta, também são transplantadas células alfa, que secretam glucagon, induzindo à gliconeogênese hepática em vigência de hipoglicemia.[10,11]

A função do enxerto pancreático é definida como a completa independência do uso de insulina.[4] Nos dados brasileiros divulgados pela ABTO, a taxa de sobrevida do enxerto pancreático é superior a 70% no primeiros cinco anos após o transplante e a sobrevida do paciente, nesse mesmo período, superior a 83%.[5]

Em teoria, todo paciente diabético é um candidato ao transplante de pâncreas quando possui um risco aumentado de complicações secundárias como nefropatia, retinopatia, neuropatia, episódios de hipoglicemia incapacitantes ou não reconhecidos, associados a condições clínicas suficientes para sobreviver à cirurgia.[8,10] Observa-se um aumento na proporção de transplantes realizados em diabéticos tipo 2 (7,4% a 7,7% em 2016), antes reservados aos pacientes diabéticos tipo 1.[8,10] A indicação do transplante de pâncreas, segundo diretrizes norte americanas, segue as condições descritas na Figura 199.4.[3,8,10]

Resultados do transplante de pâncreas nas complicações do DM

O DM insulinodependete evolui, em longo prazo, com complicações micro e macrovasculares, com sequelas neurológicas.[7,8,10] Embora não seja um procedimento imprescindível aos pacientes diabéticos, o controle glicêmico obtido por um transplante bem sucedido altera a evolução das complicações relacionadas ao DM.[3,8,10]

As doenças cardiovasculares são a principal causa de morte em pacientes diabéticos.[7] Uma das explicações relativas à eficiência do transplante simultâneo de pâncreas e rim, em relação à mortalidade cardiovascular, é a

Transplante simultâneo de pâncreas e rim	■ Paciente diabético insulinodependente ■ Insuficiência renal dialítica ou na sua iminência ■ Associação dos transplantes não aumenta substancialmente o risco cirúrgico
Transplante de pâncreas após rim	■ Paciente diabético insulinodependente ■ *Clearance* de creatininca acima de 55 a 60 ml.min^{-1} após transplante renal bem sucedido ■ Instabilidade glicêmica importante apesar do uso de insulina
Transplante de pâncreas isolado	■ Paciente diabético insulinodependente ■ História de episódios frequentes de complicações agudas do diabetes que necessitam de tratamento médico (hipo ou hiperglicemia) ■ Probelmas clínicos ou emocionais graves/incapacitantes decorrentes do uso exógeno de insulina ■ Falha do tratamento clínico adequado ■ *Clearance* de creatininca acima de 70 ml.min^{-1}

▲ **Figura 199.4** Indicações de transplante pancreático.

diminuição da gravidade da doença coronariana.[8,10] Dados diversos evidenciam doença arterial coronariana menos grave em pacientes transplantados, quando comparados àqueles em tratamento clínico.[8,10]

O DM também é uma das maiores causas de amaurose na idade adulta, devido às múltiplas alterações oftalmológicas, como retinopatia, catarata e glaucoma.[7,8,10] A maior complicação microvascular associada ao DM tipo 1 é a retinopatia diabética, presente em até 80% dos pacientes após 15 anos de doença.[7,10] Os pacientes que sofrem com nefropatia comumente já se apresentam com retinopatia.[7,8,10] Pacientes transplantados apresentam menor progressão de doenças oftalmológicas, quando comparados àqueles em tratamento insulínico.[8,10]

Em relação à nefropatia diabética, o transplante de pâncreas é capaz não só de impedir sua progressão, como também reverter, em longo prazo, lesões renais características do DM.[8,10] Esse resultado positivo costuma ser evidente apenas 5 a 10 anos após a cirurgia, em resultados de biópsia renal.[8,10] Do ponto de vista clínico, ocorre uma redução da proteinúria sem alterações nos valores de creatinina ou no *clearance* de creatinina.[10]

A neuropatia diabética afeta aproximadamente metade dos diabéticos, que apresentam defeitos de condução em nervos autonômicos e somáticos.[7] Em pacientes tratados cirurgicamente houve melhora em testes de condução nervosa, assim como em avaliações clínicas. Como a disfunção autonômica em pacientes diabéticos está associada a uma mortalidade maior, o transplante de pâncreas pode ser capaz de diminuir esse risco.[8,10]

Em relação às complicações macrovasculares, como insuficiência arterial periférica ou acidentes vasculares cerebrais, os resultados da cirurgia são controversos.[8,10] Talvez sejam necessários muitos anos de controle glicêmico restabelecido até que os resultados positivos possam ser evidenciados.[8,10]

■ AVALIAÇÃO PRÉ-ANESTÉSICA

Idealmente, a avaliação pré-anestésica deve ser realizada ambulatorialmente, assim que o paciente entra para a lista de pacientes ativos do transplante de pâncreas ou pâncreas e rim. Nesse momento deve ser obtido o termo de consentimento informado. Os pacientes costumam ter um período longo de DM até conseguir o transplante, e a prevalência de doença coronariana nessa população pode chegar a 72%,[12] de modo que as avaliações de risco cardiológico comumente usadas – como o Índice de Risco Cardíaco Revisado e as Diretrizes de Avaliação e Manejo Cardiovascular Perioperatório do Paciente Submetido à Cirurgia Não Cardíaca 2014, da Associação Americana de Cardiologia – provavelmente subestimam o verdadeiro risco cardíaco envolvido nesse procedimento, uma vez que esse tipo de população ou tipo de procedimento cirúrgico não fazia parte de seus estudos de derivação e validação.[13,14] Os pacientes assintomáticos do ponto de vista clínico e com exames, como eletrocardiograma e ecocardiografia transto- rácica normais, são os mais difíceis de estratificar, e a indicação de testes não invasivos para a detecção de doença coronariana deve ser liberal nesse grupo de pacientes.[15] O ecocardiograma com estresse farmacológico (dobutamina) é potencialmente superior aos outros exames para a detecção de doença arterial coronariana.[13] A cineangiocoronariografia está indicada naqueles pacientes em que o teste não invasivo se revelou positivo, mas deve ser considerada em todos os pacientes com alto risco cardiovascular devido à alta prevalência de testes falso-negativos nessa população.[13]

É difícil precisar o tempo de espera de um paciente listado até o eventual transplante, o que pode dificultar a decisão de revascularização no pré-operatório, quando indicada.[15] De forma geral, deve-se evitar a cirurgia dentro de quatro semanas para pacientes submetidos à angioplastia com balão, três meses para os que receberam *stents* metálicos e 12 meses para os que foram tratados com *stents* farmacológicos.[15] A decisão de interrupção da dupla antiagregação em pacientes com esses *stents* deve ser multidisciplinar.[15] Parece razoável manter a tienopiridina se o risco de sangramento for baixo.[15] Se necessário, esta pode ser interrompida cinco dias antes da cirurgia com retorno o mais breve possível no pós-operatório.[15] A monoterapia com aspirina deve ser continuada.[15]

A avaliação da via aérea deve ser minuciosa, uma vez que a incidência de via aérea difícil na população diabética é aumentada e, especialmente naqueles que serão submetidos ao transplante de pâncreas isolado ou simultâneo com o transplante de rim, é maior do que na população geral, sendo até 10 vezes mais frequente.[16-18] A causa dessa incidência aumentada foi atribuída à diminuição da mobilidade atlanto-occipital devido à glicosilação não enzimática do tecido conectivo e à hiperglicemia, confirmada em diversos estudos.[16-18] A associação de vários preditores de via aérea difícil é recomendada para a identificação dos pacientes em risco, sendo os mais utilizados o índice de Mallampatti, a distância tireomentoniana, o grau de extensão cervical, assim como a presença do sinal da prece ou da impressão palmar.[16-18] Logo, todo paciente candidato ao transplante de pâncreas deve ser minuciosamente avaliado quanto à via aérea e conduzido com o devido cuidado; ou seja, um algoritmo bem estabelecido para intubação traqueal deve estar planejado, juntamente com a disponibilidade de dispositivos de resgate, como máscaras laríngeas (convencionais ou de intubação), e/ou videolaringoscópios.

Outra complicação do DM é a presença de neuropatia autonômica cardiovascular.[7,15,19] A presença de hipotensão arterial ortostática, neuropatia periférica, perda da variabilidade da frequência cardíaca com a respiração e frequência cardíaca fixa podem ser sinais de neuropatia autonômica. Isso dificulta o manejo intraoperatório do paciente, pois o predispõe a períodos de hipotensão grave.[7,15] Na presença desses sinais, deve-se ficar ainda mais atento ao manejo da via aérea, pois sinais de neuropatia também se associam à gastroparesia (e o paciente deve ser considerado de estômago cheio).[7,15,19]

▪ PACIENTES DIALÍTICOS

Como apresentado anteriormente, a imensa maioria dos transplantes pancreáticos no Brasil são duplos, ou seja, transplante simultâneo de pâncreas e rim.[5,8] Logo, os pacientes que são candidatos ao transplante pancreático, com raras exceções, apresentarão disfunção renal terminal ou dialítica. Esse fato faz com que tais pacientes associem-se, independentemente de outros fatores, ao aumento de mortalidade e complicações cardiovasculares pós-operatória.[20] O manejo desses pacientes deve envolver a cooperação e a comunicação eficiente da equipe multidisciplinar, tendo em vista que comumente apresentam muitas comorbidades.[15]

As causas de mortalidade mais frequentes ainda são as cardiovasculares, sendo 10 a 20 vezes maior em pacientes dialíticos, tendo como a principal causa arritmias fatais.[21] Cerca de 80% desses pacientes têm critério eletrocardiográfico e/ou ecocardiográfico para hipertrofia ventricular esquerda, 40% apresentam sintoma de insuficiência coronariana (além dos muitos outros que são assintomáticos), 40% associam-se à insuficiência cardíaca e 32% evidenciam arritmias.[22,23]

A hipertensão pulmonar é uma das alterações mais significantes encontradas nesses pacientes, porém, é pouco investigada, documentada e destacada.[15,24] Ela é consequência da disfunção cardiovascular e exacerba-se após a realização das fístulas arteriovenosas e o início da diálise, com incidência de cerca de 40% nesses pacientes.[24,25] A fisiopatologia do desenvolvimento da hipertensão pulmonar envolve diversos mecanismos, como a disfunção endotelial induzida pela uremia, reduzindo a capacidade de a vasculatura pulmonar acomodar o aumento do débito cardíaco induzido pela fístula arteriovenosa e pela injúria direta decorrente da exposição crônica às microbolhas formadas durante a diálise.[26] Apenas 25% dos pacientes que apresentam hipertensão pulmonar e realizam diálise sobrevivem por mais cinco anos, e é importante notar que tanto os pacientes que eliminam suas fístulas como os que realizam o transplante renal demonstraram redução nos valores de pressão na artéria pulmonar.[26]

As melhores práticas no manejo dos pacientes dialíticos, candidatos ao transplante simultâneo, baseiam-se em protocolos institucionais bem estabelecidos, visando à correção do estado metabólico e hidreletrolítico; ao manejo da ane-mia crônica, ao controle glicêmico, da hipertensão e das complicações cardiovasculares; dentre elas, a insuficiência cardíaca e a hipertensão pulmonar.[15,27]

Idealmente, o paciente deve realizar a sessão de diálise o mais próximo possível do transplante, facilitando assim todo o manejo, embora não seja mandatória.[15,27,28] Se a diálise estiver muito distante do transplante, o paciente provavelmente irá apresentar-se com maior tendência ao descontrole metabólico e hidreletrolítico. É importante ressaltar que a maior parte desses pacientes passará por dois processos de reperfusão de órgãos, pâncreas e rim, e o descontrole do nível sérico de potássio pode levar a uma arritmia fatal em qualquer momento dessas reperfusões. Logo, a diálise pode ser necessária imedia- tamente antes da cirurgia principalmente com o intuito de eliminar escórias e balancear eletrólitos.[15,27,28]

Os acessos vasculares devem ser bem planejados e muitas vezes são desafiadores, pela maior incidência de trombose e estenoses vasculares locais.[15,27] Os acessos venosos centrais devem sempre ser executados com auxílio de ultrassom, deixando-se a via subclávia como alternativa para outras vias, devido ao maior risco de estenose.[27,29] Deve-se evitar acessos periféricos nos membros que apresentem fístulas, bem como estes devem ser identificados e protegidos com bandagens frouxas, de maneira que não comprimam as fístulas.[27] Estas devem ser verificadas e monitorizadas regularmente durante todo o procedimento quanto à presença de frêmito.

▪ PREPARO PRÉ-OPERATÓRIO

Todo esforço deve ser feito na tentativa de se minimizar o tempo decorrido entre a retirada do órgão no doador até sua implantação no receptor.[30] Assim como no transplante de outros órgãos, quanto menor for o tempo de preservação no transplante de pâncreas, menor o índice de complicações cirúrgicas no pós-operatório, como vazamentos, tromboses e infecções.[30] A porção duodenal do enxerto duodeno-pancreático parece ser especialmente sensível a um tempo prolongado de preservação, sendo a incidência de vazamentos duodenais em torno de 1,5% para um tempo de preservação inferior a 15 horas, aumentando para 14,5% com um tempo de preservação acima de 20 horas.[30]

O octreotide é um análogo da somatostatina, com meia-vida de uma hora e meia, quando administrada por via subcutânea, seu pico sérico é alcançado em 15 a 30 minutos depois da administração e seus efeitos podem durar até 12 horas.[31] O efeito inibitório do octreotide sobre a secreção pancreática é mais intenso do que o hormônio natural e sua utilização perioperatória está associada à menor incidência de pancreatite, fístula pancreática e infecção abdominal após cirurgias de ressecção pancreática.[31] Também pode ser utilizado no transplante de pâncreas, para diminuir as complicações cirúrgicas, apesar da falta de evidências científicas.[31]

▪ TÉCNICA ANESTÉSICA

A administração de medicação ansiolítica deve ser cautelosa e na maior parte dos pacientes deve ter sua dosagem diminuída ou omitida, devido ao caráter de urgência do procedimento e outras características do paciente, como o esvaziamento gástrico retardado.[15,27,32,33] A monitorização básica, como a oximetria de pulso, a cardioscopia e a pressão arterial não invasiva devem ser instaladas antes da indução da anestesia geral. A obtenção de pressão arterial invasiva mediante cateterização de artéria radial pode ser realizada antes ou após a indução da anestesia, levando-se em consideração a função cardíaca do paciente, e lembrando que a manutenção da pressão de perfusão sistêmica é essencial para a viabilidade do enxerto pancreático, além de ser uma via para coleta de exames intraoperatórios seriados.[32] São essenciais: monitorização da glicose sanguínea; monitorização da temperatura central, mantendo o paciente em normotermia; e uso de monitorização da junção neuromuscular devido a maior parte dos pacientes apresentarem doença renal concomitante.[32,33]

A escolha dos fármacos anestésicos depende da disponibilidade e preferência do anestesiologista, e virtualmente qualquer um deles pode ser utilizado, desde que atenda às necessidades do paciente, principalmente os com doença renal crônica, e mantenha a estabilidade hemodinâmica ao mesmo tempo.[32,34] A indução da anestesia deve ser realizada em sequência rápida nos pacientes com disautonomia e gastroparesia.[15,32,33] Estudos prévios relacionam a presença do diabetes com dificuldade de intubação, de modo que preditores de via aérea difícil devem ser pesquisados com cuidado e, no caso de via aérea difícil identificada, os algoritmos apropriados devem ser seguidos.[18] Um acesso venoso periférico calibroso deve ser suficiente para a reposição volêmica e a administração de hemocomponentes ou hemoderivados de acordo com a necessidade. Devido ao tempo cirúrgico prolongado, à necessidade de exames frequentes e a possibilidade do uso de fármacos vasoativos, é imprescindível que o acesso venoso central seja obtido sempre com o auxílio da ultrassonografia.[15,32,33] A monitorização da profundidade anestésica deveria fazer parte da rotina anestésica nesse tipo de transplante. O risco de tromboembolismo venoso é alto e os pacientes devem utilizar métodos mecânicos de prevenção no intraoperatório, como o compressor pneumático intermitente.[32]

O manejo hídrico é desafiador, por um lado deve-se manter o paciente hemodinamicamente estável com expansão volêmica, porém a hipervolemia pode levar a edema do enxerto pancreático e possível piora da sua função.[15,32,33] A fluidoterapia pode ser guiada pela pressão venosa central, variação de pressão de pulso arterial ou com uso de ecografia transtorácica.[33] Métodos minimamente invasivos de medida do débito cardíaco, como aqueles que usam a análise do contorno de pulso arterial podem ser utilizados, e medidas dinâmicas, como a variação do volume sistólico ou a variação de pressão de pulso, podem ser utilizados para o manejo da reposição volêmica, porém cuidados devem ser tomados em sua análise em pacientes gravemente chocados ou com alterações fisiopatológicas que possam alterar a forma da curva da pressão arterial.[35] O cateter de artéria pulmonar deve ter seu uso restrito àqueles pacientes com hipertensão pulmonar moderada a grave ou doença cardíaca importante, uma vez que sua utilização com outros fins tornou-se controversa.[34] A ecocardiografia transesofágica intraoperatória também é considerada um monitor minimamente invasivo e está cada vez mais disponível em nosso meio. Ela permite avaliar rapidamente, de modo qualitativo, a necessidade de reposição volêmica ou de fármacos vasoativos, assim como detectar precocemente a isquemia miocárdica ao se observar alterações regionais de motilidade miocárdica.[33,36]

A analgesia pós-operatória pode ser realizada com a associação da anestesia peridural com cateter à anestesia geral,[32] com bloqueios de nervos periféricos[37] ou mesmo com medicações endovenosas.[32] Embora não haja contraindicação absoluta aos bloqueios de neuroeixo, deve-se tomar cuidado com a possibilidade de anticoagulação implementada no período perioperatório por algumas equipes cirúrgicas, devido ao risco de trombose dos enxertos vasculares, assim como a possibilidade de instabilidade hemodinâmica decorrente dessa técnica.[32] Diversas equipes costumam indicar a terapia antiagregante no pós-operatório, associada ou não à heparinização plena. Uma análise retrospectiva de uma coorte realizada em um centro espanhol não mostrou benefício da heparinização no que se refere à redução de eventos trombóticos do enxerto.[38]

■ TÉCNICA CIRÚRGICA

Existem diversas técnicas descritas para o transplante pancreático, e as condições do receptor, como cirurgias abdominais prévias e a perviabilidade de vasos sanguíneos, determinam qual a melhor abordagem cirúrgica.[39,40] O transplante de rim, comumente associado, pode ser realizado antes ou depois do transplante pancreático (geralmente realizado primeiro),[39] de acordo com a disponibilidade da equipe cirúrgica e a infraestrutura do serviço no mesmo tempo cirúrgico, e não será descrito em detalhes neste capítulo.

Apesar de diversas incisões serem descritas para o transplante pancreático, normalmente a cirurgia é realizada por uma incisão mediana, pois dessa forma há menor incidência de infecção cirúrgica, melhor exposição de vasos sanguíneos do receptor para diversas possibilidades de anastomoses e possibilidade de realizar o transplante simultâneo de rim pela mesma via.[8,39,40] O pâncreas pode ser implantado intraperitonealmente ou extraperitonealmente, de acordo com a experiência do serviço.[39] O pâncreas, quando colocado na região da pelve, costuma ser colocado no lado direito, devido à disposição dos vasos ilíacos que favorecem as anastomoses vasculares.[8,39,40]

O suprimento arterial do enxerto pancreático geralmente é fornecido pela artéria ilíaca comum ou externa do receptor.[8,39] No preparo do enxerto pancreático (back-table), a bifurcação aortoilíaca do doador é utilizada para a criação de um pedículo vascular, unindo a artéria mesentérica superior e a artéria esplênica do pâncreas.[8,39] Esse pedículo então é anastomosado de maneira terminolateral à artéria ilíaca (externa ou interna) do receptor e a circulação proveniente pela artéria mesentérica superior ou pela artéria esplênica deve ser suficiente para a irrigação do novo enxerto.[8,39] Deve-se ter cuidado na preparação do enxerto, pois alterações anatômicas vasculares pancreáticas intraparenquimatosas ou da artéria pancreática dorsal podem levar a um infarto segmentar do enxerto quando ocorre oclusão de uma dessas artérias.[8,39]

A drenagem venosa do novo órgão pode ser sistêmica (conectada à veia ilíaca comum ou externa ou, ainda, à veia cava) ou portal (conectada à veia porta).[8,39,40] A derivação portal é considerada mais fisiológica, pois a insulina liberada pelo órgão sofre o efeito de primeira passagem no fígado, evitando a hiperinsulinemia e melhorando o metabolismo dos lipídeos.[8,39,40] No entanto, não existem diferenças em relação à mortalidade dos pacientes ou ao funcionamento do enxerto que favoreçam um tipo de derivação específica.[8,39,40] Dificuldades técnicas na realização da cirurgia, como cirurgias prévias no andar superior do abdome, podem ser mais importantes na escolha de determinada derivação.[8,39]

A drenagem das enzimas provenientes da função exócrina pode ser realizada de diversas formas, tais como a drenagem vesical e a drenagem entérica.[8,39,40] Atualmente, não há um consenso sobre qual a melhor técnica para o transplante pancreático, sendo que cada uma traz benefícios e riscos para o receptor.[8,39,40] A drenagem vesical, raramente é utilizada em transplante simultâneo de pâncreas e rim, e tem como vantagens a facilidade de biópsia do enxerto por cistoscopia, e a monitorização de amilase e lipase urinárias (marcadores de rejeição).[39,40] Entretanto, até 25% desses casos são convertidos para drenagem entérica nos primeiros cinco anos de transplante pancreático devido às complicações de abordagem.[39,40] Com os melhores resultados obtidos desde a introdução de novos imunossupressores e menores necessidades de reabordagens cirúrgicas devido à rejeição do enxerto, a drenagem entérica, considerada como uma reconstrução "mais anatômica", é realizada na maior parte dos casos atuais.[39,40]

■ EVENTOS ADVERSOS

As complicações após o transplante pancreáticos são frequentes, acometendo até 40% dos pacientes submetidos a esta cirurgia.[8,15,40] As complicações iniciais mais comuns são o vazamento pelas anastomoses, sangramentos e tromboses e infecções.[8,40]

A principal causa de perda não imunológica do enxerto no primeiro ano de transplante é a trombose vascular e em grande parte dos centros que realizam este procedimento, o paciente é anticoagulado e antiagregado no pós-operatório imediato.[8,40] Fatores de risco identificados para a ocorrência de trombose incluem: 1) no doador - idade avançada ou inferior a 10 anos, doença cerebrovascular como causa da morte, instabilidade hemodinâmica e ressuscitação cardiopulmonar prolongada; 2) no receptor - a presença de um estado de hipercoagulabilidade devido à doença de base (p. ex.: diabetes) ou devido a alterações genéticas.[41] A maior parte das tromboses de enxerto pancreático ocorre logo após o transplante e apresenta como sinais a sensibilidade e endurecimento no local do enxerto, hiperglicemia, elevação da lipase e amilase sérica ou diminuição na amilase urinária (derivação vesical).[41] Os sinais e sintomas podem ser vagos e inespecíficos, de modo que a vigilância constante é necessária para o diagnóstico, e o método mais utilizado

para o acompanhamento é o ultrassonográfico, que investiga a presença e a perviabilidade das artérias e veias anastomosadas.[40,41] Quando necessário, a investigação pode ser complementada com a utilização de tomografia computadorizada (TC) ou ressonância nuclear magnética (RNM), lembrando-se da necessidade da utilização de contraste e seus efeitos deletérios na função renal, principalmente em transplantes simultâneos de pâncreas e rim.[40,41] A trombose vascular total é irreparável e o paciente precisa ser submetido a enxertectomia.[41]

O sangramento pós-operatório imediato geralmente ocorre perto da artéria mesentérica superior ou da artéria esplênica; por isso, deve-se ter atenção especial nessa região durante o intraoperatório.[41] Nessa situação, a coagulopatia, quando presente, deve ser corrigida e, se houver instabilidade hemodinâmica, a reabordagem cirúrgica pode ser necessária.[41]

A pancreatite do órgão transplantado pode ocorrer em até 35% dos transplantes e, nos quadros precoces, está relacionada à lesão de isquemia e reperfusão do enxerto.[41] Clinicamente se apresenta com dor abdominal e hiperamilasemia, sendo necessário descartar quadro de rejeição aguda por meio dos exames de imagem.[41] O tratamento envolve a suspensão da dieta enteral com instituição de nutrição parenteral e tratamento de suporte.[41]

A via escolhida para a eliminação da secreção exócrina determina os sintomas e o tratamento de outras complicações.[39-41] Nos pacientes com derivação vesical, as complicações estão associadas à anastomose vesical.[41] Vazamentos podem ocorrer e o paciente pode se apresentar assintomático, apenas com elevação da amilase ou lipase sérica, ou com desconforto abdominal inespecífico.[41] O diagnóstico pode ser realizado com tomografia computadorizada e, no caso de pequenas coleções, pode ser tratado com sondagem vesical de demora até a normalização da amilase sérica e da euglicemia.[41] Entretanto, nos casos com grandes coleções, é necessária a reabordagem cirúrgica.[41] Complicações a longo prazo da derivação vesical incluem: alterações metabólicas devido à perda volumosa de suco pancreático rico em bicarbonato (acidose metabólica hiperclorêmica e desidratação) e alterações urológicas como estenose de uretra, cistite, hematúria, infecção urinária de repetição e pancreatite por refluxo.[39,40] Nos pacientes com derivação entérica, a presença de vazamentos ocorre em 2% a 10% dos pacientes e é responsável por morbidade considerável, assim como perda do enxerto.[41] Clinicamente se apresenta com sinais e sintomas de perfuração intestinal (dor abdominal, náuseas/vômitos, febre, taquicardia, leucocitose, peritonite e, até, sepse).[41] O exame clínico pode ser suficiente para a indicação de reoperação, e, em casos de dúvida, exames de imagem como tomografia computadorizada com contraste oral podem ajudar a elucidar o caso.[41]

■ CONTROLE GLICÊMICO PERIOPERATÓRIO

O controle glicêmico do paciente é a relação complexa e tênue entre os hormônios regulatórios e contrarregulatórios: insulina, glucagon, adrenalina, cortisol e hormônio de crescimento.[42,43] De forma simplificada, a insulina estimula a utilização de glicose pelos tecidos e inibe a produção de glicose hepática pela gliconeogênese e glicogenólise.[42] A secreção adequada de insulina no período perioperatório é de suma importância para evitar complicações metabólicas nesse momento delicado.[42]

A resposta neuro-endócrina-metabólica fisiológica ao trauma (nesse caso, à cirurgia e à anestesia), leva liberação de hormônios contrarreguladores com intensidade variáveis.[42,43] Esta resposta resulta em aumento da resistência periférica à insulina e da produção hepática de glicose, além de diminuição da secreção de insulina, levando à hiperglicemia.[42,43] A hiperglicemia torna o paciente mais suscetível a infecções e inibe o processo de cicatrização, assim como desencadeia descompensações metabólicas graves.[42,43]

Fica clara a necessidade de suplementação de insulina no perioperatório de cirurgias de médio e grande porte, principalmente em pacientes diabéticos.[42,43] No período intraoperatório a via venosa para a administração de insulina é a preferida por sua simplicidade e absorção previsível, quando comparada à via subcutânea, principalmente na ocorrência de hipoperfusão sistêmica.[42,43]

Não existe um consenso sobre o melhor método de reposição de insulina no intraoperatório nem sobre qual faixa de glicemia sérica utilizar como alvo, porém, qualquer que seja o esquema de administração utilizado, alguns objetivos são desejáveis: manter euglicemia, evitando hiperglicemia ou hipoglicemia; prevenir distúrbios metabólicos; ser de fácil entendimento e manipulação; ser aplicável em situações diversas.[42,43] A monitorização do tratamento deve ser frequente para a detecção e tratamento precoce de alterações metabólicas iatrogênicas.[42,43]

O esquema apresentado a seguir, é uma das várias opções encontradas na literatura, e tem como objetivo a manutenção da glicemia no período perioperatório entre 120 a 180 mg.dL^{-1} com a infusão contínua de insulina e um aporte basal de glicose.[42] Geralmente é utilizada uma solução contendo 100 U de insulina regular e 100 mL de SF0,9% (1U insulina/mL), e a outra solução de dextrose, balanceadas de acordo com um algoritmo institucional.[42] A glicemia deve ser medida de forma frequente para se evitar hiper/hipoglicemia e orientar a taxa de infusão da insulina e da dextrose.[42] A Tabela 199.2 representa o esquema variável de reposição de insulina proposto por Marks.[42]

Durante a utilização do esquema, o nível sérico de potássio deve ser avaliado constantemente, levando em consideração que nem sempre ele reflete sua quantidade total no organismo e as alterações podem ocorrer devido à translocação do íon entre os compartimentos intracelular e extracelular.[42]

A infusão de insulina deve ser reavaliada e acompanhada de perto no período em torno da revascularização do enxerto pancreático. Existem evidências de funcionamento (queda da glicemia) do enxerto pancreático em torno de 40 minutos, mas que pode ocorrer em até cinco minutos após sua implantação e, portanto, a glicemia deve ser checada a cada 15 a 30 minutos até sua estabilização.[15,32,33,44] Tipicamente há uma queda da glicemia após a revascularização do enxerto pancreático em torno de 50 mg.dl^{-1}.h^{-1} e episódios graves de hipoglicemia podem ocorrer nesse período.[15,32,33,44]

Apesar da secreção de insulina pelo enxerto pancreático desde o pós-operatório imediato, a necessidade de insulina exógena se mantém por um período variável.[45,46] O funcionamento tardio do enxerto é reconhecido quando existe a necessidade de administração de mais de 30 unidades de insulina entre o quinto e o décimo dia pós-operatório e de mais de 15 unidades de insulina entre o décimo primeiro e o décimo quinto dia de pós-operatório.[45,46] O funcionamento pleno do enxerto pancreático ocorre quando não mais existe a necessidade de administração de insulina para o controle da glicemia.[46]

■ CUIDADOS NO PÓS-OPERATÓRIO IMEDIATO

Considerando o alto risco cardiovascular dos pacientes, assim como o tempo cirúrgico geralmente prolongado, o porte cirúrgico e a necessidade de fornecer as melhores condições hemodinâmicas para o sucesso na implantação do enxerto pancreático, o paciente deve ser sempre encaminhado a uma unidade de terapia intensiva.[32,34] A correção

Tabela 199.2 Infusão contínua variável de insulina conforme glicemia capilar do paciente no intraoperatório.

Insulina de ação rápida 1U.ml^{-1} (iniciar infusão com 0,5 – 1 U por hora

Dextrose 5% 100 – 125 ml por hora

Monitorizar a glicemia sérica a cada hora e ajustar a infusão de insulina de acordo com o seguinte algoritmo

Glicemia (mg.dL^{-1})	Ação
Abaixo de 70	Desligar infusão de insulina e dosar glicemia em 30 minutos. Se glicemia < 70, administrar 10 g de glicose e colher nova glicemia em 30 minutos, até ficar acima de 100. Após, recomeçar a infusão 1U/h abaixo do que estava.
71-120	Diminuir a velocidade de infusão em 1U/h.
121-180	Manter infusão de insulina.
181-250	Aumentar a velocidade de infusão em 2U/h.
251-300	Aumentar a infusão de insulina em 3U/h.
301-350	Aumentar a infusão de insulina em 4U/h.
351-400	Aumentar a infusão de insulina em 5U/h.
Acima de 400	Aumentar a infusão de insulina em 6U/h.

imediata de distúrbios hemodinâmicos, da manutenção da euglicemia e do equilíbrio hidreletrolítico é crítica nas primeiras 24 horas após a cirurgia.[32,34] As primeiras horas do pós-operatório são extremamente importantes, pois as alterações da homeostase ocorrem rapidamente e podem comprometer a função do enxerto e até ser fatal.[32,34] A frequência e a gravidade dessas alterações podem ser minimizadas com a adoção de protocolos de tratamento específicos, adaptados à realidade de cada serviço.[34]

A hipertensão arterial sistêmica (sistólica > 160 mmHg) e taquicardia (> 110 bpm) no período pós-operatório imediato são frequentes e podem ser extremamente danosos para o paciente, podendo levar a isquemia miocárdica, e necessitam de tratamento.[34] A hipertensão pode elevar o risco de sangramento nas anastomoses vasculares e propicia a piora do edema do enxerto.[34] Para evitar diminuição da perfusão do enxerto recém-implantado e comprometimento da hemodinâmica do paciente, o controle da pressão arterial deve ser feito de forma cautelosa.[34] Embora possa haver benefícios com a utilização de bloqueadores do canal de cálcio como o fenoldopam, este não está disponível para utilização em nosso país, a opção seria o nicardipino.[34] O controle da frequência cardíaca deve ser obtido com analgesia, reposição volêmica adequada, e a utilização de betabloqueadores deve ser parcimoniosa, devido à literatura conflituosa.[34]

CONCLUSÃO

Os benefícios do transplante simultâneo de pâncreas e rim já estão bem estabelecidos e o número de cirurgias realizadas anualmente deve permanecer igual ou aumentar.[3,4,47] Aqueles decorrentes do transplante de pâncreas após o de rim são cada vez mais parecidos com os resultados do primeiro e, portanto, devem continuar sendo realizados com frequência regular.[48] Os benefícios do transplante pancreático isolado, principalmente em relação à mortalidade elevada, sempre foram questionados.[49] No entanto, parece haver atualmente uma melhora substancial nos resultados desse tipo de transplante, de modo que se pode esperar um aumento no número total de cirurgias realizadas anualmente.[4,50]

Assim, o anestesiologista precisa estar constantemente atualizado sobre as melhores condutas no perioperatório desse tipo de transplante, lembrar das particularidades da farmacologia nos pacientes com doença renal concomitante e realizar um controle atento e adequando da glicemia do paciente no perioperatório.

REFERÊNCIAS

1. Kelly WD, Lillehei RC, Merkel FK, Idezuki Y, Goetz FC. Allotransplantation of the pancreas and duodenum along with the kidney in diabetic nephropathy. Surgery. 1967;61(6):827-37.
2. Lillehei RC, Simmons RL, Najarian JS, Weil R, Uchida H, Ruiz JO, et al. Pancreatico-duodenal allotransplantation: experimental and clinical experience. Ann Surg. 1970;172(3):405-36.
3. Dean PG, Kukla A, Stegall MD, Kudva YC. Pancreas transplantation. BMJ. 2017;357:j1321.
4. Gruessner AC. A Decade of Pancreas Transplantation—A Registry Report. Uro. 2023;3(2):132-50.
5. Dimensionamento dos Transplantes no Brasil e em cada Estado (2015 - 2022). Registro Brasileiro de transplantes. 2022;4.
6. ElSayed NA, Aleppo G, Aroda VR, Bannuru RR, Brown FM, Bruemmer D, et al. 2. Classification and Diagnosis of Diabetes: Standards of Care in Diabetes-2023. Diabetes Care. 2023;46(Suppl 1):S19-S40.
7. Diretriz Oficial da Sociedade Brasileira de Diabetes. 2022.
8. Samoylova ML, Borle D, Ravindra KV. Pancreas Transplantation: Indications, Techniques, and Outcomes. Surg Clin North Am. 2019;99(1):87-101.
9. Haapio M, Helve J, Groop PH, Gronhagen-Riska C, Finne P. Survival of patients with type 1 diabetes receiving renal replacement therapy in 1980-2007. Diabetes Care. 2010;33(8):1718-23.
10. White SA, Shaw JA, Sutherland DE. Pancreas transplantation. Lancet. 2009;373(9677):1808-17.
11. Kendall DM, Rooney DP, Smets YF, Salazar Bolding L, Robertson RP. Pancreas transplantation restores epinephrine response and symptom recognition during hypoglycemia in patients with long-standing type I diabetes and autonomic neuropathy. Diabetes. 1997;46(2):249-57.
12. Oliveira DC, Gusmao Filho G, Nakamoto A, Souza FL, Sa JR, Pestana JO, et al. [Prevalence of coronary artery disease in type I diabetic candidates for double transplantation (kidney and pancreas)]. Arq Bras Cardiol. 2005;84(2):108-10.
13. Fleisher LA, Fleischmann KE, Auerbach AD, Barnason SA, Beckman JA, Bozkurt B, et al. 2014 ACC/AHA guideline on perioperative cardiovascular evaluation and management of patients undergoing noncardiac surgery: a report of the American College of Cardiology/American Heart Association Task Force on practice guidelines. J Am Coll Cardiol. 2014;64(22):e77-137.
14. Lee TH, Marcantonio ER, Mangione CM, Thomas EJ, Polanczyk CA, Cook EF, et al. Derivation and prospective validation of a simple index for prediction of cardiac risk of major noncardiac surgery. Circulation. 1999;100(10):1043-9.
15. Mittel AM, Wagener G. Anesthesia for Kidney and Pancreas Transplantation. Anesthesiol Clin. 2017;35(3):439-52.
16. Mashour GA, Kheterpal S, Vanaharam V, Shanks A, Wang LY, Sandberg WS, et al. The extended Mallampati score and a diagnosis of diabetes mellitus are predictors of difficult laryngoscopy in the morbidly obese. Anesth Analg. 2008;107(6):1919-23.
17. Hogan K, Rusy D, Springman SR. Difficult laryngoscopy and diabetes mellitus. Anesth Analg. 1988;67(12):1162-5.
18. Warner ME, Contreras MG, Warner MA, Schroeder DR, Munn SR, Maxson PM. Diabetes mellitus and difficult laryngoscopy in renal and pancreatic transplant patients. Anesth Analg. 1998;86(3):516-9.
19. Vaisman N, Weintrob N, Blumental A, Yosefsberg Z, Vardi P. Gastric emptying in patients with type I diabetes mellitus. Ann N Y Acad Sci. 1999;873:506-11.
20. Mathew A, Devereaux PJ, O'Hare A, Tonelli M, Thiessen-Philbrook H, Nevis IF, et al. Chronic kidney disease and postoperative mortality: a systematic review and meta-analysis. Kidney Int. 2008;73(9):1069-81.
21. Trainor D, Borthwick E, Ferguson A. Perioperative management of the hemodialysis patient. Semin Dial. 2011;24(3):314-26.
22. Cheung AK, Sarnak MJ, Yan G, Berkoben M, Heyka R, Kaufman A, et al. Cardiac diseases in maintenance hemodialysis patients: results of the HEMO Study. Kidney Int. 2004;65(6):2380-9.
23. Shastri S, Sarnak MJ. Cardiovascular disease and CKD: core curriculum 2010. Am J Kidney Dis. 2010;56(2):399-417.
24. Yigla M, Fruchter O, Aharonson D, Yanay N, Reisner SA, Lewin M, et al. Pulmonary hypertension is an independent predictor of mortality in hemodialysis patients. Kidney Int. 2009;75(9):969-75.
25. Yigla M, Nakhoul F, Sabag A, Tov N, Gorevich B, Abassi Z, et al. Pulmonary hypertension in patients with end-stage renal disease. Chest. 2003;123(5):1577-82.
26. Nakhoul F, Yigla M, Gilman R, Reisner SA, Abassi Z. The pathogenesis of pulmonary hypertension in haemodialysis patients via arterio-venous access. Nephrol Dial Transplant. 2005;20(8):1686-92.
27. Acho C, Chhina A, Galusca D. Anesthetic Considerations for Patients on Renal Replacement Therapy. Anesthesiol Clin. 2020;38(1):51-66.
28. Calixto Fernandes MH, Schricker T, Magder S, Hatzakorzian R. Perioperative fluid management in kidney transplantation: a black box. Crit Care. 2018;22(1):14.
29. Cimochowski GE, Worley E, Rutherford WE, Sartain J, Blondin J, Harter H. Superiority of the internal jugular over the subclavian access for temporary dialysis. Nephron. 1990;54(2):154-61.

30. Humar A, Kandaswamy R, Drangstveit MB, Parr E, Gruessner AG, Sutherland DE. Prolonged preservation increases surgical complications after pancreas transplants. Surgery. 2000;127(5):545-51.

31. Benedetti E, Coady NT, Asolati M, Dunn T, Stormoen BM, Bartholomew AM, et al. A prospective randomized clinical trial of perioperative treatment with octreotide in pancreas transplantation. Am J Surg. 1998;175(1):14-7.

32. Pichel AC, Macnab WR. Anaesthesia for pancreas transplantation. Continuing Education in Anaesthesia Critical Care & Pain. 2005;5(5):149-52.

33. Spiro MD, Eilers H. Intraoperative care of the transplant patient. Anesthesiol Clin. 2013;31(4):705-21.

34. Koehntop DE, Beebe DS, Belani KG. Perioperative anesthetic management of the kidney-pancreas transplant recipient. Curr Opin Anaesthesiol. 2000;13(3):341-7.

35. Kobe J, Mishra N, Arya VK, Al-Moustadi W, Nates W, Kumar B. Cardiac output monitoring: Technology and choice. Ann Card Anaesth. 2019;22(1):6-17.

36. Fayad A, Shillcutt SK. Perioperative transesophageal echocardiography for non-cardiac surgery. Can J Anaesth. 2018;65(4):381-98.

37. Aniskevich S, Clendenen SR, Torp KD. Bilateral transversus abdominis plane block for managing pain after a pancreas transplant. Exp Clin Transplant. 2011;9(4):277-8.

38. Arjona-Sanchez A, Rodriguez-Ortiz L, Sanchez-Hidalgo JM, Ruiz Rabelo J, Salamanca-Bustos JJ, Rodriguez-Benot A, et al. Intraoperative Heparinization During Simultaneous Pancreas-Kidney Transplantation: Is It Really Necessary? Transplant Proc. 2018;50(2):673-5.

39. Boggi U, Amorese G, Marchetti P. Surgical techniques for pancreas transplantation. Curr Opin Organ Transplant. 2010;15(1):102-11.

40. Zaman F, Abreo KD, Levine S, Maley W, Zibari GB. Pancreatic transplantation: evaluation and management. J Intensive Care Med. 2004;19(3):127-39.

41. Goodman J, Becker YT. Pancreas surgical complications. Curr Opin Organ Transplant. 2009;14(1):85-9.

42. Marks JB. Perioperative management of diabetes. Am Fam Physician. 2003;67(1):93-100.

43. Sreedharan R, Khanna S, Shaw A. Perioperative glycemic management in adults presenting for elective cardiac and non-cardiac surgery. Perioper Med (Lond). 2023;12(1):13.

44. Tamsma JT, Schaapherder AF, van Bronswijk H, Frolich M, Gooszen HG, van der Woude FJ, et al. Islet cell hormone release immediately after human pancreatic transplantation. A marker of tissue damage associated with cold ischemia. Transplantation. 1993;56(5):1119-23.

45. Baitello M, Galante NZ, Coutinho Lde S, Rangel EB, Melaragno CS, Gonzalez AM, et al. Impact of delayed pancreatic graft function in simultaneous pancreas-kidney transplantation. J Bras Nefrol. 2011;33(2):180-8.

46. Troppmann C, Gruessner AC, Papalois BE, Sutherland DE, Matas AJ, Benedetti E, et al. Delayed endocrine pancreas graft function after simultaneous pancreas-kidney transplantation. Incidence, risk factors, and impact on long-term outcome. Transplantation. 1996;61(9):1323-30.

47. Reddy KS, Stablein D, Taranto S, Stratta RJ, Johnston TD, Waid TH, et al. Long-term survival following simultaneous kidney-pancreas transplantation versus kidney transplantation alone in patients with type 1 diabetes mellitus and renal failure. Am J Kidney Dis. 2003;41(2):464-70.

48. Fridell JA, Mangus RS, Hollinger EF, Taber TE, Goble ML, Mohler E, et al. The case for pancreas after kidney transplantation. Clin Transplant. 2009;23(4):447-53.

49. Venstrom JM, McBride MA, Rother KI, Hirshberg B, Orchard TJ, Harlan DM. Survival after pancreas transplantation in patients with diabetes and preserved kidney function. JAMA. 2003;290(21):2817-23.

50. Gruessner RW, Gruessner AC. Pancreas transplant alone: a procedure coming of age. Diabetes Care. 2013;36(8):2440-7.

200

Anestesia para Transplante de Intestino e Multivisceral

Joel Avancini Rocha Filho ▪ Rui Carlos Detsch Junior ▪ Luis Filipi Souza de Britto Costa

INTRODUÇÃO

O transplante de intestino delgado (TxI) e o transplante multivisceral (TxMV) são opções terapêuticas atuais para o tratamento de adultos e crianças com falência intestinal irreversível.[1] Falência intestinal (FI) é o termo empregado aos pacientes que não conseguem manter nutrição adequada pela redução da capacidade do trato intestinal em promover digestão e absorção de nutrientes e fluidos.[2] A nutrição nesses pacientes é habitualmente realizada através de nutrição parenteral total (NPT), entretanto, quando realizada em longo prazo, a NPT pode causar complicações graves, como infecção associada ao cateter, trombose venosa e doença hepática.[3-6] A doença hepática progressiva e irreversível ocorre em 2% a 42% dos pacientes em NPT em longo prazo, e é a causa mais comum de mortalidade.[7,8] O TxMV é mais comumente indicado para pacientes com síndrome do intestino curto (SIC) e doença hepática associada à NPT.[9]

O primeiro transplante de intestino foi realizado pelo Professor Ralph Deterling em 1964, em um paciente pediátrico, no *Boston Floating Hospital*, EUA.[10] O primeiro transplante da América Latina ocorreu no Brasil, em 1968, realizado pelo Professor Okumura, no Hospital das Clínicas da Faculdade de Medicina da Universidade de São Paulo.[11] No início, os resultados dos transplantes de intestino eram desanimadores, mas a introdução de novas drogas imunossupressoras, particularmente o tacrolimus, o refinamento das técnicas cirúrgicas e anestésicas e a melhoria nos cuidados no pós-transplante permitiram que o procedimento se tornasse mais eficaz, levando ao maior desenvolvimento do método. Em 1989, o Professor Raimund Margreiter, em Innsbruck, Áustria, realizou o primeiro transplante multivisceral (TxMV) com sobrevida após a alta hospitalar.[12] O número de transplantes intestinais e multivis-cerais ainda são infrequentes quando comparados aos transplantes de órgãos sólidos. O Reino Unido realizou 198 TxI em 10 anos, sendo 25% destes em população pediátrica.[13] No Brasil, em números absolutos, nos últimos 10 anos foram realizados 12 transplantes intestinais e 15 multiviscerais.[14]

Atualmente, a taxa de sobrevida do receptor do TxI é de 95% em 90 dias, 88% em 1 ano e 73% em 5 anos.[6] Há evidências de melhor sobrevida em 1 e 5 anos, nos pacientes que não receberam o transplante de fígado simultaneamente ao de intestino. Após 6 meses, dois terços dos transplantados apresentam independência nutricional.[15]

Os transplantes de intestino podem ser classificados em quatro tipos:[16]

- Transplante de intestino delgado isolado: apenas o intestino delgado é transplantado;
- Transplante fígado-intestino combinado (TFIC): o fígado e o intestino delgado são transplantados simultaneamente;
- Transplante multivisceral: o fígado, o intestino delgado, o estômago e o pâncreas são transplantados;
- Transplante multivisceral modificado: neste tipo de transplante, três ou mais órgãos, exceto o fígado, são transplantados simultaneamente.

▪ INDICAÇÕES

Transplante de Intestino Delgado Isolado (TxI)

O TxI é o tipo mais comum de transplante de intestino. É indicado para pacientes com falência intestinal irreversível, principalmente aqueles que apresentam complicações do tratamento prolongado com NPT.[17]

A FI ocorre após ressecção de pelo menos 80% do intestino delgado. As causas mais comuns de SIC em crianças incluem enterocolite necrotizante, atresia intestinal, volvo, gastrosquise e doença de inclusão das microvilosidades. Em adultos, as principais causas incluem doença de Crohn, isquemia mesentérica (infarto venoso ou arterial), enterite actínica, trauma, tumor desmoide, tumor neuroendócrino e síndrome de Gardner.[18-20]

As principais indicações para o transplante intestinal incluem as seguintes condições:

- Complicações da NPT: doença hepática induzida pela NPT, trombose de pelo menos 2 dos 6 acessos venosos centrais principais (veias jugulares, subclávias e femorais); dois ou mais episódios-ano de sepse relacionada ao cateter requerendo hospitalização; um episódio de fungemia relacionada ao cateter, choque séptico ou insuficiência respiratória; ou episódios frequentes de desidratação;
- Risco elevado de morte atribuído à doença de base;
- Síndrome do intestino ultracurto (intestino delgado < 10 cm em crianças e < 20 cm em adultos);
- Hospitalizações frequentes, dependência de opioides, pseudo-obstrução;
- Baixa aceitação do uso de NPT prolongada.

Recentemente, novas indicações surgiram na literatura como trombose venosa portomesentérica extensa e tumores benignos ou malignos de baixo grau.[21]

Transplante de Fígado-Intestino Combinado

A causa mais comum de óbito em pacientes com NPT permanente é a insuficiência hepática. O TFIC é realizado em 1/4 dos casos, sendo mais comum em crianças, e é indicado nos casos de FI associada à doença hepática induzida pela NPT. A doença hepática é caracterizada por colestase, hipertensão portal, hepatoesplenomegalia, fibrose hepática e/ou cirrose.[17] O TFIC apresenta resultados em curto prazo piores do que o TxI, devido a maior complexidade envolvendo o transplante de fígado.[22,23]

Nos últimos anos, houve uma redução da proporção de transplantes de intestino-fígado combinado devido a conscientização da falência hepática progressiva secundária à NPT.[24] Quando a doença hepática é identificada precocemente, ela pode ser revertida com a descontinuidade da NPT, assim, todos os esforços devem ser direcionados para a realização do TxI antes do advento de doença hepática irreversível.

Transplante Multivisceral (TxMV)

O TxMV é um procedimento cirúrgico que envolve o transplante em bloco de três ou mais órgãos intra-abdominais, incluindo o fígado. Os órgãos mais comumente transplantados são fígado, intestino delgado, estômago, complexo pancreatoduodenal e cólon.[25] O rim é ocasionalmente transplantado nos pacientes com insuficiência renal terminal. Nos casos em que não há comprometimento hepático, está indicado o TxMV modificado. Este último envolve o transplante em bloco de mais de três órgãos intra-abdominais, exceto o fígado.

O TxMV é indicado nos casos de:

- falência irreversível de múltiplos órgãos abdominais;
- tumores envolvendo vários órgãos abdominais, como por exemplo: tumores desmoides e tumores neuroendócrinos metastáticos de baixo grau de malignidade; trombose extensa do sistema venoso mesentérico-portal;
- em casos de SIC com insuficiência hepática relacionada à NPT.

■ AVALIAÇÃO PRÉ-ANESTÉSICA

A avaliação pré-anestésica (APA) deve ser orientada pelo tipo de transplante a ser realizado, pelas comorbidades e pela condição clínica atual do paciente. Os objetivos da APA envolvem a obtenção de informações precisas e atualizadas sobre a doença de base e a extensão do comprometimento hepático e renal, as condições de reserva cardiovascular, a estimativa do risco cirúrgico, o planejamento da estratégia perioperatória, e também esclarecer as dúvidas dos pacientes e familiares a respeito dos processos anestésico e cirúrgico.

A avaliação da gravidade da doença hepática é feita pelo escore CTP (*Child-Turcotte-Pugh*) (Tabela 200.1)[26] e pelo escore MELD (*Model for End-Stage Liver Disease*)[27] e, nos pacientes menores de 12 anos, pelo escore PELD (*Pediatric End-Stage Liver Disease*). O Escore PELD, utilizado para crianças <12 anos, baseia-se nas dosagens de albumina, RNI, BT, idade e estatura. A existência de uma lista única de receptores exigiu a criação de um escore ajustado para haver equiparação de pontuação entre PELD e MELD. Este cálculo multiplica o valor de PELD por 3, criando um escore chamado PELD ajustado.

O escore CTP baseia-se em 5 parâmetros clínico-laboratoriais: albumina, bilirrubina, estado nutricional, ascite e grau de acometimento neurológico, e qualifica a gravidade da hepatopatia em 3 classes, A, B ou C, segundo a somatória de pontos. A classe A inclui pacientes de menor gravidade, enquanto pacientes da classe C apresentam maior risco.

O escore MELD é um cálculo matemático que se baseia em 3 parâmetros quantitativos: creatinina sérica, bilirrubina total e RNI (Razão Normatizada Internacional), que avaliam as funções de síntese e excreção hepática e o comprometimento renal. Adicionar o sódio sérico (MELD-Na) aumentou a precisão do escore na previsão da mortalidade na lista de espera.[28] O cálculo se faz pela equação: MELD Na = MELD calculado − Na sérico − [0.025 × MELD calculado × (140 − Na sérico)] + 140, devendo-se arredondar para valor inteiro. Atualmente, é o critério utilizado pelo Sistema Nacional de Transplantes para ordenar os pacientes na lista de espera e dessa forma priorizar a cirurgia de TH aos pacientes mais graves (Portaria Ministério Saúde Nº 2.049, de 9 de agosto de 2019).

De um modo geral, pacientes com menos de 45 anos, sem fator de risco cardiovascular, com capacidade funcional acima de 4 METs, são avaliados com eletrocardiografia de 12 derivações e ecocardiograma transtorácico. Nos pacientes com mais de 3 fatores de risco (idade ≥45 anos, hipertensão arterial, diabetes, dislipidemia, tabagismo, obesidade, insuficiência renal, antecedente familiar de doença arterial

Tabela 200.1 Pontuação do Escore de Child-Turcotte-Pugh.[26]			
Parâmetros	**1 ponto**	**2 pontos**	**3 pontos**
Albumina sérica (g.dL⁻¹)	> 3,5	2,8 - 3,5	< 2,8
Bilirrubina Total (mg.dL⁻¹)	< 2,0	2,0 - 3,0	> 3,0
RNI (Razão Normalizada Internacional)	<1,7	1,7 - 2,3	> 2,3
Ascite	ausente	leve	moderada
Encefalopatia (graus)	nenhuma	I e II	III e IV
Classes (somatória de pontos)	A (5 - 6)	B (7 - 9)	C (10 -15)

coronariana) ou naqueles com doença hepática esteatótica não alcoólica (NASH), pode estar indicada a cintilografia de perfusão miocárdica.[29] A cintilografia de perfusão miocárdica e a ecocardiografia sob estresse farmacológico são os testes não invasivos mais frequentemente indicados para rastreamento de doença arterial coronariana e avaliação da função ventricular esquerda. Na vigência de alterações nos testes ou dúvidas diagnósticas, deve-se realizar a angiografia coronariana. As decisões com relação à avaliação cardiovascular estão geralmente fundamentadas nas diretrizes do *American College of Cardiology*.[30] Pacientes com doença hepática concomitante devem ser avaliados para a presença de hipertensão portopulmonar, seguindo os mesmos critérios utilizados para o transplante de fígado isolado.[31]

A avaliação pré-operatória deve incluir avaliação dos acessos vasculares com Doppler e venografia (veias jugulares internas e externas, veias subclávias, veias braquiais, veia ázigos). Mais de 80% dos pacientes com NPT prolongada têm acessos venosos centrais ocluídos por trombose.[32] Nesses casos, é necessário obter acessos venosos alternativos, através da radiologia intervencionista ou da cateterização intraoperatória da veia ázigos ou renal pelo cirurgião.

■ ANESTESIA

A anestesia para o transplante de intestino é um procedimento complexo que requer cuidados especiais. A avaliação pré-anestésica é revisada no momento da internação, quando são reavaliados os exames laboratoriais e de imagem, o nível de consciência, o grau de ascite, o uso de medicamentos, a classe Child, a pontuação Meld, os achados da ecocardiografia, o intervalo QT, a presença de varizes de esôfago e a extensão da trombose de veia porta.

Antes da admissão do paciente na sala de operação, é imprescindível confirmar a tipagem sanguínea e a reserva dos hemocomponentes (concentrado de hemácias, plasma fresco congelado (PFC), crioprecipitado (Crio) e plaquetas, que devem estar prontos para uso no centro cirúrgico antes do início da cirurgia. Nos transplantes que incluem o fígado, é recomendado disponibilizar 10 unidades de cada hemocomponente para o início da cirurgia. O sistema de infusão rápida de fluidos e de autotransfusão por recuperação intraoperatória (*Cell Saver*) são equipamentos recomendados.[33]

Os cuidados com o posicionamento do paciente são mandatórios. Em geral, um braço fica ao longo do corpo e o outro braço abduzido, não devendo ultrapassar uma angulação máxima de 70º pelo risco de lesão do plexo braquial. A

manutenção da temperatura corporal requer o uso de mantas térmicas e de sistema de infusão de fluidos aquecidos. Deve-se realizar a proteção mecânica de saliências ósseas, incluindo as regiões calcânea, sacrococcígea e occipital. Está indicada a alternância do posicionamento da cabeça a cada 40 minutos para evitar alopecia de pressão. A profilaxia de eventos trombóticos perioperatórios é realizada com a utilização de meias elásticas e de sistema de compressão pneumática intermitente. A compressão pneumática deve ser desligada durante a fase das anastomoses vasculares, quando a aorta estiver parcialmente pinçada. Pacientes com história de trombose vascular são considerados de alto risco a eventos trombóticos intraoperatórios, e deve-se planejar com a equipe os protocolos de profilaxia.[34]

A indução anestésica é realizada geralmente de forma não invasiva convencional com eletrocardioscopia em D2 e CM5 (com análise do segmento ST), oximetria de pulso, oximetria cerebral, pressão arterial não invasiva, monitor de profundidade anestésica (BIS) e posicionamento dos eletrodos de desfribilador transcutâneo.

Em decorrência do risco de aspiração pulmonar de conteúdo gástrico, a anestesia deve ser induzida em sequência rápida, mais comumente com a administração de propofol associado à opioide e bloqueador neuromuscular (succinilcolina ou rocurônio). A anestesia é mantida com anestésico inalatório (sevoflurano), complementada com opioide (fentanil, sufentanil ou remifentanil) e bloqueador neuromuscular (cisatracúrio ou rocurônio). Nos períodos de hipotensão arterial que demande descontinuidade do anestésico inalatório, o midazolam é utilizado para manter a hipnose (BIS <60). A ventilação mecânica deve visar à proteção pulmonar, mantendo-se baixos picos de pressão, baixos volumes correntes (6 a 8 mL/kg), frequência respiratória ajustada para $PaCO_2$ de 35 a 40 mmHg, PEEP 5 cmH20, e FiO_2 ajustada para melhor relação de PaO_2/FiO_2, evitando-se longos períodos de fração inspirada alta de oxigênio.[16,33]

■ MONITORIZAÇÃO E ACESSOS VASCULARES

Os acessos vasculares devem incluir uma linha arterial (artéria radial e/ou femoral) e um acesso venoso central de grande calibre.[35-37] A pressão arterial (PA) monitorada pela artéria radial subestima os valores da PA obtida pela leitura na artéria femoral.[38,39] A PA monitorada pela artéria femoral tem sido cada vez mais recomendada para melhor interpretação do status hemodinâmico e estimativa do volume sanguíneo circulante, propiciando o uso mais apropriado de vasopressores e da terapia fluida, principalmente nas cirurgias com grandes alterações hemodinâmicas, perdas sanguíneas maciças e no uso de múltiplos vasopressores.[35,40] A ultrassonografia é fundamental para localização, verificação da patência dos acessos venosos e instalação dos cateteres. A veia femoral deve ser evitada, pois a veia cava inferior pode estar ocluída pela doença de base ou ainda pode ser pinçada durante a cirurgia. Nos pacientes mais graves e nos transplantes em que o fígado será transplantado, um dos acessos venosos centrais é utilizado para o cateter de artéria pulmonar (CAP). Quando o *by-pass* venovenoso for utilizado, deve ser instalado separadamente em um acesso venoso central dupla via 12Fr, para retorno de sangue da bomba. O CAP modificado, com leitura contínua da saturação venosa mista de oxigênio, do volume diastólico final de ventrículo direito e da fração de ejeção do VD, é de grande valor para avaliação hemodinâmica nestes pacientes. Nos acessos periféricos recomenda-se higienização das mãos e uso de máscara cirúrgica e de luvas. Nos acessos vasculares centrais ou naqueles com uso de fios-guia (venoso ou arterial), deve-se utilizar barreiras estéreis máximas de proteção com campo, luva, avental e materiais estéreis. É importante estender os cuidados de assepsia com a manipulação das vias de administração dos cateteres a todo período da internação hospitalar. A ETE tem sido incorporada rotineiramente no TxMV, tendo indicação precisa, junto ao CAP, nos pacientes com cardiomiopatia e na hipertensão portopulmonar. A ETE tem se destacado como uma ferramenta bem-sucedida para diagnóstico precoce de situações como: episódios de choque cardiogênico inesperado, obstrução dinâmica da via de saída do ventrículo esquerdo com movimento sistólico anterior da valva mitral, insuficiência isolada do ventrículo direito, tamponamento cardíaco, trombose intracardíaca, embolia pulmonar, estenose da veia cava inferior, derrame pericárdico e quadros de hipovolemia.

A ETE é considerada segura com baixa incidência de complicações.[41] Embora alguns protocolos têm contraindicado a ETE em pacientes com varizes esofágicas grau 3 (vasos calibrosos que ocupam mais que um terço da luz esofágica) ou em vigência de sangramento ativo, outros serviços liberam o seu uso a critério da situação clínica.[42] Alguns cuidados com a sonda da ETE diminuem o risco de sangramento durante sua utilização, como uma movimentação delicada do probe e restrição de seu avanço até o esôfago distal.[42] A avaliação pela ETE é normalmente feita pelo plano do Esôfago Médio 4 Câmaras, pois os planos ficam um pouco prejudicados devido à cirurgia. As alterações mais frequentemente encontradas nos cirróticos com hiperdinamismo circulatório são: alargamento das 4 câmaras, fração de ejeção de normal a aumentada, e turbulência na via de saída do VE.

Vários protocolos simplificados de avaliação pela ETE direcionados ao TH vêm sendo publicados. Os planos mais frequentemente utilizados nesta abordagem são: Esôfago Médio 4 Câmaras (EM 4C), Esôfago Médio Bicaval (EM B), Esôfago Médio Eixo Longo (EM EL), Esôfago Médio VD E/S (vias de entrada e saída) (EM VD E/S), Esôfago Médio Bicaval modificado Valva Tricúspide (EM BVT), Transgástrico Eixo Longo (TG EL) e o Transgástrico Eixo Curto (TG EC).[42-44]

■ FASES DA CIRURGIA

O transplante é dividido em fase 1, fase de dissecção; fase 2, fase de anastomose vascular; e fase 3, fase de reconstrução gastrointestinal.

Fase 1: Dissecção

Essa fase é mais desafiadora em pacientes com múltiplos procedimentos cirúrgicos prévios, trombose do eixo mesentérico-portal ou coagulopatia secundária à insuficiência hepática, pois geralmente estão associados a maior sangramento. No TxI há necessidade de dissecção da aorta infrarrenal, da veia cava inferior e da veia porta. Quando o transplante inclui o fígado, há necessidade de dissecção da aorta infrarrenal e supracelíaca, da artéria mesentérica superior (AMS) e da veia cava supra-hepática.

Fase 2: Anastomoses Vasculares

Nesta fase, as artérias e veias do doador são anastomosadas aos vasos do receptor. A artéria mesentérica superior (AMS) do doador é anastomosada na aorta infrarrenal, e a veia mesentérica superior é anastomosada no sistema venoso portal ou na veia cava inferior do receptor. No transplante multivisceral, a aorta do doador é anastomosada na aorta do receptor, e a veia cava supra-hepática é anastomosada nas veias hepáticas (técnica do *piggyback*) com pinçamento parcial da veia cava inferior do paciente. Ao término das anastomoses, os órgãos transplantados são reperfundidos.

A reperfusão dos órgãos é um momento de grande instabilidade hemodinâmica, especialmente do fígado. Certifique-se que o desfibrilador esteja ligado e adequadamente conectado aos eletrodos antes do início da reperfusão. A instabilidade hemodinâmica decorre do sequestro imediato de grande volume sanguíneo pelo enxerto, da depressão cardíaca causada pela liberação de sangue e solução de preservação hipotérmico, hiperpotassêmico, acidótico, gelado e rico em substâncias inflamatórias vasoativas, acumuladas durante o período de isquemia. O potássio deve ser mantido abaixo de 4 mEq/L antes do início da reperfusão, devido ao risco de arritmias complexas malignas e parada cardíaca induzidos por hiperpotassemia.[45]

A síndrome pós-reperfusão (SPR), que ocorre em até 47% dos TxI, é definida, classicamente, como a queda da PAM em mais de 30% dos valores pré-perfusão, com duração maior que 1 minuto, ocorrendo nos primeiros 5 minutos da reperfusão.[36,46] A duração da isquemia fria parece predizer a SPR, e a SPR se associa à insuficiência renal aguda (IRA) pós-operatória e mortalidade precoce do TxI.[47,48] Para minimizar o colapso cardiovascular da reperfusão, deve-se manter a homeostasia adequada do paciente desde a fase 1, priorizando a otimização da volemia, a manutenção das metas hemodinâmicas, o controle rigoroso da temperatura e dos distúrbios hidroeletrolíticos, principalmente da hiperpotassemia, acidose metabólica, hipocalcemia e hipomagnesemia, que são acentuadas imediatamente após a reperfusão.[16,33] Este momento também é acompanhado de alteração da coagulação sanguínea, mais intensa quando o fígado está incluído no enxerto, que é caracterizada por hipocoagulação e hiperfibrinólise geralmente autolimitada após a reperfusão.

Durante a reperfusão, pode ocorrer queda da temperatura > de 2°C em 75% dos pacientes. A hipotermia leve parece não induzir graves alterações na hemostasia, porém quedas abaixo de 34°C comprometem a coagulação sanguínea por redução da função plaquetária (adesão e agregação) e inibição das reações enzimáticas da cascata de coagulação e da síntese de fibrinogênio.[49,50] A acidose diminui a taxa de geração de trombina, com efeito deletério na hemostasia potencializado pela hipotermia.[51,52] Ocorre comprometimento progressivo da coagulação a pH sanguíneos inferiores a 7,2. O efeito depressor da combinação da acidose com a hipotermia sobre a hemostasia é maior que os seus efeitos individuais, pois ocorre comprometimento da coagulação por diferentes mecanismos.[51]

Fase 3: Reconstrução Gastrointestinal

Nesta fase, o intestino do doador é reconstruído com o intestino do receptor. O jejuno proximal do doador é anastomosado com o jejuno, duodeno ou estômago do receptor, e o íleo, anastomosado ao íleo, cólon ou reto do receptor. Na porção terminal do enxerto é realizada uma ileostomia, e finalmente uma jejunostomia, para alimentação do paciente. No transplante multivisceral, o estômago do doador é anastomosado com o esôfago ou o estômago do paciente.

O fechamento da parede abdominal é, em geral, difícil pela presença de múltiplos defeitos na parede, resultantes de operações prévias, associado à presença de grande edema intestinal. Muitas vezes não é possível realizar o fechamento completo da parede abdominal pelo risco de aumento da pressão intra-abdominal e desenvolvimento de síndrome compartimental, o que pode comprometer a perfusão dos órgãos transplantados. Durante o fechamento, a monitorização da pressão intra-abdominal e da pressão das vias aéreas, e a prevenção de episódios de hipotensão e de diminuição dos débitos cardíaco e urinário, são cuidados importantes para evitar má-perfusão do enxerto.

A maioria dos pacientes é extubada na unidade de terapia intensiva, quando evidenciam-se sinais de bom funcionamento do enxerto, de controle do equilíbrio ácido-básico e metabólico, com estabilidade hemodinâmica sem necessidade de taxas elevadas de infusão de drogas vasoativas e de fluidos. As complicações pós-operatórias mais importantes são relacionadas às complicações cirúrgicas (sangramento, trombose vascular e deiscência de anastomose intestinal), à IRA, à rejeição do enxerto e à sepse, principal causa de morte destes pacientes. A IRA ocorre em mais de 50% dos pacientes no pós-operatório.[53] Os fatores de risco para o desenvolvimento de IRA incluem comprometimento renal prévio, hipovolemia, ileostomia com alto débito, e nefrotoxicidade por antibióticos, fármacos imunossupressores e inibidores da calcineurina.[54]

■ REPOSIÇÃO VOLÊMICA

Durante o transplante de intestino, ocorre uma perda significativa de fluidos para o terceiro espaço, devido à exposição das vísceras abdominais, à perda sanguínea, ao pinçamento vascular e ao tempo de isquemia. Essa perda é agravada após a reperfusão do enxerto, podendo durar até o segundo dia pós-transplante.[55] A administração de grandes volumes de fluido é rotina no perioperatório, porém a reposição volêmica deve ser realizada de forma criteriosa e de acordo com as metas hemodinâmicas e perfusionais, devendo-se evitar tanto a reposição liberal de fluidos como a hipovolemia (Tabela 200.2 e Tabela 200.3). A hipotensão arterial, frequente no pós-operatório imediato, é geralmente resultado de hipovolemia, causada pela perda de fluido peritoneal para o terceiro espaço, e não deve ser tratada com altas doses de vasoconstritor pelo risco de hipoperfusão do enxerto.[55] O excesso de fluido pode agravar a coagulopatia por hemodiluição e pode também aumentar o edema de alças intestinais já vigente, causado pela estase venosa esplâncnica que ocorre durante a fase anepática e pela manipulação das vísceras. Esse fato, associado a pacientes muito desnutridos ou a enxertos volumosos, pode dificultar o fechamento da cavidade abdominal, levando à síndrome compartimental (compressão visceral que diminui o retorno venoso), acarretando instabilidade hemodinâmica e redução de fluxo sanguíneo esplâncnico e renal. A suplementação com albumina em solução cristaloide está geralmente indicada, sendo utilizada para auxiliar na manutenção do fluido intravascular e na diminuição do edema intestinal e da parede abdominal.[16] A reposição volêmica é realizada com o uso de soluções cristaloides, devendo-se evitar a solução salina 0,9% e o Ringer simples pela elevada concentração de cloro, o que, em situações de reposição maciça, pode produzir acidose metabólica hiperclorêmica.[56] Com relação ao Ringer lactato, como o lactato é metabolizado no fígado e seu metabolismo fica comprometido na cirurgia, a avaliação da perfusão pelo lactato sérico pode ficar prejudicada. Os fluidos mais indicados são as soluções cristaloides

Tabela 200.2 Metas hemodinâmicas.

Pressão arterial média > 60 mmHg

Índice de oferta de oxigênio (IDO$_2$) > 600 mL/min/m^{-2}

Índice cardíaco (IC) > 3,0 L/min/m^{-2}

Resistência vascular sistêmica (RVS) > 600 dyn/seg/cm^5

Resistência vascular pulmonar (RVP) < 240 dyn/seg/cm^{-5}

Volume diastólico final VD indexado ≥ 80 mL/m^2

Pressão capilar pulmonar (PCP) 8 -12 mmHg

Pressão venosa central (PVC) 8 a 10 mmHg

Variação de pressão de pulso (VPP) < 15%

Tabela 200.3 Metas perfusionais.

Diurese ≥ 1 mL/kg/h

pH ≥ 7,35

Lactato ≤ 4 mmol/L

Ca 1,1 – 1,3 mEq/L

Temperatura >36°C

ScvO$_2$ ≥ 70%

Gradiente veno-arterial de gás carbônico (ΔPCO$_2$) < 6 mmHg

Gradiente alvéolo-arterial de oxigênio [P(A-a)O$_2$] < 10 mmHg balanceadas, polieletrolíticas, contendo acetato e gluconato, no lugar do lactato.[57]

As análises de gases sanguíneos, Na, K, Cai, Cl, lactato, bicarbonato, hemoglobina e glicose são realizadas a cada 60 min durante a cirurgia, após as correções ou quando a situação clínica indicar.

■ HEMOSTASIA

As alterações da hemostasia podem incluir desde distúrbios de hipocoagulação que aumentam o risco de sangramento, até condições de hemorragia maciça associadas a coagulopatias complexas, ou mesmo condições associadas a eventos trombóticos. A coagulação sanguínea é monitorizada clínica e laboratorialmente, e está incorporada à estratégia transfusional restritiva ao uso de hemocomponentes e de agentes hemostáticos.

A monitorização da coagulação com testes que avaliam as propriedades viscoelásticas do sangue total, propiciando uma avaliação rápida e precisa de todo o sistema da coagulação, são fundamentais nesta cirurgia. Os testes mais utilizados são a tromboelastografia (TEG®) e a tromboelastometria (ROTEM®), que avaliam as propriedades trombodinâmicas do sangue durante o processo de formação do coágulo. Estes testes apresentam como vantagens sobre a avaliação convencional da coagulação (TP, TTPa, TT): a análise da coagulação e da fibrinólise, diagnóstico diferencial das coagulopatias, avaliação da atividade plaquetária, avaliação *in vitro* da terapêutica, rapidez da avaliação, facilidade de interpretação e a realização da avaliação da coagulação na temperatura real do paciente.[58] Os testes ROTEM® ou TEG® documentam a interação dos fatores da coagulação com as plaquetas, a formação inicial da fibrina, a velocidade de endurecimento do coágulo, a firmeza e a estabilidade do coágulo, e a atividade plaquetária. A descrição detalhada do método da TEG® e do ROTEM® encontra-se no capítulo "Monitorização do Sistema Hematológico". A despeito da falta de um consenso com relação aos algoritmos transfu-sionais, a utilização racional dos testes viscoelásticos, dentro de protocolos transfusionais, permite otimizar o tratamento imediato dos distúrbios da hemostasia intraoperatórios, diminuindo o sangramento, as necessidades transfusionais de hemocomponentes, e a morbidade e mortalidade geral.[59-61] Desta forma, estes testes têm sido incorporados aos algoritmos atuais de abordagem ao paciente com sangramento no transplante e outros cenários cirúrgicos.[62-64]

A profilaxia intraoperatória dos distúrbios da hemostasia é estendida a todos os pacientes, priorizando, como base, a manutenção da normotermia e a otimização da perfusão tecidual. O uso de PFC, crioprecipitado e concentrado de plaquetas está restrito ao tratamento da coagulopatia de acordo com protocolos transfusionais orientados pela tromboelastografia, o que tem sido conduta em vários centros transplantadores. Os protocolos transfusionais nos transplantes de intestino e multivisceral são baseados nos protocolos do transplante de fígado. A transfusão de hemácias é raramente indicada quando a hemoglobina encontra-se acima de 10 g/dL. O estudo tromboelastográfico (TEG® ou ROTEM®) junto à contagem plaquetária são geralmente realizados no início da cirurgia para planejamento da estratégia intraoperatória, 30 a 60 minutos após a reperfusão do enxerto, e antes do fechamento da parede abdominal, ou quando clinicamente indicado.

Na hemorragia maciça intraoperatória, a nossa recomendação é transfundir, utilizando o sistema de infusão rápida de fluidos aquecidos, 1U de PFC para cada unidade de hemácia, até que o sangramento cirúrgico esteja controlado. A cada 5U de hemácias transfundidas deve-se monitorizar a coagulação. Durante o tratamento da hemorragia maciça deve-se manter a contagem de plaquetas em pelo menos 100.000/mm³, o fibrinogênio maior que 200 mg/dL, e respeitar o gatilho transfusional de 9 g/dL para a hemoglobina. De acordo com as evidências atuais, após controlada a hemorragia maciça, recomenda-se adotar estratégia transfusional restritiva, obedecendo protocolos orientados pela tromboelastografia.

REFERÊNCIAS

1. American Gastroenterological A. American Gastroenterological Association medical position statement: short bowel syndrome and intestinal transplantation. Gastroenterology. 2003;124(4):1105-10.
2. Lal S, Teubner A, Shaffer JL. Review article: intestinal failure. Aliment Pharmacol Ther. 2006;24(1):19-31.
3. Fryer JP. The current status of intestinal transplantation. Curr Opin Organ Transplant. 2008;13(3):266-72.
4. Fonseca G, Burgermaster M, Larson E, et al. The Relationship Between Parenteral Nutrition and Central Line-Associated Bloodstream Infections: 2009-2014. JPEN J Parenter Enteral Nutr. 2018;42(1):171-5.
5. Barco S, Heuschen CB, Salman B, et al. Home parenteral nutrition-associated thromboembolic and bleeding events: results of a cohort study of 236 individuals. J Thromb Haemost. 2016;14(7):1364-73.
6. Kesseli S, Sudan D. Small Bowel Transplantation. Surg Clin North Am. 2019; 99(1):103-16.
7. Cavicchi M, Beau P, Crenn P, et al. Prevalence of liver disease and contributing factors in patients receiving home parenteral nutrition for permanent intestinal failure. Ann Intern Med. 2000;132(7):525-32.
8. Chan S, McCowen KC, Bistrian BR, et al. Incidence, prognosis, and etiology of end-stage liver disease in patients receiving home total parenteral nutrition. Surgery. 1999;126(1):28-34.
9. Fishbein TM. Intestinal transplantation. N Engl J Med. 2009;361(10):998-1008.
10. Alican F, Hardy JD, Cayirli M, et al. Intestinal transplantation: laboratory experience and report of a clinical case. Am J Surg. 1971;121(2):150-9.
11. Okumura M, Mester M. The coming of age of small bowel transplantation: a historical perspective. Transplant Proc. 1992;24(3):1241-2.
12. Margreiter R, Konigsrainer A, Schmid T, et al. Successful multivisceral transplantation. Transplant Proc. 1992;24(3):1226-7.
13. NHS. Annual Report on Intestine Transplantation 2021/2022, NHS Blood and Transplant. 2022.
14. ABTO. Dimensionamento dos Transplantes no Brasil e em cada estado (2015-2022). Associação Brasileira de Transplante de Órgãos, 2022.
15. Smith JM, Weaver T, Skeans MA, et al. OPTN/SRTR 2017 Annual Data Report: Intestine. Am J Transplant. 2019;19(2):284-322.
16. Fukazawa k, Nishida S, Pretto AEJ. Anesthetic management of adult intestinal and multi-visceral transplantation. In: Ernesto A. Pretto J, ed. Transplant Anaesthesia and Critical Care. Oxford, United Kingdom: Oxford University Press; 2015:pp. 277-284.
17. Nguyen-Buckley C, Wong M. Anesthesia for Intestinal Transplantation. Anesthesiol Clin. 2017;35(3):509-21.
18. Reyes JD. Intestinal transplantation. Semin Pediatr Surg. 2006;15(3):228-34.

19. Todo S, Tzakis A, Abu-Elmagd K, et al. Abdominal multivisceral transplantation. Transplantation. 1995;59(2):234-40.
20. Tzakis AG, Kato T, Levi DM, et al. 100 multivisceral transplants at a single center. Ann Surg. 2005;242(4):480-90. Discussion 491-3.
21. Meira Filho SP, Guardia BD, Evangelista AS, et al. Intestinal and multivisceral transplantation. Einstein (São Paulo). 2015;13(1):136-41.
22. Fryer J, Pellar S, Ormond D, et al. Mortality in candidates waiting for combined liver-intestine transplants exceeds that for other candidates waiting for liver transplants. Liver Transpl. 2003;9(7):748-53.
23. Hawksworth JS, Desai CS, Khan KM, et al. Visceral transplantation in patients with intestinal-failure associated liver disease: Evolving indications, graft selection, and outcomes. Am J Transplant. 2018;18(6):1312-20.
24. Lauro A, Panaro F, Iyer KR. An overview of EU and USA intestinal transplant current activity. J Visc Surg. 2017;154(2):105-14.
25. Huard G, Schiano T, Moon J, et al. Choice of Allograft in Patients Requiring Intestinal Transplantation: A Critical Review. Can J Gastroenterol Hepatol. 2017; 2017:1069726.
26. Kim WR, Poterucha JJ, Wiesner RH, et al. The relative role of the Child-Pugh classification and the Mayo natural history model in the assessment of survival in patients with primary sclerosing cholangitis. Hepatology. 1999;29(6):1643-8.
27. Wiesner R, Edwards E, Freeman R, et al. Model for end-stage liver disease (MELD) and allocation of donor livers. Gastroenterology. 2003;124(1):91-6.
28. Ruf A, Dirchwolf M, Freeman RB. From Child-Pugh to MELD score and beyond: Taking a walk down memory lane. Ann Hepatol. 2022;27(1):100535.
29. Adelmann D, Kronish K, Ramsay MA. Anesthesia for Liver Transplantation. Anesthesiol Clin. 2017;35(3):491-508.
30. Fleisher LA, Beckman JA, Brown KA, et al. ACC/AHA 2007 Guidelines on Perioperative Cardiovascular Evaluation and Care for Noncardiac Surgery: Executive Summary: A Report of the American College of Cardiology/American Heart Association Task Force on Practice Guidelines (Writing Committee to Revise the 2002 Guidelines on Perioperative Cardiovascular Evaluation for Noncardiac Surgery) Developed in Collaboration With the American Society of Echocardiography, American Society of Nuclear Cardiology, Heart Rhythm Society, Society of Cardiovascular Anesthesiologists, Society for Cardiovascular Angiography and Interventions, Society for Vascular Medicine and Biology, and Society for Vascular Surgery. J Am Coll Cardiol. 2007;50(17):1707-32.
31. Fukazawa K, Poliac LC, Pretto EA. Rapid assessment and safe management of severe pulmonary hypertension with milrinone during orthotopic liver transplantation. Clin Transplant. 2010;24(4):515-9.
32. Matsusaki T, Sakai T, Boucek CD, et al. Central venous thrombosis and perioperative vascular access in adult intestinal transplantation. Br J Anaesth. 2012;108(5):776-83.
33. Lomax S, Klucniks A, Griffiths J. Anaesthesia for intestinal transplantation. Continuing Education in Anaesthesia, Critical Care & Pain. 2011:1-4.
34. Pither C, Middleton S, Gao R, et al. Prothrombotic disorders in a cohort of 25 patients undergoing transplantation: investigation and management implications. Transplant Proc. 2014;46(6):2133-5.
35. Lomax S, Klucniks A, Griffiths J. Anaesthesia for intestinal transplantation. Continuing Education in Anaesthesia Critical Care & Pain. 2010;11(1):1-4.
36. Planinsic RM. Anesthetic management for small bowel transplantation. Anesthesiol Clin North America. 2004;22(4):675-85.
37. Thaler A, Harkins D. Anesthetic Management for Small Bowel Transplantation. In: Goudra BG, Singh PM, Green MS, eds. Anaesthesia for Uncommon and Emerging Procedures. Cham: Springer International Publishing; 2021:pp. 105-115.
38. Arnal D, Garutti I, Perez-Pena J, et al. Radial to femoral arterial blood pressure differences during liver transplantation. Anaesthesia. 2005;60(8):766-71.
39. Kim UR, Wang AT, Garvanovic SH, et al. Central Versus Peripheral Invasive Arterial Blood Pressure Monitoring in Liver Transplant Surgery. Cureus. 2022;14(12):e33095.
40. Klucniks A, Kerner V. Anaesthesia for intestinal transplantation. BJA Educ. 2023;23(8):312-9.
41. Pai SL, Aniskevich S, Feinglass NG, et al. Complications related to intraoperative transesophageal echocardiography in liver transplantation. Springerplus. 2015;4:480.
42. Hansebout C, Desai TV, Dhir A. Utility of transesophageal echocardiography during orthotopic liver transplantation: A narrative review. Ann Card Anaesth. 2023;26(4):367-79.
43. Vanneman MW, Dalia AA, Crowley JC, et al. A Focused Transesophageal Echocardiography Protocol for Intraoperative Management During Orthotopic Liver Transplantation. J Cardiothorac Vasc Anesth. 2020;34(7):1824-32.
44. Dalia AA, Flores A, Chitilian H, et al. A Comprehensive Review of Transesophageal Echocardiography During Orthotopic Liver Transplantation. J Cardiothorac Vasc Anesth. 2018;32(4):1815-24.
45. Dalal A. Intestinal transplantation: The anesthesia perspective. Transplant Rev (Orlando). 2016;30(2):100-8.
46. Aggarwal S, Kang Y, Freeman JA, et al. Postreperfusion syndrome: cardiovascular collapse following hepatic reperfusion during liver transplantation. Transplant Proc. 1987;19(4 Suppl 3):54-5.
47. Siniscalchi A, Piraccini E, Cucchetti A, et al. Analysis of cardiovascular, acid-base status, electrolyte, and coagulation changes during small bowel transplantation. Transplant Proc. 2006;38(4):1148-50.
48. Siniscalchi A, Cucchetti A, Miklosova Z, et al. Post-reperfusion syndrome during isolated intestinal transplantation: outcome and predictors. Clin Transplant. 2012; 26(3):454-60.
49. Wolberg AS, Meng ZH, Monroe DM, 3rd, et al. A systematic evaluation of the effect of temperature on coagulation enzyme activity and platelet function. J Trauma. 2004;56(6):1221-8.
50. Gando S, Sawamura A, Hayakawa M. Trauma, shock, and disseminated intravascular coagulation: lessons from the classical literature. Ann Surg. 2011;254(1):10-9.
51. Martini WZ. Coagulopathy by hypothermia and acidosis: mechanisms of thrombin generation and fibrinogen availability. J Trauma. 2009;67(1):202-8; discussion 208-9.
52. Engstrom M, Schott U, Romner B, et al. Acidosis impairs the coagulation: A thromboelastographic study. J Trauma. 2006;61(3):624-8.
53. Pulido JC, Romero CJ, Ruiz EM, et al. Renal failure associated with intestinal transplantation: our experience in Spain. Transplant Proc. 2014;46(6):2140-2.
54. Huard G, Iyer K, Moon J, et al. The high incidence of severe chronic kidney disease after intestinal transplantation and its impact on patient and graft survival. Clin Transplant. 2017;31(5).
55. Jorge ML, Fisher H. Critical care of the intestinal and multi-visceral transplant recipient. In: Ernesto A. Pretto J, ed. Transplant Anaesthesia and Critical Care. Oxford, United Kingdom; 2015:pp. 297-306.
56. Young JB, Utter GH, Schermer CR, et al. Saline versus Plasma-Lyte A in initial resuscitation of trauma patients: a randomized trial. Ann Surg. 2014; 259(2):255-62.
57. Shin WJ, Kim YK, Bang JY, et al. Lactate and liver function tests after living donor right hepatectomy: a comparison of solutions with and without lactate. Acta Anaesthesiol Scand. 2011;55(5):558-64.
58. Reikvam H, Steien E, Hauge B, et al. Thrombelastography. Transfus Apher Sci. 2009;40(2):119-23.
59. Dalmau A, Sabate A, Aparicio I. Hemostasis and coagulation monitoring and management during liver transplantation. Curr Opin Organ Transplant. 2009; 14(3):286-90.
60. Hunt H, Stanworth S, Curry N, et al. Thromboelastography (TEG) and rotational thromboelastometry (ROTEM) for trauma induced coagulopathy in adult trauma patients with bleeding. Cochrane Database Syst Rev. 2015(2):CD010438.
61. Wikkelso A, Wetterslev J, Moller AM, et al. Thromboelastography (TEG) or thromboelastometry (ROTEM) to monitor haemostatic treatment versus usual care in adults or children with bleeding. Cochrane Database Syst Rev. 2016; 8:CD007871.
62. Collins P, Abdul-Kadir R, Thachil J, et al. Management of coagulopathy associated with postpartum hemorrhage: guidance from the SSC of the ISTH. J Thromb Haemost. 2016;14(1):205-10.
63. Rossaint R, Bouillon B, Cerny V, et al. The European guideline on management of major bleeding and coagulopathy following trauma: fourth edition. Crit Care.2016;20:100.
64. American Society of Anesthesiologists Task Force on Perioperative Blood M. Practice guidelines for perioperative blood management: an updated report by the American Society of Anesthesiologists Task Force on Perioperative Blood Management*. Anesthesiology 2015;122(2):241-75.

Parte
29

Reanimação
Cardiorrespiratória
e Cerebral

201

Reanimação Cardiorrespiratória no Adulto

Guinther Giroldo Badessa ▪ Cirilo Haddad Silveira ▪ Leonardo Ayres Canga

INTRODUÇÃO

O conceito de parada cardiorrespiratória (PCR) pode apresentar variações de acordo com diferentes autores. Muitos consideram a definição de Milstein, estabelecida na década de 70, como a mais apropriada. Segundo o autor, a PCR é descrita como "a interrupção abrupta e imprevista da atividade mecânica ventricular necessária e adequada em um indivíduo sem doença incurável, debilitante, irreversível e crônica".[1]

Ao considerar a aplicação das manobras de reanimação cardiopulmonar (RCP), é importante levar em conta a probabilidade de sobrevivência da vítima, o que está relacionado a diversos fatores, incluindo aspectos éticos, religiosos, culturais, econômicos e médicos. No entanto, existem situações em que o início da RCP não é recomendado, como no caso de decapitação da vítima, rigidez cadavérica, anencefalia, quando a RCP coloca em risco o reanimador e em presença de uma ordem válida de "não tentar ressuscitação", que ainda não é regulamentada no Brasil.

Em contrapartida, em todos os outros cenários, é fundamental possuir a capacidade e a consciência para iniciar as manobras de RCP. É importante ressaltar que, na ausência de informações claras sobre o estado do paciente, é imperativo iniciar a RCP como uma tentativa de salvar a vida da vítima.[2]

A PCR é uma emergência médica que pode ocorrer a qualquer momento e em qualquer lugar. Portanto, é fundamental que todos os profissionais de saúde possuam habilidades sólidas em seu atendimento, e é um tópico que deve ser incentivado também entre o público leigo em qualquer lugar, seja em ambientes hospitalares ou em situações inesperadas, como durante um jogo de futebol.

▲ **Figura 201.1** Jogadores da Dinamarca durante Parada Cardíaca de Jogador na Eurocopa de 2021.
Fonte: Imagem Reprodução UEFA, 2021.

▪ COMPREENDENDO A ELETROCARDIOGRAFIA DA PARADA CARDIORESPIRATÓRIA E SUAS CAUSAS

Para otimizar o tratamento da PCR, é essencial compreender sua origem. Em um contexto de pacientes em estado crítico, cinco causas principais emergem como fatores desencadeantes, podendo ocorrer de maneira independente ou se sobrepor umas às outras:[3]

1. **Hipóxia:** secundária à insuficiência respiratória;
2. **Arritmias cardíacas fatais:** secundária ou não à insuficiência coronária;
3. **Hipovolemia;**
4. **Estímulo vagal intenso:** como ocorre durante a intubação traqueal;
5. **Distúrbio metabólico**: como acontece na acidose e hipercalemia grave.

Essas questões serão abordadas posteriormente, contudo, elas englobam situações que fazem parte do cotidiano do anestesiologista durante o período perioperatório, tornando o tema relevante e de extrema importância para nossa prática.

Para um melhor gerenciamento, um diagnóstico rápido por meio de eletrocardiografia é essencial. Nesse contexto, a PCR é identificada considerando as seguintes condições: assistolia, atividade elétrica sem pulso (AESP), fibrilação ventricular (FV) e taquicardia ventricular sem pulso (TVSP).

Fibrilação Ventricular e Taquicardia Ventricular sem Pulso

A taquicardia ventricular sem pulso (TVSP) confere ao eletrocardiograma (ECG) uma morfologia serpiginosa distintiva, que se manifesta com QRS alargados e uma frequência que varia entre 350 e 700 batimentos por minuto. Além disso, é importante destacar que a TVSP geralmente apresenta complexos de maior amplitude em comparação com a fibrilação ventricular (FV) (Figuras 201.2 e 201.3).

A FV pode ocorrer de duas formas distintas: a forma grosseira, resultante de circuitos de reentrada menos frequentes, e a forma fina, que envolve circuitos menores e mais numerosos.

A taquicardia ventricular polimórfica em torsades de pointes é um ritmo que exibe uma iminente possibilidade de evoluir para PCR se não for tratado. Ela compartilha características semelhantes com a TVSP, mas com uma variação no seu eixo, que resulta em uma aparência torcida (Figura 201.4).[4,5,6]

Assistolia

A assistolia é uma ocorrência comum durante a PCR quando a causa está relacionada à hipoxemia e à hipovolemia. É frequentemente observada em pacientes com doenças cardíacas ou pulmonares graves, o que contribui para um prognóstico desfavorável. No ECG, a assistolia se caracteriza por um padrão isoelétrico. É importante notar que quando esse traçado é identificado, é crucial realizar uma verificação dos cabos, ajustes nos ganhos (uma vez que o paciente pode apresentar um ritmo de FV com baixa amplitude) e, se a monitorização estiver sendo realizada através das pás do desfibrilador, considerar a troca de suas posições (Figura 201.5).

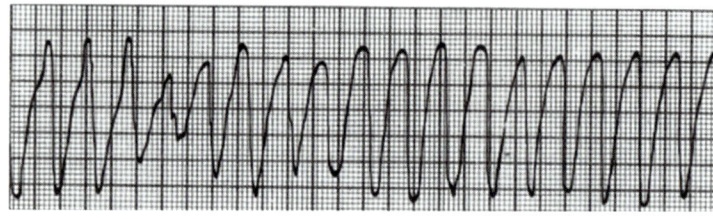

◄ **Figura 201.2** Traçado da taquicardia ventricular sem pulso.

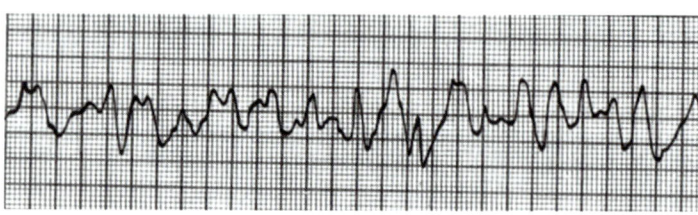

◄ **Figura 201.3** Imagem de Fibrilação Ventricular.

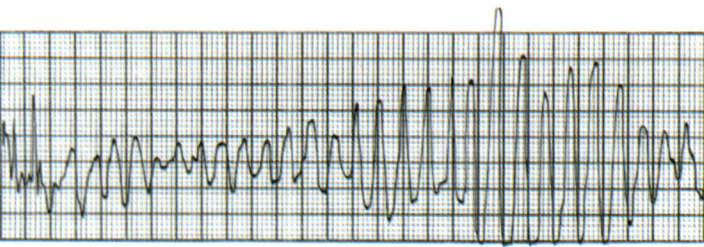

◄ **Figura 201.4** *Torsades de Pontes.*

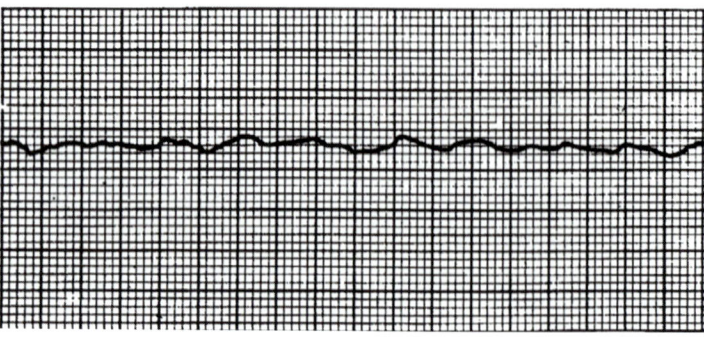

◄ **Figura 201.5** Assistolia.

Atividade elétrica sem pulso

A atividade elétrica sem pulso (AESP) engloba diversas arritmias de natureza heterogênea, incluindo o ritmo idioventricular, escape ventricular e bradiassistolia. Essas condições frequentemente têm um prognóstico desfavorável, similar ao da assistolia. O tratamento deve ser voltado para a causa subjacente, sempre que passível de correção.[4]

A característica eletrocardiográfica mais comumente identificada é a baixa frequência, com ausência de complexos atriais e complexos ventriculares que lembram um bloqueio de ramo, embora possam ocasionalmente se assemelhar a um ritmo sinusal. Cerca de 2% das PCRs em ambiente hospitalar correspondem à AESP.[7]

■ DIAGNÓSTICO DA PARADA CARDIORESPIRATÓRIA

O passo inicial essencial no tratamento da parada cardíaca é a sua identificação. O diagnóstico precoce da PCR é uma etapa crucial que influencia significativamente o prognóstico dos pacientes. Portanto, ele deve ser realizado de maneira simples, acessível e com alta sensibilidade e especificidade. A avaliação da presença ou ausência de pulso carotídeo demonstrou ter uma precisão limitada no diagnóstico de PCR.[8]

Com o objetivo de agilizar a identificação da PCR e, assim, minimizar o tempo sem circulação sanguínea, o diagnóstico da PCR é alcançado por meio do reconhecimento da ausência de sinais vitais, tais como inconsciência da vítima, falta de movimentos e ausência de respiração.[3] Entretanto, nenhum desses sinais pode substituir a falta de pulsação nas grandes artérias, como a artéria femoral e carótida.[3]

O profissional médico deve ser capaz de reconhecer a ausência de pulso em menos de 10 segundos em uma grande artéria; preferencialmente utiliza-se o pulso carotídeo.[3] A presença de movimentos respiratórios agônicos (*gasping*), nos estágios iniciais da PCR, é um fator complicador de erro para seu diagnóstico precoce, especialmente na população não treinada.[3]

Um aspecto crucial a se considerar é que o método de diagnóstico proposto para a PCR não é aplicável a pacientes sob anestesia geral ou submetidos a bloqueios profundos sob sedação. Esses pacientes em um ambiente cirúrgico com monitorização obrigatória, a PCR deve ser avaliada por meio de outras variáveis, como ausência de pulso na oximetria, a diminuição ou ausência de dióxido de carbono exalado registrada no capnógrafo, alterações eletrocardiográficas sugestivas do evento e a ausência de pulso em uma artéria de maior calibre.

■ REANIMAÇÃO CARDIOPULMONAR

Conceitos Gerais

A RCP é o conjunto de procedimentos diagnósticos e terapêuticos destinados ao tratamento da PCR. Ela tem como objetivo manter a circulação sanguínea, reduzindo o período de privação de fluxo sanguíneo, e fornecer ventilação artificial, visando o restabelecimento da circulação espontânea (RCE) o mais rapidamente possível e minimizar danos cerebrais. Para garantir uma abordagem eficiente, segura e acessível à PCR, a RCP é conduzida seguindo algoritmos estruturados. No entanto, para obter os melhores resultados, é essencial que haja educação contínua e conscientização, abrangendo desde leigos até profissionais médicos.[9,10]

As principais etapas da RCP podem ser sintetizadas pela cadeia de sobrevivência da PCR (Figura 201.6).[2]

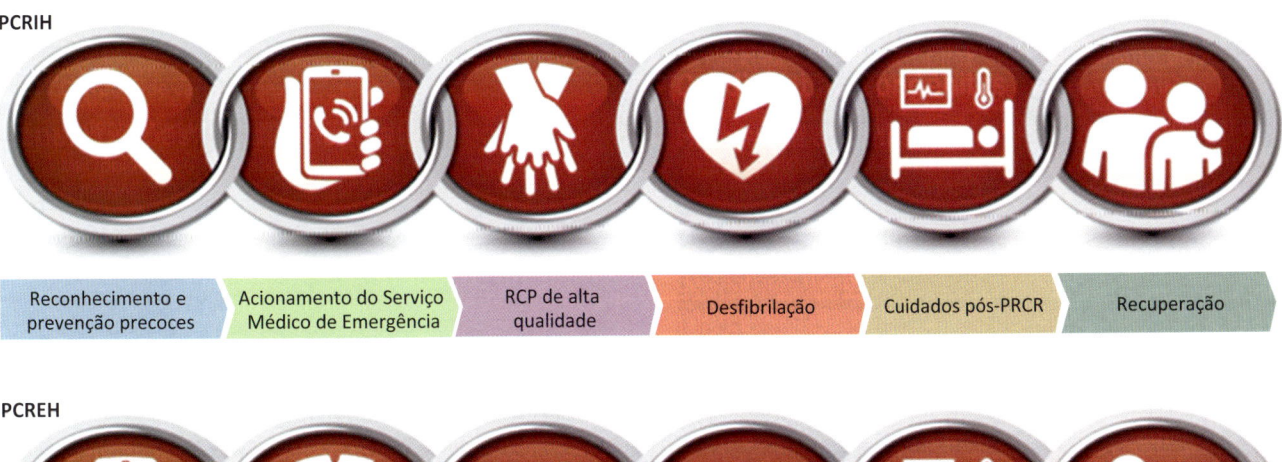

PCRIH

| Reconhecimento e prevenção precoces | Acionamento do Serviço Médico de Emergência | RCP de alta qualidade | Desfibrilação | Cuidados pós-PRCR | Recuperação |

PCREH

| Acionamento do Serviço Médico de Emergência | RCP de alta qualidade | Desfibrilação | Ressuscitação avançada | Cuidados pós-PRCR | Recuperação |

▲ **Figura 201.6** Cadeia AHA.
AHA: American Heart Association.

O algoritmo inicial de tratamento da vítima tem como foco a identificação precoce da PCR e, simultaneamente, a implementação das primeiras ações de socorro. Após o diagnóstico, é crucial solicitar assistência e iniciar as manobras de posicionamento adequado, seguidas de compressões torácicas vigorosas de acordo com o protocolo estabelecido. Em pacientes submetidos a anestesia geral ou em estado de sedação profunda, essas etapas devem ser adaptadas às necessidades da especialidade em questão.

A expressão "chamar por ajuda" abrange a ideia de entrar em contato com o Serviço de Atendimento Médico de Urgência (SAMU) em eventos que ocorrem fora do ambiente hospitalar, ou com a equipe de resposta rápida (TRR), disponível em certos hospitais para situações intra-hospitalares. Também pode envolver a convocação de mais pessoas na sala de cirurgia para prestar auxílio. O cerne dessas diretrizes é garantir um acesso rápido ao desfibrilador e às medidas avançadas de suporte. Em muitos hospitais, equipes especializadas, responsáveis por lidar com casos de PCR intra-hospitalar, incluindo o centro cirúrgico, são conhecidas como "código azul".[11]

Enquanto se espera a chegada do desfibrilador e do suporte avançado, mantém-se as compressões torácicas, tendo como objetivo a RCP de alta qualidade. As manobras de RCP têm início com 30 compressões torácicas para 2 ventilações naqueles pacientes em que não foi controlada definitivamente a via aérea.[1,3] No centro cirúrgico a ventilação clássica boca a boca não faz sentido devido à disponibilidade de sistemas de ventilação e oxigenação mais eficientes. Visando a ventilação no centro cirúrgico, pode-se empregar o sistema balão-valva-máscara ou o circuito circular, com elevada fração de oxigênio, até que o controle definitivo da via aérea seja obtido (intubação traqueal, máscara laríngea ou tubo combinado esôfago-traqueal (Combitube®).[2]

Em síntese, como o cenário da PCR de origem cardíaca é mais frequente, prioriza-se nesta primeira fase das manobras de RCP as seguintes etapas: primeiro a massagem cardíaca externa (MCE); em segundo, o controle da via aérea; em terceiro, a ventilação artificial; em quarto, a desfibrilação externa automática (C-B-A-D).[3]

Em uma fase mais tardia (segunda fase), a RCP envolve administração de fármacos e fluidos, diagnóstico do tipo de PCR pelo médico com a terapêutica elétrica específica, estabilização do paciente e manobras pós-PCR direcionadas.[4]

Primeira Etapa da Reanimação Cardiorrespiratória

Após o diagnóstico e o pedido de assistência, inicia-se a primeira etapa da RCP, que pode ser conduzida de forma simples, sem a necessidade de equipamentos especiais ou medicamentos (suporte básico), ou com a utilização desses recursos (suporte avançado). A distinção fundamental entre o suporte básico (BLS) e o suporte avançado (ACLS) reside na presença de equipamentos específicos e na administração de medicamentos. O suporte básico pode ser realizado com ou sem a presença de um médico, enquanto o suporte avançado requer a presença do médico, uma vez que envolve conhecimentos e treinamentos mais avançados para sua aplicação.

Massagem Cardíaca Externa

As compressões torácicas têm início imediato após o diagnóstico e a solicitação de ajuda e não devem ser interrompidas por um período maior que 10 segundos.

O local da compressão torácica durante a MCE em um paciente adulto deve ser no centro do tórax, entre os mamilos (linha intermamilar ou dois dedos acima do apêndice xifoide). A correta localização pode ser obtida determinando-se inicialmente o rebordo costal; seguindo este no sentido medial, localiza-se então o apêndice xifoide. Dois a três dedos acima deste é o local adequado para a depressão do osso esterno.

Aplica-se a parte saliente da mão (carpo) e a outra mão sobre esta. Os dedos do reanimador não devem tocar o tórax.[3] O reanimador deve ficar ao lado do paciente, com os braços estendidos e as mãos adequadamente posicionadas sobre o esterno, usando o seu peso na compressão do tórax e o quadril como um fulcro.[3] No adulto, o esterno é comprimido no mínimo 5 e no máximo 6 cm, o que exige, na maioria das vezes, pressão equivalente a 30 a 40 kg. A MCE de elevado impulso é considerada de melhor qualidade, por estar associada à geração de maior débito cardíaco.[2,3,12]

A descompressão torácica, que corresponderia à "diástole", é feita descomprimindo-se o tórax, porém, sem a retirada completa das mãos do local apropriado, ou seja, sem perder o posicionamento. Deve-se estar atento para permitir um completo retorno do tórax.[12] Sendo a sequência de compressões/descompressões executada na frequência no mínimo de 100 por minuto e no máximo de 120 por minuto.[2,13]

O sincronismo entre as compressões e ventilações é realizado na proporção de 30 compressões para 2 ventilações (30:2), enquanto o paciente não apresenta controle definitivo da vai aérea. A ventilação é administrada por meio de qualquer técnica ou dispositivo durante um período de 1 segundo, com o intuito de evitar altas pressões nas vias áreas e minimizar à distensão gástrica. Em situações em que a via aérea estiver controlada, seja através de dispositivos supraglóticos ou intubação orotraqueal de emergência (IOT), a MCE e a ventilação pulmonar são realizadas simultaneamente. Nessa circunstância a MCE deve ser também de aproximadamente 100 a 120 compressões por minuto e, as ventilações, de 8 a 10 incursões por minuto.[3] Esse cenário é o mais rotineiro no centro cirúrgico, pois terá mais de um reanimador, podendo um ficar responsável pela compressão e outro pela ventilação. Vale ressaltar, em um cenário extra-hospitalar, onde só há um socorrista habilitado, deve-se priorizar a MCE sem interrupções para ventilação.

A troca das funções entre os reanimadores presentes é obrigatória durante a RCP, pois ocorre a fadiga dos reanimadores e a consequente queda na *performance* da MCE. Dessa forma, é recomendada a troca a cada 2 minutos ou 5 ciclos após o término da ventilação pulmonar ou a qualquer término de ciclo, caso o líder perceba a fadiga precoce do reanimador, é sempre importante frisar que a troca deve ser realizada de forma rápida, visando diminuir interrupções.[3]

Os reanimadores devem ocupar os lados opostos com relação ao paciente.[3] Quando a MCE é realizada por reanimador experiente, é dada como efetiva, o débito cardíaco pode alcançar aproximadamente 30% do seu normal.[12,14]

Ressalta-se a importância de a vítima estar com sua volemia recuperada, pois a hipovolemia reduz de forma importante a performance da MCE.[15]

A MCE efetiva traduz-se em pressão arterial sistólica igual ou superior a 50 mmHg, mantendo, portanto, uma pressão de perfusão coronária acima de 15 mmHg (Figura 201.7).[16,17]

A avaliação da efetividade da MCE pode ser feita por alguns métodos. Apesar das críticas inerentes à técnica, a amplitude do pulso carotídeo ou femoral é o método mais prático que pode ser utilizado em um ambiente extra-hospitalar na ausência de equipamentos.[18] Quanto ao tamanho pupilar, a miose significa uma boa perfusão cerebral, no entanto, considerar a midríase como um indicativo de má perfusão pode ser enganoso, pois o uso de drogas adrenérgicas pode interferir no diâmetro pupilar. Portanto, a pupila que se mantém em miose durante as manobras de RCP é indicativo de bom fluxo ao sistema nervoso central.[19]

A monitorização do dióxido de carbono expirado pelos pulmões é o padrão ouro para se avaliar a efetividade da MCE, pois apresenta correlação direta com o débito cardíaco obtido. Inúmeras evidências têm demonstrado que pacientes com maiores níveis de CO_2 expirado apresentam melhor sobrevida e melhores resultados neurológicos.[20-24] Recomenda-se a manutenção de um PETCO$_2$ maior que 10 mmHg durante a MCE.[25]

Duas teorias tentam explicar o mecanismo gerador de fluxo durante a MCE. Inicialmente, a teoria da bomba cardíaca aceita que o fluxo sanguíneo gerado durante a MCE é consequência da compressão do correção entre o esterno e a coluna vertebral e, devido a este fato, a válvula aórtica se abriria na sístole com o fechamento da válvula mitral. O inverso ocorreria durante a descompressão, com a abertura da válvula mitral e o fechamento da aorta. Alguns pesquisadores, contudo, advogam que o aumento da pressão intratorácica é o determinante da circulação durante a MCE.

O conceito de que o aumento da pressão intratorácica é o principal mecanismo gerador do débito cardíaco, e não somente a compressão cardíaca, nasceu da observação na década de 90, baseando-se no fato de que a tosse pode

manter a consciência de pacientes que desenvolvem arritmias letais durante angiografias.[26-29]

Complicações da Massagem Cardíaca

Assim como acontece com qualquer procedimento, a MCE não está isenta de complicações. Aquelas que são documentadas na literatura provavelmente estão associadas a compressões torácicas excessivamente fortes, incluindo complicações como ruptura cardíaca e de suas estruturas internas, fraturas de costelas, pneumotórax, embolia gordurosa e ruptura de órgãos abdominais. Portanto, enfatiza-se a importância da avaliação constante da qualidade da massagem cardíaca e do treinamento contínuo, uma vez que essas medidas reduzem a probabilidade de ocorrência de complicações.

■ MASSAGEM CARDÍACA INTERNA

A massagem cardíaca interna (MCI) pode ser uma alternativa, quando existe a presença de um médico equipado e experiente para sua realização, ou em situações de cirurgias com tórax aberto. A técnica da MCI envolve toracotomia anterior esquerda, abertura do pericárdio e abordagem do coração com a mão direita.

As compressões cardíacas são realizadas a um ritmo de 100 a 120 compressões por minuto e ventilação simultânea de 8 a 10 movimentos respiratórios por minuto, pois subentende-se que o paciente já está com a via aérea controlada (Figura 201.8).[30-32]

Algumas alternativas da MCI podem ser utilizadas eventualmente no suporte avançado, como a massagem cardíaca transabdominal.

A eficiência da MCI é ligeiramente superior à da MCE e, assim, mantém uma perfusão cerebral mais adequada.[33-35] Entretanto, existem indicações específicas para esta ação, sendo as mais consideradas: deformidade torácica importante que dificulta a MCE, FV refratária (desfibrilação externa sem efetividade) e, finalmente, quando o tórax já se encontra aberto, especialmente quando ocorrem ferimentos cardiovasculares graves que levam à abertura imediata do tórax.[35]

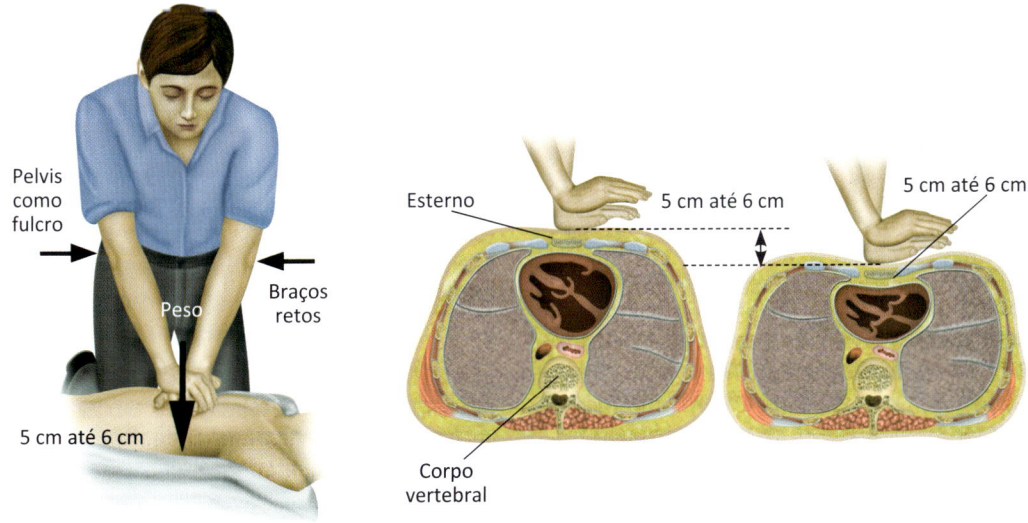

▲**Figura 201.7** Estrutura da Massagem Cardíaca.
Fonte: Adaptada de ilustração em técnica guache do autor Frank H. Netter, 1974. Acervo CIBA Clinical Symposia, 1974:26(5).

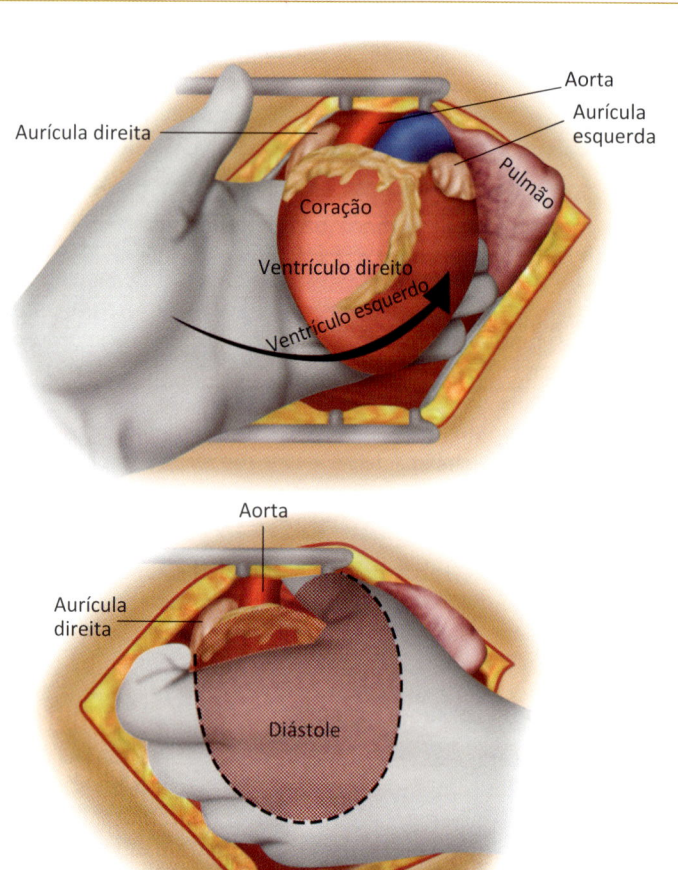

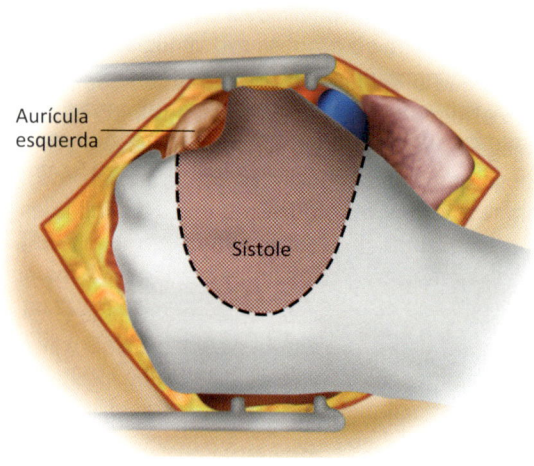

◀ **Figura 201.8** Massagem Cardíaca Interna.

▪ CONTROLE DA VIA AÉREA

O gerenciamento da via aérea é igualmente crucial à MCE, especialmente quando a PCR tem origem na hipóxia, uma causa altamente comum em situações envolvendo anestesiologistas.

Manobras Auxiliares

Nos indivíduos inconscientes existe o relaxamento da musculatura anterior do pescoço, que na vítima em decúbito dorsal possibilita a queda da epiglote no acesso à laringe e da base da língua sobre a faringe, o que acarreta a obstrução da via aérea nos dois locais.[2,36] A extensão do pescoço libera os pontos de obstrução, manobra utilizada com frequência em nosso no ambiente de trabalho.

Entre as manobras utilizadas para desobstruir as vias aéreas, a manobra de Ruben é a mais segura e efetiva, consiste na extensão da cabeça (*head tilt) e* elevação do mento (*jaw thrust)*. Na situação de uma fratura da coluna cervical ou na sua suspeita, a estabilização da coluna deve ser obtida manualmente por uma auxiliar, pois os colares cervicais dificultam de maneira importante as manobras de desobstrução da via aérea. Neste cenário o *head tilt* deve ser evitado, preferindo o *jaw thrust*.

É importante lembrar que nesse cenário uma manobra alternativa é a elevação do mento (*chin lift) as*sociada ou não ao *jaw thrust*.[3,37] Ressalta-se que mesmo em situação de obstrução de vias aéreas não está indicada a exploração digital de vias aéreas (Figura 201.9).

◀ **Figura 201.9** Manobra Rubem e *Jaw Thrust*.
Fonte: Acervo CIBA Clinical Symposia, 1974:26(5).

▪ VENTILAÇÃO

Sem Equipamentos Auxiliares

A respiração artificial básica sem qualquer equipamento pode ser realizada com a ventilação boca a boca, boca-nariz ou até mesmo boca-estoma, porém deve-se tomar várias precauções para evitar a contaminação do reanimador. Dessa forma, cursos recentes da AHA não preconizam estas, então na ausência de dispositivos de ventilação, as compressões cardíacas de alta qualidade devem ser priorizadas.

Com Equipamentos Auxiliares

Vários dispositivos podem ser utilizados com o objetivo de auxiliar a ventilação, administrar elevadas frações de oxigênio e eliminar o contato direto com a vítima. A máscara de bolso (*pocket mask*) é de fácil manuseio e transporte. O sistema balão-valva-máscara/tubo é muito conhecido no meio médico, porém sua adequada manipulação depende de treinamento.

As etapas mencionadas anteriormente podem ser consideradas dispensáveis e, frequentemente, omitidas em ambientes cirúrgicos bem monitorados, onde cirurgiões e anestesiologistas estão devidamente treinados e onde há disponibilidade de laringoscópios, tubos traqueais e uma variedade de outros dispositivos para acesso à via aérea.

Durante as manobras de RCP, é importante administrar oxigênio a uma concentração de 100%, como mencionado anteriormente, independentemente do dispositivo utilizado para controlar a via aérea. A razão para isso é minimizar os possíveis efeitos indesejáveis, como a geração de radicais livres de oxigênio, a vasoconstrição cerebral e a toxicidade pulmonar (Figura 201.10).[37]

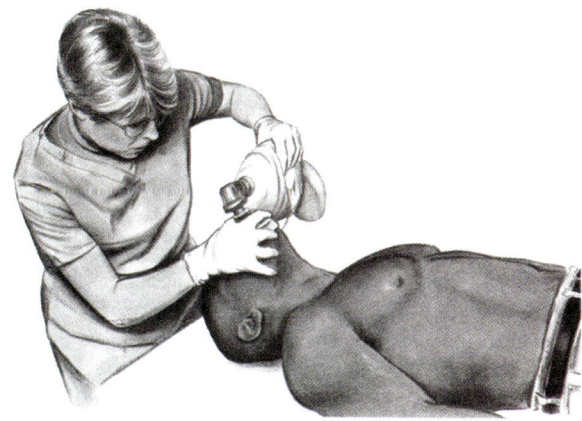

▲ **Figura 201.10** Ventilação com AMBU.

Manejo Avançado e Definitivo da Via Aérea no Contexto da Parada Cardiorrespiratória

Existem diversos equipamentos disponíveis para o controle das vias aéreas, que serão abordados de forma mais abrangente em um capítulo dedicado às vias aéreas. No entanto, no contexto da PCR, desde o uso da simples cânula orofaríngea (cânula de Guedel) até as cânulas nasofaríngeas e dispositivos supraglóticos, quando utilizados adequada-

mente, muitas vezes permitem a reestabelecimento temporário das vias aéreas antes do manejo definitivo. Vale destacar que os dispositivos supraglóticos são considerados avançados, porém não definitivos, no controle da via aérea.

A principal preocupação está relacionada à regurgitação e à aspiração pulmonar. Experiências em todo o mundo demonstram a eficácia dos dispositivos supraglóticos nas manobras de RCP. No entanto, em um cenário ideal, a intubação traqueal é sempre considerada a abordagem mais apropriada para o controle das vias aéreas, pois proporciona melhor ventilação, oxigenação e impede a aspiração pulmonar do conteúdo gástrico.[37]

Independentemente do método escolhido, o controle da via aérea deve ser realizado de forma rápida e eficaz, a fim de evitar prolongados períodos sem RCP, dado o impacto significativo que isso pode causar. Portanto, a pessoa mais experiente no manejo das vias aéreas deve ser a responsável por essa tarefa.[37]

No cenário do anestesiologista, muitas vezes o paciente já estará com a via aérea garantida, porém em casos em que a intubação é realizada de forma não eletiva alguns cuidados são necessários. Após a intubação traqueal ser concretizada, é necessário constatar o correto posicionamento do tubo traqueal por meio de avaliação clínica, como a observação da expansão torácica e da ausculta pulmonar. Determinados dispositivos podem auxiliar nessa tarefa, como o capnógrafo, padrão-ouro para detecção da IOT, além disso possui função de avaliar de forma indireta a qualidade da RCP. Estima-se que a intubação esofágica ocorra durante a RCP em aproximadamente 6% a 12% dos casos.[37] As avaliações devem ser feitas sempre que o dispositivo do controle da via aérea for inserido e após a mobilização do paciente, para diagnóstico precoce de um potencial deslocamento inadvertido do dispositivo (Figura 201.11).

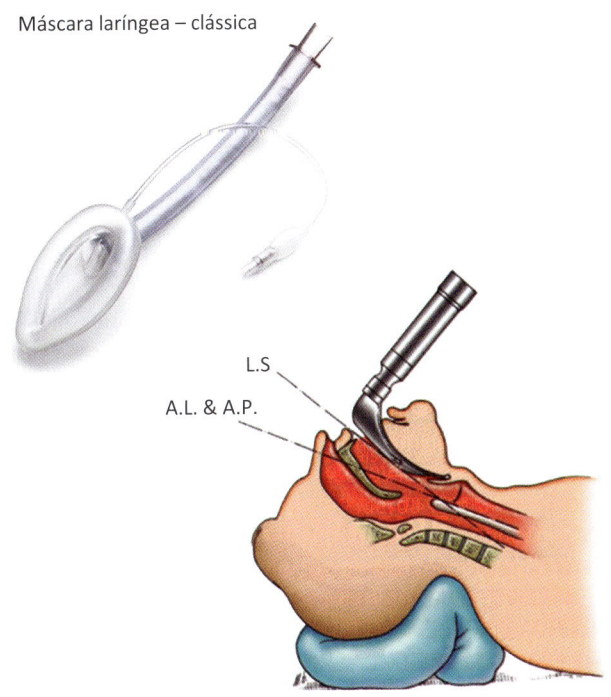

Máscara laríngea – clássica

L.S

A.L. & A.P.

▲ **Figura 201.11** IOT e Máscara Laríngea.

■ DESFIBRILAÇÃO ELÉTRICA EXTERNA

A desfibrilação elétrica externa do coração pode ser considerada, de uma forma muito simples, como uma descarga elétrica não sincronizada com o ritmo cardíaco aplicado sobre o tórax do paciente, orientada na direção do eixo elétrico cardíaco. O objetivo terapêutico reside na aplicação de impulso elétrico monofásico ou bifásico de magnitude que possa despolarizar como um todo e simultaneamente as fibras miocárdicas. Dessa forma, nestas novas condições, com todas as fibras musculares na mesma fase, o nó sinoatrial pode obter a capacidade de retomar a condução do ritmo cardíaco.

Os desfibriladores atuais, incluindo o desfibrilador elétrico automático (DEA), utilizam o modelo de descarga bifásica. Nesse modelo a maioria das avaliações apresenta uma superioridade na resposta do coração à descarga elétrica (85% a 94%).[2,4,40] Contudo, existem resultados contrários sobre essa superioridade em recentes avaliações.

A posição dos eletrodos é outro ponto que deve ser considerado. A eficiência da desfibrilação é maior quando os eletrodos são distribuídos da seguinte forma: infraclavicular direita e inframamária esquerda ou, como alternativa, a posição anteroposterior inframamária (Figura 201.12).

Outros pontos, como a massa cardíaca (tamanho do coração), o tamanho dos eletrodos (recomenda-se o de 12 cm para adultos) e a impedância da pele à corrente elétrica (o gel eletrolítico diminui a resistência à corrente elétrica), também são matérias consideradas complicadoras à eficiência da desfibrilação

É necessário advertir que, apesar da recomendação de que as pás devem ser firmemente pressionadas contra o tórax (pressão de 6 a 8 kg) para diminuir a resistência ao fluxo de corrente pela pele, os eletrodos autoadesivos (como por exemplo os presentes no DEA) são igualmente eficientes.[41]

A principal razão de se empregar uma desfibrilação elétrica o mais precocemente possível é a possibilidade de uma desfibrilação efetiva diminuir com o tempo e tender a se converter em assistolia. O sucesso na reversão da FV diminui de 7% a 10% a cada minuto que passa, após a PCR, pois a fase elétrica da FV consiste em seus primeiros minutos (aproximadamente seus primeiros 5 minutos).[41]

Os DEAs foram idealizados com esse objetivo, pois podem ser empregados com pouco treinamento em vários locais e de forma mais precoce.[42] O aparelho de DEA, uma vez instalados os eletrodos e disparada sua ação, primeiramente reconhece o ritmo. Caso este seja chocável, aplica-se a descarga elétrica. Os aparelhos mais modernos orientam os reanimadores solicitando o afastamento no momento da desfibrilação por meio de gravação sonora. Caso o ritmo não apresente indicação de desfibrilação (assistolia e AESP), a gravação adverte que se deve continuar as manobras de RCP (Figura 201.13).[42]

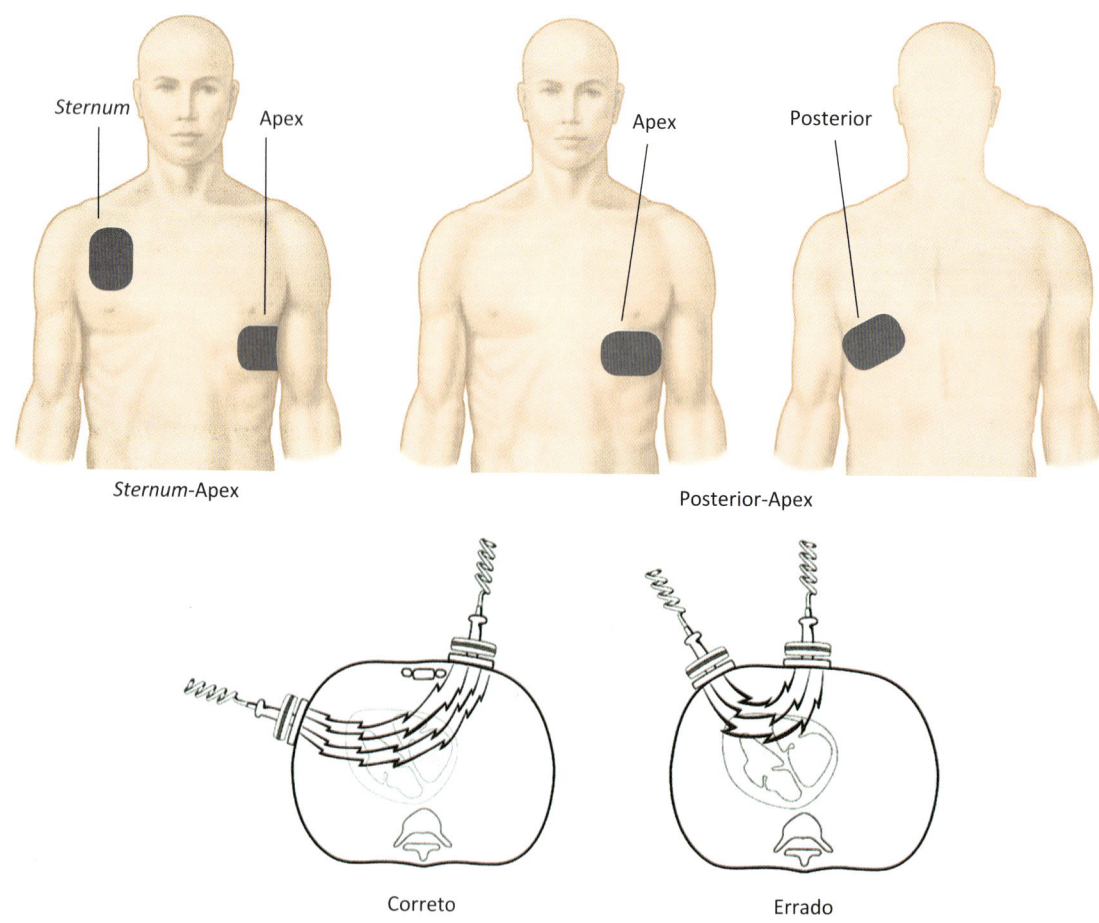

▲ **Figura 201.12** Posicionamento da Desfibrilação.

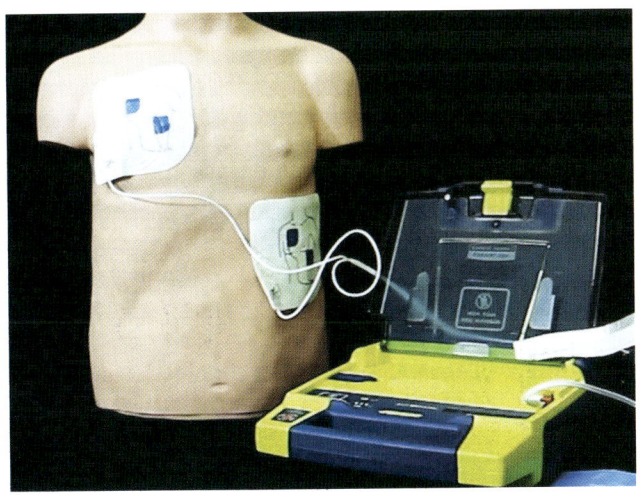

▲ **Figura 201.13** Desfibrilador Externo Automático.

O DEA vem sendo aplicado por profissionais e leigos treinados em locais de grande circulação de pessoas como shoppings, estações de metrô, aeroportos ou em situações inesperadas, como em arenas de esportes. É fácil e seguro de ser utilizado por pessoas treinadas e tem contribuído para a sobrevida significativamente. O emprego do DEA em hospitais também é promissor.

Se o modelo for compatível com vítimas pediátricas, ele disponibiliza o sistema atenuador da descarga elétrica, que deve ser empregado para crianças de 1 a 8 anos. Contudo, na ausência deste atenuador, pode-se utilizar o DEA sem este, em crianças de 1 a 8 anos ou com maior idade. Para crianças mais velhas (maiores de 8 anos) o uso do sistema de atenuação não se faz necessário.[2,41]

Vale ressaltar que em adultos que sofreram de PCR sem testemunha, e portanto estavam inconscientes quando foram encontrados, ou quando o SAMU apresentou um tempo de chegada ao local maior que 4 a 5 minutos, é obrigatório realizar 2 minutos de RCP ou 5 ciclos de RCP antes da desfibrilação, ou seja, com o DEA ou por meio do sistema tradicional. O objetivo é diminuir a hipóxia do miocárdico e facilitar o sucesso da desfibrilação elétrica, cenário este pouco encontrado no ambiente intra-hospitalar onde a resposta dever ser mais rápida.[4,40]

É importante advertir que, após o desfecho da desfibrilação, deve-se realizar mais 2 minutos de RCP, e só então é feita uma nova avaliação do ritmo, a checagem do ritmo, em que 1 ciclo corresponde a 30 compressões e 2 ventilações – 2 minutos correspondem a aproximadamente a 5 ciclos.[3,4] Após a detecção de um ritmo organizado, pode-se realizar avaliação da presença ou ausência de pulso em uma grande artéria. O intuito é não descontinuar as manobras de RCP desnecessariamente e piorar o prognóstico.[3,4]

Nas desfibrilações elétricas manuais, com desfibriladores monofásicos, a magnitude da corrente elétrica liberada deve ser única, na intensidade de 360 J. As doses sequenciais e incrementais não devem ser indicadas.[3,4] Nas desfibrilações elétricas manuais, com desfibriladores bifásicos, a grandeza da descarga elétrica deve ser de 150 a 200 J em uma descarga única. É aceitável uma intensidade de 200 J como padrão, com modelos de desfibrila- dores bifásicos.[4]

Recomenda-se que se minimize o tempo de interrupções das manobras de RCP para qualquer tipo de ação durante a RCP, inclusive o da desfibrilação elétrica, ou seja, o tempo sem MCE deve ser o menor possível, evitando que o miocárdio fique sem fluxo.[3,4]

▪ MEDIDAS DE APOIO DURANTE A REANIMAÇÃO CARDIORRESPIRATÓRIA

Acesso Vascular

A via recomendada para o acesso vascular é a intravenosa (IV) no membro superior durante as manobras de RCP é a ideal para a administração dos medicamentos necessários. No entanto, é importante observar que não se deve interromper as manobras de RCP para realizar esse procedimento.

Logo após a administração do medicamento, é aconselhável elevar o membro em torno de 45 graus e, em seguida, administrar um bólus de solução salina balanceada. Esse procedimento auxilia na rápida distribuição do medicamento pela circulação central. No caso de adultos, o acesso vascular nos membros inferiores não é recomendado devido ao prolongado tempo que o medicamento levaria para alcançar o coração através dessa abordagem.

O acesso venoso central deve ser obtido o mais cedo possível após o sucesso da RCP, e não durante a realização dela, já que a instalação desse acesso pode interferir nas manobras de RCP. A via por punção das câmaras cardíacas e da raiz da artéria aorta são alternativas viáveis quando realizadas sob visão direta, como durante uma toracotomia em casos de ferimentos cardiovasculares graves ou durante uma cirurgia cardíaca. No entanto, essa abordagem jamais deve ser empregada sem a visão direta do coração ou de seus vasos na base, sendo realizada apenas por reanimadores que possuam a experiência necessária para conduzi-la com segurança.

A via intraóssea (IO) é efetiva para a administração de fármacos e fluidos quando o acesso IV não for possível. Principalmente em crianças, todos os fármacos podem ser utilizados por essa via,[25] e as suas doses são iguais às utilizadas pela via IV.[25]

A via endotraqueal (ET) foi apontada como uma possibilidade desde 1974, porém não é uma alternativa aceitável na RCP. Isso se deve a sua ineficácia na absorção dos fármacos, secundária à má perfusão pulmonar. Os fármacos que podem ser usados por esta via ET são: adrenalina, vasopressina, lidocaína, atropina e naloxone.[25] Por todas essas limitações o acesso IV e o IO são os indicados nas manobras de RCP.

▪ FÁRMACOS UTILIZADOS EM REANIMAÇÃO CARDIORRESPIRATÓRIA

Os objetivos da utilização de medicamentos na fase avançada da RCP são os seguintes: aumentar a perfusão coronária, corrigir a hipoxemia, reforçar o inotropismo cardíaco e abordar possíveis causas da PCR.

Para atingir essas metas, os médicos dispõem de um conjunto de terapias que devem ser aplicadas conforme a indicação. É fundamental enfatizar que não se deve interromper as manobras de RCP para administrar os medicamentos. Portanto, quando houver a indicação para a sua administração, o medicamento deve estar preparado e ser preferencialmente administrado por outro membro da equipe durante a preparação para a desfibrilação e/ou a troca de ciclo.[3]

Os fármacos são administrados assim que estabelecida a via IV/IO, usualmente após a segunda tentativa de desfibrilação.[4,6]

A adrenalina desempenha um papel fundamental no processo de RCP. Assim como o oxigênio, a adrenalina é indicada em todos os tipos de PCR na dose de 1 mg, diluída em um bólus de 10 a 20 mL, a ser administrado a cada 3 a 5 minutos. Após a injeção de adrenalina, como mencionado anteriormente, é aconselhável elevar o membro em torno de 45 graus, seguido por um bólus de solução salina balanceada. O objetivo é garantir que o medicamento alcance o coração o mais rapidamente possível. É importante notar que o uso de doses elevadas de adrenalina não é recomendado para o tratamento de rotina da parada cardíaca.

Com relação à programação do tempo, em caso de parada cardíaca com ritmo não chocável, é aceitável administrar adrenalina o mais precocemente possível e nos ritmos chocáveis após o segundo ciclo, ou seja, é aceitável administrar adrenalina depois que as tentativas de desfibrilação inicial tenham falhado. A vasopressina em combinação com a adrenalina pode ser considerada durante uma parada cardíaca, mas não oferece nenhuma vantagem como substituto somente da adrenalina.[3,4]

A amiodarona é tipicamente utilizada no tratamento de FV/TVSP que não responde às três primeiras tentativas de desfibrilação. A dose recomendada consiste em uma administração IV ou IO de 300 mg como dose inicial, com a possibilidade de uma segunda dose de 150 mg, também administrada de forma IV ou IO, após um intervalo de 3 a 5 minutos da primeira dose. Após uma reanimação bem-sucedida, pode ser necessário manter a administração de amiodarona a uma taxa de 0,5 mg por minuto, com uma dose máxima diária de 2,2 g administrada por via IV ou IO.[38,39] Após a administração da dose em bólus, é recomendado elevar o membro em um ângulo de 45 graus e, em seguida, realizar um *flush* com 20 ml de solução salina balanceada, conforme anteriormente mencionado.

A amiodarona é classificada no grupo III da classificação de Vaughan Williams e exerce sua atividade em diversos locais. Os fármacos pertencentes à classe III tendem a prolongar o intervalo QT, o que pode dar origem a eventos proarrítmicos, especialmente o desenvolvimento de torsades de pointes.[46]

Isso ocorre com maior frequência na presença de fatores como hipocalemia, bradicardia e a administração de certos medicamentos, incluindo antiarrítmicos como sotalol e procainamida, antibióticos como ciprofloxacino e metronidazol, e alguns anti-histamínicos.

A amiodarona é empregada para tratar uma variedade de taquiarritmias atriais e ventriculares, além de ser usada para controlar a frequência cardíaca em taquiarritmias atriais quando há comprometimento da função ventricular.

A lidocaína é um anestésico local e, portanto, atua sobre os canais de sódio (pertencente ao grupo I da classificação de Vaughan Williams). Ela é principalmente indicada, como a amiodarona, no tratamento de FV/TVSP refratárias à desfibrilação elétrica, contrações ventriculares prematuras e taquicardia ventricular em pacientes com estabilidade hemodinâmica. Na parada cardíaca (FV/TVSP refratárias), a dose inicial recomendada é de 1,0 a 1,5 mg/kg administrada por via IV ou IO em bólus, podendo ser administrada uma segunda dose de 0,5 a 0,75 mg/kg a cada 5 a 10 minutos, com uma dose máxima de 3 mg/kg.

Quando a lidocaína é administrada por via traqueal, a dose é de 2 a 4 mg diluídos em 10 ml de água destilada ou solução fisiológica. Uma abordagem mais agressiva no tratamento de FV/taquicardia ventricular refratária (TVSP) é a administração de uma dose única de 1,5 mg/kg por via IV ou IO em bólus. Não se recomenda a administração contínua de lidocaína durante manobras de RCP, muitas vezes devido à ausência de necessidade, bem como ao risco de depressão cardíaca e intoxicação do sistema nervoso.[3,4]

■ REANIMAÇÃO CARDIOPULMONAR EXTRACORPÓREA

O objetivo da reanimação cardiopulmonar com perfusão extracorpórea (RCPEC) em um paciente em PCR é fornecer suporte à perfusão dos órgãos-alvo enquanto são abordadas condições potencialmente reversíveis. A RCPEC é uma intervenção de alta complexidade que demanda uma equipe de profissionais treinada, equipamentos especializados prontamente disponíveis e uma abordagem multidisciplinar dentro de um sistema de saúde.

Ela pode ser considerada como uma opção de tratamento de resgate para pacientes específicos nos quais as tentativas convencionais de RCP tenham sido ineficazes. Isso se aplica especialmente em situações em que a RCPEC pode ser implementada rapidamente e contará com a assistência de profissionais qualificados.

Até o momento, não há estudos de impacto publicados que tenham avaliado o uso da RCPEC em ambientes intra ou extra-hospitalares. Entretanto, vários estudos observacionais sugerem que o uso da RCPEC resulta em uma melhora na sobrevivência com um desfecho neurológico favorável em determinadas populações de pacientes. Ainda que não existam evidências claras que identifiquem os pacientes ideais para essa abordagem, a maioria dos estudos analisados em revisões sistemáticas inclui pacientes relativamente jovens e com poucas condições médicas preexistentes.

■ CUIDADOS PÓS-PARADA

A atenção pós-reanimação, após uma ressuscitação bem-sucedida, desempenha um papel crítico no resultado do paciente e deve ser realizada com a mesma dedicação e competência que a RCP.

É altamente recomendado que um ECG de 12 derivações seja obtido imediatamente após o RCE, com o objetivo de identificar qualquer evidência de elevação aguda do segmento ST ou outros indicadores de isquemia coronariana. Se forem observadas quaisquer anormalidades, é fundamental tomar medidas imediatas para o tratamento apropriado.[45]

Não existem metas definidas de controle hemodinâmico e dos marcadores de perfusão tecidual, porém é recomendado evitar e corrigir imediatamente a hipotensão (pressão arterial sistólica menor que 90 mmHg e/ou pressão arterial média (PAM) menor que 65 mmHg).[45]

A pressão sanguínea ideal para um paciente específico é aquela que assegura uma perfusão ótima dos órgãos, com destaque para o cérebro. É importante notar que diferentes pacientes e diferentes órgãos podem requerer pressões ideais distintas. Para atingir um controle hemodinâmico adequado, é fundamental utilizar de maneira criteriosa medicamentos vasoativos e proceder à reposição de volume de forma adequada. Existem várias estratégias para minimizar o dano cerebral, embora seus resultados possam ser discutíveis. No entanto, é relevante enfatizar que a melhor proteção para o sistema nervoso central é alcançada por meio de um diagnóstico precoce, eficazes manobras de RCP e a pronta aplicação de desfibrilação.[3]

É importante destacar que o exame neurológico realizado nas primeiras horas após a RCP não está necessariamente associado à evolução do quadro neurológico. O acompanhamento do paciente nas primeiras 72 horas após o evento é crucial para direcionar a manutenção de uma adequada perfusão cerebral. Além disso, é fundamental evitar períodos de hipoxemia e hipercapnia, pois tais condições desempenham um papel significativo na prevenção de danos neuronais adicionais.[4]

É recomendada a manutenção da normocapnia, com a EtCO2 (pressão parcial de dióxido de carbono expirado) entre 30 e 40 mmHg, ou a $PaCO_2$ (pressão parcial de dióxido de carbono arterial) entre 35 e 45 mmHg. A hipocapnia leve, com a $PaCO_2$ entre 30 e 35 mmHg, pode ser considerada em caso de evidente edema cerebral, enquanto a hipercapnia ($PaCO_2 > 45$ mmHg) deve ser evitada.

Quanto ao controle dos níveis de glicose no sangue após a RCP, não existe uma recomendação específica, pois a definição de um alvo exato é incerta. No entanto, é importante evitar níveis muito elevados de glicose, pois eles podem ser prejudiciais.[45]

Quando se dispõe de oxigênio suplementar, é apropriado utilizar a concentração mais elevada possível de oxigênio inspirado durante a RCP. As evidências de possíveis efeitos prejudiciais da hiperóxia, que podem surgir imediatamente após a recuperação da parada cardíaca, não devem ser extrapoladas para o período de baixo fluxo durante a RCP, uma vez que é improvável que o transporte de oxigênio exceda a demanda nesse contexto. Portanto, até que haja mais estudos disponíveis respaldados pela fisiologia e apoio de especialistas, a recomendação é fornecer oxigênio com a maior concentração possível durante as manobras de RCP.

No entanto, a capacidade de limitar a concentração de oxigênio na inspiração depende da disponibilidade de equipamentos adequados. Por exemplo, pode não ser possível restringir a concentração de oxigênio imediatamen-

te após o retorno da circulação espontânea, uma vez que misturadores de oxigênio podem não estar prontamente disponíveis.[45]

De acordo com as diretrizes mais recentes, a hipotermia é reconhecida como um método altamente eficaz de proteção cerebral. Estudos científicos têm indicado que pacientes que permanecem em estado de coma após o RCE podem se beneficiar de uma hipotermia leve, mantendo a temperatura corporal na faixa de 32 a 36 °C.[45]

No entanto, recentemente, surgiram novas abordagens no controle da temperatura após uma PCR por meio de vários ensaios clínicos randomizados que investigaram diferentes temperaturas-alvo e tempos para iniciar o controle de temperatura. Isso resultou na criação do termo controle direcionado de temperatura (CDT), que se refere tanto à hipotermia induzida quanto ao controle ativo da temperatura em qualquer nível desejado. O CDT é recomendado para pacientes adultos em estado de coma, ou seja, aqueles que não respondem significativamente a comandos verbais, após uma PCR. No entanto, a faixa de temperatura recomendada durante o CDT é de 32 °C a 36 °C, como mencionado anteriormente. Embora não haja evidências sólidas sobre a duração ideal para manter a temperatura-alvo, é aconselhável que o CDT seja alcançado de maneira gradual e uniforme, mantendo-o por pelo menos 24 horas após atingir a temperatura desejada.[43,44]

É importante observar que o processo de reaquecimento deve ser feito de forma lenta, a uma taxa de aproximadamente 0,25 a 0,5 °C por hora. Além disso, é crucial controlar ativamente a hipertermia, independentemente de sua causa, por meio dos métodos conhecidos de resfriamento, uma vez que a hipertermia está associada a piores desfechos neurológicos.[45]

É essencial que um eletroencefalograma (EEG) seja prontamente realizado e interpretado para o diagnóstico de convulsões em pacientes em coma após uma PCR. Além disso, é crucial manter um monitoramento frequente ou contínuo do EEG. Se convulsões forem observadas, os mesmos protocolos de tratamento utilizados para o *status* epiléptico de outras causas podem ser considerados.

É de grande importância escolher o momento apropriado para avaliar o prognóstico de pacientes após uma parada cardíaca. Isso ocorre porque os sedativos ou bloqueadores neuromusculares administrados durante o CDT podem ser metabolizados de forma mais lenta, e o sistema nervoso central pode se tornar mais sensível aos efeitos depressores de vários medicamentos. Portanto, a presença de sedação residual ou paralisia pode comprometer a precisão dos exames clínicos.

No caso de pacientes em coma submetidos à CDT, a ausência de resposta pupilar à luz após 72 horas ou mais da PCR é um indicativo de um desfecho neurológico desfavorável (Figura 201.14).[45]

Algoritmo de Tratamento

Veja Figuras 201.15 e 201.16.

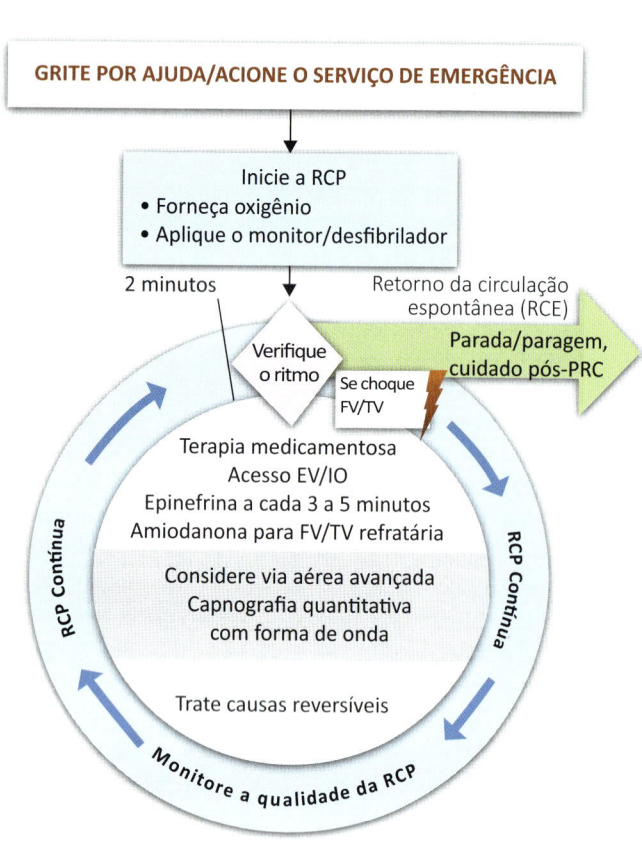

Qualidade da RCP
- Comprima com força (> 2 pol [5 cm]) e rapidez (≥ 100/min) e aguarde o retorno total do tórax.
- Minimize interrupções nas compressões
- Evite ventilação excessiva
- Alterne a pessoa que aplica as compressões a cada 2 minutos
- Se sem via aérea avançada, relação compressão-ventilação de 30:2
- Capnografia quantitativa com forma de onda
  - Se PETCO$_2$ < 10 mmHg, tente melhorar a qualidade da RCP
- Pressão intra-arterial
  - Se pressão na fase de relaxamento (diastólica) < 20 mmHg, tente melhorar a qualidade da RCP

Retorno da circulação espontânea (RCE)
- Pulso e pressão arterial
- Aumento abrupto prolongado do PETCO$_2$ (normalmente, ≥ 40 mmHg)
- Variabilidade espontânea na pressão arterial com monitorização intra-arterial

Energia de choque
- **Bifásica:** recomendação do fabricante (por exemplo, dose inicial de 120 a 200 J); se de aconhecida, usar máximo disponível. A segunda carga e as subsequentes devem ser equivalentes, podendo ser consideradas cargas mais altas.
- **Monofásica:** 360 J.

Terapia medicamentosa
- Dose EV/IO de epinefrina: 1 mg a cada 3 a 5 minutos
- Dose EV/IO de vasopressina: 40 unidades podem substituir a primeira ou a segunda dose de epinefrina
- Dose EV/IO de amiodarona: Primeira dose: bolus de 300 mg. Segunda dose: 150 mg.

Via aérea avançada
- Via aérea avançada supraglótica ou intubação endotraqueal
- Capnografia com forma de onda para confirmar e monitorar o posicionamento do tubo ET
- 8 a 10 ventilações por minuto, com compressões torácicas contínuas

Causas reversíveis

• Hipovolemia	• Tensão do tórax por pneumotórax
• Hipóxia	• Tamponamento cardíaco
• Hidrogênio (acidose)	• Toxinas
• Hipo/hipercalemia	• Trombose pulmonar
• Hipotermia	• Trombose coronária

▲ **Figura 201.14** Algoritmo de Atendimento da Parada Cardiorrespiratoria (PCR).

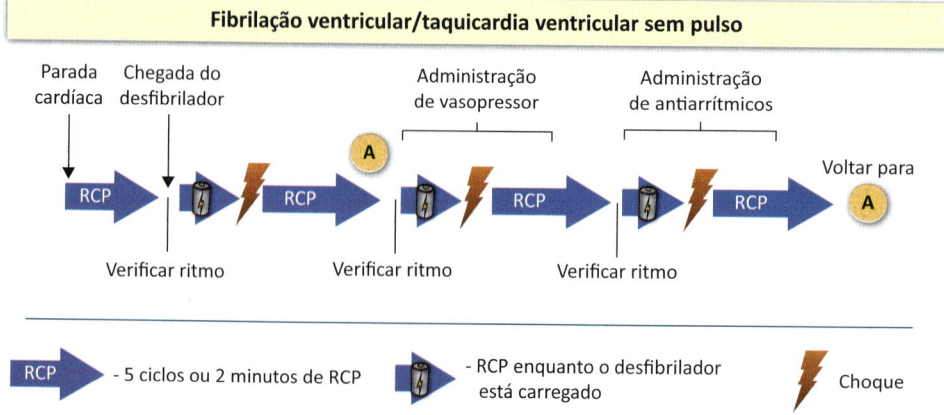

▲ **Figura 201.15** Algoritmo Chocável.

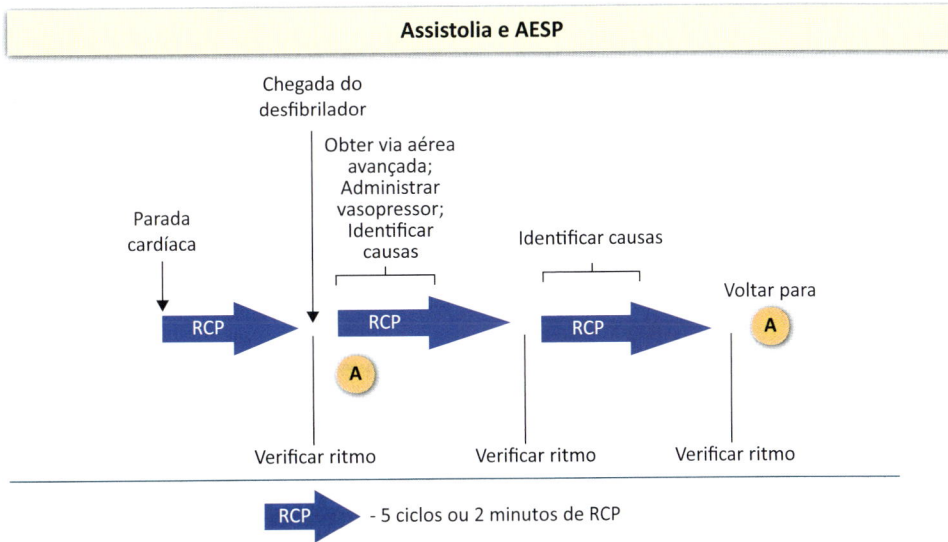

▲**Figura 201.16** Algoritmo não chocável.

▪ QUANDO PARAR A REANIMAÇÃO CARDIOPULMONAR

Sob a perspectiva da ética médica, interromper os esforços de RCP é equiparado a não iniciar esses esforços, resultando em diretrizes gerais bastante semelhantes. Entretanto, a decisão de encerrar as manobras de RCP não é uma ação simples e inequívoca. Ela envolve uma análise que considera diversos fatores éticos, religiosos, culturais, econômicos e médicos.

Em geral, a norma estabelecida é que a decisão deve ser tomada pela equipe médica, com base na avaliação da possibilidade de recuperação do paciente. Persistir com tentativas de RCP em um paciente sem qualquer perspectiva realista de sobrevivência é considerado um esforço fútil.[47]

▪ PARADA CARDÍACA EM SITUAÇÕES ESPECIAIS

A ocorrência de parada cardíaca como causa primária em procedimentos anestésicos é um evento raro. Os fatores de risco associados a esse cenário são amplamente conhecidos e incluem extremos de idade, pacientes com várias comorbidades e cirurgias de urgência, particularmente as cardiovasculares.

Quando se trata de PCR durante um bloqueio locorregional, as abordagens de reanimação não diferem das mencionadas anteriormente. Um estudo realizado por Ben-David e Rawa em 2002 identificou uma incidência de 6,4 casos de PCR a cada 10.000 bloqueios espinhais, enquanto Auroy e colaboradores, no mesmo ano, estimaram uma incidência de 2,7 casos por 10.000 na França. No entanto, relatos de PCR em outros tipos de anestesia locorregional também têm sido documentados na literatura médica.

Ressalta-se que quando o anestésico local envolvido é a bupivacaína, um tempo maior é empregado nas manobras

de RCP,[48] incluindo o uso de circulação extracorpórea. Supostamente isso se deve ao fato de o anestésico se ligar aos canais de sódio por um tempo prolongado.[48]

O uso de emulsões lipídicas a 20% na razão de 4 mL.kg^{-1} tem sido indicado como manobra para diminuir a fração livre do anestésico local e sua toxicidade,[49] porém, é importante ressaltar que se deve fazer uma dose de manutenção da emulsão lipídica pelo fato de poder ocorrer sua recrudescência, sendo essa medicação amplamente disponível em centros cirúrgicos.[50]

▪ CONSIDERAÇÕES FINAIS

A PCR é um evento súbito e extremamente grave, classificado como um dos incidentes mais catastróficos em ambientes tanto intra quanto extra-hospitalares. Para enfrentar esse desafio, é imperativo que leigos, paramédicos e médicos estejam preparados e conscientes das necessidades cruciais no tratamento dessa situação. O prognóstico do paciente está intrinsecamente ligado à velocidade e eficácia das intervenções. O diagnóstico precoce é de importância crítica, assim como a realização de compressões torácicas eficazes e uma ventilação adequada.

Nesse contexto, os protocolos estabelecidos servem como guias valiosos, mas também devem ser adaptados à realidade de cada caso, especialmente quando a PCR ocorre em um ambiente cirúrgico com o paciente sob anestesia e monitoramento constante. É fundamental reconhecer que para o anestesiologista, a ocorrência de PCR pode ser relativamente comum, tornando o treinamento contínuo do profissional e de sua equipe uma necessidade incontestável. Como líderes nesses cenários críticos, sua ação ágil e competente é crucial para aumentar as chances de sucesso na reanimação e, consequentemente, para a melhoria dos desfechos dos pacientes.

REFERÊNCIAS

1. Milstein BB. The Problem of Cardiac Arrest. In: Milstein BB, editor. Cardiac Arrest and Resuscitation. 1st ed. London: Lloyd-Luke (Medical Books), 1963. p. 14-26.
2. Kronick SL, Kurz MC, Lin S, Edelson DP, Berg RA, Billi JE, et al. Part 4: Systems of Care and Continuous Quality Improvement: 2015 American Heart Association Guidelines Update for Cardiopulmonary Resuscitation and Emergency Cardiovascular Care. Circulation. 2015;132(18 Suppl 2):S397-S413.
3. Kleinman ME, Brennan EE, Goldberger ZD, Swor RA, Terry M, Bobrow BJ, et al. Part 5: Adult Basic Life Support and Cardiopulmonary Resuscitation Quality: 2015 American Heart Association Guidelines Update for Cardiopulmonary Resuscitation and Emergency Cardiovascular Care. Circulation. 2015;132(18 Suppl 2):S414-435.
4. Link MS, Berkow LC, Kudenchuk PJ, Halperin HR, Hess EP, Moitra VK, et al. Part 7: Adult Advanced Cardiovascular Life Support: 2015 American Heart Association Guidelines Update for Cardiopulmonary Resuscitation and Emergency Cardiovascular Care. Circulation. 2015;132(18 Suppl 2):S444-S464.
5. Timerman S. Desfibrilação Precoce. São Paulo: Atheneu, 2000. p. 1-219.
6. Neumar RW, Otto CW, Link MS, Kronick SL, Shuster M, Callaway CW, et al. Part 8: adult advanced cardiovascular life support: 2010 American Heart Association Guidelines for Cardiopulmonary Resuscitation and Emergency Cardiovascular Care. Circulation. 2010;122(18 Suppl 3):S729-S767.
7. Christenson JM. The principles and the PEA. Acad Emerg Med. 1995;1995 Dec;2(12):1023-1024.
8. Dick WF, Eberle B, Wisser G, Schneider T. The carotid pulse check revisited: what if there is no pulse? Crit Care Med. 2000;28(11 Suppl):N183-N185.
9. Groeneveld PW. Preventing sudden death: implantable cardioverter-defibrillators in elderly cardiac patients. LDI Issue Brief. 2008;13(6):1-4.
10. Groeneveld PW, Owens DK. Cost-effectiveness of training unselected laypersons in cardiopulmonary resuscitation and defibrillation. Am J Med. 2005;118(1):58-67.
11. Holcomb S, Garland P, Nemeth S, Culvern J, Kamradt F, Stewart K, et al. Code Blue. A closer look. RN. 2002;65(8):36-40.
12. Maier GW, Tyson GS, Jr., Olsen CO, Kernstein KH, Davis JW, Conn EH, et al. The physiology of external cardiac massage: high-impulse cardiopulmonary resuscitation. Circulation. 1984;70(1):86-101.
13. Maier GW, Newton JR, Jr., Wolfe JA, Tyson GS, Jr., Olsen CO, Glower DD, et al. The influence of manual chest compression rate on hemodynamic support during cardiac arrest: high-impulse cardiopulmonary resuscitation. Circulation. 1986;74(6 Pt 2):IV51-IV9.
14. Klouche K, Weil MH, Sun S, Tang W, Povoas H, Bisera J. Stroke volumes generated by precordial compression during cardiac resus- citation. Crit Care Med. 2002;30(12):2626-2631.
15. Luna GK, Pavlin EG, Kirkman T, Copass MK, Rice CL. Hemodynamic effects of external cardiac massage in trauma shock. J Trauma. 1989;29(10):1430-1433.
16. Reynolds JC, Salcido DD, Menegazzi JJ. Coronary perfusion pressure and return of spontaneous circulation after prolonged cardiac arrest. Prehosp Emerg Care. 2010;14(1):78-84.
17. Sanders AB, Kern KB, Atlas M, Bragg S, Ewy GA. Importance of the duration of inadequate coronary perfusion pressure on resuscitation from cardiac arrest. Jam Coll Cardiol. 1985;6(1):113-118.
18. Wik L, Steen PA, Bircher NG. Quality of bystander cardiopulmonary resuscitation influences outcome after prehospital cardiac arrest. Resuscitation. 1994;28(3):195-203.
19. Zhao D, Weil MH, Tang W, Klouche K, Wann SR. Pupil diameter and light reaction during cardiac arrest and resuscitation. Crit Care Med. 2001;29(4):825-828.
20. Schallom L, Ahrens T. Hemodynamic applications of capnography. J Cardiovasc Nurs. 2001;15(2):56-70.
21. Levine RL, Wayne MA, Miller CC. End-tidal carbon dioxide and outcome of out-of-hospital cardiac arrest. N Engl J Med. 1997;337(5):301-306.
22. Kevin PD, Pizov R. End-tidal carbon dioxide and outcome of out-of-hospital cardiac arrest. N Engl J Med. 1997;337(23):1694-1695.
23. Koetter KP, Maleck WH. End-tidal carbon dioxide monitoring in cardiac arrest. Acad Emerg Med. 1999;6(1):88.
24. Gomersall CD, Joynt GM, Morley AP. End-tidal carbon dioxide and outcome of out-of-hospital cardiac arrest. N Engl J Med. 1997;337(23):1694.
25. Neumar RW, Otto CW, Link MS, Kronick SL, Shuster M, Callaway CW, et al. Part 8: adult advanced cardiovascular life support: 2010 American Heart Association Guidelines for Cardiopulmonary Resuscitation and Emergency Cardiovascular Care. Circulation. 2010;122(18 Suppl 3):S729-S767.
26. Marozsan I, Albared JL, Szatmary LJ. Life-threatening arrhythmias stopped by cough. Cor Vasa. 1990;32(5):401-408.
27. Wolfe JA, Maier GW, Newton JR, Jr., Glower DD, Tyson GS, Jr., Spratt JA, et al. Physiologic determinants of coronary blood flow during external cardiac massage. J Thorac Cardiovasc Surg. 1988;95(3):523-532.
28. Tucker KJ, Khan J, Idris A, Savitt MA. The biphasic mechanism of blood flow during cardiopulmonary resuscitation: a physio- logic comparison of active compression-decompression and high-impulse manual external cardiac massage. Ann Emerg Med. 1994;24(5):895-906.
29. Newton JR, Jr., Glower DD, Wolfe JA, Tyson GS, Jr., Spratt JA, Fenely MP, et al. A physiologic comparison of external cardiac massage techniques. J Thorac Cardiovasc Surg. 1988;95(5):892-901.
30. Alzaga-Fernandez AG, Varon J. Open-chest cardiopulmonary resuscitation: past, present and future. Resuscitation. 2005;64(2):149-156.
31. Fialka C, Sebok C, Kemetzhofer P, Kwasny O, Sterz F, Vecsei V. Open-chest cardiopulmonary resuscitation after cardiac arrest in cases of blunt chest or abdominal trauma: a consecutive series of 38 cases. JTrauma. 2004;57(4):809-814.
32. Hachimi-Idrissi S, Leeman J, Hubloue Y, Huyghens L, Corne L. Open chest cardiopulmonary resuscitation in out-of-hospital cardiac arrest. Resuscitation. 1997;35(2):151-156.
33. Benson DM, O'Neil B, Kakish E, Erpelding J, Alousi S, Mason R, et al. Open-chest CPR improves survival and neurologic outcome following cardiac arrest. Resuscitation. 2005;64(2):209-217.
34. Boczar ME, Howard MA, Rivers EP, Martin GB, Horst HM, Lewandowski C, et al. A technique revisited: hemodynamic comparison of closed- and open-chest cardiac massage during human cardiopulmonary resuscitation. Crit Care Med. 1995;23(3):498-503.
35. Twomey D, Das M, Subramanian H, Dunning J. Is internal massage superior to external massage for patients suffering a cardiac arrest after cardiac surgery? Interact Cardiovasc Thorac Surg. 2008;7(1):151-6.
36. Idris AH, Gabrielli A. Advances in airway management. Emerg Med Clin North Am. 2002;20(4):843-857, ix.
37. Brown CA, Sakles JC, Mick NW. The Walls manual of emergency airway management. 5th ed. Philadelphia: Wolters Kluwer, 2018.
38. Chiang WC, Wang HC, Chen SY, Chen LM, Yao YC, Wu GH, et al. Lack of compliance with basic infection control measures during cardiopulmonary resuscitation--are we ready for another epidemic? Resuscitation. 2008;77(3):356-362.
39. Lufkin KC, Ruiz E. Mouth-to-mouth ventilation of cardiac arrested humans using a barrier mask. PrehospDisasterMed. 1993;8(4):333-335.
40. Nolan JP, Soar J. Defibrillation in clinical practice. Curr Opin Crit Care. 2009;15(3):209-215.
41. Huang Y, He Q, Yang LJ, Liu GJ, Jones A. Cardiopulmonary resuscitation (CPR) plus delayed defibrillation versus immediate defibrillation for out-of-hospital cardiac arrest. Cochrane Database Syst Rev. 2014(9):CD009803.
42. Bernard S, Buist M, Monteiro O, Smith K. Induced hypothermia using large volume, ice-cold intravenous fluid in comatose survivors of out-of-hospital cardiac arrest: a preliminary report. Resuscitation. 2003;56(1):9-13.
43. Jacobshagen C, Pax A, Unsold BW, Seidler T, Schmidt-Schweda S, Hasenfuss G, et al. Effects of large volume, ice-cold intravenous fluid infusion on respiratory function in cardiac arrest survivors. Resuscitation. 2009;80(11):1223-1228.
44. Kim YM, Jeong JH, Kyong YY, Kim HJ, Kim JH, Park JH, et al. Use of cold intravenous fluid to induce hypothermia in a comatose child after cardiac arrest due to a lightning strike. Resuscitation. 2008;79(2):336-338.
45. Allaway CW, Donnino MW, Fink EL, Geocadin RG, Golan E, Kern KB, et al. Part 8: Post-Cardiac Arrest Care: 2015 American Heart Association Guidelines Update for Cardiopulmonary Resuscitation and Emergency Cardiovascular Care. Circulation. 2015;132(18 Suppl 2):S465-S482.
46. Yau S, Chan P, Sapkin J, Hsieh E. Short-term use of oral amiodarone causing torsades de pointes. Clin Case Rep. 2018;6(8):1554-1556.
47. Mancini ME, Diekema DS, Hoadley TA, Kadlec KD, Leveille MH, McGowan JE, et al. Part 3: Ethical Issues: 2015 American Heart Association Guidelines Update for Cardiopulmonary Resuscitation and Emergency Cardiovascular Care. Circulation. 2015;132(18 Suppl 2):S383-S396.
48. Ben-David B. Complications of regional anesthesia: an overview. AnesthesiolClinNorth America. 2002;20(3):665-667, ix.
49. McCutchen T, Gerancher JC. Early intralipid therapy may have prevented bupivacaine-associated cardiac arrest. Reg Anesth Pain Med. 2008;33(2):178-180.
50. Marwick PC, Levin AI, Coetzee AR. Recurrence of cardiotoxicity after lipid rescue from bupivacaine-induced cardiac arrest. Anesth Analg. 2009;108(4):1344-1346.

Reanimação Cardiorrespiratória no Recém-Nascido

Ruth Guinsburg ▪ Maria Fernanda Branco de Almeida

INTRODUÇÃO

A reanimação cardiorrespiratória no período neonatal pode ser necessária ao nascimento, na sala de parto, em pacientes criticamente doentes nas unidades de cuidados intensivos e durante procedimentos diagnósticos e/ou terapêuticos, nas salas cirúrgicas. As peculiaridades da reanimação ao nascer são de interesse especial e o foco deste capítulo.

No Brasil, em 2021, nasceram 2.677.101 crianças, das quais 99% em hospitais ou estabelecimentos de saúde.[1] Sabe-se que a maioria delas nasce com boa vitalidade, entretanto manobras de reanimação podem ser necessárias de maneira inesperada, sendo essencial o conhecimento e a habilidade em reanimação neonatal de todos os profissionais que atendem ao recém-nascido (RN) em sala de parto. A asfixia perinatal é um importante problema de saúde pública no Brasil, detectando-se 12 mortes evitáveis de recém-nascidos associadas à asfixia perinatal a cada dia, 5-6 delas em RN com peso de nascimento ≥ 2.500 g.[2] Quanto ao RN pré-termo, dados da Rede Brasileira de Pesquisas Neonatais, composta por 20 centros universitários públicos, indicam que, nos anos de 2011-2022, dos 16.326 nascidos vivos com idade gestacional entre $23^{0/7}$–$33^{6/7}$ semanas, peso <1.500 g e sem malformações, 65% foram ventilados com máscara facial e/ou cânula traqueal e 6% receberam ventilação acompanhada de massagem cardíaca e/ou medicações na sala de parto.[3]

Ao nascimento, cerca de 2 RN em cada 10 não ventilação com pressão positiva (VPP) choram ou não respiram; 1 RN em cada 10 precisa de; 1-2 em cada 100 requerem intubação traqueal; e 1-3 RN em cada 1.000 necessitam de ventilação acompanhada de massagem cardíaca e/ou medicações.[4,5] A necessidade de procedimentos de reanimação é maior quanto menor a idade gestacional e/ou peso ao nascer.[6] O parto cesárea, mesmo no RN a termo sem fatores de risco antenatais para asfixia, também eleva a chance de que a ventilação ao nascer seja necessária. A qualificação na reanimação neonatal por parte dos profissionais de saúde que atuam ao nascimento é uma estratégia central para a redução da mortalidade neonatal.[7]

A ventilação pulmonar é o procedimento mais importante e efetivo na reanimação em sala de parto e, quando necessária, deve ser iniciada no primeiro minuto de vida, denominado de Minuto de Ouro. O risco de morte ou morbidade aumenta em 16% a cada 30 segundos de demora para iniciar a VPP após o nascimento, de modo independente do peso ao nascer, idade gestacional ou complicações na gravidez ou no parto.[4]

O texto a seguir foi construído com base nas diretrizes do Programa de Reanimação Neonatal da Sociedade Brasileira de Pediatria (PRN-SBP)[8,9] atualizadas em 2022 de acordo com as recomendações publicadas pelo *International Liaison Committee on Resuscitation* Neonatal Life Support Task Force.[10-12]

O fluxograma da assistência ao RN ao nascimento com os procedimentos de reanimação neonatal encontra-se na Figura 202.1.

▪ PREPARO PARA A ASSISTÊNCIA

O preparo para atender o RN na sala de parto consiste na realização de anamnese materna, na disponibilização do material necessário e de equipe treinada em reanimação neonatal. Condições clínicas maternas, intercorrências na gravidez, no trabalho de parto ou parto e problemas com a vitalidade fetal chamam a atenção para a possibilidade de a reanimação ser necessária.

Todo material necessário para a reanimação deve ser preparado, testado e estar disponível, em local de fácil acesso, antes do nascimento. Cada mesa de reanimação deve dispor do material completo, segundo a Tabela 202.1.

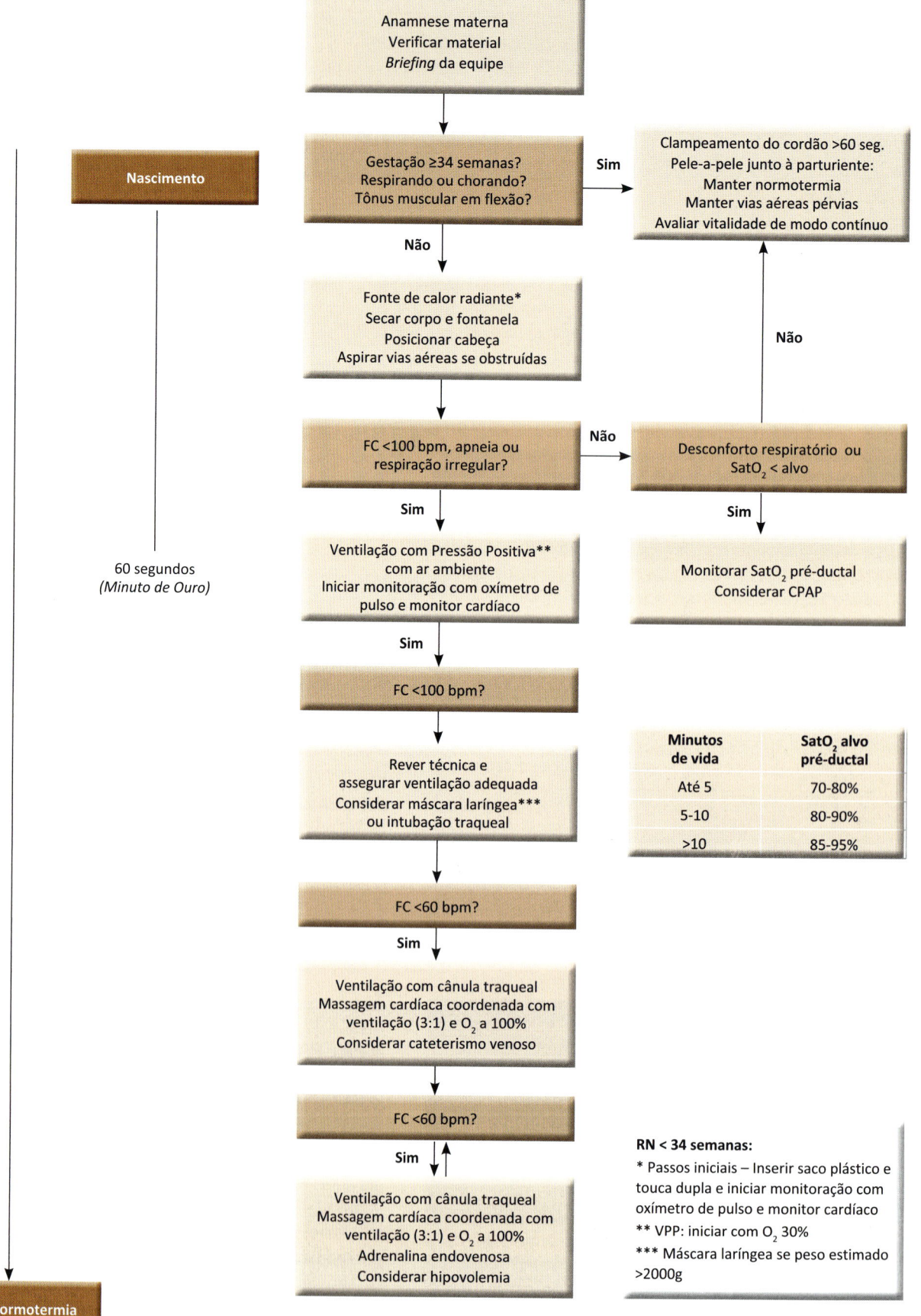

▲ **Figura 202.1** Programa de reanimação neonatal – Diretrizes 2022 DA SBP.
Fonte: Disponíveis em www.sbp.com.br/reanimacao.

Tabela 202.1　Material necessário para reanimação neonatal na sala de parto .

Sala de parto e/ou de reanimação com temperatura ambiente de 23-25°C e:

- mesa de reanimação com acesso por 3 lados
- fonte de oxigênio umidificado com fluxômetro e fonte de ar comprimido
- *blender* para mistura oxigênio/ar
- aspirador a vácuo com manômetro
- relógio de parede com ponteiro de segundos

Material para manutenção de temperatura

- fonte de calor radiante
- termômetro ambiente digital
- campo cirúrgico e compressas de algodão estéreis
- saco de polietileno de 30x50cm para prematuro
- touca de lã ou algodão
- colchão térmico químico 25x40cm para prematuro <1000g
- termômetro clínico digital

Material para avaliação

- estetoscópio neonatal
- oxímetro de pulso com sensor neonatal
- monitor cardíaco de 3 vias com eletrodos
- bandagem elástica para fixar o sensor do oxímetro e os eletrodos

Material para aspiração

- sondas: traqueais N° 6 e 8 e gástricas curtas N° 6 e 8
- conexão de látex ou silicone para conectar sonda ao aspirador
- dispositivo para aspiração de mecônio
- seringas de 10 mL

Material para ventilação

- reanimador manual neonatal (balão autoinflável com volume ao redor de 240 mL, reservatório de O_2 e válvula de escape com limite de 30-40 cmH_2O e/ou manômetro)
- ventilador mecânico manual com peça T com circuitos próprios
- máscaras redondas com coxim para RN de termo, prematuro e prematuro extremo
- máscara laríngea para recém-nascido N° 1

Material para intubação traqueal

- laringoscópio infantil com lâmina reta N° 00, 0 e 1
- cânulas traqueais sem balonete, de diâmetro interno uniforme 2,5/ 3,0/ 3,5 e 4,0 mm
- material para fixação da cânula: fita adesiva e algodão com SF
- pilhas e lâmpadas sobressalentes para laringoscópio
- detector colorimétrico de CO_2 expirado

Medicações

- adrenalina diluída a 1mg/10 mL em 1 seringa de 5,0 mL para administração única endotraqueal
- adrenalina diluída a 1mg/10 mL em seringa de 1,0 mL para administração endovenosa
- expansor de volume (Soro Fisiológico) em 2 seringas de 20 mL

Material para cateterismo umbilical

- campo esterilizado, cadarço de algodão e gaze
- pinça tipo kelly reta de 14cm e cabo de bisturi com lâmina N° 21
- porta agulha de 11cm e fio agulhado mononylon 4.0
- cateter umbilical 3,5F e 5F de PVC ou poliuretano de lúmen único
- torneira de 3 vias e seringa de 10 mL
- Soro fisiológico para preencher o cateter antes de sua inserção

Outros

- luvas e óculos de proteção individual para os profissionais de saúde
- gazes esterilizadas de algodão, álcool etílico/solução antisséptica
- cabo e lâmina de bisturi
- tesoura de ponta romba e clampeador de cordão umbilical
- agulhas para preparo da medicação

É fundamental que pelo menos um profissional capaz de iniciar de forma adequada a reanimação neonatal esteja presente em todo parto, de preferência o pediatra. A única responsabilidade desse profissional deve ser o atendimento ao RN. Quando se antecipa o nascimento de um concepto de alto risco, dois a três profissionais treinados e capacitados a reanimar o RN de maneira plena, rápida e efetiva, pelo menos um deles pediatra, devem estar presentes na sala de parto.

O *briefing,* com a divisão de tarefas e responsabilidades de cada membro da equipe e definição de quem será o líder da equipe, permite a atuação coordenada e a comunicação efetiva, o que confere um atendimento com qualidade e segurança ao RN.

Para a recepção do RN, utilizar as precauções-padrão que compreendem a higienização das mãos e o uso de luvas, aventais, máscaras ou proteção facial para evitar o contato do profissional com material biológico do paciente. No caso de assistência ao RN na sala de parto de mãe com COVID-19 suspeita ou confirmada, as recomendações quanto ao uso de equipamentos de proteção individual encontram-se em documento específico do PRN-SBP.[13]

■ AVALIAÇÃO DA VITALIDADE DO RECÉM-NASCIDO

Logo após a extração completa do concepto da cavidade uterina, avaliar se o RN começou a respirar ou chorar e se o tônus muscular está em flexão. Depois dessa avaliação inicial, a vitalidade é determinada pela frequência cardíaca (FC) e padrão respiratório, sendo a FC o principal norteador da decisão de indicar as diversas manobras de reanimação. A FC é verificada inicialmente por meio da ausculta do precórdio com estetoscópio. Quanto ao boletim de Apgar, este não é indicado para determinar o início da reanimação nem as manobras a serem instituídas no decorrer do procedimento.

Assistência ao Recém-nascido com Boa Vitalidade ao Nascer

Se, ao nascimento, o RN tem idade gestacional ≥ 34 semanas e boa vitalidade, ou seja, está respirando ou chorando, com tônus muscular em flexão e independentemente do aspecto do líquido amniótico, recomenda-se o clampeamento do cordão umbilical no mínimo 60 segundos após o nascimento. O clampeamento ≥ 60 segundos facilita a transição cardiorrespiratória após o parto e é benéfico em relação à concentração de hemoglobina nas primeiras 24 horas, embora possa elevar a frequência de policitemia, o que implica na necessidade de cuidado quanto ao aparecimento e acompanhamento da icterícia nos primeiros dias de vida.[8,14] Durante e após o clampeamento do cordão, o RN é colocado junto à parturiente, em contato pele-a-pele, com atenção à normotermia (36,5-37,5 °C), manutenção das vias aéreas pérvias e avaliação da vitalidade de maneira continuada (Figura 202.1). Recomenda-se que a amamentação seja iniciada na primeira hora de vida, pois se associa ao êxito da amamentação, melhor interação mãe-bebê e menor risco de hemorragia materna.

Se, ao nascimento, o RN com idade gestacional < 34 semanas está respirando ou chorando e não apresenta flaci-

dez muscular, recomenda-se o clampeamento do cordão umbilical no mínimo após 30 segundos, com vantagens similares às relatadas para o RN mais maduro.[9,14] Assim, logo depois do nascimento, com o cordão intacto, o RN prematuro é envolto em saco plástico e a touca é posicionada, tomando-se o cuidado de recobri-lo com panos aquecidos até que o clampeamento seja realizado. Uma vez clampeado o cordão, o RN prematuro é levado à mesa de reanimação para os cuidados relativos à estabilização.

Passos Iniciais da Estabilização/ Reanimação

Se, ao nascimento, o RN não está respirando ou chorando ou não inicia movimentos respiratórios regulares e/ou o tônus muscular está flácido, ele não apresenta boa vitalidade. Nessa situação, não existem evidências de benefícios do clampeamento tardio do cordão.[14] Sugere-se fazer o estímulo tátil no dorso do RN, de modo delicado e no máximo duas vezes, para ajudar a iniciar a respiração antes do clampeamento imediato do cordão. O RN deve ser conduzido à mesa de reanimação, indicando-se os passos iniciais da estabilização, que compreendem ações para manter a normotermia (temperatura corporal entre 36,5 e 37,5 °C) e as vias aéreas pérvias. Tais passos iniciais devem ser executados em, no máximo, 30 segundos, seguidos da avaliação da respiração e da FC do RN.

Para manter a normotermia, é importante pré-aquecer a sala de parto na temperatura de 23-25 °C, manter a normotermia da parturiente e recepcionar o RN em campos aquecidos. Levá-lo à mesa de reanimação sob calor radiante, secar o corpo e a região da fontanela, desprezar os campos úmidos e, se possível, colocar touca. Nos RN < 34 semanas, como citado anteriormente, é obrigatório, logo após o nascimento, envolvê-lo em saco plástico e colocar touca. Nos neonatos < 1.000 g, adicionalmente, o uso do colchão térmico pode ajudar a manter a normotermia. Cuidado para evitar a hipertermia, pois pode agravar a lesão cerebral em pacientes asfixiados.

A fim de manter a permeabilidade das vias aéreas, posiciona-se a cabeça do RN com uma leve extensão do pescoço. A aspiração de boca e narinas não é recomendada de rotina, independentemente do aspecto do líquido amniótico. A aspiração de oro- e nasofaringe está reservada apenas aos RN em que há suspeita de obstrução de vias aéreas por excesso de secreções. Nesses casos, aspirar delicadamente primeiro a boca e depois as narinas com sonda traqueal n° 8-10 conectada ao aspirador a vácuo, sob pressão máxima de 100 mmHg.

Vale ressaltar que a conduta para o RN com líquido amniótico meconial de qualquer viscosidade segue os passos anteriormente descritos, sem necessidade de aspiração das vias aéreas antes ou depois do nascimento, a não ser que existam sinais de obstrução destas.

Uma vez realizados os passos iniciais da reanimação, avalia-se a FC e a respiração. Se houver vitalidade adequada, com FC >100 bpm e respiração rítmica e regular, o RN deverá receber os cuidados de rotina na sala de parto. Se o paciente, após os passos iniciais, não apresenta melhora, indica-se a VPP.

AVALIAÇÃO DURANTE A ESTABILIZAÇÃO/ REANIMAÇÃO

A decisão quanto aos procedimentos necessários para a estabilização ou reanimação do RN depende da avaliação simultânea da FC e da respiração. A FC é o principal determinante da decisão de indicar as diversas manobras de reanimação e, após sua avaliação inicial por meio da ausculta do precórdio com estetoscópio, recomenda-se o uso do monitor cardíaco, pois permite a detecção acurada, rápida e contínua da FC. Na avaliação feita pelo monitor cardíaco nos minutos iniciais depois do nascimento, objetiva-se acompanhar a FC, sem valorizar a detecção de ritmos anômalos no traçado eletrocardiográfico. Ressalta-se que a avaliação da FC pela ausculta do precórdio, pela palpação do cordão umbilical ou de pulsos periféricos e pela oximetria de pulso subestimam o valor da FC. É importante notar que o momento da colocação dos eletrodos do monitor cardíaco é distinto para os RN ≥ 34 ou < 34 semanas. Para os primeiros, a colocação dos eletrodos nos membros superiores e no membro inferior é feita assim que houver indicação da VPP. Para os prematuros < 34 semanas, os eletrodos são sempre posicionados, assim que o RN é levado à mesa de reanimação e estão sendo feitos os cuidados para manter a normotermia e as vias aéreas pérvias.

Além da FC, avalia-se a regularidade do ritmo respiratório do paciente. Sempre que o RN receber VPP ou quando a idade gestacional for < 34 semanas independentemente da necessidade de ventilação, é preciso acompanhar a saturação de oxigênio ($SatO_2$) nos minutos que seguem o nascimento. O sensor do oxímetro é posicionado sobre o pulso ou mão direita do RN. A avaliação da coloração da pele e mucosas não é utilizada para decidir procedimentos na sala de parto, uma vez que tal avaliação é subjetiva e não tem relação com a $SatO_2$ ao nascimento. Vale lembrar que, nos RN que não precisam de procedimentos de reanimação, a $SatO_2$ com 1 minuto de vida se situa ao redor de 60-65%, só atingindo valores ao redor de 80-90% no 5º minuto (Figura 202.1).

Ventilação com Pressão Positiva

O ponto crítico para o sucesso da reanimação neonatal é a ventilação pulmonar adequada, com a finalidade de inflar os pulmões do RN e, com isso, levar à dilatação da vasculatura pulmonar e à hematose apropriada. Assim, após os cuidados para manter a temperatura e a permeabilidade das vias aéreas, se o RN está em apneia, apresenta respiração irregular e/ou FC <100 bpm, a VPP está indicada. A ventilação pulmonar é o procedimento mais importante e efetivo na reanimação do RN, devendo ser iniciada nos primeiros 60 segundos após o nascimento (Minuto de Ouro).

No RN ≥ 34 semanas, a VPP deve ser iniciada com ar ambiente (O_2 a 21%) e no RN < 34 semanas, indica-se começar a VPP com O_2 a 30%, sempre controlando a oferta de O_2 por meio de um *blender*. Uma vez iniciada a VPP, a oximetria de pulso é necessária para monitorar a $SatO_2$ pré-ductal e decidir quanto à indicação de O_2 adicional. Os valores de $SatO_2$ alvo variam de acordo com os minutos de vida e encontram-se na Figura 202.1. A concentração de O_2 oferecida deve ser ajustada por meio do *blender*, de acordo com os valores da $SatO_2$ alvo. Quando o RN não melhora e/ou não atinge os valores alvo da $SatO_2$ com a VPP, recomenda-se, em primeiro lugar, rever a técnica da ventilação, antes de aumentar a oferta de O_2.

Os equipamentos empregados para ventilar o RN em sala de parto compreendem, na prática clínica, o balão autoinflável e o ventilador mecânico manual em T (Peça-T), recomendando-se o uso da Peça-T para todos os RN, desde que a sala de parto/recepção tenha gás pressurizado disponível. Para os RN < 34 semanas, em especial, o uso da Peça-T permite a ventilação com pressão expiratória final positiva (PEEP) e um recrutamento alveolar mais homogêneo. Vale lembrar que o balão autoinflável não necessita de fonte gás para funcionar, tratando-se de equipamento de baixo custo e devendo estar sempre disponível em todo nascimento.

Quanto à interface para VPP no RN ≥ 34 semanas, pode-se utilizar a máscara facial, a máscara laríngea ou a cânula traqueal, enquanto no RN < 34 semanas e menor do que 2.000 g, as opções são a máscara facial ou a cânula traqueal. A máscara facial deve ser constituída de material maleável transparente ou semitransparente, borda acolchoada e planejada para possuir um espaço morto < 5 mL. O emprego de máscara de tamanho adequado, de tal forma que cubra a ponta do queixo, a boca e o nariz, é fundamental para obter um ajuste correto entre face e máscara e garantir o sucesso da ventilação. A máscara facial é a interface de primeira escolha para a VPP ao nascimento qualquer que seja a idade gestacional do RN.

A máscara laríngea (dispositivo supraglótico) é constituída por uma máscara conectada a uma cânula, devendo ser inserida pela boca e avançada até que a máscara recubra a glote, sem necessidade de equipamentos adicionais. O menor tamanho da máscara laríngea é o neonatal, indicado para RN ≥ 34 semanas e/ou com peso estimado ≥ 2.000 g. A máscara laríngea pode ser considerada para a VPP antes da intubação traqueal, a depender da disponibilidade do material e da capacitação do profissional para a inserção da máscara laríngea e para a intubação traqueal.

Já as cânulas traqueais devem ser de diâmetro uniforme sem balão, com linha radiopaca e marcador de corda vocal. O diâmetro da cânula traqueal a ser inserido depende da idade gestacional e do peso estimado, conforme Tabela 202.2. A profundidade da inserção da cânula traqueal também depende da idade gestacional e do peso estimado, como visualizado na Tabela 202.3.

Quando a VPP com máscara facial é aplicada com balão autoinflável, ventilar na frequência de 40-60 movimentos/minuto, de acordo com a regra prática "aperta/solta/solta". Quanto à pressão a ser aplicada, esta deve ser individualizada para que o RN alcance e mantenha FC >100 bpm. De modo geral, iniciar com pressão inspiratória ao redor de 25 cmH_2O, sendo raramente necessário alcançar 30-40 cmH_2O naqueles pacientes com pulmões doentes. É recomendável monitorar a pressão oferecida pelo balão com o manômetro. Lembrar que a válvula de escape deve estar funcionando durante a VPP.

Quando a VPP com máscara facial é aplicada com Peça-T, fixar o fluxo gasoso inicialmente em 10 L/minuto na concentração de O_2 de 21% para o RN ≥ 34 semanas e de 30% para o RN < 34 semanas, podendo ser necessário fazer peque-

Tabela 202.2 Material para intubação traqueal de acordo com idade gestacional e/ou peso estimado.

Idade gestacional (semanas)	Peso estimado (kg)	Sonda traqueal (F)	Lâmina reta* (n°)	Cânula traqueal (mm)	Marca no lábio superior** (cm)
23 - 24	0,5 - 0,6	6	00	2,5	5,5
25 - 26	0,7 - 0,8	6	00	2,5	6,0
27 - 29	0,9 - 1,0	6 - 8	0	2,5 - 3,0	6,5
30 - 32	1,1 - 1,4	6 - 8	0	3,0	7,0
33 - 34	1,5 - 1,8	6 - 8	0	3,0	7,5
35 - 37	1,9 - 2,4	8	1	3,0 - 3,5	8,0
38 - 40	2,5 - 3,1	8	1	3,5	8,5
>40	3,2 - 4,2	8	1	3,5 - 4,0	9,0

*Lâmina reta do laringoscópio; ** Marca da cânula traqueal a ser alinhada no lábio superior

Tabela 202.3 Profundidade de inserção da cânula traqueal conforme idade gestacional e peso estimado.

Idade gestacional (semanas)	Peso estimado (gramas)	Marca no lábio superior (cm)
23 e 24	500 a 700	5,5
25 e 26	700 a 900	6,0
27 a 29	900 a 1100	6,5
30 a 32	1100 a 1500	7,0
33 e 34	1500 a 1800	7,5
35 a 37	1900 a 2400	8,0
38 a 40	2500 a 3100	8,5
>40	3200 a 4200	9,0

nos ajustes. Limitar a pressão máxima do circuito em 30-40 cmH_2O, selecionar a pressão inspiratória a ser aplicada em cada ventilação, em geral ao redor de 25 cmH_2O, e ajustar a PEEP ao redor de 5 cmH_2O. Ventilar com frequência de 40-60 movimentos por minuto, que pode ser obtida com a regra prática "ocluuui/solta/solta", sendo o "ocluuui" relacionado à oclusão do orifício da peça T.

Durante a VPP com máscara facial, deve-se observar a adaptação da máscara à face do RN, a permeabilidade das vias aéreas e a expansibilidade pulmonar. A ventilação efetiva produz a elevação da FC e, depois, o estabelecimento da respiração espontânea. Se, após 30 segundos de VPP, o paciente apresentar FC >100 bpm e respiração espontânea e regular, suspender o procedimento. É importante ressaltar que, de cada 10 RN que recebem VPP com máscara facial ao nascer, nove melhoram e não precisam de outros procedimentos de reanimação.

Considera-se como falha se, após 30 segundos de VPP, o RN mantém FC < 100 bpm ou não retoma a respiração espontânea rítmica e regular. Nesse caso, verificar o ajuste entre a face e a máscara, a permeabilidade das vias aéreas (posicionando a cabeça, aspirando secreções e mantendo a boca do RN aberta) e o funcionamento do balão ou da Peça-T, corrigindo o que for necessário (Tabela 202.4). Se o RN, após a correção da técnica da ventilação, não melhorar, está indicado o uso de uma interface alternativa para a VPP. Recomenda-se, durante períodos prolongados de ventilação, a inserção de uma sonda orogástrica para diminuir a distensão gástrica.

Tabela 202.4 Ações corretivas na ventilação com pressão positiva com máscara facial.

Problema	Correção
Ajuste inadequado da face à máscara	1. Readaptar a máscara à face delicadamente
Obstrução de vias aéreas	2. Reposicionar a cabeça (pescoço em leve extensão)
	3. Aspirar as secreções da boca e nariz
	4. Ventilar com a boca levemente aberta
Pressão insuficiente	5. Aumentar a pressão em ~5cmH_2O, até o máximo de 40 cmH_2O

As indicações de ventilação através de cânula traqueal em sala de parto incluem: VPP com máscara não efetiva, ou seja, se após a correção de possíveis problemas técnicos, a FC permanece < 100 bpm; VPP com máscara prolongada, ou seja, se o RN não retoma a respiração espontânea; e aplicação de massagem cardíaca.

A indicação da intubação no processo de reanimação depende da habilidade e da experiência do profissional responsável pelo procedimento. Em mãos menos experientes, existe um elevado risco de complicações como hipoxemia, apneia, bradicardia, pneumotórax, laceração de tecidos moles, perfuração de traqueia ou esôfago, além de maior risco de infecção. Vale lembrar que cada tentativa de intubação deve durar, no máximo, 30 segundos. Em caso de insucesso, o procedimento é interrompido e a VPP com máscara é iniciada, sendo realizada nova tentativa de intubação após estabilizar o paciente.

A confirmação da posição da cânula é obrigatória, podendo ser realizada por meio da inspeção do tórax, ausculta das regiões axilares e gástrica e observação da FC. Entretanto, o método preferencial para confirmar a posição da cânula é a detecção de dióxido de carbono (CO_2) exalado por técnica colorimétrica. Infelizmente, os detectores colorimétricos de CO_2 não são facilmente disponíveis no mercado brasileiro.

Após a intubação, inicia-se a ventilação com cânula traqueal e balão autoinflável ou Peça-T com os mesmos parâmetros acima mencionados para a ventilação com máscara. Considera-se que houve melhora se o RN apresentar FC > 100 bpm e movimentos respiratórios espontâneos e regulares. Nessa situação, a VPP é suspensa e o RN extubado. Há falha se, após 30 segundos de VPP com cânula traqueal, o RN mantém FC < 100 bpm ou não retoma a respiração espontânea. Nesse caso, verificar a posição da cânula, a permeabilidade das vias aéreas e o funcionamento do dispositivo de ventilação, corrigindo o que for necessário. Se o RN mantém a FC < 60 bpm, está indicada a massagem cardíaca e a oferta de O_2 adicional.

Massagem Cardíaca

A asfixia pode desencadear vasoconstrição periférica, hipoxemia tecidual, diminuição da contratilidade miocárdica, bradicardia e, eventualmente, parada cardíaca. A ventilação adequada reverte esse quadro na maioria dos pacientes. A massagem cardíaca é iniciada se o RN persistir com FC < 60 bpm, após 30 segundos de VPP com cânula traqueal e técnica adequada. Em geral, nessas condições, o RN já está sendo ventilado com concentração de O_2 elevada, que deve ser aumentada para 100%. O RN com indicação de massagem cardíaca deve estar com monitor cardíaco e oxímetro de pulso bem locados. Como a massagem cardíaca diminui a eficácia da ventilação, as compressões só devem ser iniciadas quando a expansão e a ventilação pulmonares estiverem bem estabelecidas.

A compressão cardíaca é realizada no terço inferior do esterno por meio da técnica dos dois polegares, com os polegares sobrepostos posicionados logo abaixo da linha intermamilar, poupando-se o apêndice xifoide. As palmas das mãos e os outros dedos devem circundar o tórax do RN. O profissional de saúde que vai executar a massagem cardíaca se posiciona atrás da cabeça do RN, enquanto aquele que ventila se desloca para um dos lados. Comprimir ⅓ da dimensão anteroposterior do tórax, de maneira a produzir um pulso palpável. É importante permitir a expansão plena do tórax após a compressão para que ocorra o enchimento das câmaras ventriculares e das coronárias; no entanto, os dedos não devem ser retirados do terço inferior do tórax. As complicações da massagem cardíaca incluem a fratura de costelas, com pneumotórax e hemotórax, e a laceração de fígado.

No RN, a VPP e a massagem cardíaca são realizadas de forma sincrônica, mantendo-se uma relação de 3:1, ou seja, três movimentos de massagem cardíaca para um movimento de ventilação, com uma frequência de 120 eventos por minuto (90 compressões e 30 ventilações por minuto). A massagem deve continuar enquanto a FC estiver < 60 bpm. Deve-se manter a massagem cardíaca coordenada à ventilação por 60 segundos, antes de reavaliar a FC, pois este é o tempo mínimo para que a massagem cardíaca efetiva possa restabelecer a pressão de perfusão coronariana.

A melhora é considerada quando, após a VPP acompanhada de massagem cardíaca, o RN apresenta FC > 60 bpm. Nesse momento, interrompe-se apenas a massagem cardíaca. Caso o paciente apresente respirações espontâneas regulares e a FC atinja valores >100 bpm, a ventilação também é suspensa. A oferta de O_2 deve ser titulada de acordo com a oximetria de pulso.

Considera-se falha do procedimento se, após 60 segundos de VPP com cânula traqueal e O_2 a 100% acompanhada de massagem cardíaca, o RN mantém FC < 60 bpm. Nesse caso, verificar a posição da cânula traqueal, a permeabilidade das vias aéreas e o funcionamento do dispositivo para VPP, além da técnica da massagem cardíaca propriamente dita, corrigindo o que for necessário. Se, após correção da técnica da VPP e massagem, não houver melhora, considera-se o cateterismo venoso umbilical de urgência e indica-se a adrenalina.

Administração de Adrenalina e Expansor de Volume

A bradicardia neonatal é, em geral, resultado da insuflação pulmonar insuficiente e/ou de hipoxemia profunda. A VPP adequada é o passo mais importante para corrigir a bradicardia. Quando a FC permanece < 60 bpm, a despeito de VPP adequada por cânula traqueal com O_2 a 100% acompanhada de massagem cardíaca adequada por no mínimo 60 segundos, o uso de adrenalina e, eventualmente, do expansor de volume estão indicados. A diluição, o preparo, a dose e a via de administração estão descritos na Tabela 202.5. Bicarbonato de sódio, atropina, outras catecolaminas e naloxone, entre outras medicações, não são recomendadas na reanimação do RN ao nascimento.

O cateterismo venoso umbilical de urgência é o procedimento indicado para administrar adrenalina endovenosa por ser de acesso fácil e rápido. O cateter venoso umbilical deve ser inserido apenas 1 ou 2 cm após o ânulo, mantendo-o periférico, de modo a evitar sua localização em nível hepático. Também é preciso cuidado na manipulação do cateter para que não ocorra embolia gasosa. Enquanto o acesso venoso é obtido, pode ser administrada a adrenalina por via traqueal, uma única vez, pois a absorção da medicação por via pulmonar é lenta, imprevisível e com uma resposta, em geral, insatisfatória.

A adrenalina está indicada quando a ventilação adequada e a massagem cardíaca efetiva não elevaram a FC acima de 60 bpm. Recomenda-se sua administração segundo a Tabela 202.5. Doses elevadas de adrenalina (> 0,1 mg/kg) não devem ser empregadas, pois levam à hipertensão arterial grave, diminuição da função miocárdica e piora do quadro neurológico. Quando não há reversão da bradicardia com o uso da adrenalina, pode-se repeti-la a cada 3-5 minutos (sempre por via endovenosa) e considerar uso do expansor de volume caso o paciente esteja pálido ou existem evidências de choque. A expansão de volume é feita segundo a Tabela 202.5, podendo ser repetida a critério clínico. Com o uso do expansor, espera-se o aumento da pressão arterial e a melhora dos pulsos e da palidez. Se não houver resposta, verificar a posição da cânula traqueal, a técnica da VPP e da massagem cardíaca e a permeabilidade do acesso vascular.

Se, apesar da realização de todos os procedimentos recomendados, o RN requer reanimação avançada de modo

Tabela 202.5 Medicações para reanimação neonatal na sala de parto.

	Adrenalina Endovenosa	Adrenalina Endotraqueal	Expansor de Volume
Apresentação comercial	1mg/1mL		SF 0,9%
Diluição	1 mL da ampola de adrenalina 1mg/mL em 9 mL de SF		--
Preparo	Seringa de 1 mL	Seringa de 5 mL	2 seringas de 20 mL
Dose	0,2 mL/kg	1,0 mL/kg	10 mL/kg EV
Peso ao nascer			
1kg	0,2 mL	1,0 mL	10 mL
2kg	0,4 mL	2,0 mL	20 mL
3kg	0,6 mL	3,0 mL	30 mL
4kg	0,8 mL	4,0 mL	40 mL
Velocidade e precauções	Infundir rápido seguido por *flush* de 3,0 mL de SF	Infundir no interior da cânula traqueal e ventilar. USO ÚNICO	Infundir na veia umbilical lentamente, em 5 a 10 minutos

continuado, sugere-se a discussão a respeito da interrupção dos procedimentos entre a equipe que está atendendo o RN e a família. Um tempo razoável para essa discussão é ao redor de 20 minutos depois do nascimento. A conversa com os familiares é importante a fim de informar sobre a gravidade do caso e o alto risco de óbito e tentar entender seus desejos e expectativas. A decisão de iniciar e prolongar a reanimação avançada deve ser individualizada, levando em conta fatores como a idade gestacional, a presença de anomalias congênitas, a duração da agressão asfíxica, se a reanimação foi feita de modo adequado e o desejo familiar, além da disponibilidade de recursos humanos e de equipamentos para os cuidados pós-reanimação. Quando houver impossibilidade de conversar com a família, os membros da equipe de reanimação devem agir de acordo com o melhor interesse do RN.

Vale lembrar que apenas um a três RN em cada 1.000 requerem procedimentos avançados de reanimação (in-tubação traqueal, massagem cardíaca e/ou medicações), quando a VPP é aplicada adequadamente.

■ CONSIDERAÇÕES FINAIS

O nascimento de um bebê representa a mais dramática transição fisiológica da vida humana. Em nenhum outro momento, o risco de morte ou lesão cerebral é tão elevado. A ventilação pulmonar é o procedimento mais importante e efetivo na reanimação ao nascer e, quando necessária, deve ser iniciada nos primeiros 60 segundos de vida (Minuto de Ouro). O risco de morte ou morbidade aumenta em 16% a cada 30 segundos de demora para iniciar a VPP.[4] As diretrizes acima colocadas são uma orientação geral para a conduta neonatal na sala de parto. **É fundamental** o treinamento continuado dos profissionais de saúde que participam do cuidado ao RN ao nascimento.[15]

REFERÊNCIAS

1. Brasil. Ministério da Saúde. Portal da Saúde. Datasus: Estatísticas vitais. Disponível em: https://datasus.saude.gov.br/nascidos-vivos-desde-1994.
2. de Almeida MFB, Kawakami MD, Santos RM, Anchieta LM, Guinsburg R. Intrapartum-related early neonatal deaths of infants ≥ 2.500 g in Brazil: 2005-2010. J Pediatr (Rio J). 2017;93(6):576-584.
3. Rede Brasileira de Pesquisas Neonatais [Internet]. Dados [Cited 2023 Aug 30]. Disponível em: http://redeneonatal.com.br.
4. Ersdal HL, Mduma E, Svensen E, Perlman JM. Early initiation of basic resuscitation interventions including face mask ventilation may reduce birth asphyxia related mortality in low-income countries: a prospective descriptive observational study. Resuscitation. 2012;83(7):869-873.
5. Weiner GM, Zaichkin J, American Academy of Pediatrics. Textbook of Neonatal Resuscitation. 8th ed. Itasca, IL: American Academy of Pediatrics, 2021.
6. de Almeida MFB, Guinsburg R, Weiner GM, et al. Translating neonatal resuscitation guidelines into practice in Brazil. Pediatrics. 2022;149(6):e2021055469.
7. Lawn JE, Blencowe H, Oza S, You D, Lee AC, Waiswa P, et al. Every newborn: progress, priorities, and potential beyond survival. Lancet. 2014;384(9938):189-205.
8. Almeida MFB, Guinsburg R; Coordenadores Estaduais e Grupo Executivo PRN-SBP; Conselho Científico Departamento Neonatologia SBP. Reanimação do recém-nascido ≥ 34 semanas em sala de parto: diretrizes 2022 da Sociedade Brasileira de Pediatria. Rio de Janeiro: Sociedade Brasileira de Pediatria; 2022. Disponível em: https://www.sbp.com.br/especiais/reanimacao.
9. Guinsburg R, Almeida MFB; Coordenadores Estaduais e Grupo Executivo PRN-SBP; Conselho Científico Departamento Neonatologia SBP. Reanimação do recém-nascido < 34 semanas em sala de parto: diretrizes 2022 da Sociedade Brasileira de Pediatria. Rio de Janeiro: Sociedade Brasileira de Pediatria; 2022. Disponível em: https://www.sbp.com.br/especiais/reanimacao.
10. Wyckoff MH, Wyllie J, Aziz K, de Almeida MF, Fabres J, Fawke J, et al. Neonatal Life Support: 2020 International consensus on cardiopulmonary resuscitation and emergency cardiovascular care science with treatment recommendations. Circulation. 2020;142(16 suppl 1):S185-S221.
11. Wyckoff MH, Singletary EM, Soar J, Olasveengen TM, Greif R, Liley HG, et al. 2021 International consensus on cardiopulmonary resuscitation and emergency cardiovascular care science with treatment recommendations: summary from the basic life support; advanced life support; neonatal life support; education, implementation, and teams; first aid task forces; and the Covid-19 working group. Circulation. 2022;145(9):e645-e721.
12. Wyckoff MH, Greif R, Morley PT, Ng KC, Olasveengen TM, Singletary EM, et al. 2022 International consensus on cardiopulmonary resuscitation and emergency cardiovascular care science with treatment recommendations: summary from the basic life support; advanced life support; pediatric life support; neonatal life support; education, implementation, and teams; and first aid task forces. Circulation. 2022;146(25):e483-e557.
13. Sociedade Brasileira de Pediatria. Programa de Reanimação Neonatal. Recomendações para assistência ao recém-nascido na sala de parto de mãe com COVID-19 suspeita ou confirmada – Atualização 2020. Disponível em: https://www.sbp.com.br/especiais/reanimacao/recomendacoes-covid-19/.
14. Rugolo LMSS, Anchieta LM, Oliveira RCS. Recomendações sobre o clampeamento do cordão umbilical. Sociedade Brasileira de Pediatria (SBP) e Federação Brasileira de Associações de Ginecologia e Obstetrícia (Febrasgo). 2022. Disponível em: https://www.sbp.com.br/especiais/reanimacao.
15. Shukla VV, Carlo WA, Niermeyer S, Guinsburg R. Neonatal resuscitation from a global perspective. Semin Perinatol. 2022;46(6):151630.

203

Reanimação Cardiorrespiratória na Gestante

Márcio de Pinho Martins ■ **David Ferez**

INTRODUÇÃO

A mortalidade materna é inaceitavelmente alta. Cerca de 287 mil mulheres morreram durante e após a gravidez e o parto em 2020. Quase 95% de todas as mortes maternas ocorreram em países de baixa e média renda nesse mesmo ano, e a maioria poderia ter sido evitada.[1] O Brasil experimentou um importante declínio em seu indicador, passando de 72,4 óbitos maternos por 100 mil nascidos vivos em 2009 para 57,9 óbitos maternos por 100 mil nascidos vivos em 2019, porém com grande desigualdade entre as regiões norte/nordeste e sul/sudeste.[2]

A ressuscitação materno-fetal é um grande desafio para todos os profissionais de saúde que trabalham em hospitais e maternidades. Aqueles que trabalham diariamente com esse grupo já possuem experiência e treinamento para as complicações obstétricas mais comuns, porém, para profissionais que não trabalham frequentemente com gestantes, os desafios podem ser ainda maiores, pois a rápida velocidade e a intensidade do comprometimento clínico podem levar a graves desequilíbrios hemodinâmicos e/ou respiratórios, culminando em uma parada cardíaca ou parada cardiorrespiratória (PCR).

A fórmula de sobrevivência do *International Liaison Committee on Resuscitation* (ILCOR) enfatiza três componentes essenciais para bons resultados de ressuscitação: diretrizes baseadas em ciência sólida de ressuscitação, educação eficaz do público leigo e dos provedores de ressuscitação e implementação de uma cadeia de sobrevivência que funcione bem.[3] Este capítulo foi atualizado com as Diretrizes de 2020 e 2021 da *American Heart Association* (AHA) para Ressuscitação Cardiopulmonar (RCP) e Cuidados Cardiovasculares de Emergência (CCE) e estão de acordo com o Consenso internacional sobre ciência de RCP e CCE com recomendações de tratamento (CoSTR).[4] Todo o processo de avaliação de evidências e sua classificação segue uma metodologia própria, que gera classes de recomendação que indicam a sua robustez, e níveis de evidência que são atribuídos de acordo com a qualidade do indício científico dos estudos disponíveis. O ILCOR mantém uma revisão contínua de todas as publicações relevantes sobre a ressuscitação cardiopulmonar, baseado em novas evidências, suas recomendações de tratamento, assim como recomendações para tratamento podem mudar, sugerimos ao leitor uma consulta periódica na página da AHA na revista *Circulation*, em Declarações e Diretrizes Clínicas, ou na *Resuscitation* da *European Resuscitation Council* (ERC).[5,6]

A principal mensagem deste capítulo para todos os reanimadores é que, independentemente da causa da PCR, o reconhecimento dessa condição deve ser o mais precoce possível, assim como o início da ressuscitação materna. A sobrevivência fetal geralmente depende da sobrevivência da mãe e os esforços de ressuscitação iniciais devem centrar-se sobre a genitora. Todas as recomendações para o suporte básico e avançado de vida em adultos são válidas para as mulheres grávidas. Para o sucesso da ressuscitação e o retorno da circulação espontânea (RCE) das gestantes, as prioridades são a administração de RCP de alta qualidade e o alívio da compressão aortocava.

■ ALTERAÇÕES FISIOLÓGICAS DA GRAVIDEZ E IMPLICAÇÕES PARA A RESSUSCITAÇÃO

Durante a gravidez ocorrem importantes alterações cardiovasculares, como a elevação da frequência cardíaca (FC) em 15 a 20 batimentos por minuto (bpm), e aumento do débito cardíaco (DC) em 40%, o que pode determinar perdas sanguíneas exuberantes em curto espaço de tempo. A anemia fisiológica da gravidez é explicada pelo aumento desproporcional do volume plasmático em 50%, em relação ao aumento de 25% do volume globular, causando uma diminuição da capacidade de transporte de O_2 tecidual. Essa anemia contribui para que a anoxia durante o colapso materno ocorra mais precocemente.

O aumento do volume uterino, resultando na elevação do diafragma, determina uma diminuição da capacidade residual funcional (CRF). O relaxamento dos ligamentos das costelas aumenta os diâmetros do tórax e permite maior volume-corrente (VC). Além disso, a progesterona diminui a sensibilidade ao O_2 do centro respiratório, o que acaba levando à hiperventilação na gestante. A hiperventilação, somada à maior excreção de bicarbonato pelo sistema urinário, resulta em alcalose respiratória compensada. Essas alterações visam suprir o aumento das necessidades de O_2 do organismo materno.[7]

O útero gravídico comprime a veia cava inferior na posição supina a partir da 20ª semana de gestação, causando diminuição do retorno venoso e causando hipotensão supina. A compressão aortocava diminui em 50% a eficácia das compressões torácicas (CTs) realizadas durante a RCP. Se a altura do fundo for igual ou superior ao nível do umbigo, o deslocamento manual do útero para a esquerda (DUE) pode ser benéfico para o alívio da compressão aortocava durante as CTs.

O aumento dos níveis de progesterona, responsável pelo relaxamento do esfíncter esofagiano inferior (EEI) e pelo retardamento do esvaziamento gástrico, somado ao aumento da pressão intra-abdominal causado pela presença do útero gravídico, faz com que a mulher grávida tenha maior risco de regurgitação e aspiração broncopulmonar. Por essa razão, o controle definitivo ou avançado da via aérea em gestantes é prioritário.

Processos patológicos que alterem esse equilíbrio causam graves repercussões e, quando não são corrigidos precocemente, podem ser lesivos para a mãe e potencialmente devastadores para o concepto. Os membros da equipe responsáveis pela ressuscitação das mulheres grávidas devem estar familiarizados com as alterações fisiológicas da gravidez que afetam as técnicas de ressuscitação e suas complicações potenciais. Para garantir o sucesso da ressuscitação materna, todas as partes interessadas em potencial (instituição e equipes multiprofissionais) precisam estar envolvidas no planejamento, preparo e treinamento para a PCR na gestante, incluindo a possível necessidade de cesárea *perimortem* (CPM).[3]

Estimativa da Idade Gestacional

Todo reanimador deve conhecer as alterações fisiológicas da gravidez e saber estimar a idade gestacional, pois existe relação direta com a viabilidade fetal. Decisões sobre a viabilidade fetal devem ser tomadas de acordo com a estrutura hospitalar disponível, a experiência da equipe de neonatologistas, dos obstetras e da vontade da gestante ou de seus familiares.

É possível estimar a idade gestacional a partir da medida da altura do fundo uterino em relação à sínfise pubiana materna. Em uma gestação com feto único, em posição longitudinal, essa altura em centímetros irá corresponder, aproximadamente, à idade gestacional em semanas, quando medido entre 16 e 36 semanas de gestação, sendo que essa medida é mais confiável a partir da 20ª semana. Essa medição é uma estimativa e pode ser distorcida por fatores maternos, como distensão abdominal e aumento do índice de massa corporal (IMC). Também é possível estimar a idade gestacional de acordo com a localização do fundo uterino em relação aos pontos anatômicos maternos (Tabela 203.1).

Tabela 203.1 Estimativa da idade gestacional.	
Idade gestacional (semanas)	**Palpação do fundo uterino**
12	Acima da sínfise púbica
20	Cicatriz umbilical
36	Apêndice xifoide

Etiologias de PCR na Gestante

De acordo com a OMS, ocorreram cerca de 287 mil mortes maternas em 2020. Houve redução global na mortalidade materna, porém de forma mais pronunciada em países desenvolvidos, com taxas de redução de 70% na mortalidade materna, enquanto em países de menor renda esta taxa foi de 30%, longe da meta almejada de redução em 75%.[1]

A mortalidade materna é definida como a morte de uma mulher durante a gravidez ou até 42 dias após o parto ou término da gravidez, desde que a causa da morte esteja relacionada ou agravada pela gravidez. O oitavo relatório das informações confidenciais sobre mortes maternas no Reino Unido (*Confidential Enquiries into Maternal Deaths* – CMED), investigou as mortes de 261 mulheres que morreram no triênio 2006 a 2008 por causas direta ou indiretamente relacionadas com a gravidez. Muitos dos fatores evitáveis identificados permaneciam os mesmos que em relatórios anteriores.[8] O relatório das Investigações Confidenciais do Reino Unido e da Irlanda sobre Óbitos Maternos e Morbidade (2017 a 2019) revela que a maioria das recomendações que os avaliadores (*The Maternal, Newborn and Infant Clinical Outcome Review Programme* do Reino Unido – MBRRACE – UK) identificam para melhorar o atendimento são elaboradas diretamente de orientação ou relatórios já existentes, e denotam áreas onde a implementação da orientação existente precisa ser fortalecida. Outro dado importante e cada vez mais prevalente, é que a idade média no primeiro parto continua a aumentar. A gravidez com idade materna avançada é reconhecidamente associada às taxas mais altas de mortalidade materna, perda da gravidez e outras complicações.[9]

As principais causas de colapso circulatório em gestantes estão representadas na Figura 203.1.

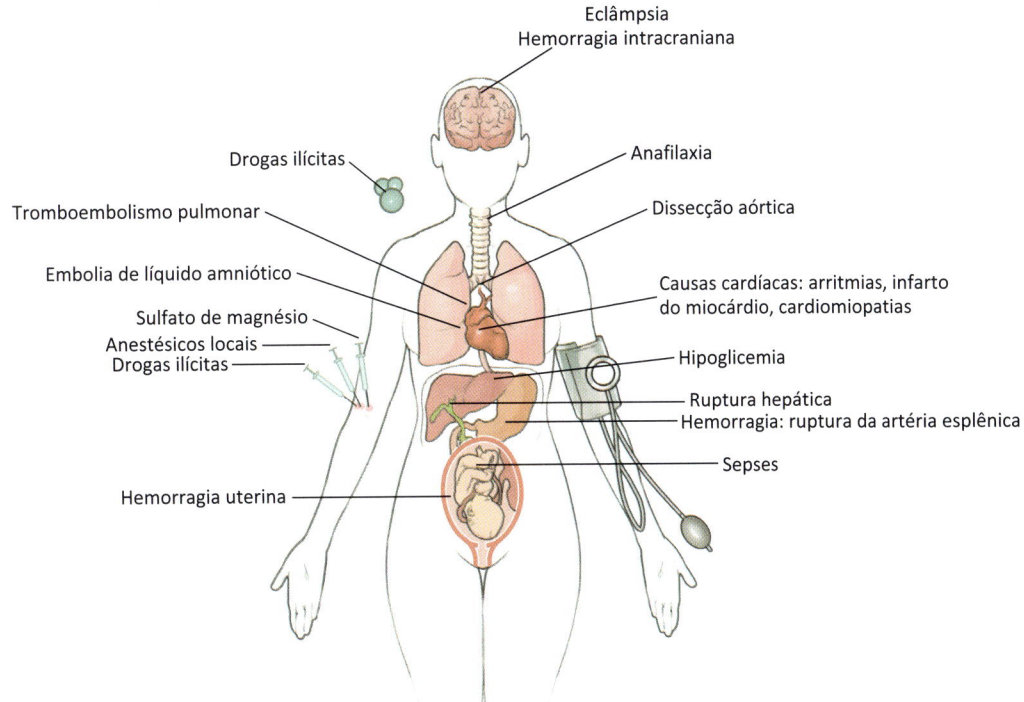

▲ Figura 203.1 Principais causas de colapso circulatório em gestantes.

A prevalência de PCR em gestantes varia de 1:20.000 a 1:50.000 gestações e está associada à alta mortalidade feto-materna. Aproximadamente 1 em 12 mil admissões para parto nos Estados Unidos resulta em uma PCR materna[3]. A doença cardiovascular é a principal causa de mortalidade durante a gravidez nos Estados Unidos, representando > 25% das mortes, com morbidade e mortalidade materna cardiovascular afetando desproporcionalmente pacientes negras, que têm uma taxa de mortalidade três a quatro vezes maior do que pacientes grávidas brancas não hispânicas. A doença cardiovascular materna é a segunda principal etiologia de PCR. As quatro principais causas incluem hemorragia (38,1%), insuficiência cardíaca ou infarto do miocárdio (15,2%), embolia de líquido amniótico (13,3%) e sepse (11,2%).[10] No Reino Unido, a doença cardíaca continua a ser a maior causa isolada de mortes maternas, e as causas neurológicas (epilepsia e acidente vascular cerebral) são a segunda causa mais comum. Trombose e tromboembolismo continuam sendo a principal causa de morte materna direta durante ou até seis semanas após o término da gravidez. O suicídio materno continua sendo a principal causa de mortes diretas ocorridas até um ano após o término da gravidez.[9]

No mundo em desenvolvimento, o risco de mortalidade materna por hemorragia é de 1:1.000 partos, cerca de 100 vezes maior do que a taxa de 1:100.000 dos países desenvolvidos. Globalmente, as principais causas de morte materna estão distribuídas da seguinte forma:

- Hemorragia grave (especialmente durante e após o parto): 27%;
- Hipertensão na gestação: 14%;
- Infecções: 11%;
- Parto obstruído e outras causas diretas: 9%;
- Complicações de abortos: 8%;
- Coágulos sanguíneos (embolias): 3%.

A hemorragia é a principal causa de colapso circulatório em grávidas, presente desde a gestação, passando pelo parto, até o puerpério. Entre as principais etiologias que devemos pesquisar, estão: abortamento, prenhez ectópica, doença trofoblástica gestacional, placenta prévia-acreta, descolamento prematuro de placenta (DPP), laceração de trajeto, atonia ou ruptura uterina. Em estudo prospectivo realizado na Escócia, Brace e col.[11] estudaram mulheres que sofreram de hemorragia obstétrica grave em unidades de maternidade na Escócia, entre 2003 e 2005, com os seguintes critérios de inclusão: perda estimada de sangue > 2.500 ml, transfusão > 5 unidades de sangue ou tratamento para coagulopatia durante a hemorragia. De acordo com estes critérios, a taxa de hemorragia grave foi de 3,7 por 1000 nascimentos. A atonia uterina foi a causa mais comum (250 mulheres, 48%); e 32% apresentaram causas múltiplas para hemorragia grave. Na maioria dos casos com hemorragia maciça e colapso circulatório, a causa é evidente, mas hemorragias ocultas devem ser investigadas. Nessas pacientes, mesmo quando for difícil definir a origem do colapso materno, deve-se pensar que possa existir hemorragia oculta. Perdas sanguíneas acentuadas, lentas e contínuas podem ser razoavelmente toleradas, sem alterações significativas da pressão arterial (PA) ou frequência cardíaca (FC) em pacientes jovens, sem comorbidades. Nessas pacientes, a gravidade da hemorragia pode não ser reconhecida até que ocorra descompensação hemodinâmica abrupta. É importante manter a vigilância durante a administração de ocitocina, pois, além de seu efeito uterotônico, possui efeito vasodilatador sistêmico e inotrópico negativo, doses de ocitocina de 0,5 a 3 UI são suficientes para manter tônus uterino adequado, altas doses (5 a 10 UI) em bólus venoso **não são recomendadas** e podem precipitar o colapso cardiovascular.[12] Pacientes com hipertensão induzida pela gravidez tratadas com bloqueadores beta-adrenérgicos podem não apresentar uma resposta taquicárdica normal à hemorragia. É importante a identificação dos fatores de risco, diagnóstico precoce e tratamento definitivo da causa da hemorragia. Os dados recentes da formação de um trabalho em equipe, treinos de simulação e a implantação de diretrizes para hemorragias são muito promissores. A implementação dessas estratégias deve levar a uma redução ainda maior da mortalidade materna.

Distúrbios hipertensivos são a segunda causa mais comum de mortes maternas em todo o mundo. Existem várias categorias de distúrbios hipertensivos na gravidez que variam de aumento da PA leve a moderado, sem proteinúria (geralmente chamado de hipertensão induzida pela gravidez – HIG), pré-eclâmpsia, pré-eclâmpsia grave e eclâmpsia. A pré-eclâmpsia ou toxemia gravídica é uma doença multissistêmica, ocorrendo habitualmente ao final da prenhez, e caracterizada por duas manifestações clínicas associadas: hipertensão e proteinúria. Estima-se que ela acometa de 2% a 5% das gestações, incidindo em cerca de 10% das primíparas. Representa uma das maiores causas de mortalidade materna e perinatal (aumentando em cinco vezes a taxa de mortalidade), e determina mais de 100 mil mortes maternas ao redor do mundo a cada ano. A pré-eclâmpsia com hemólise, elevação das enzimas hepáticas e plaquetas baixas (síndrome HELLP), acompanhados de morte intrauterina por DPP, pode resultar em hemorragias graves.

O tromboembolismo, tanto pulmonar quanto cerebral, aparece como causa importante de morte materna imediata. Forma especial e restrita à gravidez é a embolia por líquido amniótico, que ocorre durante o trabalho de parto, no parto, ou até 30 minutos após o nascimento, com diferentes fases de progressão, que incluem hipertensão pulmonar, falência cardíaca, coagulopatia e elevada taxa de letalidade.

No Reino Unido, trombose e tromboembolismo continuam sendo a principal causa de morte materna direta durante ou até seis semanas após o término da gravidez, e as principais causas de morte indireta são as cardiopatias. Os distúrbios psiquiátricos e os distúrbios cardiovasculares são agora responsáveis pelo mesmo número de mortes maternas no Reino Unido, representando em conjunto 30% das mortes. Durante 2020, a mortalidade materna diretamente atribuível à COVID-19 estava em uma taxa comparável àquela causada por distúrbios psiquiátricos e cardiovasculares.[13]

Na última década, quase uma em cada três mortes maternas nos Estados Unidos foi devido a eventos cardiovasculares. A maioria das mortes relacionadas à gravidez ocorre no período pós-parto, e as mortes ocorridas após 42 dias (seis semanas) pós-parto representam aproximadamente uma em cada cinco mortes maternas, sendo a sepse a quarta principal causa de morte materna).[14] No Brasil, o abortamento inseguro e a infecção puerperal são etiologias importantes para a sepse, causada principalmente por estreptococos dos grupos A, B e D, pneumococos e *E. coli.*

A hipoxemia deve ser sempre considerada como uma causa de PCR. As reservas de O_2 são mais baixas e as demandas metabólicas são mais elevadas na gestante em comparação com a paciente não grávida. O suporte ventilatório precoce pode ser necessário.

A anestesia pode ser responsável direta pela PCR e morte da genitora. No Reino Unido, a análise dos inquéritos confidenciais sobre mortes maternas (CEMD) permitiu conhecer e detalhar as diversas etiologias. Geralmente, ocorrem por broncoaspiração, hipoxemia secundária à obstrução das vias aéreas ou intubação esofágica. Nas mortes causadas diretamente pela anestesia, foram identificados alguns padrões comportamentais das equipes médicas: falta de cooperação multidisciplinar e de cuidados perioperatórios, apreciação inadequada da gravidade da doença e abordagem inadequada da hemorragia.

Ellis e col.[15] identificaram 160 casos de PCR perioperatórias (em até 24 horas após a anestesia) a partir de um banco de dados com 217.365 anestesias ao longo de um período de 10 anos. A incidência geral de PCR foi de 7,4 por 10 mil anestesias. Foram relacionados à anestesia 37 casos de PCR. A análise desses casos permitiu classificar as mortes relacionadas à anestesia em duas categorias:

- Causa básica;
- Causa contributória.

Os resultados revelam que 14 PCR foram atribuíveis diretamente à anestesia, resultando em uma incidência de 0,6 por 10 mil anestesias (IC 95%, 0,4 a 1,1), com mortalidade geral de 29%. Complicações relacionadas ao manejo da via aérea foram responsáveis por 64% das PCR atribuíveis à anestesia e ocorreram principalmente na indução, no despertar, ou na recuperação pós-anestésica. Tiveram contribuição da anestesia 23 PCR, resultando em uma incidência de 1,1 por 10 mil anestesias (IC 95%, 0,7 a 1,6). Nesse grupo, a PCR ocorreu durante todas as fases da anestesia e a mortalidade foi de 70%.

Grande parte do sucesso obtido na redução das mortes diretas da anestesia foi enfrentar os problemas relacionados ao controle da via aérea (CVA) nas gestantes.[8] O manejo da via aérea e da ventilação são habilidades fundamentais para os médicos anestesistas. Esses fundamentos devem ser treinados e avaliados regularmente.

A incidência de intubação traqueal difícil (ITD) em gestantes pode ser oito vezes maior do que na população em geral. Apesar de todos os avanços, a incidência de ITD manteve-se inalterada ao longo dos últimos 30 anos. A análise desse período aponta uma incidência de 2,6 por mil anestesias (1 em 390) na anestesia geral obstétrica e 2,3 por mil anestesias gerais (1 em 443) para cesariana.[16] Outros autores indicam dificuldade na intubação em taxas que variam de 1:224 a 1:750.[17] Reale e col.[18] alertam que a ITD em obstetrícia continua sendo um motivo de preocupação constante. Em estudo retrospectivo multicêntrico de mais de 14 mil procedimentos sob anestesia geral (AG) para cesariana, foi observado um risco geral de intubação difícil de 1:49 e um risco de falha na intubação de 1:808. A emergência e a presença de doenças como obesidade mórbida e pré-eclâmpsia podem elevar ainda mais os riscos de dificuldades durante o CVA, a incidência de ITD pode ser muito maior, entre 1:19 a 1:30 casos.[19,20]

Em 1986, Scott alertou claramente sobre esse problema com uma frase que se tornou célebre: "Os pacientes não morrem por falha de intubação, eles morrem por causa da incapacidade do médico em parar de tentar intubar ou por causa de intubação esofágica não diagnosticada".[21] Outros autores demonstraram que tentativas infrutíferas de intubação traqueal (IT) por laringoscopia direta (LD) aumentam a taxa de complicações graves e o risco de PCR, lesão cerebral e morte.[22,23]

Com a discussão sistemática das causas de mortalidade materna e formulação de políticas para o aprimoramento dos cuidados anestésico-cirúrgicos das gestantes foi possível reduzir as taxas das complicações e da mortalidade. Uma das principais maneiras de evitar problemas relacionados com o CVA foi a substituição da AG pela anestesia regional (AR) em procedimentos cirúrgicos nas gestantes. No Reino Unido, em 2000, 91% das cesarianas eletivas e 77% das emergências foram realizadas sob AR.[24] A falta de experiência com a via aérea dessas pacientes pode vir a ser um problema importante devido ao uso infrequente de anestesia geral em obstetrícia. A solução para esse problema prático pode ser a simulação realística, permitindo um treinamento melhor e mais seguro no CVA das gestantes. Com a simulação realística, é possível avaliar o desempenho dos médicos anestesistas em diferentes situações clínicas e identificar os pontos que precisam de aperfeiçoamento. É possível corrigir erros críticos, que podem ter consequências nefastas para o binômio materno-fetal, por meio de cenários específicos e típicos da anestesia obstétrica, tais como: sofrimento materno-fetal, hemorragia pós-parto, ITD ou situação não intuba/não oxigena (NINO).[25,27]

Diretrizes práticas para abordagem da via aérea difícil (VAD), o avanço tecnológico e a ampla disponibilidade de dispositivos extraglóticos (DEG) permitiram estabelecer condutas cada vez mais seguras. Algoritmos simplificados e adaptações de acordo com a disponibilidade dos recursos de cada instituição são desejáveis. A meta ideal a ser alcançada é a taxa de complicação zero por falta de material essencial no manejo das vias aéreas em qualquer situação.

No estudo NAP 4 foram feitas recomendações importantes para melhorar os resultados na anestesia obstétrica:[28]

- Apesar da incidência relativamente baixa do emprego da AG para cesariana, anestesistas obstétricos precisam manter suas habilidades para o CVA, incluindo estratégias para ITD, falha na intubação e para a situação NINO;
- Os anestesistas obstétricos devem estar familiarizados e treinados com DEG para o resgate emergencial das vias aéreas: particularmente com os DEG que protejam contra a regurgitação, DEG de 2ª geração (DEG2G), e permitam a intubação traqueal com máscaras laríngeas para intubação (MLI);
- A fibroscopia flexível pode ser empregada em diversos cenários obstétricos. Os departamentos de anestesia devem fornecer condições para criar essas habilidades (treinamento específico) e disponibilizar os equipamentos para possibilitar a intubação por fibroscopia flexível sempre que for indicado;
- Todo o pessoal que trabalha no ambiente obstétrico (inclusive na sala de recuperação), incluindo enfermagem, deve ser treinado para atender emergências ventilatórias. Essas habilidades devem ser atualizadas regularmente.

Listas ou tabelas, como a Tabela 203.2, para uma verificação simples e rápida podem contribuir para a tomada de decisões em situações de crise e devem estar imediatamente disponíveis para consulta em locais de fácil acesso. As instituições devem criar listas de verificação para uso à beira do leito para ajudar a orientar e apoiar as intervenções críticas durante crises obstétricas.[29,30]

■ PREVENÇÃO DA PCR

Paciente Grávida Instável e Sistemas de Alerta Precoce

O reconhecimento precoce das gestantes com condições potencialmente fatais desempenha um papel importante na prevenção da PCR e instituição do tratamento apropriado. Uma variedade de escores de alerta precoce estão disponíveis para ajudar a identificar pacientes com risco de deterioração clínica. A maioria dos pacientes que sofre uma PCR intra-hospitalar apresenta alterações fisiológicas evidentes registradas nas horas que precedem a PCR. A identificação antecipada dos mais graves pode permitir uma intervenção mais precoce, incluindo a admissão a uma unidade de cuidados intensivos, melhorando assim potencialmente o seu

Tabela 203.2 Resumo das principais etiologias de PCR na gestante.		
A	Anestesia: complicações Acidentes e trauma	Bloqueio neuroaxial alto, depressão respiratória, falha na IT ou ITD, extubação acidental, hipotensão, broncoaspiração, IAL, suicídio.
B	Bastante sangue	Coagulopatias, sínd. HELLP, atonia uterina, placenta acreta, DPP, ruptura uterina, trauma cirúrgico, RHT.
C	Cardiovascular	Cardiomiopatia, dissecção aórtica, IAM, arritmias.
D	Fármacos	Anafilaxia, drogas ilícitas, medicamentos errados, sulfato de magnésio, ocitocina, opioides, insulina.
E	Embolia	TEP, amniótica, ar.
F	Febre	Infecção urinária, sepse.
G	Gerais de PCR: Hs e Ts	Idêntico às não grávidas, consultar tabela 222.5.
H	Hipertensão	Pré-eclâmpsia/eclâmpsia, HIG, AVC hemorrágico.

*Abreviações: ITD: intubação traqueal difícil; IAL: intoxicação por anestésico local; síndrome HELLP: hemólise, elevação de enzimas hepáticas e trombocitopenia em gestante com toxemia; DPP: descolamento precoce da placenta; RHT: reação hemolítica transfusional; IAM: infarto agudo do miocárdio; TEP: tromboembolia pulmonar; HIG: hipertensão induzida pela gravidez; AVC: acidente vascular cerebral.

resultado. O sistema modificado de alerta precoce em obstetrícia desenvolvido no Reino Unido (*Modified Early Obstetric Warning System* – MEOWS) é uma ferramenta simples de triagem à beira do leito para morbidade materna.[31] A triagem identifica indivíduos com probabilidade de ter morbidade, enquanto um teste diagnóstico busca confirmar sua presença definitivamente (Tabela 203.3).

Tabela 203.3 Sistema modificado de alerta precoce em obstetrícia.

	Gatilho vermelho	Gatilho amarelo
Temperatura; °C	< 35 ou > 38	35-36
PAS; mmHg	< 90 ou > 160	150-160 ou 90-100
PAD; mmHg	> 100	90-100
FC; bpm	< 40 ou >120	100-120 ou 40-50
FR; irpm	< 10 ou >30	21-30
SpO$_2$; %	< 95	–
Escore de dor	–	2-3
Avaliação neurológica	Sem resposta, dor	Voz

Fonte: *Modified Early Obstetric Warning System* – MEOWS.

O uso de sistemas de pontuação para identificar esses pacientes e a criação de equipes para responder prontamente devem ser considerados, particularmente em enfermarias para cuidados de gestantes de alto risco. Cada estabelecimento de saúde deve examinar seus próprios dados para determinar quais eventos requerem ativação do sistema de alerta precoce. Eventos-sentinela ou "gatilhos" devem desencadear ações por parte da equipe de saúde de acordo com o protocolo, com acionamento imediato do médico. Equipes de emergência médica têm sido desenvolvidas para avaliar e tratar doentes que estão deteriorando, a fim de evitar ou tratar imediatamente uma PCR. Profissionais qualificados para intervir prontamente durante tais emergências obstétricas devem integrar as equipes de emergência médica ou de resposta rápida, denominados de *Ob Team Stat* na língua inglesa.

Medidas Preventivas

Gestantes com descompensação clínica devem ser posicionadas em decúbito lateral esquerdo (DLE) ou mantidas com deslocamento manual do útero para a esquerda (DUE) continuamente.

Iniciar imediatamente:

- O$_2$ guiado por SpO$_2$ para corrigir qualquer hipoxemia;
- Infusão rápida de cristaloides se houver hipotensão ou hipovolemia;
- Avaliação dos fármacos administrados recentemente ou que estejam em infusão;
- Ativação precoce dos especialistas, obstetras e neonatologistas devem estar envolvidos desde o início da ressuscitação;
- Tratamento da causa subjacente, por exemplo, reconhecimento rápido e tratamento da sepse, incluindo início de antibióticos intravenosos.

■ TRATAMENTO DA PCR

Suporte Básico de Vida

Em geral, todas as condutas preconizadas na PCR em gestantes seguem as mesmas recomendações em relação às vítimas não grávidas. Iniciar a RCP de acordo com as diretrizes gerais para o suporte básico de vida (SBV), com ressuscitação de alta qualidade (Tabela 203.4). A RCP é a intervenção isolada mais importante para um paciente em PCR e as compressões torácicas (CTs) devem ser fornecidos prontamente, elas são o componente mais crítico da RCP.[3] Para realizar CTs de alta qualidade, o paciente deve estar em decúbito dorsal sobre uma superfície dura (prancha rígida), com as mãos do reanimador colocadas corretamente sobre o tórax, realizando CTs na frequência e profundidade corretas, minimizando as interrupções desnecessárias. Realizar CTs de alta qualidade com o mínimo de interrupções (devem ser inferiores a 10 segundos, exceto para intervenções específicas, como a instalação da via aérea avançada ou desfibrilação) é essencial para maximizar a chance de sobrevivência do paciente.

Tabela 203.4 Componentes da RCP de alta qualidade.

Diagnóstico de PCR: gestante sem resposta, ausência de respiração ou apenas *gasping* (ou seja, sem respiração normal) e ausência de pulso central (verificação em menos de 10 segundos).

Relação compressão-ventilação

1. Sem VA avançada: 30/2
2. Com VA avançada: compressões contínuas a uma frequência de 100 a 120/min e 1 ventilação a cada 6 segundos (10 respirações/min).
3. Profundidade de compressão: 5 cm (mín.) a 6 cm (máx.).
4. Posição das mãos: metade inferior do esterno.
5. Permitir o retorno total do tórax após cada compressão; não apoiar as mãos sobre o tórax após cada compressão.
6. Minimizar as interrupções: limitar as interrupções nas CTs a menos de 10 segundos.
7. Evitar a hiperventilação.

Abreviações: CTs: compressões torácicas; PCR: parada cardiorrespiratória; VA: via aérea.

Em um cenário ideal, as recomendações para RCP são feitas para uma abordagem simultânea, coreografada para o desempenho das CTs, CVA, ventilação, detecção do ritmo cardíaco, e aplicação de choque (quando indicado) por uma equipe de ressuscitação integrada e altamente treinada. Para realizar todas as tarefas de forma eficaz, um mínimo de quatro reanimadores devem estar presentes na RCP da gestante.

Algumas recomendações são específicas para essas pacientes, e dependem do local de atendimento da PCR. Quando ocorre uma parada cardíaca no hospital (PCRIH), é possível iniciar precocemente a RCP e desfibrilar prontamente, iniciando as medidas de suporte avançado de vida (SAV), minimizando o tempo sem perfusão cerebral e continuar os cuidados após o retorno da circulação espontânea (RCE). Por estas razões, os resultados do IHCA, em geral, são superiores aos da PCREH. A Figura 203.2 representa as recomendações para o SBV e são válidas para atendimento da PCR, seja no hospital (PCRIH) ou no ambiente extra-hospitalar (PCREH).

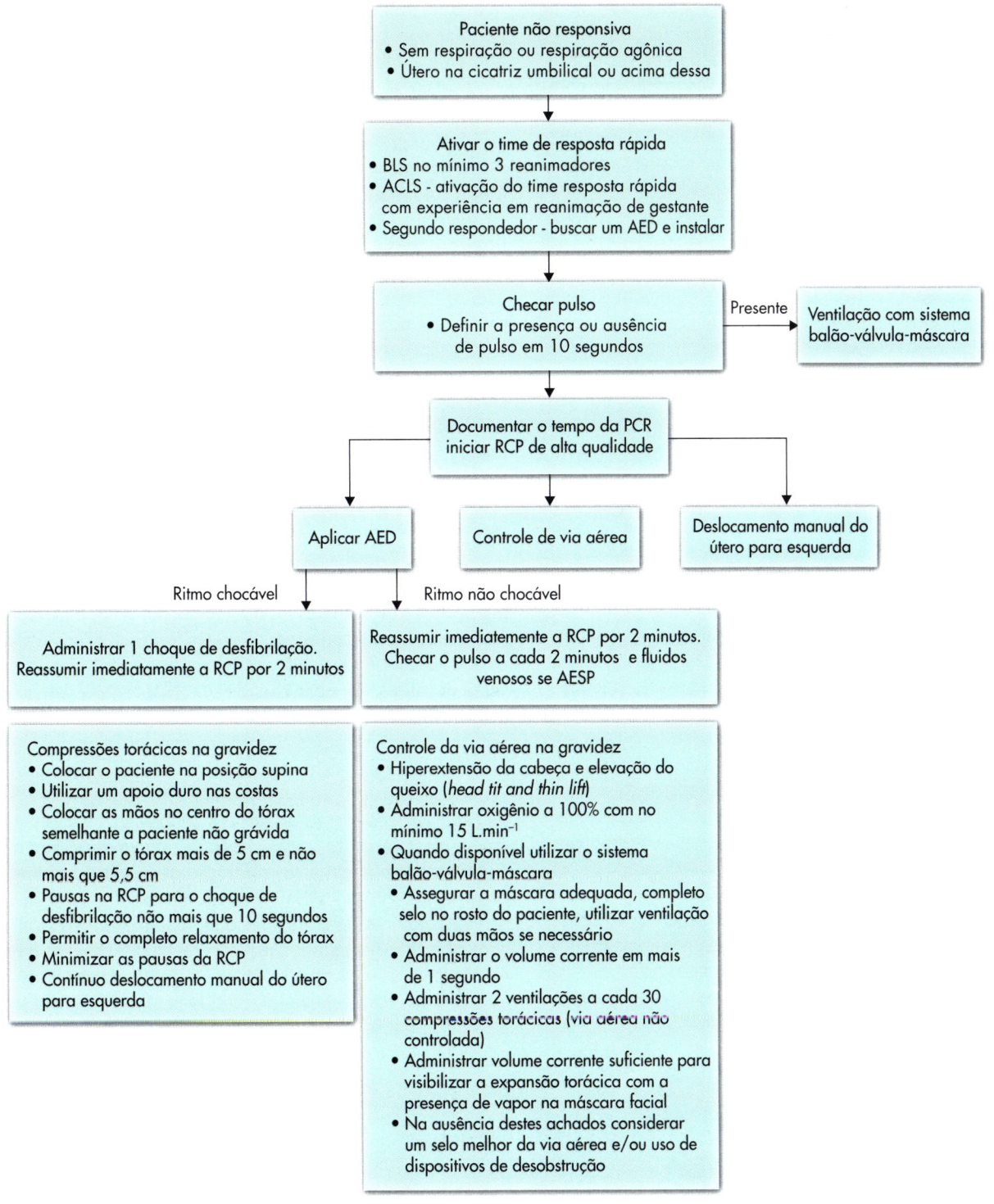

▲ **Figura 203.2** Suporte Básico de Vida em gestantes. Atendimento da PCREH.

Após o rápido reconhecimento da PCR e início das CTs, a primeira etapa do SBV em gestantes deve ser a rápida ativação de uma equipe capaz de realizar cesárea *perimortem* (CPM), e da equipe de neonatologia para fornecer os cuidados neonatais. Equipes especializadas para gerir essas situações devem desenvolver e praticar padrões de resposta institucional, possibilitando os melhores cuidados para ressuscitação materna. Lipman e col.[32] estudaram simulações de embolia amniótica e PCR materna, para avaliar se as ma-

nobras para RCP eram executadas corretamente. Múltiplos déficits foram observados na RCP, apesar de certificação do ACLS para todos os participantes. As ventilações e as CTs foram apropriadas em 50% e 56% do tempo, respectivamente. Intervenções críticas, tais como DUE e suporte firme para as costas antes de iniciar as CTs, foram frequentemente negligenciadas (em 44% e 22% dos casos, respectivamente). Das equipes de RCP, 15 de 18 (83%) avaliadas chamaram por neonatologistas somente depois que a paciente estava completamente sem resposta. Em estudo semelhante, com cenário simulado de pré-eclâmpsia com toxicidade por sulfato de magnésio com PCR, a ressuscitação não específica da gestante foi bem realizada (início das CTs, ventilação com bolsa-máscara, desfibrilação cardíaca); no entanto, ações específicas para a parturiente foram mal executadas. DUE, pressão cricoide durante a ventilação com ressuscitado manual e instruções sobre os preparativos a serem feitos para CPM em cinco minutos foram realizados por 68%, 48% e 40%, respectivamente.[33]

O alívio da compressão aortocava pode ser um componente essencial da ressuscitação para as mulheres que desenvolvem PCR na segunda metade da gravidez. O comprometimento do retorno venoso e do débito cardíaco pelo útero grávido limita a eficácia das CTs. É importante deslocar o útero para a esquerda para reduzir a compressão dos vasos abdominais (veia cava inferior, veias ilíacas, e aorta). Um reanimador deve ficar encarregado de realizar o DUE e, para isso, deve estar ao lado esquerdo da paciente empregando as duas mãos, tomando o cuidado de deslocar o útero para a esquerda e para cima, evitando que ocorra compressão no sentido anteroposterior abdominal, o que poderia agravar a diminuição do retorno venoso.

Se a altura do fundo de útero é igual ou superior ao nível do umbigo, o DUE manual contínuo deve ser realizado em todas as gestantes em PCR. Durante a RCP de gestantes, é recomendável manter DUE, quando tecnicamente possível, mesmo quando a avaliação do útero for difícil (p. ex.: obesidade mórbida). Também está indicado manter o DUE em circunstâncias específicas, tais como gestação múltipla, poli-hidrâmnio ou outras condições nas quais a obstrução da veia cava possa ser uma preocupação relevante, mesmo que a idade gestacional seja < 20 semanas.[34] Estratégias alternativas para aliviar a compressão aortocava (p. ex.: inclinação lateral) prejudicam a força das CTs e a RCP de alta qualidade, não há evidências suficientes para fazer uma recomendação sobre o uso de inclinação lateral esquerda e/ou deslocamento uterino durante a RCP em pacientes grávidas.[35]

Acredita-se que as CTs ideais sejam mais bem aplicadas com a vítima em uma superfície firme. Estudos em manequim mostram compressão torácica é geralmente aceitável quando a RCP é realizada em um colchão de hospital.[36] Sugerimos que, quando uma cama tiver um modo de RCP que aumente a rigidez do colchão, este seja ativado.[37]

A posição das mãos deve ser exatamente a mesma recomendada para não gestantes, o reanimador deve posicionar uma das mãos no centro do tórax, na metade inferior do esterno, com a outra mão entrelaçada e paralela à que está em contato com a pele da paciente. A taxa de CT deve ser entre 100 a 120 batimentos por minuto, com uma profundidade de aproximadamente 5 cm, evitando profundidades acima de 6 cm durante a RCP. Como a fração de CT de pelo menos 60% está associada a melhores resultados de ressuscitação, as pausas de compressão para ventilação devem ser as mais curtas possíveis. Os serviços de atendimento pré-hospitalar com alto desempenho visam uma fração de pelo menos 60%, sendo 80% ou mais, uma meta frequente. O uso de dispositivos de *feedback* audiovisual em tempo real e dispositivos de alerta durante a RCP na prática clínica podem fazer parte de um programa abrangente de melhoria da qualidade projetado para garantir a RCP de alta qualidade.[37]

Gestantes desenvolvem hipóxia e acidose rapidamente durante a apneia devido à maior taxa metabólica basal, diminuição da capacidade residual funcional (CRF) e extração fetal de O_2. Ventilação adequada deve, portanto, ser iniciada o mais rápido possível, em paralelo com compressões efetivas e desfibrilação, quando indicada. Manter a oxigenação e a ventilação são os objetivos primários durante a RCP e têm prioridade sobre as estratégias para prevenção de aspiração pulmonar. A abordagem inicial das vias aéreas deve ser a desobstrução com elevação do mento e inclinação da cabeça (*head tilt – chin lift*) e a ventilação com válvula-bolsa-máscara (VBM) com O_2 a 100% e fluxo de 15 L.min^{-1}. Sugerimos usar a maior concentração de oxigênio inspirado possível durante a RCP.[35] Preferencialmente, a VBM deve ser feita com as duas mãos e dois reanimadores (técnica com duas mãos). Segurar a máscara facial (MF) com as duas mãos permite melhor adaptação ao rosto do paciente e aumenta a eficácia da ventilação, devendo ser empregada assim que um segundo reanimador estiver disponível para auxiliar na VBM (Figuras 203.3A e 203.3B).[38] Se as tentativas

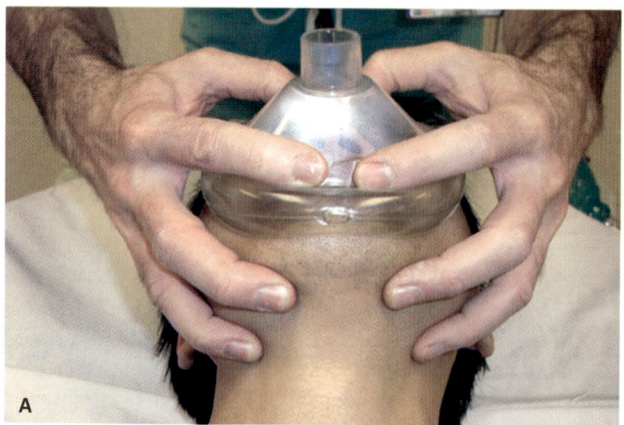 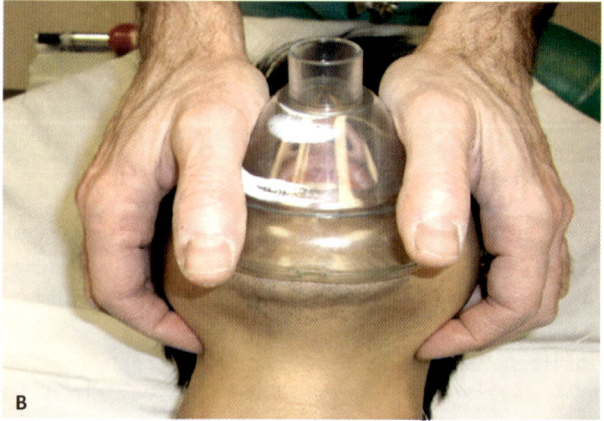

▲ **Figura 203.3 (A)** Emprego das duas mãos para melhor adaptação da máscara facial ao rosto da paciente. **(B)** Técnica alternativa empregando as duas mãos para melhor adaptação da máscara facial ao rosto do paciente.

de ventilação com máscara não produzirem elevação visível do tórax ou embaçamento dentro da MF, o socorrista deve tentar reabrir as vias aéreas e melhorar o selo no rosto do paciente. A inserção de uma cânula orofaríngea facilita a ventilação e evita a distensão gástrica. Evitar o uso de cânulas nasofarígeas devido ao risco aumentado de epistaxe em gestantes. O controle das vias aéreas (CVA) deve ser sempre considerado mais difícil nestas pacientes, portanto, cada instituição deve implementar diretrizes e algoritmos para VAD de acordo com os recursos locais.[39,40]

A manobra de Sellick ou compressão cricoide (CC) foi descrita em 1961 e ganhou grande popularidade como medida obrigatória para prevenção da regurgitação passiva. Atualmente, a validade do emprego dessa manobra tem sido amplamente questionada, por não possuir validação científica, ser pouco eficaz na prevenção da broncoaspiração e por dificultar a ventilação e a laringoscopia direta (LD).[41,42] Atualmente, não há evidências de que a CC facilite a ventilação ou diminua o risco de aspiração pulmonar durante a PCR. Pelo contrário, desde 2010, o uso rotineiro da CC não é recomendado por não existir respaldo científico, sendo classificada como classe III (recomendações de Classe III foram reservadas para intervenções para as quais as evidências disponíveis sugerem mais mal do que bem, e os especialistas concordaram que a intervenção deve ser evitada).[43] Caso a CC seja empregada, deve ser liberada ou ajustada, se a ventilação for difícil ou impedir a visão das estruturas glóticas durante a intubação traqueal (IT). Deve ser interrompida durante a inserção de DEG (máscara laríngea, tubo laríngeo, obturador esofágico ou combitube) ou quando o LD for difícil (na ausência de regurgitação).

Para a oxigenação e ventilação durante a RCP, a VBM ou a via aérea avançada são equivalentes, porém, devido ao risco aumentado de regurgitação e broncoaspiração nas gestantes, recomenda-se o emprego de via aérea avançada (IT ou DEG) precocemente. A escolha entre manter a VBM ou a inserção da via aérea avançada deve ser determinada pela habilidade e experiência do reanimador e a probabilidade de obter sucesso com a técnica. Não há evidências de que uma única técnica avançada seja superior à outra em termos de sobrevida e resultados neurológicos. Há controvérsia sobre se o manejo avançado precoce das vias aéreas pode levar a um resultado favorável.[44] Deve-se tomar cuidado para evitar erros de fixação associados a uma técnica específica no manejo das vias aéreas (p. ex.: "tenho que intubar"), e estratégias alternativas para o CVA, como DEGs devem ser consideradas.[34]

As principais recomendações em relação ao CVA na RCP de gestantes estão resumidas na Figura 203.4.

A desfibrilação deve ser realizada nos ritmos chocáveis, assim que se encontre disponível. Quanto mais precoce for realizada a desfibrilação, maiores as chances de sucesso para o retorno de um ritmo cardíaco organizado e do RCE. A desfibrilação é segura para o feto e a carga de energia para desfibrilação materna é a mesma, não precisa ser alterada em relação aos valores recomendados para adultos. Em muitos países, os desfibriladores bifásicos substituíram amplamente os desfibriladores de choque monofásicos, que não são mais fabricados.[3] A gestante deve ser desfibri-

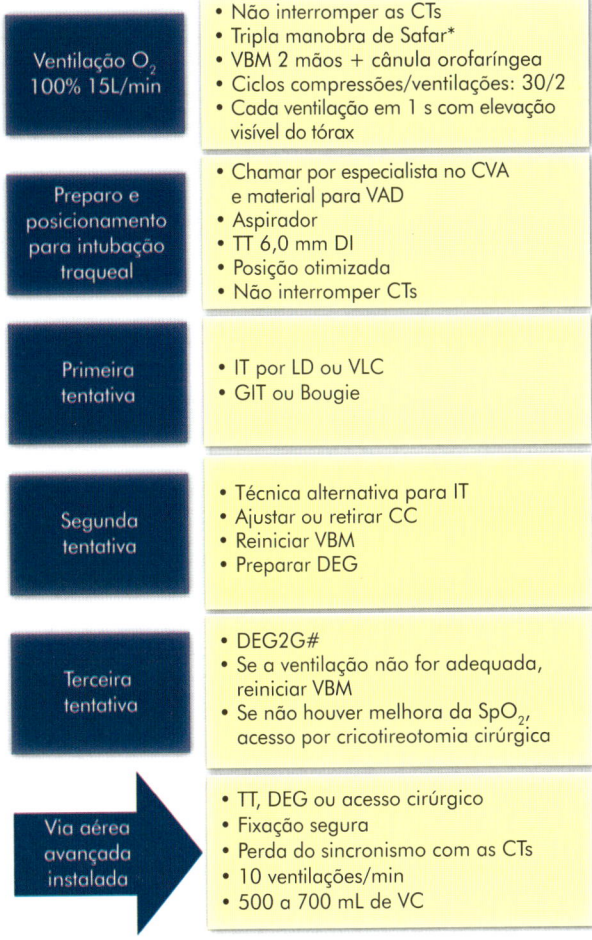

▲ **Figura 203.4** Resumo das principais intervenções para o CVA durante a RCP de gestantes.

* A tripla manobra de safar consiste na abertura da boca, elevação do mento e inclinação da cabeça. # DEG2G como primeira opção quando disponível, DEG1G é aceitável. Abreviações da figura 3: compressões torácicas (CTs); ventilação com válvula-bolsa-máscara (VBM); controle da via aérea (CVA), via aérea difícil (VAD); tubo traqueal (TT); guia introdutor de tubo traqueal (GIT); compressão cricoide (CC); dispositivo extraglótico (DEG); dispositivo extraglótico de segunda geração (DEG2G); laringoscopia direta (LD); volume-corrente (VC).

Fonte: Adaptada de Lipman S, e col., 2014.[34]

lada com energia de choque bifásico entre 120 a 200 J, com aumento subsequente de carga se o primeiro choque não for eficaz e o desfibrilador permitir essa opção. Empregar as cargas de energia recomendadas pelo fabricante no primeiro choque, caso isto seja desconhecido, a desfibrilação com a carga máxima pode ser considerada. Nos casos em que o choque inicial é incapaz de reverter o ritmo desfibrilável, os choques subsequentes podem ser eficazes quando repetidos com a mesma carga ou em uma configuração de energia crescente, sua seleção deve ser baseada de acordo com a especificação do fabricante.

As CTs devem ser retomadas imediatamente após aplicação de choque para adultos em PCR em qualquer ambiente.[37] O uso de eletrodos (placas) adesivos para desfibrilação é recomendado para permitir a colocação padronizada do eletrodo/placa. A colocação das pás do desfibrilador na posição anterolateral é recomendada como um padrão razoável.

As colocações dos eletrodos anterolateral, anteroposterior, infraescapular anterior esquerda e infraescapular anterior direita são comparativamente eficazes para tratamento de arritmias supraventriculares e ventriculares. As pás de desfibrilação têm sido substituídas na prática clínica por placas autoadesivas, que devido à sua área de contato com a pele (dentro dos limites de 8 a 12 cm de diâmetro) reduzem a impedância transtorácica. Uma consideração importante na gestante é evitar as mamas, colocando a placa adesiva ou a pá lateral abaixo do tecido mamário.

Apesar de evidência científica limitada, o desfibrilador externo automático (DEA) pode ser considerado para uso em ambiente hospitalar como forma de facilitar a desfibrilação precoce (meta de desfibrilação em tempo ≤ 3 minutos), especialmente na maternidade ou centro obstétrico, onde o pessoal não esteja capacitado para reconhecer ritmos ou em que o uso de desfibriladores não seja frequente.[34] Os hospitais devem monitorizar os intervalos entre o colapso materno, a administração do primeiro choque (quando indicado) e os resultados da ressuscitação.

A melhor chance de sobrevida fetal é o sucesso da ressuscitação materna. A monitorização fetal pode distrair os reanimadores, retardar o início da RCP de alta qualidade ou a indicação da extração fetal, sendo desnecessária e não deve ser realizada durante a RCP materna. Quando houver eletrodo instalado no couro cabeludo fetal para cardiotocografia, é razoável desconectá-lo da fonte de energia antes de choque. Riscos teóricos de queimaduras elétricas da mãe ou do feto não devem retardar a desfibrilação quando indicada. A desfibrilação e cardioversão em gestantes transmitem energia mínima para o feto e são seguras em todas as fases da gravidez.

Suporte Avançado de vida na gestante

Durante o SAV, a ressuscitação de alta qualidade deve ser mantida ininterruptamente (Tabela 203.4). A equipe responsável pelo suporte avançado de vida continuará as ações iniciadas durante o SBV. Neste momento, é importante iniciar novas ações, tais como: via aérea avançada e administração dos fármacos, que deve ser preferencialmente por meio de dois acessos periféricos calibrosos no sistema venoso acima do diafragma, pois a compressão aortocava exercida pelo útero gravídico pode dificultar o acesso à circulação central.

Se as tentativas de acesso IV não forem bem-sucedidas ou o acesso IV não for viável, sugerimos o acesso intraósseo (IO) ao úmero proximal como uma via para administração de medicamentos.[35] O acesso venoso periférico ou central assistido por meio do ultrassom pode ser uma alternativa, desde que não interrompa as manobras de RCP e seja realizado rapidamente. Todos os fármacos recomendados para o SAV em adultos devem ser administrados sem alterações nas gestantes, obedecendo as mesmas doses e intervalos.

Na paciente obstétrica, a ultrassonografia cardíaca pode avaliar (1) o estado do volume para ajudar a orientar a administração de fluidos ou diurese, (2) função global ventricular esquerda e direita, (3) anormalidades regionais da parede, (4) derrames pericárdicos, (5) estado valvular (regurgitação ou estenose) e (6) alterações na aorta ascendente proxi-

mal.[10] A causa da PCR deve ser considerada e tratada como necessária. Onde o equipamento e a experiência estiverem disponíveis, a ecocardiografia transesofágica pode ser usada para identificar a(s) causa(s) da PCR e avaliar a eficácia da RCP.[45] Durante a RCP é possível avaliar a contratilidade do miocárdio e identificar outras causas potencialmente tratáveis de PCR. Os papéis relativos e a viabilidade da ecocardiografia transesofágica *versus* transtorácica durante a RCP requerem maiores estudos. Se um ultrassonografista qualificado estiver presente no local da PCR e o emprego desta técnica não interferir com os protocolos para RCP, pode ser considerado como um adjuvante da avaliação padrão da gestante. Os papéis relativos e a viabilidade da ecocardiografia transesofágica *versus* transtorácica durante a RCP requerem maiores estudos. É importante tentar afastar e corrigir rapidamente possíveis causas reversíveis da PCR (Tabela 203.5).

Tabela 203.5 Causas reversíveis de PCR em gestantes.	
Hs	**Ts**
Hipóxia	Toxicidade por fármacos (anestésicos locais e sulfato de magnésio)
Hipovolemia	Tromboembolismo pulmonar e embolia por fluido amniótico
Hipo/Hipercalcemia	Trombose coronariana
Hipotermia	Tamponamento cardíaco
Hemorragia intracraniana/eclâmpsia	Tórax hipertensivo (pneumotórax)

Instalar a via aérea avançada pode resultar em interrupções das CTs, porém o momento ideal para maximizar os resultados da RCP ainda não foi estudado adequadamente. A IT não é isenta de complicações e é um procedimento que requer habilidade e experiência, recomenda-se que o profissional de saúde mais experiente realize o controle definitivo da via aérea. Prevê-se que a via aérea de uma paciente grávida seja mais difícil, o ingurgitamento vascular resulta em edema da oro e nasofaringe, laringe e traqueia, podendo resultar em um ITD ou insucesso da intubação. Para os profissionais da saúde treinados e habilitados, tanto o DEG quanto a IT podem ser utilizados como via aérea avançada durante a RCP. É recomendável empregar um TT com diâmetro interno menor (6,0 a 7,0 mm), devido ao edema das vias aéreas. Tentativas repetidas de IT podem levar à hemorragia e agravar o edema, com risco de causar uma situação não intuba/ não oxigena (situação NINO). Se a intubação for difícil, não existe razão em repetir o mesmo procedimento, a menos que algo possa ser mudado para melhorar as chances de sucesso. Isto pode incluir alterar a posição da gestante, o dispositivo ou lâmina para intubação, acrescentar introdutores e estiletes ou substituir o responsável pela IT. É importante limitar o número de tentativas de intubação a 3 + 1, seja empregando a LD ou a videolaringoscopia.[46] No caso de insucesso na IT, as melhores alternativas para o CVA são os DEGs. A maior experiência clínica ainda é com os dispositivos extraglóticos de primeira geração (DEG1G), porém essa classe apresenta menor capacidade de selo da via aérea quando comparada com os dispositivos extraglóticos de segunda geração (DEG2G). O que caracteriza os DEG2G é a presença de um canal para drenagem gástrica que permite aliviar o conteúdo de ar e líquidos do estômago, melhorando a ventilação e reduzindo o risco de regurgitação e broncoaspiração. Devido à maior capacidade de selo da via aérea, os DEG2G permitem melhor ventilação com pressão positiva (VPP) durante as CTs, sendo recomendados como primeira opção para resgate da ventilação em gestantes. A Máscara Laríngea LMA® Fastrach™ (*Teleflex Incorporated*) foi empregada em pacientes portadores de VAD, permitindo a ventilação de resgate e a intubação por meio do seu tubo ventilatório. Nesses pacientes, as taxas de sucesso para intubações às cegas e guiadas por fibra óptica usando a LMA-Fastrach foram de 96,5% e 100,0%, consistindo em uma alternativa para o CVA de gestantes após insucesso com outras técnicas.[47,48]

A confirmação do correto posicionamento do tubo traqueal é feita por meio da boa visualização da laringe durante a IT, expansão torácica bilateral durante a ventilação, ausculta negativa do epigástrio e positiva dos campos pulmonares com curva de capnografia adequada. A intubação esofágica não reconhecida pode ocorrer, principalmente quando ocorre uma ITD. O dano causado pela intubação esofágica não reconhecida é evitável por meio da redução da taxa de intubação esofágica, combinada com a sua detecção e ação imediata quando ela ocorre. A detecção de "CO_2 exalado sustentado" por meio da capnografia em forma de onda é a base para excluir a colocação esofágica de um TT.[49] A capnografia quantitativa contínua, além de confirmar o posicionamento do TT e monitorizar a qualidade da RCP, otimizar as CTs, pode detectar o RCE. Achados sugestivos de CTs adequadas, RCE ou ambos, incluem elevação da $ETCO_2$ > 10 mmHg ou mais medido após a IT ou após 20 minutos de ressuscitação. Se a ventilação inadequada persistir, a recomendação atual é realizar um acesso cirúrgico à via aérea: traqueostomia ou cricotirotomia, de acordo com a experiência e capacitação do reanimador.[46]

O fármaco inicial em qualquer tipo de PCR em adultos é a adrenalina na dose de 1 mg a cada três a cinco minutos. A administração de adrenalina durante a RCP é uma recomendação forte. Em ritmos não chocáveis (atividade elétrica sem pulso/assistolia) deve ser administrada assim que possível, já para ritmos chocáveis (FV/TV sem pulso) sugerimos a administração de adrenalina após o insucesso das tentativas iniciais de desfibrilação. O uso de amiodarona ou lidocaína está indicado na FV/TV sem pulso refratária à terapia elétrica. A atropina não está sinalizada durante a PCR, somente nos casos de bradicardia sintomática. A vasopressina foi removida do algoritmo do SAV como terapia vasopressora.[35]

A morte por intoxicação por opioides é um importante problema de saúde pública em muitos países que vem aumentando progressivamente. Entre 1.410.475 internações em PCR, o abuso de opiáceos foi encontrado em 3,1% (n = 43.090) das internações como diagnóstico secundário.[50] *Overdose* de opioides é a principal causa de morte de americanos entre 25 a 64 anos de idade, e abuso de opioides afeta mais de dois milhões de americanos. A epidemiologia do tratamento da PCREH associado a opioides nos Estados Unidos está mudando rapidamente com aumentos de mortes resultantes de opioides sintéticos em franca ascensão, e aumentos lineares em mortes causadas por heroína mais do

que compensando as reduções modestas em mortes causadas por opioides prescritos. A presença de pupilas mióticas em um paciente com alteração mental está fortemente associada à responsividade à naloxona. Nos casos suspeitos de parada respiratória associada à toxicidade de opioides, o uso de naloxona por via IV, intramuscular, subcutânea, IO ou intranasal está recomendado; as doses variam de acordo com a via de administração.[51]

As alfa-1 glicoproteínas ácidas são reduzidas na gravidez enquanto o débito cardíaco é aumentado. Isso leva a uma absorção rápida e concentrações plasmáticas mais altas de anestésico local livre, o que aumenta o risco da intoxicação sistêmica por anestésico local (ISAL) neste grupo. Na atualização das diretrizes em 2015, esses dados foram revisados e confirmados. *Checklists* e diretrizes práticas, como as produzidas pela Associação de Anestesistas no Reino Unido e pela Sociedade Americana de Anestesia Regional e Medicina da Dor (ASRA), devem ser usadas para orientar o manejo da ISAL.[52] O tratamento imediato começa com a interrupção da injeção adicional de anestésico local e o pedido de ajuda. A partir daí, o manejo das vias aéreas, ventilação e circulação devem ser abordados e a infusão de emulsão lipídica iniciada. Terapias convencionais devem ser usadas para tratar hipotensão, bradicardia ou arritmias, e RCP padrão deve ser iniciada se ocorrer PCR. A única diferença nesta situação é que doses menores que as usuais de adrenalina intravenosa ($<1\ \mu.kg^{-1}$) devem ser administradas porque a dose padrão de 1 mg é arritmogênica, prejudica a troca gasosa pulmonar, aumenta a pós-carga e o lactato plasmático e pode interferir diretamente ressuscitação baseada nas emulsões lipídicas. Estudos com animais demonstraram que a vasopressina não deve ser empregada na ISAL devido à intensa vasoconstrição sistêmica e redução tanto do débito cardíaco quanto da perfusão tecidual.

A administração de emulsões lipídicas para o tratamento de ISAL é apoiada por uma extensa pesquisa em animais e relatos de casos em humanos. Está recomendada quando houver suspeita de absorção sistêmica ou injeção intravascular acidental de doses altas de anestésicos locais. O bolo inicial para emulsão lipídica a 20% é de 1,5 ml.kg^{-1} de peso corporal ideal (PCI) (100 ml para uma paciente de 70 kg). A infusão de manutenção é de 0,25 ml.kg^{-1}.min^{-1} do PCI, devendo ser mantida por pelo menos 10 minutos após atingir o ritmo de perfusão. Se a estabilidade circulatória não for alcançada, considere novo bolo de 1,5 ml.kg^{-1} de PCI e aumente a infusão de manutenção para 0,5 ml.kg^{-1}.min^{-1}. Se não houver RCE, considerar o uso de circulação extracorpórea ou oxigenação por membrana extracorpórea quando disponível. Recomenda-se cautela em pacientes com hemorragia maciça ou coagulopatia intravascular disseminada, pois a circulação extracorpórea pode ativar fatores de coagulação e piorar a trombose ou a coagulopatia. É aconselhável a existência de protocolos para essa situação, assim como a pronta disponibilidade da emulsão lipídica em qualquer centro cirúrgico ou centro obstétrico onde se administre anestesia. Maiores detalhes podem ser consultados em capítulo específico nesse tratado.

O emprego de suporte de vida extracorpóreo (ECLS) em mulheres grávidas e no pós-parto imediato pode ser benéfico, com altas taxas de sobrevivência e complicações relativamente baixas. Casos relatados anteriormente de ressuscitação bem-sucedida com ECMO após PCR periparto indicam que a implantação de uma equipe de ECLS, se disponível, no início de uma PCR materna pode salvar vidas. Em casos relatados de parada materna quando a ECMO foi usada, 87,7% das ressuscitações foram bem-sucedidas em comparação com apenas 58,9% de sucesso da ressuscitação em todas as paradas maternas quando a ECMO pode não ter sido usada. Em uma revisão sistemática na gravidez, as indicações mais comuns de ECMO no pré-parto foram síndrome do desconforto respiratório do adulto (65,4%), insuficiência cardíaca (9,9%) e hipertensão pulmonar (8,6%). As indicações pós-parto imediatas (até 24 horas após o parto) foram PCR (56,6%), insuficiência cardíaca (23,2%) e embolia de líquido amniótico (21,7%).[53]

As principais intervenções maternas e obstétricas durante o SAV em gestantes estão representadas na Figura 203.5.

CESARIANA PERIMORTEM

Danos cerebrais irreversíveis podem ocorrer após quatro minutos de anoxia em pacientes não grávidas, quando os esforços de ressuscitação de rotina não conseguem alcançar o retorno da RCE e o útero gravídico é grande a ponto de influenciar na hemodinâmica materna, a CPM, por vezes denominada de histerotomia ressuscitativa, parece melhorar os resultados da RCP materna, devendo ser considerada independente da viabilidade fetal.

Durante a RCP da gestante, chamar por ajuda significa preparar a equipe cirúrgica para realização de CPM, requisitar a presença de outros reanimadores para manter o DUE e ini-

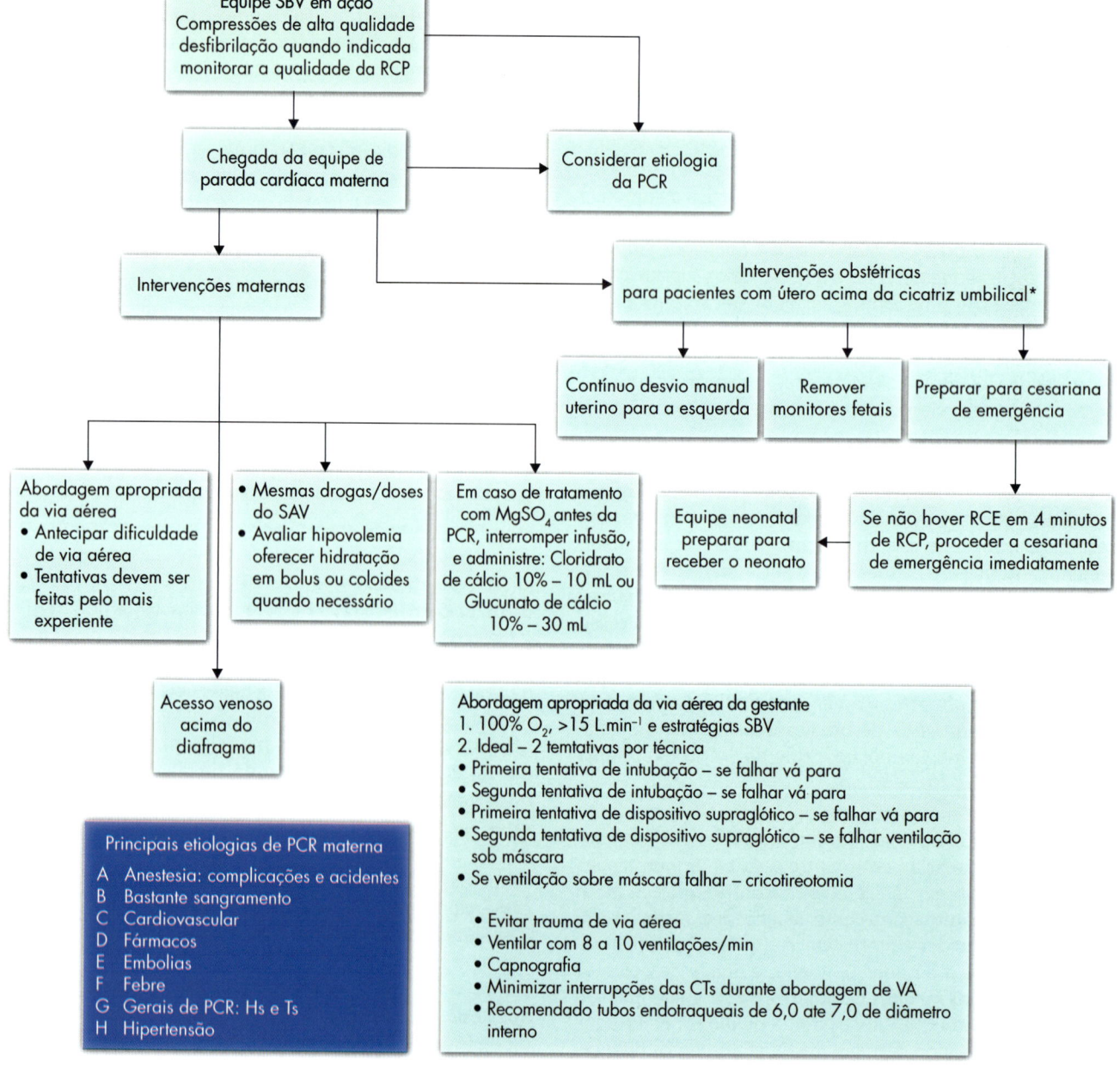

▲**Figura 203.5** Intervenções maternas e obstétricas para RCP de gestantes.

ciar as intervenções adequadas para reversão das condições que causaram a deterioração da paciente, com desfibrilação precoce, e início de RCP de alta qualidade. A CPM deve ser considerada no início da RCP sempre que houver útero gravídico evidente e não ocorrer RCE, devendo ser executada aos quatro minutos após o início da PCR.[54] Os preparativos para o parto devem ser feitos simultaneamente com o início dos esforços de ressuscitação materna. Se a condição materna não for rapidamente reversível, a histerotomia com o parto deve ser realizada independentemente da viabilidade fetal ou do tempo decorrido desde a PCR.

Com base em uma observação altamente original sobre a restauração dos pulsos maternos durante uma CPM, a "Regra dos Quatro Minutos" foi adotada pela AHA, bem como pelo ERC e pela sociedade de anestesia obstétrica e perinatologia (*Society for Obstetric Anesthesia and Perinatology*.[34,55,56] Entretanto, o intervalo de quatro minutos para realização da CPM tem sido questionado. A recomendação de especialistas para realização da CPM em menos de cinco minutos continua sendo um objetivo importante, embora raramente alcançado.[56] Não há evidências suficientes para definir um intervalo de tempo específico para iniciar a CPM ou qualquer um limiar de sobrevivência específico. Também é incomum que o nascimento ocorra rapidamente a partir do início da incisão, aproximadamente 90% dos partos durante CPM levaram mais de um minuto. Benson e col.[57] identificaram 74 gestantes em relatos de caso que forneceram intervalos de tempo importantes e os resultados maternos e fetais/neonatais após CPM. Desse número, 33 mães morreram, oito ficaram gravemente feridas e 33 aparentemente não apresentavam sequelas evidentes no momento da alta. Os dados sobre o resultado neonatal na alta estavam disponíveis para 73 recém-nascidos. Nesse grupo, 17 bebês morreram, 14 ficaram feridos e 42 sobreviveram sem ferimentos aparentes. Os recém-nascidos não parecem sofrer uma queda única ou descontínua na sobrevivência no intervalo de cinco minutos. O limite para uma taxa de sobrevivência livre de lesões de 50% é de aproximadamente 26 minutos desde a PCR ao nascimento, intervalo semelhante ao observado para as mães. Segundo os autores, a diretriz clínica que poderia substituir a Regra dos Quatro Minutos, seria: "Parto do bebê o mais rápido possível para benefício materno e fetal", baseados nas melhores evidências disponíveis. Diversos relatos de caso de CPM durante a RCP indicam melhora da hemodinâmica ou RCE somente após o esvaziamento da cavidade uterina.

Katz e col.[58] identificaram 38 casos de CPM, com 34 recém-natos que sobreviveram. Outros quatro recém-natos sobreviveram inicialmente, mas vieram a falecer devido a complicações de anoxia ou prematuridade. Também observaram que em 12 de 18 relatos que documentaram o estado hemodinâmico durante a PCR, a CPM precedeu o retorno do pulso e da PA materna, muitas vezes de forma dramática. É importante ressaltar que em nenhum caso houve deterioração da condição materna com a CPM. A equipe de emergência capaz de realizar a CPM deve ser contatada assim que o colapso circulatório ocorre. Embora não seja necessária técnica estéril ou ambiente cirúrgico, a antissepsia abdominal pode servir como um alerta visual para todos os reanimadores presentes que a realização da CPM é iminente, ajudando a evitar potenciais atrasos na incisão da pele. Um bisturi, com

lâmina número 10, consiste no único instrumental cirúrgico indispensável, outros instrumentais também podem ser empregados quando prontamente disponíveis: afastador de Balfour, quatro pinças Kelly ou Kocher reta, tesoura e um fórceps. A Sociedade para Anestesia Obstétrica e Perinatologia baseada em revisão da literatura, relatos de casos e estudos com simulação, recomenda fortemente que a vítima de PCR não seja levada para o centro obstétrico ou cirúrgico para realização da CPM.[34] Esse procedimento deve ser realizado no local onde ocorreu a PCR da gestante. A paciente só deve ser transportada após a retirada do feto se houver o RCE e estabilidade hemodinâmica.

O DUE manual e contínuo deve ser mantido durante a CPM até que o feto seja retirado. Obedecer a essa regra pode melhorar os resultados da RCP e a sobrevida materno-fetal. Embora a recomendação para considerar CPM após quatro minutos de tentativas infrutíferas para ressuscitação materna tenha sido promulgada desde 1986, ela foi baseada em fundamentação científica ao invés de evidência experimental ou de análise crítica dos dados coletados prospectivamente.[59] Realizar a CPM dentro de quatro a cinco minutos pode não ser possível na maioria dos cenários de PCR materna por questões logísticas ou falta de preparo. A realização da CPM em tempo inferior a 10 minutos possibilita maior sobrevivência da mãe, sem alterar o prognóstico fetal. Embora ensaios clínicos não sejam viáveis, séries com maior número de casos podem apoiar a tomada de decisões baseadas em evidências, indicando o melhor momento da CPM para melhorar os resultados, tanto maternos quanto neonatais. Diversos fatores podem explicar a resistência em realizar esse procedimento dentro do tempo apropriado. O treinamento específico e regular para essa situação deve ser a meta das instituições comprometidas com os melhores resultados. É recomendável que as entidades realizem a formação e exercícios regulares de RCP materna para garantir que os cuidados adequados sejam fornecidos em tempo hábil. A introdução de cursos de treinamento específico para RCP materna pode aumentar a utilização da CPM. Deve-se salientar que, em circunstâncias de maior gravidade, quando o prognóstico da paciente for grave e a RCP parecer em vão (casos como ferimentos por arma de fogo, traumatismo craniano, ou politraumatismo), o feto deve ser retirado imediatamente e os socorristas devem antecipar a indicação da CPM. Em pacientes refratários às intervenções de ressuscitação (sem RCE), o uso de suporte circulatório mecânico, como oxigenação por membrana extracorpórea venoarterial ou *by-pass* cardíaco com circulação extracorpórea, pode ser apropriado, quando disponível.[60]

■ TÉRMINO DOS ESFORÇOS PARA RESSUSCITAÇÃO

Quase metade de todas as tentativas de ressuscitação intra-hospitalar são encerradas sem o RCE, o que gera grande incerteza em relação a indicadores que possam ser empregados para manter ou não os esforços de RCP. Atualmente, não existem recomendações da AHA/ILCOR sobre regras de decisão clínica para encerrar a ressuscitação durante PCRIH. Isto é ainda mais dramático durante a RCP em gestantes. Algumas regras de decisão clínica foram criadas para prever o

RCE ou a sobrevivência até a alta hospitalar, sendo uma delas a UN10, que associa três fatores: PCR sem testemunha, ritmo não chocável e 10 minutos de RCP sem RCE para indicar futilidade terapêutica da RCP. Em estudo de coorte retrospectivo com base de dados da *American Heart Association,* de 96.509 pacientes, 15.838 pacientes (16,4%) preencheram todos os três critérios de futilidade da regra UN10. Um total de 1.005 pacientes (6,3%) que atenderam à regra sobreviveram até a alta e 754 (4,8%) sobreviveram com estado neurológico favorável. A conclusão dos autores foi que apesar do estado neurológico desfavorável e baixas taxas de sobrevida após PCRIH, a suas taxas de sobrevivência são mais altas do que as relatadas no estudo de validação inicial, indicando que a regra UN10 pode ter utilidade limitada como uma medida definitiva de futilidade durante a RCP.[61]

Atualmente não existem ferramentas de decisão clínica para prever com segurança a morte ou a ausência de RCE durante a ressuscitação hospitalar. Recomendamos não usar a regra UN10 como uma única estratégia para terminar a ressuscitação intra-hospitalar. Existem instrumentos de decisão clínica que combinam elementos de ferramentas de decisão existentes, como duração da ressuscitação e ritmo da PCR com ETCO$_2$ e/ou achados de ultrassom cardíaco. Há uma falta de estudos prospectivos de validação clínica e ensaios randomizados que investiguem o uso de uma ferramenta de decisão clínica para interromper a ressuscitação durante PCRIH. A decisão de encerrar uma ressuscitação deve continuar a ser baseada em uma combinação de fatores que são conhecidos por estarem associados com baixa chance de sobrevivência, por exemplo, dióxido de carbono expirado, acinesia cardíaca na ecocardiografia, duração da ressuscitação, idade do paciente e comorbidades do paciente. Os médicos precisam confiar no exame clínico, em sua experiência e nas condições e desejos do paciente para informar sua decisão de encerrar os esforços de ressuscitação.[62]

CUIDADOS PÓS-PCR

Os princípios centrais dos cuidados pós-PCR são:

- Identificar e tratar a etiologia subjacente da PCR;
- Atenuar a lesão de isquemia-reperfusão e evitar lesões secundárias de órgãos;
- Fazer estimativas precisas de prognóstico para guiar a equipe clínica e informar a família para selecionar as possíveis metas de cuidados continuados.

Corrigir as etiologias reversíveis de PCR em uma parturiente previamente saudável pode levar a um rápido retorno do débito cardíaco após o sucesso da ressuscitação e extração fetal. O retorno da perfusão pode causar sangramento uterino abundante e pode resultar na volta imediata da consciência, sendo necessário o fornecimento de analgésicos ou fármacos amnésicos. A transferência para UTI deve ser realizada o mais rapidamente possível após a conclusão da CPM.[34] Mesmo quando há sucesso na ressuscitação da gestante, a maior parte das mortes maternas ocorre dentro das primeiras 24 horas após o RCE. Os cuidados pós-ressuscitação devem ser seguidos para prevenir a deterioração secundária da condição materna, pois a mortalidade precoce geralmente é causada pela instabilidade hemodinâmica e a morbimortalidade tardia devido à falência múltipla dos órgãos e lesão cerebral.

Se a CPM não foi necessária e a paciente ainda está grávida, ela deve ser colocada em decúbito lateral esquerdo, desde que esta posição não interfira nos cuidados adicionais, tais como monitorização, manutenção das vias aéreas e o acesso venoso. Se a paciente não estiver em inclinação lateral esquerda completa, o DUE manual deve ser mantido continuamente.

Avaliação para causas reversíveis de arritmias cardíacas deve ser rotina. Disfunção tireoidiana, efeitos adversos dos fármacos, distúrbios eletrolíticos, isquemia cardíaca e insuficiência cardíaca devem ser todos identificados e corrigidos quando possível. O tratamento de arritmias potencialmente fatais recorrentes inclui a colocação de um desfibrilador/cardioversor implantável ou terapia medicamentosa, idêntica às pacientes não grávidas. Betabloqueadores são frequentemente utilizados como terapia de primeira linha para uma diversidade de arritmias, porque são seguros, e o metoprolol é o agente de escolha durante a gravidez. Para taquicardia ventricular primária recorrente e fibrilação ventricular, a amiodarona deve ser considerada.

A angiografia coronariana (AGC) precoce está recomendada para pacientes com elevação do segmento ST, bem como para as pacientes sem elevação do segmento ST, quando se suspeita de um evento coronariano agudo. A AGC precoce é o padrão atual de tratamento para pacientes com IAM com elevação do segmento ST que não tiveram PCR. Não encontramos evidências para mudar essa abordagem em pacientes com supradesnivelamento do segmento ST após PCR. A AGC também pode ser considerada para pacientes em coma pós--PCR sem elevação do segmento ST, sugerimos que seja razoável uma abordagem precoce ou tardia.[63]

Os estudos iniciais sugerem que o controle direcionado de temperatura (CDT) é benéfico e recomendado por pelo menos 24 horas em pacientes comatosos após a PCR, sendo possível escolher uma temperatura alvo entre 32°C e 36°C. O gerenciamento ativo da temperatura em condições subnormais tem sido um componente importante e baseado em evidências do atendimento pós-PCR em adultos por duas décadas, usado com o objetivo de mitigar lesões cerebrais secundárias em pacientes que não responsivos após a PCR. As diretrizes atuais da AHA endossam o tratamento de pacientes adultos não responsivos com parada cardíaca, independentemente do local da PCR, com gerenciamento de temperatura, visando uma temperatura entre 32° C e 36° C por 24 horas de terapia.[64] Devido à ausência de dados sobre o uso de CDT após a CPM e o risco de alterações na coagulação durante a redução de temperaturas sistêmicas, o CDT pode ser considerado em bases individuais para gestantes comatosas. Quando empregado durante a gravidez, o CDT deve seguir o mesmo protocolo para pacientes não grávidas. A monitorização fetal deve ser realizada ao longo do CDT, e é prudente evitar ativamente a febre em pacientes comatosos após o início do CDT. Cuidado também deve ser exercido ao usar hipotermia em um cenário de hemorragia materna e coagulopatia, porque a hipotermia pode prejudicar a hemostasia e piorar ou precipitar maior perda de sangue.

Cuidados específicos das pacientes após PCR incluem evitar e corrigir imediatamente a hipotensão e a hipoxemia. É razoável utilizar a concentração mais elevada de O_2 disponível até que possam ser medidas a saturação da oxiemoglobina arterial ou a PaO_2. No entanto, os benefícios são incertos para quaisquer faixas-alvo para PA, parâmetros ventilatórios, ou de glicemia. Além disso, cabe destacar que o prognóstico dos pacientes após a PCR é melhor realizado utilizando várias modalidades de testes, incluindo: exame clínico, testes neurofisiológicos e exames de imagem.

Todos os pacientes que são reanimados após a PCR, mas que posteriormente evoluem para morte ou morte cerebral, devem ser avaliados como potenciais doadores de órgãos. Os pacientes que não apresentam RCE após os esforços de ressuscitação também podem ser considerados candidatos a doadores de rins ou fígado em hospitais onde existem programas para captação de órgãos. Segundo o ILCOR, todos os sistemas de saúde deveriam desenvolver, implementar e avaliar protocolos destinados a otimizar as oportunidades de doação de órgãos para pacientes sem sucesso após RCP na PCREH.[65]

■ MEDIDAS PARA MELHORAR OS RESULTADOS DA RCP MATERNA

A PCR materna é um evento raro e extremamente complexo que requer diagnóstico e intervenções precoces para alcançar o sucesso na ressuscitação materno-fetal. Cada vez mais lidamos com gestações de alto-risco (p. ex.: primíparas idosas e gestantes cardiopatas e outras comorbidades graves). É fundamental conhecer os dados epidemiológicos para traçar estratégias e condutas preventivas e, para isso, é necessário criar um registro central para documentação de problemas graves e os resultados da ressuscitação em gestantes. A maioria das recomendações para RCP em grávidas possui baixo nível de evidência, o que reforça a necessidade de melhor qualidade e quantidade de estudos científicos com essa população.

Todas as unidades hospitalares que atendem mulheres grávidas devem instituir rotinas para o atendimento da PCR antes que ela ocorra, incluindo a preparação para iniciar a RCP materna e neonatal. A formação e o treinamento periódico de equipes multidisciplinares especializadas em ressuscitação materno-fetal ainda são incomuns em nosso meio. O trabalho em equipe e o aprimoramento das habilidades comportamentais necessitam ser desenvolvidos pelas instituições que almejam um padrão de qualidade internacional. É necessário desenvolver e implementar um curso de formação padronizado e específico para ressuscitação materno-fetal.

É importante mobilizar e treinar todos os profissionais envolvidos no atendimento de gestantes: obstetras, neonatologistas, intensivistas, anestesistas, médicos da emergência, enfermeiras e auxiliares e fisioterapeutas. A presença de profissionais formados e voltados para esse atendimento pode ajudar na criação e implementação de diversos protocolos e condutas para a prevenção e o tratamento de crises em obstetrícia, o que pode ter um impacto significativo na redução da morbiletalidade nesse grupo.

REFERÊNCIAS

1. Maternal mortality [Internet]. [acesso em: 13 ago. 2023]. Disponível em: https://www.who.int/news-room/fact-sheets/detail/maternal-mortality
2. Ferreira MES, Coutinho RZ, Lanza Queiroz B. Morbimortalidade materna no Brasil e a urgência de um sistema nacional de vigilância do near miss materno. Cad Saude Publica [Internet]. 2023 Aug 7 [acesso em: 13 ago. 2023];39(8):e00013923. Disponível em: https://www.scielo.br/j/csp/a/zkhZSJfQRygCcHpywLpKmGp/?lang=pt
3. Panchal AR, Bartos JA, Cabañas JG, Donnino MW, Drennan IR, Hirsch KG, et al. Part 3: Adult Basic and Advanced Life Support: 2020 American Heart Association Guidelines for Cardiopulmonary Resuscitation and Emergency Cardiovascular Care. Circulation [Internet]. 2020 Oct 20 [acesso em: 13 ago. 2023];142(16 2):S366–468. Disponível em: http://ahajournals.org
4. Magid DJ, Aziz K, Cheng A, Hazinski MF, Hoover A V., Mahgoub M, et al. Part 2: Evidence evaluation and guidelines development 2020 American Heart Association guidelines for cardiopulmonary resuscitation and emergency cardiovascular care. Circulation [Internet]. 2020 Oct 20 [acesso em: 13 ago. 2023];142(2):S358–65. Disponível em: https://www.ahajournals.org/doi/abs/10.1161/CIR.0000000000000898
5. Lott C, Truhlá A, Alfonzo A, Barelli A, González-Salvado V, Hinkelbein J, et al. European Resuscitation Council Guidelines 2021: Cardiac arrest in special circumstances [Internet]. 2021 [acesso em: 13 ago. 2023]. Disponível em: https://doi.org/10.1016/j.resuscitation.2021.02.011
6. Magid DJ, Aziz K, Cheng A, Hazinski MF, Hoover A V., Mahgoub M, et al. Part 2: Evidence evaluation and guidelines development 2020 American Heart Association guidelines for cardiopulmonary resuscitation and emergency cardiovascular care. Circulation [Internet]. 2020 Oct 20 [acesso em: 17 ago. 2023];142(2):S358–65. Disponível em: https://www.ahajournals.org/doi/abs/10.1161/CIR.0000000000000898
7. Tan EK, Tan EL. Alterations in physiology and anatomy during pregnancy. Best Pract Res Clin Obstet Gynaecol [Internet]. 2013 [acesso em: 8 jan. 2016];27(6):791–802. Disponível em: http://www.ncbi.nlm.nih.gov/pubmed/24012425
8. Cantwell R, Clutton-Brock T CG. Saving Mothers' Lives. The Eighth Report of the Confidential Enquiries into Maternal Deaths in the United Kingdom. Br J Obstet Gynaecol. 2011;118(March):1–203.
9. Knight M, Bunch K, Tuffnell D, Patel R, Shakespeare J, Kotnis R, et al. Saving Lives, Improving Mothers' Care Maternal, Newborn and Infant Clinical Outcome Review Programme [Internet]. 2021. Disponível em: www.npeu.ox.ac.uk/mbrrace-uk/reports
10. Meng ML, Arendt KW, Banayan JM, Bradley EA, Vaught AJ, Hameed AB, et al. Anesthetic Care of the Pregnant Patient with Cardiovascular Disease: A Scientific Statement from the American Heart Association. Circulation [Internet]. 2023 Mar 14 [acesso em: 14 ago. 2023];147(11):E657–73. Disponível em: www.ahajournals.org/journal/circ
11. Brace V, Kernaghan D, Penney G. Learning from adverse clinical outcomes: major obstetric haemorrhage in Scotland, 2003-05. BJOG [Internet]. 2007 Nov [acesso em:1 jan. 2016];114(11):1388–96. Disponível em: http://www.ncbi.nlm.nih.gov/pubmed/17949379
12. Yamaguchi ET, Siaulys MM, Torres MLA. Oxytocin in cesarean-sections. What's new? Braz J Anesthesiol. 2016;66(4):402–7.
13. Knight M, Bunch K, Patel R, Shakespeare J, Kotnis R, Kenyon S, et al. Saving Lives, Improving Mothers' Care Maternal, Newborn and Infant Clinical Outcome Review Programme [Internet]. 2018 [acesso em: 13 ago. 2023]. Disponível em: www.hqip.org.uk/national-programmes.
14. Wang S, Rexrode KM, Florio AA, Rich-Edwards JW, Chavarro JE. Annual Review of Medicine Maternal Mortality in the United States: Trends and Opportunities for Prevention. Annu Rev Med 2023 [Internet]. 2023 [acesso em: 13 ago. 2023];74:199–216. Disponível em: https://doi.org/10.1146/annurev-med-042921-
15. Ellis SJSSJ, Newland MCM, Simonson JAJJ a, Peters KR, Romberger DJ, Mercer DW, et al. Anesthesia-related Cardiac Arrest. Anesthesiology [Internet]. 2014 Apr [acesso em: 24 fev. 2017];120(4):829–38. Disponível em: http://journals.lww.com/anesthesiology/Abstract/2014/04000/Anesthesia_related_Cardiac_Arrest.18.aspx%5Cnhttp://www.ncbi.nlm.nih.gov/pubmed/24496124
16. Kinsella SM, Winton a L, Mushambi MC, Ramaswamy K, Swales H, Quinn a C, et al. Failed tracheal intubation during obstetric general anaesthesia: a literature review. International Journal of Obstetric Anaesthesia [Internet]. 2015;24:356–74. Disponível em: http://dx.doi.org/10.1016/j.ijoa.2015.06.008
17. Quinn AC, Milne D, Columb M, Gorton H, Knight M. Failed tracheal intubation in obstetric anaesthesia: 2 yr national case-control study in the UK. Br J Anaesth [Internet]. 2013;110(1):74–80. Disponível em: http://bja.oxfordjournals.org/lookup/doi/10.1093/bja/aes320

18. Reale SC, Bauer ME, Klumpner TT, Aziz MF, Fields KG, Hurwitz R, et al. Frequency and Risk Factors for Difficult Intubation in Women Undergoing General Anesthesia for Cesarean Delivery: A Multicenter Retrospective Cohort Analysis. Anesthesiology [Internet]. 2022 May 1 [acesso em: 13 ago. 2023];136(5):697–708. Disponível em: https://pubmed.ncbi.nlm.nih.gov/35188971/

19. Lee YL, Lim ML, Leong WL, Lew E. Difficult and failed intubation in Caesarean general anaesthesia: a four-year retrospective review. Singapore Med J [Internet]. 2022 [acesso em: 13 ago. 2023];63(3):152–6. Disponível em: https://doi.org/10.11622/smedj.2020118

20. Odor PM, Bampoe S, Moonesinghe SR, Andrade J, Pandit JJ, Lucas DN, et al. General anaesthetic and airway management practice for obstetric surgery in England: a prospective, multicentre observational study*. Anaesthesia. 2021 :1;76(4):460–71.

21. Scott DB. Endotracheal intubation: friend or foe. Br Med J (Clin Res Ed) [Internet]. 1986 Jan 1 [acesso em: 13 ago. 2023];292(6514):157. Disponível em: https://www.ncbi.nlm.nih.gov/pmc/articles/PMC1339032/

22. Mort TC. Emergency tracheal intubation: complications associated with repeated laryngoscopic attempts. Anesth Analg. 2004;99(2):607–13, table of contents.

23. Peterson GN, Domino KB, Caplan RA, Posner KL, Lee LA, Cheney FW. Management of the Difficult Airway A Closed Claims Analysis. Anesthesiology. 2005;103:33–9.

24. Cooper GM, McClure JH. Maternal deaths from anaesthesia. An extract from Why Mothers Die 2000-2002, the Confidential Enquiries into Maternal Deaths in the United Kingdom. Chapter 9: Anaesthesia. Brit J Anaesth [Internet]. 2005 Apr 1 [acesso em: 13 ago. 2023];94(4):417–23. Disponível em: http://www.bjanaesthesia.org/article/S000709121735657X/fulltext

25. Mushambi MC, Jaladi S. Airway management and training in obstetric anaesthesia. Curr Opin Anaesthesiol. 2016;29(3):261–7.

26. Kiwalabye I, Cronjé L, Schoeman S, Sommerville T. A simulation-based study evaluating the preparedness of interns' post-anaesthesia rotation in managing a failed obstetric intubation scenario: Is our training good enough? S Afr Med J [Internet]. 2021 [acesso em: 13 ago. 2023];111(3):265–70. Disponível em: https://pubmed.ncbi.nlm.nih.gov/33944750/

27. Minehart RD, Gallin H. Postpartum hemorrhage: The role of simulation. Best Pract Res Clin Anaesthesiol [Internet]. 2022 Dec 1 [acesso em: 13 ago. 2023];36(3–4):433–9. Disponível em: https://pubmed.ncbi.nlm.nih.gov/36513437/

28. Cook TM, Woodall N, Frerk C. Major complications of airway management in the UK: Results of the Fourth National Audit Project of the Royal College of Anaesthetists and the Difficult Airway Society. Part 1: Anaesthesia. Brit J Anaesth [Internet]. 2011 May 1 [acesso em: 5 ago. 2023];106(5):617–31. Disponível em: http://www.bjanaesthesia.org/article/S0007091217332099/fulltext

29. Krombach JW, Edwards WA, Marks JD, Oliver ;, Radke C. Checklists and Other Cognitive Aids For Emergency And Routine Anesthesia Care-A Survey on the Perception of Anesthesia Providers From a Large Academic US Institution. Anesth Pain Med [Internet]. 2015 [acesso em: 13 ago. 2023];5(4):26300. Disponível em: www.qualtrics.com

30. Agarwala A V, McRichards LK, Rao V, Kurzweil V, Goldhaber-Fiebert SN. Bringing Perioperative Emergency Manuals to Your Institution: A "How To" from Concept to Implementation in 10 Steps. Jt Comm J Qual Patient Saf. 2019 Mar 1;45(3):170–9.

31. Singh S, McGlennan A, England A, Simons R. A validation study of the CEMACH recommended modified early obstetric warning system (MEOWS). Anaesthesia. 2012 Jan;67(1):12–8.

32. Lipman SS, Daniels KI, Carvalho B, Arafeh J, Harney K, Puck A, et al. Deficits in the provision of cardiopulmonary resuscitation during simulated obstetric crises. Am J Obstet Gynecol [Internet]. 2010 [acesso em: 13 ago. 2023];203(2):179.e1-179.e5. Disponível em: https://pubmed.ncbi.nlm.nih.gov/20417476/

33. Berkenstadt H, Ben-Menachem E, Dach R, Ezri T, Ziv A, Rubin O, et al. Deficits in the provision of cardiopulmonary resuscitation during simulated obstetric crises: Results from the israeli board of anesthesiologists. Anesth Analg [Internet]. 2012 Nov [acesso em: 13 ago. 2023];115(5):1122–6. Disponível em: https://journals.lww.com/anesthesia-analgesia/fulltext/2012/11000/deficits_in_the_provision_of_cardiopulmonary.18.aspx

34. Lipman S, Cohen S, Einav S, Jeejeebhoy F, Mhyre JM, J.morrison L, et al. The Society for Obstetric Anesthesia and Perinatology consensus statement on the management of cardiac arrest in pregnancy. Anesth Analg [Internet]. 2014 [acesso em: 13 ago. 2023];118(5):1003–16. Disponível em: https://pubmed.ncbi.nlm.nih.gov/24781570/

35. Soar J, Berg KM, Andersen LW, Böttiger BW, Cacciola S, Callaway CW, et al. Adult Advanced Life Support: 2020 International Consensus on Cardiopulmonary Resuscitation and Emergency Cardiovascular Care Science with Treatment Recommendations. Resuscitation [Internet]. 2020 Nov 1 [acesso em: 13 ago. 2023];156:A80. Disponível em: /pmc/articles/PMC7576326/

36. Mygind-Klausen T, Jæger A, Hansen C, Aagaard R, Krogh LQ, Nebsbjerg MA, et al. In a bed or on the floor? - The effect of realistic hospital resuscitation training: A randomised controlled trial. Am J Emerg Med [Internet]. 2018 Jul 1 [acesso em: 14 ago. 2023];36(7):1236–41. Disponível em: https://pubmed.ncbi.nlm.nih.gov/29276031/

37. Olasveengen TM, Mancini ME, Perkins GD, Avis S, Brooks S, Castrén M, et al. Adult Basic Life Support: 2020 International Consensus on Cardiopulmonary Resuscitation and Emergency Cardiovascular Care Science With Treatment Recommendations. Circulation [Internet]. 2020 Oct 20 [acesso em: 14 ago. 2023];142(16 1):S41–91. Disponível em: https://www.ahajournals.org/doi/abs/10.1161/CIR.0000000000000892

38. Joffe AM, Hetzel S, Liew EC. A Two-handed Jaw-thrust Technique Is Superior to the One-handed "EC-clamp" Technique for Mask Ventilation in the Apneic Unconscious Person. Anesthesiology [Internet]. 2010 Oct 1 [acesso em: 13 ago. 2023];113(4):873–9. Disponível em: https://dx.doi.org/10.1097/ALN.0b013e3181ec6414

39. Girard T, Palanisamy A. The obstetric difficult airway: if we can't predict it, can we prevent it? Anaesthesia [Internet]. 2017 Feb 1 [acesso em: 13 ago. 2023];72(2):143–7. Disponível em: https://onlinelibrary.wiley.com/doi/full/10.1111/anae.13670

40. Law JA, Duggan L V., Asselin M, Baker P, Crosby E, Downey A, et al. Canadian Airway Focus Group updated consensus-based recommendations for management of the difficult airway: part 1. Difficult airway management encountered in an unconscious patient. Can J Anaesth [Internet]. 2021 Sep 1 [acesso em: 13 ago. 2023];68(9):1373. Disponível em: /pmc/articles/PMC8212585/

41. Moro ET, Goulart A. Compressão da cartilagem cricóide: aspectos atuais. Rev Bras Anestesiol [Internet]. 2008 Dec [acesso em: 2016 Feb 9];58(6):643–50. Disponível em: http://www.scielo.br/scielo.php?script=sci_arttext&pid=S0034-70942008000600010&lng=en&nrm=iso&tlng=en

42. Bhatia N, Bhagat H, Sen I. Cricoid pressure: Where do we stand? J Anaesthesiol Clin Pharmacol [Internet]. 2014 Jan [acesso em: 13 ago. 2023];30(1):3. Disponível em: /pmc/articles/PMC3927288/

43. Berg RA, Hemphill R, Abella BS, Aufderheide TP, Cave DM, Hazinski MF, et al. Part 5: Adult basic life support: 2010 American Heart Association Guidelines for Cardiopulmonary Resuscitation and Emergency Cardiovascular Care. Circulation [Internet]. 2010 Nov 2 [acesso em: 13 ago. 2023];122(SUPPL. 3):685–705. Disponível em: http://circ.ahajournals.org

44. Mohamed BA. Airway Management During Cardiopulmonary Resuscitation. Curr Anesthesiol Rep [Internet]. 2022 Sep 1 [acesso em: 2023 Aug 14];12(3):363. Disponível em: /pmc/articles/PMC8951653/

45. Madden AM, Meng ML. Cardiopulmonary resuscitation in the pregnant patient. BJA Educ. 2020;20(8):252-258.

46. Apfelbaum JL, Hagberg CA, Connis RT, Abdelmalak BB, Agarkar M, Dutton RP, et al. 2022 American Society of Anesthesiologists Practice Guidelines for Management of the Difficult Airway. Anesthesiology [Internet]. 2022 Jan 1 [acesso em: 12 fev. 2023];136(1):31–81. Disponível em: https://pubs.asahq.org/anesthesiology/article/136/1/31/117915/2022--American-Society-of-Anesthesiologists

47. Ferson DZ, Rosenblatt WH, Johansen MJ, Osborn I, Ovassapian a. Use of the intubating LMA-Fastrach in 254 patients with difficult-to-manage airways. Anesthesiology. 2001;95(5):1175–81.

48. Melissopoulou T, Stroumpoulis K, Sampanis MA, Vrachnis N, Papadopoulos G, Chalkias A, et al. Comparison of blind intubation through the I-gel and ILMA Fastrach by nurses during cardiopulmonary resuscitation: a manikin study. Heart Lung [Internet]. 2014 [acesso em: 14 ago. 2023];43(2):112–6. Disponível em: https://pubmed.ncbi.nlm.nih.gov/24594248/

49. Chrimes N, Higgs A, Hagberg CA, Baker PA, Cooper RM, Greif R, et al. Preventing unrecognised oesophageal intubation: a consensus guideline from the Project for Universal Management of Airways and international airway societies*. Anaesthesia. 2022 Dec 1;77(12):1395–415.

50. Malik SS, Aronow WS, Briasoulis A. Trends and outcomes of opioid-related cardiac arrest in a contemporary US population. Eur J Intern Med [Internet]. 2022 Mar 1 [acesso em: 14 ago. 2023];97:122–4. Disponível em: https://pubmed.ncbi.nlm.nih.gov/34799232/

51. Dezfulian C, Orkin AM, Maron BA, Elmer J, Girotra S, Gladwin MT, et al. Opioid-Associated Out-of-Hospital Cardiac Arrest: Distinctive Clinical Features and Implications for Health Care and Public Responses A Scientific Statement From the American Heart Association. Circulation. 2021 Apr 20;143(16):E836–70.

52. Macfarlane AJR, Gitman M, Bornstein KJ, El-Boghdadly K, Weinberg G. Updates in our understanding of local anaesthetic systemic toxicity: a narrative review. Anaesthesia [Internet]. 2021 Jan 1 [acesso em: 14 ago. 2023];76(S1):27–39. Disponível em: https://onlinelibrary.wiley.com/doi/full/10.1111/anae.15282

53. Naoum EE, Chalupka A, Haft J, Maceachern M, Vandeven CJM, Easter SR, et al. Extracorporeal life support in pregnancy: a systematic review. J Am Heart Assoc [Internet]. 2020 Jul 7 [acesso em: 13 ago. 2023];9(13):e016072. Disponível em: https://www.ahajournals.org/doi/abs/10.1161/JAHA.119.016072

54. Soskin PN, Yu J. Resuscitation of the Pregnant Patient. Emerg Med Clin North Am [Internet]. 2019 May 1 [acesso em: 13 ago. 2023];37(2):351–63. Disponível em: https://pubmed.ncbi.nlm.nih.gov/30940377/

55. Katz VL. Perimortem Cesarean Delivery: Its Role in Maternal Mortality. Semin Perinatol. 2012 Feb 1;36(1):68–72.

56. Jeejeebhoy FM, Zelop CM, Windrim R, Carvalho JCA, Dorian P, Morrison LJ. Management of cardiac arrest in pregnancy: A systematic review. Resuscitation. 2011 Jul 1;82(7):801–9.

57. Benson MD, Padovano A, Bourjeily G, Zhou Y. Maternal collapse: Challenging the four-minute rule. EBioMedicine [Internet]. 2016 Apr 1 [acesso em: 13 ago. 2023];6:253. Disponível em: /pmc/articles/PMC4856753/

58. Katz VL. Perimortem cesarean delivery: its role in maternal mortality. Semin Perinatol [Internet]. 2012 Feb 2 [acesso em: 23 dez. 2015];36(1):68–72. Disponível em: http://www.seminperinat.com/article/S0146000511001595/fulltext

59. Einav S, Kaufman N, Sela HY. Maternal cardiac arrest and perimortem caesarean delivery: Evidence or expert-based? Resuscitation [Internet]. 2012 Oct 1 [acesso em: 2016 Feb 9];83(10):1191–200. Disponível em: http://www.resuscitationjournal.com/article/S0300957212002547/fulltext

60. Zelop CM, Einav S, Mhyre JM, Martin S. Cardiac arrest during pregnancy: ongoing clinical conundrum. Am J Obstet Gynecol [Internet]. 2018 Jul 1 [acesso em: 14 ago. 2023];219(1):52–61. Disponível em: https://pubmed.ncbi.nlm.nih.gov/29305251/

61. Petek BJ, Bennett DN, Ngo C, Chan PS, Nallamothu BK, Bradley SM, et al. Reexamination of the UN10 Rule to Discontinue Resuscitation During In-Hospital Cardiac Arrest. JAMA Netw Open [Internet]. 2019 May 1 [acesso em: 14 ago. 2023];2(5). Disponível em: /pmc/articles/PMC6547097/

62. Greif R, Bhanji F, Bigham BL, Bray J, Breckwoldt J, Cheng A, et al. Education, implementation, and teams. Circulation [Internet]. 2020 Oct 20 [acesso em: 14 ago. 2023];142(1):S222–83. Disponível em: http://ahajournals.org

63. Wyckoff MH, Singletary EM, Soar J, Olasveengen TM, Greif R, Liley HG, et al. 2021 International consensus on cardiopulmonary resuscitation and emergency cardiovascular care science with treatment recommendations. Circulation. 2022;145(9):E645–721.

64. Perman SM, Bartos JA, Del Rios M, Donnino MW, Hirsch KG, Jentzer JC, et al. Temperature Management for Comatose Adult Survivors of Cardiac Arrest: A Science Advisory From the American Heart Association. Circulation [Internet]. 2023 [acesso em : 16 ago. 2023]; Disponível em: https://www.ahajournals.org/doi/10.1161/CIR.0000000000001164

65. Morrison LJ, Sandroni C, Grunau B, Parr M, Macneil F, Perkins GD, et al. Organ Donation After Out-of-Hospital Cardiac Arrest: A Scientific Statement From the International Liaison Committee on Resuscitation. Circulation [Internet]. 2023 [acesso em: 17 ago. 2023];147:0–00. Disponível em: http://www.ncbi.nlm.nih.gov/pubmed/37551611

204

Cuidados Pós-reanimação Cardiopulmonar

Antonio Carlos Aguiar Brandão ■ Leandro Fellet Miranda Chaves ■ Thaína Alessandra Brandão

INTRODUÇÃO

Os cuidados após o retorno da circulação espontânea (RCE) de um paciente que sofreu uma parada cardiorrespiratória (PCR) são componentes essenciais para sua sobrevida após alta hospitalar sem sequelas neurológicas. Nesse sentido, existem recomendações constantemente atualizadas por diversas sociedades mundiais através de suas diretrizes, como as diretrizes americanas da American Heart Association e europeias, do European Resuscitation Council e da European Society of Intensive Care Medicine, de cuidados pós-reanimação.[1,2]

O impacto sistêmico da injúria de isquemia-reperfusão causada por uma PCR e subsequente ressuscitação requer cuidados simultâneos para o suporte de mútipos órgãos e sistemas que foram afetados. Depois da estabilização inicial, cuidados em pacientes críticos pós-reanimação incluem controle hemodinâmico, ventilação mecânica, controle direcionado da temperatura, diagnóstico e tratamento da causa-base, diagnóstico e tratamento das convulsões, vigilância e tratamento das infecções entre outros. Vários pacientes vítimas de uma PCR sobrevivem ao evento inicial, mas morrem eventualmente pela falta de tratamento intensivo adequado no período pós-PCR e pelas sequelas neurológicas.[1]

Vários estudos mostraram que o tempo de interrupção total da circulação, ou *no-flow* (duração entre o momento da PCR e o início da reanimação cardiopulmonar [RCP]) e o tempo de perfusão parcial, ou *low-flow* (duração entre o início da RCP e o RCE), influenciavam fortemente o prognóstico dos doentes reanimados.[3] A PCR produz uma isquemia global encefálica proporcional ao tempo de interrupção do fluxo sanguíneo (colapso cardiovascular) que induz a ativação de uma cascata bioquímica e inflamatória complexa, que provoca morte neuronal com consequente desfecho desfavorável: óbito, sequelas neurológicas ou importantes alterações cognitivas e psicológicas.[1,2] A inexistência de um suporte básico e avançado de vida precoces assim como a presença de comorbidades das vítimas são fatores relacionados à extensão da lesão encefálica. Então, os cuidados pós-PCR devem ser focados especialmente na proteção cerebral.[1,2,4]

■ SÍNDROME PÓS-PARADA CARDIORESPIRATORIA[3]

É dividida em quatro fases, de acordo com o intervalo de tempo que ocorre pós-PCR:

- **Fase 1: Imediata** (0 a 20 minutos após o RCE);
- **Fase 2: Precoce** (período entre 20 minutos e 6-12 h após o RCE, momento em que as intervenções são provavelmente mais eficazes);
- **Fase 3: Intermediária** (período entre 6-12 horas a 72 horas após RCE, quando as vias de injúria são mais ativas);
- **Fase 4: Recuperação** (período superior a 72 horas após o RCE).

A fisiopatologia da síndrome pós-PCR decorre de uma combinação complexa de vários e diferentes processos:[3]

- Lesão encefálica pós-PCR;
- Disfunção miocárdica pós-PCR;
- Síndrome sistêmica de isquemia-reperfusão;
- Presença de patologia persistente precipitada pela PCR como infarto agudo do miocárdio, doença pulmonar, doença do sistema nervoso central, hipovolemia, infecção (sepse) ou fatores toxicológicos.

A lesão cerebral pós-PCR (LCPPCR) é a principal causa de morbimortalidade. Em um estudo de pacientes internados em UTI que sobreviveram após a PCR, a LCPPCR foi responsável por

68% dos óbitos na PCR de origem extra-hospitalar e por 23% na PCR de origem intra-hospitalar. De todos os diferentes tecidos do corpo, o cérebro é o mais vulnerável à isquemia, com prejuízos irreversíveis que ocorrem em questão de minutos.[5]

A isquemia encefálica reduz o oxigênio e os estoques de adenosina trifosfato (ATP) nos neurônios, com inativação das bombas Na-K ATPase, aumento dos níveis de lactato e de pH, maior permeabilidade intercelular ao cálcio e sódio, resultando em inchaço e subsequente lesão da integridade celular. Em conjunto com essas alterações, observa-se liberação de glutamato, um neurotransmissor excitatório que induz a ativação de receptores NMDA e AMPA com ativação dos canais de cálcio voltagem e ligantes dependentes e consequente aumento

do influxo celular desse íon. Por sua vez, o aumento do cálcio intracelular ativa vários mensageiros secundários dependentes dele (fosfolipases, protease, endonucleases, óxido nítrico sintetase), que ampliam o processo e promovem peroxidação lipídica, fragmentação de DNA, formação de radicais livres de oxigênio e de óxido nítrico (NO), alterações que produzem necrose, apoptose e morte celular. Concomitantemente, a lesão de isquemia-reperfusão produz ativação de uma cascata inflamatória e da coagulação com ativação de leucócitos, liberação de citocinas inflamatórias (interleucina-6 e fator de necrose tumoral), ativação de moléculas de adesão e prejuízo da microcirculação que potencializa a LCPPCR.[6] As Figuras 204.1 e 204.2 mostram a cascata bioquímica da LCPPCR.

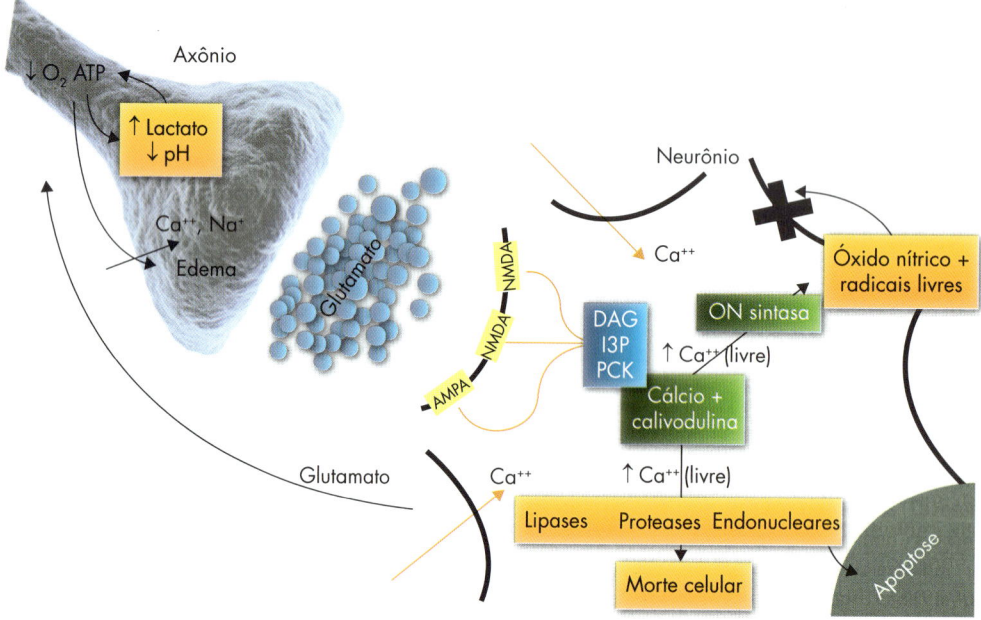

▲ **Figura 204.1** Cascata bioquímica da LCPPCR.

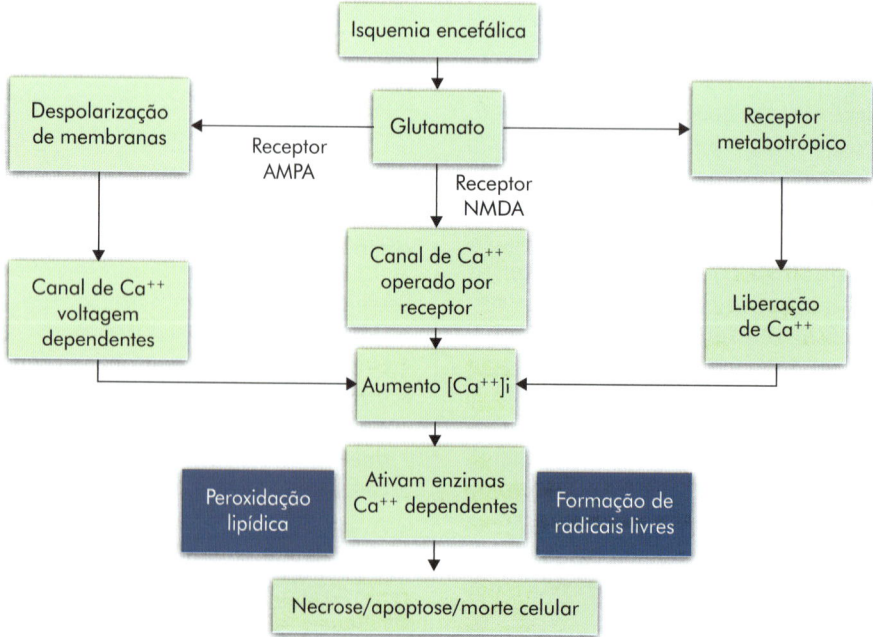

▲ **Figura 204.2** Cascata bioquímica da LCPPCR.

A ativação da cascata inflamatória e bioquímica se desenvolve ao longo de um período que pode variar de horas até dias, o que abre uma janela terapêutica em que é possível se atuar com neuroproteção. A disfunção miocárdica pós-PCR pode comprometer ainda mais o fluxo sanguíneo cerebral (FSC), favorecendo a falência de múltiplos órgãos, que é potencializada pela lesão global de isquemia-reperfusão, com ativação das vias inflamatórias e da coagulação.[7]

A recuperação da injúria cerebral depende diretamente da recuperação do FSC e consequente perfusão cerebral. Estudos em animais mostram que o FSC não é restaurado automaticamente com o RCE e sua normalização passa por quatro fases diferentes:[8]

- **Sem refluxo multifocal:** essa fase começa a se manifestar aos 7 minutos de isquemia completa e, quanto mais longo o período de isquemia, mais grave será a lesão. Vários mecanismos podem se associar a essa fase, como aumento da viscosidade, estreitamento e oclusão do lúmen vascular decorrentes do inchaço cerebral, adesão de leucócitos, coagulação intravascular e hipotensão pós-PCR;
- **Hiperemia transitória global:** essa fase ocorre entre 15 e 30 minutos, desencadeada pela vasoplegia transitória global e hiperemia reativa, podendo coexistir com a fase anterior. O mecanismo parece estar associado à acidose tecidual. Nessa fase, existe risco de hipertensão intracraniana;
- **Hipoperfusão global retardada:** parece ser uma perturbação funcional da arteríola, cujo aparecimento depende da extensão e não do tempo de isquemia. O mecanismo envolvido nesta fase seria um desequilíbrio local da produção de substâncias vasodilatadoras (NO) e vasoconstritoras (endotelinas), com redução de cerca de 50% do FSC;
- **FSC normal, diminuído ou aumentado:** depois de 20 a 24 horas, o FSC retorna ao seu valor normal, diminuído (coma) ou aumentado (morte encefálica).[8]

■ MANIFESTAÇÃO CLÍNICA DA LESÃO CEREBRAL

A lesão cerebral provocada por isquemia global é heterogênea e as regiões mais vulneráveis caracterizam-se pela projeção do córtex, pelas células de Purkinge do cerebelo e pelas áreas do hipocampo. As regiões subcorticais, como o tronco cerebral (TC), o tálamo e o hipotálamo são mais resistentes.[9] O acometimento das regiões tálamo-corticais altera os níveis de sensibilidade e excitação. Outras áreas suscetíveis são os gânglios da base e o cerebelo, cujo comprometimento se manifesta por distúrbios do movimento, incoordenação motora e ataxia, frequentemente observáveis após a PCR.[10] Pelo fato do TC ser mais resistente, observa-se a preservação de reflexos sensoriomotores e dos nervos cranianos. Essas modificações significativas no córtex cerebral e no tálamo, com preservação do TC, leva a estados vegetativos e comatosos. Também podem ocorrer disfunções cognitivas, e outros autores relatam episódios de transtorno de estresse pós-traumático.[11]

A PCR seguida de RCE pode ter diversas causas reversíveis, como hipóxia, hipovolemia, acidose, hipo ou hiperpotassemia, hipotermia profunda, infarto agudo do miocárdio, sepse, tromboembolismo pulmonar, tamponamento cardíaco, pneumotórax hipertensivo, entre outras. Independente da causa, a hipoxemia, a isquemia e a reperfusão que ocorrem durante a PCR e RCP podem causar danos em múltiplos órgãos e sistemas, cuja gravidade pode variar individualmente entre os pacientes, bem como entre seus próprios órgãos e sistemas.[1]

Nesse sentido, os cuidados intensivos incluem a identificação e o tratamento das causas reversíveis combinados com a proteção de órgãos contra as lesões provenientes da isquemia-reperfusão e sua cascata de efeitos deletérios. Essa abordagem deve ser individualizada, de acordo com as demandas próprias de cada paciente em momentos distintos e podem exigir algumas intervenções específicas que serão discutidas a seguir, principalmente em relação à proteção cerebral e melhora de desfecho clínico neurológico pós-alta hospitalar.[1,3]

■ ESTRATEGIAS PÓS-PARADA CARDIORESPIRATÓRIA E RETORNO DA CIRCULAÇÃO ESPONTÂNEA EM ADULTOS

Vias Aéreas

É fundamental confirmar o correto posicionamento do tubo endotraqueal, devendo sempre ser checado e monitorizado por meio do uso do capnógrafo.[12]

Ventilação

É necessário evitar a hipoxemia e a hiperoxemia em pacientes comatosos depois do RCE. Assim, deve-se titular a fração inspirada de oxigênio (FiO_2) para um alvo de SpO_2 entre 92% a 98% ou 94% a 98%.[1,2] No entanto, caso não haja uma medida confiável de saturação ou PaO_2, sugere-se que seja mantida uma FiO_2 de 100%, uma vez que a hipóxia pode ser ainda mais deletéria. Deve-se, também, objetivar uma $PaCO_2$ dentro do limite fisiológico de 35 a 45 mmHg, bem como utilizar estratégias de ventilação protetoras.[12]

Circulação

A hipotensão arterial pode piorar a lesão orgânica, principalmente a cerebral, pela redução do transporte de O_2 para os tecidos. Assim, deve-se evitá-la a todo custo e lançar mão de fluidoterapia, vasopressores e/ou inotrópicos, caso necessário, para a manutenção de uma pressão arterial sistólica acima de 90 mmHg ou de 100 mmHg e de uma pressão arterial média acima de 65 mmHg.[1,2] No entanto, esses valores estão em constante discussão, de modo que alguns estudos observacionais sugerem valores acima de 80 mmHg como potencialmente benéficos.[12] Outra estratégia seria a de manter níveis pressóricos que possibilitem um débito urinário de 0,5 ml/kg/h e diminuam os níveis de lactato sérico.[2]

Neurológico

Controle direcionado da temperatura

O controle direcionado de temperatura (CDT) com alvo de 32° a 36° C é recomendado para todos os pacientes comatosos após RCE. Ele deve ser iniciado nas primeiras 6 horas e durar no mínimo 24 horas.[1,2]

Por mais de uma década, a hipotermia induzida (HI), tem sido a pedra fundamental dos cuidados pós-PCR e RCP. A HI, de leve a moderada, após isquemia cerebral global e PCR foi capaz de melhorar o desfecho neurológico dos grupos submetidos a ela em diversos estudos, tanto experimentais quanto em humanos.[13,14]

A isquemia neuronal pós-PCR pode persistir por várias horas. A HI tem ação neuroprotetora contra vários mecanismos bioquímicos deletérios, tornando-se o primeiro tratamento eficaz na redução do dano neurológico isquêmico nesses casos. A melhora dos desfechos atribuída à HI só aconteceu quando seus mecanismos de ação foram compreendidos, com a percepção de que a hipotermia leve (32 ºC a 34 ºC), em vez da hipotermia profunda (≤ 30 ºC), era suficiente para promover neuroproteção, com menos efeitos adversos.[13]

Esse entendimento adveio do fato de que a redução da demanda metabólica cerebral não é o único mecanismo de proteção cerebral da HI, apesar de ser importante. O metabolismo cerebral reduz de 6% a 10% para cada 1 ºC na queda da temperatura. Quando a temperatura cai abaixo de 32 ºC, a taxa metabólica cerebral diminui para aproximadamente 50% do normal e o consumo de O_2 e a produção de CO_2 acompanham proporcionalmente essa queda. Durante o período de isquemia-reperfusão que se inicia com a PCR, ocorre uma grande redução das moléculas de alta energia, como a ATP. A consequência imediata desse fenômeno é a mudança do metabolismo celular de aeróbio para anaeróbio.[13]

A glicólise anaeróbia eleva os níveis intracelulares de fosfato, lactato e íons hidrogênio, resultando em acidose intra e extracelular, facilitando o influxo de cálcio para dentro das células. No entanto, esse influxo de cálcio é extremamente lesivo, pois provoca disfunção mitocondrial e perturbações no funcionamento das bombas de sódio e potássio, levando à despolarização das membranas celulares e liberação de glutamato para o meio extracelular. A acidose intracelular, que estimula os processos destrutivos celulares e a apoptose, pode ser evidenciada pela elevação dos níveis de lactato cerebral. A HI inibe esses processos excitatórios deletérios para a célula.[13]

A hipóxia é responsável por alterações que determinam a formação de edema citotóxico e quebra da barreira hematoencefálica nas membranas celulares. O resultado disso é o desenvolvimento de hipertensão intracraniana, que leva a um ciclo vicioso de isquemia cerebral. A HI tem a capacidade de reduzir a permeabilidade vascular, minimizando o aparecimento de edema cerebral.[13]

A isquemia-reperfusão gera grandes quantidades de radicais livres, como peróxido de hidrogênio, superóxido e peroxidonitrito, moléculas que são danosas para a célula, pois causam a peroxidação das membranas celulares. O dano oxidativo é reduzido sob condições de HI e é tanto menor quanto menor for a temperatura. Associado a esse dano oxidativo, ocorre também um aumento na liberação de mediadores pró-inflamatórios (interleucina-1 e fator de necrose tumoral), que também é minimizado em temperaturas mais baixas.[13]

Outro efeito neuroprotetor que parece ser desencadeado pela HI em temperaturas abaixo dos 35 ºC[6] é a indução de efeitos anticoagulantes, visto que a ativação da coagulação tem um papel importante no desenvolvimento da injúria de isquemia-reperfusão, com formação de fibrina e bloqueio da microcirculação. A HI interfere também na liberação de endotelina e tromboxano A2, dois potentes vasoconstritores e agregantes plaquetários.[13]

A supressão da atividade epilética é mais um efeito benéfico provável da HI no contexto da encefalopatia anóxica, pois as crises convulsivas determinam grande aumento do consumo de oxigênio pelo cérebro.[13,14] Temperaturas centrais reduzidas também são capazes de minimizar esses efeitos.

Os métodos de resfriamento não invasivos ou convencionais incluem a utilização de pacotes de gelo, o uso de mantas térmicas, o uso de equipamentos comerciais de resfriamento de superfície e a infusão de soluções geladas.[13] O objetivo é uma diminuição de 1 a 1,3 ºC/hora.[12]

A infusão rápida de solução salina a 4 ºC na dose de 30 a 40 ml/kg em 30 minutos por acesso venoso periférico ou central, em pacientes capazes de receber tal magnitude de reposição volêmica, é um método rápido, porém de difícil manutenção.[12]

A aplicação de pacotes de gelo nas superfícies do pescoço, das axilas e virilhas mostrou-se uma forma simples e fácil de manter o resfriamento. Os pacotes externos devem ser trocados toda vez que o gelo tiver derretido e é preciso ficar atento às lesões de pele produzidas pelo frio.[13]

As mantas térmicas podem ser colocadas em dupla: uma embaixo do paciente e outra em cima dele. Um método eficaz de induzir a HI é através do uso de cateteres endovasculares específicos, que proporcionam excelente controle de temperatura tanto na indução, quanto na manutenção e no reaquecimento. Esse sistema utiliza um cateter venoso central especial, de metal recoberto, por onde circula água, conectado a um equipamento externo que a refrigera.[15] O cateter pode ser introduzido via femoral, subclávia ou jugular, e tem riscos de complicações mecânicas, além de risco de infecção e trombose venosa.[16] Sua experiência de uso ainda é limitada e seu custo elevado, mas por outro lado é menos trabalhoso para a equipe do que os métodos convencionais e é muito rápido para induzir hipotermia.[15,16]

A monitorização inicial do paciente deve incluir eletrocardiograma contínuo, balanço hídrico, medida invasiva da pressão arterial e medida da temperatura central por termômetro esofágico, nasofaríngeo ou cateter vesical. Exames laboratoriais devem incluir eritrograma, plaquetas, coagulograma, eletrólitos e gasometria arterial, a serem coletados no tempo zero e depois a cada 6 ou 12 horas.[13]

Sedação e analgesia com agentes de curta duração são aspectos fundamentais durante a indução da hipotermia. O tremor é uma resposta fisiológica normal do paciente na tentativa de manter a temperatura corporal, contudo, a manifestação de tremores é contraproducente, pois gera calor e retarda o processo de resfriamento, além de aumentar muito o consumo de oxigênio e a pressão intracraniana. Frequentemente, é necessário acrescentar bloqueadores neuromusculares ao esquema de sedação, na tentativa de conter os tremores.[2,12]

Apesar de todo o exposto, evidências científicas advindas do extenso processo de revisão e atualização tanto das diretrizes americanas quanto das diretrizes europeias, não encontram diferenças nos desfechos neurológicos quando comparadas as temperaturas de 32 °C *versus* 36 °C.[1,2] Ao mesmo tempo, tem sido relatada uma diminuição de um alvo de CDT mais baixo em função do fato que alguns autores consideram a temperatura de 36 °C como normotermia.[1] Portanto, enquanto não existem evidências mais recentes demonstrando qual temperatura é a mais benéfica nesse intervalo de 32°C a 36°C, o CDT deve ficar dentre esses níveis. Entretanto, características inerentes às condições clínicas dos pacientes podem auxiliar nessa seleção. Pacientes convulsivos e com edema cerebral devem ser mantidos com alvos mais baixos de temperatura (32 °C), enquanto níveis mais próximos da normotermia (36 °C) devem ser selecionados para pacientes com maior risco de sangramento.[14] A temperatura inicial no momento da chegada à UTI também pode servir de parâmetro para a determinação da temperatura-alvo; por exemplo, pacientes que se apresentam mais hipotérmicos, próximos ao limite inferior preconizado de 32 °C, podem ser mantidos em níveis mais baixos, enquanto outros que dão entrada com temperaturas baixas, porém mais próximas a 36 °C, podem ser mantidos com a temperatura nesse nível.[14]

A fase de reaquecimento deve ser iniciada 24 horas após o início da indução do resfriamento e deve ser lenta, numa velocidade de 0,2 °C a 0,4 °C/h, durante 12 horas, até que se atinja temperatura entre 35 °C e 37 °C. O reaquecimento pode ser passivo ou ativo. O reaquecimento passivo até uma temperatura central de 35 °C costuma levar em torno de 8 horas.[13]

No caso do ativo, com a ajuda de uma manta térmica, esta deve ser retirada quando a temperatura alcançar 35 °C.[13] Caso sejam utilizados equipamentos comerciais de resfriamento externo ou cateteres endovasculares, a velocidade do reaquecimento pode ser programada. Essa é uma das principais vantagens desses equipamentos: favorecer um controle mais preciso da velocidade de variação da temperatura.[15]

Após as primeiras 24 horas de CDT, a prevenção de hipertermia em pacientes comatosos tem como objetivo manter a temperatura < 37,7 °C[3], já que a ocorrência de febre tem o potencial de exacerbar a injúria isquêmica, bem como aumentar a taxa metabólica cerebral.[2] As estratégias de resfriamento podem ser novamente consideradas nesse contexto.

Diagnóstico e controle das convulsões

A ocorrência de convulsões, de estado epilético não convulsivo (EENC) e de outras formas de atividade epileptiforme entre pacientes comatosos pós-PCR e RCE é comum. Descargas elétricas epileptiformes prolongadas, relacionadas ao EENC, estão associadas à injúria cerebral secundária, porém, evidências recentes não corroboram com a administração profilática rotineira de anticonvulsivantes.[1]

O diagnóstico e o tratamento de qualquer atividade epiléptica são prioridades nesses cenários clínicos. A utilização do eletroencefalograma (EEG), assim como a participação da equipe de neurologia para sua realização e interpretação, é recomendada. As crises convulsivas devem ser tratadas com fenitoína, valproato ou levetiracetam, sem nenhuma superioridade entre eles.[12] Sedativos comuns como propofol e midazolam também apresentam atividade antiepiléptica efetiva e podem ser considerados.[2]

Controle glicêmico

O alvo glicêmico em pacientes críticos é controverso. Tentativas de controle restrito da glicose em níveis mais baixos tem sido associadas a episódios de hipoglicemia em diversos estudos bem desenhados.[1,14]

A hipoglicemia é sabidamente lesiva ao sistema nervoso central. No entanto, a hiperglicemia pode exacerbar a injúria cerebral na vigência de isquemia. Portanto, admite-se instituir controle glicêmico com alvo abaixo de 180 mg/dl.[12]

Neuroprognóstico

Existem diversos fatores relacionados com o desfecho neurológico do paciente. Além dos já mencionados com relação à PCR, outro fator aparentemente associado ao desfecho do paciente depois da PCR é o tempo em coma. Estima-se que 80% dos pacientes se apresentam comatosos após a PCR, e daqueles que vão despertar, 90% o fazem antes de 72 horas e menos de 5% dos pacientes que despertam depois de 24 horas se recuperam sem déficits neurológicos. Entre os fatores preditores de desfecho negativo, incluem-se ausência de reflexo pupilar e córneo após 72 horas e de reflexo vestíbulo-ocular após 24 horas e escala de Glasgow menor que cinco após 72 horas.[12]

Quanto a exames clínicos e ao tempo para sua realização, uma metanálise de 37 estudos evidenciou que poucos parâmetros clínicos teriam acurácia na predição de um desfecho ruim, e a ausência de reflexo pupilar em 72 horas já estaria associada a um mau prognóstico. Esse longo período de espera (72 horas) se faz necessário para a confirmação da ausência de reflexo pupilar pelo estado comatoso induzido pela sedação utilizada, de modo que poucas variáveis clínicas poderiam estar prontamente disponíveis para o prognóstico precoce de pacientes depois da PCR. Além de parâmetros clínicos, esse estudo também avaliou achados no potencial evocado somatossensitivo. A não reatividade e/ou a ausência de ondas N20 no potencial evocado somatossensitivo depois de 72 horas implica lesão neurológica grave, com taxa nula de falso-positivo. Outros achados, como ausência de reflexo corneano em 24 a 48 horas após a PCR e respostas motoras como decorticação e mioclonia ou a ausência dessas em 72 horas, também estiveram relacionados com mau prognóstico neurológico com boa acurácia.[12]

Deve ser dado destaque para a área motora, por ser um método seguro para a detecção de mau prognóstico neurológico, principalmente após 72 horas da PCR.[12]

Quanto aos marcadores sanguíneos que possam ter relação com prognósticos da PCR, ainda não há confiabilidade em nenhum destes 48 a 72 horas antes do diagnóstico de PCR, e há apenas uma fraca recomendação para o uso da enolase específica de neurônios, uma vez que sua precisão ainda é questionado.[12]

Já a ressonância magnética pode também ser considerada entre o segundo e o sétimo dia, com a busca de áreas de difusão extensas para confirmar o mau prognóstico em pacientes que permanecem comatosos.[12]

■ ESTRATÉGIAS PÓS-PARADA CARDIORESPIRATÓTIA E RETORNO DA CIRCULAÇÃO ESPONTÂNEA EM PEDIATRIA

Vias Aéreas

É fundamental confirmar o correto posicionamento do tubo endotraqueal, devendo sempre ser checado e monitorizado por meio do uso de capnógrafo.[12]

Ventilação

É necessário evitar a hipoxemia e a hiperoxemia em pacientes comatosos depois do RCE. Assim, deve-se titular a fração inspirada de oxigênio (FiO_2) para um alvo de SpO_2 entre 94% a 99%.[17] Deve-se, também, objetivar uma $PaCO_2$ dentro dos limites de normocapnia, já que tanto a hipercapnia quanto a hipocapnia severas podem impactar negativamente o FSC.[17]

Circulação

Depressão miocárdica e instabilidade hemodinâmica são comuns pós-PCR em pediatria. Após o RCE, o uso parenteral de fluidos, vasopressores e/ou inotrópicos é recomendado para manutenção de pressão arterial sistólica acima do quinto percentil para a idade da criança.[17] Para tal objetivo, a monitorização contínua da pressão com cateter intra-arterial é recomendada.[17]

Neurológico

CDT

Em caso de crianças comatosas pós-PCR e RCE, é razoável tanto a manutenção de 5 dias de normotermia (36 °C a 37,5 °C) quanto o CDT com alvo de 32 °C a 34 °C pelos 2 primeiros dias seguido de 3 dias normotermia (36 °C a 37,5 °C).[17] A indução da hipotermia em crianças deve seguir métodos semelhantes aos já descritos para os adultos. A monitorização de temperatura central é recomendada durante esse período. Estudos tem sugerido que a ocorrência de febre pós-PCR em pediatria é comum e associada a mau prognóstico neurológico. A febre (temperatura ≥ 37,7 °C) deve ser tratada agressivamente.[17,18]

Diagnóstico e controle das convulsões

A ocorrência de convulsões, de EENC e de outras formas de atividade epileptiforme entre pacientes comatosos pós-PCR e RCE também é comum em pediatria e está associada a piores desfechos neurológicos. A utilização do EEG de forma contínua, assim como a participação da equipe de neuropediatria para sua realização e interpretação, é recomendada.[17] O objetivo é o tratamento com anticonvulsivantes visando a interrupção de qualquer atividade convulsiva no EEG.[17]

Controle glicêmico

Baixos níveis de glicemia estão associados a um maior risco de injúria cerebral principalmente em neonatos, enquanto níveis mais elevados podem ser protetores nessa subpopulação pediátrica.[19] Entretanto, não é possível a recomendação de nenhum alvo glicêmico específico em pediatria, porém uma tolerância de níveis mais elevados em neonatologia parece ser mais segura.[18,19]

Neuroprognóstico

O estabelecimento precoce e confiável de um neuroprognóstico em crianças que sobreviveram a uma PCR é essencial para guiar o tratamento e promover suporte aos familiares. Especialistas utilizam as características dos pacientes, exame neurológico, exames laboratoriais, exames de imagem (tomografia computadorizada e ressonância nuclear magnética), marcadores séricos e EEG para estabelecer prognóstico. Até o momento, nenhum deles isoladamente consegue predizer desfechos favoráveis ou desfavoráveis num intervalo de 24 a 48 horas pós-RCE. Por isso, eles devem ser analisados em conjunto.[17] EEGs apresentando traçados reativos e contínuos foram associados a desfecho neurológico favorável na alta hospitalar em pediatria. Ao contrário, traçados isoelétricos e descontínuos foram relacionados a desfechos ruins.[17,18] Valores elevados de lactato sérico, nas primeiras 24 horas também têm sido relacionados a mau prognóstico.[17]

No caso de reanimação após afogamento, tempos curtos de submersão estão associados a melhores desfechos em crianças. Apesar disso, não existe associação clara entre a idade da criança, o tipo ou a temperatura da água, o intervalo de chegada do serviço de emergência ou o afogamento ser testemunhado ou não com o prognóstico neurológico.[17]

■ CONSIDERAÇÕES FINAIS

Um dos principais objetivos dos cuidados pós-RCP e RCE é minimizar a injúria cerebral do paciente. Para tal, a otimização da pressão de perfusão cerebral, o manuseio correto dos níveis sanguíneos de O_2 e CO_2, o controle da temperatura central e a detecção e tratamento das convulsões são prioritários. A PCR também leva a lesões isquêmicas heterogêneas em outros sistemas, podendo levar à morte por choque e falência de múltiplos órgãos. Em razão da complexidade em que se apresentam os pacientes nesse cenário clínico, uma equipe multidisciplinar com *expertise* em cuidados pós-RCP e o desenvolvimento de protocolos baseados nas evidências científicas são essenciais para melhorar a sobrevida e os desfechos neurológicos desses pacientes.[1]

REFERÊNCIAS

1. Panchal AR, Barots JA, Cabañas, Donnino MW, Drennan IR, Hirsch KG, et al. Part 3: Adult Basic and Advanced Life Support: 2020 American Heart Association Guidelines for Cardiopulmonary Resuscitation and Emergency Cardiovascular Care. Circulation. 2020;142(16-suppl.2):S366-S468.
2. Nolan JP, Sandroni C, Böttiger BW, Cariou A, Cronberg T, Friberg H, et al. European Resuscitation Council and European Society of Intensive Care Medicine guidelines 2021: post-resuscitation care. Intensive Care Med. 2021;47(4):369-421.
3. Kang Y. Management of post-cardiac arrest syndrome. Acute Crit Care. 2019;34(3):173-178.
4. Link MS, Berkow LC, Kudenchuk PJ, Halperin HR, Hess EP, Moitra VK, et al. Part 7: Adult Advanced Cardiovascular Life Support: 2015 American Heart Association Guidelines Update for Cardiopulmonary Resuscitation and Emergency Cardiovascular Care. Circulation. 2015; 132(18 suppl 2):S444-S464.
5. Laver S, Farrow, C Turner D, Nolan J. Mode of death after admission to an intensive care unit following cardiac arrest. Intensive Care Med. 2004;30(11):2126-2128.
6. Sandroni C, Cronberg, Sekhon. Brain injury after cardiac arrest: pathophysiology, treatment, and prognosis. Intensive Care Med. 2021;47(12):1393-1414.
7. Lazzarin T, Tonon CR, Martins D, Fávero EL Jr, Baumgratz TD, Pereira FWL, et al. Post-Cardiac Arrest: Mechanisms, Management, and Future Perspectives. J Clin Med. 2022;12(1):259.
8. Van den Brule JMD, van der Hoeven JG, Hoedemaekers CWE. Cerebral Perfusion and Cerebral Autoregulation after Cardiac Arrest. Biomed Res Int. 2018;2018:4143636.
9. Haglund M, Lindberg E, Englund E. Hippocampus and basal ganglia as potential sentinel sites for ischemic pathology after resuscitated cardiac arrest. Resuscitation. 2019;139:230-233.
10. Venkatesan A, Frucht S. Movement disorders after resuscitation from cardiac arrest. Neurol Clin. 2006;24(1):123-132.
11. Geocadin RG, Koenig MA, Jia X, Stevens RD, Peberdy MA. Management of brain injury after resuscitation from cardiac arrest. Neurol Clin. 2008;26(2):487-506.
12. Brandão ACA, Vane MF. Cuidados Pós-Resusscitação in Albuquerque MAC, Nascimento JS, Leal PC, Brandão ACA. Suporte Avançado de Vida em Anestesia-Manual., 1ª edição Rio de Janeiro:Editora Sociedade Brasileira de Anestesiologia (SBA),2022, p.81-88.
13. Rech TH, Vieira SRR. Mild therapeutic hypothermia after cardiac arrest: mechanism of action and protocol development. [Hipotermia Terapêutica em Pacientes Pós-Parada Cardiorrespiratória: Mecanismos de Ação e Desenvolvimento de Protocolo Assistencial]. Rev Bras Ter Intensiva. 2010;22(2):196-205.
14. Callaway CW, Donnino MW, Fink EL, Geocadin RG, Golan E, Kern KB, et al. Part 8: Post-Cardiac Arrest Care: 2015 American Heart Association Guidelines Update for Cardiopulmonary Resuscitation and Emergency Cardiovascular Care. Circulation. 2015;132(18 suppl 2):S465-S482.
15. Pichon N, Amiel JB, François B, Dugard A, Etchecopar C, Vignon P. Efficacy of and tolerance to mild induced hypothermia after out-of-hospital cardiac arrest using an endovascular cooling system. Crit Care. 2007;11(3):R71.
16. Andremont O, du Cheyron D, Terzi N, Daubin C, Seguin A, Valette X, et al. Endovascular cooling versus standard femoral catheters and intravascular complications: A propensity-matched cohort study. Resuscitation. 2018;124:1-6.
17. Topijan AA, Raymond TT, Atkins D, Chan M, Duff JP, Joyner BL Jr, et al. Part 4: Pediatric Basic and Advanced Life Support: 2020 American Heart Association Guidelines for Cardiopulmonary Resuscitation and Emergency Cardiovascular Care. Circulation. 2020;142(16-suppl-2):S469-S523.
18. De Caen AR, Berg MD, Chameideset L, Gooden CK, Hickey RW, Scott HF, et al. Part 12: Pediatric Advanced Life Support: 2015 American Heart Association Guidelines Update for Cardiopulmonary Resuscitation and Emergency Cardiovascular Care. Circulation. 2015; 132(18 suppl 2):S526-S542.
19. Wyckoff MH, Wyllie J, Aziz K, de Almeida MF, Fabres J, Fawke J, et al. Neonatal Life Support: 2020 International Consensus on Cardiopulmonary Resuscitation and Emergency Cardiovascular Care Science with Treatment Recommendations. Circulation. 2020;142(16-suppl-1):S185-S221.

Parte **30**

Terapia Intensiva

Transporte Intra-hospitalar do Paciente Crítico

Macius Pontes Cerqueira ▪ Guilherme Oliveira Campos ▪ Luiz Alberto Vicente Teixeira

INTRODUÇÃO

Nas últimas décadas, o avanço na qualidade da assistência multiprofissional aos doentes hospitalizados mudou o perfil de gravidade e o tempo de permanência hospitalar dessa população. Houve um crescimento do número de leitos e unidades destinados à prática da medicina intensiva. Em paralelo a isso, houve aumento da necessidade de exames diagnósticos e procedimentos terapêuticos em pacientes dependentes de suporte avançado de vida. Esse novo perfil demográfico hospitalar trouxe os procedimentos mais ordinários, como ultrassonografia, endoscopias digestivas e ecocardiografia para dentro das unidades intensivas. Alguns procedimentos cirúrgicos como gastrostomias e traqueostomias também passaram a ser realizados rotineiramente nessas unidades. O fluxo hospitalar de doentes críticos para os diversos setores de diagnóstico por imagem (tomografia e ressonância magnética) e intervencionistas (centro cirúrgico e setor de hemodinâmica) tornou-se rotineiro e o transporte de pacientes críticos está cada dia mais frequente e desafiador.[1]

O transporte intra-hospitalar (TIH) pode gerar um período de instabilidade e riscos para o paciente crítico, com possibilidade de alterações fisiológicas e ocorrência de falhas técnicas. Ele requer adequada indicação, organização, planejamento e adoção de rotinas, a fim de minimizar os riscos, evitar complicações e assegurar a integridade e o conforto do paciente.[2,3] Nesse contexto, é necessário um time multidisciplinar (médico, enfermeiro, fisioterapeuta) treinado e habilitado nas competências que envolvem os processos das diversas fases do transporte e a comunicação eficaz entre os profissionais e setores envolvidos.[1]

Grande parte das condutas adotadas para o TIH do doente crítico provém dos conhecimentos adquiridos por meio do desenvolvimento da medicina de transporte inter-hospitalar. Entretanto, nos últimos anos, uma literatura específica ao contexto intra-hospitalar tem sido publicada, permitindo melhor compreensão dos principais mecanismos fisiopatológicos, como a mobilização do doente grave, mudança de decúbito, movimentos de aceleração e desaceleração, e as possíveis repercussões respiratórias, cardiocirculatórias, neurológicas, psicológicas, dor, além do reconhecimento dos múltiplos fatores de risco.[1,2] Quanto maiores a gravidade do doente e a complexidade do suporte terapêutico, mais desafiador e arriscado é o transporte.

▪ TIPOS DE TRANSPORTE INTRA-HOSPITALAR

Didaticamente, pode-se dividir o TIH de pacientes em dois tipos: o transporte do doente não crítico e o do doente crítico. O que caracteriza um paciente como crítico é a presença de disfunção ou falência orgânica em um ou mais órgãos ou sistemas, com necessidade de meios avançados de suporte terapêutico e de monitorização.[4]

O transporte de paciente não crítico entre unidades de internação ou destas para setores de exames diagnósticos (tomografia, ressonância, endoscopia digestiva, hemodinâmica) ou terapêuticos (centro cirúrgico) não requer monitorização nem a presença de médico. Por não envolver maiores riscos, geralmente é realizado com o paciente numa maca ou numa cadeira de rodas. E ele deve obedecer às políticas institucionais voltadas ao fluxo de pacientes.[4]

Já o transporte do doente crítico requer indicação relevante (possibilidade de mudança de conduta e prognóstico) e condições adequadas para que o deslocamento do paciente aconteça de forma segura e confortável. Boa parte das condutas sobre esse tema provém dos conhecimentos adquiridos da medicina de transporte inter-hospitalar como a evolução tecnológica dos equipamentos que integram esse tipo de procedimento (macas, monitores, ventiladores, sistemas de infusão), emprego de baterias com mais tempo de autonomia e a implementação dos registros de prontuário tipo *checklist*.[2]

Foi apenas nos últimos 15 anos é que cresceu o número de publicações sobre TIH e aumentou o interesse das instituições em aderir às políticas específicas voltadas à segurança nesse procedimento. Exames diagnósticos como tomografia computadorizada, ressonância magnética, exames angiográficos são as principais indicações. Dentre as intervenções terapêuticas, cirurgias como videolaparoscopias e laparotomias e os procedimentos intervencionistas de hemodinâmica são os mais citados.

Pacientes com alta das unidades críticas, ou seja, que já não dependem de suporte ventilatório total ou parcial ou de aminas vasoativas, deverão ser transportados para unidades semiabertas ou abertas. Nesse caso, o transporte é simples e exige, por vezes, apenas monitorização básica (eletrocardiografia, oximetria de pulso e pressão arterial não invasiva). A presença do médico no time não é imprescindível, e este pode ser composto apenas por enfermeira e técnico de enfermagem. Mantêm-se as condutas de comunicação eficaz entre as equipes dos locais de origem e de destino, e de registros no prontuário.

■ ALTERAÇÕES FISIOLÓGICAS NO TRANSPORTE

O TIH pode influenciar negativamente a condição clínica de pacientes críticos de maneira direta ou indireta. A mobilização do paciente durante o transporte, com mudanças posturais, aceleração e desaceleração, pode induzir a dor, além de causar repercussões respiratórias, hemodinâmicas, neurológicas e psicológicas.[1,5,6]

A mudança de ambiente, habitualmente para local com recursos menos avançados, mudanças de equipamentos (ventilador, bombas de infusão etc.), a troca de leito, a presença de barulho e o procedimento em si são também fontes de desconforto que podem gerar estresse fisiológico adicional nesses doentes.[1,7]

■ EVENTOS ADVERSOS E FATORES DE RISCO NO TRANSPORTE INTRA-HOSPITALAR

Uma série de eventos adversos pode ocorrer durante o TIH de um paciente crítico. A definição de evento adverso e a estratificação de gravidade desses eventos são variáveis na literatura, e por esse motivo a sua incidência também é muito discrepante entre os diferentes estudos. A incidência global de eventos adversos pode chegar a até 79%, enquanto os eventos adversos considerados graves ocorrem de 4,2% a 16%. Parada cardíaca é descrita em 0,1% a 1,6% dos transportes.[1,8-10]

Os eventos considerados "menores" e facilmente solucionáveis são: agitação, retirada acidental de sonda nasogástrica, vômitos, incidentes em acessos venosos (desconexão ou obstrução por trombos), deslocamento acidental de sonda vesical, desconexão de tubo traqueal prontamente identificada e sem hipoxemia. Já os eventos considerados como "maiores" ou graves são todos aqueles que necessitam de diagnóstico e de alguma intervenção terapêutica imediata, por exemplo: a queda da saturação arterial de oxigênio, extubação acidental, remoção acidental de cateter venoso central, desconexão de dreno torácico, hipotensão arterial grave (ex.: pressão arterial sistólica < 90 mmHg por mais de 1 minuto), arritmia, aumento da pressão intracraniana e parada cardíaca.[8-10]

Podem ainda existir os eventos adversos relacionados aos equipamentos, como por exemplo, o mau funcionamento do ventilador de transporte, problemas no suprimento de oxigênio ou da fonte de energia, problemas com o monitor multiparamétrico ou com as bombas de infusão.[10]

Os fatores de risco relacionados ao TIH podem ser classificados em quatro categorias: relacionados aos equipamentos, ao time de transporte, à organização do transporte ou ao quadro clínico do paciente (Tabela 205.1).

Fatores de Risco Relacionados aos Equipamentos do Transporte

Grande parte dos pacientes críticos submetidos a TIH encontra-se sob assistência ventilatória artificial total ou parcial.[5,6,9,11] A ventilação mecânica por si só é um importante fator de risco para eventos adversos relacionados ao

---

Tabela 205.1 Fatores de risco para o transporte intra-hospitalar do paciente crítico.

Fatores de risco			
Equipamentos	**O time**	**Organização**	**O paciente**
Suprimento inadequado de gases e de bateria	Falta de treinamento periódico	Falta de planejamento	Gravidade do quadro clínico (instabilidade hemodinâmica, trocas gasosas ruins, HIC)
Ajuste inadequado do ventilador	Pouca experiência	Inadequação da rota	
Número elevado de linhas e bombas de infusão	Comunicação ineficaz	Comunicação ineficaz entre equipes e setores	Ventilação mecânica e pressões elevadas de vias aéreas
Kit de medicações insuficiente ou ausente	Inexperiência com ventilação e manejo de via aérea	Ausência de registros	Uso de fármacos vasoativos
Maca inadequada	Inexperiência com suporte avançado de vida	Inadequação do setor de destino	Sedação inadequada
Equipamentos adicionais como: BIA, ECMO etc.			Mau posicionamento e fixação de acessos venosos e arteriais, tubo traqueal e de drenos
			Linhas venosas inadequadas

BIA: balão intra-aórtico; ECMO: *extracoporeal membrane oxigenation*; HIC: hipertensão intracraniana.

transporte. Intercorrências com os dispositivos de via aérea (mal posicionamento de tubo traqueal ou extubação), reserva insuficiente de oxigênio e parâmetros mal ajustados do ventilador mecânico, com dificuldade de adaptação do paciente, estão entre os problemas mais comuns.

Alguns estudos correlacionam diretamente o número de bombas e linhas de infusão com aumento do risco de evento adverso relacionado a equipamentos no transporte.[11,12]

Fatores de Risco Relacionados ao Time de Transporte

O principal fator de risco identificado com relação às competências dos profissionais (médico, enfermeiro, fisioterapeuta e técnico de enfermagem) é a ausência de treinamento periódico nos processos que envolvem o transporte.[6,13] Recomenda-se, inclusive, a capacitação em suportes básico e avançado de vida para todos os profissionais. Outro fator considerado é a experiência desses profissionais. Quanto menor a experiência, maior a incidência dos eventos adversos.[8,9,11]

Recentemente, estudos avaliaram a efetividade da implementação de uma equipe especializada (time de resposta rápida) para o TIH de pacientes críticos. Essa medida, no entanto, não resultou em redução da ocorrência de eventos adversos.[13,14]

Fatores de Risco Relacionados à Organização do Transporte

A falta de planejamento, comunicação eficaz, adequação do trajeto a ser percorrido e preparo do ambiente de destino pode aumentar o tempo de duração do transporte e predispor à ocorrência de eventos adversos.[1,9,15,16] Nas situações de emergência e instabilidade, a pressa na organização do transporte pode levar a maior incidência de eventos adversos durante o TIH.[9,15]

Fatores de Risco Relacionados ao Paciente

A condição clínica do paciente é considerada o principal dentre todos os fatores de risco, isoladamente. Quanto maior a gravidade do doente e a complexidade do suporte intensivo, maior o risco desses eventos. Indicadores de gravidade, como a quantidade de bombas de infusão,[6,12] o uso de catecolaminas,[17] o emprego de pressões inspiratória e expiratória elevadas no ventilador[16] e emergência, estão correlacionados a eventos adversos graves.[6,11]

Adicionalmente, pacientes submetidos ao TIH parecem apresentar maior incidência de pneumonia associada à ventilação mecânica (PAV), bem como piora do quadro respiratório devido ao habitual aumento da FiO_2 durante o transporte e a sua conhecida associação à formação de atelectasia e lesão pulmonar aguda.[8,9]

■ ORGANIZAÇÃO E EXECUÇÃO DO TRANSPORTE

Sociedades e associações de especialidades nas áreas de medicina intensiva, anestesiologia e emergência têm elaborado diretrizes e recomendações para tornar o TIH mais seguro, minimizando o risco de eventos adversos. De fato, nas últimas décadas, a incidência de eventos adversos graves

vem reduzindo,[1,12-17] apesar de ainda ser considerada elevada em algumas casuísticas recentes.[6,10,11]

Essas recomendações envolvem desde os momentos que antecedem o transporte, com estabilização do paciente e preparação de todo o aparato necessário, passando por adequadas condutas durante a realização do transporte, até as medidas tomadas após o retorno do paciente à unidade de origem.

■ FASES DO TRANSPORTE
Indicação do Transporte

O transporte é um período de instabilidades e riscos para o paciente crítico, com possibilidade de intercorrências. A sua indicação é médica e deve considerar a condição clínica do paciente, os riscos relacionados e os prováveis benefícios do procedimento a ser realizado. A necessidade do procedimento diagnóstico ou terapêutico deve possibilitar uma mudança de conduta terapêutica, com o objetivo de melhorar o desfecho. Portanto, os benefícios esperados devem se sobrepor aos riscos. Há duas décadas, Caruana e col. evidenciaram que em apenas 24% a 39% dos casos de transporte realizados para exames diagnósticos houve mudança na condução clínica, portanto a maioria dos transportes realizados poderia ter sido evitada, sem prejuízo.[18]

Atualmente, alguns procedimentos diagnósticos e terapêuticos como ultrassonografia, ecocardiografia, endoscopia digestiva, traqueostomia e gastrostomia são realizados com segurança num leito de terapia intensiva, minimizando a exposição do paciente crítico ao risco do transporte.[19-23]

Planejamento do Transporte

Organizar, planejar e comunicar, para então agir, são processos mandatórios para a segurança e o conforto do doente. Definir o time multiprofissional adequado e treinado. A comunicação entre os profissionais do time, da unidade de origem para os facilitadores (desobstruir o trajeto e segurar elevador) e entre a unidade de origem e a de destino deve ser clara e eficaz.

Para a realização do transporte de um paciente crítico é importante uma estabilização prévia da sua condição clínica, reduzindo o risco de eventos adversos relacionados ao paciente. Faz parte da estabilização clínica um adequado ajuste do modo ventilatório, a otimização da sedação, caso necessário, e o ajuste da condição hemodinâmica (reposição volêmica e dose de fármacos vasoativos) para que se reduza a necessidade de intervenções durante o transporte.

Quando possível, é interessante reduzir a quantidade de bombas de infusão para o transporte. Aminas vasoativas, sedativos, nutrição parenteral, quando utilizados, devem assegurar a continuidade das infusões. Não obstante, outras terapias não essenciais podem, eventualmente, ter suas administrações transitoriamente descontinuadas.

Verificar o adequado posicionamento e fixação de sondas, drenos, tubo traqueal e acessos venosos pode minimizar a necessidade de realizar procedimentos em condições desfavoráveis.

Alguns estudos mostram que muitas das complicações associadas a erro humano ou a falha de equipamentos são evitáveis.[11,15,17,24] A antecipação desses problemas é fundamental durante a preparação para transportar um paciente grave. Assegurar uma reserva de oxigênio adequada, número suficiente de profissionais de saúde envolvidos no transporte, materiais e medicamentos necessários para tratar as intercorrências (maleta de transporte), e a adequada condição do local de destino (aspiradores, pontos de oxigênio, desfibriladores etc.) são pré-requisitos essenciais.

Execução do Transporte

Após a indicação, planejamento e preparo do paciente, espera-se que o transporte transcorra de modo tranquilo, seguro e rápido. Ainda assim, diversos cuidados são necessários.

Nessa fase, a monitorização e a avaliação clínica do paciente deverão ser constantes, dada a possibilidade de intercorrências como falhas técnicas, alterações fisiológicas do paciente e prolongado tempo de transporte. A monitorização básica é constituída pelas medidas da pressão arterial (invasiva ou não invasiva), frequência respiratória, saturação periférica de oxigênio (SpO$_2$) e eletrocardiografia contínua.[2] Nos pacientes sob ventilação mecânica, a monitorização da pressão expirada final de gás carbônico (PEtCO$_2$) está associada a menor incidência de complicações e deve ser utilizada sempre que disponível.[1] É recomendado o registro periódico (a cada 15 a 20 minutos) dos parâmetros monitorizados durante todo o transporte.[2,25]

A adequada monitorização permite ajustes no suporte ventilatório e circulatório, na sedação e analgesia, no intuito de manter o paciente o mais próximo possível da sua condição basal. Em algumas situações, pode haver necessidade do emprego de bloqueador neuromuscular para melhor ajuste da ventilação mecânica.[1,25]

Nos últimos anos, foram desenvolvidas macas específicas para transporte de pacientes críticos, sendo observada redução no tempo de preparo dos pacientes e da necessidade de profissionais envolvidos no transporte, porém ainda sem evidências de redução dos eventos adversos.[1,26,27]

A utilização de ventiladores mecânicos específicos para transporte já é uma realidade em alguns hospitais, e tem superioridade comprovada quando comparada com ventilação manual.[28] Esses aparelhos permitem a manutenção da maior parte dos parâmetros que estão sendo utilizados no paciente dentro da UTI, com diferentes modos ventilatórios, adequado volume corrente, PEEP, FiO$_2$, pressão de via aérea, além de disporem de monitores e alarmes para quase todos esses parâmetros.

Durante todo o período de transporte, deve-se estar atento ao adequado funcionamento dos equipamentos (monitores, bombas de infusão, ventilador etc.), alarmes e carga de suas baterias. Logo que possível, esses equipamentos devem ser religados à rede de energia elétrica.

Finalização do Transporte e Fase Imediata Pós-Transporte

Ao retornar à unidade de origem, o paciente é reconectado a monitores, ventilador e bombas que foram transitoriamente desinstalados. Nessa fase, a atenção da equipe aos procedimentos e processos é fundamental.

Muitas vezes, a equipe que realizou o transporte é diferente da equipe que vai receber o paciente nas diferentes unidades. Uma comunicação efetiva é essencial para a continuidade da assistência, de forma que deve ser registrado em prontuário a transferência do cuidado entre as equipes.[2]

Por mais cuidadoso e bem-sucedido que tenha sido o transporte, não é infrequente o paciente apresentar alterações no quadro respiratório e hemodinâmico. Uma vez retornando à unidade de origem, o quadro clínico deve ser reestabilizado o mais breve possível. As complicações relacionadas ao transporte podem acontecer até quatro horas após o seu término, por isso a vigilância é mandatória.[2]

Após a readmissão do paciente e tendo sido feitos os procedimentos mais urgentes, é importante lembrar de reiniciar as condutas terapêuticas temporariamente interrompidas como dieta enteral, controle glicêmico, antibióticos e outros. Um formulário de registros do transporte deve ser preenchido, finalizado e anexado ao prontuário do paciente.

Finalizados os processos, todo o material e equipamentos de transporte deverão ser reabastecidos, a fim de minimizar o risco de eventos adversos num procedimento futuro.[25]

■ CHECKLIST DO TRANSPORTE DE PACIENTES CRÍTICOS

A partir dos conhecimentos adquiridos quanto aos eventos adversos associados ao TIH e seus riscos, torna-se necessária uma padronização dos procedimentos relacionados ao transporte.

A aplicação de *checklist* para os períodos de antes, durante e depois do transporte é amplamente recomendada pela maioria dos estudos.

Em uma publicação recente,[25] foram revisados os principais trabalhos que propõem modelos de *checklist* para TIH. A partir dessa revisão, os autores elaboraram e validaram um novo *checklist*, adaptado para o português nas **Figuras 205.1** e **205.2**.

■ CONSIDERAÇÕES FINAIS

Atualmente, surgem novos horizontes para o TIH. Os avanços no campo da arquitetura hospitalar têm acompanhado essas crescentes demandas. Instituições modernas têm adotado plantas e elevadores que permitem a realização desses deslocamentos de forma mais fácil e breve, com mais conforto e segurança para o paciente e para o time multiprofissional. A tecnologia de novos equipamentos (ventiladores, bombas de infusão e módulos multiparamétricos com *wireless*) permite que estes acompanhem o paciente durante todo o período de internação em unidades fechadas sem que haja necessidade das trocas de cabos ou conexões. O surgimento de equipamentos parcial ou totalmente compatíveis com o campo eletromagnético das salas de ressonância possibilita a realização desse exame nos doentes mais graves. Por fim, a adoção de políticas de qualidade e segurança, tanto nas práticas assistenciais quanto nos registros de prontuário e na aplicação dos termos de consentimento esclarecido com o envolvimento de familiares ou responsáveis legais.

LADO 1

Identificação do Paciente	Data	(dd/mm/ano)	_ / _ / _
	Início do transporte	(hh:mm)	_ : _
	Retorno à UTI	(hh:mm)	_ : _

Procedimento

( ) TC	( ) RM	( ) Hemodinâmica
( ) Cirurgia	( ) Outro: _____	

Propósito do transporte

( ) Diagnóstico	( ) Intervenção
( ) Diagnóstico e intervenção	

Pré-transporte

Equipamentos/Materiais	Sim	Não	N/A
Maleta de transporte			
Equipamentos carregados			
Desfibrilador			
Bolsa-Valva-Máscara			
Nível de oxigênio adequado			
Bombas de infusão necessárias			
Comprimento dos equipos adeq.			

Medicações	Sim	Não	N/A
Medicações venosas suficientes			
Sedativos adicionais			
Inotrópicos/aminas adicionais			
Medicações adicionais			
Bomba de infusão adicional			
Fluidos IV adicionais			
Interromper nutrição enteral			
Interromper infusão de insulina			

Se uso de contraste	Sim	Não	N/A
Acesso venoso, agulha > 20G			
Proteção renal iniciada			
Contraste oral administrado			

Monitor	Sim	Não	N/A
$P_{ET}CO_2$ presente			
Alarmes ajustados			

Ventilador de transporte	Sim	Não	N/A
Oxigênio ligado			
Filtro bacteriano			
Alarmes ajustados			

Posicionamento do TOT (cm)

Administrativo	Sim	Não	N/A
Sinais vitais iniciais			
Informado setor de destino			
Adequado para RM			

◄ **Figura 205.1** Modelo de *Checklist.*
N/A: não se aplica; IV: intravenoso; TC: tomografia computadorizada; RM: ressonância magnética; TOT: tubo orotraqueal.
Fonte: Adaptada de Brunsveld-Reinders, *et al.*, 2015.[25]

LADO 2

No local de destino	Sim	Não	N/A
Conectou oxigênio			
Conectou ar comprimido			
Desligou oxigênio do transporte			
Equipamentos ligados na rede elétrica			
Monitor visível durante procedimento			

Medicações e fluidos administrados

Medicação	Dose	Fluido IV	ml
		Salina	
		Ringer Lac	
		Coloide	

Sinais vitais	Pré transporte	20 min	40 min	60 min	Pós-transporte
FC					
PA					
PAM					
PVC					
PAP					
Modo ventilatório					
FiO_2					
PFFP					
Freq respiratória					
Volume corrente					
$Sp O_2$					
$P_{ET}CO_2$					
Glasgow					
Pupilas D/E					

Pós-transporte

Conexão ao paciente	Sim	Não	N/A
Ligar oxigênio			
Parar sedativos adicionais			
Reiniciar dieta enteral			
Reiniciar infusão de insulina			
Rever níveis de medicações IV			

Maca de transporte	Sim	Não	N/A
Reabastecer maleta de transporte			
Trocar cilindro de O_2 se < 50 bar			
Trocar filtro antibacteriano			
Conectar equipamentos na rede elétrica			
Descrever transporte em prontuário			
Trocar aspirador, se usado			
Relatar incidentes			

Observações:

Médico (a): _____

Enfermeiro (a): _____

◄ **Figura 205.2** Modelo de *Checklist.*
N/A: não se aplica; IV: intravenoso; FC: frequência cardíaca; PA: pressão arterial; PAM: pressão arterial média; PVC: pressão venosa central; PAP: pressão de artéria pulmonar.
Fonte: Adaptada de Brunsveld-Reinders, *et al.*, 2015.[25]

REFERÊNCIAS

1. Fanara B, Manzon C, Barbot O, et al. Recommendations for the intra-hospital transport of critically ill patients. Critical care. 2010;14(3):R87.
2. Agizew TB, Ashagrie HE, Kassahun HG, et al. Evidence-Based Guideline on Critical Patient Transport and Handover to ICU. Anesthesiology Research and Practice. 2021:6618709.
3. Meneguin S, Alegre PHC, Luppi CHB. Characterization of the intrahospital transport of critically ill patients. Acta Paul Enferm. 2014;27(2):115-119.
4. Lacerda MA, Cruvinel MGC, Silva WV. Transporte de pacientes: intra-hospitalar e inter-hospitalar. Curso de Educação a Distância em Anestesiologia – CEC/SBA. VII: Sociedade Brasileira de Anestesiologia, 2007. p.105-123.
5. Gillman L, Leslie G, Williams T, et al. Adverse events experienced while transferring the critically ill patient from the emergency department to the intensive care unit. Emergency Medicine Journal. Emerg Med J. 2006;23(11):858-861.
6. Lahner D, Nikolic A, Marhofer P, et al. Incidence of complications in intrahospitalhospital transport of critically ill patients--experience in an Austrian university hospital. Wien Klin Wochenschr. 2007;119(13-14):412-416.
7. Kue R, Brown P, Ness C, et al. Adverse clinical events during intrahospital transport by a specialized team: a preliminary report. Am J Crit Care. 2011;20(2):153-161; quiz 62.
8. Veiga VC, Postalli NF, Alvarisa TK, et al. Adverse events during intrahospital transport of critically ill patients in a large hospital. Rev Bras Ter Intensiva. 2019;31(1):15-20.
9. Jia L, Wang H, Gao Y, et al. High incidence of adverse events during intra-hospital transport of critically ill patients and new related risk factors: a prospective, multicenter study in China. Crit Care. 2016; 20(12).
10. Parmentier-Decrucq E, Poissy J, Favory R, et al. Adverse events during intrahospital transport of critically ill patients: incidence and risk factors. Ann Intensive Care. 2013;3(1):10.
11. Papson JP, Russell KL, Taylor DM. Unexpected events during the intrahospital transport of critically ill patients. Acad Emerg Med. 2007;14(6):574-577.
12. Doring BL, Kerr ME, Lovasik DA, et al. Factors that contribute to complications during intrahospital transport of the critically ill. J Neurosci Nurs. 1999;31(2):80-86.
13. Kwack WG, Yun M, Lee DS, et al. Effectiveness of intrahospital transportation of mechanically ventilated patients in medical intensive care unit by the rapid response team: A cohort study. Medicine (Baltimore). 2018;97(48):e13490.
14. Min HJ, Kim HJ, Lee DS, et al. Intra-hospital transport of critically ill patients with rapid response team and risk factors for cardiopulmonary arrest: A retrospective cohort study. PLoS One. 2019;14(3):1-13.
15. Beckmann U, Gillies DM, Berenholtz SM, et al. Incidents relating to the intra-hospital transfer of critically ill patients. An analysis of the reports submitted to the Australian Incident Monitoring Study in Intensive Care. Intensive Care Med. 2004;30(8):1579-1585.
16. Damm C, Vandelet P, Petit J, et al. Complications durant le transport intrahospitalier de malades critiques de réanimation [Complications during the intrahospital transport in critically ill patients]. Ann Fr Anesth Reanim. 2005;24(1):24-30.
17. Lovell MA, Mudaliar MY, Klineberg PL. Intrahospital transport of critically ill patients: complications and difficulties. Anaesth Intensive Care. 2001;29(4):400-405.
18. Caruana M, Culp K. Intrahospital transport of the critically ill adult: a research review and implications. Dimens Crit Care Nurs. DCCN. 1998;17(3):146-156.
19. Butler WE, Piaggio CM, Constantinou C, et al. A mobile computed tomographic scanner with intraoperative and intensive care unit applications. Neurosurgery. 1998;42(6):1304-1310; discussion 1310-1.
20. Goldman RK. Minimally invasive surgery. Bedside tracheostomy and gastrostomy. Crit Care Clin. 2000;16(1):113-130.
21. Lichtenstein DA, Lascols N, Meziere G, et al. Ultrasound diagnosis of alveolar consolidation in the critically ill. Intensive Care Med. 2004;30(2):276-281.
22. Onders RP, McGee MF, Marks J, et al. Natural orifice transluminal endoscopic surgery (NOTES) as a diagnostic tool in the intensive care unit. Surg Endosc. 2007;21(4):681-683.
23. Porter JM, Ivatury RR, Kavarana M, et al. The surgical intensive care unit as a cost-efficient substitute for an operating room at a Level I trauma center. Am Surg. 1999;65(4):328-330.
24. Shirley PJ, Bion JF. Intra-hospital transport of critically ill patients: minimising risk. Intensive Care Med. 2004;30(8):1508-1510.
25. Brunsveld-Reinders AH, Arbous MS, Kuiper SG, et al. A comprehensive method to develop a checklist to increase safety of intra-hospital transport of critically ill patients. Crit Care. 2015;19(1):214.
26. Holst D, Rudolph P, Wendt M. Mobile workstation for anaesthesia and intensive-care medicine. Lancet. 2000;355(9213):1431-1432.
27. Velmahos GC, Demetriades D, Ghilardi M, et al. Life support for trauma and transport: a mobile ICU for safe in-hospital transport of critically injured patients. J Am Coll Surg. 2004;199(1):62-68.
28. Nakamura T, Fujino Y, Uchiyama A, et al. Intrahospital transport of critically ill patients using ventilator with patient-triggering function. Chest. 2003;123(1):159-164.

206

Suporte Intensivo Pós-operatório

Suzana Margareth Lobo ▪ Neymar Elias de Oliveira ▪ Francisco Ricardo Marques Lobo

INTRODUÇÃO

As taxas de morbimortalidades, embora decrescentes, ainda são altas nos pacientes cirúrgicos de maior risco submetidos a cirurgias de médio ou grande porte, no Brasil e no mundo.[1-3] As complicações perioperatórias são comuns nesses pacientes e estão associadas a maior tempo de permanência na UTI, maior mortalidade e maiores custos.[2-4] A admissão em unidade de terapia intensiva (UTI) é indicada para pacientes com condições potencialmente recuperáveis que podem se beneficiar de monitorização contínua e cuidado especializado.[5,6] No suporte intensivo pós-operatório, fluidos e vasopressores são as principais medidas de suporte e devem ter seu uso adequados às necessidades e reserva cardiorrespiratória do paciente. O objetivo deste capítulo é indicar os melhores índices de monitorização e metas terapêuticas para obtenção de melhores resultados.

MONITORIZAÇÃO NA UTI

Exame Físico

De acordo com opiniões e consenso de especialistas, durante o choque circulatório devemos usar todas as ferramentas disponíveis para orientar a ressuscitação, principalmente em setores com menos recursos. Variáveis facilmente disponíveis como frequência cardíaca (FC), pressão arterial, tempo de reenchimento capilar (TRC) e diurese, juntamente com sinais de hipoperfusão tecidual cerebral (*status* mental alterado), cutânea (pele fria e *mottling*) e renal (oligúria), são muito importantes.[7-9] Pulsos periféricos diminuídos sugerem a presença de vasocontrição e/ou doença arterial. O índice de choque (SI, do inglês *Shock index*), que é a relação entre FC e pressão arterial (PA) sistólica, tem uma relação linear inversa com volume sistólico (VS) e débito cardíaco (DC). Um valor elevado de SI (maior que 0,7-0,9) deve chamar atenção para a necessidade de intervenções hemodinâmicas (ex.: fluidoterapia).[7-9] Os índices de choque são apresentados na Figura 206.1. O TRC é um marcador de perfusão periférica, de fácil acesso. Se prolongado (> 4 s), relaciona-se à má perfusão.

Pressão arterial

Tanto a hipotensão como a hipertensão arterial são eventos frequentes no período pós-operatório (PO). A mensuração da PA deve ser realizada de forma invasiva e contínua em pacientes cirúrgicos com risco moderado ou alto, idealmente usando uma abordagem contínua em algoritmos para prevenir/gerenciar a hipotensão arterial. As linhas arteriais têm sido relativamente seguras e de fácil implementação, mesmo em locais com baixos recursos.[10]

A pressão arterial caracteriza-se por três componentes primários - pressão sistólica, diastólica e média. A pressão de pulso (PP) é um componente derivado e corresponde à diferença entre a pressão sistólica e a diastólica. Os com-

SI_{conv} = FC/PS

- Se ≥ 0,7 sugere presença de choque em evolução; probabilidade de morte.

SI_{mod} = FC/PAM

- Se ≥ 0,9 sugere presença de choque em evolução; probabilidade de morte.

SI_{dias} = FC/PAD

- Se ≥ 2,0 sugere probabilidade de vasoplegia como causa do choque;
- probabilidade de morte.

▲ **Figura 206.1** SI_{conv}: índice de choque convencional; SI_{mod}: índice de choque modificado; SI_{dias}: índice de choque diastólico; PAM: pressão arterial média; DC: débito cardíaco; RVS: resistência vascular sistêmica; VS: volume sistólico; FC: frequência cardíaca.

ponentes da pressão arterial refletem variáveis hemodinâmicas distintas que podem influenciar de forma diferente a perfusão de vários órgãos. O conceito principal a ser lembrado é que pressão = fluxo × resistência, onde fluxo é o débito cardíaco (DC) e a resistência é a resistência vascular sistémica (RVS). Como o DC é o produto do VS e FC, a presença de hipotensão significa que pelo menos um desses parâmetros (VS, RVS ou FC) estão alterados.

- Pressão = Fluxo × Resistência, onde fluxo é o DC e a resistência é a resistência vascular sistémica.
- Como DC = VS x FC, então PAM = VS x FC x RVS

Variações na FC, RVS ou no VS podem alterar a pressão arterial média (PAM). O VS depende da pré-carga, pós-carga e contratilidade. A PA sistólica é diretamente proporcional ao VS e inversamente proporcional à capacitância arterial (PAs: VS/C). Para um determinado VS, se a capacitância aumenta, a PA sistólica diminui. A PA diastólica é um parâmetro que está diretamente relacionado à RVS e à capacitância (i.e., baixa PA diastólica = baixa RVS e/ou capacitância). O formato da onda de pressão arterial e posição do nó dicrótico na onda de pressão e suas correlações fisiológicas e fisiopatológicas estão demonstradas na Figura 206.2.[9]

Ao medir a pressão de pulso e a PA diastólica, podemos determinar se a causa primária da alteração de PA é por alteração na RVS ou no VS. A RVS baixa determina um alargamento da PP e é característica de uma série de condições patológicas, incluindo sepse, insuficiência adrenal, medicamentos vasodilatadores, choque neurogênico, vasoplegia pós-circulação extracorpórea e disfunção hepática grave. Deve-se suspeitar de RVS diminuída na presença de pressão de pulso alargada e pressão diastólica baixa. O traçado da curva de PA pode sugerir alterações vasculares relacionadas ao choque (Figura 206.2).[9]

A instabilidade hemodinâmica é frequente no perioperatório e a hipotensão arterial está associada à morbidade e à mortalidade.[11-14] A hipotensão intraoperatória, mesmo que por curtos períodos, associa-se não apenas a lesões miocárdicas (ex: infarto agudo do miocárdio) ou injúria renal aguda (IRA), mas à lesão de órgãos em geral e maior mortalidade.[11-14] A incidência de hipotensão pode chegar a 90% dos pacientes nas cirurgias de grande porte, e, em um terço deles, antes mesmo da incisão cutânea.[11] Mesmo períodos de hipotensão curtos, com PAM inferior a 55 mmHg, estão associados com injúria renal e miocárdica ou acidente vascular cerebral.[11] O estudo POISE 2 mostrou que PAS < 90 mmHg por mais de 10 minutos aumenta o risco de infarto e óbito em até 30 dias, independente do período da hipotensão (intraoperatório, 1º PO ou até 4º PO).[12] A troponina e a creatinina devem ser monitoradas no acompanhamento destes pacientes. Foi demonstrado que o nível de troponina cardíaca de alta sensibilidade (hs-cTnT) após a cirurgia é um preditor independente de mortalidade em 30 dias, por todas as causas.[15] Para cada aumento de 1 ng/L na hs-cTnT após cirurgia não cardíaca, houve um aumento de 0,3% na mortalidade.

Na sala de cirurgia e na UTI, a medida da PAM deve ser mantida acima de 65 mmHg ou entre 10% e 20% dos valores de referência do pré-operatório, de acordo com recomendações de especialistas nos estudos mais recentes.[16,17] Um estudo randomizado e controlado, o IMPRESS, demonstrou que manter a PA sistólica individualizada dentro de 10% do valor pré-operatório de referência, com infusão contínua de noradrenalina, reduziu o risco de disfunção orgânica pós-operatória em pacientes cirúrgicos com risco moderado e alto.[17]

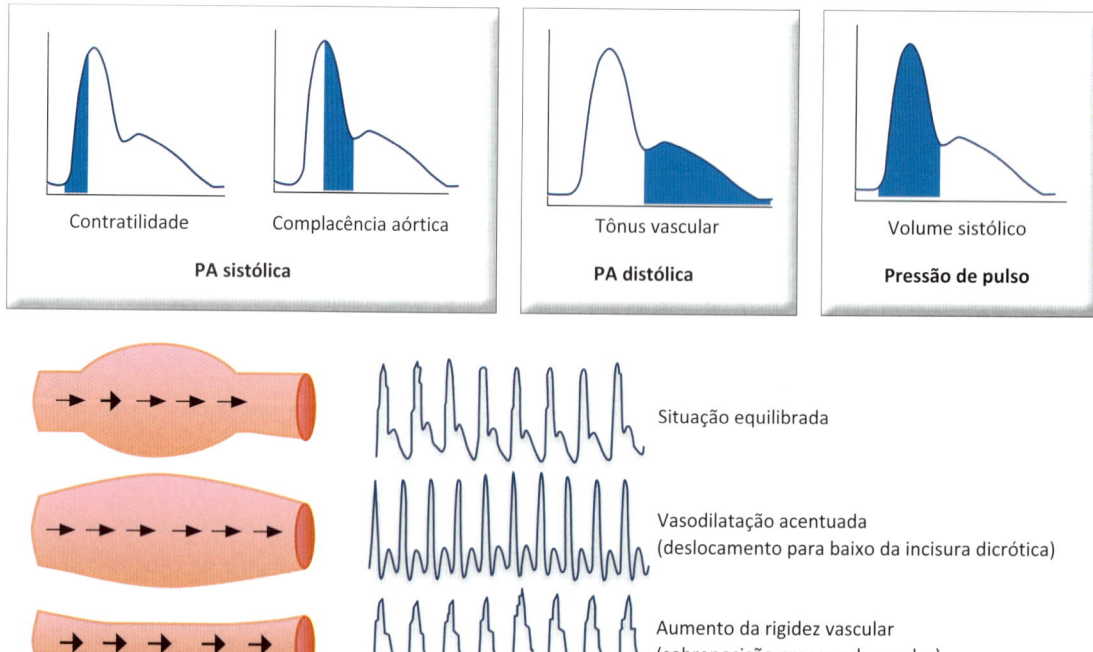

▲ **Figura 206.2** Formato da onda de pressão arterial e suas correlações fisiológicas e fisiopatológicas.
Fonte: Adaptada de: Hernandez G, Messina A, Kattan E. Intensive Care Med. 2022 Oct;48(10):1495-7. doi: 10.1007/s00134-022-06798-8.

Segundo o grupo de trabalho *PeriOperative Quality Improvement* há evidências de prejuízo associado tanto à hipotensão quanto à hipertensão pós-operatória. Seguramente, há evidência de dano associado à pressão arterial sistólica pós-operatória < 90 mmHg, mas não é possível definir com precisão o nível de hipertensão pós-operatória acima do qual ocorrerá algum prejuízo aos pacientes. Há evidências de danos da suspensão de betabloqueadores, bloqueadores dos receptores de angiotensina e inibidores da enzima conversora de angiotensina no período pós-operatório e essas medicações devem ser evitadas nos pacientes com PAS < 130 mmHg.[18] Todavia, um estudo fatorial randomizado que avaliou duas estratégias de controle da PA no período perioperatório em 7.490 pacientes submetidos à cirurgia não cardíaca, mostrou resultados interessantes. Neste estudo foram incluídos pacientes que estavam com risco de complicações vasculares e recebiam 1 ou mais medicamentos anti-hipertensivos de longo prazo.[19] A primeira estratégia de tratamento visava evitar hipotensão com uma meta de PAM intraoperatória maior ou igual a 80 mmHg (antes e por 2 dias após a cirurgia). Neste grupo os inibidores do sistema renina-angiotensina-aldosterona foram suspensos e as demais medicações anti-hipertensivas de longa duração foram administradas apenas para pressão arterial sistólica igual ou superior a 130 mmHg. No segundo grupo, a meta de PAM foi 60 mmHg ou maior e todas as medicações anti-hipertensivas foram continuadas. A incidência de complicações vasculares graves foi similar nos dois grupos (13,9% *vs* 14%). Metas individualizadas são preferíveis.

Índices derivados de oxigênio e do dióxido de carbono

A saturação venosa central de oxigênio (SvcO$_2$), ou seu marcador substituto, a taxa de extração de O$_2$ (TEO$_2$), e o lactato, refletem a relação entre a oferta e o consumo de oxigênio (DO$_2$/VO$_2$), portanto, a perfusão global. Hipoperfusão oculta pode estar presente apesar dos sinais vitais normais e de bom débito urinário no PO; portanto, estes índices combinados são muito úteis para a interpretação das alterações fisiológicas no período perioperatório.[20-22] As tecnologias de *point-of-care* tornaram essas ferramentas ainda mais acessíveis. As tendências das medidas séricas da SvcO$_2$ e TEO$_2$ refletem desequilíbrios entre DO$_2$/VO$_2$ e tem boa correlação com o prognóstico cirúrgico quando em queda (SvcO$_2$) ou aumento (TeO$_2$), em relação ao normal. Um estudo com 135 pacientes submetidos a grandes cirurgias abdominais, cuja meta foi manter a TEO$_2$ em valores menores que 27%, de acordo com um algoritmo de tratamento, durante o intraoperatório e até 24 horas de pós-operatório, demonstrou diminuição do número de pacientes com falência orgânica, declinando de 29,8% para 11,8%.[23]

O gradiente sistêmico venoarterial de CO$_2$ (P$_{(v-a)}$CO$_2$) ou CO$_2$-gap é um indicador da inadequação do fluxo sanguíneo (DC) às necessidades metabólicas globais. Existe uma relação inversa entre DC e CO$_2$-gap. O CO$_2$-gap aumenta se o fluxo sanguíneo sistêmico diminuir. Um gap de CO$_2$ elevado é sugestivo de redução do fluxo sanguíneo, seja por baixo DC ou disfunção microcirculatória.[24] O CO$_2$-gap elevado no intra e no PO (> 5 mmHg) associou-se a mais complicações pós-operatórias, principalmente choque, insuficiência renal e mortalidade hospitalar nos pacientes cirúrgicos de alto risco.[24-27] Outro estudo realizado em 60 pacientes submetidos à cirurgia de revascularização do miocárdio, admitidos com SvcO$_2$ > 70%, indicando estado circulatório adequado, mostrou que pacientes com CO$_2$-gap elevado apresentavam DO$_2$ e fluxo mesentérico significativamente menores, níveis mais elevados de citocinas e mais complicações, em comparação àqueles com valores normais.[27] Um estudo antes/depois usou o CO$_2$-gap como substituto do DC em um protocolo de otimização hemodinâmica durante e após a cirurgia, e mostrou menos complicações e menor taxa de mortalidade em 90 dias.[28] Um estudo controlado randomizado (ECR), com metas de manutenção de SvO$_2$ de > 75% e CO$_2$-gap < 6 mmHg, encontrou melhora nos parâmetros derivados do oxigênio, menor tempo de permanência na UTI e menor tempo de ventilação mecânica.[29]

O lactato sérico, um marcador comumente usado na avaliação da perfusão global, é um preditor independente de morte por falência de múltiplos órgãos após cirurgia não cardíaca em pacientes de alto risco.[21] A falha na diminuição das concentrações de lactato ao longo do tempo está associada a piores desfechos em pacientes cirúrgicos. A terapia guiada por meta de normalização do lactato sérico, em cerca de 20% a cada 2 horas após admissão na UTI, melhorou os resultados em uma população heterogênea de pacientes, mas cerca de metade deles eram pacientes cirúrgicos.[30] Esses parâmetros, em conjunto, indicam que o estado de perfusão tecidual e suas alterações são indicativas da necessidade de fluidos ou vasopressores e, algumas vezes, de concentrados de hemácias.

Débito cardíaco

O débito cardíaco (DC), produto do volume sistólico (VS) e da frequência cardíaca, é um importante determinante da DO$_2$.[31] O VS depende do volume diastólico final do ventrículo (pré-carga) e da contratilidade. Se houver hipoperfusão ou hipotensão, o médico deve decidir se o fluido intravenoso aumentará o DC. A terapia perioperatória guiada por metas (TGM) demonstrou reduzir significativamente as complicações e o risco de morte nos pacientes de alto risco, de acordo com inúmeras metanálises.[32-36] O principal objetivo da TGM é individualizar a terapia com fluidos, inotrópicos e vasopressores, durante e após a cirurgia, de acordo com as necessidades do paciente, a fim de prevenir o desenvolvimento de disfunção orgânica.[31] O tratamento é, na medida do possível, de precisão e individualizado de acordo com as necessidades dos pacientes, demonstrando de maneira significante diminuir as complicações e o risco de morte em pacientes selecionados de alto risco, se a TGM for aplicada no momento certo. As Diretrizes das Sociedades Internacionais recomendam a TGM, porém a adoção ainda é muito pobre.[37,38]

A TGM tem como objetivo uma abordagem personalizada de infusão/expansão volêmica intraoperatória, com titulação de volume, baseada na resposta hemodinâmica individual para reduzir os efeitos colaterais deletérios dos fluidos e melhorar o desfecho dos pacientes.[31,37,38] Na maioria dos protocolos, a abordagem mais utilizada é testar a resposta do VS a *bolus* de fluidos, com meta de aumento de 10%. Se a infusão de líquidos acarreta aumento do volume sistólico, isso indica que o estado volêmico do paciente está na fase ascendente da curva de Frank-Starling e uma expansão volêmica subsequente tem maior probabilidade de melhora do VS e, consequentemente, do DC.

Muitos dispositivos com tecnologias variadas foram desenvolvidos nos últimos 20 anos para monitoramento do DC. Particularmente importante são as técnicas minimamente invasivas, com parâmetros baseados na análise do contorno da curva de pulso arterial (ACCPA).[39] Estes dispositivos não são intercambiáveis com os métodos de referência (princípio de Fick, termodiluição em *bolus* e ecocardiografia), mas permitem rastrear tendências de alterações do VS em um intervalo de tempo, desde que as condições do sistema arterial não variem intensamente. Na beira do leito, devemos considerar que os sistemas não calibrados não são confiáveis nos pacientes com vasopressores e/ou com variações da resistência vascular.[40,41] Embora o método ACCPA rastreie mudanças no DC com alterações da pré-carga, não rastreia com precisão as alterações no DC induzidas por vasopressores.

O uso de métodos contínuos minimamente invasivos ou não invasivos para monitorar o DC e o VS, ao invés de técnicas invasivas de referência durante a TGM, é útil , uma vez que facilita a aderência à TGM.[38] No entanto, estudos apontaram limitações quanto à acurácia dos métodos minimamente invasivos para medida de débito cardíaco com base na análise da curva do contorno do pulso. Nos pacientes em uso de vasopressores e nos pacientes de cirurgias de transplante de fígado, as medidas são menos confiáveis.[41,42] Há limitações dos métodos não invasivos nos pacientes com hipotermia ou com hipoperfusão periférica e nos que estão recebendo infusão contínua de vasopressores.[40,41] Métodos de referência invasivos são, às vezes, inevitáveis, principalmente nos pacientes de maior complexidade como naqueles submetidos a cirurgias cardíacas e cirurgias hepáticas ou pacientes em estado de choque ou SARA, por exemplo.[8,42-44]

▪ FLUIDOS

A decisão de administrar fluidos ou vasopressores na UTI é baseada, geralmente, na presença de hipotensão ou suspeita de hipovolemia (hemorragia, perdas gastrointestinais, sepse), com sinais clínicos de hipoperfusão tecidual e na ausência de sinais de hipervolemia. Uma baixa pressão de pulso (< 40 mmHg) sugere que o volume sistólico é baixo e, na presença de sinais de hipoperfusão tecidual, deve induzir a infusão de fluidos. Já um nível baixo de pressão diastólica (40 mmHg) sugere um tônus arterial baixo, especialmente na presença de taquicardia, e sugere a necessidade de vasopressor, em adição a fluidos.[45]

Podemos dividir as fases da fluidoterapia em quatro, de acordo com o acrônimo ROSE (Ressuscitação, Otimização, eStabilização e Evacuação, ou de acumulação).[46] Na fase de **Ressuscitação**, o objetivo é restabelecer, imediatamente, a PA. Fluidos são administrados como *bolus*, em geral de cerca de 4 mL/kg em 10 a 15 minutos e repetidos até a obtenção de uma PAM > 65 mmHg. Nos pacientes com maior risco de intolerância a fluidos, minidesafios (100 mL) são preferíveis.

É importante considerar que o déficit de volume e a tolerância a fluidos pode variar consideravelmente entre pacientes, com base na patologia e na reserva cardíaca. A segunda fase, de **Otimização**, visa à manutenção da perfusão. Testes de fluidorresponsividade são realizados nesta fase, juntamente com ajuste de doses de vasopressores, até a estabilização e melhora do DC e da perfusão tecidual. Nesta fase é importante a avaliação da perfusão/fluxo e dos parâmetros metabólicos (lactato, gases sanguíneos). A titulação de fluidos guiada por metas (parâmetros dinâmicos de fluidorresponsividade ou TEC – tempo de enchimento capilar) é fundamental na melhoria dos desfechos perioperatórios, quando, com exceção dos casos de hipovolemia óbvia, as administrações de fluidos devem ser realizadas após desafios ou provas de volume, já que nem todos os pacientes se beneficiam da expansão rápida com fluidos.[47,48] Considerar disfunção miocárdica e uso de dobutamina na ausência de fluidorresponsividade. A terceira seria a fase de **Estabilização**, na qual há suporte às funções orgânicas e deve-se administrar fluidos apenas para reposição de perdas e manutenção. O objetivo é um equilíbrio no balanço hídrico. Após o desmame do vasopressor, o balanço hídrico deve ser negativo, inclusive usando-se diurético para esse fim ou ultrafiltração nos casos de oligúria resistente ao diurético. Soluções cristaloides são preferíveis. As soluções balanceadas podem ser reservadas para pacientes que já receberam grandes volumes ou nos quais a cloremia está aumentando.[49]

Fluidorresponsividade

Fluidos são drogas que quando administradas de forma inadequada podem gerar eventos adversos, internações mais prolongadas e maior mortalidade no período perioperatório. Uma vez que somente cerca da metade dos pacientes são fluidorresponsivos, a previsão de FR (fluidorresponsividade) é extremamente importante. Anestesiologistas e intensivistas devem gerenciar a fluidoterapia de forma adequada, com estratégias individualizadas e de acordo com as fases clínicas. A pergunta mais frequente na UTI é se o paciente instável responderá a um bolus de fluido, o que significa que a expansão volêmica irá melhorar o DC e, portanto, a perfusão tecidual.[48] O aumento da PAM após a administração de fluidos pode indicar resposta hemodinâmica positiva em termos de DC, mas a ausência de um aumento na PAM não é um indicador da ausência de resposta positiva, particularmente nos pacientes em uso de vasopressores. É fundamental identificar pacientes fluidorrespondedores antes de administrar fluidos, para evitar o risco de congestão pulmonar e os prejuízos do balanço positivo. Para isso, as melhores ferramentas são avaliar o paciente com os índices dinâmicos e os que usam a interação cardiopulmonar.

Para pacientes em ventilação espontânea, a prova de volume pode ser realizada sem a administração efetiva de fluidos, pois é possível avaliar o comportamento do DC à mobilização do volume sanguíneo dos membros inferiores, com a elevação passiva das pernas (EPP).[47-49] A presença de arritmias cardíacas não é uma limitação para essa avaliação. A manobra de EPP é feita colocando-se o paciente na posição supina, com a cabeceira sem elevação alguma e elevação das pernas a 45° durante 1 a 3 minutos. Essa manobra aumenta o retorno venoso em cerca de 300 mL. A manobra de EPP é preferível sempre que houver sinais de hipervolemia ou de disfunção miocárdica, geralmente associadas a pressões de enchimento no limite superior ou mais elevadas.

Índices dinâmicos de avaliação como a variação da pressão de pulso (VPP ou ΔPP) e a variação do volume sistólico (VVS) são frequentemente utilizados como indicadores de fluidorresponsividade e são superiores aos índices estáticos.[50] Para a monitorização da variação da pressão de pulso (ΔPP) são necessárias apenas as curvas obtidas a partir de uma linha arterial e de um simples monitor à beira do leito. Em uma revisão sistemática de 14 estudos, foi relatada uma redução de 49% na morbidade pós-operatória com estratégias de fluidos guiadas por monitorização dinâmica.[50] De acordo com a opinião dos especialistas, é importante usar uma "lista de verificação de critérios de validade" antes de usar a VPP para estimar a responsividade a fluidos.[51] Deve-se então fornecer pequenos *bolus* de fluidos iterativos para manter o índice VPP intraoperatório abaixo dos valores limiares que definem a responsividade a fluidos.

A VPP é um preditor confiável da responsividade a fluidos, desde que respeitados os limites do método. O uso de ventilação de baixo volume corrente (tV) é uma limitação para o uso da VPP. Tanto na sala de cirurgia quanto na UTI, uma ventilação protetora – 6 mL/kg de peso corporal estimado - deve ser usada. Mas essa limitação pode ser superada com o uso do "desafio do volume corrente".[52] O teste envolve aumentar transitoriamente o volume corrente de 6 mL/kg de peso corporal predito para 8 mL/kg durante um minuto e observar a alteração no ΔPP (ΔPP$_{6-8}$). Um valor de corte de ΔPPV$_{6-8}$ de 3,5% discrimina, com alta sensibilidade e especificidade, respondedores de não respondedores. Outra limitação, o uso de PEEPs elevados na SARA (maior que 10 cmH$_2$O), também pode ser superada com uma manobra ventilatória.[53] A redução do PEEP para 5 cmH$_2$O por um minuto mimetiza uma prova de volume. Com a manobra, espera-se um aumento transitório da pré-carga. Uma resposta positiva é um aumento do índice cardíaco maior que 8,6% durante PEEP-teste.

O teste de oclusão ao final da expiração (EEO) também se mostrou de alta acurácia para a predição de fluidorresponsividade, com o melhor limiar de aumento do DC em 5,1 ± 0,2%.[54] O teste é realizado com uma pausa no ventilador, uma interrupção de 30 segundos da ventilação mecânica no final da expiração. Ao impedir a variação da pressão intratorácica, o retorno venoso e a pré-carga cardíaca aumentam, e, portanto, o volume sistólico. Assim, um aumento no volume sistólico durante o teste pode prever a responsividade a fluidos, simulando um desafio de fluidos, sem a necessidade de infusão de fluidos de forma potencialmente perigosa ou desnecessária. A acurácia do teste não foi diferente quando as alterações no DC foram monitoradas através da análise do contorno do pulso em comparação com outros métodos, também com aumento superior a 5% como resposta positiva. A acurácia não foi diferente nos estudos em que o volume corrente era ≤ 7 mL/kg em relação aos demais.

Outro método não invasivo de fluidorresponsividade facilmente disponível à beira do leito em pacientes ventilados e com bloqueio neuromuscular é a variação do CO$_2$ exalado (EtCO$_2$), medida por sensores de CO$_2$ convencionais, durante teste de elevação passiva de perna (EPP).[55-58] Como há uma correlação direta entre mudanças no DC e EtCO$_2$, desde que tenhamos uma condição de ventilação minuto e produção de CO$_2$ (VCO$_2$) constantes, a EtCO$_2$ é diretamente proporcional à pré-carga do VD. Esta condição é factível nos pacientes sedados, com volume corrente constante e curtos períodos de observação, quando o metabolismo é constante. Um aumento de 5% do EtCO$_2$ após uma manobra de EPP foi bom preditor de fluidorresponsividade.[55-57] Uma metanálise confirmou que o ΔEtCO$_2$ apresentou desempenho moderado na predição da responsividade a fluidos durante o teste de EPP em pacientes com ventilação mecânica, mas há heterogeneidade nesses achados e é necessário sua confirmação em um estudo maior.[8] O aumento da saturação venosa mista de O$_2$ (SvO$_2$) em 2%, após uma prova de volume, correlacionou-se com responsividade a fluidos em pacientes de cirurgia vascular e cirurgia cardíaca.[59]

Na Tabela 206.1 estão demonstradas as diferenças e características dos testes de fluidorresponsividade nos pacientes sob ventilação espontânea e ventilação mecânica.

Tabela 206.1 Testes que usam efeito de "infusão ou desafio de fluido" para testar resposta ventricular.

	Teste	Vantagens	Limitações	Confundidores	Julgamento	Limite
Ventilação espontânea	Desafio de volume	Fácil de executar. Funciona independentemente da atividade resp, ritmo cardíaco, VC, Cest e PIA.	Requer uma estimativa direta e precisa do DC ou VS. Requer infusão de fluido com risco de hipervolemia.	Baixa precisão da técnica de medição do débito cardíaco. Volume infundido e tempo (mínimo: 4 mL/kg em 10 a 15 min).	↑DC ou VS ↑VTI	≥ 10% ≥ 10%
	Minidesafio de volume	Fácil de executar. Funciona independentemente da atividade respiratória, ritmo cardíaco, VC, Cest e PIA.	Requer uma estimativa direta e precisa do DC ou SV. Ainda requer infusão de fluido.	Baixa precisão da técnica de medição do débito cardíaco. Volume infundido e tempo (mínimo: 100 mL em 1 a 2 min).	↑DC ou VS ↑VTI	≥ 5% ≥ 10%

(Continua)

Tabela 206.1 Testes que usam efeito de "infusão ou desafio de fluido" para testar resposta ventricular.						*(Continuação)*
	Teste	**Vantagens**	**Limitações**	**Confundidores**	**Julgamento**	**Limite**
Ventilação espontânea	Elevação passiva das pernas	Reversível, sem infusão de fluidos. Funciona independentemente da atividade resp, ritmo cardíaco, VC, Cest. Muito bem validado.	Requer uma estimativa de DC ou SV. Limitado em caso de HIA. Cuidados na manobra. Contraindicado em HIC.	Possíveis **falsos-negativos** em caso de HIA (PIA > 16 cmH_2O) **Falsos-negativos** em caso de meias de compressão venosa.	↑DC ↑VTI ↑PP ↑Et-CO_2 ↑índice de perf ↓TEC ↓VPP / VVS	≥ 10% ≥ 10% ≥ 9% ≥ 5% (≥ 2mmHg) ≥ 9% ≥ -27% ≥ -1 a 4 pontos
	VPP	Medida automática. Amplamente disponível (curva de pressão PA invasiva ou não invasiva). Não requer nenhuma manobra. Muito bem validado.	Impossível usar em muitos pacientes devido a fatores de confusão. Somente sob VM controlada.	**Falsos-positivos:** ▪ arritmias ▪ estímulo resp ▪ insuf VD **Falsos-negativos:** ▪ baixo VC ▪ baixa Cest. ▪ HIA	Valor absoluto	≥ 15%
Ventilação mecânica	VVS	Medida automática. Não requer nenhuma manobra. Bem validado.	Muitos pacientes devido a fatores de confusão. Somente sob VM controlada. Requer dispositivo para análise de contorno de pulso.	**Falsos-positivos:** ▪ arritmias ▪ estímulo resp ▪ insuf VD **Falsos-negativos:** ▪ baixo VC, ▪ baixa Cest. ▪ HIA Uma curva de PA de má qualidade pode fornecer valores errados.	Valor absoluto	≥ 15%
	TOFE	Fácil de executar. Funciona independentemente da atividade resp, ritmo cardíaco, VC, Cest. Bem validado.	Requer estimativa direta de CO/SV. Requer VM. Não pode ser usado se paciente interromper o EEO de 15 s.	Interrupção do teste antes de seu término por esforços respiratórios do paciente.	↑ DC ↑ PP ↑ VTI ↑índice de perfusão	≥ 5% ≥ 5% ≥ 5% ≥ 2,5%
	Desafio VC	Não requer medição em CO/SV (apenas uma curva de pressão arterial invasiva ou não invasiva). Confiável em posição prona e em pacientes com respiração espontânea.	Requer ventilação mecânica. Diferentes limiares de diagnóstico relatados. Requer mais validação.	Arritmia cardíaca HIA.	↑VPP	≥ 1 a 3,5%

VC: volume corrente; Cest: complacência estática; HIA: hipertensão intra-abdominal; DC: débito cardíaco; VS: volume sistólico; VTI: integral de velocidade da via de saída do ventrículo esquerdo; TEC: tempo de enchimento capilar; Et-CO_2: CO_2 ao final da expiração; TOFE: teste de oclusão ao final da expiração.

Fonte: Adaptada de Monnet X, Shi R, Teboul JL. Ann Intensive Care. 2022 May 28;12(1):46; Bentzer P, Griesdale DE, Boyd J et al. JAMA. 2016 Sep 27;316(12):1298-309; Zhang Z, Lu B, Sheng X, et al. J Anesth. 2011;25(6):904–916; Yang X, Du B. Crit Care. 2014;18(6):650; Monnet X, Marik P, Teboul JL. Intensive Care Med. 2016;42(12):1935–1947; e Messina A, Dell'Anna A, Baggiani M, et al. Cric Care. 2019;23(1):264.

Vasopressores

Fluidos e vasopressores são usados para tratar hipotensão e hipoperfusão. Se os distúrbios fisiológicos não forem resolvidos rapidamente após a ressuscitação volêmica inicial, o próximo passo é decidir se mais fluido intravenoso aumentará o DC ou se outras medidas (como vasopressores ou inotrópicos) devem ser usadas no manejo hemodinâmico. O tônus venoso e o DC diminuem após a indução da anestesia ou sedação profunda. Além de fluidos para restaurar a volemia, vasoconstritores têm um papel importante, não somente na contração da rede vascular, mas também na restauração mais efetiva da pré-carga ao aumentar o volume estressado. O uso de vasopressores simultaneamente com a TGM vai melhorar o fluxo sanguíneo e a pressão de perfusão no perioperatório, além de evitar a sobrecarga de volume, com potencial para melhorar desfechos nos pacientes cirúrgicos de alto risco.[16]

Quando pensamos em expansão de fluidos ou efeitos de inotrópicos, na maioria das vezes elaboramos nosso raciocínio pela visão de Frank-Starling.[60] A pressão arterial média sistêmica de enchimento (Pms) é responsável pela pressão transmural venosa efetiva que determina o retorno venoso (RV) e está diretamente relacionada ao volume de sangue e inversamente relacionada à complacência (que é a capacidade de acomodar esse volume). O volume sanguíneo total é a soma do volume estressado (Vs) e do volume não estressado (Vo). A ressuscitação volêmica aumentará o Vs e a Pms, além de diminuir a viscosidade, com consequente queda na resistência ao retorno venoso, facilitando-o. Para avaliar interações entre fluidos e vasopressores devemos incorporar elementos das funções cardíaca e vascular, já que vasopressores têm efeitos mais complexos, pois além da vasoconstrição das grandes veias e da cava, atuam nos pequenos vasos da região esplâncnica que compõem um grande reservatório sanguíneo. Esta ação nos pequenos vasos reduz a capacitância venosa e aumenta a proporção relativa do volume estressado para volume não estressado e pressão arterial média sistêmica de enchimento. Estes efeitos foram demonstrados em estudos em animais e confirmados no homem.[60-66]

Um estudo em pacientes com choque distributivo mostrou que a noradrenalina (NA) tem um efeito fluido-*like*, já que aumenta o volume diastólico global final e diminui a variação do volume sistólico (VVS), marcadores de volemia.[61] A vasoconstrição determina um aumento do Vs porque recruta volume sanguíneo do território esplâncnico. A administração de NA também tem o potencial de aumentar a PA diastólica que representa a pressão motriz para a perfusão coronariana do ventrículo esquerdo. Mesmo nos pacientes com baixa fração de ejeção ventricular esquerda, a NA exerceu efeitos hemodinâmicos benéficos ou neutros, mas não deletérios. Outro estudo mostrou que a amplitude da mudança na Pms induzida por um desafio de volume após a EPP foi maior com uma dose maior do que com uma dose menor de NA e concluíram, com avaliações da interação coração-pulmão, que a NA melhora a eficácia hemodinâmica da ressuscitação volêmica.[62] Esse efeito vai além dos efeitos isolados de cada tratamento, pois os efeitos alcançados são potencializados e cumulativos, uma vez que o volume de líquidos será diluído em uma rede venosa menos extensa.

Estudos clínicos demonstraram benefícios nos pacientes com choque distributivo que receberam NA mais precocemente, com menor necessidade de fluidos na ressuscitação, balanço hídrico acumulado menos positivo e, possivelmente, menor morbimortalidade.[63,64] Um estudo controlado, randomizado, unicêntrico, incluiu 129 pacientes idosos (60 a 85 anos) submetidos a tratamento cirúrgico da coluna lombar posterior sob anestesia geral e avaliou uma estratégia de reposição de fluidos e NA precocemente (antes da indução) em comparação a um grupo controle que recebeu NA só quando necessário.[65] Fluidos adicionais foram usados de acordo com a ΔPP, se necessário, em ambos os grupos. A infusão profilática de NA reduziu as complicações pós-operatórias e a duração da internação no hospital. Em resumo, estudos sugerem efeito poupador de fluidos e possíveis benefícios nos desfechos quando um vasopressor é usado mais precocemente durante a fase de ressuscitação.

Fase de Evacuação de Fluidos

O balanço hídrico no período perioperatório deve ser motivo de grande atenção pela relação amplamente conhecida entre sobrecarga de fluidos e complicações. A hipotensão, a diminuição da diurese e outras intercorrências são corrigidas com a infusão agressiva de fluidos. Além disso, fluidos são administrados como veículo de medicamentos ou para reposição da necessidade diária de água corporal, eletrólitos e perdas. Se o paciente recebe nutrição parenteral em particular, o balanço de fluidos deve ser meticulosamente revisado. A porcentagem de acúmulo de fluido pode ser calculada dividindo-se o balanço de líquido acumulado, em litros, pelo peso corporal inicial do paciente e multiplicando por 100%.[67] A sobrecarga de fluido seria definida por um valor de corte de 10% do acúmulo de líquidos.

Fluidos são medicamentos que podem gerar eventos adversos de difícil manejo, internações mais prolongadas e maior mortalidade no período perioperatório.[68-70] O excesso de fluidos pode gerar um ciclo de congestão venosa, hipertensão intra-abdominal, hemodiluição, aumento da água extravascular pulmonar, má oxigenação, disfunções orgânicas que, por sua vez, podem afetar a eliminação de líquidos e gerar hipervolemia, e mais disfunções de órgãos. Então, um ponto importante é definir o momento de parar de infundir fluidos e iniciar a evacuação. Na quarta fase do manejo de fluidos (de Escalonamento ou Evacuação) o balanço é claramente positivo e tem-se como meta a reversão do balanço hídrico positivo que pode ser feita de forma espontânea, induzida por diuréticos ou por meio de terapia de substituição renal e desmame de vasopressores.

Valores extremos de PVC podem ser usados para estratificar pacientes de menor ou maior risco de dano, caso recebam carga hídrica adicional.[7,68] A PVC elevada tem utilidade clínica como indicador de congestão venosa, quando compromete a perfusão dos órgãos, pois resulta em pressão capilar tecidual elevada. A pressão de perfusão sistêmica (PPS) é dependente da diferença entre PAM e PVC (PPS = PAM – PVC) e o manuseio incorreto desses parâmetros está associado à congestão orgânica, particularmente lesão renal aguda. Nos pacientes cirúrgicos de alto risco admitidos na UTI, para cada unidade de aumento da PVC, de um ponto de corte de 13 mmHg, o risco de morte por falência de múltiplos órgãos aumenta 12%, o que sugere reserva cardiovascular pobre ou excesso de fluidos nesta população.[21]

O monitoramento da pressão intra-abdominal (PIA) é mais uma ferramenta no arsenal terapêutico de segurança. A hipertensão intra-abdominal (HIA) associa-se a disfunções orgânicas e mortalidade após cirurgias de maior complexidade e há associação entre PIA elevada e balanço hídrico acumulado positivo.[67,70] A monitorização da pressão vesical com uma sonda de Foley é uma ferramenta clínica muito simples, confiável e custo-efetiva para pacientes com fatores de risco para HIA e valores em elevação devem dirigir a atenção para possibilidade de excesso de fluidos.

O ultrassom/ecocardiograma à beira do leito é uma ferramenta valiosa para a monitorização hemodinâmica, incluindo avaliação da função cardiovascular, diferenciação entre causas de choque, predição de responsividade a fluidos e água pulmonar extravascular.[7] A presença de linhas B no ultrassom pulmonar indica intolerância a fluidos e deve indicar atenção à possibilidade de remoção de fluidos. Há necessidade de mais estudos para uso do mais recente proposto escore *VEXUS, que* é a avaliação do grau de congestão orgânica com *ultrassom* e Doppler pulsátil da veia cava inferior e veias hepática, porta e renais.[70]

TRANSFUSÃO DE HEMÁCIAS

A anemia na UTI tem múltiplas causas, sendo a anemia por doença crônica a etiologia mais comum devido à desregulação da homeostase do ferro.[71] Aproximadamente 30% a 50% dos pacientes da UTI recebem uma transfusão de concentrado de hemácias (CH) durante a internação hospitalar,[72] recebendo, em média, quase cinco unidades de CH por estada na UTI.[73] Anemia, ou hemoglobina (Hb) baixa, é a principal indicação para a transfusão e representa aproximadamente 46% a 90% das transfusões de CH.[72,74] Quase 60% dos pacientes estão anêmicos (hemoglobina <12 g/dL) na admissão na UTI e 97% estarão anêmicos (hemoglobina <12 g/dL para mulheres e < 14 g/dL para homens) até o 8º dia após a internação na UTI.[75] Um grupo populacional de grande risco para transfusão de CH na UTI é o de pacientes cirúrgicos portadores de anemia pré-operatória.[76,77]

Evidências atuais apoiam estratégias restritivas de transfusão para pacientes críticos em geral e subpopulações específicas da UTI. O estudo *Transfusion Requirements in Critical Care* (TRICC), de 1999, não encontrou diferença na mortalidade em 30 dias para pacientes criticamente enfermos com normovolemia e taxa de hemoglobina inferior a 9 g/dL nas primeiras 72 horas após a admissão, quando gerenciados com um limite de transfusão restritivo (hemoglobina < 7 g/dL) em comparação com um limite liberal (hemoglobina < 10 g/dL).[78] Consequentemente, as evidências a favor de estratégias restritivas de transfusão têm sido traduzidas para a prática clínica em diferentes sistemas hospitalares.[79,80] A Conferência Internacional de Consenso em Gerenciamento de Sangue do Paciente, em 2018, recomendou um gatilho transfusional de hemoglobina de 7 g/dL para pacientes da UTI criticamente enfermos, mas clinicamente estáveis.[81]

No período pós-operatório, os pacientes hemodinamicamente estáveis podem receber estratégia restritiva, ou seja, transfusão de CH somente se o paciente apresentar hemoglobina inferior a 8 g/dL ou apresentar clínica compatível com baixa oxigenação: dor torácica, hipotensão ortostática, taquicardia não responsiva ao volume ou sinais e sintomas de insuficiência cardíaca congestiva.[82] Para pacientes instáveis, como por exemplo, hemorragia aguda, há necessidade de reposição de grandes volumes de hemocomponentes e, nesse caso, a estratégia restritiva não se aplica. As causas mais comuns de sangramento agudo grave são geralmente decorrentes de trauma, cirurgia, sangramento obstétrico e sangramento gastrointestinal. As definições clássicas de transfusão maciça de sangue consistem em transfusão de 10 unidades de concentrado de hemácias (CH) ou de volume de hemocomponentes igual ao da volemia do paciente, em 24 horas. Outras definições propostas incluem três unidades de CH em uma hora e quatro unidades de produtos sanguíneos totais nos primeiros 30 minutos. A necessidade de fornecer produtos sanguíneos de uma forma rápida e adequada no contexto agudo levou ao desenvolvimento de protocolos de transfusão maciça.[83,84] A administração de grandes quantidades de hemocomponentes pode causar alterações clínicas importantes como hipotermia, acidose e coagulopatia. Em traumas graves, a restrição das intervenções cirúrgicas ao mínimo necessário produziu o protocolo "cirurgia de controle de danos".

Da mesma forma, o termo "ressuscitação de controle de danos" implica na restrição de líquidos, tolerância à hipotensão permissiva e administração de proporções específicas de produtos sanguíneos. O reaquecimento ativo do paciente e a implementação de protocolos de transfusão maciça também fazem parte desses protocolos.[85]

Apesar de transfusão de concentrado de hemácias ainda ser prática comum, ainda não há evidências que seja sempre necessária. A literatura nos mostra que à medida que mais transfundimos, maior a morbimortalidade no perioperatório.

SUPORTE À COAGULAÇÃO

Os distúrbios de coagulação são complicações graves e frequentes nos pacientes gravemente enfermos na UTI, levando à síndrome de disfunção de múltiplos órgãos (SDMO) e associados a um prognóstico ruim.[86] Coagulopatia é qualquer alteração ou perturbação da hemostasia devido a múltiplas causas que resultam em sangramento, coagulação ou ambos. Exemplos incluem coagulopatia induzida por sepse (CIS) e coagulopatia induzida por trauma (CIT). No entanto, essas coagulopatias, se graves, desenvolvem-se em coagulação intravascular disseminada (CIVD), levando à SDMO. A patogênese e o manejo das diferentes coagulopatias dependem, em parte, da doença subjacente. Na CIVD e em todas as coagulopatias, tratar a doença subjacente que causa a coagulopatia é fundamental. No entanto, cada coagulopatia possui uma clínica dominante, mas o paciente pode apresentar características trombóticas e/ou hemorrágicas, dependendo da progressão da doença, das intervenções terapêuticas e do tempo de instalação.

O manejo das coagulopatias deve ser baseado no fenótipo clínico dominante, seja na coagulopatia hemorrágica com estado hipocoagulável e hiperfibrinólise, ou na coagulopatia trombótica com um fenótipo pró-trombótico e antifibrinolítico sistêmico. Além do tratamento da doença básica, a maioria das intervenções terapêuticas de suporte é parcialmente eficaz devido ao estado basal da doença responsável. No entanto, as vias de anticoagulação e fibrinólise são alvos para restaurar o equilíbrio hemostático entre sangramento e trombose, o qual também se modifica ao longo do curso da terapia (Figura 206.3).

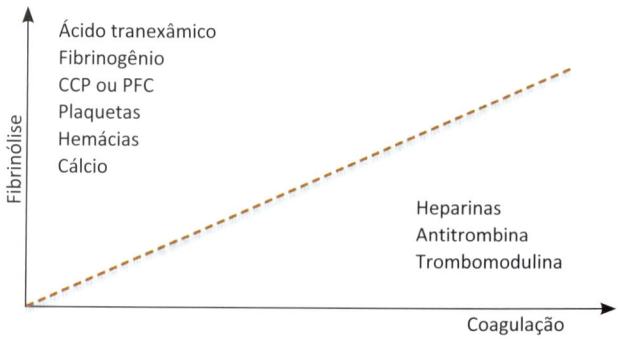

▲ **Figura 206.3** Manuseio da coagulação, dependente do fenótipo.

CCP: concentrado de complexo protrombínico; PFC: plasma fresco congelado.

Na UTI, é necessário gerenciar pacientes que apresentam ou desenvolvem anormalidades na coagulação, e essas anormalidades são um preditor tanto da necessidade de transfusão maciça quanto da mortalidade.[87,88] Essas anormalidades podem variar desde alterações simples como trombocitopenia, até defeitos na coagulação de múltiplos sistemas. Avaliar o risco de sangramento é uma das principais estratégias de manejo para minimizar qualquer sangramento perioperatório. Pacientes podem ter riscos de sangramentos por grande variedade de razões, incluindo distúrbios hemorrágicos hereditários ou adquiridos (anormalidades na função plaquetária, deficiências de fatores e inibidores de fatores), condições clínicas como doença hepática ou renal e medicamentos anticoagulantes concomitantes. Há uma pirâmide de tratamento (Figura 206.4), proposta por Gorlinger *et al.*, para coagulopatia em cirurgia cardíaca, mas que pode ser generalizada para outras causas, adaptando-se a situações específicas.[89] A implementação desse algoritmo de terapia hemostática direcionada por objetivos, usando indicações rigorosas, dosagens calculadas e sequências claras para cada intervenção hemostática, parece ser bastante eficaz na redução dos requisitos de transfusão perioperatória e demonstrou estar associada a uma diminuição na incidência de eventos trombóticos/tromboembólicos, eventos adversos relacionados à transfusão, bem como a uma melhora nos resultados dos pacientes, incluindo a mortalidade em 6 meses.[89,90]

A sequência de intervenções terapêuticas na pirâmide começa na base e continua "degrau por degrau" para alcançar a hemostase. Caso o paciente esteja hipovolêmico, com instabilidade hemodinâmica, fazemos a reposição volêmica segundo o PBM se a perda de sangue for intensa e, se necessário, também iniciamos o protocolo de transfusão maciça. Ao mesmo tempo otimizamos as condições bioquímicas in-

fluentes no processo hemostático. Devemos manter, nesses pacientes, temperatura > 36°C, nível plasmático de cálcio ionizado > 1,0 mEq/L, pH > 7,3 e hemoglobina > 9 mg/dL.[91,92]

O segundo "degrau" é verificar a história do uso de anticoagulantes e/ou antiagregantes e, se necessário, usar antagonistas específicos. Caso o paciente não tenha história de uso de anticoagulantes/antiagregantes, sua bioquímica esteja equilibrada e continua sangrando, passamos para o degrau seguinte. A possibilidade de antifibrinólise.

A fibrinólise é um processo fisiológico onde a plasmina, derivada do plasminogênio, remove o excesso de deposição de fibrina no local da lesão vascular, o que melhora a perfusão da área lesada. Plasminogênio é um precursor inativo de origem hepática, que é convertido em plasmina por vários fatores, incluindo o ativador de plasminogênio tecidual t-PA e uroquinase (u-PA). Estes são produzidos a partir de células endoteliais, epitélio renal, monócitos e macrófagos. A hiperfibrinólise leva a sangramento contínuo e que deverá ser antagonizado por antifibrinolítico. Hoje, o mais comum antifibrinolítico é o ácido tranexâmico (ATx). O CRASH-2 foi um estudo clínico randomizado que avaliou o efeito da administração precoce de ácido tranexâmico (TXa) a pacientes vítimas de trauma com hemorragia significativa. O estudo incluiu 20.211 pacientes adultos de 274 hospitais, com hemorragia significativa após o trauma, em 40 países. Os pacientes foram alocados aleatoriamente para receber ácido tranexâmico (1 g em *bolus* + infusão de 1 g nas primeiras 8 horas) ou placebo dentro de 8 h de trauma. A mortalidade por todas as causas foi significativamente menor no grupo tratado com TXa e sem aumento de efeitos colaterais.[93]

O "degrau" seguinte é verificar a possibilidade de hipofibrinogenemia ou de desfibrinogenemia, responsáveis por coagulopatias. O fibrinogênio, Fator I (FI), é uma proteína plasmática essencial para a coagulação sanguínea. Ele desempenha um papel fundamental na hemostasia. Por ação da trombina, o fibrinogênio transforma-se em uma rede de fibrina, inicialmente solúvel, em fibrina insolúvel, principal componente de um coágulo. Quando os níveis de fibrinogênio estão muito baixos, pode ser necessário administrar concentrado de fibrinogênio como terapia de reposição. Isso é especialmente relevante em situações de sangramento grave, como trauma, cirurgia, coagulopatias adquiridas ou hereditárias. Uma alternativa ao concentrado de fibrinogênio é o uso do hemocomponente crioprecipitado (Crio). Crio é um hemocomponente obtido do descongelamento de 1 bolsa de plasma fresco congelado a 4°C. Contém os fatores de coagulação XIII, VIII, Fator de von Willebrand e fibrinogênio (FI). Indicado para situações de sangramento ativo ou preventivo, em caso de procedimentos invasivos, em casos de hipofibrinogenemia ou desfibrinogenemia, deficiência do Fator XIII, doença de von Willebrand quando não responsivo à desmopressina (DDAVP) ou ainda em caso de sangramento microvascular difuso com fibrinogênio plasmático < 100 – 200 mg/dL.

Caso os passos anteriores não alcancem a hemostasia, direcionamos para a reposição de fatores da coagulação. Neste caso, podemos usar concentrado de complexo protrombínico (CCP) ou plasma fresco congelado (PFC). O concentrado de complexo protrombínico (CCP) é obtido a partir

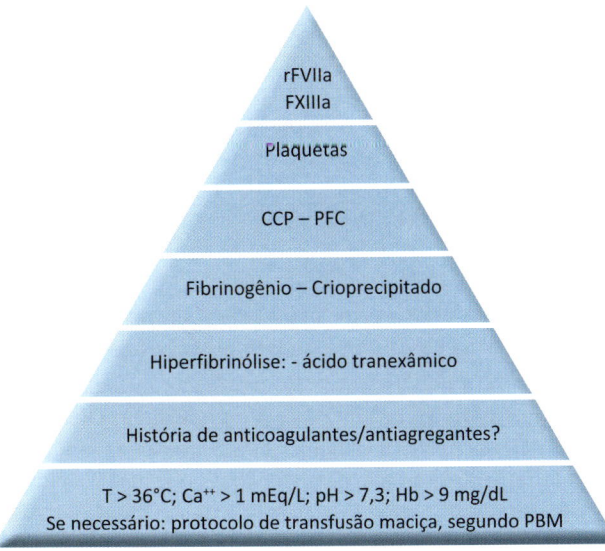

▲ **Figura 206.4** Pirâmide de terapia para pacientes com coagulopatia.

T: temperatura; Ca⁺⁺: cálcio ionizado; Hb: hemoglobina; CCP: concentrado de complexo protrombínico; PFC: plasma fresco congelado; FXIIIa: Fator XIII ativado; rFVIIa: Fator VII ativado recombinante; PBM: gerenciamento do sangramento do paciente.

do plasma e, após a remoção de alguns fatores, obtém-se um produto, no Brasil, com quatro fatores: Fatores II, VII, IX e X. O desenvolvimento inicial deste agente estava direcionado para a hemofilia; no entanto, com a disponibilidade de fatores de reposição recombinantes, não tem mais utilidade nesse contexto. Atualmente é usado como terapia de reposição para a deficiência de vitamina K congênita ou adquirida, e para o efeito anticoagulante induzido pela varfarina, especialmente em situações emergenciais.[94,95] Em condições *off label* pode ser usado para reversão de novos anticoagulantes diretos via oral (NOAC), pós-trauma, necessitando de transfusão maciça e sangramentos onde há consumo de fatores da coagulação.[96,97] A dose recomendada é 20 a 40 UI/kg, administrada em 10 minutos. Seu uso é contraindicado nos pacientes com trombofilia. Plasma fresco congelado é indicado para a deficiência de fatores de coagulação com testes de coagulação anormais na presença de sangramento ativo. O plasma fresco congelado também é indicado para cirurgia planejada ou procedimento invasivo na presença de testes de coagulação anormais, reversão da varfarina na presença de sangramento ativo ou procedimento planejado quando a vitamina K é insuficiente para reverter o efeito da varfarina, púrpura trombocitopênica trombótica e deficiência congênita ou adquirida de fatores sem terapia alternativa. Os problemas do uso de PFC é a demora no tempo para sua administração, possibilidades de transmissão de infecções, lesão pulmonar associada à transfusão (TRALI) e congestão circulatória associada à transfusão (TACO).

Se após passar por todos os passos anteriores e, ainda assim, não atingirmos a estabilidade hemostática, nosso próximo procedimento é a transfusão de concentrado de plaquetas (CP). Plaquetas são estruturas presentes no sangue, responsáveis, entre outras funções, pela formação do tampão plaquetário (hemostasia primária) e pela fase de propagação na hemostasia secundária.[96,97] Estão presentes em grande número (150 a 400.10^3/mL), interagem com outras células e uma grande variedade de substâncias usando uma enorme variedade de receptores de superfície celular e moléculas de adesão. Contêm dois tipos de organelas no seu interior: grânulos alfa, contendo receptores como glicoproteína Ib, P-selectina, FvW, antitrombina, proteína S, plasminogênio, citocinas, fatores de crescimento, etc., e grânulos densos, contendo glicoproteína IIb/IIIa, ADP, tromboxano A2, serotonina, histamina, cálcio, potássio, magnésio e polifosfatos.[98,99] Plaquetas promovem adesão e agregação à matriz subendotelial em situações de lesão endotelial ou processo inflamatório/infeccioso e servem como substrato na formação dos complexos tenase e protrombinase para formação do *burst* de trombina durante a coagulação sanguínea. Para evitar o sangramento nessa etapa, devemos focar inicialmente em medida profilática, como acompanhar a contagem de plaquetas, já que trombocitopenia é uma das principais causas de sangramento perioperatório.[100] No entanto, a contagem de plaquetas não é o único determinante do risco de sangramento.[101] Nesse sentido, a função plaquetária pode ser relevante, pois uma função plaquetária comprometida reduziria a capacidade hemostática das plaquetas. A literatura atual sugere que a disfunção plaquetária pode ser relevante para o sangramento em caso

de trombocitopenia associada, uma relação que tem sido especialmente explorada em doenças hematológicas.[102] Em casos de sangramento grave, mantenha a contagem de plaquetas acima de 50 × 10^3/dL. Considere o uso empírico para o manejo inicial de hemorragias graves. Em pacientes com múltiplos traumas, lesões cerebrais traumáticas ou hemorragia intracerebral espontânea, deve-se manter a contagem de plaquetas acima de 100×10^3/dL. Em casos de microangiopatias trombóticas, somente transfundir plaquetas em situações extremamente graves.[103]

Finalmente, no último passo para o topo da pirâmide, quando todas as alternativas anteriores falharam, podemos disponibilizar ao paciente Fator XIII ativado (FXIIIa) ou Fator VII ativado recombinante (rFVIIa). O Fator XIII (FXIII) é uma proteína da hemostasia que desempenha um papel fundamental na manutenção da integridade funcional de coágulos de fibrina.[104] Além disso, o FXIII possui uma variedade de outras funções, incluindo cicatrização de feridas e reparo de tecidos (Figura 206.4). O FXIII circula no plasma como uma transglutaminase composta por duas subunidades catalíticas A e duas subunidades carregadoras B. O FXIII no plasma é ativado pela trombina, que cliva os peptídeos das subunidades A, transformando-o em FXIIIa. Após lesão tecidual e formação de coágulo de fibrina, o FXIIIa catalisa a ligação covalente das cadeias de fibrina, estabilizando o coágulo.[104,105] O FXIII também exerce atividade antifibrinolítica por meio da ligação cruzada de α_2-antiplasmina à fibrina.[106] A deficiência de FXIII está associada a eventos hemorrágicos pós-operatórios e à necessidade de transfusão pós-operatória.[107,108] A Sociedade Europeia de Anestesiologia recomenda administração de concentrado de FXIII (30 UI/kg) em casos de sangramento perioperatório, onde a atividade do FXIII for < 30%.[109] O Fator VII é um componente-chave da iniciação da hemostasia secundária. Quando na forma ativa, o Fator VIIa forma um complexo com o fator tecidual do endotélio, o que leva à ativação catalítica do Fator X, resultando na formação de trombina. Além disso, acredita-se que, em altas doses, o Fator VIIa possa se ligar diretamente às plaquetas, resultando na ativação do Fator X e, assim, facilitando a conversão de protrombina em trombina por um mecanismo independente do fator tecidual. O resultado geral é uma amplificação significativa na produção de trombina. O rFVIIa é um medicamento trombofílico usado nos pacientes com hemofilia A ou B com inibidores. No entanto, durante alguns anos, vários usos "*off label*" do rFVIIa foram identificados na literatura, alguns com respostas favoráveis, outros com resultados desfavoráveis.[110]

Coagulopatia é comum na UTI e pode ser multifatorial. É essencial encontrar a causa basal e entender as limitações de muitos testes, sejam convencionais ou "*point of care*". O manuseio por meio de um guia transfusional, baseado em evidências (Figura 206.2), para tratamento de pacientes com coagulopatia, deve ser considerado como parte de um processo que aprimora o controle hemostático por intervenção apropriada. Medidas gerais para melhorar a coagulação (corrigir a anemia, evitar a hipotermia e a acidose) devem ser aplicadas simultaneamente com outras opções terapêuticas específicas. Estas, se utilizadas em sequência e com doses apropriadas, podem ser instrumentos bastante úteis no controle das coagulopatias.

■ CONCLUSÃO

Além do manejo pós-operatório visando à estabilização e otimização da oferta tecidual de oxigênio, sabemos que um conjunto de intervenções ainda é importante na melhoria de resultados (*bundle* ou feixe de intervenções) por meio do uso de protocolos padronizados e auditados. Um conjunto pequeno e simples de práticas baseadas em evidências que, quando executadas coletivamente e de forma confiável, é mais provável que determinem melhorias nos resultados após cirurgias. Várias estratégias são importantes na diminuição da morbimortalidade perioperatória como o uso de dobutamina para pacientes de alto risco com baixa reserva cardiovascular, profilaxia de trombose, ventilação protetora com PEEP e baixo volume corrente intraoperatório, *fast track* anestesia, minimização de tempo de jejum, entre outras. Grande atenção ao balanço de fluidos no período perioperatório deve completar este feixe de cuidados.

REFERÊNCIAS

1. Lobo SM, Rezende E, Knibel MF, et al. Epidemiology and outcomes of non-cardiac surgical patients in Brazilian intensive care units. Rev Bras Ter Intensiva. 2008 Dec;20(4):376-84.
2. Silva Júnior JM, Chaves RCF, Corrêa TD, et al. Epidemiology and outcome of high-surgical-risk patients admitted to an intensive care unit in Brazil. Rev Bras Ter Intensiva. 2020 Mar;32(1):17-27.
3. Nepogodiev D, Martin J, Biccard B, et al. National Institute for Health Research Global Health Research Unit on Global Surgery. Global burden of postoperative death. Lancet. 2019 Feb 2;393(10170):401.
4. Silva-Jr JM, Menezes PFL, Lobo SM, et al. Impact of perioperative hemodynamic optimization therapies in surgical patients: economic study and meta-analysis. BMC Anesthesiol. 2020 Mar 31;20(1):71.
5. Brienza N, Biancofiore G, Cavaliere F, Corcione A, De Gasperi A, De Rosa RC, Fumagalli R, Giglio MT, Locatelli A, Lorini FL, Romagnoli S, Scolletta S, Tritapepe L. Clinical guidelines for perioperative hemodynamic management of non cardiac surgical adult patients. Minerva Anestesiol. 2019 Dec;85(12):1315-1333. doi: 10.23736/S0375-9393.19.13584-5. Epub 2019 Jun 17. PMID: 31213042.
6. Nates JL, Nunnally M, Kleinpell R et al. ICU Admission, Discharge, and Triage Guidelines: A Framework to Enhance Clinical Operations, Development of Institutional Policies, and Further Research. Crit Care Med. 2016 Aug;44(8):1553-602.
7. De Backer D, Bakker J, Cecconi M, et al. Alternatives to the Swan-Ganz catheter. Intensive Care Med. 2018 Jun;44(6):730-41.
8. Cecconi M, De Backer D, Antonelli M, et al. Consensus on circulatory shock and hemodynamic monitoring. Task force of the European Society of Intensive Care Medicine. Intensive Care Med. 2014 Dec;40(12):1795-815.
9. Hernandez G, Messina A, Kattan E. Invasive arterial pressure monitoring: much more than mean arterial pressure! Intensive Care Med. 2022 Oct;48(10):1495-7.
10. Evans L, Rhodes A, Alhazzani W, et al. Surviving Sepsis Campaign: International Guidelines for Management of Sepsis and Septic Shock 2021. Crit Care Med. 2021 Nov 1;49(11):e1063-e1143.
11. Walsh M, Devereaux PJ, Garg AX, et al. Relationship between intraoperative mean arterial pressure and clinical outcomes after noncardiac surgery: toward an empirical definition of hypotension. Anesthesiology. 2013 Sep;119(3):507-15.
12. Sessler DI, Meyhoff CS, Zimmerman NM, et al. Period-dependent Associations between Hypotension during and for Four Days after Noncardiac Surgery and a Composite of Myocardial Infarction and Death: A Substudy of the POISE-2 Trial. Anesthesiology. 2018 Feb;128(2):317-27.
13. Wesselink EM, Kappen TH, Torn HM, Slooter AJC, van Klei WA. Intraoperative hypotension and the risk of postoperative adverse outcomes: a systematic review. Br J Anaesth. 2018 Oct;121(4):706-21.
14. Bijker JB, Persoon S, Peelen LM, Moons KG, Kalkman CJ, Kappelle LJ, et al. Intraoperative hypotension and perioperative ischemic stroke after general surgery: a nested case-control study. Anesthesiology. 2012 Mar;116(3):658-64.
15. Machado MN, Rodrigues FB, Nakazone MA, Martin DF, Sabbag ATR, Grigolo IH, et al. Prediction of Death After Noncardiac Surgery: Potential Advantage of Using High-Sensitivity Troponin T as a Continuous Variable. J Am Heart Assoc. 2021 Mar 16;10(6):e018008.
16. Fellahi JL, Futier E, Vaisse C, Collange O, Huet O, Loriau J, et al. Perioperative hemodynamic optimization: from guidelines to implementation-an experts' opinion paper. Ann Intensive Care. 2021 Apr 14;11(1):58.
17. Futier E, Lefrant JY, Guinot PG, et al. INPRESS Study Group. Effect of Individualized vs Standard Blood Pressure Management Strategies on Postoperative Organ Dysfunction Among High-Risk Patients Undergoing Major Surgery: A Randomized Clinical Trial. JAMA. 2017 Oct 10;318(14):1346-57.
18. McEvoy MD, Gupta R, Koepke EJ, Feldheiser A, Michard F, Levett D, et al - POQI-3 workgroup; POQI chairs - Miller TE, Mythen MG, Grocott MP, Edwards MR. Physiology group. Preoperative blood pressure group; Intraoperative blood pressure group; Postoperative blood pressure group. Perioperative Quality Initiative consensus statement on postoperative blood pressure, risk and outcomes for elective surgery. Br J Anaesth. 2019 May;122(5):575-86.
19. Marcucci M, Painter TW, Conen D, et al. POISE-3 Trial Investigators and Study Groups. Hypotension-Avoidance Versus Hypertension-Avoidance Strategies in Noncardiac Surgery: An International Randomized Controlled Trial. Ann Intern Med. 2023 May;176(5):605-14.
20. Rady MY, Rivers EP, Nowak RM. Resuscitation of the critically ill in the ED: responses of blood pressure, heart rate, shock index, central venous oxygen saturation, and lactate. Am J Emerg Med. 1996 Mar;14(2):218-25.
21. Lobo SM, Rezende E, Knibel MF, Silva NB, Paramo JA, Nacul FE, et al. Early determinants of death due to multiple organ failure after noncardiac surgery in high-risk patients. Anesth Analg. 2011;112(4):877-83.
22. Pearse R, Dawson D, Fawcett J, Rhodes A, Grounds RM, Bennett ED. Changes in central venous saturation after major surgery, and association with outcome. Crit Care. 2005;9(6):R694-9.
23. Donati A, Loggi S, Preiser JC, Orsetti G, Munch C, Gabbanelli V, et al. Goal-directed intraoperative therapy reduces morbidity and length of hospital stay in high-risk surgical patients. Chest. 2007;132(6):1817-24.
24. Gavelli F, Teboul JL, Monnet X. How can CO2-derived indices guide resuscitation in critically ill patients? J Thorac Dis. 2019 Jul;11(11):S1528-S1537.
25. Silva JM Jr, Oliveira AM, Segura JL, Ribeiro MH, Sposito CN, Toledo DO, et al. A large Venous-Arterial PCO2 Is Associated with Poor Outcomes in Surgical Patients. Anesthesiol Res Pract. 2011;2011:759792.
26. Robin E, Futier E, Pires O, Fleyfel M, Tavernier B, Lebuffe G, et al. Central venous-to-arterial carbon dioxide difference as a prognostic tool in high-risk surgical patients. Crit Care. 2015 May 13;19(1):227.
27. Habicher M, von Heymann C, Spies CD, Wernecke KD, Sander M. Central Venous-Arterial pCO2 Difference Identifies Microcirculatory Hypoperfusion in Cardiac Surgical Patients with Normal Central Venous Oxygen Saturation: A Retrospective Analysis. J Cardiothorac Vasc Anesth. 2015;29(3):646-55.
28. Prado L, Lobo F, de Oliveira N, Espada D, Neves B, Teboul JL, et al. Intraoperative haemodynamic optimisation therapy with venoarterial carbon dioxide difference and pulse pressure variation - does it work? Anaesthesiol Intensive Ther. 2020;52(4):297-303.
29. H NL, Tripathy S, Das PK. Central Venous-to-Arterial CO2 Difference-Assisted Goal-Directed Hemodynamic Management During Major Surgery-A Randomized Controlled Trial. Anesth Analg. 2022;134(5):1010-20.
30. Jansen TC, van Bommel J, Schoonderbeek FJ, Sleeswijk Visser SJ, van der Klooster JM, Lima AP, et al. Group LS: Early lactate-guided therapy in intensive care unit patients: a multicenter, open-label, randomized controlled trial. Am J Respir Crit Care Med. 2010;182(6):752-61.
31. Lobo SM, de Oliveira NE. Clinical review: What are the best hemodynamic targets for noncardiac surgical patients? Crit Care. 2013 Mar 19;17(2):210.
32. Pearse RM, Harrison DA, MacDonald N, et al. OPTIMISE Study Group. Effect of a perioperative, cardiac output-guided hemodynamic therapy algorithm on outcomes following major gastrointestinal surgery: a randomized clinical trial and systematic review. JAMA. 2014 Jun 4;311(21):2181-90. Erratum in: JAMA. 2014 Oct 8;312(14):1473.
33. Giglio M, Manca F, Dalfino L, et al. Perioperative hemodynamic goal-directed therapy and mortality: a systematic review and meta-analysis with meta-regression. Minerva Anestesiol. 2016 Nov;82(11):1199-213.

34. Chong MA, Wang Y, Berbenetz NM, et al. Does goal-directed haemodynamic and fluid therapy improve peri-operative outcomes? A systematic review and meta-analysis. Eur J Anaesthesiol. 2018 Jul;35(7):469-83.

35. Messina A, Robba C, Calabrò L, et al. Association between perioperative fluid administration and postoperative outcomes: a 20-year systematic review and a meta-analysis of randomized goal-directed trials in major visceral/noncardiac surgery. Crit Care. 2021 Feb 1;25(1):43.

36. Zhao X, Tian L, Brackett A, et al. Classification and differential effectiveness of goal-directed hemodynamic therapies in surgical patients: A network meta-analysis of randomized controlled trials. J Crit Care. 2021 Feb;61:152-61.

37. Fellahi JL, Futier E, Vaisse C, et al. Perioperative hemodynamic optimization: from guidelines to implementation-an experts' opinion paper. Ann Intensive Care. 2021 Apr 14;11(1):58.

38. Miller TE, Roche AM, Gan TJ. Poor adoption of hemodynamic optimization during major surgery: are we practicing substandard care? Anesth Analg. 2011 Jun;112(6):1274-6.

39. Peyton PJ, Chong SW. Minimally invasive measurement of cardiac output during surgery and critical care: a meta-analysis of accuracy and precision. Anesthesiology. 2010 Nov;113(5):1220-35.

40. Monnet X, Anguel N, Jozwiak M, Richard C, Teboul JL. Third-generation FloTrac/Vigileo does not reliably track changes in cardiac output induced by norepinephrine in critically ill patients. Br J Anaesth. 2012 Apr;108(4):615-22.

41. Meng L, Tran NP, Alexander BS, Laning K, Chen G, Kain ZN, et al. The impact of phenylephrine, ephedrine, and increased preload on third-generation Vigileo-FloTrac and esophageal doppler cardiac output measurements. Anesth Analg. 2011 Oct;113(4):751-7.

42. Oh C, Lee S, Oh P, Chung W, Ko Y, Yoon SH, et al. Comparison between Fourth-Generation FloTrac/Vigileo System and Continuous Thermodilution Technique for Cardiac Output Estimation after Time Adjustment during Off-Pump Coronary Artery Bypass Graft Surgery: A Retrospective Cohort Study. J Clin Med. 2022 Oct 16;11(20):6093.

43. Biais M, Nouette-Gaulain K, Cottenceau V, Vallet A, Cochard JF, Revel P, Sztark F. Cardiac output measurement in patients undergoing liver transplantation: pulmonary artery catheter versus uncalibrated arterial pressure waveform analysis. Anesth Analg. 2008 May;106(5):1480-6.

44. Saugel B, Vincent JL. Cardiac output monitoring: how to choose the optimal method for the individual patient. Curr Opin Crit Care. 2018 Jun;24(3):165-72.

45. De Backer D, Bakker J, Cecconi M, Hajjar L, Liu DW, Lobo S, et al. Alternatives to the Swan-Ganz catheter. Intensive Care Med. 2018 Jun;44(6):730-41.

46. Malbrain MLNG, et al. Principles of fluid management and stewardship in septic shock: it is time to consider the four D's and the four phases of fluid therapy. Annals of Intensive Care. 2018;8:66.

47. Monnet X, Marik P, Teboul JL. Passive leg raising for predicting fluid responsiveness: a systematic review and meta-analysis. Intensive Care Med. 2016 Dec;42(12):1935-1947.

48. Bentzer P, Griesdale DE, Boyd J, MacLean K, Sirounis D, Ayas NT. Will This Hemodynamically Unstable Patient Respond to a Bolus of Intravenous Fluids? JAMA. 2016 Sep 27;316(12):1298-309.

49. Monnet X, Lai C, Teboul JL. How I personalize fluid therapy in septic shock? Crit Care. 2023 Mar 24;27(1):123.

50. Benes J, Giglio M, Brienza N, Michard F. The effects of goal-directed fluid therapy based on dynamic parameters on post-surgical outcome: a meta-analysis of randomized controlled trials. Crit Care. 2014 Oct 28;18(5):584.

51. Michard F, Chemla D, Teboul JL. Applicability of pulse pressure variation: how many shades of grey? Crit Care. 2015 Mar 25;19(1):144. doi: 10.1186/s13054-015-0869-x

52. Myatra SN, Prabu NR, Divatia JV, et al. The Changes in Pulse Pressure Variation or Stroke Volume Variation After a "Tidal Volume Challenge" Reliably Predict Fluid Responsiveness During Low Tidal Volume Ventilation. Crit Care Med. 2017;45(3):415-21.

53. Lai C, Shi R, Beurton A, Moretto F, Ayed S, Fage N, et al. The increase in cardiac output induced by a decrease in positive end-expiratory pressure reliably detects volume responsiveness: the PEEP-test study. Crit Care. 2023 Apr 9;27(1):136.

54. Gavelli F, Shi R, Teboul JL, Azzolina D, Monnet X. The end-expiratory occlusion test for detecting preload responsiveness: a systematic review and meta-analysis. Ann Intensive Care. 2020 May 24;10(1):65.

55. Monnet X, Bataille A, Magalhaes E, Barrois J, Le Corre M, Gosset C, et al. End-tidal carbon dioxide is better than arterial pressure for predicting volume responsiveness by the passive leg raising test. Intensive Care Med. 2013 Jan;39(1):93-100.

56. Monge GMI, Gil CA, Gracia RM, Monterroso PR, Perez MV, Diaz MJC. Non-invasive assessment of fluid responsiveness by changes in partial end-tidal CO2 pressure during a passive leg-raising maneuver. Ann Intensive Care. 2012;2:9.

57. Toupin F, Clairoux A, Deschamps A, Lebon JS, Lamarche Y, Lambert J, et al. Assessment of fluid responsiveness with end-tidal carbon dioxide using a simplified passive leg raising maneuver: a prospective observational study. Can J Anaesth. 2016; 63(9):1033-41.

58. Huang H, Wu C, Shen Q, Fang Y, Xu H. Value of variation of end-tidal carbon dioxide for predicting fluid responsiveness during the passive leg raising test in patients with mechanical ventilation: a systematic review and meta-analysis. Crit Care. 2022;26(1):20.

59. Kuiper AN, Trof RJ, Groeneveld AB. Mixed venous O2 saturation and fluid responsiveness after cardiac or major vascular surgery. J Cardiothorac Surg. 2013; 8:189.

60. Funk DJ, Jacobsohn E, Kumar A. The role of venous return in critical illness and shock-part I: physiology. Crit Care Med. 2013 Jan;41(1):255-62.

61. Hamzaoui O, Georger JF, Monnet X, Ksouri H, Maizel J, Richard C, et al. Early administration of norepinephrine increases cardiac preload and cardiac output in septic patients with life-threatening hypotension. Crit Care. 2010;14(4):R142.

62. Adda I, Lai C, Teboul JL, Guerin L, Gavelli F, Monnet X. Norepinephrine potentiates the efficacy of volume expansion on mean systemic pressure in septic shock. Crit Care. 2021;25(1):302.

63. Bai X, Yu W, Ji W, Lin Z, Tan S, Duan K, et al. Early versus delayed administration of norepinephrine in patients with septic shock. Crit Care. 2014 Oct 3;18(5):532.

64. Ospina-Tascón GA, Hernandez G, Alvarez I, Calderón-Tapia LE, Manzano-Nunez R, Sánchez-Ortiz AI, et al. Effects of very early start of norepinephrine in patients with septic shock: a propensity score-based analysis. Crit Care. 2020 Feb 14;24(1):52.

65. Liang T, Yu J, Li L, Xie Y, Wu F. Prophylactic Norepinephrine Infusion Reduces Postoperative Complications and Hospitalization Time in Elderly Patients Undergoing Posterior Lumbar Spinal Fusion. Biomed Res Int. 2021 Jun 3;2021:2161036.

66. Monnet X, Lai C, Ospina-Tascon G, De Backer D. Evidence for a personalized early start of norepinephrine in septic shock. Crit Care. 2023 Aug 22;27(1):322.

67. Malbrain ML, Marik PE, Witters I, Cordemans C, Kirkpatrick AW, Roberts DJ, et al. Fluid overload, de-resuscitation, and outcomes in critically ill or injured patients: a systematic review with suggestions for clinical practice. Anaesthesiol Intensive Ther. 2014 Nov-Dec;46(5):361-80.

68. De Backer D, Vincent JL. Should we measure the central venous pressure to guide fluid management? Ten answers to 10 questions. Crit Care. 2018 Feb 23;22(1):43.

69. Freitas MS, Nacul FE, Malbrain MLNG, et al. Intra-abdominal hypertension, fluid balance, and adverse outcomes after orthotopic liver transplantation. J Crit Care. 2021 Apr;62:271-5.

70. Andrei S, Bahr PA, Nguyen M, Bouhemad B, Guinot PG. Prevalence of systemic venous congestion assessed by Venous Excess Ultrasound Grading System (VExUS) and association with acute kidney injury in a general ICU cohort: a prospective multicentric study. Crit Care. 2023 Jun 8;27(1):224.

71. Scharte M, Fink MP. Red blood cell physiology in critical illness. Crit Care Med. 2003;31:S651–S657.

72. Thomas J, Jensen L, Nahirniak S, et al. Anemia and blood transfusion practices in the critically ill: A prospective cohort review. Heart Lung. 2010;39:217–25.

73. Corwin HL, Gettinger A, Pearl RG, et al. The CRIT Study: Anemia and blood transfusion in the critically ill current clinical practice in the United States. Crit Care Med. 2004;32:39–52.

74. Vincent JL, Baron JF, Reinhart K, et al. ABC (Anemia and Blood Transfusion in Critical Care) Investigators: Anemia and blood transfusion in critically ill patients. JAMA. 2002;288:1499–1507.

75. Shander A, Hofmann A, Ozawa S, et al. The true cost of red blood cell transfusion in surgical patients. Blood. 2008;112:3045.

76. Mannucci PM, Levi M. Prevention and treatment of major blood loss. N Engl J Med. 2007;356:2301-11.

77. Napolitano LM. Perioperative anemia. Surg Clin North Am. 2005;85:1215-27.

78. Hébert PC, Wells G, Blajchman MA, et al. A multicenter, randomized, controlled clinical trial of transfusion requirements in critical care. Transfusion Requirements in Critical Care Investigators, Canadian Critical Care Trials Group. N Engl J Med. 1999;340:409–17.

79. Howard DH, Roback JD, Murphy DJ. Trends in transfusion rates after the FOCUS trial. J Comp Eff Res. 2018;7:113–20.

80. Murphy DJ, Needham DM, Netzer G, et al. RBC transfusion practices among critically ill patients: Has evidence changed practice? Crit Care Med. 2013;41:2344–53.

81. Mueller MM, Van Remoortel H, Meybohm P, et al. Patient blood management: Recommendations from the 2018 Frankfurt consensus conference. JAMA. 2019;321:983–97.

82. Almeida JP, Galas FRB, Hajjar LA. Indicações de hemocomponentes e hemoderivados. In: Cangiani LM, Carmona MJC, Ferez D, et al. eds. Tratado de Anestesiologia – SAESP. 9ª edição. Editora dos Editores Eireli, São Paulo, 2021, pp1735-42.

83. Savage SA, Sumislawski JJ, Zarzaur BL, et al. The new metric to define large-volume hemorrhage: results of a prospective study of the critical administration threshold. J Trauma Acute Care Surg. 2015;8:224-9.

84. Meyer DE, Cotton BA, Fox EE, et al. A comparison of resuscitation intensity and critical administration threshold in predicting early mortality among bleeding patients: A multicenter validation in 680 major transfusion patients. J Trauma Acute Care Surg. 2018;85:691-6.

85. Kaafarani HM, Velmahos GC. Damage control resuscitation in trauma. Scand J Surg. 2014;103:81–8.

86. Hotchkiss RS, Karl IE. The pathophysiology and treatment of sepsis. N Engl J Med. 2003;348:138-50.

87. Hjorleifsson E, Sigurdsson MI, Gudmundsdottir BR, et al. Prediction of survival in patients suspected of disseminated intravascular coagulation. Acta Anaesthesiol Scand. 2015;59:870–80.

88. Walsh TS, Stanworth SJ, Prescott RJ, et al. Prevalence, management, and outcomes of critically ill patients with prothrombin time prolongation in United Kingdom intensive care units. Crit Care Med. 2010;38:1939–46.

89. Görlinger K, Daniel Dirkmann D, Hanke AA. Potential value of transfusion protocols in cardiac surgery. Curr Opin Anesthesiol. 2013;26:230–43.

90. Görlinger K, Dirkmann D, Hanke AA, et al. First-line therapy with coagulation factor concentrates combined with point-of-care coagulation testing is associated with decreased allogeneic blood transfusion in cardiovascular surgery: a retrospective, single-center cohort study. Anesthesiology. 2011;115:1179-91.

91. Hanke AA, Herold U, Dirkmann D, et al. Thromboelastometry based early goal-directed coagulation management reduces blood transfusion requirements, adverse events, and costs in acute Type A aortic dissection: a pilot study. Transfus Med Hemother. 2012;39:121-28.

92. Girdauskas E, Kempfert J, Kuntze T, et al. Thromboelastometrically guided transfusion protocol during aortic surgery with circulatory arrest: a prospective, randomized trial. J Thorac Cardiovasc Surg. 2010;140:1117-24.

93. Roberts I, Shakur H, Coats T, et al. Effects of tranexamic acid on death, vascular occlusive events, and blood transfusion in trauma patients with significant hemorrhage (CRASH-2): a randomized, placebo-controlled trial. Lancet. 2010;376:23-32.

94. Roman M, Biancari F, Ahmed AB, et al. Prothrombin Complex Concentrate in Cardiac Surgery: A Systematic Review and Meta-Analysis. Ann Thorac Surg. 2019;107:1275-83.

95. Sellers W, Bendas C, Toy F, et al. Utility of 4-Factor Prothrombin Complex Concentrate in Trauma and Acute-Care Surgical Patients. J Am Osteopath Assoc. 2018;118:789-97.

96. Thomas SG. The structure of resting and activated platelets. In: Michelson AD, eds. Platelets, 2019; p. 47-77.

97. McNicol A, Israels SJ. Platelet dense granules: structure, function and implications for haemostasis. Thromb Res. 1999;95:1-18.

98. Davì G, Patrono C. Platelet activation and atherothrombosis. N Engl J Med. 2007;357:2482–94.

99. Lindemann S, Krämer B, Seizer P, et al. Platelets, inflammation and atherosclerosis. J Thromb Haemost. 2007;5:203–11.

100. Estcourt LJ, Birchal J, Allard S, et al, Guidelines for the use of platelet transfusions, Br J Haematol. 2017;176:365-94.

101. Muszbek L, Bereczky Z, Bagoly Z, et al. Factor XIII: a coagulation factor with multiple plasmatic and cellular functions. Physiol Ver. 2011;91:931-72.

102. Yee VC, Pedersen LC, Le Trong I, et al. Three dimensional structure of a transglutaminase: human blood coagulation factor XIII. Proc Natl Acad Sci U S A. 1994;91:7296-300.

103. Fraser SR, Booth NA, Mutch NJ. The antifibrinolytic function of factor XIII is exclusively expressed through α2-antiplasmin cross-linking. Blood. 2011;117:6371-4.

104. Gerlach R, Raabe A, Zimmermann M, et al. Factor XIII deficiency and postoperative hemorrhage after neurosurgical procedures. Surg Neurol. 2000;54:260-4.

105. Gerlach R, Tölle F, Raabe A, et al. Increased risk for postoperative hemorrhage after intracranial surgery in patients with decreased factor XIII activity: implications of a prospective study. Stroke. 2002;33:1618-23.

106. Spahn DR, Bouillon B, Cerny V, et al. The European guideline on management of major bleeding and coagulopathy following trauma. Fifth edition. Crit Care. 2019;23:98-172.

107. Karadimov D, Krassimir B, Nachkov Y, et al. Use of activated recombinant factor VII (NovoSeven) during neurosurgery. J Neurosurg Anesthesiol. 2003;15:330-32.

108. Slappendel R, Huvers F, Benraad B, et al. Use of recombinant factor VIIa (NovoSeven) to reduce postoperative bleeding after total hip arthroplasty in a patient with cirrhosis and thrombocytopenia. Anesthesiology. 2002;96:1525-27.

109. Levi M, Peteres M, Buller HR. Efficacy and safety of recombinant factor VIIa for treatment of severe bleeding: a systematic review. Crit Care Med. 2005;33:883-90.

110. Poon MC. Use of recombinant factor VIIa in hereditary bleeding disorders. Curr Opin Hematol. 2001;8:312-18.

207

Proteção Orgânica Perioperatória

Paula Gurgel Barreto ▪ Roberta Figueiredo Vieira ▪ Luiz Marcelo Sá Malbouisson

INTRODUÇÃO

Apesar dos avanços na segurança da anestesia, a morbimortalidade operatória ainda é um problema prevalente. Acomete até 4% dos pacientes submetidos a cirurgias de grande porte, sendo uma das principais causas de morte em todo o mundo. A disfunção de múltiplos órgãos (DMOS) decorre da resposta inflamatória desregulada e da perfusão tecidual insuficiente no perioperatório. A disfunção neurológica, isquemia miocárdica, lesão renal aguda (LRA), insuficiência respiratória, disfunção intestinal e insuficiência hepática são complicações graves que interferem na recuperação do paciente. Neste capítulo, serão abordadas estratégias para proteção orgânica tanto no período operatório como no pós-operatório.

■ FATORES DE RISCO PARA DISFUNÇÕES ORGÂNICAS NO PERIOPERATÓRIO

Além do porte cirúrgico e da idade, classicamente associados ao maior número de complicações no pós-operatório, as comorbidades, o manejo intraoperatório e pós-operatório imediato contribuem para as complicações e DMOS.[1] Pacientes com fatores de risco devem ser idealmente encaminhados para UTI no pós-operatório, visto que o manejo nas primeiras horas ou dias após cirurgia de grande porte, pode ser decisivo na prevenção ou reversão das disfunções orgânicas instaladas.

A validação do Simplified Acute Physiology Score 3 (SAPS 3) como preditor de admissão na UTI para pacientes inicialmente encaminhados para a enfermaria acrescenta possibilidade de um estadiamento simples de risco para pacientes com cirurgias de risco intermediário, em que há dúvida sobre o encaminhamento para enfermaria ou UTI. Paciente com SAPS 3 maior que 44 no pré-operatório apresenta risco maior de necessidade de UTI no pós-operatório e sua admissão diretamente para uma UTI deve ser considerada. Paciente submetido a cirurgia com duração superior a 3 horas também apresenta risco aumentado de necessitar de UTI, mesmo quando encaminhados inicialmente para enfermaria.[2]

Dentre os fatores de risco para surgimento de disfunções orgânicas, destacam-se fatores de risco potencialmente evitáveis, como hipotensão e hipoperfusão orgânica no intraoperatório, que se associam fortemente ao risco de acidente vascular cerebral, lesão cardíaca e renal no pós-operatório.

■ ESTRATÉGIAS DE PREVENÇÃO DE DISFUNÇÕES ORGÂNICAS NO PERIOPERATÓRIO

Sistema Nervoso Central

A disfunção neurocognitiva perioperatória (DNP) refere-se a alterações na função cognitiva antes e/ou após a cirurgia, que se manifestam clinicamente por anormalidades de aprendizagem, memória, linguagem, pensamento, espírito e emoções.[3] O delirium pós-operatório (DPO), a disfunção cognitiva pós-operatória (DCPO), a recuperação neurocognitiva atrasada e o declínio cognitivo pré-operatório estão agora incluídos como DNP. O DNP tem maior incidência em pacientes idosos, o que causa internação mais longa, custos mais altos, maior carga social e até mesmo maior mortalidade.[4]

A presença de delirium é comum no pós-operatório e frequente causa de morbidade. O diagnóstico em pacientes sob risco pode ser feito por meio de ferramentas validadas, como o Confusion Assessment method for the ICU (CAM-ICU). As medidas ambientais e a presença de familiares fornecem o alicerce para prevenção e tratamento do delirium. O tratamento farmacológico fica reservado para os casos em que há delirium hiperativo, com agitação psicomotora, sendo os antipsicóticos as medicações de primeira escolha.

Acredita-se que os procedimentos anestésicos podem prejudicar a capacidade cognitiva. No entanto, a prevalência de DPO em pacientes submetidos a cirurgia vascular não foi significativamente influenciada pela técnica anestésica.[5] Alguns fármacos comumente utilizados durante a cirurgia, como atropina, anti-histamínicos e corticoides podem causar *delirium*.[6] A sedação leve guiada por eletroencefalografia (como o índice de potencial evocado auditivo e o índice bispectral) durante a cirurgia é uma estratégia relacionada à redução de DPO.[7] O tratamento da anemia intraoperatória também é um fator protetor para *delirium*, uma vez que há uma associação consistente entre menores valores de hemoglobina e maior risco de *delírium*.[8]

No pós-operatório de algumas cirurgias, nas quais há necessidade de manutenção do paciente sob ventilação mecânica, deve-se ponderar a profundidade da sedação. A sedação profunda é restrita a casos específicos, como na hipertensão intracraniana e no estado de mal epiléptico, pois a repercussão hemodinâmica resultante pode gerar lesão cerebral secundária. O nível ideal da sedação é aquele no qual o paciente está calmo, colaborativo e despertável aos chamados. Os benzodiazepínicos devem ser evitados sempre que possível, uma vez que o propofol ou a dexmedetomidina estão associados a um menor tempo de ventilação mecânica.[9]

A hiperventilação nunca deve ser utilizada de forma profilática, pelo risco de provocar isquemia cerebral, sendo reservada para casos de hipertensão intracraniana refratária e/ou herniação cerebral. O seu efeito é limitado a algumas horas, podendo ocorrer elevação da pressão intracraniana rebote quando essa estratégia ventilatória é interrompida nos pacientes sob hiperventilação por mais de 6 horas. O manejo terapêutico do edema cerebral consiste em medidas de suporte para evitar agravos sistêmicos como hipotensão arterial, hipóxia, hipertermia e redução do retorno venoso cerebral. E, além da administração de soluções hipertônicas, instituição de hiperventilação, hipotermia leve e craniectomia descompressiva, se necessário.

A disfunção hemodinâmica no intraoperatório é fator de risco para disfunção cognitiva. A hipotensão provoca mecanismos de lesão neuronal secundária, especialmente em pacientes com hipertensão intracraniana. A principal medida clínica neuroprotetora é a adequação do fluxo sanguíneo cerebral e da pressão de perfusão cerebral por meio do uso de anestésicos que reduzam o metabolismo cerebral, drogas vasoativas e hemocomponentes. Entretanto, estratégias de proteção orgânica de outros sistemas, como o uso de betabloqueadores para profilaxia da isquemia miocárdica perioperatória, pode ocasionar aumento do número de eventos cerebrovasculares, secundários ao baixo débito cardíaco e à hipotensão arterial. Assim, o uso perioperatório de betabloqueadores deve ser avaliado com cautela. Como regra geral, para pacientes que usam a medicação ambulatorialmente, o betabloqueador pode ser mantido no perioperatório, mas sua reintrodução no pós-operatório deve ocorrer após observação hemodinâmica. O betabloqueador nunca deve ser iniciado antes da cirurgia.[10]

Sistema Respiratório

As complicações pulmonares pós-operatórias, como atelectasias e lesão pulmonar induzida pelo ventilador, são comuns e estão associadas a maior morbimortalidade. A re-

dução de complicações pulmonares pós-operatórias pode ser alcançada através da adoção de estratégias de ventilação pulmonar protetora, mesmo nos pacientes sem lesão pulmonar prévia.[11] Assim, o volume corrente deve ser limitado a 6 a 8 mL.kg^{-1} de peso ideal com pressão de platô menor que 30 cmH$_2$O, (idealmente < 16 cmH$_2$O). A *driving pressure*, diferença entre a pressão de platô e a pressão positiva expiratória final (PEEP), quando elevada, é fator de risco adicional para lesão pulmonar no pós-operatório. Uma forma de "ajustar" o volume corrente à complacência pulmonar do paciente é manter a *driving pressure* abaixo de 13 cmH$_2$O (esses valores sugeridos são restritos para pacientes não obesos e sem patologia pulmonar). Dentre os parâmetros da ventilação protetora pulmonar, o papel protetor do baixo volume corrente (6-8 mL.kg^{-1} do peso corporal ideal) é o mais estabelecido na literatura.

O desenvolvimento de atelectasias durante a anestesia geral é frequente e o uso da PEEP durante a ventilação mecânica intraoperatória pode prevenir o colapso alveolar, além do potencial efeito na abertura de áreas colapsadas. O nível de PEEP deve ser individualizado de acordo com as características do paciente e da cirurgia, uma vez que valores mais altos de PEEP podem ser deletérios em pacientes com hipertensão intracraniana e hipovolemia. No consenso de ventilação protetora pulmonar, os autores descreveram como forte recomendação o uso da PEEP em 5 cmH$_2$O como ajuste inicial da ventilação mecânica. O ajuste de PEEP pode ser utilizado para otimizar a ventilação de pacientes obesos, em cirurgias com insuflação de pneumoperitônio e nos posicionamentos em pronação ou Trendelenburg. Além disso, recomenda-se a individualização da PEEP, de forma a evitar elevação da *driving pressure*.[12,13]

As manobras de recrutamento alveolar auxiliam na reabertura de alvéolos colapsados, propiciando melhor complacência respiratória. Porém, essas manobras não devem ser realizadas de rotina, podendo ser executadas após desconexão do circuito ou quando a saturação de oxigênio se mantém abaixo de 94%, nos pacientes com adequada estabilidade hemodinâmica.[14]

Ainda não está bem estabelecida a associação entre hiperoxemia e desfechos clinicamente relevantes durante a ventilação mecânica intraoperatória. No entanto, uma elevada fração inspiratória de oxigênio (fiO$_2$) pode estar associada à atelectasia de absorção, ao aumento do estresse oxidativo, à vasoconstrição vascular periférica e ao aumento de complicações pulmonares pós-operatórias. A partir disso, sugere-se que a fiO$_2$ seja ajustada com o objetivo de usar o menor valor possível para atingir uma saturação periférica de oxigênio ≥ 94%.[14]

Sistema Cardiovascular

A lesão cardíaca é definida como morte celular miocárdica, refletida por níveis séricos elevados de troponina cardíaca dentro de 30 dias após uma cirurgia não cardíaca. Em mais da metade dos casos, essa lesão resulta em duas principais complicações cardiovasculares nos pacientes cirúrgicos não cardíacos: a isquemia miocárdica perioperatória (IMP) e o infarto agudo do miocárdio (IAM). A IMP decorre da incompatibilidade entre a oferta e a demanda de oxigênio no miocárdio. Assim, mudanças abruptas na frequência cardíaca, pressão arterial e volume intravascular durante a cirurgia podem provocar necrose dos cardiomiócitos e subsequente infarto nos pacientes suscetíveis. Uma forte correlação entre hipotensão e lesão miocárdica é amplamente aceita. Dessa forma, a manutenção prolongada de uma pressão arterial média absoluta (PAM) abaixo de 65 mmHg ou de limiares relativos abaixo de 20% da PAM pré-indução, e mesmo períodos curtos de PAM intraoperatória inferior a 55 mmHg podem estar relacionados à ocorrência de lesão miocárdica.[15]

A ressuscitação hemodinâmica perioperatória adequada para otimizar perfusão tecidual é essencial na prevenção das complicações cardiovasculares e de outros sistemas orgânicos. A hipovolemia pode levar à vasoconstrição e perfusão orgânica inadequada, com diminuição da oferta de oxigênio aos órgãos e tecidos periféricos, diminuição da eficiência na produção de energia, acarretando a disfunção orgânica. Por outro lado, a sobrecarga de fluido pode gerar edema intersticial e inflamação local, prejudicando a regeneração do colágeno, interferindo na cicatrização do tecido e aumentando o risco de deiscência da ferida, infecções e vazamento anastomótico.

O objetivo de monitorar o volume intravascular dos pacientes é orientar a administração judiciosa de fluidos, para garantir uma adequada perfusão tecidual. Os monitores mais utilizados na prática clínica são a linha arterial para medida da variação da pressão de pulso e outros métodos dinâmicos, a linha venosa central para medida da pressão venosa central (PVC), o ecocardiograma, monitorização de parâmetros bioquímicos associados à hipoperfusão tecidual no intraoperatório e em casos específicos, o cateter de artéria pulmonar. A monitorização hemodinâmica guiando a estratégia volêmica é a base para a aplicação da terapia guiada por metas. A terapia guiada por metas visa à otimização do débito cardíaco para a manutenção dos processos metabólicos teciduais e redução consequente do risco de disfunção orgânica.

O esquema de infusão de fluidos para adequação do desempenho cardiovascular pode ser didaticamente dividido em 4 componentes relevantes (4 Ds): medicamento (*drug*), dose (*dosing*), duração (*duration*) e de-escalonamento (*de-escalation*). Os fluidos são medicações e, como tais, possuem indicações, contraindicações e efeitos colaterais. Diferentes indicações exigem diferentes tipos de fluidos. Por exemplo, o fluido de manutenção deve fornecer eletrólitos básicos e glicose para as necessidades metabólicas, enquanto os fluidos de ressuscitação devem restaurar o volume perdido. A dose, o tempo e a taxa de administração são igualmente importantes, e ao contrário da maioria dos medicamentos, não existe uma dose terapêutica padrão.[16] A duração da fluidoterapia é crucial e o volume deve ser reduzido à medida que o choque for resolvido. Assim, a etapa final da fluidoterapia é retirar os fluidos quando eles não são mais necessários, reduzindo assim o risco de sobrecarga volêmica e os seus efeitos deletérios.[17]

Durante as reuniões do International Fluid Academy Day (IFAD), o protocolo R.O.S.E. (*Resuscitation, Optimisation, Stabilisation, Evacuation*) foi o proposto como estratégia de fluidoterapia (Tabela 207.1). A fase de ressuscitação tem o objetivo de corrigir o choque e atingir uma pressão de perfusão adequada através da administração rápida de um volume de fluido, geralmente 3-4 mL/kg, em 10 a 15 minutos, e repetido quando necessário, associado a uma droga vasoativa. Nesta fase, o balanço hídrico deve ser positivo. A fase de otimização começa quando o paciente não está mais hipovolêmico, mas

permanece hemodinamicamente instável. Os fluidos devem ser administrados de acordo com as necessidades individuais, guiados pela monitorização hemodinâmica e reavaliados regularmente, visto que o objetivo é otimizar e manter a perfusão tecidual e oxigenação adequadas para prevenir e limitar danos aos órgãos.

Tabela 207.1 Protocolo ROSE (Resuscitation, Optimisation, Stabilisation, Evacuation).

Ressuscitação	Tratamento imediato do choque com fluidos e vasopressores para manter a perfusão tecidual
Otimização	Individualizar a partir de uma terapia guiada por metas as novas intervenções com fluidoterapia e vasopressores
Estabilização	Repor eletrólitos e manter balanço hídrico próximo ao neutro
Desmame	Remover o excesso de fluido seja por diurese espontânea ou uso de diuréticos

Fonte: Intravenous fluid therapy in the perioperative and critical care setting: Executive summary of the International Fluid Academy (IFA). Ann Intensive Care. 2020; 10: 64. Published online 2020 May 24. doi: 10.1186/s13613-020-00679-3.

A fase de estabilização é caracterizada pela estabilidade hemodinâmica do paciente e o seu objetivo é garantir água e eletrólitos para repor as perdas orgânicas basais, almejando um balanço hídrico zerado ou ligeiramente negativo. A fase final visa remover o excesso de fluido, o que será alcançado através da diurese espontânea, à medida que o paciente se recupera, ou com o uso de diuréticos.[18]

Grande parte dos malefícios atribuídos à reanimação hemodinâmica agressiva pode ser creditada à sua utilização quando já não era mais necessária, nas fases 3 e 4 do insulto hemodinâmico e à falta de direcionamento para metas específicas.[19] Uma mesma situação hemodinâmica pode ser tratada de forma diferente a depender do *timing* em que o paciente se encontra. Como exemplo, um paciente com hipotensão arterial pode ser tratado com reanimação volêmica agressiva e hemoderivados durante um sangramento grave no intraoperatório. Já na fase de estabilização, a persistência de hipotensão deve ser manejada preferencialmente com vasopressores, evitando-se a hipervolemia e os efeitos colaterais de outras estratégias de reanimação, já inefetivas e provavelmente deletérias nessa fase tardia.

Considerando o exposto, a definição do *status* volêmico pode ser extremamente difícil e duas perguntas devem ser respondidas, sempre que possível, antes de se fazer administração volêmica ao paciente:

1. Há necessidade de incremento do débito cardíaco, ou seja, há sinais de choque circulatório? Sabendo-se que a hipervolemia é deletéria nos pacientes com hemodinâmica estável sem sinais de hipoperfusão, não há indicação de expansão rápida com fluidos.
2. Háverá incremento de débito cardíaco com infusão de volume? Ou, o paciente é responsivo a volume? Utilizar preferencialmente ferramentas validadas para responder a essa questão, como variação de pressão de pulso, variação de volume sistólico, ecocardiograma com manobra de elevação das pernas, dentre outras.

Nas fases de resgate e otimização, não há benefício de se restringir a administração de fluidos. Isso pode ser corroborado por recente estudo randomizado, multicêntrico, com 3.000 pacientes, que não evidenciou benefício de estratégia estritamente restritiva na reanimação volêmica em perioperatório inicial de grande cirurgia abdominal. Houve maior taxa de insuficiência renal no grupo experimental (restrição de volume).[20]

No que tange ao alvo de pressão arterial, a hipotensão pode ser definida de forma absoluta ou relativa (em relação a níveis de pressão arterial basais do paciente). Nos pacientes com hipertensão arterial sistêmica submetidos a cirurgias de alto risco, o alvo de tratamento deve ser criterioso, já que alvos mais restritivos (tratamento somente em caso de PA sistólica < 80 mmHg) estão associados a disfunções orgânicas.[21] Não há comprovação robusta de que um alvo individualizado é a melhor opção rotineira, mas a hipotensão nesse tipo de paciente representa fator de risco maior do que para os normotensos, e deve ser enxergada como tal.

Função Renal

A incidência de lesão renal aguda (LRA) é considerada rara na população cirúrgica geral, mas nos pacientes submetidos a procedimentos cirúrgicos de grande porte (definidos como procedimentos cirúrgicos que requerem internação em UTI), a incidência de LRA (com base nos critérios do RIFLE) é de 31,6%. Estudos recentes identificaram grupos específicos de pacientes com alto risco de lesão, como nos casos dos pacientes submetidos a cirurgias bariátricas (26%), politraumas (7% a 39%), cirurgias cardíacas (19% a 46%) e tratamentos cirúrgicos de aneurismas de aorta abdominal rotos (75%).[22] Embora a terapia renal substitutiva continue a ser a pedra angular do tratamento de pacientes com lesão renal grave, a questão de quando (precoce *versus* tardio) e em qual estágio da insuficiência renal aguda (IRA) iniciar o suporte extracorpóreo de órgãos permanece no centro de intensos esforços de pesquisa.[23]

A ocorrência de hipotensão arterial persistente no intraoperatório resulta em hipoperfusão e inflamação renal, contribuindo para o dano celular e para a disfunção das células tubulares renais. Se essa hipoperfusão persistir, a capacidade autorreguladora do rim é excedida, levando à hipóxia celular e necrose tubular. Esse fato ilustra como a reanimação hemodinâmica adequada, discutida no tópico anterior, impacta a função renal no período pós-operatório.

A otimização hemodinâmica associada à prevenção da hiper ou hipovolemia são conceitos bem estabelecidos na proteção renal. Entretanto, a reposição volêmica agressiva foi considerada conduta embasada para proteção renal durante muito tempo. A hipervolemia é deletéria para a função renal e o mecanismo fisiopatológico é mais evidente, porém não exclusivo, nos pacientes com insuficiência cardíaca. Os efeitos locais da congestão venosa afetam adversamente a função do néfron, o que é descrito por alguns autores como insuficiência renal congestiva. Pacientes com edema periférico e/ou com PVC elevada apresentam alto risco de evoluir com IRA. Dessa forma, a prescrição de fluidos deve ser encarada como a prescrição de qualquer outro medicamento, com deliberação cuidadosa da indicação, momento correto de administração, dose e tipo de fluido.

O tipo de fluido a ser administrado ainda é motivo de debate na literatura médica. Dois grandes estudos randomizados evidenciaram piora evidente de desfechos renais quando se utilizou coloide sintético (amidos) na reposição volêmica nos pacientes críticos, em comparação aos cristaloides.[24] Dessa forma, sugerimos a não utilização rotineira dos coloides sintéticos em ambiente de UTI ou centro cirúrgico, até que evidências mais robustas comprovem sua segurança, considerando ainda o fato do custo mais elevado dessas soluções.[25] Além disso, evitar o uso de medicamentos nefrotóxicos, como substâncias antimicrobianas, incluindo aminoglicosídeos e anfotericina B, medicamentos anti-inflamatórios não-esteroides ou agentes de contraste iodados são outras medidas que devem ser pensadas com o objetivo de redução de fatores estressores no perioperatório. Estudos clínicos sugerem o papel da dexmedetomidina, um agonista seletivo do receptor α2-adrenérgico, na proteção renal perioperatória através da maior perfusão renal e menor estresse oxidativo. Metanálise recente concluiu que a dexmedetomidina reduziu as taxas de LRA associada à cirurgia cardíaca, sem reduzir a mortalidade.[26]

Sistema Hepático

Diferentes fatores contribuem para a redução da perfusão hepática perioperatória como a hipotensão, hemorragia, uso de drogas vasoativas e a compressão mecânica do fígado por ventilação mecânica ou pneumoperitônio durante cirurgia laparoscópica. Estudo clínico identificou a associação entre hiperbilirrubinemia pós-operatória e aumento da mortalidade e do tempo de internação hospitalar.[27] Entretanto, diferente dos outros sistemas, não há tratamento mecânico ou farmacológico para lesão hepática.

Sistema Gastrointestinal

A disfunção gastrointestinal (GI), em particular o íleo paralítico, contribui para desfechos adversos no pós-operatório. Nos pacientes cirúrgicos colorretais, por exemplo, o íleo aumenta, em 4 a 8 dias, o tempo de internação. Diferentes fatores podem alterar o microbioma intestinal, como antibióticos, inibidores da bomba de prótons, vasopressores e hipóxia tecidual, o que produz um perfil imunológico prejudicial, favorecendo o desenvolvimento de falência de órgãos. Neste contexto, o protocolo ERAS (*Enhanced Recovery After Surgery*) surgiu como uma iniciativa global para melhorar a qualidade dos cuidados perioperatórios. Esse protocolo recomenda evitar o jejum prolongado e o preparo intestinal pré-operatório, além de preconizar o emprego da terapia guiada por metas hemodinâmicas, da analgesia multimodal sem opioides e do apoio à função gastrointestinal.[28]

Outro campo que vem ganhando importância é a associação entre microbiota intestinal e doenças neuropsiquiátricas. Evidências crescentes mostram a relação do eixo microbiota intestinal-cérebro.[29] Recentemente, foi relatado que anormalidades na composição da microbiota intestinal podem estar por trás dos mecanismos de disfunção cognitiva e *delirium* pós-operatório, sugerindo um papel crítico da microbiota intestinal na disfunção neurocognitiva perioperatória.[30] Estudos têm sido realizados para entender como os anestesiologistas e cirurgiões poderiam atuar no perioperatório para reduzir a incidência de casos.

Sistema Endócrino

As disglicemias são frequentes no período operatório e o manejo glicêmico adequado previne complicações. Perseguir um alvo estrito de glicemia (< 110 mg.dL^{-1}) aumenta o risco de hipoglicemia e complicações. Por exemplo, pacientes submetidos a cirurgias cardíacas com a ocorrência de um episódio de glicemia menor que 70 mg/dL apresentaram maior mortalidade por todas as causas até 5 anos após a cirurgia.[31] Dessa forma, a recomendação é manter um alvo entre 140 e 180 mg.dL^{-1} e tratar somente se houver hiperglicemia maior que 180 mg.dL^{-1}. Uma análise de mais de 3.000 pacientes submetidos a cirurgia geral, vascular e urológica constatou que os pacientes com hiperglicemia intraoperatória apresentavam maior risco de complicações infecciosas, incluindo infecções do local cirúrgico, pneumonia, infecções do trato urinário e sepse.[32]

O tratamento da hiperglicemia perioperatória deve ser realizado com insulina de ação rápida, pois pode haver grande flutuação dos valores glicêmicos. Nos pacientes instáveis, há preferência de administração endovenosa da insulina, pois a administração subcutânea pode produzir absorção errática. Nas cirurgias longas pode ser necessário repetir a glicemia a cada 1 a 2 horas ou, eventualmente, a cada 30 minutos nos pacientes instáveis com disglicemias graves.[32]

Sistema Hematológico

De forma análoga ao que foi descrito para reanimação hemodinâmica, a transfusão de glóbulos vermelhos pode ser útil para aumentar a oferta de oxigênio aos tecidos nos pacientes com anemia aguda ou choque. Porém, os efeitos colaterais da transfusão podem minimizar o benefício esperado nas funções orgânicas. Dessa forma, os grandes estudos comparando gatilhos de hemoglobina para indicação de transfusão de concentrado de hemácias apresentaram resultados discrepantes no paciente cirúrgico. Assim, o alvo de hemoglobina, pensado de forma estática, não é o melhor gatilho transfusional. Estendendo aquilo que já foi descrito para reanimação volêmica (Tabela 207.2), para transfusão de hemoderivados podemos individualizar o gatilho de acordo com a situação clínica do paciente (Tabela 207.3).[33]

Tabela 207.2 Fases da reanimação hemodinâmica.

Conhecer em que fase se encontra o paciente é essencial para direcionar a melhor terapêutica possível.

Fase 1: Resgate

Situação: início agudo de hipotensão arterial e hipoperfusão tecidual com risco de morte imediato para o paciente. Exemplo: sangramento de grande monta no intraoperatório.
Conduta: reanimação volêmica imediata com infusão rápida de cristaloides e/ou hemoderivados. Vasopressores se necessário. Duração Típica: minutos.

Fase 2: Otimização

Situação: situações de estresse hemodinâmico em que há risco ou comprovada hipoperfusão tecidual. Exemplo: intraoperatório e primeiras horas do pós-operatório.
Conduta: reanimação hemodinâmica guiada por metas objetivas – lactato sérico, saturação venosa central de O$_2$, variação de pressão de pulso, variação de volume sistólico, gap de CO$_2$, ecocardiograma com manobra do *leg raising*. Duração típica: 6 a 24 horas.

Fase 3: Estabilização

Situação: condição de (relativa) estabilidade após o insulto agudo. Exemplo: primeiros dias no pós-operatório de risco.
Conduta: minimizar complicações, evitar balanço hídrico positivo, suporte para disfunções orgânicas instaladas. Duração Típica: dias.

Fase 4: Descalonamento

Situação: fase de recuperação das disfunções orgânicas após insulto. Exemplo: dias a semanas em pós-operatório complicado.
Conduta: desmame de vasopressores, desmame de suporte ventilatório, estimular ou permitir balanço hídrico negativo. Duração Típica: dias a semanas.

Fonte: Intravenous fluid therapy in the perioperative and critical care setting: Executive summary of the International Fluid Academy (IFA). Ann Intensive Care. 2020; 10: 64. Published online 2020 May 24. doi: 10.1186/s13613-020-00679-3.

Tabela 207.3 Fases da reanimação hemodinâmica aplicadas a transfusão de hemácias.

O conceito de fases de Reanimação Hemodinâmica aplicado à transfusão de concentrado de HEMÁCIAS no período perioperatório.

Fase 1: Resgate

Situação: sangramento agudo de grande volume no intra ou no pós-operatório.
Gatilho Transfusional: transfusão de concentrado de hemácias de emergência ou urgência guiada pela estimativa do sangramento e não pelo valor de hemoglobina. Reposição de fatores de coagulação guiada por Protocolos de Transfusão Maciça e/ou Tromboelastometria.

Fase 2: Otimização

Situação: intraoperatório e primeiras 12 a 48 horas do pós-operatório no paciente de alto risco.
Gatilho Transfusional: manter hemoglobina > 8 g.L^{-1}. A depender do quadro clínico, valores maiores podem ser necessários.
Gatilho transfusional deve ser incluído no contexto de terapia hemodinâmica guiada por metas no paciente de alto risco cirúrgico; caso haja sinais de hipoperfusão orgânica, pode ser necessária transfusão de concentrado de hemácias mesmo com hemoglogina > 8 g.L^{-1}.

Fases 3 e 4: Estabilização e Descalonamento

Situação: primeiros dias a semanas no pós-operatório, já não há insulto hemodinâmico agudo em andamento.
Gatilho Transfusional: recomendamos transfusão de concentrado de hemácias se hemoglobina < 7 g.L^{-1}
Se houver novo choque ou sangramento, paciente retorna às fases iniciais da reanimação.

Fonte: Intravenous fluid therapy in the perioperative and critical care setting: Executive summary of the International Fluid Academy (IFA). Ann Intensive Care. 2020; 10: 64. Published online 2020 May 24. doi: 10.1186/s13613-020-00679-3.

Tabela 207.4 Estratégias gerais para prevenção de disfunções orgânicas no período perioperatório.[7,9,12,13, 24,32,33]

Neurológica: evitar hipotensão e hipoperfusão tecidual; minimizar tempo de sedação profunda; evitar uso de diazepínicos; antipsicóticos ou dexmedetomidina para tratamento do delirium com agitação psicomotora que ofereça riscos para paciente ou equipe.

Pulmonar: ventilação mecânica protetora 6 a 8 mL.kg^{-1} de peso ideal; individualizar a PEEP de forma a evitar elevação da *driving pressure*; manter a menor fração inspirada possível de oxigênio que garanta a saturação alvo e atentar as contraindicações à retenção de CO_2.

Cardiovascular: tratamento hemodinâmico apropriado de acordo com a fase de reanimação (Tabela 207.1); utilização de ferramentas hemodinâmicas para terapia guiada por metas; sempre que possível utilizar ferramentas validadas para predição de resposta à infusão de fluidos nos estados de choque.

Função renal: evitar hipotensão intraoperatória; evitar hipovolemia e hipervolemia, ambas contribuem para disfunção renal; evitar uso de coloides sintéticos para reposição volêmica.

Sistema endocrinológico: evitar disglicemias, um alvo de glicemia entre 140 e 180 mg.dL^{-1} deve ser almejado para a maior parte dos pacientes.

Sistema hematológico: transfusão de concentrado de hemácias como estratégia para otimizar perfusão tecidual de acordo com a fase de reanimação em que se encontra o paciente (Tabela 207.2), evitando terapia subótima ou excessiva.

A Tabela 207.4 mostra um resumo das estratégias sugeridas para proteção orgânica perioperatória.

■ CONSIDERAÇÕES FINAIS

A prevenção das disfunções orgânicas no período operatório requer o conceito de otimização hemodinâmica, com detecção e correção precoces da hipoperfusão tecidual. Nas fases mais tardias (dias a semanas) do pós-operatório, uma terapêutica hemodinâmica agressiva já não traz mais benefícios, e a tônica passa a ser o suporte para as disfunções instaladas. Os efeitos colaterais das estratégias para otimização hemodinâmica, como reanimação volêmica, transfusão de concentrados de hemácias e fármacos vasoativos, são minimizados quando respeitadas as fases da reanimação e quando há terapia guiada por metas objetivas e ferramentas que permitam antecipar resposta às terapêuticas instituídas (p. ex.: preditores validados de resposta à infusão volêmica).

REFERÊNCIAS

1. Boehm O, Baumgarten G, Hoeft A. Preoperative patient assessment: Identifying patients at high risk. Best Pract Res Clin Anaesthesiol. 2016;30(2):131-143.
2. Silva JM Jr, Rocha HMC, Katayama HT, Dias LF, de Paula MB, Andraus LMR, et al. SAPS 3 score as a predictive factor for postoperative referral to intensive care unit. Ann Intensive Care. 2016;6(1):42.
3. Evered L, Silbert B, Knopman DS, Scott DA, DeKosky ST, Rasmussen LS, et al. Recommendations for the nomenclature of cognitive change associated with anaesthesia and surgery-20181. J Alzheimers Dis. 2018; 66(1):1-10.
4. Xu X, Hu Y, Yan E, Zhan G, Liu C, Yang C. Perioperative neurocognitive dysfunction: thinking from the gut? Aging (Albany NY). 2020;12(15):15797-15817.
5. Lowden E, Schmidt K, Mulla I, Andrei AC, Cashy J, Oakes DJ, et al. Evaluation of outcomes and complications in patients who experience hypoglycemia after cardiac surgery. Endocr Pract. 2017;23(1):46-55.
6. Clegg A, Young JB. Which medications to avoid in people at risk of delirium: a systematic review. Age Ageing. 2011; 40(1):23-29.
7. Sieber F, Neufeld KJ, Gottschalk A, Bigelow GE, Oh ES, Rosenberg PB, et al. Depth of sedation as an interventional target to reduce postoperative delirium: mortality and functional outcomes of the strategy to reduce the incidence of postoperative delirium in elderly patients randomised clinical trial. Br J Anaesth. 2019; 122(4):480-489.
8. Van der Zanden V, Beishuizen SJ, Scholtens RM, de Jonghe A, de Rooij SE, van Munster BC. The effects of blood transfusion on delirium incidence. J Am Med Dir Assoc. 2016; 17(8):748-753.
9. Balzer F, Weiß B, Kumpf O, Treskatsch S, Spies C, Wernecke KD, et al. Early deep sedation is associated with decreased in-hospital and two-year follow-up survival. Crit Care. 2015;19(1):197.
10. Wijeysundera DN, Duncan D, Nkonde-Price C, Virani SS, Washam JB, Fleischmann KE, et al. Perioperative beta blockade in noncardiac surgery: a systematic review for the 2014 ACC/AHA guideline on perioperative cardiovascular evaluation and management of patients undergoing noncardiac surgery: a report of the American College of Cardiology/American Heart Association Task Force on practice guidelines. J Am Coll Cardiol. 2014;64(22):2406-2425.
11. Güldner A, Kiss T, Serpa Neto A, Hemmes SN, Canet J, Spieth PM, et al. Intraoperative protective mechanical ventilation for prevention of postoperative pulmonary complications: A comprehensive review of the role of tidal volume, positive end-expiratory pressure, and lung recruitment maneuvers. Anesthesiology 2015;123(3):692-713.
12. Young CC, Harris EM, Vacchiano C, Bodnar S, Bukowy B, Elliott RRD, et al. Lung-protective ventilation for the surgical patient: international expert panel-based consensus recommendations. Br J Anaesth. 2019;123(6):898-913.
13. Zhang C, Xu F, Li W, Tong X, Xia R, Wang W, et al. Driving Pressure-Guided Individualized Positive EndExpiratory Pressure in Abdominal Surgery: A Randomized Controlled Trial. Anesth Analg. 2021;133(5):1197-1205.
14. Young CC, Harris EM, Vacchiano C, Bodnar S, Bukowy B, Elliott RRD, et al. Lung-protective ventilation for the surgical patient: international expert panel-based consensus recommendations. Br J Anaesth. 2019;123(6):898-913.
15. Salmasi V, Maheshwari K, Yang D, Mascha EJ, Singh A, Sessler DI, et al. Relationship between Intraoperative Hypotension, Defined by Either Reduction from Baseline or Absolute Thresholds, and Acute Kidney and Myocardial Injury after Noncardiac Surgery: A Retrospective Cohort Analysis. Anesthesiology. 2017;126(1):47-65.
16. Byrne L, Obonyo NG, Diab SD, Dunster KR, Passmore MR, Boon AC, et al. Unintended consequences: fluid resuscitation worsens Shock in an ovine model of endotoxemia. Am J Respir Crit Care Med. 2018;198(8):1043-1054.
17. Malbrain ML, Marik PE, Witters I, Cordemans C, Kirkpatrick AW, Roberts DJ, et al. Fluid overload, de-resuscitation, and outcomes in critically ill or injured patients: a systematic review with suggestions for clinical practice. Anaesthesiol Intensive Ther. 2014;46(5):361-380.
18. Bennett VA, Vidouris A, Cecconi M. Effects of fluids on the macro- and microcirculations. Crit Care. 2018;22(1):74.
19. Cecconi M, Corredor C, Arulkumaran N, Abuella G, Ball J, Grounds RM, et al. Clinical review: Goal-directed therapy-what is the evidence in surgical patients? The effect on different risk groups. Crit Care. 2013;17(2):209.
20. Myles PS, Bellomo R, Corcoran T, Forbes A, Peyton P, Story D, et al. Restrictive versus Liberal Fluid Therapy for Major Abdominal Surgery. N Engl J Med. 2018;378(24):2263-2274.
21. Hallqvist L, Granath F, Fored M, Bell M. Intraoperative Hypotension and Myocardial Infarction Development Among High-Risk Patients Undergoing Noncardiac Surgery: A Nested Case-Control Study. Anesth Analg. 2021;133(1):6-15.
22. Yu X, Feng Z. Analysis of Risk Factors for Perioperative Acute Kidney Injury and Management Strategies. Front Med. 2021;8:751793.

23. Zarbock A, Mehta RL. Timing of kidney replacement therapy in acute kidney injury. Clin J Am Soc Nephrol. 2019;14(1):147-149.

24. Myburgh JA, Finfer S, Bellomo R, Billot L, Cass A, Gattas D, et al. Hydroxyethyl starch or saline for fluid resuscitation in intensive care. N Engl J Med. 2012;367(20):1901-1911.

25. Pensier J, Deffontis L, Rollé A, Aarab Y, Capdevila M, Monet C, et al. Hydroxyethyl Starch for Fluid Management in Patients Undergoing Major Abdominal Surgery: A Systematic Review With Meta-analysis and Trial Sequential Analysis. Anesth Analg. 2022;134(4):686-695. Erratum in: Anesth Analg. 2022;135(3):e20.

26. Jia Z, Chen X, Sun P, Liu M, Li X. The Protective Mechanism of Dexmedetomidine on Renal in Hemorrhagic Shock. Comput Math Methods Med. 2022;2022:6394544. Retraction in: Comput Math Methods Med. 2023;2023:9797024.

27. Farag M, Veres G, Szabó G, Ruhparwar A, Karck M, Arif R. Hyperbilirubinaemia after cardiac surgery: the point of no return. ESC Heart Fail. 2019;6(4):694-700.

28. Memtsoudis SG, Fiasconaro M, Soffin LM, Liu J, Wilson LA, Poeran J, et al. Enhanced recovery after surgery components and perioperative outcomes: a nationwide observational study. Br J Anaesth. 2020;124(5):638-647.

29. Jiang XL, Gu XY, Zhou XX, Chen XM, Zhang X, Yang YT, et al. Intestinal dysbacteriosis mediates the reference memory deficit induced by anaesthesia/surgery in aged mice. Brain Behav Immun. 2019;80:605-615.

30. Lowden E, Schmidt K, Mulla I, Andrei AC, Cashy J, Oakes DJ, et al. Evaluation of outcomes and complications in patients who experience hypoglycemia after cardiac surgery. Endocr Pract. 2017;23(1):46-55.

31. Shanks AM, Woodrum DT, Kumar SS, Campbell DA Jr, Kheterpal S. Intraoperative hyperglycemia is independently associated with infectious complications after noncardiac surgery. BMC Anesthesiol. 2018;18(1):90.

32. American Society of Anesthesiologists Task Force on Perioperative Blood Management. Practice guidelines for perioperative blood management: an updated report by the American Society of Anesthesiologists Task Force on Perioperative Blood Management. Anesthesiology. 2015;122(2):241-275.

33. Fominskiy E, Putzu A, Monaco F, Scandroglio AM, Karaskov A, Galas FR, Hajjar LA, Zangrillo A, LandoniG. Liberal transfusion strategy improves survival in perioperative but not in critically ill patients. A meta-analysis of randomised trials. Br J Anaesth. 2015. Oct;115(4):511-9.

208

Insuficiência Respiratória Aguda

Ricardo Esper Treml ▪ Pedro Paulo Tanaka ▪ Talison Silas Pereira ▪ João Manoel da Silva Junior

INTRODUÇÃO

A capacidade de realizar a hematose por meio da respiração, processo em nível capilar alveolar de remoção do dióxido de carbono e oxigenação da hemoglobina, é essencial para a manutenção da homeostase necessária para a produção de energia (trifosfato de adenosina) por meio da fosforilação oxidativa. Qualquer distúrbio agudo ocasionado tanto no controle central da respiração na medula oblonga e ponte como em nível alveolar ou do arcabouço muscular irá causar o quadro clínico de insuficiência respiratória aguda em pacientes sem disfunção orgânica pulmonar prévia e, naqueles com algum grau crônico de disfunção pulmonar, ocasionará o quadro de insuficiência respiratória "aguda sobre crônica" (acute-on-chronic). Isso resulta em quantidades inadequadas de oxigênio no sangue (hipoxemia, pressão parcial de oxigênio (PaO_2) < 60 mmHg) e/ou acúmulo excessivo de dióxido de carbono (hipercapnia, pressão parcial de dióxido de carbono ($PaCO_2$) > 50 mmHg). A insuficiência respiratória aguda pode se manifestar como dificuldade respiratória, aumento da frequência respiratória, estresse respiratório, como uso de músculos acessórios da respiração, e até mesmo confusão ou alteração do estado mental devido a hipoxemia ou hipercapnia.

Para o anestesiologista, a insuficiência respiratória aguda é de extrema importância. Durante a administração de anestesia, especialmente a anestesia geral, a função respiratória pode ser afetada de várias maneiras. A administração de fármacos para estabelecer o processo anestésico é capaz de causar relaxamento e/ou paralisação dos músculos respiratórios, diminuição do reflexo de tosse e supressão do esforço respiratório, o que pode provocar retenção de dióxido de carbono. Além disso, a posição do paciente durante a cirurgia e a manipulação das vias respiratórias também podem contribuir para a insuficiência respiratória aguda. Nos pacientes com fator de risco para complicações pulmonares pós-operatórias com escores de risco elevados para complicações pulmonares (Fluxograma 208.1), o anestesiologista deve manter sempre a consciência situacional durante todo o período perioperatório (pré-operatório, intraoperatório e pós-operatório) para evitar o desenvolvimento da insuficiência respiratória aguda ou mesmo a progressão do quadro pulmonar previamente estabelecido.

No período pré-operatório, é fundamental caracterizar o estado clínico do paciente relacionado com suas comorbidades e disfunções orgânicas prévias, identificar pacientes com elevado risco de desenvolver insuficiência respiratória[1] (utilização de escores de riscos validados, como ARISCAT,[2] atentando também para riscos inerentes ao procedimento e fatores relacionados ao intraoperatório), otimizar condições clínicas e planejar o procedimento anestésico levando em consideração fatores como alocação de recursos materiais e humanos.

No intraoperatório, a constante vigilância clínica é essencial para se evitarem complicações e prevenir deterioração do quadro clínico. No período pós-operatório, é mandatório, independentemente do local para o qual o paciente é transferido, monitorizar de perto a função respiratória durante todo o período de sua estada, pois é durante esse período que a incidência da disfunção respiratória é elevada. Isso inclui a monitorização da saturação de oxigênio no sangue, a frequência respiratória, os níveis de dióxido de carbono no sangue e a capacidade do paciente de ventilar adequadamente.

Em casos de insuficiência respiratória aguda, o anestesiologista deve tomar medidas imediatas para corrigir a oxigenação e a ventilação, as quais podem incluir administração de oxigênio suplementar, ajustes nas configurações do ventilador, ações para manter as vias respiratórias permeáveis e, nos casos graves, até mesmo a reversão dos agentes anestésicos para possibilitar que o paciente respire de forma mais autônoma. O anestesiologista desempenha papel crucial no controle da insuficiência respiratória aguda durante o período perioperatório, garantindo a segurança e o bem-estar do paciente durante e após a cirurgia.

EPIDEMIOLOGIA

A mortalidade perioperatória no Brasil assemelha-se à de países desenvolvidos e não desenvolvidos.[3] Desde 2008, com o primeiro estudo epidemiológico[4] em pacientes de alto risco para o desenvolvimento de complicações perioperatórias em cirurgias não cardíacas, até o estudo Brasis,[5] em 2020, tem sido demonstrada uma redução significativa na mortalidade, embora esses estudos avaliem diferentes desfechos. Essa redução pode refletir a introdução de novos protocolos de otimização do cuidado multidisciplinar multimodal, que têm o objetivo de promover melhorias no cuidado perioperatório.[6]

Ao se analisar a incidência de complicações pós-operatórias, entretanto, observa-se um progresso marginal na redução das principais complicações que estão relacionadas com disfunções de órgãos ligados à cirurgia realizada. Esse fato é comparável com o descrito na literatura internacional, especialmente as norte-americana e europeia, nas quais, nos últimos anos, também houve diminuição lenta.

As principais disfunções orgânicas em ambos os estudos brasileiros foram as cardiovasculares, seguidas por neurológicas e renais. Cirurgias abdominais foram responsáveis pela maior incidência de complicações em ambos os estudos.

As complicações pulmonares nesses levantamentos epidemiológicos no Brasil, incluindo a insuficiência respiratória aguda, tiveram incidências de 8,2% a 10% e foram fatores de risco associados ao aumento de morbidade e mortalidade perioperatórias. Outros fatores de risco independentes foram idade avançada, cirurgia de emergência e urgência, anemia pré-operatória e pontuações altas no escore de avaliação de falência orgânica sequencial (SOFA) e no escore simplificado de fisiologia aguda (SAPS).[4,5] Alguns pontos metodológicos desses estudos, no entanto, limitam a generalização desses dados para todo o país e para todos os perfis de pacientes submetidos a diferentes cirurgias.

FISIOPATOLOGIA

A insuficiência respiratória pode ser classificada como aguda, quando as perturbações ocorrem num período de horas a dias, ou crônica, quando as alterações se manifestam gradualmente ao longo de um período alargado. O termo "aguda sobre crônica" designa uma deterioração abrupta em indivíduos com insuficiência respiratória crônica preexistente. O sistema respiratório é constituído por dois componentes distintos: o pulmão, que facilita as trocas gasosas e inclui o parênquima pulmonar e a junção alveolo-capilar, e o aparelho ventilatório, que engloba os pulmões e a parede torácica (compreendendo os músculos respiratórios e as vias respiratórias, que regulam a ventilação).[7-9]

Predição pré-operatória de complicações pulmonares

O escore ARISCAT é uma ferramenta clínica validada utilizada para avaliar o risco de complicações pulmonares após cirurgias não cardíacas. Especificamente, ele avalia o risco de desenvolver complicações como pneumonia, insuficiência respiratória aguda e outros problemas respiratórios relacionados após a cirurgia

O escore ARISCAT leva em consideração diversos fatores, incluindo a idade do paciente, a capacidade pulmonar pré-operatória, a presença de doenças pulmonares pré-existentes, o tipo de cirurgia, a gravidade da doença subjacente e outros fatores de risco relevantes. Com base nessas informações, o escore atribui uma pontuação que indica o risco geral de complicações pulmonares

As complicações foram definidas como uma combinação que inclui insuficiência respiratória, infeção respiratória, derrame pleural, atelectasia na radiografia do tórax, pneumotórax, broncoespasmo tratado com broncodilatadores e pneumonite por aspiração

O uma análise secundária do estudo LAS VEGAS envolvendo mais de 146 hospitais de 29 diferentes países testou o desempenho de previsão dos modelos desenvolvidos para complicações pulmonares pré-operatórias como o ARISCAT junto com eventos do intraoperaório

A incidência de Complicações pulmonares foi de 10.9%.Foram identificados 13 fatores independentes de risco. 6 relacionados a características do paciente, 2 relacionados ao procedimento, 5 relacionados ao intraoperatório.

▲ **Fluxograma 208.1** Avaliação de risco de complicações pulmonares pós-cirurgia não cardíaca com o escore ARISCAT.
Fonte: Criado por Ricardo Esper Treml usando sua licença acadêmica do programa BioRender.com.

Os centros respiratórios neuronais centrais na medula oblonga, incluindo os grupos respiratórios dorsal (GRD) e ventral (GRV), sustentam o controle respiratório. O GRD estimula o diafragma e os músculos intercostais, induzindo à inalação; a cessação leva à exalação. O GRV desempenha um papel na inspiração e expiração forçadas por meio dos músculos acessórios. A ponte abriga o segundo centro respiratório, com os centros pneumotáxico e apnêustico, que regulam a frequência e a profundidade da respiração. Juntamente com o controle central, os quimiorreceptores periféricos nos corpos carotídeos e aórticos monitorizam continuamente os níveis de pH e PaO_2. A estimulação dos músculos respiratórios provoca a contração, produzindo uma pressão intrapleural negativa e criando um gradiente de pressão que direciona o ar para os alvéolos. O oxigênio difunde-se pela interface alveolocapilar, ligando-se à hemoglobina para formar a oxiemoglobina. O fornecimento de oxigênio aos tecidos depende não só da mecânica respiratória, mas também dos níveis de hemoglobina e do débito cardíaco.[7-9]

A troca gasosa pulmonar efetiva depende da ventilação alveolar e do fluxo sanguíneo pulmonar, quantificados pela relação ventilação-perfusão (V/Q). Quando a ventilação alveolar ocorre sem fluxo sanguíneo (resultando em nenhuma troca gasosa), é denominada ventilação do espaço morto. O espaço morto engloba o espaço morto anatômico (vias respiratórias superiores) e o espaço morto fisiológico (ventilação que ultrapassa a perfusão). Nos casos de espaço morto fisiológico, a relação V/Q aproxima-se do infinito. O aumento do espaço morto fisiológico ocorre quando a interface alveolocapilar é rompida (como no enfisema), o fluxo sanguíneo pulmonar é reduzido (p. ex., baixo débito cardíaco) ou os alvéolos são excessivamente distendidos devido à ventilação com pressão positiva. Alternativamente, o fluxo sanguíneo excessivo em relação à ventilação pode acarretar shunting intrapulmonar. O verdadeiro shunt ocorre quando a relação V/Q é igual a zero. A porção do débito cardíaco que não participa da troca gasosa é a fração de shunt, geralmente < 10%. A fração de shunt elevada decorre da oclusão de pequenas vias respiratórias (p. ex., asma), colapso de alvéolos (p. ex., atelectasia), doenças de enchimento alveolar (p. ex., pneumonia, edema pulmonar) ou desvio do leito capilar (p. ex., malformações arteriovenosas).[7-9]

Idealmente, o oxigênio alveolar está em equilíbrio com o sangue arterial.[10] O gradiente A-a, ou gradiente alveoloarterial, mede a diferença entre a concentração de oxigênio nos alvéolos e no sistema arterial. O gradiente A-a tem grande utilidade clínica, pois pode ajudar a estreitar o diagnóstico diferencial de hipoxemia. O cálculo do gradiente A-a é realizado pela seguinte fórmula:

$$\text{Gradiente Aa} = PAO_2 - PaO_2$$

A pressão alveolar de oxigênio (PAO_2) representa a pressão de oxigênio alveolar e PaO_2, a pressão de oxigênio arterial. A PaO_2 pode ser avaliada diretamente com uma simples gasometria arterial ou estimada com uma gasometria venosa. A PAO2 não é facilmente medida diretamente; em vez disso, é estimada pela equação do gás alveolar:

$$PAO_2 = (Patm - P_{H_2O})\, FiO_2 - PaCO_2/QR$$

Nessa equação, a Patm é a pressão atmosférica (ao nível do mar 760 mm Hg), P_{H2O} é a pressão parcial da água (aproximadamente 45 mm Hg), FiO_2 é a fração inspirada de oxigênio e a $PaCO_2$ é a pressão parcial de dióxido de carbono nos alvéolos (em condições fisiológicas normais, em torno de 40 a 45 mmHg). O quociente respiratório, representado pela sigla QR, pode variar conforme o tipo de dieta e o estado metabólico do paciente. O QR é diferente para carboidratos, gorduras e proteínas (o valor médio é de cerca de 0,82 para a dieta humana). A calorimetria indireta fornece melhores medições de QR, medindo o VO_2 (captação de oxigênio) e VCo_2 (produção de dióxido de carbono), como demonstrado no Quadro 208.1.

RQ = quantidade de CO_2 produzido/quantidade de oxigênio consumido

Ao nível do mar, a PAO_2 alveolar é:

$$PaO_2 = (760 - 47)\, 0,21 - 40/0,8 = 99,7 \text{ mmHg}$$

As três principais variáveis da equação são a pressão atmosférica, a quantidade de oxigênio inspirado e os níveis de dióxido de carbono. Cada um tem um significado clínico importante e ajuda a explicar diferentes estados fisiológicos e fisiopatológicos.[10]

Quadro 208.1 Equação do gás alveolar.

Tensão de Oxigênio Alveolar (PAO_2)

$$P_{AO_2} = P_{IO_2} - \frac{P_{AO_2}}{R} + \left[P_{ACO_2} \times FiO_2 \times \frac{1 - R}{R} \right]$$

Dissecando a fórmula, temos o seguinte: a PIO_2 é a tensão de oxigênio inspirado, $PACO_2$ é a tensão de CO_2 no alvéolo (ou seja, como a PCO_2 arterial), R representa a razão de troca respiratória (variando normalmente de 0,8 a 1) e FiO_2 é a fração de oxigênio inspirado. Entre colchetes temos o que compensa a maior captação de O_2 pelos pulmões do que a eliminação de CO_2 no capilar alveolar

Podemos então simplificar a fórmula sem o termo de compensação:

$$P_{AO_2} = P_{IO_2} - \frac{P_{ACO_2}}{R}$$

Ventilação alveolar

A ventilação alveolar (V_A) pode ser expressa como

$$V_A = f \times (V_T - V_{DS})$$

em que f é a frequência respiratória por minuto, VT é o volume corrente e VDS é o espaço morto fisiológico.

A ventilação alveolar pode ser derivada de:

$$V_{CO2} = C \times V_A \times F_{ACO_2}$$

O que seria a VCO2? Trata-se da eliminação de CO_2, em que C é a constante de conversão e F_{ACO_2} é a concentração de CO_2 alveolar.

Então a VA é expressa em L/min; VCO2. em mL/min; FACO2 é substituído por FACO2 em mmHg; e C = 0,863. Reorganizando:

$$\dot{V}_{AO_2} = \frac{\dot{V}_{CO_2} \times 0,863}{P_{ACO_2}}$$

■ CLASSIFICAÇÃO

Insuficiência Respiratória Hipoxêmica de Tipo I

Os mecanismos que conduzem à diminuição dos níveis de oxigênio arterial (PaO_2) estão descritos na Tabela 208.1. Os dois primeiros – baixos níveis de oxigênio inspirado e hipoventilação – resultam numa PaO_2 baixa em função dos níveis reduzidos de oxigênio alveolar (PAO_2), resultando num gradiente A-a normal. No contexto clínico, a abordagem desses mecanismos é geralmente simples. A hipoventilação pode ser excluída se a análise dos gases sanguíneos arteriais não mostrar dióxido de carbono elevado (hipercarbia).[7,9-11]

Os três mecanismos restantes provocam um gradiente A-a elevado. A incompatibilidade ventilação-perfusão (V/Q) e o shunt fazem parte do mesmo espectro, sendo que o shunt representa uma forma extrema de incompatibilidade V/Q. A administração de oxigênio suplementar melhora a PaO_2, mas não corrige a hipoxemia causada por um shunt puro, no qual o sangue contorna os alvéolos quer fisicamente, quer funcionalmente. A difusão prejudicada é habitualmente menos significativa do ponto de vista clínico porque o transporte de oxigênio pela interface alveolocapilar não é limitado pela difusão, mesmo nas pessoas com doença intersticial preexistente.[7,9,11]

Tabela 208.1 Etiologia da hipóxia e sua relação com o gradiente alveolocapilar.

Etiologia da hipóxia	Gradiente (A-a)
Oxigênio inspirado reduzido	Normal
Hipoventilação	Normal
Desequilíbrio entre ventilação-perfusão	Elevado
Efeito shunt	Elevado
Redução da difusão	Elevado

A-a: gradiente alveolocapilar.

Insuficiência Respiratória Hipercárbica de Tipo II

Esse tipo indica a incapacidade dos pulmões para eliminar adequadamente o dióxido de carbono (CO_2) causada pela redução da ventilação alveolar ou, menos frequentemente, pelo aumento da produção de CO_2 devido a condições hipermetabólicas como sepse, sobrealimentação ou febre. A ventilação por minuto é o produto da frequência respiratória pelo volume corrente. A ventilação do espaço morto, tanto anatômica (nas vias respiratórias superiores) como fisiológica (áreas onde a ventilação excede o fluxo sanguíneo), não contribui para a eliminação de CO_2. A ventilação alveolar total depende da diferença entre a ventilação total por minuto e a ventilação do espaço morto. Consequentemente, tanto a diminuição do volume corrente como o aumento do espaço morto resultam em hipercarbia.[7,9,11]

As três principais causas de hipercarbia ou insuficiência ventilatória são: diminuição do impulso respiratório central devido a sedativos, sobredose de fármacos ou algum grau de lesão medular; defeitos mecânicos na parede torácica (p. ex., cifoescoliose, tórax flácido), distúrbios nervosos ou da junção neuromuscular (miastenia grave, esclerose lateral amiotrófica) ou distúrbios musculares respiratórios (miopatias); fadiga muscular, frequentemente observada quando se trabalha contra uma carga inspiratória elevada (hiperinsuflação) ou uma frequência aumentada, fazendo que os músculos sejam incapazes de criar uma pressão pleural negativa adequada para sustentar os volumes correntes ou a frequência respiratória necessária. As várias causas de insuficiência respiratória aguda estão resumidas na Tabela 208.2.

Tabela 208.2 Causas de insuficiência respiratória aguda.

Etiologia	Situação clínica
Depressão do impulso do SNC	
	■ Medicamentos: sedativos, opioides
	■ Distúrbios do sono
	■ Hipotireoidismo
	■ Lesões no tronco cerebral/medula
Bloqueio da transmissão neuromuscular	
	■ Lesão na medula espinal
	■ Lesão no nervo frênico ou bloqueio bilateral (anestesia regional)
	■ Doenças desmielinizantes: esclerose lateral amiotrófica
	■ Neurotoxinas: tétano, botulismo
	■ Distúrbios da junção neuromuscular (p. ex., miastenia grave, envenenamento por organofosforado)
	■ Anormalidades musculares: miopatias degenerativas
Doença da parede torácica	
	■ Cifoescoliose
	■ Fratura costal instável
	■ Obesidade
	■ Lesão pleural: pneumotórax, derrame pleural
	■ Ruptura diafragmática
Doença pulmonar	
	■ Obstrução das vias respiratórias superiores
	■ SDRA
	■ Doenças obstrutivas (p. ex., asma, DPOC)
	■ Processos de preenchimento alveolar
	■ Edema pulmonar
	■ Atelectasia
	■ Tromboembolismo pulmonar
	■ Bronquiectasia

SNC: sistema nervoso central; SRDA: síndrome do desconforto respiratório agudo; DPOC: doença pulmonar obstrutiva crônica.

■ CONDUTA NO INTRAOPERATÓRIO E NO PÓS-OPERATÓRIO

Intraoperatório

A base do tratamento da insuficiência respiratória aguda é o suporte ventilatório, seja ele de forma não invasiva ou invasiva. Pacientes críticos com insuficiência respiratória aguda no pré-operatório, especialmente aqueles com síndrome do desconforto respiratório agudo (SDRA), representam um desafio anestésico significativo devido à natureza crítica dessa condição e às suas implicações nas funções pulmonar e cardiovascular. A SDRA é caracterizada por uma resposta inflamatória generalizada nos pulmões que compromete acentuadamente a troca gasosa e predispõe à formação de edema pulmonar não cardiogênico (critérios de Berlim),[12] com aumento da permeabilidade vascular pulmonar. Em maio de 2023, a American Thoracic Society publicou uma atualização da definição de lesão pulmonar aguda, determinada dentro do conceito de SDRA e que recebeu o nome de "Nova Definição Global de SDRA", que se baseia na então consagrada Definição de Berlim. Suas principais sugestões para a nova definição de SDRA expandem os critérios diagnósticos dessa síndrome e são apresentadas no Quadro 208.2. Pacientes gravemente enfermos sendo tratados com cânula de oxigênio nasal de alto fluxo (CANAF) ≥ 30 L/min podem ser diagnosticados com SDRA, representando uma nova categoria de SDRA para pacientes não intubados. A oximetria de pulso pode ser usada em vez de gasometria arterial para o diagnóstico de SDRA. Opacidades bilaterais nos exames de imagem devem ser mantidas como critério necessário, e a ultrassonografia passou a ser um método de imagem aceitável (presença de linhas B difusas [Figura 208.1]). Pacientes em ambientes com recursos variáveis não serão mais excluídos da definição de SDRA, sendo incluídos em epidemiologia, pesquisa clínica e ensaios clínicos. As recomendações identificam áreas para pesquisas futuras, abrangendo avaliações prospectivas de viabilidade, confiabilidade e validade prognóstica, além da relação das categorias biológicas de SDRA com a Definição Global (Figura 208.2).[13] Não há evidências claras disponíveis sobre a capacidade de técnicas específicas de anestesia para prevenir o desenvolvimento de SDRA pós-operatória.[14]

Indução e Intubação

Pacientes já intubados e sob ventilação mecânica devido à SDRA estabelecida eventualmente necessitam de procedimentos cirúrgicos, no entanto os pode ser desafiador para os anestesiologistas manusear a via respiratória de pacientes gravemente enfermos que ainda não estão sob ventilação mecânica. A equipe de anestesia deve estar bem preparada para a possível deterioração nas trocas gasosas durante o processo de indução. Os procedimentos de intubação devem ser realizados rapidamente, com acesso imediato a dispositivos alternativos e equipamentos de emergência. Embora um videolaringoscópio ofereça vantagens e com relação ao laringoscópio convencional, seu uso requer treinamento específico. É importante antecipar a possibilidade de comprometimento hemodinâmico nos pacientes gravemente enfermos. O monitoramento invasivo, a administração de fluidos e os medicamentos vasoativos devem estar prontamente disponíveis. A utilização de pressão positiva não invasiva durante a pré-oxigenação melhora o volume pulmonar ao final da expiração e as trocas gasosas, concedendo mais tempo para procedimentos seguros de controle da via respiratória. Antes da intubação, é recomendada uma breve fase de pré-oxigenação. Os parâmetros iniciais incluem suporte de pressão de 10 cmH$_2$O e pressão positiva

---

Quadro 208.2 Critérios diagnósticos da nova definição global de SDRA.

Modelo conceitual: a SDRA é uma lesão pulmonar inflamatória difusa aguda precipitada por um fator de risco predisponente, como pneumonia, infecção não pulmonar, trauma, transfusão, queimadura, aspiração ou choque. A lesão resultante leva a aumento da permeabilidade vascular pulmonar e epitelial, edema pulmonar e atelectasia dependente da gravidade, todos os quais contribuem para a perda de tecido pulmonar aerado. As características clínicas são hipoxemia arterial e opacidades radiográficas difusas associadas a aumento do shunt e do espaço morto alveolar e diminuição da complacência pulmonar. A apresentação clínica é influenciada pelo tratamento médico (posição, sedação, paralisia e equilíbrio hídrico). Os achados histológicos variam e podem incluir edema intra-alveolar, inflamação, formação de membrana hialina e hemorragia alveolar

Critérios que se aplicam a todas as categorias de SDRA

Fatores de risco e origem do edema: precipitado por um fator de risco predisponente agudo, como pneumonia, infecção não pulmonar, trauma, transfusão, aspiração ou choque. O edema pulmonar não é exclusivo ou primariamente atribuível ao edema pulmonar cardiogênico/sobrecarga de fluidos, e hipoxemia/anormalidades nas trocas gasosas não são primariamente atribuíveis à atelectasia. a SDRA, no entanto, pode ser diagnosticada na presença dessas condições se um fator de risco predisponente para SDRA também estiver presente

Momento de início agudo ou agravamento de insuficiência respiratória hipoxêmica dentro de uma semana do início estimado a partir do fator de risco predisponente ou presença de sintomas respiratórios novos ou agravados

Imagem do tórax: opacidades bilaterais na radiografia de tórax e tomografia computadorizada, ou linhas B bilaterais e/ou consolidações por ultrassonografia pulmonar não totalmente explicadas por derrames, atelectasia ou nódulos/massas

Critérios que se aplicam às categorias específicas de SDRA

Não intubado – SDRA	Intubado – SDRA	Definição modificada para configurações de recurso limitado
Oxigenação: PaO$_2$/FiO$_2$ ≤ 300 mmHg ou SpO$_2$/FiO$_2$ ≤ 315 (com SpO$_2$ ≤ 97%) e CNAF com fluxo de ≥ 30 L/MIN ou VNI/CPAP com 5 cmH$_2$O com pressão expiratória	**Leve:** PaO$_2$/FiO$_2$ ≤ 300-200 ou SpO$_2$/FiO$_2$ ≤ 315-235 (se SpO2 ≤ 97%) **Moderada:** PaO$_2$/FiO$_2$ ≤ 200-100 ou SpO$_2$/FiO$_2$ ≤235-148 (se SpO$_2$ ≤ 97%) **Grave:** PaO$_2$/FiO$_2$ ≤ 100 ou SpO2/FiO$_2$ ≤ 148 (com SpO$_2$ ≤ 97%)	SpO$_2$/FiO$_2$ ≤ 315 (se SpO$_2$ ≤ 97%). Nem a pressão expiratória final positiva nem a taxa mínima de fluxo de oxigênio são necessárias para o diagnóstico em configurações de recursos variáveis

ao final da expiração (PEEP) de 5 cmH$_2$O. Além disso, em cenários de emergência, a pré-oxigenação deve ser administrada com níveis de FiO$_2$ de até 100%, especialmente para aqueles com função respiratória comprometida. Nesses casos, os potenciais riscos da hiperóxia são superados pelos benefícios de se evitar a dessaturação nos procedimentos que demandam mais tempo para que a intubação completa se finalize. Para todos os pacientes, a intubação orotraqueal deve ser realizada com o uso de um tubo endotraqueal de diâmetro maior possível, de acordo com o gênero e o tamanho do paciente. Esse enfoque reduz a resistência das vias respiratórias e facilita o controle das secreções. A remoção

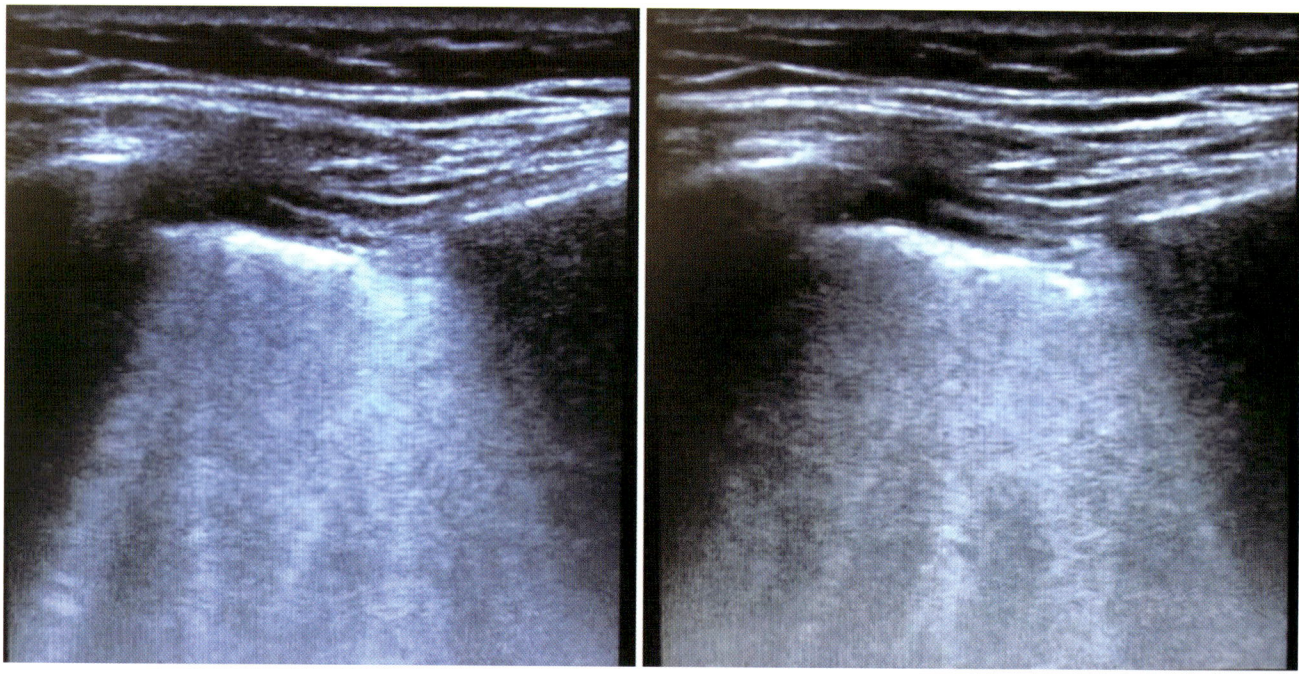

▲ **Figura 208.1** Ultrassonografia pulmonar com presença de linhas B difusas em paciente com SDRA em ventilação mecânica com relação PaO$_2$/Fio$_2$ 77. Observam-se a ausência de linhas A e o prodominio de linhas B, padrão raias de cometa.

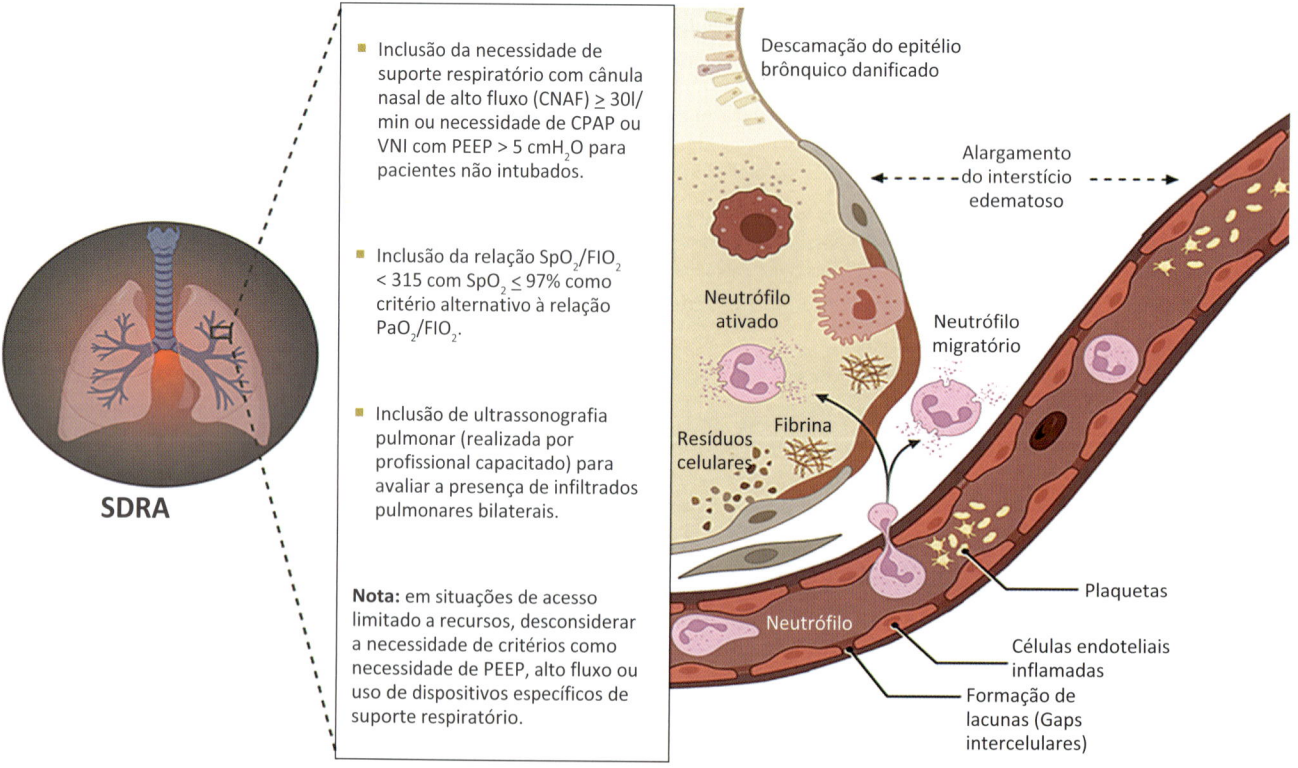

▲ **Figura 208.2** Definição global de SDRA – novas recomendações.

inadequada de secreções das vias respiratórias e a aspiração de secreções faríngeas ou gástricas, especialmente nas emergências, também podem afetar adversamente os resultados respiratórios.[14]

Ventilação Mecânica Intraoperatória em Pacientes com ou em Risco de SDRA

Não há evidência em relação às melhores configurações dos parâmetros de ventilação mecânica nos pacientes com SDRA ou em risco de desenvolvê-la no cenário específico de cirurgias de emergência ou eletivas, no entanto a otimização da ventilação mecânica com o uso de ventilação protetora é importante para minimizar a lesão pulmonar induzida por ventilação (LPIV) e melhorar os resultados nos pacientes com SDRA e naqueles com risco de SDRA submetidos a procedimentos cirúrgicos. Embora a redução do tamanho do volume corrente seja uma estratégia amplamente aceita para reduzir a LPIV nos pacientes com SDRA e nos pacientes cirúrgicos, outros parâmetros de ventilação ainda estão em debate. Com base em descobertas de estudos fisiológicos e clínicos, existem controvérsias em relação ao uso de níveis elevados de PEEP para abrir os pulmões. Na verdade, autores questionam os efeitos benéficos do recrutamento pulmonar tanto nos pacientes com SDRA quanto naqueles com risco de SDRA.[14]

Nos últimos anos, o conceito de ventilação mecânica protetora – incluindo o uso de volume corrente (VC) baixo para minimizar o barotrauma e a lesão pulmonar, mantendo uma pressão de platô (Pplat) baixa, menor pressão de distensão (ΔP) com níveis moderados de PEEP e o uso de manobras de recrutamento (RMs) – ganhou atenção especial, demonstrando efeito positivo na redução de complicações pulmonares pós-operatórias, bem como na melhora dos resultados nos pacientes com SDRA e naqueles sob risco de SDRA submetidos a procedimentos cirúrgicos. Aos pacientes com SDRA recomenda-se manter o volume corrente de 6 mL/kg de peso corporal previsto (PCP),[1,2,14] no entanto um baixo volume corrente de 4-5 mL/kg pode ser preferível se for garantida uma troca gasosa adequada e não aumentar o risco de atelectasia. De fato, alguns estudos controlados e randomizados mostraram que a atelectasia não aumenta com a utilização de volumes correntes baixos e sem PEEP durante a cirurgia. Por outro lado, ensaio clínico comparando volume corrente de 4-6 mL/kg com 8-10 mL/kg de PCP e mantendo uma pressão de platô abaixo de 21 cmH_2O não encontrou benefícios do volume corrente mais baixo em termos de dias livres de ventilação, tempo de internação e mortalidade em pacientes gravemente enfermos sem SDRA.[14] O volume corrente, no entanto, é considerado o principal determinante de lesão pulmonar induzida pela ventilação e deve ser direcionado para manter a pressão de platô < 30 cmH_2O e ΔP < 15 cmH_2O. Nos pacientes com pressão intra-abdominal aumentada, valores mais altos podem ser tolerados, corrigindo os limiares superiores conforme o alvo de Pplat corrigido = Pplattarget + (IAP − 13) / 2.

O uso de FiO_2 elevada está contraindicado em decorrência do risco do agravamento da lesão pulmonar prévia e associação do aumento direto da mortalidade em pacientes críticos. A FiO_2 deve ser titulada para que se alcancem níveis de PaO_2 > 60 mmHg, SpO_2 entre 88% e 95% na SDRA e superior a 92% nos doentes cirúrgicos com risco de SDRA. A individualização do paciente com base na doença pulmonar e no ato cirúrgico é essencial para um desfecho clínico adequado. O nível de PEEP é outro componente relevante da ventilação protetora pulmonar. Nos pacientes com SDRA submetidos a cirurgias, a escolha da PEEP deve ser orientada pela tabela de baixa-PEEP para pacientes com SDRA,[15] enquanto os últimos ensaios clínicos realizados em pacientes cirúrgicos com risco de SDRA demonstraram que a aplicação de volume corrente baixo (6-8 mL/kg) e PEEP baixa (< 2 cmH_2O) reduzem o risco de desenvolvimento de complicações pulmonares pós-operatórias e de comprometimento hemodinâmico.[16] Nenhuma estratégia de titulação de PEEP demonstrou ser superior à tabela de baixa-PEEP em SDRA, e especialistas fizeram, recentemente, uma recomendação para alta PEEP ($\geq$ 15 cmH_2O) apenas para pacientes com SDRA moderada a grave, como estratégia de resgate.[14,17] Nesse contexto, recrutar os alvéolos pode afetar negativamente os capilares pulmonares que os circundam. Em valores mais altos de PEEP, a hemodinâmica é prejudicada e medicações vasoativas e/ou mais fluidos são necessários, o que pode promover mais lesão pulmonar nos pacientes em risco e piorar a função pulmonar em pacientes com SDRA.[2,14,15,17]

Pacientes com SDRA estabelecida previamente internados na UTI devem continuar a ventilação protetora recebida no ambiente de cuidados intensivos, uma estratégia agora viável com as modernas máquinas de anestesia.[2,14,17] A sugestão, portanto, é que a PEEP seja considerada uma ferramenta para manter a oxigenação entre 88% e 95%. A recomendação é utilizar o nível mínimo de PEEP que garanta a troca gasosa adequada em todos os pacientes submetidos a cirurgias de emergência, considerando níveis mais elevados de PEEP apenas como terapia de resgate em SDRA grave. A vigilância intraoperatória de parâmetros como complacência estática, driving pressure, Pplatô, oxigenação e hemodinâmica deve fazer parte da conduta intraoperatória dessa comorbidade.[14]

Os modos ventilatórios utilizados no intraoperatório permanecem um tema controverso e ainda há falta de evidência científica sólida para a escolha do modo ventilatório com mais benefícios para os pacientes com SDRA. O modo controlado por volume (VCV) ou por pressão (PCV) pode ser aplicado indiscriminadamente, sem influência nos resultados e sem vantagem clara nos pacientes cirúrgicos, no entanto dados observacionais sobre pacientes com risco de desenvolver complicações pulmonares pós-operatórias mostraram que, durante a cirurgia, o VCV pode oferecer mais benefícios do que o PCV.[14]

Pós-operatório

A vigilância pós-operatória para a insuficiência respiratória aguda envolve o monitoramento cuidadoso para identificar prontamente quaisquer sinais ou sintomas indicativos dessa condição. A detecção precoce e a intervenção são cruciais para mitigar a potencial progressão e a gravidade das complicações respiratórias. O processo de monitoramento geralmente envolve a avaliação de diversos parâmetros clínicos, como frequência respiratória, níveis de saturação de oxigênio, frequência cardíaca, pressão arterial e o esforço respiratório geral do paciente. A oximetria de pulso contínua é frequentemente usada para acompanhar de perto a saturação de oxigênio, fornecendo dados em tempo real sobre o estado de oxigenação do paciente. Além disso, a monitorização capnográfica pode oferecer insights sobre a ventilação do paciente e problemas potenciais, como hipoventilação ou obstrução das vias respiratórias.

Nos casos nos quais os pacientes encontram-se em maior risco de insuficiência respiratória aguda pós-operatória, podem ser implementados cuidados especializados, o que pode incluir avaliações clínicas, gasometria seriada e até mesmo exames de imagem, se necessário. A colaboração entre os profissionais de anestesia, enfermeiros e terapeutas respiratórios é fundamental para garantir uma vigilância abrangente e intervenções oportunas. Além disso, a implementação da mobilização precoce e a promoção de exercícios de respiração profunda podem ajudar a prevenir atelectasias e promover a expansão eficaz dos pulmões.[6] O controle adequado da dor, do equilíbrio de fluidos e a utilização cuidadosa de intervenções farmacológicas também podem contribuir para otimizar a função respiratória do paciente.

Em resumo, a vigilância pós-operatória diligente para a insuficiência respiratória aguda envolve monitoramento cuidadoso, intervenção oportuna e abordagem multidisciplinar para garantir os melhores resultados possíveis para o paciente.

O tratamento de pacientes com insuficiência respiratória aguda é uma abordagem complexa e multifacetada, objetivando a garantia de adequadas oxigenação e ventilação dos pulmões, ao mesmo tempo em que se aborda a causa subjacente da condição. Aqui estão os principais pontos envolvidos no tratamento:

■ **Suporte respiratório e oxigenação não invasiva com mecanismos de baixo fluxo e sem pressão contínua:** fornecer oxigênio suplementar é fundamental para melhorar a oxigenação dos tecidos. Existe uma grande variedade de sistemas de administração de oxigênio, cada um caracterizado pelo mecanismo de entrega, alguns dos quais limitam a FiO_2. A taxa normal de fluxo inspiratório em repouso é de 15 L/min, que se mistura com o fluxo fornecido pelo dispositivo de fornecimento de O_2. A cânula nasal, um dos sistemas de administração mais comuns e amplamente aceitos, fornece 1 a 6 L/min de oxigênio e FiO_2 de até 100%. Em repouso, a mistura do oxigênio com o ar ambiente propicia uma FiO_2 de 24% a 40%. Embora essa modalidade seja amplamente aceita pelos pacientes, seu uso tem limitações no cenário agudo devido à incapacidade de se alcançarem altas concentrações de FiO_2. As máscaras faciais padrão operam como sistemas de reservatório com capacidade de 100 a 200 mL em torno do rosto do paciente. Elas necessitam de 5 a 10 L de fluxo para fornecer $FiO2$ de 35% a 50%, variando com a taxa de fluxo de respiração do paciente. Um fluxo mínimo de cerca de 5 L é necessário para eliminar os gases expirados. Com a integração de um dispositivo de entrada de ar, a FiO_2 pode ser controlada, independentemente da taxa de fluxo. Essa entrada de ar produz um fluxo de gás de alta velocidade, estreita a saída de oxigênio, mistura o ar ao oxigênio e mantém níveis constantes de FiO_2. Inicialmente

atribuído ao efeito Venturi, essas máscaras são frequentemente referidas como máscaras Venturi. Independentemente das taxas de fluxo, essas máscaras fornecem FiO_2 na faixa de 24% a 50% de maneira consistente. As máscaras não reinalatórias constituem outro sistema de reservatório, apresentando bolsas de reserva anexas com volumes de 600 a 1.000 mL. Enquanto a bolsa permanece inflada, os pacientes inalam predominantemente o ar da bolsa. Equipadas com portas expiratórias unidirecionais, essas máscaras possibilitam a saída do ar expirado, mas impedem que o ar ambiente se misture com o oxigênio na bolsa de reserva. Em condições ideais, essas máscaras podem fornecer níveis de FiO_2 de até 100%, no entanto, devido a vazamentos causados por vedação inadequada, a $FiO2$ real muitas vezes fica mais próxima de 80%.[17]

■ **Ventilação não invasiva (VNI):** a VNI tem sido amplamente utilizada no pós-operatório para evitar complicações respiratórias e reduzir a necessidade de ventilação invasiva. Existem evidências que sugerem benefícios do uso da VNI em várias situações pós-operatórias, especialmente nos pacientes de alto risco. A VNI é capaz de reduzir a incidência de complicações respiratórias, como atelectasias e pneumonia, após cirurgias abdominais, torácicas e ortopédicas. Ela ajuda a manter a expansão pulmonar, melhorando a ventilação e a oxigenação, diminui a necessidade de intubação e ventilação mecânica nos pacientes de alto risco, como aqueles com DPOC, insuficiência cardíaca congestiva ou obesidade, e associa-se a menor tempo de internação hospitalar, reduzindo os custos e melhorando a eficiência do atendimento. É importante notar que a seleção adequada dos pacientes, a escolha do modo e dos parâmetros da VNI, além da monitorização contínua, são cruciais para o sucesso da terapia, no entanto é necessário avaliar cuidadosamente cada caso, considerando fatores como a gravidade da doença subjacente, a capacidade do paciente de cooperar com a terapia e a disponibilidade de recursos e pessoal treinado.[18] Em resumo, há evidências que respaldam o uso da ventilação não invasiva no pós-operatório para prevenir complicações respiratórias e melhorar os resultados, contudo a decisão de implementá-la deve ser individualizada e baseada na avaliação clínica e nas diretrizes atuais.

■ **Cânula nasal de alto fluxo:** a utilização da CANAF no pós-operatório tem sido objeto de estudos, principalmente quanto aos benefícios potenciais para a oxigenação, conforto do paciente em relação à máscara de VNI e redução das complicações respiratórias. Algumas das evidências relacionadas com o uso da CANAF no pós-operatório incluem: melhora da oxigenação, aumento do conforto e prevenção da intubação no pós-operatório, especialmente em cenários de cirurgia abdominal e torácica. Ademais, associa-se a menos efeitos colaterais, como ressecamento nasal e irritação, em comparação com máscaras faciais ou cateteres nasais convencionais.[19]

Nenhum desses métodos de suporte ventilatório deve postergar a intubação de pacientes com insuficiência respiratória grave dos tipos I, II ou mista no pós-operatório. Vale lembrar que pacientes com indicação clínica de reintubação (rebaixamento do nível de consciência com pontuação < 8 na escala de como de Glasgow, acidose respiratória grave com pH < 6,9, oxigenação inadequada apesar de suporte ventilatório com sinais clínicos de hipóxia) devem ser prontamente intubados, submetidos à ventilação mecânica invasiva e transportados para a unidade de terapia intensiva.[20,21] O atraso na intubação esta associado a pior desfecho clínico, com aumento da morbidade e da mortalidade perioperatória.

CONCLUSÃO

Neste capítulo, discutiu-se a importância da hematose na manutenção da homeostase e na geração de energia, destacando-se que distúrbios na função respiratória podem provocar insuficiência respiratória aguda e hipóxia tecidual. Foi enfatizada a relevância dessa condição no contexto anestésico, no qual fatores como bloqueio neuromuscular, supressão do reflexo de tosse e manipulação das vias respiratórias podem contribuir para a disfunção respiratória. A abordagem anestésica durante o período perioperatório (pré-operatório, intraoperatório e pós-operatório) foi detalhadamente discutida. O anestesiologista desempenha papel fundamental na identificação de pacientes de alto risco, na otimização das condições clínicas, na manutenção adequada da ventilação e da oxigenação durante a cirurgia e no monitoramento pós-operatório para prevenir a insuficiência respiratória aguda. No contexto anestésico, o foco na prevenção, identificação precoce e intervenção apropriada para garantir adequadas oxigenação e ventilação dos pacientes é crucial para a melhora do desfecho clínico, salvaguardando a segurança do paciente.

REFERÊNCIAS

1. Neto AS, Costa LGV, Hemmes SNT et al. The LAS VEGAS risk score for prediction of postoperative pulmonary complications: An observational study. European Journal of Anaesthesiology. 2018; 35.
2. Campos NS, Bluth T, Hemmes SNT et al. Intraoperative positive end-expiratory pressure and postoperative pulmonary complications: a patient-level meta-analysis of three randomised clinical trials. British Journal of Anaesthesia 2022;128:1040-1051.
3. Bainbridge D, Martin J, Arango M, et al. Perioperative and anaesthetic-related mortality in developed and developing countries: a systematic review and meta-analysis. Lancet (London, England) 2012;380:1075-1081.
4. Lobo SM, Rezende E, Knibel MF et al. Epidemiology and outcomes of non-cardiac surgical patients in Brazilian intensive care units. Rev Bras Ter Intensiva 2008;20:376-384.
5. Silva Júnior JM, Chaves RCF, Corrêa TD et al. Epidemiology and outcome of high-surgical-risk patients admitted to an intensive care unit in Brazil. Rev Bras Ter Intensiva 2020;32:17-27.
6. Aguilar-Nascimento JE, Salomão AB, Caporossi C et al. ACERTO Project – 15 years changing perioperative care in Brazil. Rev Col Bras Cir. 2021;48:e20202832.
7. Wing EJ, Schiffman FJ. Cecil essentials of medicine Maryland: Elsevier; 2021.
8. Burt CC, Arrowsmith JE. Respiratory failure. Surgery (Oxford) 2009;27:475-479.
9. Saguil A, Fargo M. Acute respiratory distress syndrome: diagnosis and management. American Family Physician. 2012;85:352-358.
10. Staub NC. Alveolar-arterial oxygen tension gradient due to diffusion. Journal of Applied Physiology 1963;18:673-680.
11. Murray JF; Division of Lung Diseases National Heart, Lung ans Blood Institute B. Mechanisms of acute respiratory failure. American Review of Respiratory Disease. 1977; 115(6).
12. Bellani G, Laffey JG, Pham T et al. Epidemiology, Patterns of Care, and Mortality for Patients With Acute Respiratory Distress Syndrome in Intensive Care Units in 50 Countries. Jama. 2016; 315:788-800.
13. Matthay MA, Arabi Y, Arroliga AC et al. A New Global Definition of Acute Respiratory Distress Syndrome. Am J Respir Crit Care Med. 2024 Jan 1;209(1):37-47..
14. Battaglini D, Robba C, Rocco PRM et al. Perioperative anaesthetic management of patients with or at risk of acute distress respiratory syndrome undergoing emergency surgery. BMC Anesthesiol. 2019; 19:153.
15. Brower RG, Matthay MA, Morris A et al. Ventilation with lower tidal volumes as compared with traditional tidal volumes for acute lung injury and the acute respiratory distress syndrome. The New England journal of medicine 2000;342:1301-1308.
16. Hemmes SN, Gama de Abreu M, Pelosi P et al. High versus low positive end-expiratory pressure during general anaesthesia for open abdominal surgery (PROVHILO trial): a multicentre randomised controlled trial. Lancet (London, England) 2014;384:495-503.
17. Del Sorbo L, Goligher EC, McAuley DF et al. Mechanical Ventilation in Adults with Acute Respiratory Distress Syndrome. Summary of the Experimental Evidence for the Clinical Practice Guideline. Ann Am Thorac Soc. 2017;14:S261-s270.
18. Chawla R, Dixit SB, Zirpe KG et al. ISCCM Guidelines for the Use of Non-invasive Ventilation in Acute Respiratory Failure in Adult ICUs. Indian J Crit Care Med 2020;24:S61-s81.
19. Hernández G, Vaquero C, Colinas L et al. Effect of Postextubation High-Flow Nasal Cannula vs Noninvasive Ventilation on Reintubation and Postextubation Respiratory Failure in High-Risk Patients: A Randomized Clinical Trial. Jama. 2016; 316:1565-1574.
20. Stocker B, Bvskosh A, Weiss H et al. A Multifaceted Extubation Protocol to Reduce Reintubation Rates in the Surgical ICU. Jt Comm J Qual Patient Saf. 2022; 48:81-91.
21. Antonelli M, Conti G, Rocco M et al. A comparison of noninvasive positive-pressure ventilation and conventional mechanical ventilation in patients with acute respiratory failure. New England Journal of Medicine. 1998; 339:429-435.

209

Fisiopatologia do Estado de Choque

Murillo Santucci Cesar de Assunção ■ Carolina Cáfaro

INTRODUÇÃO

O choque é condição caracterizada pelo colapso circulatório agudo associada ao risco de morte, sendo a causa mais frequente de óbito envolvendo pacientes graves.[1] Os efeitos do choque são inicialmente reversíveis se forem rapidamente reconhecidos e tratados, porém, quanto maior o atraso no início do tratamento, maiores serão as chances de se tornarem irreversíveis, acarretar lesão celular e disfunções orgânicas e progredir para falência de múltiplos órgãos e morte. Ao identificar o estado de choque, o discernimento sobre a necessidade de intervenção com reavaliações imediatas subsequentes se torna imperativo para obtenção de sucesso no desfecho clínico, evitando que paciente apresente falência de múltiplos órgãos e por conseguinte o óbito.[2]

Muitas vezes, os sinais clínicos das disfunções orgânicas, como oligúria, alterações do sensório e taquipneia, são as primeiras manifestações clínicas nos estados de choque.

■ DEFINIÇÕES

A definição de estado de choque, ou choque circulatório agudo, é a presença de desequilíbrio entre oferta de oxigênio (DO_2) e utilização (consumo) do oxigênio pelos tecidos e células para produzir energia (ATP – adenosina trifosfato) e atender à demanda metabólica do organismo.[1,2]

A redução dos valores numéricos da pressão arterial sistêmica não é uma condição *se ne qua non* para ocorrência do choque circulatório. Em outras palavras, não há a obrigatoriedade da presença de hipotensão arterial sistêmica, porém a existência dela aumenta a chance de o paciente apresentar comprometimento da oxigenação tecidual. Assim, a hipotensão arterial sistêmica em adultos pode ser compreendida por pressão arterial sistólica (PAS) < 90 mmHg ou pressão arterial média (PAM) < 60 mmHg ou diminuição de 40 mmHg na PAS de base.[2-5]

Deste modo, choque é um estado de disóxia celular e tecidual devido à redução da DO_2 em relação às necessidades da demanda metabólica do organismo.[1,2,4]

■ CONCEITOS FISIOLÓGICOS

Param melhor compreensão dos conceitos descritos acima, é importante rever o comportamento fisiológico entre DO_2 e consumo de oxigênio (VO_2). Os preceitos relacionados a esses parâmetros são mencionados na Tabela 209.1.

Tabela 209.1 Equações do metabolismo do oxigênio.

Débito Cardíaco	$DC = VS \times FC$
Oferta de Oxigênio	$DO_2 = DC \times CaO_2$
Consumo de Oxigênio	$VO_2 = DC \times (CaO_2 - CvO_2)$
Taxa de extração de Oxigênio	$TEO_2 = VO_2/DO_2$

VS: volume sistólico; FC: frequência cardíaca; CaO_2: conteúdo arterial de oxigênio; CvO_2: conteúdo venoso de O_2, TEO_2: taxa de extração de oxigênio.

O metabolismo aeróbico é a via principal para geração de energia (ATP) celular proveniente de DO_2 adequada. Essa fonte de energia é indispensável para a manutenção da estrutura e da função celular. O VO_2 basal é a quantidade de oxigênio utilizada para atender o metabolismo celular normal durante o repouso. Assim, o VO_2, de acordo com a situação em que o organismo se encontra, sofre variação, podendo estar aumentado (exemplo: exercício, febre, sepse, dor, ansiedade, agitação, convulsão, desacoplamento à ventilação) ou reduzido (anestesia, hipotermia). A relação entre VO_2 e DO_2 é denominada "taxa de extração de O_2" (TEO_2).[2,6]

Nos indivíduos saudáveis, durante o repouso, é esperado que a DO_2 exceda o VO_2, apresentando TEO_2 entre 25% e 30%. Nas situações de esforço, como durante o exercício, a TEO_2 pode aumentar significativamente e a DO_2 pode atingir o seu ponto crítico (DO_2 crítica), ponto a partir do qual a aerobiose deixa de existir (Figura 209.1).[7] O lactato começa a ser produzido pelo metabolismo anaeróbico, para gerar energia e tentar compensar a inadequação da DO_2 em relação às necessidades energéticas do organismo. Nos pacientes graves, a relação DO_2/VO_2 encontra-se inadequada, e o VO_2 torna-se dependente da DO_2, ou seja, conforme a DO_2 aumenta, o consumo de oxigênio aumentará também. Isso ocorrerá até a DO_2 atingir o ponto crítico. A partir deste ponto, o aumento da DO_2 não acarretará aumento do VO_2. Isso retrata que, ao mandar quantidade de oxigênio para as células acima de suas necessidades, estas continuarão a extrair apenas a quantidade de oxigênio que precisam para consumir e atender a demanda metabólica.[8]

Existem particularidades que devem ser consideradas na avaliação pré-operatória de pacientes e no planejamento do atendimento anestésico como a reserva fisiológica do paciente, o tipo de intervenção cirúrgica, tempo do procedimento e perspectiva de perda de líquidos. Estas considerações são importantes para previsão do risco de desenvolvimento de disóxia tecidual e/ou desequilíbrio entre DO_2 e VO_2 decorrente dos insultos orgânicos perioperatórios. Devido à resposta inflamatória perioperatória ao trauma cirúrgico, ocorre maior demanda tecidual de oxigênio e, consequentemente, maior exigência do sistema cardiorrespiratório para fornecer efetivamente a DO_2 necessária.[9]

Caso o aumento da demanda metabólica não seja atendido pela DO_2, ocorrerá exacerbação da resposta inflamatória ao trauma, com maior liberação de citocinas, maior ativação do sistema complemento e consequente disfunção endotelial decorrente da lesão celular instalada pela hipoperfusão tecidual. Ao ocorrer diminuição da oxigenação tecidual, há maior risco de infecções no período pós-operatório e comprometimento da cicatrização de feridas operatórias, o que aumenta a morbimortalidade do paciente.[10]

Oferta de Oxigênio (DO_2)

É o produto entre conteúdo arterial de oxigênio (CaO_2) e o fluxo sanguíneo (débito cardíaco – DC), representando a quantidade total de O_2 carreado pelo sistema cardiovascular para os tecidos. Ela se resume pela seguinte fórmula:

$$DO_2 = DC \times CaO_2$$

Onde:

$DC = VS \times FC; CaO_2 = [(Hb \times 1,34 \times SaO_2) + (PaO_2 \times 0,0031)]$[8]

VS: Volume sistólico; FC: Frequência cardíaca; Hb: Hemoglobina; SaO_2: Saturação arterial de oxigênio; PaO_2: Pressão parcial de oxigênio arterial.

Na equação para o cálculo da DO_2, percebe-se a grande variedade de fatores potencialmente responsáveis pela oxigenação aos tecidos, entre eles as variáveis que compõem o VS: pré-carga, contratilidade e pós-carga (Figura 209.2).[11]

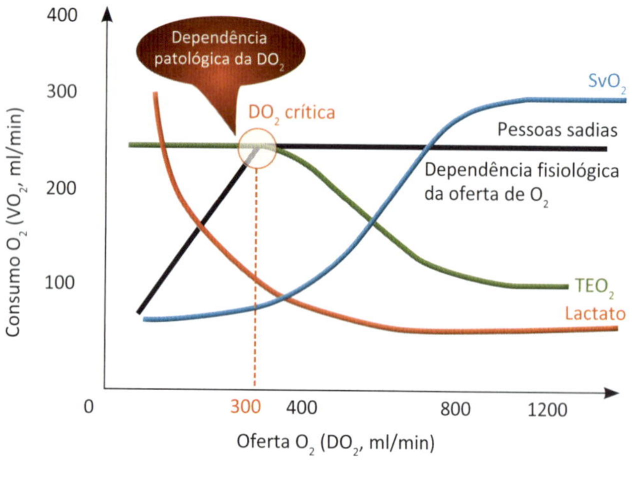

◀ **Figura 209.1** Dependência fisiológica da oferta de O_2. Quando a DO_2 ao reduzir, atinge o ponto de DO_2 crítico, o VO_2 declina linearmente à queda da DO_2. A partir deste ponto, a célula já alcançou a capacidade máxima de compensação pelo aumento da TEO_2 para manter o VO2 adequado, e desta forma a demanda metabólica não é mais atendida pelo mecanismo de aerobiose. Assim, a produção de energia passa ser realizada pelo metabolismo anaeróbico a partir da síntese do lactato. Em condições patológicas, estas curvas sofrem alterações com maior dependência do VO_2 em relação à DO_2.
Fonte: modificada de Vincent, *et al.*[2,8]

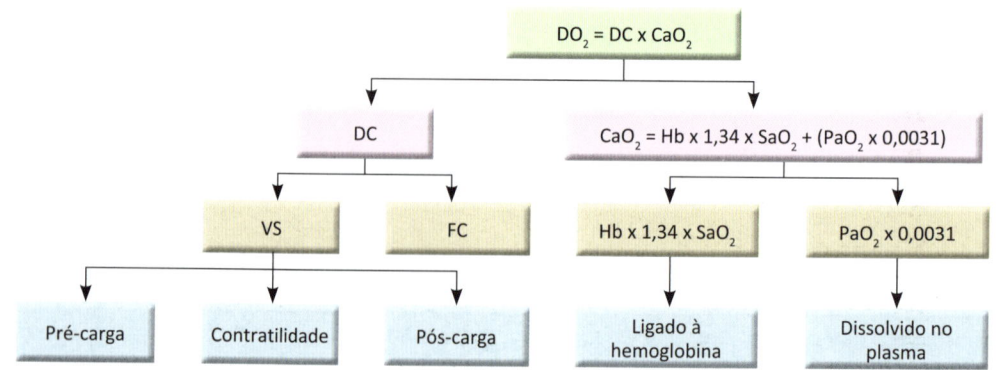

▲ **Figura 209.2** Componentes da DO_2.
VS: Volume sistólico; FC: Frequência cardíaca; Hb: Hemoglobina; SaO_2: Saturação arterial de oxigênio; PaO_2: Pressão parcial de oxigênio arterial.
Fonte: modificada de Russel, *et al.*, 2020.[11]

A maior parte do oxigênio dentro dos vasos está ligada à hemoglobina, sendo que apenas uma pequena parte está dissolvida no plasma. Cada molécula de hemoglobina liga-se a quatro moléculas de oxigênio pelo grupo heme das quatro cadeias de globina contidas na molécula (Figura 209.3). As

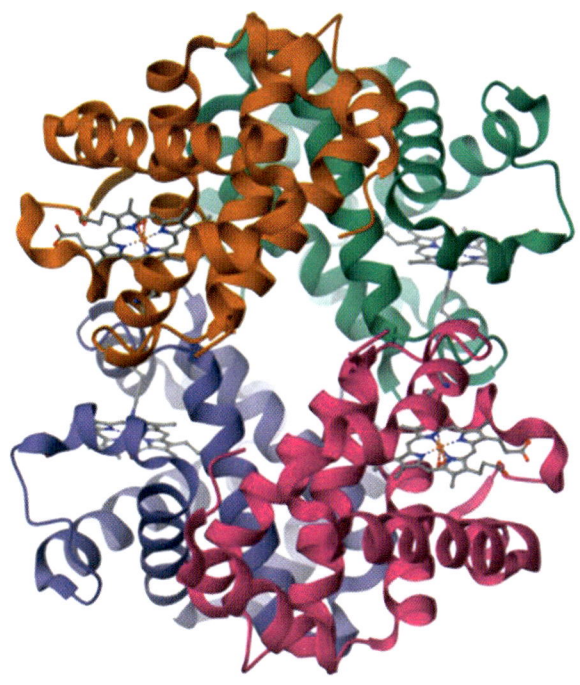

▲ **Figura 209.3** Molécula de hemoglobina com quatro sítios de ligação (heme) ao oxigênio.
Fonte: modificada de Etti *et al.*,2010.[12]

variações da DO_2 (maiores ou menores ofertas) dependem essencialmente do débito cardíaco, que é o principal componente da fórmula apresentada (Figura 209.4).

A queda da DO_2 promove várias respostas compensatórias com objetivo de suprir as elevadas demandas teciduais de O_2. Com a liberação de catecolaminas, a frequência cardíaca e a contratilidade do miocárdio aumentam. Além disso, promovem vasoconstrição para recrutar o volume não estressado que se encontra no território venoso e aumentar o débito cardíaco pelo aumento da pressão média circulatória sistêmica e, por conseguinte, aumento do retorno venoso. A liberação de hormônio antidiurético, assim como a ativação do sistema renina-angiotensina-aldosterona, também corroboram para a retenção maior de líquidos pelos rins, com o objetivo de aumentar o retorno venoso. Assim, compreende-se o quão importante é a participação do débito cardíaco na DO_2.[14]

O organismo também atua em outras áreas para atingir o objetivo de entregar o oxigênio à célula. A afinidade do oxigênio pela hemoglobina diminui, facilitando a entrega de substrato para a produção de energia. Nas situações de estado de choque, o pH sanguíneo, em acidemia faz com que a curva de dissociação da oxi-hemoglobina se desvie para a direita e facilite a liberação do oxigênio pela hemácia (Figura 209.5).[15]

Na microcirculação, a liberação de óxido nítrico promove vasodilatação e facilita a entrega de oxigênio, auxiliando na reologia das hemácias, o que contribui para aumentar a capacidade de extração tecidual de oxigênio pelas células e suprir a demanda metabólica ao sustentar o nível de VO_2 para a síntese de energia.[17,18]

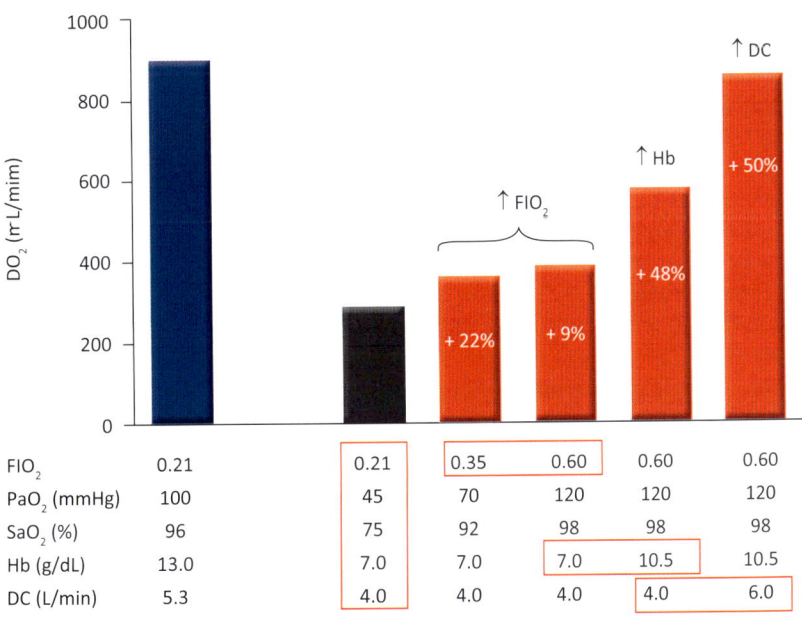

▲ **Figura 209.4** Efeitos relativos das mudanças na DO_2 pela otimização dos componentes do CaO_2 (SaO_2 e hemoglobina) e DC em um paciente grave. DO_2 em indivíduo normal de 75 kg em repouso é mostrado na barra azul, e DO_2 em um paciente com hipoxemia, anemia e redução de DC é mostrado na barra preta. As barras vermelhas mostram o efeito de intervenções sequenciais na DO_2. Os números em cada barra representam o aumento percentual da DO_2 em comparação com o valor anterior.
FIO_2: fração de oxigênio inspirado; Hb: hemoglobina; DC: débito cardíaco; CaO_2: conteúdo arterial de oxigênio.
Fonte: modificada de Huang., 2005.[13]

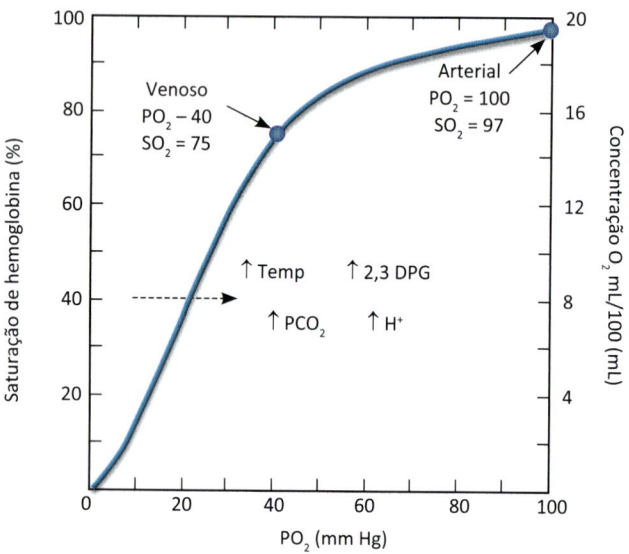

▲ **Figura 209.5** Deslocamento da curva de dissociação da oxi--hemoglobina. O desvio para a direita ilustra a redução da afinidade.

2,3: difosfoglicerato; PCO_2: pressão parcial de CO_2; H^+: íons de hidrogênio; Temp: temperatura; SO_2: saturação de oxigênio; PO_2: pressão parcial de oxigênio.

Fonte: modificada de West *et al.*, 2017.[16]

Todos os mecanismos que o organismo apresenta para incrementar a DO_2 são ativados com o objetivo de manter a oxigenação celular e, por conseguinte, manter a produção de energia (ATP).

Assim, à medida que a DO_2 cai, o VO_2 se mantém por meio do aumento da extração de oxigênio. Quando a DO_2 crítica é atingida, o aumento da extração já não é mais capaz de manter a demanda. A partir deste ponto, inicia-se a síntese de lactato (metabolismo anaeróbico) e o aumento de sua concentração na circulação.[18]

Os grandes traumas programados (cirurgias) ou não programados (politrauma com ou sem TCE, pancreatite, grandes queimados, sepse) causam elevação do VO_2, em média de 110 mL.min^{-1}.m^{-2}, podendo atingir 170 mL.min^{-1}.m^{-2} ou mais, durante a fase aguda. A resposta fisiológica ao aumento da necessidade metabólica durante a fase aguda é elevar o débito cardíaco, o que promove aumento da DO_2 aos tecidos. Para manter a função celular normal, é preciso que a DO_2 se adeque à demanda metabólica.[19]

Determinados pacientes não possuem capacidade para aumentar, de forma espontânea, o DC e, por conseguinte, a DO_2 para suprir a demanda metabólica elevada e evitar o déficit de oxigênio. Isso pode ocorrer por não possuírem reserva cardiovascular eficiente para acompanhar períodos prolongados de demanda elevada ou pela incapacidade de se adaptarem ao estresse cirúrgico. O trauma cirúrgico aumenta, consideravelmente, a reposta fisiológica, com aumento do consumo de oxigênio pelo miocárdio (MVO_2), que pode resultar em falência circulatória com ou sem isquemia miocárdica.[20] A intensidade e a duração do déficit de oxigênio acarretam disfunção celular, disfunções orgânicas e consequentes complicações (infecções, isquemia miocárdica, insuficiência renal aguda, deiscência de suturas, íleo prolongado).

Lactato

O lactato sérico é o marcador de perfusão tecidual sistêmico mais utilizado à beira do leito, por ser de fácil dosagem e de ser realizado aparelhos *point of care* e de baixo custo.[21]

Entende-se que nas situações agudas, a elevação do lactato sérico correlaciona-se com o estado de hipoperfusão, o que traduz hipóxia tecidual.

O lactato é sintetizado a partir do piruvato que sofre a ação da enzima lactato desidrogenase, fazendo com que seja oxidado pela nicotinamida adenosina (NAD), transformando-o em lactato e liberando 2 moléculas de ATP:

> Piruvato + NADH + H+ Lactato + NAD+ 2 ATP

Esta é a forma anaeróbia de produção de energia. A falta de oxigênio faz com que o piruvato não seja transformado em Acetil-COa para entrar no ciclo de Krebs (Figura 209.6), o que faz com que seja transformado em lactato para produção de energia.[22]

Em condições de anaerobiose, o piruvato não é transformado em Acetil-COA para entrar na mitocôndria, no ciclo de Krebs, e prosseguir com a produção de ATP pela via aeróbica. O aumento da produção de lactato pode ocorrer em duas situações: pela disfunção da enzima piruvato desidrogenase que impede que o piruvato seja transformado em Acetil-Coa ou quando o metabolismo está extremamente elevado, com produção excessiva de piruvato. Desta forma, a hiperlactatemia pode ocorrer não somente nas situações em que exista falta de oxigênio, mas em outras situações como as descritas na Tabela 209.2. A hiperlactatemia tipo A é aquela cuja causa é a hipóxia tecidual e a hiperlactatemia tipo B decorre de todas as outras causas.[24]

O lactato pode ser utilizado como marcador de disfunção orgânica, como prognóstico e guia terapêutico na fase aguda dos estados de choque. Na fase inicial do estado de choque, devido aos mecanismos compensatórios para tentar manter a perfusão tecidual, a avaliação dos parâmetros clínicos pode se encontrar dentro dos valores da normalidade ou discretamente alterados, sendo que para detectar a hipoperfusão tecidual, utiliza-se da propedêutica armada pela dosagem do lactato. Esta condição é denominada de hipoperfusão tecidual oculta, pois a "olho nu" não é possível identificar o distúrbio e realizar o diagnóstico.[26,27]

Os pacientes que são admitidos com valores de lactato elevado, sem a ocorrência de diminuição significativa em 24 horas, apresentam desfecho clínico desfavorável; em contrapartida, a diminuição do lactato não garante a sobrevida (Figura 209.7).[28]

O parâmetro que tem associação com o prognóstico e a sobrevida não é a dosagem do lactato em si, mas o seu clareamento ao longo do tempo. Quando o clareamento do lactato atinge valor superior a 10% em seis horas, o paciente apresenta maior chance de sobreviver e apresentar redução da resposta inflamatória.[30,31] O clareamento avaliado por meio de dosagens a cada uma ou duas horas tem o mesmo valor do clareamento verificado a cada seis horas.[32]

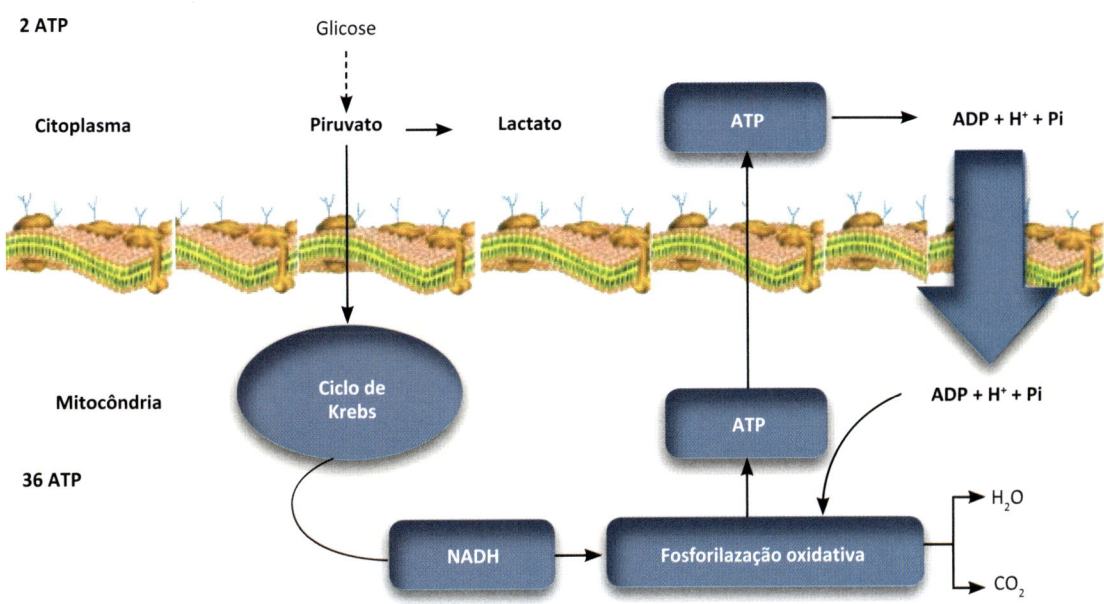

▲ **Figura 209.6** Metabolismo aeróbico e anaeróbico da glicose: um mol de glicose produz 38 ATP pela via aeróbica e apenas 2 ATP pela via anaeróbica.
ADP: adenosina difosfato; ATP: adenosina trifosfato; H+: íons de hidrogênio; NADH: redução de dinucleotídeos nicotinamida adenina; Pi: fosfato inorgânico.
Fonte: modificada de Vallet *et al.*, 2000.[23]

Tabela 209.2 Causas de elevação dos níveis de lactato.	
Choque	**Fármacos**
▪ Distributivo ▪ Cardiogênico ▪ Hipovolêmico ▪ Obstrutivo	▪ Linezolida ▪ Metformina ▪ Epinefrina ▪ Propofol ▪ Acetoaminofeno ▪ Beta2-agonista ▪ Teofilina ▪ Inibidores da transcriptase reserva
Isquemia tecidual regional	**Atividade muscular anaeróbica**
▪ Isquemia mesentérica ▪ Isquemia de membro ▪ Grande queimado ▪ Trauma ▪ Síndrome compartimental ▪ Infecções necrotizantes de tecido mole	▪ Exercício pesado ▪ Convulsões ▪ Trabalho excessivo da respiração
Pós-parada cardiorrespiratória	**Deficiência de tiamina**
Cetoacidose diabética	**Insuficiência hepática**
Drogas/toxinas	**Disfunção mitocondrial**
▪ Álcool ▪ Cocaína ▪ Monóxido de carbono ▪ Cianeto	

Fonte: modificada de Kraut *et al*.[25]

Durante o período perioperatório, o acompanhamento dos marcadores de perfusão tecidual é importante, pois além de responder sobre adequação da perfusão tecidual, também auxilia na avaliação da gravidade e do prognósti-

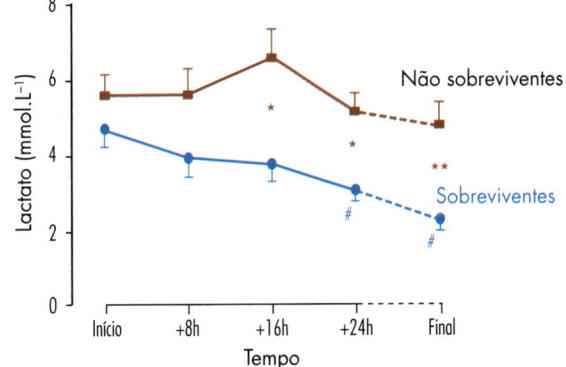

▲ **Figura 209.7** Níveis de lactato ao longo do tempo entre 33 pacientes sobreviventes e 41 pacientes não sobreviventes. Os valores iniciais foram dosados no início do choque, e os valores finais no momento da recuperação ou antes do óbito (média +/– dp).
* $p < 0,05$; **$p < 0,01$ (sobreviventes x não sobreviventes); # $p < 0.05$ entre os níveis iniciais de lactato sérico.
Fonte: modificada de Bakker, *et al.*, 1996.[29]

co dos pacientes cirúrgicos de alto risco. A não diminuição ou a não normalização dos valores do lactato no pós-operatório correlacionam-se com aumento da morbidade, mortalidade e tempo de permanência prolongado em UTI.[32] Pacientes submetidos a cirurgias não cardíacas que tiveram aumento do valor plasmático do lactato têm maior risco de lesão miocárdica e morte em 20 dias em relação aos que não desenvolveram hiperlactatemia.[33]

A diminuição dos níveis de mediadores inflamatórios apresenta grande associação com o clareamento do lactato igual ou superior a 10%, entre o início do tratamento do choque e a 6ª hora, com consequente aumento de sobrevida

(Figuras 209.8 e 209.9). Assim, nos estados de choque, é necessário realizar a dosagem seriada desse marcador de perfusão para avaliação da resposta terapêutica às intervenções realizadas.[28,30]

$$\text{Clearance do Lactato} = \frac{\text{(Lactato inicial} - \text{lactato após 2 horas)} \times 100}{\text{Lactato inicial}}$$

▲ **Figura 209.8** Cálculo do clearance de lactato.

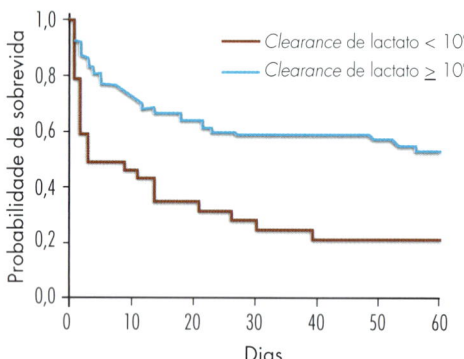

▲ **Figura 209.9** Sobrevida em pacientes com choque séptico de acordo com *clearance* de lactato ≥ 10% em 6 horas.
Fonte: modificada de Nguyen, *et al.*, 2004.[31]

Saturação Venosa Central ou Mista de Oxigênio

A perfusão tecidual pode ser avaliada pela saturação venosa mista ou central como estimativa do balanço entre oferta e consumo de oxigênio. A saturação venosa mista (SvO_2) é definida pela quantidade de oxigênio de todo o organismo que retorna ao coração direito. É o resultado da homogeneização do sangue que desemboca no átrio direito oriundo da veia cava superior, que drena a parte superior do corpo, compreendendo os membros superiores e a cabeça, incluído o cérebro; a veia cava inferior, que drena a região esplâncnica, as vísceras abdominais e os membros inferiores, o sangue oriundo do seio coronário e da rede venosa que drena a árvore brônquica.[34] O sangue drenado destas regiões começa a se homogeneizar no ventrículo direito e chega totalmente homogeneizado na artéria pulmonar. Então, sangue venoso misto é o sangue "misturado" de todo o organismo. Assim, no sangue venoso misto é medida a quantidade de oxigênio na artéria pulmonar e essa quantidade retrata o gradiente arteriovenoso de oxigênio que apresenta valores entre 68% e 77% como limites de normalidade.[35,36]

A saturação de oxigênio na desembocadura da veia cava superior no átrio direito, chamada de saturação venosa central de oxigênio ($SvcO_2$), retrata a quantidade de oxigênio oriunda da cabeça, cérebro e membros superiores, e pode ser utilizada como alternativa para a SvO_2. Entretanto, pode apresentar diferença entre 8% e 10% pontos porcentuais em relação à SvO_2. Em números absolutos, a $SvcO_2$ não representa a SvO_2, porém apresenta o mesmo comporta-

mento, ou seja, quando a SvO_2 sofre alteração, a $SvcO_2$ sofre alteração na mesma direção (aumenta ou diminui).[35,37]

Taxa de extração de oxigênio (TEO₂)

A TEO_2 é a relação entre VO_2 e DO_2 e representa o quanto o organismo está conseguindo extrair de oxigênio com o propósito de consumir oxigênio para produzir ATP e atender à demanda metabólica. Quando ocorre diminuição da DO_2, o fluxo sanguíneo sofre lentificação, para permitir que mais oxigênio seja retirado dos glóbulos vermelhos durante a passagem destes pelos capilares. Isso provoca diminuição da SvO_2. Outra situação que faz com que a SvO_2 diminua é o aumento da demanda metabólica, pois para atendê-la será necessário aumentar a extração e isso acarretará retorno de menor quantidade de oxigênio para o coração direito.[2,38]

Assim, há duas situações nas quais ocorre aumento da TEO_2 e consequente queda da SvO_2: queda da DO_2 a valores críticos ou aumento no VO_2. Quando o valor da SvO_2 está entre 40% e 50%, a hipóxia tecidual está obrigatoriamente presente. Pode ocorrer hipóxia mesmo quando a SvO_2 estiver com valores elevados, como por exemplo, nos casos de sepse. Caso a SvO_2 se apresente nos limites da normalidade e houver a presença de hiperlactatemia, isso sugere a existência de desequilíbrio na perfusão. É importante lembrar que flutuações de SvO_2 podem ocorrer no período intraoperatório como resposta às adaptações do organismo à anestesia. Quando a $SvcO_2$ é utilizada para estimar a SvO_2 é preciso analisar criticamente as alterações que ocorrem durante a anestesia. Com a anestesia, o metabolismo cerebral encontra-se diminuído, e ainda há a possibilidade de o indivíduo apresentar hipotermia, o que pode reduzir ainda mais o VO_2 cerebral, o que acarretará aumento do retorno de O_2 para o coração direito. Assim, os valores elevados, ou dentro da normalidade de $SvcO_2$, não são indicativos de que a TEO_2 esteja dentro da normalidade no organismo todo, pois distúrbios importantes podem acontecer na parte inferior do corpo.[37,39] A $SvcO_2$ traz informações importantes nas situações em que há diminuição do seu valor, por isso a sua monitoração não deixa de ser importante. Ela não pode ser utilizada como marcador de otimização de fluxo no intraoperatório, pois o valor elevado não traduz alto fluxo necessariamente. Valores elevados podem ocorrer devido à diminuição do VO_2 (redução do metabolismo pela anestesia) e hipotermia.

Por meio do gradiente arteriovenoso de oxigênio, pode-se determinar a taxa de extração de oxigênio pelo cálculo da seguinte equação:

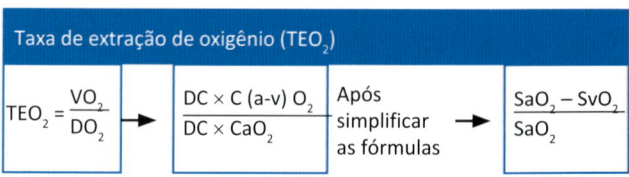

Hb – hemoglobina sérica; DC – débito cardíaco; TEO_2 = taxa de extração de oxigênio; VO_2 – consumo de oxigênio; DO_2 – oferta de oxigênio, CaO_2 – conteúdo atrial de oxigênio, $C_{(a-v)}O_2$ – Diferença entre o conteúdo arterial e venoso misto de oxigênio; SaO_2 – saturação arterial de oxigênio; SvO_2 – saturação venosa mista.

GRADIENTES SANGUÍNEOS E TECIDUAIS DE CO_2

O sistema cardiorrespiratório transporta oxigênio aos tecidos e retira o CO_2 gerado pelas células para ser expirado pelos pulmões. Desta forma, espera-se que a quantidade de CO_2 encontrada nos alvéolos seja semelhante àquela encontrada no território arterial.[40]

O gradiente entre o CO_2 do tecido e do sangue arterial é denominado gradiente tecidual de CO_2 ou gradiente venoarterial de CO_2, que também é chamado de Gap $PCO_{2(v-a)}$. Pode-se adquirir esse parâmetro a partir da amostragem simultânea de sangue coletado na artéria pulmonar e sangue coletado no sistema arterial. Com a diminuição do uso do cateter de artéria pulmonar, tem se utilizado, com sucesso, o CO_2 venoso central como substituto do CO_2 misto para cálculo do Gap $PCO_{2(v-a)}$.[41]

O Gap $PCO_{2(v-a)}$ é um parâmetro sensível para a detecção de situações de hipoperfusão decorrentes da diminuição do fluxo sanguíneo. O aumento desse gradiente, regionalmente, precede a detecção do metabolismo anaeróbio pela elevação dos níveis de lactato sérico, mostrando a precocidade dessa variável durante estados de inadequação do fluxo sanguíneo.[40,41]

Perante o aumento do metabolismo tecidual, há elevação da síntese de gás carbônico e, assim, do fluxo sanguíneo para os tecidos. Quando o fluxo sanguíneo não for adequado para realizar a remoção do CO_2 para ser expirado pelos pulmões, o CO_2 se acumula nos tecidos e no sistema venoso que o drena. A resultante final é o alargamento patológico do Gap PCO_2. O principal determinante deste alargamento é a diminuição do fluxo sanguíneo.

O Gap $PCO_{2(v-a)}$ está inversamente relacionado ao DC, isto é, quanto maior o DC, menor o gradiente. Em condições clínicas de baixo DC, como hipovolemia ou choque cardiogênico, há aumento do Gap $PCO_{2(v-a)}$, devido à estagnação de CO_2, visto que há lentificação do fluxo tecidual e o CO_2 não é removido. Desta forma, há maior quantidade de CO_2 por unidade microcirculatória, gerando hipercarbia venosa. A cada intervenção hemodinâmica (infusão de líquidos – se hipovolemia; ou uso de fármacos vasoativos – se cardiogênico) os gradientes sistêmicos de CO_2 devem ser analisados e podem auxiliar como guia terapêutico.[42,43] Há associação entre Gap $PCO_{2(v-a)}$ elevado com aumento de mortalidade e choque circulatório, além de associação com a hiperlactatemia, baixo índice cardíaco e baixa $SvcO_2$.[44]

Em casos de choque séptico, a determinação de Gap $PCO_{2(v-a)}$ durante a ressuscitação pode ser útil como guia terapêutico na adequação do fluxo sanguíneo, a despeito da $ScvO_2$ estar maior que 70%, associada a níveis elevados de lactato sanguíneo. Como os níveis elevados de lactato no sangue não são um fator discriminatório na determinação da origem desse estresse, um aumento no Gap $PCO_{2(v-a)} > 6$ mmHg pode ser usado para identificar pacientes que ainda permanecem inadequadamente ressuscitados, ou seja, que ainda necessitam da otimização do DC.[45]

A monitorização do Gap $PCO_{2(v-a)}$ desde o início da reanimação de pacientes com choque séptico agrega informações importantes para a adequação do DC na perfusão tecidual e, assim, orientar a terapia.[18,10,45] A Figura 209.10 mostra um exemplo de protocolo para guia terapêutico.

A análise combinada da diferença venoarterial de CO_2 (GapPCO_2) com a diferença arteriovenosa dos conteúdos de O_2 ($C_{(a-v)}O_2$) é bom marcador de metabolismo anaeró-

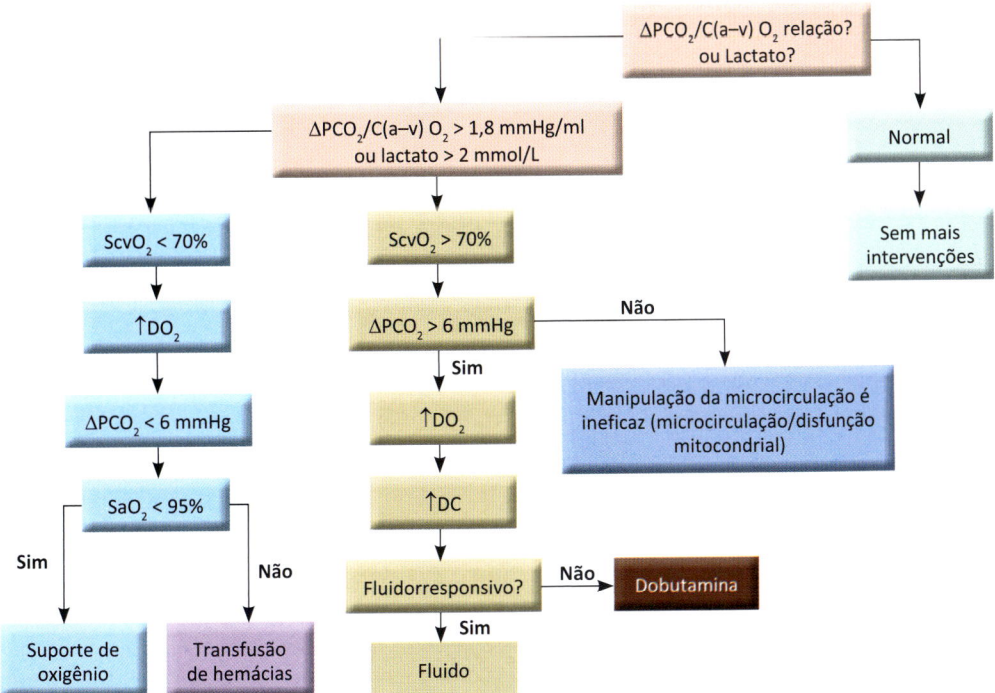

▲ **Figura 209.10** Exemplo de protocolo para guia terapêutico no choque séptico.[40,45]

$SvcO_2$: saturação venosa central de oxigênio; Gap PCO_2: diferença de tensão de dióxido de carbono venoso-arterial central; SaO_2: saturação arterial de oxigênio; $C(a-v)O_2$: diferença do conteúdo de oxigênio arteriovenoso central; DO_2: oferta de oxigênio. GapPCO_2/Ca-VO_2: quociente respiratório.

bico.[46,47]. Isso é explicado pelo entendimento fisiológico da relação entre produção de CO_2 e consumo de O_2 (quociente respiratório). Nota-se que, quando o metabolismo anaeróbio se instala, existe uma queda da produção de CO_2 e do consumo de O_2. No entanto, como há também produção anaeróbia de CO_2, essa relação aumenta. O conteúdo de CO_2 cai menos que o consumo de O_2, fazendo com que a razão entre $\Delta PCO_2/C(a\text{-}v)$ O_2 aumente (Figura 209.11).[48]

Valores de $\Delta PCO_2/C(a\text{-}v)$ O_2 acima de 1,4 associaram-se à hiperlactatemia e à mortalidade em pacientes graves com choque circulatório ou síndrome do desconforto respiratório agudo.[47]

O fluxo sanguíneo no território esplâncnico é um dos primeiros a ser comprometido nos estados de choque, com o objetivo de aumentar o retorno venoso, pela vasoconstrição local, para incrementar o débito cardíaco. Assim, monitorar o CO_2 esplâncnico seria interessante pela monitoração do Gap $PCO_{2(v\text{-}a)}$ regional. Como o CO_2 é uma molécula muito difusível, ou seja, passa, de forma muito fácil, de regiões com alta concentração para regiões com baixa concentração de CO_2. No passado, utilizava-se uma sonda nasogástrica com balonete de silicone próximo à ponta distal para obter a PCO_2 da mucosa gástrica (Figura 209.12). Desta maneira, calculava-se o Gap PCO_2 entre a mucosa gástrica e o sangue arterial. Esse parâmetro mostrou ser bom preditor de mortalidade, mas não se conseguiu demonstrar que algoritmos que utilizavam exclusivamente o Gap PCO_2 da mucosa gástrica como guia terapêutico reduzisse a mortalidade.[13]

Como forma de avaliar o fluxo sanguíneo sistêmico, o gradiente venoarterial de CO_2 sistêmico ou Gap PCO_2 sistêmico deve ser agregado a outros parâmetros de perfusão para melhorar a compreensão dos distúrbios da perfusão tecidual, além de auxiliar no acompanhamento das medidas terapêuticas para correção de alterações patológicas e estratificação quanto ao prognóstico dos pacientes graves.[50,51] Importante ressaltar que tem se utilizado a gasometria venosa central em substituição à gasometria venosa mista para cálculo do Gap PCO_2 sistêmico, com boa correlação.[53,54]

■ FISIOPATOLOGIA DA HIPOPERFUSÃO TECIDUAL E DISFUNÇÃO DE ÓRGÃOS

O objetivo principal da perfusão (fluxo + oxigênio) é entregar substrato, o oxigênio, para produção de ATP. A partir da oxidação da glicose pela via aeróbica, ocorre a produção de 36 moléculas de ATP (Figura 209.13). Isto é imprescindí-

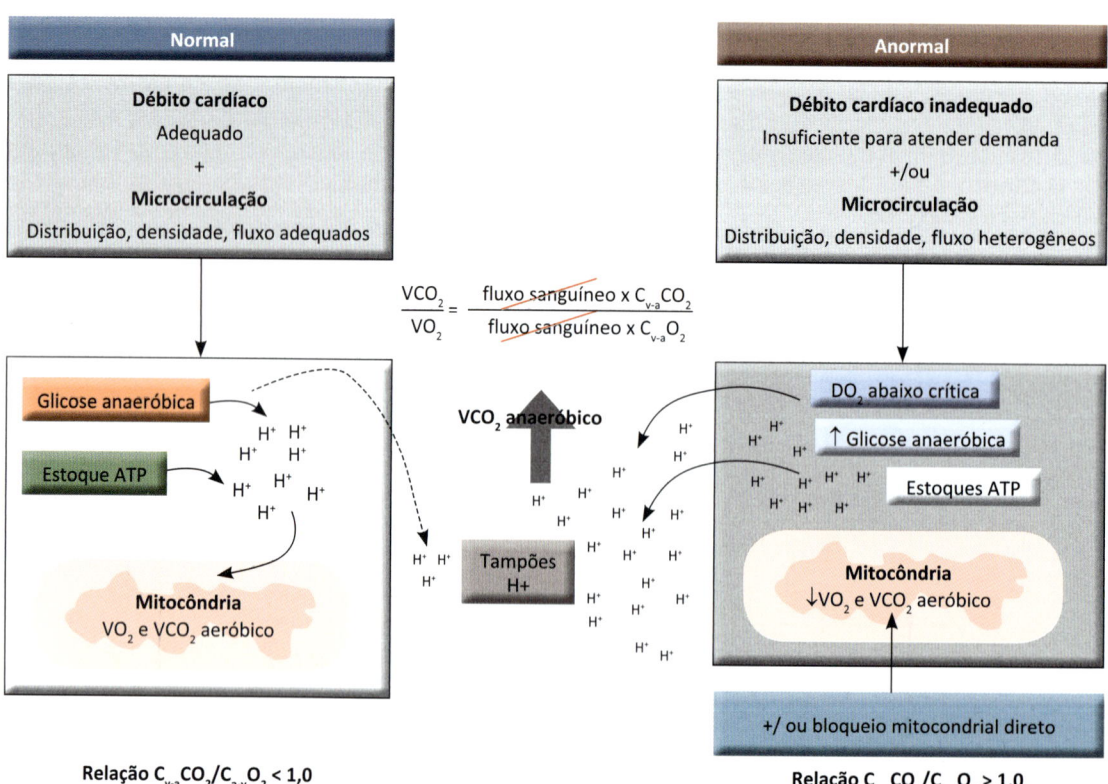

▲ **Figura 209.11** Comparação entre a relação da diferença do conteúdo venoso misto-arterial de dióxido de carbono ($C_{v\text{-}a}CO_2$) e a diferença do conteúdo arteriovenoso misto de oxigênio ($C_{a\text{-}v}O_2$) durante condição normal (esquerdo) e anormal (direito). Quando a função mitocondrial aeróbica se encontra normal, esta proporciona relação $C_{v\text{-}a}CO_2/C_{a\text{-}v}O_2$ dentro dos parâmetros da normalidade (<1,0). Quando se compara com situação em que ocorre hipoperfusão tecidual progressiva, débito cardíaco inadequado, alterações da microcirculação ou disfunção mitocondrial direta por bloqueio da mesma, tanto consumo de O_2 como produção de CO_2 se encontram diminuídos, mas a relação $C_{v\text{-}a}CO_2/C_{a\text{-}v}O_2$ se eleva (> 1,0) devido ao incremento da produção de CO_2 anaeróbico como consequência do tamponamento dos íons de hidrogênio (H^+) oriundos da glicose anaeróbica e da hidrolise de ATP. VO_2 – consumo de oxigênio; VCO_2 – produção de CO_2; DO_2 – oferta de oxigênio.
Fonte: adaptada de Ospina-Tascón et al.[48]

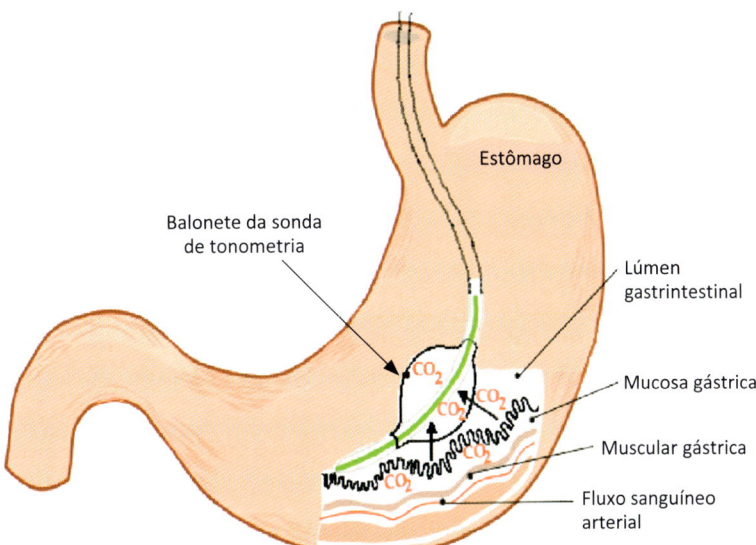

▲ **Figura 209.12** Sonda de tonometria gástrica. O método da tonometria consiste no uso de uma sonda nasogástrica específica que possui um balão de silicone permeável ao CO_2 em sua extremidade distal. A extremidade proximal da sonda é conectada ao tonômetro, monitor que faz a leitura da pressão parcial de CO_2 (PCO_2) presente na luz da sonda nasogástrica após aspirar o ar do balonete, a cada 15 minutos. Este valor de PCO_2 mensurado corresponde à pressão parcial de CO_2 da mucosa gástrica [PCO_2 regional ($PrCO_2$)]. Com a obtenção da pressão parcial arterial de CO_2 ($PaCO_2$), pode-se calcular a diferença entre o $PrCO_2$ e a $PaCO_2$, ou seja, o gradiente de CO_2 da mucosa gástrica e o arterial (Gap $PCO2_{muc\ gastr\ -\ a}$). Esta diferença, que em condições normais tem valor entre 4 e 8 mm Hg, pode estar aumentada nos estados de choque. O método de inserção da sonda nasogástrica para tonometria é idêntico ao da sonda nasogástrica comum. Além de servir como conduto para o $PrCO_2$, esta sonda também possui um conduto para as funções das sondas comuns, como nutrição enteral e drenagem de conteúdo gástrico.
Fonte: Modificada de Montgomery et al., 1989.[49]

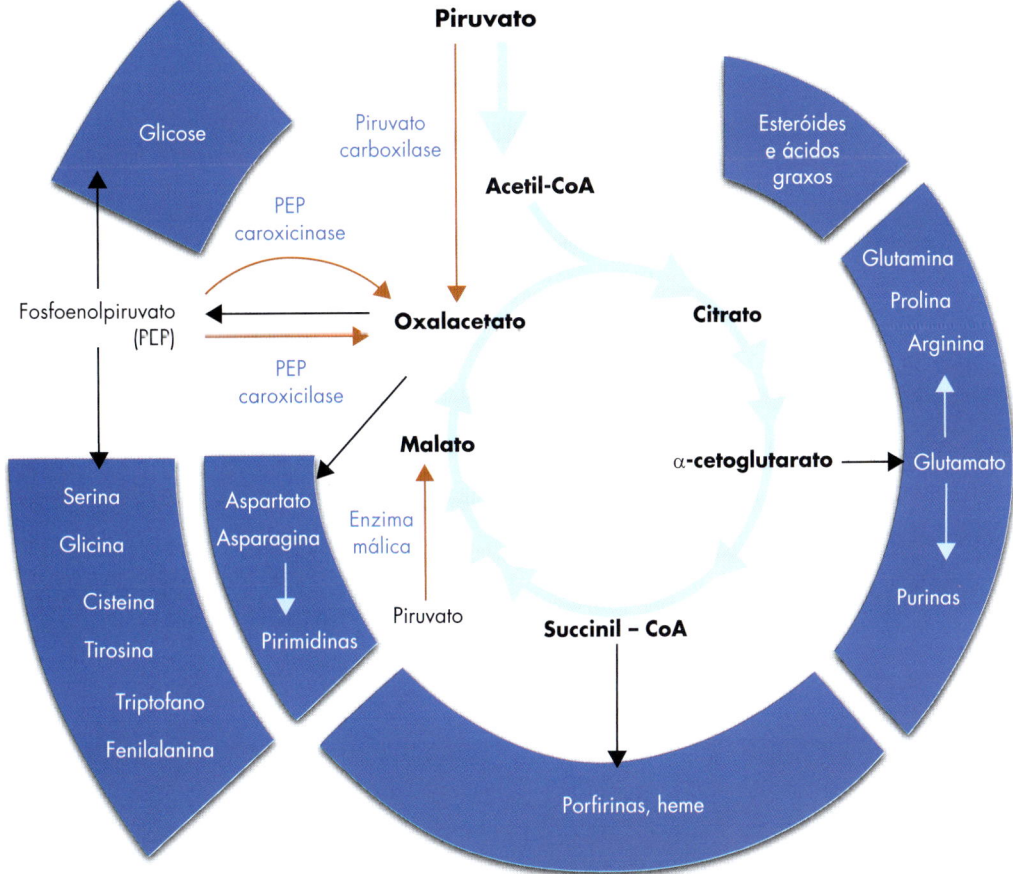

▲ **Figura 209.13** Mapa da glicólise + ciclo de Krebs + Ciclo de Cori.

vel, pois o ATP é utilizado para a síntese de todas as moléculas do organismo e para o funcionamento adequado das bombas dos canais de íons, como por exemplo a bomba Na/K+ ATPase. Quando se instala a hipoperfusão tecidual, ou quando as células já estão produzindo ATP na capacidade máxima pela via aeróbica, mesmo com a DO_2 elevada, e essa produção não consegue suprir as necessidades metabólicas, o organismo ativa a via anaeróbica de produção de ATP. A via anaeróbia faz com que o piruvato seja oxidado e produza lactato e mais duas moléculas de ATP, o que é uma quantidade muito inferior à produzida pela via aeróbica.[56]

A glicólise é um processo que envolve dez reações enzimáticas e resulta na formação de piruvato a partir da glicose (não é necessário a utilização de oxigênio neste processo). Para que ele ocorra, é necessário que a molécula de glicose seja inicialmente ativada pela adição de fosfatos, os quais são provenientes de duas moléculas de ATP. Apesar do uso de ATP, o processo de glicólise é vantajoso, uma vez que é produzido um total de quatro moléculas de ATP ao final das reações. Assim sendo, o saldo líquido da glicólise é de 2 ATP's. No **ciclo de Krebs,** o piruvato proveniente da glicólise sofre descarboxilação oxidativa pela ação da enzima piruvato desidrogenase, existente no interior das mitocôndrias, e reage com a Acetil-**coenzima A (CoA)**. A partir deste ponto, ocorrem oito etapas, e cada etapa é catalisada por uma enzima específica. O ciclo de Cori ou via glicose-lactato-glicose consiste na conversão da glicose em lactato, produzido pelos tecidos durante um período de privação de oxigênio, seguida da conversão do lactato em glicose, no fígado.[57]

Desta forma, quando ocorrer hipoperfusão tecidual e consequente hipóxia celular, a falta de ATP causará a disfunção da bomba de íons da membrana celular, com consequente formação de edema intracelular, vazamento de conteúdo intracelular para o espaço extracelular e inadequação da regulação do pH intracelular. Esses processos bioquímicos, quando não controlados e revertidos pelo restabelecimento da oxigenação celular, evoluem com comprometimento sistêmico, resultam em acidemia e disfunção endotelial, exacerbam as respostas inflamatórias e anti-inflamatórias e ativam a coagulação.[58-60] Assim, a disfunção orgânica se agrava, pois outros mecanismos contribuem para a existência da disfunção celular secundária à disóxia tecidual, como a formação de microtrombos na microcirculação e a liberação de óxido nítrico, que contribuem com o desenvolvimento da síndrome de disfunção da microcirculação e mitocondrial (SDMM).[61-63]

A lacuna entre monitoração hemodinâmica e monitoração da disóxia celular (parâmetros do balanço entre oferta e demanda globais de oxigênio) é completada por marcadores de adequação da perfusão tecidual sistêmica [lactato, SvO_2, TEO_2, $GapPCO_2$, $(GapPCO_2/C_{a-v}O_2)$]. Eles são facilmente aferidos por meio da coleta de amostras sanguíneas arterial, venosa mista ou venosa central.

O lactato é um marcador de perfusão tecidual e guia terapêutico bem estabelecido no choque séptico entre pacientes cirúrgicos quando é utilizado como guia terapêutico no intraoperatório e nas primeiras 12 horas de pós-operatório. O uso de vasopressores no intraoperatório, como a efedrina e fenilefedrina, como resgate de períodos de hipotensão arterial sistêmica pode contribuir para elevação dos níveis

de lactato. No entanto, esse aumento pode ser decorrente de hipoperfusão e desenvolvimento de choque circulatório e nesta situação ocorrerá diminuição da $SvcO_2$.[64] A presença de hiperlactatemia bem como da redução do *clearance* de lactato no pós-operatório estão associados a desfechos clínicos desfavoráveis com aumento de complicações e mortalidade.[65-67] Há correlação entre "baixa $SvcO_2$" perioperatória e aumento do risco de complicações pós-operatórias em pacientes cirúrgicos de alto risco.[68-70]

■ CLASSIFICAÇÃO DOS ESTADOS DE CHOQUE

Os estados de choque podem ser classificados sob vários aspectos fisiopatológicos. Essa compreensão fisiopatológica ajuda na decisão terapêutica.

Tipos de Hipóxia

A diminuição da perfusão tecidual é a consequência do estado de choque.[2,13,18,40] Isso resulta no aparecimento de hipóxia tecidual, a qual pode ser classificada em:

- **Hipóxia estagnante:** o baixo fluxo sanguíneo (baixo débito cardíaco) é o principal agente;
- **Hipóxia anêmica:** ocorre devido à redução do conteúdo arterial de oxigênio relacionada à queda importante dos níveis de hemoglobina;
- **Hipóxia hipóxica:** desenvolve-se pela queda do conteúdo arterial de oxigênio, consequente à diminuição da saturação arterial de oxigênio (SaO_2);
- **Hipóxia citotóxica ou histotóxica:** o fluxo e o conteúdo arterial de oxigênio estão adequados, mas existe disfunção mitocondrial; assim, não há capacidade de utilização de oxigênio pelas células.

Do ponto de vista clínico, as hipóxias estagnante e citotóxica são as merecem intervenção mais elaborada. O único tipo de hipóxia para o qual não há possibilidade de correção é a citotóxica, pois as formas de tratamento são fúteis na maioria das vezes. Essa alteração ocorre devido ao processo inflamatório que produz disfunção mitocondrial, ou seja, mesmo com chegada adequada de oxigênio, a "fábrica" está desligada e, portanto, a célula não utiliza esse oxigênio e não ocorre síntese de energia.[2,18,71]

Estágios de Evolução do Estado de Choque

Os estados de choque também são classificados em três categorias em relação ao seu estágio evolutivo:[13-15]

- Choque compensado ou críptico (Fase 1);
- Choque descompensado (Fase 2);
- Choque irreversível (Fase 3).

Choque compensado ou críptico

Os mecanismos compensatórios presentes acobertam a anormalidade:

- Aumentos da frequência cardíaca e da contratilidade miocárdica, mediados por catecolaminas;

- Vasoconstrição do sistema venoso;
- Vasoconstrição do sistema arterial;
- Ativação do sistema renina-angiotensina-aldosterona;
- Liberação de hormônio antidiurético (ADH).

É caracterizado por respostas compensatórias à perfusão tecidual diminuída. Como exemplo, no choque compensado hipovolêmico inicial: taquicardia compensatória e vasoconstrição periférica permitem que um adulto sadio permaneça assintomático e preserve os valores normais da pressão arterial sistêmica, apesar de uma redução de 10% no volume total de sangue arterial efetivo.[72]

Nessa fase, o paciente pode manter níveis aceitáveis de pressão arterial, não está necessariamente oligúrico e confuso, porém, habitualmente, já estão presentes acidose metabólica e má perfusão tecidual. A alteração da perfusão sistêmica pode ser detectada pela dosagem de lactato e mensuração da saturação venosa central de oxigênio ou saturação venosa mista de oxigênio, gradiente venoarterial de CO_2 (Gap PCO_2). A resposta ao choque é mais efetiva nessa fase, resultando em adequação do fluxo e oxigenação tecidual. A ressuscitação precoce neste estágio reduz o risco de desenvolvimento de disfunções orgânicas.

Existe o conceito de hipóxia tecidual oculta, também conhecida como choque oculto ou críptico. Neste caso, o estado de choque não é perceptível a "olho nu" e necessita de exames laboratoriais para ser identificado, por isso é denominado "oculto". Neste contexto, as variáveis de perfusão/oxigenação sistêmica: lactato arterial, saturação venosa mista ou central, Gap $PCO_{2(v-a)}$ estão alteradas, enquanto os parâmetros clínicos (como: pressão arterial, diurese, nível de consciência, tempo de enchimento capilar) não apresentam alterações.[27]. Há alto risco de morte nesta população de pacientes graves, por isso a necessidade de reconhecimento e intervenções precoces para não permitir que evolua para quadro de maior gravidade.[73]

Choque descompensado

Evolui para falência dos mecanismos compensatórios, desenvolvendo disfunções orgânicas, como: cardiovascular, renal, metabólica, pulmonar e neurológica. Os parâmetros clínicos evidentes são: hipotensão, taquicardia, pulsos filiformes, pele fria, sudorese, hiper ou hipocapnia, oligúria, taquipneia, cianose de extremidades e alteração do estado de consciência (varia desde agitação psicomotora até letargia e rebaixamento do nível de consciência). Portanto, é perceptível a presença de distúrbio da perfusão tecidual pelo exame físico minucioso associado à história clínica.

Os sinais e sintomas de disfunção orgânica tipicamente correspondem a uma perturbação fisiopatológica significativa.

Como exemplos, no choque hipovolêmico, os sinais e sintomas clínicos estão associados a uma redução de 20% a 25% no volume de sangue arterial[74] e, no choque cardiogênico, uma queda no índice cardíaco para menos de 2,5 L.min^{-1}.m^{-2} é necessária para que apareçam os sinais e sintomas.[75,76]

Choque irreversível

Ocorre falta de resposta cardiovascular à infusão de fluidos e fármacos vasoativos. Está presente a disfunção de múltiplos órgãos e progride para falência de múltiplos órgãos.[77] Na disfunção ainda existe a possibilidade de reversão do quadro, enquanto a falência é um estado onde todas as terapias realizadas são inúteis.

Desta forma, o diagnóstico e tratamento nos estados de choque devem ocorrer de forma precoce, pois somente deste modo há possibilidade de resposta mais efetiva.

Padrões de Fluxo

É necessário definir se a síndrome é de baixo ou de alto fluxo para iniciar o tratamento do estado de choque (Tabela 209.3). A melhor estratégia terapêutica é baseada nessa classificação.

De forma didática, a circulação pode ser comparada a um sistema ferroviário, no qual a locomotiva é o débito cardíaco, os vagões que carregam a carga (oxigênio) representam o conteúdo arterial de oxigênio, através da hemoglobina/hemácia; a estação central, que oferta oxigênio aos vagões, é constituída pelos pulmões; os consumidores, que utilizam o oxigênio, são as células dos tecidos; e os trilhos representam os vasos (Figura 209.14).[11]

Desta maneira, o contexto de alto fluxo é identificado pela SvO_2 elevada, isto é, retorno de mais sangue oxigenado para o coração direito. Entende-se pelo fato de a composição transitar rapidamente pelos tecidos e, portanto, não há tempo hábil para as células removerem o oxigênio dos vagões. Assim, a composição volta para a estação central com maior quantia de oxigênio.[40,78]

No entanto, os cenários de baixo fluxo são reconhecidos pela redução da velocidade da composição, que promove maior tempo para extração de oxigênio pelas células e tecidos. Desse modo, retorna menor quantidade de sangue oxigenado para o lado direito do coração, que resulta em SvO_2 diminuída. Ou a composição carreia uma menor quantidade de vagões e por conseguinte uma menor quantidade de O_2. Nesta situação, como a quantidade que chega ao consumidor final, a célula, já está reduzida, ela retira o máximo de O_2 para tentar suprir suas necessidades. Como já chega pouco O_2 para as células, a quantidade que retorna para o coração será menor ainda, logo, a SvO_2 estará bem reduzida. Com isso, compreende-se que a SvO_2 tem relação direta com o fluxo e a quantidade de oxigênio carreada pela composição.[40,78]

Tabela 209.3 Padrões de fluxo nos estados de choque.

	Hipóxia tecidual	DO_2/VO_2 dependência	SvO_2	(CaO_2-CvO_2) $(CvCO_2-CaCO_2)$
Baixo fluxo	Sim	Sim	Baixa	Elevada
Alto fluxo	Variável	Não necessariamente	Normal ou elevada	Normal ou diminuída

DO_2: oferta de oxigênio; VO_2: consumo de oxigênio; SvO_2: saturação venosa mista de oxigênio; $CaO_2 - CvO_2$: diferença arteriovenosa de oxigênio; $CvCO_2 - CaCO_2$: diferença venoarterial de dióxido de carbono.

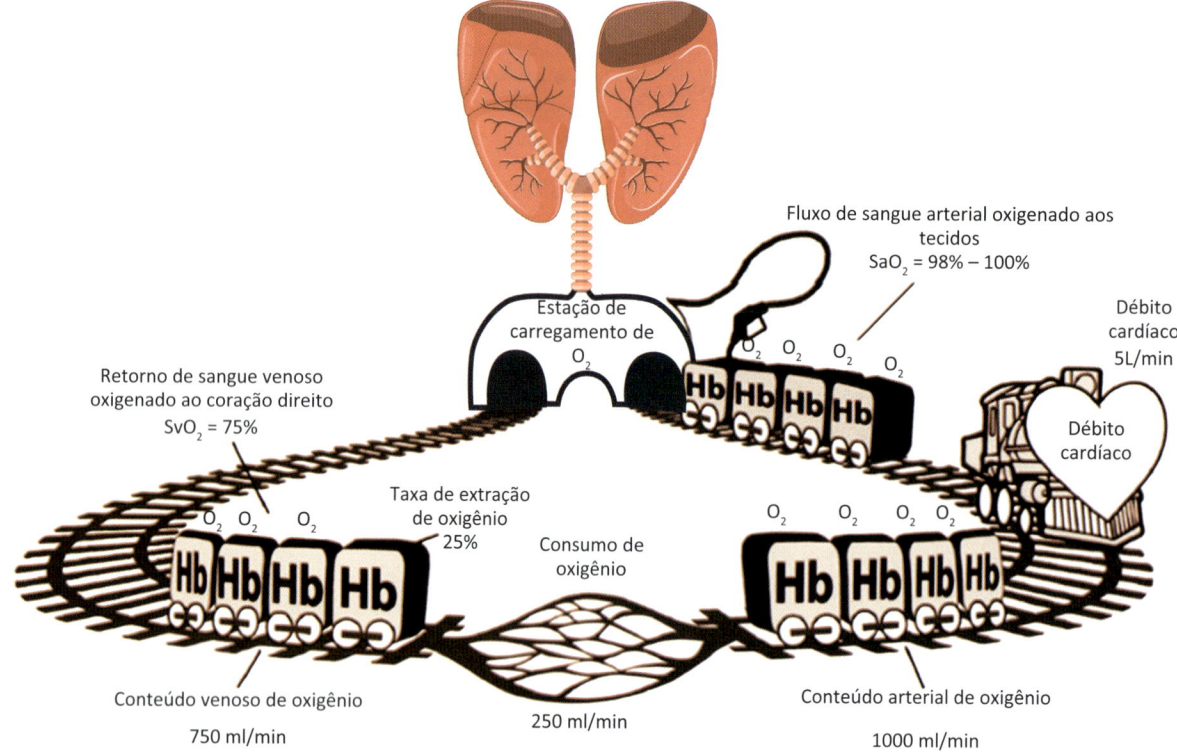

▲**Figura 209.14** O trem da oxigenação tecidual.
Fonte: modificada de Russel *et al.*, 2020.[11]

■ HEMODINÂMICA

De acordo com padrão hemodinâmico, os estados de choque podem ser classificados em quatro grupos (Tabela 209.4), mas pode haver sobreposição entre eles.[79] Muitos autores defendem que a nomenclatura *choque misto* não é adequada, pois sempre há um tipo de choque predominante, sendo o outro tipo secundário. Como exemplo, cita-se a sepse, a qual se manifesta pelo estado de choque distributivo, mas pode conter:

1. Componente hipovolêmico secundário à venodilatação;
2. Componente cardiogênico decorrente da depressão miocárdica induzida pela sepse;
3. Componente obstrutivo devido à hipertensão pulmonar resultante da ação de mediadores inflamatórios.

Na Tabela 209.4, encontra-se um resumo dos padrões hemodinâmicos encontrados nos estados de choque.

■ CHOQUE HIPOVOLÊMICO

É o tipo de choque mais comum no cenário do politrauma, em decorrência de sangramento. Neste caso, em outras, palavras, o choque hemorrágico é um tipo de choque hipovolêmico. A gravidade da hipovolemia decorrente do sangramento pode ser classificada pelos dados clínicos nos pacientes politraumatizados (Tabela 209.5). Qualquer transtorno que resulte em perda de fluidos pode causar choque hipovolêmico, portanto, é uma redução do conteúdo intravascular caracterizado pela diminuição das pressões e volumes de enchimento diastólico (Tabela 209.6).[21]

Nesse tipo de choque, a diminuição do débito cardíaco também será acentuada devido à redução do estiramento da fibra muscular cardíaca, distúrbio consequente à queda das pressões de enchimento das câmaras cardíacas, como ilustrado na Figura 209.15.

O choque hipovolêmico pode ter dois componentes de hipoxia tecidual:

■ **Anêmico:** quando há perda sanguínea secundária ao sangramento;
■ **Estagnantes:** pela diminuição do débito cardíaco, pelo baixo fluxo.

Tabela 209.4 Padrões hemodinâmicos nos estados de choque.	
Hipovolêmico	■ Hemorragia ■ Desidratação ■ Sequestro de líquidos
Cardiogênico	■ Falência ventricular esquerda ■ Infarto agudo do miocárdio ■ Miocardite ■ Disfunção miocárdica da sepse ■ Lesões valvares
Obstrutivo	■ Embolia pulmonar ■ Tamponamento cardíaco ■ Pneumotórax hipertensivo
Distributivo	■ Vasoplégico (choque séptico, intoxicação por monóxido de carbono) ■ Neurogênico ■ Anafilaxia ■ Hipotireoidismo/Hipocortisolismo ■ Síndrome de hiperviscosidade

Fonte: modificada de Vincent *et al.*[79]

Tabela 209.5 Estados de gravidade da hipovolemia.[74]	Classe I	Classe II	Classe III	Classe IV
Perda sanguínea ou fluidos	Em torno 750 mL	750-1500 mL	1500-2000 mL	> 2000 mL
Frequência cardíaca	< 100 bpm	> 100 bpm	> 120 bpm	> 140 bpm
Pressão arterial	Normal	Normal	Diminuída	Diminuída
Pressão de pulso	Normal ou diminuída	Diminuída	Diminuída	Diminuída
Frequência respiratória	14-20	20-30	30-40	> 35
Débito urinário	> 30	20-30	5-15	< 5
Estado mental	Ansiedade leve	Ansiedade moderada	Confuso	Confuso e letárgico

Tabela 209.6 Choque hipovolêmico: aspectos hemodinâmicos e de oxigenação.

- PA normal em estágios iniciais. Evolução do quadro: hipotensão arterial;
- DC baixo ou normal. Fase inicial: DC pode estar normal devido a mecanismos de compensação.
- Evolução do quadro: DC diminuí;
- PVC reduzida;
- POAP diminuída;
- DO_2 aos tecidos diminuída;
- SvO_2 reduzida (devido á TEO_2 aumentada);
- Gap PCO_2 elevado;
- Hiperlactatemia.

PA: pressão arterial; DC: débito cardíaco; PVC: pressão venosa central; POAP: pressão de oclusão da artéria pulmonar; DO_2: oferta de oxigênio; SvO_2: saturação venosa mista de oxigênio; TEO_2: taxa de extração de oxigênio; Gap PCO_2: gradiente veno-arterial de PCO_2.

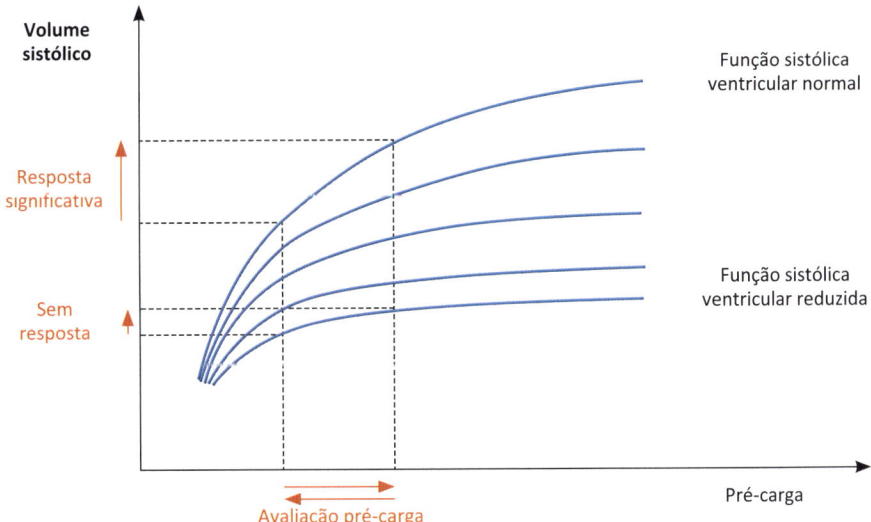

▲ **Figura 209.15** No choque hipovolêmico, ocorre importante dependência da pré-carga. Entretanto é importante ressaltar que após a correção da perfusão tecidual, mesmo que o paciente apresente responsividade à infusão de fluidos pelo recrutamento da pré-carga, não significa que necessite de maior aporte de fluidos, pois o fluxo sanguíneo já estará otimizado. Além disso, cada paciente terá a sua pré-carga adequada, a depender da função cardíaca de base e da necessidade de incremento de fluxo sanguíneo (débito cardíaco). Quanto maior a pré-carga, maior o volume sistólico e consequente maior DC, porém, até determinado limite fisiológico de estiramento das fibras miocárdicas, no qual a partir deste passara a ser prejudicial a infusão de fluidos.
Fonte: modificado de Monnet *et al.*, 2016.[80]

Como citado acima, o sistema ferroviário, neste cenário, representa a diminuição do número de vagões (hemoglobinas que carreiam o oxigênio) em situações de hemorragias, ou devido à diminuição do fluxo (DC) secundário à perda de fluidos.[21]

■ CHOQUE CARDIOGÊNICO

A definição de choque cardiogênico tem sido baseada na presença de hipotensão sustentada (pressão sistólica < 90 mmHg ou necessidade de fármacos vasoativos para sustentar PAS > 90 mmHg) associada à hipoperfusão tecidual decorrente da diminuição do débito cardíaco (ou seja índice cardíaco < 2,2 L.min^{-1}.m^{-2}) e congestão pulmonar evidenciada por pressão de oclusão de artéria pulmonar de 15 mmHg ou congestão pulmonar sugestiva nos exames de imagem.[76] O diagnóstico de choque cardiogênico é clínico, sem a necessidade da mensuração do debito cardíaco ou mesmo das pressões de enchimento.[81] Com o objetivo de estratificar os riscos de desenvolvimento de choque cardiogênico, estabelecer a gravidade e o prognóstico, a *Society for Cardiovascular Angiography and Interventions* desenvolveu classificação conforme a Figura 209.16.[82]

O choque cardiogênico possui várias etiologias que provocam o comprometimento da contratilidade miocárdica que culmina na redução do débito cardíaco e da pressão arterial sistêmica. As respostas compensatórias progressivas e persistentes acarretam o quadro de hipoperfusão tecidual, com hipóxia tecidual do tipo estagnante devido à diminuição do fluxo sanguíneo. Lembrando do sistema ferroviário, a redução de DC representa a redução da velocidade da locomotiva da composição, promovendo diminuição na chegada de oxigênio para os tecidos e células. A Figura 209.17 esquematiza a fisiopatologia do choque cardiogênico.

Ocorrem alterações hemodinâmicas importantes com o desenvolvimento e instalação do choque cardiogênico, como: 1) elevação das pressões de enchimento cardíacas de forma desproporcional aos valores do índice cardíaco, decorrente da diminuição da complacência ventricular, o que gera aumento da pressão diastólica final do ventrículo esquerdo com redução da contratilidade.[76,82]

A pré-carga e a pós-carga têm influência importante na A pré-carga e a pós-carga têm influência importante na promoção da diminuição da contratilidade. Aumento excessivo na pré-carga (volume diastólico final do ventrículo esquerdo - VDFVE) promove hiperestiramento das fibras miocárdicas, comprometendo o mecanismo compensatório de Starling. Enquanto a elevação da pós-carga (resistência vascular sistêmica - RVS) sob o ventrículo esquerdo promove aumento do trabalho do miocárdio; quando há função ventricular diminuída, proporciona queda do DC.[84]

As alterações hemodinâmicas decorrentes do choque cardiogênico são citadas na Tabela 209.7.

Os achados hemodinâmicos dependem da etiologia do choque cardiogênico. Como exemplo: o choque cardiogênico secundário ao infarto agudo do miocárdio do ventrículo direito apresenta POAP diminuída ou normal e IC diminuído.

Tabela 209.7 Choque cardiogênico: aspectos hemodinâmicos e de oxigenação.

- Pressão arterial sistólica < 90 mmHg.
- Pressão venosa central aumentada.
- Pressão de oclusão da artéria pulmonar > 18 mmHg.
- Índice cardíaco baixo, variando entre 1,8 e 2,2 L/min/m².
- Fração de ejeção ventricular diminuída.
- Gap PCO_2 aumentado.
- DO_2 diminuída.
- Saturação venosa mista de oxigênio (SvO_2) diminuída.
- Hiperlactatemia.

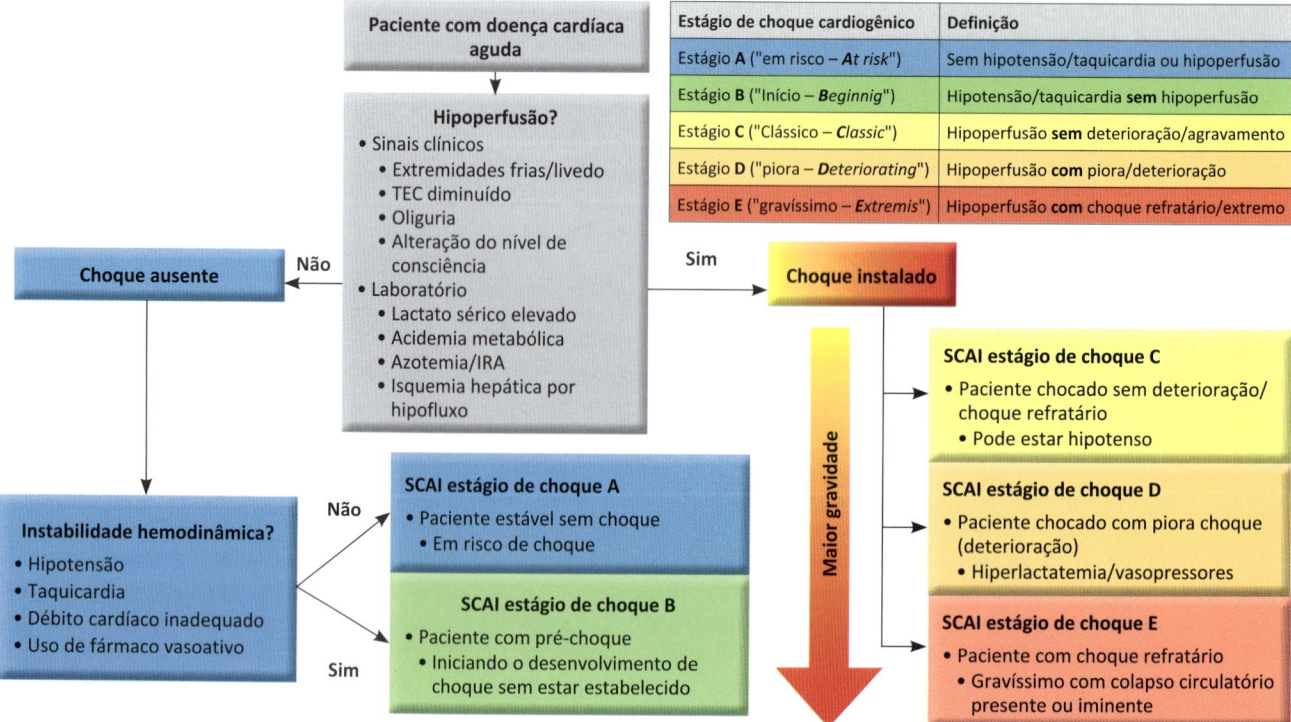

▲**Figura 209.16** Estratificação dos estágios de choque cardiogênico de acordo com *Society for Cardiovascular Angiography and Interventions*.

TEC: tempo de enchimento capilar; IRA: insuficiência renal aguda

Fonte: modificada de Jentzer, *et al.*, 2022.[82]

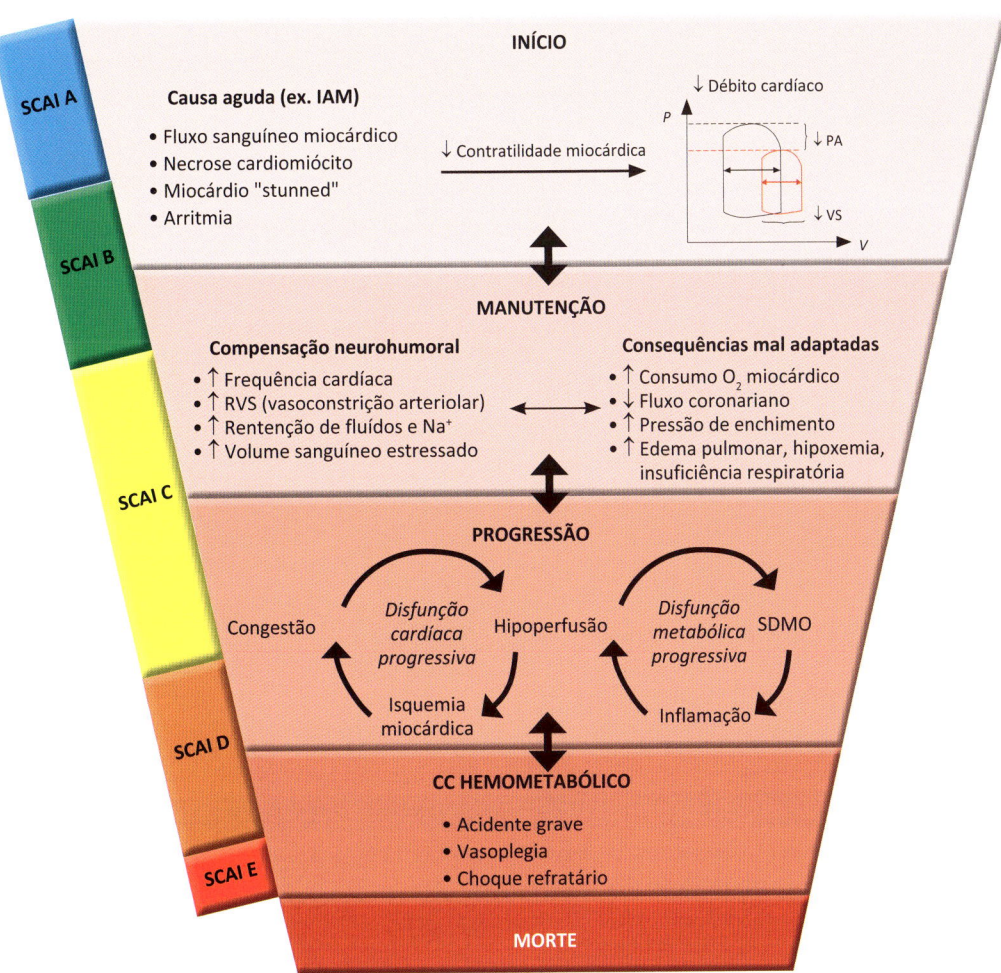

▲ **Figura 209.17** Fisiopatologia do choque cardiogênico e estratificação do choque cardiogênico de acordo com a *Society for Cardiovascular Angiography and Interventions*.[76-83]

IAM: infarto agudo do miocárdio; PA: pressão arterial sistêmica; VS: volume sistólico; SDMO: síndrome de disfunção de múltiplos órgãos; CC: choque cardiogênico; SCAI: *Society for Cardiovascular Angiography and Interventions*.

Fonte: Modificada de Sarma *et al.*, 2024.[76]

■ CHOQUE DISTRIBUTIVO

São várias as causas que promovem esse tipo de choque, como: choque vasoplégico; choque neurogênico; choque anafilático; choque por hipotireoidismo/hipocortisolismo e choque por hiperviscosidade.[85]

No caso de choque vasoplégico, suas principais etiologias são:

- ■ SIRS (no contexto peri/pós-operatório, estresse, trauma, grande queimado);
- ■ Sepse;
- ■ Intoxicação por monóxido de carbono;
- ■ Hipotensão prolongada;
- ■ Doenças mitocondriais;
- ■ Parada cardiorrespiratória
- ■ Intoxicação por cianeto e
- ■ Intoxicação por metformina.

O choque vasoplégico é causado por várias condições, porém, elas apresentam semelhantes mecanismos que geram hipotensão arterial, como mostrado na Figura 209.18.

■ CHOQUE SÉPTICO

É o choque distributivo de maior incidência e prevalência dentro das unidades de terapia intensiva, sendo o mais importante entre todas as etiologias dos estados de choque.[5] É preciso identificar e entender os vários conceitos que representam infecção e choque séptico (Tabela 209.8).[86,87]

O choque séptico pode apresentar inúmeros padrões hemodinâmicos e de oxigenação (Tabela 209.9), devido à sua própria fisiopatologia complexa, intervenções terapêuticas e eventos clínicos correlacionados.

Deve-se estar atento ao analisar valores numéricos absolutos do débito cardíaco. Nem sempre valores numéricos elevados significam que as necessidades metabólicas do organismo foram atendidas. Deve-se sempre interrogar se o valor do débito cardíaco encontrado está adequado em relação aos parâmetros de metabolismo e da oxigenação tecidual. Para tanto, é importante avaliar a resposta do consumo de oxigênio a desafios de oxigênio pelo incremento do débito cardíaco, visto que este é o principal parâmetro que influencia na oferta de oxigênio[6,13,88] (Figura 209.19).

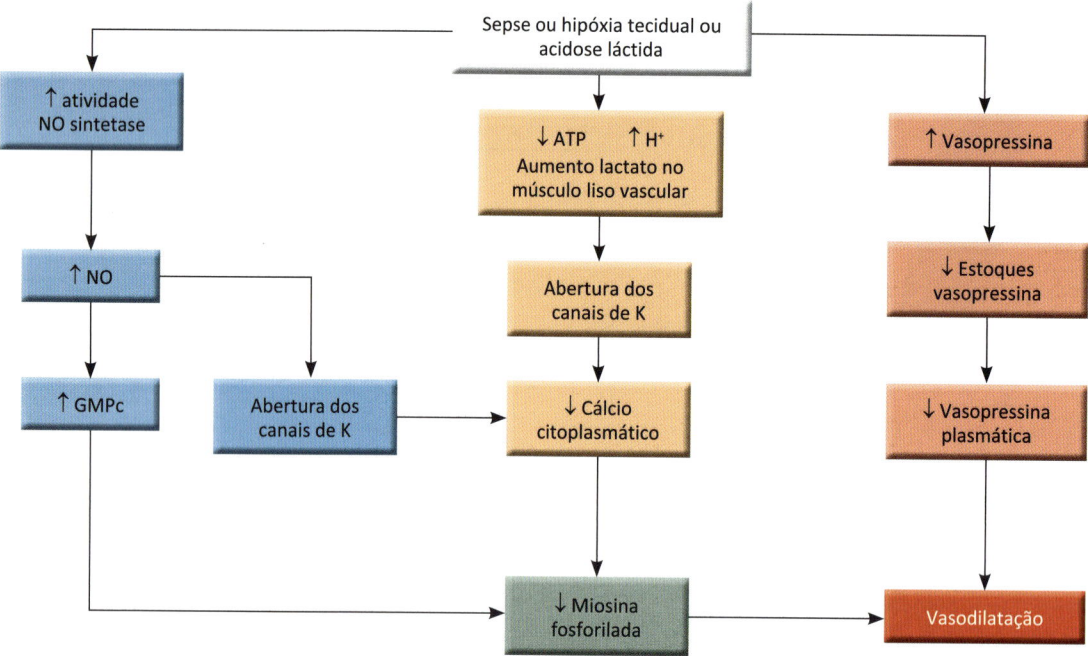

▲**Figura 209.18** Fisiopatologia do choque séptico.

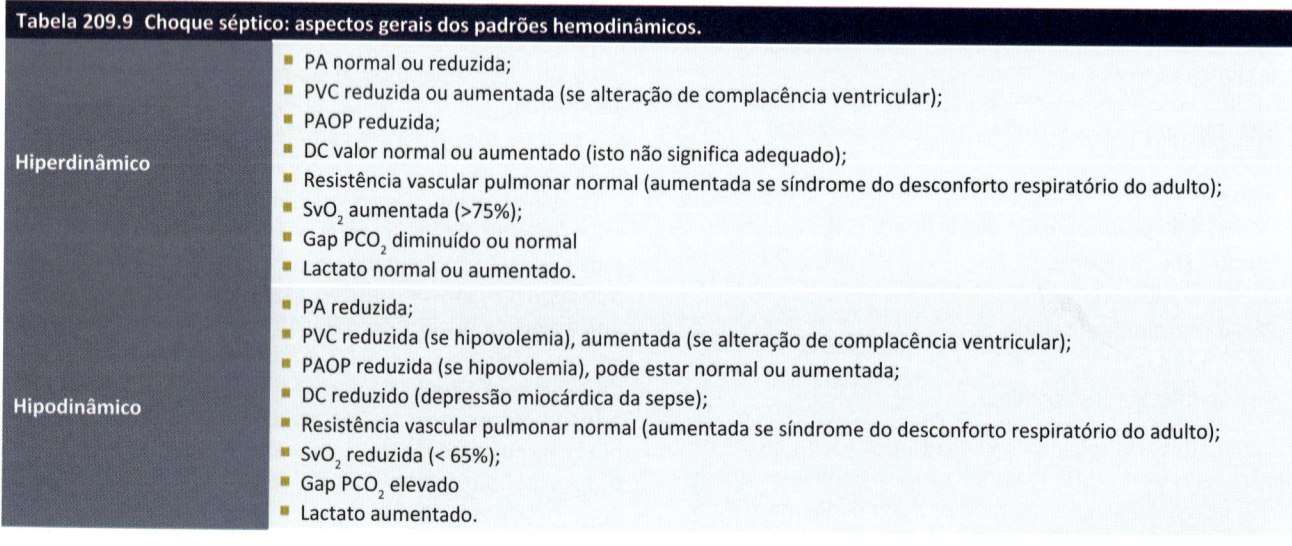

Tabela 209.8 Definições evolutivas secundárias a quadro infeccioso.	
Infecção	Invasão microbiana tecidual promovendo resposta inflamatória reacional à presença de microrganismos.
Síndrome da resposta inflamatória sistêmica	Ocorre devido a vários insultos clínicos graves. É identificada por duas ou mais das condições a seguir: ▪ Temperatura > 38ºC ou < 36ºC; ▪ Frequência cardíaca > 90bpm; ▪ Frequência respiratória > 20 irpm ou $PaCo_2$ < 32 mmHg; ▪ Leucócitos >12 mil ou < 4 mil ou > 10% formas jovens (bastões).
Sepse	Caracterizada por resposta inflamatória desregulada secundária à infecção, promovendo disfunções orgânicas, com escore SOFA maior ou igual 2. Não é obrigatória a identificação de germes, mas o foco infeccioso deve ser definido.
Choque séptico	Sepse com hipotensão arterial refratária à infusão de fluidos (30 mL.kg⁻¹), com necessidade de vasopressor para manter pressão de perfusão e lactato maior ou igual 2 mMol.L⁻¹.
Síndrome de disfunção de múltiplos órgãos	Presença de disfunção orgânica em vários órgãos em pacientes agudamente enfermos; a homeostase não ocorre sem intervenções terapêuticas.

Tabela 209.9 Choque séptico: aspectos gerais dos padrões hemodinâmicos.	
Hiperdinâmico	▪ PA normal ou reduzida; ▪ PVC reduzida ou aumentada (se alteração de complacência ventricular); ▪ PAOP reduzida; ▪ DC valor normal ou aumentado (isto não significa adequado); ▪ Resistência vascular pulmonar normal (aumentada se síndrome do desconforto respiratório do adulto); ▪ SvO_2 aumentada (>75%); ▪ Gap PCO_2 diminuído ou normal ▪ Lactato normal ou aumentado.
Hipodinâmico	▪ PA reduzida; ▪ PVC reduzida (se hipovolemia), aumentada (se alteração de complacência ventricular); ▪ PAOP reduzida (se hipovolemia), pode estar normal ou aumentada; ▪ DC reduzido (depressão miocárdica da sepse); ▪ Resistência vascular pulmonar normal (aumentada se síndrome do desconforto respiratório do adulto); ▪ SvO_2 reduzida (< 65%); ▪ Gap PCO_2 elevado ▪ Lactato aumentado.

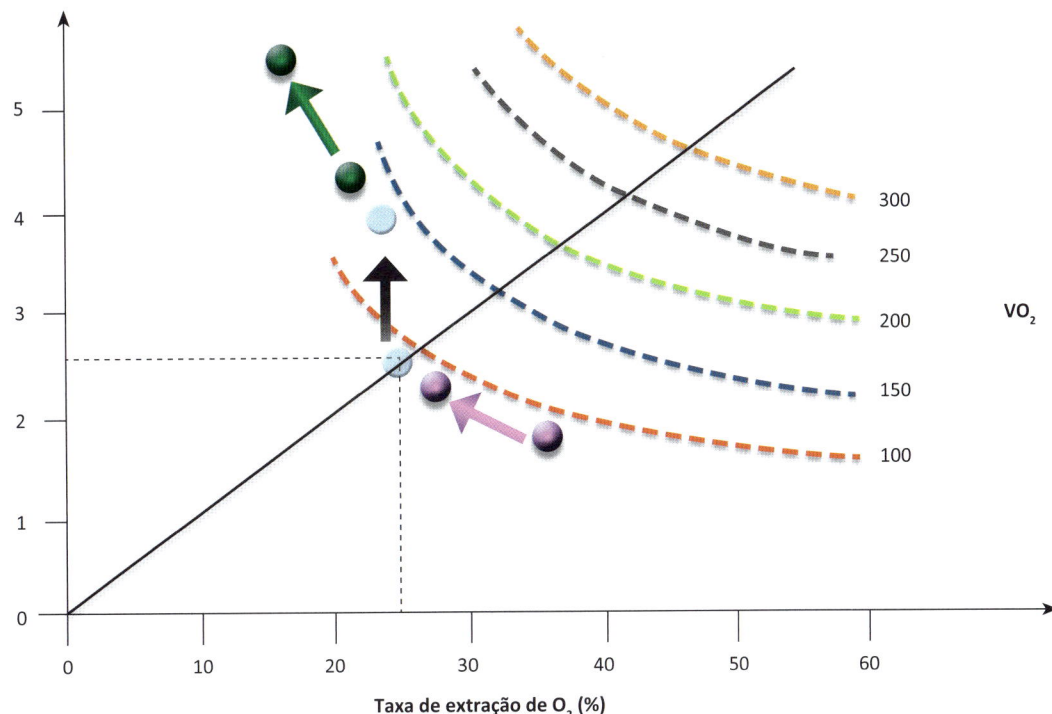

▲ **Figura 209.19** Relação entre índice cardíaco e taxa de extração de oxigênio sobre o consumo de oxigênio.

a seta azul, *isoplets* demonstram aumento do IC com redução da TEO$_2$, mantendo faixa de VO$_2$ (fluxo de luxo). A seta preta indica aumento do IC com TEO$_2$ constante e elevação do VO$_2$, o que mostra a efetividade da terapia. A seta lilás indica aumento do IC com redução da TEO$_2$, mantendo a faixa de VO$_2$ observada no desmame de fármacos vasoativos, com retorno aos parâmetros basais. VO$_2$: consumo de oxigênio. TEO$_2$ – taxa de extração de oxigênio; VO$_2$ - consumo de oxigênio; IC – índice cardíaco.

Fonte: Modificada de Vincent, 1996.[88]

No choque séptico, predomina o padrão de choque distributivo, mas componentes de choque cardiogênico, obstrutivo e hipovolêmico podem se manifestar, além do aumento da pós-carga do ventrículo direito. Assim, ao mencionar uma situação de choque séptico com depressão miocárdica, deve-se conceituar que existe: choque distributivo com componente cardiogênico, mas não choque misto, pois esta é uma classificação equivocada.

■ CHOQUE NEUROGÊNICO

Na grande maioria dos casos, as lesões intracranianas não produzem choque. O choque associado ao trauma de crânio é hipovolêmico; já no caso de trauma raquimedular é comum a apresentação de choque neurogênico se a lesão for acima de C$_5$, e ocorre devido à perda do tônus simpático.

Os achados hemodinâmicos mais frequentes são:

■ Pressão arterial sistólica muito sensível à mudança de decúbito;
■ Hipotensão arterial e bradicardia são características importantes desse tipo de choque;
■ Redução das pressões de enchimento (PVC e POAP) devido à venodilatação secundária à perda da atividade simpática;
■ Débito cardíaco normal ou diminuído. Se diminuído, é decorrente da diminuição das pressões de enchimento;
■ A SvO$_2$ está diminuída, se ocorrer queda importante do DC.

Como o trauma é a maior causa do choque neurogênico, neste contexto do paciente politraumatizado, com ou sem lesão medular, deve ser manejado incialmente como choque hipovolêmico, pela infusão de fluidos, até a confirmação diagnóstica. Entretanto, como em outras situações, a presença de hipotensão arterial ameaçadora à vida requer o início precoce de vasopressores concomitantemente à infusão de fluidos com avaliação constante do restabelecimento da perfusão tecidual por parâmetros clínicos e laboratoriais.[4,18]

A Figura 209.20, abaixo, apresenta os três componentes fisiopatológicos do choque neurogênico.

■ ANAFILAXIA

O choque está associado à insuficiência respiratória, urticária, e/ou angioedema e/ou alterações gastrintestinais que se desenvolvem poucos minutos após a exposição ao antígeno específico. Vários fármacos podem causar choque anafilático e são citados na Tabela 209.10.

Os achados hemodinâmicos mais frequentes são:

■ Pressão arterial sistólica e diastólica reduzidas;
■ Pressão de oclusão da artéria pulmonar e pressão venosa central diminuídas;
■ Débito cardíaco aumentado inicialmente, mas cai com a evolução do quadro;
■ A resistência vascular pulmonar pode estar aumentada devido à hipoxemia;
■ Saturação venosa mista de oxigênio se apresenta diminuída, devido ao choque e à hipoxemia.

Essas características hemodinâmicas podem mudar, caso outras condições associadas estejam presentes.

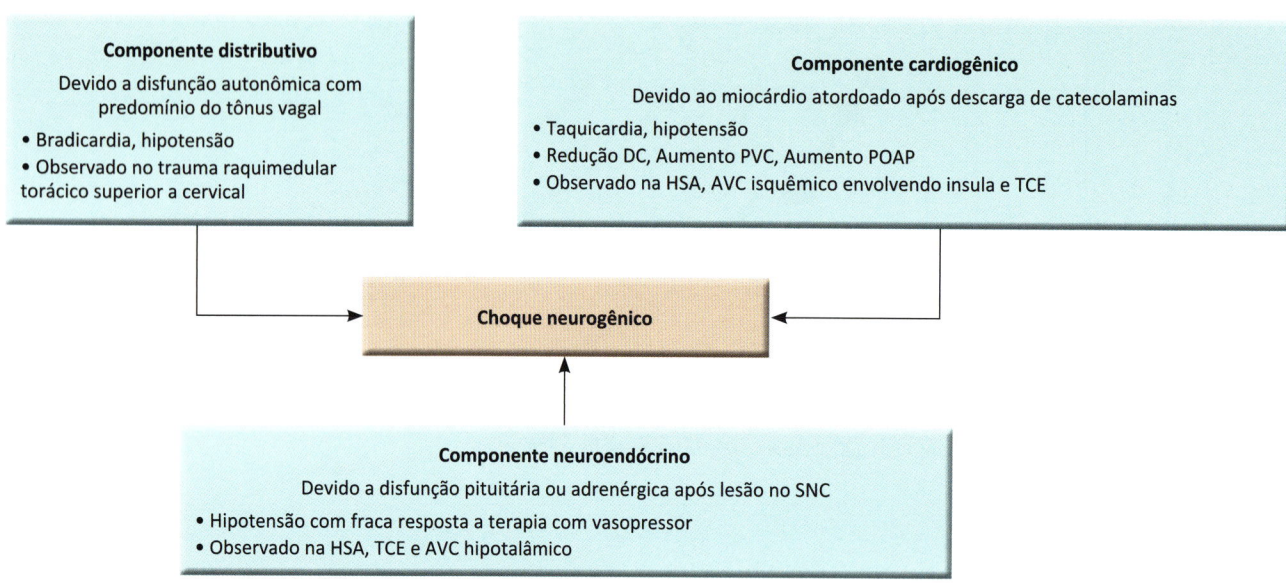

▲ Figura 209.20 Fisiopatologia do choque neurogênico.

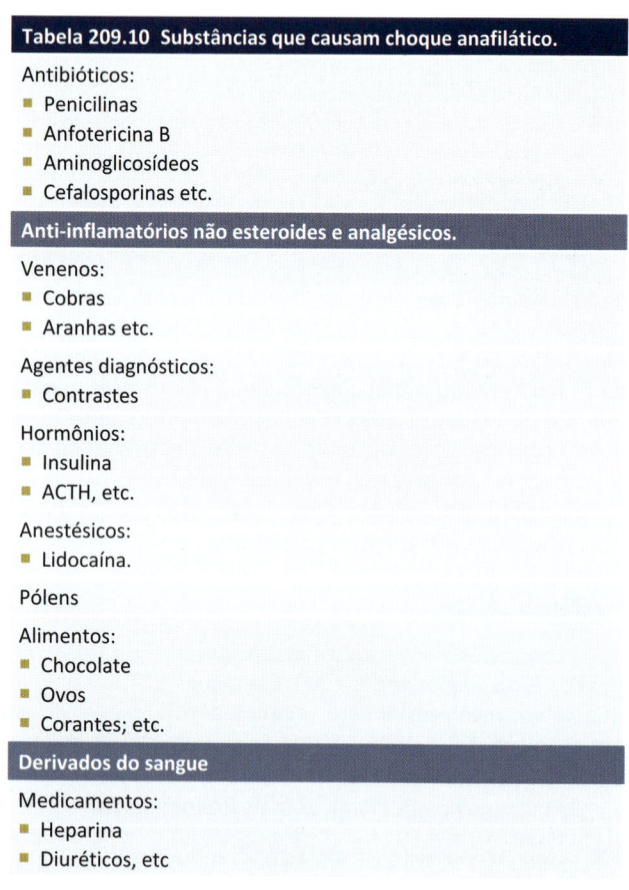

Na embolia pulmonar, o esvaziamento do ventrículo direito está comprometido pelo aumento da pós carga na via de saída do ventrículo direito. Já nos outros exemplos, ocorre diminuição do enchimento do ventrículo direito, ou seja, restrição diastólica.[90]

No choque obstrutivo, a hipóxia tecidual é do tipo estagnante pelo baixo débito cardíaco, devido à diminuição do enchimento das câmaras esquerdas de acordo com a patogenia da condição instalada, podendo estar associada à hipóxia hipoxêmica.[2]

■ EMBOLIA PULMONAR

O quadro hemodinâmico depende de alguns fatores, como:

1. Dimensão do êmbolo;
2. Número de êmbolos;
3. Velocidade de instalação.

A gravidade do quadro é menor quando:

1. dimensão do êmbolo menor;
2. menor quantidade de êmbolos;
3. instalação gradual.

As características hemodinâmicas são citadas na Tabela 209.11.

Tamponamento Cardíaco

Os principais determinantes da intensidade desse estado de choque são:[91]

1. Hipovolemia, que pode abafar os sinais clínicos e hemodinâmicos do tamponamento cardíaco;
2. Velocidade de acúmulo do líquido.

O fator mais importante na apresentação do tamponamento cardíaco é a velocidade de instalação do líquido

■ CHOQUE OBSTRUTIVO

Este tipo de choque é decorrente de obstrução que pode ocorrer tanto intracardíaca quanto extracardiaca, e sobre o lado pulmonar ou sistêmico.[85] Exemplos mais frequentes causadores desse tipo de choque são: embolia pulmonar, pneumotórax hipertensivo, tamponamento cardíaco, síndrome da veia cava e emprego de pressão expiratória final positiva elevada.[89,90]

Tabela 209.11 Características hemodinâmicas na embolia pulmonar.		
Parâmetros hemodinâmicos	**Embolia pulmonar não maciça**	**Embolia pulmonar maciça**
Frequência cardíaca	Normal ou aumentada	Muito aumentada
Pressão arterial média	Normal	Diminuída
Pressão venosa central	Normal	Aumentada
POAP	Normal	Normal
Índice cardíaco	Normal	Diminuído
Resistência vascular pulmonar	Aumentada	Aumentada
Pressão de artéria pulmonar	Normal	Aumentada
SvO_2	Normal ou diminuída	Diminuída
Lactato arterial	Normal	Aumentado

POAP: pressão de oclusão da artéria pulmonar; SvO_2: saturação venosa mista de oxigênio.

(Figura 209.21). O saco pericárdico pode acumular um limite de até dois litros de líquido, em semanas ou meses, sem repercutir de forma relevante nas pressões intracardíacas. Já, se ocorrer instalação rápida, em minutos a horas, pequenos volumes (como 100 mL) podem produzir alterações hemodinâmicas graves.

As principais características que devem ser identificadas no tamponamento cardíaco são:

- Queda da pressão arterial sistólica;
- Pulso paradoxal, sinal clássico, definido como: queda da pressão arterial sistólica > 10 mmHg durante a inspiração;
- Pressão venosa central aumentada, e a curva venosa de pressão do átrio direito mostra ausência da descendente "y";

- Pressão de oclusão da artéria pulmonar elevada;
- Resistência vascular pulmonar aumentada, se associada à hipoxemia e acidose;
- Pressão sistólica da artéria pulmonar geralmente é normal, mas a pressão diastólica da artéria pulmonar se iguala à pressão de átrio direito e à pressão de oclusão de artéria pulmonar. Portanto, POAP = PDAP = PVC. Deste modo, se identifica a equalização das pressões intracardíacas, podendo ocorrer divergência de até 3 mmHg entre elas;[27,28]
- Queda do débito cardíaco com consequente redução da oferta de oxigênio;
- Saturação venosa mista de oxigênio diminuída;
- Hiperlactatemia.

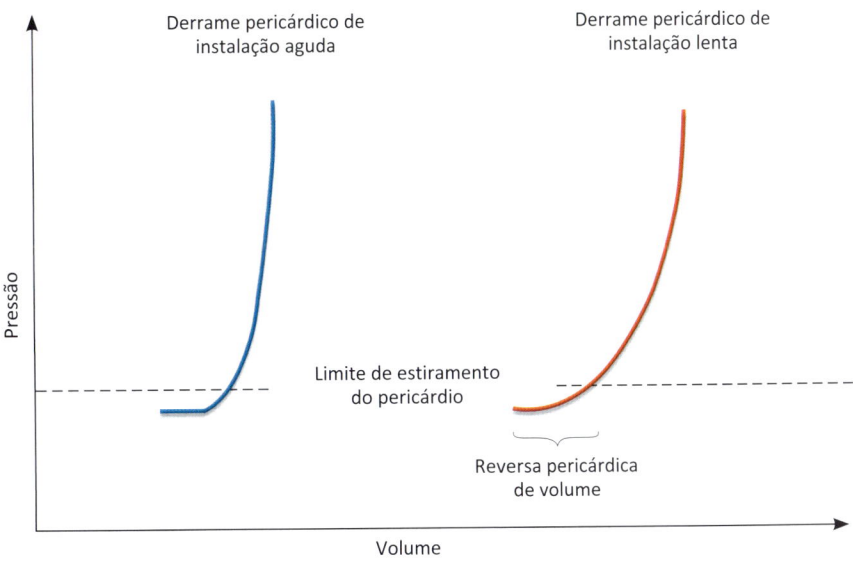

▲**Figura 209.21** Relação da pressão-volume pericárdica.
A curva da relação pressão-volume pericárdica é tem o formato de "J". Como o pericárdio é relativamente inelástico, com baixa complacência, o acúmulo de líquido de forma rápida e aguda (tão pouco como 150-200ml em modelos experimentais), excede a capacidade de reserva pericárdica de volume. Assim a capacidade de estiramento do pericárdio é atingida, e as pequenas alterações no acúmulo de líquido acarreta elevação significante dos valores pressóricos no pericárdio. Em situações crônicas, insidiosas (curva da direita), o saco pericárdico tem tempo suficiente para adaptar-se, estirar e acomodar volumes maiores de líquidos podendo ser superior a 1L. Mesmo nas situações de derrames crônicos, o limite de estiramento pericárdico pode ser atingido e exceder, culminando no tamponamento. A relação da curva pericárdica pressão -volume demonstra como a drenagem de pequena quantidade de líquido em grande derrame pode aliviar substancialmente a pressão e trazer para condição fisiológica.
Fonte: modificada de Yuriditsky, *et al.*,2024.[91]

Os perfis hemodinâmicos medidos na cateterização da artéria pulmonar que distinguem cada classe de choque são mostrados na Tabela 209.12, a seguir. A maioria das formas de choque se caracteriza por diminuição do DC e/ou elevação da resistência vascular sistêmica (RVS). Em geral, nos choques hipovolêmico, cardiogênico e obstrutivo são identificados baixo DC e aumento compensatório da RVS para manter a perfusão de órgãos vitais, enquanto o choque distributivo é caracterizado pela redução da RVS e aumento do valor absoluto compensatório do DC. No entanto, o DC pode ser "normal", ou seja, apresentar valores absolutos dentro da normalidade, porém não significa que está adequado, nas fases iniciais dos choques hipovolêmico e obstrutivo. Da mesma forma, em alguns casos de choque distributivo grave (por exemplo, séptico e neurogênico) tanto o DC quanto a RVS podem estar reduzidos.

CONCLUSÕES

A avaliação clínica do paciente em choque tem início no exame físico que pode identificar alterações do nível de consciência, da pele, da temperatura, da frequência cardíaca, da amplitude de pulso e do padrão respiratório. No cenário perioperatório, essa avaliação é mais difícil e outras ferramentas como a monitoração hemodinâmica associada às medidas das variáveis de oxigenação devem ser utilizadas. Quando esses dados são utilizados adequadamente, o diagnóstico da etiologia do choque é feito, na maioria das vezes.[92]

Nas situações em que o diagnóstico etiológico do choque ainda está difícil, mesmo com a utilização dos parâmetros hemodinâmicos e de oxigenação, um período de observação/acompanhamento pelas medidas hemodinâmicas seriadas auxiliam na elucidação do diagnóstico.

Pacientes de alto risco cirúrgico apresentam mortalidade elevada quando desenvolvem choque circulatório com difícil controle hemodinâmico. A correta monitorização associada à terapia com metas e otimização hemodinâmica determinam melhores desfechos. A meta terapêutica é o equilíbrio na relação DO_2/VO_2, por meio da potencialização da DO_2 e da correção dos marcadores de perfusão tecidual, pois a disóxia tecidual/celular durante o período peri/pós-operatório aumenta a morbimortalidade e a necessidade de recursos, resultando em aumento dos custos hospitalares.

Tabela 209.12 Perfis hemodinâmicos nos tipos de choque circulatório de acordo com a monitorização invasiva pelo cateter de artéria pulmonar.

Variável fisiológica	Pré-carga		Função de bomba	Pós-carga	Perfusão tecidual
Condição clínica	POAP	PAD	DC	RVS	SvO_2
Hipovolêmico	Normal ou reduzida	Normal ou reduzida	Normal ou reduzida	Aumentada	< 65% (normal) ou < 65% (reduzida)
Cardiogênico	Aumentada	Aumentada	Reduzida	Aumentada	< 65%
Obstrutivo					
Embolia pulmonar	Normal ou reduzida	Aumentada	Normal ou reduzida	Aumentada	< 65%
Pneumotórax hipertensivo	Aumentada	Aumentada	Reduzido	Aumentada	<65%
Tamponamento cardíaco	Aumentada	Aumentada	Reduzido	Aumentada	< 65%
Distributivo	Normal ou reduzida	Normal ou reduzida	Aumentada ou reduzida	Reduzida	> 65%

POAP: pressão de oclusão de artéria pulmonar; PAD: pressão átrio direito; DC: débito cardíaco; RVS: resistência vascular sistêmica; SvO_2: saturação venosa mista de oxigênio.

REFERÊNCIAS

1. Hilty MP, Jung C. Tissue oxygenation: how to measure, how much to target. Intensive Care Med Exp. 2023;11(1):64.
2. Vincent JL, De Backer D. Circulatory shock. N Engl J Med. 2013;369(18):1726-34.
3. DellaVolpe JD, Moore JE, Pinsky MR. Arterial blood pressure and heart rate regulation in shock state. Curr Opin Crit Care. 2015;21(5):376-80.
4. Cecconi M, De Backer D, Antonelli M, Beale R, Bakker J, Hofer C, et al. Consensus on circulatory shock and hemodynamic monitoring. Task force of the European Society of Intensive Care Medicine. Intensive Care Med. 2014;40(12):1795-815.
5. De Backer D, Biston P, Devriendt J, Madl C, Chochrad D, Aldecoa C, et al. Comparison of dopamine and norepinephrine in the treatment of shock. N Engl J Med. 2010;362(9):779-89.
6. Friedman GFM, De Backer D, Shahla M, Vincent J-L. Oxygen supply dependency can characterize septic shock. Intensive Care Med. 1998;24(2):118-23.
7. Poole DC, Jones AM. Oxygen uptake kinetics. Comprehensive Physiology. 2012;2(2):933-96.
8. Vincent JL, Joosten A, Saugel B. Hemodynamic Monitoring and Support. Crit Care Med. 2021;49(10):1638-50.
9. Parker T, Brealey D, Dyson A, Singer M. Optimising organ perfusion in the high-risk surgical and critical care patient: a narrative review. Br J Anaesth. 2019;123(2):170-6.
10. Makaryus R, Miller TE, Gan TJ. Current concepts of fluid management in enhanced recovery pathways. Br J Anaesth. 2018;120(2):376-83.
11. Russell A, Rivers EP, Giri PC, Jaehne AK, Nguyen HB. A Physiologic Approach to Hemodynamic Monitoring and Optimizing Oxygen Delivery in Shock Resuscitation. J Clin Med. 2020;9(7).
12. Etti S, Shanmugam G, Karthe P, Gunasekaran K. RCSB PDB - 3A0G: Crystal structure analysis of guinea pig oxyhemoglobin at 2.5 angstroms resolution 2010 [Available from: https://www.rcsb.org/structure/3A0G.
13. Huang YC. Monitoring oxygen delivery in the critically ill. Chest. 2005;128(5 Suppl 2):554S-60S.
14. Arshed S, Pinsky MR. Applied Physiology of Fluid Resuscitation in Critical Illness. Crit Care Clin. 2018;34(2):267-77.
15. Hsia CC. Respiratory function of hemoglobin. N Engl J Med. 1998;338(4):239-47.
16. West. JB, Luks. AM. GAS EXCHANGE. In: West JB, M. LA, editors. WEST'S PULMONARY PATHOPHYSIOLOGY, THE ESSENTIALS. 9th Edition ed. Philadelphia: Wolters Kluwer; 2017.
17. Boveris DL, Boveris A. Oxygen delivery to the tissues and mitochondrial respiration. Front Biosci. 2007;12:1014-23.
18. Mallat J, Rahman N, Hamed F, Hernandez G, Fischer MO. Pathophysiology, mechanisms, and managements of tissue hypoxia. Anaesth Crit Care Pain Med. 2022;41(4):101087.
19. Shoemaker WC, Appel PL, Kram HB. Hemodynamic and oxygen transport responses in survivors and nonsurvivors of high-risk surgery. Crit Care Med. 1993;21(7):977-90.

20. Szczeklik W, Fronczek J. Myocardial injury after noncardiac surgery - an update. Curr Opin Anaesthesiol. 2021;34(3):381-6.
21. Pino RM, Singh J. Appropriate Clinical Use of Lactate Measurements. Anesthesiology. 2021;134(4):637-44.
22. Janotka M, Ostadal P. Biochemical markers for clinical monitoring of tissue perfusion. Mol Cell Biochem. 2021;476(3):1313-26.
23. Vallet B, Tavernier B, Lund N. Assessment of tissue oxygenation in the critically-ill. Eur J Anaesthesiol. 2000;17(4):221-9.
24. Vincent JL, Bakker J. Blood lactate levels in sepsis: in 8 questions. Curr Opin Crit Care. 2021;27(3):298-302.
25. Kraut JA, Madias NE. Lactic acidosis. N Engl J Med. 2014;371(24):2309-19.
26. Ander DS, Jaggi M, Rivers E, Rady MY, Levine TB, Levine AB, et al. Undetected cardiogenic shock in patients with congestive heart failure presenting to the emergency department. Am J Cardiol. 1998;82(7):888-91.
27. Rady MY, Rivers EP, Nowak RM. Resuscitation of the critically ill in the ED: responses of blood pressure, heart rate, shock index, central venous oxygen saturation, and lactate. Am J Emerg Med. 1996;14(2):218-25.
28. Bakker J, Coffernils M, Leon M, Gris P, Vincent JL. Blood lactate levels are superior to oxygen-derived variables in predicting outcome in human septic shock. Chest. 1991;99(4):956-62.
29. Bakker J, Gris P, Coffernils M, Kahn RJ, Vincent J-L. Serial blood lactate levels can predict the development of multiple organ failure following septic shock. Am J Surg. 1996;171(2):221-6.
30. Nguyen HB, Loomba M, Yang JJ, Jacobsen G, Shah K, Otero RM, et al. Early lactate clearance is associated with biomarkers of inflammation, coagulation, apoptosis, organ dysfunction and mortality in severe sepsis and septic shock. J Inflamm (Lond). 2010;7:6.
31. Nguyen HB, Rivers EP, Knoblich BP, Jacobsen G, Muzzin A, Ressler JA, Tomlanovich MC. Early lactate clearance is associated with improved outcome in severe sepsis and septic shock. Crit Care Med. 2004;32(8):1637-42.
32. Vincent JL, Quintairos ESA, Couto L, Jr., Taccone FS. The value of blood lactate kinetics in critically ill patients: a systematic review. Crit Care. 2016;20(1):257.
33. Kim J, Park J, Kwon JH, Kim S, Oh AR, Jang JN, et al. Association between Intraoperative Hyperlactatemia and Myocardial Injury after Noncardiac Surgery. Diagnostics (Basel). 2021;11(9).
34. Barratt-Boyes BG, Wood EH. The oxygen saturation of blood in the venae cavae, right-heart chambers, and pulmonary vessels of healthy subjects. J Lab Clin Med. 1957;50(1):93-106.
35. Reinhart K, Kuhn HJ, Hartog C, Bredle DL. Continuous central venous and pulmonary artery oxygen saturation monitoring in the critically ill. Intensive Care Med. 2004;30(8):1572-8.
36. Rivers EP. Mixed vs central venous oxygen saturation may be not numerically equal, but both are still clinically useful. Chest. 2006;129(3):507-8.
37. Shepherd SJ, Pearse RM. Role of central and mixed venous oxygen saturation measurement in perioperative care. Anesthesiology. 2009;111(3):649-56.
38. Chetana Shanmukhappa S, Lokeshwaran S. Venous Oxygen Saturation. StatPearls. Treasure Island (FL)2023.
39. Assuncao FIRMdFAHRLFFTDCJLGdAMSC. CENTRAL VENOUS OXYGEN SATURATION IN PATIENTS UNDERGOING MAJOR SURGERY WITH TOTAL INTRAVENOUS ANESTHESIA. Intensive Care Medicine. 2014;40(1):1-308.
40. Gavelli F, Teboul JL, Monnet X. How can CO2-derived indices guide resuscitation in critically ill patients? J Thorac Dis. 2019;11(Suppl 11):S1528-S37.
41. Dubin A, Pozo MO. Venous Minus Arterial Carbon Dioxide Gradients in the Monitoring of Tissue Perfusion and Oxygenation: A Narrative Review. Medicina (Kaunas). 2023;59(7).
42. Zhang H, Vincent JL. Arteriovenous differences in pCO2 and pH are good indicators of critical hypoperfusion. Am Rev Respir Dis. 1993;148(4 Pt 1):867-71.
43. Teboul JL, Mercat A, Lenique F, Berton C, Richard C. Value of the venous-arterial PCO2 gradient to reflect the oxygen supply to demand in humans: effects of dobutamine. Crit Care Med. 1998;26(6):1007-10.
44. Al Duhailib Z, Hegazy AF, Lalli R, Fiorini K, Priestap F, Iansavichene A, Slessarev M. The Use of Central Venous to Arterial Carbon Dioxide Tension Gap for Outcome Prediction in Critically Ill Patients: A Systematic Review and Meta-Analysis. Crit Care Med. 2020;48(12):1855-61.
45. Mallat J, Lemyze M, Tronchon L, Vallet B, Thevenin D. Use of venous-to-arterial carbon dioxide tension difference to guide resuscitation therapy in septic shock. World journal of critical care medicine. 2016;5(1):47-56.
46. Ospina-Tascon GA, Umana M, Bermudez W, Bautista-Rincon DF, Hernandez G, Bruhn A, et al. Combination of arterial lactate levels and venous-arterial CO2 to arterial-venous O2 content difference ratio as markers of resuscitation in patients with septic shock. Intensive Care Med. 2015;41(5):796-805.
47. Mekontso-Dessap A, Castelain V, Anguel N, Bahloul M, Schauvliege F, Richard C, Teboul J-L. Combination of venoarterial PCO2 difference with arteriovenous O2 content difference to detect anaerobic metabolism in patients. Intensive Care Med. 2002;28(3):272-7.
48. Ospina-Tascon GA, Hernandez G, Cecconi M. Understanding the venous-arterial CO(2) to arterial-venous O(2) content difference ratio. Intensive Care Med. 2016;42(11):1801-4.
49. Montgomery A, Hartmann M, Jonsson K, Haglund U. Intramucosal pH measurement with tonometers for detecting gastrointestinal ischemia in porcine hemorrhagic shock. Circulatory shock. 1989;29(4):319-27.
50. Silva E, Blecher S, Kai M, Assuncao M. A HIGH GRADIENT BETWEEN GASTRIC AND ARTERIAL PCO2 IS RELATED TO MULTIPLE ORGAN FAILURE AND MORTALITY .... Crit Care Med. 1999.
51. Llaief Z, Schneider AG, Liaudet L. Pathophysiology and clinical implications of the veno arterial PCO(2) gap. Crit Care. 2021;25(1):318.
52. Pierrakos C, De Bels D, Nguyen T, Velissaris D, Attou R, Devriendt J, et al. Changes in central venous-to-arterial carbon dioxide tension induced by fluid bolus in critically ill patients. PLoS One. 2021;16(9):e0257314.
53. Vallee F, Vallet B, Mathe O, Parraguette J, Mari A, Silva S, et al. Central venous-to-arterial carbon dioxide difference: an additional target for goal-directed therapy in septic shock? Intensive Care Med. 2008;34(12):2218-25.
54. Du W, Liu DW, Wang XT, Long Y, Chai WZ, Zhou X, Rui X. Combining central venous-to-arterial partial pressure of carbon dioxide difference and central venous oxygen saturation to guide resuscitation in septic shock. J Crit Care. 2013;28(6):1110 e1-5.
55. Mallat J, Pepy F, Lemyze M, Gasan G, Vangrunderbeeck N, Tronchon L, et al. Central venous-to-arterial carbon dioxide partial pressure difference in early resuscitation from septic shock: a prospective observational study. Eur J Anaesthesiol. 2014;31(7):371-80.
56. Levitt DG, Levitt JE, Levitt MD. Quantitative Assessment of Blood Lactate in Shock: Measure of Hypoxia or Beneficial Energy Source. Biomed Res Int. 2020;2020:2608318.
57. NELSON DLC, Michael M. Princípios de bioquímica de Lehninger. 7a. edição ed. Porto Alegre: Artmed; 2019.
58. Engelmann B, Massberg S. Thrombosis as an intravascular effector of innate immunity. Nat Rev Immunol. 2013;13(1):34-45.
59. Lee WL, Slutsky AS. Sepsis and endothelial permeability. N Engl J Med. 2010;363(7):689-91.
60. Martin-Fernandez M, Tamayo-Velasco A, Aller R, Gonzalo-Benito H, Martinez-Paz P, Tamayo E. Endothelial Dysfunction and Neutrophil Degranulation as Central Events in Sepsis Physiopathology. Int J Mol Sci. 2021;22(12).
61. De Backer D, Donadello K, Sakr Y, Ospina-Tascon G, Salgado D, Scolletta S, Vincent JL. Microcirculatory alterations in patients with severe sepsis: impact of time of assessment and relationship with outcome. Crit Care Med. 2013;41(3):791-9.
62. Preau S, Vodovar D, Jung B, Lancel S, Zafrani L, Flatres A, et al. Energetic dysfunction in sepsis: a narrative review. Ann Intensive Care. 2021;11(1):104.
63. Wang G, Lian H, Zhang H, Wang X. Microcirculation and Mitochondria: The Critical Unit. J Clin Med. 2023;12(20).
64. Tobar E, Cornejo R, Godoy J, Abedrapo M, Cavada G, Tobar D. Effects of intraoperative adrenergic administration on postoperative hyperlactatemia in open colon surgery: an observational study. Braz J Anesthesiol. 2021;71(1):58-64.
65. Hervas MS, Jativa-Porcar R, Robles-Hernandez D, Rubert AS, Segarra B, Oliva C, et al. Evaluation of the relationship between lactacidemia and postoperative complications after surgery for peritoneal carcinomatosis. Korean journal of anesthesiology. 2021;74(1):45-52.
66. Husain FA, Martin MJ, Mullenix PS, Steele SR, Elliott DC. Serum lactate and base deficit as predictors of mortality and morbidity. Am J Surg. 2003;185(5):485-91.
67. Li S, Peng K, Liu F, Yu Y, Xu T, Zhang Y. Changes in blood lactate levels after major elective abdominal surgery and the association with outcomes: a prospective observational study. J Surg Res. 2013;184(2):1059-69.
68. Pearse R, Dawson D, Fawcett J, Rhodes A, Grounds RM, Bennett ED. Changes in central venous saturation after major surgery, and association with outcome. Crit Care. 2005;9(6):R694-9.
69. Ida S, Morita Y, Matsumoto A, Muraki R, Kitajima R, Furuhashi S, et al. Prediction of postoperative complications after hepatectomy with dynamic monitoring of central venous oxygen saturation. BMC surgery. 2023;23(1):343.
70. Miranda CA, Meletti JFA, Lima LHN, Marchi E. [Perioperative central venous oxygen saturation and its correlation with mortality during cardiac surgery: an observational prospective study]. Braz J Anesthesiol. 2020;70(5):484-90.
71. Yassin J, Singer M. Fundamentals of oxygen delivery. Contrib Nephrol. 2007;156:119-32.
72. Hamilton-Davies C, Mythen MG, Salmon JB, Jacobson D, Shukla A, Webb AR. Comparison of commonly used clinical indicators of hypovolaemia with gastrointestinal tonometry. Intensive Care Med. 1997;23(3):276-81.

73. Yang WS, Kang HD, Jung SK, Lee YJ, Oh SH, Kim YJ, et al. A mortality analysis of septic shock, vasoplegic shock and cryptic shock classified by the third international consensus definitions (Sepsis-3). Clin Respir J. 2020;14(9):857-63.
74. Surgeons ACo. ATLS - Advanced Trauma Life Support for Doctors. 10th Edition ed: Elsevier; 2018 2019.
75. Palacios Ordonez C, Garan AR. The landscape of cardiogenic shock: epidemiology and current definitions. Curr Opin Cardiol. 2022;37(3):236-40.
76. Sarma D, Jentzer JC. Cardiogenic Shock: Pathogenesis, Classification, and Management. Crit Care Clin. 2024;40(1):37-56.
77. Jentzer JC, Vallabhajosyula S, Khanna AK, Chawla LS, Busse LW, Kashani KB. Management of Refractory Vasodilatory Shock. Chest. 2018;154(2):416-26.
78. Nassar B, Mallat J. Usefulness of venous-to-arterial partial pressure of CO2 difference to assess oxygen supply to demand adequacy: effects of dobutamine. J Thorac Dis. 2019;11(Suppl 11):S1574-S8.
79. Vincent JL, Ince C, Bakker J. Clinical review: Circulatory shock--an update: a tribute to Professor Max Harry Weil. Crit Care. 2012;16(6):239.
80. Monnet X, Marik PE, Teboul JL. Prediction of fluid responsiveness: an update. Ann Intensive Care. 2016;6(1):111.
81. Jentzer JC, Ahmed AM, Vallabhajosyula S, Burstein B, Tabi M, Barsness GW, et al. Shock in the cardiac intensive care unit: Changes in epidemiology and prognosis over time. Am Heart J. 2021;232:94-104.
82. Jentzer JC, Rayfield C, Soussi S, Berg DD, Kennedy JN, Sinha SS, et al. Advances in the Staging and Phenotyping of Cardiogenic Shock. JACC: Advances. 2022;1(4):100120.
83. Naidu SS, Baran DA, Jentzer JC, Hollenberg SM, van Diepen S, Basir MB, et al. SCAI SHOCK Stage Classification Expert Consensus Update: A Review and Incorporation of Validation Studies: This statement was endorsed by the American College of Cardiology (ACC), American College of Emergency Physicians (ACEP), American Heart Association (AHA), European Society of Cardiology (ESC) Association for Acute Cardiovascular Care (ACVC), International Society for Heart and Lung Transplantation (ISHLT), Society of Critical Care Medicine (SCCM), and Society of Thoracic Surgeons (STS) in December 2021. J Am Coll Cardiol. 2022;79(9):933-46.
84. Guyton AC, JE. H. Textbook of Medical Physiology. 11th edition ed. Philadelphia: WB Saunders Company; 2005.
85. Narayan S, Petersen TL. Uncommon Etiologies of Shock. Crit Care Clin. 2022;38(2):429-41.
86. Seymour CW, Liu VX, Iwashyna TJ, Brunkhorst FM, Rea TD, Scherag A, et al. Assessment of Clinical Criteria for Sepsis: For the Third International Consensus Definitions for Sepsis and Septic Shock (Sepsis-3). JAMA. 2016;315(8):762-74.
87. Singer M, Deutschman CS, Seymour CW, Shankar-Hari M, Annane D, Bauer M, et al. The Third International Consensus Definitions for Sepsis and Septic Shock (Sepsis-3). JAMA. 2016;315(8):801-10.
88. Vincent JL. Determination of oxygen delivery and consumption versus cardiac index and oxygen extraction ratio. Crit Care Clin. 1996;12(4):995-1006.
89. Repesse X, Charron C, Vieillard-Baron A. Acute cor pulmonale in ARDS: rationale for protecting the right ventricle. Chest. 2015;147(1):259-65.
90. Petit M, Vieillard-Baron A. Ventricular interdependence in critically ill patients: from physiology to bedside. Frontiers in physiology. 2023;14:1232340.
91. Yuriditsky E, Horowitz JM. The physiology of cardiac tamponade and implications for patient management. J Crit Care. 2024;80:154512.
92. Vincent JL, Pelosi P, Pearse R, Payen D, Perel A, Hoeft A, et al. Perioperative cardiovascular monitoring of high-risk patients: a consensus of 12. Crit Care. 2015;19(1):224.

210

Tratamento do Choque Circulatório

Bruno Adler Maccagnan Pinheiro Besen ■ **André Luiz Nunes Gobatto** ■ **Luciano Cesar Pontes Azevedo**

INTRODUÇÃO

Choque circulatório é o termo utilizado para descrever a expressão clínica da falência circulatória que resulta na utilização inadequada de oxigênio pelas células do organismo.[1] Nas unidades de terapia intensiva (UTI), as diversas causas de choque circulatório são responsáveis por aproximadamente um terço das internações, conforme dados europeus.[2] Haja vista a prevalência dessa condição na UTI, os recentes avanços no conhecimento a respeito das diversas causas de choque e um melhor entendimento da história natural dos estados de choque, conhecer e desenvolver uma abordagem sistematizada para o tratamento dessa condição é fundamental para o manejo clínico dos doentes.

■ RECONHECIMENTO DO CHOQUE

Do ponto de vista clínico-laboratorial, pacientes com choque têm uma tríade de achados que corroboram o seu diagnóstico: (1) hipotensão arterial; (2) sinais de má perfusão tecidual, que incluem achados nas três "janelas" do organismo de fácil acesso à observação clínica: a pele (pele fria e pegajosa, cianose periférica, livedo reticular), os rins (débito urinário < 0,5 mL.kg.$^{-1}$h^{-1}) e o sistema nervoso central (estado mental alterado com desorientação e confusão mental); e (3) hiperlactatemia, definida como lactato arterial maior do que 1,5 mmol.L^{-1} (Figura 210.1).[1]

A hipotensão, embora frequente, não é necessária para se diagnosticar choque. Alguns pacientes podem apresentar hipotensão sem obrigatoriamente se encontrarem em um estado de choque devido à ativação da cascata inflamatória sistêmica no pós-operatório, por exemplo, com parâmetros de perfusão tecidual adequados (diurese normal, extremidades quentes, estado mental normal).[3] Em outras ocasiões, alguns pacientes podem se apresentar com sinais francos de má perfusão tecidual e hiperlactatemia sem necessariamente apresentarem hipotensão, seja devido à ativação do sistema nervoso simpático, seja porque o paciente era previamente hipertenso e se apresenta com pressão arterial aparentemente normal. Por esses motivos, a hipotensão não deve ser considerada um sinônimo de choque, assim como valores normais de pressão arterial não devem ser utilizados isoladamente para se descartar o diagnóstico dessa síndrome.

Os achados de má perfusão tecidual mais acessíveis à beira do leito são os referentes à pele e às extremidades. Habitualmente, o tempo de enchimento capilar deve ser avaliado nos quirodáctilos devidamente aquecidos e sobre a patela nos joelhos. Também sobre os joelhos, foi avaliado o escore de livedo reticular (*"mottling score"*), de acordo com a extensão do livedo, além da patela.[4] Esse escore tem correlação direta com os valores de lactato arterial e associação com maior mortalidade no choque.

A alteração do nível de consciência também deve alertar para a possibilidade de choque. Habitualmente, o paciente não se apresenta em coma ou franco rebaixamento do nível de consciência, mas apenas com obnubilação, confusão mental, desorientação e, ocasionalmente, agitação psicomotora inexplicada.

Oligúria (diurese < 0,5 mL.kg^{-1}.h^{-1}) é outro achado classicamente descrito como marcador global de má perfusão tecidual, e sua presença também está associada a pior prognóstico. Contudo, pode ser enganosa ao ser utilizada como meta terapêutica, em especial nas fases mais tardias do tratamento, quando reflete disfunção orgânica já instalada.

A hiperlactatemia é um importante achado laboratorial que auxiliará na estratificação de risco dos pacientes em choque. Classicamente, valores elevados de lactato arterial (> 1,5 mmol.L^{-1}) são atribuídos ao metabolismo oxidativo celular anormal, que resulta em glicólise anaeróbia e aumento na produção de lactato. Esse raciocínio é válido nas fases iniciais do choque e, em especial, nos choques hipo-

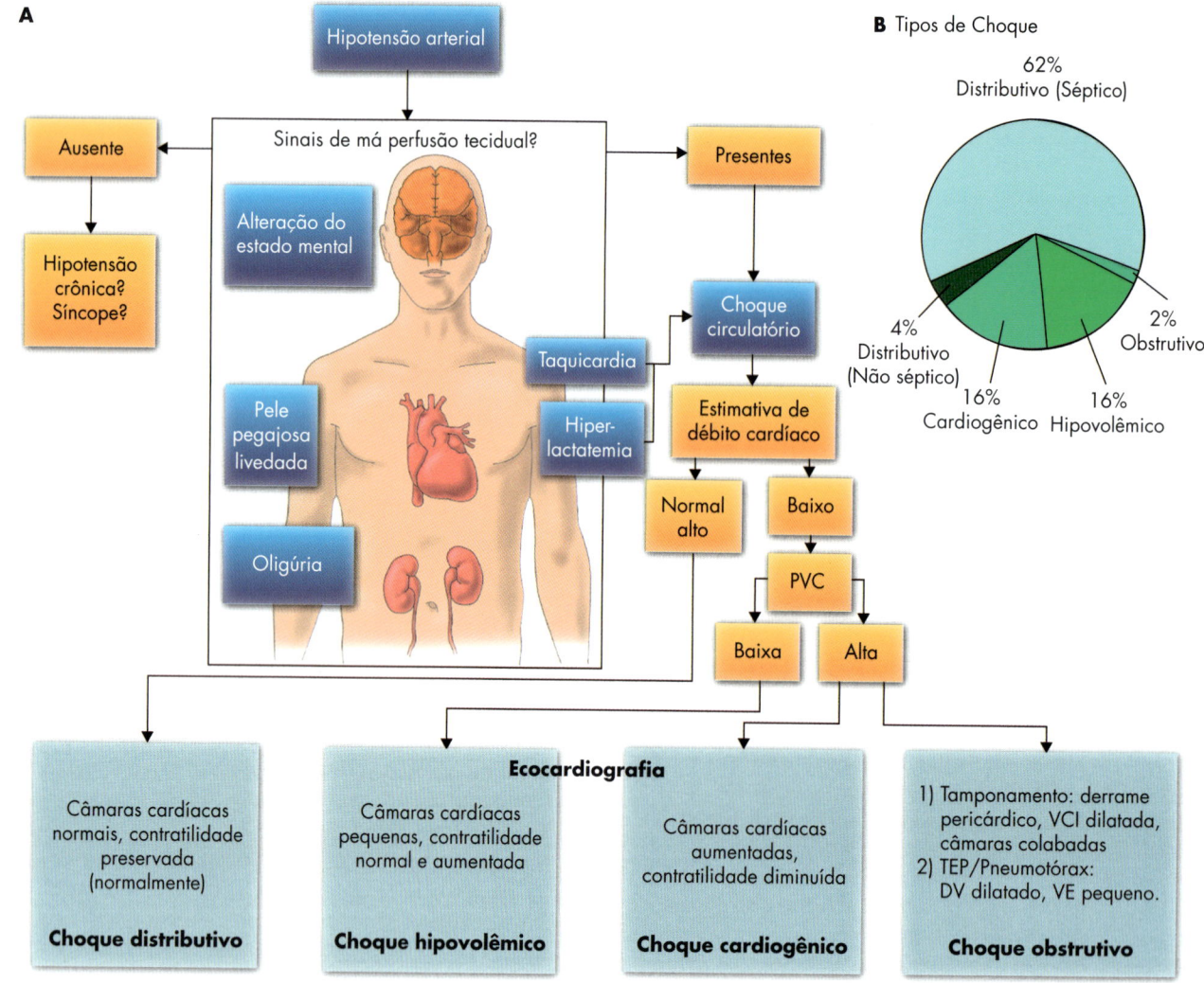

A

Hipotensão arterial

Sinais de má perfusão tecidual?

Ausente

Presentes

Hipotensão crônica? Síncope?

Alteração do estado mental

Choque circulatório

Taquicardia

Estimativa de débito cardíaco

Pele pegajosa livedada

Hiper-lactatemia

Normal alto

Baixo

Oligúria

PVC

Baixa

Alta

Ecocardiografia

Câmaras cardíacas normais, contratilidade preservada (normalmente)

Choque distributivo

Câmaras cardíacas pequenas, contratilidade normal e aumentada

Choque hipovolêmico

Câmaras cardíacas aumentadas, contratilidade diminuída

Choque cardiogênico

1) Tamponamento: derrame pericárdico, VCI dilatada, câmaras colabadas
2) TEP/Pneumotórax: DV dilatado, VE pequeno.

Choque obstrutivo

B Tipos de Choque

62% Distributivo (Séptico)

4% Distributivo (Não séptico)

16% Cardiogênico

16% Hipovolêmico

2% Obstrutivo

▲ **Figura 210.1** Visão geral para o reconhecimento do choque e diagnóstico diferencial inicial. Atentar para as janelas da perfusão e para exames laboratoriais simples, como o lactato, bem como para o uso liberal do ecocardiograma na avaliação inicial. PVC = pressão venosa central.
Fonte: Adaptada de Vincent; De Backer, 2013.[1]

dinâmicos. Entretanto, vários outros motivos podem levar à hiperlactatemia, incluindo a estimulação beta-2-adrenérgica (com adrenalina endovenosa ou beta-agonistas inalatórios), a depuração alterada do lactato devido à disfunção hepática e a aceleração da via glicolítica (em especial nos pacientes com choque séptico). Os ensaios clínicos que avaliaram o uso da terapia guiada por metas em sepse e choque séptico utilizaram, como um dos critérios de inclusão, valores de lactato arterial maiores do que 4 mmol/L, porém isso não significa que esse valor deva ser utilizado de maneira estrita na prática do dia a dia. Alguns estudos demonstraram que mesmo valores de lactato arterial entre 2 e 4 mmol.L^{-1} estão associados a uma maior mortalidade em pacientes em choque quando comparados a valores menores do que 2 mmol.L^{-1}, portanto sugerimos considerar valores maiores do que 1,5 mmol.L^{-1} como alterados dentro de um contexto apropriado.[1]

Para o reconhecimento adequado do choque, não é necessária nenhuma ferramenta diagnóstica avançada. Achados clínicos simples, como oligúria, confusão mental e má perfusão periférica, associados ou não a hipotensão, e confirmados laboratorialmente com valores alterados de lactato arterial, são as peças-chave para se chegar ao diagnóstico dessa síndrome. Nenhum achado isoladamente confirma o diagnóstico da síndrome, tampouco a ausência de algum deles a exclui.

▪ A EVOLUÇÃO CLÍNICA DO CHOQUE CIRCULATÓRIO

O entendimento da história natural da doença é fundamental para o adequado manejo do doente crítico com choque circulatório. Independentemente do insulto que levou ao uso inadequado de oxigênio pela célula (seja a redução do débito cardíaco, no caso de choque hipodinâmico, ou má distribuição do fluxo tecidual, no choque hiperdinâmico distributivo), o curso clínico dos pacientes com choque segue habitualmente alguns formatos, a depender do momento em que foi instituído o tratamento e da resposta de cada indivíduo à terapia oferecida:[5]

1. Reversão do choque antes do desenvolvimento de outras disfunções orgânicas;
2. Desenvolvimento de disfunções orgânicas transitórias, como lesão renal aguda (LRA) ou síndrome do desconforto respiratório agudo (SDRA) leve, que tendem a se resolver se o tratamento for instituído;
3. Desenvolvimento e persistência da síndrome de disfunção de múltiplos órgãos e sistemas (DMOS) a despeito de tratamento adequado;
4. Choque refratário às medidas habitualmente instituídas.

Considere um paciente com choque distributivo associado a pancreatite aguda grave. Dependendo do grau da lesão e de como foi a sua ressuscitação inicial, ele pode evoluir com choque (com hiperlactatemia e/ou necessidade de vasopressores) transitoriamente, sem o desenvolvimento de outras disfunções orgânicas. Esse paciente dificilmente terá complicações maiores do tratamento do choque, tanto porque o médico não persistirá com medidas agressivas de ressuscitação hemodinâmica, como porque a função renal preservada permitirá lidar com uma possível sobrecarga de fluidos, que, por sua vez, não implicará piores desfechos para o paciente se ele evoluir com a SDRA.

O mesmo paciente pode apresentar-se com lesão renal aguda, um grau leve de SDRA e, se for mantido um manejo liberal de fluidos nas fases tardias após instalação da pancreatite, evoluir para formas mais graves da SDRA, bem como necessitar de medidas mais invasivas como a intubação orotraqueal ou a terapia de substituição renal, e ter piores desfechos clínicos. Ou ainda, mesmo nas fases iniciais do insulto agudo, o paciente pode evoluir com síndrome completa de disfunção de múltiplos órgãos (*"full-blown"*), com maior gravidade e persistência das disfunções orgânicas, complicando seu manejo clínico. Na maioria das vezes, pacientes nessa condição não se beneficiam de medidas agressivas após as primeiras horas para tratar a hemodinâmica a fim de prevenir novas disfunções. Isso foi bem evidenciado no trabalho de Gattinoni e col. em 1995, que concluíram que perseguir metas de ressuscitação hemodinâmica na fase tardia do choque não traz benefício adicional ao paciente.[6]

Por fim, alguns pacientes podem evoluir com choque refratário às medidas instituídas, cuja definição é controversa, porém, para propósito deste capítulo, consideraremos como refratariedade a doses altas de vasopressor, maiores que 0,5 µg.kg.$^{-1}$min^{-1} de noradrenalina ou equivalente.[7] Tais pacientes possivelmente se beneficiam de um manejo hemodinâmico mais agressivo e de monitorização intensiva, entretanto, a busca pela causa do choque é sempre premente, sem ela a possibilidade de sobrevida se torna muito reduzida.

O entendimento sobre em qual momento da instalação do insulto o paciente se encontra, o reconhecimento das disfunções orgânicas associadas e a busca pela causa do choque determinarão a escolha da ferramenta de monitorização apropriada, o manejo hemodinâmico do choque e, por fim e mais importante, o tratamento da causa desencadeante do quadro de choque circulatório, permitindo que as medidas mais apropriadas sejam instituídas.

■ ESCOLHA DA FERRAMENTA DE MONITORIZAÇÃO

A ferramenta de monitorização indicada para os estados de choque depende de alguns fatores, como o momento em que o paciente se apresenta, a gravidade do choque e a existência de outras disfunções orgânicas concomitantes. Há uma variedade de ferramentas disponíveis, e as dividiremos em três estratos que podem ser sequencialmente utilizados para a monitorização do doente crítico.

No primeiro estrato estão as ferramentas básicas de monitorização não invasiva, que incluem o próprio exame clínico, a pressão arterial não invasiva pelo método oscilométrico e outras medidas obtidas por monitores multiparamétricos, como frequência cardíaca, arritmias, entre outras. Essas ferramentas devem ser utilizadas rotineiramente em casos críticos e são apropriadas para pacientes que têm uma boa resposta ao tratamento inicial. Quando disponível, o índice de perfusão apresentado pelo monitor multiparamétrico (baseado na oscilometria da oximetria de pulso) pode ser um bom marcador contínuo de perfusão periférica. O uso isolado de vasopressor em doses baixas em um paciente que apresenta sinais de melhora da perfusão tecidual não é indicação absoluta para o uso de um cateter de pressão arterial invasiva ou outras medidas de pressão intravascular, se utilizada a medida de pressão arterial média (PAM) do método oscilométrico. Além disso, medir rotineiramente a pressão venosa central (PVC) para guiar a reposição volêmica em choque séptico não é mais recomendado há alguns anos.[8]

No segundo estrato, encontram-se as medidas de pressão intravascular e a medida do débito cardíaco de maneira minimamente invasiva. A medida de pressão arterial invasiva, além de conferir maior segurança no manejo do paciente em uso de vasopressores, facilita a coleta de gasometrias arteriais repetidas, caso se deseje seriar o lactato ou mesmo avaliar a oxigenação arterial. Habitualmente, pacientes intubados em uso de vasopressor têm maior benefício com essa ferramenta, mas a sua necessidade deve ser avaliada caso a caso para todo paciente em uso de vasopressor. A medida da PVC como parâmetro de pré-carga cardíaca não é recomendada, conforme já foi extensamente demonstrado.[9] Apesar disso, a medida de PVC tem valor prognóstico e pode ser utilizada para outros fins.

De acordo com a fisiologia guytoniana, os principais determinantes da PVC são a volemia do paciente (em especial o volume estressado) e a função cardíaca (tanto sistólica como diastólica).[10] Classicamente, focou-se na PVC como um marcador substituto do volume diastólico final do ventrículo direito, que, por sua vez, é um marcador substituto da pré-carga do ventrículo direito (grau de estiramento da fibra cardíaca), que, na prática, não pode ser avaliado e não tem valor para a pesquisa de fluidorresponsividade. Apesar disso, pressões venosas centrais mais elevadas estão associadas a piores desfechos, como maior incidência de disfunção renal em pacientes com insuficiência cardíaca e maior mortalidade em pacientes sépticos.

Além disso, no estudo FACTT (do inglês *Fluid and Catheter Treatment Trial*), que testou o uso de uma estratégia restritiva de fluidos em pacientes com SDRA, a PVC foi utilizada como fator protetor do edema pulmonar, entendendo-se que, em última instância, a reabsorção do edema intersticial pulmonar se torna mais fácil com pressões de enchimento mais baixas, pois os linfáticos pulmonares drenariam para a veia subclávia esquerda em um regime de pressões menor.[11] Além de auxiliar como fator prognóstico e fator de proteção no edema pulmonar, elevações da PVC devem alertar para a possibilidade de disfunção miocárdica, pois uma piora da função cardíaca levará a um aumento no valor da PVC.

Dispositivos minimamente invasivos de monitorização do débito cardíaco, como os diversos monitores que analisam o contorno da onda de pulso da pressão arterial invasiva ou mesmo o dispositivo de doppler esofágico, também podem ser utilizados em pacientes com choque. A pouca invasividade desses métodos é bastante atrativa quando se julga necessário monitorizar o débito cardíaco à beira do leito. Vale ressaltar que esse método pode ser mais útil nas fases iniciais do choque, momento em que a pesquisa de fluidorresponsividade é premente e pode auxiliar na minimização da infusão de fluidos ao se realizar a manobra de elevação passiva dos membros ou mesmo pequenos desafios hídricos, observando-se em tempo real as modificações no débito cardíaco. Apesar dos potenciais benefícios, não recomendamos o uso de dispositivos não calibrados para guiar metas de débito cardíaco, uma vez que não são adequados para uso nos estados de choque, pois as modificações da impedância arterial tornam a acurácia baixa.

A ecocardiografia à beira do leito revolucionou a monitorização hemodinâmica na terapia intensiva. O ecocardiograma é capaz de fornecer uma avaliação subjetiva da contratilidade cardíaca e medir a integral velocidade-tempo (em inglês, *velocity-time integral* – VTI), que, juntamente à área da via de saída do ventrículo esquerdo (VSVE), pode ser utilizada para estimar o volume ejetado durante a sístole e, portanto, o débito cardíaco. Além disso, é capaz de estimar a PVC por meio da avaliação do diâmetro da veia cava inferior e sua variabilidade, bem como da pressão de oclusão da artéria pulmonar por intermédio do doppler da valva mitral e do doppler tecidual.

Embora a habilidade de avaliar objetivamente essas variáveis seja útil, a principal utilidade da ecocardiografia à beira do leito está na capacidade de realizar diagnóstico diferencial. Pode-se observar a presença ou não de achados compatíveis com choque obstrutivo, como um ventrículo direito dilatado em caso de tromboembolismo pulmonar (TEP) maciço, por exemplo, ou sinais de tamponamento cardíaco em pacientes com derrame pericárdico. Além disso, podem-se observar achados compatíveis com disfunção ventricular, como contratilidade diminuída pela avaliação subjetiva, ventrículo esquerdo dilatado ou acinesia de alguma das paredes do ventrículo esquerdo. Por fim, como será discutido adiante, pode ser pesquisada a variação da VTI com a manobra da elevação passiva dos membros, a fim de se detectar responsividade a volume em pacientes em respiração espontânea, mesmo que não estejam em ventilação mecânica. Recomendamos que o uso dessa ferramenta seja liberal no paciente com choque

circulatório, pois traz poucos riscos diretos e pode oferecer vários benefícios.

Em um terceiro estrato, encontram-se as ferramentas de monitorização mais invasivas, como o cateter de artéria pulmonar (que fornece diversas medidas, incluindo o débito cardíaco pela técnica da termodiluição) e a termodiluição transpulmonar, capaz também de medir o débito cardíaco, além de outras medidas interessantes, como a água extravascular pulmonar (do inglês, *extravascular lung water* – EVLW). O uso do cateter de artéria pulmonar e da monitorização do débito cardíaco foi advogado por muito tempo como necessário ao manejo dos pacientes com choque. Contudo, diversos estudos prospectivos da última década não foram capazes de demonstrar associação entre essas ferramentas e melhores desfechos, inclusive levantando preocupações em relação à sua segurança. Outros argumentam que nenhuma ferramenta de monitorização seria capaz de demonstrar benefício por si só, pois delas decorrem interpretações – que, por sua vez, podem estar erradas – e intervenções distintas de médico para médico.

Tendo em vista essas novas evidências, o uso dessa técnica (do cateter de artéria pulmonar) diminuiu drasticamente nos últimos anos, porém pode ser útil para o manejo de pacientes selecionados. Dessa forma, no último consenso de monitorização hemodinâmica da Sociedade Europeia de Medicina Intensiva,[12] o uso dessas ferramentas mais invasivas é recomendado nas seguintes situações, embora a evidência para tais recomendações seja baixa:

- choque refratário associado a disfunção de ventrículo direito, no qual é recomendado o uso do cateter de artéria pulmonar;
- choque grave associado a outras disfunções orgânicas, em especial a SDRA;
- em pacientes complexos, situação na qual deve-se usar em adição ao ecocardiograma para auxiliar na determinação da causa do choque.

A Figura 210.2 demonstra uma sugestão para auxiliar na escolha da ferramenta de monitorização apropriada para cada caso de choque.

■ METAS TERAPÊUTICAS

As metas terapêuticas a serem seguidas dependem da ferramenta de monitorização escolhida e da resposta do paciente ao tratamento inicialmente instituído. Após o estudo clássico de Rivers e col.,[13] a terapia guiada por metas ganhou força há duas décadas, porém as metas instituídas foram desafiadas por diversos estudos recentes. Objetivar metas no manejo do choque é fundamental para o tratamento apropriado dessa condição, entretanto, o maior erro a ser cometido é procurar obstinadamente atingir as metas esquecendo-se de que a sua não normalização pode não necessariamente significar hipovolemia ou baixo débito cardíaco. Consequentemente, medidas adicionais de otimização hemodinâmica podem não ser necessárias, havendo outros motivos para determinadas metas não serem atingidas.

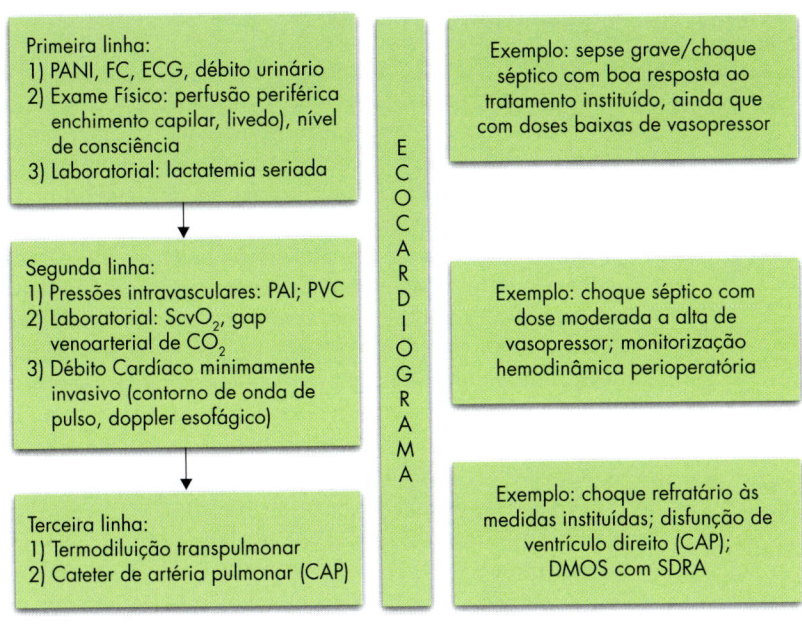

◀ Figura 210.2 Sugestão de escolha escalonada de ferramentas de monitorização de acordo com a gravidade, o momento e a resposta à terapia instituída em estado de choque. Essa sequência não necessariamente é estática. O uso do ecocardiograma deve ser liberal para o diagnóstico diferencial inicial, assim como pode ajudar no manejo clínico dos pacientes ao longo de todo o espectro de gravidade dos quadros de choque.

PANI = pressão arterial não invasiva; FC = frequência cardíaca; ECG = eletrocardiografia; $ScvO_2$ = saturação venosa central de oxigênio; *gap* CO_2 = *gap* venoarterial de CO_2; PAI = pressão arterial invasiva; PVC = pressão venosa central; CAP = cateter de artéria pulmonar; DMOS = disfunção de múltiplos órgãos e sistemas; SDRA = síndrome do desconforto respiratório agudo.

As metas frequentemente descritas para o manejo do choque são as seguintes:

1. Diurese ≥ 0,5 mL.kg.$^{-1}$h^{-1};
2. Hemoglobina ≥ 8-10 g.dL^{-1};
3. Clareamento de lactato > 10% e lactato sérico < 4 mmol.L^{-1};
4. Saturação venosa central de oxigênio ($ScvO_2$) > 70%;
5. *Gap* venoarterial de CO_2 < 5 mmHg;
6. Índice cardíaco ≥ 2,2 L/min/m^2;
7. PAM > 65-70 mmHg.

O objetivo deste tópico é fazer uma análise crítica das metas propostas e entender por que devem ser individualizadas para cada paciente.

Metas de Macro-hemodinâmica

A meta de PAM a ser instituída é uma das partes mais fundamentais do manejo do paciente com choque. Em suma, a meta a ser instituída é um alvo de PAM de 65 a 70 mmHg, baseando-se nos estudos atuais. Contudo, existem algumas situações em que essa meta poderia ser pensada de forma diferente. Em pacientes com choque séptico previamente hipertensos, o estudo SEPSIS-PAM demonstrou que manter uma PAM-alvo ao redor de 80 a 85 mmHg associou-se a menor necessidade de terapia substitutiva renal, sendo possivelmente um fator protetor à função renal. Contudo, o estudo 65, que testou uma estratégia de hipotensão permissiva (60-65 mmHg) comparada a cuidados habituais, demonstrou resultados diferentes, mesmo em pacientes previamente hipertensos. Por outro lado, pacientes com trauma penetrante do torso podem se beneficiar da estratégia de hipotensão permissiva na primeira hora do trauma, desde que seja rapidamente disponibilizado o tratamento cirúrgico da condição, baseado no racional de que valores mais elevados de PAM poderiam resultar em um aumento do sangramento e, consequentemente, exsanguinação fatal.

Metas de índice cardíaco também devem ser vistas com cautela. Procurar atingir valores supranormais de índice cardíaco a fim de atingir valores supranormais de DO_2 não deve ser uma meta a ser perseguida, e já se demonstrou claramente deletério em um estudo clínico. Pode-se considerar como meta apropriada atingir valores normais de índice cardíaco (IC), ou seja, valores maiores do que 2,4 L/min/m^2, desde que isso não seja atingido à custa de toxicidade do excesso de fluidos ou de inotrópicos utilizados para tal. Além disso, a consideração sobre possíveis metas de IC deve ser adaptada à avaliação da micro-hemodinâmica. Se parâmetros perfusionais estiverem adequados, toleram-se índices cardíacos mais baixos.

Metas de Micro-hemodinâmica

Entre as metas expostas anteriormente, algumas se prestam a avaliar a perfusão tecidual ou a adequação entre oferta e consumo de oxigênio tecidual. São elas: diurese, lactatemia, $ScvO_2$, *gap* venoarterial de CO_2.

A oligúria, habitualmente definida como débito urinário ≤ 0,5 mL.kg.$^{-1}$h^{-1}, embora seja um marcador importante de má perfusão tecidual para a identificação do choque e um marcador prognóstico em pacientes com injúria renal aguda, nunca foi demonstrada em ensaios clínicos randomizados como um bom marcador de resposta à terapia instituída. A reversão da oligúria com o tratamento inicial é, sem dúvida, um sinal de melhor prognóstico. Não obstante, o clássico estudo de Rivers e col.,[13] que avaliou o impacto de uma estratégia de ressuscitação hemodinâmica agressiva no tratamento de pacientes com choque séptico, não apresentou diferença em termos de reversão da oligúria entre os dois grupos de tratamento (terapia guiada por metas precoce *versus* tratamento convencional). Portanto, a oligúria persistente deve ser interpretada como sinal de maior gravidade ou de má perfusão persistente, e a análise de outros parâmetros deve ser utilizada para guiar a terapia, mas não o débito urinário isoladamente.

O lactato é interpretado como um marcador de má perfusão tecidual e metabolismo anaeróbio. Essa deve ser a interpretação inicial em pacientes que se apresentem com quadro clínico sugestivo de choque, conforme descrito anteriormente. O clareamento do lactato em 3 horas em > 10% dos valores iniciais é também um marcador de bom prognóstico, e o uso do clareamento do lactato em detrimento da terapia guiada por $ScvO_2$ demonstrou-se igualmente eficaz no manejo de pacientes com choque séptico na emergência.[14]

Porém, a hiperlactatemia persistente não necessariamente significa a presença de hipovolemia e necessidade de reposição de fluidos. Denota maior gravidade. Uma das explicações para hiperlactatemia persistente é a hiperlactatemia de estresse, mais comum em pacientes com choque distributivo induzido pela sepse ou por outras causas de síndrome da resposta inflamatória sistêmica (SIRS), como a pancreatite. A sua patogênese, de modo simplista, decorre de uma ativação excessiva da via glicolítica induzida pelo estado hipercatabólico sistêmico e não necessariamente reflete hipoperfusão tecidual.[15]

Outro motivo para o não clareamento do lactato ou mesmo a piora de seus níveis é a não metabolização da substância devido ao desenvolvimento de disfunção hepática aguda, que pode ocorrer nos estados de choque mais graves. Pacientes com insuficiência hepática crônica avançada também podem apresentar hiperlactatemia persistente sem significar necessariamente má perfusão tecidual. Portanto, o não clareamento do lactato deve ser interpretado com cautela, em conjunto com outros marcadores de perfusão tecidual e atentando às possíveis causas para a ocorrência.

A $ScvO_2$ é outra meta frequentemente utilizada. Mais uma vez, embora se considere que o débito cardíaco baixo seja o principal motivo do desacoplamento entre oferta e demanda e leve a valores baixos de $ScvO_2$, a anemia do doente crítico pode contribuir para uma diminuição desses valores, e diversos estudos recentes têm demonstrado que transfundir pacientes desnecessariamente tendo como meta manter valores de hemoglobina mais elevados não traz benefícios, na média. Outro motivo para a $ScvO_2$ estar mais baixa é o fato de o paciente ter uma VO_2 aumentada, que não necessariamente significa que a oferta de oxigênio não seja suficiente para se manter a perfusão tecidual adequada.

Por fim, outra meta que alguns autores têm sugerido recentemente é guiar as fases finais da ressuscitação hemodinâmica com o *gap* venoarterial de CO_2. Esse é um marcador de fluxo sanguíneo tecidual que tem uma relação inversa com o débito cardíaco. Portanto, valores elevados (> 5 mmHg) desse marcador devem alertar o clínico para a possibilidade de baixo fluxo tecidual persistente, a despeito das medidas instituídas.[16]

Independentemente de quais metas de microcirculação são utilizadas, nenhuma das alterações descritas (hiperlactatemia persistente, oligúria, $SvcO_2$ diminuída, *gap* venoarterial de CO_2 aumentado) é capaz de predizer responsividade a fluidos. Ressaltamos que alterações nesses parâmetros são fortes sinais prognósticos, porém é fundamental não confundir hiperlactatemia ou oligúria com responsividade a volume.

Metas na prática clínica

As metas a serem atingidas na prática clínica têm sido escrutinizadas em estudos clínicos, desde a década de 1990. Diferentemente da otimização hemodinâmica intraoperatória, na qual a intervenção hemodinâmica é realizada no momento do insulto sistêmico (estresse cirúrgico) e o objetivo é evitar o desenvolvimento de disfunções orgânicas, nos estados de choque a ressuscitação hemodinâmica pode tanto resultar em melhora das funções orgânicas como em toxicidade decorrente das intervenções se as disfunções orgânicas já estiverem instaladas. Assim, na prática, o médico deve atentar para adequar a macro-hemodinâmica (pressão de perfusão – meta de PAM – e débito cardíaco) à micro-hemodinâmica, com o objetivo final de o paciente estar com as extremidades quentes e sem sinais de má perfusão.

Um estudo publicado em 2019, o ANDROMEDA-SHOCK, testou a hipótese de guiar a terapia hemodinâmica no paciente com choque séptico utilizando a perfusão periférica (em especial o tempo de enchimento capilar), em vez de adotar como parâmetro o lactato, verificando se seria benéfico na prática clínica.[17] A grande vantagem de utilizar o exame clínico é que a resposta à intervenção pode ser avaliada muito mais rapidamente do que no caso de biomarcadores séricos como o lactato. O resultado do estudo, sob uma perspectiva frequentista, foi neutro, embora as estimativas tenham sido muito favoráveis à terapia guiada pela perfusão periférica em vez do lactato. Isso não significa que o lactato deva ser abandonado, mas reforça a necessidade da avaliação clínica para tomar as decisões quanto à macro-hemodinâmica.

Tratamento de Suporte no Choque Circulatório

O tratamento de suporte no choque circulatório inclui o uso de fluidos, fármacos vasopressores, inotrópicos e o suporte mecânico extracorpóreo. Tentaremos explicar o racional sobre quando essas medidas de suporte devem ser utilizadas, ponderando sobre a melhor evidência disponível atualmente. Na década de 1990, em virtude das comparações entre sobreviventes e não sobreviventes oriundas de estudos observacionais e de um ensaio clínico randomizado em pacientes cirúrgicos, de Shoemaker e col., em que se observou que sobreviventes apresentavam valores de DO_2 supranormais,[18] foi recomendado que esses parâmetros fossem seguidos em todo doente crítico com choque. Posteriormente, alguns estudos demonstraram as toxicidades potenciais dos tratamentos que objetivam normalizar valores fisiológicos e mesmo suprafisiológicos de oferta de oxigênio (DO_2),[19] assim como a inefetividade da persecução de valores de $SvcO_2$ normais após as fases iniciais do choque.[6]

No início do século 21, o estudo clássico de Rivers e col.[13] trouxe um novo impulso no manejo hemodinâmico do choque séptico, utilizando a terapia guiada por metas hemodinâmicas. Entretanto, após as evidências atuais, ficou claro que o principal componente do manejo adequado do choque é a instituição de medidas de otimização hemodinâmica precocemente (no caso do choque séptico, infusão de fluidos na primeira hora e uso precoce de noradrenalina) associadas ao tratamento da causa de base (no caso do choque séptico, identificação e tratamento do foco infeccioso com antibioticoterapia e abordagem de focos fechados). Perseguir metas hemodinâmicas tardiamente, sem um objetivo tangível, pode ser deletério. Dessa forma, o uso judicioso das medidas de suporte é fundamental tanto para oferecer um apoio adequado à circulação como para evitar toxicidades potenciais.

Fluidos

O uso de fluidos é uma das pedras angulares no manejo do choque, sendo inclusive uma medida terapêutica capaz de reverter a fisiopatologia do choque em pacientes com choque hipovolêmico franco (como pacientes com diarreia profusa por cólera, por exemplo) e alguns pacientes com sepse e choque séptico. Deve-se ter em mente que fluidos e balanços hídricos positivos não só estão associados com uma piora da troca gasosa pulmonar, mas também podem levar à piora hemodinâmica em pacientes com disfunção ventricular direita, em que, devido à interdependência ventricular, a dilatação de um ventrículo direito em falência pode diminuir o volume sistólico do ventrículo esquerdo. Dessa forma, preconiza-se um uso mais judicioso de fluidos na prática clínica.

Os principais objetivos da fluidoterapia em pacientes críticos são os seguintes:

- Corrigir hipovolemia absoluta ou relativa, como em pacientes com choque hipovolêmico ou séptico, respectivamente;
- Aumentar o débito cardíaco em pacientes fluidorresponsivos (conceito a ser discutido adiante);
- Otimizar a oferta de oxigênio e a perfusão tecidual, como consequência dos fatores citados anteriormente.

Pacientes com choque, que se apresentem com hipovolemia franca ou sinais de sepse, podem ser submetidos a expansão volêmica empiricamente, de acordo com os objetivos listados, principalmente porque os benefícios em potencial (aumentar o débito cardíaco e, consequentemente, a oferta tecidual de oxigênio e perfusão) sobrepujam os riscos na maior parte das vezes. Nesse contexto, podem-se identificar basicamente três situações. Em pacientes com sepse e choque séptico, sugere-se habitualmente 30 mL.kg^{-1} de expansão volêmica com cristaloides durante o seu tratamento inicial.[20] Por outro lado, pacientes com choque hipovolêmico não hemorrágico (diarreia profusa, vômito reentrante) também se beneficiam de reposições volêmicas empíricas até a adequação dos parâmetros de perfusão. Por fim, pacientes com choque hemorrágico podem apresentar três tipos de resposta à administração de fluidos: (1) resposta completa, em que habitualmente não necessitarão de transfusão sanguínea, porém a causa do choque deve ser investigada com urgência; (2) resposta transitória, em que habitualmente necessitarão de transfusão sanguínea e a causa do choque deve ser investigada prontamente; (3) ausência de resposta, em geral pacientes com um processo levando à exsanguinação que se beneficiam de protocolos de transfusão maciça ou outras estratégias agressivas de transfusão enquanto se providencia de imediato o controle do sangramento no centro cirúrgico.

No choque hemorrágico, vale ressaltar que o uso excessivo de cristaloides também está associado a piores desfechos. Portanto, o tratamento deve visar identificar o foco do sangramento a fim de trá-lo prontamente, associando protocolos de manejo da coagulopatia, em detrimento de expansões volêmicas repetidas.

Uma vez que pacientes com choque séptico tenham recebido a expansão volêmica inicial recomendada, o perfil de risco e benefício do uso de expansões volêmicas repetidas se torna mais controverso. Isso vale para a maioria dos pacientes com choque distributivo, incluindo aqueles com pancreatite aguda, vítimas de politrauma em que o foco de sangramento foi controlado e mesmo outras causas de choque que, em virtude da ativação da cascata inflamatória, acabam por desencadear a SIRS. A partir desse momento, realizar expansões volêmicas sem uma avaliação prévia de fluidorresponsividade, ou no mínimo avaliar parâmetros antes e depois da expansão volêmica, pode resultar em efeitos deletérios para o paciente. Alguns dados corroboram esse raciocínio:

1. Aproximadamente metade dos pacientes com choque na UTI não são responsivos a volume e, portanto, realizar uma expansão volêmica empiricamente pode trazer riscos, sem benefício algum;

2. Mesmo pacientes responsivos a volume (ou seja, que aumentam o seu débito cardíaco após uma expansão volêmica) podem não aumentar o seu consumo de oxigênio após um aumento na oferta (ou seja, aumentos de DO_2 não se refletem em aumentos do VO_2 necessariamente);

3. Pacientes responsivos a volume em geral têm uma resposta transitória por 30 minutos a 1 hora, podendo significar que não necessariamente se beneficiem de expansões volêmicas repetidas, pois o fluido infundido habitualmente não se mantém no compartimento intravascular;

4. Diversos estudos observacionais demonstram a associação entre balanços hídricos cumulativos maiores e piores desfechos em termos de mortalidade em pacientes com choque, injúria renal aguda e SDRA.

Com base nessas observações, se um paciente em choque estiver compensado hemodinamicamente, ainda que com doses baixas a moderadas de vasopressor, com parâmetros de perfusão em melhora, não há sentido fisiopatológico em se testar fluidorresponsividade, pois, ainda que o paciente seja fluidorresponsivo, a administração de fluidos não estaria indicada. Por outro lado, se o mesmo paciente ainda apresenta parâmetros de perfusão inadequados, seria boa prática testar fluidorresponsividade previamente à realização de uma nova expansão volêmica. Caso não seja possível testar fluidorresponsividade, ao menos se deve realizar um desafio hídrico, analisando parâmetros hemodinâmicos de fluxo antes e após a infusão de fluidos (variação no débito cardíaco ou outros marcadores do débito cardíaco, como a própria VTI com ecocardiograma).

Classicamente e ainda em livros de Medicina Intensiva, Cirurgia e outras áreas, recomendou-se o uso dos valores estáticos de PVC, pressão de oclusão de artéria pulmonar (PAPO) e mesmo medidas estáticas de volumes diastólicos finais (VDF) do ventrículo esquerdo e do ventrículo direito para se identificar em que ponto da curva de Frank-Starling o paciente se encontrava e se ele se beneficiaria de fluidos ou não.[21] Entretanto, sabe-se atualmente que tais parâmetros não têm nenhum valor para predizer reposta a volume.[9]

No início do século 21, múltiplos estudos procuraram identificar modos dinâmicos diversos para se pesquisar a responsividade a volume, a fim de evitar expansões volêmicas desnecessárias e potencialmente deletérias em pacientes que não sejam fluidorresponsivos.[22,23] Contudo, uma grande limitação desses métodos são as pré-condições para que sejam utilizados.[23] Neste capítulo, por considerarmos mais aplicáveis no dia a dia, abordaremos os seguintes métodos: (1) variação da pressão de pulso (VPP); (2) variação do volume sistólico (VVS); (3) variação da VTI; (4) manobra de oclusão ao final da expiração (MOFE); e (5) manobra de elevação passiva dos membros (MEPM). Vale ressaltar que esses dois últimos métodos devem ser acoplados à medida de débito cardíaco ou algum marcador substituto. Nenhum desses métodos é capaz de prever com 100% de acurácia a responsividade a volume. Portanto, em pacientes que tenham um monitor de débito cardíaco, idealmente se deve avaliar o débito cardíaco antes e após a expansão volêmica.

A definição clássica de fluidorresponsividade se refere a um aumento do débito cardíaco em 10% a 15% (a depender da referência utilizada) após a infusão de 500 mL de cristaloide isotônico. Portanto, aumento de pressão arterial ou de PVC não significa fluidorresponsividade. Dos métodos descritos anteriormente, alguns se aproveitam da interação cardiopulmonar em ventilação mecânica e das oscilações das pressões intratorácicas para que se preveja a responsividade a volume.[24] Durante o período de insuflação na ventilação mecânica com pressão positiva (fase inspiratória), há uma diminuição da pré-carga para o ventrículo direito e um aumento da pré-carga para o ventrículo esquerdo, com um discreto aumento do volume sistólico. Em dois a três batimentos cardíacos, chamados de tempo de trânsito pulmonar, essa diminuição de pré-carga ao ventrículo direito acaba refletindo na pré-carga do ventrículo esquerdo, com uma redução posterior do volume sistólico, que coincide com a fase expiratória da ventilação mecânica.

Com base nesse racional fisiológico, alguns autores validaram, há aproximadamente 20 anos, a variação da pressão de pulso (VPP) para predizer responsividade a volume, com uma variação maior do que 13% sendo o valor de corte para tal fim. Contudo, existem algumas limitações para a utilização desse método, pois alguns pré-requisitos são necessários, entre eles um volume corrente de no mínimo 8 mL.kg^{-1}, baixos valores de PEEP, ventilação mecânica controlada sem esforços espontâneos, ausência de arritmia cardíaca, além de não poder haver importante alteração da complacência pulmonar e a relação entre a frequência cardíaca e a frequência respiratória não ser muito baixa. Tendo em vista tais limitações e as atuais tendências em terapia intensiva de utilizar menos sedativos e manter os pacientes por mais tempo em ventilação espontânea, essas estratégias têm sido cada vez menos utilizadas.

Dadas as limitações dos métodos descritos, outros métodos vêm sendo utilizados. O primeiro é a manobra da elevação passiva dos membros, que corresponde à infusão de 300 mL de sangue dos membros inferiores para o coração, sendo um desafio hídrico reversível. Para realizar a manobra, é necessário que o paciente mantenha o ângulo de 135° antes (ou seja, cabeceira elevada a 45°) e após a manobra (ou seja, cabeceira a zero grau, membros elevados a 45°), sem que haja algo impedindo o retorno venoso dos membros inferiores para o tórax, como hipertensão intra-abdominal.[25] Idealmente, a elevação dos membros inferiores deve ser realizada por meio da própria cama em que o paciente se encontra e estímulos como dor e desconforto devem ser evitados, pois podem levar à descarga adrenérgica e resultar em aumento de pressão arterial ou do débito cardíaco. Por fim, não se deve utilizar a pressão arterial como medida de responsividade à manobra, e sim algo que meça o débito cardíaco em tempo real. Com a manobra, o débito cardíaco deve ser avaliado três vezes: antes da manobra, 1 minuto após elevação e após retorno à posição habitual. Se houver uma variação no débito cardíaco maior do que 10% a 15%, pode-se dizer que o paciente é responsivo a volume e, se indicado, este pode ser administrado.

O teste ou manobra de oclusão ao final da expiração (MOFE) também se aproveita da interação cardiopulmonar, porém não é influenciado por arritmias cardíacas nem por atividade de respiração espontânea, desde que esta não seja intensa.[26] A manobra é realizada fazendo-se uma pausa expiratória de 15 segundos e observando-se a variação que ocorre na pressão de pulso ou no débito cardíaco, com o racional de que, se não há insuflação pulmonar por esse período, haverá um aumento do retorno venoso para o ventrículo esquerdo. Se a variação for maior do que 5% (seja no VPP, variação do débito cardíaco ou outros marcadores intermediários, como a VTI), a responsividade a volume é muito provável.

Por fim, quando nenhum desses métodos é passível de ser realizado, uma das possibilidades é efetuar um desafio hídrico. No dia a dia, muitos médicos fazem desafios hídricos, observando variáveis como pressão arterial, frequência cardíaca, débito urinário, porém nenhuma dessas variáveis ou suas combinações é capaz de predizer se o débito cardíaco irá aumentar ou não com a infusão de fluidos. O desafio hídrico clássico consiste na administração de 300 a 500 mL de solução cristaloide em um curto período (10 a 15 minutos), observando-se o débito cardíaco antes e após a infusão de fluidos. A Figura 210.3 demonstra um possível algoritmo para a tomada de decisão sobre como utilizar esses múltiplos métodos para se testar fluidorresponsividade.

O tipo de fluido utilizado também pode fazer diferença na prática clínica. Há muito tempo existe uma grande controvérsia em relação ao tipo de fluido a ser adotado como expansor volêmico, principalmente a discussão coloide *versus* cristaloide. Diversos estudos recentes auxiliaram a dirimir essa dúvida. Basicamente, esses ensaios clínicos demonstraram que o uso de coloides (em especial os amidos) está associado a uma maior incidência de disfunção renal

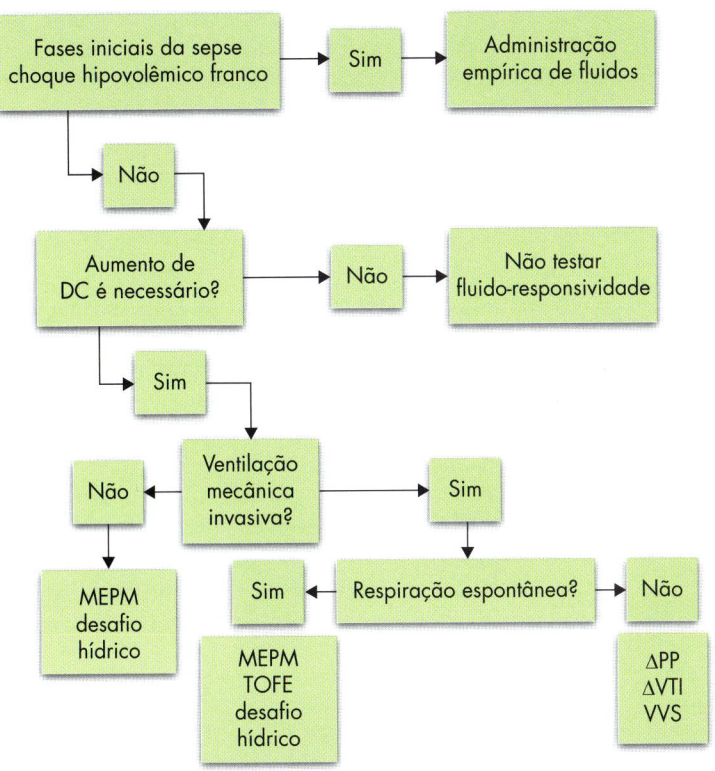

◀ **Figura 210.3** Algoritmo para tomada de decisão sobre a administração de fluidos em pacientes com choque. Considerar que o aumento de débito cardíaco é potencialmente necessário quando o paciente apresenta sinais de má perfusão tecidual.

MEPM = manobra de elevação passiva dos membros inferiores; TOFE = teste de oclusão ao final da expiração; DPP = variação da pressão de pulso; DVTI = variação da integral velocidade-tempo; VVS = variação de volume sistólico.

e maior mortalidade.[27,28] Há algumas críticas aos estudos, mas, tendo em vista a evidência atual, o uso de coloides sintéticos não está indicado para o manejo dos pacientes com choque na unidade de terapia intensiva (UTI). Um dos coloides que podem ser utilizados é a própria albumina a 4%, cujo uso se revelou seguro em um grande estudo australiano, porém o seu custo é proibitivo para a prática clínica quando comparado aos cristaloides mais utilizados.[29] Dessa forma, os cristaloides, com base na melhor evidência disponível até o momento, devem ser a solução de escolha para expansões volêmicas na UTI.

Quanto aos cristaloides, existe ainda outra discussão, sobre as soluções balanceadas *versus* não balanceadas (em referência à quantidade de cloro presente na solução). Diversos estudos experimentais demonstraram que soluções ricas em cloro podem levar a vasoconstrição renal. Alguns ensaios clínicos foram realizados em terapia intensiva, demonstrando seja a neutralidade ou um potencial benefício, especialmente em pacientes sépticos, do uso de soluções balanceadas em detrimento de soro fisiológico.[30,31] Dessa forma, exceto em situações em que sejam indicadas soluções mais hipertônicas (como o traumatismo cranioencefálico grave), deve-se preferir o uso de soluções balanceadas, em detrimento de soluções não balanceadas, para as expansões volêmicas a serem realizadas na UTI.

Vasopressores

Os vasopressores, após os fluidos, são a segunda terapia de suporte mais utilizada nos estados de choque, em especial para pacientes com choque distributivo. Habitualmente, seu uso está indicado em pacientes que não sustentam uma pressão arterial alvo após a repleção da volemia, quando recomendada.[32] Entre os vasopressores, temos a noradrenalina, a dopamina, a adrenalina e a vasopressina como principais fármacos disponíveis no Brasil. Desses, a noradrenalina é considerada atualmente o vasopressor de escolha.

O uso de vasopressores para manter a pressão arterial média alvo não é isento de riscos. Vasopressores puros, sem efeito inotrópico, podem causar vasoconstrição periférica excessiva. Outros, como a dopamina, podem causar mais arritmias mesmo em doses alfa, conforme demonstrado no estudo de De Backer e col.[33] Quando comparado o uso de vasopressina *versus* o uso de noradrenalina no choque séptico, não se verificou superioridade de um sobre o outro, porém, ainda assim, alguns eventos isquêmicos ocorreram em ambos os grupos.[34]

Em décadas passadas, os vasopressores eram recomendados apenas após reposições volêmicas vigorosas. Atualmente, o uso precoce de vasopressores logo após uma expansão volêmica é recomendado, pois auxilia na correção da vasodilatação dos estados de choque mediada por vias do óxido nítrico tanto no território arterial, resultando em aumento da pressão arterial, como em território venoso, o que resulta em aumento do volume estressado (volume circulatório que é responsável efetivamente pelo retorno venoso ao coração) e, portanto, em aumento da pré-carga.[10,35] Esse fenômeno é descrito com a noradrenalina, e com a adrenalina pode atingir proporções maiores.

A noradrenalina, analisada em vários estudos comparativos, em especial com a dopamina, demonstrou-se tão eficaz e menos tóxica (menor incidência de arritmias), sendo que o subgrupo de pacientes com choque cardiogênico foi o que mais teve malefício com a dopamina. A noradrenalina exerce efeito alfa-adrenérgico potente (corrigindo, portanto, a vasodilatação) e discreto efeito inotrópico que compensa a possível queda no débito cardíaco secundária a aumentos na pós-carga, o que já é evidenciado em estudos fisiológicos.

A vasopressina, fármaco com efeitos puramente vasopressores ao se ligar aos receptores vasculares V1, revelou-se igualmente eficaz e segura em pacientes com choque séptico quando administrada em uma dose fixa de 0,033 U/min (a despeito da descrição de doses de até 0,1 U/min). Atualmente, pode ser utilizada como segundo vasopressor tanto precocemente, com doses mais baixas de noradrenalina, como em pacientes que evoluem com choque refratário. Do ponto de vista da segurança, doses maiores do que 0,033 U/min não foram amplamente estudadas e, portanto, não são recomendadas.

A dopamina, embora tenha sido um fármaco muito utilizado na década de 1990 e nos anos 2000, em um grande estudo envolvendo pacientes com choque de qualquer causa (séptico, hipovolêmico ou hemorrágico), demonstrou-se potencialmente maléfica para pacientes críticos. Portanto, seu uso não é recomendado para o manejo de pacientes em estados de choque.

A adrenalina, outro fármaco catecolaminérgico, tem efeitos vasopressores moderados por meio dos receptores alfa-adrenérgicos e efeitos inotrópicos importantes por meio dos receptores beta-1 adrenérgicos, portanto, deve ser utilizada quando há necessidade de mais inotropismo do que correção de vasodilatação. Em alguns centros da Austrália, é utilizada como vasopressor de primeira escolha, e estudos de comparação com a noradrenalina não demonstraram piores desfechos clínicos, apenas aumento na lactatemia (devido a uma maior produção de lactato não aeróbia) e uma possível redução no fluxo sanguíneo esplâncnico.[36,37] A dose sugerida para seu uso é variável na literatura, com algumas referências sugerindo doses de até 20 mcg.min[-1] e outras considerando que pode ser utilizada tal qual a noradrenalina, com doses até mais altas.

Outro vasopressor foi descrito recentemente, mas ainda não é liberado para uso no Brasil, a angiotensina II. Por intermédio da sua ação no receptor de angiotensina 1, ela tem um potente efeito vasoconstritor, além de outras ações relacionadas ao sistema renina-angiotensina-aldosterona (SRAA). O estudo que levou à aprovação na Food and Drug Administration (FDA) foi pequeno, com 344 pacientes com choque vasoplégico, índice cardíaco > 2,4 $L.min^{-1}.m^{2-1}$ em uso de noradrenalina > 0,2 $\mu g.kg^{-1}.min^{-1}$, e demonstrou um efeito poupador de catecolaminas, porém sem redução na mortalidade.[38]

Na Tabela 210.1 estão descritos os principais efeitos de cada vasopressor e inotrópico e as doses recomendadas.

Inotrópicos

O uso de inotrópicos não é isento de riscos na prática clínica. A dobutamina, um dos inotrópicos mais utilizados, pode produzir vasodilatação excessiva, arritmias e eventos miocárdicos isquêmicos quando administrada em doses altas a fim de atingir valores de DO_2 supranormais, portanto, a sua toxicidade não pode ser desprezada.[19] Com as doses

Tabela 210.1 Fármacos vasoativos mais utilizados na prática clínica para o manejo de pacientes com choque circulatório. Esta tabela não é extensiva em termos das indicações e de todos os efeitos colaterais que podem ocorrer.

Fármaco	Possíveis indicações	Dosagem	Ligação a receptores	Efeitos colaterais
Catecolaminas				
Noradrenalina (NA)	Vasopressor de 1ª escolha	0,01-3 mg.kg[-1].min[-1]	α1 (4+/4+) > β1 (+/4+)	Arritmias, bradicardia, isquemia periférica
Dopamina	Vasopressor de 2ª escolha; bradicardia sintomática	2,5-20 mg.kg[-1].min[-1]	DA > β1 > α1 Efeitos variam com a dose	Arritmias ventriculares, isquemia cardíaca ou periférica, taquicardia
Adrenalina	Alternativa à NA como vasopressor; útil para choque refratário com baixo DC; bradicardia sintomática	0,01-0,1 mg.kg[-1].min[-1] (até 0,2)	α1 (4+/4+) ~ β1 (3+/4+)	Arritmias ventriculares, isquemia cardíaca, taquicardia
Dobutamina	Inotrópico de 1ª escolha	2,5-20 mg.kg[-1].min[-1]	β1 (4+/4+) > β2 (2+/4+) > α1 (+/4+)	Arritmias ventriculares, isquemia cardíaca, hipotensão, taquicardia
Inibidores de fosfodiesterase				
Milrinone	Baixo DC (IC descompensada, pós-cardiotomia); falência de VD + hipertensão pulmonar	Ataque: 50 mg.kg[-1] em 10-30 minutos; infusão 0,375-0,75 mg.kg[-1].min[-1]	N/A	Arritmias ventriculares, isquemia cardíaca, hipotensão
Agonistas da vasopressina				
Vasopressina	Alternativa à NA como vasopressor; útil para choque com vasodilatação refratária	0,01-0,04 U/min (dose fixa 0,033 U/min)	V1: musculatura lisa vascular V2: ductos coletores renais	Isquemia periférica, baixo débito cardíaco (se doses > 0,4 U/min)
Sensibilizadores de cálcio				
Levosimendan	IC descompensada; pouco estudado em estados de choque	Ataque: 12-24 mg.kg[-1] em 10 min; infusão 0,05-0,2 mg.kg[-1].min[-1]	N/A	Taquicardia, hipotensão

NA: noradrenalina; DC: débito cardíaco; IC: insuficiência cardíaca; VD: ventrículo direito; as outras siglas são de receptores que são reconhecidos pelas siglas propriamente ditas, exceto por DA (dopamina).

menores preconizadas atualmente, nos recentes trabalhos multicêntricos em sepse, não se demonstrou aumento de toxicidade com o seu uso. Os inotrópicos, assim, devem ser indicados em pacientes em que se suspeita da existência de baixo débito cardíaco com a sua volemia otimizada e que tenham uma PAM aceitável, uma vez que frequentemente causam vasodilatação sistêmica, com exceção da adrenalina. A farmacologia e o uso desses fármacos já foram examinados extensamente em algumas revisões narrativas.[32]

Pacientes com choque distributivo raramente necessitarão de suporte com fármacos inotrópicos, a não ser que apresentem alguma disfunção miocárdica sistólica prévia que acarrete incapacidade de adequar o débito cardíaco em quadros sépticos para obter parâmetros de perfusão tecidual apropriados ou tenham desenvolvido disfunção miocárdica aguda. A indicação do uso de inotrópicos, nessas situações, deve se basear no achado de parâmetros de perfusão inadequados após otimização volêmica. Idealmente, deve-se documentar o estado de baixo débito cardíaco com monitores de débito cardíaco ou, no mínimo, através da avaliação subjetiva da contratilidade miocárdica com o uso do ecocardiograma à beira do leito, pois os parâmetros de má perfusão tecidual podem estar alterados devido a alterações da microcirculação e não devido a uma situação de baixo débito cardíaco. Se utilizados inadequadamente, inotrópicos podem levar a piores desfechos em termos de mortalidade, sendo documentada maior incidência de arritmias e aumento na dose de vasopressores quando aplicados inodilatadores como a dobutamina.[19]

O principal grupo de pacientes que necessita de inotrópicos são pacientes com choque cardiogênico, habitualmente desencadeado por uma das seguintes condições: (1) infarto agudo do miocárdio extenso ou com complicações mecânicas; (2) miocardite aguda grave; (3) insuficiências valvares agudas (aórtica ou mitral); ou (4) insuficiência cardíaca congestiva em progressão da doença. Nessas condições, deve-se entender o uso de inotrópicos como uma terapia para dar suporte à circulação como ponte para recuperação, enquanto a condição de base é tratada, ou como ponte para outra terapia.

A dobutamina é o inotrópico mais utilizado na prática clínica. É caracterizada por importante efeito beta-1 adrenérgico, aumentando a contratilidade miocárdica e a frequência cardíaca, e por efeitos beta-2 adrenérgicos, que induzem vasodilatação sistêmica e arritmias, seus principais efeitos colaterais. Na década de 1990, doses muito altas, até maiores do que 20 $\mu g.kg^{-1}min^{-1}$, eram utilizadas na prática clínica, porém hoje sabemos que mesmo doses mais baixas próximas a 2,5 $\mu g.kg^{-1}.min^{-1}$ podem ser suficientes em caso de disfunção miocárdica aguda. Pacientes com choque cardiogênico precisarão, ocasionalmente de doses mais altas, próximas ao limite de 20 $\mu g.kg^{-1}min^{-1}$. Na prática clínica, sugerimos que sejam utilizadas doses de maneira escalonada a fim de que seja possível observar a resposta do paciente, da seguinte forma (em $\mu g.kg^{-1}min^{-1}$): 2,5 → 5 → 10 → 15 → 20. Se possível, deve-se avaliar o índice cardíaco e observar a resposta após cada aumento (aguardando-se de 10 a 15 minutos para a avaliação). Caso isso não seja possível, deve-se adotar como guia parâmetros perfusionais ou atingir a

dose máxima tolerada. Ressalte-se que o desmame de inotrópicos deve ser realizado cautelosamente uma vez atingida a meta proposta. Geralmente, fazemos o desmame no sentido inverso do proposto anteriormente, a passos mais lentos e conforme tolerância do paciente.

Nos últimos 10 anos, a adrenalina tem sido usada como inotrópico em pacientes com choque séptico. Um estudo francês demonstrou igual eficácia e segurança em pacientes sépticos.[37] Uma das principais vantagens de seu uso é a não indução de vasodilatação sistêmica e sua atuação como inopressor. Habitualmente, pode ser adotada isoladamente em pacientes sépticos que tenham sinais de baixo débito cardíaco e uma pressão arterial inadequada ou em pacientes com doses moderadas a altas de vasopressor que evoluam com baixo débito cardíaco, a fim de evitar hipotensão. Recomendam-se doses de 2 a 10 $\mu g.min^{-1}$, podendo-se chegar até 20 $\mu g.min^{-1}$. Para titular a dose, se o objetivo for principalmente como inotrópico, sugerimos aumentar a dosagem (em $\mu g.min^{-1}$) na seguinte sequência, observando-se também parâmetros como IC e de perfusão: 2 ® 5 ® 10 ® 15 ® 20. O seu desmame é mais difícil de ser realizado, ocasionalmente necessitando de mudança do fármaco para dobutamina em pacientes dependentes de inotrópicos.

O levosimendan, um sensibilizador de cálcio, tem seu uso documentado em alguns estudos fisiológicos e estudos-piloto, porém não há ainda grandes pesquisas que justifiquem sua aplicação no dia a dia.[39] Uma de suas vantagens é a ação por vias não adrenérgicas, mediante a sensibilização da fibra miocárdica ao cálcio, que não teria efeitos tóxicos celulares. Contudo, uma de suas principais desvantagens é que seu uso em infusão contínua pode ser associado a vasodilatação de difícil tratamento e a efeitos prolongados e imprevisíveis. Portanto, na ausência de maiores evidências a seu favor, não é recomendado para pacientes em choque.

Por fim, os inibidores de fosfodiesterase III (amrinone e milrinone) também são fármacos inotrópicos que têm como principal característica o efeito sobre a circulação pulmonar, induzindo vasodilatação nessa circulação, mas também na circulação sistêmica. Atualmente, o milrinone é o fármaco de escolha, por causar menos efeitos colaterais, sendo utilizado em cirurgia cardíaca de pacientes com hipertensão pulmonar, em alguns pacientes com hipertensão pulmonar primária e disfunção de ventrículo direito em descompensação aguda e em pacientes com tromboembolismo pulmonar maciço com hipertensão pulmonar grave e disfunção do ventrículo direito. A dose a ser utilizada é descrita na Tabela 210.1.

■ SUPORTE MECÂNICO EXTRACORPÓREO

Nas últimas duas décadas, o uso do suporte extracorpóreo ganhou impulso para o manejo tanto de pacientes com insuficiência respiratória (oxigenação por membrana extracorpórea venovenosa – ECMO-VV) como de pacientes com disfunção miocárdica grave e choque cardiogênico (oxigenação por membrana extracorpórea venoarterial – ECMO-VA ou dispositivos de assistência ventricular). Neste capítulo, não pretendemos discutir extensamente como é o manejo dos dispositivos, apenas entender o racional do seu uso.

O suporte mecânico para pacientes com choque cardiogênico ou obstrutivo inclui basicamente três possibilidades: (1) o balão intra-aórtico de contrapulsação (BIA); (2) a ECMO venoarterial; e (3) os dispositivos de assistência ventricular (DAV).[40] Os dispositivos de assistência ventricular podem ser divididos em dispositivos percutâneos (p. ex., Impella®, Tandemheart®), dispositivos paracorpóreos (p. ex., Centrimag®) e dispositivos implantáveis de longa duração (p. ex., Heartmate®). No manejo do choque cardiogênico, os dispositivos a serem utilizados inicialmente são aqueles que podem ser implantados mais rapidamente, basicamente o BIA, a ECMO e os DAVs percutâneos. O principal conceito a se ter no manejo de pacientes com choque cardiogênico é sobre o momento apropriado para a instalação de quaisquer desses dispositivos, que é antes da instalação da síndrome de disfunção de múltiplos órgãos decorrente da espiral do choque cardiogênico.

Classicamente, pacientes com choque cardiogênico têm sido manejados de rotina com o uso do BIA. Do ponto de vista fisiológico, o BIA é capaz de diminuir a pós-carga do ventrículo esquerdo e gerar um aumento da pressão na raiz da aorta durante a diástole, podendo melhorar o desbalanço entre oferta e consumo do miocárdico na isquemia coronariana aguda. No entanto, dados recentes de estudos clínicos têm questionado a sua real efetividade na prática clínica, não se demonstrando eficaz no manejo de rotina de pacientes com choque cardiogênico após infarto do miocárdio que tenham sido submetidos a revascularização miocárdica precocemente.[41] Portanto, embora possa ser utilizado em pacientes nessa condição, o BIA não deve retardar o uso de dispositivos que realmente possam dar fluxo de sangue maior e descarregar o ventrículo esquerdo. Esse racional não é válido para pacientes com insuficiência cardíaca e corações dilatados, em que o pequeno ganho de débito cardíaco oferecido pelo BIA pode ser suficiente para estabilizar o choque.

A ECMO-VA estará indicada em pacientes que tenham edema pulmonar importante e dificuldades na ventilação mecânica convencional ou naqueles que tenham disfunção de ventrículo direito considerável, pois os dispositivos percutâneos não são capazes de oferecer suporte mecânico ao ventrículo direito.[40] Em pacientes sem edema pulmonar grave e sem disfunção do ventrículo direito, esses dispositivos podem ser adotados para dar suporte à circulação, mas a sua menor disponibilidade e menor efetividade em termos de fluxo gerado ainda assim tornam essas alternativas pouco atrativas à beira do leito. Outro uso promissor da ECMO-VA é em pacientes com choque obstrutivo por TEP como medida temporizadora até que se possa desobstruir a circulação pulmonar. Assim como o BIA, a ECMO-VA de rotina no choque cardiogênico pós-infarto do miocárdico também não se mostrou benéfica em estudo multicêntrico recente, o ECLS-SHOCK.[42]

O uso de quaisquer dos dispositivos de assistência mecânica deve ter um objetivo claro. No choque cardiogênico após infarto agudo do miocárdio, habitualmente são utilizados como ponte para recuperação do atordoamento miocárdico, tendo em mente que o paciente deve ser sempre submetido a tratamento da causa de base (no caso, reperfusão da artéria acometida, preferencialmente por meio de cateterismo cardíaco), sem o qual não há sentido em se instituir essa terapia de suporte. Outros objetivos são a chamada ponte para ponte, ponte para transplante ou mesmo terapia de destino em certas ocasiões, mas esses usos não fazem parte do escopo deste capítulo.

■ TRATAMENTO DA CAUSA DE BASE

Todos os estados de choque levam, de modo geral, à via final comum de ativação da resposta inflamatória sistêmica e consequente desenvolvimento de disfunção de múltiplos órgãos. Na seção anterior, discutimos como dar suporte à circulação de modo a atingir metas de macro e micro-hemodinâmica e, assim, evitar o desenvolvimento de má perfusão tecidual, que também pode ser um perpetuador de outras disfunções orgânicas nos pacientes com choque. Nesta seção, será discutido o aspecto mais importante do tratamento do choque, que consiste em definir a sua causa o quanto antes a fim de iniciar a terapêutica apropriada precocemente, antes do desenvolvimento da síndrome de disfunção de múltiplos órgãos.

Choque Séptico

Diversos estudos mudaram o paradigma de tratamento inicialmente proposto pelo estudo de Rivers. O estudo TRISS comparou se metas de hemoglobina ≥ 9 g.dL^{-1} *versus* ≥ 7 g.dL^{-1} estavam associadas a melhores desfechos e não demonstrou diferença em termos de mortalidade.[43] Três grandes ensaios clínicos multicêntricos, incluindo pacientes da Oceania (ARISE), dos Estados Unidos (PROCESS) e da Europa (ProMISE) desafiaram o conceito da ressuscitação guiada por metas nas primeiras 6 horas.[44-46] A grande diferença entre o primeiro *trial* e os últimos três se encontra no manejo dos pacientes previamente à randomização, incluindo a necessidade de coleta de culturas, antibioticoterapia em menos de 1 hora e a ressuscitação volêmica instituída. Assim, a *Surviving Sepsis Campaign* (SSC) lançou uma atualização de suas recomendações, baseada nas novas evidências disponíveis, que resume o entendimento atual da melhor prática médica a se instituir em pacientes com sepse ou choque séptico nas fases iniciais, resumidos a um pacote de 1 hora:

- medir o valor do lactato (e repetir posteriormente se o primeiro for > 2 mmol.L^{-1});
- obter hemoculturas previamente à administração de antibióticos;
- administrar antibioticoterapia de espectro apropriado;
- iniciar reposição volêmica imediatamente para hipotensão ou valores de lactato ≥ 4 mmol.L^{-1};
- iniciar vasopressores durante ou após a ressuscitação volêmica tendo como objetivo PAM ≥ 65 mmHg.

Além do que é descrito nesse pacote, outras considerações devem ser feitas. Em pacientes que evoluam com disfunção miocárdica da sepse, deve-se fazer uso de algum inotrópico, como a dobutamina. Além disso, em pacientes que evoluem com choque refratário e com necessidade de doses crescentes de vasopressor, o uso de vasopressina em associação é sugerido a partir de 0,3 a 0,5 mcg.kg^{-1}.min^{-1} de noradrenalina, assim como o uso de corticosteroides em dose-estresse como medida de resgate em situações extremas. O uso de vasopressores em veia periférica até que um acesso venoso central seja providenciado também foi sugerido para evitar períodos prolongados de hipotensão.

Choque Hemorrágico

No choque hemorrágico, além de identificar a causa do sangramento como prioridade, o manejo da coagulopatia é fundamental (Figura 210.4).[47] Deve-se verificar se as pré-condições para a coagulação estão adequadas (calcemia apropriada, correção de hipotermia e de acidose), caso contrário a coagulopatia pode persistir. Na fisiopatologia do choque hemorrágico traumático, também é bem descrita a ativação da via fibrinolítica em excesso, resultando em hiperfibrinólise. Com o entendimento dessa condição, um grande estudo clínico demonstrou que o ácido tranexâmico em dose de ataque (1 g em 20 minutos) e de manutenção (1 g em 8 horas), quando administrado nas primeiras horas após o trauma com evidências de instabilidade hemodinâmica (PAS < 90 mmHg ou FC > 110 bpm), está associado a menos sangramento e melhores desfechos clínicos. Somente após a verificação das pré-condições e da reversão da hiperfibrinólise, deve-se considerar a transfusão de outros hemocomponentes.

Choque Cardiogênico

A descrição clássica do choque cardiogênico envolve o fato de a lesão miocárdica aguda de mais de 40% do tecido resultar em disfunção sistólica e diastólica. A diminuição do débito cardíaco leva a uma diminuição da perfusão sistêmica e coronariana, que, por sua vez, exacerba a isquemia e causa mais morte celular nas zonas limítrofes de isquemia. A má perfusão sistêmica acarreta vasoconstrição sistêmica reflexa, que, contudo, é insuficiente para manter a perfusão tecidual. Nos últimos anos, foi descrita também a ativação da resposta inflamatória sistêmica em pacientes com choque cardiogênico – como em qualquer quadro de choque –, o que pode limitar a resposta vasoconstritora compensatória e contribuir para a evolução da disfunção miocárdica.[48]

Nesse contexto, o estudo SHOCK demonstrou que pacientes em choque cardiogênico se beneficiam da revasculariza-

ção precoce da artéria culpada, com aumento de sobrevida com qualidade de vida em longo prazo, voltando à funcionalidade quando adequadamente tratados.[49] Mais uma vez, o tratamento da causa de base é fundamental para a reversão do choque.

Outro conceito fundamental no desenvolvimento do choque cardiogênico é que ele pode ser uma condição desencadeada iatrogenicamente em pacientes limítrofes.[48] Muitos dos tratamentos empregados de rotina para pacientes com infarto agudo do miocárdio podem levar a uma descompensação da resposta neuro-humoral, que mantém a perfusão tecidual nessa condição. Dessa forma, o uso de diuréticos pode resultar em hipovolemia relativa e desencadear o estado de choque, o uso de betabloqueadores precocemente em pacientes de risco pode bloquear a taquicardia compensatória, que mantém o débito cardíaco minimamente adequado à perfusão tecidual, e o uso de inibidores da enzima conversora de angiotensina pode bloquear a ativação do SRAA.

O manejo hemodinâmico de pacientes com choque cardiogênico apresenta particularidades. Além de contar com o uso de fármacos vasoativos, frequentemente necessita de suporte mecânico, conforme descrito nas seções anteriores.

Outras Considerações no Manejo do Choque

O manejo do choque não implica apenas a estabilização hemodinâmica e o tratamento da causa de base. Grande parte da melhora dos cuidados aos doentes críticos com choque envolve o reconhecimento da importância do manejo geral do paciente. Alguns preceitos básicos devem ser sempre lembrados no dia a dia:

1. Profilaxia de tromboembolismo venoso;
2. Profilaxia de úlcera de estresse;
3. Minimizar o uso de sedativos – choque não é uma indicação de uso de sedativos na UTI;
4. Prover suporte nutricional assim que houver estabilização hemodinâmica.

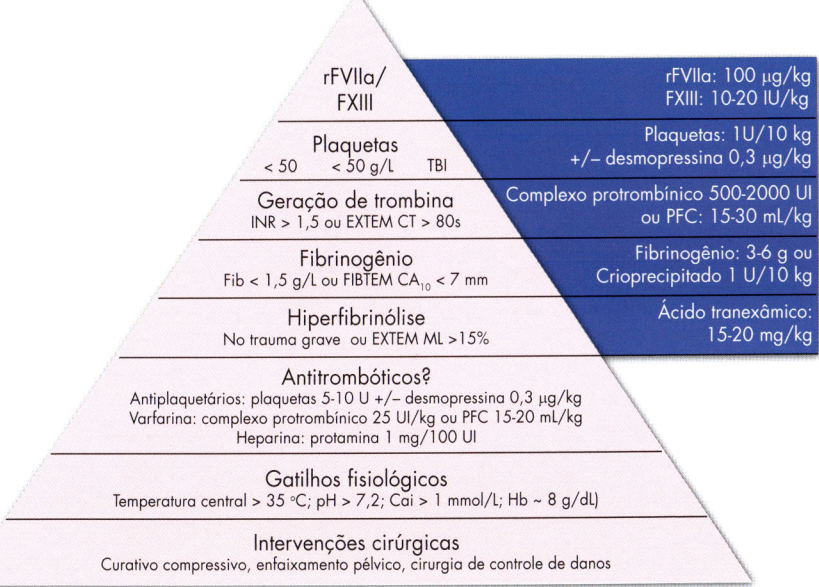

◀ **Figura 210.4** Pirâmide do tratamento da coagulopatia no choque hemorrágico. Destaca-se que o uso de hemocomponentes deve vir após procedimentos mais básicos, como intervenções cirúrgicas, correção de anormalidades fisiológicas, reversão do uso de anticoagulantes e correção de hiperfibrinólise, em especial no trauma.

Fonte: Adaptada de Tanczos e col., 2015.[47]

Pacientes que evoluem com injúria renal aguda são sabidamente casos de maior gravidade, em especial se apresentarem oligúria e se a disfunção renal for persistente. No manejo de pacientes com choque, não há evidências claras de que métodos de terapia substitutiva renal lenta sejam capazes de modificar a história natural da doença. Contudo, acreditamos que os pacientes mais graves que se apresentem com anúria, acidose metabólica persistente e com altas doses de vasopressores, entre outras condições, provavelmente se beneficiam de métodos lentos de substituição renal. Doses mais altas de diálise também não se mostraram benéficas. Muitos pacientes não obrigatoriamente evoluirão com necessidade de terapia substitutiva renal, porém a injúria renal aguda pode contribuir para o acúmulo de fluidos nesses pacientes. Consideramos de fundamental importância, após as primeiras 24 horas da ressuscitação hemodinâmica, manter um controle estrito do balanço hídrico, evitando balanços hídricos excessivamente positivos, e em fases tardias (após 48 a 72 horas), quando da melhora hemodinâmica, utilizar diuréticos, se necessário, almejando a retirada de fluidos.

O desenvolvimento da síndrome do desconforto respiratório agudo é comum em pacientes com choque. Independentemente da causa e dos fatores contribuintes, para alcançar melhores resultados com esses pacientes, são necessários dois componentes: (1) prover uma estratégia protetora de ventilação mecânica; e (2) prover manejo conservador tardio de fluidos, especialmente em pacientes que tenham desenvolvido injúria renal aguda concomitante.

O desenvolvimento de anemia na doença crítica é outra condição frequente. Com exceção de pacientes com choque hemorrágico, em que o uso de concentrados de hemácia deve se guiar por parâmetros hemodinâmicos, raramente a transfusão de hemocomponentes é necessária em pacientes com choque. De modo geral, deve-se considerar como gatilho transfusional o valor de hemoglobina menor do que 7 g.dL^{-1}. Isso já foi demonstrado eficaz e seguro em diversos contextos. Algumas exceções são o pós-operatório de cirurgia cardíaca e pacientes com doença arterial coronariana, casos em que o gatilho transfusional ainda não é claro, mas deve ser considerado 8 g.dL^{-1}. Além disso, pacientes com politrauma e traumatismo cranioencefálico concomitante devem ter uma avaliação individualizada da melhor estratégia transfusional a ser adotada.

O uso de corticosteroides no choque também tem sido alvo de grande debate e controvérsia na literatura. Com base na evidência atual, após a publicação dos estudos ADRENAL e APROCCHSS, os corticosteroides têm uma recomendação fraca de um painel de especialistas e pacientes.[50] Em pacientes com choque séptico refratário às medidas de ressuscitação hemodinâmica e com doses altas de vasopressor, pode-se considerar o uso de hidrocortisona em dose-estresse (200 a 300 mg/dia, intermitente ou em infusão contínua). Em outras condições, não há estudos robustos para avaliar o perfil de risco *versus* benefício.

O controle glicêmico também foi alvo de alguns estudos e de controvérsia. Atualmente, recomenda-se que não seja realizado controle estrito da glicemia, devendo-se almejar valores de glicemia de 140 a 180 mg.dL^{-1}.

■ INTEGRANDO CONCEITOS – ABORDAGEM GERAL AO TRATAMENTO DO CHOQUE

Ao longo deste capítulo, foram discutidas diversas estratégias a serem seguidas no manejo do choque, desde como reconhecê-lo, qual ferramenta de monitorização utilizar, medidas de suporte à circulação, medidas para tratar a causa de base e outras medidas gerais fundamentais. Em 2013, foi proposta uma abordagem conhecida como SOSD (do inglês *salvage, optimization, stabilization, de-escalation*), e sugerimos fortemente que essa abordagem seja utilizada para integração de conceitos e aplicação no dia a dia.

Resgate (*Salvage*)

Essa fase ocorre na abordagem inicial do paciente. O objetivo é não deixar que ele morra, e atingir uma PAM mínima compatível com a vida (no jargão da beira do leito, "colocar uma PA na tela"). Para tanto, vale o acrônimo MOV (monitorização, oxigênio suplementar, acesso venoso), expansão volêmica empírica em ambos os antebraços e considerar o uso de vasopressores mesmo em veias periféricas, se necessário. Essa fase ocorre em minutos. Uma vez que se tenha conseguido a "PA na tela", passa-se para a próxima fase.

Otimização

Nesse ponto, deve-se fazer o diagnóstico diferencial da causa do choque tanto por meio de exame clínico como também do ecocardiograma. Sem ter um diagnóstico presuntivo em mente, não é possível otimizar a circulação. A partir dessa fase, considera-se que a expansão volêmica empírica inicial já foi realizada (quando indicada), e se possível será efetuada a avaliação de fluidorresponsividade antes da administração de mais fluidos. Essa é a fase de se otimizar a circulação com fluidos e usar noradrenalina para manter uma PAM adequada (65 a 70 mmHg, na maioria dos casos).

Nesse momento, o paciente pode precisar ou já ter sido intubado e necessitar de sedativos, mas deve-se usar o mínimo necessário. Na ventilação, é preciso estar atento aos distúrbios metabólicos apresentados e cuidar para que acidemia grave não ocorra em pacientes com acidose metabólica importante. Para isso, pode ser necessário o uso de volumes correntes ainda fora das faixas consideradas protetoras. Contudo, com a otimização dos parâmetros perfusionais, a acidose metabólica deve se corrigir, e logo uma estratégia de ventilação mecânica protetora será instituída.

Consideramos que um paciente foi otimizado quando são atingidas metas aceitáveis de macro-hemodinâmica e de micro-hemodinâmica, ou seja, a perfusão periférica está adequada, lactato clareando, melhora do nível de consciência etc. Alguns pacientes, a despeito de medidas apropriadas, não revertem o estado de choque, e abordagens mais agressivas devem ser utilizadas, como o uso de múltiplos vasopressores e de inotrópicos, se possível guiado pela medida do débito cardíaco, levando-se sempre em consideração a possibilidade de reversão da causa de base.

Estabilização

Uma vez que a hemodinâmica tenha sido otimizada (o que deve ocorrer nas primeiras 24 horas do manejo do choque), chega o momento mais difícil: o de "pilotar" as disfunções orgânicas que se instalaram. Nesse contexto, menos é mais. Devem-se evitar expansões volêmicas repetidas, além de titular a dose de vasopressor conforme a PAM desejada. Se possível, realizar despertares diários ou mesmo deixar o paciente sem sedativos. Não será necessário diálise precoce nem doses altas de diálise se for possível manter um manejo metabólico e hídrico adequado. É fundamental prestar atenção ao balanço hídrico acumulado até o momento e evitar balanços hídricos positivos no decorrer dos dias. Deve-se iniciar a dieta enteral. Além disso, é fundamental manter uma estratégia de ventilação mecânica protetora ao longo desse período. A transição dessa fase para a seguinte é mais tênue, mas é fundamental.

Descalonamento

Uma vez estabilizado o quadro e manejadas as disfunções orgânicas, chega o momento de perseguir algumas metas, geralmente após 3 a 5 dias do insulto inicial. Devem-se retirar os acessos venosos centrais assim que o paciente não necessitar mais deles, assim como a sonda vesical de demora. Deve-se extubá-lo assim que possível, conforme melhores práticas de Medicina Intensiva. Por fim, deve-se mobilizar o paciente do leito, ainda que com doses baixas de vasopressor, para evitar complicações da doença crítica.

REFERÊNCIAS

1. Vincent JL, De Backer D. Circulatory shock. N Engl J Med. 2013;369(18):1726-34.
2. Vincent JL, Sakr Y, Sprung CL, et al. Sepsis in European intensive care units: results of the SOAP study. Criti Care Med. 2006;34(2):344-53.
3. Ranzani OT, Monteiro MB, Ferreira EM, et al. Reclassifying the spectrum of septic patients using lactate: severe sepsis, cryptic shock, vasoplegic shock and dysoxic shock. Rev Bras Ter Intensiva. 2013;25(4):270-8.
4. Ait-Oufella H, Lemoinne S, Boelle PY, et al. Mottling score predicts survival in septic shock. Intensive Care Med. 2011;37(5):801-7.
5. Dulhunty JM, Lipman J, Finfer S. Sepsis Study Investigators for the ACTG. Does severe non-infectious SIRS differ from severe sepsis? Results from a multi-centre Australian and New Zealand intensive care unit study. Intensive Care Med. 2008;34(9):1654-61.
6. Gattinoni L, Brazzi L, Pelosi P, et al. A trial of goal-oriented hemodynamic therapy in critically ill patients. SvO2 Collaborative Group. N Engl J Med. 1995;333(16):1025-32.
7. Bassi E, Park M, Azevedo LC. Therapeutic strategies for high-dose vasopressor-dependent shock. Crit Care Res Pract. 2013;2013:654708.
8. Lehman LW, Saeed M, Talmor D, et al. Methods of blood pressure measurement in the ICU. Crit Care Med. 2013;41(1):34-40.
9. Marik PE, Cavallazzi R. Does the central venous pressure predict fluid responsiveness? An updated meta-analysis and a plea for some common sense. Crit Care Med. 2013;41(7):1774-81.
10. Funk DJ, Jacobsohn E, Kumar A. The role of venous return in critical illness and shock-part I: physiology. Crit Care Med. 2013;41(1):255-62.
11. Besen BA, Gobatto AL, Melro LM, et al. Fluid and electrolyte overload in critically ill patients: An overview. World J Crit Care Med. 2015;4(2):116-29.
12. Cecconi M, De Backer D, Antonelli M, et al. Consensus on circulatory shock and hemodynamic monitoring. Task force of the European Society of Intensive Care Medicine. Intensive Care Med. 2014;40(12):1795-815.
13. Rivers E, Nguyen B, Havstad S, et al. Early goal-directed therapy in the treatment of severe sepsis and septic shock. N Engl J Med. 2001;345(19):1368-77.
14. Jones AE, Shapiro NI, Trzeciak S, et al. Lactate clearance vs central venous oxygen saturation as goals of early sepsis therapy: a randomized clinical trial. JAMA. 2010;303(8):739-46.
15. Garcia-Alvarez M, Marik P, Bellomo R. Stress hyperlactataemia: present understanding and controversy. Lancet Diabetes Endocrinol. 2014;2(4):339-47.
16. Ospina-Tascon GA, Bautista-Rincon DF, Umana M, et al. Persistently high venous-to-arterial carbon dioxide differences during early resuscitation are associated with poor outcomes in septic shock. Crit Care. 2013;17(6):R294.
17. Hernandez G, Ospina-Tascon GA, Damiani LP, et al. Effect of a Resuscitation Strategy Targeting Peripheral Perfusion Status vs Serum Lactate Levels on 28-Day Mortality Among Patients With Septic Shock: The ANDROMEDA-SHOCK Randomized Clinical Trial. JAMA. 2019;321(7):654-64.
18. Shoemaker WC, Appel PL, Kram HB, et al. Prospective trial of supranormal values of survivors as therapeutic goals in high-risk surgical patients. Chest. 1988;94(6):1176-86.
19. Hayes MA, Timmins AC, Yau EH, et al. Elevation of systemic oxygen delivery in the treatment of critically ill patients. N Engl J Med. 1994;330(24):1717-22.
20. Rhodes A, Evans LE, Alhazzani W, et al. Surviving Sepsis Campaign: International Guidelines for Management of Sepsis and Septic Shock: 2016. Intensive Care Med. 2017;43(3):304-77.
21. Berlin DA, Bakker J. Starling curves and central venous pressure. Crit Care. 2015;19(1):55
22. Michard F, Boussat S, Chemla D, et al. Relation between respiratory changes in arterial pulse pressure and fluid responsiveness in septic patients with acute circulatory failure. Am J Respir Crit Care Med. 2000;162(1):134-8.
23. Mendes PV, Rodrigues BN, Miranda LC, et al. Prevalence of Ventilatory Conditions for Dynamic Fluid Responsiveness Prediction in 2 Tertiary Intensive Care Units. J Intensive Care Med. 2016;31(4):258-62. Epub 2014 Apr 22. PMID: 24756308.
24. Feihl F, Broccard AF. Interactions between respiration and systemic hemodynamics. Part II: practical implications in critical care. Intensive Care Med. 2009;35(2):198-205.
25. Monnet X, Teboul JL. Passive leg raising: five rules, not a drop of fluid! Crit Care. 2015;19(1):18.
26. Monnet X, Teboul JL. Assessment of volume responsiveness during mechanical ventilation: recent advances. Crit Care. 2013;17(2):217.
27. Perner A, Haase N, Guttormsen AB, et al. Hydroxyethyl starch 130/0.42 versus Ringer's acetate in severe sepsis. N Engl J Med. 2012;367(2):124-34.
28. Myburgh JA, Finfer S, Bellomo R, et al. Hydroxyethyl starch or saline for fluid resuscitation in intensive care. N Engl J Med. 2012;367(20):1901-11.
29. Finfer S, Bellomo R, Boyce N, et al. A comparison of albumin and saline for fluid resuscitation in the intensive care unit. N Engl J Med. 2004;350(22):2247-56.
30. Zampieri FG, Machado FR, Biondi RS, et al.; BaSICS investigators and the BRICNet members. Effect of Intravenous Fluid Treatment with a Balanced Solution vs 0.9% Saline Solution on Mortality in Critically Ill Patients: The BaSICS Randomized Clinical Trial. JAMA. 2021; 326(9):1-12.
31. Semler MW, Self WH, Wanderer JP, et al. Balanced Crystalloids versus Saline in Critically Ill Adults. N Engl J Med. 2018;378(9):829-39.
32. Overgaard CB, Dzavik V. Inotropes and vasopressors: review of physiology and clinical use in cardiovascular disease. Circulation. 2008;118(10):1047-56.
33. De Backer D, Biston P, Devriendt J, et al. Comparison of dopamine and norepinephrine in the treatment of shock. N Engl J Med. 2010;362(9):779-89.
34. Russell JA, Walley KR, Singer J, et al. Vasopressin versus norepinephrine infusion in patients with septic shock. N Engl J Med. 2008;358(9):877-87.
35. Funk DJ, Jacobsohn E, Kumar A. Role of the venous return in critical illness and shock: part II-shock and mechanical ventilation. Crit Care Med. 2013;41(2):573-9.
36. Myburgh JA, Higgins A, Jovanovska A, et al. A comparison of epinephrine and norepinephrine in critically ill patients. Intensive Care Med. 2008;34(12):2226-34.
37. Annane D, Vignon P, Renault A, et al. Norepinephrine plus dobutamine versus epinephrine alone for management of septic shock: a randomised trial. Lancet. 2007;370(9588):676-84.
38. Khanna A, English SW, Wang XS, et al. Angiotensin II for the Treatment of Vasodilatory Shock. N Engl J Med. 2017;377(5):419-30.
39. Gordon AC, Perkins GD, Singer M, et al. Levosimendan for the Prevention of Acute Organ Dysfunction in Sepsis. N Engl J Med. 2016;375(17):1638-48.
40. Cove ME, MacLaren G. Clinical review: mechanical circulatory support for cardiogenic shock complicating acute myocardial infarction. Crit Care. 2010;14(5):235.
41. Thiele H, Zeymer U, Neumann FJ, et al. Intraaortic balloon support for myocardial infarction with cardiogenic shock. N Engl J Med. 2012;367(14):1287-96.
42. Thiele H, Zeymer U, Akin I, et al.; ECLS-SHOCK Investigators. Extracorporeal Life Support in Infarct-Related Cardiogenic Shock. N Engl J Med. 2023;389(14):1286-97.
43. Holst LB, Haase N, Wetterslev J, et al. Lower versus higher hemoglobin threshold for transfusion in septic shock. N Engl J Med. 2014;371(15):1381-91.
44. Mouncey PR, Osborn TM, Power GS, et al. Trial of early, goal-directed resuscitation for septic shock. N Engl J Med. 2015;372(14):1301-11.
45. Yealy DM, Kellum JA, Huang DT, et al. A randomized trial of protocol-based care for early septic shock. N Engl J Med. 2014;370(18):1683-93.
46. Investigators A, Group ACT, Peake SL, et al. Goal-directed resuscitation for patients with early septic shock. N Engl J Med. 2014;371(16):1496-506.
47. Tanczos K, Nemeth M, Molnar Z. What's new in hemorrhagic shock? Intensive Care Med. 2015;41(4):712-4.
48. Reynolds HR, Hochman JS. Cardiogenic shock: current concepts and improving outcomes. Circulation. 2008;117(5):686-97.
49. Hochman JS, Sleeper LA, Webb JG, et al. Early revascularization in acute myocardial infarction complicated by cardiogenic shock. SHOCK Investigators. Should We Emergently Revascularize Occluded Coronaries for Cardiogenic Shock. N Engl J Med. 1999;341(9):625-34.
50. Lamontagne F, Rochwerg B, Lytvyn L, et al. Corticosteroid therapy for sepsis: a clinical practice guideline. BMJ. 2018;362:k3284.

211

Fisiopatologia da Doença Crítica

Rodrigo Leal Alves ▪ Macius Pontes Cerqueira ▪ Antonio Jorge Barretto Pereira

INTRODUÇÃO

O conceito da terapia intensiva destinada aos pacientes com enfermidades graves remonta ao início do século 20, com o reconhecimento gradual que esses indivíduos poderiam se beneficiar de um grau mais próximo de atenção, aliado a um cuidado multiprofissional mais intenso que aqueles destinados à população geral de pacientes.[1] Com o passar do tempo, os avanços nos diversos campos do conhecimento médico, associado à evolução da tecnologia, da monitorização e da terapêutica, permitiram que um número crescente de pacientes acometidos por doenças ou estados críticos pudessem sobreviver e se recuperar.[1]

Ainda que sem uma definição universalmente aceita, a doença crítica tem como denominador comum a gravidade do processo patológico de base, ou o potencial de desenvolvimento de complicações graves por conta da doença propriamente dita, ou baixas reservas funcionais, ou esgotamento dos mecanismos de defesa e compensação orgânica, com risco elevado de disfunção ou mesmo falência de um ou mais órgãos e sistemas. Diante de uma grande variedade de manifestações clínicas possíveis, o médico envolvido no cuidado dos criticamente enfermos deve possuir um amplo conhecimento da fisiopatologia das mais diversas situações clínicas e cirúrgicas para a escolha da melhor terapia disponível. A habilidade em detectar precocemente a gravidade do doente, real ou potencial, e a capacidade de empregar um cuidado efetivo em tempo hábil são cruciais na redução da morbimortalidade nessas situações.

▪ A RESPOSTA AO ESTRESSE

Independentemente do motivo que levou o paciente a necessitar de cuidados intensivos, um fator comum na doença crítica é o estresse gerado pela situação na qual o indivíduo se encontra. O estresse é definido como uma reação do organismo a forças de natureza deletéria e vários estados anormais que tendem a romper o equilíbrio fisiológico normal conhecido como homeostase.[2] A ruptura desse equilíbrio fisiológico, seja por doença, trauma, cirurgia, infecção ou qualquer outra razão, ativa no organismo uma sequência de respostas que envolvem o Sistema Nervoso Simpático, o sistema endócrino e o sistema imune. Essa resposta, conhecida por diversas denominações (resposta ao estresse, cascata do estresse, resposta neuroendócrina ao trauma), tem como função prover as modificações fisiológicas e metabólicas necessárias para lidar com as demandas do desafio à homeostase[3] e, direta ou indiretamente, afetará todos os órgãos e sistemas do paciente.

A ativação do Sistema Nervoso Simpático é uma das primeiras reações do organismo face a uma agressão, potencial ou real, ao organismo. Essa ativação é caracterizada por um aumento de atividade no *locus cerúleos*, com aumento da liberação de noradrenalina por uma densa rede de neurônios no tronco cerebral, que se estende até o córtex. Isso resulta em modificações comportamentais como aumento do despertar, da vigilância e da ansiedade, além dos efeitos fisiológicos esperados, com o aumento da atividade simpática como elevação dos níveis circulantes de adrenalina e noradrenalina pelo estímulo da medula adrenal.[4]

Concomitantemente à ativação do *locus cerúleos*, há o aumento da atividade do eixo hipotálamo-hipófise-adrenal, com uma sequência de ativação hormonal que se inicia com a liberação do hormônio liberador da corticotropina (CRH) no hipotálamo.[3] O hipotálamo representa um grande centro de convergência e integração de informações provenientes de diversas regiões do Sistema Nervoso Central, assim como do próprio sistema autonômico e endócrino. Neurônios especializados do núcleo paraventricular hipotalâmico sintetizam o CRH em resposta a estímulos externos e internos para a manutenção da homeostasia.[3] Esse hormônio é então transferido por projeções axonais até a camada externa da eminência mediana, sendo liberado conforme mecanismos diversos de contrarregulação neuronal e hormonal. Em situações de estresse, há um aumento da liberação desse hormônio no sistema portal hipotálamo-hipofisário, com aumento subsequente da liberação do hormônio adrenocorticotrófico (ACTH) pela hipófise anterior. Uma vez secretado na circulação sistêmica, o ACTH estimula o córtex adrenal a sintetizar e a excretar glicocorticoides, notadamente o cortisol.[3] Assim, as manifestações periféricas clássicas do estresse agudo resultam, em última análise, da hipersecreção de catecolaminas e glicocorticoides pela adrenal[5] a partir de uma resposta iniciada e modulada pelo Sistema Nervoso Central.

A elevação sérica de glicocorticoides e catecolaminas, em resposta ao estresse, que atuam em conjunto na inibição da captação de glicose, ácidos graxos e aminoácidos nos sítios habituais de armazenamento desses substratos energéticos, desencadeia um estado de resistência tecidual ao efeito da insulina.[4] Por também estimularem a glicogenólise, proteólise e gliconeogênese, esses hormônios provocam um estado de catabolismo da massa magra, com maior liberação sistêmica desses substratos energéticos por parte do fígado e da musculatura esquelética. Essa mobilização das reservas de energia do organismo visa ao atendimento da demanda metabólica imposta pelo estímulo adrenérgico aos diversos sistemas de preservação da vida, como o sistema cardiovascular e respiratório, e as necessidades associadas à resposta inflamatória e ao reparo tecidual. Nessa fase aguda, processos anabólicos menos relevantes à vida imediata, como digestão, crescimento e reprodução, costumam apresentar graus variados de supressão.[4]

Situações de redução do volume circulante efetivo por hipovolemia, redução da resistência vascular periférica e/ou baixo débito cardíaco, detectadas por barorreceptores na rede vascular, também evocam a liberação hipotalâmica de vasopressina (AVP) e renal de renina.[6] A vasopressina exerce seus principais efeitos fisiológicos através de dois tipos específicos de receptores celulares: V1A e V2R. O receptor V1A, localizado na musculatura lisa vascular, nas plaquetas e nos hepatócitos, é responsável pela vasoconstrição, aumento da agregação plaquetária e glicogenólise induzida por esse hormônio. O receptor V2R está localizado na membrana basolateral das células dos dutos coletores distais do néfron e controla a abertura de aquaporinas na membrana apical dessas células, com aumento da permeabilidade à água livre de solutos.[6] A renina, por sua vez, é liberada por células especializadas do aparelho justaglomerular na arteríola renal aferente e inicia a cascata enzimática que culmina com a elevação sérica de angiotensina II, que apresenta efeitos vasoconstritores e aumenta a secreção hipotalâmica de AVP e ACTH, e aldosterona, que aumenta a absorção de sódio e água no túbulo distal do glomérulo.[6]

Além das alterações neuroendócrinas, o dano tecidual também evoca uma série de respostas do sistema imune, com interação de vias inflamatórias e hemostáticas voltadas essencialmente para contenção de hemorragia, controle da infecção e reparo tecidual. Quando intensa o suficiente, a integração da resposta neuroendócrino-imuno-metabólica ao trauma leva a um quadro de resposta inflamatória sistêmica que se inicia poucos minutos após o evento desencadeante.

A ativação do sistema imune pode ser desencadeada tanto por fatores exógenos (agentes infecciosos) como por fatores endógenos diretamente associados ao trauma tecidual.[7] A resposta inicial é similar, independentemente da origem do estímulo nocivo, e começa a partir da ativação de receptores na superfície de células fagocíticas chamados de *Toll-like receptors* (TLRs) por serem homólogos à proteína Toll de *Drosophilas*.[8] Compostos, estruturalmente diversos, resultantes da fragmentação de células e/ou microrganismos invasores, interagem com esses receptores e iniciam a resposta imune inata com o reconhecimento de padrões moleculares específicos (PRR, do inglês Receptores Reconhecedores de Padrão).[7] Esses padrões, quando associados a dano tecidual direto, sinalizam a injúria celular induzida por estresse ou necrose, representados por peptídeos intracelulares e DNA mitocondrial, e são chamados de alarminas ou DAMPs (do inglês *Damage-Associated Molecular Patterns*).[8] DAMPs são os equivalentes endógenos dos padrões moleculares associados a patógenos (PAMPs, do inglês *Pathogen-Associated Molecular Pattern*), habitualmente representados por fragmentos bacterianos como lipopolissacarídeos e peptideoglicanas, que iniciam a resposta imune face a estímulos infecciosos.[7] A interação entre esses compostos com os receptores de superfície inicia uma sequência de eventos intracelulares que culminam com ativação das células inflamatórias.[8] Uma vez ativados, leucócitos desencadeiam os mecanismos de defesa da resposta inata com produção e liberação de citocinas, ativação da via alternativa do sistema complemento e deflagração da resposta imune adaptativa relacionada à produção de anticorpos.[7]

As citocinas são polipeptídeos ou glicoproteínas produzidas por diversos tipos de células próprias do tecido lesionado ou por células do tecido imunológico.[8] Células diferentes podem produzir a mesma citocina, assim como um único tipo de célula pode produzir diversas citocinas que frequentemente desencadeiam ações semelhantes e redundantes. Tais substâncias são classificadas como interleucinas (IL), fatores de necrose tumoral (TNF), fatores de transformação de crescimento (TGF), interferons (IFN) e quimiocinas, de acordo com sua função biológica presumida, célula de origem ou sítio de ação, ainda que essa distinção seja considerada obsoleta, dada a redundância de ação biológica e considerável pleiotropia.[8] Citocinas atuam principalmente por mecanismos parácrinos e autócrinos ao se ligarem a receptores específicos na superfície de células imunológicas determinando sua atividade, proliferação, diferenciação e sobrevida.[8] O efeito na atividade inflamatória, desencadeado por cada citocina, pode variar de acordo com o microambiente na qual ela se encontra. Ainda assim, algumas citocinas apresentam como efeito predominante propriedades pró-inflamatórias (IL1, IL2, IL6, ILβ e TNF)[8] ao estimular a proliferação, ativação e atração de células imunológicas ao sítio de lesão e ao aumentar a secreção de substâncias capazes de provocar reações locais ou sistêmicas como febre, vasodilatação, aumento da permeabilidade capilar e dor.

Outras citocinas como IL10 e TGFβ, além de antagonistas endógenos de citocinas pró-inflamatórias como o antagonista do receptor de IL1 (IL1Ra), exercem efeitos predominantemente anti-inflamatórios ao antagonizar as ações locais e sistêmicas relacionadas à inflamação.[7] Por serem moléculas de meia-vida curta, a dosagem direta dessas substâncias, na prática clínica diária, é difícil e cara; assim, alguns biomarcadores laboratoriais indiretos podem ser utilizados para avaliar o estado da resposta inflamatória. A pró-calcitonina, por exemplo, tem sua síntese e secreção aumentada por tecidos extratireoidianos (leucócitos e células do sistema reticuloendotelial) na presença de toxinas bacterianas circulantes e níveis sistêmicos aumentados de citocinas pró-inflamatórias, como IL1b, TNFα e IL6.[9] Comparada com outros marcadores laboratoriais, a pró-calcitonina tem um maior potencial discriminatório para respostas inflamatórias sistêmicas decorrentes de eventos infecciosos, notadamente bacterianos, com capacidade de distinguir superinfecções bacterianas em pacientes com doenças virais prévias.[9] A diminuição dos níveis séricos de citocinas pró-inflamatórias também está atrelada à redução sérica desse biomarcador, tornando-o útil na detecção precoce de sepse e na avaliação da resposta terapêutica ao longo do internamento. Esse peptídeo parece exercer funções inflamatórias associadas à modulação da produção de óxido nítrico e quimiotaxia.[10]

Essa diversidade de substâncias com efeitos pró e anti-inflamatórios dotam o sistema imune de mecanismos de contrarregulação para restaurar a homeostase à medida que o dano tecidual é reparado. A elevação inicial de citocinas pró-inflamatórias, que desencadeiam a resposta inflamatória sistêmica, é habitualmente contrabalançada com a elevação subsequente de citocinas anti-inflamatórias.[7] Altas concentrações de citocinas pró-inflamatórias no tecido lesado exercem um forte efeito quimiotáxico em leucócitos circulantes, com ativação do endotélio da microvasculatura adjacente. Neutrófilos e monócitos interagem com receptores específicos na superfície do endotélio ativado em um processo de rolagem e adesão seguida de diapedese facilitada pelo aumento da permeabilidade da microvasculatura induzido pelos mediadores inflamatórios.[11] Uma vez ativados no sítio de lesão, os leucócitos atuam no processo inicial de defesa inata removendo agentes invasores, células mortas e fragmentos celulares, além de servirem como células apresentadoras de antígeno para deflagração da imunidade adaptativa e produzirem citocinas adicionais necessárias para modulação da própria resposta inflamatória e reparo tecidual. Tanto os macrófagos, resultantes da ativação tecidual dos monócitos circulantes recrutados, quanto os neutrófilos ativados, liberam enzimas lisossomais e radicais livres no meio. A atividade bactericida gerada pela "explosão oxidativa" utiliza o oxigênio e a glicose como substratos principais, e células como o neutrófilo aumentam em até 50 vezes o consumo desse gás para prover quantidades significativas de radicais livres.[12] Assim, na fase inicial da inflamação, a maior parte do oxigênio consumido no reparo tecidual está relacionada ao controle da infecção, e condições de hipóxia comprometem gravemente a função leucocitária, podendo interromper a explosão oxidativa.[11] Ainda que direcionadas para o controle de microrganismos invasores, radicais livres e enzimas lisossomais são capazes de lesar células saudáveis com potencial de dano tecidual

adicional e consequente estímulo à perpetuação da atividade inflamatória.[12]

Assim, a regulação dos fatores pró e anti-inflamatórios pelo organismo é um dos principais determinantes do balanço entre a estabilização ou a exacerbação da resposta inflamatória. Após o quadro inicial de lesão, os pacientes que sobreviveram à "tempestade de citocinas pró-inflamatórias" costumam desenvolver um quadro de imunossupressão.[13] A elevação das citocinas anti-inflamatórias, associada à apoptose de células imunes (linfócitos B, linfócitos T CD4 e células apresentadoras de antígenos), e redução da atividade de neutrófilos e monócitos, caracterizam uma síndrome de resposta anti-inflamatória compensatória[13] conhecida como CARS (do inglês *Compensatory Anti-inflamatory Response Syndrome*). A perpetuação do estado crítico reduz a capacidade de defesa do organismo contra agentes invasores, podendo resultar em infecções secundárias, sepse, choque e falência de múltiplos órgãos.[7,13]

Com base na resposta integrada ao estresse, o termo "Síndrome da Resposta Inflamatória Sistêmica" (SRIS) foi cunhado em 1991 por um consenso de especialistas da *American College of Chest Physicians* (ACCP) e da *Society of Critical Care Medicine* (SCCM). Essa síndrome foi definida pela presença de pelo menos dois de quatro critérios clínicos: temperatura corporal maior que 38°C ou menor que 36°C; frequência cardíaca maior que 90 bpm; frequência respiratória maior que 20 ipm ou hiperventilação com $PaCO_2$ menor que 32 mmHg; leucograma maior que $12.000.mm^{-3}$ ou menor que $4.000.mm^{-3}$ ou contagens de neutrófilos imaturos (bastões) maior que 10%.[13] Essa definição tem como meta a padronização da nomenclatura na literatura médica para fins de assistência e pesquisa representando a resposta inflamatória do hospedeiro a insultos diversos, como infecção, trauma, queimadura, lesão orgânica e dano isquêmico. Quando associada a um foco infeccioso, conhecido ou presumido, a SRIS define um quadro de sepse que, na presença de disfunção orgânica, hipoperfusão ou hipotensão, é classificada como severa. Choque séptico passou, então, a ser definido pela presença de sepse grave refratária à expansão volêmica. Por conta da natureza inespecífica dessa resposta, no entanto, a presença isolada de SRIS provê poucas informações a respeito da condição que a iniciou, e novos sinais e sintomas que sinalizam para um processo infeccioso de base foram adicionados à definição original em um novo consenso de 2001 (Tabela 211.1).[13]

Em 2014, a *European Society of Intensive Care Medicine* (ESICM) e a SCCM reuniram uma força tarefa com 19 especialistas em Terapia Intensiva, Doenças Infecciosas, Cirurgia e Pneumologia para revisar as definições de sepse em discussões interativas ao longo de dois anos (2014 a 2015). Desta força conjunta surgiu o Terceiro Consenso Internacional para Definição de Sepse e Choque Séptico, conhecido como Sepsis-3, posteriormente endossado por 31 sociedades mundiais (incluindo a Associação Brasileira de Terapia Intensiva).[14] Com o reconhecimento que a biopatologia da sepse (conhecimento atual das alterações induzidas pela patologia nas funções orgânicas, morfologia, biologia celular, bioquímica, imunologia e circulação) é incerta e inespecífica, o consenso chegou à conclusão que a definição corrente, baseada na SRIS, é insuficiente e pouco acurada. Hoje entendida como uma resposta multifacetada do hospedeiro a um agente infeccioso que pode ser significantemente amplificada por fatores endógenos e apresentar grande heterogeneidade clínica nos indivíduos afetados, a sepse passou a ser definida como uma

disfunção orgânica potencialmente letal, identificada por uma elevação aguda de 2 ou mais pontos no escore SOFA (*Sequential Organ Failure Assessment*) (Tabela 211.6) na vigência de infecção. Pela nova definição, pacientes diagnosticados como portadores de sepse apresentam mortalidade hospitalar aproximada de 10%, enfatizando assim a seriedade da condição e a necessidade de intervenção apropriada imediata.[14] A presença de anormalidades circulatórias e metabólicas, identificadas pelo requerimento de terapia vasopressora para manter a pressão arterial média acima de 65 mmHg, associadas à elevação do lactato arterial (acima de 2 mmol.L^{-1} ou 18 mg/dL^{-1}), a despeito de ressuscitação hídrica adequada, passou a definir o estado de *Choque Séptico* com aumento significativo na mortalidade hospitalar por sepse (acima de 40%).[14] A Tabela 211.2 mostra as principais modificações na terminologia empregada.

Tabela 211.1 Critérios indicadores de sepse.

Infecção
- Documentada ou suspeitada com algumas das seguintes alterações

Parâmetros gerais
- Febre (temperatura central > 38,3 °C)
- Hipotermia (temperatura central < 36 °C)
- Frequência cardíaca > 90 bpm ou ≥ 2 desvios-padrões do valor normal para a idade
- Taquipnéia: > 30 ipm
- Estado mental alterado
- Edema significativo ou positivação do balanço hídrico > 20 mL.kg^{-1} em 24 horas
- Hiperglicemia > 110 mg.dL^{-1} na ausência de diabetes

Parâmetros inflamatórios
- Leucocitose > 12.000
- Leucopenia < 4.000
- Desvio para esquerda do leucograma (> 10% de formas imaturas)
- Proteína C reativa sérica > 2 desvios-padrões do valor normal
- Pró-calcitonina sérica > 2 desvios-padrões do valor normal

Parâmetros hemodinâmicos
- Hipotensão arterial (pressão sistólica < 90 mmHg ou PAM < 70 mmHg)
- Saturação venosa mista de oxigênio > 70%
- Índice cardíaco > 3,5 L/min/m^{-2}

Parâmteros de disfunção orgânica
- Hipoxemia (relação PaO$_2$/FIO$_2$ < 300)
- Oligúria aguda (débito urinário < 0,5mL.kg^{-1}.h^{-1} por pelo menos duas horas)
- Elevação da creatinina plasmática ≥ 0,5mg.dL^{-1}
- Coagulopatia (tempo de tromboplastina parcial ativada > 60 seg ou RNI > 1,5)
- Plaquetopenia < 100.000
- Íleo adinâmico
- Hiperbilirrubinemia > 4 mg.dL^{-1}

Parâmetros de perfusão tecidual
- Hiperlactatemia > 3 mmol.L^{-1} ou negativação do excesso de base
- Diminuição do enchimento capilar

A MICROCIRCULAÇÃO

Alterações na microcirculação são frequentes nos pacientes críticos e ocorrem em situações de hemorragia, trauma, isquemia e sepse.[11] Diversas causas podem explicar essas alterações, e inflamação é um dos principais componentes implicados na sua fisiopatologia. Sob a influência de mediadores inflamatórios, eventos como perda da densidade capilar, edema intersticial, trombose microcirculatória e disfunções celulares podem contribuir para a acentuação do dano tecidual.

A principal função da microcirculação é permitir a distribuição e a passagem de oxigênio e nutrientes para o interstício tecidual e deste para as células, assim como remover os catabólitos resultantes do metabolismo. Dois princípios básicos determinam a efetividade dessa função: mecanismos convectivos e difusionais. O mecanismo convectivo está relacionado com o fluxo sanguíneo capilar e com o conteúdo de oxigênio e nutrientes transportados pelo sangue. Em condições normais, o fluxo sanguíneo microcirculatório é rigorosamente controlado pelo tônus arteriolar, que determina a densidade do leito capilar disponível para a troca tecidual.[11,15] Esse controle sofre influências diversas, tanto locais, para atender a demanda do tecido perfundido, quanto sistêmicas, para distribuição preferencial do sangue conforme a necessidade do organismo. O endotélio nesses vasos é sensível a forças físicas (pressão e estresse de

---

Tabela 211.2 Terminologia da sepse e do choque séptico pela Sespis-3.

Recomendações correntes	Sepse	Choque séptico
Consensos de 1991 e 2001[12]	Presença de dois ou mais critérios de síndrome da resposta inflamatória sistêmica	Falência circulatória a despeito de ressuscitação hídrica adequada
Definição de 2015[13]	Sepse é uma disfunção orgânica potencialmente letal causada por uma resposta desregulada do hospedeiro a um agente infeccioso	Choque séptico é um subtipo de sepse com anormalidades circulatórias e celulares/metabólicas graves o suficiente para aumentar substancialmente a mortalidade
Critérios clínicos de 2015[13]	Sítio infeccioso suspeitado ou documentado com elevação aguda de dois pontos ou mais no escore SOFA*	Sepse com requerimento de terapia vasopressora para manter a PAM† acima de 65 mmHg e níveis elevados de lactato arterial (> 2 mmol.L^{-1} ou 18 mg/dL^{-1}) a despeito de ressuscitação hídrica adequada

* *Sequential Organ Failure Assessment.*
† Pressão arterial média.

cisalhamento), fatores químicos (citocinas e estresse oxidativo) e sinais de células circulantes (leucócitos e hemácias). Fatores vasoativos liberados pelo endotélio controlam o tônus arteriolar e consequentemente o fluxo capilar com grande variação de estrutura, função e resposta em diferentes territórios vasculares.[16] Órgãos de maior importância para a vida imediata, como coração e cérebro, apresentam uma regulação microcirculatória altamente dependente de fatores teciduais com mecanismos de adequação do fluxo sanguíneo para garantir sua funcionalidade mesmo em situações críticas. Outros tecidos sofrem uma influência variável de fatores locais e sistêmicos, habitualmente regulado pelo tônus simpático, conforme uma hierarquia de importância para o organismo. Quanto maior a importância vital maior é o controle local e menor é a influência sistêmica e vice-versa. A atividade simpática aumentada, associada aos efeitos de mediadores inflamatórios na microvasculatura e alterações da macro-hemodinâmica no paciente crítico, pode comprometer a reatividade vascular e o controle da autorregulação.[11] A diminuição da velocidade e a magnitude do fluxo sanguíneo através da microcirculação, redução da densidade de capilares perfundidos e abertura de vias de *shunt* arteríolo-venular, frequentemente observada nessas situações, são diretamente proporcionais à gravidade do quadro e estão associadas a um pior prognóstico.[11]

Além das alterações descritas do controle microcirculatório observado no paciente crítico, danos estruturais e funcionais na microvasculatura podem comprometer ainda mais o aporte tecidual de oxigênio. Degradação do glicocálix, disfunção endotelial e aumento da permeabilidade capilar, causados pelo agente estressor inicial (sepse, trauma, isquemia/reperfusão) e perpetuados por mediadores inflamatórios predispõem à formação de edema.[15] O aumento da distância entre os capilares e as células nessa situação compromete a difusão do oxigênio no tecido, dependente do gradiente de pressão parcial do gás da hemoglobina à mitocôndria, favorecendo a formação de zonas hipóxicas mesmo em situações de normalidade macro-hemodinâmica.[11]

■ A COAGULAÇÃO

A formação de microtrombos é outro elemento frequente nos pacientes críticos, notadamente nas situações associadas à sepse e lesão de isquemia e reperfusão.[11] Distúrbios significativos da coagulação podem acometer um número expressivo de pacientes graves com deposição de fibrina na microcirculação sistêmica mesmo na ausência de coagulação intravascular disseminada.[16] A associação entre a resposta inflamatória e alterações na coagulação é hoje bem demonstrada na literatura, com uma correlação prognóstica negativa entre o grau de inflamação e a intensidade da ativação da coagulação em situações graves.[11]

Em condições normais, o sistema imune e o sistema de coagulação trabalham em conjunto com diversas vias comuns de sinalização cruzada. A resposta do sistema imune inato, iniciada através do reconhecimento celular dos padrões moleculares associados ao patógeno (PAMPs) e/ou ao dano (DAMPs), envolve receptores de superfície celular presentes não só em células imunológicas, mas também em células endoteliais e plaquetas.[17] Essas células são ativadas na presença desses sinalizadores, enquanto leucócitos recrutados em resposta a esses eventos são capazes de expressar fator tecidual nas suas membranas.[17,18] Citocinas pró-inflamatórias (TNF e IL1), mediadores humorais, como elastase, catepsina G e proteínas do complemento, também causam aumento da expressão do fator tecidual no tecido subendotelial, em células endoteliais e na superfície de macrófagos e monócitos com ativação da cascata de coagulação na presença de descontinuidade do endotélio.[18] A trombina gerada pela ativação da via do fator tecidual é capaz de ativar uma série de citocinas pró-inflamatórias, como TNFα, ILβ e IL6, interagir com receptores ativados por proteases (PARs) presentes na superfície de plaquetas, células endoteliais e leucócitos.[17] A ativação de neutrófilos e outros granulócitos leva à formação de complexos macromoleculares de DNA, histonas e proteínas granulocitárias, chamados de NETs (do inglês *Neutrophil Extracelular Traps*) capazes de formação adicional de trombos microcirculatórios.[18]

A atividade anticoagulante endógena, por sua vez, encontra-se comumente reduzida nas situações críticas, com diminuição dos níveis séricos do inibidor da via do fator tecidual (TFPI) e da antitrombina. O TFPI contrabalança a ação do fator tecidual, enquanto a antitrombina apresenta uma forte atividade inibitória para a trombina e outros fatores da coagulação (fatores VII, IX, X, XI e XII).[18] A redução observada deste anticoagulante se dá por consumo, diminuição da produção, extravasamento vascular e degradação por elastase liberada por neutrófilos. Além do efeito anticoagulante, a antitrombina também exerce propriedades anti-inflamatórias adicionais.[18] Outra via anticoagulante endógena inibida nas situações de estresse é o sistema trombomodulina/proteína C. A proteína C é ativada pela trombomodulina na superfície endotelial e possui atividades antitrombótica (inibição dos fatores V_a e VIII_a), citoprotetora e anti-inflamatória.[18] Baixos níveis séricos de antitrombina e proteína C são preditores de mortalidade e, embora diversos estudos tenham mostrado que o grau de comprometimento dessas vias se correlaciona negativamente com o prognóstico do paciente crítico, ensaios clínicos para avaliação do impacto na morbimortalidade com a reposição desses fatores não demonstraram benefícios nessas situações.[17]

Trombocitopenia por efeitos supressores de mediadores inflamatórios e toxinas patogênicas na medula óssea, a despeito dos níveis circulantes aumentados de trombopoietina, é um evento comum em pacientes críticos. Trombina e proteínas do sistema complemento, por sua vez, ativam as plaquetas, contribuindo para a sua diminuição. Nesta ativação, ocorre liberação de tromboxano A_2, citocinas pró-inflamatórias adicionais e DAMPs envolvidos na formação de trombos, ativação de monócitos e produção de NETs.[18]

Lesão endotelial causada por efeitos citotóxicos de microrganismos (PAMPs), fragmentos celulares (DAMPs) e estímulos inflamatórios envolvem não só as células endoteliais como o glicocálix, provocando um aumento transitório do ativador tecidual do plasminogênio (t-PA), seguido de elevação sustentada da produção, por *upregulation*, do inibidor do ativador do plasminogênio (PAI-1).[18] O endotélio normal produz tanto o t-PA quanto o PAI-1 que modulam a formação de plasmina, principal fator fibrinolítico do organismo. Outra molécula afetada pelo estado crítico é o inibidor da fibrinólise ativado pela trombina (TAFI), que reduz a geração de plasmina e a degradação de fibrina. Nesses estados, o nível circulante de TAFI encontra-se reduzido, mas não a ponto de contrabalançar o efeito do PAI-1. O aumento decorrente da deposição de fibrina pela supressão da fibrinólise contribui na trombose microvascular disseminada, com impacto negativo adicional na microcirculação.[18] O glicocálix, por sua vez, é particularmente sensível aos efeitos da inflamação sistêmica e infecção. Constituído por um gel de proteoglicanas e glicosaminoglicanas que revestem a superfície endotelial, ele provê um sítio de ligação e ativação da antitrombina, favorecendo seus efeitos anticoagulantes.[18] Níveis séricos aumentados dos produtos de sua degradação e de PAI-1 são marcadores de gravidade em pacientes criticamente enfermos.[18]

Embora a ativação da coagulação e a formação de trombo na microcirculação sejam consideradas deletérias, esses eventos constituem uma linha de defesa primária do organismo que visa conter o patógeno e mediadores inflamatórios no sítio de lesão.[17] A perda da regulação do processo nas situações críticas pode levar à deposição exagerada de fibrina e formação de microtrombos a distância, contribuindo para o desenvolvimento de falência de múltiplos órgãos. Em 2001, a *Internacional Society on Thrombosis and Haemostasis* (ISTH) definiu a coagulação intravascular disseminada (CID) como uma síndrome adquirida caracterizada pela ativação intravascular da coagulação por diferentes causas, que pode ser originária de ou levar a dano na microvasculatura e produzir disfunção orgânica.[18] Nessa síndrome, distúrbios de sangramento e hipercoagulabilidade podem existir simultaneamente, com prejuízos adicionais aos pacientes em caso de retardo no seu reconhecimento e manuseio. Os critérios diagnósticos baseiam-se em escore de pontos com múltiplas provas laboratoriais. Por causa do aumento significativo de morbimortalidade na vigência de sepse, a ISTH definiu critérios específicos para a coagulopatia induzida pela sepse (SIC), com adição de escore de falência orgânica (SOFA)[18] (Tabela 211.3).

A ATIVIDADE CELULAR

Além das alterações de perfusão regional pelos mecanismos descritos, diversos trabalhos têm demonstrado que disfunções mitocondriais induzidas pela resposta inflamatória podem comprometer a cadeia oxidativa e a geração de adenosina trifosfato. A citocina pró-inflamatória TNFα é capaz de inibir a atividade de citocromos envolvidos na fosforilação oxidativa e aumentar a geração de radicais livres no interior da célula. Em condições pró-inflamatórias, a produção simultânea de radicais livres de oxigênio e óxido nítrico interagem para formar moléculas de peroxinitritos que, por sua vez, são capazes de bloquear a respiração celular, causar dano estrutural no DNA e na própria mitocôndria e induzir apoptose. Assim, o dano tecidual por citotoxicidade pode se perpetuar, mesmo após a adequação da perfusão regional, em um estado conhecido como hipóxia citopática.[19]

Independentemente da causa, isquêmica ou citopática, a hipóxia guarda uma relação interdependente com a inflamação. De um lado, o dano tecidual por hipóxia apresenta um claro fenótipo histopatológico de inflamação com acúmulo de células inflamatórias, perda da integridade de epitélios e barreiras vasculares.[20] Por outro lado, tecidos inflamados aumentam significativamente seu consumo de oxigênio pelo recrutamento de células inflamatórias, que o utilizam intensamente para formação de radicais livres, e pelo aumento do requerimento energético das células residentes relacionado ao reparo tecidual. A redução da perfusão decorrente de distúrbios microcirculatórios cria, então, o desequilíbrio entre a oferta e a demanda de oxigênio no meio, com a hipóxia característica do sítio inflamado.[20,21]

O principal marcador clínico da inadequação entre o suprimento e a demanda tecidual de oxigênio é o lactato arterial. A hipóxia incapacita a fosforilação oxidativa e a célula passa a depender da energia gerada a partir da glicólise anaeróbica. O saldo final dessa via são duas moléculas de piruvato, com conversão de duas moléculas de adenosina difosfato (ADP) em adenosina trifosfato (ATP) e redução de duas moléculas de nicotinamida adenina dinucleotídeo (NAD $\rightarrow$ NADH + H$^+$) para cada molécula de glicose. A ma-

Tabela 211.3 Escores diagnósticos de coagulação intravascular disseminada e coagulopatia induzida pela sepse.

Item	Pontos	Coagulação intravascular disseminada Valor	Coagulopatia induzida pela sepse Valor
Contagem plaquetária	2	< 50.000.mm^{-3}	< 100.000.mm^{-3}
	1	≥ 50.000.mm^{-3} e < 100.000mm^{-3}	≥ 100.000.mm^{-3} e < 150.000mm^{-3}
Dímero D / Produto de degradação da fibrina	3	Aumento acentuado	—
	2	Aumento moderado	—
Tempo de protrombina	2	Prolongamento ≥ 6 segundos do normal	RNI† > 1,4
	1	Prolongamento ≥ 3 e < 6 segundos do normal	1,2 > RNI† ≤1,4
Fibrinogênio plasmático		< 100mg.dL^{-1}	—
Escore SOFA*	2	—	≥ 2
	1	—	< 2
Ponto de corte diagnóstico		≥ 5	≥ 4

* *Sequential Organ Failure Assessment.*
† Índice Normatizado Internacional.

nutenção dessa via depende da capacidade de reoxidação do NADH + H$^+$, garantida a partir da redução do piruvato a lactato pela lactato desidrogenase.[20] Ainda que a hipóxia não seja a única razão de elevação do lactato, níveis arteriais aumentados desse marcador apresentam uma correlação linear com a morbimortalidade no paciente crítico,[21] mesmo na vigência de estabilidade hemodinâmica aparente.[22] A curva de resposta da hiperlactatemia, após a implementação de medidas terapêuticas para a estabilização do quadro de gravidade, também apresenta correlação com a morbimortalidade, sendo observado melhor prognóstico entre os pacientes que apresentaram depuração mais rápida do marcador.[21]

■ O SISTEMA CARDIOVASCULAR

Hipovolemia, redução da contratilidade cardíaca e alterações do tônus vascular são alterações comuns em eventos críticos como trauma, sepse severa, hemorragia e isquemia. Além da perda de sangue e outros fluidos, diversos mediadores inflamatórios, como citocinas (IL1), componentes do sistema complemento (C3a, C5a), óxido nítrico e autacoides (histamina, cininas e eicosanoides), exercem efeitos vasodilatadores diretos ou indiretos, com aumento da permeabilidade capilar e redistribuição dos líquidos corporais.[7] A ativação do sistema nervoso aumenta a frequência e a contratilidade cardíaca e promove vasoconstrição periférica do sistema arterial e venoso.[23] A redução consequente da capacitância venosa visa manter a pré-carga, enquanto a constrição arteriolar promove a redistribuição do fluxo sanguíneo conforme a importância dos sistemas orgânicos. Concomitante à ativação simpática, a queda do volume circulante efetivo estimula a liberação hipotalâmica de vasopressina e a ativação do eixo renina-angiotensina-aldosterona, que exercem efeitos vasoconstritores adicionais e aumentam a reabsorção renal de líquido.[3] O efeito final esperado desse conjunto de alterações fisiológicas é a preservação do débito cardíaco e da pressão arterial e adequação do aporte tecidual de oxigênio e nutrientes aos órgãos vitais, mesmo que à custa de outros sistemas menos nobres.

O aporte tecidual de oxigênio (DO$_2$) é determinado pelo débito cardíaco e pelo conteúdo arterial de oxigênio e representa, em termos numéricos, a quantidade total de oxigênio ofertada aos tecidos em um dado momento.[24] Grandes avanços no entendimento da fisiopatologia e do tratamento do choque foram possíveis com o emprego de monitorização hemodinâmica invasiva, notadamente o cateter de artéria pulmonar. A possibilidade de avaliação direta das pressões da artéria pulmonar e da pressão de oclusão capilar (estimativa da pressão diastólica final do ventrículo esquerdo), aliada à quantificação do débito cardíaco e à mensuração da oxigenação do sangue venoso misto (marcador da extração global de oxigênio), permitiu a identificação de padrões diversos de choque e a sua classificação em diferentes subgrupos conforme sua fisiopatologia hemodinâmica (volume, bomba ou resistência).

Estudos observacionais realizados há mais de 40 anos com essa monitorização demonstraram que, mesmo após a estabilização de parâmetros como pressão arterial e débito urinário, pacientes críticos que sobreviviam ao evento inicial apresentavam débito cardíaco, DO$_2$ e consumo global de oxigênio (VO$_2$) mais elevados que os que faleciam.[25,26] Essa observação levou ao conceito terapêutico de "otimização hemodinâmica", com utilização de fluidos endovenosos e agentes inotrópicos com intuito de atingir valores hemodinâmicos preestabelecidos semelhantes aos encontrados nos pacientes "sobreviventes". Ensaios clínicos realizados nas últimas décadas, no entanto, não foram consistentes em provar o benefício dessa abordagem, gerando diversas controvérsias quanto ao melhor manejo terapêutico dessas situações.[16,24]

Mais recentemente, o conceito de terapia precoce guiada por metas surgiu após uma publicação que indicava melhora do prognóstico em pacientes com choque séptico, submetidos a um manejo hemodinâmico conforme um protocolo baseado na pressão arterial invasiva, pressão venosa central, hemoglobina e saturação arterial do sangue venoso central.[27] Estudos mais recentes, no entanto, não confirmaram esse benefício ao usar o mesmo protocolo.[28,29,30] Ainda assim, a formulação de um algoritmo terapêutico capaz de reduzir, indiscriminadamente, a morbimortalidade associada ao choque, vem sendo intensamente pesquisada por diversos grupos no mundo. Esses algoritmos vêm incorporando novos conhecimentos e tecnologias como mensuração minimamente invasiva do débito cardíaco e variações dinâmicas de pressões e fluxos, mas quase sempre estão baseados em metas macro-hemodinâmicas. Atualmente, um foco maior nas distinções próprias de cada situação, com metas individualizadas conforme características da condição e da situação do paciente, vem sendo defendido por especialistas como a melhor estratégia terapêutica nessas situações.[31]

Uma das limitações da utilização desses parâmetros da macro-hemodinâmica está na complexidade da resposta do sistema vascular ao estresse. Tal sistema consiste de grandes artérias elásticas que amortecem a pulsatilidade, seguida de artérias musculares que distribuem o fluxo sanguíneo aos órgãos e de arteríolas e capilares que regulam o suprimento tecidual de oxigênio e nutrientes conforme sua demanda metabólica[15] ou influências diversas da resposta neuroendócrina e imunológica ao trauma. Numerosos experimentos e estudos clínicos têm demonstrado que anormalidades na rede microvascular são comuns nos pacientes críticos, com grande heterogeneidade de perfusão orgânica e discrepâncias frequentes entre os parâmetros hemodinâmicos globais (macro-hemodinâmica) e o fluxo sanguíneo regional (micro-hemodinâmica).[16] Disparidades territoriais podem acontecer em um mesmo órgão, com existência de áreas de perfusão normal adjacentes a áreas isquêmicas.

Características do indivíduo, etiologia do choque, grau de acometimento sistêmico e combinação de falências orgânicas são alguns dos fatores que contribuem para a ocorrência de diversos padrões de apresentação da hipoperfusão regional.[16] Um mesmo paciente pode apresentar variações substanciais desses padrões ao longo do internamento conforme o tipo de terapia empregada, e da ocorrência de complicações associadas, entre outros elementos.[15,16] Todas essas alterações descritas da microcirculação parecem desempenhar papel crucial no prognóstico dos pacientes críticos, notadamente daqueles com choque. Ainda que a piora da macro-hemodinâmica normalmente esteja atrelada à piora da micro-hemodinâmica, o inverso não necessariamente ocorre. A adequação de parâmetros hemodinâmicos pode não ser suficiente para restabelecer a perfusão tecidual,[15,16,24] razão pela qual a "pressão arterial" foi excluída da definição de choque proposto pelo último consenso da Sociedade Europeia de Medicina Intensiva.[32]

■ O SISTEMA RESPIRATÓRIO

A disfunção respiratória aguda e a necessidade de suporte ventilatório artificial são condições tão prevalentes no doente crítico que estão entre os principais determinantes de morbimortalidade nessa população.[33,34] O pulmão é um órgão-alvo tanto de insultos diretos, como pneumonia e aspiração, quanto indiretos ou extrapulmonares (associados a condições de hipoperfusão tecidual e resposta inflamatória sistêmica).[34] A síndrome da angústia respiratória aguda (SARA) é o modelo de lesão pulmonar mais prevalente no doente crítico, estando associada a suporte ventilatório artificial prolongado, longa permanência em UTI e alto índice de mortalidade.[33]

A fisiopatologia da SARA é complexa e pouco conhecida, entretanto, sabe-se que as células do epitélio alveolar e do endotélio vascular e suas respectivas membranas basais estão estrategicamente envolvidas nos fenômenos biomoleculares que levam à sua deflagração.[34] O pulmão é composto de dois compartimentos anatômicos principais: o vascular, formado pelas artérias, veias e capilares; e o ventilatório ou aéreo, formado pelo sistema de condução (vias aéreas) e pelas unidades de hematose (bronquíolos terminais e alvéolos). O compartimento aéreo de hematose é revestido por células epiteliais de dois tipos, vitais na manutenção da barreira sangue-gás. O epitélio tipo I possui células largas e finas que cobrem 95% da superfície alveolar e estão essencialmente envolvidas na troca gasosa (difusão). O epitélio tipo II tem células cuboidais produtoras de surfactante, que podem se proliferar e se diferenciar em células epiteliais do tipo I.[34] Estudos demonstram que o epitélio alveolar e o endotélio da microcirculação pulmonar têm papel importante na expressão e na secreção de mediadores inflamatórios, como moléculas de adesão e citocinas. Estes, por sua vez, atuam no recrutamento de células do sistema imune diante de estímulos nocivos alveolares ou sistêmicos. A ativação subsequente dessas células no interstício alveolar deflagra uma resposta inflamatória local com todos os comemorativos esperados, como aumento da permeabilidade capilar com exsudação, dano oxidativo, morte celular e reparo tecidual subsequente, com proliferação tecidual e fibrose. Quando intensa o suficiente, essa resposta inflamatória pode se expandir e envolver outros órgãos e sistemas.[34]

A SARA, portanto, pode ser tanto deflagradora da DMOS como consequência desta, com diversos denominadores epidemiológicos e fisiopatológicos relacionados.[33] A DMOS é a principal causa de morte nos pacientes com SARA (30% a 50%), seguida de hipoxemia refratária (13% a 16%).[33,35] A principal condição relacionada ao desenvolvimento da SARA, por sua vez, é o choque (35,6%), seguido de pneumonia sem choque (9,5%) e sepse sem choque (1,4%).[33]

Os critérios de definição e classificação da síndrome da angústia respiratória aguda foram revisados pela *American European Consensus Conference*, realizada em 2012, em Berlim.[36] Por essa nova definição, a SARA foi classificada conforme o quociente da pressão arterial de oxigênio e fração inspirada de oxigênio (relação PaO_2/FIO_2) em leve, com relação entre 200 e 300; moderada, com relação entre 100 e 200; e grave, com relação menor que 100 (Tabela 211.4).[36] O termo lesão pulmonar aguda foi excluído e deixou de ser sinônimo de SARA leve, assim como a avaliação da função sistólica biventricular e estimativa da pressão da artéria pulmonar pela ecocardiografia passou a ser considerada como meio de diferenciação do edema pulmonar de origem cardiogênica, podendo substituir o cateter de artéria pulmonar nessa função.[34]

Quanto aos marcadores prognósticos da SARA, sabe-se que a presença de hipertensão pulmonar associada é um indicador importante de gravidade e de morte, e que o acompanhamento radiológico sistemático do infiltrado pulmonar pode caracterizar a transição da fase inicial, exsudativa, para a fase fibroproliferativa.[36] O consenso de Berlim sugere a avaliação periódica com tomografia computadorizada de alta resolução para avaliar a extensão do comprometimento fibroproliferativo, sua distribuição e resposta às estratégias de suporte ventilatório.[36] Pacientes com SARA que evoluem precocemente para a fase fibroproliferativa têm maior dependência de ventilação mecânica, maior incidência de DMOS e maior mortalidade.[33,35]

Tabela 211.4 Definição de Berlim da Síndrome da Angústia Respiratória Aguda (SARA).

	Síndrome da angústia respiratória aguda
Início de apresentação	Na primeira semana do insulto clínico ou da piora respiratória
Imagem torácica	Opacificações bilaterais não explicadas por efusões, colapsos pulmonares/lobares ou nódulos
Origem do edema	Falência respiratória não justificada por falência cardíaca ou sobrecarga de fluidos. Caso o paciente não apresente fatores de risco para SARA, uma avaliação objetiva (ex: ecocardiografia) deve ser efetuada para exclusão de edema hidrostático
Oxigenação	Classificação da gravidade
	Leve – $200 < PaO_2/FIO_2 \leq 300$ com PEEP* ou CPAP† ≥ 5 cmH$_2$O
	Moderada – $100 < PaO_2/FIO_2 \leq 300$ com PEEP* ≥ 5 cmH$_2$O
	Grave – $PaO_2/FIO_2 \leq 100$ com PEEP* ≥ 5 cmH$_2$O

* Pressão positiva no final da expiração (*Positive End Expiratory Pressure*).

† Pressão contínua nas vias aéreas (*Continuous Positive Airway Pressure*).

A necessidade de suporte ventilatório invasivo é uma marca característica dos pacientes criticamente enfermos e um dos principais indicadores de gravidade em diversos cenários clínicos e cirúrgicos.[32,36] A regulação correta dos parâmetros ventilatórios tem um papel importante de proteção de dano tecidual adicional tanto no pulmão quanto em outros órgãos e sistemas.[37] O aumento da permeabilidade alvéolo-vascular, associado à ventilação com pressão positiva, pode contribuir para a descompartimentalização da resposta inflamatória pulmonar, com dispersão de mediadores inflamatórios para a circulação sistêmica.[37,38] A hiperdistensão e o colapso cíclico dos alvéolos, gerando estresse de cisalhamento epitelial com dano celular, ruptura de membranas e perda de surfactante pulmonar, podem contribuir ativamente na amplificação da inflamação pulmonar, com ativação endotelial secundária em órgãos a distância.[37,38,39] Estratégias ventilatórias baseadas em baixos volumes correntes (6 mL.kg[-1]), com emprego de níveis variáveis de pressão positiva na fase expiratória (PEEP), constituem o principal pilar da ventilação protetora e podem contribuir para a redução efetiva da morbimortalidade não só na SARA como em outros contextos clínico-cirúrgicos, inclusive em indivíduos com pulmões "normais".[37,38]

■ O SISTEMA RENAL

Pacientes criticamente enfermos estão especialmente propensos ao desenvolvimento de insuficiência renal aguda por motivos diversos. Alterações da homeostase que conduzem à queda do fluxo sanguíneo ao órgão por diminuição de débito cardíaco, seja por hipovolemia (absoluta ou relativa) e/ou baixa contratilidade cardíaca, associada a alterações teciduais decorrentes da resposta inflamatória e modificações microcirculatórias, são frequentes em diversos cenários clínico-cirúrgicos e concorrem para o desenvolvimento de lesão renal, notadamente necrose tubular aguda (NTA).[40]

No paciente cirúrgico, a taxa de filtração glomerular no período perioperatório pode estar reduzida em até 30% por conta de hipovolemia (jejum, perdas intraoperatórias), fatores operatórios (pinçamento da aorta, circulação extracorpórea, fármacos nefrotóxicos), sepse e alterações hemodinâmicas secundárias aos efeitos de fármacos anestésicos.[41] Cirurgias como correção de aneurisma de aorta abdominal, derivação bileodigestiva, transplante de fígado, *shunts* portossistêmicos e cirurgia cardíaca figuram entre os procedimentos de maior risco para NTA pós-operatória.[41]

A queda da taxa de filtração glomerular por redução da pressão de perfusão renal caracteriza a fase "pré-renal" da insuficiência renal aguda, com aumento da reabsorção tubular de sódio pelas alterações hormonais induzidas pelo estresse. A injúria tubular e glomerular renal, secundária a condições de hipoperfusão primária, determina uma série de alterações histopatológicas, como perda da borda em escova tubular proximal, necrose do epitélio tubular, dilatação focal do túbulo proximal e formação de cilindros tubulares distais.[42] Nessas situações, a deterioração da função renal é habitualmente mais intensa e desproporcional às alterações histológicas na fase inicial do processo. Essas alterações costumam ocorrer mais precocemente nas camadas medulares externas dos rins, com posterior extensão às zonas medulares internas e corticais.[41]

Uma vez iniciada a lesão isquêmica, há um aumento da expressão endotelial de moléculas de adesão leucocitária e de proteínas TLR (*Toll Like Receptors*) nas células epiteliais, com consequente recrutamento e ativação leucocitária.[42] DAMPs, PAMPs e citocinas filtrados pelos glomérulos também são capazes de ativar diretamente células tubulares com modificação do seu estado metabólico e funcional. Diversos mediadores inflamatórios, como o sistema complemento na sua forma de complexo de ataque à membrana (C5-9), TNF alfa, IL 6, IL 8 e IL 18 iniciam a fase inflamatória da lesão renal, com aumento da permeabilidade vascular, comprometimento da estrutura molecular do glicocálix endotelial e dano citotóxico induzido por radicais livres e enzimas leucocitárias.[43] Nesse ambiente inflamatório, alterações na produção de endotelina, prostaglandinas e óxido nítrico comprometem a autorregulação da microcirculação renal, com comprometimento do fluxo sanguíneo glomérulo-tubular e perpetuação do insulto isquêmico inicial.[42] Células e debris celulares resultantes do dano tecidual predispõem à obstrução tubular, causando *back leak* ou vazamento do fluido luminal para o interstício medular e ativação de apoptose.[43] Drenagem anômala de múltiplos néfrons para um só túbulo, associada à disfunção absortiva tubular proximal pela isquemia/inflamação, conduz a uma maior excreção urinária de sódio e outros solutos de absorção proximal. Nesse cenário, o aumento da excreção fracionada de sódio urinário e a elevação sérica e urinária de proteínas marcadoras de necrose tubular proximal, como a proteína ligadora do retinol (RBP), a β2 microglobulina, a lipocalina associada à gelatinase do neutrófilo (NGAL) e a molécula de lesão renal (KI[M-1]), indicam a fase "renal" da insuficiência renal aguda.[40]

Por conta da grande variação de conceitos relacionados à insuficiência renal aguda encontrada anteriormente na literatura e consequentes discrepâncias quanto aos dados referentes a essa patologia, uma definição uniformizada foi implementada em 2004, a partir de um consenso de especialistas reunidos para essa finalidade, a *Acute Dialysis Quality Initiave* (ADQI).[44] Por esse consenso, o termo "lesão renal aguda" passou a ser usado em substituição à "insuficiência renal aguda", e sua definição e classificação passaram a ser baseadas em informações clínicas e laboratoriais de fácil aquisição, como débito urinário, creatinina plasmática e estimativa da taxa de filtração glomerular, levando em conta seus valores basais. O estadiamento conhecido pelo acrônimo RIFLE (*Risk–Injury–Failure–Loss–Endstage renal disease*) foi então cunhado, estabelecendo três classes de gravidade (risco, dano e falência) e duas classes de desfecho clínico (perda da função e lesão renal terminal), conforme demonstrado na **Tabela 211.5**. Em 2007, a classificação RIFLE foi revista por um grupo de especialistas, denominado *Acute Kidney Injury Network* (AKIN), que propôs uma modificação dessa classificação, com o intuito de aumentar a sensibilidade e a especificidade do diagnóstico de LRA.[45] A classificação AKIN foi dividida em três estágios semelhantes às três primeiras classes de gravidade do RIFLE, com exclusão das classes de desfecho e da estimativa da taxa de filtração glomerular como elemento definidor. Por essa classificação, o diagnóstico de LRA só deve ser considerado após adequação da volemia e exclusão de obstrução urinária, com pelo menos duas dosagens intercaladas de creatinina num período de 48 horas, sem necessidade do

Tabela 211.5 Evolução da lesão renal pelos critérios RIFLE (*Risk-Injury-Failure-Loss-Endstage renal disease*), AKIN (*Acute Kidney Injury Network*) e KIDGO (*Kidney Disease Improving Glogal Outcome*).

	Creatinina plamática			
	RIFLE	**AKIN**	**KIDGO**	**Débito urinário**
Risco (RIFLE) Estágio 1 AKIN e KIDGO	Elevação ≥ 1,5 vez o valor basal ou diminuição na TFG ≥ 25%	Elevação ≥ 0,3 mg.dL^{-1} ou ≥ 1,5 vez o valor basal em 48 horas	Elevação ≥ 0,3 mg.dL^{-1} em 48 horas ou ≥ 1,5 vez o valor basal em 7 dias	< 0,5 mL.kg^{-1}.h^{-1} por > 6 horas
Dano (RIFLE) Estágio 2 AKIN e KIDGO	Elevação ≥ 2 vezes o valor basal ou diminuição na TFG ≥ 50%	Elevação ≥ 2 vezes o valor basal	Elevação ≥ 2 vezes o valor basal em 7 dias	< 0,5 mL.kg^{-1}.h^{-1} por > 12 horas
Falência (RIFLE) Estágio 3 AKIN e KIDGO	Elevação ≥ 3 vezes o valor basal ou diminuição na TFG ≥ 75% ou elevação para valor ≥ 4mg.dL^{-1}	Elevação ≥ 3 vezes o valor basal ou elevação para valor ≥ 4 mg.dL^{-1} com aumento agudo > 0,5 mg.dL^{-1} ou início de diálise	Elevação ≥ 3 vezes o valor basal em 7 dias ou elevação para valor ≥ 4 mg.dL^{-1} ou início de diálise	< 0,3 mL.kg^{-1}.h^{-1} por > 24 horas ou anúria por > 12 horas
Perda da função	Necessidade de diálise por mais de 4 semanas	—	—	—
Doença renal terminal	Necessidade de diálise por mais de 3 meses	—	—	—

valor basal desse marcador (Tabela 211.5). Uma combinação das duas classificações (AKIN e RIFLE) foi recentemente proposta por um terceiro grupo de pesquisadores (*Kidney Disease Improving Global Outcomes*) no sentido de estabelecer uma classificação única de LRA para fins de pesquisa e de prática médica e saúde pública (Tabela 211.5). Tal classificação define a ocorrência da LRA a partir de um aumento ≥ 0,3 mg.dL^{-1} da creatinina em 48 horas, ou elevação em 1,5 vez da creatinina basal sabidamente ou presumidamente ocorrida nos últimos 7 dias, ou débito urinário inferior a 0,5 mL.kg^{-1}.h^{-1} por 6 horas. A determinação de gravidade é igual à AKIN, com pequenas modificações para maior simplificação e clareza do estadiamento.[46]

▪ O SISTEMA DIGESTÓRIO

O acometimento do trato gastrintestinal de um paciente gravemente enfermo parte do pressuposto de que a falência desse sistema pode ser tanto uma consequência como um deflagrador e perpetuador do estado crítico. A falência intestinal é definida como uma redução do funcionamento do trato digestivo abaixo do necessário para prover digestão e absorção de nutrientes e balanço hidroeletrolítico adequados na ausência de suporte parenteral de fluidos e eletrólitos.[47] Pode variar de uma condição autolimitada da motilidade intestinal até quadros graves de sepse abdominal, com necrose mesentérica.

As causas mais comuns de disfunção gastrintestinal no paciente crítico são aquelas relacionadas à obstrução mecânica ou não mecânica (íleo paralítico) do trato digestivo. Ocorrem principalmente no pós-operatório de cirurgias abdominais, mas também em situações de inflamação ou infecção abdominal ou retroabdominal, cirurgias não abdominais, trauma medular ou craniano, pneumonia, doenças neurológicas e falência de múltiplos órgãos.[47] A distinção entre obstrução mecânica e íleo paralítico é fundamental quando ocorre no pós-operatório de cirurgias abdominais, pois eventuais lesões no trato gastrintestinal por causas mecânicas estão associadas a incidências elevadas de sepse abdominal.[47]

Íleo paralítico é a causa mais frequente de disfunção do trato digestivo em pacientes críticos. É um dos principais motivos de retardo na alta do paciente submetido a cirurgias abdominais com aumento significativo do tempo de permanência hospitalar e das taxas de readmissão.[47] Pode afetar todo os segmentos do intestino e estômago, com diferenças regionais de grau de acometimento e recuperação ao longo do trato digestivo. O intestino delgado costuma se recuperar mais rapidamente que o estômago; já a restauração da motilidade colônica no intestino grosso parece ser um fator chave na sua resolução.[47]

O mecanismo de ocorrência do íleo adinâmico é complexo e multifatorial, e é resultado de uma incoordenação transitória da motilidade do trato gastrintestinal. A fisiopatologia envolve mais que o efeito inibidor do Sistema Nervoso Simpático induzido pela manipulação de alças intestinais ou inflamação abdominal, já que sua ocorrência é documentada após a realização de neurocirurgias e cirurgias ortopédicas, e em diversos outros estados críticos não abdominais.[47,23] A atividade elétrica e a contratilidade, necessárias para o peristaltismo eficiente, estão comprometidas, e isso parece ser a base fisiopatológica do problema que provavelmente está relacionada à liberação de mediadores inflamatórios que incluem citocinas, prostaglandinas e óxido nítrico.[47] A ação conjunta da inibição simpática e mediadores inflamatórios é intensificada pelos efeitos da perda de regulação normal dependente de hormônios e neurotransmissores do próprio trato digestivo, como polipeptídeo intestinal vasoativo, substância P e peptídeo relacionado ao gene da calcitonina. Efeitos adicionais mediados pelo receptor μ, por opioides endógenos e exógenos, também podem contribuir para a ocorrência do íleo adinâmico.[47]

Nas situações mais críticas, com falência de múltiplos órgãos, o déficit de perfusão, difusa ou focal, decorrente de alterações da macro e/ou micro-hemodinâmica, passa a ser o principal fator de perpetuação dessa situação. A mucosa intestinal é particularmente suscetível ao desenvolvimento de hipóxia, dada à sua grande área de superfície e ao seu complexo sistema de suprimento vascular.[20] A resposta característica do órgão a lesões de isquemia/reperfusão é a ativação de células inflamatórias locais, com liberação de citocinas pró-inflamatórias como IL17, além da evocação de resposta adaptativa ao estresse hipóxico.[20] A perda da funcionalidade de mucosa como uma barreira efetiva de proteção leva à translocação de bactérias e fragmentos bacterianos (PAMPs), com ativação adicional da resposta imune sistêmica.

Além da disfunção do trato digestivo, pacientes em estados críticos frequentemente apresentam algum grau de disfunção hepática. O fígado desempenha um papel crucial na homeostase metabólica e imunológica, e alterações de sua funcionalidade podem ajudar na progressão da falência de múltiplos órgãos. Elevação da bilirrubina plasmática na sepse, um dos principais marcadores de disfunção hepática na terapia intensiva, está independentemente associada ao aumento de mortalidade nessa população.[48]

Condições críticas afetam profundamente a composição de proteínas plasmáticas, predominantemente aquelas produzidas pelo fígado. O processo integrado de sinalização de lesão tecidual relacionada ao dano celular (DAMPs) ou a patógenos (PAMPs), além de citocinas, como IL6, evoca uma resposta integrada de reprogramação da síntese proteica hepática.[48] Esse processo resulta no aumento da produção de algumas proteínas, como a proteína C reativa (PCR), a α-1 glicoproteína ácida e o fibrinogênio, e na redução de outras como albumina, antitrombina e transferrina. Essas proteínas que sofrem variação de produção diante da resposta inflamatória sistêmica são coletivamente chamadas de proteínas de fase aguda (positivas e negativas, conforme sua elevação ou sua diminuição sérica) e parecem atuar no controle de dano e no auxílio ao reparo tecidual, ainda que o papel da maioria desses compostos seja especulativo. No cenário clínico, medidas laboratoriais de proteínas de fase aguda têm um valor essencialmente diagnóstico.[48]

Das diversas funções do fígado, a capacidade de excreção hepatobiliar parece ser a mais sensível aos efeitos da resposta inflamatória. As células de Kupfer, estimuladas por PAMPs provenientes da circulação portal, liberam citocinas e outros mediadores inflamatórios que iniciam um processo de inflamação do parênquima. A produção de óxido nítrico, atrelado ao estresse oxidativo, favorece a formação de peroxinitritos, com potencial de dano adicional ao tecido hepático.[48] O influxo resultante de polimorfonucleares perpetua o processo de injúria, levando a um mecanismo bifásico de lesão (estresse oxidativo inicial, seguido de dano leucocitário), observados em modelos experimentais de endotoxemia. Em conjunto, esses fatores comprometem a integridade e a funcionalidade do sistema hepatocelular de metabolização e transporte de proteínas e sais biliares, com consequente colestase intra-hepática.[48]

■ O SISTEMA NERVOSO

O cérebro é um órgão complexo e altamente especializado, com diferentes regiões responsáveis pelos processos cognitivos e diversas atividades motoras, sensitivas e autonômicas. O Sistema Nervoso Central apresenta uma taxa metabólica elevada, com baixas reservas energéticas, sendo, portanto, extremamente sensível aos insultos isquêmicos. A complexidade das funções neuronais, por sua vez, requer um controle preciso da homeostase tecidual, o que torna o cérebro suscetível a disfunções associadas às alterações metabólicas comuns no paciente grave.[49] Nesse cenário, o doente crítico é, particularmente, predisposto a cursar com disfunções agudas nas atividades corticais e subcorticais, com alterações neurológicas subsequentes. O coma e o *delirium* (hiperativo, hipoativo ou misto) são as mais conhecidas das disfunções cerebrais agudas (DCA) do doente crítico, e estão associados à permanência prolongada em UTI e maior mortalidade.[49,50]

Os fatores de risco para a DCA na UTI são múltiplos e frequentemente sinérgicos. Podem estar relacionados à condição prévia do paciente (idade avançada, demência, diabetes, hipertensão), ao tipo de enfermidade (sepse, hipoxemia, choque, alterações eletrolíticas) e a situações iatrogênicas (emprego de sedativos e anticolinérgicos, interferências no ciclo sono-vigília).[49] O reconhecimento desses fatores de risco permite a identificação de indivíduos suscetíveis a esses eventos, com emprego de medidas para redução de sua ocorrência. Estudos em medicina intensiva demonstram, por exemplo, uma associação independente entre a utilização de benzodiazepínicos, presença de dor e graus profundos de sedação, com piora da disfunção cerebral em diversos cenários clínico-cirúrgicos. Isso levou ao desenvolvimento de estratégias sistematizadas de analgesia e sedação, com uso mais restrito de benzodiazepínicos, e implementação de períodos de vigília ao longo da evolução na UTI, permitindo melhor interação com a ventilação mecânica e a fisioterapia.[49,50]

Múltiplos mecanismos fisiopatológicos têm sido propostos para explicar as DCAs na terapia intensiva. Alterações da homeostase cerebral, associadas a modulações neuroinflamatórias, isquemia-reperfusão e desequilíbrios na neurotransmissão, são as principais linhas de pensamento por trás das pesquisas nessa área, ainda que o entendimento preciso da sua fisiopatologia não esteja plenamente elucidado.[49,50] A presença de níveis elevados de cortisol, proteína C-reativa e de pró-calcitonina em pacientes de UTI com *delirium* sugere que a inflamação sistêmica está associada à disfunção cerebral no doente crítico.[49] A ativação endotelial, com perda da regulação da coagulação e aumento da atividade inflamatória, leva a um estado pró-coagulante que facilita a formação de coágulos na rede microvascular, com hipoperfusão tecidual decorrente.[49]

Esse conjunto de fatores compromete a integridade da barreira hematoencefálica, com perda de sua seletividade, permitindo a passagem de citocinas para o tecido nervoso e levando à ativação da micróglia.[49] O recrutamento e a hiperativação de células microgliais, por sua vez, induzem uma resposta neurotóxica que inclui a expressão de moléculas de adesão e liberação de mais citocinas pró-inflamatórias (IL-1β, TNF-α, fator de crescimento 1 insulina-símile), excreção de metaloproteinases, formação de radicais livres e aumento da atividade da enzima óxido nítrico sintetase induzível (com formação de peroxinitritos). Essa resposta microglial amplifica o dano por isquemia/reperfusão e desencadeia a apoptose neuronal.[49]

A neuroinflamação promove, também, uma série de alterações na neurotransmissão cerebral. Nessas situações, observa-se uma maior expressão de receptores GABA$_A$ no cérebro, com ampliação do tônus inibitório e redução da conectividade sináptica cerebral, aumentando o risco de DCA com o emprego de benzodiazepínicos.[49] Além das alterações gabaérgicas, a acetilcolina também parece desempenhar um importante papel na fisiopatologia da enfermidade. Sua produção e liberação neuronal estão reduzidas nos estados neuroinflamatórios e nas situações de isquemia.[49] Células da micróglia possuem receptores de acetilcolina com ação inibitória, e a redução dos níveis desse neurotransmissor contribui na hiperativação microglial, com exacerbação da resposta inflamatória local e da neurodegeneração.[49] A deficiência colinérgica parece promover também o desequilíbrio de outras vias de neurotransmissão, como a dopaminérgica, a noradrenérgica e a serotoninérgica. O conjunto de interações dessas vias está associado ao desenvolvimento de ansiedade, estados psicóticos, alteração da atenção e do humor, modificações no ciclo sono-vigília e redução dos níveis de consciência tipicamente observados nas formas hiper ou hipoativa do *delirium*.[49]

O SISTEMA MUSCULOESQUELÉTICO

O avanço das estratégias de suporte avançado de vida na Medicina Intensiva aumentou significativamente a sobrevida do paciente gravemente enfermo. Como consequência, novas entidades clínicas graves e desafiadoras têm surgido. A fraqueza muscular adquirida, com comprometimento funcional e histológico da musculatura esquelética e do Sistema Nervoso Periférico, é uma dessas, e constitui um fator limitante dos processos de reabilitação, aumentando as taxas de falha de desmame ventilatório, o tempo de internamento na UTI e a mortalidade.[51]

O termo fraqueza muscular adquirida do doente crítico (FMADC) se refere às entidades conhecidas como: miopatia quadriplégica aguda (MQA), miopatia do doente crítico (MDC) e polineuropatia do doente crítico (PDC). As duas últimas são consideradas as mais relevantes no cenário da terapia intensiva, sendo inclusive consideradas eventos integrados entre si e ao processo de disfunção de múltiplos órgãos e sistemas.[51]

A MDC é um distúrbio primário da força muscular que engloba tanto quadros puramente funcionais, com histologia normal, como quadros associados a alterações histológicas de atrofia e necrose miofibrilar. Já a PDC é uma doença axonal generalizada, com acometimento sensitivo-motor, caracterizada pelo desenvolvimento de fraqueza muscular generalizada, com redução dos reflexos tendinosos e perda da sensação de tato e dor.[51] O quadro tem início após a primeira semana de tratamento intensivo e torna-se clinicamente aparente na fase de recuperação. A realização de exames como eletromiografia, o teste do estímulo muscular direto e a biópsia muscular permitem um diagnóstico diferencial entre estas e outras síndromes neuromusculares. Entre os fatores etiológicos identificados destacam-se imobilidade, presença de resposta inflamatória sistêmica, idade avançada, gênero feminino, desnutrição, inadequação do controle glicêmico, ventilação

mecânica prolongada e polifarmácia, com destaque para os bloqueadores neuromusculares e os corticosteroides.[51]

A fisiopatologia da FMADC parece estar relacionada à própria fisiopatologia da resposta neuroendócrino-metabólica e inflamatória ao estresse, sendo complexa, com diferentes processos moleculares e biológicos. A redução da síntese proteica e a indução da proteólise muscular, com perda de miofibrilas associadas a esses eventos, parecem iniciar um processo de autofagia, com degradação de componentes celulares.[51] O jejum e a imobilização por tempos prolongados levam à desenervação progressiva da placa motora, com modificações estruturais e funcionais da junção neuromuscular. O estresse oxidativo causado pelas espécies reativas de oxigênio e pelos derivados do óxido nítrico (peroxinitritos), associado a disfunções mitocondriais induzidas pela resposta inflamatória local, reduz a produção de ATP e causa dano celular citotóxico.[51] Disfunções resultantes dos canais de cálcio rianodínicos e dos canais de sódio levam à perda do acoplamento excitação-contração e à redução da excitabilidade muscular tipicamente observadas nas miopatias do doente crítico. Alterações microvasculares envolvendo os endotélios epineural e endoneural, com exposição neuronal a citocinas pró-inflamatórias e outras neurotoxinas, por sua vez, concorrem para o desenvolvimento da neuropatia nessas situações.[51]

A DISFUNÇÃO DE MÚLTIPLOS ÓRGÃOS E SISTEMAS

A fisiopatologia da disfunção de múltiplos órgãos e sistemas (DMOS) é multifatorial e engloba os mecanismos associados ao processo inflamatório e às alterações microcirculatórias do paciente crítico. Hipoperfusão e hipóxia resultantes da formação de trombos microvasculares, com aumento da permeabilidade capilar, redistribuição de fluidos corporais, formação de edema e diminuição da pressão de perfusão, associadas à disfunção mitocondrial por dano oxidativo, levam ao colapso das funções teciduais, com falência progressiva do organismo. Quando dois ou mais grandes sistemas orgânicos são incapazes de manter a homeostasia corporal sem suporte artificial, considera-se instalada a DMOS, independentemente da causa de sua origem (sepse, trauma etc.).[13]

Como uma tentativa de quantificar e descrever objetivamente a ocorrência e a evolução da DMOS, diversos sistemas de classificação foram desenvolvidos. Entre estes destaca-se o escore conhecido como SOFA, por ser o mais empregado e descrito na literatura especializada. Inicialmente idealizado para situações de sepse, com o nome de *Sepsis-related organ failure assessment*, essa ferramenta provou-se útil em outros cenários de gravidade não associados a infecção, tendo sua nomenclatura modificada para *Sequential Organ Failure Assessment* (SOFA), com manutenção do acrônimo original.[52] Esse sistema de escore leva em conta seis sistemas orgânicos (respiratório, cardiovascular, renal, hematológico, hepático e neurológico) com pontuação graduada de 0 a 4, conforme o nível de disfunção de cada um desses sistemas (Tabela 211.6). A medida inicial é feita após 24 horas da admissão, sendo repetida a cada 24 horas, com base nos piores índices das disfunções orgânicas desse último período. Os escores iniciais, os mais elevados do período e as médias diárias relacionam-se com a mortalidade, sendo que os indivíduos com valores pós-admissionais maiores que 11 pontos e médias maiores que 5 pontos durante o internamento em UTI apresentam mortalidade maior que 80%.[53] De forma análoga, uma redução do escore inicial nas primeiras 48 horas implica uma predição de menor mortalidade.

Mais recentemente, uma simplificação do SOFA, chamado de qSOFA (incorporação da palavra *quick* - para rápido - no acrônimo),[54] foi proposto e incorporado no Sepsis-3[14] para facilitar a identificação de pacientes adultos com suspeita de infecção e mau prognóstico. Baseado em um modelo de regressão logística com 3 variáveis clínicas de rápida e fácil obtenção (escala de coma de Glasgow $\leq$ 13, pressão arterial sistólica $\leq$ 100 mmHg e frequência respiratória $\geq$ 22.min^{-1}), o qSOFA apresentou uma validade preditiva de gravidade semelhante ao SOFA para pacientes adultos internados fora do ambiente de terapia intensiva, com a vantagem de não requerer provas laboratoriais. Segundo a avaliação da força tarefa do Sepsis-3, a confirmação de pelo menos 2 dos 3 critérios indicam a necessidade de investigação adicional de disfunções orgânicas e sítios infecciosos e do início de terapia apropriada, com monitorização e cuidados intensivos.[14]

A despeito de sua ampla utilização e extrapolação prognóstica, o SOFA não foi desenvolvido para predição de mortalidade na Medicina Intensiva. Para esse fim específico, outros escores foram desenvolvidos nas últimas décadas, com base em bancos de dados robustos e grandes estudos observacionais e prospectivos. Tais ferramentas atendem na classificação da gravidade da doença e na padronização para qualificação e comparação entre pacientes na pesquisa científica, bem como possibilitam a comparação da qualidade em assistência entre diferentes unidades de tratamento intensivo.[55] A atualização dos escores para versões mais recentes, contemplando as novas tecnologias de terapêutica e a consequente modificação da mortalidade da doença crítica ao longo do tempo, auxilia na manutenção da sua qualidade de discriminação (sobreviventes e não sobreviventes), bem como na sua calibração (valores estimados e valores observados de sobreviventes e não sobreviventes). Os sistemas de escore derivam um valor numérico a partir de uma série de variáveis clínicas associadas ao risco de morte e obtidas por análise de regressão logística das coortes.

O *Acute Physiologic and Chronic Health Evaluation* (APACHE) avalia 13 variáveis fisiológicas de admissão e a presença ou não de doença crônica ou imunodeficiência, sendo amplamente utilizado nas unidades de terapia intensiva para estratificação de risco pós-admissional. Possui limitações discriminatórias, pois atende a populações genéricas de doentes críticos, com restrições preditivas nos pacientes com falência hepática, SIDA ou sepse.[55] O *Simplified Acute Physiology* (SAPS), tal qual o APACHE II, é calculado com os dados admissionais das primeiras 24 horas, não sendo repetido durante o internamento na unidade de terapia intensiva, exceto nas condições de readmissão na unidade. O *Mortality Prediction Model* (MPM) leva em consideração dados do período pré-admissional, podendo ser repetido com adição de novas variáveis após 24 horas de internamento. O valor obtido a partir dessas ferramentas é submetido a uma equação matemática específica para cada modelo, que prediz a probabilidade de morte durante o internamento.[55] O impacto da utilização dos escores para definições terapêuticas é, no entanto, desconhecido, sobretudo quanto à decisão de cessação de esforços no suporte avançado de vida.

■ A CORRELAÇÃO DA FISIOPATOLOGIA COM O TRATAMENTO

A individualização da terapia empregada no paciente criticamente enfermo vem crescendo em popularidade nas unidades de cuidados intensivos por causa da complexidade e heterogeneidade da fisiopatologia envolvida nesse cenário. Um amplo entendimento do estado funcional do indivíduo requer uma avaliação integrativa do todo, passando dos grandes órgãos e sistemas à microcirculação e às atividades celular e microbiológica.[56]

Um dos pilares desse modelo de assistência é, portanto, a necessidade de constate monitorização das funções de cada órgão individualmente e de suas interações com os demais sistemas e compartimentos fisiológicos, levando em conta o seu grau de acometimento e a doença sobrejacente. Para esse fim, estudos procuram identificar e avaliar biomarcadores que possam indicar e quantificar eventos orgânicos em curso, de forma seriada. A capacidade de demonstrar falências fisiológicas em fase inicial e em tempo hábil possibilita a intervenção precoce, com intuito de evitar o agravamento da situação ou mesmo propiciar a reversão do quadro.[56]

Biomarcadores costumam indicar morte celular por causas diversas (trauma, isquemia, infecção) ou degradação de elementos histológicos específicos. Órgãos diferentes apresentam células com constituintes internos diferentes que podem ser dosados e quantificados à medida que a membrana celular se torna permeável na necrose. Assim, da mesma maneira que a elevação plasmática de isoformas de troponinas específicas do tecido cardíaco indicam morte da musculatura estriada do coração, a presença de outros compostos como hemoglobina livre no sangue ou urina indica hemólise e o aumento de produtos que formam o glicocálix endotelial (sindecano 1, hialuronano e sulfato de heparano) apontam para sua degradação.

No contexto da Medicina Intensiva e na anestesia do doente cirúrgico de alto risco, a validação de um teste através de um biomarcador pode prover recurso complementar para realizar diagnóstico de sofrimento orgânico, insultos inflamatórios, traumáticos ou infecciosos. Pode ainda auxiliar na estratificação de risco, gravidade do eventual insulto, guiar a terapêutica ou até mesmo determinar a eficácia das condutas perioperatórias. É razoável postular, portanto, que a fenotipagem através de biomarcadores, aliada à avaliação de variáveis clínicas e hemodinâmicas, pode auxiliar a modificar o desfecho dos pacientes nesses cenários.[57]

A determinação da utilidade e eficácia de um exame diagnóstico dá-se pela aferição da sua capacidade discriminativa determinada pela curva ROC (AUC), um valor singular que independe da prevalência do fenômeno estudado.

Plotando-se os verdadeiros positivos (eixo Y) em função dos falsos positivos (eixo X), observa-se o comportamento da curva com relação à discriminação de pacientes com e sem a doença ou insulto, ao longo dos seus variados pontos de corte. O índice Youden é aquele ponto da curva que reserva a melhor *performance* do teste, representando a melhor relação entre sensibilidade e especificidade. Não há, entretanto, um ponto de corte ideal para cada teste, mas uma AUC de 0.75 está a meio caminho do teste perfeito em discriminação (AUC 1) e o teste com discriminação nula (AUC 0.5).

Dois fenômenos podem acometer pacientes cirúrgicos de alto risco e comprometer seu desfecho. São eles a inflamação sistêmica e a infecção. Tais eventos podem ser concomitantes e não se excluem mutuamente. Com base nessa premissa, é prática usual e razoável a instituição precoce de antibiótico de amplo espectro nos pacientes que evoluem no pós-operatório de modo desfavorável, com sinais de resposta inflamatória e disfunção orgânica. Entretanto, o uso indiscriminado e abusivo de antibiótico de amplo espectro pode ser deletério nos pacientes cirúrgicos, contribuindo para vários desfechos desfavoráveis.[57] Nesse sentido, a procalcitonina (PCT) é um biomarcador de grande utilidade no cenário perioperatório, em razão da sua elevada capacidade discriminativa na determinação do diagnóstico de infecção.[58]

Tal marcador é um pró-hormônio secretado em resposta à presença de toxinas bacterianas. O perfil farmacocinético da molécula tem muita utilidade clínica, pois seus níveis elevam-se precocemente na infecção sistêmica (em 4 horas) e decaem rapidamente, em 50% ao dia, uma vez controlada a infecção. Por essa razão, a quantificação deste pró-hormônio pode ser utilizada tanto como ferramenta para introdução precoce de antibiótico, bem como guia de resposta terapêutica ao uso de antibiótico e eventual encurtamento da terapia, o que pode produzir variados benefícios no paciente criticamente enfermo.[58]

Os níveis elevados de PCT possuem correlação com o diagnóstico diferencial de pneumonia bacteriana contraposta à pneumonia viral, assim como possuem correlação com a gravidade da infecção bacteriana e com a carga do inóculo. Outro aspecto interessantemente útil do biomarcador é que seus níveis não se encontram suprimidos por uso de imunossupressão, já que o hormônio não é produzido por leucócitos.[58]

Níveis séricos de PCT normais são abaixo de 0,05 ng/ml. As concentrações mais elevadas correlacionam-se progressivamente com possibilidade de infecção localizada até à quase certeza de sepse ou infecção generalizada. Vale destacar que o trauma, choque de outras causas e a própria cirurgia podem determinar aumento da PCT, porém com níveis sempre menores que 2 ng.ml⁻¹. De modo geral, a sensibilidade do biomarcador para sepse é de 77% e a especificidade de 79% para um nível sérico superior a 2,0 ng.ml⁻¹.[58]

Embora a evidência seja robusta para níveis séricos e pontos de corte em pacientes clínicos, ainda são necessárias mais evidências para a determinação de pontos de corte da normalidade para PCT nos pacientes cirúrgicos nos mais variados procedimentos.

A gelatinase neutrofílica, associada à lipocalina (NGAL), é uma proteína sintetizada em pequena quantidade por tecidos do aparelho digestivo e respiratório, e tem elevada expressão em situações associadas à inflamação, sendo um indicador de ativação leucocitária sistêmica.[59] É, entretanto, no rim, onde a proteína é também sintetizada além de reabsorvida pela alça de Henle, que o biomarcador guarda a sua maior aplicabilidade clínica. A lesão tubular aguda leva a uma maior expressão do NGAL e maior concentração urinária dessa molécula, sendo um marcador precoce de injúria renal. Níveis séricos de NGAL elevam-se duas horas após o dano tubular e precedem em 24 horas a elevação da creatinina.[59] No contexto da terapia intensiva, em razão de uma multiplicidade de fatores como a inflamação, o NGAL perde em especificidade. Mas é no cenário perioperatório que está a sua perspectiva mais promissora na detecção da doença renal aguda. A elevação sérica e urinária de NGAL no transoperatório de cirurgia cardíaca está bem relacionada com o pior desfecho da função renal, assim como em outros procedimentos de grande porte.[59] Lima e col. demonstraram, numa série de cem pacientes de transplante hepático, que o NGAL identificou, 24 horas antes da elevação da creatinina, aqueles que evoluíram com NTA, com um valor preditivo positivo de 80% e AUC de 0,76.[60]

A interleucina 6 (IL 6) é uma citocina de papel central na resposta imunológica a uma variedade de insultos, sejam eles associados a infecção profunda e sistêmica, trauma, cirurgia e/ou doença crítica. Foi demonstrado que em cirurgias laparoscópicas, quando comparadas às formas abertas (colecistectomia, colectomia), a expressão dessa citocina é substancialmente maior e guarda relação com os mais variados desfechos.[61] A elevação de IL 6 tem relação com evolução desfavorável e disfunção orgânica. A mensuração do biomarcador auxilia na estratificação da gravidade e possibilita individualização no emprego de terapias especificamente direcionadas, com baixo custo de realização. Na COVID grave, a tempestade de toxinas esteve associada a uma pior evolução (mortalidade elevada) e pode ser prenunciada de modo precoce pela monitorização seriada de IL 6, o que favoreceu a aplicação de terapia imunossupressiva específica, com contribuição salvadora.[62]

■ CONCLUSÃO

A dinâmica das interações entre as alterações fisiopatológicas e o comprometimento orgânico é complexa nas doenças críticas e o seu entendimento é crucial no manuseio terapêutico desses doentes. Todos os sistemas corporais estarão afetados, em maior ou menor grau, e a individualização da terapia, com aplicação de algoritmos diagnósticos e terapêuticos baseados nas melhores evidências é, hoje, o conceito chave da Medicina Intensiva moderna. Nesse cenário, a quantificação e constante vigilância das principais funções fisiológicas, assim como da estabilidade, funcionalidade e viabilidade de células, tecidos e órgãos são elementos cada vez mais almejados na busca pelos melhores resultados.

Tabela 211.6 Sistema de pontuação do *Sequential Organ Failure Assessment* (SOFA).

Sistema	Pontuação 0	1	2	3	4
Respiratório Relação PaO_2/FIO_2	> 400	≤ 400	≤ 300	≤ 200	≤ 100
Cardiovascular Hipotensão ou Fármacos adrenérgicos	Não	PAM < 70 mmHg	Dopamina ≤ 5 ou dobutamina qualquer dose	Dopamina > 5, adrenalina ou noradrenalina ≤ 0,1	Dopamina > 15, adrenalina ou noradrenalina > 0,1
Renal Creatinina ($mg.dL^{-1}$) ou débito urinário (ml/dia)	Cr < 1,2	Cr 1,2–1,9	Cr 2,0–3,4	Cr 3,5–4,9 ou DU < 500	Cr > 5,0 ou DU < 200
Neurológico Escala de Glasgow	15	13–14	10–12	6–9	< 6
Hepático Bilirrubina ($mg.dL^{-1}$)	< 1,2	1,2–1,9	2,0–5,9	6–11,9	≥ 12
Coagulação Plaquetas ($x10^3.\mu L^{-1}$)	> 150	≤ 150	≤ 100	≤ 50	≤ 20

Agentes adrenérgicos administrados por pelo menos uma hora (doses expressas em $\mu g.kg^{-1}.min^{-1}$).

REFERÊNCIAS

1. Vincent JL. Critical care - Where have we been and where are we going? Criti Care. 2013;17(Suppl 1):S2.
2. Noble RE. Diagnosis of stress. Metabolism. 2002;51(6):37-9.
3. Diane B, Miller JPO. Neuroendocrine aspects of the response to stress. Metabolism. 2002;51(6):5-10.
4. Jonhson EO, Kamilares TC, Chrousos GP, et al. Mechanisms of Stress: A dynamic overview of hormonal and behavioral homeostasis. Neurosci Biobehav R. 1992;16(2):115-30.
5. Wurtman RJ. Stress and the adrenocortical control of epinephrine synthesis. Metabolism. 2002;51(6):11-4.
6. Hastie J, Shanewise JS. Renal Physiology. In: Flood P, Rathmell JP, Shafer S. Stoelting´s Pharmacology and Physiology in Anesthetic Practice. 5ª Ed. Philadelphia: Wolter Kluwer Health, 2015. p.418-31.
7. Lord JM, Midwinter MJ, Chen Y, et al. The systemic immune response to trauma: an overview of pathophysiology and treatment. Lancet. 2014;384(9952):1455-65.
8. Surbatovic M, Veljovic M, Jevdjic J, et al. Immunoinflammatory response in critically ill patients: severe sepsis and/or trauma. Mediators Inflamm. 2013;2013:362793.
9. Rello J, Valenzuela-Sánchez F, Ruiz-Rodrigues M. Sepsis: A review of advances in management. Adv Ther. 2017;34:2393-411.
10. Schuetz P, Raad I, Amin DN. Using procalcitonin-guided algorithms to improve antimicrobial therapy in ICU patients with respiratory infections and sepsis. Curr Opin Crit Care. 2013;19(5):453-60.
11. De Backer D, Donadello K, Favory R. Link between coagulation abnormalities and microcirculatory dysfunction in critically ill patients. Curr Opin Anaesthesiol. 2009;22(2):150-4.
12. Hopf WH, Hom J. Hyperoxia and infection. Best Pract Res Clin Anaesthesiol. 2008;22(3):553-69.
13. Gustot T. Multiple organ failure in sepsis: prognosis and role of systemic inflammatory response. Curr Opin Crit Care. 2011;17(2):153-9.
14. Singer M, Deutschman CS, Seymor CW, et al. The third international consensus definitions for sepsis and septic shock (sepsis-3). JAMA. 2016;315(8):801-10.
15. Kanoore Edul VS, Ince C, Dubln A. What is microcirculatory shock? Curr Opin Crit Care. 2015;21(3).245-52.
16. Ait-Oufella H, Bourcier S, Lehoux S, et al. Microcirculatory disorders during septic shock. Curr Opin Crit Care. 2015;21(4):271-5.
17. Allen KS, Sawherry E, Kinasewitz GT. Anticoagulant modulation of inflammation in severe sepsis. World J Crit Care Med. 2015;4(2):105-15.
18. Iba T, Levy JH, Raj A, et al. Advance in the management of sepsis-induced coagulopathy and disseminated intravascular coagulation. J Clin Med. 2019;8(5):E728.
19. Harrois A, Huet O, Duranteau J. Alterations of mitochondrial function in sepsis and critical illness. Curr Opin Anaesthesiol. 2009;22(2):143-9.
20. Grenz A, Clambey E, Eltzschig HK. Hypoxia signaling during intestinal ischemia and inflammation. Curr Opin Crit Care. 2012;18(2):178-85.
21. Okorie N, Dellinger P. Lactate: biomarker and potential therapeutic target. Crit Care Clin. 2011;27(2):299-326.
22. Meregalli A, Oliveira RP, Friedman G, et al. Occult hypoperfusion is associated with increased mortality in hemodynamically stable, high-risk, surgical patients. Crit Care. 2004;8(2):R60-R65.
23. Glick DB. The Autonomic Nervous System. In: Miller RD, Cohen NH, Eriksson LI, et al. Millers Anesthesia. 8ª Ed. Philadelphia: Elsevier Saunders, 2015. p.346-86.
24. Rampal T, Jhanji S, Pearse RM. Using oxygen delivery targets to optimize resuscitation in critically ill patients. Curr Opin Crit Care. 2010;16(3):244-9.
25. Clowes GH, Vucinic M, Weidner MG. Circulatory and metabolic alterations associated with survival or death in peritonitis: clinical analysis of 25 cases. Ann Surg. 1966;163(6):866-85.
26. Shoemaker WC, Montgomery ES, Kaplan E, et al. Physiologic patterns in surviving and nonsurviving shock patients. Use of sequential cardiorespiratory variables in defining criteria for therapeutic goals and early warning of death. Arch Surg. 1973;106(5):630-6.
27. Rivers E, Nguyen B, Havstad S, et al. Early Goal-Directed Therapy in the treatment of severe sepsis and septic shock. N Engl J Med. 2001;345(19):1368-77.
28. Yealy DM, Kellum JA, Huang DT. A randomized trial of protocol-based care for early septic shock. N Engl J Med. 2014;370(18):1683-93.
29. Mouncey PR, Osborn TM, Power GS, et al. Trial of early, goal-directed resuscitation for septic shock. N Engl J Med. 2015;372(14):1301-11.
30. Peake SL, Delaney A, Bailey M, et al. Goal-directed resuscitation for patients with early septic shock. N Engl J Med. 2014;371(16):1496-506.
31. Wendon J. Critical care "normality": Individualized versus protocolized care. Crit Care Med. 2010:38(10 Suppl):S590-S599.
32. Cecconi M, De Backer D, Antonelli M, et al. Consensus on circulatory shock and hemodynamic monitoring. Task force of the European Society of Intensive Care Medicine. Intensive Care Med. 2014;40(12):1795-815.
33. Del Sorbo L, Slutsky AS. Acute Respiratory syndrome and multiple organ failure. Curr Opin Crit Care. 2011;17(1):1-6.
34. Beck-Schimmer B, Spahn DR, Neff TA. Can We Protect the Lung from Acute Injury? In: Vincent JL. Intensive Care Medicine Annual Update 2007. 1a Ed. Alemanha: Springer Science, 2007. p.381-7.
35. Ranieri VM, Rubenfeld GD, Thompson BT, et al. Acute respiratory syndrome: the Berlin Definition. JAMA. 2012;307(23):2526-33.
36. Barbas CS, Isola AM, Caser EB. What is the future of acute respiratory distress syndrome after the Berlin definition? Curr Opin Crit Care. 2014;20(1):10-6.
37. Suki B, Hubmayr R. Epithelial and Endothelial damage induced by mechanical ventilation modes. Curr Opin Crit Care. 2014;20(1):17-24.
38. Schultz MJ, Abreu MG, Pelosi P. Mechanical ventilation strategies for the surgical patient. Curr Opin Crit Care. 2015;21(4):351-7.
39. Canet J, Gallart L. Postoperative respiratory failure: pathogenesis, prediction and prevention. Curr Opin Crit Care. 2014;20(1):56-62.
40. Alge JL, Arthur JM. Biomarkers of AKI: a review of mechanistic relevance and potential therapeutic implications. Clin J Am Soc Nephrol. 2015;10(1):147-55.
41. Parekh DJ, Weinberg JM, Ercole B, et al. Tolerance of the human kidney to isolated controlled ischemia. J Am Soc Nephrol. 2013;24(3):506-17.
42. Molitoris BA, Sutton TA. Endothelial injury and dysfunction: role in the extension phase of acute renal failure. Kidney Int. 2004;66(2):496-9.
43. Zarbock A, Hernando G, Kellum JA. Sepsis-induced acute kidney injury revisited: pathophysiology, prevention and future therapies. Curr Opin Crit Care. 2014;20(6):588-95.
44. Bellomo R, Ronco C, Kellum JA, et al. Acute renal failure- definition, outcome measures, animal models, fluid therapy and information technology needs: the Second International Consensus Conference of the Acute Dialysis Quality Initiative (ADQI) Group. Crit Care. 2004;8(4):R204-12.

45. Mehta RL, Kellum JA, Shah SV, et al. Acute Kidney Injury Network: report of na initiative to improve outcomes in acute kidney injury. Crit Care. 2007;11(2):R31.
46. Lopes JA, Jorge S. The RIFLE and AKIN classifications for acute kidney injury: a critical and comprehensive review. Clin Kidney. 2013;6(1):8-14.
47. Carlson GL, Dark P. Acute intestinal failure. Curr Opin Crit Care. 2010;16(4):347-52.
48. Bauer M, Press AT, Trauner M. The liver in sepsis: patterns of response and injury. Curr Opin Crit Care. 2013;19(2):123-7.
49. Hughes CG, Patel MB, Pandharipande PP. Pathophysiology of acute brain dysfunction: what's the cause of all this confusion? Curr Opin Crit Care. 2012;18(5):518-26.
50. McDaniel M, Brudney C. Postoperative delirium: etiology and management. Curr Opin Crit Care. 2012;18(4):372-6.
51. Dos Santos CC, Batt J. ICU-acquired weakness: mechanisms of disability. Curr Opin Crit Care. 2012;18(5):509-17.
52. Minne L, Abu-Hanna A, de Jonge E. Evaluation of SOFA-based models for predicting mortality in the ICU: A systematic review. Crit Care. 2008;12(6):R161.
53. Vincent JL, de Mendonça A, Cantraine F, et al. Use of the SOFA score to assess the incidence of organ dysfunction/failure in intensive care units: results of a multicenter, prospective study. Working group on "sepsis-related problems" of the European Society of Intensive Care Medicine. Crit Care Med. 1998;26(11):1793-800.
54. Seymor CW, Liu VX, Iwashyna TJ, et al. Assessment of clinical criteria for sepsis. JAMA. 2016;315(8):762-74.
55. Breslow MJ, Badawi O. Severity scoring in the critically ill: part 1–interpretation and accuracy of outcome prediction scoring systems. Chest. 2012;141(1):245-52.
56. Ice C. Physiology and technology for the ICU. Crit Care. 2019; 23(Suppl 1):126.
57. Tosi M, Roat E, De Biasi S, et al. Multidrug resistant bacteria in critically ill patients: a step further antibiotic therapy. J Emerg Crit Care. 2018;2:103.
58. Azzini AM, Dorizzi RM, Sette P, Vecchi M, Coledan I, Righi E, Tacconelli E. A 2020 review on the role of procalcitonin in different clinical settings: an update conducted with the tools of the Evidence Based Laboratory Medicine. Ann Transl Med. 2020 May;8(9):610.
59. de Geus HRH, Ronco C, Haase M, Jacob L, Lewington A, Vincent J-L The cardiac surgery–associated neutrophil gelatinase-associated lipocalin (CSA-NGAL) score: A potential tool to monitor acute tubular damage. J Thorac Cardiovasc Surg. 2016;151:1476–81.
60. Lima C, de Paiva HLB, de Melo PDV, Malbouisson LM, do Carmo LPF, D'Albuquerque LAC, et al. Early detection of acute kidney injury in the perioperative period of liver transplant with neutrophil gelatinase-associated lipocalin. BMC Nephrol. 2019;20(1):367.
61. Kashiwabara M, Miyashita M, Nomura T, et al. Surgical trauma-induced adrenal insufficiency is associated with postoperative inflammatory responses. J Nippon Med Sch. 2007;74(4):274–83.
62. Kavanaugh A. Interleukin-6 inhibitors in the treatment of rheumatoid arthritis. Ther Clin Risk Manag. 2008;4:767–75.

212

Cuidados Perioperatórios no Choque Séptico

Bruno Francisco de Freitas Tonelotto

INTRODUÇÃO

Sepse é a principal causa de morte nas unidades de terapia intensiva (UTI). Cerca de metade dos pacientes com diagnóstico de sepse falece durante a internação. Muito se tem estudado a respeito do assunto. No entanto, dados epidemiológicos nacionais recentes ainda não são conhecidos.[1]

Muitas podem ser as denominações e os estágios dos quadros atribuídos à sepse, variando desde a síndrome da resposta inflamatória sistêmica (SIRS), sepse, sepse grave e choque séptico, de acordo com os critérios do consenso do American College of Clinical Pharmacy (ACCP)/Society of Critical Care Medicine (SCCM). Acredita-se que cerca de 30% dos pacientes internados na UTI tenham, como causa da internação, a sepse grave e o choque séptico, com mortalidade que pode atingir mais de 60%, dependendo da população estudada.[2]

Não é incomum que os anestesiologistas tenham contato diariamente com pacientes sépticos que serão submetidos a procedimentos operatórios em caráter de urgência ou de emergência. Apesar de no Brasil o anestesiologista não receber treinamento específico em UTI, a formação lhe confere habilidades para o rápido manuseio das condições críticas. Deve-se atentar para alterações específicas do paciente séptico, bem como o conhecimento da fisiologia e da fisiopatologia dos diversos sistemas orgânicos.

Há ainda os casos de sepse após cirurgia, sendo uma complicação grave, com taxa de mortalidade de até 30%. Muitos casos de sepse pós-operatória podem ser evitados com o uso adequado de antibióticos profiláticos, boa preparação do sítio cirúrgico, técnicas cirúrgicas cuidadosas e estéreis e um bom cuidado pós-operatório. A sepse após uma cirurgia eletiva é considerada uma complicação grave.

Independentemente da causa, a prioridade do anestesiologista é otimizar as condições clínicas do paciente para obter benefício máximo do procedimento cirúrgico ao qual será submetido. Alguns estudos demonstram que, quando o protocolo de sepse é acionado precocemente por emergencistas ou intensivistas, o desfecho clínico é mais favorável.[3] Antever a maior suscetibilidade desses pacientes aos fármacos anestésicos é fundamental. Deve-se, ainda, atuar no controle das variáveis hemodinâmicas e respiratórias afetadas pelo processo de sepse e agravadas pela cirurgia, pela anestesia, pelo sangramento, pela perda de fluidos, pela hipotermia e por outros eventos críticos, estando sempre um passo à frente e identificando os pacientes críticos.[4]

■ DEFINIÇÃO

As novas definições de sepse e choque séptico foram estabelecidas em um consenso produzido por 17 especialistas de todo o mundo e divulgadas pelo *The Journal of the American Medical Association* (JAMA), em janeiro de 2017. No entanto, o Instituto Latino-Americano da Sepse (ILAS) não endossou as novas definições, sob a justificativa de que não correspondem à realidade latino-americana e, principalmente, à brasileira, em razão da falta de recursos e da baixa especialização dos profissionais de saúde.

A intenção desse consenso mundial foi padronizar e facilitar as definições de sepse para evitar que haja notificação excessiva ou subnotificações. Um estudo recente com intensivistas e anestesiologistas mostrou que o diagnóstico de sepse ainda é muito variável e subjetivo, ou seja, não há a utilização dos critérios definidos.[5]

O maior desafio do Brasil no combate à sepse ainda é o tratamento precoce e a identificação de potenciais pacientes graves, diferente no que acontece na Europa e nos

EUA, cujas preocupações são o aumento da especificidade do diagnóstico e a diminuição de gastos desnecessários com o *overtreatment* e *overdiagnosis*. Nesse contexto, a sensibilidade do diagnóstico da sepse é fundamental.

As novas definições de sepse e choque séptico são:

- **Sepse:** disfunção orgânica com perigo para a vida, causada por uma resposta desregulada à infecção; infecção suspeita ou documentada, acompanhada de um aumento agudo de dois ou mais pontos no escore SOFA.
- **Choque séptico:** sepse com importantes anormalidades circulatórias e metabólicas/celulares, suficientes para aumentar substancialmente a mortalidade; sepse com necessidade de tratamento vasopressor para manutenção de pressão arterial média maior ou igual a 65 mmHg e lactato maior que 2 mmol·L^{-1}, mesmo após ressuscitação volêmica adequada (Tabela 212.1).

EPIDEMIOLOGIA

A epidemiologia da sepse no Brasil é um tópico de grande importância na saúde pública, dada à alta incidência e mortalidade associadas a essa condição. Como já referenciado anteriormente neste capítulo, os dados epidemiológicos brasileiros publicados não são tão recentes e podem conter dados desatualizados. O mais recente deles (2017) revelou uma incidência de sepse semelhante à que ocorre nos países desenvolvidos; cerca de 290 casos para cada 100.000 habitantes, representando mais de 30% dos pacientes internados nas UTIs.

As taxas de mortalidade por sepse no Brasil são alarmantes, sendo uma das mais altas do mundo. Estudos apontam para uma taxa de mortalidade que pode chegar a 55% em casos de sepse grave e choque séptico. Quando se comparam hospitais públicos e privados, a mortalidade por sepse é mais alta nos hospitais públicos, refletindo diferenças no acesso e na qualidade do atendimento.[2,6]

A sepse continua sendo um problema significativo de saúde pública no Brasil, exigindo esforços contínuos em termos de prevenção, diagnóstico precoce, tratamento adequado e educação, tanto para profissionais de saúde quanto para a população em geral.

Discute-se ainda a qualidade de vida dos pacientes que sobrevivem. Entre os indivíduos envolvidos em um ensaio clínico que viviam de maneira independente antes da sepse grave, mais de um terço não havia retornado à vida cotidiana nos primeiros seis meses após a doença. Tanto a mortalidade como a qualidade de vida devem ser levadas em conta quando são projetadas novas intervenções e considerados os pontos finais para os testes de sepse.[7]

É preciso dizer que muitos estudos epidemiológicos utilizam dados com base na Classificação Internacional de Doenças (CID). No entanto, diferentes estratégias de obtenção desses códigos têm sido utilizadas ao se estudar a epidemiologia da sepse grave, impossibilitando a identificação correta do diagnóstico e da gravidade da doença, diferindo principalmente dos critérios da Society of Critical Care Medicine (SCCM)[8] (Figura 212.1).

Sumarizando, a mortalidade dos pacientes com sepse no Brasil é altíssima, figurando entre as maiores do mundo. Acredita-se que isso se deve não somente à gravidade e ao tempo de internação da doença, mas também à falta de diagnóstico precoce e tratamento efetivo.[9]

ESCORES UTILIZADOS

- **MODS:** escore de disfunção orgânica múltipla – apenas disfunções orgânicas. Desenvolvido para avaliações diárias, determinando a tendência evolutiva dos pacientes. Incapaz, com uma única avaliação, de determinar o prognóstico hospitalar (Tabela 212.2).
- **SOFA (*Sequential Organ Failure Assessment*):** registra as variações do processo de disfunção/falência orgânica ao longo do tempo e, objetivamente, quantifica o grau dessa disfunção em cada órgão analisado, diariamente. O SOFA escore analisa seis sistemas orgânicos, graduando entre 0 e 4 pontos, de acordo com o grau de disfunção orgânica/falência (Tabela 212.3).

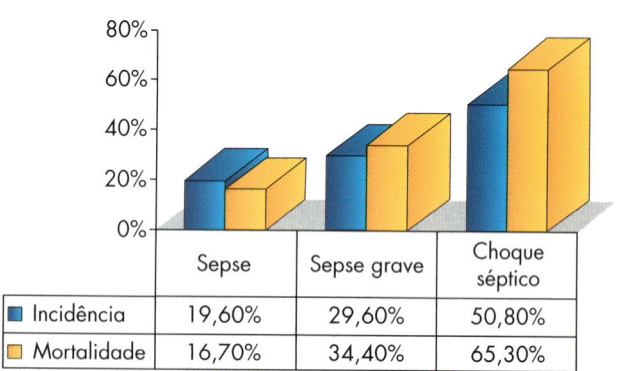

	Sepse	Sepse grave	Choque séptico
■ Incidência	19,60%	29,60%	50,80%
■ Mortalidade	16,70%	34,40%	65,30%

▲ **Figura 212.1** Incidência e mortalidade da sepse, sepse grave e choque séptico.

Tabela 212.1 Comparação entre os critérios novos e antigos para sepse, sepse grave e choque séptico		
	Velho	**Novo**
Sepse	Suspeita de infecção + SIRS	Suspeita de infecção + 2 ≥ qSOFA ou aumento do escore SOFA ≥ 2
Sepse grave	Sepse + hipotensão, hipóxia, elevação do lactato, outros marcadores laboratoriais de disfunção orgânica	Categoria removida
Choque séptico	Sepse + hipotensão após ressuscitação volêmica adequada	Sepse + vasopressores + lactato 2 vezes o valor de referência

SIRS: síndrome da resposta inflamatória sistêmica.
Fonte: Adaptada de Consenso mundial de sepse, JAMA, 2016.

Tabela 212.2　MODS (escore de disfunção orgânica múltipla).	
Sepse + 2 ou mais critérios a seguir:	
PAS < 90 mmHg	Oligúria
Modificação do nível de consciência	Plaquetopenia (< 80.000/mm³)
PaO_2 < 60 mmHg ou P/F < 250	Enzimas hepáticas × 2 os valores normais
Aumento do lactato sérico/acidose lática	

Tabela 212.3　SOFA					
Sistema	**0**	**1**	**2**	**3**	**4**
Respiratório PaO_2/FiO_2 mmHg	> 400	< 400	< 300	< 200	< 100
Coagulação Plaquetas	$> 150 \times 10^3$	$< 150 \times 10^3$	$< 100 \times 10^3$	$< 50 \times 10^3$	$< 20 \times 10^3$
Hepático Bilirrubina mg·dL⁻¹	< 1,2	1,2-1,9	2,0-5,9	6,0-11,9	> 12,0
Cardiovascular	PAM ≥ 70 mmHg	PAM < 70 mmHg	Necessidade de inotrópico	Necessidade de vasopressor	Necessidade de inotrópico + vasopressor
Escala de coma de Glasgow	15	13-14	10-12	6-9	< 6
Creatinina mg·dL⁻¹/Diurese (mL)	< 1,2	1,2-1,9	2,0-3,4	3,5-4,9 /< 500	> 5 /< 200

- **qSOFA:** medida padronizada recentemente, denominada qSOFA (SOFA rápido), incorpora alteração do nível de consciência, pressão arterial sistólica de 100 mmHg ou menos e frequência respiratória de 22 por minuto ou mais. Esse método fornece critérios simples para identificar pacientes adultos com suspeita de sepse. Embora o qSOFA seja menos abrangente que o SOFA, ele não necessita de testes laboratoriais e pode ser avaliado rápida e repetidamente. Além disso, deve-se considerar, ainda, que os critérios positivos do qSOFA devem também levar em conta a possível infecção em pacientes que não foram previamente reconhecidos como infectados (Figura 212.2).
- **SAPS 3**: versão mais recente do *Simplified Acute Physiology Score* (escore simplificado de mudança aguda na fisiologia). Inclui variáveis demográficas, comorbidades, alguns diagnósticos específicos, uso de suporte invasivo, variáveis fisiológicas e laboratoriais presentes à internação na UTI (Tabela 212.4).

Tabela 212.4　SAPS 3 escore
■ Dados coletados na primeira hora de internação na UTI
■ Prediz a probabilidade de óbito hospitalar
■ Quanto maior a pontuação, maior a gravidade do paciente (pontuação máxima teórica 217 pontos)
■ Críticas: tempo para coleta dos dados – como são muitos critérios, pode haver esquecimento de algum, causando interferência no resultado

- **APACHE II:** determina a gravidade do paciente internado na UTI. Calculado a partir da soma de 12 critérios clínicos, fisiológicos e laboratoriais que determinam a criticidade do quadro e do risco de óbito nas primeiras 24 horas de UTI. Variáveis: temperatura, FC, PA, FR, PaO_2, sódio, potássio e creatinina, HT, GL, bicarbonato e pH sanguíneo; ainda, a escala de Glasgow, doenças crônicas (hepáticas, cardiovasculares, respiratórias, renais ou imunológicas), idade e o fato de o paciente ter sido submetido a um procedimento cirúrgico de grande porte.

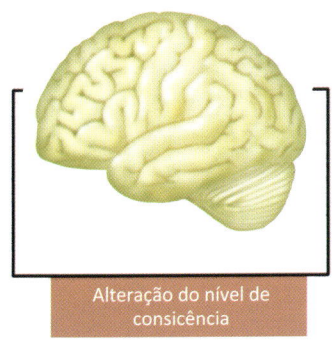
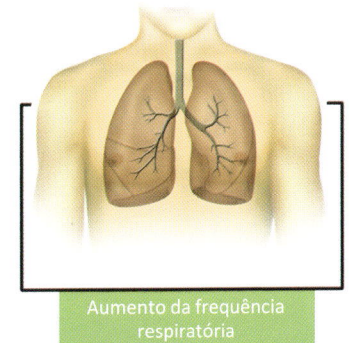
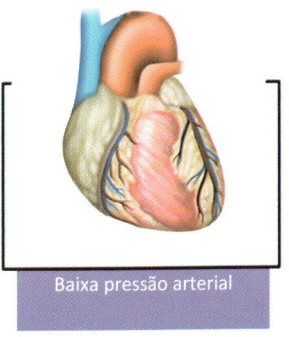

Alteração do nível de consciência　　Aumento da frequência respiratória　　Baixa pressão arterial

▲ **Figura 212.2**　qSOFA.

- **NEWS (National Early Warning Score):** baseia-se em parâmetros vitais como frequência respiratória, saturação de oxigênio, temperatura, pressão arterial, frequência cardíaca e nível de consciência. Utilizado, principalmente no Reino Unido, para identificar deterioração precoce em pacientes hospitalizados, incluindo aqueles com sepse.
- **SIRS (Systemic Inflammatory Response Syndrome):** identifica a presença de sepse com base em critérios como temperatura corporal, frequência cardíaca, frequência respiratória e contagem de leucócitos. Embora tenha sido amplamente substituído por qSOFA e SOFA após a introdução do Sepsis-3, ainda é usado em alguns contextos para identificar a resposta inflamatória sistêmica.

▪ PATOGÊNESE

O desencadeamento da resposta imune do hospedeiro à presença de um agente agressor, seja ele infeccioso ou não, é um mecanismo fundamental de defesa. Esse processo envolve uma série de reações complexas, incluindo processos inflamatórios, ativação de citocinas, produção de óxido nítrico e radicais livres de oxigênio, além de alterações no sistema de coagulação. Estudos recentes têm aprofundado o entendimento desses mecanismos, destacando a importância do equilíbrio entre as respostas pró e anti-inflamatórias.[8]

Quando um agente agressor entra em contato com o organismo, ele encontra como primeira linha de defesa, as células fagocitárias, incluindo macrófagos, células dendríticas, células *natural killer*, granulócitos polimorfonucleares e monócitos. Essas células desencadeiam uma resposta imune inata, geralmente ativada pela via alternativa do complemento em resposta a componentes da parede bacteriana, como lipídio A e ácido teicoico. Isso resulta em uma cascata inflamatória, com a liberação de citocinas como fator de necrose tumoral alfa (TNF-α) e interleucina-1 (IL-1), desencadeando uma intensa resposta celular. Pesquisas recentes têm elucidado ainda mais o papel dessas citocinas na modulação da resposta imune e na patogênese de doenças inflamatórias. Outras lipoproteínas, como o HDL em altas doses, têm sido relacionadas com a redução no risco de sepse.[9-11]

A inflamação é uma reação fisiológica essencial do hospedeiro que tem o objetivo de restringir o agente agressor ao local da infecção. No entanto, uma produção excessiva de mediadores inflamatórios e ativação descontrolada das células de defesa pode acarretar uma "anarquia metabólica", conhecida como síndrome da resposta inflamatória sistêmica (SIRS). Pesquisadores têm investigado os mecanismos subjacentes à SIRS, destacando sua relação com a disfunção endotelial e a coagulopatia associada à sepse. Junto à disfunção endotelial, ocorre um aumento na expressão de aquaporinas e consequente saída de líquidos para o tecido extravascular.

Por outro lado, o organismo tenta contrarregular essa resposta com a ativação de mecanismos anti-inflamatórios. O equilíbrio entre as respostas inflamatória e anti-inflamatória é crucial para a recuperação do paciente. O desequilíbrio entre essas forças produz fenômenos patológicos que culminam em disfunções orgânicas múltiplas. A consequência desse desequilíbrio é o comprometimento de vários órgãos, levando ao choque e à síndrome da insuficiência de múltiplos órgãos, com alta mortalidade.[6,8]

Essencialmente, a sepse pode ser vista como uma batalha entre o agente patogênico e o sistema imunitário do hospedeiro, onde o resultado é determinado pelo delicado equilíbrio entre as vias pró e anti-inflamatórias. A patogênese da sepse é um processo fisiopatológico extremamente complexo e diversificado que produz um desequilíbrio na homeostase nos níveis molecular, celular e orgânico que leva, eventualmente, à disfunção orgânica e até à morte.

Estudos recentes têm focado na identificação precoce e no manejo desses desequilíbrios para melhorar os resultados nos pacientes com sepse e choque séptico (Figura 212.3). Esses ensaios clínicos examinaram o desequilíbrio da inflamação, a disfunção do sistema imunitário, os danos nas mitocôndrias, a disfunção na coagulação sanguínea, as anomalias na rede entre os sistemas nervoso e endócrino, o estresse no retículo endoplasmático, a autofagia e outros mecanismos. Tudo isso melhorou nossa compreensão de como a sepse se desenvolve e ajudou na descoberta de alvos potenciais para o tratamento, bem como na identificação de marcadores para prognóstico. Essas descobertas são promissoras para a prevenção, diagnóstico e tratamento da sepse.[8,12,13]

▪ MANIFESTAÇÕES CLÍNICAS

As primeiras manifestações clínicas decorrem das alterações celulares e, principalmente, circulatórias, tanto na circulação sistêmica como na microcirculação (Figura 212.4).[13] As alterações circulatórias mais marcantes são a vasodilatação e o aumento da permeabilidade capilar, resultando em hipovolemia relativa.[14] Há ainda uma heterogeneidade de fluxo com trombose na microcirculação e desarranjo do fluxo sanguíneo laminar. A resultante dessas alterações é a redução da oferta tecidual de oxigênio e, por consequência, no equilíbrio entre a oferta e o consumo de oxigênio, com aumento do metabolismo anaeróbio e hiperlactatemia.[15]

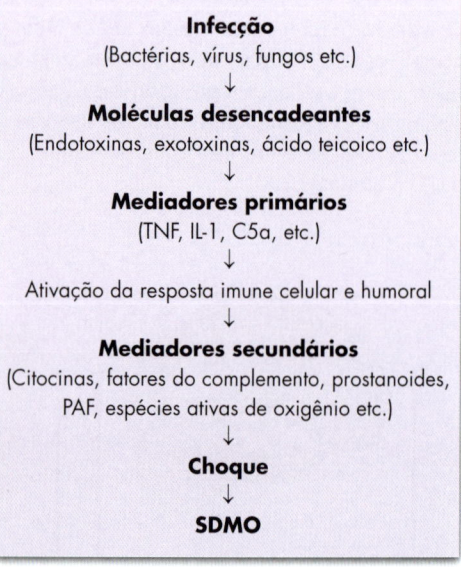

Infecção
(Bactérias, vírus, fungos etc.)
↓
Moléculas desencadeantes
(Endotoxinas, exotoxinas, ácido teicoico etc.)
↓
Mediadores primários
(TNF, IL-1, C5a, etc.)
↓
Ativação da resposta imune celular e humoral
↓
Mediadores secundários
(Citocinas, fatores do complemento, prostanoides, PAF, espécies ativas de oxigênio etc.)
↓
Choque
↓
SDMO

▲**Figura 212.3** Infecção e falência de múltiplos órgãos.

Fonte: Adaptada de Pereira Junior G *et al.* Fisiopatologia da sepse e suas implicações terapêuticas. Medicina. 1998 Jul-Set;31:351.

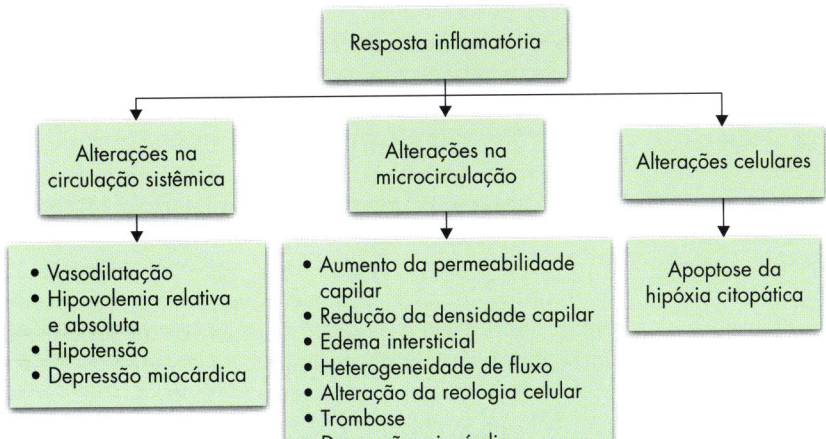

◀ **Figura 212.4** Resposta inflamatória.

Fonte: Adaptada de Machado F, *et al.* Sepse: um problema de saúde pública. Brasília: CFM, 2015.

No caso da sepse grave, a esse quadro somam-se os sinais de disfunção orgânica, com manifestações clínicas dela decorrentes. O choque séptico é o mais frequentemente diagnosticado, pois a hipotensão é facilmente perceptível. Entretanto, o diagnóstico nessa fase pode ser considerado tardio. Alguns casos, especificamente nos pacientes imunossuprimidos e idosos, podem ser difíceis de diagnosticar, já que não há exuberância de sintomas. No entanto, a gravidade do quadro é semelhante.[16]

Como não existe critério diagnóstico ideal, surgiu a necessidade de agregar os biomarcadores para facilitar a identificação dos pacientes acometidos. No entanto, infelizmente, não há, até o momento, exame laboratorial específico. Apesar de limitados na capacidade de diferenciar os quadros de SIRS, sepse e sepse grave, alguns critérios clínicos e laboratoriais podem ser úteis: edema periférico ou balanço hídrico muito positivo, sugerindo aumento da permeabilidade capilar, níveis aumentados de lactato, níveis aumentados de proteína C-reativa e procalcitonina e hiperglicemia. Todos os esforços devem ser feitos no sentido de diagnosticar a sepse em seus estágios iniciais, quando a intervenção tem maiores possibilidades de evitar o óbito.

Como já mencionado, a redução da oferta de oxigênio e as alterações celulares acarretam a disfunção orgânica. As principais disfunções são cardiovascular, respiratória, neuro-lógica, renal, hematológica, intestinal e endócrina. A Tabela 212.5 mostra os principais sinais e sintomas da sepse grave.

■ PROGNÓSTICO

A expectativa de vida aumentou significativamente nas últimas décadas, em função das melhorias na saúde pública e nos cuidados médicos, mesmo nos países subdesenvolvidos. Acredita-se que a população de idosos dobrará nos próximos 25 anos, o que justifica o interesse científico crescente nessa faixa etária, inclusive relacionado com o prognóstico e a gravidade do paciente séptico.[17]

A sepse é uma das maiores causas de internação e mortalidade nas UTIs do Brasil e que tem sua incidência anual aumentada progressivamente, principalmente na população idosa. A obtenção de índices prognósticos na sepse tem sido o objetivo de inúmeros pesquisadores, especialmente no que concerne a índices obtidos precocemente, sobretudo aqueles reprodutíveis com facilidade.[4]

Sabe-se que os indivíduos com alto risco de sepse são pessoas com 65 anos ou mais, crianças com menos de 1 ano, pacientes com sistema imunológico enfraquecido e aqueles com condições médicas crônicas, como diabetes. Um estudo recente, realizado em uma população de idosos com choque séptico, sugere que doenças preexistentes,

Tabela 212.5 Principais sinais e sintomas da sepse grave.	
Sistema	Sinais, sintomas e alterações laboratoriais
Cardiovascular	Taquicardia, hipotensão, hiperlactatemia, edema periférico, diminuição da perfusão periférica, livedo, elevação de enzima cardíacas e arritmias.
Respiratório	Dispneia, taquipneia, cianose e hipoxemia.
Neurológico	Confusão, redução do nível de consciência, *delirium*, agitação e polineuromiopatias.
Renal	Oligúria e elevação de escórias.
Hematológicoa	Plaquetopenia, alterações do coagulograma, anemia, leucocitose, leucopenia e desvio à esquerda.
Gastrenterológicos	Gastroparesia, íleo adinâmico, úlceras de estresse, hemorragias digestivas, diarreia e distensão abdominal.
Hepáticos	Colestase, aumento de enzimas canaliculares e elevação discreta de transaminases.
Endócrinos e metabólicos	Hiperglicemia, hipertrigliceridemia, catabolismo proteico, hipoalbuminemia, hipotensão por comprometimento suprarrenal e redução dos hormônios tireoidianos.

Fonte: Adaptada de Machado F. et al. Sepse: um problema de saúde pública. CFM; 2015.

como doença cardiovascular, teriam influência significativa na mortalidade e estariam envolvidas na evolução para falência cardíaca, comum nos quadros de sepse.[18]

Em paralelo, nos últimos anos, foram desenvolvidos biomarcadores que parecem "revelar" o prognóstico do paciente com sepse.[19] No entanto, a janela de tempo entre o diagnóstico e o tratamento é bastante estreita, e a terapêutica é mais eficaz se administrada rapidamente após o início da doença. A necessidade de tais biomarcadores na sepse foi reconhecida há alguns anos e a comunidade científica começou a ver um número crescente de artigos relacionados com biomarcadores potenciais. Com efeito, à medida que a fisiopatologia da sepse passou a ser desvendada, foram propostos e testados vários candidatos potenciais a biomarcadores. Mais de 170 compostos diferentes já foram sugeridos como biomarcadores potenciais da sepse.[20] Alguns têm sido muito estudados, como PCR, procalcitonina, calprotectina, além de outros propostos mais recentemente e menos estudados.[21] Espera-se que no futuro, um teste laboratorial seja capaz de traduzir quantitativa ou qualitativamente o prognóstico.

■ PREVENÇÃO

Talvez a frase-chave na prevenção da sepse seja "Lavar as mãos antes e depois de tocar o paciente". Parece uma ação simples e óbvia, no entanto, tem sido negligenciada, impactando de forma expressiva a saúde de pacientes internados na UTI. Consequência desse comportamento, a alta incidência da sepse perpetua-se em nosso meio. A prevenção exige esforços individuais e coletivos para evitar infecções.[22]

No ambiente hospitalar, as medidas preventivas passam particularmente pela observação rigorosa das práticas universais de limpeza e desinfecção e pela garantia de segurança nos processos de esterilização de artigos médicos e instrumentais. Já na comunidade, a redução do risco de infecções evidentemente requer a manutenção de bons hábitos individuais de higiene e saúde – desde lavar as mãos antes das refeições até dormir bem –, mas também depende da manutenção de uma boa qualidade de vida da população, com moradias adequadas, rede de esgoto e saneamento e acesso aos serviços médicos, só para citar itens básicos. Assim sendo, trata-se de um problema de saúde pública. Individualmente, uma vez que algum processo infeccioso se instale, é fundamental seguir o tratamento pelo tempo recomendado pelo médico, já que a interrupção pode dar origem a bactérias difíceis de eliminar, e jamais usar antibióticos sem prescrição.

De acordo com o relatório anual do CDC de 2015, a sepse está mais frequentemente associada com infecções do pulmão, do trato urinário, da pele e dos intestinos, sendo a pneumonia a infecção mais comum que leva à sepse. A septicemia é mais comum entre pacientes com uma ou mais comorbidades e cerca de 80% dos pacientes desenvolvem as infecções fora do hospital. Além disso, a maior parte mantém consulta regular com um médico devido a doenças crônicas ou problemas atuais de saúde, demonstrando que há uma oportunidade para a prevenção ou reconhecimento precoce de infecções que levam à sepse. Além disso, os pacientes devem tomar antibióticos como prescrito, completando todo o curso do medicamento. Não devem tomar antibióticos desnecessariamente, para reduzir as chances de desenvolver infecções resistentes, nem tomar antibióticos prescritos para outra pessoa.

Em uma tentativa de diminuir a infecção nosocomial na UTI, a Sociedade Brasileira de Terapia Intensiva (AMIB) divulgou, nos últimos anos, os "7 pontos-chave da Prevenção de Infecção na UTI": 1) higienização das mãos; 2) uso racional de antimicrobianos; 3) uso adequado das precauções de contato; 4) rastreio e medidas de isolamento dos casos; 5) vigilância epidemiológica; 6) limpeza do ambiente; e 7) educação continuada dos profissionais de saúde.

■ SEPSE NO PERÍODO PERIOPERATÓRIO

A identificação e o manejo de pacientes com risco de sepse no contexto perioperatório são aspectos cruciais na anestesiologia moderna. A avaliação de risco começa já no pré-operatório, onde uma análise minuciosa dos sinais vitais, exames laboratoriais e histórico clínico é fundamental. Os critérios Sepsis-3, atualizados e publicados por Singer et al., no JAMA, em 2016, são essenciais nessa avaliação,[5] enfatizando a identificação de disfunção orgânica aguda relacionada com a infecção, um aspecto crítico para anestesiologistas.

Pacientes com fatores de risco, como idade avançada, comorbidades (diabetes, doenças cardiovasculares), imunossupressão e histórico de cirurgias de grande porte, têm maior probabilidade de desenvolver sepse.

No manejo anestésico, a instabilidade hemodinâmica representa um desafio significativo. A escolha dos anestésicos deve considerar o estado cardiovascular do paciente. Rhodes et al., em suas diretrizes de 2017, publicadas no Critical Care Medicine, fornecem recomendações abrangentes para o manejo de sepse e choque séptico, incluindo considerações sobre a escolha de agentes anestésicos.[2]

A prevenção da sepse no ambiente cirúrgico é igualmente crucial. A antibioticoprofilaxia antes das incisões cirúrgicas é uma prática padrão. Essas diretrizes enfatizam a importância da escolha e do timing apropriados dos antibióticos para prevenir infecções do sítio cirúrgico. Medidas rigorosas de controle de infecções, como higiene das mãos e esterilização de equipamentos, são fundamentais.

A monitorização pós-operatória é vital para a detecção precoce de sinais de infecção. A intervenção precoce em casos de sepse pode reduzir significativamente a mortalidade. Além disso, a integração de sistemas de alerta precoce com base em inteligência artificial e análise de dados em tempo real está emergindo como uma ferramenta promissora para melhorar a identificação e o manejo da sepse em ambientes hospitalares. Essas tecnologias permitem a detecção mais rápida de padrões de sepse, melhorando, potencialmente, os resultados dos pacientes.

■ MANEJO PRÉ-OPERATÓRIO

Na maioria das vezes, os pacientes com sepse são submetidos a cirurgias em regime emergencial e não há tempo para avaliá-los adequadamente no pré-operatório. Perde-

-se, portanto, a análise pré-operatória criteriosa da função orgânica. A história clínica e as condições cirúrgicas dos pacientes sépticos devem ser enfatizadas para a avaliação precisa do risco da anestesia e da terapia eficaz. Uma abordagem dos vários sistemas deve ser feita, principalmente dos litados abaixo.

Sistema Cardiovascular

A fisiopatologia da disfunção miocárdica induzida pela sepse ainda não está elucidada até o momento e compreende inflamação, disfunção da barreira celular e estresse oxidativo. Há redução da expressão da cistationina gama-liase (CSE) no tecido, uma enzima associada ao estresse oxidativo, disfunção da barreira e lesão de órgãos. A cardioproteção mediada pela CSE tem sido sugerida como relacionada com a regulação positiva do receptor de ocitocina (OTR). A CSE também pode mediar a sinalização do receptor de glicocorticoide (GR), o que é importante para a função cardíaca normal. Possivelmente, a interação entre GR, CSE e OTR no estresse oxidativo mediado pela sepse, inflamação e disfunção cardíaca determinará as condições clínicas do paciente.[23,24]

A maioria dos pacientes sépticos apresenta desacoplamento ventrículo-arterial no momento do diagnóstico, com elastância arterial maior que a elastância sistólica final do ventrículo esquerdo, apesar da hipotensão arterial. Os níveis de acoplamento ventrículo-arterial preveem a resposta cardiovascular à ressuscitação nessa população que, costumeiramente, reage heterogeneamente.[25]

Ao avaliar o paciente séptico do ponto de vista do sistema cardiovascular, deve-se observar a temperatura corporal, a cor da pele, volume da urina, frequência cardíaca e pressão arterial, itens que devem ser examinados de perto para se avaliar a condição cardiovascular e determinar o choque séptico, precocemente. Sugere-se a obtenção de dois acessos venosos, além da disposição de bombas de infusão, para o caso de necessidade de utilização de fármacos vasoativos. Recomenda-se a monitorização da pressão sanguínea arterial invasiva, lactato sérico, saturação venosa central ou mista, além de monitorização básica. Pode-se utilizar ainda a ecocardiografia transtorácica ou transesofágica, além de monitores do débito cardíaco e variação do volume sistólico, com a intenção de guiar a reposição volêmica.

A função cardíaca, a perfusão tecidual e a tensão vascular dos pacientes são avaliadas para se determinar se apresentam disfunção cardíaca ou choque séptico. Os fatores de risco para cardiomiopatia induzida pela sepse são altos níveis de lactato sérico e história pregressa de falência cardíaca, sendo o quadro mais comum entre os jovens. Portanto, os anestesiologistas devem observar esses sintomas e identificar o choque séptico precocemente e com isso evitar que o paciente evolua para uma das principais causas de morte na sepse: o choque refratário.

Sistema Respiratório

A dinâmica respiratória e a saturação de oxigênio são itens fundamentais na monitorização respiratória.[26] Diante de qualquer suspeita de hipoxemia, deve-se lançar mão da gasometria arterial e avaliar o estado de oxigenação. Pode ser necessária a solicitação de exames de imagem, incluindo radiografia de tórax, tomografia computadorizada de tórax e até mesmo ultrassonografia pulmonar, para uma avaliação complementar. Cerca de 50% dos pacientes sépticos evoluem para a síndrome da angústia respiratória do adulto, necessitando de cuidados específicos. O tratamento da disfunção respiratória depende da gravidade do quadro e pode incluir inalação de oxigênio com máscara comum, ventilação não invasiva por pressão positiva e até mesmo intubação traqueal de emergência com ventilação mecânica.[27]

Sistema Urinário

As lesões renais mais comuns induzidas pela sepse são: lesão renal aguda (LRA), lesão endotelial e distúrbio da microcirculação.[28] Os estudos de Matejovic et al. em porcinos sugerem que, no caso de sepse, múltiplas alterações potencialmente sutis e até mesmo transitórias em várias proteínas de sistemas funcionais parecem desempenhar um papel na lesão renal aguda séptica.[29] A LRA é considerada um fator de risco independente de morte nos pacientes sépticos. Por esse motivo, é essencial que novos avanços no tratamento da sepse priorizem terapias direcionadas, a fim de melhorar esses resultados sombrios. Até o presente momento, não existe terapia única que efetivamente reduza o impacto da lesão renal aguda.

Pode-se avaliar a função renal no pré-operatório solicitando-se o volume de urina, a creatinina sérica e a ureia. A hipercalemia pré-operatória (> 5,5 mmol·L^{-1}) deve ser ajustada, utilizando-se a terapêutica mais adequada.[30] A síndrome clínica que acompanha a disfunção renal da sepse é caracterizada por oligúria, aumento da creatinina sérica e da ureia, podendo ocorrer desequilíbrio ácido-base e hipercalemia. A presença de acidose metabólica está relacionada com maior mortalidade e maior tempo de internação, diferentemente da presença de alcalose, que parece não influenciar o desfecho.[31] Deve-se ter precaução com soluções cristaloides hiperclorêmicas, e a diálise é frequentemente utilizada na definição de acidose grave. No futuro, os biomarcadores poderão ajudar na identificação precoce da LRA e permitir intervenções potenciais antes do desenvolvimento de LRA grave.[32]

Sistema Gastrintestinal

Epidemiologicamente, entre 20% e 30% dos pacientes sépticos apresentam disfunção hepática em 24 horas. Além disso, pacientes graves com sepse podem apresentar síndrome hepatorrenal, insuficiência hepática e encefalopatia hepatorrenal. Apesar da alta incidência, o diagnóstico não é fácil e muitas vezes negligenciado.[33] A característica do quadro clínico é o valor aumentado da fosfatase alcalina e da bilirrubina, em contraste com um aumento modesto da TGO e da TGP. É preciso avaliar: níveis de bilirrubina, fosfatase alcalina, TGO, TGP, proteína plasmática e coagulação.

Sistema Hematopoiético

Os distúrbios mais comuns são anemia, disfunção do sistema de coagulação-fibrinólise e até coagulação intravascular disseminada (CIVD). A CIVD induzida pela sepse ameaça gravemente a vida dos pacientes e aumenta a mortalidade. Monitoriza-se, frequentemente, o sistema hematopoiético com o hemograma e o tempo de tromboplastina parcial ativada e o tempo de protrombina. No entanto, esses valores só se alteram tardiamente, sendo a tromboelastografia um guia mais preciso para o diagnóstico e terapêutica.

Sistema Nervoso

Cerca de 70% dos pacientes sépticos possuem alteração do nível de consciência. Além disso, 50% possuem encefalopatia. Deve-se avaliar: consciência do paciente, cognição, estado de resposta e conformidade com a instrução (minimental). Mudanças agudas no estado mental, atenção prejudicada, irritação, desorientação, alteração do ciclo sono-vigília, letargia e coma são sinais e sintomas comuns.

Há também, durante os estágios iniciais da sepse, um reforço na autorregulação cerebral dinâmica. No entanto, nada se sabe sobre o comportamento hemodinâmico cerebral nos estágios avançados da doença.

Glicemia

A monitorização da glicemia deve ser feita, ativamente, em razão da anormalidade no metabolismo da glicose. A sepse pode promover uma disfunção no sistema neuroendócrino e acarretar aumento da excitabilidade do sistema nervoso simpático com consequente hiperglicemia e hiperlipidemia. A terapia agressiva com insulina para manter a glicemia entre 80 e 110 mg·dL^{-1} não diminui, significativamente, a mortalidade, podendo até aumenta-la. Adota-se como limite para início da terapia com insulina a glicemia de 180 mg·dL^{-1}.

História Patológica Pregressa

As doenças pregressas com maior potencial complicador do quadro séptico são as doenças crônicas como tumor, doença coronariana, diabetes e doença pulmonar obstrutiva crônica. A baixa reserva física e imunológica contribui para o desenvolvimento do quadro e das complicações, por exemplo, a disfunção orgânica. Deve-se avaliar a história patológica pregressa detalhada e, se necessário, solicitar o parecer de outros especialistas. Além de permitir um planejamento anestésico adequado, uma boa avaliação clínica agrega segurança ao procedimento.[10]

Triagem e Controle da Fonte de Infecção

O tratamento da sepse baseia-se no controle da fonte de infecção e é norteado pela coleta de culturas e o início da antibioticoterapia.[33] Recomenda-se que a cultura seja realizada antes do início da terapia com antibióticos, e que eles sejam administrados em até uma hora do diagnóstico de sepse. Vale dizer que estudos apontaram que 80% dos pacientes apresentavam sepse por infecção hospitalar, e que nesses pacientes a infecção por cateter era o principal fator causal.[22] Quando houver qualquer suspeita de contaminação ou infecção por cateter, é preciso retirá-lo e substituí-lo por outro, lembrando que sempre deve-se enviar o cateter para cultura. Cabe dizer ainda que durante a venóclise não é recomendado utilizar o dispositivo de punção mais de uma vez, ou seja, realiza-se uma única transfixação da pele com cada dispositivo.

■ ANESTESIANDO O PACIENTE SÉPTICO

Transporte do Paciente

Antes que se inicie a discussão sobre o manejo anestésico propriamente dito, é importante lembrar de um ponto importantíssimo, o transporte perioperatório do paciente. Esse é um importante procedimento da gestão anestésica e associa-se à segurança do paciente. O problema não é só o transporte intra-hospitalar, mas também o inter-hospitalar, dimensão na qual a mortalidade está aumentada. Embora o tratamento de ressuscitação inicial (respiratório, cardiovascular) já tenha sido estabelecido no pré-operatório, a condição clínica desses pacientes é vulnerável. Durante todo o transporte, é importante manter a monitorização contínua da cardioscopia, da saturação de oxigênio e da pressão arterial (invasiva ou não invasiva), além de cuidado com a infusão de medicamentos por meio de bombas e manutenção de medicações de emergência à mão, para utilização imediata caso necessário. Não menos importante, é o treinamento de toda a equipe, que deve conhecer a ergonomia do local, melhor trajeto, equipamentos disponíveis etc.[34]

Considerações Gerais

O estado cardiovascular do paciente com sepse é, inerentemente, instável. A sepse é acompanhada, precocemente, por uma diminuição da resistência vascular sistêmica e por alto débito cardíaco. Na sepse avançada, a falha contrátil do miocárdio pode ser observada. Todos os esforços são necessários na tentativa de ressuscitar adequadamente o volume intravascular antes da indução da anestesia. As primeiras seis horas de fase de ressuscitação frequentemente coincidem com o tempo de cirurgia de emergência. Deve-se lembrar que a maioria dos anestésicos não só têm efeitos depressivos cardiovasculares diretos, como também inibem respostas hemodinâmicas compensatórias, como o barorreflexo.[35] A disfunção barorreflexa está associada a aumento da morbidade, comprometimento do desempenho cardiovascular e atraso na alta hospitalar, sugerindo um papel mecanicista da disfunção autonômica na determinação do desfecho perioperatório.

As estatinas, tanto em altas como em baixas doses, não melhoraram significativamente a mortalidade hospitalar e a mortalidade em 28 dias nos pacientes com sepse.[16] Portanto, não existe indicação formal para administração desse fármaco.

O Manejo Hemodinâmico

O esforço de ressuscitação deve ser continuado no intraoperatório para a otimização clínica. Algumas alterações hemodinâmicas podem ser específicas no intraoperatório, como comprometimento hemodinâmico em caso de perda sanguínea ou bacteremia após a realização de algum procedimento no foco infeccioso.

As recomendações do consenso mundial para o tratamento da sepse falam em manter a pressão venosa central (PVC) em torno de 8 a 12 mmHg. No entanto, isso pode não ser adequado no intraoperatório. Os valores da PVC podem sofrer alterações dinâmicas, dependendo da variação das pressões intratorácicas ou abdominais por meio da manipulação cirúrgica. Assim, recomenda-se a monitorização de outros parâmetros, como pressão arterial invasiva, débito cardíaco, volume sistólico e variação do volume sistólico. Marcadores como a variação da pressão de pulso, diferença da pressão parcial de CO_2 nas gasometrias venosa e arterial, além da variação do CO_2 expirado podem ser ferramentas valiosas para estimar a responsividade de volume nesse caso.

Entretanto, estudos recentes compararam diversos métodos para medir o débito cardíaco nos pacientes sépticos, entre eles: termodiluição transpulmonar (PiCCO plus®) e análise da onda de pulso (FloTrac/Vigileo®). Houve correlação significativa entre as medidas. No entanto, sob a infusão de noradrenalina, os dados parecem ser discordantes. Ao que tudo indica, a terceira geração do FloTrac® apresenta-se como a mais promissora. Dessa forma, por causa dos altos limites de concordância nessa casuística, deve-se usar com cautela a monitorização do débito cardíaco por análise de onda de pulso não calibrada.

As diretrizes internacionais para o tratamento de sepse grave e choque séptico determinam os alvos para o controle de fluidos em seis horas nos pacientes com choque séptico: pressão arterial média (PAM) ≥ 65 mmHg, PVC 8 a 12 mmHg, volume urinário ≥ 0,5 mL·kg⁻¹·h⁻¹, $ScvO_2$ > 70% e SvO_2 > 65%.[36] Houve confirmação que esses valores, uma vez alcançados, poderiam diminuir significativamente a mortalidade de pacientes com choque séptico. O lactato sanguíneo foi um marcador padrão para a perfusão tecidual e o efeito da reposição volêmica, sendo medida válida para prever e avaliar a gravidade da doença.[37] A sensibilidade e a especificidade são diferentes entre esses parâmetros, devendo-se ter cuidado ao analisá-los isoladamente.[36]

Objetiva-se que nesses pacientes seja praticada a abordagem *early goal-directed therapy*, que se correlaciona com menor mortalidade, menor tempo de internação e redução de custos hospitalares, quando comparada com outras abordagens de ressuscitação volêmica.[38] A administração de fluidos em excesso, principalmente nas primeiras 72 horas, é fator de risco isolado para mortalidade[39] (Figura 212.5).

A grande discussão permanece em torno da solução de reposição volêmica a se utilizar. Apesar de algumas recomendações para a utilização de albumina a 5%, seu papel ainda permanece incerto. Por outro lado, não se recomenda o uso de soluções de amido de diversos pesos moleculares, pois estão ligadas de maneira dose-dependente à maior incidência de lesão renal quando comparadas aos cristaloides. E, embora haja evidências de que a infusão de HES 200/6% em cloreto de sódio 7,2% associa-se à melhora do metabolismo e da microcirculação lingual, com aumento da contratilidade miocárdica e com outras variáveis hemodinâmicas, não se verifica superioridade em relação à solução isotônica, além de colecionar inúmeros efeitos colaterais.[40]

Nos casos de falência terapêutica com a reposição volêmica, na tentativa de restaurar a perfusão tecidual, vaso-

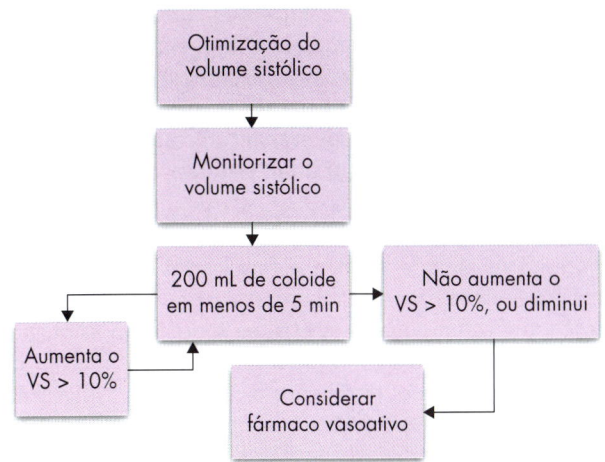

▲ **Figura 212.5** Otimização hemodinâmica com prova volêmica.

pressores devem ser iniciados.[41] A noradrenalina é o agente de escolha para o suporte hemodinâmico, pois está ligada à menor incidência de mortalidade com baixo potencial arritmogênico. A administração de noradrenalina nos pacientes sépticos deve ser conceituada como uma combinação de consequências cardiovasculares resultantes, a fim de atingir um nível razoável de estabilidade cardiovascular e perfusão tecidual. O efeito consolidado na contratilidade ventricular, resistência vascular a montante e acoplamento ventrículo-arterial é complexo e precisa ser monitorizado de perto com exames ecocardiográficos seriados, a fim de evitar sequelas em longo prazo advindas de uma sobrecarga miocárdica.

Em estudos recentes, o uso precoce de vasopressina em comparação com noradrenalina não melhorou a incidência de lesão renal aguda, entretanto, em situações especiais (obstrução do trato de saída do ventrículo esquerdo), a vasopressina pode ser utilizada com o intuito de diminuir a dose de noradrenalina e melhorar o trabalho miocárdico.[42] Embora esses achados não estimulem o uso de vasopressina em substituição à noradrenalina, há um potencial benefício clinicamente importante.

Outro vasopressor possível de ser utilizado é a fenilefrina, possuindo a mesma segurança da noradrenalina; entretanto, a última é preferida pelas vantagens apresentadas. Quando necessário, com o intuito de melhorar o débito cardíaco, deve-se acrescentar um inotrópico positivo. Os fármacos de escolha são a dobutamina e a adrenalina, porém os níveis de lactato são significativamente mais altos e o pH é significativamente mais baixo nos pacientes tratados com adrenalina.[43,44] Evita-se o uso de azul de metileno no suporte hemodinâmico, já que ainda não há evidência até o momento de que melhore a mortalidade.[45]

Discute-se ainda sobre a utilização da angiotensina II, um produto do sistema renina-angiotensina-aldosterona que atua como agente vasopressor, podendo ser usada em conjunto com outros vasopressores para estabilizar pacientes críticos durante o choque séptico refratário e reduzir a necessidade de catecolaminas. Contudo, os dados clínicos são escassos e não se pode apoiar o uso indiscriminado nesse contexto.[46] Em alguns pacientes, a superestimulação simpática prolongada endógena e exógena, marcada por taquicardia persistente, mostrou-se prejudicial, apesar da melhora inicial na resposta hemodinâmica. Nesse contexto, a duração e a dose total da terapia com catecolamina e os efeitos prejudiciais da taquicardia estão associados a maus resultados.

O esmolol pode ser administrado com segurança a pacientes com choque séptico e taquicardia. Ele acarretou uma diminuição dramática da mortalidade em um estudo--piloto que estimulou o interesse na modulação fisiológica por meio do controle da frequência cardíaca em uma população séptica fenotipicamente distinta, com taquicardia persistente. Os mecanismos por trás dessa estratégia tera-pêutica permanecem desconhecidos e envolvem várias vias fisiopatológicas. Depois de reduzir a frequência cardíaca, o desempenho do miocárdio pode diferir substancialmente entre os pacientes, dependendo da relação entre sua pré--carga, enchimento ventricular e contratilidade miocárdica. A combinação ideal de todos esses componentes requer, portanto, uma titulação cuidadosa e lenta do β-bloqueador para alcançar, com segurança, a estabilidade hemodinâmica a uma frequência cardíaca mais baixa.[47] Vale ressaltar que esse é um estudo-piloto em uma população específica, por-tanto, não existem evidências suficientes para justificar o uso rotineiro.

O Manejo Respiratório

A hipertensão intra-abdominal (HIA) é uma complicação comum nos pacientes críticos, podendo ocasionar a falência orgânica múltipla. Uma das principais complicações da HIA é a insuficiência respiratória, originando-se por diferentes mecanismos, como aumento da elastância da parede torá-cica, redução da capacidade residual funcional, atelectasias de compressão e formação de edema pulmonar por meio da redução da drenagem linfática.

Há uma relação direta e exponencial entre volume intra--abdominal e pressão das vias aéreas, ou seja, pequenos au-mentos no volume intra-abdominal podem se traduzir em aumentos dramáticos na pressão das vias aéreas. O manejo respiratório de pacientes com HIA é desafiador. A pressão expiratória final positiva (PEEP) deve ser cuidadosamente selecionada para combater o deslocamento do diafragma relacionado com a HIA, mas níveis muito altos de PEEP es-tão associados a insuficiência hemodinâmica.[48]

Além disso, outras disfunções ventilatórias podem ocor-rer no paciente séptico e um exemplo marcante é a disfun-ção diafragmática induzida pelos ventiladores mecânicos nesta população. A endotoxemia pode acelerar o processo de disfunção do diafragma, afetar a microcirculação e re-sultar em acúmulo de lipídeos diafragmáticos e compro-metimento da contratilidade.[49] A estratégia ventilatória no intraoperatório deve basear-se na ventilação mecânica pro-tetora, pois a lesão pulmonar aguda é uma complicação fre-quente. Sabe-se que essa prática não é tão difundida como se imagina, devendo ser mais divulgada para melhorar a evolução dos pacientes no pós-operatório.[50] A ventilação protetora consiste em utilizar baixos volumes correntes (6 a 8 mL·kg^{-1} de peso ideal), objetivando-se baixas pressões de plató inspiratório (inferiores a 30 cmH$_2$O) e *driving pressure* reduzida (desejável abaixo de 12 cmH$_2$O).

Ocorre redução da mortalidade no paciente séptico com lesão pulmonar aguda quando são utilizados volumes cor-rentes menores. Para evitar a dessaturação de oxigênio com o uso de ventilação de baixo volume corrente, pode-se uti-lizar a pressão expiratória final positiva (PEEP). No entanto, deve-se ter cautela com o uso de altos valores de PEEP, pois podem piorar o *status* hemodinâmico.[51]

Indução e Manutenção

A anestesia geral é, na maioria das vezes, a mais indicada durante procedimentos cirúrgicos na vigência de um qua-dro séptico. Uma vez instalada a monitorização adequada e após estabilização hemodinâmica, inicia-se a indução da anestesia. Entre os anestésicos mais utilizados na indução anestésica estão o propofol, o etomidato e a cetamina, além de opioides e bloqueadores neuromusculares. Entre todas as alterações da sepse, a farmacocinética e a farmacodinâ-mica dos fármacos também se fazem evidentes, modifican-do, por exemplo, a CAM do anestésico inalatório.

Por muitos anos escolheu-se como hipnótico ideal o etomidato, devido ao efeito mínimo sobre o perfil cardio-vascular. Contudo, o etomidato pode inibir a atividade da 11-β-hidroxilase mitocondrial adrenal e pode induzir a su-pressão adrenal, que persiste por 12 a 24 horas depois da administração, promovendo aumento da mortalidade e consumo de corticoides. A cetamina está associada a taxas similares de mortalidade e a menor incidência de supressão adrenal quando comparada ao etomidato. Um estudo com-parativo entre etomidato e cetamina demonstrou superiori-dade do primeiro em relação ao segundo, do ponto de vista hemodinâmico.[52] Outros agentes como propofol e midazo-lam podem ser utilizados, desde que se tenha conhecimen-to dos efeitos adversos possíveis. Atenção deve ser dada ao propofol como agente hipnótico de manutenção, pois seu uso prolongado pode causar síndrome da infusão contínua do propofol, como também polineuropatia do paciente crí-tico (provavelmente por inativação permanente dos canais de sódio), sendo os pacientes sépticos os mais suscetíveis.[53] Para a manutenção anestésica utiliza-se tanto a anestesia inalatória como a venosa, não havendo superioridade de uma ou outra técnica.[54]

A administração de anestésicos inalatórios imedia-tamente antes ou depois da indução da sepse reduziu o nível de citocinas pró-inflamatórias em vários estudos. As principais reduções situam-se nas quimiocinas pró-infla-matórias, bem como nas proteínas conhecidas por serem ativas na migração celular e na quimiotaxia. Em contraste, citocinas anti-inflamatórias não são afetadas.[55] Além disso, os anestésicos inalatórios demonstraram efeitos tóxicos (apoptóticos) ou inibitórios nos linfócitos e polimorfonu-cleares (prejudicando seu recrutamento), possivelmente por meio da alternância da função mitocondrial, impedin-do a exuberância inflamatória observada na sepse.[9] Dessa forma, há, em alguns trabalhos, um efeito protetor e um benefício na sobrevida quando se utiliza a anestesia inala-tória; em outros, a exposição prolongada parece piorar o resultado da sepse.

DESAFIOS ESPECÍFICOS DA SEPSE EM CIRURGIAS DE EMERGÊNCIA

A sepse nas cirurgias de emergência apresenta desafios específicos que exigem uma abordagem cuidadosa e atualizada, conforme indicado pela literatura médica mais recente. Em cenários de emergência, a identificação e o manejo da sepse são particularmente desafiadores devido à natureza imprevisível e à rápida progressão da condição.

Um dos principais desafios é o diagnóstico precoce da sepse em pacientes que chegam para cirurgias de emergência. Esses pacientes frequentemente apresentam sintomas inespecíficos que podem mascarar os sinais clássicos de sepse. A utilização de biomarcadores, como a procalcitonina, tem se mostrado uma ferramenta valiosa na identificação precoce da sepse em ambientes de emergência. Além disso, a implementação de protocolos de triagem com base em critérios como o qSOFA (*Quick Sequential Organ Failure Assessment*) tem sido recomendada para facilitar a detecção rápida de sepse em departamentos de emergência.

Outro desafio significativo é a gestão hemodinâmica de pacientes sépticos em cirurgias de emergência. A instabilidade hemodinâmica é comum nos pacientes sépticos e pode ser exacerbada pelo estresse da cirurgia e da anestesia. A monitorização hemodinâmica avançada, incluindo o uso de cateteres de artéria pulmonar e ecocardiografia, pode ser necessária para guiar a ressuscitação fluida e o uso de agentes vasoativos. As diretrizes atuais enfatizam a importância de uma abordagem individualizada na ressuscitação de fluidos e no uso de vasopressores.

A escolha de agentes anestésicos em pacientes sépticos também é um desafio. É necessário equilibrar a necessidade de manter a estabilidade hemodinâmica com o risco de agravar a disfunção orgânica. Anestésicos intravenosos, como os barbitúricos, podem ter efeitos menos pronunciados sobre a função cardiovascular em comparação com anestésicos voláteis, mas a escolha deve ser baseada na condição clínica do paciente e na experiência do anestesiologista.

Além disso, a gestão pós-operatória de pacientes sépticos em cirurgias de emergência é crítica. Esses pacientes requerem monitorização contínua e cuidados intensivos pós-operatórios, com foco na detecção precoce e tratamento de complicações como insuficiência de órgãos e choque séptico. A intervenção precoce é crucial para reduzir a mortalidade associada à sepse.[56]

TERAPIA ANTIMICROBIANA E SUPORTE DE ÓRGÃOS

A terapia antimicrobiana e o suporte de órgãos em pacientes com sepse e choque séptico são áreas críticas de atenção na medicina intensiva, com avanços significativos refletidos na literatura médica mais recente. O manejo eficaz desses aspectos é crucial para melhorar os resultados dos pacientes e reduzir a mortalidade associada à sepse.

A escolha e a administração de antimicrobianos em pacientes sépticos devem ser rápidas e precisas. Conforme as diretrizes atuais, a administração de antibióticos de amplo espectro deve ocorrer dentro da primeira hora após o re-

conhecimento da sepse ou do choque séptico, uma prática apoiada por estudos que demonstram uma correlação entre a rapidez da administração de antibióticos e a redução da mortalidade. A escolha do agente antimicrobiano deve ser guiada pela suspeita clínica de infecção, padrões locais de resistência antimicrobiana e, quando disponível, por dados microbiológicos específicos do paciente.

Além da terapia antimicrobiana, o suporte de órgãos é um pilar fundamental no tratamento da sepse. A gestão da disfunção orgânica em pacientes sépticos inclui várias estratégias, como suporte hemodinâmico, manejo de fluidos e suporte respiratório. A monitorização hemodinâmica avançada é recomendada para guiar a ressuscitação fluida e o uso de vasopressores e inotrópicos, visando manter uma perfusão orgânica adequada.

O suporte renal é outro aspecto crítico, com a terapia de substituição renal (TSR) sendo indicada para casos de insuficiência renal aguda associada à sepse. A decisão de iniciar a TSR deve ser baseada em critérios clínicos, incluindo o volume de urina, níveis de creatinina sérica e equilíbrio ácido-base. O suporte respiratório em pacientes sépticos com insuficiência respiratória envolve o uso de estratégias de ventilação protetora pulmonar, que têm mostrado reduzir a mortalidade em pacientes com síndrome do desconforto respiratório agudo (SDRA). Essas estratégias incluem o uso de baixos volumes correntes e a manutenção de uma pressão de platô adequada.

Além disso, a literatura recente tem enfatizado a importância do manejo nutricional e do controle glicêmico em pacientes sépticos. Uma nutrição adequada é essencial para apoiar a recuperação orgânica, enquanto o controle glicêmico rigoroso pode reduzir complicações e melhorar os resultados.

A terapia antimicrobiana e o suporte de órgãos em pacientes com sepse e choque séptico requerem uma abordagem multidisciplinar e baseada em evidências. A adesão às diretrizes atuais, o uso de tecnologias de monitorização avançadas e uma compreensão profunda dos mecanismos patofisiológicos da sepse são fundamentais para otimizar o tratamento e melhorar os resultados dos pacientes.

ASPECTOS ESPECIAIS EM POPULAÇÕES ESPECIAIS

A abordagem da sepse em pacientes pediátricos é um aspecto crítico da medicina intensiva pediátrica e a literatura médica mais recente oferece *insights* valiosos para otimizar o tratamento e melhorar os resultados nessa população vulnerável. O manejo da sepse em crianças difere significativamente do tratamento em adultos, devido às diferenças fisiológicas e às variações na resposta imunológica.

Um dos aspectos mais críticos no manejo da sepse pediátrica é o reconhecimento precoce e a intervenção imediata. A sepse em crianças pode progredir rapidamente para choque séptico e disfunção orgânica múltipla, tornando essenciais o diagnóstico precoce e o início rápido do tratamento. As diretrizes atuais enfatizam a importância da avaliação rápida e da administração de antibióticos de amplo espectro dentro da primeira hora após o reconhecimento dos sinais de sepse, conforme demonstrado por estudos que correlacionam a rapidez no tratamento com melhores resultados.

A ressuscitação de fluidos é outro componente crucial no manejo da sepse pediátrica. As crianças com sepse frequentemente apresentam hipovolemia e requerem ressuscitação fluida agressiva. No entanto, a administração de fluidos deve ser cuidadosamente monitorada para evitar a sobrecarga de fluidos, especialmente em pacientes com risco de edema pulmonar ou disfunção cardíaca.

O suporte hemodinâmico, incluindo o uso de vasopressores e inotrópicos, é frequentemente necessário em casos de choque séptico pediátrico. A escolha e o manejo desses agentes devem ser adaptados à fisiologia pediátrica, e a monitorização contínua é essencial para avaliar a resposta ao tratamento. Além disso, o suporte respiratório é um aspecto importante do tratamento da sepse em crianças, especialmente naquelas que desenvolvem síndrome do desconforto respiratório agudo (SDRA). Estratégias de ventilação protetora pulmonar, adaptadas para a fisiologia pulmonar pediátrica, são recomendadas para minimizar o risco de lesão pulmonar associada à ventilação.

A nutrição adequada e o suporte metabólico são também componentes essenciais do manejo da sepse em pacientes pediátricos. A manutenção do equilíbrio nutricional e energético é crucial para apoiar a recuperação e prevenir a desnutrição, que pode agravar a condição clínica.

A abordagem da sepse em pacientes pediátricos requer uma estratégia multidisciplinar, com foco no reconhecimento precoce, intervenção rápida, monitorização cuidadosa e suporte adaptado às necessidades específicas das crianças.

■ PÓS-OPERATÓRIO DO PACIENTE SÉPTICO

As recomendações para o tratamento pós-operatório são as seguintes:

1. Pós-operatório em UTI – o fator "internação em UTI" de maneira isolada não é o determinante da taxa de mortalidade; fatores como condições clínicas e fragilidade parecem ter maior influência.
2. Calcular o APACHE na admissão, ou o escore de gravidade padronizado pela instituição.
3. Ajustar a infusão de vasopressores e inotrópicos.

4. Ventilação mecânica protetora (minimizar barotraumas e volutrauma).
5. Controle hemodinâmico: a categorização precoce dos fenótipos cardiovasculares com ecocardiografia pode ser crucial para o diagnóstico oportuno e a terapia direcionada de pacientes com choque séptico. Nos últimos anos, foram investigados marcadores de *status* de volume e capacidade de resposta ao volume, servindo como ferramentas valiosas para direcionar o cuidado de pacientes com respiração espontânea e ventilação mecânica.[57]
6. Terapia antimicrobiana.
7. Transfusão de glóbulos vermelhos, quando necessário (evitar a transfusão, a menos que se tenha Hb < 7 g·dL^{-1}, adotando uma estratégia restritiva).
8. Corrigir anormalidades de coagulação guiadas pela tromboelastografia, evitar transfusão de plasma fresco congelado, preferir os concentrados de fatores de coagulação.
9. As plaquetas são transfundidas se a contagem for ≤ 5.000/mm^3, independentemente do sangramento, ou se entre 5.000 e 30.000/mm^3, com risco significativo de hemorragia.
10. Profilaxia para tromboembolismo venoso profundo.
11. Controle glicêmico adequado.
12. Profilaxia para úlcera gástrica.
13. Nutrição enteral ou parenteral.
14. Hidrocortisona pode ser considerada quando a hipotensão responde mal à reanimação com fluidos e vasopressores. Parece haver um benefício ao uso de doses baixas de glicocorticoides (p. ex., hidrocortisona 50 mg, quatro vezes ao dia, quando os pacientes com sepse normovolêmica parecem refratários à terapia vasopressora, para manter a perfusão de órgãos e estabilidade hemodinâmica). O papel dos glicocorticoides no tratamento de pacientes com sepse grave requer mais investigação.[58]
15. A insuficiência renal aguda ocorre em um a cada quatro pacientes com sepse grave. A terapia de reposição renal pode ser iniciada para corrigir acidose, hipercalemia ou sobrecarga de fluido. O bicarbonato de sódio não é recomendado para corrigir a acidose, a menos que se tenha pH < 7,1.
16. Analgesia.

REFERÊNCIAS

1. Instituto Latino-Americano para Estudos da Sepse. Sepse: um problema de saúde pública / Instituto Latino-Americano para Estudos da Sepse. Brasília: CFM; 2015.
2. Rhodes A, Evans LE, Alhazzani, W, Levy MM, Antonelli M, Ferrer R, et al. Surviving Sepsis Campaign: International Guidelines for Management of Sepsis and Septic Shock. Critical Care Medicine. 2017;45(3):486-552.
3. Jouffroy R, Vivien B. Sepsis alerts called in the field vs the ED: impact of severity and in-hospital confounders. Am J Emerg Med. 2020 Sep;38(9):1940.
4. Lokhandwala S, Andersen LW, Nair S, Patel P, Cocchi MN, Donnino MW. Absolute lactate value vs relative reduction as a predictor of mortality in severe sepsis and septic shock. J Crit Care. 2017 Feb;37:179-84. doi: 10.1016/j.jcrc.2016.09.023.
5. Singer M, Deutschman CS, Seymour CW, Shankar-Hari M, Annane D, Bauer M et al. The Third International Consensus Definitions for Sepsis and Septic Shock (Sepsis-3). JAMA. 2016 Feb 23;315(8):801-10.
6. Hotchkiss RS, Karl IE. The pathophysiology and treatment of sepsis. New Engl J Med. 2003;348(2):138-50.
7. Yende S, Austin S, Rhodes A, Finfer S, Opal S, Thompson T, et al. Term quality of life among survivors of severe sepsis: analyses of two international trials. Crit Care Med. 2016 Aug;44(8):1461-7.
8. Moskowitz A, Omar Y, Chase M, Lokhandwala S, Patel P, Andersen LW, et al. Reasons for death in patients with sepsis and septic shock. J Crit Care. 2016 Dec 2;38:284-8.
9. Zhang W, Jiang H, Wu G, Huang P, Wang H, An H, et al. The pathogenesis and potential therapeutic targets in sepsis. MedComm (2020). 2023 Nov 20;4(6):e418.
10. Sun B, Lei M, Zhang J, Kang H, Liu H, Zhou F. Acute lung injury caused by sepsis: how does it happen? Front Med (Lausanne). 2023 Nov 21;10:1289194.
11. Wiedermann CJ. Controversies surrounding albumin use in sepsis: lessons from cirrhosis. Int J Mol Sci. 2023 Dec 18;24(24):17606.
12. Lotsios NS, Keskinidou C, Dimopoulou I, Kotanidou A, Orfanos SE, Vassiliou AG. Aquaporin Expression and Regulation in Clinical and Experimental Sepsis. Int J Mol Sci. 2023 Dec 29;25(1):487.

13. Yajnik V, Maarouf R. Sepsis and the microcirculation: the impact on outcomes. Curr Opin Anaesthesiol. 2022 Apr 1;35(2):230-5.
14. Cutuli SL, Carelli S, De Pascale G. The gut in critically ill patients: how unrecognized "7th organ dysfunction" feeds sepsis. Minerva Anestesiol. 2020;86(6):595-7.
15. Giamarellos-Bourboulis EJ, Giannopoulou P, Grecka P, Voros D, Mandragos K, Giamarellou H. Should procalcitonin be introduced in the diagnostic criteria for the systemic inflammatory response syndrome and sepsis? J Crit Care. 2004;19(3):152-7.
16. Quinn M, Moody C, Tunnicliffe B, Khan Z, Manji M, Gudibande S, et al. Systematic review of statins in sepsis: there is no evidence of dose response. Indian J Crit Care Med. 2016 Sep;20(9):534-41.
17. Rhee C, Kadri SS, Danner RL, Suffredini AF, Massaro AF, Kitch BT, et al. Diagnosing sepsis is subjective and highly variable: a survey of intensivists using case vignettes. Crit Care. 2016 Apr 6;20:89.
18. MacLean LD, Mulligan WG, McLean AP, Duff JH. Patterns of septic shock in man: A detailed study of 56 patients. Ann Surgery. 1967;166:543-62.
19. Simm M, Söderberg E, Larsson A, Castegren M, Nilsen T, Eriksson M, et al. Performance of plasma calprotectin as a biomarker of early sepsis: a pilot study. Biomark Med. 2016 Aug;10(8):811-8.
20. Lautz AJ, Dziorny AC, Denson AR, O'Connor KA, Chilutti MR, Ross RK, et al. Value of procalcitonin measurement for early evidence of severe bacterial infections in the pediatric intensive care unit. J Pediatr. 2016 Dec;179:74-81.e2.
21. Luzzani A, Polati E, Dorizzi R, Rungatscher A, Pavan R, Merlini A. Comparison of procalcitonin and C-reactive protein as markers of sepsis. Crit Care Med. 2003;31(6):1737-41.
22. Lai NM, Chaiyakunapruk N, Lai NA, O'Riordan E, Pau WS, Saint S. Catheter impregnation, coating or bonding for reducing central venous catheter-related infections in adults. Cochrane Database Syst Rev. 2016 Mar 16;3:CD007878.
23. Sato R, Kuriyama A, Takada T, Nasu M, Luthe SK. Prevalence and risk factors of sepsis-induced cardiomyopathy: a retrospective cohort study. Medicine (Baltimore). 2016 Sep;95(39):e5031.
24. Merz T, Denoix N, Wigger D, Waller C, Wepler M, Vettorazzi S, et al. O. The role of glucocorticoid receptor and oxytocin receptor in the septic heart in a clinically relevant, resuscitated porcine model with underlying atherosclerosis. Front Endocrinol (Lausanne). 2020 May 14;11:299.
25. Parrillo JE. The cardiovascular pathophysiology of sepsis. Ann Rev Med. 1989;40:469-85.
26. Edwards JD. Practical application of oxygen transport principles. Crit Care Med. 1990;18:S45-8.
27. Patel JM, Baker R, Yeung J, Small C; West Midlands-Trainee Research and Audit Network (WM-TRAIN). Intra-operative adherence to lung-protective ventilation: a prospective observational study. Perioper Med (Lond). 2016 Apr 27;5:8.
28. Shum HP, Kong HH, Chan KC, Yan WW, Chan TM. Septic acute kidney injury in critically ill patients - a single-center study on its incidence, clinical characteristics, and outcome predictors. Ren Fail. 2016 Jun;38(5):706-16.
29. Matejovic M, Tuma Z, Moravec J, Valesova L, Sykora R, Chvojka J, et al. Renal proteomic responses to severe sepsis and surgical trauma: dynamic analysis of porcine tissue biopsies. Shock. 2016 Oct;46(4):453-64.
30. Weyker PD, Pérez XL, Liu KD. Management of acute kidney injury and acid-base balance in the septic patient. Clin Chest Med. 2016 Jun;37(2):277-88.
31. Kreü S, Jazrawi A, Miller J, Baigi A, Chew M. Alkalosis in critically ill patients with severe sepsis and septic shock. PLoS One. 2017 Jan 3;12(1):e0168563.
32. Doyle JF, Forni LG. Update on sepsis-associated acute kidney injury: emerging targeted therapies. Biologics. 2016 Nov 7;10:149-56.
33. Huddleston VB. Multisystem organ failure, pathophysiology and clinical implications. St Louis: Mosby-Year Book; 1992.
34. Mohr NM, Harland KK, Shane DM, Ahmed A, Fuller BM, Torner JC. Inter-hospital transfer is associated with increased mortality and costs in severe sepsis and septic shock: an instrumental variables approach. J Crit Care. 2016 Dec;36:187-94.
35. Toner A, Jenkins N, Ackland GL. POM-O study investigators. Baroreflex impairment and morbidity after major surgery. Br J Anaesth. 2016 Sep;117(3):324-31.
36. Task Force of the American College of Critical care Medicine, Society of Critical Care Medicine. Practice parameters for hemodynamic support of sepsis in adult patients in sepsis. Crit Care Med. 1999;27:639.
37. Lokhandwala S, Andersen LW, Nair S, Patel P, Cocchi MN, Donnino MW. Absolute lactate value vs relative reduction as a predictor of mortality in severe sepsis and septic shock. J Crit Care. 2017 Feb;37:179-84. doi: 10.1016/j.jcrc.2016.09.023. Epub 2016 Oct 6.
38. Rivers E, Nguyen B, Havstad S, Ressler J, Muzzin A, Knoblich B, et al. Early Goal-Directed Therapy Collaborative Group. Early goal-directed therapy in the treatment of severe sepsis and septic shock. NEJM. 2001;345:1368-77.
39. Sakr Y, Rubatto Birri PN, Kotfis K, Nanchal R, Shah B, et al. Higher fluid balance increases the risk of death from sepsis: results from a large international audit. Crit Care Med. 2016 Dec 5.
40. Marik PE, Linde-Zwirble WT, Bittner EA, Sahatjian J, Hansell D. Fluid administration in severe sepsis and septic shock, patterns and outcomes: an analysis of a large national database. Intensive Care Med. 2017 May;43(5):625-32.
41. Dasta JF. Norepinephrine in septic shock: renewed interest in an old drug. Ann Pharmacother. 1990;24:153-6.
42. Balik M, Novotny A, Suk D, Matousek V, Maly M, Brozek T, et al. Vasopressin in patients with septic shock and dynamic left ventricular outflow tract obstruction. Cardiovasc Drugs Ther. 2020 Oct;34(5):685-8.
43. Vincent JL, Roman A, Kohn RJ. Dobutamine administration in septic shock: addition to a standard protocol. Crit Care Med. 1990;18:689-93.
44. Mackenzie SJ, Kapadia F, Nimmo GR, Armstrong IR, Grant IS. Adrenaline in treatment of septic shock: effects on haemodynamics and oxygen transport. Intensive Care Med. 1991;17(1):36-9.
45. Hosseinian LMD, Weiner M, Levin MA, Fischer GW. Methylene blue: magic bullet for vasoplegia? Anesth Analg. 2016 Jan;122(1):194-201.
46. Antonucci E, Gleeson PJ, Annoni F, Agosta S, Orlando S, Taccone FS, et al. Angiotensin II in Refractory Septic Shock. Shock. 2017 May;47(5):560-6.
47. Chacko CJ, Gopal S. Systematic review of use of β-blockers in sepsis. J Anaesthesiol Clin Pharmacol. 2015 Oct-Dec;31(4):460-5.
48. Tonetti T, Cavalli I, Ranieri VM, Mascia L. Respiratory consequences of intra-abdominal hypertension. Minerva Anestesiol. 2020 Aug;86(8):877-83.
49. Yang Y, Yu T, Pan C, Longhini F, Liu L, Huang Y, et al. Endotoxemia accelerates diaphragm dysfunction in ventilated rabbits. J Surg Res. 2016 Dec;206(2):507-16.
50. Maccagnan PBBA, Tomazini BM, Pontes Azevedo LC. Mechanical ventilation in septic shock. Curr Opin Anaesthesiol. 2021 Apr 1;34(2):107-12.
51. Hennessey E, Bittner E, White P, Kovar A, Meuchel L. Intraoperative Ventilator Management of the Critically Ill Patient. Anesthesiol Clin. 2023 Mar;41(1):121-40.
52. Mohr NM, Pape SG, Runde D, Kaji AH, Walls RM, Brown CA 3rd. Etomidate use is associated with less hypotension than ketamine for emergency department sepsis intubations: a NEAR Cohort Study. Acad Emerg Med. 2020 Nov;27(11):1140-9.
53. Abdelmalik PA, Rakocevic G. Propofol as a risk factor for ICU-acquired weakness in septic patients with acute respiratory failure. Can J Neurol Sci. 2017 Jan 16;44(3):1-9.
54. Koutsogiannaki S, Schaefers MM, Okuno T, Ohba M, Yokomizo T, Priebe GP, et al. Prolonged exposure to volatile anesthetic isoflurane worsens the outcome of polymicrobial abdominal sepsis. Toxicol Sci. 2016 Dec 20.
55. Koutsogiannaki S, Okuno T, Kobayashi Y, Ogawa N, Yuki K. Isoflurane attenuates sepsis-associated lung injury. Biochem Biophys Res Commun. 2022 Apr 9;599:127-33.
56. Seymour CW, Gesten F, Prescott HC, Friedrich ME, Iwashyna TJ, Phillips GS, et al. Time to treatment and mortality during mandated emergency care for sepsis. N Engl J Med. 2017 Jun 8;376(23):2235-44.
57. McIntyre L, Rowe BH, Walsh TS, Gray A, Arabi Y, Perner A, et al. Multicountry survey of emergency and critical care medicine physicians' fluid resuscitation practices for adult patients with early septic shock. BMJ Open. 2016 Jul 7;6(7):e010041.
58. Long B, Koyfman A. Controversies in corticosteroid use for sepsis. J Emerg Med. 2017 Nov;53(5):653-61. doi: 10.1016/j.jemermed.2017.05.024. Epub 2017 Sep 12. Erratum in: J Emerg Med. 2018 May;54(5):737.

213

Reposição Volêmica e de Hemoderivados no Paciente Crítico

Felipe Pinn de Castro

INTRODUÇÃO

Durante o ato anestésico, o anestesiologista tem a tarefa de vigiar e tentar manter a homeostase e o funcionamento adequado de órgãos e sistemas. Para tal, um fornecimento apropriado de oxigênio aos tecidos deve ser garantido, e aí está o desafio. Nas cirurgias de pequeno porte nos pacientes hígidos, não existem grandes dificuldades para o cumprimento desta tarefa. O desafio aparece nas grandes cirurgias nos pacientes debilitados, com comorbidades limitantes. Parte importante desta estratégia passa por uma reposição volêmica adequada, evitando-se os extremos (excesso ou falta de líquidos) e suas complicações. As transfusões de sangue se fazem necessárias também para um adequado carreamento de oxigênio aos tecidos, mas o risco transfusional deve ser avaliado. Ambas as condutas citadas, reposição volêmica e transfusão sanguínea, constituem parte essencial na busca da manutenção da homeostase.

A administração de fluidos no intraoperatório deve ser realizada de forma criteriosa, levando-se em consideração seus efeitos colaterais decorrentes da falta ou do excesso.[1,2] A prescrição de fluidos é tão importante quanto a prescrição de qualquer outro medicamento ao paciente,[3-5] ou seja, os fluidos são medicamentos. Temos, dessa forma, três principais indicações para a administração intravenosa de fluidos: ressuscitação, reposição e manutenção.[3,5-8] Os fluidos administrados na ressuscitação devem corrigir estados de hipovolemia aguda ou um déficit de volume do intravascular; os fluidos de reposição são indicados para a correção de distúrbios existentes ou em desenvolvimento, para os quais não se consegue correção adequada por via oral;[2] e as soluções de manutenção são indicadas para os pacientes com estabilidade hemodinâmica, porém inaptos para a ingesta oral e para suprir sozinhos suas necessidades de água e eletrólitos.[9,10] Estas três situações podem ser encontradas facilmente durante o ato anestésico cirúrgico, inclusive todas durante um mesmo procedimento.

■ ENTREGA DE OXIGÊNIO NA PRÁTICA DA REPOSIÇÃO E TRANSFUSÃO

O fornecimento e a utilização de oxigênio são processos fisiológicos fundamentais, pelos quais todos os órgãos funcionam e mantêm a homeostase. A oferta de oxigênio (DO$_2$, do inglês, *oxygen delivery*) é a quantidade de oxigênio fornecida ou transportada aos tecidos em 1min e é determinada pelo conteúdo de oxigênio no sangue e pelo débito cardíaco (DC). A adequação do fornecimento de oxigênio depende da troca gasosa pulmonar adequada, níveis de hemoglobina (Hb), saturação de oxigênio suficiente e DC. A relação entre os determinantes da DO$_2$ pode ser visualizada pelo diagrama apresentado na Figura 213.1.[11]

Podemos observar que a DO$_2$ possui dois grandes determinantes, o débito cardíaco (DC) e o conteúdo arterial de oxigênio (CaO$_2$). O DC é o resultado da interação entre a frequência cardíaca (FC) e o volume sistólico (VS), e este último é influenciado por pré-carga, pós-carga e contratilidade cardíaca. Na pré-carga podemos atuar na reposição volêmica, de modo a aumentar o retorno venoso e, com isso o DC, e, consequentemente a DO$_2$. Com as transfusões de hemácias, conseguimos atuar em ambos os lados dessa equação, já que ao transfundirmos o paciente, estamos acrescentando volume circulante e aumentando os níveis de Hb. No entanto, as transfusões de concentrados de hemácias (CH) devem ter como objetivo apenas a correção da anemia, não o aumento da volemia. Devemos ter em mente que este efeito volêmico é esperado com a transfusão, mas ela não é indicada para este fim. Sua indicação deve ter como princípio o

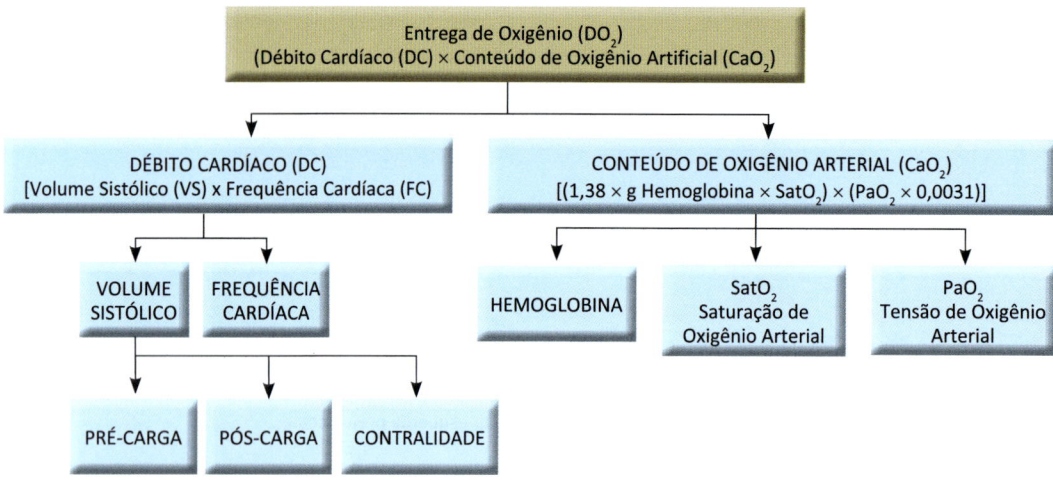

▲ **Figura 213.1** Entrega de oxigênio.

fornecimento de substrato para carrear oxigênio por meio do aumento dos níveis de Hb e, assim, aumentar a CaO_2.[12] A equação a seguir exemplifica essa situação:

> Entrega de O_2 (DO_2) = DC × CaO_2

Dessa forma:

> DO_2 = (VS × FC) x [(Hb × SaO_2 × 1,39) + PaO_2 ×0,0031]

Em que Hb representa a concentração sérica da hemoglobina, SaO_2 a saturação de oxigênio arterial e PaO_2 a tensão arterial de oxigênio.

Por conseguinte, podemos visualizar e entender onde nossas ações devem ser focadas: a reposição volêmica aumentando o DC (pela elevação da pré-carga) e as transfusões aumentando a CaO_2 (mediante elevação dos níveis de Hb). Podemos observar que existem outros determinantes do DC, em ambos os seus componentes, que apesar de não serem abordados neste capítulo, devem fazer parte das estratégias de otimização da DO_2 (manejo cardiológico do DC por meio da correção da contratilidade e pós-carga, e da parte ventilatória atuando sobre a CaO_2).

O desafio é entender quando e como atuar sobre cada um destes determinantes. Quando administrar fluidos? Qual fluido e quanto? Entender qual o paciente que será beneficiado com a transfusão de sangue, qual o alvo a ser alcançado e quais os gatilhos transfusionais (se é que eles existem)?

▪ LEI DE FRANK-STARLING

Mais de um século atrás, Otto Frank, na Alemanha, e Ernest Starling, na Inglaterra, descobriram que um aumento no enchimento ventricular melhora o desempenho sistólico do coração.[13] A lei de Frank-Starling descreve a relação entre o comprimento das fibras do coração e seu poder de contração, onde existe uma relação direta entre o comprimento do miofilamento e sua sensibilidade aos íons Ca_2^+, de modo que mais força é gerada em uma dada concentração de Ca_2^+ conforme as fibras são alongadas.[14] Para promover

o estiramento das fibras, um aporte volêmico é realizado. Isso provoca o aumento da pré-carga e, portanto, o aumento do DC conforme a pressão do átrio direito aumenta pelo incremento na volemia no reservatório de sangue venoso.[15] Evidenciaram, também, uma queda no DC após atingirem uma pressão de enchimento atrial direito limítrofe (Figura 213.2),[16] ou seja, a partir de um determinado estiramento das fibras já não ocorre mais o aumento esperado do DC. Com a resistência arterial constante, o DC correlaciona-se diretamente à pressão de enchimento atrial,[15] e este talvez seja justamente o grande problema na utilização deste conceito nos pacientes críticos.

Isso posto, a responsividade volêmica proposta pela lei de Frank-Starling pode ser aplicada da seguinte maneira:

1. Caso o paciente apresente melhora em VS/DC, ele é considerado positivo para fluidorresponsividade, e considerado hipovolêmico. É esperado um aumento no DC e consequentemente na perfusão tecidual através da administração de fluidos (situação "a" na Figura 213.2).

2. Se o VS não aumentar após a prova volêmica, o paciente é considerado negativo para responsividade volêmica. Assim sendo, uma reposição agressiva de fluidos não resultará em melhora na DO_2, além de expor o paciente aos riscos de insuficiência cardíaca e edema pulmonar (Situação "b" na Figura 213.2).

3. Se a função ventricular esquerda do paciente estiver prejudicada, a resposta de VS/DC será discreta ou mesmo ausente (ainda que a pré-carga seja aumentada), e a interpretação anterior não pode ser aplicada (Situação "c" na Figura 213.2), podendo, ainda, expor o paciente aos riscos de uma congestão cardíaca.

▪ CAMADA GLICOCÁLICE

O glicocálice constitui uma camada de glicoproteínas e proteoglicanas ligados à membrana das células endoteliais, no lúmen dos vasos. O espaço subglicocálice (entre esta camada e a membrana endotelial) produz uma pressão coloide oncótica que é um importante determinante do fluxo transcapilar.

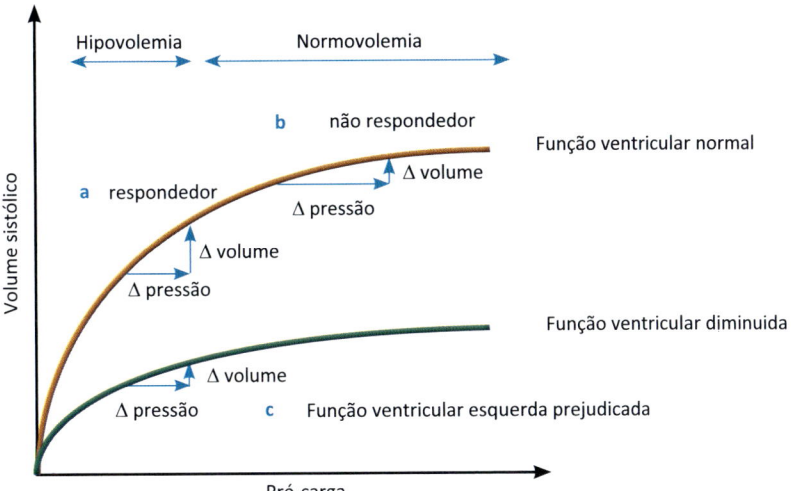

▲ **Figura 213.2** Curva de Starling e função ventricular esquerda: a relação entre o volume sistólico (VS) e a pré-carga. "**a**" Se a prova volêmica melhorar adequadamente o VS, o paciente é considerado hipovolêmico (respondedor). "**b**" se o fluido foi administrado no platô da curva de Starling, o VS não aumentará e o paciente é considerado normovolêmico (não respondedor). "**c**" nos casos de função ventricular esquerda diminuída, a resposta do VS após a prova volêmica pode não ser observada mesmo nos casos de hipovolemia, pois a curva de Starling é mais achatada do que nos casos de função cardíaca normal.[16]

A estrutura e a função da camada glicocálice são os principais determinantes da permeabilidade da membrana em vários órgãos e sistemas vasculares. A integridade ou a fraqueza desta camada varia substancialmente entre os órgãos e os sistemas e explica a gênese do desenvolvimento de edema intersticial. Isto acontece, particularmente, em condições inflamatórias como sepse, trauma e cirurgias (quando os fluidos de reposição volêmica são utilizados).[17]

Efeito da Viscosidade Sanguínea: a Força de Cisalhamento

Nos últimos anos, as investigações focaram na composição de sal, no tipo de tampão utilizado, presença ou ausência de albumina ou outras macromoléculas e no uso de hemácias para otimizar a entrega de oxigênio. Entretanto, o efeito da viscosidade destas soluções nas estruturas endotelial e microvascular e suas funções não foi considerado, sendo este um fator importante da força de cisalhamento sobre o endotélio vascular.

Já existem evidências robustas demonstrando que um estresse normal de cisalhamento é necessário para a regulação do tônus vasomotor e, mais recentemente, foi evidenciada sua importância na manutenção da função normal de barreira do leito capilar. Estados de choque hipovolêmico reduzem a perfusão tecidual, resultando em diminuição anormal da força de cisalhamento.

A alteração na viscosidade deve-se à presença de hemácias (entre outras proteínas) e depende de sua concentração, propriedades da membrana celular, viscosidade do citosol e a propensão das hemácias em agregar (fenômeno de Rouleaux) em baixos estados de cisalhamento. Já foi demonstrado que a hemodiluição (redução de 30% no hematócrito) altera o perfil de velocidade nos vasos sanguíneos e reduz a força de cisalhamento na camada glicocálice (esta essencial na detecção e na transdução da força de cisalhamento).

■ **Impacto da redução da força de cisalhamento na densidade capilar funcional:** a dilatação vascular mediada pelo fluxo sanguíneo é um importante mecanismo de regulação da resistência vascular. O aumento desta força estimula, na camada glicocálice intacta, a vasodilatação dependente de óxido nítrico e prostaglandinas. Com esta vasodilatação há uma redução da força de cisalhamento, estabelecendo assim um sistema de *feedback*. Alterações na força de cisalhamento causada por redução ou aumento na viscosidade possuem o mesmo efeito vasoconstritor ou vasodilatador que o fluxo sanguíneo.

■ **Impacto da redução da força de cisalhamento na permeabilidade da barreira endotelial:** nos estados de baixo fluxo observamos um crescimento desordenado das células endoteliais e aumento da permeabilidade intercelular. A força de cisalhamento também é necessária para a distribuição espacial normal dos principais componentes estruturais da camada glicocálice e distribuição das glicosaminoglicanas. Existem evidências *in vivo* de que a ressuscitação volêmica com plasma fresco congelado melhoraria a estrutura e a função da camada glicocálice, mas este tópico abordaremos mais adiante, ainda neste capítulo.

■ DENOMINAÇÃO DOS VOLUMES DE SANGUE

O volume de sangue circulante pode ser dividido em volume "não estressado" e volume "estressado". O volume não estressado constitui, principalmente, o sangue armazenado nas veias de grande capacitância e não contribui para o retorno venoso, sendo definido como o volume de sangue no sistema vascular quando a pressão transcapilar é igual a zero. Por sua vez, o volume estressado contribui diretamente para o retorno venoso e é definido como o volume de sangue no sistema vascular que deve ser removido/mobilizado para igualar a pressão transmural a zero. Essas nomenclaturas serão utilizadas mais adiante e farão parte de nosso raciocínio clínico.

Dificuldades na Aplicação da Curva de Starling na Monitorização da Responsividade Volêmica

Uma prova volêmica de 6 mL.kg^{-1} (algo entre 250 mL e 500 mL) de cristaloide administrado em 15 min é recomendada e os pacientes que apresentarem incremento no VS maior 10% a 15% são considerados responsivos ao volume.[18] Entretanto, a aplicação da curva de Frank-Starling como guia para responsividade volêmica pode não ser totalmente validada, conforme explicaremos a seguir.

As pressões de enchimento do átrio direto aumentam paralelamente ao volume infundido? A responsividade volêmica foi testada sobre a premissa de que a pré-carga foi otimizada pela infusão de fluidos realizada, mas não fica realmente claro se o volume infundido aumenta a pré-carga de forma dose-dependente. Outro fator que deve ser levado em consideração, e cada vez mais quando caminhamos para uma terapia individualizada, são as diferentes respostas encontradas no volume sanguíneo após infusão de diferentes tipos de líquidos e diferentes volumes. A infusão de 1,5 L de Ringer lactato provoca alterações no volume que variam de zero a 10%, enquanto a infusão de 500 mL de hidroxietilamido (HES) provoca alteração que varia de 5% a 13% entre os indivíduos e a administração de 1 L de HES ocasiona variação de 15% a 25%.[19] Da mesma forma, a infusão de 25 mL.kg^{-1} de Ringer lactato durante 45 min em pacientes submetidos à cirurgia abdominal demonstrou que apenas 40% dos pacientes são respondedores ao volume.[20]

A sepse caracteriza-se por uma lesão esparsa da camada endotelial com acometimento da camada glicocálice, predispondo, assim, ao aumento da permeabilidade capilar,[16] fato que auxilia no entendimento do porquê soluções (cristaloides ou coloides) quando infundidas permanecem pouco no intravascular de pacientes sépticos. Dados na literatura demonstram que apenas cerca de 5% (ou menos) do volume de cristaloides administrados nestes pacientes permanecem no intravascular após 1 h.[21,22] Logo, começamos a entender que existe um outro componente na dinâmica dos fluidos administrados: a camada glicocálice, e que não estava contabilizada durante os estudos de Frank e Starling.

A hemodiluição reduz a resistência vascular sistêmica (RVS). Tal efeito sobre o fluxo sanguíneo decorre de: 1. diminuição do hematócrito e da viscosidade sanguínea e 2. aumento da camada de plasma na arteríola.[23,24]

Esta queda da RVS pela hemodiluição (resultante do aumento da pré-carga) também foi observada em outras publicações,[25] evidenciando que a diminuição da pós-carga também influencia no aumento de VS/DC (já que a pós-carga trabalha contra o DC). Além disso, aproximadamente metade dos pacientes sépticos evolui com dano miocárdico causado por citocinas inflamatórias, com queda da função cardíaca nos estágios iniciais da sepse.[26] Entretanto, a função ventricular esquerda pode, ainda assim, aumentar (apesar do dano miocárdico) em consequência da diminuição da pós-carga acarretada pela hemodiluição.

Efeito da Reposição Volêmica no Volume Sanguíneo e na Pressão Arterial

Como observado até agora, o grande objetivo da administração de fluidos nos pacientes críticos é o de otimizar a perfusão tecidual pelo aumento da pré-carga, e, consequentemente, do DC.[16] A pressão arterial média (PAM) é definida da seguinte maneira:

$$PAM\ (mmHg) = RVS\ (dyne/seg/cm^{-5}) \times DC\ (L/min)/80$$

Observa-se, pela equação, que para aumentarmos a PAM, as alterações na RVS e no DC precisam estar em equilíbrio. Caso um paciente hipovolêmico por quadro hemorrágico receba uma reposição volêmica adequada e a quantidade de fluido administrado seja além do volume de sangue não estressado, observaremos elevação no DC e na PAM. Mas mesmo que essa reposição promova aumento na PAM, grandes incrementos podem não ser observados, já que uma queda na RVS pela hemodiluição também é esperada, mas, apesar disso, com melhora no DC.[16] Ademais, com a infusão de fluidos, pacientes sépticos terão este aumento da PAM apenas de forma temporária, retornando os valores à linha de base em cerca de 1 h.[27,28] Nos pacientes sépticos, a reposição volêmica é fundamental, mas vasopressores podem ser necessários, de modo a aumentar a RVS e, por conseguinte, a PAM, mantendo adequada pressão de perfusão tecidual.[16]

Caso as tradicionais provas volêmicas não funcionem, como podemos avaliar os efeitos da fluidorresponsividade no volume sanguíneo? Um método simples para avaliarmos as mudanças no volume sanguíneo é a aferição do valor da Hb, já que as alterações desses valores (após fluidoterapia) correlacionam-se inversamente ao aumento no volume de sangue.[20] Tais dados indicam que, independentemente do fluido administrado (cristaloide ou coloide), essas soluções não permanecem exclusivamente no intravascular, movendo-se para o interstício e diluindo seus componentes,[16] explicando seu impacto sobre as concentrações de Hb.

Capacidade de Resposta aos Fluidos Funciona?

Alguns aspectos não foram levados em consideração na lei de Starling, como a importância da camada glicocálice e a diminuição da pós-carga em razão da hemodiluição gerada pela reposição volêmica durante a correção da hipovolemia. Estes fatores certamente influenciam nas respostas pressóricas ao longo das provas volêmicas, sendo mais proeminentes nos pacientes críticos e debilitados. A utilização da medida da pressão arterial (PA) como única fonte de informação para estratégias de reposição volêmica nestes pacientes não parece ser uma boa medida. Conforme será apresentado adiante, temos diferentes estratégias para essa medição, com variadas indicações e limitações, e quanto mais informação (de qualidade) conseguirmos coletar, melhor será nosso raciocínio para a tomada de conduta nesses pacientes. O efeito da prova volêmica sobre o VS e o DC é mais complicado do que podemos imaginar e sua interpretação também pode trazer desafios.

■ PREDIÇÃO DE VOLUME

A quantidade de volume administrada deve ser individualizada de acordo com as necessidades do paciente e não predeterminada por algum regime liberal ou restritivo.[29] Durante o período perioperatório, a previsão da responsividade volêmica deve fazer parte do tratamento hemodinâmico individualizado e preventivo, pois reduz a taxa de complicações pós-operatórias e o tempo de internação hospitalar em diferentes categorias de pacientes cirúrgicos.[30-32] No contexto da terapia intensiva, os indicadores de dependência da pré-carga podem ser particularmente úteis para diferenciar entre pacientes respondedores e não respondedores, evitando, assim, "sub-ressuscitação" e/ou "super-ressuscitação", ambas associadas ao mau prognóstico em caso de sepse, choque e síndrome do desconforto respiratório agudo,[33] e este conceito pode e deve ser aplicado durante o intraoperatório. Como a PAM depende tanto do DC quanto da RVS, ela não é um bom indicador do fluxo sanguíneo e do fornecimento de oxigênio e ineficaz quando utilizada como única estratégia de avaliação da pré-carga.

Existem, para predição do volume, várias estratégias e técnicas, desde métodos invasivos e minimamente invasivos até manobras simples e técnicas não invasivas. Cada uma delas possui suas limitações que quando não respeitadas resultam em leituras erradas nos parâmetros com consequente adoção de conduta inadequada. É importante ressaltar que qualquer medida de pré-carga, particularmente se for uma medição única, não deve ser tomada fora do contexto em relação às medidas de outras variáveis e à condição clínica geral do paciente. Assim, as mudanças nesses parâmetros, após as intervenções, podem ser muito mais úteis do que uma medida isolada.

Prova Volêmica

A prova volêmica é a maneira mais intuitiva de se testar a responsividade volêmica. Ela consiste da infusão de uma pequena alíquota de volume e posterior avaliação dos resultados obtidos, ou seja, se a infusão de líquido redundou em aumento da pré-carga e, consequentemente, do DC.[34]

Algumas questões a respeito do tema suscitam discussão, como a definição de pequena alíquota, quais as ocasiões em que a prova volêmica estaria indicada e quanto de volume devemos administrar em cada ocasião. Quando pensamos em uma prova volêmica "comum", estamos falando algo em torno de 300 mL a 500 mL de fluido,[35] que está longe de ser insignificante para alguns pacientes. Outro ponto que deve ser considerado é que a prova de volume pode ser necessária várias vezes ao dia e acarretar, desse modo, uma sobrecarga de fluido. Para evitar tal sobrecarga, uma "miniprova volêmica" foi proposta como alternativa, com a infusão de 100 mL de coloide. Esta estratégia seria segura e mimetizaria o efeito da infusão de 500 mL de cristaloide sobre o DC, avaliado por meio da alteração do volume de ejeção estimado pela ecocardiografia.[36] Atentem que idealmente devemos avaliar a responsividade à prova volêmica observando um incremento no VS ou no DC e não apenas na PAM. Porém, mesmo com a utilização do miniteste devemos nos preocupar com a sobrecarga volêmica.

■ PARÂMETROS ESTÁTICOS DE AVALIAÇÃO DA PRÉ-CARGA

Existe o entendimento de que os chamados parâmetros estáticos de monitorização hemodinâmica, como pressão venosa central (PVC) e pressão de oclusão de artéria pulmonar (POAP), não são adequados como indicadores de responsividade volêmica, sendo difícil prever qual o real efeito da administração de fluidos sobre o DC medidos por eles.[37,38] A inclinação da curva de função cardíaca depende da função sistólica do paciente (Figura 213.3), e como não sabemos qual o *status* cardíaco do paciente no momento da medição, não conseguimos predizer qual sua posição nesta curva. Logo, qualquer medida "estática" de pré-carga fornecida não reflete fluidorresponsividade.[34] Além disso, outro fato que contribui para a pouca confiabilidade nestas medidas advém de erros de medição e calibração dos dispositivos e consequente interpretações equivocadas.[39] Existem confirmações que o uso da PVC na otimização hemodinâmica tem menos valor preditivo em comparação a outras

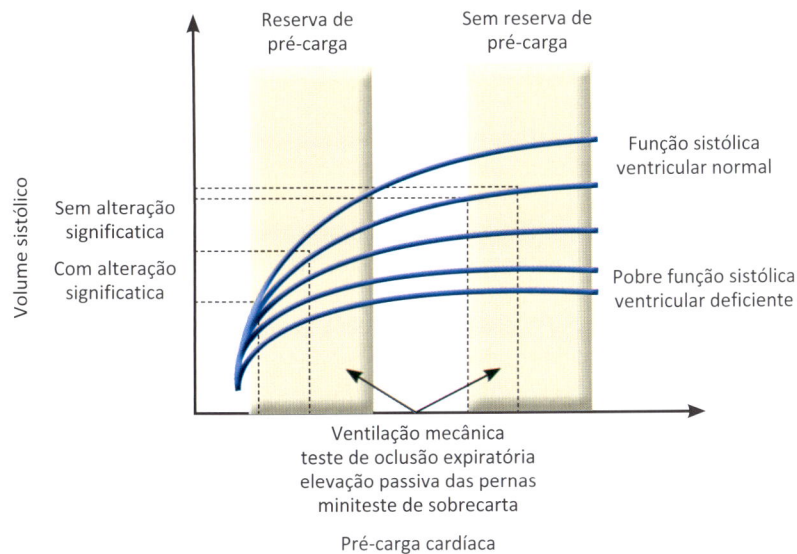

Figura 213.3 Curva da função cardíaca. Existem diferentes tipos de curvas da função cardíaca dependendo da contratilidade ventricular. Se os ventrículos estiverem funcionando no topo da curva da função cardíaca, as alterações na pré-carga cardíaca induzida por ventilação mecânica, como elevação passiva das pernas ou miniprova volêmica resultam em alterações significativas no volume sistólico. Isso não acontece se os ventrículos estão funcionando na parte íngreme da curva de função cardíaca.[34]

medidas de responsividade aos fluidos, como as fornecidas pelo ecocardiograma (ECO) e pode estar associada a mais complicações.[40] Assim, tanto a PVC quanto a POAP não se correlacionam à responsividade volêmica.

VARIAÇÕES DO VOLUME SISTÓLICO INDUZIDAS PELA VENTILAÇÃO MECÂNICA – OS PARÂMETROS DINÂMICOS DA REPOSIÇÃO VOLÊMICA

Durante a ventilação mecânica, ocorre aumento da pressão intratorácica durante a fase inspiratória, aumento da pressão no átrio direito (AD) e decorrente diminuição do gradiente de pressão do retorno venoso. Como a contração vigorosa do ventrículo direito (VD) depende da pré-carga, ocorrerá redução do fluxo de saída do VD. O aumento da pós-carga sobre o VD, induzido pela elevação do volume pulmonar, contribui ainda mais para a redução do fluxo de saída do VD durante a inspiração. Dessa forma, teremos menos sangue passando pela vasculatura pulmonar e, como consequência, uma redução da pré-carga do ventrículo esquerdo (VE). Logo, uma variação cíclica do VS durante a ventilação mecânica controlada é indicativa da dependência da pré-carga ventricular.[34] Abordaremos as estratégias minimamente invasivas de monitorização hemodinâmica obtidas por meio da canulação arterial.

A primeira estratégia desenvolvida foi a pressão de pulso,[41] que é proporcional ao VS. Na sequência, a variação da pressão de pulso (VPP) induzida pela ventilação mecânica provou ser um indicador de responsividade volêmica confiável (desde que suas condições de validade sejam respeitadas).[42] Nos pacientes cirúrgicos cujas medidas de DC ou VS estejam na parte plana da curva de Frank-Starling (e, portanto, insensíveis às mudanças cíclicas na pré-carga induzida pela ventilação mecânica), a VPP é baixa e a administração de fluidos não resulta em aumento significativo no VS.[43] Caso as medidas se encontrem na parte íngreme da relação pré-carga/VS (sensíveis às mudanças cíclicas na pré-carga induzida por ventilação mecânica), a VPP é alta e a infusão de volume produz elevação significativa no volume sistólico.[43] Ao aumentar a pré-carga cardíaca, a carga de volume induz um deslocamento para a direita na curva de Frank-Starling e, portanto, uma diminuição nos valores da VPP.[42]

Com a aplicação desse conceito, houve o relato de que a VPP prediz, com boa acurácia, os efeitos hemodinâmicos da expansão volêmica nos pacientes sépticos com falência respiratória e pode ser utilizada para acessar alterações no DC induzidas pela reposição de fluidos.[41] Esses benefícios não se limitam aos pacientes sépticos na unidade de terapia intensiva (UTI). Em estudo, no qual se propôs uma estratégia de reposição volêmica baseada na monitorização guiada pela VPP para pacientes submetidos às cirurgias de grande porte, houve redução do número de complicações pós-operatórias e do tempo de ventilação mecânica e permanência na UTI,[42] comprovando que a VPP foi uma ferramenta simples e capaz de melhorar desfechos. Diversos outros estudos somados a uma metanálise[44] contribuíram para uma evidência confiável deste indicador. De maneira geral, valo-

res de VPP maiores do que 13% são considerados positivos para responsividade volêmica. Quanto mais distante deste valor, maior o poder diagnóstico da VPP.[34]

Outro parâmetro dinâmico e minimamente invasivo para predizer a fluidorresponsividade é a variação de volume sistólico (VVS). Esta técnica, diferentemente da VPP que é obtida por meio de cálculo matemático, utiliza a análise do formato da curva da PA. Trabalha-se com o valor direto do VS, e não com um valor pressórico para estimá-lo. Seu uso foi eficaz em predizer a responsividade volêmica em diversos estudos com boa sensibilidade e especificidade,[45-47] sendo considerado como positivo para fluidorresponsividade com valores de VVS maiores do que 10%. Sua utilização para a otimização da volemia durante o intraoperatório proporcionou maior estabilidade hemodinâmica e mostrou correlação à diminuição dos valores de lactato sérico (refletindo melhor perfusão tecidual) ao final de cirurgia,[46] e redução na incidência de complicações no período pós-operatório.[46,47]

Diversas publicações já demonstraram que os parâmetros dinâmicos de responsividade a fluidos (no caso VPP e VVS) são melhores preditores de responsividade volêmica do que parâmetros estáticos (PCV e POAP).[40,48] No entanto, para que tenham validade, a avaliação de VVS (e VPP) deve ser realizada em pacientes com ritmo sinusal e sob ventilação mecânica com volume corrente maior que 7 mL.kg^{-1} a 8 mL.kg^{-1}.

Métodos Ultrassonográficos – Variação Respiratória da Veia cava e a Ecocardiografia

Durante a ventilação mecânica, alterações no diâmetro da veia cava podem acontecer. Estas alterações ocorrem, com maior probabilidade, nas situações de normo ou hipovolemia.[34] A variação respiratória do diâmetro da veia cava inferior no ponto de entrada no tórax prevê, com segurança, a responsividade volêmica,[49] da mesma forma que a colapsibilidade para a veia cava superior.[50] Na prática, a avaliação realizada pela veia cava inferior é a forma mais utilizada. A limitações mais importantes do método são a ventilação espontânea e a dificuldade para obtenção de imagens de boa qualidade (nos obesos, por exemplo). Em contrapartida, o método pode ser aplicado na presença de arritmias cardíacas e é útil nas situações em que a canulação arterial ainda não foi obtida.

A ECO também pode ser aplicada como parte integrante das estratégias de reposição volêmica e com bons resultados. Quando utilizada como ferramenta para guiar a reposição volêmica em pacientes submetidos às cirurgias de cólon, acelerou a recuperação da função intestinal e propiciou melhor qualidade na recuperação pós-operatória, com consequente redução no tempo de internação hospitalar.[51] Outros trabalhos publicados apresentaram resultados semelhantes nos desfechos pós-operatórios, comprovando que a ECO é útil para o manejo volêmico de pacientes submetidos aos diversos tipos de procedimentos cirúrgicos.[52–55]

Precisamos levar em consideração, nos métodos ultrassonográficos, que as medidas são realizadas com aparelhos ligados às sondas, geralmente de alto custo. Para medidas de veia cava não há tantos problemas. Contudo, com o uso das sondas de ecocardiografia transesofágica (ETE) é preciso higienizar entre os pacientes e nem sempre há tempo hábil para isso; sem contar que nos grandes centros cirúrgicos e nas grandes terapias intensivas pode haver a necessidade da aplicação concomitante em pacientes diversos, daí ser indispensável investimento para aquisição de mais de um aparelho e mais de uma sonda. Esses dispositivos, no entanto, fornecem informações de suma importância e, em alguns cenários, são insubstituíveis. A geração de imagens em tempo real, para comparação com imagens anteriores das funções cardíacas, pode guiar o anestesiologista no manejo hemodinâmico de pacientes críticos.

Elevação Passiva das Pernas (EPP)

A elevação dos membros inferiores em um ângulo de 45°, somado a um declive do tronco, transfere o sangue alocado no compartimento venoso inferior para a circulação central e, assim, para o coração. Esta manobra é capaz de aumentar a pré-carga cardíaca por meio da transferência de um "autovolume" e de forma reversível,[56] evitando a sobrecarga hídrica. Caso haja melhora superior a 10% no DC, o teste é considerado positivo, predizendo, com boa sensibilidade e especificidade, a responsividade a uma infusão de volume.[57] A confiabilidade desta técnica foi confirmada em uma recente metanálise.[58] Esse teste prevê a responsividade volêmica nos pacientes sob ventilação espontânea e evita os riscos de carga de fluido desnecessária,[48] mas com a desvantagem de não ser possível quantificar o volume adicional acrescentado à circulação central.

■ FLUIDORRESPONSIVIDADE E PROGNÓSTICO

Desde a introdução de estratégias terapêuticas guiadas por metas, incialmente proposta por Rivers et al.,[59] houve diminuição na mortalidade de pacientes com sepse.[16] Todavia, em um estudo com pacientes sépticos, um balanço hídrico positivo nas primeiras 12 h e no quarto dia esteve associado à mortalidade maior.[60] Tal fato é corroborado por estudos recentes (como o ProCESS, ARISE e PROMISE) que evidenciaram menor mortalidade com menor administração de fluidos nas primeiras 72 h, (apesar de algumas críticas destes mesmos estudos).[61-63] Corroborando com tal fato, Douglas et al. observaram que, em uma estratégia de terapia guiada por metas em uma fase inicial (primeiras 6 horas) e fases posteriores (entre 6 e 72 h), um balanço hídrico positivo adicional em fases posteriores seria contraproducente. Talvez, estratégias mais agressivas de reposição volêmica tenham melhores resultados apenas nas fases iniciais do tratamento e, mesmo assim, quando guiadas por metas.[64]

■ MONITORIZAÇÃO HEMODINÂMICA GUIANDO A PRÁTICA

Chamamos de monitorização hemodinâmica funcional a avaliação das interações dinâmicas de variáveis hemodinâmicas em resposta à perturbação ocorrida. Um dos principais tipos de monitorização hemodinâmica funcional, para os quais os ensaios têm demonstrado utilidade clínica,

está relacionado à predição da responsividade volêmica e à identificação de insuficiência cardiovascular oculta (choque compensado).[65] A monitorização hemodinâmica desempenha, dessa forma, importante papel no manejo de pacientes críticos. Esta estratégia de monitorização mostra-se útil na identificação de processos fisiopatológicos subjacentes para que as formas apropriadas de terapia possam ser selecionadas (como em um paciente em choque onde as opções são dar mais líquidos ou dar um vasopressor ou agente inotrópico, dependendo da avaliação hemodinâmica), ou, ainda, aplicadas de forma precoce e preemptiva, permitindo que ações sejam realizadas antes que um problema ocorra (como no perioperatório em que a monitorização pode detectar hipovolemia ou DO_2 insuficiente, permitindo que a terapia corretiva seja iniciada em tempo hábil).[66]

Neste contexto, a terapia guiada por metas (TGM) é um termo que descreve estratégias terapêuticas guiadas por valores hemodinâmicos, de forma a otimizar a DO_2 por meio da melhora da função cardíaca (guiando estratégias de reposição volêmica e inotrópicas), adequando a perfusão e a oxigenação tecidual. Foi aplicando esta estratégia no período pós-operatório de cirurgias de grande porte que Pearse et al. reduziram complicações e, com isso, diminuição no tempo de internação hospitalar.[67] Com o intuito de ampliar estes benefícios já no período intraoperatório, Goepfert et al. propuseram uma estratégia de otimização hemodinâmica guiada por metas imediatamente após o início de cirurgia que se estenderia durante o período pós-operatório na UTI.[68] O interessante é que este estudo foi realizado em pacientes sob cirurgia cardíaca e a estratégia de otimização volêmica utilizada foi guiada pela VVS, cujos valores não são validados para tórax aberto. Dessa forma, as correções volêmicas foram feitas durante o período em que o tórax estava fechado (logo no início da cirurgia e após o término da circulação extracorpórea e fechamento do tórax). Houve redução nas complicações pós-operatórias e diminuição no tempo de internação hospitalar e na UTI. E mesmo em cirurgias de baixo a moderado risco (o que representa a maioria dos procedimentos em diversos serviços) o FEDORA trial ainda mostrou redução de complicações pós-operatórias e no tempo de internação hospitalar (mesmo com alguns questionamentos sobre o método utilizado).[69]

Diversos trabalhos foram publicados desde que este assunto começou a ganhar notoriedade, a partir da década de 1990 (observem que estudamos isso há um bom tempo!). A quantidade de trabalhos publicados e o longo tempo decorrido deste que começaram a surgir na literatura mostram o grande interesse dos médicos no atendimento aos pacientes críticos e a dificuldade para se estabelecer uma conduta definitiva. Talvez o grande problema esteja na heterogeneidade dos trabalhos, com diversificados parâmetros e desfechos de difícil comparação entre si e diferentes pacientes e seus acometimentos (diversas doenças e tratamentos).

Uma metanálise publicada em 2011, que avaliou estudos realizados entre os anos de 1991 a 2008, nos quais os tipos de intervenções propostas pela terapia guiada por metas focavam em reposição volêmica e/ou so de inotrópicos, demonstrou que uma abordagem direcionada e preemptiva no manejo hemodinâmico durante o período perioperatório pode reduzir a morbidade e a mortalidade para pacientes cirúrgicos de alto risco.[32] Uma revisão sistemática sobre o mesmo tema, que incluiu estudos mais recentes (entre 1985 e 2016) e utilização de tecnologias mais modernas (como os dispositivos hemodinâmicos minimamente invasivos), mostrou redução de mortalidade, morbidade e tempo de internação hospitalar.[70]

Há alguns estudos que não demonstraram benefício da terapia guiada por metas. O problema está nos estudos ou na própria terapia? Como trazer estes benefícios para a prática clínica e da melhor forma possível? Provavelmente, a resposta esteja na individualização da terapia. Não existem fórmulas mágicas que possam ser aplicadas a todos os tipos de pacientes para produzir resultados maravilhosos. Devemos ter em mente que os monitores hemodinâmicos são utilizados para diagnóstico e não para terapêutica. Devemos saber indicar seu uso (identificando o paciente correto e o tipo de monitorização adequada), interpretar seus resultados (baseado nas condições clínicas do paciente) e propor a melhor terapia para o paciente. Alguns aspectos na personalização da TGM podem ser seguidos para otimização dos resultados, em busca de melhores desfechos:

1. **Começar cedo**: para que a TGM seja a mais eficaz possível, uma intervenção precoce é fundamental. Devemos ser mais ativos do que reativos, atuando na prevenção de evento, não só no seu tratamento. Devemos considerar a TGM como uma medida preventiva para evitar o desenvolvimento de disfunção orgânica, em vez de somente uma estratégia de tratamento para falência de órgãos já estabelecida.[71] Os melhores benefícios são mais evidentes quanto mais precoces são a monitorização e a intervenção.[67] Começar a otimização volêmica desde o início da anestesia (Figura 213.4).
2. **Personalização da terapia**: os dados da literatura abrangem diferentes tipos de pacientes, com diversos agravos e com variadas terapias; logo o alvo mais apropriado depende da população de pacientes em que você atua. Precisamos entender as alterações hemodinâmicas do paciente para, em seguida, definir quais variáveis hemodinâmicas queremos monitorar. A abordagem da TGM é tão boa quanto o algoritmo usado para orientar a administração de fluidos e agentes vasoativos, e devemos usar algoritmos de tratamento hemodinâmico multimodal e alvos adaptados à situação clínica e aos pacientes.[71]
3. **Monitorização correta**: existem diversos métodos de monitorização existentes na literatura, cada um com suas diferentes características. O sucesso da TGM também depende da capacidade de uma tecnologia de monitorização hemodinâmica em fornecer informações adequadas, e isso depende do ambiente clínico específico em que é usada e das variáveis hemodinâmicas para a qual é direcionada.

■ MANEJO DE FLUIDO PERIOPERATÓRIO

Precisamos aplicar os conceitos vistos até agora às realidades e às necessidades do período perioperatório, mantendo o volume circulante adequado (com adequada DO_2) e evitando tanto a sobrecarga hídrica quanto a sub-hidratação. Hoje, entendemos que a retenção de líquidos não depende, exclusivamente, da quantidade de volume administrado, mas também da capacidade do rim em excretar o excesso tanto de fluidos quanto de sal.[72] Esta sobrecarga de volume no período pós-operatório é acompanhada de complicações, principalmente quando este excesso de líquidos ultrapassa os 2,5 L,[72,73] e que, se levarmos em consideração cirurgias de grande porte, não fica muito difícil de acontecer.

Como uma reação às administrações de grandes quantidades de fluidos no intraoperatório nas cirurgias de grande porte (e complicações decorrentes), estratégias "restritivas de fluidos" foram propostas. Seguindo esta linha, houve demonstrações que um regime restritivo apresentou melhores resultados nos pacientes submetidos aos procedimentos cirúrgicos intestinais em comparação ao tratamento padrão, com excesso de cristaloides (com pacientes apresentando balanço hídrico positivo de 5 L, por exemplo).[74,75] Ficou claro que evitar um regime de excesso de fluidos é mais benéfico ao paciente. No entanto, há dificuldade na interpretação de dados em razão do uso de definições heterogêneas sobre as quantidades de volume administradas nas diferentes estratégias volêmicas.[76] A partir de estudos observacionais, ficou claro que tanto o excesso de fluidos quanto a falta deles acarretam piores desfechos.[77-80] Para exemplificar tal fato, uma recente publicação levantou uma coorte de cirurgias coloproctorretais e ortopédicas (quadril e joelho) e en-

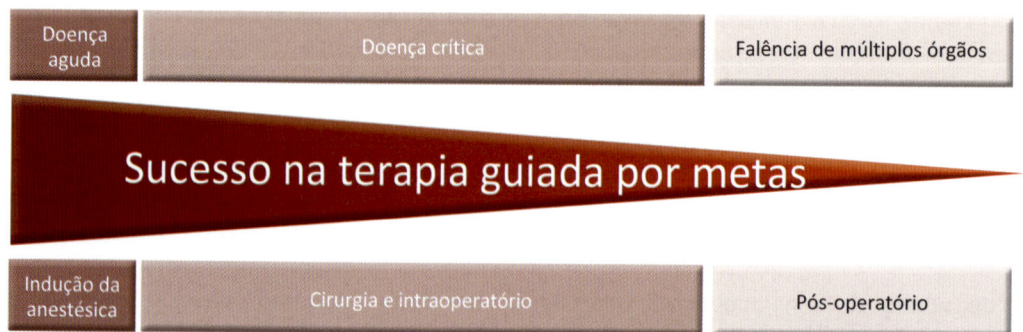

▲ **Figura 213.4** Terapia guiada por metas: comece cedo e personalize. A terapia guiada por metas deve ser iniciada precocemente no período perioperatório e nas unidades de terapia intensiva como uma medida de prevenção da falência orgânica.[71]

controu uma associação significativa entre a administração mais liberal de fluidos com piora nos desfechos (como íleo pós-operatório) nos pacientes submetidos à cirurgia colorretal e também impacto financeiro (no aumento do tempo de internação e dos custos totais) em todos os pacientes.[77] Além disso, observaram também que uma estratégia muito restritiva também esteve associada a piores resultados.

O termo restrição intraoperatória de fluidos também é mencionado nos protocolos de otimização da recuperação pós-operatória (ERAS; do inglês, *enhanced recovery after surgery*).[81] A estratégia proposta neste protocolo é de uma infusão de cristaloide de 1 mL.kg^{-1}.h^{-1} a 3 mL.kg^{-1}.h^{-1} como manutenção, com *bolus* adicionais caso haja necessidade para manutenção adequada da perfusão periférica ou para repor perdas adicionais durante o intraoperatório – mediante reposição de fluidos guiada por metas.[82]

■ ESTRATÉGIAS DE REPOSIÇÃO VOLÊMICA

Uma vez definida qual a melhor estratégia para a identificação da responsividade volêmica e entendida a necessidade de uma terapia guiada e individualizada, algumas estratégias devem ser traçadas. Estão listadas, a seguir, estratégias que podem ser colocadas em prática, de forma a orientar a tomada de decisão na reposição e manutenção hídrica.

Os 4 Ds da Fluidoterapia

Na rotina, por muitas vezes, não é dada a devida atenção sobre o quanto e de qual fluido é administrado ao paciente, ou quando o equipo é deixado aberto e uma grande quantidade de volume é administrada ao paciente (e ops, já foi). Assim, como mencionado anteriormente, os fluidos de manutenção e/ou reposição devem ser considerados como medicações.[5] Logo, devemos respeitar os 4 Ds, como fazemos com os antibióticos ou outras medicações.[83]

- **Droga (tipo de fluido)**: sendo considerados como qualquer outra medicação, os fluidos apresentam suas indicações e as contraindicações, assim como efeitos colaterais. Cada situação requer, então, um fluido diferente, seguindo as fases da ressuscitação hemodinâmica: fluidos de ressuscitação devem se concentrar na restauração rápida e eficiente do volume circulante, os fluidos de manutenção devem conter glicose e eletrólitos para suprir as necessidades metabólicas, e os fluidos de reposição devem ter sua constituição semelhante ao fluido a ser reposto.
- **Dose**: como mencionado por Paracelso, a dose faz o veneno. Não somente a dose deve ser pensada na indicação dos fluidos, mas também seu tempo de administração.[84,85] Maior atenção deve ser dada em como "deixamos" o equipo ao trocar um frasco de fluido ou em como deixamos as infusões de soluções em prescrição. Isto acaba por ter maior importância em cirurgias de grande porte e em pacientes críticos. Devemos ter em mente que não existe uma dose padrão para os fluidos.
- **Duração**: o tempo de administração dos fluidos acaba por influenciar na dose total administrada, com o volume administrado sendo reduzido após a melhora do choque.

Porém, diferentemente dos gatilhos iniciais para a ressuscitação volêmica, os alvos determinados para sua interrupção são menos claros para uma grande parcela dos médicos, sendo estes de identificação menos clara.
- **Desaceleração**: após correção do choque e estabilização do paciente, a fase final da fluidoterapia é reduzir o aporte de fluidos e até retirar excessos administrados, reduzindo a sobrecarga de volume e seus efeitos deletérios.[86]

ROSE – As 4 Fases da Fluidoterapia

A dinâmica da fluidoterapia foi abordada em dois artigos publicados recentemente, de forma simultânea.[86,87] Os modelos apresentados nestas publicações relatam uma dinâmica de 4 fases. Após a avaliação destas publicações a International Fluid Academy (IFA) definiu o acrônimo ROSE (do inglês *Resuscitation , Optimization, Stabilization* e *Evacuation*) como forma de orientar as estratégias para a administração de fluidos, conforme resumido na Figura 213.5.[83]

- **Fase de ressuscitação (*Resuscitation* – R):** esta primeira fase de resgate é aplicada nos pacientes com choque circulatório, objetivando a ressuscitação hemodinâmica e reversão do estado de choque e melhora dos níveis pressóricos mediante o manejo adequado dos fluidos (tanto na escolha do fluido quanto na sua quantidade). Neste momento, deve-se iniciar monitorização hemodinâmica, seguida da administração rápida de um *bolus* de fluido (embora a quantidade exata não seja padronizada, geralmente entre 3 mL.kg^{-1} e 4 mL.kg^{-1} podem ser utilizados durante um período de 10 a 15 min, com repetição caso necessário) e em associação ao uso de vasopressores. Embora compreenda-se que, neste instante, o balanço hídrico possa ser positivo, a IFA não apoia a adesão às cegas dos protocolos de atendimento aos pacientes sépticos que orientam a administração de 30 mL.kg^{-1} nesta fase. Há o entendimento de que cada paciente precisa de uma abordagem individualizada, com uma terapia personalizada e direcionada às suas necessidades, e sempre lembrando do risco da sobrecarga volêmica e seu desfecho negativo no pós-operatório.
- **Fase de otimização (*Optimization* – O):** tem início com a correção da hipovolemia absoluta/relativa evidente, mas com o paciente ainda mantendo certo grau de instabilidade hemodinâmica. Aqui preconiza-se que alguma forma de monitorização já esteja em uso e, dessa forma, uma terapia individualizada deve ser preconizada de acordo com as necessidades do paciente e com reavaliações constantes após as condutas (como as provas volêmicas).[35,88] O objetivo desta fase é a otimização e a manutenção da perfusão e da oxigenação tecidual, para prevenir ou minimizar os danos aos tecidos. Habitualmente, utilizamos parâmetros da macro-hemodinâmica como base para a melhora da microcirculação. Marcadores de hipoperfusão (tais como lactato e gasometria ou ainda tempo de enchimento capilar) devem fazer parte da monitorização hemodinâmica.[89]
- **Fase de estabilização (*Stabilization* – S):** começa assim que a estabilidade hemodinâmica seja alcançada. Agora o objetivo passa a ser o fornecimento de fluidos e eletró-

PAINEL A

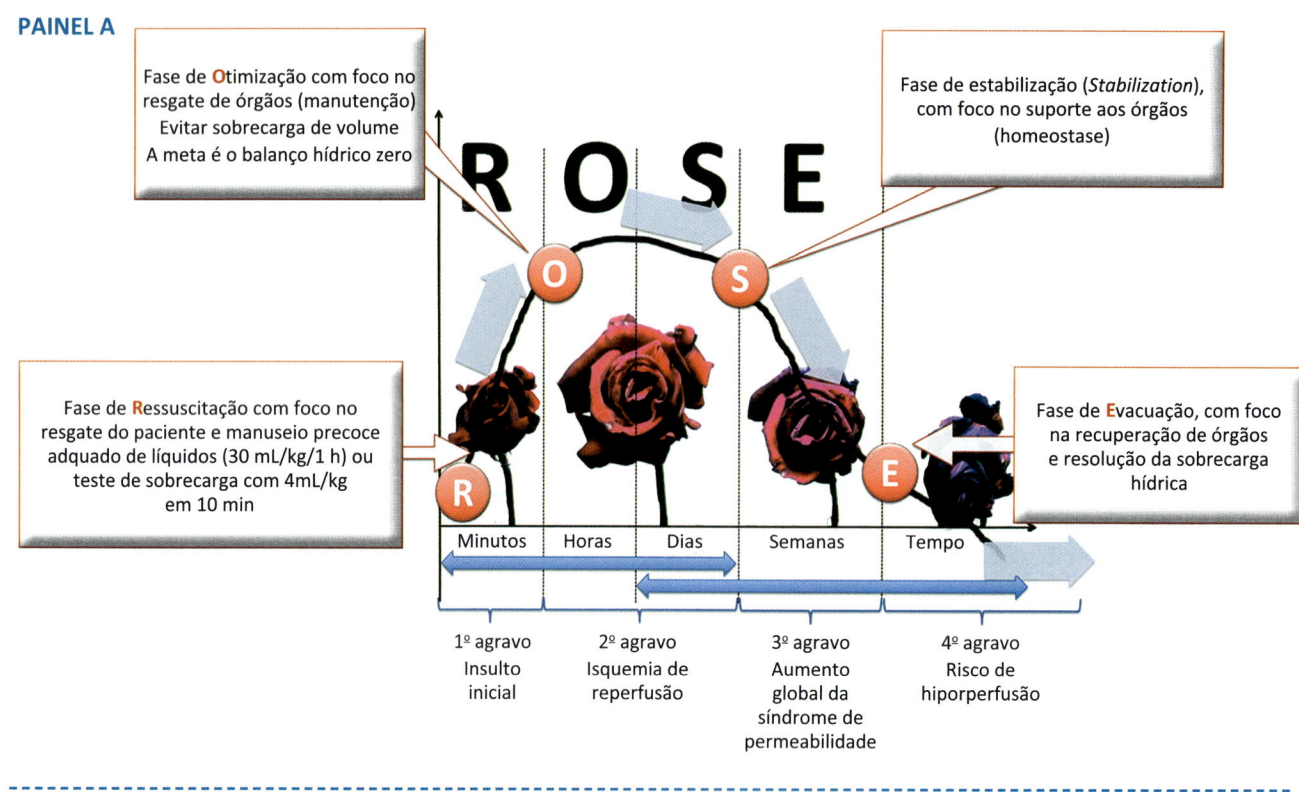

Fase de **O**timização com foco no resgate de órgãos (manutenção) Evitar sobrecarga de volume A meta é o balanço hídrico zero

Fase de estabilização (*Stabilization*), com foco no suporte aos órgãos (homeostase)

Fase de **R**essuscitação com foco no resgate do paciente e manuseio precoce adequado de líquidos (30 mL/kg/1 h) ou teste de sobrecarga com 4mL/kg em 10 min

Fase de **E**vacuação, com foco na recuperação de órgãos e resolução da sobrecarga hídrica

| Minutos | Horas | Dias | Semanas | Tempo |

1º agravo — Insulto inicial

2º agravo — Isquemia de reperfusão

3º agravo — Aumento global da síndrome de permeabilidade

4º agravo — Risco de hiporperfusão

PAINEL B

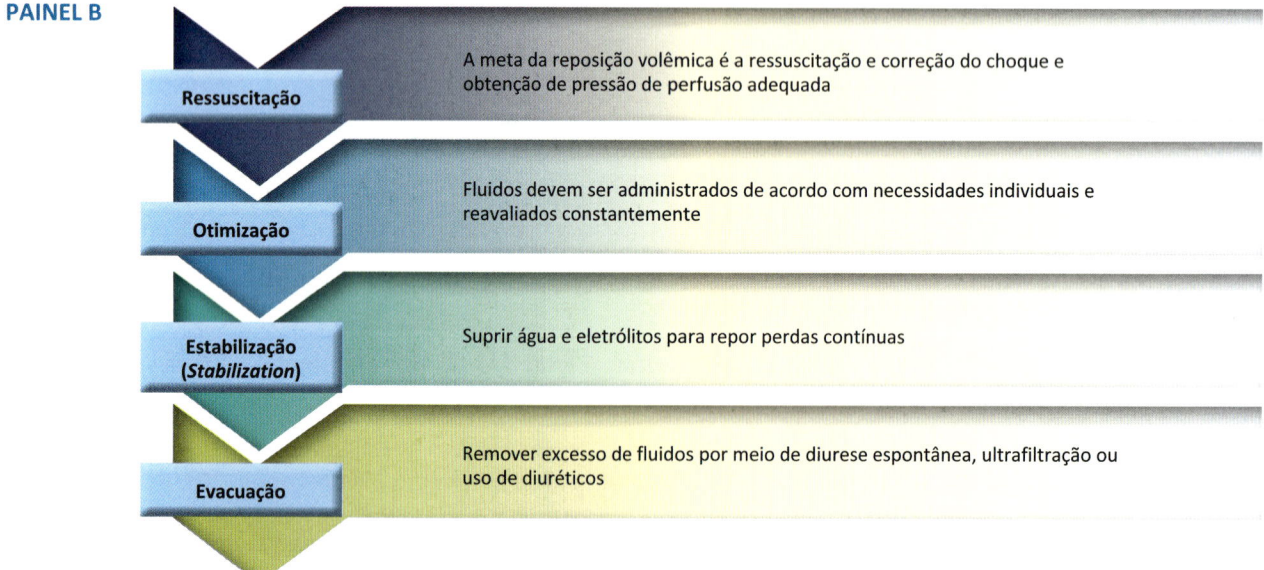

Ressuscitação — A meta da reposição volêmica é a ressuscitação e correção do choque e obtenção de pressão de perfusão adequada

Otimização — Fluidos devem ser administrados de acordo com necessidades individuais e reavaliados constantemente

Estabilização (*Stabilization*) — Suprir água e eletrólitos para repor perdas contínuas

Evacuação — Remover excesso de fluidos por meio de diurese espontânea, ultrafiltração ou uso de diuréticos

▲ **Figura 213.5** Conceito de ROSE e as 4 fases da fluidoterapia.

litos, com o intuito de repor perdas e fornecer suporte aos tecidos. Dessa fase em diante, procura-se manter o balanço hídrico do paciente o mais equilibrado possível (balanço zerado).

■ **Fase de evacuação (*Evacuation* – E):** esta fase ocorre, habitualmente, fora do ambiente cirúrgico, geralmente na UTI. O objetivo aqui é a remoção do excesso de fluido administrado. Pode ser realizado por meio da administração mais regrada de fluidos ao paciente e espera de uma diurese espontânea (buscando um balanço negativo), ainda que o uso de diuréticos e a ultrafiltração também possam ser utilizados. Recentemente, foi demonstrado

que o uso de diuréticos, neste cenário, pode favorecer o recrutamento da microcirculação e otimizar a perfusão e a extração de oxigênio pelos tecidos.[90]

Esquema TROL para Reposição – Aplicando Conceitos

Outro acrônimo, além do ROSE, também da mesma publicação da IFA, pode ser utilizado na terapia hídrica para orientar a escolha e a quantidade de fluido, o TROL (do inglês *Type* – tipo, *Rate* – taxa, *Objective* – objetivo e *Limits* – limite)[83] (Figura 213.6). Esta estratégia aborda muito do

▲ **Figura 213.6** A estratégia TROL para guiar as necessidades de otimização volêmica.[83]

que discutimos até agora e transforma o conhecimento em ações práticas.

- **Tipo (*Type*):** antes de iniciar a reposição volêmica, precisamos escolher qual solução utilizar. Soluções cristaloides, coloides e até mesmo uma reposição com glóbulos vermelhos pode ser necessária. Neste tópico, podemos aplicar os conhecimentos dos 4 Ds da reposição volêmica discutidos anteriormente, com a escolha da **D**roga adequada (qual a melhor solução). Mais adiante discutiremos sobre quais soluções devem ser lembradas, complementando este raciocínio.
- **Taxa (*Rate*):** a velocidade de infusão dos fluidos também deve ser determinada antes de iniciarmos sua infusão. Nas situações de hipovolemia com sangramento agudo ou estado de choque hipovolêmico devemos infundir de maneira mais agressiva, e fora deste contexto, com otimização da volemia, menores velocidades de infusão devem ser mantidas. Interessante observar que os conhecimentos do ROSE devem ser aplicados aqui.
- **Limites (*Limits*):** para determinarmos a quantidade de volume a ser infundido, e pensando também na **D**uração e na **D**ose dos 4 Ds, precisamos identificar metas a serem alcançadas durante a reposição volêmica, de modo a não exceder seus limites e não expor o paciente aos riscos da sobrecarga volêmica. Para isso, os métodos de detecção de hipovolemia discutidos anteriormente devem ser utilizados, demonstrando seu importante papel no manejo volêmico destes pacientes.
- **Objetivo (*Objective*):** quais as metas a serem alcançadas com esta reposição volêmica? Quando devemos parar nossa reposição/ressuscitação volêmica? Alguma coisa mudou desde que iniciamos nossa conduta? Aqui a estratégia da TGM deve nos guiar, indicando quais os alvos desejados, como melhora nos parâmetros hemodinâmicos ou nos exames da laboratoriais.

■ FLUIDOS

Soluções Cristaloides

Soluções cristaloides intravenosas foram usadas, inicialmente, para o manejo da cólera, em 1832, por O'Shaughnessy e Latta. Curiosamente, foram mais estreitamente alinhadas com a composição do plasma do que as soluções que contêm cloreto de sódio como componente principal, utilizadas na atualidade. Hamburguer, em experiências sobre a lise de hemácias, considerou a solução salina (cloreto de sódio a 0,9%) isotônica em relação ao plasma humano.[91] A infusão de solução salina a 0,9% produz acidose metabólica hiperclorêmica e perfusão renal reduzida; na população de cuidados intensivos, aumentou a incidência de lesão renal e a necessidade de terapia de substituição renal quando comparados ao uso de soluções que contêm menos cloro.[1] Quando utilizada no ambiente cirúrgico, também pode acarretar desenvolvimento de acidose,[92] além de ser excretada mais lentamente do que as soluções de Ringer lactato ou acetato.[93] Dessa forma, a administração de soluções de NaCl a 0,9% deve ser desencorajado nos pacientes cirúrgicos críticos.

Soluções Balanceadas

Outra questão que devemos ter em mente ao indicar qual e o quanto de uma solução é o seu efeito expansor no plasma e sua duração. Diferentes cinéticas mostraram, em voluntários saudáveis, diminuição de aproximadamente 10% na expansão do volume plasmático de soluções balanceadas em comparação à salina.[93,94] Porém, em um modelo experimental de choque hemorrágico grave, um volume menor de solução balanceada foi necessário para restaurar a pressão arterial alvo em comparação ao uso de solução salina.[95] Estes resultados, apesar de parecerem conflitantes, evidenciam que a administração de soluções de reposição deve levar em consideração o *status* do paciente no momento da tomada de decisão e que resultados obtidos em modelos experimentais ou em pacientes sépticos não podem ser extrapolados para todas as situações. Na verdade, isto reforça a ideia de uma terapia individualizada, tanto na indicação de fluidos quanto no alvo desejado.

A alta concentração de cloreto provoca contração da musculatura lisa vascular e causa, de forma dependente da dose, acidose, hipercloremia e diminuição da perfusão renal.[96,97] Foram comparados os efeitos da administração de 2 L de solução salina ou solução isotônica balanceada e pH de 7,4 em 1 h em voluntários saudáveis. Os voluntários que receberam solução salina apresentaram redução significativa da velocidade do sangue na artéria renal, com diminuição da perfusão cortical renal e da produção de urina e consequente acúmulo de líquido no espaço extravascular.[98] Quando comparados os efeitos dessas mesmas soluções em pacientes submetidos ao procedimentos cirúrgicos abdominais de grande porte, a solução isotônica balanceada acarretou menor incidência de insuficiência renal com necessidade de diálise no primeiro dia de pós-operatório.[72] O efeito da solução salina sobre a perfusão renal somado à sua característica levemente hipertônica – ocasionando provável aumento no incremento de arginina-vasopressina – contribuem para a excreção renal lentificada de cloreto de sódio em comparação ao uso de soluções balanceadas.[27,99] Como resultado, há maior chance do aparecimento de edema pelo depósito do excesso de líquido no espaço intersticial.[100,101]

Dois grandes estudos abordaram a questão do uso de soluções balanceadas nas UTIs. O SPLIT comparou o uso de soluções balanceadas *versus* não balanceadas em 2.092 pacientes e não mostrou diferença significativa na incidência de lesão renal aguda.[102] Porém, o volume médio de solução administrada no período do estudo foi de 2 L, além do fato de ambos os grupos terem recebido, previamente, cerca de 1 L a 1,2 L de solução balanceada tamponada nas 24 h que antecederam sua entrada no estudo, deixando no ar uma dúvida sobre estes resultados. Já, o SMART foi um estudo multicêntrico que envolveu cinco UTIs, com total de mais de 15.000 pacientes randomizados para receberem solução balanceada ou solução de NaCl 0,9%. Houve pequena diferença no aparecimento de complicações renais importantes em 30 dias (seu desfecho primário).[103] Estes mesmo autores, em um estudo semelhante – o SALT-ED – observaram um resultado semelhante em relação ao aparecimento de complicações renais na população que recebeu soluções balanceadas, porém, desta vez, tratavam-se de pacientes não críticos.[104]

Concluímos que a utilização de soluções balanceadas, em vez das que contêm excessiva carga de cloreto, evita o aparecimento da acidose metabólica. As soluções balanceadas são preferíveis, sobretudo nos pacientes candidatos potenciais à administração de grandes quantidades de fluidos intravenosos.[105]

Albumina

A albumina é o único coloide natural disponível. Em decorrência do seu poder oncótico, atribui-se a ela uma expansão volêmica com administração de pequeno volume, com consequente menor chance de hipervolemia e balanço positivo.

No estudo ALBIOS, pacientes sépticos foram ressuscitados, inicialmente, num esquema de TGM e randomizados para receber solução de cristaloide com ou sem albumina 20%.[106] No grupo albumina, houve suplementação de albumina durante 28 dias, de forma a manter sua concentração maior do que 30 g.L^{-1}. A despeito de efeitos benéficos esperados em razão do seu poder oncótico (maiores níveis pressóricos com menores valores de frequência cardíaca [FC] associados a um balanço hídrico menos positivo nos primeiros 7 dias), não houve diferença na mortalidade em 90 dias nem na mudança dos escores de gravidade. Porém, menor risco de morte foi observado nos pacientes tratados com solução de albumina em comparação àqueles que receberam apenas cristaloides. Deve-se levar em consideração que as soluções de albumina foram utilizadas como medicações para correção dos estados de hipoalbuminemia e não como soluções de expansão.

O SAFE Study,[107] outro grande estudo que comparou o uso de solução salina versus albumina 4% durante a ressuscitação volêmica inicial de pacientes críticos após sua chegada na UTI, não mostrou diferença nas taxas de mortalidade, embora tenha ocorrido uma ligeira, mas não significativa, redução na mortalidade nos pacientes com hipoalbuminemia na admissão que receberam albumina em comparação àqueles que receberam solução salina. Dois subgrupos analisados neste estudo merecem maior atenção: a albumina diminuiu a mortalidade dos pacientes com sepse grave e aumentou daqueles com lesão cerebral traumática.

Apesar do teórico efeito da albumina sobre a hemodinâmica e seus possíveis efeitos,[106,108] nenhum grande estudo randomizado evidenciou benefício com seu uso na ressuscitação volêmica sobre demais soluções cristaloides.[109] Existe uma possível associação entre o uso de albumina e o desenvolvimento de lesão renal aguda nos pacientes submetidos às cirurgias cardíacas.[110] Mesmo a redução na mortalidade em 90 dias num subgrupo específico de pacientes com choque séptico, observado no estudo ALBIOS,[111] deve ser interpretada com um pouco de cautela, já que esta conclusão foi baseada em uma avaliação *post-hoc* e não por uma análise já predefinida. Portanto, a administração de albumina pode ser considerada como parte da reposição volêmica nos pacientes que necessitem de grandes quantidades de cristaloides e com algum papel benéfico nos pacientes sépticos.[107,112] É válido lembrar que a maioria dos estudos utilizou albumina em uma concentração de 4% e que a comercialização disponível é de 50 mL a 20%, necessitando diluição.

Coloidessintéticos

Como alternativa à utilização da albumina, coloides sintéticos foram desenvolvidos, sendo os HES os mais conhecidos.

O estudo VISEP avaliou a segurança e a eficácia da terapia insulínica intensiva *versus* terapia convencional com HES 10% 200/0,5 *versus* Ringer lactato em pacientes com sepse grave ou choque séptico. O estudo foi interrompido após a primeira análise interina em consequência do aumento da taxa de insuficiência renal e tendência para taxa de mortalidade mais alta em 90 dias no grupo HES.[113] Além deste, o 6S também comparou estratégias de reposição volêmica com a utilização de HES, desta vez com soluções mais modernas, com menor peso molecular (consideradas mais seguras). Pacientes com sepse grave foram randomizados para receberem ressuscitação volêmica com HES 6% 130/0,42 ou Ringer lactato. Os pacientes com sepse grave designados para ressuscitação com HES tiveram risco aumentado de morte no dia 90 e eram mais propensos à necessidade de terapia de substituição renal em comparação àqueles que receberam Ringer lactato.[4] Resultados semelhantes foram obtidos pelo CHEST, no qual 7.000 pacientes críticos de terapia intensiva foram randomizados para receber HES 6% 130/0,42 em salina 0,9% (assim, também um coloide moderno) ou apenas salina 0,9%. Não houve diferença significativa na mortalidade em 90 dias, porém mais pacientes que receberam ressuscitação com HES necessitaram de terapia de substituição renal.[114]

Ao somarmos esses estudos e outras metanálises sobre o assunto, observamos os efeitos deletérios dos HES em comparação às soluções cristaloides na ressuscitação volêmica de pacientes com choque séptico.[4,113-116] Seu uso está associado ao aumento do risco de hemorragia, insuficiência renal aguda e necessidade de terapia de substituição renal.[115,116] Portanto, com base nas publicações recentes, os HES não devem ser utilizados como terapia de reposição volêmica em pacientes críticos.

■ CONSEQUÊNCIAS/RISCOS – SOBRECARGA VOLÊMICA

Problema com a Sobrecarga de Fluido no Ambiente Perioperatório

Alguns autores advogam que, durante cirurgia e anestesia, um certo grau de hipervolemia é importante para manter uma adequada perfusão,[83] mas este fato deve ser interpretado com muita cautela. Esse volume administrado a mais durante a anestesia aumenta o volume de sangue chamado "não estressado", em decorrência da vasodilatação induzida pela anestesia. Torna-se, então, necessária a administração adicional de volume para otimizar o VS – agora sim adicionando realmente volume ao intravascular "estressado".[117] Quando há excesso na quantidade de fluidos administrada, superando a vasodilatação induzida pela anestesia, há elevação das pressões nas câmaras cardíacas e, consequentemente, do trabalho miocárdico. Juntamente com isso, a sobrecarga hídrica diminui a pressão coloidosmótica do plasma, que associada ao aumento das pressões cardíacas, pode acarretar desenvolvimento de edema pulmonar.[118] O estado de hipervolemia ainda é responsável pela liberação de peptídeo natriurético atrial em resposta à distensão das fibras miocárdicas atriais, promovendo a natriurese e a diminuição da pressão sobre o sistema circulatório.[76,119] Portanto, um excesso na administração de fluidos parece ser mais fácil de acontecer. Entretanto, outros autores trazem um raciocínio hemodinâmico diferente, e talvez mais interessante.[120] Temos que ter em mente que qualquer vasodilatação (situação comum durante o ato

anestésico) pode aumentar o volume não estressado (Vne) de sangue com a queda do volume estressado (Ve) e com as consequências da hipovolemia. No sentido contrário, qualquer vasoconstrição (especialmente a venoconstrição), em condições de normovolemia, diminui o Vne e aumenta o Ve, com consequente aumento do retorno venoso e do DC.

Elevação sustentada do Ve evita a administração excessiva de volume, quase sempre utilizado para compensar a vasodilatação e seu aumento do Vne (conforme explicitado no parágrafo anterior). Os agentes anestésicos dilatam o compartimento venoso promovendo o aumento do Vne e queda do Ve, com hipotensão. Com a administração de fluidos para correção da hipotensão, o primeiro a ser restaurado é o Vne e, erm seguida, o Ve, com restauração da hemodinâmica. Posteriormente, no período pós-operatório, com o retorno do tônus venoso aos padrões normais (com o término do efeito dos anestésicos), o Vne reduz convertendo-se em Ve e expõe o paciente aos riscos de uma sobrecarga volêmica.[120]

A infusão de pequenas doses de vasopressor pode diminuir o Vne (que não contribui para a hemodinâmica) e elevar o Ve, sem alterar o volume de sangue total. Isso possibilita o uso de menores quantidades de fluidos, com o mesmo poder hemodinâmico. E é exatamente isso que Nakamoto *et al.* mostraram em seu estudo. Com a infusão de vasopressor (até certo ponto), houve redução das necessidades de fluidos, com diminuição do sangramento (com consequente queda nas necessidades transfusionais) e também menor necessidade de *bolus* de fluidos.[121] Por conseguinte, otimizou a hemodinâmica dos pacientes com menor administração de volume e transfusões. Na verdade, o conceito aqui foi uma correção da RVS e aumento do volume circulante; o alvo não foi apenas o aumento da PAM (que vai acontecer com o aumento da RVS) e, sim, o aumento do retorno venoso.

Podemos questionar, no entanto, se o uso de vasopressores pode provocar contração em excesso das artérias e, assim, comprometer a perfusão tecidual e mascarar os sinais que nos fazem suspeitar de hipovolemia. Como a densidade de receptores alfa 1 é maior nas veias do que nas artérias, as doses de vasopressores irão promover vasoconstrição maior nas veias, o que aumenta o volume de sangue circulante, com consequente elevação do retorno venoso e DC.[120] Além disso, Nakamoto *et al.* demonstraram que a responsividade volêmica é preservada nas condições criadas pelas doses de vasopressores utilizadas, o que sugere que nossas ferramentas diagnósticas não perdem valor pelas doses de vasopressores administradas.[121]

Todos esses fatos, em conjunto, reforçam ainda mais a ideia de que não devemos olhar somente para os níveis pressóricos à procura de responsividade volêmica.

Problema com a Sobrecarga de Fluidos na Unidade de Terapia Intensiva

A administração de fluidos é um dos pilares da ressuscitação hemodinâmica nos pacientes críticos. Neste cenário, o aparecimento da sobrecarga hídrica pode surgir com certa facilidade, em decorrência do aumento da permeabilidade capilar presente nos estados inflamatórios. Como consequência, o paciente fica predisposto a um balanço hídrico positivo, que está associado aos piores desfechos nos pacientes de terapia intensiva, fato este já bem documentado em diversos estudos.[86,122-124] Nos pacientes com choque séptico, resultados semelhantes foram observados, com aumento das taxas de mortalidade naqueles que desenvolveram balanço hídrico positivo.[122,125] E, de fato, em um estudo retrospectivo, uma estratégia volêmica multimodal mais restritiva, objetivando um balanço hídrico negativo, foi associada aos melhores resultados nos pacientes portadores de lesão pulmonar aguda.[126] O mesmo aconteceu com pacientes admitidos nas terapias intensivas para o pós-operatório de cirurgia de grande porte, onde o balanço positivo foi considerado fator de risco independente para mortalidade.[124]

Se de um lado já entendemos os malefícios do excesso de fluidos, por outro não podemos esquecer que uma administração insuficiente pode resultar em hipoperfusão tecidual e disfunção orgânica. Diferentes pacientes terão variadas necessidades, onde fatores inerentes ao paciente (como idade, comorbidades associadas e diagnóstico atual) serão determinantes essenciais dessas diferenças. Além disso, as necessidades volêmicas mudam de acordo com a evolução do quadro clínico, e com isso fica claro a necessidade da utilização de ferramentas/monitores para auxiliar nesta tomada de decisão.

■ TRANSFUSÕES DE SANGUE – O CONCENTRADO DE HEMÁCIAS

Com cerca de 85 milhões de prescrições anualmente, a transfusão de CH é um dos procedimentos médicos mais realizados no mundo, tendo indicações variadas. Mas esta não é uma conduta isenta de complicações. A famosa frase "Sangue é vida" já foi escutada por muitos de nós. Mas então, por que a prática transfusional pode trazer riscos? Em 1999, Hebert *et al.* publicaram os resultados do ensaio *Transfusion Requirements in Critical Care* (TRICC trial), que encorajou que a prática transfusional fosse repensada.[127] Neste estudo, 838 pacientes euvolêmicos, em estado crítico, com concentrações de Hb inferiores a 9 g.dL^{-1} foram alocados para uma estratégia de transfusão restritiva, na qual eritrócitos eram transfundidos caso a concentração de Hb chegasse a valores abaixo de 7 g.dL^{-1}; ou uma estratégia liberal, onde as transfusões foram realizadas quando a concentração de Hb chegasse a valores abaixo de 10 g.dL^{-1}. Os resultados demonstraram que uma estratégia restritiva foi adequada para a maioria dos pacientes críticos (tão eficaz quanto e possivelmente superior) comparada à estratégia liberal, com a possível exceção dos pacientes com infarto agudo do miocárdio e angina instável. Com isso, o TRICC trial demonstrou que "mais sangue" não quer dizer "mais vida". Desde esta publicação, vários estudos epidemiológicos mostraram que as transfusões produziram maior mortalidade nos pacientes internados na terapia intensiva.

Na tentativa de orientar melhor essas indicações (e minimizar riscos), as diretrizes mais recentes têm recomendado estratégias mais restritivas nas transfusões de CH nos pacientes cirúrgicos,[128] sendo esta uma das populações de maior risco para transfusão nos pacientes hospitalizados (em especial aqueles portadores de anemia pré-operatória).[129,130] Em algumas situações, os benefícios da transfusão do CH são bem claros (como nas situações de choque hipovolêmico hemorrágico), porém existem situações controversas (ou pelo menos discutíveis) sobre sua indicação. O motivo desse questionamento recaí sobre as complicações pós-transfusionais e seu impacto no desfecho durante o período pós-operatório.[130,131] As transfusões estão associadas ao maior risco de infecções nos pacientes cirúrgicos,[132] ao maior risco de insuficiência pulmonar aguda nos pacientes críticos,[133] e à ocorrência de eventos tromboembólicos,[134-136] além de outras complicações, impactando sobre o desfecho e a morbimortalidade.[137-139] Essas diretrizes têm o objetivo de reduzir a exposição desnecessária às transfusões e, consequentemente, diminuir a ocorrência das complicações pós-operatórias.[128] O que podemos observar é que "mais sangue" pode representar "menos vida".

Impacto da Anemia Pré-operatória

A anemia pré-operatória (definida segundo a Organização Mundial da Saúde [OMS] como uma concentração de Hb menor que 13 g.dL^{-1} nos homens e menor de 12 g.dL^{-1} nas mulheres) está associada à maior morbidade e mortalidade nos pacientes cirúrgicos com maior risco para necessidades transfusionais.[140] Uma maneira rápida para sua correção é a transfusão de CH ainda no período pré-operatório, e realmente algumas publicações demonstraram que esta estratégia foi eficaz na correção da anemia com redução das necessidades transfusionais perioperatórias. No entanto, a adoção de medidas transfusionais deve ser preterida para este fim (com o intuito de diminuir os riscos transfusionais), sendo a utilização de hemocomponentes uma medida de exceção.[141]

Transfusões de Concentrado de Hemácias Durante o Intraoperatório

A perda de sangue durante a realização de cirurgias de grande porte é uma certeza, podendo ocorrer de forma insidiosa (onde o tempo de cirurgia determinará o volume de sangue perdido) ou abrupta (com a gravidade do evento determinando a quantidade perdida). Em ambos os cenários, podemos chegar a um estado de hipovolemia com hipoperfusão tecidual e queda da DO$_2$, e cabe ao anestesiologista uma intervenção precoce e adequada, a fim de evitar a disfunção orgânica. Para isso lançamos mão de soluções coloides e cristaloides associadas aos CH. De uma forma geral, a transfusão de CH está indicada para o reestabelecimento da DO$_2$, e não para a correção da hipovolemia (talvez com exceção para o choque hemorrágico).

Com a queda dos níveis de Hb a valores críticos, mesmo com a volemia otimizada, podemos ter redução na CaO$_2$ e, consequentemente, diminuição da DO$_2$, podendo ocorrer um desbalanço entre oferta e consumo de oxigênio (representado pela VO$_2$). Esta situação pode ser estimada por meio do uso de monitores hemodinâmicos invasivos (ou minimamente invasivos) e por marcadores laboratoriais da microcirculação (como lactato, pH e saturação venosa central).[142,143] Portanto, podemos dizer que as transfusões de

CH devam ser recomendadas para pacientes com anemia normovolêmica, com sinais de desbalanço entre oferta (representada pela DO$_2$) e consumo (representada pela VO$_2$) de oxigênio, com o objetivo de restabelecer este equilíbrio, e esta estratégia deve ser auxiliada por uma terapia guiada por metas (com o uso de monitores e exames laboratoriais).

Pacientes que adquiriram o quadro de instabilidade hemodinâmica durante o procedimento cirúrgico ou já chegaram para o procedimento cirúrgico comprometidos por uma síndrome da resposta inflamatória sistêmica (SRIS) ou choque séptico, por exemplo, com sinais de hipoperfusão tecidual presentes (como hiperlactatemia e acidose metabólica) devem ser submetidos à estabilização hemodinâmica (de forma guiada). Caso o quadro persista, uma transfusão de CH está indicada a fim de melhorar a CaO$_2$ (e assim a DO$_2$). A recomendação é que concentrações de Hb de pelo menos 7 g.dL^{-1} sejam alcançadas; valores maiores que 9 g.dL^{-1} raramente mostram benefícios.[59] Após as condutas tomadas, reavaliações constantes devem ser realizadas, e caso este desequilíbrio permaneça, novas transfusões de CH devem acontecer.

Situações Especiais

1. **Portadores de doença arterial coronariana:** nas situações de queda abrupta das concentrações de Hb, ocorre ativação de mecanismos fisiológicos compensatórios (desencadeados pela redução na CaO$_2$). Uma resposta simpática tem início, produzindo aumento do DC e consequente melhora na DO$_2$. Para isto ocorrer, temos elevação no trabalho cardíaco, sendo necessário incremento do fluxo coronariano. Este fato torna-se preocupante nos pacientes com obstrução ao fluxo coronariano. Nesse caso, um desbalanço entre oferta e consumo de oxigênio (desta vez pelo músculo cardíaco) acarreta isquemia miocárdica. Dessa forma, uma estratégia mais liberal de transfusão de CH é recomendada pelas diretrizes de cuidados perioperatórios para esses pacientes.[142,143]

    Mesmo dentro desse grupo de pacientes, alguns deles são expostos aos estados anêmicos leves a moderados de forma crônica, desenvolvendo tolerância e sem apresentar isquemia miocárdica. Consequentemente, nos pacientes assintomáticos com doença arterial coronariana e sem sinais ou sintomas de isquemia miocárdica, recomenda-se uma estratégia mais restritiva, com transfusão de CH caso as concentrações de Hb sejam inferiores a 8 g.dL^{-1}.[128]

2. **Lesões neurológicas:** a grande meta no atendimento aos pacientes com lesões neurológicas é evitar a lesão neurológica secundária, já que não é possível atuar sobre o dano neurológico inicial. Devemos prevenir a hipotensão e a hipóxia (associadas ao aumento da mortalidade)[144,145] e também a anemia, de maneira a manter a DO$_2$ cerebral. Preservar um hematócrito maior que 30% sempre foi a recomendação para o princípio teórico de se manter a capacidade ideal de transporte de oxigênio,[146] porém devemos ter em mente que a redução da viscosidade do sangue melhora o fluxo na microcirculação cerebral, melhora a perfusão tecidual e diminui o volume de sangue cerebral,[147] reduzindo as chances de hipertensão in-

tracraniana. Em revisão publicada em 2008, Ali Salim *et al*. demonstraram que as transfusões foram associadas aos resultados significativamente piores nos pacientes com lesão cerebral traumática e elas contribuem para piores desfechos nos pacientes anêmicos com traumatismo cranioencefálico.[146] Apesar de não termos grandes recomendações atuais sobre as concentrações adequadas de hemoglobina ou hematócrito em pacientes com lesões neurológicas graves, temos evidências de que altos níveis de Hb estão associados às complicações e adicionam pouco benefício.[148] Assim, estratégias menos liberais (partindo de níveis transfusionais de Hb a partir de 7 g.dL^{-1} a 8 g.dL^{-1}) podem ter melhores resultados.[147] Uma estratégia mais conservadora, com gatilhos transfusionais a partir de níveis de Hb inferiores a 8 g.dL^{-1}, também foi identificada por Badenes *et al*. em pesquisa realizada em com diversas sociedades de terapia intensiva que cuidam de doentes com lesões neurológicas ao redor do mundo.[149] Uma abordagem individualizada para atingir concentração ótima de Hb, com base em indicadores fisiológicos, parece ser a melhor medida.[150]

Estratégias Transfusionais noPeríodo Pós-operatório

O mesmo raciocínio do intraoperatório deve se estender para o período pós-operatório, no qual pacientes hemodinamicamente estáveis, com volemia otimizada, devem receber transfusão de CH caso níveis de Hb sejam inferiores a 8 g.dL^{-1}, seguindo, então, uma estratégia restritiva. Caso desenvolvam alguma sintomatologia (como precordialgia, arritmias ou sintomas de insuficiência cardíaca congestiva), uma transfusão de CH, mesmo com valores superiores a 8 g.dL^{-1}, pode ser necessária. Porém, nos pacientes hemodinamicamente estáveis e assintomáticos e sem fatores de risco, com concentrações de Hb inferiores a 8 g.dL^{-1}, podem ser manejados, inicialmente, sem necessidade de transfusões.[128]

Transfusões Visando à Camada Glicocálice

Como vimos anteriormente, a transfusão de plasma fresco congelado proporciona um resultado positivo sobre a camada glicocálice. Seu efeito benéfico sobre a estrutura e a função da camada endotelial ainda não é completamente compreendido, porém um dos mecanismos atribuídos é que sua alta viscosidade atue no aumento da força de cisalhamento para valores próximos ao normal.

Já a hemodiluição, causada por protocolos de ressuscitação volêmica, pode reduzir, de forma persistente, a viscosidade do sangue e a força de cisalhamento endotelial, contribuindo, de forma importante, para a falha da distribuição normal do fluxo sanguíneo na microcirculação e para o aumento do vazamento endotelial e consequente formação de edema.

Neste contexto, é interessante considerar, do ponto de vista teórico, que a transfusão de sangue total poderia trazer benefícios e a transfusão de frações de sangue poderia ser deletéria para a camada glicocálice. No entanto, como já discutido neste capítulo, as transfusões não são isentas de riscos e ainda não temos evidências suficientes para utilizarmos hemocomponentes (muito menos sangue total) para preservar ou recuperar a camada glicocálice. Hoje, as transfusões devem ser utilizadas na correção da anemia e dos distúrbios da coagulação. Quem sabe, no futuro, após mais estudos, poderemos ampliar estas indicações.

■ CONSIDERAÇÕES FINAIS

Estratégias de reposição volêmica (soluções cristaloides, soluções coloides e CH) têm como objetivo a melhora da perfusão periférica e a otimização da entrega de oxigênio aos tecidos. Para isso, deve-se ter em mente os determinantes da DO_2 e atuar sobre os fatores deficientes. Existem diversas estratégias para identificação da responsividade volêmica e que devem estar atreladas às estratégias de TGM. Quanto mais informações estiverem à disposição, melhor será a tomada de decisão. Não existem, porém, gatilhos comuns a todos os pacientes e nem comuns a todas as situações, sendo a terapia individualizada a melhor forma de abordagem.

REFERÊNCIAS

1. Yunos NRAM, Bellomo R, Hegarty FC, Story D, Ho L, Bailey M. Association between a chloride-liberal vs chloride-restrictive intravenous fluid administration strategy and kidney injury in critically ill adults. JAMA J Am Med Assoc. 2012;308(15):1566-1572. doi:10.1001/jama.2012.13356.
2. Myburgh JA, Mythen MG. Resuscitation fluids. N Engl J Med. 2013;369(13):1243-1251. doi:10.1056/nejmra1208627.
3. Van Regenmortel N, Jorens PG, Malbrain MLNG. Fluid management before, during and after elective surgery. Curr Opin Crit Care. 2014;20(4):390-395. doi:10.1097/MCC.0000000000000113.
4. Perner A, Haase N, Guttormsen AB, et al. Hydroxyethyl starch 130/0.42 versus Ringer's acetate in severe sepsis. N Engl J Med. 2012;367(2):124-134. doi:10.1056/nejmoa1204242.
5. Malbrain MLNG, Niels Van Regenmortel RO. It is time to consider the four D's of fluid management. Anaesthesiol Intensive Ther. 2015;Nov 17.
6. Padhi S, Bullock I, Li L, Stroud M. Intravenous fluid therapy for adults in hospital: Summary of NICE guidance. BMJ. 2013;347(December):1-5. doi:10.1136/bmj.f7073.
7. Langer T, Limuti R, Tommasino C, et al. Intravenous fluid therapy for hospitalized and critically ill children: Rationale, available drugs and possible side effects. Anaesthesiol Intensive Ther. 2018;50(1):49-58. doi:10.5603/AIT.a2017.0058.
8. Malbrain MLNG, Van Regenmortel N, Saugel B, et al. Principles of fluid management and stewardship in septic shock: it is time to consider the four D's and the four phases of fluid therapy. Ann Intensive Care. 2018;8(1). doi:10.1186/s13613-018-0402-x.
9. Van Regenmortel N, De Weerdt T, Van Craenenbroeck AH, et al. Effect of isotonic versus hypotonic maintenance fluid therapy on urine output, fluid balance, and electrolyte homeostasis: A crossover study in fasting adult volunteers. Br J Anaesth. 2017;118(6):892-900. doi:10.1093/bja/aex118.
10. Moritz ML, Ayus JC. Maintenance intravenous fluids in acutely Ill patients. N Engl J Med. 2015;373(14):1350-1360. doi:10.1056/nejmra1412877.
11. McGee WT, Headley JM, John AF. Guia Rápido para tratamento cardiopulmonar; 2014.
12. Mayer K, Trzeciak S, Puri NK. Assessment of the adequacy of oxygen delivery. Curr Opin Crit Care. 2016;22(5):437-443. doi:10.1097/MCC.0000000000000336.
13. Kobirumaki-Shimozawa F, Inoue T, Shintani SA, et al. Cardiac thin filament regulation and the Frank-Starling mechanism. J Physiol Sci. 2014;64(4):221-232. doi:10.1007/s12576-014-0314-y.
14. Sequeira V, van der Velden J. The Frank–Starling law: a jigsaw of titin proportions. Biophys Rev. 2017;9(3):259-267. doi:10.1007/s12551-017-0272-8.
15. Starling EH. Physiology, University.
16. Ueyama H, Kiyonaka S. Predicting the need for fluid therapy - does fluid responsiveness work? J Intensive Care. 2017;5(1):1-6. doi:10.1186/s40560-017-0210-7.
17. Myburgh JA, Mythen MG. Resuscitation fluids. N Engl J Med. 2013;1243-1251. doi:10.1056/NEJMra1208627.
18. Mark PE. Hemodynamic parameters to guide fluid therapy. Transfus Altern Transfus Med. 2010;11(3):102-112. 10.1111/j.1778-428X.2010.01133.x%5Cnhttp://search.ebscohost.com/login.aspx?direct=true&db=a9h&AN=54908168&lang=es&site=ehost-live.
19. Svensén CH, Olsson J, Hahn RG. Intravascular fluid administration and hemodynamic performance during open abdominal surgery. Anesth Analg. 2006;103(3):671-676. doi:10.1213/01.ane.0000226092.48770.fe.
20. Ueyama H, He YL, Tanigami H, Mashimo T, Yoshiya I. Effects of crystalloid and colloid preload on blood volume in the parturient undergoing spinal anesthesia for elective cesarean section. Anesthesiology. 1999;91(6):1571-1576. doi:10.1097/00000542-199912000-00006.
21. Sánchez M, Jiménez-Lendínez M, Cidoncha M, et al. Comparison of fluid compartments and fluid responsiveness in septic and non-septic patients. Anaesth Intensive Care. 2011;39(6):1022-1029. doi:10.1177/0310057x1103900607.
22. Bark BP, Oberg CM, Grande PO. Plasma volume expansion by 0.9% nacl during sepsis/systemic inflammatory response syndrome, after hemorrhage, and during a normal state. Shock. 2013;40(1):59-64. doi:10.1097/SHK.0b013e3182986a62.
23. Maeda N. Erythrocyte rheology in microcirculation. Jpn J Physiol. 1996;46(1):1-14. doi:10.2170/jjphysiol.46.1.
24. Suzuki Y, Tateishi N, Soutani M, Maeda N. Flow behavior of erythrocytes in microvessels and glass capillaries: effects of erythrocyte deformation and erythrocyte aggregation. Int J Microcirc Clin Exp. 1996Jul-Aug;16(4):187-194.
25. Monge García MI, Guijo González P, Gracia Romero M, et al. Effects of fluid administration on arterial load in septic shock patients. Intensive Care Med. 2015;41(7):1247-1255. doi:10.1007/s00134-015-3898-7.
26. Parker MM, Shelhamer JH, Bacharach SL, et al. Profound but reversible myocardial depression in patients with septic shock. Ann Intern Med. 1984;100(4):483-490. doi:10.7326/0003-4819-100-4-483.
27. Lobo DN, Stanga Z, Aloysius MM, Wicks C, Nunes QM, et al. Effect of volume loading with 1 liter intravenous infusions of 0.9% saline, 4% succinylated gelatine (Gelofusine) and 6% hydroxyethyl starch (Voluven) on blood volume and endocrine responses: a randomized, three-way crossover study in healthy volunteers. Crit Care Med. 2010Feb;464-470.
28. Glassford NJ, Eastwood GM, Bellomo R. Physiological changes after fluid bolus therapy in sepsis: A systematic review of contemporary data. Crit Care. 2014;18(1). doi:10.1186/s13054-014-0696-5.
29. Holte K, Foss NB, Andersen J, et al. Liberal or restrictive fluid administration in fast-track colonic surgery: a randomized, double-blind study. Br J Anaesth. 2007;99(4):500-508. doi:10.1093/bja/aem211.
30. Benes J, Giglio M, Brienza N, Michard F. The effects of goal-directed fluid therapy based on dynamic parameters on post-surgical outcome: A meta-analysis of randomized controlled trials. Crit Care. 2014;18(5):1-11. doi:10.1186/s13054-014-0584-z.
31. Cecconi M, Corredor C, Arulkumaran N, et al. Clinical review: Goal-directed therapy-what is the evidence in surgical patients? The effect on different risk groups. Crit Care. 2013;17(2):209. doi:10.1186/cc11823.
32. Hamilton MA, Cecconi M, Rhodes A. A systematic review and meta-analysis on the use of preemptive hemodynamic intervention to improve postoperative outcomes in moderate and high-risk surgical patients. Anesth Analg. 2011;112(6):1392-1402. doi:10.1213/ANE.0b013e3181eeaae5.
33. Teboul JL, Monnet X. Detecting volume responsiveness and unresponsiveness in intensive care unit patients: two different problems, only one solution. Crit Care. 2009;13(4):175. doi:10.1186/cc7979.
34. Benes J, Kirov M, Kuzkov V, et al. Fluid therapy: Double-edged sword during critical care? Biomed Res Int. 2015;2015 :729075. doi:10.1155/2015/729075.
35. Vincent JL, Weil MH. Fluid challenge revisited. Crit Care Med. 2006;34(5):1333-1337. doi:10.1097/01.CCM.0000214677.76535.A5.
36. Muller L, Toumi M, Bousquet PJ, et al. An increase in aortic blood flow after an infusion of 100 ml colloid over 1 minute can predict fluid responsiveness: The mini-fluid challenge study. Anesthesiology. 2011;115(3):541-547. doi:10.1097/ALN.0b013e318229a500.
37. Marik PE, Cavallazzi R. Does the central venous pressure predict fluid responsiveness? An updated meta-analysis and a plea for some common sense. Crit Care Med. 2013;41(7):1774-1781. doi:10.1097/CCM.0b013e31828a25fd.
38. Marik PE, Baram M, Vahid B. Does central venous pressure predict fluid responsiveness? Chest. 2008;134(1):172-178. doi:10.1378/chest.07-2331.
39. Richard C, Monnet X, Teboul JL. Pulmonary artery catheter monitoring in 2011. Curr Opin Crit Care. 2011;17(3):296-302. doi:10.1097/MCC.0b013e3283466b85.
40. Green D, Paklet L. Latest developments in peri-operative monitoring of the high-risk major surgery patient. Int J Surg. 2010;8(2):90-99. doi:10.1016/j.ijsu.2009.12.004.

41. Michard F, Boussat S, Chemla D, et al. Relation between respiratory changes in arterial pulse pressure and fluid responsiveness in septic patients with acute circulatory failure. Am J Respir Crit Care Med. 2000;162(1):134-138. doi:10.1164/ajrccm.162.1.9903035.

42. Lopes MR, Oliveira MA, Pereira VOS, Lemos IPB, Auler JOC, Michard F. Goal-directed fluid management based on pulse pressure variation monitoring during high-risk surgery: A pilot randomized controlled trial. Crit Care. 2007;11(5):1-9. doi:10.1186/cc6117.

43. Michard F. Changes in arterial pressure during mechanical ventilation. 2005; 103(2):419-28.

44. Marik PE, Cavallazzi R, Vasu T, Hirani A. Dynamic changes in arterial waveform derived variables and fluid responsiveness in mechanically ventilated patients: A systematic review of the literature. Crit Care Med. 2009;37(9):2642-2647. doi:10.1097/CCM.0b013e3181a590da.

45. Cannesson M, Musard H, Desebbe O, et al. The ability of stroke volume variations obtained with vigileo/flotrac system to monitor fluid responsiveness in mechanically ventilated patients. Anesth Analg. 2009;108(2):513-517. doi:10.1213/ane.0b013e318192a36b.

46. Beneš J, Chytra I, Pradl R, Kasal E. Our article after ten years: Intraoperative fluid optimization using stroke volume variation in high risk surgical patients: Results of prospective randomized study. Anesteziol a Intenziv Med. 2020;31(1-2):13-17.

47. Scheeren TWL, Wiesenack C, Gerlach H, Marx G. Goal-directed intraoperative fluid therapy guided by stroke volume and its variation in high-risk surgical patients: A prospective randomized multicentre study. J Clin Monit Comput. 2013;27(3):225-233. doi:10.1007/s10877-013-9461-6.

48. Cecconi M, De Backer D, Antonelli M, et al. Consensus on circulatory shock and hemodynamic monitoring. Task force of the European Society of Intensive Care Medicine. Intensive Care Med. 2014;40(12):1795-1815. doi:10.1007/s00134-014-3525-z.

49. Feissel M, Michard F, Faller JP, Teboul JL. The respiratory variation in inferior vena cava diameter as a guide to fluid therapy. Intensive Care Med. 2004;30(9):1834-1837. doi:10.1007/s00134-004-2233-5.

50. Vieillard-Baron A, Chergui K, Rabiller A, et al. Superior vena caval collapsibility as a gauge of volume status in ventilated septic patients. Intensive Care Med. 2004;30(9):1734-1739. doi:10.1007/s00134-004-2361-y.

51. Wakeling HG, McFall MR, Jenkins CS, et al. Intraoperative oesophageal Doppler guided fluid management shortens postoperative hospital stay after major bowel surgery. Br J Anaesth. 2005;95(5):634-642. doi:10.1093/bja/aei223.

52. Mytehn MG, Webb AR. Perioperative plasma volume expansion reduces the incidence of gut mucosal hypoperfusion during cardiac surgery. Arch Surg. 1995;130(4):423-429.

53. Sinclair S, James S, Singer M. Intraoperative intravascular volume optimisation and length of hospital stay after repair of proximal femoral fracture: Randomised controlled trial. Br Med J. 1997;315(7113):909-912. doi:10.1136/bmj.315.7113.909.

54. Gan TJ, Soppitt A, Maroof M, et al. Goal-directed intraoperative fluid administration reduces length of hospital stay after major surgery. Anesthesiology. 2002;97(4):820-826. doi:10.1097/00000542-200210000-00012.

55. Rocca G Della, Pompei L. Goal-directed therapy in anesthesia: any. Minerva Med. 2011;77(5):545-553.

56. Monnet X, Teboul JL. Passive leg raising. Intensive Care Med. 2008;34(4):659-663. doi:10.1007/s00134-008-0994-y.

57. Monnet X, Rienzo M, Osman D, et al. Passive leg raising predicts fluid responsiveness in the critically ill. Crit Care Med. 2006;34(5):1402-1407. doi:10.1097/01.CCM.0000215453.11735.06.

58. Cavallaro F, Sandroni C, Marano C, et al. Diagnostic accuracy of passive leg raising for prediction of fluid responsiveness in adults: Systematic review and meta-analysis of clinical studies. Intensive Care Med. 2010;36(9):1475-1483. doi:10.1007/s00134-010-1929-y.

59. Rivers E, Nguyen B, Havstad S, Ressler J, Muzzin A, Knoblich B, et al. Early goal-directed therapy in the treatment of severe sepsis and septic shock. N Engl J Med. 2001;345(19):1368-1377.

60. Boyd JH, Forbes J, Nakada TA, Walley KR, Russell JA. Fluid resuscitation in septic shock: A positive fluid balance and elevated central venous pressure are associated with increased mortality. Crit Care Med. 2011;39(2):259-265. doi:10.1097/CCM.0b013e3181feeb15.

61. ProCESS Investigators, Yealy DM, Kellum JA, Huang DT, Barnato AE, Weissfeld LA, et al. A randomized trial of protocol-based care for early septic shock. N Engl J Med. 2014;370(18):1683-1693. doi:10.1056/nejmoa1401602.

62. The ARISE Investigators, ANZICS Clinical Trials Group. Goal-directed resuscitation for patients with early septic shock. N Engl J Med. 2014;371(16):1496-1506. doi:10.1056/nejmoa1404380.

63. Mouncey PR, Osborn TM, Power GS, et al. Protocolised Management In Sepsis (ProMISe): A multicentre randomised controlled trial of the clinical effectiveness and cost-effectiveness of early, goal-directed, protocolised resuscitation for emerging septic shock. Health Technol Assess (Rockv). 2015;19(97):1-150. doi:10.3310/hta19970.

64. Douglas JJ, Walley KR. Fluid choices impact outcome in septic shock. Curr Opin Crit Care. 2014;20(4):378-384. doi:10.1097/MCC.0000000000000116.

65. García X, Pinsky MR. Clinical applicability of functional hemodynamic monitoring. Ann Intensive Care. 2011;1(1):2-5. doi:10.1186/2110-5820-1-35.

66. Vincent, J-L, Rhodes A, Perel A, Pinsky MR, Backer DD, Teboul J-L,et al. Clinical review: Update on hemodynamic monitoring - a consensus of 16. Crit Care. 2011; 15(4):229.

67. Pearse R, Dawson D, Fawcett J, et al. Early goal-directed therapy after major surgery reduces complications and duration of hospital stay. A randomised, controlled trial [ISRCTN38797445]. Crit Care. 2005;9(6):R687. doi:10.1186/cc3887.

68. Goepfert MS, Richter HP, Eulenburg C, et al. Individually optimized hemodynamic therapy intensive care Unit. Anesthesiology. 2015;119(4):824-836.

69. Calvo-Vecino JM, Ripollés-Melchor J, Mythen MG, et al. Effect of goal-directed haemodynamic therapy on postoperative complications in low–moderate risk surgical patients: a multicentre randomised controlled trial (FEDORA trial). Br J Anaesth. 2018;120(4):734-744. doi:10.1016/j.bja.2017.12.018.

70. Chong MA, Wang Y, Berbenetz NM, McConachie I. Does goal-directed haemodynamic and fluid therapy improve peri-operative outcomes? Eur J Anaesthesiol. 2018;35(7):469-483. doi:10.1097/EJA.0000000000000778.

71. Saugel B, Michard F, Scheeren TWL. Goal-directed therapy: hit early and personalize! J Clin Monit Comput. 2018;32(3):375-377. doi:10.1007/s10877-017-0043-x.

72. Shaw AD, Bagshaw SM, Goldstein SL, et al. Major complications, mortality, and resource utilization after open abdominal surgery. Ann Surg. 2012;255(5):821-829. doi:10.1097/SLA.0b013e31825074f5.

73. Chowdhury AH, Lobo DN. Fluids and gastrointestinal function. Curr Opin Clin Nutr Metab Care. 2011;14(5):469-476. doi:10.1097/MCO.0b013e328348c084.

74. Brandstrup B, Tønnesen H, Beier-Holgersen R, et al. Effects of intravenous fluid restriction on postoperative complications: Comparison of two perioperative fluid regimens – A randomized assessor-blinded multicenter trial. Ann Surg. 2003;238(5):641-648. doi:10.1097/01.sla.0000094387.50865.23.

75. Lilot M, Ehrenfeld JM, Lee C, Harrington D, Cannesson M, Rinehart J. Variability in practice and factors predictive of total crystalloid administration during abdominal surgery: Retrospective two-centre analysis. Br J Anaesth. 2015;114(5):767-776. doi:10.1093/bja/aeu452.

76. Jacob M, Chappell D, Hofmann-Kiefer K, Conzen P, Rehm M. A rational approach to perioperative fluid management. Anesthesiology. 2008;109(4):723-740. doi:10.1097/ALN.0b013e3181863117.

77. Thacker JKM, Mountford WK, Ernst FR, Krukas MR, Mythen MG. Perioperative fluid utilization variability and association with outcomes: Considerations for enhanced recovery efforts in sample US surgical populations. Ann Surg. 2016;263(3):502-510. doi:10.1097/SLA.0000000000001402.

78. Views E. Turning Art to Science. 2019;(5):10-12.

79. Minto G, Mythen MG. Perioperative fluid management: Science, art or random chaos? Br J Anaesth. 2015;114(5):717-721. doi:10.1093/bja/aev067.

80. Myles PS, McIlroy DR, Bellomo R, Wallace S. Importance of intraoperative oliguria during major abdominal surgery: findings of the restrictive versus liberal fluid therapy in major abdominal surgery trial. Br J Anaesth. 2019;122(6):726-733. doi:10.1016/j.bja.2019.01.010.

81. Gustafsson UO, Scott MJ, Hubner M, et al. Guidelines for perioperative care in elective colorectal surgery: Enhanced Recovery After Surgery (ERAS®) Society recommendations: 2018. World J Surg. 2019;43(3):659-695. doi:10.1007/s00268-018-4844-y.

82. Pearse RM, Harrison DA, MacDonald N, et al. Effect of a perioperative, cardiac output-guided hemodynamic therapy algorithm on outcomes following major gastrointestinal surgery a randomized clinical trial and systematic review. JAMA - J Am Med Assoc. 2014;311(21):2181-2190. doi:10.1001/jama.2014.5305.

83. Malbrain MLNG, Langer T, Annane D, et al. Intravenous fluid therapy in the perioperative and critical care setting: Executive summary of the International Fluid Academy (IFA). Ann Intensive Care. 2020;10(1). doi:10.1186/s13613-020-00679-3.

84. Maitland K, Kiguli S, et al. Mortality after fluid bolus in African children with severe infection. N Engl J Med. 2011;364:2483-95.

85. Byrne L, Obonyo NG, Diab SD, et al. Unintended consequences: Fluid resuscitation worsens shock in an ovine model of endotoxemia. Am J Respir Crit Care Med. 2018;198(8):1043-1054. doi:10.1164/rccm.201801-0064OC.

86. Malbrain MLNG, Marik PE, Witters I, Cordemans C, Kirkpatrick AW, Derek J, et al. Fluid overload, de-resuscitation, and outcomes in critically ill or injured patients: a systematic review with suggestions for clinical practice. Anaesthesiol Intensive Ther. 2014Nov-Dec;361-380.

87. Hoste EA, Maitland K, Brudney CS, et al. Four phases of intravenous fluid therapy: A conceptual model. Br J Anaesth. 2014;113(5):740-747. doi:10.1093/bja/aeu300.

88. Cecconi M, Hofer C, Teboul JL, et al. Fluid challenges in intensive care: the FENICE study: A global inception cohort study. Intensive Care Med. 2015;41(9):1529-1537. doi:10.1007/s00134-015-3850-x.

89. Bennett VA, Vidouris A, Cecconi M. Effects of fluids on the macro- and microcirculation. Crit Care. 2018;22(1):1-6. doi:10.1186/s13054-018-1993-1.

90. Uz Z, Ince C, Guerci P, et al. Recruitment of sublingual microcirculation using handheld incident dark field imaging as a routine measurement tool during the postoperative de-escalation phase—a pilot study in post ICU cardiac surgery patients. Perioper Med. 2018;7(1):1-8. doi:10.1186/s13741-018-0091-x.

91. Awad S, Allison SP, Lobo DN. The history of 0.9% saline. Clin Nutr. 2008;27(2):179-188. doi:10.1016/j.clnu.2008.01.008.

92. Wilkes NJ, Woolf R, Mutch M, et al. The effects of balanced versus saline-based hetastarch and crystalloid solutions on acid-base and electrolyte status and gastric mucosal perfusion in elderly surgical patients. Anesth Analg. 2001;93(4):811-816. doi:10.1097/00000539-200110000-00003.

93. Drobin D, Hahn RG. Kinetics of isotonic and hypertonic plasma volume expanders. Anesthesiology. 2002;96(6):1371-1380. doi:10.1097/00000542-200206000-00016.

94. Hahn RG. Influences of red blood cell and platelet counts on the distribution and elimination of crystalloid fluid. Medicina. 2017;53(4):233-241. doi:10.1016/j.medici.2017.07.005.

95. Aksu U, Bezemer R, Yavuz B, Kandil A, Demirci C, Ince C. Balanced vs unbalanced crystalloid resuscitation in a near-fatal model of hemorrhagic shock and the effects on renal oxygenation, oxidative stress, and inflammation. Resuscitation. 2012;83(6):767-773. doi:10.1016/j.resuscitation.2011.11.022.

96. Hansen PB, Jensen BL, Skøtt O. Chloride regulates afferent arteriolar contraction in response to depolarization. Hypertension. 1998;32(6):1066-1070. doi:10.1161/01.HYP.32.6.1066.

97. Wilcox CS. Regulation of renal blood flow by plasma chloride. J Clin Invest. 1983;71(3):726-735. doi:10.1172/JCI110820.

98. Potura E, Lindner G, Biesenbach P, et al. An acetate-buffered balanced crystalloid versus 0.9% saline in patients with end-stage renal disease undergoing cadaveric renal transplantation: A prospective randomized controlled trial. Anesth Analg. 2015;120(1):123-129. doi:10.1213/ANE.0000000000000419.

99. Reid F, Lobo DN, Williams RN, Rowlands BJ, Allison SP. (Ab)normal saline and physiological Hartmann's solution: A randomized double-blind crossover study. Clin Sci. 2003;104(1):17-24. doi:10.1042/CS20020202.

100. Lobo DN, Awad S. Should chloride-rich crystalloids remain the mainstay of fluid resuscitation to prevent "pre-renal" acute kidney injury?: Con. Kidney Int. 2014;86(6):1096-1105. doi:10.1038/ki.2014.105.

101. Marik PE. Iatrogenic salt water drowning and the hazards of a high central venous pressure. Ann Intensive Care. 2014;4(1):1-9. doi:10.1186/s13613-014-0021-0.

102. Young P, Bailey M, Beasley R, et al. Effect of a buffered crystalloid solution vs saline on acute kidney injury among patients in the intensive care unit: The SPLIT randomized clinical trial. JAMA - J Am Med Assoc. 2015;314(16):1701-1710. doi:10.1001/jama.2015.12334.

103. Semler MW, Self WH, Wanderer JP, et al. Balanced crystalloids versus saline in critically Ill adults. N Engl J Med. 2018;378(9):829-839. doi:10.1056/nejmoa1711584.

104. Self WH, Semler MW, Wanderer JP, et al. Balanced crystalloids versus saline in noncritically Ill adults. N Engl J Med. 2018;378(9):819-828. doi:10.1056/nejmoa1711586.

105. Semler MW, Kellum JA. Balanced crystalloid solutions. Am J Respir Crit Care Med. 2019;199(8):952-960. doi:10.1164/rccm.201809-1677CI.

106. Caironi P, Tognoni G, Masson S, et al. Albumin replacement in patients with severe sepsis or septic shock. N Engl J Med. 2014;370(15):1412-1421. doi:10.1056/nejmoa1305727.

107. Finfer S, Bellomo R, Boyce N, French J, Myburgh J, Norton R; SAFE Study Investigators. A comparison of albumin and saline for fluid resuscitation in the intensive care unit. N Engl J Med. 2004 May 27;350(22):2247-56. doi: 10.1056/NEJMoa040232.

108. Finfer S, McEvoy S, Bellomo R, et al. Impact of albumin compared to saline on organ function and mortality of patients with severe sepsis. Intensive Care Med. 2011;37(1):86-96. doi:10.1007/s00134-010-2039-6.

109. Lewis SR, Pritchard MW, Evans DJW, et al. Colloids versus crystalloids for fluid resuscitation in critically ill people. Cochrane Database Syst Rev. 2018;2018(8). doi:10.1002/14651858.CD000567.pub7.

110. Frenette AJ, Bouchard J, Bernier P, et al. Albumin administration is associated with acute kidney injury in cardiac surgery: A propensity score analysis. Crit Care. 2014;18(6):1-11. doi:10.1186/s13054-014-0602-1.

111. Guidet B, Ghout I, Ropers J, Aegerter P. Economic model of albumin infusion in septic shock: The EMAISS study. Acta Anaesthesiol Scand. 2020;64(6):781-788. doi:10.1111/aas.13559.

112. Rocha LL, Pessoa CMS, Corrêa TD, Pereira AJ, de Assunção MSC, Silva E. Conceitos atuais sobre suporte hemodinâmico e terapia em choque séptico. Brazilian J Anesthesiol. 2015;65(5):395-402. doi:10.1016/j.bjan.2015.07.003.

113. O'Neil P, Cuthbertson B, Cairns C. Intensive insulin therapy and pentastarch resuscitation in severe sepsis. J Intensive Care Soc. 2008;9(1):70-71. doi:10.1177/175114370800900121.

114. Myburgh JA, Finfer S, Bellomo R, et al. Hydroxyethyl starch or saline for fluid resuscitation in intensive care. N Engl J Med. 2012;367(20):1901-1911. doi:10.1056/nejmoa1209759.

115. Haase N, Perner A, Hennings LI, et al. Hydroxyethyl starch 130/0.38-0.45 versus crystalloid or albumin in patients with sepsis: Systematic review with meta-analysis and trial sequential analysis. BMJ. 2013;346(7900):1-12. doi:10.1136/bmj.f839.

116. Zarychanski R, Abou-Setta AM, Turgeon AF, et al. Association of hydroxyethyl starch administration with mortality and acute kidney injury in critically ill patients requiring volume resuscitation: A systematic review and meta-analysis. JAMA - J Am Med Assoc. 2013;309(7):678-688. doi:10.1001/jama.2013.430.

117. Magder S. Volume and its relationship to cardiac output and venous return. Crit Care. 2016;20(1):1-11. doi:10.1186/s13054-016-1438-7.

118. Guyton AC, Lindsey AW. Effect of elevated left atrial pressure and decreased plasma protein concentration on the development of pulmonary edema. Circ Res. 1959;7(4):649-657. doi:10.1161/01.RES.7.4.649.

119. Kolsen-Petersen JA. The endothelial glycocalyx: The great luminal barrier. Acta Anaesthesiol Scand. 2015;59(2):137-139. doi:10.1111/aas.12440.

120. Gelman S. Is goal-directed haemodynamic therapy dead ? Eur J Anaesthesiol. 2020:159-161. doi:10.1097/EJA.0000000000001118.

121. Nakamoto S, Tatara T, Okamoto T, Hirose M. Complex effects of continuous vasopressor infusion on fluid responsiveness during liver resection: A randomised controlled trial. Eur J Anaesthesiol. 2019:667-675. doi:10.1097/EJA.0000000000001046.

122. Acheampong A, Vincent JL. A positive fluid balance is an independent prognostic factor in patients with sepsis. Crit Care. 2015;19(1):1-7. doi:10.1186/s13054-015-0970-1.

123. de Oliveira FSV, Freitas FGR, Ferreira EM, et al. Positive fluid balance as a prognostic factor for mortality and acute kidney injury in severe sepsis and septic shock. J Crit Care. 2015;30(1):97-101. doi:10.1016/j.jcrc.2014.09.002.

124. Silva JM, De Oliveira AMRR, Nogueira FAM, et al. The effect of excess fluid balance on the mortality rate of surgical patients: A multicenter prospective study. Crit Care. 2013;17(6). doi:10.1186/cc13151.

125. Marik PE, Linde-Zwirble WT, Bittner EA, Sahatjian J, Hansell D. Fluid administration in severe sepsis and septic shock, patterns and outcomes: an analysis of a large national database. Intensive Care Med. 2017;43(5):625-632. doi:10.1007/s00134-016-4675-y.

126. Cordemans C, de Laet I, van Regenmortel N, et al. Aiming for a negative fluid balance in patients with acute lung injury and increased intraabdominal pressure: A pilot study looking at the effects of PAL-treatment. Ann Intensive Care. 2012;2012(Suppl 1):S15. doi:10.1186/2110-5820-2-S1-S15.

127. Hebert PC, Wells G, Blajchman MA, et al. A multicenter, randomized, controlled clinical trial of transfusion requirements in critical care. J Urol. 1999;162(1):280-280. doi:10.1097/00005392-199907000-00110.

128. Carson JL, Grossman BJ, Kleinman S, Tinmouth A T, Marques MB. Red blood cell transfusion: A clinical practice guideline from the AABB. Ann Intern Med. 2012;157:49-58.

129. Mannucci PM, Levi M. Prevention and treatment of major blood loss. N Engl J Med. 2007;356(22):2301-2311. doi:10.1056/nejmra067742.

130. Napolitano LM. Perioperative anemia. Surg Clin North Am. 2005;85(6):1215-1227.

131. Dunne JR, Malone D, Tracy JK, Gannon C, Napolitano LM. Perioperative anemia: An independent risk factor for infection, mortality, and resource utilization in surgery. J Surg Res. 2002;102(2):237-244. doi:10.1006/jsre.2001.6330.

132. Sarani B, Dunkman WJ, Dean L, Sonnad S, Rohrbach JI, Gracias VH. Transfusion of fresh frozen plasma in critically ill surgical patients is associated with an increased risk of infection. Crit Care Med. 2008;36(4):1114-1118. doi:10.1097/CCM.0b013e318168f89d.

133. Khan H, Belsher J, Yilmaz M, et al. Fresh-frozen plasma and platelet transfusions are associated with development of acute lung injury in critically ill medical patients. Chest. 2007;131(5):1308-1314. doi:10.1378/chest.06-3048.

134. Goel R, Patel EU, Cushing MM, et al. Association of perioperative red blood cell transfusions with venous thromboembolism in a North American Registry. JAMA Surg. 2018;153(9):826-833. doi:10.1001/jamasurg.2018.1565.

135. Marušic AP, Locatelli I, Mrhar A, et al. Influence of prescribed blood products on the incidence of deep vein thrombosis and pulmonary embolism in surgical patients. Clin Appl Thromb. 2017;23(8):938-942. doi:10.1177/1076029616689301.

136. Xenos ES, Vargas HD, Davenport DL. Association of blood transfusion and venous thromboembolism after colorectal cancer resection. Thromb Res. 2012;129(5):568-572. doi:10.1016/j.thromres.2011.07.047.

137. Glance LG, Dick AW, Mukamel DB, et al. Association between intraoperative blood transfusion and mortality and morbidity in patients undergoing noncardiac surgery. Anesthesiology. 2011;114(2):283-292. doi:10.1097/ALN.0b013e3182054d06.

138. Bhaskar B, Dulhunty J, Mullany DV, Fraser JF. Impact of blood product transfusion on short and long-term survival after cardiac surgery: More evidence. Ann Thorac Surg. 2012;94(2):460-467. doi:10.1016/j.athoracsur.2012.04.005.

139. Stone GW, Clayton TC, Mehran R, et al. Impact of major bleeding and blood transfusions after cardiac surgery: Analysis from the acute catheterization and urgent intervention triage strategy (ACUITY) trial. Am Heart J. 2012;163(3):522-529. doi:10.1016/j.ahj.2011.11.016.

140. Shander A, Knight K, Thurer R, Adamson J, Spence R. Prevalence and outcomes of anemia in surgery: A systematic review of the literature. Am J Med. 2004;116(7 Suppl 1):58-69. doi:10.1016/j.amjmed.2003.12.013.

141. Liumbruno GM. Pre-operative strategies for limiting the use of allogeneic transfusions. Blood Transfus. 2011;9(1):31-40. doi:10.2450/2010.0074-10.

142. Liumbruno GM, Bennardello F, Lattanzio A, Piccoli P, Rossetti G. Recommendations for the transfusion management of patients in the peri-operative period. II. The intra--operative period. Blood Transfus. 2011;9(2):189-217. doi:10.2450/2011.0075-10.

143. Madjdpour C, Spahn DR, Weiskopf RB. Anemia and perioperative red blood cell transfusion: A matter of tolerance. Crit Care Med. 2006;34(5 Suppl). doi:10.1097/01.CCM.0000214317.26717.73.

144. Geeraerts T, Velly L, Abdennour L, et al. Management of severe traumatic brain injury (first 24 hours). Anaesth Crit Care Pain Med. 2018;37(2):171-186. doi:10.1016/j.accpm.2017.12.001.

145. Carney N, Totten AM, O'Reilly C, et al. Guidelines for the management of severe traumatic brain injury, fourth edition. Neurosurgery. 2017;80(1):6-15. doi:10.1227/NEU.0000000000001432.

146. Salim A, Hadjizacharia P, DuBose J, et al. Role of anemia in traumatic brain injury. J Am Coll Surg. 2008;207(3):398-406. doi:10.1016/j.jamcollsurg.2008.03.013.

147. Vella MA, Crandall M, Patel MB, et al. Acute management of TBI. Surg Clin North Am. 2017;97(5):1015-1030. doi:10.1016/j.suc.2017.06.003.Acute.

148. Abdelmalik PA, Draghic N, Ling GSF. Management of moderate and severe traumatic brain injury. Transfusion. 2019;59(S2):1529-1538. doi:10.1111/trf.15171.

149. Badenes R, Oddo M, Suarez JI, et al. Hemoglobin concentrations and RBC transfusion thresholds in patients with acute brain injury: An international survey. Crit Care. 2017;21(1):1-10. doi:10.1186/s13054-017-1748-4.

150. East JM, Viau-Lapointe J, McCredie VA. Transfusion practices in traumatic brain injury. Curr Opin Anaesthesiol. 2018;31(2):219-226. doi:10.1097/ACO.0000000000000566.

Sedação, Analgesia e Bloqueio Neuromuscular em Terapia Intensiva

David Ferez ▪ João Soares de Almeida Junior

INTRODUÇÃO

A necessidade da sedação, analgesia, e raras vezes do bloqueador neuromuscular, nas unidades de tratamento intensivo, foi estabelecida nas unidades especiais de cuidados focadas em pacientes graves entre os anos de 1960 e 1970. Estas técnicas evoluíram significativamente durante os últimos 50 anos devido aos novos medicamentos introduzidos pela indústria e à monitorização da consciência e do relaxamento muscular. Nos últimos 20 anos, a sedação e a analgesia em terapia intensiva passaram a adotar abordagens protocoladas, baseadas nas melhores evidências, o que contribuiu para melhorar o conhecimento dos processos envolvidos e de suas complicações.[1]

Num dos primeiros estudos de grande impacto sobre sedação, à frente do seu tempo, Ramsay *et al.*, em 1974, utilizaram um regime de infusão de alfadolona baseado em um alvo desejado de sedação denominado de *light sleep*.[2] Até o início dos anos 2000 existia certa falta de interesse sobre o assunto, documentada por Rhoney *et al.*, em pesquisa de 1998 e só publicada em 2003. Estes pesquisadores apontaram que somente 32,4% das instituições tinham um protocolo escrito e claro sobre sedação, e que apenas 46,8% definiam critérios para o emprego de bloqueadores neuromusculares.[3] Até 2003, a escala de coma de Glasgow ou a de Ramsay modificada eram as mais empregadas para monitorização da sedação nas unidades de terapia intensiva.

Este panorama de pouco interesse pelo tema modificou-se e surgiram novas propostas.[4] A escala de sedação é o instrumento mais importante desse conjunto de técnicas, porque o limite entre a anestesia e a sedação pode não ser adequadamente diagnosticado e uma escala objetiva guiada por um alvo bem definido é necessária para se obter os melhores resultados.[5,6]

Desde 2002, o *American College of Critical Care Medicine of the Society of Critical Care Medicine* recomenda a sedação guiada por metas para sustentar os pacientes levemente sedados e livres de dor.[7]

O objetivo mais importante do emprego de metas baseadas em protocolos é evitar a sedação excessiva (*oversedation*) na terapia intensiva, por relacionar-se a efeitos adversos importantes. O projeto *Oversedation Zero* tem contribuído para esse escopo.[8] No entanto, deve-se considerar que a razão da sedação excessiva é complexa e multifatorial.[9]

Os centros de tratamento intensivo vêm incorporando a estratégia de sedação alvo controlada e sua interrupção diária.[10,11] Esta abordagem diminui os dias de ventilação mecânica e suas complicações, e produz melhores resultados clínicos.[11-13] Este regime protocolar também produz bons resultados nas unidades de terapia intensiva pediátricas.[14] Além disso, a sedação guiada por protocolos produz um impacto financeiro positivo.[5,15]

Quando o principal objetivo é o despertar mais precoce possível, a estratégia de protocolo de sedação que inclui a interrupção diária das infusões de sedativos deve ser incorporada.[16] Outro fator favorável à interrupção diária programada é que esta pode ajudar no manuseio da imprevisibilidade dos níveis de sedação e, consequentemente, reduzir a quantidade necessária de fármacos. Nos pacientes sob ventilação mecânica, a interrupção diária de sedativos diminui a duração da ventilação e a permanência na unidade.[12] A interrupção diária da sedação reduz a intensidade dos distúrbios de estresse pós-traumático.[17]

Protocolos que utilizam fármacos que têm potencial para reduzir os efeitos adversos da sedação, com menor potencial cumulativo, são bem-sucedidos, em especial nos pacientes criticamente doentes e que necessitam de suporte ventilatório prolongado.

Devem ser considerados, no planejamento da sedação e analgesia, a familiaridade com os novos fármacos disponíveis, as modificações farmacocinéticas e farmacodinâmicas nos pacientes críticos, assim como fatores farmacogenéticos.[18]

■ ESCALAS DE SEDAÇÃO

Existem várias escalas disponíveis para acompanhar o nível de sedação dos pacientes graves, como: *Ramsay Scale* (RS), *Richmond Agitation-Sedation Scale* (RASS), *Consciousness Sedation Scale* (CSS), *Stanford Sleepiness Scale* (SSS), *Observer's Assessment of Alertness/Sedation* (OAA/S), *Vancouver Sedative Recovery Scale* (VSRS), *Sheffield Sedation Scale* (SSS), *Brussels Sedation Scale* (BSS), *COMFORT Scale* (COMFORT) e muitas outras.

Os principais objetivos no emprego de uma escala são: evitar tanto a sedação superficial como também a profunda (*oversedation*) e documentar o estado do paciente durante sua evolução.

A escala ainda mais utilizada é a de Ramsay.[19] Existem várias derivações desta escala, pois ela tem a vantagem de ser simples e de fácil aplicação (Tabela 214.1).

Tabela 214.1 Escala de Sedação de Ramsay.

Escore	Resposta
1	Acordado, ansioso e agitado
2	Acordado, cooperativo, orientado e tranquilo
3	Acordado, responde aos comandos verbais normais
4	Sonolento, mas acorda rápido ao estímulo leve glabelar ou aos comandos verbais altos
5	Sonolento, acorda levemente ao estímulo glabelar leve ou aos comandos verbais altos
6	Paciente não exibe resposta aos estímulo glabelar ou aos comandos verbais altos

Outra escala de sedação também muito utilizada é a escala de Richmond (RASS),[20] cujo escore vai de +4 nos pacientes combativos e muito agitados até o escore de -5 nos pacientes não responsivos. A Tabela 214.2 sumariza a escala de Richmond.

A escolha da escala a ser utilizada fica na dependência das caraterísticas específicas de cada unidade de terapia intensiva, sua capacidade de reprodutividade e validação. Como exemplo, a escala COMFORT é bem mais aceita na população pediátrica, ao contrário da escala RAAS.[21,22]

Monitores do nível de consciência como o índice bispectral (BIS), ou o de entropia, podem ser aplicados em conjunto com estas escalas, porém, o uso é limitado, devido a muitos fatores de interferência externos.[23,24]

■ TÉCNICAS DE SEDAÇÃO

Existem, basicamente, duas formas de se administrar os analgésicos e os hipnóticos aos pacientes: por meio de *bolus* intermitentes ou por meio de infusão contínua.

A administração em *bolus* apresenta o inconveniente de se observar um pico de concentração plasmática imediata, que invariavelmente induz a repercussões ventilatórias e hemodinâmicas indesejáveis, notadamente nos pacientes mais críticos. Por outro lado, antes da próxima administração, o paciente passa por um período de dor e estresse desnecessários. Esta estratégia produz um fenômeno farmacocinético conhecido como "picos e vales", considerado inadequado.

A infusão contínua não apresenta este inconveniente, mantendo o paciente mais estável e sem sofrimento. O equilíbrio é alcançado após 5 a 6 meias-vidas do fármaco.[25] Deve-se enfatizar que o acúmulo nos tecidos pode ocorrer em ambos os modelos, o que será determinado pelas características farmacocinéticas do fármaco escolhido. É esperado que após um longo período do uso do fármaco, maiores serão os depósitos nos tecidos e, se não houver indução das enzimas responsáveis pela metabolização, maior será o tempo necessário para a concentração plasmática ser amortizada. Este conceito foi definido como meia-vida contexto-sensitiva.[25]

Tabela 214.2 Escala de Agitação-Sedação de Richmond.

Escore	Termo	Descrição
+4	Combativo	Violento e combativo. Perigo de lesão do *staff*
+3	Muito agitado	Retira tubos e cateteres ou tem comportamento agressivo com o *staff*
+2	Agitado	Movimentos aleatórios sem propósitos ou apresenta dessincronização com a ventilação mecânica
+1	Ansioso	Ansioso ou apreensivo, mas sem movimentos agressivos ou vigorosos
0	Alerta e calmo	
-1	Letárgico	Não está totalmente alerta, mas permanece acordado por mais de 10 segundos. Contato com os olhos ao comando verbal
-2	Levemente sonolento	Contato com os olhos por menos de 10 segundos ao comando verbal
-3	Moderadamente sonolento	Apresenta qualquer movimento ao comando verbal, mas não apresenta contato com os olhos
-4	Profundamente sonolento	Não apresenta resposta ao comando verbal, somente apresenta movimento ao estímulo físico
-5	Sem resposta	Não apresenta resposta ao comando verbal ou estímulo físico

▪ BASES FARMACOLÓGICAS

Os principais fatores farmacocinéticos que devem ser considerados na sedação de um paciente são o volume de distribuição do fármaco, sua ligação proteica e o seu *clearance*.[26] Estes parâmetros terão impacto direto na meia-vida de redistribuição, na meia-vida contexto-sensitiva e na biodisponibilidade deste na biofase.

Os analgésicos e hipnóticos, quando usados em dose única, têm um modelo de distribuição tricompartimental. Apresentam uma meia-vida de distribuição rápida, uma meia-vida de distribuição lenta e, finalmente, uma meia-vida de eliminação.[26]

Genericamente, agentes altamente hidrofílicos tendem a ter um volume de distribuição pequeno e manter-se no plasma. Fármacos altamente lipossolúveis e de elevada ligação proteica possuem um volume de distribuição muito maior. Fármacos de metabolização hepática e/ou excreção renal podem ter seu *clearance* modificado pela disfunção destes órgãos. A redução do fluxo sanguíneo hepático diminui o *clearance* de fármacos dependentes deste órgão. De forma contrária, o uso por longos períodos de agentes indutores das enzimas hepáticas (benzodiazepínicos, por exemplo), como a família do citocromo P-450 (CYP450), aumentam o *clearance*.[26]

Pacientes com proteínas plasmáticas diminuídas, especialmente a albumina, apresentam maior concentração do fármaco livre, o que eleva sua concentração na biofase e aumenta seu efeito farmacodinâmico.

Uma grande limitação para o entendimento completo do que acontece na terapia intensiva com o processo de analgesia e sedação é que os dados disponíveis para entendimento clínico advêm do uso agudo nos pacientes saudáveis. Poucos dados existem do uso destes agentes por dias ou mesmo meses nos pacientes gravemente enfermos, com mudanças constantes em suas condições.

Esta última condição enfatiza a necessidade de constante monitorização da analgesia e sedação nestes pacientes, com base em protocolos bem estabelecidos, como feito por Wildt *et al.*, ao utilizarem a escala COMFORT nos pacientes pediátricos.[27]

▪ HIPNÓTICOS

Benzodiazepínicos

Os benzodiazepínicos (diazepam e midazolam) são os mais comumente administrados para se obter a hipnose e a diminuição da ansiedade nas unidades de tratamento intensivo.[28-30]

Os graus de hipnose e/ou ansiólise não são os mesmos para os vários tipos de benzodiazepínicos. O midazolam, por exemplo, possui a característica de ser hipnótico e de induzir a amnésia, porém com pouco poder ansiolítico. Já o diazepam possui atributo de ser ansiolítico e hipnótico.

Os benzodiazepínicos ligam-se a receptor específico, próximo ao canal iônico do receptor do neurotransmissor inibitório gama-aminobutírico (GABA), potencializando a ação deste. Aumenta a corrente do íon cloro (Cl⁻) para o interior do neurônio, provoca sua hiperpolarização, dificulta a despolarização e inibe, por conseguinte, os impulsos elétricos que trafegariam por ele. O local de ação essencial no Sistema Nervoso Central (SNC) do midazolam e do diazepam devem ser diferentes, devido aos efeitos distintos que cada um produz. Usualmente, quando 20% deste receptor está tomado pelo fármaco, observa-se ansiólise, com 30% a 50% de sedação, e com mais de 60% a hipnose.

Os benzodiazepínicos apresentam um pequeno efeito poupador de opioides, em doses elevadas também induzem a depressão respiratória, especialmente quando associados aos opioides.

Farmacologia dos benzodiazepínicos

Respostas clínicas diferentes podem ser obtidas nos diferentes tipos de pacientes críticos. O midazolam, apesar de apresentar, nos indivíduos saudáveis, meia-vida de eliminação curta e meia-vida contexto-sensitiva moderada, nos pacientes críticos ambas podem estar extremamente elevadas devido ao seu primeiro metabólito hepático, o glucoronato de 1-hidroximidazolam, ser ativo como depressor do SNC e se acumular nos pacientes com função renal diminuída e/ou com aumento do volume de distribuição.[31,32] Aumento do tempo de sedação também tem sido observado nos pacientes com concentração plasmática diminuída de albumina e naqueles com hipotireoidismo.[33] A utilização de fármacos que possuem a mesma via de metabolização hepática dos benzodiazepínicos (eritromicina, diltiazem) pode interferir no tempo de despertar. A segurança do midazolam em neonatos críticos ainda não foi determinada.[34]

Em 2002, a Sociedade de Medicina Intensiva Americana (SCCM) recomendou o midazolam para sedação de curta duração (< 48 horas) e o lorazepam para sedação mais prolongada (> 48 horas).[35] Apesar do custo direto da sedação com midazolam ser maior do que a do lorazepam,[36] não se observaram diferenças importantes no tempo de despertar,[37] mas o lorazepam provoca maior frequência de delírio após a sua interrupção, aumentando os custos indiretos.[38,39]

Pacientes mais idosos requerem, usualmente, doses menores de benzodiazepínicos.[40]

Nos pacientes que estão sem via aérea segura, os benzodiazepínicos devem ser utilizados com cautela, especialmente quando associados aos opioides, devido ao seu efeito depressor no sistema respiratório, o que pode ser imediatamente revertido com o flumazenil, antagonista específico dos benzodiazepínicos.[41]

O propilenoglicol, conservante do lorazepam, pode produzir efeitos tóxicos se a infusão deste fármaco ocorrer prolongadamente. Estes efeitos incluem estados hiperosmolares, acidose metabólica e necrose tubular aguda renal.[42,43] A monitorização do *gap* osmolar, que deve ficar abaixo de 10, é útil para acompanhar o acúmulo do propilenoglicol.[44] A hemodiálise é efetiva na remoção deste conservante tóxico.[45] O diazepam não é utilizado para sedação em UTI devido à sua longa meia-vida de eliminação.

Os benzodiazepínicos apresentam algumas diferenças farmacológicas; as diferenças entre os dois benzodiazepínicos mais utilizados, midazolam e lorazepam, podem ser vistas na Tabela 214.3.

Tabela 214.3	Diferenças entre midazolam e lorazepam.				
	Início de ação (min)	Meia vida de eliminação (h)	Liposolubilidade	Via metabólica	Metabólitos ativos
Lorazepam	5 a 20	10 a 20	++	Glucuronidação	Não
Midazolam	2 a 5	3 a 12	+++	Hidroxilação	Sim

Propofol

O propofol (2,6-diisopropilfenol) é sedativo-hipnótico, sem propriedade analgésica, tal qual os benzodiazepínicos. É fármaco insolúvel em água, portanto sua formulação necessita de emulsificação em lecitina do ovo, glicerol e óleo de soja. Algumas soluções contêm o ácido etilenodiamino tetra-acético (EDTA) para inibir a proliferação bacteriana.[46,47] O EDTA reduz o crescimento bacteriano, reduz em 50% o volume de infusão e carga lipídica, e não provoca efeitos adversos apreciáveis.[48] Apresenta início de ação rápido e despertar breve, por isso adequá-lo a uma taxa de infusão para manter uma concentração plasmática efetiva é mais fácil do que com os benzodiazepínicos, mesmo após longos períodos de infusão. O metabolismo rápido pelo fígado em metabólitos inativos determina a sua característica de não apresentar efeitos cumulativos importantes. Observa-se, desta forma, uma meia-vida de eliminação e contexto sensível pequenas, mesmo nos pacientes obesos mórbidos sob infusões prolongadas.[49]

Apresenta um *clearance* elevado de aproximadamente 30 mL.kg^{-1}.min^{-1}, que é maior que o fluxo hepático, evidenciando também um metabolismo extra-hepático. É considerado o fármaco de escolha quando o despertar rápido é desejado. Tem efeito importante na diminuição da pressão intracraniana e no metabolismo cerebral, sem impacto importante sobre a autorregulação pressórica e do dióxido de carbono.[49]

O estresse oxidativo exacerba o dano cerebral após isquemia-reperfusão e traumatismo cranioencefálico (TCE). O manejo do TCE e de pacientes gravemente enfermos geralmente envolve o uso de propofol devido às propriedades antioxidantes inerentes e protege contra lesão de isquemia-reperfusão.[50]

A ação sedativo-hipnótica deve-se à sua atuação principal sobre os receptores GABA, semelhante aos benzodiazepínicos, mas também tem atuação nos receptores centrais nicotínicos e serotoninérgicos.[46] Os efeitos sedativos e hipnóticos, assim como os colaterais, são proporcionais à dose utilizada.

As repercussões hemodinâmicas não são pequenas quando empregado em doses elevadas, especialmente nos pacientes hipovolêmicos, nos quais observa-se queda importante do débito cardíaco e da resistência vascular sistêmica, e consequente hipotensão arterial grave.

Desde 1995, a sedação contínua com propofol em crianças tem sido alvo de grande preocupação devido ao potencial desenvolvimento da "síndrome do propofol" (grave acidose metabólica, hiperpotassemia, rabdomiólise e falência cardíaca).[51-53] Na suspeita desta síndrome, deve-se interromper de imediato a infusão e indicar hemodiálise para remoção mais rápida do fármaco.[46] O aparecimento da síndrome foi relacionado à utilização de doses altas

(> 3 mg.kg^{-1}.h^{-1}) e tempo prolongado de infusão (> 48 horas) na população pediátrica. No entanto, a origem da síndrome ainda não está completamente elucidada.[54]

A depressão respiratória produzida pelo propofol é dependente da dose utilizada e é frequente mesmo quando são utilizadas doses convencionais. Cuidado especial deve ser tomado nos pacientes que não estejam sob suporte ventilatório ou sem via aérea segura.[55,56] Além disso, seu uso deve ser evitado nos pacientes com hipertrigliceridemia e com pancreatite.[57]

Idosos e pacientes graves apresentam diminuição do *clearance* do propofol. De forma contrária, crianças têm um *clearance* ligeiramente maior que o do adulto jovem. A dose de indução para hipnose imediata varia de 1 a 3 mg.kg^{-1}; em indivíduos idosos e críticos uma dose menor de 1 a 2 mg/kg^{-1} é usualmente suficiente. Após a dose de indução, a dose de manutenção varia entre 100 e 200 mcg.kg^{-1}.min^{-1}.[46]

Dexmedetomidina

A dexmedetomidina é um sedativo-hipnótico agonista dos receptores alfa2 adrenérgicos. Atualmente são reconhecidos pelo menos três isoformas dos receptores alfa2: receptores alfa2A, alfa2B e alfa2C. Os efeitos mediados pelos receptores alfa2A são analgesia, hipotensão arterial, bradicardia, efeito poupador de opioides e sedação até a hipnose, dependente da dose. A estimulação dos receptores alfa2B produz vasoconstrição e a dos receptores alfa2C provoca hipotermia e analgesia.[58]

A dexmedetomidina está disponível para uso em terapia intensiva, para induzir e manter a sedação e a analgesia. No entanto, as preocupações com a eficácia e segurança durante a administração prolongada é um fator limitante para o uso nesta população de pacientes. Em 2010, Günther e Kristeller conduziram revisão da literatura para avaliar a eficácia e a segurança da dexmedetomidina quando utilizada por mais de vinte e quatro horas. Um total de onze estudos foram identificados. Destes ensaios, seis incluíram pacientes adultos e cinco incluíram pacientes pediátricos. Dos ensaios em pacientes adultos, três ensaios comparativos demonstraram eficácia similar a dos benzodiazepínicos (midazolam e o lorazepam) ou propofol, e redução na incidência de delírio. Nos estudos não comparativos, a dexmedetomidina foi eficaz na sedação e apresentou efeitos adversos leves. Não foi possível avaliar os ensaios pediátricos devido à falta de utilização de uma escala de sedação validada. Nestes estudos, a segurança foi demonstrada, mesmo nas infusões durante períodos prolongados. Em todos os estudos, a dexmedetomidina foi associada com bradicardia, no entanto, não houve relatos de efeitos de abstinência, incluindo taquicardia e hipertensão rebote, com a interrupção da infusão de dexmedetomidina.[59]

Tan, em 2010, observou que o uso da dexmedetomidina pode diminuir o tempo de permanência na UTI, mas também esteve associada à bradicardia, principalmente quando doses de carga e manutenção eram elevadas.[60]

Até 2011, mais de 200 estudos e relatórios foram publicados sobre o uso da dexmedetomidina em lactentes e crianças e apontam-na como um sedativo eficaz. Deprime muito pouco o sistema respiratório, mantendo a via aérea patente. No entanto, como já visto, ela tem impacto sobre o sistema cardiovascular e provoca bradicardia, hipotensão e hipertensão que ocorrem em diferentes graus, dependendo da idade da criança.[61,62] Consistente com a literatura, a hipertensão é mais prevalente quando doses maiores de dexmedetomidina são utilizadas. Sua meia-vida de eliminação de duas horas pode ser um problema, pois retarda a recuperação da consciência.[63] A dexmedetomidina proporciona analgesia e diminui tremores, bem como a agitação pós-operatória.

É uma constante preocupação o impacto econômico da sedação com dexmedetomidina. Porém, Turunen et al., em 2015, por meio dos estudos europeus PRODEX e MIDEX, concluíram que ela é semelhante, do ponto de vista econômico, ao propofol e ao midazolam. A extubação traqueal mais precoce nos mais variados tipos de pacientes que a recebem equilibra o seu custo maior de aquisição em relação a outros sedativos.[64]

A dose de carga (ataque) recomendada é de 1 mg/kg, administrada durante 10 minutos. A dose de manutenção é de 0,2 até 0,7 mg.kg^{-1}.h^{-1}. Doses reduzidas devem ser consideradas para pacientes com fatores de risco para hipotensão grave.[58]

◼ ANALGÉSICOS OPIOIDES

Há uma grande variabilidade nos valores publicados dos parâmetros farmacocinéticos dos opioides devido às diferenças no desenho do estudo (por exemplo, local e duração do processo de amostragem) e utilização de outros medicamentos que possam afetar o fluxo diferencial para locais de metabolismo ou eliminação. A distribuição e as meias-vidas de eliminação são de uso limitado para prever o início e a duração de ação dos opioides. Dois mecanismos principais são responsáveis pela eliminação dessa classe de medicamentos: a biotransformação e a excreção. Opioides são biotransformados no fígado por dois tipos de processos metabólicos: reações de fase I, que incluem reações oxidativas e redutivas, como as catalisadas pelo sistema do citocromo P-450, e reações hidrolíticas. Reações de fase II envolvem a conjugação do opioide ou do seu metabólito a um substrato endógeno, como o ácido glucurônico. O remifentanil, de forma diferente dos outros opioides, é metabolizado via hidrólise do radical éster, exclusivo para este opioide. Com as exceções do metabólito da meperidina e, possivelmente, dos conjugados do ácido glucurônico da morfina, os metabólitos de opioides são geralmente inativos. Os metabólitos opioides são principalmente excretados pelos rins. Em menor escala, o sistema biliar e intestino são as outras vias de excreção dos opioides.

Morfina

A morfina é o opioide natural mais antigo e por isso foi muito empregado em anestesia e ainda é muito utilizado para a analgesia da dor aguda e da crônica. Contudo, com a introdução de opioides mais tituláveis, seu emprego como adjuvante na sedação em terapia intensiva tornou-se mais limitado.

A morfina produz seus efeitos principais no SNC e no sistema gastrointestinal, mas outros sistemas também são afetados. Efeitos sobre o SNC incluem analgesia, sedação, depressão respiratória, náuseas e vômitos, prurido e alterações no tamanho da pupila. Também afeta as secreções gástricas e a motilidade intestinal, assim como produz efeitos autonômicos sobre o sistema urinário e o endócrino. Ela imita os efeitos das encefalinas e endorfinas endógenas e atua como um agonista dos receptores mu1 e mu2 em todo o corpo. A morfina é considerada o padrão agonista dos receptores mu e com ela outros opioides são comparados.

A analgesia da morfina, assim como dos outros opioides, resulta de interações complexas em locais diferentes: cérebro, medula espinhal e tecidos periféricos. Ela e os outros opioides atuam seletivamente sobre os neurônios que transmitem e modulam a nocicepção, deixando intactas as outras vias sensoriais e as funções motoras.

No nível da medula espinhal, a morfina age sobre nociceptores aferentes primários pré-sinápticos, diminui a liberação de substância P e hiperpolariza neurônios pós-sinápticos na substância gelatinosa de Rolando da medula espinhal (corno dorsal) para diminuir estímulos aferentes relacionados com a dor. A transmissão nociceptiva espinhal é mediada por receptores opioides do tipo mu2. A analgesia opioide supraespinhal envolve a substância cinzenta periaquedutal (PAG), o *locus ceruleus* (LC) e núcleos dentro da medula, em especial o núcleo magno da rafe (NRM), e acontece por meio da ação nos receptores opioides mu2.

A morfina pode atuar em várias dessas regiões do SNC para produzir efeito sinérgico de analgesia. Ela produz sedação e pode causar comprometimento motor discreto e cognitivo, mesmo em concentrações plasmáticas moderadas. Outros efeitos colaterais subjetivos incluem euforia, disforia e distúrbios do sono. Altas doses de morfina e de opioides similares produzem desaceleração do eletroencefalograma (EEG). Em doses analgésicas de rotina, a morfina pode produzir distúrbios do sono, incluindo a redução do sono REM e do sono de ondas lentas, bem como induzir sonhos vívidos. Em doses muito elevadas, ela pode produzir, nos seres humanos, convulsões clinicamente importantes. Provoca constrição pupilar (miose) dependente da dose. A miose ocorre com dose de 0,5 mg/kg e, na ausência de outras drogas, a intensidade da miose parece correlacionar-se com a depressão respiratória. A administração sistêmica pode produzir prurido, embora este sintoma seja mais comum com a administração espinhal. Ressalta-se que o prurido da morfina não é induzido pela liberação de histamina. Portanto, o emprego de anti-histamínicos não minimiza o quadro.

A morfina também pode afetar a liberação de vários hormônios hipofisários, tanto direta como indiretamente. Observa-se inibição da secreção do fator liberador de corticotrofina e do liberador de gonadotrofinas. Nota-se também diminuição das concentrações circulantes de ACTH, β-endorfina, hormônio folículo-estimulante e luteinizante. De forma contrária, a prolactina e as concentrações do hormônio do crescimento podem estar aumentadas com o emprego de opioides.

A ação dos opioides sobre o sistema biliar é particularmente importante em pacientes graves. A morfina e outros opioides podem aumentar o tônus do ducto biliar comum e do esfíncter de Oddi. Sintomas que acompanham o aumento da pressão biliar podem variar de dor epigástrica e os típicos de cólica biliar, e pode até mesmo imitar angina. Quando é originado o espasmo biliar, este pode elevar a amilase e lipase plasmática por até 24 horas após a interrupção da morfina. Nitroglicerina, atropina e naloxona podem reverter o espasmo induzido pelos opioides.[65,66]

Em 1980 já havia evidência de que os opioides podem diminuir a resposta imune em animais de laboratório.[67] Evidências clínicas também têm apontado para um potencial efeito depressor da imunidade quando os opioides são empregados durante longos períodos.[68]

A retenção urinária é observada após a administração de morfina e outros opioides, tanto por via sistêmica quanto por via espinhal, e ocorre por causa de complexos efeitos sobre os mecanismos neurogênicos centrais e periféricos.[69,70]

Fentanil

Fentanil e seus análogos sufentanil, alfentanil e remifentanil são os opioides mais utilizados na anestesia clínica, atualmente. Contudo, em terapia intensiva, somente o fentanil é utilizado rotineiramente. Em alguns centros, o remifentanil também é utilizado com grande sucesso, quando o foco é o despertar rápido.

O fentanil, sintetizado em 1960, está estruturalmente relacionado com as fenilpiperidinas e tem uma potência clínica 5 a 10 vezes maior do que a morfina. Uma relação direta entre a concentração plasmática e o efeito tem sido demonstrada para o fentanil. Scott et al., em 1985, demonstraram que existem alterações progressivas do EEG com o aumento da concentração plasmática do fentanil.[71]

Um do maiores limitadores do uso do fentanil é a necessidade de um despertar precoce, pois apresenta efeito cumulativo importante com um tempo elevado de utilização devido à sua meia-vida contexto sensitiva elevada, o que pode elevar os custos secundários.[72,73]

O remifentanil afeta mais a hemodinâmica dos pacientes graves do que o fentanil.[74]

Remifentanil

O remifentanil é um opioide de ultracurta duração que também atua como um agonista do receptor mu e é 250 vezes mais potente que a morfina. Em anestesia, é usado já faz décadas, contudo em terapia intensiva seu emprego foi posterior. Só em 2002 foi aprovado seu uso em Terapia Intensiva na Europa com o objetivo de produzir analgesia em pacientes sob ventilação mecânica. O perfil farmacocinético de remifentanil é único em sua classe. Caracteriza-se por um rápido início e término de ação e o mais importante: ele não tem efeito cumulativo. Sua meia-vida contexto-sensitiva é pequena e constante, portanto, independente do tempo de infusão, é de aproximadamente de 3 a 5 minutos. É metabolizado via hidrólise do radical éster, que é exclusivo para este opioide.[18] A droga liga-se a 70% às proteínas e se distribui pelos tecidos.

A ação do remifentanil tem início em 1 minuto quando administrado por bomba de infusão. Alcança rapidamente concentrações plasmáticas estáveis e sua farmacocinética e farmacodinâmica são pouco afetadas pela idade e insuficiência hepática ou renal.

O metabólito, após a hidrólise, é o ácido carboxílico do remifentanil que tem atividade farmacológica insignificante e é eliminado pelos rins. No entanto, pelo fato do metabólito possuir atividade insignificante, sua ação se prolonga mesmo na insuficiência renal.[18]

Vários casos de síndrome de abstinência aguda têm sido relatados após a cessação das infusões prolongadas de remifentanil. Hipertensão, taquicardia, sudorese, midríase e mioclonias ocorreram dentro de 10 minutos após a interrupção do remifentanil. O tratamento usual é a administração parcimoniosa de outro opioides, mas se os sintomas persistirem, a clonidina é uma alternativa ou a reintrodução de doses menores de remifentanil.

■ BLOQUEADORES NEUROMUSCULARES ADESPOLARIZANTES

O emprego dos bloqueadores neuromusculares em terapia intensiva, fora da situação aguda, para facilitar a intubação traqueal, é uma exceção. Appadu e colaboradores, em 1996, já apontavam que o uso dos bloqueadores neuromusculares em terapia intensiva deveria ser bem indicado e utilizado só em curtos períodos.

O bloqueador neuromuscular despolarizante succinilcolina não será abordado nessa discussão, pois não tem seu envolvimento em uso prolongado.

Os bloqueadores neuromusculares adespolarizantes atuam na junção neuromuscular, bloqueando a ação da acetilcolina nos receptores pós-sinápticos nicotínicos dos músculos estriados. Com essa atuação, e na dependência da dose utilizada, promovem rápido relaxamento muscular e apneia.

Na dependência das características farmacológicas e doses, podem atuar em maior ou menor grau nos receptores nicotínicos dos gânglios do Sistema Nervoso Simpático, podendo induzir hipotensão e bradicardia. O brometo de pancurônio, pelo contrário, apresenta taquicardia quando administrado de forma rápida devido à sua ação inibitória na recaptação sináptica da noradrenalina.

Uma das principais indicações do emprego dos bloqueadores neuromusculares em terapia intensiva é quando o controle da hipertensão intracraniana não é satisfatório, apesar do emprego de várias outras medidas.

Os bloqueadores neuromusculares podem ser divididos em duas classes conforme a origem de suas moléculas: isoquinolínicos e esteroides.

Os esteroides, como o pancurônio, rocurônio e vecurônio, não liberam histamina. Os isoquinolínicos, como o atracúrio e o mivacúrio, liberam histamina. O cisatracúrio, apesar de ser isoquinolínico, não libera histamina. Essa característica chegou a ser questionada, mas Selcuk et al., em 2005, demonstraram que a administração em bolus ou em infusão contínua, não libera histamina.[75]

Os bloqueadores neuromusculares de ação mais curta como o esteroide rocurônio ou o isoquinolínico cisatracúrio são os mais indicados quando se prevê o uso por um pequeno espaço de tempo. A farmacologia de ambos é bem conhecida em pacientes críticos.[76,77]

As doses usuais de infusão do cisatracúrio apresentam uma grande variação e vão de 0,4 até 4 µg.kg^{-1}.min^{-1}. As doses de rocurônio também têm uma ampla variação e vão de 3 a 12 µg.kg^{-1}.min^{-1}.

Caso exista a indicação de uma reversão rápida ou a indicação da eliminação de um efeito residual, o rocurônio apresenta um antídoto que é capaz de interromper sua ação de forma rápida e eficaz.

A monitorização da intensidade do bloqueio neuromuscular, através de qualquer método (acelerometria, mecanografia etc.) não é rotina e foge ao propósito deste capítulo.

■ CONCLUSÃO

A monitorização do nível de sedação dos pacientes através de uma escala definida e protocolada é de importância fundamental em terapia intensiva. Seu emprego correto produz menores custos e melhores resultados clínicos. O despertar diário é uma técnica desejada se houver possibilidade de ser realizada.

Fármacos variados estão disponíveis, muito são possíveis de serem utilizados desde que o médico conheça as peculiaridades farmacodinâmicas do fármaco escolhido. Os fármacos com padrão mais previsível e de curta duração vem ganhando preferência nos últimos anos. Os bloqueadores musculares quando forem indicados devem ser os de curta duração e pelo período mais curto possível.

REFERÊNCIAS

1. Ojeda IM, Sanchez-Cuervo M, Candela-Toha A, Serrano-Lopez DR, Bermejo-Vicedo T, Alcaide-Lopez-de-Lerma JM. Protocolization of Analgesia and Sedation Through Smart Technology in Intensive Care: Improving Patient Safety. Crit Care Nurse. 2023;43(4):30-8.
2. Ramsay MA, Savege TM, Simpson BR, Goodwin R. Controlled sedation with alphaxalone-alphadolone. Br Med J. 1974;2(5920):656-9.
3. Rhoney DH, Murry KR. National survey of the use of sedating drugs, neuromuscular blocking agents, and reversal agents in the intensive care unit. J Intensive Care Med. 2003;18(3):139-45.
4. Stollings JL, Balas MC, Chanques G. Evolution of sedation management in the intensive care unit (ICU). Intensive Care Med. 2022;48(11):1625-8.
5. Adam C, Rosser D, Manji M. Impact of introducing a sedation management guideline in intensive care. Anaesthesia. 2006;61(3):260-3.
6. Sessler CN, Pedram S. Protocolized and target-based sedation and analgesia in the ICU. Anesthesiol Clin. 2011;29(4):625-50.
7. American College of Critical Care Medicine of the Society of Critical Care Medicine ASoH-SPACoCP. Clinical practice guidelines for the sustained use of sedatives and analgesics in the critically ill adult. Am J Health Syst Pharm. 2002;59(2):150-78.
8. Caballero J, Garcia-Sanchez M, Palencia-Herrejon E, Munoz-Martinez T, Gomez-Garcia JM, Ceniceros-Rozalen I, et al. Oversedation Zero as a tool for comfort, safety and intensive care unit management. Med Intensiva (Engl Ed). 2020;44(4):239-47.
9. Sessler CN, Varney K. Patient-focused sedation and analgesia in the ICU. Chest. 2008;133(2):552-65.
10. Anifantaki S, Prinianakis G, Vitsaksaki E, Katsouli V, Mari S, Symianakis A, et al. Daily interruption of sedative infusions in an adult medical-surgical intensive care unit: randomized controlled trial. J Adv Nurs. 2009;65(5):1054-60.
11. Gorman T, Bernard F, Marquis F, Dagenais P, Skrobik Y. Best evidence in critical care medicine: daily interruption of sedative infusions in critically ill patients undergoing mechanical ventilation. Can J Anaesth. 2004;51(5):492-3.
12. Kress JP, Vinayak AG, Levitt J, Schweickert WD, Gehlbach BK, Zimmerman F, et al. Daily sedative interruption in mechanically ventilated patients at risk for coronary artery disease. Crit Care Med. 2007;35(2):365-71.
13. Skrobik Y, Ahern S, Leblanc M, Marquis F, Awissi DK, Kavanagh BP. Protocolized intensive care unit management of analgesia, sedation, and delirium improves analgesia and subsyndromal delirium rates. Anesth Analg. 2010;111(2):451-63.
14. Motta E, Luglio M, Delgado AF, Carvalho WD. Importance of the use of protocols for the management of analgesia and sedation in pediatric intensive care unit. Rev Assoc Med Bras (1992). 2016;62(6):602-9.
15. Awissi DK, Begin C, Moisan J, Lachaine J, Skrobik Y. I-SAVE Study: Impact of Sedation, Analgesia, and Delirium Protocols Evaluated in the Intensive Care Unit: An Economic Evaluation (January). Ann Pharmacother. 2012 Jan;46(1):21-8.
16. Schweickert WD, Kress JP. Strategies to optimize analgesia and sedation. Crit Care. 2008;12 Suppl 3:S6.
17. Kuhlen R, Putensen C. Remifentanil for analgesia-based sedation in the intensive care unit. Crit Care. 2004;8(1):13-4.
18. Panzer O, Moitra V, Sladen RN. Pharmacology of sedative-analgesic agents: dexmedetomidine, remifentanil, ketamine, volatile anesthetics, and the role of peripheral Mu antagonists. Anesthesiol Clin. 2011;29(4):587-605, vii.
19. Jackson DL, Proudfoot CW, Cann KF, Walsh TS. The incidence of sub optimal sedation in the ICU: a systematic review. Crit Care. 2009;13(6):R204.
20. Sessler CN, Gosnell MS, Grap MJ, Brophy GM, O'Neal PV, Keane KA, et al. The Richmond Agitation-Sedation Scale: validity and reliability in adult intensive care unit patients. Am J Respir Crit Care Med. 2002;166(10):1338-44.
21. Crain N, Slonim A, Pollack MM. Assessing sedation in the pediatric intensive care unit by using BIS and the COMFORT scale. Pediatr Crit Care Med. 2002;3(1):11-4.
22. van Dijk M, Peters JW, van Deventer P, Tibboel D. The COMFORT Behavior Scale: a tool for assessing pain and sedation in infants. Am J Nurs. 2005;105(1):33-6.
23. Simmons LE, Riker RR, Prato BS, Fraser GL. Assessing sedation during intensive care unit mechanical ventilation with the Bispectral Index and the Sedation-Agitation Scale. Crit Care Med. 1999;27(8):1499-504.
24. Arbour R, Waterhouse J, Seckel MA, Bucher L. Correlation between the Sedation-Agitation Scale and the Bispectral Index in ventilated patients in the intensive care unit. Heart Lung. 2009;38(4):336-45.
25. Mendes GD, de Nucci G. Conceitos Farmacocinéticos Fundamentais. In: Cangiani LM, Slullitel A, Potério GMB, Pires OC, Posso IP, Nogueira CS, et al., editors. Tratado de Anestesiologia. 1. 7a Ed ed. São Paulo: Atheneu; 2011. p. 253-64.
26. Simoni R. Influência do Volume de Distribuição sobre a Farmacocinética: Situações Especiais para o Anestesiologia. In: Cangiani LM, Slullitel A, Potério GMB, Pires OC, Posso IP, Nogueira CS, et al., editors. Tratado de Anestesiologia. 1. 7a Ed ed. São Paulo: Atheneu; 2011. p. 265-75.
27. de Wildt SN, de Hoog M, Vinks AA, Joosten KF, van Dijk M, van den Anker JN. Pharmacodynamics of midazolam in pediatric intensive care patients. Ther Drug Monit. 2005;27(1):98-102.
28. Hartwig S, Roth B, Theisohn M. Clinical experience with continuous intravenous sedation using midazolam and fentanyl in the paediatric intensive care unit. Eur J Pediatr. 1991;150(11):784-8.
29. Silvasi DL, Rosen DA, Rosen KR. Continuous intravenous midazolam infusion for sedation in the pediatric intensive care unit. Anesth Analg. 1988;67(3):286-8.
30. Proceedings of the International Symposium on the Uses of Midazolam and Flumazenil in Intensive Care. Saint-Paul-de-Vence, France, October 16, 1986. Resuscitation. 1988;16 Suppl:S1-106.
31. Boulieu R, Lehmann B, Salord F, Fisher C, Morlet D. Pharmacokinetics of midazolam and its main metabolite 1-hydroxymidazolam in intensive care patients. Eur J Drug Metab Pharmacokinet. 1998;23(2):255-8.
32. Malacrida R, Fritz ME, Suter PM, Crevoisier C. Pharmacokinetics of midazolam administered by continuous intravenous infusion to intensive care patients. Crit Care Med. 1992;20(8):1123-6.
33. Bolon M, Bastien O, Flamens C, Boulieu R. Prolonged sedation due to an accumulation of midazolam in an intensive care patient with hypothyroidism. Eur J Clin Pharmacol. 2000;56(9-10):771-2.
34. Ng E, Taddio A, Ohlsson A. Intravenous midazolam infusion for sedation of infants in the neonatal intensive care unit. Cochrane Database Syst Rev. 2003(1):CD002052.

35. Jacobi J, Fraser GL, Coursin DB, Riker RR, Fontaine D, Wittbrodt ET, et al. Clinical practice guidelines for the sustained use of sedatives and analgesics in the critically ill adult. Crit Care Med. 2002;30(1):119-41.

36. Cernaianu AC, DelRossi AJ, Flum DR, Vassilidze TV, Ross SE, Cilley JH, et al. Lorazepam and midazolam in the intensive care unit: a randomized, prospective, multicenter study of hemodynamics, oxygen transport, efficacy, and cost. Crit Care Med. 1996;24(2):222-8.

37. Pohlman AS, Simpson KP, Hall JB. Continuous intravenous infusions of lorazepam versus midazolam for sedation during mechanical ventilatory support: a prospective, randomized study. Crit Care Med. 1994;22(8):1241-7.

38. Stanford GK, Pine RH. Postburn delirium associated with use of intravenous lorazepam. J Burn Care Rehabil. 1988;9(2):160-1.

39. Pandharipande P, Shintani A, Peterson J, Pun BT, Wilkinson GR, Dittus RS, et al. Lorazepam is an independent risk factor for transitioning to delirium in intensive care unit patients. Anesthesiology. 2006;104(1):21-6.

40. Barr J, Zomorodi K, Bertaccini EJ, Shafer SL, Geller E. A double-blind, randomized comparison of i.v. lorazepam versus midazolam for sedation of ICU patients via a pharmacologic model. Anesthesiology. 2001;95(2):286-98.

41. Carter AS, Bell GD, Coady T, Lee J, Morden A. Speed of reversal of midazolam-induced respiratory depression by flumazenil--a study in patients undergoing upper G.I. endoscopy. Acta Anaesthesiol Scand Suppl. 1990;92:59-64; discussion 78.

42. Yaucher NE, Fish JT, Smith HW, Wells JA. Propylene glycol-associated renal toxicity from lorazepam infusion. Pharmacotherapy. 2003;23(9):1094-9.

43. Chicella M, Jansen P, Parthiban A, Marlowe KF, Bencsath FA, Krueger KP, Boerth R. Propylene glycol accumulation associated with continuous infusion of lorazepam in pediatric intensive care patients. Crit Care Med. 2002;30(12):2752-6.

44. Barnes BJ, Gerst C, Smith JR, Terrell AR, Mullins ME. Osmol gap as a surrogate marker for serum propylene glycol concentrations in patients receiving lorazepam for sedation. Pharmacotherapy. 2006;26(1):23-33.

45. Parker MG, Fraser GL, Watson DM, Riker RR. Removal of propylene glycol and correction of increased osmolar gap by hemodialysis in a patient on high dose lorazepam infusion therapy. Intensive Care Med. 2002;28(1):81-4.

46. Oliveira CRD, Elias L. Hipnóticos Não Barbitúricos. In: Cangiani LM, Slullitel A, Potério GMB, Pires OC, Posso IP, Nogueira CS, et al., editors. Tratado de Anestesiologia. 1. 7a Ed ed. São Paulo: Atheneu; 2011. p. 383-400.

47. Jansson JR, Fukada T, Ozaki M, Kimura S. Propofol EDTA and reduced incidence of infection. Anaesth Intensive Care. 2006;34(3):362-8.

48. Herr DL, Kelly K, Hall JB, Ulatowski J, Fulda GJ, Cason B, et al. Safety and efficacy of propofol with EDTA when used for sedation of surgical intensive care unit patients. Intensive Care Med. 2000;26 Suppl 4:S452-62.

49. Alvarez AO, Cascardo A, Albarracin Menendez S, Capria JJ, Cordero RA. Total intravenous anesthesia with midazolam, remifentanil, propofol and cistracurium in morbid obesity. Obes Surg. 2000;10(4):353-60.

50. Hausburg MA, Banton KL, Roman PE, Salgado F, Baek P, Waxman MJ, et al. Effects of propofol on ischemia-reperfusion and traumatic brain injury. J Crit Care. 2020;56:281-7.

51. Strickland RA, Murray MJ. Fatal metabolic acidosis in a pediatric patient receiving an infusion of propofol in the intensive care unit: is there a relationship? Crit Care Med. 1995;23(2):405-9.

52. Wooltorton E. Propofol: contraindicated for sedation of pediatric intensive care patients. CMAJ. 2002;167(5):507.

53. Papaioannou V, Dragoumanis C, Theodorou V, Pneumatikos I. The propofol infusion 'syndrome' in intensive care unit: from pathophysiology to prophylaxis and treatment. Acta Anaesthesiol Belg. 2008;59(2):79-86.

54. Svensson ML, Lindberg L. The use of propofol sedation in a paediatric intensive care unit. Nurs Crit Care. 2012;17(4):198-203.

55. Mandel JE, Lichtenstein GR, Metz DC, Ginsberg GG, Kochman ML. A prospective, randomized, comparative trial evaluating respiratory depression during patient-controlled versus anesthesiologist-administered propofol-remifentanil sedation for elective colonoscopy. Gastrointest Endosc. 2010;72(1):112-7.

56. Kashiwagi M, Okada Y, Kuwana S, Sakuraba S, Ochiai R, Takeda J. Mechanism of propofol-induced central respiratory depression in neonatal rats anatomical sites and receptor types of action. Adv Exp Med Biol. 2004;551:221-6.

57. Devlin JW, Lau AK, Tanios MA. Propofol-associated hypertriglyceridemia and pancreatitis in the intensive care unit: an analysis of frequency and risk factors. Pharmacotherapy. 2005;25(10):1348-52.

58. Oliveira CRD, Nogueira CS. Fármacos alfa2-agonistas. In: Cangiani LM, Slullitel A, Potério GMB, Pires OC, Posso IP, Nogueira CS, et al., editors. Tratado de Anestesiologia. 1. 7a Ed ed. São Paulo: Atheneu; 2011. p. 401-15.

59. Guinter JR, Kristeller JL. Prolonged infusions of dexmedetomidine in critically ill patients. Am J Health Syst Pharm. 2010;67(15):1246-53.

60. Tan JA, Ho KM. Use of dexmedetomidine as a sedative and analgesic agent in critically ill adult patients: a meta-analysis. Intensive Care Med. 2010;36(6):926-39.

61. Wong J, Steil GM, Curtis M, Papas A, Zurakowski D, Mason KP. Cardiovascular effects of dexmedetomidine sedation in children. Anesth Analg. 2012;114(1):193-9.

62. Mason KP, Zurakowski D, Zgleszewski S, Prescilla R, Fontaine PJ, Dinardo JA. Incidence and predictors of hypertension during high-dose dexmedetomidine sedation for pediatric MRI. Paediatr Anaesth. 2010;20(6):516-23.

63. Mason KP, Lerman J. Review article: Dexmedetomidine in children: current knowledge and future applications. Anesth Analg. 2011;113(5):1129-42.

64. Turunen H, Jakob SM, Ruokonen E, Kaukonen KM, Sarapohja T, Apajasalo M, Takala J. Dexmedetomidine versus standard care sedation with propofol or midazolam in intensive care: an economic evaluation. Crit Care. 2015;19:67.

65. Butler KC, Selden B, Pollack CV, Jr. Relief by naloxone of morphine-induced spasm of the sphincter of Oddi in a post-cholecystectomy patient. J Emerg Med. 2001;21(2):129-31.

66. Velosy B, Madacsy L, Lonovics J, Csernay L. Effect of glyceryl trinitrate on the sphincter of Oddi spasm evoked by prostigmine-morphine administration. Eur J Gastroenterol Hepatol. 1997;9(11):1109-12.

67. Gungor M, Genc E, Sagduyu H, Eroglu L, Koyuncuoglu H. Effect of chronic administration of morphine on primary immune response in mice. Experientia. 1980;36(11):1309-10.

68. Roy S, Wang J, Kelschenbach J, Koodie L, Martin J. Modulation of immune function by morphine: implications for susceptibility to infection. J Neuroimmune Pharmacol. 2006;1(1):77-89.

69. Dray A, Nunan L. Supraspinal and spinal mechanisms in morphine-induced inhibition of reflex urinary bladder contractions in the rat. Neuroscience. 1987;22(1):281-7.

70. Garten L, Buhrer C. Reversal of morphine-induced urinary retention after methylnaltrexone. Archives of disease in childhood Fetal and neonatal edition. 2011.

71. Scott JC, Ponganis KV, Stanski DR. EEG quantitation of narcotic effect: the comparative pharmacodynamics of fentanyl and alfentanil. Anesthesiology. 1985;62(3):234-41.

72. Scholz J, Steinfath M, Schulz M. Clinical pharmacokinetics of alfentanil, fentanyl and sufentanil. An update. Clin Pharmacokinet. 1996;31(4):275-92.

73. Muellejans B, Matthey T, Scholpp J, Schill M. Sedation in the intensive care unit with remifentanil/propofol versus midazolam/fentanyl: a randomised, open-label, pharmacoeconomic trial. Crit Care. 2006;10(3):R91.

74. Joshi GP, Warner DS, Twersky RS, Fleisher LA. A comparison of the remifentanil and fentanyl adverse effect profile in a multicenter phase IV study. J Clin Anesth. 2002;14(7):494-9.

75. Selcuk M, Celebioglu B, Celiker V, Basgul E, Aypar U. Infusion and bolus administration of cisatracurium--effects on histamine release. Middle East J Anesthesiol. 2005;18(2):407-19.

76. Sparr HJ, Wierda JM, Proost JH, Keller C, Khuenl-Brady KS. Pharmacodynamics and pharmacokinetics of rocuronium in intensive care patients. Br J Anaesth. 1997;78(3):267-73.

77. Fassbender P, Geldner G, Blobner M, Hofmockel R, Rex C, Gautam S, et al. Clinical predictors of duration of action of cisatracurium and rocuronium administered long-term. Am J Crit Care. 2009;18(5):439-45.

Anestesia na Urgência

215

Avaliação e Abordagem do Paciente Politraumatizado

Samir Lisak

INTRODUÇÃO

Em algum momento de nossas vidas profissionais, nos depararemos com o trauma. Seja no ambiente extra-hospitalar ou dentro de unidades de saúde, certamente o inesperado ocorrerá. Nessas ocasiões, nas quais a imprevisibilidade impera, a análise rápida e objetiva da situação será crucial para a adoção de medidas resolutivas e a definição de condutas.

O trauma não escolhe idade, sexo ou classe social. É uma doença multissistêmica que atinge pessoas saudáveis ou não, independentemente de suas escolhas. Terceira causa de morte na população geral, é responsável por ceifar milhares de vidas anualmente em todo o mundo. Considerando a faixa da população abaixo de 40 anos e, particularmente, o grupo mais jovem, com menos de 20 anos, a morte por causas externas ocupa o primeiro lugar.

Seu custo social é muito grande, limitando ou encerrando a contribuição social na fase mais ativa. É uma doença que custa muito caro!

Trânsito, violência, acidentes pessoais, suicídios, afogamentos e mais recentemente o terrorismo estão entre as principais causas externas relacionadas aos óbitos. Países em desenvolvimento apresentam perfil diferente de afecções, especialmente no quesito trânsito, quando comparados a países desenvolvidos.

De acordo com o Relatório Mundial sobre Prevenção a Lesões Ocasionadas por Tráfego Rodoviário, da Organização Mundial da Saúde, havia expectativa de redução das mortes ocasionadas por tráfego rodoviário em países desenvolvidos nas primeiras décadas do século 21, porém, nas nações em desenvolvimento, aumento da ordem de 80%.[1,2]

Cerca de 16.000 pessoas morrem diariamente e 5,8 milhões anualmente, correspondendo a uma taxa de mortalidade anual de 97,9 por 100.000 habitantes. O trauma também é o responsável pela maioria das incapacitações permanentes na população.

Nessa linha de raciocínio, a sistematização do atendimento garantirá ao anestesiologista a estruturação da assistência independentemente do local onde estiver. Logicamente, atender pacientes no meio da rua é bastante diferente de assisti-los em um centro cirúrgico, porém os passos a serem adotados são essencialmente os mesmos.

Seja em um ambiente controlado ou em um cenário hostil, priorizar as ações de forma a gerenciar primeiro o risco com maior potencial de dano é a base da assistência.

Se o paciente não respirar, em poucos minutos não haverá outras medidas a adotar. Desse modo, os princípios de atendimento adotados mundialmente nos programas de treinamento médico para atendimento a emergências, especialmente os difundidos pelo Colégio Americano de Cirurgiões e pela Sociedade Americana de Cardiologia, desde o final da década de 70, são o planejamento e a sistematização. Esses também são princípios da Anestesiologia.

Dessa forma, o anestesiologista ocupa papel de destaque no tratamento de pacientes traumatizados, devendo reunir em seu arsenal terapêutico conhecimentos e técnicas de medicina intensiva para o cuidado perioperatório adequado.

Os recentes avanços tecnológicos – motivados pela grande prevalência do trauma na população – oferecem vasta gama de opções terapêuticas e novas abordagens. Tanto no pré-hospitalar quanto no inter ou intra-hospitalar, a linha de cuidado deve ser a mesma, focada no controle de danos e na manutenção das funções vitais sem, no entanto, causar dano adicional.

Não há receita de bolo nem protocolo que englobe todas as situações. Os treinamentos e *guidelines* servem para orientar condutas, mas sua aplicação deve ser baseada nas necessidades do paciente, monitoradas continuamente por profissional comprometido.

As palavras-chave que norteiam uma linha minimamente aceitável de cuidado ao paciente crítico são: treinamento, protocolos (baseados em estudos), terapia dirigida por metas, monitorização contínua e comprometimento. Com esses itens trabalhando em sintonia, o processo de cuidar fica mais fácil, mais lógico e com melhores resultados.

■ PRIORIZANDO O ATENDIMENTO

Estabelecendo a Linha de Cuidado

Diversos programas de treinamento em emergências surgiram nos últimos 30 anos. Com enfoques diferentes, em sua maioria concentram informações objetivas sobre como identificar e tratar problemas, sobre como reconhecer e agir. Essa é a base do atendimento em situações críticas.

Nessa linha, o Colégio Americano de Cirurgiões lançou o maior e mais famoso programa de treinamento médico para atuação no trauma, o Suporte Avançado de Vida no Trauma, habitualmente chamado de ATLS® (*Advanced Trauma Life Support*®).[3] Baseado na identificação imediata de lesões potencialmente fatais ou potencialmente danosas a membros, órgãos ou sistemas, estabelece-se o conceito de análise primária, que garante melhores resultados através do diagnóstico e do tratamento rápido.

Hora de Ouro

Esse conceito é um dos grandes legados do ATLS® para a comunidade médica. Os primeiros 60 minutos desde o momento do trauma são decisivos para o desfecho do caso. Quanto mais rápido o paciente crítico receber tratamento definitivo, maiores suas chances globais de recuperação.

Tempo é vida!

Avalie, identifique e trate!

Análise Primária

Identificar e tratar o que mata mais é fundamental para qualquer médico na linha de frente. E não é diferente para o anestesiologista.

As linhas de cuidado implementadas por meio da difusão do ATLS® pelo mundo são muito parecidas com as bases da assistência anestesiológica.

Assim, a definição da linha de cuidado começa pela sistematização do atendimento.

O mnemônico ABCDE do trauma (Tabela 215.1) é o resumo da análise primária, devendo servir de norte para o atendimento a pacientes críticos sob quaisquer circunstâncias e em qualquer lugar. É fundamental ressaltar que a partir da 9ª edição do PHTLS® (*Pre-Hospital Trauma Life Support*®),[4] em 2018, esse famoso mnemônico ganhou a letra X, logo em seu início, como primeira medida a ser adotada na sistematização de condutas durante o atendimento, transformando-se em XABCDE.

O X lembra que a contenção de hemorragias externas graves deve ser feita antes mesmo do manejo das vias aéreas, uma vez que, epidemiologicamente, apesar da obstrução de vias aéreas ser responsável pelos óbitos em um curto período de tempo, o que mais mata no trauma são as hemorragias graves.

Tabela.215.1 Sistematização do atendimento do trauma.

Antiga abordagem	Nova abordagem
	X (EXSANGUINATING) – Hemorragias externas graves
A (*AIRWAY*) – Vias aéreas e estabilização cervical	A (*AIRWAY*) – Vias aéreas e estabilização cervical
B (*BREATHING*) – Ventilação e oxigenação	B (*BREATHING*) – Ventilação e oxigenação
C (*CIRCULATION*) – Circulação e controle de hemorragias	C (*CIRCULATION*) – Circulação e controle de hemorragias
D (*DISABILITY*) – Avaliação neurológica dirigida	D (*DISABILITY*) – Avaliação neurológica dirigida
E (*EXPOSURE*) – Exposição e prevenção de hipotermia	E (*EXPOSURE*) – Exposição e prevenção de hipotermia

A análise primária deve ser realizada sempre que se abordar paciente traumatizado, independentemente de já ter sido feita por outro profissional anteriormente. É a garantia de que as medidas e ações necessárias foram tomadas e que nada foi esquecido ou subavaliado (Figura 215.1).

Hemorragias exsanguinantes matam de imediato.

Hipóxia é a próxima ameaça à vida.

Hemorragias internas ou não exsanguinantes são a próxima preocupação imediata.

Deve-se presumir que a causa do choque é a perda sanguínea, até que se prove o contrário.

A etapa final da análise primária consiste no exame da cabeça aos pés, buscando ferimentos, lesões, deformidades ou sangramentos que completarão a impressão diagnóstica inicial e permitirão o planejamento da linha de cuidado.

Para tanto, mínima movimentação da vítima deverá ocorrer, sempre em bloco, a fim de que se visualize e palpe o dorso. Usualmente, o anestesiologista assume posição na região cefálica da vítima, devendo manter a estabilização cervical manual e cuidados com via aérea durante a manobra, além de assegurar a movimentação em bloco, preservando a imobilização da vítima.

Análise Secundária

Após a rápida avaliação inicial, deve-se continuar de forma sistematizada a análise do paciente, com obtenção da história clínica, passado médico (medicamentos e alergias), exame físico minucioso com sinais vitais e estudos diagnósticos e especializados. Essa sistematização é mais facilmente realizada por meio do método mnemônico mostrado na Tabela 215.2.

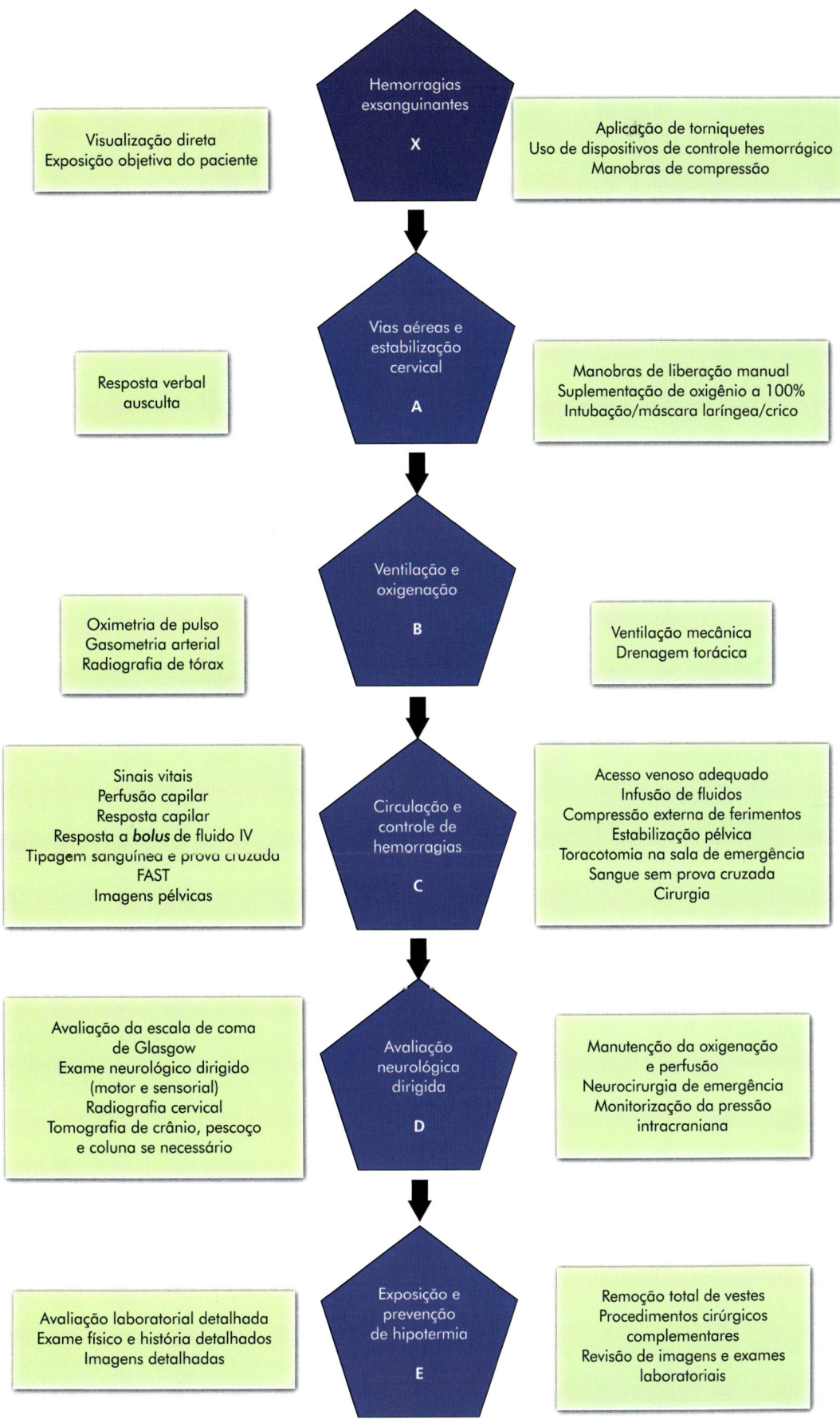

▲ **Figura 215.1** Linha de cuidado simplificada para pacientes traumatizados, com principais pontos de atenção.

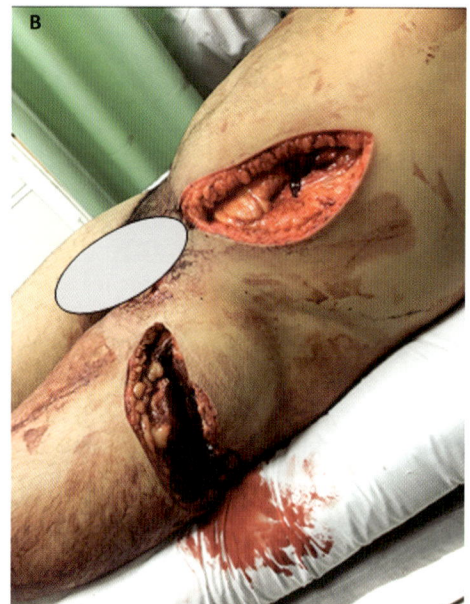

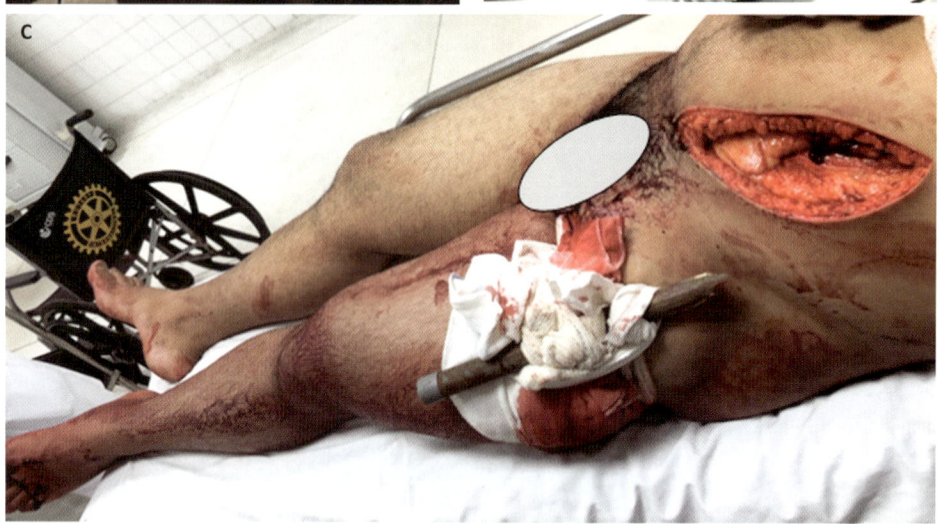

◄ **Figura 215.2** **(A)** Paciente vítima de queda sobre assento sanitário em domicílio. **(B)** Paciente na chegada à sala de emergência, trazido por meios próprios. **(C)** Paciente recebeu garroteamento improvisado – e efetivo (vide diferença de coloração entre os membros inferiores e cessação da hemorragia) – de lesão exsanguinante, de imediato.

Fonte: Acervo pessoal do autor.

Tabela 215.2 Método mnemônico para realização da análise secundária.

S – Sinais vitais

A – Alergias

M – Medicamentos

P – Passado médico

L – Líquidos e alimentos

A – Ambiente (histórico do evento)

Durante a análise secundária, deve-se reassegurar que os procedimentos adotados de imediato na análise primária estejam efetivos, e que os itens previamente avaliados estejam adequadamente gerenciados. Ainda é muito comum que durante a manipulação do paciente grave ocorra deslocamento de equipamentos como garrotes, máscaras laríngeas, selos ou drenos de tórax, dentre outros. A sistematização de atendimento também engloba os cuidados adicionais necessários e o senso de antecipação, prevenindo problemas nos pontos e situações nos quais é mais comum haver falhas.

Trabalho em Equipe

Já é sabido que o trauma não escolhe horário nem local. Frequentemente, a estrutura física para atendimento a urgências e emergências é precária, e as condições econômicas não são atrativas para fixação de profissionais experientes em grande parte dos estabelecimentos de saúde.

O manuseio do paciente traumatizado requer, além da capacidade de prover cuidado direto a suas lesões, a identificação de lesões secundárias, lesões ocultas e o raciocínio clínico-intensivo acerca das interações que essas lesões podem causar a diversos órgãos e sistemas. Além das lesões agudas, ainda deve-se considerar a vasta gama de condições médicas crônicas que os pacientes apresentam.

Nesse cenário, procedimentos de simples resolução podem tomar proporções catastróficas, tornando lesões gerenciáveis em ferimentos potencialmente fatais.

Feitas essas constatações, é vital entender que duas cabeças pensam melhor do que uma e que quatro mãos trabalham melhor do que duas. O tratamento de pacientes críticos requer a atenção de uma equipe, de um time, e não só do trabalho de um profissional isolado.

Educação continuada e treinamento em serviço são sabidamente úteis na formação profissional e na construção de times e linhas de cuidado, entretanto sua aplicação no sistema de saúde brasileiro ainda é restrita a centros acadêmicos, grandes centros urbanos e ilhas de excelência cujo foco em qualidade e segurança justifica o investimento.

Saber como agir e como estruturar o atendimento muitas vezes é mais útil do que solucionar tecnicamente um problema específico. Por exemplo, durante o gerenciamento da via aérea onde ocorra a necessidade de garantia de via aérea definitiva, a incapacidade técnica de intubação pode matar um paciente. Contudo, se houver boa gestão da crise, a utilização de recursos acessórios como liberação manual da via aérea e suporte ventilatório ou simplesmente a utilização de um dispositivo supraglótico podem solucionar o problema. Mas tal solução somente ocorrerá se o responsável pelo atendimento considerar as opções acessórias, se planejar o atendimento, e se sua equipe souber como ajudá-lo no passo a passo, seja qual decisão tomar. Certamente sua prática profissional será mais segura e melhor, e o benefício direto quem colhe é o paciente.

Respeito e atenção também são fundamentais. Todos gostam de ser chamados por seus nomes. É a forma mais rápida e objetiva de atrair a atenção de alguém. Falar firme, claramente e confirmar se a mensagem foi corretamente captada é importantíssimo para um desfecho favorável.

Outra prática simples, muito eficiente, mas pouco utilizada, é a da reunião pós-atendimento. Nesse momento, pode-se aprender muito e compartilhar conhecimentos ou emoções vivenciados durante os momentos imediatamente anteriores, sob tensão.

É a oportunidade do líder do atendimento perguntar, ouvir de sua equipe o que acharam da assistência prestada, do que gostaram, o que poderiam ter feito melhor ou de maneira diferente. É um momento de construção no qual não se apontam erros e não se detêm culpados, mas se identifica a falha e coletivamente pensa-se na resolução para uma ação futura.

■ GERENCIAMENTO DE EMERGÊNCIA DA VIA AÉREA

Após os sangramentos exsanguinantes que devem receber atenção imediata, a hipóxia é o próximo e mais mortal problema a ser resolvido nos pacientes críticos. Assegurar via aérea permeável e mecanismo ventilatório adequado são as missões principais do anestesiologista durante o atendimento de emergência.

As principais causas de obstrução de vias aéreas e respiração inadequada estão descritas na Tabela 215.3.

As principais indicações de intubação traqueal são descritas na Tabela 215.4.

Tabela 215.4 Principais indicações de intubação traqueal.
■ Parada respiratória ou cardiorrespiratória
■ Insuficiência respiratória
■ Necessidade de proteção mecânica das vias aéreas
■ Necessidade de sedação profunda ou anestesia
■ Necessidade transitória de hiperventilação em pacientes com efeito massa em lesões cerebrais e evidências de aumento da pressão intracraniana (PIC)
■ Necessidade de administração de FiO_2 100% a pacientes com intoxicação por monóxido de carbono

No caso de intubação traqueal, esta deve ser imediatamente confirmada por meio da capnometria. A ausência de exalação de CO_2 indica intubação esofágica, que pode ser catastrófica e que deve ser imediatamente corrigida. A visualização direta da passagem do tubo através das pregas vocais é um método primário de confirmação do posicionamento do tubo traqueal, entretanto deve sempre ser acompanhada de método secundário para efetiva confirmação, seja pela ausculta torácica de cinco pontos – estômago, bases e ápices pulmonares, pela capnometria ou pela capnografia.

Cabe salientar que pacientes críticos com baixo débito cardíaco ou em parada cardiorrespiratória apresentam valores muito baixos de CO_2 no final da expiração. Em caso de dúvida persistente, nova laringoscopia para visualização do posicionamento do tubo deve ser realizada.

Se for necessária a realização de procedimento cirúrgico para assegurar via aérea patente ou ventilação adequada, este deve ser realizado imediatamente.

Retardar a execução de procedimento que deve ser realizado pode trazer repercussões trágicas, ao passo que a execução certamente proporcionará tempo adicional para reorganização das prioridades e manutenção da linha de cuidado (Figura 215.3).

Tabela 215.3 Causas de obstrução de vias aéreas ou ventilação inadequada em pacientes traumatizados.
Obstrução de via aérea
■ Ferimento na face, mandíbula ou pescoço
■ Hemorragia em nasofaringe, seios da face, boca ou via aérea superior
■ Aspiração de conteúdo gástrico ou corpo estranho
■ Dispositivo supraglótico ou tubo traqueal mal posicionados
Ventilação inadequada
■ Rebaixamento do nível de consciência secundário a traumatismo craniano, choque, intoxicação, hipotermia ou sedação excessiva
■ Trauma direto na traqueia ou nos brônquios
■ Ferimento na parede torácica
■ Aspiração
■ Contusão pulmonar
■ Trauma raquimedular
■ Broncoespasmo secundário a inalação de fumaça ou gás tóxico

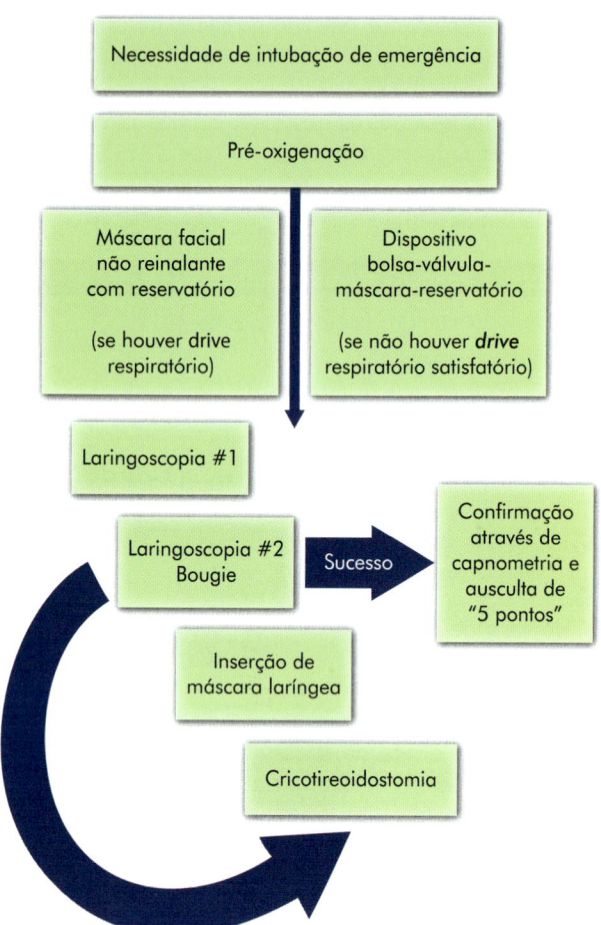

▲ **Figura 215.3** Algoritmo sugerido para gerenciamento da via aérea. Cada profissional deverá determinar o melhor fluxo de acordo com sua experiência e condições locais.

Profissionais experientes, com monitorização e equipamentos adequados, atingiram no ambiente extra-hospitalar resultados de intubação com uso de anestésicos e relaxantes musculares equivalentes aos obtidos em ambientes controlados – como o centro cirúrgico.[5-7]

▪ INTUBAÇÃO TRAQUEAL

Profilaxia Contra Aspiração de Conteúdo Gástrico

Pacientes traumatizados são sempre considerados como portadores de estômago cheio, com risco significativo de aspiração de conteúdo gástrico. Algumas manobras são conhecidas por diminuir esse risco.

Apesar de o valor da Manobra de Sellick ser discutível na oclusão do esôfago durante a intubação, sua realização é bastante simples e pode oferecer benefícios adicionais.[8,9]

Consiste na compressão extrínseca da cartilagem cricoide posteriormente, com intuito de ocluir o esôfago. Essa técnica pode facilitar a visualização da laringe pelo intubador; enquanto a palpação pode identificar alterações anatômicas e até servir como indicativo da passagem do tubo traqueal no local correto. Entretanto, a manobra também

pode piorar a visualização por meio da laringoscopia direta,[10] devendo a compressão ser titulada entre o profissional que intuba e o que realiza a pressão.

Outra técnica recentemente recomendada é a BURP (*Back-Up-Right-Position*), que consiste na compressão extrínseca da cartilagem tireoide no sentido posterior, cranial e para a direita, de forma a combinar-se com a laringoscopia, deslocando-se a língua para a esquerda e aumentando-se o campo de visão para a intubação durante o procedimento.

Em pacientes com sondas orais ou nasais já posicionadas, a aspiração prévia é indicada, diminuindo-se a pressão intracavitária.

A passagem de sondas antes da intubação é controversa, sendo que o próprio procedimento de passagem da sonda pode ocasionar vômito ou regurgitação.

O mesmo raciocínio é feito acerca do posicionamento da mesa cirúrgica, caso a intubação ocorra nesse ambiente. Cabeceira baixa pode potencializar o refluxo, mas dificultar a aspiração traqueal do conteúdo, ao passo que cabeceira elevada dificulta o refluxo, porém, se houver, a aspiração do conteúdo é praticamente certa.

Dessa forma, a posição neutra, o bom plano anestésico, monitores e equipamentos adequados somados a profissionais experientes são os itens relacionados ao maior sucesso da intubação traqueal em situações de emergência (Figura 215.4).

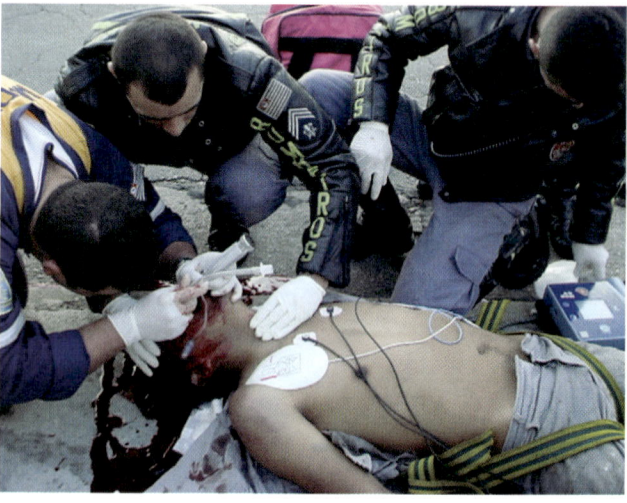

▲ **Figura 215.4** Paciente vítima de eletrocussão seguida por queda de aproximadamente 7 metros.
Fonte: Acervo pessoal do autor.

Proteção e Estabilização da Coluna Cervical

Presume-se que toda vítima de trauma seja portadora de lesão cervical, razão pela qual o uso de colares cervicais é amplamente difundido e geralmente os pacientes atendidos por serviços de atenção pré-hospitalar ou em sala de emergência já foram assistidos por tal dispositivo. É importante salientar que o colar cervical isoladamente não promove imobilização completa, sendo necessária a fixação adicional ao leito ou prancha longa imobilizadora.

A imobilização tende a dificultar a visualização das estruturas glóticas durante a laringoscopia, e a proteção que o colar oferece à região do mento também pode dificultar a tração do laringoscópio, prejudicando o acesso à hipofaringe (Figura 215.5).

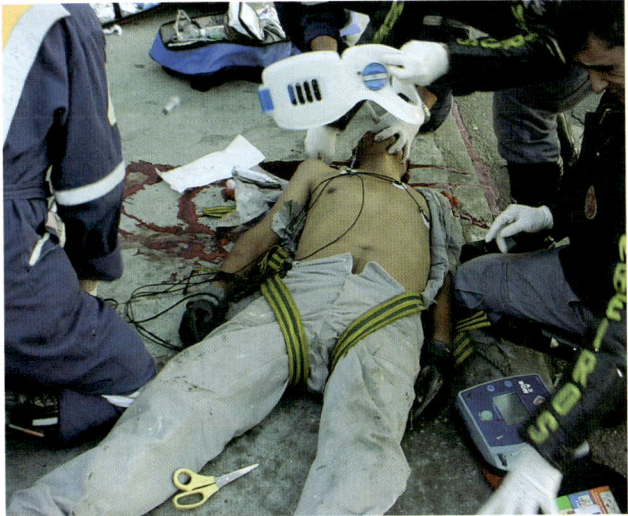

▲ **Figura 215.5** Estabilização cervical manual para intubação traqueal com posterior colocação do colar cervical. Permite melhor visualização das estruturas glóticas e maior facilidade à laringoscopia convencional. Necessário apoio de terceiros.

Fonte: Acervo pessoal do autor.

Pode-se abrir o colar durante o procedimento de intubação, mas é mandatório que ocorra a estabilização manual da cabeça e da região cervical por um profissional adicional, assegurando a mínima movimentação possível durante o procedimento. A remoção das medidas de proteção cervical pode ocorrer após criteriosa avaliação diagnóstica, o que raramente ocorre antes da indicação de intubação traqueal em pacientes críticos.

O uso de dispositivos supraglóticos ou novos dispositivos acessórios para intubação traqueal deve obedecer ao mesmo princípio de imobilização, visando à imobilidade da região cervical.

Fármacos e Indução da Anestesia

Os objetivos são os mesmos, tanto no ambiente extra quanto intra-hospitalar. Porém, as condições e recursos não. Muitas vezes, a escolha do fármaco está relacionada à existência – ou não – de um acesso venoso viável.

A experiência do profissional e o entrosamento da equipe também são definidores no processo de escolha das medicações.

Em linhas gerais, os pontos críticos são a hipóxia (não intubo, não ventilo) e o colapso cardiocirculatório (choque hemorrágico), e fármacos tradicionalmente utilizados para indução de anestesia, como o propofol, devem ter seu custo-benefício bem ponderado, pois apresentam efeito inotrópico negativo, causam vasodilatação e podem potencializar o risco do colapso circulatório pela depleção de catecolaminas.

Nesse cenário, o etomidato figura como principal opção para indução anestésica em pacientes traumatizados, em razão de sua pouca interferência nos parâmetros cardiovasculares, ainda que possa provocar hipotensão pela inibição da liberação de catecolaminas.

O sistema nervoso central (SNC) parece ser afetado pela condição hipovolêmica crítica.[11] A cetamina, um estimulante do SNC, também tem seu clássico uso relacionado aos pacientes críticos. Deve-se considerar, também, o efeito cardiodepressor desse fármaco, mascarado pela taquicardia e hipertensão transitórias causadas pela liberação imediata de catecolaminas na circulação.

Situações com potencial e imediato risco à vida podem requerer medidas extremas, como intubação sem associação de fármacos indutores ou apenas com uso de bloqueadores neuromusculares.

A própria hipóxia cerebral está relacionada à inibição da memória. Pequenas doses de midazolam podem ser utilizadas para prevenção da consciência transoperatória, entretanto pode ocorrer hipotensão.

Fentanil tem seu papel na redução do reflexo de proteção da via aérea e do incômodo causado pela laringoscopia, mas cursa com o mesmo risco associado de hipotensão e potencialização do dano, ainda mais em associação com outros fármacos.

A definição dos fármacos ou combinação de fármacos está diretamente relacionada ao planejamento da operação, na linha de cuidado que foi planejada a partir da análise primária e dos outros adjuvantes na atenção ao paciente crítico.

Bloqueadores neuromusculares

Succinilcolina (0,6 a 2 mg.kg^{-1}) continua sendo o bloqueador neuromuscular com mais rápido início de ação disponível. Em menos de um minuto, tem ação efetiva e duração de ação em torno de 5 a 10 minutos. Esse é o principal motivo pela ampla aplicação em situações críticas.

Vários efeitos adversos são esperados com o uso da succinilcolina, como aumento da pressão de órgãos cavitários, aumento da pressão ocular, da pressão intracraniana e aumento do potássio sérico na ordem de 0,5 a 1 mEq.L^{-1}. O dano causado pelo aumento das pressões citadas deve ser ponderado. Se o dano causado por hipóxia e hipercapnia for potencialmente maior do que o aumento transitório das pressões, succinilcolina está indicada. Pacientes queimados e pacientes com trauma musculoesquelético extenso apresentam hipercalemia mais acentuada após as primeiras 24 horas, razão pela qual o uso da succinilcolina é seguro no gerenciamento crítico da via aérea, devendo ser criterioso em períodos subsequentes.

O foco do anestesiologista deve residir na obtenção de via aérea segura no menor tempo possível, com o menor número de tentativas, sem postergar a indicação e – acima de tudo – a realização de via aérea cirúrgica, caso outras tentativas e equipamentos tenham falhado e a necessidade exija. Situações críticas exigem decisões críticas, que devem ser bem delineadas na linha de cuidado. A análise primária deve assegurar que problemas com vias aéreas sejam identificados e resolvidos prontamente, antes de se prosseguir com a avaliação.

Em ambientes hospitalares há, geralmente, outros bloqueadores neuromusculares de ação rápida, como o rocurônio (0,8 – 1,2 mg.kg⁻¹), que possui rápido início de ação dose-dependente, sem efeitos cardiovasculares e apresenta reversor específico: sugamadex. Na dose recomendada, a duração do bloqueio está estimada em cerca de 60 a 120 minutos, no entanto a segurança adicional do reversor específico deve ser ponderada no processo de escolha.

Acessórios para Intubação

Diversos materiais e equipamentos têm surgido nos últimos anos, porém alguns efetivamente se destacam pela frequência de utilização e pelos benefícios trazidos, consagrando-os pelo uso.

Entre eles, o estilete de intubação popularmente conhecido como *Bougie* apresenta essas características. Barato, prático e útil, consiste em um guia semiflexível com cerca de 60 cm e com a ponta ligeiramente fletida que, ao passar pelas cordas vocais e entrar mais facilmente na traqueia pelo seu menor diâmetro quando comparado ao tubo traqueal, permite a confirmação do posicionamento correto ao transmitir a sensação do resvalo nos anéis traqueais à intubação. Após a certeza da introdução traqueal, promove-se a descida do tubo que reveste o *Bougie*, cuidadosamente, para evitar danos às pregas vocais.

Laringoscópios ópticos de vários tipos estão sendo comercializados e popularizados, cada um com suas vantagens e desvantagens, todos com o objetivo de facilitar a visualização e a introdução de tubo através da traqueia. A disponibilidade do recurso, o treinamento do operador e, acima de tudo, sua experiência no manuseio de pacientes críticos farão o processo de escolha do dispositivo mais adequado aos problemas enfrentados.

Dispositivos supraglóticos

Entre os acessórios para gerenciamento da via aérea, talvez os mais difundidos e úteis em situações de urgência e emergência sejam os dispositivos supraglóticos. Mesmo sem assegurar via aérea definitiva, por princípio, esses dispositivos com múltiplas formas, formatos, tamanhos e detalhes são responsáveis por salvar milhares de vidas, evitando a hipóxia e permitindo ventilação e oxigenação adequados, ainda que por período de tempo limitado.

De fácil e intuitiva inserção, esses dispositivos posicionam-se na hipofaringe, acima das pregas vocais, vedando as estruturas presentes e permitindo a passagem do ar diretamente para a traqueia.

Alguns dispositivos permitem a passagem de sondas para o esôfago a fim de viabilizar aspiração gástrica sem, no entanto, deslocar o dispositivo de sua posição.

Outros dispositivos também permitem a ventilação supraglótica e a possibilidade de passagem de tubo através de sua luz, eventualmente permitindo a intubação traqueal com enormes chances de sucesso.

As máscaras laríngeas fazem parte do algoritmo de via aérea difícil da Sociedade Americana de Anestesiologistas e

são dispositivos apropriados para uso em situações de trauma, caso as alterações anatômicas de face e via aérea não impeçam seu posicionamento adequado (Figura 215.6).

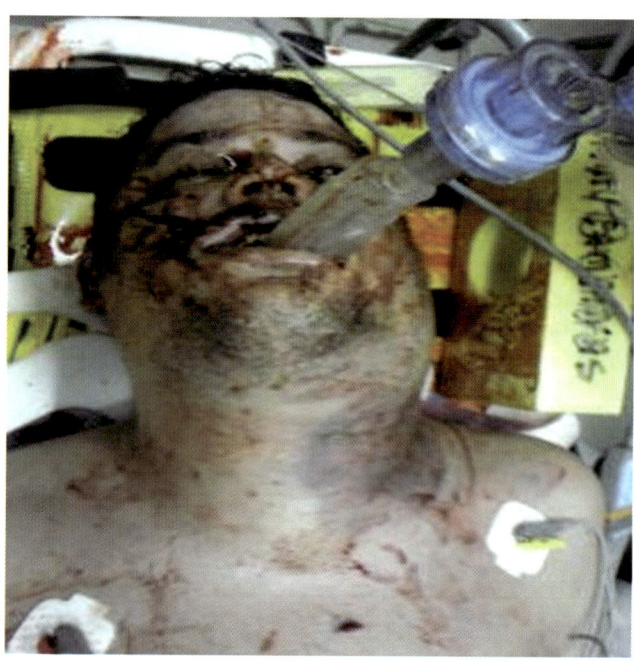

▲ **Figura 215.6** Motociclista vítima de colisão contra objeto fixo.
Fonte: Acervo pessoal do autor.

Dispositivos supraglóticos bem posicionados oferecem melhores condições de ventilação e oxigenação aos pacientes quando comparados a cricotireoidostomias, assegurando melhores condições clínicas ao paciente crítico.

Via aérea de resgate

- Cricotireoidostomia por punção;
- Cricotireoidostomia cirúrgica.

■ CONTROLE DE HEMORRAGIAS

Fisiopatologia do Choque Hemorrágico

A diminuição aguda do conteúdo intravascular ocasiona redução da pressão sanguínea que, por sua vez, desencadeia a liberação de catecolaminas e vasoconstrição. Essa resposta macrocirculatória, mediada pelo sistema neuroendócrino, garante que órgãos vitais, como coração, rins e cérebro, tenham sua perfusão mantida em detrimento de outras áreas e órgãos.

A centralização da circulação associada à dor e à percepção cortical do trauma desencadeia a resposta microcirculatória, com liberação de hormônios e mediadores inflamatórios, como renina, angiotensina, vasopressina, hormônio antidiurético e hormônio do crescimento, além de glucagon, cortisol, adrenalina e noradrenalina.

Ao nível celular, o mecanismo de ação básico é o sequestro de líquido intersticial pelas células isquêmicas e consequente edema celular, com posterior depleção do líquido intravascular. Esse ingurgitamento bloqueia as redes capilares adjacentes e dificulta o retorno venoso, impedindo a reversão da isquemia mesmo com a macrocirculação preservada.

Radicais livres e lactato são produzidos e ficam representados na circulação, causando lesão celular. As células isquêmicas também produzem e lançam na circulação diversos produtos inflamatórios, como interleucinas, leucotrienos, fatores de necrose tumoral, prostaciclina, tromboxano, endotelina e prostaglandinas, potencializando os estragos por ocasião do restabelecimento do fluxo, se houver, momento em que a carga tóxica atinge a corrente central.

Uma vez desencadeada a resposta inflamatória ao trauma, seu processo patológico evolui independentemente do gatilho, podendo causar danos ainda que o sangramento tenha sido controlado e o volume sanguíneo restabelecido. Essa resposta imunometabólica é a responsável por inúmeras mortes em pacientes vítimas de trauma, ainda que seus ferimentos tenham sido tratados de forma rápida e adequada. A Tabela 215.5 mostra os sinais e sintomas do choque hipovolêmico.

Tabela 215.5 Sinais e sintomas do choque hipovolêmico.

- Palidez
- Sudorese
- Hipotensão
- Taquicardia
- Enchimento capilar lentificado
- Diminuição do débito urinário
- Estreitamento da pressão de pulso

Reanimação Volêmica no Choque Hemorrágico

A administração de fluidos e o controle das perdas são a base do tratamento da hipovolemia. Porém, nem sempre é possível o controle imediato das perdas, restando a administração de fluidos como pilar da reanimação no choque hipovolêmico.

Nesse raciocínio, com base na filosofia preconizada pelo ATLS®, há dois modelos de reanimação: a precoce, que ocorre na vigência de sangramentos ativos, e a tardia, quando as hemorragias já foram controladas.

O foco da reanimação tardia consiste na otimização da distribuição de oxigênio por meio da administração de fluidos, pautada por indicadores que visam ao alcance de metas.

Já a reanimação precoce necessita balancear os riscos entre uma reposição volêmica excessiva – que pode aumentar riscos de sangramento e potencializar o choque – e a hipoperfusão e até isquemia.

O papel do anestesiologista é reconhecer a existência de choque após perda sanguínea traumática e reanimar o paciente com o fluido adequado, na quantidade adequada e no momento certo.

Reanimação Precoce (Na Vigência de Sangramentos Ativos)

As Tabelas 215.6 e 215.7 reúnem os principais pontos a serem considerados durante o manejo volêmico inicial nos pacientes que ainda apresentam focos de sangramento ativo.

Reanimação Guiada por Metas

A Tabela 215.6 contém fluxograma sugerido para diagnóstico, tratamento inicial, suporte e reanimação do paciente com choque hipovolêmico.

Tabela 215.6 Metas para a Reanimação Precoce.*

Manter:
- Pressão sistólica ao redor de 80 a 100 mmHg
- Hematócrito em 25% a 30%
- Tempo de protrombina e tempo parcial de tromboplastina dentro dos limites da normalidade
- Cálcio sérico ionizado dentro dos limites da normalidade
- Temperatura central acima de 35 °C
- Oximetria de pulso funcionante

Prevenir:
- Aumento do lactato sérico
- Piora da acidose

Obter:
- Plano adequado de analgesia e sedação

* A administração de fluidos para limitar a hipoperfusão deve ser equilibrada a fim de se evitar aumento indesejável da pressão sanguínea e consequente sangramento.

Tabela 215.7 Riscos associados à reposição volêmica agressiva durante a Reanimação Precoce.*

- Aumento da pressão sanguínea
- Diminuição da viscosidade sanguínea
- Diminuição do hematócrito
- Diminuição da concentração dos fatores de coagulação
- Maior necessidade de transfusão
- Quebra do balanço eletrolítico
- Imunossupressão direta
- Reperfusão precoce
- Risco aumentado de hipotermia

*A maioria das complicações que envolvem reposição volêmica surgem pelo aumento do volume da hemorragia ou hemodiluição excessiva.

Reanimação Tardia (Quando os Sangramentos Foram Controlados)

Essa fase só começa após todos os focos de sangramento terem sido controlados, seja por meio de cirurgia, de procedimentos complementares ou pela simples passagem do tempo. O objetivo é o restabelecimento da perfusão normal a todos os órgãos e sistemas enquanto se mantém o suporte às funções vitais.

A cascata de danos iniciada pela hipoperfusão abrupta mantém seus efeitos por um longo período, mesmo após o restabelecimento da circulação adequada, estando os prejuízos sistêmicos relacionados à duração e à extensão do choque.

Parâmetros vitais tradicionalmente utilizados como frequência cardíaca, pressão arterial e débito urinário são insensíveis à adequação da reanimação volêmica. São tardios.

Nesse cenário, a síndrome da hipoperfusão oculta ganha espaço, manifestando-se por meio de vasoconstrição sistêmica persistente, apesar da pressão sanguínea dentro de parâmetros normais. Mais frequente no pós-operatório imediato de pacientes jovens traumatizados,[12] o volume intravascular é baixo, o débito cardíaco é baixo e a isquemia orgânica persiste, levando a grande risco de hipoperfusão de múltiplos órgãos e sistemas.

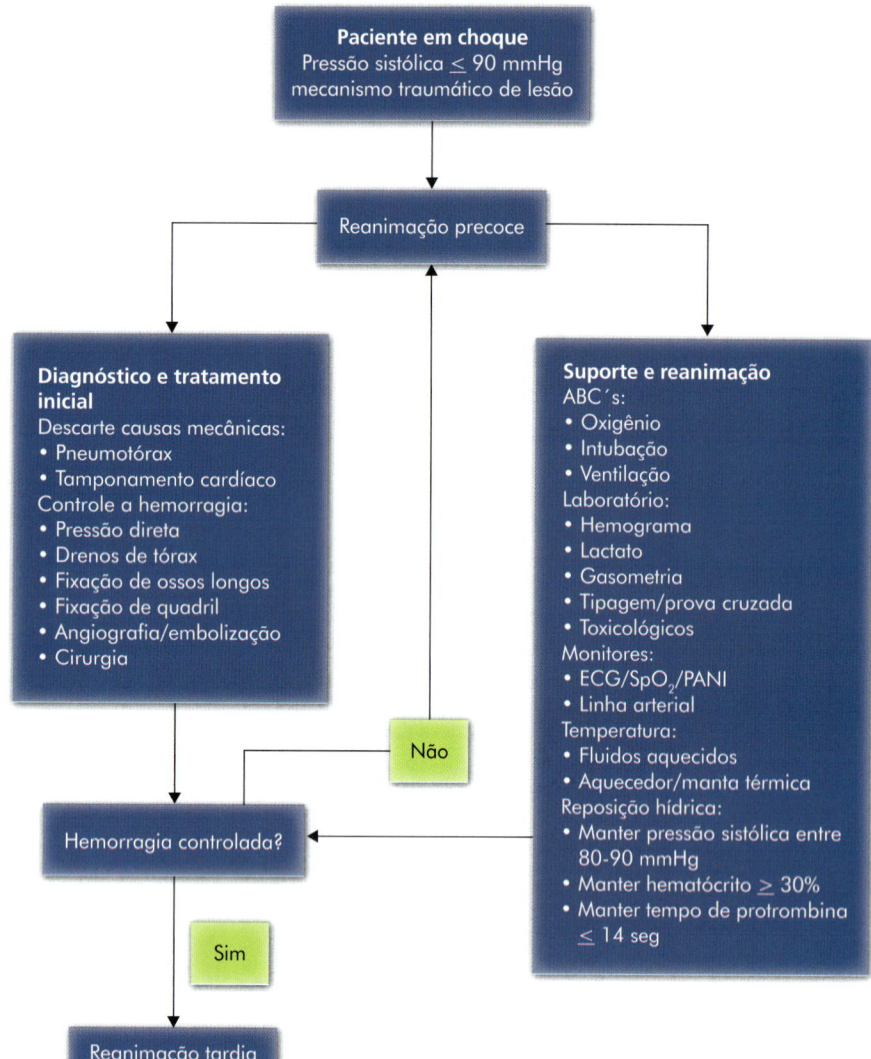

◀ **Figura 215.7** Algoritmo para cuidados precoces no choque hemorrágico.

Os objetivos da reanimação tardia estão descritos na Tabela 215.8. A Tabela 215.9 mostra os benefícios de um sistema de infusão de fluidos na reanimação do choque hemorrágico e a Figura 215.8 mostra o fluxograma e as metas para reanimação tardia e manejo do choque hipovolêmico.

Tabela 215.8 Metas para a Reanimação Tardia.*

Manter:
- Pressão sistólica acima de 100 mmHg
- Hematócrito acima do gatilho individual de transfusão

Normalizar:
- Balanço eletrolítico
- Marcadores de coagulação
- Temperatura corporal
- Débito urinário
- Lactato
- Acidose

Otimizar:
- Débito cardíaco por meio de monitorização invasiva ou não invasiva

*A administração de fluidos deve ser mantida até a normalização da perfusão tecidual.

Tabela 215.9 Benefícios de um sistema de infusão de fluidos na reanimação do choque hemorrágico.

- Até 1.500 mL.min⁻¹
- Compatível com cristaloides, coloides e hemocomponentes (exceto plaquetas)
- Reservatório permite mistura de soluções
- Controle de temperatura do volume infundido
- Detecção de ar
- Permite infusão em múltiplas linhas venosas
- Precisão e registro do volume infundido

■ FOCO NA ORIGEM DO PROBLEMA

Trauma no Sistema Nervoso Central

Metade das mortes por trauma envolve lesão no sistema nervoso central (SNC).[13] Além das mortes, as incapacitações e sequelas também são significativas, sendo que se estima em 10% a morbimortalidade relacionada ao traumatismo raquimedular, nos casos em que há acometimento do SNC.

Assim como no choque hemorrágico, no SNC a lesão primária ocorre pela transmissão da energia do trauma aos

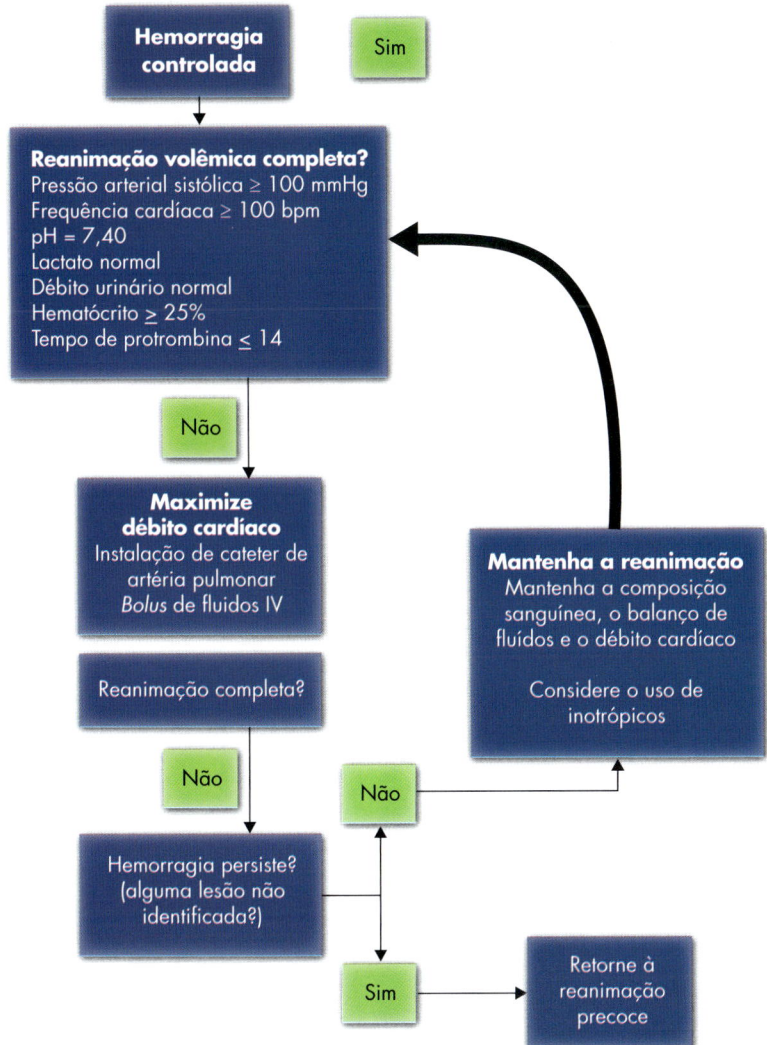

◀ **Figura 215.8** Fluxograma e metas para reanimação tardia e manejo do choque hipovolêmico.

tecidos, seguida da lesão secundária, em que a resposta do organismo à energia transmitida tem grande impacto.

Apenas a prevenção consegue evitar o acontecimento da lesão primária. Entretanto, o rigoroso cuidado, ofertado da mesma maneira em que é definida a linha de cuidado a qualquer paciente traumatizado, por meio da sistematização do atendimento e definição de metas, é fundamental para minimizar os efeitos devastadores da lesão secundária no SNC.

Traumatismo Cranioencefálico (TCE)

O dano primário, promovido pela absorção da energia proveniente do trauma, causa ruptura neuronal, axonal e vascular, gerando secundariamente estresse oxidativo, com desencadeamento da cascata metabólica e bioquímica, que tardiamente cursará com apoptose e morte celular.[14] Essa resposta é muito potencializada pela isquemia e pela resposta inflamatória sistêmica.

Posto isso, o tratamento específico do trauma que envolve o SNC consiste na correção sistêmica dos itens mais deletérios: hipóxia e hipovolemia. O ABCDE do trauma é supremo!

Manejar a via aérea, a oxigenação e a respiração, controlando as perdas e otimizando a reposição de fluidos é o caminho a ser seguido (Figura 215.9).

A prática clínica diferencia as gravidades presumidas de TCE de acordo com valores estabelecidos pela escala de coma de Glasgow (ECG), conforme a Tabela 215.10.

Tabela 215.10 Correlação entre a Escala de Coma de Glasgow (ECG) e a gravidade presumida do Traumatismo CRANIOENCEFÁLICO (TCE).	
ECG 13 – 15	TCE leve
ECG 9 – 12	TCE moderado
ECG 3 – 8	TCE grave

Com base nessa classificação, a padronização de condutas fica mais clara, porém sempre de forma dinâmica e adaptável à necessidade do paciente. Há intrínseca correlação entre a gravidade presumida e a morbimortalidade.

Assegurar via aérea definitiva nos casos de TCE grave garante menores problemas com aspiração, hipóxia e agitação. O mesmo pode ocorrer nos casos de TCE moderado, especialmente se houver agitação ou se a condição de gravidade concomitante do paciente indicar (Figura 215.10).

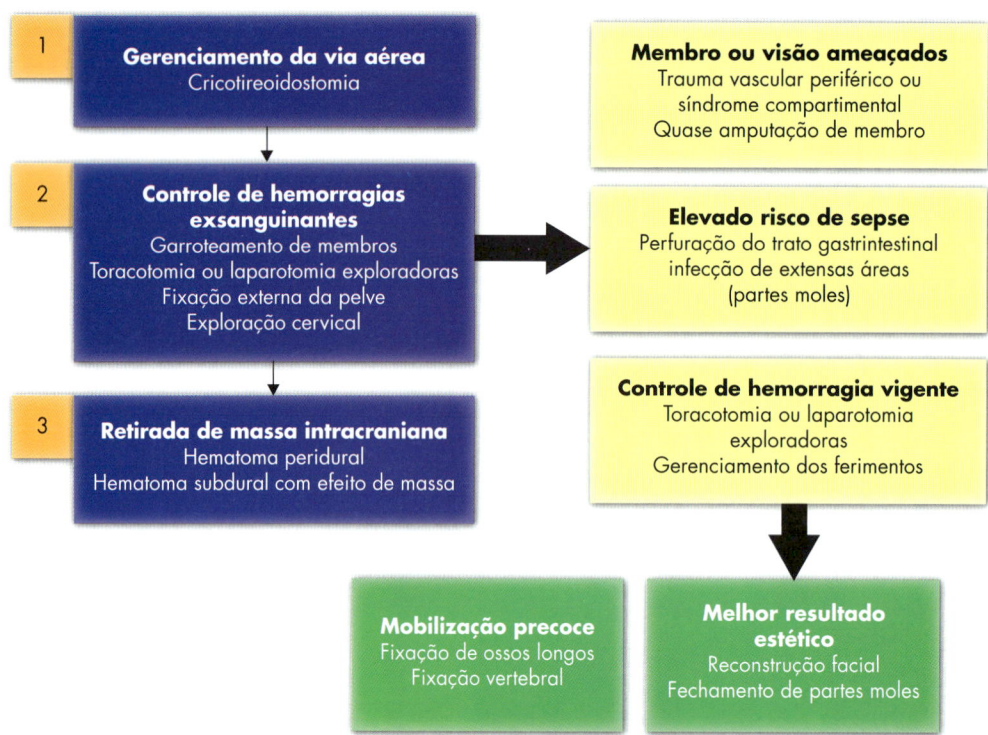

▲ **Figura 215.9** Prioridades cirúrgicas no paciente traumatizado.
Fonte: Dutton RP, *et al.*, 2001.[15]

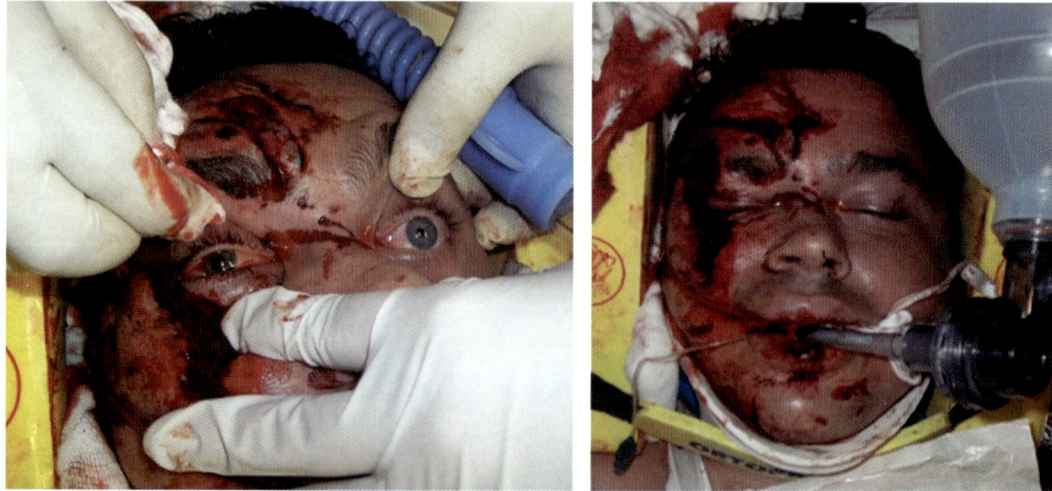

▲ **Figura 215.10** Vítima de colisão entre moto e automóvel, apresentando TCE e anisocoria.
Fonte: Acervo pessoal do autor.

Monitorização contínua da condição neurológica deve sempre acompanhar a linha de cuidado, indicando fortemente a necessidade de intervenção com deteriorações acima de dois pontos na ECG.

Um algoritmo sugerido de conduta aparece na Figura 215.11.

Um único episódio de hipóxia (PaO_2 < 60 mmHg) pode praticamente dobrar as chances de mortalidade.[16]

O momento ideal para assegurar via aérea definitiva é controverso.[17,18] Seja no ambiente pré-hospitalar ou dentro da sala de emergência, múltiplas variáveis já discutidas in-

fluenciam o resultado, especialmente as habilidades individuais e recursos disponíveis. Desse modo, a recomendação é assegurar ventilação e oxigenação eficientes, pela técnica ou dispositivo que melhor convier, dentro das habilidades e condições profissionais e institucionais.

A reanimação volêmica deve ser pautada na condição orgânica de bombear sangue e oxigênio ao SNC, cujo encéfalo está apertado dentro da caixa craniana. A hipoperfusão encefálica dificulta a circulação e autoalimenta o processo de expansão do edema e da degeneração celular. Essa condição é traduzida em uma equação muito importante para o

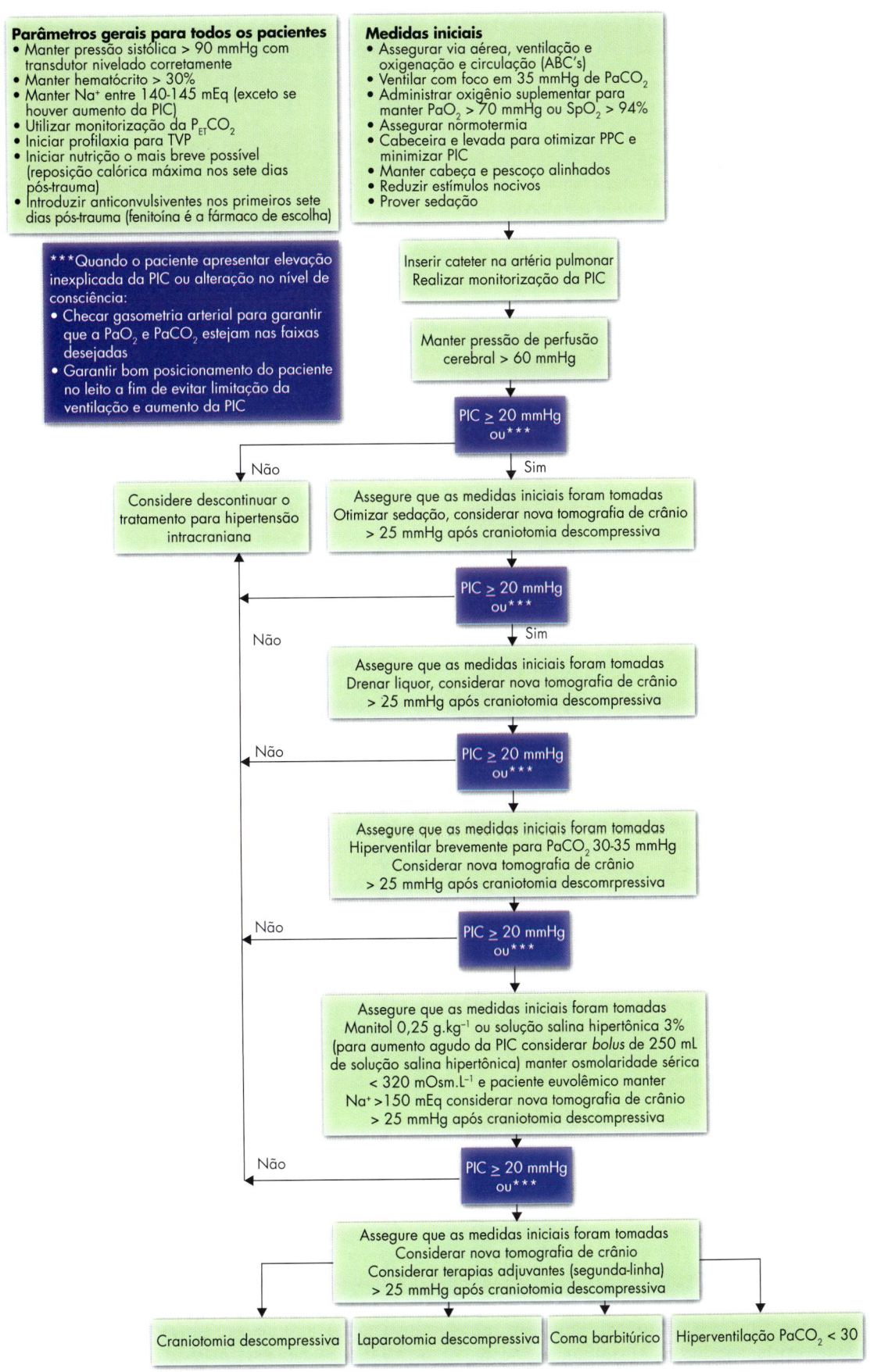

Parâmetros gerais para todos os pacientes
- Manter pressão sistólica > 90 mmHg com transdutor nivelado corretamente
- Manter hematócrito > 30%
- Manter Na^+ entre 140-145 mEq (exceto se houver aumento da PIC)
- Utilizar monitorização da $P_{ET}CO_2$
- Iniciar profilaxia para TVP
- Iniciar nutrição o mais breve possível (reposição calórica máxima nos sete dias pós-trauma)
- Introduzir anticonvulsiventes nos primeiros sete dias pós-trauma (fenitoína é o fármaco de escolha)

***Quando o paciente apresentar elevação inexplicada da PIC ou alteração no nível de consciência:
- Checar gasometria arterial para garantir que a PaO_2 e $PaCO_2$ estejam nas faixas desejadas
- Garantir bom posicionamento do paciente no leito a fim de evitar limitação da ventilação e aumento da PIC

Medidas iniciais
- Assegurar via aérea, ventilação e oxigenação e circulação (ABC's)
- Ventilar com foco em 35 mmHg de $PaCO_2$
- Administrar oxigênio suplementar para manter PaO_2 > 70 mmHg ou SpO_2 > 94%
- Assegurar normotermia
- Cabeceira é levada para otimizar PPC e minimizar PIC
- Manter cabeça e pescoço alinhados
- Reduzir estímulos nocivos
- Prover sedação

Inserir cateter na artéria pulmonar
Realizar monitorização da PIC

Manter pressão de perfusão cerebral > 60 mmHg

PIC ≥ 20 mmHg ou***

Não → Considere descontinuar o tratamento para hipertensão intracraniana

Sim → Assegure que as medidas iniciais foram tomadas. Otimizar sedação, considerar nova tomografia de crânio > 25 mmHg após craniotomia descompressiva

PIC ≥ 20 mmHg ou***

Sim → Assegure que as medidas iniciais foram tomadas. Drenar liquor, considerar nova tomografia de crânio > 25 mmHg após craniotomia descompressiva

PIC ≥ 20 mmHg ou***

Assegure que as medidas iniciais foram tomadas. Hiperventilar brevemente para $PaCO_2$ 30-35 mmHg. Considerar nova tomografia de crânio > 25 mmHg após craniotomia descomrpressiva

PIC ≥ 20 mmHg ou***

Assegure que as medidas iniciais foram tomadas. Manitol 0,25 $g.kg^{-1}$ ou solução salina hipertônica 3% (para aumento agudo da PIC considerar *bolus* de 250 mL de solução salina hipertônica) manter osmolaridade sérica < 320 $mOsm.L^{-1}$ e paciente euvolêmico manter Na^+ >150 mEq considerar nova tomografia de crânio > 25 mmHg após craniotomia descompressiva

PIC ≥ 20 mmHg ou***

Assegure que as medidas iniciais foram tomadas. Considerar nova tomografia de crânio. Considerar terapias adjuvantes (segunda-linha) > 25 mmHg após craniotomia descompressiva

Craniotomia descompressiva | Laparotomia descompressiva | Coma barbitúrico | Hiperventilação $PaCO_2$ < 30

▲**Figura 215.11** Fluxograma para tratamento da pressão de perfusão cerebral nos pacientes com traumatismo craniano grave.

tratamento de pacientes traumatizados, onde a denominada pressão de perfusão cerebral (PPC) é o resultado do esforço da pressão arterial média (PAM) em vencer a pressão intracraniana (PIC).

$$PPC = PAM - PIC$$

As estratégias tradicionais de ventilação podem ser utilizadas em pacientes com traumatismo craniano isolado, entretanto, nos pacientes que apresentam trauma de tórax, aspiração ou reposição volêmica maciça podem apresentar lesão pulmonar aguda.

Os pacientes que apresentam correção volêmica adequada não terão prejuízo (aumento da PIC ou diminuição da PPC) com a adoção de PEEP,[19] podendo até apresentar ligeira diminuição da PIC pela otimização da oxigenação cerebral.[20]

Hiperventilação (para atingir PaCO$_2$ de 25 mmHg) não encontra mais sustentação científica, devendo variar entre 30 e 35 mmHg, reservando valores próximos a 30 mmHg para casos com PIC elevada resistente a outras medidas de controle (otimização da sedação, drenagem liquórica, relaxamento neuromuscular, utilização de agentes osmóticos e coma barbitúrico).[21]

TCE e Choque Hipovolêmico

Talvez o mais complexo dos cenários envolvendo dois tratamentos específicos que devem atingir o equilíbrio em prol do paciente e assegurar pressão de perfusão sem aumentar perdas é uma ação que demanda experiência, dedicação e conhecimento.

Pressões sistólicas abaixo de 90 mmHg podem dobrar a mortalidade e aumentar significativamente a morbidade em pacientes com TCE associado, devendo a meta ser a manutenção da PAM acima de 70 mmHg até que esteja instalado cateter para aferição da PIC e consequente mensuração da PPC, cujo alvo está entre 50 e 70 mmHg.

Nessa linha de tratamento, manter o paciente euvolêmico é o objetivo principal, podendo ser necessário o uso de fármacos vasoativos para assegurar a perfusão sem sobrecarga hídrica.

A correção da anemia é vital, com meta de hematócrito acima de 30%.

A observação de outros sinais indicativos de aumento da PIC e herniação (pupilas anisocóricas, tríade de Cushing – bradicardia, hipertensão arterial e arritmia respiratória) são essenciais, especialmente se não houver aferição da PIC instalada.

Hipotermia tem sido recomendada como opção terapêutica complementar,[22,23] mantida por 24 a 48 horas, desde que mensurável, entre 33 e 35 °C. Há evidências de que pacientes admitidos hipotérmicos não devam receber aquecimento ativo, embora não tenha sido comprovada a eficácia da hipotermia terapêutica em pacientes com TCE.[24]

Para a realização dos procedimentos cirúrgicos convencionalmente relacionados ao tratamento do TCE, como craniotomias descompressivas, todos os cuidados citados podem ser empregados, com níveis profundos de anestesia e baixas concentrações de anestésicos inalatórios. A constante observação e o rigoroso controle para evitar picos pressóricos ou dessaturações estão diretamente relacionadas à qualidade da assistência e ao sucesso do procedimento. Elevação cefálica em 30 graus continua válida e útil nos casos selecionados.

Trauma Raquimedular

O trauma contuso é o responsável pela maior parcela de lesões raquimedulares. Estima-se que metade dos casos esteja relacionado a acidentes com veículos automotores, 20% a 30% às quedas e cerca de 10% a 15% aos ferimentos penetrantes.

Trauma medular cervical ocorre em apenas 1,5% a 3% dos grandes traumas, prevalecendo os acometimentos em níveis mais baixos, geralmente infratorácicos e nos pontos de junção entre segmentos flexíveis e segmentos menos flexíveis (região lombossacra).

A manifestação clínica clássica, com paresia ou plegia segmentar, é indicativa da existência e da gravidade da lesão, sendo útil para determinar sua localização, caso seja possível a colaboração do paciente. Lesões da coluna cervical causando quadriplegia são acompanhadas de hipotensão significativa em virtude da vasodilatação inapropriada e da perda de inotropismo cardíaco (choque neurogênico).

Na maioria dos casos, os exames de imagem fornecerão as informações necessárias para a definição de condutas, sendo que quaisquer alterações anatômicas ou suspeitas deverão indicar a manutenção das medidas de imobilização e cuidados associados, até que se defina efetivamente o tratamento.

Há situações em que não há alteração radiográfica, porém há lesão medular, conhecidas pela sigla proveniente da língua inglesa SCIWORA (*spinal cord injury without radiographic abnormality*). Essas lesões são mais comuns nas crianças, na região cervical, e presumidamente ocorrem em razão de forte sobrecarga ou torção do pescoço, mas sem ruptura de estruturas ósseas regionais.[25]

Infusões de glicocorticoides são controversas, sendo que a infusão de altas doses demonstrou pequena, porém significativa melhora neurológica em dois estudos multicêntricos americanos, NASCIS II e III (*National Acute Spinal Cord Injury Study*),[26] otimizando o fluxo sanguíneo medular, reduzindo o influxo de cálcio celular e eliminando a formação de radicais livres no tecido medular isquêmico.

Essa melhora é contestada pela dificuldade de reprodução dos resultados e pela não demonstração efetiva de aumento na sobrevida das populações estudadas. A conduta sugerida é a realização do atendimento crítico inicial (ABCDE do trauma) em pacientes com trauma medular contundente e apresentando déficit parcial ou total, devendo receber glicocorticoide intravenoso (30 mg.kg^{-1} de metilprednisolona em bólus seguido de infusão de manutenção de 5 mg.kg^{-1}.h^{-1} se o tempo entre tratamento e lesão for de até 8 horas). Essa infusão é mantida por 24 horas se o início ocorrer em até 3 horas da lesão e mantida por 48 horas se o início ocorrer entre 3 e 8 horas.

Intubação precoce é praticamente mandatória nos pacientes com trauma cervical e quadriplegia, e ventilação mecânica nos que apresentem lesões acima da C_4, pela perda de controle diafragmático.

Nos casos em que há lesões mais baixas, da C_5 à C_7, suporte ventilatório pode ser necessário pela eventual perda da inervação da parede torácica, dificuldade para eliminar secreções e até movimento respiratório paradoxal. Dependendo da condição clínica, a intubação precoce também pode ser indicada, preferencialmente antes do surgimento de agitação por causa da hipóxia.

Nos pacientes que já saíram da fase crítica de estabilização do trauma e que precisarão de correção cirúrgica de lesões medulares, especialmente as lesões cervicais, o manuseio da via aérea pode ser mais trabalhoso, mas com algumas estratégias interessantes disponíveis.

A fim de não movimentar a coluna cervical durante a intubação, a fibroscopia flexível com o paciente acordado é excelente opção, havendo novos dispositivos no mercado que possibilitam a intubação traqueal sem necessidade de alinhamento dos eixos oral, faríngeo e laríngeo, como na laringoscopia convencional. Esses acessórios geralmente possuem curvatura diferenciada com trilhos para progressão do tubo traqueal e permitem visualização direta através de ópticas ou comportam conexões em sistemas de imagem (GlideScope®, AirTraq®, TruView®, dentre outros).

A Figura 215.12 mostra os danos secundários desencadeados a partir do trauma inicial.

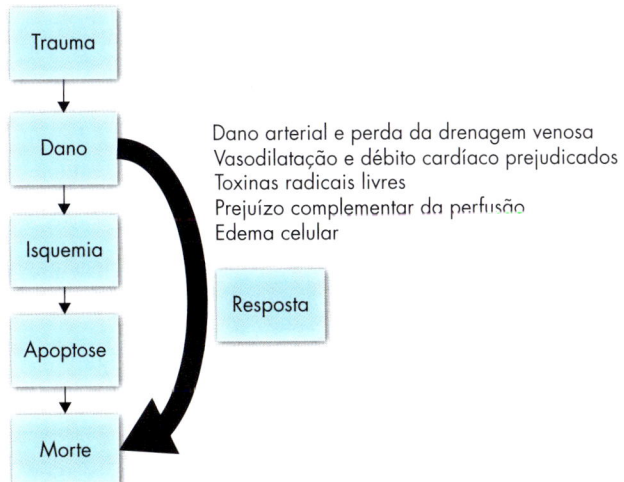

▲ **Figura 215.12** Trauma medular e a exacerbação dos danos.

Trauma Ortopédico e de Partes Moles

Provavelmente a maior parte das cirurgias relacionadas ao trauma seja a que envolve partes moles e ortopedia. O emprego de anestesia regional também costuma solucionar a grande maioria dos casos, sendo muito importante a observância do posicionamento dos pacientes – geralmente com múltiplos ferimentos – além da prevenção da hipotermia e a manutenção do fluxo sanguíneo periférico.

A escolha entre as técnicas ou sua combinação deve considerar prioritariamente as necessidades do paciente, tanto as imediatas quanto as posteriores.

Pacientes com luxações ou que necessitem de lavagem e desinfecção de áreas que seriam facilmente manejadas sob anestesia regional ou sob sedação, caso já tenham a indicação de correção cirúrgica subsequente maior, devem ser intubados.

Pacientes agitados, etilizados, que apresentem alteração abrupta do nível de consciência, desconforto respiratório ou instabilidade hemodinâmica são fortes candidatos a garantia de via aérea definitiva.

Outra preocupação relacionada aos procedimentos ortopédicos é a síndrome da embolia gordurosa, cursando com taquicardia, hipóxia, agitação, surgimento de petéquias no tronco, membros superiores e conjuntivas, estando associada a cerca de 10% dos pacientes com fraturas de ossos longos e podendo apresentar incidência ainda maior nos casos de múltiplas fraturas e se houver comprometimento pulmonar associado.

O reconhecimento da alteração comportamental ou do nível de consciência é prejudicado nos pacientes sob sedação ou anestesia geral, mas pode haver suspeição da síndrome da embolia gordurosa se o paciente demorar muito para despertar.

Oxigênio, ventilação mecânica, aumento do PEEP e reanimação hídrica sensata são os pilares do tratamento.

Hipóxia e diminuição da complacência pulmonar são pontos de alerta.

Caso haja monitorização cardiovascular invasiva, a pressão da artéria pulmonar estará aumentada e geralmente associada à diminuição do índice cardíaco.

Outra síndrome também usualmente relacionada ao trauma ortopédico e de partes moles é a síndrome compartimental,[27] havendo a limitação da circulação sanguínea em determinadas áreas, com prejuízo funcional, geralmente causada por edema tecidual e hematomas pós-traumáticos.

Queimaduras, esmagamentos, anéis e adereços, uso de fármacos, imobilizações prolongadas e picaduras de animais estão entre as causas mais frequentes para o desenvolvimento de síndrome compartimental.

O reconhecimento baseia-se na identificação visual, cursando com palidez, parestesia, ausência de pulso distal, paralisia e dor, sendo o tratamento baseado na liberação mecânica da barreira pressórica, através da fasciotomia do membro afetado.

Entretanto, a realização da fasciotomia deve ser precoce, a fim de se obter resultados melhores. Dor desproporcional ao ferimento no membro pode ser um dos primeiros e clássicos sintomas, podendo, porém, ser facilmente mascarada em razão de alterações no nível de consciência.

História de isquemia com 4 a 6 horas de evolução, com aumento do edema regional e agravamento da dor e sintomas associados são gatilhos para a realização da fasciotomia.

A síndrome do esmagamento ocorre quando há compressão externa contínua e prolongada em uma ou mais extremidades. Costuma ocorrer quando pacientes ficam presos por muito tempo sob escombros ou em ferragens e maquinários (Figura 215.13).

A lesão muscular causada pela isquemia provoca mioglobinúria, levando à insuficiência renal aguda que, por sua vez, promove desestabilização eletrolítica importante.

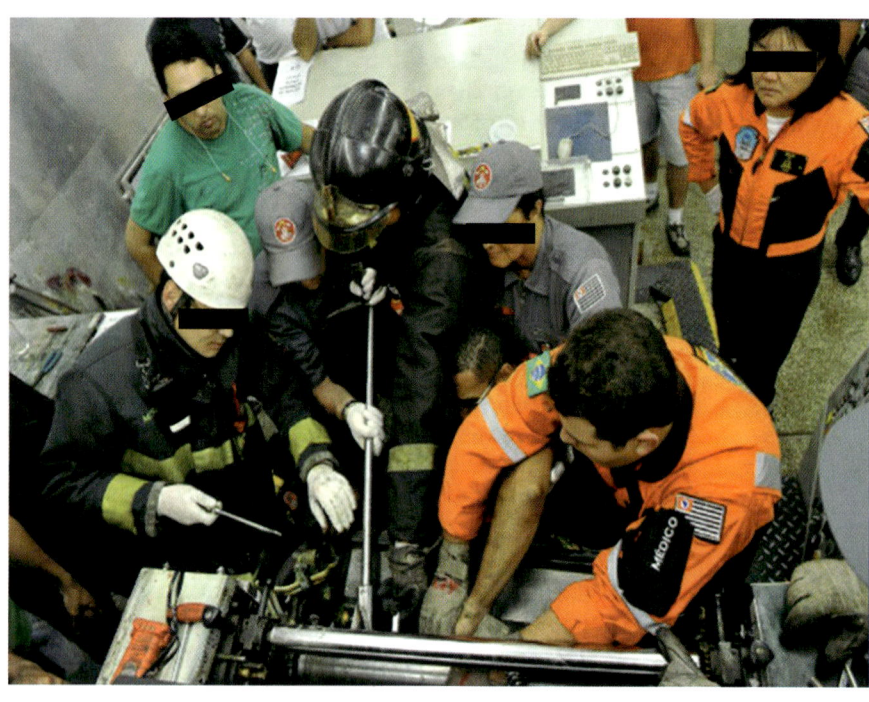

◄ **Figura 215.13** Vítima com membro superior preso em prensa hidráulica.
Fonte: Acervo pessoal do autor.

O tratamento está fundamentado em reposição volêmica abundante, podendo haver 15 litros de déficit.[28] A diurese osmótica e a alcalinização da urina com bicarbonato, a fim de prevenir a deposição de cristais de mioglobina nos túbulos renais, são controversas, porém podem ser alternativas na ausência da possibilidade de se instituir terapia de substituição renal e hemofiltração.[29]

O acompanhamento hemodinâmico e a criteriosa avaliação da adaptação do organismo à oferta de volume elevado – frente aos traumas associados e às condições clínicas prévias – geralmente permite a solução satisfatória da síndrome.

Trauma na Cabeça e no Pescoço

O trauma em áreas nobres como cabeça e pescoço geralmente requer correção cirúrgica, porém subsequentemente à estabilização hemodinâmica inicial.

Exceção potencialmente fatal está no trauma penetrante da zona II cervical, que compreende a área entre o ângulo da mandíbula e as clavículas, que deve ser explorado manualmente e solucionado de imediato.

Grandes dificuldades podem ser encontradas para a garantia inicial de via aérea definitiva, devendo o anestesiologista estar preparado para enfrentá-las e resolvê-las.

Cricotireoidostomia imediatamente após o uso de dispositivo supraglótico pode ser boa opção quando não for possível o posicionamento de tubo endotraqueal.

Intubação nasal pode ser utilizada, mas deve ser evitada em casos de suspeita ou confirmação de fratura da base do crânio.

Trauma Torácico

O trauma torácico contempla dois itens de grande gravidade na avaliação sistematizada do paciente crítico, B (respiração e ventilação) e C (circulação e controle de he-

morragias), merecendo especial atenção, pois as formas de resolução dos problemas envolvem práticas que não são comumente desempenhadas pelos anestesiologistas em seus processos de formação e atividade profissional.

Em linhas gerais, qualquer condição aguda que impeça a expansão do parênquima pulmonar causará manifestações clínicas significativas. Seu rápido reconhecimento e tratamento fará a diferença na evolução clínica. Pneumotórax, pneumotórax hipertensivo e hemotórax geralmente são manejados com a realização de drenagem torácica no quinto ou no sexto espaço intercostal, na linha axilar média ou posterior, nos pacientes em que o trauma esteja relacionado como causa.

Nos casos de pneumotórax aberto, deve-se inicialmente ocluir o ferimento e sequencialmente providenciar drenagem em sistema fechado, com válvula unidirecional (selo d'água), permitindo a expansão do parênquima pulmonar.

Quando houver pneumotórax hipertensivo, o alívio da pressão intratorácica é mandatório, podendo ser inicialmente feito por meio de punção de alívio no segundo espaço intercostal, na linha hemiclavicular.

A indicação da punção de alívio ou drenagem torácica é clínica, não demandando tempo adicional e risco para realização nos casos de instabilidade ou risco à vida. Solicitar ou aguardar a realização de exames de imagem nos pacientes instáveis não faz parte da linha de cuidado adequada. Dispneia, desvio de traqueia, turgência jugular, assimetria de tórax e queda da saturação de oxigênio são alguns dos principais indicativos de instabilidade no tratamento do B (ventilação e oxigenação).

A toracostomia, além de permitir melhora imediata da expansão pulmonar pelo alívio da pressão – seja pela retirada de ar, sangue ou ambos – também pode mensurar a quantidade de sangue perdida, servindo como indicador de toracotomia de emergência nos casos em que houver mais de 1.500 mL nas primeiras duas ou três horas.

Intubação seletiva pode ser idealizada para otimização cirúrgica, entretanto a intubação traqueal convencional é a indicação nas situações de urgência ou emergência, assegurando via aérea definitiva. Após estabilização pode-se avaliar a possibilidade de substituição do tubo.

Pressão positiva no final da expiração (PEEP) e FiO_2 elevados geralmente são necessários nos pacientes portadores de trauma torácico.

A morbimortalidade nas vítimas de traumas torácicos é bastante elevada, especialmente quando pneumectomias são realizadas.

Cateter de artéria pulmonar cuidadosamente introduzido e manejado pode prestar informações valiosas sobre a dinâmica circulatória, especialmente sobre a função ventricular direita. Manejar a reanimação hídrica com vistas exclusivamente à correção volêmica pode ser muito prejudicial. A resistência vascular pulmonar aumenta significativamente na vigência de choque hipovolêmico, e a perda sanguínea é um ponto de atenção sempre que o trauma torácico se manifestar, visto haver frequente associação aos traumas abdominal e pélvico.

Ecocardiografia transesofágica pode ser valiosa nessa mensuração (hipertensão pulmonar/função ventricular direita), e o uso de assistência circulatória com oxigenação por membrana extracorpórea (ECMO) também pode ser uma opção interessante, entretanto, estão pouquíssimas vezes disponíveis nos locais que habitualmente recebem casos traumáticos de maior gravidade, no cenário nacional atual.

Lesões Traqueobrônquicas

Geralmente não identificadas de imediato, as lesões traqueobrônquicas podem ser resultantes tanto de traumas contusos quanto penetrantes, podendo cursar com enfisema subcutâneo, pneumomediastino, pneumopericárdio, pneumoperitônio isoladamente ou em associação.

Tais achados, sem causa aparente, devem despertar o raciocínio clínico do anestesiologista para lesões ao redor da carina.

Exames de imagem e até broncoscopia podem não detectar essas pequenas lesões, podendo-se inferir posteriormente sua existência através de estenose traqueobrônquica em razão de cicatrização, atelectasias, pneumonias, destruição pulmonar e até sepse.

Ruptura Traumática da Aorta

Deve-se, sempre, descartar ruptura traumática da aorta em pacientes vítimas de acidentes que envolvem alta energia e desacelerações, como acidentes de veículos ou quedas de altura.

Embora sua incidência esteja gradativamente diminuindo com o aperfeiçoamento e a obrigatoriedade da utilização dos dispositivos de segurança, essa lesão costuma estar relacionada a impactos laterais em veículos, localizada logo após a origem da artéria subclávia esquerda, como resultado das forças de cisalhamento entre o coração e arco aórtico ascendente ligeiramente móveis e a aorta descendente fixa.

A correção cirúrgica convencional ou endovascular é usualmente aplicada, havendo relatos recentes de tratamento não cirúrgico a pacientes de alto risco, desde que adequadamente manejados.[30] Radiografia de tórax pode ser diagnóstica, porém tomografia computadorizada, angiografia e ecocardiograma transesofágico são mais precisos na avaliação e na definição terapêutica.

O tratamento é bastante semelhante ao aplicado nos pacientes com dissecção de aorta tipo B, com betabloqueadores, a fim de se reduzir o débito cardíaco.

Fratura de Costelas

A fratura de costela é o ferimento mais comumente relacionado ao trauma torácico contuso e de modo usual não demanda tratamento específico, consolidando-se espontaneamente ao longo de semanas.

O cuidado adicional concentra-se na resolução da dor e no suporte ventilatório em casos de atelectasia e pneumonia, podendo cursar com hipoxemia.

Idosos com fraturas nas costelas apresentam o dobro de morbimortalidade comparados à população jovem, podendo ser beneficiados com anestesia e analgesia peridural, assim como os jovens e os pacientes com função pulmonar comprometida.

Essa técnica anestésica pode minimizar a dor e as complicações citadas, inclusive evitando intubação nos pacientes que não tenham necessidade formal dela (proteção de via aérea e incapacidade de ventilação ou oxigenação).[31]

Pacientes com múltiplas fraturas (três ou mais costelas vizinhas fraturadas) podem apresentar instabilidade torácica, com movimento paradoxal do tórax durante a respiração espontânea. Essa situação não necessariamente demanda intubação e ventilação sob pressão positiva, ficando tal conduta destinada aos casos de necessidade, citados acima.

Cuidado especial é necessário no manejo da contusão pulmonar habitualmente presente, levando ao *shunt*, que causará hipóxia. Mesmo com radiografias inicialmente inocentes, a evolução pode ser rápida, algumas horas após o trauma, progredindo para insuficiência respiratória aguda ou lesão pulmonar associada à ventilação mecânica.

Trauma Cardíaco

O histórico de impactos frontais no tórax deve despertar, no examinador, a possibilidade de trauma cardíaco contundente. Logicamente, traumas penetrantes já despertam tal hipótese, mas com a elevada mortalidade, raramente chegam ao ambiente hospitalar.

Eletrocardiograma e estabilidade hemodinâmica são excelentes indicativos da condição cardíaca, podendo-se descartar traumas cardíacos contundentes se não houver taquiarritmias ou distúrbios de condução.[32] Se após a avaliação inicial o paciente apresentar essas alterações ou hipotensão, causas como hipovolemia ou insuficiência renal devem ser investigadas primeiro.

Ecocardiograma transtorácico pode ser utilizado para avaliar a performance cardíaca, sendo que nos pacientes muito obesos ou com traumas na parede torácica que impeçam o uso do transdutor, o exame transesofágico pode ser realizado. Cabe salientar que, para tanto, intubação traqueal e sedação são necessárias, devendo ser calculado o risco/benefício e o momento da solicitação do exame.

O trauma contuso do miocárdio sintomaticamente apresenta-se de maneira muito semelhante à insuficiência coronariana aguda, sendo indistinguíveis clinicamente. Inclusive o impacto pode provocar o descolamento de placa ateromatosa e subsequente isquemia. Após a chegada de exames, a conduta pode ser especificada, porém, até então, o tratamento do trauma é idêntico ao da isquemia, com vasodilatadores coronarianos, controle rigoroso da reposição volêmica e monitorização contínua do ritmo, com intervenção precoce. A anticoagulação com ácido acetilsalicílico, clopidogrel ou heparina pode ser útil, nas situações de isquemia, devendo ser titulada sua indicação frente às demais condições clínicas do paciente.

Trauma Abdominal

O emprego de novas técnicas de avaliação diminuiu significativamente o número de laparotomias nos pacientes traumatizados. Ultrassom (FAST – *Focused Assessment with Sonography for Trauma*) e tomografia também colaboram para indicações mais precisas de abordagem, além do que procedimentos menos invasivos – como a embolização angiográfica de vasos sangrantes –, em especial no fígado e baço, diminuem a necessidade de abertura da cavidade abdominal.

A cirurgia de controle de danos tem se apresentado como excelente opção para estabilização de pacientes críticos com danos abdominais, com avaliação sistematizada da cavidade e empacotamento por quadrantes, mantendo o abdome aberto para reabordagem 24 a 48 horas depois, com o paciente mais bem estabilizado.

Os principais riscos sob ponto de vista anestesiológico estão na possibilidade de sangramento e hipotermia, havendo benefício com uso de sistemas de aquecimento e infusão rápida, além da possibilidade de recuperação intraoperatória de sangue, desde que não haja perfurações do sistema gastrointestinal.

Situações Especiais

Trauma e gravidez

Dependendo do tipo de trauma, da localização dos ferimentos e da idade gestacional, o trauma em gestantes está associado a abortamento espontâneo, amniorrexe, trabalho de parto e parto prematuros e óbito fetal.

O melhor tratamento para o feto é a rápida e correta reanimação da mãe.

Algumas mulheres podem não se dar conta da gravidez, principalmente nos primeiros meses. Por essa razão, a dosagem de gonadotrofina coriônica humana sérica nas mulheres com idade fértil se faz necessária.

Exames radiológicos não devem ser suprimidos, devendo haver proteção plúmbica na região pélvica sempre que possível.

Trauma em fase de organogênese pode causar malformações fetais e abortamento espontâneo, especialmente em virtude da isquemia útero-placentária e medicações.

Tão logo seja possível, a avaliação especializada está indicada, checando-se viabilidade fetal e opções terapêuticas materno-fetais.

No segundo e terceiro trimestres, a avaliação ultrassonográfica é mandatória, considerando-se o feto e também a mãe como identificadores de focos de sangramento materno potencialmente fatais.

No terceiro trimestre, o útero já é suficientemente grande para comprimir a veia cava inferior na posição supina, diminuindo o retorno venoso e potencializando os efeitos deletérios do choque hipovolêmico. Dessa forma, úteros palpáveis acima da cicatriz umbilical devem ser manualmente deslocados para a esquerda.

Nos casos em que a paciente esteja imobilizada em prancha rígida, sob suspeita de trauma raquimedular, a lateralização completa para a esquerda da prancha com a paciente devidamente fixada a ela está indicada.

Parto cesariana está indicado em caso de risco iminente de morte materna cuja causa seja sangramento uterino ou onde o controle cirúrgico do sangramento pélvico e/ou abdominal seja prejudicado pelo útero gravídico.[33]

Imunoglobulina anti-Rh (RhoGAM) está indicada para qualquer mãe com Rh negativo que tenha feto com Rh positivo.

Trauma em idosos

Idosos apresentam danos e sequelas potencialmente maiores do que pacientes jovens expostos aos mesmos tipos de trauma. O sistema cardiopulmonar menos complacente potencializa os riscos de manutenção de ventilação mecânica pós-operatória e também de desenvolvimento de falência de múltiplos órgãos e sistemas.

Monitorização invasiva pode ser útil na condução da reposição volêmica e terapia inotrópica, avaliando precocemente as respostas e guiando a terapia.

Nessa linha de terapia dirigida, hematócritos mais elevados devem ser idealizados, às custas de reposições volêmicas mais criteriosas, a fim de assegurar maior oxigenação tecidual.

Deve-se atentar para o posicionamento seguro desses pacientes em sala operatória, visto tratar-se de população mais suscetível a ferimentos por pressão. A profilaxia de trombose venosa profunda não deve ser postergada.

A terapia antimicrobiana deve ser rapidamente implantada – assim como em qualquer faixa etária – entretanto os cuidados com efeitos adversos e ajustes de dose são fundamentais.

Taquicardias sustentadas em virtude de dor, ansiedade ou perda volêmica não corrigida levam a maior risco de disfunção miocárdica pós-traumática, com desfechos trágicos.

A necessidade de analgesia geralmente é reduzida em idosos, que podem apresentar agitação pós-sedação. Associação de fármacos e doses menores podem ser úteis.

■ CUIDADO PÓS-OPERATÓRIOS

Extubação

A sequência dos cuidados delineados no plano inicial deve ser mantida na recuperação pós-anestésica.

O fim da administração da anestesia geral deve ocorrer o mais rapidamente possível após o fim do procedimento cirúrgico, especialmente nos casos de pacientes com traumatismos cranianos ou alterações do nível de consciência. Após o despertar da anestesia, rebaixamento do nível de consciência inicial pode indicar alteração metabólica significativa ou evolução do trauma, sendo bastante razoável a realização de nova tomografia de crânio.[34]

A extubação precoce – ainda que objetivada a fim de se avaliar a função neurológica – não deve ser a regra. Algumas indicações da manutenção da intubação traqueal estão listadas na Tabela 215.11.

Em caso de dúvida ou não de indicação de extubação precoce, deve-se assegurar plano anestésico adequado e monitorização especializada em unidade de cuidados intensivos, com reavaliação clínico-laboratorial em 12 a 24 horas.

Tabela 215.11 Critérios para extubação pós-cirúrgica de pacientes traumatizados.

Nível de consciência
- Resolução da intoxicação
- Aptidão para responder a comandos
- Analgesia adequada
- Ausência de agitação

Anatomia da via aérea e reflexos
- Ausência de edema ou secreções
- Capacidade de deglutição e tosse

Mecânica respiratória
- Volume corrente e frequência respiratória adequados
- FiO_2 menor do que 50%
- Ausência de esforço ventilatório

Estabilidade hemodinâmica
- Reanimação adequada
- Pouca probabilidade de realização de novo procedimento cirúrgico em curto espaço de tempo
- Normotermia
- Ausência de sinais de sepse

Controle da Dor Aguda

Como o trauma afeta pacientes nas diversas faixas etárias e condições pregressas de saúde, plano analgésico adequado deve ser cuidadosamente individualizado.

Os limiares de dor são distintos, assim como os ferimentos, os períodos de internação, as condições psicológicas e o desenvolvimento da dependência.

Geralmente, a titulação do limiar basal do paciente ocorre com a administração fracionada de pequenas doses de analgésicos potentes. Essa técnica oferece segurança e a possibilidade de acompanhamento individualizado. Nessa linha, o suporte psicológico associado geralmente reduz a necessidade de analgésicos, sendo fortemente recomendado.

A mobilização precoce, além de reduzir os riscos de complicações associadas, constrói a imagem de esperança, de recuperação, o que pode reduzir a necessidade de analgésicos.

A dor neuropática surge quando há lesão de nervo sensitivo principal e é comum após traumas raquimedulares, amputações traumáticas e lesões por esmagamento. Caracterizada por queimação, choques intermitentes e disestesia, geralmente responde mal aos analgésicos habitualmente utilizados para controle da dor somática. A gabapentina revolucionou o tratamento desse tipo de dor, sendo a terapia inicial recomendada de 200 mg, três vezes ao dia, com titulação diária, chegando à dose máxima de 2 a 3 g por dia. Caso a dor persista, anestesia regional pode ser associada, a fim de bloquear o ciclo de recrutamento de receptores espinhais.[35]

A anestesia regional é excelente opção, poupando o uso de narcóticos e seus efeitos adversos, auxiliando na mobilização precoce dos pacientes que puderem ser beneficiados com tal técnica. A Tabela 215.12 compara as vantagens e desvantagens dessa técnica nos pacientes traumatizados.

Tabela 215.12 Vantagens e desvantagens da anestesia regional nos pacientes traumatizados.

Vantagens
- Permite avaliação contínua do nível de consciência
- Fluxo sanguíneo aumentado
- Sem manipulação de via aérea
- Perda sanguínea reduzida
- Menor incidência de trombose venosa profunda
- Melhor analgesia pós-operatória
- Melhor higiene pulmonar
- Mobilização precoce

Desvantagens
- Difícil avaliação da função dos nervos periféricos
- Recusa comum de pacientes
- Necessidade de sedação
- Maior tempo para realização da anestesia
- Inadequação para múltiplas regiões do corpo
- Eventual instabilidade hemodinâmica
- Pode durar menos que o necessário

Analgesia epidural tem revelado melhor prognóstico respiratório e conforto aos pacientes submetidos a procedimentos ortopédicos e grandes cirurgias toracoabdominais eletivos, podendo servir como opção para pacientes traumatizados que não apresentem risco de traumatismo raquimedular ou lesão do sistema nervoso central.[36] A anestesia geral associada facilita a mobilização do paciente para realização da anestesia regional, e suas vantagens e desvantagens estão destacadas na Tabela 215.13.

Tabela 215.13 Vantagens e desvantagens da anestesia geral nos pacientes traumatizados.

Vantagens
- Velocidade do início
- Pode ser mantida durante o tempo necessário
- Permite a abordagem de múltiplas regiões do corpo simultaneamente
- Grande aceitação pelos pacientes
- Permite o uso de ventilação por pressão positiva

Desvantagens
- Impede avaliação do nível de consciência e padrão neurológico
- Necessita manipulação de via aérea
- Manuseio hemodinâmico mais complexo
- Risco aumentado de barotrauma

CRITÉRIOS DE ALTA PÓS-CIRÚRGICA

Seguida a linha de cuidado estabelecida no início da assistência, chega o momento de dar continuidade ao tratamento em unidade de cuidados complementares, sejam eles intensivos ou tradicionais.

O padrão de qualidade assistencial prestado até então deve ser mantido, assegurando-se condições de manutenção terapêutica e observando-se que pequenas interrupções nessa sequência de procedimentos podem desencadear um processo fatal. Exemplo disso está na frequente descontinuidade de equipamentos entre setores de uma mesma instituição. As bombas de infusão podem ser diferentes, os equipos eventualmente devam ser trocados, os monitores não compartilham os cabos, entre outros obstáculos comuns na prática cotidiana.

Interromper a infusão de fármacos vasoativos – ainda que por poucos minutos – em pacientes críticos pode acarretar danos difíceis de serem corrigidos. Trocar o ventilador do centro cirúrgico por ventilação manual durante o transporte entre setores também pode ser muito nocivo.

Esses cuidados, entre diversos outros, são a base da assistência de qualidade, focada na segurança do paciente e a razão de ser dos médicos anestesiologistas.

REFERÊNCIAS

1. World Health Organization. World Report on Road Traffic Injury Prevention. Geneva, WHO, 2004.
2. Mayor S. WHO report shows public health impact of violence. BMJ 325:731, 2002.
3. ATLS - Advanced Trauma Life Support for Doctors. American College of Surgeons. 2018.
4. PHTLS – Atendimento pré-hospitalar ao traumatizado. 9. ed. Burlington: Jones & Bartlett Learning, 2020.
5. Rotondo MF, McGonigal MD, Schwab CW, et al. Urgent paralysis and intubation of trauma patients: Is it safe? J Trauma 34:242-246, 1993.
6. Stene JK, Grande CM, Barton CR. Airway management for the trauma patient. In Stene JK, Grande CM (eds): Trauma Anesthesia. Baltimore, Williams & Wilkins, 1991, pp 64-99.
7. Talucci RC, Shaikh KA, Schwab CW. Rapid sequence induction with oral endotracheal intubation in the multiply injured patient. Am Surg 54:185-187, 1988.
8. Butler J, Sen A. Best evidence topic report. Cricoid pressure in emergency rapid sequence induction. Emerg Med J 22:815-816, 2005.
9. Ellis DY, Harris T, Zideman D. Cricoid pressure in emergency department rapid sequence tracheal intubations: A risk-benefit analysis. Ann Emerg Med 50:653-665, 2007.
10. Levitan RM, Kinkle WC, Levin WJ, et al. Laryngeal view during laryngoscopy: A randomized trial comparing cricoid pressure, backward-upward-rightward pressure, and bimanual laryngoscopy. Ann Emerg Med 47:548-555, 2006.
11. Johnson KB, Egan TD, Kern SE, et al. Influence of hemorrhagic shock followed by crystalloid resuscitation on propofol: A pharmacokinetic and pharmacodynamic analysis. Anesthesiology 101:647-659, 2004.
12. Blow O, Magliore L, Claridge JA, et al. The golden hour and the silver day: Detection and correction of occult hypoperfusion within 24 hours improves outcome from major trauma. J Trauma 47:964-969, 1999.
13. Shackford SR, Mackersie RC, Holbrook TL, et al. The epidemiology of traumatic death. A population-based analysis. Arch Surg 128:571-575, 1993.
14. Bramlett HM, Dietrich WD. Pathophysiology of cerebral ischemia and brain trauma: Similarities and differences. J Cereb Blood Flow Metab 24:133-150, 2004.
15. Dutton RP, et al. Resuscitation from traumatic shock. Current Opinion in Anaesthesiology 14(2):p 217-220, 2001.
16. Chesnut RM, Marshall LF, Klauber MR, et al. The role of secondary brain injury in determining outcome from severe head injury. J Trauma 34:216-222, 1993.
17. Bochicchio GV, Ilahi O, Joshi M, et al. Endotracheal intubation in the field does not improve outcome in trauma patients who present without an acutely lethal traumatic brain injury. J Trauma 54:307-311, 2003.
18. Davis DP, Fakhry SM, Wang HE, et al. Paramedic rapid sequence intubation for severe traumatic brain injury: Perspectives from an expert panel. Prehosp Emerg Care 11:1-8, 2007.
19. McGuire G, Crossley D, Richards J, et al. Effects of varying levels of positive end-expiratory pressure on intracranial pressure and cerebral perfusion pressure. Crit Care Med 25:1059-1062, 1997.
20. Huynh T, Messer M, Sing RF, et al. Positive end-expiratory pressure alters intracranial and cerebral perfusion pressure in severe traumatic brain injury. J Trauma 53:488-492, 2002.
21. Siegel JH, Gens DR, Mamantov T, et al. Effect of associated injuries and blood volume replacement on death, rehabilitation needs, and disability in blunt traumatic brain injury. Crit Care Med 19:1252-1265, 1991.
22. Marion DW, Obrist WD, Carlier PM, et al. The use of moderate therapeutic hypothermia for patients with severe head injuries: A preliminary report. J Neurosurg 79:354-362, 1993.
23. Clifton GL, Allen S, Barrodale P, et al. A phase II study of moderate hypothermia in severe brain injury. J Neurotrauma 10:263-271, 1993.
24. Clifton GL, Miller ER, Choi SC, et al. Lack of effect of induction of hypothermia after acute brain injury. N Engl J Med 344:556-563, 2001.
25. Pang D, Pollack IF. Spinal cord injury without radiographic abnormality in children—the SCIWORA syndrome. J Trauma 29:654-664, 1989.
26. Bracken MB, Shepard MJ, Holford TR, et al. Administration of methylprednisolone for 24 or 48 hours or tirilazad mesylate for 48 hours in the treatment of acute spinal cord injury. Results of the Third National Acute Spinal Cord Injury Randomized Controlled Trial. National Acute Spinal Cord Injury Study. JAMA 277:1597-1604, 1997.
27. Matsen FA, Winquist RA, Krugmire RB. Diagnosis and management of compartmental syndromes. J Bone Joint Surg Am 62:286-291, 1980.
28. Holt SG, Moore KP. Pathogenesis and treatment of renal dysfunction in rhabdomyolysis. Intensive Care Med 27:803-811, 2001.
29. McCunn M, Reynolds HN, Reuter J, et al. Continuous renal replacement therapy in patients following traumatic injury. Int J Artif Organs 29:166-186, 2006.
30. Galli R, Pacini D, Di Bartolomio R, et al. Surgical indications and timing of repair of traumatic ruptures of the thoracic aorta. Ann Thorac Surg 65:461-464, 1998.
31. Shulman M, Sandler AN, Bradley JW, et al. Post-thoracotomy pain and pulmonary function following epidural and systemic morphine. Anesthesiology 61:569-575, 1984.
32. Feliciano DV, Rozycki GS. Advances in the diagnosis and treatment of thoracic trauma. Surg Clin North Am 79:1417-1429, 1999.
33. Knudson MM, Rozycki GS, Strear CM. Reproductive system trauma. In Mattox KL, Feliciano DV, Moore EE (eds): Trauma, 4th ed. New York, McGraw-Hill, 2000, pp 879-905.
34. Brain Trauma Foundation, American Association of Neurologic Surgeons, Congress of Neurological Surgeons. Guidelines for the management of severe head injury. J Neurotrauma 24(Suppl 1):S1-S106, 2007.
35. Forouzanfar T, Koke AJ, van KM, et al: Treatment of complex regional pain syndrome type I. Eur J Pain 6:105-122, 2002.
36. Holte K, Kehlet H. Effect of postoperative epidural analgesia on surgical outcome. Minerva Anestesiol 68:157-161, 2002.

216

Anestesia no Paciente em Choque

Eduarda Schütz Martinelli

INTRODUÇÃO

O termo "choque" é usado para descrever uma condição clínica complexa e com risco de morte que surge da insuficiência circulatória aguda. O choque é um estado patológico que ocorre quando há um desequilíbrio na oferta e na demanda de oxigênio e de nutrientes para as células, causando um desajuste na homeostase celular. O choque começa com um evento desencadeador e pode progredir por vários estágios: pré-choque, choque e disfunção de órgãos-alvo. A progressão da hipóxia, da hipoperfusão tecidual e da disfunção celular resultantes deste quadro podem produzir falência de múltiplos órgãos. Caso o estado de choque não seja tratado de maneira oportuna e adequada, a morte pode ocorrer.[1]

O choque é um processo que começa na macrocirculação, progride à microcirculação e afeta, evolutivamente, os tecidos e as células, acarretando falência celular e orgânica irreversível. Ele deve ser diagnosticado de forma correta e rápida, a fim de ter o tratamento direcionado para a causa.[2]

A prioridade do anestesiologista é controlar os fatores complicadores como a própria cirurgia, a administração da anestesia, o sangramento, a perda de fluidos, a hipotermia e outros eventos críticos. O anestesiologista é o especialista capacitado para prever o comportamento dos fármacos anestésicos nos pacientes críticos que apresentam diferentes níveis de disfunção orgânica.

◼ SINAIS VITAIS DO PACIENTE EM ESTADO DE CHOQUE

As características clínicas do choque incluem taquicardia e hipotensão. A hipotensão pode ser absoluta (pressão arterial sistólica [PA] < 90 mmHg, pressão arterial média < 65 mmHg em pacientes normotensos) ou relativa (p. ex.,

uma diminuição ≥ 40 mmHg abaixo da linha de base do paciente).

A hipotensão pode não ser evidente nos estágios iniciais do choque devido aos mecanismos homeostáticos cardiovasculares. Como a PA sistêmica depende tanto do débito cardíaco (DC) quanto da resistência vascular sistêmica (RVS), a PA pode ser temporariamente mantida por vasoconstrição em um paciente com DC reduzido ou pelo aumento do DC em um paciente com RVS reduzida.

◼ MONITORIZAÇÃO-PADRÃO NO CONTEXTO DE CHOQUE

Monitorização Não Invasiva

São utilizados os monitores básicos de uma anestesia geral. Exemplos deles:

- oximetria, para verificação da oxigenação sanguínea;
- capnografia, para avaliação do gás carbônico (CO_2) exalado;
- pressão arterial não invasiva;
- temperatura do paciente; e
- eletrocardiograma intraoperatório (ECG), que ajuda a diagnosticar, pelo traçado, arritmias ou alterações sugestivas de isquemia; pela baixa voltagem do complexo QRS ou alternância elétrica pode sugerir derrame pericárdico; ou também pelo padrão S1Q3T3 pode apontar um diagnóstico diferencial de embolia pulmonar.

Point-of-Care Ultrasound (POCUS)

A ultrassonografia à beira-leito geralmente é realizada se a etiologia do choque for incerta, se houver equipamento disponível, se o avaliador tiver experiência com o dispositivo e se o exame não atrasar indevidamente a intervenção cirúrgica de emergência.

Nesse cenário, é sugerido uma abordagem com o uso da ultrassonografia rápida em choque (RUSH) para examinar primeiro o coração, seguido por uma imagem do tórax e do abdome e, após, das principais artérias e veias, a fim de avaliar "a bomba, o tanque e os tubos".[3] São exemplos de alterações possíveis de serem encontradas durante esta avaliação: a bomba, o tanque e os tubos.

A bomba

É a avaliação do ventrículo esquerdo (VE), do ventrículo direito (VD) e do pericárdio na ultrassonografia. Basicamente, procura-se por alterações na dinâmica do coração e no tamanho das câmaras cardíacas que apontem para alguma etiologia de choque.

No choque cardiogênico, a contratilidade estará gravemente diminuída no VE, no VD ou em ambos. Durante o choque hipovolêmico, pode-se encontrar VE e VD pequenos. Na avaliação do choque distributivo, o VE estará pequeno e com contratilidade hiperdinâmica. Já no choque obstrutivo, devem ser procuradas alterações sugestivas de derrame pericárdico, de pneumotórax (ausência de deslizamento da pleura) ou de embolia pulmonar (sugerida pelo alargamento e pela disfunção do VD).

O tanque

A avaliação da veia cava inferior (VCI), da veia jugular interna (VJI), dos pulmões, do espaço pleural e da cavidade peritoneal pode determinar o *status* do volume. Deve-se atentar para o tamanho desses principais vasos e se há ruptura neles. Por exemplo, no "tanque vazio", sugerido pela abordagem sistemática, tem-se um tamanho pequeno da VCI e colapso da VJI ao final da expiração. Já no "tanque com vazamento", procura-se por evidências de derrame pleural, acúmulo de líquido peritoneal ou vazamento de aneurisma aórtico. No "tanque sobrecarregado", será avaliado basicamente um possível edema pulmonar por sobrecarga de volume sugerido pela presença de linhas B (reflexões hiperrecoicas verticais estreitas que surgem na linha pleural e se estendem até a parte inferior da tela do ultrassom).

Os tubos

São avaliados grandes vasos, como aorta abdominal, aorta torácica, veias femorais e veias poplíteas, a fim de identificar dissecção de aorta e trombose venosa profunda nas extremidades inferiores.

Monitorização Invasiva

São exemplos de dispositivos invasivos para fornecer informações em tempo real para o manejo da ressuscitação em um paciente em choque.[4]

Cateter intra-arterial

Um cateter intra-arterial é inserido se ainda não estiver presente. Embora a inserção seja idealmente realizada antes da indução anestésica, isso não deve atrasar indevidamente a intervenção cirúrgica de emergência.

O cateter intra-arterial é utilizado para as seguintes finalidades:

- monitoramento contínuo da PA para detecção imediata de hipotensão;[5]
- monitoramento da variação da pressão de pulso arterial como parâmetro dinâmico para determinar a capacidade de resposta a fluidos;[6]
- amostragem de sangue intermitente para medir gases sanguíneos arteriais, pH, déficit de base, lactato sérico, hemoglobina, eletrólitos, glicose e tempo de coagulação ativado (TCA).[7]

Cateter de veia central

Se ainda não estiver presente, um cateter venoso central (CVC) geralmente é inserido. No entanto, a colocação não deve atrasar indevidamente a intervenção cirúrgica. Como alternativa, dois cateteres intravenosos periféricos de grande calibre (p. ex., 16 G ou maior) podem ser inseridos para administração rápida inicial de medicamentos e infusões de fluidos ou sangue.

Um CVC é usado para os seguintes propósitos:

- infusão de drogas vasoativas;
- acesso venoso para administração de fluidos e de sangue. Se este for o objetivo principal do CVC, um cateter de calibre grande, como um introdutor de 8,5 F, é o preferido;
- medição da saturação venosa central de oxigênio (ScvO$_2$) no sangue coletado do lúmen distal de um CVC para servir como um substituto para a adequação do DC se um cateter de artéria pulmonar (CAP) não estiver disponível. ScvO$_2$ > 70% é considerado um bom alvo durante os esforços de ressuscitação. Notavelmente, o valor de ScvO$_2$ extraído de um CVC é tipicamente 3% a 5% maior do que o valor de saturação venosa mista (SvO$_2$) obtido do lúmen arterial pulmonar de um CAP.[8] A SvO$_2$ reflete a verdadeira mistura do retorno venoso e, portanto, o equilíbrio entre a oferta e a utilização de oxigênio; e
- medição da pressão venosa central (PVC) para fornecer dados suplementares sobre o *status* do volume intravascular, embora a PVC seja um preditor ruim da capacidade de resposta a fluidos.

Cateter de artéria pulmonar (CAP)

Um CAP não é inserido rotineiramente porque seu uso não demonstrou a melhora da sobrevida ou de outros resultados nos pacientes criticamente enfermos.[9] No entanto, o CAP ainda pode ser útil nos casos de pacientes com disfunção grave do ventrículo direito, hipertensão pulmonar ou choque cardiogênico devido à doença valvular aguda.

As medições obtidas com um CAP incluem:

- medições hemodinâmicas como DC, índice cardíaco (IC), RVS, pressões arteriais pulmonares, pressão de oclusão da artéria pulmonar (POAP), PVC e resistência vascular pulmonar (RVP);
- valores da SvO$_2$.

Ecocardiografia transesofágica (ETE)

Excelente monitor para avaliação do choque, no entanto é operador-dependente. Durante o período intraoperatório, a monitorização com ETE é empregada com o objetivo de avaliar a função cardíaca, a estrutura e a função valvares e o estado do volume intravascular. As informações clínicas fornecidas pelo ETE complementam, muitas vezes, os dados fornecidos por outros métodos avançados de monitoramento cardiovascular.[10] Mesmo que o ETE não seja inserido inicialmente, pode ser necessária uma implantação rápida para diagnosticar a causa da piora ou da hipotensão refratária.

Com este dispositivo, as seguintes variáveis são relevantes para a avaliação do choque:

- **volume diastólico final do ventrículo esquerdo (VDFVE):** sua avaliação correta ajuda a determinar o estado do volume intravascular. A diminuição no tamanho da cavidade do VE aponta o diagnóstico para hipovolemia;
- **resistência vascular sistêmica (RVS):** juntando as informações de monitoramento com ETE, como VDFVE e dinâmica da função sistólica ventricular, além de variáveis obtidas mais facilmente por outros métodos, como pressão arterial média (PAM) e RVS, é possível determinar a etiologia do choque com maior propriedade. Se o tamanho da cavidade do VE for normal ou aumentado, é mais provável que ocorra a vasodilatação com baixa resistência vascular sistêmica do que a hipovolemia. Além disso, se a administração de fluidos não resultar em aumento do tamanho da cavidade e aumento da PA, é provável que a vasodilatação por choque distributivo seja a causa da hipotensão;
- **função ventricular esquerda regional e global:** anormalidades do movimento da parede, como hipocinesia e acinesia, indicando isquemia miocárdica podem aparecer antes que alterações isquêmicas sejam observadas no ECG;
- **função ventricular direita:** com o ETE, pode-se observar a disfunção grave do VD por exacerbação da hipertensão pulmonar ou embolia pulmonar aguda.

Cateter vesical

Um cateter vesical é inserido a fim de medir a diurese. Apesar de a oligúria persistente ser um marcador de mau prognóstico, em ensaios clínicos casualizados não se provou que a reversão dela fosse isoladamente um designador de sucesso da terapia instituída.[11] Atualmente, apenas uma produção mínima de diurese já é tida como objetivo de tratamento do choque.

Monitores de débito cardíaco

Determinar se um paciente tem um estado de DC baixo ou alto é útil para orientar os esforços de ressuscitação intraoperatória. Várias tecnologias invasivas e não invasivas foram desenvolvidas para medir o DC, incluindo análise da forma de onda do pulso arterial, bioimpedância elétrica torácica, Doppler aórtico, ecocardiografia no local de atendimento e reinalação de dióxido de carbono. Cada uma dessas tecnologias tem vantagens e limitações com relação à precisão das medições de DC, em comparação com as limitações conhecidas das medições obtidas de um CAP.[9] Independentemente da técnica de monitorização de débito cardíaco escolhida, ela será útil para guiar o manejo adequado do paciente com choque. Mesmo os monitores menos invasivos ou não invasivos ajudam na decisão terapêutica racional e são ferramentas de apoio à decisão.[12] Uma revisão sistemática de 13 estudos envolvendo mais de 1.600 indivíduos constatou que tal prática está associada a redução da mortalidade, tempo de internação na UTI e duração da ventilação mecânica.[13]

Variação da pressão de pulso (VPP) e Variação de volume sistólico (VVS)

São métodos de avaliação de choque que têm facilidade de uso e de aplicabilidade, úteis no contexto de verificação de alteração hemodinâmica. São métodos linearmente relacionados e de mesma base fisiológica, de similaridade prática e iguais em cálculo e também nas limitações de uso. Os monitores mais modernos têm algoritmos automatizados derivados da forma de onda arterial que permitem o cálculo batimento a batimento de parâmetros dinâmicos específicos, como o VPP e o VVS.

A equação que calcula o VPP é a seguinte:

$$VPP = 100 \times (PPmax - PPmin)/PPm\acute{e}dia$$

Um valor de VPP maior do que 12% está fortemente associado à capacidade de resposta ao volume, sendo que o seu valor de corte pode variar minimamente na literatura.[6,13-15]

As medições requerem, normalmente, um cateter arterial. Elas também estão limitadas a pacientes com ritmo sinusal normal, ventilados mecanicamente, recebendo ≥ 8 mL.kg^{-1} de volume corrente e sem respiração espontânea presente em nenhum momento da medição.

Análoga à VPP, a VVS é normalmente definida como a razão entre o volume sistólico máximo (VSmax) menos o volume sistólico mínimo (VSmin) e o volume sistólico médio (VSmédio), calculado em média ao longo de vários ciclos respiratórios.

$$VVS = 100 \times (VSmax - VSmin)/VSm\acute{e}dio$$

Já um valor de VVS maior do que 12% está associado à capacidade de resposta a fluidos, também podendo variar entre as referências atuais.[13-15]

A VVS pode ser calculada a partir da forma de onda da pressão arterial se a complacência arterial e a resistência vascular sistêmica forem conhecidas, valores tipicamente derivados de um cateter arterial. A VVS é medida, normalmente, por vários dispositivos disponíveis comercialmente e pode ser avaliada por meio de algumas estratégias. São elas as mais conhecidas:

- **bolus de fluido intravenoso:** a VVS pode ser medida antes e depois de um pequeno bolus de "teste" de fluido intravenoso (tipicamente 250 a 500 mL administrados em 5 a 10 minutos) para avaliar se um paciente responde a fluidos. Caso o paciente for um que responderá à infusão de fluidos, serão observados, após o bolus, a redução da VVS e o aumento do DC;[16]

- **elevação passiva das pernas:** essa estratégia, tal qual a infusão de fluidos, aumenta o retorno venoso das veias de capacitância das extremidades inferiores para o tórax e, consequentemente, a oferta de sangue para o coração. A interpretação deve ser feita tal qual na infusão de um *bolus*, ou seja, ocorrerá diminuição da VVS e aumento do DC nos pacientes que responderão à infusão de fluidos. Apesar de ter sua funcionalidade aprovada, é um método com limitações óbvias no período de transoperatório; e[16,17]
- **a medida do DC também pode ser usada:** um aumento de 10% no DC após manobras provocativas prevê a responsividade a fluidos,[16] tal qual a redução da VVS e da VPP.

Outras medidas como diâmetro da veia cava, variação de onda oximétrica e desafio do volume corrente não tiveram comprovação definitiva e coerente entre estudos sobre sua acurácia como manobras de previsibilidade de resposta a fluidos.[16]

Monitores de microcirculação

Uma maior compreensão da hipóxia tecidual e celular como uma característica fundamental do choque levou ao conceito de indicadores "*upstream*" e "*downstream*" da perfusão de órgãos.[18]

Upstream

Os marcadores "*upstream*" ("macro") avaliam o fluxo e a pressão no coração, veia cava, artéria pulmonar e aorta. A maioria dos monitores hemodinâmicos existentes são monitores "*upstream*".

Downstream

Choque com disfunção de órgãos-alvo ocorre nos níveis capilar e tecidual. Foram desenvolvidas ferramentas que acompanham as alterações na oxigenação tecidual e no fluxo sanguíneo microvascular. Essas técnicas são conhecidas como marcadores "*downstream*" (ou "micro") da ressuscitação:

- **medição da saturação de oxigênio nos tecidos:** a medição da saturação de oxigênio nos tecidos (StO_2) usando espectroscopia de infravermelho (NIRS) foi proposta como uma ferramenta de monitoramento hemodinâmico "*downstream*" para pesquisar a microcirculação e avaliar o equilíbrio da oferta e consumo de oxigênio ao nível tecidual.[19] No entanto, o valor de StO_2 é limitado porque ele permanece dentro da faixa normal até que o choque esteja bastante avançado;
- **tonometria gástrica e capnografia sublingual:** devido à distribuição do fluxo sanguíneo para longe do trato gastrointestinal, o desenvolvimento de disóxia tecidual neste tecido parece ser um achado comum e precoce nos pacientes com distúrbios hemodinâmicos.[20] Como a mucosa sublingual é derivada, embriologicamente, do tecido intestinal, sua perfusão e resposta ao estresse são semelhantes. A tonometria gástrica é, logística e praticamente, difícil de ser realizada e este pode ser o principal fator que tem impedido o uso generalizado desta tecnologia. A recente introdução da capnometria sublingual resolveu muitas das dificuldades associadas à tonometria gástrica. A capnometria sublingual é uma tecnologia tecnicamente simples, não invasiva e barata que fornece informações quase instantâneas quanto à adequação da perfusão tecidual nos pacientes gravemente doentes e feridos.[21] A experiência clínica com a capnometria sublingual é, no entanto, limitada e são necessários estudos adicionais;
- **lactato seriado:** outra medida, esta largamente conhecida, para avaliação de microcirculação, e apontada como um marcador de perfusão tecidual em estados de choque, é a medição do lactato. A queda desse parâmetro sequencialmente ao longo da cirurgia nas gasometrias seriadas é um marcador de bom prognóstico da terapia instituída.[18]

Além das opções anteriores, o tempo de enchimento capilar também é considerado uma medida válida para avaliação da perfusão periférica, mas com limitações claras no transoperatório.

Existem poucas ferramentas de monitoramento "*downstream*" comercialmente disponíveis, capazes de avaliar de forma não invasiva o fornecimento e a utilização de oxigênio ao nível do tecido.

Testes viscoelásticos

A tromboelastografia (TEG) e a tromboelastometria rotacional (ROTEM) são testes globais de hemostasia realizados no sangue total que refletem a função plaquetária e a coagulação. Esses testes podem ser realizados à beira-leito para avaliação de todo o processo hemostático, desde a ativação plaquetária e a cascata de coagulação até a formação e lise do coágulo. Dessa maneira, é útil para avaliar o sangramento e a resposta às intervenções à medida que são feitas. TEG, ROTEM e testes relacionados são frequentemente usados para orientar a terapia transfusional nos indivíduos com disfunção hemostática global, como durante cirurgia de grande porte ou trauma. A grande diferença dos testes viscoelásticos para os testes de coagulação habituais é que eles fazem uma avaliação rápida da coagulação à beira-leito, além de mostrarem o panorama de todas as fases da cascata da coagulação e não só de um ponto específico. No entanto, a limitação desses testes é que eles não podem distinguir trombocitopenia de defeitos da função plaquetária.[22]

■ MANEJO INICIAL

Para a maioria dos pacientes cirúrgicos em choque, é necessário iniciar ou continuar as seguintes terapias imediatamente:

- administração de *bolus* de líquido cristaloide intravenoso (IV) (normalmente 500 mL por *bolus*) para o manejo inicial da maioria das etiologias de choque. Exceções a essa abordagem incluem condições nas quais o excesso de líquido piora a função cardíaca (p. ex., choque cardiogênico com evidência de edema pulmonar, ou choque obstrutivo devido à embolia pulmonar). Para pacientes com hemorragia grave ou contínua, hemocomponentes são solicitados e transfundidos assim que disponíveis;[4]

- suporte hemodinâmico com infusão contínua de um agente vasopressor, se a administração de fluidos IV não restaurar rapidamente a pressão arterial adequada e a perfusão tecidual. Selecionamos, normalmente, infusão contínua de norepinefrina a 0,01 a 0,3 mcg.kg^{-1}.min^{-1}

como vasopressor de primeira linha no choque indiferenciado, embora o vasopressor inicial ideal seja desconhecido[23,24] (Tabela 216.1).

Embora a pressão ideal de perfusão do órgão-alvo não seja clara, uma PAM alvo de aproximadamente 65 mmHg é

Tabela 216.1 Medicações utilizadas no paciente em estado de choque.

Medicamento	Classe funcional (mecanismo de ação e/ou receptor principal)	Dose em Bolus	Dose de Infusão	Comentários
Efedrina	Inotrópico, cronotrópico, vasopressor (agonista receptor alfa-1-adrenérgico, agonista receptor beta-1-adrenérgico, agonista receptor beta-2-adrenérgico)	5 a 10mg	Não se aplica	- A taquifilaxia pode ocorrer com múltiplas doses repetidas devido à liberação pós-sináptica indireta de norepinefrina - Efeitos cardiovasculares atenuados por medicamentos que bloqueiam a captação de efedrina pelos nervos adrenérgicos (por exemplo, cocaína) ou aqueles que esgotam as reservas de norepinefrina (por exemplo, reserpina) - Administrado com extrema cautela (por exemplo, em pequenas doses incrementais de 2,5 mg) a pacientes em uso de inibidores da monoamina oxidase (MAO) ou metanfetaminas, pois há respostas hipertensivas exageradas ou risco de vida podem ocorrer arritmias
Fenilefrina	Vasopressor (agonista receptor alfa-1-adrenérgico)	50 a 100mcg	10 a 100mcg/min ou 0.1 a 1mcg/kg/min	- Frequentemente selecionadas para tratar hipotensão se FC normal ou elevada está presente - Polimorfismos genéticos levam a respostas individuais variáveis
Norepinefrina	Vasopressor e inotrópico (agonista receptor alfa-1-adrenérgico, agonista receptor beta-1-adrenérgico)	4 a 8mcg	1 a 20mcg/min ou 0.01 a 0.3mcg/kg/min	- Frequentemente selecionado como agente de primeira linha durante cirurgia não cardíaca, particularmente para tratamento da maioria dos tipos de choque Norepinefrina 8 mcg é aproximadamente equivalente em potência à fenilefrina 100 mcg - O extravasamento periférico de uma concentração elevada pode causar danos nos tecidos
Epinefrina	Inotrópico, cronotrópico, vasopressor (agonista receptor alfa-1-adrenérgico, agonista receptor beta-1-adrenérgico, agonista receptor beta-2-adrenérgico)	4 a 10mcg	1 a 100mcg/min ou 0.01 a 1mcg/kg/min Há uma grande alteração dos efeitos em toda a faixa de dose: - Doses baixas de 1 a 2 mcg/minuto ou 0,01 a 0,02 mcg/kg/minuto têm principalmente efeitos beta2-adrenérgicos - Doses intermediárias de 2 a 10 mcg/minuto ou 0,02 a 0,1 mcg/kg/minuto têm principalmente efeitos beta$_1$ e beta2-adrenérgicos - Altas doses de 10 a 100 mcg/minuto ou 0,1 a 1 mcg/kg/minuto têm principalmente efeitos alfa$_1$-adrenérgicos	- Tratamento de primeira linha para parada cardíaca e anafilaxia - Pode ser administrado IV, IM ou através de um tubo endotraqueal em emergências - Doses baixas causam efeitos broncodilatadores baixas doses de epinefrina aumentam o DC devido aos efeitos inotrópicos e cronotrópicos do receptor beta-1 adrenérgico, enquanto a vasoconstrição induzida pelo receptor alfa adrenérgico é frequentemente compensada pela vasodilatação do receptor beta-2 adrenérgico. O resultado é um aumento do DC, com diminuição da RVS No entanto, em doses mais altas de epinefrina, o efeito do receptor alfa-adrenérgico predomina, produzindo aumento da RVS além de aumento do DC Funciona atualmente como um agente de terceira linha no choque distributivo

(Continua)

Tabela 216.1 Medicações utilizadas no paciente em estado de choque. *(Continuação)*				
Medicamento	**Classe funcional (mecanismo de ação e/ou receptor principal)**	**Dose em Bolus**	**Dose de Infusão**	**Comentários**
Vasopressina	Vasopressor (agonista receptor vasopressina-1 e vasopressina-2)	1 a 4 unidades (UI)	0,01 a 0,04 unidades/minuto ▪ Doses >0,04 unidades/minuto até 0,1 unidades/minuto são reservadas apenas para casos isolados	▪ Eficaz para tratamento de hipotensão refratária à administração de catecolaminas ou simpaticomiméticos como efedrina, fenilefrina ou norepinefrina ▪ Nenhum efeito direto na FC ▪ Pode causar vasoconstrição esplâncnica ▪ As respostas individuais aos efeitos relacionados à dose são variáveis ▪ O extravasamento periférico pode causar necrose da pele
Dopamina	Inotrópico, cronotrópico dose-dependente, vasopressor (dopaminérgico, agonista receptor alfa-1-adrenérgico, agonista receptor beta-1-adrenérgico, agonista receptor beta-2-adrenérgico)	Não se aplica	2 a 20 mcg/kg/minuto ▪ Há alteração dos efeitos em toda a faixa de dose: ▪ Doses baixas têm principalmente efeitos dopaminérgicos em <3mcg/kg/min ▪ Doses intermediárias contêm principalmente efeitos beta-1 e beta-2-adrenérgicos em 3 a 10 mcg/kg/min ▪ Altas doses têm principalmente efeitos alfa-1-adrenérgicos efeitos em >10mcg/kg/min	▪ Doses baixas podem exacerbar a hipotensão via beta estimulação ▪ Altas doses podem causar vasoconstrição, efeitos metabólicos adversos e arritmias
Dobutamina	Inotrópico, cronotrópico dose-dependente, vasopressor (agonista receptor beta-1-adrenérgico, agonista receptor beta-2-adrenérgico)	Não se aplica	1 a 20mcg/kg/min	▪ A exacerbação da hipotensão é possível devido à vasodilatação dose-dependente ▪ A administração concomitante de um vasoconstritor potente, como norepinefrina ou vasopressina, pode ser necessária
Milrinone	Inotrópico, vasodilatador (inibidor da fosfodiasterase)	Não se aplica	0.375 a 0.75mcg/kg/min ▪ Dose de ataque de 50mcg/kg/min por tempo >10 minutos pode ser administrada em casos selecionados, mas deve ser evitada quando precisamos preservar a PA	▪ A exacerbação da hipotensão é provavelmente devida à vasodilatação (por meio da inibição da fosfodiesterase) ▪ A administração concomitante de um vasoconstritor potente, como norepinefrina ou vasopressina, pode ser necessária
Isoproterenol	Inotrópico, cronotrópico, vasodilatador (agonista receptor beta-1-adrenérgico, agonista receptor beta-2-adrenérgico)	Não se aplica	5 a 20mcg/min ou 0.05 a 0.2mcg/kg/min	▪ A exacerbação da hipotensão é provavelmente devida à vasodilatação dose-dependente (via estimulação beta) ▪ Pode causar arritmias ▪ Não disponível na maioria das configurações

sugerida para a maioria dos pacientes. Pacientes com hipertensão crônica podem requerer uma PAM mais alta.

O objetivo da ressuscitação é reverter o quadro de choque imposto. Deve-se restaurar a pressão de perfusão tecidual, retomar o fornecimento de oxigênio aos valores normais e prevenir danos aos órgãos. A terapia guiada por metas é atualmente a recomendação utilizada para o sucesso no manejo dos variados tipos de choque.[11,13] Os valores-alvo para ressuscitação inicial e contínua na sala de cirurgia incluem:

▪ PAM 65 a 70 mmHg;
▪ Produção de diurese;
▪ Diminuição dos níveis séricos de lactato nas gasometrias arteriais sequenciais;
▪ $SvO_2 > 70\%$ ou $ScvO_2 > 65\%$.

■ MANEJO ANESTÉSICO NO CHOQUE

Anestesia Geral

Agentes de indução e manutenção anestésica com efeitos hemodinâmicos mínimos são administrados a pacientes cirúrgicos em choque. As doses são geralmente reduzidas a fim de evitar a exacerbação da hipotensão.[25]

Indução

Tanto o etomidato quanto a cetamina são selecionados como o agente de indução no paciente hemodinamicamente instável, porque são drogas que produzem um estado de inconsciência e tendem a manter a perfusão adequada dos órgãos. Agentes adjuvantes (p. ex., opioides e midazolam) geralmente são reduzidos. Agentes de relaxamento muscular são empregados normalmente.

- **etomidato:** tem início de ação rápido e não causa alterações significativas na PA, no DC ou na FC. O etomidato pode causar insuficiência adrenal aguda transitória, embora este achado não seja clinicamente relevante e também não esteja associado à mortalidade;[26]
- **cetamina:** a cetamina também tem início de ação rápido e geralmente aumenta a PA, a FC e o DC por meio do aumento do tônus simpático. Normalmente, evita-se a cetamina nos pacientes com choque cardiogênico causado por isquemia miocárdica, porque os aumentos da FC e da PA podem desequilibrar de forma prejudicial a oferta de oxigênio miocárdico demandada nessa população. Além disso, os efeitos simpaticomiméticos da cetamina podem aumentar a pressão da artéria pulmonar, sendo extremamente indesejável nos pacientes com hipertensão pulmonar e insuficiência cardíaca direita. Ela também tem propriedades depressoras miocárdicas intrínsecas leves relacionadas à dose utilizada, mas que normalmente são superadas pelo aumento do tônus simpático. No entanto, no paciente com choque grave e reservas de catecolaminas depletadas, a redução da dose é preconizada;
- **propofol:** uma dose típica de indução em *bolus* de propofol é evitada, pois pode exacerbar a hipotensão ao causar dilatação venosa e arterial e diminuição da contratilidade. No entanto, baixas doses tituladas de propofol combinadas com outro(s) agente(s) anestésico(s) intravenoso(s) ou inalatório(s) é uma escolha razoável para a indução;
- **opioides:** evitar altas doses de opioides nos pacientes com choque hipovolêmico, distributivo ou obstrutivo, pois essa técnica pode causar hipotensão no paciente dependente de níveis elevados de catecolaminas.

Antes de iniciar a indução, uma infusão de vasopressor deve ser conectada no acesso venoso para que esteja disponível para administração imediata. Em alguns casos, uma dose em *bolus* de um vasopressor é administrada, concomitantemente com o agente de indução, para prevenir a exacerbação dos efeitos cardiodepressores. A administração de vasopressores em infusão não deve ser atrasada se o paciente ainda não tiver uma via central, ela poderá ser realizada com segurança em acesso venoso periférico.[27]

Manutenção

Da mesma maneira que as drogas de indução, os agentes anestésicos para manutenção da anestesia são selecionados, levando-se em consideração os efeitos cardiovasculares dose-dependentes. Na maioria dos casos, um agente anestésico inalatório volátil é iniciado em uma concentração mais baixa do que nos pacientes saudáveis. O uso de eletroencefalografia fornece informações sobre a profundidade anestésica, mas não pode confirmar, com segurança, que o paciente não está consciente. Subdosagem anestésica e consciência com recordação ocorrem mais comumente nos pacientes com choque em comparação aos pacientes saudáveis.

Anestesia Regional

Técnicas anestésicas neuroaxiais são evitadas nos pacientes com choque, devido ao risco potencial de hipotensão decorrente da vasodilatação e/ou bradicardia.

O uso de bloqueios de nervos periféricos para procedimentos selecionados é uma opção atraente, devido aos efeitos mínimos na hemodinâmica. No entanto, a maioria dos pacientes em choque apresenta instabilidade hemodinâmica, sem a possibilidade de atraso de manejo, e também instabilidade respiratória, necessitando de intubação endotraqueal e ventilação controlada sob anestesia geral para intervenção cirúrgica.

■ TIPOS DE CHOQUE E MANEJO ANESTÉSICO

Choque Hipovolêmico

Os pacientes com este tipo de choque apresentam hipotensão com redução do DC, devido à redução do volume intravascular, ou seja, da pré-carga. A intervenção primária é a administração de fluidos e/ou sangue, e vasopressores são adicionados se necessários para manter a PA. A hemorragia é a causa mais comum de choque hipovolêmico nos pacientes cirúrgicos. As causas não hemorrágicas de hipovolemia grave são as perdas gastrointestinais, as queimaduras extensas e a ascite, que depletam o volume intravascular devido à perda de líquidos (Tabela 216.2).

O manejo inicial do choque hipovolêmico é a administração rápida de fluido cristaloide IV em *bolus* de 500 mL. Normalmente, 1 a 2 L são administrados inicialmente, mas fluidos adicionais podem ser necessários se as perdas continuarem. Uma solução cristaloide eletrolítica balanceada é amplamente usada para ressuscitação inicial com fluidos e reposição de perdas intraoperatórias contínuas em vez de soluções salinas convencionais, pois grandes volumes de solução salina podem produzir acidose metabólica hiperclorêmica.[28] Grandes volumes de fluido IV podem acarretar o desenvolvimento de edema tecidual e complicações resultantes. Recomenda-se que se minimize a administração de fluidos IV e que sejam utilizados para a ressuscitação de pacientes hipotensos, até a ressuscitação seja estabelecida.

Para pacientes com hemorragia grave, hemocomponentes apropriados são transfundidos assim que estiverem disponíveis, em vez de cristaloides ou coloides. O coloide albumina pode ser utilizado quando ainda não há disponibilidade de composto de hemácia para administração. Não se deve atrasar a reposição de sangue e de fatores de coagulação na presença de hemorragia contínua ameaçadora à vida ou quando parâmetros laboratoriais ou testes viscoelásticos demonstrarem, à beira-leito, a necessidade de reposição de hemácias ou de compostos da coagulação.

Não há respaldo na literatura atual para substituirmos o uso de cristaloides pelo uso de coloides,[29] havendo apenas concordância para o uso da albumina em conjunto com os cristaloides para manutenção hemodinâmica até que o sangue esteja disponível para transfusão. Outras soluções coloides como as de amido hiperoncótico (p. ex., hidroxietilamido, pentastarch) não são validadas na literatura para ressuscitação volêmica. Nos pacientes com traumatismo cranioencefálico agudo, albumina é evitada e apenas solução cristaloide hipertônica é administrada devido à hipertensão intracraniana.

É importante também decidir quando reduzir a taxa de administração de soluções. O objetivo final da ressuscitação inclui evidência clínica de normovolemia determinada pelo monitoramento do parâmetro de *status* de volume intravascular, bem como a obtenção de valores-alvo para ressuscitação, como já discutido anteriormente. Parâmetros dinâmicos são preferidos para avaliar o estado do volume intravascular e orientar a administração de fluidos no intraoperatório. Parâmetros fisiológicos estáticos, como frequência cardíaca, PA, saturação periférica de oxigênio, produção de urina e pressão venosa central fornecem dados suplementares. No entanto, eles não são os parâmetros ideais para determinação da capacidade de resposta a fluidos e não detectam ou preveem edema pulmonar iminente devido à hipervolemia.

Tabela 216.2 Tipos de choque.

Hipovolêmico

1. Hemorrágico – Trauma, sangramento gastrointestinal (por rompimento de varizes ou por úlcera péptica), sangramento intraoperatório e pós-operatório, sangramento retroperitoneal, fístula entérica aórtica, pancreatite hemorrágica, iatrogênica (por exemplo, por biópsia inadvertida de malformação arteriovenosa ou de ventrículo esquerdo), tumor ou erosão em grandes vasos, gravidez ectópica rompida, hemorragia pós-parto, hemorragia uterina ou vaginal, espontânea.
2. Não-hemorrágico – Perdas gastrointestinais (diarreia, vômito, drenagem externa), perdas cutâneas (queimaduras, condições dermatológicas), perdas renais (diurese osmótica, nefropatias com perda de sal, hipoaldosteronismo), perdas do terceiro espaço para o espaço extravascular ou cavidades corporais (pós-operatório e trauma, obstrução intestinal, lesão por esmagamento, pancreatite, cirrose).

Distributivo

1. Choque séptico – bactérias Gram+ e Gram-, vírus, fungos, parasitas, *Mycobacterium*
2. Choque não-séptico
■ Choque inflamatório (=síndrome de resposta inflamatória sistêmica): Queimaduras, trauma, pancreatite, pós-infarto do miocárdio, pós-bypass coronário, pós-parada cardíaca, perfuração de víscera, embolia de líquido amniótico, embolia gordurosa, síndrome de vazamento capilar sistêmico idiopático
■ Choque neurogênico: Lesão cerebral traumática, lesão medular (quadriparesia com bradicardia ou paraplegia com taquicardia), anestesia neuraxial
■ Choque anafilático: Mediado por IgE (alimentos, medicamentos, picadas de insetos), IgE-independente, não imunológico (exercício ou induzido por calor), idiopático
■ Outras: Reações à transfusão, insuficiência hepática, vasoplegia (agentes vasodilatadores, bypass), síndrome do choque tóxico, toxicológico (metais pesados), beribéri

Cardiogênico

1. Cardiomiopático – Infarto do miocárdio cardiomiopático (envolvendo >40% do ventrículo esquerdo ou com isquemia extensa), infarto ventricular grave, exacerbação aguda de insuficiência cardíaca grave por cardiomiopatia dilatada, miocárdio atordoado por isquemia prolongada (parada cardíaca, hipotensão cardiopulmonar desviar), choque séptico avançado, miocardite, contusão miocárdica, induzido por medicamentos (bloqueadores beta).
2. Arritmogênico
■ Taquiarritmia: Taquicardias atriais (fibrilação, taquicardia de reentrada), taquicardia e fibrilação ventricular
■ Bradiarritmia: Bloqueio cardíaco completo, bloqueio cardíaco de segundo grau Mobitz tipo II
3. Mecânico – insuficiência valvar grave, ruptura valvular aguda (ruptura papilar ou de cordas tendíneas, abscesso valvular), estenose valvular crítica, defeito agudo ou grave da parede do septo ventricular, ruptura de aneurisma da parede ventricular, mixoma atrial

Obstrutivo

1. Vascular pulmonar – Embolia pulmonar hemodinamicamente significativa, hipertensão pulmonar grave, obstrução aguda grave da válvula pulmonar ou tricúspide, embolia aérea venosa
2. Mecânico – Pneumotórax hipertensivo, hemotórax, tamponamento pericárdico, pericardite constritiva, cardiomiopatia restritiva, hiperinsuflação dinâmica grave (auto-PEEP elevada), obstrução de saída de ventrículo esquerdo ou direito, síndrome compartimental abdominal, compressão aorto-cava

Misto

1. Endócrino – Tireotoxicose, insuficiência adrenal, coma mixedematoso
2. Metabólico

Se houver evidência de edema pulmonar ou de altas pressões de enchimento, os fluidos devem ser administrados com cautela, em pequenos *bolus* de até 250 mL, com constante e rigoroso monitoramento da resposta clínica e dos parâmetros dinâmicos aos incrementos de fluidos.

A hipotensão controlada pode ser benéfica na maioria dos pacientes com choque hemorrágico. No entanto, pode ser prejudicial para pacientes com trauma contuso com lesão cerebral, pois a hipotensão reduz a perfusão cerebral e aumenta a mortalidade.[30]

A justificativa para se alcançar melhor resultado com a ressuscitação volêmica tardia é que a administração agressiva de fluidos pode, por meio da diluição dos fatores de coagulação e da produção de hipotermia, interromper a formação de trombos e aumentar o sangramento. Isto só se aplica à fluidoterapia e não à reposição de hemocomponentes.

Sugere-se, atualmente, que os pacientes com trauma grave e com coagulopatia que requerem reposição maciça de sangue sejam ressuscitados com mais sucesso quando a proporção de unidades transfundidas de plasma para plaquetas para hemácias se aproxima de 1:1:1. Esta abordagem de ressuscitação 1:1:1 é conhecida como "ressuscitação de controle de danos", frequentemente usada em combinação com a "cirurgia de controle de danos" no trauma. O objetivo é controlar rapidamente a hemorragia e prevenir a coagulopatia, minimizando o uso de cristaloides e utilizando proporções relativamente altas de plasma e de plaquetas em relação às hemácias. Isso permite que os pacientes permaneçam relativamente hipotensos durante alguma parte de sua ressuscitação, a chamada hipotensão permissiva.[30]

Como citado anteriormente, a adoção da estratégia de ressuscitação hídrica tardia ou hipotensão controlada na prática clínica deve ser realizada com cautela, pois não se aplica à toda população com choque. Os fatores que devem ser considerados para determinar se essa estratégia é apropriada incluem o estado mental do paciente e a probabilidade de lesão intracraniana, de lesão da medula espinal e de comorbidade subjacente, como hipertensão crônica, bem como a idade do paciente, já que a maioria dos estudos sobre hipotensão permissiva foi realizada em jovens saudáveis. Mais pesquisas para determinar a adequação e eficácia desta abordagem são necessárias. Com base nos dados atuais, limitar a ressuscitação volêmica a 1 L ou menos e passar diretamente para hemoderivados parece ser a melhor estratégia.

Além da administração de fluidos e de hemocomponentes, os vasopressores podem ser necessários para restaurar a perfusão tecidual adequada (Tabela 216.1). Embora os vasopressores possam ser temporariamente necessários para manter a PA sistêmica adequada, eles não são usados como substitutos da administração de fluidos e são descontinuados o mais rápido possível.

Deve-se atentar para a manutenção da coagulação do paciente em choque hipovolêmico hemorrágico. Os pilares da coagulação – temperatura, pH e cálcio – devem ser ajustados.[28]

O controle da temperatura perioperatória é realizado com dispositivos de aquecimento para manter a normotermia (temperatura ≥ 35,5°C) nos pacientes com trauma e choque.

Se a ventilação for adequada, o paciente com acidose láctica grave (pH inferior a 7,1) deve receber um *bolus* intravenoso de bicarbonato de sódio de 1 a 2 mEq.kg^{-1} de peso corporal. Os eletrólitos séricos e o pH sanguíneo devem ser medidos 30 a 60 minutos depois, e a dose de bicarbonato de sódio pode ser repetida se a acidose láctica grave (pH menor que 7,1) persistir. Caso contrário, a acidose severa pode limitar a eficácia dos vasopressores e inotrópicos.

O cálcio pode estar esgotado devido à hemodiluição após administração de grandes volumes de cristaloides ou devido à ligação ao citrato utilizado como anticoagulante nos produtos sanguíneos. A administração de gluconato de cálcio a 10% (p. ex., 10 a 20 mL para cada 500 mL de sangue) ou cloreto de cálcio a 10% (p. ex., 2 a 5 mL por 500 mL de sangue) é apropriada.

Durante a anestesia geral com ventilação mecânica, é importante evitar níveis elevados de pressão expiratória final positiva (PEEP) e hiperinsuflação dinâmica com desenvolvimento de auto-PEEP secundária à expiração incompleta. PEEP e auto-PEEP podem aumentar a pressão intratorácica, diminuir o retorno venoso e reduzir ainda mais o DC.

Choque Distributivo

Ocorre devido aos efeitos das cascatas inflamatórias e anti-inflamatórias na permeabilidade vascular. Pacientes com choque distributivo apresentam hipotensão com redução da RVS devido à vasodilatação periférica grave. A intervenção inicial é a reposição de fluidos e a administração de vasopressores para manter a PA.

Tipos de choque distributivo e manejo

Choque séptico

A sepse é a causa mais comum de choque distributivo em pacientes cirúrgicos. O tratamento inicial é com fluidoterapia para tratar a hipovolemia intravascular e terapia vasopressora para restaurar a PAM para ≥ 65 a 70 mmHg.

Semelhante ao choque hipovolêmico, uma solução eletrolítica cristaloide balanceada é administrada em *bolus* de 500 mL. Aproximadamente 2 L ou mais de líquidos podem ser necessários para restaurar a PAM para ≥ 65 a 70 mmHg.[32] Deve-se atentar para a hemodiluição nos casos de grandes reposições hídricas. Se forem necessários volumes maiores de cristaloides no intraoperatório, a albumina pode ser utilizada em conjunto com a solução cristaloide. No entanto, não há diferenças de resultados para pacientes com choque séptico tratados com albumina humana em comparação com o cristaloide isolado,[33] da mesma forma que a dose de albumina utilizada também é incerta.

Se a administração de fluidos não restaurar a PAM para 65 a 70 mmHg, uma infusão de vasopressor, geralmente norepinefrina, é administrada.[34] A fenilefrina ou o metaraminol podem ser substitutos da norepinefrina se doses em *bolus* forem necessárias ou se arritmias forem evidentes durante a infusão de norepinefrina.

Se a infusão de fluidos e de norepinefrina for ineficaz, uma infusão de vasopressina é iniciada e titulada conforme necessário (Tabela 216.3), uma vez que a deficiência adquirida de vasopressina pode ocorrer após hipoperfusão prolongada devido a choque séptico. Se a função cardíaca for adequada, a administração de vasopressina normalmente resulta na normalização da PAM e pode diminuir o risco de fibrilação atrial e possivelmente a mortalidade.[35] Se houver evidência de baixo débito cardíaco em um paciente séptico com choque refratário, terapia inotrópica adicional pode ser necessária. A adrenalina é um fármaco possível de ser utilizado como inotrópico nestes casos.[24]

O azul de metileno tem sido usado em pacientes com hipotensão refratária devido à vasoplegia causada por sepse ou outras etiologias (Tabela 216.3). A produção de óxido nítrico (NO) está aumentada em muitos tipos de choque com vasodilatação. O azul de metileno administrado na dose de 1 a 2 mg.kg^{-1} durante 20 minutos inibe a atividade da guanilil-ciclase e da NO-sintase, o que reduz a capacidade de resposta dos vasos de resistência ao óxido nítrico e, assim, aumenta a RVS. O azul de metileno pode interferir nas medições de saturação de oxigênio na oximetria e pode causar síndrome serotoninérgica em pacientes que fazem uso de outros agentes serotoninérgicos.

A angiotensina II, um componente do sistema renina-angiotensina-aldosterona, é um potente vasoconstritor aprovado para o tratamento do choque vasodilatador (Tabela 216.3). A angiotensina II aumenta a pressão arterial e reduz as doses necessárias de catecolaminas em pacientes que não respondem aos vasopressores convencionais, como a norepinefrina e a vasopressina.

Agentes adjuvantes que são usados mais raramente e com evidência limitada incluem vitamina C e hidroxicobalamina (Tabela 216.3). Em alguns casos, combinações de vasopressores, inotrópicos e outras terapias farmacológicas podem ser necessárias para um tratamento potencialmente eficaz.

A antibioticoterapia intravenosa de amplo espectro deve ser administrada o mais rápido possível e, definitivamente, dentro de três horas após a chegada ao hospital, pois o atraso está associado ao aumento da mortalidade.[34] Idealmente, as hemoculturas devem ser coletadas antes da administração de antibióticos para que a terapia antimicrobiana subsequente possa ser direcionada contra organismos específicos, com base nos resultados da hemocultura e na sensibilidade bacteriana.

A maioria dos pacientes com choque séptico apresenta hiperglicemia e resistência à insulina. A terapia com insulina IV geralmente é necessária para atingir um nível alvo de glicose no sangue entre 140 e 180 mg/dL, sendo que a terapia insulínica agressiva também pode ser prejudicial ao sistema

Tabela 216.3 Drogas para o tratamento da vasoplegia.

Droga	Dose	Descrição
Norepinefrina	1 a 20mcg/min OU 0.01 a 0.3mcg/kg/min	Agonista dos receptores alfa e beta-adrenérgicos; vasoconstrição do músculo liso vascular mediada por adrenérgicos e liberação de angiotensina II mediada por receptores beta nos rins
Vasopressina	0.01 a 0.04 UI/min	Agonista do receptor vasopressina-1 e vasopressina-2; vasoconstrição direta do músculo liso vascular e aumento da permeabilidade dos ductos coletores à água
Fenilefrina	1 a 100mcg/min OU 0.1 a 1mcg/kg/min	Agonista seletivo do receptor alfa-1-adrenérgico; vasoconstrição do músculo liso vascular
Adrenalina	1 a 100mcg/min ou 0.01 a 1mcg/kg/min Há uma grande alteração dos efeitos em toda a faixa de dose: ■ Doses baixas de 1 a 2 mcg/minuto ou 0,01 a 0,02 mcg/kg/minuto têm principalmente efeitos beta2-adrenérgicos ■ Doses intermediárias de 2 a 10 mcg/minuto ou 0,02 a 0,1 mcg/kg/minuto têm principalmente efeitos beta$_1$ e beta2-adrenérgicos ■ Altas doses de 10 a 100 mcg/minuto ou 0,1 a 1 mcg/kg/minuto têm principalmente efeitos alfa$_1$-adrenérgicos	Doses baixas causam efeitos broncodilatadores; Em doses mais altas de epinefrina, o efeito do receptor alfa-adrenérgico predomina, produzindo aumento da RVS além de aumento do DC; Funciona atualmente como um agente de terceira linha no choque distributivo
Azul de metileno	1 a 2mg/kg por 10 a 20 minutos seguido de uma infusão de 0.5 a 1mg/kg/h	Inibe ativação síntese de óxido nítrico e guanil-ciclase para inibir relaxamento da musculatura lisa vascular
Angiotensina II	Inicia-se por 10 a 20ng/kg/min. Depois vá titulando a cada 5 minutos incrementos de dose de 15ng/kg/min até no máximo 80ng/kg/min nas primeiras 3 horas. A dose máxima de manutenção não deve exceder 40ng/kg/min.	Octapeptídeo que causa vasoconstrição do músculo liso venoso e arterial e atua no SNC para aumentar a produção de vasopressina
Hidroxicobalamina	5g por 5 a 10 minutos	Forma de vitamina B que causa ligação direta do óxido nítrico e efeitos inibitórios sobre síntese de óxido nítrico e guanil-ciclase para inibir relaxamento da musculatura lisa vascular

endócrino do paciente com choque.[36] A terapia em infusão contínua é mais bem-sucedida no controle glicêmico do que a insulina em *bolus*.

Para pacientes com choque séptico grave refratário à terapia adequada com fluidos e vasopressores, é administrada corticoterapia IV, geralmente hidrocortisona 50 mg a cada seis ou oito horas. Nestes pacientes, foi observado que a insuficiência adrenal é prevalente, podendo impossibilitar o tratamento correto com vasopressores, sendo o uso precoce do corticoide associado a menor necessidade de doses de vasopressores e melhores desfechos.[34]

Choque anafilático

Assim que identificado o material ou a droga causadora(a) da anafilaxia, descontinuá-lo(a) imediatamente. O tratamento é baseado na administração rápida titulada de epinefrina IV e ressuscitação com fluidos, além de anti-histamínico IV, como o difenidrato, de 25 a 50 mg, e o corticoide, como a metilprednisolona, de 1 a 2 mg.kg[-1], além da correção na ventilação mecânica.

Choque neurogênico

Lesão da medula espinal com choque neurogênico pode estar presente em um paciente vítima de trauma. O choque neurogênico está tipicamente associado a taquicardia em um paciente paraplégico ou bradicardia em um paciente tetraplégico.

Choque induzido por medicamentos

Vasoplegia pode ocorrer no período perioperatório em pacientes recebendo inibidores da enzima conversora de angiotensina ou bloqueadores dos canais de cálcio, mais comumente. Isso ocorre mais frequentemente durante a cirurgia cardíaca com circulação extracorpórea (CEC), devido aos efeitos exacerbados da SIRS induzida pela CEC.

Outros tipos de choque distributivo são os choques de causa endócrina, como, por exemplo, crise addisoniana por insuficiência adrenal, crise tireotóxica por hipertireoidismo não controlado e coma mixedematoso por hipotireoidismo não controlado.

Choque Cardiogênico

O choque cardiogênico ocorre devido a causas intracardíacas de falha da bomba cardíaca que resultam na redução do DC. As causas mais comuns são divididas entre as entidades cardiomiopática, arrítmica e mecânica.

Cardiomiopática

As isquemias graves ou depressão miocárdica são as principais causas, sendo o tratamento direcionado.

A dobutamina, com dose inicial de 0,5 a 1 mcg.kg[-1].min[-1] sendo progressivamente titulada quando a descompensação cardíaca é grave, é o agente inotrópico mais comumente usado em pacientes com choque cardiogênico, juntamente com a noreprinefrina. A norepinefrina é frequentemente administrada junto com dobutamina para compensar a que-

da na resistência vascular periférica que ocorre quando são usadas baixas doses de dobutamina.

Quando a isquemia miocárdica é grave, além de o manejo inicial para ressuscitar o paciente, recomenda-se a revascularização arterial precoce, com aumento de sobrevida nessa população.[37]

Pacientes com cardiomiopatia hipertrófica ou insuficiência cardíaca diastólica grave raramente apresentam choque cardiogênico, mas essas condições subjacentes podem contribuir para hipotensão e choque por outras causas.

Arrítmica

As taquiarritmias atriais e ventriculares e as bradiarritmias podem induzir hipotensão, muitas vezes contribuindo para estados de choque. No entanto, quando o débito está gravemente comprometido por distúrbios significativos do ritmo (p. ex., taquicardia ventricular sustentada ou bloqueio cardíaco completo), os pacientes podem apresentar choque cardiogênico.

Pacientes com distúrbios do ritmo acelerado resultando em choque podem ser cardiovertidos, se não houver contraindicação, ou serem manejados com drogas específicas para o tipo de taquicardia causadora da instabilidade hemodinâmica. Já nas bradiarritmias, o manejo contempla *bolus* de atropina, infusões de agentes vasoativos e, eventualmente, colocação temporária ou permanente de marca-passo, como parte do protocolo avançado de suporte cardíaco à vida. As arritmias podem ser a principal causa ou podem ser secundárias aos distúrbios metabólicos associados ao choque (p. ex., hipocalemia, acidose) ou secundárias à causa subjacente do choque (p. ex., embolia pulmonar, infarto do miocárdio).

Mecânica

Ocorre por insuficiência grave aórtica ou mitral e defeitos valvulares agudos devido à ruptura de um músculo papilar ou cordas tendíneas ou dissecção retrógrada da aorta ascendente no anel da válvula aórtica.

Pacientes predispostos a complicações cardiogênicas de origem mecânica, como aqueles que apresentam sintomas e sinais clínicos de defeitos valvares sem tratamento pré-operatório, devem ter um manejo intraoperatório cuidadoso, com os dispositivos adequados para avaliação da função cardíaca, como o ETE.

A estenose aórtica crítica ou a estenose mitral raramente se apresentam com choque cardiogênico, mas frequentemente contribuem para hipotensão e choque por outras causas.

Choque Obstrutivo

O choque obstrutivo é devido, principalmente, a causas extracardíacas de falha da bomba cardíaca e frequentemente associado ao baixo débito ventricular direito. As causas do choque obstrutivo podem ser divididas nas duas categorias a seguir:

- **vascular pulmonar:** a maioria dos casos de choque obstrutivo é decorrente de insuficiência ventricular direita decorrente de embolia pulmonar hemodinamicamente significativa ou hipertensão pulmonar grave. Nesses casos, o ventrículo direito falha porque é incapaz de gerar pressão suficiente para vencer a alta resistência vascular pulmonar associada;

- mecânico: os pacientes nesta categoria apresentam choque hipovolêmico porque seu distúrbio fisiológico primário é a diminuição da pré-carga, em vez de falha da bomba (p. ex., retorno venoso reduzido para o átrio direito ou enchimento inadequado do ventrículo direito). Causas mecânicas de choque obstrutivo incluem: pneumotórax hipertensivo, tamponamento pericárdico, pericardite constritiva e cardiomiopatia restritiva.

No pneumotórax hipertensivo, nota-se aumento na pressão de pico na ventilação e também sinais clínicos, como turgência jugular e enfisema subcutâneo. No tamponamento cardíaco, a história clínica é mais relevante, tendo o paciente sido submetido a procedimento torácico, por exemplo. O paciente também terá taquicardia, hipotensão, aumento de PVC e pulso paradoxal.

Choque Misto

Vale ressaltar que os pacientes podem apresentar formas combinadas de choque. São exemplos:

- pacientes com choque por sepse apresentam principalmente choque distributivo, no entanto, eles também costumam ter um componente cardiogênico devido à depressão miocárdica relacionada à inflamação;

- pacientes com trauma na medula espinal podem ter choque distributivo de disfunção autonômica relacionada à lesão e choque cardiogênico pela depressão miocárdica; e

- pacientes com aneurisma de aorta roto podem ter choque cardiogênico por falha primária da bomba, choque obstrutivo por tamponamento cardíaco quando a perda de sangue é contida pelo saco pericárdico e choque hemorrágico quando a perda de sangue não é contida pelo saco pericárdico.[31]

■ CONCLUSÃO

Choque é definido como um estado de hipóxia celular e tecidual devido ao fornecimento reduzido de oxigênio, aumento do consumo de oxigênio, utilização inadequada de oxigênio ou uma combinação dos três.

Em todas as formas de choque, as variáveis sempre avaliadas são o débito cardíaco e a resistência vascular sistêmica. Em geral, choque hipovolêmico, choque cardiogênico e choque obstrutivo em estágio avançado são caracterizados por baixo débito cardíaco e aumento compensatório na resistência vascular sistêmica que tenta manter a perfusão de órgãos vitais, enquanto o choque distributivo é classicamente associado à redução da resistência vascular sistêmica e aumento compensatório do débito cardíaco.

Se não tratado de maneira oportuna e direcionada às possíveis causas, o choque pode evoluir para o seu estágio final: a irreversibilidade.

REFERÊNCIAS

1. Guyton AC, Hall JE. Tratado de Fisiologia Médica. 13ª ed. Rio de Janeiro: Editora Elsevier; 2017.
2. Vincent JL, De Backer D. Circulatory shock. N Engl J Med. 2013;369(18):1726-34.
3. Perera P, Mailhot T, Riley D, Mandavia D. The RUSH exam: Rapid Ultrasound in SHock in the evaluation of the critically Ill. Emerg Med Clin North Am. 2010;28:29.
4. Hrymak C, Funk DJ, O'Connor MF, Jacobsohn E. Intraoperative management of shock in adults [Internet]. Hines R, Nussmeier NA; 2022 [updated Sep 16 2022; cited Aug 1 2023]. Available from: https://www.uptodate.com/contents/intraoperative-management-of-shock-in-adults?search=anesthesia%20shock&source=search_result&selectedTitle=1~150&usage_type=default&display_rank=1
5. Jozwiak M, Monnet X, Teboul JL. Pressure Waveform Analysis. Anesth Analg. 2018;126:1930.
6. Michard F, Boussat S, Chemla D, Anguel N, Mercat A, Lecarpentier Y, et al. Relation between respiratory changes in arterial pulse pressure and fluid responsiveness in septic patients with acute circulatory failure. Am J Respir Crit Care Med. 2000 Jul;162(1):134-8.
7. Rhee AJ, Kahn RA. Laboratory point-of-care monitoring in the operating room. Curr Opin Anaesthesiol. 2010;23:741.
8. Walley KR. Use of central venous oxygen saturation to guide therapy. Am J Respir Crit Care Med. 2011;184:514.
9. Rajaram SS, Desai NK, Kalra A, Gajera M, Cavanaugh SK, Brampton W, et al. Pulmonary artery catheters for adult patients in intensive care. Cochrane Database Syst Rev. 2013 Feb 28;2013(2):CD003408.
10. Wally D, Velik-Salchner C. Perioperative transesophageal echocardiography in non-cardiac surgery. Anaesthesist. 2015;64(9):669-82.
11. Rivers E, Nguyen B, Havstad S, Ressler J, Muzzin A, Knoblich B, et al; Early Goal-Directed Therapy Collaborative Group. Early goal-directed therapy in the treatment of severe sepsis and septic shock. N Engl J Med. 2001;345(19):1368-77.
12. Funk DJ, Moretti EW, Gan TJ. Minimally invasive cardiac output monitoring in the perioperative setting. Anesth Analg. 2009;108:887.
13. Bednarczyk JM, Fridfinnson JA, Kumar A, Blanchard L, Rabbani R, Bell D, et al. Incorporating Dynamic Assessment of Fluid Responsiveness Into Goal-Directed Therapy: A Systematic Review and Meta-Analysis. Crit Care Med. 2017 Sep;45(9):1538-1545.
14. Michard F, Lopes MR, Auler JO Jr. Pulse pressure variation: beyond the fluid management of patients with shock. Crit Care. 2007;11:131.
15. Michard F, Teboul JL. Predicting fluid responsiveness in ICU patients: a critical analysis of the evidence. Chest. 2002;121:2000.
16. Monnet X, Teboul JL. Assessment of fluid responsiveness: recent advances. Curr Opin Crit Care. 2018 Jun;24(3):190-195.
17. Cherpanath TG, Hirsch A, Geerts BF, Lagrand WK, Leeflang MM, Schultz MJ, et al. Predicting Fluid Responsiveness by Passive Leg Raising: A Systematic Review and Meta-Analysis of 23 Clinical Trials. Crit Care Med. 2016 May;44(5):981-91.
18. Marik PE, Baram M. Noninvasive hemodynamic monitoring in the intensive care unit. Crit Care Clin. 2007;23:383.
19. Creteur J, Carollo T, Soldati G, Buchele G, De Backer D, Vincent JL. The prognostic value of muscle StO2 in septic patients. Intensive Care Med. 2007 Sep;33(9):1549-56.
20. Dantzker DR. The gastrointestinal tract. The canary of the body? JAMA. 1993 Sep 8;270(10):1247-8.
21. Hajjar LA, Vincent JL, Barbosa Gomes Galas FR, Rhodes A, Landoni G, Osawa EA, et al; VANCS Randomized Controlled Trial. Vasopressin versus Norepinephrine in Patients with Vasoplegic Shock after Cardiac Surgery. Anesthesiology. 2017 Jan;126(1):85-93.
22. Griesdale DE, de Souza RJ, van Dam RM, Heyland DK, Cook DJ, Malhotra A, et al. Intensive insulin therapy and mortality among critically ill patients: a meta-analysis including NICE-SUGAR study data. CMAJ. 2009 Apr 14;180(8):821-7.
23. Hochman JS, Sleeper LA, Webb JG, Sanborn TA, White HD, Talley JD, et al; SHOCK Investigators. Should We Emergently Revascularize Occluded Coronaries for Cardiogenic Shock. N Engl J Med. 1999 Aug 26;341(9):625-34.
24. Annane D, Vignon P, Renault A, Bollaert PE, Charpentier C, Martin C, et al; CATS Study Group. Norepinephrine plus dobutamine versus epinephrine alone for management of septic shock: a randomised trial. Lancet. 2007 Aug 25;370(9588):676-84.
25. Galvagno S, Sappenfield J. Anesthesia for adult trauma patients [Internet]. O'Connor MF, Moreira ME, Nussmeier NA; 2022 [updated Oct 31 2022; cited Aug 10 2023]. Available from: https://www.uptodate.com/contents/anesthesia-for-adult-trauma-patients?search=anesthesia%20trauma&source=search_result&selectedTitle=1~150&usage_type=default&display_rank=1

26. Gu WJ, Wang F, Tang L, Liu JC. Single-dose etomidate does not increase mortality in patients with sepsis: a systematic review and meta-analysis of randomized controlled trials and observational studies. Chest. 2015;147(2):335.

27. Cardenas-Garcia J, Schaub KF, Belchikov YG, Narasimhan M, Koenig SJ, Mayo PH. Safety of peripheral intravenous administration of vasoactive medication. J Hosp Med. 2015 Sep;10(9):581-5.

28. Dirkmann D, Hanke AA, Görlinger K, Peters J. Hypothermia and acidosis synergistically impair coagulation in human whole blood. Anesth Analg. 2008;106(6):1627.

29. Annane D, Siami S, Jaber S, Martin C, Elatrous S, Declère AD, et al; CRISTAL Investigators. Effects of fluid resuscitation with colloids vs crystalloids on mortality in critically ill patients presenting with hypovolemic shock: the CRISTAL randomized trial. JAMA. 2013;310(17):1809.

30. Spahn DR, Bouillon B, Cerny V, Duranteau J, Filipescu D, Hunt BJ, et al. The European guideline on management of major bleeding and coagulopathy following trauma: fifth edition. Crit Care. 2019;23(1):98.

31. Gaieski DF, Mikkelsen ME. Definition, classification, etiology, and pathophysiology of shock in adults [Internet]. Ng Gong M, Finlay G; 2023 [updated Jun 16 2023; cited Aug 5 2023]. Available from: https://www.uptodate.com/contents/definition-classification-etiology-and-pathophysiology-of-shock-in-adults?search=classification%20shock&source=search_result&selectedTitle=1~150&usage_type=default&display_rank=1#H18101494

32. Hjortrup PB, Haase N, Wetterslev J, Lange T, Bundgaard H, Rasmussen BS, et al. Effects of fluid restriction on measures of circulatory efficacy in adults with septic shock. Acta Anaesthesiol Scand. 2017;61(4):390.

33. Perel P, Roberts I. Colloids versus crystalloids for fluid resuscitation in critically ill patients. Cochrane Database Syst Rev. 2012 Jun 13;(6):CD000567.

34. Nguyen HB, Jaehne AK, Jayaprakash N, Semler MW, Hegab S, Yataco AC, et al. Early goal-directed therapy in severe sepsis and septic shock: insights and comparisons to ProCESS, ProMISe, and ARISE. Crit Care. 2016 Jul 1;20(1):160

35. Hajjar LA, Vincent JL, Barbosa Gomes Galas FR, Rhodes A, Landoni G, Osawa EA, et al. Vasopressin versus Norepinephrine in Patients with Vasoplegic Shock after Cardiac Surgery: The VANCS Randomized Controlled Trial. Anesthesiology. 2017 Jan;126(1):85-93.

36. Griesdale DE, de Souza RJ, van Dam RM, Heyland DK, Cook DJ, Malhotra A, et al. Intensive insulin therapy and mortality among critically ill patients: a meta-analysis including NICE-SUGAR study data. CMAJ. 2009 Apr 14;180(8):821-7.

37. Hochman JS, Sleeper LA, Webb JG, Sanborn TA, White HD, Talley JD, et al; SHOCK Investigators. Should We Emergently Revascularize Occluded Coronaries for Cardiogenic Shock. N Engl J Med. 1999 Aug 26;341(9):625-34.

217

Anestesia no Paciente com Trauma da Face e do Pescoço

Natanael Pietroski dos Santos ▪ **Roseny dos Reis Rodrigues**

INTRODUÇÃO

Entre os casos de trauma que chegam às salas de emergência, 20% estão relacionados à face e ao pescoço.[1] De modo geral, esse tipo de lesão é mais frequente nos homens, na região nordeste do Brasil, e a prevalência é 11 vezes maior no gênero masculino.[2]

O trauma de face e pescoço é frequentemente complexo, devido à densa rede de estruturas vitais contidas em um espaço relativamente pequeno. Estas incluem o sistema respiratório superior, sistema digestório, grandes vasos sanguíneos e estruturas nervosas críticas, incluindo a coluna cervical. A manipulação inadequada desta área pode rapidamente levar a resultados devastadores, incluindo insuficiência respiratória, hemorragia, danos neurológicos e morte.

A face e o pescoço são áreas do corpo a serem avaliadas em uma situação de trauma, geralmente como prioritárias, pois fazem parte do A do ABCDE do atendimento primário ao trauma. Elas podem conter ferimentos evidentes, como cortes profundos, contusões ou queimaduras, ou sinais menos óbvios, como inchaço, deformidade ou dificuldade respiratória. Além disso, muitos pacientes podem estar com dor intensa, extremamente ansiosos e combativos, ou mesmo inconscientes. Isso pode dificultar a avaliação e a comunicação com o paciente para a obtenção de um histórico médico preciso.

O manejo da via aérea nos traumas faciais e do pescoço é sempre desafiador e requer uma abordagem estruturada e bem coordenada. Nesse contexto, é importante entender a anatomia da face e do pescoço, bem como as várias formas de trauma que podem ocorrer nesses locais. Conhecer a localização exata e a gravidade dessas lesões facilitam o planejamento da abordagem anestésica.

▪ MECANISMOS DE TRAUMA

A etiologia do trauma maxilofacial varia de um país para outro, assim como as faixas etárias dos pacientes acometidos. Em todo o mundo, acidentes de trânsito são a principal causa de lesão maxilofacial, especialmente na população mais jovem dos países em desenvolvimento; já a agressão física é a principal causa nos países desenvolvidos.[1] No sudeste brasileiro, uma coorte de cinco anos observou que a principal causa de trauma maxilofacial foi o acidente de trânsito, sendo acidentes de bicicleta os mais comuns, seguidos dos acidentes automobilísticos e de motocicletas (Tabela 217.1).[3] Homens de 21 a 40 anos representam um grupo com intensa interação social e maiores taxas de mobilidade, tornando-os mais suscetíveis a acidentes de transporte e violência interpessoal, levando, consequentemente, a maiores taxas de fraturas maxilofaciais em todo o país.[2–4]

Tabela 217.1 Causas de fratura maxilofacial em 1.024 indivíduos do sudeste brasileiro.

Acidentes de trânsito	45%
▪ Bicicleta	33.6%
▪ Automóvel	31.0%
▪ Motocicleta	26.9%
▪ Pedestre contra veículo motorizado	8.5%
Assaltos	22,5%
Quedas	17,9%
Esportes	7,8%
Relacionadas ao trabalho	4,5%
Outros	2,3%

Fonte: Brasileiro BF, Passeri LA. Epidemiological analysis of maxillofacial fractures in Brazil: A 5-year prospective study. Oral Surgery, Oral Medicine, Oral Pathology, Oral Radiology, and Endodontology. 2006 Jul;102(1):28–34.

▪ FACE

Face Superior

A face superior é composta pelo osso frontal, seios frontais e o couro cabeludo, este último sendo uma estrutura de cinco camadas que vão da pele ao periósteo. A camada areolar frouxa é comumente afetada por lacerações traumáticas. O músculo occipitofrontal, com relevância cirúrgica, consiste em dois ventres frontais e occipitais, interconectados pela gálea aponeurótica. O músculo frontal, responsável por elevar as sobrancelhas, origina-se da gálea, enquanto o músculo occipital, que movimenta o couro cabeludo para trás, origina-se na linha nucal superior. O acometimento de fraturas nessa região é menos frequente (Figura 217.1). Contudo, lesões nessa região merecem atenção por estarem frequentemente associadas a acometimento intracraniano e da coluna cervical.

Face Média

Na região média da face ocorre a maioria das fraturas de face (Figura 217.1). Essa região se estende entre as sobrancelhas e a base do nariz, contendo os seios paranasais. Sob a pele da região da face média, as estruturas críticas em risco de trauma penetrante são as glândulas salivares, ductos salivares, ramos do nervo facial e vasos sanguíneos.[5] Khan e colaboradores sugerem que existe associação forte entre lesão nervosa e ferimento por arma de fogo (nervo facial), bem como acidentes de trânsito (nervo trigêmeo).[6] Lesões de face média podem resultar na ingestão de uma quantidade significativa de sangue e, portanto, podem causar vômitos e aspiração.

As fraturas do complexo zigomático são as mais comuns, representando mais de um terço das fraturas de face. Os ossos que envolvem as cavidades dos seios na face média são finos e revestidos por mucosa. Os projéteis podem facilmente perfurar e atravessar a região média da face, produzindo dificuldade respiratória e sangramento profuso dos ramos terminais da artéria maxilar, além de infecções subsequentes. Lesões oculares, lesões vasculares e penetração intracraniana são lesões associadas críticas após o trauma penetrante na região média da face. Os pacientes podem apresentar perda ou alterações da visão, midríase traumática e/ou aumento da pressão intraocular.[7]

O nariz conecta a face média ao crânio e é a segunda estrutura mais lesada da região média da face (Figura 217.1). A epistaxe é comum devido ao rico suprimento sanguíneo dessa região, sendo que o sangramento geralmente se encontra no terço anterior (área de Kiesselbach). O suprimento nasal é composto por ramos das carótidas interna e externa, e por esse motivo, o sangramento pode ser significativo. Em fraturas graves pode haver luxação do nariz e fratura naso-órbito-etmoidal, mais rara, acompanhada de rinorreia hialina de líquor cefalorraquidiano como possível sinal clínico.[8]

Dentre as fraturas maxilares, a Lefort I foi mais comum em estudo realizado no sudeste brasileiro,[3] enquanto um estudo da região sul apresentou maior prevalência de Lefort III.[4] As delimitações da classificação de Le Fort, bem como as considerações anestésicas relevantes a cada uma, estão listadas na Tabela 217.2.

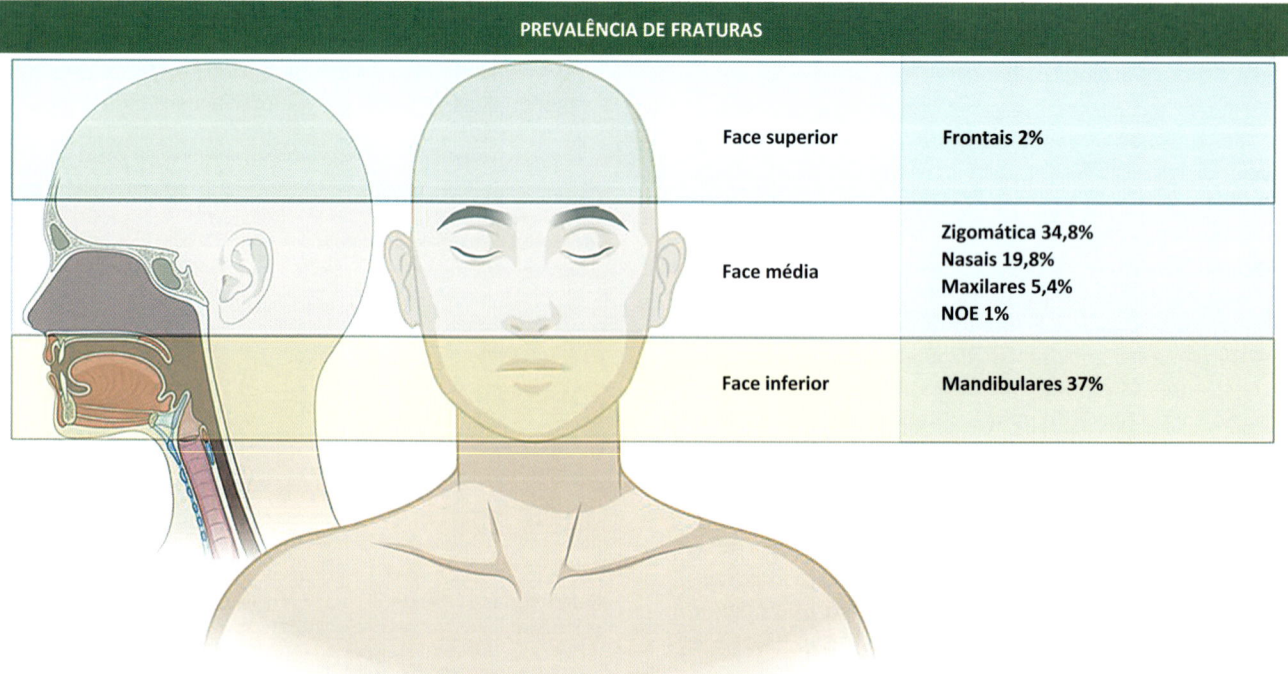

PREVALÊNCIA DE FRATURAS	
Face superior	Frontais 2%
Face média	Zigomática 34,8% Nasais 19,8% Maxilares 5,4% NOE 1%
Face inferior	Mandibulares 37%

▲ **Figura 217.1** Regiões da face e prevalência de fraturas por região.

NOE: Fratura naso-orbito-etmoidal.

Criada com BioRender.com. Fonte das prevalências: Brasileiro BF, Passeri LA. Epidemiological analysis of maxillofacial fractures in Brazil: A 5-year prospective study. Oral Surgery, Oral Medicine, Oral Pathology, Oral Radiology, and Endodontology. 2006 Jul;102(1):28–34.

Tabela 217.2 Classificação das fraturas tipo Le Fort e suas implicações anestésicas.	
Classificação	**Considerações anestésicas**
Le Fort I: fratura horizontal que separa a arcada dentada da maxila e o palato duro do restante da maxila. 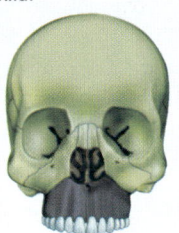	▪ dentição frouxa; ▪ sangramento; ▪ ventilação com máscara difícil; ▪ casos de obstrução da via aérea podem ser corrigidos com tracionamento pela região dos incisivos.
Le Fort II: fratura em forma de pirâmide que separa a maxila e o nariz da parte superior lateral da face e zigoma. 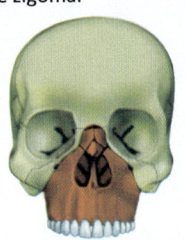	▪ possível fratura associada da base do crânio; ▪ possível extravasamento de LCR; ▪ ventilação com máscara pode levar a pneumoencéfalo; ▪ epistaxe e inchaço facial pode dificultar a ventilação com máscara e a visualização das vias aéreas durante a laringoscopia (convencional/vídeo) ou broncoscopia flexível.
Le Fort III: separação de todos os ossos faciais da base do crânio, o terço médio da face é tipicamente separado e deslocado posteriormente. 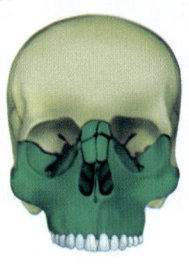	▪ possível fratura associada da base do crânio; ▪ possível extravasamento de LCR; ▪ intubação nasotraqueal cega ou colocação de sonda nasogástrica é evitada devido ao risco de penetração intracraniana do tubo; ▪ ventilação com máscara facial costuma ser difícil devido a edema facial, LCR – vazamento e epistaxe; ▪ associação com lesões de coluna cervical.

LCR: líquido cefalorraquidiano.
Fonte: Adaptada de Lovich-Sapola J, Johnson F, Smith CE. Anesthetic Considerations for Oral, Maxillofacial, and Neck Trauma. Otolaryngol Clin North Am. 2019 Dec;52(6):1019–35.

Face Inferior

A parte inferior da face se estende da base do nariz ao queixo, incluindo as partes do maxilar que contêm dentes e toda a mandíbula. O esqueleto da parte inferior do rosto é composto por osso cortical espesso e estruturas dentais densas. Quando possível, um exame radiográfico deve ser realizado para procurar dentes perdidos e verificar possível presenças na árvore traqueobrônquica ou no sistema digestório.[9] A língua, confinada por essas estruturas rígidas, corre o risco de lesão grave, sangramento e inchaço, acarretando obstrução das vias aéreas.[7]

Devido à sua localização, movimento livre e menor suporte do crânio, a mandíbula é mais vulnerável a traumas. Na Figura 217.2 podemos observar as regiões da mandíbula e a frequência de fraturas em cada porção mandibular.[3] As fraturas bilaterais da mandíbula anterior estão associadas à perda do suporte da língua e podem resultar em obstrução das vias aéreas devido ao deslocamento posterior da língua.

Essa obstrução pode ser tratada com o posicionamento vertical do paciente, se não houver risco de lesão da medula

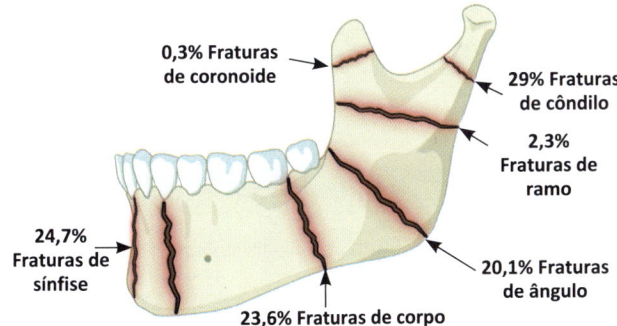

▲ **Figura 217.2** Prevalência de fraturas da mandíbula por região anatômica.
Criada com BioRender.com. Fonte das prevalências: Brasileiro BF, Passeri LA. Epidemiological analysis of maxillofacial fractures in Brazil: A 5-year prospective study. Oral Surgery, Oral Medicine, Oral Pathology, Oral Radiology, and Endodontology. 2006 Jul;102(1):28–34.

cervical, ou por deslocamento anterior manual da língua/mandíbula. É importante lembrar que a abertura limitada da boca devido a uma fratura mandibular pode ser causada por obstrução mecânica (fragmento da fratura condilar deslocada, fratura concomitante do arco zigomático deprimido) e não apresentar dor ou trismo, portanto, pode não melhorar após a indução anestésica e bloqueio neuromuscular.[9]

■ PESCOÇO

Zonas Cervicais

O trauma cervical é classificado por zonas anatômicas, que ajudam a prever lesão de órgão, mortalidade e facilidade de exposição cirúrgica (Tabela 217.3).

Pontos de referência musculares

- **Músculo platisma:** é a barreira que divide lesões superficiais de profundas. Se houver penetração desse músculo, a lesão é considerada profunda.
- **Músculo esternocleidomastóideo:** é o ponto de referência anatômico que divide cada lado do pescoço em triângulos anterior e posterior.
- **Triângulo anterior:** contém via aérea, grandes vasos, sistema digestório.
- **Triângulo posterior:** contém coluna cervical e músculos.[7]

■ ABORDAGEM ELETIVA OU EMERGENCIAL

O momento da correção cirúrgica de um trauma facial depende da extensão e gravidade das lesões. Lesões que ameaçam a vida, a visão ou os membros devem ser tratadas primeiro. Feridas faciais contaminadas requerem cirurgia dentro de algumas horas se o paciente estiver estável. Os reparos definitivos podem ser adiados até que as avaliações pertinentes sejam concluídas e o edema facial, se houver, esteja resolvido. Os reparos de lesões faciais traumáticas geralmente requerem múltiplas cirurgias:

1. Desbridamento e estabilização inicial das fraturas;
2. Reconstrução de tecidos duros;
3. Reabilitação e fechamento secundário de deformidades residuais.

Fraturas de mandíbula são geralmente reparadas em 24 a 48 horas e outras fraturas em 7 a 10 dias. Após 10 a 14 dias, a lesão torna-se mais difícil de tratar e reduzir corretamente. Embora o tempo possa diferir, o objetivo é sempre a restauração funcional e cosmética, além de prevenir complicações como consolidação viciosa, vazamento de líquido cefalorraquidiano, lesão do globo ocular, encarceramento do músculo extraocular, abscesso cerebral, osteomielite e sinusite.[9]

■ ABORDAGEM DA VIA AÉREA

No trauma da face e do pescoço, além do momento de abordagem, o local da lesão e *status* do paciente serão considerados para guiar as condutas. A via aérea superior frequentemente será compartilhada com cirurgiões, por isso a decisão pela estratégia definitiva deve ocorrer após uma discussão entre a equipe anestésica e a cirúrgica. Em alguns casos pode ser necessária a via aérea definitiva imediatamente após o trauma (Tabela 217.4).[10]

Tabela 217.4 Indicações de via aérea definitiva em lesões maxilofaciais.
■ Lesão das vias aéreas ou traqueolaríngea ou sinal de obstrução das vias aéreas (parcial ou completa);
■ Alto risco de aspiração;
■ Ausência de respiração espontânea;
■ Paciente em coma com pontuação na ECG < 9;
■ Saturação de oxigênio < 90% (hipóxia grave) e choque (PAS < 80 mmHg);
■ Não é possível intubar, não é possível ventilar.

ECG: Escala de Coma de Glasgow.

Fonte: Adaptada de Mercer SJ, Jones CP, *et. al*. Systematic review of the anaesthetic management of non-iatrogenic acute adult airway trauma. British Journal of Anaesthesia. 2016 Sep;117:i49–59.

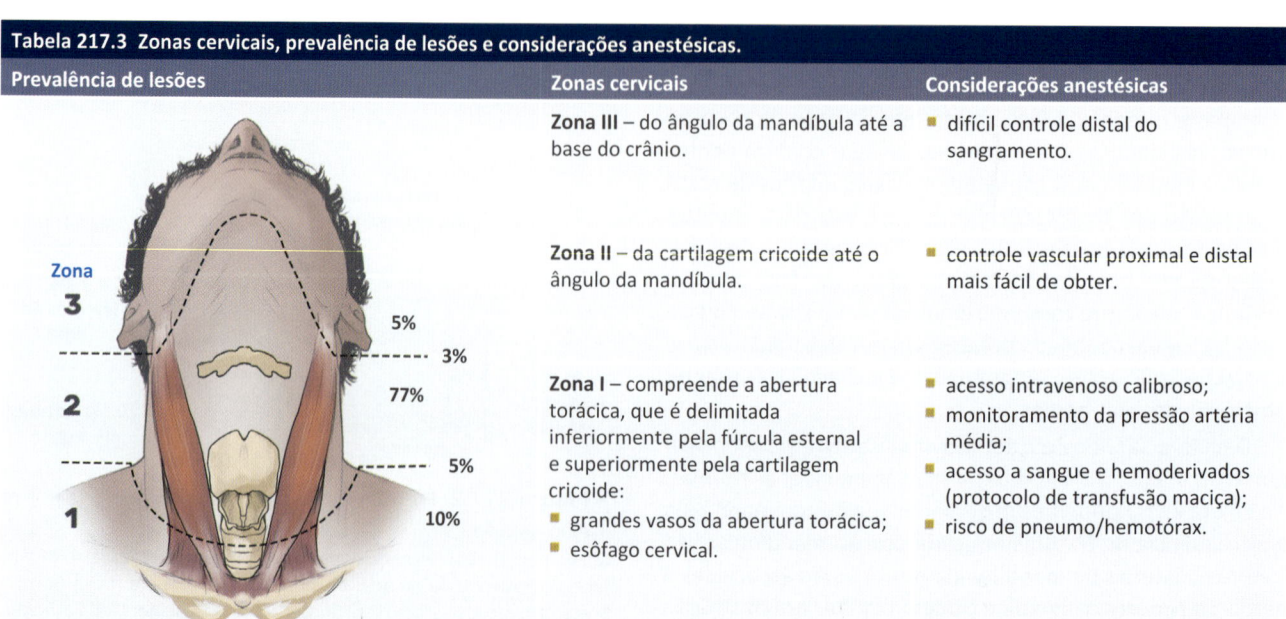

Tabela 217.3 Zonas cervicais, prevalência de lesões e considerações anestésicas.		
Prevalência de lesões	**Zonas cervicais**	**Considerações anestésicas**
Zona 3 — 5% / 3%	**Zona III** – do ângulo da mandíbula até a base do crânio.	■ difícil controle distal do sangramento.
Zona 2 — 77%	**Zona II** – da cartilagem cricoide até o ângulo da mandíbula.	■ controle vascular proximal e distal mais fácil de obter.
Zona 1 — 5% / 10%	**Zona I** – compreende a abertura torácica, que é delimitada inferiormente pela fúrcula esternal e superiormente pela cartilagem cricoide: ■ grandes vasos da abertura torácica; ■ esôfago cervical.	■ acesso intravenoso calibroso; ■ monitoramento da pressão artéria média; ■ acesso a sangue e hemoderivados (protocolo de transfusão maciça); ■ risco de pneumo/hemotórax.

Fonte: Imagem adaptada de Jain U, McCunn M, Smith CE, Pittet JF. Management of the Traumatized Airway. Anesthesiology. 2016 Jan 1;124(1):199–206.

Inspeção da Via Aérea no Centro Cirúrgico

A via aérea sempre deve ser verificada quando o paciente chega ao centro cirúrgico. Em caso de via aérea definitiva, deve-se considerar a possibilidade de uma via aérea mal locada e deslocamento da via previamente estabelecida. Para pacientes que ainda não tiveram a via aérea definitiva estabelecida, a fala normal pode sugerir que as vias aéreas estejam patentes, embora temporariamente, enquanto uma respiração sibilante geralmente indica obstrução parcial das vias aéreas, muitas vezes causada pela língua, ainda que se deva considerar a aspiração de corpos estranhos, a possibilidade de dentes soltos, fragmentos ósseos, secreções, sangue e conteúdo gástrico.[11]

Os sinais e sintomas de trauma laringotraqueal podem incluir enfisema subcutâneo ou escape de ar (possivelmente por causa da ruptura da laringe ou traqueia), sangramento, dispneia, hipopneia, estridor, sibilos, tosse, dor à fonação, disfagia, hemoptise, desvio traqueal e lesão nervosa.[12] Agitação e obnubilação podem estar associadas a quadro de hipóxia e hipercarbia, por isso, nesse contexto, é importante não se presumir quadro de intoxicação. A monitorização da oxigenação e capnografia irão guiar condutas nesses quadros. Além disso, deve-se realizar nova avaliação para excluir alterações ventilatórias que requerem conduta imediata, como pneumotórax e hemotórax.[11] Nesse cenário, o uso do ultrassom com avaliação focada pode determinar diagnósticos e condutas.[13]

■ ABORDAGEM DA COLUNA CERVICAL

A existência de lesão cervical "instável" deve ser considerada ao longo do processo de garantia da permeabilidade da via aérea nos pacientes com traumas significativos na face. Cerca de 7% dos pacientes com trauma facial apresentam lesão cervical concomitante.[14] Rotineiramente, estes pacientes chegam ao centro cirúrgico com a coluna cervical estabilizada. No trauma penetrante isolado no pescoço, pacientes com função motora neurológica normal podem ter a cabeça manipulada durante o controle das vias aéreas.[15] Nos traumas contusos, há maior risco de lesão cervical e a estabilidade cervical deve ser garantida durante a manipulação da via aérea.[16]

De modo geral, lesões medulares decorrentes de manobras no manejo das vias aéreas são raras. Uma parte dos pacientes com cervical instável terão piora neurológica, independente das manobras de abordagem da via aérea. Dado às trágicas consequências de lesões medulares, garantir a estabilidade cervical deve ser rotina.[17]

■ AVALIAÇÃO DA VIA AÉREA NO TRAUMA DE FACE E PESCOÇO

O acesso à via aérea pode estar dificultado pelo trauma maxilofacial e de pescoço, sendo que avaliar os preditores de via aérea difícil requererá atenção às características do trauma. Condutas específicas devem ser consideradas nos casos de dificuldade para ventilação por máscara (Tabela 217.5), laringoscopia ou intubação difícil (Tabela 217.6) e dificuldade para resgatar a ventilação com dispositivos supraglóticos (Tabela 217.7). Essas alterações também podem ser avaliadas no contexto dos fluxogramas de intubação que serão apresentados a seguir (Figuras 217.3 e Figura 217.6).

Tabela 217.5 Preditores de ventilação por máscara difícil com seu respectivo manejo no trauma.

Dificuldade de via aérea	Causa associada ao trauma	Manejo
■ Limitação da elevação da mandíbula	■ Fraturas mandibulares	■ Uso precoce de dispositivo supraglótico
■ Vedação inadequada	■ Lesão facial com edema e disrupção	■ Uso precoce de dispositivo supraglótico
■ Trauma contuso	■ Enfisema subcutâneo com distorção anatômica	■ Ventilação espontânea
■ Trauma penetrante	■ Perda de continuidade na via aérea	■ Reduzir a pressão de suporte ventilatório, quando utilizada

Fonte: Adaptada de Kovacs G, Sowers N. Airway Management in Trauma. Emerg Med Clin North Am. 2018 Feb;36(1):61–84.

Tabela 217.6 Preditores de laringoscopia e intubação difícil com seu respectivo manejo no trauma.

Dificuldade de via aérea	Causa associada ao trauma	Manejo
■ abertura bucal limitada; ■ deslocamento da mandíbula.	■ presença de colar cervical ■ estabilização manual inadequada; ■ trismo.	■ abrir colar cervical; ■ estabilização cervical manual com mãos sobre as orelhas.
■ difícil posicionamento	■ estabilização cervical manual	■ manobra de BURP; ■ Bougie; ■ VLP.
■ sangue; ■ vômito.	■ lesões faciais; ■ estômago cheio; ■ retardo do esvaziamento gástrico.	■ 2 sucções; ■ SALAD; ■ FONA.
■ trauma contuso; ■ trauma penetrante.	■ distorção da via aérea	■ Fibroscopia com paciente acordado; ■ Alternativa: ISR e fibroscopia guiada por VLP.

BURP: Deslocamento da laringe para trás, cima e direita; VLP: videolaringoscopia; SALAD: Laringoscopia assistida por sucção e descontaminação das vias aéreas; FONA: *Front Of Neck Airway* ou acesso à via aérea pela porção anterior do pescoço; ISR: indução em sequência rápida; VLP: videolaringoscopia.

Fonte: Adaptada de Kovacs G, Sowers N. Airway Management in Trauma. Emerg Med Clin North Am. 2018 Feb;36(1):61–84.

Tabela 217.7 Preditores de dificuldade para uso de dispositivos supraglóticos com seu respectivo manejo no trauma.

Dificuldade de via aérea	Causa associada ao trauma	Manejo
▪ sangue; ▪ vômito.	▪ lesões faciais; ▪ estômago cheio; ▪ retardo do esvaziamento gástrico.	▪ 2 sucções; ▪ FONA.
▪ trauma penetrante; ▪ trauma contuso.	▪ distorção da via aérea	▪ visualização direta com videolaringoscopia; ▪ FONA; ▪ traqueostomia baixa.

FONA: *Front Of Neck Airway* ou acesso à via aérea pela porção anterior do pescoço.
Fonte: Adaptada de Kovacs G, Sowers N. Airway Management in Trauma. Emerg Med Clin North Am. 2018 Feb;36(1):61–84.

▪ INDUÇÃO ANESTÉSICA E ABORDAGEM DA VIA AÉREA

A sequência rápida de intubação com imobilização da coluna vertebral é uma estratégia eficaz para o manejo das vias aéreas nas situações de possíveis lesões na coluna cervical.[7] A sequência rápida de intubação também pode ser necessária devido ao retardamento do esvaziamento gástrico provocado pela resposta ao trauma, situação em que muitas vezes o tempo de jejum é desconhecido.[18] Contudo, nos casos de trauma que prejudiquem o acesso à via aérea, a intubação antes da indução anestésica pode ser a estratégia mais segura, muitas vezes realizada por fibroscopia.

Kovacs *et al.* propuseram um algoritmo de decisão para abordagem da via aérea no trauma maxilofacial (Figura 217.3) que pode tornar essa decisão mais objetiva. Com tal estratégia, a intubação ou FONA (*Front Of Neck Airway* ou acesso à via aérea pela porção anterior do pescoço) com o paciente acordado são abordagens possíveis quando há tempo disponível para a abordagem, ou seja, quando não existe premência de intubação imediata. A intubação orotraqueal, nesta situação, envolve a colocação de um tubo traqueal após a topicalização adequada em um paciente que é capaz de manter respirações espontâneas. Não há necessidade de utilização de um dispositivo específico, podendo-se lançar mão de laringoscopia direta, videolaringoscopia ou fibroscopia. O sucesso da intubação com o paciente acordado depende de uma meticulosa topicalização das vias aéreas e, em geral, requer um paciente cooperativo. Neste cenário, o uso de sedação não é rotineiro e tem sido associado ao aumento de falhas de intubação.[19] Especificamente, a sedação nunca deve ser usada no lugar da topicalização adequada das vias aéreas.

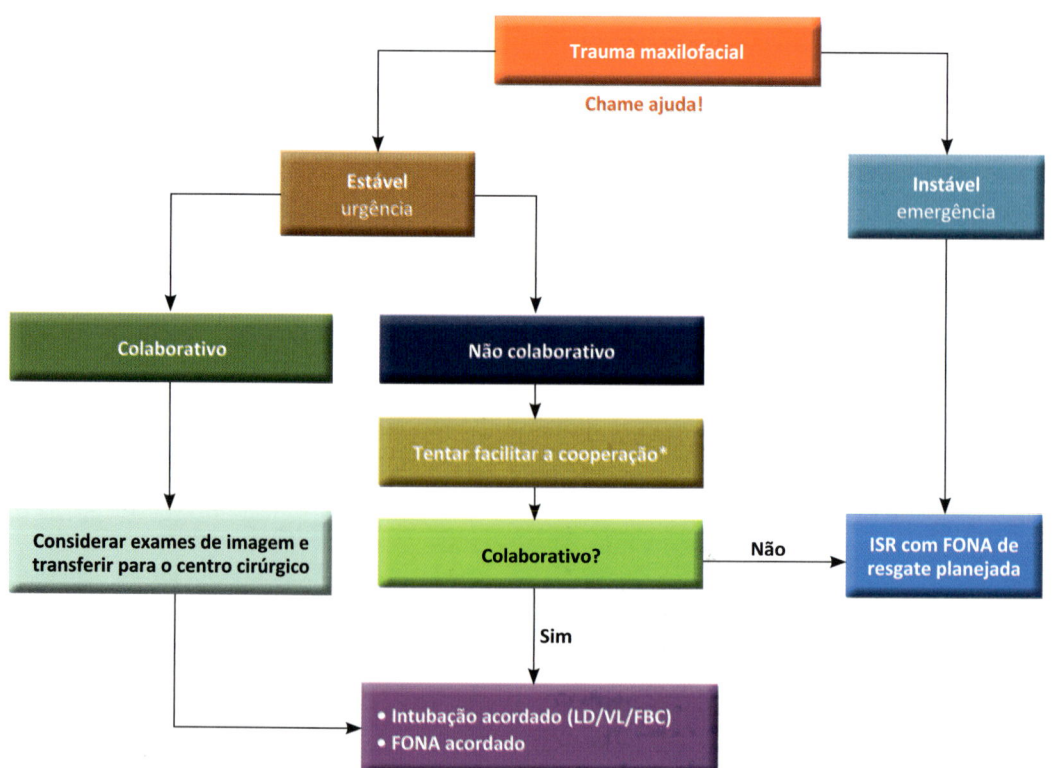

▲ **Figura 217.3** Fluxograma de manejo do trauma maxilofacial com indicação de via aérea definitiva.
*facilitar a cooperação usando escetamina. ISR: intubação em sequência rápida; LD: laringoscopia direta; VL: videolaringoscopia; FBC: fibroscopia; FONA: *Front Of Neck Airway* ou acesso à via aérea pela porção anterior do pescoço.
Fonte: Adaptada de Kovacs G, Sowers N. Airway Management in Trauma. Emerg Med Clin North Am. 2018 Feb;36(1):61–84.

A FONA é uma estratégia que previne situações de "não intubo não ventilo". Para sua preparação, a palpação da região anterior do pescoço e a marcação antecipada da localização da membrana cricotireóidea devem ser feitas rotineiramente em todos os casos de emergência das vias aéreas (Figura 217.4). Apesar de existirem várias técnicas descritas, com alta taxa de sucesso, uma que pode ser realizada pelo anestesiologista envolve a incisão de bisturi horizontalmente à membrana cricotireóidea, seguida da inserção do *bougie* e, logo depois, passagem de um tubo traqueal tamanho 6.0 mm sob movimento de torção através do *bougie*.[20] Todo este equipamento deve estar prontamente disponível para a equipe. Falha na intubação, seguida de ventilação difícil com máscara e saturações em queda, e falha de uma única tentativa de resgate com dispositivo supraglóticos, são suficientes para indicar FONA. Em raras situações, a FONA pode ser a primeira e única técnica invasiva de vias aéreas tentada, mesmo no cenário de saturação normal de oxigênio; por exemplo, trauma facial maciço interrompendo todos os pontos de referência reconhecíveis das vias aéreas. Essa via aérea "cirurgicamente inevitável" precisa ser identificada e declarada precocemente, de modo que o tempo não seja desperdiçado em esforços infrutíferos para intubar.[10]

Na abordagem por fibroscopia, a introdução da cânula por via nasal pode ser considerada. Mittal e colaboradores descreveram, em uma coorte de 487 casos, que as técnicas usadas para trauma maxilofacial foram de intubação:

1. nasal – sob visualização direta (30,18%);
2. nasal – sob visualização direta seguida de oral (27,51%);
3. oral (22,9%);
4. traqueostomia (6,16%);
5. nasal – guiada por fibroscopia seguida de oral (5,54%);
6. nasal – guiada por fibroscopia (5,13%);
7. intubação submentoniana (2,46%).

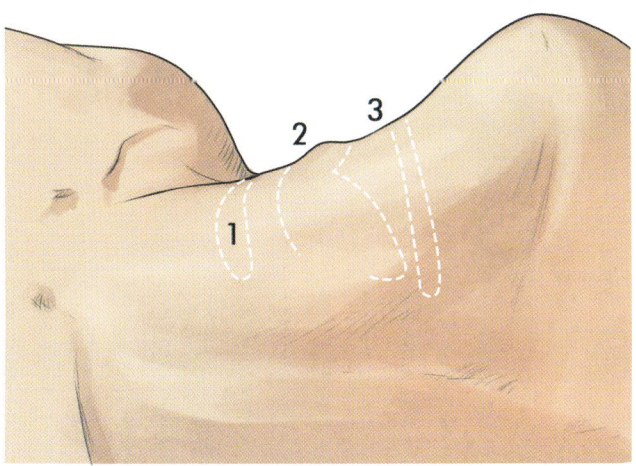

▲ **Figura 217.4** Marcação cervical da anatomia relevante para acesso da via aérea através da membrana cricotireóidea.
(1) Cartilagem cricoide; **(2)** cartilagem tireoide; **(3)** osso hioide; **(4)** corno do osso hioide.

Fonte: Adaptada de Stevenson S, Smart N. Front-of-neck airway: percutaneous tracheostomy and cricothyrotomy. Anaesthesia & Intensive Care Medicine. 2023 Mar;24(3):158–66.

O sangramento nasal foi a complicação mais comum, ocorrendo naqueles em que a cavidade nasal foi usada para guiar o tubo endotraqueal diretamente ou com auxílio de fibroscopia. Outra complicação comum foi a perda dentária na abordagem sob laringoscopia direta (nasal e oral). A intubação oral foi realizada apenas nos casos de fratura zigomática e nasal. Os casos com traqueostomia não foram realizados no momento do procedimento, mas previamente, por necessidade de suporte ventilatório de longo prazo. Os autores desafiaram a literatura atual ao realizar intubações nasais mesmo nos casos de fratura maxilar, sem que houvesse complicações importantes. Ressaltamos, entretanto, que essa prática ainda não foi corroborada por estudos clínicos randomizados e exige uma equipe especializada.[21]

A traqueostomia tem sido evitada devido a complicações pós-operatórias e, desde 1986, sugere-se, em seu lugar, a realização da abordagem submentoniana.[22] A abordagem submentoniana ou intubação submentoniana via espaço milo-hióideo tem o objetivo de permitir acesso cirúrgico adequado para o trauma de face média e inferior. Nessa técnica, antes da intubação oral, o conector universal do tubo endotraqueal aramado é afrouxado, destacado e recolocado suavemente para facilitar a intubação orotraqueal regular. Após a realização da intubação orotraqueal padrão, o manguito (balonete) é insuflado. O local de saída do tubo endotraqueal através do assoalho da boca deve ser escolhido longe da mandíbula fraturada (se presente). O local de saída proposto deve estar asséptico. Uma incisão na pele de cerca de 1,5 cm de comprimento é feita na face medial da parte inferior do corpo da mandíbula. Essa incisão deve ser anterior à fixação do masseter e medial ao corpo da mandíbula, para evitar danos à artéria facial. O platisma, a fáscia cervical profunda, o músculo milo-hióideo e a cavidade oral são dissecados de forma romba. É feita uma entrada na cavidade oral, a qual é alargada para garantir a passagem suave do tubo endotraqueal. Com o tubo desconectado do aparelho de anestesia e o conector universal desconectado da porção distal do tubo, o balonete é esvaziado e colocado dentro do lúmen do tubo. A seguir, o lúmen do tubo é pinçado cuidadosamente e então retirado extraoralmente através da passagem realizada. Assim que o tubo endotraqueal estiver fora, o conector universal é recolocado e o tubo é reconectado ao ventilador. A entrada de ar bilateral deve ser verificada pela ausculta e o tubo reajustado com reinsuflação do balonete. O tubo endotraqueal é então fixado com suturas. A fita adesiva é usada em todo o conector universal para aumentar a fixação do conector à cânula. O tubo atravessou o assoalho da boca, tecidos conjuntivos submucosos, músculo milo-hióideo, fáscia cervical profunda, tecido subcutâneo, platisma e pele (Figura 217.5). A extubação pode ser considerada imediatamente após a cirurgia, se não houver necessidade de manutenção do tubo endotraqueal no pós-operatório. A área da pele pode ser infiltrada com anestésico local de longa duração para diminuir o desconforto pós-operatório.

A abordagem submentoniana pode ser realizada tanto com o paciente acordado quanto anestesiado. Em um estudo clínico casualizado, houve demonstração que a conversão de intubação orotraqueal para intubação submentoniana, via fibroscopia, nos pacientes acordados é significativamente mais rápida e mais fácil do que nos pacientes sob anestesia geral. Os resultados sugeriram que a abordagem com paciente acordado pode ser realizada com segurança, sem complicações graves.[12] Corroborando a segurança da técnica submentoniana, a maior coorte deste tipo de intubação na literatura observou ocorrência de complicações em 10,3% dos casos, sendo que 75% delas foram deiscências

de sutura, resolvidas com medidas conservadoras ou fechamento por primeira intenção sob anestesia local.[23]

Apesar da segurança da intubação submentoniana no trauma maxilofacial, nos casos de trauma laringotraqueal, a traqueostomia pode ser a estratégia de escolha. Sugerimos a utilização do algoritmo da Figura 217.6 ao

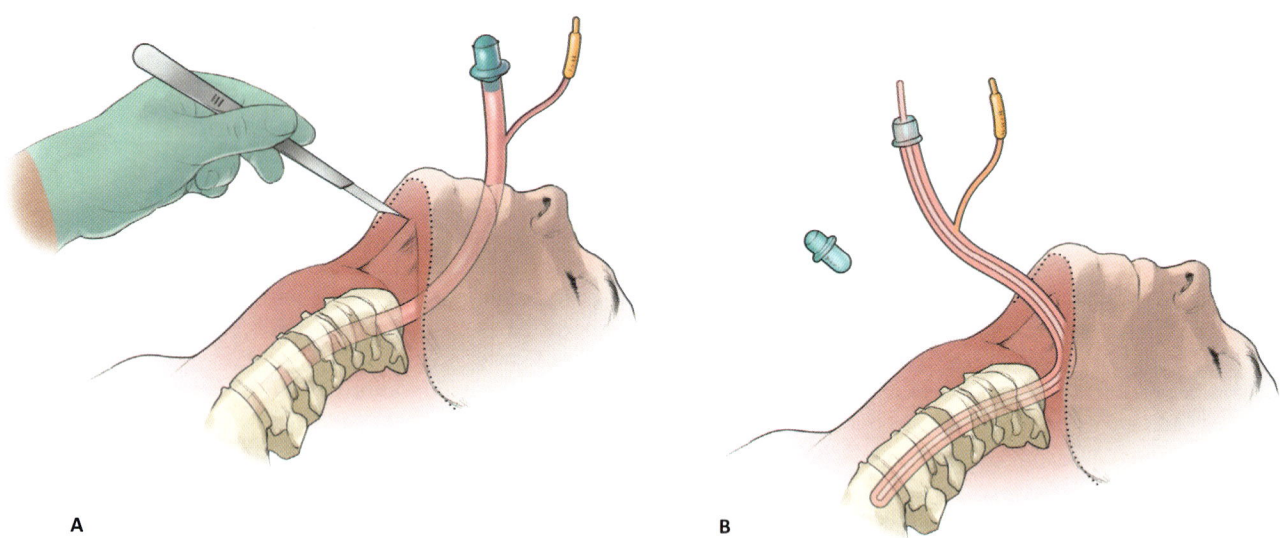

A   **B**

▲ **Figura 217.5** Representação gráfica do **(A)** preparo para intubação submentoniana e do **(B)** posicionamento final da cânula.
Fonte: adaptada de Khan I, Sybil D, Singh A, Aggarwal T, Khan R. Airway management using transmylohyoid oroendotracheal (submental) intubation in maxillofacial trauma. Natl J Maxillofac Surg. 2014;5(2):138–41.

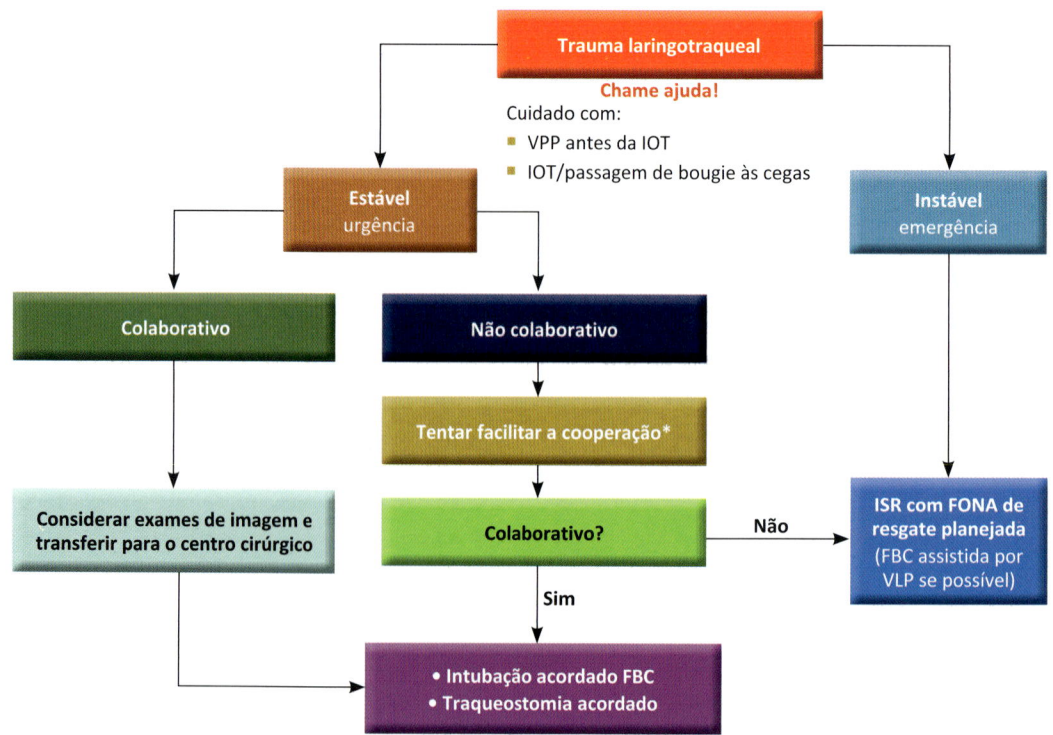

▲ **Figura 217.6** Fluxograma de manejo do trauma laringotraqueal com indicação de via aérea definitiva.
*facilitar a cooperação usando escetamina. IOT: intubação orotraqueal; ISR: intubação em sequência rápida; LD: laringoscopia direta; VL: videolaringoscopia; FBC: fibroscopia; FONA: *Front Of Neck Airway* ou acesso à via aérea pela porção anterior do pescoço.
Fonte: adaptada de Kovacs G, Sowers N. Airway Management in Trauma. Emerg Med Clin North Am. 2018 Feb;36(1):61–84.

considerá-la como uma alternativa à intubação com o paciente acordado. Nesses casos, a equipe cirúrgica deve estar preparada para realizar a traqueostomia.[10] Relembramos que os sinais e sintomas do trauma laríngeo incluem: enfisema subcutâneo, escape de ar, sangramento externo ou hematomas, dispneia, hipopneia, estridor, sibilância, tosse, dor à fonação, disfagia, hemoptise, desvio traqueal e lesão nervosa. Essas lesões podem ser confirmadas com laringoscopia flexível à beira do leito, broncoscopia ou tomografia computadorizada. Exames de imagem devem ser realizados, quando possível, uma vez que a lesão laringotraqueal está frequentemente associada a lesões na coluna cervical, base do crânio, vasculatura cervicotorácica e esôfago.[9]

CONCLUSÃO

O manejo anestésico do trauma de cabeça e pescoço é desafiador, pois envolve estruturas nobres e vitais como as via aéreas, vasos sanguíneos calibrosos e parte do sistema digestório. Presença de sinais clínicos como estridor, enfisema, desconforto respiratório, odinofagia ou presença de hematomas deve atentar o anestesiologista para a possibilidade de lesões em quaisquer dessas estruturas.

Planejar a sua abordagem pensando nos diferentes sistemas se faz necessário para evitar eventos catastróficos. Neste contexto, o anestesiologista, mesmo que experiente, deve solicitar ajuda desde o início, disponibilizar os dispositivos para uma possível via aérea difícil e estar preparado para catástrofes hemorrágicas.

REFERÊNCIAS

1. Chandra L, Deepa D, Atri M, Pandey SM, Passi D, Goyal J, et al. A retrospective cross-sectional study of maxillofacial trauma in Delhi-NCR Region. J Fam Med Prim Care. 2019 Apr;8(4):1453–9.
2. Farias IPSE, Bernardino ÍDM, Nóbrega LMD, Grempel RG, D'Avila S. Maxillofacial Trauma, Etiology and Profile of Patients: an Exploratory Study. Acta Ortopédica Bras. 2017 Dec;25(6):258–61.
3. Brasileiro BF, Passeri LA. Epidemiological analysis of maxillofacial fractures in Brazil: A 5-year prospective study. Oral Surg Oral Med Oral Pathol Oral Radiol Endodontology. 2006 Jul;102(1):28–34.
4. Maliska MCDS, Lima Júnior SM, Gil JN. Analysis of 185 maxillofacial fractures in the state of Santa Catarina, Brazil. Braz Oral Res. 2009 Sep;23(3):268–74.
5. Akinbami BO. Traumatic diseases of parotid gland and sequalae. Review of literature and case reports. Niger J Clin Pract. 2009 Jun;12(2):212–5.
6. Khan TU, Rahat S, Khan ZA, Shahid L, Banouri SS, Muhammad N. Etiology and pattern of maxillofacial trauma. PloS One. 2022;17(9):e0275515.
7. Krausz AA, Krausz MM, Picetti E. Maxillofacial and neck trauma: a damage control approach. World J Emerg Surg WJES. 2015;10:31.
8. Moore KL, Agur AMR, Dalley AF. Clinically oriented anatomy. Eighth edition. Philadelphia: Wolters Kluwer; 2018. 1153 p.
9. Lovich-Sapola J, Johnson F, Smith CE. Anesthetic Considerations for Oral, Maxillofacial, and Neck Trauma. Otolaryngol Clin North Am. 2019 Dec;52(6):1019–35.
10. Kovacs G, Sowers N. Airway Management in Trauma. Emerg Med Clin North Am. 2018 Feb;36(1):61–84.
11. Advanced trauma life support: student course manual. Tenth edition. Chicago, IL: American College of Surgeons; 2018.
12. Ali S, Athar M, Ahmed SM, Siddiqi OA, Badar A. A Randomized Control Trial of Awake Oral to Submental Conversion versus Asleep Technique in Maxillofacial Trauma. Ann Maxillofac Surg. 2017;7(2):202–6.
13. Desai N, Harris T. Extended focused assessment with sonography in trauma. BJA Educ. 2018 Feb;18(2):57–62.
14. Mulligan RP, Friedman JA, Mahabir RC. A Nationwide Review of the Associations Among Cervical Spine Injuries, Head Injuries, and Facial Fractures. J Trauma Inj Infect Crit Care. 2010 Mar;68(3):587–92.
15. Ramasamy A, Midwinter M, Mahoney P, Clasper J. Learning the lessons from conflict: Pre-hospital cervical spine stabilisation following ballistic neck trauma. Injury. 2009 Dec;40(12):1342–5.
16. Fonseca RJ. Oral & Maxillofacial Trauma. 4th ed. St. Louis, Mo.: Elsevier/Saunders; 2013.
17. Durga P, Sahu B. Neurological deterioration during intubation in cervical spine disorders. Indian J Anaesth. 2014;58(6):684.
18. Mercer SJ, Jones CP, Bridge M, Clitheroe E, Morton B, Groom P. Systematic review of the anaesthetic management of non-iatrogenic acute adult airway trauma. Br J Anaesth. 2016 Sep;117:i49–59.
19. Cook TM, Woodall N, Frerk C. Major complications of airway management in the UK: results of the Fourth National Audit Project of the Royal College of Anaesthetists and the Difficult Airway Society. Part 1: Anaesthesia. Br J Anaesth. 2011 May;106(5):617–31.
20. Morton T, Avery P, Kua J, O'Meara M. Success rate of prehospital emergency front-of-neck access (FONA): a systematic review and meta-analysis. Br J Anaesth. 2023 May;130(5):636–44.
21. Mittal G, Mittal RK, Katyal S, Uppal S, Mittal V. Airway management in maxillofacial trauma: do we really need tracheostomy/submental intubation. J Clin Diagn Res JCDR. 2014 Mar;8(3):77–9.
22. Altemir FH. The submental route for endotracheal intubation. J Maxillofac Surg. 1986 Jan;14:64–5.
23. Pitak-Arnnop P, Tangmanee C, Subbalekha K, Sirintawat N, Urwannachotima N, Auychai P, et al. Factors associated with complications of submental intubation in 339 patients with facial fractures: A German retrospective cohort study. J Stomatol Oral Maxillofac Surg. 2023 Apr;124(2):101332.

218

Anestesia no Paciente com Trauma Torácico

David Ferez

INTRODUÇÃO

O trauma compreende o grupo de lesões secundárias a quedas, acidentes de trânsito, queimaduras, afogamentos, tentativas de homicídio e muitas outras ocorrências. Ele vem se constituindo em um grave problema de saúde pública,[1,2] especialmente entre as pessoas de baixa renda.[3] Além de sua frequência alarmante, impõe elevados custos direto e indireto,[4] pois soma-se aos custos do atendimento e à retirada, por tempo prolongado, dos mais jovens da cadeia de produção.[5]

O trauma pode ser classificado em penetrante, quando ocorre perfuração externa, como naqueles ferimentos provocados por arma branca, ou fechado, quando não se observa lesão de perfuração, como nos ferimentos secundários a um impacto. Todas essas considerações podem ser extrapoladas também para o trauma torácico.

O exemplo mais comum de trauma penetrante é o homicídio, enquanto o trauma fechado acidentes automobilísticos e atropelamentos, exemplos mais frequentes.[6]

É bem conhecida a forma clássica de mortalidade no trauma. Existem três períodos distintos: o óbito que ocorre no local do evento, o óbito no período das primeiras horas de evolução e a morte tardia, que se dá após a primeira semana do evento.[7]

As mortes da primeira fase relacionam-se com a energia cinética devastadora do trauma grave, que podem provocar lesão neurológica, cardíaca e dos grandes vasos sanguíneos. As mortes da segunda fase envolvem também eventos cardiovasculares e neurológicos, entretanto são tardias ao trauma direto e decorrentes do edema cerebral, da hipóxia celular secundária ao trauma torácico e do choque hipovolêmico (hipóxia hipóxica e anêmica).[8] Por fim, na terceira fase, a morte decorre da insuficiência de múltiplos órgãos e sistemas (síndrome da resposta inflamatória sistêmica [SIRS] e sepse).[9]

A prevenção é o método mais barato e eficaz de combate ao trauma, contudo, nos pacientes nos quais a prevenção não foi possível ou não se obteve sucesso, o objetivo passa a ser o resgate nas primeiras horas após o trauma, período conhecido como "horas de ouro". O resgate eficiente depende de um sistema efetivo e de uma equipe treinada para o atendimento da vítima acidentada.

O tratamento inicial envolve o controle da via respiratória e a reanimação volêmica, impedindo a hipóxia anêmica por meio de um atendimento sistematizado.[10,11]

A abordagem inicial deve seguir um padrão para reduzir o risco do esquecimento de alguma etapa importante.[12] Essa abordagem está sumarizada na Tabela 218.1.

Para que esses pacientes tenham melhor sobrevida, é importante que se estabeleçam rápida avaliação, imediata reanimação e, muitas vezes, intervenção cirúrgica de emergência.[12]

Tabela 218.1 Sequência didática de avaliação do politraumatizado.

A	*Airway* (via respiratória)	Envolve avaliação das vias respiratórias superiores e sua desobstrução, se necessário. Nessa etapa, deve-se estabilizar a coluna cervical, quando indicado. Pode incluir: administrar oxigênio, aspiração e desobstrução da via respiratória e intubação da traqueia, se indicado
B	*Breathing* (respiração)	Avaliação da oxigenação do sangue. A ventilação com pressão positiva deve ser empregada se o paciente se encontra apneico ou em dificuldades ventilatórias. Pode incluir: curativo de três pontas, se indicado, drenagem pleural e estabilização do tórax instável (flutuante)
C	*Circulation* (circulação)	Ponderação do estado hemodinâmico. Corrigir o estado de choque. Iniciar as manobras de MCE, se indicado. Pode incluir: acesso venoso calibroso, reanimação volêmica, controle da hemorragia, pericardiocentese e toracotomia de emergência, se indicada
D	*Disability* (incapacidade)	Avaliação do estado mental
E	*Exposure* (exposição)	Expor completamente o paciente e realizar uma completa visibilização de ferimentos ocultos pelas vestes
F	*Fracture* (fratura)	Estabilização das fraturas

MCE: massagem cardíaca externa.

O TRAUMA TORÁCICO

O atendimento do paciente vítima de trauma torácico segue as linhas gerais de abordagem do trauma, vistas na introdução. Os traumas torácico e cerebral contribuem, de forma direta, para o óbito por trauma fechado nos acidentes automobilísticos.[13] Na população acima de 60 anos, o trauma torácico não é infrequente,[14] e, em determinados locais, é a terceira causa de óbito, ficando atrás apenas dos traumas cerebral e de extremidades.[15] Pacientes que sofrem trauma em acidentes com veículos automotores podem apresentar trauma torácico grave tanto pela ausência quanto pela presença do cinto de segurança. Nas vítimas que apresentam o "sinal do cinto de segurança", devem ser pesquisadas lesões subjacentes no tórax (22,5%) e no abdome (23%).[16]

Deve-se considerar que o trauma torácico representa uma grande gama de lesões que vão desde escoriações até ruptura de estruturas importantes como o coração e a aorta torácica.[17-19] Permanecer alerta ao diagnóstico e ao tratamento precoce de potenciais lesões ameaçadoras é decisivo para a manutenção da vida da vítima. São consideradas lesões torácicas potencialmente letais: pneumotórax aberto, pneumotórax hipertensivo, hemotórax maciço, tórax flácido e tamponamento cardíaco.[18,20]

Felizmente, a maioria dos traumas torácicos não requer intervenção cirúrgica e pode ser tratada com simples dre-

nagem torácica, ventilação mecânica, controle agressivo da dor e outras medidas de suporte.[20,21]

Para adequação do tratamento hospitalar e dos custos, a abordagem deve ser feita por equipe especializada desde o atendimento pré-hospitalar, fase em que os principais dados relativos à vítima, ao mecanismo do trauma torácico e ao tempo decorrido para o atendimento são obtidos.[10,22]

Na chegada do paciente à unidade de emergência, ocorrem o ajuizamento de seu estado clínico e sua classificação em estável ou instável. Os pacientes instáveis são os que se apresentam com hemorragia franca, hipotensão, dificuldade respiratória e alteração da consciência, necessitando de imediata intervenção. No paciente instável com trauma torácico, é usual a ocorrência de hipóxia hipoxêmica, hipercarbia e acidose respiratória associada à acidose metabólica.[18,20,21] A hipóxia hipoxêmica e a hipercarbia resultam de vários mecanismos, muitos de origem extratorácica (alteração da consciência e obstrução respiratória alta, por exemplo). Os mecanismos torácicos causadores da hipóxia hipoxêmica podem ser secundários às modificações da relação ventilação/perfusão (contusão e hematoma pulmonar) ou a mudanças na relação da pressão pleural (pneumotórax hipertensivo e hemotórax).[18,20]

A hipóxia hipoxêmica é determinante de maior risco para o paciente com trauma torácico, e intervenções precoces precisam ser colocadas em prática para a imediata correção desse evento. O trauma torácico pode, de forma apenas didática, ser dividido em dois tipos: penetrante e fechado.

Existem três tipos de força que conduzem ao trauma torácico fechado: as forças de compressão (fratura de costela), as de cisalhamento (rotura de aorta torácica) e as ondas de choque (hemorragia alveolar).[17]

O trauma torácico penetrante ocorre devido à ação lesiva por arma de fogo ou arma branca que produz perfuração do torso e as mais variadas lesões dos órgãos internos da cavidade torácica.

Contusão da Parede Torácica

As contusões da parede torácica são frequentes no trauma fechado e sugerem trauma visceral associado, como visto no tópico anterior. Contusão diagonal na região frontal do torso secundária ao cinto de segurança pode ser vista nos pacientes vítimas de acidentes automobilísticos de colisão frontal nos veículos sem *air bag*, situação que está associada a contusões miocárdica e intra-abdominal.[16] O tratamento dessas lesões, quando são apenas superficiais, é de suporte com medicações analgésicas e compressas locais, mas lesões internas devem ser pesquisadas.

Fratura de Costela

A fratura de costela é a lesão mais comum no trauma torácico, no entanto estimar sua real prevalência é difícil devido à falta de sensibilidade da radiografia de tórax para seu correto diagnóstico.[23,24] É fundamental determinar se a fratura existe, pois associa-se a mortalidade e morbidade prolongada, especialmente na população geriátrica.[24,25] Em pacientes conscientes, a fratura pode ser diagnosticada de forma clínica devido a dor durante a inspiração profunda, crepitação no local da fratura e dor à compressão antero-posterior ou lateral. A dor constante e intensa limita a respiração e é usualmente seguida de atelectasia pulmonar.[26]

Lesões de vísceras internas torácicas decorrentes de fratura de costela são infrequentes, contudo existe a possibilidade de complicações como perfuração do coração,[27,28] da aorta torácica[28] e de vísceras abdominais.[29] Outras complicações que acompanham a fratura de costela, mais frequentes que as referidas anteriormente, são o pneumotórax, o hemotórax e o pneumomediastino.[20] Ressalta-se que a fratura da primeira costela, da clavícula e, especialmente da escápula, por causa da intensa energia necessária para essa ocorrência, é agregada a lesões internas importantes.[30,31] A fratura do osso esterno, na presença de múltiplas fraturas de costelas, conduz à suspeita de contusões cardíaca e pulmonar.[32] A separação esternocondral apresenta as mesmas características fisiológicas das fraturas. Essas separações não são facilmente detectas na radiografia, o que torna o exame clínico importante para o diagnóstico.[18]

A fratura isolada de costela é tratada com analgesia sistêmica ou locorregional[33-36] associada à fisioterapia agressiva para estimular a tosse e produzir a toalete pulmonar, técnica que acarreta menos morbidade. Fixação do local com coxins ou com as mãos durante a tosse torna o processo menos doloroso. Fixações com bandagens não devem ser empregadas devido à diminuição do volume corrente pulmonar e ao consequente aumento da incidência de atelectasia.[20]

Tórax Flácido *(flail chest)*

Trata-se de uma condição rara, mas de grande gravidade, especialmente no grupo de pacientes idosos. O tórax flácido ocorre quando quatro ou mais costelas estão fraturadas em dois pontos adjacentes ou quando existe disjunção esterno-condral bilateral extensa. Devido a essas lesões, o segmento do gradil costal torna-se instável para a manutenção de uma respiração normal e ocorre movimento paradoxal do tórax, ou seja, há alteração em relação ao que acontece quando as fraturas múltiplas de costelas não estão presentes: durante a inspiração, a pressão negativa entre as pleuras parietal e visceral causa movimento para dentro do segmento das costelas acometidas e ocorre um fenômeno contrário durante a expiração. Nessas circunstâncias, há um grave impacto na mecânica pulmonar, com diminuição acentuada do volume corrente. redução da ventilação alveolar e formação de atelectasias acontecem imediatamente, em especial na região atingida, com o aparecimento de efeito *shunt* e consequente hipóxia hipoxêmica e hipercarbia.[37] Nos pacientes idosos, devido à complacência diminuída do gradil costal e aumentada do parênquima pulmonar, esses efeitos são mais pronunciados. A prevalência do tórax flácido varia de 5% a 13%,[38,39] e a taxa de mortalidade é muito variada, sendo estimada entre 5% e 50% (Figura 218.1).[21,40]

Os locais do tórax flácido podem ser a disjunção esternal das costelas e as fraturas múltiplas de costelas laterais (Figura 218.2).

O diagnóstico é clínico e imediato, observando-se intenso trabalho respiratório e movimento paradoxal do gradil costal.[41] Ao exame, constatam-se crepitação nos locais das fraturas, ausência de murmúrio respiratório no local e cianose inconstante. O tratamento varia com a gravidade do estado do paciente. A analgesia profunda é o ponto comum, contudo pode ser necessária a ventilação mecânica durante vários dias para a estabilização das fraturas. Nos casos menos graves, as medidas de suporte fisioterápico podem ser suficientes. De modo contrário, nos casos mais graves, a intubação traqueal precoce, com assistência ventilatória as-

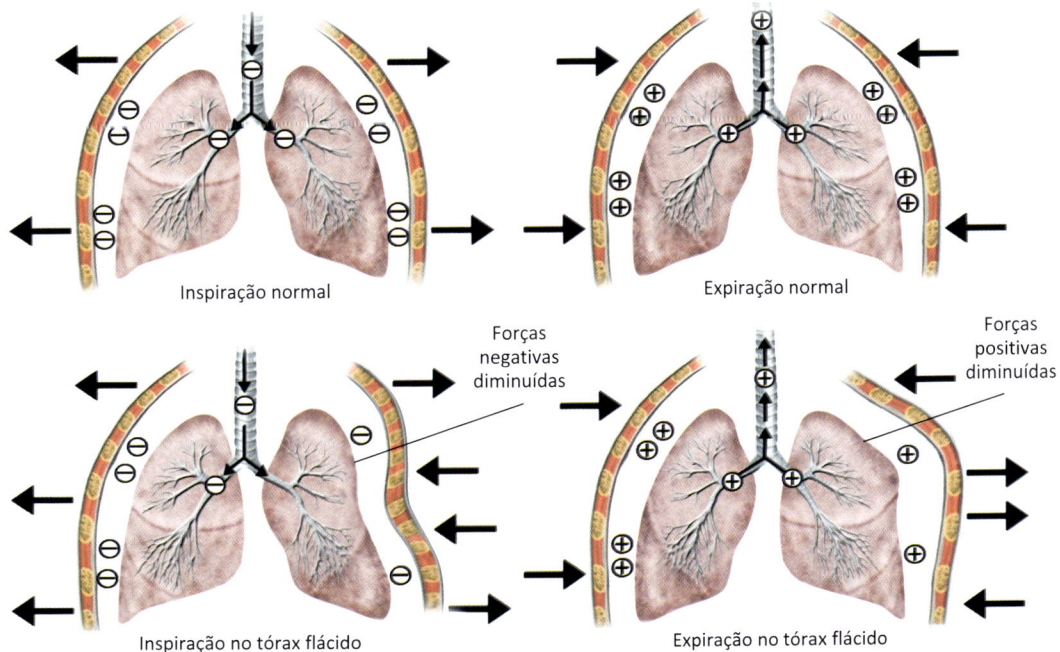

Inspiração normal

Expiração normal

Forças negativas diminuídas

Forças positivas diminuídas

Inspiração no tórax flácido

Expiração no tórax flácido

▲ **Figura 218.1** Tórax flácido – mecanismo da hipóxia hipoxêmica e da hipercapnia.

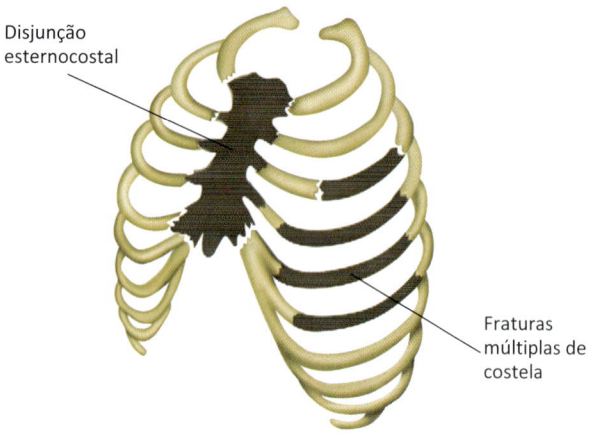

▲**Figura 218.2** Disjunção esternocostal e fraturas múltiplas de costelas.

sociada à fixação cirúrgica, produz menos morbidade e mortalidade. O modo de suporte ventilatório pode influenciar os resultados. Modalidades que aumentam o trabalho respiratório, como a ventilação mandatória intermitente (VMI), podem prejudicar a evolução dos pacientes nos períodos iniciais do tratamento. A estabilização cirúrgica precoce das costelas acometidas com fixadores parece uma alternativa interessante, porém seu impacto sobre a mortalidade ainda é motivo de discussão.[42] Quando a tomografia computadorizada é utilizada para a avaliação, observa-se que quase 100% dos pacientes com tórax flácido apresentam contusão pulmonar.[43]

Contusão Pulmonar

A contusão pulmonar pode ocorrer devido ao impacto direto de elevada energia no torso do paciente que pode ser agravada pela energia de desaceleração.[44] Pacientes com fratura de costela ou com tórax flácido são grandes candidatos a sofrerem contusão pulmonar associada (Figura 218.3).

Na radiografia de tórax, observa-se infiltrado focal ou difuso, o qual deve ser diferenciado da aspiração pulmonar. Os achados radiológicos nem sempre aparecem de imediato na radiografia simples, pois a imagem sugestiva de contusão só se evidencia posteriormente ao primeiro dia após o trauma. A tomografia computadorizada tem sido advogada como alternativa para a quantificação da lesão na contusão pulmonar. Na dependência da extensão do trauma pulmonar e da intensidade da lesão da membrana alveolocapilar, grave insuficiência respiratória pode surgir.[21] Quando a contusão afeta área superior a 20% do pulmão, há elevada probabilidade de desenvolvimento da síndrome da angústia respiratória[45,46] e/ou de infecção do parênquima pulmonar, sendo necessário o imediato suporte ventilatório (Figura 218.4).

A probabilidade de morte (5% a 10%) é maior entre pacientes que desenvolvem síndrome da angústia respiratória (5% a 20%) e infecção do parênquima pulmonar (5% a 50%).[47] Como no tórax flácido, o tratamento da contusão pulmonar é de suporte e envolve o controle das lesões associadas, como pneumotórax, hemotórax, fixação das fraturas de costela etc., sendo importante a analgesia agressiva para abreviar a evolução e melhorar o prognóstico. Administração de oxigênio, fisioterapia rotineira, incentivo à toalete pulmonar, manobras posturais de drenagem de secreções e aspiração são

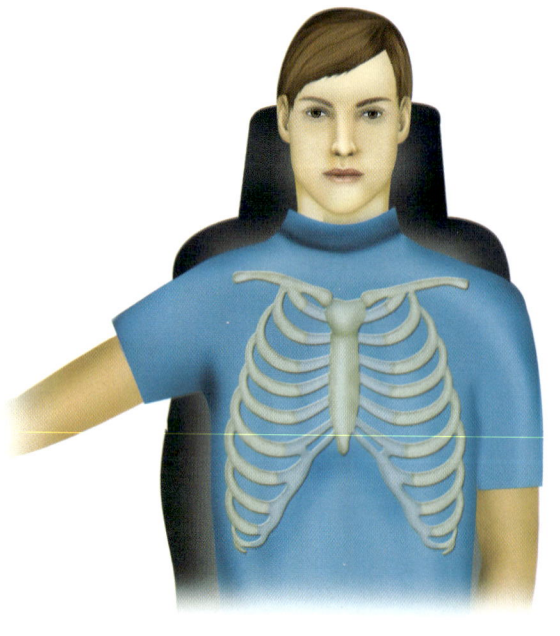

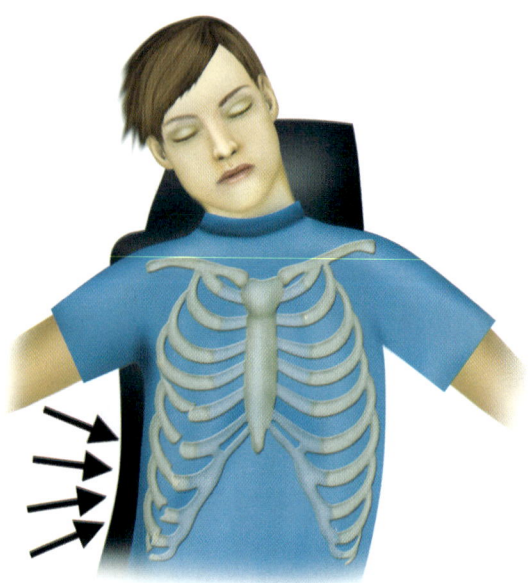

▲**Figura 218.3** Fraturas múltiplas de costela e tórax flácido: associação à contusão pulmonar subjacente.

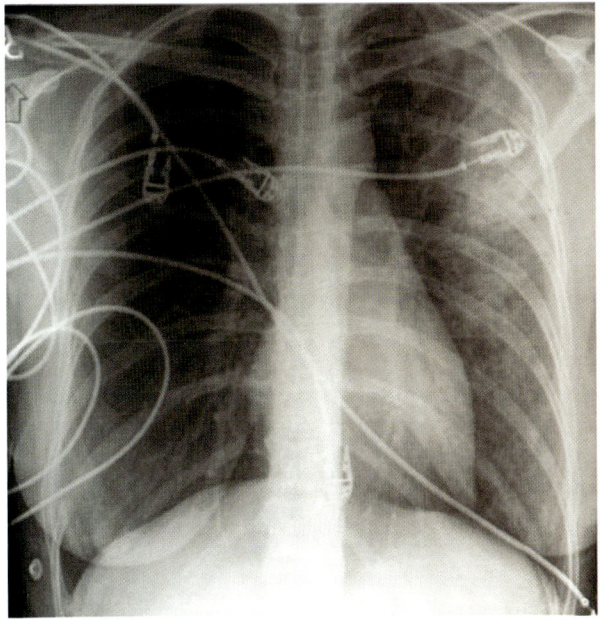
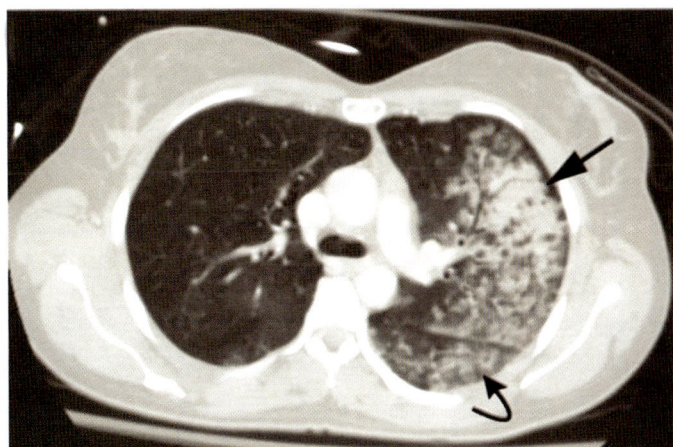

▲ **Figura 218.4** Tomografia computadorizada evidenciando contusão pulmonar.

importantes. A intubação traqueal e o suporte ventilatório de rotina nos pacientes sem sinais de insuficiência respiratória não estão indicados, entretanto deve-se ressaltar que, na contusão pulmonar associada à insuficiência respiratória, o suporte ventilatório para tratamento dos desvios da relação ventilação-perfusão pode ser necessário.[48] Muitas vezes, o suporte ventilatório é realizado por longos períodos, o que aumenta a morbidade e a mortalidade.[49] Manobras de recrutamento alveolar no trauma torácico apresentam bons resultados na recuperação das regiões atelectasiadas.[50]

Como já apontado no tópico anterior, as modalidades de ventilação artificiais espontâneas e mescladas (espontânea e controlada– VMI) devem ser evitadas devido ao elevado trabalho pulmonar presente na contusão pulmonar grave. A ventilação mecânica controlada, na dependência do volume corrente utilizado, induz à inflação do parênquima pulmonar em modelos experimentais.[51]

Em virtude da rotura da membrana alveolocapilar e da inflamação local, existem controvérsias na literatura sobre a intensidade da reposição volêmica. Estudos iniciais já apontavam para a necessidade de um controle rígido da reposição volêmica nesses pacientes.[52] Melhores resultados são obtidos quando a reposição volêmica é cautelosa e não compromete a perfusão tecidual, especialmente na presença de insuficiência respiratória aguda.[53,54]

O uso rotineiro de esteroides, apesar de recomendado na década de 1980,[55] é controverso. Estudos experimentais consideram vantajoso o emprego de esteroides na prevenção de insuficiência respiratória decorrente da contusão pulmonar, porém a transposição desses resultados ao ser humano é motivo de discussão.[56] Na contusão pulmonar, os antibióticos profiláticos não devem ser utilizados rotineiramente. Uma porcentagem razoável dos pacientes evolui com sequelas tardias da função pulmonar, principalmente os acometidos pela insuficiência respiratória.[57]

Pneumotórax

O pneumotórax é definido como o acúmulo de ar na cavidade pleural, sendo uma das complicações mais comuns no trauma torácico aberto ou fechado. Sua prevalência é estimada em aproximadamente 36% das vítimas do trauma torácico fechado e quase uma constante nas vítimas do trauma torácico aberto (Figura 218.5).[58]

O pneumotórax oculto na radiografia simples de tórax e só diagnosticado por meio de tomografia computadorizada pode chegar a 30% nas vítimas de trauma,[59] porém, na população pediátrica, o barotrauma secundário à ventilação mecânica é uma causa comum de pneumotórax.[60]

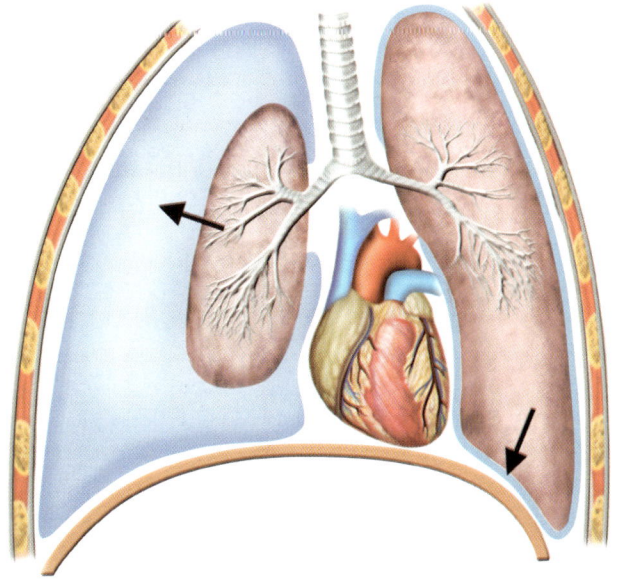

▲ **Figura 218.5** Pneumotórax.

O pneumotórax pode ser classificado, conforme o acesso do ar à cavidade pleural, em simples, aberto e hipertensivo. O pneumotórax é considerado simples quando não existe franca comunicação do meio externo, do mediastino e do diafragma com o espaço entre as pleuras, local onde se observa o acúmulo de ar. De acordo com o grau de colapso pulmonar observado na radiografia simples, o pneumotórax pode ser classificado em: pequeno, quando menos de 15% do pulmão estão acometidos; moderado, quando o acometimento fica entre 15% e 60%; e grande, quando mais de 60% do parênquima encontram-se colapsados pelo ar na cavidade.[20]

O pneumotórax simples pode ter sua origem em rupturas de bolhas do parênquima pulmonar que ocorrem de forma natural e é considerado espontâneo. Por outro lado, o mecanismo formador do pneumotórax simples de origem trau-

mática pode ser uma fratura de costela, quando a superfície irregular dela perfura o parênquima pulmonar ou quando uma força de compressão torácica vigorosa ocorre com a glote na posição fechada. Nessa situação, a elevada pressão alveolar provoca a ruptura do parênquima (Figura 218.6).[20,61]

Eventualmente, em um ferimento por arma de fogo, pode acorrer o pneumotórax simples, caso não aconteça uma comunicação livre com o meio ambiente.[61]

O pneumotórax aberto está associado à perda da integridade da parede torácica e propicia o livre acesso do ar ambiental ao espaço entre as pleuras parietal e visceral. Esse padrão é usual nos traumas torácicos secundários a lesões extensas por arma de fogo ou branca. Na presença de uma ruptura ampla da parede torácica, surgem os fenômenos conhecidos como "ar pêndulo" e "balanço do mediastino". Nessa situação, a entrada do ar ambiente na cavidade pleural durante a inspiração provoca o colapso pulmonar ipsilateral ao da lesão. Na expiração, com o relaxamento do músculo diafragma, ocorrem saída do ar pela lesão e discreta expansão do pulmão. Parte do volume corrente transita entre os pulmões, que não se encontram em sincronismo, o mesmo ocorrendo com o mediastino, o que promove o seu equilíbrio. Esses dois fatos induzem a hipóxia hipoxêmica, hipercarbia e instabilidade hemodinâmica.[20,61]

Um curativo de três pontas evita que esse mecanismo ocorra e é o padrão ouro de tratamento dessa situação no cenário pré-hospitalar.[62]

O pneumotórax hipertensivo resulta do acúmulo progressivo de ar na cavidade pleural e da consequente hipertensão dentro dessa cavidade e ocorre quando a lesão tem a função de uma válvula unidirecional, permitindo que o ar entre no espaço interpleural, mas sem possibilidade de ser evacuado (Figuras 218.7 e 218.8).

Esse padrão de pneumotórax leva ao desvio do mediastino contralateral, o que comprime o pulmão normal e os grandes vasos da base. Rapidamente, ocorre diminuição do retorno venoso, com hipotensão e choque que se associam a hipóxia hipóxica e hipercarbia.[20]

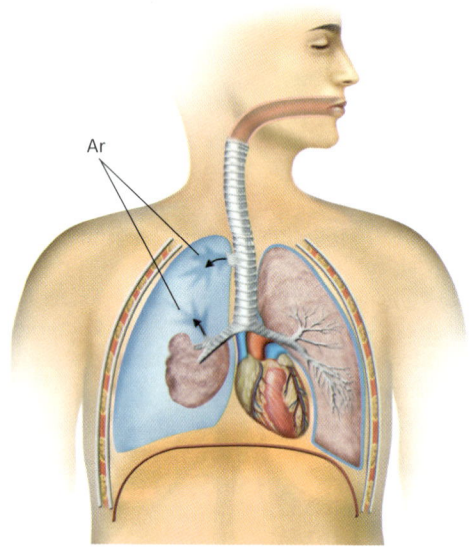

▲ **Figura 218.6** Mecanismo do pneumotórax simples de origem traumática.

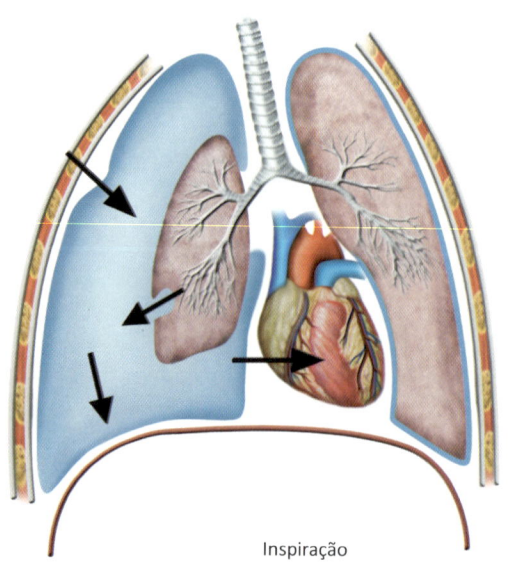

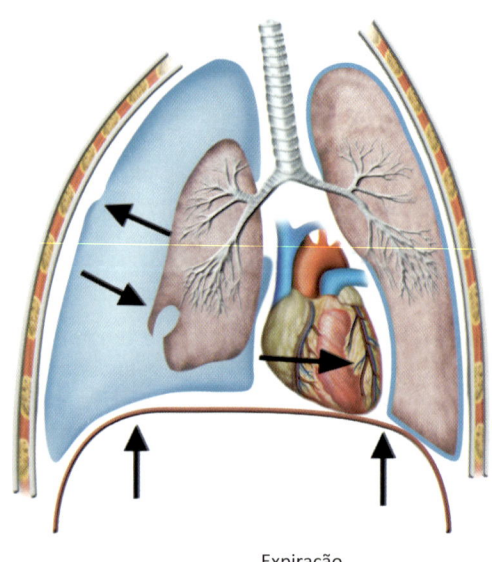

Inspiração

Expiração

▲ **Figura 218.7** Mecanismo de um pneumotórax hipertensivo.

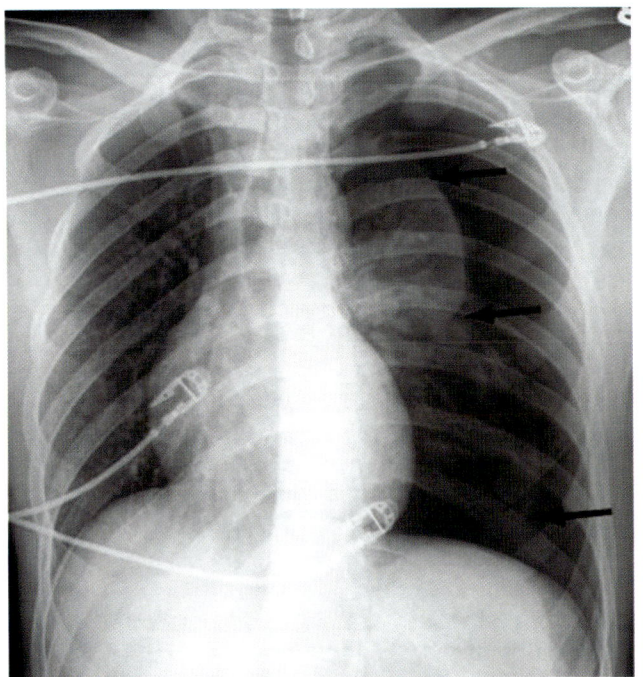

▲ **Figura 218.8** Radiografia simples de um pneumotórax hipertensivo.

A detecção de pneumotórax é muito importante, mesmo daquele que não apresenta sintoma, pois um terço pode evoluir para pneumotórax hipertensivo, com potencial de produzir deterioração cardiovascular. Há muitas décadas, a tomografia computadorizada é o exame considerado padrão ouro para a detecção precoce do pneumotórax, pois é mais sensível que a radiografia com o paciente na posição supina.[63-65]

Geralmente, o pneumotórax maior que 20% é submetido à drenagem cirúrgica.[66]

Hemotórax

O hemotórax corresponde ao acúmulo de sangue no espaço interpleural após trauma fechado ou penetrante. O hemotórax pode produzir desde instabilidade hemodinâmica até o estado de choque hipovolêmico franco. Assim, a gravidade do quadro clínico depende do tamanho da lesão vascular e do tempo decorrido até o atendimento para estabilização ou controle efetivo do sangramento. Outro ponto importante é a alteração da capacidade vital imposta pelo volume de sangue que comprime o parênquima pulmonar. O hemotórax se associa, em 25% dos casos, ao pneumotórax, constituindo o hemopneumotórax.

O local gerador do sangramento mais comum é o parênquima pulmonar, portanto a expansão pulmonar com a drenagem torácica é suficiente para o bloqueio do sangramento. Vasos específicos como as artérias intercostais e mamárias são raros na origem do sangramento do hemotórax.

Existe controvérsia sobre a reposição volêmica dos pacientes com lesão vascular sem controle cirúrgico definitivo no torso.[67] A reanimação volêmica tardia, após o controle cirúrgico do sangramento, está associada a melhor prognóstico.

O diagnóstico é realizado mediante radiografia simples do tórax, e é possível a estimativa do volume de sangue presente na cavidade pleural. É possível que o hemotórax não seja detectado na radiografia simples se o paciente estiver na posição supina, contudo, em decúbito lateral, podem-se detectar efusões de apenas 5 mL. Na posição supina, se ocorrer o apagamento do seio costofrênico na radiografia simples, existe a possibilidade de que o volume presente na cavidade seja de pelo menos 200 mL.[20]

Trauma Cardíaco

O trauma cardíaco pode ter origem no trauma perfurante ou fechado e, na dependência da estrutura envolvida, ocorre evolução clínica díspar. O trauma cardíaco fechado acontece em mais de 20% das colisões veiculares frontais, porcentagem que pode se elevar ainda mais se a população com trauma torácico múltiplos for analisada.[68]

Nenhum exame padrão ouro existe para o diagnóstico de contusão miocárdica. O conhecimento do mecanismo de lesão e as manifestações clínicas, quando associados, são os marcadores de suspeição dessa situação. No paciente instável, a melhor alternativa é a intervenção rápida.[69] A quantificação da troponina[70] e as imagens da tomografia computadorizada auxiliam no diagnóstico.[71,72] Após a suspeita, é importante investigar as várias lesões possíveis no coração: valvar, septal, coronariana, contusão miocárdica com falência miocárdica etc.[73,74]

O tamponamento cardíaco é suspeitado clinicamente pela tríade de Beck: sons cardíacos abafados, veias do pescoço distendidas e hipotensão. O saco pericárdico é pouco distensível e um volume de 50 mL de efusão já é capaz de promover o tamponamento do coração, e a intervenção rápida é salvadora.[69]

Trauma Traqueobrônquico

Traumas da traqueia e do brônquio, embora raros nos pacientes que sobrevivem ao atendimento pré-hospitalar até a chegada ao hospital, podem ocorrer, tanto o fechado quanto o penetrante (menos comum). Esses pacientes são de difícil estabilização respiratória devido à perda de volume corrente por intermédio da lesão na árvore traqueal.

A correção cirúrgica imediata é necessária para evitar sequelas tardias. Se possível, na lesão de traqueia, a prótese respiratória deve ser posicionada sobre ou após a lesão.[75]

▪ INDICAÇÕES DE TORACOTOMIA

A maioria das lesões torácicas pode ser tratada de maneira simples, sem a necessidade de toracotomia, contudo 10% a 15% dos traumas torácicos demandam intervenção cirúrgica maior.[69,75]

O tempo no qual a intervenção é realizada pode ser definido em três períodos, os quais são ditados pelo estado fisiológico do paciente na chegada à unidade de emergência e por sua evolução: toracotomia imediata (na unidade de emergência até 1 hora depois da chegada do paciente); toracotomia urgente (após 1 hora até 24 horas); toracotomia tardia (após 24 horas).

A necessidade de intervenção é uma decisão importante e depende da natureza da lesão e de sua gravidade.

Toracotomia de Emergência

A toracotomia de emergência, um procedimento dramático e usualmente de utilidade limitada, é realizada em pacientes *in extremis*, após um trauma penetrante e raramente no trauma fechado. O objetivo terapêutico inclui o controle da hemorragia das feridas penetrantes no torso com comprometimento vascular importante, a realização de massagem cardíaca efetiva na parada cardíaca, o clampeamento do hilo pulmonar na fístula broncopleural grave impeditiva de ventilação, a evacuação de tamponamento cardíaco e a clampeamento da aorta torácica para controle de hemorragia.

Após o controle, o paciente é encaminhado ao centro de operações para controle definitivo das lesões. A sobrevida após uma toracotomia de emergência é variada, pois depende das condições iniciais do paciente e da lesão subjacente. As lesões penetrantes têm melhor prognóstico que as decorrentes do trauma fechado.

A ausência de sinal de vida deve ser considerada antes da realização da toracotomia. Como o prognóstico desse grupo de pacientes é ruim, não existe consenso se a toracotomia e a reanimação devem ser realizadas.[76,77] Em geral, as vítimas de trauma torácico penetrante ainda com sinais de vida antes da toracotomia ou que perderam os sinais até 10 minutos antes são as que respondem melhor a essa intervenção. As vítimas de trauma fechado ou penetrante que chegam à sala de emergência sem sinais de vida apresentam prognóstico extremamente ruim.[77-79]

Toracotomia de Urgência

A toracotomia de urgência é aquela realizada nas primeiras horas depois do trauma até 24 horas. Essa categoria envolve trauma cardíaco compensado, traumas sem grande sangramento dos grandes vasos e da aorta torácica, traumas traqueobrônquicos e esofágicos.[80,81] As indicações de intervenção incluem tamponamento cardíaco lento, débito elevado pelo dreno torácico e colapso pulmonar por grande vazamento de ar devido à lesão traqueobrônquica grave.

No hemotórax, a decisão de intervenção cirúrgica é baseada no tipo de lesão e no débito de sangue pelo dreno. Muitos autores utilizam o volume inicial de 1.000 a 1.500 mL na drenagem como gatilho para exploração cirúrgica. Outro critério é a saída constante de 200 a 300 mL/h após a drenagem.[20]

■ CONDUTA NA ANESTESIA

As preocupações do anestesiologista ante uma vítima com trauma de tórax são amplas e as técnicas anestésicas são as mais variadas e dependentes do tipo e gravidade do trauma e, especialmente, da experiência do anestesiologista. Na maioria dos casos, porém, a anestesia geral é sempre a mais segura no paciente instável.

Preocupação com o estômago cheio e, portanto, com a prevenção da aspiração pulmonar é fundamental.[82,83] Da mesma forma, são fundamentais a estabilização hemodinâmica por meio da reposição volêmica criteriosa e a estabilização respiratória com desobstrução das vias respiratórias e o emprego de técnica ventilatória eficiente. Os fármacos escolhidos devem ser aqueles que interferem pouco nesses objetivos.

Se for possível, durante o preparo do paciente, uma breve história deve ser obtida para conhecimento de possível alergia a fármacos, uso de drogas ilícitas e fármacos terapêuticos e mecanismo do trauma. O exame clínico ligeiro, que não atrase o procedimento urgente, pode ser realizado. Se possível, o tamponamento cardíaco deve ser evacuado previamente à anestesia geral com ventilação mecânica. Nessa situação, existe o risco de grave diminuição do retorno venoso ao se instituir a ventilação com pressão positiva intermitente.[84-86]

O paciente precisa ser transferido da unidade de emergência de forma rápida e cuidadosa até o centro cirúrgico, onde deverá haver uma sala destinada ao atendimento das urgências. A monitorização básica deve ser rapidamente instalada: monitor cardíaco, pressão arterial (não invasiva e preferencialmente invasiva), oxímetro de pulso, capnógrafo, cateter vesical de demora, acesso venoso central, termômetro nasofaríngeo e controles gasométrico, eletrolítico e hematimétrico seriados.

Em situações especiais, devido a lesão ou antecedentes graves, pode ser necessária a instalação de monitor de débito cardíaco, saturação venosa central e pressão capilar pulmonar.

A medida do lactato sérico (> 2 mMol/dL) inicial e seu clareamento sanguíneo nas primeiras 24 horas têm se mostrado excelentes marcadores de sobrevida, entretanto a interpretação desses dados é complexa em função do metabolismo do lactato, em especial nos pacientes graves. A presença de hiperlactatemia pode estar associada à gravidade do trauma, e não ao metabolismo anaeróbico.[87,88]

Há a necessidade de acesso venoso com cateteres de grosso calibre, preferencialmente 14 G, um no membro superior e outro no membro inferior. O introdutor do cateter de Swan-Ganz é uma excelente via de administração de líquidos.

A reposição volêmica inicial pode ser realizada com soluções cristaloides até que o tipo sanguíneo seja identificado, testado e esteja disponível. Não existe consenso quanto à melhor solução para reposição volêmica no trauma. Evidência experimental tem apontado o Ringer com lactato como um desencadeador de reação inflamatória devido à presença do lactato racêmico. Especula-se, portanto, que essa solução deva ser evitada no trauma. Outras soluções cristaloides balanceadas podem produzir melhores resultados.[89,90]

Nas situações em que existe risco imediato de morte, a administração de sangue específica por tipo sem a prova cruzada pode ser perpetrada. A ausência da prova cruzada não está associada a maior risco de reações adversas nessas circunstâncias.

Na rotina de atendimento ao trauma grave, incluindo o torácico, não se emprega qualquer tipo de medicação pré-anestésica.

Na indução desses pacientes, três aspectos devem ser considerados: evitar que a indução da anestesia provoque colapso cardiovascular; impedir a aspiração pulmonar (sequência rápida), que é altamente prevalente nos pacientes com trauma de qualquer origem; ter prudência na intubação pela possível existência de lesões bucomaxilofaciais ou da coluna cervical associadas.

A máscara facial com sevoflurano é uma alternativa a ser considerada na via respiratória difícil no paciente não colaborativo.[91] A manutenção pode ser realizada com bai-

xas concentrações de anestésicos inalatórios ou com opioides. Deve-se estar atento à instabilidade hemodinâmica que esses fármacos induzem, em especial nos pacientes hipovolêmicos.

As técnicas de analgesia espinal, na ausência de uma contraindicação formal, podem ser incentivadas para a analgesia pós-operatória mais eficiente.[92-94]

REFERÊNCIAS

1. Gupta R, Rao S, Sieunarine K. An epidemiological view of vascular trauma in Western Australia: a 5-year study. ANZ J Surg. 2001;71(8):461-6.
2. Nardi G, Lattuada L, Scian F, et al. Epidemiological study on high grade trauma. Friuli VG Major Trauma Study Group. Minerva Anestesiol. 1999;65(6):348-52.
3. Cinat ME, Wilson SE, Lush S, et al. Significant correlation of trauma epidemiology with the economic conditions of a community. Arch Surg. 2004;139(12):1350-5.
4. Heron M. Deaths: Leading Causes for 2014. Natl Vital Stat Rep. 2016;65(5):1-96.
5. Denton R, Frogley C, Jackson S, Jet al. The assessment of developmental trauma in children and adolescents: A systematic review. Clin Child Psychol Psychiatry. 2017 Apr;22(2):260-287.
6. Trunkey DD. Trauma. Accidental and intentional injuries account for more years of life lost in the U.S. than cancer and heart disease. Among the prescribed remedies are improved preventive efforts, speedier surgery and further research. Sci Am. 1983;249(2):28-35.
7. Baker SP. Injuries: the neglected epidemic: Stone lecture, 1985 America Trauma Society Meeting. J Trauma. 1987;27(4):343-8.
8. Hill DA, West RH, Roncal S. Outcome of patients with haemorrhagic shock: an indicator of performance in a trauma centre. J R Coll Surg Edinb. 1995;40(4):221-4.
9. Baker SP, O'Neill B, Haddon W, et al. The injury severity score: a method for describing patients with multiple injuries and evaluating emergency care. J Trauma. 1974;14(3):187-96.
10. Geyer BC, Peak DA, Velmahos GC, et al. Cost savings associated with transfer of trauma patients within an accountable care organization. Am J Emerg Med. 2016;34(3):455-8.
11. Blomberg H, Svennblad B, Michaelsson K, et al. Prehospital trauma life support training of ambulance caregivers and the outcomes of traffic-injury victims in Sweden. J Am Coll Surg. 2013;217(6):1010-9 e1-2.
12. Magnone S, Allegri A, Belotti E, et al. Impact of ATLS guidelines, trauma team introduction, and 24-hour mortality due to severe trauma in a busy, metropolitan Italian hospital: A case control study. Ulus Travma Acil Cerrahi Derg. 2016;22(3):242-6.
13. Konkin DE, Garraway N, Hameed SM, et al. Population-based analysis of severe injuries from nonmotorized wheeled vehicles. Am J Surg. 2006;191(5):615-8.
14. Inci I, Ozcelik C, Nizam O, Eren N. Thoracic trauma in the elderly. Eur J Emerg Med. 1998;5(4):445-50.
15. Akkose Aydin S, Bulut M, Fedakar R, et al. Trauma in the elderly patients in Bursa. Ulus Travma Acil Cerrahi Derg. 2006;12(3):230-4.
16. Velmahos GC, Tatevossian R, Demetriades D. The "seat belt mark" sign: a call for increased vigilance among physicians treating victims of motor vehicle accidents. Am Surg. 1999;65(2):181-5.
17. Farooq U, Raza W, Zia N, et al. Classification and management of chest trauma. J Coll Physicians Surg Pak. 2006;16(2):101-3.
18. Golden PA. Thoracic trauma. Orthop Nurs. 2000;19(5):37-45; quiz -7.
19. Parry NG, Moffat B, Vogt K. Blunt thoracic trauma: recent advances and outstanding questions. Curr Opin Crit Care. 2015;21(6):544-8.
20. Eckstein M HS. Thoracic Trauma. In: Marx JA HR, Walls R., editor. Rosen´s Emergency Medicine: Concepts and Clinical Practice. 1. 8. ed. Philadelphia: Elsevier; 2014.
21. Wanek S, Mayberry JC. Blunt thoracic trauma: flail chest, pulmonary contusion, and blast injury. Crit Care Clin. 2004;20(1):71-81.
22. Wanek SM, Trunkey DD. Organization of trauma care. Scand J Surg. 2002;91(1):7-10.
23. DeLuca SA, Rhea JT, O'Malley TO. Radiographic evaluation of rib fractures. AJR Am J Roentgenol. 1982;138(1):91-2.
24. Okutani D, Moriyama S, Ootsuka T, et al. [Assessment of traumatic rib fractures caused by traffic accident]. Kyobu Geka. 2014;67(5):362-5.
25. Mayberry JC, Trunkey DD. The fractured rib in chest wall trauma. Chest Surg Clin N Am. 1997;7(2):239-61.
26. Rapport RL, Allen RB, Curry GJ. The fractured rib, a significant injury; an analysis of seven hundred thirty consecutive cases. AMA Arch Surg. 1955;71(1):7-13.
27. Grieve P. Cardiac perforation secondary to a fractured rib sustained in a ram attack in New Zealand: a review of ovine fatalities and an important lesson regarding the severely injured chest. N Z Med J. 2006;119(1245):U2315.
28. Galvin IF, Costa R, Murton M. Fractured rib with penetrating cardiopulmonary injury. Ann Thorac Surg. 1993;56(3):558-9.
29. Esme H, Solak O, Sahin DA, et al.. Blunt and penetrating traumatic ruptures of the diaphragm. Thorac Cardiovasc Surg. 2006;54(5):324-7.
30. Weening B, Walton C, Cole PA, et al. Lower mortality in patients with scapular fractures. J Trauma. 2005;59(6):1477-81.
31. Tadros AM, Lunsjo K, Czechowski J, et al. Multiple-region scapular fractures had more severe chest injury than single-region fractures: a prospective study of 107 blunt trauma patients. J Trauma. 2007;63(4):889-93.
32. Zreik NH, Francis I, Ray A, et al. Blunt chest trauma: bony injury in the thorax. Br J Hosp Med (Lond). 2016;77(2):72-7.
33. Albert JM, Smith CE. Advanced Anesthetic Considerations for Thoracic Trauma. ASA Monitor. 2015;79(6):24-8.
34. Abouhatem R, Hendrickx P, Titeca M, et al. Thoracic epidural analgesia in the treatment of rib fractures. Acta Anaesthesiol Belg. 1984;35 Suppl:271-5.
35. Topcu I, Ekici Z, Sakarya M. Comparison of clinical effectiveness of thoracic epidural and intravenous patient-controlled analgesia for the treatment of rib fractures pain in intensive care unit. Ulus Travma Acil Cerrahi Derg. 2007;13(3):205-10.
36. Bulger EM, Edwards T, Klotz P, et al.. Epidural analgesia improves outcome after multiple rib fractures. Surgery. 2004;136(2):426-30.
37. Davignon K, Kwo J, Bigatello LM. Pathophysiology and management of the flail chest. Minerva Anestesiol. 2004;70(4):193-9.
38. Mefire AC, Pagbe JJ, Fokou M, et al.. Analysis of epidemiology, lesions, treatment and outcome of 354 consecutive cases of blunt and penetrating trauma to the chest in an African setting. S Afr J Surg. 2010;48(3):90-3.
39. LoCicero J, 3rd, Mattox KL. Epidemiology of chest trauma. Surg Clin North Am. 1989;69(1):15-9.
40. Battle CE, Evans PA. Predictors of mortality in patients with flail chest: a systematic review. Emerg Med J. 2015;32(12):961-5.
41. Tzelepis GE, McCool FD, Hoppin FG, Jr. Chest wall distortion in patients with flail chest. Am Rev Respir Dis. 1989;140(1):31-7.
42. Schuurmans J, Goslings JC, Schepers T. Operative management versus non-operative management of rib fractures in flail chest injuries: a systematic review. Eur J Trauma Emerg Surg. 2016.
43. Voggenreiter G, Majetschak M, Aufmkolk M, et al. Estimation of condensed pulmonary parenchyma from gas exchange parameters in patients with multiple trauma and blunt chest trauma. J Trauma. 1997;43(1):8-12.
44. Sutyak JP, Wohltmann CD, Larson J. Pulmonary contusions and critical care management in thoracic trauma. Thorac Surg Clin. 2007;17(1):11-23, v.
45. Yadam S, Bihler E, Balaan M. Acute Respiratory Distress Syndrome. Crit Care Nurs Q. 2016;39(2):190-5.
46. Tyburski JG, Collinge JD, Wilson RF, et al. Pulmonary contusions: quantifying the lesions on chest X-ray films and the factors affecting prognosis. J Trauma. 1999;46(5):833-8.
47. Klein Y, Cohn SM, Proctor KG. Lung contusion: pathophysiology and management. Curr Opin Anaesthesiol. 2002;15(1):65-8.
48. Campbell VL, King LG. Pulmonary function, ventilator management, and outcome of dogs with thoracic trauma and pulmonary contusions: 10 cases (1994-1998). J Am Vet Med Assoc. 2000;217(10):1505-9.
49. Segers P, Van Schil P, Jorens P, et al. Thoracic trauma: an analysis of 187 patients. Acta Chir Belg. 2001;101(6):277-82.
50. Schreiter D, Reske A, Stichert B, et al. Alveolar recruitment in combination with sufficient positive end-expiratory pressure increases oxygenation and lung aeration in patients with severe chest trauma. Crit Care Med. 2004;32(4):968-75.
51. van Wessem KJ, Hennus MP, van Wagenberg L, et al. Mechanical ventilation increases the inflammatory response induced by lung contusion. J Surg Res. 2013;183(1):377-84.
52. Fulton RL, Peter ET. Physiologic effects of fluid therapy after pulmonary contusion. Am J Surg. 1973;126(6):773-7.
53. Claesson J, Freundlich M, Gunnarsson I, et al. Scandinavian clinical practice guideline on fluid and drug therapy in adults with acute respiratory distress syndrome. Acta Anaesthesiol Scand. 2016;60(6):697-709.
54. Seeley EJ. Fluid therapy during acute respiratory distress syndrome: less is more, simplified. Crit Care Med. 2015;43(2):477-8.
55. Svennevig JL, Bugge-Asperheim B, Birkeland S, et al. Efficacy of steroids in the treatment of lung contusion. Acta Chir Scand Suppl. 1980;499:87-92.

56. Kozan A, Kilic N, Alacam H, et al. The Effects of Dexamethasone and L-NAME on Acute Lung Injury in Rats with Lung Contusion. Inflammation. 2016;39(5):1747-56.

57. Kishikawa M, Yoshioka T, Shimazu T, et al. Pulmonary contusion causes long-term respiratory dysfunction with decreased functional residual capacity. J Trauma. 1991;31(9):1203-8; discussion 8-10.

58. Sariego J, Brown JL, Matsumoto T, et al. Predictors of pulmonary complications in blunt chest trauma. Int Surg. 1993;78(4):320-3.

59. Lee KL, Graham CA, Yeung JH, et al. Occult pneumothorax in Chinese patients with significant blunt chest trauma: incidence and management. Injury. 2010;41(5):492-4.

60. El-Nawawy AA, Al-Halawany AS, Antonios MA, et al.. Prevalence and risk factors of pneumothorax among patients admitted to a Pediatric Intensive Care Unit. Indian J Crit Care Med. 2016;20(8):453-8.

61. Arshad H, Young M, Adurty R, et al.. Acute Pneumothorax. Crit Care Nurs Q. 2016;39(2):176-89.

62. Kong VY, Liu M, Sartorius B, et al. Open pneumothorax: the spectrum and outcome of management based on Advanced Trauma Life Support recommendations. Eur J Trauma Emerg Surg. 2015;41(4):401-4.

63. Tocino IM, Miller MH, Fairfax WR. Distribution of pneumothorax in the supine and semirecumbent critically ill adult. AJR Am J Roentgenol. 1985;144(5):901-5.

64. Tocino IM, Miller MH, Frederick PR, et al. CT detection of occult pneumothorax in head trauma. AJR Am J Roentgenol. 1984;143(5):987-90.

65. Wall SD, Federle MP, Jeffrey RB, et al.. CT diagnosis of unsuspected pneumothorax after blunt abdominal trauma. AJR Am J Roentgenol. 1983;141(5):919-21.

66. Huang Y, Huang H, Li Q, et al. Approach of the treatment for pneumothorax. J Thorac Dis. 2014;6(Suppl 4):S416-20.

67. Holmes JF, Sakles JC, Lewis G, et al.. Effects of delaying fluid resuscitation on an injury to the systemic arterial vasculature. Acad Emerg Med. 2002;9(4):267-74.

68. Schultz JM, Trunkey DD. Blunt cardiac injury. Crit Care Clin. 2004;20(1):57-70.

69. Doll D, Eichler M, Vassiliu P, et al. Penetrating Thoracic Trauma Patients with Gross Physiological Derangement: A Responsibility for the General Surgeon in the Absence of Trauma or Cardiothoracic Surgeon? World J Surg. 2016.

70. Kalbitz M, Pressmar J, Stecher J, et al. The Role of Troponin in Blunt Cardiac Injury After Multiple Trauma in Humans. World J Surg. 2016.

71. Hammer MM, Raptis DA, Cummings KW, et al. Imaging in blunt cardiac injury: Computed tomographic findings in cardiac contusion and associated injuries. Injury. 2016;47(5):1025-30.

72. Joseph B, Jokar TO, Khalil M, et al. Identifying the broken heart: predictors of mortality and morbidity in suspected blunt cardiac injury. Am J Surg. 2016;211(6):982-8.

73. Hanschen M, Kanz KG, Kirchhoff C, et al. Blunt Cardiac Injury in the Severely Injured – A Retrospective Multicentre Study. PLoS One. 2015;10(7):e0131362.

74. Marcolini EG, Keegan J. Blunt Cardiac Injury. Emerg Med Clin North Am. 2015;33(3):519-27.

75. Meredith JW, Hoth JJ. Thoracic trauma: when and how to intervene. Surg Clin North Am. 2007;87(1):95-118, vii.

76. Cook TM, Gupta K. Emergency thoracotomy after cardiac arrest from blunt trauma is not always futile. Resuscitation. 2007;74(1):187-90.

77. Lockey D, Crewdson K, Davies G. Traumatic cardiac arrest: who are the survivors? Ann Emerg Med. 2006;48(3):240-4.

78. Dennis BM, Medvecz AJ, Gunter OL, et al. Survey of trauma surgeon practice of emergency department thoracotomy. Am J Surg. 2016;212(3):440-5.

79. Suzuki K, Inoue S, Morita S, et al. Comparative Effectiveness of Emergency Resuscitative Thoracotomy versus Closed Chest Compressions among Patients with Critical Blunt Trauma: A Nationwide Cohort Study in Japan. PLoS One. 2016;11(1):e0145963.

80. Holmes JE, Hanson CA. Complete tracheal transection following blunt trauma in a pediatric patient. J Trauma Nurs. 2015;22(1):41-3.

81. Reynolds JK, Dart BWT, Maxwell RA, et al. Tracheal transection with associated bilateral carotid and esophageal injuries after blunt neck trauma. Am Surg. 2014;80(8):E232-3.

82. Virkkunen I, Ryynanen S, Kujala S, et al. Incidence of regurgitation and pulmonary aspiration of gastric contents in survivors from out-of-hospital cardiac arrest. Acta Anaesthesiol Scand. 2007;51(2):202-5.

83. Hupp JR, Peterson LJ. Aspiration pneumonitis: etiology, therapy, and prevention. J Oral Surg. 1981;39(6):430-5.

84. Barthelemy R, Bounes V, Minville V, et al. Prehospital mechanical ventilation of a critical cardiac tamponade. Am J Emerg Med. 2009;27(8):1020 e1-3.

85. Faehnrich JA, Noone RB, Jr., White WD, et al. Effects of positive-pressure ventilation, pericardial effusion, and cardiac tamponade on respiratory variation in transmitral flow velocities. J Cardiothorac Vasc Anesth. 2003;17(1):45-50.

86. Su Q, Feng Z, Li T, et al. Tension pneumopericardium leads to cardiac tamponade during hand-assisted ventilation in patients with uremia. J Thorac Cardiovasc Surg. 2008;135(2):432-3.

87. Baxter J, Cranfield KR, Clark G, et al. Do lactate levels in the emergency department predict outcome in adult trauma patients? A systematic review. J Trauma Acute Care Surg. 2016;81(3):555-66.

88. Bakker J. Lactate levels and hemodynamic coherence in acute circulatory failure. Best Pract Res Clin Anaesthesiol. 2016;30(4):523-30.

89. Reddy SK, Bailey MJ, Beasley RW, et al. A protocol for the 0.9% saline versus Plasma-Lyte 148 for intensive care fluid therapy (SPLIT) study. Crit Care Resusc. 2014;16(4):274-9.

90. Weinberg L, Collins N, Van Mourik K, et al. Plasma-Lyte 148: A clinical review. World J Crit Care Med. 2016;5(4):235-50.

91. Smith CE, Fallon WF, Jr. Sevoflurane mask anesthesia for urgent tracheostomy in an uncooperative trauma patient with a difficult airway. Can J Anaesth. 2000;47(3):242-5.

92. Simon BJ, Cushman J, Barraco R, et al. Pain management guidelines for blunt thoracic trauma. J Trauma. 2005;59(5):1256-67.

93. D'Arcy Y. Easing pain from blunt thoracic trauma. Nursing. 2005;35(12):17.

94. Galvagno SM, Jr., Smith CE, Varon AJ, et al. Pain management for blunt thoracic trauma: A joint practice management guideline from the Eastern Association for the Surgery of Trauma and Trauma Anesthesiology Society. J Trauma Acute Care Surg. 2016;81(5):936-51.

219

Anestesia no Paciente Queimado

Fernando Antônio de Freitas Cantinho ▪ **Rogério Luiz da Rocha Videira**

INTRODUÇÃO

O acidente por queimadura desencadeia uma complexa reação orgânica, necessitando de uma abordagem distinta nas diferentes fases da evolução clínica, referente a um capítulo muito peculiar da Medicina aplicada ao trauma. Sobrevivendo ao acidente e à fase inicial do tratamento, o paciente torna-se exposto a situações de risco iminente à vida que podem perdurar. Em paralelo à dor extrema em suas feridas, o paciente queimado convive com a expectativa de significativas deformações corporais que eventualmente implicarão perda de valores e posições sociais, impedindo que sua vida retorne ao que era antes do acidente.

Quando uma publicação científica assinala que até uma brisa ao tocar a derme exposta do paciente queimado é capaz de provocar dor excruciante,[1] parece que se trata de uma redação imprópria ao contexto científico, todavia, conforme se progride no conhecimento sobre o *grande queimado* e sua dor, entende-se essa afirmação como tecnicamente correta.

Manter limpa a ferida do *grande queimado* é indispensável à sua boa evolução, porém o cuidado dessa ferida poderá ensejar sofrimento semelhante à tortura,[2] a depender da analgesia recebida. Embora a intensidade e a importância da dor do *grande queimado* sejam bem reconhecidas, frequentemente a dor é subtratada,[3] e doses acima daquelas comumente empregadas de opioides e sedativos seriam necessárias para o seu tratamento eficaz.[4] Número crescente de estudos assinala os efeitos adversos dos opioides no tratamento da dor no queimado.[5,6] A dor na fase aguda de evolução relaciona-se com estados de ansiedade e depressão, que, por sua vez, mostram-se fortes preditores de dor de maior intensidade, fadiga e estresse físico em momentos subsequentes à fase aguda.[7] A correta abordagem da dor deverá ser parte indissociável do bom atendimento, caracterizando-se a importância do anestesiologista como integrante essencial da equipe multiprofissional de atendimento ao *grande queimado*.

Nas seções a seguir, serão discutidos diversos aspectos ligados ao *grande queimado*, em suas diferentes fases de evolução, com ênfase na abordagem à dor.

▪ EPIDEMIOLOGIA

Globalmente, são estimadas cerca de 300 mil mortes por queimadura a cada ano.[8] No Brasil, calcula-se que haja, por ano, 100 mil internações hospitalares por queimadura, com cerca de 10 mil queimados que necessitam de reposição hídrica, dos quais mais de 2 mil têm evolução fatal.[9] A queimadura é um problema endêmico de saúde pública, principalmente nos países menos desenvolvidos, onde há alta densidade populacional em habitações inseguras, com instalações elétricas clandestinas e uso de utensílios perigosos como lamparinas, fogareiros e velas em um cômodo único. Os casos de queimaduras apresentam diferenças relacionadas com o sexo e a faixa etária dos indivíduos comprometidos.[10] Outros fatores de risco são abuso de bebidas alcoólicas, tabagismo, epilepsia e características culturais como a manipulação de fogos de artifício durante comemorações.[8] Escores e algoritmos específicos são propostos para estimar a mortalidade entre pacientes queimados.[11,12] Os três principais fatores de risco de morte são idade superior a 60 anos, superfície corpórea queimada (SCQ) maior que 40% e lesão inalatória, de modo que a existência de apenas um desses fatores está associada à evolução fatal em 3% dos casos; entretanto, se todos esses fatores estiverem presentes, a estimativa de evolução fatal é de 90%.[13] A evolução do escore de avaliação sequencial da falência de órgãos (SOFA) entre a admissão e o terceiro dia de evolução mostrou-se variável independentemente da idade e da SCQ associada à mortalidade.[14] A sepse e a falência de múltiplos órgãos evidenciam-se, respectivamente, como as complicações intra-hospitalares e as causas de morte mais frequentes.[15]

■ O ATENDIMENTO EM DIFERENTES SITUAÇÕES E FASES DE EVOLUÇÃO

O atendimento ao queimado inclui situações muito diversas, como a do idoso frágil ou do neonato, mais frequentemente vítimas de escaldo, até desastres que envolvem grande número de pessoas com queimaduras extensas associadas a outros traumas graves e que podem sobrecarregar os recursos de saúde disponíveis.[16] O anestesiologista, mais comumente, é convocado a participar do atendimento ao paciente considerado queimado grave, referido usualmente na literatura em língua portuguesa como *grande queimado*. A expressão *grande queimado* não se aplica de forma exclusiva ao paciente com grande extensão de SCQ – acima de 10% a 20% –, referindo-se também àquele que foi vítima de lesão grave por inalação de fumaça em ambientes fechados, queimaduras elétricas, queimaduras por agentes químicos ou queimaduras de face, extremidades ou genitália.

Saber como avaliar, tratar inicialmente e encaminhar o paciente grave ao centro de tratamento de queimados (CTQ) é de grande importância. No Brasil, a estruturação do funcionamento dos CTQs é regulamentada pela Portaria nº 1.273/2000 do Ministério da Saúde.[17]

O atendimento ao *grande queimado* pode ser dividido em três fases:

- **Primeira fase ou de ressuscitação:** estende-se por dois a três dias após a queimadura. Os procedimentos cirúrgicos passíveis de cuidados anestésicos nessa fase são a escarotomia, a fasciotomia ou intervenções para tratar trauma associado, como laparotomia, craniotomia ou correção de fratura exposta. A abordagem cirúrgica imediata da ferida representa melhores perspectivas de prognóstico. Nessa fase, o anestesiologista pode ser acionado para realizar intubação traqueal em pacientes com disfunção respiratória grave e via respiratória edemaciada, como também para a promoção de analgesia eficaz e segura para o cuidado inicial das feridas.
- **Segunda fase ou de cicatrização:** pode durar algumas semanas ou vários meses. Nesse período, é realizada a escarectomia ou excisão tangencial da região queimada, seguida de enxertia temporária ou definitiva, preferencialmente com autoenxertia. O transplante de pele poderá ser necessário no paciente com área queimada extensa e pequena superfície doadora. A limpeza das feridas e as trocas de curativo são frequentes, comumente muito dolorosas e exigem analgesia eficaz, idealmente conduzida pelo anestesiologista. O uso de retalho cutâneo pediculado ou livre frequentemente é necessário nas lesões mais complexas ou profundas, com exposição de osso, nervo, vasos ou articulações.
- **Terceira fase ou de reabilitação e reconstrução:** inicia-se após a estabilização do paciente, portanto comumente já fora do CTQ. Pode durar vários meses ou mesmo anos. Em intervenções cirúrgicas sequenciais, são realizadas as correções de cicatrizes hipertróficas e retrações cicatriciais com repercussão funcional ou estética, além da reconstrução de estruturas destruídas.

As duas fases iniciais ocorrem habitualmente na sequência de eventos que sucedem o momento do acidente e com o paciente grave internado, preferencialmente em CTQ, sendo regidas por condições fisiopatológicas e clínicas, todas peculiares do *grande queimado* e que são apresentadas a seguir.

■ ATENDIMENTO NAS FASES INICIAIS

No atendimento durante a fase de ressuscitação, as prioridades devem ser estabelecidas conforme o critério recomendado para atendimento de urgência pelo American College of Surgeons.

Via Respiratória

A via respiratória deve ser examinada com o objetivo de verificar-se a sua patência. A real necessidade da intubação traqueal na primeira fase de atendimento é, por vezes, difícil de ser definida. A intubação traqueal deve ser realizada se o paciente estiver confuso e apresentar sinais de lesão inalatória, como queimadura da face e dos pelos nasais, acompanhada de hiperemia de cavidade oral, tosse, expectoração com fuligem, taquipneia, rouquidão ou estridor. Se houver disponibilidade, a broncofibroscopia deve ser realizada com finalidade diagnóstica e terapêutica. Com a reposição hídrica, há aumento do edema, o que pode tornar a intubação traqueal impossível. Se houver dúvida, a intubação preventiva deve ser feita e a cabeceira elevada a fim de reduzir a formação de edema.[18] A fixação do tubo traqueal deve ser feita por meio de duas fitas de algodão atadas em torno da região cervical. Se houver queimadura facial grave, a fixação do tubo poderá ser realizada por sutura do tubo aos dentes ou a parafuso ósseo implantado na maxila. O tubo com balonete deve ser usado também em crianças, com cautela para que a pressão do balonete não exceda 25 cmH$_2$O.

Respiração

A injúria de via respiratória causada pela inalação de vapores ou gases superaquecidos, mediante lesão celular direta, comprometimento da atividade mucociliar, obstrução de via respiratória e liberação de citocinas pró-inflamatórias, aumenta o risco de síndrome do desconforto respiratório agudo (SDRA). Todo *grande queimado* com suspeita de inalação de fumaça tóxica deve receber, inicialmente, O$_2$ umidificado a 100% por máscara facial durante algumas horas. O monóxido de carbono (CO) produzido pela combustão incompleta de produtos de carbono tem 240 vezes maior afinidade pela hemoglobina e por citocromos mitocondriais do que o O$_2$, o que provoca redução do consumo de O$_2$ celular e do transporte de O$_2$ pelo sangue. A inalação de O$_2$ a 100% torna quatro vezes mais rápida a eliminação do CO. A oximetria de pulso detecta carboxiemoglobina (HbCO) como se fosse a oxiemoglobina (HbO$_2$). Logo, em pacientes, com HbCO de 40%, por exemplo, a oximetria de pulso (SpO$_2$) pode ser de 100%, mas a verdadeira saturação de O$_2$ do sangue arterial é de apenas 60%. A gasometria arterial também é inútil para fazer esse diagnóstico, visto que pequenos valores como 1 mmHg de CO no sangue arterial estão relacionados com HbCO de 40% a 50%, que causa confusão mental ou até mesmo coma. O exame de co-oximetria do sangue arterial pode detectar HbCO, cuja medição por meio de co-oximetria de pulso (Sp-CO) é um recurso não invasivo que pode ser usado já na fase pré-hospitalar para fazer o diagnóstico precoce de intoxicação por CO. Se for necessária intubação traqueal, a via oral é a preferida. Quanto ao modo de ventilação, têm sido recomendados a ventilação protetora, utilizando-se estratégias de proteção pulmonar com volume corrente inferior a 8 mL.kg^{-1}, o limite da pressão de platô inspiratório em 30 cmH$_2$O, a pressão positiva durante a expiração (PEEP) ajustada conforme a fração de oxigênio inspirado (FiO$_2$) e a hipercarbia permissiva. Os efeitos vantajosos da ventilação protetora não parecem restritos ao pulmão, beneficiando, entre outras, as funções do coração direito e do diafragma.[19] Ventilação oscilatória de alta frequência poderá ser uma alternativa à ventilação mecânica convencional, particularmente nos casos de inalação de fumaça,[20] ou até mesmo à oxigenação por membrana extracorpórea (ECMO),[21] considerando-se que essas duas alternativas demandam outros estudos para definição mais adequada quanto ao seu emprego. Tem sido recomendada a nebulização de heparina (10.000 u a cada 4 horas) alternada com n-acetilcisteína (3 mL a 20% a cada 4 horas) nas primeiras 48 horas após lesão inalatória grave. A ação anti-inflamatória da heparina inalada tem sido relacionada com maior sobrevida e menor morbidade, sem alteração sistêmica da coagulação em adultos.[22]

Circulação

O objetivo principal na primeira fase de atendimento é proceder à reposição hídrica adequada o mais rápido possível, proporcionando a melhora da perfusão na zona de estase circunjacente à queimadura e a reduzindo a morbidade e a mortalidade entre *grandes queimados*. Se o transporte para o hospital demorar ou não houver acesso venoso, inicia-se a hidratação por via oral.[23] Um acesso venoso com cânula plástica periférica deve ser estabelecido preferencialmente em região de pele intacta, mas, se necessário, a punção poderá ser feita na pele queimada e a fixação, com fio cirúrgico. O uso do cateter venoso de "linha média" tem sido descrito em pacientes que necessitam de acesso por pelo menos seis dias. Esses cateteres são introduzidos pela técnica de Seldinger, muitas vezes com a ajuda do ultrassom, em veias periféricas proximais de maior calibre do membro superior, como a cefálica e a basílica. Estudo preliminar mostrou perfil de segurança melhor que o do cateter central e seu uso tem o potencial de reduzir o problema do acesso venoso no *grande queimado*.[24] Cateter vesical deve ser introduzido para monitorar a diurese horária, e o início precoce – nas 24 horas iniciais – de nutrição, por via gástrica ou enteral, está relacionado com menos tempo de internação hospitalar, menor incidência de hemorragia gástrica, sepse, pneumonia, insuficiência renal e mortalidade reduzida.[25] Existem várias fórmulas para estimar o volume da reposição hídrica nas 24 horas iniciais, mas o método

mais frequentemente utilizado é o de Parkland, que preconiza o uso do Ringer com lactato no volume calculado pela fórmula:

$$4 \text{ mL} \times \text{SCQ (\%)} \times \text{peso corpóreo (kg)}/24h$$

É recomendada a infusão de metade desse volume nas primeiras 8 horas. Por exemplo, no adulto com 60 kg e 40% de SCQ, deverão ser infundidos $4 \times 40 \times 60 = 9.600$ mL em 24 horas. Metade desse total (4.800 mL) deve ser infundida em 8 horas, o que resulta em infusão de 600 mL.h^{-1} nas 8 horas iniciais, que é depois reduzida para 300 mL.h^{-1} nas 16 horas seguintes. Essa fórmula deve ser usada para orientação, não precisando ser seguida rigidamente, pois a reposição deve ser ajustada com o objetivo de se manter débito urinário de 0,5 mL.kg^{-1}.h^{-1} no adulto ou 1 mL.kg^{-1}.h^{-1} nas crianças e pressão arterial média (PAM) > 70 mmHg. Nas vítimas de queimaduras por eletricidade e na lesão inalatória com necessidade de ventilação mecânica, essa fórmula frequentemente subestima o volume que deve ser infundido nas 24 horas iniciais.[26] Por outro lado, foi observado que a prática restritiva de fluidos, com infusão menor do que o sugerido pela fórmula de Parkland, pode aumentar a incidência de lesão renal aguda (LRA), sem alteração na ocorrência de infecção.[27] O tratamento desses pacientes em CTQ está associado a menos mortalidade.[28] Outras formas para o cálculo do volume de reposição já foram propostas, mas não há evidência de alteração na mortalidade. O uso de albumina ou plasma com frequência reduz a necessidade de fluidos nessa fase,[29] e hidroxietilamido por via endovenosa (EV) nas primeiras 24 horas tem se relacionado com maior incidência de insuficiência renal e mortalidade no queimado grave.[30] Pacientes cujo sangue arterial apresente déficit de bases inferior a – 6 após 24 horas da queimadura apresentam mais insuficiência respiratória, falência de múltiplos órgãos e evolução fatal.[31] A fisiopatologia do choque no *grande queimado* é muito complexa e multifatorial. Nessa fase, pode haver hipotensão arterial por hipovolemia ou redução da contratilidade miocárdica com disfunção diastólica do ventrículo esquerdo. A redução da afinidade dos receptores beta-adrenérgicos por substâncias beta-agonistas em geral está relacionada com essa disfunção miocárdica.[32] O uso de agentes inotrópicos pode ser necessário, todavia não há evidências quanto aos benefícios ou danos do emprego de fármacos vasoativos ou inotrópicos durante a primeira fase do atendimento do *grande queimado*:[33] o potencial efeito de vasoconstrição na circulação da pele queimada suscita dúvidas quanto ao seu emprego. O uso de diuréticos deve ser evitado a fim de manter a diurese como um indicador de perfusão tissular. A monitorização da pressão intra-abdominal também pode ser feita para evitar a hipertensão abdominal e a síndrome compartimental abdominal (*p* > 20 mmHg), que está associada a insuficiência renal e alta mortalidade.[34] Plasmaférese terapêutica pode estar indicada a paciente com hipotensão arterial refratária.[35]

Disfunção Neurológica

Desorientação, agitação e coma podem estar relacionados com disfunção respiratória, hipoxemia, lesão neurológica pós-hipóxica, ação do etanol ou substâncias ilícitas, trauma cranioencefálico, doenças psiquiátricas preexistentes, acidente vascular encefálico em idosos ou estados pós-epilépticos. Observa-se forte associação entre ocorrência de *delirium*, faixa etária dos pacientes, internação em terapia intensiva e número de intervenções realizadas com anestesia.[36] A inalação de monóxido de carbono ou cianeto relaciona-se com disfunção neurológica. O diagnóstico diferencial rápido quase sempre é difícil, e a oferta de O_2 a 100% deve ser providenciada prontamente.

Exposição – Exame do Paciente

A avaliação deve ser completa, pois em 10% a 15% dos pacientes há outro trauma associado, o que complica o tratamento e piora o prognóstico.[37] A história detalhada do mecanismo da queimadura deve ser obtida. Em caso de produto químico, causa de queimadura que ocorre em menos de 5% dos casos, a segurança da manipulação do paciente deve ser priorizada. O paciente deverá ser questionado acerca de alergias ou doenças clínicas preexistentes, assim como do tempo desde a última vacinação contra o tétano. A roupa e os objetos, como anéis ou pulseira, precisam ser removidos. As lesões devem ser limpas com soro fisiológico e, a seguir, realizada a avaliação da queimadura. Cuidados como manter a temperatura ambiente em torno de 30°C devem ser tomados para se evitar hipotermia.

■ CLASSIFICAÇÃO DAS QUEIMADURAS

A pele humana tem espessura muito variável, de 1 a 10 mm. As queimaduras são classificadas de acordo com a profundidade, a extensão e o agente causal, que são fatores contribuintes para a definição da conduta em cada paciente.

Profundidade

A profundidade pode ser classificada em quatro graus:

- **Primeiro grau:** atinge somente a epiderme. A queimadura é dolorosa e há recuperação espontânea em até 72 horas.
- **Segundo grau:** atinge parcialmente a derme, a superfície é úmida e dolorosa e costuma ser subdivida em dois tipos:
  - **Superficial:** atinge a derme superficialmente, havendo formação de bolhas cutâneas. A epiderme é regenerada a partir dos queratinócitos presentes nos apêndices cutâneos preservados (folículos pilosos, glândulas sebáceas e glândulas sudoríparas). Há recuperação em até três semanas, sem a formação de cicatriz hipertrófica;
  - **Profundo:** há grande destruição dos apêndices cutâneos. O desenvolvimento de um novo epitélio demora mais de três semanas para se completar e, se a evolução for espontânea, poderá haver grande retração cicatricial e formação de cicatrizes hipertróficas.
- **Terceiro grau:** há destruição completa da epiderme e da derme. A superfície é seca e indolor e não há sangramento à punção com agulha.
- **Quarto grau:** ocorre associadamente lesão de estruturas mais profundas, como músculos, tendões ou ossos.

Os tratamentos das queimaduras de segundo grau profunda e terceiro grau são muito semelhantes, com base na excisão das escaras cutâneas, que são as crostas formadas pelo tecido necrótico. Essas escaras liberam lipopolissacarídeos e outros mediadores que estimulam a resposta inflamatória, além de facilitarem o crescimento de microrganismos.[29]

Extensão

A SCQ pode ser estimada, de forma simples, por meio de dois métodos: a regra dos nove, adequada para adultos (Figura 219.1), ou o método da palma da mão, na qual se considera que a área da superfície anterior da mão do paciente, exceto os dedos, equivale a 0,8% de sua superfície corpórea total. A avaliação feita por médico com pouca experiência e usando esses métodos simples tende, no entanto, a superestimar a SCQ. Vários CTQs avaliam a extensão da SCQ por meio do diagrama de Lund e Browder (Figura 219.2). No cálculo da extensão, somente as queimaduras de segundo ou terceiro grau devem ser consideradas. Essa avaliação deve ser feita de forma evolutiva, já que o tratamento inadequado na fase inicial pode transformar as regiões de estase em áreas de necrose e aumentar a profundidade e a extensão da queimadura. Existe grande variabilidade da estimativa, o que depende do método utilizado e do nível de treinamento de quem utiliza o método escolhido.

Agente Causal

É importante determinar o agente que causou a queimadura e se as circunstâncias produziram outros tipos de trauma. Fraturas ósseas ou traumatismo craniano estão associados a acidentes em veículos de transporte, enquanto pneumotórax é observado após explosões. O agente causal

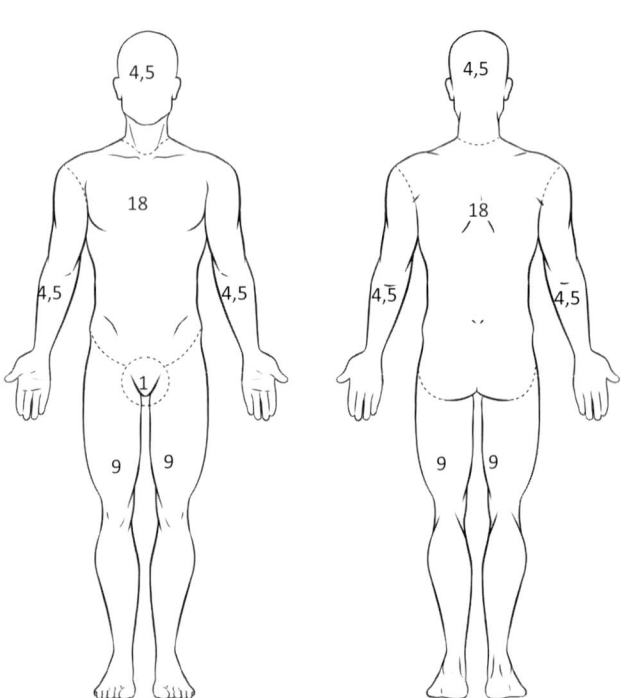

▲ **Figura 219.1** Regra dos nove.

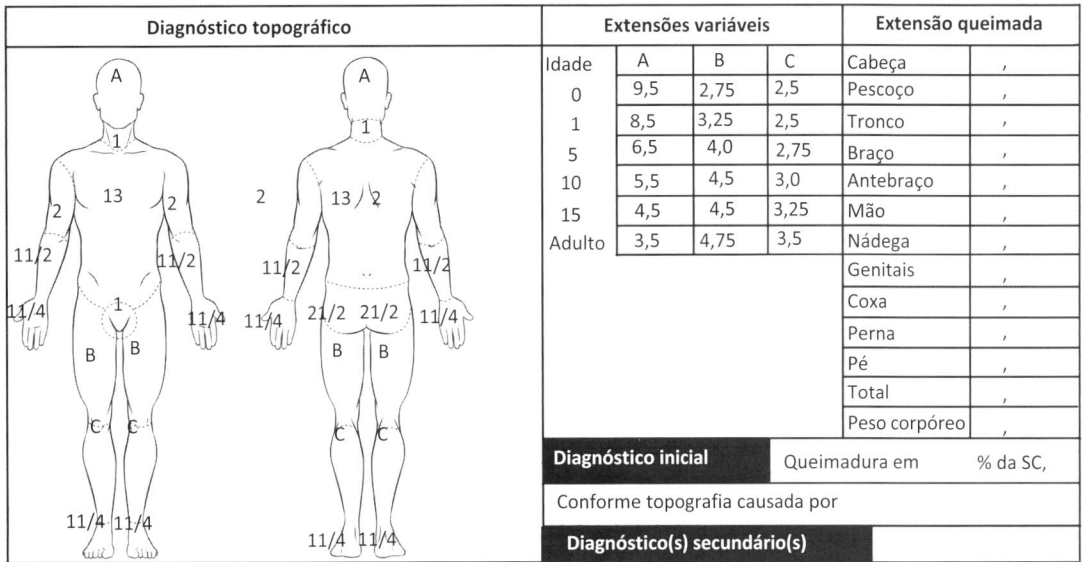

Diagnóstico topográfico	Extensões variáveis			Extensão queimada	
	Idade	A	B	C	Cabeça	,
	0	9,5	2,75	2,5	Pescoço	,
	1	8,5	3,25	2,5	Tronco	,
	5	6,5	4,0	2,75	Braço	,
	10	5,5	4,5	3,0	Antebraço	,
	15	4,5	4,5	3,25	Mão	,
	Adulto	3,5	4,75	3,5	Nádega	,
					Genitais	,
					Coxa	,
					Perna	,
					Pé	,
					Total	,
					Peso corpóreo	,
Diagnóstico inicial		Queimadura em		% da SC,		
Conforme topografia causada por						
Diagnóstico(s) secundário(s)						

▲ **Figura 219.2** Diagrama de Lund e Browder.

mais comum varia conforme a idade ou a atividade profissional do paciente. O escaldo (contato com líquido quente) ocorre com mais frequência em crianças e idosos. No adulto, o mais frequente é ocorrer exposição às chamas de líquido combustível. A energia elétrica, responsável por 10% a 15% do total de casos, quando de alta voltagem (> 1.000 V), causar é capaz de provocar lesão muscular extensa, com rabdomiólise e mioglobinúria, mas a queimadura é visível apenas nos locais de entrada e saída da corrente elétrica. Crianças com queimadura esofágica química por ingestão de substância cáustica podem evoluir com estenose grave da orofaringe ou exigir dilatação esofágica regularmente sob anestesia durante vários anos. Pacientes com necrólise epidérmica tóxica extensa, descolamento traumático da pele, úlceras crônicas, síndrome de Fournier ou fasciite necrotizante também se beneficiam com tratamento em CTQ.[38]

▪ MONITORIZAÇÃO

A monitorização na primeira fase é tradicionalmente não invasiva, por oxímetro de pulso e pressão arterial,[27] embora haja indicação de monitorização invasiva nos pacientes de maior gravidade.[16] Os eletrodos do eletrocardiograma (ECG) convencional do tipo autoadesivo devem ser aplicados à pele íntegra. Caso não seja possível, podem-se utilizar eletrodos conectados a uma agulha ou a um grampo metálico ancorado no tecido subcutâneo. Durante procedimentos de limpeza da queimadura, quando um volume grande de soro fisiológico é usado, os campos umedecidos são bons condutores e podem receber o eletrodo para monitorar a atividade elétrica cardíaca. Se necessário, o manguito do aparelho de pressão arterial não invasiva pode ser aplicado sobre o curativo da região queimada. A monitorização de pressão arterial invasiva só está indicada se houver necessidade de infusão de agentes inotrópicos ou lesão inalatória grave que exija a monitorização repetida da gasometria arterial. Muitas vezes, o sensor do oxímetro de pulso precisa ser colocado em locais alternativos, como na mucosa bucal ou na língua. O uso de oximetria de refletância esofágica parece ser uma boa alternativa à oximetria de pulso periférica, pois, ficando numa localização mais central, cuja temperatura é maior, sofre menos interferência quando há condições adversas, como hipotermia, hipovolemia, vasoconstrição ou débito cardíaco reduzido; todavia ainda não está disponível comercialmente.[38]

Se for necessária a infusão central de medicamentos vasoativos e houver queimaduras torácica e cervical, pode ser introduzido cateter central longo pela veia periférica. O uso desse tipo de cateter impregnado com antibiótico está relacionado com baixo índice de infecção.[39] A introdução de cateter de artéria pulmonar é raramente indicada. Em pacientes com intubação traqueal em ventilação mecânica, o uso de ecocardiografia transesofágica pode melhorar a avaliação do estado hídrico e da função cardíaca.[40] A utilização do método menos invasivo de análise da curva de pressão arterial pode ser útil para estimar o débito cardíaco e a variação de volume sistólico, além de indicar em que momento haverá melhor resposta ao volume infundido.[41] Os pacientes que necessitarem de intubação traqueal devem ser monitorizados com capnografia e registro da pressão endotraqueal, volume expirado e da relação PaO_2/FiO_2. Nesses pacientes, foi possível reduzir o tempo de suporte ventilatório por meio da aplicação do protocolo que recomenda a extubação traqueal quando houver normotermia (T > 36°C), estabilidade hemodinâmica (PAM > 60 mmHg) e relação $PaO_2/FiO_2 > 250$ mmHg.[42]

Exames Complementares

Ao se instalar o acesso venoso, uma amostra de sangue deve ser enviada ao laboratório para tipagem sanguínea e pesquisa de anticorpos irregulares e outra para hemograma e dosagem de Na, K, ureia, creatinina, glicose e albumina a fim de estabelecer um valor inicial de referência. Para utilização do SOFA como escore de gravidade e evolutivo, é necessária a dosagem da bilirrubina total à admissão. Se houver suspeita de lesão inalatória, deverão ser solicitadas broncofibroscopia, radiografia torácica e gasometria arterial. Havendo lesão por energia elétrica, um ECG deverá ser registrado, assim como a dosagem de creatinofosfoquinase (CK) e sua fração MB (CK-MB) sérica. Alta concentração de lactato sérico pode indicar intoxicação por CO, cianeto (CN) ou baixa perfusão tissular.[4] A elevação dos níveis da proteína C reativa e da ferritina, como proteínas de fase aguda produzidas pelo fígado, pode indicar aumento da resposta inflamatória sistêmica, enquanto a ferritina reduzida está relacionada com deficiência de ferro, que deverá ser reposto.

■ CUIDADO DA SUPERFÍCIE QUEIMADA

Logo após o acidente, as roupas devem ser removidas e a região queimada limpa com solução fisiológica para esfriar a pele e retirar os detritos. Essa medida auxilia na redução da zona de estase circunjacente à área de necrose coagulativa. A região afetada deve ser posicionada de forma a facilitar sua drenagem venosa. Se o atendimento inicial ocorrer em hospital sem recursos adequados, a área queimada poderá ser coberta com filme transparente de PVC, comumente encontrado nas cozinhas para embrulhar alimentos. Essa é uma forma simples de proteger a pele queimada e reduzir as perdas hídrica e térmica e a dor associada até a chegada ao CTQ. A aplicação tópica de creme antibiótico não deve ser feita durante o atendimento inicial, pois dificulta a avaliação sequencial da região queimada.

Em 2012, a Agência Europeia de Medicamentos aprovou o emprego tópico da bromelaína, concentrado de enzimas proteolíticas derivado do caule do abacaxizeiro, para tratamento das lesões cutâneas profundas por queimaduras. Esse procedimento parece associar-se a desfechos positivos quanto aos aspectos funcionais, estéticos e de qualidade de vida.[43]

A função do colágeno é particularmente importante devido à sua ação como proteína biodegradável para a migração celular e o crescimento capilar, fenômenos essenciais à reparação da pele queimada. A pele de tilápia pode ser uma importante fonte de colágeno, principalmente do tipo 1 (COL-I), sem comprometimento de sua ultraestrutura pelos protocolos de esterilização.[44] Estudos demonstram de forma consistente reepitelização acelerada, melhora da complacência do paciente em relação à dor da queimadura, ausência de reações imunológicas ou alérgicas, além de redução das taxas de infecção, do tempo de internação hospitalar e dos custos do tratamento quando a pele de tilápia é usada sobre a pele queimada. Apesar do emprego da pele de peixe sobre a ferida cutânea ser alternativa aprovada pela Food and Drug Administration (FDA), recomendam-se estudos adicionais antes do seu uso clínico em larga escala.[45]

Transporte do Paciente Queimado para o Centro de Tratamento de Queimados

Os critérios recomendados pela American Burn Association (ABA) para encaminhar o queimado para um CTQ estão descritos na Tabela 219.1.[46] O contato prévio entre o profissional que prestou o primeiro atendimento e a equipe do CTQ é fundamental para orientar o preparo dos recursos adequados ao transporte e à recepção do paciente. A

decisão de realizar intubação traqueal antes da remoção do paciente é crucial e está associada à incidência de mais de um terço de intubações desnecessárias.[47] Um algoritmo foi proposto para auxiliar a decisão de realizar a intubação traqueal no paciente queimado que está sendo atendido em condições de restrição de recursos materiais (Figura 219.3).[48] O anestesiologista deverá ser membro de uma completa equipe multidisciplinar. A atividade desenvolvida

Tabela 219.1 Critérios de admissão ao Centro de Tratamento de Queimados (ABA – *American Burn Association*).
■ Superfície corpórea queimada (SCQ) > 10%
■ Lesão inalatória
■ Queimadura de 3º grau
■ Queimadura por eletricidade/química
■ Trauma associado, com queimadura como maior fator de risco
■ Pacientes com doença clínica prévia
■ Criança internada em hospital sem pessoal ou equipamento adequado
■ Queimadura de face, mãos, pés, períneo ou grandes articulações
■ Paciente que necessitará de reabilitação prolongada

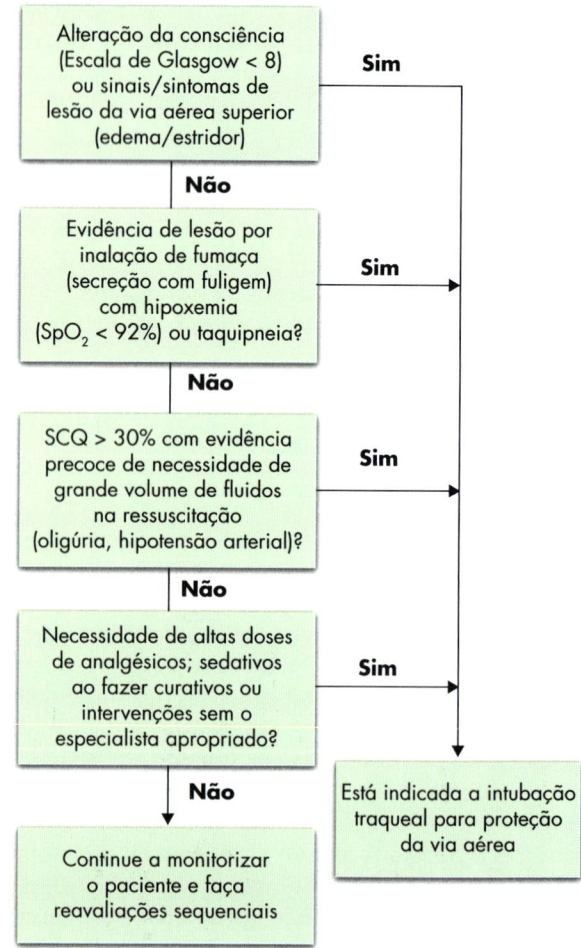

▲ **Figura 219.3** Algoritmo para auxiliar na decisão de intubação traqueal do paciente queimado atendido em condições de restrição de recursos materiais.
SCQ: superfície corpórea queimada
Fonte: adaptada de Kearns 2016.

por essa equipe no CTQ melhora o resultado estético e reduz a incidência de infecções, a mortalidade e os custos.[46] A duração do tratamento costuma ser prolongada, com média de um dia de internação hospitalar para cada porcentagem de superfície corpórea queimada.[16]

Tratamento da Dor

O estudo da dor no queimado é complexo, havendo a interseção de características de dores aguda e crônica, assim como de dores somática e neuropática. O paciente apresenta dor contínua basal, de intensidade variável, que é frequentemente acentuada pela dor causada por procedimentos como trocas de curativo, fisioterapia ou intervenções cirúrgicas. O tratamento eficiente da dor aguda pode reduzir o desenvolvimento de dor crônica e do estresse pós-traumático,[49] devendo ser iniciado desde o primeiro atendimento. O registro adequado da intensidade da dor é importante na avaliação da eficiência do método de analgesia utilizado. Em adultos, a forma mais simples de avaliação é pela escala numérica de 0 a 10. Na fase inicial, tem sido preferido o uso de morfina venosa, titulada para cada paciente. Cronicamente, deve ser usada a via oral para a administração de opioides de longa duração, como metadona ou oxicodona. A metadona, um opioide único devido às suas propriedades de ligação aos receptores, apresenta atividade agonista no receptor opioide μ, atividade antagonista nos receptores n-metil-D-aspartato (NMDA) e, também, propriedades inibitórias da recaptação de serotonina e norepinefrina. Produz analgesia de longa duração e sua propriedade antagonista NMDA pode ser responsável por reduzir ou reverter a tolerância ao opioide e a hiperalgesia de outros opioides de curta duração. A metadona pode também ser útil na modulação da dor neuropática,[50] assim como a associação de paracetamol e codeína por via oral. No nosso país, a dipirona na dose de 30 mg.kg^{-1} a cada 6 horas é frequentemente associada. A prescrição de opioides deve ser feita em horários fixos, com previsão de dose adicional 30 minutos antes de procedimentos dolorosos. A meperidina não deve ser usada por tempo prolongado, pois, além do seu potencial de dependência, propicia o acúmulo de seu metabólito, a normeperidina, que é neurotóxica e pode ocasionar agitação e crise convulsiva. Em alguns pacientes, o uso de opioides pode ser insuficiente para controlar a dor ou está relacionado com efeitos indesejáveis, como constipação ou náusea e vômitos. O uso concomitante de outras medicações, como clonidina, cetamina ou benzodiazepínicos, pode reduzir a necessidade de opioides e os seus efeitos colaterais.[49] Em tempos de crise pelo uso abusivo de opioides, a cetamina desperta particular interesse, com diversos estudos indicando seu papel potencial no controle tanto das condições de dor aguda como de dor crônica.[51] Os anti-inflamatórios devem ser evitados na fase inicial ou para uso por tempo prolongado em virtude do risco de úlcera de estresse e disfunção renal, entretanto podem ser úteis no pós-operatório imediato de procedimentos mais dolorosos. Embora a utilização de opioide para analgesia controlada pelo paciente seja apropriado, essa é uma técnica de alto custo, e o fato de que muitos queimados têm as duas mãos afetadas impede o acionamento adequado do equipamento. A analgesia por bomba de infusão controlada por enfermeira ou parente já foi descrita.[52] Esses pacientes podem se beneficiar da infusão contínua simples de opioide.[53] A gabapentina e a pregabalina são análogos estruturais lipofílicos do ácido gama-aminobutírico (GABA) bloqueando seletivamente os canais de Ca^{2+} que contêm subunidades α2δ-1.[51] A adição desses fármacos ao esquema analgésico do *grande queimado* tem sido recomendada para reduzir as manifestações sintomáticas relacionadas com a dor neuropática.[54] Estudos sugerem que os gabapentinoides são benéficos para o controle do prurido associado à lesão por queimadura.[55] O suporte psicológico e a utilização de técnicas não farmacológicas, como jogos de realidade virtual[56] e distração[57], podem ser benéficos para reduzir a ansiedade associada à dor. Em muitos pacientes, é diagnosticada depressão moderada a grave ou síndrome do estresse pós-traumático, o que justifica o uso de medicação como antidepressivos tricíclicos ou inibidores seletivos da recaptação de serotonina. Já foi descrita a ocorrência de síndrome serotoninérgica em queimados que estavam recebendo essas medicações.[16,58] Os antidepressivos parecem aumentar a analgesia induzida pelo opioide, especialmente em pacientes com dor crônica (neuropática). Antipsicóticos como o haloperidol e a quetiapina são também boas opções e têm seu uso crescente para controle da ansiedade e da agitação associadas à queimadura.[59]

Infecção

A incidência de infecção da pele queimada é de cerca de 5%, sendo, junto com a infecção pulmonar, a causa mais frequente de morte tardia. A presença de tecido necrótico e de proteínas séricas forma um rico meio de cultura para os microrganismos. Além da perda da barreira física representada pela pele íntegra, ocorre também disfunção imunológica tanto local quanto sistêmica. A imunossupressão observada envolve o sistema inespecífico, com função anormal de macrófagos e neutrófilos, a imunidade celular, com redução da relação de linfócitos H/S e da atividade das células *natural killer* (NK), e a imunidade humoral, com redução das proteínas do complemento e das imunoglobulinas séricas.[60] São considerados fatores de risco para infecção: tempo de internação prolongado, extensão da SCQ > 30%, número de componentes do sangue administrados e hiperglicemia. A manipulação adequada do paciente com o objetivo de evitar infecções deve ser priorizada. Nas 48 horas iniciais, há colonização da pele queimada por bactérias Gram-positivas, principalmente *Stafilococcus*, provenientes das glândulas sudoríparas e dos folículos pilosos remanescentes. Após esse período, predomina a colonização por bacilos Gram-negativos, principalmente *Pseudomonas*, originados do trato gastrointestinal do próprio paciente, ou por outros disseminados no ambiente. A profilaxia das infecções no queimado consiste no uso de técnicas de barreira (avental e luvas após a lavagem das mãos) pelos profissionais que cuidarão do paciente, aplicação de creme antibiótico tópico e excisão e enxertia precoce da área queimada. Os equipamentos hidroterápicos devem ser usados somente após antissepsia rigorosa. Devido ao grande risco de transmissão de infecção, muitos CTQs preferem realizar as trocas de curativo no próprio leito do paciente. O uso profilático de antibiótico sistêmico é contraindicado. Entre os vários antibióticos tópicos disponíveis, a sulfadiazina de prata a 1% é o mais utilizado no país, em função de seu baixo custo e a reduzida intensidade de dor ao ser aplicada na pele queimada, e está associada a leucopenia transitória inicial e 1% de incidência de metemoglobinemia. Em queimaduras de segundo grau superficiais, esse pode ser o único tratamento necessário. As análises qualitativa e quantitativa de *swab* cutâneo superficial da região queimada é um método útil para se monitorizar a colonização, pois é de baixo custo e pouca complexidade. Hemoculturas também deverão ser realizadas semanalmente na presença de cateter venoso central ou quando houver suspeita de bacteremia. O uso profilático de antibiótico por via endovenosa, pode ser feito no pré-operatório de procedimentos mais invasivos, como a excisão tangencial ou preparação de retalhos, mas não está indicado antes de trocas simples de curativo. Recomenda-se a administração de cefalosporinas de primeira geração (30 mg.kg^{-1}). Se houver alergia, a alternativa é clindamicina 10 mg.kg^{-1}.[61] Se o crescimento bacteriano for muito grande (> 105 CFU/g de tecido), podem ocorrer infecção do subcutâneo, transformação de uma lesão cutânea parcial em total e sepse. O diagnóstico clínico dessas infecções pode ser difícil. A febre não é um sinal confiável de infecção, pois muitas vezes está associada somente à resposta hipermetabólica. Por outro lado, a febre deve ser controlada, pois acentua o catabolismo muscular observado no queimado.

Leucocitose ocorre mais em infecções por Gram-positivos, enquanto os Gram-negativos estão mais relacionados a hipotermia, leucopenia, hiperglicemia e confusão mental. A biópsia de pele com cultura quantitativa e exame histopatológico é considerada o melhor método para se fazer o diagnóstico da infecção cutânea. A hipotermia (temperatura < 36°C) é considerada sinal de infecção sistêmica, assim como a taquicardia (frequência cardíaca [FC] > 130 bpm), a hipotensão arterial (PAM < 60 mmHg), a acidose metabólica (excesso de Bases [BE] < - 6 mEq.L^{-1}), a glicemia > 150 mg.dL^{-1} e o uso de medicamento vasoativo.[62,63] O diagnóstico de lesão inalatória aumenta a incidência de pneumonia no queimado. Quando há necessidade de se realizar ventilação mecânica, a pneumonia se desenvolve em mais de 50% dos pacientes, com evolução fatal em cerca de 25% dos casos. As pneumonias endógenas primárias, causadas por bactérias presentes na orofaringe ou no trato gastrointestinal do paciente no momento da admissão, são os tipos mais frequentes. A descontaminação seletiva do trato gastrointestinal tem sido proposta para reduzir essa complicação e a mortalidade relacionada.[64] A realização de broncofibroscopia para a obtenção de lavado broncoalveolar pode ser necessária, pois em 20% dos queimados com diagnóstico de pneumonia há, na realidade, alterações pulmonares associadas a resposta inflamatória sistêmica sem necessidade de antibioticoterapia.[65]

A introdução de cateter no queimado deve ser feita com todo o rigor de antissepsia e planejamento de retirada o mais rápido possível. A incidência de infecção com cateter vesical ou cateter venoso central é em torno de 1 para cada 100 dias de uso. O cateter impregnado com antimicrobianos reduz essa incidência e seu uso é recomendado pela International Society for Burn Injuries (ISBI).[66] Por outro lado, a introdução do cateter através da pele queimada aumenta o risco de infecção, e mesmo a simples proximidade (< 5 cm) de uma área de queimadura eleva a incidência de bacteremia em até cinco vezes.[16,39] O cateter central não deve ser trocado a intervalos regulares, mas somente quando houver sinais de infecção local ou sistêmica.[16,67] À semelhança dos princípios e objetivos da Surviving Sepsis Campaign aplicados ao diagnóstico e à abordagem precoces da sepse na população em geral, recentemente foi elaborado a Surviving Sepsis After Burn Campaign (SSABC), a ser aplicada na abordagem ao paciente queimado grave.[68]

INSUFICIÊNCIA ENTÉRICA E NUTRIÇÃO

Os processos de isquemia e reperfusão intestinal têm sido apontados como importantes na fisiopatologia do choque no queimado. Há o desencadeamento de apoptose das células intestinais, com translocação bacteriana e ativação leucocitária com produção de citocinas que são transportadas pelos vasos linfáticos intestinais até a veia cava e podem provocar alterações pulmonares características da síndrome da resposta inflamatória sistêmica (SIRS).[69]

O início precoce da nutrição enteral após a estabilização hemodinâmica, dentro das 24 horas iniciais, melhora a perfusão intestinal, o consumo de O_2, ajuda a manter a integridade da mucosa intestinal e pode reduzir a incidência de ulceração gástrica, infecções e mortalidade. A nutrição pode ser feita por via oral, nasogástrica ou nasoenteral, mas a administração nasoenteral mostrou ser mais bem tolerada. A nutrição parenteral total deve ser evitada, pois está relacionada a maior incidência de infecção e mortalidade.[25] Após a fase de ressuscitação, deve ser administrada dieta hipercalórica e hiperproteica, mas não mais do que 20% maior que a necessidade calórica normal do paciente. Calorimetria indireta deve ser usada para orientar a prescrição calórica, pois nenhuma das fórmulas propostas na literatura é capaz de estimar a necessidade calórica de forma confiável. Suplementos como a glutamina, a arginina e os ácidos graxos do tipo ômega-3 parecem ter efeito benéfico no metabolismo e na manutenção da integridade da mucosa intestinal e podem acelerar o processo de cicatrização.[16] A suplementação da nutrição com pequenas quantidades de selênio, zinco e cobre está relacionada com menos disfunção imunológica, melhor cicatrização e menos incidência de infecções.[70] A reposição de colecalciferol também está indicada para a maioria dos pacientes vítimas de queimadura grave em vista da incidência de hipovitaminose D.[71] Em crianças com queimadura com SCQ > 30%, a associação de propranolol e oxandrolona sistêmica melhora o resultado da cicatrização, com benefícios psicossociais para esses pacientes. A oxandrolona é um hormônio anabólico esteroide, análogo da testosterona, mas com menos efeito virilizante, que ajuda na manutenção da massa muscular do *grande queimado*. Por sua vez, o propranolol auxilia a atenuar os efeitos cardiovasculares e catabólicos do trauma. Programa de exercícios aeróbicos e resistivos progressivos está associado à redução da incidência e da gravidade de contraturas articulares nesses pacientes.[72] No queimado, é observada resistência tissular periférica à insulina, o que causa hiperglicemia. Em crianças com SCQ > 60%, sem diabetes melito, a hiperglicemia (> 140 mg.dL⁻¹) foi associada a maior incidência de hemocultura positiva, mais perda da enxertia cutânea e evolução fatal mais frequente. Insulina ou metformina podem aumentar a utilização da glicose e a síntese proteica muscular, mas ainda não está estabelecido se o controle rígido da glicemia é capaz de atenuar essa evolução negativa.[73] O estado nutricional antes da queimadura também é importante para o prognóstico. Nos idosos com SCQ < 30%, a existência prévia de desnutrição proteica aumentou a incidência de morte de 9% para 17%.[74]

Um problema que não ocorre frequentemente, mas que exige pronta intervenção, é a síndrome compartimental abdominal. Se a pressão vesical exceder 30 mmHg, é útil a introdução de um cateter intra-abdominal para drenar o líquido acumulado na cavidade. Se isso não for suficiente, está indicada a realização de laparostomia.[16]

Devido aos múltiplos procedimentos cirúrgicos aos quais o paciente pode ser exposto, a prescrição de jejum após a meia-noite é uma prática que reduz excessivamente a carga calórica que o paciente receberá. Para procedimentos que não envolvem a via respiratória ou cavidade abdominal, tem sido sugerido que a infusão enteral seja interrompida por tempos mais curtos e que, no período pós-operatório, a taxa de infusão seja aumentada transitoriamente como compensação.[75]

COAGULOPATIA INDUZIDA POR QUEIMADURA

Queimaduras graves podem induzir estado de hipercoagulabilidade que não é detectado no coagulograma convencional. A resposta inflamatória iniciada pelo trauma provoca efeitos expressivos na formação do coágulo e pode causar a coagulopatia induzida por queimadura (CIQ). Durante a fase inicial de atendimento, o *grande queimado* é submetido à reposição maciça de fluidos e procedimentos cirúrgicos que influenciam ainda mais a coagulação. Após a estabilização, a hemostasia pode ser comprometida pela transfusão de hemoderivados, desbridamentos, enxertos e outras cirurgias.[76] Enquanto a importância dos testes diagnósticos e algoritmos de tratamento para coagulopatias nos traumas em geral está bem estabelecida, não há diretrizes consensuais

na CIQ.[77] A incidência de trombose venosa profunda (TVP) no queimado encontra-se em torno de 5% a 10%. Fatores relacionados com o diagnóstico de TVP por ultrassonografia com Doppler em adultos são a presença de cateter na veia femoral e a transfusão de mais de quatro unidades de concentrado de hemácias durante a internação.[78] Segundo o American College of Chest Physicians, o queimado idoso, obeso, com extensa SCQ, imobilidade prolongada, trauma concomitante de membros inferiores ou que tenha cateter na veia femoral deve receber tromboprofilaxia farmacológica.[79] Em pesquisa realizada em CTQ do Reino Unido, o uso de meias elásticas foi a tromboprofilaxia mais frequentemente prescrita, associada à heparina de baixo peso molecular subcutânea a intervalos de 12 horas, cuja administração era interrompida quando o paciente começava a caminhar ou quando havia alta do CTQ.[80]

LESÃO RENAL AGUDA

As queimaduras expõem suas vítimas à ocorrência de LRA. Propostas de uniformização dos critérios diagnósticos da LRA, como a Kidney Disease Improving Global Outcomes (KDIGO) (Tabela 219.2) devem propiciar diagnósticos mais bem estabelecidos da LRA. A incidência de LRA tem relação direta com a SCQ, com o diagnóstico de lesão inalatória e o uso de ventilação mecânica. Nos pacientes com SCQ ≤ 20%, observou-se incidência de LRA em torno de 5%, no entanto, com SCQ > 50%, a LRA foi diagnosticada em quase metade dos pacientes. A creatinina sérica ≥1,4 mg.dL⁻¹ pode significar pior prognóstico mesmo em queimaduras com menor extensão.[81] O retardo para se iniciar a reposição hídrica também está relacionado com o desenvolvimento de LRA. Cerca de um terço dos pacientes é diagnosticado, nos cinco primeiros dias após a queimadura, com LRA associada a mioglobinúria ou hipotensão arterial prolongada. Na vigência da lesão inalatória, o uso de hidroxocobalamina tem sido questionado, visto estar associado a maior incidência de LRA e nenhuma redução da mortalidade.[82]

Após essa fase inicial, a LRA está relacionada com sepse e o uso de antibiótico nefrotóxico. Como frequentemente o diagnóstico de LRA é feito na vigência de instabilidade hemodinâmica e falência de múltiplos órgãos, a técnica de

Tabela 219.2 Critérios diagnósticos da Lesão Renal Aguda KDIGO.

Estágio	Creatinina sérica	Débito urinário
1	1,5-1,9 vezes o valor basal ou elevação ≥ 0,3 mg.dL⁻¹	< 0,5 mlLkg⁻¹.h⁻¹ por 6-12 h
2	2,0-2,9 vezes o valor basal	< 0,5 mL.kg⁻¹.h⁻¹ por ≥ 12 h
3	3,0 vezes o valor basal OU Elevação ≥ 4,0 mg.L⁻¹ OU Início de TRS OU Em pacientes < 18 anos, queda da TFGe para < 35 mL.min⁻¹.1,73 m⁻²	< 0,3 mL.kg⁻¹.h⁻¹ por ≥ 24 h OU Anúria por ≥ 12 h

KDIGO – *Kidney Disease Improving Global Outcomes;* TRS – Terapia renal substitutiva; TFGe – Taxa de filtração glomerular estimada.

KDIGO Group. Summary of Recommendation Statements. Kidney Int Suppl [Internet]. 2012;2(1):8–12. Disponível em: http://www.ncbi.nlm.nih.gov/pubmed/25018916%5Cnhttp://www.pubmedcentral.nih.gov/articlerender.fcgi?artid=PMC4089654

hemofiltração venovenosa tem sido recomendada, em vez da hemodiálise convencional. O prognóstico do queimado com LRA, no entanto, não se alterou nas últimas décadas, com evolução fatal em mais de 80% dos pacientes. Em pacientes cuja queimadura é acompanhada de rabdomiólise, o uso precoce de hemofiltração venovenosa contínua reduz a incidência de LRA e aumenta a sobrevida.[83]

PROCEDIMENTOS CIRÚRGICOS

Na fase de ressuscitação, pode ser necessária uma cricotireoidostomia de urgência ou traqueostomia em pacientes com rápida progressão do edema de vias respiratórias, nos quais não se consegue realizar intubação traqueal. Esses procedimentos podem ser evitados caso seja utilizada a broncofibroscopia para auxiliar na intubação traqueal durante uma fase em que ainda não haja obstrução grave das vias respiratórias.

A pacientes com queimadura circunferencial toracoabdominal, se houver má perfusão distal à queimadura ou aumento do pico de pressão endotraqueal (> 40 cmH$_2$O) ou da pressão intra-abdominal (> 25 cmH$_2$O), está indicada a escarotomia, que consiste na incisão longitudinal da escara (pele e subcutâneo necrosados).Em geral, a escarotomia é realizada algumas horas após o início da reposição hídrica, quando há aumento do edema tanto na região queimada quanto na não afetada. A avaliação do abdome por tomografia computadorizada exige cautela, pois pode ser observada a presença de líquido livre na cavidade devido à transudação.

Depois da estabilização hemodinâmica, está indicada a excisão de regiões com queimaduras de terceiro grau ou a excisão tangencial de queimaduras de segundo grau profundas. Essa excisão pode ser feita com faca de Blair ou, preferencialmente, com dermátomo elétrico ou pressurizado a gás. O objetivo é retirar a camada de pele morta até ser observado sangramento puntiforme da superfície cutânea que caracteriza a pele viável adequada para receber o enxerto cutâneo. Quanto à enxertia, a área doadora mais utilizada é a anterolateral da coxa. Essa lâmina superficial de pele normal (enxerto laminado) pode ser aplicada diretamente sobre a região queimada em áreas de grande importância estética, como face e mãos. Antes da aplicação sobre outras regiões esteticamente menos importantes, como tórax e abdome, essa pele normal pode ser processada em um rolete de metal que faz múltiplas perfurações e produz uma malha de pele (*mesh graft* ou enxerto em malha) capaz de cobrir uma área maior do que a originalmente retirada. Outra vantagem do enxerto em malha é proporcionar melhor drenagem da superfície enxertada, o que dificulta a formação de hematoma sob o enxerto e melhora sua integração à superfície excisada.[84]

A colocação adequada de placas de aterramento do bisturi elétrico pode ser difícil, pois há que se ter uma área de excelente contato com a pele normal do paciente. Para solucionar esse problema, já foi proposto o aterramento pelo uso de placa reutilizável de grande superfície.[85]

A utilização de retalho, pediculado ou livre, pode ser necessária para cobrir lesões profundas (terceiro ou quarto grau) ou com sinais de isquemia local. Durante esse procedimento, deve-se ter o cuidado de manter perfusão tissular adequada para não prejudicar a irrigação sanguínea e a viabilidade do retalho. O uso de curativo com esponja sintética e cobertura com membrana semipermeável associado a drenagem a vácuo tem mostrado bons resultados, tanto em regiões com lesão complexa e exposição óssea como nas áreas doadoras de pele para o enxerto.[86] Nos queimados expostos à descarga elétrica de alta voltagem, a necessidade de realizar algum tipo de amputação é mais de três vezes maior do que por outras causas.[87]

TÉCNICA ANESTÉSICA

A farmacocinética e a farmacodinâmica de diversos fármacos variam em diferentes sentidos de acordo com o tempo após a queimadura.[4] Essas variações não são totalmente descritas e entendidas porque muitos estudos estão baseados em pequeno número de pacientes e, mesmo nos estudos maiores, não há uma padronização da população estudada em relação a importantes variáveis que sabidamente afetam a ação dos fármacos. A perda de proteína pela pele queimada, a posterior diluição das proteínas plasmáticas pelos fluidos da reposição e o catabolismo reduzem a concentração da albumina. O aumento do volume de distribuição tem sido demonstrado para quase todos os fármacos estudados, incluindo propofol, fentanil e bloqueadores neuromusculares. O débito cardíaco cai na fase aguda, o que determina redução dos fluxos sanguíneos renal e hepático, mesmo com uma reposição volêmica agressiva. Como resultado, a eliminação de alguns fármacos pelo fígado e pelo rim pode estar diminuída na fase inicial. Posteriormente, ocorre a fase hipermetabólica, com a elevação do débito cardíaco e dos fluxos sanguíneos renal e hepático, o que significa elevação do *clearance* para os fármacos dependentes desses fluxos. Na avaliação pré-anestésica, o exame adequado da via respiratória é de grande importância. A máscara laríngea é considerada um equipamento seguro para a manutenção das vias respiratórias em crianças queimadas, que precisam de procedimentos repetidos.

Na fase de cicatrização, a dificuldade para se fazer a intubação traqueal está aumentada em pacientes com queimadura na região perioral ou cervical anterior. Pode haver desenvolvimento de retrações que causam microstomia grave e impossibilidade de se realizarem extensão cervical e laringoscopia. Tradicionalmente, esses pacientes eram submetidos à "degola" logo após a indução anestésica para permitir a laringoscopia e a intubação traqueal. Embora a introdução da máscara laríngea seja mais fácil que a intubação traqueal nesses pacientes, ela pode se tornar difícil, sendo frequentemente necessário utilizar um tamanho menor do que o recomendado para o peso do paciente. Para adultos com flexão cervical cicatricial extrema tem sido recomendada a introdução da máscara laríngea intubatória por meio de uma rotação de 180°. O uso de lidocaína nebulizada facilita a fibroscopia para intubação traqueal.[60]

A integridade da córnea deve ser verificada. Nas queimaduras faciais, pode ocorrer retração palpebral, o que dificulta a lubrificação da córnea e pode causar lesões graves. A aplicação tópica regular de colírio protetor é obrigatória nesses casos.

A exposição de superfícies extensas da pele e a irrigação com líquidos causam grande perda calórica. Para evitá-la, a temperatura da sala de cirurgia deve ser mantida em torno de 30°C, o que torna desconfortável o uso de avental cirúrgico. Os líquidos de irrigação cutânea e os infundidos precisam ser aquecidos a 36°C. A manta térmica deve ser usada sempre que possível, a temperatura esofágica deve ser monitorizada e a duração dos procedimentos deve ser a menor possível para reduzir o tempo de exposição do paciente.

Com o tempo de internação prolongado e as cirurgias repetidas, a realização de acesso venoso periférico pode se tornar gradativamente mais difícil. O uso de cateter central introduzido por via periférica, predominantemente pela veia basílica e com auxílio de ultrassonografia, tem se mostrado como alternativa segura.[88] O uso de medicação pré-anestésica adequada ou a administração de anestésico halogenado por máscara facial ou cateter nasal causa venodilatação periférica e facilita a realização da venóclise.

Para a troca de curativo no paciente sem acesso venoso já foi descrito o uso de opioide, benzodiazepínicos, cetamina ou alguma combinação dessas medicações, seja por via muscular, nasal, oral ou pela mucosa oral. A cetamina é a medicação preferida por alguns grupos para facilitar as trocas de curativo, pois está relacionada com menos incidência de obstrução de vias respiratórias e menor depressão respiratória que a observada com outros medicamentos. Doses em bólus de cetamina podem causar hipotensão arterial no *grande queimado*. O nível persistentemente elevado de catecolaminas resulta em dessensibilização e *down-regulation* dos β-receptores. Em consequência, manifesta-se o efeito da cetamina em deprimir diretamente o miocárdio.[4] A cetamina, por via endovenosa, é capaz de reduzir a hiperalgesia secundária quando comparada com o uso singular da analgesia por opioide.[89] Experimentalmente, observou-se que a cetamina causa maior catabolismo muscular do que o propofol. Quando combinado ao propofol, o remifentanil proporcionou despertar mais rápido do que a cetamina. Analgesia ou sedação controlada pelo paciente já foi usada para esse procedimento. Nas trocas de curativos, o uso do óxido nitroso inalado não permitiu a redução da dose de fentanil solicitada por meio de bomba venosa acionada pelo paciente (patient-controlled analgesia [PCA]), o que sugere a futilidade do uso desse gás anestésico nesse procedimento.[90]

Para as intervenções cirúrgicas de maior porte, não há uma técnica anestésica especificamente indicada. São utilizadas tanto a técnica balanceada como a venosa total. Pode ser usada a indução inalatória em adultos, preferencialmente com sevoflurano, quando há alteração da via respiratória superior. Quando se utiliza a infusão alvo-controlada de propofol, é útil aumentar de modo gradativo inicial a concentração plasmática alvo de 0,5 µg/mL a cada 30 segundos com registro da concentração no sítio efetor no momento da perda de contato verbal com o paciente. Essa conduta orienta quanto à concentração que deve ser mantida durante a cirurgia, pois o despertar deverá ocorrer quando a concentração estimada no sítio efetor for aproximadamente 10% menor do que a necessária para a indução.[91] A infusão alvo-controlada de remifentanil e propofol possibilita a ma-

nutenção de ventilação assistida, sem necessidade de bloqueio neuromuscular na maioria dos procedimentos.

Medicamentos alfa-2 agonistas, como a dexmedetomidina ou a clonidina, podem ser utilizados nos pacientes que apresentarem hipertensão arterial durante a intervenção, visto serem adjuvantes úteis na anestesia do queimado grave por promoverem sedação mais efetiva, redução dos episódios de hipertensão arterial e despertar com menor incidência de tremores; entretanto não alteram o consumo de opioide perioperatório.[92] A cetamina em baixas doses pode ser usada no tratamento multimodal da dor e na prevenção de tolerância ao opioide.

A ação e a farmacocinética dos bloqueadores neuromusculares apresentam importantes alterações no queimado. A succinilcolina, embora possa ser usada nas primeiras 24 horas, deve ser evitada até dois anos após a queimadura devido à possibilidade de causar parada cardíaca por hiperpotassemia. A imobilidade pela dor da queimadura, a proliferação de receptores juncionais e extrajuncionais para acetilcolina e a redução da concentração da colinesterase plasmática podem estar relacionadas com esse efeito adverso. A crianças que desenvolverem laringoespasmo, o propofol (0,8 mg.kg^{-1}) pode ser administrado para aliviar o espasmo.[93] Quanto aos bloqueadores não despolarizantes, foi observado que o rocurônio tem o tempo de latência prolongado, quase o dobro do observado em adultos saudáveis. Para indução rápida no queimado, o rocurônio deve ser usado na dose de 1,2 mg.kg^{-1}. Nessa dose, o tempo médio de recuperação até uma relação T4/T1 de 0,8 na sequência de quatro estímulos (TOF = 80%) foi de 125 minutos no queimado em comparação com 160 minutos nos pacientes saudáveis.[94]

Quanto à modalidade de ventilação no intraoperatório, os pacientes com lesão inalatória e insuficiência respiratória precisam ser mantidos com o mesmo tipo de ventilador utilizado na terapia intensiva. O uso de ventiladores convencionais sem recursos deve ser evitado, pois pode ser insuficiente para manter ventilação adequada, além de prejudicar a recuperação da função pulmonar.

Perda de grande volume de sangue pode ocorrer durante a excisão de espessura parcial da pele queimada seguida de autoenxertia. Há duas formas preconizadas para estimar a perda de sangue durante esse procedimento. Na primeira, estima-se a perda de até 0,5 mL de sangue por cm^2 de superfície excisada, o que corresponde a até 80 mL de hemorragia por cada 1% de superfície corpórea excisada no adulto. Isso pode corresponder à perda de uma volemia em pacientes com SCQ > 40%. Por exemplo, em um paciente de 60 kg e 1,60 m, a volemia estimada é aproximadamente 4 litros, e a superfície corpórea total corresponde a 1,60 m^2. Se esse paciente tiver SCQ de 50%, 0,8 m^2 equivale a 8 mil cm^2, o que resulta numa perda de sangue estimada de 4 litros. Outra forma mais conservadora de estimar essa perda sugere que para cada porcentagem de superfície corpórea queimada haja perda de porcentual semelhante da volemia, ou seja, há estimativa de perda de 50% da volemia nesse paciente com 50% de SCQ.[95] A perda de sangue durante a excisão e a enxertia varia também com a duração da cirurgia, a extensão da superfície com queimadura de terceiro grau e o tempo entre a queimadura e a excisão.[96] O concentrado de hemácias deve ser aquecido por equipamento de infusão específico ou diluído com solução fisiológica aquecida para evitar a hipotermia. Valor rígido de hemoglobina sérica para transfusão de concentrado de hemácias não deve ser adotado, mas o intervalo mais comumente preconizado para se indicar transfusão se situa entre 6 e 8 g.dL^{-1}. O uso de limiar transfusional de 7 g.dL^{-1} mostrou reduzir pela metade a necessidade de concentrado de hemácias em comparação com o limiar de 10 g.dL^{-1}, com melhores resultados clínicos.[97]

Em estudo do tipo caso-controle, durante a excisão cirúrgica primária da pele queimada, o uso profilático de ácido tranexâmico reduziu de seis para quatro unidades de concentrado de hemácias a transfusão necessária em 24 horas nos pacientes com mediana de SCQ pouco maior que 30%.[98] Alguns pesquisadores recomendam sua utilização apenas quando houver sinais de fibrinólise precoce com os métodos viscoelásticos de monitorização da coagulação, como a tromboelastografia ou a tromboelastometria rotacional.[97] A utilização adicional de anestesia local tumescente com lidocaína e epinefrina (20 mL de lidocaína a 2% e 1 mg de epinefrina em 1.000 mL de solução fisiológica), além da aplicação tópica de trombina (10 mil u/L) e garroteamento das extremidades, pode reduzir em torno de 50% a transfusão de concentrado de hemácias quando comparada com o método tradicional de aplicação superficial de compressa embebida nessa solução e aplicação temporária de atadura compressiva.[99]

A anestesia regional tradicionalmente tem sido considerada pouco útil devido aos procedimentos cirúrgicos repetidos e à extensão das lesões, mas seu uso deve ser estimulado nas rotações de retalho, pois melhora a perfusão e a oxigenação do tecido manipulado e reduz as complicações microvasculares. Recentemente, bloqueios de nervos periféricos têm sido propostos para vários procedimentos.

Quando se faz a autoenxertia, o paciente costuma sentir mais dor na área doadora do que na receptora. Em estudo de revisão sistemática, o bloqueio de nervo femoral reduziu em mais de 50% o consumo de morfina administrada pela técnica de analgesia controlada pelo paciente. O uso de *spray* de lidocaína a 2% na área doadora também melhora a analgesia.

Ao final do procedimento, o paciente deverá receber opioides e analgésicos suficientes para proporcionar despertar confortável. Devido à hipotermia, pode haver tremores intensos, que podem ser evitados ou tratados com pequenas doses de clonidina ou dexmedetomidina. Em estudos ainda preliminares, seguindo o conceito de controle de sangue do paciente (*patient blood management* [PBM]), a suplementação de ferro venoso tem se mostrado benéfica para aumentar a concentração de hemoglobina sérica.[100]

◾ OUTROS ASPECTOS NO TRATAMENTO DO QUEIMADO GRAVE

A interação eficaz entre uma equipe multidisciplinar e o paciente em um ambiente com recursos adequados é indispensável para esse tratamento tão complexo.[101] O uso da telemedicina com apoio de vídeo tem permitido que a experiência desses profissionais possa ajudar na avaliação clínica e tomada de decisão terapêutica no atendimento agudo, mesmo em regiões remotas.[102] No outro extremo, na fase tardia do tratamento, o transplante facial começa a ser uma intervenção viável para pacientes com lesões gravemente desfigurantes.[103] O emprego de queratinócitos autólogos, isto é, captados do paciente e cultivados in vitro, vem se mostrando uma intervenção coadjuvante que torna mais rápida a regeneração de áreas doadoras e acelera a integração de enxertos cutâneos em malha.[104]

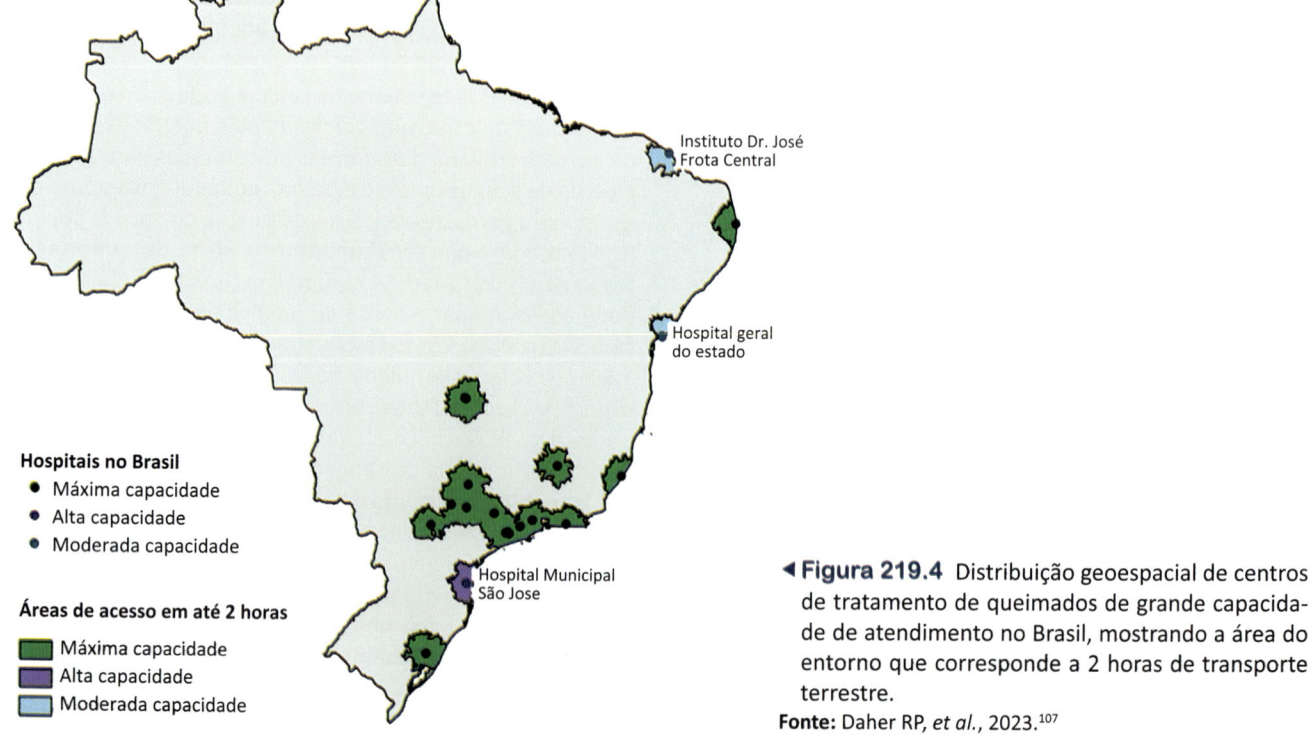

Hospitais no Brasil
- Máxima capacidade
- Alta capacidade
- Moderada capacidade

Áreas de acesso em até 2 horas
- Máxima capacidade
- Alta capacidade
- Moderada capacidade

Instituto Dr. José Frota Central

Hospital geral do estado

Hospital Municipal São Jose

◀ **Figura 219.4** Distribuição geoespacial de centros de tratamento de queimados de grande capacidade de atendimento no Brasil, mostrando a área do entorno que corresponde a 2 horas de transporte terrestre.
Fonte: Daher RP, *et al.*, 2023.[107]

Durante os procedimentos cirúrgicos, a equipe deve trabalhar coordenadamente com o objetivo de reduzir o tempo de exposição do paciente, uma vez que o prolongamento desse tempo está relacionado com a ampliação do período de internação hospitalar.[105] Por outro lado, outros riscos têm sido identificados, como a ocorrência de neuropatia isquêmica bilateral do nervo óptico em pacientes que necessitaram de grande volume de reposição hídrica e se mantiveram hipotensos durante períodos prolongados.[106]

No contexto do nosso país, a tragédia ocorrida em Santa Maria-RS, em janeiro de 2013, deve servir como um alerta que estimule a prevenção de incêndios em lugares fechados onde houver grande concentração de pessoas, além de indicar a necessidade da estruturação de sistemas de atendimento a desastre que sejam mais eficazes, pois a maioria da população precisa de mais de 2 horas de transporte terrestre para chegar a um hospital capacitado a atender a um grande número de pacientes queimados de maior gravidade (Figura 219.4).[107]

REFERÊNCIAS

1. Meyer WJ, Wiechman S, Woodson L, et al. Management of pain and other discomforts in burned patients. In: Herndon DN. Total Burn Care. 4. ed. Edinburgh: Elsevier Inc.; 2012. p. 715-31.
2. Tengvall O, Wickman M, Wengström Y. Memories of pain after burn injury-the patient's experience. J Burn Care Res. 2010;31(2):319-27.
3. Voss JK, Lozenski J, Hansen JK, et al. Sedation and Analgesia for Adult Outpatient Burn Dressing Change: A Survey of American Burn Association Centers. J Burn Care. 2020 Feb;41(2):322-7.
4. Bittner EA, Shank E, Woodson L et al. Acute and perioperative care of the burn-injured patient. Anesthesiology. 2015 Feb;122(2):448-64.
5. Peluso H, Mujadzic H, Abougergi MS et al. Opioid dependence and treatment outcomes among patients with burn injury. Burns. 2022;48(4):774-84.
6. Khan A, Parikh M, Minhajuddin A et al. Opioid prescribing practices in a pediatric burn tertiary care facility: Is it time to change? Burns. 2020;46(1):219-24.
7. Edwards RR, Smith MT, Klick B et al. Symptoms of depression and anxiety as unique predictors of pain-related outcomes following burn injury. Ann Behav Med. 2007;34(3):313-22.
8. Mock C, Peck M, Krug E, et al. Confronting the global burden of burns: a WHO plan and a challenge. Burns. 2009;35:615-7.
9. Crisóstomo MR, Serra MCVF, Gomes DR. Epidemiologia das queimaduras, em: Lima Júnior em, Serra MCVF. Tratado de queimaduras. São Paulo: Atheneu; 2004. p. 31-5.
10. Malta DC, Bernal RTI, de Lima CM et al. Profile of cases due to burn attended in emergency care units in brazilian capitals in 2017. Rev Bras Epidemiol. 2020;23:1-14.
11. Osler T, Glance LG, Hosmer DW. Simplified Estimates of the Probability of Death After Burn Injuries: Extending and Updating the Baux Score. J Trauma Acute Care Surg. 2010;68(3):690-7.
12. Fransén J, Lundin J, Fredén F, et al. A proof-of-concept study on mortality prediction with machine learning algorithms using burn intensive care data. Scars, Burn Heal. 2022;8:205951312110665.
13. Ryan CM, Schoenfeld DA, Thorpe WP et al. Objective estimates of the probability of death from burn injuries. N Engl J Med. 1998;338(6):362-6.
14. Calles J, Cohen B, Forme N, et al. Variation of the SOFA score and mortality in patients with severe burns: A cohort study. Burns. 2023;49(1):34-41.
15. Abarca L, Guilabert P, Martin N, Usúa G, Barret JP, Colomina MJ. Epidemiology and mortality in patients hospitalized for burns in Catalonia, Spain. Sci Rep. 2023 Sep;13(1):14364.
16. Saffle JR. What's new in general surgery: burns and metabolism. J Am Coll Surg. 2003;196(2):267-89.
17. Brasil. Ministério da Saúde. Portaria GM/MS n° 1273, de 21 de novembro de 2000. DOU. 23 Nov 2000; 225-E):51).
18. Sheridan RL. Airway management and respiratory care of the burn patient. Int Anesthesiol Clin. 2000;38(3):129-45.
19. Bittner E, Sheridan R. Acute Respiratory Distress Syndrome, Mechanical Ventilation, and Inhalation Injury in Burn Patients. Surg Clin North Am. 2023;103(3):439-51.
20. Dilday J, Leon D, Kuza CM. A review of the utility of high-frequency oscillatory ventilation in burn and trauma ICU patients. Curr Opin Anaesthesiol. 2023 Apr;36(2):126-31.
21. Huang CH, Tsai CS, Tsai YT et al. Extracorporeal Life Support for Severely Burned Patients with Concurrent Inhalation Injury and Acute Respiratory Distress Syndrome: Experience from a Military Medical Burn Center. Injury. 2023 Jan;54(1):124-30.
22. Vyas KS, Wong LK. Oral rehydration solutions for burn management in the field and underdeveloped regions: a review. Int J Burns Trauma. 2013;3(3):130.
23. Benkhadra M, Collignon M, Fournel I et al. Ultrasound guidance allows faster peripheral IV cannulation in children under 3 years of age with difficult venous access: a prospective randomized study. Pediatr Anesth. 2012;22(5):449-54.
24. Mushtaq A, Navalkele B, Kaur M, et al. Comparison of complications in midlines versus central venous catheters: are midlines safer than central venous lines? Am J Infect Control. 2018;46(7):788-92.
25. Pu H, Doig GS, Heighes PT, et al. Early enteral nutrition reduces mortality and improves other key outcomes in patients with major burn injury: a meta-analysis of randomized controlled trials. Crit Care Med. 2018;46(12):2036-42.
26. Holm C, Tegeler J, Mayr M et al. Effect of crystalloid resuscitation and inhalation injury on extravascular lung water: clinical implications. Chest. 2002;121(6):1956-62.
27. Mason SA, Nathens AB, Finnerty CC et al. Inflammation and the host response to injury collaborative research program. Hold the pendulum: rates of acute kidney injury are increased in patients who receive resuscitation volumes less than predicted by the Parkland equation. Ann Surg. 2016;264(6):1142-7.
28. Béchir M, Puhan MA, Neff SB et al. Early fluid resuscitation with hyperoncotic hydroxyethyl starch 200/0.5 (10%) in severe burn injury. Crit Care. 2010;14:1-9.
29. Greenhalgh DG. Management of burns. N Engl J Med. 2019;380(24):2349-59.
30. Szentgyorgyi L, Shepherd C, Dunn KW et al. Extracorporeal membrane oxygenation in severe respiratory failure resulting from burns and smoke inhalation injury. Burns. 2018;44(5):1091-9.
31. Strang SG, Van Lieshout EMM, Breederveld RS, Van Waes OJF. A systematic review on intra-abdominal pressure in severely burned patients. Burns. 2014;40(1):9-16.
32. Neff LP, Allman JM, Holmes JH. The use of theraputic plasma exchange (TPE) in the setting of refractory burn shock. Burns. 2010;36(3):372-8.
33. Knappskog K, Andersen NG, Guttormsen AB et al. Vasoactive and/or inotropic drugs in initial resuscitation of burn injuries: a systematic review. Acta Anaesthesiol Scand. 2022;66(7):795-802.
34. Hawkins A, MacLennan PA, McGwin Jr G et al. The impact of combined trauma and burns on patient mortality. J Trauma Acute Care Surg. 2005;58(2):284-8.
35. Hagstrom M, Wirth GA, Evans GRD, et al. A review of emergency department fluid resuscitation of burn patients transferred to a regional, verified burn center. Ann Plast Surg. 2003 Aug;51(2):173-6.
36. Abdelrahman I, Vieweg R, Irschik S et al. Development of delirium: Association with old age, severe burns, and intensive care. Burns. 2020;46(4):797-803.
37. Giretzlehner M, Dirnberger J, Owen R et al. The determination of total burn surface area: How much difference? Burns. 2013 Sep;39(6):1107-13.
38. Kyriacou PA, May JM, Petros AJ. Esophageal SpO2 measurements from a pediatric burns-patient: a case study. Annu Int Conf IEEE Eng Med Biol Soc IEEE Eng Med Biol Soc Annu Int Conf. 2013;2013:1732-5.
39. Armstrong SD, Thomas W, Neaman KC et al. The impact of antibiotic impregnated PICC lines on the incidence of bacteremia in a regional burn center. Burns. 2013 Jun;39(4):632-5.
40. Maybauer MO, Asmussen S, Platts DG et al. Transesophageal echocardiography in the management of burn patients. Burns. 2014 Jun;40(4):630-5.
41. Lavrentieva A, Kontakiotis T, Kaimakamis E, et al. Evaluation of arterial waveform derived variables for an assessment of volume resuscitation in mechanically ventilated burn patients. Burns. 2013 Mar;39(2):249-54.
42. Gille J, Bauer N, Malcharek MJ et al. Reducing the Indication for Ventilatory Support in the Severely Burned Patient: Results of a New Protocol Approach at a Regional Burn Center. J Burn Care Res. 2016;37(3):e205-12.
43. Shoham Y, Gasteratos K, Singer AJ et al. Bromelain-based enzymatic burn debridement: A systematic review of clinical studies on patient safety, efficacy and long-term outcomes. Int Wound J. 2023 Jul;e205-12.
44. Lima Verde MEQ, Ferreira-Júnior AEC, de Barros-Silva PG et al. Nile tilapia skin (Oreochromis niloticus) for burn treatment: ultrastructural analysis and quantitative assessment of collagen. Acta Histochem. 2021;123(6):151762.
45. Ghosh B, Sánchez-Velazco DF, Prem P et al. Use of Nile tilapia fish skin in treatment for burn victims. Int J Surg Glob Heal. 2023;6(5).
46. Sheridan RL. Burn care: results of technical and organizational progress. Jama. 2003;290(6):719-22.
47. Romanowski KS, Palmieri TL, Sen S, et al. More Than One Third of Intubations in Patients Transferred to Burn Centers are Unnecessary: Proposed Guidelines for Appropriate Intubation of the Burn Patient. J Burn Care Res. 2016;37(5):e409-14.

48. Kearns RD, Conlon KM, Matherly AF, et al. Guidelines for Burn Care Under Austere Conditions: Introduction to Burn Disaster, Airway and Ventilator Management, and Fluid Resuscitation. J Burn Care Res. 2016;37(5):e427-39.

49. Morgan M, Deuis JR, Frøsig-Jørgensen M et al. Burn Pain: A Systematic and Critical Review of Epidemiology, Pathophysiology, and Treatment. Pain Med. 2018 Apr;19(4):708-34.

50. Brookman JC, Kumar K, Wu CL. Burn Pain. Pract Manag Pain Fifth Ed. 2013;1003-8.

51. Barrett W, Buxhoeveden M, Dhillon S. Ketamine: A versatile tool for anesthesia and analgesia. Curr Opin Anaesthesiol. 2020;33(5):633-8.

52. Lin YC, Huang CC, Su NY et al. Patient-controlled analgesia for background pain of major burn injury. J Formos Med Assoc. 2019;118:299-304.

53. García Barreiro J, Rodriguez A, Cal M, Alvarez A, Martelo Villar F. Treatment of postoperative pain for burn patients with intravenous analgesia in continuous perfusion using elastomeric infusors. Burns. 2005;(1):67-71.

54. Kaul I, Amin A, Rosenberg M et al. Use of gabapentin and pregabalin for pruritus and neuropathic pain associated with major burn injury: A retrospective chart review. Burns. 2018;44(2):414-22.

55. McGovern C, Quasim T, Puxty K et al. Neuropathic agents in the management of pruritus in burn injuries: A systematic review and meta-analysis. Trauma Surg Acute Care Open. 2021;6(1): e000810.

56. Hitching R, Hoffman HG, Garcia-Palacios A et al. The Emerging Role of Virtual Reality as an Adjunct to Procedural Sedation and Anesthesia: A Narrative Review. J Clin Med. 2023;12(3):843.

57. Chu H, Brailey R, Clarke E, et al. Reducing pain through distraction therapy in small acute paediatric burns. Burns. 2021;47(7):1635-8.

58. Van Loey NEE, Van Son MJM. Psychopathology and psychological problems in patients with burn scars: epidemiology and management. Am J Clin Dermatol. 2003;4(4):245-72.

59. Griggs C, Goverman J, Bittner EA, Levi B. Sedation and Pain Management in Burn Patients. Clin Plast Surg. 2017 Jul;44(3):535-40.

60. Zhang F, Qiu XC, Wang JJ et al. Burn-Related Dysregulation of Inflammation and Immunity in Experimental and Clinical Studies. J Burn care Res. 2017;38(6):e892-9.

61. Ravat F, Le-Floch R, Vinsonneau C et al. Antibiotics and the burn patient. Burns. 2011 Feb;37(1):16-26.

62. Gore DC, Chinkes D, Sanford A et al. Influence of fever on the hypermetabolic response in burn-injured children. Arch Surg. 2003;138(2):169-74.

63. De La Cal MA, Cerdá E, García-Hierro P et al. Survival benefit in critically ill burned patients receiving selective decontamination of the digestive tract: a randomized, placebo--controlled, double-blind trial. Ann Surg. 2005;241(3):424-30.

64. Black RG, Kinsella J. Anaesthetic management for burns patients. BJA CEPD Rev. 2001;1(6):177-80.

65. Wahl WL, Ahrns KS, Brandt MM et al. Bronchoalveolar lavage in diagnosis of ventilator-associated pneumonia in patients with burns. J Burn Care Rehabil. 2005;26(1):57-61.

66. ISBI Practice Guidelines for Burn Care, Part 2. Burns. 2018;44(7):1617-706.

67. Weber J, McManus A. Infection control in burn patients. Burns. 2004;30(8):A16-24.

68. Greenhalgh DG, Hill DM, Burmeister DM et al. Surviving Sepsis After Burn Campaign. Burns. 2023;49(7):1487-524.

69. Gosain A, Gamelli RL. Role of the gastrointestinal tract in burn sepsis. J Burn Care Rehabil. 2005;26(1):85-91.

70. Kurmis R, Greenwood J, Aromataris E. Trace Element Supplementation Following Severe Burn Injury: A Systematic Review and Meta-Analysis. J Burn Care Res;37(3):143-59.

71. Rousseau AF, Foidart-Desalle M, Ledoux D et al. Effects of cholecalciferol supplementation and optimized calcium intakes on vitamin D status, muscle strength and bone health: a one-year pilot randomized controlled trial in adults with severe burns. Burns. 2015;41(2):317-25.

72. Lee JO, Herndon DN, Andersen C, Suman OE, Huang TT. Effect of Exercise Training on the Frequency of Contracture-Release Surgeries in Burned Children. Ann Plast Surg. 2017;79(4):346-9.

73. Gore DC, Wolf SE, Sanford A et al. Influence of metformin on glucose intolerance and muscle catabolism following severe burn injury. Ann Surg. 2005;241(2):334-42.

74. Demling RH. The incidence and impact of pre-existing protein energy malnutrition on outcome in the elderly burn patient population. J Burn Care Rehabil. 2005;26(1):94–100.

75. Pham CH, Collier ZJ, Webb AB et al. How long are burn patients really NPO in the perioperative period and can we effectively correct the caloric deficit using an enteral feeding "Catch-up" protocol? Burns. 2018;44(8):2006-10.

76. Ball RL, Keyloun JW, Brummel-Ziedins K et al. Burn-Induced Coagulopathies: A Comprehensive Review. Shock. 2020;54(2):154-67.

77. Roggan CLM, Akbas S, Arvanitakis M et al. Changes in coagulation and temperature management in burn patients – A survey of burn centers in Switzerland, Austria and Germany. Burns. 2023;49(7):1566-73.

78. Wibbenmeyer LA, Hoballah JJ, Amelon MJ et al. The prevalence of venous thromboembolism of the lower extremity among thermally injured patients determined by duplex sonography. J Trauma. 2003;55(6):1162-7.

79. Geerts WH, Pineo GF, Heit JA et al. Prevention of venous thromboembolism: the Seventh ACCP Conference on Antithrombotic and Thrombolytic Therapy. Chest. 2004;126(3 Suppl):338S-400S.

80. Vermaak P V, D'Asta F, Provins J et al. Thromboprophylaxis in adult and paediatric burn patients: A survey of practice in the United Kingdom. Burns. 2019;45(6):1379-85.

81. Rakkolainen I, Lindbohm J V, Vuola J. Factors associated with acute kidney injury in the Helsinki Burn Centre in 2006-2015. Scand J Trauma Resusc Emerg Med. 2018;26(1):105.

82. Dépret F, Hoffmann C, Daoud L et al. Association between hydroxocobalamin administration and acute kidney injury after smoke inhalation: A multicenter retrospective study. Crit Care. 2019;23(1):1-10.

83. Culnan DM, Farner K, Bitz GH et al. Volume Resuscitation in Patients With High-Voltage Electrical Injuries. Ann Plast Surg. 2018;80(3 Suppl 2):S113-8.

84. Daugherty THF, Ross A, Neumeister MW. Surgical Excision of Burn Wounds: Best Practices Using Evidence-Based Medicine. Clin Plast Surg. 2017;44(3):619-25.

85. Liodaki E, Stang FH, Lohmeyer JA et al. Noncontact electrosurgical grounding--a useful and safe tool in the initial surgical management of thermal injuries. Burns. 2013;39(1):142-5.

86. Lin DZ, Kao YC, Chen C, et al. Negative pressure wound therapy for burn patients: A meta-analysis and systematic review. Int Wound J. 2021;18(1):112-23.

87. Khor D, AlQasas T, Galet C et al. Electrical injuries and outcomes: A retrospective review. Burns. 2023;49(7):1739-44.

88. Li N, Chen H, Jiang T et al. Thrombosis and infections of peripherally inserted central catheters in burn patients: A 3-year retrospective study and a systematic review. Burns. 2022;48(8):1980-9.

89. McGuinness SK, Wasiak J, Cleland H et al. A systematic review of ketamine as an analgesic agent in adult burn injuries. Pain Med. 2011;12(10):1551-8.

90. Do Vale AHB, da Rocha Videira RL, Gomez DS et al. Effect of nitrous oxide on fentanyl consumption in burned patients undergoing dressing change. Brazilian J Anesthesiol. 2016;66(1):7-11.

91. Iwakiri H, Nishihara N, Nagata O et al. Individual effect-site concentrations of propofol are similar at loss of consciousness and at awakening. Anesth Analg. 2005;100(1):107-10.

92. Asmussen S, Maybauer DM, Fraser JF et al. A meta-analysis of analgesic and sedative effects of dexmedetomidine in burn patients. Burns. 2013;39(4):625-31.

93. Afshan G, Chohan U, Qamar-Ul-Hoda M, et al. Is there a role of a small dose of propofol in the treatment of laryngeal spasm? Paediatr Anaesth. 2002;12(7):625-8.

94. Han T, Kim H, Bae J, et al. Neuromuscular pharmacodynamics of rocuronium in patients with major burns. Anesth Analg. 2004;99(2):386-92.

95. Luo G, Fan H, Sun W et al. Blood loss during extensive escharectomy and auto-microskin grafting in adult male major burn patients. Burns. 2011;37(5):790-3.

96. Hart DW, Wolf SE, Beauford RB et al. Determinants of blood loss during primary burn excision. Surgery. 2001;130(2):396-402.

97. Palmieri TL. Burn injury and blood transfusion. Curr Opin Anaesthesiol. 2019;32(2):247-51.

98. Tapking C, Hundeshagen G, Kirchner M et al. Tranexamic acid reduced blood transfusions in acute burn surgery: A retrospective case-controlled trial. Burns. 2022;48(3):522-8.

99. Sterling JP, Heimbach DM. Hemostasis in burn surgery - A review. Burns. 2011;37(4):559-65.

100. Betar N, Warren J, Adams J et al. Intravenous iron therapy to treat burn anaemia: A retrospective cohort study. Burns. 2023;49(4):813-9.

101. Shoham DA, Mundt MP, Gamelli RL, et al. The Social Network of a Burn Unit Team. J Burn Care Res. 2015;36(5):551-7.

102. Wibbenmeyer L, Kluesner K, Wu H et al. Video-Enhanced Telemedicine Improves the Care of Acutely Injured Burn Patients in a Rural State. J Burn Care Res. 2016;37(6):e531-8.

103. Ng ZY, Lellouch AG, Drijkoningen T et al. Vascularized Composite Allotransplantation-An Emerging Concept for Burn Reconstruction. J Burn Care Res. 2017;38(6):371-8.

104. Holmes JH 4th, Molnar JA, Shupp JW et al. Demonstration of the safety and effectiveness of the RECELL® System combined with split-thickness meshed autografts for the reduction of donor skin to treat mixed-depth burn injuries. Burns. 2019;45(4):772-82.

105. Lim J, Liew S, Chan H et al. Is the length of time in acute burn surgery associated with poorer outcomes? Burns. 2014;40(2):235-40.

106. Medina MA 3rd, Moore DA, Cairns BA. A case series: bilateral ischemic optic neuropathy secondary to large volume fluid resuscitation in critically ill burn patients. Burns. 2015;41(3):e19-23.

107. Daher RP, Gause E, Stewart BT, Gragnani A. Preparing for a burn disaster in Brazil: Geospatial modelling to inform a coordinated response. Burns. 2023;49(5):1201-8.

Parte 32

Eventos Adversos

220

Reações Anafiláticas e Anafilactoides em Anestesia

Ligia Andrade da Silva Telles Mathias ▪ Ricardo Caio Gracco de Bernardis ▪ Alberto Vasconcelos

INTRODUÇÃO

Na literatura, os termos reação adversa a drogas, reação alérgica, reação perioperatória de hipersensibilidade aguda, reação alérgica perioperatória imediata, reação anafilática e reação anafilactoide são utilizados, na maioria das vezes, para identificar situação similar: aparecimento, após a administração de determinado(s) fármaco/substância(s), de quadro clínico que pode variar, desde manifestações discretas até quadros graves (choque anafilático), podendo levar ao óbito. Observa-se, portanto, que não há consenso sobre o termo mais apropriado para se referir a estas reações, e, assim, elas serão denominadas, no texto a seguir, conjuntamente de reações anafiláticas/anafilactoides (RAA) para facilidade de entendimento.[1-4]

Segundo as Sociedades Americana e Europeia de Alergologia e Imunologia Clínica, anafilaxia ou choque anafilático (CA) é uma reação grave de hipersensibilidade sistêmica, com risco de morte, com quadro de evolução muito rápida de comprometimento do sistema respiratório e/ou circulatório e/ou das vias aéreas, usualmente associados a alterações de pele e mucosas.[1-4]

▪ EPIDEMIOLOGIA

A incidência de relatos de RAA durante o ato anestésico-cirúrgico vem aumentando no decorrer dos anos, provavelmente por aumento real do número de RAA em anestesia e por elevação do número de casos publicados. A literatura mostra incidência extremamente variável de RAA em anestesia de 1:353 a 1:18.600, na dependência dos critérios de diagnóstico, da época, do local e devido ao fato dos estudos serem na sua maioria retrospectivos.[4-7]

O *National Institute of Academic Anaesthesia for the Royal College of Anaesthetists* publicou, em 2018, o *6th National Audit Project (NAP6): Perioperative Anaphylaxis*. Neste estudo, que constitui o maior banco de dados de RAA perioperatórias, os autores consideraram apenas os quadros de RAA graves que ocorreram entre o período da primeira administração de um medicamento (incluindo medicação pré-anestésica (MPA)) e a transferência pós-procedimento para a enfermaria ou unidade de cuidados críticos, em pacientes submetidos a procedimento sob anestesia geral ou regional ou sedação ou cuidados de anestesia gerenciados por um anestesista. A incidência de RAA graves foi de 1:10.000 anestesias, similar a estudos da França e China.[5,6-8]

Ainda de acordo com o NAP6, a incidência em pacientes obstétricas é de 1,6 a 3,8:100.000. Diferentes autores observaram maior frequência de RAA no momento do parto cesárea ou pós-parto, devido ao uso de antibiótico (ATB) profilático, em gestantes com história de reação alérgica anterior e gestantes de raça negra em comparação com a raça branca.[5,6]

Revisão sistemática publicada em 2019 sobre RAA em crianças, que avaliou estudos de 1990 até 2018, encontrou incidência de RAA por fármacos/substâncias entre 0,3 e 1:10.000, não fazendo análise específica de RAA no perioperatório. Segundo o NAP6 a incidência em crianças é de 2,7:100.000.[6,8]

Estudos mostraram mortalidade por RAA entre 1,4 e 10% dos pacientes que apresentam choque anafilático, provavelmente causadas por diagnóstico tardio ou tratamento insuficiente. A maioria dos pacientes que evoluíram a óbito foram: idosos, obesos, portadores de comorbidades, especialmente doença coronariana e aqueles que faziam uso de inibidores da ECA ou betabloqueadores. Em gestantes, a incidência relatada de óbitos variou entre 0,005 e 0,009:10.000.[5-7]

▪ MECANISMOS

Os mecanismos que causam reações anafiláticas/anafilactoides podem ser de origem imunológica ou não imunológica, e é muito difícil, senão impossível, distinguir por meio do quadro clínico qual deles está envolvido (Figura 220.1). Algumas vezes os dois mecanismos são desencadeados simultaneamente.[3-5,8-10]

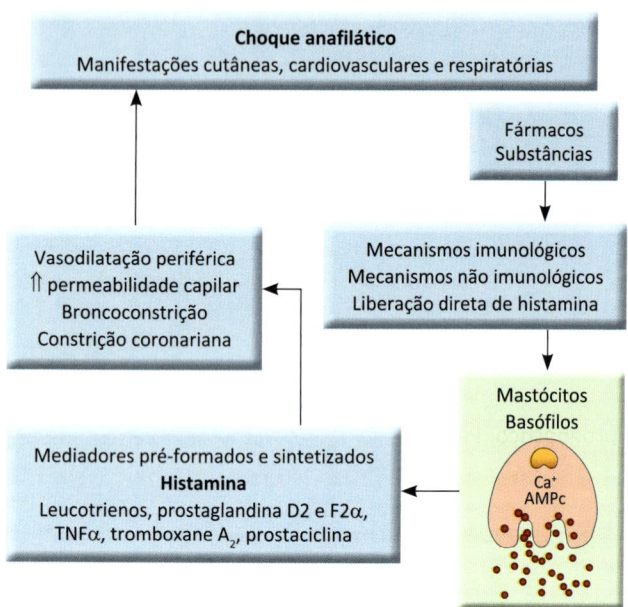

▲ **Figura 220.1** Mecanismos do choque anafilático.

Mecanismos Imunológicos

As reações imunológicas têm duas características principais: interação específica antígeno-anticorpo e desencadeamento da reação por reexposição ao antígeno (resposta anamnéstica). Estas reações podem ser devido à mediação de IgE ou de IgG/IgM com ativação da via clássica do complemento. (Figura 220.2).[3-6, 8-10]

As reações IgE mediadas são responsáveis por 50 a 60% dos casos de RAA e, destas, 44 a 59% por causa dos antibióticos (ATB).

Mecanismos Não Imunológicos

As reações não imunológicas podem ser devido à ativação da via alternativa do complemento, à ativação dos receptores X2 relacionados aos mastócitos acoplados à proteína G ou MRGPRX2 (*Mas-related G-protein coupled receptor member X2*) ou à liberação direta de histamina.

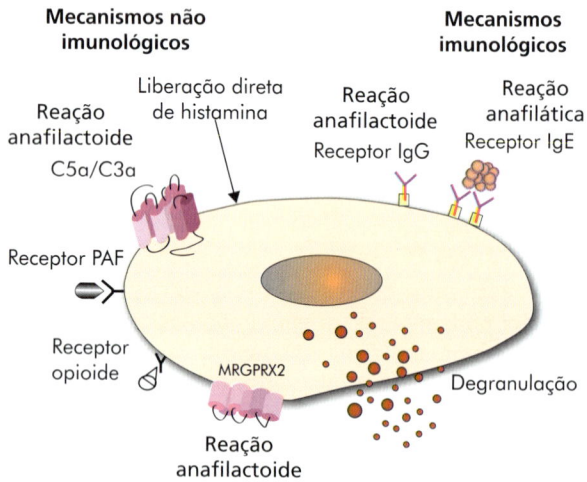

▲ **Figura 220.2** Mecanismos de ativação dos mastócitos.

O receptor MRGPRX2 pode ser ativado por diferentes fármacos como opioides; bloqueadores neuromusculares (BNM), exceto a succinilcolina; fluoroquinolonas de uso venoso (ciprofloxacina, levofloxacina, moxifloxacina e ofloxacina); vancomicina e sulfametoxazol.[3-7, 9-11]

Outras RAA não imunes que não envolvem ativação de mastócitos e basófilos podem ocorrer; entre elas, a reação de hipersensibilidade complemento-relacionada, denominada CARPA (*c activation-related pseudo-allergy*) que ocorre com o uso de fármacos lipossomais e micelares, (anbissoma, doxorubicina lipossomal e placitaxel), o angioedema ECA-induzido e as relacionadas ao uso de anti-inflamatórios não esteroides (AINEs) (doenças respiratórias exacerbadas por AINEs, doenças cutâneas exacerbadas por AINEs e urticária/angioedema induzida por AINEs).[7,10,11]

As reações imunológicas mediadas por IgE são denominadas, pela maioria das publicações, de reação anafilática. As reações imunológicas mediadas por IgG ou IgM com ativação da via clássica do complemento e as não imunológicas causadas por ativação da via alternativa do complemento são denominadas reações anafilactoides. As reações devido à liberação direta de histamina são também denominadas reações anafilactoides ou apenas reações por liberação direta de histamina.

Influência do SNA sobre a Degranulação de Mastócitos e Basófilos

O Sistema Nervoso Autônomo (SNA) tem ação preponderante sobre a degranulação dos mastócitos e basófilos (Figura 220.3), o que é de fundamental importância na terapêutica dos casos graves.[3-5]

Independente do mecanismo de origem, o quadro clínico mais ou menos exuberante é devido à degranulação do interior dos mastócitos e basófilos de substâncias vasoativas e consequente liberação na corrente sanguínea. As substâncias vasoativas incluem os mediadores armazenados (constituintes dos mastócitos e os grânulos dos basófilos), pré-formados e novos produtos proteicos e lipídicos sintetizados – mediadores sintetizados. Estas substâncias podem atuar conjuntamente por estímulo de receptores do músculo liso, coração e pulmões, ativação de outras células inflamatórias e potencialização dos efeitos de mediadores secundários.[3-5,9-11]

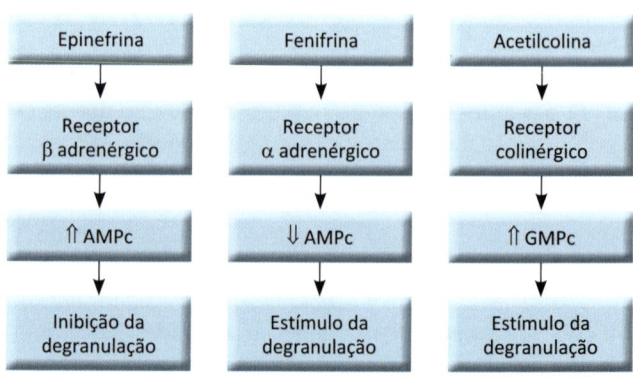

▲ **Figura 220.3** Influência do SNA sobre a degranulação de mastócitos e basófilos.

Mediadores Armazenados

A histamina, estocada principalmente nos mastócitos e basófilos circulantes, é a substância liberada mais importante dos mediadores armazenados e a única comprovada como essencial para o início da reação. A histamina age nos receptores H_1, H_2 e H_3, promovendo aumento da permeabilidade capilar, dilatação das arteríolas terminais, broncoconstrição, alterações da frequência cardíaca, arritmias ventriculares e controle inibitório da sua liberação e síntese tanto no SNC como em diferentes órgãos e sistemas. É rapidamente metabolizada (meia vida entre 102 e 120 segundos), tendo efeitos de curta duração.[3,10,11]

Outros mediadores armazenados são: fator quimiotático eosinofílico, fator quimiotático neutrofílico e as enzimas triptase, hidrolases e peroxidases. A triptase, encontrada nos mastócitos, é liberada na corrente sanguínea entre 15 e 30 minutos após o início da reação e tem meia-vida em torno de 2 horas, o que a torna um marcador importante de reação anafilática.[3,10,11]

Mediadores Sintetizados

No momento da ativação dos mastócitos e basófilos, são sintetizados os metabólitos do ácido araquidônico, fator de ativação plaquetária e cininas.[3,10,11]

O ácido araquidônico é formado na membrana celular dos mastócitos e basófilos, por meio da fosfolipase A_2 ou fosfolipase C e diacilglicerol lipase. A seguir é metabolizado, por meio da lipooxigenase, em seus produtos: leucotrienos ou ciclooxigenase: prostaglandinas, tromboxano A_2 e prostaciclina.[3,10,11]

A evolução grave de muitos casos de RAA deve-se, em parte, a efeitos comuns dos mediadores sintetizados: aumento da resposta inflamatória; broncoconstrição [de início mais lento que a histamina, porém, de duração maior e muito mais potente (600 a 9500 vezes)]; aumento da permeabilidade capilar; vasoconstrição pulmonar e coronariana, que ocorrem devido à ação dos leucotrienos, prostaglandinas D_2 e F_{2a}, fator de ativação plaquetária, cininas, tromboxano A_2 e prostaciclina I_2. A vasodilatação ocorre devido às prostaglandinas D_2 e F_{2a}, fator de ativação plaquetária e prostaciclina I_2.[3,10,11]

Além disso, mediadores como a histamina, leucotrienos, fator de ativação plaquetária, prostaglandinas e cininas estimulam diretamente o endotélio vascular, liberando o fator de relaxamento derivado do endotélio (EDRF) ou óxido nítrico. O EDRF promove relaxamento da musculatura lisa vascular, por meio da ativação da guanilil-ciclase, que produz GMP-cíclico, o qual promove a entrada de Ca^{++} nas células dos mastócitos e basófilos e sua consequente degranulação. A prostaciclina, prostaglandina E_1 e outras prostaglandinas estimulam diretamente os receptores ligados à adenilciclase da musculatura lisa, aumentando a entrada de Ca^{++}, levando ao acúmulo de AMP cíclico, à degranulação dos mastócitos e basófilos e ao relaxamento da musculatura lisa vascular.[3,10,11]

◼ QUADRO CLÍNICO

O quadro clínico das RAA pode variar, na dependência do órgão e/ou do sistema comprometido e da via de contato, verificando-se, com maior frequência em anestesia, manifestações cutâneas, cardiovasculares e respiratórias. Manifestações gastrointestinais são menos importantes, mas podem ocorrer náuseas, vômitos e diarreia. No quadro mais grave, chamado de choque anafilático, há uma resposta generalizada imediata, por comprometimento de vários sistemas (cutâneo/cardiovascular/respiratório) e muitas vezes sobrevêm a parada cardiorrespiratória e o óbito.[3,9,10]

O quadro clínico das RAA mais frequentemente observado em adultos é a hipotensão, seguido do broncoespasmo. Em crianças, o broncoespasmo é o quadro clínico mais comum. Pacientes que apresentam doença coronariana e/ou fazem uso de inibidores da ECA ou betabloqueadores apresentam maior incidência de hipotensão e têm pior prognóstico. Pacientes asmáticos, obesos ou obesos graves apresentam maior incidência de broncoespasmo.[4-6]

Manifestações Cardiovasculares

Sistema vascular

O sistema cardiovascular é o mais profundo e precocemente afetado e é comprometido em 90% das RAA. Os quadros graves evoluem em duas fases: hipercinética, nos primeiros 3 a 5 minutos e a seguir a hipocinética.[3-6,9,10]

Na fase hipercinética ocorre hipotensão arterial devido à vasodilatação das arteríolas terminais pré-capilares e consequente redução da resistência vascular sistêmica, redução do volume intravascular devido ao aumento da permeabilidade capilar, com extravasamento de líquido, taquicardia e aumento do débito cardíaco. A seguir inicia-se a fase hipocinética. Nesta fase, a vasodilatação persiste, pela ação direta na musculatura lisa dos mediadores recém-formados e por interação destes com o endotélio, liberando EDRF. A hipotensão continua e começa a haver redução do retorno venoso, devido à hipovolemia progressiva, hemoconcentração, aumento da viscosidade sanguínea, redução do retorno venoso e débito cardíaco. Há elevação da pressão hidrostática capilar, com edema intersticial.[3-6,9,10]

Sistema cardíaco

Os efeitos sobre o ritmo cardíaco variam desde taquicardia sinusal, extrassistolias, bloqueios, ritmos ectópicos até fibrilação ventricular. Pode também ocorrer bradicardia paradoxal. Ocorre vasoconstrição da circulação coronariana e pulmonar.[3-6,9,10]

Manifestações Respiratórias

São quadros frequentes (50% das RAA) e muitas vezes de evolução grave com reação inflamatória das vias aéreas, edema da mucosa respiratória e broncoespasmo, vasoconstrição e hipertensão pulmonar. Os sintomas variam de obstrução e prurido nasal até obstrução da garganta, rouquidão e dificuldade para respirar. O broncoespasmo, principalmente quando associado a comprometimento cardiovascular, é muito grave, podendo levar ao óbito.[3-6,9,10]

Manifestações Cutâneas

As manifestações cutâneas variam de leves e localizadas a generalizadas. Nas reações graves, com colapso cardiovascular, podem ocorrer urticária generalizada e edema de mucosas, face, língua, faringe e laringe (edema de Quincke). Quando há edema visível, significa que houve grande perda de líquido intravascular para o subcutâneo e desenvolve-se a diminuição da pressão arterial.[3-6,9,10]

Outras Manifestações

Pode ocorrer ativação dos sistemas da coagulação, da fibrinólise e das cininas, com hipercoagulabilidade e consequente elevação do tempo de protrombina (TP) e de tromboplastina parcial ativada (TTPA). Pode também haver alterações gastrointestinais com edema do fígado, baço e outras vísceras e hipersecreção intestinal, podendo ocasionar diarreia, náuseas e vômitos, sialorreia e cólicas abdominais. Geralmente passam despercebidas aos anestesistas, pois acontecem quando o paciente já está intubado, sob anestesia geral.[3-6,9,10]

■ EVOLUÇÃO DAS RAA EM ANESTESIA

As RAA em anestesia são raras, mas quando ocorrem têm, muitas vezes, evolução rápida e fatal. São múltiplos os motivos que produzem esse resultado tão grave. Em geral, a RAA acomete, subitamente, indivíduos sãos. No caso das RAA em anestesia, os pacientes já têm uma doença de base cirúrgica, e muitas vezes têm outras doenças associadas, sendo de maior prevalência as cardiovasculares. No momento do ato anestésico, quando é desencadeada a RAA, esta é a segunda ou terceira afecção do paciente, o que de *per si* justifica evoluções mais graves. As RAA em anestesia ocorrem em 90% dos casos durante a indução ou após a administração venosa do agente causador (Figura 220.4). Quando o contato com o antígeno se faz por outras vias, o início é mais lento, como nas reações à clorexidina, ao azul patente ou aos derivados do látex, devido à absorção pela pele, mucosas ou após remoção de torniquete, e a RAA pode começar durante a anestesia ou recuperação pós-anestésica.[4,5] No ato anestésico-cirúrgico, principalmente no momento da indução, são utilizados vários anestésicos num curto espaço de tempo. Além disso, muitas vezes são administrados outros fármacos/substâncias, como, por exemplo, antibióticos.

Os principais agentes envolvidos nas RAA são: antibióticos; bloqueadores neuromusculares; clorhexidina e azul de patente (Figura 220.4).[4,5]

■ DIAGNÓSTICO DIFERENCIAL

Quando comparado às situações mais comuns de aparecimento de RAA, o diagnóstico durante o ato anestésico-cirúrgico é mais difícil, porque na maioria das vezes os pacientes estão sob anestesia geral, intubados.[4-7,9,10]

Outro fato que dificulta o diagnóstico correto é que muitos fármacos/substâncias, com os quais os pacientes têm contato durante o ato anestésico-cirúrgico, podem induzir mais frequentemente alterações diretas do sistema cardiovascular e/ou respiratório, que podem agravar o quadro das RAA e que confundem o anestesista, que faz o diagnóstico diferencial de RAA quase que por exclusão. Os vários diagnósticos possíveis, em geral estão relacionados com o procedimento anestésico-cirúrgico, as comorbidades do paciente ou a interação medicamentosa (Tabela 220.1).[4-7,9,10]

Tabela 220.1 Diagnósticos diferenciais relevantes em RAA.

Relacionados ao procedimento anestésico-cirúrgico	
Choque hipovolêmico	Overdose relativa de agentes anestésicos
Embolia amniótica	Bloqueio simpático extenso (bloqueios do neuroeixo)
Síndrome do implante de cimento ósseo	Anestesia superficial
Síndrome de tração mesentérica	Irritação das vias aéreas tubo por endotraqueal mal posicionado
Dosagem excessiva de ocitocina	Edema devido ao manuseio de via aérea difícil Aspiração
Relacionados a comorbidade do paciente	
Asma não diagnosticada ou não tratada	Angioedema hereditário
Embolia pulmonar, IAM	Mastocitose
Vias aéreas hiper-reativas (p.ex.: quadro gripal)	Urticária ou angioedema em doentes com urticária crónica ou angioedema
Relacionados a interação medicamentosa	
Hipotensão arterial devido ao uso de antidepressivos tricíclicos	Liberação de histamina com quadro cutâneo induzida por uma combinação de medicamentos
Angioedema provocado por inibidores da ECA	

Infarto agudo do miocárdio (IAM); enzima de conversão da angiotensina (ECA).

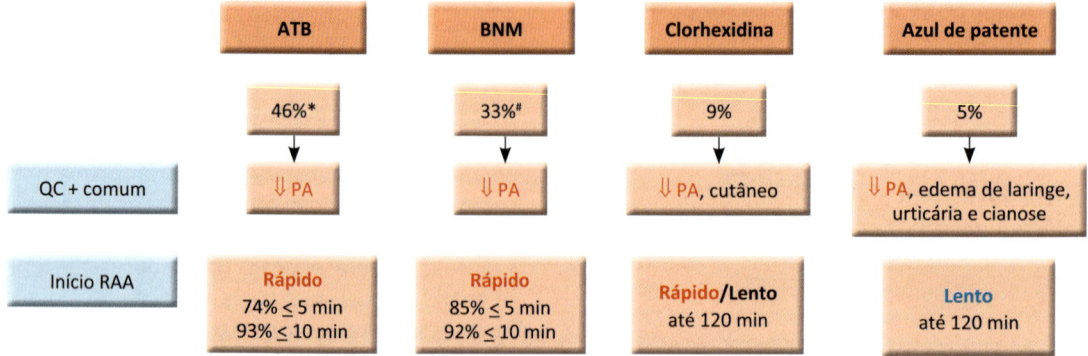

▲**Figura 220.4** Incidência, quadro clínico mais comum e início dos sintomas/sinais das RAA de acordo com o agente causador.
Antibiótico: ATB; Bloqueador neuromuscular: BNM; Quadro clínico: QC; Maioria β-lactams (penicilinas/cefalosporinas) =
*ATB; Frequência igual entre todos (exceto scolina – 2x maior)
#BNM.

■ RAA EM ANESTESIA: FÁRMACOS/ SUBSTÂNCIAS/AGENTES

Diferentes publicações mostram uma variabilidade geográfica significativa em relação aos fármacos/substâncias causadores ou envolvidos nas RAA, sendo os ATB e os bloqueadores neuromusculares (BNM) relatados como os principais agentes.[6,10]

Nenhum caso comprovado de RAA a agentes halogenados foi encontrado na literatura. Em pacientes com múltiplas alergias a medicamentos, a anestesia geral inalatória pode ser considerada como uma alternativa segura, com risco reduzido de eventos adversos perioperatórios.

Entre os agentes anestésicos, os BNM (50%) e os barbitúricos de ação ultracurta (42,3%) são os principais responsáveis pelas RAA, enquanto a incidência com anestésicos locais é mínima (0,7%).[4,6,7,10]

Agentes de Indução

Os benzodiazepínicos, à exceção do remimazolam, o etomidato e a cetamina, são fármacos seguros do ponto de vista de RAA. As RAA ao tiopental e propofol podem ser anafiláticas ou anafilactoides ou por liberação direta de histamina.[4-7,12-13]

Bloqueadores Neuromusculares

Os bloqueadores neuromusculares (BNM) são os agentes anestésicos que levam à maior incidência de RAA (1:6.500 atos anestésicos). Podem induzir reações anafiláticas (50 a 70%) e anafilactoides (por liberação direta de histamina e por ativação do receptor MRGPRX2).[4,7,9-11]

Estão descritos relatos de caso de RAAs a todos os BNM em uso, sendo a frequência similar entre todos os disponíveis no comércio, exceto à succinilcolina, que apresenta incidência duas vezes maior do que os outros. Assim, não há motivos para se escolher um ou outro BNM para uso nos pacientes com suspeita de RAA aos BNM, sem identificação do agente causador.[4,7,9-11]

Reações anafiláticas

Como induzem reações anafiláticas, os bloqueadores neuromusculares podem causar reações cruzadas com outros BNM (60 a 70%), anti-histamínicos, neostigmina, prometazina e morfina, alimentos, cosméticos (tinturas de cabelo), desinfetantes e produtos industriais.

A parte da estrutura química dos BNM que funciona como "antígeno" é a molécula de amônio biquaternário. Foram encontradas moléculas de amônio quaternário em conservantes de alimentos, produtos cosméticos, colírios de benzalcônio e antissépticos cutâneos, entre outras substâncias.[4,7,9-11,14,15]

Reações anafilactoides

As reações não imunes envolvendo o receptor MRGPRX2 ou por liberação direta de histamina provocadas pelos BNM, embora menos frequentes do que as anafiláticas, podem causar quadros graves. Estas reações são dose dependentes e são previsíveis.[6,7,11,14]

Sugamadex

Diversas publicações mostraram casos de choque anafilático após indução da anestesia com propofol e rocurônio revertidos após administração de sugamadex. Entretanto, outras publicações revelaram casos de choque anafilático coincidente ao uso de sugamadex, nos quais testes alérgicos posteriores concluíram que o sugammadex foi o agente responsável pela reação anafilática. Assim, com relação ao uso do sugamadex, a literatura ainda é controversa.[16-18]

Antibióticos

O uso de antibióticos (ATB) antes e durante o ato cirúrgico, antibioticoterapia profilática, é prática mandatória na maioria dos hospitais. Com isso, houve aumento da frequência de RAA no período perioperatório. Os antibióticos mais utilizados, as penicilinas e cefalosporinas, que possuem anel β-lactâmico, induzem 70% das RAA. As RAA aos ATB têm início rápido: 5 minutos após o começo da administração em 74% dos casos e 10 minutos em 92%. O quadro clínico mais comum é a hipotensão. Não há provas do aumento do risco de anafilaxia à cefazolina em pacientes alérgicos à penicilina.[4,5,9-11]

■ **Penicilinas**: as RAA podem ser anafiláticas e anafilactoides, ocorrendo incidência maior de reações cruzadas às cefalosporinas de 1ª geração (8 a 10%) e ao cefamandole, mas não às de última geração.[4,5,9-11]

■ **Cefalosporinas:** a possibilidade de ocorrência de reação cruzada entre cefalosporinas e penicilinas ainda é assunto não esclarecido, mas é atribuída ao anel β-lactâmico ou às duas cadeias laterais ligadas a ele.[4,5,9-11]

■ **Vancomicina:** o uso da vancomicina em infusão venosa rápida pode provocar quadros de hipotensão grave por depressão miocárdica direta, por mecanismo anafilactoide e por liberação direta de histamina. A profilaxia da hipotensão consiste na administração lenta de solução diluída da vancomicina.[4,5,9-11]

■ **Quinolonas:** constituem o terceiro mais importante grupo de antibióticos envolvidos em RAA no ato anestésico-cirúrgico. A bacitracina e a rifamicina podem causar RAA graves. Moxifloxacina é a quinolona mais frequentemente envolvida em RAA, seguida pela levofloxacina e ciprofloxacina. A frequência de RAA à levofloxacina é de 1:1milhão de pacientes.[4,5,9-11]

■ **Aminoglicosídeos:** a maioria das reações aos aminoglicosídeos são cutâneas. Neomicina e estreptomicina induzem reações alérgicas em mais de 2% dos tratamentos, gentamicina e amicacina em 0,1 a 2% e canamicina em 0,1 a 0,5%.[4,5,9-11]

■ **Isoniazida, cloranfenicol, macrolídeos (azitromicina, claritromicina, eritromicina):** raramente induzem RAA.[4,5,9-11]

Anestésicos Locais

Várias reações durante anestesia com anestésico local (AL) podem acontecer que não são RAA por causa dos anestésicos locais: reações tóxicas por dose excessiva de AL; reações vasovagais; reações por estimulação simpática (ansiedade ou administração venosa inadvertida de epinefrina) e reações consequentes ao bloqueio do sistema nervoso simpático, após bloqueio do neuroeixo.[6,7,10,11]

São raros os casos de RAA por causa do anestésico local e, quando ocorrem, a maior frequência é entre os AL do grupo dos ésteres. Frascos-ampolas de anestésicos locais contêm preservativo, metil ou propilparaben, agente alergênico. Anestésicos locais com vasoconstritor contêm antioxidantes, sulfito ou metabissulfito de sódio, que também são alergênicos.[6,7,10,11]

Contrastes Radiológicos

Os contrastes radiológicos produzem frequentemente efeitos adversos. Os contrastes usados por via venosa, geralmente compostos hipertônicos (1400-1600 mOsm.kg^{-1}), derivados do ácido tri-iodo-benzoico, são administrados rapidamente, em grandes quantidades (100 a 200 mL). O uso de contrastes de baixa osmolaridade (500-900 mOsm/kg^{-1}) reduziu a incidência de reações adversas.[19,20]

A incidência de reações varia entre 5% e 8% dos casos, sendo 33% reações graves, com mortalidade de 2 a 6:100.000. As reações iniciam-se geralmente entre 1 e 3 minutos após a administração do contraste. O quadro clínico é variável, desde náusea e vômitos e rubor facial até colapso cardiovascular, broncoespasmo, edema pulmonar e óbito. As reações podem ser de origem vagal, por causa da hipertonicidade do contraste e anafilactóides.[19,20]

São fatores de risco de reações aos contrastes: pacientes portadores de comorbidades, atopia, mastocitose, uso de β-bloqueadores e de agentes nefrotóxicos, reação anterior a contrastes, previsão de uso de doses elevadas de contraste ou de contrastes hiperosmolares, iônicos e por via intra-arterial. História de alergia a frutos do mar não contraindica o uso de contrastes iodados.[6,7,19,20]

As recomendações do *American College of Radiology* e da *Canadian Association of Radiologists* de 2018 sobre profilaxia de reações aos contrastes em situações eletivas e emergência encontram-se na Tabela 220.2.[19,20]

Derivados do Látex

A incidência de RAA aos derivados do látex (RL) tem diminuído, provavelmente por causa da realização de profilaxia primária (não uso de qualquer produto derivado do látex em ambiente extra e intra-hospitalar).[5,7,9-11]

A RL é mediada por IgE, e as proteínas do látex constituem os alérgenos causadores das RAA, sendo as luvas, principalmente com talco, o principal determinante da sensibilização ao látex.[5,7,9-11]

A incidência de sensibilização ao látex é significativamente maior em pacientes atópicos, em pacientes com antecedentes de alergia a alimentos (banana, kiwi, abacaxi, abacate, pêssego, maracujá e frutas secas) e naqueles com múltiplas exposições aos derivados do látex (DL), quais sejam: pacientes com defeitos do tubo neural ou submetidos a múltiplas cirurgias e/ou com sondagens repetidas, profissionais/funcionários da área da saúde e trabalhadores que utilizam DL e aqueles que manipulam diretamente o látex até seus derivados.[5,7,9-11]

Manifestações clínicas

O quadro clínico pode variar de acordo com o tipo de reação: dermatite de contato, urticária localizada até choque anafilático. As vias de contato com os derivados do látex podem ser: cutânea, inalatória, mucosa e digestiva, o que implica num tempo maior para o surgimento dos primeiros sinais e sintomas, entre 40 e 120 minutos do começo da cirurgia.[5,7,9-11]

Avaliação pré-anestésica

Na avaliação pré-anestésica deve-se verificar os fatores de risco e nos casos suspeitos deve-se encaminhar para o alergista.[5,7,9-11]

Cuidados na internação de paciente sensibilizado ao látex

Todo o corpo médico e de enfermagem do hospital deve ser alertado para os casos de RL, pois a reação pode ocorrer desde o momento da internação até a alta. Quando se define que o paciente é ALÉRGICO AO LÁTEX, toda equipe que vai lidar com o paciente deve ser informada e, no momento da internação, deve-se:[5,7,9-11]

1. Relatar no prontuário e identificar paciente com pulseira de cor exclusiva;
2. Agendar o procedimento para o 1º horário cirúrgico ou deixar a sala sem uso por pelo menos 2 horas e identificar com placa ou cartaz indicativo de PACIENTE ALÉRGICO AO LÁTEX;

Tabela 220.2 Protocolo de profilaxia a RAA em pacientes submetidos a exames radiológicos com contrastes.

Tipo de exame	Fármaco (doses para crianças)	Regime (momento antes do exame)	Via de administração
Eletivo	Prednisona 50 mg (0,5 a 0,7 mg.kg^{-1})	13 / 7/ 1h	VO
	Difenidramina 50 mg (1,25 mg.kg^{-1})	1 h	VO / IM / EV
Urgência	Metilprednisolona 30 mg (0,5 mg.kg^{-1}) ou hidrocortisona 200 mg	Repetir cada 4h antes do exame	EV
	Difenidramina 50 mg (1,25 mg.kg^{-1})	1 h	EV
Urgência – alergia a aspirina, metilprednisolona e AINEs	Dexametasona 7,5 mg ou betametasona 6 mg	Repetir cada 4h antes do exame	EV
	Difenidramina 50 mg	1 h	EV
Urgência < 4 a 6 h antes do exame	Difenidramina 50 mg	1 h	EV

Admin. venosa (EV); via oral (VO); intramuscular (IM); anti-inflamatórios não esteroides (AINEs).

3. Verificar material de uso em anestesia e cirurgia e utilizar apenas material sem látex (luvas sem látex, frascos-ampolas, seringas descartáveis com silicone ou seringas de vidro); preparar todos os setores de destino, incluindo a RPA com todo material a ser utilizado sem látex.

Profilaxia

Como a RL é anafilática e não existe profilaxia, não há subsídio científico para o uso de corticoides e anti-histamínicos no período pré-anestésico.[5,7,9-11]

Tratamento

O tratamento agudo da RL segue o mesmo esquema de todas as reações anafiláticas, conforme citado no item "TRATAMENTO" deste capítulo. Em especial, é necessária a remoção de todos os itens contendo DL da sala cirúrgica.[5,7,9-11]

Hemoderivados

Reações diversas ocorrem entre 0,5% e 3% das transfusões de sangue e hemoderivados (concentrado de hemácias, concentrado de plaquetas, plasma fresco congelado, crioprecipitado, crioconcentrado e complexo protrombínico) por características imunológicas específicas [presença de IgGs, IgMs ou anticorpos anti-B contra antígenos geralmente do sistema ABO no sangue do receptor; presença de aloanticorpos contra pequenos antígenos (sistemas Rh, Kell, Duffy, Kidd, Lewis); presença de leucoaglutininas ou anticorpos antileucócitos]. As reações transfusionais podem ser hemolíticas e não hemolíticas.[5-7]

A incidência global de RAA aos hemoderivados estimada é de 0,6:1000 transfusões, sendo as RAA à transfusão de plaquetas 1,1:1000, em comparação com 0,68 e 0,04 para transfusões de plasma e de concentrados de hemácias, respectivamente.[9-11]

Corantes – Azul Patente

O uso de corantes para mapeamento linfático de biópsia de nódulos sentinelas, como o azul patente tem se tornado prática comum e têm sido relatadas reações mediadas por IgE numa incidência média de 1,8%, em alguns casos graves. As RAA ao azul patente podem ser IgE mediadas e por ativação direta da degranulação dos mastócitos e basófilos. As RAA podem iniciar até 120 minutos após seu uso ou mais, devido à absorção lenta pelo sistema linfático e subcutâneo, e têm como quadro clínico mais frequente a hipotensão, edema de laringe, urticária e cianose.[5,7,11]

Clorexidina

A incidência de RAA à clorexidina vem aumentando a cada ano, podendo causar reações IgE mediadas ou reações anafilactoides. A sensibilização ocorre por meio do contato com produtos caseiros como pasta de dente, enxaguante bucal, pomadas e cremes, soluções desinfetantes etc.[3-5,10,11,21,22]

Durante a cirurgia e anestesia, a maioria dos pacientes são expostos à clorexidina por meio de diferentes produtos.

No entanto, a exposição à clorexidina é mais frequentemente na pele, antes da incisão cirúrgica, ou em membranas mucosas, principalmente no trato urinário por meio de géis uretrais, o que leva ao início dos sintomas entre 10 e 120 minutos após a administração.[3-5,10,11,21,22]

O quadro clínico mais comum é cutâneo (quando utilizada na pele) e hipotensão, sendo raros os casos que apresentam broncoespasmo.[3-5,10,11,21,22] O risco de sensibilização à clorexidina aumenta com exposição repetida e, provavelmente, o risco também é aumentado com a exposição a concentrações mais elevadas.[3-5,10,11, 21,22]

Alérgenos Ocultos

Nos últimos anos, tem sido descritas reações a substâncias denominadas "alérgenos ocultos" ("*hidden allergens*"), incluindo excipientes, desinfetantes e agentes esterilizantes, cujo contato é quase inevitável no intraoperatório.[10,22] São exemplos:

- Excipientes encontrados em: polietilenoglicois (comprimidos, géis, sprays, bandagens, curativos e soluções de preparo intestinal), metilcelulose (géis uretrais, de anestésicos locais e de ultrassom) e polisorbato 80 (formulação de certos fármacos e desinfetantes);[10,23]
- Agentes esterilizantes: glutaraldeido e orto-phthal-aldeído (OPA), usados para a esterilização de endoscópios flexíveis;[10,23]
- Desinfetantes: povidona e clorexidina.[10,23]

Outros Fármacos/Substâncias/Agentes

A seguir são apresentados fármacos/substâncias/agentes e o tipo de reação envolvida (Tabela 220.3).[4-7,9-11-13]

■ AVALIAÇÃO PRÉ-OPERATÓRIA

Fatores de Risco

O único fator de risco identificado específico é história de RAA anterior em anestesia. Diferentes publicações propõem prováveis fatores de risco, quais sejam: idade avançada, atopia, asma, doença cardiovascular concomitante, asma (principalmente sem controle), uso de medicação que promove ativação de mastócitos ou formação de leucotrienos (p.ex.: AINEs), uso de betabloqueadores, inibidores da enzima conversora de angiotensina (ECA), mastocitose, estresse físico ou psicológico, polimorfismo genético e síndrome de alergia a múltiplas drogas.

A literatura recente indica que:[4-6,9-11,24]

- A atopia não é um fator de risco para alergia a medicamentos mediada por IgE;
- Não há provas para evitar o uso de propofol em pacientes com alergia a ovo, soja ou amendoim;
- A alergia a peixe ou marisco não está relacionada com iodo e não há evidências para evitar fármacos iodados em pacientes com alergia a frutos do mar;
- Não há provas para evitar o uso de protamina em pacientes com história de alergia a peixes e em uso de insulina NPH;

Tabela 220.3 Fármacos/substâncias/agentes e o tipo de reação envolvida.

Agente implicado	Tipo de reação		
	Anafilática	Anafilactoide	Liberação direta de histamina
Aditivos: parabens e sulfitos	X		
Analgésicos e AINEs		X	
Anestésicos Locais – ésteres	X	X	
Anti-histamínicos	X		
Aprotinina	X	X	
Atropina	X		
BZD – remimazolam		X	
Coloides			
▪ Dextran		X	
▪ Gelatina (Haemaccel)		X	
▪ Gelatina (Gelafundin)		X	
▪ Deriv. Amido (Halex istar)		X	
Corticoides	X		
Diclofenaco e deriv. pirazolona (dipirona)	X		
Estreptoquinase	X		
Hipnoanalgésicos	X		X
Implantes cirúrgicos		X	
Manitol	X		X
Metilmetacrilato		X	
Ocitocina	X	X	
Ondansetron	X	X	
Óxido de etileno	X	X	
Propofol	X		X
Protamina	X	X	
Próteses vasculares		X	
Tiopental	X		X
Vitamina K	X		

Derivado (deriv); benzodiazepínico (BZD) ; anti-inflamatórios não esteroides (AINEs).

▪ A síndrome alfa-gal ou alergia ao carboidrato galactose-α-1,3-galactose ocorre em pacientes que possuem IgE específica para alfa-gal, que podem apresentar RAA ao anticorpo monoclonal cetuximabe, à carne vermelha ou a soluções coloides de gelatina;

▪ **Urticária crônica:** não há provas para modificar os protocolos habituais perioperatórios de manejo dos casos de urticária crônica, exceto evitar o uso de inibidores de COX-1;

▪ **Mastocitose:** nos pacientes portadores de mastocitose deve-se manter os medicamentos usados para manter a estabilidade dos mastócitos até a cirurgia e os gatilhos conhecidos devem ser evitados, sempre que possível. Deve-se ter cuidado no uso de agentes liberadores diretos de histamina, como os BNM e opioides como a morfina;

▪ **Angioedema hereditário e adquirido:** o concentrado do inibidor da C1- esterase (C1-INH) é a profilaxia de escolha de curto prazo em crianças e adultos, e as diretrizes internacionais recentes sugerem que deve ser usado o mais próximo possível ao início da cirurgia. Os esquemas de tratamento devem estar disponíveis durante e após qualquer procedimento, embora tenha sido realizada a profilaxia de curto prazo, lembrando que o angioedema hereditário e o adquirido não respondem a epinefrina, anti-histamínicos ou corticoides. Plasma fresco congelado pode ser usado se as terapias específicas não estiverem disponíveis.

▪ Uso de drogas ilícitas (*cannabis*, cocaína ou heroína) deve ser considerado em RAA em jovens com sintomas respiratórios graves ou exacerbação de asma.

Em pacientes que referem RAA a um fármaco, embora muitas vezes essas informações não possam ser confirmadas, o fármaco em questão deve ser preterido numa próxima anestesia.

Testes

É impossível na avaliação pré-operatória/pré-anestésica a realização de testes *in vivo* e/ou *in vitro* que determinem para todos os pacientes, em todas as situações clínico-cirúrgicas, a possibilidade de reação anafilática ou anafilactoide durante o ato anestésico-cirúrgico. A literatura mundial reconhece que não existem testes para definir com segurança se um paciente vai ou não ter uma reação anafilática ou anafilactoide durante o ato anestésico, ou para definir concretamente quais são as chances deste fato ocorrer.[25]

Os testes disponíveis no mercado mundial são limitados, alguns, realizados *in vivo*, têm sensibilidade elevada, mas trazem sempre a possibilidade de reação imediata de gravidade não previsível, tornando necessária sua aplicabilidade em ambiente hospitalar ou com condições de reanimação.[25]

Outros, os testes *in vitro*, não levam risco ao paciente, no entanto, têm sensibilidade reduzida, custo elevado e não há, ainda, testes para todos os fármacos e substâncias utilizados no ato anestésico-cirúrgico.[25]

Os mais utilizados atualmente são: testes cutâneos, testes de radioimunoensaio e dosagem plasmática da triptase. Alguns testes devem ser realizados logo após a RAA, como a triptase. Outros, semanas ou meses depois, como os testes cutâneos.[25-26]

Deve-se lembrar que a realização dos testes de *per si* não vai eliminar a chance de nova reação num próximo contato com o agente causador, mas, sim, o registro da RAA anterior, dos agentes utilizados e os resultados dos testes feitos para o paciente, o qual deve ser entregue ao mesmo.

Dosagem plasmática de triptase

Deve-se coletar amostras entre 30 minutos e 2 horas após o início da RAA; idealmente devem ser coletadas três séries de amostras: a primeira, assim que estabelecer o tratamento; a segunda, entre 30 minutos e 2 horas após início do quadro e a terceira, 24 horas após a resolução do quadro.[25-26]

Níveis elevados de triptase de soro podem ocorrer em pacientes graves sem anafilaxia, em vítimas de trauma e em pacientes com hiperplasia dos mastócitos. Nível de triptase sanguínea maior do que [(1,2 × conc. sanguínea de triptase basal) + 2] μg/L é considerado como um limiar para confirmação de degranulação clinicamente significativa de mastócitos e está relacionado com RAA graves.[25-26]

Testes cutâneos

Os testes cutâneos são os testes mais empregados, por serem mais baratos e tecnicamente mais simples. Os testes cutâneos devem ser indicados por alergistas/imunologistas e realizados por pessoal treinado. É recomendado que os testes cutâneos sejam realizados 4 a 6 semanas após a RAA.[25]

Os testes cutâneos têm seu valor diagnóstico bem estabelecido para os agentes utilizados durante ato anestésico: hipnoanalgésicos; agentes de indução; BNM; protamina; látex, antibióticos e, mais recentemente, para antissépticos como iodopovidona e clorexidina. Não é considerado de valor diagnóstico para coloides e meios de contraste.[25]

Até o presente momento, há ausência de conhecimento suficiente sobre o valor preditivo positivo e negativo dos testes cutâneos alérgicos na população em geral. Portanto, os testes cutâneos não são indicados para a população em geral no pré-operatório. No entanto, têm indicação pós-reação com o objetivo de identificar o agente, devendo ser realizados entre 1 e 4 meses após a reação. Se realizados mais precocemente podem resultar em falso-negativos.[25]

Algumas considerações valem ser feitas em relação aos testes cutâneos: não existem testes cutâneos para todos os agentes (fármacos/substâncias); eles não têm valor preditivo absoluto e testes cutâneos negativos não garantem reexposição segura ao agente que está sendo avaliado. Por outro lado, o teste cutâneo positivo não é indicativo necessariamente de um mecanismo imune, pois RAA que envolvem o receptor MRGPRX2 também podem levar a teste cutâneo positivo.[25]

Testes *in vitro*

Quando uma reintervenção cirúrgica precoce (< 4 semanas) é necessária após a RAA, os testes cutâneos podem não ter sensibilidade suficiente para identificar o agente suspeito e descartar a alergia potencial a outros fármacos. Nesses casos, a determinação de IgE específica pode ajudar na identificação do agente causador da RAA. Embora a determinação de IgE específica possa ser executada logo após a reação, o teste pode precisar ser repetido após 1 a 2 meses se o resultado do teste for negativo nas amostras obtidas no momento da RAA.[25]

A determinação de IgE específica por radioimunoensaio está indicada principalmente nos casos de RAA graves e pode ser realizada por vários métodos: RAST (*Radioallergosorbent Test*), ELISA (*Enzime-Linked ImmunoAbsorbent Assay*) ou RIA (*Radioimmunoassay*). São mais seguros, pois são testes *in vitro*, e geralmente têm baixa sensibilidade e especificidade, sendo menos sensíveis que os testes cutâneos.[25]

Outros testes imunológicos, como teste de liberação de histamina de basófilos, teste de ativação de basófilos, teste de ativação e de transformação de linfócitos, podem ser úteis em casos específicos. Os testes de ativação dos basófilos têm sido considerados para complementar os testes cutâneos na identificação de alternativas seguras.[25]

Vale a pena atentar para o fato de que não é possível detectar ou excluir um diagnóstico de hipersensibilidade a um fármaco apenas com base em testes *in vitro*. Estes testes devem ser sempre interpretados em conjunto com a história e exame físico do paciente e, se possível, resultado de testes cutâneos.[25]

Profilaxia das RAAs

Reações anafilactoides

Em pacientes que apresentaram reações anafilactoides com quadro clínico leve ou moderado (reações grau I ou II), pode ser realizado pré-tratamento com anti-histamínicos H1 e, no momento da administração do agente suspeito, fazer injeção lenta e/ou em menor dose para prevenir ou reduzir a liberação direta de histamina.

A profilaxia das reações anafilactoides aos contrastes iodados foi estabelecida, conforme citado anteriormente no item respectivo.

Reações anafiláticas

Não foram encontradas pesquisas indicando pré-tratamento eficaz, como no caso dos contrastes iodados. É importante frisar que não foi demonstrada a eficácia de associações corticoides e anti-histamínicos na prevenção da reação anafilática e o uso delas induz falsa segurança.

A única prevenção efetiva de uma anafilaxia consiste na identificação do alérgeno responsável e sua exclusão para impedir RAA posterior. Além disso, há o risco de se subestimar a probabilidade de ocorrência da mesma e, com isso, de se demorar na determinação correta do diagnóstico, postergando o tratamento e, consequentemente, aumentando a possibilidade de uma evolução fatal.

■ TRATAMENTO

A chave do tratamento do choque anafilático é o início imediato e correto e inclui: resolução do quadro clínico; medidas diagnósticas; informações escritas ao paciente e registro adequado na ficha de anestesia e no prontuário. Sempre, na hipótese de RAA grave, deve-se solicitar ajuda de outros colegas e da equipe de enfermagem.

O estudo do NAP6 mostrou atraso no início do tratamento em 25% dos casos e do início das manobras de reanimação em mais de 50% dos casos. O tratamento inadequado (retardado, doses menores/maiores do que a recomendada) aumentou a morbimortalidade em maior proporção em pacientes com doença cardiorrespiratória, doenças envolvendo os mastócitos, estado físico ASA ≥ 3, obesos, idosos e aqueles que estão recebendo betabloqueadores ou inibidores da ECA.[5]

O *International Suspected Perioperative Allergic Reaction* (ISPAR), publicou, em 2019, recomendações e sugestões sobre a literatura atual e a opinião de especialistas em anafilaxia perioperatória. Para a análise dos dados, foi utilizada a escala de gravidade de Ring e Messmer modificada para o ambiente perioperatório (Tabela 220.4).[4,26]

Tabela 220.4 Classificação das RAA de acordo com a escala de Ring e Messmer modificada.

Grau	Sinais Clínicos
I	Sinais cutaneomucosos: eritema, urticária ou ambas com/sem angioedema
II	Sinais de envolvimento moderado de múltiplos órgãos: sinais cutaneomucosos com/sem ⇓ PA moderada, ⇑ FC moderada, broncoespasmo ou sintomas GI
III	Sinais de risco de morte com envolvimento de um ou vários órgãos: ⇓ PA grave, ⇑/⇓ FC com/sem arritmia, broncoespasmo grave, sinais cutaneomucosos, ou sintomas GI
IV	Parada cardíaca ou respiratória

Pressão arterial (PA); frequência cardíaca (FC); gastrintestinais (GI).

Segundo as recomendações do ISPAR e do NAP6, o manejo adequado das RAA inclui o tempo para a hipótese diagnóstica de RAA, a administração correta de epinefrina e de volume e a resposta eficiente e coordenada da equipe de alto desempenho – (anestesiologistas, obstetras, neonatologistas, enfermeiras, técnicos), seguindo a sequência ABCD (*Airways, Breathing, Circulation, Disability*) do ACLS.[4,5]

As Recomendações/sugestões para reações de Grau I a IV constam do Quadro a seguir (Quadro 220.1).

Quadro 220.1 Recomendações/sugestões para reações Grau I – IV.

O_2 quando indicado (oxigenação é mais importante do que intubação)

Remoção de potenciais *triggers*

Elevação MMII e deslocamento do útero para E

Segundo acesso venoso (quando indicado)

Casos obstétricos:
- Deslocamento do útero pra E
- Monitorização
- Cesárea de emergência em casos de choque anafilático refratário ou sofrimento fetal

As reações Grau I não necessitam tratamento com epinefrina. As Recomendações/sugestões para reações de Grau II a IV relacionadas à dose de epinefrina e reposição de volume encontram-se no Quadro 220.2.[4,5]

Dose de epinefrina em pacientes pediátricos: não houve consenso sobre a dose de epinefrina em crianças. Segundo a *Society of Pediatric Anesthesia* e a atualização do *Pediatric Ad-*

vance Life Support (PALS), a dose de epinefrina por via venosa em crianças pode variar de 0,001 mg.kg^{-1} a 0,01 mg.kg^{-1}.[27]

A indicação de compressões cardíacas e o manejo do choque anafilático refratário (após 10 minutos de tratamento adequado com epinefrina e reposição de volume) estão no Quadro 220.3.[4,5]

Quadro 220.3 Indicação de compressões cardíacas e o manejo do choque anafilático refratário.

Compressões cardíacas	**Evidência de DC inadequado:** PAS < 50 mmHg e/ou EtCO$_2$ < 20 mmHg (outras causas excluídas)
Manejo do CA refratário (10 min de tratamento adequado)	■ **Epinefrina:** dobro da dose de *bolus* inicial – iniciar infusão contínua após dose total de três *bolus*. ■ **Hipotensão grave e persistente:** glucagon EV 1 – 2 mg (pacientes em uso de betabloqueadores) e considerar uso de CEC, vasopressina, norepinefrina, metaraminol ou fenilefrina. ■ **Broncoespasmo refratário:** BD inalatórios e considerar BD EV.

CA: choque anafilático; CEC: circulação extracorpórea; BD: broncodilatadores.

No manejo pós-choque anafilático, é recomendada, nas reações Grau II, a observação na RPA por 6 horas com monitorização contínua e, nas reações Grau III e Grau IV, observação em unidade de cuidados intensivos.

Outros fármacos: em relação ao uso de corticoide ou anti-histamínico EV, as recomendações propõem que podem ser administrados após manejo adequado do CA.[4,5]

Ainda, considerando outros fármacos indicados nas RAA graves, outros autores propõem:

■ **Glucagon:** o efeito da epinefrina pode ser reduzido na presença de bloqueio de receptor beta-adrenérgico; assim, em pacientes que apresentam RAA refratária e estão em uso de betabloqueadores, é sugerido aumentar a dose de epinefrina e considerar glucagon por via venosa, 1-2 mg a cada 5 minutos até a resposta, seguidos de 5 - 15 µg.min^{-1};

■ **Vasopressina:** estudos experimentais e relatos de casos sugerem que a vasopressina pode ser uma terapia alternativa de sucesso no CA ou RAA refratária, sendo indicada a administração por via venosa, 2 unidades, repetidas se necessário.

Quadro 220.2 Recomendações/sugestões da dose de epinefrina e reposição de volume para reações Grau II a IV.

Epinefrina	Grau II	Grau III	Grau IV
Dose inicial	10 – 20 mg EV	50 – 100 mg EV	1 mg EV
Dose após 2 min (resposta inadequada)	⇑ até 50 mg EV	⇑ até 200 mg EV	1 mg EV (diretrizes do ACLS)
Sol. cristaloide EV (infusão rápida)	0,5 L – repetir se não melhor	1,0 L – Repetir se não melhorar	Diretrizes do ACLS

Recentemente tem sido proposto o uso da ecocardiografia como auxiliar diagnóstico nos casos de hipovolemia não corrigida adequadamente e nos casos de choque anafilático refratário à administração de epinefrina com possível obstrução significativa da via de saída do ventrículo esquerdo como etiologia de piora do colapso hemodinâmico.[28]

■ SITUAÇÕES ESPECIAIS

Reação Tardia

Alguns pacientes, apesar de uma resposta favorável ao tratamento, apresentam novamente, horas depois (6 a 12 horas), quadro clínico grave de RAA, denominado de reação tardia ou reação bifásica (13% – 23%). Esses pacientes necessitam doses de epinefrina significativamente maiores do que os outros pacientes com choque anafilático. Não existem fatores preditivos da reação tardia, o que demonstra a necessidade de se manter todo paciente pós-choque anafilático em unidade de cuidados intensivos.[29]

Pacientes Gestantes

O tratamento das RAA graves deve ser o mesmo de pacientes não gestantes, conforme indicado pelo ISPAR, com as mesmas doses de epinefrina. A administração de cristaloides deve ser também imediata, e algumas vezes são necessários volumes maiores do que os recomendados em não gestantes. Deve-se sempre deslocar o útero para esquerda e realizar a cesárea de emergência quando o tratamento não funcionar imediatamente. Cesárea *perimortem* deve ser considerada após 4 minutos de parada cardíaca.[5]

■ ORIENTAÇÕES PARA O PERÍODO PÓS-OPERATÓRIO

Antes da Alta Hospitalar[3-6,9-11]

1. Informar o paciente sobre os eventos perioperatórios;
2. **Explicar a importância da investigação posterior:** o paciente deverá ser encaminhado para um alergista/imunologista com o objetivo de identificar o agente, conforme protocolos propostos pela literatura especializada, em ambiente com material para reanimação cardiorrespiratória;
3. **Entregar documento com registro detalhado:** o paciente deverá receber uma carta de informação (ou cartão, que deverá ser guardado junto com os documentos pessoais);
4. **Registrar no prontuário:** além do registro na ficha de anestesia, deve ser feito um registro na ficha de evolução clínica, descrevendo o episódio, classificando-o quanto à gravidade, listando os agentes suspeitos e qual o tratamento efetuado e a evolução.

Após a Alta Hospitalar[3-6,9-11]

Avaliação pré-anestésica para um novo procedimento anestésico:

- Detalhar a RAA anterior; identificar agentes suspeitos; checar se houve recorrência do quadro e a última ocorrência;

- Verificar a possibilidade do paciente ser portador de doença relacionada com quadros alérgicos/RAA e possível(is) fator(es) de risco conforme citado no item Avaliação Pré-Anestésica neste capítulo;
- Encaminhar para alergista/imunologista (Investigação laboratorial).

Anestesia para pacientes com história pregressa de RAA no perioperatório [3-6,9-11]

Estes pacientes devem ser analisados em relação à RAA anterior e merecem atenção às seguintes situações:

- Considerar que foi administrado ATB no procedimento anterior em que houve RAA e discutir com infectologista a indicação do ATB para a anestesia atual;
- RAA anterior durante uso de anestésico local: optar por anestesia geral;
- RAA prévia a BNM ou, RAA anterior na qual foi utilizado BNM: todos os BNMs são contraindicados, devido à possibilidade reação cruzada;
- Nos pacientes com RAA anterior durante anestesia, sem possibilidade de identificação do agente causador ou sem avaliação do alergista, a serem submetidos à anestesia, optar, sempre que possível, por bloqueio do neuroeixo;
- No caso de ser imprescindível a anestesia geral, a indicação é:
  - **Indução e manutenção:** halogenados, etomidato, midazolam, cetamina, óxido nitroso, remifentanil, alfentanil e sufentanil e não utilizar BNM;
  - **Intubação orotraqueal (IOT) com BNM contraindicado:** remifentanil em infusão contínua, sulfato de magnésio e anestesia tópica para aprofundar a anestesia e facilitar a laringoscopia e IOT. Nos casos de contraindicação do uso do remifentanil, pode-se utilizar o alfentanil ou considerar intubação com o paciente acordado;
  - **Relaxamento muscular (BNM contraindicado):** bloqueio do neuroeixo, bloqueio do plano transverso abdominal (*TAP block*), bloqueio da bainha do reto, ou outro bloqueio de nervo periférico.
- Evitar medicamentos liberadores de histamina, coloides, contrastes radiológicos e corantes (p.ex.: azul patente) e clorexidina;
- Realizar a cirurgia de preferência em ambiente *latex-free*, por precaução;
- Lembrar que o uso pré-operatório de anti-histamínicos ou corticoides pode reduzir a gravidade de reações causadas por liberação direta de histamina, porém, não previne reações graves, anafiláticas ou anafilactoides.

■ CONCLUSÕES

As RAA em anestesia, embora de incidência reduzida, são uma realidade que o anestesiologista tem que assumir. Como são imprevisíveis, de evolução muito rápida, às vezes fatal, a monitorização criteriosa do paciente é um grande auxiliar no reconhecimento precoce das RAA.

Diante de um quadro grave de colapso cardiovascular e/ou broncoespasmo, deve-se sempre raciocinar com a hipótese de choque anafilático e tratar como tal imediatamente.

REFERÊNCIAS

1. Turner PJ, Worm M, Ansotegui IJ, et al, WAO Anaphylaxis Committee. Time to revisit the definition and clinical criteria for anaphylaxis? World Allergy Organ J. 2019; 12:1-5.
2. Chu DK, McCullagh DJ, Waserman S. Anaphylaxis for Internists: Definition, Evaluation, and Management, with a Focus on Commonly Encountered Problems. Med Clin North Am. 2020;104:25-44.
3. Ebo D G, Clarke R C, Mertes PM, et al. Molecular mechanisms and pathophysiology of perioperative hypersensitivity and anaphylaxis: a narrative review. Br J Anaesth. 2019;123: e38-e49.
4. Garvey LH, Dewachter P, Hepner DL, et al. Management of suspected immediate perioperative allergic reactions: an international overview and consensus recommendations. Br J Anaesth. 2019;123: e50-e64.
5. 6th National Audit Project of the Royal College of Anaesthetists. Disponível em: https://www.nationalauditprojects.org.uk/NAP6home. [Acesso em 20/08/2023].
6. Volcheck GW, Melchiors BB, Farooque S, et al. Perioperative Hypersensitivity Evaluation and Management: A Practical Approach. J Allergy Clin Immunol Pract. 2023; 11:382-92.
7. Mertes PM, Ebo DG, Garcez T, et al. Comparative epidemiology of suspected perioperative hypersensitivity reactions. Br J Anaesth. 2019;123:e16-e28.
8. Wang Y, Allen KJ, Suaini NHA, McWilliam V, Peters RL, Koplin JJ. The global incidence and prevalence of anaphylaxis in children in the general population: A systematic review. Allergy. 2019;74:1063-80.
9. Dreskin SC, Stitt JM. Anaphylaxis. Burks AW, Holgate ST, O'Hehir RT, et al. Middleton's allergy: principles and practice. Ninth ed 2019 Elsevier Philadelphia p.1225-46.
10. Garvey LH, Ebo DG, Mertes PM, et al. An EAACI position paper on the investigation of perioperative immediate hypersensitivity reactions. Allergy. 2019;74:1872-84.
11. Mathias LAST, Bernardis RCG, Vasconcelos A, Vitorelli M, Pinheiro PF. Reações anafiláticas e anafilactóides em anestesia. Tratado de Anestesiologia. 9ed. São Paulo: Editora dos Editores, 2021, v. 3, p. 4253-77.
12. Cinotti R. An update on remimazolam and anaphylaxis. Eur J Anaesthesiol. 2023; 40:153-4.
13. Tsurumi K, Takahashi S, Hiramoto Y, Nagumo K, Takazawa T, Kamiyama Y. Remimazolam anaphylaxis during anesthesia induction. J Anesth. 2021; 35:571-75.
14. Spoerl D, Nigolian H, Czarnetzki C, et al. Reclassifying Anaphylaxis to Neuromuscular Blocking Agents Based on the Presumed Patho-Mechanism: IgE-Mediated, Pharmacological Adverse Reaction or "Innate Hypersensitivity"? Int J Mol Sci. 2017;18: pii: E1223.
15. Hasdenteufel F, Luyasu S, Hougardy N, Structure-activity relationships and drug allergy. Curr Clin Pharmacol. 2012;7:15-27.
16. Spoerl D, D'Incau S, Roux-Lombard P, et al. Non-IgE-Dependent Hypersensitivity to Rocuronium Reversed by Sugammadex: Report of Three Cases and Hypothesis on the Underlying Mechanism. Int Arch Allergy Immunol. 2016; 169:256-62.
17. Tsur A, Kalansky A. Hypersensitivity associated with sugammadex administration: a systematic review. Anaesthesia. 2014;69:1251-7.
18. Min KC, Bondiskey P, Schulz V, Woo T, Assaid C, Yu W, Reynders T, Declercq R, McCrea J, Dennie J, Adkinson F, Shepherd G, Gutstein DE. Hypersensitivity incidence after sugammadex administration in healthy subjects: a randomised controlled trial. Br J Anaesth. 2018; 121:749-57.
19. Hsu Blatman KS, Hepner DL. Current Knowledge and Management of Hypersensitivity to Perioperative Drugs and Radiocontrast Media. J Allergy Clin Immunol Pract. 2017; 5:587-92.
20. Morzycki A, Bhatia A, Murphy, K J. Adverse Reactions to Contrast Material: A Canadian Update. Can Assoc Radiol J. 2017; 68:187-93.
21. Opstrup MS, Jemec GBE, Garvey LH. Chlorhexidine Allergy: On the Rise and Often Overlooked. Curr Allergy Asthma Rep. 2019; 19:23.
22. Pinnock TM, Volcheck GW, Smith MM, Murray AW, Renew JR, Smith BB. Perioperative anaphylactic reactions to central venous and pulmonary artery catheters containing chlorhexidine, sulfadiazine, or latex: a historical cohort study. Can J Anaesth. 2023; 70:824-35.
23. Garvey LH. Old, New and Hidden Causes of Perioperative Hypersensitivity. Curr Pharm Des. 2016; 22:6814-24.
24. Dewachter P, Kopac P, Lagun, et al. Anaesthetic management of patients with pre-existing allergic conditions: a narrative review. Br J Anaesth. 2019;123: e65-e81.
25. Beck SC, Wilding T, Buka RJ, et al. Biomarkers in Human Anaphylaxis: A Critical Appraisal of Current Evidence and Perspectives. Front Immunol. 2019; 10:494-505.
26. Ring J, Messmer K. Incidence, and severity of anaphylactoid reactions to colloid volume substitutes. Lancet 1977; 1:466-9.
27. https://www.pedsanesthesia.org/wpcontent/uploads/2018/08/SPAPediCrisisChecklistsJuly2018.pdf [Acesso em 23/08/2023]
28. Nooli NP, Jensen MA, Lawson P Jr, Tuck BC, Sipe SS, Nanda NC, et al. Role of Rescue Transesophageal Echocardiography During Intraoperative Anaphylaxis Complicated by Dynamic Left Ventricular Outflow Tract Obstruction. J Cardiothorac Vasc Anesth. 2023; 37:565-9.
29. Pourmand A, Robinson C, Syed W, et al. Biphasic anaphylaxis: A review of the literature and implications for emergency management. Amer J Emerg Med. 2018; 36:1480-5.

Hipertermia Maligna

Cláudia Marquez Simões ▪ Luiz Bomfim Pereira da Cunha ▪ Daniel Carlos Cagnolati

INTRODUÇÃO

A hipertermia maligna (HM) foi descrita pela primeira vez por Denborough e Lovell, em 1960.[1] A apresentação clínica do primeiro caso levou ao conhecimento dos principais fundamentos sobre a HM. Um homem jovem, com histórico familiar de mortes inexplicadas durante a anestesia, foi submetido à anestesia com halotano e apresentou taquicardia, sudorese e má perfusão periférica. A administração do anestésico inalatório foi suspensa e o tratamento foi sintomático inespecífico. Este foi o primeiro relato de uma síndrome que se apresentava em pacientes sadios, era desencadeada após a exposição a agentes anestésicos, ocasionava elevação da temperatura corpórea, apresentava um componente de herança familiar, e com diagnóstico e tratamento precoces era possível de ser abortada. Nas décadas de 1960 e 1970 surgiram vários relatos de episódios semelhantes ao inicialmente descrito, porém muitos apresentaram uma evolução fulminante a despeito do reconhecimento e tratamento sintomático precoces.

Em 1966, descobriu-se uma síndrome equivalente em porcos, modelo que proporcionou estudos experimentais e resultou na descoberta do diagnóstico por meio do teste de contração do tecido muscular.[2] Também em estudos experimentais, descobriu-se uma medicação específica para o tratamento da síndrome: o dantrolene sódico. Este composto foi sintetizado por Snyder durante a investigação de um composto que apresentasse propriedade relaxante muscular.[3] Em 1975, Harrison empregou o dantrolene sódico com sucesso no tratamento da hipertermia maligna porcina pela primeira vez.[4] Em 1979, após inúmeros relatos do sucesso do uso de dantrolene por via venosa para remissão dos sintomas da HM, a Food and Drug Administration (FDA) aprovou o uso do fármaco. Os primeiros relatos desta síndrome na década de 1960 apresentavam mortalidade de aproximadamente 80%. Durante a década de 1970, com diagnóstico mais precoce e tratamento não específico da doença, a mortalidade reduziu significativamente para 28%. Em 1980, após o registro e introdução formal do uso de dantrolene sódico, a mortalidade foi reduzida para 7%. A partir da década de 1980, organizações foram formadas em vários países, inclusive no Brasil, para disseminar informação acerca da síndrome aos pacientes suscetíveis, bem como para aumentar a percepção desta entre os médicos (Tabela 221.1).

■ HISTÓRICO DA HIPERTERMIA MALIGNA NO BRASIL

Os primeiros relatos de HM no Brasil datam da década de 1980.[5] Boechat, em 1982, importou o dantrolene para o Instituto Fernandes Figueira, no Rio de Janeiro. Raríssimas eram as instituições que dispunham de dantrolene sódico. Não havia informação, disponibilidade de tratamento específico, bem como meios de confirmação diagnóstica.

Em 1990, entrou em atividade no Brasil a *hot-line* (011 5575 9873) da Universidade Federal de São Paulo (UNIFESP). Em 1992, foi inaugurado o primeiro centro de diagnóstico e investigação em HM, na Universidade Federal do Rio de Janeiro, coordenado por Roberto Takashi Sudo e Luiz Bomfim. Posteriormente, o Centro de Estudos e Diagnóstico em Hipertermia Maligna (CEDHIMA), coordenado por Helga Silva e Ana Tsanaclis, foi criado e funciona atualmente na Universidade Federal de São Paulo. Em Santa Catarina, Maria Anita Espíndola Batti passou a orientar suscetíveis e a organizar o registro das famílias afetadas, e somente em 1997 o dantrolene sódico foi registrado no Brasil.

Tabela 221.1 Cronologia da hipertermia maligna no Brasil e no mundo.	
Datas	**Eventos**
1960	Descrição do primeiro episódio de HM por Denborough
1962	Denborough sugere um componente hereditário da síndrome relacionada à hipertermia e morte após exposição a agentes anestésicos
Década de 1960	Início do mapeamento da distribuição regional de episódios de HM em Toronto e Wisconsin. Identificação da semelhança com a síndrome do estresse porcino
1971	1º Simpósio sobre HM em Toronto, Canadá
1971	Descrição do teste de contratura *in vitro* halotano/cafeína para diagnóstico de suscetíveis
1975	Dantrolene sódico como tratamento específico para HM
1979	Aprovação do dantrolene sódico pelo FDA
Década de 1980	Formação de associações e grupos para disseminar informação, criação das *hot-lines* para auxiliar no tratamento e de centros para diagnóstico e estudo da biologia molecular. Uso do capnógrafo como monitor para diagnóstico precoce e tratamento
1982	Importação de dantrolene para o Brasil para a Fundação Oswaldo Cruz, no Rio de Janeiro, por Boechat
1990	Descoberta dos genes responsáveis pelas mutações no receptor rianodina, responsável pela síndrome do estresse porcino, porém identificada em aproximadamente apenas 50% das famílias diagnosticadas como suscetíveis (herança multifatorial da HM). Implantação da *hot-line* na Universidade Federal de São Paulo e instituição do tema hipertermia maligna nos programas de educação continuada da Sociedade Brasileira de Anestesiologia
1992	Primeiro centro diagnóstico no Brasil na Universidade Federal do Rio de Janeiro com Dr. Roberto Takashi Sudo
1997	Registro do dantrolene sódico pela Agência Nacional de Vigilância Sanitária
1999	Produção de dantrolene sódico no Brasil pelo laboratório Cristália
2000	Início da utilização do mapeamento genético como auxiliar no diagnóstico da HM
2001	Legislação estadual específica para o tratamento da HM em São Paulo
2002	Instituída a Política Estadual de Prevenção, Diagnóstico e Tratamento da Hipertermia Maligna juntamente com a inclusão da HM na lista de doenças de notificação compulsória em São Paulo

Em 2001, aprovou-se, em São Paulo, a legislação estadual específica voltada para o controle da HM (Lei Paulo Teixeira), complementada por decreto governamental (Decreto Geraldo Alckmin) em março de 2002. A Secretaria de Saúde de São Paulo criou uma Comissão especial para definir políticas de saúde voltadas para este assunto. Antecipando a legislação, o Secretário de Saúde do Estado de São Paulo, José da Silva Guedes, determinou que todos os hospitais públicos do Estado de São Paulo passassem a dispor do dantrolene sódico, que se torna recurso obrigatório em toda instituição de saúde onde sejam administrados agentes desencadeantes. A HM tornou-se, então, doença de notificação obrigatória, amparada pelo controle das autoridades de saúde do Estado.

EPIDEMIOLOGIA DA HM NO BRASIL

Infelizmente, tem-se poucos dados a respeito da incidência da HM no Brasil. O cadastro mais antigo disponível no Brasil foi criado pela Dra. Maria Anita Batti, na Universidade Federal de Santa Catarina e possui 19 famílias cadastradas. A Sociedade Brasileira de Anestesiologia disponibilizou, no período de 2005 a 2007, um formulário para registro de casos suspeitos que recebeu sete relatos. Na literatura há poucos casos registrados. No entanto, os centros para diagnóstico e o *Hot-Line* – central de informações telefônicas sediada na Universidade Federal de São Paulo recebem centenas de encaminhamentos ou consultas anualmente. Pelos dados expostos, constata-se que ainda não estão disponíveis dados consistentes sobre a incidência de HM no Brasil.

DEFINIÇÃO

A HM é uma afecção hereditária e latente caracterizada por resposta hipermetabólica aos anestésicos voláteis (halotano, enflurano, isoflurano, sevoflurano e desflurano) e à succinilcolina, em razão de um desarranjo da homeostase intracelular do cálcio. Embora considerada doença primária do músculo esquelético, anormalidades em outros tecidos podem estar associadas à HM.[6,7]

INCIDÊNCIA

Conforme a literatura internacional, a HM incide em 1 a cada 50 mil anestesias em adultos e 1 a cada 15 mil anestesias em crianças. A HM afeta todas as raças. É descrita maior prevalência da síndrome em algumas regiões com maior incidência de consanguinidade. Ocorre igualmente em ambos os sexos, embora, conforme os relatos, as crises sejam mais comuns nos homens. Dados de estudos mais recentes de regiões específicas como EUA e Dinamarca demonstram incidência semelhante às anteriormente relatadas para população pediátrica como 1:14.000 casos. A incidência de HM pode ser muito maior que a relatada, pois existem diversos tipos de crises, grande parte delas sendo subclínicas e não reconhecidas. Vale a pena ressaltar que ainda não se tem uma estimativa real da incidência no Brasil, porém sabe-se da distribuição regional com maior quantidade de casos no Espírito Santo e na região Sul, principalmente em Santa Catarina.[8]

ETIOLOGIA

A HM foi definida como "herança autossômica dominante com penetrância reduzida e expressão variável".[9] A síndrome está associada a diferentes mutações genéticas, a maioria localizada no cromossomo 19, no gene para o receptor rianodina, sendo a localização mais frequente a 19q13.2. Após a identificação do primeiro *locus* responsável pela suscetibilidade à HM, também denominado MHS1, começaram a surgir as primeiras evidências da heterogeneidade genética da doença: foram descritas famílias com mutações diferentes da primeira identificada, e famílias onde a HM não segregava com esse *locus*.

Atualmente, a complexidade genética da HM está dada pelas quase 30 mutações identificadas ao longo do gene Ryr1 (responsáveis por até 50% dos casos de HM), como também pelo envolvimento de outros genes responsáveis pela doença (nos 50% restantes dos casos), denominados MHS2, MHS3, MHS4, e assim sucessivamente, identificados em outros cromossomos e que codificam para proteínas que interagem direta ou indiretamente com o canal Ryr1 (Tabela 221.2). Estes fatores, conjuntamente, poderiam explicar a expressividade variável da HM. Por outro lado, foram relatados indivíduos com mutação, mas que não haviam desencadeado os sintomas quando submetidos a anestésicos, ou apresentaram a crise sem que tivesse sido identificada nenhuma alteração no canal de cálcio.[10,11]

FISIOPATOLOGIA

Em condições normais, os níveis de Ca^{++} no mioplasma são controlados pelo receptor rianodina do retículo sarcoplasmático, o receptor diidropiridina do túbulo transverso e pelo sistema Ca^{++}-adenosina trifosfatase (Ca^{++}-ATPase).

O sarcoplasma da fibra muscular esquelética contém filamentos de proteínas longitudinais chamados de miofilamentos, que são formados por miosina ou actina mais troponina-tropomiosina e organizados, na forma cilíndrica, em grupos de miofibrilas. O retículo sarcoplasmático é compreendido por um complexo de cadeias de túbulos e sacos que ocupam os espaços entre as miofibrilas e têm a função de sequestrar e armazenar os íons cálcio que são essenciais no mecanismo da contração muscular.

O principal fator desencadeante do processo de excitação-contração do músculo esquelético é a liberação de cálcio por meio dos canais de cálcio do retículo sarcoplasmático juncional. Estes canais são os chamados canais de rianodina. Cada canal é composto por quatro monômeros idênticos, determinados por pelo menos três genes distintos. A isoforma expressa no músculo estriado esquelético é a forma Ryr1, determinada pelo cromossomo 19q131. Com a despolarização do túbulo transverso, os canais de cálcio voltagem-dependentes, sensíveis à diidropiridina (receptor DHP), sofrem alterações conformacionais que são transmitidas ao receptor Ryr1 por meio de proteínas segmentares de ligação (p. ex., FKBP12) que ativam a abertura do canal Ryr1.[5]

Tabela 221.2. Mutações do receptor Ryr associadas à HM.		
Exon	Nucleotídeo	Aminoácido
2	c.103T > C	p.35Cys > Arg
6	c.487C > T	p.163Arg > Cys
6	c.488G > T	p.163Arg > Leu
9	c.742G > A	p.248Gly > Arg
11	c.1021G > A	p.341Gly > Arg
12	c.1209C > G	p.403Ile > Met
14	c.1565A > C	p.522Tyr > Ser
15	c.1654C > T	p.552Arg > Trp
17	c.1840C > T	p.614Arg > Cys
17	c.1841G > T	p.614Arg > Leu
39	c.6487C > T	p.2163Arg > Cys
39	c.6488G > A	p.2163Arg > His
39	c.6502G > A	p.2168Val > Met
40	c.6617C > G	p.2206Thr > Arg
40	c.6617C > T	p.2206Thr > Met
44	c.7048G > A	p.2290Ala > Thr
44	c.7124G > C	p.2375Gly > Ala
45	c.7282G > A	p.2428Ala > Thr
45	c.7300G > A	p.2434Gly > Arg
45	c.7304G > A	p.2435Arg > His
46	c.7360C > T	p.2454Arg > Cys
46	c.7361G > A	p.2454Arg > His
46	c.7372C > T	p.2458Arg > Cys
46	c.7373G > A	p.2458Arg > His
47	c.7522C > T	p.2508Arg > Cys
100	c.14387A > G	p.4796Tyr > Cys
100	c.14477C > T	p.4826Thr >Ile
101	c.14512C > G	p.4838Leu > Val
101	c.14582G > A	p.4861Arg > His
102	c.14693T > C	p.4898Ile > Thr

Fonte: http://www.emhg.org/

Em suínos, a HM é associada à disfunção do receptor rianodina, um modulador do canal de Ca^{++} do retículo sarcoplasmático, que acopla despolarização da membrana com liberação de Ca^{++} na fibra.[12] Deste desequilíbrio iônico resulta a cadeia de eventos que caracterizam a crise de HM.

Há lacunas consideráveis no conhecimento acerca dos mecanismos envolvidos na resposta hipermetabólica que caracteriza a HM. O calor seria produzido no músculo esquelético em razão de desacoplamento do metabolismo energético.[13,14] Entretanto, verificou-se em outros estudos que, em suínos suscetíveis, temperaturas significativamente mais elevadas nos órgãos viscerais foram registradas antes da contração dos músculos esqueléticos. A temperatura do músculo esquelético permaneceu 1 a 2 °C abaixo da temperatura da artéria pulmonar (e do esôfago), enquanto nos rins, fígado e cérebro encontrava-se acima da registrada no sangue.[15]

A elevação da temperatura não desencadeia crise de HM, entretanto, em animais expostos a agentes desencadeantes, a hipotermia, particularmente entre 33 e 35 °C,[14,16] diminui a velocidade de progressão da crise de HM. Portanto, deve-se considerar a potencial utilidade da hipotermia na profilaxia de episódios agudos de HM.[15]

Em suínos suscetíveis submetidos à inalação de halotano, há associação entre a rapidez de elevação da $PaCO_2$ e níveis pressóricos mais elevados. Catecolaminas não afetam a progressão da crise, mas hipotensão arterial acentuada parece retardar a expressão clínica da síndrome.[17]

Os anestésicos voláteis podem aumentar a atividade do receptor Ryr1 e alterar a regulação de cálcio. No músculo normal, estes agentes provocam alteração desta regulação, porém sem alterações significativas no metabolismo muscular. No entanto, no músculo acometido por uma miopatia, tanto mediadores fisiológicos quanto farmacológicos podem produzir um estado hipermetabólico. Na crise de HM, em função do desarranjo da homeostase intracelular do cálcio, são desencadeados hiperatividade contrátil, hidrólise do ATP, hipertermia, aumento do consumo de O_2, produção de CO_2 e ácido lático, desacoplamento da fosforilação oxidativa, lise celular e extravasamento do conteúdo do citoplasma.

AVALIAÇÃO PRÉ-ANESTÉSICA

A consulta pré-anestésica é de essencial importância para a triagem de pacientes com história familiar e pessoal suspeita de HM. Deve-se investigar não somente o histórico do quadro clínico clássico e mortes familiares relacionadas à anestesia, mas também manifestações clínicas que podem ser sugestivas de quadros atípicos de HM, como febre pós-operatória, rabdomiólise, mioglobinúria e todos os demais sinais descritos por Larach.

Os pacientes não têm ideia da relação de eventuais sintomas e a suscetibilidade à HM. O anestesiologista deve ter isto em mente em todas as avaliações pré-anestésicas, pois uma avaliação bem conduzida e direcionada pode salvar vidas.

QUADRO CLÍNICO

A expressão clínica da HM é variável e compreende manifestações de alterações metabólicas, de lesão muscular e das complicações secundárias. As crises de HM são classificadas conforme sua apresentação clínica[18,19] (Tabela 221.3).

Tabela 221.3 Classificação das crises de hipertermia maligna.

Ellis	Ranklev-Twetman
■ Fulminantes	■ Fulminantes
■ Moderada	■ Abortivas
■ Leve	■ Espasmo de masseter
■ Rigidez de masseter com alteração muscular	■ Atípicas
■ Rigidez de masseter com alterações metabólicas	
■ Rigidez de masseter isolada	
■ Parada cardíaca inexplicada durante a anestesia	
■ Outras	

O maior desafio é o diagnóstico das formas atípicas de HM. Algumas destas formas são a rabdomiólise perioperatória, com início tardio do quadro clássico após o uso de algum agente desencadeante, recorrência tardia, exposição a um agente desencadeante sem resposta alguma em paciente com resposta positiva ao teste de contratura cafeína-halotano e até mesmo hipotensão inexplicável. Todos os pacientes que apresentarem episódios suspeitos de HM, mesmo que atípicos, são candidatos à biópsia muscular para o diagnóstico definitivo de HM. Por ser uma afecção hereditária, a confirmação diagnóstica é extremamente importante, não só para o paciente, mas também para seus familiares. A partir de um caso confirmado, podem ser realizados diagnósticos pré-sintomáticos e estudos genéticos em famílias selecionadas.

DIAGNÓSTICO

Nas crises, o diagnóstico de HM é fundamentado no quadro clínico. Os exames complementares têm maior utilidade na avaliação das complicações e da resposta ao tratamento.

As manifestações clínicas (Tabela 221.4) e laboratoriais da HM são inespecíficas e ocorrem com incidência variável. A frequência dos sinais, nos primeiros 30 minutos da HM, distribui-se da seguinte forma: taquicardia, 90,5%; hiperventilação, 82,8%; rigidez do músculo esquelético, 79,2%; alteração da pressão sanguínea, 77,6% e cianose, 69,2%.[20]

Os sintomas clássicos da HM, como taquicardia, taquipneia, hipercarbia, acidose respiratória, acidose metabólica, rigidez de masseter, rigidez muscular generalizada, mioglobinúria (rabdomiólise), arritmias, cianose, má perfusão cutânea, diaforese, elevação da temperatura, instabilidade hemodinâmica e sangramento (alterações da coagulação) confundem-se com diversas situações clínicas. Algumas situações clínicas, como falta de plano anestésico ou bacteremia, podem mimetizar o quadro de HM (Tabela 221.5).

Tabela 221.4 Manifestações clínicas da hipertermia maligna.

Clínicas	Laboratoriais
Iniciais	Hipercapnia
Taquicardia	(acidose respiratória)
Elevação progressiva do CO_2 exalado	Acidose metabólica
	Hiperlacticidemia
Taquipneia	Hiperpotassemia
Rigidez muscular localizada (incluindo rigidez de masseter)	Dessaturação venosa central
Cianose	
Arritmias	
Hipertermia	
Sudorese profusa	
Tardias	
Febre acima de 40 ºC	Mioglobinemia
Cianose	Elevação da creatinocinase plasmática
Má perfusão cutânea	Elevação da creatininemia
Instabilidade hemodinâmica	Elevação da creatininemia
Rigidez muscular generalizada	Coagulação intravascular disseminada

Fonte: adaptada de Krivosic-Horber.

Tabela 221.5 Diagnóstico diferencial da hipertermia maligna.	
Hipertermia sem rigidez muscular	**Hipertermia acompanhada de rigidez muscular**
▪ Tireotoxicose ▪ Feocroomocitoma ▪ Aquecimento iatrogênico ▪ Síndrome anticolinérgica ▪ Hipoventilação ▪ Hipnose e analgesia inadequadas	▪ Síndrome neuroléptica maligna ▪ Encefalopatia hipóxica ▪ Hemorragia intracraniana ▪ Contraste iônico no SNC ▪ Cocaína, anfetamina, ecstasy, salicilatos

Tabela 221.7 Pontuação conforme a escala clínica de Larach.		
Estimativa de probabilidade (não somar os pontos de cada processo; considerar cada pontuação isolada)		
Pontuação	**Risco de HM**	**Probabilidade**
0	1	Quase impossível
3-9	2	Improvável
10-19	3	Pouco provável
20-34	4	Algo mais que provável
35-49	5	Bastante provável
50 ou mais	6	Quase certo

Não há nenhum teste laboratorial que permita o diagnóstico de uma crise aguda de HM. Larach *et al.*[21] (1994) desenvolveram uma escala de critérios clínicos que levam em consideração rigidez muscular, destruição muscular, acidose respiratória, elevação da temperatura, comprometimento cardíaco e história familiar. São atribuídos pontos para cada grau de manifestação, os quais variam de 0 a 50, e classificam o episódio conforme a probabilidade de ser um episódio de HM (Tabelas 221.6 e 221.7).

Recentemente, foi proposto um teste metabólico para o diagnóstico da HM. É um teste bem menos invasivo que a biópsia muscular, realizado por meio da medida direta da pressão parcial de gás carbônico no tecido muscular após infusão de uma solução com cafeína no local. Não há efeitos sistêmicos, porém outros estudos multicêntricos são necessários para afirmar a eficácia deste método diagnóstico menos invasivo para pacientes suscetíveis.[22]

O único teste atualmente disponível e consagrado como padrão-ouro para o diagnóstico de HM é o teste de contração cafeína-halotano, realizado após biópsia muscular posteriormente à resolução do episódio agudo de HM.

▪ TRATAMENTO

Na HM com diagnóstico precoce, o tratamento preconizado é a terapia imediata com dantrolene endovenoso associado a outras medidas de suporte, o que resulta em uma recuperação de até 100% e leva à diminuição da mortalidade de 70% para menos de 10%. Vale destacar que a mortalidade nas crianças é menor que nos adultos.[23] O tratamento específico da HM consiste em injeções por via venosa de dantrolene sódico de 2,5 mg.kg^{-1}, repetidas até o controle das manifestações clínicas. Ainda que doses maiores sejam eventualmente necessárias, o controle das crises é obtido na maioria dos casos com dose total inferior a 10 mg.kg^{-1}, acompanhada de outras medidas de suporte (Tabela 221.8).

É necessário que o dantrolene esteja facilmente disponível nos setores que fazem uso de algum dos agentes desencadeadores. Considerando um adulto com peso médio de 70 kg, a dose para um episódio agudo de HM é de 175 mg de dantrolene, ou seja, aproximadamente o conteúdo de oito frascos. Cada frasco contém 20 mg de dantrolene sódico as-

Tabela 221.6 Escala clínica para estimar a probabilidade de um episódio de HM.		
Processo	**Indicador**	**Pontos**
Rigidez	Generalizada	15
	Espasmo de masseter após succinilcolina (Sch)	15
Destruição muscular	CPK > 20.000 UI com Sch	15
	CPK > 10.000 UI sem Sch	15
	Urina acastanhada	10
	Mioglobinúria > 60 μg.L^{-1}	5
	Mioglobinemia > 170 μg.L^{-1}	5
	Potassemia > 6 mEq.L^{-1}	3
Acidose respiratória	$P_{ET}CO_2$ > 50 mmHg em VCM	15
	$PaCO_2$ > 60 mmHg em VCM	15
	$P_{ET}CO_2$ > 65 mmHg em ventilação espontânea	15
	$PaCO_2$ > 60 mmHg em ventilação espontânea	15
	Hipercarbia	15
	Taquipneia	10
Acidose metabólica	BE além de − 8 mEq.L^{-1}	10
Acidemia	pH < 7,25	10
Hipertermia	Elevação rápida da temperatura	15
	Temperatura > 38 °C	10
Ritmo cardíaco	Taquicardia sinusal	3
	Taquicardia ou fibrilação ventricular	3
Dantrolene	Reversão rápida da acidose	5

Tabela 221.8 Tratamento da crise de hipertermia maligna.

Tratamento fase aguda

1. Interrupção imediata da inalação de anestésicos voláteis e/ou da succinilcolina.

2. Hiperventilação com oxigênio a 100%.

3. Injeções por via venosa de dantrolene sódico de 2,5 mg.kg^{-1}, repetidas até o controle das manifestações clínicas da HM. Ainda que doses maiores sejam eventualmente necessárias, o controle das crises é obtido na maioria dos casos com dose total inferior a 10 mg.kg^{-1}. Cada frasco-ampola deve ser diluído em 60 mL de água estéril.

4. Bicarbonato de sódio, por via venosa, conforme o bicarbonato sérico (em geral, 1 a 2 mEq.kg^{-1}).

5. Resfriamento ativo se hipertermia presente: colchão hipotérmico, aplicação de gelo na superfície corporal, NaCl a 0,9% gelado como solução venosa, para lavagem gástrica, vesical retal e das cavidades (peritoneal ou torácica).

6. Tratamento das arritmias cardíacas com agentes habitualmente utilizados. Não usar bloqueadores do canal de cálcio: risco de hiperpotassemia quando do uso em conjunto com dantrolene sódico.

7. Tratamento da hiperpotassemia: hiperventilação, bicarbonato de sódio, solução polarizante (0,15 U/kg de insulina simples em 1 mL.kg^{-1} de glicose a 50%), cloreto ou gluconato de cálcio 10-50 mg.kg^{-1}.

8. Manter diurese acima de 2 mL^{-1}.kg^{-1}.h^{-1}: hidratação, manitol ou furosemida.

Tratamento fase tardia

1. Observação em unidade de terapia intensiva por pelo menos 24 horas em face do risco de recidiva.

2. Dantrolene por via venosa: 1 mg.kg^{-1} a cada 6 horas ou 0,25 mg.kg^{-1}.h^{-1} durante 24 horas.

3. Controles a cada 8 horas: temperatura, gasometria arterial, níveis sanguíneos de creatininofosfoquinase (CPK), potássio e cálcio, coagulograma, mioglobina sérica e urinária.

4. Orientação do paciente e seus familiares acerca da doença e da importância da confirmação do diagnóstico por meio da biópsia muscular.

Fonte: adaptada de MHAUS, 2008.

sociado a 3 g de manitol, e deve ser diluído com 60 mL de água. A diluição do dantrolene é trabalhosa e a enfermagem deve estar treinada e habilitada para auxiliar na preparação da medicação. No caso hipotético de um adulto de 70 kg, recomenda-se que o estoque mínimo de dantrolene em cada setor que utiliza os agentes desencadeantes seja de, no mínimo, 12 frascos, e o estoque mínimo do hospital deva ser de 36 frascos. Uma dica para a administração do dantrolene é a utlização de um equipo de hemocomponentes que possui filtro, pois se por acaso algum cristal do dantrolene não for completamente diluído, o equipo irá prevenir a embolização.

▪ TRATAMENTO PROFILÁTICO

O tratamento profilático para pacientes suscetíveis não é mais indicado como rotina. Devido à improbabilidade de episódios graves de HM sem prévia exposição a agentes desencadeantes e o dantrolene não ser completamente isento de efeitos colaterais, sua administração profilática encontra-se restrita a situações excepcionais, como história pessoal pregressa de HM desencadeada por estresse e disfunção cardiocirculatória ou renal que torne o paciente incapaz de tolerar a fase inicial de um episódio de HM. Nestes casos, a dose preconizada de dantrolene por via venosa é de 2,5 mg.kg^{-1}.[24]

São efeitos colaterais do dantrolene: flebite, potencialização do bloqueio neuromuscular, cefaleia, alterações gastrintestinais, tromboflebite, letargia, náusea, vômitos, fraqueza muscular e atonia uterina (*post partum*).[25-27]

O aumento dos níveis plasmáticos de potássio[28] induzido pelo dantrolene é limitado na presença do verapamil e, além disso, qualquer descenso nos níveis de CO_2, causado pela associação destes dois fármacos, pode comprometer a homeostase do potássio. Nos casos de pacientes com doen-

ça arterial coronariana que necessitam de verapamil, recomenda-se monitoração hemodinâmica invasiva e dosagens frequentes dos níveis séricos de potássio. Deve-se considerar a possibilidade do uso de outro vasodilatador, como, por exemplo, o nitroprussiato, que não apresenta interações com o dantrolene sódico. Não se recomenda o uso de bloqueadores do canal de cálcio para o tratamento de arritmias durante um episódio agudo de HM, pela possibilidade de parada cardíaca por hiperpotassemia de difícil tratamento.

▪ ASSOCIAÇÃO COM OUTRAS DOENÇAS

O fenótipo de suscetibilidade à HM, detectado pelo teste de contração halotano-cafeína, pode manifestar-se secundariamente em indivíduos com doenças neuromusculares, como distrofia muscular progressiva tipo Becker e Duchenne, distrofia muscular congênita, distrofia miotônica, miotonia congênita, paralisia periódica familiar, síndrome de King e doença do núcleo central (DNC). A DNC é uma miopatia congênita rara, geralmente não progressiva, caracterizada por hipotonia e fraqueza muscular proximal, apresentadas na infância. O diagnóstico baseia-se na ausência de atividade enzimática oxidativa nas regiões centrais das células do músculo esquelético. Um aspecto interessante da DNC é a sua associação genética com a HM, ambas relacionadas à região cromossômica 19q13.1.

▪ ANESTESIA PARA PESSOAS COM DOENÇAS NEUROMUSCULARES E SUSCETÍVEIS À HIPERTEMIA MALÍGNA

As complicações relacionadas à anestesia em pacientes com doenças neuromusculares podem ser divididas em dois grupos: as provocadas por agentes desencadeantes de HM, como bloqueadores neuromusculares despolarizantes e anestésicos voláteis (tipo I – rabdomiólise, hiperpotassemia, parada cardíaca e HM), e as provocadas por efeitos colaterais conhecidos de outros agentes anestésicos, principalmente depressão cardíaca e respiratória (tipo II). Considerando o exposto, o objetivo da anestesia nos pacientes com doenças neuromusculares ou suspeitos de suscetibilidade a HM é uma anestesia segura, evitando-se agentes desencadeantes.

Deve-se realizar adequada monitoração da pressão arterial, cardioscopia, $P_{ET}CO_2$, SpO_2 e temperatura, além de disponibilizar acesso imediato ao dantrolene sódico, fármacos para reanimação cardíaca e material adequado para manipulação das vias aéreas.

Os pacientes suspeitos de miopatias ou HM devem ser rigorosamente avaliados antes do procedimento. Em situação de emergência, recomenda-se anestesia sem o emprego de bloqueadores neuromusculares despolarizantes e anestésicos halogenados, o que hoje é possível graças ao grande arsenal de fármacos disponíveis para tais situações, como, por exemplo, a realização de uma indução em sequência rápida utilizando rocurônio em condições bem semelhantes às proporcionadas pela succinilcolina.

PREPARO DO APARELHO DE ANESTESIA PARA UM PACIENTE SUSCETÍVEL

O ideal é sempre retirar os vaporizadores do aparelho de anestesia. Atenção, pois alguns aparelhos quando retirados os vaporizadores apresentam vazamentos e necessitam de conexões para evitar perda de gases. Não há mais a recomendação de troca do absorvedor de dióxido de carbono (cal sodada). No entanto, para casos programados, é um cuidado de fácil realização. Recomenda-se um fluxo de 10 L.min^{-1} de O_2 por meio do circuito do ventilador por pelo menos 20 minutos. Se a mangueira de gás fresco for substi-

tuída, 10 minutos são suficientes. Durante este tempo, um balão de respiração de teste sem uso deverá ser conectado à peça Y do sistema circular e o ventilador ajustado para inflar periodicamente. Se possível, use um circuito de respiração novo ou descartável, pois os circuitos absorvem os agentes halogenados.

CIRURGIA AMBULATORIAL

Pacientes com história familiar ou pessoal sugestiva de HM podem ser submetidos a cirurgias sob regime ambulatorial. É importante que, caso seja uma unidade ambulatorial, exista uma unidade hospitalar de referência para qualquer intercorrência. É recomendada a observação pós-operatória por 4 a 5 horas após uma anestesia sem intercorrências e com agentes seguros. A revisão de uma série de casos de suscetíveis submetidos à anestesia com agentes seguros demonstrou que não há relação de aumento de risco com a duração da cirurgia e apenas uma pequena porcentagem apresentou alterações possivelmente relacionadas à HM até 5 horas após o procedimento cirúrgico. Deve-se levar em consideração este tempo mínimo de observação pós-operatória no agendamento da cirurgia (4 a 5 horas), de acordo com o horário de funcionamento do centro cirúrgico ambulatorial. Na alta, o acompanhante deve ser orientado a ficar atento aos sintomas sugestivos de HM, como aumento da temperatura corporal, rigidez muscular, taquipneia, taquicardia e mioglobinúria, devendo retornar imediatamente ao hospital no surgimento destes sintomas.[11]

TESTE DE CONTRAÇÃO À EXPOSIÇÃO AO HALOTANO-CAFEÍNA

A confirmação diagnóstica por meio do teste de contração halotano-cafeína é obrigatória, pois será a partir dos casos confirmados que se fará o planejamento da investigação nos familiares dos afetados (Tabela 221.9). O padrão de he-

Tabela 221.9 Indicações para realização do teste de contratura cafeína-halotano.

Indicações formais
História clínica suspeita de HM
Parente de primeiro grau com história sugestiva de HM, quando o parente que apresentou o episódio não pode realizar a biópsia (p. ex., crianças com menos de 20 kg, comorbidades graves, não é capaz de ir a um centro diagnóstico)
História familiar de HM
Rigidez de masseter após administração de succinilcolina com elevação de CPK ou mioglobinúria
Indicações possíveis
Rabdomiólise inexplicada durante ou após cirurgia (pode apresentar-se como parada cardíaca inexplicada por hipercalemia)
Rigidez de masseter moderada ou leve com mioglobinúria
Rabdomiólise induzida por exercício
Provavelmente não indicado
Parada cardíaca inexplicada durante anestesia sem rabdomiólise
Crianças menores de 5 anos ou com menos de 20 kg (massa muscular insuficiente)
Síndrome neuroléptica maligna

Fonte: adaptada de Rosenberg *et al.*[32]

rança autossômica dominante resulta em, pelo menos, 50% de probabilidade de positividade nos parentes diretos (pais, filhos e irmãos) de um indivíduo confirmado. O teste de contração ao halotano-cafeína é o padrão adotado internacionalmente para o diagnóstico de HM. Por meio da análise da resposta contrátil à exposição a concentrações crescentes de cafeína e halotano, é possível determinar os pacientes suscetíveis e normais. O teste deve ser realizado até, no máximo, 5 horas da retirada da amostra do grupo muscular. Existem dois protocolos de padronização do teste, o da Europa e o dos EUA. Segundo o protocolo norte-americano, o TCHC consiste em avaliar a resposta contrátil de fascículos musculares (fascículos com 2 mm de diâmetro e 2,5 cm de comprimento, cerca de 2 a 3 g de tecido, dissecados com mínimo trauma) submetidos à tensão de repouso de 2 g e expostos a concentrações crescentes de halotano (1% a 3%) e cafeína (0,125 a 16 mM). O material é imerso em solução de Krebs-Ringer equilibrada com O_2 95% e CO_2 5%, mantida a 37 °C durante o teste. Uma resposta contrátil superior a 0,5 a 0,7 g, quando o halotano a 3% é borbulhado no banho, ou acima de 0,2 a 0,3 g após a adição de 2 mM de cafeína, indica positividade. A prévia estimulação supramáxima garante a viabilidade do material biopsiado. O TCHC realizado conforme o protocolo norte-americano tem 97% de sensibilidade e 78% de especificidade.[29]

A biópsia deve ser realizada, no mínimo, após três meses do episódio suspeito. O teste não deve ser realizado nas crianças com peso inferior a 20 kg e nos pacientes sob tratamento com dantrolene sódico ou bloqueadores dos canais de cálcio. Cirurgicamente, são retirados fascículos do vasto lateral da coxa. O procedimento é, geralmente, realizado sob anestesia regional, evitando, assim, a exposição a agentes desencadeantes e promovendo analgesia pós-operatória. Os bloqueios do nervo femoral e do ramo cutâneo femoral lateral associados à sedação com agentes seguros têm sido empregados com sucesso nos adultos e nas crianças.[30]

Atualmente, o teste genético para diagnóstico da suscetibilidade à HM não é capaz de substituir a caracterização pelo teste da contratura in vitro. Nas famílias com mutações conhecidas, há uma chance de 50% para confirmação da suscetibilidade de um indivíduo por meio de um teste não invasivo, o que reduz os custos e o risco para o paciente, sendo desnecessário um procedimento anestésico-cirúrgico como a biópsia muscular. O valor preditivo negativo do teste genético é de 0,95, porém, para garantir a segurança do paciente, ainda se recomenda seguir os guias para diagnóstico de hipertermia com a realização do teste de contração cafeína-halotano, se a pesquisa genética for negativa em um caso suspeito.[31]

As técnicas que vêm sendo utilizadas na análise mutacional do gene Ryr1 compreendem a PCR (polymerase chain reaction), para amplificação dos fragmentos de DNA da região em questão, e métodos derivados como: PCR-RF (PCR-Restriction Fragment), PCR-SSCP (PCR-Single Strand Conformation Polymorphism) e o sequenciamento direto do DNA. Uma vez identificada a alteração, é possível caracterizar a mutação por meio do BLAST, uma base de dados que permite a comparação de sequência do paciente com um banco de dados originado pelo Projeto Genoma Humano (http://blast.ncbi.nlm.nih.gov/Blast.cgi).[33]

PERSPECTIVAS NO TRATAMENTO FARMACOLÓGICO DA HIPERTERMIA MALIGNA

A forma comercial disponível do dantrolene sódico é liofilizada, reconstituível em 60 mL de água destilada para produzir uma solução de pH 9,5. Deve-se atentar que o volume de diluente necessário para a reconstituição do dantrolene para uma dose de ataque é relativamente grande e pode levar ao desenvolvimento de edema pulmonar durante a crise aguda de HM, principalmente nos cardiopatas e nas crianças. A dificuldade na reconstituição da fórmula e o grande volume de diluente necessário estão levando a tentativas de novas formulações do dantrolene.

Duas diferentes apresentações do dantrolene foram descritas: microcristais revestidos por lecitina (MC-NaD) e dantrolene neutro (MC-D).[34] Estas formas podem ser reconstituídas e administradas mais rapidamente. Um frasco de 10 mL contém concentração suficiente de dantrolene para o tratamento inicial de uma crise de HM (2,5 mL.kg^{-1}) e pode ser facilmente armazenado. A apresentação MC-NaD, no entanto, causou acentuada hipertensão pulmonar em suínos, e a MC-D, apenas uma leve hipertensão pulmonar eliminada por filtração e nenhuma alteração pulmonar nos cães.

Na busca de uma formulação de fácil e rápida administração elaborou-se o azumolene, 1-[5-(4-bromafenil)-2-oxazolil]metileno] amino]-2,4-midazolidinediona, um análogo do dantrolene, 30 vezes mais solúvel e com eficácia similar ao dantrolene no controle e tratamento da HM. O dantrolene e o azumolene são equipotentes em inibir a contratilidade do músculo esquelético in vitro, porém o azumolene apresenta maior potência em estudos in vivo. A maior potência aliada à maior solubilidade faz do azumolene um fármaco promissor, dispensando grandes volumes de líquidos para a administração de uma quantidade de fármaco suficiente para o controle do quadro de HM, o que é de muita importância, principalmente na população pediátrica.[35]

AVALIAÇÃO GENÉTICA

Os pacientes com resposta positiva ao teste de contração ao halotano-cafeína (CHCT) podem ser encaminhados para avaliação genética. A avaliação genética nunca deve ser indicada como teste para rastreamento de casos suspeitos, e sim após a confirmação de um caso familiar por meio do padrão-ouro, ou seja, o teste de contração halotano-cafeína, com mutação genética identificada. Atualmente já existe um rastreamento das mutações causais mais comuns associadas à HM para orientar a pesquisa genética de pacientes comprovadamente susceptíveis. Uma vez identificada a mutação causal do paciente positivo ao CHCT, é possível oferecer a pesquisa genética aos seus familiares. O teste genético não deve ser realizado como investigação inicial, pois ainda muitas mutações causais da HM não foram identificadas, o que pode rotular erroneamente o paciente pesquisado como não suscetível. O fluxo para investigação está apresentado no Fluxograma 221.1.

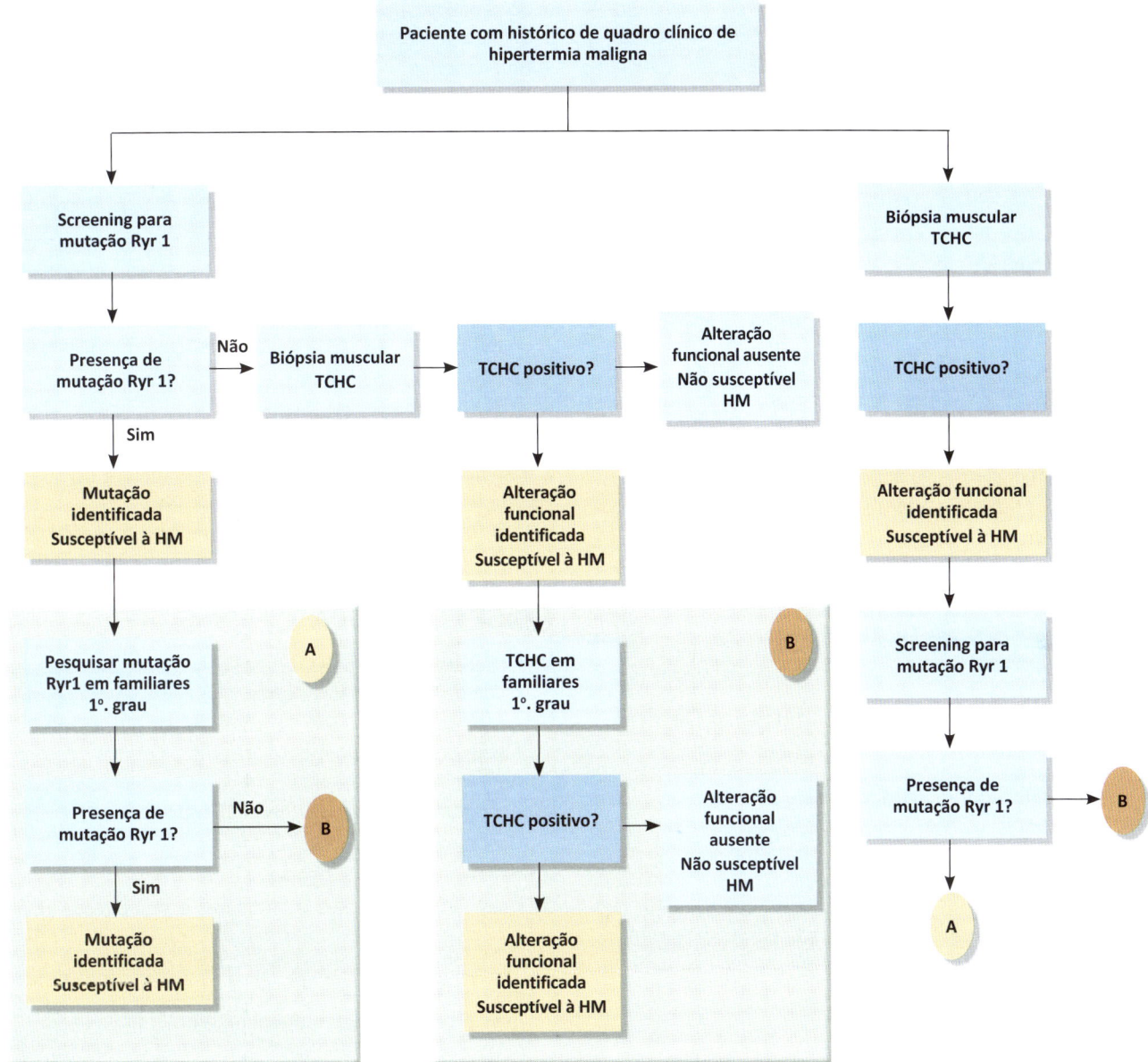

▲ Fluxograma 221.1

■ TERAPIA DE EMERGÊNCIA PARA HIPERTERMIA MALIGNA[9]

Diagnóstico

Sinais de HM

- Aumento da $PaCO_2 - P_{ET}CO_2$.
- Rigidez do tronco ou membros.
- Espasmo do masseter ou trismo.
- Taquicardia/taquipneia.
- Acidose.
- Aumento da temperatura (sinal tardio).

Parada cardíaca súbita/inesperada em pacientes jovens

- Suspeitar de hipercalemia e iniciar tratamento.

- Medir CK, mioglobina, gasometria arterial, até normalizar.
- Considerar dantrolene.
- Geralmente secundária à miopatia oculta (p. ex., distrofia muscular).
- PCR pode ser difícil e prolongada.

Espasmo do masseter ou trismo com succinilcolina

- Sinal precoce de HM em muitos pacientes.
- Caso ocorra rigidez muscular nos membros, iniciar tratamento com dantrolene.
- Para procedimentos de emergência, continuar com agentes venosos, considerar dantrolene.
- Acompanhar o valor de CK e mioglobinúria por pelo menos 36 horas.
- Manter o paciente em observação na UTI por pelo menos

12 horas.

FASE AGUDA DO TRATAMENTO

- Solicitar ajuda – utilizar dantrolene – comunicar os cirurgiões.
- Descontinuar agentes voláteis e succinilcolina.
- Hiperventilar com FiO_2 de 1 a 10 $L.min^{-1}$ ou mais.
- Interromper o procedimento assim que possível; se for emergência, trocar por anestésicos venosos.

Administrar Dantrolene 2,5 $mg.kg^{-1}$ por Via Venosa

- Repetir até controlar os sinais da HM.
- Algumas vezes, mais do que 10 $mg.kg^{-1}$ (até 30 $mg.kg^{-1}$) são necessários.
- Dissolver 20 mg em cada diluente de 60 mL de água estéril.
- Os cristais também contêm NaOH para um pH de 9, manitol 3 g.

Bicarbonato para Acidose Metabólica

- 1-2 $mEq.kg^{-1}$ se a gasometria arterial ainda não estiver disponível.

Resfriar o Paciente com Temperatura Central > 39 °C

Utilizar solução fisiológica fria, por via venosa. Lavar cavidades corporais abertas, estômago, bexiga ou reto. Interromper o resfriamento se a temperatura for < 38 °C para prevenir a queda da temperatura abaixo de 36 °C. Nunca utilizar o resfriamento molhando diretamente a pele do paciente, pois em um caso de parada cardiorrespiratória adiciona-se o risco de queimadura frente à necessidade de desfibrilação cardíaca.

DISRITMIAS

Geralmente respondem ao tratamento para acidose e para hipercalemia.

- Usar a terapia padrão de fármacos, exceto bloqueadores do canal de cálcio que podem causar hipercalemia e parada cardíaca, associadas a dantrolene sódio.

- *Hipercalemia*
- Tratar com hiperventilação, bicarbonato, glicose, insulina, cálcio.
- Adulto: 10 U de insulina regular em 50 mL de glicose a 50%.
- Pediátrico: 0,15 U de insulina por kg e 1 $mL.kg^{-1}$ de glicose a 50%.
- Cloreto de cálcio 10 $mg.kg^{-1}$ ou gluconato de cálcio 10-50 $mg.kg^{-1}$ para hipercalemia com alterações eletrocardiográficas.

Acompanhar a $P_{ET}CO_2$, eletrólitos, gasometria arterial, CK, temperatura central, cor e débito urinário e avaliação de coagulopatia:

- Valores da gasometria venosa (p. ex., veia femoral) podem documentar o hipermetabolismo melhor do que gasometria arterial.
- Monitoração da artéria pulmonar ou venosa central pode ser necessária.

FASE PÓS-AGUDA

a) Observar o paciente na UTI por pelo menos 24 horas, em razão do risco de reincidência.

b) Administrar dantrolene 1 $mg.kg^{-1}$ de 4 a 6 horas ou 0,25 $mg.kg^{-1}.h^{-1}$ por pelo menos 24 horas. Futuras doses podem ser indicadas.

c) Acompanhar os sinais vitais e laboratoriais:
Gasometria arterial frequente.
CK intermitente 6 a 8 horas.

d) Orientar os pacientes e familiares a respeito da HM e futuras precauções. Informar a respeito e enviar uma correspondência para os médicos do paciente.

e) Encaminhar o paciente a um centro de biópsia muscular mais próximo para acompanhamento.

ADVERTÊNCIA

Este protocolo pode não ser apropriado a todos os pacientes. Faça alterações caso seja necessário.

REFERÊNCIAS

1. Denborough MA, Lovell RR. Anesthetic deaths in a family. Lancet. 1960;2:45.
2. Kalow W, Britt BA, Terreau ME, et al. Metabolic error of muscle metabolism after recovery from malignant hyperthermia. Lancet. 1970;2(7679):895-8.
3. Snyder HR Jr, Davis CS, Bickerton RK, et al. 1-[(5-Arylfurfurylidene)amino]hydantoins. A new class of muscle relaxants. J Med Chem. 1967;10(5):807-10.
4. Harrison GG. Malignant hyperthermia. Dantrolene-dynamics and kinetics. Br J Anaesth. 1988;60(3):279-86.
5. Almeida Neto MA, Oliva Filho AL, Araújo JTV, et al. Hipertermia maligna. Rev Bras Anestesiol. 1985;35(2):191-3.
6. Iaizzo PA, Wedel DJ. Response to succinylcholine in porcine malignant hyperthermia. Anesth Analg. 1994;79(1):143-51.
7. Roewer N, Dziadzka A, Greim CA, et al. Cardiovascular and metabolic responses to anesthetic-induced malignant hyperthermia in swine. Anesthesiology. 1995;83(1):141-59.
8. Amaral JLG, Carvalho RB, Cunha LBP, et al. Projeto Diretrizes - Associação Médica Brasileira e Conselho Federal de Medicina; 2002.
9. Britt BA, Locher WG, Kalow W. Hereditary aspects of malignant hyperthermia. Can Anaesth Soc J. 1969;16(2):89-98.
10. Quane KA, Healy JM, Keating KE, et al. Mutations in the ryanodine receptor gene in central core disease and malignant hyperthermia. Nat Genet. 1993;5(1):51-5.
11. Levitt RC, Nouri N, Jedlicka AE, et al. Evidence for genetic heterogeneity in malignant hyperthermia susceptibility. Genomics. 1991;11(3):543-7.
12. Lucke JN, Hall GM, Lister D. Porcine malignant hyperthermia I. Metabolic and physiological changes. Br J Anaesth. 1976;48(4):297-304.
13. Michelson JR, Louis CF. Malignant hyperthermia: excitation-contraction coupling, Ca2+ release channel, and cell Ca2+ regulation defects. Physiol Rev. 1996;76(2):537-92.
14. Nelson TE. Porcine malignant hyperthermia: critical temperatures for in vivo and in vitro responses. Anesthesiology. 1990;73(3):449-54.
15. Iaizzo PA, Kehler CH, Carr RJ, et al. Prior hypothermia attenuates malignant hyperthermia in susceptible swine. Anesth Analg. 1996;82(4):803-9.
16. Wedel DJ, Iaizzo PA, Milde JH. Desflurane is a trigger of malignant hyperthermia in susceptible swine. Anesthesiology. 1991;74(3):508-12.

17. Maccani RM, Wedel DK, Hofer R. Norepinephrine does not potentiate porcine malignant hyperthermia. Anesth Analg. 1996;82(4):790-5.
18. Ellis FR, Halsall PJ, Christian AS. Clinical presentation of suspected malignant hyperthermia during anesthesia in 402 probands. Anaesthesia. 1990;45(10):838-41.
19. Ranklev-Twetman E. Malignant hyperthermia: the clinical syndrome. Acta Anaesthesiol Belg. 1990;41(2):79-82.
20. Britt B. Malignant hyperthermia. In: Orkin FK, Cooperman LH, editors. Complications in Anesthesiology. Philadelphia: JB Lippincott; 1983. p. 291-313.
21. Larach MG, Localio AR, Allen GC, et al. A clinical grading scale to predict malignant hyperthermia susceptibility. Anesthesiology. 1994;80(4):771-9.
22. Anetseder M, Hager M, Muller CR, et al. Diagnosis of susceptibility to malignant hyperthermia by use of a metabolic test. Lancet. 2002;359(9317):1579-80.
23. Cong Z, Wan T, Wang J, Feng L, Cao C, Li Z, Wang X, Han Y, Zhou Y, Gao Y, Zhang J, Qu Y, Guo X. Epidemiological and clinical features of malignant hyperthermia: A scoping review. Clin Genet. 2024;105(3):233-242.
24. Hackl W, Mauritz W, Winkler M, et al. Anaesthesia in malignant hyperthermia-susceptible patients without dantrolene prophylaxis: a report of 30 cases. Acta Anaesthesiol Scand. 1990;34(7):534-7.
25. Britt B. Dantrolene. Can Anaesth Soc J. 1984;31(1):61-75.
26. Ward A, Chaffman MO, Sorkin EM. Dantrolene. A review of its pharmacodynamic and pharmacokinetic properties and therapeutic use in malignant hyperthermia, the neuroleptic malignant syndrome and an update on its use in muscle spasticity. Drugs. 1986;32(2):130-68.
27. Lucy SJ. Anaesthesia for cesarean delivery of a malignant hyperthermia susceptible parturient. Can J Anaesth. 1994;41(12):1220-6.
28. Saltzman LS, Kates RA, Corke BC, et al. Hyperkalemia and cardiovascular collapse after verapamil and dantrolene administration in swine. Anesth Analg. 1984;63(5):473-8.
29. Allen GC, Larach MG, Kunselman AR. The sensitivity and specificity of the caffeine-halothane contracture test: a report from the North American Malignant Hyperthermia Registry. The North American Malignant Hyperthermia Registry of MHAUS. Anesthesiology. 1998;88(3):579-88.
30. Maccani RM, Wedel DJ, Melton A, et al. Femoral and lateral femoral cutaneous nerve block for muscle biopsies in children. Paediatr Anaesth. 1995;5(4):223-7.
31. Girard T, Treves S, Voronkov E, et al. Molecular genetic testing for malignant hyperthermia susceptibility. Anesthesiology. 2004;100(5):1076-80.
32. Rosenberg H, Antognini JF, Muldoon S. Testing for malignant hyperthermia. Anesthesiology. 2002;96(1):232-7.
33. Site do National Center for Biotechnology Information http://www.ncbi.nlm.nih.gov/blast/
34. Karan SM, Lojeski EW, Haynes DH, et al. Intravenous lecithin-coated microcrystals of dantrolene are effective in the treatment of malignant hyperthermia: an investigation in rats, dogs and swine. Anesth Analg. 1996;82(4):796-802.
35. Zapata-Sudo G, Sudo RT, Carmo PL, et al. Comparative effects of dantrolene and azumolene on the contractility of skeletal and cardiac muscles. ASA Annual Meeting Abstracts. Anesthetic Action And Biochemistry. 2002;97(3A):A71.

222

Complicações Respiratórias

Guilherme de Oliveira Firmo ▪ **Fabiana Mara Scarpelli de Lima Alvarenga Caldeira**
José Maria Leal Gomes ▪ **Ana Rúbia de Oliveira Comodo** ▪ **Oscar César Pires**

INTRODUÇÃO

O manuseio das vias aéreas e as alterações na fisiologia pulmonar, relacionados à anestesia e à cirurgia, constituem elementos essenciais na morbidade e na mortalidade no período peroperatório.[1,2]

Morte em decorrência de anestesia foi relatada por Snow, em 1848, e tudo indica que a paciente Hannah Greener, de 15 anos de idade, morreu durante a excisão de uma unha do pé, enquanto estava recebendo anestesia com clorofórmio, asfixiada por água e conhaque.[3]

Revisão de 750 casos de morte ou lesão cerebral relatados à *Medical Defence Union of the United Kingdom,* entre 1972 e 1980, mostrou que 37% se deviam a infortúnios; porém, 63% representavam incidentes críticos, provavelmente corrigíveis. Aproximadamente dois terços dos 63% envolveram problemas com a via aérea, ventilação ou hipóxia.[4]

Análise de processos arquivados pela *American Society of Anesthesiologists* encontrou que eventos respiratórios adversos correspondiam a 34% dos casos, e, destes, 38% envolveram ventilação inadequada, 18% envolveram intubação esofágica e 17% dificuldade de intubação. Em 48% dos casos de intubação esofágica, os sons da ausculta pulmonar foram descritos como normais.[3] Complicações envolvendo a intubação são abordadas no capítulo referente à Intubação Traqueal e à Via Aérea Difícil.[4]

No período pós-operatório, as complicações respiratórias (CRPO) são os eventos mais comumente observados após cirurgias maiores com elevado impacto sobre o desfecho e conforto dos pacientes. Em cirurgias abdominais e vasculares, elas ocorrem em 10% a 40% dos procedimentos, provocando aumento do tempo de internação e piores resultados.[5-9]

Estudo que excluiu as cirurgias obstétricas e cardíacas evidenciou CRPO severas em 2,8% de todos os pacientes e em 14,5% dos pacientes definidos como de risco aumentado.[10-12]

Como preditor de mortalidade em longo prazo, após cirurgia não cardíaca, as complicações pulmonares são mais fidedignas do que as complicações cardíacas, um dado importante para seleção de pacientes e planejamento dos cuidados críticos no intra e pós-operatório. Entre os fatores preexistentes relacionados com deterioração respiratória e aumento dos riscos, estão cirurgia de aneurisma da aorta abdominal, cirurgia torácica, neurocirurgia, cirurgia abdominal superior, cirurgia vascular periférica, cirurgia cervical, cirurgia de emergência, nível de albumina < 30 g.L^{-1}, ureia > 30 mg.dL^{-1}, estado funcional dependente, doença pulmonar obstrutiva crônica e idade.[13,14]

Estudo envolvendo 211.410 participantes encontrou 6.531 (3,1%) casos de falência respiratória e significante mortalidade em 30 dias (25,62% *vs* 0,98%, *p* < 0,0001) e indentificou cinco preditores pré-operatórios: tipo de cirurgia, cirurgia de emergência, status funcional dependente, sepse pré-operatória e estado físico (ASA) mais elevado.[1]

A mortalidade aumenta em curto e longo prazo nos pacientes que desenvolvem uma CRPO, e um em cada cinco destes pacientes (14% a 30%) evoluirá para óbito dentro de 30 dias da cirurgia principal em comparação com 0,2% a 3% dos pacientes sem CRPO.[10,11] Além disso, os custos também são aumentados: em um hospital terciário canadense, a pneumonia elevou os custos em 41% e a falência respiratória em 47%.[12]

Estudo envolvendo 45.969 pacientes submetidos a grandes cirurgias do intestino delgado e do cólon avaliou a presença de pneumonia, traqueobronquite, derrame pleural, insuficiência pulmonar e ventilação mecânica mais de 48 horas após a cirurgia e encontrou que as

CRPO estavam presentes em 19% dos casos com custo incremental de US$25.498 e concluiu que as complicações pulmonares pós-operatórias representam uma fonte significativa de morbidade e custo incremental após grandes cirurgias do intestino delgado e do cólon. Portanto, estratégias para reduzir a incidência dessas complicações devem ser direcionadas como meio de melhorar a saúde e reduzir custos nos cuidados de saúde.[13]

EFEITOS DA ANESTESIA SOBRE A FISIOLOGIA RESPIRATÓRIA

Os efeitos da anestesia, realizada em aproximadamente 234 milhões de pacientes ao ano, sobre a função respiratória começam imediatamente após o paciente perder a consciência e é agravado pela ventilação artificial intraoperatória. Assim, muitos anestesiologistas adotam estratégias ventilatórias utilizadas na UTI. No entanto, questiona-se se essa estratégia faz diferença importante nos pacientes submetidos a procedimenteos que requerem ventilação de horas em vez de dias.[15,16]

Quando as vias aéreas distais, ductos e unidades alveolares são repetidamente inflados e desinflados, e quando há falta de surfactante, ocorre excesso de tensão na proximidade das regiões pulmonares não aeradas e dano pulmonar denominado atelectrauma. É mais provável na obesidade ou por outras pressões externas, como pressão intra-abdominal elevada, derrame pleural, pressão expiratória final positiva (PEEP) baixa. No entanto, o efeito da PEEP será diferente em diferentes partes dos pulmões, dependendo das forças de compressão que atuam localmente; portanto, algumas áreas podem ser superexpandidas, enquanto outras não expandidas. Além disso, a anestesia está associada ao aumento da atelectasia, especialmente nos pacientes que recebem altas concentrações de oxigênio inspirado (atelectasia por absorção), pacientes obesos e após cirurgia intra-abdominal.[17-19]

Os modos ventilatórios disponíveis incluem modos combinados de assistência/controle, quando o bloqueio neuromuscular não é necessário ou, mais comumente, ventilação controlada por volume ou pressão, ambas com vantagens ao se considerar a proteção pulmonar. Pode ser mais fácil evitar o barotrauma com ventilação controlada por pressão e o volutrauma com ventilação controlada por volume.[19]

A pré-oxigenação com fração de oxigênio inspirado (FIO_2) elevada é importante para permitir um período seguro para a intubação traqueal; entretanto, uma vez ocorrida, a FIO_2 deve ser reduzida para 0,3 e ajustada de acordo com as medidas de saturação de oxigênio, objetivando minimizar as atelectasias por absorção de oxigênio.[20,21]

Com FIO_2 acima de 0,8 ou 0,9, a taxa de atelectasia da absorção, especialmente na presença de algum fechamento das vias aéreas, é bastante aumentada. Uma FIO_2 de 0,4, mais o recrutamento de capacidade vital na extubação traqueal resulta em menos atelectasia em comparação com o uso de uma FIO_2 de 1,0 ou FIO_2 de 1,0 mais recrutamento. Nos portadores de DPOC, uma alta FIO_2 está associada a piores resultados, devido à atelectasia, ao estresse oxidativo e à inflamação das vias aéreas, além dos efeitos complexos que envolvem a hipercarbia.[22] Embora a Organização Mundial da Saúde (OMS) e o Centro de Controle de Doenças (CDC) dos Estados Unidos recomendem o uso de uma FIO_2 de 0,8 para reduzir a infecção da ferida cirúrgica, náusea e vômito no pós-operatório, estudos demonstraram que isso ocorre à custa de um risco aumentado de complicações respiratórias.[23,24] Além disso, é importante ressaltar que uma FIO_2 alta não é o único determinante da perfusão da ferida, o que pode ser comprometida por trauma cirúrgico, hipovolemia, edema, hipotermia, diminuição do débito cardíaco e dor intensa. Assim, a otimização hemodinâmica pode ser mais importante do ponto de vista de cicatrização e infecção de feridas. Não obstante, o balanço entre os efeitos benéficos e prejudiciais parece sofrer influência da idade, principalmente nos pacientes muito jovens e idosos.[24,25]

A pressão motriz ou pressão de distensão pulmonar corresponde à diferença entre a pressão inspiratória máxima (pressão de platô) e a pressão expiratória final (PEEP), sendo ideal que seja mantida em até 15 cmH_2O. Estudo analisou 3.562 pacientes com Síndrome do Desconforto Respiratório Agudo (SDRA) e concluiu que a pressão motriz era um melhor preditor de mortalidade do que a complacência ou o volume corrente, e que pacientes com aumento da pressão motriz tinham uma mortalidade crescente.[26]

A maioria dos procedimentos cirúrgicos, no dia a dia, reúne casos eletivos de pacientes com pulmões relativamente normais; alguns pacientes, no entanto, serão atendidos sob regime de emergência, com altos níveis de estímulo inflamatório e que podem estar em alto risco de lesão pulmonar. A prevenção ou reexpansão de áreas atelectáticas pode, portanto, ser importante, assim como evitar os efeitos de estiramento ou cisalhamento pulmonar. Contudo, o emprego de ventiladores mais sofisticados no centro cirúrgico permitiu o uso da PEEP e adoção de técnicas de ventilação mais benéficas.[27]

No entanto, a PEEP isoladamente não é suficiente para reexpandir os pulmões atelectáticos, visto que estudos que utilizaram tomografia computadorizada (TC) para examinar o valor necessário da inflação encontrou o equivalente a uma única ventilação com capacidade vital e, após essa manobra de recrutamento, uma PEEP de 10 cmH_2O foi suficiente para impedir a recorrência de atelectasias.[28,29] Portanto, o baixo volume corrente, a PEEP e o recrutamento pulmonar podem ter um papel importante na sala de operações.

O PROVHILO (Sociedade Europeia de Anestesiologia) examinou o papel da PEEP intraoperatória alta (12 cmH_2O) associada a manobras de recrutamento em pacientes que receberam ventilação com baixo volume corrente (8 mL.kg^{-1}) *vs.* baixo volume corrente sem PEEP e sem recrutamento, não encontrando diferenças entre os dois grupos, exceto um pequeno aumento na instabilidade cardiovascular intraoperatória no grupo PEEP, concluindo que esse elevado nível de PEEP e recrutamento não protegeu contra CRPO nas cirurgias abdominais abertas.[30]

Nas cirurgias laparoscópicas, o papel da ventilação protetiva é menos claro, sendo que estudos iniciais não demonstraram diferença nos marcadores inflamatórios dependentes da técnica de ventilação.[31]

Ensaio clínico denominado PROBESE, realizado em 77 localidades de 27 países, entre 2014 e 2018, com pacientes apresentando índice de massa corpórea (IMC) $\geq$ 35, submetidos à cirurgia não cardíaca e não neurológica sob anestesia geral, encontrou que a estratégia de ventilação mecânica intraoperatória com nível elevado de PEEP e manobras de recrutamento alveolar comparada a uma estratégia com menor nível de PEEP não reduziu complicações pulmonares pós-operatórias.[32]

Estudos envolvendo pacientes obesos submetidos a cirurgias torácicas, PROTHOR (NCT02963025) e robóticas, AVATaR (NCT02989415), estão em andamento e em breve poderão mostrar seus resultados.[33,34]

OBSTRUÇÃO RESPIRATÓRIA

Obstrução Faríngea

A queda da língua com obstrução faríngea é a causa mais comum de obstrução da via aérea no paciente sedado e inconsciente, sendo o método mais efetivo de tratamento a combinação de extensão da cabeça com pequeno grau de deslocamento anterior da mandíbula e oxigênio sob máscara facial. Caso essa combinação não seja eficaz, um dispositivo de desobstrução oral ou nasal tipo cânula oro ou nasofaríngea pode ser utilizado. Os dispositivos orais, embora comumente empregados, podem estimular o reflexo de náusea e vômito, assim como espasmo laríngeo.[35] Foi sugerido que o comprimento da cânula nasofaríngea deve ser aproximadamente a distância entre a ponta do nariz e o meato do ouvido, e o comprimento da cânula orofaríngea, a distância entre a rima oral e o ângulo da mandíbula.[36]

Obstrução Laríngea

Espasmo laríngeo é a contração sustentada dos músculos adutores por estimulação dos nervos laríngeos superiores causando obstrução mantida pelas cordas vocais, levando ao excesso de CO_2 que estimularia os centros ventilatórios superiores, superando o estímulo do próprio laringoespasmo e este último seria inibido. Além disso, a queda da PaO_2, que, ao atingir valores abaixo de 50 mmHg, deprime a atividade adutora excitatória e eleva o limiar do reflexo que precipita o laringoespasmo, geralmente desfaz a obstrução.[37]

Em outro estudo, a incidência do laringoespasmo foi semelhante nas duas técnicas de extubação, mas as crianças extubadas em plano anestésico profundo apresentaram, com maior frequência, obstrução respiratória pelo deslocamento da língua para a parede posterior da faringe.[38]

Na prevenção do laringoespasmo em recém-nascidos e crianças, recomendações elaboradas no passado e que ainda parecem ser úteis são: que a extubação se proceda com a criança acordada, abrindo os olhos e a boca espontaneamente, fazendo força para retirar a cânula e com face de choro.[39]

Pressão intratorácica positiva aparentemente inibe o reflexo de fechamento da glote e o laringoespasmo, apoiando a observação clínica de que a pressão positiva nas vias aéreas durante a extubação reduz a incidência e a gravidade do laringoespasmo.[40]

No laringoespasmo instalado, o tratamento deve se basear na remoção do estímulo, parar o procedimento cirúrgico se for necessário; administrar CPAP com oxigênio (O_2) a 100%; aprofundar a anestesia com propofol ou sevoflurano; se a causa for estímulo doloroso, administrar opioides de curta ação; e considerar uso de succinilcolina se as medidas anteriores não tiverem resposta. Caso a via aérea não seja restabelecida, a intubação traqueal está indicada, e, se esta não for possível, faz-se opção por cricotireoidostomia, já que na urgência, principalmente por apresentar menor sangramento, é um procedimento mais seguro que a traqueostomia.

Soluço

O soluço ou singulto resulta de espasmo involuntário dos músculos inspiratórios, principalmente do diafragma, seguido do fechamento repentino da glote como resultado de estímulo vagal.[41] Costuma ser precipitado pela irritação do diafragma por distensão gástrica ou processo inflamatório. No período pós-operatório, pode se tornar bastante incômodo para o paciente. Incidência maior ocorre após cirurgias do abdome superior, e também tem sido relacionado com a hipocapnia, anestesia superficial e curarização inadequada.[42]

O tratamento consiste em descompressão gástrica por sonda e, no paciente totalmente consciente, deglutir uma colher das de chá de açúcar seco granulado. Os agentes farmacológicos indicados são a clorpromazina, 10 a 20 mg, ou quinidina, 200 mg a cada 6 horas. Foi relatado que a gabapentina, o baclofeno e a metoclopramida alcançaram resultados promissores. Também podem ser eficazes quando administrados em combinação com outros medicamentos, por exemplo, inibidores da bomba de prótons. Como último recurso, o nervo frênico pode ser bloqueado com anestésico local ou até mesmo ser interrompido cirurgicamente.[42]

Broncoespasmo

O broncoespasmo, associado à anestesia, pode ser uma entidade *per si* só ou um componente de outra entidade clínica, como a anafilaxia. Sua ocorrência durante o estímulo da via aérea é seis vezes maior nos asmáticos; assim, a asma brônquica merece atenção especial, e os pacientes portadores dessa doença somente devem ser levados à anestesia quando estiverem em condições ideais. Os sinais comumente apresentados são a sibilância, a redução da complacência pulmonar e a queda da saturação de oxigênio, e até silêncio completo à ausculta, sendo que 80% dos casos ocorrem durante a indução ou manutenção da anestesia. As principais causas do broncoespasmo são: irritação das vias aéreas (35%), problemas com o tubo traqueal (23%) e aspiração de conteúdo gástrico (14%).[43]

Fármacos associados à liberação de histamina, como curare, succinilcolina, atracúrio, mivacúrio, morfina e meperidina, devem ser evitados ou infundidos lentamente quando utilizados. A estimulação desencadeia constrição da musculatura lisa brônquica, edema e aumento de secreções. Clinicamente, no paciente acordado, manifesta-se como ataques episódicos de dispneia, tosse e respiração ofegante. Durante uma crise aguda de asma, o volume residual (VR) e a capacidade residual funcional (CRF) estão, muitas vezes, aumentados em 400% e 100%, respectivamente. Na crise prolongada ou grave, ocorre intenso aumento do trabalho respiratório, podendo levar à fadiga da musculatura respiratória.[44]

Os fármacos bloqueadores beta-adrenérgicos e bloqueadores H_2-histamínicos podem ser agentes desencadeadores e agravantes de broncoespasmo nos pacientes asmáticos.[44]

A anestesia regional ou geral sob máscara pode evitar a estimulação, mas não necessariamente eliminar a possibilidade de broncoespasmo e, um bloqueio peridural alto (T_1-T_4) pode até agravar um broncoespasmo pelo possível bloqueio das terminações nervosas simpáticas para as vias aéreas inferiores, com predomínio do Sistema Nervoso Parassimpático. Entre os agentes hipnóticos utilizados comumente, midazolam, etomidato e propofol são alternativas preferidas, sendo que a cetamina, por suas propriedades broncodilatadoras, é boa indicação. O sevoflurano, isoflurano e desflurano podem promover relaxamento da musculatura lisa brônquica em crianças, porém os dois últimos podem exercer efeito irritante sobre as vias aéreas.[44]

O estímulo para broncoespasmo pode ser bloqueado ou amenizado com dose adequada de hipnótico, ventilação do paciente com duas a três vezes a concentração alveolar mínima (CAM) do agente inalatório por cinco minutos e administração de lidocaína por via venosa ou traqueal na dose de 1 a 2 mg.kg^{-1}. Atropina (2 mg) ou glicopirrolato (1 mg) podem bloquear o reflexo de broncoespasmo. Embora a succinilcolina possa, na ocasião da indução, causar intensa liberação de histamina, ela geralmente é o fármaco seguro para utilização em asmáticos.[44]

No intraoperatório, o broncoespasmo se manifesta com sibilos, aumento do pico da pressão de insuflação (PIT), redução dos volumes exalados e elevação lenta na onda do CO_2 do ar expirado ($P_{ET}CO_2$) na capnografia. Isso pode ser tratado com aumento da concentração do agente inalatório (em anestesia geral). É importante que as causas sejam investigadas antes do início do tratamento farmacológico. Entre as causas que simulam broncoespasmo, podemos considerar a torção do tubo traqueal, secreções, excesso de insuflação do balonete, intubação endobrônquica, atividade respiratória do paciente, edema ou embolia pulmonar e pneumotórax.[25]

Broncoespasmo leve a moderado pode ser tratado com agonistas beta-adrenérgicos, salbutamol (2,5 mg) ou 5 a 10 *puffs* liberados no ramo inspiratório do circuito ventilatório por meio de adaptador específico para que atinja as vias aéreas inferiores efetivamente, ou sulfato de terbutalina (0,005 mg.kg^{-1}, por via venosa, ou 0,25 mg, subcutâneo). No broncoespasmo intenso, pode ser necessário associar aminofilina (4 a 6 mg.kg^{-1} em 20 minutos). Metilprednisolona ou hidrocortisona (1,5 a 2 mg.kg^{-1} por via venosa) devem ser consideradas, especialmente naqueles pacientes com história de terapia com glicocorticoides. O brometo de ipratrópio tem sua maior indicação no broncoespasmo que acompanha pacientes portadores de DPOC.[44]

Ao final do procedimento cirúrgico, o paciente deve estar com a ventilação normalizada, e a reversão dos agentes adespolarizantes com sugamadex ou anticolinesterásicos é segura em não precipitar espasmo brônquico, se precedido de anticolinérgico. Extubação em plano profundo previne broncoespasmo e a lidocaína (1,5 a 2 mg.kg^{-1} via venosa ou 1 a 2 mg.min^{-1}) pode bloquear os reflexos estimulantes para broncoespasmo nesse momento.[44]

ASPIRAÇÃO PULMONAR PERIOPERATÓRIA

A aspiração pulmonar perioperatória é a passagem de material, originário do estômago, esôfago, boca ou nariz, da faringe para o interior da traqueia.[45] Essa síndrome relaciona-se com a depressão dos reflexos protetores da laringe, ocorrendo a aspiração de forma passiva, como regurgitação, ou de forma ativa, como vômito. A regurgitação é dita "silenciosa" quando não há sinais imediatos ou não ocorrem sintomas, e, ainda, se não há conteúdo gástrico aparente na orofaringe.[6] O período de permanência hospitalar desses pacientes após esta complicação é de 21 a 28 dias, muitos dos quais em unidade de terapia intensiva.[45]

O conteúdo gástrico sofre influência das secreções próprias do órgão, da deglutição da saliva, da ingestão alimentar e da velocidade de esvaziamento do estômago. A produção de secreção ácida do estômago é da ordem de 0,6 mL.kg^{-1}.h^{-1}, mas pode chegar a 500 mL.kg^{-1}.h^{-1} durante o jejum prolongado.[45]

Curtis Mendelson, em 1946, descreveu 66 casos de aspiração pulmonar em pacientes que receberam anestesia geral para parto vaginal e estimou a incidência em 1:666 anestesias.[46]

Embora a incidência de aspiração pulmonar seja difícil de ser determinada, e tenha regredido com o passar dos anos devido à melhoria na atenção aos pacientes, dados mostram que, em 1985, a aspiração pulmonar representava 25% dos casos de óbitos maternos no Reino-Unido.[47]

Na atualidade, pode-se concluir que a incidência de aspiração pulmonar é relativamente baixa, e o risco estimado de aspiração pulmonar varia entre 2,9 e 4,7 aspirações para cada 10.000 anestesias em uma população mista de adultos e crianças.[48-50]

As gestantes, protagonistas de eventos aspirativos em anestesia, apresentam risco de aspiração de duas ou três vezes mais elevado do que os pacientes cirúrgicos em geral.[51]

Dados obtidas da *ASA Closed Claims* mostram a aspiração pulmonar como terceira causa mais comum de eventos respiratórios entre 1990 e 2007 e o risco de óbito é de 1:10.000, ou seja, de 3% a 5% dos casos de aspiração, representando 20% da mortalidade anestésica.[52]

Importante salientar que a regurgitação silenciosa de pequenas quantidades de conteúdo gástrico ocorre em 4% a 26% de todos os casos de anestesia geral, apresentando maior incidência nos idosos, pacientes com classificação para estado físico ASA mais alto, gestantes, portadores de doença gastroesofágica e em cirurgias de urgência, evoluindo de 1 caso para 6.000 para 1 caso em 600.[53-55]

O mecanismo fisiológico para prevenir a regurgitação é o esfíncter gastroesofágico ou esofagiano inferior, entre o esôfago e o estômago. Aparentemente, não há um esfíncter anatômico verdadeiro e sim fibras musculares circulares como as que estão em continuidade acima e abaixo da junção, somado à distorção do ângulo gastroesofágico pelo diafragma, que aumenta a competência contra o refluxo visto que a pressão intra-abdominal é de 10 cmH$_2$O e a pressão intratorácica é de 5 cmH$_2$O. Embora a prega valvular, na presença de ângulo gastroesofágico intacto, possa resistir a altas pressões intragástricas, em alguns instantes, pressões de 23 a 35 cmH$_2$O resultam em refluxo, sugerindo competência do esfíncter na presença de pressões de até 20 cmH$_2$O. Por outro lado, esforços de tosse ou bocejo podem desenvolver pressões intragástricas superiores a 60 cmH$_2$O. Assim, o risco de broncoaspiração é dependente da diferença entre as pressões do esfíncter esofagiano inferior e a intragástrica.[56-58]

Fármacos que Interferem no Tônus do Esfíncter Gastroesofáglco

Fármacos anticolinérgicos, como a atropina, escopolamina e glicopirrolato, embora apresentem efeito na redução do pH gástrico, relaxam o esfíncter; já os fármacos agonistas colinérgicos, como a neostigmina ou a ciclizina, aumentam o tônus do esfíncter.[59]

A dopamina diminui o tônus do esfíncter, e os antagonistas, como metoclopramida, proclorperazina e domperidona, aumentam.[59]

O pH alcalino eleva a pressão no esfíncter, sugerindo que o uso profilático de bloqueadores H$_2$ e antiácidos possam elevar a pressão; porém, esse efeito, confirmado com antiácidos, não ocorreu com o uso da cimetidina e da ranitidina.[59]

Outros fármacos, comumente utilizados em anestesia, que atuam aumentando o tônus do esfíncter esofágico inferior, são histamina, edrofônio, suxametônio, pancurônio, metoprolol, estimulantes alfa-adrenérgicos e prostaglandina E.[59] Entre os fármacos que reduzem a pressão do esfíncter, estão halotano, enflurano, opioides, N$_2$O, tiopental, nitroprussiato de sódio, agonistas beta-adrenérgicos, anti-depressivos tricíclicos e bloqueadores ganglionares. Não alterando a pressão, estão incluídos o propranolol, oxprenolol e atracúrio.[59] Fármacos utilizados em anestesia que atuam sobre o tônus do esfíncter esofágico inferior estão apresentados na Tabela 222.1.

Tabela 222.1 Efeitos de fármacos comumente usados em anestesiologia, sobre o tônus do esfíncter esofágico inferior.

Tônus do esfíncter esofagiano inferior		
Aumenta	Diminui	**Não altera**
Metoclopramida	Atropina	Propranolol
Domperidona	Glicopirrolato	Oxprenolol
Proclorperazina	Dopamina	Cimetidina
Ciclizina	Nitroprussiato de sódio	Ranitidina
Edrofônio	Bloqueadores ganglionares	Atracúrio

(Continua)

Tabela 222.1 (Cont.) Efeitos de fármacos comumente usados em anestesiologia, sobre o tônus do esfíncter esofágico inferior.

Tônus do esfíncter esofagiano inferior		
Aumenta	Diminui	**Não altera**
Neostigmina	Tiopental	Óxido nitroso (?)
Succinilcolina	Antidepressivos tricíclicos	
Pancurônio	Agonistas β-adrenérgicos	
Metoprolol	Halotano	
Metoprolol	Enflurano	
Antiácidos	Opiáceos	
Agonistas a-adrenérgicos	Propofol	
Óxido nitroso (?)		

Fonte: Adaptada de Ng Alexander, Smith G, 2001.[59]

Fatores de Risco para Aspiração

Os principais fatores de risco para aspiração pulmonar são:

a) **anatômicos e mecânicos:** hérnia de hiato esofágico, presença de sonda naso ou orogástrica, traqueostomia, traumatismo nas vias aéreas, esclerodermia, diabetes, acalasia, doença de Zenker e controle motor reduzido por doença neuromuscular.[59] A colonização da orofaringe com bactérias patogênicas, principalmente associada ao uso indiscriminado de inibidores da secreção gástrica em pacientes internados também facilita a ocorrência de aspiração;[59]

b) **obnubilação:** fármacos anestésicos, sobredose de sedativos, álcool, doenças metabólicas, traumatismos, convulsões, acidente vascular cerebral e encefalopatia;[59]

c) **outros:** gravidez, obesidade, extremos de idade, cirurgia esofágica, do abdome superior ou de emergência, ressecção transuretral, refeição recente, dor e estresse, obesidade mórbida, via aérea difícil.

A gravidez merece consideração especial pela suscetibilidade aumentada à aspiração por fatores intrínsecos da gestação e por fatores extrínsecos.[60] Entre os fatores intrínsecos, temos secreção ácida aumentada, devido aos níveis elevados do hormônio gastrina, produzido pela placenta, dor e ansiedade.[60] O aumento da produção de progesterona determina diminuição da motilidade gástrica, do volume de secreções intestinais, absorção mais lenta dos alimentos e redução no tempo de esvaziamento gástrico, podendo ser demonstrada no final do primeiro trimestre, entre 12 e 14 semanas de gestação.[61] A motilina, hormônio que acelera o esvaziamento gástrico, está reduzida nos dois últimos trimestres da gravidez, atingindo níveis normais uma semana após o parto.[45] Imediatamente após o parto, o útero involui, mas permanece como órgão abdominal por aproximadamente duas semanas, e 40% a 73% das pacientes continuam tendo mais que 25 mL de conteúdo gástrico de baixo pH por mais de 45 horas após o parto.[62]

Tipos de aspirados

- **Líquido não ácido:** estudos de aspiração, incluindo volumes de 2 a 4 mL.kg^{-1} com pH maior que 2,5 causam poucas anormalidades com focos de mudanças inflamatórias de leucócitos polimorfonucleares e macrófagos amplamente dispersos.[63] Fisiologicamente ocorre significante e rápida redução da PaO$_2$ e aumento da relação ventilação-perfusão (V/Q), e se grandes volumes não tiverem sido aspirados, os valores da relação V/Q retornam ao normal em 4 a 6 horas e a PaO$_2$ em 24 horas.[47] Mudanças no pH, PaCO$_2$ e pressão arterial são mínimas, indicando que a hipóxia após aspiração de líquido não ácido é dependente de mudanças estruturais em decorrência do broncoespasmo reflexo e da destruição do surfactante, conduzindo a atelectasias e edema pulmonar.[45]
- **Líquido ácido:** instilação de ácido, com pH menor que 2,5, dispersa-se completamente nos pulmões em 12 a 18 segundos e em três minutos produz extensas áreas de atelectasias.[64] Ocorre importante destruição alveolar, edema intersticial moderado e graus variados de hemorragia intra-alveolar por processo físico-químico e acentuação nas mudanças em quatro horas, secundárias ao processo inflamatório.[64] Usualmente não há necrose, e a arquitetura permanece intacta.[63] Fisiologicamente, a hipóxia é mais precoce e ocorre hipertensão pulmonar resultante da vasoconstrição pulmonar hipóxica, porém ainda ocorrem mudanças mínimas na PaCO$_2$ e no pH.[63] Posteriormente, a perda de líquido secundária à destruição e ao edema pulmonar pode causar desidratação importante, com hipovolemia e hipotensão arterial.[63]
- **Partículas não ácidas:** histologicamente, surgem inflamação, edema e hemorragia que podem variar de áreas dispersas a extensas. Leucócitos e macrófagos se tornam presentes, e há formação de granuloma ao redor das partículas, caracterizando reação a corpo estranho.[48] Fisiologicamente, os efeitos são mais drásticos que aspiração de líquido ácido.[24] A hipóxia é mais acentuada, a PaCO se eleva, o pH diminui, ocorre hipotensão arterial e hipertensão pulmonar, o que a diferença da aspiração de conteúdo líquido.[63]
- **Partículas ácidas:** mudanças histológicas iniciais são semelhantes à aspiração de líquido ácido, com posterior reação inflamatória a corpo estranho, incluindo a formação de granuloma e fibrose. A lesão tecidual é mais grave, com edema pulmonar hemorrágico mais extenso, focos múltiplos de necrose septo alveolar.[63] Fisiologicamente, a hipóxia, hipercarbia e acidose são mais graves, assim como a hipotensão arterial e a hipertensão pulmonar.[63] Estudo com esse tipo de aspirado em animais evidenciou morte de 50% em 2 a 4 horas e de 100% em 24 horas.[63]

Diagnóstico

Diagnóstico definitivo é difícil de se estabelecer, sendo a história extremamente importante. Na maioria dos casos, ocorre aspiração silenciosa que não é diagnosticada até o paciente estar na sala de recuperação e, ocasionalmente, na enfermaria.[25,50] O diagnóstico diferencial envolve broncoespasmo, laringoespasmo, obstrução do tubo traqueal, edema e embolia pulmonar.[65]

O sinal mais confiável e precoce é a hipóxia, que se segue mesmo após aspiração de solução fisiológica, o que indica a solicitação de gasometria arterial sempre que houver suspeita.[47] Sibilos frequentemente estão presentes, e achados radiográficos para o diagnóstico são inadequados, pois podem não surgir em muitas horas e mesmo estar ausentes em 10% ou mais dos pacientes.[32,50,51] Inicialmente, foram encontrados infiltrados difusos bilaterais, protegendo as regiões peri-hilar e basal, em 50% dos casos, geralmente aumentando por alguns dias e melhorando em uma semana. Esses achados, quando mais extensos, foram relacionados com evolução mais grave.[66] Quando os achados radiográficos pioram após uma melhora inicial, sugerem quadro de pneumonia bacteriana ou embolia pulmonar.[67,68]

O diagnóstico pode ser facilitado se o paciente se apresentar, dramaticamente, com conteúdo gástrico na orofaringe, hipóxia, sibilos, tosse, cianose, edema pulmonar, choque e achados radiográficos, o que felizmente não ocorre na maioria dos casos.[45] Hemocultura e broncoscopia com lavado broncoalveolar devem ser considerados para todos os pacientes intubados e que não respondem ao tratamento.[69]

Se o conteúdo aspirado não apresentar contaminação bacteriana, o quadro clínico será de pneumonite, com descamação do epitélio brônquico e consequente aumento da permeabilidade alveolar, causando edema intersticial, inflamação e piora da relação ventilação/perfusão. Já a aspiração de conteúdo contaminado piora o prognóstico pela associação de pneumonia bacteriana. As espécies de bactérias tipicamente isoladas incluem *Streptococcus pneumoniae*, *Staphylococcus aureus*, *Haemophilus influenzae* e *Enterobacterias* na pneumonia por aspiração adquirida na comunidade, e a *Pseudomonas aeruginosa* e organismos Gram-negativos na pneumonia adquirida no hospital. Pode ocorrer também a aspiração de partículas maiores, causando obstrução de pequenas vias aéreas e atelectasia distal.[69]

Prevenção

Teoricamente, o método mais eficaz de prevenir a aspiração pulmonar é evitando a anestesia geral, o que muitas vezes é impossibilitado pelo procedimento cirúrgico indicado ou pelas condições clínicas do paciente. Quando a anestesia geral é necessária, várias medidas, mencionadas a seguir, auxiliam na prevenção da aspiração ou na melhora do prognóstico, caso ela ocorra.

- **Jejum:** secreções gástricas e salivares são rapidamente eliminadas do estômago (meia-vida de 12 minutos), mas alimentos calóricos demoram muito mais tempo. Cada alimento tem um tempo diferente para o esvaziamento gástrico: a proteína tem um tempo mais rápido, o carboidrato intermediário e o lipídio mais lento. Também não existe uma definição absoluta para alimento sólido. Assim, sólidos são os alimentos que se encontram nesse estado no estômago: a gelatina, por exemplo, é sólida antes da ingestão, mas é líquida no estômago, enquanto que o leite forma componentes sólidos no estômago e necessita de horas para o esvaziamento gástrico. Embora controverso, um jejum mínimo de 6 a 8 horas para sólidos e de 2 a 4 horas para líquidos transparentes é recomendado para cirurgias eletivas, porém em pacientes obstétricas e para procedimentos de urgência essas recomendações não se aplicam, devendo evitar alimentos pelo maior tempo possível, já que apresentam maior tempo de esvaziamento gástrico.[45]

- **Antiácidos:** a aspiração ácida causa maior dano que a não ácida; assim, a administração profilática de antiácidos é recomendada. Pequenas partículas de antiácidos foram identificadas como sendo causadoras de grave dano histológico e fisiológico extenso; antiácido livre de partículas, como citrato de sódio 0,3 M (30 mL), administrado 15 a 20 minutos antes da indução da anestesia, produz efetiva elevação do pH do conteúdo gástrico com duração de 1 a 3 horas. Caso a cirurgia tenha duração prolongada, maior que esse tempo, uma segunda dose pode ser administrada por meio de sonda nasogástrica.[66]

- **Bloqueadores H:** atuam bloqueando os receptores H da histamina e, em consequência, a secreção de ácido clorídrico, com capacidade de reduzir o pH da secreção ácida e o volume do conteúdo gástrico.[67] As complicações e efeitos colaterais dos representantes dessa classe de fármacos ocorrem principalmente com o uso crônico, porém o bloqueio agudo de receptores H_2 do miocárdio e de vasos sanguíneos periféricos, que possuem respostas inotrópicas e cronotrópicas positivas à estimulação, pode produzir hipotensão arterial, bradicardia e até mesmo parada cardíaca, principalmente em pacientes debilitados.[66] Como a administração por via intravenosa e intramuscular apresenta picos de níveis plasmáticos e eficácia semelhante, é prudente evitar a via intravenosa, especialmente em injeção rápida.[68] Os receptores H nas vias aéreas apresentam efeitos opostos aos dos receptores H_1, ou seja, promovem broncodilatação. Assim, o bloqueio destes receptores por bloqueadores H promove resposta broncoconstritora à menor dose de histamina, sugerindo cuidados adicionais na sua utilização nos pacientes asmáticos.[69] Embora a ranitidina tenha sido relacionada a efeitos colaterais semelhantes à cimetidina, a incidência é reduzida, sugerindo sua superioridade na segurança de utilização, enquanto poucos estudos têm citado a famotidina.[69] Os agentes bloqueadores H_2 atuam sobre o metabolismo e eliminação de fármacos do organismo por inibição das isoenzimas do citocromo P-450, interferência na absorção intestinal, competição pela excreção renal, alteração na ligação proteica e por redução do fluxo sanguíneo hepático. Esses efeitos são mais proeminentes com a cimetidina do que com ranitidina ou famotidina.[45]

A depuração de anestésicos locais, tipo amida, metabolizados pelo sistema microssomial, pode ter redução pela inibição do citocromo P-450, causada pelos agentes bloqueadores H_2, sendo que a lidocaína teve sua depuração reduzida em 30% a 40% com consequente elevação dos níveis plasmáticos em 70%, o que não foi evidenciado com a utilização de ranitidina, sugerindo que o anestesiologista deveria optar por ranitidina na medicação pré-anestésica nos pacientes que receberão bloqueios anestésicos regionais.[70,71] Embora estudos com bupivacaína sejam mais

controversos, o efeito da associação poderá ser desastroso pelo seu maior potencial cardiotóxico, assim, a mesma orientação que para lidocaína deve ser seguida.[72-74] Outros fármacos como os benzodiazepínicos, bloqueadores beta-adrenérgicos, bloqueadores do canal de cálcio, fenitoína, succinilcolina, teofilina e varfarina terão seus níveis plasmáticos elevados com a utilização de cimetidina e controversa na associação com ranitidina e famotidina.[45]

- **Anticolinérgicos:** promovem a redução do pH do conteúdo gástrico em menor grau que a redução causada pelos bloqueadores H_2 e podem reduzir a pressão do esfíncter esofágico inferior, o que sugere não haver benefício na utilização de atropina ou glicopirrolato na profilaxia da síndrome da aspiração do conteúdo gástrico.[69]

- **Metoclopramida:** possui efeito antiemético que decorre do antagonismo central da dopamina e periférico devido à liberação de acetilcolina, resultando em aumento do tônus do esfíncter esofágico inferior, da motilidade gástrica e do intestino delgado e relaxamento do piloro. Embora estudos não tenham encontrado valor adicional na associação de metoclopramida com bloqueadores H_2, sua administração em pacientes de risco para aspiração pulmonar deve ser considerada.[70-72]

- **Posicionamento do paciente:** a posição sentada ou semissentada reduz a incidência de regurgitação passiva e o risco de aspiração pulmonar, o que não acontece com o vômito em que a pressão do refluxo ultrapassa o efeito da gravidade. Porém, o cefalodeclive reduz a possibilidade de aspiração caso a orofaringe se encha com conteúdo gástrico.[45]

- **Indução anestésica:** a indução em sequência rápida está indicada quando o anestesiologista suspeita que o paciente possui estômago cheio, devendo ser realizada pela desnitrogenação, com o paciente respirando oxigênio a 100%, por aproximadamente 2 minutos, ou por quatro inspirações profundas, seguida da administração de hipnótico, paralisia com succinilcolina, podendo esta ser precedida de bloqueador neuromuscular adespolarizante na dose de 10% da DE_{95} para prevenir aumento da pressão intragástrica ou fazendo opção direta por bloqueador neuromuscular adespolarizante usando o princípio da dose primária, considerando o brometo de rocurônio como opção pelo seu perfil clínico.[73-76] A monitorização neuromuscular com o modo "sequência de quatro estímulos" (TOF) é importante na avaliação do grau de relaxamento muscular tanto na indução quanto no despertar da anestesia geral. A aplicação de pressão na cartilagem cricoide para compressão esofágica após a indução anestésica mantida até a insuflação do balonete do tubo traqueal, descrita inicialmente por Sellik, é controversa, tanto pela sua eficácia quanto pelo risco de causar distorção anatômica e dificultar a intubação traqueal. A incidência de dificuldade de intubação é de 0,04% em todos os pacientes e 0,35% em gestantes, e pode resultar em aspiração, hipóxia, asfixia e morte.[45,77] Quando há chance de via aérea difícil, a forma mais segura de intubação traqueal é com o paciente consciente e em ventilação espontânea.

- **Aspiração com sonda gástrica:** a sondagem gástrica previamente à intubação é semelhante à indução de vômito com apomorfina, não sendo eficaz. Porém, a aspiração do conteúdo após a intubação pode ser útil para reduzir o risco no momento da extubação.[78]

- **Extubação traqueal:** deve ser realizada com o paciente acordado, ou seja, consciente, atento e respondendo a comandos, sendo que o esforço de tosse não significa estar acordado e aumenta o risco de aspiração pulmonar e laringoespasmo.[45] Duas horas após a recuperação de uma anestesia geral, em casos ambulatoriais, a sensibilidade dos reflexos das vias aéreas superiores ainda não retornou ao normal.[79] Os valores de TOF acima de 0,9 dão segurança para a extubação, pois refletem a integridade do reflexo da deglutição e do tônus do esfíncter esofágico superior.
- **Recuperação anestésica:** a incompetência laríngea pode estar presente até 8 horas após a extubação; assim, a sala de recuperação deve ter equipamentos e pessoal competente para reconhecer e tratar a aspiração, caso ocorra.[80]

Tratamento

Oxigênio complementar com FiO_2 menor possível, para manter a PaO_2 acima de 60 ou 70 mmHg, em paciente com respiração espontânea, pode ser suficiente na lesão pulmonar moderada. Na lesão grave é necessário utilizar pressão positiva contínua nas vias aéreas (CPAP), com o objetivo de reduzir o *shunt* e a FiO_2. CPAP de 12 a 14 mmHg pode ser efetiva e segura no paciente acordado, com respiração espontânea, e caso sejam necessários níveis pressóricos superiores, está indicada a intubação traqueal pelo risco de se exceder a pressão necessária para abrir o esfíncter esofagiano inferior e predispor à nova aspiração.[81,82]

- **Profilaxia de infecção bacteriana:** embora recomendados por alguns, os antimicrobianos de largo espectro podem alterar o equilíbrio da flora bacteriana normal e predispor o paciente à infecção secundária, devendo ser evitados. Exceção é o paciente com obstrução intestinal que sabidamente aspirou conteúdo fecal, mas esses pacienteeees, mesmo tratados, apresentam alto índice de mortalidade.[83,84]
- **Corticoterapia:** promove alteração na resposta inflamatória inicial, mas não altera o curso da doença e pode interferir com os mecanismos da cicatrização, expondo o paciente às suas consequências e, portanto, não recomendada.[83,84]
- **Broncoscopia:** está reservada para aqueles casos com suspeita de aspiração de material sólido de tamanho suficiente para obstruir o conduto aéreo. Em aspirado líquido não há necessidade e pode comprometer o prognóstico.[45]
- **Lavagem pulmonar:** instilação de solução fisiológica reduz a complacência e a PaO_2, aumenta o *shunt* pulmonar e agrava o quadro clínico, sendo reservada para aqueles pacientes que apresentem secreções espessas ou pequenas partículas obstruindo o fluxo aéreo.[45]
- **Equilíbrio hídrico:** a aspiração pulmonar de conteúdo gástrico provoca edema pulmonar e movimento de líquido para o interstício e alvéolo, podendo produzir hipovolemia significativa, estando indicada, em alguns pacientes, a inserção de cateter venoso central ou cateter na artéria pulmonar. A redução do débito urinário é uma realidade e tem como causa frequente a redução da pré--carga; assim, o uso prematuro de diuréticos pode agravar ainda mais o quadro clínico.[85]

Diante do exposto, a abordagem da síndrome da aspiração do conteúdo gástrico deve ser individualizada, já que não há dois pacientes que aspirem material com o mesmo volume ou composição.

COMPLICAÇÕES DECORRENTES DA VIA AÉREA ARTIFICIAL

Hiperventilação e hipocapnia

Hiperventilação durante ventilação mecânica é fator dependente da escolha dos parâmetros ventilatórios, ou seja, do operador, e embora seja bem tolerada pelos indivíduos hígidos, pode não ser pelos pacientes críticos.[82] A hiperventilação gera hipocapnia que pode causar sérias alterações fisiopatológicas. Essas alterações incluem o desvio da curva de dissociação oxigênio-hemoglobina para a esquerda, dificultando a liberação de O_2 para os tecidos; redução da vasoconstrição pulmonar hipóxica, facilitando o curto-circuito pulmonar (*shunt*); aumento da pressão intratorácica média com redução do retorno venoso e do débito cardíaco; diminuição da atividade do Sistema Nervoso Simpático e consequente redução do inotropismo cardíaco; diminuição do cálcio ionizado; redução seletiva do fluxo sanguíneo cerebral, podendo levar a convulsões.[86,87]

Hiperóxia e Atelectasia de Absorção

A hiperóxia causada pela alta concentração de oxigênio inspirado com objetivo de elevar os níveis de O_2 do sangue e dos tecidos; pela sua maior capacidade com relação ao nitrogênio em difundir do alvéolo para o sangue capilar, promove o desenvolvimento de atelectasias, convertendo áreas com baixa relação ventilação-perfusão em áreas atelectásicas e desenvolvendo *shunt*, e mesmo uma fração inspirada de oxigênio de 50% por tempo prolongado pode produzir tal alteração. Outros fatores desencadeantes de atelectasias incluem intubação seletiva, umidificação insuficiente dos gases, inadequada remoção de secreções, inadequada mobilização no leito, volume corrente baixo, baixa hidratação, redução da capacidade residual funcional e síndrome da membrana hialina.[87]

Hipóxia e Hipoventilação

Vários mecanismos podem causar hipoxemia intraoperatória, incluindo baixa concentração de oxigênio no ar inspirado, hipoventilação, desequilíbrio na relação ventilação-perfusão, anormalidades na difusão e, dependendo da intensidade, poderá ser necessário o tratamento antes de ser feito o diagnóstico causal. A hipoventilação pode ser consequência da ação de fármacos depressores do Sistema Nervoso Central em pacientes com ventilação espontânea ou de alterações na ventilação mecânica, e nesse caso pode ocorrer por diminuição do volume corrente, por redução acentuada da frequência respiratória, por obstrução da via aérea, por vazamento em algum ponto entre o paciente e o ventilador, por aumento da resistência ou redução da complacência pulmonar.[87]

A hipóxia arterial leve, SpO_2 entre 80% e 90%, leva à ativação geral do Sistema Nervoso Simpático com elevação da frequência cardíaca, do volume sistólico e do débito cardíaco. Hipoxemia moderada, SpO_2 entre 60% e 80%, a vasodilatação começa a predominar com redução da resistência vascular sistêmica e da pressão sanguínea, mas a frequência cardíaca pode continuar elevada por estimulação dos barorreceptores induzida pela hipotensão arterial sistêmica. Finalmente, com hipoxemia intensa, SpO_2 inferior a 60%, os efeitos depressores predominam e a pressão sanguínea decresce rapidamente, o pulso torna-se lento, as disritmias estão presentes, o choque se apresenta e o coração fibrila ou ocorre assistolia. O nível de hipoxemia que causará disritmias não pode ser previsto com certeza, porque a relação entre fornecimento e demanda de O_2 é individualizada.[86,87]

Quando ocorre hipoxemia intraoperatória, a FiO_2 pode ser aumentada para 1,0 enquanto se procura a causa específica. Pressão adequada na linha de distribuição de oxigênio e ou cilindros deve ser verificada, assim como o fornecimento de O_2 ao paciente deve ser confirmado com um oxímetro de fluxo. O circuito e o aparelho de anestesia devem ser verificados para possíveis desconexões, vazamentos, obstruções por válvulas aderidas ou incompetentes. A mudança para ventilação manual pode ser útil, permitindo avaliar a complacência do sistema respiratório, e o paciente deve ser examinado observando-se o movimento da parede torácica e auscultando os sons cardíacos e pulmonares.[87]

Uma avaliação do estado hemodinâmico pode revelar fatores contribuintes para hipoxemia, tais como hipovolemia e compressão cirúrgica dos grandes vasos abdominais, reduzindo o retorno venoso. Análise dos gases arteriais pode fornecer informações precisas sobre a causa e a magnitude do problema. A hipoxemia relacionada ao desequilíbrio na relação ventilação-perfusão pode ser corrigida com aumento da FiO_2, enquanto a causada por *shunt* da direita para a esquerda não é revertida com essa providência.[87]

Hipercapnia

Entre as causas mais frequentes, temos a hipoventilação, o esgotamento do absorvedor de CO_2 ou produção excessiva de dióxido de carbono (CO_2), como na hipertermia, nos tremores, na anestesia superficial, na tempestade tireotóxica que pode causar elevação dos níveis plasmáticos de epinefrina e norepinefrina, estimulação da ventilação com $PaCO_2$ de até 100 mmHg e depressão após ultrapassagem desses níveis, depressão direta do coração isolado, disritmias cardíacas principalmente na presença de anestésicos halogenados, aumento da vasoconstrição pulmonar hipóxica, elevação da pressão intracraniana por vasodilatação cerebral, achatamento total do EEG e convulsões tipo grande de mal com PaCO entre 90 e 120 mmHg.[87] A correção do problema depende da causa, mas com alta frequência basta aumentar a ventilação-minuto, reduzindo a profundidade da anestesia nos pacientes com respiração espontânea ou ajustando a frequência respiratória e o volume corrente naqueles com ventilação mecânica. O estado cardiorrespiratório, a temperatura e o equilíbrio ácido-base devem ser avaliados rapidamente para identificar qualquer evidência de hipermetabolismo e de maior produção de CO .[87]

Vasoconstrição Pulmonar Hipóxica

A hipóxia alveolar localizada ou generalizada pode desencadear a chamada vasoconstrição pulmonar hipóxica (VPH) com objetivo de desviar o fluxo sanguíneo para áreas com melhor oxigenação. Como a circulação pulmonar é pobremente dotada de músculo liso, condições predisponentes à elevação da pressão intravascular, tais como estenose mitral, sobrecarga de volume, tromboembolismo, hipotermia e fármacos vasoativos podem promover redução da VPH. Os anestésicos inalatórios, na maioria dos experimentos, causaram redução da VPH, enquanto os venosos não demonstraram qualquer efeito.[88,89]

Barotrauma

Pneumotórax, pneumomediastino e enfisema subcutâneo são geralmente manifestações de extravasamento de ar dos pulmões genericamente denominados barotrauma, que ocorrem por três mecanismos: ruptura alveolar, lesão da pleura visceral e/ou lesão da pleura parietal. A ruptura alvelar e a lesão da pleura visceral ocorrem geralmente pelo aumento da pressão e do volume alveolar, enquanto a lesão da pleura parietal pode ocorrer durante procedimentos laparoscópicos ou cirurgias do abdome superior, com fluxo de gases da cavidade peritoneal para a cavidade pleural.[86,90]

Entre as causas de pneumotórax, estão os acidentes com punções de veia central, cateterismo de artéria pulmonar, uso prolongado de ventilação mecânica, acupuntura, ventilação a jato, manobra de Valsalva, mediastinoscopia, bloqueios do plexo braquial, bloqueio intercostal, procedimentos subdiafragmáticos (nefrectomias, esplenectomias, biópsias no fígado), laparoscopias, traumatismo torácico e outros.[86,90]

O pulmão sadio, durante o ato de tossir ou espirrar, pode suportar pressão de até 200 cmH_2O sem que haja ruptura alveolar, pelo apoio sincrônico de toda musculatura torácica e abdominal, o que não ocorre durante a ventilação mecânica quando o aumento da pressão alveolar tende a expulsar o sangue que retorna ao tórax e os alvéolos podem se superdistender com maior risco em caso de pulmão doente, podendo haver ruptura com pressões próximas a 40 cmH_2O.[86] O extravasamento de ar dos alvéolos para os espaços teciduais vizinhos disseca o espaço perivascular, criando um enfisema intersticial que pode passar através dos hilos pulmonares em direção ao mediastino causando pneumomediastino, romper a pleura visceral causando pneumotórax, passar para os planos da fáscia cervical causando enfisema subcutâneo, espalhar-se ao longo da aorta criando pneumorretroperitônio ou pneumopericárdio.[86,91]

A presença de ar na cavidade pleural pode resultar em colabamento pulmonar e, caso a entrada de gases ocorra sem descompressão efetiva, causará o chamado pneumotórax hipertensivo, que poderá evoluir com colapso pulmonar e desvio das estruturas do mediastino, culminando com redução do débito cardíaco e colapso cardiovascular.[86,90]

Entre os fatores favorecedores estão o uso de altos volumes correntes (acima de 12 ml.kg^{-1}), pressão inspiratória alta (> 15 cmH_2O), uso de alta pressão positiva ao final da expiração (> 15 cmH_2O), doença pulmonar obstrutiva crônica em fase aguda, crise asmática, tosse, infecção pulmonar e síndrome da angústia respiratória aguda (SARA).[82] A utilização de N_2O, pelas suas características de difusibilidade, pode levar ao agravamento do pneumotórax e sua transformação em hipertensivo.[90]

No paciente acordado observa-se tosse, taquicardia, dor torácica que piora com a respiração profunda, diminuição dos ruídos respiratórios, crepitação, sibilos, redução da SpO_2, enfisema subcutâneo e diminuição dos movimentos respiratórios de um ou ambos hemitórax, podendo evoluir para dispneia intensa, cianose, perda da consciência e colapso cardiovascular. No paciente anestesiado observa-se aumento da pressão na via aérea, sibilos, desaparecimento do murmúrio vesicular inicialmente no lado afetado, taquicardia, redução da SpO_2, cianose, hipotensão e enfisema subcutâneo. A confirmação do diagnóstico é feita pela radiografia de tórax.[90]

O tratamento imediato consiste em introduzir uma agulha calibre 14 G, no 2º espaço intercostal (linha hemiclavicular), permitindo a confirmação diagnóstica pelo escape de ar e pronto restabelecimento. Em seguida, deve-se realizar a drenagem torácica definitiva, em selo d'água, através do 5º ou 6º espaço intercostal (linha hemiaxilar). Pneumotórax de pequena dimensão, menor que 20% do hemitórax, assintomático e com paciente em respiração espontânea, requer apenas observação clínica, porém, caso haja necessidade de ventilação mecânica, a drenagem torácica é imperativa.[90]

Fístula Broncopleural

A passagem contínua de ar dos alvéolos para o espaço pleural e sua saída pelo dreno por um período superior a 24 horas após a drenagem estabelece o diagnóstico de fístula broncopleural. Ela impede a completa expansão pulmonar, facilitando o desenvolvimento de atelectasia e consequente redução da relação ventilação-perfusão. Um vazamento superior a 500 mL por ventilação limita a sobrevida.[92] A manipulação consiste em reduzir a pressão média nas vias aéreas, com redução do volume corrente e da frequência respiratória que permita ventilação satisfatória e, se possível, instituir ventilação intermitente sincronizada. Se com as medidas mencionadas, o paciente se mantiver instável clinicamente ou com acidose respiratória, considerar a ventilação pulmonar independente ou a ventilação de alta frequência, porém sem garantia de melhora nos resultados.[92]

Disfunção do Sistema Mecânico

Disfunções dos sistemas e circuitos relacionados ao dispositivo mecânico ventilatório são tidas como as complicações mais preveníveis associadas à pressão positiva.[91] A prevenção pode ser realizada com aferições constantes das válvulas, fontes de gases, conexões, umidificadores, fontes de energia e alarmes, porém para minimizar essas disfunções, é preciso um conhecimento minucioso do equipamento, e na suspeita, é imperativo que o paciente seja retirado do aparelho enquanto são mantidas a ventilação e oxigenação, daí a importância de fonte alternativa de O_2 ao lado do leito.[93,94]

A colocação de um tubo traqueal por intubação ou traqueostomia representa o segundo grupo de complicações mais previsíveis associadas à via aérea artificial e inclui trauma, erro, aspiração pulmonar, disritmia cardíaca, efeito de fármacos, obstrução das vias aéreas, vazamento do balonete, depressão dos reflexos protetores das vias aéreas, processo inflamatório na laringe, disfunção das cordas vocais, estenose traqueal, úlceras, pólipos e grânulos de laringe.[94]

Edema pulmonar

A remoção de líquido e proteínas dos espaços extravasculares pulmonares depende do sistema linfático que apresenta capacidade limitada e, quando ultrapassada, estabelece-se edema intersticial que, em seguida, pode-se transformar em edema alveolar. Esse edema causa compressão das pequenas vias aéreas, dos pequenos vasos, e não raramente, causa enchimento alveolar.[95]

Assim, o edema pulmonar é definido como o acúmulo de líquido no espaço extravascular intersticial e/ou alveolar dos pulmões. Esse acúmulo afeta a função pulmonar e a troca gasosa em graus variados, dependendo do local acumulado e da quantidade de líquido envolvido, e pode ser classificado em edema pulmonar por pressões hidrostáticas elevadas (cardiogênico, neurogênico, pós-hemorrágico, por reexpansão, por pressão negativa) e em edema pulmonar por permeabilidade (SARA).[95]

Edema pulmonar por pressões hidrostáticas elevadas

Também denominado edema pulmonar hemodinâmico, resulta em acúmulo de líquido intersticial e alveolar, por pressões hidrostáticas elevadas e/ou pressões intersticiais diminuídas, sem qualquer alteração na condutância endotelial à água ou a moléculas proteicas, favorecendo o fluxo de líquido para dentro do interstício pulmonar.[91-95]

Os principais tipos de edema pulmonar hemodinâmico são:

a) **cardiogênico:** ocorre devido ao aumento nas pressões venosa e capilar pulmonar devido à insuficiência cardíaca esquerda.[91]

b) **neurogênico:** resulta de descarga simpática que ocorre em lesões agudas no Sistema Nervoso Central.[91]

c) **pós-hemorrágico:** resulta do precário metabolismo de serotonina secundário à hipoperfusão, fator este que eleva o gradiente pressórico transmural e a filtração transvascular.[91]

d) **por pressão negativa:** resulta da negatividade pressórica no alvéolo e interstício, causada por fechamento da glote, durante esforço inspiratório profundo secundário à obstrução aguda da via aérea como no laringoespasmo ou na obstrução do tubo traqueal ou reexpansão súbita de pulmão colabado, gerando pressão negativa subatmosférica de −50 a −100 mmHg, permitindo a transudação de líquidos para o interstício e alvéolos, sendo que nesse caso o tratamento difere dos demais.[91,96]

Nos pacientes cirúrgicos, mais frequentemente no período pós-operatório, geralmente o edema pulmonar (EP) se desenvolve como resultado de:[91,96]

a) **hiper-hidratação relativa:** como a encontrada nos pacientes submetidos à ressecção transuretral de próstata ou naqueles portadores de insuficiência renal oligúrica;

b) **disfunção miocárdica primária:** como no infarto ou na isquemia do miocárdio, hipertensão arterial, estenose mitral e aórtica, insuficiência mitral, miocardiopatia hipertrófica e disritmias cardíacas;

c) **fechamento sustentado da glote:** na inspiração profunda.

A estratégia terapêutica no EP hemodinâmico compreende medidas não específicas, seguida da identificação e tratamento dos fatores precipitantes.

As medidas não específicas incluem:[91,96]

a) posicionamento do paciente com o dorso elevado e, se possível, os membros inferiores pendentes, com pretensão de reduzir o retorno venoso dos membros inferiores, a pré-carga ventricular e aumentar a capacidade vital pulmonar;

b) torniquetes de borracha nas raízes dos membros superiores e inferiores, sem abolir o pulso periférico e em esquema de rodízio a cada 15 minutos e/ou deixar os membros pendentes.

As medidas específicas incluem:[97,98]

a) oxigênio úmido sob máscara ou cateter, para manter a PaO_2 acima de 65 mmHg;

b) sulfato de morfina, na dose de 1 e 3 mg a cada 10 minutos por via venosa, procurando observar a melhora clínica; é extremamente útil, pois promove redução de até 50% do retorno venoso para o coração e também atua no Sistema Nervoso Central, reduzindo a hiperatividade adrenérgica observada no edema pulmonar.

Paciente sem hipotensão (PAS > 90 mmHg) e hipoperfusão tecidual:[97,98]

É o perfil hemodinâmico mais frequente na emergência.

- **Furosemida:** 0,5-1 mg.kg[-1] EV em *bolus*, podendo ser repetido em 20 minutos, se necessário. Promove venodilatação diminuindo a pré-carga nos primeiros 15 minutos e promovendo diurese após os primeiros 30 minutos, com pico de ação em 2 horas.
- **Nitroglicerina:** 10-20 µg.min[-1] até 200 µg.min[-1] em bomba de infusão contínua (BIC). Em doses baixas promove venodilatação, reduzindo a pré-carga, e em doses altas, na arteríolo-dilatação, reduzindo a pós-carga.
- **Nitroprussiato de sódio:** 0,3 µg.kg[-1].min[-1] até 5 µg.kg[-1].min[-1] em bomba de infusão contínua. Atua reduzindo a pós-carga, predominantemente no leito arterial. Quando utilizado em quadro de síndrome coronariana aguda, está associado à síndrome do roubo coronariano.
- **Nitrato sublingual:** um comprimido de dinitrato ou mononitrato de isossorbida 5 mg sublingual se PA > 140 mmHg.

Paciente com hipotensão (PAS < 90 mmHg) e hipoperfusão tecidual:[97,98]

- **Noradrenalina:** 0,02-1 µg.kg[-1].min[-1] em bomba de infusão contínua;
- **Inotrópicos:** dobutamina 2-20 µg.kg[-1].min[-1] em bomba de infusão contínua.

Quanto ao edema por pressão negativa, após a exclusão de outras causas de EP, o tratamento é de apoio, com manutenção da via aérea pérvia, oxigenação adequada, e, nos casos mais graves, a ventilação mecânica com PEEP está indicada, mas há dispensa de monitorização invasiva. Está contraindicada terapia com diuréticos ou restrição hídrica, pois esses pacientes tendem a ficar hipovolêmicos com a transudação de líquidos para os alvéolos. É entidade pouco diagnosticada, que requer conhecimento atualizado e tratamento adequado, porém de bom prognóstico, com alta hospitalar precoce e geralmente sem sequelas.[91,96]

Edema pulmonar por permeabilidade

Pacientes com permeabilidade capilar pulmonar aumentada (SARA) apresentam comprometimento alveolar difuso, hipoxemia, complacência pulmonar diminuída e infiltrados pulmonares difusos. Diferente do edema cardiogênico, a pressão venosa central e a pressão capilar pulmonar estão usualmente baixas ou normais, e pode ocorrer em concomitância a uma série de doenças pulmonares como pneumonias infecciosas graves, pneumonia aspirativa, embolia gordurosa, septicemia, estados de choque, pancreatite aguda, politraumatismos e queimaduras graves.[95]

As causas da alteração significativa na permeabilidade do endotélio pulmonar são as endotoxinas bacterianas (septicemias), os microembolismos para os pulmões (agregação plaquetária, ativação de leucócitos, de complemento e lipídios) e a lesão direta produzida por toxinas inaladas.[95]

Compreende-se que a terapia inicial desse edema deve ser dirigida para correção dos distúrbios primários, que provocaram alteração na membrana alveolocapilar, como a remoção de focos infecciosos. As medidas de suporte consistem em FiO_2 mínima, em torno de 0,4 para obter PaO_2 adequada com PEEP de 3 a 5 cmH_2O. A manipulação de volume deve ser criteriosa, já que se pretende reduzir a quantidade de fluido nos espaços intersticial e alveolar, sendo de grande utilidade à realização de estudos hemodinâmicos com cateteres de Swan-Ganz, podendo ser utilizados coloides, cristaloides ou soluções mistas para expansão volêmica, pois não há consenso sobre a superioridade de uma solução, assim como na utilização de fármacos anti-inflamatórios.[87,95]

Edema pulmonar desencadeado por fármacos

Alguns fármacos podem causar edema pulmonar, com diversos relatos após o uso de naloxona, heroína e prostaglandina. Porém, as causas ainda não estão totalmente elucidadas. Acredita-se que a naloxona cause o edema por liberação de catecolaminas, que pode ser agravado se houver doença cardíaca concomitante, ou por resposta central.[99]

Infecção Pulmonar

A pneumonia pós-operatória pode ser definida como aquela que surgiu entre 48 e 72 horas após a internação, ou associada à ventilação mecânica. Atualmente, a pneumonia pós-operatória é a terceira complicação mais comum em todos os procedimentos cirúrgicos e está associada ao aumento da morbimortalidade do paciente.[100] Além disso, prolonga a duração da permanência média de 7 a 9 dias e aumenta os custos médicos.[101-103]

A patogênese da pneumonia pós-operatória é multifatorial e geralmente começa com a colonização do trato aerodigestivo, aspiração das secreções do trato contaminado e diminuição da defesa do hospedeiro.[104,105] Na maioria dos casos, a pneumonia pós-operatória é causada por bactérias aeróbicas Gram-negativas, incluindo as espécies *Pseudomonas, Klebsiella* e *Enterobacter*, entre outras, e no que diz respeito às bactérias Gram-positivas, o *Staphyloccocus aureus* resistente à meticilina é a causa mais comum. Ainda mais preocupante é a crescente resistência a medicamentos antimicrobianos, dificultando cada vez mais a intervenção e o tratamento.[106]

Revisão recente encontrou uma grande variedade de pneumonia pós-operatória nas diferentes subespecialidades cirúrgicas: cirurgia geral (0,5%-28%), cirurgia cardiotorácica (2%-54%), cirurgia ortopédica e da coluna vertebral (0,45%-14%) e cirurgia de cabeça e pescoço (0,6%-27%). Essa grande variação pode ser decorrente das diferenças entre hospitais nos protocolos de prevenção de pneumonia, como de profilaxia ou variação na utilização de métodos como limpeza e aspiração oral no pré e pós-operatório, concluindo que, embora tenham ocorrido muitos avanços nas técnicas de cirurgia e anestesia, a pneumonia pós-operatória continua sendo um evento adverso importante após a cirurgia. Além disso, está intimamente associada com o aumento da morbimortalidade, aumento dos custos e readmissões hospitalares. Importante ressaltar que embora a maioria dos fatores de risco como idade, sexo e *status* funcional pré-operatório sejam fatores não modificáveis, outros importantes fatores como a carga bacteriana oral e tabagismo podem passar por intervenções eficazes. Entre esses fatores modificáveis, a elevação da cabeceira da cama, cuidados bucais abrangentes, mobilidade precoce e espirometria de incentivo são intervenções destinadas a reduzir a incidência de pneumonia pós-operatória.[107]

EMBOLIA PULMONAR – TROMBOEMBOLIA

A Tromboembolia Venosa (TEV) apresenta-se clinicamente como trombose venosa profunda (TVP) e é a terceira síndrome cardiovascular aguda mais frequente, atrás do infarto do miocárdio e do acidente vascular encefálico.[108]

Em estudos epidemiológicos, as taxas anuais de incidência de embolia pulmonar (EP) variam de 39 a 115 por 100.000 habitantes; para TVP as taxas de incidência variam de 53 a 162 por 100.000 habitantes, sendo quase oito vezes maior em indivíduos com idade superior a 80 anos que na quinta década de vida.[109,110]

A tromboembolia pulmonar (TEP) ocorre em 0,3% a 1,6% da população cirúrgica geral, e, embora esse grupo de pacientes apresente alto risco para sua ocorrência, o risco é particularmente elevado naqueles portadores de neoplasias, obesidade, fumantes, pacientes em uso de anticoncepcionais orais, politraumatizados, submetidos a procedimentos prostáticos e ortopédicos. Por outro lado, o risco é reduzido em procedimentos laparoscópicos, nos quais ocorre menor imobilização e reação inflamatória.[111]

Embora em muitos casos não existam sintomas evidentes, a manifestação clínica mais comum é a dispneia. Com êmbolos maiores e infarto pulmonar, os pacientes podem desenvolver hipoxemia grave, dor torácica, broncoespasmo, dor isquêmica em consequência da redução do fluxo coronariano e angústia. Ao exame clínico, poderão apresentar cianose, taquicardia, ingurgitamento venoso com turgência jugular e hepatomegalia dolorosa; no ECG detecta-se desvio do SÂQRS para a direita, infradesnivelamento do segmento ST e P *pulmonale*; na radiografia costuma-se evidenciar área translúcida avascular, com dilatação do tronco da artéria pulmonar, átrio direito e ventrículo direito, que ocorre imediatamente após a oclusão embólica e que pode regredir em dias.[111] Casos catastróficos se manifestam com cor *pulmonale* agudo e choque cardiogênico obstrutivo. O diagnóstico é bastante sugestivo pela cintilografia pulmonar por perfusão; porém, a angiografia pulmonar é o exame que dá o diagnóstico de certeza.[111]

Durante a anestesia, o TEP pode se manifestar com taquicardia, broncoespasmo, hipoxemia, hipotensão arterial, hipoxemia e redução abrupta do CO_2 no ar expirado ($P_{ET-}CO_2$), além de falência ventricular direita e choque que evidencia pior desfecho.[112]

Medidas profiláticas para prevenir a TVP nos pacientes de risco devem ser adotadas, assim como a suspensão de anticoncepcionais por quatro a seis semanas antes do procedimento proposto. Além disso, o uso de meias de compressão elástica, heparina profilática e aparelhos de compressão intermitente reduzem a sua ocorrência.[113]

À suspeita de TEP, deve-se utilizar oxigênio em FiO_2 de 1,0, broncodilatadores, ressuscitação hídrica e inotrópicos de acordo com a necessidade. Além disso, deve-se solicitar gasometria arterial, dosagem de troponinas, D-dímeros, peptídeo natriurético cerebral, assim como realização de eletrocardiograma (ECG) e radiografia de tórax e, se possível, tomografia computadorizada e suporte em unidade de terapia intensiva.[113]

Embolia Gordurosa

Os êmbolos gordurosos são gerados quando os glóbulos de gordura entram na corrente sanguínea, a partir de tecido, geralmente medula óssea, tecido adiposo ou, alternativamente, por meio da produção de intermediários tóxicos de gordura derivada de plasma, por exemplo, os quilomícrons. Uma quantidade significativa de embolia gordurosa pode causar a síndrome da embolia gordurosa (SEG).[114]

A SEG é mais comumente associada a fraturas ósseas e pélvicas longas (a medula óssea tem alto teor de gordura), mas também pode surgir de trauma dos tecidos moles sem fratura e de uma variedade de outras causas traumáticas, não traumáticas e não ortopédicas, incluindo pancreatite, hemoglobinopatias relacionadas à falciforme ou à talassemia, doença hepática alcoólica (gordurosa), invasão renal por angiomiolipoma da veia cava inferior, lise de tumor ósseo, terapia com esteroides e, principalmente, lipoaspiração. O número de procedimentos de lipoaspiração por ano continua a aumentar constantemente, sendo o procedimento cirúrgico cosmético mais comum nos Estados Unidos em 2015 (305.856 procedimentos), lembrando que o número de procedimentos quase dobrou desde 1997 (176.863 procedimentos). Além disso, 53.554 procedimentos adicionais ocorreram em 2015 em comparação com 2014. Com o aumento da incidência e a falta de testes de diagnóstico, deve-se levantar suspeita para a SEG na situação de lipoaspiração recente.[115]

A SEG ocorre principalmente após fratura de ossos longos, sobretudo fêmur e tíbia, mas também por lesão de tecido subcutâneo, como na lipoaspiração e por lipoenxertia. Existem evidências de que não só a liberação de depósitos de gordura dos ossos traumatizados, mas alterações físico-químicas na emulsão de gorduras circulantes podem resultar na produção de macroglóbulos de gordura que, atuando como êmbolos, irão obstruir arteríolas e capilares pulmonares. Os sintomas podem se manifestar de seis horas a dias após o trauma, com maior incidência entre 24 e 40 horas, com taquidispneia, taquicardia, hipoxemia, hipertermia, cianose e secreções brônquicas copiosas; a radiografia mostra infiltrado algodonoso. A concentração sérica aumentada de lipase ou a presença de lipidúria podem auxiliar no diagnóstico, assim como os exames de imagem (Ressonância Nuclear Magnética). Não há terapia específica, e o emprego de baixas doses de heparina, de corticosteroides e a hipotermia são discutíveis; porém, é importante a manutenção da oxigenação.[115]

Embolia Aérea

O ar pode entrar na circulação por infusão venosa através de pneumo ou retroperitônio, procedimentos cirúrgicos na cabeça ou pescoço em posição de cefaloaclive, inadvertidamente durante irrigação da bexiga, de seios nasais e do útero. A dose letal é variável com a idade, estado físico, posição do paciente e velocidade de entrada do ar, e a morte resulta do bloqueio aéreo do ventrículo direito ou da obstrução vascular pulmonar. Os sintomas ocorrem subitamente com dispneia, choque e cianose, além de frequentemente surgir um sopro contínuo em redemoinho no precórdio.[116]

A detecção é realizada pelos seguintes métodos, em ordem decrescente de sensibilidade: ecocardiografia transesofágica, Doppler precordial, aumento da pressão na artéria pulmonar, diminuição súbita da $P_{ET}CO_2$, presença de $P_{ET}N_2$, diminuição da SpO_2, alterações hemodinâmicas e ausculta do som "em roda de moinho" pelo estetoscópio esofágico.[116]

O tratamento consiste em posicionar o paciente em decúbito lateral esquerdo, na tentativa de deslocar o êmbolo da via de saída do ventrículo direito (VD) para o átrio direito (AD), aspiração através de cateter inserido no VD, ventilação com FiO_2 de 1,0 e, em caso de paciente em posição sentada, pode-se fazer compressão da veia jugular interna para elevar a pressão venosa no local onde está ocorrendo a entrada de ar, além de posicionar a mesa cirúrgica em cefalodeclive.[116,117]

Embolia por Líquido Amniótico

A embolia por líquido amniótico (ELA) é uma das emergências obstétricas mais desafiadoras. Estudo internacional forneceu informações clínicas valiosas sobre essa rara complicação, que ocorre em 2 a 8 de 100.000 gestações.[118] Os sinais e sintomas clínicos da ELA inclui uma rápida deterioração da condição materna, parada cardíaca ou arritmia, hipotensão, desconforto respiratório, coagulopatia e hemorragia maciça, além do comprometimento agudo do feto. Sintomas de premonição, como formigamento, falta de ar e agitação, podem ocorrer antes dos sinais e sintomas do colapso cardiovascular. A coagulopatia de consumo sem sintomas cardiorrespiratórios às vezes é reconhecida como um fator de risco para a ELA, mas é importante excluir outros possíveis diagnósticos, como choque séptico ou coagulopatia causada por, e não por causa de, sangramento excessivo. O infarto do miocárdio e outras condições também podem se assemelhar à ELA. Dada à acuidade e complexidade dos sinais e sintomas, uma resposta imediata de uma equipe multidisciplinar, incluindo especialistas experientes em obstetrícia, medicina materno-fetal, anestesia, terapia intensiva e hematologia, é provavelmente a chave para a sobrevivência, sendo que a mortalidade ocorre em aproximadamente 21%.[118,119]

Como a ELA é um diagnóstico de exclusão, é difícil estabelecer uma definição precisa de caso. Os fatores de risco pré-natais incluem a idade materna avançada, gravidez múltipla, diabetes gestacional, polidrâmnio, placenta prévia e descolamento de placenta. Vários fatores de risco foram relacionados a intervenções obstétricas comuns como indução do parto, parto vaginal operatório e parto cesáreo. Assim, o conhecimento desses fatores de risco tem pouca utilidade para a previsão clínica da ELA, mesmo porque a grande maioria das mulheres com esses fatores de risco terá uma gravidez e parto normais.[118,119]

A apresentação da ELA que domina o quadro clínico principal, coagulopatia, hipertensão pulmonar refratária ou sintomas neurológicos, deve ditar a abordagem terapêutica. O gerenciamento ideal do volume em resposta à alteração da hemodinâmica também é crucial, embora seja difícil encontrar o equilíbrio correto entre manter o débito cardíaco e evitar a sobrecarga de fluidos e o edema pulmonar.[118,119]

Como a maioria dos casos apresenta coagulopatia e sangramento, o manejo da coagulação com administração de plasma fresco, fibrinogênio concentrado, crioprecipitado, plaquetas e transfusão de sangue total ou glóbulos vermelhos e as intervenções cirúrgicas para interromper o sangramento parecem melhorar a sobrevida global.[118,119]

Os sintomas derivam principalmente do conteúdo sólido do líquido amniótico e a coagulação intravascular disseminada (CIVD), que ocorre em elevado número de pacientes, é produzida pela entrada na circulação de grande quantidade de substâncias tromboplásticas do líquido amniótico com consumo de fibrinogênio, protrombina, fatores V e VIII.[119]

Clinicamente, a paciente apresenta dispneia de início súbito, taquicardia, hipotensão arterial, choque, cianose e evidência de *cor pulmonale* agudo, edema pulmonar e coma. Convulsões generalizadas, parada cardíaca e morte ocorrem em cerca de 25% a 50% das pacientes na primeira hora, com mortalidade global excedendo a 80%.[119]

Embolia Tumoral

A dispneia em um paciente com câncer pode ter várias causas, incluindo infecção, tromboembolismo, metástases e doença cardiopulmonar induzida terapeuticamente. A embolia tumoral pulmonar é uma causa incomum de oclusão da microvasculatura pulmonar por células tumorais e trombos associados e pode produzir um quadro clínico subagudo e progressivo que se assemelha à doença tromboembólica. Geralmente acomete pacientes portadores de carcinomas renais, hepáticos, gástricos ou tumores trofoblásticos, em que as células malignas podem embolizar para os pulmões.[120]

COMPLICAÇÕES RESPIRATÓRIAS DECORRENTES DA SEDAÇÃO

A sedação combinada à anestesia locorregional é técnica frequentemente administrada, utilizando, entre outros fármacos, o midazolam e o fentanil. Estudo medindo apneia (ausência de atividade respiratória por 15 segundos) e hipoxemia ($SpO_2 < 90\%$ durante 10 segundos), após administração venosa de midazolam (0,05 mg.kg^{-1}) e/ou fentanil (20 µg.kg^{-1}), revelou que, embora o midazolam não causasse efeitos significativos em saudáveis, o fentanil determinou hipoxemia em 50% dos pacientes, e a associação determinou hipoxemia em 90% dos casos, sugerindo efeito sinérgico depressor da associação fentanil e midazolam sobre a ventilação.[121]

Não obstante, o emprego de outros fármacos sedativos, como a dexmedetomidina, associada à adequada monitorização, atenua este importante efeito adverso.

COMPLICAÇÕES RESPIRATÓRIAS PÓS-OPERATÓRIAS (CRPO)

O colapso pulmonar intraoperatório é um evento adverso de elevada incidência em pacientes cirúrgicos sob anestesia geral com paralisia da musculatura. Essa complicação está associada à piora das trocas gasosas no intraoperatório e, em alguns casos, necessidade de suporte respiratório prolongado no período pós-operatório. Cirurgias paradiafragmáticas, torácicas e abdominais supraumbilicais desencadeiam importantes modificações respiratórias, mesmo em pacientes jovens e sem antecedentes respiratórios. A manifestação clínica mais evidente é a respiração rápida e superficial, com preponderância de um componente torácico, sendo constante a hipoxemia durante a ventilação com ar ambiente. Em elevada porcentagem dos casos após laparotomia, ocorre elevação das cúpulas diafragmáticas e atelectasias que podem chegar até as bases.[122,123]

A capacidade vital pulmonar (CV) sofre redução de 40% a 60% do valor pré-operatório após uma laparotomia supraumbilical e de 20% a 40%, após uma laparotomia infraumbilical; o volume corrente sofre redução de aproximadamente 25% e a frequência respiratória, elevação de 20%. Essa síndrome restritiva é acompanhada de redução da capacidade residual funcional (CRF) de 30%, que se estabelece em algumas horas, com redução da saturação arterial de oxigênio (SaO_2) de 10% a 20% e o retorno à normalidade ocorre lentamente, em período de 1 a 2 semanas. A via laparoscópica provoca alterações menos intensas e de menor duração na CV, VEF$_1$ e na CRF que a laparotomia.[123,124]

Fatores de Risco e Índices Preditivos

Cirurgias abdominais altas e torácicas são acompanhadas de alta incidência de CRPO com evidências clínicas, entre 10% a 20% dos casos, e radiológicas, entre 40% e 80%. Em outros tipos de procedimentos cirúrgicos, a incidência é inferior a 5%.[118] Incisões subcostais e transversais, em cirurgia abdominal alta, evoluíram com síndrome restritiva pós-operatória menos importante que incisões medianas.[125] Em estudo que avaliou 7.306 atos cirúrgicos de urgência, a incidência de CRPO foi duas vezes mais frequente quando comparada com cirurgias eletivas, embora outros estudos tenham demonstrado o oposto.[126]

Portadores de alterações nas provas funcionais respiratórias apresentam, no pós-operatório, incidência de hipoxemia três a quatro vezes maior que nos indivíduos sem essas alterações e a frequência das CRPO, assim como das afecções respiratórias crônicas, é maior no sexo masculino e elevam-se com a obesidade e com a idade. Em fumantes, as CRPO se multiplicam por um fator de três a cinco, segundo a intensidade do tabagismo.[127]

A síndrome de Apneia Obstrutiva do Sono (SAOS) também é um potencial fator de risco independente para um resultado adverso no perioperatório. Os pacientes com SAOS submetidos a procedimentos cirúrgicos são vulneráveis à obstrução das vias aéreas no pós-operatório, à isquemia do miocárdio, à insuficiência cardíaca congestiva, ao acidente vascular cerebral e à dessaturação de oxigênio.[128]

Quanto ao tipo de anestesia, geral e bloqueios regionais, devido às indicações serem relativamente definidas quanto a cada tipo de cirurgia, há pequeno número de estudos comparativos, sem consenso definitivo. Estudos sobre o efeito da duração da anestesia em relação às CRPO demonstraram incidência de 1,2% em intervenções com duração inferior a 30 minutos, de 6,8% naquelas com duração entre 30 minutos a 3 horas e de 17% para aquelas com duração superior a três horas, com ressalvas, pois anestesias com maior duração são realizadas para cirurgias maiores e de maiores riscos.[126] Analgesias pós-operatórias regional e local demonstram, em praticamente todos os estudos, maior benefício respiratório que a analgesia por via parenteral.[127]

Prevenção das CRPO

O risco de CRPO se multiplica por quatro com um consumo superior a 15 cigarros por dia e o volume das secreções brônquicas é reduzido em 50% após duas semanas sem fumar; porém, para reduzir as complicações em 50%, é necessário deixar de fumar seis a oito semanas antes da intervenção.[129]

O desaparecimento total ou parcial da broncoconstrição e a diminuição das secreções, quando existirem, promovem redução das resistências brônquicas e do trabalho respiratório, com aumento dos fluxos, assim o broncoespasmo e o aumento de secreções devem ser abortados, como indicado anteriormente.[129] Os benefícios da fisioterapia respiratória está bem demonstrado em pacientes portadores de doenças respiratórias e agrupa um conjunto de técnicas de drenagem brônquica com expiração forçada, percussões, vibrações e exercícios respiratórios que buscam obter eliminação das secreções e aumento dos volumes e capacidades pulmonares.[130]

Foi demonstrado que a perda de 10% do peso corporal, em relação ao peso ideal, reduz a força dos músculos respiratórios, e essa perda de peso acomete 25% dos pacientes portadores de DPOC, comprometendo a capacidade ventilatória e a necessidade metabólica no pós-operatório. Assim, uma nutrição compensadora melhora a função muscular e corrige a imunodeficiência comum nesses pacientes.[131]

Estudo realizado em pacientes submetidas a colecistectomias pela via laparoscópica e por laparotomia recebendo morfina por via peridural e realizando espirometrias e gasometrias no pós-operatório concluiu que as menores disfunções ventilatórias ocorreram nas pacientes operadas pela via laparoscópica e que a morfina peridural reverteu, parcialmente, o distúrbio ventilatório pós-operatório nos pacientes sob colecistectomia pela via aberta, evidenciando a importância da analgesia na função respiratória.[131] Outro estudo, observacional, comparou analgesia peridural torácica (APDT) com analgesia intravenosa em 203 pacientes e encontrou menor incidência de pneumonia e de deiscência de suturas no grupo APDT em relação ao grupo que recebeu analgesia intravenosa.[132]

CONSIDERAÇÕES FINAIS

Em todo o mundo, acontecem, anualmente, mais de 230 milhões de cirurgias de grande porte, com incidência de CRPO variando entre 1 e 21%, com diversos estudos mostrando que estas são mais frequentes que complicações cardíacas e que 1 em cada cinco pacientes que desenvolvem CRPO após cirurgia de grande porte morrerá em 30 dias e em 90 dias a mortalidade será de 24,4% contra 1,2% para pacientes sem CRPO.[133]

Alterações no sistema respiratório ocorrem imediatamente após a indução da anestesia geral e a instalação da ventilação mecânica, quando os volumes pulmonares são reduzidos e a atelectasia se desenvolve em mais de 75% dos pacientes que receberam bloqueador neuromuscular. O sistema respiratório pode levar até seis meses para retornar ao estado pré-operatório após anestesia geral para cirurgia de grande porte.[134-138] Os fatores de risco são muitos e podem ser classificados em modificáveis e não modificáveis, como descrito nas diretrizes publicadas por uma força tarefa europeia para definições de desfecho clínico perioperatório, competindo ao anestesiologista identificá-los de modo a serem utilizados como estratégia para minimizar as CRPO. Entre os riscos não modificáveis estão; a) idade > 60 anos, b) cirurgias de grande porte (aneurisma de aorta abdominal, neurocirurgia, cirurgia intratorácica, cirurgia de cabeça e pescoço) e cirurgias do andar superior da abdômen, c) investigação pré-operatória mostrando espirometria com VEF1/CV < 0,7, VEF1 < 80% e SpO2 < 90% e, entre os fatores modificáveis, encontramos ASA III e IV, DPOC, insuficiência cardíaca, doença hepática crônica, tabagismo, níveis de hemoglobina inferiores a 10g.dL^{-1}, anestesia geral, tempo cirúrgico > 2 horas.[134] Não obstante, estão bem estabelecidos os benefícios da ventilação protetora com baixo volume corrente (6-8ml.Kg^{-1}), PEEP individualizada e manobras de recrutamento.[139]

CONCLUSÃO

As CRPO são os eventos mais comumente observados após cirurgias maiores e de elevado impacto sobre o desfecho e conforto dos pacientes. Para que haja minimização desse evento adverso indesejado e de seus efeitos deletérios, é de fundamental importância a atualização constante da equipe anestésico-cirúrgica, além da vigilância, da monitorização e do adequado acompanhamento integral da equipe durante toda a experiência operatória, incluindo o período pré, intra e pós-operatório.

REFERÊNCIAS

1. Caplan RA, Posner KL, Ward RJ, et al. Adverse respiratory events in anesthesia: a closed claim analysis. Anesthesiology. 1990; 72: 828-33.
2. Xaráa D, Mendonça J, Pereira H, et al. Eventos respiratórios adversos após anestesia geral em pacientes com alto risco de síndrome da apneia obstrutiva do sono. Rev Bras Anestesiol. 2015; 65(5):359-66.
3. Knight PR, Bacon DR. An Unexplained Death Hannah Greener and Chloroform. Anesthesiology. 2002; 96:1250–3.
4. Utting JE. Pitfalls in anaesthetic practice. Br J Anaesth. 1987; 59:877-90.
5. Lawrence VA, Hilsenbeck SG, Noveck H, Poses RM. Carson JL Medical complications and outcomes after hip fracture repair. Archives of Internal Medicine 2002; 162: 2053-7.
6. Manku K, Bacchetti P, Leung JM. Prognostic significance of postoperative in-hospital complications in elderly patients. I. Long-term survival. Anesthesia and Analgesia. 2003; 96: 583-9.
7. Manku K, Leung JM Prognostic significance of postoperative in-hospital complications in elderly patients. II. Long-term quality of life. Anesthesia and Analgesia. 2003; 96:590–4.
8. Kinugasa S, Tachibana M, Yoshimura H, et al. Postoperative pulmonary complications are associated with worse short and long-term outcomes after extended esophagectomy. Journal of Surgical Oncology. 2004; 88:71–7.
9. Gupta H, Gupta PK, Fang X, et al. Development and validation of a risk calculator predicting postoperative respiratory failure. Chest. 2011; 140:1207-15.
10. LAS VEGAS investigators. Epidemiology, practice of ventilation and outcome for patients at increased risk of postoperative pulmonary complications: LAS VEGAS – an observational study in 29 countries. European Journal of Anaesthesiology. 2017; 34:492–507.
11. Mazo V, Sabate S, Canet J, et al. Prospective external validation of a predictive score for postoperative pulmonary complications. Anesthesiology. 2014; 121:219-31.
12. Canet J, Gallart L, Gomar C, et al. Prediction of postoperative pulmonary complications in a population-based surgical cohort. Anesthesiology. 2010; 113:1338-50.

13. Smetana GW, Lawrence VA, Cornell JE, American College of Physicians. Pre-operative pulmonary risk stratification for non-cardiothoracic surgery: systematic review for the American College of Physicians. Annals of Internal Medicine. 2006; 144:581-95.

14. Arozullah AM, Daley J, Henderson WG, Khuri SF. Multifactorial risk index for predicting postoperative respiratory failure in men after major noncardiac surgery. The National Veterans Administration Surgical Quality Improvement Program. Annals of Surgery. 2000; 232:242–53.

15. Weiser TG, Regenbogen SE, Thompson KD, et al. An estimation of the global volume of surgery: a modelling strategy based on available data. Lancet. 2008; 372:139-44.

16. Mills GH. Respiratory complications of anaesthesia. Anaesthesia. 2018; 73 (1):25-33.

17. Hedenstierna G. Alveolar collapse and closure of airways: regular effects of anaesthesia. Clinical Physiology and Functional Imaging. 2003; 23:123-9.

18. Magnusson L, Spahn DR. New concepts of atelectasis during general anaesthesia. British Journal of Anaesthesia. 2003; 91:61-72.

19. Lumb AB. Just a little oxygen to breathe as you go off to sleep...is it always a good idea? British Journal of Anaesthesia. 2007; 99:769-71.

20. Wetterslev J, Meyhoff CS, Jorgensen LN, Gluud C, Lindschou J, Rasmussen LS. The effects of high perioperative inspiratory oxygen fraction for adult surgical patients. Cochrane Database Systematic Review. 2015; (6):CD008884.

21. Hedenstierna G, Perchiazzi G, Meyhoff CS, Larsson A. Who can make sense of the WHO guidelines to prevent surgical site infection? Anesthesiology. 2017; 126:771–3.

22. Benoit Z, Wicky S, Fischer JF, et al. The effect of increased FIO (2) before tracheal extubation on postoperative atelectasis. Anesthesia and Analgesia. 2002; 95:1777-81.

23. Allegranzi B, Zayed B, Bischoff P, et al. New WHO recommendations on intraoperative and postoperative measures for surgical site infection prevention: an evidence-based global perspective. Lancet Infectious Diseases. 2016; 16:e288–303.

24. Hovaguimian F, Lysakowski C, Elia N, et al. Effect of intraoperative high inspired oxygen fraction on surgical site infection, postoperative nausea and vomiting, and pulmonary function: systematic review and meta-analysis of randomized controlled trials. Anesthesiology. 2013; 119:303–16.

25. Habre W, Petak F. Perioperative use of oxygen: variabilities across age. British Journal of Anaesthesia. 2014; 113(Suppl 2):ii26-36.

26. Amato MB, Meade MO, Slutsky AS, et al. Driving pressure and survival in the acute respiratory distress syndrome. New Engl J Med. 2015; 372:747-55.

27. Jaber S, Coisel Y, Chanques G, et al. A multicentre observational study of intra-operative ventilatory management during general anaesthesia: tidal volumes and relation to body weight. Anaesthesia. 2012; 67:999-1008.

28. Rothen HU, Sporre B, Engberg G, et al. Re-expansion of atelectasis during general anaesthesia: a computed tomography study. British Journal of Anaesthesia. 1993; 71:788–95.

29. Neumann P, Rothen HU, Berglund JE, et al. Positive end-expiratory pressure prevents atelectasis during general anaesthesia even in the presence of a high inspired oxygen concentration. Acta Anaesthesiologica Scandinavica. 1999; 43:295–301.

30. Prove Network Investigators for the Clinical Trial Network of the European Society of Anaesthesiology, Hemmes SN, De Gama Abreu M, Pelosi P, Schultz MJ. High versus low positive end-expiratory pressure during general anaesthesia for open abdominal surgery (PROVHILO trial): a multicentre randomised controlled trial. Lancet. 384:495-503.

31. Kokulu S, Gunay E, Baki ED, et al. Impact of a lung-protective ventilatory strategy on systemic and pulmonary inflammatory responses during laparoscopic surgery: is it really helpful? Inflammation. 2015; 38:361-7.

32. The PROBESE Collaborative Group authors and collaborators appear at the end of this article, Marcelo Gama de Abreu. Effect of Intraoperative High Positive End-Expiratory Pressure (PEEP) With Recruitment Maneuvers vs Low PEEP on Postoperative Pulmonary Complications in Obese Patients A Randomized Clinical Trial. JAMA. 2019; 321(23):2292-305.

33. The Research Workgroup PROtective Ventilation Network (PROVEnet) of the European Society of Anaesthesiology (ESA), Kiss T, Wittenstein J, Becker C, et al. Protective ventilation with high versus low positive end-expiratory pressure during one-lung ventilation for thoracic surgery (PROTHOR): study protocol for a randomized controlled trial. Trials. 2019; 11:20(1):213.

34. Queiroz VNF, da Costa LGV, Barbosa RP, et al. International multicenter observational study on assessment of ventilatory management during general anaesthesia for robotic surgery and its effects on postoperative pulmonary complication (AVATaR): study protocol and statistical analysis plan. BMJ Open. 2018; 23;8(8):e021643.

35. Artime CA, Hagberg CA. Airway Management in the Adult, in: Gropper MA, Erikson LI, Fleisher LA, et al. Miller's Anesthesia, 9th Ed. Elsevier, Philadelphia, 2020; 1373-412.

36. Berg SM, Braehler MR. The Postanesthesia Care Unit, in: Gropper MA, Erikson LI, Fleisher LA, et al. Miller's Anesthesia, 9th Ed. Elsevier, Philadelphia, 2020; 2586-613.

37. Ikari T, Sasaki CT. Glottic closure reflex: control mechanisms. Ann Otol Rhinol Laryngol. 1980; 89:220-4.

38. Tenório SB, Oliveira GS, Floriano KMS, et al. Laringoespasmo e extubação traqueal em plano anestésico: estudo comparativo em crianças. Rev Bras Anestesiol. 1993; 43:293-6.

39. Roy WL, Lerman J. Laryngospasm in paediatric anaesthesia. Can J Anaesth. 1988; 35(1):93-8.

40. Motoyama EK, Finder JD. Respiratory Physiology, In: Davis PJ, Cladis FP. Smith's Anesthesia for Infants and Children. 9th ed. Philadelphia, Elsevier, 2017; 23-72.

41. Hobaika ABS, Lorentz MN. Laringoespasmo. Rev Bras Anestesiol. 2009; 59(4):487-95.

42. Kohse EK, Hollman MW, Bardenheuer HJ, Kessler J. Chronic Hiccups: An Underestimated Problem. Anesth Analg. 2017; 125:1169-83.

43. Westhorpe RN, Ludbrook GL, Helps SC. Crisis management during anaesthesia: bronchospasm. Qual Saf Health Care. 2005;14:e7.

44. Butterworth JF, Mackey DC, Wasnick. Anesthesia for Patients with Respiratory Disease. In: Morgan Jr GE, Mikhail MS, Clinical Anesthesiology. 6th ed. United States, McGraw-Hill. 2018; 535-51.

45. Moro ET. Prevenção da Aspiração Pulmonar do Conteúdo Gástrico. Rev Bras Anestesiol. 2004; 54(2):261-75.

46. Mendelson CL. Aspiration of stomach contents into the lung during obstetrical anesthesia. Am J Obstet Gynecol. 1946; 52:191-205.

47. Nimmo WS. Aspiration of gastric contents. Br J Hosp Med. 1985; 34:176-9.

48. Marik PE. Aspiration pneumonitis and aspiration pneumonia. N Engl J Med. 2001; 344:665-71.

49. Zaloga GP. Aspiration-related illnesses: definitions and diagnosis. JPEN J Parenter Enteral Nutr. 2002; 26:S2-7.

50. Sakai T, Planinsic RM, Quinlan JJ, Handley LJ, Kim TY, Hilmi IA. The incidence and outcome of perioperative pulmonary aspiration in a university hospital: a 4-year retrospective analysis. Anesth Analg. 2006; 103:941-7.

51. Soreide E, Bjornestad E, Steen PA. An audit of perioperative aspiration pneumonitis in gynaecological and obstetric patients. Acta Anaesthesiol Scand. 1996; 40:14-19.

52. Metzner J, Posner KL, Lam MS, Dominoet KB. Closed claims' analysis. Best Pract Res Clin Anaesthesiol. 2011; 25(2):263-76.

53. Auroy Y, Benhamou D, Péquignot F, Jougla E, Lienhart A. Enquête mortalité Sfar-Inserm: analyse secondaire des décès par inhalation de liquide gastrique. Ann Fr Anesth Reanim. 2009; 28:200-5.

54. Kalinowski CP, Kirsch JR. Strategies for prophylaxis and treatment for aspiration. Best Pract Res Clin Anaesthesiol. 2004, 18:719-37.

55. Smith G, Ng A. Gastric reflux and pulmonary aspiration in anaesthesia. Minerva Anestesiol. 2003; 69:402-6.

56. Greenan J. The cardio-oesophageal junction. Br J Anaesth. 1961; 33:432-41.

57. Botha GSM. Mucosal folds at the cardia as a component of the gastrooesophageal closing mechanism. Br J Surg. 1958; 45:569-73.

58. Spence AA, Mori DD, Finlay WEI. Observations on intragastric pressure. Anesthesia. 1967; 22:249-56.

59. Ng Alexander, Smith G. Gastroesophageal reflux and aspiration of gastric contentes in anesthetic practice. Anesth Analg. 2001; 93:494-513.

60. Cotton BR, Smith G. The lower oesophageal sphincter and anaesthesia. Br J Anaesth. 1984; 56:37-46.

61. Braveman FR, Scavone BM, Blessing ME, et al. Obstetrical Anesthesia. In: Barash PG, Cullen BF, Stoelting RK, et al. Clinical Anesthesia. 7a. ed. Philadelphia: Lippincott Williams and Wilkins, 2013; 1144-77.

62. James CB, Gibbs CP, Banner T. Postpartum perioperative risk of aspiration pneumonia. Anesthesiology. 1984; 61:756-9.

63. Schwartz DJ, Wynne JW, Gibbs CP, et al. The pulmonary consequences of aspiration of gastric contents at pH values greater than 2.5. Am Rev Respir Dis. 1980; 121:119-26.

64. Kennedy TP, Johnson KJ, Kunkel RG. Acute acid aspiration lung injury in the rat: Biphasic pathogenesis. Anesth Analg. 1989; 69:87-92.

65. Bisinotto FMB, Silveira LAM, Martins LB. Aspiração pulmonar em anestesia: revisão. Rev Med Minas Gerais. 2014; 24(8):S56-S66.

66. Landay MJ, Christensen EE, Bynum LJ. Pulmonary manifestations of acute aspiration of gastric contents. Am J Roentgenol. 1978; 131:587-92.

67. Toung T, Cameron JL. Cimetidine as a preoperative medication to reduce the complications of aspiration of gastric contents. Surgery. 1980; 87(2):205-8.

68. Shaw RG, Mashford ML, Desmond PV. Cardiac arrest after intravenous injection of cimetidina. Med J Aust. 1980; 2:629-30.

69. Stoelting RK. Responses to atropine, glycopirrolate, and riopan of gastric fluid pH and volume in adult patients. Anesthesiology. 1978; 48:367-9.

70. Knapp AB, Maguire W, Keren G, et al. Cimetidine-lidocaine interaction. Ann Intern Med. 1983; 98:174-7.

71. Robson RA, Wing LMH, Miners JO, et al. The effect of ranitidine on the disposition of lignocaine. Br J Clin Pharmacol. 1985; 20:170-3.

72. Noble DW, Smith KJ, Dundas CR. Effects of H2 antagonists on the elimination of bupivacaína. Br J Anaesth. 1987; 59:735-7.

73. Gold M I, Duarte I, Muravichick S. Arterial oxygenation in conscious patients after 5 minutes and after 30 seconds of oxygen breathing. Anesth Analg. 1981; 60:313-5.

74. Sellick BA. Cricoid pressure to control regurgitation of stomach contents during induction of anaesthesia. Lancet. 1961; 1:404-6.

75. Cook WP, Schultetus RR, Caton D. A comparison of d-tubocurarine pretreatment and no pretreatment in obstetric patients. Anesth Analg. 1987; 66:756-60.

76. Magorian T, Flannery KB, Miller RD. Comparison of rocuronium, succinylcholine and vecuronium for rapid-sequence induction of anesthesia in adult patients. Anesthesiology. 1993; 79:913-8.

77. Samsoon GLT, Young JRB. Difficult tracheal intubation: A retrospective study. Anesthesia. 1987; 42:487-90.
78. Holdsworth JD, Furness RMB, Roulston RG. A comparison of apomorphine and stomach tubes for emptying the stomach before general anaesthesia in obstetrics. Br J Anaesth. 1974; 46:526-9.
79. Brock-Utne JG, Rubin J, McAravey R, et al. The effect of hyoscine and atropine on the lower oesophageal sphincter. Anaesth Intensive Care. 1977; 5:223-5.
80. Burgess GE, Cooper JR, Marino RJ, et al. Laryngeal competence after tracheal extubation. Anesthesiology. 1979; 51:73-7.
81. Downs JB, Klein EF Jr. Modell JH. The effect of incremental PEEP on PaO2 in patients with respiratory failure. Anesth Analg. 1973; 52:210-5.
82. Suter PM, Fairley HB, Isenberg MD. Optimum end-expiratory airway pressure in patients with acute pulmonary failure. N Engl J Med. 1975; 292:284-9.
83. Bannister WK, Sattilaro AJ, Otis RD. Therapeutic aspects of aspiration pneumonitis in experimental animals. Anesthesiology. 1961; 22:440-3.
84. Bannister WK, Sattilaro AJ. Vomiting and aspiration during anesthesia. Anesthesiology. 1962; 23:251-4.
85. Modell JH, Moya F, Newby EJ, et al. The effects of fluid volume in sea water drowning. Ann Intern Med. 1967; 67:68-80.
86. Val HR. Complicações associadas à ventilação mecânica. Rev Bras Anestesiol. 1996; 46:206-22.
87. Kavanagh BP, Hedenstierna G. Respiratory Physiology and pathophysioplogy. In: Miller's Anesthesia, 9th Ed. Elsevier, Philadelphia, 2020;355-84.
88. Evgenov OV, Liang Y, Jiang Y, et al. Pulmonary Pharmacology and inhaled anesthestics, In: Miller's Anesthesia, 9th Ed. Elsevier, Philadelphia, 2020;540-71.
89. Slinger PD, Campos JH. Anesthesia for Thoracic Surgery. In: Miller's Anesthesia, 9th Ed. Elsevier, Philadelphia, 2020; 1648-716.
90. Vender JS. Complications and physiologic alterations of positive airway pressure therapy. Anesthes Clin North Am. 1987; 5:807-13.
91. Berg SM, Braehler MR. The Postanesthesia Care Unit, in: In: Miller's Anesthesia, 9th Ed. Elsevier, Philadelphia, 2020; 2586-3084.
92. Sarkar P, Chandak T, Shah R, et al. Diagnosis and Management Bronchopleural Fistula. Indian J Chest Dis Allied Sci. 2010; 52:97-104.
93. Pham T, Brochard LJ, Slutsky AS. Mechanical Ventilation: State of the Art. Mayo Clin Proc. 2017; 92(9):1382-1400.
94. Güldner A, Kiss T, Neto AS, et al. Intraoperative Protective Mechanical Ventilation for Prevention of Postoperative Pulmonary Complications. Anesthesiology. 2015; 123:692-713.
95. Ortiz-Gómez JR, Fornet I, Palacio FL. Fisiopatología del edema pulmonar. Implicaciones terapéuticas, cuidados respiratorios y tecnologia. Cuid Resp. 2008; 3(3):23-30.
96. Silva LAR, Guedes AA, Salgado Filho MF, et al. Edema pulmonar por pressão negativa: relato de casos e revisão da literatura. Rev Bras Anestesiol. 2019; 69(2):222-26.
97. Ponikowski P, Voors AA, Anker SD, et al. ESC Guidelines for the diagnosis and treatment of acute and chronic heart failure. 2016; 14;37(27):2129-200.
98. Peacock WF, Cannon CM, Singer AJ, et al. Considerations for initial therapy in the treatment of acute heart failure. Crit Care. 2015; 10;19:399.
99. Reed CR, Glauser FL. Drug-induced noncardiogenic pulmonary edema. Chest. 1991; 100:1120-24.
100. Kazaure HS, Martin M, Yoon JK, Wren SM. Longterm results of a postoperative pneumonia prevention program for the inpatient surgical ward. JAMA Surg. 2014; 149(9):914-18.
101. Chastre J, Fagon JY. Ventilator-associated pneumonia. Am J Respir Crit Care Med. 2002; 165(7):867-903.
102. Rello J, Ollendorf DA, Oster G, Vera-Llonch M, Bellm L, Redman R, Kollef MH. Epidemiology and outcomes of ventilator-associated pneumonia in a large US database. Chest. 2002; 122(6):2115-21.
103. Warren DK, Shukla SJ, Olsen MA, Kollef MH, Hollenbeak CS, Cox MJ, Cohen MM, et al. Outcome and attributable cost of ventilator-associated pneumonia among intensive care unit patients in a suburban medical center. Crit Care Med. 2003; 31(5):1312-17.
104. Ishida T, Tachibana H, Ito A, Ikeda S, Furuta K, Nishiyama A, Noyama M, et al. Clinical characteristics of pneumonia in bedridden patients receiving home care: a 3-year prospective observational study. J Infect Chemother. 2015; 21(8):587-591.
105. Tokuyasu H, Harada T, Watanabe E, Okazaki R, Touge H, Kawasaki Y, Shimizu E. Effectiveness of meropenem for the treatment of aspiration pneumonia in elderly patients. Intern Med. 2009; 48(3):129-135.
106. Li M, Pan P, Hu C. [Pathogen distribution and antibiotic resistance for hospital aquired pneumonia in respiratory medicine intensive care unit]. Zhong Nan Da Xue Bao Yi Xue Ban. 2013; 38(3):251-57.
107. Chughtai M Gwam CU, Mohamed N, et al. The Epidemiology and Risk Factors for Postoperative Pneumonia. J Clin Med Res. 2017; 9(6):466-75.
108. Raskob GE, Angchaisuksiri P, Blanco AN, et al. Thrombosis: a major contributor to global disease burden. Arterioscler Thromb Vasc Biol. 2014; 34:2363-2371.
109. Wendelboe AM, Raskob GE. Global burden of thrombosis: epidemiologic aspects. Circ Res. 2016; 118:1340-47.
110. Keller K, Hobohm L, Ebner M, Kresoja KP, Munzel T, Konstantinides SV, Lankeit M. Trends in thrombolytic treatment and outcomes of acute pulmonary embolism in Germany. Eur Heart J. 2020; 41:522-29.
111. Konstantinides SV, Meyer G, Becattini C, et al. 2019 ESC Guidelines for the diagnosis and management of acute pulmonary embolism developed in collaboration with the European Respiratory Society (ERS). European Heart Journal. 2020; 41:543-603.
112. Stein PD, Beemath A, Matta F, et al. Clinical Characteristics of Patients with Acute Pulmonary Embolism: Data from PIOPED II. Am J Med. 2007; 120(10):871-79.
113. Desciak MC, Martin DE. Perioperative pulmonary embolism: diagnosis and anesthetic management, J Clin Anesth. 2011; 23(2):153-65.
114. Cantu CAS, Pavlisko EN. Liposuction-Induced Fat Embolism Syndrome. A Brief Review and Postmortem Diagnostic Approach. Arch Pathol Lab Med. 2018; 142:871-75.
115. American Society for Aesthetic Plastic Surgery. 2015 cosmetic surgery national data bank statistics. Disponível em: http://www. surgery.org/sites/default/files/ASAPSS-tats2015.pdf. Accessed January 25, 2020.
116. Warltier DC. Diagnosis and Treatment of Vascular Air Embolism. Anesthesiology. 2007; 106:164-77.
117. McCarthy CJ, Behravesh S, Naidu SG, et al. Air Embolism: Diagnosis, Clinical Management and Outcomes. Diagnostics. 2017; 7(5;):1-10.
118. Lisonkova S, Kramer MS (2019) Amniotic fluid embolism: A puzzling and dangerous obstetric problem. PLoS Med. 16(11): e1002976.
119. Fitzpatrick KE, van den Akker T, Bloemenkamp WM, et al. Risk factors, management, and outcomes of amniotic fluid embolism: A multicountry, population-based cohort and nested case control study. PLoS Med. 2019; 16(11):e1002962.
120. Roberts KE, Hamele-Bena D, Sagi A, et al. Pulmonary tumor embolism: a review of the literature. Am J Medic, 2003; 115(3):228-32.
121. Bailey PL, Pace NL, Ashburn MA, et al. Frequent hypoxemia an apnea after sedation with midazolam and fentanil. Anesthesiology. 1990; 73:826-30.
122. Malbouisson LMS, Humberto F, Rodrigues RR, et al. Atelectasias durante Anestesia: Fisiopatologia e Tratamento. Rev Bras Anestesiol. 2008; 58(1):73-83.
123. Ray K, Bodenham A, Paramasivam E. Pulmonary atelectasis in anaesthesia and critical care. Cont Ed Anaesth, Crit Care & Pain. 2014; 14(5):236-45.
124. Meyers JR, Lembeck L, O'Kane H, et al. Changes in functional residual capacity of the lung after operation. Arch Surg. 1975; 110:576-83.
125. Becquemin JP, Piquet J, Becquemin MH, et al. Pulmonary function after transverse or midline incision in patients with obstructive pulmonary disease. Intensive Care Med. 1985; 11:247-51.
126. Pedersen T, Eliasen K, Henriksen E. A prospective study of risk factors and cardiopulmonary complications associated with anaesthesia and surgery: risk indicators of cardiopulmonary morbidity. Acta Anaesthesiol Scand. 1990; 34:144-55.
127. Jayr C, Bourgain JL, Alaroon J, et al. Postoperative pulmonary complications. Epidural analgesia using bupivacaína and opioids versus parenteral opioids. Anesthesiology. 1993; 78:666-76.
128. den Herder S, Schmeck J, Appelboom DJK, et al. Risks of general anaesthesia in people with obstructive sleep apnoea. BMJ. 2004; 329(23):955-59.
129. Carrik MA, Robson JM, Thomas C. Smoking and anaesthesia. BJA Education. 2019; 19(1):1-6.
130. Boden I, Skinner EH, Browning L, et al. Preoperative physiotherapy for the prevention of respiratory complications after upper abdominal surgery: pragmatic, double blinded, multicentre randomised controlled trial. BMJ. 2018; 360:1-15.
131. Gray-Donald K, Gibbons L, Shapiro SH, et al. Effect of nutritional status on exercice performance in patients with chronic obstructive pulmonary disease. Am Rev Respir Dis. 1989; 140:1544-8.
132. Ramos Gc, Pereira E, Gabriel Neto S, et al. Influência da Morfina Peridural na Função Pulmonar de Pacientes Submetidos à Colecistectomia Aberta. Rev Bras Anestesiol. 2007; 57(4):366-81.
133. Gupta S, Fernandes RJ, Rao JS, Dhanpal R. Perioperative risk factors for pulmonary complications after non-cardiac surgery. J Anaesthesiol Clin Pharmacol. 2020; 36(1):88-93.
134. Miskovic A, Lumb A B. Postoperative pulmonar complications. British Journal of Anaesthesia 2017; 118: 317-34.
135. Jammer I, Wickboldt N, Sander M, et al. Standards for definitions and use of outcome measures for clinical effectiveness research in perioperative medicine: European Perioperative Clinical Outcome (EPCO) definitions: a statement from the ESA-ESICM joint taskforce on perioperative outcome measures. Eur J Anaesthesiol 2015; 32: 88–105.
136. McLean DJ, Diaz-Gil D, Farhan HN, Ladha KS, Kurth T, Eikermann M. Dose-dependent association between intermediateacting neuromuscular-blocking agents and postoperative respiratory complications. Anesthesiology 2015; 122: 1201–13.
137. Ladha K, Vidal Melo MF, McLean DJ, et al. Intraoperative protective mechanical ventilation and risk of postoperative respiratory complications: hospital based registry study. Br Med J 2015; 351: h3646.
138. Jeong B-H, Shin B, Eom JS, et al. Development of a prediction rule for estimating postoperative pulmonary complications. PLoS One 2014; 9: e113656.
139. Mazo V, Sabaté S, Canet J, et al. Prospective external validation of a predictive score for postoperative pulmonary complications. Anesthesiology. 2014; 121(2):219-231.

223

Complicações Cardiocirculatórias

Célio Gomes de Amorim ▪ Maria José Carvalho Carmona

INTRODUÇÃO

Indo para a terceira versão da discussão relacionada às complicações cardiocirculatórias perioperatórias, o capítulo atual, por um lado, ratifica a adoção de condutas já bastante consagradas, as quais, naturalmente, também não têm sido ainda dadas como sendo definitivas, o que implica em contínuo debate, até que se possa colocar em evidência outra momentânea verdade. Por outro, busca trazer atualizações consideradas como tendo suficiente validação, obtidas a partir de pertinente exploração, em cada caso, do poder de associação das variáveis sendo colocadas em voga.

Como não poderia ser diferente, em qualquer das condições consideradas, a adequada argumentação necessariamente leva à abordagem da terapêutica farmacológica, cuja análise parte dos algoritmos inferenciais facilitadores, dos possíveis diagnósticos envolvidos, objetivando, primeiro, rápida identificação, utilizando, assim, o mínimo gasto possível de tempo indevido, e, segundo, termina com a construção de uma melhor assertividade quanto à conduta. Tal fluxo de leitura naturalmente implica na utilização mais justificável dos fármacos disponíveis, contidos no leque de opções.

Por sua vez, tratando-se de propedêutica, de um lado, como instrumentos diagnósticos, e, de outro, como importantes mecanismos auxiliares de resposta, durante a condução de dado caso, vale dizer que a utilização da ultrassonografia (USG), bem como da ecocardiografia (ECO), tem se tornado cada vez mais imperativa, sobretudo na urgência e na emergência, locais de assistência nos quais já é obrigatória a presença de tais instrumentos no parque de equipamentos. A inserção desses mecanismos sinaliza para resultados mais promissores, relativos à segurança na assistência. Consequentemente, traz a obrigatoriedade de que, tanto o anesonsiologista quanto o intensivista, invistam na subsequente qualificação, com o objetivo de aumentar suas habilidades na construção de inferência diagnóstica, o que, consequentemente, se desdobra em otimização do tempo hábil para que sejam observados os resultados hemodinâmicos da terapia escolhida, permitindo o rápido redirecionamento, caso a evolução não se mostre tão favorável quanto o esperado.

Tratando-se de outras questões inovadoras, extremamente importantes, para o que se quer dizer no capítulo atual, vale a pena fazer inferência a respeito da profunda e irreversível integração com a Inteligência Artificial (IA), a qual, consequentemente, irá transformar não só a Anestesiologia, mas todas as áreas da Medicina, o que certamente possibilitará aplicabilidade dos inúmeros tipos de modelos nela contidos ao cenário contextual no qual possa estar inserido o paciente, em qualquer ambiente, hospitalar ou fora dele.[1] Sobre tal característica, faz-se aqui apenas chamamento a um pensamento crítico, sem que se aprofunde a discussão, até porque ainda está em construção.

Interessantemente, no entanto, relacionado à Anestesiologia e à Medicina Intensiva, por exemplo, é possível que, tendo a IA como mola propulsora, considerando-se o imenso banco de dados que está sendo gerado, haverá impactantes desdobramentos sobre a Ciência Computacional e a Biologia Molecular. Consequentemente, uma pletora de moléculas com alta especificidade para determinados sítios efetores estará disponível, sobretudo no que se refere às classes cuja relação estrutura-atividade permita, a partir de peculiares interações farmacodinâmicas, a construção de interessantíssimos modelos farmacocinéticos de administração, algo que significa tremenda melhoria do que já se vê, como são os relacionados aos impressionantes remifentanil, propofol, milrinona, carperitide, nesiritide, entre outros.

No entanto, como não há absolutismo na Medicina, independentemente do tema sobre o qual se queira discutir, por mais que se disponha de tecnologia agregada, é possível que, num sentido metafórico, as complicações cardiocirculatórias continuem à espreita, sempre prontas para tomarem o cenário, induzindo, a partir daí, a desfechos desfavoráveis. Por esse motivo, o emaranhado que as constitui, naturalmente, obriga a sempre levantar-se profunda discussão relacionada ao poder de associação das inúmeras variáveis envolvidas, quando o cenário clínico é crítico e complexo, fazendo com que cada pequeno detalhe tenha sua importante influência, na "Constelação Causal", a que se relacionam tais eventos.[2] Deseja-se boa leitura.

ESTRATIFICAÇÃO DE RISCO E MONITORIZAÇÃO ESCALONADA

Uma vez que tenha ocorrido algum evento, vários aspectos entram em cena, a partir de quando passa a ser possível observar se houve preparação adequada para lidar com a intercorrência. Não tendo havido, e é muito fácil deixar pequenos detalhes, coloca-se então em xeque toda a estrutura de atendimento, sobretudo a da equipe de anestesiologia, a qual está sempre "*sub judice*". A partir daí, devido ao estresse gerado naturalmente pela situação, na tentativa de estabelecer o mais rapidamente possível quais são as prováveis causas associadas, aumenta-se a probabilidade de ocorrência de erros de raciocínio. Objetivando evitar tal "tropeço", é imperativo que já se tenha conhecimento sobre o histórico do paciente, relacionado tanto à sua condição vigente, quanto a todo tipo de avaliação realizada, muito antes do início da cirurgia. A partir dele, é possível delinear as melhores estratégias, o que permite, pelo menos, tentar quebrar a sequência de mecanismos que se sucedem, algo que, se não for feito, induz a um progressivo aumento da complexidade, até um dado ponto a partir do qual possa não mais ser possível retornar, tornando provavelmente ineficaz qualquer conduta posteriormente adotada. Além desse aspecto, em se tratando do ato anestésico em si, a monitorização adequada é então condição "*sine qua non*". Pode-se dizer que adotá-la é pressuposto para começar bem algo que possa vir a ser uma difícil jornada, ao longo da qual, devido a tal conduta, torna-se possível ir juntando peças, à medida que dados adicionais venham a surgir, pois há variáveis sendo captadas, mesmo que, paralelamente,

esteja havendo rápida deterioração clínica, sobreposta ao trauma anestésico-cirúrgico. A partir de um planejamento anestésico bem elaborado, relacionado ao que se considera como sendo monitorização satisfatória, seguramente, o desdobramento é a melhor compreensão a respeito das possíveis causas associadas a dado evento, caso venha a ocorrer. Ademais, a depender dos parâmetros utilizados, será possível, além da detecção, observar se dada terapia, diante de um evento estabelecida, será eficaz ou não.

Entretanto, a monitorização satisfatória é, por assim dizer, "função" da ampla investigação pré-operatória sobre as condições do paciente, a qual, salvo quando o quadro for de "urgência/emergência", deve impreterivelmente ser realizada, sobretudo quando a cirurgia for complexa e o paciente apresentar comorbidades, condições que obrigam à formulação de uma estratificação do risco cirúrgico. Para tanto, o preenchimento de protocolos específicos, considerando as condições clínicas, hábitos e terapias associadas, resulta na construção de um conjunto de dados, cuja finalidade principal é discriminar, mais adequadamente, as respectivas probabilidades relacionadas à ocorrência de determinados tipos de eventos, procedimento que permite análise inferencial já no pré-operatório.[3] Interessantemente, tais protocolos também orientam intervenções possíveis e necessárias, pertinentes a cada categoria de risco. Com base nessas orientações, por exemplo, é possível decidir sobre o que será considerado como sendo um parâmetro de monitorização necessário, bem como se poderá ser realizada uma monitorização escalonada, pois também é necessário levar em conta o custo-benefício. Igualmente, a partir da criteriosa estratificação pré-operatória, pode-se identificar que tipo de suporte eventualmente será necessário, o que leva à preparação, por exemplo, de determinadas soluções de fármacos antes mesmo do início da cirurgia, conduta que, seguramente, minimiza o tempo necessário para que se possa realizar determinada intervenção, caracterizando antecipação e, por consequência, uma anestesia segura. A Figura 223.1 coloca conceitualmente um esquema que interliga os passos, para ajudar na realização de uma anestesia segura.

OBTENÇÃO DE DADOS E DELINEAMENTO DERIVADO DA MONITORIZAÇÃO

Alguns eventos cardiocirculatórios estão claramente associados a evoluções desfavoráveis, enquanto outros tendem a não trazer consequências mais graves, desde que se

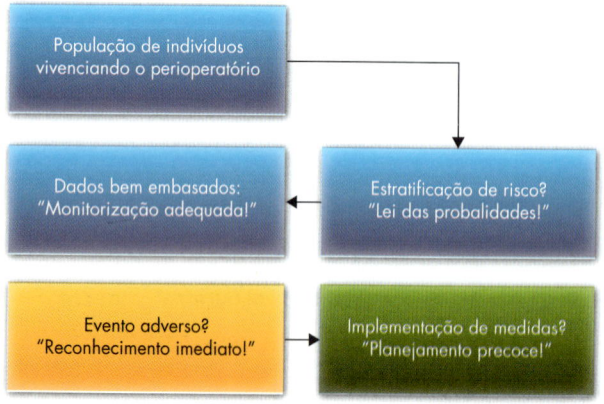

◄ **Figura 223.1** Fluxograma sobre anestesia segura.

atue assertivamente, em tempo hábil. Em se tratando de isquemia miocárdica perioperatória, o diagnóstico presuntivo pode ser logo inferido, após observar-se a cardioscopia contínua, desde que se tenha, primeiro, posicionado os eletrodos de tal forma a permitir adequada visualização tanto do complexo QRS, quanto do segmento ST; segundo, eliminado as interferências; e terceiro, feito investigação visual das derivações disponíveis, antes de iniciar o procedimento, executando, por assim dizer, um complemento do *checklist*.[4] A partir daí, na vigência de alterações sugestivas, como alterações do segmento ST, alargamento do QRS ou alterações da onda T (vale lembrar que certos monitores mensuram o segmento ST, até em um desnível mínimo de 0,5 mm), medidas iniciais podem ser adotadas, enquanto resultados de exames laboratoriais, extremamente importantes para o diagnóstico final, são aguardados. No entanto, lesões como as que ocorrem no tronco coronariano esquerdo, adicionadas aos efeitos depressores dos anestésicos, podem provocar um crítico desequilíbrio entre a oferta e a demanda de O_2 miocárdica, mudando a evolução para um perfil mais desfavorável. Logicamente, independentemente da gravidade da lesão, seguindo a trilha da forma como foi anteriormente postulado, o primeiro passo então é tentar restaurar os níveis pressóricos, levando-se em conta, por um lado, o permissivo ajuste volêmico, que deve ser individualizado e devidamente guiado por monitorização, bem como, por outro lado, a terapêutica farmacológica, para uso da qual se pode lançar mão, em um primeiro momento, de alfa-agonistas, objetivando garantir restauro da perfusão coronariana.[5]

Ainda nessa linha, considerando agora determinadas características de cada classe farmacológica, nada impede que, na vigência da situação citada, sejam utilizados, ao mesmo tempo, vasodilatadores coronarianos como a nitroglicerina, em infusão contínua, embora, em um primeiro momento, pareça incongruente.[6] Ao ser necessário buscar o restauro da hemodinâmica, a utilização de pequenas doses de noradrenalina (5 a 10 $\mu g.min^{-1}$) associa-se a suficientes aumentos da pressão sistólica e da diastólica, devido aos seus efeitos diretos alfa-agonistas, enquanto exerce poucos efeitos sobre os receptores β_2, embora esse mecanismo ainda esteja sob investigação.[5,6]

Em se tratando de isquemia subendocárdica, por exemplo, que pode ser observada nas situações de obstrução da circulação, cujos mecanismos autorreguladores já não possibilitam uma redistribuição adequada do fluxo, a utilização de nitroglicerina otimiza a relação entre a oferta e a demanda de O_2 nas áreas afetadas.[6] Tal mecanismo deriva dos seus efeitos mediados pela liberação de óxido nítrico (NO) nos vasos de capacitância da circulação coronariana, o que leva à vasodilatação desses e, ao mesmo tempo, impede o efeito de vasoconstrição, no caso, associado ao mecanismo alfa-agonista, combinação que justifica a indicação da referida terapia farmacológica. Dessa forma, o aparente paradoxo criado, ao se optar pela infusão simultânea de um alfa-agonista e um nitrovasodilatador, passa a ser, na verdade, uma estratégia justificável. O que deve ser levado em conta, de fato, é o efeito que se espera do fármaco no território vascular em questão, partindo-se do princípio de que cada órgão tem uma característica distribuição de receptores.[6]

Embora seja um fármaco relevante no contexto das ações do anestesiologista, ao se optar pela infusão de noradrenalina, durante um evento de isquemia, não se deve esquecer que tal fármaco aumenta o consumo de oxigênio, condição que pode causar desequilíbrio na relação entre oferta e consumo, algo que, por si só, induz a um quadro de acidose tecidual miocárdica e, consequentemente, aumenta a probabilidade de ocorrência de arritmia, levando à progressiva deterioração, uma vez que os distúrbios hemodinâmicos, quando são associados a alterações do ritmo, tornam a perfusão mais crítica do que já se encontra.[5] Ainda que haja questões relacionadas ao mecanismo arritmogênico associado à noradrenalina, há quem diga que o principal efeito deflagrador estaria vinculado a um "antagonismo funcional" entre a via acoplada aos receptores β_1, pró-arrítmica, que pode inclusive ser estimulada por vários agonistas, e o que se considera como sendo um efeito antiarrítmico da estimulação dos receptores β_2, os quais, por sua vez, possuem pouca afinidade pela noradrenalina. É possível que tal característica guarde relação com efeitos sobre a fase 4, durante a repolarização celular, período em que se pode acelerar a despolarização lenta no nó sinoatrial.[5] No entanto, também vale lembrar que a infusão de adrenalina, utilizada nos pacientes em condições bem mais críticas, como a deterioração hemodinâmica refratária, é a que parece estar mais associada à presença de contrações atriais prematuras, ou até de arritmias ventriculares, o que pode colocar em xeque o pensamento anterior.

Embora aprofundar a discussão a respeito dos possíveis mecanismos inerentes à interação fármaco-receptor possa ser interessante, é necessário voltar à questão das alterações da perfusão miocárdica, deflagradoras da isquemia miocárdica, observável no período perioperatório. Para o momento, deve-se lembrar que a isquemia perioperatória, se rapidamente detectada, raramente evoluirá para insuficiência franca de bomba ou fibrilação ventricular, situação que possibilita ações escalonadas de resgate, ao invés de condutas desmedidas ou agressivas que são sempre associadas a efeitos indesejados.[7] Ademais, não querendo minimizar o contexto, a parada cardíaca durante a anestesia, embora seja certamente desastrosa, é diferente daquela que ocorre em outros ambientes, porque geralmente é testemunhada e frequentemente pode ser antecipada se todas as ações forem voltadas para a execução de um procedimento que tem como objetivo a qualidade e a segurança. Logo, o prognóstico relacionado ao perioperatório está intimamente ligado ao detalhado conhecimento sobre as condições clínicas, algo que leva à estratificação do risco de evento adverso, assim como sugere previamente quais recursos serão imprescindíveis durante o procedimento.[7] Se levados em consideração, esses aspectos possibilitam uma resposta imediata, agressiva e direcionada. Um exemplo prático seria a colocação prévia, durante a monitorização, de marca-passo transcutâneo na reoperação para troca de válvula mitral.

Mesmo sem a presença de fatores de risco pré-operatórios, grandes instabilidades hemodinâmicas perioperatórias, quando ocorrem, não são inertes, em se tratando de evolução.[8] Dos eventos mais comumente associados, sobretudo, se tiver sido a suspeição diagnóstica relegada para o pós-operatório, de tal forma que a detecção ocorra em um momento de lesão, que esteja além do ponto de irreversibilidade (*point of no return*), pode-se dizer que a Lesão Renal Aguda (LRA) tende a aumentar, sobremaneira, a probabilidade de ocorrência de evento que contabilizará a estatística de desfechos desfavoráveis.[8,9] Assim, é essencial que se tenha atenção a pequenos detalhes inerentes ao procedimento anestésico, como o débito urinário, por exemplo, hora a hora, conduta que implica na constante busca pela manutenção da estabilidade hemodinâmica, manutenção de frequência e um ritmo cardíacos adequados para a situação, oxigenação satisfatória e volemia momentânea ajustada, na medida do possível. Assim, embora tais ações não sejam traduzidas por efeitos momentâneos pronunciados, serão, indubitavelmente, relacionadas a um melhor prognóstico.[8,10]

■ Hipertensão Arterial

Na busca por resultados favoráveis derivados do perioperatório, faz-se necessário levar em consideração que as ações devem bem mais abrangentes que o ato anestésico em si, o que implica na exploração do cotidiano do paciente. Por exemplo, mesmo indivíduos considerados previamente normotensos podem apresentar quadro de crise hipertensiva perioperatória. Fatores que vão desde o estado psicoemocional até trauma cirúrgico em si, além de outras condições que incluem anestesia inadequada, hipercapnia, hipoxemia, fármacos e hipertensão reflexa, como a que ocorre quando há hipertensão intracraniana ou quando há quadro de distensão vesical, integram um leque de "causas componentes". Essa hipertensão "fisiológica" representa um sinal de alerta, devendo prontamente chamar a atenção do anestesiologista.[11] A elevação inesperada da pressão arterial, em resposta ao estresse cirúrgico, em indivíduos sem história de hipertensão ou de doença cardíaca, deve chamar a atenção para a probabilidade de que seja o paciente portador de uma geometria ventricular esquerda já alterada.[12]

Por outro lado, parcela considerável dos hipertensos pode não estar respondendo adequadamente ao tratamento estabelecido, algo que implica, então, na observação de uma pressão arterial de base anormalmente elevada no pré-operatório. Estes pacientes podem apresentar hiper-reatividade pressórica aos estímulos perioperatórios. Hipertensão, leve ou moderada, não contraindica a realização da maioria das cirurgias, desde que, como dito, haja monitorização adequada e fármacos disponíveis para eventual tratamento emergencial.[11]

Havendo, então, quadro de hipertensão arterial (HA) no período perioperatório, deve-se investigar, além da possibilidade de ser a manifestação do tipo essencial, suas várias formas de apresentação, sobretudo as que podem estar associadas a causas secundárias, como feocromocitoma ou doença renal.[11] Igualmente, é necessário que se proceda a uma minuciosa pesquisa por condições associadas, indicativas da ocorrência de lesão dos órgãos-alvo, bem como pelos diagnósticos de outras comorbidades, os quais, quando não levados em consideração, seguramente podem mudar o prognóstico perioperatório. Ademais, pode-se dizer que a hipertensão arterial sistólica (HAS) é mais prevalente que a

diastólica, ocorrendo em dois terços da população cuja faixa etária esteja acima dos 50 anos, ao mesmo tempo que é a condição mais associada ao acidente vascular cerebral e à insuficiência coronariana.[13,14] Por outro lado, a hipertensão diastólica isolada (PADI) é mais prevalente nos indivíduos mais jovens (menores de 40 anos de idade), sendo, por sua vez, um importante marcador de complicações cardiovasculares.[15] Da mesma forma, na estratificação do risco, observa-se que a presença de hipopotassemia, sem o concomitante uso de diurético, pode ser indicativa de hiperaldosteronismo, assim como, no exame físico, um sopro abdominal pode ser evidência de estenose aórtica (renal), enquanto um atraso na propagação da onda de pulso radial para femoral pode diagnosticar a coarctação da aorta ou, ainda, durante a investigação, pode-se observar hipertensão rebote, consequente à suspensão de fármacos como a clonidina e os betabloqueadores.[13] Na medida do possível, quanto mais aprofundada for a investigação, maiores serão as chances de sucesso na condução do procedimento.

Ao se deparar, no período perioperatório, com quadro de hipertensão, entra-se num ambiente em que se faz necessária discussão com outras equipes, que possa vir até a ser conflitante, no que se refere a realizar ou não a cirurgia. Anestesiologistas bem sabem o quanto isso pode significar. Indubitavelmente, há considerações pertinentes quanto ao prognóstico relacionado, quando um indivíduo, apresentando controle inadequado, caracterizado por níveis pressóricos mais elevados, é submetido a um padrão de perfusão renal e coronariana, devido à anestesia, aquém do que vinha até então demonstrando, pois tal conduta se desdobra em pior evolução. Por outro lado, pode-se inferir também que, não havendo lesão de órgãos-alvo, ou seja, sendo apenas um pico de HA, evidências demonstrando associação entre pressão arterial sistólica (PAS) > 180 mmHg ou diastólica (PAD) > 110 mmHg e complicações perioperatórias ainda não são categóricas a esse ponto.[16] Nesse sentido, atribuir à hipertensão arterial sistólica isolada (HASI) uma condição mais associada a piores desfechos, no perioperatório, considerando-se, primeiro, a crítica de que ela ainda é "subdiagnosticada" e, segundo, o baixo poder estatístico dos estudos utilizados, ainda traz controvérsias. Porém, por consequência da hipertrofia ventricular (HV) desenvolvida durante a HASI, há aumento do risco de associação a eventos cardiovasculares e cerebrovasculares quando comparado à hipertensão arterial diastólica isolada (HADI), se ajustado por sexo e faixa etária. Tal observação demonstra que, havendo possibilidade, deve-se chamar a equipe da cardiologia, para que se faça um ECO, conduta considerada como sendo bastante esclarecedora, possível e simples de ser feita, na atualidade.[16]

Não se pode inferir, por outro lado, que haverá menor risco perioperatório se houver adiamento da cirurgia quando a hipertensão for considerada como sendo de leve a moderada e não existirem sinais de deterioração orgânica ou de doenças metabólicas descompensadas.[17] Entretanto, o contexto vivenciado pelo paciente deve ser ao máximo explorado, para que se possa traçar a melhor estratégia, incluindo a manutenção de níveis pressóricos perioperatórios um pouco mais elevados, o que implica em uma Pressão Arterial Média (PAM) em torno de 80 mmHg, desde que o padrão de sangramento observado, primeiro, não leve a uma grande dificuldade de realização do procedimento, e, segundo, não comprometa o transporte de oxigênio. Ainda nessa linha de pensamento, considerando-se a ampla variabilidade da qualidade dos recursos disponíveis para um adequado diagnóstico, bem como para uma precisa avaliação do risco no território de abrangência utilizado para exercício da anestesiologia, uma vez que anestesiologistas de regiões com menos aparato queiram utilizar como referência o capítulo atual, até que se esclareça esta questão, é preferível ainda um julgamento empírico das condições clínicas, antes que se decida pela execução ou não do procedimento, o que também encontra subsídio na literatura. Algo que também necessita ser considerado, nesse contexto, é que, indivíduos portadores de HAS são mais suscetíveis à isquemia perioperatória, às arritmias e à labilidade cardiovascular.[18] A pressão arterial mais elevada exerce efeitos sobre a pós-carga cardíaca e o trabalho ventricular, predispondo, consequentemente, à isquemia e ao infarto miocárdico (IM), especialmente se já houver coronariopatia ou hipertrofia ventricular esquerda (HVE) associadas. Diante disso, é necessário que se considere a utilização do arsenal farmacológico disponível, especialmente as preparações para uso intravenoso, objetivando garantir um individualizado manuseio da hemodinâmica, que possa levar à adequada perfusão tissular, consequentemente, diminuindo a probabilidade de ocorrência de eventos adversos perioperatórios. No entanto, considerando-se a discussão anterior, quando for detectada alguma lesão de órgão-alvo, como doença coronariana ou insuficiência renal, concomitantemente ao diagnóstico de HAS, pois tais achados implicam em inerente aumento do risco cardíaco perioperatório, deve-se evitar grandes oscilações na pressão, o que é um desafio, pois se isso ocorrer, como visto, mecanismos adicionais de lesão podem se estabelecer, certamente piorando a condição clínica na qual se encontra o indivíduo.[17,18]

Pode-se dizer que a pressão arterial intraoperatória deve ser mantida dentro de uma faixa de 20% abaixo do valor pré-operatório, principalmente no indivíduo hipertenso. Entretanto, se os níveis pressóricos já se encontrarem elevados e a cirurgia proposta for de grande porte, como, por exemplo, vascular, cuja técnica operatória necessária para sua realização inclua utilização de clamps em vasos de grosso calibre, certamente manter os níveis pressóricos dentro da faixa descrita não será fácil tarefa, além de poder associar-se à lesão tecidual. Alterações hemodinâmicas bruscas podem ser desencadeadas nos momentos tanto de colocação quanto de soltura dos referidos instrumentos, justificando a dificuldade de obtenção da estabilidade. Por outro lado, monitorização adequada, utilização de vasodilatadores ou de vasopressores, além de rigoroso acompanhamento do débito urinário, indicando se há ou não estabilidade, permite a que se aceite uma combinação de plano anestésico mais profundo, ajustado com fármacos vasoativos. Essa postura se traduz por uma "regulagem mais fina", em se tratando da terapêutica farmacológica, pois produz adequada depressão do sistema nervoso, com reflexo na atividade simpática, ao mesmo tempo que não afeta profundamente a atividade dos receptores vasculares, os quais continuam a responder prontamente à infusão tanto de fármacos vasoativos quanto de líquidos.

De um modo geral, independentemente do tipo de cirurgia, reduções acentuadas da pressão arterial devem ser evitadas no indivíduo hipertenso, pois a hipoperfusão dos vasos esplâncnicos, mesmo quando em condições de normovolemia, é o mecanismo inicial relacionado a uma pior relação entre oferta e consumo celular, a partir daí, gerando uma cadeia de eventos deletérios.[19]

A hipertensão sustentada, identificada no momento perioperatório, deve ser tratada porque pode ter consequências imediatas e tardias. As complicações imediatas mais temidas são ruptura ou dissecção de um aneurisma de aorta, rompimento de sutura arterial, hemorragia intracerebral por aneurisma ou malformação vascular, hipertensão intracraniana, encefalopatia hipertensiva, isquemia miocárdica e insuficiência ventricular esquerda.[20] Embora diagnosticar o quanto antes e, a seguir, estabelecer o tratamento de tais condições associadas seja essencial, indubitavelmente, o mais importante é evitar que elas aconteçam como sendo causa da conduta anestésica. Para tanto, em sendo identificada a tendência de elevação da PA, um raciocínio plausível sobre as possíveis causas deve logo direcionar a um diagnóstico presuntivo. Certamente, seja no intra ou no pós-operatório, dor, hipoxemia e hipotermia são as primeiras inferências a serem exploradas. Segundo, associado às medidas iniciais (analgesia e oxigenação suplementar) e à terapêutica anti-hipertensiva, deve-se pesquisar por outras possíveis causas de HA, como resposta fisiológica aguda, a qual envolve liberação excessiva de catecolaminas, lesão induzida por reperfusão e resposta inflamatória, e evitar comprometimento do fluxo na microcirculação.

Hipertensão crônica tratada inadequadamente, por sua vez, associa-se à instabilidade hemodinâmica perioperatória, caracterizada tanto por elevação quanto por queda da PA. Partindo-se daí, pode-se dizer que indivíduos hipertensos crônicos têm reserva coronariana reduzida, o que implica em demanda por oxigênio delicadamente dependente da oferta, dada pela limítrofe perfusão coronariana, fechando o ciclo, no qual vai ser inserido o trauma anestésico-cirúrgico. Consequentemente, tais indivíduos são suscetíveis à isquemia miocárdica, quando a pressão cai abaixo do limite de autorregulação, mecanismo que também se desenvolve na circulação cerebral.[16,18,21] Embora tais argumentações sejam consideradas como sendo responsáveis pela associação entre a hipertensão preexistente e os riscos perioperatórios, relacionados à ocorrência de acidente vascular cerebral, infarto miocárdico, insuficiência cardíaca congestiva, sangramento e disfunção renal, há outros mecanismos sobre os quais algo pode ser comentado, procedimento que, interessantemente, traz consigo um olhar direcionado a princípios físicos, os quais, por sua vez, são relacionados a desfecho clínico. Tal premissa pode ficar evidente, se for considerado que há associação entre o componente pulsátil da pressão arterial e o risco cardiovascular, partindo-se do princípio de que aquele reflete a rigidez dos vasos de condução e, ao mesmo tempo, a propagação da onda de pulso pela estrutura do sistema vascular.[22,23] Assim, em condições normais, o retorno das ondas de pulso à válvula aórtica no início da diástole, embora aumente a pressão diastólica, não causa repercussão a ponto de comprometer a evolução perioperatória. No entanto, na aorta enrijecida, as ondas de pulso retornam precocemente, no final da sístole, o que leva ao aumento da pós-carga e à diminuição da perfusão dos órgãos, afetando os territórios das circulações coronariana, cerebral e renal, algo que, frequentemente, só é percebido no pós-operatório.[22]

Por outro lado, estabelecer valor a ser considerado como sendo o limite de pressão arterial sistólica ou diastólica, a partir do qual se possa inferir que esteja havendo resposta inadequada ao tratamento prévio à cirurgia, significa também dizer que há a possibilidade de que tal prerrogativa possa exercer efeito negativo sobre a realização da anestesia segura. Nesse sentido, incorre o anestesiologista na prerrogativa de que há a necessidade de individualizar-se a avaliação clínica antes de seguir com a conduta, pois a discussão envolvendo a associação da HA com complicações perioperatórias parece interminável.

No entanto, o tratamento da hipertensão ocorrida no intraoperatório inicia-se com a correção das causas comumente associadas, sendo que algumas delas podem rapidamente ser revertidas, como a anestesia superficial, hipoxemia ou hipercapnia, como descrito nas causas. A partir daí, em não se obtendo êxito, a terapia farmacológica pode ser associada, utilizando-se fármacos como o nitroprussiato de sódio, a nitroglicerina, a hidralazina, o propranolol, o metoprolol, o labetalol, o trimetafano e a fentolamina, essa última especialmente indicada para tratar a hipertensão arterial causada pela fenilefrina ou pela epinefrina. Nessa linha, a Tabela **223.1** mostra alguns exemplos, apresentando também as classes a que eles pertencem, bem como suas dosagens e mecanismos de ação.

■ HIPOTENSÃO ARTERIAL

Hipotensão arterial é frequentemente observada no perioperatório. Analisando pequeno espectro, contido na referida "Constelação Causal", três fatores se associam como causas suficientes, podendo ocorrer, inclusive, concomitantemente, durante a cirurgia: diminuição da pré-carga, depressão da função cardíaca e diminuição da resistência vascular sistêmica. Na medida do possível, devem ser identificadas, já que cada um deles requer um tratamento diferente.

Sabe-se que a pré-carga indica o quanto o músculo cardíaco está estirado antes da contração, refletindo a pressão diastólica final do ventrículo esquerdo (PDFVE).[24,25] Clinica-

mente, o volume diastólico final do ventrículo pode ser inferido a partir das mensurações das pressões de enchimento, venosa central e de oclusão de artéria pulmonar, quando a função cardíaca é normal e não há disfunção valvar nem doença pulmonar. A Figura 223.2 mostra a curva de pressão-volume do ventrículo esquerdo (VE), mensurada a partir de condições experimentais. Nela, sua construção se inicia pela observação das alterações da PDFVE, à medida que ocorre o enchimento diastólico, período ao final do qual é deflagrada, inicialmente, a contração isovolumétrica, que, após a abertura da válvula aórtica, é seguida pelo período de ejeção. Finalmente, vai sendo plotada enquanto se passa o período de ejeção, até o fechamento da mesma válvula, momento que caracteriza, dentro do VE, o volume sistólico final (VSF), a partir do qual todo o processo é reiniciado, na diástole, constituindo, então, uma curva derivada das fases do ciclo cardíaco. Interessantemente, a complacência ventricular esquerda é tal que pode suportar aumento no volume diastólico final de até cerca de 150 mL, sem que haja consequente aumento na pressão intracavitária. Tal atributo a define como sendo um importante fenômeno fisiológico

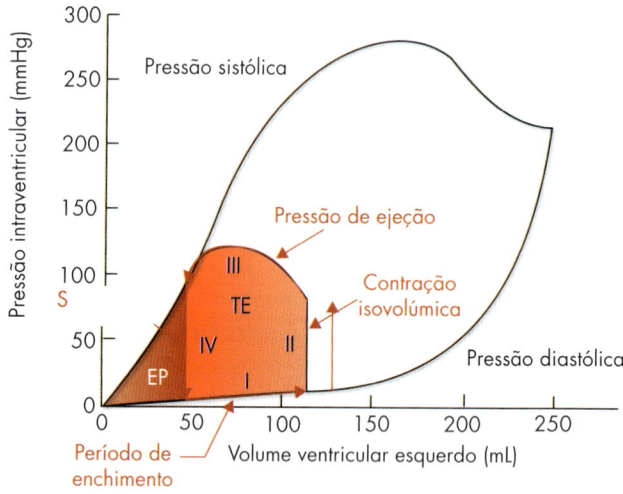

▲ **Figura 223.2** Curva pressão-volume do VE em condições fisiológicas.

Fonte: adaptada de Músculo cardíaco: o coração como uma bomba. Tratado de Fisiologia Médica. Guyton AC, Hall JE, Editores. 9ª ed., Rio de Janeiro: Guanabara Koogan, 1997; 97-108.[24]

Tabela 223.1 Fármacos anti-hipertensivos.				
Agente	**Mecanismo de ação**	**Dose**	**Início**	**Duração**
Nitroprussiato	Vasodilatador arterial e venoso	0,25 a 5 µg.kg^{-1}.min^{-1}	1 a 2 min	2 a 5 min
Nitroglicerina	Vasodilatador venoso e arterial	0,25 a 3 µg.kg^{-1}.min^{-1}	2 a 5 min	3 a 5 min
Hidralazina	Vasodilatador arterial	5 a 10 mg	15 a 20 min	4 a 6 h
Propranolol	Betabloqueador	1 a 3 mg		
Esmolol	Betabloqueador	500 µg.kg^{-1} em 1 min seguido de 50 µg.kg^{-1}min^{-1}		
Metoprolol	Betabloqueador	50 mg em 2 min até 15 mg		
Labetalol	Bloqueador alfa e beta	25 mg. kg^{-1} em 2 min		
Trimetafano	Bloqueador ganglionar	10 a 20 µg. kg^{-1}.min^{-1}	1 min	2 a 4 min
Fentolamina	Bloqueador alfa-1 e alfa-2	2 a 5 mg		

adaptativo, o qual, por sua vez, pode ser desencadeado por distintas alterações nos elementos que a constituem, como por exemplo, as características anatômicas das válvulas mitral e aórtica ou a composição da camada muscular, desenvolvida como consequência de determinadas precondições.

Observar, em preto, as relações que denotam tanto pré-carga quanto pós-carga máximas, enquanto, em vermelho, é o que ocorre em condições normais.

Na mesma linha de raciocínio, considerando-se o mecanismo de Frank-Starling, a contração do músculo cardíaco será aumentada proporcionalmente ao grau de estiramento das fibras musculares ventriculares, processo que impede o represamento do sangue no sistema venoso. Dessa forma, dentro de limites considerados fisiológicos, alterações relacionadas à impedância ventricular esquerda (pós-carga) não exercerão considerável efeito sobre o débito cardíaco (DC), o que é uma resposta fisiológica necessária para a manutenção da homeostasia. Nesse sentido, teoricamente, é possível explorar até que ponto o DC pode ser mantido estável, objetivando entender, graficamente, o quão bem estabelecidos são os mecanismos intrínsecos, responsáveis por impedir que haja oscilações deletérias. Por sua vez, exatamente essa inferência é mostrada na Figura 223.3, a qual foi construída hipoteticamente, pois é apenas extrapolação para humanos, na qual se observa as oscilações do DC que ocorrem em função de aumentos progressivamente maiores na pressão arterial (PA).

terial (PA). Nela, é possível observar uma faixa na qual o DC se mantém estável, independentemente da alteração da PA.

Ainda relacionado à pré-carga, ajustes hemodinâmicos podem ser desencadeados a partir das pressões de enchimento atriais, culminando com um trabalho sistólico condizente com a demanda estabelecida. Tal processo caracteriza, ao mesmo tempo, uma curva de trabalho sistólico, justificando o efeito da pré-carga atrial sobre a função ventricular. A Figura 223.4 mostra as curvas de função ventricular esquerda e direita, em função de suas respectivas pressões de enchimentos atriais.

Por outro lado, uma vez criadas condições que resultem em alterações da pré-carga para além dos limites fisiológicos, haverá consequente deterioração orgânica que será progressivamente maior, caso não haja intervenção adequada, independentemente da direção para a qual esteja sendo observada a extrapolação. Nessa linha, se ocorrer aumento das pressões intra-atriais, implicará em um trabalho ventricular tal que comprometerá a relação entre oferta e demanda miocárdica por suprimento, além de afetar a oxigenação, devido aos efeitos da pressão hidrostática na circulação pulmonar. Em contrapartida, se houver diminuição excessiva da pré-carga, levará a comprometimento da perfusão tissular, condição que é igualmente deletéria.[24,26-28] Por sua vez, a diminuição da pré-carga pode ocorrer por redução do volume intravascular, consequente à perda sanguínea, ao sequestro para o terceiro espaço ou à desidratação. Outros mecanismos também podem desencadear o que se chama de hipovolemia relativa, a exemplo do que ocorre quando há represamento do sangue no lado venoso, devido ao bloqueio simpático, assim como quando se muda subitamente o posicionamento do paciente.[27] Igualmente, pode ser observada logo após a remoção do garrote ou soltura do pinçamento aórtico durante cirurgias vasculares de grande porte, assim como pode ser decorrente de vasodilatação, causada tanto por fármacos quanto por qualquer fator que induza à liberação de histamina.

Ainda nessa linha, fatores não propriamente relacionados às pressões de enchimento podem ser responsáveis por desencadear hipotensão no perioperatório. Qualquer mecanismo que possa causar depressão miocárdica exerce efeito sobre sua capacidade intrínseca de resposta fisiológi-

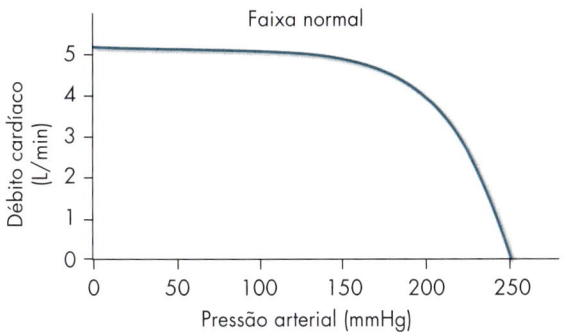

▲ **Figura 223.3** Oscilações do DC em função da PA.
Fonte: adaptada de Músculo cardíaco: o coração como uma bomba. Tratado de Fisiologia Médica. Guyton AC, Hall JE, Editores. 9ª ed. Rio de Janeiro: Guanabara Koogan, 1997; 97-108.

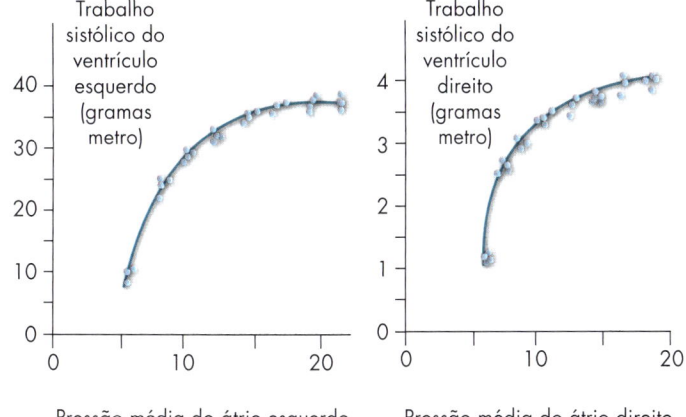

◄ **Figura 223.4** Trabalho sistólico dos ventrículos em função das pressões atriais.
Fonte: adaptada de Músculo cardíaco: o coração como uma bomba. Tratado de Fisiologia Médica. Guyton AC, Hall JE, Editores. 9ª ed. Rio de Janeiro: Guanabara Koogan, 1997; 97-108.

ca, fenômeno que, consequentemente, induz à hipotensão e gera deterioração clínica, devendo, portanto, ser o fator causal que rapidamente deve ser identificado. Além daqueles já mencionados, outros diagnósticos inferenciais incluem a isquemia e o IAM, os agentes anestésicos cardiodepressores, as arritmias e as situações mais específicas, como hipocalcemia, distúrbios ácido-base graves, hipoxemia, hipotireoidismo, temperatura menor que 32°C e síndrome de Addison.[26,29] Não obstante, a hipotensão arterial também pode ser associada à diminuição da resistência vascular sistêmica não compensada pelo aumento do DC. Como exemplos desse mecanismo, pode-se citar o bloqueio simpático por anestesia espinhal, a hipotensão de causa neurogênica, consequente a trauma raquimedular ou cranioencefálico, efeito de vasodilatadores ou de anti-hipertensivos usados no pré-operatório, sepse, anafilaxia, reação anafilactoide e vasoplegia, essa principalmente observada após cirurgia cardíaca com circulação extracorpórea.[27]

Certamente, inferir sobre qual é a PA mínima aceitável a ser mantida durante a realização da anestesia, induz a uma estimativa imprecisa em muitas situações, uma vez que a PA mais apropriada também possa ser função da idade, das condições vasculares, bem como de outras variáveis. No entanto, pode-se categoricamente afirmar que a hipotensão em dado patamar é considerada grave se estiver causando repercussões perceptíveis, no que se refere a prejuízos decorrentes da perfusão de órgãos vitais, pois, dessa forma, pode levar a lesões significativas e a desfechos adversos, sobretudo quando for sustentada por tempo suficiente para desenvolver uma teia de eventos na microcirculação. Nesse sentido, para que se possa lançar mão de um pensamento fundamentado, objetivando ser mais assertivo quanto ao desenrolar do procedimento, deve-se ter especial atenção às alterações das funções cerebral, cardíaca, hepática, pulmonar e renal, bem como é necessário obter dados que indiquem perfusão tissular inadequada, que podem ser extraídos da análise da gasometria arterial e da venosa, central ou mista, além da dosagem do lactato e de outros elementos, discutidos mais adiante.

Em se tratando de observação clínica, por exemplo, se o paciente estiver sob anestesia geral, ou ainda intubado, no pós-operatório imediato, quando se observar quadro de hipotensão, o padrão pupilar poderá demonstrar anisocoria, desencadeada como consequência de alteração da pressão de perfusão cerebral nas situações em que houver obstrução comprometedora dos sistemas carotídeo ou vertebrobasilar. Ainda nessa linha, caso pelos motivos citados seja detectada a anisocoria, não é incongruente inferir que possa existir considerável probabilidade de que a lesão já tenha se tornado relativamente deletéria. Por outro lado, se alterações cerebrovasculares ou DPOC forem identificados no pré-operatório, devem ser considerados como elementos impactantes, pois se relacionam ao AVC perioperatório, observação que obriga maior cautela na condução da anestesia. Para tanto, sugere-se que seja almejada a manutenção de uma PAM equivalente àquela utilizada para garantir neuroproteção, a qual é de, pelo menos, 80 mmHg, isso se a indicação cirúrgica já não tiver sido derivada de complicações associadas ao AVC, quando desencadeado por ruptura de aneurisma cerebral, de tal forma que esteja o paciente na condição de vasoespasmo, pois, assim, os níveis devem ser, inclusive, bem mais elevados, objetivando garantir perfusão cerebral que seja suficiente para a oxigenação celular das áreas distais ao vasoespasmo.

Igualmente importante, sobre perfusão tissular, pode-se dizer que mudanças no perfil de oxigenação ou observação de queda no débito urinário horário são indícios de graves reflexos da hipotensão, algo que então obriga a uma avaliação individualizada.[28] Por sua vez, tratando-se de monitorização com o objetivo de evitar hipoperfusão comprometedora, um indicador bastante confiável de hipovolemia no período perioperatório pode ser obtido pela monitorização da oscilação da pressão arterial em função da respiração. Em ventilação mecânica invasiva (VMA), durante o transcorrer da fase inspiratória, período que induz ao crescente aumento da pressão intratorácica, ocorre, ao mesmo tempo, aumento da pressão tanto no átrio direito (AD) quanto nas veias cavas, implicando em diminuição do retorno venoso, ou seja, da pré-carga do ventrículo direito (VD). Enquanto isso, do lado esquerdo, o aumento pressórico, ao comprimir o átrio esquerdo (AE) e o leito vascular, por consequência, induz ao aumento da pré-carga do ventrículo esquerdo (VE), o que se desdobra em aumento do débito do VE e exerce efeito sobre a onda de pulso arterial. Contrariamente, durante a fase expiratória, no seu final, o inerente aumento do retorno venoso do lado direito induz ao aumento do DC direito, enquanto do lado esquerdo, devido à ejeção do maior volume na fase respiratória precedente, ocorre exatamente o contrário, o que significa a ocorrência de redução do DC esquerdo, novamente alterando o traçado horizontal da onda de pressão arterial.[24,27,28]

Ao ser analisada a onda de pressão arterial, considerando os efeitos dos ciclos respiratórios ao longo do tempo, descritos anteriormente, é possível estimar o padrão volêmico vigente. A elevação da onda de pulso, a partir da linha de base, construída iniciando-se no final da expiração, no chamado período pré-inspiratório, gera ao longo do tempo um delta pressórico para cima. Igualmente, no período de pausa expiratória, há diminuição da pré-carga do VE, relativa à diminuição do retorno venoso da fase precedente, consequentemente gerando também, ao longo do tempo, um delta pressórico para baixo. A partir dessas oscilações, em condições de volemia adequada, a análise da variação da onda de pulso, ocorrida tanto para cima quanto para baixo, mostra que ela tem amplitude de cerca de 5 mmHg para cada orientação. A Figura 223.5 mostra como se comporta a onda de pressão ao longo do tempo.

Nessa linha de raciocínio, pode-se dizer que haverá hipovolemia se for observada variação da pressão sistólica ou da pressão de pulso acima de 10 mmHg, considerada a partir das diferenças entre os valores obtidos na inspiração e os valores obtidos na expiração, tendo como referência uma fina pausa expiratória. A pressão de pulso é a diferença entre a pressão arterial sistólica e a diastólica, a qual representa o volume sistólico ejetado contra a pressão arterial diastólica na circulação complacente. Em condições hipovolêmicas, as variações observadas no volume sistólico e na pressão arterial são mais amplas devido à diminuição do

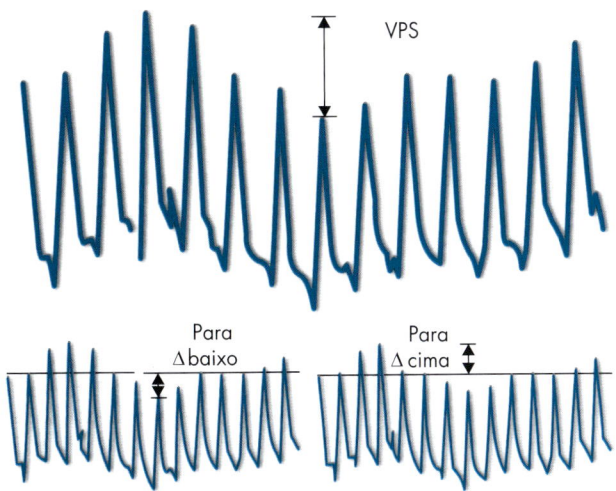

▲Figura 223.5 Variação da pressão sistólica ao longo do tempo.

Fonte: adaptada de Perel, A & Stak, MC. Efeitos cardiovasculares da ventilação mecânica. Em: Manual de mecanismos de suporte ventilatório, Biblioteca Virtual, Capítulo 5,. Perel A & Stak MC, Editores. Medsi Editora Médica e Científica Ltda, 1994.

débito cardíaco direito durante a inspiração, seguida de redução do débito cardíaco esquerdo, na fase expiratória.[30,31] A partir dessas considerações, utilizando alguns tipos de monitores, é possível avaliar a variação da pressão de pulso induzida pela ventilação (delta PP), objetivando identificar quais são os indivíduos classificados como sendo potenciais respondedores à terapia de resgate volêmico.[30-32] Nesse sentido, a título de exemplo, é considerado valor de corte de 12% (do inglês, *Cut off value*), obtido no cálculo do delta PP, para que se identifique prováveis respondedores ao volume, com sensibilidade de 97% e especificidade de 95%.[32]

Tal observação significa que, ao obter-se um delta PP cujo valor seja maior que 12%, a terapia de resgate volêmico terá maior efeito sobre o índice cardíaco, comparado a um delta PP cujo valor seja menor que o referido ponto de corte. Para ilustrar esse raciocínio, a **Figura 223.6** mostra a variação da pressão de pulso e o cálculo do delta PP.

No entanto, algumas limitações no método descrito devem ser levadas em consideração, como modo ventilatório utilizado, presença de respiração espontânea, *shunt* intracardíaco, arritmias, doenças valvares e insuficiência cardíaca congestiva (ICC). Caso contrário, os resultados obtidos podem induzir a interpretações errôneas, invalidando a inferência diagnóstica e, consequentemente, diminuindo a eficácia do tratamento a ser proposto.[32] Ademais, como a terapia de resgate volêmico ainda tem sido tema amplamente debatido, sobretudo nas últimas décadas, devido aos possíveis desdobramentos relacionados ao desenvolvimento de edema celular, deve ser inferido que, quando aplicada em excesso, além de ineficaz, pode ser, inclusive, deletéria.[33] Por outro lado, métodos menos invasivos de avaliação da volemia têm ganhado cada vez mais cenário a ponto de serem, atualmente, obrigatórios no parque de equipamentos.[34-36] É de extrema importância que se faça leitura mais aprofundada sobre esses métodos, algo que certamente aumentará a habilidade de construção do melhor julgamento crítico possível a respeito desse tópico.

Em todo caso, como dito anteriormente, o importante é a forma como o anestesiologista conduz o procedimento, com ou sem antecipação, auxiliado ou não por melhor tecnologia, diante da dinâmica de um procedimento cirúrgico. Para uma conduta irretocável, no entanto, obrigatoriamente, deve-se observar continuamente os parâmetros disponíveis, o que também inclui atenção à quantificação da perda sanguínea, pela observação direta do campo operatório e

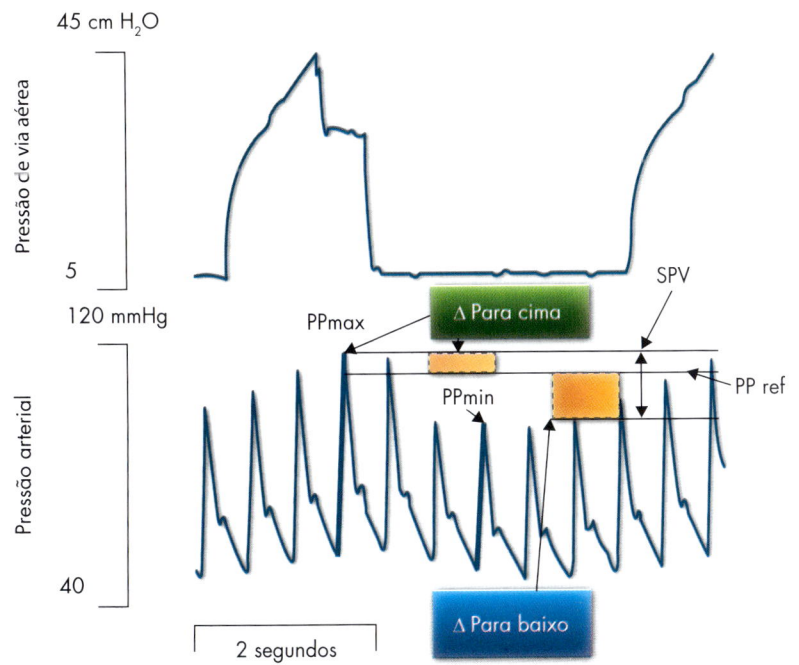

$$\Delta PP = 100 \times (PP_{max} - PP_{min})/[(PP_{max} + PP_{min})/2]$$

◄Figura 223.6 Variação da pressão sistólica e o cálculo do delta PP.

Fonte: adaptada de Michard F, Boussat S, et al. Relation between respiratory changes in arterial pulse pressure and fluid responsiveness in septic patients with acute circulatory failure. Am J Respir Crit Care Med. 2000;162(1):134-8.

mensuração das respostas fisiológicas, como indicadores indiretos, pois tal procedimento define, em tempo real, o quanto é necessário repor, evitando-se, com essa postura, desdobramentos indesejados. Como exemplo, é notório que o aumento da perda sanguínea tende a causar taquicardia, vasoconstrição periférica, diminuição das pressões atriais direita e esquerda, além de diminuição do DC, da diurese horária e da ocorrência de hipotensão arterial sistêmica. Entretanto, há que se considerar, também, que as alterações da frequência cardíaca podem não ocorrer em indivíduos usuários de betabloqueadores, naqueles que se apresentam com o coração desnervado, no caso de transplante cardíaco, ou ainda por consequência da utilização de certos fármacos, como opioides e inalatórios, cujos mecanismos intracelulares de transdução guardam relação com o bloqueio dos canais de cálcio, consequentemente, bloqueando a o desenvolvimento da taquicardia reflexa.[27]

■ TRANSPORTE DE OXIGÊNIO E SUA UTILIZAÇÃO PELA CÉLULA

Objetivando aumentar o leque de possibilidades, no que se refere à atuação, quando diante de um mecanismo que possa em algum grau se associar a complicações cardiocirculatórias, a discussão a seguir traz à tona alguns aspectos inerentes à relação ideal entre oferta e demanda tecidual de O_2. Para melhor contextualizá-la, é necessário começar pela própria definição das variáveis envolvidas na equação. Na sequência, determinar quais são os fatores que na equação exercem influência, bem como a quais mecanismos eles estão relacionados, posto que os desdobramentos dessa teia de eventos geram efeitos sobre o desempenho cardiovascular, atingindo vários órgãos e sistemas, num infindável processo deletério. Em última estância, as respostas deflagradas na unidade celular determinaram o sucesso ou fracasso de cada medida em específico, cuja análise se baseia na observação de como se comportam dados marcadores substitutos.

Explorando as variáveis arroladas, é provável que haja melhor entendimento sobre qual deve ser o peso dado a cada tipo de conduta. Por exemplo, no que se refere ao resgate hemodinâmico a ser realizado, utilizando administração de fluidos, normalmente a primeira conduta diante do colapso circulatório, é de fundamental importância que se observe o comportamento da linha por esse tracejada, em função do tempo. Na atualidade, não é mais um processo agressivo e indiscriminado. Ao contrário, precisamente, ela não pode se posicionar nem aquém nem além daquela considerada como sendo a linha ideal de resgate, dado que efeitos indesejados, a partir de um erro de cálculo, se tornam inevitáveis. Eventualmente, os desvios inclusive afetam decisivamente a mortalidade, não sendo, portanto, inertes. Por tais argumentos, é imperativo considerar, no caso da administração de líquidos, três aspectos: resgate, estabilização e redução.[37] Para deixar claro a importância desse raciocínio, basta dizer que, esse, é apenas um dos infindáveis aspectos, todos extremamente relevantes.

Voltando para a referida equação, como o próprio nome diz, a DO_2 se refere à quantidade disponível de O_2, descrita como taxa de liberação de oxigênio. Para fins matemáticos, ela pode ser considerada como sendo a quantidade da refe-

rida molécula, presente em todo o fluxo de sangue que deixa o pulmão a cada minuto, equivalendo, pelo princípio de Fick, ao débito cardíaco (DC). Por sua vez, o VO_2 representa a quantidade de O_2 consumida pelos tecidos por minuto.

As equações 1 e 2, abaixo, traduzem esse raciocínio:

$$D_{O2} = DC.CaO_2, \qquad \text{(eq. 1)}$$

em que,

CaO_2 = conteúdo arterial de O_2, representado por:

$$CaO_2 = (1{,}31.Hb.SaO_2)/100 + (0{,}023.PaO_2), \qquad \text{(eq. 2)}$$

onde:

Hb é a hemoglobina ($g.dL^{-1}$), SaO_2 é a saturação arterial de O_2 (%) e PaO_2 é a pressão parcial arterial de O_2.

Embora seja um princípio utilizado para descrever a taxa global de oxigênio disponível, também pode ser aplicado aos tecidos, pois é possível determinar o fluxo sanguíneo regional sugerindo, dessa forma, na realidade, o quanto está disponível em nível celular por minuto, em cada órgão, transformando em crucial o entendimento da relação citada.

Considerando-se que, para a atividade metabólica basal celular, seja requerida uma pressão parcial de O_2 tão ínfima quanto 1 mmHg, a relação entre oferta e demanda deve possibilitar amplas flutuações, derivadas ou não de aspectos fisiológicos, a tal intensidade que, ainda assim, não sejam comprometedoras da adequada perfusão tissular, pois caso contrário, geraria, consequentemente, metabolismo anaeróbico. Nesse sentido, mensurações do VO_2 são utilizadas para averiguar a adequação da DO_2, pressupondo que, se essa for insuficiente, o VO_2 se tornará dependente do suprimento, sobretudo nas situações críticas.

Utilizando o cateter de artéria pulmonar, pode-se calcular o consumo de oxigênio por minuto, por meio da seguinte relação:

$$VO_2 = DC (CaO_2 - CvO_2), \text{ onde} \qquad \text{(eq. 3)}$$

CvO_2 é o conteúdo venoso misto de O_2.

Então, do ponto de vista fisiológico, ao serem compostas as equações dadas, percebe-se que a extração de O_2 pela célula, a O_2ER, nada mais é do que a tão referida relação entre a oferta e a demanda, aplicável a qualquer tecido, e que pode ser expressa por:

$$O_2ER = VO_2/DO_2. \qquad \text{(eq. 4)}$$

Dados experimentais demonstram que, em condições normais, a célula utiliza cerca de 20% a 30% do estoque disponível de O_2, aspecto que justifica sua capacidade de absorver alterações eventualmente necessárias.[38] Entretanto, alguns órgãos têm naturalmente maior avidez pelo oxigênio, chegando a utilizar até 60% do que chega, sendo o coração, sem dúvida, um deles. A partir dessa análise, lançando-se mão da equação 4, objetivando aplicá-la em uma condição, na qual, o transporte, ao não atender a demandas regionais de tecidos com diferentes taxas de extração, devido às suas características metabólicas específicas, pode então ser caracterizado como sendo deficitário, o que por sua vez configura mecanismo de complicação cardiocirculatória. Isso é possível porque a DO_2 é uma função da CaO_2, e essa, função da concentração de hemoglobina.

Ainda continuando a análise da equação 4, pode-se inferir que a hipóxia se instala pela "deficiência" relativa de oxigênio no nível tecidual, pois o metabolismo, independentemente de quais sejam as condições vigentes, necessita ter a sua demanda devidamente ajustada. Por exemplo, sob anestesia geral sabe-se que ocorre queda no metabolismo basal, assim como ocorre em outras condições (hipotermia), alterando o perfil da necessidade celular pelo aporte. Contrariamente, há condições nas quais a hipóxia pode ser consequência da deficiência de oxigênio causada pelo aumento do metabolismo basal, acima do que fisiologicamente pode ser entregue. Embora fuja um pouco das considerações hemodinâmicas propriamente ditas, aqui sendo feitas como em muitas condições, há uma gama de variáveis envolvidas que se associam para produzir um efeito. A título de ilustração, a Tabela 223.2 mostra algumas delas, relacionadas ao aumento ou à diminuição do VO_2.

Tabela 223.2 Fatores que alteram o VO_2.

Fatores que aumentam o VO_2	Fatores que diminuem o VO_2
Cirurgia	Sedação/analgesia
Trauma/queimadura	Paralisia muscular
Inflamação/sepse	Choque/hipovolemia
Utilização de fármacos vasoativos	Hipotermia/resfriamento
Desmame da ventilação	Ventilação mecânica
Pirexia	Antipiréticos
Agitação/convulsão/dor	Fome/subnutrição

Fonte: adaptada de McLellan SA, Walsh TS. Oxygen delivery and Haemoglobin. Continuing Education in Anaesthesia, Critical Care & Pain. 2004;4(4):123-6.

Variações na capacidade carreadora do oxigênio (hipóxia anêmica) ou na quantidade total de oxigênio ligado (hipóxia hipóxica) são importantes mecanismos de diminuição da CaO_2. A primeira condição é consequência da ocorrência de baixa hemoglobina ou da presença de formas de hemoglobina não ligantes (anormais) ao oxigênio, como a carboxi-hemoglobina e a meta-hemoglobina. Por sua vez, a segunda diz respeito à inadequada transferência no nível pulmonar, aí entrando os aspectos relativos à função pulmonar. Igualmente, alterações do volume sanguíneo, da função cardiovascular ou do fluxo adequado, por exemplo, por obstruções focais, também levam a um quadro de hipóxia, denominada hipóxia isquêmica. Além desses mecanismos, situações nas quais se observa inabilidade da célula em utilizar suprimento caracterizam outro tipo de hipóxia, a histotóxica, fenômeno que independe do aporte tecidual de O_2. Por sua vez, esse quadro grave pode induzir a apoptose celular se houver sustentação dos mecanismos desencadeantes. Síndrome de Resposta Inflamatória Sistêmica (do

inglês, SIRS) e Sepse/Choque Séptico são exemplos clássicos comumente vistos no perioperatório, os quais, por vezes, evoluem para a referida condição de apoptose, obrigando o anestesiologista a ter que lidar com tais condições, dependendo de como foi o processo que levou ao diagnóstico cirúrgico, o qual, certamente, levou período suficiente para induzir à deterioração clínica significativa.

Por outro lado, ao deparar-se com condição, como algumas das anteriormente descritas, a partir de quando passa ser imperativo restaurar o aporte celular, também é obrigatório considerar-se que há consequências desencadeadas pela oxigenoterapia suplementar, pois essa é conduta que pode elevar a DO_2 para além do necessário, criando condição de hiperóxia, comprovadamente deletéria, por assim dizer. Objetivando explorar esse aspecto, é possível mostrar graficamente (em indivíduos saudáveis) um ponto hipotético, caracterizado como sendo crítico, na curva consumo *versus* liberação de oxigênio. Levando-o em consideração, pode-se determinar, primeiro, até onde vai o consumo dependente do suprimento e, segundo, a partir de quando o consumo se torna independente do suprimento. A Figura 223.7 mostra essa situação. Nela, observa-se que o transporte de O_2 é tal que mantém o VO_2 mesmo durante a variação da DO_2.

Então, se a DO cair, o aumento da $_{O2}$ER exercerá efeito compensatório. No entanto, se a diminuição da taxa de liberação (DO_2) for pronunciada, a capacidade de aumento adicional compensatório poderá ser perdida, após ser atingido o referido ponto crítico, abaixo do qual o metabolismo celular passa a ser limitado pelo suprimento. Nessa linha de raciocínio, pode-se dizer que, por exemplo, se a diminuição da DO_2 for consequência da queda da Hb, o ponto crítico mencionado será relacionado à hemoglobina crítica que exerce efeito sobre o suprimento, implicando, a partir daí, no surgimento de condições hipóxicas, algo que certamente interferirá, ao mesmo tempo, com o metabolismo celular. Do ponto de vista prático, no entanto, tal referência não é simples de ser determinada. Por essa razão, nas situações

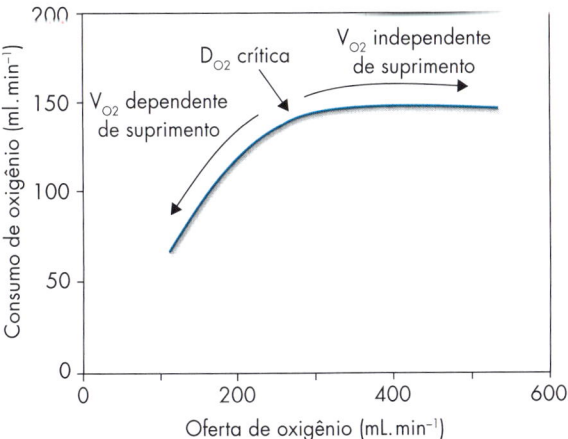

▲ **Figura 223.7** Suprimento de oxigênio e consumo em condições fisiológicas.
Fonte: adaptada de McLellan SA, Walsh TS. Oxygen delivery and Haemoglobin. Continuing Education in Anaesthesia, Critical Care & Pain. 2004;4(4):123-6.

nas quais for necessário o resgate hemodinâmico, além do restauro de uma adequada relação PaO_2/FiO_2, por meio das mais variadas formas de ventilação, deve-se instituir suporte farmacológico, tal que seja o mínimo necessário, para adequação da PAM a níveis suficientes, que configurem a obtenção do almejado. A adoção dessas condutas permite observar em que ponto se está na curva de oferta *versus* consumo. Ao mesmo tempo, os objetivos a serem atingidos podem ser avaliados através dos marcadores teciduais de perfusão, como o lactato, o equilíbrio ácido-base e o ritmo condizente de diurese, variáveis que, se adequadamente combinadas, possibilitam, a partir de determinados parâmetros, realização de apenas pequenos ajustes, objetivando não extrapolar a linha de resgate, como dito anteriormente. Nesse contexto, tem-se como certo que o controle dos níveis de Hb é essencial, quando o objetivo é garantir um transporte que seja minimamente adequado, o que permite, por sua vez, entender se a conduta estipulada representa um caminho para cima ou para baixo na curva contida na Figura 223.7, uma vez que a Hb integra a equação utilizada. Dar como verdadeira tal asserção, no entanto, implica aceitar que eventualmente será necessário realizar a hemotransfusão. Interessantemente, esse tópico tem sido extensamente debatido, sobretudo nas últimas décadas, devido aos efeitos deletérios que podem estar associados, por um lado, quando há hemotransfusão, assim como, por outro, quando essa não é realizada satisfatoriamente. Por exemplo, pesquisa realizada com indivíduos saudáveis, quando submetidos a níveis de Hb tão baixos quanto 5,0 g.dL⁻¹, na hemodiluição normovolêmica, mostra que, embora o VO_2 e os marcadores teciduais possam permanecer inalterados, e haja aumento compensatório da FC, da contratilidade, bem como do DC, a queda da DO_2 pode associar-se a alterações cognitivas e ao infradesnivelamento assintomático do segmento ST, o que gera questionamentos pertinentes.[38]

No entanto, realizado em indivíduos vivenciando situação clínica crítica, o estudo TRICC (do inglês, *Transfusion Requirement In Critical Care*), mostra que a estratégia considerada como sendo restritiva (Hb entre 7 e 9 g.dL⁻¹) é, no mínimo, tão efetiva quanto a estratégia liberal (Hb entre 10 a 12 g. dL⁻¹).[39] Por outro lado, ao considerar portadores de doença isquêmica coronariana, sugere que os níveis seguros de Hb devam ser ajustados para algo entre 9 e 10 g.dL⁻¹. Conduzido posteriormente, outro estudo tentando estabelecer quais seriam os níveis aceitáveis de Hb, em traumatizados, corrobora o estudo citado, envolvendo indivíduos em situação clínica crítica, inferindo, inclusive, que níveis de 7,0 mg.dL⁻¹ podem ser seguros, salvo contraindicações pertinentes.[40] Ademais, o *Surviving Sepsis Campaign* também considera níveis variando de 7,0 a 9,0 mg.dL⁻¹ como sendo seguros, porém, da mesma forma, devendo-se considerar as condições descritas anteriormente.[33]

Explorando agora os aspectos relacionados às alterações do volume sanguíneo e como elas podem influenciar a oxigenação tecidual, consequentemente causando complicações, sabe-se que perdas sanguíneas inferiores a 10% da volemia geralmente não são associadas a comprometimento tanto da hemodinâmica quanto do transporte de oxigênio. Objetivando resgate, pode ser feita a reposição apenas com cristaloides, de preferência solução de Ringer com lactato (salvo contraindicação), na proporção de 3 mL de cristaloide para cada mL de sangue perdido, cuja escolha decorre da evidência de menor risco associado à acidose hiperclorêmica.[41] Perdas sanguíneas moderadas, equivalentes a 10% a 20% da volemia, representam uma "zona de penumbra" e, portanto, estabelecem o limite seguro para a indicação de transfusão sanguínea, especialmente quando o valor da hemoglobina já é inferior a 10 g.dL⁻¹, quando o paciente é idoso, cardiopata ou foram identificados no pré-operatório fatores de risco para eventos adversos. Vale lembrar que a ressuscitação volêmica no indivíduo vítima de trauma com perda sanguínea considerável, quer tenha tido atendimento em até uma hora, quer tenha em mais de uma hora, dada a complexidade do tema, deve ser discutida em outros tópicos, pois requer uma ampla abordagem, como o faz estudo bastante relevante, que coloca em voga alguns desfechos relacionados à hemotransfusão maciça, em traumatizados.[42]

Há discussão bastante pertinente, em outros capítulos, a respeito da terapia de reposição volêmica nas mais variadas situações. No entanto, hipoteticamente, para ilustrar o que é proposto no capítulo atual, se um indivíduo adulto de 70 kg de peso, com hemoglobina pré-operatória de 14 g.dL⁻¹, sofre perda volêmica tal que cause queda para 10 g.dL⁻¹, essa pode implicar em diminuição de 28% da capacidade de transporte de oxigênio pelo sangue. Igualmente, perdas sanguíneas superiores a 20% da volemia podem promover sobrecarga no sistema cardiovascular, que muitas vezes já está deteriorado, como tentativa de manutenção do transporte de oxigênio. Entretanto, se o DC já não pode aumentar mais como mecanismo compensatório, uma diminuição acentuada da hemoglobina pode gerar metabolismo anaeróbico e acidose láctica. Portanto, a indicação de transfusão sanguínea deve considerar as condições clínicas pré-operatórias e não apenas as alterações hemodinâmicas secundárias à perda.

Ademais, a hemotransfusão maciça pode desencadear hipotermia, hipocalcemia, hipercalemia (devido a sangue estocado) e distúrbios da coagulação, alterações que também induzem a complicações cardiovasculares. Assim, objetivando evitar as complicações associadas, devem ser realizados exames seriados enquanto se tenta estabilizar o quadro, conduta que naturalmente possibilitará um rápido diagnóstico e, consequentemente, tratamento precoce.

■ ALTERAÇÕES DA FREQUÊNCIA E DO RITMO CARDÍACO

Avançando na exploração da constelação causal, como visto até aqui, composta por inúmeras causas "suficientes", "componentes" e "alternativas",[2] objetivando identificar mais fatores relacionados às complicações cardiovasculares, parte-se agora para a eletrofisiologia cardiovascular, cuja análise aprofundada pode permitir identificar causas prováveis de efeitos observados no transcurso do perioperatório.

Os elementos determinantes do ritmo cardíaco normal (sinusal) relacionam-se tanto à voltagem de repouso, menos negativa, quanto aos canais lentos de cálcio e sódio, voltagem-dependentes, das células que constituem o nódulo sinusal (nó SA), o que faz gerar um potencial de ação denominado como sendo de "resposta lenta". Devido a essas características, a elevação gradual do potencial de repouso (instabilidade da fase 4) apresenta curva com maior inclinação, condição que faz o limiar deflagrador ser atingido mais rapidamente. Com isso, o nó SA inibe outros locais, cujas células também possuem mecanismo de despolarização diastólica (espontânea), tais como, além de outras áreas dos átrios, o nó AV, o feixe de His e as fibras de Purkinge.[43]

Ainda que deflagrado o potencial de ação pelo nó sinusal, o ritmo sinusal apresenta leves alterações de frequência, as quais podem ser relacionadas à respiração, à atividade do Sistema Nervoso Autônomo (estimulação vagal ou simpática), aos efeitos dos hormônios, da temperatura corporal, além de outros, assim caracterizando a arritmia sinusal, a bradicardia sinusal ou a taquicardia sinusal. Por sua vez, a arritmia sinusal chamada "fásica" é a que tem relação com o ciclo respiratório, sendo que, durante a inspiração, a FC aumenta, enquanto durante a expiração, diminui. Já a arritmia sinusal caracterizada como "não fásica" não guarda relação com a respiração, devendo ser descartada, como diagnóstico diferencial, a doença do nó sinusal.

Por outro lado, se existe algum fenômeno que esteja produzindo alterações nas características eletrocardiográficas, por consequência das quais passe a não mais ser possível constatar a presença de uma das cinco condições necessárias para que se possa caracterizar o ritmo sinusal (RS), deve-se então buscar diagnósticos diferenciais para um possível quadro de arritmia. Por essa razão, após ter sido o eixo cardíaco calculado, o próximo passo é observar se estão presentes os elementos que constituem um RS, o qual é dado pelas seguintes observações: presença de onda P, precedente ao complexo QRS, que não muda na mesma derivação, geralmente positiva em DII, cujo intervalo P-R (início da onda P até o início do complexo QRS) seja inferior a 200 ms. Saber identificá-los indica que há conhecimento suficiente para entender muitos outros achados eletrocardiográficos. Embora seja apenas uma mera questão observacional, mesmo a simples leitura da cardioscopia, cuja colocação dos eletrodos tenha sido correta, o que gera complexos pertinentes e legíveis, possibilita averiguar, inclusive, se o intervalo PR está aparentemente amplo, assim como se está muito próximo do complexo QRS. Em ambas as situações, há inferências a serem consideradas, pois se desdobram em importantes implicações.

Se, por um lado, um distanciamento da onda P em relação ao complexo QRS é perceptível, o que leva na sequência a crer que um bloqueio esteja ocorrendo, como será visto mais adiante, por outro, mesmo que se veja a onda P preenchendo quase todos os critérios descritos, porém, se for observado uma perigosa proximidade dela em relação ao complexo QRS, não se pode pensar que tudo esteja em ordem. Esse raciocínio é justificável, pois um achado desses pode significar alteração do padrão de ativação do músculo cardíaco, por exemplo, devido a uma via acessória (ver Wolff-Parkinson-White). Na verdade, é observação que deve justificar a presença de um especialista, para um correto diagnóstico, pois, caso contrário, pode eventualmente induzir a evento catastrófico.

Ainda que o ritmo tenha sido identificado como sendo sinusal, é possível nele observar-se alguma perturbação, a qual pode ser consequência de atividade elétrica que afete, de forma aleatória ou até rítmica, sua regularidade, cuja ectopia pode ser originária tanto de foco supraventricular quanto ventricular, algo que caracterizará algum tipo de arritmia. Independentemente da origem, no entanto, tais focos devem ser imediatamente investigados, sobretudo, se não estavam presente antes da cirurgia. Ainda dentro desse contexto, no entanto, agora direcionado aos efeitos propriamente ditos, pode-se inferir que, uma taquicardia ou uma bradicardia, mesmo sendo sinusais, podem causar hipotensão e consequente queda de débito cardíaco. Novamente, é necessário um diagnóstico mais preciso, pois os fatores desencadeantes geralmente são distintos, requerendo, portanto, diferentes tipos de abordagens. Por exemplo, a perda de contração atrial pode causar prejuízo no adequado enchimento ventricular, pois, uma vez sendo ela responsável por cerca de 40% do volume diastólico final ventricular, perde-se um importante mecanismo fisiológico de manutenção da pré-carga, ainda mais se isso ocorrer em indivíduos que já são portadores de complacência ventricular reduzida. Por essa razão, qualquer alteração que esteja associada à instabilidade hemodinâmica deve ser tratada como sendo uma condição predisponente a um evento, o qual, por vezes, poderá vir a ser tão catastrófico quanto uma parada cardíaca.[25,40,41]

Bradicardia

Em adultos, a bradicardia é definida como a presença de frequência cardíaca (FC) menor que 50 batimentos por minuto (bpm) ou se esta for inadequada para a condição clínica. Atletas, por exemplo, podem apresentar frequência cardíaca entre 40 e 50 bpm, sem sintomatologia. Por outro lado, se a bradicardia for sintomática, provavelmente estará associada a mecanismos que comprometem, em algum grau, a perfusão tecidual, como alteração mental aguda, torpor, náusea, dor torácica, hipotensão ou outros sinais de choque.

Já em crianças, há bradicardia se a FC for menor que 20% daquela considerada como sendo a basal. Nessa população, como o volume sistólico é relativamente fixo, o débito cardíaco se torna dependente da frequência. Então, a diminuição da FC não é compensada pelo aumento do DC, como ocorre nos adultos.

A bradicardia é o fenômeno mais comumente observado durante um procedimento anestésico, sobretudo na atualidade, devido aos fármacos disponíveis para utilização, cujos mecanismos de ação também atuam na condução neuronal. Porém, no geral, pode-se observar bradicardia no período perioperatório consequente a várias causas, algumas das quais são a seguir relacionadas:[44,45]

- Hipoxemia, principalmente em crianças, a qual, inclusive, pode levar rapidamente à parada cardíaca;
- Estimulação vagal, como ocorre nos reflexos cardiovasculares.[46] O estímulo pode ser central, desencadeado por estresse psíquico ou por dor, bem como pode ser iniciado perifericamente por redução do retorno venoso ao coração;
- Efeito de fármacos como succinilcolina, opioides, betabloqueadores, anticolinesterásicos, agonistas alfa-adrenérgicos, halotano e bloqueadores de canal de cálcio;

- Bloqueio simpático alto em anestesia peridural ou subaracnóidea;
- Trauma raquimedular alto;
- Infarto ou isquemia miocárdica;
- Reflexo de Cushing (hipertensão arterial e bradicardia em hipertensão intracraniana grave);
- Alteração na condução cardíaca;
- Falha de marca-passo.

No entanto, antes de iniciar o tratamento propriamente dito, o anestesiologista também deve considerar a existência de possíveis fatores de contribuição, os quais podem ser denominados como os 8 Hs e os 8 Ts, conforme mostrado na Tabela 223.3.

Tabela 223.3 Mnemônica dos fatores que contribuem para a bradicardia perioperatória.

Hipóxia	Trauma (choque, injúria cardiovascular)
Hipovolemia	Toxinas (anafilaxia e anestesia)
Hiper ou hipocalemia	Trombose (embolia) pulmonar
Acidose – íons H+	Trombose coronária
Hipotermia	QT longo
Hipertermia maligna	Hipertensão pulmonar
Hiperestimulação vagal	Pneumotórax hipertensivo
Hipoglicemia	Tamponamento

Fonte: adaptada de: Moitra VK, et al. Anesthesia advanced circulatory life support. Can J Anaesth. 2012;59(6):586-603.

Sendo assim, a partir da identificação de um quadro de bradicardia potencialmente comprometedor, deve-se logo considerar a utilização de dispositivos não farmacológicos, como a colocação de marca-passo, o qual pode ser transtorácico. No entanto, em razão dos inúmeros fatores que podem ser relacionados à bradicardia no período perioperatório, o uso desse dispositivo é mais indicado quando ela é detectada em outros ambientes que não o centro cirúrgico.[7] No centro cirúrgico ou na UTI cirúrgica, deve ser primeiro observado se foram administrados fármacos vagotônicos, como alguns opioides, fármacos simpatolíticos ($α_2$-agonistas), se ocorreu manobra vagal (massagem carotídea, manobra de Valsalva), ou se foi consequente à manipulação cirúrgica, como por exemplo, pode ocorrer durante a cirurgia de endarterectomia. Por outro lado, se estiver associada à hipotensão, é necessário que se intervenha rapidamente.

O tratamento da bradicardia perioperatória deve seguir os seguintes passos:[45]

- Assegurar oxigenação adequada;
- Verificar oximetria e capnografia;
- Verificar condições cirúrgicas e anestésicas;
- Diagnóstico diferencial (8 Hs e 8 Ts);
- Verificar sinais e sintomas de baixa perfusão, relacionados à bradicardia:
  - dor torácica, alteração aguda do estado mental, sinais de choque;

- Caso se observe sinais de choque:
  - observar;
  - continuar investigando possíveis causas;
  - solicitar avaliação do cardiologista na sala cirúrgica.
- Caso não se observe sinais de choque:
  - infundir fluidos endovenosos vigorosamente, salvo contraindicações, por exemplo, devido ao infarto do ventrículo D, situação em que se deve diferenciar bradicardia sinusal de bloqueio AV;
  - se hipotensão grave, sinais persistentes de baixa perfusão ou $ETCO_2$ < 15 mmHg, iniciar manobras de RCP, com ventilação assistida e via aérea segura;
  - considerar a administração de atropina, 0,5 mg, por via intravenosa, até 3 mg, ao mesmo tempo em que se prepara o marca-passo transtorácico;
  - considerar a administração de epinefrina, 10 a 100 µg, também por via intravenosa e, se necessário, continuar com infusão contínua em baixa taxa de infusão inicial (0,05 a 0,1 $µg.kg^{-1}.min^{-1}$) ou, como outra opção, após a dose de ataque do referido fármaco, iniciar infusão contínua de dopamina (2-10 $µg.kg^{-1}.min^{-1}$);
  - caso seja diagnosticado bloqueio AV de grau II, tipo II, ou de grau III, acelerar o acoplamento ao marca-passo disponível, nesse caso, que inclusive deve ser considerado o dispositivo transvenoso;
  - obter acesso venoso central e linha arterial invasiva tão logo possível.

Ademais, a instalação do marca-passo de emergência é indicada quando existe diagnóstico de overdose, acidose ou alterações eletrolíticas associadas. É importante também frisar que, em indivíduos portadores de valvulopatias limitadoras do débito cardíaco, por exemplo, como estenose aórtica grave, embora a presença de bradicardia severa possa ser fatal, qualquer aumento desproporcional da FC é igualmente deletério. Assim, um tratamento bastante cauteloso deve ser instituído.

Taquicardia

Independentemente do ritmo, o aumento progressivo da frequência cardíaca pode chegar a tal nível que passa a afetar, de modo deletério, a oferta miocárdica de oxigênio, uma vez que desencadeia diminuição do enchimento ventricular diastólico, bem como aumenta a demanda por essa molécula, devido ao maior trabalho miocárdico associado.[45,47,48] Consequentemente, a redução da pré-carga causa reflexo no volume sistólico, que igualmente passa a ser inadequado, agora levando à redução do débito cardíaco e, consequentemente, à hipotensão, sobretudo se já houver resposta fisiológica inadequada relacionada ao mecanismos de Frank-Starling, caracterizada por mudanças na complacência ventricular.[26] Quando ocorrida no intraoperatório, a taquicardia pode estar associada ao aumento da incidência de complicações cardíacas, tanto em cirurgias cardíacas como não cardíacas.[8,48]

A taquicardia é definida como frequência cardíaca maior que 100 bpm nos adultos ou maior que 20% acima do basal nas crianças. O tratamento depende de cada paciente e da situação em que ele se encontra. Deve-se identificar, o mais rápido possível, o fator desencadeante, objetivando tratar especificamente a causa. Quando as condições cirúrgicas permitem (não havendo hipovolemia), tem sido defendida a utilização intravenosa contínua de fármacos como o esmolol, que apresenta meia-vida de eliminação ultrarrápida, embora o uso de betabloqueadores no perioperatório ainda seja pautado por intenso debate, pois mostra resultados controversos. Se, por um lado, parece haver redução significativa de infarto não fatal relacionado ao seu uso, por outro há tendência ao aumento de eventos cerebrovasculares, hipotensão e bradicardia.[49]

Clinicamente, a taquicardia será comprometedora se estiver associada à alteração do nível de consciência, ao relato de dor torácica, à presença de hipotensão ou a outros sinais de choque circulatório. Igualmente, a anestesia inadequada é fator relacionado. Nesse caso, ocorrem alterações de outros parâmetros, como elevação da pressão arterial, que são decorrentes de situações como laringoscopia, incisão cirúrgica e mudanças bruscas do estímulo cirúrgico. De um modo geral, a taquicardia deve chamar a atenção para os seguintes fatores:

- Hipovolemia, especialmente em pacientes jovens e hígidos, precedendo a hipotensão;
- Sepse;
- Hipercarbia;
- Efeitos de fármacos como atropina e glicopirrolato, isoflurano, pancurônio, daqueles cuja administração está associada à liberação de histamina, ou dos que exercem efeito simpatomimético;
- Hipotensão reflexa;
- Ansiedade;
- Abstinência alcoólica;
- Hipertermia maligna e taquicardia sinusal paroxística, mais frequente em cardiopatias.

Objetivando uma melhor didática, a apresentação, os diagnósticos diferenciais, bem como os respectivos tratamentos das condições clínicas que se manifestam por meio da taquicardia, serão abordados em conjunto, posteriormente, pois são interligados.

■ ARRITMIAS CARDÍACAS

Embora sejam mais frequentemente observadas quando há alguma doença cardíaca prévia, as arritmias cardíacas que ocorrem durante a anestesia, na maioria das vezes, manifestam-se como eventos benignos, sem consequências hemodinâmicas.[50] Por outro lado, indivíduos não portadores de alterações prévias do ECG podem apresentar arritmias por consequência da interação entre as catecolaminas e os anestésicos inalatórios. Igualmente, alguns indivíduos podem apresentar arritmias cardíacas, sinusais ou não sinusais, durante o sono fisiológico. Por essa razão, em portadores de apneia obstrutiva do sono, só é possível um diagnóstico mais preciso se for realizado um *holter* no pré-operatório, combinado com a polissonografia, uma vez que, nesses indivíduos, parece haver maior tendência à manifestação de arritmias noturnas.[51]

Geralmente, a presença de arritmia, supraventricular ou ventricular, que ocorre nos indivíduos saudáveis ou naqueles portadores de doença cardíaca estrutural, não requer, de imediato, tratamento farmacológico. Entretanto, quando relacionada à doença cardíaca estrutural, passa a ser fator preditivo de tratamento antiarrítmico em algum momento do perioperatório. Por outro lado, uma arritmia deverá ser considerada como sendo mais preocupante quando ocorrer alteração do ritmo ventricular ou dessincronização atrioventricular, sobretudo se a função cardiovascular já estiver alterada. Por exemplo, nos indivíduos que possuem volumes sistólicos relativamente fixos devido a alguma patologia valvar, a ocorrência de bradiarritmias pode exercer efeito negativo sobre o débito cardíaco, iniciando uma cascata de eventos, por vezes relacionados a desfecho desfavorável.[45] Igualmente, a perda da contração atrial pode aumentar significativamente as pressões pulmonares quando associada à disfunção diastólica. Da mesma forma, devido à diminuição do enchimento diastólico, as taquiarritmias podem provocar queda do DC e hipotensão, situações que, aliadas ao aumento do consumo miocárdico de oxigênio, criam condições para o desenvolvimento de isquemia do miocárdio, algo extremamente crítico, principalmente quando for observada condição associada de volume sistólico fixo (estenose mitral).[52] Dessa forma, é de suma importância considerar que, mesmo nos casos benignos, a presença de qualquer alteração observada do ritmo cardíaco sempre estará relacionada a algum mecanismo eletrofisiológico, merecendo um olhar crítico. Isso é imperativo, porque a pronta avaliação e o tratamento mais adequado possível das arritmias perioperatórias podem reduzir a morbimortalidade em anestesia.[52,53]

Em se tratando então dos mecanismos subjacentes, uma arritmia pode ser consequência de alterações ocorridas na geração do impulso e/ou na sua propagação, envolvendo, ao mesmo tempo, tanto mecanismos eletrofisiológicos quanto aqueles considerados anormais (arritmogênicos). Da mesma forma, alterações físicas, como hipotermia, e químicas, como os distúrbios eletrolíticos e do equilíbrio ácido-base, podem agir como agentes arritmogênicos, uma vez que podem deflagrar a despolarização parcial de algumas fibras de modo não uniforme, o que leva a variações na condução do estímulo de uma região para outra. Com isso, cria condições favoráveis para o mecanismo de "reentrada" e para os bloqueios de condução. Igualmente, o automatismo pode sofrer alterações desencadeadas por fatores como isquemia, hipercalemia, aumento da tensão da parede e aumento da atividade simpática. Ademais, despolarizações anormais também podem ocorrer por consequência de alteração no armazenamento ou na liberação do cálcio intracelular, de intoxicação digitálica e hipocalemia.[52]

Em se tratando dos aspectos históricos dos efeitos cardiovasculares relacionados à anestesia inalatória, era possível observar diminuição tanto da frequência cardíaca quanto da condução atrioventricular, desencadeada pela administração de anestésicos, como ocorria, principalmente, quando se utilizava o halotano, fármaco frequentemente utilizado até há duas décadas. Sabe-se que o uso de tal agente provoca aumento dos automatismos anormais, quando ocorre concomitante estimulação adrenérgica, o que pode ser explicado pela maior sensibilização do miocárdio aos efeitos arritmogênicos das catecolaminas. Diferentemente, isso não ocorre com a administração de fármacos como o isoflurano e o desflurano. Entretanto, esses dois podem acarretar taquicardia, algo que precisa ser considerado. Nesse sentido, não é nem necessário dizer que se deve ter cautela quando se pretende usá-los nos coronariopatas. Nesses indivíduos, qualquer conduta que aumente a FC, indubitavelmente, se torna comprometedora, pois eles podem ser submetidos a condições inadequadas no que se refere à relação entre oferta e demanda, deflagradas tão logo se inicie a administração de um desses fármacos, algo que, infelizmente, pode vir a ser diagnosticado só mais tardiamente, no pós-operatório, por meio de curva enzimática, o que, muito provavelmente, já terá exercido efeito no desfecho. Assim, objetivando contornar essa preocupação, diferentemente do que foi descrito, é possível obter-se maior estabilidade cardiovascular, caso seja feita a opção pela utilização da anestesia inalatória, com a administração do sevoflurano, o qual, além de não ser arritmogênico, tem sido, inclusive, relacionado à maior proteção miocárdica, por exemplo, nas cirurgias de revascularização do miocárdio, pois estimula o mecanismo de pré-condicionamento celular.[54]

Embora seja possível inferir que os anestésicos venosos exercem efeitos discretos sobre a eletrofisiologia cardíaca, também é verdade que os opioides, utilizando seus receptores acoplados à proteína G, com configuração inibitória, induzem ao fechamento dos canais de cálcio, ao aumento do efluxo de K^+ (hiperpolarização celular) e à redução na produção do AMP cíclico. Esses mecanismos convergem para a diminuição da excitabilidade neuronal, que se reflete no efluxo simpático. Consequentemente, exacerba-se o efeito parassimpático, denominado vagotônico, levando à bradicardia. Como também exercem efeitos diretos sobre os nós SA e AV, a redução da FC pode vir a ser tão significativa que desencadeia evolução da condução elétrica para ritmos nodais ou até causar assistolia, principalmente se o fármaco utilizado foi o remifentanil, embora, de um modo geral, sua utilização seja segura, a depender, claro, de qual população esteja sendo considerada.[54,55]

Complementando as informações, referentes aos efeitos dos anestésicos sobre a eletrofisiologia cardíaca, pode-se inferir que os bloqueadores neuromusculares produzem alterações variadas. Por exemplo, se por um lado a succinilcolina, bloqueador neuromuscular despolarizante, pode provocar bradicardia, devido à estimulação de receptores muscarínicos, por outro, seu uso também está relacionado à manifestação de arritmias, as quais podem ser deflagradas ou por ativação nicotínica ou secundariamente ao aumento do potássio sérico. Já os bloqueadores neuromusculares adespolarizantes que apresentam efeito vagolítico, como o pancurônio, podem por consequência provocar taquicardia.

Objetivando praticidade, ao deparar-se com um evento sugestivo de manifestação de arritmia, a cardioscopia pode permitir que se responda às seguintes perguntas:

- Existe onda P?
- O complexo QRS tem morfologia normal?
- Qual a relação entre a onda P e o complexo QRS?

No entanto, utilizando apenas a cardioscopia, normalmente não se pode obter mensuração do intervalo PR que seja fidedigna. Por outro lado, os outros quatro critérios mostrados anteriormente (de ritmo sinusal) permitem, pelo menos, avaliar se a geração do estímulo elétrico é originária do nó SA. Na mesma linha, por exemplo, se existe uma onda P, mas ela muda de morfologia na mesma derivação, pode-se caracterizar um ritmo de marca-passo atrial migratório, embora existam outros diagnósticos diferenciais. Agora, se ela não está presente, tendo sido substituída por outros tipos de ondas (F e f), poderá ser flutter atrial ou fibrilação atrial, discutidos mais adiante.

Bloqueios de Condução Atrioventriculares

Em se detectando onda P, mesmo que não se possa medir o intervalo PR devido à utilização da cardioscopia, ainda é possível tentar estabelecer a relação de P com o complexo QRS, após o que, consequentemente, estabelecer alguma inferência a respeito de alguns prováveis diagnósticos. Por sua vez, ao se mensurar o intervalo PR e esse apresentar um comprimento fixo, por exemplo, na derivação de DII longo, com valor maior que 200 ms, o diagnóstico será BAV de primeiro grau. Por outro lado, a ocorrência de bloqueio AV de segundo grau, Mobitz I, é caracterizada por um intervalo PR que vai aumentando progressivamente ao longo do tempo, até bloquear a condução AV (fenômeno de Wenckebach). Igualmente, pode-se avaliar a proporção de ondas P para os complexos QRS (5:4, 4:3 ou 3:2), porém devendo-se considerar que a onda P imediatamente precedente ao QRS, responsável pela transmissão do impulso aos ventrículos, mostra um intervalo PR fixo (mais difícil de avaliar), caracterizando, dessa forma, o bloqueio AV de segundo grau, Mobitz II. Nesse caso, há uma claudicação da transmissão (uma onda P que não transmite aos ventrículos), em uma condução a 1:1, o que caracteriza as diferentes proporções. As Figuras 223.8 a 223.10 mostram alguns exemplos de BAV. Observar, na Figura 223.9, o aumento progressivo do intervalo PR, caracterizando o fenômeno descrito. Na Figura 223.10, que mostra um BAV de segundo grau, Mobitz II, observar os intervalos PP constantes, precedentes à onda P cuja condução é bloqueada. Este tipo de BAV normalmente vem acompanhado de sintomatologia, cujo tratamento requer implante de marca-passo.

Explorando um pouco mais, se há presença de 2 ondas P entre 2 QRS, pois só uma transmite aos ventrículos, com intervalos PP constantes, pode-se inferir que é um BAV 2:1. No entanto, se a proporção é de 3:1 ou 4:1, com o intervalo PR da onda que transmite impulso aos ventrículos sendo constante, caracteriza-se como BAV de alto grau. Por outro lado, se não há relação da condução atrial com a ventricular (PR inconstante), é considerado como bloqueio de terceiro grau ou total, que geralmente também necessita de tratamento imediato no período perioperatório (ver bradiarritmias).[56] Ao congelar a imagem do monitor, é possível "grosseiramente" fazer tais inferências, assim como averiguar se a morfologia do QRS visualizada é ou não similar à do ECG prévio. A Figura 223.11 mostra um quadro de BAVT com QRS largo, também a título de exemplo.

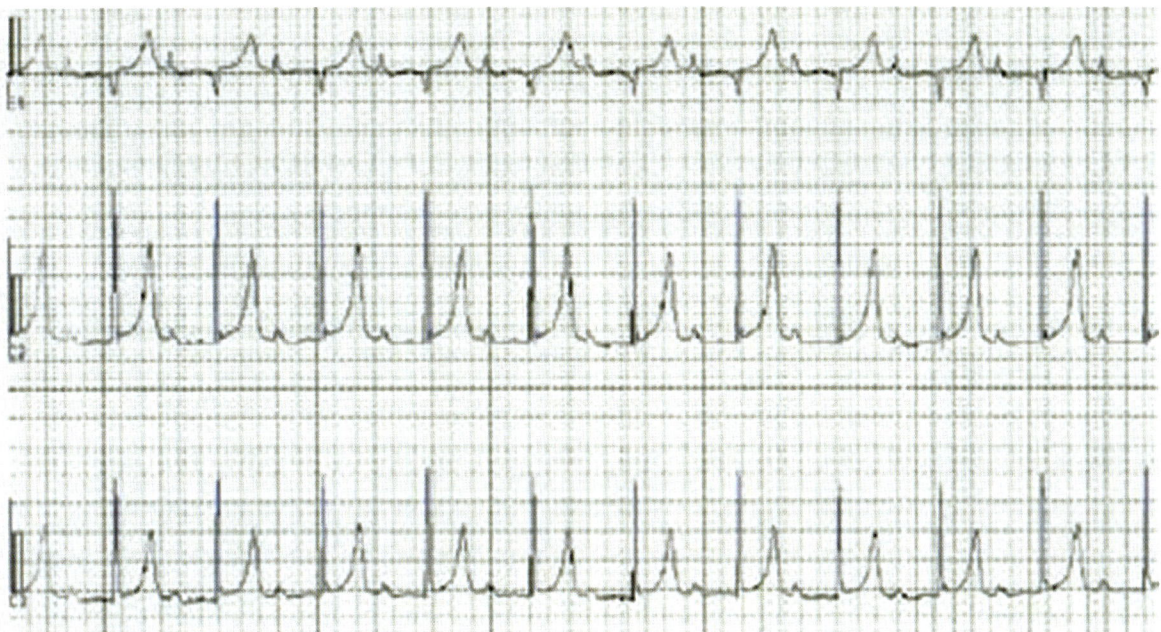

▲ **Figura 223.8** BAV de primeiro grau.

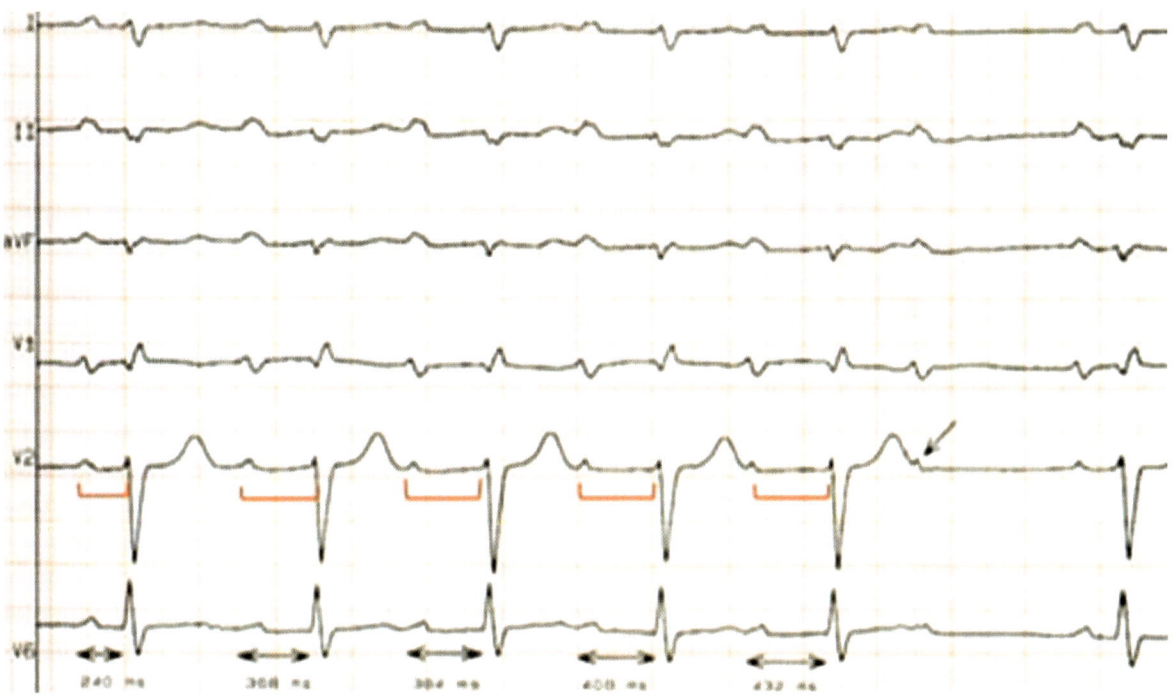

▲ **Figura 223.9** BAV de segundo Grau Mobitz I, com fenômeno de Wenckebach. A seta indica qual onda P foi bloqueada.

A quarta onda P é bloqueada (seta), sem alterações nos Intervalos PP precedentes.

▲ **Figura 223.10** BAV de segundo Grau Mobitz II.

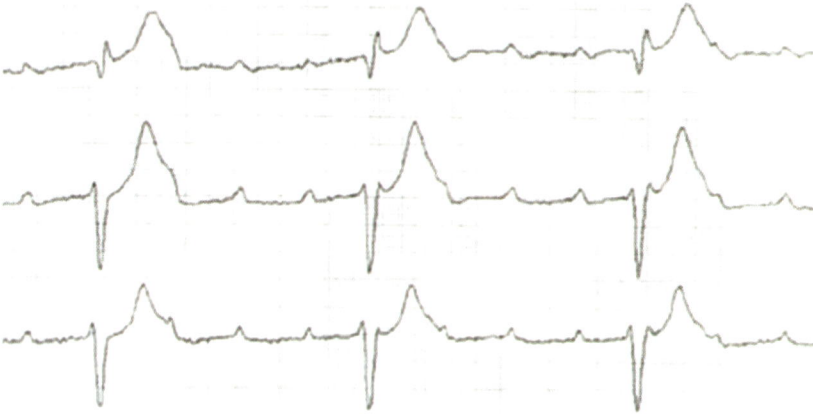

▲ **Figura 223.11** BAVT com QRS largo.

Levando-se em consideração aspectos relacionados à epidemiologia, ao detectar-se bloqueio de condução, que se origine nos ramos do feixe de His, direito ou esquerdo, o qual já estava presente desde o pré-operatório, uma das causas de cardiopatia a serem consideradas é a Doença de Chagas. Por outro lado, sua ocorrência durante o perioperatório pode ser sinal de isquemia miocárdica, cujo diagnóstico requer a adoção imediata das medidas já discutidas anteriormente. As Figuras 242.12 e 242.13 mostram o bloqueio de ramo direito e o de ramo esquerdo, respec-

tivamente. Observa-se, na Figura 223.12, o complexo QRS alargado (maior que 0,12 s), padrão RSR' (orelha de coelho), depressão do segmento ST e inversão da onda T, em V_1 e V_2. Já na Figura 223.13 (concomitante hipertrofia ventricular esquerda, de origem hipertensiva), observa-se que também há aumento da duração do QRS, com padrão rS em V_1, onda R dentada (em forma de M, na figura, nas derivações de V_4 a V_6) e onda T invertida. Nesse caso, vale lembrar que, se houver concordância da onda T com o complexo QRS, deve-se pensar em isquemia miocárdica.[25]

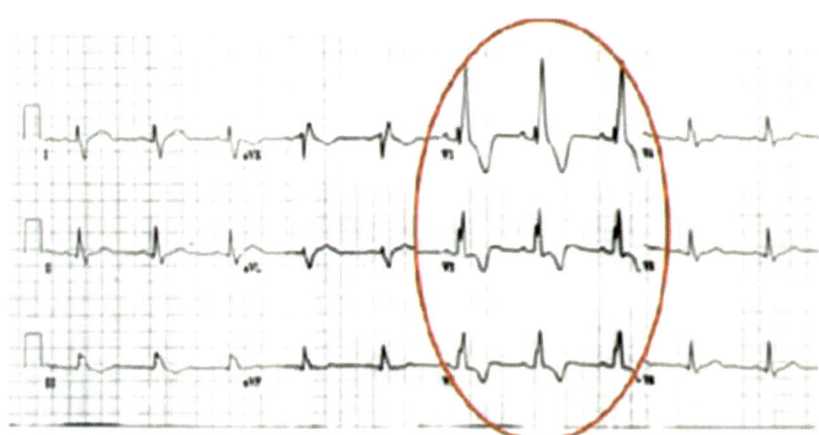

▲ **Figura 223.12** Bloqueio de ramo direito.

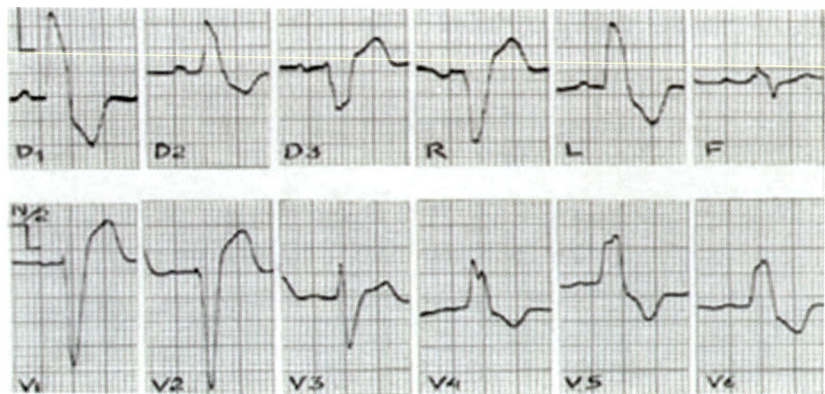

▲ **Figura 223.13** Bloqueio de ramo esquerdo.

Taquicardias Supraventriculares

Uma vez detectado episódio de taquicardia, no qual não se visualize a onda P, algo que permite, pelo menos inicialmente, excluir-se a de origem sinusal, o próximo passo é avaliar se há comprometimento da oxigenação e instabilidade hemodinâmica. A seguir, deve-se utilizar a morfologia do QRS como referência, para que se possa fazer inferências a respeito das probabilidades relacionadas às origens do foco, pois é possível que ele esteja situado tanto na região supraventricular quanto na ventricular. Nessa linha, o que pode ser dito, inicialmente, é que, usualmente, não se percebe alteração morfológica do complexo QRS, quando o foco se localiza na região supraventricular, excetuando-se condições nas quais o evento se relacione a um padrão de condução aberrante.[43,56]

Embora no universo causal devam ser considerados o automatismo e a atividade deflagrada como fatores associados, de um modo geral tende-se a admitir que as arritmias supraventriculares sejam desencadeadas por mecanismo de reentrada, cuja condição necessária, para que seja deflagrado, implica na ocorrência de dissociação da via de condução elétrica, caracterizando o que se denomina como sendo plausibilidade biológica, por assim dizer.[56] Durante a propagação do estímulo elétrico, do nó SA para o nó AV, um dos caminhos possui condução lenta e o outro apresenta bloqueio unidirecional, em um dado ponto no sentido da condução, o que propicia condições para que haja perpetuação do estímulo, agora passando a ser "circular", fenômeno que caracteriza a arritmia. Entretanto, como dito, mecanismos derivados do automatismo e da atividade deflagrada também devem entrar na constelação causal, o que pode trazer muita dificuldade para uma correta interpretação, sem a opinião do especialista que, inclusive, pode indicar previamente estudo eletrofisiológico.[43,56]

Considerando-se os mecanismos intrínsecos a cada uma delas, as arritmias supraventriculares podem ser classificadas em: taquicardia atrial (TA), taquicardia por reentrada nodal (TRN), taquicardia por reentrada atrioventricular (TAV), fibrilação atrial (FA), a mais frequente, e flutter atrial.[43,56,57] As Figuras 223.14 e 223.15 mostram traçados de ECG, nos quais é possível ver o paroxismo (início e término súbitos), sendo que, na 223.14, a onda P é positiva, e na 223.15, ela é negativa (ver últimos traçados, respectivamente). Já na Figura 223.16 é mostrada uma taquicardia supraventricular,

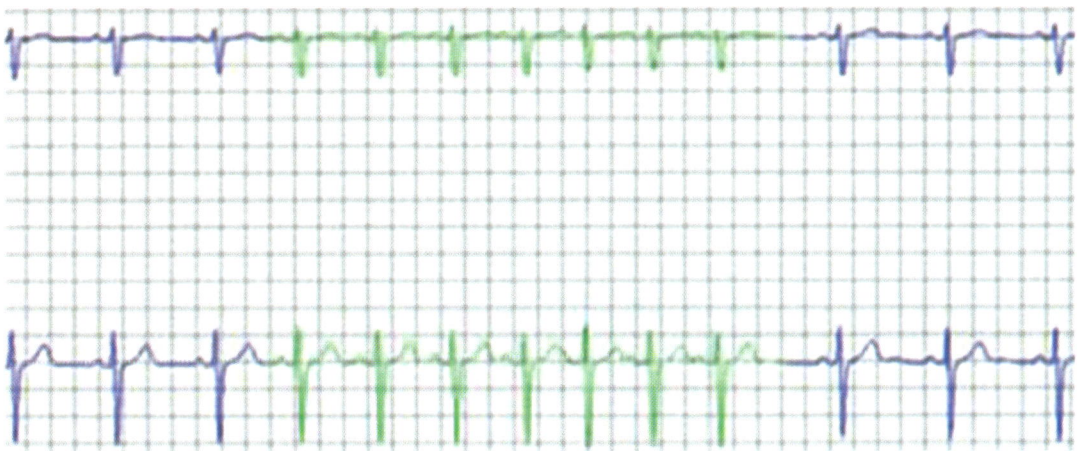

▲ **Figura 223.14** Taquicardia supraventricular (atrial), com QRS estreito e P positiva.

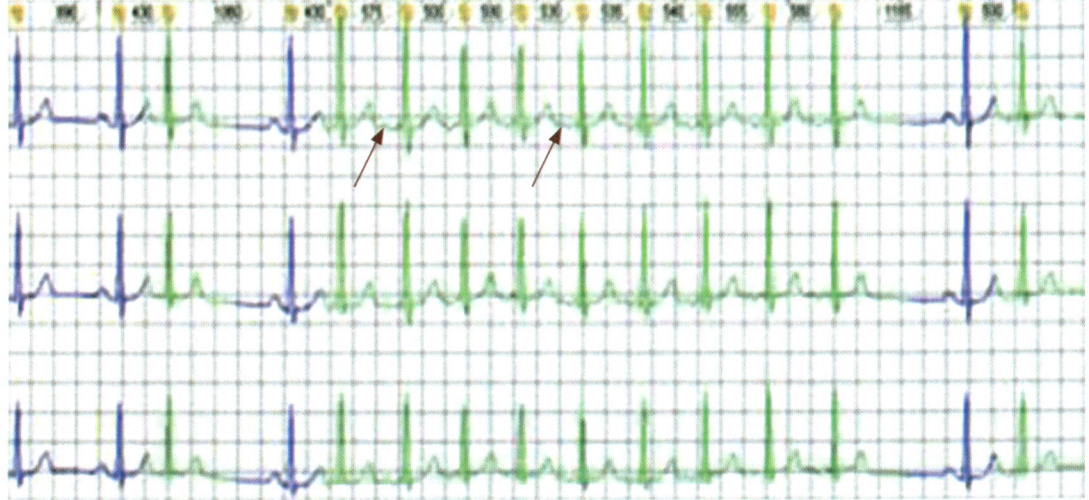

▲ **Figura 223.15** Taquicardia supraventricular (atrial) paroxística, com QRS estreito e P negativa (setas).

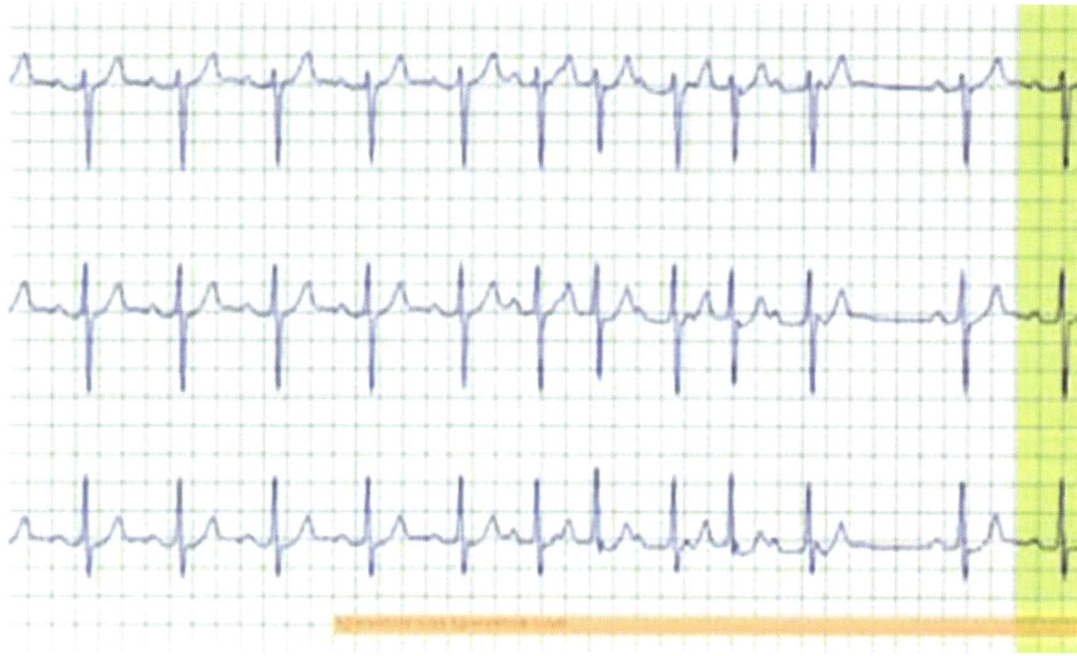

Observar: morfologias variadas das ondas P, durante a taquicardia; intervalo PP variável; como a condução A-V não é 1:1, presença de bloqueio AV variável.

▲ **Figura 223.16** Taquicardia supraventricular (atrial) paroxística com QRS estreito e intervalo PP variável.

na qual ocorre uma variação no intervalo PP, a ponto de causar um bloqueio AV variável, caracterizando um intervalo RR irregular, sem que, por outro lado, seja FA.

A TRN é confinada apenas ao nó AV, ao passo que a TAV é extranodal, possuindo, portanto, mecanismos relacionados à sua deflagração, desencadeados tanto nos átrios quanto nos ventrículos. Por consequência, ela apresenta duas formas de manifestação: a TAV de QRS estreito e a TAV de QRS largo, conforme a via deflagradora, como colocado anteriormente. A TAV de QRS estreito é assim caracterizada quando, primeiro, a condução para os ventrículos segue pela via normal da condução, a partir do ponto de dicotomização no circuito e, segundo, a via anômala provoca despolarização dos átrios retrogradamente. Por outro lado, em se tratando de TAV de QRS largo, é a condução ventricular ativada pela via anômala, enquanto a via dos átrios é deflagrada pelo nó AV, mecanismo que faz mudar a duração do campo eletromagnético, o qual influencia a duração do QRS. Já as taquicardias atriais possuem focos arritmogênicos em pontos distintos do nó SA, porém induzem, da mesma forma que o primeiro tipo de TAV apresentado, a um QRS estreito.[43,57,58] A Figura 223.17 mostra um exemplo genericamente denominado como taquicardia supraventricular paroxística. Observar que, durante a condução normal, o ritmo sinusal mostra um FC basal de 82 bpm, após o que, durante o episódio de taquicardia, essa gira em torno de 284 a 285 bpm.

O flutter atrial se caracteriza por uma frequência atrial de disparo muito elevada (até cerca de 300 bpm), em razão de existirem circuitos de reentrada localizados na musculatura atrial, entre as duas veias cavas, muito sincronizados, responsáveis pela geração de ondas de propagação atriais chamadas de ondas F, as quais são pontiagudas, largas e muito semelhantes entre si. Associado, também ocorre um BAV. Por

essa razão, pode-se caracterizar o flutter pela proporção de ondas F para cada intervalo R-R, por exemplo, 2:1, 3:1, 4:1. Já a proporção 1:1 é uma condição mais grave, que pode evoluir para o flutter ventricular. As Figuras 223.18 e 223.19 mostram ECGs que registram quadro de flutter atrial. Na Figura 223.18, por exemplo, é possível observar as ondas F invertidas em DII, DIII e AVF, a uma frequência aproximada de 300 bpm, com um bloqueio AV de 2:1, o que resulta em uma frequência ventricular de 150 bpm. Observam-se também, em V1, ondas F positivas simulando ondas P e, ocasionalmente, de V1 a V3, ciclos de 3:1, modificando o intervalo RR, mas que não descaracteriza o flutter (ver DII longo).

A Figura 223.20 mostra um ECG com flutter atrial que exemplifica um bloqueio AV de 4:1. Também é possível observar ondas F invertidas em DII, DIII e AVF, a uma frequência aproximada de 260 bpm, ondas positivas em V1 e V2, simulando ondas P e uma frequência ventricular de aproximadamente 65 bpm, indicando um bloqueio AV de 4:1. Neste caso, as ondas F em V1 e V2 podem até confundir com BAV.

Por sua vez, a FA é consequência da estimulação atrial com uma frequência muito elevada (acima de 400 por minuto). Porém, diferentemente do flutter, ocorre por meio de atividade elétrica desordenada, uma vez que a reentrada é deflagrada em vários pontos, de forma caótica. Assim, ondas P são substituídas por ondas f, as quais possuem formatos variáveis. Como acontece com o flutter, está presente um BAV "protetor". Entretanto, no caso da FA, por este ser inconstante, gera um intervalo R-R irregular, o qual também pode ser confundido com o flutter que vem associado a um BAV variável. Por essa razão, dependendo da manifestação, exerce efeito no volume sistólico, pois esse é gerado por diferentes tempos de enchimento, algo que inclusive pode ser percebido pela palpação do pulso radial, enquanto se ausculta o ritmo das bulhas cardíacas.[58,59]

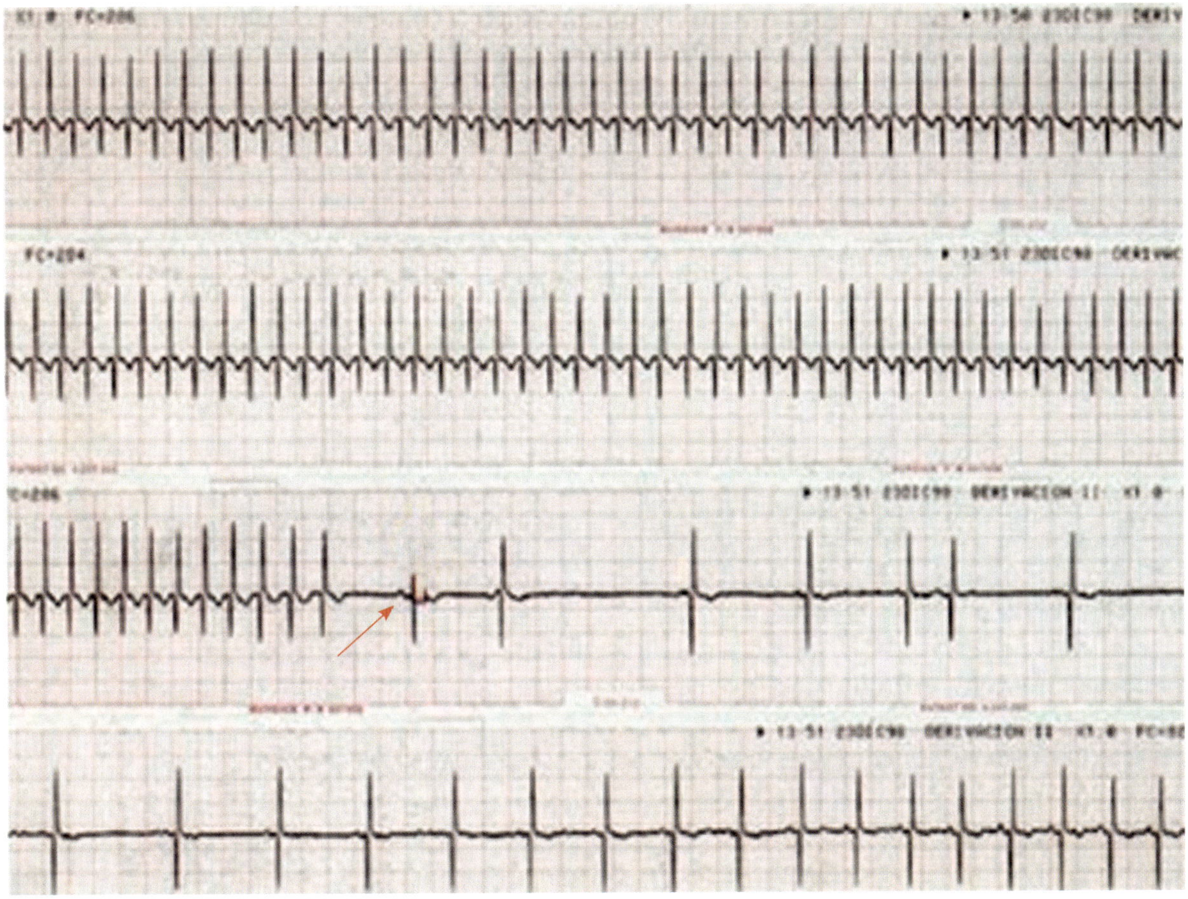

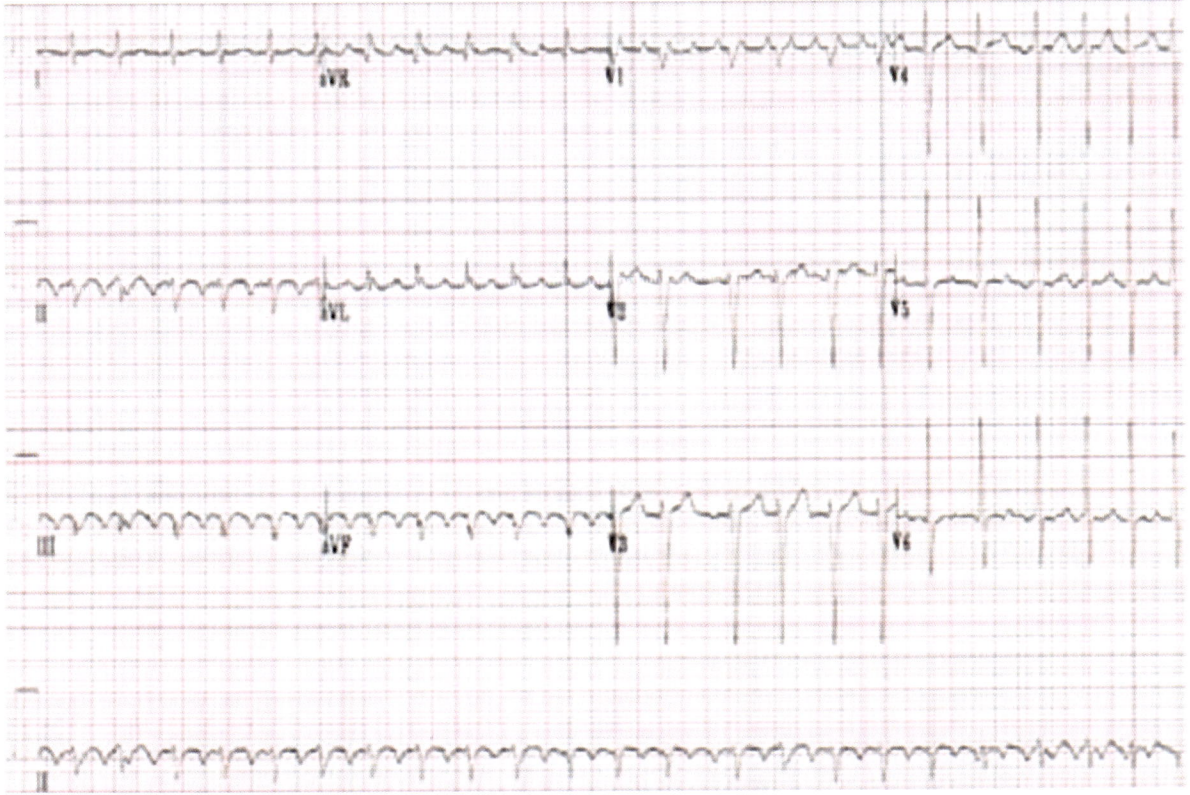

▲ **Figura 223.17** Taquicardia supraventricular paroxística de QRS estreito.

▲ **Figura 223.18** Flutter atrial com bloqueio 2:1.
Fonte: adaptada de http://lifeinthefastlane.com/ecg-library/atrial-flutter/. Acesso em: 20 out. 15.

A FA pode ser considerada de baixa resposta ventricular (frequência de pulso abaixo de 60 bpm), de moderada resposta (60 a 100 bpm) ou de alta resposta ventricular (acima de 100 bpm). Vale ressaltar que na FA de alta resposta ventricular é bem mais difícil ter o diagnóstico confirmado apenas com a utilização da cardioscopia e do exame físico, como dito anteriormente, pois a FC pode estar muito alta, a ponto de não se saber ao certo se é FA ou outra taqui-cardia supraventricular.[39,55] Felizmente, as classes farmacológicas utilizadas para o tratamento das arritmias, embora sejam variadas em termos de mecanismos de ação, incluem agentes que podem ser indicados em vários tipos de arritmias supraventriculares, e até algumas ventriculares, cujos exemplos podem ser a amiodarona e os betabloqueadores. A Figura 223.20 mostra um ECG durante um episódio de FA de alta resposta ventricular.

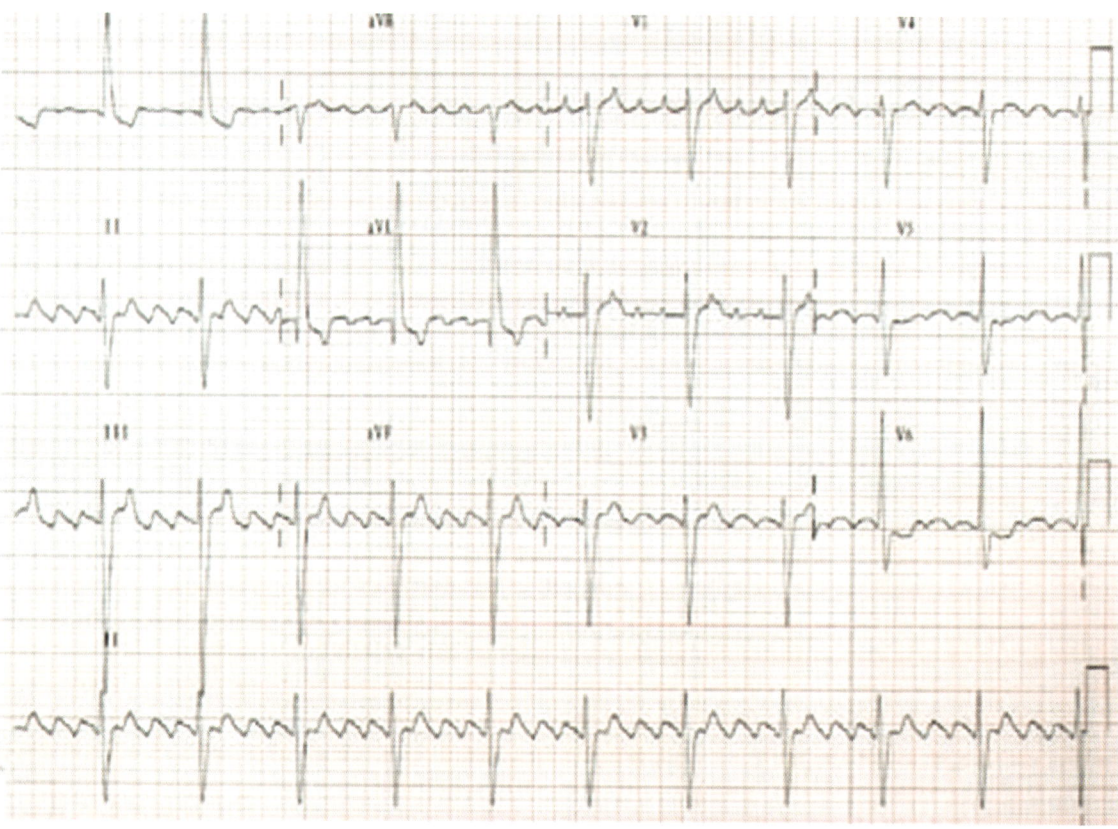

▲ **Figura 223.19** Flutter atrial com bloqueio 4:1.

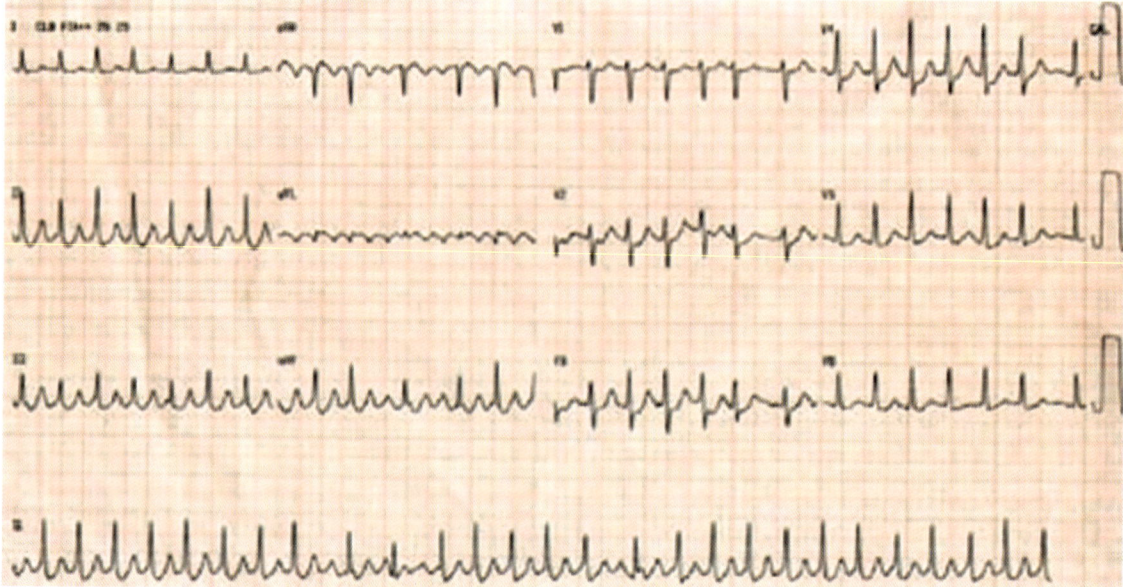

▲ **Figura 223.20** Fibrilação atrial de alta resposta ventricular.

Entretanto, quando a dúvida diagnóstica for relativa à diferenciação, por exemplo, entre a TAV de QRS largo e taquicardia ventricular monomórfica,[43] deve-se solicitar um especialista na sala de cirurgia. Assim, será possível obter um diagnóstico mais preciso, bem como um tratamento que seja o mais adequado possível, pois os desdobramentos clínicos de ações ineficazes, que vão se somando durante uma intercorrência, podem resultar em desfechos desfavoráveis. Por outro lado, de um modo geral, para fins didáticos, as principais causas de taquicardia, os respectivos diagnósticos diferenciais e os possíveis tratamentos[45,60] estão listados no fluxograma da Figura 223.21, que deve ser analisado con-

textualmente não só como sendo relativo a um único tópico, pois abrange mais temas do que os discutidos até aqui.

Uma vez sendo possível a realização de um ECG de boa qualidade, pode-se utilizar a Figura 223.22, outro fluxograma, quando se observa uma condição clínica característica de algum tipo de taquicardia supraventricular. As mensurações indicadas dos intervalos RP e PR, bem como o comprimento do QRS, ditarão um caminho mais acertado, a partir do espectro de hipóteses diagnósticas, sobretudo se não houver instabilidade hemodinâmica, condição que permite certo tempo para um estudo mais detalhado antes de optar-se pelo tratamento propriamente dito.

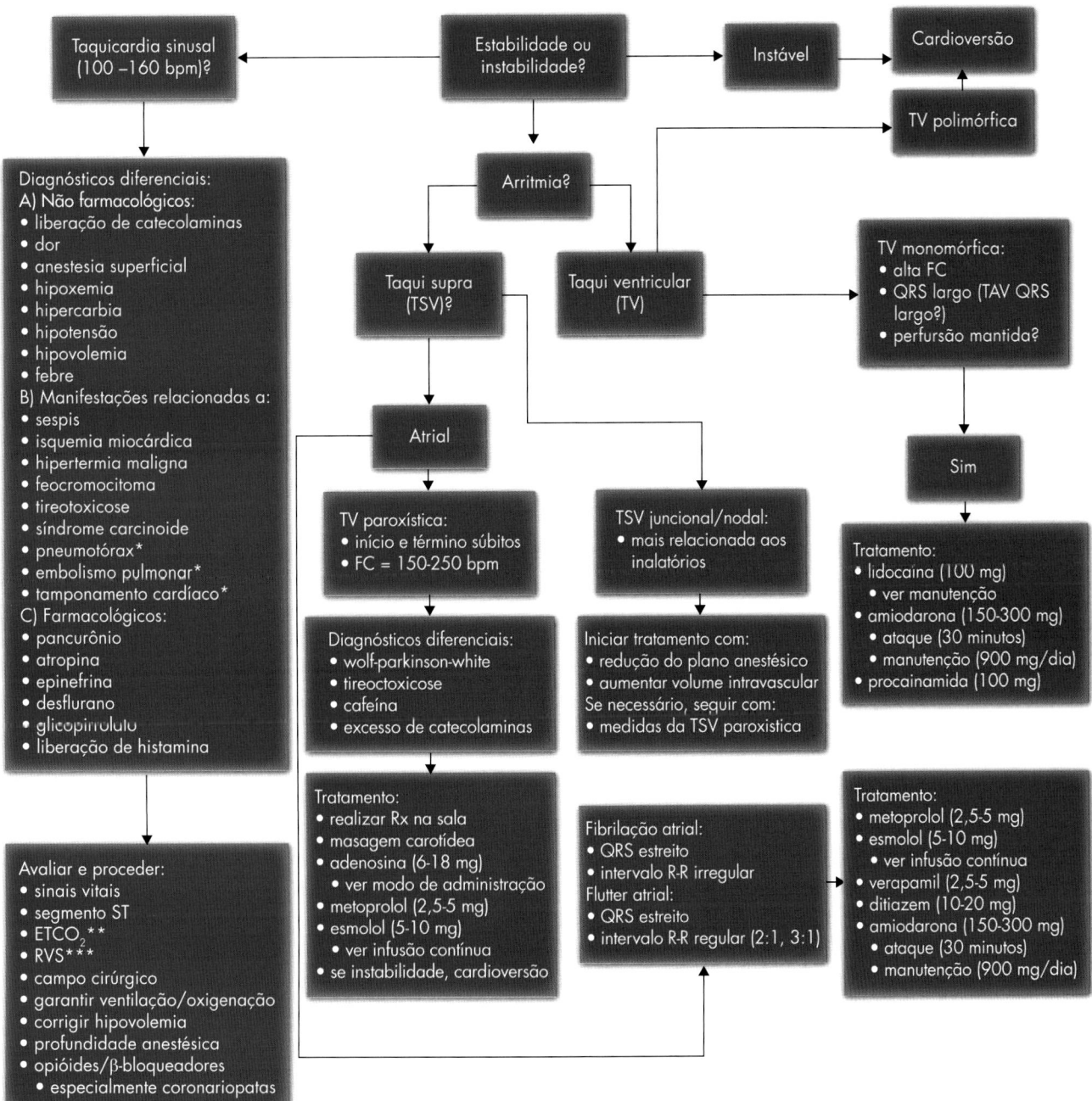

▲ **Figura 223.21** Fluxograma auxiliador na vigência de taquicardia.
Fonte: adaptado de Moitra, VK, et al. Anesthesia advanced circulatory life support (Réanimation circulatoire avancée en anesthésie). Can J Anesth/J Can Anesth. 2012;59:586–603.

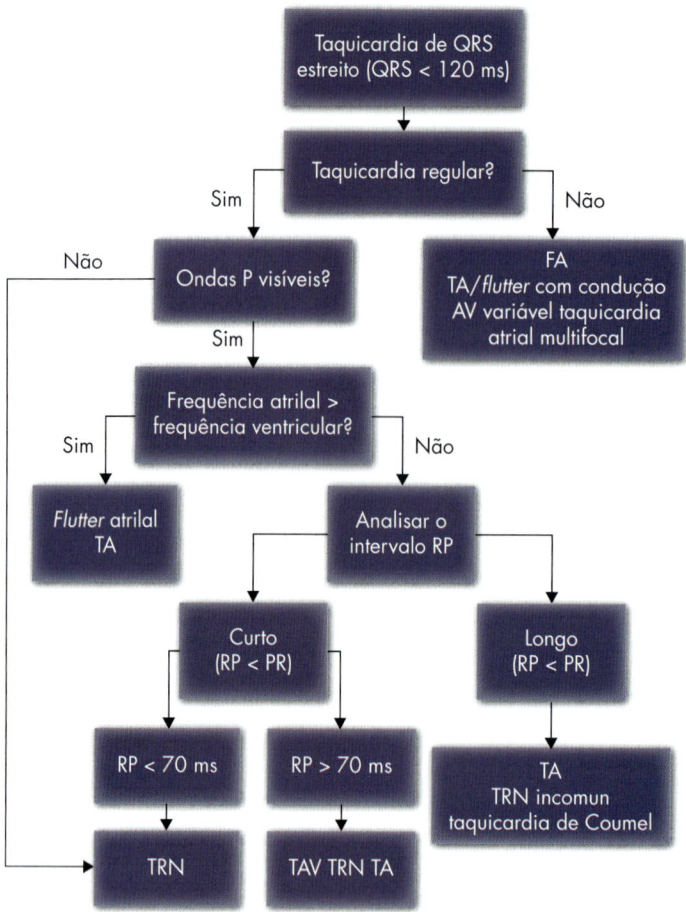

▲ **Figura 223.22** Fluxograma analítico de uma taquicardia de QRS estreito.

Arritmias Ventriculares

Por sua vez, uma arritmia ventricular pode ser classificada de acordo com sua morfologia, se é monomórfica ou polimórfica; e sua duração, se é sustentada ou não sustentada. Partindo-se então dos fenômenos mais simples para os mais complicados, pode-se dizer que a extrassístole ventricular representa a contração prematura, cujo foco é ventricular, e logo após ocorre pausa extrassistólica. Se, ao longo do tempo, sua manifestação apresentar morfologia similar, será considerada como sendo monomórfica, se não, como sendo polimórfica. Igualmente, ela pode ocorrer entre os complexos QRS estimulados pela via normal esporadicamente, isoladamente, em "salva" (vocábulo utilizado pelas Diretrizes Brasileiras de Cardiologia, referindo-se a várias extrassístoles que ocorrem em sequência),[56] ou a intervalos de tempo específicos, por esta razão podendo ser classificada como bigeminada, trigeminada ou quadrigeminada.[43] As Figuras 223.23 a 223.25 mostram alguns dos exemplos citados.

Pode-se dizer que uma arritmia de QRS largo (cuja duração seja maior que 0,12 s) é taquicardia ventricular não sustentada (TVNS), quando ocorrem três ou mais contrações ventriculares prematuras, mostrando frequência acima de 100 bpm, porém com um tempo total de ocorrência menor que 30 s. Por outro lado, se o tempo de duração for maior que 30 s, passa a ser classificada como taquicardia ventricular sustentada (TVS). Ambas as manifestações podem apresentar padrão monomórfico ou polimórfico, gerar instabilidade hemodinâmica ou não, embora a definição de TVNS inclua "estabilidade hemodinâmica" como condição associada.[46,52] Ademais, a taquicardia ventricular apresentará ECG com padrão de bloqueio de ramo direito (ver V1 e V2, V5 e V6) se a arritmia originar no ventrículo esquerdo e, ao contrário, de bloqueio de ramo esquerdo, se for deflagrada a partir do ventrículo direito. As Figuras 223.26 e 223.27 mostram dois exemplos clássicos.

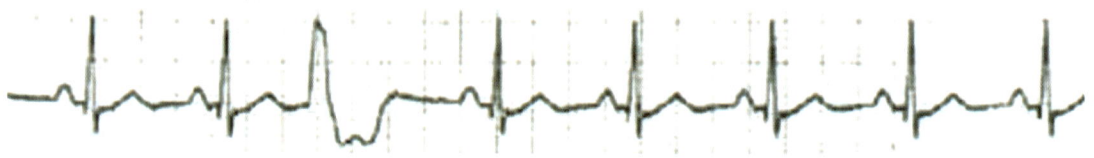

▲ **Figura 223.23** Extrassístole isolada.

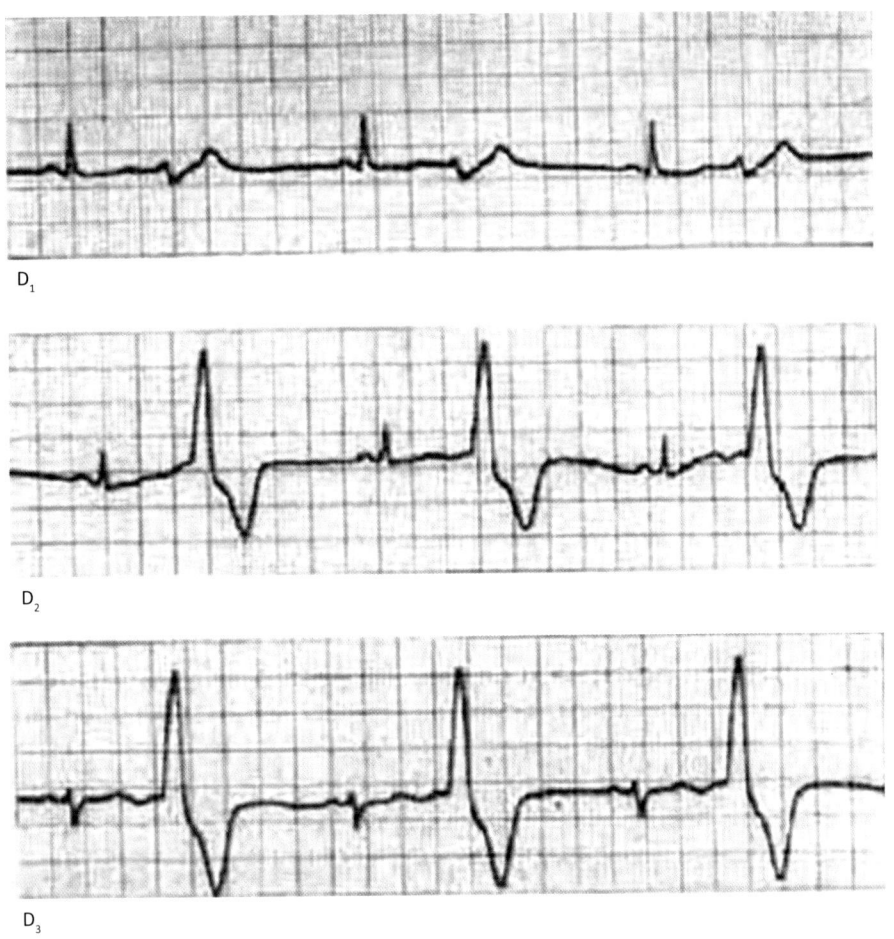

▲**Figura 223.24** Bigeminismo.

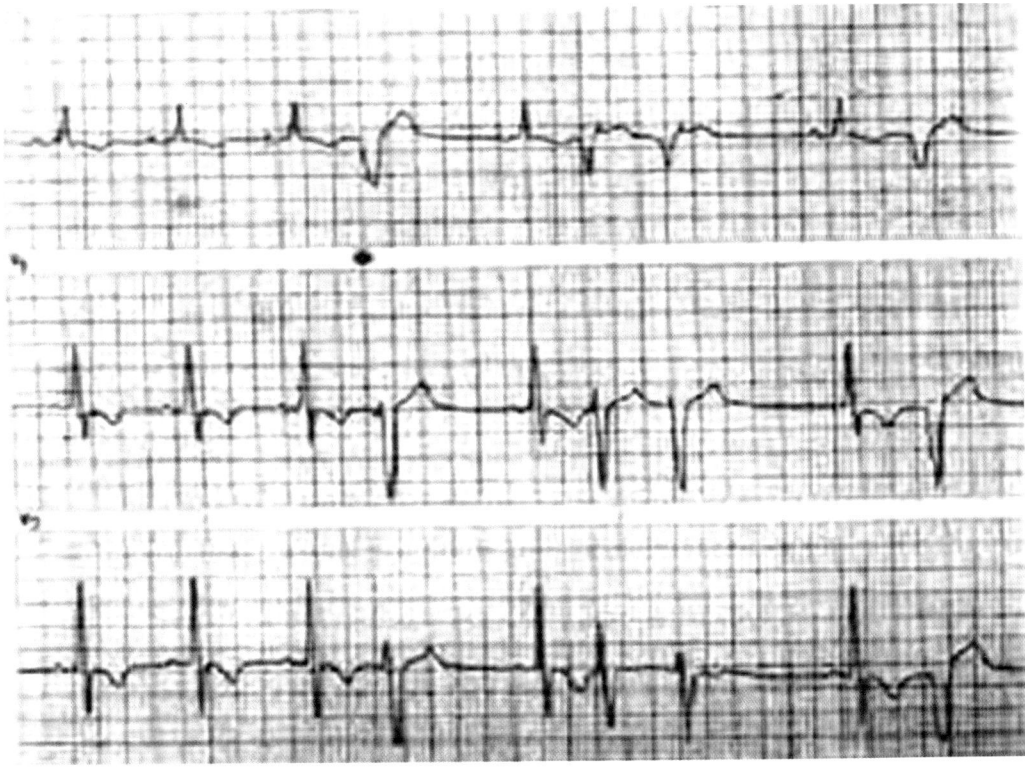

▲**Figura 223.25** Extrassístoles polimórficas.

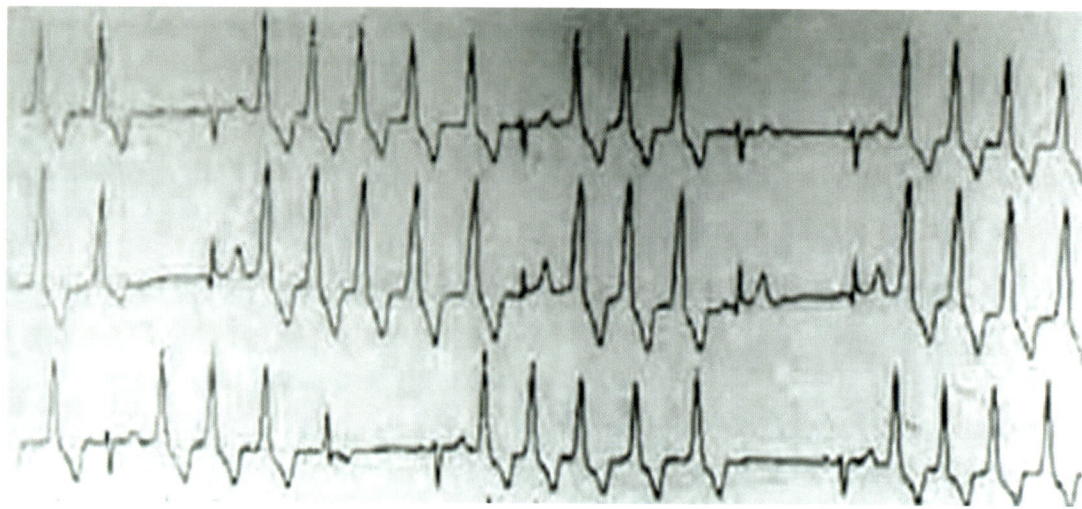

▲**Figura 223.26** Taquicardia ventricular não sustentada monomórfica.

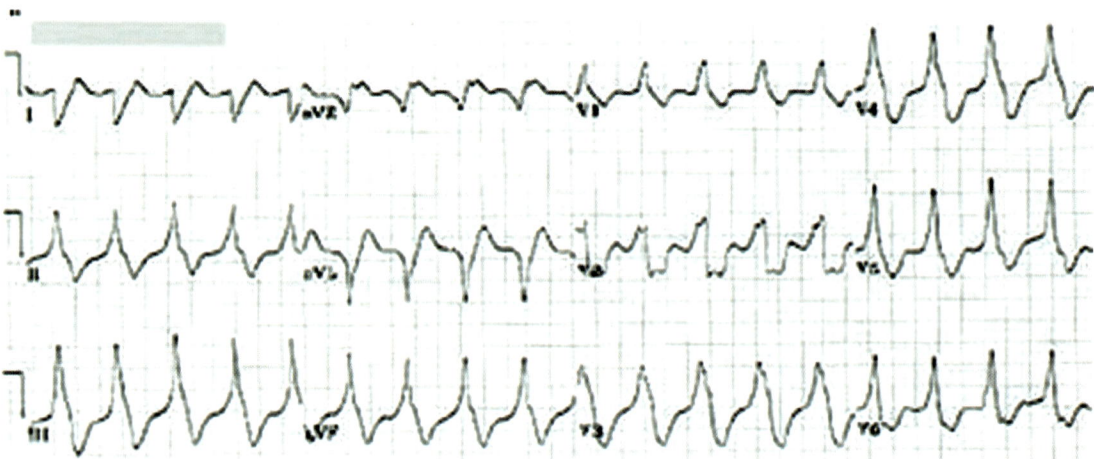

▲**Figura 223.27** Taquicardia ventricular sustentada monomórfica.

Os exemplos a seguir trazem esclarecimentos a respeito de situações que eventualmente podem significar dúvidas. Por exemplo, a Figura 223.28, após uma primeira avaliação, dá a impressão de ser representativa de TVS monomórfica. No entanto, ao avaliar melhor o ECG (veja o DII longo), percebe-se que, na verdade, ele mostra uma FA de alta resposta ventricular associada a um bloqueio de ramo direito, situação bem distinta do primeiro diagnóstico inferencial. Para que a inferência possa ser a mais fidedigna possível, é necessário ter-se cautela, o que significa uma análise, na medida do possível, mais minuciosa, é claro, desde que seja permissivo.

Se, por um lado, tais fenômenos podem ocorrer mesmo que reconhecidamente não haja lesão estrutural, por outro, se essa estiver presente, configura situação indicativa de que haverá subsequente tratamento no perioperatório. Vale também dizer que, por exemplo, durante ou após cirurgia cardíaca, ou vascular de grande porte, a TVNS ocorre em cerca de 50% dos indivíduos, dado, inicialmente, alarmante. No entanto, a maioria dos casos não requer tratamento, assim como parece não afetar a mortalidade, desde que não haja previamente comprometimento da perfusão microcirculatória, pois nesse caso pode ocorrer deterioração clínica.[50]

Quando ocorre uma arritmia, seja ela de qual natureza for, uma sequência de ações bem sincronizadas deve ser adotada, objetivando eliminar as possíveis causas, progressivamente. Nesse sentido, fluxogramas têm sido criados, levando-se em conta os fatores comumente relacionados, possibilitando a realização de um *checklist*, ao mesmo tempo que indicam como proceder, otimizando o tempo a ser gasto. Por exemplo, a Figura 223.21, mostrada anteriormente, traz um esquema que pode ser adotado na vigência de taquicardia, objetivando averiguar se representa arritmia supraventricular, ventricular, ou mesmo se for apenas a taquicardia sinusal.

Os desdobramentos clínicos irão depender da duração da arritmia, fase que está intrinsecamente relacionada à capacidade de realização das condutas pertinentes, discutidas anteriormente, assim como da resposta ventricular às medidas instituídas e da função cardíaca prévia.[61] Por outro lado, se o tempo estender-se para além do permissivo, parâmetro cuja quantificação, na prática, é difícil de ser estabelecida, e as alterações subjacentes não forem corretamente identificadas, pode haver deterioração de uma arritmia, por exemplo, uma taquicardia ventricular sustentada com estabilidade, potencialmente tratável, para um quadro mais catastrófico, como a fibrilação ventricular.[62] Os fatores desencadeantes podem ser alterações eletrolíticas, isquemia miocárdica, hipotensão, infusão de fármacos, além de inúmeros outros. A Figura 223.29 é relativa a um ECG que mostra o registro de uma fibrilação ventricular, de início recente.

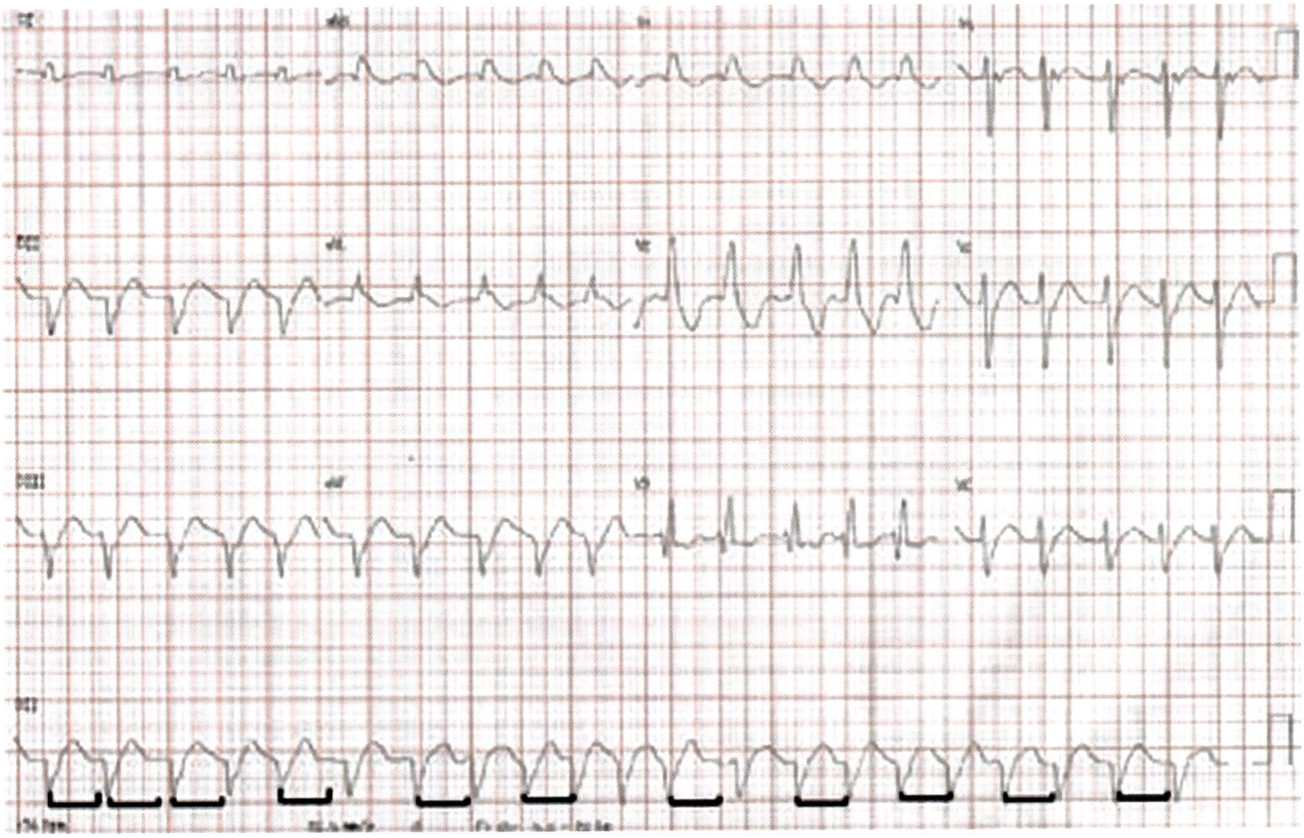

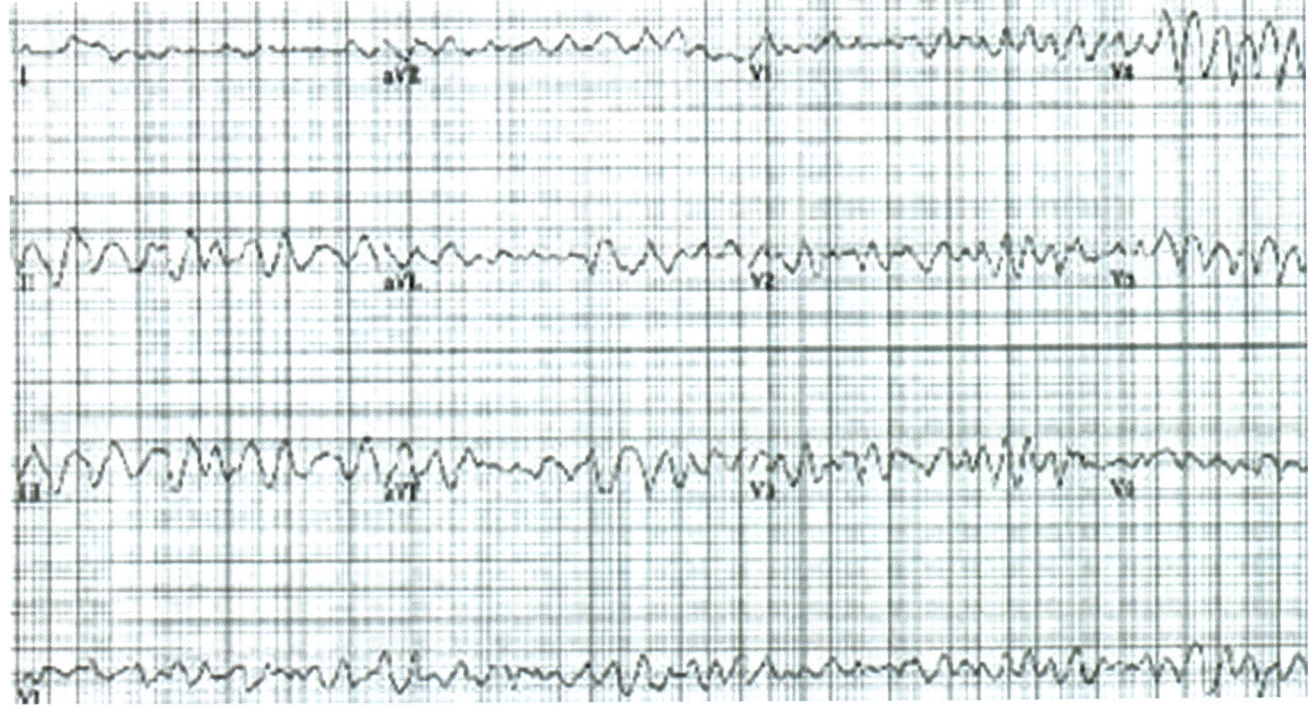

▲ **Figura 223.28** FA de alta resposta ventricular com BRD.

▲ **Figura 223.29** Fibrilação ventricular.

Em se tratando de taquicardia ventricular polimórfica, vale lembrar que, no período perioperatório, causas frequentemente observadas como distúrbios eletrolíticos, sobretudo do potássio e do magnésio, podem estar associadas, sendo a taquicardia ventricular polimórfica, do tipo *Torsades de Pointes*, um exemplo característico. Nessa, ao ECG, pode-se observar que ocorrem mudanças progressivas de morfologia, amplitude e polaridade dos complexos QRS. Também está relacionada a doenças como a Síndrome do QT longo, que pode manifestar-se de forma congênita ou adquirida, assim como pode ser deflagrada por uma "simples" extrassístole, como acontece em portadores de extrassistolia ventricular de

acoplamento curto. Do mesmo modo, pode evoluir para a fibrilação ventricular, o que gera muita preocupação, dadas às consequências potencialmente catastróficas. A Figura 223.30 mostra um traçado característico de *Torsades de Pointes*. Já a Figura 223.31 mostra o traçado de um paciente portador de extrassistolia ventricular de acoplamento curto, que evolui para taquicardia ventricular polimórfica *Torsades de Pointes*, tendo sido revertida para ritmo sinusal, após cardioversão elétrica de 200 J.

No texto construído até aqui, de um modo geral, além da Figura 223.21, as condutas vêm sendo discutidas ou, pelo menos, podem ser inferidas, a partir das prováveis causas as-

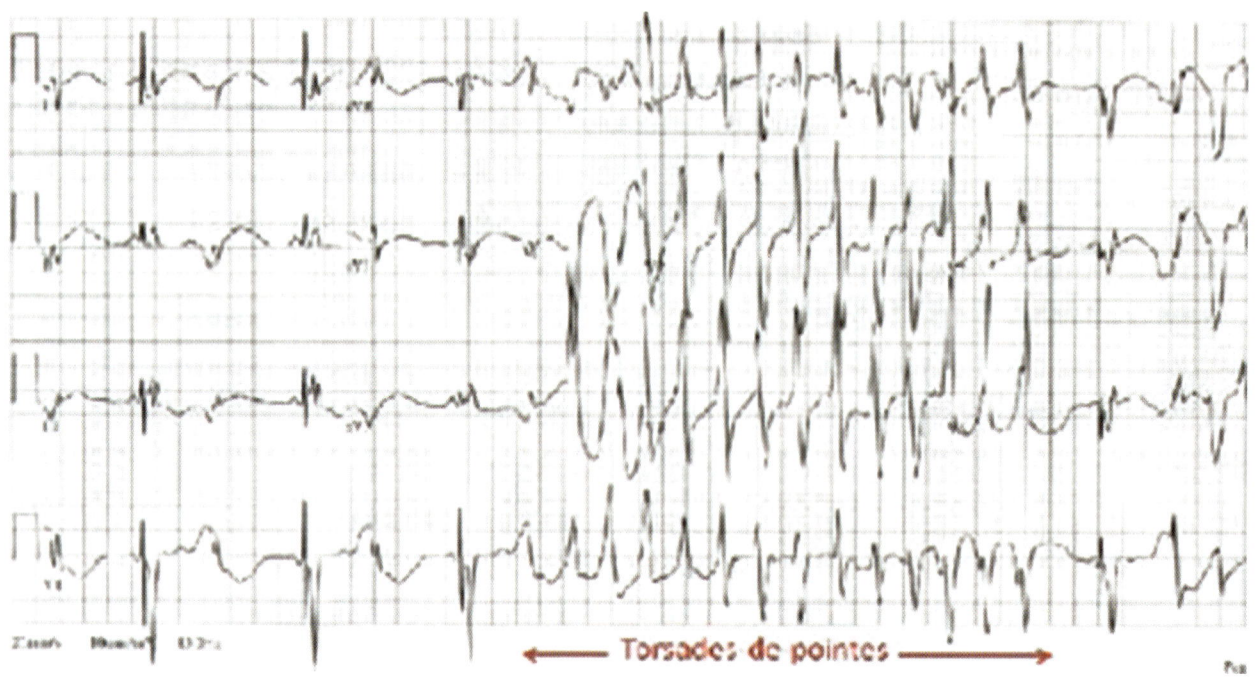

▲ **Figura 223.30** Torsades de Pointes.

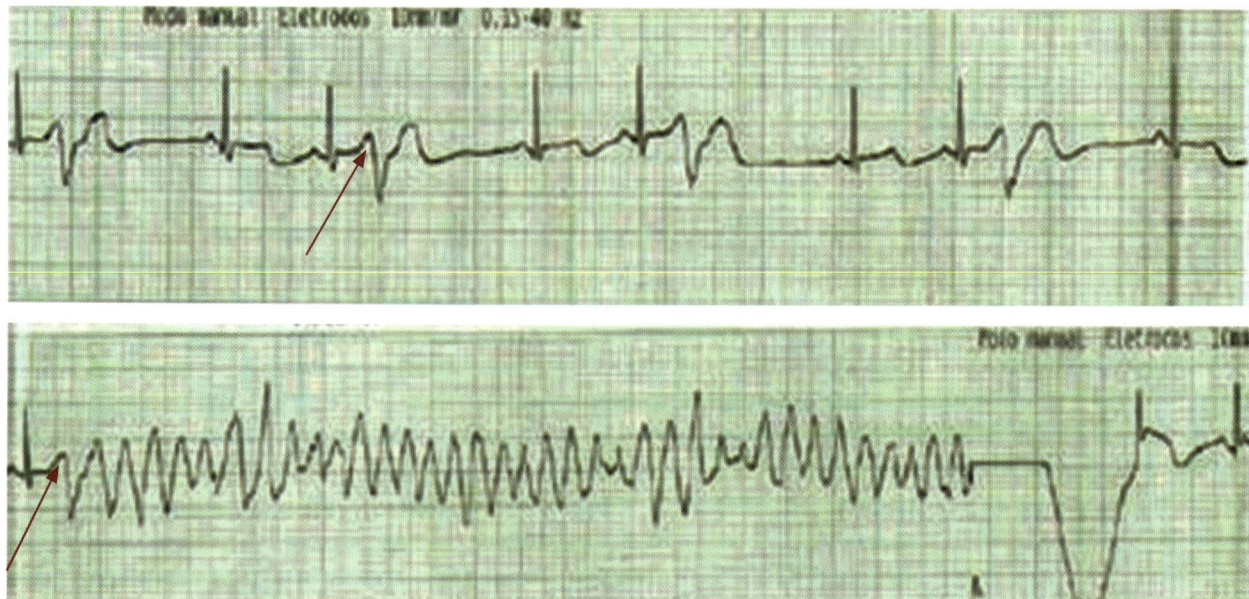

▲ **Figura 223.31** Torsades de Pointes deflagrada por extrassistolia ventricular, cujo acoplamento cai sobre a onda T (seta).

sociadas, como por exemplo, a reposição eletrolítica, nos casos de arritmias desencadeadas por desequilíbrio eletrolítico, sobretudo se há o uso de diurético associado. No entanto, alguns fármacos em particular, utilizados para o tratamento das arritmias, merecem atenção. Nesse sentido, quando indivíduos que estão sendo auxiliados por dispositivos como balão de contrapulsação ou marca-passo de estímulo ventricular, vivenciando deterioração hemodinâmica, apresentam recorrência da TVNS, há benefício clínico no que se refere ao tratamento, ao optar-se pelo uso da lidocaína e/ou dos beta-bloqueadores.[50] Da mesma forma, sabe-se que a via de reentrada pode ser desenvolvida durante a cicatrização tecidual do infarto miocárdico, induzindo a partir daí a TVS monomórfica, embora também esteja relacionada a outros mecanismos. De qualquer forma, essa é condição que pode receber múltipla abordagem farmacológica. Por exemplo, o *Resuscitation Council* (UK) recomenda a administração de amiodarona, 300 mg, em dose de ataque, infundida em uma hora, em acesso venoso profundo, seguida de 900 mg, infundidos de forma contínua nas 23 horas seguintes, embora outros autores acreditem que a procainamida possa oferecer melhores resultados nas 24 horas seguintes. É importante também lembrar que, se houver o diagnóstico prévio de bloqueio de ramo, certamente haverá dificuldade relativa ao diagnóstico inferencial, a respeito da origem da arritmia, se advém de foco supraventricular ou ventricular. Nessa condição, pode-se então utilizar a adenosina, embora seja preferível solicitar opinião complementar, se possível. De um modo geral, aconselha-se adotar as seguintes condutas:

- Lidocaína, por via venosa (IV), em dose de ataque de 100 mg, seguida da infusão contínua de 4 mg.min^{-1}, por 30 minutos, depois, 2 mg.min^{-1}, por duas horas e, então, 1 mg.min^{-1};
- Sotalol, 100 mg (via IV), em tempo superior a 5 minutos de infusão;
- Procainamida, *bolus* de 100 mg (via IV), em tempo superior a 5 minutos de infusão, seguido da infusão de um segundo ou um terceiro *bolus* e, então, iniciando infusão a 3 mg.min^{-1};
- Cardioversão elétrica.

No entanto, havendo PAS menor que 90 mmHg, FC maior que 150 bpm, falência cardíaca ou evidência de isquemia miocárdica, com a presença de pulso, está indicada a cardioversão elétrica, com choque sincrônico de corrente direta, iniciando-se com 150 J, podendo-se subir até 360. Por outro lado, quando não se detecta o pulso, deve-se imediatamente iniciar as manobras de RCP, conforme algoritmo do ACLS, que apresenta revisão recentemente colocada em voga.[63]

A terapêutica farmacológica a ser instituída na TVS polimórfica, além da reposição de magnésio (2-4 g, EV) e de potássio, necessita de um maior aprofundamento conceitual, pois ela depende, prioritariamente, de como estava o intervalo QT quando o ritmo era sinusal, imediatamente antes da sua deflagração. A TVS polimórfica, quando o intervalo QT é normal, pode estar relacionada à isquemia miocárdica, à doença estrutural, além de outros aspectos. Já a *Torsades de Pointes*, TVS polimórfica com intervalo QT prolongado, requer terapêutica que objetiva a diminuição do intervalo QT. Vale

lembrar que fármacos antiarrítmicos (classe IA ou III), além de outros, podem induzir a um prolongamento do intervalo QT, criando, consequentemente, condições para o aparecimento da TVS polimórfica. Como complemento do tratamento, pode-se utilizar a atropina, o isoproterenol ou até mesmo o marca-passo de estimulação atrial, tentando induzir a um aumento da frequência de disparo sinusal durante a *Torsades de Pointes*. No entanto, havendo colapso hemodinâmico, faz-se necessário a utilização de choque assincrônico, enquanto se considera quais possam ser as possíveis causas associadas. Ao mesmo tempo, pode-se também utilizar fármacos que evitam o bloqueio dos canais de potássio, como a lidocaína e a fenitoína, além do uso da amiodarona, a qual, dos antiarrítmicos que prolongam o QT, parece ter menor predisposição à deflagração da *Torsades de Pointes* quando se necessita tratar a TVS polimórfica de etiologia não esclarecida.[50]

Uma vez que tenha o ritmo se deteriorado para fibrilação ventricular (FV), deixa-se de lado inicialmente a terapia farmacológica e imediatamente parte-se para a desfibrilação (choque assincrônico). Posteriormente, ao obter-se restauração do ritmo, seja após a TVS com instabilidade hemodinâmica ou após a FV, aí sim a administração de fármacos intravenosos é, pelo menos, discutível, sobretudo quanto à escolha da classe farmacológica. A lidocaína, por exemplo, segundo a *American Heart Association*, teve sua recomendação mudada para classe intermediária, portanto com menor nível de evidência, comparativamente à amiodarona e à procainamida, como fármaco de escolha a ser infundido pós-PCR no perioperatório, de um modo geral, quando se faz necessário mais de um choque.[64-66]

Destacam-se dois aspectos neste ponto atual da discussão: primeiro, é que tal discussão começou lá em 2002, passando por revisão em 2018, vindo até a mais recentemente, em estudo de metanálise, o qual reafirma que a amiodarona apresenta melhor desfecho, relacionado à admissão e ao prognóstico neurológico, a partir de nove trabalhos, analisando 10.980 indivíduos.[66] A segunda questão, novamente, apenas um vislumbre do que está por vir, como mencionado na Introdução do capítulo, tem a ver com a aplicabilidade da Inteligência Artificial, exatamente, na detecção, na análise, no diagnóstico e na terapia, menos invasiva possível, a ser colocada em prática, tão logo seja processado o imenso banco de dados (atualmente, com mais de 650.000 compilações), o qual inclui, até mesmo dados originários de *smartphones*, relógios de pulso e aqueles adquiridos de forma remota, tanto pré-hospitalar, quanto hospitalar.[67] Certamente, a combinação analítica do perfil de cardioscopia, agora matematicamente e milimetricamente descrito, quando inserida num Universo Causal mais fidedigno, a seguir, com a pletora de mecanismos de ação advindos da Ciência Computacional e da Biologia Molecular, revolucionará a forma como o socorrista poderá atuar bem mais assertivamente, qualquer que seja o ambiente.[67] Simplesmente fantástico.

No mais, os algoritmos estabelecidos pelo ACLS devem estar sempre inseridos na avaliação das complicações cardiocirculatórias, não só no que se refere às arritmias.[63] O anestesiologista, por mais que tenha experiência, na medida do possível deve solicitar o auxílio de um especialista durante a abordagem de uma arritmia.

INSTABILIDADE DO SISTEMA NERVOSO AUTÔNOMO

Oscilações hemodinâmicas caracterizadas por mudanças da PA e da FC são fenômenos comumente observados durante o perioperatório, cujo restauro para valores considerados aceitáveis, em cada situação, é o dia a dia do anestesiologista e do intensivista. A administração de fluidos e fármacos é o recurso utilizado para controlar tais eventos, sendo, de um modo geral, suficiente para que se possa obter resposta adequada. No entanto, deve-se dar o devido valor ao *pool* de causas componentes, as quais, consequentemente, integram uma causa suficiente, nesse contexto, que venha a ser deflagradora de complicações cardiocirculatórias, como consequência de alterações da fisiologia do Sistema Nervoso Autônomo (SNA). Portanto, deve-se sempre realizar uma avaliação clínica profunda, sobretudo no pré-operatório, objetivando identificar possíveis fatores de risco.

Buscando tal aprofundamento, este tópico será iniciado por uma discussão da fisiologia do SNA, que seja de interesse para abordagens posteriores. Nesse sentido, sabe-se que existe uma rede neuronal altamente intricada, constituída pela substância reticular do mesencéfalo, carreando informações de várias áreas cerebrais, que desembocam no denominado centro vasomotor, situado na transição bulbo-pontina. É transmissor de impulsos parassimpáticos para o coração (pelos nervos vagos), bem como de impulsos simpáticos, através dos nervos simpáticos, por via medular, que atingem todo o sistema circulatório. Atua corrigindo quase que instantaneamente possíveis "distorções", as quais possam "romper" com a fisiologia, após receberem informações de um complexo sistema de aferências, transmissoras de sinais das condições circulatórias. Igualmente, recebe influência de várias áreas superiores, inclusive, do córtex.

No centro vasomotor existe a área vasoconstritora, secretora de norepinefrina, a área vasodilatadora, inibidora da área vasoconstritora, o que, consequentemente, causa vasodilatação, e a área sensorial, que recebe aferências via nervos vagos e glossofaríngeos. Em condições fisiológicas, a área vasoconstritora emite sinais continuamente, através de descargas rítmicas de baixa frequência, condição responsável pelo tônus vasomotor. Classicamente, pode-se observar a perda do tônus quando se realiza uma anestesia espinhal que provoque bloqueio simpático total, consequentemente, levando a um quadro de hipotensão. A Figura 223.32 mostra esse mecanismo.

O centro vasomotor exerce controle tanto da circulação quanto do coração, utilizando sinais enviados pelas fibras simpáticas, que induzem a aumentos na FC e na contratilidade, ao mesmo tempo que provocam vasoconstrição, através da ligação adrenérgica e noradrenérgica a efetores específicos, em cada território. Por outro lado, por meio do núcleo dorsal do nervo vago, induz à bradicardia e à inibição da vasoconstrição, causando vasodilatação, através da ligação, agora colinérgica, a efetores que bloqueiam a atividade simpática. Vale lembrar, também, que sinais são enviados à medula suprarrenal, aos rins, ao fígado e à musculatura esquelética, completando a integração do sistema, permitindo assim uma rápida adaptação orgânica, conforme a necessidade.[68,69]

Ainda do ponto de vista fisiológico, toda a informação que faz iniciar as mudanças no sistema advém de receptores espalhados pelo sistema vascular. Os barorreceptores existentes no arco da aorta e nos seios carotídeos, recebem informações do sistema vascular e transmitem instantaneamente, da mesma forma, aumentando ou diminuindo sua frequência de disparo, conforme o grau de estiramento aumente ou diminua, o que causa excitação ou inibição do centro vasomotor. Esse, por sua vez, controla a circulação e o coração por meio de *feedback*, restaurando a fisiologia, fechando o ciclo, embora também estejam relacionados mecanismos adicionais, como será mais adiante descrito, o que dá complexidade ao sistema, ao mesmo tempo que

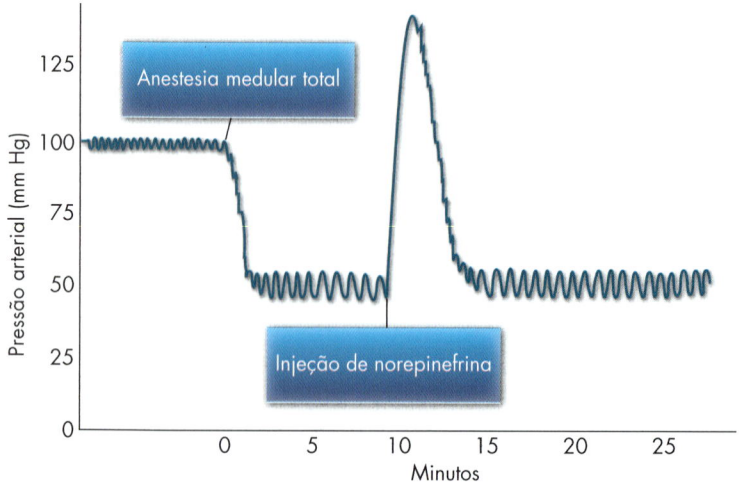

▲ **Figura 223.32** Comportamento da pressão arterial ao longo do tempo, após anestesia espinhal e subsequente injeção de norepinefrina.

Fonte: adaptada de Guyton AC, Hall LE. Regulação neural da circulação e o controle rápido da pressão arterial. Tratado de Fisiologia Médica. Guyton AC, Hall JE, Editores. 9ª ed. Rio de Janeiro: Guanabara Koogan, 1997;191-201.

regulagem fina. A Figura 223.33 mostra o quão sensível e o quão rápido é o referido mecanismo, sobretudo quando as respostas são desencadeadas por oscilações em torno dos valores normais de pressão.

Igualmente, a Figura 223.34 mostra as alterações na pressão arterial ao longo do tempo. Quando há oclusão das artérias carótidas comuns, ocorre redução de pressão nos seios carotídeos, diminuindo acentuadamente, como consequência, as descargas neuronais, o que bloqueia a inibição sobre o centro vasomotor e faz aumentar a atividade vasoconstritora, elevando, consequentemente, os níveis pressóricos.[68,69]

Ainda como coadjuvantes, no controle hemodinâmico, como indicado anteriormente, estão os barorreceptores situados na junção venoatrial e nos ventrículos, os quais integram as vias aferentes cardíacas do sistema nervoso através dos nervos vagos, balanceando, dessa forma, a relação simpático/parassimpático, conforme o grau de enchimento intracameral. Nesse sentido, o reflexo inibitório cardíaco, quando ocorre, pode ser caracterizado pela presença de hipotensão e, paradoxalmente, bradicardia, respostas deflagradas a partir de estímulos iniciados nas vias aferentes ventriculares. Isso também explica, por um lado, a ocorrência de bradicardia e hipotensão em animais, quando se produz oclusão da artéria circunflexa esquerda, uma vez que os receptores ventriculares estão mais distribuídos pela região inferoposterior da parede ventricular esquerda.

Em humanos, pode-se observar que o infarto de parede inferior tem maior probabilidade de cursar com bradiarritmia que o de parede anterior, 70% *versus* 30%, respectivamente.[69] Do mesmo modo, seja devido a espasmos coronarianos na parede inferior, por exemplo, durante a angina de Prinzmetal, seja devido à injúria de reperfusão, das artérias da mesma região, durante a trombólise, comparativamente aos fenômenos observados na parede anterior, o que se observa é o resultado do reflexo inibitório cardíaco, ou seja, hipotensão e bradicardia.

Em se tratando da ativação por pressão intracameral, quando ocorre hemorragia, a redução da pressão venosa central, ao exercer efeito sobre os referidos receptores, modula a resposta simpática sobre os leitos vasculares, esplâncnico e da musculatura esquelética.[70] Da mesma forma, o reflexo atribuído ao sistema como um todo é o que ajusta rapidamente a hemodinâmica, conforme a mudança postural, de decúbito horizontal para posição ortostática. Embora a pressão tenda a cair, rapidamente uma descarga simpática é enviada por meio de sinalização dos barorreceptores, restaurando a perfusão cerebral, o que caracteriza uma modulação contínua e reflete a homeostasia do SNA.

Embora já tenham sido descritas várias condições clínicas, ainda há incidência crescente de indivíduos portadores de desordens autonômicas, observação que é consequência de um olhar cada vez mais aprofundado, sobretudo, no momento perioperatório.[71] Indubitavelmente, aumentar a *expertise* sobre esse tema é imperativo, considerando-se que a presença de disfunção orgânica, de origem autonômica, implica na perda de reflexos, os quais, como discutido, podem levar à instabilidade hemodinâmica durante a anestesia, sobretudo após a indução.[60] Ademais, sabe-se que o adequado controle cardiovagal relaciona-se à maior sobrevida em pacientes cardiopatas, submetidos a cirurgias não cardíacas,[70] assim como, se a função autonômica estiver reduzida, há maior probabilidade de disfunção cardíaca pós-operatória.[60,70,71]

Do mesmo modo, sabe-se que o SNA tem papel importante no desencadeamento ou na manutenção de arritmias ventriculares malignas. Experimentalmente, observa-se que a estimulação simpática encurta o período de refratariedade ventricular, reduzindo, com isso, o limiar para o desenvolvimento de arritmias. Por exemplo, nítida relação estabelecida pelo fluxo simpático/tônus vagal caracteriza a falência cardíaca, de tal forma que, nessa condição, há exacerbação da atividade da angiotensina II, a qual, por sua vez, induz ao aumento da atividade simpática, ao mesmo tempo em que inibe o barorreflexo arterial. Esse processo começa no hipotálamo, no qual a angiotensina II, por meio dos re-

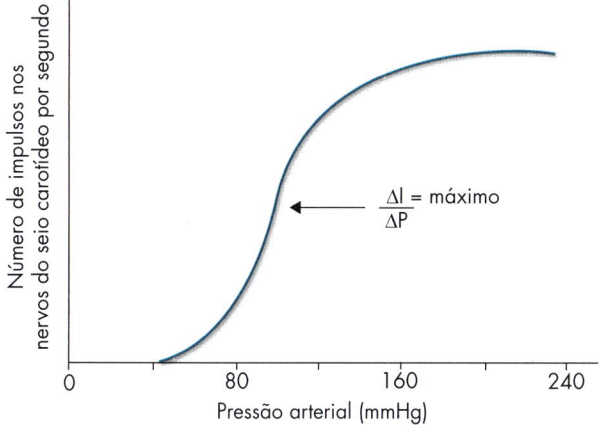

▲ **Figura 223.33** Comportamento da pressão arterial a partir da descarga de impulsos efetuada pelos seios carotídeos.
Fonte: adaptada de Guyton AC, Hall LE. Regulação neural da circulação e o controle rápido da pressão arterial. Tratado de Fisiologia Médica. Guyton AC, Hall JE, Editores. 9ª ed. Rio de Janeiro: Guanabara Koogan, 1997;191-201.

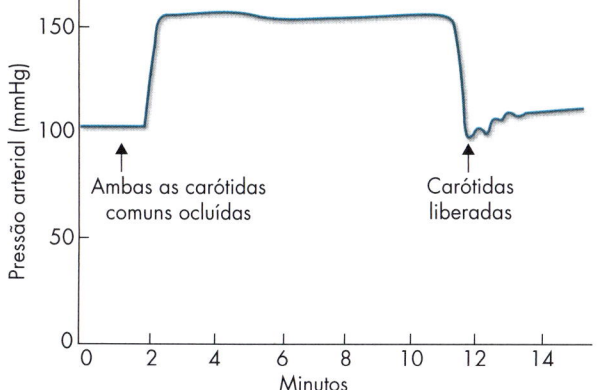

▲ **Figura 223.34** Comportamento da pressão arterial a partir da oclusão das artérias carótidas comuns.
Fonte: adaptada de Guyton AC, Hall LE. Regulação neural da circulação e o controle rápido da pressão arterial. *Tratado de Fisiologia Médica.* Guyton AC, Hall JE, Editores. 9ª ed. Rio de Janeiro: Guanabara Koogan, 1997;191-201.

ceptores AT_1, modula os efeitos em direção ao aumento do fluxo simpático. Enquanto isso, no rim, a retenção de sal e água induz, por consequência, ao aumento do volume. Já a diminuição do barorreflexo se dá através da inibição da óxido nítrico sintase (NOS), fazendo com que a capacidade de resposta mediada pelo NO fique alterada.[70] A soma desses mecanismos acaba por propiciar o aparecimento de arritmias. Por sua vez, a estimulação vagal prolonga a refratariedade ventricular, reduzindo os efeitos do estímulo adrenérgico.[43,72]

Embora a estimulação cirúrgica e a hipovolemia possam afetar a PA e a FC, ainda que por mecanismos distintos, desencadeiam ao mesmo tempo resposta eficientemente contrabalanceada, por mecanismos barorreceptores compensatórios. No entanto, maiores flutuações hemodinâmicas podem ocorrer em indivíduos portadores de doenças que afetam o SNA, como diabetes, hipertensão arterial sistêmica, cardiopatia e idade avançada. Igualmente, aqueles submetidos a transplante cardíaco, em que houve desnervação aferente e eferente, ou uso de betabloqueadores, não têm resposta reflexa do SNA. Por essa razão, respondem ao aumento de demanda cardiocirculatória com acréscimos no volume sistólico, em vez de aumentarem a frequência cardíaca. Assim, tais indivíduos são dependentes de pré-carga, o que implica na busca por uma volemia central adequada, objetivando maior tolerância ao estresse cirúrgico, ou às técnicas anestésicas que redistribuem o volume vascular para a periferia. No entanto, após alguns anos, o coração desnervado pode manifestar aumento da frequência cardíaca, o que é atribuído à secreção de catecolaminas pela adrenal.[73]

A Figura 223.35 mostra a resposta pressórica arterial de cão, em um coração normal e em outro que foi desnervado, por meio da frequência de observação de distribuição das pressões arteriais ao longo de períodos de 24 horas. Ao observar a figura, vê-se que as oscilações da PA ao longo do dia em coração íntegro refletem os mecanismos fisiológicos do sistema barorreflexo arterial, pois, na maioria das vezes, os valores encontram-se em torno de 100 mmHg. Já no animal que sofreu desnervação, uma variabilidade muito maior

está presente (de 50 a 150 mmHg), indicando ineficiência do sistema de restauro, diante das condições variadas, como ficar de pé, deitar-se e outras.

Fármacos como hipnóticos e todos os agentes anestésicos inalatórios contribuem para a disfunção autonômica, de forma dose-dependente. Sabe-se que o propofol induz à inibição da atividade simpática. No entanto, essa pode apresentar modesto retorno, caso seja associado o óxido nitroso, pois permite menor utilização daquele fármaco. Já os anestésicos inalatórios, por um lado, inibem a atividade cardiovagal, algo que pode ser caracterizado ao observar-se a ocorrência da perda da arritmia sinusal, fisiologicamente desencadeada pelo ciclo respiratório. Por outro, os inalatórios relaxam diretamente a musculatura lisa vascular, mecanismo considerado mais importante, como sendo causador de hipotensão, do que seus efeitos sobre o fluxo simpático.[70]

A disfunção do SNA pode ser inferida após a avaliação pré-operatória da ortostase. Se for detectada uma redução maior que 30 mmHg na pressão arterial sistólica, não acompanhada por aumento da frequência cardíaca quando se muda da posição supina para a ortostática, é bem provável que o diagnóstico presuntivo esteja correto. Outras manifestações clínicas incluem hipotensão pós-prandial, disfunção vesical, disfunção erétil e motilidade gastrintestinal diminuída (constipação), as quais são informações passíveis de serem obtidas na consulta pré-anestésica. Ademais, condições associadas à disfunção autonômica também incluem endarterectomia de carótida, lesão medular, alcoolismo crônico, malignidade, síndrome de Shy-Drager, hipotensão ortostática idiopática, tumores de fossa posterior e síndrome de Guillain-Barré.[70]

Considerando-se a importância como o SNA conduz respostas hemodinâmicas e metabólicas complexas em todo o organismo, que inúmeras são as alterações a elas associadas, no perioperatório, a lógica é pensar que mereceria muito mais discussão a respeito, pois são diretamente relacionadas à atividade barorreflexa, sobretudo devido à íntima relação com procedimento anestésico-cirúrgico, porém é conteúdo bastante extenso. Do ponto de vista prático, então, pode-se frisar que a monitorização adequada, compatível com o porte cirúrgico, é fundamental. Nesse sentido, se necessário, deve-se utilizar a pressão arterial invasiva (PAi), o delta PP, a sondagem vesical, uma cardioscopia com doze derivações, se disponível, e acesso venoso profundo (AVC). É possível também que se considere a ecocardiografia transesofágica e o cateter de artéria pulmonar, conforme o tipo de cirurgia, como dito na introdução, instrumentos que inevitavelmente integrarão o *pool* de ferramentas passíveis de serem utilizadas, sobretudo se algum grau de disfunção cardiovascular estiver presente.

Dessa forma, tanto a otimização da volemia, a ser guiada pelas consequentes mudanças na pressão de pulso, para a qual se pode utilizar infusão de cristaloides, quanto a manutenção da perfusão tissular, a qual pode ser garantida também por meio da infusão de fármacos de resgate, indicarão a melhor forma de condução para a anestesia segura nos portadores de disfunção do SNA. Ademais, deve-se lembrar que, independentemente da técnica adotada, o ritmo horário de diurese, marcadores como o lactato, a SVO_2 e o

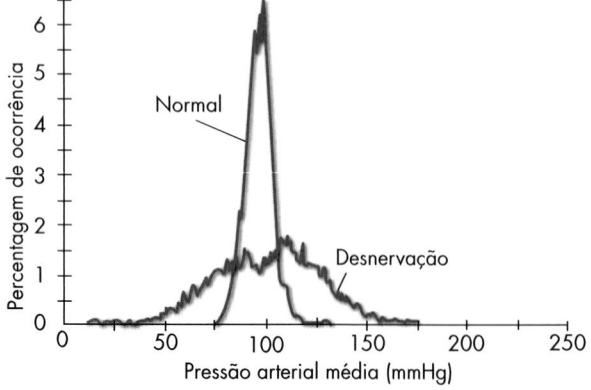

▲**Figura 223.35** Pressão arterial em coração normal e desnervado.
Fonte: adaptada de Guyton AC, Hall LE. Regulação neural da circulação e o controle rápido da pressão arterial. Tratado de Fisiologia Médica. Guyton AC, Hall JE, Editores. 9ª ed. Rio de Janeiro: Guanabara Koogan, 1997;191-201.

delta CO_2 são indicadores eficientes da integridade microcirculatória, frente à agressão anestésico/cirúrgica, situação essa que frequentemente também está associada a outras condições clínicas agravantes, cuja fisiopatologia de alguma forma se relacione à Síndrome de Resposta Inflamatória Sistêmica, mecanismo deflagrador de lesão endotelial, como acontece sobretudo nas cirurgias de urgência e emergência, condições vivenciadas rotineiramente pelo anestesiologista e pelo intensivista.[33]

■ ALTERAÇÃO DA CIRCULAÇÃO CORONARIANA

O desequilíbrio entre oferta e demanda de oxigênio, deflagrado no miocárdio durante o estresse perioperatório, continua a ser um mecanismo comum de morbimortalidade nesse período. A mortalidade esperada de 30 dias para cirurgias não cardíacas é de cerca de 2%, valor que sobe para mais de 5% quando existem riscos cardiovasculares associados.[48] Certamente, a isquemia regional expressa algum grau de lesão que se desdobra em efeito na capacidade de contração, com isso reduzindo progressivamente a fração de ejeção, cuja curva pressão-volume a essa associada, devido ao progressivo maior volume sistólico final, provoca igualmente alteração da distensibilidade do VE. Tal círculo vicioso de progressiva menor perfusão microcirculatória diastólica, além de caracterizar nítida disfunção cardiovascular, também se relaciona a alterações do ritmo ventricular, fenômeno observável como consequência da ocorrência de arritmias, que podem ser, no mínimo, graves, ou até fatais, no perioperatório. Além do estresse cirúrgico, alguns fatores perioperatórios que levam a complicações cardiovasculares podem ser relacionados à anestesia, como taquicardia, hipertensão ou hipotensão, anemia, hipoxemia, dor, administração de simpatomiméticos ou interrupção pré-operatória de betabloqueador. Outra causa importante é a ruptura de placa vulnerável, com subsequente trombose de alguma das artérias coronarianas. A manutenção da função endotelial é vital para a prevenção dessa ocorrência.

Uma vez sendo diagnosticada a isquemia intraoperatória, a partir de alterações sugestivas eletrocardiográficas, associadas a repercussões clínicas observadas, sobretudo no indivíduo que se apresenta com risco aumentado para doença coronariana, podem ser esperadas complicações perioperatórias, como angina instável, infarto agudo do miocárdio e, eventualmente, até evolução para óbito. A incidência desses eventos ainda é maior naqueles indivíduos submetidos a cirurgias vasculares. No entanto, quando não há alteração do segmento ST, existe certa dificuldade de inferir-se o diagnóstico, primeiro, se na sala de cirurgia, devido ao paciente estar anestesiado e, segundo, quando no pós-operatório, as manifestações clínicas não se mostrarem exuberantes, passando então a depender-se da rotina de avaliação, no que se refere a utilizar a sensibilidade e a especificidade relacionadas às alterações laboratoriais, das enzimas cardíacas, como sendo, de fato, consequência da injúria muscular. Nessa linha, pode-se inferir que a ocorrência regional de déficit, na relação entre oferta e demanda de oxigênio, no perioperatório, traz imensa dificuldade de caracterização do quadro clínico,

considerando-se o que começou a ser discutido há alguns anos, quanto a como de fato definir-se a Injúria Miocárdica em cirurgia não cardíaca, não relacionada a alterações do segmento ST e à exuberância clínica esperada (do inglês, *MINS – Myocardial Injury After Non-Cardiac Surgery*).[74]

Embora nas versões anteriores vinha sendo postulado que a troponina específica (I) apresentava importante papel no desenvolvimento da linha de raciocínio, que culminava com o diagnóstico de Infarto Agudo do Miocárdio (IAM), sobretudo tendo como base a cirurgia de aneurismectomia, período durante o qual é possível a detecção de elevação clinicamente significativa da troponina I em 90% dos indivíduos, nas primeiras 24 horas de pós-operatório;[48] em paralelo, visão mais interessante já vinha sendo explorada, exatamente devido à poderosa associação de mínimas alterações da Troponina T (TnT), de alta sensibilidade, a de quinta geração, com a tão expressiva mortalidade de 30 dias.[74,75] Essa argumentação nasceu anos antes, de observações advindas da realização de cirurgias não cardíacas, que mostravam alterações consistentes com isquemia miocárdica (depressão reversível do segmento ST), a partir de ampla faixa de variabilidade, de 18% a 74%, isso em indivíduos coronariopatas.[76]

Com a construção de melhor conhecimento, o que se sabe atualmente é que, mesmo se não houver evidência de isquemia (sugerida por ausência de elevação do segmento ST), infinitesimais alterações dos níveis séricos da TnT apresentam efeito considerável, sendo, inclusive, preditores de mortalidade de 30 dias, sobretudo nos indivíduos portadores de fatores de risco pré-operatórios para cirurgias vasculares. No primeiro caso, quando se considerava o valor de *cut-off* da troponina como sendo maior que 0,03 ng.mL^{-1}, apenas 32% apresentavam alterações eletrocardiográficas sugestivas.[48] No âmbito geral, impressionantemente, o clássico IAM aparece em 1,1% de 100 milhões de cirurgias ocorridas mundialmente. No entanto, mais aterrorizante ainda, 2,2% é a cifra daqueles que desenvolvem IAM sem sintomatologia, e incríveis 4,6% desenvolvem MINS, essa inferida a partir de níveis séricos variando de 0.02 a 0.29 µg/l, cujas mortalidades de 30 dias são, respectivamente, 9,7%, 12,5% e 7,8%.[77]

Por essa razão, a forma como se lida com a hemodinâmica exerce efeito fundamental na geração de um desequilíbrio na referida relação entre oferta e demanda miocárdica. Nesse sentido, pode-se dizer que existem quatro abordagens propostas com a finalidade de melhorar o prognóstico perioperatório:[74,77]

1. Identificação pré-operatória do paciente portador de lesão crítica e que pode ser beneficiado pela revascularização miocárdica prévia à cirurgia;

2. Melhorar a detecção perioperatória da isquemia miocárdica para permitir pronta intervenção terapêutica;

3. Uso profilático de técnicas anestésicas e anti-isquêmicas para reduzir a prevalência e gravidade da isquemia miocárdica pós-operatória, e

4. Dosagem seriada de TnT, iniciando-se no pré-operatório, indo diariamente, no pós-operatório, pelo menos, até o terceiro dia ou, a depender do quadro clínico, enquanto o paciente estiver internado, sob maiores riscos.

Avaliação Pré-operatória

Além da história e do exame físico, um eletrocardiograma e os testes funcionais são ferramentas eficazes na estratificação do risco cardíaco perioperatório. A partir da obtenção dos dados clínicos, vários índices de risco podem ser utilizados, incluindo os índices de risco cardíaco de Goldman,[78] do revisado por Lee,[79] de Detsky modificado[80] e de Eagle.[81] Com base neles, importantes fatores preditivos de isquemia miocárdica podem ser identificados, os quais incluem:

- Cirurgia de grande porte;
- Doença cardíaca de origem isquêmica;
- Insuficiência cardíaca congestiva;
- Doença cerebrovascular;
- Diabetes *mellitus* e
- Insuficiência renal.

O risco aumenta progressivamente, na medida em que aumenta o número de fatores presentes. Conforme a classificação de risco e levando-se em consideração o tipo de cirurgia a ser realizado, pode-se estabelecer a avaliação cardiológica necessária. De acordo com os *guidelines* da *American College of Cardiology/American Heart Association,*[82] há recomendação de realização ou do teste de esforço ou o de estresse farmacológico em todos os pacientes com elevado risco cardiológico, obtido a partir do perfil clínico, da capacidade funcional e do tipo de cirurgia.

Detecção da Isquemia Miocárdica

Desde a Oitava Edição do capítulo sendo aqui revisado, vem sendo dito que, embora a ecocardiografia transesofágica (ETE) seja o método mais sensível, capaz de detectar precocemente alterações de contratilidade da parede ventricular, ela não é rotineiramente utilizada em vários tipos de cirurgias, o que a torna, por assim dizer, pouco significativa no que se refere à identificação sistemática dos pacientes com essas complicações.[83] Aparentemente, tal ponto de vista ainda se mantém, a partir de certa ótica, pois na prática usual diária, a determinação eletrocardiográfica de depressão do segmento ST é mais utilizada como indicador de isquemia que exerça efeito na performance miocárdica, considerando-se as limitações que restringem a instituição da ETE. Por exemplo, o fator custo adicional a ser agregado, caso fosse aparelhada toda a estrutura, objetivando a que seja amplamente difundida. No entanto, vale lembrar, como dito na Introdução, que os paradigmas estão mudando para um perfil mais complexo, de implementação de monitorização, o que vai incluir aos poucos a ETE, como já acontece durante a realização das cirurgias cardíacas e torácicas, tais como trocas valvares, sobretudo mitral, revascularização do miocárdio, quando a função é periclitante, bem como pneumonectomia, tromboendarterectomia e transplante pulmonar.[84]

Ainda nessa linha, também é verdade que, levando-se em consideração o que se utiliza mais comumente, por exemplo, o cateter de artéria pulmonar, se por um lado aumentos da pressão diastólica final de ventrículo esquerdo mostraram-se como indicadores confiáveis de isquemia, por outro, mudanças da pressão de oclusão (PoAP) ou da pressão diastólica da

artéria pulmonar (PAPd) não são considerados como parâmetros para tal finalidade.[84] Agora, englobando características obtidas no pré-operatório, o diagnóstico perioperatório de isquemia é mais difícil de ser inferido, nos casos em que a angina não está presente ou que não seja perceptível, como sintoma da doença, durante a consulta pré-anestésica. No entanto, uma vez que a avaliação de risco mostre probabilidade aumentada para evento coronariano, como visto, se houver alteração do segmento ST, automaticamente devem ser adotadas as medidas pertinentes, enquanto se aguarda a avaliação de um especialista, se possível, até na sala de cirurgia, o que, nesse caso, pode encurtar consideravelmente o tempo entre a suspeita e o tratamento, procedimento decisivo, tratando-se de desfecho. Complementando, aí sim, a avaliação ecocardiográfica passa a ser fundamental. Ela é importante até para que se tenha noção da quantificação do déficit de performance, se houver, pois a infusão de líquidos sem critério pode piorar as condições clínicas necessitando, portanto, ser guiada pelo grau de disfunção. Nesse contexto, uma vez que ocorra isquemia miocárdica, já está sendo esperada, o que torna a instituição da terapia mais assertiva, logo sendo adotadas medidas adicionais que incluem: oxigenação adequada, analgesia satisfatória, PA adequada para a faixa etária, que seja suficiente para garantir perfusão esplâncnica, além dos nitratos.[26]

Aprofundando um pouco mais, ainda na terapia, agora a respeito da antiagregação plaquetária: uma vez estando o paciente no pós-operatório, devido ao risco aumentado de sangramento, é uma medida que deve ser discutida com integrantes de uma equipe multidisciplinar, pois cada indivíduo reage de uma forma, sendo, portanto, uma decisão complexa. Por outro lado, nos casos em que não tenha ocorrido elevação do segmento ST, o que vai determinar a conduta, além das medidas descritas anteriormente, é a elevação da troponina ao longo do tempo. Há quem diga que é importante implementar dosagens seriadas, sistematicamente, por até 72 horas de pós-operatório, buscando identificar os casos nos quais ocorram apenas déficits perfusionais regionais, o que se desdobra, como dito, em infinitesimais alterações enzimáticas, mas que, por sua vez, implicam, consideravelmente, em desfecho desfavorável em 30 dias.[85]

Técnicas profiláticas

O desenvolvimento de técnicas cirúrgicas e anestésicas também tem melhorado consideravelmente o desfecho pós-operatório. Existem várias propostas de atuação, quando diante de prováveis mecanismos de isquemia miocárdica perioperatória em curso, voltadas para conter a evolução do desequilíbrio entre oferta e demanda miocárdica de oxigênio, bem como para minimizar a disfunção endotelial, a exemplo do pré-condicionamento miocárdico à isquemia. Nessa linha, pode-se dizer que áreas com estenoses de grau relativamente elevado, formadas gradualmente e com desenvolvimento de circulação colateral, podem acarretar elevação do segmento ST e resultar em infartos sem onda Q. O desequilíbrio na oferta resulta em isquemia e o infarto nessas áreas se instala muitas horas depois. A isquemia pode ser tratada reduzindo-se a frequência cardíaca e aumentando-se a oferta de oxigênio, além da medida relacionada à técnica apresentada. Por outro lado, infartos que ocorrem após oclusão abrupta, devido à ruptura de placa, tendem a ser mais letais porque é difícil reverter a patologia e não existe circulação colateral. Esses eventos resultam em eletrocardiografia com depressão de segmento ST. Essas síndromes instáveis são uma combinação de disfunção endotelial e inflamação, ruptura de placa com trombose local e vasorreatividade que levam a reduções críticas intermitentes na oferta coronariana de oxigênio.[26]

A função endotelial é prejudicada em condições como coronariopatia, hipertensão, hipercolesterolemia, diabetes e tabagismo, resultando em vasoconstrição exagerada. A própria cirurgia induz a um estado pró-trombótico variável por aumentar a contagem e a função plaquetária, diminuir a fibrinólise, reduzir os anticoagulantes naturais (como proteína C e antitrombina III) e aumentar os pró-coagulantes (como fibrinogênio, fator VIII e de Von Willebrand).[26,86] Ademais, a estimulação simpática no perioperatório pode levar à vasoconstrição coronariana e facilitação da agregação plaquetária, induzindo a um quadro de isquemia miocárdica no paciente com coronariopatia. Por sua vez, a taquicardia pode aumentar o consumo de oxigênio e limitar o tempo de diástole, prejudicando, com isso, a perfusão coronariana para o ventrículo esquerdo, todos mecanismos que obrigam a que tenham o anestesiologista e o intensivista atenção sempre voltada para a possível ocorrência de isquemia miocárdica perioperatória.[26,48,74]

Considerando-se a conduta a ser adotada, a qual objetiva promover proteção endotelial, o tratamento deve envolver a utilização de agentes cuja função seja destinada a atuar sobre a hipercolesterolemia, como os inibidores da hidroximetilglutaril coenzima A ou estatinas, que apresentam novas gerações no mercado. Esses fármacos podem ter efeito cardioprotetor no pós-operatório de pacientes de alto risco, principalmente se iniciados semanas antes da cirurgia. A terapia anti-hipertensiva com inibidores de enzima conversora de angiotensina, além de reduzir o tônus simpático, também altera a deposição de colágeno nas placas, de modo a diminuir a probabilidade de ruptura. Já fármacos betabloqueadores reduzem o trabalho miocárdico. Muitos desses tratamentos demonstraram benefícios, tanto em longo prazo como no período perioperatório.[26,48]

Anestesia e analgesia peridural são outros exemplos de recursos que poderiam ser usados para melhorar o desfecho cardiológico perioperatório. Há quem diga que o bloqueio espinhal possa reduzir a mortalidade geral em 30% e o infarto do miocárdio em 33%.[87] Ainda que tais observações tenham sido contrapostas a estudos mais recentes, não conseguiram provar a redução da mortalidade e da incidência de complicações mais graves, na comparação entre pacientes com ou sem bloqueio espinhal.[88] Por outro lado, análise discriminada de subgrupos mostra menor incidência de complicações cardiovascular, pulmonar e cerebral nos indivíduos submetidos à cirurgia com bloqueio. Diante de tal contexto, percebe-se que é tema ainda controverso, necessitando, portanto, de exploração com melhor construção de validade, não permitindo resposta com propriedade significativa, embora seja apreciável em determinadas condições.

Vale dizer que, numa análise de subgrupos, é fundamental que se tenha pré-especificado os pressupostos quando da concepção da questão de estudo, em cima da qual há impacto inclusive sobre o cálculo amostral, bem como quais parâmetros se mostram mais adequados, o que demanda extenuante exploração.[2]

ALTERAÇÕES NA CIRCULAÇÃO PULMONAR

Hipertensão Pulmonar

A hipertensão pulmonar (HP) é definida como o aumento na pressão arterial pulmonar (PAP) média maior ou igual a 25 mmHg, em repouso. Pode ser consequência de várias patologias, cardíacas ou pulmonares. É considerada como sendo pré-capilar quando, primeiro, a pressão de oclusão da artéria pulmonar (PoAP) é menor ou igual a 15 mmHg, com CO_2 normal ou reduzido, e, segundo, resulta de hipertensão da artéria pulmonar. Nesse caso, ocorre devido a doença pulmonar, tromboembolismo crônico, por causa idiopática ou pode ser consequente a mecanismos multifatoriais. Por outro lado, ocorre HP pós-capilar quando a PoAP é maior que 15 mmHg, sendo causada por doença cardíaca esquerda.[89]

Considerando-se o momento perioperatório, a HP pode ocorrer ou ser exacerbada durante a anestesia, devido a tromboembolismo, embolia por CO_2 em laparoscopias, embolia aérea em cirurgias com o paciente na posição sentada, cimentos cirúrgicos usados em cirurgias ortopédicas, administração de protamina, circulação extracorpórea, síndrome de isquemia-reperfusão e perda de vasos pulmonares durante uma pneumectomia.[89,90] A importância da ocorrência de hipertensão pulmonar no período perioperatório pode ser demonstrada pelo significativo aumento de infarto do miocárdio e da mortalidade em pacientes submetidos à cirurgia de revascularização miocárdica com circulação extracorpórea.[91] Nesse caso, ocorre lesão endotelial induzida pela circulação extracorpórea (CEC), a qual exerce efeito deletério sobre a microcirculação pulmonar. Porém, outros fatores também devem ser considerados, como o estado pré-operatório da vasculatura pulmonar, o qual já pode mostrar a presença de hipertensão pulmonar, por exemplo, como consequência de doença valvar, pneumopatias obstrutivas (DPOC, apneia do sono, obesidade), além de outras condições. Ainda no intraoperatório, fatores como estímulo vasoespástico, causados por hipóxia, hipercarbia e acidose, também se relacionam à HP. Já no pós-operatório, o tônus adrenérgico aumentado, as atelectasias e a vasoconstrição pulmonar hipóxica contribuem ainda mais para o desenvolvimento da hipertensão pulmonar.

Indubitavelmente, tal como tem sido enfatizado até aqui, quer seja para avaliação da isquemia miocárdica ou para os outros tópicos discutidos, a avaliação dos fatores de risco pré-operatórios é imprescindível. A *American College of Cardiology/American Heart Association* classifica os indivíduos em três categorias de risco: alto, intermediário e baixo. Igualmente, leva em consideração o porte cirúrgico como sendo responsável por diferentes categorias de risco: alto, intermediário e baixo. A partir daí, o referido *guideline* pode ser adaptado para indivíduos portadores de HP, uma vez que esses podem ser identificados antecipadamente. A Tabela 223.4 mostra a combinação de fatores considerados, objetivando a construção das probabilidades de desfechos desfavoráveis nos portadores de HP e que podem ser discutidos de forma multidisciplinar, antes da realização da cirurgia, quando esta não for de emergência.

Tabela 223.4 Fatores de risco que influenciam a morbimortalidade em cirurgias não cardíacas.

- Fatores relacionados aos pacientes;
- Histórico de tromboembolismo, coronariopatia, insuficiência renal;
- Classe funcional maior ou igual a II (NHA);
- Indivíduos ASA maior ou igual a III;
- Eixo cardíaco desviado para a direita no ECG;
- Ecocardiografia: hipertrofia de VD, ITSVD maior ou igual a 0,75;
- Hemodinâmicos: HP, PASVD/PAS maior que 0,66;
- Fatores relacionados à cirurgia;
- Cirurgia de emergência;
- Fatores que predispõem a um risco de intermediário a alto:
  - procedimentos com risco de embolia (ar, cimento, gordura);
  - procedimentos que elevam a pressão venosa (insuflação, Trendelemburg);
  - procedimentos que diminuem o volume de gás pulmonar: compressão, ressecção;
  - procedimentos que induzem atividade inflamatória exacerbada (CEC);
  - duração prolongada da anestesia.

Fonte: adaptada de Goldsmith YN, *et al*. Perioperative Management of Pulmonary Hypertension. In: Diagnosis and Management of Pulmonary Hypertension. Klinger R, Frant RP, editors. Springer Science + Busines Media, New York, 2015:437-61.

Considerando-se os aspectos relativos à anestesia, é necessário lembrar que, durante a vigência de HP, a oxigenação miocárdica do VD tende a piorar devido à maior resistência ao fluxo sanguíneo, modificando a DO_2, de tal forma que o VO_2 seja dependente do suprimento, como visto na Figura 223.7. Por essa razão, já há tendência ao metabolismo anaeróbico. Após a indução anestésica, ocorre vasodilatação periférica e hipotensão, o que gera aumento relativo na fração Resistência Vascular Pulmonar (RVP)/Resistência Vascular Sistêmica (RVS), consequentemente induzindo à piora da perfusão, o que pode deflagrar desfechos desfavoráveis, uma vez que as condições já são limítrofes.

A partir, então, das observações colocadas anteriormente, duas considerações são fundamentais: tentar evitar fármacos cardiodepressores, ao mesmo tempo que aqueles depressores do Sistema Nervoso Autônomo, condições relativamente difíceis de serem alcançadas na prática cotidiana. Por exemplo, o propofol é cardiodepressor, porém com a característica de ser dose-dependente, podendo ser usado com bastante cautela; a cetamina, que embora tenha pouco efeito cardiodepressor, pode induzir à vasoconstrição pulmonar, efeito não desejado. Os anestésicos inalatórios (isoflurano, sevoflurano e o desflurano),

no geral, são vasodilatadores diretos, utilizando as vias de transdução mediadas pelo cálcio. Por essa razão, também devem ser usados apenas o mínimo possível, para que se atinja a hipnose. Já os bloqueios subaracnóideo e peridural podem induzir ao bloqueio simpático, o que leva ao predomínio parassimpático, causando, consequentemente, hipotensão grave e piora da oxigenação. Entretanto, desde que se controle a hemodinâmica, não há contraindicação absoluta ao uso de baixas doses dos referidos fármacos, bem como aos bloqueios espinhais, desde que sejam não extensos. Ademais, fármacos como o fentanil e o sufentanil são excelentes para que se possa produzir uma anestesia progressivamente mais profunda, sem graves repercussões hemodinâmicas, pois quanto mais suas doses são aumentadas, menores podem ser as necessidades de utilização dos hipnóticos e dos inalatórios.[54,89,90,92,93]

Uma vez sendo considerado o diagnóstico de HP, o tratamento para redução da resistência vascular pulmonar inclui, além do discutido:

- Melhorar a oxigenação;
- Evitar acidose respiratória e promover hiperventilação moderada ($PaCO_2$ 30-35 mmHg);
- Corrigir acidose metabólica (objetivo: pH > 7,4);
- Adotar manobras de recrutamento alveolar, para evitar alteração da relação ventilação/perfusão;
- Adaptar a ventilação de modo a evitar hiperinsuflação alveolar;
- Evitar liberação de catecolaminas pelo estresse, com analgesia e sedação adequadas, e
- Evitar tremores.

Ao mesmo tempo, o tratamento específico da disfunção ventricular direita, causada pela hipertensão pulmonar, inclui o uso de vasodilatadores para reduzir a pós-carga de VD. No entanto, esses fármacos devem ser administrados com cautela, pois também promovem diminuição da resistência vascular sistêmica, o que torna a conduta um jogo de xadrez.

São considerados vasodilatadores pulmonares o magnésio, a adenosina, os bloqueadores de canais de cálcio, os inibidores das fosfodiesterases (PDE) III e V (milrinona, inanrinona e sildenafila, respectivamente), a PGI_2, além de outros. Um dado interessante a esse respeito, é que a PDE V, inibida pela sildenafila, é a isoforma mais abundante no tecido pulmonar, sendo bastante específica para os mecanismos de ação relacionados à circulação pulmonar. Vale lembrar também que a PGI_2 e o óxido nítrico (NO) são utilizados por via inalatória, sendo ótimas opções de vasodilatadores pulmonares seletivos, mas necessitam de sistemas específicos para serem administrados.

Se a HP se manifesta por meio de um quadro exuberante, como o que pode ser observado nas cardiopatias congênitas, por exemplo, na fase tardia do CIV (comunicação interventricular), na persistência do *Ductus arteriosus* e nos Defeitos do Septo Interventricular, pode, inclusive, levar à inversão do *shunt* (que era da esquerda para a direita e passa a ser da direita para a esquerda – ou bidirecional), caracterizando a Síndrome de Eisenmenger,[94] resultando em grande dificuldade de obtenção de uma oxigenação satisfatória. Então, dependendo da gravidade, seja adulto, seja criança, não importa quantas classes farmacológicas sejam necessárias. O objetivo, sem dúvida, é melhorar a oxigenação para valores que sejam, no mínimo, aceitáveis, até que medidas mais corretivas, quando indicadas, sejam adotadas.[90,95]

Edema Agudo de Pulmão

Quando há edema agudo de pulmão de origem cardiogênica, o acúmulo de fluido extravascular, no interstício ou nos alvéolos pulmonares, decorre do desequilíbrio existente das pressões hidrostática e oncótica, entre o capilar e o interstício. Se a PoAP se elevar acima de 20 a 25 mmHg devido à disfunção ventricular esquerda aguda, o aumento da pressão hidrostática resultará em maior filtração de fluido e proteínas através do endotélio vascular, levando a edema pulmonar.[96]

Evidências disponíveis sugerem que o edema pulmonar perioperatório comumente ocorre em indivíduos portadores de patologia cardíaca. Sobrecarga de líquidos, resultando em pressão hidrostática elevada, e disfunção ventricular esquerda provavelmente são os mecanismos desencadeantes. Faz-se necessário lembrar que infarto agudo do miocárdio e/ou insuficiência renal são causas relacionadas que preenchem os critérios citados. Outras condições também devem ser consideradas, como as neurogênicas, secundárias à encefalopatia hiponatrêmica e ao traumatismo cranioencefálico, a Síndrome do Desconforto Respiratório Agudo (SDRA), pneumonias, sepse e sobrecarga de volume.[96,97]

O diagnóstico é essencialmente clínico, embora seja necessário ser corroborado por exames complementares. Durante a investigação, deve-se pesquisar a presença de dor precordial, sinais de IC e qualquer outro fator desencadeante, como, por exemplo, lesão pulmonar relacionada à hemotransfusão (do inglês, TRALI), sobrecarga de volume, emergência hipertensiva, inalação de produtos tóxicos, anemia, laringoespasmo, além de muitas outras causas. Geralmente, a manifestação de ansiedade, inquietação e dispneia, associadas à turgência jugular, na posição de cabeceira elevada, cianose e, sinais de hipoperfusão periférica, é suficiente para que se possa iniciar o tratamento. Porém, na medida do possível, é necessário realizar radiografia de tórax e ECG no leito. Ao ser avaliada a radiografia de tórax, deve-se pesquisar por sinais como cardiomegalia, ingurgitamento vascular intersticial, linhas B de Kerley e derrame pleural. No ECG, inicialmente, além do que foi discutido anteriormente, procurar por sinais de isquemia ou corrente de lesão. Em se tratando de exames laboratoriais, é necessário avaliar gasometria arterial, hemograma, função renal, eletrólitos, troponina T ou I, CPK, CK-MB e, se possível, BNP. Esse último relaciona-se ao diagnóstico de IC, com sensibilidade e especificidade de 90% e 76%, respectivamente.[98] Vale lembrar também que a ecocardiografia, quando possível de ser realizada, permite avaliar a função cardiovascular como um todo, sendo um exame essencial para o diagnóstico de causas cardíacas. A título de ilustração, a Figura 223.36 mostra a radiografia de um paciente jovem que, devido a uma condição rara, apresentou edema de glote pós-extubação, evoluindo rapidamente com edema agudo de pulmão não cardiogênico.[99]

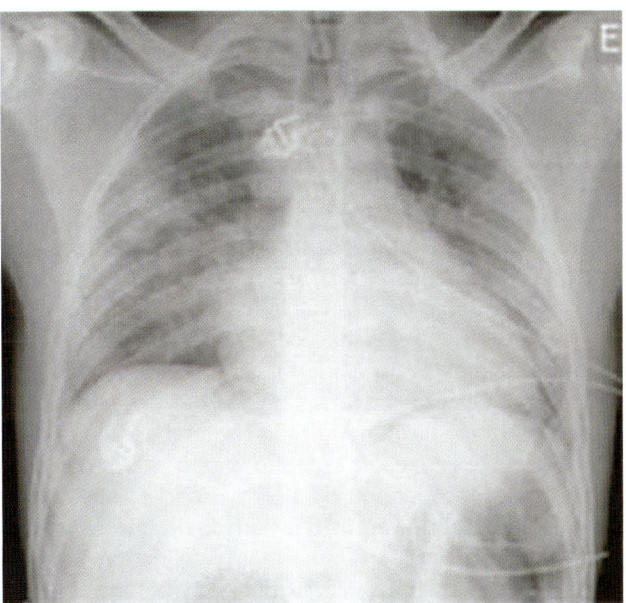

▲**Figura 223.36** Radiografia de paciente que desenvolveu edema agudo de pulmão pós-extubação.
Fonte: extraída de Ricardo J, et al. A rare form of acute pulmonary edema: Case report. Rev Port Cardiol. 2011;30(10):799-801.

O tratamento inicial consiste em diminuir a sobrecarga ventricular para reduzir a PoAP, o edema pulmonar e a dispneia. A correção da instabilidade hemodinâmica deve ser priorizada à remoção do excesso de fluido pulmonar, para que não haja uso inapropriado de diuréticos, depleção exagerada do volume intravascular e hipotensão arterial em um paciente com infarto agudo do miocárdio.

Visando otimizar o tratamento, sobretudo quando realizado ainda na sala de recuperação anestésica, as ações iniciais devem incluir:

■ Oxigênio de 5 a 10 L.min⁻¹ em máscara facial;
■ Quando não efetivo, instituir ventilação não invasiva, se possível;
■ Dinitrato de isossorbida, 5 mg, SL, a cada 5 min, se PAS > 90 mmHg;
■ Furosemida, 20 a 80 mg EV, porém, como dito, usar com cautela, visando não gerar/piorar quadro de instabilidade hemodinâmica;
■ Morfina, 1 a 3 mg, EV, a cada 5 min;
■ Nitroglicerina, nitroprussiato, dopamina, dobutamina, EV em infusão contínua, fármacos que devem ser disponibilizados à medida que se fizerem necessários (emergência hipertensiva, IAM, disfunção valvar);
■ Intubação/reintubação orotraqueal, se medidas não forem suficientes para melhorar oxigenação;
■ Em caso de IAM, considerar: angioplastia, trombolítio, balão intra-aórtico, cirurgia de revascularização miocárdica (discussão multidisciplinar).

■ PARADA CARDÍACA

A parada cardíaca observável no perioperatório ocorre devido à hipoxemia ou progressão de uma complicação circulatória. Para evitá-la, o anestesiologista deve, além de estar atento a qualquer alteração que chame a atenção, tratar a anemia aguda, seguindo os pressupostos anteriormente discutidos, a hipoxemia e os fatores que afetam o DC, a partir de alterações causadas na pré-carga, na contratilidade ou na pós-carga.

Desde o primeiro estudo, realizado nos Estados Unidos em 2002, o qual revelou a ocorrência de 144 paradas cardíacas em 72.959 procedimentos anestésicos realizados durante os dez anos anteriores,[100] vários outros estudos têm tentado demonstrar o que foi colocado na introdução do capítulo atual, a respeito de ser a anestesia bastante segura atualmente, porém ao mesmo tempo ainda estar associada a eventos adversos dignos de comentários. O mesmo grupo realizou um estudo recente, dessa vez com maior abrangência, englobando todo o território nacional daquele país, no período de 1999 a 2009, e constatou a ocorrência de 160 eventos relacionados à anestesia, durante e até 24 horas após o procedimento, em um total de 217.365 procedimentos.[101] A incidência de parada cardíaca relacionada à anestesia, considerando-se todas as causas, foi de um para 1.358 (7,4 por 10.000).

Objetivando estabelecer a exposição, cada caso que evoluiu com parada cardíaca foi comparado a quatro casos cujas técnicas anestésicas foram similares. Tal método resultou na observação de alguns fatores que se mostraram com diferenças estatisticamente significativas, comparativamente aos controles. Por meio de análise univariada, o grupo que evoluiu desfavoravelmente apresentou as seguintes características: mais idade, predominância do sexo masculino, estado físico ASA maior ou igual a IV, esteve mais exposto a cirurgias de emergência, a procedimentos torácicos ou abdominais altos, a maior tempo de cirurgia, a cirurgias realizadas no período da tarde e à realização de anestesia geral.

Partindo-se da análise dos 160 casos relacionados ao período perioperatório, 53 deles foram considerados como tendo sido relacionados a causas anestésicas propriamente ditas, as quais foram categorizadas em: anestesia como causa primária de parada (14/53), anestesia como fator de contribuição (26/53) e anestesia como não sendo um fator de contribuição importante (16/53). Análise mais minuciosa, feita por pesquisadores independentes, mostrou que 4 dos 14 casos tiveram a anestesia como causa primária de parada cardíaca, levando, portanto, a uma mortalidade por causa específica de 29%. Contrariamente, quando os outros fatores foram considerados (condições clínicas, cirúrgicas ou técnicas), a mortalidade observada foi de 70%. Esses são dados que seguramente servem como contra-argumentos ao que foi apresentado na introdução, pois demonstram exatamente aspectos de validação metodológica que necessitam ser adequadamente explorados, antes da atribuição de causas específicas de efeitos observados.

Entretanto, retornando aos resultados, 9 dos 14 casos foram devidos à manipulação da via aérea, seja por dificuldade de ventilação durante a indução, seja por eventos ocorridos no transporte ou na admissão na unidade de pós-operatório. Em se tratando de prevenção, tal descrição implica a necessidade de maior atenção, tanto ao se avaliar previamente o grau de dificuldade de acesso à via aérea, o que por vezes vai indicar por si só sua manipulação por meio

de aparatos mais específicos, quanto aos cuidados no transporte e realocação no leito de destino. Outros dados que merecem comentários dizem respeito aos cuidados que se deve ter ao realizar a punção venosa central, à forma como infundir grandes doses de fármacos cardiodepressores ou quando é observada a bradicardia, em que há indicação sumária de marca-passo, pois esses também são fatores contribuintes para a observação de causas estritamente relacionadas à anestesia. Por exemplo, complicações associadas à punção venosa central de pacientes graves incluíram sangramento causando hemotórax e induzindo a arritmias com progressão para fibrilação ventricular. Igualmente, as complicações relacionadas à via aérea ocorreram, principalmente, em indivíduos que já demonstravam serem portadores de menor "reserva" e, consequentemente, possuíam menor capacidade de recuperação após o incidente.

Por outro lado, as causas restantes que compuseram os dados observados, constituindo os fatores cuja anestesia foi contribuinte e aqueles cujos efeitos da anestesia não resultaram em impacto importante no desfecho, devem ser exploradas por meio da literatura citada, primeiro, por já terem sido incluídos no contexto atual e, segundo, por serem inúmeros, fugindo do propósito do tópico atual.

Entretanto, outros dados podem acrescentar, quando se pensa na construção de um pensamento preventivo, pois foram caracterizados por meio de evidência científica. Em estudo australiano, os incidentes relacionados à administração de medicamentos também foram incluídos como sendo as mais frequentes causas de parada cardiorrespiratória (PCR).[102] Outras causas observadas foram estimulação vagal, hipoventilação, sangramento, anafilaxia e estimulação cardíaca direta. Dentre os casos de PCR, 46% foram atribuíveis à anestesia, sendo que fatores de prevenção puderam ser identificados em 58% dos casos. Já um estudo francês de 2001, envolvendo um maior número de indivíduos (101.769), observou que 90% dos casos de parada cardíaca relacionada, total ou parcialmente, à anestesia ocorreram em pacientes classificados em estados físicos 1 e 2 pela ASA e poderiam ter sido evitados.[103]

Embora dados mais recentes tenham mostrado diminuição significativamente expressiva da incidência de parada cardíaca relacionada à anestesia (para incidência menor que 1 por 10.000), por outro lado é necessário lembrar que existem discrepâncias quando são feitas comparações entre dados obtidos em países desenvolvidos e aqueles originários dos países em desenvolvimento. De acordo com levantamento feito por um estudo brasileiro, de 1990 a 2006, a incidência de parada cardíaca nos países em desenvolvimento variava de 3,3 a 5,7 por 10.000 anestesias, enquanto a incidência no Brasil, que em 1986 era de 2,28 por 10.000, caiu para 0,12 a 1,10 de 1998 a 2006, cujas causas foram relacionadas à anestesia.[103] Já o primeiro estudo citado no tópico atual, nos Estados Unidos, as causas em que anestesia não foi primariamente relacionada compuseram a faixa de 0,1 a 0,2 casos por 10.000.

A reanimação cardiorrespiratória tem maiores taxas de sucesso dentro de salas cirúrgicas. No ambiente perioperatório, pacientes geralmente progridem para a perda de pulso em questão de minutos ou horas, em circunstâncias totalmente diferentes de outros cenários hospitalares ou extra-hospitalares. Alguns pacientes continuam a se deteriorar apesar de medidas de suporte escalonadas. Por isso, ao reconhecer um evento crítico, a prática de administração de pequenos *bolus* de fármacos para reanimação é apropriada e totalmente justificada na anestesiologia.[7]

Outras medidas que podem ser úteis nesses casos incluem:

- Avaliação do procedimento cirúrgico;
- Verificação do aparelho de anestesia e dos circuitos;
- Revisão dos fármacos administrados;
- Radioscopia para descartar o diagnóstico de pneumotórax hipertensivo;
- Ecocardiografia para avaliar o enchimento e função ventricular, funções valvares e excluir um tamponamento;
- Terapia empírica com anti-histamínico H_1 e H_2;
- Terapia empírica com doses de reposição ou para estresse de corticoides;
- Vasopressina em pequenos *bolus* se não houver resposta a catecolaminas.

Vale lembrar que, durante a reanimação em um evento de PCR, a vasopressina foi retirada como fármaco a ser utilizado com tal finalidade, de acordo com a recomendação de 2015. Por outro lado, tem ainda efeito coadjuvante no resgate hemodinâmico.

É importante lembrar os 8 Hs e 8 Ts nos diagnósticos diferenciais na ocorrência de assistolia ou atividade elétrica sem pulso: hipóxia, hipovolemia, hiper-reatividade vagal, íons hidrogênio, hiper/hipocalemia, hipertermia maligna, hipotermia, hipoglicemia, trauma, pneumotórax hipertensivo (tensão), trombose coronariana, tamponamento, trombo na circulação pulmonar, síndrome do QT longo, toxinas, hipertensão pulmonar.

A *American Heart Association*, por meio de diretrizes (*AHA Guidelines for CPR and ECC*), aconselha que as compressões torácicas sejam iniciadas rapidamente, em caso de parada cardiocirculatória.[44] É enfatizada a importância de minimizar as interrupções na reanimação cuja frequência de compressão torácica deve ser de 100 a 120 por minuto, com profundidade de cerca de 5 cm, e não mais que 6 a fim de promover a circulação sanguínea, especialmente coronariana. Por essa razão, na tentativa de desfibrilação, utilizando-se o choque assincrônico, passou-se até a recomendar choques únicos no lugar da sequência de três. As ventilações pulmonares através de dispositivos de vias aéreas devem ser na frequência de 8 a 10 por minuto, evitando a hiperventilação e sem interrupção das compressões torácicas.

REFERÊNCIAS

1. Rajkomar A, Dean J, Kohane I. Machine Learning in Medicine. N Engl J Med. 2019;380(14):1347-58.
2. Rothman K, et al. Causalidade e inferência causal. Em: Epidemiologia Moderna. Rothman KJ, Greenland S, Lash TL, Editores; tradução: Serra G. 3ª Ed, Porto Alegre: Artmed, 2011;p. 15-45.
3. Bernstein AD, Parsonnet V. Bedside estimation of risk as an aid for decision-making in cardiac surgery. Ann Thorac Surg. 2000;69(3):823-8.
4. Fleisher L, Fleischmann K, et al. 2014 ACC/AHA Guideline on Perioperative Cardiovascular Evaluation and Management of Patients Undergoing Noncardiac Surgery. J Am Coll Cardiol. 2014 Dec 9;64(22):e77-137.
5. Westfall T, Westfall D. Agonistas e antagonistas adrenérgicos. Em: As Bases Farmacológicas da Terapêutica de Goodman & Gilman. Brunton LL, Cabner BA, Knollman BC, Editores. 12ª Ed, Porto Alegre: AMG Editora Ltda. 2012;p.277-333.
6. Michel T, Hoffman B. Tratamento da isquemia miocárdica e da hipertensão. Em: Brunton LL, Cabner BA, Knollman BC, Editores. As Bases Farmacológicas da Terapêutica de Goodman & Gilman. 12ª Ed, Porto Alegre: AMG Editora Ltda, 2012. p.745-788.
7. Gabrielli A, O'Connor M, GA M. Perioperative ACLS (Anesthesiology-based ACLS). The American Society of Critical Care Anesthesiologists & The American Society of Anesthesiologists, Committee on Critical Care Medicine, 2011. Disponível em: http://www.asahq.org/clinical/Anesthesiology-CentricACLS.pdf.
8. Reich DL, et al. Intraoperative tachycardia and hypertension are independently associated with adverse outcome in noncardiac surgery of long duration. Anesth Analg. 2002;95(2):273-7.
9. Elsevier, Cell injury, Cell death and Adaptations.Chpater 1, Elsevier, 2015;p1-30 (acessado em 22/08/2015), Disponível em: www.newagemedical.org/celldeath-injury-link2.pdf.
10. Glance LG, et al. The impact of anesthesiologists on coronary artery bypass graft surgery outcomes. Anesth Analg. 2015;120(3):526-33.
11. Aronson S, Boisvert D, Lapp W. Isolated systolic hypertension is associated with adverse outcomes from coronary artery bypass grafting surgery. Anesth Analg. 2002;94(5):1079-84.
12. Gottdiener JS, et al. Left ventricular hypertrophy in men with normal blood pressure: relation to exaggerated blood pressure response to exercise. Ann Intern Med. 1990;112(3):161-6.
13. Muntner P, et al., Potential U.S. Population Impact of the 2017 ACC/AHA High Blood Pressure Guideline. J Am Coll Cardiol. 2018;71(2):109-18.
14. Whelton PK, Carey RM. The 2017 Clinical Practice Guideline for High Blood Pressure. JAMA. 2017;318(21):2073-4.
15. Franklin SS, et al., Does the relation of blood pressure to coronary heart disease risk change with aging? The Framingham Heart Study. Circulation. 2001;103(9):1245-9.
16. Fayad A, Yang H. Is Peri-Operative Isolated Systolic Hypertension (ISH) a Cardiac Risk Factor? Curr Cardiol Rev. 2008;4(1):22-33.
17. Lorentz MN, Santos AX. Systemic hypertension and anesthesia. Rev Bras Anestesiol. 2005;55(5):586-94.
18. Howell SJ, Sear JW, Foex P. Hypertension, hypertensive heart disease and perioperative cardiac risk. Br J Anaesth. 2004;92(4):570-83.
19. Barisin S, et al. Perioperative blood pressure control in hypertensive and normotensive patients undergoing off-pump coronary artery bypass grafting: prospective study of current anesthesia practice. Croat Med J. 2007;48(3):341-7.
20. Varon J, Marik PE. Perioperative hypertension management. Vasc Health Risk Manag. 2008;4(3):615-27.
21. Guaragna J, et al. Predictors of major neurologic dysfunction after coronary bypass surgery. Braz J Cardiovasc Surg. 2006;21(2): 173-9.
22. Glynn RJ, et al., Pulse pressure and mortality in older people. Arch Intern Med. 2000;160(18):2765-72.
23. Klassen PS, et al. Association between pulse pressure and mortality in patients undergoing maintenance hemodialysis. JAMA. 2002;287(12):1548-55.
24. Guyton A, Hall J. Músculo Cardíaco: o Coração como uma Bomba. Em: Tratado de Fisiologia Médica. Guyton AC, Hall JE, Editores. 9ª Ed, Rio de Janeiro, Guanabara Koogan, 1997;97-108.
25. Guyton, A, Hall J. Insuficiência Cardíaca. Em: Tratado de Fisiologia Médica. Guyton AC, Hall JE, Editores. 12ª Ed, Rio de Janeiro, Sunders-Elsevier, 2011;267-278.
26. Amsterdam EA, et al. 2014 AHA/ACC guideline for the management of patients with non-ST-elevation acute coronary syndromes: a report of the American College of Cardiology/American Heart Association Task Force on Practice Guidelines. Circulation. 130(25):e344-426.
27. Bryant H, Bromhead H. Intraoperative hypotension. Anaesthesia Tutorial of the Week 148. World Federation of Societies of Anaesthesiologists. August, 2009.
28. Feiner J. Clinical cardiac and pulmonary physiology. In: Stoelting RK & Miller RD - Basics of anesthesia, 5th ed, Churchill Livingstone. 2007;49-63.
29. Hoffman B, Michel T. Tratamento da isquemia miocárdica e da hipertensão. Em: As Bases Farmacológicas da Terapêutica de Goodman & Gilman. Brunton LL, Cabner BA, Knollman BC, Editores. 12ª Ed, Porto Alegre: AMG Editora Ltda, 2012;745-788.
30. Michard F. Changes in arterial pressure during mechanical ventilation. Anesthesiology. 2005;103(2):419-28;quiz 449-5.
31. Michard F, et al. Relation between respiratory changes in arterial pulse pressure and fluid responsiveness in septic patients with acute circulatory failure. Am J Respir Crit Care Med. 2000;162(1):134-8.

32. Auler JO Jr, et al. Online monitoring of pulse pressure variation to guide fluid therapy after cardiac surgery. Anesth Analg. 2008;106(4):1201-6.

33. Dellinger RP, et al. Surviving sepsis campaign: international guidelines for management of severe sepsis and septic shock. Crit Care Med. 2012;41(2):580-637.

34. Huttemann E. Transoesophageal echocardiography in critical care. Minerva Anestesiol. 2006;72(11):891-913.

35. Sharifov OF, et al. Diagnostic Accuracy of Tissue Doppler Index E/e' for Evaluating Left Ventricular Filling Pressure and Diastolic Dysfunction/Heart Failure With Preserved Ejection Fraction: A Systematic Review and Meta-Analysis. J Am Heart Assoc. 2016;5(1).

36. Schefold JC, et al. Inferior vena cava diameter correlates with invasive hemodynamic measures in mechanically ventilated intensive care unit patients with sepsis. J Emerg Med. 2010;38(5):632-7.

37. Goldstein S, et al. Pharmacological management of fluid overload. Br J Anaesth. 2014;113(5):756-63.

38. McLellan S, Walsh T. Oxygen delivery and haemoglobin. Continuing Education in Anaesthesia, Critical Care & Pain. 2004;4(4):123-6.

39. Hebert PC, et al. A multicenter, randomized, controlled clinical trial of transfusion requirements in critical care. Transfusion Requirements in Critical Care Investigators, Canadian Critical Care Trials Group. N Engl J Med. 1999;340(6):409-17.

40. McIntyre L, et al. Is a restrictive transfusion strategy safe for resuscitated and critically ill trauma patients? J Trauma. 2004;57(3):563-8.

41. Waters JH, et al. Normal saline versus lactated Ringer's solution for intraoperative fluid management in patients undergoing abdominal aortic aneurysm repair: an outcome study. Anesth Analg. 2001;93(4):817-22.

42. Mitra B, et al. Long-term outcomes of patients receiving a massive transfusion after trauma. Shock. 2014;42(4):307-12.

43. Goldwasser G. O Eletrocardiograma Orientado para o Clínico Geral, 1ª Ed, Rio de Janeiro, Livraria e Editora Revinter Ltda, 1997.

44. Travers AH, et al. Part 4: CPR overview: 2010 American Heart Association Guidelines for Cardiopulmonary Resuscitation and Emergency Cardiovascular Care. Circulation. 2010;122(18 Suppl 3):S676-84.

45. Moitra VK, et al. Anesthesia advanced circulatory life support. Can J Anaesth. 2012;59(6):586-603.

46. Kinsella SM, Tuckey JP. Perioperative bradycardia and asystole: relationship to vasovagal syncope and the Bezold-Jarisch reflex. Br J Anaesth. 2001;86(6):859-68.

47. Devereaux PJ, et al. Surveillance and prevention of major perioperative ischemic cardiac events in patients undergoing noncardiac surgery: a review. CMAJ. 2005;173(7):779-88.

48. Landesberg G, et al. Perioperative myocardial infarction. Circulation. 2009;119(22):2936-44.

49. Wijeysundera DN, et al. Perioperative beta blockade in noncardiac surgery: a systematic review for the 2014 ACC/AHA guideline on perioperative cardiovascular evaluation and management of patients undergoing noncardiac surgery: a report of the American College of Cardiology/American Heart Association Task Force on Practice Guidelines. Circulation. 2014;130(24):2246-64.

50. Thompson A, Balser JR. Perioperative cardiac arrhythmias. Br J Anaesth. 2004;93(1):86-94.

51. Cintra FD, et al. Sleep Apnea and Nocturnal Cardiac Arrhythmia: A Populational Study. Arq Bras Cardiol. 2014;103(5):368-74.

52. Dua N, Kumra V. Management of Perioperative Arrhythmias. Indian Journal of Anaesthesia. 2007;51(4):310-23.

53. Gialdini G, et al. Perioperative atrial fibrillation and the long-term risk of ischemic stroke. JAMA. 2014;312(6):616-22.

54. Patel P, Patel H, Roth D. Anestésicos gerais e gases terapêuticos. Em: As Bases Farmacológicas da Terapêutica de Goodman & Gilman. Brunton LL, Cabner BA, Knollman BC, Editores. 12ª Ed, Porto Alegre: AMG Editora Ltda 2012;p.527-564.

55. Leite SS, et al. Prospective study on the repercussions of low doses of remifentanl on sinoatrial function and in cardiac conduction and refractory period. Rev Bras Anestesiol. 2007;57(5):465-75.

56. Andrade, J., et al., Diretrizes da Sociedade Brasileira de Cardiologia sobre Análise e Emissão de Laudos Eletrocardiográficos (2009). Arq Bras Cardiol 2009, 2009. 93((3 supl.2)): p. 1-19.

57. Carmo A, Carmo G, Souza J de.Taquiarritmias supraventriculares. Disponível em: http://www.medicinanet.com.br/conteudos/revisoes/4071/taquiarritmias_supraventriculares.htm. Consultado em 12/09/2015.

58. Chan T, et al. ECG in Emergency Medicine and Acute Care. Elsevier Mosby 2005.

59. Zimerman, L., et al., Diretrizes Brasileiras de Fibrilação Atrial. Arq Bras Cardiol. 2009;92(6 supl. 1:):1-39.

60. Latson TW, et al. Autonomic reflex dysfunction in patients presenting for elective surgery is associated with hypotension after anesthesia induction. Anesthesiology. 1994; 80(2):326-37.

61. Hollenberg SM, Dellinger RP. Noncardiac surgery: postoperative arrhythmias. Crit Care Med. 2000;28(10 Suppl):N145-50.

62. Jalife J. Ventricular fibrillation: mechanisms of initiation and maintenance. Annu Rev Physiol. 2000;62:25-50.

63. Perman SM, et al. 2023 American Heart Association Focused Update on Adult Advanced Cardiovascular Life Support: An Update to the American Heart Association Guidelines for Cardiopulmonary Resuscitation and Emergency Cardiovascular Care. Circulation. 2024;149(5):e254-e273.

64. Panchal AR, et al. 2018 American Heart Association Focused Update on Advanced Cardiovascular Life Support Use of Antiarrhythmic Drugs During and Immediately After Cardiac Arrest: An Update to the American Heart Association Guidelines for Cardiopulmonary Resuscitation and Emergency Cardiovascular Care. Circulation. 2018;138(23):e740-e749.

65. Dorian P, et al. Amiodarone as compared with lidocaine for shock-resistant ventricular fibrillation. N Engl J Med. 2002;346(12):884-90.

66. Wang Q, et al. Comparison the efficacy of amiodarone and lidocaine for cardiac arrest: A network meta-analysis. Medicine (Baltimore). 2023;102(15):e33195.

67. Nagarajan VD, et al. Artificial intelligence in the diagnosis and management of arrhythmias. Eur Heart J. 2021;42(38):3904-16.

68. Guyton A, Hall J. Regulação Neural da Circulação e Controle rápido da Pressão Arterial. Em: Tratado de Fisiologia Médica. Guyton AC, Hall JE, Editores. 9ª Ed, Rio de Janeiro, Guanabara Koogan, 1997:p. 191-201.

69. Robertson D. Primer on The Autonomic Nervous System. Robertson D, editor in chief; Biaggioni I, Burnstock G, Low PA, editors. 2nd ed., USA: Elsevier Inc., 2004.

70. Ebert T. Anesthetic issues related to autonomic nervous system. ASA Refresher Courses in Anesthesiology. 2001;29:113-22.

71. Lu C, Ho S, Tung C. Anesthetic Management in Autonomic Disordesrs. In: Primer on the Autonomic Nervous System. Robertson D, Biaggioni I, editors. Elsevier Academic Press. 2012;665-8.

72. Guyton A, Hall J. Potenciais de Membrana e Potenciais de Ação. Em: Tratado de Fisiologia Médica. Guyton AC, Hall JE, editores. 12ª Ed, Rio de Janeiro, Elsevier, 12ª, 1996;. p. 59-72.

73. Firestone L, Firestone S. Anesthesia for Organ Transplantation In: Barash P, Cullen B, Stoelting R - Clinical Anesthesia, 4th ed, Lippincott Williams & Wilkins, 2001, 1368-9.

74. Devereaux PJ, Szczeklik W. Myocardial injury after non-cardiac surgery: diagnosis and management. Eur Heart J. 2020;41(32):3083-91.

75. Botto F, et al. Myocardial injury after noncardiac surgery: a large, international, prospective cohort study establishing diagnostic criteria, characteristics, predictors, and 30-day outcomes. Anesthesiology 2014;120(3):564-78.

76. Mangano DT, et al. Association of perioperative myocardial ischemia with cardiac morbidity and mortality in men undergoing noncardiac surgery. The Study of Perioperative Ischemia Research Group. N Engl J Med. 1990;323(26):1781-8.

77. Jorge AJL, Mesquita ET, Martins WA. Myocardial Injury after Non-cardiac Surgery - State of the Art. Arq Bras Cardiol. 2021;117(3):544-53.

78. Goldman L, et al. Multifactorial index of cardiac risk in noncardiac surgical procedures. N Engl J Med. 1977;297(16):845-50.

79. Lee TH, et al. Derivation and prospective validation of a simple index for prediction of cardiac risk of major noncardiac surgery. Circulation. 1999;100(10):1043-9.

80. Detsky AS, et al. Predicting cardiac complications in patients undergoing non-cardiac surgery. J Gen Intern Med. 1986;(4):211-9.

81. Eagle K, PB B, Calkins H. ACC/AHA guideline update for perioperative cardiovascular evaluation for noncardiac surgery---executive summary a report of the American College of Cardiology/American Heart Association Task Force on Practice Guidelines (Committee to Update the 1996 Guidelines on Perioperative Cardiovascular Evaluation for Noncardiac Surgery). Circulation. 2002;105:1257-67. Disponível em: http://tools.acc., A.A.P.C.E.A.a. and org/ASCVD-Risk-Estimator/. Acesso November 3, 2017.

82. Eisenberg MJ, et al. Monitoring for myocardial ischemia during noncardiac surgery. A technology assessment of transesophageal echocardiography and 12-lead electrocardiography. The Study of Perioperative Ischemia Research Group. JAMA. 1992; 268(2):210-6.

83. Kim KK, et al. Transesophageal echocardiography for perioperative management in thoracic surgery. Current Opinion in Anesthesiology. 2021;34(1):7-12.

84. de Amorim CG, et al. Myocardial Ischemia and Infarction Related to the Highly SensitiveCardiac Troponin after Noncardiac Surgery: A Review. J Clin Trials. 2017;7:1-7.

85. Devereaux PJ, et al. Perioperative cardiac events in patients undergoing noncardiac surgery: a review of the magnitude of the problem, the pathophysiology of the events and methods to estimate and communicate risk. CMAJ, 2005. 173(6): p. 627-34.

86. Park WY, Thompso JS, Lee KK. Effect of epidural anesthesia and analgesia on perioperative outcome: a randomized, controlled Veterans Affairs cooperative study. Ann Surg. 2001;234(4):560-9.

87. Rigg JR, et al. Epidural anaesthesia and analgesia and outcome of major surgery: a randomised trial. Lancet. 2002;359(9314):1276-82.

88. Goldsmith Y, et al. Perioperative Management of Pulmonary Hypertension. In: Diagnosis and Management of Pulmonary Hypertension. Klinger R, Frant RP, editors. Springer Science + Busines Media, New York, 2015:437-61.

89 Fischer LG, Van Aken H, Burkle H. Management of pulmonary hypertension: physiological and pharmacological considerations for anesthesiologists. Anesth Analg. 2003;96(6):1603-16.

90. Reich DL, et al. Intraoperative hemodynamic predictors of mortality, stroke, and myocardial infarction after coronary artery bypass surgery. Anesth Analg. 1999;89(4): 814-22.

91. Minhic S, Harris R. Hipnóticos e sedativos. Em: As Bases Farmacológicas da Terapêutica de Goodman & Gilman. Brunton LL, Cabner BA, Knollman BC, Editores. 12ª Ed, Porto Alegre: AMG Editora Ltda, 2012; 457-479

92. Yaksh T, Wallace M. Opioides, Analgesia e Tratamento da Dor. Em: As Bases Farmacológicas da Terapêutica de Goodman & Gilman. Brunton LL, Cabner BA, Knollman BC, Editores. 12ª Ed, Porto Alegre: AMG Editora Ltda, 2012;481-525.

93. Albrecht A. Eisenmenger: doença e história. Revista da Sociedade de Cardiologia do Rio Grande do Sul, 2004. Ano XIII, Vol nº 01((Jan/FevMar/Abr)): p. 1-2.

94. Mebus S, et al. The Adult Patient with Eisenmenger Syndrome: A Medical Update after Dana Point Part II: Medical Treatment - Study Results. Curr Cardiol Rev. 2010;6(4):356-62.

95. Ware LB, Matthay MA. Clinical practice. Acute pulmonary edema. N Engl J Med. 2005;353(26):2788-96.

96. Arieff AI. Fatal postoperative pulmonary edema: pathogenesis and literature review. Chest. 1999;115(5):1371-7.

97. McMurray JJ, et al. ESC guidelines for the diagnosis and treatment of acute and chronic heart failure 2012: The Task Force for the Diagnosis and Treatment of Acute and Chronic Heart Failure 2012 of the European Society of Cardiology. Developed in collaboration with the Heart Failure Association (HFA) of the ESC. Eur J Heart Fail. 2012;14(8):803-69.

98. Ricardo J, et al. A rare form of acute pulmonary edema: case report. Rev Port Cardiol. 2011;30(10):799-801.

99. Newland MC, et al. Anesthetic-related cardiac arrest and its mortality: a report covering 72,959 anesthetics over 10 years from a US teaching hospital. Anesthesiology. 2002;97(1):108-15.

100. Ellis SJ, et al. Anesthesia-related cardiac arrest. Anesthesiology. 2014;120(4):829-38.

101. Currie M, et al. The Australian Incident Monitoring Study. The "wrong drug" problem in anaesthesia: an analysis of 2000 incident reports. Anaesth Intensive Care. 1993;21(5):596-601.

102. Biboulet P, et al. Fatal and non fatal cardiac arrests related to anesthesia. Can J Anaesth. 2001;48(4):326-32.

103. Braz LG, et al. Mortality in anesthesia: a systematic review. Clinics (São Paulo). 2009;64(10):999-1006.

224

Complicações Renais

Maria Cecília Landim Nassif ■ **Roberta Figueiredo Vieira**

INTRODUÇÃO

As complicações renais são frequentes no paciente cirúrgico e constituem uma carga substancial sobre o sistema de saúde. Apesar dos avanços significativos nas técnicas cirúrgica e anestésica, a incidência de injúria renal aguda (IRA) permaneceu inalterada ao longo do tempo. A disfunção renal perioperatória é considerada uma complicação sentinela, pois está associada a mais complicações pós-operatórias e maior morbimortalidade.[1] O reconhecimento dos fatores de risco modificáveis relacionados com a IRA, o seu diagnóstico precoce, assim como a conduta terapêutica adequada, podem melhorar os resultados clínicos dos pacientes com IRA perioperatória.[2]

■ DEFINIÇÃO E EPIDEMIOLOGIA

O termo injúria renal aguda refere-se a um rápido declínio (horas ou dias) da função renal.[3] O diagnóstico é, na maioria das vezes, laboratorial, diante de elevação da ureia (azotemia) e da creatinina plasmática, havendo usualmente pouca ou nenhuma sintomatologia. Quando, entretanto, a disfunção renal é grave, a clínica de síndrome urêmica pode estar presente.

A ausência de uma definição padrão para injúria renal dificultava o seu diagnóstico, o que explica as variações na incidência e morbidade relatadas na literatura. A primeira tentativa de padronização dos critérios diagnósticos de IRA foi a proposta Risk, Injury, Failure, Loss, End-stage Renal Disease (RIFLE), em 2004,[4] que adotou o termo "injúria renal aguda", enfatizando a reversibilidade dessa condição. Em 2007, a Acute Kidney Injury Network (AKIN) sugeriu uma modificação para melhorar a sensibilidade do critério RIFLE e reforçou o entendimento de que pequenas variações na creatinina sérica são associadas a maior mortalidade. Em 2012, o Kidney Disease Improving Global Outcome (KDIGO) sugeriu o mais recente sistema de classificação adotado, também baseado na variação da creatinina sérica basal e no débito urinário, unificando, assim, os critérios RIFLE e AKIN (Tabela 224.1).[5]

A injúria renal aguda é uma condição frequente entre pacientes hospitalizados, acometendo 6% a 27% dos pacientes após cirurgias de grande porte. Quando diagnosticada nas primeiras 48 horas do pós-operatório, decorre das comorbidades subjacentes do paciente, enquanto o surgimento de IRA 48 horas depois deve-se a complicações pós-operatórias ou ao uso de medicamentos nefrotóxicos. Algumas populações de pacientes merecem atenção especial porque estão expostas a fatores de risco específicos, inerentes ao tipo da cirurgia.[6] Estudo observacional retrospectivo mostrou que a cirurgia cardíaca apresentou a maior incidência de IRA pós-operatória seguida por cirurgias torácica, ortopédica, vascular e urológica.[7]

A cirurgia cardíaca com circulação extracorpórea está associada a maior risco de injúria renal aguda com necessidade de diálise.[5] Uma metanálise recente relatou uma incidência de IRA, segundo os critérios KDIGO, de 22% nos pacientes submetidos a procedimentos cirúrgicos sobre o coração.[8] O desenvolvimento de IRA nesse contexto aumenta o tempo de internação hospitalar e a mortalidade em curto e médio prazos.[9] Certos procedimentos cirúrgicos não cardíacos também apresentam alto risco, como cirurgia bariátrica e transplante hepático.[5] Estudos clínicos detectaram que pequenos aumentos na creatinina sérica no pós-operatório de cirurgia não cardíaca estão associados a tempo de hospitalização prolongado e maior taxa de mortalidade,[10,11] além de representar um risco oito vezes maior de progressão para doença renal crônica.[5]

A incidência de IRA em unidade de terapia intensiva é ainda maior, chegando a afetar 52% dos pacientes após cirurgias eletivas e 56% depois de cirurgias de emergência. O desenvolvimento de IRA nesse cenário também está associado a pior desfecho clínico, como mais tempo de

Tabela 224.1 Comparação dos três sistemas de classificação para o diagnóstico de Injúria Renal Aguda.		
RIFLE (7 days)	**AKIN (48h)**	**KDIGO**
Risk	**Estágio 1**	**Estágio 1**
Aumento da Creatinina sérica ≥ 1,5 vezes ou ≥ 0,3mg/dL OU	Aumento da Creatinina Sérica ≥ 1,5 – 2 vezes ou ≥ 0,3mg/dL	Aumento da Creatinina Sérica ≥ 1,5 – 2 vezes ≥ ou 0,3mg/dL
Débito urinário < 0,5ml/kg/h por 6h)		
Injury	**Estágio 2**	**Estágio 2**
Aumento da Creatinina sérica em 2 vezes OU	Aumento da Creatinina Sérica > 2 – 3 vezes	Aumento da Creatinina Sérica > 2 – 3 vezes
Débito Urinário <0,5ml/kg/h por 12h		
Failure	**Estágio 3**	**Estágio 3**
Aumento da Creatinina sérica em 3 vezes ou ≥ 4mg/dL (aumento agudo ≥0,5mg/dL) OU	Aumento da Creatinina Sérica >3 vezes ou ≥0,5mg/dL se creatinina Sérica basal ≥4mg/dL ou Início de terapia de substituição renal	Aumento da Creatinina Sérica >3 vezes ou ≥4mg/dL ou Início de terapia de substituição renal
Débito Urinário < 0,3ml/kg/h por 24h ou Anúria por 12h		
Loss		
Injúria Renal Aguda Persistente (perda completa de função renal > 4 semanas)		
End-stage renal disease		
Doença renal em estágio terminal		

Fonte: Adaptada de Gumbert SD, Kork F, Jackson ML, Vanga N, Ghebremichael SJ, Wang CY, Eltzschig HK. Perioperative Acute Kidney Injury. Anesthesiology. 2020 Jan;132(1):180-204

permanência hospitalar, readmissão, evolução para doença renal crônica com necessidade de diálise e aumento da mortalidade tanto hospitalar (8% a 13%) como após um ano (19% a 30%).[6]

▪ FISIOPATOLOGIA DA IRA

Historicamente, a IRA é classificada, de acordo a sua etiologia, em pré-renal, renal e pós-renal. A IRA pré-renal, que compreende 55% a 60% dos casos, ocorre em situações com redução do volume circulante efetivo, em que a autorregulação renal não é capaz de compensar a hipoperfusão sistêmica.[4] O mecanismo de autorregulação renal inclui a vasoconstrição da arteríola eferente mediante a ação da angiotensina II, que eleva a pressão de filtração glomerular e a vasodilatação da arteríola aferente por meio do reflexo miogênico e da liberação de vasodilatadores endógenos, como prostaglandina E_2, óxido nítrico, e sistema cinina-calicreína, que reduzem a resistência vascular e aumentam o fluxo sanguíneo renal. As principais causas de IRA pré-renal são os estados de choque (hipovolêmico, séptico, cardiogênico e obstrutivo), a insuficiência cardíaca descompensada, a cirrose hepática com ascite e os estados hipovolêmicos descompensados, como fístulas do trato gastrointestinal e desidratação.[12]

A IRA intrínseca, responsável por 35% a 40% dos casos, decorre de lesão no parênquima renal, que pode ser causada por dano glomerular, vascular e tubulointersticial, como a necrose tubular aguda.[13] O sistema tubular tem mais sensibilidade à lesão isquêmica em decorrência de menor vascularização e maior demanda energética, o que faz que a necrose tubular aguda isquêmica seja uma das principais causas de IRA intrínseca. Outro mecanismo de lesão é a citotoxicidade direta, provocada por antibióticos, contrastes venosos e pigmentos. A IRA intrínseca glomerular advém de reação autoimune ou inflamação no glomérulo e pode cursar com hematúria e presença de autoanticorpos. A IRA intrínseca de etiologia vascular resulta de alteração microvascular secundária à elevação da pressão arterial sistêmica (nefroesclerose hipertensiva maligna), obstrução da microvasculatura renal (ateroembolismo), hiperativação plaquetária (síndrome hemolítico-urêmica), lesão endotelial extensa por coagulação intravascular disseminada (necrose cortical aguda) e trombose de veia renal.[14]

A IRA pós-renal, responsável por 5% a 10% dos casos, ocorre após obstrução aguda do sistema uroexcretor, que cursa com repercussão renal bilateral. Incluem-se as obstruções uretrais, ureterais, em colo vesical e até mesmo obstruções funcionais, como nas neuropatias. A principal causa clínica é a hiperplasia prostática benigna.

Essa classificação tradicional, entretanto, é considerada simplista, pois a injúria renal aguda ultrapassa os limites descritos. Por exemplo, a azotemia prolongada (IRA pré-renal) pode provocar necrose tubular aguda secundária (IRA renal).[13] O mecanismo da IRA perioperatória é multifatorial e complexo. A hipoperfusão renal, o processo inflamatório e a resposta neuroendócrina ao trauma cirúrgico contribuem para a lesão renal.[13] A hipoperfusão renal decorre da depleção do volume intravascular (hemorragia, queimadura, síndromes de vazamento capilar), da redução do débito cardíaco (choque, hipertensão pulmonar, insuficiência cardíaca), da diminuição da resistência vascular sistêmica (anestésicos, sepse, choque, anafilaxia) e do aumento da resistência arterial renal (contrastes e síndrome hepatorrenal). A autorregulação renal mantém uma taxa de filtração glomerular adequada, apesar da hipoperfusão renal, mediante a ativação do sistema renina-angiotensina-

-aldosterona e do hormônio antidiurético e pela síntese renal de prostaglandinas, que reduzem a resistência arteriolar aferente, mantendo, assim, a taxa de filtração glomerular.[14] Quando, no entanto, a hipoperfusão torna-se prolongada ou acentuada (fora do intervalo da autorregulação renal), há vasoconstrição das arteríolas aferente e eferente, o que culmina em redução da taxa de filtração glomerular e isquemia tecidual, uma vez que as células renais apresentam elevado consumo de oxigênio. Dessa forma, a isquemia estimula a expressão de mediadores inflamatórios que provocam migração leucocitária, com comprometimento da microcirculação e disfunção endotelial. O acúmulo de resíduos, resultantes da morte celular pode promover obstrução tubular renal. Assim, a inflamação e a isquemia podem levar ao dano irreversível do parênquima renal.[13,15]

Os pacientes com disfunção renal prévia, como os diabéticos e hipertensos, apresentam risco mais elevado de desenvolver IRA devido à vasoconstrição arteriolar renal crônica, que impede a atuação dos mecanismos autorregulatórios. O mesmo ocorre com os usuários de anti-inflamatórios não esteroidais (AINEs), que, ao apresentarem menor expressão de prostaglandinas renais, evoluem com vasoconstrição irreversível das arteríolas, diminuindo a perfusão renal e a taxa de filtração glomerular.[3]

Além da hipoperfusão renal, a inflamação sistêmica e a liberação de citocinas, secundária ao estresse cirúrgico, induzem a injúria renal perioperatória. Dessa forma, a etiologia é multifatorial, incluindo a ativação do sistema renina-angiotensina-aldosterona, a disfunção da microcirculação renal e o aumento do estresse oxidativo (Figura 224.1). Atualmente, a IRA é compreendida como uma doença sistêmica relacionada com a disfunção de múltiplos órgãos, o que ressalta o papel do rim como filtro sistêmico. Assim, a lesão renal promove um processo inflamatório nos órgãos distais, agregando maior morbidade sistêmica; entretanto esse mecanismo fisiopatológico ainda não foi completamente elucidado.[13]

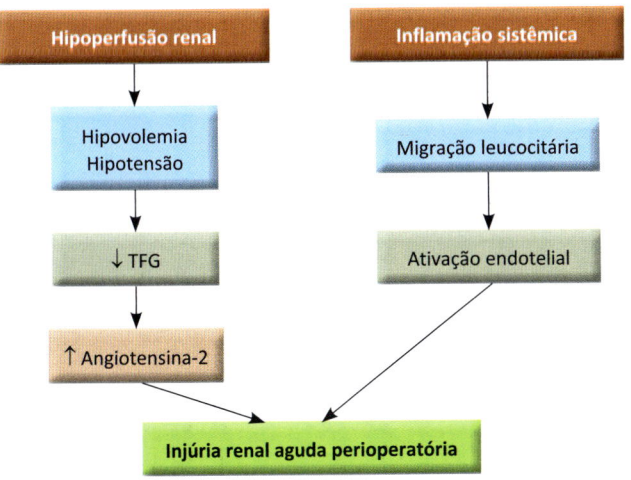

▲ **Figura 224.1** Fisiopatologia da IRA perioperatória.
TFG: Taxa de Filtração Glomerular.
Fonte: Adaptada de Gomelsky A, Abreo K, Khater N, Abreo A, Amin B, Craig MK, *et al.* Perioperative acute kidney injury: Stratification and risk reduction strategies. Best Practice & Research Clinical Anaesthesiology. 2020 Jun 1;34(2):167–82.

■ AVALIAÇÃO DO RISCO RENAL PERIOPERATÓRIO

Os fatores de risco para o desenvolvimento de injúria renal aguda perioperatória são inúmeros e estão relacionados com o paciente e o procedimento cirúrgico (Tabela 224.2). A idade, o sexo e comorbidades como hipertensão, diabetes melito, doença renal crônica e obesidade – fatores de risco associados ao paciente – são considerados fortes preditores de mortalidade. Vale ressaltar que a disfunção renal prévia à cirurgia é o fator de risco mais importante.[5]

No pré-operatório, alguns fármacos agravam o risco de IRA pós-operatória. O uso crônico de diuréticos, corticosteroides e inibidores do sistema renina-angiotensina-aldosterona, como os inibidores da enzima conversora da angiotensina (IECAs) e os bloqueadores do receptor de angiotensina (BRAs), prejudica os mecanismos de autorregulação renal, favorecendo a ocorrência de IRA.[13]

Os fatores de risco relacionados com o procedimento cirúrgico incluem cirurgia de emergência, tempo cirúrgico prolongado, cirurgias intraperitoneais, uso de hemoderivados e administração de fármacos nefrotóxicos, como AINEs, aminoglicosídeos e contraste radiológico.[12]Muitos dos fatores de risco intraoperatórios são, porém, específicos de determinados tipos de cirurgia, como a cardiovascular. A IRA associada à cirurgia cardíaca apresenta etiologia multifatorial, mas a formação de moléculas lesivas durante a circulação extracorpórea (CEC), como hemoglobina livre, mioglobina e mediadores inflamatórios, tem papel preponderante. Durante a CEC, há formação de espécies reativas de oxigênio e liberação de ferro pela hemólise, o que agrava o estresse oxidativo.[4] A presença de fluxo sanguíneo não pulsátil, instabilidade hemodinâmica e isquemia seguida de reperfusão colabora para o desenvolvimento de injúria tubular renal. Em relação às cirurgias de transplante de órgãos, a ocorrência de IRA é mais frequente após transplante pulmonar bilateral (87%) e transplante hepático (78%). Comorbidades, uso de fármacos imunossupressores e presença de isquemia orgânica contribuem para o insulto renal.[16]

A hipotensão arterial sistêmica e a anemia, passíveis de ocorrer durante o procedimento cirúrgico, aumentam o risco de IRA após a cirurgia. Os episódios hipotensivos diminuem a perfusão renal, principalmente nos pacientes com autorregulação limítrofe.[17] É fundamental, portanto, que esses episódios hipotensivos sejam breves e o tratamento, iniciado sem demora. O valor ideal da pressão arterial a ser mantido durante a cirurgia ainda não foi especificado, uma vez que o intervalo da autorregulação renal é individual. A anemia reduz a oxigenação tecidual em razão da menor capacidade de transporte de oxigênio para os tecidos, e a hipóxia renal subsequente é um fator que contribui para a injúria renal. Estudos clínicos relatam que níveis de hemoglobina inferiores a 8 mg/dL estão associados a risco de IRA quatro vezes maior.[18]

Do ponto de vista clínico, muitos fatores de risco não são modificáveis, entretanto uma avaliação pré-operatória cuidadosa possibilita a estratificação do risco do paciente e, assim, a adoção de estratégias terapêuticas que reduzam as chances de IRA pós-operatória. Na literatura, existem dife-

Tabela 224.2 Fatores de risco para desenvolvimento de IRA pós-operatória.

Pré-operatórios	Intraoperatórios	Pós-operatórios
Internação >5 dias	Cirurgia de emergência	Sepse
Sepse pré-operatória	Laparotomia	Vasopressores
Raça afroamericana	Cirurgia abdominal	Débito cardíaco reduzido
Idade	Hipertensão Intra-abdominal	Hipotensão
Sexo masculino	Maior duração da cirurgia	Hipovolemia
Maior classificação da ASA	Transfusão de hemoconcentrados	Falência respiratória
		Ventilação mecânica
Maior escore de risco cardíaco revisado	Uso de diuréticos	Vazamento em anastomose cirúrgica
Doença hepática	Cirurgia Cardíaca	Balanço hídrico positivo nas primeiras 48h
DRC	Clampeamento aórtico prolongado	Transfusão de concentrado de hemácias
Diabetes mellitus		Uso de diuréticos
Doença pulmonar crônica	Baixo débito cardíaco	AINEs
Tabagismo ativo	Hipotensão prolongada	
Insuficiência Cardíaca Congestiva	Hipovolemia	
Hipertensão Arterial Sistêmica	Antibióticos nefrotóxicos	
Doença cardiovascular	Uso crônico Esteroides	
Fibrilação atrial	Contraste	
AVC prévio	IECA/BRA	
Câncer	Trombocitopenia	
Diuréticos	Redução da TFG	
AINEs	Aumento de Proteína C Reativa	
Uso crônico Esteroides	Bicarbonato Sérico <23mEq/L	
Contraste	Sangramento > 1000mL	
IECA/BRA	Hemoglobina < 10g/dL	
Anemia	Cirurgia de transplante	
Aumento de Proteína C Reativa	Drogas imunossupressoras	
Bicarbonato Sérico <23mEq/L		

Fonte: Adaptada de Molinari L, Sakhuja A, Kellum JA. Perioperative renoprotection: general mechanisms and treatment approaches. Anesthesia & Analgesia. 2020 13;131(6):1679–92.

rentes classificações de risco de IRA que são específicas para certas populações, como pacientes graves ou submetidos à cirurgia cardíaca. O Hospital das Clínicas da Faculdade de Medicina da Universidade de São Paulo (HC-FMUSP) desenvolveu um escore de risco de IRA perioperatória com base nos fatores de risco relacionados com o paciente e com o procedimento cirúrgico, que estão descritos na Tabela 224.3.[19] Vale ressaltar que esse escore não foi validado em outros centros, mas pode ser usado para direcionar medidas clínicas que visem à redução do risco renal perioperatório.

Tabela 224.3 Classificação de risco para o desenvolvimento de IRA perioperatória utilizada no HC-FMUSP.

Fatores de risco de IRA

1. Presença de ICC
2. Presença de ascite
3. Presença de HAS
4. Diabetes mellitus
5. Creatinina ≥ 1,2 mg/dl

6. Idade ≥ 56 anos
7. Sexo masculino
8. Cirurgia de emergência
9. Cirurgia intraperitoneal

Número de fatores de risco	Classe de risco/Incidência de IRA
0-2	I (Baixo) / 0,2%
3	II (Baixo) / 0,8%
4	III (Moderado) / 2%
5	IV (Alto) / 3,6%
6	V (Alto) / 9,5%

Fonte: Adaptada de Manual do residente de clínica médica. Barueri, SP: Manole.

DIAGNÓSTICO

O diagnóstico clínico de injúria renal aguda, segundo a definição do KDIGO, depende do aumento do valor basal da creatinina sérica e da redução do débito urinário, entretanto esses biomarcadores funcionais apresentam limitações significativas. Os valores de creatinina sérica só se alteram quando mais da metade da função renal foi afetada, o que atrasa o diagnóstico de IRA.[13] Na verdade, a maioria dos pacientes só atende aos critérios diagnósticos no segundo dia pós-operatório. Além disso, o valor da creatinina varia com a massa muscular corporal, a função hepática e a volemia (desidratação ou sobrecarga volêmica). Da mesma forma, o debito urinário no perioperatório é influenciado pela ação de hormônios associados ao estresse cirúrgico, anestésicos e diuréticos. Estudo prévio demonstrou que pacientes anestesiados excretam, na urina, apenas 5% a 15% do cristaloide administrado, enquanto aqueles não anestesiados excretam 40% a 75%,[20] portanto biomarcadores da função renal mais precoces e sensíveis são essenciais para o diagnóstico antecipado de IRA.[21]

Estudos clínicos demonstraram que os novos biomarcadores podem detectar IRA subclínica quando há lesão tubular inicial antes de comprometer a taxa de filtração glomerular.[22] Os biomarcadores são produzidos e liberados após situações de estresse do sistema tubular renal, como no trauma cirúrgico e na circulação extracorpórea. A lipocalina associada à gelatinase neutrofílica (NGAL) e o inibidor tecidual das metaloproteinases-2 (TIMP-2) são exemplos de biomarcadores que foram introduzidos na prática clínica.[23] Infelizmente, esses marcadores apresentam baixa sensibilidade, secundária à variabilidade etiológica da injúria renal aguda, e baixa especificidade, em função das causas extrarrenais.[24] Assim, os biomarcadores apresentam melhor desempenho em situações específicas de IRA, como na exposição a contrastes radiológicos ou após cirurgias específicas.[15] A NGAL não é detectada na urina de indivíduos saudáveis, mas, após um insulto isquêmico, os seus níveis aumentam no plasma e na urina. Além disso, a NGAL detecta IRA precocemente apenas nos pacientes com função renal basal normal.[25] Múltiplos tecidos liberam NGAL e os testes laboratoriais não são capazes de discernir entre as diferentes isoformas presentes no plasma, portanto a utilidade clínica da NGAL tem sido contestada. Com base nas evidências atuais, a dosagem de biomarcadores deve ser limitada a pacientes com elevado risco de desenvolver IRA, mas não parece ser útil nos casos com IRA já estabelecida.[5]

ESTRATÉGIAS PARA PREVENÇÃO E TRATAMENTO PERIOPERATÓRIO

Apesar dos esforços na busca de estratégias para evitar e tratar a injúria renal aguda, pouco progresso foi feito. Diversos agentes farmacológicos mostraram efeito benéfico na injúria renal aguda, mas ainda não há um tratamento recomendado para lesão renal aguda, o que é tema de inúmeros estudos clínicos.[26]

Alguns anestésicos, como o sevoflurano e o propofol, apresentam possível efeito de proteção renal ao diminuírem o estresse oxidativo, a inflamação e a lesão de reperfusão. A dexmedetomidina, um agonista α-2 seletivo, por meio da simpatólise, promove o equilíbrio entre a oferta e a demanda de oxigênio no miocárdio e, possivelmente, no tecido renal. Estudos clínicos em cirurgia cardíaca sugerem que a dexmedetomidina reduz a incidência de IRA pós-operatória.[27-29]

As estatinas são utilizadas no tratamento das dislipidemias e na prevenção das doenças cardiovasculares. Os seus efeitos na redução do estresse oxidativo e na inflamação favorecem a preservação da função renal, entretanto as estatinas ainda não são recomendadas para a prevenção de IRA em virtude da falta de estudos clínicos randomizados. De maneira análoga, não há benefício no uso de medicações antioxidantes, como vitamina C, N-acetilcisteína e zinco, para a prevenção de IRA. O bicarbonato de sódio era considerado um fármaco protetor por promover alcalinização urinária, mas estudos clínicos randomizados não confirmaram esses efeitos. O bicarbonato de sódio é benéfico apenas nos pacientes que apresentam IRA e acidose metabólica, mas não como estratégia nefroprotetora, portanto a dexmedetomidina é o único tratamento farmacológico com o potencial de prevenir a IRA pós-operatória.[14]

As diretrizes do KDIGO recomendam estratégias preventivas para pacientes com alto risco de IRA pós-operatória, as quais incluem a descontinuação de agentes nefrotóxicos e a manutenção da volemia, da pressão de perfusão renal e da normoglicemia, além da monitorização do *clearance* de creatinina e do débito urinário. A implementação dessas diretrizes reduziu significativamente a ocorrência de IRA diagnosticada por biomarcadores após cirurgia cardíaca.[5,30]

A otimização do volume intravascular é importante na prevenção da hipotensão arterial e da hipoperfusão renal. Assim, os cristaloides endovenosos atuam na manutenção da volemia e, atualmente, a preferência é pelos fluidos balanceados. O soro fisiológico, pelo maior conteúdo de cloreto de sódio, provoca acidose metabólica hiperclorêmica, que está relacionada com a diminuição da taxa de filtração glomerular e o desenvolvimento de IRA. O uso de coloides não é mais recomendado devido a maior risco de sangramento, reações alérgicas e necessidade de diálise pós-operatória. Desse modo, as soluções cristaloides balanceadas, com composição eletrolítica semelhante ao plasma, devem ser preferidas na ressuscitação volêmica.[17]

A hipotensão arterial decorre, com frequência, da hipovolemia, mas também pode resultar de outras etiologias. Quanto maiores a intensidade e a duração da hipotensão, maior o risco de sofrimento renal, sendo que valores de pressão arterial média < 55 mmHg por mais de 10 minutos estão associados a maior risco de IRA. Embora o controle hemodinâmico deva ser individualizado, PAM > 65 mmHg é considerada adequada para o conduta perioperatória. A prevenção e o tratamento da hipotensão arterial durante a cirurgia dependem da utilização de monitorização hemodinâmica e da administração de fluidos, vasopressores e inotrópicos.[31]

A manutenção da volemia e da pressão de perfusão renal são objetivos primordiais das recomendações do KDIGO para o tratamento da IRA. A terapia guiada por metas hemodinâmicas foi proposta para otimizar a reposição volêmica e o débito cardíaco, melhorando, assim, a pressão de perfusão microvascular e a oxigenação celular e minimizando os efeitos nocivos da sobrecarga de fluidos. Essa terapia utiliza algoritmos de tratamento com fluidos, vasopressores e inotrópicos com base em alvos hemodinâmicos predefinidos, entretanto sua eficácia no perioperatório ainda é controversa, o se atribui à variabilidade dos algoritmos de tratamento.[32,33]

Os vasopressores são utilizados para manter a perfusão tecidual quando o paciente não é responsivo aos fluidos. A norepinefrina é considerada a primeira escolha, enquanto a vasopressina permanece como vasopressor de segunda linha. Os inotrópicos são adicionados para otimizar a contratilidade miocárdica e podem ser utilizados de modo isolado ou em combinação com vasopressores. A dobutamina é o inotrópico mais utilizado na clínica, principalmente nos casos de disfunção ventricular direita, condição associada à IRA. A epinefrina é um potente inotrópico e vasopressor, sendo utilizada em contexto de choque refratário. A dopamina e o fenoldopam não são recomendados como prevenção ou tratamento de IRA.[14]

A anemia pré-operatória está relacionada com injúria renal aguda em pacientes cirúrgicos.[18,34] A anemia acarreta menor capacidade de transporte de oxigênio para os tecidos, acentuando o risco de hipóxia da medula renal, além de agravar o estresse oxidativo nas células tubulares renais. A transfusão de concentrado de hemácias, entretanto, é um fator de risco para a IRA, fato que resulta das ações inflamatória e oxidativa da solução de preservação presente no hemocomponente.[18,34] Assim, é essencial otimizar clinicamente o paciente no pré-operatório e minimizar o sangramento cirúrgico a fim de reduzir o risco de IRA pós-operatória secundária à anemia e à transfusão.

O controle glicêmico e o uso de agentes nefrotóxicos são fatores de risco modificáveis que devem ser otimizados no perioperatório. As medicações com potencial nefrotóxico, como os AINEs e os antibióticos (piperacilina/tazobactama, vancomicina, aminoglicosídeos), devem ser evitadas e substituídas por outras com menor potencial nefrotóxico,[14] o mesmo ocorrendo em relação aos diuréticos, que são associados à IRA, apesar de serem úteis no controle de hipervolemia. Da mesma forma, a hiperglicemia e a hipoglicemia devem ser evitadas, uma vez que são relacionadas com maior taxa de morbimortalidade. De acordo com as diretrizes do KDIGO, o alvo glicêmico recomendado é entre 110-149 mg/dL para pacientes em vigência de IRA ou em risco de desenvolvê-la.[14]

■ TERAPIA DE SUBSTITUIÇÃO RENAL

Nos casos de IRA grave, a terapia de substituição renal é a única opção terapêutica. As diretrizes do KDIGO recomendam o início da terapia de substituição renal quando há hipervolemia refratária a diuréticos, hipercalemia (potássio sérico > 6,5 mEq/L), acidose metabólica (pH < 7,1) e uremia, apesar da otimização das medidas clínicas. Não há superioridade entre os métodos de substituição renal, que podem ser intermitentes ou contínuos, apesar de o primeiro estar mais relacionado com a instabilidade hemodinâmica.[35]

■ SITUAÇÕES ESPECIAIS DE IRA

Nefropatia Induzida por Contraste

A nefropatia induzida por contraste permanece uma importante causa de IRA, principalmente após procedimentos endovasculares. O contraste promove vasoconstrição renal e agrava o estresse oxidativo na medula, danificando as células tubulares proximais. Assim, aumenta o risco de IRA, sobretudo nos pacientes idosos e com múltiplas comorbidades. Os fatores de risco para o seu desenvolvimento são: disfunção renal prévia, diabetes melito, insuficiência cardíaca congestiva, volume e tipo de contraste administrado e uso concomitante de outros fármacos nefrotóxicos.[36]

A nefropatia induzida por contraste ocorre 24 a 72 horas após a administração de contraste, quando não há outra etiologia plausível. As estratégias clínicas para a prevenção de IRA ainda são controversas. A hidratação adequada antes e após a administração do contraste é a principal medida clínica capaz de reduzir o risco de IRA. Como os contrastes são hidrossolúveis, ao se aumentar a volemia, há maior excreção do contraste na urina; entretanto o tipo de cristaloide e o volume a ser infundido permanecem duvidosos, principalmente nos pacientes cardiopatas. A Sociedade Europeia de Cardiologia recomenda a hidratação com solução salina na taxa de 1 a 1,5 mL/kg^{-1}/h^{-1} 12 horas antes e 24 horas após a angiografia coronariana.[37,38]

Outras medidas clínicas incluem a suspensão de medicações nefrotóxicas e a administração da menor dose possível de contraste. Além disso, o contraste iso-osmolar deve ser preferido para os pacientes com maior risco de IRA. Até hoje, nenhuma medicação foi efetiva na prevenção de IRA. A alcalinização da urina com bicarbonato de sódio e o uso da N-acetilcisteína ainda são controversos.[36-38]

Cirurgia Cardiovascular

A injúria renal aguda é uma complicação comum no pós-operatório de cirurgias cardiovasculares. No pós-operatório das cirurgias de correção de aneurisma da aorta, a IRA é secundária à isquemia aórtica, ao uso de medicamentos nefrotóxicos e à liberação de êmbolos para o rim. Apesar de a IRA após cirurgia vascular ser comum, ainda não há métodos bem estabelecidos para preveni-la. O bicarbonato de sódio e o manitol apresentaram possível efeito protetor renal em ensaios clínicos pequenos com qualidade limitada.[39]

Na cirurgia cardíaca, a presença de isquemia tecidual prolongada desencadeada pela liberação de êmbolos na circulação, hipotensão persistente e hipoperfusão durante a circulação extracorpórea compromete o fluxo sanguíneo e a perfusão renal. Ademais, os componentes da CEC podem provocar danos mecânicos aos eritrócitos circulantes, levando à hemólise e à liberação de hemoglobina livre, o que danificará o epitélio renal.[40] A revascularização miocárdica sem CEC não demonstrou menor incidência de IRA, portanto não se deve indicar cirurgia de revascularização miocárdica sem CEC com o objetivo de reduzir a IRA pós-operatória, principalmente porque as taxas de sucesso são maiores com CEC.[16]

Algumas estratégias podem ser adotadas durante a cirurgia para minimizar a ocorrência de IRA. O adequado funcionamento do sistema da CEC e a adição de manitol ao circuito são tentativas de prevenir a IRA, porém não há dados atuais que comprovem esse benefício. A presença de oligúria durante a CEC pode estar associada a hemoconcentração, lesão por isquemia e reperfusão e redução da filtração glomerular secundária ao estresse cirúrgico. O anestesista deve checar o posicionamento da sonda vesical e avaliar a presença de bexigoma. A dissecção aórtica é uma possível causa de oligúria, a qual deve ser excluída pela realização de ecocardiografia transesofágica.[40]

■ CONCLUSÃO

A injúria renal aguda é uma complicação frequente no pós-operatório, com implicações relevantes na morbimortalidade dos pacientes. O diagnóstico, baseado na creatinina sérica e no débito urinário, é realizado com atraso, portanto é essencial a identificação de pacientes sob maior risco de IRA para que abordagens de prevenção e tratamento sejam adotadas oportunamente, impedindo a progressão da lesão renal. As estratégias de nefroproteção são baseadas nas recomendações do KDIGO, que incluem monitorização hemodinâmica, administração de fluidos e suspensão de agentes nefrotóxicos.[12]

REFERÊNCIAS

1. Cole SP. Stratification and Risk Reduction of Perioperative Acute Kidney Injury: An Update. Anesthesiology Clin. 2018 Dec; 36(4):539-551.
2. Gumbert SD, Kork F, Jackson ML, et al. Perioperative Acute Kidney Injury. Anesthesiology. 2020 Jan;132(1):180-204.
3. Hobson C, Singhania G, Bihorac A. Acute kidney injury in the surgical patient. Critical Care Clinics. 2015 Oct 1;31(4):705-23.
4. Goren O, Matot I. Perioperative acute kidney injury. BJA: British Journal of Anaesthesia. 2015 Dec 1;115:ii3-14.
5. Meersch M, Schmidt C, Zarbock A. Perioperative Acute Kidney Injury: An Under-Recognized Problem. Anesth Analg. 2017 Oct;125(4):1223-1232.
6. Ojo B, Campbell CH. Perioperative acute kidney injury: impact and recent update. Curr Opin Anaesthesiol. 2022 Apr 1;35(2):215-223.
7. Grams ME, Sang Y, Coresh J, et al. Acute kidney injury after major surgery: A retrospective analysis of Veterans Health Administration data. Am J Kidney Dis. 2016; 67:872-80.
8. Hu J, Chen R, Liu S, et al. Global incidence and outcomes of adult patients with acute kid- ney injury after cardiac surgery:A systematic review and meta-analysis. J Cardiothorac Vasc Anesth. 2016; 30:82-9.
9. Hansen MK, Gammelager H, Mikkelsen MM, et al. Post-operative acute kidney injury and five-year risk of death, myocardial infarction, and stroke among elective cardiac surgical patients: A cohort study. Crit Care. 2013;17:R292.
10. Kork F, Balzer F, Spies CD, et al. Minor postoperative increases of creatinine are associated with higher mortality and longer hospital length of stay in surgical patients. Anesthesiology. 2015;123:1301-11.
11. O'Connor ME, Hewson RW, Kirwan CJ, et al. Acute kidney injury and mortality 1 year after major non-cardiac surgery. Br J Surg. 2017; 104:868-76.
12. Palant CE, Amdur RL, Chawla LS. Long-term consequences of acute kidney injury in the perioperative setting. Current Opinion in Anesthesiology. 2017 Feb 1;30(1):100-4.
13. Gomelsky A, Abreo K, Khater N, et al. Perioperative acute kidney injury: Stratification and risk reduction strategies. Best Practice & Research Clinical Anaesthesiology. 2020 Jun 1;34(2):167-82.
14. Molinari L, Sakhuja A, Kellum JA. Perioperative renoprotection: general mechanisms and treatment approaches. Anesthesia & Analgesia. 2020 Nov 13;131(6):1679-92.
15. Kashani K, Al-Khafaji A, Ardiles T, et al. Discovery and validation of cell cycle arrest biomarkers in human acute kidney injury. Crit Care. 2013;17:R25.
16. Rosner MH, Okusa MD. Acute kidney injury associated with cardiac surgery. Clin J Am Soc Nephrol. 2006. Jan;1(1):19-32.
17. McLean D, Shaw A. Intravenous fluids: effects on renal outcomes. BJA: British Journal of Anaesthesia. 2018 Feb 1;120(2):397-402.
18. Fowler AJ, Ahmad T, Phull MK, et al. Meta-analysis of the association between preoperative anaemia and mortality after surgery. Br J Surg. 2015; 102: 1314-1324.
19. Favarato MHS, Saad R, Ivanovic LF. Manual do residente de clínica médica. Barueri: Manole; 2023.
20. Hahn RG. Volume kinetics for infusion fluids. Anesthesiology. 2010; 113:470-481.
21. Matot I, Paskaleva R, Eid L, et al. Effect of the volume of fluids administered on intraoperative oliguria in laparoscopic bariatric surgery: a randomized controlled trial. Arch Surg. 2012; 147:228-234.
22. Nickolas TL, Schmidt-Ott KM, Canetta P, et al. Diagnostic and prognostic stratification in the emergency department using urinary biomarkers of nephron damage: a multicenter prospective cohort study. J Am Coll Cardiol. 2012;59:246-255.
23. Devarajan P. Review: neutrophil gelatinase-associated lipocalin: a troponin-like biomarker for human acute kidney injury. Nephrology (Carlton). 2010;15:419-428.
24. Mårtensson J, Bellomo R. What's new in perioperative renal dysfunction? Intensive Care Med. 2015; 41:514-516.
25. Cai L, Rubin J, Han W, et al. The origin of multiple molecular forms in urine of HNL/NGAL. Clin J Am Soc Nephrol. 2010;5:2229-2235.
26. Alizadeh R, Fard ZA. Renal effects of general anesthesia from old to recent studies. Journal of Cellular Physiology. 2019 Mar 6;234(10):16944-52.
27. Ji F, Li Z, Young JN, et al.. Post-bypass dexmedetomidine use and postoperative acute kidney injury in patients undergoing cardiac surgery with cardiopulmonary bypass. PLoS One. 2013;8.
28. Cho JS, Shim JK, Soh S, et al.. Perioperative dexmedetomidine reduces the incidence and severity of acute kidney injury following valvular heart surgery. Kidney Int. 2016;89:693-700.
29. Balkanay OO, Goksedef D, Omeroglu SN, et al. The dose-related effects of dexmedetomidine on renal functions and serum neutrophil gelatinase-associated lipocalin values after coronary artery grafting: a randomized, triple-blind, placebo-controlled study. Interact Cardiovasc Thorac Surg. 2015;20:209-214.
30. Zarbock A, Küllmar M, Ostermann M, et al. Prevention of Cardiac Surgery-Associated Acute Kidney Injury by Implementing the KDIGO Guidelines in High-Risk Patients Identified by Biomarkers: The PrevAKI-Multicenter Randomized Controlled Trial. Anesth Analg. 2021 Aug 1;133(2):292-302.
31. Wesselink E, Kappen TH, Torn HM, et al. Intraoperative hypotension and the risk of postoperative adverse outcomes: a systematic review. BJA: British Journal of Anaesthesia. 2018 Oct 1;121(4):706-21.
32. Jhanji S, Vivian-Smith A, Lucena-Amaro S, et al. Haemodynamic optimization improves tissue microvascular flow and oxygenation after major surgery: A randomized controlled trial. Crit Care. 2010; 14: R151.
33. Prowle JR, Kirwan CJ, Bellomo R. Fluid management for the prevention and attenuation of acute kidney injury. Nat Rev Nephrol. 2014;10:37-47.
34. Walsh M, Garg AX, Devereaux PJ, et al. The association between perioperative hemoglobin and acute kidney injury in patients having noncardiac surgery. Anesth Analg. 2013; 117:924-31.
35. Romagnoli S, Ricci Z, Ronco C. Perioperative acute kidney injury: prevention, early recognition, and supportive measures. Nephron Clinical Practice. 2018 Jan 1;140(2):105-10.
36. Wong G, Lee E, Irwin MG. Contrast induced nephropathy in vascular surgery. BJA: British Journal of Anaesthesia. 2016 Jan 1;117:ii63-73.
37. Chandiramani R, Cao D, Nicolas J, et al. Contrast-induced acute kidney injury. Cardiovasc Interv Ther. 2020 Jul;35(3):209-217.
38. Fähling M, Seeliger E, Patzak A, et al. Understanding and preventing contrast-induced acute kidney injury. Nat Rev Nephrol. 2017 Mar;13(3):169-180.
39. Fernandes M, Majoni M, Garg AX, et al. Systematic Review and Meta-Analysis of Preventative Strategies for Acute Kidney Injury in Patients Undergoing Abdominal Aortic Aneurysm Repair. Ann Vasc Surg. 2021 Jul;74:419-430.
40. Ljunggren M, Sköld A, Dardashti A, et al. The use of mannitol in cardiopulmonary bypass prime solution-Prospective randomized double-blind clinical trial. Acta Anaesthesiol Scand. 2019 Nov;63(10):1298-1305.

225

Posicionamento do Paciente na Mesa no Intraoperatório

Antonio Jarbas Ferreira Junior ▪ Igor Lopes da Silva
Rodrigo Tavares Correa ▪ Marcos Rodrigues Pinotti

INTRODUÇÃO

"Ao final de uma laminectomia feita em posição prona, a mudança súbita para a posição supina deve ser feita com extrema cautela devido à possível quadriplegia pela hipóxia e hipotensão arterial..."

Esse pequeno trecho datado do ano de 1968[1] ilustra a importância da atuação do médico anestesiologista para evitar tragédias na sala cirúrgica. Na primeira anestesia feita, em Boston, por William Thomas Green Morton, o paciente Gilbert Abbot foi operado de um tumor no pescoço na posição sentada. Naquele dia histórico e durante muitos anos, o objetivo da anestesia era apenas fazer com que o paciente ficasse imóvel e não sentisse dor no intraoperatório. Atualmente, o anestesiologista participa ativamente da moderna medicina perioperatória, preocupando-se com mais itens do que antigamente. Quanto mais tecnologia existe, mais o anestesiologista se depara com pacientes graves, sendo inclusive relatadas complicações de posicionamento até em cirurgias feitas com o auxílio de robôs, como será visto adiante neste capítulo.

Posicionar corretamente o paciente para cirurgia é frequentemente o resultado de um entendimento entre a equipe cirúrgica, que visa a um acesso ótimo ao campo operatório, e o anestesiologista, que não pode comprometer o acesso cirúrgico, mas também não pode perder de vista o que o paciente pode suportar estando anestesiado. Tal atitude impede ou minimiza alterações no equilíbrio fisiológico do paciente, assim como evita lesões nos plexos vasculonervosos, lesões no conjunto músculo-ligamentar e isquemias que podem ocorrer por compressão, tração ou outros excessos.[2]

Para evitar tais situações, alguns fatores importantes sobre o posicionamento devem ser considerados:

1. Posição necessária para o procedimento;
2. Não interferir com a respiração;
3. Duração do procedimento;
4. Não interferir com a circulação;
5. Possibilitar a monitorização;
6. Não comprimir nervos;
7. Pressão mínima na pele;
8. Acessibilidade ao sítio operatório;
9. Acessibilidade para administração de anestésicos;
10. Evitar desconforto musculoesquelético;
11. Respeitar limitações individuais.

A placa de bisturi elétrico deve ser fixada em uma área seca e limpa, evitando-se as proeminências ósseas, e o mais próximo possível do local a ser operado. Com o surgimento de placas adesivas descartáveis, houve diminuição na incidência de queimaduras por deslocamento da placa. Para evitar queimaduras, é importante que a pele não tenha contato com estruturas metálicas.

Depois do posicionamento final do paciente e antes da colocação dos campos cirúrgicos, é prudente fazer uma revisão geral do posicionamento.

Tais preocupações se evidenciam em todos os setores envolvidos no perioperatório, a tal ponto que, em 2011, nos Estados Unidos, a Sociedade de Técnicos Cirúrgicos (AST) criou um manual de cuidados a serem seguidos durante a passagem do paciente pelo centro cirúrgico – AST *Position Statements*. Tal manual recebeu apoio do Colégio Americano de Cirurgiões (ACS), da Associação Americana Hospitalar (AHA) e da Associação de Enfermeiros Perioperatórios (AORN).[3]

É importante frisar que todo esse *checklist* fica prejudicado depois da colocação dos campos cirúrgicos e que uma nova verificação deve ser feita sempre que houver mudança de decúbito durante o ato operatório.[4,5]

■ CONSIDERAÇÕES GERAIS

É sabido que a anestesia é capaz de diminuir ou eliminar os reflexos e mecanismos compensatórios do paciente. Nessa situação, podem ocorrer alterações hemodinâmicas durante as alterações de decúbito para o posicionamento operatório ideal. Assim, tal movimentação deve ser realizada de maneira lenta, cuidadosa e com o paciente monitorizado. Caso necessário, deve-se ter condições para intervenção imediata, tratando prontamente as alterações.

Situação comum na sala de cirurgia é o posicionamento do segmento cefálico acima do nível do coração. Tal fato pode comprometer a perfusão cerebral, pois para cada 2,5 cm de elevação vertical em algum segmento do paciente, ocorre diminuição de 2 mmHg na pressão arterial média no segmento elevado.[6]

Nos pulmões, os equilíbrios são modificados juntamente com o decúbito do paciente. Sabe se que posições que limitam os movimentos do abdome e da parede torácica promovem atelectasia e o *shunt* intrapulmonar. A simples mudança da posição em pé para o decúbito supino promove deslocamento da zona 1 de West do ápice pulmonar para a região subesternal.[7]

As posições e suas variantes mais utilizadas são supina, lateral, prona e litotomia.

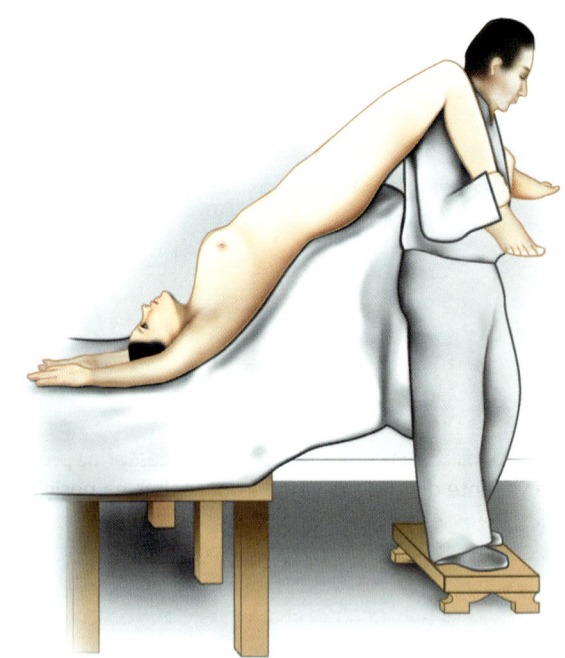

▲ **Figura 225.1** Posição utilizada por Trendelenburg com auxílio de um assistente.

■ POSIÇÃO SUPINA

Paciente deitado com a face para cima. Proporciona acesso à face, tórax, abdome, pelve e membros inferiores.

Posição de Trendelenburg

A preocupação com o posicionamento na mesa operatória, proporcionando melhor campo cirúrgico, é de longa data. Friedrich Trendelenburg, no ano de 1870, pedia a um assistente que segurasse com as mãos as pernas dos pacientes durante a cirurgia (Figura 225.1). Mais tarde, substituiu seu assistente por dispositivos fixados na mesa operatória. Assim, na descrição original de Trendelenburg, o paciente deveria ficar em decúbito supino na mesa operatória, com a sínfise pubiana, o ponto mais alto do tronco e o eixo mais longo mantidos em um ângulo de 45° (Figura 225.2). Essa descrição foi publicada por Meyer, discípulo de Trendelenburg, com a anuência deste.

A posição de Trendelenburg é requisitada pelos cirurgiões para melhorar o campo operatório na pelve e abdome inferior, com o deslocamento das vísceras no sentido cefálico. Nessa posição, ocorre aumento do retorno venoso e consequente trabalho cardíaco, além de maior restrição respiratória, com a compressão do diafragma pelas vísceras e aumento da pressão intracraniana.

Uma variante da posição de Trendelenburg é a posição de Lloyd-Davies, descrita no ano de 1950 (Figura 225.3), que é a posição de litotomia com céfalo-declive e com os membros inferiores protegidos e suspensos em perneiras apropriadas.

A denominação Trendelenburg tornou-se universal, a tal ponto que o céfalo-declive em qualquer posição passou a ser referido como Trendelenburg. Porém, a *Revista Brasileira de Anestesiologia*, a partir de um esclarecimento feito por uma carta ao editor,[8] passou a adotar a denominação

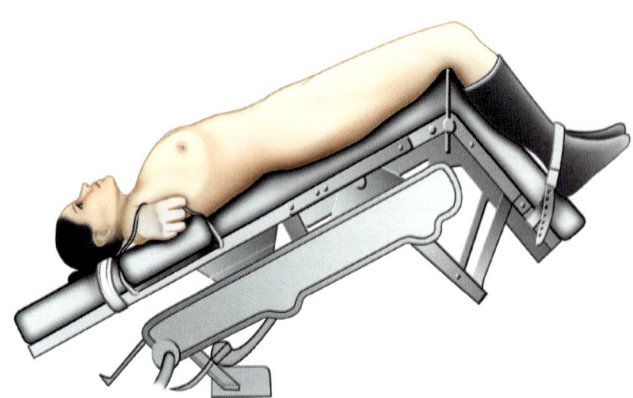

▲ **Figura 225.2** Posição de Trendelenburg.

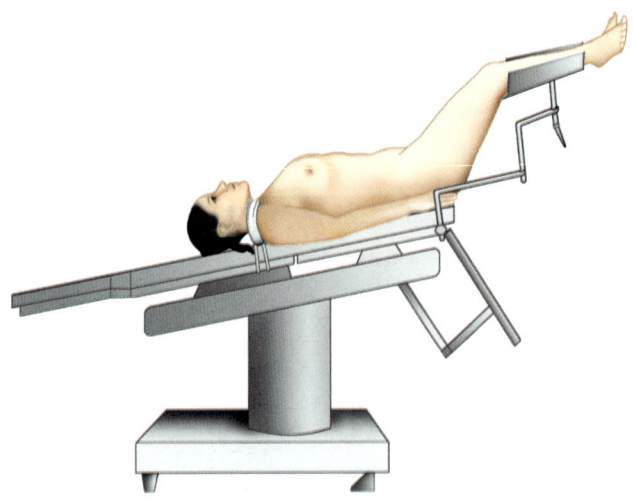

▲ **Figura 225.3** Variante da posição de Trendelenburg descrita por Lloyd-Davies.

Trendelenburg somente para a posição clássica e céfalo-declive para as demais posições em que o paciente fica com a cabeça inclinada para baixo – e céfalo-aclive quando a cabeça fica inclinada para cima.

Decúbito Dorsal

O decúbito dorsal horizontal pode ser em céfalo-aclive ou céfalo-declive. Nessa posição, o paciente é deitado de costas sobre a mesa acolchoada, com um pequeno coxim sob a cabeça; os membros devem estar fixos ao longo do tronco e sobre o abdome, abduzidos em suportes próprios na lateral da mesa ou estendidos lateralmente à cabeça (Figura 225.4). Os membros inferiores são estendidos ao longo do eixo do corpo, com proteção dos calcanhares ou colocados em acessórios próprios de cada variante de posição, como as perneiras na posição de litotomia. Deve-se lembrar sempre de protegê-los com espumas ou coxins e fixá-los. Deve-se evitar em ambas as situações a abdução exagerada dos membros superiores, evitando lesões de plexo braquial quando este transpassa o oco axilar.[9]

Quando o paciente fica deitado na posição supina horizontal, observa-se pouca ou nenhuma alteração hemodinâmica, ficando as alterações nesse caso restritas ao sistema respiratório. Neste, ocorre um alongamento das fibras musculares diafragmáticas, por pressão das vísceras. Tal fato aumenta a força e efetividade de suas contrações durante a respiração espontânea. Com isso, tem-se maior ventilação das bases pulmonares congestionadas e menos complacentes.

Uma situação que deve ser evitada nessa posição é a rotação exagerada da cabeça sobre o tronco, usada em cirurgias de ouvido e de crânio.[10] Essa torção provoca diminuição do fluxo sanguíneo cerebral pelos sistemas carotídeo e vertebro-basilar; da mesma forma, a torção prejudica a drenagem venosa do cérebro e de todo o segmento superior. Isso deve ser evitado nos pacientes com hipertensão intracraniana.

Quando o paciente está em céfalo-aclive (Figura 225.5), cria-se um gradiente pressórico entre o sangue represado nas extremidades inferiores e a bomba cardíaca. Com isso, tem-se diminuição do retorno venoso (RV), diminuição do débito cardíaco (DC) e da pressão arterial média (PAM). Tal situação pode ser ainda mais intensificada nas cirurgias laparoscópicas, quando se acrescenta o aumento da pressão abdominal. Por outro lado, em céfalo-declive (Figura 225.6),

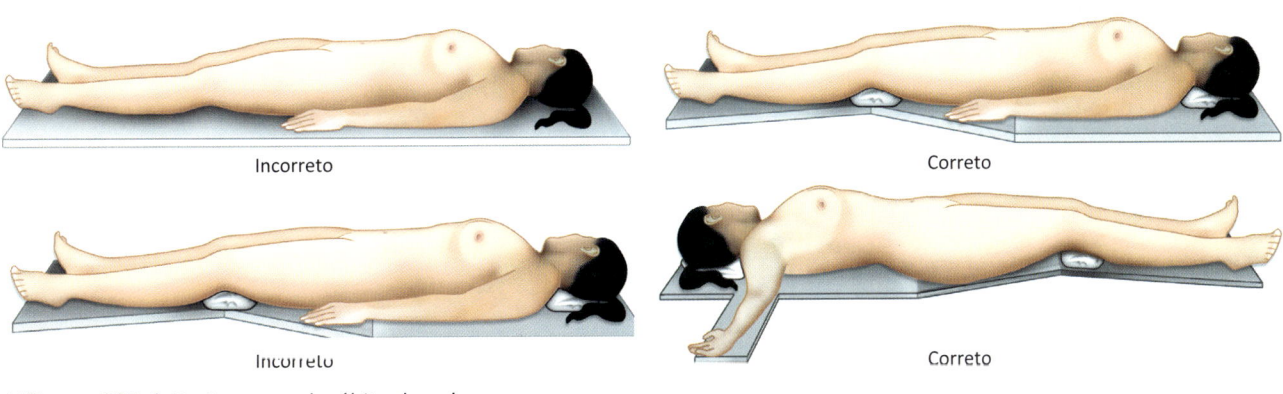

Incorreto Correto

Incorreto Correto

▲ **Figura 225.4** Paciente em decúbito dorsal.

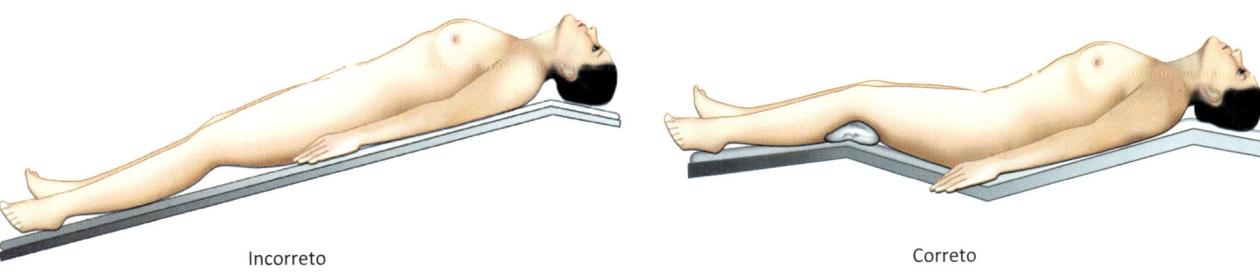

Incorreto Correto

▲ **Figura 225.5** Paciente em céfalo-aclive.

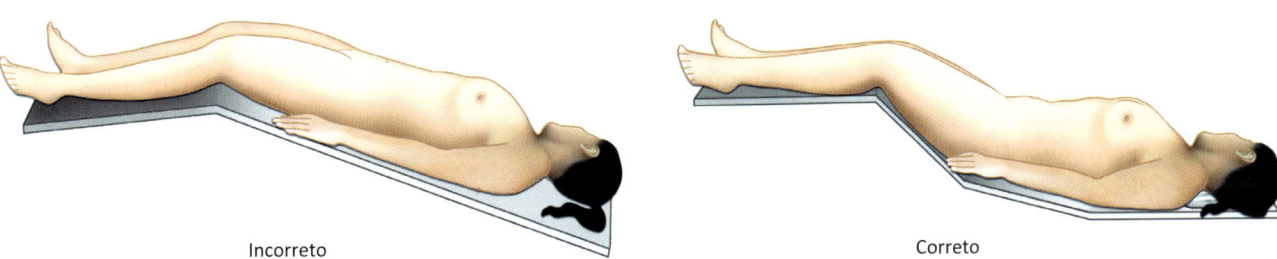

Incorreto Correto

▲ **Figura 225.6** Paciente em céfalo-declive.

com a gravidade atuando, observa-se aumento do RV, DC e PAM momentaneamente, pois os barorreceptores reconhecem tal aumento e provocam vasodilatação e diminuição do débito cardíaco.[11] Ademais, a melhora do retorno venoso promove aumento do trabalho cardíaco e consumo de oxigênio pelo miocárdio. Portanto, a posição de céfalo-declive deve ser evitada em coronariopatas, mesmo que momentaneamente.[12]

Uma variante do decúbito dorsal seria o céfalo-aclive em "cadeira de praia" (Figura 225.7), utilizado em cirurgias ortopédicas de ombro e mamoplastias. Nessa situação, o segmento cefálico se encontra acima do coração em um paciente com reflexos compensatórios abolidos, levando à diminuição do fluxo sanguíneo cerebral, quando o débito cardíaco não é otimizado. Assim, nesses casos é importante manter a PAM dentro de valores normais ou até mesmo acima deles, visto que os valores aferidos pelo método oscilométrico no braço não é a PAM real em nível do segmento encefálico. Para realização segura de tal procedimento, além do posicionamento, seria necessário, em pacientes selecionados, observar os limites da autorregulação da perfusão cerebral e monitorização da pressão arterial de forma invasiva. É prudente deixar o zero do sensor em nível do meato acústico externo. Dessa forma, os valores aferidos serão o reflexo da pressão arterial na base do cérebro.

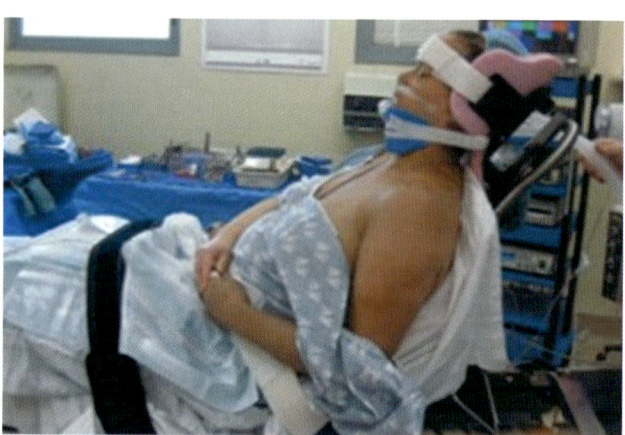

▲ **Figura 225.7** Céfalo-aclive em "cadeira de praia".

Posição de Sulteros

Nessa posição, o declive é de 10° a 15°. Pela inclinação ser mais discreta, não há necessidade de se fixar o paciente à mesa. No entanto, apesar de mais brandas, as alterações no sistema cardiovascular, respiratório e na pressão intracraniana (PIC) estão presentes.

Posição de Litotomia

O paciente deve estar em decúbito dorsal, com os membros superiores juntos ao tronco ou abduzidos em suportes próprios na lateral da mesa. As coxas são fletidas sobre o quadril, e os joelhos são apoiados em perneira. Deve-se colocar coxins sob a região lombar para manter a lordose (Figura 225.8). É importante fixar e proteger os membros inferiores contra as superfícies de metal das perneiras, principalmente a região poplítea e os calcanhares. Tal posição é usada quando o campo cirúrgico se encontra na região perineal.

Cuidado especial deve ser tomado quando da retirada dos membros inferiores das perneiras. Isso deve ser feito com ajuda de um auxiliar, lentamente e de modo simultâneo, após massagem das panturrilhas. A retirada de um membro por vez pode levar à torção da coluna lombar e sua distensão ligamentar, provocando dor importante no pós-operatório. Quando os membros são abaixados, pode haver diminuição da pressão arterial, que deve ser tratada com vasopressores.

São observadas alterações nos sistemas cardiovascular e respiratório, além de aumento da PIC, assim como nas posições de céfalo-declive. A flexão da coxa sobre o quadril também piora a compressão diafragmática, restringindo ainda mais a respiração.

■ POSIÇÃO PRONA

Paciente deitado com a face para baixo. Possibilita acesso à fossa posterior do crânio, coluna posterior, região perianal e parte posterior das extremidades inferiores.

Decúbito Ventral

Paciente fica deitado com a face para baixo. Os membros superiores são colocados ao longo do eixo de corpo

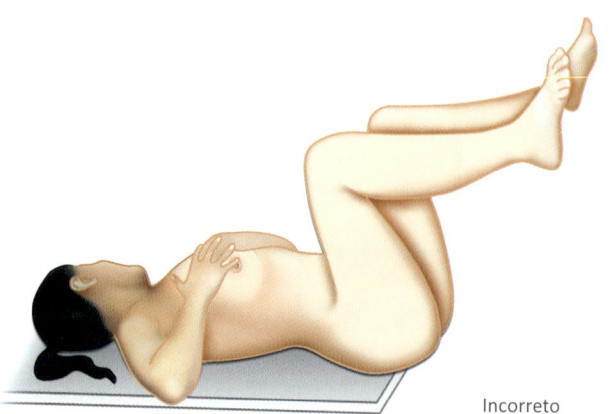

Incorreto

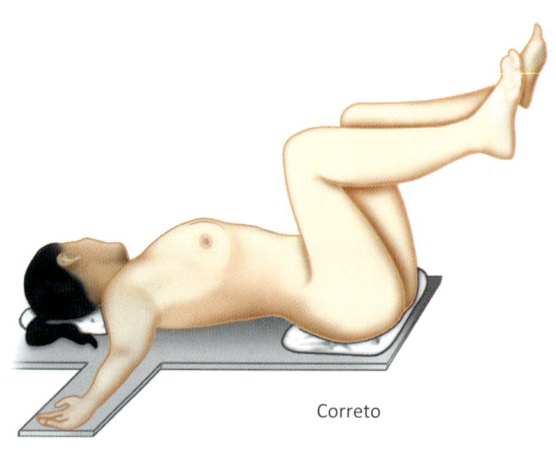

Correto

▲ **Figura 225.8** Posição de litotomia.

ou ao lado da cabeça (*superman*). O posicionamento da cabeça deve ser feito no plano sagital, em posição neutra por meio de suporte próprio (Figura 225.9), visto que o suporte protege contra a compressão da face e do globo ocular. Esse dispositivo deve possuir, ainda, um espelho que permita a visualização de tais estruturas pelo anestesiologista. Alternativamente, pode-se posicionar com rotação lateral de 45° para o lado esquerdo ou direito. Nesse caso, é importante verificar o olho do lado dependente quanto à compressão externa. Deve-se evitar a rotação exagerada ou o tempo cirúrgico prolongado. Essa rotação pode comprometer, por compressão, o fluxo sanguíneo cerebral que passa pela artéria carótida que está na posição inferior, assim como pode comprometer, devido à torção, o fluxo que passa pelo sistema vertebrobasilar. Da mesma forma, a drenagem venosa do segmento encefálico estará comprometida, aumentando a pressão intracerebral, o edema de face e das conjuntivas.

Independentemente da posição escolhida para a cabeça, deve-se ter atenção especial para a correta oclusão dos olhos e evitar sua compressão, assim como evitar a compressão nasal e a compressão pelo tubo traqueal sob a face. Quando em ventilação mecânica, o ideal é o tubo traqueal sair no lado da boca voltado para cima.

Os membros superiores podem ser colocados fletidos sobre a cabeça, se o paciente conseguir, ou colocados fixos junto ao tronco.

A compressão do abdome à mesa operatória provoca o aumento da pressão intra-abdominal que leva a um deslocamento cefálico do diafragma, prejudicando a ventilação. Ocorre também compressão do tórax e do mediastino nessa posição, em decorrência da ação da gravidade e do peso do tórax. O uso de suportes (coxins) que aliviam a compressão abdominal, com elevação de tórax e pelve, reduz essa complicação (Figura 225.10).

Quando se aumenta a pressão dos vasos intra-abdominais, o retorno venoso é realizado pelo sistema vertebral, ocorrendo o ingurgitamento das veias espinhais. Tal fato aumenta o sangramento nas cirurgias da coluna vertebral.

Na avaliação pré-anestesica, deve-se indagar os pacientes candidatos à cirurgia na posição prona sobre a capacidade de realizar tarefas ou dormir com os membros elevados acima da cabeça, visto que alguns apresentam parestesias quando assumem tal posição.[13] Alternativamente, pode-se abduzir os membros em suportes laterais da mesa, sempre protegendo as proeminências ósseas e a pele do contato com a mesa, evitando a abdução exagerada para não ocorrer tensão na musculatura dos ombros e do plexo braquial (Figura 225.11).[14]

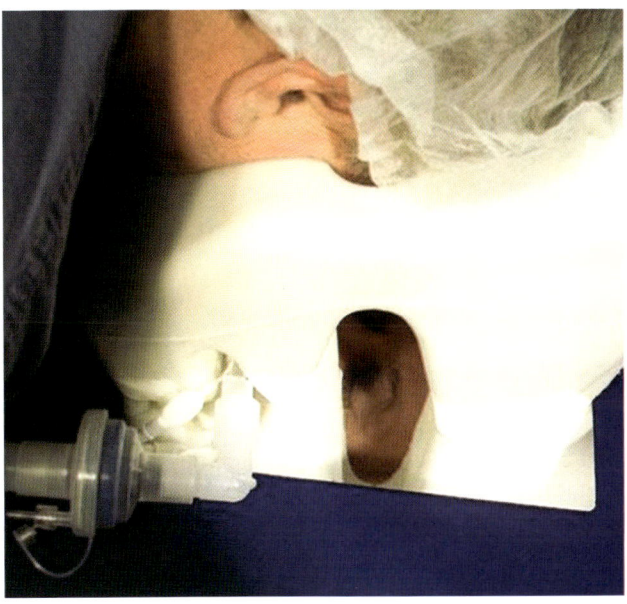

▲ **Figura 225.10** Dispositivo para proteção dos olhos.

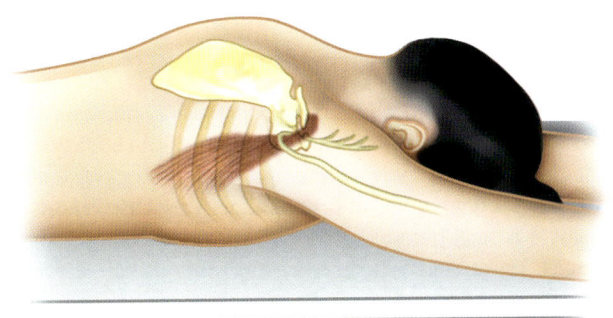

▲ **Figura 225.11** Decúbito ventral.

Canivete Ventral

Após posicionar o paciente em posição prona, faz-se uma flexão ventral do tronco em relação às coxas (Figura 225.12). É usada em cirurgias nas regiões sacrais, perineais e do trato digestivo inferior. As implicações e os cuidados são os mesmos do decúbito ventral horizontal.

▪ POSIÇÃO LATERAL

Paciente deitado em decúbito lateral para acessos aos rins, tórax, quadril e membros inferiores. Antes de compreender as possíveis complicações pulmonares, é importante conceituar as áreas de dependência pulmonar.

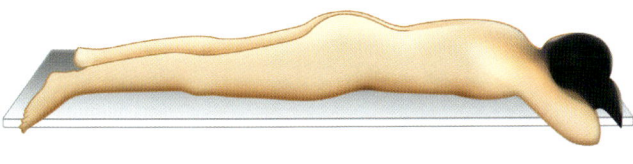

Incorreto

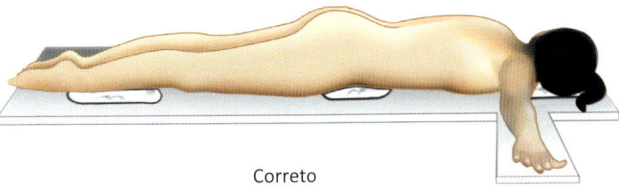

Correto

▲ **Figura 225.9** Decúbito ventral.

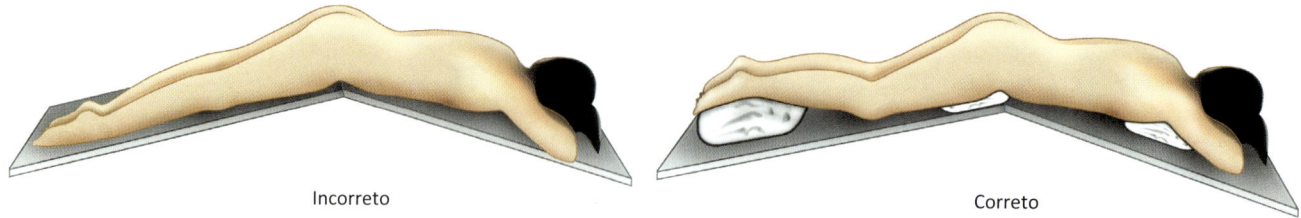

▲ **Figura 225.12** Canivete ventral.

A dependência pulmonar está relacionada com a região pulmonar que recebe o maior fluxo sanguíneo. As regiões conhecidas como não dependentes são as que recebem o menor fluxo sanguíneo.

Sabe-se que com o paciente em decúbito lateral, ocorre alteração nas zonas pulmonares de ventilação e perfusão. Assim, a zona 1 de West – onde prevalece o efeito espaço morto, que normalmente se encontra no ápice pulmonar – passa a se localizar no pulmão superior; já a zona 2 estaria em ambos os pulmões, próxima ao mediastino, e a zona 3, onde prevalece o efeito *shunt*, encontra-se no pulmão dependente.

Decúbito Lateral Horizontal

O paciente é colocado em decúbito lateral, normalmente com a coxa e a perna inferior fletidas e a perna superior estendida. Ambos os membros devem estar protegidos e acolchoados, protegendo-se as proeminências ósseas, trajetos de nervos e a pele, para que esta não entre em contato com a mesa cirúrgica. A cabeça deverá estar alinhada com a coluna cervicotorácica com o uso de coxins ou travesseiros (Figura 225.13). Os braços podem estar fletidos ou apoiados em suporte lateral. Este pode ser duplo para o apoio dos dois membros; na sua ausência, apenas o membro que se encontra na posição inferior é apoiado no suporte. Nesse caso, usam-se coxins de espuma ou travesseiro para apoiar o membro que se encontra na parte superior. É importante que tais apoios mantenham uma distância entre os dois membros o mais fisiologicamente possível. Não se deve colocar o membro que se encontra na posição superior em suporte sem apoios, como é visto na Figura 225.14. Ainda, coloca-se sob a axila inferior um pequeno coxim a fim de prevenir obstrução da perfusão do membro adjacente e também uma possível lesão do nervo supraescapular nas cirurgias prolongadas.[15] O uso da oximetria de pulso e/ou pressão arterial invasiva no membro que se encontra na posição inferior pode diagnosticar precocemente uma má perfusão do membro.[16]

Decúbito Lateral para Artroscopia de Ombro

Tal procedimento é realizado com o paciente sob anestesia geral associada a bloqueio do plexo braquial. O posicionamento do paciente pode ser em decúbito lateral[17] ou na posição semissentada. As Figuras 225.15 a 225.17 mostram o paciente em decúbito lateral.

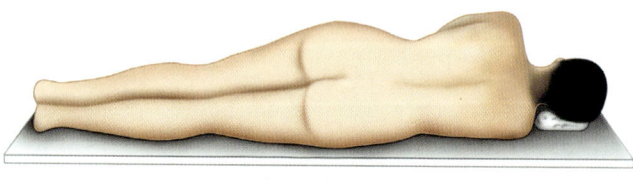
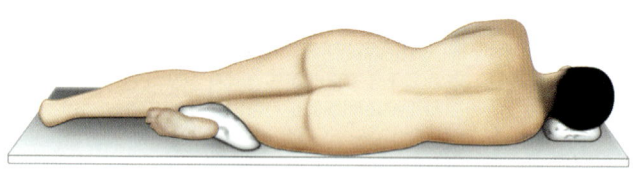

▲ **Figura 225.13** Decúbito lateral.

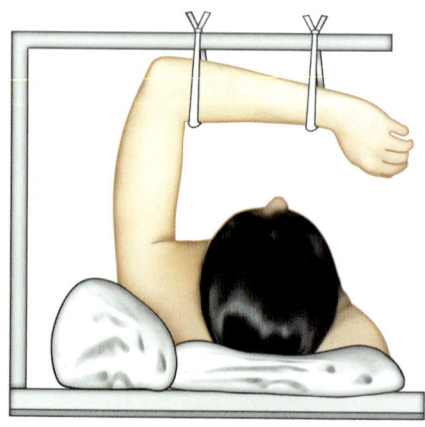
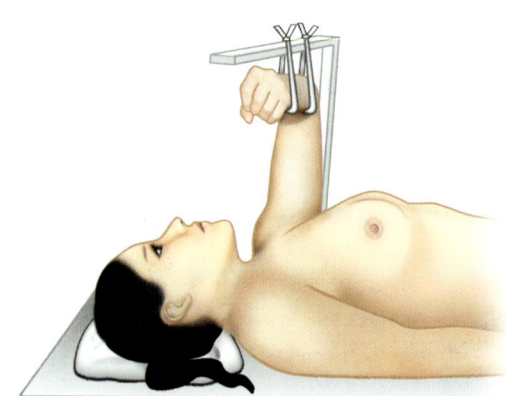

▲ **Figura 225.14** Posição incorreta de fixação de membro superior.

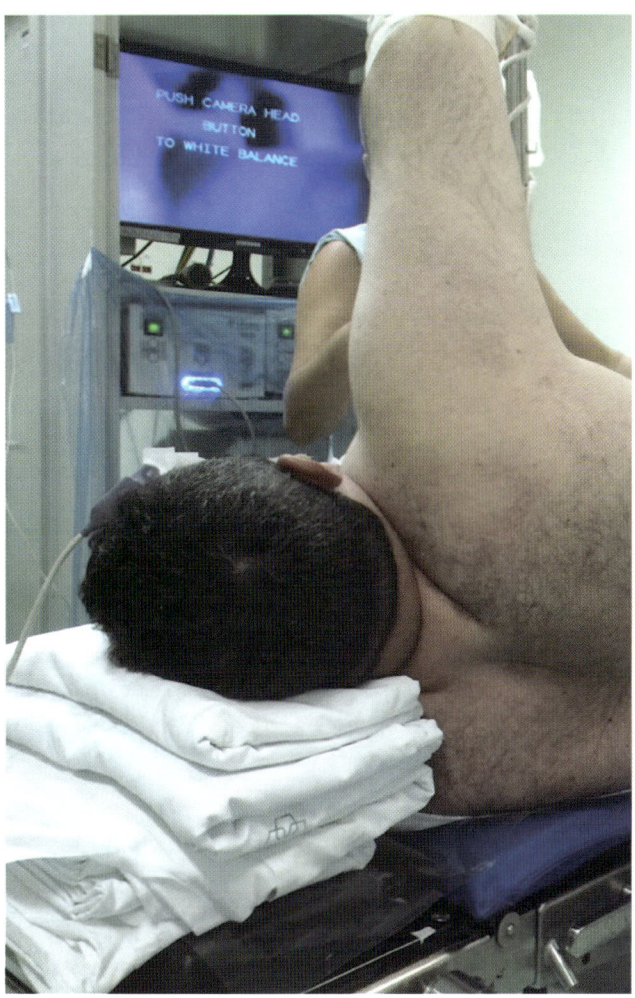

▲ **Figura 225.15** Paciente em decúbito lateral para artroscopia de ombro.

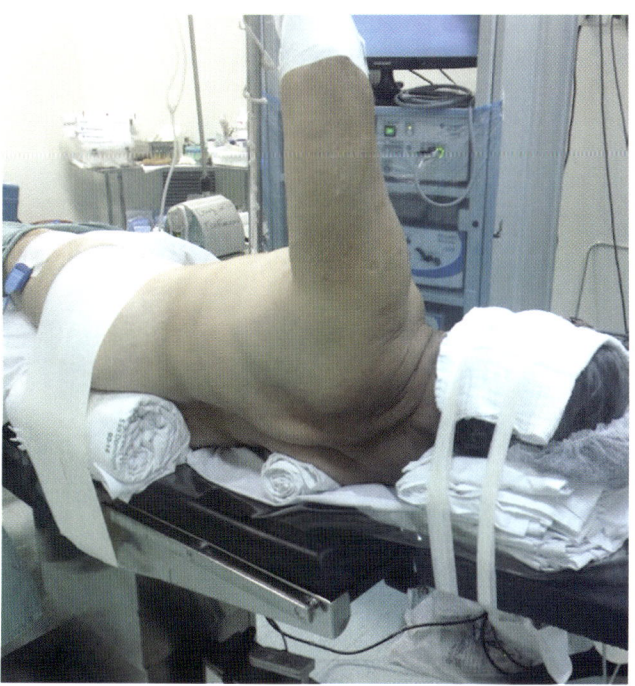

▲ **Figura 225.16** Paciente em decúbito lateral para artroscopia de ombro. Outra visão.

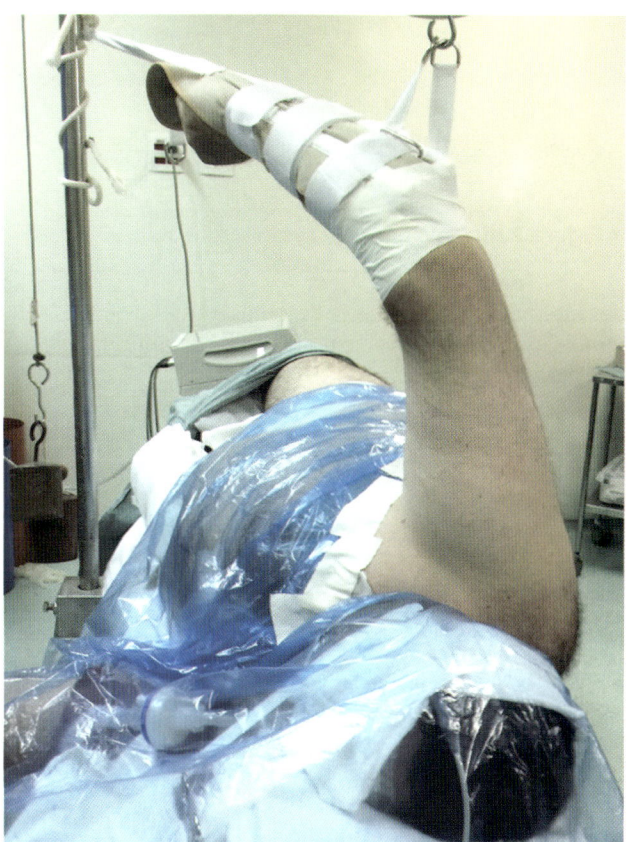

▲ **Figura 225.17** Paciente posicionado em decúbito lateral para artroscopia de ombro.

Sabe-se que no ombro não existe cavidade revestida por membrana sinovial capaz de restringir líquidos e muito menos permitir a colocação de torniquete para manter o campo operatório livre de sangue. Diante de tal situação, para afastar as estruturas do ombro, é inevitável que ocorra tração intensa do membro superior adjunto ao ombro a ser operado. Assim, é necessária a correta fixação da cabeça, alinhando a coluna cervical e evitando extensão lateral exagerada do pescoço.

É importante acompanhar e solicitar ao cirurgião que utilize a malha de tração correta, evitando-se lesão do membro tracionado.

Associada a essa tração, faz-se a infusão de solução de irrigação, o que possibilita "criar" o espaço subacromial, permitindo condições para visualizar e manipular as estruturas a serem operadas.[18] A maior parte do líquido infundido é aspirado; parte é difundida entre os tecidos moles adjacentes e parte considerável é extravasada próximo aos trocanteres, encharcando os campos cirúrgicos e molhando o paciente, causando hipotermia e interferências nos sinais dos monitores. Torna-se necessário proteger a cabeça do paciente, os eletrodos e os cabos de monitores com a correta colocação de tecidos impermeáveis sobre eles.

Posição de Canivete Lateral

É uma variante do decúbito lateral. Após a colocação do paciente nesse decúbito, a porção caudal da mesa é inclinada inferiormente em 25° (Figura 225.18). Com isso, além

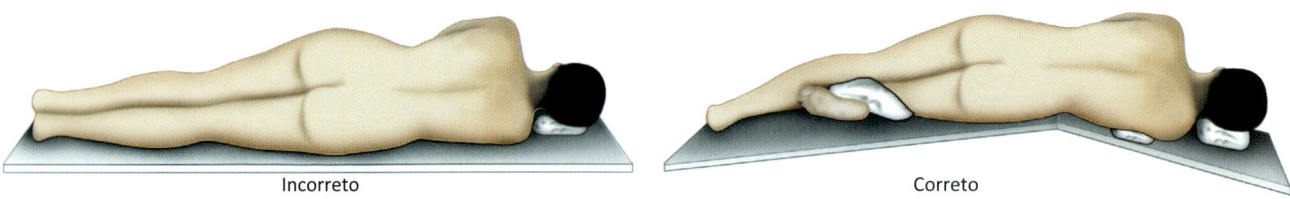

▲**Figura 225.18** Variante do decúbito lateral.

das alterações fisiológicas já descritas, observa-se ainda diminuição do retorno venoso por represamento do sangue nos membros inferiores.

É acrescentado a essa posição um "pile" com suporte próprio da mesa ou coxins sob a crista ilíaca inferior. Dessa forma, tem-se uma exposição ótima da loja renal. No entanto, com o uso de afastadores, podem ser evitados tais exageros, sem prejudicar o campo operatório.

▪ CÉFALO-ACLIVE ACENTUADO

O paciente é colocado reclinado com os braços sobre o abdome e as pernas elevadas no nível do coração. A cabeça é fletida sobre o pescoço, fixa por um suporte próprio (Figura 225.19).

A posição é utilizada para craniotomias de fossa posterior. Alterações importantes ocorrem quando o paciente fica nessa posição, notadamente redução da pressão arterial média (PAM), da pressão venosa central, do volume sistólico e do débito cardíaco. No indivíduo não anestesiado, essas alterações são compensadas por aumento de até 60% da resistência vascular sistêmica. Porém, essa resposta é bloqueada pelos efeitos vasodilatadores dos agentes anestésicos que, além disso, podem diminuir também o débito cardíaco.

A pressão de perfusão cerebral diminui aproximadamente 15% na posição sentada no paciente não anestesiado, diminuindo ainda mais no indivíduo anestesiado, devido à vasodilatação e diminuição do retorno venoso.[19]

A pressão arterial sistólica sofre um decréscimo de 0,8 mmHg por 1,0 cm de elevação da região considerada no plano vertical em relação ao nível do coração. A simples elevação da cabeça em relação ao nível do coração acarreta diminuição da PAM no território intracraniano, mais acentuada no paciente anestesiado.[20]

Pode ocorrer embolia aérea venosa quando o campo cirúrgico estiver acima do nível do coração, sendo sua incidência diretamente proporcional ao grau de céfalo-aclive. Pode ocorrer em neurocirurgias realizadas com o paciente na posição sentada.[21] Procedimentos cirúrgicos que cursam com alta incidência de embolia aérea venosa necessitam de monitorização complementar, devendo esta ser avaliada caso a caso. São exemplos de monitorização para se detectar a embolia aérea: Doppler precordial, ecocardiografia transesofágica e nitrogênio. O Doppler precordial é muito sensível e não invasivo; sua associação com o dióxido de carbono ao fim da expiração é muito eficaz na detecção de embolia aérea clinicamente significativa. A ecocardiografia transesofágica (ETE) é muito sensível e pode detectar bolhas de ar nas câmaras cardíacas, mas requer experiência do operador. O nitrogênio no fim da expiração é específico para o ar e não invasivo, mas pode ser difícil de interpretá-lo quando se usa uma mistura de ar e oxigênio na anestesia.

O uso de cateter no átrio direito deve ser considerado em toda situação de alto risco de embolia aérea e muitos o consideram obrigatório se o paciente estiver na posição sentada. A extremidade do cateter é posicionada perto do nó sinoatrial, sob orientação do eletrocardiograma. Pode-se confirmar a presença de embolia pela aspiração de ar, mas sua principal utilidade é terapêutica. A sua prevenção baseia-se na hidratação adequada, evitando-se fármacos vasodilatadores venosos como a nitroglicerina.

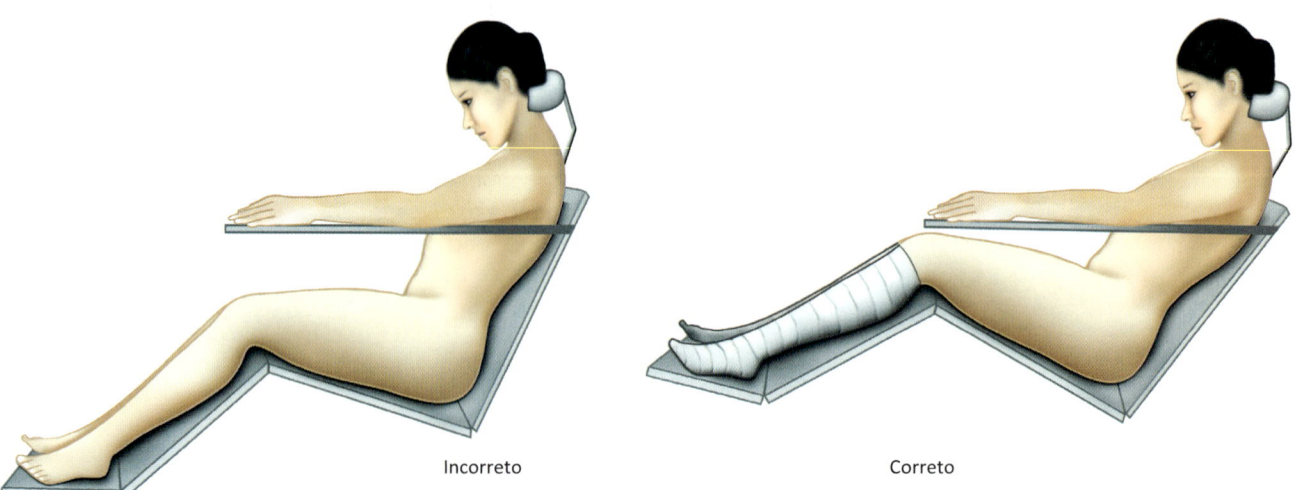

▲**Figura 225.19** Céfalo-aclive acentuado.

O tratamento consiste em alertar o cirurgião, na instituição de oxigênio a 100% e na solicitação de ajuda. O cirurgião deve inundar o campo cirúrgico com líquido e preparar o campo para a retirada do céfalo-aclive. Hidratação vigorosa é mandatória. A cabeça deve ser posicionada abaixo do coração – ou pelo menos abaixada o máximo possível. A posição de decúbito lateral esquerdo é pouco benéfica. Se houver um cateter de átrio direito, o ar deve ser aspirado; se não, deve-se considerar sua inserção, dependendo da capacidade dessas medidas de aliviar a instabilidade.[22]

■ CIRURGIAS ROBÓTICAS[23]

Para ilustrar, com o advento das cirurgias com robôs que demandam um céfalo-declive intenso, deve-se evitar, durante o posicionamento, a utilização exclusiva de suportes nos ombros a fim de fixar o paciente à mesa. Cintos "em X" sobre o tórax do paciente devem ser utilizados (Figura 225.20). Evita-se, assim o estiramento das raízes do plexo braquial quando do uso de dispositivos que "seguram" o paciente pelo ombro. Além disso, o anestesiologista deve realizar uma infusão parcimoniosa de cristaloides e coloides devido ao risco de edema laríngeo nesse céfalo-declive intenso. Talvez essa hidratação menos intensa possa ser realizada com a monitorização do "delta PP", sendo primordial nesses casos a cateterização da artéria para uma medida mais fidedigna da pressão arterial.

As prostatectomias estão no segundo lugar entre as cirurgias robóticas mais frequentes.[24] O posicionamento do paciente para cirurgias robóticas consiste em deixá-lo em litotomia e braços amarrados ao longo do corpo. Isso limita, sobremaneira, o acesso do anestesiologista ao paciente. O pneumoperitônio é feito quando o paciente fica em 45° (Trendelenburg). Devido acesso ao restrito ao paciente e às linhas venosas, a monitorização e a proteção ao paciente devem ser cuidadosamente revisadas antes do início da cirurgia. Importante: uma vez que o robô estiver posicionado no paciente, qualquer mudança de posicionamento ou medidas de ressuscitação devem ser feitas depois da retirada do robô.

O problema maior em cirurgia robótica na prostatectomia é a acentuada litotomia, o excesso de céfalo-declive, o restrito acesso ao paciente e as alterações fisiológicas decorrentes do pneumoperitônio. O dióxido de carbono utilizado para a confecção do pneumoperitônio diminui o fluxo sanguíneo nos órgãos da cavidade abdominal, por compressão direta. Podem ocorrer, então, enfisema subcutâneo até a temida isquemia do nervo óptico, lesão de plexo braquial, edema laríngeo, embolia gasosa, pneumotórax e pneumomediastino. Tudo isso pode aumentar a pressão intracraniana, o que é extremamente deletério nos pacientes com doenças cerebrovasculares. Do ponto de vista respiratório, pode ocorrer diminuição da capacidade residual pulmonar, diminuição da complacência pulmonar e consequente predisposição a atelectasias. Uma recomendação da Sociedade Europeia de Anestesia de 2010 é não deixar que a pressão intra-abdominal ultrapasse 12 mmHg quando houver associação de Trendelenburg com pneumoperitônio. Dessa forma, em cirurgias robóticas, deve-se usar, de preferência, um volume minuto constante para que se evite subir em mais de 50% a pressão de pico e de platô com o consequente risco de barotrauma. Pode-se então diminuir o volume corrente, aumentar a frequência respiratória e tolerar a hipercarbia permissiva.

Ainda pode ocorrer bradicardia quando da insuflação do pneumoperitônio devido à distensão peritonial (estímulo vagal). A hidratação deve ser mínima, para se evitar problemas com a anastomose vesicouretral com o débito urinário alto. A restrição hídrica deve ser mínima também para se evitar edema laríngeo e facial. O fluxo sanguíneo cerebral é mantido íntegro dentro de condições normais fisiológicas autorregulado por uma variedade de pressões de perfusão cerebral.[25] Quando essa autorregulação é comprometida, a baixa perfusão cerebral acarreta isquemia, enquanto o alto fluxo acarreta edema.

■ EVENTOS ADVERSOS

O paciente sob efeito anestésico fica submetido à intensificação das alterações fisiológicas decorrentes da mudança

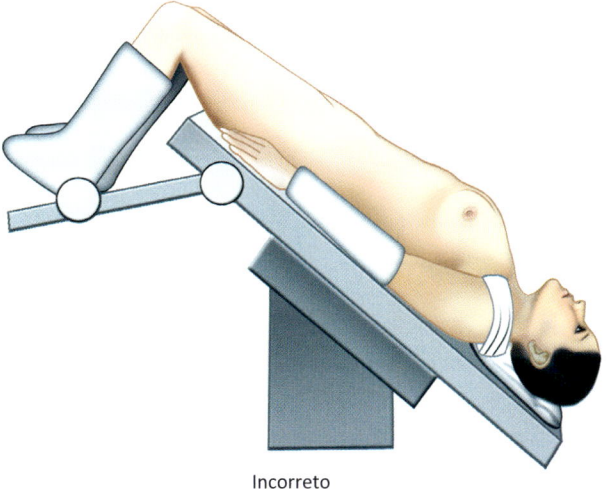

Incorreto

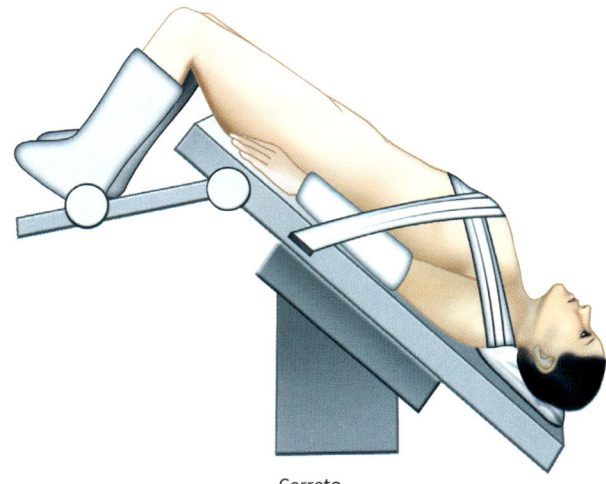

Correto

▲ **Figura 225.20** Céfalo-declive acentuado. Posição de Trendelenburg real.

de posição na mesa operatória, sobretudo as relacionadas com circulação e ventilação. O posicionamento inadequado durante o procedimento cirúrgico pode ocasionar compressão de nervos periféricos, gerando assim lesões traumáticas agudas. Essas lesões podem ser classificadas em:

- **Neuropraxia:** há apenas um dano discreto ao nervo, com perda transitória da condutividade das suas fibras motoras. A degeneração walleriana (decomposição química das bainhas de mielina em material lipídico e fragmentação das neurofibrilas) não acontece e a recuperação completa pode ser esperada dentro de alguns dias ou semanas.
- **Axonotmese:** esse tipo de lesão danifica os axônios, mas não há dano na formação estrutural do nervo. Os axônios distais à lesão sofrem degeneração walleriana. A regeneração periférica dos axônios ocorre ao longo dos tubos neurais intactos para os órgãos terminais apropriados, aproximadamente 1 mm por dia. Então levará aproximadamente três meses para que os axônios se regenerem.
- **Neurotmese:** nesse tipo de lesão traumática, os nervos são seccionados, rompidos ou destruídos. A degeneração walleriana ocorre no segmento distal. A única forma de recuperação é a secção da porção danificada do nervo e sutura das terminações viáveis. Contudo, mesmo sob circunstâncias ideais para sutura nervosa, a recuperação é menos completa.

O diagnóstico preciso depende do auxílio de testes elétricos apropriados como teste de condução nervosa, curvas de resistência de duração e eletromiografia.

Se ocorrer paralisia dos músculos supridos por um determinado nervo, é importante determinar o tipo de lesão nervosa (neuropraxia, axonotmese ou neurotmese), pois assim pode-se estabelecer de forma mais acurada o prognóstico neurológico.

POSSÍVEIS LESÕES COM O PACIENTE EM DECÚBITO DORSAL

- **Nervo radial:** inerva os músculos extensores do braço e antebraço, incluindo a pele que os recobre. Apresenta-se posterior e inferiormente à artéria axilar. Ao sair da axila, o nervo radial proporciona um ramo motor para o múscu-

lo tríceps. Adquire um trajeto em espiral descendente, ao nível do úmero, no sulco que separa as origens das porções medial e lateral do músculo tríceps, dividindo-se em dois ramos terminais.

- Sua lesão caracteriza-se pela queda da mão em flexão, denominada mão pendular. Para evitá-la, os membros superiores devem ser adequadamente fixados, evitando assim a compressão nervosa contra a mesa cirúrgica.
- **Nervo ulnar:** situa-se em posição anterior e inferior à artéria axilar. Segue trajetória descendente ao longo da artéria braquial e passa entre o olécrano e o epicôndilo medial do úmero (Figura 225.21). Posteriormente, passa entre as cabeças do músculo flexor ulnar do carpo e ao longo da artéria ulnar. Ao nível do punho, divide-se em ramos dorsal e palmar. Sua lesão caracteriza-se pela mão em garra (atrofia dos músculos interósseos).[26]
- **Lesões do braço:** ocorrem devido à abdução acentuada do membro, forçando a cabeça do úmero sobre o feixe neurovascular da axila, lesando essas estruturas do braço (Figura 225.22) e o segmento cefálico, podendo causar estiramento e lesão das raízes nervosas do plexo cervical. A sintomatologia inclui desde cefaleia de pequena intensidade até tetraplegia por lesão medular.

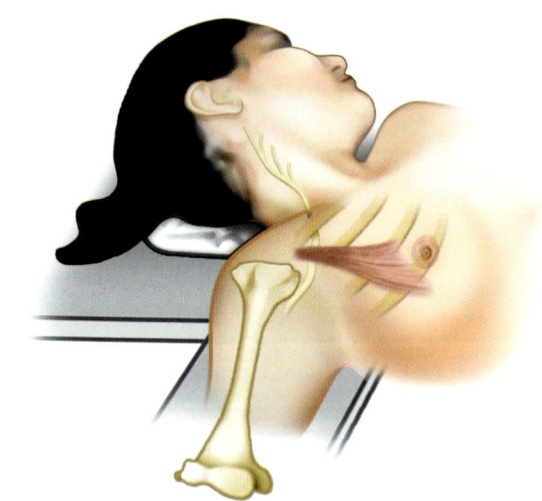

▲ **Figura 225.22** Compressão nervosa.

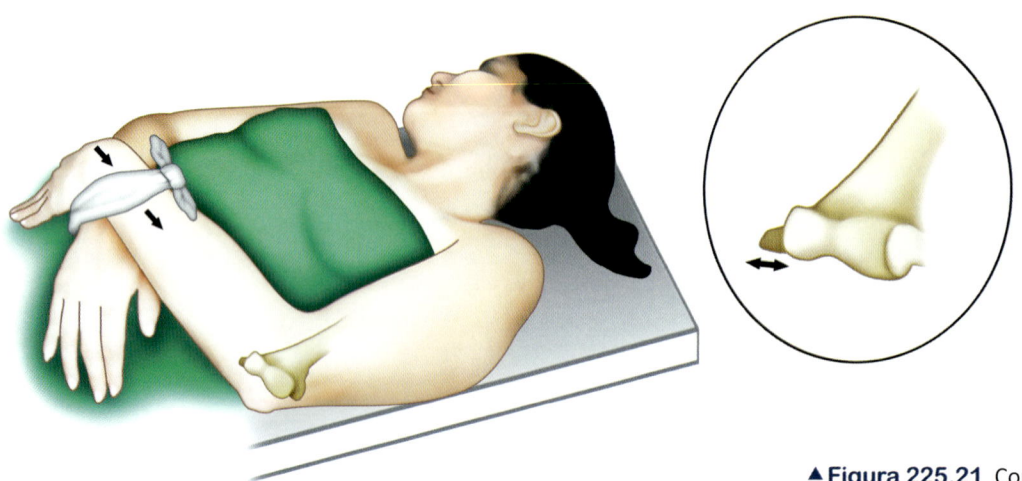

▲ **Figura 225.21** Compressão do nervo ulnar.

Outra complicação frequente observada no paciente anestesiado, por depressão dos mecanismos endógenos de vasocompensação decorrente de uma elevação súbita do decúbito, é a **hipotensão arterial**.

O tratamento varia desde o retorno à posição original associado à diminuição das doses dos agentes anestésicos até a infusão de fluidos por via venosa e doses tituladas de agentes vasopressores.[27]

Quando a hipotensão é grave e duradoura, associada à obstrução por retração pélvica de grandes vasos que irrigam o membro inferior, deve-se verificar a compressão da extremidade por ataduras muito apertadas ou mesmo pelo braço do próprio cirurgião. A hipotensão pode evoluir para um quadro de isquemia, edema hipóxico, elevada pressão tecidual nos compartimentos da perna e grave rabdomiólise,[28] provocando extensas lesões dos nervos da área.

Esse quadro clínico é a síndrome do compartimento inferior,[29] cujo tratamento definitivo é a realização de fasciotomia de urgência associada à alcalinização da urina e hidratação vigorosa seguida de diuréticos para estimular a diurese e reduzir o dano renal.

Outros quadros possíveis são:

- **Lombalgia:** ocorre devido ao relaxamento promovido pelo ato anestésico, possibilitando uma distensão ligamentar, principalmente na coluna lombar. O uso de coxins para manter a lordose da coluna e evitar a posição de litotomia exagerada previne tal ocorrência.
- **Lesão perineal:** comum em mesas ortopédicas durante a realização de tração para redução e alinhamento de fraturas de fêmur. Nessas mesas, a pelve é fixada por uma estaca, e o membro a ser operado é tracionado. Quando essa tração é exagerada ou a pelve é mal posicionada, ocorrem lesões na genitália e/ou nos nervos pudendos. A posição correta é a colocação da estaca entre a genitália e o membro não lesado.
- **Pontos de pressão:** ocorrem quando proeminências ósseas não são totalmente protegidas. São potencializados por procedimentos prolongados e estados hipotensivos.
- Uma situação particular a se considerar é a anestesia geral inalatória sob máscara facial. Nesses casos, ocorre a compressão exagerada e/ou prolongada da máscara de ventilação na face do paciente. Isso é mais comum quando se utilizam dispositivos específicos para fixação da máscara. É importante frisar que, com estes, torna-se difícil dosar a pressão exercida pela máscara na face do paciente, podendo haver lesão dos seguintes nervos: óptico, supraorbitário e facial (Figura 225.23).
- **Alopecia:** causada por procedimentos prolongados associados à hipotensão, hipotermia e ausência de proteção correta na região afetada. É mais comum na região occipital quando em céfalo-declive.

Os pacientes evoluem com dor e inflamação no local, aparece geralmente 1 mês após o procedimento e regride entre 60 e 70 dias.

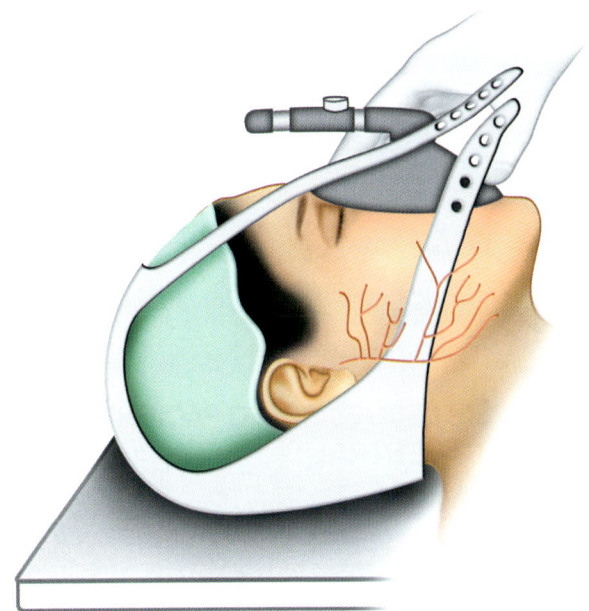

▲ **Figura 225.23** Posicionamento da máscara facial.

■ POSSÍVEIS LESÕES COM O PACIENTE EM CÉFALO-ACLIVE

- **Lesão medular cervical, edema de face, de língua e de pescoço***: todas essas complicações ocorrem devido à flexão exagerada e prolongada do pescoço sobre o tórax, podendo causar obstrução linfática, venosa e até arterial, quando associada à intensa rotação cefálica.
- **Lesão do nervo ciático:** pode ocorrer quando houver excesso de flexão da coxa com os joelhos pouco curvados, principalmente nos pacientes magros.

■ POSSÍVEIS LESÕES COM O PACIENTE EM DECÚBITO LATERAL

No paciente submetido à anestesia geral com uso de bloqueador neuromuscular, ocorre perda do tônus muscular e diminuição mais acentuada da pressão do mediastino e das vísceras abdominais sobre o pulmão dependente. O pulmão dependente é conduzido, então, a trabalhar na faixa inferior da curva ótima de complacência pulmonar, inadequada para a ventilação, podendo resultar na formação de atelectasia.

O pulmão não dependente sofre apenas compressões externas parciais do mediastino e do abdome, ocupando a faixa mediana da curva de complacência pulmonar adequada para a ventilação.[30]

- **Lesão do ombro:** para evitar esse tipo de lesão, deve-se contar com o auxílio de um coxim firme sob o tórax logo abaixo da axila inferior, grosso o suficiente para elevá-lo.
- **Lesão do olho:** deve haver um cuidado especial com o olho que está abaixo, fechando-se cuidadosamente as pálpebras para evitar as abrasões de córnea.
- **Lesão cervical:** a cabeça deve estar bem apoiada em suportes ou travesseiros, evitando-se que ela permaneça em flexão, extensão ou rotação exageradas.

- **Necrose do fêmur:** essa complicação é causada pela compressão da cabeça do fêmur no acetábulo por causa da colocação inadequada de fitas para fixação. Sua prevenção é feita com o uso de cintas de estabilização apoiadas no quadril superior, no tecido frouxo entre a cabeça do fêmur e a crista ilíaca.
- **Lesão do nervo fibular:** no paciente anestesiado em decúbito lateral, o peso do joelho superior pressiona o joelho inferior contra o colchão, podendo comprimir o nervo fibular comum, que passa lateralmente ao côndilo da fíbula. Esse tipo de lesão gera perda da sensibilidade no dorso do pé e incapacidade de flexioná-lo.

POSSÍVEIS LESÕES COM O PACIENTE EM DECÚBITO VENTRAL

- **Lesão cervical e do plexo braquial:** decorrentes da rotação lateral do pescoço e da cabeça no paciente anestesiado e em pronação. As lesões cervicais são mais frequentes em pacientes com artrite ou artrose cervical. A perfusão cerebral também pode estar comprometida pela redução do fluxo vascular nos sistemas carotídeo e vertebral.
- **Lesão de olhos:** semelhante ao que ocorre no decúbito lateral, sendo a lesão da córnea a complicação mais frequente; deve-se evitar a compressão ocular (Figura 225.24). Para a prevenção, também deve-se ocluir completamente as pálpebras.[31]
- **Lesão da genitália externa:** ocorre principalmente em paciente do sexo masculino e deve ser evitada com o uso de um coxim ao nível do quadril.
- **Lesões das mamas:** ocorre principalmente em pacientes do sexo feminino com mamas de tamanho grande e pouco densas. Cuidado especial deve ser dado a pacientes com próteses mamárias, pois há risco de ruptura.

RECOMENDAÇÕES PARA SE EVITAR LESÕES DE PLEXO BRAQUIAL[32]

1. Evitar extensão e rotação externa com o paciente na posição supina limitando a abdução do braço para não mais de 90° na posição neutra, usando apoio confortável para os braços.
2. Evitar extrema abdução na posição prona, colocando confortavelmente os braços ao longo do corpo e não abduzir o braço por mais de 90°, o que aumentaria a chance de lesão.
3. Em céfalo-declive, colocar os braços confortáveis sob lençóis ao longo do corpo e nunca colocar os punhos amarrados em um suporte. Tomar cuidado com os coxins do ombro que são colocados para que o paciente não escorregue da mesa; com compressão intensa pode ocorrer lesão do plexo braquial.
4. Na posição decúbito lateral, sempre usar coxim no peito (como se o paciente fosse abraçar o coxim) e evitar suspensão do braço em relação à cabeça com uso de braçadeira lateral.
5. Em qualquer posição, sempre deixar a cabeça em posição neutra. A rotação e a flexão lateral do pescoço aumentam a possibilidade de lesão no lado contralateral.

RECOMENDAÇÕES PARA SE EVITAR COMPLICAÇÕES

As equipes cirúrgicas juntamente com as equipes de enfermagem têm adotado o uso de escores depois do posicionamento dos pacientes na mesa operatória, com o intuito de minimizar ou abolir lesões decorrentes do posicionamento. A escala mais utilizada é a de ELPO (Tabela 225.1) que contém sete itens e cinco subitens, com pontuação que varia de um a cinco pontos e pontuação total de 7 a 35 pontos. Quanto maior o escore em que o paciente é classificado maior o risco de desenvolvimento de lesões. Paciente com escore de 7 até 19 pontos é classificado como baixo risco para o desenvolvimento de lesões decorrentes do posicionamento cirúrgico, enquanto o que apresenta escore igual ou superior a 20 apresenta alto risco.[33]

CONCLUSÃO

Pelo exposto, observa-se a importância do posicionamento do paciente na mesa operatória. É de bom senso lembrar que o paciente não pode se defender de uma possível injúria enquanto estiver anestesiado. Assim, deve ser posicionado da melhor maneira possível. Sendo o anestesiologista fiel depositário da confiança do paciente, recomenda-se ser cuidadoso para evitar problemas decorrentes do posicionamento inadequado.

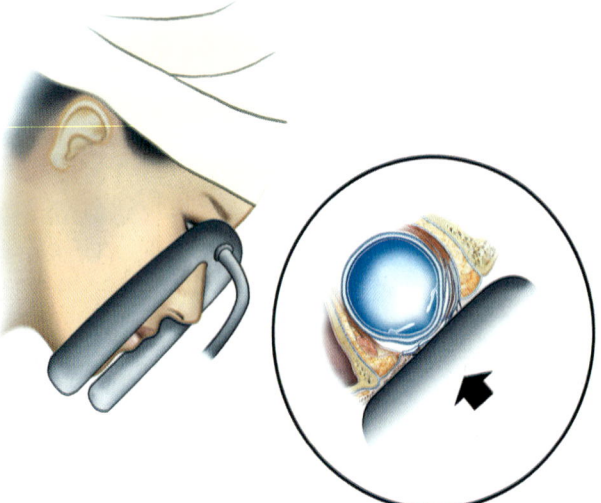

◄ **Figura 225.24** Compressão ocular.

Tabela 225.1 Escala de ELPO para definição do risco relativo ao posicionamento.					
Itens/Escore	**5**	**4**	**3**	**2**	**1**
Posição cirúrgica	Litotômica	Prona	Trendelenburg	Lateral	Supina
Tempo de cirurgia	> 6 h	Entre 4 e 6 h	Entre 2 e 4 h	Entre 1 e 2 h	< 1 h
Tipo de anestesia	Geral + regional	Geral	Regional	Sedação	Local
Superfície de suporte	Sem superfície ou superfície rígida	Colchão de espuma e coxins de algodão	Colchão de espuma e coxins de espuma	Colchão de espuma e coxins de viscoelástico	Colchão e coxins de viscoelástico
Posição dos membros	Elevação dos joelhos > 90° e abertura dos membros inferiores > 90° ou abertura dos membros superiores > 90°	Elevação dos joelhos > 90° ou abertura dos membros inferiores > 90°	Elevação dos joelhos < 90° e abertura dos membros inferiores < 90° ou pescoço sem alinhamento esternal	Abertura dos membros superiores < 90°	Posição anatômica
Comorbidades	Úlcera por pressão ou neuropatia previamente diagnosticada ou trombose venosa profunda	Obesidade ou desnutrição	Diabetes melito	Doença vascular	Sem comorbidades
Idade do paciente	> 80 anos	Entre 70 e 79 anos	Entre 60 e 69 anos	Entre 40 e 59 anos	Entre 18 e 39 anos

REFERÊNCIAS

1. Courington FW, Little DM Jr. The role of posture in anesthesia. Clin Anesth. 1968;3:24-54.
2. Manica JT. Anestesiologia: princípios e técnicas. 2. ed. São Paulo: Artes Médicas; 1997.
3. AST resolutions, position statements, and publications. Littleton: Association of Surgical Technologists; 2011.
4. American Society of Anesthesiologists Practice Advisory for the prevention of Perioperative Peripheral Neuropathies. An updated report by thr American Society of Anesthesiologists Task Force on Prevention of Perioperative Peripheral Neuropathies. Anesthesiology 2017. Supplemental Digital Content 1 http://links.lww.com/ALN//B553.
5. Barash PG, Cullen BF, Stoelting RK. Clinical anesthesia. 4. ed. São Paulo: Manole; 2004.
6. Enderby GRH. Postural ischemia and blood pressure. Lancet. 1954;1:185.
7. West JB, Dollery CT, Naimark A. Distribution of blood flow in isolated lung: relations to vascular and alveolar pressures. J Appl Physiol. 1964;19:713.
8. Cangiani LM. Efeito da posição de Trendelenburg (0 versus 10°) na difusão da bupivacaína hiperbárica (carta). Rev Bras Anestesiol. 1990;40(4):295 300.
9. Bund M, Heine J, Jaeger K. Complications due to patient positioning: anaesthesiological considerations. Anasthesiol Intensivmed Notfallmed Schmerzther. 2005 Jun;40(6):329-39.
10. Porter JM, Pidgeon C, Cunningham AJ. The sitting position in neurosurgery: a critical appraisal. Br J Anaesth. 1999 Jan;82(1):117-28.
11. Sibbald WJ, Patterson NAM, Holliday RL, et al. Trendelenburg position: hemodynamic effects in hypotensive and normotensive patiens. Crit Care Med. 1979;7:218.
12. Kubal K, Komatsu T, Sannchala V, et al. Trendelenburg position used during venous cannulation increases myocardial oxygen demands. Anesth Analg. 1984;63:239.
13. Martin JT. The ventral decubitus (prone) positions. In: Martin JT, Warner MA. Positioning in anesthesia and surgery. 3. ed. Philadelphia: WB Saunders; 1997. p. 155.
14. Ngamprasertwong P, Phupong V, Uerpairojkit K. Brachial plexus injury related to improper positioning during general anesthesia. J Anesth. 2004;18(2):132-4.
15. Ould-Ahmed M, Fourel D, Belat C, et al. Suprascapular palsy: a complication of surgical positioning? Ann Fr Anesth Reanim. 1999 Jun;18(6):674 6.
16. Willenkendin RL. Periodo pré-indução imediato. In: Miller RD. Anesthesia. 3. ed. Porto Alegre: Artes Médicas; 1993. p. 929-56.
17. Singelyn FJ, Lhotel L, Fabre B. Pain relief after arthroscopic shoulder surgery: a comparison of intra-articular analgesia, suprascapular nerve block, and interscalene brachial plexus block. Anesth Analg. 2004;99(2):589-92.
18. Morrison DS, Schaefer RK, Friedman RL. The relationship between subacromial space pressure, blood pressure, and visual clarity during arthroscopic subacromial decompression. Arthroscopy. 1995;11(5):557-60.
19. Nociti JR. Posição do paciente anestesiado e perfusão cerebral: catástrofes previsíveis. Rev Bras Anestesiol. 2008;58.
20. Cullen DJ, Kirky RR. Beach chair position may decrease cerebral perfusion. APSF Newsletter. 2007;22:25-7.
21. Pfitzner J. Further reason for maintaining a positive CVP during neurosurgery in the sitting position. Anaesth Intensive Care. 2006 Feb;34(1):120-1.
22. Yao FSF. Manejo intraoperatório. In: Yao FSF. Tumor cerebral e craniotomia. 6. ed. Rio de Janeiro: Guanabara Koogan; 2002. p. 321-32.
23. Phong SV, Koh LK. Anaesthesia for robotic-assisted radical prostatectomy: considerations for laparoscopy in the Trendelenburg position. Anaesth Intensive Care. 2007 Apr;35(2):281-5.
24. Gainsburg DM. Anesthetic concerns for robotic-assisted laparoscopic radical prostatectomy. Minerva Anestesiol. 2012 May;78(5):596-604.
25. Schramm P, Treiber AH, Berres M, et al. Time course of cerebrovascular autoregulation during extreme Trendelenburg position for robotic-assisted prostatic surgery. Anaesthesia. 2014;69(1):58-63.
26. Vieira JLV. Bloqueio do plexo braquial. In: Cangiani LM, Posso IP, Potério GMB, et al. Tratado de anestesiologia SAESP. 6. ed. São Paulo: Atheneu; 2007. p. 1255-73.
27. Manica J. Complicações. In: Manica J. Posicionamento do paciente. 3. ed. Porto Alegre: Artmed; 2004. p. 522-40.
28. Suzuki T, Yoshida M, Honma J, et al. Rhabdomyolysis accompanying low back pain following prolonged urological surgery in the exaggerated lithotomy position: a case report. Masui. 2006 Oct;55(10):1234-7.
29. Goldsmith AL, McCallum MI. Anaesthesia. Compartment syndrome as a complication of the prolonged use of the Lloyd-Davies position. Anaesthesia. 1996 Nov;51(11):1048-52.
30. Ferez D. Anestesia para broncoscopia e cirurgia torácica. In: Cangiani LM, Posso IP, Potério GMB, et al. Tratado de anestesiologia SAESP. 6. ed. São Paulo: Atheneu; 2007. p. 1503-25.
31. Subash M, Horgan SE. Nd:YAG laser capsulotomy in the prone position under general anesthesia. Ophthalmic Surg Lasers Imaging. 2008 May-Jun;39(3):257-9.
32. Ngamprasertwong P, Phupong V, Uerpairojkit K. Braquial plexus injury related to improper positioning during general anesthesia. J Anesth. 2004;18(2):132-4.
33. Lopes CM, Haas VJ, Dantas RA, Oliveira CG, Galvão CM. Assessment scale of risk for surgical positioning injuries. Rev Lat Am Enfermagem. 2016 Aug 29;24:e2704.

Parte 33

Pesquisa Científica e Estatística

226

Filosofia do Método Científico

Luiz Marciano Cangiani

INTRODUÇÃO

A investigação científica é a aplicação de métodos em um objeto ou fatos, que o ser humano faz sistematicamente para obter conhecimentos sobre eles. O conhecimento dos fenômenos, sua interpretação e adequado domínio devem ter sempre como objetivo máximo servir a humanidade.

A velocidade com que se difundem as informações no mundo e seu fácil acesso permitem que os conhecimentos sejam repassados rapidamente. Assim, hipóteses sobre determinado assunto podem ser formuladas com grande embasamento e criterioso espírito crítico.

Os conhecimentos repassados em livros-texto normalmente são os mais sedimentados. De forma didática, eles são apresentados com um roteiro que conduz ao encadeamento lógico do raciocínio.

Os artigos científicos são publicados em revistas após criteriosa análise e observação de todos os itens que compõem sua estruturação, respeitados os aspectos éticos e técnicos contidos nas normas aos autores. Com base nesses conceitos, muitas publicações são feitas em revistas, em que a aprovação ou a rejeição de hipóteses são apresentadas. Assim sendo, mesmo que o leitor não venha a produzir trabalhos científicos, é necessário conhecer detalhes do método científico para poder, com espírito crítico, aproveitar melhor a leitura de artigos científicos.

O objetivo deste capítulo é apresentar a filosofia do método científico e detalhes importantes na elaboração de um trabalho científico, assim como apresentar algumas regras de como os pensamentos podem ser postos em palavras para viabilizar a publicação.

CIÊNCIA: DEFINIÇÃO E CLASSIFICAÇÃO

Uma das definições de ciência refere-se a um conjunto organizado de conhecimentos relativos a um objeto, especialmente os obtidos mediante a observação, a experiência dos fatos e um método próprio. A ciência pretende sempre a sistematização de conhecimentos, com propostas lógicas sobre o comportamento de determinado fenômeno ou fato. As proposições científicas apresentam relações hierárquicas, podendo partir de fatos particulares para os gerais ou de fatos gerais para os particulares, que devem ser comprovados pela pesquisa, estando sempre sujeitas à verificação. A ciência engloba sempre objetividade, espírito crítico e desinteresse.[1,2]

As ciências podem ser divididas em não empíricas e empíricas.

As ciências não empíricas são as formais ou de objetivos ideais. O seu método é dedutivo. O critério da verdade é a consistência ou não da contradição de seus enunciados, sendo todos os seus enunciados analíticos, deduzidos de postulados ou teoremas, como a Matemática.

As ciências empíricas são as fatuais, fáticas ou de objetos materiais. O seu método é elaborado sobre a observação e a experimentação. Os seus enunciados sintetizam o que foi verificado, ou demonstrado, constituindo o seu critério de verdade.

As ciências empíricas são divididas em naturais e sociais. A Biologia, a Química e a Física estão entre as ciências naturais, enquanto a Sociologia, a Política, a Economia, a Antropologia e a História estão entre as ciências sociais. O maior problema de demarcação se encontra entre as ciências formais e fatuais com a metafísica.

As ciências fatuais são feitas explorando, verificando e prevendo ocorrências do mundo. As asserções são confrontadas com fatos da nossa experiência e só se tornam aceitáveis quando apresentam evidência científica, que se obtém observando de maneira sistemática, experimentando, verificando e submetendo os dados à análise, com índice de confiança admitido para cada experimento. Aqui entra o tratamento estatístico. Assim, o conhecimento biológico só é aceito após passar pelas fases da observação e da experimentação, sendo verificável e reproduzível. As hipóteses do conhecimento biológico são testadas empiricamente (observação e experimentação) e os resultados dos testes são a aprovação ou a rejeição das hipóteses. Para isso é necessário, então, que a investigação seja metódica, previamente planejada, baseada em conceitos comprovados, para que o conhecimento biológico possa ser ampliado.

A Anestesiologia, ramo das Ciências Médicas, enquadra-se nas ciências empíricas, podendo ser tratada experimentalmente. A Anestesiologia Clínica se propõe a estudar processos, métodos e técnicas ligados à administração de fármacos, com a finalidade de proteger o paciente do estresse cirúrgico, proporcionando ótimas condições para a realização de procedimentos cirúrgicos, diagnósticos e terapêuticos, para o despertar tranquilo e o controle da dor pós-operatória. Com esse amplo leque de objetivos, a despeito da grande evolução de conhecimentos, sempre há muito que se fazer.

▪ O CONHECIMENTO

Adquire-se conhecimento de determinado fenômeno ou do objeto de estudo, por meio da observação e da experimentação.

Os medicamentos, antes de serem aprovados para uso no ser humano, passam por uma série de experiências em animais e *in vitro*, havendo instituições credenciadas para esse fim. Assim, ao ser aprovado o uso de determinado medicamento, há uma série de efeitos muito bem conhecidos em animais de experimentação. Além disso, há outra série de efeitos conhecidos no ser humano, que são divulgados. Quando o medicamento é introduzido para uso clínico, os laboratórios credenciados a comercializar o produto procuram o Ministério da Saúde, onde recebem ou não autorização para isso. As pesquisas feitas com fármacos advindos do exterior geralmente não têm caráter original. Entretanto, para o paciente brasileiro, e dependendo do método empregado, dos atributos observados e da imaginação do investigador, sem dúvida, pode vir a ser original.

A observação e o registro feitos pelos primeiros pesquisadores, financiados pelos fabricantes de novos medicamentos, geralmente são realizados com outras tecnologias e, consequentemente, outros métodos, algumas vezes diferentes dos que dispomos em nosso meio. Mesmo que se disponha da tecnologia, há diferenças nas observações e nos registros; primeiro, porque a observação depende de treinamento e critério e é pessoal; segundo, porque os instrumentos de registros de que um pesquisador dispõe nem sempre são iguais aos que o outro pesquisador utilizou; terceiro, porque o indivíduo ou paciente é diferente sob o ponto de vista intelectual, social e mesmo quanto aos seus níveis plasmáticos de diversos elementos de quaisquer naturezas; e, quarto, porque ocorrem diferenças do meio e do pessoal envolvidos no tratamento da saúde. Assim, ao se analisar resultados e compará-los, é necessário verificar se os métodos são comparáveis.

A observação não significa simplesmente ver algo, implica processo mental. Envolve fator sensoperceptivo (visual) e elemento mental, consciente e parcialmente inconsciente. O fator humano na observação – "equação humana" ou "equação pessoal" – deve ser cuidadosamente controlado, o que exige treinamento técnico. "Deve-se deixar a imaginação de fora".

A experimentação clínica envolve, quase sempre, uma comparação. Como geralmente não tratamos de experimento primário, isto é, não vamos tratar pela primeira vez um fenômeno, estaremos sempre diante de um estudo comparativo.

Nós aprendemos que para cada eventualidade existe um ou mais procedimentos recomendados por uma autoridade. A autoridade pode ser o costume, o que está estabelecido, aquilo que é determinado pela maioria ou o que é recomendado pelos livros mais recentes. Nesse sentido, o original, o novo, só existe em termos comparativos. A renovação de conceitos é o mais comum. Logo, existe um processo ou uma técnica vigente, aceito pela comunidade científica e pela maioria. Esse processo, ou técnica, mais aceito, consiste no grupo controle ou padrão; o estabelecido, com o qual vamos comparar o que se pretende estudar. Uma renovação, uma nova conduta, é ditada pela comparação com o vigente, se é igual, melhor ou pior. Nesse sentido, nada melhor que a experimentação.

Os experimentos devem ser de dois grupos: controle ou padrão e experimental ou de estudo e, de preferência, duplamente encoberto.

Chama-se de duplamente encoberto o que provém da tradução do inglês *double blind*. O estudo duplamente encoberto é utilizado nas avaliações, que podem ser muito subjetivas, dependem do observador, e impedem que a paixão e a parcialidade provoquem distorções nos resultados. Entretanto, em Anestesiologia, o duplo encoberto algumas vezes é impraticável, visto que a segurança no uso de fármacos deve ser considerada em primeiro lugar. Um anestesiologista não pode manusear um medicamento que desconhece na prática clínica.

O procedimento duplamente encoberto é muito empregado para avaliar a ação de determinado medicamento, quando o paciente desconhece o que está tomando, assim como um dos avaliadores das reações, sendo um terceiro com o controle da situação. Isso pode ser muito difícil de se estabelecer.

A "equação humana" ou "equação pessoal", que corresponde ao fator humano na observação, deve ser cuidadosamente controlada. Requer treinamento técnico, imparcialidade do pesquisador e perseverança. A "lei do instrumento" também deve ser considerada, pois os instrumentos utilizados devem ser muito bem avaliados para que as mensurações sejam passíveis de comparação.

É muito difícil comparar técnicas feitas no passado com o que se está fazendo agora simplesmente pela avaliação das fichas. O que foi feito por outros, medido com instrumentos diferentes, certamente acarretará vícios de interpretações dificilmente superados por qualquer método.

O ser humano sempre usa um intermediário quando age sobre as coisas. Na investigação científica, ele sempre utiliza um instrumento. Assim, a maior parte do nosso conhecimento é, somente, provável. As certezas incondicionais são raras. Mas é pelo conhecimento que o ser humano adentra as diversas áreas da realidade e delas toma posse.

Podem-se distinguir cinco tipos de conhecimentos:

- **Conhecimento empírico:** é vulgar, obtido ao acaso, é ametódico e assistemático;
- **Conhecimento sensorial:** é o conhecimento obtido com base em experiências sensitivas e fisiológicas como visão, tato, olfato, gustação e audição, comumente presentes em todos os seres humanos;
- **Conhecimento científico:** deriva do empírico e, por meio dele, o conhecimento empírico é tratado com método e sistemática. Bacon dizia: "Conhecer verdadeiramente é conhecer pelas causas".

O conhecimento científico tem algumas características:

- É certo, explica os motivos de sua certeza, o que não ocorre com o conhecimento empírico;
- É geral, válido para todos os casos da mesma espécie;
- É metódico e sistemático. Os seres e os fatos estão ligados entre si por certas relações. O objetivo do cientista é encontrar e reproduzir esse encadeamento, alcançado pelo conhecimento de leis e princípios.

Antes de iniciar uma pesquisa, pelo tempo exigido e pelo dispêndio de energias, sempre é bom fazer uma análise quanto à objetividade, se já foi ou não realizada, sempre com desinteresse, para que não seja uma conclusão forçada e não fundamentada, na qual o espírito crítico deve estar muito desenvolvido.

Conhecimento Filosófico

Distingue-se do científico pelo objeto da investigação e pelo método. O objeto da ciência são os dados próximos, perceptíveis pelos sentidos ou instrumentos e suscetíveis de experimentação. O objeto da Filosofia é constituído de realidades mediatas, imperceptíveis aos sentidos e de ordem suprassensível, não passível de experiências. A tarefa fundamental da Filosofia é a reflexão. Não oferece solução para a maioria dos problemas, mas ensina o caminho.

O conhecimento filosófico é fundamental. Embora não ofereça solução, é preciso estar fundamentado quanto ao destino do conhecimento científico adquirido.

Pressupõe-se que, de uma pesquisa científica ou de um ensaio clínico, surja como conclusão, uma nova conduta. Entretanto, essa nova conduta ou descoberta deve ser tratada com cautela e vários ângulos devem ser analisados antes que seja divulgada como uma nova verdade. A precipitação na divulgação dos resultados, sem adequada reflexão, pode gerar interpretações nem sempre coerentes, levando a erros, por vezes irreparáveis.

Em Anestesiologia, muitas vezes, determinada conduta se mostra extremamente superior à outra consagrada, porém, as condições locais impedem que seja utilizada de modo rotineiro. Aliás, muitas condutas são consideradas excelentes em determinados meios e praticamente inviáveis em outros. Esse é o aspecto filosófico que deve sempre ser considerado, especialmente no que tange às leis, visto que a legislação vigente difere entre os países.

Conhecimento Teológico

Pode ser chamado de conhecimento dogmático. É um conjunto de verdades a que o ser humano chegou pela fé.

O conhecimento dogmático pode influenciar nos resultados dos pesquisadores. Muitas condutas que, aos olhos do pesquisador são uma banalidade, por vezes entrechocam com a realidade dogmática da comunidade.

Nesta perspectiva encontramos o problema do aborto. A técnica minimizou os inconvenientes e os riscos do aborto provocado. Entretanto, se a comunidade aceita ou não, é outro problema não resolvido. A realização do aborto dentro de normas técnicas é um ato cirúrgico com poucos riscos à vida, entretanto, o aspecto psicológico de quem se submete a ele é uma incógnita. A mulher pode sofrer sérios prejuízos psicológicos pelo fato de ter feito conscientemente o aborto.

De qualquer forma a pesquisa, em quaisquer campos do conhecimento, pode considerar o conhecimento adquirido na nossa formação como empírico, até o teológico. É normatizada pelas leis sociais, alicerçada nos códigos civil e penal, produto da filosofia vigente em nosso país, pelas leis canônicas da religião. Ao contrariá-las sem longa reflexão, corre-se sério risco de sofrer penalidades diversas.

Outro exemplo importante são os indivíduos testemunhas de Jeová. A recusa de receber sangue e seus derivados torna impossível sua inclusão nos grupos de estudo em que existe a possibilidade de transfusão.

Os Conhecimentos e a Ciência Moderna

Historicamente, o método científico se mistura com a própria história da ciência. Assim, a necessidade de um saber técnico evoluído veio desde os conhecimentos e métodos empregados por egípcios e gregos, especialmente nas áreas da Matemática, Geometria, Medicina, Astronomia, Biologia, Lógica, entre outras.

A ideia de tratar o conhecimento com uma metodologia própria e adequada, caracterizando finalmente o conhecimento científico, teve o seu desenvolvimento entre o fim do século XVI e o início do século XVII.[3,4]

Três pesquisadores se destacaram na implantação da filosofia do método científico: Francis Bacon (1561-1626), Galileu Galilei (1564-1642) e René Descartes (1596-1650).[3]

O inglês Francis Bacon preconizou o método indutivo da investigação científica, entendendo-se por esse método que o conhecimento científico é o resultado de experimentações contínuas, propiciando o aprofundamento do conhecimento empírico.

Pelo método indutivo, a observação cuidadosa dos fenômenos passa a seguir para a experimentação metódica e criteriosa. Assim, parte-se de fatos, seguindo-se às formas gerais, que vão constituir-se em leis com a determinação das causas dos fenômenos.

Com base nessas ideias, foram constituídas as Tábuas de Investigação de Bacon, quais sejam: a tábua da presença, a da ausência e a das graduações ou comparações. Na tábua da presença anotam-se todas as circunstâncias da produção do fenômeno cuja causa se procura. Na tábua da ausência anotam-se todos os casos em que o fenômeno não se produz, com os precedentes presentes e ausentes. Na tábua das graduações anotam-se as variações da intensidade do fenômeno e todos os antecedentes com que eles variam. Assim, pelo método indutivo de Bacon "posta a causa, dá-se o efeito; retirada a causa, não se dá o efeito; alterada a causa, altera-se o efeito". Mediante esses conceitos e após essas observações, Bacon propõe que seja formulada uma hipótese que possa explicar a ocorrência do fenômeno estudado.

O método de Galileu preconiza que a pesquisa científica tenha dois momentos: o analítico e o sintético. No momento analítico observa-se o fenômeno, analisam-se as suas partes e os seus elementos constitutivos e formulam-se hipóteses que possam explicar os componentes do fenômeno. O momento sintético é a fase da experimentação na tentativa de reproduzir o fenômeno. Portanto, no método de Galileu é muito considerada a parte experimental.

No método proposto por Descartes são ressaltadas quatro regras: a evidência, a análise, a síntese e a enumeração. Na verdade, sua proposta tem a razão humana como fundamento do conhecimento e da verdade.

Assim, as propostas de Bacon (a observação), de Galileu (a experimentação) e de Descartes (dedução matemática), apesar de realçarem aspectos diferentes, são todas importantes na pesquisa científica, constituindo-se na base para o desenvolvimento da ciência moderna.

Todos sempre ressaltaram os aspectos éticos da pesquisa em humanos, assim, antes de entrar no mérito da elaboração de um trabalho científico, é necessário observar os aspectos éticos e bioéticos da pesquisa, assim como a legislação pertinente.

▪ ASPECTOS ÉTICOS E BIOÉTICOS DA PESQUISA[5,6]

Comitê de Ética em Pesquisa

Todo protocolo de pesquisa em seres humanos deve necessariamente ser submetido à aprovação e acompanhamento por um Comitê de Ética em Pesquisa.

Os Comitês de Ética em Pesquisa (CEP) são órgãos colegiados multidisciplinares, constituídos por profissionais graduados de várias áreas e representantes da comunidade. Cabe aos comitês a avaliação ética e metodológica das pesquisas que envolvem seres humanos e animais. Os comitês não devem ser confundidos com Comissões de Ética Médica ou com Comitês de Bioética.

No passado, por não existirem os comitês, os protocolos de pesquisa em seres humanos eram submetidos a aprovação pela Comissão Ética da instituição. Hoje, é universal que o protocolo seja submetido a avaliação e aprovação por um Comitê de Ética em Pesquisa.

Os CEP devem ter no mínimo sete membros, sendo pelo menos um representante exclusivo da comunidade. A composição tem que ser, necessariamente, multiprofissional, e um número nunca superior a 50% pode fazer parte do mesmo grupo profissional. É desejável que o comitê seja constituído por representantes de áreas distintas, como Saúde, Ciências Humanas, Sociais e Exatas, assim como também se recomenda que 50% de seus membros sejam pesquisadores da instituição, de ambos os sexos, eleitos pela sua comunidade científica.

No Brasil, o Conselho Nacional de Saúde (CNS) normatizou as pesquisas na área de saúde e passou a exigir que os protocolos de pesquisa fossem submetidos à avaliação e aprovação por Comitê de Ética em Pesquisa, devidamente registrado no CNS. Os critérios para criação e credenciamento dos comitês foram definidos pela Resolução 196/96.

O CNS instituiu a Comissão Nacional de Ética em Pesquisa (CONEP), que é independente de influências corporativas e institucionais. A CONEP está ligada ao CNS.

A CONEP tem composição multidisciplinar e transdisciplinar. É composta de representantes de diferentes áreas, tanto das Biomédicas, como das Ciências Humanas e Sociais. A missão é avaliar os aspectos éticos das pesquisas que envolvem seres humanos no Brasil. Ela elabora e atualiza as diretrizes e normas para a proteção dos participantes de pesquisa e coordena a rede de CEP das instituições – Sistema CEP/CONEP. Cabe, portanto, à CONEP avaliar eticamente e acompanhar os protocolos de pesquisa em áreas temáticas especiais como Genética e Reprodução Humana, novos equipamentos, dispositivos para a saúde, novos procedimentos, população indígena, projetos ligados à biossegurança, dentre outros.

Após a elaboração do projeto de pesquisa ele deve ser inscrito na Plataforma Brasil (plataformabrasil.saude.gov. br). Se houver Comitê de Ética em Pesquisa na instituição de origem, este poderá ser o comitê avaliador. Se não houver, o protocolo será destinado a um determinado Comitê.

Ao CEP cabe a responsabilidade de aprovar, ou não, o projeto, assim como acompanhá-lo. Caso a pesquisa cause controvérsia ou houver dúvida quanto à aprovação, o CEP poderá solicitar ajuda da CONEP.

Deve ficar muito claro que a criação e competência dos CEP estão apensas a resolução 196/96[7] e que a criação e competência da CONEP estão contidas na resolução 466/2012[8] do CNS. Os pesquisadores devem ler atentamente essas resoluções para a devida orientação ética e legal.

A Pesquisa e o Código de Ética Médica

Os capítulos XII e XIII do Código de Ética Médica tratam do ensino e pesquisa médica e da publicidade médica, respectivamente.[5]

Capítulo XII – Ensino e pesquisa médica

É vedado ao médico:

Art. 99: Participar de qualquer tipo de experiência no ser humano com fins bélicos, políticos, étnicos, eugênicos ou de outros que atentem contra a dignidade humana.

Art. 100: Deixar de obter aprovação de protocolo para a realização de pesquisa em seres humanos, de acordo com a legislação vigente.

Art. 101: Deixar de obter do paciente ou de seu representante legal o termo de consentimento livre e esclarecido para a realização de pesquisa envolvendo seres humanos, após as devidas explicações sobre a natureza e as consequências da pesquisa.

§ 1º. No caso de o sujeito da pesquisa ser criança, adolescente, pessoa com transtorno ou doença mental, em situação de diminuição de sua capacidade de discernir, além do consentimento de seu representante legal, é necessário seu assentimento livre e esclarecido na medida de sua compreensão.

§ 2º O acesso aos prontuários será permitido aos médicos, em estudos retrospectivos com questões metodológicas justificáveis e autorizados pelo Comitê de Ética e Pesquisa (CEP) ou pela Comissão Nacional de Ética em Pesquisa (Conep).

Art. 102: Deixar de utilizar a terapêutica correta, quando seu uso estiver liberado no País.

Parágrafo único – A utilização de terapêutica experimental é permitida quando aceita pelos órgãos competentes e com o consentimento do paciente ou de seu representante legal, adequadamente esclarecidos da situação e das possíveis consequências.

Art. 103: Realizar pesquisa em uma comunidade sem antes informá-la e esclarecê-la sobre a natureza da investigação e deixar de atender ao objetivo de proteção à saúde pública, respeitadas as características locais e a legislação pertinente.

Art. 104: Deixar de manter independência profissional e científica em relação a financiadores de pesquisa médica, satisfazendo interesse comercial ou obtendo vantagens pessoais.

Art. 105: Realizar pesquisa médica em sujeitos que sejam direta ou indiretamente dependentes ou subordinados ao pesquisador.

Art. 106: Manter vínculo de qualquer natureza com pesquisas médicas, envolvendo seres humanos que usem placebo de maneira isolada em seus experimentos, quando houver método profilático ou terapêutico eficaz.

Art. 107: Publicar em seu nome trabalho científico do qual não tenha participado; atribuir-se autoria exclusiva de trabalho realizado por seus subordinados ou outros profissionais, mesmo quando executados sob sua orientação, bem como omitir do artigo científico o nome de quem dele tenha participado.

Art. 108: Utilizar dados, informações ou opiniões ainda não publicados, sem referência ao autor ou sem sua autorização por escrito.

Art. 109: Deixar de zelar, quando docente ou autor de publicações científicas, pela veracidade, clareza e imparcialidade das informações apresentadas, bem como deixar de declarar relações com a indústria de medicamentos, órteses, próteses, equipamentos, implantes de qualquer natureza e outras que possam configurar conflito de interesses, ainda que em potencial.

Art. 110: Praticar a Medicina, no exercício da docência, sem o consentimento do paciente ou de seu representante legal, sem zelar por sua dignidade e privacidade ou discriminando aqueles que negarem o consentimento solicitado.

Capítulo XIII – Publicidade médica

É vedado ao médico:

Art. 111: Permitir que sua participação na divulgação de assuntos médicos, em qualquer meio de comunicação de massa, deixe de ter caráter exclusivamente de esclarecimento e educação da sociedade.

Art. 112: Divulgar informação sobre assunto médico de forma sensacionalista, promocional ou de conteúdo inverídico.

Art. 113: Divulgar, fora do meio científico, processo de tratamento ou descoberta cujo valor ainda não esteja expressamente reconhecido cientificamente por órgão competente.

Art. 114: Anunciar títulos científicos que não possa comprovar e especialidade ou área de atuação para a qual não esteja qualificado e registrado no Conselho Regional de Medicina.

Art. 115: Participar de anúncios de empresas comerciais, qualquer que seja sua natureza, valendo-se de sua profissão.

Art. 116: Apresentar como originais quaisquer ideias, descobertas ou ilustrações que na realidade não o sejam.

Art. 117: Deixar de incluir, em anúncios profissionais de qualquer ordem, seu nome, seu número no Conselho Regional de Medicina, com o estado da Federação no qual foi inscrito e Registro de Qualificação de especialista (RQE) quando anunciar a especialidade

Parágrafo único. Nos anúncios de estabelecimentos de saúde, devem constar o nome e o número de registro, no Conselho Regional de Medicina, do diretor técnico.

Consentimento Livre e Esclarecido

A obrigatoriedade de obtenção do consentimento livre e esclarecido já está expressa no Art. 101 do Código de Ética Médica e mais detalhadamente nas resoluções 196/96 e 466/2012 do CNS.[7,8]

É necessário que o participante pesquisado assine um documento autorizando ser incluído na pesquisa. Nesse documento deve ficar claro que a adesão é espontânea, que existem riscos potenciais e que o participante poderá ser incluído num grupo controle ou num grupo placebo.

O respeito devido à dignidade humana exige que toda pesquisa se processe após consentimento livre e esclarecido dos sujeitos, indivíduos ou grupos que por si e/ou por seus representantes legais manifestem a sua anuência à participação na pesquisa. O capítulo IV da Resolução 196/96 do CNS diz o que se segue;

1. Exige-se que o esclarecimento dos sujeitos se faça em linguagem acessível e que inclua necessariamente os seguintes aspectos:

   a) A justificativa, os objetivos e os procedimentos que serão utilizados na pesquisa;

   b) Os desconfortos e riscos possíveis e os benefícios esperados;

   c) Os métodos alternativos existentes;

   d) A forma de acompanhamento e assistência, assim como seus responsáveis;

   e) A garantia de esclarecimentos, antes e durante o curso da pesquisa, sobre a metodologia, informando a possibilidade de inclusão em grupo controle ou placebo;

   f) A liberdade do sujeito se recusar a participar ou retirar seu consentimento, em qualquer fase da pesquisa, sem penalização alguma e sem prejuízo ao seu cuidado;

g) A garantia do sigilo que assegure a privacidade dos sujeitos quanto aos dados confidenciais envolvidos na pesquisa;

h) As formas de ressarcimento das despesas decorrentes da participação na pesquisa;

i) As formas de indenização diante de eventuais danos decorrentes da pesquisa.

2. O termo de consentimento livre e esclarecido obedecerá aos seguintes requisitos:

a) Ser elaborado pelo pesquisador responsável, expressando o cumprimento de cada uma das exigências acima;

b) Ser aprovado pelo Comitê de Ética em Pesquisa que referenda a investigação;

c) Ser assinado ou identificado por impressão dactiloscópica, por todos e cada um dos sujeitos da pesquisa ou por seus representantes legais;

d) Ser elaborado em duas vias, sendo uma retida pelo sujeito da pesquisa ou por seu representante legal e uma arquivada pelo pesquisador.

3. Nos casos em que haja qualquer restrição à liberdade ou aos esclarecimentos necessários para o adequado consentimento, deve-se ainda observar:

a) Em pesquisas envolvendo crianças e adolescentes, portadores de perturbação ou doença mental e sujeitos em situação de substancial diminuição em suas capacidades de consentimento, deverá haver justificação clara da escolha dos sujeitos da pesquisa, especificada no protocolo, aprovada pelo Comitê de Ética em Pesquisa, e cumprir as exigências do consentimento livre e esclarecido, através dos representantes legais dos referidos sujeitos, sem suspensão do direito de informação do indivíduo, no limite de sua capacidade;

b) A liberdade do consentimento deverá ser particularmente garantida para aqueles sujeitos que, embora adultos e capazes, estejam expostos a condicionamentos específicos ou à influência de autoridade, especialmente estudantes, militares, empregados, presidiários, internos em centros de readaptação, casas-abrigo, asilos, associações religiosas e semelhantes, assegurando-lhes a inteira liberdade de participar ou não da pesquisa, sem quaisquer represálias;

c) Nos casos em que seja impossível registrar o consentimento livre e esclarecido, tal fato deve ser devidamente documentado, com explicação das causas da impossibilidade, e parecer do Comitê de Ética em Pesquisa;

d) As pesquisas em pessoas com o diagnóstico de morte encefálica só podem ser realizadas desde que estejam preenchidas as seguintes condições:

■ Documento comprobatório da morte encefálica (atestado de óbito);

■ Consentimento explícito dos familiares e/ou do responsável legal, ou manifestação prévia da vontade da pessoa; respeito total à dignidade do ser humano sem mutilação ou violação do corpo; sem ônus econômico-financeiro adicional à família; sem prejuízo para outros pacientes aguardando inter-

nação ou tratamento; possibilidade de obter conhecimento científico relevante, novo e que não possa ser obtido de outra maneira.

e) Em comunidades culturalmente diferenciadas, inclusive indígenas, deve-se contar com a anuência antecipada da comunidade através dos seus próprios líderes, não se dispensando, porém, esforços no sentido de obtenção do consentimento individual;

f) Quando o mérito da pesquisa depender de alguma restrição de informações aos sujeitos, tal fato deve ser devidamente explicitado e justificado pelo pesquisador e submetido ao Comitê de Ética em Pesquisa. Os dados obtidos a partir dos sujeitos da pesquisa não poderão ser usados para outros fins que os não previstos no protocolo e/ou no consentimento.

A Pesquisa em Animais

Não é somente para as pesquisas no ser humano que existe legislação ética. Isso ocorre também para quem estuda animais de experimentação. Em 1978, a *United Nations Educational, Scientific and Cultural Organization* (Unesco) aprovou a Declaração dos Direitos dos Animais, proposta por Georges Heuse, secretário-geral do Centro Internacional de Biologia Humana em Paris, França.[9]

1. Todos os animais têm direito à vida e à felicidade.

2. Todos os animais têm direito a viver em liberdade em seu ambiente natural.

3. Todos os animais têm direito à atenção, ao respeito, ao amor, aos cuidados e à proteção do ser humano.

4. Todo animal escolhido pelo ser humano para seu companheiro deve ser abrigado, protegido, nutrido e amado até o fim de sua vida.

5. Todos os animais selvagens ou utilizados como companheiros de lazer e de trabalho, como alimento ou em experimentação científica têm o direito de viver e morrer com dignidade e respeito, sem sofrimento ou angústia.

6. A experimentação animal que envolver sofrimento físico ou psicológico é incompatível com os direitos do animal.

7. Todo animal utilizado em trabalho tem direito à limitação adequada da duração e intensidade desse trabalho, a uma alimentação reparadora e ao repouso.

8. Nenhum animal deve ser explorado para divertimento do ser humano.

9. Matar qualquer animal por divertimento ou dinheiro é crime.

10. Os direitos dos animais devem ser defendidos individualmente e por lei, como os direitos do ser humano.

A pesquisa em animais também já está bem regulamentada e o protocolo da pesquisa deve ser submetido a um Comitê de Ética em Pesquisa em Animais.

Bioética

A bioética é a ética prática ou aplicada (ver Capítulo 4), ela ocupa-se em conhecer, discutir e, se possível, apresentar soluções ou sugestões abrangendo os problemas e conflitos relacionados à vida e à saúde. Os princípios básicos da bioética são: beneficência, não maleficência, autonomia e justiça. Todos, na realidade, estão embutidos no Código de Ética Médica. Assim, mesmo que se trate de uma pesquisa científica, a postura do médico em relação ao paciente deve ser a de praticar medicina compartilhada, com esclarecimento e consentimento livre e esclarecido.

■ TIPOS DE PESQUISAS

Pesquisas são baseadas em levantamento ou coleta de dados, cujas variáveis e medidas dependem do tipo de investigação.

Os levantamentos podem ser contínuos, periódicos e ocasionais. A pesquisa com dados já existentes caracteriza um trabalho com dados secundários. Quando o próprio pesquisador levanta os dados, eles são considerados primários. A diferença é que no primeiro caso os dados já estão registrados ou até publicados. No segundo, a investigação feita pelo pesquisador vai gerar os dados.

No tratamento experimental, para que se obtenha a informação, ou os dados, é necessário provocá-la.

Em qualquer situação o trabalho é feito por amostragens e espera-se que esta seja representativa da população em estudo.

Basicamente existem três métodos de amostragem: o natural, o intencional e o aleatório. No método natural é feita uma seleção de indivíduos a partir de uma grande população; e nessa população serão pesquisadas as variáveis que se desejam verificar. No método intencional o estudo é feito com número predeterminado de unidades. Assim, o número n_1 terá característica A_1 e o número n_2 terá característica A_2. O número de unidades em estudo será, da mesma forma, predeterminado (n_1, n_2, n_3 etc.).[10]

No método aleatório, ou randomizado, a amostra também é intencional, entretanto, ele exige que as amostras sejam constituídas casualmente, de preferência por sorteio.

As pesquisas podem ser feitas de várias formas, descritas abaixo.

No estudo prospectivo, o método de amostragem é intencional. É feita a seleção de n_1 indivíduos com determinado fator antecedente e n_2 indivíduos sem o fator. Eles serão observados para verificar a ocorrência da variável do estudo.[8]

A pesquisa prospectiva é a mais comum e mais importante. Os trabalhos prospectivos são desenvolvidos de acordo com uma ideia e com o planejamento baseado em observação. As ideias e hipóteses consequentes serão testadas e, em anestesia, quase sempre em comparação com o que vem sendo feito.

A perseverança e a paciência são dois atributos importantes que devem ser desenvolvidos por quem pretende se iniciar nas pesquisas. O imediatismo deve ser levado para segundo plano, pois normalmente leva a decisões precipitadas e conclusões muitas vezes equivocadas.

No estudo retrospectivo, a amostra também é intencional. No entanto, busca-se verificar o fator antecedente e as respostas em dados já catalogados. O estudo é relativamente simples. No entanto, as informações podem ser inadequadas, por exemplo, ausência do relato da gravidade do fator ou de seus pormenores.[10]

A pesquisa retrospectiva envolve como objeto de investigação o que já foi feito. De certa forma é cômoda, porém os resultados podem ser duvidosos, porque os métodos utilizados na coleta dos dados escolhidos e a interpretação que se dá aos resultados obtidos são desconhecidos. As ideias que originam os trabalhos retrospectivos são fundamentais para que sejam realmente válidos.

É importante, por exemplo, se houver um bom arquivo com complicações de anestesia, comparar a incidência de morbidade entre os procedimentos anestésico-cirúrgicos: antes do advento do oxímetro de pulso e após o advento do oxímetro de pulso. Assim mesmo, se o enfoque não for preciso, a comparação pode não ser válida.

No estudo controlado e aleatorizado as amostras são intencionais. No entanto, a escolha delas é feita de forma aleatória (sorteio). Uma das amostras recebe tratamento controle e as demais tratamento experimental. Na realidade, o pesquisador parte de um conjunto homogêneo de *n* unidades e sorteia o tipo de tratamento que cada uma delas vai receber. Os grupos devem apresentar, de preferência, o mesmo número de indivíduos.

O ensaio controlado aleatorizado é um método com maior eficiência comparativa, permite padronização de resultados, evita a influência tendenciosa, permite a utilização de testes estatísticos e possibilita a utilização de amostras iguais, condição na qual as comparações são mais válidas.[10]

■ O MÉTODO CIENTÍFICO

Metodologia pode ser definida de duas formas:

1. Disciplina Metodologia, ramo da Pedagogia que se ocupa dos estudos dos métodos adequados à transmissão de conhecimentos.

2. Estudo analítico e crítico dos métodos de investigação e de prova. Pode ser definido como "descrição, análise e avaliação crítica dos métodos de investigação".

Todas as nossas ideias derivam das impressões. Da cooperação entre as impressões e as ideias aparecem as percepções, obedecendo sempre a esta ordem: primeiro as impressões, depois, as ideias.

Ao se formarem as ideias, passa-se à observação. A atenta observação permite distinguir detalhes que passam despercebidos e detectar contradições em alguns conceitos. É necessário que não se considere qualquer tema imutável, dogmático. Conceitos considerados corretos e verdadeiros outrora podem estar equivocados hoje, e vice-versa.

Deve-se diferenciar o método das técnicas. Método é um conjunto de procedimentos que serve de instrumento para alcançar os fins de uma investigação.[10] É de caráter geral. Técnicas são meios auxiliares de caráter particular.

Aristóteles dizia que "aprender é o maior dos prazeres, não só para os filósofos, mas ao resto da humanidade, por pequena que seja a sua capacidade para isto". Na busca de aprender, desenvolve-se a capacidade de equacionar problemas, e a pesquisa surge quando se tem consciência de um problema e sentimo-nos impelidos a buscar sua solução. A pesquisa consiste em realizar essa solução.

O ponto de partida é um problema que deve ser definido, examinado, avaliado e analisado criticamente para se tentar a solução. Então é necessário delimitar o objeto da investigação.

Trabalho científico pode ser definido como "o conjunto de processos de estudo, pesquisa e reflexão que caracterizam a vida intelectual".

O maior proveito do trabalho científico é ter sua continuidade garantida pela prática da documentação, técnica privilegiada de manipulação inteligente do instrumental de trabalho.

"Quanto às experiências, estas são tanto mais necessárias quanto mais adiantadas estão em conhecimentos. No início é preferível usar apenas aquelas que se apresentam por si próprias aos nossos sentidos. Não se pode ignorá-las, desde que se medite um pouco sobre elas. Pelo contrário, as mais perfeitas e estudadas costumam enganar, quando não são conhecidas as causas das mais comuns. Além do mais, as circunstâncias de que dependem são frequentes e muitas vezes tão particulares e pequenas que é muito difícil percebê-las."

Descartes elaborou quatro princípios que considera fundamentais para a realização de um trabalho científico.

Primeiro princípio: "Jamais aceite como exata coisa alguma que não se conheça à evidência como tal, evite cuidadosamente a precipitação e a precaução, incluindo apenas nos juízos aquilo que se mostre de modo tão claro e distinto que não subsista razão alguma de dúvida."

A contestação é o primeiro princípio. Aceitar a autoridade como dogma não permite modificação. Tudo que não for muito bem explanado e especialmente deduzido da experiência deve ser questionado. A verdade sobre qualquer fenômeno ou fato é muito difícil de ser determinada e a dificuldade cresce na proporção em que esse fato ou fenômeno tem a interferência subjetiva.

Em Medicina, diversos aspectos são de caráter subjetivo. A dor, principal fonte de queixa dos pacientes e fator primordial que os leva ao médico, é estritamente subjetiva, e só a fantasia do profissional é capaz de dramatizar para si a intensidade e a forma da dor que lhe é referida. Portanto, o mais importante sintoma que o ser humano apresenta para se aproximar do médico, em princípio, é de caráter duvidoso, pois tem características que diferem de acordo com usos, costumes e a educação de cada ser humano.

Porém, há diversos aspectos passíveis de interpretações mais rígidas, como os sinais mensuráveis pela palpação ou por meio de instrumentos. Os instrumentos permitem melhor aferição que o tato ou os demais sentidos humanos. Podemos aferir a pressão arterial pela simples palpação do pulso ou a pressão intraocular pela compressão do globo ocular. Entretanto, a utilização de um esfigmomanômetro ou tonômetro nos dará informações mais corretas dessas pressões.

Muitas condutas ou teorias são emanadas da aferição de dados, outras pela inferência ou indução baseada

em conjecturas, e muitas vezes tais conjecturas são formuladas de maneira tão clara que dificultam a contestação. Entretanto, à luz do raciocínio, se essas ideias ou teorias não responderem a uma série de quesitos, devemos contestar e procurar a melhor explicação.

O primeiro passo para uma pesquisa pode ser, portanto, o inconformismo na aceitação daquilo que não foi muito bem explicado.

Segundo princípio: "Divida cada dificuldade a ser examinada em quantas partes forem possíveis e necessárias para resolvê-la."

Muitas teorias envolvem aspectos que dificilmente com uma demonstração podem ser esclarecidos. Nada melhor que seguir o segundo princípio de Descartes, dividindo o problema apresentado em quantas partes forem necessárias. Aliás, apesar do desenvolvimento da estatística como ciência e dos inúmeros testes capazes de analisar uma enorme quantidade de variáveis, tais testes muitas vezes são de difícil compreensão e aplicabilidade. Assim, é mais coerente dividir em pequenos pontos a matéria que se quer discutir e esclarecer o suficiente para que não restem dúvidas e dar prosseguimento à outra questão a ela ligada.

Terceiro princípio: "Ponha ordem nos pensamentos, começando pelos assuntos mais simples e mais fáceis de serem conhecidos, para atingir, paulatina e gradativamente, o conhecimento dos mais complexos, e supondo ainda uma ordem entre os que não se precedem normalmente uns aos outros."

Quarto princípio: "Faça, para cada caso, enumerações tão exatas e revisões tão gerais até estar certo de não ter esquecido nada."

O método científico segue o caminho da dúvida sistemática. O cientista, sempre que lhe falta a evidência, precisa questionar e interrogar a realidade. Quando aplicado, deve ser de modo positivo, se preocupar com o que é e não com o que se pensa que deve ser.

Toda investigação nasce de algum problema observado ou sentido, exigindo uma seleção da matéria a ser tratada. Isso requer uma hipótese que vai delimitar o assunto a ser investigado. Daí o conjunto de etapas que segue o método:

- Observação;
- Coleta de dados;
- Hipótese que explica provisoriamente as observações;
- Experimentação ou verificação;
- Resultados da experimentação ou verificação;
- Indução ou dedução que fornece a explicação dos resultados;
- Finalmente, a teoria, que insere o assunto tratado num contexto mais amplo.

Observação é aplicar atentamente os sentidos a um objeto, para dele adquirir um conhecimento claro e preciso. A observação é fundamental na ciência. Exigem-se condições:

- **Físicas:** bons instrumentos, monitores etc.;
- **Intelectuais:** curiosidade, sagacidade;

- **Morais:** paciência, coragem, imparcialidade;
- **Disciplinares:** atenção, exatidão, ser completo, sucessivo e metódico.

Em Anestesiologia, a observação faz parte do cotidiano, por ser intrínseca da especialidade. Deve o anestesiologista, no exercício de sua atividade, observar atentamente o seu paciente. A observação é mais importante que as anotações. Para a pesquisa clínica, basta que as observações sejam transformadas em registros, gráficos ou dados quaisquer que sejam facilmente manuseáveis para análise. Portanto, não é necessário nada especial para fazer uma investigação. Fica evidente que, se houver condições de mensurar dados com precisão, mais elaborados serão os resultados e mais clara será a pesquisa. Assim, as condições de monitorização; auxiliares atentos, como médicos em especialização ou estágios superiores de graduação e aqueles inscritos em mestrado ou doutorado; assistência de equipe treinada de enfermagem; e rotina hospitalar bem orientada são fatores que em muito facilitam uma boa pesquisa. Não basta um indivíduo querer desenvolver pesquisas clínicas, porque torna a empreitada extremamente difícil e desgastante. Pesquisa é sinônimo de trabalho em equipe. Daí a qualificação dos membros que a compõem. É interessante que todos os envolvidos manifestem, no mínimo, curiosidade. À parte disso, interesse intelectual e vontade de desenvolver melhoras na rotina que está vivenciando. A pesquisa pode tornar mais leve e agradável as horas de trabalho, até daquele que está desinteressado, quando houver como resultado melhoras contrastantes em condutas que, eventualmente, tornam as atividades menos cansativas e monótonas.

A pesquisa exige paciência, coragem e imparcialidade. Paciência, porque nunca se obtém de imediato quaisquer conclusões. Coragem, porque é necessário envolver muitas pessoas que acreditem, como o autor, que está se processando uma mudança para melhor. Entretanto, nem sempre isso é verdadeiro, mas não invalida o trabalho. A imparcialidade é fundamental. Um grupo desejoso de melhoras não deve temer os maus resultados. Eles são consequência, às vezes, do próprio método; outras vezes, intrínsecas da rotina estabelecida, que não foi notada. Quando se passa a observar com maior sagacidade, muitas falhas aparecem, e, quando complicações ocorrem, estas servem para que a meditação tenha lugar e, talvez, seja o momento mais importante do desenvolvimento.

- **Coleta de dados**: é a coleta dos dados, frutos da observação.
- **Hipótese**: é uma suposição verossímil, comprovável ou não pelos fatos. É a suposição de uma causa ou lei destinada a explicar provisoriamente um fenômeno, até que os fatos venham contradizê-la ou afirmá-la. Ela tem como função prática orientar o pesquisador, e como função teórica coordenar e completar os resultados já obtidos. A hipótese pode ser obtida por dedução de resultados ou por experimentação, quando é consequência da indução. Pode ser analógica, quando inspirada por certa semelhança entre um fenômeno e outro já conhecido. Deve ser simples e verificável pelos fatos: "Não invento hipóteses", dizia Newton. A hipótese advém da observação e, basea-

da nela, pode-se desenvolver os protocolos para a pesquisa. Os protocolos de pesquisa antecedem a experimentação. Eles devem englobar o que se pretende medir, o que essas medidas podem nos oferecer, se houver diferenças das atuais, e como poderemos explicar.

- **Experimentação**: a experiência baseia-se em nosso principal problema, que consiste em fazer com que nossos erros sejam tão breves quanto possível.

A experimentação consiste no conjunto de processos utilizados para verificar hipóteses. Difere da observação porque obedece a uma ideia diretriz. Como a hipótese em essência consiste em estabelecer uma relação de causa e efeito entre dois fenômenos, trata-se de descobrir se B (suposto efeito) varia cada vez que se faz variar A (suposta causa), e se essa variação acontece na mesma proporção.

Com base no determinismo que define que "nas mesmas circunstâncias, as mesmas causas produzem os mesmos efeitos", ou que as leis da natureza são fixas e constantes, Bacon sugeriu para a experimentação:

1. **Alargar a experiência**, isto é, aumentar gradativamente a intensidade da suposta causa para ver se o efeito cresce na mesma proporção.

   É válida até hoje para a clínica. Se uma técnica anestésica apresenta resultados promissores após algumas aplicações, não devemos considerar definitivas as nossas conclusões sobre ela sem que ampliemos a nossa casuística, observando os aspectos positivos e as eventuais intercorrências. Quando se trata de observar fármacos com que estamos pouco familiarizados, devemos buscar a menor dose que produz os efeitos desejáveis. Observar, antes de introduzir outras variáveis, se já foi constatada, com um número suficiente de observações, que aquela é a menor possível. Como exemplo, temos as doses diferentes de morfina aplicadas por via peridural e que apresentam a menor incidência de efeitos colaterais. Para isso, foram feitas aplicações de doses variadas e controladas desse hipnoanalgésico.

2. **Variar a experiência**, ou seja, aplicar a mesma causa a objetos diferentes.

   No caso da clínica anestesiológica, é aplicar o mesmo método em diversas faixas etárias, em ambos os sexos, pacientes com estado físico variável, em situações diversas (rotina ou urgência) e nas variadas especialidades.

3. **Inverter a experiência**, aplicando causa contrária da suposta causa para ver se o efeito contrário se produz. É chamada de contraprova experimental (p. ex. decompor a água pela análise e inverter fazendo a síntese a partir do hidrogênio e do oxigênio).

   Em clínica, é mais difícil inverter experiências, a não ser quando se observam ações e efeitos de fármacos agonistas e antagonistas. Mas pode-se omitir determinado fármaco e verificar o que ocorre com o fenômeno.

4. **Recorrer a casos da experiência**. Esse é o aspecto mais importante da pesquisa, embora pouco valorizado. Em clínica, corresponde aos relatos de casos. Os casos raros, por vezes, deixam de ser raros. A hipertermia maligna foi divulgada inicialmente por meio de relatos de casos

como sendo uma entidade rara. Entretanto, ao longo de 20 anos, mais de 500 casos foram relatados, mostrando que há certa incidência dessa entidade em todo o mundo. Fato semelhante ocorreu nos anos 1950, quando da descrição da miastenia grave e da porfiria e de seus problemas diante da anestesia.

Os casos de complicações com anestesia peridural com bupivacaína a 0,75% foram descritos em gestantes, o que desencadeou uma série de pesquisas para estabelecer as causas. Assim, os casos "raros" deixam de sê-los e passam a ocupar um espaço importante no manuseio clínico, dando ensejo a novas investigações.

A experimentação ou a verificação podem ocorrer de diversas formas. Duas são clássicas e serão explicadas a seguir.

Método das Coincidências Constantes: Tábuas de Bacon

A causa é o fenômeno em presença do qual outro fenômeno se produzirá sempre, em ausência não se produzirá nunca. O método de Bacon pode ser expresso como: "posta a causa, dá-se o efeito; retirada a causa, não se dá o efeito; alterada a causa, altera-se o efeito". Baseado nessas premissas, Bacon sugeriu três tábuas:

1ª **De presença:** anotam-se todas as circunstâncias da produção do fenômeno cuja causa se procura;

2ª **De ausência:** anotam-se todos os casos em que o fenômeno não se produz, incluindo os antecedentes presentes e ausentes;

3ª **Dos graus:** anotam-se as variações da intensidade do fenômeno e todos os antecedentes que com ele variam.

Métodos de Exclusão de Stuart Mill

1º **Método da concordância:** corresponde à tábua de presença de Bacon. Fazem-se experiências que só concordam entre si pela presença de um único antecedente. Regra: se vários casos do mesmo fenômeno só têm um antecedente comum, este é a causa.

Tem-se uma rotina de trabalho na qual se emprega determinada técnica, anotam-se todos os elementos que dela fazem parte e inicia-se a catalogação do grupo controle. Ao se anotar essa conduta, estamos iniciando uma pesquisa, utilizando a tábua de presença de Bacon.

Registram-se todos os parâmetros possíveis e, em particular, aqueles que se desejam estudar.

2º **Método da diferença:** corresponde à tábua de ausência de Bacon. Introduz-se algum antecedente novo ou eliminam-se alguns dos existentes. Se em um caso o fenômeno se produz e em outro não, este introduzido ou eliminado é a causa do fenômeno. Regra: se em um caso o fenômeno se produz e em outro não e ambos têm antecedentes comuns, exceto um, este é a causa do fenômeno. Retira-se ou substitui-se um elemento da técnica anotada, observam-se todos os parâmetros anteriormente registrados e verifica-se se há ou não diferenças.

3º **Método das variações concomitantes:** corresponde à tábua de graus de Bacon. Varia-se a intensidade para observar se o fenômeno varia no mesmo sentido e nas mesmas proporções. Regra: se o fenômeno varia, permanecendo invariáveis todos os antecedentes menos um; este que variou é a causa procurada. Do método empregado rotineiramente, apenas alteram-se as doses, uma de cada vez, dos fármacos empregados, e observam-se as variações.

4º **Método dos resíduos:** é um caso particular de diferença. Regra: se separarmos de um fenômeno a parte que é o efeito conhecido de determinados antecedentes, o resíduo do fenômeno é o efeito dos antecedentes que restam. Com base nesses princípios, elabora-se o projeto de pesquisa, que pode ser de três tipos: bibliográfico, retrospectivo e prospectivo. Com base nessas considerações, planeja-se um protocolo de estudo com todos os detalhes necessários de acordo com o problema apresentado, que é o objeto do estudo. Devem ser colocados em ordem os itens dos parâmetros que serão objetos de observação e registros, de modo a facilitar a compreensão e a análise dos resultados que vão sendo obtidos. O protocolo deve ter um grupo controle ou padrão que servirá para comparação com o(s) grupo(s) de estudo.

■ O PROTOCOLO DA PESQUISA

O protocolo deve incluir a identificação do paciente (sexo, idade, altura, peso, classificação do estado físico, antecedentes importantes, doenças concomitantes); medicação pré-anestésica empregada (dose, via, hora da aplicação); diagnóstico e cirurgia a ser realizada; técnica anestésica a ser empregada em minúcias quanto a fármacos e doses, vias de administração e parâmetros que se deseja medir; e os dados vitais. Os momentos em que as medições serão realizadas e as intercorrências pré, per e pós-operatórias imediatas (na sala de recuperação pós-anestésica), mediatas (no leito nas primeiras 24 horas) e tardias (até a alta hospitalar) devem ser pormenorizados.

Todos os parâmetros a serem medidos devem constar do protocolo com o método da aferição, assim como as intercorrências, com definições precisas daquilo que se vai medir.

Medir significa em essência: *o que medir, como medir* e *quando medir*... O *porquê medir* fica por conta dos objetivos e do desenvolvimento da discussão do trabalho.

Um projeto deve visar a uma conclusão. Entretanto, não podemos saber com certeza se é definitiva. Aliás, não é necessário que o seja, pois mesmo as conclusões aparentemente negativas podem ser muito importantes. Albretch Dürer afirmou que "eu deixarei que o pouco que aprendi seja conhecido, de modo que alguém melhor do que eu possa adivinhar a verdade, provando e refutando os meus erros com seu trabalho. Assim, me dará prazer, pois terei sido um meio para trazer luz à verdade".

Muitos acreditam que, não dispondo de meios sofisticados para pesquisa, não podem contribuir e desinteressam-se em investigar. No entanto, mesmo com poucos recursos, mas com uma boa dose de imaginação, é possível desenvolver qualquer tema que indique um caminho para as pesquisas mais sofisticadas. Muitas indagações de ordem clínica foram corroboradas ou não pelas pesquisas mais detalhadas posteriormente.

É o caso da descrição clínica dos índices de Apgar. Virgínia Apgar, em 1951, desenvolveu um trabalho de investigação baseado simplesmente em sinais clínicos para dar notas aos recém-nascidos no 1º e no 5º minuto de vida. Os atributos aferidos para cor (da pele), choro, batimentos cardíacos, respiração e tônus muscular são visíveis e audíveis, e dão ideia do estado geral da criança. Posteriormente, com o desenvolvimento tecnológico, uma série de parâmetros medidos sob o ponto de vista ácido-base, quantidade de oxigênio, saturação de hemoglobina e muitos outros, aos poucos, foram sendo acrescentados ao conhecimento. Hoje é possível até colher amostras sanguíneas do feto e prever a situação futura.

Por isso, podemos ficar com Eccles, que dizia "posso alegrar-me agora até mesmo com a demonstração de que uma teoria que estimo é falsa – isto constituiria também um êxito científico".

■ A SEQUÊNCIA DO MÉTODO CIENTÍFICO

A sequência do método científico é definida com base no objetivo do estudo, ou seja, da formulação de uma hipótese.[10]

O objetivo do estudo deve ser justificado com dados ou hipóteses formuladas anteriormente e que consubstanciem o propósito dele. Assim, o estudo não pode ignorar antecedentes, sendo o ponto de partida uma extensa revisão bibliográfica sobre o assunto. Isso também não significa que o autor deva concordar com tudo o que está escrito.

Observando-se o grande número de trabalhos publicados, pode-se perceber uma rotina de descrição do método, que é a própria sequência do método empregado pelos autores.

O protocolo da pesquisa deve ser cuidadosamente elaborado e submetido à aprovação por um Comitê de Ética em Pesquisa. Já na fase de elaboração do protocolo, os elementos da estatística devem ser colocados. Assim, um estatístico deve participar da fase inicial, pois pode ser necessário que um estudo-piloto seja desenvolvido para determinar o tamanho da amostra e validar o protocolo de pesquisa. Em se tratando de pesquisa em humanos, o protocolo deve conter:

1. Definição da população-alvo;
2. Tipo de procedimento a que os pacientes serão submetidos;
3. Critérios de exclusão;
4. Técnica anestésica a que o paciente será submetido;
5. Divisão em grupos. Caracterização de cada grupo. Definição do grupo controle;
6. Caracterização do estudo: aleatório, duplamente encoberto;
7. Sequência da técnica anestésica;
8. Atributos a serem estudados, as variáveis do estudo;
9. Momentos do estudo;
10. O que vai ser comparado e quais os testes estatísticos que serão aplicados.

■ O PLANEJAMENTO DA PESQUISA

Escolha do tema

O planejamento da pesquisa começa com a escolha do tema. É necessário verificar a possibilidade de execução, em que são relevantes os aspectos materiais, humanos e o tempo necessário para desenvolver a pesquisa.[11]

Revisão da Literatura

O tema deve ser intensamente explorado na literatura. Se a literatura mostrar que existem fatos relevantes ainda não muito bem esclarecidos, pode justificar a elaboração de um período de pesquisa na área. Na realidade, a revisão de literatura possibilitará aumento de conhecimento sobre o tema, assim como prever a dimensão do objetivo do estudo.

Formulação de Hipóteses

Após a escolha do tema, passa-se à formulação de uma questão, formulando-se uma explicação provisória, a hipótese, que poderá ou não ser comprovada após o experimento.

A hipótese deve ser formulada em termos científicos, como resultado de um conjunto de conhecimentos, constituindo-se na hipótese científica. Posteriormente ela passa a ser expressa nos termos estatísticos, constituindo-se na hipótese estatística. Na realidade, deve haver correspondência entre as duas linguagens para não provocar erro de interpretação. O trabalho do estatístico deve começar desde o início do planejamento da pesquisa. O estatístico não é um simples aplicador de testes ao final do estudo, devendo participar do próprio planejamento para que as hipóteses científicas e estatísticas não deem margem à duplicidade de intenções.

Definição da Unidade Experimental

Na maioria das vezes, a unidade experimental é determinada pela própria natureza da população experimental. Assim, em experimentos com animais a unidade experimental é um animal e nos ensaios clínicos é o indivíduo.

Nos ensaios clínicos a população-alvo deve ser definida, buscando homogeneidade das amostras, permitindo comparação e diferenças entre tratamentos aplicados, evitando sempre que o fator biológico possa interferir nas conclusões. Assim, é necessário anotar idade, sexo, altura, peso e estado físico.

Um exemplo prático é a definição de uma população-alvo para estudo de cefaleia pós-anestesia subaracnóidea. Ao estudar a incidência global de cefaleia em pacientes com idades entre 20 e 90 anos, considerando-se apenas um grupo, certamente o resultado será afetado pelo fator biológico, pois é sabido que a incidência de cefaleia após punção subaracnóidea em pacientes acima de 60 anos é muito baixa. No entanto, se as amostras forem constituídas por faixas etárias, o estudo comparativo poderá ser feito e a homogeneidade das amostras, no aspecto idade, será respeitada.

Definição do Tamanho da Amostra

Nos estudos clínicos, a variabilidade de respostas devida à influência biológica quase sempre implica fazer um ensaio preliminar, o chamado "experimento-piloto", que chega a ser fundamental quando se conhece pouco sobre o assunto. Com o experimento-piloto é possível fazer adequado treinamento, antever dificuldades e identificar novos fatores não previstos anteriormente. De posse dos dados preliminares, é possível calcular o tamanho da amostra. As considerações de um estatístico são muito importantes nessa fase.

Definição do Tipo de Estudo

O estudo aleatorizado (randomizado) é o mais empregado nas pesquisas biológicas, no qual as unidades amostrais são expostas ao tratamento de forma casual. Cada amostra teria a mesma probabilidade, sem restrição, de qualquer tipo de tratamento. Assim, a homogeneidade do conjunto é importante para o estudo, possibilitando a distribuição aleatória e eliminando fatores que possam influenciar os resultados.[10]

Outro aspecto importante é a forma duplamente encoberta (*double blind*), para evitar tendências de avaliação dos dados do experimento. No entanto, nem sempre é possível em Anestesiologia, por problemas éticos, fazer um estudo inteiramente encoberto, mas a avaliação dos resultados pode ser feita por um indivíduo que desconhece o fármaco administrado.

Definição das Variáveis do Estudo

É necessário definir, no método, o que vai ser medido. Definir as variáveis do estudo significa adicionar valores aos conceitos do experimento. A variável é um valor que pode ser dado por uma quantidade, qualidade ou grandeza e, assim, possuir diversos valores.

É necessário definir no estudo as variáveis dependentes e independentes, pois as variáveis independentes são aquelas que influenciam, alteram ou até mesmo determinam outra variável.

Normalmente os valores da variável independente são predeterminados pelo pesquisador. As medidas das variáveis dependentes, especialmente como elas são aferidas com precisão, tornam-se condições básicas para a análise estatística.

É importante, também, definir os dados paramétricos e os não paramétricos. Os dados paramétricos são intervalares, sequenciais (p. ex. frequência cardíaca, pressão arterial sistêmica). Os dados não paramétricos não são intervalares. Eles devem ser analisados pela frequência (por exemplo, número de vômitos, número de vezes que o bloqueio atingiu T_6). Essas informações são importantes para o estatístico escolher o tipo de teste que deve ser aplicado. Nessa fase do planejamento deve ser estabelecido o nível de confiança do estudo.

Aspectos Éticos

Antes de ser encaminhado o protocolo para análise pelo CEP, o próprio pesquisador deve analisar os aspectos éticos envolvidos na pesquisa, especialmente quando a unidade experimental for o ser humano.

Previsão de Custos

A previsão de custos deve incluir: despesas com equipamentos, fármacos e pessoal, assim como o tempo para a execução do projeto.

Métodos Estatísticos

Deve-se escolher adequadamente os testes estatísticos utilizados na análise dos dados (ver capítulo 228).

Sistema de Registro

É necessário ter um sistema de registro simples, porém completo, para facilitar a anotação dos dados e a sua transcrição para um sistema de computação de dados. Detalhes do planejamento da pesquisa estão expostos no Capítulo 227.

■ A DOCUMENTAÇÃO, OS RESULTADOS E A ESTATÍSTICA

Descartes, no século XVII, já estabelecera o quarto princípio do método:[3] "Fazer, para cada caso, enumerações tão exatas e revisões tão gerais, que estivesse certo de não ter esquecido nada".

Há muito tempo, vários segmentos da sociedade têm se utilizado de registros e documentação para justificar condutas e embasar teorias. Em toda atividade humana, procuram-se argumentos embasados em dados otimistas, falsos ou verdadeiros, para seduzir eleitores no caso da política, ou desempenho econômico de instituições para atrair acionistas, ou avaliação de atividades atléticas no esporte para atrair torcedores.

No esporte, é incrível o que os aficionados colecionam sobre as *performances* de atletas. É indiscutível que, se dados estatísticos não servem para determinar resultados, pelo menos servem para motivar os torcedores.

Diariamente, o anestesiologista enfrenta o risco de proporcionar efeitos indesejáveis ao paciente. Independente da natureza desses efeitos, o importante é que esse risco existe e ele tem o dever de cuidar para que a incidência dessas ocorrências seja a menor possível. Por isso, conhecer a incidência e o grau de complicações com determinada técnica é de capital importância na prevenção de efeitos indesejáveis, de acordo com as circunstâncias.

A documentação e o registro de anestesias e complicações mostram o caminho das probabilidades a seguir, e todos podem ter esses dados.

Documentar exige organização. Há vários métodos de registrar e armazenar, porém, poucos são adequados e precisos para recuperar o que se guardou. Em Anestesiologia, há o costume da ficha codificada, que facilita armazenar muitos dados que podem ser prontamente resgatados e processados.

Com o desenvolvimento da informática, a organização de documentação tornou-se mais acessível. A forma mais adequada é a criação de protocolo. As fichas de anestesias não seguem um padrão nem formato, embora alguns símbolos sejam consagrados. De acordo com os equipamentos disponíveis e o tipo de procedimento, cada serviço de Anestesiologia cria a ficha que considera conveniente. No entanto, hoje há uma tendência à uniformização com o uso de recursos de informática.

Os protocolos facilitam a documentação das pesquisas. A ficha de anestesia deve ser acompanhada da ficha protocolo por diversas razões. Em primeiro lugar, a ficha de anestesia é um documento oficial e legal que deve ser arquivada no prontuário do paciente e no serviço de arquivo médico do hospital. Em segundo, a ficha protocolo deve ser manuseável pelos pesquisadores. Em terceiro lugar, a ficha protocolo facilita o estudo de determinado tipo de anestesia ou procedimento em centros cirúrgicos diversificados. E, finalmente, em quarto, a ficha protocolo feita sistematicamente eleva a qualidade das observações, pois desenvolve a exigência de mensurações e registros rotineiros, e a sua análise periódica facilita a comparação de métodos, estimulando a observação. Ela é extremamente importante para verificar os indicadores do serviço ou de um determinado segmento dele.

Um serviço bem informatizado pode dispensar as fichas protocolo, desde que todos os dados estejam disponíveis na ficha de anestesia e sejam colocados no banco de dados.

Portanto, podemos concluir que a rotina de sistematização da documentação e de registro auxilia o médico a melhorar a qualidade de seus serviços.

Qualidade tem sido definida como "o grau em que os serviços de cuidados com o paciente aumentam a probabilidade dos resultados desejados e reduz a possibilidade de resultados indesejáveis, de acordo com o estado de conhecimentos vigentes."

Foram identificados **nove componentes** para mensurar essa qualidade quanto ao cuidado médico:

1. **Acesso**: a facilidade com que o paciente pode obter determinado cuidado.
2. **Adequação**: o grau com que determinado recurso é adequado dentro dos conhecimentos vigentes.
3. **Continuidade**: o grau pelo qual o cuidado com o paciente é coordenado entre enfermagem, técnicos, médicos e administradores no tempo.
4. **Efetividade**: o grau pelo qual a atenção é dada de modo correto (isto é, sem erro) dentro dos conhecimentos correntes.
5. **Eficácia**: o grau pelo qual o serviço tem potencial para alcançar as necessidades para o qual é utilizado.
6. **Eficiência**: o grau pelo qual os cuidados têm efeitos desejados, com menor esforço, custo e desperdício.
7. **Perspectiva**: o grau com que o paciente e seus familiares estão envolvidos na decisão, tornando o processo em matéria pertinente à sua saúde e o grau com que eles julgam o cuidado aceitável.
8. **Segurança dos meios**: o grau com que o meio é livre de riscos e perigos.
9. **Tempo**: o grau de tempo necessário para que o cuidado seja realizado quando o paciente necessita.

A qualidade dos cuidados com a saúde inclui ainda:

- **Otimização**: os benefícios dos cuidados com a saúde, significando o valor monetário dessa melhoria para atingir o balanço custo-benefício ideal;

- **Aceitabilidade**: de acordo com vontades, desejos e expectativas do paciente e de seus familiares;
- **Legitimidade**: conformidade com as preferências sociais expressa em princípios, valores, normas, leis e regulamentos éticos;
- **Equidade**: conformidade com os princípios que determinam o que é justo ou injusto na distribuição dos cuidados médicos e seus benefícios entre os membros da população.

Para efetuar avaliação e monitorização são necessários vários passos:

- Designe um responsável: o líder da organização supervisiona a implementação da qualidade. As prioridades são estabelecidas;
- Delineie o campo de cuidados e serviços; processos e funções devem ser identificados;
- Identifique os conceitos mais importantes de cuidados e serviços;
- Identifique indicadores; equipes interdepartamentais selecionam indicadores;
- Estabeleça gatilhos de avaliação;
- Colete e organize os dados;
- Inicie a avaliação;
- Implemente ações para aumentar cuidados e serviços;
- Efetue as ações e assegure a implementação e manutenção;
- Comunique os resultados para pessoas relevantes e grupos.

A análise da qualidade dos serviços confunde-se com uma pesquisa científica. No momento que se inicia a avaliação da qualidade do que se está fazendo, começa-se a coleção de dados para análise.

A coleta de dados deve ser orientada com base em princípios de estatística. É muito importante ter a estimativa do número de casos da amostragem. Se os resultados serão tratados por testes de pequenas ou grandes amostras, qual o número de grupos diferentes que serão tratados e comparados, qual o grau de significância que se pretende; todos esses requisitos dependem do motivo do estudo.

Os parâmetros a serem estudados devem ser bem delineados para que não haja dúvidas quanto aos testes que serão efetivados para análise dos resultados obtidos. É o caso das amostras para padronização dos grupos de pacientes a serem estudados e que possam ser comparados.

Por exemplo, não temos como mensurar o paladar de uma maçã, comparado com o de uma banana. São duas frutas incomparáveis; entretanto, temos uma grande variedade de maçãs que podem ser comparadas, da mesma forma existem várias espécies de banana.

Não é adequado comparar amostras com pacientes de vários grupos etários, com pesos muito diferentes da média ou alturas extremas, o que resultará em grupos heterogêneos difíceis de serem comparados. Assim, os resultados antropométricos são importantes e utilizados na determinação da homogeneidade das amostras.

É preciso conhecer os tipos de dados que se podem avaliar e armazenar, processáveis estatisticamente.

Na ciência moderna, a estatística ocupa um grande espaço, pois os resultados a ela não submetidos são considerados de pouca valia. A interpretação da estatística dá alicerce às conclusões. Os leitores tendem a acreditar que qualquer conclusão acompanhada de p < 0,05 seja verdadeira e que as observações não apoiadas por essa afirmativa são falsas.

Então, consideremos que o fenômeno que estamos lidando apresenta p < 0,01, isto é, com probabilidade de 1 em 100 de ocorrer. O que podemos considerar verdade: aquilo que ocorre 99 vezes ou que apenas tem a probabilidade de ocorrer uma vez? O coerente é estabelecer que o que ocorre uma vez é acaso ou azar.

De acordo com o tipo de dados, existe determinado grupo de testes estatísticos mais apropriado para analisá-los. Uma vez analisados por esses testes, há probabilidade de haver diferenças decorrentes do vício da coleta da amostra ou se essas diferenças são casuais. Daí termos que compreender o conceito de probabilidade e os erros a que estamos sujeitos quando fazemos tais análises.

Os testes estatísticos serão abordados no Capítulo 228. Normalmente, na realização de um trabalho científico conta-se com o concurso de um especialista em estatística. Porém, é necessário saber o que deve ser informado para que ele possa escolher o melhor teste e possa definir o tamanho da amostra.[12]

Os testes estatísticos são aplicados de acordo com os dados verificados no estudo.

Os dados intervalares são chamados de paramétricos. Temos como exemplo a pressão arterial, a frequência cardíaca, a frequência respiratória, ou seja, a variação é sequencial e intervalar. Nesses casos, é possível obter a média e o desvio-padrão, e para comparações entre grupos os testes paramétricos devem ser aplicados.

Os dados não intervalares são chamados de não paramétricos. Como exemplo, temos o número de eventos adversos como vômito, depressão respiratória. Para esses dados são aplicados os testes não paramétricos.

A probabilidade pode ser definida como "o número de vezes que um evento pode ocorrer em relação ao número total de eventos". Os estatísticos aceitam como significativos todos os fenômenos que ocorrem com menos frequência do que uma vez em 20 (p < 0,05). Fisher observou que "o valor para o qual p = 0,05 ou 1 em 20 é 1,96 ou quase dois desvios-padrão". É conveniente tomar esse ponto como limite para julgar se um desvio deve ser considerado significativo ou não. Os desvios que excedem duas vezes o desvio-padrão são formalmente considerados significativos.

- **Erros do tipo I**: consideramos erro do tipo I ou a frequência com que concluímos erroneamente que existe uma diferença, quando não há diferença real. Ao estabelecer o nível de significância em 0,05, estamos selecionando o nível de probabilidade de erro ($\alpha = 0,05$).
- **Erros do tipo II**: quando o tamanho da amostra não é suficientemente grande e não seremos capazes de detectar diferenças reais entre os grupos, chamamos de erro tipo II ou erro β.
- **Desvio-padrão**: é a raiz quadrada da média das discrepâncias ao quadrado e representa a variabilidade média de uma distribuição.

- **Curva normal**: é simétrica e unimodal, isto é, só possui um ponto de frequência máxima. A partir desse ponto, a curva cai gradualmente até formar as duas caudas, aproximando-se cada vez mais da linha base, mas sem nunca a tocar. É conhecida como sino de Gauss. A curva é importante porque ela e a linha base, em qualquer distribuição normal, correspondem a 100% dos dados considerados. Com relação ao desvio-padrão, 68,26% dos dados caem entre 1 DP de cada lado, sendo a média o ponto de referência; 95,44% (ou 47,72% de cada lado) caem entre −2 DP e +2 DP; e 99,74% caem entre −3 DP e +3 DP. Em termos probabilísticos, a probabilidade decresce à medida que, na linha de base, afastamo-nos da média em ambos os sentidos.
- **Níveis de significância**: para decidir se a diferença amostral é significativa, isto é, há uma real diferença entre as populações e não apenas erro amostral, é habitual estabelecer o nível de confiança ou de significância, que representa a probabilidade com que a hipótese nula pode ser rejeitada com segurança.

Se houver diferença entre duas amostras extraídas da mesma população, de acordo com a hipótese nula, ela é considerada uma ocorrência casual, mero resultado de erro amostral. Uma diferença entre duas médias amostrais não representa uma verdadeira diferença entre as médias populacionais. Quando se rejeita a hipótese nula, pretende-se estabelecer que a diferença obtida do confronto entre as médias amostrais é grande demais para ser explicada apenas por erro de amostragem.

Comparações entre amostras pequenas: uma amostra pode ser considerada pequena se contiver menos de 30 sujeitos.

Como exemplos de testes paramétricos têm-se o teste t de Student e a análise de variância. Esses testes requerem normalidade e nível intervalar de mensuração, por isso são denominados testes paramétricos.

Os testes mais poderosos são aqueles que, com maior probabilidade, levam à rejeição da hipótese nula (Ho) quando ela é mesmo falsa e são os que possuem os pré-requisitos mais difíceis de satisfazer. Os testes paramétricos são considerados os mais poderosos.

O teste t de Student é aplicável para:

- Comparação entre duas médias;
- Dados intervalares;
- Amostragem aleatória;
- Distribuição normal.

A análise de variância é aplicável para:

- Comparação entre três ou mais médias extraídas de amostras independentes;
- Dados intervalares (para dados categorizados ou ordenados, não devem ser usados);
- Amostragem casual;
- Distribuição normal.

Os testes não paramétricos são aqueles que não exigem normalidade de distribuição nem nível intervalar de mensuração, e os mais conhecidos são: Qui-quadrado, teste da mediana, prova de Kruskal-Wallis ou análise de variância por postos e prova de Friedman, conhecida como dupla análise de variância.

Com o desenvolvimento da informática, vários programas estatísticos foram desenvolvidos, estando à disposição dos usuários. Esses programas são muito interativos, permitindo processamento de dados colhidos por diversos programas, como banco de dados e planilhas de cálculos eletrônicos, o que tem facilitado sobremaneira os aficionados da matéria.

Além disso, existem programas que facilitam ou executam gráficos diversos das variáveis consideradas, facilitando a ilustração dos resultados.

Detalhes dos elementos da estatística estão expostos no Capítulo 228.

A INTERPRETAÇÃO DOS RESULTADOS

Os resultados, após análise estatística pertinente, devem ser expressos de forma objetiva e clara para facilitar as interpretações.

Os dados proporcionais e intervalares devem ser apresentados para interpretação com suas médias e respectivos desvios-padrão, o valor de p ou nível de significância.

A maioria dos periódicos, incluindo *Brazilian Journal of Anesthesiology*, não exige que os valores estatísticos sejam enviados rotineiramente. Entende-se que os autores fizeram as análises e, se existe significância ou não, é da responsabilidade dos assinantes do artigo. Mas, para a confecção do trabalho, as análises realizadas devem ser preservadas até a sua publicação, para eventuais solicitações do Conselho Editorial ou refutações na seção de cartas ao editor.

Os dados ordinais e nominais devem ser expressos de forma a não deixar dúvidas quanto à frequência de aparecimentos anotados e ao respectivo valor de p. É conveniente tabular os resultados, para deixar clara a frequência de aparecimento dos eventos estudados.

Em todos os casos, a população de cada amostra deve estar documentada.

Valores comparativos que apresentem diferenças significativas devem ser analisados e discutidos. Apesar do nível de significância estabelecido, pode-se apresentar o valor de p, mesmo que seja diferente. Por exemplo, determinamos que o nível de significância fosse de 0,05; isso quer dizer que todo p < 0,05 indica que a diferença é significativa. Entretanto, se o atributo for p < 0,00001, a significância é maior que a aceita, e para os propósitos buscados essa diferença torna-se incontestável.

Uma análise em que não se obteve diferença significativa não apresenta conclusão definitiva. Dependendo da variável considerada, o tamanho da amostra pode ser importante. É necessário analisar cuidadosamente quando a ausência de diferença é, ou não, concludente.

De modo geral, sempre que possível, os resultados obtidos devem permitir uma conclusão por meio de raciocínio dedutivo. As explicações advindas como resultado de experimentação devem responder a uma pergunta que envolve "por quê". As ideias frutíferas não são produtos de regras;

o raciocínio, a habilidade para inferir e obter conclusões, é fruto da imaginação, curiosidade, inteligência, percepção, cultura e informação. A educação e a prática aperfeiçoam a capacidade de raciocínio. Portanto, o mais importante é acostumar-se a pensar.

A lógica não ensina a raciocinar, mas dá instrumentos para análise de argumentos e compreensão dos discursos. Os argumentos advêm da demonstração das premissas relatadas no objetivo da investigação e que foram, ou não, corroboradas pelos resultados da experimentação. A dissertação didática e lógica desses argumentos constitui os discursos.

A REDAÇÃO DOS TRABALHOS CIENTÍFICOS E O CONFRONTO COM A LITERATURA

Nos escritos científicos, nada deve ficar subentendido ou por conta da imaginação do leitor.[11] Quem escreve deve convencer seus leitores com base em provas, apoiando-se em verdades claramente formuladas e em argumentações lógicas. Evite frases como "os resultados sugerem..." ou "sugerida pelos experimentos...", pois resultados e experimentos nada sugerem, quem sugere é sempre uma pessoa.

Ao escrever, seja:

- Adequado ao assunto, ao leitor e ao momento;
- Equilibrado: mostre conhecimentos sobre determinado problema e mantenha um senso de proporção;
- Breve: omita pormenores desnecessários e mantenha um mínimo necessário à explanação clara;
- Coerente no uso de números, nomes, abreviações, símbolos, na ortografia, no emprego de termos etc.;
- Persuasivo: convença pela evidência exposta;
- Preciso: apoie os argumentos com definições exatas, de preferência com dados numéricos e mensurações acuradas;
- Seja sincero, franco, honesto e humilde.

A introdução do trabalho contém o estado do problema levantado e que será desenvolvido. Mostra o que já foi escrito a respeito do tema e assinala a relevância e o interesse do assunto. Aqui, o autor manifesta os objetivos. Ao ler a introdução, o leitor deverá se sentir esclarecido a respeito do problema e do raciocínio que será desenvolvido para elucidá-lo.

O método deve ser muito bem descrito para que possa ser reproduzível. Os resultados devem responder o que se buscou no método e na discussão devem ser ressaltados o que se apurou nos resultados, especialmente aqueles onde houve diferença significativa, confrontando-os com a literatura. Deve-se lembrar sempre que os resultados são consequência do método utilizado e das medidas que foram utilizadas para obtê-los.

É muito comum aceitar intercorrências ou complicações do ponto de vista porcentual. Baixas porcentagens indicam pouca possibilidade de ocorrência, logo, o que ocorre em maior número de vezes é considerado bom. Negligenciam-se as baixas ocorrências. Aliás, essa é a maneira mais eficiente na comparação entre técnicas. A técnica A mostrou-se superior à técnica B em relação à ocorrência de náuseas e vômitos, porque A apresentou 15% dos pacientes com náuseas e vômitos e B, 25%. Os resultados demonstraram que houve diferença significativa (p < 0,05), logo, podemos concluir que nas condições do estudo a técnica A foi melhor do que a técnica B.

Hipotensão arterial grave ocorreu em x pacientes induzidos com determinado fármaco A, o que ocorreu em y pacientes submetidos previamente ao fármaco B. A análise estatística mostrou diferença significativa entre os dois grupos de pacientes (p < 0,01) em que x > y. Podemos concluir que o método B é excelente porque nas condições desse estudo há pequena possibilidade de ocorrer hipotensão arterial grave.

A ocorrência rara fica por conta da interpretação estatística, entretanto, se ela ocorrer, é preciso lembrar que não é 1 parte em 100 do paciente que será lesionada, mas ele como um todo.

Ao contrário do que se pode imaginar, a inferência e a indução baseadas na experiência anterior, sem alicerces para a dedução, não permitem conclusões seguras. A ocorrência, por mais rara que seja, quando ocorre é verdadeira, logo não pode ser esquecida. Melhor exemplo é a probabilidade estatística de um cidadão ganhar na loteria. Conforme o tipo de loteria, a possibilidade teórica de acertar é acima de 1 por 1 milhão ou mais. E essa é uma verdade confirmada diariamente, pois quase sempre há um ganhador. Portanto, as ocorrências raras devem ser discutidas com ênfase, e não restam dúvidas de que as conclusões serão muito diferentes.

Ao escrever, pretendemos tornar os pensamentos em algo concreto e devem-se seguir algumas regras:

- Explique por que se quer escrever sobre determinado tema;
- Escreva frases com clareza;
- Cada enunciado deve ser completo e imparcial;
- Ordene os assuntos de modo didático e conveniente;
- Escreva com acuidade e objetividade.

Não confie na autoridade, mas em provas. Não exponha opiniões de outros como se fossem fatos; e jamais exponha a opinião da maioria como se fosse um fato.

Introdução do Artigo

Na introdução do artigo evidencie a justificativa e os objetivos do estudo.

Ao escrever a introdução de um trabalho, historie o evento ou fenômeno que pretendeu estudar, colocando a situação atual, citando os autores que publicaram artigos sobre a matéria e que serão posteriormente discutidos. Termine essa seção com os objetivos que são objetos da metodologia e serão realmente estudados.

Não se deve generalizar os objetivos. Por exemplo: "O objetivo do trabalho foi analisar as respostas hemodinâmicas em relação ao grupo padrão...". Respostas hemodinâmicas são muito genéricas. É necessário discriminar quais atributos hemodinâmicos foram estudados. "O objetivo do trabalho foi analisar as respostas hemodinâmicas referentes ao débito cardíaco, frequência cardíaca e pressão arterial média em relação....".

Método

Escreva com todos os pormenores do método empregado. O protocolo deve ser o modelo. Identificação dos pacientes no caso de trabalhos clínicos ou de animais, caso seja trabalho de laboratório. A identificação dos pacientes deve atender a sexo, dados antropométricos, antecedentes, doenças, estado físico, tipo de intervenção e outros que possam facilitar uma classificação. Em caso de animais, é mais complexo, pois é necessário determinar raça, espécie, sexo, idade (nem sempre possível) e outros, de acordo com o animal considerado.

Em seguida, o âmago da metodologia, respondendo a **"O QUE mediu, COMO mediu e QUANDO mediu".** Os atributos foram medidos por aparelhos que devem ser explicitados, bem como os momentos das aferições. Isso é importante para que os leitores possam repetir as medições.

Ao finalizar a dissertação sobre o método utilizado, os testes estatísticos empregados devem ser mencionados, e o nível de significância aceito. A sequência da descrição do método deve obedecer à sequência do próprio planejamento:

- Definição da população-alvo;
- Tipo de procedimento a que os pacientes foram submetidos;
- Critérios de exclusão;
- Técnica anestésica a que o paciente será submetido;
- Divisão em grupos; caracterização de cada grupo; definição do grupo controle;
- Caracterização do estudo: aleatório, duplamente encoberto;
- Sequência da técnica anestésica;
- Atributos que foram estudados, as variáveis do estudo;
- Momentos do estudo;
- O que foi comparado e quais os testes estatísticos aplicados.

Resultados

Os resultados devem ser escritos da forma mais compreensível possível. Devem ser diretos, sem nenhum comentário, de preferência acompanhando a ordem de citação do método quanto aos atributos medidos.[13] Inicia-se pela identificação dos pacientes ou dos animais considerados e pela ordem dos atributos medidos.

Os resultados podem ser apresentados por meio de tabelas, gráficos ou figuras. Escolha a que melhor condiz com os seus resultados e que facilite a compreensão. Não use mais que uma ilustração por conjunto de resultados. As legendas e as ilustrações devem falar por si.

Discussão

A discussão é a parte do trabalho em que o autor desenvolve aquilo que pensa. Deve ser feita conforme a necessidade do plano definitivo da sua construção. Essa é a fase da fundamentação lógica do tema, que deve ser exposto e provado, com objetivo de explicar, demonstrar e discutir.

Explicar é tornar evidente o que estava implícito, obscuro ou complexo, demonstrar é aplicar a argumentação apropriada à natureza do trabalho e discutir é comparar as várias posições que se entrechocam dialeticamente.

Há regras práticas que devem ser seguidas para coerência entre o proposto na introdução e os seus achados.

A primeira regra estabelece que todas as citações da introdução, necessariamente, fazem parte da discussão. Todos os conceitos emitidos, favoráveis ou contrários aos resultados que foram obtidos, devem ser discutidos, daí o termo discussão.

A segunda regra estabelece que a discussão deve basear-se única e exclusivamente nos resultados obtidos. Isso exige, na confrontação com a literatura consultada, que se observe atentamente o método utilizado pelos autores citados, se de fato apresentam nexos que permitam comparações. Não podem ocorrer erros de comparação como: "nossos resultados concordam com os dos autores *a*, *b* e *c*" quando na realidade *a* estudou o fenômeno em animais de experimentação, *b* analisou o mesmo fato em crianças e *c* concluiu baseado em estudos *in vitro*. O autor em questão estudou a mulher grávida.

A terceira regra estabelece que todos os resultados apresentados, e que foram indicados no método, devem ter nexo com o objetivo do estudo e ser discutidos. Na pior das hipóteses, eles devem ser mencionados como são os resultados antropométricos, que servem para indicar a homogeneidade ou não das amostras.

A quarta regra estabelece que todos os resultados que apresentaram diferenças significativas do ponto de vista estatístico devem, necessariamente, ser desenvolvidos e discutidos com os achados da literatura. É necessário explicar se os resultados permitem deduzir ou, se isso não for possível, induzir uma explicação. Se não for possível deduzir, normalmente não permitem uma conclusão definitiva.

A inferência de alguma sugestão é aceitável. O lado positivo das duas alternativas, indução ou inferência, é que ambas dão ensejo à continuidade da pesquisa, o que é considerado um bom plano de trabalho.

Na quinta regra, argumentos ou provas que se baseiam em comunicações pessoais ou publicações de caráter restrito são criticáveis. Ainda que se tolerem alusões a entrevistas orais ou comunicações pessoais, elas não devem justificar afirmações ou conclusões apoiadas em fatos não comprovados pelo autor.

Restrinja-se a apresentar dados obtidos e resultados alcançados, que devem ligar os novos achados aos conhecimentos anteriores ou, ao menos, ter alguma relação. De qualquer forma, devem ser evitadas, cuidadosamente, hipóteses ou generalizações não baseadas em resultados do trabalho.

A discussão é o tópico em que o autor espelha sua filosofia, seu modo de encarar a pesquisa. É o momento das interpretações dos resultados e dos pormenores estatísticos; porque escolheu determinado nível de confiança e, quando houver diferença significativa quanto aos dados comparados, o que isso pode implicar.

Em Anestesiologia, o nível de significância é muito importante, de acordo com o aspecto do estudo. Quando versa sobre aspectos ligados à morbidade, temos que considerar com certo rigor, de acordo com os pontos analisados; porém, se ligado à mortalidade, há que se ter maior rigor e exigir nível de significância relevante e compatível com essa situação.

Os argumentos podem ser dedutivos ou indutivos. No argumento dedutivo, as premissas verdadeiras são suficientes para assegurar a conclusão. Nos argumentos indutivos, ao contrário, mesmo que as premissas sejam verdadeiras, a conclusão pode ser falsa. Por exemplo, "a injeção de ar na cisterna magna do cão produz imagem radiológica que permite calcular a forma e o volume do espaço entre os ventrículos cerebrais e seus condutos; esse é o princípio da pneumoencefalografia. A inalação de óxido nitroso (N_2O) pode aumentar o volume do espaço e, de acordo com a lei dos gases, determinar hipertensão intracraniana".

Essas afirmações foram testadas experimentalmente. Um grupo de cães foi submetido a anestesia e injeção de ar na cisterna magna. Na experiência, um grupo de animais foi ventilado com ar ambiente e outro grupo com mistura de óxido nitroso e oxigênio em iguais volumes. O grupo ventilado com N_2O apresentou aumento do volume de ar intracerebral. Deduziu-se que o N_2O foi o responsável pelo aumento do volume aéreo à radiografia. As propriedades físico-químicas dos gases envolvidos (N_2O, O_2 e N_2) permitem, ainda, deduzir que houve a troca de nitrogênio pelo N_2O.

O experimento permite a conclusão de que "N_2O é capaz de trocar rapidamente com o N_2 dentro de cavidades fechadas e provocar aumento do volume intracraniano e, consequentemente, da pressão". Embora a pressão não tenha sido medida, ela pode ser inferida. A inferência por consequência das leis dos gases, fartamente documentada, é irrefutável.

No argumento dedutivo, toda informação fixada na conclusão encontra-se nas premissas. Ao contrário, no argumento indutivo a conclusão engloba informações que não se acham nas premissas. No trabalho anteriormente citado, os autores inferiram e induziram que "por essa razão, é provável que em toda cavidade fechada do organismo, ouvido médio, seios maxilares, intestinos, quando houver obstrução e pneumotórax, o N_2O deve ser contraindicado, porque haverá aumento de pressão no interior". Fica claro que inferir não é afirmar, mas sim levantar a questão, que ficará carecendo de comprovação científica. Existem situações que não permitem inferências.

Experiências em animais e observações no ser humano comprovaram que nos casos de pneumotórax e nas obstruções intestinais provocadas, mantendo-se a circulação da alça intestinal e injetando-se ar no seu interior, essas inferências foram confirmadas. Entretanto, os argumentos induzidos para o ouvido médio e para as alças intestinais sem obstrução não foram confirmados. A inferência e indução mal interpretadas podem levar a estabelecimento de conceitos incorretos. Entretanto, a indução e a inferência são importantes para o pesquisador, porquanto, não conseguindo explicar os resultados obtidos por falta de elementos ou porque não era o propósito do estudo, abre campo para novas investigações e, à luz da lógica, conclui em primeira instância para uma verificação posterior.

Não importam os valores das asserções individuais, interessam a relação que subsiste entre as premissas e a conclusão. O argumento será válido conforme o tipo de relação que vigora entre elas.

A lógica ainda permite "inferir", partindo de premissas conhecidas, concluir quantitativamente.

Descartes[3] afirmava: que "Iniciando os últimos por onde os seus antecessores tivessem terminado e englobadas desse modo as vidas e os trabalhos de muitos, poderíamos todos juntos ir muito mais longe do que cada um isoladamente". Conhecer história para não repetir erros passados é uma máxima muito antiga. Dessa simples proposição nasceu o conceito de escola como filosofia de método, doutrina e continuidade. A escola é sinônimo de tradição.

A discussão, embora livre, deve apresentar todos os dados contidos no método e os resultados apresentados. Inicie discutindo na mesma ordem de apresentação dos resultados para facilitar o seguimento pelo leitor. Não se esqueça de citar os autores apresentados na introdução, discutindo seus resultados com as conclusões. E conclua sobre seus resultados expressivos que permitam fechar os objetivos apresentados na introdução, repetindo-os caso as premissas estejam incluídas nas conclusões.

Citação de Referências

O modo como as referências devem ser citadas e relacionadas no artigo encontra-se nas normas aos autores de qualquer periódico. As referências bibliográficas que devem ser citadas são aquelas que efetivamente tenham nexos diretos com a matéria em questão.

Quando um fenômeno consagrado é citado, não é adequado apontar vários autores que estudaram o tema e chegaram à mesma conclusão. É suficiente a citação do primeiro e do último, que se manifestaram de forma mais contundente sobre a matéria.

Conceitos consagrados em livros-texto não necessitam de citação. Por exemplo, "a atropina provoca taquicardia"[1-5] é, no mínimo, desnecessário, salvo se a proposição do estudo for demonstrar que esse conceito está incorreto.

Em artigos clínicos, devemos ter o cuidado de tomar as conclusões advindas de experimentos em animais, a não ser nos casos em que se estudam os mecanismos de ação de fármacos ou quando somos obrigados a inferi-los por falta de alternativas.

Por outro lado, em trabalhos experimentais, deve-se evitar comparações entre animais diferentes.

O mais importante, no entanto, são as comparações dos resultados obtidos com os de autores da literatura. É estritamente necessário que os métodos sejam iguais para admitir comparações, com o risco de se escrever algo inconsistente e falso. "Nossos resultados concordam com os de..." é uma rotina muito frequente nos artigos e, algumas vezes, tais conclusões não são verdadeiras.

Estilo e Abreviaturas

Ao escrever um artigo científico, o autor deve evitar a prolixidade. Sempre que possível escrever o mínimo, em linguagem técnica. Procure escrever corretamente, valendo-se de dicionários e normas de unidades e abreviaturas. Não crie siglas nem abreviaturas, elas confundem os leitores. Se for estritamente necessário, defina-as no início.

Há muitos erros sobre abreviaturas: Kg, Kgs, grs, Km, Kms, seg, quando o correto é kg, g, km, s. Quando se usam números, coloca-se a abreviatura da unidade de medida no singular 1 g ou 100 g, 1 kg ou 100 kg, 1 s ou 15 s, não há

plural. Atualmente as revistas científicas padronizaram os símbolos e as abreviaturas.

Não se deve inventar palavras. Se houver dificuldade em traduzir palavras estrangeiras, coloque em itálico, mas, no texto em português, dê preferência à ortografia portuguesa. Exemplos: *stress*, estresse; *clearance*, depuração; *kinking*, dobradura, angulação; *bucking*, reação reflexa traqueal; e assim por diante. O melhor é observar qual o padrão o periódico adota. Considerando que a *Revista Brasileira de Anestesiologia*, hoje *Brazilian Journal of Anesthesiology*, é bilíngue, os termos em inglês são muito bem aceitos mesmo nos textos em português. Basta assim colocá-los em itálico.

A informação é mais importante, portanto, o estilo é secundário. A linguagem técnica deve prevalecer para melhor compreensão.

Resumos Estruturados

Com o grande número de trabalhos científicos publicados atualmente, os resumos estruturados devem ser feitos de forma cuidadosa e clara, mostrando o conteúdo real do artigo e procurando despertar o interesse para a leitura do trabalho na íntegra. Eles devem ser feitos de forma estruturada, obedecendo à seguinte sequência:

- Justificativa e objetivos – *background and objectives*;
- Método – *Method*;
- Resultados – *Results*;
- Conclusões – *Conclusions*.

■ PUBLICAÇÕES NO *BRAZILIAN JOURNAL OF ANESTHESIOLOGY*

Na Assembleia Geral Ordinária da Sociedade Brasileira de Anestesiologia, realizada no dia 13/11/2019 durante o 66º Congresso Brasileiro de Anestesiologia em Goiânia (GO), aprovou-se a mudança do nome da *Revista Brasileira de Anestesiologia* para *Brazilian Journal of Anesthesiology* (BJAN), passando esse a ser o nome oficial da nossa revista.[14] A revista exige que os trabalhos de investigação tenham os métodos aprovados por um CEP. Exige, também, o consentimento esclarecido dos pacientes que fizeram parte dos estudos e o consentimento por escrito dos pacientes que eventualmente foram fotografados e integraram as ilustrações do artigo, caso sejam identificáveis.[15]

Os artigos são divididos em:

- **Artigo científico**: é aquele que obedece a todas as normas de uma pesquisa, contendo objetivo, método, resultados, discussão e conclusões, referências bibliográficas, ilustrações e resumos estruturados;
- **Artigo diverso**: engloba a apresentação de uma técnica, de um equipamento ou da interpretação de um tipo de exame complementar;
- **Artigo de revisão**: disponibiliza a atualização sobre assunto específico, escrito por autor com experiência, que pode tecer comentários sobre as controvérsias;
- **Informação clínica**: contém relatos de casos raros ou de interesse clínico. Estudos clínicos retrospectivos;
- **Editorial**: é o espaço do editor-chefe. No entanto, qualquer autor pode fazer um editorial, que será publicado com a anuência do editor-chefe. Se o editorial tiver alguma cono-

tação política, deverá ser aprovado pela Diretoria da Sociedade Brasileira de Anestesiologia;

- **Carta ao editor**: é o espaço reservado aos leitores, constituindo-se no fórum para os debates. O leitor é o maior crítico dos artigos.

Ao enviar um artigo para publicação, é necessária uma leitura cuidadosa das normas aos autores. A obediência às normas facilita muito o processo editorial, especialmente no que diz respeito à análise pelos membros do Conselho Editorial e a posterior avaliação pelo Editor-chefe.

REFERÊNCIAS

1. Asti VA. Metodologia da pesquisa científica. 4a ed. Porto Alegre: Editora Globo, 1978.
2. Cervo AL, Bervian PA. Metodologia científica. São Paulo: McGraw-Hill do Brasil, 1975.
3. Descartes R. Discurso sobre o método. São Paulo: Martins Fontes, 1996.
4. Hume D. Investigação acerca do entendimento humano. São Paulo: Editora Nacional, Ed. da Universidade de São Paulo, 1972.
5. Conselho Federal de Medicina: Código de Ética Médica, 2018.
6. Gifoni JMM. Aspectos éticos e legais. In: Duarte NMC, Turazzi JC, Gozzani JL, et al. Metodologia científica. Rio de Janeiro: Sociedade Brasileira de Anestesiologia, 2008. p.49-60.
7. Resolução nº 196 de 10 de outubro de 1996 do CNS. Brasília: Ministério da Saúde, 1996.
8. Resolução nº 466 de 12 de dezembro de 2012 do CNS. Brasília: Ministério da Saúde, 2012.
9. Cremonesi E. Declaração dos direitos dos animais. Rev Bras Anestesiol. 1986;36(3):167-168.
10. Curi PR. Metodologia e análise da pesquisa em ciências biológicas. 1a ed. Botucatu: Gráfica e Editora Tiponia, 1997.
11. Mathias LAST. Definição e desenvolvimento de um estudo. In: Duarte NMC, Turazzi JC, Gozzani JL, et al. Metodologia científica. Rio de Janeiro: Sociedade Brasileira de Anestesiologia, 2008. p. 15-24.
12. Guyatt GH, Oxman AD, Vist G, et al. For the GRADE Working Group. Rating quality of evidence and strength of recommendations GRADE: an emerging consensus on rating quality of evidence and strength of recommendations. BMJ. 2008;336(7650):924-926.
13. Oliva FAL. Metodologia científica – Elementos de Estatística. Rev Bras Anestesiol. 1990:40(1):119-132.
14. Estatuto da Sociedade Brasileira de Anestesiologia, 2019.
15. Brazilian Journal of Anesthesiology. Normas aos Autores.

227

Tipos de Estudo e Planejamento de Pesquisa

Leandro Gobbo Braz ■ Marcos Ferreira Minicucci ■ José Reinaldo Cerqueira Braz

INTRODUÇÃO

Em ciências, a pesquisa é um conjunto de atividades que têm por finalidade a descoberta de novos conhecimentos no domínio científico.[1] Nessa definição genérica, no que se refere à ciência da saúde, inclui-se ampla variedade de estudos, nos quais o sujeito de estudo pode ser um aparelho, algumas células, um animal, várias pessoas ou uma população. Assim, as pesquisas baseiam-se em levantamentos ou coleta de dados, cujas variáveis e medidas, dependentes do tipo de investigação, deverão ser previamente discutidas e planejadas no momento do delineamento da pesquisa.

Quanto à sua natureza temporal, o delineamento pode ser contínuo, periódico ou ocasional.[2] No delineamento contínuo, o levantamento dos eventos é feito à medida que ocorrem, como o registro de doenças infecciosas ou câncer, com finalidade de controle. No delineamento ocasional, o levantamento é realizado sem preocupação de periodicidade ou continuidade, em função, por exemplo, de doença que ocorre e necessita de avaliação imediata. No delineamento periódico, os levantamentos ocorrem de forma cíclica, como os que são realizados por órgãos governamentais (recenseamentos) a cada período de anos.

Os dados utilizados pelo investigador podem ser primários, quando o levantamento de dados é feito pelo próprio pesquisador, ou secundários, quando o pesquisador se utiliza de dados já existentes, como os dados de literatura publicada.[3,4]

Os estudos primários correspondem a investigações originais, que constituem a maioria das publicações em periódicos. Os principais estudos primários são:

- Relato de casos;
- Estudo de casos e estudo de caso-controle;
- Estudo de coorte;
- Estudo transversal;
- Estudo clínico controlado casualizado;
- Ensaio clínico cruzado (*crossover*).

Os principais estudos secundários são:

- Revisões
  - Narrativas, que são revisões não sistemáticas sobre determinado tema, que correspondem a resumos de estudos primários;
  - Integrativas, semelhantes às anteriores, mas com metodologia definida e rigorosa;[5]
  - Sistemáticas, que visam responder determinada pergunta, com metodologia definida e rigorosa;
  - Metanálise que, ao utilizar rígida metodologia, produz resultados integrados a partir de dados que englobam vários e selecionados estudos primários;
  - Diretrizes (*guidelines*) que, a partir de estudos primários, orientam para a prática médica;
  - Análise de decisão que, a partir de estudos primários, determina as probabilidades associadas a algumas ações, intervenções ou tratamento.

Nas situações em que os dados ainda não existem, eles precisam ser provocados, ou seja, envolvem uma intervenção – controlada pelo pesquisador, como um procedimento, uso de medicamento ou realização de tratamento – para que possam ser coletados. Esse tipo de pesquisa é chamado de experimental. O estudo experimental é muito comum na área da saúde e é feito utilizando-se amostras populacionais previamente selecionadas. A expectativa é a de que a amostragem seja representativa da população que será estudada.

Existe ainda o estudo observacional, no qual o pesquisador desempenha papel passivo na observação dos eventos que ocorrem com os sujeitos do estudo, sem atuação no sentido de modificação desses eventos.

A pesquisa pode ser prospectiva ou retrospectiva. Na prospectiva, acompanham-se os participantes do estudo prospectivamente, para verificar as ocorrências das variáveis em estudo. Exemplo: verificar a influência do tabagismo na função pulmonar pós-operatória; o pesquisador escolhe n_1 pacientes tabagistas e n_2 não tabagistas; os pacientes são acompanhados durante o ato anestésico-cirúrgico, e no pós-operatório será estudada a função pulmonar desses pacientes.

O estudo prospectivo apresenta vantagens, como a não interferência do pesquisador na escolha dos pacientes que receberão ou não o fator em estudo, os grupos de estudo são contemporâneos e têm o mesmo tamanho amostral. Entre as desvantagens, há a impossibilidade do controle adequado de possíveis interferências de variáveis desconhecidas, que podem influenciar a resposta dos diferentes grupos, e a exigência de maior disponibilidade de tempo e de pessoal, que pode encarecer o custo financeiro do projeto.[2]

Na pesquisa retrospectiva trabalha-se com eventos ocorridos no passado. Exemplo: em um estudo para verificar o peso de recém-nascidos como adequado ou inadequado, de acordo com a influência de tabagismo materno, escolhem-se n_1 recém-nascidos com peso adequado e n_2 com peso inadequado. A função do pesquisador será verificar os antecedentes maternos quanto ao hábito de tabagismo. Em anestesiologia, com um banco de dados adequado, pode-se estudar a morbidade e mortalidade no intraoperatório em períodos anteriores ao do início do estudo. A pesquisa retrospectiva é útil quando existe grande intervalo de tempo entre a exposição ao fator de risco e o desenvolvimento de doença. A vantagem é ter baixo custo. No entanto, há desvantagens, como eventuais dificuldades na obtenção de informações completas e com exatidão de eventos que ocorreram no passado, e dificuldades na distribuição aleatória dos integrantes dos grupos.

▪ DELINEAMENTO DA PESQUISA

Estudos Observacionais

Entre os estudos observacionais, os delineamentos mais comuns são os estudos de coorte, transversal e os do tipo caso-controle, relato de caso e estudo de série de casos.

Estudos de Coorte (Longitudinal com Seguimento)

Coorte era o termo usado na Roma antiga para definir um grupo de soldados de cada uma das dez unidades de uma legião do exército romano.[1] Assim, nos estudos de coorte, um grupo de pessoas (coorte) é acompanhado ao longo do tempo, com exposição ao fator de risco, que pode ser único, repetido ou permanente. Como exemplo, examina-se coorte de homens anualmente durante vários anos e observa-se a incidência de infarto naqueles que são tabagistas e nos que não fazem uso do cigarro.

Os estudos de coorte podem ser prospectivos ou retrospectivos. No prospectivo, no exemplo dado (Figura 227.1), os pacientes do estudo são selecionados em momento atual ou presente e serão acompanhados com determinada frequência em períodos futuros, que predirão os desfechos subsequentes. No estudo de coorte retrospectivo, também chamado de histórico, o estudo se inicia em determinado período do passado e termina no período atual ou presente. Esse tipo de estudo só é possível se houver dados adequados, obtidos nos prontuários, sobre fatores de risco e desfechos na coorte selecionada.

No estudo de coorte prospectivo, os pontos fortes[6] são a sequência temporal, que fortalece a inferência de que o fator causal em estudo pode ser causa do desfecho, e as variáveis importantes são medidas de forma completa e precisa, especialmente as que os pacientes lembram corretamente com mais dificuldade, como hábitos alimentares. Esse tipo de estudo é adequado para o conhecimento dos antecedentes de doenças letais. O ponto fraco mais representativo desse tipo de estudo é a possibilidade de ter custo elevado, quando aplicado em estudo de doenças raras ou menos comuns, pela necessidade de acompanhamento de número muito grande de pacientes, por longos períodos de tempo, para obtenção de número suficiente de desfechos com produção de resultados significativos. Assim, o delineamento de coorte prospectivo torna-se mais eficiente no estudo de doenças mais comuns e frequentes.

Os estudos de coorte retrospectivos têm os mesmos pontos fortes que os estudos de coorte prospectivos, mas com vantagens em relação aos prospectivos: demandam menos recursos financeiros e menor tempo despendido na pesquisa. Esses aspectos devem-se ao fato de os pacientes já terem sido reunidos no passado, as medições já terem sido feitas e o período de acompanhamento já ter ocorrido. Po-

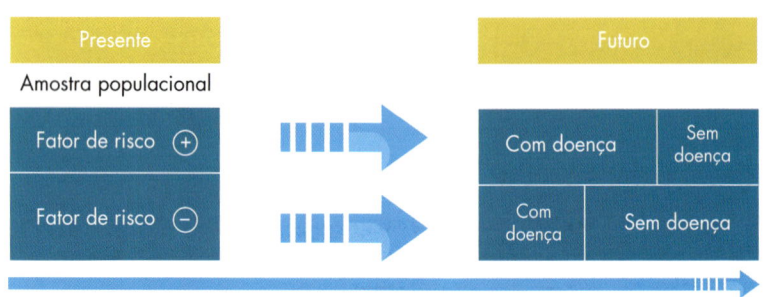

◄ **Figura 227.1** Esquema de estudo de coorte prospectivo. O investigador seleciona uma amostra populacional (n) com fator de risco (n_1) e sem fator de risco (n_2). Durante o acompanhamento, em tempo futuro, determina o desfecho clínico (com e sem doença) nas duas amostras (n_1 e n_2). No exemplo dado, houve maior número de pacientes com doença na população com o fator de risco presente (n_1).

rém, os estudos retrospectivos apresentam desvantagens[6] importantes, como o controle limitado que o investigador tem no delineamento da amostragem populacional e na natureza e qualidade das variáveis preditoras. Mesmo quando existentes, as informações obtidas sobre as variáveis principais podem estar incompletas ou não serem precisas.

Algumas estratégias são fundamentais para que o estudo de coorte seja o mais preciso possível, seja no andamento, seja no acompanhamento dos pacientes. Os participantes devem ser apropriados e representativos da população para a qual os resultados serão generalizados, como idade, sexo, profissão, nível socioeconômico etc. O número de pacientes recrutados deve fornecer precisão e poder adequados ao estudo. A capacidade de acompanhamento da coorte inteira também deve ser meta importante no estudo. Algumas estratégias podem ser utilizadas para minimizar perdas no arrolamento de pacientes, como exclusão prévia de pacientes com elevada probabilidade de perda e obtenção de informações dos pacientes que permitam sua futura localização.[6] Durante o acompanhamento, contatos periódicos com os pacientes são necessários, pois ajudam na manutenção deles no estudo e melhoram a definição temporal e precisão dos desfechos de interesse.

Nos estudos de coorte prospectivos ou retrospectivos deve-se realizar o cálculo de risco relativo. Tomando-se como base o exemplo:

Fator de risco	Desfecho clínico		
	Com doença	Sem doença	Total
Presente (n_1)	a (500)	b (10.500)	11.000
Ausente (n_2)	c (150)	d (10.850)	11.000

As letras minúsculas representam o número de sujeitos.

Pode-se calcular a incidência da doença (infarto do miocárdio) entre os expostos ao tabaco (fator de risco): a/a + b [Ex: 500/(500 + 10.500)] e a incidência da doença entre os não expostos ao tabaco (controle): c/c + d [Ex: 150/(150 + 10.850)]. Em seguida, determina-se a razão de incidências ou risco relativo: incidência entre indivíduos expostos ao fator de risco (Ie)/incidência entre os não expostos (Io), ou seja.

$$\text{No exemplo dado:} \quad = \quad \frac{\text{Ie}}{\text{Io}} \quad = \quad \frac{0,04545}{0,01363}$$

Assim, o risco relativo no exemplo dado será de 3,3, ou seja, na população estudada, o tabagismo aumenta em três vezes a incidência de infarto do miocárdio em relação à população não fumante.

Entre os estudos observacionais, o estudo de coorte tem sido considerado o melhor tipo de estudo para diagnóstico etiológico, determinação de fatores causais, evolução clínica e prognóstico de doenças.

Estudo Transversal ou por Meio de Secção (*Cross-sectional*)[2,7]

A estrutura do estudo transversal é semelhante à do estudo de coorte, mas a análise de dados é feita em um único momento, sem que haja um período de acompanhamento. Nesse tipo de estudo, a seleção dos pacientes é feita a partir de uma população; medem-se as variáveis preditoras (presença ou ausência de fatores de risco) e as variáveis de desfecho (presença ou ausência de determinada doença) no mesmo momento (Figura 227.2).

O estudo transversal apresenta algumas vantagens: a não interferência do pesquisador na escolha dos pacientes que receberão ou não o fator causal ou de risco, evitando-se, assim, que este seja negado aos que querem recebê-lo; os grupos experimentais são contemporâneos, o que evita que fatores ambientais não controlados favoreçam ou prejudiquem os grupos; como não há acompanhamento, não há perdas, como pode ocorrer nos estudos de coorte; custo menos elevado do que os de coorte; e menor exigência de disponibilidade de tempo e de pessoal. Além disso, o delineamento transversal permite a comparação de testes diagnósticos e o cálculo da performance desses testes, como a sensibilidade, especificidade, valores preditivos positivos e negativos e falsos positivos e negativos.[8]

Por outro lado, apresenta algumas desvantagens: dificuldade no estabelecimento de relações causais a partir de dados oriundos do corte transversal no tempo; exigência de número muito grande de pacientes em estudo de eventos raros (doenças); pode haver grande disparidade no tamanho dos grupos, o que pode resultar em estudo menos eficiente do ponto de vista estatístico. Quando se utilizam dados hospitalares, o estudo transversal pode sofrer influência da gravidade da doença: pacientes portadores de casos mais brandos podem não ter sido encaminhados ao hospital, e casos muito graves podem levar ao óbito antes que os pacientes sejam encaminhados ao hospital.

Enquanto nos estudos de coorte há o cálculo da incidência, que é a proporção de indivíduos que adquiriram uma

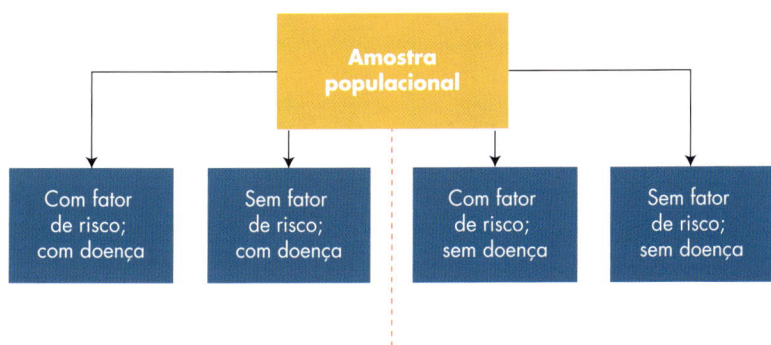

◄ **Figura 227.2** Esquema de estudo transversal. Seleciona-se uma amostra populacional e determinam-se as variáveis preditoras (presença ou ausência de fator de risco) e de desfecho clínico (presença ou ausência de doença).

doença ao longo do tempo, nos estudos transversais há o cálculo da prevalência, que é a proporção de indivíduos da população que têm a doença ou determinado fator clínico em determinado momento. Assim, no estudo transversal é calculada a prevalência relativa, isto é, a razão de prevalências, análoga transversal da razão de incidências ou risco relativo.

Pelo fato de os estudos transversais determinarem a prevalência e não a incidência, há limitação desse tipo de estudo no estabelecimento do prognóstico e causas de determinadas doenças. Para demonstração de causalidade, há necessidade de demonstrar que a incidência de determinada doença difere nas pessoas expostas a um fator de risco. Nos estudos transversais são demonstrados apenas os efeitos de fatores de risco sobre a prevalência, que é o produto da incidência pela duração da doença.

Estudo de Casos-controle[7,9]

No estudo de casos-controle, há inversão da sequência temporal. Há seleção de uma amostra de pacientes com o desfecho (doença) e de outra sem o desfecho. Em seguida, comparam-se os possíveis efeitos causais (de risco) das variáveis preditoras nas duas amostras para determinar quais delas estão associadas ao desfecho (Figura 227.3).

Os estudos de casos-controle surgiram com os estudos epidemiológicos, com a finalidade de identificar fatores de risco para as doenças. O desfecho geralmente se traduz por ausência ou presença de doença e em "casos" consideram-se os indivíduos com a doença. Este delineamento é o mais utilizado para doenças raras.

O delineamento de estudo de casos-controle é, a partir do momento inicial, longitudinal e retrospectivo.[3] Nesse estudo, os fatores ligados à doença são todos considerados, não importando o seu número. Na constituição do grupo de doentes deve estar bem estabelecido o critério diagnóstico para sua inclusão no grupo, com definição dos estádios da doença e considerando-se os grupos étnicos, sexo, faixa etária e estratos socioeconômicos e de alfabetização. O grupo controle deve ter características de semelhança com o grupo de doentes, com exceção da ausência da doença. Nesse estudo pode haver tendenciosidade na constituição do grupo de indivíduos doentes, principalmente se o pesquisador não estabelecer e definir muito bem os critérios diagnósticos de inclusão.

Os principais pontos fortes dos estudos de casos-controle são a possibilidade de obtenção de grande número de informações, a partir de um número pequeno de participantes para um evento (doença) raro(a), curta duração e custo baixo. O principal ponto fraco desse tipo de estudo é a limitação das informações, pois não há como estimar diretamente a incidência ou prevalência da doença, nem o risco que possa ser atribuído a determinada população. Também a validade desse estudo, para a determinação do agente ou fator etiológico, é menor do que a dos estudos de coorte.

Como estimativa para o risco relativo em um estudo de caso-controle, pode-se utilizar a razão de chances (*odds ratio*). Os estudos de casos-controle não podem produzir estimativas sobre a incidência ou prevalência de uma doença, pois a proporção de pessoas com a doença, nesse estudo, é determinada pelo número de casos e controles que o pesquisador decide amostrar e não é representativa de sua proporção na população. Assim, os estudos de caso-controle podem apenas estimar a magnitude da associação entre cada variável preditora e a presença ou ausência de doença.[4] Essas estimativas são expressas na forma de razão de chances, que se aproxima do risco relativo na situação em que a prevalência da doença não for muito elevada. Nesse caso, o cálculo da razão de chances é realizado de maneira idêntica à do risco relativo, ou seja:

Fator de risco	Com doença	Sem doença
Presente	a (500)	b (4.500)
Ausente	c (250)	d (4.750)

As letras minúsculas indicam o número de sujeitos.

$$odds\ ratio\ (OR) = \dfrac{\dfrac{a}{B}}{\dfrac{c}{D}} = \dfrac{a \times d}{b \times c} = 2,1$$

Assim, no exemplo dado, a razão de chance de aparecimento da doença pesquisada, quando o fator de risco está presente, é de duas vezes em relação à ausência do fator de risco.

Relato de Caso

O relato de caso descreve aspectos de interesse que envolvem um único paciente. Pode ocorrer também relato de vários casos de uma mesma doença. Como exemplo, há o relato de caso que envolve o uso do fármaco dantrolene no paciente que apresentou síndrome de hipertermia maligna durante anestesia inalatória com halogenado (isoflurano, sevoflurano, desflurano ou halotano) e uso do bloqueador neuromuscular succinilcolina. A descrição deve conter da-

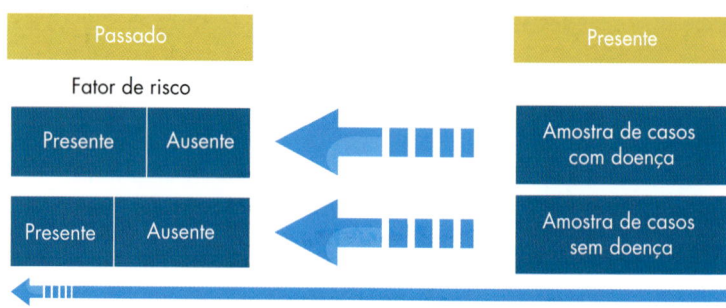

Fator de risco

Passado | Presente
Presente | Ausente — Amostra de casos com doença
Presente | Ausente — Amostra de casos sem doença

Direcionamento da pesquisa

◄ **Figura 227.3** Esquema de estudo de casos-controle. Selecionam-se, em tempo presente, uma amostra populacional de pacientes com doença e uma amostra de uma população bem maior, sem a doença. Em seguida, em estudo retrospectivo, com olhar para o passado, procuram-se as diferenças existentes nas variáveis preditoras (fatores de risco).

dos da história e antecedentes do doente, evolução, monitoração utilizada, resultados de exames complementares e terapêuticos utilizados. A razão da publicação geralmente se deve à relativa raridade do caso, à alguma peculiaridade ou a algum aspecto terapêutico de interesse.

A descrição de pesquisas de natureza observacional muitas vezes é inadequada, dificultando a avaliação de seus pontos fortes e fracos e, em consequência, a generalização de seus resultados. A iniciativa internacional denominada *Strengthening the Reporting of Observational Studies in Epidemiology* (STROBE) formulou uma lista de verificação que contém 22 itens, denominada STROBE *Statement* (Declaração STROBE), com recomendações sobre o que deve ser incluído na descrição mais precisa e completa de estudos observacionais, que já foram traduzidas para o português.[10,11] Atualmente os periódicos exigem que, no envio de artigo de natureza observacional para publicação, os autores atendam aos itens elencados na Declaração STROBE (*https://www.strobe-statement.org*).

Estudos Experimentais ou Ensaios Clínicos

Na literatura médica, os estudos experimentais costumam ser mais fáceis de identificar que os estudos observacionais.[12] Os autores de publicações nos periódicos que apresentam estudos experimentais tendem a afirmar explicitamente o tipo de desenho do estudo utilizado com maior frequência do que os autores que apresentam estudos observacionais. Em medicina, os estudos experimentais realizados com seres humanos são denominados ensaios clínicos.

Os ensaios clínicos podem ser controlados e não controlados.[12] Nos ensaios controlados, o estudo de um medicamento, anestésico ou procedimento é comparado, respectivamente, com outro medicamento ou placebo, anestésico ou procedimento já aceito. Denomina-se placebo uma substância quimicamente inerte, de aparência idêntica ao que é administrado no grupo experimental. Assim, estuda-se o efeito de um novo fármaco em comparação ao de outro, já conhecido, ou o efeito do novo fármaco contra o efeito do placebo. Nos ensaios não controlados, o tratamento não é comparado com outro tratamento, pelo menos formalmente. Os estudos controlados são considerados de maior validade que os não controlados, pois têm maior probabilidade de detectar se as diferenças entre os grupos se devem ou não ao tratamento experimental ou a outro fator.

Ensaio Clínico Controlado Aleatório[3,13]

O ensaio clínico controlado pode ser ou não aleatório. A técnica apropriada para a distribuição dos indivíduos entre os grupos é a aleatória (casualização ou randomização), que permite a distribuição dos sujeitos ao acaso, entre os grupos, com diminuição da possibilidade de ocorrer viés que distorça a comparação entre os grupos e, erroneamente, influencie nos resultados.

Há aleatoriedade quando se emprega tabela de números casuais ou por meio de envelopes opacos fechados, numerados sequencialmente, cada um contendo um número ao acaso, gerado por computador. É fundamental planejar o procedimento de alocação aleatória de forma que os membros da equipe de pesquisa não possam influenciar a alocação. Algumas vezes, o investigador pode se sentir pressionado a influenciar a alocação, por exemplo, quando um indivíduo parece adequar-se mais ao grupo de tratamento ativo em ensaio controlado por placebo.[13] No ensaio clínico não aleatório, um grupo de pacientes é distribuído entre os grupos controle e experimental de forma não aleatória. Ambos os grupos, em ambos os estudos, são acompanhados de forma prospectiva para determinar o resultado do tratamento (ex. sem efeito, efeito terapêutico ou efeito adverso). Em seguida, os dados são analisados e os resultados, interpretados (Figura 227.4).

O ensaio controlado aleatório é o mais fidedigno e facilita a extrapolação dos resultados para a população em geral. O ideal nesse tipo de investigação é que nem o pesquisador nem os pesquisados saibam quem está recebendo o tratamento (teste duplamente encoberto). Esse procedimento evita a tendenciosidade na resposta do paciente ao tratamento e na avaliação do investigador sobre o tratamento. Em alguns estudos, o pesquisador pode conduzir o experimento sem que saiba (somente ele) a que grupo pertence o paciente, isto é, se determinado paciente recebeu tratamento ou placebo. Esse estudo é chamado encoberto.

Em alguns estudos pode haver a necessidade de estratificação,[3] realizada quando há interesse ou mesmo necessidade de se estudar, separadamente, sexo, grupos etários, variantes clínicas e outros aspectos. Assim, tanto no grupo experimental quanto no grupo controle formam-se blocos com números iguais de indivíduos. A distribuição aleatória é feita dentro de cada bloco ou estudo.

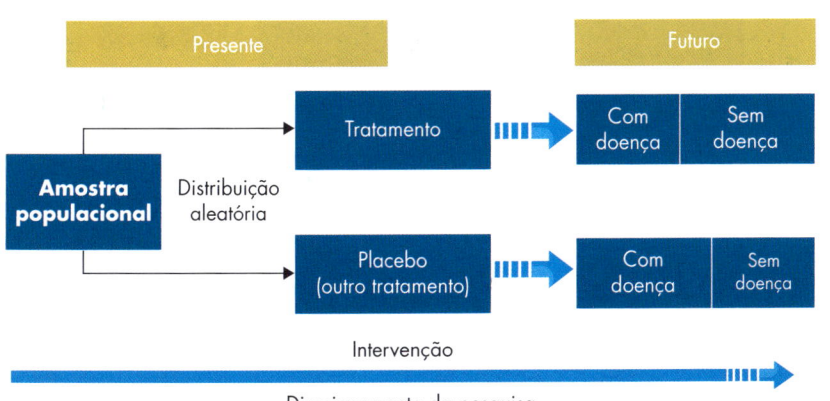

◄ **Figura 227.4** Esquema de ensaio clínico controlado aleatório. O investigador seleciona, em tempo presente, uma amostra da população. Em seguida, realiza a distribuição aleatória dos participantes em dois grupos. Em um grupo aplica o tratamento ou intervenção, e no outro aplica placebo. O investigador acompanha as coortes determinando as variáveis de desfecho (encoberto, se possível). No futuro, analisará os resultados.

No início do estudo já se deve definir o que se considera o resultado final (*end point*, *outcome*) do ensaio: sobrevida, redução do nível sérico de determinada substância etc.

O tamanho da amostra é fator importante em relação à credibilidade dos resultados fornecidos pelo ensaio clínico e deve ser determinado previamente. Em caso de pequeno número de participantes, existe o risco de obtenção de resultados incorretos ou mesmo falsos. Em alguns ensaios, esse aspecto pode ser superado pelo delineamento em que é prevista a participação de mais de um ou de vários centros de pesquisa (estudos multicêntricos).

O ensaio clínico aleatório apresenta as seguintes vantagens:[2] maior eficiência comparativa entre os grupos, pois os fatores que podem interferir devem estar igualmente distribuídos entre os grupos; as variáveis ou fatores desconhecidos, não identificados pelo pesquisador, e que podem interferir na resposta, estarão, provavelmente, balanceados nos grupos, pela distribuição aleatória; realização de métodos estatísticos, pois os grupos, por terem tamanhos iguais, permitem comparações válidas; pela contemporaneidade dos grupos há minimização dos fatores ambientais.

As principais desvantagens são representadas pelo custo financeiro, disponibilidade de tempo e de pessoal, e, em algumas circunstâncias, argumentos éticos contrapõem-se à aleatorização. Existem razões éticas que impedem que se aplique no paciente um tratamento que é considerado menos efetivo que outro, ou outro tratamento cuja eficácia é ainda desconhecida. Pode ocorrer também que o paciente não esteja disposto a seguir um delineamento encoberto. Assim, os participantes do estudo têm de dar o seu consentimento por escrito após informação dos vários aspectos envolvidos no ensaio.

Para verificação da eficiência de tratamento por fármacos (anestésicos), procedimento cirúrgico ou outra intervenção, o ensaio clínico controlado aleatório tem sido considerado o melhor procedimento.

Em ensaio clínico no qual são considerados não apenas um fator, mas vários fatores, pode-se realizar o delineamento fatorial. É o caso de se testar, por exemplo, os efeitos do fármaco A, fármaco B, fármacos A e B e respectivos placebos. Nesse caso, serão constituídos quatro grupos para a pesquisa (Figura 227.5).[11] O delineamento fatorial é um ensaio muito eficiente. A sua maior limitação é a possibilidade de interação entre os tratamentos e os desfechos, além da exigência de maior tamanho amostral e apresentação de resultados, às vezes de difícil interpretação.

Ensaio Clínico Cruzado (*Crossover*) ou Ensaio Sequencial[3,14]

No delineamento de ensaio cruzado, metade de um grupo de indivíduos recebe o tratamento e a outra metade, o tratamento alternativo (placebo); após um período de repouso (*washout*) ocorre a inversão dos grupos, com a primeira metade dos indivíduos recebendo o tratamento alternativo (placebo) e a segunda metade, o tratamento em estudo (Figura 227.6). Essa abordagem permite análises entre e dentro dos grupos. A vantagem sobre o ensaio clínico aleatório é o número total de indivíduos necessários para o estudo que diminui para a metade, uma vez que cada um participa duas vezes da pesquisa, por receber os dois tipos de tratamento. No entanto, apresenta desvantagens, como a duplicação da duração do estudo, o aumento da complexidade da análise e da interpretação dos resultados, e a influência residual do tratamento no desfecho, após sua interrupção (efeito *carryover*).

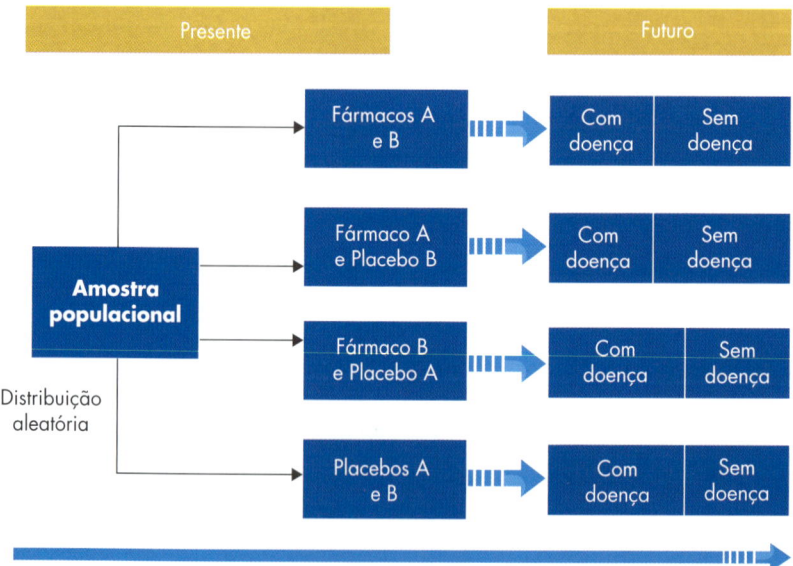

▲ **Figura 227.5** Esquema de ensaio clínico aleatório com delineamento fatorial. O investigador seleciona uma amostra da população. Realiza a distribuição dos participantes para receberem aleatoriamente duas intervenções ou fatores (fármacos A e B) e seus respectivos controles (placebos A e B) em quatro grupos. Em seguida, aplica as intervenções (encobertas, se possível) e acompanha as coortes. No futuro, o investigador analisará as variáveis de desfecho (resultados).

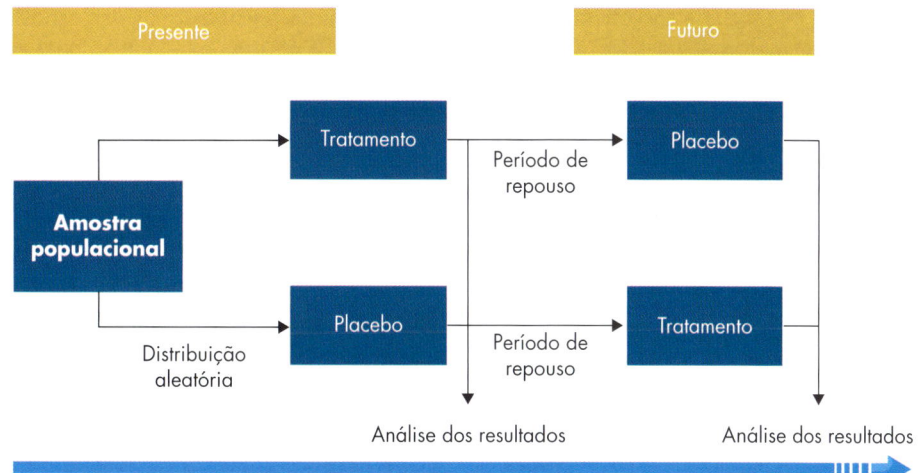

▲ **Figura 227.6** Esquema de ensaio clínico aleatório cruzado. O investigador seleciona uma amostra da população. Em seguida, realiza a distribuição aleatória dos participantes para receberem ou não o tratamento. Aplica as intervenções e mede as variáveis de desfecho (resultados). Após um período de repouso, o pesquisador aplica o tratamento ao grupo que anteriormente recebeu placebo e vice-versa. Em seguida, mede as variáveis de desfecho (resultados) novamente.

Ensaio Clínico Antes-Depois

No estudo antes-depois utiliza apenas um grupo de indivíduos, que é pesquisado antes e depois da aplicação do fator em estudo. Assim, o interesse do pesquisador é direcionado para a diferença depois-antes (ou vice-versa) para cada uma das variáveis do estudo.[2] Esse delineamento apresenta vantagens, como a de evitar que o tratamento seja negado às unidades amostrais.

A crítica maior que se faz a esse tipo de delineamento é a de que algumas variáveis incontroláveis podem interferir nos resultados durante o tempo decorrido entre os momentos antes e depois do estudo. Como exemplo, piora da evolução da doença estudada entre as duas fases do estudo, variação do intervalo de tempo entre as duas fases etc. Para contornar as críticas, pode-se utilizar o ensaio antes-depois com grupo controle.[3] Nesse caso, há dois grupos, o experimental e o controle, sendo a(s) medida(s) da(s) variável(eis) estudada(s) realizada(s), em ambos os grupos, no início do estudo. Em seguida, o fator em estudo é aplicado somente no grupo experimental e, no final do estudo, o(s) valor(es) da(s) variável(eis) é(são) determinado(s) em ambos os grupos. Utilizando-se este último tipo de delineamento antes-depois, há mais coerência com a proposição de que o efeito observado se associa ao fator introduzido.

Estudo Multicêntrico[3]

O estudo colaborativo entre várias instituições apresenta vantagens que visam à aceitação dos resultados da pesquisa devido à obtenção de dados de número muito grande de indivíduos. No estudo, todas as equipes das instituições participantes aplicam o mesmo protocolo do ensaio clínico, sem realizar nenhuma alteração. Nesse tipo de pesquisa tem importância fundamental o treinamento do pessoal envolvido na investigação. Nos últimos anos houve aumento exponencial do número de estudos multicêntricos publica-

dos em periódicos de impacto envolvendo pesquisadores de vários países.

As evidências científicas relevantes constituem a base para o raciocínio clínico e a tomada de decisão pelo profissional de saúde, e são adequadamente obtidas a partir de estudos clínicos controlados aleatorizados, cujas informações são frequentemente relatadas de forma incompleta, prejudicando a identificação de possíveis erros metodológicos. Com intuito de aprimorar o relato de estudos clínicos aleatórios, um grupo de cientistas e editores de periódicos médicos internacionais elaborou o enunciado CONSORT (*Consolidated Standards of Reporting Trials*), constituído de uma lista de checagem com 25 itens e um fluxograma dos participantes,[15] que já foram traduzidos para o português.[16] Atualmente, muitos periódicos exigem que, no envio de artigo de estudo clínico para publicação, os autores atendam aos itens elencados no enunciado CONSORT (https://www.equator-network.org/).

Deve-se destacar também a obrigatoriedade de registro dos estudos clínicos aleatórios nacionais no Registro Brasileiro de Estudos Clínicos (ReBEC) (www.ensaiosclinicos.gov.br). O registro de ensaios clínicos evita duplicação de estudos, previne viés de publicação e dificulta a prática de reportar resultados de forma seletiva em artigos científicos. Além disso, o registro de ensaios clínicos pode ajudar no recrutamento de pacientes.

Revisões e Metanálise[2,3,17,18]

A revisão é um exemplo de estudo secundário, quando o pesquisador apresenta um conjunto relacionado com dados e informações obtidas de estudos originais primários. A revisão pode ser sistemática ou não sistemática.

As revisões não sistemáticas, também chamadas de narrativas, têm a finalidade de apresentar um resumo dos dados de vários estudos primários concernentes a áreas específicas do conhecimento, para servir como guias de orientação para a prática médica. No entanto, esse tipo de revisão é subjetivo e sujeito a vieses e erros.

A revisão integrativa tenta minimizar a subjetividade da revisão narrativa, e apresenta metodologia bem definida para escolha dos estudos que serão abordados e discutidos.

A revisão sistemática, por sua vez, é utilizada para responder uma pergunta específica, que geralmente segue a metodologia PICO (*Patient, Intervention, Comparison and Outcome*). Para ser considerada sistemática, deve ter metodologia explicitada e reprodutível, objetivos e critérios bem definidos para identificação de todos os estudos relevantes, mostrar o resultado dos estudos elegíveis, justificar as exclusões e, quando apropriado, realizar análise estatística adequada – o que corresponde à metanálise.

Assim, a metanálise tem como princípio fundamental o aumento do tamanho amostral, obtido pelos resultados numéricos de vários ensaios dedicados a examinar a mesma questão, o que permite a realização de uma síntese estatística do conjunto de resultados.

Uma boa revisão sistemática requer uma questão de pesquisa bem formulada, que seja factível, importante, relevante e inovadora.[2] Por exemplo: a escolha de ar ou solução salina na técnica de perda de resistência para identificação do espaço peridural influencia a eficácia e as complicações?[19]

Com a questão de pesquisas formuladas, uma hipótese deve ser feita com base nas evidências existentes.[18] A hipótese é uma afirmação de convicção para explicar determinado fenômeno.

As revisões sistemáticas baseiam-se em buscas abrangentes que não devem limitar-se ao MEDLINE (*PubMed*), que não inclui um número apreciável de estudos publicados em periódicos que não estejam no idioma inglês, mas a outras bases de dados como BioMedCentral, SCIELO, *Embase*, *The Cochrane Collaboration* etc.

Quanto aos critérios de inclusão ou exclusão de estudos, deve-se indicar o período de publicação, a população que será incluída no estudo, o(s) fator(es) de risco, a intervenção estudada, a necessidade ou não de o estudo ser encoberto ou duplamente encoberto, os desfechos exigidos e a duração mínima e máxima para o acompanhamento. Após a definição desses critérios, os estudos potencialmente elegíveis passam por revisão independentemente de serem aceitos ou não, feita por dois ou mais investigadores participantes do estudo. Eventuais discordâncias devem ser resolvidas por consenso ou por outro revisor. Na publicação, a revisão sistemática deve listar os estudos que foram incluídos e os motivos específicos para exclusão de determinados estudos.

Nas revisões sistemáticas, os dados importantes de cada estudo incluído são apresentados geralmente em tabelas que incluem características populacionais, tamanho da amostra, número de desfechos, intervalo do tempo de acompanhamento e métodos usados. Em seguida, a revisão apresenta os resultados dos estudos individuais, com estimativa de risco e intervalo de confiança, em uma figura conhecida como *forest plot* ou *blobbogram*.[2]

Na Figura 227.7 vê-se um exemplo hipotético de estudo de metanálise sobre a incidência de infarto do miocárdio perioperatório em pacientes submetidos à cirurgia cardíaca com anestesia inalatória ou anestesia intravenosa total. Nela estão registrados os estudos individuais incluídos e seus resultados. O eixo x representa o benefício relativo de cada estudo individual. Cada estudo é representado por uma linha horizontal. A marca (*blob*) no meio da linha é o valor da estimativa da incidência de infarto do miocárdio, sendo o seu tamanho proporcional ao peso do estudo, cuja determinante principal é o tamanho amostral. O comprimento da linha representa o intervalo de confiança de 95% da estimativa. Essas linhas horizontais mostram a estimativa de cada razão de chances (*odds ratio*) dos estudos que compararam os dois tipos de anestesia. A linha vertical (y), a linha de "não efeito", associa-se ao risco relativo de 1,0. Portanto, caso a linha horizontal não pare sobre a linha vertical, há 95% de probabilidade de haver diferença real entre os grupos estudados. A última linha horizontal representa os dados agrupados de todos os trabalhos analisados.

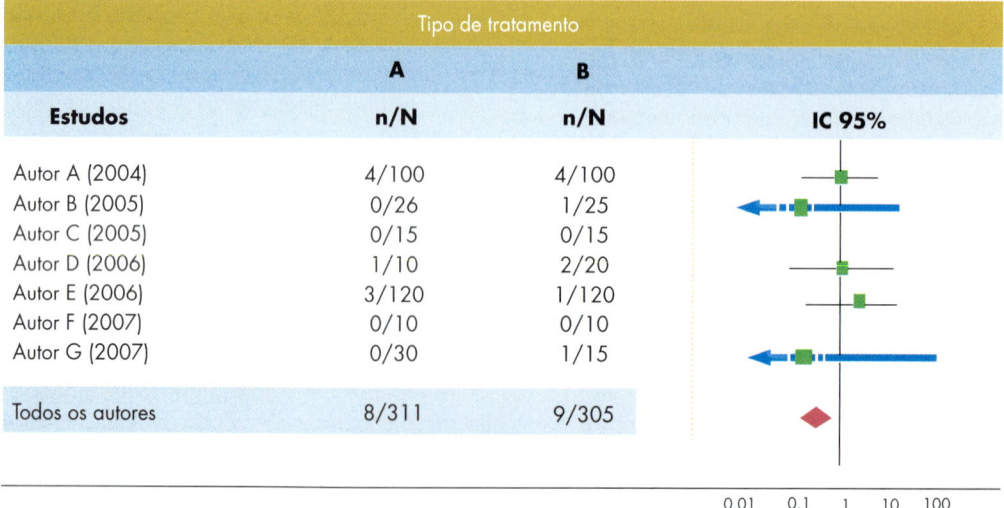

Tipo de tratamento			
	A	**B**	
Estudos	**n/N**	**n/N**	**IC 95%**
Autor A (2004)	4/100	4/100	
Autor B (2005)	0/26	1/25	
Autor C (2005)	0/15	0/15	
Autor D (2006)	1/10	2/20	
Autor E (2006)	3/120	1/120	
Autor F (2007)	0/10	0/10	
Autor G (2007)	0/30	1/15	
Todos os autores	8/311	9/305	

0,01   0,1   1   10   100

Favorável ao tratamento A   Favorável ao tratamento B

▲**Figura 227.7** Exemplo hipotético de estudo de metanálise. Impacto do tipo de anestesia (inalatória x intravenosa) na incidência de infarto do miocárdio (IM) perioperatório em pacientes submetidos à cirurgia cardíaca; n é o número de pacientes que tiveram IM e N é o número total de pacientes.

Observa-se que a última linha horizontal é bem mais curta devido ao estreitamento do intervalo de confiança como consequência do grande número de casos analisados em conjunto. Verifica-se também que essa última linha horizontal não ultrapassa a de "não efeito" e se situa do lado do uso de anestesia inalatória, o que significa que há diferença significativa entre os dois tipos de anestesia durante a realização de cirurgia cardíaca.

A maior limitação da metanálise é que a confiabilidade dos resultados pode ser limitada pela qualidade dos estudos que foram incluídos na revisão.

A iniciativa internacional denominada PRISMA (*Preferred Reporting Items for Systematic Reviews and Meta--Analyses*) *Statement* (http://www.prisma-statement.org) é um conjunto de 27 itens e um diagrama de fluxo de quatro fases para reportar adequadamente as revisões sistemáticas e metanálises.[20] Deve-se destacar também a obrigatoriedade, por periódicos de impacto, de registro prospectivo das revisões sistemáticas no banco de dados internacional denominado PROSPERO (https://www.crd.york.ac.uk/prospero/), assim que o protocolo da pesquisa esteja pronto e antes que a extração de dados seja iniciada.

REFERÊNCIAS

1. Houaiss A, Villar M de S. Dicionário Houaiss da Língua Portuguesa. 1ª ed. Rio de Janeiro: Objetiva, 2001. p. 200.
2. Curi PR. Principais tipos de pesquisa nas ciências biológicas. In: Metodologia e Análise da Pesquisa em Ciências Biológicas. 2ª Ed. Botucatu: Gráfica e Editora Tipomic, 1998. p. 27-40.
3. Campana AO, Padovani CR, Iaria CT, et al. Pesquisa clínica. In: Investigação Científica na Área Médica. São Paulo: Editora Manole Ltda, 2001. p.125-52.
4. Greenhalgh T. How to Read a Paper. The Basics of Evidence Based Medicine. 6th ed. Hoboken, NJ: John Wiley & Sons, 2019, 272p.
5. Munn Z, Peters MDJ, Stern C, et al. Systematic review or scoping review? Guidance for authors when choosing between a systematic or scoping review approach. BMC Med Res Methodol. 2018;18:143.
6. Cummings SR, Newman TB, Hulley SB. Delineando um estudo observacional: estudos de coorte. In: Hulley SB, Cummings SR, Brower WS, et al. Delineando a pesquisa clínica. 2ª ed. Porto Alegre: Artmed, 2003. p.113-25.
7. Newman TB, Browner WS, Cummings SR, et al. Delineando um estudo observacional: estudos transversais e de caso-controle. In: Hulley SB, Cummings SR, Browner WS, et al. Delineando a Pesquisa Clínica. 2ª ed. Porto Alegre: Artmed, 2003. p.127-45.
8. Buehler AM, Ascef BO, Oliveira Júnior HÁ, et al. Rational use of diagnostic tests for clinical decision making. Rev Assoc Med Bras. 2019;65:452-9.
9. Dawson B, Trapp RG. Desenhos de estudos em pesquisas médicas. In: Bioestatística básica e clínica. 3ª ed. Rio de Janeiro: McGraw-Hill Interamericana do Brasil Ltda, 2003. p. 7-20.
10. Malta M, Cardoso LO, Bastos FI, et al. Iniciativa STROBE: subsídios para a comunicação de estudos observacionais. Rev Saúde Pública. 2010;44:559-65.
11. Cuschieri S. The STROBE guidelines. Saudi J Anaesth. 2019;13:S31-4.
12. De Oliveira LF. Planejamento científico. Rev Bras Anestesiol. 1990;40:83-90.
13. Cummings SR, Grady D, Hulley SB. Delineando um experimento: ensaios clínicos I. In: Hulley SB, Cummings SR, Browner WS, et al. Delineando a pesquisa clínica. 2ª ed. Porto Alegre: Artmed, 2003. p.165-79.
14. Grady D, Cummings SR, Hulley SB. Delineando um experimento: ensaios clínicos II. In: Hulley SB, Cummings SR, Browner WS, et al. Delineando a pesquisa clínica. 2ª ed. Porto Alegre: Artmed, 2003. p.181-201.
15. Altman DG, Schulz KF, Moher D, et al. The revised CONSORT statement for reporting randomized trials: explanation and elaboration. Ann Intern Med. 2001;134:663-94.
16. Butcher NJ, Monsour A, Mew EJ. Guidelines for reporting outcomes in trial reports. JAMA. 2022;328:2252-64.
17. Hearst N, Grady D, Barron HV, et al. Pesquisas com dados existentes: análise de dados secundários, estudos suplementares e revisões sistemáticas. In: Hulley SB, Cummings SR, Browner ES, et al. Delineando a Pesquisa Clínica. 2ª ed. Porto Alegre: Artmed, 2003. p. 225-44.
18. El Dib R. Guia prático de Medicina Baseada em Evidências. 1a ed. São Paulo: Cultura Acadêmica, Editora UNESP, 2014, 122p.
19. Antibas PL, do Nascimento Junior P, Braz LG, et al. Air versus saline in the loss of resistance technique for identification of the epidural space. Cochrane Database Syst Rev. 2014;18;7.
20. Page MJ, McKenzie JE, Bossuyt PM. The PRISMA 2020 statement: an update guideline for reporting systematic reviews. BMJ 2021;372:n71.

228

Estatística Básica Aplicada

Gabriel Magalhães Nunes Guimarães ▪ Helga Bezerra Gomes da Silva

SOBRE A ESTATÍSTICA BÁSICA

A estatística é a ciência de coletar, organizar, analisar, interpretar e apresentar dados, dominada pelos bacharéis em estatística. Ela é complementada pela ciência de dados, que associa técnicas estatísticas com técnicas da computação e engenharia da informação.

É importante destacar que a estatística não se limita a descrever dados e a fazer testes de hipóteses. As pesquisas são processos complexos que envolvem o planejamento do tamanho da amostra da pesquisa, dos dados a serem coletados, do método da coleta de dados, da organização dos dados, da segurança dos dados, da interpretação dos resultados e da apresentação dos resultados ao público. Por estes motivos, a incorporação de profissionais da estatística à equipe de pesquisa, desde a fase de planejamento, traz resultado significativamente superior.

Neste capítulo, tentaremos oferecer conhecimento básico, especialmente para a correta interpretação de análises estatísticas, o objetivo não é ensinar estatística intermediária ou avançada.

▪ ESTATÍSTICA, CIÊNCIA DE DADOS E INTELIGÊNCIA ARTIFICIAL

Há alguns anos, o termo ciência de dados (assim como cientista de dados) ganhou espaço nas mídias, assim como sua associação com as técnicas de inteligência artificial. Apesar de não ser um campo novo, esse destaque se deve ao desenvolvimento resultante do aumento do poder computacional dos últimos anos.

De acordo com a ASA (American Statistical Association), os limites entre os cientistas de dados e os estatísticos é indefinido. Isso ocorre porque, apesar de serem grupos de cientistas distintos (estatísticos de um lado, cientistas da computação do outro), o conhecimento e descobertas convergiram, especialmente na área de modelagem.[1]

Os estatísticos iniciaram a modelagem com modelos matemáticos simples, como regressões lineares, e avançaram até modelos complicados, como os de análises de componentes principais, modelos lineares generalizados mistos (GLMM), GARCH (Generalized Autoregressive Conditional Heteroskedasticity) e modelos de equações estruturais (MEE).

Os modelos estatísticos focam nas inferências, não em prever resultados em dados futuros, enquanto os modelos de aprendizagem de máquina focam em performance na previsão de dados futuros a partir de variáveis preditoras. Os modelos estatísticos não dividem as amostras em amostras de treinamento e amostras de testes, como os modelos de aprendizagem de máquina.

Modelos estatísticos e de *machine learning* são duas abordagens distintas para a análise e interpretação de dados. Enquanto a estatística tradicional se baseia na teoria da probabilidade e se concentra em inferências a partir de amostras de dados e testes de hipóteses, o *machine learning* utiliza algoritmos para identificar padrões e fazer previsões a partir de grandes conjuntos de dados. A principal distinção reside no objetivo: a estatística procura entender e explicar as relações entre variáveis, enquanto o *machine learning* busca otimizar a previsão e a classificação através do "aprendizado" a partir dos dados.

Ao fazer modelos de aprendizagem de máquina, o foco não é interpretar os componentes do modelo, é apenas prever com precisão. É por isso que é comum alguns pesquisadores dizerem que existem "caixas pretas" em modelos como redes neurais artificiais com muitas camadas (*deep learning*). Estes modelos permitem análises mais complexas e isso torna possível a captura de padrões de associações não lineares entre as diversas variáveis envolvidas, o que é uma vantagem. Por outro lado, trazem riscos significativos como o superajuste. Como é muito difícil detectar e corrigir diretamente as causas desses superajustes (pela ininteligibilidade dos modelos pela leitura humana), técnicas indiretas como a validação com amostras novas e independentes são essenciais. As diferenças entre as abordagens são bem discutidas na literatura.[2]

Vamos, para fins didáticos, elencar tarefas de estatística básica para uma pesquisa de qualidade para os dias atuais:

- plano de manejo de dados;
- plano antecipado de análise estatística;
- estatística descritiva;
- estatística inferencial frequentista;
  - o que é o valor "p"?
- estatística inferencial bayesiana;
- modelagem estatística (redes de conhecimento, modelos preditivos).

PLANO DE MANEJO DE DADOS

Ele é realizado antes do início da coleta de dados e é registrado em plataformas independentes, com rastro de auditoria, para garantir a transparência e qualidade da pesquisa.

Esta etapa, hoje recomendada pelos grandes periódicos, é composta pela compilação em um documento oficial elaborado pelos pesquisadores dos principais dados relacionados a transparência e qualidade dos dados coletados. Ela pode ser realizada com auxílio de ferramentas gratuitas como DMPTool (https://dmptool.org/).

Os principais dados esperados para um plano de manejo de dados são divididos em categorias, de acordo com o DMPTool, como mostramos no Quadro 228.1.

Quadro 228.1 Informações mais importantes de um plano de manejo de dados.

Coleta de dados	Documentação sobre os dados
- Que tipo, formato e volume de dados? - Os formatos e *softwares* escolhidos permitem o compartilhamento e o acesso a longo prazo aos dados? - Há algum dado existente que você possa reutilizar? - Quais padrões ou metodologias você utilizará? - Como você estruturará e nomeará suas pastas e arquivos? - Como você lidará com as versões? - Quais processos de garantia de qualidade você adotará?	- Que informações são necessárias para que os dados sejam lidos e interpretados no futuro? - Como você irá capturar/criar essa documentação e metadados? - Quais padrões de metadados você usará e por quê?

Questões éticas	Guarda dos dados e cópias de segurança
- Você irá obter consentimento para a preservação e compartilhamento dos dados? - Como você protegerá a identidade dos participantes, se necessário? Por exemplo, através da anonimização. - Como os dados sensíveis serão tratados para garantir que sejam armazenados e transferidos com segurança? - Quem é o proprietário dos dados? - Como os dados serão licenciados para reutilização? - Existem restrições sobre a reutilização de dados de terceiros? - O compartilhamento de dados será adiado/restringido, por exemplo, para publicar ou buscar patentes?	- Você possui armazenamento suficiente ou precisará incluir cobranças por serviços adicionais? - Como os dados serão salvos em backup? - Quem será responsável pelo backup e recuperação? - Como os dados serão recuperados em caso de um incidente? - Quais são os riscos para a segurança dos dados e como eles serão gerenciados? - Como você irá controlar o acesso para manter os dados seguros? - Como você garantirá que colaboradores possam acessar seus dados de forma segura? - Ao criar ou coletar dados em campo, como você garantirá sua transferência segura para seus principais sistemas protegidos?

Preservação dos dados	Compartilhamento dos dados
- Quais dados devem ser retidos/destruídos por motivos contratuais, legais ou regulatórios? - Como você decidirá quais outros dados manter? - Quais são os usos previsíveis dos dados para pesquisa? - Por quanto tempo os dados serão retidos e preservados? - Em qual repositório ou arquivo, por exemplo, os dados serão armazenados? - Haverá custos para o repositório ou arquivo de dados? - Você incluiu no orçamento o tempo e o esforço necessários para preparar os dados para compartilhamento/preservação?	- Como os potenciais usuários ficarão sabendo dos seus dados? - Com quem você compartilhará os dados e sob quais condições? - Você compartilhará os dados por meio de um repositório, lidará com solicitações diretamente ou usará outro mecanismo? - Quando você disponibilizará os dados? - Você buscará obter um identificador persistente para seus dados? - Que medidas você tomará para superar ou minimizar restrições? - Por quanto tempo você precisa de uso exclusivo dos dados e por quê? - Será necessário um acordo de compartilhamento de dados (ou equivalente)?

Outras responsabilidades

- Quem é responsável por implementar o Plano de Gerenciamento de Dados (PMD) e garantir que ele seja revisado e atualizado?
- Quem será responsável por cada atividade de gerenciamento de dados?
- Como as responsabilidades serão distribuídas entre os parceiros em projetos de pesquisa colaborativa?
- A propriedade dos dados e as responsabilidades pelo gerenciamento de dados de pesquisa farão parte de algum acordo de consórcio ou contrato acordado entre os parceiros?
- É necessária experiência especializada adicional (ou treinamento para a equipe existente)?
- Você precisa de *hardware* ou *software* que seja adicional ou excepcional em relação à provisão institucional existente?
- Os repositórios de dados cobrarão taxas?

Práticas inadequadas de Análises de Dados

Existem incontáveis formas inadequadas de análises de dados, como HARKing, ocultação injustificável de parte da análise (*Cherry Picking*), manipulação de valores-p (*P-Hacking*) e análises exploratórias (*Data dredging*, mineração de dados). A seguir, um comentário sobre as principais práticas inadequadas de análise de dados.

HARKing

Este termo vem do Inglês *Hypothesizing After the Results are Known* (sem equivalente em português), é uma prática na qual os autores criam hipóteses apenas após saber os resultados das análises, mas como se essas hipóteses já existissem antes das análises. Uma analogia interessante: seria como atirar flechas em uma parede e apenas depois colocar os alvos de forma que as flechas pareçam atingir grande pontuação.

Estas hipóteses *post-hoc* trazem elevados custos para a ciência e para a sociedade, de acordo com Rubin,[3] por exemplo: traduzir erros do Tipo I em teoria; falhar no critério de Popper de refutabilidade; disfarçar acomodações como previsões; não comunicar informações sobre o que não funcionou; adotar licenças estatísticas injustificadas; apresentar um modelo impreciso da ciência; incentivar "ajustes" em outras áreas cinzentas; tornar os pesquisadores menos receptivos a descobertas serendipitosas; favorecer a adoção de teorias estreitas e vinculadas ao contexto; incentivar a retenção de teorias demasiadamente amplas; inibir a identificação de hipóteses alternativas e, por fim, violar os princípios éticos de honestidade e transparência.

Ocultação injustificável de parte da análise (*Cherry Picking*)

Conforme o termo sugere, a prática envolve a omissão de resultados que não corroboram ou que contradizem as afirmações que os autores desejam defender. Esse tipo de abordagem também se manifesta na escolha seletiva de estudos a serem incluídos em revisões sistemáticas. Esta manipulação pode distorcer os resultados de uma pesquisa, levando a conclusões tendenciosas. Ela minimiza falhas e amplifica indevidamente os impactos positivos de certas decisões ou descobertas. Por exemplo, em uma análise sobre revisões sistemáticas, houve uma mudança nos desfechos da gabapentina em relação à dor e à depressão: de positivo para não significativo e de fortemente positivo para apenas moderadamente positivo.[4]

Manipulação de valores-p (*p-hacking*)

Essa é uma prática frequente na qual os pesquisadores tentam manipular os valores-p com dados reais usando artifícios como seleção de dados sem motivação adequada (exceto manipular os valores-p) e coleta adicional de dados até que um valor-p satisfatório ocorra. Essa prática é resultante, provavelmente, da pressão por produção (necessidade de publicar) associada a um conhecimento incompleto da interpretação dos valores-p por pesquisadores e/ou editores de periódicos.

Análise exploratória

Apesar de já ter sido regra em pesquisas no passado e ensinada em muitas escolas de estatística, a análise exploratória viola diversos pressupostos modelo de Neyman-Pearson que serão discutidos mais adiante, e hoje a maioria dos autores considera análises exploratórias como má prática estatística. Essa prática aumenta a probabilidade de encontrar falso-positivos, associações espúrias e abre margem para a manipulação posterior das pesquisas com a finalidade única de publicar algo. É muitas vezes associada com ocultação injustificável de parte da análise, e estas devem ser planejadas antecipadamente, registradas e fazer sentido.

▪ PLANO ANTECIPADO DE ANÁLISE ESTATÍSTICA

O grande motivo da necessidade (que tende a se tornar exigência, norma) dos planos antecipados e registrados de análises estatísticas são a transparência, a reprodutibilidade e a oportunidade de diminuir diversas práticas inadequadas de análises de dados, como as citadas anteriormente.[5]

O plano de análise estatística deve idealmente ser registrado em plataforma de acesso público, idôneo e com rastros de auditoria. Ele pode ser registrado em plataformas especializadas como RPubs.com, mas também pode ser anexado em plataformas de registro de pesquisas como o ClinicalTrials.gov e a plataforma REBEC.

É possível encontrar diversos guias diferentes para a elaboração de planos de análises estatísticas. Recomendamos que esse plano seja elaborado em trabalho conjunto com estatístico antes do início da coleta de dados, porém, se isso não for possível, sugere-se que ao menos que um bom guia seja usado, como o presente na EQUATOR Network.[6]

▪ ESTATÍSTICA DESCRITIVA

A estatística descritiva é extremamente útil para o anestesiologista. Nós trabalhamos com diversas representações estatísticas em monitores multiparamétricos e estamos acostumados a interpretar dados a partir de médias, tendências e gráficos. Além de permitir análises mais completas e intuitivas que quando lemos os testes de hipóteses apenas, a estatística descritiva pode também nos permitir detectar falhas grosseiras da estatística analítica.

A primeira informação importante é dividir a estatística descritiva em numérica e gráfica. A estatística descritiva numérica trata de descrever os dados em parâmetros, organizados em tabelas. Esses parâmetros podem ser de:

- ▪ tendência central média, mediana e moda;
- ▪ dispersão: desvio-padrão, variância, intervalo interquartis e amplitude.

A moda é uma medida especialmente útil nas situações em que há apenas valores discretos e em quantidade pequena nas quais precisamos "apostar" em um valor para maximizar os resultados. Ela é mais usada nas pesquisas de gerenciamento. A média é a medida de tendência central mais usada, é muito útil para descrever amostras com distribuição simétrica e amostras muito grandes. A média é essencial para algumas distribuições paramétricas. A mediana é mais usada em situações com distribuição não paramétrica.

Assim como ocorre com as medidas de tendência central, algumas medidas de variabilidade são mais úteis nas situações em que pressupõe-se alguma distribuição paramétrica específica: desvio-padrão e variância. Para descrever dados em que não se dispõe de distribuição paramétrica, o intervalo interquartil e a amplitude são mais adequados. Serão abordadas, mais adiante neste capítulo, as distribuições paramétricas e não paramétricas.

■ DESCRIÇÕES GRÁFICAS

O número de tipos de gráficos existentes é desconhecido e cresce com o tempo. É importante saber ler e entender alguns tipos de gráficos mais importantes para compreender resultados de pesquisas em anestesiologia.

Diagrama de Caixas (Box-plot), Violino e de Erro

Diagramas de caixas e violinos são usados para representar distribuições de valores numéricos contínuos em um ou mais grupos/subgrupos, passando detalhes como mediana, amplitude e quartis. É comum usar ambos os diagramas combinados, com o diagrama de caixa representado dentro do diagrama de violino. Em estatística básica, é preciso conhecer a anatomia dos diagramas de caixa, como mostrada na Figura 228.1.

Nos diagramas de caixa, o retângulo fechado representa região na qual metade dos dados da amostra está concentrada, e a linha que divide esse retângulo em dois representa o valor central da amostra, a mediana (não confundir com a média). Duas linhas prolongadas a partir do retângulo mostram a extensão dos valores até o primeiro quartil menos uma vez e meia o intervalo interquartil (IQR), e o terceiro quartil mais uma vez e meia o intervalo interquartil (IQR). Na maioria dos casos essa extensão compreende todos os dados, porém, há situações em que alguns valores ficam situados ainda mais extremos que isso, conhecidos também como *outliers*, que são valores que devem ser excluídos ou ignorados muitas vezes por representaram ou exceções ou erros na coleta de dados (Figura 228.2).

Os diagramas de violinos servem também para mostrar a distribuição dos dados numéricos contínuos por categoria, porém, eles detalham ainda mais a distribuição dos dados, pois a largura do violino em cada valor é proporcional à presença daquele valor, mostrando não só os quartis, mas a distribuição de todos os valores. Um diagrama de violino partido ao meio pode representar, por exemplo, aproximadamente, a curva de distribuição dos valores. Ambos os diagramas são complementares.

É importante não confundir diagramas de caixas com gráficos conhecidos como diagramas de erros (*error plot*, Figura 228.3), pois, neste último, o centro pode algumas vezes representar a média, em outras, a mediana, e os limites podem representar um ou dois desvios-padrões, intervalos de confiança ou mesmo outros valores. Os diagramas de erros são usados para representar medidas repetidas, nas quais cada momento representa uma categoria que se quer representar.

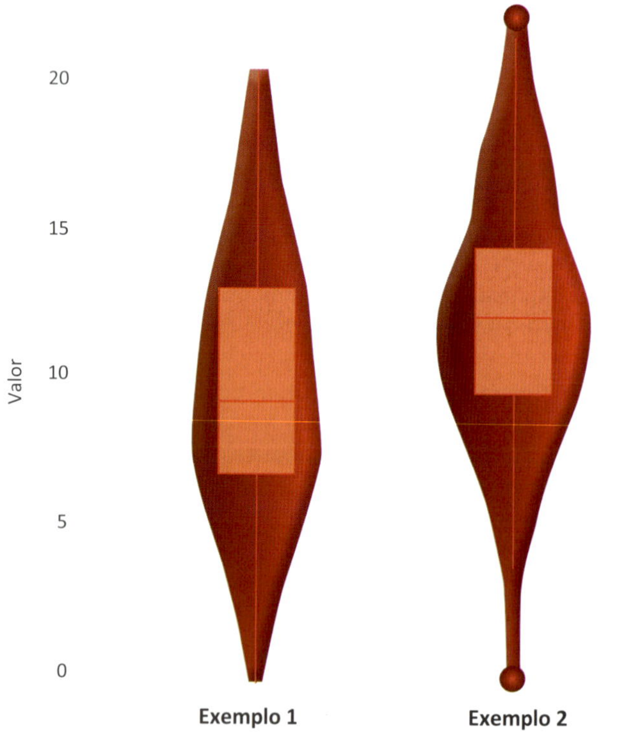

▲ **Figura 228.1** Dois exemplos de diagramas de caixas (parte interna) e os seus equivalentes do tipo violino (parte externa).

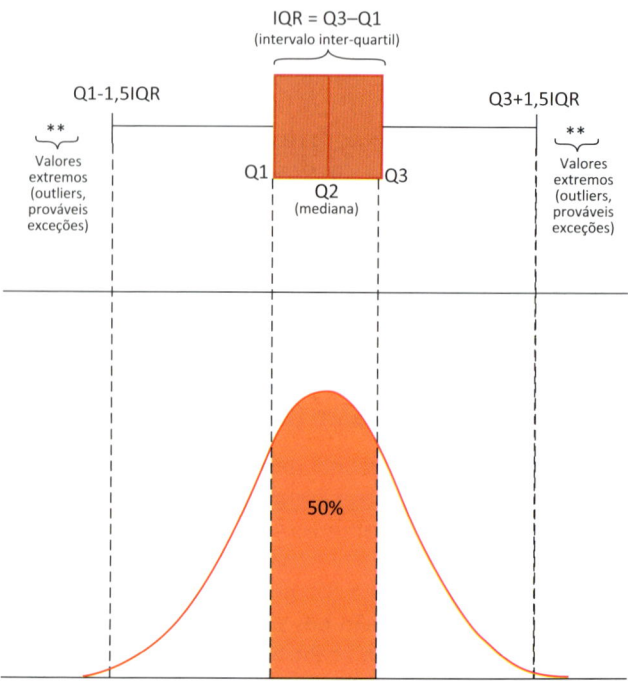

▲ **Figura 228.2** Anatomia de um diagrama de caixa.

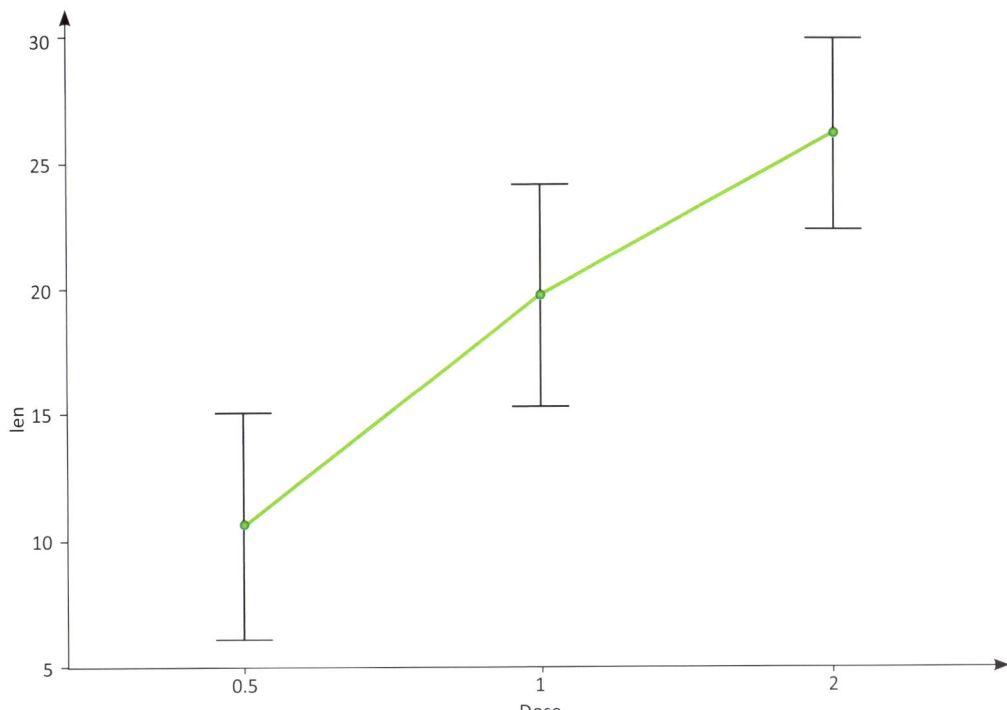

▲ **Figura 228.3** Exemplo de gráfico de erros (*error plot*).

■ GRÁFICOS DE DISPERSÃO E DE LINHAS

Esses são representações visuais da relação entre duas variáveis numéricas contínuas na qual cada ponto representa o valor numérico das variáveis. É comum que esses gráficos contenham também linhas de tendência que repre-

sentam o valor médio esperado para cada valor da variável independente (Figura 228.4).

A visualização desses gráficos pode nos ajudar tanto a encontrar relações exageradas, como os superajustes, quanto relações existentes, mas que não foram detectadas pelos testes estatísticos (Figura 228.5).

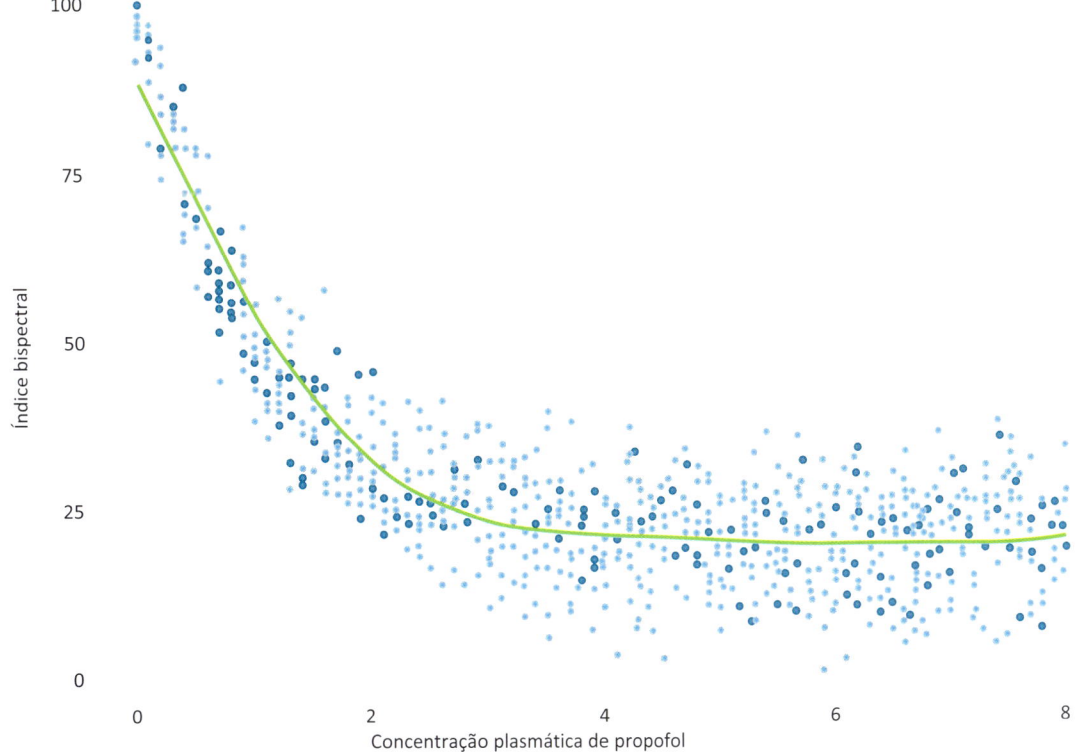

▲ **Figura 228.4** Exemplo hipotético de gráfico de dispersão com linha de tendência.

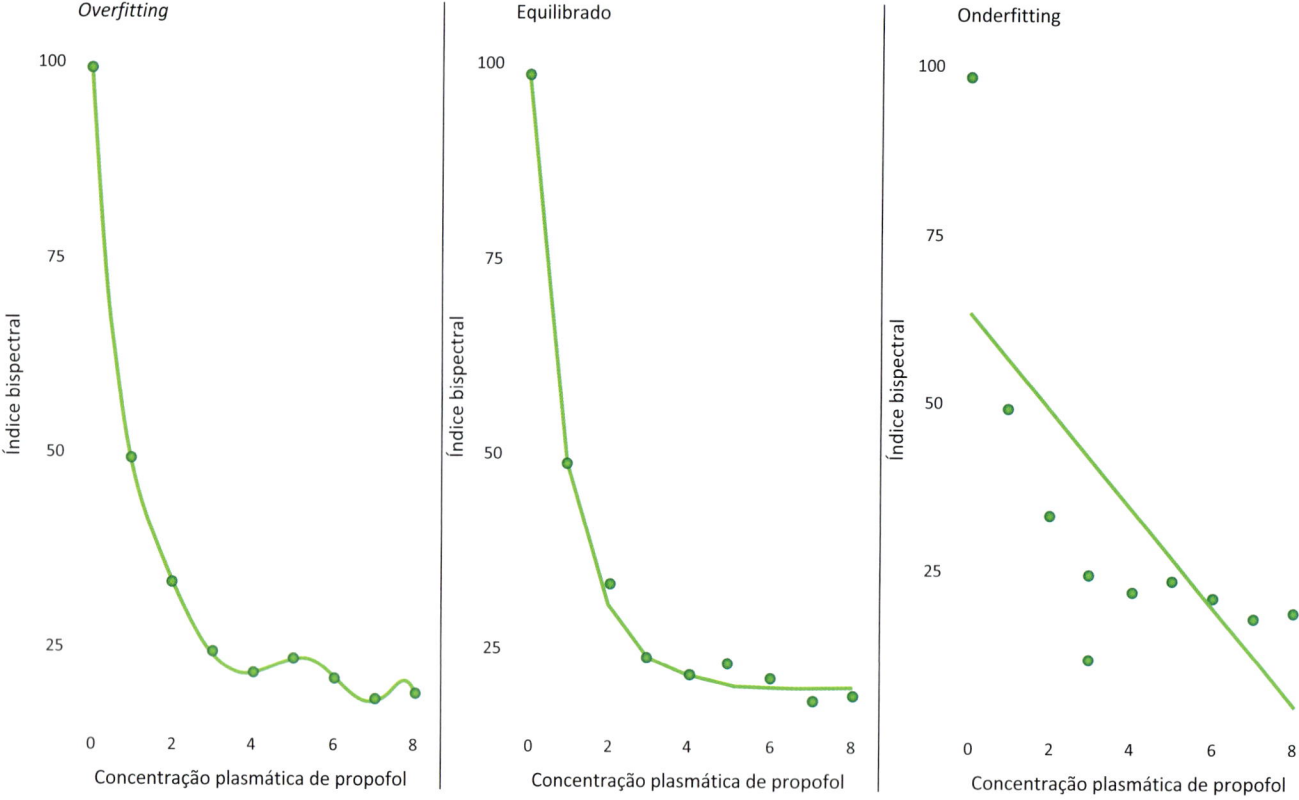

▲ **Figura 228.5** Exemplos de modelos com superajuste (*overfitting*), modelo adequado (equilibrado) e modelo insuficientemente ajustado (*underfitting*) para a mesma série de dados.

É preciso se atentar porque, em situações de ajuste inadequado do modelo, pode-se concluir erroneamente que não existe relação entre as variáveis, quando na verdade ela existe. É por esse motivo que deve-se desconfiar de análises de relação entre duas variáveis numéricas quando a relação gráfica não for também publicada.

Curvas ROC

Curvas receptor-operador são curvas que representam o balanço entre sensibilidade e especificidade de um modelo ao variar o ponto de corte para a decisão. A área abaixo da curva ROC (também conhecida como estatística-c) é um valor que representa a média de acerto do modelo e ela pode variar entre 50% e 100% (ou 0,5 e 1). Matematicamente, se uma área abaixo da curva ROC for menor que 50% (ou algum ponto estiver abaixo da linha da identidade), significa que houve erro na aplicação do modelo, que os autores fizeram algo errado, pois não faz sentido, e é preciso desconfiar fortemente da análise dos dados. Também deve-se desconfiar de curvas ROC muito suaves, arredondadas, pois podem representar aproximações e não a realidade (Figura 228.6).

Gráfico de funil

Esses são gráficos comuns e importantes para revisões sistemáticas com metanálises, que representam, respectivamente, o risco de viés da seleção dos estudos (seja pela seleção dos autores, seja pela seleção das revistas) e a variabilidade de um desfecho nos estudos selecionados.

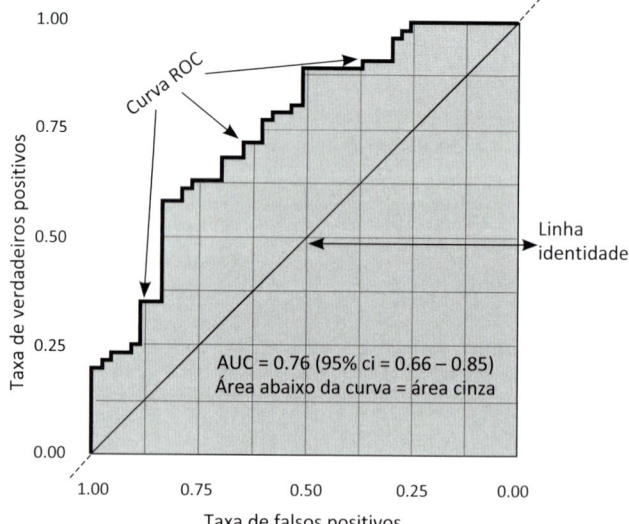

▲ **Figura 228.6** Anatomia de uma curva ROC típica.

Gráficos de funil são gerados com o tamanho do efeito (geralmente na escala de logaritmo) no eixo x e a precisão do estudo (geralmente o inverso do erro padrão) no eixo y. Na ausência de viés, o gráfico deve ter a forma de um funil, pois estudos menores (com menor precisão) devem estar distribuídos igualmente em ambos os lados do efeito médio, que é representado por estudos maiores (com maior precisão). A assimetria no gráfico pode indicar viés de publicação, em que estudos com resultados não significativos ou negativos são menos propensos a serem publicados.

Na Figura 228.7 têm-se os seguintes componentes do gráfico em funil:

- linha vertical pontilhada no centro: esta linha representa a medida de efeito global (média ponderada) da metanálise. Neste caso, parece estar centrada em zero;
- linhas diagonais pontilhadas: estas são as linhas do "funil" e representam os intervalos de confiança esperados para cada estudo, assumindo que não há heterogeneidade entre os estudos. Elas mostram onde esperamos que a estimativa de cada estudo esteja, considerando o seu erro padrão (ou tamanho da amostra);
- linhas verticais pontilhadas à direita e à esquerda: estas linhas adicionais podem indicar alguma medida de precisão ou limites específicos de interesse para a análise, tal como limites de significância.

Os pontos no gráfico representam os estudos individuais incluídos na metanálise, com a posição horizontal

indicando a medida de efeito do estudo (como uma diferença média ou razão de chances) e a posição vertical indicando o erro padrão do estudo (ou precisão). Os pontos fora das linhas do funil podem indicar estudos que são *outliers* ou que têm um efeito maior ou menor do que o esperado pelo acaso e pelo tamanho da amostra. No exemplo da Figura 228.7, muitos pontos encontram-se fora do funil, indicando provável viés de publicação e menor confiança na metanálise.

Blobograma (*Forest Plots*, em inglês), mostram o tamanho do efeito e os intervalos de confiança de cada estudo, bem como o efeito médio combinado. Cada estudo é representado por um quadrado (o "*blob*"), cujo tamanho é proporcional ao peso do estudo na metanálise, e uma linha horizontal representando o intervalo de confiança. Uma linha vertical é desenhada no ponto onde o tamanho do efeito é zero (ou outro ponto de referência relevante) para ajudar a visualizar a direção e a significância dos efeitos. Um diamante na base do gráfico representa o intervalo de confiança dos dados combinados (Figura 228.8).

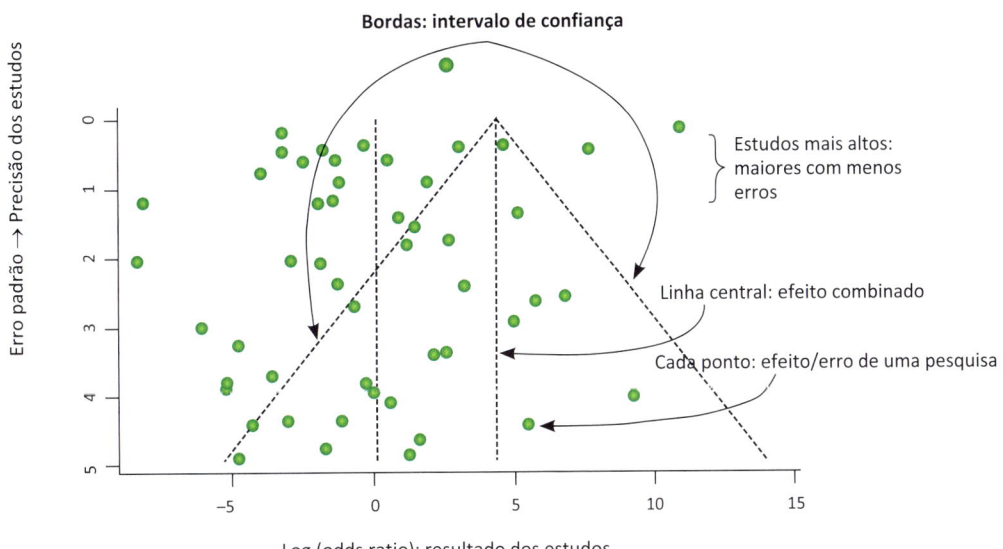

▲ **Figura 228.7** Anatomia de um gráfico em funil.

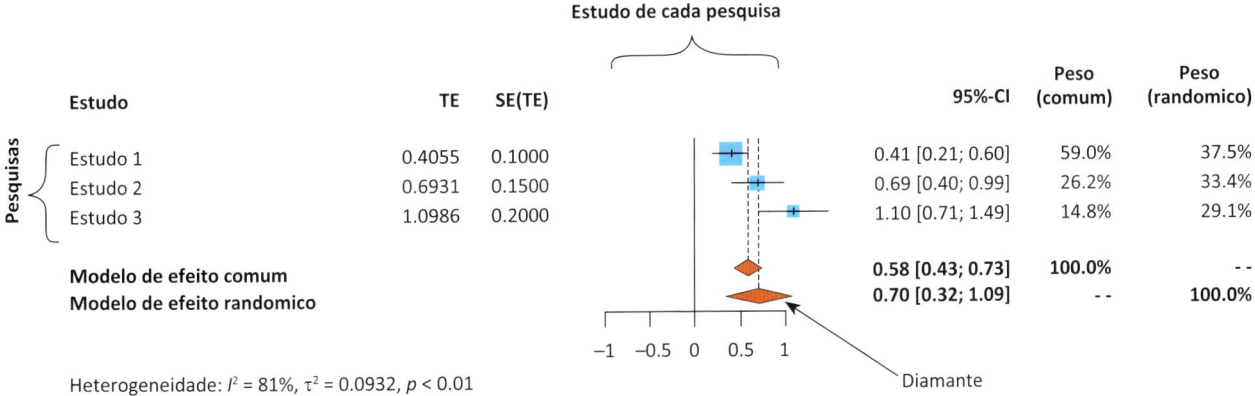

▲ **Figura 228.8** Anatomia do blobograma.

ESTATÍSTICA FREQUENTISTA

A estatística frequentista é historicamente a mais usada, é a mais prevalente nos trabalhos científicos atuais, mas não pelos melhores motivos. Foram alguns matemáticos (Ronald Fisher, Jerzy Neyman e Egon Pearson) quem desenvolveram a estatística frequentista. Fisher criou, em 1919, a análise de variância (ANOVA) para testar resultados de experimentos agrícolas.

Antes de entender o valor-p, vamos entender a hipótese nula. Imagine que você anotou a quantidade de caras e coroas de 100 lançamentos de uma moeda. Se você considerar que a probabilidade de cara é igual à de coroa, você está pressupondo a hipótese nula. Vários testes estatísticos calculam qual seria a compatibilidade do resultado que você obteve com a hipótese nula, sendo nesse caso algo próximo a 50:50 (como 48:52 por exemplo) intuitivamente bastante compatível e um resultado de 10:90, ou mais extremo, como algo mais incompatível com a hipótese nula.

O que é o valor de "p"?

De todos os conhecimentos básicos de estatística, considera-se a interpretação do valor-p como o com maior proporção de problemas de interpretação no mundo. Devido a isso, a ASA (American Statistical Association) fez uma declaração sobre o que ele é e o que ele não é.[7]

Vamos iniciar citando o que ele não é, de acordo com a própria declaração da ASA:

- valores-p não medem a probabilidade de a hipótese ser verdadeira ou falsa;
- valores-p não representam a probabilidade de os resultados terem sido produzidos pelo acaso;
- valores-p não representam o tamanho do efeito ou a importância do resultado;
- isoladamente, um valor-p não é parâmetro bom para evidenciar a favor de um modelo ou hipótese.

Muita confusão vem da mistura de dois modelos estatísticos, o de Fisher e o de Neyman-Pearson. A estatística original de Fisher se baseava em rejeitar ou não a hipótese nula, sendo o valor-p a que ele se referia realmente uma probabilidade de, dada a hipótese nula, encontrar dados iguais aos do experimento ou resultados mais extremos.

No modelo de Fisher, p = 0,06 não é muito diferente de p = 0,04, por exemplo, e quanto menores forem os valores, maior a evidência contra a hipótese nula ser a melhor explicação para os dados obtidos. O modelo de Fisher não pressupõe erro amostral ou amostra insuficiente, ele faz uma avaliação direta e pontual. Usando o modelo de Fisher pode-se concluir apenas a probabilidade de negar ou não a hipótese nula, que é a única considerada, não faz sentido falar em hipótese alternativa.

Contudo, é utilizado, hoje em dia, outro modelo que é o de Neyman-Pearson, criado para a tomada de decisão considerando o erro amostral e as possibilidades com novos dados a longo prazo. Nele não existe gradiente de significância entre os valores-p, e existe uma hipótese alternativa. No modelo de Neyman-Pearson, para uma probabilidade de erro de 5% (não confundir com nível de significância),

p = 0,06 é completamente diferente de p = 0,04, porém, p = 0,01 não difere muito de p=0,04. É no modelo de Neyman-Pearson que incluímos o tamanho do efeito, o erro tipo I e tipo II e o poder do teste. O modelo de Neyman-Pearson depende da fixação de um ponto de corte da probabilidade de erro para fazer sentido (p. ex., 0,05).

No modelo de Neyman-Pearson, duas hipóteses são comparadas, hipótese principal e hipótese alternativa, e o objetivo do modelo é determinar, numa predeterminada margem de erro, qual dos dois modelos é o mais compatível, e em resumo, o modelo de Neyman-Pearson se diferencia filosoficamente do de Fisher por incorporar a possibilidade de erro amostral. Um ponto muito importante para a interpretação correta é que as conclusões possíveis de um teste usando o modelo de Neyman-Pearson são de um modelo ser melhor que outro, ou que a possibilidade de erro amostral é muito grande para concluir com os dados considerados.

Para complicar tudo existe um terceiro modelo, o NHST (do inglês *null hypothesis significance testing*), que é um modelo que tenta misturar o Neyman-Pearson com o Fisher. Essa mistura, que ocorreu por confusões de escritores de livros de estatística, foi prevista por Fisher e era seu maior pesadelo, porém isso só surgiu após sua morte.[8] Esse modelo é considerado menos útil pelos matemáticos mais rigorosos, mas é muito utilizado nos dias de hoje. Ele, apesar de ser muito usado e de misturar de forma controversa dois modelos incompatíveis, é citado aqui porque é a origem da confusão comum na inferência estatística.[9]

A Sociedade Americana de Estatísticos define resumidamente que um valor-p é uma métrica estatística que indica o grau de incompatibilidade entre um modelo ou hipótese específica e os dados observados. Um valor-p menor sugere uma maior incompatibilidade dos dados com a hipótese nula. Valores baixos podem também refletir a incompatibilidade entre os pressupostos dos testes estatísticos utilizados e os dados, evidenciando a necessidade de cautela na interpretação e aplicação deste parâmetro.

Interpretação do Valor-p

Como o modelo mais usado na medicina é o de Neyman-Pearson, sugere-se que, na anestesiologia, os p-valores sejam interpretados da seguinte forma:

- p < probabilidade de erro alfa: os dados sugerem que provavelmente a hipótese principal e a hipótese alternativa são diferentes dentro dessa margem de erro, mas não se pode concluir sobre o tamanho do efeito, ou sobre a importância do resultado;
- p ≥ probabilidade de erro alfa: deve-se concluir com cautela, usar outros parâmetros se possível, o risco de conclusões decorrentes de erro amostral precisa ser considerado. Não se pode determinar que não existe diferença significativa entre a hipótese principal e a hipótese alternativa.

O Poder de Um Estudo

Como discutido anteriormente, o modelo de Neyman-Pearson incorpora a ideia de possibilidade de erro amostral, e uma explicação para uma margem de erro grande é uma amostra muito pequena. Não é raro que violações a protocolos não resultem em dano, e muitos anestesiologistas podem concluir empiricamente que um protocolo seja desnecessário quando ele é importante para prevenir uma complicação grave, quando a complicação é rara, como por exemplo hematoma espinal em paciente que usa anticoagulantes.

Essa conclusão baseada em uma experiência pessoal limitada carece de poder para diferenciar se o protocolo realmente é benéfico ou não, é necessário unir a experiência de muitos anestesiologistas e até mesmo de muitos centros para demonstrar de forma segura o benefício do protocolo. Traduzindo isso em linguagem estatística, a experiência de uma pessoa não tem poder suficiente para que ela chegue a uma conclusão segura. A suposta ausência de benefício é um caso de falso-negativo.

O modelo de Neyman-Pearson só faz sentido se o poder do estudo for predeterminado antes da pesquisa. Não faz sentido e traz apenas confusão o cálculo posterior do poder (após a realização da pesquisa), de acordo com o próprio Pearson. Para uma pesquisa que irá usar esse modelo (que são praticamente todas na anestesiologia que fazem análise inferencial), a predeterminação do poder é obrigatória e é determinante para o cálculo do tamanho da amostra.

O poder de um estudo é expresso em porcentual, ele indica a probabilidade de ocorrência de um falso-negativo. Apesar de a maioria das pesquisas adotarem um poder padrão de 80%, não existe valor considerado certo ou errado. Como os próprios autores descrevem, a escolha do poder deve levar em consideração o tempo e recursos disponíveis pelos pesquisadores e o risco que eles aceitam correr de não chegar a conclusão alguma (no modelo de Neyman-Pearson, uma possibilidade de resultado é de não chegar a conclusão alguma). Uma informação interessante: o poder é o complemento do erro beta, ou seja, se o poder for de 80%, o erro beta é de 20%.

Probabilidade de Erro Alfa

Mesmo com dados não enviesados, dada a natureza aleatória da entrada dos dados da pesquisa (que é um pressuposto para todas as análises fazerem sentido), assim como existe o risco de ocorrência de falso-negativos, como explicado anteriormente, também existe o risco de ocorrência de falso-positivos (erro alfa).

Como toda a análise no modelo Neyman-Pearson gira ao redor de uma interpretação de margem de erro, a probabilidade de erro alfa é central e sua determinação também é obrigatória antes da execução da pesquisa. Esse parâmetro, que é expresso em porcentual, é necessário para o cálculo do tamanho da amostra da pesquisa.

Existem algumas considerações importantes a respeito do erro alfa. O erro alfa pressupõe uma única análise estatística no estudo. Quando uma pesquisa faz duas análises, devido ao aumento progressivo de probabilidade de falso-positivos com o aumento do número de análises, caso os pesquisadores desejem manter um erro por exemplo de 5%, precisarão usar valores de erro alfa menores que 5%, e isso deve ocorrer, idealmente, antes mesmo do cálculo do ta-

manho da amostra. Uma abordagem conservadora (de Bonferroni) é você dividir o erro alfa desejado para a pesquisa como um todo pelo número de testes de hipóteses a serem executados. Então, para uma pesquisa com erro alfa de cada análise de 5% que planeja dois testes de hipóteses, o erro alfa deve ser fixado em 5%/2 = 2,5% e esse valor deverá ser usado para calcular o tamanho da amostra e como ponto de corte para decidir se há evidência a favor de uma hipótese.

Existe também a possibilidade de, ao invés de corrigir o erro alfa, corrigir os valores-p encontrados para compensar o número de análises. Existem muitas abordagens, como a de Bonferroni, que sugere multiplicar os valores encontrados pelo número de análises (o que é conservador, mas pode ser excessivo). Uma abordagem equilibrada e interessante descrita por Benjamin é o FDR (*False Discovery Rate*), disponível gratuitamente em pacotes como fuzzySim para R.[10]

Associação e Correlação

Apesar de parecerem intercambiáveis na comunicação informal, associação e correlação têm significados diferentes. Correlação é usada para dizer que existe um padrão linear entre duas variáveis numéricas. Associação é um termo mais amplo, refere-se a qualquer tipo de relação entre duas variáveis, sejam de qual tipo forem. Há uma situação especial, que é quando há uma relação entre duas variáveis numéricas que não é linear, nesse caso pode-se dizer que há uma correlação não linear.

É importante para o médico entender que o simples fato de encontrar uma correlação ou associação entre duas variáveis não implica em relação de causa e efeito. Pode tratar-se de coincidência (há diversas coincidências famosas na literatura), pode ser uma situação de causa comum (um fator não estudado afeta as duas variáveis, de forma que ambas parecem ter relação direta). Por exemplo: existe forte correlação entre a dor aguda pós-operatória e a dor persistente pós-operatória, porém, não se pode afirmar apenas com isso que a dor aguda pós-operatória interfere na persistente, pois existe a possibilidade (plausível) de um fator causar ambas (limiar individual de dor, por exemplo).

Impacto (Tamanho do Efeito)

O tamanho do efeito pode manifestar-se como uma magnitude (p. ex., um coeficiente de correlação) ou como uma diferença (tal como a discrepância nos resultados entre dois grupos). As representações mais comuns de tamanho do efeito incluem: 1 - diferenças entre médias; 2 - razão de chances; 3 - risco relativo; e 4 - correlação.

É possível argumentar que o tamanho do efeito é o resultado mais crítico de um teste de hipóteses, visto que, mesmo na presença de significância estatística, um tamanho de efeito pequeno pode indicar uma relevância mínima ou até mesmo nula do impacto de uma decisão médica, por exemplo. Idealmente, a avaliação do tamanho do efeito deve ser acompanhada do valor-p e dos intervalos de confiança, especialmente ao empregar a estatística frequentista, proporcionando, assim, uma interpretação mais robusta e informativa dos resultados estatísticos.

Intervalos de Confiança e Intervalos de Credibilidade

Intervalos de confiança são estatísticas potencialmente perigosas que se popularizaram com o modelo NHST (o modelo que mistura Fisher com Neyman-Pearson). A interpretação também é comumente errada. Para simplificar o entendimento, vamos comparar o intervalo de confiança (IC) com o intervalo de credibilidade (ICred).

A Figura 228.9 representa, visualmente, a simulação de um intervalo de confiança de 90% (IC90). A população total tem uma média de 0,1, porém não é viável obter os dados de 100% da população, por isso são realizados estudos com amostras parciais e aleatórias da população. Ao simular a realização desses estudos (foi assim essa figura foi gerada), 90% deles (9 em cada 10) vão obter um intervalo de confiança (linha azul) que irá passar pela média verdadeira da população. Quanto maior o tamanho da amostra, menor será essa linha azul. O ponto azul no centro da linha representa apenas a mediana entre os extremos desse intervalo de confiança.

Na estatística frequentista, pressupõe-se que o valor existe e é fixo, mas é desconhecido, por isso o IC não representa uma probabilidade de onde o valor se encontra. Note que um IC90 de 0,08 a 0,12 não significa que 90% da população vai ter uma média que varia entre 0,08 e 0,12. A média da população é uma só, e não se sabe, mas tem-se 90% de chance de a média verdadeira estar contida nesse intervalo.

O intervalo de credibilidade (ICred) faz parte da estatística bayesiana, mas discutida aqui apenas para ajudar no contraste entre o ICred e o IC. Esse intervalo representa a probabilidade da média ser um dos valores do intervalo, sendo máxima no centro. O IC90% é um intervalo que tem 90% de chance de conter o valor da média.

Agora, vamos comparar ambos, em um exemplo hipotético prático. Suponha que queremos saber a DE90 da concentração plasmática de propofol para induzir a perda de consciência. Ao fazer uma pesquisa, um IC90% de 2-6 significa que há 90% de probabilidade do valor que queremos estar dentro desse intervalo, mas não se sabe quantos dormiram com valores maiores ou menores. Um ICred90 de 3-5 significa que em 90% das vezes os pacientes perderam a consciência com alvo entre 3 e 5. O cálculo desses intervalos é diferente, assim como seus valores e interpretações. É comum que os ICred sejam mais curtos que os IC. Normalmente, as pessoas interpretam erroneamente o IC, raciocinando como se eles fossem ICreds (Figura 228.10).

Considerações Importantes Sobre os Valores-p

Devido à confusão da comunidade científica com o uso e interpretação dos valores-p, é crescente a demanda de

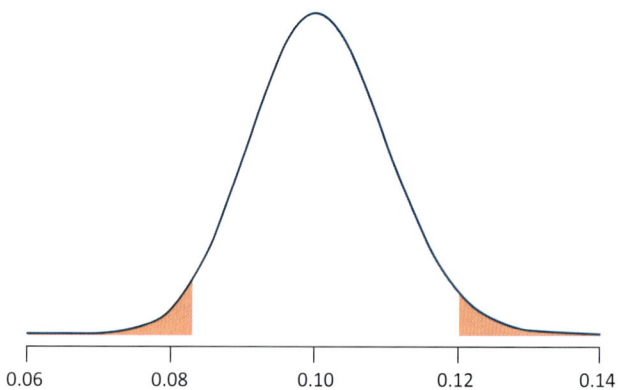

▲ **Figura 228.10** Simulação do intervalo de credibilidade.

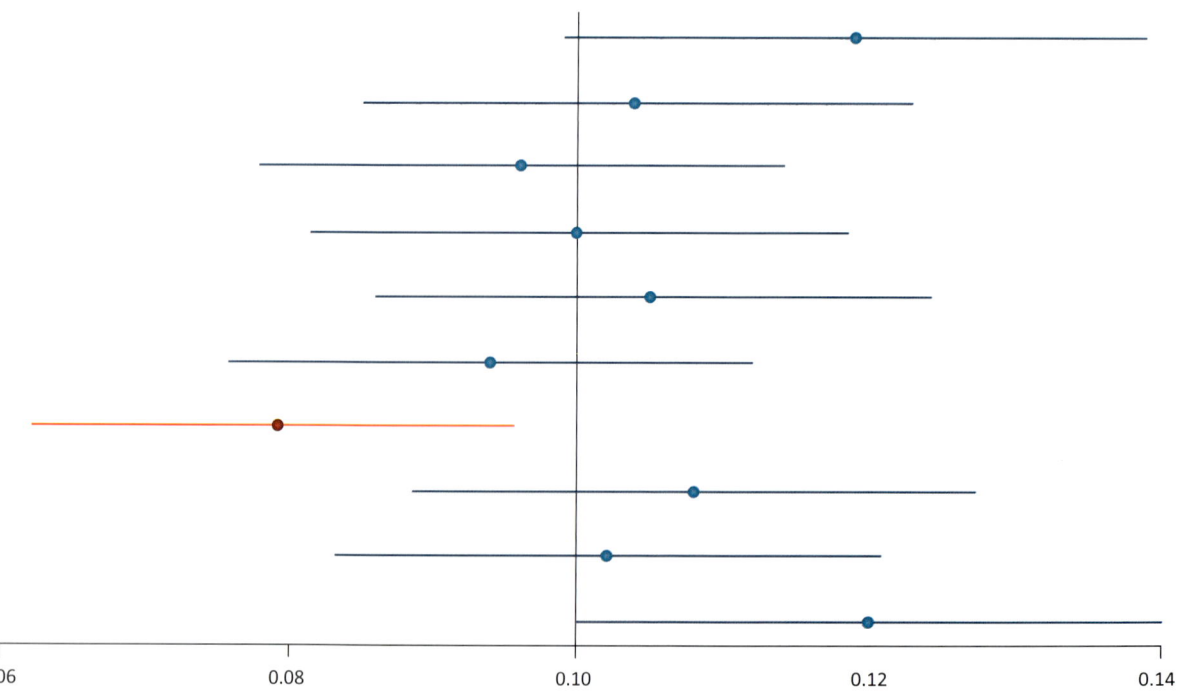

▲ **Figura 228.9** Representação gráfica de um intervalo de confiança de 90% para uma amostra cuja média empírica é de 0,1.

pesquisadores por sua substituição, como por exemplo a publicação de um documento com a assinatura de mais de 800 pesquisadores pedindo a aposentadoria da significância estatística.[11] Alguns grupos importantes já chegaram a banir o uso de valores-p e correlatos.[12]

Concordamos com a Sociedade Americana de Estatística que, apesar dos problemas de aplicação e interpretação da estatística frequentista, ela ainda é útil para a ciência e o melhor caminho é o de complementá-la, não de bani-la. Essa sociedade sugere complementar análises frequentistas com análises que enfatizem estimar ao invés de testar como intervalos de credibilidade (ao invés de intervalos de confiança) e métodos bayesianos, como fatores bayesianos.

Testes de Hipóteses

Após entender o que são os valores-p, é possível falar sobre como chegamos a eles. Os testes de hipóteses são os procedimentos sobre os dados que resultam nos valores-p, citados anteriormente.

A escolha do teste estatístico vai depender do dado da variável dependente (geralmente o desfecho) e do dado da variável independente. E isso não se refere apenas ao tipo de dado, mas também à sua distribuição.

Distribuições Paramétricas

As distribuições paramétricas são aquelas curvas que podem ser definidas em detalhe e precisão a partir de poucos parâmetros. Esses parâmetros são colocados em uma função que retorna o valor exato esperado do ponto. Por exemplo, existe uma função de distribuição que é conhecida como normal, que usa a média e o desvio-padrão como parâmetros. Se você supuser que a distribuição de alvo para perda de consciência com propofol tem média de 4 e desvio-padrão de 1, sem nenhuma planilha você pode gerar a seguinte distribuição (Figura 228.11).

Outros Tipos de Distribuição Paramétricas

Existe um grande número de distribuições paramétricas possíveis. Na Figura 228.12, são exemplificadas algumas distribuições com seus respectivos nomes e parâmetros. Note que existem também distribuições discretas (como binomial, Poisson, Bernoulli e categórica).

Caso os dados realmente possam ser considerados como pertencentes a uma certa distribuição, facilita-se muito o cálculo de diversas estatísticas, como o intervalo de

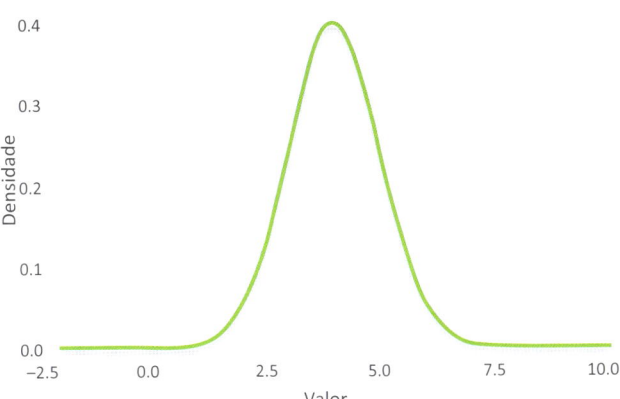

▲ **Figura 228.11** Distribuição normal usando média de 4 e desvio-padrão de 1 como parâmetros.

confiança e o cálculo de valores-p, ao comparar duas amostras, com precisão. É por esse motivo que as técnicas estatísticas paramétricas são conhecidas por serem poderosas, elas conseguem com menos dados trazer medidas precisas. Há, porém, um risco em escolher estatísticas paramétricas: é possível que a suposição da distribuição esteja incorreta e, nessa situação, os valores-p, intervalos de confiança e diversas outras estatísticas se tornam inválidos.

Se usar estatística paramétrica é tão arriscado, por que elas são historicamente as mais usadas? Porque as pesquisas no passado eram menores, assim como o poder computacional, pois a estatística não paramétrica exige além de um número maior de dados, trabalhos computacionais intensos.

São exemplos de testes paramétricos: teste t de student (distribuição-t, média, desvio-padrão e graus de liberdade), análise de variância – ANOVA (distribuição F, graus de liberdade entre os grupos) e teste de correlação de Pearson (distribuição-t, graus de liberdade). A seguir tem-se um quadro com testes paramétricos e seus respectivos equivalentes não paramétricos (Quadro 228.2):

ESTATÍSTICA BAYESIANA

A estatística bayesiana tem ganhado cada vez mais presença na anestesiologia (Figura 228.13). O British Journal of Anaesthesiology e o Anesthesiology já destacou a necessidade de uso desses modelos mais de uma vez, enquanto outros periódicos já publicaram, inclusive, manuais de como usar estatística bayesiana em anestesiologia.[13-16]

Quadro 228.2 Testes não paramétricos para substituir os paramétricos quando a distribuição da amostra não for paramétrica.	
Paramétrico	**Não paramétrico**
Teste t para amostras independentes	Mann-Whitney
Teste t pareado (exemplo: antes e depois)	Wilcoxon
Análise de variância (ANOVA) Kruskal-Wallis	
Correlação de Pearson	Correlação de Spearman

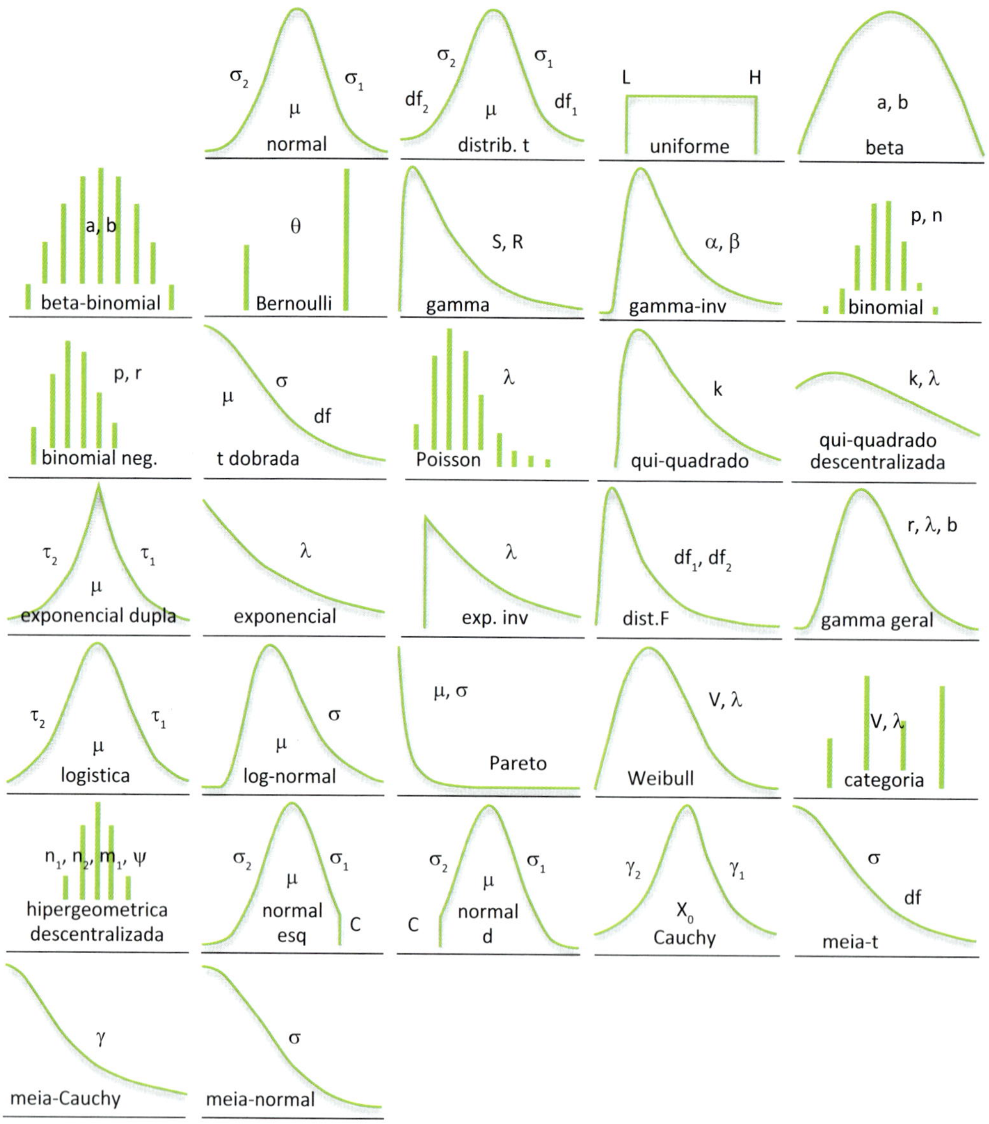

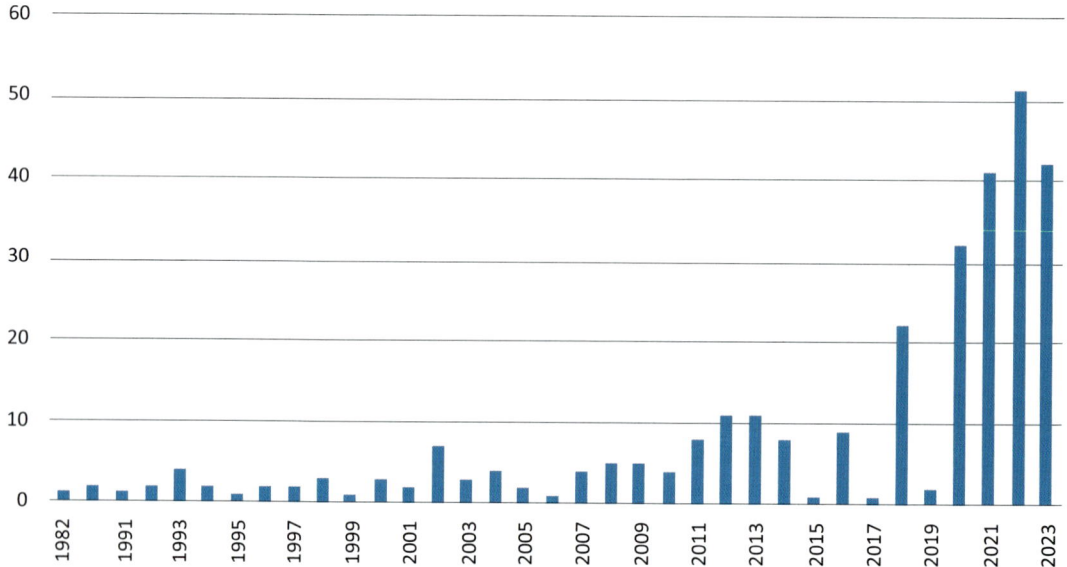

▲ **Figura 228.12** Exemplos de distribuições paramétricas.

▲ **Figura 228.13** Número de trabalhos no MEDLINE com os termos Bayes e Anesthesia por ano, até outubro de 2023.

A estatística bayesiana é a estatística probabilística em sua forma mais simples, é a mais fácil de interpretar. É comum que as pessoas interpretem resultados de estatísticas frequentistas de forma que seria correta caso se tratasse de resultados de estatísticas bayesianas. A interpretação (intuitiva, fácil e direta) da estatística bayesiana sempre foi seu ponto forte e é um dos motivos pelos qual vários movimentos acadêmicos solicitam que ela substitua de vez a frequentista.

Por outro lado, do ponto de vista de fazer as contas para realizar estatísticas bayesianas, nós enfrentamos barreiras importantes por muitos anos, enquanto várias estatísticas frequentistas eram calculáveis facilmente com lápis e papel. Apenas recentemente, com o aumento considerável do poder computacional, a estatística bayesiana tornou-se viável, pois há, algumas vezes, necessidade do cálculo de integrais multidimensionais complexas para obter distribuições *a posteriori*.

O desenvolvimento de algoritmos de amostragem eficientes, como o Metropolis-Hastings e, mais tarde, o algoritmo de amostragem de Gibbs e o Hamiltonian Monte Carlo (HMC), facilitou a estimativa de distribuições a *posteriori* em modelos complexos. *Softwares* estatísticos modernos, como Stan e JAGS, foram desenvolvidos especificamente para facilitar a análise bayesiana. O advento do *hardware* especializado, como GPUs, também facilitou a execução de cálculos bayesianos intensivos, especialmente em modelos com grandes conjuntos de dados.

Nós, anestesiologistas, haverá cada vez mais pesquisas realizadas com estatística bayesiana, o que é muito bom porque facilitará a interpretação correta delas. Por outro lado, é importante algum conhecimento básico para a interpretação completa.

Na estatística bayesiana tudo precisa estar explícito, inclusive nossa crença antes da realização do experimento, a "polêmica" distribuição *a priori*. Intuitivamente, todos nós temos crenças baseadas em nossas experiências, leitura, conhecimento obtido de um amigo ou em inferências geradas por analogia com outras situações que conhecemos. Na estatística bayesiana, incorporamos essa crença aos dados obtidos na pesquisa para calcular o novo conhecimento, chamado de evidência posterior.

Suponha, por exemplo, que você acredita que um determinado medicamento tem eficácia de 40% para reduzir náuseas e vômitos pós-operatórios. Um estatístico pode representar sua crença com uma distribuição beta com quatro casos de sucesso em dez, o que representaria uma crença relativamente fraca, mas com essa proporção. Caso você informe a ele que acha que é 40%, mas que sua crença é muito forte, ele poderia usar uma distribuição beta de 400 em 1.000. Para fins didáticos, vamos considerar que sua crença era fraca. Agora suponha que você leu uma pesquisa que evidenciou 18 casos de sucesso em 25. A estatística bayesiana atualiza seu conhecimento unindo crença *a priori* com evidência gerando a crença posterior usando o teorema de Bayes, que é representado na Figura 228.14.

Diversos autores, por outro lado, sentem-se inseguros com o impacto das probabilidades *a priori*, que são subjetivas, e com seu potencial para manipular os resultados. Toda probabilidade *a priori* deve ser justificada, ela pode ser simplesmente o conhecimento acumulado de uma ou várias pesquisas anteriores (o que pode justificar uma crença *a priori* mais intensa). Devido a essa insegurança, muitos recomendam o uso de crenças fracas a *priori* quando não temos conhecimento documentado de pesquisas anteriores ou mesmo uma distribuição *a priori* neutra, ou não informativa, na qual todas as probabilidades têm igual distribuição. Deve-se ter em mente que crenças fracas têm impacto negligível sobre evidências fortes.

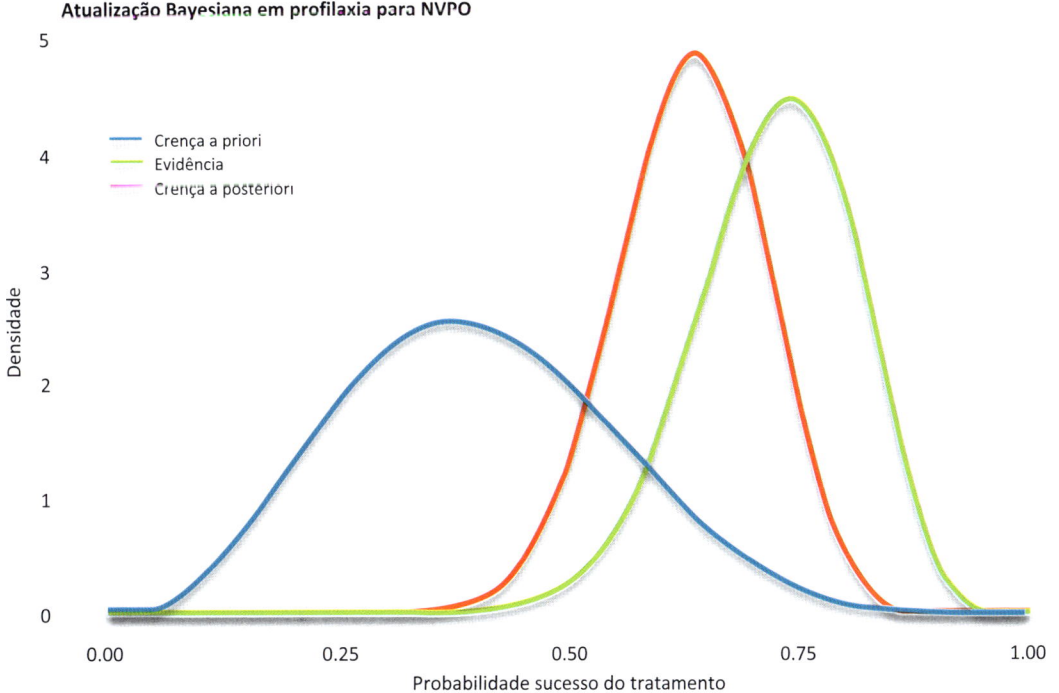

▲ **Figura 228.14** A crença fraca a *priori* de 40% é atualizada por uma evidência mais forte de 72% resultando em uma evidência atualizada (posterior) de 62%.

Fatores Bayesianos

Fatores bayesianos são as estatísticas análogas aos testes de hipóteses frequentistas. É interessante que, apesar de estarmos falando de estatística bayesiana, nesse caso especificamente, as probabilidades *a priori* não são importantes, pois ficam matematicamente anuladas.

O fator bayesiano é a razão da probabilidade marginal dos dados sob dois modelos diferentes. Em símbolos, se M1 e M2 são dois modelos, o fator bayesiano (FB) é definido como a razão entre a probabilidade dos dados (D) considerando M1 pela probabilidade dos dados considerando o M2: A interpretação direta é que se o FB for maior que 1, M1 é mais provável que M2, se for menor que 1, M2 é mais provável que M1.

Diferentemente dos valores-p, os fatores bayesianos podem ser interpretados quantitativamente de forma intuitiva, ou seja, um FB de 2 significa que os dados são duas vezes mais prováveis de serem compatíveis com M1 que com M2, por exemplo. Harold Jeffreys criou a tabela de sugestão de interpretação de fatores bayesiana mais popular na atualidade (Quadro 228.3):

Quadro 228.3 Interpretação dos fatores bayesianos de Harold Jeffreys.

Fator bayesiano (M1/M2)	Interpretação da evidência
>100	Extrema a favor de M1
30-100	Muito forte a favor de M1
10-30	Forte a favor de M1
3-10	Moderada a favor de M1
1-3	Anedótica a favor de M1
1	Nenhuma
1/3 – 1	Anedótica a favor de M2
1/10 - 1/3	Moderada a favor de M2
1/100-1/30	Muito forte a favor de M2
<1/100	Extrema a favor de M2

■ MODELAGEM

A modelagem é o conjunto de procedimentos e ferramentas para criar relações entre variáveis, geralmente três ou mais. Essa relação pode ser, por exemplo, uma função linear, como entre diâmetro do tubo adequado e idade da criança.

A modelagem pode usar desde modelos simples como regressões lineares e regressões logísticas, até modelos de inteligência artificial como redes neurais artificiais. Apesar das diferentes abordagens possíveis, existem pontos convergentes importantes para a interpretação e crítica desses modelos.

Os modelos podem ser divididos em lineares e não lineares. Nos modelos lineares, desejamos independência completa entre os preditores (variáveis independentes) em relação à variável prevista (dependente), para evitar a multicolinearidade. Por esse motivo, seria inadequado, por exemplo, incluir peso e IMC como preditores simultaneamente em uma regressão linear múltipla na maioria das intenções.

Os modelos também podem ser usados para classificação ou para regressão (prever resultado categórico ou numérico, respectivamente). Eles podem ser usados para previsão ou para entendimento da relação entre as variáveis (o que irá impactar em como eles serão gerados).

Coeficientes Valores-p dos Preditores

Um ponto em comum entre os modelos é que eles são compostos por números que relacionam preditores com variáveis previstas, que são conhecidos como coeficientes, e esses coeficientes são diretamente interpretáveis em modelos simples como o exemplo das regressões lineares. Por exemplo, a regressão linear famosa da idade para prever o diâmetro do tubo traqueal pode ser escrita hipoteticamente como (Tabela 228.1):

Tabela 228.1 Exemplo de modelo de regressão linear.

Preditor	Coeficiente	valor-p
Intercepto	4	0,001
Idade	0.25	0,001

Valor-p (modelo) = 0,01; R^2 = 0,88.

O resultado da regressão linear é a soma do produto dos preditores pelos coeficientes. Em regressões lineares, o intercepto é a constante a ser somada quando todas as outras são zero ou ausentes. Cada variável numérica tem seu valor multiplicado pelo coeficiente, e cada variável categórica recebe um valor arbitrário (p. ex., presente = 1, ausente = 0) para que seja multiplicado por seu coeficiente. Nesse exemplo, a fórmula é diâmetro = 4 + Idade*0,25 = 4 + Idade/4. Note que cada coeficiente tem associado também um valor-p. É importante que todos os coeficientes do modelo tenham valor-p significativos.

Nem todo modelo permite inferência fácil e interpretação como as regressões lineares. No extremo oposto, as redes neurais artificiais profundas, usadas para reconhecimento de imagens, são também chamadas de caixas-pretas devido à ininteligibilidade dos seus parâmetros.

Ajuste dos Modelos

Quanto maior a complexidade de um modelo, mais ele é propenso ao sobreajuste (*overfitting*). Para entender o problema do sobreajuste, imagine que seu modelo estudou as respostas de uma prova de matemática e que, ao invés de aprender a lógica para responder às questões, ele decorou a ordem das respostas. Seu modelo, olhando apenas para a performance nos seus dados, pode parecer perfeito (100% de acerto, p < 0,001 comparado a um modelo randômico), porém, ele pode apresentar desempenho ruim com questões novas.

Um modelo muito simples, por outro lado, é mais propenso ao ajuste insuficiente (*underfitting*). Devido à subjetividade na avaliação da complexidade dos modelos, a solução mais comum para avaliar o ajuste dos modelos é o uso de amostras separadas para modelagem (para guiar a criação do modelo) e para validação (para testar o modelo). São também chamados de conjunto de treinamento e conjunto de testes. Outra abordagem é a validação cruzada.

A validação cruzada é uma técnica estatística utilizada para avaliar a performance de modelos preditivos, minimizando o viés e a variância, e proporcionando uma avaliação mais robusta sobre a generalização do modelo para dados não vistos. Essencialmente, divide-se o conjunto de dados em subconjuntos (ou "*folds*") e, em seguida, realiza-se um processo iterativo no qual um subconjunto é usado para testar o modelo enquanto os outros subconjuntos são usados para treiná-lo, repetindo o processo até que cada subconjunto tenha sido usado como teste. Isso resulta em uma medida agregada de performance, proporcionando uma visão mais clara de como o modelo performará em novos dados. A validação cruzada é crucial para garantir que o modelo não esteja apenas memorizando os dados (*overfitting*), mas sim aprendendo padrões generalizáveis que podem ser aplicados a novos dados.

Calibração

Além do ajuste, devido à diferença na distribuição a *priori* das variáveis independentes e das não conhecidas entre populações, o ideal é que os modelos sejam calibrados nas populações nas quais desejamos aplicar antes do início do seu uso. Essa calibração, em geral, se refere apenas a valores de constantes do modelo e não à estrutura do modelo.

Poder de Discriminação e Comparação de Modelos

O poder de discriminação de um modelo para prever resultado numérico é comumente demonstrado com o R^2, que pode estar entre zero e um, sendo zero um modelo inútil e o um o modelo perfeito (que acerta todos os valores com exatidão). Assim como com o coeficiente de correlação, existem sugestões de classificação do R^2 (Quadro 228.4):

Quadro 228.4 Classificação popular do R^2.

R^2	Correlação
> 0,7	Forte
0,3-0,7	Moderada
0,1-0,3	Fraca
0	Inexistente

Já para resultados dicotômicos, usamos a estatística-c, ou área abaixo da curva ROC. Outras métricas adicionais são os critérios de informação de Akaike (AIC) e os critérios de informação bayesiana (BIC), que representam um balanço entre poder de discriminação e complexidade do modelo. Citando a navalha de Occam, se dois modelos têm a mesma performance, o mais simples é escolhido. Nem sempre, porém, a decisão é tão clara, pois um modelo mais complexo geralmente tem performance um pouco melhor, nessas situações, critérios como AIC e BIC ajudam a escolher o melhor.

Seleção de Preditores e Ordem de Entrada

Geralmente não é viável nem adequado inserir muitas variáveis em um mesmo modelo, sendo por isso a fase de seleção de preditores uma fase essencial para a qualidade do modelo gerado. Existem muitas formas de selecionar preditores, algumas sistemáticas e neutras (como análise bivariada com pontos de corte baseados em valor-p), outras que levam em consideração o conhecimento prévio e opinião dos especialistas na área. Não existe uma forma que seja superior à outra para a seleção dos preditores para todas as situações, mas, em geral, para modelos com maior validade externa e modelos com objetivo de gerar o entendimento da relação entre as variáveis, o conhecimento de especialistas é valioso. A multicolinearidade citada anteriormente é um aspecto crucial a ser considerado durante a seleção dos preditores (deve-se evitar colocar variáveis que tragam informações parecidas ou muito relacionadas entre si, por exemplo).

Mesmo após a seleção dos preditores potenciais, em vários modelos eles precisam entrar em uma ordem, e essa ordem influencia seus coeficientes e respectivos valores-p. Isso significa que, por exemplo, peso pode ser significativo se adicionado antes do IMC, mas pode não ser significativo se adicionado depois. Métodos populares no passado como seleção retrógrada, seleção anterógrada e seleção passo a passo, que são sistemáticas e baseadas apenas nos dados disponíveis, mostraram-se potencialmente falhas com o passar do tempo. O LASSO (*Least Absolute Shrinkage and Selection Operator*) é um método que superou muitos desses problemas e é popular hoje.

Do ponto de vista da interpretação, é importante reconhecer que um conjunto de preditores pode ser bom em uma pesquisa e não ser em outra devido a detalhes, como ordem de entrada nos modelos.

REFERÊNCIAS

1. American Statistical Association (ASA). ASA Statement on The Role of Statistics in Data Science and Artificial Intelligence. https://www.amstat.org/docs/default-source/amstat-documents/the-role-of-statistics-in-data-science-and-artificial-intelligence.pdf (2023).
2. Boulesteix AL, Schmid M. Machine learning versus statistical modeling. Biom J Biom Z. 2014;56:588-593.
3. Rubin M. The Costs of HARKing. Br J Philos Sci. 2022;73:535-560.
4. Mayo-Wilson E, et al. Cherry-picking by trialists and meta-analysts can drive conclusions about intervention efficacy. J Clin Epidemiol. 2017;91:95-110.
5. Gamble C, et al. Guidelines for the Content of Statistical Analysis Plans in Clinical Trials. JAMA. 2017;318:2337-2343.
6. Homer V, et al. Early phase clinical trials extension to guidelines for the content of statistical analysis plans. BMJ. 2022;376:e068177.
7. Wasserstein RL, Lazar NA. The ASA's statement on p-values: context, process, and purpose. Am Stat. 2016;1305:0-17.
8. Halpin PF, Stam HJ. Inductive inference or inductive behavior: Fisher and Neyman-Pearson approaches to statistical testing in psychological research (1940-1960). Am J Psychol. 2006;119:625-653.
9. Perezgonzalez JD. Fisher, Neyman-Pearson or NHST? A tutorial for teaching data testing. Front Psychol. 2015;6.
10. Benjamini Y, Hochberg Y. Controlling the False Discovery Rate: A Practical and Powerful Approach to Multiple Testing. J R Stat Soc Ser B Methodol. 1995;57:289-300.
11. Amrhein V, Greenland S, McShane B. Scientists rise up against statistical significance. Nature. 2019;567:305-307.
12. Trafimow D, Marks M. Editorial. Basic Appl Soc Psychol. 2015;37:1-2.
13. Hadjipavlou G, Siviter R, Feix B. What is the true worth of a P-value? Time for a change. Br J Anaesth. 2021;126:564-567.
14. Fronczek J, Szczeklik W. Borderline P-values in critical care trials: time for a paradigm shift. Br J Anaesth. 2022;129:e126-e128.
15. Houle TT, Turner DP. Bayesian statistical inference in anesthesiology. Anesthesiology. 2013;119:4-6.
16. Introna M, van den Berg JP, Eleveld DJ, Struys MMRF. Bayesian statistics in anesthesia practice: a tutorial for anesthesiologists. J Anesth. 2022;36:294-302.

229

Estatística Básica

Rodrigo Leal Alves

INTRODUÇÃO

"Medicina é uma ciência da incerteza e uma arte da probabilidade"

William Osler

Em 1935, Ronald Aylmer Fisher, acadêmico britânico versado nas áreas de Biologia, Genética, Matemática e Estatística, publicou um livro chamado *"The Design of Experiments"*. Essa publicação, considerada o marco inicial do emprego de conceitos estatísticos em trabalhos experimentais, introduziu as principais noções do método científico de investigação e criou as fundações da ciência moderna.[1]

No livro, Fisher propôs um experimento demonstrativo baseado em um fato corriqueiro que havia acontecido na sua vida.[1] Em um dia como qualquer outro, na *Rothasmsted Experimental Station* (instituto de pesquisa agrária na Inglaterra), onde trabalhou por 14 anos, Fisher ofereceu uma taça de chá com leite à colega ficologista Muriel Bristol. Ela declinou a oferta ao dizer que preferia o gosto da bebida quando o leite era derramado sobre o chá e não ao contrário.

Em um primeiro momento, Fisher afirmou que a ordem de preparo da bebida não deveria alterar o sabor, no que Bristol insistiu que ela podia "sim" detectar a diferença. Ao ouvir o debate, William Roach, um outro pesquisador da instituição que viria a se casar com a própria Muriel Bristol, disse: "Vamos testá-la".[2]

Assim, Fisher propôs um experimento que consistia em oito taças preparadas à parte e sem o conhecimento de Bristol. Em quatro delas, o leite seria derramado sobre o chá e em outras quatro, o chá sobre o leite. Essas taças seriam oferecidas de forma aleatória à senhora Bristol que seria, então, indagada sobre o método de preparação de cada uma delas e solicitada a identificar

e separar aquelas nas quais o leite havia sido derramado por último.[2]

Nesse momento antes do teste, Fisher, então, trouxe a ideia da hipótese nula, a conjectura básica da estatística que seria testada quanto a sua significância. Tal hipótese, seria, portanto, a premissa inicial passível de refutabilidade conforme a análise dos dados coletados. Conceitualmente, a hipótese nula não poderia ser provada ou estabelecida, mas possivelmente refutada no curso do experimento, que existiria com o objetivo de prover com os fatos a chance de contradizê-la. Para isso, a hipótese nula, qualquer que fosse, deveria ser exata, sem ambiguidade ou caráter vago que impossibilitasse a sua falseabilidade.[1]

Na ocasião do teste, Fisher propôs a hipótese nula com a premissa que a senhora Bristol não possuía a habilidade de identificar a ordem de preparo do chá e que qualquer acerto seria um mero acaso. Habitualmente, a hipótese nula assume a posição de ausência de diferença, efeito, associação e/ou correlação. A chance de acerto ao acaso nesse experimento, portanto, seguiria uma distribuição probabilística chamada de hipergeométrica (Figura 229.1), já que a computação dos números de combinações possíveis era de 70 conjuntos (1 conjunto de quatro taças com nenhum acerto, 16 conjuntos com um acerto, 36 conjuntos com dois acertos, 16 conjuntos com 3 acertos e 1 conjunto com 4 acertos).

Assim, a chance de acerto do conjunto com 4 acertos ao acaso seria de 1/70 e, se Muriel Bristol conseguisse realizar esse feito, a hipótese nula poderia ser, possivelmente, refutada com um grau de incerteza em torno de 1,4% (1/70). A descrição de Fisher desse experimento no seu livro, ainda que em menos de dez páginas, é marcada pelas definições precisas do seu desenho, da terminologia e dos cálculos, no qual o teste exato de Fisher foi usado.

Em um livro prévio, *Statistical Methods for Researchs Workers*, publicado em 1925, o próprio Fisher já havia proposto um valor de corte para limitar a significância estatística de 5% nos testes até então empregados, que correspondia a uma chance de ocorrência do resultado inesperado, caso a hipótese nula fosse verdadeira, de 1/20.[3] Isso também teria uma correspondência a aproximadamente 2 desvios-padrões em uma curva de distribuição normal. Dessa maneira, a significância estatística, qualquer que seja o teste, está relacionada à probabilidade "p" de ocorrência de um determinado valor e é obtida calculando a área sobre a curva de distribuição dessa mesma probabilidade.

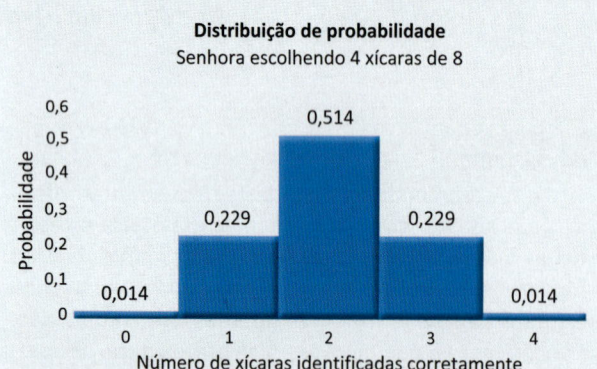

▲ **Figura 229.1** Distribuição hipergeométrica da probabilidade de identificação das xícaras de chá com leite no experimento proposto por Sir Ronald Fisher.

■ VARIÁVEIS

Trabalhos científicos propõem a discussão baseada nas análises das características de sujeitos investigados em pesquisas. Na medicina, seres humanos compõem o objeto de interesse na maioria das situações. No entanto, animais, células, tecidos, amostras laboratoriais, resultado de exames e mesmo estudos publicados, entre outros elementos, podem se tornar sujeitos de análise e investigação no decorrer de uma pesquisa científica.[4]

As características mensuráveis dos sujeitos da pesquisa são chamadas de variáveis ou dados elementares. Representam atributos individuais passíveis de observação explícita em uma escala mensurável de valores que pode, então, ser agrupados, sumarizados, apresentados e comparados de acordo com os objetivos do estudo.[4,5]

A mensuração de uma variável deve atribuir um valor numérico ou uma classificação a um determinado atributo do sujeito da pesquisa de forma clara e precisa, sem ambiguidade ou confusão. De uma maneira mais ampla e abrangente, existem duas grandes famílias de variáveis: qualitativas e quantitativas.[5,6]

As variáveis qualitativas representam as características passíveis de rotulação em classificações predefinidas. São, portanto, medições não numéricas nas quais os atributos investigados são qualificados em categorias que podem seguir uma determinada ordem (ordinais) ou não (nominais).[6] Exemplos de variáveis ordinais são aquelas nas quais um ordenamento qualitativo crescente, decrescente ou hierárquico ocorre (como em classificações em faixas etárias, faixas de peso, estado físico ou renda).

Já nas variáveis nominais, a classificação representa uma característica arbitrária distinta do sujeito sem distinção hierárquica ou de ordem (sexo, gênero, estado civil, ancestralidade). No caso da existência de apenas dois estados de classificação possíveis (sobrevida x morte; cura x não cura), as variáveis categóricas nominais são consideradas dicotômicas. Nas situações de mais de dois estados diferentes, politômicas (como tipo sanguíneo).[4]

Variáveis quantitativas são aquelas passíveis de observação numa escala de valor predeterminada e representa uma medida (contínua) ou uma contagem (discreta) e são coletadas em números.[6]

Variáveis numéricas contínuas recebem esse nome por indicar um valor num *continuum* de medição com valores equidistantes que, habitualmente, apresentam um início fixo. Os exemplos mais comuns são peso, altura e valores de resultados laboratoriais mensurados em escalas lineares próprias, com início no valor zero e que podem se situar em números não inteiros (peso de 72,5 Kg; altura de 173,2 cm; creatinina sérica de 1,12 mg.dL^{-1}).

Variáveis contínuas podem ser subdivididas de acordo com a regra de mensuração. Escalas com distâncias regulares entre as unidades, nas quais o valor zero representa uma convenção como temperatura em Celsius ou acidez em pH, são classificadas com escalas de intervalo. Mensurações nas quais existe um valor zero absoluto são chamadas de escalas de razão (peso; altura; concentração), já que a relação de multiplicidade entre dois valores fazem sentido e podem ser interpretados em inferências clínicas.[5] Dessa maneira, um indivíduo A com 100 Kg apresenta uma variável numérica contínua com uma medição que representa o dobro de um indivíduo B com 50 Kg, numa razão direta entre esses números.

Uma distinção importante é que alguns dados numéricos não devem ser necessariamente avaliados como variáveis contínuas clássicas passíveis de interpretação em razões diretas. Algumas escalas de medição de gravidade clínica ou de pontuação diagnóstica ou prognóstica não necessariamente indicam uma escala linear de correlação. Por exemplo, em uma escala hipotética para avaliação de depressão que vai de 0 a 100 (0 indicando ausência de sintomas depressivos e 100, depressão grave), um indivíduo com pontuação de 80 não necessariamente tem um quadro depressivo duas vezes pior que um indivíduo com 40 ou com duas vezes mais sintomas.[6]

Variáveis numéricas discretas são aqueles atributos passíveis de contagem direta que, habitualmente, assumem valores positivos e inteiros (idade; consumo de cigarros; número de consultas; número de dias de internação).[6] Da mesma forma que todas as outras variáveis, os critérios de mensuração devem ser predeterminados e claramente descritos. Por exemplo, a idade pode ser contada em número de anos, meses, semanas ou dias vividos de acordo com a característica da população a ser estudada. Embora a escala em anos seja a mais comum, ela certamente não será a mais apropriada em pesquisas realizadas com crianças recém-nascidas.

Em algumas situações específicas, de acordo com os objetivos da pesquisa, variáveis numéricas podem ser convertidas em variáveis categóricas e interpretadas como tal. Por exemplo, em um determinado estudo, os autores podem estar interessados no efeito de uma determinada intervenção em diferentes faixas etárias. Assim, a variável discreta "idade", coletada inicialmente em número de anos vividos, pode ser transformada em categorias ordinais de intervalos representativos das fases de vida de um indivíduo (< 18 anos, entre 18 e 60 anos e > 60 anos) classificando-o como criança, adulto ou idoso. Um outro exemplo seria definir um ponto de corte de um exame laboratorial mensurado num *continuum* para classificar os sujeitos de uma pesquisa como portadores, ou não, de uma determinada doença ou estado de saúde (variável dicotômica).

▪ ESTATÍSTICA DESCRITIVA

O primeiro passo para entender e dar sentido a uma pesquisa é a sumarização dos dados coletados. Assim, os valores individuais de cada variável coletada são analisados no seu conjunto para que inferências populacionais sejam feitas a partir da amostra estudada. A estatística descritiva é, portanto, a fase inicial do processo que atribuirá valores representativos do conjunto de dados.[5]

Variáveis Qualitativas

No caso de variáveis qualitativas, a representação amostral ou populacional do conjunto de dados é, habitualmente, realizada com proporções. De uma maneira geral, o número de observações com um determinado rótulo é relativizado com o número total de observações para descrever a variável em questão. Se um determinado estudo investiga a ocorrência de uma doença em uma amostra representativa, sua descrição será a proporção de indivíduos doentes entre a totalidade das observações. Se 1.000 indivíduos foram analisados e 400 apresentavam o estado de saúde em questão, podemos dizer que esta ocorria em 400 de 1.000 sujeitos ou em 40% da amostra. Embora seja natural pensar em termos de probabilidade, que apresenta uma computação semelhante, o entendimento desse número na estatística descritiva é de proporcionalidade. A depender da variável e do tipo de estudo, essa proporcionalidade pode também ser discutida como risco.[4]

Um exemplo de como essa representação de variáveis categóricas na descrição de um estudo pode apresentar diferentes interpretações, se dá em trabalhos prospectivos que medem desfechos. Em uma pesquisa de acompanhamento de uma determinada situação para avaliação de um determinado desfecho, sexo e estado civil podem ser representados em números absolutos e relativos de ocorrência e representam dados demográficos dos indivíduos da amostra. A representação proporcional da ocorrência

do desfecho ao longo do estudo (número de desfechos/número total de participantes) dará uma ideia de risco de desenvolvimento deste. Esse risco pode ser calculado para a população como um todo ou entre indivíduos com diferentes características, por exemplo risco entre os participantes do sexo masculino e entre aquelas do sexo feminino. Tais proporções podem então ser apresentadas e comparadas com testes estatísticos específicos.

Vale ressaltar que risco não implica necessariamente na ocorrência de um desfecho negativo, mas de um desfecho específico dentre todas as possibilidades de desfechos. Não possui um valor inerentemente ruim, pois caso esse desfecho seja sobrevida, o risco de sua ocorrência se associa com algo desejado. Observações destituídas de julgamento de caráter também podem ser entendidas, no sentido amplo da definição, como risco. Por exemplo, o risco de obtenção do valor 5 ao jogar um dado ou do lado "cara" ao jogar uma moeda.

Uma outra forma de expressar a proporção de ocorrência de um desfecho no seu universo de possibilidades se dá em "chance". Derivada da palavra inglesa "Odds", a chance de ocorrência de um determinado resultado é entendida como a relação entre a ocorrência deste com a sua não ocorrência.[4] Um exemplo clássico é a diferença entre chance e risco de obtenção de um número específico ao jogar um dado. Sabendo que o dado tem seis faces numeradas e pressupondo que a mesma taxa de ocorrência para cada um desse números seja a mesma toda vez que ele é lançado, o risco de obter o número 6 é de 1/6 (uma ocorrência entre a totalidade de ocorrências possíveis) ou 0,167% aproximadamente. Já a chance desse mesmo resultado é de 1/5 (uma ocorrência para cada cinco não ocorrências) ou 0,2.

Essa chance não é expressa com o sinal percentual e pode variar de 0 a infinito, enquanto o risco varia entre 0 e 100%. Dessa maneira, há um assimetria natural na linha de chance, já que o valor 1 corresponde a um risco de 50% de ocorrência do evento (1 evento para cada 1 não evento) e valores menores que 1 representam um risco inferior ou menor que 50%. Já valores acima de 1, indo até o infinito positivo, representam maior risco (> 50%) do desfecho em questão.

A conversão de percentual de ocorrência para sua chance respectiva, e vice-versa, pode ser realizada com duas fórmulas simples. Considerando que a chance corresponde à proporção de eventos para não eventos e que o percentual leva sempre em consideração no denominador o total de eventos possíveis, o primeiro corresponde à divisão do percentual de ocorrência pelo percentual de não ocorrência. Dessa maneira, a chance será igual ao percentual/(1 - percentual) expressos em decimais, do respectivo desfecho e, inversamente, o percentual será igual à chance/(1 + chance). Portanto, a chance de um evento com ocorrência percentual de 20% (0,2) é de (0,2/(1 − 0,2)) ou 0,25. O percentual de ocorrência de um evento com chance de 14 será de 14/(14+1), ou 93,3%.

A noção de risco e chances são muito importantes nas situações de avaliação de ocorrência de desfechos conforme a presença de fatores de exposição em diferentes indivíduos e nas situações de interpretação de exames para determinação de doença.

Na primeira situação, temos a avalição dos riscos relativos e absolutos e da razão de chances (*odds ratio*). O risco absoluto é a diferença da ocorrência percentual do desfecho, normalmente dicotômico como doença, morte, readmissão hospitalar ou cura, entre os indivíduos expostos ao fator em questão e entre aqueles não expostos. O risco relativo seria o resultado da divisão entre essas duas proporções (risco em expostosi/riscos em não expostos) e a razão de chances, o resultado da divisão das chances.[7]

Num cenário hipotético no qual pesquisadores avaliaram prospectivamente o efeito da exposição crônica ao tabagismo nas taxas de câncer de pulmão, o risco relativo entre expostos e não expostos indicaria quantas vezes mais (ou menos) o tabagismo aumentaria a taxa de ocorrência do câncer. Assim, se de 1.000 indivíduos não tabagistas acompanhados em 20 anos, 100 desenvolvessem câncer, poderíamos dizer que o risco basal desse desfecho é de 10%. Se entre tabagistas, essa ocorrência fosse de 300 em 1.000 participantes, o risco associado seria de 30%, ou seja três vezes maior que o de não tabagistas. As chances respectivas seriam de 100 ocorrências para cada 900 não ocorrências (0,11) entre os não expostos e de 300 para cada 700 (0,43) entre os expostos, o que se traduziria para uma razão de chances perto de 4 (chance 4 vezes maior para o câncer de pulmão). Tanto a razão de chances quanto o risco relativo expressam conceitos semelhantes, embora de maneira diferente, e podem variar de 0 a mais infinito, sendo o número 1 o valor de equivalência entre os grupos (riscos ou chances iguais).

Ainda na situação de desfecho *versus* fatores de exposição, a diferença absoluta do risco pode indicar números necessários para tratar ou para provocar dano (*Number Necessary to Treat* - NNT e *Number Necessary to Harm* – NNH, respectivamente).[8] Se um estudo avaliasse a taxa de cura com duas medicações diferentes, A sendo um fármaco novo e B o fármaco padrão, e houver diferença nessas taxas, o NNT será o resultado da divisão de um pela diferença absoluta da taxas de cura das duas medicações (1/(Risco A – Risco B)). Digamos que em indivíduos expostos à medicação A, a taxa de cura foi de 75% e que entre aqueles que fizeram uso da medicação B, 25%.

Nesse exemplo, a diferença absoluta do risco foi de 50% e o NNT foi de 2,0 (1 / (0,75 – 0,25)). Com base nesses números, podemos concluir que 25% dos pacientes obteriam cura independentemente da medicação utilizada e 25% não obteriam cura mesmo com a medicação A. Essas duas frações não foram afetadas pelo tipo de medicação, somente os 50% no meio (equivalente à diferença). Assim, 50% dos pacientes seriam beneficiados caso a terapia padrão fosse a medicação B e se passasse a utilizar a medicação A. Ou seja, para cada 2 pacientes tratados com essa nova medicação, 1 obteria cura em relação à terapia até então empregada. O NNH segue a mesma lógica, no entanto com o conceito de algo negativo para o paciente, como efeitos adversos ou terapias que efetivamente piorem o quadro.

Nas situações de avaliações diagnósticas e interpretação de exames, o conceito de risco e chances também tem grande utilidade prática. A determinação da acurácia diagnóstica de um determinado exame é realizada com a comparação deste com um definidor claro de doença, chamado de padrão ouro. Pode ser um outro exame com alta acurácia já demonstrada ou mesmo uma apresentação ou evolução clínica que claramente denote o estado patológico em questão.[7]

Nesse cenário, teremos o conceito de sensibilidade e especificidade. Se classificarmos os indivíduos em portadores, ou não, do estado a ser avaliado (normalmente uma doença) conforme a definição do padrão ouro e compararmos o resultado do teste diagnóstico a ser avaliado obteremos acertos, mas também erros, classificados como falso-positivos (teste positivo entre os não doentes) e falso-negativos (teste negativo entre os doentes).[7] A sensibilidade é a taxa de verdadeiros positivos, ou seja, o percentual de acerto do teste em detectar indivíduos doentes (entre os doentes, qual é o risco do teste positivar). Já a especificidade é a taxa de verdadeiros negativos, ou percentual de resultados negativos entre os não doentes (entre os não doentes, qual é o risco do teste efetivamente ser negativo). Dessa maneira, podemos concluir que 1 – sensibilidade será a representação da taxa de falso-negativos (teste negativos entre doentes) e a 1 – especificidade, a taxa de falso-positivos (testes positivos entre não doentes).[7]

A acurácia do teste será o resultado da divisão dos verdadeiros positivos e negativos pela totalidade de resultados verdadeiros e falsos e indicará o seu percentual de acerto. O chamado valor preditivo positivo, será o risco de o indivíduo apresentar efetivamente a doença quando seu teste se apresenta positivo. O valor preditivo negativo será, portanto, o risco de não ocorrência da doença entre aqueles com teste negativo. Enquanto sensibilidade e especificidade são características inerentes do teste avaliado, os valores positivos podem variar significativamente com a taxa de ocorrência prevista da doença na população avaliada. Altas prevalências costumam inflar o valor preditivo positivo e baixas prevalências, o valor preditivo negativo.[7]

Por esse motivo, razões de verossimilhança podem ser utilizadas como ferramentas para estimativa do risco de o indivíduo efetivamente ter, ou não, a doença em questão, de acordo com o resultado obtido. A razão de verossimilhança positiva é o resultado da divisão da sensibilidade (taxa de verdadeiros positivos) pela taxa de falso-positivos (1 – especificidade), ou $\frac{\text{Sensibilidade}}{1 - \text{especificidade}}$. Essa razão indica em quantas vezes a chance do indivíduo aumenta, em relação à sua chance basal, dele realmente ter a doença em caso de um teste positivo (quanto maior o valor, maior a capacidade preditiva positiva).[9]

A razão de verossimilhança negativa é o resultado da divisão da taxa de falso-negativo pela taxa de verdadeiro negativo, ($\frac{\text{Sensibilidade}}{1 - \text{especificidade}}$). Tal valor atualiza a chance inicial do indivíduo efetivamente não apresentar a doença em caso de teste negativo (quanto menor o valor, maior a capacidade preditiva negativa).[9]

Em um exemplo hipotético com um teste com sensibilidade de 90% e especificidade de 90%, o valor preditivo positivo em uma população com ocorrência estimada da doença de 20% é de 69,2% (Tabela 229.1). Caso a probabilidade pré-teste da doença seja de 40% (ocorrência estimada na população), esse mesmo valor preditivo será agora de 85,7% com as mesmas taxas de sensibilidade e especificidade. Assim, resultados positivos ou negativos devem ser encarados de acordo não só com a acurácia do teste, mas também com a chance ou risco pré-teste de ocorrência da doença.[7]

Tabela 229.1 Tabela de acurácia de um determinado teste diagnóstico.

Doença	Resultado do teste		Total	
	Positivo	Negativo		
Presente	18 D+ | T+	2 D+ | T−	20	D+
Ausente	8 D− | T+	72 D− | T−	80	D−
Total	26 T+	74 T−	100	TOTAL

A presença de doença (D+) é definida por um "padrão" ouro e comparada com o resultado do teste avaliado, seja ele positivo (T+) ou negativo (T−). A sensibilidade será a taxa de verdadeiro positivo (D+ | T+) entre os indivíduos doentes (D+), ou 18/20. A especificidade indicará a taxa de verdadeiros negativos (D- | T−) entre os não doentes (D−), 72/80. A acurácia será a taxa de acertos (D+ | T+ + D− | T−) pelo total (90/100). Já os valores preditivos serão encontrados de acordo com o resultado do teste: o positivo será a taxa de verdadeiros positivos entre todos os testes positivos ((D+ | T+) / T+) ou (18/26) e o negativo, a taxa de verdadeiros negativos entre os testes negativos ((D− | T−) / T−) ou (72/74).

Já as razões de verossimilhança não variam de acordo com a ocorrência da doença na população, já que levam em conta somente as características inerentes do teste.[9] Nesse mesmo exemplo, a razão de verossimilhança positiva foi de 9, indicando que a chance do indivíduo efetivamente estar doente aumentou nove vezes em relação ao seu valor basal. Se seu risco pré-teste, por conta de exposições a fatores de risco, era de 20%, o que implicaria numa chance de 20 para 80 (0,25), um valor positivo indicaria uma chance pós-teste de 180 para 80 (2,25).

Essa razão, também chamada de índice Bayesiano, funciona como uma ferramenta de atualização da chance pré-teste em caso de resultados positivos.[9] Obviamente que a noção de atualização do risco também acontece, mas não como um produto direto da chance pré-teste com esse índice. No cenário descrito, o valor preditivo de um teste positivo seria de 8,3% para um indivíduo com 1% de risco pré-teste de doença (chance de 1 para 99). Caso a chance pré-teste do indivíduo fosse de 10 para 90 (0,11) por conta de uma maior exposição, ou seja um risco de 10%, a chance pós-teste com o resultado positivo seria de 90 para 90 (1,0), indicando um valor preditivo positivo de 50%. O racional da razão de verossimilhança negativa leva em conta, de maneira análoga, a interpretação de resultados negativos.

Ainda no contexto de acurácia diagnóstica, a plotagem de diferentes valores de uma variável contínua como preditora ou marcadora de uma determinada doença, indicará a validade inerente de um teste ou exame para essa patologia. Essa plotagem que, habitualmente assume uma forma de curva, é chamada de *Receiver Operating Characteristic* (ROC) e é realizada com a determinação da Sensibilidade (taxa de verdadeiros positivos) no eixo γ e da taxa falso-positivos (1 − Especificidade) no eixo χ para cada valor de um teste cujo resultado seja quantificado num *continuum* (Figura 229.2). Representa, portanto, uma relação entre uma variável dicotômica, como presença ou ausência de uma doença definida por um "padrão ouro", e uma variável contínua.[10]

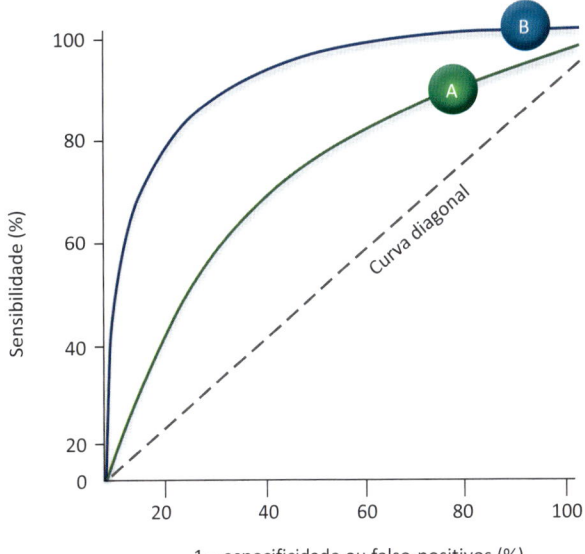

▲ **Figura 229.2** Curva *Receiver Operating Characteristic* (ROC). As linhas representam a plotagem da sensibilidade e da taxa de falsos-positivos (1 − especificidade) para todos os valores observados de uma variável contínua na detecção diagnóstica de uma doença ou situação (presença ou ausência). A linha diagonal indica incapacidade preditora, enquanto as linhas A e B representam duas variáveis contínuas distintas com diferentes performances diagnósticas (B melhor que A).

Um exemplo prático seria a determinação de um ponto de corte na pressão sistólica para definição diagnóstica de Hipertensão Arterial Sistêmica. Nessa situação teórica, a presença da patologia poderia ser confirmada pela presença de lesões em órgãos-alvo como "padrão ouro". Os valores da pressão sistólica seriam, então, plotados na curva ROC de acordo com a ocorrência confirmada da doença, taxas de verdadeiros e falsos-negativos caso cada um desses valores fosse considerado o ponto de corte.

Assim, um valor a partir de 80 mmHg, provavelmente, apresentaria uma alta sensibilidade, já que seria esperado que a quase totalidade dos pacientes hipertensos estivessem com valores iguais ou maiores, porém com uma taxa de falsos-positivos também elevada, pois um grande número de indivíduos normotensos seriam classificados erroneamente como hipertensos. Esse ponto se situaria perto do canto superior direito da curva ROC. De maneira inversa, uma definição de HAS com pressões sistólicas a partir de 180 mmHg apresentaria uma baixa taxa de falsos-positivos (valores não esperados em pessoas normais), porém se mostraria com uma sensibilidade igualmente baixa (um número significativo de hipertensos não chegaria a esse valor) e estaria plotada no canto inferior esquerdo da curva.

A área sob a curva, cujo valor máximo é um, representa a performance diagnóstica da variável contínua na determinação do estado dicotômico. Uma área perto de 0,5 tem uma conformação de curva que se assemelha a uma linha diagonal que liga o canto inferior esquerdo ao canto superior direito. Esse valor indica incapacidade diagnóstica ou preditora da variável contínua em questão. Valores acima de 0,5 indicarão alguma capacidade de distinção entre os dois estados possíveis da variável dicotômica de interesse. Assim, um área estimada em 0,75, por exemplo, indica que a variável tem aproximadamente 75% de probabilidade de indicar corretamente a situação baseada no diagnóstico definitivo com o "padrão ouro".[10]

Variáveis Quantitativas

Para as variáveis quantitativas, notadamente as contínuas, a descrição geral das observações dos participantes do estudo necessita de dois elementos básicos para o seu entendimento com um todo: a tendência central e a dispersão.

A tendência central diz respeito ao número mais frequente ou mais provável de valor para aquela variável. Representa onde estará a maior concentração de valores esperados dentro da amostra e pode ser expressa de três formas principais: moda, mediana e média. A moda é o número mais frequentemente observado entre os participantes do estudo. A mediana é representada pelo valor que está no meio de uma escala ordenada do menor para o maior valor observado na amostra. A média é o resultado da divisão da somatória de todos os valores mensurados pelo número amostral.[4]

Um exemplo prático seria um trabalho com 11 observações de pressão sistólica entre determinados indivíduos de interesse. Digamos que cada indivíduo seja identificado como X_i, sendo "i" um número representante de cada elemento da pesquisa, nesse caso de 1 a 11. Após a leitura das pressões nos participantes, os investigadores obtiveram os seguintes valores: X_1 160 mmHg; X_2 120 mmHg; X_3 110 mmHg; X_4 130 mmHg; X_5 100 mmHg; X_6 150 mmHg; X_7 140 mmHg; X_8 130 mmHg; X_9 190 mmHg; X_{10} 130 mmHg; X_{11} 200 mmHg.

A moda é o valor 130 mmHg, pois esse foi o mais observado em frequência na amostra. Para a obtenção da mediana, as mensurações são colocadas em ordem ascendente (100, 110, 120, 130, 130, **130**, 140, 150, 160, 190 e 200 mmHg) e procura-se o valor no meio desse ordenamento, no caso 130 mmHg. Quando o número de participantes (n) é ímpar, basta somar 1 e dividir por 2 ((n+1)/2) e o número resultante indicará o posicionamento do correspondente à mediana (o sexto número no ordenamento do exemplo). Quando o número de participantes for par, a mediana corresponderá à média dos valores no meio do ordenamento, que corresponderão às posições ((n/2) e (n/2) + 1). Já a média da amostra (μ) será a somatória de todos os valores ($\sum_{i=1}^{n} \chi_i$) dividido pelo número amostral . No caso em questão, 1.560 (160 + 120 + 110 + 130 + 100 + 150 + 140 + 130 + 190 + 130 + 200) dividido por 11 (n), que equivale a 141,8 mmHg.

Para a estimativa da dispersão, também existem três grandes formas de expressão baseadas nos valores extremos, percentis e variância.[4] A amplitude da amostra é entendida como a diferença absoluta entre o maior e o menor valor observados e é a forma mais simples e menos representativa deste parâmetro, por ser mais propensa a extremos de mensuração. No exemplo descrito acima, os valores extremos seriam 100 e 200 mmHg, que mostrariam uma amplitude de 100 mmHg.

Os percentis são os valores observados após o ordenamento crescente de todas as mensurações coletadas e a divisão desse ordenamento em 100 partes de mesmo inter-valo.[4] O percentil 50%, portanto, corresponde à mediana e indica que 50% dos valores na amostra estão abaixo dele e 50% está acima. Habitualmente, nesse modelo, os quartis 25% e 75% representam a dispersão em torno da tendência central (mediana ou percentil 50%).

Seguindo o mesmo exemplo supracitado e após o ordenamento crescente dos valores de pressão arterial sistólica, o quartil 25%, também chamado de primeiro quartil, estaria entre a terceira (120 mmHg) e a quarta (130 mmHg) posição e seria representado pela média desses dois números, no caso 125 mmHg. O primeiro quartil indica que um quarto de todas as observações apresentam valores abaixo de 125 mmHg e três quartos estão acima. De forma análoga, o percentil 75%, ou terceiro quartil, situa-se entre a oitava e a nona posição (que correspondem a valores de 150 e 160 mmHg respectivamente) no mesmo exemplo e é estimado em 155 mmHg. O segundo quartil seria a representação da tendência central nessa notação, já que é o equivalente do percentil 50% ou mediana.

A descrição de dispersão utilizando o conceito de percentis é, normalmente, efetuada de duas maneiras. Seja indicando o primeiro e o terceiro quartil em torno da mediana (segundo quartil) ou a distância interquartil, resultante da subtração do terceiro e do primeiro quartis.[5] Assim, no exemplo já utilizado, a expressão em percentis do valor de pressão arterial sistólica da amostra em questão poderia ser apresentada como 130(125/155) mmHg ou como 130(30) mmHg. Vale ressaltar que qualquer que seja a opção de notação, esta deve ser claramente expressa na metodologia e/ou nos resultados e tabelas do trabalho para evitar confusões.

Quando as variáveis contínuas apresentam um perfil de distribuição de seus valores aproximada à distribuição normal, a dispersão do valor médio da variável é, habitualmente, computada em Variância (σ^2). Tal parâmetro é obtido pela somatória do quadrado das diferenças de cada mensuração observada com a média, dividido pelo número amostral, no caso de estudos em populações completas (situações raras em medicina), ou pelo número amostral menos 1, adequada para estudos em amostras de população e comumente utilizados na prática científica. Matematicamente seria expressa como $\left(\frac{\sum_{i=1}^{n}(\chi i - \mu)^2)}{n-1}\right)$ e representa a média do quadro da distância de cada observação para o valor médio destas.[4] A somatória direta dessa diferença, por características matemáticas da média seria sempre 0, razão pela qual sua exponenciação é empregada. O desvio-padrão (σ) em torno da média é a raiz quadrada da variância ($\sqrt{\sigma^2}$) e terá grande utilidade na descrição da distribuição dos valores nas situações de variáveis contínuas com distribuição próxima ou semelhante à distribuição normal.[7] No caso exemplificado, a variância da pressão sistólica na amostra com 11 indivíduos é de 887,6 e o desvio-padrão, 29,79. Caso a distribuição dessa variável na amostra se aproximasse da normalidade, a descrição de sua tendência central e de sua dispersão seria expressa em média ±desvio-padrão, no caso 141,8 ±29,79 mmHg.

■ DISTRIBUIÇÕES

Uma forma de representação gráfica dos diferentes valores que uma variável contínua ou discreta pode assumir em função da sua ocorrência na população ou amostra é o histograma (Figura 229.3). Nesse modelo de visualização dos dados coletados, a frequência de cada valor mensurado é representado na ordenada (eixo γ) em barras ou colunas dispostas ao longo de faixas de valores possíveis para a variável em questão na abscissa (eixo χ). Cada barra retangular com largura dentro de um intervalo de valores da variável apresenta uma área (largura x altura) proporcional à frequência relativa da área total de todas as barras somadas. Essa proporção indica a probabilidade de ocorrência de valores dentro daquela faixa estabelecida pelo intervalo do retângulo na amostra ou população avaliada.[4]

À medida que o volume de dados aumenta, o intervalo de classes no histograma, representado pela largura de cada faixa de valores, diminui progressivamente (retângulos mais finos e altos).[6] Como visto na Figura 229.3, o gráfico da direita representa o histograma da pressão arterial sistólica

do exemplo já utilizado com 11 indivíduos, enquanto os demais representariam amostras de 100 e 300 participantes. Caso esse aumento de informação fosse indefinidamente elevado, a distribuição das frequências iria tender a uma função de densidade de probabilidades com uma curva (Figura 229.4) definida por uma equação passível de análise matemática através do cálculo infinitesimal.[6]

As funções que definem as densidades de probabilidades estatísticas de distribuição são ajustadas para que a área total sob a curva seja igual a uma unidade que corresponde a 100%.[4] Dessa maneira, uma faixa de área contida em um determinado intervalo de valores representa a fração percentual da área total sob a curva e indica a probabilidade de ocorrência dos referidos valores no universo de todos os valores possíveis para aquela variável. Probabilidade em estatística, então, é diferente de frações percentuais simples e são definidas como a área proporcional de uma faixa ou intervalo de valores contida

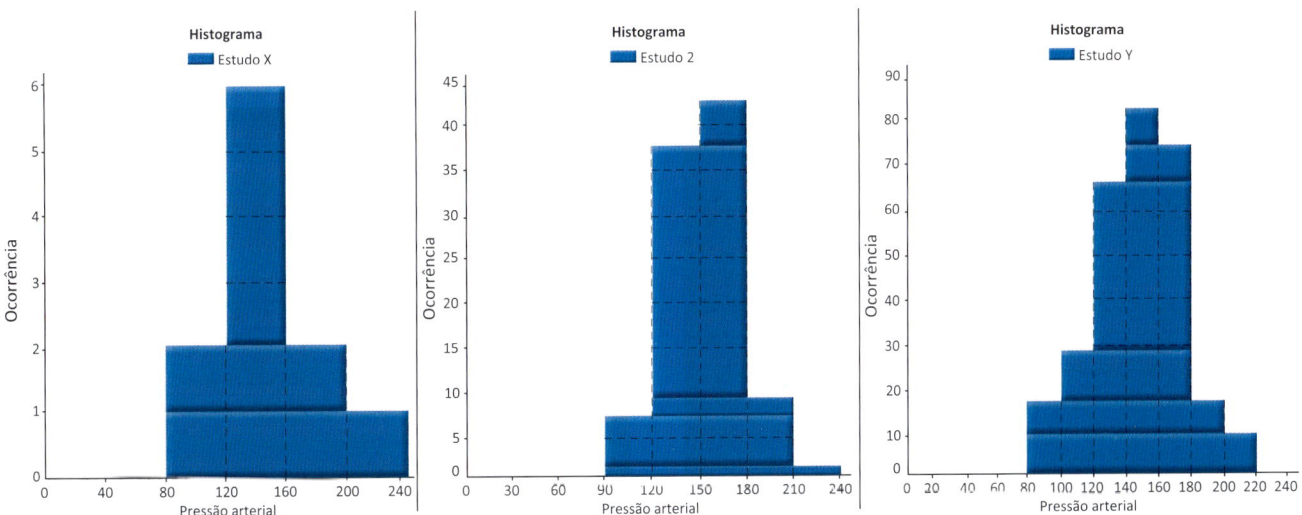

▲ **Figura 229.3** Histograma de pressão arterial sistólica em um estudo com 11, 100 e 300 indivíduos, respectivamente.

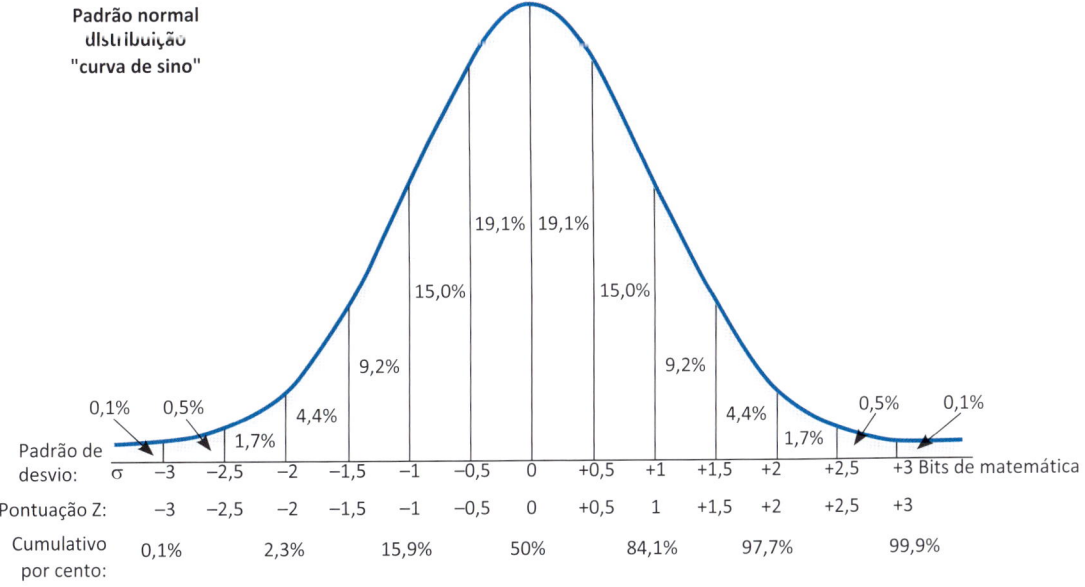

▲ **Figura 229.4** Curva de distribuição normal com as respectivas áreas de probabilidade dentro das faixas delimitadas pelo desvio-padrão e seus múltiplos.

na respectiva curva de densidade de ocorrências. Conceitualmente, indica a expectativa, em termos percentuais, de obtenção, coleta ou observação de valores dentro de uma faixa ou intervalo predefinido, dada a distribuição desses mesmos valores para uma determinada variável.

Assim, por conta das premissas do cálculo infinitesimal, a probabilidade de observação de um valor específico da variável, conforme sua curva de distribuição, é essencialmente zero, já que esse será representado por uma única linha cujo limite de largura se aproxima do zero. Isso pode ser entendido, na prática, pela imprecisão inerente de qualquer ferramenta de mensuração. Por exemplo, caso uma curva de densidade de probabilidades para pressão arterial sistólica fosse analisada, a probabilidade de sortear um indivíduo com valor de 140 mmHg é zero, pois sempre haverá uma incerteza quanto ao valor mensurado. Valores entre 139,9 e 140,1 mmHg não são exatamente iguais a 140,0 mmHg e o mesmo valeria em outros exemplos com maiores números de casas decimais já que a precisão infinita não é tangível. Dessa maneira, caso a investigação de indivíduos com pressão arterial sistólica de 140 mmHg fosse objeto de interesse, a probabilidade que ditaria a sua ocorrência na população ou amostra seria pesquisada dentro de uma faixa representativa desse valor. Por exemplo, pessoas com pressão entre 135 e 145 mmHg. Fica, portanto, evidente que quanto maior a precisão requerida, menor é o intervalo e sua largura, o que invariavelmente implica na redução da probabilidade. Uma faixa de pressão entre 139 e 141 mmHg tem uma largura, consequentemente uma área proporcional, menor que aquela entre 135 e 145 mmHg.

Uma distinção importante nesse contexto é a diferença entre probabilidade e verossimilhança. Embora esses dois termos sejam frequentemente confundidos e usados de forma intercambiada, indicam conceitos diferentes em estatística.[4] Enquanto a probabilidade é entendida como a ocorrência percentual de determinadas faixas de valores dada uma determinada distribuição de ocorrência desse parâmetro, a verossimilhança é a expectativa, em termos percentuais, de que a curva de densidade de probabilidade seja uma representação real para aquela variável, dado que um determinado valor foi observado.

A altura da ordenada em cada ponto de valor correspondente da abscissa na **Figura 229.4** indica a verossimilhança. Seguindo o mesmo exemplo já citado, no caso de uma observação ou mensuração da pressão arterial sistólica ser efetuada em um participante da pesquisa, qual seria o grau de certeza percentual de que esse indivíduo veio de uma população com uma curva de distribuição predeterminada para o parâmetro em questão. No final, os dois conceitos estão intimamente interligados, pois para a confecção de uma curva de densidade de probabilidade, múltiplas observações da variável são necessárias, cada uma delas com uma verossimilhança estimada, e a junção de todas as mensurações levará a essa mesma curva, que representa a verossimilhança máxima para o parâmetro estudado.[4]

Existem diversos tipos de curvas de densidade de probabilidade, algumas muito bem definidas, com ocorrência comum e passíveis de generalização, e outras mal definidas, sem parâmetros claros para maiores inferências. Em boa parte das situações, as mensurações de variáveis contínuas costumam apresentar uma conformação clássica em forma de sino, chamada de distribuição normal ou Gaussiana.[6]

Esse padrão de distribuição é representado por uma função matemática derivada da integral Gaussiana e ajustada para uma área sob a curva de 1 nos limites dos infinitos negativo e positivo. Por razões que fogem ao escopo do capítulo, tal distribuição ocorre naturalmente em diversas situações de amostragem aleatórias, mesmo que a variável em questão não apresente distribuição normal na população da qual ela foi coletada. Essa é a base do Teorema do Limite Central e tamanhos de amostras a partir de 30 observações, usualmente, tendem a formar esse padrão.[4]

Baseado no Teorema do Limite Central, e com a premissa de um padrão de distribuição Gaussiana, uma série de inferências estatísticas podem ser elaboradas e servirão como base dos testes estatísticos de comparação e avaliação de poder, esse último relacionado com o tamanho amostral. Como a função que delimita a curva dessa distribuição é bem conhecida e estudada ($\rho(\chi) = \frac{1}{\sigma\sqrt{2\pi}}e^{-\frac{1}{2}\left(\frac{x-\mu}{\sigma}\right)^2}$), as áreas entre diferentes faixas ou intervalos de valores definidos na abscissa (χ) são bem estabelecidas e facilmente computáveis.[4] Pela fórmula, percebe-se que a média (μ) e o desvio-padrão (σ) observados para cada variável são os únicos elementos necessários para a construção da curva de densidade de probabilidade. Também nessa curva, a média, a mediana e a moda são iguais.[4]

A partir da análise da curva normal (Figura 229.4), pode-se notar que valores entre ±1 desvio-padrão em torno da média correspondem a aproximadamente 68% do total dos valores obtidos. Uma outra forma de interpretar esse gráfico é que a probabilidade de um indivíduo da população ou amostra apresentar um determinado valor de uma variável contínua dentro dessa faixa é de 68%. Isso também vale para os múltiplos do desvio padrão. Mais ou menos dois desvios-padrões em torno da média respondem por 95,45% dos valores possíveis e ±3 desvios-padrões englobam a quase totalidade (99,7%). A abrangência de exatos 95% da área sob a curva se dá com ±1,96 desvios-padrões em torno da média.

A variabilidade entre indivíduos explica bem a ocorrência natural de curvas de distribuição que se assemelham ou são próximas da curva normal. Indivíduos diferentes apresentam valores diferentes de variáveis contínuas dentro de um limite biológico. Os valores mais frequentes estarão próximos do centro da curva no seu ponto mais alto, portanto com maior área dentro de faixas regulares, e estarão naturalmente perto da média, mediana e moda. Valores extremos, mais distantes do centro da curva, costumam ser menos frequentes e apresentam probabilidades menores de ocorrências na população.

Alguns pontos importantes sobre a curva de distribuição normal e inferências baseadas nela devem ser salientados. A descrição matemática da curva se estende do menos ao mais infinito com bordas assintóticas em relação ao eixo da abscissa. Isso quer dizer que a curva se aproxima do eixo de χ mas não o toca, o que reflete uma ordenada que será maior que zero, por mais insignificante que seja o número. Em outras palavras, valores muito distantes da média, positivos e negativos, são matematicamente possíveis, ainda que com probabilidades muito próximas a zero. Na prática, as curvas obtidas com variáveis físicas dificilmente se encaixam perfeitamente na curva Gaussiana, mas se estiverem suficientemente semelhantes ou próximas da normalidade, as inferências estatísticas podem ser efetuadas sem violação da premissa.[4]

Por exemplo, no mesmo estudo para avaliação da pressão arterial sistólica, por razões óbvias, resultados negativos, muito baixos ou excessivamente elevados não são biologicamente possíveis em indivíduos vivos. Assim, a curva construída a partir da sua mensuração em uma amostra se situará nas adjacências de faixas consideradas normais, ou mais frequentes, da população-alvo. Valores extremos ou mesmo negativos, ainda que "estatisticamente possíveis", teriam probabilidades de ocorrência desprezíveis, muito próximas ao zero absoluto.[4]

Curvas diversas podem conter algumas assimetrias com excesso de probabilidade desviado para um dos lados, chamados de *skewness* para direita (valores positivos) ou para esquerda (valores negativos), como visto na Figura 229.5.[6] Excessos que geram assimetria também podem ocorrer em torno da média (curva finas e alongadas) ou da dispersão (curvas achatadas e largas) e, nesse caso, são conhecidos

como *kurtosis* (Figura 229.5).[6] Habitualmente, variáveis biológicas apresentam algum grau de assimetria, e, em casos de grandes divergências da curva normal, outros padrões de curva, como a distribuição de Poisson, utilizada para variáveis de contagem (discretas) em determinados intervalos de tempo, são melhor aplicados, especialmente com baixos valores de contagem.[6]

Variáveis qualitativas categóricas também podem ser analisadas de acordo com sua distribuição esperada em múltiplos ensaios. Uma medida isolada de frequência relativa ou risco dará apenas a única informação, incapaz de produzir uma curva. No entanto, algumas inferências podem ser realizadas com diversas mensurações. Um exemplo clássico é o de jogar uma moeda para cima e estimar o número de vezes que o resultado de "cara" ou "coroa" vai ocorrer. Se a moeda for arremessada uma única vez, apenas um resultado ocorrerá, com risco de 50% para cada um dos desfechos (considerando que nem a moeda, nem o arremessador são tendenciosos). Será, portanto, um resultado dicotômico isolado.

Caso a moeda seja arremessada dez vezes, o risco de obtenção de cinco resultados "cara" será próximo a 25% (ponto da ordenada γ que indica a probabilidade de cada resultado e que corresponde à altura máxima da curva), com distribuição simétrica decrescente para os extremos de resultados (0 "caras" e 10 "caras") como visto na Figura 229.6.

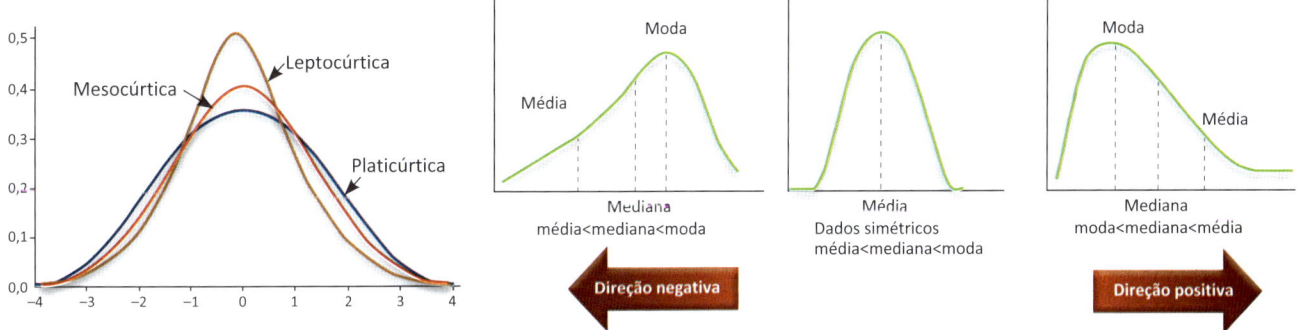

▲ **Figura 229.5** Curvas de distribuição normal (mesocúrtica) e com desvio para cima (leptocúrtica), nas quais existe um excesso de probabilidade concentrado em torno da média, e para os lados (platicúrtica), nas quais os excessos apresentam maior dispersão. À direita, curvas de distribuição com desvio para valores positivos e negativos (*skewness*).

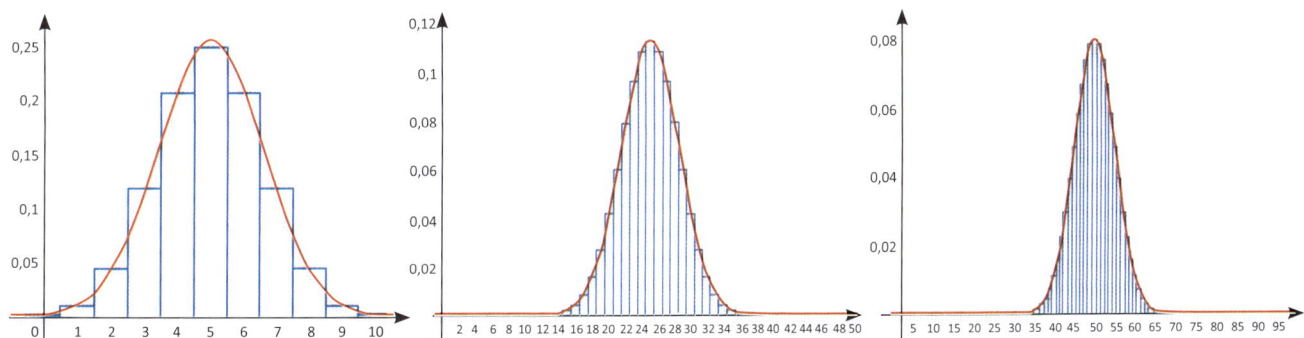

▲ **Figura 229.6** Distribuição binomial de um desfecho com 50% de risco de ocorrência de um de dois desfechos possíveis. Os gráficos mostram o risco de ocorrência de um desses desfechos na ordenada conforme o número de ocorrência desse desfecho na abscissa. Da esquerda para a direita, o número de ensaios aumenta de 10, para 50 e 100, respectivamente. A linha vermelha indica a curva de normalidade.

À medida que o número de ensaios, definidos como cada arremesso da moeda, aumenta, o gráfico de densidade de probabilidade de sucessos apresenta largura de faixas cada vez mais estreitas se aproximando cada vez mais de uma curva. O risco de obtenção do número exato equivalente a 50% será sempre o ponto mais alto no gráfico, indicando o número mais provável, mas seu percentual de ocorrência dentre todas as possíveis reduzirá progressivamente com o aumento do número de arremessos. Esse tipo de distribuição é chamado binomial e pode ser construído a partir da expectativa percentual do risco do desfecho e do número de ensaios realizados (Figura 229.7). Ele parte da premissa de múltiplos ensaios independentes (o resultado de cada ensaio não interfere com o resultado dos demais), com desfechos dicotômicos e com risco de ocorrência conhecido ou estimado.[4]

Nas situações nas quais o desfecho dicotômico tem 50% de risco de ocorrência, o gráfico tem simetria lateral e se aproxima muito de uma curva Gaussiana. Caso haja um maior ou menor risco, a curva apresentará uma assimetria natural na direção desse risco (para direita caso seja maior que 50% e para esquerda, se menor que 50%). Um outro exemplo para explicar esse fenômeno é a avaliação do sucesso de tratamento com um determinado antibiótico com eficácia conhecida de 70%. Caso 10 pacientes fossem tratados com essa medicação, uma estimativa do número de "sucessos", ou risco de cura, poderia ser estabelecida dentro dessa distribuição. Como evidenciado na Figura 229.7, há uma nítida diferença em relação às curvas de 50% e de 70% de risco com skewness para direita nessa última, mostrando que a maioria dos pacientes irá se concentrar em torno do "sucesso". A área sob a curva que delimita o risco "sucesso" ou cura de dois ou menos pacientes, se esse antibiótico fosse usado em dez indivíduos, é de aproximadamente 5,4%, o que seria muito improvável caso sua eficácia fosse de efetivamente 70%.

■ TESTES ESTATÍSTICOS

Testes estatísticos, como originalmente proposto por Sir Ronald Fisher, avaliam a probabilidade de ocorrência do re-sultado observado com o conjunto de dados coletados no estudo caso a hipótese nula seja verdadeira no mundo real. A estatística analítica, ou de inferência, assume que há sempre um grau de incerteza em torno de qualquer resultado e a expressa de forma probabilística.[11]

Como não há como testar toda uma população em estudos médicos, amostras representativas são utilizadas para a avaliação da hipótese nula. Ao se considerar a existência teórica de dois mundos conectados pela pesquisa científica, um mundo real no qual a aquisição dos dados de todos os indivíduos contidos nele é inacessível e um mundo experimental que avalia uma parcela desses sujeitos, um de quatro resultados pode acontecer. Em dois deles há acerto e os resultados da pesquisa provavelmente refletem a realidade: o experimento refuta a hipótese nula quando ela provavelmente é falsa ou o experimento não refuta a hipótese nula quando possivelmente ela é verdadeira. Os dois outros resultados possíveis implicam em erros que representam o objeto de quantificação probabilística da estatística.[12]

O primeiro erro, chamado de erro tipo 1 ou de erro α, se dá quando os dados do estudo apontam para a refutabilidade de uma hipótese nula possivelmente verdadeira no mundo real.[11] O outro erro, conhecido como erro tipo 2 ou erro β, ocorre quando a pesquisa falha em refutar uma hipótese nula que é provavelmente falsa na realidade. Como, habitualmente, a hipótese nula pressupõe ausência de diferenças, correlações e/ou efeitos entre duas ou mais variáveis, o erro tipo 1 costuma indicar uma diferença no mundo experimental que não acontece no mundo real. O inverso acontece com o erro tipo 2.[12]

A significância estatística está atrelada ao conceito de probabilidade, definida como valor de "p", da ocorrência dos resultados observados no estudo em um mundo regido pela hipótese nula. No caso descrito na Introdução, sobre o experimento proposto por Sir Ronald Fisher com a senhora Muriel Bristol, essa seria a probabilidade de acerto ao acaso das quatro xícaras nas quais o leite foi derramado sobre o chá entre oito preparadas dessa forma e na ordem inversa. A distribuição da taxa de sucessos, caso a hipótese nula (H_0) fosse verdadeira (incapacidade de detecção), semelhante a um padrão de distribuição hipergeométrica mostrava que a

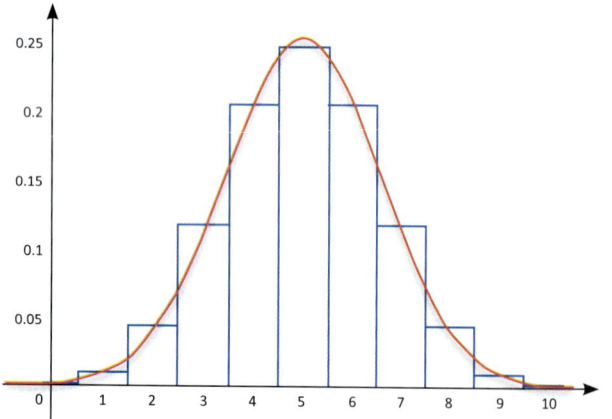
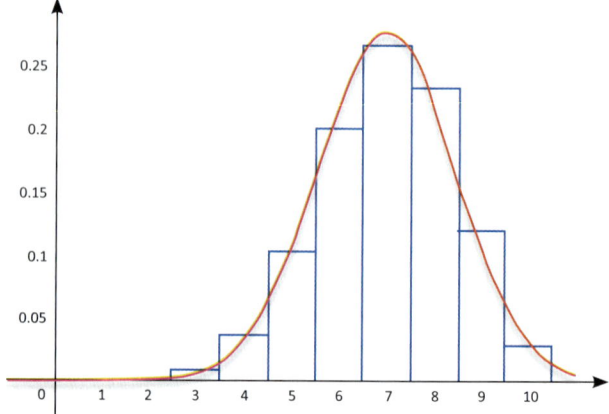

▲ **Figura 229.7** Distribuição binomial de um desfecho com 50% de risco de ocorrência para um desfecho na curva da esquerda e com 70% para o mesmo desfecho. A comparação dos dois mostra o desvio para a direita (skewness), com o aumento do risco percentual de 50% para 70%, com excesso de probabilidade em torno dos maiores valores.

área sob a curva, equivalente à área do retângulo para quatro acertos sob a área de todos os retângulos de possibilidades, era de 1,4% (Figura 229.1). O mais provável, levando em consideração a H_0, seria que a senhora Bristol acertasse entre 1 e 3 xícaras, sendo a probabilidade de acerto de 100%, ou de erro de 100%, muito baixa.

Assim, o erro tipo 1 é avaliado dentro de uma função de densidade de probabilidades e é entendido como a área sob a curva dessa função que engloba o resultado encontrado. Resultados muito próximos ao esperado pela H_0 apresentarão alta probabilidade de ocorrência, enquanto resultados muito distantes uma probabilidade muito pequena. A delimitação da zona de refutabilidade da H_0 é arbitrariamente definida em 5% ou 0,05, o que atrela o resultado a um intervalo de confiança de 95%.[11]

O conceito de intervalo de confiança, por sua vez, diz respeito à inferência de amostras repetidas. Cada vez que um estudo é realizado e variáveis sumarizadas conforme sua natureza (média, mediana, desvio-padrão, proporção) há uma incerteza inerente se os valores encontrados são realmente um reflexo da realidade da população. Dessa maneira, a estatística faz uma abstração para avaliar essa incerteza a partir da estimativa do erro padrão.[4] Como realizar múltiplas amostragens para determinação de um determinado parâmetro não é algo realista, estimativas de valores são inferidos a partir dos resultados encontrados em uma única amostra.

Se fosse viável a realização de diversos estudos para avaliar variáveis qualitativas e quantitativas com amostras diferentes de uma mesma população, veríamos resultados diferentes de médias, desvios-padrões, proporções ou qualquer outra métrica da estatística descritiva. Esses diferentes resultados também tenderiam à distribuição Gaussiana com tendência central e dispersão definidas na função que descreve a normalidade. Uma média e um desvio-padrão das próprias médias e desvios-padrões, além das proporções poderiam, então, ser estimados para a construção da curva de densidade de probabilidade de obtenção desses parâmetros na amostragem populacional.[4]

Como na prática apenas uma amostragem é realizada por estudo, com obtenção de apenas uma média ou proporção por variável, a estatística de inferência pressupõe que o valor obtido muito provavelmente estará perto do valor real conforme a probabilidade de distribuição em torno da média, das médias ou das proporções no mundo real. Pressupõe também que a variação estimada para amostragens repetidas varia inversamente com o número amostral. Essa variação é definida como erro padrão, que é equivalente ao desvio-padrão encontrado na amostra única dividido pela raiz quadrada do número amostral ($\frac{\sigma}{\sqrt{n}}$) nas variáveis contínuas. Nas variáveis categóricas, esse erro é calculado a partir da raiz quadrada da probabilidade observada da variável categórica multiplicada pela probabilidade de não ocorrência desta (1 − probabilidade) dividida pelo número amostral ($\sqrt{\frac{p(1-p)}{n}}$).[4]

Com o erro padrão estimado, teremos a dispersão esperada do valor obtido para a média ou proporção na inferência de amostragens repetidas, que segue uma distribuição normal. Essa média ou proporção ±1 erro padrão abrangeria, aproximadamente, 68% dos valores encontrados (Figura

229.4) em múltiplas amostras. A multiplicação do erro padrão por ±1,96 englobaria 95% de todos os valores que teoricamente seriam observados caso o estudo fosse repetido *n* vezes. Uma outra forma de analisar esse intervalo de confiança 95% (média ou proporção ±1,96 x seu erro padrão) seria uma abstração que em 100 amostragens distintas para a obtenção da variável em questão, o valor encontrado naquele único estudo estaria dentro da faixa intermediária de 95 delas. Ou seja, que a probabilidade no mundo real daquela média ou proporção corresponder ao valor do mundo real é de 95%.[4] No exemplo anteriormente utilizado de mensuração da pressão arterial sistólica em 11 indivíduos com média de 141,8 mmHg, com desvio-padrão de ±29,79, o erro padrão seria de aproximadamente 8,98. Ao multiplicar esse número por 1,96, o intervalo de confiança 95% da média obtida seria de 17,6 mmHg, o que quer dizer que a pressão arterial sistólica da população da qual esses 11 indivíduos foram coletados situa-se entre 124,2 e 159,4 mmHg, com uma chance de erro de 5%.

No exemplo da distribuição binomial com o arremesso de moedas (Figura 229.6), também podemos estimar o erro padrão de acordo com o número de ensaios e o risco estimado, e com isso determinar o intervalo de confiança. Partindo da pressuposição que o risco de obter uma determinada face, "cara por exemplo", é de 50%, dez ensaios (arremessos) indicarão um erro padrão de ±0,158 ou ±15,8% ($\sqrt{\frac{0,5(1-0,5)}{10}}$). Com 100 arremessos, esse erro estará estimado em ±0,05 ou ±5%. O intervalo de confiança 95% em torno do percentual de 50% seria, portanto, de ±0,309 (30,9%) para dez arremessos e de ±0,098 (9,8%) para cem arremessos (1,96 x erro padrão). Isso indica que se imaginássemos 100 estudos em que cada um deles a moeda é arremessada 100 vezes, em 95 destes estudos o número de "caras" estaria entre 40,2 e 59,8. Como um número fracionário não faz sentido nessa situação, podemos imaginar, então, que em 1.000 estudos de 100 arremessos, em 950 deles o desfecho "cara" teria uma ocorrência entre 402 e 598 vezes.

Esse último exemplo mostra como a precisão em torno do número central, ou mais provável, aumenta com o número amostral.[4] O intervalo de confiança 95% se torna cada vez mais próximo da média ou proporção com aumento do risco de diferenças em torno delas caírem na área de refutabilidade da H_0. Assim, se obtivéssemos 39 desfechos "cara" em 100 arremessos, o resultado seria significante do ponto de vista estatístico, mas a obtenção de 3 faces "cara" em dez arremessos, não.

Nas situações que a variável analisada assume uma distribuição de seus valores próxima à curva normal, transformações podem ser realizadas para escalas adimensionais para facilidade de cálculos. Uma das mais comumente utilizada em estatística é a transformação para o escore-Z, que assume uma média de 0 com desvio-padrão de ±1.[4] Tal operação parte da premissa que tanto a média quanto o desvio-padrão da variável estão na mesma unidade dimensional (por exemplo, pressão arterial em mmHg) e que a soma aritmética das diferenças de todos os valores observados menos a média será de 0 $\sum_{i=1}^{n}(\chi_i - \mu) = 0$). Dessa forma, o resultado da subtração de um determinado valor unitário da amostra da sua média indica a distância que ele se encontra em relação à tendência central. A divisão dessa subtração pelo desvio-padrão encontrado leva a um número na curva Z que indica a distância em relação à média dessa curva, no caso 0 (Figura 229.4). Para cada ponto na curva Z, há um valor da área proporcional sob a curva até o limite desse ponto.[4] Por exemplo, o valor 0 no escore Z indica uma área sob a curva de 50% do total, já que divide a curva no meio exato. O valor +1 indica uma área de 84,1%, já que engloba metade da curva e a área de mais um desvio-padrão, no caso 34,1%. Vale notar que a área de ±1 desvio-padrão é de aproximadamente 68,2% e engloba a faixa entre −1 e +1. Pontos no escore com valores decimais também apresentam suas respectivas área proporcionais e podem ser facilmente encontrados em tabelas próprias de conversão.[4]

Seguindo o exemplo da pressão arterial, imaginemos uma situação na qual os pesquisadores avaliaram 100 indivíduos e coletaram os valores de pressão arterial sistólica para comparações. Nesse estudo, a média obtida foi de 140 mmHg com desvio-padrão de ±10 mmHg. Assim, o ponto na curva Z que representa o limite da probabilidade de encontrar um indivíduo nessa amostra, e por inferência nessa população, com pressão acima de 150 mmHg é de (150 − 140)/10, ou 1. Isso indica que valores maiores ou iguais a 150 mmHg estão a uma distância positiva de um desvio-padrão da média e, a partir dos cálculos de área sob a curva para cada ponto da curva Z, a probabilidade dessa ocorrência é de aproximadamente 15,9%. Indivíduos com pressão abaixo de 120 mmHg estariam a uma distância negativa de dois desvios-padrões ((120 − 140)/10), o que representaria uma área de probabilidade equivalente a 2,3%.

Com base na inferência de amostras repetidas nesse mesmo exemplo, o erro padrão da amostra seria de $10/\sqrt{100}$ ($\frac{\sigma}{\sqrt{n}}$), ou 1,0 mmHg, o que implicaria que se esse estudo fosse repetido 100 vezes as médias encontradas estariam entre 139 e 141 mmHg em 68 deles. Para se obter um intervalo de confiança de 95%, basta multiplicar esse erro padrão por 1,96 e a mesma inferência pode ser realizada. Portanto, a explicação para um indivíduo fora da faixa entre 138,04 e 141,96 mmHg é o seu pertencimento a uma outra população com característica(s) diferente(s). Essa afirmação teria uma chance de erro tipo 1 de até 5% e só valeria caso essa duas distribuições apresentassem distribuições normais, homoscedásticas (mesma variância) e com desvio-padrão conhecido da população em questão.[12] Como dificilmente isso acontece na prática, e por conta da incerteza em torno do desvio-padrão populacional, já que trabalhamos com amostras, testes mais complexos são necessários, com avaliação dos desvios-padrões amostrais e introdução de graus de liberdade no cálculo, o que costuma aumentar o valor de "p" e mitigar a chance de erro tipo 1. Tais testes, habitualmente, avaliam a diferença das médias entre grupos e consideram uma H_0 de igualdade entre elas ($\mu_1 = \mu_2$ ou $\mu_1 - \mu_2 = 0$). O cálculo do erro padrão em torno dessa diferença depende de uma série de premissas sobre as variâncias dos grupos (possivelmente iguais ou não) e da população de onde foram coletados (conhecida ou não).[4]

A explicação detalhada de todos os testes estatísticos, com a apresentação dos diversos cálculos necessários para suas realizações, foge ao escopo do capítulo, mas o princípio básico de qualquer um deles é testar a hipótese nula e avaliar a probabilidade de ocorrência do resultado observado no estudo na premissa que essa hipótese seja a verdadeira.[4] O valor de "p" indica, essencialmente, a probabilidade em torno dessa incerteza e é obtido a partir do padrão de distribuição dessa probabilidade, esperado para cada variável.[12]

A escolha do teste estatístico apropriado depende, portanto, da pergunta que se quer responder, assim como das características das variáveis envolvidas na comparação e da premissa assumida de distribuição das probabilidades do resultado.[4]

Essa pergunta é o primeiro ponto importante da questão e vai determinar como as comparações serão efetuadas. De acordo com a informação desejada, as variáveis e comparações necessárias indicarão o teste adequado.[12]

Comparações podem ser feitas em dois, ou mais grupos, por exemplo, pacientes tratados com a intervenção *versus* pacientes-controle. Essa primeira variável é categórica e determina o grupamento dos participantes. Nessa situação, os pesquisadores podem estar interessados em comparar os valores da pressão arterial sistólica (variável contínua) e testes específicos para avaliar a hipótese nula de igualdade entre os grupos, como o teste T de Student para grupos independentes (não pareados), pode ser aplicado. Esse teste parte da premissa de distribuição normal da variável nos grupos e que estes são independentes entre si, ou seja o resultado em um grupo não interfere no resultado em outro grupo.[4]

Caso o estudo avaliasse a pressão em um grupo antes e depois do tratamento, teríamos uma variável categórica de momento (antes e depois) e a premissa de independência estaria violada, já que os resultados nos dois momentos são dependentes e cada indivíduo apresenta um par representativo (no caso a si mesmo em tempos diferentes). Nessa situação o teste T de Student para amostras pareadas seria o mais indicado (partindo também da premissa de normalidade).[4]

Caso mais de dois grupos fossem avaliados, por exemplo terapia A *versus* terapia B *versus* terapia C, e uma variável contínua dependente fosse o objeto de interesse, o teste T de Student não estaria indicado, mesmo se a premissa de normalidade fosse atendida. Nessa situação, testes como Análise de Variância (ANOVA) ou outros testes lineares mais avançados (Modelos Lineares Generalizados) estariam indicados. Independentemente do tipo de teste, algumas premissas precisam ser invariavelmente checadas para se assegurar que não foram violadas e que o resultado é confiável. ANOVA, por exemplo, requer homoscedasticidade entre os grupos, ou seja, precisam apresentar variâncias próximas para a variável contínua em questão.[4]

A própria ANOVA tem diversos modelos para avaliar situações diferentes, como grupos diversos com premissa de independência entre eles ou situações de amostras repetidas. Pode avaliar ainda o efeito nas médias de variáveis contínuas dependentes de acordo com o efeito de mais de uma variável categórica independente (*two-way* ANOVA) ou mesmo o efeito de grupos em duas ou mais dependentes contínuas combinadas (*Multivariate* ANOVA ou MANOVA).[4]

Todos esses modelos descritos como lineares de análise de variância partem da premissa de que a variável dependente, e que sua resposta ou variação às variáveis independentes, assume uma distribuição normal. Outras extensões mais avançadas de modelos lineares permitem a avaliação com outros padrões de distribuição distintos. Tais testes englobam análises multivariadas, nas quais um maior número de fatores fixos e randômicos (independentes) pode ser avaliado em relação ao seus efeitos na variável dependente com a construção de um modelo preditor. Regressão logística binária com variáveis dependentes dicotômicas, modelos lineares generalizados com variáveis dependentes com distribuições diversas (dicotômica, normal, Poisson,...) e modelos lineares generalizados mistos, com introdução de fatores randômicos que possam afetar a variabilidade da predição, são alguns exemplos.[13]

Nas variáveis com distribuição próxima ao normal, testes paramétricos são mais frequentemente usados, por serem mais robustos (maior probabilidade de detecção de diferenças) e por indicarem outras informações importantes como magnitude e direção da diferença.[4] Por exemplo, a simples obtenção de um valor de "p" inferior a 5% pode não ser suficiente para uma discussão mais detalhada sobre os achados, já que esse valor sofre uma forte influência não só da magnitude da diferença, mas também do tamanho amostral.[12] Assim, grandes números amostrais podem indicar significância estatística, por reduzir o erro padrão, mesmo com diferenças clinicamente insignificantes entre os grupos. Por exemplo, em uma pesquisa com 100.000 participantes, divididos em dois grupos iguais para avaliação da pressão arterial sistólica, pode detectar uma diferença pouco inferior a 1 mmHg entre eles em 80% das situações (poder de detecção), mesmo inflando o desvio-padrão para 50 mmHg. Num estudo como esse, seria muito importante, por exemplo, indicar a diferença entre os grupos e o inter-

valo de confiança 95% dessa diferença, e discutir o resultado considerando a relevância clínica dos achados.

Quando duas variáveis quantitativas são comparadas, os testes avaliam essencialmente a correlação entre elas. Assim, a variabilidade de uma em relação à outra pode ser avaliada em testes que irão apresentar resultados diversos. Um dos testes mais comuns, é a correlação de Pearson, que gera um número de −1,0 a +1,0 chamado de coeficiente "r" (Figura 229.8).[4] Esse número indica o grau e direção de correlação entre as duas variáveis. Coeficientes perto de 0 indicam ausência de correlação, enquanto aqueles positivos indicam que o aumento dos valores de uma das variáveis é acompanhado pelo aumento da outra (mesma direção). Coeficientes negativos, indicam que o aumento de uma está associado à redução da outra (direções opostas).[11]

O quadrado do valor de "r", o r^2, indica o percentual que a variabilidade de uma variável é influenciada pela outra e vice-versa. Dessa maneira, um coeficiente "r" de +0,8 encontrado em um estudo hipotético que correlacionou a pressão arterial sistêmica com a circunferência abdominal indica que o aumento de uma está associado com o aumento da outra e que 64% (r^2) da variabilidade pode ser explicada pela interação entre as duas.[4] A chance de erro tipo 1 (p) pode ser avaliada para esse coeficiente e, mais uma vez, a interpretação clínica requer cuidado, já que a significância estatística não se reflete necessariamente em significância clínica. De uma maneira geral, valores a partir de +0,6 ou -0,6 indicam força moderada e podem influenciar na variabilidade das variáveis em cenários reais.[11] Valores mais próximos ao 0, mesmo que com valores de "p" menor que 5%, implicam em correlações relativamente fracas, especial-

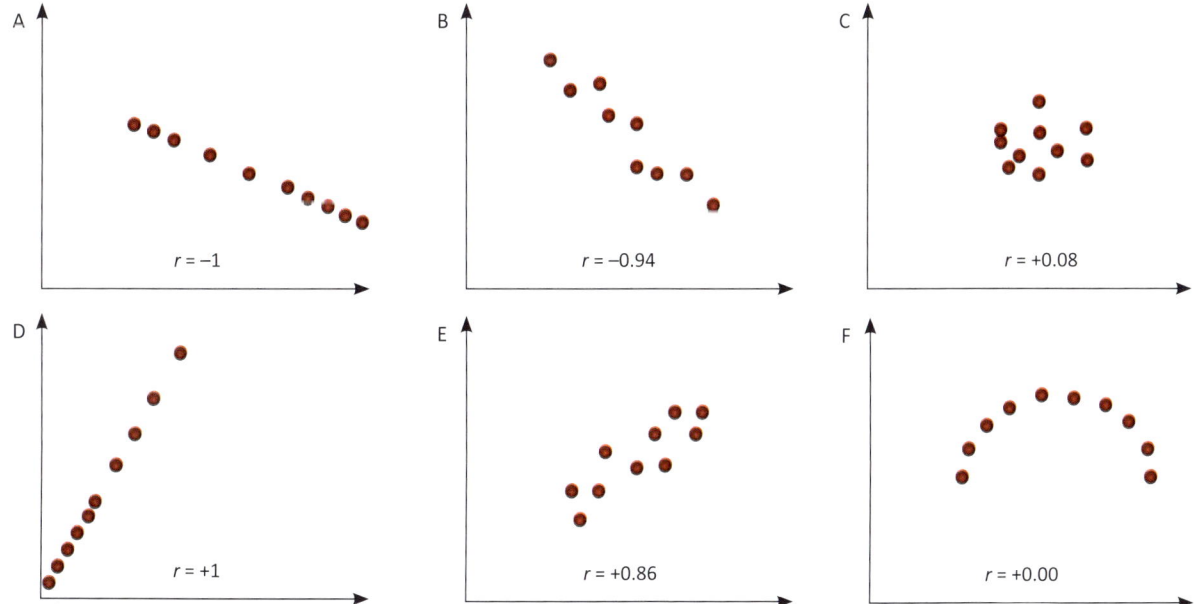

▲ **Figura 229.8** Gráficos de correlações entre duas variáveis contínuas, com os respectivos coeficientes de correlação ("r"). Os gráficos **(A** e **D)** representam correlações negativa e positiva perfeitas (pouco realistas na prática), respectivamente, nas quais a variação dos valores de uma variável pode ser 100% explicada pela variação da outra e vice-versa. Coeficientes próximos a 0, (gráficos **C** e **F)** indicam ausência de correlação, ou pelo menos ausência de correlação linear (gráfico *f*). Os gráficos **B** e **E** mostram correlações negativas e positivas dentro de faixas realísticas quando a variabilidade das variáveis apresentam alta interconexão entre elas.

mente considerando que a exponenciação desse coeficiente vai indicar um percentual de interação ainda mais baixo.[11]

Variáveis dependentes contínuas também podem ser avaliadas em modelos de regressão linear para construção de funções preditoras. Por exemplo, a pressão arterial sistólica pode ser modelada conforme uma função da circunferência abdominal. Assim, esse teste estatístico gera uma linha preditora da pressão conforme variação da circunferência abdominal numa equação equivalente a $f(x) = A + Bx$.[4] Nessa equação a $f(x)$ pode ser entendida como a variável dependente, no caso da pressão arterial (PA) em mmHg, e a abscissa (x) como o valor da circunferência abdominal (C) em cm. Caso essa equação trouxesse uma função como $f(x) = 10 + 1{,}5x$, a equação poderia ser traduzida como PA = 10 +1,5(C). Ou seja, em um indivíduo com uma circunferência abdominal de 100 cm, a pressão arterial estimada seria de 160 mmHg (10 + 1,5(100)). Uma outra forma de analisar essa equação, é entender que para cada aumento de 1 cm na circunferência abdominal, a pressão arterial sistólica estimada aumenta em 1,5 mmHg. Nos testes preditores, como esse apresentado, a diferença entre o valor observado e o valor estimado é chamado de resíduo. Outros modelos mais avançados de predição, como regressões logísticas e modelos lineares mistos generalizados, um maior número de variáveis preditoras, inclusive variáveis categóricas, podem ser incluídos para obtenção de estimativas de valores contínuos ou mesmo categóricos.[13]

Quando a pergunta remete a comparações entre variáveis categóricas apenas, testes de grau de ajuste (*goodness of fit*) costumam ser aplicados. Tais testes avaliam discrepâncias entre os valores observados e os valores esperados e testam a hipótese nula de que estarão próximos entre si em curvas específicas de distribuição.[4]

O exemplo mais conhecido desse tipo de teste, é o do Qui-Quadrado. Muito utilizado na prática científica, tal teste assume uma H_0 de independência nas distribuições de classificações.[4] Se em um determinado estudo, os pesquisadores quisessem comparar as taxas de Hipertensão Arterial Sistêmica (HAS) entre homens e mulheres, uma forma de avaliação visual rápida seria a construção de uma tabela de contingência 2x2 (Tabela 229.2). Imaginemos uma situação com um número amostral de 100 indivíduos com 60 mulheres e 40 homens.

Nessa amostra, 30% de todos os indivíduos apresentam HAS. Segundo a H_0 do teste, a distribuição de HAS deveria ocorrer de forma independente nos dois grupos, homens e mulheres. Assim, aproximadamente 12 homens (30% de 40) e 18 mulheres (30% de 60) deveriam apresentar HAS. Esses seriam os números esperados. No entanto, os achados da pesquisa indicaram 25 mulheres hipertensas e 8 homens hipertensos. Podemos notar que os valores não são iguais, mas a pergunta é se eles são tão discrepantes a ponto de representar uma probabilidade de ocorrência menor que 5% na distribuição desse teste.

A fórmula para obtenção do valor de Qui-quadrado é a somatória dos quadrados das diferenças dos números observados e dos números esperados dividido pelo número esperado respectivo em cada célula da tabela ($\Sigma(O - E)^2/E$). Quanto mais próximo de zero estiver esse número, maior será o valor de "p" na distribuição.[11] A conversão do valor para o valor de "*p*" pode ser facilmente obtida com tabelas próprias da distribuição do Qui-Quadrado específica para o seu grau de liberdade. Em algumas situações nas quais uma ou mais células da tabela de contingência apresenta baixa contagem (menor que 7), o teste exato de Fisher deve ser realizado para estimativa do valor de "*p*".[11]

Atualmente, os valores de "*p*" são automaticamente informados nos programas estatísticos. No caso em questão, o valor do Qui-Quadrado calculado foi de 5,095, que representa um valor de "*p*" de 0,0239 na curva de distribuição específica. Com isso, os pesquisadores podem concluir que a taxa de HAS é maior em mulheres que em homens para a população alvo estudada (considerando uma amostra representativa dela) e que a probabilidade do resultado encontrado no estudo acontecer, caso a H_0 seja verdadeira, é de 2,39%.

Variáveis que não apresentam distribuição normal e nem podem ser encaixadas em outras formas de distribuição conhecida, também podem ser analisadas com testes estatísticos chamados em modelos não paramétricos. Tais testes se aplicam para estudos com números amostrais pequenos ou em variáveis que não seguem um padrão Gaussiano ou próximo a ele, o que violaria a premissa básica de testes paramétricos.[4]

Nos testes não paramétricos, os valores são substituídos por postos assinalados e ordenados do menor valor ao maior valor ou vice-versa, sem uma clara interpretação numérica. Como partem de poucas premissas, tais testes são mais genéricos, geram um menor volume de informação e basicamente testam se a distribuição dos postos é a mesma entre as categorias avaliadas (H_0).[4]

Independentemente do teste estatístico, múltiplas comparações para teste de hipótese nulas devem ser evitadas nos estudos por conta da taxa de erro familiar.[14] Ao se realizar um determinado teste, podemos inferir que caso a hipótese nula seja verdadeira no mundo real, há uma chance de até 5% do experimento mostrar um resultado improvável ao acaso. Dessa maneira, temos um risco de até 5% de

Tabela 229.2 Tabela de contingência 2x2 com os valores esperados (E) e observados (O) de Hipertensão Arterial Sistêmica, entre homens e mulheres, em uma amostra de 100 indivíduos nos quais 60% deles são mulheres e 30% hipertensos.

Variáveis	NORMOTENSO	HAS	
Mulheres	E 42 / O 35	E 18 / O 25	60
Homens	E 28 / O 32	E 12 / O 8	40
	70	30	100

Os valores fora da tabela são os totais parciais de linhas e coluna e o valor total da amostra.

resultados falsos-positivos (H_0 é verdadeira, mas o estudo apresentou um resultado diferente). Ao se realizar múltiplos testes e considerando que cada um deles é independente, ou seja, o resultado de um não interfere no resultado do outro, a ocorrência de falsos-positivos aumenta de acordo com esse número.[12]

Por exemplo, ao se testar uma única H_0 como objetivo primário, temos um risco de 95% do estudo efetivamente refutar essa hipótese. Se duas H_0 forem testadas, o risco de refutação das duas, mesmo sendo verdadeiras, cai para 90,25%, que representa o produto dos riscos individuais de refutação (0,95 x 0,95). Se três H_0 forem testadas, o risco aumenta para aproximadamente 0,85 (0,95 x 0,95 x 0,95), o que se traduz numa probabilidade de erro tipo 1 de 15%. Se muitas comparações forem feitas, o acaso ditará uma chance cada vez maior de obter falsa significância estatística. Esse fenômeno é chamado de *family-wise error rate*[14] e explica o porquê dos estudos se concentrarem em objetivos primários unitários. Se múltiplas comparações forem necessárias, métodos de correção estatísticos, que ajustam o valor de significância, devem ser efetuados para mitigar essa ocorrência. Essa também é a razão pela qual os resultados de comparações para objetivos secundários devem ser analisados com as devidas limitações e qualquer conclusão baseadas nelas deve ser vista com cautela.[14]

Pode-se notar que a escolha do melhor teste estatístico é uma tarefa complexa diante das inúmeras possibilidades e do constante requerimento de checagem de premissas. A interpretação desses testes também requer cuidados adicionais para evitar conclusões precipitadas, ou mesmo falsas. Para isso, a consulta com estatísticos experientes deve fazer parte da rotina do pesquisador, mesmo para aqueles com experiência e conhecimento básico sobre o assunto.

■ AMOSTRAS

O primeiro ponto para entender os principais pontos em torno do conceito amostral em estatística é a distinção entre amostra e população. População engloba todos os membros de um respectivo grupo com as características de interesse do estudo. Se esse interesse fosse estudar pacientes hipertensos, por exemplo, a população seria a totalidade dos indivíduos com essa condição no mundo, o que é inviável. Eventualmente, a população pode ser definida como grupos mais restritos de pessoas, como pacientes em um determinado hospital para avaliações de condições locais de atendimento sem maiores inferências com o mundo externo. Na população, a qualidade mensurável é um parâmetro definido e o seu valor é a representação do que efetivamente acontece naquele momento.[15]

A amostra é uma parte representativa da população de interesse obtida dentro de uma metodologia científica predeterminada e bem definida. Nela, a qualidade mensurável é considerada um dado estatístico com margem de erro e intervalo de confiança. Amostras são utilizadas por conta da inviabilidade de obtenção de dados da totalidade do grupo de interesse. A esmagadora maioria dos trabalhos científicos que procura estabelecer inferência para o todo é, portanto,

realizada com uma parcela da população e a estatística será a ferramenta de análise do conjunto de dados.[15]

A definição do número de sujeitos em uma pesquisa necessário para o estabelecimento das inferências desejadas é um dos pontos mais relevantes no desenho do estudo. O chamado cálculo amostral, que determina esse número, indicará a viabilidade do projeto, seu custo estimado, a conveniência para sua realização e o tempo necessário para sua finalização.[16] Fica evidente, portanto, o entendimento que esse cálculo deve ser efetuado nos primeiros momentos do projeto e para isso, uma série de premissas e informações serão necessárias.

Duas definições básicas *a priori* para o cálculo amostral, ou seja, que devem ser determinadas antes da realização do estudo, dizem respeito à tolerância aos erros tipo 1 e tipo 2 (Tabela 229.3).[12] O primeiro erro já foi discutido nas seções prévias e indica a probabilidade de se obter o resultado do estudo caso a H_0 seja a representação do mundo real.

O erro tipo 2 (ou erro β), por sua vez, indica o risco de desacerto de uma comparação que não mostrou significância estatística nas situações em que a H_0 é, possivelmente, falsa. Usualmente, mas não necessariamente, a H_0 é entendida como ausência de diferença, associação, correlação, efeito ou capacidade preditora nas avaliações e comparações entre variáveis. Essa premissa costuma ser verdadeira para a maioria dos estudos que avaliam superioridade.[12] Eventualmente, essa H_0 pode assumir uma definição de desigualdade entre grupos quando estudos de equivalência ou não inferioridade são planejados.[17]

Qualquer que seja a premissa da H_0, o erro tipo 2 está ligado ao risco de falha do estudo em refutá-la caso ela não represente o que ocorre no mundo real. Se o erro β cogita essa condição, então, $(1 - \beta)$ indica a capacidade do estudo em detectar uma relação estatisticamente significante que efetivamente reflita a realidade.[16] Assim, $(1 - \beta)$ é o poder que o estudo apresenta de refutar uma H_0 possivelmente falsa. Como a tolerância mínima habitual da maioria dos estudos ao erro tipo 2 é de 20%, o poder mínimo esperado para o objetivo primário do estudo é de 80%.[12] Na inferência de amostras repetidas, uma pesquisa que tenha um número amostral para um poder de 80% vai conseguir refutar uma H_0 possivelmente falsa em 80 ocasiões, caso essa pesquisa fosse repetida 100 vezes.

Esses dois tipos de erro apresentam uma interrelação que deve ser considerada. A diminuição da tolerância ao erro tipo 1, redução do limite do valor de "*p*", aumenta a

Tabela 229.3 Relações entre o mundo real e o mundo experimental. H_0 corresponde à hipótese alternativa.

		Mundo Experimental	
		H_0 Não refutada	H_0 Refutada
Mundo real	H_0 Verdadeira	ACERTO	ERRO Tipo I α
	H_0 Falsa	ERRO Tipo II β	ACERTO

chance de ocorrência do erro tipo 2, assim como o aumento da tolerância ao primeiro erro diminui a chance do segundo. Independentemente dessa interrelação, a precisão dos valores da estatística descritiva para variáveis quantitativas ou qualitativas está inversamente associada ao tamanho amostral, como visto anteriormente no conceito de erro padrão. Quanto maior for o n amostral, menor será esse erro em torno das médias e proporções encontradas e vice-versa.[4]

Com as premissas iniciais em mente, os outros elementos do cálculo estatístico dependerão da pergunta a ser respondida e, consequentemente, do teste que será empregado.[12] De uma maneira geral, as diversas fórmulas necessárias para obtenção do valor de "p" na sua curva de distribuição podem ser rearranjadas com a determinação da precisão conforme o número amostral.[12] A diferença estimada entre os valores nos grupos de comparação ou precisão desses valores em um grupo, assim como estimativas da sua dispersão, podem, então, completar o cálculo com a construção de uma curva de poder conforme o n amostral.[12]

Assim, pequenas diferenças estimadas, *a priori*, entre grupos, necessitarão de números maiores de participantes, já que uma maior precisão das estimativas será necessária para obtenção de significância estatística sem comprometer o risco do erro tipo 2.[16] Estudos prévios, estudos-piloto e mesmo opiniões dos próprios pesquisadores na ausência de dados prévios, desde que bem fundamentadas, podem fornecer esse elemento do cálculo. Essa informação é crucial para a análise crítica de qualquer pesquisa e deve ser bem descrita na sua metodologia desde a fase de projeto.[12]

Como exemplo, poderíamos estabelecer o número amostral mínimo para a detecção de uma diferença de 20 mmHg na pressão sistólica entre dois grupos (um grupo de tratamento com uma medicação anti-hipertensiva e um grupo controle com placebo). Um estudo piloto prévio detectou um desvio-padrão de aproximadamente 30 mmHg na amostra da população de interesse. O cálculo amostral com uma tolerância ao erro tipo 1 de 0,05 e com um poder de detecção dessa diferença proposta de 80% (20% de tolerância ao erro tipo 2) mostraria um número mínimo de participantes de 37 por grupo (72 no total). Esse cálculo foi realizado com as premissas de distribuição normal do valor de pressão sistólica no dois grupos, de variância equivalente entre eles e que a probabilidade do resultado encontrado seria obtida dentro da curva t de Student de distribuição. Caso a detecção de uma diferença de 10 mmHg fosse almejada na pesquisa, o número amostral cresceria para 286 indivíduos (143 por grupo).

De maneira análoga, diferenças de proporções são utilizadas no cálculo quando a pergunta do estudo envolve comparações entre elas. Como o erro padrão está embutido na proporção propriamente dita de acordo com o número amostral, a precisão necessária irá depender, essencialmente, da magnitude da diferença esperada. Quanto menor a diferen-

ça, maior o n amostral e vice-versa. Num estudo que avalia a eficácia de uma medicação no controle da HAS, as taxas de indivíduos com a patologia controlada podem ser comparadas em dois grupos (um grupo de tratamento com uma medicação anti-hipertensiva nova e um grupo controle com medicação rotineira). Se estudos prévios indicam que a taxa de controle com a medicação controle está em torno de 40% e os pesquisadores almejam detectar diferenças a partir de 10% (expectativa de uma taxa de controle de 50% no grupo intervenção), o número amostral mínimo necessário será de 388 participantes por grupo para um poder de 80% e tolerância ao erro α de 0,05. Se a expectativa de efeito for maior, digamos um aumento absoluto de 20% nas taxas de controle, 194 indivíduos serão necessários (97 por grupo).

Tais exemplos são cálculos básicos baseados em comparações de médias e proporções com previsão de testes estatísticos relativamente simples. À medida que a complexidade da pergunta aumenta com a introdução de outros fatores a serem controlados e de outras premissas a serem consideradas, testes estatísticos mais elaborados serão necessários. Tais testes necessitarão, além de um maior volume de informações, cálculos amostrais mais personalizados.[16]

Independentemente das premissas de amostragem, a definição do número mínimo de participantes deve ser efetuada com base no objetivo primário. A legitimidade da discussão dos resultados e da conclusão é, portanto, válida para a H_0 principal do estudo. Objetivos secundários têm, como previamente descrito, uma natureza exploratória e, assim como resultados significantes nestes devem ser interpretados com cautela por conta do *family-wise error rate*, a ausência de significância também deve ser avaliada com precaução, pois o poder amostral pode ser insuficientemente baixo para afirmações conclusivas.[12]

■ CONCLUSÕES

Do ponto de vista puramente metodológico, o conhecimento científico advém do conjunto de hipóteses nulas testadas e refutadas, ou não. Ao declará-la como possivelmente falsa após avaliar o conjunto de dados, a comunidade científica aceita a hipótese alternativa até que melhores evidências possam derrubá-la ou modificá-la.

Dessa forma, a estatística na medicina baseada em evidência deve ser encarada como uma ferramenta de validação dos dados obtidos e não como um objetivo da pesquisa. Servirá, essencialmente, para avaliar incertezas em torno do resultado encontrado e não corrigirá falhas metodológicas. O emprego inadequado dessa ferramenta, seja por erro, má intenção ou por incapacidade de entender suas limitações, frequentemente levará a conclusões precipitadas e falsas que se apresentarão com um caráter perigosamente persuasivo.

REFERÊNCIAS

1. Fisher RA. The Design of Experiments. 9th ed. New York: Macmillan Publishing CO; 1971.
2. Salsburg D. The lady tasting tea: how statistics revolutionized science in the twentieth century. New York: W.H. Freeman and CO.; 2001. 352 p.
3. Fisher RA. Statistical Methods. Experimental Designs and Scientific Inference. 14th ed. New York: Hafner Publishing CO; 1973.
4. D'Agostino RB, Sullivan LM, Beiser AS. Introductory Applied Biostatistics. 1st ed. Crockett C, editor. Belmont/CA: Brooks/Cole; 2006. 652 p.
5. Pupovac V, Petrovecki M. Summarizing and presenting numerical data. Biochem Medica [Internet]. 2011;106–10. Disponível em: http://www.biochemia-medica.com/en/journal/21/2/10.11613/BM.2011.018
6. Bensken WP, Pieracci FM, Ho VP. Basic Introduction to Statistics in Medicine, Part 1: Describing Data. Surg Infect (Larchmt) [Internet]. 2021 Aug 1;22(6):590–6. Disponível em: https://www.liebertpub.com/doi/10.1089/sur.2020.429
7. Krousel-Wood MA, Chambers RB, Muntner P. Clinicians' guide to statistics for medical practice and research: Part I. Ochsner J. 2006;6(2):68–83.
8. Mendes D, Alves C, Batel-Marques F. Number needed to treat (NNT) in clinical literature: an appraisal. BMC Med [Internet]. 2017 Dec 1;15(1):112. Disponível em: http://bmcmedicine.biomedcentral.com/articles/10.1186/s12916-017-0875-8
9. Broemeling LD. Bayesian Methods for Medical Test Accuracy. Diagnostics [Internet]. 2011 May 5;1(1):1–35. Disponível em: http://www.mdpi.com/2075-4418/1/1/1
10. Nahm FS. Receiver operating characteristic curve: overview and practical use for clinicians. Korean J Anesthesiol [Internet]. 2022 Feb 1;75(1):25–36. Disponível em: http://ekja.org/journal/view.php?doi=10.4097/kja.21209
11. Bensken WP, Ho VP, Pieracci FM. Basic Introduction to Statistics in Medicine, Part 2: Comparing Data. Surg Infect (Larchmt). 2021;22(6):597–603.
12. Krousel-Wood MA, Chambers RB, Muntner P. Clinicians' guide to statistics for medical practice and research: Part II. Ochsner J. 2007;7(1):3–7.
13. Casals M, Girabent-Farrés M, Carrasco JL. Methodological Quality and Reporting of Generalized Linear Mixed Models in Clinical Medicine (2000–2012): A Systematic Review. Pacheco AG, editor. PLoS One [Internet]. 2014 Nov 18;9(11):e112653. Disponível em: https://dx.plos.org/10.1371/journal.pone.0112653
14. Nicholson KJ, Sherman M, Divi SN, Bowles DR, Vaccaro AR. The Role of Family-wise Error Rate in Determining Statistical Significance. Clin Spine Surg A Spine Publ [Internet]. 2022 Jun;35(5):222–3. Disponível em: https://journals.lww.com/10.1097/BSD.0000000000001287
15. Banerjee A, Chaudhury S. Statistics without tears: Populations and samples. Ind Psychiatry J [Internet]. 2010;19(1):60. Disponível em: https://journals.lww.com/10.4103/0972-6748.77642
16. Althubaiti A. Sample size determination: A practical guide for health researchers. J Gen Fam Med [Internet]. 2023 Mar 14;24(2):72–8. Disponível em: https://onlinelibrary.wiley.com/doi/10.1002/jgf2.600
17. Leung JT, Barnes SL, Lo ST, Leung DY. Non-inferiority trials in cardiology: what clinicians need to know. Heart [Internet]. 2020 Jan;106(2):99–104. Disponível em: https://heart.bmj.com/lookup/doi/10.1136/heartjnl-2019-315772

230

Revisões de Literatura: Tipos e Objetivos

Luiz Marciano Cangiani

INTRODUÇÃO

Artigos de revisões narrativas, revisões sistemáticas com ou sem metanálise e as revisões de escopo, todos, têm o seu valor.

As revisões narrativas apresentam um conjunto de artigos que podem apresentar métodos diferentes. As revisões qualitativas (sistemáticas) procuram evitar heterogeneidade, e as revisões quantitativas (metanálise) necessariamente agrupam artigos semelhantes no método, que possibilitam análise estatística, procurando a evidência dos fatos. A revisão de escopo é uma forma que se vale da verificação na literatura acerca de um tema específico, procurando auxiliar no mapeamento dos estudos sobre o tema, analisando a sua extensão, o seu alcance e a própria natureza da investigação. Não é submetida à metanálise.

Qualquer que seja a escolha do autor para a realização de um trabalho de revisão, é necessário ter um método e seguir os passos para poder chegar a conclusões e emitir opinião. A cuidadosa leitura do método dos trabalhos selecionados é de fundamental importância para qualquer tipo de trabalho de revisão que se queira fazer.

Considerando que a literatura é um amontoado desorganizado de peças para quebra-cabeças diferentes, a realização da revisão sistemática possibilitará a identificação de peças que poderão ser úteis em cada quebra-cabeça. Assim, a realização de revisões sistemáticas com ou sem metanálise é importante, como também as revisões narrativas e as de escopo.

A realização de uma revisão sistemática deve ser sempre iniciada com a formulação da pergunta a ser respondida. Isso ocorre em qualquer planejamento de uma pesquisa clínica. Nas revisões sistemáticas, deve-se determinar a qualidade e o poder estatístico dos estudos incluídos, evitando o viés em cada uma de suas partes.

O *Brazilian Journal of Anesthesiology* (BJAN) conceitua, nas suas normas aos autores, os artigos de revisão como: artigos de síntese, de assuntos bem estabelecidos, com análise crítica das referências bibliográficas consultadas e conclusões. Revisões sistemáticas e de escopo também estão incluídas.[1]

A BJAN publica também os artigos chamados de "especiais", que, na realidade, são também artigos de revisão de assuntos de interesse para a especialidade.

Os trabalhos de revisão em geral podem ter duas origens: 1) autores convidados pelo editor-chefe para escrever sobre determinado assunto; 2) autores que enviam artigos de revisão espontaneamente. Nas duas situações, os pontos em comum são a experiência dos autores sobre o assunto, a facilidade para redação de trabalhos científicos e o espírito crítico para análise dos artigos e comparações que geralmente se fizerem necessárias. Independentemente da origem, porém preenchidos os critérios exigidos na forma, no conteúdo e no estilo, o artigo, após análise do Conselho Editorial, poderá ser aceito para publicação. Para publicações na BJAN, é recomendável, antes de submeter a revisão, consultar o Editor-Chefe, pois ele avaliará a pertinência da proposta para a BJAN, com o intuito de evitar duplicidade.

É importante salientar que os trabalhos de revisão são diferentes de monografias, assim como são diferentes das narrativas dos capítulos de livro texto ou de narrativas sobre determinado assunto. A monografia discorre sobre determinado assunto de modo vertical, restringindo-se, geralmente, ao básico e ao óbvio. Os capítulos de livro, em geral, são expositivos e não permitem a opinião do autor. As narrativas geralmente são extensas, apontam fatos sem discussão ou com indagações sem as conclusões científicas. O artigo de revisão tem sua especificidade e requer grande conhecimento do tema, permitindo ao autor emitir um parecer com base em evidência.

Se considerarmos o número de artigos e a velocidade em que se processam as informações, as revisões tornam-se importantes porque seus critérios de qualidade no conteúdo podem periodicamente sumarizar o que há de melhor e mais confiável.[2]

Existem vários tipos de artigos de revisão, porém neste capítulo serão abordadas as revisões narrativas, as revisões sistemáticas, com ou sem metanálise, e as revisões de escopo.

■ REVISÃO NARRATIVA

A revisão narrativa ou tradicional apresenta aspectos mais abertos. A seleção dos artigos fica por conta do autor, sendo mais arbitrária, provendo o autor de informações sujeitas a viés de seleção. Pode ocorrer interferência da percepção subjetiva. No entanto, um protocolo seguido à risca pode minimizar esses problemas.

Na elaboração de um trabalho de revisão narrativa, as seguintes etapas devem ser cumpridas: escolha do tema; pesquisa bibliográfica; seleção dos artigos; leitura dos artigos; elaboração dos tópicos em ordem didática; verificar se há necessidade de inserir tabelas, quadros ou figuras; ressaltar os elementos para conclusão do artigo. Posteriormente será feita a redação do artigo.

Ao discorrer sobre as etapas de um trabalho de revisão narrativa, alguns artigos que podem servir como exemplo serão apontados.

Escolha do Tema

A escolha do tema pode ser feita de modo que envolva vários aspectos de determinado assunto ou aspectos particulares de assunto geral.

Como exemplo, pode-se citar a Anestesia Ambulatorial. O autor pode optar por uma revisão geral sobre anestesia para procedimentos de curta permanência hospitalar ou apenas abordar um dos aspectos que envolvem esse tipo de regime de atendimento.

Se o autor optar por discorrer amplamente sobre Anestesia Ambulatorial, deverão ser observados os aspectos que envolvem desde o conceito até os critérios de alta, passando pela seleção de pacientes, seleção de fármacos, seleção de técnicas anestésicas e seleção de procedimentos.[3,4] O trabalho certamente será extenso. No entanto, o autor poderá escolher um dos *segmentos* da Anestesia Ambulatorial como a anestesia na criança[5] ou no idoso. Pode, ainda, optar por estudar apenas uma especialidade como: oftalmologia, cirurgia plástica, entre outras.

Dentro do tema, a opção pode ser apenas voltada para uma técnica (p. ex.: anestesia subaracnoidea em regime ambulatorial), um grupo de fármacos (p. ex.: anestésicos inalatórios) ou um aspecto importante da alta, como a analgesia pós-operatória.[6-10]

Na escolha do tema, o autor já deve ter em mente a justificativa e o objetivo da revisão.

Pesquisa Bibliográfica

A pesquisa bibliográfica é o próximo passo. Na dependência do tema, certamente inúmeros trabalhos serão encontrados na literatura. Normalmente autores que escrevem sobre o assunto já têm um banco de dados atualizado com muitas referências. A familiaridade com os artigos, sem dúvida, facilitará a seleção.

Seleção de Artigos

Os resumos estruturados dos artigos científicos e dos relatos de casos devem ser cuidadosamente lidos.

Ao se encontrar um trabalho de revisão, ele deve ser selecionado. Além de ele conter informações de determinada época ou período, presume-se que o autor tenha feito extensa pesquisa bibliográfica e que o seu artigo possa espelhar muitos aspectos anteriores, o que poderá facilitar a pesquisa do tema.

Outro fato importante é que normalmente autores de determinada linha de pesquisa com frequência citam autores da mesma linha e comentam na discussão o artigo do autor citado. Isso pode também facilitar a escolha do artigo para revisão.

Um trabalho de revisão não se mede pelo número de referências, mas pelo conteúdo delas que, sem dúvida, facilita o encadeamento lógico do raciocínio.

A seleção dos artigos não pode ser baseada somente nas suas conclusões, mas, principalmente, no método. Nas conclusões geralmente os autores dizem: "Nas condições deste estudo, pode-se concluir que...". Assim, é necessário saber quais foram as condições do estudo. É no método onde se encontram as respostas para as seguintes indagações: O que mediu? Como mediu? Quando mediu? É necessário saber também se a justificativa e os objetivos foram contemplados no método e se as conclusões estão de acordo com os resultados obtidos.

Um artigo especial sobre o papel do anestesiologista na agilização das cirurgias, dos cuidados perioperatórios e da analgesia pós-operatória multimodal ilustra bem como um trabalho de revisão pode facilitar a elaboração de outro trabalho.[6] Algumas vezes, pode até tornar-se uma nova publicação desnecessária.

No entanto, como o número de trabalhos é enorme, uma revisão sistemática ou de escopo que ressalta aspectos atuais importantes de determinado assunto pode ser útil.

Leitura dos Artigos Selecionados

A leitura é o passo mais importante para a seleção dos artigos e para colocá-los na ordem didática para a entrada no texto.

Elaboração dos Tópicos em Ordem Didática

O trabalho de revisão é constituído de introdução, desenvolvimento e conclusão. Na introdução devem aparecer necessariamente a justificativa e os objetivos da revisão. A justificativa deve ser consubstanciada com citações da literatura. Aqui o autor já deve selecionar as referências que devem abrir a revisão. O texto deve despertar o interesse do leitor para o assunto.

O conteúdo deve ser dividido em quantas partes forem necessárias. Como já citado, se o autor escolher um assunto amplo, ele deve ser dividido em itens gerais e estes em assuntos específicos.

Por exemplo, se a escolha for por Anestesia Ambulatorial, os aspectos seleção de pacientes, seleção de fármacos, seleção de técnicas e critérios de alta serão gerais. No item seleção de técnicas, cabe anestesia geral, anestesia espinhal, bloqueios de nervos periféricos, isto é, deve contemplar todas as técnicas de anestesia geral e regional.

Se a escolha for por um assunto específico, por exemplo, "Analgesia pós-operatória nos pacientes ambulatoriais", a revisão será diferente, podendo ser oportuno até discorrer inicialmente sobre aspectos específicos da dor em pacientes ambulatoriais. O enfoque será dado pelo autor.

A referência 6 mostra como o autor dividiu didaticamente em tópicos um assunto extenso, no qual são citadas 275 referências, de maneira sucinta e objetiva.

Tabelas, Quadros e Figuras

Num artigo de revisão, podem também entrar tabelas, quadros e figuras, oriundos de outros trabalhos ou elaborados pelo autor. A presença desses elementos num artigo muitas vezes evita longos textos.

Conclusão

Com base na evidência dos fatos, o autor conclui a revisão podendo emitir um parecer, no qual possa ensejar que outros autores elaborem planos de pesquisa.

◾ REVISÃO SISTEMÁTICA E METANÁLISE

Quando se questiona sobre efetividade de tratamentos e prevenção, a forma geralmente adequada é a exclusão de estudos não experimentais, ou seja, descartam-se estudos observacionais, uma vez que seus resultados podem fornecer conclusões falso-positivas sobre efetividade e eficácia. Em razão da baixa ocorrência de vieses, as revisões sistemáticas possuem uma metodologia adequada para nos instruir e, consequentemente, menor probabilidade de nos confundir em relação às questões terapêuticas. Por esse motivo, as revisões sistemáticas podem se tornar em *gold standard* para julgarmos quando um tratamento é mais benéfico ou maléfico, quando comparado ao grupo controle.[11]

A revisão sistemática é um tipo de pesquisa planejada com o objetivo de responder a uma **pergunta específica**. Utiliza métodos específicos e sistemáticos com o propósito de identificar, selecionar e avaliar criticamente os estudos incluídos na revisão.[12,13]

As revisões sistemáticas mapeiam todos os estudos publicados e não publicados realizados mundialmente sobre determinado assunto, contando com uma metodologia rigorosa e explícita na tentativa de: a) explicar resultados contraditórios sobre a mesma questão clínica; b) plotar estudos com diferentes tamanhos amostrais para detectar possível diferença estatística; c) utilizar metodologia reprodutível e científica.

Os dados podem ou não ser submetidos a métodos estatísticos na análise e na síntese dos resultados dos estudos incluídos na revisão.

As metanálises são um cálculo estatístico (somatório estatístico) aplicado aos estudos primários incluídos em uma revisão sistemática. As metanálises aumentam o poder estatístico para detectar possíveis diferenças entre os grupos estudados e a precisão da estimativa dos dados, diminuindo o intervalo de confiança. Além disso, as metanálises são fáceis de serem interpretadas, dependendo apenas de um pouco de prática e treino.[14]

A linha vertical de um gráfico de floresta é a linha da hipótese nula (ou seja, que não favoreceu nem o grupo tratado, nem o grupo controle). Cada linha horizontal representa um estudo incluído, que, no caso de revisões sistemáticas de intervenção, seriam os ensaios clínicos aleatorizados ou randomizados. O comprimento de cada linha horizontal corresponde ao intervalo de confiança de 95%. Quanto maior for o comprimento dessa linha, maior a incerteza e, provavelmente, menor foi o tamanho amostral estudado. Quanto menor for o comprimento, menor a incerteza, ou seja, mais próximos da verdade estaremos e, provavelmente, maior foi o tamanho amostral estudado. A estimativa do efeito é marcada com um quadrado sólido. O tamanho do quadrado representa o peso que o respectivo estudo exerce na metanálise. A estimativa combinada é marcada com um diamante (ou losango) no final do gráfico de floresta. Os intervalos de confiança de estimativas combinadas são mostrados geralmente pelo próprio comprimento do diamante. Se a linha horizontal ou o próprio diamante encostar ou tocar na linha da hipótese nula (vertical), então não há uma diferença estatisticamente significante entre os grupos estudados. Já, se a linha horizontal não cruzar ou não tocar na linha vertical, então há uma diferença estatisticamente significante a favor do grupo em que o diamante aparece do lado (Figura 230.1).

Na Figura 230.1, o único estudo que favoreceu a solução salina e não incluiu o número 1 em seu intervalo de confiança (i.e., 0,94 a 17,00) foi o estudo de Valentine 1991. Quando visualmente ficamos incertos se a linha horizontal cruza ou não a linha vertical, podemos lançar mão do intervalo de confiança; quando não inclui o valor 1 nesse intervalo, então há diferença estatisticamente significante. Já os estudos de Norman 2006, Sarna 1990 e Vigfsson 1995 tocaram/cruzaram a linha vertical, então não houve uma diferença estatisticamente significante entre os grupos estudados. Entretanto, o importante aqui é observar o somatório desses estudos – o diamante. Nesse caso, o diamante cruzou a linha vertical, então também mostrou que não houve uma diferença estatisticamente significante entre os grupos estudados no que concerne a segmentos não bloqueados.

A metanálise é uma tabela de contingência 2x2, em que se calcula o risco relativo, que é o número de eventos ocorridos no grupo de intervenção dividido pelo número total de participantes do grupo de intervenção e dividido pelo número de eventos ocorridos no grupo controle dividido pelo número total de participantes do grupo controle. Quanto

Revisão. Ar *versus* solução salina na técnica de perda de resistência para a identificação do espaço peridural

Comparação: Exposição contra solução salina

Resultado: 5 segmentos não bloqueados

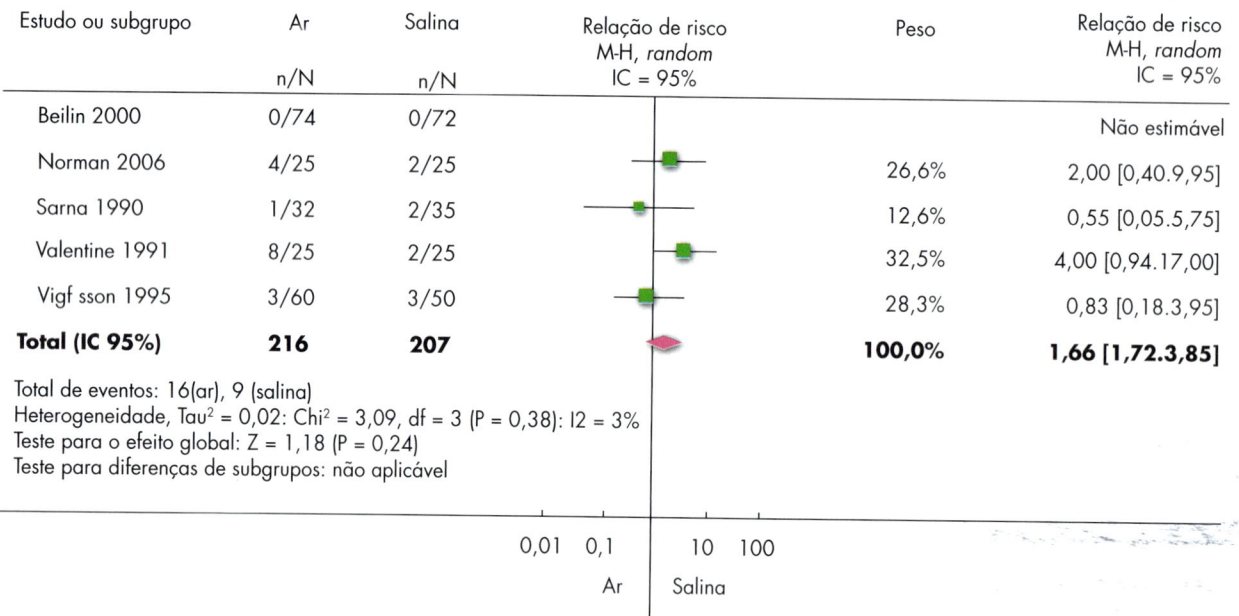

Estudo ou subgrupo	Ar n/N	Salina n/N	Relação de risco M-H, *random* IC = 95%	Peso	Relação de risco M-H, *random* IC = 95%
Beilin 2000	0/74	0/72			Não estimável
Norman 2006	4/25	2/25		26,6%	2,00 [0,40.9,95]
Sarna 1990	1/32	2/35		12,6%	0,55 [0,05.5,75]
Valentine 1991	8/25	2/25		32,5%	4,00 [0,94.17,00]
Vigf sson 1995	3/60	3/50		28,3%	0,83 [0,18.3,95]
Total (IC 95%)	**216**	**207**		**100,0%**	**1,66 [1,72.3,85]**

Total de eventos: 16(ar), 9 (salina)
Heterogeneidade, Tau² = 0,02: Chi² = 3,09, df = 3 (P = 0,38): I2 = 3%
Teste para o efeito global: Z = 1,18 (P = 0,24)
Teste para diferenças de subgrupos: não aplicável

0,01 0,1   10 100
Ar   Salina

▲ **Figura 230.1** Metanálise comparando ar *versus* solução fisiológica na identificação do espaço peridural, tendo como desfecho segmentos não bloqueados.[15]

Fonte: Antibas PL, *et al.*, 2014.[15]

maior for o valor do RR, maior o "risco" de ocorrência do desfecho no grupo de intervenção quando comparado ao grupo controle. Quanto menor for o valor do RR, menor o "risco" de ocorrência do desfecho no grupo de intervenção quando comparado ao grupo controle.

Assim, temos revisões sistemáticas nas quais se utiliza o método, e frequentemente o termo metanálise é usado para se referir a uma revisão sistemática na qual se empregou a metanálise.

Considerando o crescente aumento, a velocidade da informação e a dificuldade do profissional da área da saúde em manter-se atualizado, os estudos de revisão realmente têm-se mostrado úteis na aquisição de novos conhecimentos. As revisões narrativas, embora importantes, não fornecem respostas quantitativas para algumas questões. Elas somente são úteis para comparar ou integrar diferentes aspectos da pesquisa.

Nas revisões sistemáticas com metanálise, procura-se quantificar a resposta à questão formulada.

A revisão sistemática na realidade é um estudo retrospectivo secundário que procura identificar, selecionar e avaliar estudos primários permitindo a somatória de seus resultados, transformando-os em conhecimentos. Os estudos primários podem ser estudos de coorte, estudos de acurácia, ensaios clínicos aleatórios ou qualquer outro tipo de desenho do método.[16] O objetivo é proporcionar uma visão clara e reprodutível dos estudos primários. Procura avaliar o benefício, ou não, de uma proposta, identificando acertos

e erros dos estudos e possibilitando a elaboração de novos planejamentos de maneira adequada. É possível, por meio dela, explicar diferenças entre estudos primários nos quais o objetivo era o mesmo.[17]

Assim, a revisão sistemática com metanálise torna a resposta à questão formulada mais segura. A metanálise combina ou integra resultados de diversos trabalhos independentes, considerados semelhantes pelo analisador, isto é, os métodos do estudo são compatíveis.

A metanálise não é uma forma recente de tratamento estatístico. As bases originaram-se no século XVII, na Astronomia, após verificar-se que a combinação de dados de diferentes estudos poderia ser útil.[18] No entanto, somente no século XX ela foi utilizada no meio médico,[19] e, em 1976, o termo metanálise apareceu pela primeira vez em um artigo médico, porém apenas com caráter filosófico.[13]

Arche Cochrane, em 1979, chamou a atenção para a utilidade das revisões sistemáticas com metanálise em ensaios clínicos controlados.[20] Em 1992, a Colaboração Cochrane surgiu para viabilizar a proposta, e, em 1997, foi criado o Centro Cochrane do Brasil, entidade sem finalidades lucrativas, não governamental, que tem como missão elaborar, manter e divulgar revisões sistemáticas de ensaios clínicos aleatorizados.[19]

Na década de 1990, surgiram as duas primeiras teses que consistiam em revisões sistemáticas com metanálises. Uma delas em Oxford e a outra em São Paulo, na Escola Paulista de Medicina.

Vantagens e Desvantagens da Revisão Sistemática

As revisões sistemáticas possuem vantagens quando comparadas às revisões tradicionais. Elas utilizam métodos rigorosos e diminuem a ocorrência de vieses. Revisões sistemáticas com metanálises geralmente otimizam os resultados achados, pois a análise quantitativa dos estudos incluídos na revisão fornece informações adicionais.[21] Já as revisões narrativas geralmente respondem a questões amplas, comparando resultados de trabalhos com métodos variados. Além disso, a fonte e a seleção dos estudos frequentemente não são especificadas e, dessa forma, potencializam a ocorrência de vieses. As revisões sistemáticas são consideradas, atualmente, o nível I de evidências para qualquer questão clínica por sumarizarem sistematicamente informações sobre determinado tópico, com base em estudos primários (ensaios clínicos, estudos de coorte, casos-controle ou estudos transversais), utilizando-se de uma metodologia reprodutível, além de integrar informações de forma crítica para auxiliar as decisões e explicar as diferenças e contradições encontradas em estudos individuais.[14]

Entre as vantagens da revisão sistemática, pode-se citar:[22,23]

a) Utiliza o método científico, que pode ser reproduzido na prática;

b) Evita duplicação de esforços, isto é, quando a revisão é completada não precisa ser repetida por outros;

c) Pode ser atualizada periodicamente. Assim, novos ensaios clínicos de boa qualidade poderão ser incluídos na metanálise;

d) Reduz controvérsias na literatura, porque não é o resultado de um número de estudos favorável a determinado fenômeno, mas a somatória de todos os artigos selecionados;

e) Pode antecipar resultados de grandes ensaios clínicos;

f) Pode detectar condutas ou tratamentos inadequados, já no período inicial do seu uso, evitando, assim, que eventos adversos possam ocorrer;

g) Pelo aumento do número da amostra, diminui o intervalo de confiança, aumentando a acurácia dos resultados;

h) Auxilia em decisões e direciona para futuros estudos.

Entre as desvantagens estão: tempo despendido; envolvimento de vários profissionais; grande esforço intelectual na formulação da pergunta, no desenvolvimento da pesquisa, na comparação de trabalhos e na interpretação da pesquisa. Outro aspecto a ser ressaltado é que a metanálise não consegue impor melhoras nos estudos, pode apenas recomendar que novos estudos não cometam os mesmos erros, promovendo de maneira indireta a melhora dos ensaios clínicos subsequentes.

Outro problema diz respeito à interpretação. É necessário saber que as revisões sistemáticas agrupam trabalhos com métodos compatíveis. Isso não significa que trabalhos deixados de lado sejam desprezíveis. Um exemplo é uma revisão sistemática publicada pela Cochrane sobre a inci-

dência de sintomas neurológicos transitórios após raquianestesia, em que foi comparada a lidocaína com outros anestésicos locais, mostrando uma incidência maior dos sintomas quando se utilizou lidocaína em relação à bupivacaína.[24] No entanto, em se tratando de uma revisão sistemática, os métodos teriam que ser compatíveis e, nos artigos sobre lidocaína, os autores dos trabalhos selecionados utilizaram doses altas ou plenas. Os artigos nos quais foram utilizadas baixas doses foram descartados da comparação. Isso não significa que os trabalhos não sejam válidos. Um exemplo disso é a eficácia da lidocaína a 0,6% hipobárica (18 mg) comparada à bupivacaína hipobárica (4,5 mg) para cirurgia anorretal, em que em dois grupos, de 75 pacientes cada, não foram observados sintomas neurológicos transitórios.[25]

Outro aspecto interessante é observar, além do desfecho primário da revisão, alguns aspectos secundários ressaltados pelos autores, o que poderá permitir tomadas de decisões do ponto de vista técnico, clínico ou ético. No caso da revisão sobre os sintomas neurológicos transitórios publicados pela Cochrane,[24] os autores relataram que: a) os sintomas aparecem nas primeiras 24 horas; b) a maioria é de leve intensidade; c) desaparecem em 5 a 7 dias; d) não existem relatos de lesão neurológica; e) a Síndrome Radicular Transitória não impede a realização da anestesia subaracnóidea, porém o paciente deverá ser informado da possibilidade da ocorrência dela.

As Etapas da Pesquisa

Dois pontos são fundamentais na interpretação de uma revisão sistemática com metanálise. O primeiro é que ela foi realizada passo a passo, e o segundo é verificar as possíveis conclusões.

O passo a passo para uma revisão sistemática está determinado em publicações da *Cochrane Handbook*[26] e pelo CDR Report 4 produzido pelo NHS *Centre for Reviews and Determination*, da Universidade de Nova York.[27] A Colaboração Cochrane preconiza sete passos no desenvolvimento da pesquisa, e o NHS/York, nove passos.

Os sete passos da Colaboração Cochrane são os seguintes:

1º **Formulação da pergunta**: uma pergunta bem formulada é, sem dúvida, o passo inicial na realização da revisão sistemática. Questões mal formuladas podem levar a decisões não muito claras sobre os artigos que devem ser incluídos ou não na revisão.

Exemplo de formulação de pergunta: uso de anestesia subaracnoidea em regime ambulatorial. Qual é o tempo de permanência do paciente na Unidade Ambulatorial?;

2º **Localização e seleção dos estudos**: as fontes de pesquisa são várias: bases de dados eletrônicos (MedLine, Embase, Lilacs, Cochrane, SciSearch), referências relevantes, revistas e anais de congressos. É necessário detalhar o método para cada uma das fontes utilizadas e extremamente importante verificar se os métodos dos artigos são compatíveis;

3º **Avaliação crítica dos estudos**: determinar quais trabalhos serão incluídos no estudo e quais serão excluídos.

Deve-se estabelecer os critérios de inclusão e explicar o porquê da exclusão;

4º **Coleta de dados**: verificação do método, dos resultados e do desfecho do trabalho. Às vezes é necessário consultar o autor. Todas as variáveis estudadas devem ser detectadas e resumidas, o que permitirá a possibilidade de comparar ou não os estudos selecionados;

5º **Análise e apresentação dos dados**: a semelhança entre os estudos facilitará os agrupamentos para a aplicação da metanálise. Do projeto devem constar os agrupamentos. A apresentação gráfica e numérica é a forma de apresentação da metanálise com o propósito de facilitar o entendimento do leitor;

6º **Interpretação dos dados**: nesse item é necessário determinar a força da evidência encontrada e a aplicabilidade dos resultados, observando os seus riscos e benefícios.

7º **Aprimoramento e atualização da revisão**: as críticas, as sugestões e o surgimento de novos estudos devem ser incorporados nas próximas edições da publicação.

A NHS/York preconiza nove passos agrupados em três estágios (Tabela 230.1).

Tabela 230.1 Estágios Preconizados pela NHS *Centre for Reviews and Determination*, da Universidade de Nova York.		
a) Estágio I	**Planejando a revisão**	
	Fase 0	Identificação na necessidade da revisão
	Fase 1	Preparação de uma proposta para a revisão sistemática
	Fase 2	Desenvolvimento de um projeto da revisão
b) Estágio II	**Conduzindo a revisão**	
	Fase 3	Identificação da literatura
	Fase 4	Seleção dos estudos
	Fase 5	Avaliação da qualidade dos estudos
	Fase 6	Extração dos dados e monitorização do progresso
	Fase 7	Síntese dos dados
	Fase 8	Relatório e recomendações
	Fase 9	Transferindo evidências para a prática
c) Estágio III	**Apresentação do relatório e divulgação**	

Fonte: Khan KS, *et al.*, 2000.[27]

O fluxograma da revisão sistemática pode ser dividido em três partes. A primeira vai desde a formulação da pergunta até a coleção dos artigos aleatorizados (randomizados) (Figura 230.2). A segunda abrange desde a coleção dos artigos até a classificação dos trabalhos e a divisão em grupos (Figura 230.3). A terceira vai desde a classificação dos trabalhos até o relatório (Figura 230.4).

Etapa importante de uma revisão sistemática é a classificação dos estudos conforme a sua qualidade, selecionando aqueles que vão fazer parte da metanálise. Com o propósito de minimizar a subjetividade da classificação, foram propostos alguns sistemas, como o de Jadad,[28] Delphi[29] e Maastricht.[30]

É importante salientar que, no estágio três, os autores classificam os trabalhos em A, B e C. Os classificados como A apresentam descrição adequada do sigilo da alocação. Os classificados como B não descrevem o sigilo da alocação, e os classificados como C descrevem o sigilo da alocação de maneira errada e devem ser excluídos do estudo, porém os motivos da exclusão devem ser apresentados individualmente, em forma de tabela, com as devidas referências.

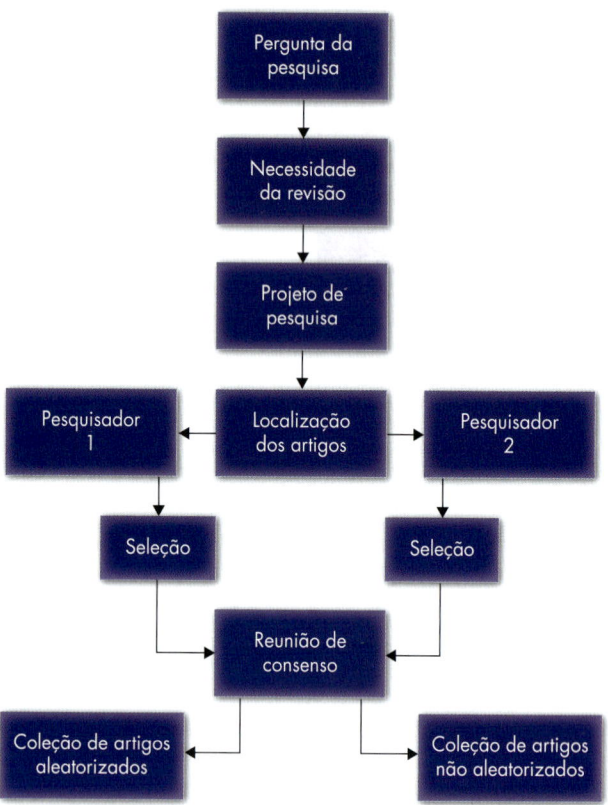

▲ **Figura 230.2** Primeira parte para realização de revisão sistemática.

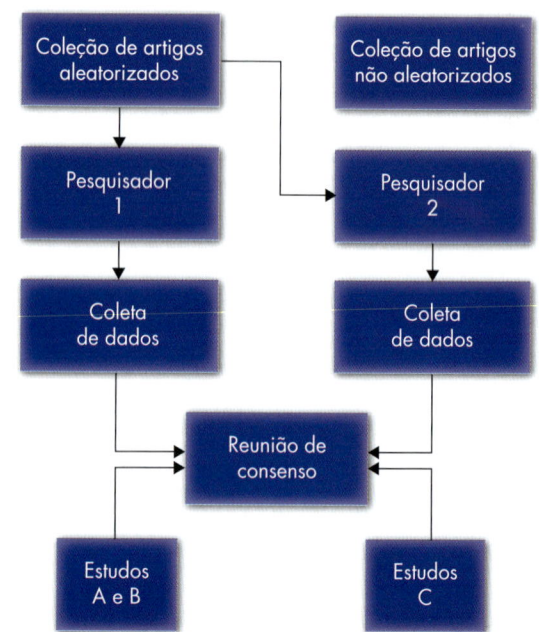

▲ **Figura 230.3** Segunda parte para realização de revisão sistemática.

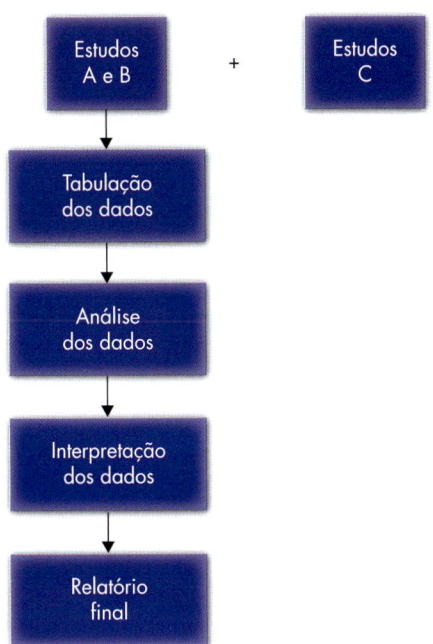

▲ **Figura 230.4** Terceira parte para realização de revisão sistemática.

Na terceira etapa deve-se fazer a tabulação e a análise dos dados. Ao analisar os dados, é importante observar também que, além da metanálise principal, deve-se realizar a análise de sensibilidade e testar as possíveis fontes de heterogeneidade para verificar a força dos resultados.

Pelo fluxograma pode-se inferir que o número de artigos submetidos à metanálise é menor do que o número de artigos de uma revisão sistemática. A metanálise vale-se de algumas ferramentas estatísticas para analisar os dados, entre elas *odds ratio*, risco relativo, redução absoluta de risco, peso do estudo, *odds ratio* metanalítico de Peto, *odds ratio* metanalítico de Mantel e Haenszel, teste Q de homogeneidade de Cochrane e estatística I.[2]

Os resultados de uma metanálise geralmente são apresentados em uma representação gráfica chamada de *forest plot*.[12] Recursos computacionais podem ser utilizados, e alguns programas comerciais de computador facilitam o desenvolvimento de uma metanálise.

Situações ao Final do Estudo

Após o estudo realizado, pode-se chegar a três situações finais:[31]

1. Foi feita uma metanálise com estudos de boa qualidade, sendo possível detectar diferenças que podem ser recomendadas;
2. Foi feita uma metanálise com estudos de boa qualidade, e não foi possível detectar diferenças entre os grupos;
3. Não foi possível montar o estudo, isto é, não existem ensaios clínicos para responder à pergunta formulada.

Fica claro que as revisões sistemáticas podem ser qualitativas e quantitativas. As revisões qualitativas apresentam os resultados de maneira conjunta, e as quantitativas com metanálises apresentam maior relevância, porém fatores como heterogeneidade e inconsistência nos resultados podem impedir o agrupamento de diferentes estudos, inviabilizando-os.

A Aplicação Clínica

Da metanálise, alguns passos da aplicação clínica de sua evidência precisam ser seguidos (Figura 230.5). Da pesquisa da literatura em que deparou com uma evidência, sugere-se a análise econômica, parte importante da avaliação tecnológica. Em seguida, vem a chamada monitorização da prática clínica, que envolve diretrizes clínicas e aplicação das diretrizes que culminam com a decisão clínica, na qual as evidências, a situação do atendimento e os desejos dos pacientes se entrelaçam.[32]

Críticas às Revisões Sistemáticas

As revisões sistemáticas são frequentemente criticadas por oferecer evidências inconsistentes e ausência de recomendações para a prática clínica. Uma pesquisa sistemática[14] avaliou as conclusões de 1.016 revisões sistemáticas da Cochrane, publicadas até o ano de 2003, provindas de ensaios clínicos randomizados com relação às recomendações para a prática clínica e para a pesquisa científica. Concluiu-se que a maioria das revisões sistemáticas da Cochrane não oferece evidências para a tomada de decisão na prática clínica, e os autores das revisões clamam pela realização de mais ensaios clínicos randomizados acerca da questão estudada.[14]

Em 2011, os autores novamente analisaram as conclusões de revisões sistemáticas da Cochrane com o intuito de avaliar se o percentual encontrado e categorizado como "evidências insuficientes para recomendar ou refutar determinada intervenção, e os autores solicitam por mais estudos" havia diminuído significativamente e, dessa forma, aumentado a produção de estudos primários no decorrer do período de 2004 a 2011.[33] Mais uma vez, descobriu-se que a maior parte das revisões sistemáticas da Cochrane não suporta nem refuta a utilização de determinadas intervenções, e os autores solicitaram urgentemente por mais estudos para responder às questões clínicas abordadas por essas revisões.[33]

Além disso, em diversas áreas da saúde, principalmente nas especialidades como a cirurgia, existe não apenas a dificuldade referente aos aspectos éticos de realizar ensaios clínicos com procedimentos *sham*, uma vez que os pacientes são submetidos à anestesia e podem ser expostos a riscos, mas também uma não aceitação do paciente e dificuldades estruturais compatíveis a esse desenho de estudo.

Metanálise Proporcional de Série de Casos[34]

Pelas razões expostas, é essencial a necessidade de criar estratégias para lidar com a ausência de ensaios clínicos ou com as evidências insuficientes na área da saúde para responder a questões sobre eficácia, efetividade, eficiência e segurança de determinadas intervenções. Dessa forma, foi criada uma abordagem alternativa de avaliação de séries de casos na ausência de ensaios clínicos para responder a questões na área da saúde, chamada de metanálise proporcional de estudos de série de casos.[34]

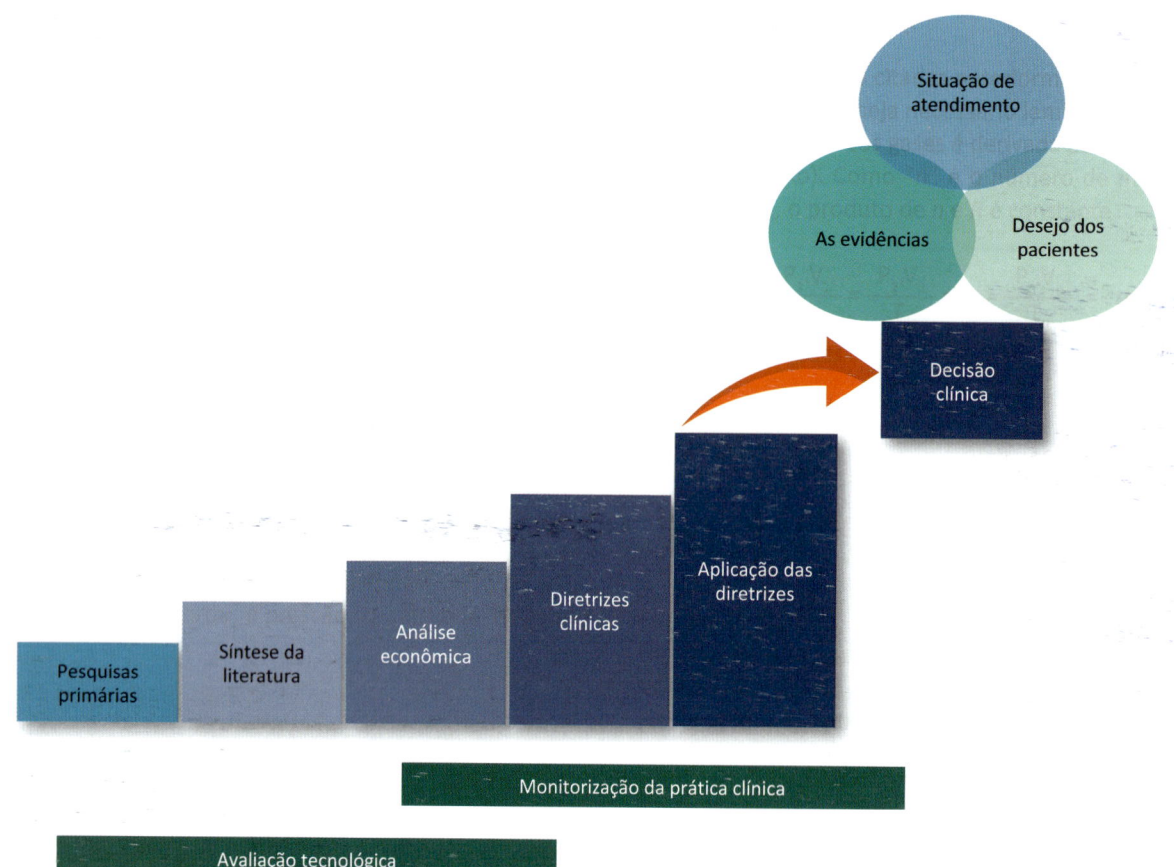

▲ **Figura 230.5** Revisão sistemática e a decisão clínica.

Passos de uma metanálise proporcional de série de casos

Esse método segue os primeiros passos de uma revisão sistemática tradicional. O primeiro passo é a formulação da pergunta clínica composta de quatro itens (Pico). Se tomarmos como exemplo a primeira experiência com essa abordagem estatística, temos: situação clínica (carcinoma renal de células pequenas), intervenção (crioablação), grupo controle (ablação por radiofrequência) e desfecho de interesse (eficácia clínica e complicações).

O segundo passo é a realização de uma estratégia de busca para identificar todos os estudos série de casos sobre o assunto estudado. A estratégia de busca deve ser abrangente e pesquisada nas principais bases de dados eletrônicos da área da saúde: MedLine, Embase, *ISI web of Science e Lilacs* (Literatura Latino-Americana e do Caribe em Ciências da Saúde). Não deverão constar restrições de idioma e ano de publicação, a não ser que o último item seja justificado pela inserção da intervenção de interesse em determinado ano ou década.

O terceiro passo é a seleção dos títulos identificados pela pesquisa bibliográfica e a extração de dados dos estudos incluídos, realizada por dois revisores independentes. Um formulário padrão deve ser utilizado para extrair informações, por exemplo: autores e ano de publicação, número de participantes analisados, idade média, técnicas estudadas (p. ex.: crioablação ou ablação por radiofrequência), número de tumores tratados, tamanho médio do tumor[35]

e a duração do seguimento do estudo, juntamente com os desfechos de interesse.

Nessa abordagem estatística, não se analisa a validade interna desse desenho de estudo, pois já é sabido que série de casos são estudos de qualidade baixa, e, dessa forma, não há formulários específicos para avaliar a qualidade metodológica deles. Em virtude da clara diferença entre os estudos incluídos e as diversas variáveis não controladas decorrentes da natureza desse desenho de estudo, sugere-se utilizar o modelo de efeito randômico[36] para melhor apresentar os dados plotados na metanálise proporcional. Utiliza-se o *software* StatsDirect para plotar os estudos em uma metanálise proporcional.

A interpretação de uma metanálise proporcional de série de casos é semelhante a uma metanálise tradicional. Cada linha horizontal num gráfico de floresta representa um estudo de série de casos incluídos. O comprimento de cada linha corresponde ao intervalo de confiança de 95%. A estimativa do efeito é marcada com um quadrado preto sólido. O tamanho do quadrado representa o peso que o respectivo estudo exerce na metanálise proporcional. A estimativa combinada é marcada com um diamante não preenchido no final do gráfico de floresta. Os intervalos de confiança de estimativas combinadas são mostrados como uma linha horizontal "cortando" o diamante.

Define-se como uma diferença estatisticamente significante entre as duas intervenções estudadas se os respectivos intervalos de confiança de estimativas combinadas não se sobrepuserem[32] (Figuras 230.6, 230.7 e 230.8).

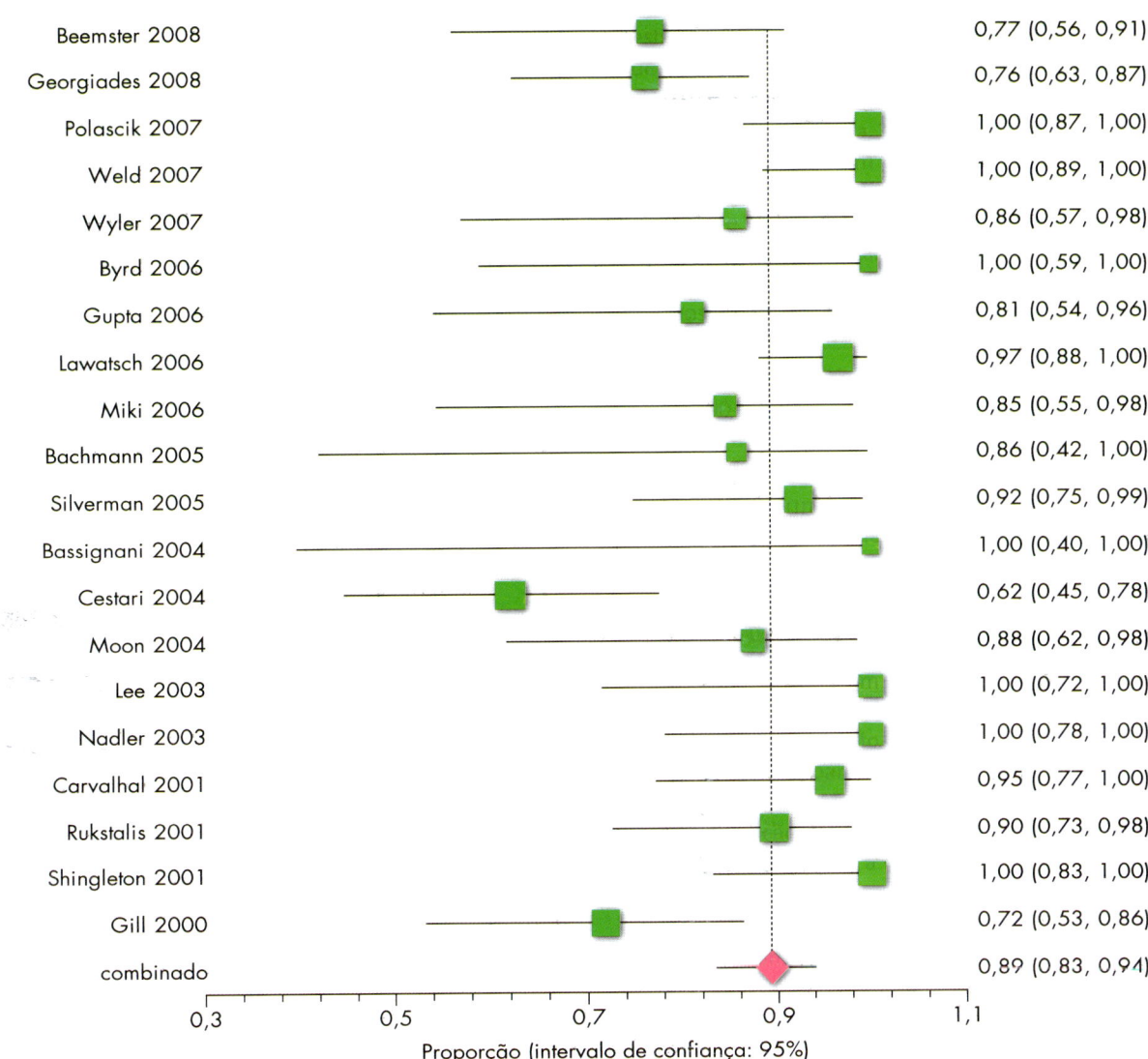

Gráfico de metanálise proporcional [efeitos aleatórios]

Estudo	Proporção (IC 95%)
Beemster 2008	0,77 (0,56, 0,91)
Georgiades 2008	0,76 (0,63, 0,87)
Polascik 2007	1,00 (0,87, 1,00)
Weld 2007	1,00 (0,89, 1,00)
Wyler 2007	0,86 (0,57, 0,98)
Byrd 2006	1,00 (0,59, 1,00)
Gupta 2006	0,81 (0,54, 0,96)
Lawatsch 2006	0,97 (0,88, 1,00)
Miki 2006	0,85 (0,55, 0,98)
Bachmann 2005	0,86 (0,42, 1,00)
Silverman 2005	0,92 (0,75, 0,99)
Bassignani 2004	1,00 (0,40, 1,00)
Cestari 2004	0,62 (0,45, 0,78)
Moon 2004	0,88 (0,62, 0,98)
Lee 2003	1,00 (0,72, 1,00)
Nadler 2003	1,00 (0,78, 1,00)
Carvalhal 2001	0,95 (0,77, 1,00)
Rukstalis 2001	0,90 (0,73, 0,98)
Shingleton 2001	1,00 (0,83, 1,00)
Gill 2000	0,72 (0,53, 0,86)
combinado	0,89 (0,83, 0,94)

Proporção (intervalo de confiança: 95%)

▲ **Figura 230.6** Exemplo de uma metanálise proporcional de séries de casos sobre a eficácia clínica da crioablação, com um valor de heterogeneidade calculado de I^2 = 70.6% (p < 0.001).

É a sobreposição dos intervalos de confiança das Figuras 230.6 e 230.7 que mostrarão de fato se houve uma diferença estatisticamente significante entre os grupos estudados, neste caso, entre a crioablação e a ablação por radiofrequência (Figura 230.8).

Não houve diferença estatisticamente significante entre a crioablação e a ablação por radiofrequência, pois seus respectivos intervalos de confiança se sobrepuseram (Figura 230.8).

A análise também demonstra que existe uma heterogeneidade significativa (I^2 = 70,6%) no desfecho clínico da crioablação (Figura 230.6), o que já era esperado, pois estamos lidando com estudos de séries de casos. As razões para essa heterogeneidade podem ser tanto clínica como metodológica. Os estudos diferem consideravelmente em relação à seleção do paciente, à gravidade da doença, às técnicas avaliadas (nesse exemplo, laparoscopia, via percutânea ou aberta) e à duração de seguimento.

No geral, ainda é desejável descrever os dados existentes, de modo que médicos e profissionais da saúde podem ter o estado de conhecimento atual mapeado. Por essa razão, sugere-se a realização de uma metanálise proporcional de estudos de séries de casos quando não há ensaios clínicos na literatura para responder à pergunta clínica de interesse. No entanto, os investigadores e os envolvidos nas políticas de saúde devem permanecer extremamente cientes dos resultados desse método estatístico, pois há muitas falhas na validade interna dos estudos envolvidos nessa abordagem alternativa.[34]

Apesar de estarmos lidando com baixo nível de evidências para determinar eficácia e segurança de intervenções na área da saúde, essa abordagem alternativa pode ajudar médicos e profissionais da saúde até o surgimento de melhores evidências científicas.[34] Não é um substituto para o padrão-ouro ensaio clínico randomizado, mas uma alternativa provisória

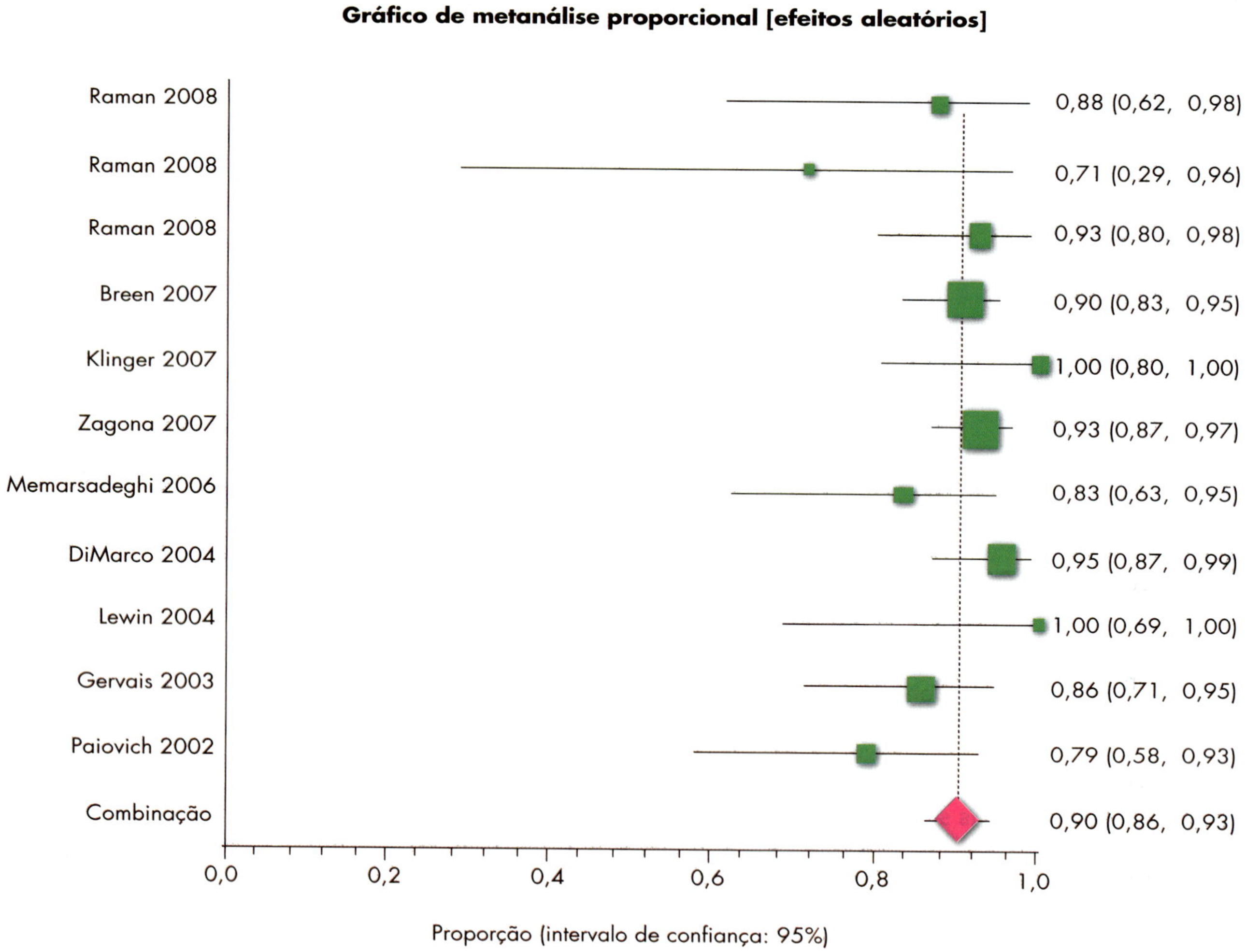

Gráfico de metanálise proporcional [efeitos aleatórios]
Raman 2008
0,88 (0,62, 0,98)
Raman 2008
0,71 (0,29, 0,96)
Raman 2008
0,93 (0,80, 0,98)
Breen 2007
0,90 (0,83, 0,95)
Klinger 2007
1,00 (0,80, 1,00)
Zagona 2007
0,93 (0,87, 0,97)
Memarsadeghi 2006
0,83 (0,63, 0,95)
DiMarco 2004
0,95 (0,87, 0,99)
Lewin 2004
1,00 (0,69, 1,00)
Gervais 2003
0,86 (0,71, 0,95)
Paiovich 2002
0,79 (0,58, 0,93)
Combinação
0,90 (0,86, 0,93)
0,0
0,2
0,4
0,6
0,8
1,0
Proporção (intervalo de confiança: 95%)

▲ **Figura 230.7** Exemplo de uma metanálise proporcional de séries de casos sobre a eficácia clínica da ablação por radiofrequência, com um valor de heterogeneidade calculado de I^2 = 34,1% (p = 0.126).

Crioablação
Combinado
0,89 (0,83, 0,94)
0,0
0,2
0,4
0,6
0,8
1,0
Combinado
0,90 (0,86, 0,93)
Ablação por radiofrequência

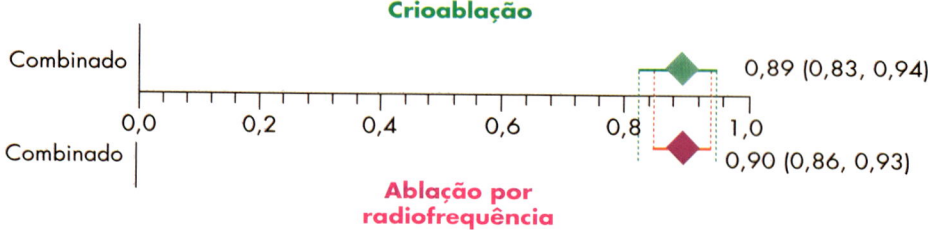

▲ **Figura 230.8** Exemplo de sobreposição dos intervalos de confiança das Figuras 230.6 e 230.7.

para a investigação clínica. Os profissionais da saúde devem pesar os benefícios e riscos desse método e levar em consideração os valores e as preferências do paciente.[34]

REVISÕES DE ESCOPO

A revisão de escopo é uma forma de revisão utilizada para verificar, na literatura, sobre um tema específico, procurando auxiliar no mapeamento dos estudos sobre o tema, analisando a sua extensão, o seu alcance e a própria investigação, assim como a identificação de lacunas nos estudos existentes. Embora elas apresentem a replicabilidade proporcionadas pela revisão sistemática, elas não têm o propósito de avaliar a qualidade das evidências produzidas e nem são submetidas à metanálise. Na realidade, as revisões de escopo abordam sinteticamente as evidências que estão em rápido crescimento, com o propósito de investigar e apresentar uma visão geral delas e das lacunas de evidências nos mais variados campos. No entanto, a abrangência dos artigos publicados, selecionados e avaliados fez com que alguns autores entendessem que a revisão de escopo deva, até mesmo, anteceder a uma revisão sistemática com metanálise. Diferentemente das revisões sistemáticas, as revisões de escopo apresentam diferentes tipos de questões, baseadas em critérios diferentes de inclusão e exclusão. Assim, elas têm como objetivos identificar aspectos mais amplos e descritivos da literatura.

Fundamentalmente, as revisões de escopo não objetivam a comparação da eficácia de resultados agrupados, mas, sim, descrever e explicar a natureza de um conjunto de evidências. No entanto, as revisões de escopo podem também discorrer sobre questões específicas, com critérios de inclusão e exclusão bem definidos para a pesquisa, levando em conta seus objetivos descritivos e não analíticos. Em linhas gerais, as revisões de escopo analisam vários aspectos sobre o mesmo assunto, não descartando trabalhos cujo método não seja apropriado para compor um conjunto que possa ser submetido a uma metanálise.[37]

Em 2012 surgiram vários artigos de revisão de escopo, e a crítica que se fez era que os métodos eram muito diversificados e cada autor tinha um protocolo individual, embora em 2005 tenha surgido a primeira estrutura formal para revisões de escopo.[38] Baseando-se neste fato, um grupo internacional e multidisciplinar de médicos e especialistas em síntese de evidências desenvolveu, em 2014, uma orientação para a condução de revisões de escopo, sendo que em 2020 esta orientação foi atualizada. Ficou ressaltado que desenvolvimento de um protocolo descrevendo os parâmetros da revisão e as decisões referentes aos critérios de inclusão e exclusão de evidências torna-se um passo valioso na realização das revisões de escopo.[37] Em 2017, o *Joanna Briggs Institute* também publicou uma orientação metodológica para realização de uma revisão de escopo.[39] A importância dada a esses protocolos gerou, inclusive, revisões sobre os diversos protocolos elaborados por diversos autores. Essas diversificações podem gerar falsas conclusões, sendo essa a preocupação. Admite-se que as peças-chave para elaboração de um protocolo para as revisões de escopo devem contemplar: título; objetivo, perguntas de revisão; introdução; critérios de inclusão; população alvo; conceito; contexto; fontes de evidência; método com as estratégias da pesquisa, seleção de fontes de evidências e extração de dados; análise e a apresentação de dados.[37]

O **título** é o primeiro ponto que desperta o interesse dos leitores, no qual eles irão procurar se o conteúdo será relevante para os seus interesses. O título deve contemplar, o máximo possível, as palavras-chave de busca na literatura, sem ser muito extenso. Deve-se utilizar palavra que por si só descreva, com precisão, o assunto em revisão. Um exemplo de título é: Anestesia regional para procedimentos ortopédicos em regime ambulatorial: revisão de escopo. Esse título evoca três aspectos que podem facilitar a busca: anestesia regional, procedimentos ortopédicos e regime ambulatorial. Além do mais, o fato de dizer que se trata de uma revisão de escopo reforça mais o peso do artigo. Se a pesquisa for mais específica, um outro título pode ser utilizado, como, por exemplo: "Anestesia regional para analgesia pós-operatória em procedimentos ortopédicos em regime ambulatorial: uma revisão de escopo".

O **objetivo** deve ser apresentado de uma forma clara e objetiva, com detalhamento do propósito da revisão e com a abrangência que as diretrizes do protocolo pretendem verificar. Isso não só ensejará ao leitor o próprio escopo da

revisão assim como permitirá, no final, verificar se todos os objetivos foram cumpridos. Como exemplo, pode-se citar: "O objetivo desta revisão de escopo é verificar a eficácia das técnicas de anestesia regional para os procedimentos ortopédicos em regime ambulatorial, quanto ao grau de satisfação dos pacientes e aos critérios de alta com analgesia pós-operatória satisfatória, procurando, assim, evidências que possam ser úteis para a prática clínica ao utilizar essa ferramenta. Assim, o leitor terá uma visão dos detalhes que serão extraídos das fontes de evidência incluídas e relatadas na revisão.

Um benefício de ter **perguntas de revisão** bem formuladas e precisas é que ajuda os autores a pensar sobre quais detalhes específicos eles precisam coletar para atingir o objetivo de sua revisão proposta. Isso também facilitará o desenvolvimento de um critério de inclusão claro e prático, assim como o modo de extração de dados.

A **introdução** é a seção na qual a justificativa da revisão é apresentada. Os autores devem explicar por que é importante que uma revisão de escopo seja realizada com os objetivos apresentados. Por exemplo, quais problemas na prática clínica e na pesquisa levaram à necessidade de se verificar a eficácia da anestesia regional para os procedimentos ambulatoriais ortopédicos?

Na introdução deve-se apresentar uma breve visão geral do assunto sob investigação, para que se tenha uma visão clara da área em que o trabalho se insere. Não é necessário detalhamento dos trabalhos citados, porém deve ficar clara a necessidade da revisão de escopo. Devem ser fornecidos detalhes sobre os critérios de inclusão específicos da revisão de escopo, assim como devem ser apresentados os objetivos e as perguntas formuladas. Pode-se apresentar, ainda, o escopo da questão de pesquisa e seus limites, com o propósito de elucidar a justificativa para os critérios de inclusão específicos em relação ao assunto a ser estudado.

Os **critérios de inclusão** para revisões de escopo são semelhantes aos das revisões sistemáticas. Estão relacionados ao objetivo e às perguntas da revisão, sendo utilizados para determinar o que está incluído ou excluído da revisão. Nas revisões sistemáticas aparece a estrutura PICO (participantes, intervenção, comparador, resultados). Para revisões sistemáticas, cada um deles geralmente é definido com precisão. As revisões de escopo não têm os mesmos tipos de objetivos que as revisões sistemáticas, e, assim, seus critérios de elegibilidade são diferentes.

Dos **participantes** ou da **população-alvo,** devem apresentadas as características importantes incluídas em fontes de evidência potencialmente relevantes e de fatores como idade, diagnóstico, função e quaisquer outros critérios de qualificação que tornem um determinado grupo de participantes apropriado para o objetivo e as questões da revisão de escopo. A justificativa para a inclusão ou exclusão de participantes deve ser explicada.

O **conceito** de uma revisão de escopo é a questão ou tópico-chave que a revisão de escopo irá verificar, podendo ser incluídos: a própria definição; o desenho do estudo e as abordagens do método; as teorias; os programas as intervenções e as tomadas de decisões quanto à conduta. Assim, o foco da revisão, que é o elemento conceitual de uma revisão de escopo, deve mostrar os detalhes mais centrais para o objetivo e as questões da revisão. O conceito central a ser examinado pela revisão de escopo deve orientar o escopo como também a própria amplitude da investigação.

O **contexto**, o cenário, ou ainda o ambiente, termos utilizados com muita frequência, geralmente se relacionam ao local, ao campo do conceito ou dos participantes da revisão. O contexto pode referir-se ao local físico onde as fontes de evidências foram realizadas, à localização geográfica dentro de determinados países ou regiões, aos serviços ou a aspectos sociais e culturais.

As **fontes de evidências** podem incluir qualquer literatura como: estudos primários, revisões sistemáticas, metanálises, cartas ao editor, diretrizes, *sites*, ou documentos de política.

O **método** utilizado deve ser declarado na abertura da seção de métodos. Deve ser citado qual método será seguido dentre os existentes.

É necessário mostrar qual será a **estratégia de pesquisa**, ou seja, o planejamento, o desenvolvimento e a abordagem pretendida para a busca e a seleção de fontes de evidências que serão incluídas no relatório final da revisão de escopo. O detalhamento deverá ser definido, podendo ser uma simples lista de termos e palavras-chave com base nos critérios de inclusão ou até uma estratégia de busca mais avançada. O processo de busca depende de palavras-chave apropriadas e termos relevantes, sendo que é necessário equilibrar a amplitude da pesquisa com o tempo e os recursos alocados ao projeto.

A **seleção de fontes de evidências** localizadas pela pesquisa deve atender aos critérios de inclusão do protocolo. No entanto, os autores podem optar por informar que a busca, a triagem e a seleção podem revelar novos termos, conceitos e até locais de evidências relevantes. Os desvios do protocolo devem ser mencionados para garantir a transparência do processo de condução da revisão de escopo.

O objetivo da **extração de dados** é detalhar os resultados de modo fácil de se entender. Deve ficar claro que foi considerado com muito cuidado quais dados devem ser extraídos das fontes de evidência para responder à pergunta da revisão. As revisões de escopo normalmente não incluem uma avaliação da qualidade metodológica ou risco de viés das fontes de evidência. Quando isso for incluído, deve ser justificado.

A **análise e a apresentação de dados** nas revisões de escopo são, geralmente, descritivas, sendo a frequência básica e as porcentagens as abordagens mais comuns. As revisões de escopo visam principalmente à identificação do conhecimento existente. Assim, é importante apresentar as categorias conceituais como: tipo de intervenção; população-alvo; duração da intervenção; objetivos; método adotado; lacunas na pesquisa e, principalmente, as evidências encontradas.

■ MEDICINA BASEADA EM EVIDÊNCIAS

Os desenvolvimentos econômico, político, social, cultural e científico são marcados por processos lentos, graduais e de profunda conscientização dos aspectos importantes que devem ser transformados e aprimorados para o bem de uma comunidade. Em relação ao campo científico, no passado, as pesquisas eram embasadas apenas em teorias fisiopatológicas. Porém, elas foram sofrendo profundas modificações, agregando-se a um processo baseado em evidências provindas de boas pesquisas científicas.[40]

A medicina baseada em evidências (MBE) é definida como o elo entre a boa pesquisa científica e a prática clínica O termo MBE foi utilizado pela primeira vez na literatura médica em 1992, por pesquisadores da Universidade McMaster, sendo definido como o uso consciencioso, explícito e judicioso da melhor evidência disponível de cuidado médico administrado aos pacientes.[41]

A MBE utiliza provas científicas existentes e disponíveis, com boa validade interna e externa, para a aplicação de seus resultados na prática clínica. Quando abordamos o tratamento e falamos em evidências, referimo-nos à efetividade, à eficiência, à eficácia e à segurança. A efetividade diz respeito ao tratamento que funciona em condições do mundo real. A eficiência diz respeito ao tratamento barato e acessível para que os pacientes possam dele usufruir. Referimo-nos à eficácia quando o tratamento funciona em condições de mundo ideal. E, por último, a segurança significa que uma intervenção possui características confiáveis que tornam improvável a ocorrência de algum efeito indesejável para o paciente.[42]

Entretanto, a utilização desses termos parece ser aleatória nos ensaios clínicos, não refletindo o propósito real do estudo. Grupos de pesquisadores estão trabalhando para produzir uma ferramenta que possibilite diferenciar os termos efetividade e eficácia e, então, facilitar a aplicabilidade dos resultados de ensaios clínicos na prática clínica. Acredita-se que a classificação de um ensaio clínico não é dicotômica, ou seja, há um gradiente entre efetividade e eficácia, sendo muito difícil realizar um ensaio clínico "puramente" pragmático ou "puramente" explanatório.[43]

O processo da MBE inicia-se pela formulação de uma questão clínica de interesse. Uma boa pergunta formulada é o primeiro e mais importante passo para o início de uma pesquisa, pois diminui a possibilidade de ocorrerem erros sistemáticos (vieses) durante a elaboração, o planejamento, a análise estatística e a conclusão de um projeto de pesquisa. Uma boa pergunta científica consiste em quatro itens fundamentais: situação clínica (qual é a doença), intervenção (qual é o tratamento de interesse a ser testado), grupo controle (placebo, *sham*, nenhuma intervenção ou outra intervenção) e desfecho clínico.[40]

Suponha que se queira saber sobre a eficácia e a segurança da anestesia venosa comparada à inalatória na diminuição da mortalidade de pacientes submetidos à técnica de ventilação monopulmonar. Ao se utilizar a estrutura PICO (participantes, intervenção, comparador, resultados), o P representaria os pacientes que se submeteram à cirurgia com ventilação monopulmonar; o I (intervenção) seria a anestesia venosa; o C (comparador) a anestesia inalatória e o O (resultados) a diminuição da mortalidade. Dessa forma, a pergunta adequada e que ilustra explicitamente o que o investigador vai pesquisar seria: "A anestesia venosa é mais eficaz e segura quando comparada à anestesia inalatória na diminuição da mortalidade nos pacientes submetidos à técnica de ventilação monopulmonar?"[43]

Uma vez formulada a pergunta a ser respondida e identificado o melhor desenho de estudo, o investigador poderá lançar mão das bases de dados eletrônicos para recuperar pesquisas com nível 1 de evidências (i.e., revisões sistemáticas).[43] Uma das bases de dados mais recomendadas para identificar se existe ou não uma revisão sistemática é a Cochrane *Database of Systematic Reviews (CDSR)* da Biblioteca Cochrane, disponível no site *www.cochranecollaboration.com*

No exemplo citado anteriormente, realiza-se uma estratégia de busca com todos os descritores referente aos termos "anestesia venosa" e "anestesia inalatória" e relaciona-se com os sinônimos do termo "ventilação monopulmonar", com base na busca nas bases de dados Descritores em Ciências da Saúde (DECS, www.decs.bvs.br) e Medical Subject Headings (MeSH, www.pubmed.com): (*Inhalation Anesthesia*) OR (*Inhalation Anaesthesia*) OR (*Insufflation Anesthesia*) OR (*Insufflation Anaesthesia*) **AND** (*Intravenous Anaesthesias*) OR (*Intravenous Anaesthesias*) OR (*Intravenous Anaesthesias*) OR (*Intravenous Anaesthesias*) **AND** ((*one-lung ventilation*) OR (*one-lung ventilation*) OR (*single-lung ventilation*) OR OLV OR (*one-lung anaesthesia*) OR (*one-lung anaesthesia*)).[43]

Nota-se que são relacionados todos os descritores da anestesia inalatória e também os descritores da anestesia venosa, utilizando-se o operador lógico booliano OR; em seguida esses dois subconjuntos (anestesia inalatória e anestesia venosa) são associados por meio do operador lógico booliano AND. Depois, insere-se os parênteses externos para designar o conjunto 1, que envolve a intervenção e o grupo controle. O conjunto 1 foi relacionado, então, com o conjunto 2, composto dos descritores de ventilação monopulmonar (situação clínica), também por meio do uso do operador AND.[43] Após esse procedimento, "roda-se" a estratégia na base de dados CDSR. O intuito de rodar a estratégia de busca primeiro na Biblioteca Cochrane fornece ao profissional a possibilidade de mapear rapidamente os estudos existentes com alto nível de evidências – revisões sistemáticas. Com os títulos identificados na Biblioteca Cochrane, selecionam-se os artigos em potencial para uma leitura minuciosa. Caso não existam evidências sobre o assunto na CDSR, o profissional poderá lançar mão das principais bases de dados na área da saúde como a PubMed (http://www.ncbi.nlm.nih.gov/pubmed/) e a Embase (http://www.embase.com) para identificar estudos em potencial sobre o tópico de interesse.

Ao localizar a revisão, o investigador deverá realizar uma análise crítica da evidência quanto à sua validade (proximidade da verdade), ao impacto (tamanho do efeito) e à aplicabilidade na prática clínica, além de tomar suas decisões clínicas baseadas na melhor evidência científica. Nesse caso, embora exista uma revisão sistemática[12] que incluiu nove ensaios clínicos randomizados (ECRs) envolvendo 291 pacientes, os autores concluem não haver evidências suficientes para determinar qual técnica anestésica (venosa ou inalatória) é mais eficaz e segura na diminuição da mortalidade em pacientes com ventilação monopulmonar e solicitam a realização de mais estudos primários, ou seja, ECRs para responder à pergunta.[43]

Imaginamos agora que o intuito seja comparar a eficácia e a segurança da anestesia inalatória *versus* anestesia venosa nas taxas de mortalidade em pacientes submetidos à cirurgia de revascularização miocárdica com ou sem circulação extracorpórea e que, após buscarmos na base de dados CDSR, não encontramos nenhuma revisão sistemática. Pois bem, o estudo seguinte mais apropriado seria um ECR, de preferência com tamanho amostral acima de mil pacientes. ECR com tamanho amostral grande é uma poderosa ferramenta, pois, além de ser prospectivo e ter o processo de randomização – que assegura uma distribuição homogênea acerca das características demográficas dos pacientes selecionados para inclusão no estudo –, possui poder estatístico. Claro que para cada questão clínica o tamanho amostral deverá ser calculado de acordo com a prevalência do desfecho primário.[43]

Outrossim, na ausência de revisões sistemáticas ou mesmo ensaios clínicos randomizados, o investigador terá duas opções: a) basear-se em estudos de nível mais baixo, como os estudos controlados e coortes, porém o risco de ocorrência de vieses nos resultados desse estudo é alto em virtude da ausência do processo de randomização; b) desenhar um ensaio clínico randomizado. Mesmo que o tamanho amostral seja insuficiente, ou seja, não há pacientes suficientes para chegar ao número desejado, o ECR conduzido no hospital de sua instituição servirá como parte do quebra-cabeça de uma revisão sistemática. Em outras palavras, ECRs comparando as mesmas intervenções e grupos controle e avaliando os mesmos desfechos para determinada situação clínica serão possivelmente plotados em uma metanálise e, consequentemente, aumentarão o tamanho amostral da análise estatística, podendo detectar uma diferença significante entre os grupos estudados.[43]

Agora, supondo-se que se queira saber sobre a eficácia da hipotermia induzida quando comparada à normotermia na diminuição da mortalidade em pacientes submetidos à cirurgia cerebral. Formulada a pergunta clínica composta de quatro itens-chave (i.e., PICO), o primeiro passo seria identificar o melhor desenho de estudo com o objetivo de reduzir a probabilidade de resultados falsos e, nesse caso, seria uma revisão sistemática de intervenção. A segunda etapa é a elaboração de uma estratégia de busca com os termos referentes à intervenção de interesse e à situação clínica e rodá-la na CDSR para identificar a existência do estudo em questão.[43] Veja a estratégia de busca competente a essa questão clínica:[42] (*Hypothermia OR Hypothermias*) OR (*Artificial Hibernation*) OR (*Hypothermia Induced*) OR (*Circulatory Arrest Deep Hypothermia Induced*) OR (*Refrigeration Anesthesia*) OR (*Mild Hypothermia*) OR (*Mild Intraoperative Hypothermia*) OR *Cryotherapy* OR *Cryosurgery* OR *Cooling* OR (*Hypothermic perfusion*) OR (*extracorporeal cooling*) OR (*topical cooling*) OR (*cold therapy*) OR (*cold therapies*) OR *cryosurgery* OR *cryosurgeries*) **AND** ((*Neurosurgical Procedures*) OR *Neurosurgery* OR (*Brain Neoplasms*) OR (*Brain Injuries*) OR (*Traumatic Brain Hemorrhage*) OR (*Cerebrovascular Trauma*) OR (*Intracranial Arterial Diseases*) OR (*Cerebral Hemorrhage*) OR (*Intracranial Hemorrhages*) OR (*Penetrating Head Injuries*) OR (*Cerebrovascular Disorders*) OR (*Intracranial Aneurysm*) OR (*Brain Injury*) OR (*Brain Injuries*) OR (*Brain Contusion*) OR (*Brain Contusions*) OR (*Diffuse Brain Injuries*) OR (*Diffuse Brain Injury*) OR (*Focal Brain*

Injury) OR (*Focal Brain Injuries*) OR (*Traumatic Brain Injuries*) OR (*Traumatic Brain Injury*) OR (*Traumatic Encephalopathies*) OR (*Traumatic Encephalopathy*) OR TBI OR TBIs OR (*Brain Trauma*) OR (*Brain Traumas*) OR (*Brain Lacerations*) OR (*Brain Laceration*) OR (*Cortical Contusion*) OR (*Cortical Contusions*) OR (*Post-Concussive Encephalopathies*) OR (*Post-Concussive Encephalopathy*) OR (*Post Concussive Encephalopathy*) OR (*Post Concussive Encephalopathies*) OR (*Post-Traumatic Encephalopathies*) OR (*Post-Traumatic Encephalopathy*) OR (*Post Traumatic Encephalopathies*) OR (*Post Traumatic Encephalopathy*) OR (*Acute Brain Injury*) OR (*Acute Brain Injuries*).

É preciso chamar a atenção, pois, embora a estratégia de busca acima seja complexa, ela é apropriada quando o investigador estiver realizando uma revisão sistemática e necessita escrutinar toda a literatura das bases de dados na área da saúde, inclusive na PubMed e na Embase. Para pesquisar apenas se há uma revisão sistemática na CDSR, o leitor poderá elaborar uma estratégia mais simples:[7] (*Hypothermia OR Cooling*) **AND** (*Brain Injuries*).

Com a estratégia simples é possível localizar a seguinte revisão sistemática publicada na CDSR: "*Cooling for cerebral protection during brain surgery*".[43] Os autores da revisão incluíram quatro ECRs com um total de 1.219 pacientes. Embora a quantidade de pacientes pareça grande, não houve evidências suficientes para determinar a eficácia da hipotermia na neuroproteção nos pacientes submetidos à cirurgia cerebral comparada à normotermia, e os autores solicitam a realização de mais ensaios clínicos para estabelecer se há algum benefício dessa técnica.[43]

Esse cenário de ausência de evidências na área da saúde é muito comum. Em 2004 foi realizado um estudo para avaliar as conclusões das revisões sistemáticas realizadas pela Colaboração Cochrane.[44,45] De 1.064 revisões avaliadas, 47,83% concluíram evidências insuficientes para recomendar ou refutar a intervenção de interesse, e os autores solicitaram mais estudos.[42]

As revisões sistemáticas têm sido uma visão produtiva desde o apelo de Archibald Leman Cochrane para a boa prática clínica, quando escreveu em 1979: "É certamente uma grande crítica para nossa profissão que não tenhamos organizado um sumário crítico, por especialidade ou subespecialidade, e atualizado periodicamente, de todos os ensaios clínicos aleatórios". Isso levou à criação, na década de 1990, de uma colaboração internacional para produzir e disseminar revisões sistemáticas na área da saúde chamada Colaboração Cochrane.

Um estudo concluiu que, embora as revisões sistemáticas sejam consideradas o melhor nível de evidências para a tomada de decisão na saúde, a maioria das revisões Cochrane destaca a ausência de evidências ou evidências insuficientes em torno das questões sobre cuidados de saúde.[11]

Foi sugerida a seguinte estratégia para lidar com a ausência de recomendação em revisões sistemáticas, ou seja, a falta de estudos primários: "para aumentar a consciência da necessidade de se ter estudos primários de alta qualidade, as revisões Cochrane deveriam incluir protocolos de ensaios clínicos relevantes".[42] As revisões sistemáticas utilizam métodos rigorosos para identificar, avaliar criticamente

e sintetizar os achados de estudos relevantes.[44] No entanto, embora as revisões sistemáticas apresentem uma estrutura metodológica mais adequada, criadas para mapear as evidências de determinado assunto, verifica-se que o "combustível" que as alimenta, ou seja, os estudos primários como os ensaios clínicos para intervenção e os estudos coortes para prognóstico, é escasso.

Dessa maneira, a grande crítica com relação à MBE é que não há estudos primários produzidos em massa e de alta qualidade, com a participação de centros em todo o mundo e de acordo com os protocolos predefinidos da Colaboração Cochrane, para abranger todas as revisões sistemáticas que não oferecem evidências suficientes para a prática clínica.

A anestesia baseada em evidências pode mudar esse cenário produzindo ECRs bem delineados das revisões sistemáticas já existentes, porém que recomendam mais estudos para determinar eficácia, efetividade e segurança de uma intervenção. Além disso, implementar os conceitos da MBE no ensino é fundamental para disseminar a cultura da boa prática clínica.

Nível de Evidências e Grau de Recomendação

Existem várias classificações quanto ao nível e ao grau de evidências na literatura, como o *Scottish Intercollegiate Guidelines Network* (SIGN)[31] e o *Oxford Centre for Evidence-based Medicine Levels of Evidence* (Oxford CEBM). Por exemplo, um ECR pode ser considerado nível 1++ de evidências de acordo com o SIGN[46] e 1b baseado no Oxford CEBM.[47] Para evitar esse tipo de inconsistência nas classificações de nível e grau de evidências, cientistas no mundo inteiro se reuniram para criar um sistema de categorização das evidências e facilitar a tomada de decisão na área da saúde. Esse sistema chama-se *The Grading of Recommendations Assessment, Development and Evaluation Working Group* (GRADE).

Para alcançar transparência e simplicidade, o sistema Grade classifica a qualidade das evidências em quatro níveis: alto, moderado, baixo e muito baixo. Algumas organizações que utilizam o sistema *Grade* escolheram combinar as categorias baixa e muito baixa, ficando com apenas três níveis. Evidências baseadas em estudos clínicos randomizados começam como evidências de alta qualidade, mas a confiança nela pode ser diminuída por várias razões, incluindo: limitações do estudo (risco de viés); inconsistência dos resultados (heterogeneidade); aplicabilidade das evidências; imprecisão da magnitude do efeito; viés de publicação.[48,49]

Atualmente, utiliza-se o *Grade* tanto para auxiliar na interpretação dos resultados de uma revisão sistemática e elaborar a conclusão como para a realização de diretrizes clínicas.

▪ CONSIDERAÇÕES FINAIS

Artigos de revisões narrativas, de escopo e sistemáticas com ou sem metanálises, todos têm o seu valor.

As revisões narrativas apresentam um conjunto de artigos que podem apresentar métodos diferentes. As revisões qualitativas procuram evitar heterogeneidade, e as revisões quantitativas (metanálise) necessariamente agrupam artigos semelhantes no método, que possibilitam análise estatística, procurando a evidência dos fatos.

Qualquer que seja a escolha do autor para a realização de um trabalho de revisão, é necessário ter um método e seguir os passos para poder chegar a conclusões e emitir opinião. A cuidadosa leitura do método dos trabalhos selecionados é de fundamental importância para qualquer tipo de trabalho de revisão que se queira fazer.

Considerando que a literatura é um amontoado desorganizado de peças para quebra-cabeças diferentes, a realização da revisão sistemática possibilitará a identificação de peças que poderão ser úteis em cada quebra-cabeça. Assim, a realização de revisões sistemáticas com ou sem metanálise é importante, como também as revisões narrativas.

A realização de uma revisão sistemática deve ser sempre iniciada com a formulação da pergunta a ser respondida. Isso ocorre em qualquer planejamento de uma pesquisa clínica. Nas revisões sistemáticas, deve-se determinar a qualidade e o poder estatístico dos estudos incluídos, evitando o viés em cada uma de suas partes.

Os passos para a realização de uma revisão sistemática estão bem determinados em publicações complementares: no Cochrane Handbook, produzido pela Colaboração Co-chrane, e no CDR Report 4, produzido pelo NHS *Centre for Reviews and Dissemination, University of York.*

A metanálise é o método estatístico utilizado nas revisões sistemáticas que procura integrar os resultados dos estudos incluídos na revisão. É uma importante contribuição para a pesquisa e a prática clínica baseada em evidências.

As revisões de escopo abrangem mais artigos com métodos semelhantes e não são submetidas à metanálise. Pode-se até realizar uma revisão de escopo sobre a revisões sistemáticas com metanálise sobre determinado assunto.

A BJAN – *Brazilian Journal of Anesthesiology* – ressalta que "A revisão sistemática, assim como as revisões de escopo rápidas, do estado da arte e um *overview* de revisões sistemáticas podem ser consideradas para publicação. Para revisões sistemáticas, os autores devem registrar o protocolo de revisão no PROSPERO (*International Prospective Registrer os Systematic Reviews*). Na seção Método, os autores também devem declarar o protocolo de revisão e indicar onde esse pode ser acessado. Resumir as seções, reunindo as implicações dos principais achados, evita as repetições de resultados de estudos publicados anteriormente. Busque uma conclusão baseada em evidência expandida. Estimula-se a incorporação de resultado de um estudo novo a outros anteriores em uma metanálise."[1]

REFERÊNCIAS

1. Brazilian Journal of Anesthesiology. Normas aos autores
2. Cabral Filho JE. Os problemas de artigos de revisão. Rev Bras Saúde Martern Infant. 2006;6:1.
3. Oliva Filho AL. Anestesia para pacientes de curta permanência hospitalar. Rev Bras Anestesiol. 1983;33:51-62.
4. Cangiani LM, Porto AM. Anestesia ambulatorial. Rev Bras Anestesiol. 2000;50:68-85.
5. Brennan LJ. Modern day-case anaesthesia for children. Br J Anaesth. 1999;83:91-103.
6. White PF, Kehlet H, Neal JM, et al. The role of the anesthesiologist in fast-track surgery: from multimodal analgesia to perioperative medical care. Anesth Analg. 2007;104:1380-96.
7. Everett LL. Pain management for pediatric ambulatory anesthesia. Curr Opin Anaesthesiol. 2002;15:609-13.
8. Moline BM. Pain management in the ambulatory surgical population. J Perianesth Nurs. 2001;16:388-98.
9. Kamming D, Chung F, Williams D, et al. Pain management in ambulatory surgery. J Perianesth Nurs. 2004;19:174-82.
10. Mitchel M. Pain management in day-case surgery. Art & Science. 2004;18:33-8.
11. El Dib R. Níveis de Evidências Científicas na Prática Médica (chapter 1). In: Guia Prático de Ultrassonografia Vascular. 2º Ed. Rio de Janeiro: Di Livros Editora, 2011. ISBN: 978-85-86703-91-1.
12. Akobeng AK. Understanding systematic reviews and meta-analysis. Arch Dis Child. 2005;90:845-8.
13. Martinez EZ. Metanálise de ensaios clínicos controlados aleatorizados: aspectos quantitativos. Medicina (Ribeirão Preto). 2007;40:223-35.
14. El Dib R. Como praticar a medicina baseada em evidencias. J Vasc Bras. 2007;6(1).
15. Antibas PL, do Nascimento Junior P, Braz LG, et al. Air versus saline in the loss of resistance technique for identification of the epidural space. Cochrane Database Syst Rev. 2014 Jul 18;7:CD008938.
16. Cook DJ, Mulrow CD, Davidoff E. Systematic reviews: critical links in the great chain of evidence. Ann Inter Med. 1997;126:380-91.
17. Riera R, Abreu MM, Ciconelli RM. Revisões sistemáticas e metanálises na Reumatologia. Rev Bras Reumatol. 2006;46:(Suppl6):8-11.
18. Egger M, Smith GD. Meta-analysis: potentials and promise. BMJ. 1997;315:1371-4.
19. Pearson K. Report on certain enteric fever inoculation statistics. BMJ. 1904;3:1243-46.
20. Cochrane AL. 1931-1971: a critical review, with particular reference to the medical profession. In Medicine for the year 2000. London: Office of Health Economics, 1979. p.1-11.
21. El Dib RP, Atallah AN, Andriolo RB. Mapping the Cochrane evidence for decision making in health care. J Eval Clin Pract. 2007;13(4):689-92.
22. Light RJ, Pillemer DB. Summing up: the science of reviewing research. Cambridge: Harvard University Press, 1984.
23. Chalmers I, Enkin M, Keirse MJNC. Effective care in pregnancy and childbirth. Oxford: Oxford University Press, 1989.
24. Zaric D, Pace NL. Transient neurologic symptoms (TNS) following spinal anesthesia with lidocaine versus other local anesthetics. Cochrane Database Syst Rev 2009:15(2) CD003006.
25. Imbelloni LE, Gouveia MA, Carneiro JA. Bupivacaína 0,15% hipobárica versus lidocaína 0,6 hipobárica para raquianestesia posterior para cirurgia anorretal ambulatorial. Rev Bras Anestesiol, 2010:60:2:113-120.
26. Clarke M, Oxman AD. Cochrane Reviewers Handbook. The Cochrane Collaboration, 2000.
27. Khan KS, Ter Riet G, Glanville J, et al. NHS Centre of Reviews and Dissemination (CRD). 2. ed. New York: University of York, 2000.
28. Jadad Ar, Moore RA, Carroll D, et al. Assessing the quality of reports of randomized clinical trials: is blinding necessary? Control Clin Trials. 1996;17:1-12.
29. Verhagen AP, Vet HC. Bie RA, et al. The Delphi list: a criteria list for quality assessment of randomized clinical for conducting systematic reviews developed by Delphi consensus. J Clin Epidemiol. 1998;51:1235-41.
30. Verhagen AP, de Vet HC, de Bie RA, et al. Balneotherapy and quality assessment: interobserver reliability of the maastricht criteria list and the need for blinded quality assessment. J Clin Epidemiol. 1998;51:335-41.
31. Egger M, Schneider M, Davey-Smith G. Spurious precision? Meta-analysis of observational studies. BMJ. 1998;316(7125):140-4.
32. Castro AA. Revisão sistemática e metanálise. Compacta – Temas de Cardiologia. 2001;5-9.
33. Villas Boas PJ, Spagnuolo RS, Kamegasawa A, et al. Systematic reviews showed insufficient evidence for clinical practice in 2004: what about in 2011? The next appeal for the evidence-based medicine age. J Eval Clin Pract. 2013;19(4):633-7.
34. El Dib R, Nascimento Jr P, Kapoor A. An alternative approach to deal with the absence of clinical trials: a proportional meta-analysis of case series studies. Acta Cir Bras. 2013;28(12):870-6.

35. El Dib R, Touma NJ, Kapoor A. Cryoablation versus radiofrequency ablation for the treatment of renal cell carcinoma: a meta-analysis of case series studies. BJU Int. 2012;110(4):510-6. doi: 10.1111/j.1464-410X.2011.10885.x.

36. Higgins JPT, Green S. Cochrane Handbook for Systematic Reviews of Interventions Version 5.1.0 [updated March 2011]. Oxford: The Cochrane Collaboration, 2011 [Internet] [acesso em 16 aug 2015]. Disponível em: www.cochrane-handbook.org.

37. Micah P, Godfrey C, McInerney P et al. Best practice guidance and report item for the development of scoping review protocols. JBI Evidence Synthesis, 2022:20:953-68

38. Arksey H, O'Malley L. Scoping studies: towards a methodological framework. Int J Soc Res Methodol. 2005;8:19-32.

39. Aromataris E, Munn Z. Joanna Briggs Institute Reviewer's Manual. Australia: The Joanna Briggs Institute; 2017.

40. El Dib R. Como praticar a medicina baseada em evidências. J Vasc Bras. 2007;6(1).

41. Browman GP. Essence of Evidence-based medicine: a case report. Journal of Clinical Oncology. 1999;17:1999-69.

42. Sackett DL, Rosenberg WM, Gray JA, et al. Evidence based medicine: what it is and what it isn't. BMJ 1996;312(7023):71-2.

43. Thorpe KE, Zwarenstein M, Oxman AD, et al. A pragmatic-explanatory continuum indicator summary (PRECIS): a tool to help trial designers. J Clin Epidemiol. 2009 May;62(5):464-75.

44. El Dib RP. Anestesia Baseada em Evidências. In: Volquind D, Albuquerque MAC, Pires OC, Vianna PTG. Curso de educação à distância em anestesiologia. 12nd Ed. São Paulo: Segmentofarma, 2012.p.1-5.

45. El Dib RP, Atallah NA, Andriolo RB. Mapping the Cochrane evidence for decision-making in health care. J Eval Clin Pract. 2007;13(4):689-92.

46. Scottish Intercollegiate Guidelines Network (SIGN). Clinical guidelines: criteria for appraisal for national use. Edinburgh: SIGN 50, 2004.

47. Jenicek M. Clinical case reports and case series research in evaluating surgery. Part II. The content and form: uses of single clinical case dreports and case series research in surgical specialties. Med Sci Minit. 2008:14(10):149-62

48. Manser R, Walters EH. What is evidence-based medicine and the role of the systematic review: the revolution coming your way. Monaldi Arch Chest Dis. 2001;56:33-8.

49. Guyatt GH, Oxman AD, Vist G, et al. For the GRADE Working Group. Rating quality of evidence and strenght of recommendations GRADE: an emerging consensus on rating quality of evidence and strenght of recommendations HIPERLINK "http://www.bmj.com/cgi/content/full/336/7650/924"BMJ.2008;336:924-926.

Índice Remissivo

A

Abciximabe, 797
Ablação por cateter para manter o ritmo sinusal, 700
Absorvedor de CO_2, 829
Abuso de substâncias, 55
Aceleromiografia, 1201
Acetilcolina, 211, 280
  na terminação do neurônio motor, representação dos níveis de armazenagem, 281
  processo de mobilização de, 282
  síntese e metabolismo da, 265
Acidente imprevisível, 28
Ácido
  acetil-salicílico, 799
  e bases, conceios, 1371
  hipocloroso, 141
  valproico, 572
Acinesia do músculo orbicular das pálpebras, 2870
Ácino hepático, 429
Aclimatação
  celular, 342
  natural em navios de grandes altitudes, 343
Acreditação
  desafios enfrentados na, 126
  hospitalar, papel da anestesia, 123
  preparação para, 127
  tendências para, 129
Acromegalia, 1097
  alterações fisiológicas da, 441
Acuidade auditiva, 1035
Adrenais, 443
Agente(s)
  adespolarizantes, bloqueio por, 289
  barbitúricos para indução emanutenção anestésica, doses recomendadas, 541

dependentes do AMP cíclico, 617
despolarizantes, bloqueio por, 289
fibrinolíticos, 1167
Agomelatina, 570
Agonista dos receptores ORL, 595
Agressões psicológicas, 54
Aids, 52
Alarmes, 1212
Albuminúria, 1081
Alça
  de Henle, 415
  fechada, 868
Alfabloqueadores
  classificação dos, 626
  fórmulas estruturais, 627
α-neoendorfina, 579
Altas pressões
  descompressão após exposição excessiva a, 345
  narcose por nitrogênio e, 344
  toxicidade do O_2 em, 345
Alterações autonômicas nos paciens com lesões medulares, 272
Altitude
  e pressão parcial de O_2, relação de, 324
  pressão atmosférica e pressão parcial de O_2, 323
Alvéolo, troca de gases no, 324
Alvimopan, 592, 785
Amígdala límbica, funções da, 213
Amitriptilina, 568
Amnésia, 211
Amostras, 3565
AMP cíclico
  agentes dependentes do, 617
  agentes independentes de, 619
Amrinoma, 618
  efeitos fhemodinâmicos ,619
Analgésicos

não opioides, 599
opioides, 3321
Análogos nucleosídeo, 799
Anemia
  algoritmo para investigação de, 1112
  causadas por deficiências nutricionais, 1111
  causadas por hemoglobinopatias, 1113
Anestesia
  com baixo fluxo de gases, 831
  com circuito fechado, 834
  dados de, modelagem para avaliação econômica de, 174
  efeitos no sistema respiratório, 1041
  efeitos sobre a fisiologia respiratória, 3422
  eventos adversos relacionado à, 110
  farmacoeconomia na, 165
  geral em oftalmologia, 2850
  infecção e, 137
  intraoperatória, 163
  morbidade e mortalidade em 102
  na Acreditação hospitalar, papel da, 123
  na antiguidade, 3
  no paciente com câncer, 1129
  para aneurisma cerebral, 2735
  para *bypass*, 2742
  para cirurgia de escoliose, 2761
  para cirurgias nasais, 2883
  para cirurgias orais, 2876
  para malformações arteriovenosas, 2740
  para o paciente transplantado pulmonar, 3114

para pessoas com doenças neuromusculares e suscetíveis à hipeermia maligna, 3414

para ressecção de granulomas, cistos e tumores da laringe, 2894

para retirada de corpo estranho das vias aéreas, 2900

pontos práticos para a preparação para a, 118

prática segura, ações e recomendações altamente relevantes para a, 118

qualidade aplicada à prática da, 131

recuperação da, 2925

segura, condução de uma, recomendações para, 120

Anestésico(s)

exposição ocupacional aos, 53

inalatórios

análise comparativa, 499

características, 486

farmacologia clínica dos, 493

locais

características farmacológicas, 520

farmacologia clínica dos, 517

Anestesiologia

avaliação econômica em, 163

brasileira, 17

especialidade médica, 10

história, 3

legislação aplicada à prática da, 27

moderna, notáveis nomes e suas contribuições para a, 13-15

mundial, 23

no Brasil, 10

pesquisa em, 87

princípios físico-químicos aplicados à, 817

Anestesiologista

causas neurológicas que podem exigir ação imediatta do, 1036

no serviço de radioterapia, 2986

participação no processo de acreditação, 125

risco ocupacional, 2978

risco profissional do, 49

vinte perguntas sugeridas para que possa conhecer melhor a organização de saúde onde atua, 117

Anestesista em atividade no Hospital das Clínicas, São Paulo, 13

Aniconvulsivantes, 570

Anomlias vasculares, 2756

Antagonista(s)

do receptor 5-HT$_3$ na terapêutica, 805

do receptor 5-HT3 na terapêutica, 805

dopaminérgicos, 777, 778, 779

dos receptores da neurocinina, 778

dos receptores da neurocinina, 783

dos receptores GABA, 778

dos receptores H$_2$, 787

dos receptores opioides, 778

dos receptores opioides, 785

opioides, 592

Antiácidos, 788

Antiagregantes

em bloqueios profundos e anestesia do neuroeixo, manejo do uso, 800

plaquetários, manejo perioperatório dos, 800

Antibioticoprofilaxia, 157

recomendações, 157

Anticoagulação, suspensão da, 795

Anticoagulantes, 791

farmacologia dos, 792

manejo perioperatório dos, 794

plaquetários, 797

uso em bloqueios profundos e anestesia do neuroeixo, 796

Anticolinérgicos, 778, 781

Antidepressivos, 567

efeitos adversos, 570

principais medicamentos, 568

tricíclicos, 567

Antidiabéticos orais, recomendações para o uso perioperatório dos, 1105

Antieméticos, classificação,778

Anti-histamínicos, 778, 780

farmacologia dos, 810

Antisserotoninérgicos, 778,782

Aorta, cirurgia da, 774

Aparelho

de anestesia

componentes dos, 825

sistema respiratório de um, 992

justaglomerular, 414

tromboelastográfico, diagrama do, 399

Apixabana, 793

Ar alveolar e atmosférico, comparação da composição do, 320

Área (s)

associativa límbica, 209

associativa parieto-occipitotemporal, 209

associativa pré-frontal, 209

corticais, 207

responsáveis por de movimentaç motoras específicas, 252

das coordenadas espaciais do corpo, 209

de Broca, 209

de Brodmann, 243

de Wernickek, 209

diastólica final do ventrículo esquerdo, medida, 367

do giro angular, 209

funcionais do córtex cerebral, 208

mapeamento das, 208

motora suplementar, 252

para nomeação de objeto, 209

pré-motora, 251

pré-coeruleus, 219

reticular excitadora, 211

tegumentar ventral, 219

Argatrobana, 794

Arritmia cardíaca, 3453

bases da eletrocardiografia na, 667

bases do tratamento farmacológico das, 675

conduta, 689

Artérias dos membros inferiores, 353

Aspiração pulmonar, 113

pulmonar perioperatória, 3424

Associação de Anestesiologistas no Brasil e no mundo, 17

Aterramento seguro, 886

Atividade

celular, 3272

médica, regulamentação no ordenamento jurídico brasileiro, 28

Ato anestésico seguro, 117

Autonomia, 44

Auto-PEEP, 312

Avaliação (ões)

barreiras para a qualidade das, 83

comparativa entre a indução de bloqueio neuromuscular, modelo para avaliação, 176

durante a esabilização/reanimação, 3159

ferramentas de, 76

neurológica e cognitiva, 1033

orais, 78

pré-anestésica

das vias aéreas, achados não desejáveis e significado, 923

pontos práticos a serem seguidos para a, 118

Aviação, fisiologia respiratória na, 344

B

Bag in a Bottle, 993
Baixo débito cardíaco, tratamento, 616
Balanced scorecard, 51, 61
  perspectivas do, 63
Barorreceptores, 269
Barreira
  de proteção, 142
    aparelho respiratório, 146
    imunidade humoral, 146
    mucosa intesinal, 143
    mucosa respiratória, 146
    pele intacta, 143
  hematoencefálica, 187
Base de dados, 99
Basófilos, 139
Beneficência, 44
Benzodiazepínicos, 479
  classificação, 535
  estrutura química, 531
  -farmacodinâmica, 534
  -metabolismo de alguns, 533
Betabloqueadoes, 629
  aplicações clínicas, 631
  efeitos adversos, 633
  farmacocinética, 631
  geração dos, 630
  propriedades farmacológicas, 632
β-endorfina, 579
Bexiga, 264
Bier, August, 8
Bile, secreções de, 432
Bioeletrogênese da transmissão
  sináptica, 197
Bioética, 43
Biofísica básica dos potenciais de
  membrana, 197
Biópsia renal, indicações mais
  frequentes de, 1084
Bisturi(s)
  de argônio, 898
  elérico(s), 897
    bipolar com sistema de selagem
      de vasos, 898
    bipolar, 897
    ultrassônico, 898
Bivalirudina, 795
Bloqueio
  do neuroeixo, infecção e, 156
  neuromuscular, diferentes tipos de
    monitoramento do, 1202
  por agentes despolarizanes, 289
Bólus intermitentes seguidos do efeito
  de "picos e vales", simulação, 862

Bomba, 355
  de infusão manual Samtronic 680,
    862
Borrachinha, 990
Bradicardia, 3451
Braquiterapia, 2984
Broncografia, 299
Brônquios, 299, 300, 301
Bulbo, 188
Buprenorfina, 595
Bupropriona, 569
Butirofenonas, 779

C

Cal sodada e estabilidade frente à, 496
Cálcio, 198
  sensibilizadores do, 620
Canal
  de cálcio, 355
  de potássio, 201, 355
  de sódio, 200, 201, 355
Canalopatias, 1126
Cangrelor, 799
Cânhamo indiano, 4
Cânulas
  nasofaríngeas, 931
  orofaríngeas, 932
Capacidade
  funcional, teste de estresse
para avaliar a, 1073
  pulmonar, 326
Capilares, 302
Capnografia transcutânea, 386
Captação, 509
Carbamazepina, 570
Cardiomiopatias, 1067
Carina, 300
Cassettes, 843
Cateter urinário, infecção e, 156
Cateterismo em cardiopatias
  congênitas, 3007
Célula(s)
  Apresentadoras de Antígenos
    (APC),145
  cardíacas, 355
  -eletricidade de , 355
  da mucosa intestinal, 144
  epiteliais, 144
  gliais, 185
Centro respiratório
  componentes do, 315
  organização neurofisiológica, 314
Cerebelo, 190

anatomia, 191
  eferências do, 256
  funções motoras do, 255
Cérebro, anatomia do, 191
Cetamina, 481
Checklist da Cirurgia Segura, 119, 120
  barreiras à implementação do, 120
  três estágios de boa prática para
    a segurança do paciente no
    transoperatório, 119
Choque
  distributivo, 3243, 3355
  espinhal, 251
  hipovolêmivco, 3353
  manejo anestésico no, 3353
  monitorização-padrão no contexto
    do, 3347
  neurogênico, 3245
  refratário, vasopressores no, 616
  séptico, 3243,3355
  tipos e manejo anestésico, 3353
  tratamento do, abordagem geral ao,
    3264
Ciclo
  cardíaco
    alças volume-pressão no, 361
    diagrama, 360
  do potencial cardíaco, 359
Cilindro de válvula plana, 827
Cilostazol, 800
Circulação
  esplâcnica, 429
  pulmonar, 326
    anatomia da, 329
    eventos adversos relacionados à,
      335
  sistêmica e pulmonar, 350
Cirurgia(s)
  da coluna vertebral, monitoração
    neurofisiológica para, 1125
  de ressecção pulmonar, 1048
  robóticas, 3497
Citalopram, 569
Citomegalovírus, 50
Citotoxicidade do neutrófilo ativado, 143
Classificação
  de Han para ventilação sob máscara
    facial, 933
  de Hunt e Hess, 1036
Clomipramina, 568
Clonidina, 561
Clopidogrel, 481, 798
Cloro, 198

CO_2 mecanismos de controle do, 326

Coagulação
  avaliação *in vivo* da, 399
  avaliação da, 1114
  e fibrinoide, modelo atual da, 393
  exames laboratoriais da, 1336
  função na hemostasia, 394
Coagulopatia induzida por queimadura, 3389
Codeína, 480
Código de Ética Médica brasileiro, 31
Codon, 476
Coeficiente
  de confiabilidade de Cronbach, 81
  de correlação bisserial, 81
  de partição tecoo/gás a 37oC, 508
Coluna
  dorsal medular, 236
  vertebral, 185
    anatomia da, 186
    corte sagial da, 186
Competência médica, 72
Complicação(ões)
  decorrentes da via aérea artificial, 3428
  pulmonares pós operatórias, 1040
  respiratórias
    decorrentes de sedação, 3434
    pós-opreratórias, 3433
Compressão cricoide, 948
Compressomiografia, 1202
Concentrações iônicas, 197
Concentrados de hemácias, 1414
Condução
  de sinais em fibras nervosas, 202
  do estímulo cardíaco, 357
  saltatória, 202
    ao longo de fibra nervosa mielinizada, esquema, 203
Conduta pré-anestésicas, 1017
Conexões neuronais da medula, 246
Conhecimento sobre a medida invasiva da pressão arterial contemplando diversas estratégias, matriz para avaliação, 80
Consentimento livre e esclarecido, 45
Conteúdo gásrico, avaliação, 1135
Controle
  do CO_2 mecanismos de controle, 326
  glicêmico, 156
    pré-operatório no paciente ambulatorial, 1104
Coração, 264

inervação
  autonômica, 270
  simpática e parassimpática do, 270
Corning, Leonard, 8
Corrente elétrica, riscos da, 889
Córtex
  adrenaL, 1317
  cerebral, áreas motoras e somatossenroriais do, 251
  motor
    músculos do, 252
    primário, 251
    vias de transmissões dos sinais do, 253
    vias provenientes do, 253
  sensorial somático, 242
Corticosteroides, 778
Crânio, 185
Crises metabólicas mitocondriais, 1126
Crisis resource management, 101
Cultura da segurança, 103
  aplicação na anestesiologia, 104
  papel do anestesiologista, 116
Curare, 8
Curva (s)
  da histerese pulmonar, 310
  da concentração plasmática, 867
  de dissociação da oxi-hemoglobina, 384, 385
  de fluxo
    aspecto serrilhado, 313
    evidenciando o desempenho pré e pós-broncodilator, 313
  de pressão de vias aéreas, 311
  de pressão x tempo, 311
  pressão-volume, 312, 312, 313
  volume-pressão do ventrículo esquerdo, 361

D

Dabigatrana, 794
Datura alba, 5
Débito cardíaco, 365
  armadilhas na uinterpreação, 1261
  determinantes, 365
Debriefing, 102
Debulking, 805
Decisão compartilhada, 44
Decúbio
  dorsal, possíveis lesões com o paciente em, 3498
  lateral, possíveis lesões com o paciente em, 3499

ventral, possíveis lesões com o paciente em, 3500
Defasciculação, 948
Déficit visual, 1035
Deflação, 998
Deiscência de sutura intestinal, 1092
Dependência química, 55
Descargas autoinduzidas, 201
Descompressão
  após exposição exce a altas pressões, 345
  gástrica, 947
Descrições gráficas, 3538
Desempenho
  avaliação e medidas, 74
  avaliações por observação de, 78
  humano, 113
Desfibrilação elérica externa, 3148
Desflurano, 493
Desipramina, 568
Desmielinização seletiva do sistema nervoso, 202
Desnervação no tônus simpático e parassimpático, efeitos da, 271
Desordem ácido base espcíficas, 1377
Desvenlafaxina, 569
Dexmedetomidina, 562
Diabetes, 1103
  melito, 272, 3121
Diafragma da sela, 186
Diálise, paciente em, 1086
Diazepam, 535
Difusão, propriedades que definem a, 320
Dimensões da ATS, 903
Dinorfina, 579
Dipiridamol, 800
Dipirona, 599
Dipolo, sequênciados promovem a despolarização de um miócito isolado, 358
Disbarismo, 344
Disfunção autonômica, 272
Dispepsia, sinais de alarme em pacientes com, 1089
Dispositivos supraglóticos, 933
Distúrbio(s)
  ácido base primários, 1375
  do equilíbrio hidroeletrlítico, 1384
  hemaológicos secundários, 1116
  herdados da hemostasia, 1115
Divertículo de Zenker, pacientes com, 1090

DNA mitocondrial, 476

Doação de orgãos, 46

Doador

   adulto por morte encefálica, 3041

   falecido, 3045, 3046

   infantil por morte encefálica, 3043

   vivo

      de fígado, 3050

      de pâncreas, 3052

      de pulmão, 3052

      de rim, 3048

Dobutamina, efeito sobre variáveis hemodinâmicas, 617

Doença(s)

   coronariana isquêmica conhecida, 1062

   crônica das montanhas, 343

   da hípófise, avaliação pré-anestésica, 1095

   das glândulas adrenais, avaliação pré-anestésica, 1098

   de Cushing, 1097

      alterações fisiológicas da, 441

   de von Willebrand, 1115

   do tecido conjuntivo e musculoesqueléicas, avaliação, 1119

   hepática, 1116

   inflamatória intestinal, 1091

   neuromusculares e reações atípicas na anestesia, 1126

   renal rônica

      estadiamento atualizada pela National Collaborating Center for Chronic Condition, 1085

      paciente com, 1084

Dolasetron, 783

Dopamina, 211

   como vasopressor, 510

Dor, resposta à, 316

Dräger Fabius GS, 855

Duke Activity Status Index, 1048

Duloxetina, 569

Dupla isolação, 893

E

Ebulidores, 846

Ecocardiografia Doppler, 879

Edoxabana, 793

Efeito

   Bohr, 322

      e relação com Ph, tempertura e 2,3 DPG, 323

      de altitude, 323

      de bombeamento, 846

      Haldane, 323

Eixo hipotalâmico-hipofisário, 440

Eletricidade de células cardíacas, 355

Eletroconvulsoterpia, 2993

Eletrocussão, 50, 890

   proteção contra, 892

Eletrodo de retorno, monitoramento, 896

Eletroforese, gráficos de, 1082

Embolia pulmonar, 1162, 3232, 3246

Enchimento ventricular

   ativo, 369

   atrial, 369

   passivo, 369

Encontro de Páscoa em 1947, 12

Encuramento endocárdico fracionário, 1282

Endotélio

   ativação após lesão tecidual, 141

   ativado, 142

   vascular na, hemostasia, 394

Energia elétrica isolada, 887

Enflurano, 493

Entropia, 1205

Envelhecimento, alterações autonômicas relacionadas ao, 272

Enxaqueca, 806

Enzimas microssômicas, indução de, 435

Eosinófilos, 139

Epigenética, 476

Epitálamo, 192

Eptifibatide, 798

Equação

   de Antoinc, 839

   de Goldman-Hodgkin-Katz, 199

   de Henderson-Hasselbalch, 1375

Equipamento eletromédico, utilização segura do, 899

Equipamentos elétricos permitidos em ambientes hospitalares, 893

Erro (s)

   cinco categorias de, 108

   conceito, 108

   contextuais, 108

   de comissão, 108

   de comunicação, 108

   de diagnóstico, 108

   de omissão, 108

   médico, 28

   no suprimento de gás, 858

   por fatores humanos

      particularidades da prática anesésica que favorecem, 113

      estratégias para reduzir os erros ocasionados por, 115

Escala

   clínica de fragilidade, 1047

   de coma de Glasgow., 1034

   de Fisher, 1036

   de sedação, 3318

Escitalopram, 569

Esôfago, ruptura do, 1091

Esofagograma baritado em paciente com acalisia, 1090

Esofagopatia chagásica, classificação de Rezende para avaliação radiológica da, 1090

Espaço

   anular, 853

   condições respiratórias inerentes ao, 344

   fisiologia respiratória no, 343

   pleural, gradientes de pressão e propriedades do, 308

Espectroscopia de infravermelho próximo, 386

Esquema de Kentaro Takaoka, 1002

Estabilizador de tubo traqueal., 937

Estado(s)

   da matéria, 817

   de choque, classificação, 3238

   de consciência, avaliação, 1033

   hipercoagulável, 1115

Estatística

   Bayesiana, 3545

   descritiva, 3537, 3553

   frequentista, 3542

Estenose

   aórtica, 1070

      coração com, 1070

   mitral, 1072

Estímulo

   elétrico, propagação do, 357

   respiratório, elementos constituintes da aferência do, 314

   soma de vários e efeito da inibição, 248

Estratégia

   de crescimento, 61

   de sobrevivência, 61

   desenvolvimento, 61

   pós parada cardiorrespiratória, 3183

Estresse, 54

   cirúrgico, resposta ao, 272

Estresse-index, 312
Estrutura(s) de proteção do SNC
  bulbo, 188
  cerebelo, 190
  cérebro, 191
  coluna vertebral, 185
  diencéfalo, 191
  epitálamo, 192
  hipotálamo, 192
  liquor, 187
  meninges, 186
  mesencéfalo, 190
  ponte, 189
  subtálamo, 192
  telencéfalo, 192
  anatomia das, 185
Esvaziamento do estômago, 421
Eter dietílico, 5
Eterização ao século XXI, 5
Éticada investigação em
  anestesiologia, 90
Eucosanoides, 414
Excelência profissional, 74

F
Fala, alteração da, 1035
Faringe, aspectos anatômicas, 296f
Fármacos
  adjuvantes, 2976
  antiarrítmicos, 678
Fármaco(s)
  anticonvulsivantes, 570
  antieméticos, propriedades dos, 786
  da classe IA, 679
  da classe IB, 680
  da classe IC, 682
  da classe II, 683
  metabolismo hepático dos, 434
  não bloqueadores neuromusculares,
    ação de, 285
ação, 285
  que alteram o processo de
    coagulação, 1171-1172
  que modulam a vasoconstrição
    pulmonar hipóxica, 333
  utilizados em reanimação
    cardiopulmonar, 3149
  utilizados para tratamento da
    hiperensão arterial, 645
Farmacogenética
  anestesia e, 477
  glossário de termos comuns
    utilizados em, 476

Farmacologia
  anestésica e o, fígado 436
  dos anti-histamínicos, 810
Fator(es)
  de risco
    associados com o desenvolvimeno
      da infecção pós-operatória
      relacionados à cirurgia e ao
        cirurgião, 153
      relacionados ao anestesiologisa,
        151
      relacionados ao paciente, 150
    tecidual, 141
    expressão de, 141
Federação Mundial das Sociedades de
  Anestesiologia, 23, 24
distribuição global de Fellowships
  realizados pela, 26
Fenda sináptica, 290
Fenitoína, 571, 681
Fenobarbital, 542
Fenômeno
  de capacitância, 897
  de reentrada, 675
Fenotiazinas, 779
Fenótipo, 476
Fentanil, 479
Feocromocitoma, 1100
  características dos pacientes com, 446
Fibra(s)
  aferente cruzando a linha média
    medular, 240
  de condução cardíacas, potencial de
    ação, 356
Fibrilação atrial de baixa resposta
  ventricular, 700
Fibrinólise, 399
Fígado
  anatomia do, 426
  farmacologia anestésica e o, 436
  funções do, 431
Filtração glomerular, medida do ritmo
  de, 1302
Fluido(s), 3200, 3307
  perioperatório, manejo do, 3304
  uso no perioperatório, 1393
Fluidorresponsividade, 3303
Fluoxetina, 568
Fluxo(s)
  através de um orifício, 821
  corrente local, 201
  laminares, 820, 1
  sanguíneo, 47

no pulmão em posição ereta
  distribuição do, 335
  regulação endotelial do, 331
  renal, autorregulação do, 413
Fluxômetros, 827, 837, 851
  de orifício fixo, 856
  eletrônicos, 855
  problemas com, 85Foco estratégico,
    61
Foice
  cerebelar, 186
  cerebral, 186
Fondaparinux, 793
Força
  eleromotriz, 199
  muscular, graduação da, 1034
Formação reticular, áreas excitatória e
  inibitória, 211
Fração de ejeção, medida da, 368
Framework NASSS
  aplicação do, 133
  no contexto perioperatório, 132
Função(ões)
  cardiovascular, testes operatórios
    da, 1073
  diastólica, determinantes, 368
  do hipocampo, 212
  hepática, avaliação laboratorialda,
    436
  hipotalâmicas, 212
  -renal, avaliação, 1080
  sistólica, fatores determinantes, 365
Fuso muscular
  e órgão tendinoso de Golgi, 248
  inervações motoras e sensoriais, 249

G
Gabapentina, 571
Gap junctions, 202
Gás(es)
  analisadores de, 1194
  carbônico, medida de concenração
    do, 1196
  em solução , 487
  mistura de, 487
  transferência por Unidade de
    tempo, fatores que influenciam,
    321
  troca entre alvéolo e sangue, 320
Gasto energético requerido conforme
  a atividade, 1074
Gene(s)
  afetados pelo polimorfismo, 478

estrutura do, 477

Genoma, 476

Genótipo, 476

Gestão de risco, 96

Giro angular, 209

Glândula pituitária,1327

Glicemia, 449

Glicosúria, 1083

Governança, 69

Gradientes pressóricos hidrostáticos, 334

Gráfico Yerkes-Dodson, 113

Granisetron, 782

Gravidez, alterações fisiológicase implicações para ressuscitação, 3163

Gromérulo renal, 412

Grupamento neuronal, organização de um, 231

H

Habituação, 210

Halotano-cafeína, teste de contração à exposição ao, 3415

Haplotipo, 476

Hematoma espinhal, fatores de risco associados ao, 1171

Hematúria, 1082

Hemisfério
cerebral, 239
dominante, 209

Hemoderivados, 1132

Hemofilias, 1115

Hemorreologia, 401

Hemostasia
avaliação pré-operatória da, 1335
avaliação pré-operatória, 1335
endotélio vascular na, 394
fases, monitorando as, 397
função da coagulação na, 394
terciária, 393

Heparina, plaquetopenia induzida pela, 1117

Heparina, 792

Hepatite
B, 51
C, 52
virais, características, 51

Hepatopatas, 1092

Herpesvírus, 50

Hierarquia de controles, modelo, 113

Hiperaldosteronismo primário, 1099

Hiperglicemiantes orais, manejo dos, 447

Hipertensão
arterial, 3442
causas identificáveis, 640
classificação, 637
fármacos utilizados para tratamento, 645
fatores de risco, 638
órgãos-alvo de lesões relacionadas à, 640
cérebro, 640
coração, 640
doença renal crônica, 640
tratamento, 641
arterial pulmonar
etiologias principai e tratamento farmacológico, 337
mecanismos fisiopatológicos, 336
intracraniana, 774
portal, causas, 1092

Hipertermia maligna
no Brasil, 3409
terapia de emergência ara, 3417

Hipertireoidismo, 1102
causas, 442
cuidados perioperaórios no, 443

Hipnóticos, 3319
venosemprego de, 948

Hipotireidismo, manejo intra-operatório do, 442

Hipoperfusão tecidual, 896

Hipotálamo, 192, 217
e estruras adjacentes, 259
funções do, 213

Hipotensão arterial, 3444

Hipotireoidismo, 1101

Hipoxia
efeitos da, 342
resposta à, 316

Histamina, 806
conversão de histidina em, 807
receptores, 808

Hormônio, metabolização de, 434

I

Ibuprofeno, 601

Imipramina, 568

Imperícia, 28

Imprudência, 28

Impulso(s)
respiratórios rítmicos, 315
sensitivo e motor, trajeto dos, 245

Imunidade
adquirida, 147
inata, 138

Imunossupressão, 3100

Inaladorde Morton, réplica, 837

Incidentalomas, 1100

Indicador(es)
de ambiente, 66
de estrutura, 66
de processos, 66
de qualidade, 158
de resultados, 66

Índice
Bispectral, 1204
de dificuldade, 81
de discriminação, 81
de previsão de hipotensão, 1211
de *status* de atividade Duke, 1020
de variação pletismográfica, 1194

Indução
anestésica, 3366
de bloqueio neuromuscular, modelo com custos estimados comparando a, 176

Inervação
autonômica dos principais órgãos, 270
cardíaca, 370
pumonar, 306

Infarto do miocárdio pós-operatório, 1062

Infecção (ões)
anestesia e,137
cateteres arteriais e risco de, 155
cirúrgica, 149, 150
epidemiologia e importância do problema, 137
desenvolvimento, 150
fatores de risco para desenvolver, 151
incisional profunda, 150
incisional superficial, 149
pós-operatória, fatores de risco associados com o desenvolvimento, 150
relacionada à anesesia, prevenção, 154
relacionadas ao cateter, 155
transmissão para o anestesiologista
Aids, 52
hepatite B, 51
hepatite C, 51
herpesvírus, 50
HIV, 52
tuberculose, 53

Informação, registros e segurança da, 116

Infusão alvo-controlada, 863

Inibição recíproca, circuito neuronal, 231

Inibidor(es)

da bomba de prótons, 787

da ciclooxigenase, 799

da fosfodiesterase, 800

de nidrase carbônica, 770

diretos da rombina, 794

diretos do fator Xa, 793

Inovação tecnológica, 92

Instrumentação intraoperaória, 11871

Instrumento de aferição de habilidades, propriedades dos, 81

Insuficiência

adrenal, 1100

cardíaca congestiva, farmacologia clínica dos betabloqueadores na, 655

Interação ventricular, 370

Interruptor de circuito por fuga de corrente, 888

Intoxicação

causas exógena, 1037

por anestésicos locais, 529

por CO_2 em grandes profundidades, 345

Intubação

difícil, previsão de, 918

traqueal, 937, 3332

Investigação em anestesiologia, ética da, 90

Íon

concentração de, 355

envolvidos nos potenciais de membranas, 198

Irrigação renal, 410

Isobolograma, 469

Isoflurano, 480, 493

Isoproterenol, efeito hemodinâmicos do, 618

Isquemia miocárdica, farmacologia clínica dos betabloqueadores na, 655

J

Jejum pré-anestésico, 1135

Junção(ões)

comunicantes, 202

neuromuscular, 203, 247

anatomia da, 275

difrenciação da, 279

formação da, 279

maturação da, 279

Justiça, 44, 45

K

Köller, Karl, 8

Kunka sukunka, 5

L

Labirinto membranoso, 255

Lâmina

de Macintosh, 944

Lamotrigina, 571

Laringe

estrutura, 297

inervação da, 297

músculos, 297

Laser Doppler, 386

Lata de Flagg, 838

Legislação aplicada à prática da anestesiologia, 27

decisões do Conselho Federal de Medicina, 36

decisões do Superior Tribunal de Justiça, 38

erro médico, 28

regulamentação datividade médica no ordenamento jurídico brasileiro, 28

resoluções do Conselho Federal de Medicina, 33

responsabilidade civil do médico, 29

responsabilidade ético-profissional, 31

responsabilidade penal do médico, 30

responsabilidade profissional, 27

Lei

de Avogadro, 818

de Boyle, 818

de Charle, 818

de Gay-Lussac, 818

de Henry, 820

de Poiseuille, 820

dos gases, 818

dos transplantes, 46

Leitura Contínua da Concentração da hemoglobina, 1194

Lesão (ões)

medulares, alterações autômicas nos pacientes com, 272

penetrante do olho, 2870

pulmonar aguda relacionada à transfusão, 1417

renal aguda, 1299

prevenção e reversão de, 773

Leucócitos recrutamento de, 142

Leu-encefalina, 579

Líder, competências do, 64

Liderança, 63

Lidocaína, 480, 680

Linfócitos, 139

B, 148

composição e função dos, 140

T, 148

Lipídios, metabolismo, 434

Lipoaspiração, 2818

Líquidos corporais, 1397

Liquor, 187

Lista de verificação na cirurgia e anesesia

aplicação da, 119

Lobo

pulmonar direito, 303

pulmonar esquerdo, 303

Locus coeruleus, 219

LOOP fluxo-volume, 312

Lótus do Egito, 3

Lúpus eritematoso sistêmico, 1117

M

Maçãs do diabo, 4

Macrochoques, 50

Macrochoques, 891

Macrófagos, 140

ativação dos, 141

ativado, 140

Malignidades hematológicas, 1117

Mandrágora, 4

Manobra

de compressão laríngea externa, 944

de Sellick, 948

Manômetros, 825

Maprotilina, 568, 569

Marca-passo e uso de bisturi elétrico, 898

Marcha, avaliação da, 1035

Mario Castro d"Almeida Filho, 18

Máscara

de Schimmel-brush, 838

laríngea, 933

Massagem cardíaca interna, 3145

Maturidade de uma instituição, nível de, 65

Mecanismos comportamentais e motivacionais, 211

Mediastino, 302

Medicações antidiabéticas no pré-operatório de cirurgia eletiva, manejo das, 1023

Medicamento(s)
anestésicos, métodos mais utilizados em avaliação econômica de, 169
desempenho, métodos utilizados em avaliação de, 168
para a saúde, responsabilidades e perspectivas sobre, 163
que devem ser tomados no dia da cirurgia, 1023
uso seguro de, 117

Medicina baseada em evidências, 3580

Médico
responsabilidade civil do, 29
responsabilidade penal do, 30

Medula espinhal, 187
tratos reticulares pontino,bulbar e vestibular na, 255

Membrana
celular
de miócito, 356
do eritrócito, citoesqueleto da, 403
estruturas proteicas da, 355
respiratória, camadas que constituem a, 325

Memória
de longo prazo, 210
de prazo intermediário, 210
de trabalho, 209
capacidades decorrentes da, 209
explícita, 211
implícita, 211
negativa, 210

Meninges, 196

Mercado de trabalho, gestão das novas gerações do, 67

Mergulho
de saturação, 346
fisiologia respiratória associada ao, 344
SCUBA, 346

Mesencéfalo, 190

-corte axial do, 190

Metadona, 480

Metanálise, 3571

Met-encefalina, 579

Methilnaltrexona, 592

Método(s)
de discos, 1284

ipsativos, 79

Métodos retropectivos, 96

Metoxiflurano, 493

Mexiletine, 681

Microchoques, 891

Microcirculação, transporte de oxigênio e outras funções da, 383

Microscopia intravital, 386

Midazolam, 535

Milnaciprano, 569

Milrinona, efeitos hemodinâmicos, 619

Miocárdio, relaxamento ou distensibilidade do, 369

Miopatias, 1123
classificação, 1124

Mitigações, 114

Modelo
atual da coagulação e fibrinoide, 393
conceitual de Krogh, 383
de decisão no período simples, esquema, 174

Moduladores energéticos, 621

Molécula de adesão, 142

Monitor
da atividade elérica do coração, 1188
da saturação periférica da hemoglobina pelo oxigênio, 1101
da temperaura, 1190

Monitoração/Monitorização
da função neuromuscular, 1200
da mecânica venilatória, 1197
da nocicepção e antinocicepção, 1207
da profundidade da anestesia, 1202
do enchimento e esvaziamento pulmonar, 313
hemodinâmica avançada, 1209
princípios da, 1181
pulmonar, 311
qualitativa e quantitativa, 1346

Monócitos, 139

Morbidade, 102

Morfina, 479

Morfina, 5

Morte
cerebral, 47
encefálica
comunicação, documentação e notificação de, 3027
diagnóstico de, 46
fisiopatologia da, 3038

termo de declaração de, 3032
humana, 47

Morton, Willian Thomas Green, 6

Mucosa
intestinal, 143-145
respiratório, 146
defesa imunológica do, 146

Multidisciplinaridade, 66

Músculo (s)
abdominais, contração dos, 308
da laringe, 297
expiratórios, 307
inspiratórios, 307
,vias de transmissão dos sinais do córtex motor aos, 253

Mutação, 476

N

Nalmefeno, 592

Naloxegol, 595

Naloxona, 592

Naltrexona, 592

Não maleficência, 44

Nariz, aspectos anatômicas, 296

Náusea e vômito
gênese da, 422
no período pós-operatório, modelo para avaliação econômica da ocorrência de, 174
profilaxia, 1147

Nefazodona, 569

Nefrectomia parcial, 774

Néfron, 410

Nefropatia por contraste, 1087

Negligência, 28

Nervo periférico, estimulador do, 1347

Neurociência, 215

Neurônio(s)
e fibras motoras, 246
e suas estruturas, 184f
fusiformes, 207
granulares, 207
motores anteriores, 246
piramidais , 207

Neurorradiologia, 2954

Neurorradiologia, 2956

Neurotoxicidade anestésica pediátrica, 2747

Neurotransmissão
adrenérgica, 264
colinérgica, 264

Neurotransmissor do sistema nervoso autônomo, 264

Neutrófilos, 139

Nistagmo, 1035

Nociceptina, 579

Noradrenalina na transmissão adrenérgica, síntese, 265

Norepinefrina, síntese da, 265

Nortriptilina, 568

Núcleo

da rafe, 211

de base, 257

circuitos dos, 257

de Clarke e formação do trato espinocerebelar, 234

hipotalâmicos, 260

medianos e dorsais da rafe, 219

pontinos e bulbares, 254

Nucleotídeo, 476

NVPO

anatomia dos centros do SNC relacionados com, 1152

artigos sobre no MEDLINE®, 1154

diagrama de bow-tie para, 1154

Nymphaea caerulea, efeito sedativo da, 3

O

Oclusão da artéria central da retina, 2668

Olho, 264

Onda de ativação cardíaca, caminhar da, 357

Ondansetron, 481

Ondansetron, 782

Opioide(s), 479

ações celulares dos, 580

classificação química, 582

endógenos, 579

estrutura geral e classificação dos, 581

mecanismos é sítios de ação, 579

mistura de, 594

tolerância ehiperalgesia induzida por, 592

Ordem de não ressuscitar, 47

Órgão

distribuição de, 46

doação de doador vivo, 46

doação de, 46

transplantes de, 46

Órteses, cuidados com, 899

Osteogênese imperfeita, 1123

Overshoot, 199

Oxcarbazepina, 572

Óxido nitroso, 493

Oxigenação apneica, 947

Oxigênio

direto, 827

transferência pelo tempo em situação normal e anormal, 320

transporte e sua utilização pela célula, 3448

Oximetria

de pulso, 1191

regional, 1193

P

Paciente

anticoagulados, sem sangramento ativo, manejo, 797

cirúrgico, integração entre estrutura, processo e desfecho no, 112

crítico, checklist no transporte do, 3194

na anestesia, segurança do, 107

pós-bariátrica, 1091

séptico, anestesiando o, 3290

Palm print test, 915

Palonosetron, estrutura química do, 783

Palonosetrona, fórmula estrutural, 805

Pâncreas, 446

Paracetamol, 601

Parada

cardíaca em situações especiais, 3153

cardiorrespiratória, prevenção, 3167

Paraganglioma, 1100

Paratireoides, 443

Parkinson, 1036

Paroxetina, 569

PCO_2 alveolar, 342

PEEP, 312

Pele, 143

Pentobarbital, 542

Perfusão pumonar, 304, 305

Perioperattório, segurança e risco global do, 109

Permutadores, 355

PESI (*Pulmonary embolism severity index*), 1164

Pesquisa

delineameno da, 3526

em anestesiologia, 87

como base para o desenvolvimento ecnológico, 92

financiamento, 89

Pesquisador, formação do 88

pH, mecanismo de controle, 1372

Pirâmide

do conhecimento de Miller, 76

normativa proposta por Hans Kelsen, 28

Plan, Do, Check, Action (PDCA), 128

Planejamento de anestesia estratégico, 60

Plano de manejo de dados, 3536

Plaquetopeniai nduzida pela heparina, 1117

Plasma, viscosidade do, 404

Plasticidade sináptica, hipótese da, 222

Pleura, 302

PO_2 alveolar, 342

Potenciais de membrana, biofísica básica dos, 197

Polígono de Willis, 194

Polimorfismo, 476

-genes afetados pelo, 478

Ponte, 189

Pós-carga, 361

Pós-transplante cardíaco, fisiologia e farmacologia, 3099

Potássio, 198

Potencial(is)

de ação, 277, 278

cardíaco, 356, 359

das fibras de condução cardíacas, 356

-platô de alguns, 202

-propagação do, 201

de equilíbrio, 355

de membrana, 277

biofísica básica dos, 197

de Nernst, 199

de repouso, 198, 198, 355

limiar, 199, 200

pós-sinápticas, 204

receptor, 200

registrado nas células miocárdicas, 202

sináptico, 200

Poupadores de potássio, 769

Prasugrel, 799

Prática anestésica segura, metas de segurança, 115

Pré-carga, 361

parâmeros esatístio de avaliação, 3301

Pré-curarização, 948

Preditores mnemônicos de dificuldade com a via aérea, 924

Pré-eclâmpsia, 806, 1117

Pregabalina, 572
Pressão (ões)
  alveolar de oxigênio em diferentes altitudes
efeito da respiração de O$_2$ a 100% na, 341
  atmosférica, efeitos da exposição aguda a baixas, 342
  barométrica, 342
  de oxigênio no corpo humano, aspectos relacionados à baixa, 341
  de pico, 311
  de platô, 311
  de vapor, 820
  e profundidade, relação de, 344
  intracardíacas, 1276
  intraocular, 2846
  intravasulares, 330
  muscular, 312
  parcial de oxigênio alveolar em diferenes altitudes, 341
  positiva continua nas vias aéreas, 1003
  positiva contínua, em dois níveis, nas vias aéreas, 1004
  redutores de, 821
  transrespiratória, transpulmonar e transtorácica, diagrama, 309
Princípio da moniorização, 1181
Probe, 878
Procainamida, 679
Procainamida, 679
Procedimento anestésico, repercussões no, 1125
Programa
  de avaliação de medicamentos, 164
  Nacional de Segurança do Paciente, 128
  para a saúde no Brasil, prioridades para adequar o planejamento, 164
Projeto
  de auditoria nacional do Reino Unido, 88
  de pesquisa científica, 88
Prolactinoma, 1098
Propofol, 478, 545
Proteção da transmissão bacteriana, 153
Proteína eletricamente excitáveis da membrana
  canais de potássio, 201
  canais de sódio, 200
Proteinúria, 1081
Protocolo ROSE, 3213

PTH, efeitos sobre as concentrações séricas de cálcio e fosfato, 443
Publicações científicas da área de anestesiologia, 91
Pulmão, 302
  áreas dos, 304
  esvaziamento dos, 998
  propriedades físicas e elásticas do, 308
Pupila, tipos de, 1034
Púrpura trombocitopênica trombótica, 1116

Q
Qualidade, 108
  aplicada à prática da anestesia, 131
  assistencial, 64
Queimadura, classificação, 3384
Questionário STOP-Bang, 917
Quimiorreceptores
  centrais, 315
  periféricos, 326
    representação dos, 326
Quinidina, 679

R
Radiações, 49
  grandezas e unidades da física das, 50
Ramosetron, 783
Reação(ões)
  anestésicas atípicas, 1127
  miotônicas, 1126
Reanimação cardiopulmonar extracorpórea, 3150
  fármacos utilizados em, 3149
Recém-nascido, avaliação da vitalidade do, 3158
Receptor(es)
  5-HT4, 805
  5-HT7, 805
  adrenérgicos, 266, 269
    classificação e característica, 269
    classificação, 267
    respostas da estimulação seletiva dos, 268
  α pós-sinápticos, 268
  β abrenérgicos, 268
  β pós-sinápticos, 268
  colinérgicos, 269, 282, 283
    classificação e característica, 269
    maduros, características, 284
  -tipos, 283
  DA1 pós-sinápticos, 268

  DA2 pré-sinápticos, 268
  de serotonina, 804
  do sistema nervoso autônomo, interação dos, 271
  dopaminérgicos, 268
  excitatórios, 204
  farmacológicos, 605
  inibitórios, 204
  ionotrópicos, 204
  J, 316
  metabotrópicos, 204
  opioides, 575
  para neurotransmissores, 204
  regulação, 286
  toll-like, 139
Redutores de pressão, 821
Reflexo (s)
  -cardíacos, 371
    cutaneoplantar, 1035
    de Bainbridge, 371
    de Bezoid-Jarisch, 371
    de Cushing, 371
    de estiramento muscular, 249
    de Hering-Breuer, 316
    de mergulho, 316
    de retirada, 250
    de tosse e espirro, 316
    em massa, 250
    extensor cruzado, 250
    flexor, 250
    flexores sucessivos mostrando a fadiga sináptica, 231
    mecânicos de músculos e tendões, 316
    musculares, 249
    oculocardíaco, 2845
    respiratórios, 316
    tendinoso de Golgi, 249
Região do bulbo, da ponte edo cerebelo, representação anatômica macroscópica, 238
Regulação homeostática, 220
Relatório Belmont, 44
Reologia sanguínea, aspectos sanguíneos, 404
Repolarização, 200
Reposição volêmica, estratégias, 3305
Respiração
  controle da, 314, 325
  controle voluntário da, 316
  em ar ambiente, 342
  mecanismos de controle da respiração, 315

sob O$_2$ a 100%, 342

Responsabilidade
  civil do médico, 29
  penal do médico, 30
  social, 69

Resposta(s)
  à dor, 316
  à hipóxia, 316
  anti-inflamatória, 148, 149
  ao estresse cirúrgico, 272
  de ativação da resposta
    neuroendócrina e maetabólica,
    mecanismo de ativação, 451
  graduada à intensidade de
    estimulação, 200
  imune específica, 147
  inflamatória, 138
    fases da, 141
  neuroendócrina
    ao estresse cirúrgico, 452
    ao trauma, 453
  simpáticas e parassimpáticas, 264

Ressuscitação, atividade lipídica de, 525

Resultado incontrolável, 28

Retalho microcirúrgico, 2832

Revisão
  de escopo, 3578
  narrativa, 3570
  sistemática, 3571

Reynolds, número e fluxos, 310

Rim, desenho esquemático do, 410

Risco (s)
  cirúrgico de acordo com o tipo de
    intervenção cirúrgica, 1029
  de acidentes elétricos na sala de
    operação, 50
  de complicações pulmonares pós-
    operatórias, estratificação do,
    1045
  gestão de, 96
  identificação do, 110
  operatório, índices utilizados para
    análise do, 1075
  perioperatório, escores e modelos
    para estratificação, 111
  profissional do anestesiologista, 49
    agressões psicológicas, 54
    dependência química e abuso de
      substâncias, 55
    exposição ocupacional aos
      anestésicos, 53
    eletrocussão, 50

exposição ocupacional aos
  anestésicos, 53
  infecções, 50
  radiações, 49
  ruídos, 49
pulmonar, papel dos exames
  complementares na avaliação do,
  1045

Ritimicidade
  de excitação das células do nodo
    sinusal, 201
  de tecidos excitáveis, 201

Rivaroxabana, 793

Rocurônio, 480

Rombencéfalo, 188

Ruídos, 49

S

Sacos alveolares, 302

Sala de cirurgia, equipamentos
  eletromédicos na, 881

Sangramento em pacientes
  anticoagulados, manejo, 798

Sangue, volumes de, 3299

Saturação arterial de O$_2$, 342

Saúde, valor em, 68

Savoflurano, 480

Score
  modificado de wells, 1163
  revisado de Geneva, 1163

Sedação para realização do bloqueio
  anestésico, 2871

Segurança, 108
  assistencial, 65
  cultura de, 103
  do paciente, 126
    fatores humanos na, papel dos,
    112

Sensações somestésicas, classificação,
  232

Sensibilizador do cálcio, 620

Sentidos somáticos, 231

Sepse no período perioperatório, 3288

Serotonina, 211
  recaptação da, 804
  receptores de, 804
  síntese e regulação da, 803
  síntese, 804

Sertalina, 569

Serviço de anestesia
  organização e gestão para,
    fundamentos, 59
  balanced scorecard, 61
  construção de um time, 68

gestão das novas gerações do
  mercado de trabalho, 67
indicadores, 66
liderança, 63
multidisciplinaridade, 66
planejamento estratégico, 60
qualidade assistencial, 64
segurança assistencial, 65
sustentabilidade, responsabilidade
  social e governança, 69
valor em saúde, 68

Simpson, James Young, 7

Sinais bioelétricos, 277

Sinapses
  com motonerônio inferior, 239
  elétricas, 202
  químicas, 203

Síndrome(s)
  carcinoide, 806
  da serotonina, 806
  de Burnout, 55
  edematosas, 774
  epiléptica, 1036
  HELLP, 1117
  hemolítico-urêmica, 1116
  parada cardiorrespiratória, 3181
  serotocolinérgica, critérios
    diagnósticos, 806

Sistema (s)
  anterolateral, 235,239
  bolsa-válvula-máscara, 991
  cardiovascular
    avaliação do, 1057
    controle do, 370
  circulares valvulares com
    absorvedor, 828
  coluna dorsal-lemnisco medial, 233,
    235
    aspectos clínicos, 239
    e sistema anterolateral, diferenças
      entre, 234
  coluna dorsal-lemnisco radial,
    sinapse, 237
  de acreditação e aprimoramento de
    processos, 98
  de classificação do estado físico
    segundo a ASA, 1028
  de condução cardíaco, 358
  de controle de fluxo, 826
  de controle neuro-humoral, 211
  de infusão de fármacos, 861
  de relato de incidene, 100
  de três fios, 886

digestório, avaliação, 1089

digestório e anexos, inervação autonômica, 270

endócrino, avaliação do, 1095

excitatório ascendente, 218

hematológico, avaliação do, 1111

imune, analgesia periférica e o, 580

imunológico adquirido, 147

límbico, 212

    anatomia do, 212

    componentes do, 213

    estruturas componentes do, 212

motor extrapiramidal, 253

nervoso autônomo

    eferente, 262

    neurotransmissores do, 264

    organização do, 260

    parassimpático, 261

    reflexos e interações, 268

nervoso central

    anatomia do, 183

-divisão anatômica e seus correspondentes anatômicos, 184

    divisões maiores, 184

    embriologia, 183

    estruturas de proteção do, anatomia das, 185

    funções cognitivas, 207

    níveis de divisão anatômica do, 185

    organização segundo a disposição neuronal, 185

    vascularização do, 194

nervoso parassimpático, divisão craniossacral, 262

renal

avaliação do, 1079

métodos de imagem para avaliação do, 1083

respiratório

    avaliação do, 1039

    efeitos da anestesia no, 1041

respiratórios avalvulares sem absorvedor, 830

respiratórios valvulares sem absorvedor, 831

simpático

    distribuição esquemática, 260

    divisão toracolombar, 261

talamocortical, 208

ultradiano, 219

Sleep spindles, 219

Snow, John, 7

Sociedade Brasileira de Anestesiologia

    educação na, 21

    pilares, 20

Sódio,198

Soluço, 3423

Soluto, transporte de, 414

Somação, 200

    espacial, 204

    temporal, 204

Somatório do potencial de ação do endocárdio e do PA do epicárdio, representação entre, 358

Sonda nasográfica, risco de complicações pulmonares e, 156

Sono

    arquitetuta do, 217

    atividade cortical durante o, 217

    neuroanatomia funcional do, 217

    nomenclatura e estágios do, 216

    regulação do, 219

Sono-vigília, fases do ciclo, 216

Strain longitudinal, 369

Succinilcolina, 480

Supervisão clínica, 72

Sustância negra, 211

Sustentabilidade,69

T

Taquicardia, 3452

Taxa de filtração glomerular, 415

TCIplasma, 866

Técnica

    caudal de anestesia regional, 9

    de anestesia regional para cirurgia oftálmica, 2858

    de aprendizado, 73

    de ensino teórico, 72

    de Teichoolz, 368

Tecnologia

    ciclo de vidas, 905

    de saúde

        avaliação de, 902

        classificação, 904

        métodos de avaliação das, 905

    disruptivas no cuidado perioperatório, 134

    em saúde, ciclo de vida DAS, 903

    na saúde e na anestesiologia, 901

    no SUS, incorporação, 908

    para a saúde, 163

Tegumento laterodorsal e pendunculopontino, 219

Telemedicina, 1018

Telencéfalo, 192

    corte axial do, 193

    corte sagial do, 194

Tempestade tireoidiana, 1324

Tenda do cerebelo, 186

Teoria

    ácido base de Stewart, 1381

    clássica de resposta a itens, 81

    de resposta a itens, análise segundo a, 82

    do queijo suíço, 100i

    holística, 210

Terapêutica com emulsão lipídica, 525

Terapia insulínica para pacientes com período curto de jejum, 1105

Termo

    de Consentimento Informado, 118

    de declaração de morte encefálica, 3032

Termocompensação, 844

Termorregulação, efeitos da anestesia geral na, 1365

Testamento vital, 47

Teste (s)

    da mordida no lábio superior, 925

    de contração à exposição ao halotano-cafeína, 3415

    de estresse para avaliar a capacidade funcional, 1073

    de Mallampati, 919

    de microbolhas, 1289

    diagnósticos, 1075

    estatísticos, 3560

    para formas identificáveis de hipertensão arterial, 641

    palavra-cor de Stroop, 100

    para detecção de vazamentos na seção de fluxo contínuo, 828

    pré-operatórios de baixo valor em procedimentos de baixo risco

The First Operation with Ether, 6

Ticagrelor, 799

Ticlopidina, 799

Tienopiridinas, 798

Time, construção de um, 68

Tiopental , 542

Tireopatia, avaliação pré-anestésica do paciente com, 1101

Tirofiban, 798

Tiroide, 440

Tonomeria gárica, 1259

Topiramato, 572

Tramadol, 480

Transformador de isolamento, 887

Transfusão de sangue, 3310

Transmissão

　bacteriana, proteção da, 153

　sináptica, 202

　　bioeletrogênese da, 197

Transplantado renal, 1086

Transplante(s) , 46

　de órgãos, 3035

　de pâncreas, indicação, 3123

　renal, 774

　　intervivos, 3063

　-rejeição, 1087

Transporte

　de CO_2, 323

　intra-hospitalar

　　eventos adversos e fatores de
　　　risco, 3192

　　tipos, 3191

Transtorno de uso de substâncias, 49

Traqueia, 298

Traqueia, 298, 299, 301

Traqueostomia, 946

Tratamento irradiante, 2981

Trato

　corticoespinhal, 253

　espinocerebelares, 257

　funções conjuntas dos, 253

　gastrointestinal, 264

　medular trigeminal, 242

Trauma

　bucomaxilofacial, 2802

　de face e pescoço, avaliação da via
　　aérea no, 3365

　resposta neuroendócrina ao, 453

　torácico, 3372

　via aérea no, 966

Trazodona, 569

Troca

　de gases, 322

　　no alvéolo, 324

　microcirculatória de oxigênio, 383

Trocadores de tubo traqueal, 950

Tromboelastografia, 399

　traçado, 400

　rotacional, 400

Tromboembolia, 3432

Tromboembolismo

　na gesação, 1173

　venoso

　　em pacientes cirúrgicos
　　　ortopédicos,estratificação de
　　　risco para, 1161

　em pacientes

　　cirúrgicos,estratificação de risco
　　　para, 1160

　em crianças e adolescenes, 1173

　prevenção, 1157

Tromboprofilaxia

　farmacológica para TEV, 1165, 1166-
　　1167

　mecânica, 1168

　segura, 1164

Trombose venosa profunda, 1161

Tronco

　cerebral

　　controle da função motora e, 254

　　funções especiais do, 254

　　-núcleos reiculares vesibulares do,
　　　254

　　vias do, 212

　da artéria coronariana esquerda, 374

　encefálico, 188

　　anatomia do, 189

　　humano, desenho, 216

　　núcleos dos nervos cranianos
　　　localizados no, 189

Tropisetran, 783

Tuberculose, 53

Tubo

　de Thorpe, 852

　laríngeo, 937

Túbulo contorcido proximal, 415

Tumor

　carcinoide, 1331

　produtor de TSH, 1098

Turbinas, 994

U

Ultrassonografia, fundamentos da, 871

Unidade motora, 247

Urina, acantócitos e codócitos,
　respectivamente, ao exame de, 1083

V

Válvulas

　de agulha, 826

　reguladoras de pressão, 826

Vapor, pressão de, 820

Vaporizador (es), 827, 837

　conhecido como garrafa de Boyle,
　　841

　de "arrastamento" e de
　　"borbulhamento, 841

　de injeção direta, 848

　EMO, modelo de, 845

　Fluotec, 845

　mecânico, de injeção direta, 849

　Siemens 950, 849

　tipo Vernitrol, 842

Varfarina, 481

Variz de esôfago, 1092

Vasos

　esplâncnicos, 431

　sanguíneos, inervação autonômica,
　　270

Vasoconstrição pulmonar hipóxica,
　332

　fármacos que modulam a, 333

　implicações fisiológicas e
　　anestésicas, 333

Vasoconstritor, classificação, 606

Vasopressor no choque refratário, 616

Veia(s),302

　dos membros inferiores, 353, 354

　-território de drenagem das, 3545

　dos membros superiores, 353, 354

　　território de drenagem das, 3545

Venlafaxina, 569

Ventrículo esquerdo, desempenho
　diastólico do, 1288

Ventilação

　difícil sob máscara, previsão, 917

　efeitos da, 334

　espontânea, 947

　intraoperatória, estratégias
　　protetoras de, 1009

　manual sob máscara facial, 932

　-mecânica intraoperatória, 969

　não invasiva, 971

　　indicações e contraindicações, 977

　pulmonar, 326

　sob máscara, 923

Ventilador pulmonar, princípios para
　regular, 1000

Via(s)

　aéreas

　　abordagem vortex para manejo
　　　da, 961

　　avaliação, 913

　　condutivas, 298

　　difícil, 955

　　gerenciamento de emeergência
　　　da, 3331

　　superiores, 295

　　transicionais, 300

　corticorrubroespinhal e sua relação
　　com o cerebelo, 254

　de transmissão dos sinais do córtex
　　motor aos músculos, 253

provenientes do córtex motor, 253
sensorial (is)
    utilização clínica da monitorização das, 244
    e inervação motora para o músculo, 247
trigeminais, 241
Vigília, atividade cortical durante o, 217

Vírus
    da hepatite B, 51
        profilaxia após exposição percutânea ou de mucosa pelo, 51
    do herpes simples, 50
    Epstein-Barr, 50
= varicela-zoster, 50

Viscosidade sanguínea, efeito do hematócito na, 405
Volume sistólico
    variações induzidas pela ventilação mecânica, 3302
    medida por meio da ecocardiografia, 366
Vortioxetina, 570